Important p
Ważniejsze napisy w

No Soliciting	Akwizytorom dziękujemy
No Swimming	Kąpiel wzbroniona
No Trespassing	Teren prywatny - wstęp wzbroniony
No Weapons	Wstęp bez broni
Not an Exit	Wyjście w innym miejscu
One Way	Ulica jednokierunkowa
Open	Otwarte
Out	Wyjście
Out of Order	Zepsute
Pedestrian Crossing	Przejście dla pieszych
Phone	Telefon
Picnic Area	Miejsce do biwakowania
Please Use Other Door	Wejście drugimi drzwiami
Please Wait	Proszę czekać
Poison	Trucizna
Pull	Ciągnąć
Push	Pchać
Quiet Please	Proszę o ciszę
Railroad Crossing	Przejazd kolejowy
Recycle	Segreguj surowce wtórne
Reserved	Zarezerwowane
Reserved Parking-for Persons with Physical Disabilities	Parking dla osób niepełnosprawnych
Restroom	Toaleta
Ring Bell	Proszę skorzystać z dzwonka
School Xing	Przejście dla dzieci szkolnych
School Zone/Speed Limit 20	Szkoła - ograniczenie prędkości do 20 mil na godzinę
Shoes and Shirts Required	Wstęp w butach i koszuli
Shoplifters Will Be Prosecuted	Kradzieże będą karane
Signal Ahead	Dojazd do skrzyżowania z sygnalizacją świetlną
Slippery When Wet	Uwaga, nawierzchnia może być śliska kiedy jest mokro
Slow/Children at Play	Zwolnij! Uwaga na bawiące się dzieci
Smoking Area	Strefa dla palących
Smoking Permitted	Tu wolno palić
Sold Out	Bilety wyprzedane
Speed Limit 30	Ograniczenie prędkości do 30 mil na godzinę
Stairs	Schody
Stop	Stop
Stop Ahead	Dojazd do skrzyżowania ze znakiem STOP
Street Crossing	Dojazd do skrzyżowania
Ticket Office	Kasa biletowa
Waiting Area	Strefa dla czekających
Walk	Przejście przez ulicę dozwolone
Wash Hands Before Returning to Work	Przed powrotem na stanowisko pracy umyj ręce
Watch Your Step	Uwaga, stopień
Water Fountain	Woda do picia
Wet Floor	Uwaga, mokra podłoga
Wet Paint	Świeżo malowane
Women	Dla kobiet
Women's Restroom	Toaleta dla kobiet
Wrong Way	Zakaz wjazdu
Yard Sale	Wyprzedaż rzeczy używanych
Yield	Ustąp pierwszeństwa przejazdu
Yield Ahead	Dojazd do skrzyżowania z drogą główną

ANGIELSKO-POLSKI

ENGLISH-POLISH

NOWY SŁOWNIK FUNDACJI KOŚCIUSZKOWSKIEJ

ANGIELSKO-POLSKI

REDAKTOR NACZELNY

JACEK FISIAK

REDAKTOR TOMU

ARLETA ADAMSKA-SAŁACIAK

THE KOSCIUSZKO FOUNDATION, Inc.
15 East 65th Street
New York, N. Y. 10021

Szczególne podziękowania dla
Fundacji na Rzecz Nauki Polskiej/
Foundation for Polish Science
Warsaw, Poland

Wydanie pierwsze

Dom Wydawniczy Towarzystwo Autorów i Wydawców Prac Naukowych UNIVERSITAS,
30-063 Kraków, al. 3 Maja 7
tel./fax (012) 634 51 07, 634 37 85, 423 47 69
e-mail box@universitas.com.pl
www.universitas.com.pl

ISBN 0-917004-26-4
ISBN 83-7052-574-1

Redaktor
Wanda Lohman

Projekt graficzny okładki i obwoluty
Ewa Gray

Fot. na obwolucie
Christopher Gore

Skład i łamanie
„QUAD"

Druk i oprawa
Białostockie Zakłady Graficzne S.A.

SPIS TREŚCI

PRZEDMOWA

W 1959 r. *Fundacja Kościuszkowska* (The Kosciuszko Foundation, „An American Center for Polish Culture") wydała słownik angielsko-polski, a w 1961 r. polsko-angielski. Słownik ten autorstwa profesorów Kazimierza Bulasa, Francisa J. Whitfielda i Lawrence'a L. Thomasa był świadectwem wieloletniej misji Fundacji promowania i wspierania kulturalnego, historycznego i naukowego zbliżenia i przyjaźni między narodami Polski i Stanów Zjednoczonych. Słownik ten był najszerzej znaną i rozpoznawaną wizytówką Fundacji.

Przez ponad cztery dekady nasz dwutomowy słownik zajmował poczesne miejsce między poważnymi dwujęzycznymi słownikami opublikowanymi w Stanach Zjednoczonych, służąc pokoleniom zwykłych użytkowników, studentów, naukowców i tłumaczy po obydwu stronach Atlantyku. W ciągu tych lat przedrukowany był trzynaście razy. W 1998 r. podjęliśmy decyzję o wydaniu nowego słownika, kiedy to okazało się, że istniejącego nie da się po czterdziestu latach istnienia poprawić i uaktualnić. Świat zmieniał się szybko w drugiej połowie dwudziestego wieku i masowe powstawanie nowych wyrazów oraz nowych znaczeń istniejących już wyrazów wymagało opracowania zupełnie nowego słownika.

Słownik obecny został przygotowany pod kierunkiem prof. dr hab. Jacka Fisiaka, dyrektora Instytutu Filologii Angielskiej Uniwersytetu im. A. Mickiewicza w Poznaniu, który jako redaktor naczelny nadzorował pracę doświadczonych leksykografów i konsultantów.

Mgr Michał Jankowski, kierownik Pracowni Komputerowej IFA UAM, pełnił funkcję zastępcy redaktora naczelnego. Redaktorem tomu angielsko-polskiego była prof. dr hab. Arleta Adamska-Sałaciak, kierownik Zakładu Leksykografii i Leksykologii IFA UAM. Mgr Mariusz Idzikowski był redaktorem tomu polsko-angielskiego do chwili rezygnacji w maju 2000 r. W czerwcu tego roku zastąpił go prof. dr hab. Piotr Gąsiorowski, któremu od czerwca 2002 r. pomagali również dr Marcin Feder i mgr Maciej Machniewski. Pomocą w zakresie amerykańskiej angielszczyzny służył Amerykański Komitet Doradczy w składzie: profesor Michael J. Mikoś (University of Wisconsin-Milwaukee), profesor Robert A. Rothstein (University of Massachusetts, Amherst), profesor Oscar E. Swan (University of Pittsburgh) i profesor Charles E. Townsend (Princeton University).

Prace nad nowym słownikiem finansowane były głównie z funduszu „Stanislaw Chylinski Fund", ustanowionego przez Fundację Kościuszkowską w 1974 r. Ponadto inne instytucje i osoby prywatne, którym w tym miejscu składam serdeczne podziękowanie, również wspomagały finansowo przygotowanie nowego słownika.

Poważny grant Fundacji na Rzecz Nauki Polskiej w Warszawie pomógł w dużym stopniu w rozpoczęciu prac nad słownikiem. W tym miejscu pragnę podziękować kierownictwu i pracownikom Fundacji za wsparcie. Jestem szczególnie wdzięczny Prezesowi FNP, prof. dr hab. Maciejowi W. Grabskiemu za jego poparcie i przekonanie od samego początku o wadze naszego przedsięwzięcia.

W Stanach Zjednoczonych znaczącego poparcia projektowi opracowania nowego słownika udzieliły takie instytucje jak: The Polish National Alliance of Brooklyn USA, The Polish-Slavic Federal Credit Union, Brooklyn, New York i Fundacja Rockefellera.

Pomocy finansowej również udzielili: Oddział Fundacji Kościuszkowskiej w Nowej Anglii; the Western New York Chapter of the Kościuszko Foundation; The United Poles Federal Credit Union of Perth Amboy, New Jersey; Association of the Sons of Poland, Carlstadt, New Jersey; The Central Council of Polish Organizations, Pittsburgh; The Polish Falcons Alliance of America, Pittsburgh, Pennsylvania i Śląska Wytwórnia Wódek Gatunkowych *Polmos* S.A. z Bielska-Białej w Polsce.

Następujące osoby prywatne wsparły finansowo prace nad słownikiem: Joseph E. Gore, Esq. (członek Rady Nadzorczej Fundacji) i Eugenia F. Gore (Clifton, New Jersey); Dr Irene S. Pyszkowski, członek Rady Nadzorczej Fundacji (Sparkill, New York), Witold S. Sulimirski, Przewodniczący Rady Nadzorczej Fundacji (Bronxville, New York) dla uczczenia pamięci Profesora Tadeusza Sulimirskiego; Janet F. i John Skibski (Northampton, Massachusetts); John Czaplinski (Brooklyn, New York); Tom i Kathy Podl (Sammamish, Washington); Mildred H. Tyszka i Helen Mary M. Tyszka (Garden City, New York, od siebie, jak również dla uczczenia pamięci George'a S. Tyszki oraz Stanleya J. i Heleny Sleziak); Philip W. Cadieux (Farmingdale, New York) oraz John i Elizabeth Chludzinski (Longwood, Florida).

Szczególne wyrazy wdzięczności za pomoc prawną i „pro bono" kieruję pod adresem prawników White and Case, W. Danilowicz, W. Jurcewicz i Wspólnicy – Kancelaria Prawna sp. k. (Polska) w Warszawie. Ich pomoc cechowała wysoka kultura i profesjonalne kompetencje.

Wszystkie dochody ze sprzedaży słownika zostaną przeznaczone na wspieranie działalności i programów edukacyjnych oraz kulturalnych Fundacji.

Sierpień 2003 r.
Nowy Jork

Joseph E. Gore, Esq.
Prezes i Dyrektor Naczelny
Fundacji

WSTĘP

Nowy Słownik Fundacji Kościuszkowskiej (The New Kosciuszko Foundation Dictionary) powstał w Instytucie Filologii Angielskiej Uniwersytetu im. A. Mickiewicza w Poznaniu w latach 1998–2002. W pierwotnych zamierzeniach miał to być poprawiony i uzupełniony *Słownik Fundacji Kościuszkowskiej (THE KOSCIUSZKO FOUNDATION DICTIONARY)* autorstwa Kazimierza Bulasa, Francisa J. Whitfielda i Lawrence'a L. Thomasa wydany w latach 1959–1961 i wznawiany trzynastokrotnie do 1995 roku. Wkrótce po rozpoczęciu prac leksykograficznych okazało się jednak, że z wielu względów należy pomysł ten zarzucić i opracować słownik zupełnie nowy, objętościowo przekraczający znacznie, bo aż o ponad 60%, słownik wcześniejszy. Dotyczyło to nie tylko dodania słownictwa nowego, które weszło do języka w ciągu ostatnich kilkudziesięciu lat, ale również zmiany znaczeń, które w słowniku już były. Warto przypomnieć, że *Słownik Fundacji Kościuszkowskiej* zawierał trochę ponad 90 tysięcy haseł. Powstał zasadniczo w latach 1940–1945 i oparty był pierwotnie głównie na *Concise Oxford Dictionary* z 1938 roku, później uzupełniony przez wydanie tego słownika z 1951 roku i dwa słowniki amerykańskie z lat czterdziestych. W związku z tym należało usunąć pewną część znaczeń dziś nieistniejących bądź już archaicznych, jak również poddać podobnej weryfikacji wszystkie wyrazy hasłowe.

Nowy Słownik Fundacji Kościuszkowskiej zawiera ponad 140 000 haseł, 400 000 znaczeń oraz 100 000 idiomów i utartych zwrotów. Jest on jednym z najobszerniejszych angielsko-polskich i polsko-angielskich słowników, jakie w ogóle powstały. Przeznaczony jest w pierwszym rzędzie dla użytkownika, którego językiem ojczystym jest język polski, ale z powodzeniem może również służyć rodzimym użytkownikom języka angielskiego. Duży ładunek informacji leksykalnej, obejmujący nie tylko język życia codziennego, ale również terminologię techniczną, wyrażenia literackie, archaizmy itd., czyni obecny słownik użytecznym narzędziem w ręku tłumacza, studenta filologii angielskiej oraz średnio zaawansowanego i zaawansowanego ucznia.

Słownik zorientowany jest w pierwszym rzędzie na angielszczyznę amerykańską, chociaż specyficzne użycia wyrazów i znaczenia typowe dla angielszczyzny brytyjskiej i innych odmian języka angielskiego zostały także odnotowane.

Wymowa wyrazów angielskich podana w transkrypcji fonetycznej w części angielsko-polskiej to wymowa amerykańska. Jest to jedna ze specyficznych cech obecnego słownika, wyróżniająca go spośród pozostałych słowników angielsko-polskich obecnych na rynku polskim.

Przy opracowywaniu, a następnie uzupełnianiu angielskiej siatki haseł obecnego słownika korzystano z szeregu słowników i baz danych leksykalnych, w tym m.in. *Webster's Third New International Dictionary* (1993), *Longman Advanced American English Dictionary* (2000), *NTC's American English Learner's Dictionary* (1998), *Random House Webster's Dictionary of American English* (1997), *Cambridge Dictionary of American English* (2000), *Shorter Oxford Dictionary* (1993) i in. Wykorzystano również dużą liczbę angielskich i angielsko-polskich słowników specjalistycznych. W trakcie opracowywania słownika bardzo pomocni byli konsultanci, a szczególnie członkowie Amerykańskiego Komitetu Doradczego *Nowego Słownika Fundacji Kościuszkowskiej*: profesorowie Michael J. Mikoś (University of Wisconsin, Milwaukee), Oscar E. Swan (University of Pittsburgh), Charles E. Townsend (Princeton University) i Robert A. Rothstein (University of Massachusetts), jak również profesorowie Emma Harris (Uniwersytet Warszawski), Edmund Gussmann (Uniwersytet Gdański), Tadeusz Piotrowski (Uniwersytet Opolski), Kazimierz Polański (Uniwersytet Jagielloński) i Joanna Radwańska-Williams (The Chinese University of Hong Kong) oraz red. Andrzej Wróblewski, dr inż. Stanisław Żurkowski, dr Stanisław Koszela, dr Julian Chmiel, dr Michał Kupczyk, mgr Bogusława

Jerzak, Kevin Hagarty, B.A., Thomas Anessi, M.A., Graham Knox-Crawford, M.A., profesor Ben Paflin i Colin Phillips, M.A., którzy czytali część lub całość słownika i którym w tym miejscu składamy serdeczne podziękowania za cenne uwagi zarówno natury ogólnej, jak i szczegółowej.

W dalszej części *Wstępu* podajemy szereg informacji, które powinny czytelnikowi ułatwić korzystanie z niniejszego słownika.

JAK UŻYWAĆ SŁOWNIKA

Struktura hasła

Hasło w obecnym słowniku składa się z wyrazu hasłowego, zapisu wymowy w transkrypcji fonetycznej, informacji gramatycznej, kwalifikatora stylistycznego, jednego lub więcej znaczeń wraz z kwalifikatorami semantycznymi, zwrotów (fraz) i idiomów. Nie wszystkie te elementy muszą występować w każdym haśle.

Wyrazy hasłowe

Wyrazy hasłowe są uporządkowane alfabetycznie i wyróżnione drukiem **półgrubym**. Mogą one być częścią wyrazu złożonego lub frazy.

Wymowa

W części angielsko-polskiej po angielskim wyrazie hasłowym podana jest wymowa w transkrypcji fonetycznej. Jeśli w miejscu wyrazu hasłowego znajduje się zestawienie lub fraza składająca się z dwóch lub więcej wyrazów, ich wymowy należy szukać tam, gdzie występują jako wyrazy hasłowe. Np. w przypadku **bubble jet printer** wymowy należy szukać odpowiednio przy każdym z tych trzech wyrazów. Lista symboli fonetycznych znajduje się na s. XV–XVI.

Informacja gramatyczna

Każde hasło zawiera kwalifikatory gramatyczne, tj. informacje dotyczące przynależności wyrazu hasłowego do części mowy (np. *n.* = rzeczownik, *v.* = czasownik itd.), liczby rzeczownika itd. Kwalifikatory gramatyczne mogą występować również przed polskim odpowiednikiem znaczeniowym.

Kwalifikatory stylistyczne

Kwalifikatory stylistyczne znajdują się w haśle po kwalifikatorach gramatycznych i służą do wyróżnienia tych znaczeń i użyć wyrazów, które odbiegają od stylu neutralnego. Są to np. *arch.* = archaiczne, *sl.* = slang, *pot.* = potoczne itd.

Zwroty i idiomy

Zwroty i idiomy zamieszczone są w różnych miejscach wewnątrz hasła.

Pisownia

Podstawową pisownią używaną w słowniku jest pisownia amerykańska. Warianty pisowni brytyjskiej zostały także uwzględnione i są zamieszczone obok wyrazu hasłowego w jego amerykańskiej formie, np. **color**, *Br.* **colour**.

Skróty i nazwy własne

Akronimy i inne skróty oraz nazwy własne potraktowane są w słowniku jako wyrazy hasłowe i występują w porządku alfabetycznym.

Użycie ~ (tyldy)

~ (tylda) zastępuje cały wyraz (np. ~ **the main mast** zamiast **abaft the main mast**) lub jego część (**primary ~s** zamiast **primary colors**).

Rodzaj rzeczowników w polskich tłumaczeniach
W tłumaczeniach polskich męskie i żeńskie formy rzeczowników podawane są w sposób skrócony, np. aktor/ka, mieszkan-iec/ka, zamiast pełnych aktor/aktorka, mieszkaniec/mieszkanka.

Odsyłacze
Odsyłacz jest używany tam, gdzie chcemy uniknąć powtarzania tłumaczeń tego samego zwrotu zamieszczonego częściej niż raz, np. w haśle **day** *n.* mamy wśród zwrotów w punkcie **6.** ... **every dog has his** ~ *zob.* **dog** *n.* Pod **dog** *n.* **15.** znajdujemy **every** ~ **has his /its day** każdy ma (w życiu) swoje pięć minut. Znak '=' stosowany jest, gdy hasła mają to samo znaczenie, np. **celeb** *n. pot.* = **celebrity** lub **daemon, daimon** *lit.* = **demon**.

INFORMACJA GRAMATYCZNA W CZĘŚCI ANGIELSKO-POLSKIEJ

Rzeczowniki
Formy nieregularne rzeczowników podane są zaraz za kwalifikatorem gramatycznym, np. **child** *n. pl.* **children** lub **lily** *n. pl.* **-ies**.

Czasowniki
Formy podstawowe czasowników regularnych tworzone przez dodanie końcówki **-d** i **-ed** zostały pominięte w słowniku z wyjątkiem form, które po dodaniu **-ed** podwajają w pisowni ostatnią spółgłoskę. W takich przypadkach po kwalifikatorze gramatycznym umieszczona jest podwójna spółgłoska, np. **bob** *v.* **-bb- (bobbed)**.

Nieregularne formy czasowników zostały podane w formie czasu przeszłego i imiesłowu czasu przeszłego, np. **drink** *v.* **drank, drunk** czy **catch** *v.* **caught, caught** lub **cast** *v.* **cast, cast**.

Przymiotniki i przysłówki
W słowniku podano jedynie nieregularne formy stopniowania, np. **good** *a.* **better, best** lub **well** *adv.* **better, best**. Dotyczy to również przymiotników zakończonych na **-y**, np. **dandy** *a.* **-ier, -iest**, w których **y** zamienia się na **i** przy dodaniu końcówki stopnia wyższego i najwyższego.

LISTA SKRÓTÓW

przymiotnik	*a.*	adjective
skrót	*abbr.*	abbreviation
strona czynna	*act.*	active voice
administracyjny	*admin.*	administrative
przysłówek	*adv.*	adverb
algebra	*alg.*	algebra
anatomia	*anat.*	anatomy
anglo-indyjskie	*Anglo-Ind.*	Anglo-Indian
antropologia	*antrop.*	anthropology
archaiczne	*arch.*	archaic
archeologia	*archeol.*	archeology
rodzajnik	*art.*	article
astrologia	*astrol.*	astrology
astronomia	*astron.*	astronomy
przydawka	*attr.*	attributive
australijskie	*Austr.*	Australian
Biblia	*Bibl.*	Bible

bibliotekarstwo	*bibl.*	library
biochemia	*biochem.*	biochemistry
biologia	*biol.*	biology
botanika	*bot.*	botany
brytyjskie	*Br.*	British
budownictwo	*bud.*	building industry
policzalne	*C*	countable
kanadyjskie	*Can.*	Canadian
chemia	*chem.*	chemistry
chirurgia	*chir.*	surgery
stopień wyższy	*comp.*	comparative
spójnik	*conj.*	conjunction
czasem	*cz.*	sometimes
określony	*def.*	definite
stomatologia	*dent.*	dentistry
gwarowe	*dial.*	dialectal
zdrobnienie	*dimin.*	diminutive
dosłowne	*dosł.*	literal
drukarstwo	*druk.*	printing
dziecinne	*dziec.*	nursery
dziennikarstwo	*dzienn.*	journalism
ekologia	*ekol.*	environment
ekonomia	*ekon.*	economics
elektronika, elektrotechnika	*el.*	electronics, electricity
emfatyczne	*emf.*	emphatic
entomologia	*ent.*	entomology
eufemistyczne	*euf.*	euphemistic
żeński	*f.*	feminine
filozofia	*fil.*	philosophy
finanse	*fin.*	finance
fizyka	*fiz.*	physics
fizjologia	*fizj.*	physiology
fonetyka	*fon.*	phonetics
formalne	*form.*	formal
fotografia	*fot.*	photography
francuskie	*Fr.*	French
geografia	*geogr.*	geography
geologia	*geol.*	geology
geometria	*geom.*	geometry
głównie	*gł.*	mainly
górnictwo	*górn.*	mining
greckie	*Gr.*	Greek
gramatyka	*gram.*	grammar
handel	*handl.*	commerce
heraldyka	*her.*	heraldry
historia	*hist.*	history
hydrologia	*hydrol.*	hydrology
ichtiologia	*icht.*	ichtiology
tryb rozkazujący	*imp.*	imperative
indyjskie	*Ind.*	Indian
nieokreślony	*indef.*	indefinite
bezokolicznik	*inf.*	infinitive
wykrzyknik	*int.*	interjection

introligatorstwo	*introl.*	bookbinding
irlandzkie	*Ir.*	Irish
ironiczne	*iron.*	ironic
włoskie	*It.*	Italian
jeździectwo	*jeźdz.*	horse-riding
językoznawstwo	*jęz.*	linguistics
jak wyżej	*jw.*	ditto
kartografia	*kartogr.*	cartography
kolejnictwo	*kol.*	railroads
komputery	*komp.*	computers
kościół	*kośc.*	church
krystalografia	*krystal.*	crystallography
kulinarne	*kulin.*	culinary
kynologia	*kynol.*	cynology
lub	*l.*	or
łacińskie	*Lat.*	Latin
leśnictwo	*leśn.*	forestry
literackie	*lit.*	literary
logika	*log.*	logic
lotnictwo	*lotn.*	aviation
męski	*m.*	masculine
malarstwo	*mal.*	painting
matematyka	*mat.*	mathematics
mechanika	*mech.*	mechanics
medycyna	*med.*	medicine
metafizyka	*metafiz.*	metaphysics
metalurgia	*metal.*	metallurgy
meteorologia	*meteor.*	meteorology
miernictwo	*miern.*	surveying
mineralogia	*min.*	mineralogy
mitologia	*mit.*	mythology
motoryzacja	*mot.*	motorization, automobiles
muzyka	*muz.*	music
myślistwo	*myśl.*	hunting
rzeczownik	*n.*	noun
przeczenie	*neg.*	negative
rodzaj nijaki	*neut.*	neuter
nieosobowy	*nieos.*	impersonal
nowozelandzkie	*NZ*	New Zealand
obelżywe	*obelż.*	abusive
obsceniczne	*obsc.*	obscene
ogrodnictwo	*ogr.*	gardening
onomatopeiczne	*onomat.*	onomatopoeic
optyka	*opt.*	optics
ornitologia	*orn.*	ornithology
osoba	*os.*	person
się	*o.s.*	oneself
paleontologia	*paleont.*	paleontology
parlament	*parl.*	parliament
imiesłów	*part.*	participle
strona bierna	*pass.*	passive
patologia	*pat.*	pathology
pejoratywne	*pej.*	pejorative

liczba mnoga	*pl.*	plural
południe	*płd.*	south
północ	*płn.*	north
poetyckie	*poet.*	poetic
pogardliwe	*pog.*	contemptuous
polityka	*polit.*	politics
porównaj	*por.*	compare
potoczne	*pot.*	colloquial
imiesłów bierny	*pp.*	past participle
prawo	*prawn.*	law
orzecznikowy	*pred.*	predicative
prefiks	*pref.*	prefix
przyimek	*prep.*	preposition
czas przeszły	*pret.*	preterite
zaimek	*pron.*	pronoun
przenośne	*przen.*	metaphorical
przestarzałe	*przest.*	obsolete
psychologia	*psych.*	psychology
pytające	*pyt.*	interrogative
religia	*rel.*	religion
retoryka	*ret.*	rhetoric
rolnictwo	*roln.*	agriculture
rybołówstwo	*ryb.*	fishing
rzadkie	*rzad.*	rare
rzymskokatolicki	*rz.-kat.*	Roman Catholic
południowoafrykańskie	*S.Afr.*	South African
ktoś	*sb.*	somebody
szkockie	*Scot.*	Scottish
liczba pojedyncza	*sing.*	singular
slang	*sl.*	slang
socjologia	*socjol.*	sociology
hiszpańskie	*Sp.*	Spanish
statystyka	*stat.*	statistics
coś	*sth.*	something
stolarstwo	*stol.*	woodwork
stopień najwyższy	*super.*	superlative
szermierka	*szerm.*	fencing
szkoła	*szkoln.*	school
też	*t.*	also
technika	*techn.*	technology
telekomunikacja	*tel.*	telecommunications
telewizja	*telew.*	television
teologia	*teol.*	theology
teoria	*teor.*	theory
tkaniny, tkactwo	*tk.*	fabrics, weaving
niepoliczalne	*U*	uncountable
ubezpieczenia	*ubezp.*	insurance
ujemne	*uj.*	pejorative
uniwersytet	*uniw.*	university
amerykańskie	*US*	American
czasownik	*v.*	verb
wołacz	*voc.*	vocative
wersyfikacja	*wers.*	versification

weterynaria	*wet.*	veterinary medicine
wojskowość	*wojsk.*	military (system, affairs)
wulgarne	*wulg.*	vulgar
wyjątek	*wyj.*	exception
złożenie	*złoż.*	compound
zobacz	*zob.*	see
zoologia	*zool.*	zoology
zwykle	*zw.*	usually
zwłaszcza	*zwł.*	especially
żartobliwe	*żart.*	jocular
żegluga	*żegl.*	sailing

WYMOWA ANGIELSKA

Samogłoski i dyftongi

Symbol fonetyczny	*Przykład angielski*	*Przybliżony odpowiednik polski lub opis*
[iː]	pea, beat	długie „i”
[ɪ]	it, did	samogłoska podobna do polskiego „y”
[e]	red, egg	bez, rzecz
[æ]	hat, mad	bardzo otwarte „e”
[ɑː]	pot, far	mam, danie
[ʌ]	but, come	agregat, nadęty
[ɔː]	law, dog	długie „o”
[ʊ]	put, hood	krótkie „u” z neutralnymi wargami
[uː]	too, rude	długie „u” z zaokrąglonymi wargami
[ə]	about, comma	samogłoska centralna nieakcentowana
[ɝː]	bird, hurt	długa samogłoska centralna wymawiana jednocześnie z retrofleksyjnym (artykułowanym z podwiniętym końcem języka ku górze) „r”
[eɪ]	eight, rate	hej, lejce
[aɪ]	ice, knight	raj, bajka
[aʊ]	how, out	aut, stał
[ɔɪ]	boy, ointment	boja, wojna
[oʊ]	boat, oak	ołtarz, Mołdawia

Spółgłoski

[p]	pike, apart	palec, pokój
[b]	bake, back	byk, barka

[t]	take, tea	tam, materac
[d]	day, deal	dom, bieda
[k]	key, cake	kat, mak
[g]	grow, ago	gonić, laguna
[f]	foot, after	fala, afera
[v]	veal, voice	waga, owoc
[θ]	thin, thing	wymawia się jak „s” z językiem między zębami
[ð]	this, weather	wymawia się jak „z” z językiem między zębami
[s]	sit, city	sam, bas
[z]	zoo, zebra	zebra, zły
[ʃ]	shoe, assure	szewc, szkoła
[ʒ]	vision, genre	żuk, ważny
[tʃ]	cheese, bitch	czyj, rzecz
[dʒ]	gin, Jack	dżem, drożdże
[l]	leak, alike	lek, belka
[m]	man, ham	matka, sam
[n]	nice, man	noga, len
[ŋ]	sing, bang	bank w wymowie bez „k”
[r]	read, hard	retrofleksyjne „r” wymawiane z podwiniętym językiem ku górze
[w]	wood, wet	ława, biały
[j]	yes, young	jest, jutro
[h]	how, hill	słabsze polskie „ch”

Akcent

ˈ	akcent główny	[ˈteləfoʊn]
ˌ	akcent poboczny	[ˈænɪkˌdoʊt]

ANGIELSKIE CZASOWNIKI NIEREGULARNE

Bezokolicznik (*Infinitive*)	Czas przeszły (*Preterite*)	Imiesłów bierny (*Past participle*)
arise	arose	arisen
awake	awoke/awakened	awoken
be	was/were	been
bear	bore	born/borne
beat	beat	beaten/beat
become	became	become

befall	befell	befallen
begin	began	begun
behold	beheld	beheld
bend	bent	bent
beset	beset	beset
bet	bet/betted	bet/betted
bid (*cards*)	bid	bid
bid (*say*)	bade	bidden
bind	bound	bound
bite	bit	bitten
bleed	bled	bled
blow	blew	blown
break	broke	broken
breed	bred	bred
bring	brought	brought
broadcast	broadcast	broadcast
build	built	built
burn	burnt/burned	burnt/burned
burst	burst	burst
bust	busted/bust	busted/bust
buy	bought	bought
can	could	–
cast	cast	cast
catch	caught	caught
choose	chose	chosen
cling	clung	clung
come	came	come
cost	cost	cost
creep	crept	crept
cut	cut	cut
deal	dealt	dealt
dig	dug	dug
dive	dove	dived
do	did	done
draw	drew	drawn
dream	dreamt/dreamed	dreamt/dreamed
drink	drank	drunk
drive	drove	driven
dwell	dwelt/dwelled	dwelt/dwelled
eat	ate	eaten
fall	fell	fallen
feed	fed	fed
feel	felt	felt
fight	fought	fought
find	found	found
fit	fit	fit

fit	fit/fitted	fit/fitted
flee	fled	fled
fling	flung	flung
fly	flew	flown
forbid	forbade	forbidden
forecast	forecast	forecast
forget	forgot	forgotten
forgive	forgave	forgiven
forsake	forsook	forsaken
freeze	froze	frozen
get	got	gotten/got
give	gave	given
go	went	gone
grind	ground	ground
grow	grew	grown
hang (*something*)	hung	hung
have	had	had
hear	heard	heard
hide	hid	hidden
hit	hit	hit
hold	held	held
hurt	hurt	hurt
keep	kept	kept
kneel	knelt/kneeled	knelt/kneeled
knit	knit/knitted	knit/knitted
know	knew	known
lay	laid	laid
lead	led	led
lean	leaned/leant	leaned/leant
leap	leapt/leaped	leapt/leaped
learn	learned/learnt	learned/learnt
leave	left	left
lend	lent	lent
let	let	let
lie	lay	lain
light	lit/lighted	lit/lighted
lose	lost	lost
make	made	made
may	might	–
mean	meant	meant
meet	met	met
mistake	mistook	mistaken
mow	mowed	mowed/mow
must	(had to)	(had to)

partake	partook	partaken
pay	paid	paid
plead	pled/pleaded	pled/pleaded
pre-set	pre-set	pre-set
proofread	proofread	proofread
prove	proved	proven/proved
put	put	put
quit	quit/quitted	quit/quitted
read	read [red]	read [red]
rid	rid	rid
ride	rode	ridden
ring	rang	rung
rise	rose	risen
run	ran	run
saw	sawed	sawed/sawn
say	said	said
see	saw	seen
seek	sought	sought
sell	sold	sold
send	sent	sent
set	set	set
sew	sewed	sewn/sewed
shake	shook	shaken
shall	should	–
shear	sheared	shorn/sheared
shed	shed	shed
shine	shined/shone	shined/shone
shit	shit/shat	shit/shat
shoot	shot	shot
show	showed	shown/showed
shrink	shrank/shrunk	shrunk
shut	shut	shut
sing	sang	sung
sit	sat	sat
slay	slew	slain
sleep	slept	slept
slide	slid	slid
sling	slung	slung
slit	slit	slit
smell	smelled/smelt	smelled/smelt
sow	sowed	sown/sowed
speak	spoke	spoken
speed	sped/speeded	sped/speeded
spell	spelled/spelt	spelled/spelt
spend	spent	spent
spill	spilt/spilled	spilt/spilled
spin	spun	spun

spit	spit/spat	spit/spat
split	split	split
spoil	spoiled/spoilt	spoiled/spoilt
spread	spread	spread
spring	sprang/sprung	sprung
stand	stood	stood
steal	stole	stolen
stick	stuck	stuck
sting	stung	stung
stink	stank/stunk	stunk
strew	strewed	strewn/strewed
stride	strode	stridden
strike	struck	stricken
string	strung	strung
strive	strove/strived	striven/strived
swear	swore	sworn
sweep	swept	swept
swell	swelled	swollen, swelled
swim	swam	swum
swing	swung	swung
take	took	taken
teach	taught	taught
tear	tore	torn
tell	told	told
think	thought	thought
throw	threw	thrown
thrust	thrust	thrust
tread	trod	trodden, trod
wake	woke/waked	woken/waked
wear	wore	worn
weave	wove	woven
wed	wed/wedded	wed/wedded
weep	wept	wept
wet	wet/wetted	wet/wetted
win	won	won
wind	wound	wound
withdraw	withdrew	withdrawn
wring	wrung	wrung
write	wrote	written

LICZBY • NUMBERS

LICZEBNIKI GŁÓWNE		CARDINAL NUMBERS
jeden	1	one
dwa	2	two
trzy	3	three
cztery	4	four
pięć	5	five
sześć	6	six
siedem	7	seven
osiem	8	eight
dziewięć	9	nine
dziesięć	10	ten
jedenaście	11	eleven
dwanaście	12	twelve
trzynaście	13	thirteen
czternaście	14	fourteen
piętnaście	15	fifteen
szesnaście	16	sixteen
siedemnaście	17	seventeen
osiemnaście	18	eighteen
dziewiętnaście	19	nineteen
dwadzieścia	20	twenty
dwadzieścia jeden	21	twenty-one
dwadzieścia dwa	22	twenty-two
trzydzieści	30	thirty
czterdzieści	40	forty
pięćdziesiąt	50	fifty
sześćdziesiąt	60	sixty
siedemdziesiąt	70	seventy
osiemdziesiąt	80	eighty
dziewięćdziesiąt	90	ninety
sto	100	one hundred
sto jeden	101	one hundred and one
dwieście	200	two hundred
trzysta	300	three hundred
czterysta	400	four hundred
pięćset	500	five hundred
tysiąc	1000	one thousand
milion	1,000,000	one million
miliard	1,000,000,000	one billion

LICZEBNIKI ZBIOROWE		COLLECTIVE NUMERALS
dwoje	2	two
troje	3	three

czworo	4	four
pięcioro	5	five
sześcioro	6	six
siedmioro	7	seven

•

LICZEBNIKI PORZĄDKOWE		ORDINAL NUMBERS	
1.	pierwszy	1st	first
2.	drugi	2nd	second
3.	trzeci	3rd	third
4.	czwarty	4th	fourth
5.	piąty	5th	fifth
6.	szósty	6th	sixth
7.	siódmy	7th	seventh
8.	ósmy	8th	eighth
9.	dziewiąty	9th	ninth
10.	dziesiąty	10th	tenth
11.	jedenasty	11th	eleventh
12.	dwunasty	12th	twelfth
13.	trzynasty	13th	thirteenth
14.	czternasty	14th	fourteenth
15.	piętnasty	15th	fifteenth
16.	szesnasty	16th	sixteenth
17.	siedemnasty	17th	seventeenth
18.	osiemnasty	18th	eighteenth
19.	dziewiętnasty	19th	nineteenth
20.	dwudziesty	20th	twentieth
21.	dwudziesty pierwszy	21st	twenty-first
30.	trzydziesty	30th	thirtieth
40.	czterdziesty	40th	fortieth
50.	pięćdziesiąty	50th	fiftieth
60.	sześćdziesiąty	60th	sixtieth
70.	siedemdziesiąty	70th	seventieth
80.	osiemdziesiąty	80th	eightieth
90.	dziewięćdziesiąty	90th	ninetieth
100.	setny	100th	one hundredth
101.	sto pierwszy	101st	one hundred-and-first
1000.	tysiączny	1,000th	one thousandth
1 000 000.	milionowy	1,000,000th	one millionth
1 000 000 000.	miliardowy	1,000,000,000th	one billionth

LICZEBNIKI UŁAMKOWE		FRACTIONS	
pół, połowa	1/2	one half	1/2
jedna trzecia	1/3	one third	1/3
jedna czwarta	1/4	one quarter	1/4
jedna piąta	1/5	one fifth	1/5
trzy czwarte	3/4	three quarters	3/4
dwie trzecie	2/3	two thirds	2/3
półtora	1 1/2	one and a half	1 1/2
pięć dziesiątych	0,5	zero point five	0.5
trzy przecinek cztery	3,4	three point four	3.4
sześć przecinek osiemdziesiąt dziewięć	6,89	six point eight nine	6.89
dziesięć procent	10%	ten percent	10%
sto procent	100%	one hundred percent	100%

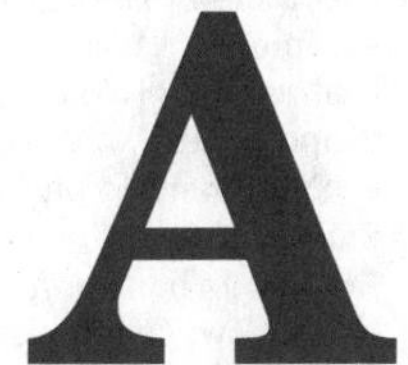

A [eɪ], **a** *n. pl.* **-'s** *l.* **-s** [eɪz] **1.** A, a (*litera l. głoska*). **2. from A to Z** od A do Z.

A[1] [eɪ] *n. pl.* **-'s** *l.* **-s** (*także* **alpha**) *szkoln.* najwyższa ocena, bardzo dobry; **an ~ in sth** ocena bardzo dobra z czegoś.

A[2] *n. muz.* A, a (*dźwięk l. stopień skali*); **A flat** as.

a [ə], **an** [ən] *indef. art.* **a** *przed wyrazem zaczynającym się na spółgłoskę*, **an** *przed wyrazem zaczynającym się na samogłoskę*. **1.** najczęściej nie tłumaczy się na j. polski; **a car** samochód; **an apple** jabłko; **she's a writer** jest pisarką. **2.** pewien, jakiś; **a woman I know** (pewna) moja znajoma; **is he a friend of yours?** czy to (jakiś) twój znajomy?; (*przed nazwiskiem*) niejaki; **a Mr John Dole called** dzwonił niejaki (pan) John Dole. **3.** każdy, jakikolwiek, dowolny; **a triangle has three sides** (każdy) trójkąt ma trzy boki. **4.** (*przed imieniem własnym użytym jako rzeczownik pospolity*) **this kid is a little Einstein** ten dzieciak to (taki) mały Einstein; **an authentic Titian** autentyczny Tycjan (*o obrazie*). **5.** = **one**; **a hundred/thousand** sto/tysiąc. **6.** (*w wyrażeniach oznaczających częstotliwość l. stosunek wielkości*) na; po; **twice a day** dwa razy dziennie *l.* na dzień; **100 miles an hour** sto mil na godzinę; **ten cents a piece** po dziesięć centów sztuka *l.* za sztukę. **7.** (*przed pierwszym z dwóch rzeczowników występujących zawsze w tej samej kolejności*) **a knife and fork** nóż i widelec. **8.** (*dla nadania węższego znaczenia rzeczownikowi niepoliczalnemu*) **a limited knowledge of Chinese** ograniczona znajomość chińskiego. **9.** (*dla podkreślenia pojedynczości l. jedności*) **they perished to a man** zginęli co do jednego; **all of a size** wszystkie jednej *l.* tej samej wielkości. **10.** *emf.* **what a day!** co za dzień!; **many a time** *form.* niejeden raz.

a-[1] [ə] *pref.* **1.** *arch. l. lit.* w; na (*t. inne określenia miejsca*); **abed** w łóżku; **afire** w ogniu *l.* płomieniach. **2.** (*z imiesłowem czasu teraźniejszego*) *poet. l. dial.* **go a-hunting** chodzić na łowy; **come a-running** nadbiec.

a-[2] [eɪ] *pref.* a-; nie-; **asymmetrical** asymetryczny; **atypical** nietypowy.

A. *abbr.* = **America(n)**.

a. *abbr.* **1.** *miern.* = **acre(age)**. **2.** *gram.* = **adjective**. **3.** = **answer**.

A-1 [ˌeɪ ˈwʌn], **A 1**, **A one** *a. attr. przest. pot.* pierwsza klasa, wyśmienity.

AA [ˌeɪ ˈeɪ] *abbr.* **1.** = **Alcoholics Anonymous**. **2.** *wojsk.* = **antiaircraft**. **3.** *Br.* = **Automobile Association**. **4. Associate of Arts** *US* stopień z zakresu nauk humanistycznych uzyskiwany po ukończeniu dwuletniego college'u.

AAA [ˌtrɪpl ˈeɪ] *abbr.* **1. Amateur Athletic Association** *Br.* Amatorskie Stowarzyszenie Lekkiej Atletyki. **2. American Automobile Association** *US* Amerykańskie Stowarzyszenie Automobilistów.

aardvark [ˈɑːrdˌvɑːrk] *n. zool.* mrównik, prosię ziemne (*Orycteropus afer*).

aardwolf [ˈɑːrdˌwʊlf] *n. pl.* **aardwolves** *zool.* protel (*Proteles cristatus*).

AB [ˌeɪ ˈbiː] *abbr.* **1.** *Can.* = **Alberta**. **2. able seaman** *wojsk. Br.* mat (*w Royal Navy*); *zob.* **able-bodied** 2. **3. airman basic** *wojsk. US* szeregowy (*w siłach powietrznych*).

A.B. [ˌeɪ ˈbiː] *abbr. US szkoln.* **Artium Baccalaureus** licencjat; = **Bachelor of Arts.**

ABA [ˌeɪ ˌbiː ˈeɪ] *abbr.* **American Bar Association** *US* Stowarzyszenie Prawników Amerykańskich.

aback [əˈbæk] *adv.* **taken ~** zaskoczony, skonsternowany; *żegl.* zatrzymany przez przeciwny wiatr.

abacus [ˈæbəkəs] *n. pl.* **abacuses** [ˈæbəkəsɪz] *l.* **abaci** [ˈæbəˌsaɪ] **1.** liczydło; *hist.* abak. **2.** *bud.* abakus.

abaft [əˈbæft] *adv. żegl.* ku rufie; na rufie. – *prep. żegl.* za; **~ the mainmast** za grotmasztem, w części rufowej.

abalone [ˌæbəˈloʊnɪ] *n. zool.* słuchotka (*Haliotis*), ucho morskie.

abandon [əˈbændən] *v.* **1.** opuszczać, porzucać; wycofywać się z; **~ ship** *żegl.* opuścić statek (*komenda*). **2.** przerwać pracę nad. **3.** zrzekać się; rezygnować z; **~ sth (to sb)** poddać *l.* oddać coś komuś (*rezygnując z obrony*). **4. ~ o.s. to sth** *lit.* poddać *l.* oddać się czemuś (*impulsowi, emocji*). – *n. U* żywiołowość, zapamiętanie (się); **with (gay/wild) ~** impulsywnie, zapamiętale.

abandoned [əˈbændənd] *a.* **1.** opuszczony, porzucony. **2.** *attr.* impulsywny, zapamiętały. **3.** *uj.* niemoralny, zdziczały.

abandonment [əˈbændənmənt] *n. U* **1.** porzucenie; osamotnienie. **2.** odstąpienie, rezygnacja. **3.** = **abandon**.

abase [əˈbeɪs] *v. form.* poniżać, upokarzać; *t. przen.* pomniejszać; **~ o.s. (before sb)** poniżać *l.* płaszczyć się (przed kimś).

abasement [əˈbeɪsmənt] *n. U form.* upokorzenie, poniżenie; pomniejszenie.

abash [əˈbæʃ] *v.* zawstydzać; zmieszać, stropić.

abashed [ə'bæʃt] *a.* zawstydzony; zmieszany, stropiony.

abashedly [ə'bæʃɪdlɪ] *adv.* ze wstydem; w zakłopotaniu.

abashment [ə'bæʃmənt] *n. U* zawstydzenie, zmieszanie.

abate [ə'beɪt] *v. form.* **1.** zmniejszać, łagodzić; tłumić, wyciszać; obniżyć (*cenę*). **2.** osłabnąć, uciszyć się (*o wietrze, zamieszaniu*); zelżeć (*o bólu*). **3.** położyć kres, ukrócić; ukręcić łeb (*plotce, pogłosce*). **4.** *prawn.* unieważnić, anulować.

abatement [ə'beɪtmənt] *n. U form.* **1.** zmniejszenie, złagodzenie; osłabnięcie, zelżenie; obniżka (*ceny*); umorzenie (*części zadłużenia*). **2.** *prawn.* unieważnienie.

abatis ['æbəˌtɪs], **abattis** *n. pl.* **abatis** *l.* **abattis** *wojsk.* zasieki, zapora (*t. hist., ze ściętych drzew i gałęzi*).

abattoir ['æbətwɑːr] *n. zwł. Br.* ubojnia, rzeźnia.

abaxial [æb'æksɪəl] *a. gł. bot.* odosiowy (*o ułożeniu liści*).

abbacy ['æbəsɪ] *n. kość.* **1.** opactwo (*dobra, terytorium*); jurysdykcja opata. **2.** = **abbotcy**.

abbatial [ə'beɪʃl] *a. kość.* opacki; należący do opactwa.

abbé [æ'beɪ] *n.* ksiądz (*grzecznościowo o duchownych, zwł. francuskich*).

abbess ['æbɪs] *n. kość.* przełożona opactwa, ksieni.

abbey ['æbɪ] *n. kość.* opactwo.

abbot ['æbət] *n. kość.* opat.

abbotcy ['æbətsɪ], **abbotship** ['æbətˌʃɪp] *n. U* godność opata.

abbr., abbrev. *abbr.* = **abbreviation**.

abbreviate [ə'briːvɪˌeɪt] *v.* skracać (*zwł. słowa l. tekst*).

abbreviation [əˌbriːvɪ'eɪʃən] *n.* **1.** skrót. **2.** *U* skracanie.

ABC [ˌeɪ ˌbiː 'siː] *abbr.* **American Broadcasting Companies** *US* ABC (*sieć telewizyjna i radiowa*).

ABCs [ˌeɪ ˌbiː 'siːz], **ABC's** *Br.* **ABC** [ˌeɪ ˌbiː 'siː] *n.* abecadło; **the ~ of sth** *przen.* abecadło *l.* elementarz czegoś.

abdicate ['æbdəˌkeɪt] *v.* **1.** (*także* **~ the throne**) abdykować. **2.** *form.* zrzec się władzy *l.* urzędu; **~ responsibility** zrzec się odpowiedzialności.

abdication [ˌæbdə'keɪʃən] *n.* abdykacja, zrzeczenie się władzy.

abdomen ['æbdəmən] *n.* **1.** brzuch; *anat.* dolna część tułowia, abdomen. **2.** *ent.* odwłok.

abdominal [æb'dɑːmənl] *a. anat.* brzuszny, abdominalny; *ent.* odwłokowy.

abdominous [æb'dɑːmənəs] *a. form.* brzuchaty.

abducent [æb'duːsənt] *a. anat.* odwodzący (*o mięśniu*).

abduct [æb'dʌkt] *v.* **1.** *form.* porwać, uprowadzić. **2.** *anat., fizj.* odwodzić (*o mięśniu*).

abduction [æb'dʌkʃən] *n.* **1.** *form. l. prawn.* uprowadzenie, porwanie. **2.** *U anat., fizj.* odwodzenie (*kończyny*), abdukcja.

abductor [æb'dʌktər] *n.* **1.** *prawn.* sprawca/czyni uprowadzenia. **2.** *anat.* mięsień odwodzący.

abeam [ə'biːm] *adv. żegl.* na trawersie, prostopadle do kursu.

abecedarian [ˌeɪbiːsiː'derɪən] *a. form.* **1.** alfabetyczny. **2.** elementarny. – *n. lit. l. żart.* początkujący uczeń; nowicjusz.

abed [ə'bed] *adv. arch. l. lit.* w łóżku.

Abel ['eɪbl] *n. Bibl.* Abel.

abele [ə'biːl] *n. bot.* topola biała (*Populus alba*).

Abelian [ə'biːlɪən] *n. mat.* abelowy (*o grupie, funkcji, równaniu*).

Abenaki [æbə'nɑːkɪ], **Abnaki** [æb'nɑːkɪ] *n. pl.* **Abenaki** *l.* **Abenakis** **1.** *hist.* Abenaki (*konfederacja plemion algonkińskich*). **2.** *pl.* Abenakowie (*lud indiański*). **3.** *U* (język) abenaki.

aberrance [ə'berəns], **aberrancy** [ə'berənsɪ] *n.* **1.** *biol.* nietypowość (*w obrębie jednostki systematycznej*). **2.** = **aberration** 1, 2.

aberrant [ə'berənt] *a.* **1.** nietypowy; odbiegający od normy; *biol.* zmutowany. **2.** *uj.* nienormalny, zboczony.

aberration [ˌæbə'reɪʃən] *n.* **1.** odchylenie, odstępstwo od normy. **2.** *uj.* dewiacja, zboczenie; aberracja umysłowa. **3.** *nauka* aberracja; **~ of light** *astron.* odchylenie światła (*w polu grawitacyjnym*); **spherical/chromatic ~** *opt.* aberracja sferyczna/chromatyczna.

aberrational [ˌæbə'reɪʃənl] *a. nauka* związany z aberracją.

abet [ə'bet] *v.* **-tt-** *form. l. prawn.* nakłaniać do; **~ sb (in sth)** pomagać komuś (w popełnieniu czegoś), nakłaniać *l.* podżegać kogoś (do czegoś); **aid and ~** *zob.* **aid**.

abetment [ə'betmənt], **abettal** [ə'betl] *n. U gł. prawn.* pomoc (*w popełnieniu występku*); nakłanianie do przestępstwa, podżeganie.

abetter [ə'betər] *prawn.* **abettor** *n. form.* osoba nakłaniająca do przestępstwa; podżegacz/ka.

abeyance [ə'beɪəns] *n. U* **1.** *form.* brak rozstrzygnięcia, zawieszenie, odroczenie; nieskuteczność (*przepisu, prawa*). **2.** *gł. prawn.* **in ~** nierozstrzygnięty, o niepewnym statusie; **fall into ~** utracić skuteczność (*o przepisach*).

abhor [æb'hɔːr] *v.* **-rr-** *form.* nie znosić; brzydzić się, czuć odrazę do; wzdragać się przed; **nature ~s a vacuum** natura nie znosi próżni.

abhorrence [æb'hɔːrəns] *n. U* **1.** wstręt, odraza. **2.** *uj.* okropność, obrzydliwość.

abhorrent [æb'hɔːrənt] *a.* **1.** *uj.* wstrętny, odrażający. **2. ~ to sth** *form.* sprzeczny *l.* nie do pogodzenia z czymś (*zwł. ze zdrowym rozsądkiem*). **3. be ~ of sth** *form.* brzydzić się czymś, czuć odrazę do czegoś.

abhorrently [æb'hɔːrəntlɪ] *adv.* **1.** odrażająco. **2.** ze wstrętem.

abidance [ə'baɪdəns] *n. U form.* **~ (by sth)** trwanie (przy czymś), wierność (czemuś).

abide [ə'baɪd] *v.* **1.** *form.* trwać. **2.** *arch.* wyczekiwać (*czegoś*). **3. ~ (by) sth** *gł. prawn.* podporządkować się czemuś. **4. ~ by sth** obstawać *l.* trwać przy czymś, pozostać wiernym czemuś; dotrzymać czegoś. **5.** *lit.* wytrwać, zdzierżyć;

cannot ~ sb/sth nie móc znieść kogoś/czegoś. **6. abode, abode** *arch.* przebywać, bawić (*gdzieś*); **~ with sb** pozostać z kimś, towarzyszyć komuś.

abiding [ə'baɪdɪŋ] *a.* **1.** trwały. **2.** wierny, niezłomny.

abidingly [ə'baɪdɪŋlɪ] *adv.* **1.** trwale. **2.** niezłomnie.

abigail ['æbəˌgeɪl], **Abigail** *n. arch.* panna służąca, garderobiana.

ability [ə'bɪlətɪ] *n.* **1.** zdolność, umiejętność; **the ~ to do sth** umiejętność robienia czegoś. **2.** sprawność; zaradność. **3.** *prawn.* kompetencja, uprawnienie. **4.** *często pl.* talent, uzdolnienie.

abiosis [ˌeɪbaɪ'oʊsɪs] *n. biol.* brak żywych organizmów.

abiotic [ˌeɪbaɪ'ɑːtɪk] *a. biol.* abiotyczny, pozbawiony życia; nieożywiony.

abject ['æbdʒekt] *a. attr.* **1.** beznadziejny; skrajny; **~ poverty/misery** skrajna bieda/nędza. **2.** nędzny, żałosny. **3.** podły, nikczemny. **4.** służalczy, uniżony.

abjection [əb'dʒekʃən] *n. U* **1.** upodlenie, poniżenie. **2.** = **abjectness**.

abjectly [æb'dʒektlɪ] *adv.* **1.** służalczo. **2.** nędznie, żałośnie.

abjectness [æb'dʒektnəs] *n. U* **1.** służalczość. **2.** podłość.

abjuration [ˌæbdʒʊ'reɪʃən] *n. U form.* odwołanie poglądów, wyrzeczenie się *l.* odstąpienie od przekonań; *hist.* abiuracja, odprzysiężenie się.

abjure [æb'dʒʊr] *v. form.* wyrzekać się uroczyście, odwoływać (*zwł. pod przysięgą*).

Abkhaz [æb'kɑːz], **Abkhazian** [æb'kɑːzɪən] *a.* abchaski (*t. o języku*).

Abkhazia [æb'kɑːzɪə] *n.* Abchazja.

Abkhazian [æb'kɑːzɪən] *a.* = **Abkhaz**. – *n.* Abchaz/ka.

ablactation [ˌæblək'teɪʃən] *n. U med.* odstawienie dziecka od piersi.

ablate [æ'bleɪt] *v. techn.* usuwać (*zwł. wierzchnią warstwę czegoś*).

ablation [æb'leɪʃən] *n.* **1.** *geol., astron.* ablacja. **2.** *chir.* usunięcie, amputacja.

ablative ['æblətɪv] *a. gram.* ablatywny (*o przypadku l. konstrukcji gramatycznej*). – *n. gram.* ablativus; **~ absolute** ablativus absolutus.

ablaut ['ɑːblaʊt] *n. U jęz.* apofonia, ablaut (*zwł. w językach indoeuropejskich*).

ablaze [ə'bleɪz] *adv. lit.* w ogniu, w płomieniach. – *a. lit.* rozpalony, rozświetlony; **be ~ (with sth)** jarzyć się *l.* płonąć (czymś); *przen.* rozpłomieniać się *l.* gorzeć (czymś).

able ['eɪbl] *a.* **1. be ~ to do sth** umieć coś zrobić; być zdolnym coś zrobić. **2.** *prawn.* kompetentny, uprawniony. **3. abler** ['eɪblər], **ablest** ['eɪblɪst] zdolny, sprawny; uzdolniony, utalentowany.

able-bodied [ˌeɪbl'bɑːdɪd] *a.* **1.** sprawny, fizycznie zdrowy; *wojsk.* zdolny do noszenia broni. **2.** *żegl.* **~ seaman** marynarz zawodowy (*z odpowiednimi kwalifikacjami*); (*także* **able seaman**) *Br.* mat (*stopień w Royal Navy*).

abloom [ə'bluːm] *a. lit.* rozkwiecony, (cały) w kwiatach; **~ with sth** *t. przen.* kwitnący czymś.

ablush [ə'blʌʃ] *a. lit.* w rumieńcach, w pąsach.

ablution [æb'luːʃən] *n. zw. pl.* **1.** *rel.* ablucja, obmywanie (*rytualne*). **2.** *form. l. żart.* mycie się; **perform one's ~s** dokonać ablucji. **3.** *pl. wojsk. pot.* umywalnia.

ablutionary [æb'luːʃənerɪ] *a.* związany z ablucjami.

ably ['eɪblɪ] *adv.* umiejętnie, sprawnie, kompetentnie.

ABM [ˌeɪ ˌbiː 'em] *abbr.* **antiballistic missile** *wojsk.* pocisk przeciwrakietowy, antyrakieta.

Abnaki [æb'nɑːkɪ] *n.* = **Abenaki**.

abnegate ['æbnəˌgeɪt] *v. form.* odmawiać sobie (*czegoś*), odrzucać (*przyjemności, wygody, korzyści*).

abnegation [ˌæbnɪ'geɪʃən] *n. U form.* **1.** abnegacja; **~ of sth** wyrzeczenie się czegoś (*zwł. dóbr i przyjemności doczesnych*). **2.** (*także* **self-~**) poświęcenie się dla innych, altruizm.

abnormal [æb'nɔːrml] *a.* **1.** anormalny, nienormalny, nietypowy. **2.** *pot.* dziwny. **3.** nieprawidłowy, zaburzony; **~ psychology** *med.* psychopatologia.

abnormality [ˌæbnɔːr'mælətɪ] *n.* **1.** *U* anormalność, nietypowość. **2.** nieprawidłowość, zaburzenie. **3.** *cz. uj.* kalectwo, zniekształcenie.

abnormally [æb'nɔːrmlɪ] *adv.* **1.** anormalnie, nienormalnie. **2.** *pot.* dziwnie.

Abo ['ɔːboʊ] *n. pl.* **-s** *Austr. pog.* = **Aborigine**.

aboard [ə'bɔːrd] *prep.* (*przed nazwą środka transportu*) w; na; do; na pokładzie; na pokład; **~ a ship** na (pokładzie) statku; na statek, na pokład statku; *żegl.* wzdłuż burty statku; **go ~ (a plane)** wsiadać (do samolotu). – *adv.* **1.** na pokładzie; wewnątrz (*pojazdu*); **all ~** proszę wsiadać (*wezwanie przed odjazdem l. odpłynięciem*). **2.** *żegl.* burta w burtę; **lay the ship ~** *żegl., hist.* podchodzić do abordażu.

abode [ə'boʊd] *n. form.* mieszkanie; siedziba. – *v. zob.* **abide** 6.

abolish [ə'bɑːlɪʃ] *v.* znosić, obalać, likwidować (*obyczaj, instytucję*).

abolishment [ə'bɑːlɪʃmənt] *n. U* zniesienie, obalenie, likwidacja.

abolition [ˌæbə'lɪʃən] *n. U* **1.** = **abolishment**. **2.** (*także* **A~**) *hist.* zniesienie niewolnictwa; *US* emancypacja Murzynów.

abolitionary [ˌæbə'lɪʃənerɪ] *a.* abolicyjny.

abolitionism [ˌæbə'lɪʃəˌnɪzəm] *n. U polit., hist.* abolicjonizm.

abolitionist [ˌæbə'lɪʃənɪst] *n. hist.* abolicjonist-a/ka.

A-bomb ['eɪbɑːm] *n. pot.* bomba atomowa.

abominable [ə'bɑːmənəbl] *a.* odrażający, obrzydliwy; *pot.* okropny.

abominable snowman *n. pl.* **abominable snowmen** *mit.* człowiek śniegu, yeti.

abominably [ə'bɑːmənəblɪ] *adv.* obrzydliwie; okropnie.

abominate [ə'bɑːməˌneɪt] *v. form.* nienawidzić (*czegoś*); brzydzić się (*czymś*).

abomination [əˌbɑːmə'neɪʃən] *n.* **1.** *U* odraza, obrzydzenie, abominacja; nienawiść. **2.** *C* ohyda, potworność; *pot.* paskudztwo, okropność.

aboriginal [ˌæbəˈrɪdʒənl] *a.* pierwotny, oryginalny; tubylczy, rdzenny, autochtoniczny; **A~** aborygeński. – *n.* = **aborigine.**

aboriginally [ˌæbəˈrɪdʒənlɪ] *adv.* pierwotnie; rdzennie.

aborigine [ˌæbəˈrɪdʒənɪ] *n. pl.* **-s** *zwł. Austr. i Can.* autochton/ka, aborygen/ka; **A~** (*także* **Aboriginal**) Aborygen/ka (*rdzenn-y/a Australijczyk/ka*).

aborning [əˈbɔːrnɪŋ] *adv. US zw. przen.* w trakcie narodzin, w powijakach; **die ~** umrzeć w powijakach (*o projekcie, planie*).

abort [əˈbɔːrt] *v.* **1.** *pat.* poronić. **2.** *med.* usuwać (*płód*). **3.** przerywać (*ciążę, misję, wykonywanie programu komputerowego*). **4.** ulec przerwaniu, zakończyć się przedwcześnie. **5.** *biol. anat.* ulec zahamowaniu *l.* niedorozwojowi.

abortifacient [əˌbɔːrtəˈfeɪʃənt] *a. i n. med.* (środek) poronny.

abortion [əˈbɔːrʃən] *n.* **1.** poronienie; aborcja, przerwanie ciąży, usunięcie płodu. **2.** poroniony *l.* usunięty płód. **3.** *biol. anat.* zahamowanie rozwoju, niedorozwój (*organizmu l. narządu*). **4.** *przen.* niepowodzenie, fiasko.

abortionist [əˈbɔːrʃənɪst] *n.* **1.** osoba dokonująca aborcji (*zwł. nielegalnie*). **2.** zwolenni-k/czka przerywania ciąży.

abortive [əˈbɔːrtɪv] *a.* **1.** nieudany; przerwany, zarzucony; bezowocny. **2.** *biol. anat.* niedorozwinięty. **3.** *med.* = **abortifacient.**

abound [əˈbaʊnd] *v.* **1.** *form.* występować obficie, plenić się, mnożyć się; **fish ~ in the river** w rzece jest pod dostatkiem ryb. **2. ~ in/with sth** obfitować w coś, być pełnym czegoś.

about [əˈbaʊt] *prep.* **1.** o, na temat; **we talked ~ you** rozmawialiśmy o tobie *l.* na twój temat. **2.** o (*coś*); **what are you so angry ~?** o co się tak złościsz?. **3.** jeśli chodzi o, w związku z, w sprawie; **~ one's business** w swoich sprawach *l.* interesach; **how ~ some coffee?** (a) może napilibyśmy się kawy?; **what ~ his application?** (a) co z jego podaniem?; **there's something funny ~ this contract** z tą umową jest coś nie w porządku; **there was an air of mystery ~ her** otaczała ją aura tajemnicy; **while you're ~ it** skoro już się za to wziąłeś. **4.** przy, w pobliżu; wokół; w obrębie; **~ here** gdzieś tutaj; **have/keep sth ~ one** mieć/trzymać coś przy sobie; **somewhere ~ the house** gdzieś w domu. **5.** po (*czymś*); **~ the room** po (całym) pokoju. – *adv.* **1.** (wszędzie) wokół, tu i tam; tędy i owędy; **look ~** rozglądać się (dookoła); **rush ~** biegać tu i tam; **be (up and) ~** *pot.* krzątać się, być na nogach *l.* na chodzie (*zwł. z rana l. po chorobie*). **2.** w pobliżu, w zasięgu wzroku; **somewhere/nowhere ~** gdzieś/nigdzie tutaj *l.* w pobliżu. **3.** w obiegu; **there are many such ideas ~** krąży wiele takich pomysłów. **4.** prawie, mniej więcej; około, w przybliżeniu; **~ ready** prawie gotów; **~ the same age** mniej więcej w tym samym wieku; **~ time (too)** *pot. euf.* rychło w czas; **be ~ thirty (years old)** mieć około trzydziestki; **have just ~ enough (of sth)** *pot.* mieć (czegoś) serdecznie dosyć; **that's ~ (the size of) it** *pot.* tak to z grubsza wygląda. **5.** *arch.* w obwodzie, dookoła. **6. be ~ to do sth** mieć coś zrobić; zamierzać coś zrobić; **I was (just) ~ to leave when...** (właśnie) miałam wychodzić, kiedy... **7.** za siebie, w tył; *żegl.* na przeciwny hals; **turn ~** obrócić się; **~ face/turn!** *wojsk.* w tył zwrot!; **put the ship ~** *żegl.* wykonać zwrot, ustawić statek na nowym halsie.

about-face [əˌbaʊtˈfeɪs], *Br.* **about-turn** [əˌbaʊtˈtɜːn] *n. zw. sing.* **1.** zwrot w tył; *przen.* wolta, zwrot o 180 stopni (= *radykalna zmiana poglądów*). **2. about-face!** *wojsk.* w tył zwrot!. – *v.* robić w tył zwrot; *przen.* lawirować, zmieniać poglądy.

about-ship [əˌbaʊtˈʃɪp] *v.* **-pp-** *żegl.* wykonywać zwrot.

above [əˈbʌv] *prep.* **1.** *t. przen.* nad, ponad, wyżej niż; **~ the clouds** ponad chmurami; **~ ground** nad powierzchnią ziemi; *przen. pot.* wśród żywych; **~ o.s.** zarozumiały, arogancki; **~ sea-level** nad poziomem morza; **marry ~ o.s.** poślubić kogoś o wyższej pozycji społecznej; **place/value A ~ B** przedkładać A nad B, cenić A wyżej niż B. **2.** powyżej, więcej niż; **~ all** nade wszystko; **~ average** powyżej przeciętnej; **it's ~ me** *pot.* to za mądre dla mnie. **3.** poprzez (*szum, dźwięk*); **~ the music** przekrzykując muzykę. **4.** w górę rzeki od; **~ the waterfall** powyżej wodospadu. **5.** poza zasięgiem (*negatywnej oceny*); **~ suspicion/reproach** poza podejrzeniami/krytyką. **6. be ~ sth** być ponad coś, nie zniżać się do czegoś; **she's not ~ lying** byłaby zdolna posunąć się do kłamstwa. – *adv.* **1.** powyżej (*t. w tekście*); nad głową; **from ~** z góry, z lotu ptaka; **the sky ~** niebo nad nami. **2.** *lit.* w niebie, do nieba; **the powers ~** moce niebieskie. **3.** *pot.* powyżej zera; **five ~** pięć (stopni) powyżej zera. – *a. attr. form.* powyższy, wyżej wspomniany. – *n. form.* **(all) the ~** (wszystko) powyższe; (wszyscy) wyżej wymienieni.

above board *a. pred.* (*także* **aboveboard**) **1.** uczciwy, legalny (*o układzie, transakcji*). **2.** otwarty, jasno postawiony. – *adv.* **1.** uczciwie, legalnie. **2.** bez niedomówień.

above-mentioned [əˌbʌvˈmenʃənd], **above-named** [əˌbʌvˈneɪmd] *a.* wyżej wspomniany *l.* wymieniony.

Abp. *abbr. kość.* = **archbishop.**

abracadabra [ˌæbrəkəˈdæbrə] *int.* abrakadabra, czary-mary.

abrade [əˈbreɪd] *v.* **1.** *form. l. techn.* ścierać, zdzierać, zeskrobywać; obcierać. **2.** *geol.* powodować abrazję.

Abraham [ˈeɪbrəˌhæm] *n.* Abraham; **~'s bosom** *euf.* łono Abrahama.

abranchial [eɪˈbræŋkɪəl], **abranchiate** *a. zool.* bezskrzelny.

abrasion [əˈbreɪʒən] *n. U* **1.** ścieranie, zdzieranie; ścieranie się. **2.** *C* otarcie (*zwł. naskórka*). **3.** *geol.* abrazja.

abrasive [əˈbreɪsɪv] *a.* **1.** *techn.* ścierny. **2.** *geol.* powodujący abrazję. **3.** *form.* drażniący, irytujący. – *n. techn.* środek *l.* materiał ścierny.

abrasively [əˈbreɪsɪvlɪ] *adv. form.* drażniąco, irytująco.

abrasiveness [əˈbreɪsɪvnəs] *n. U form.* irytujący sposób bycia.

abreast [əˈbrest] *adv.* **1.** równo, pierś w pierś (*of sb / sth* z kimś/czymś); **come ~ of sth** *zwł. żegl.* zrównać się z czymś; **walk/ride two ~** iść/jechać dwójkami. **2. be/keep ~ of/with sth** *przen.* nadążać za czymś.

abridge [əˈbrɪdʒ] *v.* **1.** skracać; streszczać. **2.** redukować, zmniejszać. **3.** *arch.* odebrać (*prawa, przywileje*).

abridgment [əˈbrɪdʒmənt], **abridgement** *n.* **1.** skrót; streszczenie. **2.** *U* zmniejszenie.

abroach [əˈbroʊtʃ] *a. arch. l. lit.* odszpuntowany; **set ~** odszpuntować, napocząć (*beczkę*); *przen.* poruszyć (*temat, sprawę*).

abroad [əˈbrɔːd] *adv.* **1.** za granicą; **(go) ~** (jechać) za granicę; **from ~** z zagranicy. **2.** *form.* szeroko dyskutowany; w obiegu; **there's a rumor ~ that...** wieść niesie, że... **3.** *arch. l. żart.* poza domem, na dworze. **4.** *arch.* **(all) ~** w pomieszaniu; w błędzie.

abrogate [ˈæbrəˌgeɪt] *v.* unieważniać, anulować, uchylać.

abrogation [ˌæbrəˈgeɪʃən] *n.* unieważnienie, anulowanie, uchylenie.

abrupt [əˈbrʌpt] *a.* **1.** nagły, raptowny, gwałtowny; ostry (*o zakręcie*). **2.** urywany, migawkowy (*o stylu*). **3.** *geol.* pęknięty, nieciągły (*o warstwie*). **4.** urwisty, stromy. **5.** bezceremonialny.

abruption [əˈbrʌpʃən] *n.* nagłe urwanie; nieciągłość.

abruptly [əˈbrʌptlɪ] *adv.* **1.** nagle, gwałtownie, raptem; ostro (*skręcać*). **2.** stromo. **3.** bez ceregieli.

abruptness [əˈbrʌptnəs] *n. U* **1.** raptowność. **2.** bezceremonialność.

ABS [ˌeɪ ˌbiː ˈes] *abbr.* **antilock braking system** *mot.* układ ABS (*urządzenie przeciwpoślizgowe*).

abs [æbz] *n. pl. US pot.* mięśnie brzucha.

abscess [ˈæbses] *n. pat.* ropień. – *v.* **-ss-** ropieć.

abscessed [ˈæbsest] *a.* zropiały, ropiejący.

abscise [æbˈsaɪz] *v.* **1.** *form.* odcinać. **2.** *bot.* zrzucać (*liście, kwiaty, owoce*); opadać (*o liściach, kwiatach, owocach*).

abscissa [æbˈsɪsə] *n. pl.* **abscissas** *l.* **abscissae** [æbˈsɪsiː] *mat.* odcięta, pierwsza współrzędna.

abscission [æbˈsɪʒən] *n. U form.* odcięcie; *bot.* zrzucanie *l.* opadanie (*liści, kwiatów, owoców*).

abscond [æbˈskɑːnd] *v.* **1.** *form.* zbiec (*from sth* skądś). **2.** ujść przed sprawiedliwością; **~ with sth** uciec z czymś (*zwł. skradzionym z miejsca pracy*).

absconder [æbˈskɑːndər] *n.* zbieg.

abseil [ˈɑːpzaɪl] *v. zwł. Br. i Austr.* spuszczać się na linie (*down sth* z czegoś).

absence [ˈæbsəns] *n.* **1.** nieobecność, absencja; **in/during sb's ~** pod czyjąś nieobecność. **2.** brak; **in the ~ of sth** wobec *l.* z braku czegoś. **3. ~ of mind** roztargnienie. **4. leave of ~** *wojsk.* urlop, wolne.

absent *a.* [ˈæbsənt] **1. ~ (from sth)** nieobecny (gdzieś); **~ without leave** *wojsk.* nieobecny nieusprawiedliwiony; *zob.* **AWOL**. **2.** = **absent-minded**. – *v.* [æbˈsent] **~ o.s. (from sth)** wyjść (skądś); nie wziąć udziału (w czymś).

absentee [ˌæbsənˈtiː] *n.* **1.** osoba nieobecna. **2.** *w złoż.* **~ ballot** *US* przedterminowe oddawanie głosów (*przez wyborców nieobecnych w dniu wyborów*); **~ landlord** właściciel mieszkający z dala od posiadłości; **~ voter** *US* wyborca głosujący przedterminowo (*z powodu przewidywanej nieobecności w dniu wyborów*).

absenteeism [ˌæbsənˈtiːˌɪzəm] *n. U* absencja.

absently [ˈæbsəntlɪ] *adv.* = **absent-mindedly**.

absent-minded [ˌæbsəntˈmaɪndɪd], **absentminded** *a.* roztargniony, nieobecny duchem.

absent-mindedly [ˌæbsəntˈmaɪndɪdlɪ] *adv.* w roztargnieniu, z roztargnieniem, przez roztargnienie.

absent-mindedness [ˌæbsəntˈmaɪndɪdnəs] *n. U* roztargnienie.

absinth [ˈæbsɪnθ], **absinthe** *n. U* **1.** absynt, piołunówka. **2.** *pot.* piołun.

absolute [ˈæbsəˌluːt] *a.* absolutny; nieograniczony; bezwzględny (*o temperaturze, ciśnieniu, wartości*); zupełny, doskonały; pewny, niepodważalny; *prawn.* ostateczny; **~ alcohol** *chem.* alkohol absolutny (= *etanol bezwodny*); **~ ceiling** *lotn.* pułap teoretyczny; **~ magnitude** *astron.* jasność absolutna; **~ majority** bezwzględna większość (*głosów*); **~ monarch/ruler** monarcha/władca absolutny; **~ monarchy** monarchia absolutna; **~ music** *muz.* muzyka absolutna; **~ pitch** *muz.* słuch absolutny; **~ value** *mat.* wartość bezwzględna, moduł; **~ zero** *fiz.* zero bezwzględne *l.* absolutne; **decree ~** *prawn.* orzeczenie ostateczne (*w sprawie rozwodowej*). – *n.* **the ~/A~** *fil.* absolut.

absolutely *adv.* [ˈæbsəˌluːtlɪ] absolutnie, w sensie absolutnym; zupełnie; bez zastrzeżeń (*np. ufać komuś, zgadzać się*); *pot. emf.* dosłownie. – *int.* [ˌæbsəˈluːtlɪ] *pot.* jasne, pewnie, oczywiście; **~ not!** w żadnym wypadku!; ależ skąd!

absoluteness [ˈæbsəˌluːtnəs] *n. U* zupełność; niepodważalność.

absolution [ˌæbsəˈluːʃən] *n. rel. l. form. U* rozgrzeszenie, absolucja; **~ from sth** darowanie czegoś (*winy, kary kościelnej*); zdjęcie czegoś (*zwł. klątwy*); **~ of sin** oczyszczenie z grzechu; **grant sb ~** udzielić komuś rozgrzeszenia.

absolutism [ˈæbsəluˌtɪzəm] *n. U* **1.** *polit., fil.* absolutyzm. **2.** *teol.* doktryna predestynacji (*w skrajnej formie*).

absolutist [ˈæbsəluˌtɪst] *n.* absolutyst-a/ka. – *a.* absolutystyczny.

absolutory [æbˈsɑːluˌtɔːrɪ] *a. attr. gł. rel.* absolucyjny, oczyszczający z grzechu *l.* winy.

absolve [æbˈzɑːlv] *v.* **1.** *rel.* rozgrzeszyć, oczyścić z grzechu. **2.** *form.* uniewinnić; **~ sb from/of sth** uwolnić kogoś od czegoś, oczyścić kogoś z czegoś.

absonant [ˈæbsənənt] *a. arch.* nieharmonijny, niewspółbrzmiący.

absorb [æbˈsɔːrb] *v.* **1.** *t. fiz., chem.* absorbować, pochłaniać, wchłaniać; chłonąć, pobierać. **2. ~ sb** (*także* **~ sb's attention**) absorbować kogoś, zaprzątać czyjąś uwagę. **3.** amortyzować (*impet*), łagodzić (*niedogodności*). **4.** *fin.* pokrywać (*straty, koszty*).

absorbed [æb'sɔ:rbd] *a.* zaabsorbowany, wchłonięty; ~ **dose** *fiz.* dawka pochłonięta; ~ **in/by sth** zaprzątnięty *l.* pochłonięty czymś, zatopiony w czymś.

absorbedly [æb'sɔ:rbɪdlɪ] *adv.* z zainteresowaniem, z przejęciem.

absorbency [æb'sɔ:rbənsɪ] *n.* *U* chłonność.

absorbent [æb'sɔ:rbənt] *a.* chłonny. – *n.* *chem.* absorbent.

absorber [æb'sɔ:rbər] *n.* **1.** *techn.* absorber, aparat absorpcyjny. **2.** *fiz.* pochłaniacz. **3. shock** ~ *techn.* amortyzator.

absorbing [æb'sɔ:rbɪŋ] *a.* wciągający, absorbujący, zaprzątający uwagę.

absorptance [æb'sɔ:rptəns] *n.* *U fiz.* absorpcyjność, współczynnik absorpcji.

absorption [æb'sɔ:rpʃən] *n.* *U* **1.** *cz. nauka* pochłanianie, wchłanianie, absorpcja; ~ **factor** *fiz.* współczynnik absorpcji; ~ **spectrum** *fiz., astron.* widmo absorpcyjne. **2.** ~ **(in/with sth)** pochłonięcie *l.* zaabsorbowanie (czymś), zatopienie się (w czymś).

absorptive [æb'sɔ:rptɪv] *a.* *gł. fiz., chem.* absorpcyjny.

abstain [æb'steɪn] *v.* **1.** wstrzymywać się (od głosu). **2.** praktykować abstynencję, zachowywać wstrzemięźliwość. **3.** ~ **from sth** *form.* powstrzymywać się od czegoś; ~ **from alcohol/smoking/sex** nie pić (alkoholu)/nie palić/nie uprawiać seksu.

abstainer [æb'steɪnər] *n.* abstynent/ka.

abstemious [æb'sti:mɪəs] *a.* *form. l. żart.* wstrzemięźliwy, znający miarę (*zwł. w jedzeniu i piciu*).

abstemiously [æb'sti:mɪəslɪ] *adv.* wstrzemięźliwie, z umiarkowaniem.

abstemiousness [æb'sti:mɪəsnəs] *n.* *U* wstrzemięźliwość, umiar (*zwł. w jedzeniu, piciu*).

abstention [æb'stenʃən] *n.* **1.** wstrzymanie się od głosu. **2.** abstynencja. **3.** ~ **from sth** powstrzymanie się od czegoś.

abstergent [æb'stɜ:dʒənt] *a. i n. techn.* (środek) czyszczący *l.* szorujący.

abstinence ['æbstənəns], **abstinency** ['æbstɪnənsɪ] *n.* abstynencja; ~ **from sth** powstrzymywanie się *l.* wstrzemięźliwość od czegoś (*zwł. jako pokuta*).

abstinent ['æbstɪnənt] *a.* wstrzemięźliwy, praktykujący abstynencję.

abstract *a.* ['æbstrækt] abstrakcyjny. – *n.* ['æbstrækt] **1.** abstrakcja; *fil.* abstrakt; **in the** ~ w ogólności, in abstracto. **2.** *sztuka* dzieło abstrakcyjne. **3.** streszczenie, wyciąg (*z publikacji naukowej, dokumentu, przemówienia*). – *v.* [æb'strækt] **1.** wykoncypować; *fil.* wyabstrahować. **2.** ~ **sth (from sth)** *form.* wyodrębniać *l.* uzyskiwać coś (z czegoś). **3.** *euf.* podwędzić (= *ukraść*). **4.** ['æbstrækt] streszczać, robić wyciąg z.

abstracted [æb'stræktɪd] *a.* **1.** roztargniony, zamyślony. **2.** wyodrębniony.

abstractedly [æb'stræktɪdlɪ] *adv.* z roztargnieniem, w zamyśleniu.

abstractedness [æb'stræktɪdnəs] *n.* *U* roztargnienie, zamyślenie.

abstraction [æb'strækʃən] *n.* **1.** abstrakcja (*t. dzieło sztuki*). **2.** *U* roztargnienie, zamyślenie. **3.** ~ **of sth (from sth)** wyodrębnianie *l.* uzyskiwanie czegoś (z czegoś). **4. talk in ~s** mówić ogólnikami.

abstractionism [æb'strækʃəˌnɪzəm] *n.* *U sztuka* abstrakcjonizm.

abstractionist [æb'strækʃənɪst] *n.* *sztuka* abstrakcjonist-a/ka.

abstractly ['æbstræktlɪ] *adv.* abstrakcyjnie.

abstractness ['æbstræktnəs] *n.* *U* abstrakcyjność.

abstruse [æb'stru:s] *a.* *form.* zawiły, niezrozumiały, ezoteryczny.

abstrusely [æb'stru:slɪ] *adv.* *form.* zawile, niezrozumiale.

abstruseness [æb'stru:snəs] *n.* *U* niezrozumiałość, ezoteryczność.

absurd [æb'sɝ:d] *a.* absurdalny; niedorzeczny. – *n.* **the** ~ *fil.* absurd; **theater of the** ~ teatr absurdu.

absurdity [æb'sɝ:dətɪ] *n.* **1.** *U* = **absurdness**. **2.** *C* absurd, niedorzeczność.

absurdly [æb'sɝ:dlɪ] *adv.* absurdalnie, niedorzecznie.

absurdness [æb'sɝ:dnəs] *n.* *U* absurdalność.

abundance [ə'bʌndəns] *n.* *U l. sing.* **1.** obfitość, dostatek; bogactwo; **an** ~ **of sth** mnóstwo czegoś; **in** ~ w obfitości, pod dostatkiem. **2.** *chem.* rozpowszechnienie (*np. pierwiastka w skorupie ziemskiej*).

abundant [ə'bʌndənt] *a.* **1.** obfity. **2.** dostateczny, wystarczający. **3.** ~ **in sth** obfitujący w coś.

abundantly [ə'bʌndəntlɪ] *adv.* **1.** obficie. **2.** dostatecznie, wystarczająco; **(make sth)** ~ **clear** (powiedzieć *l.* wyrazić coś) wystarczająco jasno.

abuse *v.* [ə'bju:z] **1.** nadużywać, robić niewłaściwy użytek z; ~ **sb's trust/confidence** nadużyć czyjegoś zaufania. **2.** krzywdzić, źle traktować; maltretować, znęcać się nad; wykorzystywać seksualnie. **3.** obrażać słownie, lżyć, ubliżać (*komuś*). **4.** ~ **o.s.** onanizować się. – *n.* [ə'bju:s] **1.** nadużycie, niewłaściwy użytek; **alcohol** ~ nadużywanie alkoholu; **drug** ~ narkomania. **2.** krzywdzenie; maltretowanie; **child** ~ maltretowanie dzieci, znęcanie się nad dziećmi (*t. psychiczne l. seksualne*). **3.** *U* obelgi, wyzwiska; przekleństwa; **term of** ~ wyzwisko, obelga; **stream/torrent of** ~ stek *l.* potok wyzwisk; **hurl/scream/shout** ~ **at sb** obrzucać kogoś wyzwiskami. **4.** *arch.* oszustwo.

abusive [ə'bju:sɪv] *a.* **1.** napastliwy, agresywny (*zwł. werbalnie l. seksualnie*). **2.** obraźliwy, obelżywy.

abusively [ə'bju:sɪvlɪ] *adv.* **1.** napastliwie. **2.** obelżywie.

abusiveness [ə'bju:sɪvnəs] *n.* *U* napastliwość, skłonność do agresji *l.* maltretowania.

abut [ə'bʌt] *v.* **-tt-** ~ **on/upon/against sth** *form.*

przylegać do czegoś, stykać się *l.* graniczyć z czymś (*jednym bokiem l. końcem, o miedzę*).

abutment [əˈbʌtmənt] *n.* **1.** *form.* styk, miejsce przylegania; linia graniczna, miedza. **2.** *bud.* podpora.

abuttal [əˈbʌtl] *n.* **1.** = **abutment**. **2.** *pl. prawn.* granice nieruchomości (*wyznaczone przez przyległe posesje*).

abutter [əˈbʌtər] *n. form.* sąsiad/ka (*o miedzę*), właściciel/ka sąsiedniej nieruchomości.

abuzz [əˈbʌz] *a. pred.* brzęczący; pełen zgiełku *l.* krzątaniny; **be ~ with sth** huczeć od czegoś.

abye [əˈbaɪ], **aby** *v.* **aby(e)s, abying** *p. i pp.* **abought** *arch.* odkupić, zapłacić za (*grzech, zbrodnię*).

abysmal [əˈbɪzml] *a.* **1.** otchłanny, przepastny. **2.** *uj.* bezdenny, bezgraniczny (*o ignorancji, głupocie*); *pot.* denny, beznadziejny.

abysmally [əˈbɪzmlɪ] *adv.* **1.** przepastnie. **2.** *uj.* bezdennie.

abyss [əˈbɪs] *n. lit.* otchłań, czeluść (*t.* = *piekło*); przepaść.

abyssal [əˈbɪsl] *a. biol.* abisalny, głębinowy.

Abyssinia [ˌæbɪˈsɪnɪə] *n. hist.* Abisynia.

Abyssinian [ˌæbɪˈsɪnɪən] *a.* abisyński; **~ cat** kot abisyński. – *n.* **1.** Abisy-ńczyk/nka. **2.** abisyńczyk, kot abisyński.

AC [ˌeɪ ˈsiː], **ac** *abbr.* **1.** *el.* = **alternating current**. **2.** *techn.* = **air conditioning**.

A/C [ˌeɪ ˈsiː], **a/c** *abbr.* **account (current)** *fin.* rachunek, konto.

acacia [əˈkeɪʃə] *n. bot.* akacja (*Acacia*); **false ~** *pot.* biała akacja, robinia.

academe [ˌækəˈdiːm] *n.* **1.** *poet. l. form.* uczelnia, akademia. **2. the grove(s) of A~** *przen.* gaj Akademosa (*uczony świat*).

academia [ˌækəˈdiːmɪə], **Academia** *n. U* **(the) ~** *lit.* środowisko akademickie.

academic [ˌækəˈdemɪk] *a.* **1.** *attr.* akademicki; **~ dress** strój akademicki; **~ freedom** swobody akademickie; **~ year** rok akademicki. **2.** naukowy; **~ books** książki naukowe; **~ standards** poziom naukowy. **3.** akademicki, (czysto) teoretyczny; *uj.* akademicki, jałowy (*zw. o dyskusji, kwestii*). **4.** osiągający dobre wyniki w nauce; zdolny. – *n.* **1.** (*także US* **academician**) nauczyciel akademicki. **2.** studiując-y/a.

academical [ˌækəˈdemɪkl] *a.* = **academic**. – *n. pl. pot.* strój akademicki.

academically [ˌækəˈdemɪklɪ] *adv.* **1.** naukowo; pod względem naukowym. **2.** *uj.* po akademicku; w stylu akademickim.

academician [əˌkædəˈmɪʃən] *n.* **1.** akademik, człon-ek/kini akademii. **2.** *US* = **academic** 1.

academy [əˈkædəmɪ] *n. pl.* **-ies** *t. uniw.* akademia (*towarzystwo naukowe, literackie l. artystyczne; uczelnia muzyczna, artystyczna l. wojskowa; składnik nazwy prywatnej szkoły średniej*); *Scot. szkoln.* szkoła dla dzieci w wieku 11-16 lat; **the A~** Akademia (*Platońska, Francuska, Królewska, Filmowa*); **A~ Award** *form.* nagroda Amerykańskiej Akademii Filmowej.

acanthine [əˈkænθɪn] *a. sztuka* akantowy, w formie liścia akantu.

acanthus [əˈkænθəs] *n. pl.* **acanthuses** [əˈkænθəsɪz] *l.* **acanthi** [əˈkænθaɪ] akant (*roślina l. motyw dekoracyjny*).

a cappella [ˌɑːkəˈpelə] *a. i adv. muz.* a cappella.

acarid [ˈækərɪd], **acaridan** [əˈkerɪdən] *n. zool.* roztocz (*Acarus*).

acarpellous [eɪˈkɑːrpələs] *a. bot.* bezsłupkowy.

acarpous [eɪˈkɑːrpəs] *a. bot.* nie owocujący.

acc. *abbr.* **1.** *fin.* = **account**. **2.** *gram.* = **accusative**.

accede [əkˈsiːd] *v. form.* **~ to** przystać *l.* wyrazić zgodę na (*propozycję, prośbę*); objąć (*urząd*); *polit.* przystąpić *l.* zgłosić akces do (*organizacji*); stać się stroną (*traktatu, umowy*); **~ to the throne** wstąpić na tron.

accelerate [ækˈseləˌreɪt] *v.* **1.** przyspieszać (*coś*), rozpędzać; napędzać (*np. inflację*). **2.** przyspieszać, ulegać przyspieszeniu, rozpędzać się; narastać gwałtownie.

acceleration [ækˌseləˈreɪʃən] *n.* **1.** przyspieszanie, rozpędzanie (się); gwałtowny wzrost. **2.** *U fiz.* przyspieszenie; **~ due to gravity** (*także* **~ of gravity/free fall**) przyspieszenie grawitacyjne.

accelerative [ækˈseləˌreɪtɪv] *a. fiz.* nadający przyspieszenie, przyspieszający.

accelerator [ækˈseləˌreɪtər] *n.* **1.** *fiz.* akcelerator. **2.** *mot.* akcelerator, pedał gazu. **3.** *chem.* katalizator (dodatni). **4.** *fizj.* mięsień *l.* nerw przyspieszający.

accelerometer [ækˌseləˈrɑːmɪtər] *n. lotn.* akcelerometr, przyspieszeniomierz.

accent *n.* [ˈæksent] **1.** *gł. jęz. i muz.* akcent; **Scottish/foreign ~** szkocki/obcy akcent; **broad/pronounced/strong/thick ~** silny akcent (*zwł. regionalny*); **(speak) without (a trace of) an ~** (mówić) bez (obcego) akcentu *l.* z nienagannym akcentem. **2.** *fon.* przycisk, akcent; **word/sentence ~** akcent wyrazowy/zdaniowy. **3.** (*także* **~ mark**) akcent, znak akcentu; **acute/circumflex ~** akcent akutowy/cyrkumfleksowy. **4.** akcent (= *charakterystyczny szczegół*). **5.** nacisk, uwydatnienie, podkreślenie. – *v.* [ˌækˈsent] **1.** akcentować. **2.** podkreślać.

accented [ˌækˈsentɪd] *a.* **1.** akcentowany (*o sylabie itp.*). **2. heavily ~ (English)** (angielski) z silnym akcentem (*obcym l. regionalnym*).

accentual [ækˈsentʃuəl] *a.* **1.** *wers.* toniczny. **2.** *jęz.* akcentowy, akcentuacyjny.

accentuate [ækˈsentʃuːˌeɪt] *v.* akcentować, uwydatniać, podkreślać.

accentuation [ækˌsentʃuːˈeɪʃən] *n. U* **1.** akcentowanie, podkreślanie. **2.** *jęz.* akcentuacja, system akcentu.

accept [ækˈsept] *v.* **1.** przyjmować; akceptować, aprobować, zgadzać się na. **2.** zaakceptować, przyjąć do swojego grona. **3.** uznawać; *handl.* honorować (*czek, rachunek, umowę*). **4. ~ that...** przyjąć do wiadomości, że...; **~ the fact that...** pogodzić się z tym/z faktem, że...; **~ of sth** *arch.* przyjmować coś (*propozycję, zaproszenie*).

acceptability [əkˌseptəˈbɪlətɪ] *n. U* **1.** możliwość przyjęcia. **2.** dopuszczalność.

acceptable [ækˈseptəbl] *a.* **1.** zadowalający; ~

(to sb) (możliwy) do przyjęcia (dla kogoś); **it is (not) ~ for sb to do sth** jest (nie) do przyjęcia, żeby ktoś coś robił. **2.** dopuszczalny; **~ level/dose** dopuszczalny poziom/dawka (*np. napromieniowania*). **3.** *form.* mile widziany (*np. o podarunku*). **4. socially ~** akceptowany społecznie (*o zwyczaju, zachowaniu*).

acceptably [əkˌseptə'blɪ] *adv.* **1.** zadowalająco. **2.** dopuszczalnie.

acceptance [æk'septəns] *n.* **1.** *U* akceptacja; uznanie, aprobata; **find/gain ~** uzyskać akceptację *l.* aprobatę (*zwł. o idei, tezie*); **letter of ~** list informujący o przyjęciu na studia, do pracy itp.; **meet with sb's/general ~** spotkać się z czyimś/ogólnym uznaniem; **~ of sth** przyjęcie czegoś; zgoda na coś; pogodzenie się z czymś. **2.** *C* przyjęcie zaproszenia (*w formie pisemnej*); = **letter of ~**. **3.** *C handl.* akcept.

acceptant [æk'septənt], **accepting** [æk'septɪŋ] *a.* **~ of sth** *form.* godzący się na coś *l.* z czymś.

acceptation [ˌæksep'teɪʃən] *n. form.* **1.** (ogólnie) przyjęte rozumienie *l.* znaczenie (*słowa, wyrażenia*). **2.** przychylna reakcja, akceptacja.

accepted [æk'septɪd] *a.* zwyczajowy, ustalony, (ogólnie) przyjęty.

accepting [æk'septɪŋ] *a.* = **acceptant.**

acceptor [æk'septər] *n.* **1.** *handl.* akceptant, dłużnik wekslowy. **2.** *fiz., chem.* akceptor.

access ['ækses] *n. U* **1.** dostęp (*to sb/sth* do kogoś/czegoś); **~ to employment** dostęp do zatrudnienia; **~ time** *komp.* czas dostępu; **direct/sequential ~** *komp.* dostęp bezpośredni/sekwencyjny; **gain/get ~ to** uzyskać dostęp do; **have ~ to** mieć dostęp do; *prawn.* móc widywać *l.* kontaktować się z (*dzieckiem, aresztantem itp.*). **2.** dojście; dojazd; wejście, podjazd (*zwł. z ułatwieniami, np. dla inwalidów*); **~ road/route** droga dojazdowa; wjazd na autostradę; **gain/get ~** wejść, dostać się do środka. **3.** wstęp, prawo wstępu. **4.** przystęp (*np. gniewu*); atak (*choroby*). **5. difficult/easy of ~** *Br. form.* trudno/łatwo dostępny *l.* osiągalny. – *v. komp.* uzyskać dostęp do (*strony internetowej, bazy danych*).

accessary [æk'sesərɪ] *n. prawn.* = **accessory** 3.

accessibility [əkˌsesɪ'bɪlətɪ] *n. U* **1.** dostępność, osiągalność. **2.** przystępność.

accessible [æk'sesəbl] *a.* **1.** dostępny; osiągalny; **easily/readily ~** łatwo dostępny *l.* osiągalny; **the place is (easily) ~ by car/rail** można tam (łatwo) dojechać samochodem/koleją. **2.** przystępny (*o osobie, języku, stylu*). **3. ~ to sth** *form.* podatny *l.* narażony na coś.

accessibly [æk'sesəblɪ] *adv.* **1.** w (ogólnie) dostępnym miejscu. **2.** przystępnie.

accession [æk'seʃən] *n. U form.* **1. ~ to** dojście do (*władzy, majątku*); objęcie (*urzędu*); akces *l.* przystąpienie do (*umowy, organizacji, akcji*); **~ to the throne** wstąpienie na tron. **2.** zgoda (*to sth* na coś). **3.** *C* nabytek (*zwł. powiększający zbiory muzeum*). **4.** *Bibl.* akcesja.

Accession Partnership *n. U form.* Partnerstwo dla Członkostwa.

accessory [æk'sesərɪ] *a. form.* dodatkowy, pomocniczy, drugorzędny, akcesoryczny. – *n.* **1.** *zw. pl.* akcesoria, wyposażenie dodatkowe. **2.** *pl.* dodatki (*torebka, apaszka, biżuteria itp.*). **3. ~ (to sth)** *prawn.* osoba winna pomocy (w czymś) *l.* nakłaniania (do czegoś).

accidence ['æksɪdəns] *n. U gram.* fleksja, odmiana wyrazów.

accident ['æksɪdənt] *n.* **1.** wypadek. **2.** przypadek, traf; **by ~** przypadkiem, przez przypadek; niechcący. **3.** *fil.* akcydens.

accidental [ˌæksɪ'dentl] *a.* **1.** przypadkowy; nieumyślny. **2.** akcydentalny, nieistotny. **3.** *muz.* przygodny (*o znaku chromatycznym*). – *n. muz.* przygodny znak chromatyczny.

accidentally [ˌæksɪ'dentlɪ] *adv.* przypadkiem, przypadkowo, przez przypadek; niechcący.

accident-prone ['æksɪdəntˌproʊn] *a.* często ulegający wypadkom *l.* powodujący wypadki.

accipiter [æk'sɪpɪtər] *n. orn.* jastrząb (*Accipiter*).

accipitral [æk'sɪpɪtrəl], **accipitrine** [æk'sɪpɪtrɪn] *a.* **1.** *lit.* jastrzębi. **2.** *przen.* drapieżny.

acclaim [ə'kleɪm] *n. U* aplauz; uznanie, poklask. – *v.* przywitać aplauzem; przyjąć z uznaniem; fetować; **~ sb/sth as sth** *form.* obwołać *l.* okrzyknąć kogoś/coś czymś; **critically ~ed** entuzjastycznie przyjęty przez krytykę.

acclamation [ˌæklə'meɪʃən] *n. form.* **1.** *U* aklamacja; poklask; **by ~** przez aklamację. **2.** *zw. pl.* wiwaty, aplauz, okrzyki uznania.

acclamatory [ə'klæməˌtɔːrɪ] *a.* głoszący uznanie.

acclimate [ə'klaɪmɪt] *v. US* aklimatyzować (się).

acclimation [ˌæklə'meɪʃən] *n. U* aklimatyzacja.

acclimatization [ˌæklaɪmətaɪ'zeɪʃən], *Br.* **acclimatisation** *n.* = **acclimation**.

acclimatize [ə'klaɪməˌtaɪz], *Br.* **acclimatise** *v.* = **acclimate**.

acclivity [ə'klɪvɪtɪ] *n. form.* wzniesienie (*terenu*).

accolade [ˌækə'leɪd] *n. zw. sing.* **1.** pasowanie na rycerza (*t. gest oznaczający nadanie szlachectwa*). **2.** *form.* uznanie, pochwała; wyróżnienie. **3.** *muz.* akolada.

accommodate [ə'kɑːməˌdeɪt] *v.* **1.** *form.* **~ sb** pójść komuś na rękę; wyświadczyć komuś przysługę. **2.** *form.* **~ sb with sth** służyć komuś czymś (*zwł. pożyczką*); zaopatrywać kogoś w coś. **3.** *form.* mieć wzgląd na. **4.** zakwaterować; pomieścić. **5. ~ (o.s.)** przystosować się; **~ (itself)** akomodować się (*np. o soczewce oka*); **~ sth (to sth)** dostosować coś (do czegoś), zharmonizować *l.* zgrać (coś z czymś).

accommodating [ə'kɑːməˌdeɪtɪŋ] *a.* usłużny; zgodny, układny, ustępliwy; *uj.* nadskakujący.

accommodation [əˌkɑːmə'deɪʃən] *n.* **1.** *U zwł. Br. i Austr.* zakwaterowanie, mieszkanie; kwatera, stancja; miejsca (*w samolocie, pociągu itp.*). **2.** *pl. US* zakwaterowanie (*zwł. w hotelu*); miejsca (*w samolocie, pociągu itp.*). **3.** *U* akomodacja (*t. oka*); przystosowanie *l.* dostosowanie (się). **4.** *U l. sing. form.* ustępstwo; ugoda, kompromis; pójście na rękę. **5.** *C fin.* pożyczka (*zwł. udzielona awansem dla wygody klienta*).

accommodation address *n. Br.* adres do korespondencji (*zw. inny niż adres zamieszkania*).
accommodation ladder *n. żegl.* trap.
accommodative [ə'kɑ:məˌdeɪtɪv] *a. form.* akomodacyjny, przystosowawczy.
accompaniment [ə'kʌmpənɪmənt] *n.* **1.** *form.* dodatek, uzupełnienie. **2.** towarzyszenie; *muz.* akompaniament; **to the ~ of sth** z towarzyszeniem *l.* przy akompaniamencie czegoś; przy dźwiękach czegoś.
accompanist [ə'kʌmpənɪst] *n. muz.* akompaniator/ka.
accompany [ə'kʌmpənɪ] *v.* **-ied 1.** *t. przen.* towarzyszyć (*komuś l. czemuś*); **accompanied by sb/sth** w towarzystwie kogoś/czegoś. **2. ~ sb (on sth)** *muz.* akompaniować komuś (na czymś).
accomplice [ə'kɑ:mplɪs] *n.* wspólni-k/czka (*przestępcy*).
accomplish [ə'kɑ:mplɪʃ] *v.* **1.** osiągnąć, dokonać. **2.** ukończyć; spełnić, zrealizować.
accomplished [ə'kɑ:mplɪʃt] *a.* **1.** *zob.* **accomplish**; **~ fact** fakt dokonany. **2.** znakomity, wytrawny (*o artyście, pisarzu itp.*); świetnie wyszkolony (*in sth* w czymś).
accomplishment [ə'kɑ:mplɪʃmənt] *n.* **1.** osiągnięcie, dokonanie, wyczyn. **2.** *U* doprowadzenie do końca. **3.** *zw. pl.* umiejętności. **4.** *zw. pl.* gracja, (dobre) maniery.
accord [ə'kɔ:rd] *v. form.* **1.** zgadzać się; harmonizować (*with sth* z czymś). **2. ~ sth to sb** użyczać komuś czegoś; darzyć kogoś czymś; nadawać komuś coś (*np. prawo, przywilej*). – *n. form.* **1.** *U* zgoda; **be in (complete/perfect) ~ with** być (całkowicie) zgodnym z; **of one's own ~** z własnej woli, dobrowolnie; **with one ~** jednomyślnie, jak jeden mąż. **2.** *U* harmonia, współbrzmienie. **3.** *C form.* porozumienie, uzgodnienie (*zwł. międzynarodowe*).
accordance [ə'kɔ:rdəns] *n. U* **1.** zgodność; **in ~ with sth** zgodnie z czymś. **2. ~ of sth** *form.* nadanie *l.* użyczenie czegoś.
accordant [ə'kɔ:rdənt] *a.* **~ with sth** *form.* zgodny z czymś.
according as *conj. Br. form.* o ile; zależnie od tego, jak.
accordingly [ə'kɔ:rdɪŋlɪ] *adv.* **1.** stosownie, odpowiednio. **2.** z tego powodu, w związku z tym.
according to *prep.* zgodnie z; według; stosownie do.
accordion [ə'kɔ:rdɪən] *n. muz.* harmonia (ręczna); (*także* **piano ~**) akordeon.
accordionist [ə'kɔ:rdɪənɪst] *n.* akordeonista/ka.
accost [ə'kɔ:st] *v.* zagadnąć; *uj.* zaczepiać (*natrętnie; zwł. o prostytutce*). – *n. rzad.* powitanie, zagajenie.
accoucheur [ˌæku:'ʃɝ:] *n. form.* położnik.
accoucheuse [ˌæku:'ʃez] *n. form.* położna, akuszerka.
accouchment [ə'ku:ʃmɑ:nt] *n. form.* połóg.
account [ə'kaʊnt] *n.* **1.** relacja, sprawozdanie, raport (*of sth* z czegoś); opis (*of sth* czegoś); **eyewitness ~** relacja naocznego świadka; **firsthand ~** relacja z pierwszej ręki; **give an ~ of sth** zdać relację z czegoś. **2.** wyjaśnienie, wytłumaczenie; usprawiedliwienie. **3.** *gł. fin.* rachunek; konto (*t. komp.*); *często pl.* rachunki, rozliczenie finansowe, zestawienie; **~ payable/receivable** *US i Can.* zestawienie wierzytelności/należności; **bank ~** konto bankowe; **buy sth on ~** kupować coś na kredyt *l.* na rachunek; **checking ~** *US i Can.* rachunek rozliczeniowy; **current ~** *Br.* = **checking account**; **draw sth out of an ~** pobrać *l.* wycofać coś z konta; **have an ~ at/with a bank** mieć konto w banku; **keep the ~s** prowadzić rachunki; **open/close an ~** założyć/zlikwidować konto, otworzyć/zamknąć rachunek; **pay sth into an ~** wpłacić coś na konto; **savings ~** rachunek oszczędnościowy; **send in/render an ~** przedstawić rachunek. **4.** *przen.* **by/from all ~s** wszyscy mówią, że...; jak (zewsząd) słychać; **by sb's own ~** według czyichś własnych słów; **call/bring sb into ~ (for/over sth)** wezwać kogoś do wytłumaczenia się (z czegoś), zażądać od kogoś wyjaśnień (w sprawie czegoś); **give a good/poor ~ of o.s.** dobrze/kiepsko się spisać; **hold sb to ~ (for sth)** pociągnąć kogoś do odpowiedzialności (za coś); **-leave sth out of ~** pomijać coś, nie brać czegoś pod uwagę; **of little ~** znikomej wagi, mało istotny; **of no ~** bez znaczenia, nieistotny; **of some/great ~** znacznej/wielkiej wagi, istotny; **on ~ of sth** z racji czegoś, ze względu na coś; **on no ~** (*także* **not on any ~**) pod żadnym pozorem; **on one's own ~** na własne ryzyko; na własny rachunek; **on this/that ~** z tej racji; **on sb's ~** przez wzgląd na kogoś; **put/turn sth to good ~** zrobić dobry użytek z czegoś; **render an ~ of o.s./of one's behavior** zdać sprawę ze swojego postępowania; **settle/square (one's) ~s with sb** porachować się z kimś, wyrównać z kimś rachunki; **take ~ of sth** (*także* **take sth into ~**) brać coś pod uwagę, uwzględniać coś, liczyć się z czymś. – *v.* **1. ~ (to sb) for sth** rozliczać się *l.* zdawać sprawę z czegoś (przed kimś); tłumaczyć się z czegoś *l.* usprawiedliwiać coś (przed kimś). **2. ~ o.s....** *form.* poczytywać się za... **3. ~ for sth** wyjaśniać *l.* tłumaczyć coś; być powodem *l.* przyczyną czegoś; **~ for sb/sth** *euf.* załatwić kogoś/coś (= *zabić, zniszczyć, unieszkodliwić*).
accountability [əˌkæʊntə'bɪlətɪ] *n. U* odpowiedzialność (*np. finansowa*).
accountable [ə'kaʊntəbl] *a.* **1. ~ (to sb) for sth** odpowiedzialny (wobec kogoś) za coś; **hold sb ~ for sth** czynić kogoś odpowiedzialnym za coś, obarczać kogoś odpowiedzialnością za coś. **2.** wytłumaczalny, dający się wyjaśnić.
accountably [ə'kaʊntəblɪ] *adv.* **1.** odpowiedzialnie. **2.** w sposób wytłumaczalny.
accountancy [ə'kaʊntənsɪ] *n. U zwł. Br. fin.* księgowość, rachunkowość.
accountant [ə'kaʊntənt] *n. fin.* księgow-y/a; audytor/ka.
accounting [ə'kaʊntɪŋ] *n. U* **1.** księgowanie, prowadzenie ewidencji. **2.** = **accountancy**. **3.** opisywanie. **4.** tłumaczenie, wyjaśnianie.
accouter [ə'ku:tər], *Br.* **accoutre** *v. wojsk.* ekwipować, wyposażać.
accouterment [ə'ku:tərmənt], *Br.* **accoutrement**

n. często pl. wojsk. ekwipunek (*z wyłączeniem broni i munduru*), przybory; *pl.* akcesoria, sprzęt (*zwł. sportowy; t. ubiór*).

accredit [əˈkredɪt] *v.* **1.** *często pass.* ~ **sb with sth** (*także* ~ **sth to sb**) przypisywać coś komuś. **2.** *form.* autoryzować, potwierdzać *l.* uznawać oficjalnie; uwierzytelniać; *US szkoln.* akredytować (*szkołę*). **3.** ~ **sb** akredytować kogoś (*to sb* przy kimś, *at / to sth* przy czymś).

accreditation [əˌkredɪˈteɪʃən] *n. U form.* potwierdzenie; uwierzytelnienie; akredytacja.

accredited [əˈkredɪtɪd] *a.* **1.** *form.* ogólnie uznany *l.* akceptowany (*o poglądzie, teorii*). **2.** oficjalny; akredytowany; ~ **representative** oficjalny przedstawiciel; ~ **school** *zwł. US* szkoła z akredytacją.

accrete [əˈkriːt] *v. form.* **1.** przyrastać, narastać, gromadzić się. **2.** zrastać się (*w większą całość*). – *a. bot.* zrośnięty (*o organach roślin*).

accretion [əˈkriːʃən] *n. U* **1.** zrastanie się. **2.** *C pat.* zrost. **3.** narastanie; przyrost, nagromadzenie. **4.** *C pat.* zbiorowisko (*np. ropy*). **5.** *geol.* rozrastanie się (*płyty litosferycznej*). **6.** *astron.* akrecja; ~ **disk** dysk akrecyjny.

accretionary [əˈkriːʃənerɪ], **accretive** *a. nauka* zrostowy; przyrostowy; akrecyjny.

accrual [əˈkruəl] *n. U form.* zwiększanie się, narastanie; przyrost, zysk.

accrue [əˈkruː] *v. form.* **1.** narastać; przyrastać, dawać zysk; **~d interest** *fin.* narosłe odsetki. **2.** ~ **(to sb) (from sth)** stanowić (dla kogoś) korzyść (z czegoś).

acct. *abbr.* **1.** *fin.* = **account. 2.** = **accountant.**

acculturate [əˈkʌltʃəˌreɪt] *v. antrop.* asymilować się, ulegać akulturacji.

acculturation [əˌkʌltʃəˈreɪʃən] *n. U antrop.* akulturacja.

accumulate [əˈkjuːmjəˌleɪt] *v.* **1.** gromadzić się, zbierać się; kumulować się, narastać. **2.** gromadzić, zbierać, akumulować.

accumulation [əˌkjuːmjəˈleɪʃən] *n. U* **1.** przyrost (*zwł. oprocentowanego kapitału*). **2.** gromadzenie, zbieranie; nagromadzenie, akumulacja. **3.** *C* sterta, stos.

accumulative [əˈkjuːmjəˌleɪtɪv] *a. form.* narosły, skumulowany; rosnący.

accumulator [əˈkjuːmjəˌleɪtər] *n.* **1.** *komp.* akumulator, rejestr akumulatora. **2.** *Br. el.* akumulator.

accuracy [ˈækjərəsɪ] *n. U* dokładność, ścisłość, precyzja.

accurate [ˈækjərɪt] *a.* dokładny, ścisły, precyzyjny; ~ **to *n* decimal places/significant digits** *mat.* dokładny co do *n* miejsc dziesiętnych/cyfr znaczących.

accurately [ˈækjərɪtlɪ] *adv.* dokładnie, ściśle, precyzyjnie.

accurateness [ˈækjərɪtnəs] *n. U* dokładność, precyzja.

accursed [əˈkɜːst] *arch.* **accurst** *a.* **1.** *poet.* zaklęty. **2.** *pot.* przeklęty.

accursedly [əˈkɜːsɪdlɪ] *adv. pot.* diabelnie, piekielnie.

accusal [əˈkjuːzl] *n. form.* = **accusation.**

accusation [ˌækjuˈzeɪʃən] *n. t. prawn.* oskarżenie, zarzut; **bring/lay/make an ~ (against sb)** wnieść oskarżenie (przeciwko komuś); postawić (komuś) zarzut.

accusative [əˈkjuːzətɪv] *n. gram.* biernik. – *a.* **1.** *gram.* biernikowy, w bierniku. **2.** = **accusatory.**

accusatorial [əˌkjuːzəˈtɔːrɪəl] *a.* **1.** = **accusatory. 2.** *prawn.* skargowy (*o trybie postępowania*).

accusatory [əˈkjuːzəˌtɔːrɪ] *a. form.* oskarżycielski.

accuse [əˈkjuːz] *v.* ~ **sb of (doing) sth** oskarżać kogoś o coś, zarzucać komuś coś.

accused [əˈkjuːzd] *n. pl.* **accused** *prawn.* **the ~** oskarżon-y/a.

accuser [əˈkjuːzər] *n. prawn.* oskarżyciel/ka.

accusing [əˈkjuːzɪŋ] *a.* oskarżycielski.

accusingly [əˈkjuːzɪŋlɪ] *adv.* oskarżycielsko.

accustom [əˈkʌstəm] *v.* ~ **o.s./sb to sth** przyzwyczajać się/kogoś do czegoś.

accustomed [əˈkʌstəmd] *a.* **1.** zwykły, stały. **2.** ~ **to sth** przyzwyczajony *l.* nawykły do czegoś; oswojony z czymś.

AC/DC [ˌeɪsiː ˈdiːsiː] *abbr.* **alternating current or direct current** *el.* prąd stały lub zmienny. – *a. pot. żart.* biseksualny.

ace [eɪs] *n.* **1.** *karty, tenis, golf l. przen.* as. **2.** *kości, domino* oczko, jedynka. **3.** *film* lampa 1000 W. **4.** *przen.* ~ **at driving** *pot.* mistrz kierownicy; **have an ~ up one's sleeve** (*także US* **have an ~ in the hole**) mieć asa w rękawie, chować coś w zanadrzu; **have/hold all the ~s** mieć w ręku wszystkie atuty; **play one's ~** zagrać asem, pozbyć się najlepszej karty; **within an ~ of sth** o włos od czegoś. – *v.* **1.** ~ **sb** *tenis* zaserwować komuś piłkę nie do odebrania; ~ **sb (out)** *pot.* pokonać kogoś bez trudu. **2.** ~ **a hole** *golf* trafić do dołka za pierwszym uderzeniem. **3.** ~ **sth** *sl. szkoln.* zdać coś celująco. – *a. attr.* **1.** ~ **pilot** as pilotażu; ~ **player/skier** znakomity zawodnik/narciarz. **2.** *Br. przest. sl.* super, świetny.

acephalous [eɪˈsefələs] *a.* **1.** *biol.* bezgłowy. **2.** *form.* zdezorganizowany, anarchiczny.

acerbate [ˈæsərˌbeɪt] *v. form. przen.* napełniać goryczą.

acerbic [əˈsɜːbɪk] *a. form.* **1.** *t. przen.* cierpki, gryzący. **2.** zgryźliwy, zjadliwy, kostyczny.

acerbically [əˈsɜːbɪklɪ] *adv. form.* cierpko, zgryźliwie, zjadliwie.

acerbity [əˈsɜːbətɪ] *n. U form.* cierpkość, zgryźliwość, zjadliwość.

acerose [ˈæsəˌrous], **acerous** [eɪˈsiːrəs] *a. bot.* szpilkowaty (*o liściu*).

acervate [əˈsɜːvɪt] *a. attr. bot.* kępiasty, tworzący kępy.

acescence [əˈsesəns], **acescency** [əˈsesənsɪ] *n. U form.* kwaśnienie; kwaśny posmak.

acescent [əˈsesənt] *a. form.* kwaśniejący; podkwaśniały.

acetabulum [ˌæsɪˈtæbjələm] *n. anat.* **1.** panewka (*zwł. stawu biodrowego*). **2.** przyssawka (*pijawki, tasiemca*).

acetaldehyde [ˌæsɪˈtældəˌhaɪd] *n. U chem.* aldehyd octowy.

acetamid [ˌæsɪ'tæmɪd], **acetamide** [ˌæsɪ'tæmaɪd] *n. U chem.* acetamid, amid kwasu octowego.

acetaminophen [əˌsiːtə'mɪnoʊfen] *n. U med.* acetaminofen (= *tylenol, paracetamol itp.*).

acetate ['æsɪˌteɪt] *n. U* **1.** *chem.* octan. **2.** **(cellulose)** ~ *techn.* acetyloceluloza, octan celulozy; (*także* ~ **rayon/silk**) *tk.* jedwab octanowy.

acetic [ə'siːtɪk] *a. gł. chem.* octowy; ~ **acid** kwas octowy.

acetification [əˌsiːtəfə'keɪʃən] *n. U chem., techn.* fermentacja octowa.

acetify [ə'setəˌfaɪ] *v. chem., techn.* **1.** ulegać fermentacji octowej. **2.** poddawać fermentacji octowej.

acetometer [ˌæsɪ'tɑːmɪtər] *n. techn.* acetometr.

acetone ['æsɪˌtoʊn] *n. U* aceton.

acetonic [ˌæsɪ'tɑːnɪk] *a.* acetonowy.

acetous ['æsɪtəs], **acetose** ['æsɪˌtoʊs] *a. form.* **1.** octowy, podobny do octu. **2.** kwaśny, o smaku octu.

acetyl [ə'siːtl] *n. U chem.* acetyl.

acetylene [ə'setliːn] *n. U* acetylen.

acetylsalicylic acid [əˌsiːtlˌsæləˌsɪlɪk 'æsɪd] *n. U chem., med.* kwas acetylosalicylowy (= *aspiryna*).

Achaean [ə'kiːən], **Achaian** [ə'keɪən] *a.* achajski. – *n.* **the ~s** *hist.* Achajowie.

ache [eɪk] *n. często w złoż.* ból (*zwł. uporczywy, tępy*); **~s and pains** drobne dolegliwości; **have an ~ in** odczuwać ból w; **head~** ból głowy; **stomach ~** ból brzucha. – *v.* **1.** boleć; **I'm aching all over** wszystko mnie boli, jestem cały obolały; **my back ~s/is aching** bolą mnie plecy; **make sb's heart ~** *przen.* ranić czyjeś serce. **2.** cierpieć, odczuwać ból. **3.** *przen.* ~ **for sth** tęsknić do czegoś, pragnąć czegoś; ~ **to do sth** marzyć o zrobieniu czegoś, nie móc się doczekać zrobienia czegoś.

Acheron ['ækəˌrɑːn] *n. mit.* Acheron.

achievable [ə'tʃiːvəbl] *a.* osiągalny.

achieve [ə'tʃiːv] *v.* **1.** osiągnąć (*cel*); odnieść (*sukces*); spełnić, ziścić, urzeczywistnić (*zamiar, ambicje*). **2.** *pot.* odnosić sukcesy.

achievement [ə'tʃiːvmənt] *n.* **1.** osiągnięcie, dokonanie; ~ **test** *psych.* test osiągnięć. **2.** spełnienie, realizacja. **3.** (*także* ~ **of arms**) *her.* herb (*z hełmem, klejnotem itp.; zwł. jako element epitafium*).

achiever [ə'tʃiːvər] *n.* **(high)** ~ człowiek sukcesu; prymus.

Achillean [ˌækə'liːən] *a. mit.* Achillesowy.

Achilles [ə'kɪliːz] *n. mit.* Achilles; **~(') heel** *przen.* pięta Achillesa; ~ **tendon** *anat.* ścięgno Achillesa.

achingly ['eɪkɪŋlɪ] *adv.* **1.** boleśnie. **2.** z utęsknieniem. **3.** *lit.* przejmująco (*piękny itp.*).

achlamydeous [ˌæklə'mɪdɪəs] *a. bot.* nagi, pozbawiony okwiatu (*o kwiecie*).

achoo [ə'tʃuː] *int.* a psik.

achromatic [ˌækrə'mætɪk] *a.* **1.** *gł. opt.* achromatyczny; ~ **color** barwa achromatyczna (*biała, szara l. czarna*). **2.** *muz.* diatoniczny.

achromatically [ˌækrə'mætɪklɪ] *adv.* **1.** *opt.* achromatycznie. **2.** *muz.* diatonicznie.

achromaticity [ˌækroʊmə'tɪsətɪ] *n. U* **1.** *opt.* achromatyczność. **2.** *muz.* diatoniczność.

achromatism [eɪ'kroʊməˌtɪzəm] *n. U* **1.** *opt.* achromatyzm. **2.** *muz.* diatonia.

achy ['eɪkɪ] *a.* **-ier, -iest** **1.** obolały. **2.** bolesny.

acid ['æsɪd] *n.* **1.** *chem.* kwas. **2.** *U sl.* kwas (= *LSD*). **3.** *U* ~ **(rock/jazz)** *muz.* acid. – *a.* **1.** *chem.* kwasowy. **2.** *t. chem.* kwaśny. **3.** *przen.* zgryźliwy, sarkastyczny, kostyczny.

acid bath *n. techn.* kąpiel w kwasie.

acidhead ['æsɪdˌhed], **acid head** *n. sl.* osoba zażywająca LSD.

acidic [ə'sɪdɪk] *a. chem.* kwasowy; kwasorodny.

acidification [əˌsɪdəfə'keɪʃən] *n. U chem., techn.* przemiana w kwas; zakwaszanie, kwaszenie.

acidify [ə'sɪdəˌfaɪ] *v. chem., techn.* przemieniać (się) w kwas; zakwaszać (się).

acidimeter [ˌæsɪ'dɪmɪtər] *n.* **1.** *chem.* pehametr. **2.** = **acidometer**.

acidimetry [ˌæsɪ'dɪmɪtrɪ] *n. U chem.* acydymetria.

acidity [ə'sɪdətɪ] *n. U* **1.** *chem.* kwasowość; odczyn kwaśny. **2.** (*także* **hyper~**) *pat.* nadkwasota.

acidly ['æsɪdlɪ] *adv.* zgryźliwie, sarkastycznie.

acidness ['æsɪdnəs] *n. U* zgryźliwość, sarkazm.

acidometer [ˌæsɪ'dɑːmɪtər] *n. techn.* kwasomierz (*do pomiaru gęstości elektrolitu*).

acidophilic [ˌæsɪdoʊ'fɪlɪk], **acidophilous** [ˌæsɪ'dɑːfələs] *a. biol.* acydofilny, kwasolubny.

acidophilus milk *n. U med.* mleko acydofilowe.

acidosis [ˌæsɪ'doʊsɪs] *n. pat.* kwasica, acydoza.

acidotic [ˌæsɪ'dɑːtɪk] *a. pat.* kwasiczny.

acid rain *n. U* kwaśny deszcz.

acid test *n. przen.* próba ognia.

acidulate [ə'sɪdʒəˌleɪt] *v. techn.* podkwaszać.

acidulation [əˌsɪdʒə'leɪʃən] *n. U techn.* podkwaszanie.

acidulous [ə'sɪdʒələs] *a.* **1.** kwaskowaty. **2.** *form.* = **acid** 3.

aciniform [ə'sɪnəˌfɔːrm] *a. bot.* groniasty.

acinus ['æsənəs] *n. pl.* **acini** ['æsənaɪ] **1.** *anat.* pęcherzyk (*gruczołu złożonego*). **2.** *bot.* owocek (*działka owocu złożonego*).

ack-ack ['ækˌæk] *n. Br. sl. wojsk.* pelotka (*armata l. obrona przeciwlotnicza*); ogień broni przeciwlotniczej.

acknowledge [æk'nɑːlɪdʒ] *v.* **1.** przyznawać; ~ **that...** przyznać, że...; ~ **defeat** przyznać się do porażki. **2.** uznawać; ~ **sb as.../to be...** uznawać kogoś za...; ~ **sth to be true** uznać prawdziwość czegoś. **3.** *form.* zareagować na (*czyjeś pozdrowienie, obecność itp.*); dziękować za (*pomoc, prezent*); ~ **(receipt of) sth** potwierdzać odbiór czegoś.

acknowledgment [æk'nɑːlɪdʒmənt], *Br. t.* **acknowledgement** *n.* **1.** uznanie, przyznanie. **2.** potwierdzenie przyjęcia *l.* odbioru. **3.** podanie źródła (*cytatu, informacji*); **without (an)** ~ bez powołania się na źródło. **4.** *pl.* podziękowania (*we* *wstępie do książki*). **5.** **(in) ~ of sth** (w) dowód wdzięczności *l.* uznania za coś.

aclinic line [eɪˌklɪnɪk ˈlaɪn] *n. geogr.* aklina, równik magnetyczny.

ACLU [ˌeɪ ˌsiː ˌel ˈjuː] *abbr.* **American Civil Liberties Union** Amerykańska Unia Swobód Obywatelskich.

acme [ˈækmɪ] *n. lit. l. form.* kulminacja, szczyt (*osiągnięć, doskonałości*).

acne [ˈæknɪ] *n. U* trądzik.

acolyte [ˈækəˌlaɪt] *n. kośc. l. przen.* akolita.

aconite [ˈækəˌnaɪt] *n. bot.* tojad (*Aconitum*); *med.* bulwa tojadu, akonit.

aconitine [əˈkɑːnɪˌtiːn] *n. U chem.* akonityna.

acorn [ˈeɪkɔːrn] *n.* żołądź.

acorn barnacle, acorn-shell *n. zool.* pąkla (*Balanus*).

acorn worm *n. zool.* jelitodyszec, żołędziogłowiec (*gromada Enteropneusta*).

acotyledon [ˌeɪkɑːtlˈiːdən] *n. bot.* roślina bezliścieniowa.

acotyledonous [ˌeɪkɑːtlˈiːdənəs] *a. bot.* bezliścieniowy.

acoustic [əˈkuːstɪk] *rzad.* **acoustical** [əˈkuːstɪkl] *a.* akustyczny; słuchowy.

acoustically [əˈkuːstɪklɪ] *adv.* akustycznie; słuchowo.

acoustic coupler *n. komp.* łącznik akustyczny.

acoustic guitar *n. muz.* gitara akustyczna.

acoustic nerve *n. anat.* nerw słuchowy.

acoustics [əˈkuːstɪks] *n.* **1.** *U* akustyka (*nauka*). **2.** *zw. pl.* akustyka (*pomieszczenia*).

acoustic tiles *n. pl. bud.* płytki dźwiękochłonne.

acquaint [əˈkweɪnt] *v.* **~ sb/o.s. with sth** zaznajamiać *l.* zapoznawać kogoś/się z czymś; **~ sb/o.s. with sb** *gł. US* zapoznawać kogoś z kimś/zawierać z kimś znajomość; **~ sb of sth** *form.* powiadamiać kogoś o czymś.

acquaintance [əˈkweɪntəns] *n.* **1.** znajom-y/a. **2.** *U* **~ (with sb)** znajomość (z kimś); **~ with sth** znajomość czegoś, obznajomienie z czymś; **have a nodding/passing ~ with sb/sth** znać kogoś z widzenia/znać coś pobieżnie; **make sb's ~** (*także* **make the ~ of sb**) zawrzeć z kimś znajomość; **on further/closer ~** przy bliższym poznaniu; **scrape (up) an ~ with sb** nawiązać z kimś stosunki towarzyskie. **3.** **~ rape** zgwałcenie przez osobę znajomą.

acquaintanceship [əˈkweɪntənsˌʃɪp] *n. U form.* **~ (with sb)** znajomość *l.* stosunki towarzyskie (z kimś).

acquainted [əˈkweɪntɪd] *a. pred.* zaznajomiony; **be ~ with sb/sth** znać kogoś/coś; **be fully ~ with sth** *form.* być dobrze obeznanym z czymś; **get/become ~ with sb** poznać kogoś, zawrzeć znajomość z kimś.

acquiesce [ˌækwiːˈes] *v. form.* **~ (in/to sth)** godzić się *l.* przyzwalać (na coś).

acquiescence [ˌækwiːˈesəns] *n. U form.* przyzwolenie; potulność.

acquiescent [ˌækwiːˈesənt] *a. form.* przyzwalający; potulny.

acquiescently [ˌækwiːˈesəntlɪ] *adv. form.* potulnie.

acquirable [əˈkwaɪrəbl] *a.* możliwy do uzyskania *l.* zdobycia.

acquire [əˈkwaɪr] *v.* nabywać, uzyskiwać; przyswajać (sobie); zdobywać.

acquired [əˈkwaɪrd] *a.* **1.** nabyty, uzyskany; **~ immune deficiency syndrome** *med.* nabyty zespół zaniku odporności; = **AIDS**; **~ immunity** *fizj.* odporność nabyta. **2.** przyswojony, wyuczony; **~ behavior** *psych.* zachowanie wyuczone; **~ taste** upodobanie wykształcone z biegiem czasu.

acquirement [əˈkwaɪrmənt] *n. U* nabycie, uzyskanie.

acquisition [ˌækwɪˈzɪʃən] *n. U* **1.** nabywanie, uzyskiwanie; przyswajanie, zdobywanie; **language ~** *jęz.* przyswajanie języka (*zw. ojczystego, przez dziecko*). **2.** *C* nabytek, zdobycz (*t. przen.* = *nowy członek grupy*). **3.** **~ of sth** *polit. l. ekon.* zdobycie kontroli nad czymś; wchłonięcie *l.* przejęcie czegoś. **4.** **~ (of sth)** *astron.* ponowne nawiązanie łączności (z czymś); *techn.* namierzanie *l.* lokalizacja radarowa (czegoś).

acquisitive [əˈkwɪzɪtɪv] *a.* zachłanny.

acquisitively [əˈkwɪzɪtɪvlɪ] *adv.* zachłannie.

acquisitiveness [əˈkwɪzɪtɪvnəs] *n. U* zachłanność.

acquit [əˈkwɪt] *v.* **-tt-** **1.** *prawn.* uniewinnić; **~ sb of sth** oczyścić kogoś z oskarżenia o coś; zwolnić kogoś od czegoś (*zobowiązania, odpowiedzialności*). **2.** *form.* spłacić; wypełnić (*zobowiązanie*). **3.** **~ o.s. of sth** wywiązać się z czegoś; **~ o.s. well/badly** spisać się dobrze/źle.

acquittal [əˈkwɪtl] *n.* **1.** *prawn.* uniewinnienie. **2.** zwolnienie od zobowiązań.

acquittance [əˈkwɪtəns] *n. U form.* **1.** **~ (of sth)** spłacenie (czegoś); zwolnienie (od spłaty czegoś). **2.** pokwitowanie, potwierdzenie spłaty.

acre [ˈeɪkər] *n.* **1.** *miern.* akr. **2.** **~ (of land)** poletko, skrawek ziemi; **God's ~** *lit.* boża rola (= *cmentarz*). **3.** *pl.* połacie, łany; **~s of space/room** *Br. pot. emf.* mnóstwo miejsca.

acreage [ˈeɪkərɪdʒ] *n. U* powierzchnia gruntu (*w akrach*).

acrid [ˈækrɪd] *a.* **1.** ostry, gryzący (*o smaku, zapachu*). **2.** *przen.* zjadliwy; zażarty.

acridity [əˈkrɪdətɪ] *n. U* **1.** ostrość (*smaku, zapachu*). **2.** zjadliwość; zażartość.

acridly [ˈækrɪdlɪ] *adv.* **1.** ostro, gryząco. **2.** zjadliwie; zażarcie.

acridness [ˈækrɪdnəs] *n.* = **acridity**.

acrimonious [ˌækrəˈmoʊnɪəs] *a. form.* ostry, zjadliwy, pełen żółci; wrogi.

acrimoniously [ˌækrəˈmoʊnɪəslɪ] *adv.* ostro, zjadliwie; wrogo.

acrimony [ˈækrəˌmoʊnɪ] *n. U* wrogość; *przen.* żółć, gorycz; **without ~** bez wylewania żółci.

acrobat [ˈækrəˌbæt] *n. t. przen.* akrobat-a/ka.

acrobatic [ˌækrəˈbætɪk] *a.* akrobatyczny; **~ flying** *sport* akrobacja lotnicza.

acrobatically [ˌækrəˈbætɪklɪ] *adv.* akrobatycznie.

acrobatics [ˌækrəˈbætɪks] *n.* **1.** *sing.* akrobacja; *sport* akrobatyka. **2.** *pl.* akrobacje; **men-**

tal/political ~ *przen.* łamańce myślowe/polityczne.

acrogen ['ækrədʒən] *n. bot.* roślina wzrastająca szczytowo.

acrogenic [ˌækrə'dʒenɪk], **acrogenous** [ə'krɑːdʒənəs] *a. bot.* wzrastający szczytowo.

acrolith ['ækrəlɪθ] *n. rzeźba* akrolit.

acrolithic [ˌækrə'lɪθɪk] *a.* akrolityczny (*o rzeźbie starożytnej*).

acromegaly [ˌækrə'meglɪ] *n. U pat.* akromegalia.

acronym ['ækrənɪm] *n. jęz.* akronim, skrótowiec.

acronymic [ˌækrə'nɪmɪk], **acronymous** [ə'krɑːnəməs] *a.* akronimiczny.

acrophobia [ˌækrə'foʊbɪə] *n. U pat.* akrofobia, lęk wysokości.

acrophobic [ˌækrə'foʊbɪk] *a. pat.* akrofobiczny.

acropolis [ə'krɑːpəlɪs] *n. hist.* akropol; **the A~** Akropol (*ateński*).

across [ə'krɔːs] *prep.* **1.** w poprzek, przez, na drugą stronę. **2.** po drugiej stronie, za. **3.** ~ **borders/cultures** ponad granicami/różnicami kulturowymi; **(be known) ~ the country/continent** (być znanym) w całym kraju/na całym kontynencie; **put one ~ sb** *pot.* nabrać kogoś. – *adv.* **1.** wszerz; **be 10 feet across** mieć 10 stóp szerokości. **2.** w poprzek, na drugą stronę. **3.** naprzeciwko, po drugiej stronie; ~ **from** naprzeciwko. **4. get sth ~ to sb** wytłumaczyć *l.* uświadomić coś komuś.

across-the-board [əˌkrɔːsðə'bɔːrd] *a.* powszechny, ogólny, dotyczący wszystkich (*zwł. o podwyżce*).

acrostic [ə'krɔːstɪk] *n. wers.* akrostych.

acrostically [ə'krɔːstɪklɪ] *adv.* akrostychowo, na zasadzie akrostychu.

acrylic [ə'krɪlɪk] *a.* akrylowy; ~ **acid** *chem.* kwas akrylowy; ~ **fiber** włókno akrylowe; ~ **resin** żywica akrylowa. – *n. gł. mal.* akryl (*farba, obraz; t. pot. = włókno l. żywica akrylowa*).

act [ækt] *n.* **1.** akt (*t. teatralny*); czyn, dzieło, uczynek; ~ **of contrition/faith** *rel.* akt skruchy/wiary; ~ **of God** *prawn.* siła wyższa; ~ **of grace** akt łaski; ~ **of war/violence/revenge** akt agresji/przemocy/zemsty; **the sexual** ~ akt płciowy; **catch sb in the** ~ przyłapać kogoś na gorącym uczynku; **in the ~ of doing sth** w trakcie robienia czegoś (*zwł. niedozwolonego*). **2.** (*także* **Act of Congress/Parliament**) akt ustawodawczy, ustawa; **pass an** ~ uchwalić ustawę. **3.** *pl.* sprawozdania, akta, annały. **4.** *pl. lit.* dzieje; **Acts (of the Apostles)** *Bibl.* Dzieje Apostolskie. **5.** występ; numer, punkt programu; **circus** ~ numer cyrkowy. **6.** *przen.* komedia, przedstawienie; udawanie, poza; **put on an** ~ zgrywać się, odgrywać komedię. **7.** *przen. pot.* **clean up one's** ~ zacząć się zachowywać przyzwoicie *l.* odpowiedzialnie; **do a disappearing/vanishing** ~ *iron.* ulotnić się, zapaść się pod ziemię; **get one's ~ together** zmobilizować *l.* zorganizować się; **get/muscle in on the** ~ przyjść na gotowe; **sb/sth is a hard/tough ~ to follow** trudno komuś/czemuś dorównać. – *v.* **1.** działać; postępować, zachowywać się; ~ **as...** działać *l.* występować jako..., pełnić funkcję...; ~ **as if/like (nothing happened)** zachowywać się tak, jak gdyby (nic się nie stało); ~ **for sb/on sb's behalf** działać *l.* występować w czyimś imieniu, reprezentować kogoś; ~ **in good faith** działać w dobrej wierze; ~ **like a child/lady** zachowywać się jak dziecko/dama; ~ **one's age** zachowywać się odpowiednio do swojego wieku. **2.** *teatr* grać, występować; *pot.* zgrywać się; ~ **(the part of) sb/sth** *t. przen.* grać kogoś/coś, występować w roli kogoś/czegoś; ~ **the fool** *pot.* błaznować, strugać wariata; ~ **the (giddy) goat** *pot.* brykać, dokazywać. **3.** *pot.* wydawać się, wyglądać na. **4.** ~ **on/upon** działać *l.* oddziaływać na; ~ **on (sb's) advice/suggestion** postępować zgodnie z *l.* kierować się (czyjąś) radą/sugestią; ~ **out** odgrywać (*t. za pomocą pantomimy*); ~ **up** *pot.* nawalać, szwankować (*o urządzeniu*); rozrabiać (*zwł. o dzieciach*); dawać znać o sobie (*o chorym narządzie l. części ciała*).

ACTH [ˌeɪ ˌsiː ˌtiː 'eɪtʃ] *abbr.* **adrenocorticotropic hormone** *biochem.* (adreno)kortykotropina.

actin ['æktən] *n. U biochem.* aktyna.

actinal ['æktənl] *a. zool.* promienisty, promieniście podzielony.

acting ['æktɪŋ] *a. attr.* **1.** pełniący obowiązki, zastępujący; ~ **mayor/manager** p.o. burmistrza/kierownika. **2.** ~ **version** *teatr* scenopis sztuki. – *n. U* aktorstwo; gra (*aktora*).

actinic [æk'tɪnɪk] *a. fiz.* aktyniczny (*o promieniowaniu*).

actinide ['æktɪˌnaɪd] *n. chem.* aktynowiec; ~ **series** grupa aktynowców.

actinism ['æktəˌnɪzəm] *n. U fiz.* aktyniczność (fotograficzna).

actinium [æk'tɪnɪəm] *n. chem.* aktyn.

actinolite [æk'tɪnˌlaɪt] *n. min.* aktynolit.

actinometer [ˌæktə'nɑːmɪtər] *n. fiz.* aktynometr.

actinometry [ˌæktə'nɑːmɪtrɪ] *n. U fiz.* aktynometria.

actinomycin [ˌæktənoʊ'maɪsɪn] *n. U med.* aktynomycyna, daktynomycyna.

action ['ækʃən] *n.* **1.** *U* działanie (*t. fiz. i chem.*); działalność, aktywność. **2.** czynność; manewr; *zw. pl.* czyn. **3. the** ~ akcja (*np. powieści, filmu*). **4.** *techn.* mechanizm (*zwł. spustowy, klawiszowy*). **5.** *C/U prawn.* działanie prawne, pozew; **bring/take ~ (against sb)** wytoczyć (komuś) proces; **institute an ~ (against sb)** wnieść pozew (przeciwko komuś). **6.** *C/U wojsk.* bój, walka; **killed/wounded/missing in** ~ poległy/ranny/zaginiony w boju. **7. ~s speak louder than words** czyny ważą więcej niż słowa; **a piece of the** ~ *pot.* udział w zyskach; **course of** ~ plan działania; wyjście, rozwiązanie; **go/spring into** ~ wkroczyć do akcji; **in** ~ w działaniu; **man of** ~ człowiek czynu; **out of** ~ zepsuty; wyłączony z akcji *l.* gry; **put sb/sth out of** ~ wyłączyć kogoś/coś z gry; **see** ~ *pot.* wąchać proch; **put sth into** ~ wprowadzić coś w czyn; **take ~ (to.../in order to...)** podjąć kroki (w celu...); **take evasive** ~ *wojsk.* wycofać się z zagrożonych pozycji; *t. żart.*

zrejterować; **where (all) the ~ is** *pot.* miejsce, gdzie (wiecznie) coś się dzieje (*zwł. jeśli chodzi o życie kulturalne l. towarzyskie*). – *v.* **~ sth** *pot.* podjąć działania w sprawie czegoś. – *int. film* kamera!.

actionable ['ækʃənəbl] *a. prawn.* zaskarżalny.

action film, action movie *n.* film akcji; *U* kino akcji.

action-packed ['ækʃənˌpækt] *a.* o wartkiej akcji.

action painting *n. U mal.* malarstwo akcji *l.* gestu.

action replay *n. Br. film* replay, powtórka (*często w zwolnionym tempie*).

action stations *n. pl. wojsk.* stanowiska bojowe. – *int. wojsk.* pogotowaie bojowe; wszyscy na stanowiska! (*t. żart.* = *uwaga!*).

activate ['æktəˌveɪt] *v.* **1.** uaktywniać, aktywizować. **2.** *chem., fiz.* aktywować; **activated carbon/charcoal** węgiel aktywowany. **3.** *US wojsk.* formować; mobilizować (*jednostkę*).

activation [ˌæktə'veɪʃən] *n. U* **1.** aktywizacja, uaktywnienie. **2.** *fiz., chem., biochem.* aktywacja.

activator ['æktəˌveɪtər] *n. chem.* aktywator.

active ['æktɪv] *a.* **1.** aktywny; *t. gram., wojsk., geol.* czynny; **~ service** *wojsk.* służba czynna; **~ sentence/verb** *gram.* zdanie/czasownik w stronie czynnej; **~ volcano** *geol.* czynny wulkan; **on ~ duty** *US wojsk.* w służbie czynnej; **the ~ voice** *gram.* strona czynna. **2.** żwawy, ruchliwy. – *n. U* **the ~** *gram.* strona czynna.

actively ['æktɪvlɪ] *adv.* aktywnie, czynnie.

activeness ['æktɪvnəs] *n. U* aktywność, wigor, ruchliwość.

activism ['æktəˌvɪzəm] *n. U polit.* aktywizm.

activist ['æktəvɪst] *n.* działacz/ka, aktywista/ka.

activity [æk'tɪvɪtɪ] *n. U* **1.** działalność, poczynania. **2.** ruch, krzątanina. **3.** *t. chem.* aktywność; *fiz.* aktywność promieniotwórcza. **4.** *zw. pl.* zajęcia; **recreational/classroom/outdoor activities** zajęcia rekreacyjne/w klasie/na wolnym powietrzu.

actor ['æktər] *n.* aktor/ka.

actress ['æktrɪs] *n.* aktorka.

actressy ['æktrɪsɪ] *a.* teatralny, afektowany (*o stylu bycia kobiety*).

actual ['æktʃʊəl] *a.* **1.** faktyczny, rzeczywisty; prawdziwy; **in ~ fact** *pot.* faktycznie, rzeczywiście, naprawdę. **2. the ~** właściwy, sam; **the ~ ceremony doesn't start until...** sama uroczystość zaczyna się dopiero o... **3.** *rzad.* aktualny, obecny; **in ~ usage** w obecnie stosowanej terminologii.

actuality [ˌæktʃʊ'ælətɪ] *n.* **1.** *U form.* realność, rzeczywistość; **in ~** w rzeczywistości. **2.** *zw. pl.* (nagie) fakty, faktyczny stan rzeczy.

actualization [ˌæktʃʊələ'zeɪʃən], *Br.* **actualisation** *v. form.* **1.** spełnienie, urzeczywistnienie. **2.** realistyczny opis.

actualize ['æktʃʊəˌlaɪz], *Br.* **actualise** *v. zw. pass. form.* **1.** spełniać, urzeczywistniać, realizować. **2.** realistycznie przedstawiać.

actually ['æktʃʊəlɪ] *adv.* **1.** faktycznie, rzeczywiście, w rzeczywistości, w istocie. **2.** *pot.* właściwie, szczerze mówiąc, prawdę powiedziawszy; **I don't know, ~** właściwie to nie wiem; **~, I'm busy at the moment** szczerze mówiąc, jestem w tej chwili zajęty. **3.** *gł. Br. pot.* ni mniej, ni więcej; **he ~ claimed to be related to the president** twierdził - ni mniej, ni więcej - że jest krewnym prezydenta.

actuarial [ˌæktʃʊ'erɪəl] *a. ubezp.* aktuarialny; **~ science** *mat.* matematyka aktuarialna.

actuary ['æktʃʊerɪ] *n. ubezp.* aktuariusz/ka.

actuate ['æktʃʊeɪt] *v.* **1.** *techn.* uruchamiać, poruszać, napędzać; *el.* wzbudzać. **2.** *form.* motywować, pobudzać do czynu; **be actuated by sth** *form.* kierować się czymś.

actuation [ˌæktʃʊ'eɪʃən] *n.* **1.** *U techn.* napędzanie, uruchamianie; wzbudzanie. **2.** *form.* pobudzanie do działania, bodziec.

actuator ['æktʃʊˌeɪtər] *n.* **1.** *techn.* mechanizm napędowy; **hydraulic ~** przekładnia hydrauliczna; **servomechanical ~** serwomechanizm. **2.** *komp.* ustawnik pozycyjny.

acuity [ə'kju:ətə] *n. U form.* **1.** ostrość (*wzroku*). **2.** bystrość (*umysłu*), przenikliwość.

aculeate [ə'kju:lɪət] *a.* **1.** *ent.* posiadający żądło; *attr.* z grupy żądłówek. **2.** *bot.* ciernisty, kolczasty.

aculeus [ə'kju:lɪəs] *n. pl.* **aculeuses** *l.* **aculei** *form.* **1.** *ent.* żądło; pokładełko. **2.** *bot.* cierń, kolec.

acumen [ə'kju:mən] *n. U form.* bystrość, przenikliwość; *przen.* zmysł, instynkt; **business ~** głowa do interesów; **political ~** zmysł polityczny.

acuminate *a.* [ə'kju:mɪnət; -neɪt] *bot.* zaostrzony, ostro zakończony (*o liściu*). – *v.* [ə'kju:mɪneɪt] zaostrzyć.

acumination [əˌkju:mɪ'neɪʃən] *n. form.* ostry koniec, szpic.

acuminous [ə'kju:mənəs] *a. form.* bystry, przenikliwy.

acupressure ['ækjəˌpreʃər] *n. U* akupresura.

acupuncture ['ækjəˌpʌŋktʃər] *n. U med.* akupunktura. – *v.* leczyć akupunkturą.

acupuncturist ['ækjəˌpʌŋktʃərɪst] *n. med.* specjalist-a/ka od akupunktury.

acute [ə'kju:t] *a.* **1.** *t. przen.* ostry; **~ angle** kąt ostry; **~ pain** ostry ból. **2.** dotkliwy, dokuczliwy, kłopotliwy; *przen.* bolesny; nagły; poważny (*o trudnościach, kłopotach*); **~ embarrassment** bolesne zakłopotanie; **~ shortage of sth** dotkliwy brak czegoś. **3.** czuły, wrażliwy (*o zmysłach*); spostrzegawczy; bystry, przenikliwy; **~ observer** przenikliwy obserwator. **4.** *fon.* akutowy; **~ accent** akcent akutowy *l.* rosnący, akut (*t. jako znak diakrytyczny*). – *n. fon. l. pisownia* akut, akcent akutowy.

acutely [ə'kju:tlɪ] *a.* **1.** ostro. **2.** dotkliwie, boleśnie; **~ aware/conscious of sth** w pełni świadom czegoś. **3.** spostrzegawczo, przenikliwie.

acuteness [ə'kju:tnəs] *n. U* **1.** dokuczliwość. **2.** spostrzegawczość, bystrość.

AD [ˌeɪ 'di:] *abbr.* **1.** = **air defense**. **2. active duty** *wojsk.* służba czynna. **3.** (*także* **A.D.**) **anno**

Domini (*przed datą*) AD, roku Pańskiego; (*po dacie*) r. n.e.

ad¹ [æd] *n. pot.* = **advertisement** 2. – *a. attr. pot.* = **advertising**.

ad² *n. i int. US i Can. tenis* przewaga; = **advantage**.

adage ['ædɪdʒ] *n. form.* przysłowie, porzekadło, adagium.

adagio [ə'dɑːdʒoʊ] *adv. i a. attr. muz.* adagio. – *n. pl.* **adagios** *muz., balet* adagio.

Adalbert ['ædlbɜːt] *n.* **St.** ~ *hist.* św. Wojciech.

Adam ['ædəm] *n. t. Bibl.* Adam; **~'s ale/wine** *żart.* woda; **~'s apple** jabłko Adama, grdyka; **I don't know him from ~** nie mam pojęcia, kto to taki; **the old ~** *pot.* (zła) natura ludzka, grzech pierworodny.

adamant ['ædəmənt] *n. U* **1.** twarda *l.* niełamliwa substancja. **2.** *mit.* adamas, adamant (= *kamień nie dający się skruszyć*); *poet.* diament. – *a. form.* niezłomny, nieugięty, niewzruszony (*in / about sth* co do czegoś); *przen.* kamienny, twardy jak głaz; **~ refusal** stanowcza odmowa; **be ~ that...** stanowczo obstawać przy tym, że...

adamantine [ˌædə'mæntɪn] *a.* **1.** *form.* = **adamant**. **2. ~ luster** *min.* połysk diamentowy.

adamantly ['ædəməntlɪ] *adv. form.* niezłomnie, stanowczo, twardo.

adamsite ['ædəmˌzaɪt] *n. U chem.* adamsyt (*gaz bojowy*).

adapt [ə'dæpt] *v.* **1.** dostosowywać, adaptować; **~ sth for sth** przystosowywać coś do czegoś (*do danych warunków l. zastosowań*); adaptować *l.* przerabiać coś dla (potrzeb) czegoś (*np. powieść dla telewizji*); **~ed for use in schools** przystosowany do użytku szkolnego. **2. ~ (o.s.) to sth** *t. biol.* adaptować *l.* przystosowywać się do czegoś.

adaptability [əˌdæptə'bɪlətɪ] *n. U* umiejętność przystosowania się, elastyczność; *biol.* zdolność przystosowawcza.

adaptable [ə'dæptəbl] *a.* zdolny do przystosowania się, elastyczny.

adaptation [ˌædəp'teɪʃən] *n.* przystosowanie (się), adaptacja (*t. biol., lit., fizj., psych.*); dostosowanie, przeróbka, przebudowa.

adapter [ə'dæptər] *n.* **1.** = **adaptor**. **2.** *komp.* kontroler, karta; **network/sound/video ~** karta sieciowa/dźwiękowa/graficzna.

adaptive [ə'dæptɪv] *a.* **1.** przystosowawczy, adaptacyjny; **~ radiation** *biol.* radiacja adaptatywna. **2.** = **adaptable**.

adaptiveness [ə'dæptɪvnəs] *n.* = **adaptability**.

adaptor [ə'dæptər] *n.* **1.** *el.* łącznik, adapter; przetwornik; rozgałęziacz. **2.** *astron.* moduł cumowniczy. **3.** adaptator/ka (*zwł. utworu literackiego*).

ADC [ˌeɪ ˌdiː 'siː] *abbr.* **1.** (*także* **a.d.c.**) *wojsk.* = **aide-de-camp**. **2. analog-to-digital converter** *el.* przetwornik analogowo-cyfrowy.

add [æd] *v.* **1. ~ sb/sth (to sth)** dodawać lub przyłączać kogoś/coś (do czegoś); **~ A and B (together)** *t. mat.* dodawać *l.* sumować A i B; **~ (that ...)** dodać (że...). **2. ~ fuel to the flames** *przen.* dolewać oliwy do ognia; **~ insult to injury** *przen.* dodatkowo pogorszyć sytuację. **3. ~ sth in** doliczać coś; dodawać *l.* dokładać czegoś; włączać *l.* uwzględniać coś; **~ sth on** doliczać coś; dobudowywać coś; **~ to sth** powiększać *l.* rozszerzać coś; rozbudowywać coś; **~ to sb's worries/difficulties** powiększać czyjeś zmartwienia/trudności; **~ (sth) up** sumować coś; **~ up** dodawać (= *wykonywać dodawanie*); zgadzać się (*o rachunkach*), dawać poprawny wynik; *pot.* trzymać się kupy, brzmieć sensownie; **~ up to sth** dawać coś w sumie; *przen.* równać się czemuś, oznaczać coś.

addable ['ædəbl] *a.* **1.** przyłączalny; możliwy do dodania. **2.** sumowalny.

addax ['ædæks] *n. pl.* **addax** *l.* **addaxes** *zool.* (antylopa) adaks (*Addax nasomaculatus*).

addend ['ædend] *n. mat.* składnik (*sumy*).

addenda [ə'dendə] *n. sing.* = **addendum** 2.

addendum [ə'dendəm] *n. pl.* **addenda** **1.** *form.* dodatek. **2.** załącznik, suplement; *pl.* addenda, uzupełnienia. **3.** *mech.* głębokość zazębienia (*w przekładni*).

adder¹ ['ædər] *n. komp.* sumator.

adder² *n.* (*także* **common ~**) *zool.* żmija zygzakowata (*Vipera berus*); żmija (*l. jakikolwiek wąż przypominający żmiję*); **death ~** zdradnica śmiercionośna (*Acanthophis antarcticus*); **gaboon ~** żmija gabońska (*Bitis gabonica*); **horned ~** żmija rogata (*Bitis cornuta*).

adder's-tongue ['ædərzˌtʌŋ] *n. bot.* **1.** nasięźrzał (*Ophioglossum*). **2.** psiząb (*Erythronium*).

addict *v.* [ə'dɪkt] **~ (o.s.) to sth** uzależniać (się) od czegoś. – *n.* ['ædɪkt] **1.** nałogowiec; **(drug) ~** narkoman/ka; **nicotine ~** nałogow-y/a palacz/ka. **2.** *pot.* entuzjast-a/ka, miłośni-k/czka; **bridge ~** namiętn-y/a brydżyst-a/ka.

addicted [ə'dɪktɪd] *a. pred.* **~ to sth** (nałogowo) uzależniony od czegoś; *przen. pot.* mający bzika na punkcie czegoś; **become/get ~** popaść w nałóg *l.* uzależnienie.

addiction [ə'dɪkʃən] *n.* nałóg; **~ (to sth)** *t. przen.* uzależnienie (od czegoś); **alcohol/tobacco ~** nałóg alkoholowy/nikotynowy; **drug ~** narkomania.

addictive [ə'dɪktɪv] *a.* powodujący uzależnienie, uzależniający; **~ disorder** *pat.* uzależnienie; **~ personality** *psych.* osobowość nałogowca; **highly ~** silnie uzależniający.

Addison's disease ['ædɪsənz dɪˌziːz] *n. pat.* choroba Addisona, cisawica.

addition [ə'dɪʃən] *n.* **1.** dodatek; **in ~** w dodatku, ponadto; **in ~ to sb/sth** poza kimś/czymś, oprócz kogoś/czegoś. **2.** *t. mat.* dodawanie, sumowanie. **3.** *US i Can.* przybudówka. **4.** *US i Can.* przyłączony grunt. **5.** *chem.* addycja.

additional [ə'dɪʃənl] *a.* dodatkowy; uzupełniający.

additionally [ə'dɪʃənlɪ] *adv.* dodatkowo; w dodatku, ponadto.

additive ['ædɪtɪv] *a. nauka* addytywny; **~ color mixing** addytywne mieszanie barw; **~ operation** *mat.* działanie addytywne. – *n.* domieszka; **-food ~** dodatek do żywności (*np. środek konserwujący, barwnik*).

additively ['ædɪtɪvlɪ] *adv. nauka* addytywnie.

addle ['ædl] *v.* **1.** tumanić, ogłupiać; **sb's brain's been ~d** *żart.* mózg się komuś lasuje. **2.** psuć (= *powodować gnicie*); gnić, psuć się (*o jajku*).

addle-brained ['ædl,breɪnd] *a.* = **addle-headed**.

addled ['ædld] *a.* **1.** otumaniony, ogłupiały. **2.** zgniły, zepsuty (*o jajku*).

addle-headed ['ædl,hedɪd], **addle-pated** ['ædl-,peɪtɪd] *a.* otumaniony, ogłupiały.

add-on ['ædɑ:n] *n. pl.* **add-ons** *komp.* rozszerzenie (= *dodatkowy sprzęt l. oprogramowanie*). – *a. attr. komp.* dodatkowy.

address *v.* [ə'dres] **1.** adresować (*list, przesyłkę*). **2.** ~ **sth to sb** kierować *l.* adresować coś do kogoś (*pismo, uwagę, skargę, ostrzeżenie*). **3.** ~ **(o.s. to) sb** zwracać się do kogoś; ~ **sb as...** tytułować kogoś... **4.** ~ **(a meeting/crowd etc)** przemawiać *l.* wygłaszać orędzie do (zgromadzenia/tłumu itp.). **5.** *form.* ~ **o.s. to sth** zająć się czymś; ~ **sth** traktować o czymś, poświęcać uwagę czemuś. **6.** zwrócić się ku (*np. ku partnerowi, rozpoczynając taniec*); ~ **the ball** *golf* ustawić się do uderzenia; ~ **the target** *łucznictwo* ustawić się naprzeciw tarczy. – *n.* [ə'dres; 'ædres] **1.** adres; **absolute/relative** ~ *komp.* adres bezwzględny/względny; **business/home/temporary** ~ adres służbowy/domowy/tymczasowy; **change of** ~ zmiana adresu *l.* miejsca zamieszkania. **2.** mowa, orędzie; **opening** ~ mowa inauguracyjna; **presidential** ~ orędzie prezydenckie. **3. form of** ~ forma zwracania się (*do kogoś*), tytuł grzecznościowy. **4.** *U arch.* styl konwersacji, wymowa. **5.** *U* zręczność, takt. **6.** *pl. przest. l. żart.* dusery, czułe słówka; **pay one's ~es to sb** prawić komuś dusery.

addressability [ə,dresə'bɪlətɪ] *n. U komp.* adresowalność.

addressable [ə'dresəbl] *a. komp.* adresowalny.

address book *n.* notes z adresami.

addressee [,ædre'si:] *n.* adresat/ka.

adduce [ə'du:s] *v. form.* przytaczać, przywodzić, cytować.

adduceable [ə'du:səbl] *a.* = **adducible**.

adducent [ə'du:sənt] *a. anat.* przywodzący (*o mięśniu*).

adducible [ə'du:səbl] *a. form.* poręczny, dający się przytoczyć (*w argumentacji*).

adduct [ə'dʌkt] *v. anat., fizj.* przywodzić (*o mięśniu*).

adduction [ə'dʌkʃən] *n. U* **1.** przytaczanie, cytowanie (*przykładów, argumentów*). **2.** *anat., fizj.* przywodzenie (*kończyny*), addukcja.

adductor [ə'dʌktər] *n. anat.* mięsień przywodzący, abduktor.

adenectomy [,ædə'nektəmɪ] *n. chir.* **1.** usunięcie gruczołu. **2.** = **adenoidectomy**.

adenine ['ædəni:n] *n. U biochem.* adenina.

adenoid ['ædənɔɪd] *n. często pl. anat.* migdałek gardłowy, adenoid. – *a. anat.* gruczołowaty; limfatyczny; adenoidalny.

adenoidal [,ædən'ɔɪdl] *a.* **1.** *uj.* nosowy (*o barwie głosu*). **2.** = **adenoid**.

adenoidectomy [,ædənɔɪ'dektəmɪ] *n. chir.* adenotomia, usunięcie migdałka gardłowego.

adenoma [,ædən'oumə] *n. pat.* gruczolak.

adenosine [ə'denə,si:n] *n. U biochem.* adenozyna.

adenovirus [,ædənou'vaɪrəs] *n. biol.* adenowirus.

adept *a.* [ə'dept; 'ædept] ~ **(in sth/at doing sth)** biegły *l.* zręczny (w czymś/w robieniu czegoś). – *n.* ['ædept] ~ **(at/in sth)** adept/ka (czegoś); mistrz/yni (w czymś).

adeptly [ə'deptlɪ] *adv.* **1.** biegle, po mistrzowsku. **2.** zręcznie.

adeptness [ə'deptnəs] *n. U* biegłość, mistrzostwo.

adequacy ['ædəkwəsɪ] *n. U* dostateczność; adekwatność, stosowność, odpowiedniość.

adequate ['ædəkwɪt] *a.* zadowalający; dostateczny, wystarczający; adekwatny, stosowny, odpowiedni; godziwy.

adequately ['ædəkwɪtlɪ] *adv.* zadowalająco; dostatecznie, wystarczająco; adekwatnie, stosownie, odpowiednio; godziwie.

adequateness ['ædəkwɪtnəs] *n.* = **adequacy**.

adhere [æd'hi:ər] *v.* **1.** *form.* kleić się, przywierać (*to sth* do czegoś). **2.** ~ **to sth** przestrzegać czegoś (*zasad, przepisów*), trzymać się czegoś (*reguł*); być wiernym czemuś (*religii, sprawie, partii politycznej*), trwać przy czymś.

adherence [æd'hi:ərəns] *n. U* ~ **to sth** przestrzeganie czegoś; wierność czemuś, przywiązanie do czegoś.

adherent [æd'hi:ərənt] *a. form.* **1.** lepiący *l.* klejący się, przywierający. **2.** ~ **to sth** przywiązany do czegoś, wierny czemuś. – *n. form.* zwolenni-k/czka, wyznaw-ca/czyni, adherent/ka.

adhesion [æd'hi:ʒən] *n. U* **1.** przyczepność; przyleganie, przywieranie; *fiz.* adhezja. **2.** przywiązanie, wierność. **3.** *C pat.* zrost. **4.** *rzad.* zbieżność poglądów.

adhesive [æd'hi:sɪv] *a.* lepki; klejący; ~ **plaster** *US* plaster (opatrunkowy); ~ **tape** taśma klejąca. – *n.* klej; spoidło.

adhibit [æd'hɪbɪt] *v. rzad.* **1.** stosować. **2.** przytwierdzać.

adhibition [,ædhə'bɪʃən] *n. rzad.* **1.** zastosowanie. **2.** przytwierdzenie.

ad hoc [,æd 'hɑ:k] *adv. Lat.* ad hoc, doraźnie. – *a. zw. attr.* doraźny; **an ~ decision** decyzja doraźna *l.* podjęta ad hoc; **on an ~ basis** doraźnie, ad hoc.

ad hominem [,æd 'hɑ:mɪ,nem] *a. Lat. ret.* ad hominem, natury osobistej, niemerytoryczny (*zwł. o argumencie*). – *adv.* (odnosząc się) do osoby (*a nie przedmiotu sporu*).

adiabatic [,ædɪə'bætɪk] *a. fiz.* adiabatyczny. – *n. fiz.* adiabata.

adieu [ə'du:] *int. Fr. arch. l. form.* adieu, bywaj zdrów. – *n. pl.* **adieus** *l.* **adieux** *form.* pożegnanie; **bid sb ~** pożegnać się z kimś; **make one's adieus/adieux** pożegnać się.

ad infinitum [,æd ɪnfɪ'naɪtəm] *adv. Lat.* ad infinitum, w nieskończoność, bez końca.

adios [,ædɪ'ous] *int. Sp.* do widzenia, żegnaj.

adipocyte ['ædəpou,saɪt] *n. biol.* komórka tłuszczowa.

adipose [ˈædəˌpoʊs] *a. biol., anat.* tłuszczowy; ~ **fin** *icht.* płetwa tłuszczowa; ~ **tissue** *anat.* tkanka tłuszczowa. – *n. U* tłuszcz zwierzęcy, łój.

adiposity [ˌædɪˈpɑːsətɪ] *n. U form.* otłuszczenie.

adit [ˈædɪt] *n. górn.* sztolnia (*udostępniająca l. wodna*).

adj. *abbr.* **1.** *gram.* = **adjective**. **2.** = **adjunct**. **3.** *fin., ubezp.* = **adjustment**. **4.** *wojsk.* = **adjutant**.

adjacency [əˈdʒeɪsənsɪ] *n. U* przyleganie, stykanie się.

adjacent [əˈdʒeɪsənt] *a.* ościenny; sąsiedni; ~ **(to sth)** przyległy (do czegoś); sąsiadujący *l.* stykający się (z czymś); ~ **angles** *geom.* kąty przyległe; ~ **countries** kraje ościenne; ~ **rooms** przyległe *l.* sąsiednie pokoje.

adjacently [əˈdʒeɪsəntlɪ] *adv.* ościennie; przylegle; po sąsiedzku.

adjectival [ˌædʒɪkˈtaɪvl] *a. gram.* przymiotnikowy.

adjectivally [ˌædʒɪkˈtaɪvlɪ] *adv. gram.* przymiotnikowo.

adjective [ˈædʒɪktɪv] *n. gram.* przymiotnik. – *a.* **1.** *attr. gram.* przymiotnikowy. **2.** *form.* pomocniczy, służebny. **3.** *prawn.* procesowy, proceduralny; ~ **law** prawo procesowe.

adjoin [əˈdʒɔɪn] *v.* **1.** przylegać do, sąsiadować z. **2.** ~ **sth to sth** dołączać coś do czegoś.

adjoining [əˈdʒɔɪnɪŋ] *a.* przyległy, sąsiedni.

adjourn [əˈdʒɝːn] *v.* **1.** odraczać (*for / until* o/do); robić przerwę w (*zebraniu, posiedzeniu sądu itp.*). **2.** ulec odroczeniu. **3.** *form.* zakończyć posiedzenie *l.* obrady; *żart.* skończyć pracę. **4.** *przest. l. żart.* przenieść się (= *kontynuować rozmowę l. spotkanie w innym miejscu*); **let's ~ to the kitchen/pub** przenieśmy się do kuchni/pubu.

adjournment [əˈdʒɝːnmənt] *n.* odroczenie, przerwa w obradach; przeniesienie (*obrad, posiedzenia*).

adjudge [əˈdʒʌdʒ] *v. gł. prawn.* **1.** uznawać za; ~ **that...** uznawać *l.* ogłaszać, że...; ~ **sb bankrupt** ogłosić czyjąś upadłość; ~ **sb guilty** uznać kogoś za winnego; ~ **sth sinful/subversive** uznawać coś za grzeszne/wywrotowe. **2.** ~ **sth to sb** zasądzić coś na rzecz kogoś, przyznać coś komuś. **3.** *arch.* skazać.

adjudgement [əˈdʒʌdʒmənt] *n. prawn.* **1.** orzeczenie. **2.** zasądzenie.

adjudicate [əˈdʒuːdəˌkeɪt] *v.* **1.** *gł. prawn.* rozstrzygać, rozsądzać; ~ **upon/on sth** orzekać *l.* wydawać postanowienie w sprawie czegoś. **2.** *szachy* oceniać (*sytuację*). **3.** *sport* sędziować (*w zawodach*).

adjudication [əˌdʒuːdəˈkeɪʃən] *n.* **1.** *U* arbitraż, rozstrzyganie. **2.** orzeczenie, postanowienie.

adjudicative [əˈdʒuːdəˌkeɪtɪv] *a. prawn.* **1.** arbitrażowy, rozjemczy. **2.** orzekający.

adjudicator [əˈdʒuːdəˌkeɪtə] *n.* **1.** arbiter, rozjemca. **2.** sędzia, członek jury.

adjudicatory [əˌdʒuːdəˈkeɪtərɪ] *a. gł. prawn.* sędziowski; rozpoznawczy.

adjunct [ˈædʒəŋkt] *a.* **1.** *form.* dodatkowy, pomocniczy, uzupełniający. **2.** ~ **professor** *US* profesor kontraktowy. – *n.* **1.** ~ **(to sth)** dodatek (do czegoś), uzupełnienie (czegoś); *nauka* dyscyplina pomocnicza (wobec czegoś). **2.** *gram.* poboczna część zdania; okolicznik.

adjunctive [əˈdʒʌŋktɪv] *a. form.* dodatkowy, uzupełniający.

adjuration [ædʒəˈreɪʃən] *n. form.* wezwanie, nakaz (*na mocy przysięgi l. przyrzeczenia*); *U* zaklinanie, błaganie.

adjure [əˈdʒʊr] *v. form.* ~ **sb to do sth** nakazywać komuś *l.* wzywać kogoś, by coś zrobił (*na mocy przysięgi l. przyrzeczenia*); zaklinać kogoś, by coś zrobił.

adjust [əˈdʒʌst] *v.* **1.** dostrajać, regulować, nastawiać. **2.** wyrównywać, poprawiać, korygować; *druk.* adiustować. **3.** ~ **sth (to sth)** dopasowywać *l.* dostosowywać coś (do czegoś); ~ **(to sth)** przystosowywać się (do czegoś). **4.** *ubezp.* naliczać, ustalać (*wysokość wypłaty*).

adjustable [əˈdʒʌstəbl] *a.* **1.** *cz. techn.* dostrajalny; nastawny; ~ **spanner** klucz francuski. **2.** dający się dostosować *l.* dopasować; ~ **seat-belt** *mot.* pas bezpieczeństwa z regulacją.

adjusted [əˈdʒʌstɪd] *a. psych.* przystosowany, zrównoważony.

adjuster [əˈdʒʌstər] *n.* **1.** (*także* **adjustor**) *druk.* adiustator. **2.** *ubezp.* **claims** ~ *US* likwidator szkód; **loss** ~ *Br.* = **claims ~**.

adjustment [əˈdʒʌstmənt] *n.* **1.** regulacja; dostrojenie; pokrętło regulacji, regulator. **2.** korekta, poprawka; **make ~s (to sth)** wnieść poprawki (do czegoś), skorygować (coś). **3.** *druk.* adiustacja. **4.** dopasowanie, dostosowanie, przystosowanie (*t. psych.*); **make the ~ from... to...** przestawić się z... na... **5.** *ubezp.* naliczenie (*wypłaty świadczenia*).

adjutancy [ˈædʒʊtənsɪ] *n. wojsk.* stanowisko adiutanta, adiutantura.

adjutant [ˈædʒʊtənt] *n. wojsk.* adiutant, oficer przyboczny.

adjutant general *n. pl.* **adjutants general** **1.** *US wojsk.* adiutant sztabu generalnego. **2.** *US admin.* dowódca milicji stanowej; *hist.* dowódca milicji kolonialnej. **3.** (*także* **Adjutant General**) *Br. wojsk.* szef administracji wojskowej.

adjutant stork, adjutant (bird) *n. orn.* adiutant (*Leptoptilus dubius, L. javanicus*).

adjuvant [ˈædʒəvənt] *a. form.* wspomagający, pomocniczy. – *n.* **1.** *med.* środek wspomagający; adiuwant immunologiczny. **2.** *form.* pomocni-k/ca.

ad lib [ˌædˈlɪb] *adv.* **1.** *pot.* bez przygotowania, naprędce, z głowy. **2.** *pot.* do woli, ile dusza zapragnie. – *a. pred. pot.* improwizowany. – *abbr. muz.* = **ad libitum**.

ad-lib [ˌædˈlɪb] *v.* **-bb-** *pot.* improwizować. – *a. attr. pot.* improwizowany.

ad-libber [ˌædˈlɪbər] *n. pot.* improwizator/ka.

ad libitum [ˌædˈlɪbɪtəm] *adv. i a. muz.* ad libitum (= *według upodobania*).

ADM [ˌeɪ ˌdiː ˈem], **Adm** *abbr. wojsk.* = **admiral**.

adman ['ædmæn] *n. pl.* **admen** *pot.* facet od reklamy.

admass ['ædmæs] *n. Br.* **1.** reklama skierowana do masowego odbiorcy. **2.** *cz. uj.* masowy odbiorca (*podatny na manipulację*).

admeasure [æd'meʒər] *v. form.* odmierzać, wydzielać, parcelować; wymierzać, dokonywać pomiarów (*czegoś*).

admeasurement [æd'meʒərmənt] *n. U form.* **1.** odmierzanie, wydzielanie (*zwł. gruntu*). **2.** pomiary (*zwł. urzędowe*).

admin ['ædmɪn] *n. pot.* = **administration.**

adminicle [æd'mɪnɪkl] *n. prawn.* poszlaka, uboczny fakt dowodowy.

administer [æd'mɪnɪstər] *n.* **1.** administrować, zarządzać, kierować (*czymś*); ~ **a country** kierować państwem. **2.** *med.* podawać, aplikować. **3.** *kośc.* udzielać (*sakramentów*); ~ **extreme unction/the last rites (to sb)** udzielić (komuś) ostatniego namaszczenia. **4.** *form.* ~ **a test** przeprowadzać test; ~ **an oath (to sb)** odbierać (od kogoś) przysięgę; ~ **justice** wymierzać sprawiedliwość; ~ **the law** egzekwować prawo; ~ **punishment** wymierzać karę, karać. **5.** ~ **sth to sb** *form.* zapewniać komuś coś (*zwł. wygodę, pomoc*).

administrate [æd'mɪnɪˌstreɪt] *v.* = **administer** 1.

administration [ædˌmɪnɪ'streɪʃən] *n. U* **1.** zarządzanie, kierowanie; zarząd, administracja; ~ **order** *prawn.* ustanowienie zarządu; *C* **the ~/A~** *gł. US* kierownictwo państwa, administracja (centralna), rząd; **the Bush** ~ administracja *l.* kadencja *Busha.* **2.** *med.* podanie (*leku*). **3.** *kośc.* udzielanie (*sakramentów*). **4.** *form.* ~ **of justice** wymiar sprawiedliwości.

administrative [æd'mɪnɪˌstreɪtɪv] *a.* administracyjny.

administratively [æd'mɪnɪˌstreɪtɪvlɪ] *adv.* administracyjnie.

administrator [æd'mɪnɪˌstreɪtər] *n.* zarządca (*t. prawn.*); administrator/ka; **system** ~ *komp.* administrator systemu.

administratrix [ædˌmɪnɪ'streɪtrɪks] *n. pl.* **administratrices** [ædˌmɪnɪ'streɪtrəsiːs] *prawn.* administratorka.

admirable ['ædmərəbl] *a.* godny podziwu, znakomity.

admirably ['ædmərəblɪ] *adv.* w podziwu godny sposób, znakomicie.

admiral ['ædmərəl] *n.* **1.** *wojsk.* admirał; ~ **of the fleet** *Br.* = **fleet** ~; **fleet** ~ *US* admirał floty (*najwyższy stopień w marynarce bryt. i am.*); **rear** ~ (*także* **rear-~**) kontradmirał; **vice** ~ (*także* **vice-~**) wiceadmirał. **2.** *Br.* dowódca flotylli rybackiej. **3. (red)** ~ *ent.* (rusałka) admirał (*Vanessa atalanta*).

admiralship ['ædmərəlˌʃɪp] *n. wojsk.* stopień *l.* funkcja admirała; dowództwo nad flotą *l.* marynarką.

Admiralties ['ædmərəltɪz] *n.* **the** ~ = **Admiralty Islands.**

admiralty ['ædmərəltɪ] *n. U* **1.** *wojsk.* admiralicja; *admin.* departament *l.* ministerstwo marynarki; **A~ Board** *Br.* Rada Admiralicji (= *departament marynarki*). **2.** = **admiralship. 3.** ~ **law** prawo morskie; ~ **mile** (*także* **nautical mile**) *miern., żegl.* mila morska.

Admiralty Islands *n. geogr.* Wyspy Admiralicji.

admiration [ˌædmə'reɪʃən] *n.* **1.** *U* podziw, zachwyt, admiracja. **2.** *arch.* dziw, rzecz zadziwiająca. **3. the ~ of sb/sth** obiekt czyjegoś podziwu (*powszechnego l. grupowego*). **4. mutual ~ society** *żart. l. iron.* towarzystwo wzajemnej adoracji.

admire [æd'maɪr] *v.* **1.** podziwiać; ~ **sb (for sth)** podziwiać kogoś (za coś), zachwycać się kimś (z powodu czegoś). **2.** *arch.* dziwować się (*czemuś*).

admirer [əd'maɪrər] *n.* wielbiciel/ka, admirator/ka; **secret** ~ cichy wielbiciel.

admiring [əd'maɪrɪŋ] *a.* pełen podziwu *l.* uwielbienia (*zwł. o spojrzeniu*).

admiringly [əd'maɪrɪŋlɪ] *adv.* z podziwem *l.* uwielbieniem.

admissibility [ædˌmɪsə'bɪlətɪ] *n. U* dopuszczalność.

admissible [æd'mɪsəbl] *a. form.* **1.** dopuszczalny, do przyjęcia; ~ **evidence** *prawn.* dopuszczalny materiał dowodowy. **2.** *pred.* ~ **(to sth)** akceptowany *l.* mający wstęp (gdzieś).

admissibly [æd'mɪsəblɪ] *adv.* dopuszczalnie, w dopuszczalny sposób.

admission [æd'mɪʃən] *n.* **1.** wstęp (*to sth* do czegoś *l.* na coś); (*także* ~ **charge/fee**) opłata za wstęp; **charge** ~ pobierać opłatę za wstęp; **no** ~ **before/after 12 noon** czynne od/do godz.12. **2.** przyjęcie, dopuszczenie; **A~ Day** *US* rocznica przyjęcia do Unii (*święto stanowe*); ~ **test** *szkoln.* egzamin wstępny. **3.** *pl.* rekrutacja (*na studia*); przyjęcia (*do szpitala*); liczba przyjęć *l.* przyjętych; **~s procedure/policy** tryb/polityka rekrutacji. **4.** ~ **that...** przyznanie, że...; ~ **of guilt/defeat/failure** przyznanie się do winy/porażki/niepowodzenia; **by/on his/her own** ~ jak sam/a przyznaje. **5.** ~ **valve** *techn.* zawór wlotowy.

admit [æd'mɪt] *v.* **-tt- 1.** ~ **sb (to/into)** wpuszczać kogoś (do *l.* na) (*t. o drzwiach, bramie*); dopuszczać kogoś (do); dawać komuś wstęp (do *l.* na), umożliwiać komuś wejście (do *l.* na) (*t. o kluczu, karcie wstępu*); przyjmować kogoś (do) (*organizacji, klubu*); **be ~ted to the hospital** zostać przyjętym do szpitala. **2.** móc pomieścić (*o sali, budynku*). **3.** (*także* ~ **to**) uznawać (*swój błąd, pomyłkę*); ~ **defeat** przyznać się do porażki; ~ **to (doing) sth** przyznawać się do (zrobienia) czegoś; **(I must)** ~ **(that)...** (muszę) przyznać, że... **4.** ~ **of sth** *form.* dopuszczać coś, pozwalać na coś, pozostawiać miejsce na coś.

admittance [æd'mɪtəns] *n. U* **1.** *form.* wstęp, prawo wstępu; wpuszczenie, umożliwienie wstępu; **gain** ~ **(to)** uzyskać wstęp *l.* wejść (do); **no** ~ wstęp wzbroniony; **refuse sb** ~ **(to)** odmówić komuś wstępu *l.* nie wpuścić kogoś (do). **2.** *el.* przewodność pozorna, admitancja.

admitted [æd'mɪtɪd] *a.* **1.** *pred.* ~ **(to sth)** dopuszczony (gdzieś *l.* do czegoś); ~ **to sb's presence** *form.* dopuszczony do kogoś, przyjęty przez kogoś. **2.** *attr.* jawny (= *przyznający się do czegoś*); **he is an** ~ **atheist** nie ukrywa, że jest ateistą.

admittedly [æd'mɪtɪdlɪ] *adv.* prawdę mówiąc; (*na początku zdania*) trzeba przyznać, że..., co prawda..., wprawdzie...

admix [æd'mɪks] *v. form.* ~ **sth with sth** *rzad.* dodawać do czegoś domieszkę czegoś; *techn.* domieszkować coś czymś; *pass.* ~**ed with (elements of) sth** *t. przen.* zawierający domieszkę czegoś.

admixture [æd'mɪkstʃər] *n. t. przen.* domieszka (*of sth* czegoś); składnik mieszanki.

admonish [æd'mɑːnɪʃ] *v. form.* ~ **sb against sth** przestrzegać kogoś przed czymś; ~ **sb (for doing sth)** strofować kogoś (za zrobienie czegoś); ~ **sb of sth** pouczać kogoś o czymś; ~ **sb to...** upominać kogoś, żeby..., doradzać komuś, żeby...

admonishment [æd'mɑːnɪʃmənt], **admonition** [ˌædmə'nɪʃən] *n. form.* przestroga, upomnienie, pouczenie.

admonitory [æd'mɑːnɪˌtɔːrɪ] *a. form.* ostrzegawczy; strofujący.

adnate ['ædneɪt] *a. bot.* przyrośnięty.

ad nauseam [ˌæd'nɑːzɪˌæm] *adv. Lat. form.* do znudzenia.

adnominal [æd'nɑːmɪnl] *a. gram.* adnominalny, przyrzeczownikowy.

ado [ə'duː] *n. U* hałas, rwetes, zamieszanie; **much ~ about nothing** wiele hałasu o nic; **without more/further ~** bez dalszych ceregieli *l.* wstępów.

adobe [ə'doʊbɪ] *n.* **1.** *U* (*także* ~ **clay**) glina tłusta; (*także* ~ **brick**) *bud.* suszona (niewypalana) cegła. **2.** *C* (*także* ~ **building**) budynek z suszonej cegły.

adolescence [ˌædə'lesəns] *n. U* lata młodzieńcze; okres dorastania.

adolescent [ˌædə'lesənt] *n.* nastolat-ek/ka. – *a.* młodzieńczy; nastoletni; młodociany; *uj.* niedojrzały, dziecinny, infantylny.

adonis [ə'dɔːnɪs] *n.* **1.** *bot.* miłek, adonis (*Adonis*); **autumn/flos ~** miłek jesienny (*A. autumnalis*); **spring ~** miłek wiosenny (*A. vernalis*). **2. A~** *mit. l. przen.* Adonis.

adopt [ə'dɑːpt] *v.* **1.** adoptować; *prawn.* przysposobić. **2.** ~ **sb (as sth)** wysunąć czyjąś kandydaturę (na coś), obrać kogoś (*kandydatem, przedstawicielem*). **3.** przedsięwziąć (*plan*). **4.** przyjmować (*sprawozdanie, taktykę, strategię*). **5.** przejmować (*modę, zwyczaj*), przyswajać sobie (*pomysł, metodę*); przybierać (*imię, tytuł, pozę, postawę*); ~ **a hard line towards sb/sth** zająć twarde stanowisko wobec kogoś/czegoś.

adoptability [əˌdɑːptə'bɪlətɪ] *n. U* możliwość adopcji *l.* przyjęcia.

adoptable [ə'dɑːptəbl] *a.* nadający się do adopcji *l.* przyjęcia.

adopted [ə'dɑːptɪd] *a.* **1.** adoptowany, przybrany; przysposobiony (*o dziecku*). **2.** ~ **country** (*także* **country of adoption**) ojczyzna z wyboru.

adoptee [əˌdɑːp'tiː] *n. prawn.* osoba adoptowana; przybrane dziecko.

adopter [ə'dɑːptər] *n.* **1.** *prawn.* osoba adoptująca. **2.** nowy zwolennik, naśladowca (*mody, zwyczaju*).

adoption [ə'dɑːpʃən] *n. U* **1.** adopcja, przysposobienie. **2.** obranie. **3.** przyjęcie (*mody, zwyczaju, sposobu postępowania*); przejęcie, przyswojenie sobie; przybranie (*np. tytułu*).

adoptive [ə'dɑːptɪv] *a.* przybrany (*gł. o rodzicach*); *prawn.* adopcyjny.

adorable [ə'dɔːrəbl] *a.* **1.** *emf.* uroczy, rozkoszny. **2.** *form.* godny uwielbienia.

adorably [ə'dɔːrəblɪ] *adv. emf.* uroczo, rozkosznie.

adoration [ˌædə'reɪʃən] *n. U t. rel.* uwielbienie, cześć; oddawanie czci, adoracja; **filled with ~** przepełniony czcią *l.* uwielbieniem; **in ~** na znak czci, w geście uwielbienia.

adore [ə'dɔːr] *v.* **1.** *t. rel.* wielbić, adorować. **2.** uwielbiać; *pot. emf.* przepadać za, ubóstwiać.

adorer [ə'dɔːrər] *n.* **1.** *rel.* czciciel/ka. **2.** *form.* adorator/ka, wielbiciel/ka.

adoring [ə'dɔːrɪŋ] *a. attr.* pełen uwielbienia (*zwł. o spojrzeniu*); kochający (*np. o współmałżonku*).

adoringly [ə'dɔːrɪŋlɪ] *adv.* z uwielbieniem *l.* miłością.

adorn [ə'dɔːrn] *v. form.* zdobić, przyozdabiać, przystrajać (*with sth* czymś).

adornment [ə'dɔːrnmənt] *n.* **1.** *form.* ozdoba, ornament. **2.** *U* przystrajanie, upiększanie; ornamentacja.

adown [ə'daʊn] *adv. arch.* w dół, na dół; poniżej, w dole.

a.d.p. [ˌeɪ ˌdiː 'piː], **ADP** *abbr.* = **automatic data processing**.

adream [ə'driːm] *adv. i a. pred. arch.* we śnie; **fall ~** pogrążyć się w marzeniach sennych.

ad rem [ˌæd'rem] *adv. i a. Lat. ret.* ad rem, do rzeczy.

adrenal [ə'driːnl] *a. anat.* przynerkowy; nadnerczowy; ~ **gland** (*także* **suprarenal gland**) nadnercze. – *n. anat.* = **adrenal gland**.

adrenaline [ə'drenlɪn], **adrenalin** *n. U* adrenalina.

Adriatic [ˌeɪdrɪ'ætɪk] *a. attr.* adriatycki; **the ~ Sea** *geogr.* Morze Adriatyckie. – *n. geogr.* **the ~** Adriatyk.

adrift [ə'drɪft] *adv. i a. pred.* **1.** *żegl.* w dryfie; znoszony; nieprzycumowany, niezakotwiczony; *t. ret.* na łasce wiatru *l.* prądów morskich; **be ~** dryfować; **cut/put/set sth ~** uwolnić coś z cumy *l.* kotwicy; **put/set sb ~** spuścić kogoś w łodzi (*na łaskę fal*). **2.** *przen.* bez celu (*zwł. życiowego*), na manowcach. **3.** *przen. pot.* **come ~** wymknąć się (*np. o włosach spod spinek*); oderwać się (*np. o rąbku spódnicy*); **go ~** przybrać zły obrót, nie wypalić (*o planach*); **turn sb ~** zostawić kogoś na łasce losu.

adroit [ə'drɔɪt] *a.* przemyślny, pomysłowy, zręczny (*at/in sth* w czymś).

adroitly [ə'drɔɪtlɪ] *adv.* przemyślnie, pomysłowo, zręcznie.

adroitness [ə'drɔɪtnəs] *n. U* przemyślność, pomysłowość, zręczność.

adry [ə'draɪ] *a. pred. arch.* **1.** wyschły; **run ~** wyschnąć. **2.** spragniony.

adscititious [ˌædsɪ'tɪʃəs] *a. form.* dodatkowy, uzupełniający.

adscititiously [ˌædsɪ'tɪʃəslɪ] *adv. form.* dodatkowo.

adsorb [æd'sɔ:rb] *v. chem.* adsorbować.

adsorbate [æd'sɔ:rbeɪt] *n. chem.* adsorbat.

adsorbent [æd'sɔ:rbənt] *a. chem.* adsorpcyjny. – *n. chem.* adsorbent.

adsorption [æd'sɔ:rpʃən] *n. U chem.* adsorpcja.

adularia [ˌædʒə'lerɪə] *n. U min.* adular.

adulate ['ædʒəˌleɪt] *v. form.* **1.** schlebiać, podlizywać się. **2.** bezkrytycznie podziwiać *l.* wielbić.

adulation [ˌædʒə'leɪʃən] *n. U* **1.** schlebianie, czołobitność; lizusostwo. **2.** bezkrytyczny podziw *l.* uwielbienie.

adulator ['ædʒəˌleɪtər] *n.* **1.** pochleb-ca/czyni. **2.** fan/ka.

adulatory ['ædʒləˌtɔ:rɪ] *a.* **1.** pochlebczy, czołobitny. **2.** pełen uwielbienia.

adult [ə'dʌlt; 'ædʌlt] *n. i a. attr.* **1.** dorosły; dojrzały (*biol. l. psych.*); *prawn.* pełnoletni. **2.** ~ **education** *szkoln.* kształcenie dorosłych; ~ **movies/magazines** filmy/czasopisma dla dorosłych.

adulterant [ə'dʌltərənt] *n. i a. attr. form.* (dodatek) fałszerski, (środek) rozcieńczający.

adulterate *a.* [ə'dʌltərət] **1.** *form.* fałszowany (*za pomocą bezwartościowych dodatków*), rozwodniony. **2.** *rzad.* = **adulterous** 1. – *v.* [ə'dʌltəˌreɪt] fałszować (*produkty spożywcze*); **adulterated milk/wine** rozwodnione mleko/wino.

adulteration [əˌdʌltə'reɪʃən] *n. U* fałszowanie (*produktów spożywczych*).

adulterator [ə'dʌltəˌreɪtə] *n.* fałszerz (*produktów spożywczych*).

adulterer [ə'dʌltərər] *n.* cudzołożnik.

adulteress [ə'dʌltərɪs] *n.* cudzołożnica.

adulterine [ə'dʌltərɪn] *a. form.* **1.** = **adulterate** 1. **2.** poczęty cudzołożnie, z nieprawego łoża.

adulterous [ə'dʌltərəs] *a.* **1.** cudzołożny; pozamałżeński; ~ **relationship** związek pozamałżeński, romans. **2.** *arch.* = **adulterate** 1.

adultery [ə'dʌltərɪ] *n. U* cudzołóstwo; *C* stosunek pozamałżeński, zdrada małżeńska; **commit** ~ popełnić cudzołóstwo.

adulthood [ə'dʌltˌhʊd] *n. U* dorosłość; dojrzałość; pełnoletność; wiek dojrzały.

adumbral [æd'ʌmbrəl] *a. poet.* cienisty.

adumbrate ['ædʌmbreɪt] *v. form.* **1.** zarysowywać, przedstawiać w zarysie, szkicować. **2.** zwiastować, zapowiadać. **3.** *rzad.* zaciemniać, przesłaniać.

adumbration [ˌædʌm'breɪʃən] *n. U form.* **1.** zarys, szkic. **2.** zapowiedź.

adumbrative ['ædʌmbrətɪv] *a. form.* szkicowy.

adumbratively ['ædʌmbrətɪvlɪ] *adv. form.* szkicowo, w zarysie.

adv. *abbr.* **1.** *gram.* = **adverb**. **2.** = **advertisement**.

advance [æd'væns] *n.* **1.** *U* posuwanie się *l.* marsz naprzód, pochód (*wojska*). **2.** postęp; ~ **in sth** postęp w czymś *l.* w dziedzinie czegoś; **the ~ of science/civilization** postęp naukowy/cywilizacyjny. **3.** ~ **(on sth)** podwyższenie *l.* podbicie (czegoś) (*ceny, stawki, oferty*); **any ~ (on...)?** kto da więcej (niż...)?. **4.** (*także* ~ **payment**) *fin.* zaliczka; **give/make sb an ~** dać komuś zaliczkę. **5.** **in ~** z góry, z wyprzedzeniem, zawczasu; **be in ~ of sb/sth** wyprzedzać kogoś/coś; **know sth in ~** wiedzieć coś z góry; **payment in ~** zapłata z góry; wypłata awansem. **6.** *pl.* zaloty, awanse (*to sb* wobec kogoś); **make ~s (to sb)** zabiegać o (czyjeś) względy; zalecać się (do kogoś); **~s (toward sth)** wstępne kroki *l.* posunięcia (ku czemuś). **7.** *rzad.* = **advancement** 1. – *a. attr.* ~ **copy** *druk.* egzemplarz sygnalny; ~ **guard/party** *wojsk.* awangarda; straż przednia, zwiad; ~ **notice/warning** uprzedzenie/ostrzeżenie z góry; ~ **reservation** wcześniejsza rezerwacja; ~ **supply** *handl.* dostawa z góry. – *v.* **1.** posuwać naprzód (*pionek w grze, oddział wojska*); ruszać, posuwać się *l.* podążać naprzód; kontynuować pochód *l.* marsz (*toward sth* ku czemuś); ~ **on sb** postąpić (groźnie) ku komuś; ~ **(in sth)** czynić postępy *l.* postępować naprzód (w czymś). **2.** uzyskać awans *l.* promocję, awansować; *arch.* promować, awansować (*kogoś*). **3.** narastać, wzrastać (*zwł. o kosztach, cenach*). **4.** sprzyjać (*czemuś*), służyć rozwojowi (*czegoś*). **5.** przyspieszać (*np. wyznaczony termin*). **6.** wysuwać, przedstawiać (*teorię, propozycję, zarzut*); podsuwać (*pomysł, sugestię*). **7.** ~ **sth (to sb)** wypłacić (komuś) coś z góry; udzielić (komuś) czegoś (*pożyczki, kredytu*).

advanced [æd'vænst] *a.* **1.** daleko posunięty; zaawansowany (*o przebiegu choroby, poziomie, uczniu*); wysoko rozwinięty (*gospodarczo, cywilizacyjnie*); ~ **degrees** *szkoln.* wyższe stopnie naukowe; **A~ level** *form.* = **A level**; ~ **research/studies** *nauka* badania/studia zaawansowane; ~ **technology** zaawansowana technologia. **2.** ~ **age** podeszły wiek; ~ **in years** w podeszłym wieku. **3.** postępowy, nowoczesny, nowatorski. **4.** ~ **credit/standing** *US szkoln., uniw.* zaliczenie kursu (*ukończonego w innej szkole lub uczelni*).

advancement [æd'vænsmənt] *n.* **1.** awans, promocja. **2.** *U* postęp, rozwój; wspieranie rozwoju (*zwł. nauki, sztuki*).

advantage [æd'væntɪdʒ] *n.* przewaga (*t. w tenisie*); zaleta, dobra strona; korzyść, pożytek; ~ **over sb/sth** wyższość nad kimś/czymś; **have the ~ of sb** mieć przewagę nad kimś (*zwł. = wiedzieć coś, czego ktoś nie wie*); **take ~ of sb** wykorzystać kogoś, nadużyć czyjejś dobroci *l.* zaufania; **take ~ of sth** wykorzystywać coś; **to ~** najkorzystniej, z najlepszym skutkiem; **(turn sth) to one's (own) ~** (obrócić coś) na swoją korzyść; **use sth to ~** robić z czegoś dobry użytek. – *v. form.* faworyzować, popierać.

advantageous [ˌædvən'teɪdʒəs] *a.* korzystny.

advantageously [ˌædvən'teɪdʒəslɪ] *adv.* korzystnie, z pożytkiem *l.* korzyścią.

advection [æd'vekʃən] *n. meteor.* adwekcja.

advent ['ædvent] *n.* **1.** przyjście; nadejście (*oczekiwanego wydarzenia*); nastanie. **2.** **the A~** *teol.* Przyjście (Chrystusa); *kośc.* adwent. – *a. attr.* **A~ calendar** kalendarz adwentowy; **A~ hymn** hymn adwentowy; **A~ Sunday** niedziela adwentowa.

Adventist ['ædventɪst] *n. rel.* adwentyst-a/ka; **Seventh-Day ~s** Adwentyści Dnia Siódmego.

adventitious [ˌædvən'tɪʃəs] *a.* **1.** *form.* przygodny, przypadkowy; zewnątrzpochodny; nieoczekiwany. **2.** **~ bud/root** *bot.* pąk/korzeń przybyszowy; **~ cyst** *pat.* otorbienie (*ciała obcego*).

adventitiously [ˌædvən'tɪʃəslɪ] *adv.* **1.** *form.* przygodnie; z zewnątrz. **2.** *bot.* przybyszowo (*o sposobie wyrastania*).

adventive [æd'ventɪv] *a. biol.* sprowadzony, zawleczony, egzotycznego pochodzenia. – *n. biol.* gatunek sprowadzony, przybysz.

adventure [æd'ventʃər] *n.* **1.** przygoda; ryzyko; ryzykowne *l.* śmiałe przedsięwzięcie; *pl.* przygody, przypadki; **spirit of ~** duch przygody *l.* ryzyka. **2.** *fin.* spekulacja, kombinacja finansowa. **3.** *arch.* przypadek. **4.** *arch.* tarapaty, opały. – *a. attr.* przygodowy (*o powieści, filmie, komiksie*); **(computer) ~ game** przygodowa gra komputerowa; **~ race** *sport* wyścig z narażeniem życia (*np. zdobycie pięciu szczytów górskich na czas*). – *v.* **1.** *form.* ryzykować (*coś l. czymś*); ośmielać się na; **~ an opinion** zaryzykować pogląd. **2.** *lit.* **~ into** zapuszczać się w; **~ on/upon** ważyć się na.

adventurer [æd'ventʃərər] *n.* **1.** poszukiwacz/ka przygód; *uj.* awanturni-k/ca. **2.** ryzykant, śmiałek. **3.** *przest.* spekulant, kombinator, intrygant.

adventuresome [æd'ventʃərsəm] *a. US* = **adventurous**.

adventuress [æd'ventʃərɪs] *n. przest.* **1.** awanturnica. **2.** kombinatorka, intrygantka.

adventurism [æd'ventʃəˌrɪzəm] *n. U* awanturnictwo.

adventurous [æd'ventʃərəs] *a.* śmiały (*o człowieku l. przedsięwzięciu*); żądny przygód; awanturniczy, pełen przygód; ryzykowny.

adventurously [æd'ventʃərəslɪ] *adv.* śmiało; awanturniczo; ryzykownie.

adverb ['ædvɜ:b] *n. gram.* przysłówek.

adverbial [æd'vɜ:bɪəl] *a. gram.* **1.** przysłówkowy. **2.** okolicznikowy. – *n. gram.* okolicznik.

adverbially [æd'vɜ:bɪəlɪ] *adv. gram.* **1.** przysłówkowo. **2.** okolicznikowo.

adversarial [ˌædvər'serɪəl] *a.* **1.** *form.* antagonistyczny. **2.** *prawn.* kontradyktoryjny (*o postępowaniu sądowym*).

adversary ['ædvərˌserɪ] *n. form.* adwersarz, antagonista; przeciwnik, wróg (*t. o państwie*). – *a. prawn.* = **adversarial** 2.

adversative [æd'vɜ:sətɪv] *a. gram.* przeciwstawny (*o zdaniu współrzędnym*); przyzwalający (*o zdaniu podrzędnym*).

adverse [æd'vɜ:s] *a.* przeciwny (*zwł. o wietrze*), niesprzyjający; niekorzystny; nieprzyjazny, nieprzychylny; **~ circumstances/conditions** niesprzyjające okoliczności/warunki; **~ effects** niekorzystne skutki; **~ influence/impact** niekorzystny wpływ; **~ publicity** antyreklama; **~ reaction** nieprzychylna reakcja.

adversely [æd'vɜ:slɪ] *adv.* niekorzystnie; nieprzychylnie.

adverseness [æd'vɜ:snəs] *n. U* nieprzychylność.

adversity [æd'vɜ:sətɪ] *n. zw. U* przeciwności losu, trudności (*życiowe*); niedola, tarapaty; **in times of ~** w trudnych chwilach.

advert[1] *v.* [æd'vɜ:t] *form.* **~ to** nawiązywać do, kierować uwagę ku.

advert[2] *n.* ['ædvɜ:t] *Br. pot.* = **advertisement** 2.

advertise ['ædvərˌtaɪz] *v.* **1.** reklamować. **2.** ogłaszać, zapowiadać, zawiadamiać o; **~ for sb/sth** dawać ogłoszenie w sprawie kogoś/czegoś, ogłaszać, że poszukuje się kogoś/czegoś (*zwł. pracownika*). **3.** *arch.* ostrzegać.

advertisement [ˌædvər'taɪzmənt] *n.* **1.** *U* reklama, rozgłos. **2.** (*także* **ad**) reklama (*w gazecie, na plakacie, filmowa*); ogłoszenie, anons; **~ page** *dzienn.* strona ogłoszeniowa.

advertiser ['ædvərˌtaɪzər] *n.* ogłoszeniodawca.

advertising ['ædvərˌtaɪzɪŋ] *n. U* reklama (*działalność l. branża*); **~ agency/campaign/industry** agencja/kampania/branża reklamowa; **a career/job in ~** praca w reklamie.

advertorial [ˌædvər'tɔ:rɪəl] *n. dzienn. iron.* zamaskowana reklama (*udająca artykuł prasowy*).

advice [əd'vaɪs] *n.* **1.** *U* porada, doradzanie, rady (*on/about* na temat *l.* w sprawie); **a bit/piece/word of ~** rada; **ask sb's ~** prosić kogoś o radę; **give sb ~** radzić *l.* doradzać komuś, udzielać komuś rad *l.* porady; **legal/medical/professional ~** porada prawna/lekarska/fachowa; **on sb's ~** za czyjąś radą; **take/follow sb's ~** skorzystać z czyjejś rady, pójść za czyjąś radą. **2.** (*także* **~ note**) *handl.* awizo; *często pl.* doniesienie, powiadomienie.

advice column *n. US dzienn.* rubryka porad osobistych dla czytelników.

advice columnist *n. US dzienn.* redaktor/ka rubryki jw.

advisability [ədˌvaɪzə'bɪlətɪ] *n. U* celowość, słuszność (*postępowania*).

advisable [əd'vaɪzəbl] *a.* celowy, wskazany, zalecany; **it is ~ to...** wskazane jest *l.* byłoby..., należy...

advisably [æd'vaɪzəblɪ] *adv.* w zalecany sposób.

advise [əd'vaɪz] *v.* **1.** doradzać *l.* służyć radą (*komuś*); **~ (sb) sth** doradzać *l.* zalecać (komuś) coś; **~ sb to do sth** radzić komuś, żeby coś zrobił; **~ sb against (doing) sth** odradzać komuś coś; **~ sb on sth** doradzać komuś w sprawie czegoś; **~ caution/restraint** zalecać ostrożność/powściągliwość. **2.** **~ sb of sth** *form.* powiadamiać *l.* informować kogoś o czymś. **3.** **~ with sb** *US form. l. Br. arch.* naradzać *l.* konsultować się z kimś.

advised [əd'vaɪzd] *a. form.* **1.** przemyślany. **2.** rozważny, roztropny; **you would be well/ill ~ to...** postąpiłbyś roztropnie/nieroztropnie, gdybyś...

advisedly [əd'vaɪzɪdlɪ] *adv. form.* **1.** z rozmysłem, świadomie. **2.** roztropnie.

advisement [əd'vaɪzmənt] *n. U US form. l. Br. arch.* rozważanie, rozpatrywanie; **take sth under ~** wziąć coś pod rozwagę.

adviser [əd'vaɪzər], **advisor** *n.* doradca.

advisory [əd'vaɪzərɪ] *a.* doradczy; ~ **body** ciało doradcze; **in an ~ role/capacity** w roli/charakterze doradcy.

advocacy ['ædvəkəsɪ] *n. U* ~ **(of sth)** poparcie (dla czegoś), obrona (czegoś).

advocate *n.* ['ædvəkət] **1.** orędowni-k/czka, rzeczni-k/czka; obroń-ca/czyni (*of sth* czegoś). **2.** *prawn. Scot., rzad. Br. i US* adwokat (*upoważniony do występowania przed sądem*); **judge ~** *zob.* **judge. 3. devil's ~** *zob.* **devil.** – *v.* ['ædvəkeɪt] **1.** stawać w obronie (*kogoś*), orędować za (*kimś*). **2.** wyrażać poparcie dla (*kogoś*), wspierać.

advocatory [æd'vɑːkə͵tɔːrɪ] *a. form.* obrończy, orędowniczy.

advowson [æd'vaʊzən] *n. U Br. prawo kość.* kolatorstwo, prawo do obsadzenia beneficjum.

advt. *abbr.* = **advertisement.**

adz [ædz], *Br.* **adze** *n.* **1.** ciosło (*do obróbki drewna*). **2.** *alpinizm* łopatka (*płaskie ostrze czekana*).

adzuki bean [æd'zuːkɪ ͵biːn] *n. bot., kulin.* fasola adzuki (*Phaseolus angularis*).

AEC [͵eɪ ͵iː 'siː] *abbr.* **Atomic Energy Commission** *US* Komisja Energii Atomowej.

aedile ['iːdaɪl] *n. hist.* edyl (*urzędnik rzymski*).

Aegean [ɪ'dʒiːən] *a.* egejski; **the A~ Sea/Islands** *geogr.* Morze/Wyspy Egejskie.

aegis ['iːdʒɪs], **egis** *n. mit. l. przen.* egida; **under the ~ of...** pod egidą...

Aeolian [iː'oʊlɪən], **Eolian** *a. muz.* eolski (*o skali modalnej*); *hist.* = **Aeolic.** – *n.* **the ~s** *hist.* Eolowie.

aeolian [iː'oʊlɪən] *a.* **1.** *geol.* eoliczny (= *dokonany przez wiatr*); ~ **deposits** złoża eoliczne. **2.** ~ **harp** *muz.* harfa eolska.

Aeolic [iː'ɑːlɪk], **Eolic** *a. hist.* eolski (*zwł. o dialekcie*).

Aeolus ['ɪələs] *n. mit.* Eol.

aeon ['ɪːən], *US zw.* **eon** *n.* **1.** eon (*t. fil., teol., geol.*). **2.** *pl. przen.* wieki całe, wieczność; **~s ago** *emf.* wieki temu.

aeonian [iː'oʊnɪən], **eonian** *a. poet.* wieczny.

aepyornis [͵iːpiː'ɔːrnɪs] *n. paleont.* struś madagaskarski, epiornis (*Aepyornis*).

aerate ['ereɪt] *v.* gazować, saturować (*napój*); napowietrzać (*glebę, akwarium*); napełniać powietrzem (*np. płuca*).

aeration ['ereɪʃən] *n. U* gazowanie, saturacja; napowietrzanie; *geol.* aeracja.

aerator ['ereɪtər] *n.* **1.** saturator (*do wody gazowanej*). **2.** *techn.* napowietrzacz. **3.** *techn. l. roln.* aerator.

aerial ['erɪəl] *a.* **1.** powietrzny; napowietrzny. **2.** lotniczy. **3.** *poet.* podniebny, strzelisty, wyniosły. **4.** *poet.* wizjonerski, fantastyczny. **5.** *poet.* zwiewny, ulotny, eteryczny. – *n. gł. Br. techn.* antena.

aerial cable car *n.* (napowietrzna) kolej linowa.

aerial combat *n. wojsk.* walka powietrzna *l.* w powietrzu.

aerialist ['erɪəlɪst] *n. US* akrobat-a/ka, linoskocz-ek/ka.

aerially ['erɪəlɪ] *adv.* **1.** napowietrznie. **2.** za pomocą samolotu *l.* lotnictwa.

aerial photography *n. U* fotografia lotnicza.

aerial reconnaissance *n. wojsk.* zwiad lotniczy.

aerial roots *n. bot.* korzenie oddechowe, pneumatofory.

aerie ['erɪ], **aery** *Br.* **eyrie** *n.* orle gniazdo (*t. przen.* = *twierdza l. siedziba górska*).

aerification [͵erəfə'keɪʃən] *n. U chem., techn.* **1.** napowietrzanie. **2.** ulatnianie się, przemiana w gaz.

aeriform ['erə͵fɔːrm] *a. chem.* lotny.

aerify ['erə͵faɪ] *v. chem., techn.* **1.** napowietrzać. **2.** przemieniać w gaz.

aerobatic [͵erə'bætɪk] *a. lotn.* akrobacyjny.

aerobatics [͵erə'bætɪks] *n. U l. pl. sport* akrobacje lotnicze.

aerobe ['eroʊb] *n. biol.* aerob, aerobiont, tlenowiec.

aerobic [e'roʊbɪk] *a.* **1.** *biol.* tlenowy, aerobowy. **2.** *attr.* do aerobiku, stosowany w aerobiku; ~ **exercise** aerobik; ~ **shoes** buty do aerobiku.

aerobically [e'roʊbɪklɪ] *adv. biol.* tlenowo, aerobowo.

aerobics [e'roʊbɪks] *n. U* aerobik.

aerodrome ['erə͵droʊm] *n. Br. przest.* = **airdrome.**

aerodynamic [͵eroʊdaɪ'næmɪk] *a.* aerodynamiczny; opływowy; ~ **braking** *lotn.* hamowanie aerodynamiczne; ~ **equations** *fiz.* równania aerodynamiczne.

aerodynamically [͵eroʊdaɪ'næmɪklɪ] *adv.* aerodynamicznie; opływowo.

aerodynamics [͵eroʊdaɪ'næmɪks] *n. U* aerodynamika.

aerofoil ['erə͵fɔɪl] *n. Br.* = **airfoil.**

aerogel ['erə͵dʒel] *n. U fiz.* aerożel, piana stała.

aerogram ['erə͵græm], *Br.* **aerogramme** *n.* **1.** radiotelegram. **2.** lekki list lotniczy.

aerolite ['erə͵laɪt] *n. nauka* aerolit, meteoryt kamienny.

aerometer [e'rɑːmɪtər] *n. fiz.* aerometr.

aeronaut ['erə͵nɔːt] *n.* aeronaut-a/ka (= *lotnik l. pilot, t. balonowy*).

aeronautic [͵erə'nɔːtɪk] *a.* = **aeronautical.**

aeronautical [͵erə'nɔːtɪkl] *a. attr.* lotniczy; ~ **engineering** inżynieria lotnicza.

aeronautics [͵erə'nɔːtɪks] *n. U* aeronautyka, lotnictwo.

aeroplane ['erə͵pleɪn] *n. gł. Br.* = **airplane.**

aeroponic [͵erə'pɑːnɪk] *n.* aeroponiczny (*o uprawie*).

aeroponics [͵erə'pɑːnɪks] *n. U hodowla roślin* aeroponika.

aerosol ['erə͵soʊl] *n.* aerozol; spray; (*także* ~ **bomb/can**) rozpylacz; ~ **deodorant/cologne** dezodorant/woda kolońska w sprayu.

aerospace ['erə͵speɪs] *n. U lotn.* przestrzeń powietrzna; (*także* ~ **industry**) przemysł lotniczy i kosmiczny.

aerostat ['erə͵stæt] *n.* aerostat (= *balon l. sterowiec*).

aerostatic [ˌerəˈstætɪk] *a. fiz., lotn.* aerostatyczny.

aerostatics [ˌerəˈstætɪks] *n. U fiz.* aerostatyka.

aeruginous [ɪˈruːdʒənəs] *a.* grynszpanowy.

aerugo [ɪˈruːgoʊ] *n. U chem.* śniedź, grynszpan (*na starym brązie*).

aery[1] [ˈerɪ] *a.* (*także* **airy**) *poet.* zwiewny, eteryczny; wyniosły, podniebny; ~ **heights** zawrotne wyżyny (*przen.* = *królestwo fantazji*).

aery[2] *n.* = **aerie.**

Aeschylean [ˌeskəˈliːən] *a. lit.* ajschylosowski.

Aesculapian [ˌeskjəˈleɪpɪən] *a.* **1.** Eskulapowy (*t. żart.* = *medyczny*). **2.** ~ **snake** *zool.* wąż eskulapa (*Elaphe longissima*).

Aesopian [iːˈsɑːpɪən], **Aesopic** [iːˈsɑːpɪk] *a.* ezopowy (*o stylu*).

aesthete [ˈesθiːt], **esthete** *n.* estet-a/ka.

aesthetic [esˈθetɪk], **aesthetical** [esˈθetɪkl], **esthetic(al)** *a.* estetyczny; ~ **appeal/value** wartość estetyczna; ~ **considerations** względy estetyczne; ~ **sense** zmysł estetyczny.

aesthetically [esˈθetɪklɪ], **esthetically** *adv.* **1.** estetycznie. **2.** pod względem estetycznym.

aesthetician [ˌesθɪˈtɪʃən], **esthetician** *n. nauka* estetyk, teoretyk sztuki.

aestheticism [esˈθetɪˌsɪzəm], **estheticism** *n. U form.* estetyzm.

aesthetics [esˈθetɪks], **esthetics** *n. U t. fil. i nauka* estetyka.

aestivate [ˈestəˌveɪt], *US zw.* **estivate** *n. biol.* przetrwać okres lata *l.* suszę.

aestivation [ˌestɪˈveɪʃən], *US zw.* **estivation** *n. U* **1.** *bot.* estywacja (= *rozmieszczenie liści w pączku*). **2.** *zool.* estywacja (= *przetrwanie lata*).

aetiology [ˌiːtiːˈɑːlədʒɪ], **etiology** *n. U gł. med.* etiologia.

AF [ˌeɪ ˈef] *abbr.* **1.** *wojsk.* = **Air Force. 2. Anglo-French** angielsko-francuski; *jęz. hist.* anglonormański.

Af. [eɪf] *abbr.* = **Africa(n).**

afar [əˈfɑːr] *adv.* **1.** *poet. l. arch.* daleko, w (od)dali; w dal. **2. from** ~ *lit.* z dala, z oddali.

AFB [ˌeɪ ˌef ˈbiː] *abbr.* **air-force base** *wojsk.* baza lotnicza.

afeard [əˈfiːərd], **afeared** *a. attr. arch. l. dial.* = **afraid.**

affability [ˌæfəˈbɪlətɪ] *n. U form.* **1.** sympatyczność. **2.** bezpośredniość (*w zachowaniu*).

affable [ˈæfəbl] *a.* **1.** sympatyczny; przyjazny. **2.** bezpośredni, chętny do rozmowy.

affably [ˈæfəblɪ] *adv.* **1.** sympatycznie; przyjaźnie. **2.** bezpośrednio.

affair [əˈfer] *n.* **1.** sprawa; *U* interes; **it's none of your** ~ (to) nie twój interes. **2.** *pl.* sprawy (*zwł. polit.*); interesy; ~**s of state** sprawy państwowe; **current** ~**s** sprawy bieżące; **home/foreign** ~**s** sprawy wewnętrzne/zagraniczne; **put one's** ~**s in order** uporządkować swoje sprawy; **state of** ~**s** stan rzeczy. **3.** *pot.* impreza (*towarzyska*). **4.** *uj.* incydent, przykra sprawa; skandal, afera. **5.** romans, przygoda miłosna; **carry on/have an** ~ **with sb** mieć romans z kimś. **6.** *pot.* (*z przymiotnikiem*) rzecz, coś; **this machine is a complex** ~ ta maszyna to rzecz skomplikowana; **she wore a long flowery** ~ miała na sobie coś długiego i kwiecistego (= *długą suknię w kwiaty*).

affect[1] [əˈfekt] *n. psych.* afekt. – *v.* **1.** oddziaływać na; wpływać *l.* wywierać wpływ na; dotykać (*o nieszczęściu, chorobie*). **2.** *zw. pass.* poruszyć (*emocjonalnie*).

affect[2] *v. form.* **1.** udawać; ~ **ignorance/indifference** udawać niewiedzę/obojętność. **2.** pozować na; ~ **the politician/the helpless female** pozować na polityka/na bezbronną kobietkę. **3.** przyjmować (*pozę, akcent*). **4.** *biol.* zamieszkiwać.

affectation [ˌæfekˈteɪʃən] *n.* **1.** poza; maniera; pretensja; ~ **of nobility** pretensja do szlachectwa; **with an** ~ **of indifference** udając obojętność. **2.** *U* afektacja, pretensjonalność.

affected[1] [əˈfektɪd] *a.* dotknięty (*by sth* czymś).

affected[2] *a.* **1.** udawany, fałszywy. **2.** afektowany, pretensjonalny. **3.** ~ **toward sth** *arch.* skłonny do czegoś.

affecting [əˈfektɪŋ] *a.* poruszający.

affectingly [əˈfektɪŋlɪ] *adv.* poruszająco.

affection[1] [əˈfekʃən] *n.* **1.** uczucie (*zwł. tkliwe*); **feel a great/deep** ~ **for sb** darzyć kogoś wielkim/głębokim uczuciem. **2.** *U* czułość, tkliwość, przywiązanie; **show sb** ~ okazywać komuś czułość. **3.** *pl.* uczucia, względy; **win sb's** ~**s** zdobyć czyjeś względy *l.* czyjąś wzajemność. **4.** *pat.* przypadłość.

affection[2] *n. arch.* skłonność, inklinacja (*toward sth* ku czemuś).

affectional [əˈfekʃənl] *a.* dotyczący uczuć, uczuciowy.

affectionate [əˈfekʃənɪt] *a.* czuły, tkliwy (*toward sb* wobec kogoś); ~ **hug/kiss/letter** czuły uścisk/pocałunek/list.

affectionately [əˈfekʃənɪtlɪ] *adv.* **1.** czule, tkliwie, z uczuciem *l.* czułością. **2. yours** ~ (*w zakończeniu listu*) szczerze Ci oddany.

affective [əˈfektɪv] *a. psych.* afektywny, emocjonalny; ~ **disorders** zaburzenia emocjonalne.

afferent [ˈæfərənt] *a. fizj.* doprowadzający.

affiance [əˈfaɪəns] *n. arch.* solenne zobowiązanie (*zwł. kontrakt małżeński*). – *v. form.* ~ **sb/o.s. (to sb)** przyrzekać (komuś) czyjąś/swoją rękę.

affianced [əˈfaɪənst] *a. przest.* zaręczony.

affiant [əˈfaɪənt] *n. US prawn.* osoba składająca oświadczenie pod przysięgą.

affidavit [ˌæfɪˈdeɪvɪt] *n. prawn.* oświadczenie pod przysięgą (*pisemne*).

affiliate *v.* [əˈfɪlɪˌeɪt] **1.** *form.* ~ **sb to/with sth** przyjmować kogoś w poczet członków *l.* w skład czegoś; ~ **sth (to/with sth)** stowarzyszać coś (z czymś), afiliować coś (przy czymś); ~ **o.s. with sth** przyłączać się *l.* wstępować do czegoś; wiązać *l.* stowarzyszać się z czymś. **2.** *prawn.* ustalać ojcostwo (*dziecka*). **3.** *form.* ustalać pochodzenie *l.* autorstwo (*rękopisu, wersji utworu*); ~ **sth to/upon/on sb** przypisywać komuś autorstwo czegoś. – *n.* [əˈfɪlɪɪt] *form.* osoba *l.* instytucja stowarzyszona. – *a.* [əˈfɪlɪɪt] *attr. form.* stowarzyszony, afiliowany; ~ **member** członek stowarzyszony.

affiliation [əˌfɪlɪ'eɪʃən] *n.* **1.** *form.* ~ **(to/with sth)** przyjęcie (do grona *l.* w skład *l.* w poczet członków czegoś); ~ **(with sth)** stowarzyszenie się (z czymś). **2.** *U form.* przynależność, afiliacja; *pl.* koneksje, powiązania, związki. **3.** *U prawn.* ustalenie ojcostwa; ~ **order** zobowiązanie do świadczenia alimentacyjnego; ~ **proceedings** postępowanie w sprawie ustalenia ojcostwa. **4.** *U form.* filiacja, ustalanie pochodzenia, pokrewieństwa *l.* autorstwa.

affined [ə'faɪnd] *a. form.* pokrewny; blisko związany.

affinity [ə'fɪnətɪ] *n.* **1.** ~ **(to/for sb/sth)** sympatia *l.* upodobanie *l.* pociąg (do kogoś/czegoś); ~ **between A and B** wzajemna sympatia między A i B. **2.** pokrewna dusza. **3.** *gł. prawn.* związki rodzinne, powinowactwo (*with sb* z kimś). **4.** podobieństwo (*zwł. wynikające ze wspólnego pochodzenia*). **5.** *chem.* powinowactwo (*for* w stosunku do).

affirm [ə'fɜ:m] *v.* **1.** zapewniać o; ~ **that...** zaręczać *l.* zapewniać, że... **2.** *form.* podtrzymywać (*zarzut, twierdzenie*); potwierdzać; aprobować. **3.** *prawn.* przyrzekać, uroczyście zapewniać (*zamiast przysięgania na Biblię*).

affirmable [ə'fɜ:məbl] *a.* dający się podtrzymać.

affirmant [ə'fɜ:mənt] *n. prawn.* osoba składająca przyrzeczenie.

affirmation [ˌæfər'meɪʃən] *n.* **1.** zapewnienie. **2.** *form.* potwierdzenie; podtrzymanie (*np. zarzutu*); aprobata, afirmacja. **3.** *prawn.* przyrzeczenie (*bez przysięgania na Biblię*).

affirmative [ə'fɜ:mətɪv] *a.* twierdzący, pozytywny (*o odpowiedzi*); potwierdzający; *t. gram., log.* orzekający. – *n.* **1.** stwierdzenie, potwierdzenie; **answer in the** ~ odpowiedzieć twierdząco. **2. the** ~ *US i Can.* głosy potwierdzające, afirmatywa. – *int. gł. wojsk.* potwierdzam (= *tak l. tak jest*).

affirmative action *n. U US polit.* akcja afirmatywna, polityka dyskryminacji pozytywnej.

affirmatively [ə'fɜ:mətɪvlɪ] *adv.* twierdząco.

affix *v.* [ə'fɪks] **1.** *form.* ~ **sth to/on sth** przyłączać *l.* dodawać coś do czegoś (*t. przyrostek do wyrazu*); przymocowywać *l.* przyczepiać coś do czegoś. **2.** naklejać (*znaczek*); przykładać (*pieczęć*); składać (*podpis*). – *n.* ['æfɪks] **1.** *form.* dodatek. **2.** *gram.* afiks.

affixation [ˌæfɪk'seɪʃən] *n. gram.* **1.** *U* afiksacja; afiksy dodane do wyrazu. **2.** wyraz zawierający afiks(y).

affixture [ə'fɪkstʃər] *n. form.* **1.** *U* dodanie, dołączenie; złożenie (*podpisu*). **2.** dodatek; (dołączony) podpis.

afflatus [ə'fleɪtəs] *n. U lit.* natchnienie (twórcze), inspiracja; **divine** ~ boska inspiracja.

afflict [ə'flɪkt] *v. form.* dotykać, doświadczać; przygnębiać, przytłaczać; **~ed with/by sth** dotknięty czymś.

afflicting [ə'flɪktɪŋ] *a.* = **afflictive**.

affliction [ə'flɪkʃən] *n. form. U* niedola, nieszczęście, cierpienie; *C* przypadłość, dolegliwość.

afflictive [ə'flɪktɪv] *a. form.* bolesny, dotkliwy, dolegliwy.

affluence ['æflu:əns] *n. U* bogactwo, zamożność; dostatek; *rzad.* obfitość.

affluent ['æflu:ənt] *a.* **1.** bogaty, zamożny; dostatni. **2.** obfity. **3.** swobodnie przepływający. – *n. form.* dopływ (*rzeki*).

affluently ['æflu:əntlɪ] *adv.* **1.** zamożnie, dostatnio. **2.** obficie.

afflux ['æfləks] *n. form.* napływ, dopływ.

afford [ə'fɔ:rd] *v.* **1. sb can** ~ **sth** kogoś stać na coś, ktoś może sobie pozwolić na coś; **we can't** ~ **to buy this house** nie stać nas na kupno tego domu. **2.** *form.* zapewniać, dawać (*np. schronienie, piękny widok*).

affordable [ə'fɔ:rdəbl] *a.* w rozsądnej *l.* przystępnej cenie, w granicach możliwości finansowych.

afforest [ə'fɔ:rɪst] *v. leśn.* zalesiać.

afforestation [əˌfɔ:rɪ'steɪʃən] *n. U leśn.* zalesianie.

affranchise [ə'fræntʃaɪz] *v. form.* wyzwolić, oswobodzić; uwalniać (*od zobowiązań*).

affranchisement [ə'fræntʃaɪzmənt] *n.* oswobodzenie; uwolnienie.

affray [ə'freɪ] *n.* **1.** bijatyka, burda (*w miejscu publicznym*). **2.** *prawn.* bójka.

affreightment [ə'fraɪtmənt] *n. żegl.* wyczarterowanie statku do przewozu towarów.

affricate ['æfrəkɪt], **affricative** *n. fon.* afrykata, spółgłoska zwarto-szczelinowa.

affricative [ə'frɪkətɪv] *a.* zwarto-szczelinowy. – *n.* = **affricate**.

affright [ə'fraɪt] *v. arch.* trwożyć. – *n. U* trwoga.

affront [ə'frʌnt] *n.* afront, zniewaga (*to* dla). – *v. zw. pass.* znieważyć; obrazić.

affusion [ə'fju:ʒən] *n. U kośc.* polewanie (*np. wodą podczas chrztu*).

Afghan ['æfgən] *n.* **1.** (*także* **Afghani**) Afgańczyk/nka. **2.** *U* paszto, pasztu (*język afgański*). **3.** afgan (*kobierzec*). **4.** (*także* ~ **hound**) chart afgański. – *a.* afgański.

Afghanistan [æf'gænɪˌstæn] *n.* Afganistan.

aficionado [əˌfɪʃjə'nɑ:doʊ], **afficionado** *n. pl.* **-s** *form.* wielbiciel/ka; entuzjast-a/ka.

afield [ə'fi:ld] *adv.* **far** ~ daleko od domu; za granicą; *przen.* nie na temat; **go/wander (too) far** ~ oddalać się (zbytnio) od domu; *przen.* (zanadto) odbiegać od tematu.

afire [ə'faɪr] *a. pred. lit.* w ogniu, w płomieniach; **be** ~ *t. przen.* palić się, płonąć; **be** ~ **with sth** *przen.* pałać czymś.

aflame [ə'fleɪm] *a. pred.* **1.** *lit.* w płomieniach, płonący; **be** ~ *t. przen.* palić się, płonąć. **2. be** ~ **with desire** płonąć pożądaniem.

afloat [ə'floʊt] *adv. i a. pred.* **1.** pływający; unoszący się na wodzie; dryfujący. **2.** *lit.* na pokładzie statku; w morzu. **3.** zalany wodą; zatopiony. **4.** *fin.* wypłacalny; **stay/keep** ~ zachować płynność finansową. **5.** w obiegu (*o informacji, plotce*).

aflutter [ə'flʌtər] *a. pred.* zdenerwowany; podekscytowany.

afoot [ə'fʊt] *adv. i a. pred.* **1. be** ~ być przygotowywanym, szykować się; **there's mischief/something** ~ coś się knuje *l.* szykuje. **2.** *przest.* pieszo, na piechotę.

afore [ə'fɔːr] *adv., prep. i conj.* **1.** *przest.* poprzednio. **2.** *w złoż.* uprzednio; wyżej.

aforementioned [əˌfɔːr'menʃənd] *a. attr. form.* wyżej wymieniony *l.* wspomniany. – *n. sing. l. pl.* **the** ~ wyżej wymieniony; wyżej wymienieni, wyżej wymienione osoby.

aforesaid [ə'fɔːrsed] *a. attr.* = **aforementioned.**

aforethought [ə'fɔːrθɔːt] *n. form.* obmyślenie czegoś naprzód; *prawn.* premedytacja; **with malice** ~ *prawn.* z premedytacją.

aforetime [ə'fɔːrˌtaɪm] *adv. lit.* ongiś. – *a. attr.* dawny.

afoul [ə'faʊl] *adv. i a. pred. form.* zaplątany; w kolizji; **run/fall** ~ **of** *zwł. US* zaplątać się w (*wodorosty, sieci itp.*); *przen.* popaść w konflikt z.

afraid [ə'freɪd] *a.* przestraszony, bojący się; **be** ~ **(of sb/sth)** bać się *l.* obawiać się (kogoś/czegoś); **be** ~ **to do/of doing sth** bać się *l.* obawiać się coś zrobić; **be** ~ **for sb** bać się o kogoś; **be** ~ **of one's own shadow** bać się własnego cienia; **I'm afraid (that)...** obawiam się, że...; **I'm afraid so/not** obawiam się, że tak/nie.

afreet ['æfriːt] *mit. arabska n.* demon; potwór.

afresh [ə'freʃ] *adv.* na nowo, od nowa; **start** ~ zaczynać od nowa.

Africa ['æfrɪkə] *n.* Afryka.

African ['æfrɪkən] *a.* afrykański. – *n.* Afrykańczyk/nka.

African-American [ˌæfrɪkənə'merɪkən], **Afro-American** *n. US* Murzyn/ka amerykańsk-i/a. – *a.* murzyński.

Afrikaans [ˌæfrɪ'kɑːns] *n. U* (język) afrikaans. – *a.* odnoszący się do afrikaans *l.* Afrykanerów.

Afrikaner [ˌæfrə'kɑːnər], **Afrikaaner** *arch.* **Afrikander** *n.* Afrykaner/ka.

Afro ['æfroʊ] *a. attr.* afrykański (*dotyczący Murzynów amerykańskich, ich tradycji i kultury*). – *n.* afro (*fryzura*).

Afro-American [ˌæfroʊə'merɪkən] *a. i n.* = **African-American.**

Afro-Asiatic [ˌæfroʊˌeɪʒiː'ætɪk] *jęz. n. U* rodzina języków afro-azjatyckich. – *a.* afro-azjatycki.

Afrocentric [ˌæfroʊ'seɪntrɪk] *a.* afrocentryczny.

Afrocentrism [ˌæfroʊ'seɪntrɪzəm] *n. U* afrocentryzm.

Afrocentrist [ˌæfroʊ'seɪntrɪst] *n.* afrocentrysta/ka.

aft [æft] *adv.* **1.** na rufie; w stronę rufy. **2.** w stronę ogona (*samolotu*). – *a.* **1.** tylny (= *znajdujący się na rufie l. ogonie*); ~ **deck** tylny pokład. **2.** ~ **of sth** za czymś; **fore and** ~ z przodu i z tyłu.

after ['æftər] *prep.* **1.** po; ~ **an hour/two days/a while** po godzinie/dwóch dniach/jakimś czasie; ~ **breakfast** po śniadaniu; ~ **what we've done for you** po tym, co dla ciebie zrobiliśmy; **clean up** ~ **sb/o.s.** sprzątać po kimś/sobie; **come** ~ **sth** następować po czymś; **he's named** ~ **his grandfather** dali mu imię po dziadku; **life** ~ **death** życie po śmierci; **the day** ~ **tomorrow** pojutrze. **2.** za; **day** ~ **day** dzień za dniem *l.* po dniu; **go/run/call** ~ **sb** pójść/pobiec/zawołać za kimś; **one** ~ **the other** jeden za *l.* po drugim; **shut the door after** ~ **you** zamknij za sobą drzwi. **3.** *US* po (*przy podawaniu czasu*); **a quarter** ~ **eight** kwadrans po ósmej. **4.** w stylu; **a painting** ~ **Turner** obraz w stylu Turnera; **a man/woman** ~ **sb's own heart** pokrewna dusza. **5.** w porównaniu z; **he seems very well-behaved** ~ **my brother's kids** wydaje się bardzo grzeczny w porównaniu z dziećmi mojego brata. **6.** *pot.* w pogoni za, w poszukiwaniu; **be** ~ **sb/sth** szukać kogoś/czegoś; **be** ~ **sb** ścigać *l.* poszukiwać kogoś (*zwł. o policji*); **be** ~ **sth** chcieć czegoś, mieć ochotę na coś (*zwł. należącego do kogo innego*). **7.** ~ **all** mimo wszystko; przecież, w końcu. **8.** ~ **you** proszę bardzo (*przepuszczając kogoś w drzwiach*); ~ **you with the paper, please** mógłbyś mi dać gazetę, jak skończysz?. **9. ask** ~ **sb** *zob.* **ask.** – *adv.* **1.** w tyle, z tyłu. **2.** później; potem; **soon/shortly/not long** ~ wkrótce/niedługo potem; **the day** ~ dzień później; następnego dnia; **they lived happily ever** ~ żyli długo i szczęśliwie. – *a. attr.* **1.** *lit.* późniejszy; następny; **in** ~ **years** w późniejszych latach. **2.** *żegl., lotn.* tylny (*o maszcie, kabinie, miejscu*). – *conj.* po tym, jak; gdy, kiedy; **soon/shortly/not long** ~ ... wkrótce/niedługo po tym, jak...; **straight/immediately** ~ ... zaraz/natychmiast po tym, jak...

afterbirth ['æftərˌbɝːθ] *n. U med.* popłód, łożysko z błonami płodowymi.

afterburner ['æftərˌbɝːnər] *n. lotn.* dopalacz.

aftercare ['æftərˌker] *n. U med.* opieka pooperacyjna; opieka nad rekonwalescentem.

afterdamp ['æftərˌdæmp] *n. U górn.* gazy odstrzałowe *l.* powybuchowe.

aftereffect ['æftərɪˌfekt] *n. zw. pl.* następstwo; efekt następczy.

afterglow ['æftərˌgloʊ] *n. zw. sing.* **1.** łuna (*po zachodzie słońca*); poświata. **2.** *przen.* przyjemne uczucie *l.* wspomnienie (*po szczęśliwym przeżyciu, sukcesie itp.*).

afterimage ['æftərˌɪmɪdʒ] *n. psych.* powidok (= *przedłużone odczuwanie bodźca wzrokowego*).

afterlife ['æftərˌlaɪf] *n. zw. sing.* życie pozagrobowe.

aftermath ['æftərˌmæθ] *n. sing.* **1.** następstwo; **in the** ~ **of the war/earthquake** w następstwie wojny/trzęsienia ziemi. **2.** *lit.* pokłosie. **3.** *roln.* potraw.

aftermost ['æftərˌmoʊst] *a.* **1.** *żegl.* najdalszy, najbliższy rufy. **2.** najdalszy; ostatni.

afternoon [ˌæftər'nuːn] *n.* popołudnie; **good** ~ dzień dobry; do widzenia; **in the** ~ po południu; **this/tomorrow/yesterday** ~ dziś/jutro/wczoraj po południu. – *a. attr.* popołudniowy.

afternoons [ˌæftər'nuːnz] *adv. zwł. US* popołudniami, po południu (*np. pracować*).

afterpiece ['æftərˌpiːs] *n. teatr* dodatek (*grany po przedstawieniu*).

afters ['æftəz] *n. U Br. pot.* deser.

aftershave ['æftəˌʃeɪv] *n.* płyn po goleniu.

aftershock ['æftərˌʃɑːk] *n. geol.* trzęsienie następcze.

aftertaste [ˈæftərˌteɪst] *n. zw. sing.* **1.** posmak. **2.** *przen.* nieprzyjemne uczucie *l.* wspomnienie.

afterthought [ˈæftərˌθɔːt] *n. zw. sing.* **1.** refleksja; **do/say sth (only) as an ~** zrobić/powiedzieć coś (dopiero) później. **2.** późniejszy dodatek (*nie będący częścią oryginalnego planu*).

afterward [ˈæftərwɝːd], *gł. Br.* **afterwards** *adv.* później, potem.

afterword [ˈæftərˌwɝːd] *n.* posłowie; podsumowanie, mowa końcowa.

again [əˈgen] *adv.* **1.** ponownie, znowu; z powrotem, od nowa; jeszcze raz. **2.** **~ and ~/time and (time)~/over and over ~** w kółko; ciągle; **all over ~** jeszcze raz od początku; **as much/many ~** dwa razy tyle *l.* więcej; **never ~** nigdy więcej; **now and ~** od czasu do czasu; **once ~** jeszcze raz; **then/there ~** *pot.* (ale) z drugiej strony, (ale) też; **yet ~** kolejny raz.

against [əˈgenst] *prep.* **1.** przeciw, przeciwko; **be ~ sth** być przeciwnym czemuś; **have sth ~ sb/sth** mieć coś przeciwko komuś/czemuś. **2.** wbrew, niezgodnie *l.* w sprzeczności z; **~ sb's will/wishes** wbrew czyjejś woli/życzeniom; **~ the law** niezgodnie z prawem. **3.** z; **fight/compete ~ sb/sth** walczyć/konkurować z kimś/czymś; **race ~ time** wyścig z czasem; **work ~ time/the clock** ścigać się z czasem. **4.** przed; **protect sb/o.s. ~ sth** chronić kogoś/się przed czymś; **warn ~ sb/sth** ostrzegać przed kimś/czymś. **5.** na niekorzyść; **count/work ~ sb** działać na czyjąś niekorzyść. **6.** pod; **~ the current/wind** pod prąd/wiatr. **7.** o; **lean ~ the wall** opierać się o ścianę; **rain is beating ~ the window** deszcz bije o szyby. **8. (as) ~** w porównaniu z; w stosunku do; w przeciwieństwie do. **9.** **~ the background of sth** *t. przen.* na tle czegoś; **advance ~ salary** zaliczka do potrącenia z pensji; **be/come up ~** musieć borykać się z; **insurance ~ accident** ubezpieczenie od (następstw) wypadku; **discriminate ~ sb** dyskryminować kogoś; **run ~** najechać na; *przen. pot.* natknąć się na. – *adv.* przeciw; **for and ~** za i przeciw. – *conj. arch.* zanim, przed.

agamic [əˈgæmɪk] *a.* **1.** *biol.* bezpłciowy; rozmnażający się bez udziału komórek rozrodczych; kiełkujący bez zapłodnienia. **2.** *bot.* (*także* **agamous**) kryptogamiczny, skrytopłciowy.

agape [əˈgeɪp] *adv.* z rozdziawionymi ustami; *przen.* w zdumieniu. – *a. pred.* szeroko otwarty, rozdziawiony.

agar [ˈɑːgɑːr], **agar-agar** *n. U* agar, agar-agar (*żel z wodorostów*).

agaric [ˈægərɪk] *n.* grzyb z rodziny bedłkowatych; bedłka (*Agaricus*).

agate [ˈægɪt] *n.* **1.** *min.* agat. **2.** kulka do gry z agatu. **3.** *druk.* stopień pisma drukarskiego o wielkości 5,5 punktu typograficznego.

agateware [ˈægɪtˌwer] *n. U* **1.** naczynia metalowe *l.* żeliwne z emalią imitującą agat. **2.** ceramika o wyglądzie agatu.

agave [əˈgeɪvɪ] *n. bot.* agawa (*Agave*).

agaze [əˈgeɪz] *adv. i a. pred. arch.* **~ at sth** z wzrokiem utkwionym w coś.

age [eɪdʒ] *n.* **1.** wiek; **act one's ~** zachowywać się, jak przystało na czyjś wiek; **at the ~ of 8** (*także US* **at ~ 8**) w wieku ośmiu lat; **at an early ~** w młodym wieku; **be 20 years of ~** mieć dwadzieścia lat; **be the same ~ (as)** mieć tyle samo lat (co); **for one's ~** (jak) na swój wiek; **look one's ~** wyglądać na swój wiek *l.* swoje lata; **a man of middle ~** mężczyzna w średnim wieku; **what ~ is she?** ile ona ma lat?; **women of childbearing ~** kobiety w wieku rozrodczym. **2.** *U* zaawansowany wiek, starość; **feel one's ~** czuć się staro; **yellow with ~** pożółkły ze starości. **3.** *zw. sing.* wiek; epoka; **the Ice A~** epoka lodowcowa. **4.** pokolenie. **5.** średnia długość życia. **6.** *zwł. pl. pot.* (całe) wieki; **I haven't seen her for ~s** nie widziałem jej całe wieki; **it's (been) ~s since we went to the movies** od wieków nie byliśmy w kinie; **in a coon's ~** *US pot.* całe wieki, kopę lat. **7.** **~ of consent** *prawn.* wiek uprawniający do podjęcia współżycia płciowego *l.* zawarcia małżeństwa; **~ of military service** wiek poborowy; **be of ~** być pełnoletnim; **come of ~** osiągnąć pełnoletność; **under ~** nieletni, niepełnoletni. – *v. part.* **aging** *l.* **ageing** **1.** starzeć się. **2.** postarzać. **3.** dojrzewać (*np. o winie, serze*).

age bracket *n.* przedział wiekowy.

aged *a.* **1.** [ˈeɪdʒɪd] wiekowy, sędziwy, stary. **2.** [ˈeɪdʒd] *pred.* w wieku; **a man ~ 50** mężczyzna w wieku pięćdziesięciu lat; **the ~** ludzie starsi, osoby w podeszłym wieku. **3.** [ˈeɪdʒd] dojrzały (*o winie, serze*).

age discrimination *n. U US* = **ag(e)ism**.

age group *n.* grupa wiekowa.

ageing [ˈeɪdʒɪŋ] *a. Br.* = **aging**.

ageism [ˈeɪdʒɪzəm], *US i Austr. zw.* **agism** *n. U* dyskryminacja osób starszych.

ageist [ˈeɪdʒɪst], *US i Austr. zw.* **agist** *a.* dyskryminujący osoby starsze. – *n.* osoba dyskryminująca osoby starsze.

ageless [ˈeɪdʒləs] *a.* **1.** nie starzejący się; wiecznie młody. **2.** zawsze modny, nie wychodzący z mody. **3.** wieczny.

agelessly [ˈeɪdʒləslɪ] *adv.* wiecznie.

agelessness [ˈeɪdʒləsnəs] *n. U* **1.** wieczna młodość. **2.** wieczność.

age limit *n.* ograniczenie *l.* granica wieku (*górna l. dolna*).

agency [ˈeɪdʒənsɪ] *n.* **1.** agencja, przedstawicielstwo, agentura; agenda; urząd, biuro. **2.** *U* działanie (= *sposób wywierania wpływu l. sprawowania władzy*); **by/through the ~ of sb/sth** *form.* za sprawą kogoś/czegoś.

agenda [əˈdʒendə] *n. pl.* **agenda** *l.* **agendas** **1.** porządek dzienny (*obrad itp.*). **2.** **be high on sb's ~** (*także* **be on top of sb's ~**) być dla kogoś sprawą pierwszorzędnej wagi; **sth is on the ~** coś jest w programie *l.* planach.

agent [ˈeɪdʒənt] *n.* **1.** osoba *l.* rzecz, która działa. **2.** przedstawiciel/ka; agent/ka (*artysty, wywiadu, rządowy, handlowy*); **secret ~** tajn-y/a agent/ka. **3.** czynnik. **4.** *gram.* agens, podmiot czynny. **5.** *t. chem.* środek; **cleaning/cleansing ~** środek czyszczący. **6.** *lit.* narzędzie; **~ of change/destruction** narzędzie zmiany/zniszczenia.

Agent Orange *n. U wojsk.* czynnik pomarańczowy (*broń chemiczna stosowana podczas wojny wietnamskiej*).

agent provocateur [ˌɑːʒɑːŋ ˌprɔːvɑːkəˈtɜː] *n. pl.* **agents provocateur** *Fr. zwł. polit.* prowokator.

age-old [ˈeɪdʒˌoʊld] *a. attr.* odwieczny; stary jak świat.

agglomerate [əˈglɑːməˌreɪt] *v.* gromadzić (się). – *a.* nagromadzony. – *n.* **1.** *C* skupisko, skupienie; zlepek. **2.** *U geol.* aglomerat. **3.** *U metal.* spiek, ruda spieczona.

agglomeration [əˌglɑːməˈreɪʃən] *n.* **1.** *U* nagromadzenie (się); aglomeracja (*proces*). **2.** *C* skupisko; mieszanina; kupa (*np. śmieci*).

agglutinate *v.* [əˈgluːtəneɪt] **1.** zlepiać (się), sklejać (się). **2.** *jęz.* aglutynować. – *a.* [əˈgluːtənət] **1.** zlepiony, sklejony. **2.** *jęz.* utworzony w drodze aglutynacji.

agglutination [əˌgluːtəˈneɪʃən] *n. U* **1.** zlepianie (się), sklejanie (się). **2.** zlepiona masa. **3.** *jęz.* aglutynacja.

agglutinative [əˈgluːtəneɪtɪv] *a.* **1.** lepki, kleisty. **2.** *jęz.* aglutynacyjny.

aggrandize [əˈgrændaɪz], *Br. i Austr. zw.* **aggrandise** *v. form. zw. uj.* **1.** powiększać, poszerzać, rozszerzać. **2.** zwiększać (*władzę l. bogactwo*); przydawać świetności; poprawiać pozycję w hierarchii. **3.** przesadzać, wyolbrzymiać.

aggrandizement [əˈgrændɪzmənt] *n. U zw. uj.* **1.** powiększenie; rozszerzenie. **2.** przydanie wielkości. **3.** wyolbrzymianie.

aggravate [ˈægrəˌveɪt] *v.* **1.** pogarszać. **2.** *pot.* irytować, wkurzać.

aggravated [ˈægrəˌveɪtɪd] *a.* **1.** *pot.* zirytowany; wkurzony. **2.** *attr. prawn.* o znamionach wymagających zaostrzenia kary; ~ **assault** napaść czynna (*z użyciem broni*).

aggravating [ˈægrəˌveɪtɪŋ] *a. pot.* irytujący, wkurzający.

aggravatingly [ˈægrəˌveɪtɪŋlɪ] *adv. pot.* irytująco, wkurzająco.

aggravation [ˌægrəˈveɪʃən] *n. U* **1.** pogorszenie. **2.** *pot.* zdenerwowanie, irytacja. **3.** *Br. i Austr. sl.* (*także* **aggro**) kłopot(y).

aggregate [ˈægrɪgət] *a. attr.* zbiorowy, łączny (*zwł. o sumie*). – *n.* **1.** suma; ogół. **2.** *min.* agregat krystaliczny. **3.** *U bud.* kruszywo (= *dodatki do cementu*). **4.** *mat.* zbiór, agregat. **5. in the** ~ jako całość; zbiorowo, grupowo. – *v.* **1.** gromadzić (się), zbierać (się). **2.** wynosić, liczyć.

aggregation [ˌægrəˈgeɪʃən] *n. U* **1.** skupienie; połączenie; masa (= *wielka liczba*). **2.** zbiorowisko, skupisko.

aggress [əˈgres] *v. form.* **1.** atakować, być agresorem. **2.** atakować (*kogoś*), zachowywać się agresywnie w stosunku do. **3.** wszczynać kłótnię.

aggression [əˈgreʃən] *n. U* agresja; napaść; **act of** ~ akt agresji.

aggressive [əˈgresɪv] *a.* **1.** agresywny; wrogi; nastawiony wojowniczo. **2.** rzutki, energiczny, pełen wigoru (*t. o podejściu, kampanii reklamowej itp.*).

aggressively [əˈgresɪvlɪ] *adv.* agresywnie.

aggressiveness [əˈgresɪvnəs] *n. U* agresywność.

aggressor [əˈgresər] *n.* agresor, najeźdźca (*t. o państwie*); napastnik.

aggrieve [əˈgriːv] *v. form.* **1.** krzywdzić; traktować niesprawiedliwie. **2.** sprawiać ból; zasmucać.

aggrieved *a.* **1.** rozżalony, rozgoryczony. **2.** pokrzywdzony; **the** ~ **party** *prawn.* strona pokrzywdzona.

aggro [ˈægroʊ] *n. U Br. i Austr. sl.* **1.** agresja (*zwł. pomiędzy wrogimi sobie grupami młodych ludzi*). **2.** = **aggravation** 3.

aghast [əˈgæst] *a. pred.* przerażony (*at sth* czymś); osłupiały, zaszokowany; **I looked at him** ~ patrzyłam na niego w osłupieniu; **we were** ~ **to discover (that)...** z przerażeniem odkryliśmy, że...

agile [ˈædʒl] *a.* **1.** zwinny. **2.** sprawny (*o umyśle*).

agilely [ˈædʒəlɪ] *adv.* **1.** zwinnie. **2.** sprawnie.

agility [əˈdʒɪlətɪ] *n. U* **1.** zwinność. **2.** sprawność.

aging [ˈeɪdʒɪŋ], *Br.* **ageing** *a.* starzejący się; podstarzały.

agio [ˈædʒiːˌoʊ] *n. pl.* **-s** *giełda* ażio (= *nadwyżka kursu dewiz l. papierów wartościowych ponad ich wartość nominalną*).

agiotage [ˈædʒɪətɪdʒ] *n. U giełda* ażiotaż (*sposób spekulacji*).

agism [ˈeɪdʒˌɪzəm] *n. US* = **ageism**.

agist[1] [əˈdʒɪst] *v.* wypasać za opłatą (*cudze bydło*).

agist[2] *a. i n. US zob.* **ageist**.

agitate [ˈædʒɪˌteɪt] *v.* **1.** agitować (*for/against sth* za czymś/przeciwko czemuś). **2.** *form.* wzburzyć, poruszyć (*kogoś*). **3.** miotać, rzucać (*czymś*); **wind ~d the plane** wiatr rzucał samolotem. **4.** energicznie mieszać (*płyn*); energicznie potrząsać (*naczyniem z płynem*). **5.** *form.* roztrząsać; szczegółowo rozważać.

agitated [ˈædʒɪˌteɪtɪd] *a.* wzburzony, poruszony.

agitation [ˌædʒɪˈteɪʃən] *n. U* **1.** wzburzenie, poruszenie. **2.** agitacja.

agitator [ˈædʒɪˌteɪtər] *n.* **1.** agitator/ka. **2.** *techn.* mieszadło, mieszalnik.

agitprop [ˈædʒɪtˌprɑːp] *n. U* propaganda komunistyczna (*zwł. w literaturze i sztuce*).

agleam [əˈgliːm] *adv. i a. pred. lit.* lśniący, błyszczący.

aglet [ˈæglɪt], **aiglet** *n.* **1.** skuwka (*sznurowadła*). **2.** (*także* **aiguillette**) akselbant (*ozdoba munduru*).

agley [əˈgliː], **agly** *adv. zwł. Scot.* krzywo.

aglimmer [əˈglɪmər] *adv. i a. pred. lit.* migoczący.

aglitter [əˈglɪtər] *adv. i a. pred. lit.* błyszczący.

aglow [əˈgloʊ] *adv. i a. pred. lit.* **be** ~ **(with sth)** jarzyć się (czymś), być rozświetlonym (czymś); *przen.* promienieć (czymś) (*zwł. o twarzy*).

AGM [ˌeɪ ˌdʒiː ˈem] *abbr.* **annual general meeting** *Br. i Austr. zob.* **annual meeting**.

agnail ['æg,neɪl] *n.* **1.** skórka (= *zdarty naskórek przy paznokciu*). **2.** *pat.* zastrzał; zanokcica.

agnate ['ægneɪt] *n.* **1.** agnat, krewny po mieczu *l.* w linii męskiej. **2.** krewny w linii męskiej ze strony ojca. – *a.* **1.** spokrewniony w linii męskiej. **2.** pokrewny.

agnatic [æg'nætɪk], **agnatical** *a.* po mieczu, w linii męskiej.

agnation [æg'neɪʃən] *n.* *U* **1.** pokrewieństwo po mieczu *l.* w linii męskiej. **2.** pokrewieństwo.

agnostic [æg'nɑ:stɪk] *n.* agnosty-k/czka. – *a.* agnostyczny.

agnosticism [æg'nɑ:stɪ,sɪzəm] *n.* *U* agnostycyzm.

Agnus Dei [,ægnəs 'deɪi:] *kośc.* *n.* **1.** Baranek Boży. **2.** Agnus Dei (*modlitwa*).

ago [ə'goʊ] *a.* *tylko po n. l. adv.* **a year/four hours ~** rok/cztery godziny temu, przed rokiem/czterema godzinami; **(a) long (time) ~** dawno (temu); **a little/short while ~** niedawno; **a moment/minute ~** przed chwilą; **some time ~** jakiś czas temu.

agog [ə'gɑ:g] *a. pred.* przejęty, podniecony (*at sth* czymś); **be all ~** być bardzo przejętym (*zwł. nowym przeżyciem*). – *adv.* z przejęciem.

agonic [eɪ'gɑ:nɪk] *a.* **1.** *geom. przest.* bezkątowy. **2.** **~ line** *fiz., żegl.* agona, izogona zerowa.

agonistic [,ægə'nɪstɪk], **agonistical** *a.* **1.** *ret.* polemiczny. **2.** *uj.* efekciarski. **3.** *hist.* agonistyczny (= *dotyczący współzawodnictwa sportowego l. artystycznego w starożytnej Grecji*).

agonize ['ægə,naɪz], *Br. i Austr. zw.* **agonise** *n.* **1.** **~ over/about sth** zadręczać się czymś (*usiłując podjąć trudną decyzję*). **2.** cierpieć.

agonized ['ægə,naɪzd], *Br. i Austr. zw.* **agonised** *a.* **1.** pełen bólu *l.* cierpienia (*np. o krzyku, jęku*). **2.** pełen niepokoju (*np. o spojrzeniu*).

agonizing ['ægə,naɪzɪŋ], *Br. i Austr. zw.* **agonising** *a.* **1.** bardzo bolesny; **~ death** śmierć w męczarniach; **~ pain** rozdzierający ból. **2.** pełen niepokoju (*np. o oczekiwaniu*).

agonizingly ['ægə,naɪzɪŋlɪ] *adv.* **1.** w cierpieniu. **2.** z niepokojem.

agony ['ægənɪ] *n. pl.* **-ies** **1.** dotkliwy ból; cierpienie (*fizyczne l. moralne*). **2.** *U* udręka; męczarnia; **be in ~** cierpieć katusze. **3.** *U* agonia. **4.** wybuch (*np. radości*). **5.** **~ aunt** *Br. pot.* = **advice columnist**; **~ column** *Br. pot.* = **advice column**.

agoraphobia [,ægərə'foʊbɪə] *n.* *U psychiatria* agorafobia.

agoraphobic [,ægərə'foʊbɪk] *n.* agorafobi-k/czka. – *a.* agorafobiczny; cierpiący na agorafobię.

agrarian [ə'grerɪən] *a.* agrarny, rolny, rolniczy. – *n. polit.* agraryst-a/ka.

agrarianism [ə'grerɪə,nɪzəm] *n.* *U polit.* agraryzm.

agree [ə'gri:] *v.* **1.** zgadzać się; **~ on/about sth** zgadzać się co do *l.* w kwestii czegoś; **~ with sb/sth** zgadzać się z kimś/czymś; **~ to sth** zgadzać się na coś; **~ to do sth** zgadzać się coś zrobić. **2.** uzgadniać; **~ a plan/price/strategy** uzgodnić plan/cenę/strategię; **~ on/upon sth** uzgadniać coś; **~ that...** uzgodnić, że... **3.** **~ (with sth)** zgadzać się *l.* pokrywać się (z czymś); **their stories do not ~ (with one another)** ich wersje nie zgadzają się (ze sobą). **4.** **~ with sb** służyć *l.* odpowiadać komuś; **humid air doesn't ~ with me** wilgotne powietrze mi nie służy, wilgotne powietrze mi szkodzi. **5.** **~ with** *gram.* pozostawać w związku zgody z.

agreeable [ə'grɪəbl] *a.* **1.** przyjemny, miły; sympatyczny; układny. **2.** **be ~ to sb** odpowiadać komuś. **3.** *form* **sb is ~ to sth** coś komuś odpowiada; ktoś przychylnie zapatruje się na coś; **sb is ~ to doing sth** ktoś jest skłonny coś zrobić.

agreeableness [ə'grɪəblnəs] *n.* *U* **1.** sympatyczność. **2.** przychylne nastawienie (*to sth* do czegoś).

agreed [ə'gri:d] *v. zob.* **agree.** – *a. attr.* **1.** uzgodniony. **2.** **be ~ (on sth)** zgadzać się (co do *l.* w sprawie czegoś).

agreement [ə'gri:mənt] *n.* **1.** *U* zgoda (*to sth* na coś); **be in ~ (with sb)** zgadzać się (z kimś); **by mutual ~** za obopólną zgodą. **2.** porozumienie; **reach an ~ (on)** osiągnąć porozumienie (w sprawie); **under an ~ (between)** na mocy porozumienia (pomiędzy). **3.** umowa. **4.** *U gram.* zgoda, związek zgody.

agrestic [ə'grestɪk] *a. form.* **1.** wiejski. **2.** *uj.* prostacki, nieokrzesany.

agribusiness ['ægrə,bɪznəs], **agrobusiness** *n.* *U* agrobiznes.

agricultural [,ægrə'kʌltʃərəl] *a.* rolniczy.

agriculturalist [,ægrə'kʌltʃərəlɪst] *n.* **1.** rolnik. **2.** specjalist-a/ka w dziedzinie rolnictwa.

agriculturally [,ægrə'kʌltʃərəlɪ] *adv.* rolniczo.

agriculture ['ægrə,kʌltʃər] *n.* *U* rolnictwo.

agriculturist [,ægrə'kʌltʃərɪst] *n.* = **agriculturalist.**

agrimony ['ægrə,moʊnɪ] *n.* *bot.* rzepik (*Agrimonia*).

agronomic [,ægrə'nɑ:mɪk], **agronomical** *a.* agronomiczny.

agronomist [ə'grɑ:nəmɪst] *n.* agronom.

agronomy [ə'grɑ:nəmɪ], **agronomics** *n.* *U* agronomia.

aground [ə'graʊnd] *adv.* **run/go ~** *żegl.* osiąść na mieliźnie; *przen.* spełznąć na niczym (*o planach*).

ague ['eɪgju:] *n.* **1.** *pat.* gorączka malaryczna. **2.** *przest.* atak gorączki *l.* dreszczy; drżączka.

agued ['eɪgju:d] *a. przest.* gorączkujący.

aguish ['eɪgju:ɪʃ] *a. przest.* **1.** malaryczny; gorączkowy. **2.** podatny *l.* cierpiący na dreszcze.

ah [ɑ:] *int.* **1.** ach (*wyrażające zachwyt, zdziwienie*); au (*wyrażające ból*). **2.** uhm (*wyrażające zastanowienie, wahanie*).

aha [ɑ:'hɑ:] *int.* aha.

ahchoo [ɑ:'tʃu:] *int. zwł. US* a psik!

ahead [ə'hed] *adv.* **1.** z przodu, na przedzie. **2.** naprzód, do przodu; **(go/look) straight ~** (iść/patrzeć) prosto przed siebie. **3.** z wyprzedzeniem, naprzód; **a month ~** z miesięcznym wyprzedzeniem, (na) miesiąc naprzód. **4.** do przodu; **set the clock ~ one hour** przestawić zegar o godzinę do przodu. **5.** **~ of** przed, wcześniej od;

~ **of us** przed nami; ~ **of time/schedule** przed czasem/terminem. **6. be ~ of sb** *t. przen.* wyprzedzać kogoś; **be ~ of its time** wyprzedzać swoją epokę (*o wynalazku, ideach*); **go ~!** proszę bardzo! (*wyrażając pozwolenie*); **go ~ with sth** zaczynać coś; przystępować do czegoś; **get ~** wybić się (= *osiągnąć sukces*); **get/keep ~ (of the game)** *US pot.* panować nad sytuacją.

ahem [ə'hem] *int.* hm (*dla zwrócenia uwagi l. ostrzeżenia*).

ahoy [ə'hɔɪ] *int. żegl.* ahoj.

ahull [ə'hʌl] *a. żegl.* w dryfie bez żagli (*o taktyce sztormowania*).

AI [ˌeɪ 'aɪ] *abbr.* **1.** = **Amnesty International. 2.** *komp.* = **artificial intelligence.**

A.I.A. [ˌeɪ ˌaɪ 'eɪ] *abbr.* **American Institute of Architects** *US* Amerykański Instytut Architektów.

AID [ˌeɪ ˌaɪ 'diː] *abbr.* **1. Agency for International Development** *US* Agencja Pomocy Zagranicznej. **2. artificial insemination by donor** *med.* sztuczne zapłodnienie nasieniem dawcy.

aid [eɪd] *v. form.* **1.** ~ **sb in/with sth** pomagać komuś w czymś; ułatwiać komuś coś. **2.** ~ **and abet** *prawn.* udzielać pomocy w popełnieniu przestępstwa. – *n.* **1.** *U* pomoc; **come/go to sb's ~** przychodzić komuś z pomocą; **in ~ of** na rzecz (*o zbiórce pieniędzy*); **legal/humanitarian ~** pomoc prawna/humanitarna; **with the ~ of** za pomocą *l.* przy pomocy. **2.** pomoc; **educational ~s** pomoce naukowe; **hearing ~** aparat słuchowy. **3.** pomocnik. **4.** adiutant. **5.** *Br. hist.* opłata na rzecz króla.

aide [eɪd] *n.* **1.** pomocnik, asystent; doradca. **2.** = **aide-de-camp.**

aide-de-camp [ˌeɪddə'kæmp], **aide** *n. pl.* **aides-de-camp** *Fr.* adiutant.

AIDS [eɪdz] *n.* AIDS; = **acquired immune deficiency syndrome.**

aiglet ['eɪglɪt] *n.* = **aglet.**

aigrette ['eɪgret] *n.* egreta (= *ozdoba fryzury l. nakrycia głowy w postaci pęku piór l. jego metalowej imitacji*).

aiguille [eɪ'gwiːl] *n. geol.* iglica (*formacja skalna*).

aiguillette [ˌeɪgwɪ'let] *n.* = **aglet.**

AIH [ˌeɪ ˌaɪ 'eɪtʃ] *abbr.* **artificial insemination by husband** *med.* sztuczne zapłodnienie nasieniem męża.

ail [eɪl] *v.* **1.** *form.* dolegać; dokuczać; **what's ~ing you?** co Pan-u/i dolega? **2.** *t. przen.* niedomagać.

aileron ['eɪləˌrɑːn] *n. lotn.* lotka.

ailing ['eɪlɪŋ] *a.* **1.** cierpiący, niedomagający. **2.** borykający się z trudnościami, kulejący (*o gospodarce, gałęzi przemysłu*).

ailment ['eɪlmənt] *n.* dolegliwość.

aim [eɪm] *v.* **1.** celować, mierzyć; ~ **at sb/sth** celować w kogoś/coś *l.* do kogoś/czegoś; ~ **sth at sb** wycelować z czegoś do kogoś; wymierzyć komuś coś (*zwł. cios*). **2.** kierować; ~ **one's remarks at sb** kierować swoje uwagi pod czyimś adresem. **3.** ~ **at/for sth** zmierzać do czegoś; ~ **at doing/to do sth** starać się coś zrobić. **4.** zamierzać. – *n.* **1.** *t. przen.* cel; **take ~ (at sth)** wycelować (w coś); *przen.* podjąć się (czegoś). **2.** zamiar; **with the ~ of doing sth** z zamiarem zrobienia czegoś. **3.** celowanie; kierunek, w którym coś jest wycelowane; celność (*strzelca*).

aimer ['eɪmər] *n. wojsk.* celowniczy.

aimless ['eɪmləs] *a.* **1.** bezcelowy. **2.** pozbawiony celu (*t. w życiu*).

aimlessly ['eɪmləslɪ] *adv.* bez celu.

aimlessness ['eɪmləsnəs] *n. U* **1.** bezcelowość. **2.** brak celu.

ain't [eɪnt] *nonstandard dial. pot. v.* **1.** = **am not;** = **are not;** = **is not. 2.** = **have not;** = **has not. 3.** = **do not;** = **does not;** = **did not. 4. it ~ all that** *US sl.* to nic specjalnego *l.* nadzwyczajnego.

Ainu ['aɪnuː] *n. pl.* **-s** *l.* **Ainu 1.** reprezentant/ka plemienia Ajnów. **2.** *U* język ajnu *l.* ajnoski. – *a.* ajnoski.

air [er] *n.* **1.** *U* powietrze; **by ~** drogą lotniczą *l.* powietrzną, samolotem; **fresh ~** świeże powietrze; **in the open ~** na wolnym powietrzu, pod gołym niebem; **in the ~** w powietrzu (*t. przen. o emocjach*). **2.** *U l. sing. przen.* atmosfera, aura; **clear the ~** oczyścić atmosferę. **3.** *zw. sing.* wygląd. **4.** *muz.* melodia; aria. **5.** *pl.* (*także* **~s and graces**) poza, afektacja, maniera; **put on ~s** (*także* **give o.s. ~s**) przybierać pozę, wywyższać się. **6.** *U pot.* klimatyzacja. **7.** *radio, telew.* **be on the ~** być na antenie; być nadawanym (*o programie*); nadawać (*o stacji*); **be off the ~** przestać nadawać; **take sth off the ~** zdjąć coś z anteny. **8.** *przen.* **appear/come out of ~ air** pojawiać się znikąd; **give sb/get the ~** *pot.* dać komuś/dostać kosza; puścić kogoś/pójść na zieloną trawkę; **sth is up in the ~** *pot.* coś nie zostało rozstrzygnięte *l.* zdecydowane; **take the ~** zaczerpnąć świeżego powietrza; *sl.* zwiać; **there's a rumour in the ~ that...** krążą plotki, że...; **tread/walk/float on ~** nie posiadać się ze szczęścia; **vanish/disappear into ~ air** przepaść jak kamień w wodę, rozpłynąć się w powietrzu. – *v.* **1.** ~ **(out)** wietrzyć (*pomieszczenie, odzież*). **2.** *radio, telew.* nadawać. **3.** *przen.* ~ **one's views/opinions** publicznie przedstawiać swoje poglądy/opinie; ~ **one's grievances** dawać wyraz swemu niezadowoleniu, wylewać żale. – *a. attr.* **1.** powietrzny. **2.** lotniczy. **3.** pneumatyczny.

air alert, airborne alert *n. lotn., wojsk.* dyżurowanie w powietrzu.

air bag *n. mot.* poduszka powietrzna.

air base *n. wojsk.* lotnisko wojskowe, baza lotnicza.

air bed *n. Br.* = **air mattress.**

air bladder *n.* **1.** pęcherzyk powietrzny. **2.** *icht.* pęcherz pławny.

airborne ['erˌbɔːrn] *a.* **1.** przenoszony przez powietrze; **be ~** unosić się w powietrzu (= *lecieć*). **2.** *wojsk.* powietrznodesantowy.

air brake *n.* hamulec pneumatyczny.

airbrick ['erˌbrɪk] *n. Br. i Austr. bud.* pustak wentylacyjny.

airbrush ['erˌbrʌʃ] *n.* pistolet natryskowy (*do farb*). – *v.* **1.** natryskiwać farbę (= *malować* *natryskując*). **2.** usunąć *l.* zmienić natryskując farbę na; wyretuszować.

air chamber *n.* komora powietrzna.

air-condition ['erkən,dıʃən] *v.* **1.** zainstalować klimatyzację w. **2.** klimatyzować.

air conditioner *n.* klimatyzator, urządzenie klimatyzacyjne.

air conditioning, air-conditioning *n. U* klimatyzacja.

air-cool ['er,ku:l] *v.* **1.** chłodzić powietrzem (*np. silnik*). **2.** chłodzić za pomocą klimatyzatora.

aircraft ['er,kræft] *n. pl.* **aircraft** statek powietrzny (= *dowolny obiekt latający*); samolot.

aircraft carrier *n. wojsk.* lotniskowiec.

aircraftman ['er,kræftmən] *n. Br. wojsk.* = **airman** 2.

aircrew ['er,kru:] *n. sing. l. pl.* załoga samolotu pasażerskiego.

air-cushion ['er,kuʃən] *n.* **1.** poduszka pneumatyczna. **2.** = **air chamber**. **3.** = **air bag**.

air dam *n. mot.* spojler przedni.

air defense *n. U wojsk.* obrona powietrzna.

airdrome ['er,droʊm], *Br., przest.* **aerodrome** *n.* lotnisko (*zwł. małe*).

airdrop ['er,drɑ:p] *v.* zrzucać na spadochronie (*ludzi, sprzęt, żywność*). – *n.* zrzut.

airfare ['er,fer] *n.* cena biletu lotniczego.

airfield ['er,fi:ld] *n.* lotnisko.

airflow ['er,floʊ] *n.* przepływ powietrza; strumień powietrza.

airfoil ['er,fɔıl], **aerofoil** *n. lotn.* płat nośny.

air force *n.* **1.** lotnictwo wojskowe, powietrzne siły zbrojne. **2. Air Force** *US* Amerykańskie Wojska Lotnicze.

airframe ['er,freım] *n. lotn.* płatowiec; kadłub (*pocisku rakietowego*).

air freight, airfreight *n. U* **1.** transport lotniczy. **2.** fracht lotniczy (*towary*).

air freshener *n.* odświeżacz powietrza.

air gun, airgun *n.* pistolet *l.* karabinek pneumatyczny; wiatrówka.

airhead ['er,hed] *n. gł. US sl.* przygłup; **~ed** przygłupi.

air hole *n.* **1.** wlot *l.* wylot powietrza. **2.** przerębla, przerębel. **3.** = **air pocket**.

air hostess *n.* stewardessa.

airily ['erəlı] *adv.* **1.** beztrosko. **2.** delikatnie.

airiness ['erənəs] *n. U* **1.** przewiewność. **2.** beztroska. **3.** afektacja.

airing ['erıŋ] *n.* **1.** *U* wietrzenie. **2.** dyskusja; przedstawienie (*faktów, propozycji*); **give sth an ~** omówić *l.* przedyskutować coś. **3.** spacer, przechadzka. **4.** *radio, telew.* nadawanie.

air jacket **1.** *mech.* osłona powietrzna. **2.** *Br.* kamizelka ratunkowa (*nadmuchiwana*).

air kiss *n.* cmoknięcie (= *pocałunek na odległość*).

air lane *n.* korytarz lotniczy.

airless ['erləs] *a.* **1.** pozbawiony powietrza. **2.** duszny.

air letter *n. zwł. Br.* list lotniczy.

airlift ['er,lıft], **air lift** *n.* most powietrzny; transport powietrzny (*zwł. w nagłych wypadkach*). – *v.* transportować drogą lotniczą.

airline ['er,laın] *n.* **1.** linia lotnicza. **2.** *przen.* prosta linia; najkrótsza droga. – *a. attr.* dotyczący linii lotniczych.

airliner ['er,laınər] *n. przest.* samolot pasażerski.

air lock *n.* **1.** śluza powietrzna (*w kesonie*). **2.** korek powietrzny (= *pęcherzyk powietrza blokujący przewód*).

airmail ['ermeıl], **air-mail, air mail** *n. U* poczta lotnicza. – *a. attr.* lotniczy. – *adv.* **(by) ~** pocztą lotniczą. – *v.* wysyłać pocztą lotniczą.

airman ['ermən] *n. pl.* **airmen** **1.** lotnik. **2.** *US wojsk.* szeregowiec lotnictwa.

air mass *n. meteor.* masa powietrza.

air mattress, *Br.* **air bed** *n.* materac nadmuchiwany.

airplane ['er,pleın], *zwł. Br.* **aeroplane** *n.* samolot.

air pocket *n. lotn.* dziura powietrzna; korek powietrzny (*w przewodzie*).

airport ['er,pɔ:rt] *n.* lotnisko, port lotniczy.

air pressure *n.* ciśnienie powietrza.

airproof ['er,pru:f] *a.* zabezpieczający *l.* chroniący przed wiatrem. – *v.* zabezpieczać *l.* chronić przed wiatrem.

air pump *n.* pompa próżniowa.

air raid *n.* nalot; **air-raid shelter** schron przeciwlotniczy; **air-raid warden** dowódca cywilnej obrony przeciwlotniczej.

air rifle *n.* karabinek pneumatyczny; wiatrówka.

airscrew ['er,skru:] *n. Br. lotn.* śmigło.

air shaft *n.* **1.** (*także* **air well**) kanał wentylacyjny pionowy. **2.** *górn.* szyb wentylacyjny.

airship ['er,ʃıp] *n. lotn.* sterowiec, Zeppelin.

airshow ['er,ʃoʊ] *n. lotn.* pokaz lotniczy.

airsick ['er,sık] *a. pat.* cierpiący na chorobę lokomocyjną (*w powietrzu*).

airsickness ['er,sıknəs] *n. U pat.* lotnicza choroba lokomocyjna.

airsickness bag *n. lotn.* torba chorobowa, torebka higieniczna.

airspace ['erspeıs] *n. U* przestrzeń powietrzna.

airspeed ['er,spi:d], **air speed** *n. U lotn.* prędkość lotu.

airstream ['er,stri:m] *n.* strumień powietrza.

air strike, airstrike *n.* atak z powietrza; nalot.

airstrip ['er,strıp] *n. lotn.* pas startowy (*zw. prowizoryczny l. polowy*).

air terminal *n.* **1.** terminal lotniczy. **2.** przystanek, z którego kursują autobusy na lotnisko.

airtight ['er,taıt] *a.* **1.** szczelny, hermetyczny. **2.** *przen.* niepodważalny, nie do obalenia; nie mający słabych punktów.

airtime ['er,taım] *n. U radio i telew.* czas antenowy.

air-to-air [,ertə'er] *a. attr. wojsk.* powietrze-powietrze; **~ missile** pocisk powietrze-powietrze.

air-to-surface missile [,ertə'sɜ:fıs, mısl], **A.S.M.** *a. wojsk.* pocisk ziemia-powierzchnia (*ziemia l. woda*).

air traffic *n.* ruch powietrzny.

air-traffic control *n. U* kontrola ruchu powietrznego.

air-traffic controller *n.* kontroler/ka ruchu powietrznego.

airwaves [ˈerweɪvz] *n. pl. przest.* fale radiowe, fale eteru.

airway [ˈerweɪ] *n.* **1.** *anat.* drogi oddechowe. **2.** = **air lane**. **3.** *górn.* = **air shaft** 2. **4.** *pl.* = **airwaves**; = **airline** 1.

airwell [ˈerˌwel] *n.* = **air shaft** 1.

airwoman [ˈerˌwʊmən] *n. pl.* **airwomen** lotniczka.

airworthiness [ˈerˌwɝːðɪnəs] *n. U* zdatność do lotu.

airworthy [ˈerˌwɝːðɪ] *a.* **-ier, -iest** zdatny do lotu (*o statku powietrznym*).

airy [ˈerɪ] *a.* **-ier, -iest** **1.** przewiewny. **2.** lekki, zwiewny; pełen wdzięku; cieniuteńki (*np. o sukience*). **3.** niematerialny; ulotny. **4.** *uj.* trzpiotowaty; beztroski. **5.** *uj.* afektowany. **6.** *uj.* nierealny; wyimaginowany. **7.** powietrzny.

airy fairy *a. Br. pot.* wydumany.

aisle [aɪl] *n.* **1.** przejście (*np. między rzędami foteli w samolocie*). **2.** *bud.* nawa boczna; część hali fabrycznej między rzędami kolumn. **3. be rolling in the ~s** zrywać boki ze śmiechu (*o widowni w teatrze itp.*); **take sb down the ~** poprowadzić kogoś do ołtarza.

ait [eɪt] *n.* (*także* **eyot**) *Br. dial.* ostrów, kępa.

aitch [eɪtʃ] *n.* litera h; **drop one's ~es** *Br.* nie wymawiać h na początku wyrazu (*co jest cechą wielu niestandardowych odmian angielszczyzny*).

aitchbone [ˈeɪtʃˌboʊn] *n.* **1.** kość krzyżowa (*u bydła*). **2.** *U* krzyżówka, krzyżowa (*mięso*).

ajar[1] [əˈdʒɑːr] *adv. i a. pred.* uchylony (*o drzwiach*).

ajar[2] *adv. i a.* niezgodny, sprzeczny; **~ with the facts** sprzeczny z faktami.

AK [ˌeɪ ˈkeɪ] *abbr.* = **Alaska**.

a.k.a. [ˌeɪ ˌkeɪ ˈeɪ], **aka** *abbr.* **also known as** znany (też) jako, alias.

akimbo [əˈkɪmboʊ] *adv. i a. pred.* **(with) arms ~** podparłszy się pod boki.

akin [əˈkɪn] *a. pred.* **~ to** spokrewniony z (*zwł. o językach*); podobny *l.* zbliżony do.

AL [ˌeɪ ˈel] *abbr.* = **Alabama**.

à la [ˈɑːlə], **a la** *prep. Fr.* à la, na sposób; **poems ~ Blake** wiersze w stylu Blake'a.

ala [ˈeɪlə] *n. pl.* **alae** **1.** *bot.* skrzydełko. **2.** *zool.* skrzydło.

Ala. *abbr.* = **Alabama**.

A.L.A. [ˌeɪ ˌel ˈeɪ] *abbr.* **American Library Association** *US* Amerykańskie Stowarzyszenie Bibliotek.

Alabama [ˌæləˈbæmə] *n. US* stan Alabama.

alabaster [ˈæləˌbæstər] *n. U min.* alabaster. – *a.* (*także* **alabastrine**) alabastrowy.

alabasterine [ˌæləˈbæstrən] *a. zob.* **alabaster**.

à la carte [ˌɑːləˈkɑːrt], **a la carte** *adv. i a. Fr.* à la carte, z jadłospisu *l.* karty.

alack [əˈlæk], **alackaday** *int. arch.* wykrzyknik wyrażający smutek, rozpacz *l.* żal.

alacrity [əˈlækrɪtɪ] *n. U form.* **1.** ochota. **2.** żwawość.

Aladdin's cave [əˌlædɪnz ˈkeɪv] *n. Br. przen.* jaskinia Aladyna (= *miejsce pełne interesujących l. niezwykłych przedmiotów*).

Aladdin's lamp [əˌlædɪnz ˈlæmp] *n.* lampa Aladyna.

alameda [ˌæləˈmeɪdə] *n. płd.-zach. US* aleja (*ocieniona drzewami*).

à la mode [ˌɑːləˈmoʊd], **a la mode, alamode** *adv. i a. po n.* **1.** *przest.* najmodniejszy. **2.** *US kulin.* (podany) z lodami; **apple pie ~** szarlotka z lodami.

alar [ˈeɪlər], **alary** *a.* **1.** skrzydłowy. **2.** w kształcie skrzydeł; podobny do skrzydeł. **3.** *anat.* pachowy.

alarm [əˈlɑːrm] *n.* **1.** *U* popłoch, panika; niepokój, zaniepokojenie; **there's no cause for ~** nie ma powodów do niepokoju. **2.** alarm; **sound/raise the ~ (about sth)** podnosić alarm (w sprawie czegoś). **3.** system alarmowy; urządzenie alarmowe. **4.** = **alarm clock**. – *v.* **1.** niepokoić. **2.** alarmować; ostrzegać (*przed niebezpieczeństwem*). **3.** zainstalować alarm w.

alarm bell *n.* dzwon(ek) alarmowy.

alarm call *n.* budzenie (*telefoniczne*).

alarm clock *n.* budzik; **set the ~ for 6.30** nastawiać budzik na 6:30; **the ~ went off at seven** budzik zadzwonił o siódmej.

alarmed [əˈlɑːrmd] *a.* **1.** wyposażony w alarm (*np. o samochodzie*). **2. ~ (by/at/over sth)** zaniepokojony (czymś).

alarming [əˈlɑːrmɪŋ] *a.* alarmujący, niepokojący; **at an ~ rate** w zastraszająco szybkim tempie.

alarmingly [əˈlɑːrmɪŋlɪ] *adv.* alarmująco, niepokojąco.

alarmist [əˈlɑːrmɪst] *n. uj.* panika-rz/ra, alarmist-a/ka. – *a. uj.* alarmistyczny, panikarski.

alary [ˈeɪlərɪ] *a.* = **alar**.

alas [əˈlæs] *adv. form.* niestety. – *int. przest.* niestety.

Alas. *abbr.* = **Alaska**.

Alaska [əˈlæskə] *n. US* stan Alaska.

alate [ˈeɪleɪt], **alated** *a.* skrzydlaty, uskrzydlony.

alb [ælb] *n. kośc.* alba.

albacore [ˈælbəˌkɔːr] *n. icht.* tuńczyk biały (*Thunnus alalunga*).

Albania [ælˈbeɪnɪə] *n.* Albania.

Albanian [ælˈbeɪnɪən] *a.* albański. – *n.* **1.** Alba-ńczyk/nka. **2.** *U* (język) albański.

albata [ælˈbeɪtə] *n. U* alpaka, nowe srebro, argentan (= *stop niklu, miedzi i cynku*).

albatross [ˈælbəˌtrɔːs] *n.* **1.** *orn.* albatros (*rodzina Diomedeidae*). **2.** *golf* wynik 3 poniżej par na dołku. **3. an ~ (around sb's neck)** *przen.* kula u nogi.

albedo[1] [ælˈbiːdoʊ] *n. astron., fiz.* albedo.

albedo[2] *n. bot.* albedo.

albeit [ɔːlˈbiːɪt] *conj. form.* aczkolwiek.

albescent [ælˈbesənt] *a. nauka l. lit.* bielejący; białawy.

Albigenses [ˌælbɪˈdʒensiːz] *n. pl. hist. kośc.* albigensi (*ruch społeczno-religijny*).

albinism [ˈælbəˌnɪzəm] *n. U pat.* bielactwo, albinizm.

albino [ælˈbaɪnoʊ] *n. pl.* **-s** albinos/ka. – *a. attr.* albinotyczny.

albite [ˈælbaɪt] *n. U min.* albit.

album [ˈælbəm] *n.* **1.** album; klaser. **2.** album (= *płyta*).

albumen [ælˈbju:mən] *n. U* **1.** białko (*jajka*). **2.** = **albumin**.

albumenize [ælˈbju:məˌnaɪz], **albuminize** *Br.* **albumenise, albuminise** *v.* zanurzać w roztworze białkowym.

albumin [ælˈbju:mən], **albumen** *n. U chem.* białko proste, albumina.

albuminate [ælˈbju:məˌneɪt] *n. biochem.* albuminian.

albuminoid [ælˈbju:məˌnɔɪd] *a.* białkowaty. – *n. U biochem.* albuminoid, skleroproteina.

albuminous [ælˈbju:mənəs], **albuminose** *a.* białkowy; białkowaty.

albuminuria [ælˌbju:məˈnʊrɪə] *n. U pat.* albuminuria, białkomocz.

alburnum [ælˈbɜ:nəm] *n. U bot.* biel (*w pniu drzewa*).

alcade [ælˈkeɪd], **alcalde** *n. Sp. i płd.-zach. US* alkad; burmistrz posiadający władzę sądowniczą.

alchemic [ælˈkemɪk] *a. hist.* alchemiczny.

alchemist [ˈælkəmɪst] *n.* alchemik.

alchemize [ˈælkəˌmaɪz], *Br.* **alchemise** *v. hist.* przemieniać (*w alchemii*).

alchemy [ˈælkəmɪ] *n. U* **1.** *hist.* alchemia. **2.** *lit.* czary.

alcohol [ˈælkəˌhɔ:l] *n. U* **1.** alkohol, spirytus. **2.** alkohol (*napój*).

alcoholic [ˌælkəˈhɔ:lɪk] *a.* **1.** alkoholowy. **2.** alkoholiczny. – *n.* alkoholi-k/czka.

alcoholicity [ˌælkəhɔ:ˈlɪsətɪ] *n. U* moc alkoholu.

alcoholism [ˈælkəhɔ:ˌlɪzəm] *n. U* alkoholizm.

alcoholize [ˈælkəhɔ:ˌlaɪz], *Br.* **alcoholise** *v.* **1.** alkoholizować, nasycać alkoholem. **2.** podawać alkohol, zmuszać do nadużywania alkoholu. **3.** zamieniać w alkohol.

alcoholometer [ˌælkəhɔ:ˈlɑ:mɪtər] *n.* alkoholometr, alkoholomierz.

alcove [ˈælkoʊv] *n.* **1.** *bud.* alkowa. **2.** *bud.* nisza, wnęka. **3.** altanka.

aldehyde [ˈældəˌhaɪd] *n. chem.* aldehyd.

al dente [ˌɑ:lˈdeɪntɪ] *a. tylko po n. It.* al dente (= *ugotowany na półtwardo*); **pasta** ~ makaron ugotowany na półtwardo.

alder [ˈɔ:ldər] *n. pl.* **alder** *l.* **alders** *bot.* olcha, olsza (*Alnus*).

alderman [ˈɔ:ldərmən] *n. pl.* **aldermen** **1.** *US, Can. i Austr.* radny miejski. **2.** *Br. hist.* radny miejski (*przed 1974 r.*).

aldermanry [ˈɔ:ldərmənrɪ] *n.* **1.** dzielnica reprezentowana przez radnego. **2.** *U* godność radnego.

ale [eɪl] *n. U* **1.** mocne, ciemne piwo; porter. **2.** *Br. przest.* piwo.

aleatoric [ˌeɪlɪəˈtɑ:rɪk] *a. muz.* aleatoryczny.

aleatory [ˈeɪlɪəˌtɔ:rɪ] *a.* **1.** *prawn.* losowy; ~ **contract** umowa losowa. **2.** *muz.* aleatoryczny. **3.** *form.* niepewny, zależny od przypadku. – *n. U* muzyka aleatoryczna.

alee [əˈli:] *adv. i a. pred. żegl.* na *l.* od zawietrznej.

alegar [ˈæləgər] *n. U Br. pot.* ocet piwny; kwaśne piwo.

alehouse [ˈeɪlˌhaʊs] *n. przest.* piwiarnia.

alembic [əˈlembɪk] *n. hist.* alembik (= *naczynie do destylacji cieczy*).

alert [əˈlɜ:t] *a.* **1.** uważny; skupiony. **2.** czujny; **be ~ to sth** być świadomym czegoś (*zwł. niebezpieczeństwa*). **3.** żwawy, raźny. – *n.* **1.** alarm; okres, w którym obowiązuje alarm; **flood ~** alarm przeciwpowodziowy. **2.** stan pogotowia *l.* gotowości; **on the ~** w pogotowiu; **on full ~** w stanie pełnej gotowości. – *v.* ostrzegać, alarmować; **~ sb to sth** uświadamiać komuś coś; ostrzegać kogoś przed czymś.

alertness [əˈlɜ:tnəs] *n. U* czujność.

Aleut [əˈlu:t] *n.* **1.** (*także* **Aleutian**) Aleut-a/ka. **2.** *U* (język) aleucki.

Aleutian [əˈlu:ʃən] *a.* **1.** aleucki. **2.** ~ **Islands** *geogr.* Aleuty.

A level [ˈeɪ ˌlevl] *n.* (*także* **Advanced level**) *Br. szkoln.* egzamin z określonego przedmiotu na zakończenie szkoły średniej (*zdawany przez uczniów w Anglii i Walii w wieku 18 lat*).

Alexandria [ˌælɪgˈzændrɪə] *a. geogr., hist.* Aleksandria.

Alexandrian [ˌælɪgˈzændrɪən] *a. zwł. hist.* aleksandryjski.

Alexandrine [æləxˈændri:n] *n. wers.* aleksandryn.

alfalfa [ælˈfælfə] *n. U bot.* lucerna (*Medicago sativa*).

alfresco [ælˈfreskoʊ], **al fresco** *It. adv.* na świeżym powietrzu. – *a. attr.* odbywający się na świeżym powietrzu (*zwł. o posiłku*).

alga [ˈælgə] *n. pl.* **algae** *bot.* glon.

algal [ˈælgl] *a.* glonowy.

algebra [ˈældʒəbrə] *n. U mat.* algebra.

algebraic [ˌældʒəˈbreɪɪk], **algebraical** *a.* algebraiczny.

algebraically [ˌældʒəˈbreɪɪklɪ] *adv.* algebraicznie.

algebraist [ˈældʒəˌbreɪɪst] *n.* algebraik.

Algeria [ælˈdʒi:rɪə] *n.* **1.** Algieria. **2.** (*także* **Algiers**) *hist.* Algier (*kraj*).

Algerian [ælˈdʒi:rɪən] *a.* algierski. – *n.* Algierczyk/ka.

algid [ˈældʒɪd] *a. gł. med.* zimny.

Algiers [ælˈdʒi:rz] *n.* Algier (*miasto*).

algorism [ˈælgəˌrɪzəm] *n.* **1.** *mat. przest.* notacja arabska. **2.** arytmetyka. **3.** = **algorithm**.

algorithm [ˈælgəˌrɪðəm] *n. mat., komp.* algorytm.

algorithmic [ˌælgəˈrɪðmɪk] *a.* algorytmiczny.

alias [ˈeɪlɪəs] *conj.* alias, zwany inaczej. – *n. pl.* **-es** pseudonim.

alibi [ˈæləˌbaɪ] *n. pl.* **-s** **1.** alibi. **2.** wymówka. **3.** osoba zapewniająca alibi *l.* dająca powód do wymówienia się od czegoś. – *v. pot.* tłumaczyć się (z); **~ sb** zapewnić komuś alibi; **~ out of sth** wykręcić się od czegoś.

alidad [ˈælɪˌdæd], **alidade** *n. miern.* **1.** celownica. **2.** alidada.

alien [ˈeɪljən] *n.* **1.** cudzoziem-iec/ka, imigrant/ka, obc-y/a. **2.** istota pozaziemska, kosmit-a/ka. – *a.* **1.** *attr.* cudzoziemski, obcy, (narzucony) z zewnątrz; ~ **ruler/speech** obcy władca/język. **2.** obcy (*to sb / sth* komuś/czemuś). **3.** *attr.* pozaziemski.

alienable [ˈeɪljənəbl] *a. prawn.* zbywalny.

alienate [ˈeɪljəˌneɪt] **1.** odstręczać, zrażać (sobie). **2.** alienować, wyobcowywać. **3.** odciągać, odrywać (*from sth* od czegoś); ~ **funds from their original purpose** wykorzystać fundusze w sposób inny niż pierwotnie założono. **4.** *prawn.* przenosić, zbywać (*prawo l. tytuł do czegoś*).

alienated [ˈeɪljəˌneɪtɪd] *a.* wyalienowany, wyobcowany.

alienation [ˌeɪljəˈneɪʃən] *n. U* **1.** alienacja, wyobcowanie. **2.** zrażanie (sobie) (*kogoś*). **3.** *prawn.* przeniesienie *l.* zbycie prawa *l.* tytułu własności. **4.** choroba umysłowa.

alienee [ˌeɪljəˈniː] *n. prawn.* nabyw-ca/czyni (*prawa, tytułu*); kupując-y/a.

alienism [ˈeɪljəˌnɪzəm] *n. U* **1.** *Br. przest.* psychiatria. **2.** (*także* **alienage**) *US prawn.* status cudzoziemca.

alienist [ˈeɪljənɪst] *n.* **1.** *US* biegły psychiatra (*w sądzie*). **2.** *przest.* psychiatra.

alienor [ˈeɪljənər] *n. prawn.* zbywca tytułu *l.* prawa; sprzedając-y/a.

aliform [ˈæləˌfɔːrm] *a.* w kształcie skrzydeł.

alight[1] [əˈlaɪt] *v. form.* **1.** zsiadać (*z konia*); wysiadać. **2.** osiąść, usiąść (*z powietrza*). **3.** natknąć się.

alight[2] *a. pred.* **1.** zapalony; **set sth** ~ podpalić coś. **2.** *t. przen.* płonący, rozświetlony (*with sth* czymś).

align [əˈlaɪn] *v.* **1.** wyrównywać. **2.** ustawiać (równo); ~ **the wheels** *mot.* ustawić zbieżność kół. **3.** ~ **o.s. with sb/sth** sprzymierzyć się z kimś/czymś; poprzeć kogoś/coś.

alignment [əˈlaɪnmənt] *n.* **1.** *U* wyrównanie; zbieżność. **2.** zgoda; współpraca; przymierze. **3.** ustawienie w linii.

alike [əˈlaɪk] *adv.* **1.** tak samo; jednakowo, w takim samym stopniu. **2.** podobnie. **3. girls and boys** ~ zarówno dziewczęta, jak i chłopcy. – *a. pred.* podobny; **they are (very much)** ~ są do siebie (bardzo) podobni.

aliment [ˈælɪmənt] *n. U form.* **1.** pokarm, pożywienie. **2.** środki utrzymania. – *v. form.* utrzymywać; zasilać.

alimental [ˌælɪˈmentl] *a. form.* **1.** pokarmowy. **2.** utrzymujący.

alimentary [ˌæləˈmentərɪ] *a. attr.* **1.** odżywczy, pokarmowy; ~ **canal/tract** *anat.* przewód pokarmowy. **2.** żywnościowy. **3.** dostarczający środków utrzymania.

alimentation [ˌæləmenˈteɪʃən] *n. U* **1.** *gł. med.* odżywianie, karmienie. **2.** *form.* utrzymanie.

alimony [ˈæləˌmounɪ] *n. U* **1.** *prawn.* środki utrzymania, świadczenia alimentacyjne, alimenty. **2.** *przest.* utrzymanie.

aline [əˈlaɪn] *v. rzad.* = **align.**

aliphatic [ˌæləˈfætɪk] *a. chem.* alifatyczny, acykliczny, niecykliczny.

aliquot [ˈæləkwət] *a. mat.* będący dzielnikiem; dotyczący dzielnika.

alive [əˈlaɪv] *a. pred.* **1.** żywy; **be** ~ żyć; **keep sb** ~ utrzymywać kogoś przy życiu; **stay** ~ pozostawać przy życiu; przeżyć. **2.** wśród żyjących (= *na całym świecie*); **the wisest man** ~ najmądrzejszy człowiek pod słońcem *l.* na świecie. **3.** pełen życia; żywotny; **bring sth** ~ ożywiać coś; dodawać czemuś życia; **come** ~ ożywiać się; nabierać życia. **4.** działający, aktywny. **5.** *el.* pod napięciem. **6. be** ~ **to sth** być świadomym czegoś, zdawać sobie sprawę z czegoś. **7. be** ~ **with sth** być pełnym czegoś *l.* wypełnionym czymś; **the lawn was** ~ **with ants** na trawniku roiło się od mrówek. **8. be** ~ **and well** *t. przen.* dobrze się miewać; **be** ~ **and kicking** być w pełni sił *l.* w doskonałej kondycji; **keep hope/the fire** ~ podtrzymywać nadzieję/ogień; **look** ~! *pot.* zwijaj się! (= *pospiesz się*).

alizarin [əˈlɪzərɪn], **alizarine** *n. U chem.* alizaryna.

alkalescence [ˌælkəˈlesəns], **alkalescency** *n. U chem.* alkaliczność, zasadowość.

alkalescent [ˌælkəˈlesənt] *a.* (słabo) alkaliczny, zasadowy.

alkali [ˈælkəˌlaɪ] *n. pl.* **alkalis** *l.* **alkalies** *chem.* zasada. – *a.* = **alkaline.**

alkalify [ˈælkələˌfaɪ] *chem. v.* **1.** alkalizować. **2.** przechodzić w zasadę.

alkaline [ˈælkəˌlaɪn] *a.* alkaliczny, zasadowy.

alkalinity [ˌælkəˈlɪnətɪ] *n. U chem.* zasadowość.

alkalize [ˈælkəˌlaɪz], **alkalinize** *Br.* **alkalise, alkalinise** *v. chem.* alkalizować.

alkaloid [ˈælkəˌlɔɪd] *n. chem.* alkaloid.

all [ɔːl] *a. zw. attr.* **1.** cały; ~ **day** cały dzień; ~ **the time** cały czas. **2.** wszyscy, wszystkie; ~ **(the) students/songs** wszyscy studenci/wszystkie piosenki; **we/you** ~ my/wy/oni wszyscy; **you/her of** ~ **people** akurat ty/ona (*wyrażając zdziwienie*). **3.** największy; **with** ~ **speed** z pełną szybkością. **4.** wszelki; **beyond** ~ **doubt** ponad wszelką wątpliwość. **5.** w całości z; ~ **cotton** 100% bawełny. **6.** cały (= *wykazujący tylko jedną cechę*); **I am** ~ **thumbs today** nic mi dziś nie wychodzi; **she was** ~ **smiles** była cała w uśmiechach. – *n. U* całość; wszystko; **do/give your** ~ *lit.* dawać z siebie wszystko. – *pron.* **1.** wszystko, całość; ~ **I can do** wszystko *l.* jedyne, co mogę zrobić; ~ **of the cookies** wszystkie ciasteczka; ~**'s well that ends well** wszystko dobre, co się dobrze kończy; **that's** ~ to wszystko; **that/this is** ~ **we need** *iron.* tego nam tylko brakowało. **2.** *pl. zw. form.* wszyscy; ~ **but him** wszyscy oprócz niego; ~ **rise, the court is in session** proszę wstać, sąd idzie. **3.** ~ **in** ~ ogólnie rzecz biorąc; w sumie, razem; **above** ~ przede wszystkim; **after** ~ przecież, w końcu. **4. and** ~ *pot.* i tak dalej, i w ogóle; **at** ~ wcale; w ogóle; **she wasn't suprised at** ~ wcale jej to nie zdziwiło; **why bother at** ~ po co się w ogóle przejmować; **not at** ~ ależ skąd (*reakcja na pytanie, czy coś nie będzie nam przeszkadzać*); *Br.* nie ma za co (*reakcja na podziękowanie*); **for** ~ **I know/care** *emf.* jeśli o mnie chodzi (*chcąc zazna-*

czyć, że coś nas nie obchodzi); **for ~ that** mimo wszystko; **in ~** w sumie, razem; **of ~** ze wszystkich; **once and for ~** raz na zawsze. – *adv.* **1.** całkowicie, zupełnie; **~ alone** całkiem sam. **2.** dla każdego; **the score is two ~** stan meczu - dwa do dwóch. **3. ~ along** przez cały czas, od początku; **~ at once** nagle; **~ but** prawie; **the battery is ~ but dead** akumulator jest prawie wyczerpany; **~ in** *płn. i zach. US* wyczerpany, zmęczony; **~ out** dając z siebie wszystko; **~ over** skończony; wszędzie; pod każdym względem; **that's him/her ~ over!** *pot.* to cały on/cała ona!; **~ the better/easier** tym lepiej/łatwiej; **~ the same** niemniej jednak; **it's ~ the same to me** nie robi mi to różnicy; **~ told** w sumie, koniec końców; **~ too soon/often** o wiele za wcześnie/często; **I'm ~ for...** (*także* **I'm ~ in favour of...**) jestem jak najbardziej za...; **not ~ that difficult/good** *pot.* nie taki (znowu) trudny/dobry; **(not) ~ there** *pot.* (nie całkiem) zdrowy na umyśle.

Allah [ˈælə] *n. rel.* Allach, Allah.

all-American [ˌɔ:ləˈmerɪkən] *a.* **1.** ogólnoamerykański. **2.** złożony wyłącznie z Amerykanów. **3.** typowo amerykański; **~ family/girl** typowa amerykańska rodzina/dziewczyna. **4.** *zwł. sport* amerykański (= *reprezentujący całe Stany Zjednoczone*); **~ ice hockey team** reprezentacja Stanów Zjednoczonych w hokeju na lodzie. – *n.* członek reprezentacji Stanów Zjednoczonych; reprezentacja Stanów Zjednoczonych.

all-around [ˌɔ:ləˈraʊnd], *Br.* **all-round** *a. attr.* **1.** wszechstronny; wszechstronnie utalentowany (*zwł. o sportowcu*). **2.** ogólny; **~ education** wykształcenie ogólne.

allay [əˈleɪ] *v. form.* **1.** rozwiać (*obawy, podejrzenia*). **2.** uśmierzyć (*ból*).

all clear *n.* **the ~** pozwolenie, zgoda (*zwł. oficjalna*); odwołanie alarmu; **give/sound the ~** odwoływać alarm.

all-day [ˌɔ:lˈdeɪ] *a. attr.* całodzienny, całodniowy.

allegation [ˌæləˈgeɪʃən] *n. form.* **1.** zarzut (*nie poparty dowodami*). **2.** stwierdzenie.

allege [əˈledʒ] *v. form.* twierdzić, utrzymywać (*że coś jest prawdą l. że ktoś zrobił coś złego*); **sb is alleged to have done sth** ktoś miał (rzekomo) coś zrobić.

alleged [əˈledʒd] *a. attr.* **1.** rzekomy; domniemany. **2.** wątpliwy; podejrzany.

allegedly [əˈledʒɪdlɪ] *adv.* rzekomo.

allegiance [əˈli:dʒəns] *n. zw. U* **1.** posłuszeństwo (*wobec władz*); poddaństwo. **2.** lojalność; wierność; **pledge ~ to sb/sth** ślubować wierność komuś/czemuś.

allegoric [ˌæləˈgɔ:rɪk], **allegorical** *a.* alegoryczny.

allegorically [ˌæləˈgɔ:rɪklɪ] *adv.* alegorycznie, za pomocą alegorii.

allegorist [ˈæləˌgɔ:rɪst] *n.* alegoryst-a/ka.

allegorize [ˈæləgəˌraɪz], *Br.* **allegorise** *v.* alegoryzować; przedstawiać w formie alegorii.

allegory [ˈæləˌgɔ:rɪ] *n. pl.* **-ies** alegoria.

allegro [əˈleɪgroʊ] *adv. i a. muz.* allegro. – *n. pl.* **-s** *muz.* allegro.

alleluia [ˌæləˈlu:jə], **alleluiah** *kośc. int.* alleluja. – *n.* pieśń pochwalna.

all-embracing [ˌɔ:lɪmˈbreɪsɪŋ] *a.* wyczerpujący; wszechstronny; całościowy.

allergen [ˈælərˌdʒen] *n. pat.* alergen.

allergenic [ˌælərˈdʒenɪk] *a.* alergenny.

allergic [əˈlɜ˞:dʒɪk] *a.* **1.** alergiczny. **2.** *t. przen.* uczulony; **be ~ to sth** być uczulonym na coś.

allergist [ˈælərdʒɪst] *n. med.* alergolog.

allergy [ˈælərdʒɪ] *n. pl.* **-ies** *t. przen.* alergia, uczulenie.

alleviate [əˈli:vɪˌeɪt] *v.* zmniejszać; łagodzić; uśmierzać.

alleviation [əˌli:vɪˈeɪʃən] *n. U* zmniejszenie; złagodzenie; uśmierzenie.

alleviative [əˈli:vɪˌeɪtɪv] *a.* kojący; łagodzący; uśmierzający.

alley[1] [ˈælɪ] *n. pl.* **-s** **1.** uliczka; zaułek. **2.** alejka. **3.** tor w kręgielni; *zwł. pl.* kręgielnia. **4. (right) up/down sb's ~** *US i Austr. pot.* idealny dla kogoś (= *odpowiadający czyimś zdolnościom, zainteresowaniom l. gustowi*).

alley[2] *n. pl.* **-s** *zwł. płn.-wsch. US* kula do gry.

alley cat *n.* kot przybłęda.

alleyway [ˈæli:ˌweɪ] *n.* = **alley** 1.

all-fired [ˌɔ:lˈfaɪrd] *a. US pot.* wyjątkowy; **~ courage** wyjątkowa odwaga. – *adv.* (*także* **all-firedly**) wyjątkowo; kompletnie.

Allhallowmas [ˌɔ:lˈhæloʊməs], **Allhallows** *n. arch.* Wszystkich Świętych.

alliaceous [ˌælɪˈeɪʃəs] *a.* **1.** *bot.* należący do rodzaju czosnek. **2.** czosnkowy; cebulowy (*o smaku l. zapachu*).

alliance [əˈlaɪəns] *n.* **1.** przymierze; sojusz; alians; **enter into/form an ~ with** wejść w/zawrzeć przymierze z. **2.** *form.* bliski związek (*zwł. małżeński*). **3.** *t. przen.* powinowactwo, pokrewieństwo.

allied [əˈlaɪd] *a.* **1.** sprzymierzony. **2.** *attr.* pokrewny (*o gatunku*). **3.** *attr. hist.* aliancki.

Allies [ˈælaɪz] *n. pl. hist., wojsk.* **the ~** sprzymierzeni, alianci (*podczas II wojny światowej*); państwa sprzymierzone (*podczas wojny w Zatoce Perskiej*).

alligator [ˈæləˌgeɪtər] *n. zool.* aligator.

all in *adv.* łącznie, licząc wszystko razem; **$350 ~** łącznie 350 dolarów.

all-in [ˌɔ:lˈɪn] *a.* **1.** *Br.* łączny (*o kosztach, cenie*). **2.** *pot.* wykończony. **3. ~ wrestling** zapasy w stylu wolnym.

alliterate [əˈlɪtəˌreɪt] *v. zwł. wers.* **1.** stosować aliterację. **2.** być aliterowanym (*o wierszu*). **3.** aliterować się (*o wyrazach*).

alliteration [əˌlɪtəˈreɪʃən] *n. U* aliteracja.

alliterative [əˈlɪtəˌreɪtɪv] *a.* aliteracyjny.

all-night [ˌɔ:lˈnaɪt] *a. attr.* **1.** całonocny. **2.** czynny całą noc.

all-nighter [ˌɔ:lˈnaɪtər] *n. US szkoln. pot.* całonocne zakuwanie.

allocate [ˈæləˌkeɪt] *v.* **1.** przydzielać (*fundusze, środki*); przeznaczać (*pieniądze, czas*). **2.** umiejscawiać.

allocation [ˌæləˈkeɪʃən] *n.* **1.** przydzielenie; przydział. **2.** umiejscowienie.

allocution [ˌæləˈkjuːʃən] *n.* **1.** *form.* alokucja (= *uroczysta przemowa*). **2.** *kość.* tajne orędzie papieskie.

allodial [əˈloudɪəl], **alodial** *a. hist.* alodialny (*w feudalizmie = stanowiący prywatną własność, w odróżnieniu od lenna*).

allodium [əˈloudɪəm] *n. pl.* **allodia** *hist.* alodium.

allopath [ˈæləˌpæθ], **allopathist** *n. med.* alopata/ka.

allopathic [ˌæləˈpæθɪk] *a.* alopatyczny.

allopathy [əˈlɑːpəθɪ] *n.* *U* alopatia (= *przeciwieństwo homeopatii*).

allophone [ˈæləˌfoun] *n. fon.* alofon.

allophonic [ˌæləˈfɑːnɪk] *a. fon.* alofoniczny.

allot [əˈlɑːt] *v.* **-tt- 1.** przeznaczyć. **2.** przydzielić. **3.** rozdzielić; podzielić.

allotment [əˈlɑːtmənt] *n.* **1.** *U* przydzielenie, wyznaczenie. **2.** przydział. **3.** *US wojsk.* potrącenie z płacy. **4.** *Br.* działka, ogródek działkowy.

allotrope [ˈæləˌtroup] *n. chem.* alotrop.

allotropic [ˌæləˈtrɑːpɪk] *a.* alotropowy.

allotropy [əˈlɑːtrəpɪ] *n.* *U* alotropia.

all out *adv.* wszelkimi środkami; z całych sił; **go ~** iść na całego; dawać z siebie wszystko.

all-out [ˌɔːlˈaut] *a. attr.* wytężony (*np. o wysiłku*); całkowity (*o poświęceniu, determinacji*); **~ attack** zmasowany atak; **~ war** wojna totalna.

all-over [ˈɔːlˌouvər] *a. attr.* ciągnący się na całej powierzchni; pokrywający całą powierzchnię (*np. o wzorze tkaniny*).

allow [əˈlau] *v.* **1.** pozwalać; **~ (sb) sth** pozwalać (komuś) na coś; **~ sb to do sth** pozwalać komuś coś robić; **~ sth to happen** pozwalać, żeby coś się stało; **sb is ~ed to do sth** komuś wolno coś robić; **sth is ~ed/not ~ed** coś jest dozwolone/zabronione. **2.** uznać (*roszczenie, bramkę*); dopuścić (*np. materiał dowodowy w sprawie*). **3. ~ (o.s.)** zarezerwować *l.* dać sobie; **~ an hour for this task** zarezerwuj sobie godzinę na wykonanie tego zadania; **how much time do you ~ yourself?** ile czasu sobie dajesz?. **4. ~ o.s.** pozwalać sobie na (*jakąś przyjemność, luksus*). **5. ~ that** *form.* przyznawać, że. **6.** *przest.* powiedzieć; sądzić. **7.** *arch.* zatwierdzać. **8. ~ me** Pan/i pozwoli (że pomogę). **9. ~ for** brać pod uwagę, uwzględniać; **~ of** *form.* dopuszczać; **~ sb in/up** wpuścić kogoś do środka/na górę; **~ sb out/through** wypuścić/przepuścić kogoś.

allowable [əˈlauəbl] *a.* **1.** dopuszczalny. **2.** *fin.* podlegający odliczeniu od podatku.

allowance [əˈlauəns] *n.* **1.** racja; przydział. **2.** stały dodatek do uposażenia; **family/housing ~** dodatek rodzinny/mieszkaniowy. **3.** dieta; **travel ~** dieta podróżna. **4.** *zwł. US* kieszonkowe. **5.** limit; **baggage/luggage ~** limit bagażu. **6.** (*także* **tax ~**) kwota wolna od podatku. **7.** przyzwolenie; tolerowanie. **8. make (an) ~ for sth** brać poprawkę na coś; **make ~s (for sb)** być wyrozumiałym (dla kogoś); **make ~s for sth** brać pod uwagę *l.* uwzględniać coś (*zwł. jako okoliczność łagodzącą*). – *v. form.* racjonować, wydzielać.

allowedly [əˈlaudlɪ] *adv.* jak powszechnie wiadomo.

alloy *n.* [ˈælɔɪ; əˈlɔɪ] **1.** stop (*metalu*). **2.** domieszka (*obniżająca jakość*). **3.** mieszanina. – *v.* [əˈlɔɪ; ˈælɔɪ] **1.** stopić. **2.** obniżać wartość (*stopu poprzez dodanie tańszego składnika*); *lit.* obniżać wartość; psuć.

all-powerful [ˌɔːlˈpauərful] *a.* wszechmocny, wszechpotężny, wszechwładny.

all-purpose [ˌɔːlˈpɝːpəs] *a. attr.* wieloczynnościowy, wielofunkcyjny.

all right, alright *adv.* **1.** dobrze, w porządku. **2.** bez problemów *l.* przeszkód. **3.** *pyt.* dobrze?, zgoda?. **4.** niewątpliwie; z pewnością; **it was her ~** to na pewno była ona. **5. if it's/that's ~ with you** jeżeli nie masz nic przeciwko temu; **is it/would it be ~ if I...** czy mógłbym...; **it's ~ for you/him** tobie/jemu to dobrze; **it's/that's ~** nie ma za co (*w odpowiedzi na podziękowanie*); nic nie szkodzi (*w odpowiedzi na przeprosiny*); **it's/that's ~ by/with me** nie mam nic przeciwko temu. – *a. pred.* **1.** zdrowy; cały i zdrowy. **2.** do przyjęcia. **3.** w porządku (*Br. t. o osobie*).

all-round [ˌɔːlˈraund] *a. Br.* = **all-around.**

all-rounder [ˌɔːlˈraundər] *n. Br.* osoba wszechstronna.

allspice [ˈɔːlˌspaɪs] *n.* **1.** *U* ziele angielskie, pieprz angielski, piment. **2.** *bot.* drzewo pimentowe (*Pimenta dioica*).

all-star [ˌɔːlˈstɑːr] *a. attr.* **1.** złożony z samych gwiazd; **~ cast** gwiazdorska obsada. **2.** złożony z najlepszych sportowców (*o drużynie*). – *n. sport* członek drużyny jw.

all-terrain vehicle [ˌɔːltəˌreɪn ˈviːɪkl], **ATV** *n. mot.* samochód terenowy.

all-time [ˌɔːlˈtaɪm] *a. attr.* **~ high/low** najwyższy/najniższy z dotychczas zanotowanych poziomów; **~ record** rekord wszech czasów.

allude [əˈluːd] *v. form.* **~ to sb/sth** robić aluzję do kogoś/czegoś; stanowić aluzję do kogoś/czegoś.

allure [əˈlur] *v.* **1.** nęcić, wabić, kusić. **2.** oczarować. – *n.* *U* powab; ponętność; czar.

allurement [əˈlurmənt] *n.* *U* **1.** nęcenie, wabienie. **2.** pokusa.

alluring [əˈlurɪŋ] *a.* ponętny, kuszący.

alluringly [əˈlurɪŋlɪ] *adv.* ponętnie, kusząco.

allusion [əˈluːʒən] *n.* **1.** aluzja. **2.** *U* czynienie aluzji.

allusive [əˈluːsɪv] *a.* **1.** aluzyjny. **2.** *przest.* metaforyczny.

allusively [əˈluːsɪvlɪ] *a.* aluzyjnie.

allusiveness [əˈluːsɪvnəs] *n.* *U* aluzyjność.

alluvial [əˈluːvɪəl] *a. geol.* aluwialny. – *n.* **1.** gleba aluwialna. **2.** *Austr.* złotonośna gleba aluwialna.

alluvion [əˈluːvɪən] *n.* **1.** *prawn.* przyrost gruntu na skutek nanosów. **2.** zalew. **3.** *przest.* = **alluvium.**

alluvium [əˈluːvɪəm] *geol. n. pl.* **alluviums** *l.* **alluvia 1.** aluwium. **2.** współczesny osad rzeczny.

all-weather [ˌɔːlˈweðər] *a. attr.* **1.** na każdą pogodę. **2.** charakteryzujący się występowaniem wszystkich rodzajów pogody.

ally [ˈælaɪ; əˈlaɪ] *v.* ~ **o.s. to/with** wejść w sojusz z, sprzymierzyć się z; przyłączyć się do. – *n. pl.* **-ies** *t. wojsk. i polit.* sojusznik, sprzymierzeniec.

all-year [ˌɔ:lˈji:r] *a. attr.* całoroczny.

alma mater [ˌælmə ˈmɑ:tər] *n.* **1.** *form. uniw.* Alma Mater. **2.** *US* hymn szkoły *l.* uczelni.

almanac [ˈɔ:lməˌnæk], **almanack** *n.* almanach (*kalendarz*).

almandine [ˈælmənˌdi:n], **almandite** [ˈælmənˌdaɪt] *n. min.* almandyn (= *granat szlachetny*).

almightiness [ɔ:lˈmaɪtnəs] *n. U* wszechmoc.

almighty [ɔ:lˈmaɪtɪ] *a.* **1.** wszechmogący, wszechmocny; **A~ God/Father** wszechmogący Bóg/Ojciec. **2.** wielki; **God/Christ A~!** wielki Boże! (*wyraz złości lub zdziwienia*). **3.** *attr.* **-ier, -iest** *pot.* potężny (*o huku itp.*); straszny (*o awanturze itp.*). – *adv. pot.* strasznie. – *n.* **the A~** Bóg (wszechmogący).

almond [ˈɑ:mənd] *n.* **1.** migdał. **2.** *bot.* migdałowiec (*Prunus amygdalus*). **3.** *U* kolor migdałowy. – *a. attr.* migdałowy (*o kolorze l. smaku*).

almondlike [ˈɑ:məndlaɪk], **almondy** *a.* migdałowy.

almoner [ˈælmənər] *n.* **1.** jałmużnik (= *osoba dająca jałmużnę*). **2.** *Br.* pracownik szpitala określający wysokość funduszy przeznaczonych na leczenie danego pacjenta; pracownik szpitalny opieki społecznej.

almost [ˈɔ:lmoʊst] *adv.* prawie, niemalże; ~ **certainly** prawie na pewno; **he ~ fainted** o mało (co) nie zemdlał.

alms [ɑ:mz] *n. pl. przest.* jałmużna; **~-giver** = **almoner** 1; **~-giving** jałmużnictwo; **~-house** *zwł. Br. hist.* przytułek dla ubogich.

almsman [ˈɑ:mzmən] *n. pl.* **almsmen** **1.** *arch.* = **almoner** 1. **2.** jałmużnik (= *osoba żyjąca z jałmużny*).

alodium [əˈloʊdɪəm] *n.* = **allodium**.

aloe [ˈæloʊ] *n. pl.* **-s** *bot.* aloes (*Aloë*).

aloetic [ˌæloʊˈetɪk] *a.* aloesowy.

aloft [əˈlɔ:ft] *adv. form.* wysoko w górze *l.* w górę. – *prep.* na szczycie.

aloha [əˈloʊə] *int. i n. pl.* **-s** *hawajskie* **1.** żegnaj. **2.** witaj.

alone [əˈloʊn] *a. pred.* **1.** sam; **all ~** zupełnie sam; **drink water ~** pić samą wodę *l.* tylko wodę; **his name ~ is enough to attract spectators** wystarczy samo jego nazwisko, żeby przyciągnąć widzów. **2.** samotny; **(not) be ~ in sth/doing sth** (nie) być osamotnionym w czymś/w robieniu czegoś. **3.** jedyny; **she ~ can/know/has** tylko ona (jedna) *l.* jedynie ona może/wie/ma. – *adv.* **1.** samotnie; **live ~** żyć samotnie; mieszkać samemu. **2.** samodzielnie, o własnych siłach, bez (niczyjej) pomocy. **3.** wyłącznie. **4.** *przen.* **go it ~** *pot.* zacząć działać na własną rękę; **leave/let sb/sth ~** zostawić kogoś/coś w spokoju, dać komuś/czemuś spokój; **leave/let well (enough) ~** dać (sobie) spokój (= *nie ingerować, zw. żeby nie pogarszać sytuacji*); **let ~...** nie mówiąc *l.* wspominając (już) o...

along [əˈlɔ:ŋ] *prep.* **1.** wzdłuż; **walk ~ the road** iść drogą. **2.** równolegle do. **3.** po; ~ **the way** po drodze (*t. przen.* = *w trakcie trwania czegoś*). **4.** zgodnie z. – *adv.* **1.** naprzód, do przodu; **move/go ~** posuwać się/iść do przodu; **how is the work coming ~?** jak postępuje praca?. **2.** ze sobą; **bring/take sb ~** przyprowadzić/zabrać kogoś ze sobą; **come ~!** chodź z nami!. **3.** dalej; **pass sth ~** podać coś dalej. **4. all ~** *zob.* **all**. **5. be ~** *pot.* przybyć. **6. ~ of** *płd. US i Br. dial.* z powodu; razem z; **~ with** razem *l.* wraz z.

alongshore [əˌlɔ:ŋˈʃɔ:r] *adv. i a.* wzdłuż brzegu; przy brzegu.

alongside [əˌlɔ:ŋˈsaɪd] *adv.* obok. – *prep.* **1.** obok, przy. **2.** wraz z. **3. ~ of** *pot.* obok.

aloof [əˈlu:f] *a.* **1.** powściągliwy. **2.** wyniosły. **3. hold o.s./remain ~** zachowywać rezerwę; **keep ~ from** trzymać się z dala od. – *adv.* z dala; z boku.

aloofly [əˈlu:flɪ] *adv.* **1.** powściągliwie, z rezerwą. **2.** wyniośle.

aloofness [əˈlu:fnəs] *n. U* **1.** powściągliwość, rezerwa. **2.** wyniosłość.

alopecia [ˌæləˈpi:ʃɪə] *n. pat.* łysienie.

aloud [əˈlaʊd] *adv.* **1.** głośno. **2.** na głos.

alow [əˈloʊ] *adv. żegl.* pod pokładem.

alp [ælp] *n.* szczyt górski (*zwł. w Alpach Szwajcarskich*); hala górska (*jw.*).

alpaca [ælˈpækə] *a. pl.* **-s** **1.** *zool.* alpaka (*Lama pacos*). **2.** *U* wełna z alpaki. **3.** *U tk.* alpaka, alpaga.

alpenglow [ˈælpənˌgloʊ] *n.* łuna w górach (*od zachodzącego l. wschodzącego słońca*).

alpenstock [ˈælpənˌstɑ:k] *n. hist.* czekan.

alpha [ˈælfə] *n. pl.* **-s** **1.** alfa (*litera*). **2.** *szkoln.* ocena bardzo dobra. **3.** *przen.* **from ~ to omega** od A do Z; **the ~ and omega** początek i koniec; alfa i omega (= *autorytet, wyrocznia*).

alphabet [ˈælfəˌbet] *n.* **1.** alfabet. **2.** *przen.* abecadło (*podstawy*).

alphabetical [ˌælfəˈbetɪkl], **alphabetic** *a.* alfabetyczny; **in ~ order** w porządku alfabetycznym.

alphabetically [ˌælfəˈbetɪklɪ] *adv.* alfabetycznie.

alphabetization [ˌælfəˌbetɪˈzeɪʃən], *Br.* **alphabetisation** *n. U* alfabetyzacja.

alphabetize [ˈælfəbɪˌtaɪz], *Br.* **alphabetise** *v.* **1.** ustawiać w porządku alfabetycznym. **2.** przedstawiać *l.* zapisywać za pomocą alfabetu.

alphanumeric [ˌælfənu:ˈmerɪk], **alphanumerical** *a.* alfanumeryczny (= *literowo-cyfrowy*).

alphanumerically [ˌælfənu:ˈmerɪklɪ] *adv.* alfanumerycznie.

alpine [ˈælpaɪn] *a.* **1.** *attr.* **A~** alpejski. **2.** wysokogórski. **3.** rosnący *l.* żyjący powyżej górnej granicy lasu. – *n.* (*także* ~ **plant**) roślina wysokogórska.

alpinism [ˈælpəˌnɪzəm] *n. U* alpinizm.

alpinist [ˈælpəˌnɪst] *n.* **1.** alpinist-a/ka. **2.** *sport* alpej-czyk/ka.

Alps [ælps] *n. pl.* **the ~** Alpy.

already [ˌɔ:lˈredɪ] *adv.* już.

alright [ˌɔ:lˈraɪt] *a. i adv.* = **all right**.

a.l.s. [ˌeɪ ˌel ˈes] *abbr.* **autograph letter, signed** list pisany ręcznie, podpisany.

Alsace [æl'seɪs] *hist.* **Alsatia** *n.* Alzacja.

Alsatian [æl'seɪʃən] *a.* alzacki. – *n.* **1.** Alzatczyk/ka. **2.** (*także* ~ **dog**) *zwł. Br.* owczarek niemiecki *l.* alzacki, wilczur.

also ['ɔ:lsoʊ] *adv.* też, także, również; poza tym; **not only... but** ~ ... nie tylko..., lecz także...

also-ran ['ɔ:lsoʊˌræn] *n.* **1.** *sport* zawodnik/czka zajmując-y/a miejsce poza podium. **2.** *pot.* przegran-y/a (*w wyborach, konkursie*). **3.** *pot.* nieudacznik.

alt [ælt] *a. muz.* w najwyższym rejestrze (= *w obrębie oktawy g2-g3*); *attr.* altowy (*o instrumencie*). – *n.* **in** ~ *muz.* nad pięciolinią (*w kluczu wiolinowym*); *przen.* górnolotnie; z egzaltacją.

Alta. *abbr.* **Alberta** *Can.* Alberta (*prowincja*).

Altai [æl'taɪ] *n.* **1.** Ałtaj/ka. **2.** *U* (język) ałtajski.

Altaic [æl'teɪɪk] *a.* **1.** ałtajski. **2.** *geogr.* ałtajski (*o górach Ałtaj*). – *n.* rodzina języków ałtajskich.

altar ['ɔ:ltər] *n.* ołtarz; ~ **boy** ministrant; ~**piece** obraz *l.* rzeźba nad ołtarzem; **lead sb to the** ~ poprowadzić kogoś do ołtarza.

alter ['ɔ:ltər] *v.* **1.** zmieniać (się). **2.** przerabiać (*ubranie*). **3.** *US euf.* kastrować (*zwł. psa l. kota*).

alteration [ˌɔ:ltə'reɪʃən] *n.* **1.** zmiana. **2.** przeróbka. **3.** poprawka.

alterative ['ɔ:ltəˌreɪtɪv] *a.* **1.** powodujący zmiany. **2.** *med. przest.* stopniowo przywracający zdrowie. – *n. med. przest.* lekarstwo *l.* leczenie przywracające stopniowo zdrowie.

altercate ['ɔ:ltərˌkeɪt] *v. form.* kłócić się głośno.

altercation [ˌɔ:ltər'keɪʃən] *n. form.* głośna wymiana zdań.

alter ego [ˌɔ:ltər 'i:goʊ] *n. Lat.* **1.** alter ego (= *zaufany przyjaciel, powiernik*). **2.** druga strona osobowości.

alternant ['ɔ:ltɝ:nənt] *a.* zmienny; = **alternate**.

alternate *v.* ['ɔ:ltərˌnɪt] **1.** ~ **(with)** występować na przemian (z); ~ **between hope and despair** popadać z nadziei w rozpacz; ~ **between being joyful and sad** być na przemian radosnym i smutnym. **2.** wymieniać się; ~ **in doing sth** wymieniać się w robieniu czegoś; ~ **sth** wymieniać się czymś (*np. obowiązkami*). – *a.* ['ɔ:ltərnət] *attr.* **1.** naprzemienny. **2.** co drugi; **(on)** ~ **days** co drugi dzień. **3.** *bot.* naprzemianległy (*o liściach*). **4.** *zwł. US* = **alternative** 1. – *n.* ['ɔ:ltərnət] *form.* zastęp-ca/czyni.

alternately ['ɔ:ltərnɪtlɪ] *adv.* na przemian, kolejno.

alternating current [ˌɔ:ltərneɪtɪŋ 'kɝ:ənt], **AC** *n. U el.* prąd zmienny.

alternation [ˌɔ:ltər'neɪʃən] *n.* **1.** zmiana. **2.** następstwo (*np. pór roku*). **3.** *el.* półokres. **4.** *jęz.* alternacja, oboczność.

alternative [ɔ:l'tɝ:nətɪv] *a.* **1.** *attr.* alternatywny, zastępczy (*np. o planach*). **2.** odmienny (*np. o opinii*). **3.** alternatywny, niekonwencjonalny; ~ **energy sources** niekonwencjonalne źródła energii; ~ **lifestyles** alternatywny styl życia; ~ **medicine** medycyna alternatywna *l.* niekonwencjonalna. – *n.* **1.** alternatywa (*to sth* dla czegoś). **2.** wybór, wyjście; **have no** ~ nie mieć wyboru *l.* (innego) wyjścia; **have no** ~ **but to do sth** nie mieć innego wyjścia, niż tylko coś zrobić.

alternatively [ɔ:l'tɝ:nətɪvlɪ] *adv.* **1.** alternatywnie. **2.** ewentualnie.

alternator ['ɔ:ltərˌneɪtər] *n. el. mot.* alternator.

althorn ['æltˌhɔ:rn], **alto horn** *n. muz.* sakshorn altowy.

although [ɔ:l'ðoʊ] *conj.* chociaż, choć, mimo że.

altigraph ['æltəˌgræf] *n. lotn.* barograf, wysokościomierz piszący.

altimeter [æl'tɪmɪtər] *n. lotn.* wysokościomierz.

altitude ['æltɪˌtu:d] *n.* **1.** wysokość (*zwł. n.p.m.*); **at high/low ~s** na dużych/małych wysokościach. **2.** *astron.* wysokość, wzniesienie. **3.** *pl.* wyżyny. **4.** *form.* wysokie stanowisko *l.* pozycja.

altitude sickness *n. U* choroba górska *l.* wysokościowa.

alto ['æltoʊ] *n. pl.* **-s** *muz.* **1.** alt. **2.** kontralt. **3.** kontratenor. – *a. attr.* altowy.

altocumulus [ˌæltoʊ'kju:mjələs] *n. pl.* **altocumulus** *meteor.* altocumulus, chmura średnia kłębiasta.

altogether [ˌɔ:ltə'geðər] *adv.* **1.** zupełnie, całkowicie; **it's an** ~ **different matter/a different matter** ~ to zupełnie inna sprawa; **not** ~ **certain/true** niezupełnie *l.* nie całkiem pewny/prawdziwy. **2.** razem, w sumie. **3.** w sumie, ogólnie biorąc. – *n. U* **in the** ~ *zwł. Br. pot.* na golasa.

altostratus [ˌæltoʊ'streɪtəs] *n. pl.* **altostratus** *meteor.* altostratus, chmura średnia warstwowa.

altruism ['æltru:ˌɪzəm] *n. U* altruizm.

altruist ['æltru:ɪst] *n.* altruist-a/ka.

altruistic [ˌæltru:'ɪstɪk] *a.* altruistyczny.

altruistically [ˌæltru:'ɪstɪklɪ] *adv.* altruistycznie.

alum[1] ['æləm] *n. chem.* **1.** ałun (= *uwodniony siarczan glinowo-potasowy*). **2.** ałun (= *podwójny uwodniony siarczan metali jednowartościowych l. amonu i metali trójwartościowych*). **3.** siarczan glinu.

alum[2] *n. US pot.* = **alumnus**; = **alumna**.

alumina [ə'lu:mənə], **aluminum oxide** *n. min., chem.* korund (*(krystaliczny) tlenek glinu*).

aluminate [ə'lu:məˌneɪt] *n. chem.* glinian.

aluminous [ə'lu:mənəs] *a. chem.* **1.** ałunowy. **2.** dotyczący tlenków glinowych.

aluminum [ə'lu:mənəm], *Br. i Austr.* **aluminium** *n. U chem.* aluminium (*metal*); glin (*pierwiastek*). – *a. attr.* aluminiowy.

alumna [ə'lʌmnə] *n. pl.* **alumnae** *zwł. US szkoln., uniw.* absolwentka.

alumnus [ə'lʌmnəs] *n. pl.* **alumni** *zwł. US szkoln., uniw.* absolwent.

alunite ['æljəˌnaɪt], **alumstone** *n. min.* ałunit, kamień ałunowy.

alveolar [æl'vɪələr] *a.* **1.** *zool., anat.* zębodołowy. **2.** *zool., anat.* pęcherzykowaty. **3.** *fon.* dziąsłowy. – *n. fon.* spółgłoska dziąsłowa.

alveolate [æl'vɪəlɪt], **alveolated** *a.* pęcherzykowaty; mający wiele zagłębień.

alveolus [æl'vɪələs] *n. pl.* **alveoli** **1.** komórka; pęcherzyk; zagłębienie. **2.** *anat., zool.* zębodół. **3.** *anat., zool.* pęcherzyk płucny. **4.** *anat., zool.* pęcherzyk gruczołowy. **5.** *anat., zool.* dołek żołądkowy w śluzówce.

always ['ɔ:lweɪz] *adv.* **1.** zawsze. **2.** stale, ciągle. **3. you can/could ~...** zawsze (jeszcze) możesz...

Alzheimer's disease ['ɑ:ltshaɪmərz dɪˌzi:z] *n. U pat.* choroba Alzheimera.

AM [ˌeɪ 'em] *abbr. U* **amplitude modification** modulacja amplitudowa; AM, nadawanie sygnałów radiowych za pomocą modulacji amplitudowej.

am [æm; əm] *v. zob.* **be**.

Am. *abbr.* **1.** = **America**. **2.** = **American**.

A.M. [ˌeɪ 'em] *abbr.* **Artium Magister** *Lat.* (*także* **Master of Arts**) magister nauk humanistycznych.

a.m. [ˌeɪ 'em], **A.M.** *abbr.* **ante meridiem** *Lat.* przed południem; przedpołudnie.

amadou ['æməˌdu:] *n.* hubka.

amain [ə'meɪn] *adv. arch.* **1.** całą siłą. **2.** z pełną szybkością. **3.** nagle; pospiesznie. **4.** przesadnie; wielce.

amalgam [ə'mælgəm] *n.* **1.** *U techn.* stop rtęci z innym metalem *l.* metalami. **2.** *U dent.* amalgamat. **3.** *form.* połączenie, mieszanina, zlepek.

amalgamate [ə'mælgəˌmeɪt] *v.* **1.** mieszać; łączyć. **2.** *techn.* amalgamować.

amalgamation [əˌmælgə'meɪʃən] *n. U* **1.** mieszanie (się); połączenie (się). **2.** mieszanina. **3.** *C handl.* fuzja. **4.** *techn.* amalgamowanie.

amalgamative [ə'mælgəmətɪv] *a.* amalgamacyjny.

amanuensis [əˌmænju:'ensɪs] *n. pl.* **amanuenses** *form.* sekreta-rz/rka; kopist-a/ka.

amaranth ['æməˌrænθ] *n.* **1.** *bot.* amarant, szarłat (*Amaranthus*). **2.** *mit.* wieczny kwiat.

amaranthine [ˌæmə'rænθɪn] *a.* **1.** amarantowy (*o kwiecie l. kolorze*). **2.** nieprzemijający.

amaretto [ˌæmə'retoʊ] *n. U* likier migdałowy, amaretto.

amaryllidaceous [ˌæməˌrɪlɪ'deɪʃəs] *a. bot.* amarylkowaty.

amaryllis [ˌæmə'rɪlɪs] *n. bot.* **1.** amarylis, amarylek (*Amaryllis belladonna*). **2.** amarylis, amarylek (*roślina z rodzaju Hippeastrum*).

amass [ə'mæs] *v.* **1.** gromadzić (*zwł. pieniądze l. informacje*). **2.** zbierać.

amassment [ə'mæsmənt] *n. U* nagromadzenie.

amateur ['æməˌtʃʊr] *n.* amator/ka. – *a. zw. attr.* **1.** amatorski; **~ dramatics** *Br.* teatr amatorski. **2.** = **amateurish**.

amateurish [ˌæmə'tʃʊrɪʃ] *a. uj.* amatorski.

amateurishly [ˌæmə'tʃʊrɪʃlɪ] *adv. uj.* po amatorsku.

amateurishness [ˌæmə'tʃʊrɪʃnəs] *n. U uj.* amatorszczyzna.

amateurism ['æmətʃʊˌrɪzəm] *n. U* amatorstwo (*podejście, zwł. w sporcie*).

amative ['æmətɪv] *a. lit.* **1.** miłosny. **2.** kochliwy.

amatory ['æməˌtɔ:rɪ] *a. lit.* **1.** miłosny. **2.** erotyczny.

amaurosis [ˌæmɔ:'roʊsɪs] *n. U pat.* ślepota.

amaurotic [ˌæmɔ:'rɑ:tɪk] *a.* dotknięty ślepotą.

amaze [ə'meɪz] *v.* zdumiewać, zadziwiać; zaskakiwać. – *n. U arch.* = **amazement**.

amazed [ə'meɪzd] *a.* **be ~ (at sth)** być zdumionym (czymś); **be ~ that** być zdumionym, że; **I was ~ to find/discover that...** ze zdumieniem odkryłam, że...

amazement [ə'meɪzmənt] *n. U* zdumienie; zaskoczenie; **to my ~** ku memu zdumieniu *l.* zaskoczeniu.

amazing [ə'meɪzɪŋ] *a.* **1.** zadziwiający, zdumiewający; zaskakujący. **2.** niesamowity.

amazingly [ə'meɪzɪŋlɪ] *adv.* **1.** zadziwiająco, zdumiewająco; zaskakująco. **2.** niesamowicie.

Amazon ['æməˌzɑ:n] *n.* **1.** *geogr.* Amazonka. **2.** *mit.* Amazonka. **3.** **a~** *zwł. żart.* wysoka i dobrze zbudowana *l.* silna kobieta. **4.** *orn.* amazonka (*papuga z rodzaju Amazona*).

Amazonian [ˌæmə'zoʊnɪən] *a. geogr., mit.* amazoński. – *n.* mieszkan-iec/ka dorzecza Amazonki.

ambages [æm'beɪdʒi:z] *n. pl. arch.* **1.** pokrętny *l.* zawiły sposób rozumowania. **2.** kręte drogi.

ambassador [æm'bæsədər] *n. polit. l. przen.* **1.** ambasador/ka; **Polish ~ to Paris** ambasador RP w Paryżu. **2.** wysłanni-k/czka.

ambassador at large *n. pl.* **ambassadors at large** *US polit.* specjalny wysłannik, ambasador w misji specjalnej.

ambassadorial [æmˌbæsə'dɔ:rɪəl] *a.* ambasadorski.

ambassadress [æm'bæsədrɪs] *n.* **1.** ambasadorowa. **2.** *przest.* pani ambasador, ambasadorka.

amber ['æmbər] *n. U* **1.** bursztyn. **2.** kolor bursztynowy. **3.** *Br. mot.* żółte światło. – *a.* **1.** bursztynowy (*t. o kolorze*). **2.** *Br.* żółty (*w sygnalizacji świetlnej*).

ambergris ['æmbərˌgri:s] *n. U* ambra (= *wydzielina przewodu pokarmowego kaszalota, stosowana w przemyśle perfumeryjnym*).

ambiance ['æmbɪəns], **ambience** *n. U l. sing.* **1.** atmosfera, nastrój. **2.** otoczenie.

ambidexter [ˌæmbɪ'dekstər] *a. arch.* = **ambidextrous**. – *n. przest.* **1.** osoba oburęczna. **2.** osoba wyjątkowo inteligentna. **3.** *uj.* osoba dwulicowa.

ambidexterity [ˌæmbɪdek'sterətɪ] *n. U* **1.** oburęczność. **2.** wyjątkowa inteligencja. **3.** *uj.* dwulicowość.

ambidextrous [ˌæmbɪ'dekstrəs] *a.* **1.** oburęczny. **2.** wyjątkowo inteligentny. **3.** *uj.* dwulicowy. **4.** *sl.* biseksualny.

ambidextrously [ˌæmbɪ'dekstrəslɪ] *a.* **1.** oburęcznie. **2.** inteligentnie. **3.** *uj.* dwulicowo.

ambidextrousness [ˌæmbɪ'dekstrəsnəs] *n. U* = **ambidexterity**.

ambience ['æmbɪəns] *n.* = **ambiance**.

ambient ['æmbɪənt] *a. attr. zwł. nauka* otaczający; **~ temperature** temperatura otoczenia.

ambiguity [ˌæmbə'gju:ɪtɪ] *n.* **1.** *U* dwuznaczność, niejednoznaczność, wieloznaczność; niejasność (*cecha*). **2.** *pl.* **-ies** dwuznaczność, niejasność (*sformułowanie l. wyrażenie*).

ambiguous [æm'bɪgjʊəs] *a.* **1.** dwuznaczny, niejednoznaczny, wieloznaczny. **2.** niejasny. **3. sb is ~ (on sth)** ktoś wyraża się niejasno *l.* niejednoznacznie (na jakiś temat).

ambiguously [æm'bɪgjʊəslɪ] *adv.* **1.** dwuznacznie. **2.** niejasno.

ambit ['æmbɪt] *n. U form.* **1.** zasięg. **2.** granice; **within the ~ of the law** w granicach prawa.

ambition [æm'bɪʃən] *n.* **1.** *U* ambicja (*cecha charakteru*). **2.** ambicja (= *dążenie, cel*).

ambitious [æm'bɪʃəs] *a.* **1.** ambitny; **~ politician/plan** ambitny polityk/plan; **be ~ for one's children** mieć ambicje związane z dziećmi. **2. ~ of sth** *form.* spragniony *l.* żądny czegoś.

ambitiously [æm'bɪʃəslɪ] *adv.* ambitnie.

ambitiousness [æm'bɪʃəsnəs] *n. U* ambicja, ambicje.

ambivalence [æm'bɪvələns], **ambivalency** *n. U* **1.** niezdecydowanie. **2.** *psych.* ambiwalencja.

ambivalent [æm'bɪvələnt] *a.* ambiwalentny.

ambivalently [æm'bɪvələntlɪ] *adv.* ambiwalentnie.

amble ['æmbl] *v.* **1.** iść powoli; przechadzać się; spacerować. **2.** *zool.* iść inochodem. – *n.* **1.** spokojny krok. **2.** przechadzka. **3.** *zool.* inochód.

ambler ['æmblər] *n.* **1.** spacerowicz/ka. **2.** inochodziec (*typ konia*).

ambrosia [æm'broʊʒə] *n. U mit. l. przen.* ambrozja.

ambrosial [æm'broʊʒl] *a.* ambrozyjski; boski.

Ambrosian [æm'broʊʒən] *a. kośc.* ambrozjański; **~ chant** śpiew ambrozjański.

ambry ['æmbrɪ], **aumbry** *n. pl.* **-ies** **1.** *kośc.* almaria, armaria (= *szafa l. nisza na sprzęty liturgiczne*). **2.** *zwł. Br.* spiżarnia. **3.** *przest.* kredens.

ambulance ['æmbjələns] *n.* **1.** karetka. **2.** *przest.* szpital polowy.

ambulance chaser *n. US uj.* adwokat namawiający ofiary wypadku do procesu o odszkodowanie.

ambulanceman ['æmbjələnsˌmæn] *n. pl.* **-men** *Br. i Austr.* kierowca karetki; sanitariusz.

ambulant ['æmbjələnt] *a.* **1.** *form.* wędrowny. **2.** *med.* chodzący (*o pacjencie*).

ambulate ['æmbjəˌleɪt] *v. form.* wędrować; przemieszczać się.

ambulatory ['æmbjələˌtɔːrɪ] *a. form.* **1.** pieszy; wędrowny. **2.** przystosowany do chodzenia (*np. o kończynach niektórych zwierząt*). **3.** *med.* ambulatoryjny. **4.** *med.* = **ambulant** 2. **5.** *prawn.* podlegający odwołaniu *l.* zmianie (*np. o testamencie*). – *n. bud.* galeria; krużganek.

ambuscade [ˌæmbə'skeɪd] *n. i v. form.* = **ambush.**

ambush ['æmbʊʃ] *n.* **1.** zasadzka. **2.** czaty; **lie/wait in ~** czatować, czaić się. – *v.* **1.** urządzić zasadzkę na. **2.** zaatakować z zasadzki. **3.** czatować, czaić się.

ameba [ə'miːbə], **amoeba** *n. pl.* **am(o)ebas** *l.* **am(o)ebae** *zool.* ameba, pełzak.

amebic [ə'miːbɪk] *a.* **1.** amebowy, pełzakowy. **2.** *pat.* wywoływany przez ameby.

ameliorate [ə'miːljəˌreɪt] *v. form.* polepszać, poprawiać.

amelioration [əˌmiːljə'reɪʃən] *n. U* polepszenie, poprawa.

ameliorative [ə'miːljəˌreɪtɪv] *a.* polepszający.

amen [ˌeɪ'men] *int.* **1.** amen. **2.** tak. – *n.* zatwierdzenie, zgoda.

amenability [əˌmiːnə'bɪlətɪ] *n. U* **1.** skłonność, podatność. **2.** uległość. **3.** odpowiedzialność (*zwł. wobec prawa*).

amenable [ə'miːnəbl] *a.* **1. ~ to sth** skłonny wysłuchać czegoś *l.* zaakceptować coś; otwarty *l.* podatny na coś; **~ to doing sth** skłonny coś zrobić. **2.** posłuszny, dobrze ułożony (*np. o psie*). **3. ~ to the law** odpowiedzialny przed prawem. **4. ~ to testing/proof** dający się sprawdzić/udowodnić (*np. o teorii naukowej*).

amend [ə'mend] *v.* **1.** *parl.* wprowadzać *l.* wnosić poprawkę *l.* poprawki do. **2.** *form.* poprawiać (się).

amendatory [ə'mendəˌtɔːrɪ] *a. US* poprawczy, korekcyjny.

amendment [ə'mendmənt] *n.* **1.** *U* poprawa, poprawianie. **2.** *parl., prawn.* poprawka (*to sth* do czegoś); nowelizacja, nowela. **3. A~** *US* jedna z poprawek do konstytucji Stanów Zjednoczonych.

amends [ə'mendz] *n. pl.* **1.** odszkodowanie. **2. make ~ for sth** naprawić coś, odpokutować za coś.

amenity [ə'menətɪ] *n. pl.* **-ies** **1.** uprzejmość, grzeczność. **2.** udogodnienie. **3.** urok. **4.** *pl. euf.* toaleta.

amenorrhea [eɪˌmenə'rɪə], **amenorrhoea** *n. U pat.* brak miesiączki.

ament[1] ['æmənt] *n. bot.* bazia, kotka.

ament[2] *n. med.* osoba z niedorozwojem umysłowym.

amentaceous [ˌæmən'teɪʃəs] *a. bot.* baziowy.

amentia [eɪ'menʃə] *n. U pat.* niedorozwój umysłowy.

Amerasian [æmə'reɪʒən] *n.* osoba pochodzenia amerykańsko-azjatyckiego. – *a.* amerykańsko-azjatycki.

amerce [ə'mɜːs] *n.* **1.** *prawn.* karać grzywną. **2.** *form.* karać.

amercement [ə'mɜːsmənt] *n.* **1.** *prawn.* kara grzywny. **2.** *form.* kara.

America [ə'merɪkə] *n.* **1.** Ameryka (*Północna, Południowa l. obie*). **2.** Stany Zjednoczone.

American [ə'merɪkən] *a.* amerykański; **as ~ as apple pie** na wskroś amerykański. – *n.* **1.** Amerykan-in/ka (*zwł. obywatel / ka Stanów Zjednoczonych*). **2.** rodowit-y/a mieszkan-iec/ka Ameryki (*zwł. Indian-in / ka*).

Americana [əˌmerɪ'kænə] *n. pl.* materiały dotyczące historii, geografii i kultury Stanów Zjednoczonych.

American blight *n. ent.* bawełnica korówka (*Eriosoma lanigerum*).

American cheese *n. U* łagodny ser typu cheddar.

American cloth *n. U Br.* **1.** cerata. **2.** linoleum.

American Dream *n.* **the ~** amerykańskie marzenie (= *ideały wolności, równości i demokracji l. sukces materialny*).

American eagle *n. orn.* = **bald eagle**.

American elk *n. zool.* wapiti (*Cervus elaphus canadensis*).

American English *n. U* amerykańska odmiana języka angielskiego, angielszczyzna amerykańska.

American football *n. U Br. i Austr.* futbol amerykański.

American Indian *n.* Indian-in/ka amerykańsk-i/a.

Americanism [əˈmerɪkəˌnɪzəm] *n.* **1.** *gł. jęz.* amerykanizm. **2.** *U* podziw dla wszystkiego, co amerykańskie, amerykofilia.

Americanist [əˈmerɪkənɪst] *n. uniw.* amerykanist-a/ka.

Americanization [əˌmerɪkənaɪˈzeɪʃən], *Br. i Austr. zw.* **Americanisation** *n. U* amerykanizacja.

Americanize [əˈmerɪkəˌnaɪz], *Br. i Austr. zw.* **Americanise** *v.* amerykanizować (się).

American plan *n.* system usług hotelowych, w którym w cenę doby hotelowej wliczone są wszystkie posiłki i obsługa.

American Sign Language, Ameslan, ASL *n. US i Can.* Amerykański Język Migowy.

American Standards Association *n. US* urząd normalizacyjny.

American Standard Version *n.* zmodyfikowana wersja Biblii Króla Jakuba, opublikowana w Stanach w 1901 r.

Amerind [ˈæmərɪnd], **Amerindian** *n.* **1.** = **American Indian.** **2.** dowolny z języków Indian amerykańskich. – *a.* dotyczący Indian amerykańskich.

amethyst [ˈæməθɪst] *n.* **1.** *min.* ametyst. **2.** *U* fioletowy barwnik. – *a.* (*także* **amethystine**) ametystowy (*t. o kolorze*).

Amhara [ɑːmˈhɑːrə] *n.* **1.** *geogr., hist.* Amhara (*kraina w Etiopii*). **2.** Amhar/ka.

Amharic [æmˈherɪk] *n. U* język amharski. – *a.* amharski.

ami [ɑːˈmiː] *n. Fr. rzad.* **1.** przyjaciel. **2.** chłopak; kochanek.

amiability [ˌeɪmɪəˈbɪlətɪ] *n. U* uprzejmość; grzeczność.

amiable [ˈeɪmɪəbl] *a.* **1.** uprzejmy, grzeczny. **2.** przyjazny, sympatyczny. **3.** przyjemny.

amiably [ˈeɪmɪəblɪ] *adv.* **1.** uprzejmie, grzecznie. **2.** przyjaźnie, sympatycznie. **3.** przyjemnie.

amianthus [ˌæmiːˈænθəs] *n. min.* amiant (= *azbest amfibolowy*).

amic [ˈæmɪk] *a. chem.* amidowy, aminowy.

amicable [ˈæməkəbl] *a.* **1.** przyjazny, przyjacielski. **2.** polubowny; **~ settlement** *prawn.* ugoda polubowna *l.* za porozumieniem stron; **~ solution** polubowne załatwienie sprawy.

amicably [ˈæməkəblɪ] *adv.* **1.** przyjaźnie. **2.** polubownie.

amice [ˈæmɪs] *n. kośc.* humerał.

amid [əˈmɪd], **amidst** *prep. form.* wśród, pośród.

amide [ˈæmaɪd] *n. chem.* amid.

amidships [əˈmɪdʃɪps], **amidship** *adv.* **1.** *żegl.* na śródokręciu; *lotn.* w połowie długości kadłuba. **2.** na środku, w połowie.

amidst [əˈmɪdst] *prep.* = **amid.**

amie [ɑːˈmiː] *n. Fr. rzad.* **1.** przyjaciółka. **2.** dziewczyna; kochanka.

amiga [əˈmiːgə] *n. pl.* **-s** *płd.-zach. US* przyjaciółka.

amigo [əˈmiːgoʊ] *n. pl.* **-s** *płd.-zach. US* przyjaciel.

amine [əˈmiːn] *n. chem.* amina.

amino acid [əˌmiːnoʊ ˈæsɪd] *n. biochem.* aminokwas.

Amish [ˈɑːmɪʃ] *rel. n. pl.* **the ~** amisze. – *a.* dotyczący amiszów.

amiss [əˈmɪs] *form. adv. i a. pred.* **1. sth is ~** coś nie gra, coś jest nie w porządku *l.* nie tak. **2. take sth ~** obrazić się o coś; poczuć się czymś dotkniętym. **3. sth would not go ~** (*także Br.* **sth would not come ~**) coś przydałoby się *l.* byłoby mile widziane.

amity [ˈæmətɪ] *n. U form.* **1.** przyjaźń. **2.** *zwł. polit.* pokojowe współistnienie.

ammeter [ˈæmˌmiːtər] *n. el.* amperomierz.

ammo [ˈæmoʊ] *n. U pot.* amunicja.

ammonia [əˈmoʊnjə] *chem. n. U* **1.** amoniak. **2.** (*także* **~ solution, ~ water**) woda amoniakalna.

ammoniac [əˈmoʊnɪˌæk], **ammoniacal** *a.* **1.** amoniakalny. **2.** podobny do amoniaku. – *n.* (*także* **ammoniacum, gum ammoniac**) żywica z *Dorema ammoniacum.*

ammonify [əˈmɑːnəˌfaɪ] *n. chem.* amoniakować.

ammonite [ˈæməˌnaɪt] *n. paleont.* amonit.

ammonium [əˈmoʊnɪəm] *n. chem.* amon; **~ chloride** (*także* **sal ammoniac**) salmiak.

ammunition [ˌæmjəˈnɪʃən] *n. U* **1.** amunicja. **2.** *przen.* argumenty w dyskusji.

amnesia [æmˈniːʒə] *n. U* amnezja, utrata pamięci.

amnesiac [æmˈniːʒɪˌæk] *n.* osoba cierpiąca na amnezję. – *a.* (*także* **amnesic**) amnezyjny.

amnesty [ˈæmnɪstɪ] *n. pl.* **-ies** **1.** amnestia. **2.** puszczenie w niepamięć (*zwł. drobnych przestępstw l. wykroczeń*). – *v.* amnestionować; ułaskawiać.

Amnesty International, AI, A.I. *n.* Amnesty International (*międzynarodowa organizacja zajmująca się obroną praw człowieka*).

amniocentesis [ˌæmniːoʊsenˈtiːsɪs] *n. pl.* **amniocenteses** *med.* punkcja owodni.

amnion [ˈæmnɪən] *n. anat., zool.* owodnia.

amniotic [ˌæmniːˈɑːtɪk], **amnionic, amnic** *a.* owodniowy; **~ fluid** wody płodowe.

amoeba [əˈmiːbə] *n.* = **ameba.**

amok [əˈmʌk] *a. i adv.* = **amuck.**

among [əˈmʌŋ], **amongst** *prep.* **1.** wśród; w gronie; **~ friends/strangers** wśród przyjaciół/obcych. **2.** (po)między; **~ ourselves/yourselves/themselves** między sobą; **~ others** między innymi; ~ **other things** między innymi; poza wszystkim innym.

amongst [ə'mʌŋst] *prep. zwł. Br.* = **among**.

amoral [eɪ'mɔːrəl] *a.* amoralny.

amorality [ˌeɪmə'rælətɪ] *n. U* amoralność.

amorally [eɪ'mɔːrəlɪ] *adv.* amoralnie.

amorist ['æmərɪst] *n. form.* **1.** kochan-ek/ka. **2.** autor/ka utworów o miłości.

amorous ['æmərəs] *a.* **1.** miłosny; erotyczny; ~ **advances** zaloty; ~ **adventures/exploits** przygody/wyczyny erotyczne; ~ **letter** list miłosny. **2.** *form.* zakochany (*of sb* w kimś).

amorously ['æmərəslɪ] *adv.* miłośnie.

amorousness ['æmərəsnəs] *n. U* miłosne nastawienie.

amorphism [ə'mɔːrfɪzəm] *n. U* **1.** bezkształtność. **2.** nieokreśloność; brak określonej struktury. **3.** *min. chem.* amorficzność, bezpostaciowość.

amorphous [ə'mɔːrfəs] *a.* **1.** bezkształtny. **2.** nieokreślony; bez określonej struktury. **3.** *min., chem.* amorficzny, bezpostaciowy.

amorphously [ə'mɔːrfəslɪ] *adv.* **1.** bezkształtnie. **2.** bez określonej struktury. **3.** amorficznie, bezpostaciowo.

amorphousness [ə'mɔːrfəsnəs] *n. U* **1.** bezkształtność. **2.** nieokreśloność. **3.** amorfizm.

amortization [ˌæmərtɪ'zeɪʃən], **amortizement** *n.* umorzenie (*zwł. przez spłatę*).

amortize ['æmərˌtaɪz], *zwł. Br.* **amortise** *v. ekon.* umarzać (*zwł. przez spłatę*); amortyzować.

amortizement [ˌæmər'taɪzmənt], **amortissement** *n.* **1.** zwieńczenie przypory *l.* kolumny. **2.** *bud.* szczyt. **3.** = **amortization**.

amount [ə'maʊnt] *n.* **1.** suma; kwota. **2.** ilość; **a large/small/huge ~ of sth** duża/mała/ogromna ilość czegoś; **a certain ~ of difficulty** sporo trudności; **a fair ~ of unreliability** spory stopień zawodności. – *v.* **1.** wynosić; ~ **to $100** wynosić 100 dolarów. **2.** ~ **to sth** równać się czemuś, sprowadzać się do czegoś, być równoznacznym z czymś; **not ~ to much/anything** niewiele znaczyć; być niewiele wartym. **3.** stać się, zostać; **he will ~ to something in a few years** za kilka lat będzie kimś.

amour [ə'mʊr] *n. lit.* romans (*zwł. utrzymywany w tajemnicy*).

amour-propre [ɑːˌmʊr'proʊpr] *n. U lit.* miłość własna, poczucie własnej wartości.

amp[1] [æmp] *n. el.* amper.

amp[2] *n. pot.* wzmacniacz.

amp[3] *n. sl.* **1.** = **amputation** 1. **2.** = **amputee**.

amp. [æmp] *el. abbr.* **1.** = **ampere**. **2.** = **amperage**.

amperage ['æmpərɪdʒ] *n. U el.* natężenie prądu elektrycznego.

ampere ['æmpiːr] *n. el.* amper.

ampere-hour [ˌæmpiːr'aʊr] *n. el.* amperogodzina.

ampersand ['æmpərˌsænd] *n.* znak &.

amphetamine [æm'fetəˌmiːn] *n.* amfetamina.

amphibian [æm'fɪbɪən] *n.* **1.** *zool.* płaz. **2.** *wojsk.* amfibia. **3.** *lotn.* amfibia (= *samolot wodno-lądowy*). – *a.* **1.** dotyczący płazów. **2.** = **amphibious**.

amphibious [æm'fɪbɪəs] *a.* **1.** *biol.* ziemnowodny. **2.** *wojsk.* wodno-lądowy.

amphibrach ['æmfəˌbræk] *n. wers.* amfibrach (*rodzaj stopy metrycznej*).

amphictyony [æm'fɪktɪənɪ] *n. pl.* **-ies** *hist.* amfiktionia (*związek państw-miast w staroż. Grecji*).

amphigory ['æmfəˌgɔːrɪ], **amphigouri** *n.* nonsensowny utwór literacki (*zwł. o charakterze parodystycznym*).

amphitheater ['æmfəˌθiːətər], *Br.* **amphitheatre** *n.* amfiteatr.

amphitheatrical [ˌæmfəθɪ'ætrəkl] *a.* amfiteatralny.

amphiuma [ˌæmfiː'juːmə] *n. zool.* amfiuma (*Amphiuma means*).

amphora ['æmfərə] *n. pl.* **amphorae** *l.* **amphoras** *hist.* amfora.

amphoteric [ˌæmfə'terɪk] *a. chem.* amfoteryczny.

ample ['æmpl] *a.* **1.** wystarczający; ~ **time/opportunity/evidence** wystarczająco dużo *l.* pod dostatkiem czasu/okazji/dowodów. **2.** *cz. żart.* obfity; ~ **bosom/figure** obfity biust/obfite kształty.

amplexicaul [æm'pleksəˌkɔːl] *a. bot.* obejmujący łodygę (*o liściu*).

amplification [ˌæmplɪfɪ'keɪʃən] *n. U* **1.** rozszerzenie, powiększenie; wzmocnienie. **2.** rozbudowa (*tekstu w celach retorycznych*); *C* rozszerzona wersja tekstu. **3.** *el.* wzmocnienie.

amplifier ['æmplɪˌfaɪr] *n. el.* wzmacniacz.

amplify ['æmplɪˌfaɪ] *v.* **1.** *t. el.* wzmacniać. **2.** *form.* rozszerzać, powiększać, potęgować. **3.** *form.* rozwijać, objaśniać (*poprzez dodanie szczegółów*). **4.** *form.* podkreślać wagę. **5.** rozwodzić się (*on sth* nad czymś).

amplitude ['æmplɪˌtuːd] *n.* **1.** *fiz., mat.* amplituda. **2.** *el.* amplituda prądu. **3.** *U form.* obfitość. **4.** *U* wielkość.

amply ['æmplɪ] *adv.* **1.** wystarczająco; w pełni; ~ **demonstrated/justified** w pełni dowiedziony/uzasadniony. **2.** obficie; sowicie; ~ **rewarded** sowicie (wy)nagrodzony.

ampule ['æmpjuːl], **ampul**, **ampoule** *n. med.* ampułka.

ampulla [æm'pʌlə] *n. pl.* **ampullae** **1.** *anat.* bańka. **2.** *zool., bot.* struktura w kształcie ampułki. **3.** *kośc.* ampułka, ampuła. **4.** *hist.* ampułka (*w starożytnej Grecji i Rzymie*).

ampullaceous [ˌæmpə'leɪʃəs] *a.* ampułkowaty.

amputate ['æmpjəˌteɪt] *v.* **1.** *chir.* amputować, odejmować. **2.** obcinać, skracać (*zwł. tekst*).

amputation [ˌæmpjə'teɪʃən] *n. U* **1.** *chir.* amputacja, odjęcie. **2.** obcięcie, skrócenie.

amputee [ˌæmpjə'tiː] *n.* osoba po amputacji.

amt. *abbr.* = **amount**.

amuck [ə'mʌk], **amok** *adv.* **run/go ~** dostać amoku, wpaść w szał. – *a. pred.* w amoku. – *n.* amok.

amulet ['æmjəlɪt] *n.* amulet.

amuse [ə'mjuːz] *v.* **1.** zabawiać, bawić. **2.** rozbawić, rozśmieszyć. **3.** ~ **o.s. (with sth/(by) doing sth)** umilać sobie czas (czymś/robieniem czegoś).

amused [əˈmjuːzd] *v.* **1.** *zob.* **amuse. 2.** rozbawiony (*at / by sth* czymś). **3. keep sb** ~ zabawiać kogoś; **she was not** ~ *euf.* nie (roz)bawiło jej to (= *była wściekła*).

amusement [əˈmjuːzmənt] *n.* **1.** *U* rozbawienie, wesołość. **2.** rozrywka.

amusement arcade *n. Br.* salon gier automatycznych.

amusement park *n. US i Austr.* park rozrywki (*zwł. taki, w którym atrakcje pogrupowane są tematycznie*).

amusing [əˈmjuːzɪŋ] *a.* zabawny.

amusingly [əˈmjuːzɪŋlɪ] *adv.* zabawnie.

amygdala [əˈmɪgdələ] *n. anat.* migdałek (*podniebienny, móżdżkowy, gardłowy itp.*).

amygdalaceous [əˌmɪgdəˈleɪʃəs] *a. bot.* należący do rodziny migdałowatych.

amygdalic [ˌæmɪgˈdælɪk] *a. t. chem.* migdałowy.

amygdaloid [əˈmɪgdəˌlɔɪd] *n. min.* migdałowiec.

amyl [ˈæmɪl] *n. chem.* amyl; ~ **alcohol** alkohol amylowy.

amylaceous [ˌæməˈleɪʃəs] *a. chem.* skrobiowy.

amylase [ˈæməˌleɪs] *n. biochem.* amylaza.

amylum [ˈæmələm] *n. chem.* skrobia, krochmal.

an[1] [ən] *indef. art.* forma rodzajnika nieokreślonego używana przed samogłoską *l.* niemym „h"; *zob.* **a.**

an[2] *conj.* (*także* **an', 'n, 'n'**) *pot.* = **and**; *arch. l. dial.* = **(and) if.**

ana[1] [ˈænə] *n.* **1.** *pl.* anegdoty *l.* ploteczki literackie na temat danej osoby, miejsca itp. **2.** *pl.* **anas** *l.* **ana's** zbiór czyichś powiedzeń, anegdot itp.

ana[2] *adv.* w równych ilościach; po (*wskazówka na recepcie dotycząca proporcji składników*).

Anabaptism [ˌænəˈbæptɪzəm] *n. U rel.* anabaptyzm.

Anabaptist [ˌænəˈbæptɪst] *rel. n.* **1.** anabaptyst-a/ka. **2.** *arch.* baptyst-a/ka. – *a.* dotyczący anabaptystów *l.* anabaptyzmu.

anabolic steroid [ænəˌbɑːlɪk ˈsterɔɪd] *n.* steroid anaboliczny.

anabolism [əˈnæbəˌlɪzəm] *n. biol., fizj.* anabolizm.

anachronism [əˈnækrəˌnɪzəm] *n.* **1.** anachronizm (= *błąd chronologiczny*). **2.** anachronizm, przeżytek.

anachronistic [əˌnækrəˈnɪstɪk], **anachronistical** *a.* anachroniczny.

anachronistically [əˌnækrəˈnɪstɪklɪ] *adv.* anachronicznie.

anacoluthon [ˌænəkəˈluːθɑːn] *n. pl.* **anacolutha** *ret.* anakolut.

anaconda [ˌænəˈkɑːndə] *n. zool.* anakonda (*Eunectes murinus*).

Anacreontic [əˌnækriːˈɑːntɪk], **anacreontic** *a. wers.* anakreontyczny. – *n.* anakreontyk (= *utwór wzorowany na poezji Anakreonta*).

anaemia [əˈniːmɪə] *n.* = **anemia.**

anaemic [əˈniːmɪk] *a.* = **anemic.**

anaerobe [ˈænəroʊb] *n. biol.* anaerob, beztlenowiec.

anaerobic [ˌænəˈroʊbɪk] *a. biol.* anaerobowy, beztlenowy (*o organizmie l. procesie*).

anaesthesia [ˌænɪsˈθiːʒə] *n.* = **anesthesia.**

anaesthesiologist [ˌænɪsˌθiːziːˈɑːlədʒɪst] *n.* = **anesthesiologist.**

anaesthesiology [ˌænɪsˌθiːziːˈɑːlədʒɪ] *n.* = **anesthesiology.**

anaesthetic [ˌænɪsˈθetɪk] *n. i a.* = **anesthetic.**

anaesthetist [əˈnesθɪtɪst] *n.* = **anesthetist.**

anaesthetize [əˈnesθɪˌtaɪz] *v.* = **anesthetize.**

anaglyph [ˈænəglɪf] *n.* **1.** *sztuka* anaglif (*rodzaj płaskorzeźby, np. na pucharze*). **2.** *fiz., opt.* anaglif.

anagram [ˈænəˌgræm] *n.* anagram. – *v.* = **anagrammatize.**

anagrammatic [ˌænəgrəˈmætɪk], **anagrammatical** *a.* anagramowy.

anagrammatize [ˌænəˈgræməˌtaɪz], **anagrammatise** *a.* **1.** utworzyć anagram od, zapisać w formie anagramu. **2.** tworzyć anagramy.

anal [ˈeɪnl] *a.* **1.** *anat.* odbytowy; ~ **canal/passage** kanał odbytowy; ~ **sphincter** zwieracz odbytu. **2.** *t. psych.* analny (*o seksie, etapie rozwoju psychoseksualnego l. typie psychiki*). **3.** (*także* ~ **retentive**) *cz. żart.* chorobliwie pedantyczny.

analcime [əˈnælsiːm] *n. min.* analcym.

analecta [ˌænəˈlektə], **analects** [ˈænəˌlekts] *n. pl.* analekta (= *wybór z pism*).

analeptic [ˌænəˈleptɪk] *n. i a. zwł. med.* (środek) wzmacniający.

analgesia [ˌænlˈdʒiːzɪə] *n. U med.* analgezja, nieczułość na ból, znieczulica.

analgesic [ˌænlˈdʒiːsɪk] *n. i a.* (lek) przeciwbólowy.

anally [ˈeɪnlɪ] *adv.* doodbytniczo.

analog [ˈænəlɔːg] *n.* = **analogue.** – *a.* **1.** *el., komp.* analogowy. **2.** wskazówkowy (*o zegarku, mierniku itp.*).

analogical [ˌænəˈlɑːdʒɪkl], **analogic** *a.* analogiczny.

analogize [əˈnæləˌdʒaɪz] *v.* przeprowadzać *l.* wykazywać analogię.

analogous [əˈnæləgəs] *a.* analogiczny.

analogously [əˈnæləgəslɪ] *adv.* analogicznie.

analogue [ˈænəˌlɔːg], *US t.* **analog** *n. form.* analog, odpowiednik.

analogy [əˈnælədʒɪ] *n.* analogia, podobieństwo; **by** ~ na zasadzie analogii; **by** ~ **with sth** przez analogię do czegoś; **draw an** ~ **between** przeprowadzić analogię pomiędzy.

analphabetic [ˌænælfəˈbetɪk] *a.* **1.** niealfabetyczny. **2.** *rzad.* niepiśmienny, nie umiejący czytać i pisać. – *n. rzad.* analfabet-a/ka.

analysand [əˈnælɪˌsænd] *n.* osoba poddana psychoanalizie.

analyse [ˈænəlaɪz] *v. Br. i Austr.* = **analyze.**

analysis [əˈnælɪsɪs] *n. pl.* **analyses** [əˈnælɪsiːs] **1.** analiza. **2.** *U* psychoanaliza. **3. in the last/final** ~ w ostatecznym rozrachunku.

analyst [ˈænlɪst] *n.* **1.** anality-k/czka. **2.** psychoanality-k/czka.

analytical [ˌænəˈlɪtɪkl], **analytic** *a.* analityczny.
analytically [ˌænəˈlɪtɪklɪ] *adv.* analitycznie.
analytics [ˌænˈlɪtɪks] *n. U* analityka.
analyze [ˈænəˌlaɪz] *v.* **1.** analizować. **2.** *psych.* poddawać psychoanalizie. **3.** *chem., med.* wykonywać analizę, badać (*for sth* pod kątem *l.* na obecność czegoś).
analyzer [ˈænəˌlaɪzər] *n.* **1.** analizator (*osoba, aparat l. substancja*). **2.** kolumna destylacyjna (*do spirytusu*).
anamnesis [ˌænæmˈni:sɪs] *n.* **1.** *pl.* **anamneses** anamneza, wywiad lekarski. **2.** *U fil.* anamneza; przypominanie sobie, pamięć wydarzeń.
anamorphosis [ˌænəˈmɔ:rfəsɪs] *n. U* **1.** *opt.* anamorfoza. **2.** *biol.* stopniowa przemiana ewolucyjna.
anandrous [əˈnændrəs] *a. bot.* bezpręcikowy.
anapest [ˈænəˌpest], *Br.* **anapaest** *n. wers.* anapest (*rodzaj stopy metrycznej*).
anaphora [əˈnæfərə] *n. jęz., ret.* anafora.
anarch [ˈænɑ:rk] *n. arch.* = **anarchist.**
anarchic [ænˈɑ:rkɪk], **anarchical** *a.* anarchiczny.
anarchism [ˈænərˌkɪzəm] *n. U* anarchizm.
anarchist [ˈænərkɪst] *n.* anarchist-a/ka.
anarchistic [ˈænərkɪstɪk] *a.* anarchistyczny.
anarchy [ˈænərkɪ] *n. U* anarchia.
anarthrous [ænˈɑ:rθrəs] *a. zool.* bezstawowy.
anastigmatic [ˌænəstɪgˈmætɪk] *a. opt.* anastygmatyczny.
anastrophe [əˈnæstrəfɪ] *n. ret.* anastrofa (= *szyk przestawny*).
anathema [əˈnæθəmə] *n.* **1.** *U* **sth is ~ to sb** coś jest przez kogoś znienawidzone. **2.** klątwa. **3.** rzecz wyklęta.
anathematize [əˈnæθəməˌtaɪz], *Br.* **anathematise** *v.* wykląć, rzucić klątwę na.
anatomical [ˌænəˈtɑ:mɪkl] *a.* anatomiczny.
anatomically [ˌænəˈtɑ:mɪklɪ] *adv.* anatomicznie.
anatomist [əˈnætəmɪst] *n.* anatom.
anatomize [əˈnætəˌmaɪz] *v.* **1.** dokonać sekcji, rozczłonkować. **2.** *przen.* analizować w najdrobniejszych szczegółach.
anatomy [əˈnætəmɪ] *n.* **1.** *U nauka* anatomia. **2.** *U* budowa (*organizmu, układu*). **3.** *przen. lit.* rozbiór, analiza, badanie. **4.** *cz. żart.* ciało; **parts of sb's ~** (czyjeś) części ciała.
ancestor [ˈænsestər] *n.* przodek, pradziad.
ancestral [ænˈsestrəl] *a. attr.* należący do przodków; odziedziczony po przodkach, rodowy (*np. o posiadłości*).
ancestry [ˈænsestrɪ] *n. zw. U* **1.** rodowód, pochodzenie (*zwł. szlachetne*); **of French ~** Francuz/ka z pochodzenia; **of royal ~** z królewskiego rodu. **2.** przodkowie.
anchor [ˈæŋkər] *n.* **1.** kotwica; **admiralty/fisherman ~** kotwica admiralicji; **at ~** zakotwiczony; **come to ~** stanąć na kotwicy; **drop ~** rzucać kotwicę; **folding ~** kotwica czterołapowa składana; **ride/lie at ~** stać na kotwicy; **sea ~** dryfkotwa; **- weigh ~** podnosić kotwicę. **2.** *przen.* oparcie, podpora (*o osobie*). **3.** *zwł. US telew.* gospodarz/yni programu (*zwł. wiadomości*); spiker/ka. **4.** *sport* ostatni/a zawodni-k/czka w drużynie sztafetowej. **5.** *bud.* kotew, kotwa. – *v.* **1.** kotwiczyć, rzucać kotwicę. **2.** mocować. **3.** *zwł. US telew.* prowadzić (*zwł. wiadomości*).
anchorage [ˈæŋkərɪdʒ] *n.* **1.** kotwicowisko; *U* kotwiczenie. **2.** (*także* **~ dues/toll**) kotwiczne (= *opłata za kotwiczenie*). **3.** *przen.* ostoja, oparcie. **4. ~ point** punkt (u)mocowania *l.* przyczepienia.
anchoress [ˈæŋkərɪs] *n.* pustelnica.
anchoretic [ˌæŋkəˈretɪk] *a.* pustelniczy.
anchorite [ˈæŋkəˌraɪt], **anchoret** [ˈæŋkərɪt] *n.* anachoreta, pustelnik.
anchorman [ˈæŋkərˌmæn], **anchorwoman, anchorperson** *n.* = **anchor** 3.
anchor winch, anchor capstan *n.* winda kotwiczna.
anchovy [ˈæntʃoʊvɪ] *n. pl.* **anchovies** *l.* **anchovy** *icht.* sardela, anchois (*Engraulis encrasicolus*).
anchylosis [ˌæŋkəˈloʊsɪs], **ankylosis** *n. pat.* zesztywnienie stawu.
ancient [ˈeɪnʃənt] *a.* **1.** starożytny. **2.** prastary, pradawny. **3.** *pot. cz. żart.* wiekowy (*t. o osobie*); przedpotopowy. **4. ~ history** historia starożytna; *przen. pot.* stare dzieje; **~ monument** zabytek historyczny (*zwł. prawnie chroniony*). – *n.* **1.** wiekow-y/a starusz-ek/ka. **2. the ~s** starożytni (*zwł. Grecy i Rzymianie*). **3. the A~ of Days** *Bibl.* Pan Stworzenia.
anciently [ˈeɪnʃəntlɪ] *adv.* w pradawnych czasach.
ancientry [ˈeɪnʃəntrɪ] *n. U arch.* **1.** = **antiquity. 2.** = **ancestry. 3.** styl staromodny.
ancillary [ˈænsəˌlerɪ] *a.* pomocniczy; **~ to sth** podporządkowany czemuś, zależny od czegoś.
ancon [ˈæŋkɑ:n], **ancone** *n. pl.* **ancones** [æŋˈkoʊni:z] *bud.* wspornik pod gzyms, konsola.
and [ænd; ənd] *conj.* **1.** i; oraz; **~/or** i/lub; **~ so on/forth** i tak dalej; **two ~ a half** dwa i pół; **there are teachers ~ teachers** są nauczyciele i nauczyciele (= *nie wszyscy nauczyciele są równie dobrzy*). **2.** z; **gin ~ tonic** gin z tonikiem. **3.** a; **~ now ...** a teraz... **4. ~ all** *zob.* **all**; **three hundred/thousand ~ twelve** trzysta/trzy tysiące dwanaście; **better ~ better/bigger ~ bigger** coraz lepszy/większy; **go/come ~ see** *zwł. Br. pot.* idź/chodź (i) zobacz; **nice ~ warm** *emf.* przyjemnie ciepło, cieplutko; **try ~ do it** *zwł. Br. pot.* spróbuj to zrobić.
Andalusia [ˌændəˈlu:ʒə] *n. geogr.* Andaluzja.
Andalusian [ˌændəˈlu:ʒɪən] *a.* andaluzyjski. – *n.* Andaluzyj-czyk/ka.
andante [ænˈdæntɪ] *a. i adv. muz.* andante.
Andean [ænˈdɪən] *a.* andyjski.
Andes [ˈændi:z] *n. pl.* Andy.
andesite [ˈændɪˌzaɪt] *n. min.* andezyt.
andiron [ˈændaɪrn] *n.* kozioł metalowy (*pod drewno w kominku*).
androgynous [ænˈdrɑ:dʒənəs] *a.* **1.** obupłciowy, hermafrodytyczny, obojnacki. **2.** *bot.* dwupłciowy.
androgyny [ænˈdrɑ:dʒɪnɪ] *n. U* hermafrodytyzm, obojnactwo; *bot.* androginia.
android [ˈændrɔɪd] *n.* android.

anecdotage [ˈænɪkˌdoʊtɪdʒ] *n. U form.* anegdoty.

anecdotal [ˈænɪkˌdoʊtl] *a.* **1.** anegdotyczny; pełen anegdot. **2.** oparty na przypadkowych, niesystematycznych obserwacjach (*np. o wnioskach badawczych*); ~ **evidence** dowody nie poparte naukowymi obserwacjami.

anecdote [ˈænɪkˌdoʊt] *n.* anegdota, dykteryjka.

anecdotic [ˌænɪkˈdɑːtɪk] *a.* anegdotyczny.

anecdotist [ˈænɪkˌdoʊtɪst] *n.* anegdociarz.

anele [əˈniːl] *v. arch. rel.* udzielać ostatniego namaszczenia.

anemia [əˈniːmɪə], **anaemia** *n. U* **1.** *pat.* anemia, niedokrwistość. **2.** *przen.* anemiczność.

anemic [əˈniːmɪk] *a.* **1.** *pat.* niedokrwisty; cierpiący na niedokrwistość. **2.** *t. przen.* anemiczny.

anemograph [əˈneməˌɡræf] *n.* anemograf.

anemometer [ˌænəˈmɑːmɪtər] *n.* anemometr, wiatromierz.

anemone [əˈneməˌnɪ] *n.* **1.** *bot.* anemon, zawilec (*Anemone*). **2. sea** ~ *zool.* ukwiał (*rząd Actiniaria*).

anemophilous [ˌænəˈmɑːfələs] *a. bot.* wiatropylny.

aneroid [ˈænəˌrɔɪd] *a.* **1.** bezcieczowy. **2.** ~ **barometer** aneroid.

anesthesia [ˌænɪsˈθiːʒə], **anaesthesia** *n. U* **1.** *med.* narkoza; znieczulenie farmakologiczne. **2.** *pat.* znieczulica (= *zniesienie czucia wskutek uszkodzenia układu nerwowego*).

anesthesiologist [ˌænɪsˌθiːziːˈɑːlədʒɪst], **anaesthesiologist** *n. med.* anestezjolog.

anesthesiology [ˌænɪsˌθiːziːˈɑːlədʒɪ] *n. U med.* anestezjologia.

anesthetic [ˌænɪsˈθetɪk], **anaesthetic** *med. n.* środek znieczulający. – *a.* **1.** znieczulający. **2.** znieczulony.

anesthetist [əˈnesθɪtɪst] *n. med.* anestezjolog.

anesthetize [əˈnesθɪˌtaɪz], *Br.* **anesthetise** *v. med.* znieczulać; poddawać narkozie.

aneurysm [ˈænjəˌrɪzəm], **aneurism** *n. pat.* tętniak.

anew [əˈnuː] *adv.* **1.** na nowo. **2.** od nowa.

anfractuosity [ænˌfræktʃuːˈɑːsətɪ] *n. form.* **1.** *U* krętość; zawiłość. **2.** *t. przen.* kręta droga.

anfractuous [ænˈfræktʃuəs] *a.* **1.** kręty. **2.** zawiły.

angary [ˈæŋɡərɪ] *n. prawn.* angaria (= *prawo strony wojującej do rekwizycji l. niszczenia własności strony neutralnej za odszkodowaniem*).

angel [ˈeɪndʒl] *n.* **1.** *t. przen.* anioł; **fallen** ~ upadły anioł; **guardian** ~ anioł stróż. **2.** *zwł. teatr pot.* mecenas. **3.** miraż radarowy (= *echo radarowe z obszaru bez widocznych obiektów*). **4.** (*także* ~**-noble**) *Br. hist.* dawna złota moneta z wyobrażeniem archanioła Michała. **5. destroying** ~ *bot.* muchomor jadowity (*Amanita virosa*). **6. be an** ~ **and...** bądź tak dobry i...; **s/he's no** ~ on/a nie jest aniołkiem.

angel dust *n. zwł. US sl.* anielski pył (= *PCP, lek antydepresyjny stosowany jako narkotyk halucynogenny*).

angelfish [ˈeɪndʒlˌfɪʃ] *n. icht.* **1.** *Pomacanthus* (*ryba tropikalna*). **2.** żaglowiec skalar (*Pterophyllum scalare*). **3.** = **angel shark**.

angel food cake *n. zwł. US* lekkie ciasto bezowe.

angelic [ænˈdʒelɪk], **angelical** *a.* anielski; **A~ Doctor** Doktor Anielski (= *św. Tomasz z Akwinu*).

angelica [ænˈdʒeləkə] *n. bot.* **1.** dzięgiel (*Angelica*). **2.** arcydzięgiel (*Angelica archangelica*); *kulin.* anżelika (= *łodygi arcydzięgla smażone w cukrze*).

angelically [ænˈdʒeləklɪ] *adv.* anielsko.

angel shark *n.* (*także* **angelfish**) *icht.* raszpla, anioł morski (*Squatina squatina*).

Angelus [ˈændʒləs] *n. rz.-kat.* Anioł Pański; ~**(-bell)** dzwon na Anioł Pański.

anger [ˈæŋɡər] *n. U* gniew, złość (*towards sb / at sth* na kogoś/coś); **in** ~ w gniewie *l.* złości. – *v.* gniewać, złościć.

Angevin [ˈændʒəvɪn], **Angevine** *a. hist.* andegaweński. – *n.* **1.** *hist.* Andegawen. **2.** Andegawe-ńczyk/nka.

angina [ænˈdʒaɪnə] *n. pat.* **1.** (*także* ~ **pectoris**) dusznica bolesna. **2.** angina (*dowolne schorzenie zapalne gardła*).

angiography [ˌændʒɪˈɑːɡrəfɪ] *n. med.* angiografia.

angioma [ˌændʒɪˈoʊmə] *n. pat.* naczyniak.

angioplasty [ˈændʒɪəplæstɪ] *n. med.* plastyka naczynia.

angiosperm [ˈændʒɪəˌspɝːm] *n. bot.* roślina okrytonasienna.

angiospermous [ˌændʒɪoʊˈspɝːməs] *a. bot.* okrytonasienny.

Angle [ˈæŋɡl] *n. Br. hist.* człon-ek/kini plemienia Anglów.

angle[1] [ˈæŋɡl] *n.* **1.** kąt; ~ **of dip** *zob.* **dip**[1] *n.*; **at an** ~ pod kątem, ukośnie; **right** ~ kąt prosty. **2.** narożnik; róg; węgieł. **3.** (*także* ~ **iron/bar**) *bud.* kątownik (*stalowy*). **4.** *przen.* punkt widzenia, nastawienie. **5.** aspekt; strona. **6.** *pot.* ukryty motyw. – *v.* **1.** ustawiać pod kątem, nachylać. **2.** zginać pod kątem. **3.** *przen.* przedstawiać stronniczo.

angle[2] *v.* **1.** *ryb.* łowić na wędkę, wędkować. **2.** ~ **for sth** *zw. uj.* starać się zdobyć coś (*zwł. posługując się aluzjami, a nie wprost*).

angler [ˈæŋɡlər] *n.* **1.** wędkarz. **2.** *pot.* kombinator. **3.** *icht.* (*także* **anglefish**) wędkarz (*ryba z rzędu nogopłetwych z wykształconym wabikiem, np. żabnica*).

anglesite [ˈæŋɡlˌsaɪt] *n. min.* anglezyt.

angle tower *n.* baszta narożna.

angleworm [ˈæŋɡlˌwɝːm] *n.* dżdżownica (*jako przynęta wędkarska*).

Anglican [ˈæŋɡləkən] *a. rel.* anglikański. – *n.* anglikan-in/ka.

Anglicanism [ˈæŋɡləkəˌnɪzəm] *n. U* anglikanizm.

Anglicism [ˈæŋɡlɪˌsɪzəm] *n. jęz.* anglicyzm.

Anglicist [ˈæŋɡlɪsɪst] *n.* anglist-a/ka.

anglicize ['æŋglə,saɪz], *Br. i Austr. zw.* **anglicise** *v.* zangielszczyć.
Anglo ['æŋgloʊ] *n. pot.* **1.** *US* biał-y/a Amerykan-in/ka. **2.** *Can.* Kanadyj-czyk/ka anglojęzyczn-y/a.
Anglo-American [,æŋgloʊə'merɪkən] *a.* angielsko-amerykański. – *n.* Amerykan-in/ka pochodzenia angielskiego.
Anglo-Catholic [,æŋgloʊ'kæθlɪk] *a.* anglikańsko-katolicki. – *n.* anglikanin katolicki (*podkreślający katolickie elementy wyznania anglikańskiego*).
Anglo-Indian [,æŋgloʊ'ɪndɪən] *a.* anglo-indyjski. – *n.* **1.** osoba pochodzenia angielsko-indyjskiego. **2.** Anglik, który długo mieszkał w Indiach.
Anglomania [,æŋglə'meɪnɪə] *n. U* anglomania.
Anglomaniac [,æŋglə'meɪnɪæk] *n.* angloman/ka.
Anglophile ['æŋglə,faɪl] *a.* anglofilski. – *n.* anglofil/ka.
Anglophobe ['æŋglə,foʊb] *n.* anglofob.
Anglophobia [,æŋglə'foʊbɪə] *n. U* anglofobia.
Anglo-Saxon [,æŋgloʊ'sæksən] *a. hist.* anglosaski. – *n.* Anglosas/ka.
Angola [æŋ'goʊlə] *n.* Angola.
Angolan [æŋ'goʊlən] *n.* Angol-czyk/ka. – *a.* angolski.
Angora [æŋ'gɔːrə] *n.* **1.** angora (*kot*); (*także* ~ **goat**) koza angorska; (*także* ~ **rabbit**) królik angora. **2.** *U* **a**~ angora (*wełna*). – *a. attr.* z angory.
angrily ['æŋgrɪlɪ] *adv.* gniewnie, ze złością.
angry ['æŋgrɪ] *a.* **-ier, -iest 1.** zły, rozzłoszczony; gniewny, zagniewany; ~ **at/with sb/o.s.** zły na kogoś/siebie; ~ **at sth** zły na coś; ~ **over/about sth** zły o coś; ~ **that** zły, że; ~ **young men** młodzi gniewni; **be** ~ gniewać *l.* złościć się; **make sb/get** ~ rozgniewać *l.* rozzłościć kogoś/się. **2.** *zw. attr. lit.* burzowy (*o niebie, chmurach*); wzburzony (*o morzu*); zaogniony (*o ranie*).
angst [ɑːŋkst] *n. U psych.* lęk, niepokój (*zwł. egzystencjalny*).
angstrom ['æŋstrəm] *n. fiz.* angstrem.
anguine ['æŋgwɪn] *a.* wężowy; wężowaty.
anguish ['æŋgwɪʃ] *n. U* męka, udręka, męczarnia, cierpienie. – *v.* cierpieć.
anguished ['æŋgwɪʃt] *a.* udręczony.
angular ['æŋgjələr] *a.* **1.** kątowy. **2.** narożnikowy. **3.** graniasty, kanciasty. **4.** kościsty, chudy. **5.** niezgrabny, sztywny (*zwł. o ruchach*).
angularity [,æŋgjə'lerətɪ] *n. U* graniastość, kanciastość.
anhydride [æn'haɪdraɪd] *n. chem.* bezwodnik.
anhydrite [æn'haɪdraɪt] *n. min.* anhydryt, gips bezwodny.
anhydrous [æn'haɪdrəs] *a. chem.* bezwodny.
anil ['ænɪl] *n. bot.* indygowiec farbiarski (*Indigofera suffruticosa*).
anile ['ænaɪl] *a.* starczy (*zwł. dotyczący kobiet*).
aniline ['ænlɪn] *n. chem.* anilina. – *a. attr.* anilinowy.
anility [ə'nɪlətɪ] *a. U* zniedołężnienie *l.* otępienie starcze.
animadversion [,ænəmæd'vɜːʒən] *n. form.* krytyczna uwaga; nagana.
animadvert [,ænəmæd'vɜːt] *v.* ~ **on/upon/about sth** ganić coś, wypowiadać się krytycznie o czymś *l.* na temat czegoś.
animal ['ænəml] *n.* **1.** *t. przen.* zwierzę; **domestic/wild** ~ domowe/dzikie zwierzę. **2.** *przen. pot.* bydlę. **3.** *pot.* **a (completely/rather/very) different** ~ *pot.* (zupełnie) co innego; **there's no such** ~ *zw. żart.* nie ma czegoś takiego. – *a. attr. t. przen.* zwierzęcy; ~ **products/fats** produkty/tłuszcze pochodzenia zwierzęcego; **the** ~ **kingdom** królestwo zwierząt.
animalcule [,ænə'mælkjuːl] *n.* żyjątko.
animal husbandry *n. U* hodowla zwierząt.
animalism ['ænəmə,lɪzəm] *n. U* **1.** animalizm. **2.** zwierzęcość.
animalistic [,ænəmə'lɪstɪk] *a. uj.* zwierzęcy.
animality [,ænə'mælətɪ] *n. U* zwierzęcość; zwierzęca natura.
animalize ['ænəmə,laɪz] *v.* zezwierzęcać; wyzwalać zwierzęcą naturę w.
animal magnetism *n. U* **1.** *hist.* magnetyzm zwierzęcy, mesmeryzm. **2.** przyciąganie się płci.
animal rights *n. pl.* prawa zwierząt; ~ **activist/campaigner** obrońca praw zwierząt.
animal spirits *n. pl.* radość życia, wigor.
animate *a.* ['ænəmət] ożywiony. – *v.* ['ænəmeɪt] **1.** *t. przen.* ożywiać. **2.** inspirować, pobudzać.
animated ['ænə,meɪtɪd] *a.* **1.** ożywiony (*np. o rozmowie*). **2.** ~ **cartoon** film animowany.
animatedly ['ænə,meɪtɪdlɪ] *adv.* z ożywieniem, żywo (*np. dyskutować*).
animation [,ænə'meɪʃən] *n.* **1.** *U* ożywienie, żywość. **2.** *film* animacja.
animator ['ænə,meɪtər] *n. t. film* animator/ka.
animism ['ænə,mɪzəm] *n. U fil. l. rel.* animizm.
animist ['ænə,mɪst] *n.* animist-a/ka.
animistic ['ænə,mɪstɪk] *a.* animistyczny.
animosity [,ænə'mɑːsətɪ] *n.* uraza, wrogość, animozje (*between* pomiędzy); **bear no** ~ **toward sb** nie żywić do kogoś urazy.
animus ['ænəməs] *n. form.* **1.** = **animosity**. **2.** zamiar, intencja; motyw.
anion ['æn,aɪən] *n. chem.* anion.
anise ['ænɪs] *n. bot.* biedrzeniec anyż (*Pimpinella anisum*).
aniseed ['ænɪ,siːd] *n. U* anyż, anyżek (= *nasiona biedrzeńca anyżu*).
anisette [,ænɪ'set] *n. U* anyżówka.
ankh [æŋk] *n.* krzyż egipski (*z uchwytem; symbol życia*).
ankle ['æŋkl] *n. anat.* kostka, staw skokowy.
anklebone ['æŋkl,boʊn] *n. pot.* kość skokowa.
ankle sock *n. Br.* = **anklet** 1.
anklet ['æŋklɪt] *n.* **1.** *US* krótka skarpetka. **2.** łańcuszek noszony na kostce.
ankylosis [,æŋkə'loʊsɪs] = **anchylosis**.
annabergite ['ænə,bɜːgaɪt] *n. min.* anabergit, kwiat niklowy.
annalist ['ænlɪst] *n.* annalista, rocznikarz; kronikarz.

annals ['ænlz] *n. pl.* **1.** annały, roczniki. **2.** kronika, kroniki. **3. in the ~ of sth** *emf.* w całej historii czegoś.

annates ['æneɪts] *n. pl. hist. kośc.* pierwociny (*płacone papieżowi przez duchowieństwo*).

anneal [ə'ni:l] *v.* **1.** *techn.* wyżarzać. **2.** odprężać (*szkło*). **3.** *t. przen.* hartować.

annelids ['ænəlɪdz] *n. zool.* pierścienice (*Annelida*).

annex *v.* [æ'neks] **1.** dołączać. **2.** anektować; wcielać. **3.** dokonywać zaboru. – *n.* ['æneks] **1.** przybudówka. **2.** dodatek, aneks (*do dokumentu itp.*).

annexation [ˌænək'seɪʃən] *n. zw. U* aneksja, wcielenie.

annexationism [ˌænək'seɪʃəˌnɪzəm] *n. U polit.* aneksjonizm.

annexationist [ˌænək'seɪʃənɪst] *n.* aneksjonist-a/ka.

annexe ['æneks] *n. Br. i Austr.* = **annex.**

annihilate [ə'naɪəˌleɪt] *v.* unicestwić, zgładzić.

annihilation [əˌnaɪə'leɪʃən] *n. U* **1.** unicestwienie, zagłada. **2.** *fiz.* anihilacja.

annihilator [ə'naɪəˌleɪtər] *n.* **1.** niszczyciel. **2.** *mat.* anihilator.

anniversary [ˌænə'vɜ:sərɪ] *n.* rocznica; **wedding ~** rocznica ślubu.

Anno Domini [ˌænoʊ 'dɑ:mɪˌnaɪ], **AD, A.D.** (*przed datą*) AD, roku Pańskiego; (*po dacie*) r. n.e.

annotate ['ænoʊˌteɪt] *v.* opatrywać adnotacjami *l.* przypisami.

annotation [ˌænoʊ'teɪʃən] *n.* adnotacja, przypis.

announce [ə'naʊns] *v.* **1.** ogłaszać, obwieszczać; **~ (that)** oznajmiać *l.* oświadczać (że). **2.** zapowiadać (*w radio, TV, loty na lotnisku itp.*); anonsować (*gościa*). **3. ~ for president/governor** *US* zgłaszać swoją kandydaturę na prezydenta/gubernatora.

announcement [ə'naʊnsmənt] *n.* **1.** ogłoszenie, obwieszczenie; **make an ~** ogłaszać coś. **2.** komunikat (*zwł. radiowy l. telewizyjny*); **public service ~** *zwł. US* reklama społeczna. **3.** anons; **birth/wedding/death ~** notatka o narodzinach/ślubie/zgonie (*w gazecie*).

announcer [ə'naʊnsər] *n. gł. radio i telew.* spiker/ka.

annoy [ə'nɔɪ] *v.* **1.** drażnić, irytować, złościć. **2.** nękać, napastować.

annoyance [ə'nɔɪəns] *n.* **1.** *U* rozdrażnienie, irytacja. **2.** powód rozdrażnienia; irytująca rzecz *l.* sytuacja.

annoying [ə'nɔɪɪŋ] *a.* **1.** drażniący, irytujący. **2.** dokuczliwy.

annoyingly [ə'nɔɪɪŋlɪ] *adv.* irytująco.

annual ['ænjʊəl] *a.* **1.** roczny. **2.** doroczny. – *n.* **1.** rocznik (*publikacja*). **2.** *bot.* roślina jednoroczna.

annually ['ænjʊəlɪ] *adv.* **1.** rocznie. **2.** dorocznie, corocznie, co rok(u).

annual meeting, *Br. i Austr.* **annual general meeting** doroczne walne zgromadzenie.

annual ring *n. bot.* słój roczny (*drzewa*).

annuitant [ə'nu:ɪtənt] *n.* pobierając-y/a rentę.

annuity [ə'nu:ɪtɪ] *n. gł. ubezp.* renta; **life ~** renta dożywotnia.

annul [ə'nʌl] *v.* **-ll- 1.** anulować, unieważniać (*kontrakt, małżeństwo*). **2.** znosić (*prawo, przepis*).

annular ['ænjələr] *a.* pierścieniowaty, obrączkowy.

annular eclipse *n. astron.* zaćmienie obrączkowe.

annular ingot *n. metal.* wlewek wydrążony.

annular ligament *n. anat.* więzadło pierścieniowate *l.* obrączkowe.

annulate ['ænjəlɪt], **annulated** *a.* pierścieniowy, obrączkowy.

annulet ['ænjəlɪt] *n.* **1.** kółko, mała obrączka. **2.** *bud.* obrączka (*pod kapitelem*).

annulment [ə'nʌlmənt] *n.* **1.** unieważnienie, anulowanie. **2.** zniesienie.

annulus ['ænjələs] *n. geom., biol.* pierścień.

annunciate [ə'nʌnsɪeɪt] *v.* **1.** *rel.* zwiastować. **2.** *form. rzad.* obwieszczać, oznajmiać.

annunciation [əˌnʌnsɪ'eɪʃən] *n.* **1. A~** *rel.* Zwiastowanie. **2.** *form. rzad.* obwieszczenie, oznajmienie.

annunciator [ə'nʌnsɪeɪtər] *n.* **1.** *el.* numerator dzwonkowy, wskaźnik przyzewowy. **2.** *form. rzad.* zapowiadając-y/a, spiker/ka.

anode ['ænoʊd] *n. el.* anoda.

anodyne ['ænəˌdaɪn] *n.* **1.** *med.* środek uśmierzający ból, anodyna. **2.** *form.* kojąca czynność *l.* rzecz. – *a.* **1.** *med.* uśmierzający ból. **2.** *form.* kojący. **3.** *uj.* mdły, bezbarwny (*zw. dla uniknięcia kontrowersji l. żeby nikogo nie urazić*).

anoint [ə'nɔɪnt] *v.* **1.** *t. przen.* namaszczać. **2. ~ing of the sick** *rz.-kat.* ostatnie namaszczenie.

anointment [ə'nɔɪntmənt] *n. U* namaszczenie.

anole [ə'noʊlɪ] *n.* (*także* **green ~**) *zool.* anolis, legwan czerwonogardlisty (*Anolis carolinensis*).

anomalistic [əˌnɑ:mə'lɪstɪk] *a. astron.* anomalistyczny; **~ month** miesiąc anomalistyczny (*między kolejnymi przejściami Księżyca przez perygeum*).

anomalous [ə'nɑ:mələs] *a.* **1.** nieprawidłowy, nienormalny. **2.** *jęz.* nieregularny (*czasownik*).

anomalously [ə'nɑ:mələslɪ] *adv.* nieprawidłowo, nienormalnie.

anomaly [ə'nɑ:mlɪ] *n.* anomalia, nieprawidłowość.

anomie ['ænəˌmɪ], **anomy** *n. socjol.* anomia (= *brak norm moralnych*).

anon [ə'nɑ:n] *adv. arch. l. lit.* **1.** niebawem. **2. ever and ~** od czasu do czasu.

anon. [ə'nɑ:n] *abbr.* = **anonymous.**

anonym ['ænənɪm] *n.* **1.** anonim (*osoba l. publikacja*). **2.** *rzad.* pseudonim.

anonymity [ˌænə'nɪmətɪ] *n. U* anonimowość.

anonymous [ə'nɑ:nəməs] *a.* anonimowy; bezimienny (*zwł. o miejscu*); **~ benefactor/donor** anonimowy dobroczyńca/dawca; **~ letter** anonim; **sb wishes to remain ~** ktoś pragnie zachować anonimowość.

anonymously [ə'nɑ:nəməslɪ] *adv.* anonimowo.

anopheles [ə'nɑ:fəˌli:z] *n. ent.* widliszek

(*Anopheles; rodzaj komara przenoszącego malarię*).

anorak ['ɑ:nəˌrɑ:k] *n. zwł. Br.* skafander.

anorexia [ˌænə'reksɪə] *n. U* (*także* ~ **nervosa**) *pat.* anoreksja, brak łaknienia, jadłowstręt psychiczny.

anorexic [ˌænə'reksɪk], **anorectic** *a.* anorektyczny. – *n.* anorektyczka.

anorthite [æn'ɔ:rθaɪt] *n. min.* anortyt, skaleń wapniowy.

another [ə'nʌðər] *pron. i a.* **1.** następny, kolejny, jeszcze jeden; **in ~ six months** za kolejne *l.* następne sześć miesięcy; **yet ~** *emf.* jeszcze jeden. **2.** drugi; **one after ~** jeden za *l.* po drugim. **3.** inny; **~ time** innym razem; **it's/that's ~ matter/thing altogether** to zupełnie inna sprawa; **one way or ~** w taki czy inny sposób, jakoś (tam). **4. one ~** *zob.* **one another**.

anoxemia [ˌænɑ:k'si:mɪə], **anoxaemia** *n. U pat.* anoksemia, niedotlenienie krwi.

anoxia [æn'ɑ:ksɪə] *n. U pat.* anoksja, niedotlenienie tkanek.

anoxic [æn'ɑ:ksɪk] *a.* **1.** beztlenowy. **2.** *pat.* niedotleniony.

anserine ['ænsəˌraɪn] *a.* **1.** gęsi; gęsiowaty. **2.** *przen.* głupi jak gęś.

ANSI ['ænsi:] *abbr.* **American National Standards Institute** Amerykański Urząd Normalizacyjny.

answer ['ænsər] *n.* **1.** odpowiedź; **~ to a question** odpowiedź na pytanie; **in ~ to sth** w odpowiedzi na coś. **2.** rozwiązanie; **~ to a problem** rozwiązanie problemu. – *v.* **1.** odpowiadać; **~ a question/letter** odpowiadać na pytanie/list; **~ sb** odpowiadać komuś; **~ that** odpowiedzieć, że. **2.** reagować (na) (*with sth / by doing sth* czymś/zrobieniem czegoś). **3.** rozwiązać (*zadanie*). **4.** podnosić słuchawkę, odbierać (telefon). **5. ~ a description/sb's requirements/sb's needs** odpowiadać opisowi/czyimś wymogom/czyimś potrzebom; **~ a prayer** wysłuchać modlitwy; **~ charges/accusations/criticism** odpowiadać na zarzuty/oskarżenia/krytykę; **~ the door** otwierać drzwi (*na pukanie l. dzwonek*); **~ the phone** odbierać telefon; **~ to the name of** *form. l. żart.* nazywać się; **does that ~ your question?** czy ta odpowiedź cię zadowala?. **6. ~ back** *zwł. Br. pot.* odpowiadać niegrzecznie, pyskować (*zwł. o dzieciach*); **~ for sth** odpowiedzieć *l.* ponieść karę za coś; **have a lot to ~ for** *pot.* mieć dużo na sumieniu; **~ for sb** *Br.* ręczyć za kogoś; **~ to sb** być odpowiedzialnym przed kimś.

answerable ['ænsərəbl] *a.* **1.** odpowiedzialny (*to sb* przed kimś, *for sth* za coś). **2.** taki, na który da się odpowiedzieć (*o pytaniu*).

answering machine *n.* (*także Br.* **answerphone**) automatyczna sekretarka.

ant [ænt] *n.* **1.** *ent.* mrówka (*Formica*); **amazon ~** amazonka (*Polyegrus rufescens*); **slave ~** mrówka niewolnica (*zwł. porwana przez amazonki mrówka łagodna; Formica fusca*); **wood ~** mrówka rudnica (*Formica rufa*). **2. have ~s in one's pants** *pot.* nie móc usiedzieć na miejscu.

ANTA ['æntə] *abbr.* **American National Theater and Academy** *US* stowarzyszenie propagujące sztukę teatralną i studia teatrologiczne.

anta ['æntə] *n. pl.* **antae** *bud.* anta (*zakończenie bocznych i tworzących przedsionek ścian świątyni greckiej*).

antacid [ænt'æsɪd] *n. i a. chem., med.* (środek) zobojętniający *l.* neutralizujący kwas.

antagonism [æn'tægəˌnɪzəm] *n.* antagonizm, wzajemna niechęć.

antagonist [æn'tægənɪst] *n.* antagonist-a/ka, przeciwni-k/czka, rywal/ka.

antagonistic [ænˌtægə'nɪstɪk] *a.* antagonistyczny, wrogi, nieprzyjazny; przeciwny (*to / toward sth* czemuś).

antagonistically [ænˌtægə'nɪstɪklɪ] *adv.* antagonistycznie, wrogo.

antagonize [æn'tægəˌnaɪz] *Br. i Austr. zw.* **antagonise** *v.* **1.** antagonizować, przeciwstawiać sobie, skłócać. **2.** zrażać do siebie.

antalkali [ænt'ælkəˌlaɪ] *pl.* **-s** *l.* **-es** *n. chem.* środek neutralizujący zasadę.

antalkaline [ænt'ælkəˌlaɪn] *a. chem.* przeciwzasadowy.

Antarctic [ænt'ʌrktɪk], **antarctic** *a. attr.* antarktyczny; **the ~ Circle** koło podbiegunowe południowe, południowy krąg polarny. – *n.* **the ~ (zone)** Antarktyka.

Antarctica [ænt'ɑ:rktɪkə] *n.* Antarktyda.

ant bear *n.* = **aardvark**.

ant birds *n. orn.* mrówkołowy (*Formicariidae*).

ant cow *n. ent.* mszyca (*Aphis*).

ante ['æntɪ] *n.* **1.** stawka (*zwł. w pokerze*). **2.** *zwł. US pot.* cena; udział. **3. up/raise the ~** *przen.* podwyższać stawkę. – *v.* **anted** *l.* **anteed, anteing ~ up** *US* wpłacać stawkę do puli; płacić (*swój udział*).

anteater ['æntˌi:tər] *n. zool.* **1.** mrówkojad (*Myrmecophaga*); **giant ~** mrówkojad grzywiasty (*Myrmecophaga jubata*). **2. spiny ~** kolczatka (*Tachyglossus*).

antebellum [ˌæntɪ'beləm] *a. zw. attr.* przedwojenny (*zwł. sprzed wojny secesyjnej*).

antecedence [ˌæntɪ'si:dəns] *n. U* uprzedniość; pierwszeństwo.

antecedent [ˌæntɪ'si:dənt] *a.* uprzedni, poprzedzający. – *n.* **1. the ~ of sth** *form.* zdarzenie poprzedzające coś. **2.** *log., gram., mat.* poprzednik. **3.** *pl. form.* przodkowie.

antecessor [ˌæntɪ'sesər] *n.* **1.** *form.* poprzednik. **2.** *arch.* = **ancestor**.

antechamber ['ænti:ˌtʃeɪmbər] *n.* **1.** przedpokój; przedsionek. **2.** *techn.* komora wstępna, komora wstępnego spalania (*w silnikach wysokoprężnych*).

antedate ['æntɪˌdeɪt] *v.* **1.** *form.* poprzedzać w czasie. **2.** antydatować.

antediluvian [ˌænti:dɪ'lu:vɪən] *a. gł. żart.* przedpotopowy. – *n.* przedpotopowa rzecz *l.* osoba.

antelope ['æntəloʊp] *n. zool.* antylopa (*podrodzina Antilopinae*); **American ~** antylopa widłoroga (*Antilocapra americana*).

antemeridian [ˌænti:mə'rɪdɪən] *a.* przedpołudniowy.

ante meridiem [ˌænti: məˈrɪdɪəm] *Lat.* przed południem; między północą a południem (*przy podawaniu czasu na zegarze dwunastogodzinnym*); *zob.* **a.m.**

antenatal [ˌænti:ˈneɪtl] *a. attr. gł. Br.* prenatalny, przedporodowy. – *n. Br. pot.* badanie prenatalne.

antenatally [ˌænti:ˈneɪtlɪ] *adv. gł. Br.* prenatalnie.

antenna [ænˈtenə] *n.* **1.** *pl.* **-s** *gł. US i Austr. el.* antena. **2.** *pl.* **-e** *zool.* antena, czułek (*niektórych stawonogów*).

antependium [ˌæntɪˈpendɪəm] *n. kośc.* antependium (= *zasłona okrywająca dolną część ołtarza*).

antepenult [ˌænti:ˈpi:nlt] *n. jęz.* trzecia sylaba od końca.

antepenultimate [ˌænti:pɪˈnʌltəmɪt] *a. form.* trzeci od końca.

anterior [ænˈti:rɪər] *a.* **1.** *biol.* przedni. **2.** *form.* poprzedni; wcześniejszy (*to sth* od czegoś).

anteriority [ænˌti:rɪˈɔ:rətɪ] *n. U* **1.** przednie usytuowanie. **2.** *form.* uprzedniość.

anteriorly [ænˈti:rɪərlɪ] *adv.* **1.** przednio. **2.** *form.* uprzednio.

anterior pituitary *n. anat.* przedni płat przysadki mózgowej.

anteroom [ˈænti:ˌru:m] *n. form.* **1.** przedpokój. **2.** poczekalnia.

anthelion [æntˈhi:lɪən] *n. pl.* **anthelia** [æntˈhi:lɪə] *astron.* słoneczny krąg świetlny (*na chmurze l. mgle*).

anthelix [æntˈhi:lɪks], **antihelix** [ˌæntɪˈhi:lɪks] *pl.* **anthelixes** [æntˈhi:lɪksɪz], **anthelices** [æntˈhi:ləsi:z] *n. anat.* grobelka.

anthelmintic [ˌænθelˈmɪntɪk], **anthelminthic** [ˌænθelˈmɪnθɪk] *n. i a. med.* (środek) przeciw robakom.

anthem [ˈænθəm] *n.* **1.** hymn; **national ~** hymn państwowy. **2.** *kośc.* antyfona.

anther [ˈænθər] *n. bot.* pylnik.

antheridium [ˌænθəˈrɪdɪəm] *n. pl.* **antheridia** *bot.* plemnia.

anthill [ˈænθɪl], **ant hill** *n.* mrowisko.

anthodium [ænˈθoʊdɪəm] *n. bot.* koszyczek (*rodzaj kwiatostanu*).

anthologize [ænˈθɑ:ləˌdʒaɪz], *Br. i Austr. zw.* **anthologise** *v.* **1.** umieszczać w antologii. **2.** sporządzać antologię (*czegoś*).

anthology [ænˈθɑ:lədʒɪ] *n.* antologia.

anthracene [ˈænθrəˌsi:n] *n. chem.* antracen.

anthracite [ˈænθrəˌsaɪt] *n. min.* antracyt.

anthracitic [ˌænθrəˈsɪti:k] *a.* antracytowy.

anthracosis [ˌænθrəˈkoʊsɪs] *n. pat.* pylica węglowa, węglica.

anthraquinone [ˌænθrəkwəˈnoʊn] *n. chem.* antrachinon.

anthrax [ˈænθræks] *n. pl.* **anthraces** [ˈænθrˌsi:z] *pat.* **1.** wąglik. **2.** karbunkuł, czyrak mnogi (*naciek zapalny jako objaw wąglika*).

anthropocentric [ˌænθrəpoʊˈsentrɪk] *a.* antropocentryczny.

anthropocentrically [ˌænθrəpoʊˈsentrɪklɪ] *adv.* antropocentrycznie.

anthropocentrism [ˌænθrəpoʊˈsentrɪzəm] *n. U* antropocentryzm.

anthropoid [ˈænθrəˌpɔɪd] *a.* antropoidalny, człekokształtny. – *n.* **~ (ape)** antropoid, małpa człekokształtna (*rodzina Pongidae*).

anthropological [ˌænθrəpəˈlɑ:dʒɪkl] *a.* antropologiczny.

anthropologist [ˌænθrəˈpɑ:lədʒɪst] *n.* antropolog.

anthropology [ˌænθrəˈpɑ:lədʒɪ] *n. U* antropologia.

anthropometry [ˌænθrəˈpɑ:mɪtrɪ] *n. U* antropometria.

anthropomorphic [ˌænθrəpəˈmɔ:rfɪk] *a.* antropomorficzny.

anthropomorphically [ˌænθrəpəˈmɔ:rfɪklɪ] *adv.* antropomorficznie.

anthropomorphism [ˌænθrəpəˈmɔ:rfɪzəm] *n. U* antropomorfizm.

anthropomorphize [ˌænθrəpəˈmɔ:rfaɪz] *v.* antropomorfizować.

anthropophagi [ˌænθrəˈpɑ:fədʒaɪ] *n. pl.* ludożercy, antropofadzy.

anthropophagous [ˌænθrəˈpɑ:fəgəs] *a.* ludożerczy.

anthropophagy [ˌænθrəˈpɑ:fədʒɪ] *n. U* ludożerstwo, antropofagia.

antiabortion [ˌæntɪəˈbɔ:rʃən] *a.* **1.** antyaborcyjny. **2.** przeciwny aborcji.

antiabortionist [ˌæntɪəˈbɔ:rʃənɪst] *n.* przeciwnik/czka aborcji.

antiaircraft [ˌæntɪˈerˌkræft], **anti-aircraft** *a. wojsk.* przeciwlotniczy.

anti-American [ˌæntɪəˈmerɪkən] *a.* antyamerykański.

anti-Americanism [ˌæntɪəˈmerɪkəˌnɪzəm] *n. U* antyamerykańskość, wrogość wobec Ameryki.

antiarmor [ˌæntɪˈɑ:rmər], *Br.* **anti-armour** *a. wojsk.* przeciwpancerny.

antibacterial [ˌæntɪbækˈti:rɪəl] *a.* antybakteryjny, przeciwbakteryjny.

antiballistic [ˌæntɪbəˈlɪstɪk] *a. wojsk.* przeciwbalistyczny.

antibiotic [ˌæntɪbaɪˈɑ:tɪk] *n.* antybiotyk. – *a.* antybiotyczny; antybiotykowy.

antibody [ˈæntɪˌbɑ:dɪ] *n. pl.* **-ies** przeciwciało.

antibunching [ˌæntɪˈbʌntʃɪŋ] *n. fiz.* rozgrupowanie (*fotonów*).

antic [ˈæntɪk] *n.* **1.** *arch.* trefniś, błazen. **2.** *pl. zob.* **antics**. – *a. arch.* błazeński.

anticancer [ˌæntɪˈkænsər] *a. med.* przeciwrakowy.

anticatalyst [ˌæntɪˈkætlɪst] *n. chem.* antykatalizator, katalizator ujemny.

anticathode [ˌæntɪˈkæθoʊd] *n. fiz.* antykatoda.

antichlor [ˈæntɪˌklɔ:r] *n. chem.* antychlor (= *tiosiarczan sodu*).

Antichrist [ˈæntɪˌkraɪst] *n. rel.* antychryst.

anticipate [ænˈtɪsəˌpeɪt] *v.* **1.** przewidywać, spodziewać się. **2.** oczekiwać, wyczekiwać (*zwł. z radością*). **3.** uprzedzać, antycypować (*np. czyjeś posunięcie*). **4.** *form.* zakładać z wyprzedzeniem (*zwł. przyszłe dochody przy wydawaniu pieniędzy*). **5.** zapłacić przed terminem (*rachu-*

nek). **6. as anticipated** zgodnie z przewidywaniami.

anticipation [æn,tɪsə'peɪʃən] *n. U* **1.** przewidywanie. **2.** wyczekiwanie, oczekiwanie. **3.** uprzedzanie, antycypacja. **4.** rozdysponowanie (funduszy) na wyrost. **5.** *muz.* antycypacja. **6. in ~ of sth** przewidując coś; **in eager ~** wyczekując niecierpliwie.

anticipatory [æn'tɪsəpə,tɔ:rɪ], **anticipative** [æn'tɪsə,peɪtɪv] *a.* **1.** przewidujący. **2.** wyczekujący; pełen wyczekiwania. **3.** uprzedzający.

anticlerical [,æntɪ'klerɪkl] *a.* antyklerykalny.

anticlericalism [,æntɪ'klerɪklɪzəm] *n. U* antyklerykalizm.

anticlimactic [,æntɪklaɪ'mæktɪk] *a.* rozczarowujący; stanowiący przykry kontrast.

anticlimax [,æntɪ'klaɪmæks] *n.* **1.** zawód, rozczarowanie; przykry kontrast. **2.** *teor. lit.* antykulminacja.

anticlinal [,æntɪ'klaɪnl] *a. geol.* siodłowy, antyklinowy.

anticline ['æntɪ,klaɪn] *n. geol.* siodło, antyklina.

anticlockwise [,æntɪ'klɑ:kwaɪz] *Br.* = **counterclockwise**.

anticoagulant [,æntɪkoʊ'ægjələnt] *n. med.* środek przeciwkrzepliwy, antykoagulant. – *a. med.* przeciwkrzepliwy.

anticommunism [,æntɪ'kɑ:mju:nɪzəm] *n. U* antykomunizm.

anticommunist [,æntɪ'kɑ:mju:nɪst] *a.* antykomunistyczny. – *n.* antykomunist-a/ka.

antics ['æntɪks] *n. pl.* błazeństwa, figle; *uj.* wyskoki.

anticyclone [,æntɪ'saɪkloʊn] *n. meteor.* antycyklon; wyż baryczny.

antidepressant [,æntɪdɪ'presənt], **anti-depressant** *n. i a. med.* (lek) przeciwdepresyjny.

antidote ['æntɪ,doʊt] *n.* odtrutka; *t. przen.* antidotum (*for / to sth* na coś).

antiemetic [,æntɪɪ'metɪk] *a. med.* przeciwwymiotny.

antifreeze ['æntɪ,fri:z] *n. U* (skoncentrowany) płyn do chłodnic.

antigen ['æntɪdʒən] *n. biol., med.* antygen.

antigenic [,æntɪ'dʒenɪk] *a.* antygenowy.

antihelix [,æntɪ'hi:lɪks] = **anthelix**.

antihero [,æntɪ'hi:əroʊ] *n.* antybohater.

antihistamine [,æntɪ'hɪstə,mi:n] *n. med.* lek przeciwhistaminowy, antyhistamina.

anti-intellectual [,æntɪ,ɪntə'lektʃʊəl] *a.* antyintelektualny. – *n.* antyintelektualist-a/ka.

anti-intellectualism [,æntɪ,ɪntə'lektʃʊə,lɪzəm] *n.* antyintelektualizm.

antiknock [,æntɪ'nɑ:k] *n. techn.* (*także* ~ **agent**) środek przeciwstukowy, antydetonator. – *a.* przeciwstukowy; ~ **rating** wartość przeciwstukowa, liczba oktanowa.

Antilles [æn'tɪli:z] *n. pl. geogr.* **the** ~ Antyle.

antilock braking system, ABS *abbr. mot.* układ ABS (*urządzenie przeciwpoślizgowe*).

antilogarithm [,æntɪ'lɔ:gə,rɪðəm] *n. mat.* antylogarytm.

antilogy [æn'tɪlədʒɪ] *n. teor. lit.* antylogia, oksymoron.

antimacassar [,æntɪmə'kæsər] *n.* pokrowiec na krzesło *l.* fotel; płócienne okrycie na zagłówek fotela (*zwł. w pociągach, autokarach itp.*).

antimasque ['æntɪ,mæsk] *n. hist.* groteskowe intermezzo pomiędzy aktami pantomimy w XVI- i XVII-wiecznej Anglii.

antimatter ['æntɪ,mætər] *n. U fiz.* antymateria.

antimissile [,æntɪ'mɪsl] *a. wojsk.* przeciwrakietowy. – *n.* (*także* ~ **missile**) przeciwpocisk rakietowy.

antimonic [,æntə'moʊnɪk] *a. chem.* antymonowy.

antimonide ['æntəmə,naɪd] *n. chem.* antymonek.

antimonite [æn'tɪmənaɪt] *n.* **1.** *min.* antymonit, stybnit, błyszcz antymonu. **2.** *chem.* antymonin.

antimonous ['æntəmənəs] *a. chem.* antymonawy.

antimony ['æntə,moʊnɪ] *n. chem.* antymon; ~ **black** czerń antymonowa, oranż antymonowy (= *trójsiarczek antymonu*); ~ **blend** *min.* kermezyt; ~ **bloom** *min.* kwiat antymonowy, walentynit; ~ **yellow** żółcień neapolitańska.

antimycotic [,æntɪmaɪ'kɑ:tɪk] *a. med.* przeciwgrzybiczy.

antinode ['æntɪ,noʊd] *n. fiz.* strzałka fali stojącej.

antinomic [,æntɪ'nɑ:mɪk] *a.* antynomiczny, sprzeczny.

antinomy [æn'tɪnəmɪ] *n.* antynomia, sprzeczność; paradoks.

antioxidant [,æntɪ'ɑ:ksɪdənt] *n.* przeciwutleniacz, antyutleniacz.

antiparticle ['ænti:,pɑ:rtɪkl] *n. fiz.* antycząstka.

antipasto [,æntɪ'pɑ:stoʊ] *n. pl.* **antipasti** [,æntɪ'pɑ:stɪ], **antipastos** [,æntɪ'pɑ:stoʊz] *kulin.* antipasto (= *przystawka w stylu włoskim*).

antipathetic [,æntɪpə'θetɪk] *a. form.* **1.** antypatyczny, odpychający. **2.** wrogi, wrogo nastawiony (*to / toward* do).

antipathy [æn'tɪpəθɪ] *n. U form.* antypatia, odraza, niechęć.

antipedicular [,æntɪpə'dɪkjələr] *a. med.* przeciwwszawiczy.

antipersonnel [,æntɪ,pɜ:sə'nel] *a. wojsk.* przeciwpiechotny (*o minie itp.*).

antiperspirant [,æntɪ'pɜ:spərənt] *a.* przeciwpotowy. – *n.* antyperspirant, środek przeciwpotowy.

antiphlogistic [,æntɪfloʊ'dʒɪstɪk] *a.* przeciwzapalny.

antiphon ['æntə,fɑ:n] *n. kośc.* antyfona.

antiphonal [æn'tɪfənl] *a.* antyfonalny.

antiphony [æn'tɪfənɪ] *n. U* śpiew antyfonalny.

antiphrasis [æn'tɪfrəsɪs] *n. ret.* antyfraza.

antipodal [æn'tɪpədl] *a.* antypodyczny; diametralnie przeciwstawny.

antipode ['æntɪ,poʊd] *n.* diametralne przeciwieństwo.

Antipodes [æn'tɪpə,di:z] *n. pl.* **1. the** ~ antypody; *gł. żart.* Australia i Nowa Zelandia. **2. a~** *arch.* antypodzi (= *mieszkańcy antypod*).

antipollution [ˌæntɪpəˈluːʃən] *a. attr.* przeciw zanieczyszczeniu środowiska.

antipope [ˈæntɪˌpoʊp] *n. hist.* antypapież.

antiputrefactive [ˌæntɪˌpjuːtrəˈfæktɪv], **antiputrescent** *a.* przeciwgnilny.

antipyretic [ˌæntɪpaɪˈretɪk] *n. i a. med.* (środek) przeciwgorączkowy.

antiquarian [ˌæntəˈkwerɪən] *a. attr.* antykwaryczny; ~ **bookshop** antykwariat. – *n.* antykwariusz.

antiquarianism [ˌæntəˈkwerɪəˌnɪzəm] *n. U* antykwarstwo.

antiquary [ˈæntəˌkwerɪ] *n. przest.* = **antiquarian**.

antiquate [ˈæntəˌkweɪt] *v.* **1.** czynić przestarzałym *l.* staroświeckim. **2.** postarzać, stylizować na staroświeckie.

antiquated [ˈæntəˌkweɪtɪd] *a.* przestarzały, staroświecki.

antique [ænˈtiːk] *a.* **1.** zabytkowy; stylowy (*o meblach, biżuterii itp.*). **2.** *form* antyczny, starożytny. **3.** starodawny. **4.** dotyczący antyków; ~ **dealer** handlarz antykami; ~ **shop** sklep z antykami, antykwariat. – *n.* **1.** antyk. **2.** *druk.* antykwa. – *v.* **1.** nadawać staroświecki/zabytkowy wygląd. **2.** kolekcjonować *l.* kupować antyki.

antiquity [ænˈtɪkwɪtɪ] *n. U* **1.** starożytność, świat starożytny. **2.** zabytkowość; starodawność. **3.** *zw. pl.* **antiquities** antyki, zabytki; relikty.

antirachitic [ˌæntɪrəˈkɪtɪk] *a. med.* przeciwkrzywiczy.

antirrhinium [ˌæntɪˈraɪnəm] *n. bot.* wyżlin (*zwł. lwia paszcza, Antirrhinium maius*).

antiscorbutic [ˌæntɪskɔːrˈbjuːtɪk] *a. med.* przeciwgnilcowy.

anti-Semite [ˌæntɪˈsemaɪt] *n.* antysemit-a/ka.

anti-Semitic [ˌæntɪsəˈmɪtɪk] *a.* antysemicki.

anti-Semitism [ˌæntɪˈseməˌtɪzəm] *n. U* antysemityzm.

antisepsis [ˌæntɪˈsepsɪs] *n. U* antyseptyka, zwalczanie zakażeń.

antiseptic [ˌæntɪˈseptɪk] *a. med.* antyseptyczny, bakteriobójczy. – *n. med.* środek odkażający *l.* bakteriobójczy, antyseptyk.

antiserum [ˈæntɪˌsiːrəm] *n. C / U med.* surowica odpornościowa.

antisocial [ˌæntɪˈsoʊʃl] *a.* antyspołeczny.

antispasmodic [ˌæntɪspæzˈmɑːdɪk] *n. i a. med.* (środek) przeciwskurczowy.

antistrophe [ænˈtɪstrəfɪ] *n. wers.* antystrofa.

antitank [ˌæntɪˈtæŋk] *a. wojsk.* przeciwczołgowy.

antithesis [ænˈtɪθəsɪs] *n. pl.* **antitheses** [ænˈtɪθəsiːs] **1.** *ret.* antyteza. **2.** kontrast; dokładne przeciwieństwo.

antithetic [ˌæntəˈθetɪk], **antithetical** *a.* antytetyczny; przeciwstawny.

antithetically [ˌæntəˈθetɪklɪ] *adv.* antytetycznie; przeciwstawnie.

antitoxin [ˌæntɪˈtɑːksɪn] *n. fizj., med.* antytoksyna.

antitrade [ˈæntɪˌtreɪd] *n. meteor.* ~ **(wind)** antypasat.

antitrinitarian [ˌæntɪˌtrɪnɪˈterɪən] *a. rel.* antytrynitarski, ariański (= *przeciwny dogmatowi o Trójcy Św.*). – *n.* antytrynitariusz, arianin.

antitrust [ˌæntɪˈtrʌst] *a. zwł. US* przeciwtrustowy; antymonopolowy.

antitussive [ˌæntɪˈtʌsɪv], **antitussic** [ˌæntɪˈtʌsɪk] *n. i a.* (środek) przeciwkaszlowy.

antler [ˈæntlər] *n.* róg (*u zwierzyny płowej*).

antlered [ˈæntlərd] *a.* rogaty (*o zwierzynie płowej*).

antlion [ˈæntˌlaɪən], **ant lion, ant fly** *n. ent.* **1.** mrówkolew (*Myrmeleon*). **2.** larwa mrówkolwa.

antonomasia [ˌæntənəˈmeɪʒə] *n. ret.* antonomazja (*zastąpienie imienia pospolitego przez własne l. odwrotnie*).

antonym [ˈæntənɪm] *n. jęz.* antonim.

antonymous [ænˈtɑːnəməs] *a. jęz.* antonimiczny.

antral [ˈæntrəl] *a. anat.* jamowy, zatokowy.

antre [ˈæntər] *n. rzad.* jama, jaskinia.

antrum [ˈæntrəm] *n. anat.* jama, zatoka.

antsy [ˈæntsiː] *n. US pot.* nerwowy; niecierpliwy.

Antwerp [ˈæntwərp] *n.* Antwerpia.

anuran [əˈnʊrən] *n. zool.* płaz bezogonowy (*rząd Anura*).

anurous [ˈænjərəs] *a. zool.* bezogonowy.

anus [ˈeɪnəs] *n. anat.* odbyt.

anvil [ˈænvɪl] *n.* **1.** kowadło. **2.** *anat.* kowadełko.

anxiety [æŋˈzaɪɪtɪ] *n.* **1.** ~ **(about/over sth)** niepokój *l.* obawa *l.* lęk (przed czymś); zaniepokojenie (czymś). **2.** ~ **for sth/to do sth** gorące pragnienie czegoś/żeby coś zrobić.

anxious [ˈæŋkʃəs] *a.* **1.** zaniepokojony, pełen obaw; **be ~ about sb/sth** niepokoić *l.* obawiać się o kogoś/coś; **be ~ about doing sth** odczuwać lęk przed zrobieniem czegoś; **be ~ that** niepokoić się, że. **2.** niepokojący, powodujący niepokój. **3. be ~ for sth** usilnie starać się *l.* zabiegać o coś; **sb is ~ to do sth** komuś zależy na tym, żeby coś zrobić.

anxiously [ˈæŋkʃəslɪ] *adv.* z obawą, z niepokojem.

anxiousness [ˈæŋkʃəsnəs] *n.* niepokój, obawa.

any [ˈenɪ] *a. i pron.* **1.** *t. w pyt.* jakiś, któryś; **are there ~ other questions?** czy są jeszcze jakieś pytania?; **can ~ of you play the cello?** czy któreś z was gra na wiolonczeli?. **2.** jakikolwiek, którykolwiek, obojętnie który; ~ **old thing** *pot.* obojętnie co, cokolwiek; ~ **which way** w dowolny sposób; bezładnie. **3.** każdy; **(at) ~ moment** w każdej chwili, lada moment/chwila; **at ~ rate** w każdym razie. **4.** *w neg.* żaden, ani jeden; **I don't have ~ books** nie mam żadnych książek; **I haven't ~ idea** nie mam pojęcia; **(not) in ~ way** w żaden sposób; **(there aren't many left), if ~** (niewiele zostało), jeśli w ogóle. **5. in ~ case** w każdym razie, tak czy owak; poza tym, zresztą. – *adv.* **1.** *w pyt.* trochę; **can you drive ~ faster?** czy możesz jechać trochę szybciej?; **is he ~ better?** czy czuje się (choć) trochę lepiej?. **2.** *w neg.* ani trochę; **not ~ worse than** ani trochę gorszy/gorzej niż. **3.** *w neg.* już; **I'm not going to wait ~ longer** nie będę już dłużej czekać; **she doesn't like me ~ more** ona mnie już nie lubi. **4.** *US pot.* wcale, w ogóle; **that didn't help ~** to wcale nie pomogło.

anybody ['enɪˌbɑːdɪ] *pron.* **1.** *t. w pyt.* ktoś; **have you seen ~ we know?** widziałeś kogoś znajomego?. **2.** ktokolwiek, obojętnie kto. **3.** każdy; **~ who has any sense...** każdy, kto ma choć trochę rozsądku...; **~ who is ~** *zw. żart.* każdy, kto jest kimś *l.* kto cokolwiek znaczy. **4.** *w neg.* nikt; **there isn't ~ there** nikogo tam nie ma.

anyhow ['enɪˌhaʊ], **anyway** *US, pot.* **anyways** *adv.* **1.** w każdym razie; **not now ~** w każdym razie nie teraz. **2.** i tak; **I'll call her ~** i tak do niej zadzwonię. **3.** tak czy owak, tak czy inaczej; **~, as I was saying...** tak czy owak, jak (już) mówiłam... **4.** poza tym, (tak) w ogóle. **5.** (*także* **any old how**) byle jak.

anymore [ˌenɪ'mɔːr] *adv.* **1.** *w neg.* **(not) ~** już (nie); **I can't run ~** nie mogę już biec. **2.** *w pyt.* jeszcze; **do you play tennis ~?** grywasz jeszcze w tenisa?. **3.** *US dial.* w dzisiejszych czasach, obecnie, dziś; **that's all we have ~** to wszystko, co dziś mamy.

anyone ['enɪˌwʌn] *pron.* = **anybody**.

anyplace ['enɪˌpleɪs] *pron. US i Can. pot.* = **anywhere** 1, 2.

anything ['enɪˌθɪŋ] *pron.* **1.** *t. w pyt.* coś; **~ else?** czy jeszcze coś?. **2.** cokolwiek, obojętnie co; **or ~** czy/lub cokolwiek innego. **3.** wszystko; **~ can happen** wszystko może się zdarzyć; **I would give ~ for it** dałbym za to wszystko. **4.** *w neg.* nic; **I can't hear ~** nic nie słyszę; **~ but** wcale (nie), bynajmniej; **he's ~ but handsome** przystojny to on nie jest; **I thought it would be difficult but it was ~ but** myślałam, że to będzie trudne, ale wcale nie było; **(I would't do it) for ~** (nie zrobiłbym tego) za nic; **(not) ~ like** w żadnym stopniu, ani trochę (nie). **5. as ugly/stupid as ~** *pot.* brzydki/głupi, jak nie wiem co; **like ~** *emf.* jak diabli; **he could be ~ between 30 and 40/from 30 to 40** może mieć jakieś 30–40 lat (*trudno to dokładnie określić na podstawie wyglądu*).

anytime ['enɪˌtaɪm] *adv.* kiedykolwiek; w każdej chwili; o każdej *l.* dowolnej porze.

anyway ['enɪˌweɪ], **anyways** *adv. zob.* **anyhow** 1, 2, 3, 4.

anywhere ['enɪˌwer], *US t.* **anyplace** *adv.* **1.** *t. w pyt.* gdzieś; dokądś; **can you see her ~?** widzisz ją gdzieś?. **2.** gdziekolwiek; dokądkolwiek; **put it ~ you like** połóż to gdziekolwiek chcesz. **3.** *w neg.* nigdzie; **I'm not going ~** nigdzie nie wychodzę; **(not) ~ else** nigdzie indziej; **(not) ~ near** *pot.* ani trochę, nawet w przybliżeniu nie; **he isn't ~ near as intelligent as she** ani trochę nie dorównuje jej inteligencją; **not get/go ~** *przen.* nie zajść daleko; **you won't get ~ with that attitude** z takim nastawieniem daleko nie zajdziesz.

anywise ['enɪˌwaɪz] *adv. zwł. US* **1.** jakkolwiek, w jakikolwiek sposób. **2.** w każdy sposób; pod każdym względem.

Anzac ['ænzæk] *abbr.* **Australia and New Zealand Army Corps** Korpus Wojskowy Australii i Nowej Zelandii. – *n.* **1.** żołnierz *l.* weteran korpusu jw. (*w czasie I wojny światowej*). **2.** żołnierz australijski lub nowozelandzki.

a/o *abbr.* **account of...** rachunek...

AOB [ˌeɪ ˌoʊ 'biː], **a.o.b.** *abbr.* **Any Other Business** wolne wnioski (*w porządku zebrania itp.*).

A-OK [ˌeɪ oʊ'keɪ], **A-Okay** *a. i adv. zwł. US pot.* super, ekstra.

A one [ˌeɪ 'wʌn] = **A1**.

aorist ['eɪərɪst] *n. gram.* aoryst.

aorta [eɪ'ɔːrtə] *n. pl.* **aortas** *l.* **aortae** [eɪ'ɔːrtiː] *anat.* aorta.

aortic [eɪ'ɔːrtɪk] *a.* aortalny.

AP [ˌeɪ 'piː] *abbr.* **Associated Press** agencja prasowa.

Ap. *abbr.* = **April**.

A/P [ˌeɪ 'piː], **a/p** *abbr. handl.* **1. account paid** zobowiązania uregulowane. **2. accounts payable** zobowiązania (*w bilansie*). **3. authority to pay/purchase** upoważnienie do zapłaty/zakupu.

apace [ə'peɪs] *adv. lit.* szybko, w szybkim tempie.

Apache [ə'pætʃɪ] *pl.* **Apache(s)** *n.* **1.** Apacz/ka. **2.** *U* język Apaczów.

apache [ə'pɑːʃ] *n.* apasz (*paryski*).

apanage ['æpənɪdʒ] = **appanage**.

apart [ə'pɑːrt] *adv.* **1.** z dala od siebie, oddzielnie, osobno; **5 miles ~** w odległości 5 mil od siebie; **grow/drift ~** oddalać się od siebie (*zwł. emocjonalnie*); **they live ~** mieszkają oddzielnie. **2.** na części *l.* kawałki; **come/fall ~** rozpaść się (na kawałki); **take sth ~** rozebrać coś na części. **3. tell/know ~** rozróżniać. **4. ~ from** oprócz, poza; z wyjątkiem; **quite ~ from** pomijając już. **5. jokes/joking ~** mówiąc poważnie; **they're poles/worlds ~** są biegunowo *l.* diametralnie różni.

apartheid [ə'pɑːrtˌeɪt] *n. U polit.* apartheid.

apartment [ə'pɑːrtmənt] *n.* **1.** *zwł. US* mieszkanie; **~ house/building** budynek mieszkalny. **2. ~s** apartamenty.

apathetic [ˌæpə'θetɪk] *a.* apatyczny.

apathetically [ˌæpə'θetɪklɪ] *adv.* apatycznie.

apathy ['æpəθɪ] *n. U* apatia.

apatite ['æpəˌtaɪt] *n. min.* apatyt.

ape [eɪp] *n.* **1.** *zool.* małpa człekokształtna. **2.** *sl. obelż.* kretyn. **3.** *US sl.* **go ~(shit)** wściec się; **go ~(shit) over sb/sth** dostać kota na punkcie kogoś/czegoś. – *v. pot. uj.* małpować.

apeak [ə'piːk] *adv. i a. żegl.* pionowo (*zwł. o wiosłach*).

apelike ['eɪplaɪk] *a.* małpowaty.

Apennines ['æpəˌnaɪnz] *n. pl.* **the ~** Apeniny.

aperient [ə'pɪːrɪənt] *n. i a. med.* (środek) przeczyszczający.

apéritif [ɑːˌpeɪrə'tiːf] *n.* aperitif.

aperture ['æpərtʃər] *n.* **1.** *techn.* otwór, szczelina; **~ die** matryca przelotowa (*do wyciskania współbieżnego*). **2.** *opt.* apertura; *fot.* średnica rozwarcia przysłony. **3.** *wojsk.* szczerbina (*na celowniku*).

apery ['eɪpərɪ] *n. U* **1.** małpowanie. **2.** małpie wygłupy.

apetalous [eɪ'petləs] *a. bot.* bezpłatkowy.

APEX ['eɪpeks] *abbr.* **Advance Purchase Excursion** *lotn.* taryfa APEX.

apex ['eɪpeks] *n. pl. t.* **apices** ['æpɪˌsi:z] **1.** *geom.* wierzchołek. **2.** *anat.* szczyt, wierzchołek, koniuszek. **3.** *form.* szczyt (*zwł. kariery*).

aphasia [ə'feɪʒə] *n. pat.* afazja.

aphasic [ə'feɪzɪk], **aphasiac** [ə'feɪzɪˌæk] *a.* cierpiący na afazję; afatyczny.

aphelion [ə'fi:lɪən] *n. astron.* afelium, punkt odsłoneczny.

aphid ['eɪfɪd] *n. ent.* mszyca (*Aphis*).

aphorism ['æfəˌrɪzəm] *n.* aforyzm.

aphoristic [ˌæfə'rɪstɪk] *a.* aforystyczny.

aphotic [eɪ'foʊtɪk] *a. biol.* afotyczny, pozbawiony światła.

aphrodisiac [ˌæfrə'dɪzi:ˌæk] *a.* (*także* **~al**) pobudzający popęd płciowy. – *n.* afrodyzjak.

Aphrodite [ˌæfrə'daɪtɪ] *n. mit.* Afrodyta.

aphtha ['æfθə] *n. zw. pl. pat.* afta; **contagious ~** pryszczyca.

aphyllous [eɪ'fɪləs] *a. bot.* bezlistny.

apian ['eɪpɪən] *a.* pszczeli.

apiarian [ˌeɪpi:'erɪən] *a.* pszczelarski.

apiarist ['eɪpɪərɪst] *n.* pszczelarz.

apiary ['eɪpi:ˌerɪ] *n.* pasieka.

apical ['æpɪkl] *a.* szczytowy, wierzchołkowy.

apices ['eɪpɪˌsi:z] *zob.* **apex**.

apiculture ['eɪpəˌkʌltʃər] *n. U* pszczelarstwo.

apiece [ə'pi:s] *adv. tylko po num. l. n.* od sztuki, za sztukę; na osobę, na głowę.

apish ['eɪpɪʃ] *a. t. przen.* małpi.

apishly ['eɪpɪʃlɪ] *adv.* małpio.

aplanatic [ˌæplə'nætɪk] *n. opt.* aplanatyczny; **~ lens** aplanat, obiektyw aplanatyczny.

aplenty [ə'plentɪ] *a. tylko po n. przest. l. lit.* pod dostatkiem, aż nadto. – *adv.* dostatecznie, wystarczająco.

aplomb [ə'plɑ:m] *n. U* **with ~** z klasą, w pięknym stylu.

apnea [æp'nɪə], *Br.* **apnoea** *n. pat.* bezdech.

APO [ˌeɪ ˌpi: 'oʊ], **A.P.O.** *abbr.* **Army Post Office** *US* amerykańska poczta wojskowa.

apocalypse [ə'pɑ:kəlɪps] *n.* **1. the A~** *rel.* apokalipsa. **2.** *przen.* apokalipsa, katastrofa.

apocalyptic [əˌpɑ:kə'lɪptɪk], **apocalyptical** *a.* apokaliptyczny.

apochromat ['æpəkrəˌmæt] *n.* (*także* **~ic lens**) *fot.* apochromat, obiektyw apochromatyczny.

apochromatic [ˌæpəkroʊ'mætɪk] *a. fot.* apochromatyczny.

apocopate [ə'pɑ:kəˌpeɪt] *v. jęz.* apokopować.

apocope [ə'pɑ:kəpɪ] *n. jęz.* apokopa (= *pominięcie ostatniej głoski wyrazu*).

apocrypha [ə'pɑ:krəfə] *n. pl.* apokryfy.

apocryphal [ə'pɑ:krəfl] *a.* apokryficzny.

apodal ['æpədl] *a. zool.* beznogi.

apodictic [ˌæpə'dɪktɪk], **apodeictic** *a. form.* bez wątpienia prawdziwy, oczywisty; *log.* apodyktyczny (*o sądzie l. zdaniu logicznym*).

apodosis [ə'pɑ:dəsɪs] *n. pl.* **apodoses** [ə'pɑ:dəsi:s] *log., gram.* następnik (*zdania warunkowego*).

apogee ['æpəˌdʒi:] *n. astron. l. przen.* apogeum.

apolitical [ˌeɪpə'lɪtɪkl] *a.* apolityczny.

apolitically [ˌeɪpə'lɪtɪklɪ] *adv.* apolitycznie.

Apollo [ə'pɑ:loʊ] **1.** *mit.* Apollo. **2. a~** apollo (= *mężczyzna o wybitnej urodzie*). **3.** *ent.* niepylak apollo (*Parnassius apollo*).

apollonian [æpə'loʊnɪən] *a.* apolliński.

apologetic [əˌpɑ:lə'dʒetɪk], **apologetical** *a.* **1.** przepraszający, wyrażający skruchę, skruszony. **2.** apologetyczny, obronny.

apologetically [əˌpɑ:lə'dʒetɪklɪ] *adv.* ze skruchą, przepraszająco.

apologetics [əˌpɑ:lə'dʒetɪks] *n. U* apologetyka.

apologia [ˌæpə'loʊdʒɪə] *n. form.* apologia.

apologist [ə'pɑ:lədʒɪst] *n.* apologet-a/ka.

apologize [ə'pɑ:ləˌdʒaɪz], *Br. i Austr. zw.* **apologise** *v.* przepraszać (*for sth* za coś, *to sb* kogoś).

apologue ['æpəˌlɔ:g] *n.* apolog (= *bajka alegoryczna*).

apology [ə'pɑ:lədʒɪ] *n. pl.* **-ies 1.** przeprosiny; **make an ~ to sb** przepraszać kogoś; **owe sb an ~** być komuś winnym przeprosiny; **please accept my apologies** proszę o wybaczenie. **2.** *lit.* = **apologia**. **3. an ~ for sth** *zw. żart.* karykatura czegoś, nędzny *l.* żałosny okaz czegoś.

apomecometer [əˌpɑ:mə'kɑ:mɪtər] *n. geodezja* wysokościomierz.

apophthegm ['æpəˌθem], **apothegm** *n. form.* sentencja (*zwięzła i treściwa*).

apophyllite [ə'pɑ:fəˌlaɪt] *n. min.* apofilit.

apophysis [ə'pɑ:fɪsɪs] *n. anat.* odrostek, wyrostek.

apoplectic [ˌæpə'plektɪk] *a.* **1.** *pat.* udarowy, apoplektyczny. **2. ~ (with rage)** *pot. zw. żart.* wściekły, na skraju apopleksji.

apoplexy ['æpəˌpleksɪ] *n. U pat. przest.* udar mózgu; *t. przen.* apopleksja.

aport [ə'pɔ:rt] *adv. żegl.* na lewą burtę.

apostasy [ə'pɑ:stəsɪ] *n. U form.* apostazja, odszczepieństwo.

apostate [ə'pɑ:steɪt] *n.* apostata, odszczepieniec. – *a.* odszczepieńczy.

a posteriori [ˌeɪpɑ:ˌsti:rɪ'ɔ:rɪ] *a. Lat. log., fil.* a posteriori.

apostil [ə'pɑ:stɪl] *n. arch.* nota na marginesie.

apostle [ə'pɑ:sl] *n. t. przen.* apostoł; **A~s' Creed** *rz.-kat.* Skład Apostolski.

apostleship [ə'pɑ:slˌʃɪp] *n. U* apostolstwo.

apostolate [ə'pɑ:stlɪt] *n. U* apostolstwo.

apostolic [ˌæpə'stɑ:lɪk] *a.* apostolski.

apostrophe [ə'pɑ:strəfɪ] *n.* **1.** *gram.* apostrof. **2.** *ret.* apostrofa, metabaza.

apothecary [ə'pɑ:θəˌkerɪ] *n. arch.* aptekarz.

apothecium [ˌæpə'θi:sɪəm] *n. pl.* **apothecia** [ˌæpə'θi:sɪə] *bot.* apotecjum, miseczka (= *owocnik grzybów z klasy workowców*).

apothegm ['æpəˌθem] = **apophthegm**.

apotheosis [əˌpɑ:θi:'oʊsɪs] *n. pl.* **apotheoses** [əˌpɑ:θi:'oʊsi:s] *form.* apoteoza.

Appalachia [ˌæpə'leɪtʃɪə] *n. U* region Appalachów.

Appalachian [ˌæpə'leɪtʃɪən] *a.* appalachijski; **the ~ Mountains** Appalachy.

appall [ə'pɔ:l], *Br.* **appal** *v.* przerażać; bulwersować.

appalled [ə'pɔ:ld] *a.* przerażony; zbulwersowany (*by / at sth* czymś).

appalling [ə'pɔ:lɪŋ] *a.* **1.** przerażający; bulwersujący. **2.** okropny, fatalny.

appallingly [ə'pɔ:lɪŋlɪ] *adv.* okropnie, fatalnie.

appanage ['æpənɪdʒ], **apanage** *n. t. hist.* apanaż.

apparatus [ˌæpə'rætəs] *n.* **1.** *pl.* **apparatus** *l.* **-es** *t. polit.* aparat. **2.** *U* aparatura; przyrządy (*t. gimnastyczne*).

apparel [ə'perəl] *n. U* **1.** *lit. l. arch.* szaty, strój. **2.** *zwł. US* odzież; **ladies'/men's/winter ~** odzież damska/męska/zimowa. **3.** *żegl.* osprzęt. **4. take on the ~ of sth** *przen.* upodobnić się do czegoś. – *v. lit. l. arch.* odziać, przyodziać (*zwł. w strojne szaty*).

apparent [ə'perənt] *a.* **1.** widoczny, oczywisty; **for no ~ reason** bez żadnej widocznej przyczyny. **2.** pozorny. **3. heir ~** *prawn.* legalny spadkobierca; prawowity następca (*t. tronu*).

apparently [ə'perəntlɪ] *adv.* **1.** najwyraźniej, najwidoczniej. **2.** jak się wydaje. **3.** podobno.

apparition [ˌæpə'rɪʃən] *n.* zjawa, widmo, widziadło.

apparitor [ə'perɪtər] *n. hist.* woźny sądowy.

appeal [ə'pi:l] *v.* **1.** apelować (*for sth* o coś); **~ to sb to do sth** apelować do kogoś, żeby coś zrobił. **2. ~ to sb** podobać się komuś; przemawiać do kogoś. **3.** *prawn.* wnosić apelację, odwoływać się (*against* od). – *n.* **1.** apel; **make/launch an ~** występować z apelem. **2.** atrakcyjność, urok, powab. **3.** *prawn.* apelacja, odwołanie; **lodge an ~ against** odwoływać się od; **on ~** przy apelacji do sądu wyższej instancji; **right of ~** prawo apelacji; **Court of A~** Sąd Apelacyjny.

appealing [ə'pi:lɪŋ] *a.* **1.** pociągający, atrakcyjny. **2.** błagalny (*np. o spojrzeniu, wzroku*).

appealingly [ə'pi:lɪŋlɪ] *a.* **1.** atrakcyjnie. **2.** błagalnie.

appear [ə'pi:r] *v.* **1.** pojawiać się, zjawiać się; ukazywać się (*t. w druku*). **2.** *film, teatr* występować (*in sth* w czymś). **3.** wydawać się; **she ~ed (to be) upset** wyglądała na zdenerwowaną; **it ~s (to me) (that)** wydaje (mi) się, że; **so it ~s/would ~** na to wygląda/by wyglądało. **4. ~ before/in front of** stawić się przed (*sądem, komisją itp.*); **~ on behalf of/for sb** *prawn.* reprezentować kogoś (*w sądzie*).

appearance [ə'pi:rəns] *n.* **1.** pojawienie się, ukazanie się; **put in/make an ~** pokazać się, pojawić się (*zwł. na krótko i z obowiązku*). **2.** *t. film i teatr* wystąpienie (*in sth* w czymś); **make an ~** wystąpić (*publicznie*); **in order of ~** w kolejności pojawiania się na scenie *l.* ekranie. **3.** *prawn.* stawiennictwo (*w sądzie*). **4.** wygląd zewnętrzny, powierzchowność. **5.** zjawa, widmo, widziadło.

appearances [ə'pi:rənsɪz] *n. pl.* pozory; **~ can be deceptive** pozory mylą; **contrary to/against (all) ~** wbrew pozorom; **for the sake of ~** (*także* **for ~' sake**) dla zachowania pozorów; **judge by ~** sądzić po pozorach; **keep up ~** zachowywać pozory; **to/by all ~** (*także US* **from all ~**) na pozór.

appease [ə'pi:z] *v.* **1.** uspokajać, łagodzić; uśmierzać. **2.** udobruchać, ugłaskać. **3.** zaspokajać.

appeasement [ə'pi:zmənt] *n. zw. U* **1.** uspokojenie, załagodzenie; uśmierzenie. **2.** *polit.* polityka ustępstw. **3.** zaspokojenie.

appellant [ə'pelənt] *a.* **1.** apelujący. **2.** apelacyjny. – *n. prawn.* strona odwołująca się.

appellate [ə'pelɪt] *a. attr.* rozpatrujący apelacje; **~ court** sąd apelacyjny; **~ jurisdiction** sądownictwo apelacyjne; prawo rozpatrywania apelacji.

appellation [ˌæpə'leɪʃən] *n. form.* **1.** nazwa, tytuł, określenie. **2.** *U* nadanie nazwy *l.* tytułu.

appellative [ə'pelətɪv] *a.* **1.** *gram.* pospolity. **2.** nazewniczy. – *n.* **1.** *gram.* rzeczownik pospolity. **2.** nazwa, określenie.

appellee [ˌæpə'li:] *n. prawn.* oskarżon-y/a *l.* pozwan-y/a w postępowaniu apelacyjnym.

append [ə'pend] *v. form.* dołączać, załączać (*zwł. dokument*).

appendage [ə'pendɪdʒ] *n.* **1.** dodatek, przydatek. **2.** *anat.* przyczepek, przydatek.

appendant [ə'pendənt] *a.* **1.** *form.* dołączony, załączony; dodatkowy, dodany. **2.** *rzad.* = **pendent**. **3.** *prawn.* przynależny (*o prawie do czegoś*). – *n.* **1.** *form.* dodatek. **2.** *prawn.* prawo nabywane wraz z nabyciem własności.

appendectomy [ˌæpən'dektəmɪ] *n. chir.* usunięcie wyrostka robaczkowego.

appendicitis [əˌpendɪ'saɪtɪs] *n. U pat.* zapalenie wyrostka robaczkowego.

appendix [ə'pendɪks] *n.* **1.** *pl. t.* **appendices** [ə'pendɪsi:z] apendyks; dodatek; załącznik. **2.** (*także* **vermiform ~**) *anat.* wyrostek robaczkowy; **have one's ~ out** mieć usunięty wyrostek. **3.** *lotn.* rękaw upustowy (*balonu*).

apperceive [ˌæpər'si:v] *v. psych.* apercypować.

apperception [ˌæpər'sepʃən] *n. U psych.* apercepcja.

appertain [ˌæpər'teɪn] *v. form.* **1. ~ to sth** przynależeć do czegoś; pozostawać w związku z czymś. **2. ~ to sb/sth** być właściwym komuś/czemuś.

appetence ['æpɪtəns], **appetency** *n. U form.* **1.** pragnienie, pożądanie. **2.** skłonność, pociąg.

appetite ['æpɪˌtaɪt] *n.* **1.** apetyt; **give sb an ~** narobić komuś apetytu. **2.** ochota (*for sth* na coś).

appetizer ['æpɪˌtaɪzər], *Br. i Austr. zw.* **appetiser** *n.* **1.** zakąska. **2.** *zwł. US* przystawka. **3.** aperitif.

appetizing ['æpɪˌtaɪzɪŋ], *Br. i Austr. zw.* **appetising** *a.* **1.** apetyczny. **2.** *przen.* kuszący, ponętny.

applaud [ə'plɔ:d] *v.* **1.** klaskać, bić brawo; oklaskiwać. **2.** *form.* przyklasnąć, pochwalić.

applause [ə'plɔ:z] *n. U* **1.** oklaski; **a round of ~** oklaski. **2.** aplauz, poklask.

apple ['æpl] *n.* **1.** jabłko. **2.** *przen.* **Adam's ~** jabłko Adama, grdyka; **the ~ of sb's eye** czyjeś oczko w głowie; **upset the/sb's ~ cart** *pot.* pomieszać komuś szyki.

apple butter *n. U US* gęsty mus jabłkowy.

applejack ['æplˌdʒæk] *n. U* (*także* ~ **brandy**) *US* brandy z jabłek.

apple pie *n.* **1.** jabłecznik. **2. as American as** ~ *przen.* na wskroś amerykański.

apple-pie *a. attr.* **in** ~ **order** *US pot.* we wzorowym porządku.

apple polisher *n. US pot.* lizus/ka.

applesauce ['æplˌsɔːs], **apple sauce** *n. U* **1.** mus jabłkowy. **2.** *US pot.* bzdury, brednie.

applet ['æplət] *n. komp.* aplet.

apple tree *n.* jabłoń.

appliance [ə'plaɪəns] *n.* urządzenie; przyrząd.

applicability [ˌæpləkə'bɪlətɪ] *n. U* stosowalność.

applicable ['æpləkəbl] *a.* **1. be** ~ **to sb/sth** stosować się do *l.* dotyczyć kogoś/czegoś, mieć zastosowanie w przypadku kogoś/czegoś. **2.** stosowny, odpowiedni.

applicant ['æpləkənt] *n.* kandydat/ka, zgłaszający-y/a się.

application [ˌæplə'keɪʃən] *n.* **1.** zastosowanie (*to/in sth* do czegoś/w czymś). **2.** zgłoszenie (*kandydatury*); podanie, wniosek (*for sth* o coś); ~ **form** formularz zgłoszenia *l.* wniosku; **job** ~ podanie o pracę. **3.** *U* pilność (*to sth* w czymś). **4.** *komp.* aplikacja. **5.** *med.* nałożenie (*maści itp.*).

applicator ['æpləˌkeɪtər] *n.* dozownik, aplikator.

applied [ə'plaɪd] *a. attr.* stosowany (*o dziedzinach wiedzy*).

appliqué [ˌæplə'keɪ] *n.* aplikacja (*wzór ozdobny l. technika naszywania go*). – *a.* ozdobiony aplikacją. – *v.* ozdabiać aplikacją.

apply [ə'plaɪ] *v.* **1.** stosować; używać; aplikować. **2.** nakładać (*maść, krem, farbę*); przykładać (*np. kompres*). **3.** ~ **to** dotyczyć, odnosić się do; stosować się *l.* mieć zastosowanie do. **4.** zgłaszać się; ubiegać się, składać podanie *l.* wniosek (*for sth* o coś). **5.** ~ **o.s. (to sth)** przykładać się (do czegoś).

appoint [ə'pɔɪnt] *v.* **1.** ~ **sb (as) sth** mianować kogoś czymś. **2.** ustanawiać, wyznaczać. **3.** *form.* wyposażać, meblować. **4.** ~ **sb** *prawn.* przekazywać majątek komuś.

appointed [ə'pɔɪntɪd] *a.* **1.** mianowany; **newly** ~ nowo mianowany. **2.** wyznaczony; **at the** ~ **time** o/w wyznaczonym czasie. **3.** *form.* wyposażony, umeblowany.

appointee [əˌpɔɪn'tiː] *n.* **1.** nominat, osoba mianowana. **2.** *prawn.* osoba, której przyznano majątek.

appointive [ə'pɔɪntɪv] *a. zwł. US* z mianowania (*o stanowisku*).

appointment [ə'pɔɪntmənt] *n.* **1.** mianowanie, nominacja; **sb's** ~ **as...** mianowanie kogoś na stanowisko... **2.** umówione spotkanie; wizyta (*u lekarza itp.*); **by** ~ po wcześniejszym ustaleniu terminu; **cancel an** ~ odwołać umówione spotkanie *l.* wizytę; **keep/miss an** ~ stawić się/nie stawić się na umówione spotkanie; **make an** ~ **(with sb)** umówić się (z kimś), ustalić termin spotkania (z kimś). **3.** *zw. pl. form.* wyposażenie, urządzenie, umeblowanie.

apport [ə'pɔːrt] *n.* aport (*w okultyzmie*).

apportion [ə'pɔːrʃən] *v. form.* **1.** wyznaczać, przydzielać (*należną część*); wydzielać; dzielić, rozdzielać (*between/among* pomiędzy). **2.** ~ **blame** *przen.* wskazać winnego.

apportionment [ə'pɔːrʃənmənt] *n. U* wyznaczenie, przydzielenie; rozdzielenie.

appose [ə'poʊz] *v. form.* **1.** umieszczać obok siebie, zestawiać. **2.** przystawiać.

apposite ['æpəzɪt] *a. form.* trafny; odpowiedni, właściwy.

appositely ['æpəzɪtlɪ] *adv. form.* trafnie.

appositeness ['æpəzɪtnəs] *n. U form.* trafność.

apposition [ˌæpə'zɪʃən] *n. U* **1.** zestawienie. **2.** *jęz.* apozycja.

appositive [ə'pɑːzɪtɪv] *a. jęz.* apozycyjny.

appraisal [ə'preɪzl] *n.* oszacowanie, ocena; wycena; **performance** ~ ocena wyników działalności.

appraise [ə'preɪz] *v.* szacować, oceniać; wyceniać.

appraisee [əˌpreɪ'ziː] *n.* osoba oceniana.

appraiser [ə'preɪzər] *n.* rzeczoznawca, taksator.

appreciable [ə'priːʃɪəbl] *a.* znaczny, znaczący; zauważalny; dający się zmierzyć.

appreciably [ə'priːʃɪəblɪ] *adv.* znacznie, znacząco; zauważalnie.

appreciate [ə'priːʃɪˌeɪt] *v.* **1.** być wdzięcznym za; **I would** ~ **it if you...** byłbym wdzięczny gdybyś/cie... **2.** doceniać, cenić sobie. **3.** rozumieć, uświadamiać sobie. **4.** zyskiwać na wartości.

appreciation [əˌpriːʃɪ'eɪʃən] *n. zw. U* **1.** wdzięczność; należyte uznanie. **2.** zrozumienie (*t. sztuki*). **3.** ocena, oszacowanie. **4.** wzrost wartości. **5.** *C rzad.* recenzja (*zwł. pozytywna*).

appreciative [ə'priːʃətɪv], **appreciatory** *a.* pełen uznania (*of sb/sth* dla kogoś/czegoś).

appreciatively [ə'priːʃətɪvlɪ] *adv.* z uznaniem.

apprehend [ˌæprɪ'hend] *v.* **1.** *form.* zatrzymać, ująć, pojmać. **2.** *form.* pojmować, rozumieć. **3.** *arch.* obawiać się.

apprehensible [ˌæprɪ'hensəbl] *a.* dający się pojąć zmysłami *l.* rozumem.

apprehension [ˌæprɪ'henʃən] *n. U* **1.** obawa. **2.** *form.* zatrzymanie, ujęcie, pojmanie. **3.** *form.* pojmowanie, rozumienie.

apprehensive [ˌæprɪ'hensɪv] *a.* **1.** pełen niepokoju *l.* obawy; **be** ~ **about/for sth** niepokoić się czymś; obawiać się o coś. **2.** *arch.* pojętny, bystry.

apprehensively [ˌæprɪ'hensɪvlɪ] *adv.* z obawą *l.* niepokojem.

apprentice [ə'prentɪs] *n.* **1.** terminator; uczeń/nnica. **2.** nowicjusz/ka. – *v.* oddawać do terminu; przyjmować do terminu; **be ~d to sb** terminować u kogoś.

apprenticeship [ə'prentɪsˌʃɪp] *n. C/U* **1.** terminowanie, praktyka. **2.** *prawn.* aplikacja, aplikantura.

apprise [ə'praɪz] *v.* ~ **sb of sth** *form.* powiadamiać kogoś o czymś.

appro ['æproʊ] *abbr. Br. pot. handl.* **on** ~ z możliwością zwrotu (*o zakupie towaru*).

approach [ə'proʊtʃ] *v.* **1.** nadchodzić; nadjeżdżać. **2.** *t. przen.* zbliżać się do; podchodzić do (*t.*

do problemu); **he's ~ing 60** dobiega sześćdziesiątki; **temperatures ~ing 100° F** temperatury dochodzące do 100° Fahrenheita. **3.** być zbliżonym do, dać się porównać z. **4. ~ sb about/for sth** zwracać się do kogoś w jakiejś sprawie *l.* z prośbą o coś. – *n.* **1.** *t. przen.* nadejście; **with the ~ of winter** z nadejściem zimy. **2.** podejście (*t. przen.* = *metoda*); zbliżenie się. **3.** dojście; dojazd; **~ road** droga dojazdowa. **4.** *lotn.* podejście do lądowania. **5.** (*także* **~ shot**) *golf* approach (= *uderzenie do greenu*).

approachable [ə'proutʃəbl] *a.* **1.** przystępny, przyjazny, łatwy w kontakcie. **2.** dostępny; **the place is ~ from the east entrance** można tam dotrzeć od strony wschodniego wejścia.

approbate ['æprəˌbeɪt] *v. zwł. US form.* zatwierdzać (*oficjalnie*).

approbation [ˌæprə'beɪʃən] *n. U form.* **1.** aprobata. **2.** zatwierdzenie.

approbatory [ə'proubəˌtɔːrɪ], **approbative** *a.* **1.** aprobujący. **2.** zatwierdzający.

appropriate *v.* [ə'prouprɪˌeɪt] *form.* **1.** przywłaszczyć sobie. **2.** przeznaczyć, wyasygnować (*for sth* na coś). – *a.* [ə'prouprɪət] właściwy, odpowiedni, stosowny (*for / to sth* do czegoś).

appropriately [ə'prouprɪətlɪ] *adv.* właściwie, stosownie, odpowiednio.

appropriateness [ə'prouprɪətnəs] *n. U* stosowność, odpowiedniość.

appropriation [əˌprouprɪ'eɪʃən] *n. U* **1.** przywłaszczenie (sobie). **2.** przeznaczenie, wyasygnowanie; *C* wyasygnowane środki.

approval [ə'pruːvl] *n. U* **1.** aprobata; **meet with sb's ~** spotykać się z czyjąś aprobatą. **2.** zgoda; zatwierdzenie. **3. on (five days) ~** *handl.* z możliwością zwrotu (w ciągu pięciu dni).

approve [ə'pruːv] *v.* **1.** aprobować; **~ of sb/sth** aprobować kogoś/aprobować *l.* pochwalać coś. **2.** zatwierdzać.

approved [ə'pruːvd] *a.* **1.** przyjęty, zatwierdzony. **2. ~ school** *Br. przest.* zakład poprawczy.

approving [ə'pruːvɪŋ] *a.* pełen aprobaty.

approvingly [ə'pruːvɪŋlɪ] *adv.* z aprobatą.

approx. *abbr.* ok.; = **approximately**.

approximate *a.* [ə'prɑːksəmət] przybliżony, zbliżony. – *v.* [ə'prɑːksəˌmeɪt] **1.** *form.* **~ (to)** zbliżać się do; być zbliżonym do; wynosić blisko (*o kwocie*). **2.** *mat.* przybliżać, aproksymować.

approximately [ə'prɑːksəmətlɪ] *adv.* w przybliżeniu, około.

approximation [əˌprɑːksə'meɪʃən] *n.* **1.** przybliżenie; **rough ~** wstępne *l.* szacunkowe przybliżenie. **2.** *mat.* aproksymacja, przybliżenie.

approximative [ə'prɑːksəmeɪtɪv] *a. form.* przybliżony.

approximatively [ə'prɑːksəmeɪtɪvlɪ] *adv.* w przybliżeniu.

appurtenance [ə'pɝːtənəns] *n. zw. pl.* **1.** *form. l. żart.* dodatek, przydatek; **~s** wyposażenie, akcesoria. **2.** *prawn.* przynależność, prawo przynależne.

appurtenant [ə'pɝːtənənt] *a. form.* przynależny (*to sb / sth* do kogoś/czegoś).

APR [ˌeɪ ˌpiː 'ɑːr] *abbr.* **Annual Percentage Rate** *fin.* roczna stopa oprocentowania.

Apr, Apr. *abbr.* = **April**.

apraxia [ə'præksɪə] *n. U pat.* apraksja.

apricot ['æprəˌkɑːt] *n.* morela (*Armeniaca*).

April ['eɪprəl] *n. C / U* **1.** kwiecień. **2. ~ fool** osoba oszukana w prima aprilis; **~ Fools' Day** prima aprilis; *zob. t.* **February**.

a priori [ˌeɪpraɪ'ɔːrɪ] *a. Lat. log., fil.* a priori.

apriorism [ˌeɪpraɪ'ɔːrɪzəm] *n. U log., fil.* aprioryzm.

apriority [ˌeɪpraɪ'ɔːrətɪ] *n. U* aprioryczność.

apron ['eɪprən] *n.* **1.** fartuch; fartuszek. **2.** *techn.* osłona, fartuch; fartuch wlewowy (*maszyny papierniczej*). **3.** stół, płyta dolna (*prasy*). **4.** skrzynka suportowa (*tokarki*). **5.** *lotn.* płyta postojowa *l.* lotniskowa, przedpole hangaru. **6.** (*także* **~ stage**) *teatr* rampa, proscenium. **7.** próg doku. **8.** *geol.* czoło moreny. **9. tied to one's mother's ~ strings** *pog.* trzymający się matczynej spódnicy.

apropos [ˌæprə'pou] *a. pred.* trafny, na miejscu, właściwy. – *adv.* à propos; **~ of sth** à propos czegoś, w nawiązaniu do czegoś; **~ of nothing** ni stąd, ni zowąd.

apse [æps] *n.* **1.** *bud.* apsyda, absyda. **2.** *astron.* = **apsis**.

apsidal ['æpsɪdl] *a.* apsydowy, apsydalny.

apsis ['æpsɪs] *n. pl.* **apsides** ['æpsəˌdiːz] *astron.* apsyda.

apt [æpt] *a.* **1.** trafny, celny (*zwł. o uwadze*). **2. be ~ to do sth** mieć skłonność *l.* tendencję do robienia czegoś. **3.** *form.* zdolny, uzdolniony (*at sth* w jakimś zakresie).

apt. *abbr.* m.; = **apartment**.

apterous ['æptərəs] *a. zool.* bezskrzydły.

aptitude ['æptɪˌtuːd] *n.* **1. ~ for/at sth** uzdolnienia w jakimś kierunku; talent do czegoś; **musical ~** zdolności muzyczne. **2. ~ test** test zdolności.

aptly ['æptlɪ] *adv.* trafnie.

aptness ['æptnəs] *n. U* **1.** trafność. **2.** skłonność, tendencja. **3.** *przest.* = **aptitude**.

apyretic [ˌeɪpaɪ'retɪk] *a. med.* bezgorączkowy.

apyrexia [ˌeɪpaɪ'reksɪə] *n. U* brak gorączki.

aqua ['ækwə] *n. w złoż.* woda.

aquaculture ['ækwəˌkʌltʃər], **aquiculture** *n. U* akwakultura.

aqualung ['ækwəˌlʌŋ] *n.* akwalung.

aquamarine [ˌækwəmə'riːn] *n. U* akwamaryna (*minerał i kolor*).

aquanaut ['ækwəˌnɔːt] *n.* akwanaut-a/ka.

aquaplane ['ækwəˌpleɪn] *n.* akwaplan (= *narty wodne*). – *v.* jeździć na akwaplanie.

aqua regia [ˌækwə 'riːdʒɪə] *U chem.* woda królewska.

aquarelle [ˌækwə'rel] *n. form.* akwarela.

aquarellist [ˌækwə'relɪst] *n.* akwarelist-a/ka.

aquarium [ə'kwerɪəm] *n. pl.* **-ums** *l.* **-a** **1.** akwarium. **2.** oceanarium.

Aquarius [ə'kwerɪəs] *n. astrol.* Wodnik.

aquatic [ə'kwɑːtɪk] *a. bot., zool., sport* wodny. – *n. pl.* **~s** sporty *l.* zabawy wodne.

aquatint ['ækwəˌtɪnt] *n.* akwatinta (*technika l. rycina*).

aquavit ['ækwəˌviːt] *n. U* akwawita (= *skandynawska brandy kminkowa*).

aqua vitae [ˌækwə'vaɪtiː] *n. U arch.* okowita.

aqueduct ['ækwɪˌdʌkt] *n.* **1.** akwedukt. **2.** *fizj.* wodociąg.

aqueous ['eɪkwɪəs] *a.* **1.** wodny; ~ **solution** roztwór wodny. **2.** wodnisty; ~ **humor** *fizj.* ciecz wodnista.

aquiculture ['ækwəˌkʌltʃər] *n. U* **1.** hydroponika, kultura wodna. **2.** = **aquaculture**.

aquifer ['ækwəfər] *n. geol.* warstwa wodonośna.

aquilegia [ˌækwə'liːdʒɪə] *n. bot.* orlik (*Aquilegia*).

aquiline ['ækwəˌlaɪn] *a. zwł. lit.* orli (*t. o nosie, rysach twarzy*).

aquilinity [ˌækwə'lɪnətɪ] *n. U* orlistość.

AR *abbr.* = **Arkansas**.

A/R [ˌeɪ 'ɑːr] *abbr.* **accounts receivable** *handl.* wierzytelności, należności.

Arab ['erəb] *n.* **1.** Arab/ka. **2.** (*także US* **Arabian**) arab (*koń*). – *a.* arabski.

arabesque [ˌerə'besk] *n.* **1.** *balet* arabesque. **2.** *muz., sztuka* arabeska. – *a.* arabeskowy.

Arabia [ə'reɪbɪə] *n.* Półwysep Arabski, Arabia.

Arabian [ə'reɪbɪən] *a.* **1.** arabski (*dotyczący Arabów l. Półwyspu Arabskiego*). **2.** (*także* ~ **horse**) = **Arab** 2. – *n.* Arab/ka.

Arabian Peninsula *n.* Półwysep Arabski.

Arabic ['erəbɪk] *n. U* język arabski. – *a.* arabski (*dotyczący języka l. pisma arabskiego*).

Arabic numeral *n.* cyfra arabska.

arability [ˌerə'bɪlətɪ] *n. U* orność, przydatność pod uprawę.

arabinose [ə'ræbəˌnoʊs] *n. U chem.* arabinoza.

arabis ['erəbɪs] *n. bot.* gęsiówka (*Arabis*).

Arabist ['erəbɪst] *n.* arabist-a/ka.

arable ['erəbl] *a.* orny, uprawny.

Araby ['erəbɪ] *n. arch. l. poet.* Arabia.

araceous [ə'reɪʃəs] *a. bot.* obrazkowaty.

arachnid [ə'ræknɪd] *n. ent.* pajęczak.

arachnoid [ə'ræknɔɪd] *a.* **1.** *anat.* pajęczynówkowy. **2.** *bot.* pokryty włoskami. – *n.* **1.** *anat.* pajęczynówka. **2.** = **arachnid**.

aragonite [ə'rægəˌnaɪt] *n. min.* aragonit.

aralia [ə'reɪlɪə] *n. bot.* aralia, dzięgława (*Aralia*).

araliaceous [əˌreɪlɪ'eɪʃəs] *a. bot.* araliowaty.

Aramaic [ˌerə'meɪɪk] *n. U* język aramejski. – *a.* aramejski.

araneid [ə'reɪnɪəd] *ent.* pająkowaty.

araucaria [ˌerɔː'kerɪə] *n. bot.* igława, araukaria (*Araucaria*).

arbalest ['ɑːrbəlɪst], **arbalist** *n. hist.* kusza (*zwł. napinana dźwignią l. korbą*).

arbiter ['ɑːrbɪtər] *n.* rozjemca, arbiter; ~ **of (good) taste** arbiter dobrego smaku; **be the final ~ in sth** mieć decydujący *l.* rozstrzygający głos w jakiejś sprawie.

arbitrage ['ɑːrbɪˌtrɑːʒ] *n. U fin.* arbitraż rynkowy. – *v.* **1.** *fin.* dokonywać transakcji arbitrażowych. **2.** *prawn.* orzekać w drodze arbitrażu.

arbitrager ['ɑːrbɪˌtrɑːʒər], **arbitrageur** *n. fin.* arbitrażyst-a/ka.

arbitral ['ɑːrbɪtrəl] *a. gł. prawn.* arbitrażowy, polubowny.

arbitrament [ɑːr'bɪtrəmənt], **arbitrement** *n. U gł. prawn.* **1.** uprawnienia do arbitrażu. **2.** rozstrzygnięcie przez rozjemcę. **3.** arbitraż.

arbitrarily ['ɑːrbɪˌtrerəlɪ] *adv.* arbitralnie.

arbitrariness ['ɑːrbɪˌtrerɪnəs] *n. U* arbitralność.

arbitrary ['ɑːrbɪˌtrerɪ] *a. cz. uj.* **1.** arbitralny. **2.** samowolny. **3.** nieuzasadniony; przypadkowy. **4.** uznaniowy; *prawn.* będący w gestii sądu.

arbitrate ['ɑːrbɪˌtreɪt] *v.* **1.** *prawn.* arbitrażować. **2.** pełnić rolę arbitra, rozstrzygać spory.

arbitration [ˌɑːrbɪ'treɪʃən] *n. U* arbitraż.

arbitrator ['ɑːrbɪˌtreɪtər] *n. prawn.* arbiter, rozjemca.

arbitress ['ɑːrbɪtrɪs] *n.* kobieta-arbiter, rozjemczyni.

arbor[1] ['ɑːrbər] (*także Br. i Austr.* **arbour**) altanka (*z krat obrośniętych pnączami*).

arbor[2] *techn.* **1.** trzpień; oprawka (*do narzędzi*); ~ **cutter** frez nasadzany. **2.** wałek, oś.

Arbor Day *n. US* dzień sadzenia drzewek.

arboreal [ɑːr'bɔːrɪəl] *a.* drzewny; żyjący na drzewach.

arboreous [ɑːr'bɔːrɪəs] *a.* **1.** zadrzewiony. **2.** drzewiasty.

arborescent [ˌɑːrbə'resənt] *a.* drzewiasty.

arboretum [ˌɑːrbə'riːtəm] *n. pl.* **-eta** *l.* **-etums** szkółka leśna.

arboriculture ['ɑːrbərəˌkʌltʃər] *n. U* hodowla drzew i krzewów.

arboriculturist [ˌɑːrbərə'kʌltʃərəlɪst] *n.* hodowca drzew i krzewów.

arborization [ˌɑːrbərɪ'zeɪʃən] *n. min.* układ drzewiasty.

arborvitae [ˌɑːrbər'vaɪtɪ], *Br.* **arbor vitae** *n. bot.* żywotnik, tuja (*Thuja*).

arbour ['ɑːrbər] *Br.* = **arbor** 1.

arbutus [ɑːr'bjuːtəs] *n. bot.* **1.** chruścina (*Arbutus*). **2.** (*także* **trailing** ~) północnoamerykański gatunek krzewu z rodziny wrzosowatych (*Epigaea repens*).

ARC [ˌeɪ ˌɑːr 'siː], **A.R.C.** *abbr.* **American Red Cross** Amerykański Czerwony Krzyż.

arc [ɑːrk] *n. geom., el.* łuk; ~ **lamp/light** lampa łukowa. – *v. el.* tworzyć łuk (*elektryczny*).

arcade [ɑːr'keɪd] *n.* **1.** *bud.* arkada. **2.** (*także Br.* **shopping** ~) pasaż handlowy. **3. video** ~ *zwł. US* (*także Br.* **amusement** ~) salon gier automatycznych.

Arcadia [ɑːr'keɪdɪə] *n. mit. l. lit.* Arkadia.

Arcadian [ɑːr'keɪdɪən] *a.* arkadyjski, idylliczny. – *n.* Arkadyj-czyk/ka.

arcana [ɑːr'keɪnə] *n. pl. form.* arkana, tajniki.

arcane [ɑːr'keɪn] *a. form.* ezoteryczny.

arch[1] [ɑːrtʃ] *n.* **1.** *bud.* łuk, sklepienie łukowe; przęsło (*mostu*). **2.** *anat.* łuk. – *v.* **1.** tworzyć łuk. **2.** łączyć łukiem. **3.** wyginać (się) w łuk.

arch[2] *a.* filuterny, figlarny, łobuzerski.

arch[3] *pref.* **1.** arcy-. **2.** archi-.

arch. *abbr.* **1.** = **archaic**. **2.** = **architect**. **3.** = **architecture**.

Archaean [ɑːrˈkɪən] = **Archean**.

archaeological [ˌɑːrkɪəˈlɑːdʒɪkl], **archeological** *a.* archeologiczny.

archaeologist [ˌɑːrkɪˈɑːlədʒɪst] *n.* archeolog.

archaeology [ˌɑːrkɪˈɑːlədʒɪ] *n. U* archeologia.

archaic [ɑːrˈkeɪɪk] *a.* **1.** archaiczny. **2.** *pot.* staroświecki.

archaism [ˈɑːrkɪˌɪzəm] *n. jęz.* archaizm.

archaistic [ˌɑːrkɪˈɪstɪk] *a.* archaistyczny.

archaize [ˈɑːrkɪˌaɪz], *Br. i Austr. zw.* **archaise** *v.* archaizować.

archangel [ˈɑːrkˌeɪndʒl] *n.* **1.** *rel.* archanioł. **2.** *bot.* = **angelica**.

archbishop [ˌɑːrtʃˈbɪʃəp] *n.* arcybiskup.

archbishopric [ˌɑːrtʃˈbɪʃəprɪk] *n.* arcybiskupstwo.

archdeacon [ˌɑːrtʃˈdiːkən] *n.* archidiakon.

archdeaconry [ˌɑːrtʃˈdiːkənrɪ], **archdeaconship** *n.* archidiakonat.

archdiocesan [ˌɑːrtʃdaɪˈɑːsɪsən] *a.* archidiecezjalny.

archdiocese [ˌɑːrtʃˈdaɪəˌsiːs] *n.* archidiecezja.

archducal [ˌɑːrtʃˈduːkl] *a.* arcyksiążęcy.

archduchess [ˌɑːrtʃˈdʌtʃəs] *n.* **1.** arcyksiężna. **2.** arcyksiężniczka.

archduchy [ˌɑːrtʃˈdʌtʃɪ] *n.* arcyksięstwo.

archduke [ˌɑːrtʃˈduːk] *n.* arcyksiążę.

Archean [ɑːrˈkiːən], **Archaean** *a. geol.* archaiczny.

archenemy [ˌɑːrtʃˈenəmɪ] *n.* **1.** główny wróg. **2. the A~** *arch. l. lit.* szatan.

archeology [ˌɑːrkɪˈɑːlədʒɪ] = **archaeology**.

archer [ˈɑːrtʃər] *n.* **1.** łuczni-k/czka. **2. A~** *astrol.* Strzelec.

archery [ˈɑːrtʃərɪ] *n. U* łucznictwo.

archetypal [ˈɑːrkɪˌtaɪpl], **archetypical** *a.* archetypowy.

archetypally [ˈɑːrkɪˌtaɪplɪ], **archetypically** *adv.* archetypowo.

archetype [ˈɑːrkɪˌtaɪp] *n. zwł. psych.* archetyp.

archfiend [ˌɑːrtʃˈfiːnd] *n.* **the A~** = **archenemy** 2.

archidiaconal [ˌɑːrkɪdaɪˈækənl] *a.* archidiakonalny.

archiepiscopal [ˌɑːrkɪəˈpɪskəpl] *a.* arcybiskupi.

archiepiscopate [ˌɑːrkɪəˈpɪskəpɪt], **archiepiscopacy** [ˌɑːrkɪəˈpɪskəpəsɪ] *n.* arcybiskupstwo (*urząd*).

archil [ˈɑːrkɪl] *n. bot.* **1.** porost barwiący, zwł. orselka (*Roccella*). **2.** barwnik otrzymywany z porostów (*zwł. lakmus l. orseina*).

archimandrite [ˌɑːrkəˈmændrɪt] *n. rel.* archimandryta.

Archimedean [ˌɑːrkəˈmiːdɪən] *a.* Archimedesowy; ~ **principle** *fiz.* prawo Archimedesa; ~ **screw** *techn.* śruba Archimedesa; ~ **spiral** *mat.* spirala Archimedesa.

archipelago [ˌɑːrkəˈpeləˌgoʊ] *n. pl.* **-es** *l.* **-s** archipelag.

architect [ˈɑːrkɪˌtekt] *n. t. przen.* architekt.

architectonic [ˌɑːrkɪtekˈtɑːnɪk] *a.* architektoniczny.

architectonics [ˌɑːrkɪtekˈtɑːnɪks] *n. U* architektura (*nauka*).

architectural [ˌɑːrkɪˈtektʃərəl] *a.* architektoniczny.

architecture [ˈɑːrkɪˌtektʃər] *n. U* architektura.

architrave [ˈɑːrkɪˌtreɪv] *n. bud.* architraw.

archival [ɑːrˈkaɪvl] *a.* archiwalny.

archive [ˈɑːrkaɪv] *n. zw. pl.* archiwum. – *v. t. komp.* archiwizować.

archive file *n. komp.* plik zarchiwizowany.

archivist [ˈɑːrkəvɪst] *n.* archiwist-a/ka, archiwariusz/ka.

archivolt [ˈɑːrkəˌvoʊlt] *n. bud.* archiwolta.

archly [ˈɑːrtʃlɪ] *adv.* filuternie, figlarnie, łobuzersko.

archon [ˈɑːrkɑːn] *n. hist.* archont (*w starożytnej Grecji*).

archpriest [ˌɑːrtʃˈpriːst] *n. rz.-kat.* wikariusz generalny *l.* kapitulny.

archway [ˈɑːrtʃˌweɪ] *n. bud.* sklepione przejście *l.* wejście; wejście zwieńczone łukiem.

arctic [ˈɑːrktɪk] *a.* **1.** arktyczny (*zwł. o klimacie*). **2.** *pot.* straszliwie zimny. **3.** *przen.* lodowaty (*np. o uśmiechu*). – *n.* **1. the A~** Arktyka. **2.** *zw. pl. US* śniegowiec (*obuwie wierzchnie*).

arctically [ˈɑːrktɪklɪ] *adv.* arktycznie.

Arctic Circle *n.* **the** ~ koło podbiegunowe północne, północny krąg polarny.

Arctic Ocean *n.* **the** ~ Morze Arktyczne.

arcuate [ˈɑːrkjuːɪt], **arcuated** *a. form.* łukowaty.

ardency [ˈɑːrdənsɪ] *n. U form.* żar, żarliwość; gorliwość.

Ardennes [ɑːrˈden] *n. pl.* **the** ~ Ardeny.

ardent [ˈɑːrdənt] *a. attr.* żarliwy; gorliwy; zapalony.

ardently [ˈɑːrdəntlɪ] *adv.* żarliwie; gorliwie; z zapałem.

ardent spirits *n. pl.* alkohole mocne.

ardor [ˈɑːrdər], *Br.* **ardour** *n. U* **1.** żarliwość; gorliwość; zapał. **2.** *rzad.* żar (*t. uczuć*).

arduous [ˈɑːrdʒʊəs] *a.* **1.** mozolny, znojny, żmudny. **2.** trudny, surowy (*o warunkach*). **3.** stromy; trudny do pokonania.

arduously [ˈɑːrdʒʊəslɪ] *adv.* z mozołem, żmudnie.

arduousness [ˈɑːrdʒʊəsnəs] *n. U* mozół, znój, trud.

are[1] [ɑːr; ər] *v. pl. i 2. os. sing. zob.* **be**.

are[2] [er] *n.* ar (= *100* m^2 *= 119,6 jardów kw.*).

area [ˈerɪə] *n.* **1.** *t. przen.* obszar; okolica, teren; rejon, strefa. **2.** dziedzina (*badań, wiedzy*). **3.** *t. geom.* pole (powierzchni), powierzchnia. **4.** puste pole; parcela. **5.** (*także* **~way**) ogrodzone obniżenie poniżej poziomu gruntu dostarczające światła do piwnicy. **6. gray** ~ *przen.* dziedzina nauki *l.* prawa, w której brak ścisłych reguł postępowania; niejasna sytuacja; **in the ~ of** *przen.* w okolicach, około (*wynosić, kosztować, zapłacić*).

area code *n. US, Can. i Austr.* numer kierunkowy.

areal [ˈerɪəl] *a.* powierzchniowy.

area rug *n. zwł. US* dywanik; chodnik (*przykrywający tylko część podłogi*).

areaway [ˈerɪəˌweɪ] *n.* **1.** = **area** 5. **2.** pasaż, przejście (*między budynkami l. częściami budynku*).

areca ['erəkə] *n. bot.* areka, palma betelowa (*Areca*).

arena [ə'ri:nə] *n. t. przen.* arena; *przen.* scena, niwa, płaszczyzna.

arenaceous [ˌerə'neɪʃəs] *a. bot.* piaskowy; *geol.* piaszczysty.

arena theater *n.* amfiteatr.

arene [ə'ri:n] *n. zw. pl. chem.* węglowodór aromatyczny, aren.

arenicolous [ˌerə'nɪkələs] *a. bot.* piaskowy (*o roślinie*).

arenite ['erənaɪt] *n. min.* psamit (*średnioziarnista skała okruchowa*).

aren't [ɑ:rnt] *v.* **= are not**; *zob.* **be**.

areography [eɪrɪ'ɑ:grəfɪ] *n. U* areografia (= *nauka o Marsie*).

areola [ə'ri:ələ] *n. pl.* **-e** *l.* **-s** *biol. anat.* obwódka, otoczka (*np. brodawki*).

Areopagite [ˌerɪ'ɑ:pəˌdʒaɪt] *n. hist.* areopagita.

Areopagus [ˌerɪ'ɑ:pəgəs] *n. hist. l. lit.* areopag.

aréte [ə'reɪt] *n.* grań (*górska*).

arf [ɑ:rf] *int.* hau!.

argal ['ɑ:rgl] **= argol**.

argent ['ɑ:rdʒənt] *n. arch. l. poet.* srebro. – *a. tylko po n. zwł. her.* srebrny.

argentic [ɑ:r'dʒentɪk] *a. chem.* srebrowy.

argentiferous [ˌɑ:rdʒən'tɪfərəs] *a.* zawierający srebro, srebronośny.

Argentina [ˌɑ:rdʒən'ti:nə], **the Argentine** [ði: 'ɑ:rdʒənˌti:n] *n.* Argentyna.

Argentine ['ɑ:rdʒənˌti:n] *a.* argentyński. – *n.* Argenty-ńczyk/nka.

argentine ['ɑ:rdʒəntɪn] *a.* srebrny; srebrzysty. – *n. icht.* srebrzyk (*Argentina*).

Argentinian [ˌɑ:rdʒən'ti:nɪən] *a. i n.* **= Argentine**.

argentite ['ɑ:rdʒənˌtaɪt] *n. min.* argentyt, błyszcz srebra.

argentous [ɑ:r'dʒentəs] *a. chem.* srebrawy.

argie-bargie [ˌɑ:rdʒɪ'bɑ:rdʒɪ] **= argy-bargy**.

argil ['ɑ:rdʒɪl] *n. U* glinka (*zwł. garncarska*).

argillaceous [ˌɑ:rdʒə'leɪʃəs] *a.* **1.** gliniasty. **2.** glinkowy. **3.** ilasty.

argle-bargle [ˌɑ:rgl'bɑ:rgl] **= argy-bargy**.

argol ['ɑ:rgl], **argal** *n. chem.* kamień winny.

argon ['ɑ:rgɑ:n] *n. chem.* argon.

Argonaut ['ɑ:rgəˌnɔ:t] *n.* **1.** *mit.* Argonauta. **2.** *hist.* uczestnik Gorączki Złota z 1849 r.

argosy ['ɑ:rgəsɪ] *n. arch. l. poet.* **1.** wielki statek kupiecki (*zwł. z bogatym ładunkiem*). **2.** flota statków jw.

argot ['ɑ:rgoʊ] *n. jęz.* argot; grypsera (*zwł. złodziejska*).

arguable ['ɑ:rgjʊəbl] *a.* **1.** dyskusyjny; sporny; **it is ~ whether/how...** jest kwestią dyskusyjną, czy/jak... **2.** dający się uzasadnić *l.* wykazać; **it is ~ that...** można wykazać, że...

arguably ['ɑ:rgjʊəblɪ] *adv.* **1.** prawdopodobnie, niewykluczone, że; **she's ~ the best** jest prawdopodobnie najlepsza. **2.** w sposób dający się uzasadnić.

argue ['ɑ:rgju:] *v.* **1.** spierać się; kłócić się (*with sb* z kimś, *over / about sth* o coś). **2.** **~ that** dowodzić, że; utrzymywać, że. **3.** **~ for/against sth** przedstawiać argumenty *l.* argumentować za czymś/przeciw(ko) czemuś. **4.** rozpatrywać, roztrząsać. **5.** *form.* wskazywać na; świadczyć o. **6.** **~ the toss** *Br. pot.* spierać się o rzecz już przesądzoną. **7.** **~ sb into/out of sth** przekonać kogoś o słuszności/niesłuszności czegoś.

argument ['ɑ:rgjəmənt] *n.* **1.** kłótnia; spór; sprzeczka; **get into an ~ (with sb)** wdać się w sprzeczkę *l.* dyskusję (z kimś); **have an ~** kłócić się, sprzeczać się. **2.** argument (*for / against sth* za czymś/przeciw(ko) czemuś). **3.** argumentacja, rozumowanie. **4.** *U* **for the sake of ~** dla potrzeb tej dyskusji.

argumentation [ˌɑ:rgjəmen'teɪʃən] *n. U* **1.** argumentacja, rozumowanie. **2.** debatowanie, rozprawianie.

argumentative [ˌɑ:rgjə'mentətɪv] *a.* **1.** *uj.* kłótliwy. **2.** posługujący się argumentacją; argumentacyjny (*o wywodzie itp.*).

argumentatively [ˌɑ:rgjə'mentətɪvlɪ] *adv.* **1.** *uj.* kłótliwie. **2.** argumentacyjnie.

argumentativeness [ˌɑ:rgjə'mentətɪvnəs] *n. U* kłótliwość.

Argus ['ɑ:rgəs] **1.** *mit.* Argus. **2.** *przen.* strażnik; czujny obserwator; **~-eyed** czujny, baczny, wszechwidzący. **3.** **a~** *ent.* górówka (*Erebia*). **4.** **a~ pheasant** *zool.* argus (*Argusianus argus*).

argy-bargy [ˌɑ:rgɪ'bɑ:rgɪ], **argie-bargie**, **argle-bargle** *n. Br. pot.* kłótnia (*zwł. hałaśliwa*).

argyle ['ɑ:rgaɪl], **argyll** *n.* **1.** wzór w robocie na drutach w postaci różnokolorowych rombów na jednolitym tle. **2.** sweter itp. robiony wzorem jw.

aria ['ɑ:rɪə] *n. muz.* aria.

Arian[1] ['erɪən] *a. rel.* ariański, antytrynitarski. – *n.* arianin, antytrynitariusz.

Arian[2] *a. i n.* **= Aryan**.

Arianism ['erɪəˌnɪzəm] *n. U* arianizm, antytrynitaryzm.

arid ['erɪd] *a.* **1.** suchy, wysuszony. **2.** *t. przen.* jałowy.

aridify [ə'rɪdɪfaɪ] *v.* **1.** wysuszyć. **2.** *t. przen.* wyjałowić.

aridity [ə'rɪdətɪ] *n. U* **1.** suchość. **2.** *t. przen.* jałowość.

ariel ['erɪəl] *n.* **1.** *zool.* gazela mhor (*Gazella dama*). **2.** **A~** *astron.* wewnętrzny satelita Urana.

Aries ['eri:z] *n. astrol.* Baran.

arietta [ˌerɪ'etə] *n. muz.* krótka aria.

aright [ə'raɪt] *adv. przest.* **1.** właściwie, poprawnie. **2.** słusznie.

aril ['erɪl] *n. bot.* osłonka.

arillate ['erəˌleɪt] *v. bot.* pokrywać się osłonką; posiadać osłonkę.

arise [ə'raɪz] *v.* **arose** [ə'roʊz], **arisen** [ə'rɪzən] **1.** *t. przen.* powstawać. **2.** pojawiać się; rodzić się. **3.** *przest.* wstawać (*z łóżka*). **4.** *poet.* zmartwychwstać. **5.** **~ from** wynikać z; wyłaniać się z; **when the need ~s** (*także* **should the need ~**) w razie potrzeby.

arista [ə'rɪstə] *n. pl.* **aristae** [ə'rɪsti:] **1.** *bot.* wąs (*kłosa zboża l. traw*). **2.** *ent.* szczecinka (*np. na czułkach*).

aristate [ə'rɪsteɪt] *a.* **1.** *bot.* wąsaty. **2.** *ent.* szczecinkowaty.

aristocracy [ˌerɪ'stɑːkrəsɪ] *n. pl.* **-ies** *t. przen.* arystokracja.

aristocrat [ə'rɪstəˌkræt] *n.* arystokrat-a/ka.

aristocratic [əˌrɪstə'krætɪk], **aristocratical** *a.* arystokratyczny.

aristocratically [əˌrɪstə'krætɪklɪ] *adv.* arystokratycznie.

aristocratism [əˌrɪstə'krætɪzəm] *n.* *U* arystokratyzm.

Aristotelian [ˌerɪstə'tiːljən], **Aristotelean** *a.* arystotelesowski. – *n.* arystotelik.

Aristotle ['erɪˌstɑːtl] *n.* Arystoteles.

arithmetic *n.* [ə'rɪθməˌtɪk] *U* **1.** arytmetyka. **2.** obliczenia, rachunki. – *a.* [ˌærɪθ'metɪk] (*także* **~al**) arytmetyczny; rachunkowy.

arithmetically [ˌerɪθ'metɪklɪ] *adv.* arytmetycznie.

arithmetician [əˌrɪθmɪ'tɪʃən] *n.* arytmetyk.

arithmetic logic unit *n.* *komp.* jednostka arytmetyczno-logiczna.

arithmetic mean *n.* *mat.* średnia arytmetyczna.

arithmetic progression *n.* *mat.* postęp arytmetyczny.

arithmetic shift *n.* *komp.* przesunięcie arytmetyczne.

arithmometer [ˌerɪθ'mɑːmɪtər] *n.* arytmometr (*maszyna do liczenia*).

Ariz. *abbr.* **= Arizona.**

Arizona [ˌerɪ'zoʊnə] *n.* *US* stan Arizona.

ark [ɑːrk] *n.* **1.** *Bibl.* arka; **A~ of the Covenant/Testimony** Arka Przymierza; **Noah's A~** arka Noego. **2.** skrzynia; kufer. **3.** *US* barka (*zwł. rzeczna*). **4.** *Br. i Austr. pot. cz. żart.* **out of the ~** bardzo stary *l.* staroświecki; **go out with the ~** przeżyć się; wyjść z użycia.

Ark. *abbr.* **= Arkansas.**

Arkansas ['ɑːrkənˌsɔː] *n.* *US* stan Arkansas.

arm¹ [ɑːrm] *n.* **1.** *t. przen.* ramię; ręka; **give/offer one's ~ to sb** podać komuś ramię; **take sb by the ~** wziąć kogoś pod rękę; **take sb in one's ~s** wziąć kogoś w ramiona; **walk ~ in ~ with sb** spacerować pod rękę z kimś. **2.** przednia noga (*zwierzęcia*). **3.** poręcz (*krzesła, fotela*). **4.** rękaw. **5.** ramię, skrzydło (*organizacji*). **6.** *żegl.* ramię kotwicy. **7.** odnoga (*rzeki l. morska*). **8.** *przen.* **a shot in the ~** *zob.* **shot** *n.*; **as long as one's ~** *pot.* długaśny, długachny (*np. o dokumencie*); **baby/child/infant in ~s** niemowlę; dziecko nie umiejące chodzić; **chance one's ~** *Br. i Austr.* zaryzykować; **cost/spend an ~ and a leg** *pot.* kosztować/wydać fortunę *l.* majątek; **at arm's ~** na wyciągnięcie ręki; **keep sb at arm's ~** trzymać kogoś na dystans, nie spoufalać się z kimś; **I would give my right ~ (for sth/to be able do sth)** *Br.* oddałbym wszystko (w zamian za coś/żeby móc coś zrobić); **put the ~ on sb** *US pot.* przycisnąć kogoś; **the long ~ of the law** karząca ręka sprawiedliwości, potęga wymiaru sprawiedliwości; **twist sb's ~** *zob.* **twist** *v.*; **under the ~** *sl.* pośledni, do kitu; **welcome sb with open ~s** powitać kogoś z otwartymi ramionami; **within ~'s reach** w zasięgu ręki; na wyciągnięcie ręki.

arm² *v.* **1.** *t. przen.* zbroić (się); **~ sb/o.s. with sth** *t. przen.* uzbroić kogoś/się w coś. **2.** uzbrajać (*np. bombę*). **3.** ładować (*broń*). **4.** *t. techn.* opancerzyć. **5.** **~ o.s. for sth** *przen.* przygotowywać się do czegoś. – *n. pl. zob.* **arms.**

armada [ɑːr'mɑːdə] *n.* armada, flota wojenna.

armadillo [ˌɑːrmə'dɪloʊ] *n. pl.* **-s** *zool.* pancernik (*Dasypodidae*).

Armageddon [ˌɑːrmə'gedən] *n.* *U l. sing.* **1.** *Bibl.* Armageddon. **2.** *przen.* decydujące starcie, ostateczna rozgrywka; katastrofa.

armament ['ɑːrməmənt] *n.* **1.** *pl.* broń. **2.** *U* uzbrojenie. **3.** *U l. pl.* zbrojenia.

armature ['ɑːrmətʃər] *n.* **1.** *U arch.* zbroja; rynsztunek. **2.** *zool., bot.* pancerz. **3.** *el.* twornik; zwora (*magnesu*).

armband ['ɑːrmbænd], **arm band** *n.* **1.** opaska (*na ramię*). **2.** *zw. pl. zwł. Br.* nadmuchiwany rękawek (*dla dziecka nie umiejącego pływać*).

armchair ['ɑːrmˌtʃer] *n.* fotel; krzesło z poręczami. – *a. attr.* **~ detective** kawiarniany detektyw; **~ traveler/sportsman** podróżnik/sportowiec nie ruszający się z fotela.

armed [ɑːrmd] *a.* **1.** uzbrojony; **~ to the teeth** uzbrojony po zęby. **2.** zbrojny; **~ conflict** konflikt zbrojny; **~ forces** (*także* **~ services**) siły zbrojne.

armed robbery *n.* rabunek z bronią w ręku.

Armenia [ɑːr'miːnɪə] *n.* Armenia.

Armenian [ɑːr'miːnɪən] *a.* armeński, ormiański. – *n.* **1.** Arme-ńczyk/nka, Ormian-in/ka. **2.** *U* język ormiański.

armet ['ɑːrmet] *n.* *hist.* hełm z przyłbicą (*używany w XV-XVI wieku*).

armful ['ɑːrmˌfʊl] *n.* naręcze.

arm guard, arm pad *n.* ochraniacz na ramię.

armhole ['ɑːrmˌhoʊl] *n.* otwór na rękaw.

armiger ['ɑːrmɪdʒər] *n.* **1.** *hist.* giermek. **2.** szlachcic herbowy.

armillary sphere ['ɑːrməˌlerɪ ˌsfiːr] *a.* *astron.* sfera armilarna (= *przyrząd do wyznaczania współrzędnych równikowych i ekliptycznych*).

armistice ['ɑːrmɪstɪs] *n.* **1.** *t. przen.* zawieszenie broni, rozejm; **declare/violate an ~** ogłosić/naruszyć rozejm. **2.** **A~ Day** *hist.* rocznica zawieszenia broni (*11 XI 1918; od 1954 nazywana Veteran's Day*).

armless¹ ['ɑːrmləs] *a.* bezręki.

armless² *a.* nieuzbrojony, bez broni.

armlet ['ɑːrmlɪt] *n.* **1.** ozdobna bransoleta *l.* opaska na ramię. **2.** *hist.* naramiennik (*zbroi*). **3.** mała odnoga (*morska l. rzeczna*).

arm-lock ['ɑːrmˌlɑːk] *n.* *judo* zamknięcie ramienia.

armor ['ɑːrmər], *Br.* **armour** *n. zw. U* **1.** zbroja. **2.** opancerzenie (*np. okrętu*). **3.** *bot., zool.* pancerz. **4.** *wojsk.* wojska pancerne. **5.** kaftan (*nurka*). – *v.* **1.** opancerzyć. **2.** założyć zbroję (*komuś*).

armor bearer, armorbearer *n. hist.* giermek.

armor-clad *a.* opancerzony.

armored ['ɑːrmərd], *Br.* **armoured** *a. wojsk.* **1.**

pancerny; ~ **car** samochód pancerny; ~ **vehicle** pojazd pancerny; ~ **fighting vehicle** pancerny wóz bojowy. **2.** opancerzony; ~ **cruiser** krążownik opancerzony.

armorer ['ɑːrmərər], *Br.* **armourer** *n.* **1.** *hist.* płatnerz. **2.** rusznikarz. **3.** producent broni. **4.** *wojsk.* zbrojmistrz.

armor glass, *Br.* **armour glass** *n.* *U* szyba pancerna.

armorial [ɑːr'mɔːrɪəl], *Br.* **armourial** *a.* heraldyczny; herbowy. – *n.* herbarz.

armor-piercing ['ɑːrmərˌpiːrsɪŋ], *Br.* **armour-piercing** *a.* *wojsk.* przeciwpancerny; ~ **shell** pocisk przeciwpancerny.

armorplate ['ɑːrmərˌpleɪt], *Br.* **armour plate** *n.* *U* płyta pancerna; blacha pancerna.

armory ['ɑːrmərɪ], *Br.* **armoury** *n.* *pl.* **-ies** **1.** zbrojownia, arsenał. **2.** *US* pracownia rusznikarska. **3.** *U* heraldyka.

armour ['ɑːrmər] *n.* *Br.* = **armor**.

arm-piece ['ɑːrmˌpiːs] *n.* naramiennik (*zbroi*).

armpit ['ɑːrmˌpɪt] *n.* **1.** pacha. **2.** **the ~ of** *US sl.* najbardziej nieprzyjemne miejsce (*jakiegoś kraju, terenu*).

armrest ['ɑːrmˌrest] *n.* oparcie; podłokietnik.

arms ['ɑːrmz] *n.* *pl.* **1.** broń; **fire-~** broń palna; **nuclear** ~ broń jądrowa; **small** ~ lekkie uzbrojenie, lekka broń; **stand of** ~ uzbrojenie dla jednego żołnierza. **2.** *her.* wzory na tarczy; **coat of** ~ herb. **3.** **bear** ~ służyć pod bronią; **brothers in** ~ towarzysze broni; **lay down one's** ~ złożyć broń; zaniechać walki; **man-at-~** żołnierz; wojownik; rycerz w zbroi; **present ~!** prezentuj broń!; **shoulder ~!** na ramię broń!; **take up** ~ *t. przen.* uzbroić się; chwycić za broń; **to ~!** do broni!; **turn one's ~ against** rozpocząć wojnę z; zaatakować; **under** ~ *Br.* pod bronią; w szyku bojowym; **up in** ~ uzbrojony; gotowy do walki; **up in ~ over/about sth** *pot.* oburzony czymś.

arms control *n.* *U* kontrola zbrojeń.

arms race *n.* wyścig zbrojeń.

arm-wrestling *n.* *U* siłowanie się na ręce.

army ['ɑːrmɪ] *n.* *pl.* **-ies** **1.** *t. przen.* armia; wojsko; **be in the** ~ służyć w wojsku; **command/lead an** ~ dowodzić armią *l.* wojskiem; **inspect/review an** ~ dokonywać przeglądu wojsk; **join the** ~ wstąpić do wojska; **raise an** ~ zorganizować *l.* utworzyć armię; **standing** ~ stała armia. **2.** **Salvation A~** Armia Zbawienia.

army-corps ['ɑːrmɪˌkɔːr] *n.* *pl.* **army-corps** *wojsk.* korpus.

army list *n.* rocznik oficerski.

army worm *n.* *ent.* *US* larwa mola bawełnianego (*Leucania unipuncta*).

arnica ['ɑːrnəkə] *n.* **1.** *bot.* arnika, pomornik (*Arnica*); arnika górska (*Arnica montana*). **2.** *U* *med.* nalewka *l.* wyciąg z arniki.

aroint [ə'rɔɪnt] *v.* *i int.* *arch.* ~ **thee!** idź precz!.

aroma [ə'roʊmə] *n.* *pl.* **-s** **1.** aromat; zapach. **2.** *przen.* nastrój, klimat.

aromatherapy [əˌroʊmə'θerəpɪ] *n.* *U* aromaterapia.

aromatic [ˌerə'mætɪk] *a.* aromatyczny. – *n.* roślina *l.* substancja aromatyczna; *kulin.* przyprawa.

aromatically [ˌerə'mætɪklɪ] *adv.* aromatycznie.

aromatize [ə'roʊməˌtaɪz], *Br.* *i* *Austr.* *zw.* **aromatise** *v.* aromatyzować, nadawać aromat.

arose [ə'roʊz] *v.* *zob.* **arise**.

around [ə'raʊnd], *zwł.* *Br.* **round** *prep.* **1.** wokoło, dokoła, naokoło. **2.** po (całym); ~ **the country/town/garden** po kraju/mieście/ogrodzie. **3.** koło; w pobliżu; niedaleko. **4.** około (*z określeniami czasu l. ilości*); ~ **two o'clock** około (godziny) drugiej. **5.** za; ~ **the corner** za rogiem. – *adv.* **1.** wokół; na wszystkie strony; **all** ~ dookoła, ze wszystkich stron. **2.** tu i tam; na chybił trafił. **3.** *po v.* w kółko (*np. obracać się*). **4.** **be 2 feet/50cm** ~ *US* mieć 2 stopy/50cm w obwodzie. **5.** **be** ~ być, istnieć; być *l.* kręcić się (gdzieś) w pobliżu; **I've been** ~ *pot.* widziało się (w życiu) to i owo; **see you** ~ *pot.* na razie! (*przy pożegnaniu*).

arousal [ə'raʊzl] *n.* *U* **1.** podniecenie; pobudzenie (*t. seksualne*). **2.** obudzenie.

arouse [ə'raʊz] *v.* **1.** pobudzić (*do działania, seksualnie*); rozbudzić (*np. zainteresowania*). **2.** budzić; ~ **from** obudzić się z (*odrętwienia, snu*).

arpeggio [ɑːr'pedʒɪˌoʊ] *n.* *pl.* **-s** *muz.* **1.** arpeggio. **2.** pasaż.

arquebus ['ɑːrkwəbəs] *n.* = **harquebus**.

arrack ['ærək] *n.* *U* arak.

arraign [ə'reɪn] *v.* **1.** *prawn.* pozywać przed sąd. **2.** oskarżać.

arraignment [ə'reɪnmənt] *n.* **1.** pozwanie przed sąd. **2.** oskarżenie. **3.** akt oskarżenia.

arrange [ə'reɪndʒ] *v.* **1.** porządkować; układać; ustawiać. **2.** organizować; załatwiać; ~ **sth with sb** załatwić *l.* ustalić coś z kimś. **3.** zarządzać; ~ **for sb to do sth** zarządzić, aby ktoś coś zrobił. **4.** ustalać; planować. **5.** umawiać się. **6.** załagodzić (*spór itp.*). **7.** zaadaptować; przerobić (*np. sztukę*). **8.** *muz.* aranżować. **9.** szykować (*wojsko*).

arrangeable [ə'reɪndʒəbl] *a.* dający się załatwić *l.* zaplanować.

arranged [ə'reɪndʒd] *pp.* *zob.* **arrange**; **as** ~ jak zostało ustalone; ~ **marriage/match** małżeństwo zaplanowane (*przez rodziców*).

arrangement [ə'reɪndʒmənt] *n.* **1.** *U* uporządkowanie. **2.** układ, rozmieszczenie. **3.** porozumienie; ugoda; **come to an ~ with sb** dojść z kimś do porozumienia. **4.** *pl.* przygotowania; ustalenia; **make ~s for sth** organizować coś, czynić przygotowania do czegoś; poczynić ustalenia w związku z czymś. **5.** *muz.* aranżacja. **6.** przekład; przeróbka (*np. sztuki dla potrzeb telewizji*).

arranger [ə'reɪndʒər] *n.* *muz.* aranżer.

arrant ['erənt] *a.* *attr.* *przest.* **1.** wierutny; skończony; ~ **nonsense** wierutna bzdura. **2.** notoryczny; ~ **liar** notoryczny *l.* nałogowy kłamca.

arras ['ɑːrɑːs] *n.* arras.

array [ə'reɪ] *n.* **1.** szyk. **2.** szereg; ciąg. **3.** układ. **4.** *mat.* matryca; macierz. **5.** *komp.* tablica; ~ **processor** procesor macierzowy. **6.** *U* *poet.* szaty (*zwł. na specjalną okazję*). **7.** *prawn.* nakaz sporządzenia listy przysięgłych. **8.** **a vast**

~ **of sth** szeroki wybór *l.* wachlarz czegoś. – *v. zw. pass.* **1.** *form.* ułożyć; wyeksponować; ustawić. **2.** *form.* rozmieszczać (*wojsko*). **3.** ~ **(o.s.)** *lit.* wystroić się; przyodziać się. **4.** ~ **(a panel/jury)** *prawn.* sporządzać listę przysięgłych.

arrear [ə'rɪːr] *n. zw. pl.* **1.** zaległości (*zwł. płatnicze*); **be in ~s with sth** zalegać z czymś (*np. z czynszem*); **paid in ~s** płatny z dołu (*o wynagrodzeniu*). **2.** *arch.* tylna część; tył (*zwł. pochodu*); **in ~ of** w tyle za.

arrearage [ə'rɪːrɪdʒ] *n.* **1.** spóźnienie; opóźnienie. **2.** zaległość. **3.** *pl.* długi. **4.** rzecz w rezerwie.

arrect [ə'rekt] *a. form.* **1.** nastawiony (*o uszach*). **2.** *przen.* czujny, uważny.

arrest [ə'rest] *v.* **1.** aresztować; ~ **sb for sth** aresztować kogoś za coś; ~ **sb on a charge of sth** aresztować kogoś pod zarzutem czegoś. **2.** zatrzymywać. **3.** wstrzymywać; hamować (*np. rozwój*). **4.** ~ **sb's attention** *form.* przykuwać czyjąś uwagę. **5.** ~ **judgement** *prawn.* wstrzymać postępowanie (*po wydaniu omyłkowego werdyktu*). – *n.* **1.** aresztowanie; **be under** ~ zostać aresztowanym; przebywać w areszcie; **house** ~ areszt domowy; **make an** ~ dokonać aresztowania; **place/put sb under** ~ aresztować kogoś. **2.** zatrzymanie; zahamowanie; wstrzymanie; ~ **of judgement** *prawn.* wstrzymanie postępowania (*po wydaniu omyłkowego werdyktu*). **3.** *mech.* zatrzymanie; unieruchomienie. **4.** *pat.* **cardiac** ~ zatrzymanie akcji serca; **circulatory** ~ zatrzymanie krążenia; **maturation** ~ zahamowanie dojrzewania komórek (*zwł. plemników*).

arrestable [ə'restəbl] *a.* podlegający aresztowaniu.

arresting [ə'restɪŋ] *a.* **1.** przykuwający uwagę; uderzający. **2.** zatrzymujący; hamujący (*ruch maszyny*); ~ **gear** (*także* **arrester gear**) *lotn.* urządzenie hamujące (*w samolocie lądującym na lotniskowcu*).

arrestingly [ə'restɪŋlɪ] *adv.* uderzająco; szalenie, niesamowicie.

arrestment [ə'restmənt] *n. form.* **1.** aresztowanie. **2.** wstrzymanie; zatrzymanie.

arrest warrant *n. US* nakaz aresztowania; **issue an** ~ wydać nakaz aresztowania.

arrhythmia [ə'rɪðmɪə] *n. U pat.* arytmia, niemiarowość.

arrhythmic [ə'rɪðmɪk], **arrhythmical** *a. pat.* niemiarowy.

arrhythmogenic [əˌrɪðmə'dʒenɪk] *a. pat.* powodujący arytmię.

arris ['erɪs] *n.* **1.** ostra krawędź; kant. **2.** *bud.* ostre zejście żłobków (*w kolumnie doryckiej*).

arrival [ə'raɪvl] *n.* **1.** *U* przybycie; **on** ~ w chwili przybycia, po przybyciu. **2.** przyjście; przyjazd; przylot; ~ **lounge** hala przylotów. **3.** *U t. przen.* nadejście. **4.** przyjście na świat (*dziecka*). **5.** *pot.* noworodek. **6.** przybysz; **new** ~ now-y/a (*w szkole, pracy*). **7.** transport, partia (*towaru*).

arrive [ə'raɪv] *v.* **1.** przybywać; przychodzić; przyjeżdżać; przylatywać (*at / in* do). **2.** *t. przen.* nadchodzić. **3.** przychodzić na świat (*o dziecku*). **4.** *pot.* odnieść sukces, wyrobić sobie pozycję. **5.** ~ **at a conclusion/agreement** dojść do wniosku/porozumienia; ~ **on the scene** pojawić się (*zwł. po raz pierwszy*).

arrivederci [əˌriːvə'dertʃɪ] *int. It.* do zobaczenia, do widzenia.

arrogance ['erəgəns] *n. U* arogancja; buta.

arrogant ['erəgənt] *a.* arogancki; butny.

arrogantly ['erəgəntlɪ] *adv.* arogancko; butnie.

arrogate ['erəˌgeɪt] *v. form.* **1.** ~ **sth to o.s.** przywłaszczać sobie coś; rościć *l.* uzurpować sobie coś (*zwł. prawo do czegoś*). **2.** ~ **sth to sb/sth** przypisywać coś komuś/czemuś (*bezpodstawnie*).

arrow ['eroʊ] *n.* **1.** strzała. **2.** strzałka. **3. A~** *astron.* Strzała (*gwiazdozbiór*).

arrow-case ['eroʊˌkeɪs] *n.* kołczan.

arrow-finger ['eroʊˌfɪŋgər] *n.* palec wskazujący.

arrowhead ['eroʊˌhed] *n.* **1.** grot. **2.** ostrze. **3.** *bot.* strzałka wodna (*Sagittaria sagittifolia*). **4.** **broad** ~ *Br.* pieczęć oznaczająca własność państwową.

arrow-like ['eroʊˌlaɪk] *a. i adv.* w kształcie strzały *l.* strzałki.

arrow rest *n.* podpora strzały (*w łuku sportowym*).

arrowroot ['eroʊˌruːt] *n.* **1.** *bot.* maranta (*Maranta arundinacea*). **2.** *U* mączka ararutowa.

arrowy ['eroʊɪ] *a.* w kształcie strzały; jak strzała.

arroyo [ə'rɔɪoʊ] *n. pl.* **-s** *US* potok o płaskim dnie i stromych ścianach (*zw. wyschnięty i napełniający się wodą tylko po ulewnych deszczach*).

arse [ɑːrs] *n. Br. wulg. sl.* = **ass**[2].

arse bandit *n. Br. wulg. sl.* **1.** pedał. **2.** osoba uprawiająca seks analny.

arsenal ['ɑːrsənl] *n. t. przen.* arsenał.

arsenate ['ɑːrsəˌneɪt] *n. chem.* arsenian.

arsenic *n.* ['ɑːrsənɪk] **1.** *chem.* arsen; *pot.* arszenik. **2.** *przen.* trucizna. – *a.* [ɑːr'senɪk] *attr.* arsenowy.

arsenical [ɑːr'senɪkl] *a.* arsenowy. – *n.* środek zawierający arszenik.

arsenicism [ɑːr'senɪsɪzəm], **arseniasis** *n. U pat.* przewlekłe zatrucie arsenem.

arsenide ['ɑːrsəˌnaɪd] *n. chem.* arsenek.

arsenite ['ɑːrsəˌnaɪt] *n. chem.* arsenin.

arsenous ['ɑːrsənəs], **arsenious** *a. chem.* arsenawy.

arsine [ɑːr'siːn] *n. chem.* arsenowodór; arsyna.

arson ['ɑːrsən] *n. U prawn.* podpalenie.

arsonist ['ɑːrsənɪst] *n. prawn.* podpalacz/ka.

art[1] [ɑːrt] *n. U* **1.** sztuka; ~ **for art's sake** sztuka dla sztuki; **black** ~ = **black magic**; **modern** ~ sztuka współczesna; **work of** ~ dzieło sztuki. **2.** zręczność; biegłość (*w wykonywaniu czegoś*). **3.** rzemiosło. **4.** cech. **5.** *uj.* przebiegłość.

art[2] *v. arch.* 2. os. sing. czasu teraźniejszego od "be".

art. *abbr.* = **article**.

art cinema *n. U* kino artystyczne.

art collection *n.* kolekcja dzieł sztuki.

art collector *n.* kolekcjoner/ka dzieł sztuki.

art dealer *n.* handlarz dziełami sztuki.

art deco [ˌɑːrt ˈdeɪkoʊ] *n. U* art déco (*styl w sztuce dekoracyjnej lat 20. i 30. XX w.*).

art director *n.* dyrektor *l.* kierownik artystyczny (*np. przedstawienia*).

artefact [ˈɑːrtəˌfækt] *n.* = **artifact**.

arterial [ɑːrˈtiːrɪəl] *a. attr.* **1.** *fizj.* tętniczy; ~ **blood** krew tętnicza. **2.** przelotowy (*o drodze*).

arterialization [ɑːrˌtiːrɪələˈzeɪʃən] *n. U* **1.** arterializacja (krwi). **2.** unaczynienie tętnicze.

arterialize [ɑːrˈtiːrɪəˌlaɪz] *v.* **1.** *fizj.* utleniać (*krew żylną*). **2.** budować system połączeń przelotowych.

arteriole [ɑːrˈtiːrɪˌoʊl] *n. anat.* tętniczka.

arteriology [ɑːrˌtiːrɪˈɑːlədʒɪ] *n. U med.* arteriologia (= *nauka o tętnicach*).

arteriosclerosis [ɑːrˌtiːrɪoʊskləˈroʊsɪs] *n. U pat.* arterioskleroza, stwardnienie tętnic.

arteriotomy [ɑːrˌtiːrɪˈɑːtəmɪ] *n. med.* arteriotomia (= *nacięcie tętnicy*).

arteritis [ˌɑːrtəˈraɪtɪs] *n. U pat.* zapalenie tętnicy.

artery [ˈɑːrtərɪ] *n. pl.* **-ies** **1.** *anat.* arteria, tętnica; **carotid/femoral/pulmonary** ~ tętnica szyjna/udowa/płucna. **2.** arteria (komunikacyjna), droga przelotowa.

artesian basin [ɑːrˌtiːʒən ˈbeɪsən] *n. geol.* niecka artezyjska.

artesian well *n.* studnia artezyjska.

artful [ˈɑːrtfʊl] *a.* **1.** pomysłowy; sprytny. **2.** *uj.* przebiegły, chytry, podstępny.

artfully [ˈɑːrtfʊlɪ] *adv.* **1.** pomysłowo; sprytnie. **2.** *uj.* przebiegle, chytrze, podstępnie.

artfulness [ˈɑːrtfʊlnəs] *n. U* **1.** pomysłowość; spryt. **2.** *uj.* przebiegłość.

art furniture *n. U* meble stylowe.

art gallery *n. pl.* **-ies** galeria sztuki.

arthritic [ɑːrˈθrɪtɪk] *a. pat.* artretyczny (*o bólach*); cierpiący na artretyzm. – *n.* osoba cierpiąca na artretyzm.

arthritis [ɑːrˈθraɪtɪs] *n. U* artretyzm, zapalenie stawu *l.* stawów.

arthropod [ˈɑːrθrəˌpɑːd] *n. pl.* **-a** *l.* **-s** *zool.* stawonóg (*Arthropoda*).

Arthurian [ɑːrˈθʊrɪən] *a. U hist., mit.* arturiański; dotyczący króla Artura.

artichoke [ˈɑːrtɪˌtʃoʊk] *n. bot.* (*także* **globe** ~) karczoch (*Cynara scolymus*); **Jerusalem** ~ topinambur (*Helianthus tuberosus*).

article [ˈɑːrtɪkl] *n.* **1.** artykuł (*w gazecie*); **leading** ~ artykuł wstępny. **2.** artykuł, paragraf (*kodeksu, umowy*). **3.** towar, artykuł. **4.** *gram.* przedimek, rodzajnik; **definite/indefinite** ~ przedimek określony/nieokreślony. **5.** ~ **of clothing** część garderoby; ~ **of furniture** mebel; ~ **of faith** akt wiary. – *v.* **1.** ujmować w artykuły (*np. umowę*). **2.** wiązać artykułami umowy. **3.** *prawn.* oskarżać (*cytując stosowne artykuły*).

articled [ˈɑːrtɪkld] *a. prawn.* ~ **clerk** *Br.* aplikant; **be ~ to a law firm** pracować w firmie *l.* kancelarii prawniczej.

articles [ˈɑːrtɪklz] *n. pl.* **1.** *Br. prawn.* aplikacja. **2.** *handl.* statut; ~ **of association** statut spółki.

articular [ɑːrˈtɪkjələr] *a.* **1.** *biol., med.* stawowy. **2.** *gram.* przedimkowy.

articulate *a.* [ɑːrˈtɪkjələt] **1.** artykułowany; wyraźny (*zwł. o mowie*). **2.** zrozumiały, jasno sformułowany. **3.** elokwentny, wymowny. **4.** spójny; zwięzły. **5.** *attr. anat., zool.* stawowy; połączony stawami; posiadający stawy. – *n.* [ɑːrˈtɪkjələt] *zool.* zwierzę stawowe. – *v.* [ɑːrˈtɪkjəleɪt] **1.** artykułować, wymawiać (*zwł. wyraźnie*). **2.** *form.* wyrażać (*zwł. jasno*). **3.** *anat., zool.* łączyć stawami. **4.** *techn.* łączyć przegubowo.

articulated [ɑːrˈtɪkjəleɪtɪd] *a.* **1.** artykułowany. **2.** *attr. techn.* przegubowy; ~ **bus** autobus przegubowy; ~ **lorry** *Br.* ciężarówka przegubowa *l.* naczepowa.

articulately [ɑːrˈtɪkjələtlɪ] *adv.* **1.** wyraźnie; zrozumiale. **2.** elokwentnie, wymownie. **3.** stawowo; przegubowo (*połączony*).

articulateness [ɑːrˈtɪkjələtnəs] *n. U* **1.** zrozumiałość. **2.** elokwencja.

articulation [ɑːrˌtɪkjəˈleɪʃən] *n. U* **1.** artykulacja, wymowa. **2.** wyrażanie. **3.** *zool., anat.* staw; połączenie. **4.** *techn.* przegub; połączenie przegubowe.

articulator [ɑːrˈtɪkjəˌleɪtər] *n.* **1.** *fon.* narząd artykulacji. **2.** *dent.* zgryzadło.

articulatory [ɑːrˈtɪkjələˌtɔːrɪ] *a.* artykulacyjny.

artifact [ˈɑːrtəˌfækt], *zwł. Br.* **artefact** *n. form.* artefakt, wytwór (pracy) człowieka.

artifice [ˈɑːrtəfɪs] *n. form.* **1.** sztuczka; podstęp. **2.** *U* przebiegłość; zręczność.

artificer [ɑːrˈtɪfɪsər] *n.* **1.** *form.* zdolny rzemieślnik. **2.** wynalazca. **3.** *wojsk.* mechanik.

artificial [ˌɑːrtəˈfɪʃl] *a.* sztuczny; nienaturalny.

artificial bait *n. U* sztuczna przynęta.

artificial fertilizer *n.* sztuczny nawóz.

artificial globe *n. astron.* globus.

artificial horizon *n. astron.* sztuczny horyzont.

artificial insemination *n. U* sztuczne zapłodnienie.

artificial intelligence *n. U* sztuczna inteligencja.

artificiality [ˌɑːrtəˌfɪʃɪˈælətɪ] *n. U* sztuczność; nienaturalność.

artificial kidney *n. med.* sztuczna nerka.

artificial language *n.* sztuczny język (*zwł. esperanto*).

artificial lung *n. med.* sztuczne płuco-serce.

artificially [ˌɑːrtəˈfɪʃlɪ] *adv.* sztucznie; nienaturalnie; w sposób udawany.

artificial radioactivity *n. U fiz.* promieniotwórczość wzbudzona.

artificial respiration *n. U* sztuczne oddychanie.

artificial silk *n. U* sztuczny *l.* syntetyczny jedwab.

artificial sweetener *n.* słodzik.

artillerist [ɑːrˈtɪlərɪst] *n.* = **artilleryman**.

artillery [ɑːrˈtɪlərɪ] *n. U* artyleria; ~ **train** działa zaprzodkowane.

artilleryman [ɑːrˈtɪlərɪːmən] *n. pl.* **-men** artylerzysta.

artiness ['ɑːrtɪnəs] *n. U pot.* zainteresowanie sztuką (*zwł. przesadne l. udawane*).

artiodactyl [ˌɑːrtiːoʊ'dæktɪl] *a. zool.* parzystokopytny. – *n. zool.* zwierzę parzystokopytne (*Artiodactyla*).

artisan ['ɑːrtɪzən] *n.* rzemieślnik.

artist ['ɑːrtɪst] *n. t. przen.* artyst-a/ka.

artiste [ɑːr'tiːst] *n.* artyst-a/ka (*sceniczny, estradowy, cyrkowy*).

artistic [ɑːr'tɪstɪk], **artistical** *a.* **1.** artystyczny. **2.** uzdolniony artystycznie.

artistically [ɑːr'tɪstɪklɪ] *adv.* artystycznie.

artistry ['ɑːrtɪstrɪ] *n. U* artyzm.

artless ['ɑːrtləs] *a.* **1.** naturalny, pozbawiony sztuczności. **2.** uczciwy, szczery. **3.** *uj.* pozbawiony zmysłu artystycznego; bez polotu; niezgrabny.

artlessly ['ɑːrtləslɪ] *adv.* **1.** z prostotą; bez sztuczności. **2.** *uj.* bez polotu.

artlessness ['ɑːrtləsnəs] *n. U* **1.** prostota; naturalność. **2.** brak zmysłu artystycznego *l.* polotu.

art lover *n.* miłośni-k/czka sztuki.

art movie, *zwł. Br.* **art film** *n.* film artystyczny.

art nouveau [ˌɑːrt nuː'voʊ] *n. sztuka* secesja, styl secesyjny.

art paper *n. U* papier powlekany.

art pottery *n. U* ceramika artystyczna.

arts [ɑːrts] *n. pl.* **1.** *uniw.* przedmioty humanistyczne; **Bachelor/Master of A~** stopień licencjata/magistra nauk humanistycznych; **faculty of ~** wydział humanistyczny. **2. fine ~** sztuki piękne; **liberal ~** sztuki wyzwolone. **3. ~ and crafts** rzemiosła rękodzielnicze.

artsy ['ɑːrtsɪ], **arty** *a. pot.* **1.** stwarzający pozory znającego się na sztuce. **2.** pretensjonalny.

artsy-craftsy [ˌɑːrtsɪ'kræftsɪ], *Br.* **arty-crafty** *a. pot.* bardziej artystyczny niż praktyczny *l.* wygodny (*np. o meblach*); **~ person** artyst-a/ka amator/ka.

artsy-fartsy [ˌɑːrtsɪ'fɑːrtsɪ], *Br.* **arty-farty** *a. pot.* popisujący się wiedzą o sztuce.

artwork ['ɑːrtˌwɝːk] *n. U* materiał ilustracyjny (*w książce, czasopiśmie*).

Aryan ['erɪən], **Aran** *a.* aryjski. – *n.* Aryjczyk/ka.

arytenoid [ˌerɪ'tiːnɔɪd] *a. anat.* nalewkowaty (*o chrząstce, mięśniu*).

AS *abbr.* = **Anglo-Saxon.**

as [æz; əz] *adv., prep. i conj.* **1.** jak; **~ usual** jak zwykle; **~ you wish/prefer** jak sobie życzysz; **do ~ I say!** rób jak mówię!; **such ~** taki jak; na przykład; **such a house ~ yours** taki dom, jak twój; **white ~ snow** biały jak śnieg. **2.** jako; **~ a doctor/mother** jako lekarz/matka (*mówić, radzić itp.*); **he works ~ a driver** pracuje jako kierowca; **~ such** jako taki; **her election ~ president** jej wybór na prezydenta. **3. ~ ... ~** taki (sam), jak; tyle (samo), co; **he is ~ old ~ I/me** ma tyle (samo) lat, co ja; **~ tall ~ I/me** taki wysoki, jak ja; **~ far ~** jeśli chodzi o, co do; **~ far ~ I know** o ile wiem; **~ long ~** pod warunkiem że; jak długo, dopóki; **~ many ~ 30 people** aż 30 ludzi; **~ much ~ $100** aż sto dolarów; **~ soon ~** jak *l.* skoro *l.* gdy tylko; **~ soon ~ possible** jak najszybciej; **~ well ~** jak również; **A ~ well ~ B** zarówno A, jak i B. **4.** co; **she works in the same office ~ my sister** ona pracuje w tym samym biurze, co moja siostra; **~ for/to** co do, jeśli chodzi o; **~ regards** co się tyczy; **~ to size/length** według wielkości/długości. **5.** który; jaki; **such ~ are our enemies** *form.* ci, którzy są naszymi wrogami; **the wisest person ~ I've ever met** najmądrzejsza osoba, jaką kiedykolwiek spotkałem. **6.** kiedy, gdy; **she came ~ I was leaving** przyszła, kiedy wychodziłem; **~ time passed** z upływem czasu. **7. ~ from/of tomorrow/May 25** począwszy od jutra/25 maja. **8.** ponieważ, skoro; **~ you are always late** ponieważ stale się spóźniasz. **9.** choć, chociaż; **furious ~ she was** choć była wściekła; **try ~ I might** choćbym nie wiem jak próbował. **10. so ~ (to do sth)** (po to,) żeby (coś zrobić); **he was so foolish ~ to leave his car unlocked** był na tyle głupi, żeby zostawić samochód otwarty; **be so good ~ to come** *form.* bądź łaskaw przyjść. **11. ~ if/though** jakby, jak gdyby; **~ if to say...** jakby chciał(a) powiedzieć...; **you look ~ if/though you were ill** wyglądasz, jakbyś był chory; **it's not ~ if they're poor** przecież nie są biedni. **12. ~ well** również; **just ~ (smart/quick ~)** równie (bystry/szybki, co); **just ~ well** równie dobrze; **it's just ~ well we didn't go** dobrze, że nie poszliśmy, całe szczęście, że nie poszliśmy. **13. ~ yet** jak dotychczas *l.* dotąd, na razie; **not ~ yet** na razie nie. **14. ~ it is/was** w tym stanie rzeczy, w tej sytuacji; już i tak; **... but ~ it was I had to leave earlier...** ale w tej sytuacji musiałem wyjść wcześniej; **we're in trouble ~ it is** już i tak mamy kłopoty. **15. ~ it were** niejako; poniekąd. **16. ~ a result of sth** w wyniku *l.* rezultacie czegoś, z powodu czegoś. **17. ~ a rule** z reguły, zasadniczo. **18. ~ opposed to** w przeciwieństwie do. **19. ~ you were!** *wojsk.* wróć!. **20. (buy sth) ~ is** *zwł. US* (kupować coś) tak, jak jest (*zwł. zużyte l. uszkodzone*).

A.S. [ˌeɪ 'es] *abbr.* **Associate in Science** *US* stopień z zakresu nauk ścisłych uzyskiwany po ukończeniu dwuletniego college'u.

ASA [ˌeɪ ˌes 'eɪ] *abbr.* = **American Standards Association.**

asafetida [ˌæsə'fetɪdə], **asafoetida** *n. U* asafetyda, gumożywica (*otrzymywana z korzeni i kłączy zapaliczki lekarskiej*); *pot.* czarcie łajno, smrodziec.

ASAP [ˌeɪ ˌes ˌeɪ 'piː; 'eɪsæp], **A.S.A.P.**, **a.s.a.p.** *abbr.* **as soon as possible** jak najszybciej.

asbestic [æs'bestɪk] *a. min.* azbestowy.

asbestine [æs'bestɪn] *a.* **1.** azbestowy. **2.** *t. przen.* niepalny. – *n. U* azbestyna.

asbestos [æs'bestəs] *n. U t. przen.* azbest.

asbestos cement *n. U bud.* azbestocement.

asbestos cloth *n. U* tkanina azbestowa.

asbestos curtain *n. teatr* kurtyna ogniotrwała.

asbestosis [ˌæsbe'stoʊsɪs] *n. U pat.* azbestoza, pylica azbestowa.

ascariasis [ˌæskə'raɪəsɪs] *n. U pat.* glistnica.

ascaris ['æskərəs] *n. pl.* **ascarides** [æs'kɑːrədiːs] *zool.* glista.

ascend [ə'send] *v. form.* **1.** *t. przen.* iść w górę, piąć się. **2.** wspinać się po (*górach, schodach*). **3.** wznosić się; unosić się. **4.** *astrol.* wchodzić w zenit. **5.** ~ **a river** posuwać się w górę rzeki; ~ **the throne** wstąpić na tron; ~ **into Heaven** *rel.* wstąpić do nieba.

ascendancy [ə'sendənsɪ], **ascendency, ascendance** [ə'sendəns], **ascendence** *n. U* dominacja, panowanie; **attain/gain ~ over sb** zyskać przewagę nad kimś; zdominować kogoś.

ascendant [ə'sendənt], **ascendent** *a. attr.* **1.** *form.* rosnący; wznoszący się. **2.** *astrol.* wschodzący w zenit; znajdujący się tuż nad wschodnim horyzontem. **3.** *przen.* dominujący; mający przewagę. – *n.* **1.** *form.* przewaga, dominacja; **in the ~** dominujący; górujący. **2.** przodek (*w linii genealogicznej*). **3.** *astrol.* ascendent; horoskop.

ascender [ə'sendər] *n. druk.* pałeczka (*litery b, d, h itp.*).

ascending [ə'sendɪŋ] *a.* **1.** rosnący; **in ~ order** rosnąco, w porządku rosnącym. **2.** *t. fiz.* wznoszący się. **3.** *anat.* wstępujący; ~ **aorta** aorta wstępująca; ~ **colon** wstępnica. **4.** ~ **stroke** = **ascender.**

ascension [ə'senʃən] *n. U* **1.** podnoszenie się; wznoszenie się. **2.** *astron.* wschód (*ciała niebieskiego*). **3.** ~ **to the throne** wstąpienie na tron. **4.** *kośc.* **the A~** Wniebowstąpienie; **A~ Day** Wniebowstąpienie Pańskie. **5. A~ Island** *geogr.* Wyspa Wniebowstąpienia.

ascensional [ə'senʃənl] *a.* **1.** wznoszący. **2.** *techn.* podnośny; wzlotowy.

ascensive [ə'sensɪv] *a.* **1.** *form.* podnoszący się, wzrastający. **2.** *gram.* intensywny, wzmacniający.

ascent [ə'sent] *n.* **1.** *U* wznoszenie się. **2.** *U t. przen.* pięcie się w górę. **3.** wzrost. **4.** droga pod górę; wspinaczka. **5.** wzniesienie (= *wzgórze*).

ascertain [ˌæsər'teɪn] *v. form.* ustalać, stwierdzać.

ascertainable [ˌæsər'teɪnəbl] *a.* dający się stwierdzić *l.* ustalić.

ascertainment [ˌæsər'teɪnmənt] *n. U* ustalenie, stwierdzenie.

ascesis [ə'si:sɪs] *n. U* asceza.

ascetic [ə'setɪk] *a.* ascetyczny. – *n.* asceta/ka.

ascetical [ə'setɪkl] *a.* **1.** ascetyczny. **2.** dotyczący ascetyzmu.

ascetically [ə'setɪklɪ] *adv.* ascetycznie.

asceticism [ə'setɪˌsɪzəm], **ascetism** *n. U* ascetyzm.

ascians ['æʃɪənz], **ascii** *n. pl.* mieszkańcy strefy równikowej (*dwa razy do roku pozbawieni cienia ze względu na położenie słońca*).

ASCII ['æskɪ] *abbr.* **American Standard Code for Information Interchange** *komp.* kod ASCII.

ascites [ə'saɪti:z] *n. U pat.* wodobrzusze, puchlina brzuszna.

ascitic [ə'sɪtɪk] *a. pat.* puchlinowy.

ascorbic [æs'kɔ:rbɪk] *a. chem.* askorbinowy; ~ **acid** kwas askorbinowy (= *witamina C*).

ascot ['æskət] *n. US* męska apaszka.

ascribable [ə'skraɪbəbl] *a. form.* ~ **to sb/sth** dający się przypisać komuś/czemuś.

ascribe [ə'skraɪb] *v.* ~ **sth to sb/sth** *form.* przypisywać coś komuś/czemuś.

ASCU [ˌeɪ ˌes ˌsi: 'ju:] *abbr.* **Association of State Colleges and Universities** *US* stowarzyszenie stanowych (państwowych) uczelni wyższych.

asdic ['æzdɪk], **Asdic, ASDIC** *abbr.* **Anti-Submarine Detection Investigation Committee** Komitet Badania Środków Obrony przed Łodziami Podwodnymi. – *n.* azdyk, hydrolokator akustyczny.

ASE [ˌeɪ ˌes 'i:] *abbr.* **American Stock Exchange** giełda amerykańska.

aseismic [eɪ'saɪzmɪk] *a.* asejsmiczny, odporny na trzęsienia ziemi (*o budynku, moście*).

asemia [ə'si:mɪə] *n. U pat.* asymbolia (*choroba psychiczna*).

asepsis [ə'sepsɪs] *n. U med.* aseptyka, przestrzeganie jałowości.

aseptic [ə'septɪk] *a.* aseptyczny, wyjałowiony, sterylny. – *n. U* substancja niegnijąca.

aseptically [ə'septɪklɪ] *adv. med.* aseptycznie, sterylnie, jałowo.

asepticize [ə'septəsaɪz] *v. med.* wyjaławiać, sterylizować (*np. narzędzia chirurgiczne*).

asexual [eɪ'sekʃuəl] *a.* **1.** *biol.* bezpłciowy; ~ **methods of reproduction** sposoby rozmnażania bezpłciowego. **2.** aseksualny, pozbawiony seksu.

asexuality [eɪˌsekʃu'ælətɪ] *n. U biol.* bezpłciowość.

asexually [eɪ'sekʃuəlɪ] *adv. biol.* bezpłciowo.

ash[1] [æʃ] *n.* **1.** *pl.* **-es** popiół. **2.** *U geol.* (*także* **volcanic ~**) popiół wulkaniczny; ~ **layer** warstwa popiołu. **3.** *U* kolor srebrnoszary.

ash[2] *n. bot.* jesion (*Fraxinus*).

ash[3] *n.* **1.** *pismo, hist.* nazwa litery *æ* w alfabecie runicznym. **2.** *fon.* nazwa dźwięku *[æ]* w alfabecie fonetycznym.

ashamed [ə'ʃeɪmd] *a. pred.* zawstydzony; **be ~ of sb/sth** wstydzić się kogoś/czegoś; **be ~ for sb** wstydzić się za kogoś; **be ~ to do sth** wstydzić się coś zrobić.

ashamedly [ə'ʃeɪmɪdlɪ] *adv.* wstydliwie, ze wstydem.

'A' shares *n. pl. giełda zwł. Br.* akcje klasy A.

ash-bed ['æʃˌbed] *n.* gruba warstwa popiołu.

ash can *n.* **1.** pojemnik na popiół i żużel; *gł. US przest.* kubeł na śmieci. **2.** *US sl.* bomba głębinowa.

ashen[1] ['æʃən] *a.* **1.** popielaty. **2.** *przen.* śmiertelnie blady; poszarzały (*o twarzy, skórze*).

ashen[2] *a.* **1.** *bot.* jesionowy. **2.** zrobiony z jesionu.

ashes ['æʃɪz] *n. pl.* **1.** *zob.* **ash**[1] 1. **2.** prochy. **3.** popioły, zgliszcza; **lay in ~** spalić do cna; **pale as ~** *poet.* śmiertelnie blady; **not rake over the ~** *przen.* nie wracać do przeszłości.

ashfly ['æʃflaɪ] *n. ent.* jesionowiec.

ash grate *n.* ruszt (*np. w piecu węglowym*).

Ashkenazi [ˌæʃkə'næzɪ] *a.* (*także* **Ashkenazic**) aszkenazyjski. – *n. pl.* **Ashkenazim** [ˌæʃkə-

ˈnæzəm] aszkenazyj-czyk/ka; **the** ~ Żydzi aszkenazyjscy.

ashkey [ˈæʃkiː] *n. bot.* skrzydlak (= *nasienie jesionu*).

ashlar [ˈæʃlər] *n.* **1.** *U bud.* kostka budowlana; kamień ciosany. **2.** mur z kamienia ciosanego.

ashore [əˈʃɔːr] *adv.* **1.** na brzeg; na ląd. **2.** na brzegu; na lądzie.

ash pan *n.* popielnik.

ashram [ˈɑːʃrəm] *n. hinduizm* **1.** odludne miejsce, pustelnia. **2.** społeczność żyjąca w miejscu jw.

ashtray [ˈæʃˌtreɪ] *n.* popielniczka.

Ash Wednesday *n. rel.* środa popielcowa, popielec.

ashy [ˈæʃɪ] *a.* **-ier, -iest 1.** popielaty. **2.** zrobiony z popiołu. **3.** pokryty popiołem. **4.** **~-pale** śmiertelnie blady.

Asia [ˈeɪʒə] *n. geogr.* Azja; ~ **Minor** Azja Mniejsza.

Asian [ˈeɪʒən] *a.* azjatycki. – *n.* **1.** *US i Austr.* Azjat-a/ka (*zwł. z Dalekiego Wschodu*). **2.** *Br.* Azjat-a/ka (*zwł. z Indii l. Pakistanu*).

Asian American *n.* Amerykan-in/ka pochodzenia azjatyckiego.

Asiatic [ˌeɪʒɪˈætɪk] *a. gł. geogr.* azjatycki. – *n. cz. obelż.* Azjat-a/ka.

aside [əˈsaɪd] *adv.* **1.** na bok; na stronę; **all kidding** ~ żarty na bok; **put/set** ~ odkładać (*pieniądze, coś na potem, coś dla kogoś*). **2.** na boku; na stronie, na osobności. **3.** ~ **from** *zwł. US* z wyjątkiem; poza, oprócz. – *n. t. teatr* słowa na stronie; uwaga na marginesie; dygresja; **speak** ~ mówić na stronie; robić dygresję.

asinine [ˈæsəˌnaɪn] *a.* durny, głupkowaty (*zwł. o uwadze*).

asininely [ˈæsəˌnaɪnlɪ] *adv.* durnie, głupkowato.

asininity [ˌæsəˈnɪnətɪ] *n. U* głupota.

A size *n.* format A (*papieru*).

ask [æsk] *v.* **1.** pytać; ~ **sb sth** spytać kogoś o coś; ~ **(sb) about sth** spytać (kogoś) o coś; ~ **sb a question** zadać komuś pytanie, zapytać kogoś; ~ **sb the price/time/way** pytać kogoś o cenę/godzinę/drogę; ~ **permission** pytać o pozwolenie; **sb ~ed to do sth** ktoś spytał, czy mógłby coś zrobić; **don't ~ me!** *pot.* mnie pytasz?! (= *sam chciałbym wiedzieć*); **if you ~ me** *pot.* według mnie; ~ **me another** *pot.* nie mam pojęcia. **2.** prosić; ~ **(sb) for sth** poprosić (kogoś) o coś; ~ **sb to do sth** poprosić kogoś, żeby coś zrobił; ~ **a favor of sb** poprosić kogoś o przysługę; ~ **that sb (should) do sth** *form.* prosić, żeby ktoś coś zrobił; **(sth is yours) for the ~ing** (możesz coś mieć,) jeśli tylko zechcesz. **3.** domagać się, żądać (*czegoś*). **4.** *kośc.* ogłaszać zapowiedzi; ~ **the banns** *arch.* pytać o przeszkody uniemożliwiające zawarcie małżeństwa. **5.** ~ **after sb** (*także Scot.* ~ **for sb**) pytać o kogoś, pytać, co u kogoś słychać; ~ **around (for sth)** rozglądać się (za czymś); ~ **sb back** odwzajemnić czyjeś zaproszenie; ~ **for sb** dopytywać się o kogoś, szukać kogoś; ~ **for the moon** *zob.* **moon** *n.*; ~ **for trouble/it** *pot.* szukać nieszczęścia; **it's just ~ing for trouble** *pot.* to się może źle skończyć; **he ~ed for it** sam się o to prosił; ~ **sb in** poprosić kogoś, by wszedł, zaprosić kogoś do środka; ~ **sb out (to dinner/a show)** zaprosić kogoś (do restauracji/na przedstawienie); ~ **sb over/round** zaprosić kogoś do siebie *l.* do domu (*np. na obiad*); ~ **sb to a party/wedding** zaprosić kogoś na przyjęcie/wesele; ~ **sb up** poprosić kogoś, by wszedł na górę.

askance [əˈskæns] *adv.* z ukosa; podejrzliwie; **look** ~ **(at)** patrzeć z niedowierzaniem *l.* podejrzliwie (na).

askew [əˈskjuː] *adv.* **1.** skośnie, ukośnie; krzywo, na bakier. **2.** *przen.* krzywo, nieprzychylnie; **look** ~ krzywo patrzeć, patrzeć nieprzychylnym okiem; patrzeć z pogardą. – *a. pred.* **1.** ukośny. **2.** przekrzywiony, na bakier.

asking price *n. handl.* cena ofertowa *l.* wyjściowa.

ASL [ˌeɪ ˌes ˈel] *abbr.* = **American Sign Language**.

aslant [əˈslænt] *adv.* ukośnie, skośnie; pochyło. – *prep.* w poprzek.

asleep [əˈsliːp] *a. pred.* **1.** śpiący; pogrążony we śnie; **be** ~ spać; **be fast/sound** ~ spać głęboko *l.* smacznie; **fall** ~ zasnąć; **half** ~ na pół śpiący *l.* śpiąco. **2.** drzemiący, nieczynny (*gł. o wulkanie*). **3.** zdrętwiały, ścierpnięty (*o ramieniu, nodze*). **4.** *przen.* martwy.

aslope [əˈsloʊp] *adv.* pochyło; skośnie. – *a.* pochyły; skośny.

A.S.M. [ˌeɪ ˌes ˈem] *abbr.* = **air-to-surface missile**.

asocial [eɪˈsoʊʃl] *a.* **1.** aspołeczny. **2.** nietowarzyski.

asp¹ [æsp] *n.* (*także* **aspen**) *bot.* osika (*Populus tremula*).

asp² *n.* **1.** *zool.* kobra *l.* okularnik egipski (*Naja haje*); żmija żebrowana (*Vipera aspis*). **2.** *poet.* żmija.

asparagine [əˈsperəˌdʒiːn] *n. chem.* asparagina.

asparagus [əˈsperəgəs] *n. U bot.* szparag (*Asparagus officinalis*); *kulin.* szparagi; ~ **tips** główki szparagów.

aspartame [əˈspɑːrteɪm] *n. U* popularny słodzik dietetyczny.

aspartic [əˈspɑːrtɪk] *a. chem.* asparaginowy; ~ **acid** kwas asparaginowy.

ASPCA [ˌeɪ ˌes ˌpiː ˌsiː ˈeɪ] *abbr.* **American Society for the Prevention of Cruelty to Animals** amerykańskie towarzystwo ochrony zwierząt.

aspect [ˈæspekt] *n.* **1.** aspekt. **2.** punkt widzenia; perspektywa. **3.** widok; strona; **the northern** ~ **of the building** północna strona budynku; **with a south-east** ~ z widokiem na południowy wschód. **4.** *form.* wyraz twarzy. **5.** *form.* wygląd. **6.** *U gram.* aspekt (*czasownika*). **7.** *astrol.* wzajemne położenie (*ciał niebieskich*). **8.** *lotn.* położenie, ustawienie.

aspect ratio *n.* **1.** *lotn. żegl.* wydłużenie (*płata samolotu, kadłuba statku*). **2.** *telew.* współczynnik kształtu (*obrazu*).

aspectual [æˈspektʃuəl] *a. gram.* aspektualny, dotyczący aspektu.

aspen [ˈæspən] *n.* = **asp¹** 1. – *a.* **1.** osikowy. **2.** *przen.* drżący.

aspergill [ˌæspər'dʒɪl], **aspergillum** [ˌæspər'dʒɪləm] *n. kość.* kropidło.

asperity [ə'sperətɪ] *n. U* **1.** *t. przen.* chropowatość; szorstkość. **2.** surowość (*klimatu*).

asperse [ə'spɜ˞:s] *v.* **1.** *form.* szkalować, zniesławiać. **2.** *gł. kość.* pokropić.

asperser [ə'spɜ˞:sər], **aspersor** *n.* **1.** *form.* oszczer-ca/czyni. **2.** *kość.* kropidło.

aspersion [ə'spɜ˞:ʒən] *n.* **1.** *zw. pl. form.* oszczerstwo, potwarz; **cast ~s on** rzucać oszczerstwa na. **2.** *kość.* pokropienie.

aspersorium [ˌæspər'sɔ:rɪəm] *n. pl.* **-ums** *l.* **-a** **1.** *kość.* kropielnica. **2.** (*także* **aspersory**) kropidło.

asphalt ['æsfɔ:lt] *n. U* asfalt. – *v.* asfaltować.

asphaltic ['æsfɔ:ltɪk] *a.* asfaltowy; smołowcowy.

asphodel ['æsfəˌdel] *n.* **1.** *bot.* asfodel (*Asphodeleae*). **2.** *poet.* złotowłos (*kwiat cmentarny*).

asphyxia [æs'fɪksɪə] *n. U* (*także* **asphyxiation**) *pat.* zamartwica, utrata przytomności (*z braku tlenu*).

asphyxial [æs'fɪksɪəl] *a. pat.* zamartwiczy.

asphyxiant [æs'fɪksɪənt] *a.* duszący, powodujący zamartwicę (*o środku*).

asphyxiate [æs'fɪksɪˌeɪt] *v.* **1.** dusić się. **2.** stracić przytomność (*z braku tlenu*).

aspic[1] ['æspɪk] *n. U kulin.* auszpik.

aspic[2] *n. poet.* (*także* **aspis**) żmija.

aspic[3] *n. bot.* gatunek lawendy (*Lavandula spica*).

aspidistra [ˌæspɪ'dɪstrə] *n. bot.* aspidistra (*Aspidistra; popularna roślina doniczkowa pochodzenia azjatyckiego*).

aspirant [ə'spaɪrənt] *n. form.* aspirant/ka, osoba aspirująca (*to/for sth* do czegoś); pretendent/ka; **~ to the throne** pretendent/ka do tronu.

aspirate ['æspərət] *a. fon.* = **aspirated**. – *n. fon.* aspirata, spółgłoska przydechowa *l.* aspirowana. – *v.* ['æspəˌreɪt] **1.** *fon.* aspirować, wymawiać z przydechem. **2.** zasysać.

aspirated ['æspəˌreɪtɪd] *a. part. fon.* aspirowany, przydechowy (*o spółgłosce*).

aspiration [ˌæspə'reɪʃən] *n.* **1.** *zw. pl.* aspiracje, ambicje; **~ after/to sth** dążenie do czegoś. **2.** *U med.* odsysanie, wciąganie (*poprzez ssanie*). **3.** *U fon.* aspiracja, przydech.

aspirator ['æspəˌreɪtər] *n.* **1.** pompa ssąca. **2.** *chem.* aspirator, zasysacz. **3.** *med.* aspirator, ssak, odsysacz.

aspire [ə'spaɪr] *v.* **~ to/after sth** aspirować *l.* dążyć do czegoś; **~ to do sth** dążyć do zrobienia czegoś, marzyć o zrobieniu czegoś.

aspirin ['æsprɪn] *n. med.* **1.** *U* aspiryna (*kwas acetylosalicylowy*). **2.** aspiryna (*tabletka*).

aspiring [ə'spaɪrɪŋ] *a.* **1.** rosnący. **2.** zwężający się ku górze. **3.** **~ politician/writer** osoba marząca o karierze polityka/pisarza.

aspiringly [ə'spaɪrɪŋlɪ] *adv.* ambitnie.

asquint [ə'skwɪnt] *adv. i a.* **look ~** patrzeć zezem *l.* w bok; patrzeć podejrzliwie *l.* z zazdrością.

ass[1] [æs] **1.** *zool.* osioł; **~-mare** oślica. **2.** *przen.* osioł, głupiec, dureń; **make an ~ of sb/o.s.** zrobić z kogoś/siebie durnia.

ass[2] *n. Br.* **arse** *wulg. sl.* **1.** dupa. **2.** = **~hole** 1. **3.** (*także* **piece of ~**) dupa (= *kobieta jako obiekt seksualny*). **4.** **be a pain in the ~** *zob.* **pain** *n.*; **be on sb's ~** zawracać komuś dupę; **cover one's ~** *zob.* **cover** *v.*; **get one's ~ in gear** (*także* **shift/move one's ~**) ruszyć dupę *l.* tyłek; **kick (sb's) ~** *zob.* **kick** *v.*; **kiss (sb's) ~** *zob.* **kiss** *v.*; **my ~!** gówno prawda!; **smart ~** cwania-k/czka, mądrala; **work one's ~ off** zapierdalać (= *harować*). – *v.* **~ about/around** *wulg. sl.* opierdalać się.

assafetida [ˌæsə'fetɪdə], **assafoetida** *n.* = **asafetida**.

assail [ə'seɪl] *v. zw. pass. form.* **1.** napaść (na), zaatakować (*fizycznie l. słownie*); **~ sb with sth** rzucić się na kogoś z czymś, zaatakować kogoś czymś. **2.** nękać; **he was ~ed by doubts/fears** nękały go wątpliwości/obawy. **3.** rozprawić się z (*problemem*). **4.** zabrać się energicznie *l.* z zapałem do (*pracy, zadania*).

assailant [ə'seɪlənt] *n. form.* **1.** napastni-k/czka. **2.** krytyk; oponent (*wrogo nastawiony*).

assassin [ə'sæsɪn] *n.* **1.** zabój-ca/czyni, skrytobój-ca/czyni, morder-ca/czyni. **2.** zamachowiec; **hired/paid ~** wynajęty/płatny zamachowiec.

assassinate [ə'sæsəˌneɪt] *v.* **1.** zamordować (*skrytobójczo*); dokonać zamachu na. **2.** *przen.* zniesławić; zniszczyć (*reputację*).

assassination [əˌsæsə'neɪʃən] *n.* **1.** zabójstwo, mord, morderstwo (*zw. na tle politycznym*). **2.** zamach; **~ attempt** próba zamachu. **3.** **character ~** *przen.* zniesławienie.

assassinator [əˌsæsə'neɪtər] *n.* = **assassin**.

assassin bug *n. zool.* robak z rodziny zajadkowatych (*Reduviidae*).

assassin fly *n. ent.* owad z rodziny łowikowatych (*Asilidae*).

assault [ə'sɔ:lt] *n. C/U* **1.** *t. przen.* napad. **2.** *wojsk.* atak, szturm; **carry/take sth by ~** wziąć coś szturmem; **launch an ~ on sth** przypuścić szturm na coś, zaatakować coś. **3.** *prawn.* napaść (*t. słowna*); **~ and battery** napaść z pobiciem, czynna napaść; **aggravated ~** *zob.* **aggravated** 2; **indecent ~** czyn lubieżny; **sexual ~** gwałt; próba gwałtu. **4.** **~ on sth** gwałtowne przeciwstawienie się czemuś; próba zdobycia czegoś (*t. szczytu górskiego*). **5.** **~ of/at arms** *szerm.* atak; *wojsk.* pokaz walki wręcz. – *v.* **1.** *t. przen.* napadać (na). **2.** atakować, szturmować. **3.** zgwałcić.

assault boat *n. wojsk.* łódź desantowa.

assault course *n. wojsk.* **1.** *US* szkolenie oddziałów szturmowych. **2.** *Br.* = **obstacle course**.

assault gun *n. wojsk.* działo szturmowe (*samobieżne*).

assault rifle *n.* karabin automatyczny.

assault ship *n. wojsk. US* okręt-dok desantowy; *Br.* okręt desantowy (*pierwszego rzutu*).

assault troops *n. pl. wojsk.* oddziały szturmowe.

assay *n.* ['æseɪ] **1.** próba (*metalu*); oznaczanie próby; materiał poddany próbie. **2.** analiza (składu) (*np. rudy*); **biological** ~ (*także* **bio-assay**) test biologiczny. **3.** *lit.* próba, usilne staranie. – *v.* [ə'seɪ] **1.** analizować skład (*rudy, stopu itp.*). **2.** *t. przen.* poddawać próbie.

assay balance ['æseɪ ˌbæləns] *n.* waga probiercza.

assay office ['æseɪ ˌɔːfɪs] *n.* urząd probierczy.

assemblage [ə'semblɪdʒ] *n. form.* **1.** zbiorowisko; zbiór. **2.** *U techn.* montaż.

assemble [ə'sembl] *v.* **1.** zbierać (się), gromadzić (się); **the assembled company** zebrani, zgromadzeni. **2.** *techn.* składać, montować.

assembler [ə'semblər] *n. komp.* asembler (= *translator języka symbolicznego*).

assembling daily *n. U film, telew.* montaż materiału bieżącego.

assembly [ə'semblɪ] *n. pl.* **-ies** **1.** zebranie; zgromadzenie (*t. ciała ustawodawczego*); **freedom of** ~ wolność zgromadzeń; **right of** ~ prawo do zgromadzeń. **2.** *parl.* **A**~ ciało ustawodawcze (*zwł. izba niższa*); **General A**~ Zgromadzenie Ogólne; **National A**~ Zgromadzenie Narodowe. **3.** *U techn.* montaż; *film, telew.* pierwszy montaż. **4.** *U wojsk.* sygnał wzywający do zbiórki. **5.** *szkoln.* apel. **6.** *kośc.* kongregacja.

assembly belt *n.* taśma montażowa.

assembly language *n. komp.* język asemblera *l.* symboliczny.

assembly line *n. techn.* linia montażowa.

assemblyman [ə'semblɪːmən], **assembly-man** *n. pl.* **-men** *US* członek ciała ustawodawczego.

assembly room, assembly-room *n.* **1.** aula; sala balowa, koncertowa itp. **2.** montownia, hala montażowa.

assent [ə'sent] *n. U form.* **1.** ~ **(to sth)** zgoda (na coś); aprobata (czegoś); **give one's** ~ **(to sth)** wyrażać zgodę (na coś); **nod one's** ~ przytaknąć skinieniem głowy. **2.** sankcja; **Royal** ~ *Br.* sankcja królewska. **3.** *prawn.* oświadczenie woli. – *v.* ~ **to sth** godzić się na coś, aprobować coś.

assentation [ˌæsen'teɪʃən] *n. U* **1.** *form.* aprobata; akceptacja. **2.** usłużne potakiwanie.

assentor [ə'sentər] *n.* **1.** *form.* pochlebca. **2.** *prawn. Br.* wyborca popierający nominację kandydata do parlamentu.

assert [ə'sɜːt] *v.* **1.** wyrażać zdecydowanie. **2.** ~ **one's rights/independence** upominać się o swoje prawa/niezależność, bronić swych praw/niezależności; ~ **o.s.** podkreślać swoje prawa; zaznaczać swój autorytet. **3.** ~ **that** twierdzić, że; zapewniać, że.

assertion [ə'sɜːʃən] *n.* **1.** twierdzenie; zapewnienie. **2.** *U* ~ **of sth** domaganie się czegoś.

assertive [ə'sɜːtɪv] *a.* **1.** stanowczy; pewny siebie; przekonujący; ~ **personality** silna osobowość. **2.** *psych.* asertywny.

assertively [ə'sɜːtɪvlɪ] *adv.* **1.** stanowczo; z pewnością siebie. **2.** *psych.* asertywnie.

assertiveness [ə'sɜːtɪvnəs] *n. U* stanowczość; pewność siebie; ~ **training** *psych.* trening asertywności.

assertor [ə'sɜːtər] *n. form.* **1.** osoba utrzymująca *l.* twierdząca coś. **2.** bojowni-k/czka; obrońca/czyni, rzeczni-k/czka (*czegoś*).

assess [ə'ses] *v.* **1.** szacować; ~ **sth at $1000** oszacować coś na 1000 dolarów. **2.** ustalać, określać (*wartość*); naliczać (*podatek*). **3.** wymierzać (*grzywnę*). **4.** oceniać (*sytuację, postępy w nauce*).

assessment [ə'sesmənt] *n.* **1.** oszacowanie (*strat, wartości*); wycena; wymiar, naliczenie (*podatku*). **2.** ocena (*sytuacji, postępów w nauce*).

assessor [ə'sesər] *n.* asesor (*sądowy l. skarbowy*).

asset[1] ['æset] *n.* atut, zaleta, plus.

asset[2] *ekon. zob.* **assets.**

asset backing *n. U ekon.* ogólna wartość majątku przedsiębiorstwa (*podzielona przez liczbę wyemitowanych akcji*).

assets ['æsets] *n. pl. ekon. prawn.* aktywa, majątek; ~ **and liabilities** aktywa i pasywa; **current/fixed** ~ majątek obrotowy/trwały; **financial** ~ finansowe składniki majątku trwałego; **intangible** ~ wartości niematerialne i prawne; **liquid** ~ środki płynne; **personal** ~ majątek osobisty; **tangible** ~ rzeczowy majątek trwały.

asset stripper *n.* osoba wyprzedająca majątek (*przejętego przedsiębiorstwa*).

asset stripping *n. U ekon.* wyprzedaż majątku (*jw.*).

asset value *n. U ekon.* (*także* **net asset value**) wartość rzeczywista majątku przedsiębiorstwa (= *aktywa minus pasywa*).

asseverate [ə'sevəˌreɪt] *v. form.* uroczyście oświadczać; stanowczo stwierdzać.

asseveration [əˌsevə'reɪʃən] *n.* uroczyste oświadczenie; stanowcze stwierdzenie.

asshole ['æshoʊl] *n. wulg. sl.* **1.** *pog.* dupek. **2.** odbyt. **3.** zawszona dziura (*o miejscu*).

assholed ['æshoʊld] *a. wulg. sl.* zalany w trzy dupy.

assibilate [ə'sɪbəˌleɪt] *v. fon.* nadawać dźwięk syczący (*spółgłosce*).

assibilation [əˌsɪbə'leɪʃən] *n. U fon.* asybilacja.

assiduity [ˌæsɪ'duːɪtɪ] *n. form. U* gorliwość; wytrwałość; pieczołowitość.

assiduous [ə'sɪdʒʊəs] *a.* gorliwy; wytrwały; pieczołowity.

assiduously [ə'sɪdʒʊəslɪ] *adv.* gorliwie; wytrwale; pieczołowicie.

assiduousness [ə'sɪdʒʊəsnəs] *n. U* = **assiduity.**

assign [ə'saɪn] *v.* **1.** wyznaczać, przydzielać; ~ **sb a duty/task** powierzyć komuś obowiązek/zadanie; ~ **sb to sth** wyznaczyć kogoś do czegoś; ~ **sth to sb** wyznaczyć *l.* przydzielić coś komuś. **2.** ustalać, wyznaczać (*np. termin*). **3.** przeznaczyć (*czas, pieniądze*); wyasygnować. **4.** ~ **importance/the blame to sth** przypisywać wagę/winę czemuś. **5.** *prawn.* cedować, odstępować prawa. – *n. prawn.* cesjonariusz.

assignation [ˌæsɪg'neɪʃən] *n.* **1.** schadzka. **2.** = **assignment** 1. **3.** wyznaczenie (*terminu, daty*). **4.** formalne przekazanie. **5.** *fin.* asygnata (= *dowód operacji finansowej*); asygnacja (= *polecenie wypłaty*). **6.** papierowy pieniądz, banknot.

assignee [əsaɪ'niː] *n. prawn.* **1.** = **assign. 2.**

osoba wyznaczona; pełnomocnik. **3.** **~s in bankruptcy** syndycy masy upadłościowej.

assignment [ə'saınmənt] *n.* **1.** *U* wyznaczenie, przydzielenie; przypisanie. **2.** *prawn.* cesja. **3.** misja, zadanie. **4.** *szkoln.* zadany materiał. **5.** *US* nominacja.

assignor [əsaı'nɔ:r] *n. prawn.* osoba cedująca (*prawa, majątek itp.*).

assimilate [ə'sımə,leıt] *v.* **1.** *t. fon.* asymilować się, upodabniać się; zlewać się. **2.** wchłaniać; *biol.* przyswajać (*gł. pokarm*). **3.** przyswajać sobie. **4.** przystosowywać się, asymilować się (*w nowym środowisku, kraju*).

assimilation [ə,sımə'leıʃən] *n. U* **1.** *fon.* asymilacja, upodobnienie. **2.** *t. biol.* wchłanianie; przyswajanie. **3.** przystosowanie, asymilacja. **4.** *ekon.* wdrażanie.

assimilative [ə'sımə,leıtıv], **assimilatory** [ə,sımə'leıtərı] *a.* asymilacyjny.

assist [ə'sıst] *v. form.* pomagać; asystować; **~ (sb) in/with sth** pomagać (komuś) w czymś; **~ at** asystować *l.* pomagać przy (*np. operacji*). – *n.* **1.** pomoc. **2.** *sport* zagrywka pomagająca drużynie zdobyć punkt.

assistance [ə'sıstəns] *n. U* **1.** pomoc; **can I be of any ~?** czym mogę służyć? (*w sklepie*); **come to sb's ~** przyjść komuś z pomocą; **give sb ~** pomagać komuś; **with the ~ of sb** z czyjąś pomocą. **2.** asysta.

assistant [ə'sıstənt] *a. attr.* pomocniczy. – *n.* **1.** asystent/ka (*nie na wyższej uczelni*), pomocnik/ca; **recording/sound ~** *telew.* asystent/ka operatora dźwięku; **wardrobe ~** *film, telew.* garderobian-y/a. **2. (shop) ~** *gł. Br.* sprzedaw-ca/czyni.

assistant cameraman *n. telew.* asystent/ka operatora.

assistant director *n. film, telew.* asystent/ka reżysera.

assistant editor *n.* **1.** *film, telew.* asystent/ka montażysty. **2.** asystent/ka wydawcy.

assistant manager *n.* zastęp-ca/czyni dyrektora.

assistant professor *n. US uniw.* docent; profesor uniwersytecki.

assize [ə'saız] *n.* **1.** sesja (*zwł. sądu*); **great ~** *przen.* sąd ostateczny. **2.** *hist.* postanowienie. **3.** *hist.* cena urzędowa (*gł. na ziarno*). **4.** *pl. Br. hist.* wyjazdowe sesje sądu. **5.** *Scot.* rozprawa sądowa (*z ławą przysięgłych*); ława przysięgłych.

ass-licker ['æs,lıkər], **ass-kisser** *n. wulg. sl.* lizus/ka.

ass-licking ['æs,lıkıŋ], **ass-kissing** *n. U wulg. sl.* lizusostwo, podlizywanie się.

assn., Assn. *abbr.* **= association.**

assoc *abbr.* **1. = associate. 2. = associated. 3. = association.**

associate *v.* [ə'souʃı,eıt] **1.** kojarzyć; łączyć (*t. w myśli*). **2.** łączyć się. **3.** stowarzyszać się, zrzeszać się. **4.** przyjmować na wspólnika/czkę. **5.** **~ with sb** zadawać się *l.* przestawać z kimś. – *n.* [ə'souʃıət] **1.** wspólni-k/czka, partner/ka. **2.** kolega; towarzysz. **3.** sprzymierzeniec; **~ in crime** *prawn.* współsprawca zbrodni. **4. ~('s) degree** *US uniw.* stopień uzyskiwany po ukończeniu dwuletniego college'u. – *a.* [ə'souʃıət] *attr.* stowarzyszony, zrzeszony.

associate company [ə,souʃıət 'kʌmpənı], **associated company** *n.* przedsiębiorstwo zrzeszone.

associate director [ə,souʃıət dı'rektər] *n.* **1.** zastępca dyrektora. **2.** *telew.* realizator.

associate member [ə,souʃıət 'membər] *n.* członek korespondent.

associate producer [ə,souʃıət prə'du:sər] *n. film, telew.* producent/ka; przedstawiciel/ka producenta.

associate professor [ə,souʃıət prə'fesər] *n. US uniw.* profesor nadzwyczajny.

association [ə,sousı'eıʃən] *n.* **1.** *U* łączenie (się); zrzeszanie się; związek, powiązanie; **articles of ~** statut spółki; **deed of ~** akt utworzenia spółki; **freedom of ~** wolność zrzeszania się; **in ~ with sb** wspólnie z kimś (*np. organizować coś*). **2.** stowarzyszenie, zrzeszenie; towarzystwo; związek. **3.** *U psych. C* skojarzenie; **~ of ideas** kojarzenie pojęć, asocjacja; **laws of ~** prawa skojarzeń. **4.** *U chem.* asocjacja (*molekuł*).

Association football *n. U Br. form.* piłka nożna, futbol.

associative [ə'souʃı,eıtıv] *a.* **1.** *psych.* asocjacyjny, skojarzeniowy. **2.** *mat.* łączny; **~ law for multiplication** prawo łączności mnożenia.

associative memory *n. U komp.* pamięć asocjacyjna *l.* skojarzeniowa.

associative processor *n. komp.* procesor asocjacyjny.

assonance ['æsənəns] *n. U* **1.** *wers.* asonans, rym niedokładny. **2.** *przen.* częściowa zgodność.

assonant ['æsənənt] *a.* asonansowy (*o rymie, wierszu*).

assort [ə'sɔ:rt] *v. form.* **1.** sortować, segregować. **2.** dobierać, dopasowywać. **3.** zaopatrywać (*np. sklep*). **4.** **~ with sb** obcować *l.* przestawać z kimś; **~ well/ill with** pasować/nie pasować do.

assorted [ə'sɔ:rtıd] *a.* **1.** posortowany. **2.** dobrany, dopasowany. **3.** mieszany; **~ chocolates** mieszanka czekoladowa; **in ~ colors/sizes** w różnych kolorach/rozmiarach.

assortment [ə'sɔ:rtmənt] *n.* **1.** asortyment, wybór. **2.** *U* sortowanie, segregowanie; dobieranie, dobór.

asst. *n.* asyst. (= *asystent/ka*).

assuage [ə'sweıdʒ] *v. lit.* **1.** koić (*ból*); łagodzić (*smutek*). **2.** zaspokajać (*głód*).

assuagement [ə'sweıdʒmənt] *n. U* **1.** ukojenie; złagodzenie. **2.** zaspokojenie.

assuasive [ə'sweısıv] *a.* kojący; łagodzący.

assume [ə'su:m] *v.* **1.** zakładać, przyjmować; **let's ~ (that)** załóżmy *l.* przyjmijmy, że. **2.** **~ control/power** przejmować kontrolę/władzę; **~ office** obejmować urząd; **~ responsibility** brać na siebie odpowiedzialność. **3.** *form.* przybierać (*postać, nazwisko, rozmiary*).

assumed [ə'su:md] *a.* **1.** przybrany, fikcyjny; **under an ~ name** pod przybranym nazwiskiem. **2.** przyjęty.

assuming [ə'su:mıŋ] *a.* zuchwały, arogancki.

assumption [ə'sʌmpʃən] *n.* **1.** *t. log.* założenie; **make the ~ that** zakładać, że; **on the ~ that** zakładając, że. **2.** *U form.* przejęcie (*władzy, kontroli*); objęcie (*urzędu*); przybranie (*np. fałszywego nazwiska*). **3.** *U form. uj.* zuchwalstwo, arogancja. **4. the A~** *rz.-kat.* Wniebowzięcie; święto Wniebowzięcia Najświętszej Marii Panny.

assumptive [ə'sʌmptɪv] *a.* **1.** przyjęty, założony. **2.** *uj.* = **assuming.**

assurance [ə'ʃʊrəns] *n.* **1.** zapewnienie (*formalne l. stanowcze*); gwarancja; **give an ~ that** dawać gwarancję, że; zapewniać, że. **2.** przekonanie. **3.** *U* pewność siebie. **4.** *U prawn.* uzyskanie tytułu prawnego (*np. do własności*). **5.** *U* **(life) ~** *Br.* ubezpieczenie (na życie).

assure [ə'ʃʊr] *v.* **1.** zapewniać; **~ (sb) of sth** zapewniać (kogoś) o czymś. **2.** gwarantować. **3.** *Br.* ubezpieczać (*od wydarzeń nieuniknionych, zwł. na wypadek śmierci*); **~ life** ubezpieczać na życie.

assured [ə'ʃʊrd] *a.* **1.** (*także* **self-~**) pewny siebie. **2. be ~ of sth** być pewnym czegoś; **you can rest ~ that** *form.* możesz być spokojny, że. – *n.* **the ~** *Br.* ubezpieczon-y/a (*zwł. na życie*).

assuredly [ə'ʃʊrɪdlɪ] *adv. form.* z pewnością.

assuredness [ə'ʃʊrɪdnəs] *n. U* **1.** pewność siebie. **2.** pewność.

assurgent [ə'sɜːdʒənt] *a.* **1.** *bot.* wznoszący się; podnoszący się ukośnie. **2.** *form.* bardzo ambitny.

astatic [eɪ'stætɪk] *a. fiz.* astatyczny, ruchomy; zmienny; **~ needle** igła astatyczna.

astatically [eɪ'stætɪklɪ] *adv.* ruchomo; zmiennie.

aster ['æstər] *n.* **1.** *bot.* aster (*Aster*). **2.** *biol.* gwiazda (*powstająca podczas mitozy*).

asterisk ['æstərɪsk] *n. druk.* gwiazdka (*jako odsyłacz l. znak umowny*). – *v.* oznaczać gwiazdką.

asterism ['æstəˌrɪzəm] *n.* **1.** *astrol.* skupisko gwiazd. **2.** *druk.* trzy gwiazdki (*dla zwrócenia uwagi*). **3.** *min.* asteryzm (= *promieniste rozgałęzienia na płytkach kryształów*).

astern [ə'stɜːn] *adv.* **1.** *żegl.* na rufie; za rufą; **~ of** za (*statkiem, łodzią*). **2.** *lit.* w tyle; za; wstecz; **fall ~** cofać się.

asteroid ['æstəˌrɔɪd] *a.* gwiaździsty. – *n.* **1.** *astron.* asteroida, planetoida, planetka; **~ belt** pas planetoid. **2.** *zool.* rozgwiazda (*rodzina Asteroidea*).

asteroidal [ˌæstə'rɔɪdl] *a. astron.* asteroidalny.

asthenia [æs'θiːnɪə] *n. U med., psych.* astenia, osłabienie.

asthenic [æs'θenɪk] *a. med., psych.* asteniczny, osłabiony; wątły. – *n. psych.* asteni-k/czka.

asthma ['æzmə] *n. U pat.* astma, dychawica; **bronchial/cardiac ~** astma oskrzelowa/sercowa; **hay ~** gorączka sienna z atakami astmy.

asthmatic [æz'mætɪk] *a.* **1.** *pat.* astmatyczny, dychawiczy; przeciwastmatyczny. **2.** *przen.* sapiący, charczący. – *n.* astmaty-k/czka.

asthmatically [æz'mætɪklɪ] *adv.* astmatycznie.

astigmatic [ˌæstɪg'mætɪk] *a. opt.* astygmatyczny.

astigmatism [ə'stɪgməˌtɪzəm] *n. U pat., opt.* astygmatyzm.

astir [ə'stɜː] *adv. i a. pred. lit.* **1.** w ruchu; na nogach. **2.** *t. przen.* poruszony; podekscytowany.

astonish [ə'stɑːnɪʃ] *v.* zdumiewać, zadziwiać.

astonished [ə'stɑːnɪʃt] *a.* zdziwiony, zdumiony.

astonishing [ə'stɑːnɪʃɪŋ] *a.* zadziwiający, zdumiewający.

astonishingly [ə'stɑːnɪʃɪŋlɪ] *adv.* zdumiewająco.

astonishment [ə'stɑːnɪʃmənt] *n. U* zdumienie, zdziwienie; **in ~** w zdumieniu; **to sb's ~** ku czyjemuś zdumieniu.

astound [ə'staʊnd] *v.* zdumiewać, wprawiać w osłupienie.

astounded [ə'staʊndɪd] *n.* zdumiony; **~ at/by sth** zdumiony czymś; **~ look** zdumione spojrzenie.

astounding [ə'staʊndɪŋ] *a.* zdumiewający, niewiarygodny.

astoundingly [ə'staʊndɪŋlɪ] *adv.* zdumiewająco, niewiarygodnie.

astraddle [ə'strædl] *adv.* z rozstawionymi nogami; okrakiem.

astragal ['æstrəgl] *n.* **1.** *bud.* astragal, pierścień (*dzielący w kolumnie trzon od głowicy*). **2.** *wojsk.* astragal (= *pierścień przy wylocie lufy armaty*). **3.** *anat.* = **astragalus** 1.

astragalus [æ'strægələs] *n.* **1.** *pl.* **-li** *anat.* kość skokowa *l.* nadpiętowa. **2.** *bot.* traganek (*Astragalus*).

astrakhan ['æstrəkən] *n. U* **1.** baranek astrachański (*rodzaj futra*). **2.** rodzaj pluszu imitującego futro.

astral ['æstrəl] *a. attr.* **1.** *form.* gwiezdny, gwieździsty. **2.** *astrol.* astralny, nadprzyrodzony, zaświatowy.

astral body *n. astrol.* ciało astralne.

astral dome *n. lotn.* astrokopuła, kopułka astronawigacyjna.

astral lamp *n.* lampa oliwna (*nie rzucająca cienia*).

astrally ['æstrəlɪ] *adv.* **1.** gwieździście. **2.** astralnie.

astral spirits *n. pl. astrol.* duchy astralne.

astray [ə'streɪ] *a. pred.* **1.** zagubiony, zabłąkany. **2.** w błędzie. – *adv.* **go ~** zawieruszyć się; *przen.* zejść na złą drogę; **lead sb ~** zwodzić kogoś, wprowadzać kogoś w błąd; sprowadzić kogoś na manowce.

astrict [ə'strɪkt] *v. form.* **1.** zobowiązywać (*moralnie, prawnie*). **2.** ograniczać.

astriction [ə'strɪkʃən] *n. U* **1.** ograniczenie. **2.** *med.* działanie ściągające. **3.** *pat.* zaparcie.

astrictive [ə'strɪktɪv] *n. i a. med.* (środek) ściągający (*tkanki*).

astride [ə'straɪd] *a. i adv.* z rozstawionymi nogami; okrakiem. – *prep.* **1.** okrakiem na (*np. koniu*). **2. ~ of sth** (rozciągający się) w poprzek czegoś.

astringe [ə'strɪndʒ] *v. form.* **1.** wiązać, ściskać. **2.** *med.* wywoływać zaparcie.

astringency [ə'strɪndʒənsɪ] *n. U* **1.** ściąganie, działanie ściągające. **2.** *przen.* uszczypliwość.

astringent [ə'strɪndʒənt] *a.* **1.** ściągający. **2.** *przen.* cierpki, uszczypliwy. – *n. med.* środek ściągający.

astringently [ə'strɪndʒəntlɪ] *adv.* ściągająco.

astrodome ['æstrəˌdoʊm] *n.* **1.** *lotn.* astrokopuła, astrowieżyczka, kopułka astronawigacyjna. **2.** przezroczysta kopuła (*dach obiektu sportowego*).

astrolabe ['æstrəˌleɪb] *n. hist.* astrolabium (= *przyrząd do wyznaczania wysokości słońca i gwiazd nad horyzontem*).

astrologer [ə'strɑːləgər], **astrologist** *n.* astrolog.

astrological [ˌæstrə'lɑːdʒɪkl] *a.* astrologiczny.

astrologically [ˌæstrə'lɑːdʒɪklɪ] *adv.* astrologicznie.

astrology [ə'strɑːlədʒɪ] *n. U* astrologia.

astrometer [ə'strɑːmɪtər] *n.* astrometr (= *przyrząd do pomiaru ciał niebieskich*).

astrometry [ə'strɑːmɪtrɪ] *n. U* astrometria.

astronaut ['æstrəˌnɔːt] *n.* astronaut-a/ka, kosmonaut-a/ka.

astronautics [ˌæstrə'nɔːtɪks] *n. U* astronautyka.

astronomer [ə'strɑːnəmər] *n.* astronom.

astronomical [ˌæstrə'nɑːmɪkl], **astronomic** *a.* **1.** *zw. attr.* astronomiczny (*o przyrządach itp.*). **2.** *przen.* ogromny (*np. o szkodach, problemie*); ~ **costs/prices** astronomiczne koszty/ceny.

astronomical clock *n.* zegar astronomiczny *l.* gwiezdny.

astronomical equator *n.* równik niebieski.

astronomically [ˌæstrə'nɑːmɪklɪ] *adv. t. przen.* astronomicznie.

astronomical observatory *n.* obserwatorium astronomiczne.

astronomical unit *n.* (*także* **AU**) astronomiczna jednostka długości (= *149,6 mln km*).

astronomical year *n.* rok zwrotnikowy.

astronomy [ə'strɑːnəmɪ] *n. U* astronomia.

astrophobia [ˌæstroʊ'foʊbɪə] *n. U* lęk przed wpływem gwiazd (*na los*).

astrophysical [ˌæstroʊ'fɪzɪkl] *a.* astrofizyczny.

astrophysicist [ˌæstroʊ'fɪzɪsɪst] *n.* astrofizyk.

astrophysics [ˌæstroʊ'fɪzɪks] *n. U* astrofizyka.

astute [ə'stuːt] *a.* (*także* **astucious, astutious**) **1.** wnikliwy; bystry. **2.** chytry, przebiegły.

astutely [ə'stuːtlɪ] *a.* **1.** wnikliwie. **2.** przebiegle.

astuteness [ə'stuːtnəs] *n. U* **1.** wnikliwość. **2.** przebiegłość.

asunder [ə'sʌndər] *adv. form. l. lit.* na kawałki *l.* strzępy; **tear/rip/rend sth** ~ rozedrzeć coś na kawałki.

asylum [ə'saɪləm] *n. pl.* **-s** **1.** *t. przen.* azyl; **grant (political)** ~ **to sb** udzielić komuś azylu politycznego; **seek/apply for (political)** ~ ubiegać się o azyl polityczny. **2.** schronisko, przytułek; *przest.* (*także* **lunatic** ~) szpital dla umysłowo chorych.

asymmetrical [eɪsɪ'metrɪkl], **asymmetric** *a.* asymetryczny, niesymetryczny.

asymmetrically [eɪsɪ'metrɪklɪ] *adv.* asymetrycznie, niesymetrycznie.

asymmetry [eɪ'sɪmɪtrɪ] *n. U* asymetria, niesymetryczność.

asymptote ['æsɪmˌtoʊt] *n. geom.* asymptota, linia bliskostyczna.

asymptotic [ˌæsɪm'tɑːtɪk] *a. geom.* asymptotyczny, bliskostyczny.

at [æt; ət] *prep.* **1.** przy; ~ **dinner/lunch** przy obiedzie/lunchu; ~ **the table/window** przy stole/oknie; ~ **work** przy pracy; **be** ~ **work** pracować. **2.** u; ~ **the baker's/dentist's** u piekarza/dentysty; ~ **Johnson's** u Johnsona; ~ **my sister's (house/place)** u mojej siostry; **sit** ~ **sb's feet** siedzieć u czyichś stóp. **3.** w; ~ **a distance** w pewnej odległości; ~ **all events** w każdym razie; ~ **best** w najlepszym razie; ~ **home/school/work** w domu/szkole/pracy; ~ **large** w szerszym znaczeniu, na ogół; ~ **last** w końcu, nareszcie; ~ **long/short/regular intervals** w długich/krótkich/równych odstępach czasu; ~ **night/noon** w nocy/południe; ~ **sb's death** w chwili *l.* z chwilą czyjejś śmierci; ~ **(the age of) 50** w wieku 50 lat; ~ **the moment** w tej chwili; ~ **war** w stanie wojny; ~ **worst** w najgorszym wypadku; **be good** ~ **sth** być w czymś dobrym; **play** ~ **sth** bawić się w coś; **throw sth** ~ **sb** rzucać czymś w kogoś. **4.** na; ~ **Christmas** na Boże Narodzenie; ~ **full speed** na pełnych obrotach; ~ **a funeral/party** na pogrzebie/przyjęciu; ~ **sea** na morzu; ~ **sb's cost** na czyjś koszt; ~ **sb's invitation/command** na czyjeś zaproszenie/polecenie; ~ **sb's mercy** na czyjejś łasce; ~ **sb's risk** na czyjeś ryzyko; ~ **the corner** na rogu; **arrive** ~ przybywać *l.* przyjeżdżać na (*jakieś miejsce*); **be** ~ **large** przebywać na wolności; **look/shout** ~ **sb** patrzeć/krzyczeć na kogoś; **two** ~ **a time** po dwa naraz. **5.** o; ~ **4 o'clock** o 4 godzinie; ~ **midnight** o północy. **6.** po; ~ **a low price** po niskiej cenie; ~ **$5 a kilo** po 5 dolarów za kilogram; ~ **a dollar per head** po dolarze na głowę. **7.** z; ~ **70 km/h** z prędkością 70 km na godzinę. **8.** **be** ~ **it** *pot.* pracować; być zajętym; *euf.* kochać się, uprawiać seks; *pot.* dokonywać przestępstwa; **while we're** ~ **it** *zob.* **while** *conj.* **9.** ~ **all** wcale; ~ **a loss** ze stratą (*np. sprzedać*); ~ **a right angle** pod kątem prostym; ~ **ease** spokojnie; ~ **ease!** *wojsk.* spocznij!; wygodnie; ~ **first** początkowo; ~ **hand** pod ręką; ~ **him!** bierz go! (*do psa*); ~ **least** przynajmniej; ~ **length** obszernie; ~ **once** natychmiast; ~ **one** w zgodzie, zgodnie; ~ **random** wyrywkowo, na chybił trafił; ~ **that** do tego, na dodatek; ~ **times** czasami; **annoyed/surprised** ~ **sth** rozdrażniony/zdziwiony czymś; **not** ~ **all** *zob.* **all**.

ataman ['ætəmən] *n. pl.* **-s** *hist.* ataman (*kozacki*).

ataraxy ['ætəˌræksɪ], **ataraxia** [ˌætə'ræksɪə] *n. U fil.* ataraksja, stoicka obojętność.

atavism ['ætəˌvɪzəm] *n. U* **1.** atawizm, dziedziczność pośrednia. **2.** *med.* występowanie choroby po kilku pokoleniach.

atavistic [ˌætə'vɪstɪk] *a.* atawistyczny.

ataxia [ə'tæksɪə] *n. U* (*także* **ataxy**) *pat.* ataksja, zaburzenie funkcji życiowych; **locomotor ~** niezborność ruchów.

ate [eɪt] *v. zob.* **eat**.

atelier ['ætlˌjeɪ] *n.* atelier, pracownia.

atheism ['eɪθɪˌɪzəm] *n. U* **1.** ateizm. **2.** *przest. uj.* bezbożność.

atheist ['eɪθɪɪst] *n.* **1.** ateist-a/ka. **2.** *przest. uj.* bezbożni-k/ca.

atheistic [ˌeɪθɪ'ɪstɪk] *a.* **1.** ateistyczny. **2.** *przest. uj.* bezbożny.

athematic [ˌæθiː'mætɪk] *a.* **1.** *gram.* atematyczny. **2.** *muz.* bez tematu.

Athenian [ə'θiːnɪən] *a.* ateński. – *n.* Ateńczyk/Atenka.

Athens ['æθɪnz] *n.* Ateny.

atheroma [ˌæθə'roumə] *n. pl.* **-s** *l.* **-ta** *med.* **1.** kaszak. **2.** ognisko miażdżycowe.

atherosclerosis [ˌæθərousklə'rousɪs] *n. U pat.* miażdżyca tętnic.

athirst [ə'θɜːst] *a.* **~ (for sth)** *lit.* spragniony (czegoś).

athlete ['æθliːt] *n.* **1.** sportowiec, sportsmen/ka; lekkoatlet-a/ka. **2.** osoba wysportowana.

athlete's foot *n. U* grzybica międzypalcowa.

athlete's heart *n. U* lekkie powiększenie serca (*na skutek forsownego treningu*).

athletic [æθ'letɪk] *a.* **1.** sportowy; lekkoatletyczny. **2.** wysportowany. **3.** atletyczny.

athletically [æθ'letɪklɪ] *adv.* sportowo; atletycznie.

athleticism [æθ'letɪˌsɪzəm] *n. U* **1.** zamiłowanie do sportu. **2.** charakter sportowy.

athletics [æθ'letɪks] *n. U zwł. Br.* lekkoatletyka.

athwart [ə'twɔːrt] *adv. lit.* **1.** poprzecznie, w poprzek; na ukos. **2.** *przen.* przewrotnie; na przekór; na opak. – *prep.* **1.** w poprzek. **2.** przeciwnie do.

atilt [ə'tɪlt] *adv. lit.* w pozycji przechylonej; **run/ride ~** kruszyć kopie.

atishoo [ætɪ'ʃuː], **atchoo** *int. zwł. Br.* a psik!.

atlantes [æt'læntiːz] *n. pl. bud.* atlant, atlas (= *podpora architektoniczna w kształcie postaci męskiej*).

Atlantic [æt'læntɪk] *a.* atlantycki; **~ Charter** Karta Atlantycka; **~ Pact** Pakt Północno-Atlantycki. – *n.* **the ~ (Ocean)** Atlantyk, Ocean Atlantycki.

atlas ['ætləs] *n. pl.* **-es** **1.** atlas; **road/world ~** atlas samochodowy/świata. **2.** *zool.* kręg szczytowy (*u gadów, ptaków i ssaków*). **3.** = **atlantes**.

ATM [ˌeɪ ˌtiː 'em] *abbr.* **automated-teller machine** *US* bankomat.

atmosphere ['ætməsˌfiːr] *n.* **1.** *t. przen.* atmosfera; powietrze. **2.** *fiz.* atmosfera (*jednostka ciśnienia*).

atmospheric [ˌætməs'ferɪk], **atmospherical** *a. attr.* **1.** atmosferyczny; **~ pressure/conditions** ciśnienie/warunki atmosferyczne. **2.** nastrojowy (*np. o muzyce*).

atmospherics [ˌætməs'ferɪks] *n. pl.* **1.** *radio* zakłócenia atmosferyczne, atmosferyki. **2.** *U* sferyka (= *nauka o zakłóceniach atmosferycznych*). **3.** *przen.* nastrój, atmosfera.

at. no. *abbr.* = **atomic number**.

atoll ['ætɔːl] *n. geogr.* atol.

atom ['ætəm] *n.* **1.** *chem., fiz.* atom. **2.** *przen.* drobina; **an ~ of truth** odrobina prawdy; **smash in(to) ~s** rozbić w drobny mak.

atomic [ə'tɑːmɪk] *a. attr.* **1.** atomowy. **2.** *fil.* atomistyczny.

atomical [ə'tɑːmɪkl] *a.* **1.** = **atomic**. **2.** malutki.

atomically [ə'tɑːmɪklɪ] *adv.* **1.** atomowo. **2.** *fil.* atomistycznie.

atomic beam *n.* wiązka atomów, promień atomowy.

atomic bomb *n.* (*także* **atom bomb**) bomba atomowa.

atomic clock *n.* zegar atomowy.

atomic energy *n. U* energia jądrowa.

atomic fuel *n.* paliwo jądrowe.

atomic heat *n. U* ciepło atomowe.

atomicity [ˌætə'mɪsətɪ] *n. U chem.* atomowość, liczba atomów (*pierwiastka*).

atomic mass *n.* (*także* **atomic weight**) masa atomowa, ciężar atomowy.

atomic mass unit *n.* atomowa jednostka masy.

atomic number *n. fiz., chem.* liczba atomowa (*pierwiastka*).

atomic physics *n. U* fizyka atomowa.

atomic pile *n.* reaktor jądrowy.

atomic power plant *n.* elektrownia jądrowa.

atomic shell *n.* powłoka elektronowa atomu.

atomic structure *n.* budowa atomu.

atomic submarine *n.* atomowa łódź podwodna.

atomic volume *n. U* objętość atomowa.

atomic waste *n. U* odpady radioaktywne.

atomic weapon *n.* broń jądrowa.

atomism ['ætəˌmɪzəm] *n. U* **1.** atomizm. **2.** *fil.* atomistyka.

atomistic [ˌætə'mɪstɪk] *a. fil.* atomistyczny.

atomization [ˌætəmaɪ'zeɪʃən] *n. U* **1.** atomizacja, rozdrabnianie. **2.** rozpylanie cieczy (*na drobne krople*).

atomize ['ætəˌmaɪz] *v.* **1.** atomizować, rozbijać na drobne elementy. **2.** rozpylać. **3.** niszczyć (*cel za pomocą broni jądrowej*).

atomizer ['ætəˌmaɪzər] *n.* atomizer, rozpylacz (*do cieczy*).

atomy[1] ['ætəmɪ] *n. pl.* **-ies** *arch.* **1.** atom. **2.** drobniutka istota.

atomy[2] *n. przest.* szkielet; *przen.* osoba wychudzona.

atonal [eɪ'tounl] *a. muz.* atonalny.

atonalist [eɪ'tounlɪst] *n. muz.* atonalist-a/ka.

atonality [ˌeɪtou'nælətɪ] *n. U muz.* atonalność.

atone [ə'toun] *v.* **1.** *form.* odpokutować; **~ for one's sins** odpokutować za (swoje) grzechy. **2.** *arch.* pojednać, pogodzić.

atonement [ə'tounmənt] *n. U* **1.** pokuta; zadośćuczynienie. **2.** *teol.* (*także* **the A~**) pojednanie, przymierze (*z Bogiem*). **3.** *arch.* pojednanie, pogodzenie się.

atonic [ə'tɑːnɪk] *a.* **1.** *fon.* nieakcentowany. **2.** *pat.* atoniczny; wątły, słaby. – *n. fon.* atonon (= *wyraz l. sylaba nieakcentowana*).

atony ['ætənɪ] *n. U pat.* atonia (= *obniżenie napięcia mięśni*).

atop [ə'tɑ:p] *prep. lit.* ~ **sth** na wierzchu *l.* na szczycie czegoś.

atrabilious [ˌætrə'bɪljəs], **atrabiliar** *a. form.* dotknięty melancholią, melancholijny; zgorzkniały.

atramental [ˌætrə'mentl], **atramentous** *a. form.* atramentowy; czarny jak atrament.

atremble [ə'trembl] *a. lit. pred.* drżący.

atrial ['eɪtrɪəl] *a. fizj.* przedsionkowy.

atrip [ə'trɪp] *adv. i a. pred. żegl.* gotowy do wypłynięcia.

atrium ['eɪtrɪəm] *n. pl.* **-ums** *l.* **-a** **1.** *bud. hist.* atrium (*rzymskie*); *gł. US* dziedziniec wewnętrzny. **2.** *anat.* przedsionek.

atrocious [ə'troʊʃəs] *a.* **1.** okrutny. **2.** okropny, potworny, odrażający.

atrociously [ə'troʊʃəslɪ] *adv.* **1.** okrutnie. **2.** okropnie.

atrociousness [ə'troʊʃəsnəs] *n. U* okropność, potworność.

atrocity [ə'trɑ:sətɪ] *n.* **1.** *U* okrucieństwo. **2.** *zw. pl.* okropność, potworność.

atrophied ['ætrəfi:d] *a.* **1.** dotknięty atrofią, zanikły. **2.** *t. przen.* wycieńczony; zmarniały.

atrophy ['ætrəfɪ] *n. U* **1.** atrofia, zanik (*np. mięśni*). **2.** wycieńczenie. – *v.* **1.** powodować atrofię *l.* zanik. **2.** zanikać, ulegać atrofii.

atropine ['ætrəˌpi:n], **atropin** *n. U med.* atropina.

att. *abbr.* **1.** = **attached**. **2.** = **attention**. **3.** = **attorney**.

attaboy ['ætəˌbɔɪ] *int. US pot.* brawo!, tak trzymać!.

attach [ə'tætʃ] *v.* **1.** ~ **sth to sth** przymocowywać *l.* przyłączać *l.* przytwierdzać coś do czegoś. **2.** ~ **o.s. to** przyłączać się do (*kogoś, towarzystwa, wyprawy*). **3.** załączać (*np. dokument*). **4.** *prawn.* aresztować; zajmować (*własność*). **5.** ~ **blame to sb** przypisywać komuś winę; ~ **credence to sb/sth** dawać wiarę komuś/czemuś; ~ **importance/significance to sth** przywiązywać wagę/znaczenie do czegoś.

attaché [ˌætə'ʃeɪ] *n. pl.* **-s** attaché; **cultural/military** ~ attaché kulturalny/wojskowy.

attaché case *n.* aktówka.

attached [ə'tætʃt] *a.* **1. the** ~ **letter** załączony list. **2.** *pred.* **be** ~ **to sb/sth** być przywiązanym do kogoś/czegoś; być związanym z kimś/czymś; **be** ~ **to sth** być (tymczasowo) przydzielonym do czegoś (*jednostki wojskowej, działu jakiejś organizacji*); być częścią czegoś (*większej organizacji*).

attachment [ə'tætʃmənt] *n.* **1.** *U* przyłączenie; przymocowanie. **2.** *U* przywiązanie (*emocjonalne*). **3.** rzecz przywiązana *l.* przymocowana. **4.** dodatek; załącznik. **5.** *U prawn.* zajęcie, konfiskata; aresztowanie (*za obrazę l. niezastosowanie się do nakazu sądu*); **foreign** ~ zajęcie własności cudzoziemca (*celem zaspokojenia jego wierzycieli*). **6.** *anat.* przyczep; **muscle** ~ przyczep mięśnia.

attachment plug *n. el.* wtyczka.

attack [ə'tæk] *v.* **1.** ~ **sb/sth** atakować kogoś/coś (*t. o chorobie*); ~ **sb with sth** atakować kogoś czymś. **2.** ~ **sb/sth** napadać na kogoś/coś (*t. słownie*); ~ **sb for sth** krytykować kogoś za coś. **3.** ~ **sth** zabierać się do czegoś (*z entuzjazmem*). – *n.* **1.** *t. przen.* atak; natarcie; napad; ~ **on sb/sth** atak *l.* zamach na kogoś/coś; **be/come under** ~ być atakowanym; **launch an** ~ rozpocząć atak *l.* natarcie. **2.** ostra krytyka; napaść (*słowna*); **go on the** ~ *przen.* przystąpić do ataku. **3.** atak (*choroby*); **heart** ~ zawał serca. **4.** ~ **of fear/panic/anxiety** napad strachu/paniki/niepokoju.

attacker [ə'tækər] *n.* napastni-k/czka.

attain [ə'teɪn] *v. form.* osiągnąć (*poziom, wiek, pozycję, prędkość*); zdobyć (*szczyt górski, niepodległość*); zaspokoić (*ambicje*); uzyskać (*wynik, ocenę*); ~ **a goal** dopiąć celu.

attainability [əˌteɪnə'bɪlətɪ] *n. U* osiągalność.

attainable [ə'teɪnəbl] *a.* osiągalny.

attainder [ə'teɪndər] *n. prawn.* następstwa prawne wyroku śmierci *l.* banicji; **Act/Bill of A**~ akt orzekający utratę praw obywatelskich oraz konfiskatę majątku.

attainment [ə'teɪnmənt] *n.* **1.** *U* osiągnięcie, uzyskanie. **2.** wynik; zdobycz. **3.** *pl.* osiągnięcia.

attaint [ə'teɪnt] *v.* **1.** *prawn.* poddawać następstwom prawnym wyroku śmierci *l.* banicji. **2.** *arch.* splamić, zhańbić. – *n.* **1.** = **attainder**. **2.** *arch.* hańba.

attar ['ætər] *n. U* olejek z płatków kwiatów; ~ **of roses** olejek różany.

attemper [ə'tempər] *v. arch.* **1.** zmieniać (*przez zastosowanie domieszki*). **2.** łagodzić, uspokajać. **3.** dostosowywać, dostrajać (*to sth* do czegoś).

attempt [ə'tempt] *v.* **1.** próbować, usiłować; ~ **sth** próbować czegoś; ~ **to do sth** próbować *l.* usiłować coś zrobić. **2.** ~ **(the life of sb)** *form.* czynić zamach na (czyjeś życie). – *n.* **1.** próba, usiłowanie; ~ **to do sth** próba zrobienia *l.* osiągnięcia czegoś; **in an** ~ **to do sth** próbując *l.* usiłując coś zrobić; **make an** ~ **at (doing) sth** podjąć próbę (zrobienia) czegoś; **make an** ~ **on sth** usiłować zdobyć coś (*t. szczyt górski*); zaatakować coś (*np. dotychczasowy rekord*); **make no** ~ **to do sth** nawet nie próbować czegoś zrobić. **2.** ~ **on sb's life** zamach na czyjeś życie.

attend [ə'tend] *v.* **1.** chodzić do; uczęszczać na. **2.** brać udział (w); być obecnym (na). **3.** *form.* uważać, słuchać uważnie. **4.** *form.* towarzyszyć. **5.** ~ **(on/upon) sb** zajmować *l.* opiekować się kimś; służyć komuś; ~ **to sb/sth** zajmować się kimś/czymś; ~ **to sb** obsługiwać kogoś (*zwł. klienta w sklepie*).

attendance [ə'tendəns] *n. U* **1.** uczęszczanie; frekwencja, obecność (*at sth* na czymś); **be in** ~ *form.* być obecnym (*zwł. na czymś ważnym*); **check (the)** ~ sprawdzać obecność; **low/poor** ~ niska frekwencja. **2.** obsługa, usługiwanie; **be in** ~ **on sb** *form.* usługiwać komuś; **dance** ~ **on sb** nadskakiwać komuś. **3.** opieka; dozór; **be in** ~ **on sb** *form.* opiekować się kimś. **4.** obecni, zebrani; słuchacze; widownia.

attendant [ə'tendənt] *a. attr. form.* **1.** obecny, zebrany (*np. o tłumie*). **2.** usługujący, obsługujący. **3.** towarzyszący (*o okolicznościach, ryzyku*). – *n.* **1.** osoba z obsługi; **flight ~** steward/essa. **2.** służąc-y/a. **3.** *form.* uczestni-k/czka. **4.** *pl.* orszak, świta.

attention [ə'tenʃən] *n. U* **1.** uwaga; **attract/catch/get sb's ~** przyciągać *l.* zwracać czyjąś uwagę; **be the center of ~** stanowić centrum uwagi *l.* zainteresowania; **bring sth to sb's ~** zwrócić czyjąś uwagę na coś; **draw ~ away from sth** odwracać uwagę od czegoś; **for the ~ of...** *form.* do wiadomości... (*w oficjalnym liście*); **focus of ~** centrum uwagi *l.* zainteresowania; **full/undivided ~** całkowita/niepodzielna uwaga; **give sb/sth ~** poświęcić komuś/czemuś uwagę; **hold/keep sb's ~** podtrzymywać czyjeś zainteresowanie *l.* uwagę; **may/could I have your ~?** czy mogę prosić o uwagę?; **pay ~** uważać, słuchać uważnie; skupiać się; **pay ~ to sb/sth** zwracać uwagę na kogoś/coś; **sth has come to sb's ~** ktoś dowiedział się o czymś (*zwł. władze l. przełożony o jakimś problemie*); **thank you for your ~** dziękuję (państwu) za uwagę. **2.** *wojsk.* baczność; **be at/stand to ~** stać/stawać na baczność. **3. (medical) ~** pomoc (medyczna). **4.** *pl. przest.* uprzejmości; względy; **pay ~s to sb** zalecać się do kogoś. – *int. wojsk.* baczność!.

attention deficit disorder *n. U* niezdolność do koncentracji.

attention span *n.* okres koncentracji *l.* skupionej uwagi; **have a short ~** być niezdolnym do dłuższej koncentracji.

attentive [ə'tentɪv] *a.* **1.** uważny, baczny. **2.** troskliwy; uprzejmy, usłużny.

attentively [ə'tentɪvlɪ] *adv.* **1.** uważnie, bacznie. **2.** troskliwie.

attentiveness [ə'tentɪvnəs] *n. U* **1.** uwaga. **2.** troskliwość.

attenuate [ə'tenjəˌweɪt] *v. form.* **1.** osłabiać; tłumić; łagodzić; rozcieńczać; wyszczuplać; wyciszać. **2.** słabnąć.

attenuation [əˌtenju:'eɪʃən] *n. U* **1.** osłabienie; złagodzenie. **2.** *biol.* osłabienie wirulencji (*zarazka*).

attest [ə'test] *v.* **1.** zaświadczać, poświadczać; **~ to sth** świadczyć o czymś; potwierdzać coś. **2.** zaprzysiąc.

attestation [ˌæte'steɪʃən] *n. form.* **1.** poświadczenie, zaświadczenie (*przysięgą, podpisem itp.*); świadectwo. **2.** zaprzysiężenie.

attested [ə'testɪd] *a.* **1.** zaświadczony; potwierdzony; **~ copy** (*także* **certified copy**) *prawn.* kopia *l.* odpis poświadczony notarialnie. **2.** zatwierdzony (*do użytku*).

attester [ə'testər], **attestor** *n. form.* osoba zaświadczająca.

Att. Gen. *abbr.* = **Attorney General**.

Attic ['ætɪk] *a. attr. hist.* attycki. – *n.* **1.** mieszkan-iec/ka Attyki. **2.** *U* język attycki (*dialekt greki*).

attic ['ætɪk] *n.* **1.** *bud.* attyka. **2.** poddasze, strych.

attire [ə'taɪr] *v. form. l. lit.* przystrajać; ubierać (*zwł. odświętnie*). – *n. U* **1.** *form.* strój (*zwł. na określoną okazję*). **2.** *her.* jelenie rogi.

attitude ['ætɪˌtu:d] *n.* **1. ~ to/toward sth** stosunek do czegoś; pogląd na coś. **2.** postawa; poza; **adopt/assume/strike/take an ~** przyjmować postawę; przybierać pozę. **3.** *lotn., astron.* położenie (*obiektu w przestrzeni*); orientacja (*w przestrzeni*). **4.** *U pot.* śmiały *l.* niekonwencjonalny styl (*w ubiorze, wystroju wnętrz itp.*). **5. have an ~ problem** *pot. uj.* mieć niewłaściwy stosunek do otoczenia (*zwł. w pracy, szkole*).

attitudinal [ˌætɪ'tju:dɪnl] *a.* pozowany.

attitudinize [ˌætɪ'tu:dənaɪz] *v. form.* przybierać pozy, pozować.

attn. *abbr.* = **attention**.

attorn [ə'tɜ:n] *v. prawn.* **1.** uznawać formalnie nowego właściciela (*o lokatorze*). **2.** przenosić (*prawa własności z jednego właściciela na drugiego*).

attorney [ə'tɜ:nɪ] *n. pl.* **-s 1.** (*także* **~ in fact, private ~**) pełnomocnik; rzecznik; **by ~** z upoważnienia; **letter/warrant of ~** pełnomocnictwo (*dokument*); **power of ~** pełnomocnictwo. **2.** *US* prawnik; adwokat; **district/prosecuting ~** prokurator okręgowy.

attorney general *n. pl.* **attorneys general, attorney generals** *polit. US* minister sprawiedliwości i prokurator generalny; *Br.* minister sprawiedliwości i doradca prawny rządu i Korony.

attract [ə'trækt] *v.* **1.** *t. przen.* przyciągać; **~ attention** przyciągać uwagę; **~ interest** wzbudzać zainteresowanie; **~ support** zyskiwać poparcie. **2.** pociągać; **he is (not) ~ed to her** ona go (nie) pociąga.

attractant [ə'træktənt] *n.* atraktant, środek wabiący (*zw. chemiczny*).

attraction [ə'trækʃən] *n. U* **1.** przyciąganie, pociąg (*zwł. seksualny*). **2.** powab, urok. **3.** *fiz.* przyciąganie; **~ of gravity** siła przyciągania ziemskiego; **magnetic ~** przyciąganie magnetyczne. **4.** *C* atrakcja; **tourist ~** atrakcja turystyczna.

attractive [ə'træktɪv] *a.* **1.** atrakcyjny. **2.** przyciągający.

attractively [ə'træktɪvlɪ] *a.* atrakcyjnie.

attractiveness [ə'træktɪvnəs] *n. U* atrakcyjność.

attributable [ə'trɪbjʊtəbl] *a. pred.* **X is ~ to Y** przyczyną X może być Y.

attribute *n.* ['ætrəˌbju:t] **1.** atrybut, cecha. **2.** *gram.* przydawka. – *v.* [ə'trɪbju:t] **~ sth to sb/sth** przypisywać coś komuś/czemuś.

attribution [ˌætrə'bju:ʃən] *n. U* przypisywanie; **sth is not for ~** nie można podać źródła czegoś (*zwł. informacji l. opinii zamieszczonej w mediach*).

attributive [ə'trɪbjətɪv] *a.* **1.** *log.* atrybucyjny, przydzielający. **2.** *gram.* przydawkowy. **3.** przypisany (*w odniesieniu do autorstwa dzieła*). – *n. gram.* określenie przydawkowe.

attributively [ə'trɪbjətɪvlɪ] *a. gram.* przydawkowo.

attrite [ə'traɪt], **attrited** *a. form.* starty; wytarty.

attrition [ə'trɪʃən] *n. U* **1.** ścieranie się; zużywanie się; wyczerpywanie się; **natural ~** *demografia* ubytek naturalny; **war of ~** wojna na wyczerpanie, wojna podjazdowa. **2.** *US i Austr.* redukcja liczby zatrudnionych poprzez likwidowanie etatów pracowników opuszczających firmę; *uniw.* spadek liczby studentów. **3.** *teol.* żal niedoskonały (*tylko z obawy przed karą*).

attune [ə'tu:n] *v. form.* dostrajać, harmonizować; *muz.* stroić.

attuned [ə'tu:nd] *a. pred.* **~ to sth** wyczulony na coś; doskonale obznajomiony z czymś.

atty. *abbr.* = **attorney.**

ATV [ˌeɪ ˌti: 'vi:] *abbr.* = **all-terrain vehicle.**

atwitter [ə'twɪtər] *a. pred.* podekscytowany, podniecony.

at. wt. *abbr.* = **atomic weight.**

atypical [eɪ'tɪpɪkl], **atypic** *a.* atypowy, nietypowy.

atypicality [eɪˌtɪpɪ'kæləti] *n. U* atypowość, nietypowość.

atypically [eɪ'tɪpɪklɪ] *adv.* atypowo, nietypowo.

auberge [oʊ'berʒ] *n.* oberża.

aubergine ['oʊbərˌʒi:n] *n. Br.* **1.** *bot.* bakłażan, oberżyna (*Solanum esculentum*). **2.** *U* ciemny fiolet. – *a.* ciemnofioletowy.

auburn ['ɔ:bərn] *a.* rudawobrązowy, kasztanowaty (*zwł. o kolorze włosów*). – *n. U* kasztan, kolor rudawobrązowy.

au courant [ˌoʊku:'rɑ:ŋ] *a. pred. Fr.* **1.** *form.* na bieżąco. **2.** *gł. US* modny.

auction ['ɔ:kʃən] *n.* aukcja, licytacja; **buy/sell at ~** (*także Br.* **buy/sell by ~**) kupić/sprzedać na aukcji; **put sth up at** (*Br.* **for**) **~** wystawiać coś na licytację. – *v.* **~ (off)** sprzedawać na licytacji.

auction bridge *n. U karty* brydż licytowany *l.* z licytacją.

auctioneer [ˌɔ:kʃə'ni:r] *n.* osoba prowadząca aukcję, licytator/ka. – *v.* prowadzić aukcję.

auction house *n.* dom aukcyjny.

auction room *n.* sala aukcyjna.

auction-sale *n.* sprzedaż aukcyjna, sprzedaż z licytacji.

audacious [ɔ:'deɪʃəs] *a.* **1.** śmiały, odważny. **2.** *uj.* zuchwały.

audaciously [ɔ:'deɪʃəslɪ] *adv.* **1.** śmiało, odważnie. **2.** *uj.* zuchwale.

audaciousness [ɔ:'deɪʃəsnəs] *n.* = **audacity.**

audacity [ɔ:'dæsətɪ] *n. U* **1.** śmiałość, odwaga. **2.** *uj.* zuchwałość.

audibility [ˌɔ:də'bi:lətɪ] *n. U* słyszalność; **~ threshold** próg słyszalności.

audible ['ɔ:dəbl] *a.* słyszalny; dosłyszalny.

audibly ['ɔ:dəblɪ] *adv.* słyszalnie.

audience ['ɔ:dɪəns] *n.* **1.** publiczność, widownia. **2.** odbiorcy; widzowie; słuchacze; czytelnicy; audytorium (= *osoby słuchające np. wykładu*); **reach a wide ~** docierać do szerokiej rzeszy odbiorców. **3.** audiencja (*with sb* u kogoś); **give/grant an ~ to sb** udzielić komuś audiencji. **4. sb wants a (fair) ~** ktoś chce, żeby go (bezstronnie) wysłuchano.

audience participation *n. U radio, telew.* udział publiczności (*w programie*).

audience research *n. U* badanie oglądalności *l.* odbioru (*programu*).

audile ['ɔ:dɪl] *a. form.* szczególnie czuły na wrażenia słuchowe; odbierany przez nerwy słuchowe (*np. o zjawiskach nadprzyrodzonych*). – *n.* słuchowiec.

audio ['ɔ:dɪoʊ] *a. attr.* dźwiękowy. – *n. U* **1.** *telew.* dźwięk. **2.** akustyka, udźwiękowienie.

audio conference *n.* telekonferencja.

audio-frequency ['ɔ:dɪoʊˌfri:kwənsɪ] *n. radio* częstotliwość słyszalna.

audiometer [ˌɔ:dɪ'ɑ:mɪtər] *n.* audiometr, miernik głośności.

audiometry [ˌɔ:dɪ'ɑ:mɪtrɪ] *n. U* audiometria.

audiophile ['ɔ:dɪəˌfaɪl] *n.* miłośni-k/czka wysokiej jakości dźwięku.

audio signal *n.* sygnał dźwiękowy.

audiotape ['ɔ:dɪoʊˌteɪp] *n.* taśma *l.* kaseta magnetofonowa.

audiotypist ['ɔ:dɪoʊˌtaɪpɪst] *n. Br.* maszynistka spisująca teksty z magnetofonu.

audiovisual [ˌɔ:dɪoʊ'vɪʒʊəl], **audio-visual** *a.* audiowizualny; **~ aids** (*także* **audiovisuals**) pomoce audiowizualne.

audit ['ɔ:dɪt] *n.* **1.** *fin.* audyt, rewizja finansowa; **~ of the financial statements** badanie sprawozdań finansowych; **external ~** rewizja finansowa przeprowadzona przez osobę spoza firmy. **2.** kontrola, inspekcja (*np. budynku, toku produkcji*). **3.** hospitacja (*zajęć szkolnych*). – *v.* **1.** kontrolować (*rachunki*); dokonywać inspekcji (*np. budynku*). **2.** *US i Austr. uniw.* być wolnym słuchaczem; uczestniczyć na zasadzie wolnego słuchacza w (*zajęciach, wykładach*). **3.** hospitować (*zajęcia szkolne*).

audit engagement *n. fin.* zlecenie badania sprawozdań finansowych.

auditing ['ɔ:dɪtɪŋ] *n. U fin.* **1.** rewizja finansowo-księgowa. **2.** hospitacja (*zajęć szkolnych*). – *a. attr.* **~ procedures** postępowanie *l.* czynności rewizyjne; **~ standards** zasady przeprowadzania badania sprawozdań finansowych.

audition [ɔ:'dɪʃən] *n.* **1.** *teatr, film* przesłuchanie; **~ for Hamlet/„Hamlet"** przesłuchanie do roli Hamleta/do roli w „Hamlecie". **2.** *U* słuch (*zdolność słyszenia*). – *v. teatr, film* **1.** mieć przesłuchanie (*for* do roli (w)). **2.** przesłuchiwać (*kandydatów*) (*for* do roli (w)).

auditor ['ɔ:dɪtər] *n.* **1.** *fin.* audytor, rewident księgowy; **~'s report** opinia biegłego rewidenta. **2.** *US i Austr. uniw.* woln-y/a słuchacz/ka.

auditorial [ˌɔ:dɪ'tɔ:rɪəl] *a.* **1.** = **auditory. 2.** *fin.* związany z badaniem rachunków; rewizyjny.

auditorium [ˌɔ:dɪ'tɔ:rɪəm] *n. pl.* **-ums** *l.* **-a** **1.** widownia (= *miejsca dla publiczności*). **2.** *zwł. US* audytorium, aula, sala (*koncertowa l. wykładowa*).

auditory ['ɔ:dɪˌtɔ:rɪ] *a. attr.* słuchowy (*o nerwie, wrażeniach*). – *n. arch.* audytorium, słuchacze.

auditory canal *n.* (*także* **auditory meatus**) *anat.* przewód słuchowy.

auditory ossicles [ˌɔ:dɪˌtɔ:rɪ 'ɑ:səklz] *n. pl. anat.* kosteczki słuchowe.

auditory phonetics *n. U* fonetyka audytywna (*zajmująca się percepcją dźwięków mowy*).

audit report *n. fin.* sprawozdanie z wyników badania sprawozdań finansowych.

audit scope *n. U fin.* zakres badania sprawozdań finansowych.

au fait [ˌoʊ'fe] *a. pred.* **be ~ with sth** być obeznanym z czymś; **put sb ~ of sth** zaznajomić kogoś z czymś.

Aug, Aug. *abbr.* = **August**.

Augean [ɔ:'dʒɪən] *a. mit. l. przen.* augiaszowy; **the ~ stables** stajnia Augiasza.

augen ['ɔ:dʒən] *n. U geol.* porfir.

augend ['ɔ:dʒend] *n. mat.* składnik sumy.

auger ['ɔ:gər] *n. techn.* świder; (*także* **~ bit**) wiertło kręte.

aught[1] [ɔ:t] *pron. arch. lit., l. dial.* **1.** coś; cokolwiek. **2. for ~ I know/care = for all I know/care**; *zob.* **all** *pron.*

aught[2] *n.* zero (*cyfra*); *arch.* nic.

augite ['ɔ:dʒaɪt] *n. U min.* augit.

augment *n.* ['ɔ:gˌment] **1.** *form.* = **augmentation** 1. **2.** *gram.* augment (= *przedrostek służący do tworzenia czasu przeszłego, zwł. w grece i sanskrycie*). – *v.* [ɔ:g'ment] **1.** *form.* powiększać (się), zwiększać (się). **2.** *gram.* dodawać augment do (*czasownika*).

augmentation [ˌɔ:gmen'teɪʃən] *n.* **1.** powiększenie (się); wzrost. **2.** dodatek. **3.** *muz.* augmentacja.

augmentative [ɔ:g'mentətɪv] *a.* **1.** *form.* powiększający. **2.** *gram.* pogrubiający, augmentatywny. – *n. gram.* augmentativum; zgrubienie.

au gratin [ˌoʊ'grætən] *a. tylko po n. kulin.* posypany bułką tartą *l.* serem i przyrumieniony w piekarniku.

augur ['ɔ:gər] *n. form. l. lit.* augur, wróżbita/ka. – *v. form. l. lit.* przepowiadać, przewidywać; wróżyć; **~ well/ill** dobrze/źle wróżyć.

augury ['ɔ:gjərɪ] *n. pl.* **-ies** *form.* **1.** wróżba, przepowiednia; znak, omen. **2.** *U* wróżenie; wróżbiarstwo; umiejętność przepowiadania przyszłości.

August ['ɔ:gəst] *n. C / U* sierpień; *zob. t.* **February**.

august [ɔ:'gʌst] *a. lit.* **1.** wzniosły, majestatyczny. **2.** szacowny, dostojny; pełen godności. **3.** znakomity; dobrze urodzony.

Augustan [ɔ:'gʌstən] *a. hist.* augustowski, klasyczny (= *odnoszący się do epoki cesarza Augusta*); klasyczny (*o literaturze drugiej poł. XVII i pocz. XVIII w., zwł. z czasów królowej Anny w Anglii i Ludwika XIV we Francji*). – *n.* klasyk (*o autorze z epoki jw.*).

Augustinian [ˌɔ:gə'stɪnɪən] *a. attr.* augustiański (= *odnoszący się do Św. Augustyna*); **~ friars** *kość.* augustianie.

Augustinism [ɔ:'gʌstəˌnɪzəm] *n. U teol.* augustynizm (= *doktryna Św. Augustyna*).

auk [ɔ:k] *n. orn.* alka (*Alcidae*).

au lait [ˌoʊ 'leɪ] *a. tylko po n.* **(café) ~** (kawa) z mlekiem.

Auld Lang Syne [ˌɔ:ld ˌlæŋ 'zaɪn] *n. Scot.* **1.** tradycyjna szkocka pieśń śpiewana w wielu krajach anglojęzycznych na powitanie Nowego Roku. **2. auld lang syne** *zob.* **langsyne** *n.*

aulic ['ɔ:lɪk] *a. form.* dworski, nadworny.

aumbry ['æmbrɪ] *n.* = **ambry**.

aunt [ænt] *n.* ciotka, ciocia.

aunty ['æntɪ], **auntie** *n.* ciocia, cioteczka, ciotunia.

au pair [ˌoʊ'per] *n. pl.* **au pairs** cudzoziemka mieszkająca okresowo u rodziny i pomagająca w domu w zamian za wyżywienie, kieszonkowe i naukę języka.

aura ['ɔ:rə] *n. pl.* **auras** *l.* **aurae** **1.** *przen.* aura, atmosfera; **~ of mystery** aura tajemniczości. **2.** emanacja. **3.** delikatny powiew. **4.** *pat.* aura (= *zespół objawów poprzedzający atak, np. padaczki l. migreny*). **5.** *el.* ciąg powietrza.

aural[1] ['ɔ:rəl] *a.* odnoszący się do aury.

aural[2] *a.* **1.** słuchowy. **2.** uszny.

aurally ['ɔ:rəlɪ] *adv.* słuchowo.

aureate ['ɔ:rɪɪt] *a. lit.* **1.** złoty; pozłacany. **2.** kwiecisty (*o stylu*).

aureola [ɔ:'rɪələ], **aureole** ['ɔ:rɪˌoʊl] *n. lit.* **1.** aureola; *przen.* świetność, splendor; chwała. **2.** *astron.* pierścień, świetlista obwódka (*np. wokół Słońca*).

au revoir [ˌɔ:rə'vwɑ:r] *int. Fr.* do zobaczenia, do widzenia.

auric[1] ['ɔ:rɪk] *a.* = **aural**[1].

auric[2] *a. chem.* złotowy.

auricle ['ɔ:rɪkl] *n. anat.* **1.** małżowina uszna. **2.** *anat.* przedsionek serca. **3.** *t. biol.* wyrostek w kształcie ucha.

auricula [ɔ:'rɪkjələ] *n. bot.* pierwiosnka łyszczak (*Primula auricula*).

auricular [ɔ:'rɪkjələr] *a. form.* **1.** uszny; słuchowy; **~ confession** *rz.-kat.* spowiedź na ucho; **~ witness** świadek relacjonujący to, co słyszał. **2.** w kształcie ucha. **3.** *anat.* przedsionkowy.

auriculate [ɔ:'rɪkjəlɪt] *a.* **1.** *bot., zool.* z wyrostkami w kształcie ucha. **2.** *bot.* w kształcie płatka usznego (*o zakończeniu liścia*).

auriferous [ɔ:'rɪfərəs] *a. lit.* złotonośny; złotodajny.

auriform ['ɔ:rəˌfɔ:rm] *a. form.* w kształcie ucha (*zw. ludzkiego*).

Auriga [ɔ:'raɪgə] *n. astron.* Woźnica.

auriscope ['ɔ:rɪˌskoʊp] *n. med.* otoskop, wziernik uszny.

aurist ['ɔ:rɪst] *n. med.* specjalista chorób usznych.

aurochs ['ɔ:rɑ:ks] *n. pl.* **aurochs** *zool.* tur (*Bos primigenius*).

aurora [ɑ:'rɔ:rə] *n.* **1.** *t. przen.* brzask, świt, jutrzenka. **2.** zorza; **~ australis** zorza polarna (*widoczna na półkuli południowej*); **~ borealis** zorza polarna (*widoczna na półkuli północnej*). **3. A~** *mit.* Aurora (= *rzymska bogini poranku*).

aurous ['ɔ:rəs] *a. chem.* złotawy.

auscultate ['ɔ:skəlˌteɪt] *v. med.* osłuchiwać.

auscultation [ˌɔ:skəl'teɪʃən] *n. U* osłuchiwanie, auskultacja.

auscultatory [ɔ:'skʌltəˌtɔ:rɪ] *a.* osłuchowy.

auspice ['ɔ:spɪs] *n.* **1.** *zw. pl.* zwierzchnictwo; patronat; **under the ~s of sb/sth** pod auspicjami kogoś/czegoś. **2.** *U arch.* wróżenie (*zwł. z lotu ptaków*).

auspicious [ɔ:ˈspɪʃəs] *a. form.* dobrze wróżący; pomyślny.

auspiciously [ɔ:ˈspɪʃəslɪ] *adv.* pomyślnie.

auspiciousness [ɔ:ˈspɪʃəsnəs] *n. U* pomyślność.

Aussie [ˈɔ:sɪ] *n. pot.* Australij-czyk/ka. – *a. attr. pot.* australijski.

austere [ɔ:ˈsti:r] *a.* **-r, -st 1.** surowy (*o charakterze, zasadach*); prosty, skromny (*np. o stylu życia*). **2.** poważny.

austerely [ɔ:ˈsti:rlɪ] *adv.* **1.** surowo. **2.** skromnie.

austereness [ɔ:ˈsti:rnəs] *n.* = **austerity**.

austerity [ɔ:ˈsterətɪ] *n.* **1.** *U* surowość; prostota. **2.** *U* powaga; srogość. **3.** *pl.* **-ies** trudności gospodarcze.

austral [ˈɔ:strəl] *a. form.* **1.** południowy. **2.** australijski; australazjatycki.

Australasia [ˌɔ:strəˈleɪʒə] *n. geogr.* Australazja.

Australasian [ˌɔ:strəˈleɪʒən] *a.* australazjatycki. – *n.* mieszkan-iec/ka Australazji.

Australia [ɔ:ˈstreɪljə] *n. geogr.* Australia.

Australian [ɔ:ˈstreɪljən] *a.* australijski. – *n.* Australij-czyk/ka.

Australoid [ˈɔ:strəˌlɔɪd] *n. i a. antrop.* (typ) australoidalny.

australopithecine [ɔ:ˌstreɪlouˈpɪθəsaɪn] *n.* = **Australopithecus**. – *a.* odnoszący się do australopiteka.

Australopithecus [ɔ:ˌstreɪlouˈpɪθəkəs] *n. antrop.* australopitek.

Austria [ˈɔ:strɪə] *n. geogr.* Austria; **~-Hungary** *hist.* Austro-Węgry.

Austrian [ˈɔ:strɪən] *a.* austriacki. – *n.* Austria-k/czka.

Austro-Asiatic [ˌɔ:strouˌeɪʒi:ˈætɪk] *a.* austroazjatycki. – *n. U* języki austroazjatyckie.

Austro-Hungarian [ˌɔ:strouhəŋˈgerɪən] *a. hist.* austro-węgierski.

Austronesia [ˌɔ:strouˈni:ʒə] *n. geogr.* Austronezja.

Austronesian [ˌɔ:strouˈni:ʒən] *a.* austronezyjski. – *n.* **1.** mieszkan-iec/ka Austronezji. **2.** *U* języki malajsko-polinezyjskie.

autarch [ˈɔ:tɑ:rk] *n. form.* władca absolutny.

autarchic [ɔ:ˈtɑ:rkɪk] *a.* autokratyczny, absolutny (*o władzy*).

autarchy [ˈɔ:tɑ:rkɪ] *n. U* autokracja, samowładztwo.

autarkic [ɔ:ˈtɑ:rkɪk] *a.* samowystarczalny, niezależny gospodarczo.

autarky [ˈɔ:tɑ:rkɪ] *n. form.* **1.** *U* autarkia, samowystarczalność, niezależność gospodarcza. **2.** *pl.* **-ies** państwo *l.* społeczeństwo samowystarczalne.

authentic [ɔ:ˈθentɪk] *a.* **1.** autentyczny; oryginalny, prawdziwy. **2.** wiarygodny.

authentically [ɔ:ˈθentɪklɪ] *adv.* **1.** prawdziwie. **2.** wiarygodnie.

authenticate [ɔ:ˈθentəˌkeɪt] *v.* **1.** poświadczać (*urzędowo*); uwierzytelniać. **2.** ustalać autorstwo *l.* autentyczność (*np. obrazu*).

authentication [ɔ:ˌθentəˈkeɪʃən] *n. U* **1.** uwierzytelnienie; poświadczenie. **2.** stwierdzenie autorstwa *l.* autentyczności.

authenticity [ˌɔ:θɪnˈtɪsətɪ] *n. U* **1.** autentyczność; oryginalność, prawdziwość; **doubt/question the ~ of sth** podawać w wątpliwość/kwestionować autentyczność czegoś. **2.** wiarygodność.

author [ˈɔ:θər] *n.* **1.** autor/ka; pisa-rz/rka. **2.** *przen.* autor, twórca. – *v.* **1.** napisać (*książkę, sprawozdanie*). **2.** *zwł. US przen.* być twórcą (*np. planu, umowy*).

authoress [ˈɔ:θərəs] *n. przest.* pisarka.

authorial [ɔ:ˈθɔ:rɪəl] *a.* autorski.

authoritarian [əˌθɔ:rəˈterɪən] *a. polit.* autorytatywny (*o rządach*). – *n.* zwolenni-k/czka rządów autorytatywnych.

authoritarianism [əˌθɔ:rəˈterɪəˌnɪzəm] *n. U* autorytaryzm.

authoritative [əˈθɔ:rəˌteɪtɪv] *a.* **1.** autorytatywny; stanowczy. **2.** wiarygodny, miarodajny; **~ sources/information** wiarygodne źródła/informacje.

authoritatively [əˈθɔ:rəˌteɪtɪvlɪ] *adv.* **1.** autorytatywnie; stanowczo. **2.** wiarygodnie, miarodajnie.

authoritativeness [əˈθɔ:rəˌteɪtɪvnəs] *n. U* **1.** autorytatywność; stanowczość. **2.** wiarygodność, miarodajność.

authority [əˈθɔ:rətɪ] *n. pl.* **-ies 1.** *U* władza; **have ~ over sb** mieć nad kimś władzę; **in ~** u *l.* przy władzy. **2.** pozwolenie; pełnomocnictwo. **3.** autorytet (*o osobie*); ekspert (*on sth* w jakiejś dziedzinie). **4.** *pl.* władze. **5.** *U* przekonanie; **speak with ~** mówić z przekonaniem. **6. have sth on sb's ~/on good ~** wiedzieć o czymś od kogoś/z pewnego źródła.

authorization [ˌɔ:θərəˈzeɪʃən], *Br. i Austr. zw.* **authorisation** *n. U* **1.** upoważnienie, uprawnienie; **~ code** *zwł. komp.* hasło dostępu; **with ~** za zgodą, z upoważnienia. **2.** usankcjonowanie; zatwierdzenie. **3.** *C* upoważnienie, pełnomocnictwo (*dokument*).

authorize [ˈɔ:θəˌraɪz], *Br. i Austr. zw.* **authorise** *v.* **1. ~ (sb to do sth)** upoważniać (kogoś do zrobienia czegoś); zezwalać na, wyrażać zgodę na. **2.** sankcjonować; zatwierdzać.

authorized [ˈɔ:θəˌraɪzd], *Br. i Austr. zw.* **authorised** *a. attr.* **1. ~ agent/dealer** autoryzowany przedstawiciel/dealer; **~ person** osoba uprawniona. **2. ~ capital** *fin.* kapitał statutowy. **3. A~ Version** *gł. Br.* (*także* **King James Bible/Version**) Biblia Króla Jakuba (*z 1611 r.*).

authorship [ˈɔ:θərˌʃɪp] *n. U* **1.** autorstwo; **of unknown ~** nieznanego autorstwa. **2.** *form.* pisarstwo.

autism [ˈɔ:tɪzəm] *n. U pat.* autyzm.

autistic [ɔ:ˈtɪstɪk] *a. pat.* autystyczny.

autistically [ɔ:ˈtɪstɪklɪ] *adv.* autystycznie.

auto1 [ˈɔ:tou] *n. pl.* **-s** *US przest.* samochód, auto. – *a. attr. US przest.* samochodowy; **~ industry** przemysł samochodowy.

auto2 *abbr.* = **automatic.**

autobahn ['ɔ:təˌbɑ:n] *n.* autostrada (*w krajach niemieckojęzycznych*).

autobiographer [ˌɔ:təbaɪ'ɑ:grəfər] *n.* autobiograf.

autobiographic [ˌɔ:toʊˌbaɪə'græfɪk], **autobiographical** *a.* autobiograficzny.

autobiographically [ˌɔ:təˌbaɪə'græfɪklɪ] *adv.* autobiograficznie.

autobiography [ˌɔ:təbaɪ'ɑ:grəfɪ] *n.* autobiografia.

autocade ['ɔ:təˌkeɪd] *n. US* kawalkada, sznur samochodów.

autocatalysis [ˌɔ:toʊkə'tælɪsɪs] *n. U chem.* samoaktywacja.

autocatalytic [ˌɔ:toʊˌkætə'lɪtɪk] *a. chem.* autokatalityczny.

autocephalous [ˌɔ:tə'sefələs], **autocephalic** *a. kość.* autokefaliczny.

autochrome ['ɔ:təˌkroʊm] *n. fot.* płyta autochromowa.

autochthon [ɔ:'tɑ:kθən] *n.* **1.** *geol.* autochton (*formacja skalna*). **2.** *zw. pl.* **-s** *l.* **-es** autochton/ka, tubylec.

autochthonic [ˌɔ:tɑ:k'θɑ:nɪk], **autochthonous** [ɔ:'tɑ:kθənəs] *a.* autochtoniczny, tubylczy, rdzenny.

autochthonism [ɔ:'tɑ:kθəˌnɪzəm] *n. U* autochtonizm.

autoclave ['ɔ:təˌkleɪv] *n.* **1.** autoklaw, reaktor ciśnieniowy. **2.** *gł. chir.* autoklaw, naczynie do sterylizacji. **3.** szybkowar.

autocracy [ɔ:'tɑ:krəsɪ] *n.* **1.** *U* autokracja, samowładztwo (*ustrój*). **2.** autokracja (*państwo*).

autocrat ['ɔ:təˌkræt] *n.* autokrata, samowładca, władca absolutny.

autocratic [ˌɔ:tə'krætɪk] *a.* autokratyczny, samowładny.

autocratically [ˌɔ:tə'krætɪklɪ] *adv.* autokratycznie, samowładnie.

autocross ['ɑ:toʊˌkrɑ:s] *n. U Br.* autokros, wyścig terenowy.

autocue ['ɑ:toʊˌkju:] *n. Br. telew.* teleprompter.

auto-da-fé [ˌɔ:toʊdə'feɪ] *n. pl.* **autos-da-fé** *hist.* wyrok inkwizycji; spalenie na stosie (*za herezję*).

autodidact [ˌɔ:toʊ'daɪdækt] *n.* samouk.

autoerotic [ˌɔ:toʊɪ'rɑ:tɪk] *a. psych. pat.* autoerotyczny.

autoerotically [ˌɔ:toʊɪ'rɑ:tɪklɪ] *adv.* autoerotycznie.

autoeroticism [ˌɔ:toʊɪ'rɑ:tɪˌsɪzəm], **autoerotism** *n. U* autoerotyzm.

autofocus ['ɑ:toʊˌfoʊkəs] *n. U gł. fot.* automatyczne ustawianie ostrości; ~ **on/off switch** przycisk automatycznego ustawiania ostrości (*np. w rzutniku*).

autogamic [ˌɔ:toʊ'gæmɪk], **autogamous** *a. biol.* samozapładniający (się); samozapylający (się).

autogamy [ɔ:'tɑ:gəmɪ] *n. U bot.* samozapłodnienie; samozapylenie.

autogenesis [ˌɔ:toʊ'dʒenəsɪs] *n. U biol.* autogeneza, samorództwo.

autogenic [ˌɔ:toʊ'dʒenɪk] *a. biol.* autogeniczny, samorodny.

autogenous [ɔ:'tɑ:dʒənəs] *a. form.* samoczynny; powstający bez przyczyny zewnętrznej; ~ **welding** *techn.* spawanie bez spoiwa.

autogeny [ɔ:'tɑ:dʒənɪ] *n. U form.* samoczynność; samoistne powstawanie.

autogiro [ˌɔ:tə'dʒaɪroʊ], **autogyro** *n. pl.* **-s** *lotn.* autożyro, wiatrakowiec.

autograft ['ɔ:təˌgræft] *n. med.* autoprzeszczep, przeszczep autoplastyczny.

autograph ['ɔ:təˌgræf] *n.* **1.** autograf; ~ **album/book** album z kolekcją autografów. **2.** rękopis. **3.** *U* pismo własnoręczne. – *a.* własnoręczny. – *v.* **1.** podpisywać, składać autograf na. **2.** pisać własnoręcznie.

autographic [ˌɔ:tə'græfɪk] *a.* własnoręczny.

autography [ɔ:'tɑ:grəfɪ] *n. U* **1.** pismo własnoręczne. **2.** *techn.* autografia (*dawna technika litograficzna*).

autoharp ['ɔ:toʊˌhɑ:rp] *n. muz.* odmiana cytry (*zaopatrzonej w tłumiki*).

autoimmune [ˌɔ:toʊɪ'mju:n] *a. attr. med.* wywoływany przez przeciwciała wytworzone przeciw własnym antygenom.

autoimmunity [ˌɔ:toʊɪ'mju:nətɪ] *n. U biol. med.* autoimmunizacja (= *wytwarzanie przeciwciał przeciw własnym antygenom*).

autointoxication [ˌɔ:toʊɪnˌtɑ:ksə'keɪʃən] *n. U med.* samozatrucie.

autolysis [ɔ:'tɑ:lɪsɪs] *n. fizj.* autoliza (= *rozkład komórek ciała pod działaniem własnego serum*).

automat ['ɔ:təˌmæt] *n. US* samoobsługowa restauracja, w której jedzenie i picie kupuje się, wrzucając monety do automatów.

automate ['ɔ:təˌmeɪt] *v.* automatyzować.

automated ['ɔ:təˌmeɪtɪd] *a.* zautomatyzowany.

automated-teller machine, *US t.* **ATM** *n.* bankomat.

automatic [ˌɔ:tə'mætɪk] *a.* **1.** automatyczny; samoczynny. **2.** machinalny, bezwiedny; odruchowy. – *n.* **1.** broń automatyczna. **2.** *mot.* samochód z automatyczną skrzynią biegów. **3.** automat (= *pralka automatyczna*).

automatically [ˌɔ:tə'mætɪklɪ] *adv.* **1.** automatycznie. **2.** odruchowo.

automatic data processing *n. U komp.* automatyczne przetwarzanie danych.

automatic feeder *n.* podajnik automatyczny (*np. w drukarce*).

automatic gain control *n. U radio* automatyczna regulacja wzmocnienia.

automatic pilot *n. gł. lotn.* pilot automatyczny, autopilot; **on** ~ *pot.* automatycznie, bez zastanowienia, odruchowo.

automatic rifle *n. wojsk.* karabin automatyczny.

automatic stabilizer *n. lotn.* pilot automatyczny zwiększający stateczność.

automatic translation *n. U* (*także* **machine translation**) tłumaczenie maszynowe.

automatic transmission *n.* **1.** *U* automatyczna zmiana biegów. **2.** automatyczna skrzynia biegów.

automatic volume control *n. U radio* automatyczna regulacja głośności.

automation [ˌɔːtəˈmeɪʃən] *n. U* automatyzacja.

automatism [ɔːˈtɑːməˌtɪzəm] *n.* **1.** *U zwł. psych.* automatyzm. **2.** czynność bezwiedna. **3.** bezmyślna rutyna.

automaton [ɔːˈtɑːməˌtɑːn] *n. pl. t.* **automata** [ɔːˈtɑːmətə] *t. przen.* automat, robot.

automobile [ˌɔːtəməˈbiːl] *n. gł. US* samochód, automobil.

automotive [ˌɔːtəˈmoʊtɪv] *a. attr.* **1.** samochodowy. **2.** o własnym napędzie.

autonomic [ˌɔːtəˈnɑːmɪk] *a.* **1.** *fizj.* autonomiczny; ~ **nervous system** wegetatywny *l.* autonomiczny układ nerwowy. **2.** *polit.* autonomiczny, samorządny.

autonomism [ɔːˈtɑːnəmɪzəm] *n. U gł. polit.* autonomiczność; niezależność.

autonomist [ɔːˈtɑːnəmɪst] *n.* autonomist-a/ka, zwolenni-k/czka autonomii.

autonomistic [ɔːˌtɑːnəˈmɪstɪk] *a. gł. polit.* autonomistyczny, zgodny z zasadami autonomii; samorządny.

autonomize [ɔːˈtɑːnəmaɪz] *v.* usamodzielniać (się), uniezależniać (się).

autonomous [ɔːˈtɑːnəməs] *a.* **1.** autonomiczny. **2.** samodzielny; samorządny; niezależny.

autonomously [ɔːˈtɑːnəməslɪ] *adv.* **1.** autonomicznie. **2.** samodzielnie; niezależnie.

autonomy [ɔːˈtɑːnəmɪ] *n. U* **1.** *polit.* autonomia, samostanowienie; **grant** ~ nadać autonomię. **2.** samodzielność; niezależność.

autopilot [ˈɔːtoʊˌpaɪlət] *n.* autopilot, pilot automatyczny.

autoplasty [ˈɔːtəˌplæstɪ] *n. U chir.* autotransplantacja.

autopsy [ˈɔːtɑːpsɪ] *n.* **1.** *gł. US* autopsja, sekcja zwłok; **carry out/perform an** ~ **on sb** przeprowadzić na kimś sekcję zwłok. **2.** *przen.* krytyczna analiza. – *v. gł. US* przeprowadzić sekcję zwłok na.

autosave [ˈɔːtəˌseɪv] *n. komp. U* automatyczne zachowywanie *l.* zapisywanie. – *v. komp.* zachowywać *l.* zapisywać automatycznie.

autosome [ˈɔːtəˌsoʊm] *n. biol.* autosom.

autosuggestion [ˌɔːtoʊsəgˈdʒestʃən] *n. U* autosugestia.

autoswitch [ˈɔːtəˌswiːtʃ] *n. techn.* wyłącznik samoczynny.

autotelic [ˌɔːtəˈtelɪk] *a. fil.* autoteliczny.

autotomy [ɔːˈtɑːtəmɪ] *n. U zool.* autotomia.

autotoxin [ˌɔːtəˈtɑːksɪn] *n. med.* autotoksyna.

autotransformer [ˌɔːtoʊtrænsˈfɔːrmər] *n. el.* autotransformator.

autotransplant [ˌɔːtəˈtrænsˌplænt] *n.* = **autograft**.

autotransplantation [ˌɔːtəˌtrænsplænˈteɪʃən] *n. U chir.* autotransplantacja, przeszczep własnopochodny.

autotroph [ˈɔːtəˌtrɑːf] *n. biol.* autotrof, organizm samożywny.

autotrophic [ˌɔːtəˈtrɑːfɪk] *a. biol.* autotroficzny, samożywny.

autotrophy [ɔːˈtɑːtrəfɪ], **autotrophism** *n. U biol.* autotrofia, samożywność.

autotype [ˈɔːtəˌtaɪp] *n. druk.* **1.** faksymile. **2.** autotypia.

autotypy [ˈɔːtəˌtaɪpɪ] *n. U druk.* autotypia (*proces*).

autowind [ˈɔːtəwaɪnd] *v. fot.* przewijać automatycznie (*film w aparacie*).

autowinder [ˈɔːtəwaɪndər] *n. fot.* urządzenie samoczynnie przesuwające klatkę (*po zrobieniu zdjęcia*).

autumn [ˈɔːtəm] *n. C/U gł. Br.* **1.** jesień; **in (the)** ~ jesienią, na jesieni. **2.** *przen.* jesień, schyłek; **the** ~ **of one's life** jesień życia.

autumnal [ɔːˈtʌmnl] *a.* jesienny.

autumn crocus *n. pl.* **-es** *bot.* zimowit (*Colchicum*).

autumn equinox, autumnal equinox *n.* równonoc jesienna.

auxanometer [ˌɔːksəˈnɑːmɪtər] *n.* wzrostomierz (= *przyrząd do mierzenia wzrostu roślin*).

auxiliary [ɔːgˈzɪljərɪ] *a.* **1.** pomocniczy. **2.** zapasowy. – *n.* **1.** pomocni-k/ca. **2.** rzecz *l.* urządzenie pomocnicze. **3.** *US* organizacja wspomagająca (*organizację główną*).

auxiliary cruiser *n.* krążownik pomocniczy.

auxiliary tank *n.* zbiornik pomocniczy.

auxiliary troops *n. pl.* (*także* **auxiliaries**) wojska *l.* oddziały pomocnicze.

auxiliary verb *n. gram.* czasownik posiłkowy.

AV [ˌeɪ ˈviː] *abbr.* **1.** = **Authorized Version**. **2.** (*także* **av**) = **audiovisual**.

av. *abbr.* **1.** = **average**. **2.** (*także* **Av.**) al. (= *aleja*).

avail [əˈveɪl] *v. form.* **1.** ~ **o.s. of sth** korzystać z czegoś. **2.** *zw. z neg.* pomagać; być z korzyścią dla; przydawać się; **it ~s you nothing to do sth** *przest.* na nic ci się nie zda zrobienie czegoś. – *n. U, zw. z neg.* **of little** ~ mało przydatny *l.* pożyteczny; **of no** ~ nieprzydatny; bez wartości *l.* znaczenia; **to little** ~ bez większego skutku; **to no** ~ daremnie, na próżno.

availability [əˌveɪləˈbɪlətɪ] *n. U* osiągalność; dostępność.

available [əˈveɪləbl] *a.* **1.** osiągalny; dostępny; **make sth** ~ **to sb** udostępnić coś komuś; **readily/freely** ~ łatwo dostępny. **2.** *pred.* wolny, do dyspozycji (*o czasie, osobie*). **3.** do wzięcia (= *nie mający małżonka l. partnera*).

avalanche [ˈævəˌlæntʃ] *n.* **1.** *t. przen.* lawina. **2.** *fiz.* lawina (*np. elektronowo-fotonowa*). – *v.* spadać lawiną.

avant-garde [əˌvɑːntˈgɑːrd] *n.* **the** ~ awangarda. – *a.* awangardowy.

avarice [ˈævərɪs] *n. U form.* chciwość, skąpstwo.

avaricious [ˌævəˈrɪʃəs] *a. form.* chciwy, skąpy.

avariciously [ˌævəˈrɪʃəslɪ] *adv.* chciwie.

avast [əˈvæst] *int. żegl.* stój!, stop!.

avatar [ˌævəˈtɑːr] *n. hinduizm* wcielenie boga.

avaunt [əˈvɔːnt] *int. arch.* precz!.

avdp. *abbr.* = **avoirdupois**.

ave., **Ave** *abbr.* al. (= *aleja*).

avenge [ə'vendʒ] *v. lit.* pomścić; ~ **o.s.** zemścić się (*on sb* na kimś).

avenger [ə'vendʒər] *n.* mściciel/ka.

avens ['ævənz] *n. bot.* kuklik (*Geum*); **water** ~ kuklik zwisły (*Geum rivale*); **wood** ~ kuklik pospolity (*Geum urbanum*).

aventurine [ə'ventʃərɪn] *n. U min.* awanturyn.

avenue ['ævəˌnjuː] *n.* **1.** aleja (*t. w nazwach*). **2.** *przen.* możliwość; ~**s of escape** możliwości *l.* drogi ucieczki; **explore/pursue every** ~ próbować wszystkiego.

aver [ə'ver] *v.* **-rr-** *form.* **1.** zapewniać (o). **2.** *prawn.* przeprowadzać dowód prawdy (*na rzecz oskarżonego*).

average ['ævərɪdʒ] *n.* **1.** *t. mat.* średnia, przeciętna; **above/below** ~ powyżej/poniżej średniej; **law of** ~**s** zasady (rachunku) prawdopodobieństwa; **on an/the** ~ (*także Br.* **on** ~) przeciętnie, średnio; **national** ~ średnia krajowa (*zarobków*). **2.** **(general)** ~ rozdzielanie strat spowodowanych utratą statku *l.* ładunku w następstwie rozmyślnego uszkodzenia statku *l.* poświęcenia ładunku (*pomiędzy właścicieli l. ubezpieczycieli*); **(particular)** ~ rozdzielanie strat spowodowanych utratą statku *l.* ładunku w następstwie wypadku (*jw.*). – *a. attr. t. mat.* średni, przeciętny; przeciętny (= *typowy, zwyczajny*); **of** ~ **height** średniego wzrostu; **of** ~ **intelligence** przeciętnie inteligentny. – *v.* **1.** wynosić *l.* osiągać przeciętnie *l.* średnio; ~ **8 hours a day** pracować średnio osiem godzin dziennie; ~ **$30,000 a year** zarabiać średnio 30 tys. dolarów rocznie. **2.** ~ **(out)** obliczać przeciętną *l.* średnią z, uśredniać; ~ **out** znosić się (wzajemnie), neutralizować się (*np. o dodatnich i ujemnych stronach czegoś*); ~ **out at/to** wynosić średnio.

averagely ['ævərɪdʒlɪ] *adv.* przeciętnie, średnio.

averment [ə'vɜːmənt] *n. form.* **1.** *U* ustalanie *l.* dowodzenie (*prawdy*). **2.** stanowcze zapewnienie, potwierdzenie. **3.** *prawn.* przeprowadzenie *l.* zaoferowanie przeprowadzenia dowodu prawdy.

averse [ə'vɜːs] *a. pred.* **be** ~ **to sth/to doing sth** być przeciwnym *l.* niechętnym czemuś/robieniu czegoś; **not be** ~ **to sth/to doing sth** nie mieć nic przeciwko czemuś/robieniu czegoś.

aversion [ə'vɜːʒən] *n.* **1.** awersja, niechęć; **have an** ~ **to sth** mieć awersję do czegoś. **2.** przedmiot awersji *l.* niechęci.

avert [ə'vɜːt] *v.* **1.** odwracać; ~ **one's eyes/gaze (from sth)** odwracać oczy/spojrzenie (od czegoś). **2.** zapobiec (*czemuś*), uniknąć (*czegoś*).

Avestan [ə'vestən] *n. U hist.* język awestyjski (*z grupy języków irańskich*).

avg. *abbr.* = **average**.

avgas ['ævˌgæs], **aviation gasoline** *n. U* benzyna lotnicza.

avian ['eɪvɪən] *a. zw. attr.* ptasi. – *n. form.* ptak.

aviary ['eɪviːˌerɪ] *n. pl.* **-ies** ptaszarnia.

aviate ['eɪvɪˌeɪt] *v. form.* latać (*samolotem*).

aviation [ˌeɪvɪ'eɪʃən] *n. U* lotnictwo.

aviator ['eɪvɪˌeɪtər] *n. przest.* pilot, lotnik.

aviatrix [ˌeɪvɪ'eɪtrɪks] *n. pl.* **aviatrices** *przest.* kobieta pilot/lotnik.

aviculture ['eɪvɪˌkʌltʃər] *n. U* hodowla ptaków.

avid ['ævɪd] *a.* gorliwy; ~ **fan** zagorzały miłośnik *l.* fan; ~ **for sth** spragniony czegoś.

avidity [ə'vɪdətɪ] *n. U* **1.** gorliwość. **2.** żądza, chciwość.

avidly ['ævɪdlɪ] *adv.* **1.** gorliwie. **2.** chciwie.

avifauna [ˌeɪvə'fɔːnə] *n. U zool.* awifauna, ornitofauna.

avionics [ˌeɪviː'ɑːnɪks] *n. U* awionika, elektronika lotnicza.

avitaminosis [eɪˌvaɪtəmə'noʊsɪs] *n. pl.* **-ses** *pat.* awitaminoza.

avocado [ˌævə'kɑːdoʊ] *n. pl.* **-s** *l.* **-es** (*także* ~ **pear**) awokado (*Persea gratissima*).

avocation [ˌævə'keɪʃən] *n.* **1.** *form.* zajęcie uboczne; praca dodatkowa; hobby. **2.** *arch.* zawód.

avoid [ə'vɔɪd] *v.* **1.** unikać; trzymać się z dala od; omijać; uchylać się od; ~ **doing sth** unikać robienia czegoś; ~ **sb/sth like the plague** unikać kogoś/czegoś jak zarazy *l.* ognia. **2.** *prawn.* odrzucać; unieważniać (*umowę, dekret*).

avoidable [ə'vɔɪdəbl] *a.* do uniknięcia; **sth is/was** ~ czegoś można/można było uniknąć.

avoidance [ə'vɔɪdəns] *n. U* **1.** ~ **of sb/sth** unikanie kogoś/czegoś; stronienie od kogoś/czegoś; **tax** ~ unikanie płacenia podatku (*legalnymi metodami*). **2.** *prawn.* uchylenie, unieważnienie.

avoirdupois [ˌævərdə'pɔɪz] *n. U* **1.** ~ **(weights)** angielski system wag (*nie stosowany dla kamieni i metali szlachetnych oraz lekarstw*); **pound** ~ funt masy, funt handlowy (= *0,453952 kg*). **2.** *US pot.* waga, ciężar.

avouch [ə'vaʊtʃ] *v. arch. l. ret.* **1.** ręczyć (za); gwarantować. **2.** twierdzić. **3.** wyznawać.

avow [ə'vaʊ] *v. form.* ~ **sth** przyznawać coś; deklarować coś; przyznawać się do czegoś.

avowal [ə'vaʊəl] *n.* przyznanie się, deklaracja; wyznanie.

avowed [ə'vaʊd] *a. attr.* zdeklarowany, otwarty, zaprzysięgły (*zwł. o wrogu l. zwolenniku jakiejś idei*); obrany (*o celu*).

avowedly [ə'vaʊɪdlɪ] *adv.* otwarcie.

avulsion [ə'vʌlʃən] *n. U* **1.** *gł. med.* oderwanie; wyrwanie. **2.** *C* oderwana część. **3.** *prawn.* przeniesienie gruntu na teren innego właściciela (*np. wskutek zmiany biegu strumienia dzielącego dwie posiadłości*).

avuncular [ə'vʌŋkjələr] *a.* dobroduszny; ojcowski.

avuncularly [ə'vʌŋkjələrlɪ] *adv.* dobrodusznie.

await [ə'weɪt] *v. form.* oczekiwać *l.* czekać (na); **a lot of work** ~**s us** czeka nas dużo pracy; **long** ~**ed** długo oczekiwany.

awaiting [ə'weɪtɪŋ] *a.* ~ **attention/delivery** do załatwienia/dostarczenia.

awake [ə'weɪk] *v. pret.* **awoke** *pp.* **awaken** *l.* **awakened** **1.** *t. przen.* budzić (się). **2.** wzbudzać, rozbudzać (*zainteresowanie, emocje*). **3.** ~ **to sth** uświadomić sobie coś, zdać sobie sprawę z czegoś. – *a. pred.* **1.** przebudzony; nie śpiący; czujny; **be** ~ nie spać; **keep sb** ~ nie dawać komuś spać; **lie ~** nie móc zasnąć *l.* spać; **stay ~** czuwać, nie spać; **wide ~** całkowicie obudzony *l.* przytomny. **2. be ~ to sth** być świadomym czegoś.

awaken [ə'weɪkən] *v. form.* **1.** = **awake** 1, 2. **2. ~ sb to sth** uświadomić coś komuś.

awakening [ə'weɪkənɪŋ] *a. zw. attr.* budzący się (*np. o zainteresowaniu*). – *n.* **1.** przebudzenie; **rude ~** *przen.* przykre przebudzenie, gorzkie rozczarowanie. **2.** rozbudzenie (*np. zainteresowań*).

award [ə'wɔ:rd] *v.* **1. ~ sb sth** (*także* **~ sth to sb**) nagradzać kogoś czymś; przyznawać *l.* nadawać komuś coś (*np. odznaczenie*). **2.** *prawn.* wyznaczać; zasądzać (*np. odszkodowanie*). – *n.* **1.** nagroda. **2.** odszkodowanie; zapłata (*wyznaczona przez sąd*).

aware [ə'wer] *a. pred.* świadomy (*of sth* czegoś); **become ~ of sth** uświadomić sobie coś; **I'm fully ~ that** zdaję sobie w pełni sprawę, że, jestem w pełni świadom, że; **make sb ~ of sth** uświadamiać coś komuś; **not that I'm ~ of** *pot.* nic mi o tym nie wiadomo; **politically/socially ~** świadomy politycznie/społecznie; **so/as far as I am ~** o ile mi wiadomo.

awareness [ə'wernəs] *n. U* świadomość; **develop people's ~** rozwijać świadomość wśród ludzi; **political/environmental ~** świadomość polityczna/ekologiczna; **raise ~** podnosić świadomość.

awash [ə'wɑ:ʃ] *a.* **1.** zalany; **~ with sth** *przen.* zalewany czymś, pełen czegoś. **2.** *zwł. żegl.* na poziomie wody; zalewany *l.* obmywany przez fale.

away [ə'weɪ] *adv.* **1.** z dala, daleko (*from sb / sth* od kogoś/czegoś); **~ you go!** *pot.* zmykaj!; **~ with...!** *lit.* precz z...!; **a mile ~** o milę stąd/stamtąd; **(not) far ~** (nie)daleko (stąd/stamtąd); **right ~** *zob.* **right**; **the wedding is three days ~** do ślubu pozostały trzy dni; **two miles ~ from** w odległości dwóch mil od. **2.** na bok, w innym kierunku; **look ~ from** odwrócić wzrok od; **put sth ~** odłożyć coś (na bok); schować coś; **turn ~** odwrócić (się); **walk/drive ~** odejść/odjechać. **3. be ~** być nieobecnym (*from sth* gdzieś); **he is ~** nie ma go; **she is ~ (for a month/in Denver)** wyjechała (na miesiąc/do Denver). **4.** *po v.* podkreśla natężenie, powtarzalność *l.* ciągłość czynności; **sing ~** wyśpiewywać; **talk ~** mówić bez przerwy; **work ~** pracować zawzięcie. **5.** *sport* na wyjeździe; **play ~** grać na wyjeździe. – *a. attr.* wyjazdowy; **~ game/match** mecz wyjazdowy *l.* na wyjeździe.

awe [ɔ:] *n. U* pełen szacunku podziw *l.* lęk; nabożna cześć; **be/stand in ~ of sb/sth** być pełnym podziwu dla kogoś/czegoś; czuć respekt przed kimś/czymś; **fill sb with ~** napawać kogoś lękiem; wywoływać czyjś podziw; **hold/keep sb in ~ of** utrzymywać kogoś w strachu przed; **with/in ~** z nabożną czcią; z podziwem. – *v. zw. pass.* wywoływać podziw *l.* respekt u; napawać lękiem.

aweather [ə'weðər] *adv. i a. żegl.* po nawietrznej.

awed [ə'wed] *a.* pełen nabożnego lęku *l.* czci (*o ciszy, tonie*).

aweigh [ə'weɪ] *a. żegl.* podniesiony z dna (*o kotwicy*).

awe-inspiring [ˌɔ:ɪn'spaɪrɪŋ] *a.* budzący lęk *l.* podziw *l.* respekt; *pot.* wspaniały, cudowny.

aweless ['ɔ:ləs], **awless** *a. form.* nieustraszony.

awesome ['ɔ:səm] *a.* **1.** = **awe-inspiring**. **2.** *US sl.* odlotowy.

awesomely ['ɔ:səmlɪ] *adv.* w sposób budzący lęk *l.* podziw *l.* respekt.

awestruck ['ɔ:strʌk], **awestricken** *a.* przejęty lękiem; pełen respektu.

awful ['ɔ:fʊl] *a.* **1.** straszny, okropny; **an ~ lot** *pot.* strasznie dużo; **feel/look ~** czuć się/wyglądać okropnie. **2.** *lit.* budzący lęk *l.* podziw. – *adv. US pot.* strasznie, bardzo.

awfully ['ɔ:fʊlɪ] *adv.* **1.** strasznie, okropnie. **2.** *pot.* bardzo.

awfulness ['ɔ:fʊlnəs] *n. U* okropność, okropieństwo.

awhile [ə'waɪl] *adv. gł. lit.* (na *l.* przez) chwilę; **I want to rest ~** chcę chwilę odpocząć; **stay ~!** zostań chwilę!.

awkward ['ɔ:kwərd] *a.* **1.** niezgrabny, niezdarny, niezręczny. **2.** niezręczny, kłopotliwy (*zwł. o sytuacji*); **make things ~** komplikować sprawę. **3.** nieodpowiedni (*o chwili*). **4.** nieporęczny, niewygodny (*w użyciu*). **5.** trudny; **~ customer** trudny klient; **the/that ~ age** trudny wiek (= *dojrzewanie*).

awkwardly ['ɔ:kwərdlɪ] *adv.* **1.** niezgrabnie, niezdarnie, niezręcznie. **2.** z zakłopotaniem. **3.** niefortunnie.

awkwardness ['ɔ:kwərdnəs] *n. U* **1.** niezgrabność, niezdarność. **2.** zakłopotanie; skrępowanie.

awl [ɔ:l] *n.* szydło (*zwł. szewskie*).

awn [ɔ:n] *n. bot.* wąs (*kłosu, zwł. jęczmienia*).

awning ['ɔ:nɪŋ] *n.* dach płócienny (*zwł. nad pokładem statku*); markiza.

awoke [ə'woʊk] *v. pret. zob.* **awake**.

AWOL ['eɪwɑ:l; ˌeɪ ˌdʌblju: ˌoʊ 'el], **A.W.O.L.** *abbr. wojsk.* **absent without leave** nieobecny nieusprawiedliwiony; **go ~** oddalić się samowolnie.

awry [ə'raɪ] *adv.* **1.** krzywo, skośnie; **look ~** *t. przen.* patrzeć z ukosa *l.* krzywo. **2.** na opak, opacznie; **go ~** wyjść na opak, nie powieść się; *przen.* zbłądzić. – *a. pred.* **1.** krzywy, przekrzywiony (*np. o kapeluszu, krawacie*); w nieładzie (*o ubiorze, fryzurze*). **2.** *przen.* błędny.

ax [æks], *Br.* **axe** *n.* **1.** siekiera; topór. **2.** *pot.* **the ~** cięcie, redukcja; **get the ~** zostać zwolnionym z pracy; zostać wstrzymanym (*np. o projekcie*); **give sb/sth the ~** zwolnić kogoś z pracy/pozbyć się czegoś. **3.** *Br. sl.* gitara. **4. have an ~ to grind** *przen.* mieć interes w czymś. – *v. pot.* robić cięcia w, obcinać, redukować (*wydatki, stanowiska pracy*).

axel ['æksl] *n.* **(double/triple) ~** *łyżwiarstwo* podwójny/potrójny axel.

axial ['æksɪəl] *a.* osiowy.

axially ['æksɪəlɪ] *adv.* osiowo.

axil ['æksɪl] *n. bot.* pachwina *l.* kąt liścia (*pomiędzy nasadą a łodygą*).

axile ['æksɪl] *a. bot.* osiowy.

axilla [æk'sɪlə] *n. pl.* **-e** *anat. bot.* pacha.

axillary ['æksəˌlerɪ] *a. attr.* **1.** *anat.* pachowy. **2.** *bot.* pachwinowy.

axillary artery *n. anat.* tętnica pachowa.

axillary bud *n. bot.* pączek pachwinowy.

axillary nerve *n. anat.* nerw pachowy.

axillary vein *n. anat.* żyła pachowa.

axiological [ˌæksɪə'lɑ:dʒɪkl] *a.* aksjologiczny.

axiologically [ˌæksɪə'lɑ:dʒɪklɪ] *adv.* aksjologicznie.

axiology [ˌæksi:'ɑ:lədʒɪ] *n. U fil.* aksjologia.

axiom ['æksɪəm] *n.* **1.** *t. log. i mat.* aksjomat. **2.** *form.* zasada.

axiomatic [ˌæksɪə'mætɪk], **axiomatical** *a.* **1.** *gł. log.* aksjomatyczny. **2.** oczywisty.

axiomatically [ˌæksɪə'mætɪklɪ] *adv.* aksjomatycznie.

axiomatize [ˌæksɪ'ɑ:məθaɪz] *v. gł. log.* wyrażać za pomocą aksjomatów.

axis ['æksɪs] *n. pl.* **axes** ['æksi:z] **1.** *mat., opt., fizj.* oś (*t. planety*); **axes of coordinates** osie współrzędnych. **2.** *anat.* kręg obrotowy (*u podstawy czaszki*). **3.** przymierze; **the A~** *hist.* państwa osi (*w II wojnie światowej*).

axle ['æksl] *n.* (*także* **~-tree**) oś, ośka (*koła*); *kol.* wał osiowy.

axle box *n. kol.* maźnica.

axled ['æksld] *a.* posiadający oś.

axle journal *n.* czop osi.

axle shaft *n. mot.* półoś.

Axminster ['æksˌmɪnstər] *n.* (*także* **~ carpet/rug**) rodzaj dywanu ze strzyżonej wełny na podkładzie jutowym.

axolotl ['æksəˌlɑ:tl] *n. zool.* aksolotl meksykański (*Ambystoma mexicanum; postać larwalna płaza ogoniastego*).

axon ['æksɑ:n] *n. anat.* akson, neuryt, włókno osiowe nerwu.

ay [aɪ] *int. zob.* **aye**.

ayatollah [ˌaɪə'toʊlə] *n.* ajatollah (*tytuł religijnego przywódcy irańskich szyitów*).

aye [aɪ], **ay** *int. dial. l. arch.* tak. – *n.* odpowiedź twierdząca; głos za (*w głosowaniu*); **~, ~, Sir!** *wojsk.* tak jest!; **the ~s have it** większość głosów jest za. – *adv. Scot. i płn. Br. arch. l. poet.* zawsze; **for ~** na wieki, po wsze czasy.

aye-aye ['aɪˌaɪ] *n. zool.* palczak (*Daubentonia madagascariensis*).

AZ *abbr. US* = **Arizona**.

azalea [ə'zeɪljə] *n. bot.* azalia, różanecznik (*Azalea*).

azarole ['æzəroʊl] *n. bot.* odmiana głogu (*Crataegus azarolus*).

Azerbaijan [ˌɑ:zərbaɪ'dʒɑ:n] *n. geogr.* Azerbejdżan.

Azerbaijani [ˌɑ:zərbaɪ'dʒɑ:nɪ] *a.* azerbejdżański. – *n.* **1.** Azerbejdżan-in/ka. **2.** *U* (*także* **Azeri**) język azerski.

azimuth ['æzəməθ] *n. astron.* azymut.

azimuthal [ˌæzə'mʌθl] *a.* azymutowy.

azoic [æ'zoʊɪk] *a.* nie zawierający żywych organizmów; *geol.* azoiczny. – *n.* **A~** *geol.* azoik, archaik.

azoospermia [ˌæzu:'spɝ:mɪə] *n. U pat.* azoospermia (= *brak plemników w nasieniu*).

Azores ['eɪzɔ:rz] *n. pl.* **the ~** *geogr.* Wyspy Azorskie, Azory.

azoturia [ˌæzə'tʊrɪə] *n. U pat.* azoturia (= *zwiększone wydalanie azotu w moczu*).

Azov [ɑ:'zɔ:f] *n.* **Sea of ~** *geogr.* Morze Azowskie.

AZT [ˌeɪ ˌzi: 'ti:] *abbr.* **azidothymidine** AZT (*lek używany w leczeniu AIDS*).

Aztec ['æztek] *a.* (*także* **Aztecan**) aztecki. – *n.* **1.** członek ludu Azteków. **2.** *U* język uto-aztecki (*z którego wywodzi się współczesny język nahuatl*).

azure ['æʒər] *n. U* **1.** błękit, lazur (*kolor i barwnik*). **2.** *min.* lazuryt, lapis-lazuli. **3.** *her.* błękit. – *a.* błękitny, lazurowy.

azurite ['æʒəˌraɪt] *n. U min.* azuryt, błękit miedzi.

azygous ['æzəgəs] *a. anat., biol.* nieparzysty (*o narządach*).

B

B [bi:], **b** *n. pl.* **-'s** *l.* **-s** [bi:z] B, b (*litera l. głoska*).

B¹ [bi:] *n. pl.* **-'s** *l.* **-s** (*także* **beta**) *szkoln.* dobry, ocena dobra; **a ~ in sth** ocena dobra z czegoś.

B² *n. muz.* H, h (*dźwięk l. stopień skali*); **B flat** b (*dźwięk*).

B³ *a.* (klasy) B (= *drugorzędny, drugi z kolei*); **the B side (of a record)** strona B (płyty).

B⁴ *abbr. szachy* = **bishop**.

B. *abbr. geogr.* = **bay**; **San Francisco B.** Zat. San Francisco.

b. *abbr.* **1.** *muz.* = **bass(o)**. **2.** = **book**. **3.** = **born**.

B.A. [ˌbi: ˈeɪ], **BA** *abbr.* **1. Bachelor of Arts** *szkoln.* licencjat (*osoba l. stopień naukowy*); **be/have a ~ in sth** mieć licencjat z czegoś. **2. British Airways** Brytyjskie Linie Lotnicze.

baa [bæ] *v.* **-ing, -ed** *l.* **-'d** *onomat.* beczeć (*o owcy*). – *n. i int.* bee, bek, beczenie (*owcy*).

babbitt [ˈbæbɪt] *n.* (*także* **B~ metal**) *techn.* babbit (*stop łożyskowy*). – *v. techn.* powlekać babbitem.

babble [ˈbæbl] *v.* **1. ~ (on/away)** paplać, trajkotać; bełkotać. **2.** wybełkotać; wypaplać, wyśpiewać (*np. tajemnicę*). **3.** gaworzyć (*o dziecku*). **4.** szemrać (*o strumieniu*). – *n. U* **1.** paplanina; gwar. **2.** gaworzenie (*dziecka*). **3.** szmer (*strumienia*).

babbler [ˈbæblər] *n.* papla, gaduła.

babe [beɪb] *n.* **1.** *lit.* dziecię, dziecina; **~ in arms** dziecko na ręku. **2.** *voc. pot.* kochanie. **3.** *US sl.* babka, mała, cizia. **4. ~ in the woods** *cz. iron.* naiwne *l.* niewinne dziecię (*o dorosłej osobie*); **out of the mouths of ~s (and sucklings)** *ret.* (prawda przemawia) ustami dziecięcia.

Babel [ˈbeɪbl] *n.* **1. (the tower of) ~** *Bibl. l. przen.* wieża Babel. **2.** (*także* **b~**) zgiełk, rozgardiasz; **a b~ of voices** gwar (*zwł. wielojęzyczny*).

babies'-breath [ˈbeɪbɪzˌbreθ] *n. bot.* = **baby's breath.**

baboon [bæˈbu:n] *n. zool.* pawian (*Papio, Theropithecus*).

babushka [bəˈbu:ʃkə] *n.* chustka na głowę (*typu wschodnioeuropejskiego*).

baby [ˈbeɪbɪ] *n.* **1.** niemowlę; (*pieszczotliwie*) dzidziuś; **~ boy/girl** chłopczyk/dziewczynka (*o niemowlęciu*); **be expecting a ~** spodziewać się dziecka; **have a ~** urodzić (dziecko); **start a ~** *Br. pot.* zajść w ciążę; **we're going to have a ~** będziemy mieli dziecko. **2.** młode (*u zwierząt*); **~ elephant/chick** słoniątko/kurczaczek (*t. przen.*); maleństwo; **~ car** *pot.* mikrus, maluch (*o samochodzie*); **~ carrots** marchewka junior; **~ Gouda** gouda liliput. **3.** *pot.* niunia, beniaminek (= *najmłodszy z rodziny l. grupy*). **4.** dzieciuch, dzieciak; mazgaj. **5.** *voc. pot.* kochanie. **6.** *US sl.* = **babe** 3. **7. sb's ~** *przen.* czyjeś dziecko (*o pomyśle, projekcie*); **it's your ~** ty za to odpowiadasz. **8.** *przen.* **leave sb holding the ~** *Br.* zrobić z kogoś kozła ofiarnego; **smooth as a ~'s bottom** gładki jak pupa niemowlęcia; **throw the ~ out with the bath (water)** wylać dziecko (wraz) z kąpielą. – *v.* hołubić; rozpieszczać, cackać się z.

baby blue *n. U* blady błękit.

baby blues *n. pl. pot.* depresja poporodowa.

baby bonus *n. Can.* zasiłek rodzinny.

baby boom *n. gł. US* wyż demograficzny (*zwł. po II wojnie światowej*).

baby-boomer [ˈbeɪbɪˌbu:mər] *n.* osoba urodzona w latach wyżu (*zwł. powojennego*).

baby carriage *n. US i Can.* wózek niemowlęcy.

baby doll *n.* lalka-niemowlę.

babyface [ˈbeɪbɪˌfeɪs], **baby-face** *n.* twarz *l.* buzia dziecka (*o wyglądzie l. osobie*).

baby food *n. U* odżywki dla niemowląt.

baby grand *n. muz.* fortepian gabinetowy.

babyhood [ˈbeɪbɪhud] *n. U* niemowlęctwo.

babyish [ˈbeɪbɪɪʃ] *a.* infantylny, dziecinny.

babyishly [ˈbeɪbɪɪʃlɪ] *adv.* infantylnie.

babyishness [ˈbeɪbɪɪʃnəs] *n. U* infantylizm.

Babylon [ˈbæbəlɑ:n] *n. hist.* Babilon (*t. ret.* = *zepsucie, zgnilizna moralna*).

Babylonia [ˌbæbəˈlounɪə] *n. hist.* Babilonia.

Babylonian [ˌbæbəˈlounɪən] *a.* babiloński; **~ captivity** *hist., Bibl.* niewola babilońska. – *n. hist.* **1.** Babilo-ńczyk/nka. **2.** *U jęz.* (język) babiloński.

baby-minder [ˈbeɪbɪˌmaɪndər] *n.* opiekun/ka do dzieci, niania.

baby-minding [ˈbeɪbɪˌmaɪndɪŋ] *n. U* opieka nad dziećmi (*zwł. całodzienna*).

babyproof [ˈbeɪbɪˌpru:f], **baby-proof** *a.* zabezpieczony przed dziećmi; bezpieczny dla dzieci.

baby's breath, baby's-breath, babies'-breath *n. bot.* gipsówka, łyszczec wiechowaty (*Gypsophila paniculata*).

babysit [ˈbeɪbɪsɪt], **baby-sit** *v.* **-tt-** *pret. i pp.* **babysat** *l.* **baby-sat** pilnować dzieci, opiekować się dziećmi (*pod nieobecność rodziców*); *cz. żart.* pilnować (*czyjegoś samochodu, kota, mieszkania*); **~ for sb** pilnować czyichś dzieci.

babysitter [ˈbeɪbɪsɪtər], **baby-sitter** *n.* opiekun/ka do dzieci.

babysitting ['beɪbɪsɪtɪŋ], **baby-sitting** *n. U* pilnowanie dzieci, opieka nad dziećmi.

baby talk *n. U* **1.** mowa dziecka. **2.** mowa spieszczona (*przy zwracaniu się do małego dziecka*).

baby tooth *n. pl.* **baby teeth** (*także* **milk tooth**) *anat.* ząb mleczny.

baby walker *n. Br.* chodzik dla dziecka.

baccalaureate [ˌbækə'lɔːrɪət] *n.* **1.** *uniw.* licencjat, bakalaureat. **2.** *szkoln.* matura, egzamin dojrzałości (*zwł. we Francji i w szkołach międzynarodowych*); **sit/take one's ~** zdawać maturę. **3.** *US szkoln.* mowa pożegnalna (*podczas ceremonii wręczania dyplomów*).

baccarat ['bɑːkəˌrɑː] *n. U karty* bakarat.

baccate ['bækeɪt] *a. bot.* **1.** jagodowaty, w postaci jagody. **2.** *attr.* rodzący jagody.

bacchanal [ˌbɑːkə'nɑːl] *a. lit.* **1.** Bachusowy. **2.** bachiczny (*t. = pijacki, hulaszczy*). – *n.* **1.** bachant/ka (*t. = pijak, hulaka*). **2.** bachanalie (*t. = orgia pijacka*).

bacchanalia [ˌbækə'neɪlɪə], **Bacchanalia** *n. pl. hist.* bachanalie (*t. przen.*).

bacchanalian [ˌbækə'neɪlɪən] *a.* bachiczny, dionizyjski (*= orgiastyczny*).

bacchant [bə'kænt] *n. pl.* **bacchants** *l.* **bacchantes** [bə'kænts] *hist.* bachant, kapłan Bachusa (*t. przen. = hulaka*).

bacchante [bə'kæntiː] *n.* bachantka (*t. przen.*).

bacchantic [bə'kæntɪk] *a.* bachancki.

Bacchic ['bækɪk] *a.* **1.** Bachusowy. **2.** (*także* **bacchic**) bachiczny (*= hulaszczy, orgiastyczny*).

Bacchus ['bækəs] *n. mit.* Bachus; Bakchos (*= Dionizos*).

bacciferous [bæk'sɪfərəs] *a. bot.* rodzący jagody.

bacciform ['bæksəˌfɔːrm] *a. bot.* jagodowaty, jagodokształtny.

baccivorous [bæk'sɪvərəs] *a. zool.* jagodożerny.

bachelor ['bætʃələr] *n.* **1.** kawaler; **eligible ~** kawaler do wzięcia. **2.** *uniw.* licencjat, bakałarz (*osoba l. stopień*); **B~ of Arts/Sciences** licencjat nauk humanistycznych/ścisłych; **~'s degree** licencjat (*stopień*). **3.** (*także* **~-at-arms**) *hist.* kawaler (*młody rycerz na służbie magnata*).

bachelor flat, bachelor apartment *n.* mieszkanie kawalerskie, kawalerka.

bachelor girl *n.* niezależna panna.

bachelorhood ['bætʃələrhʊd] *n. U* kawalerstwo, bezżenność.

bachelor party *n. US* wieczór kawalerski.

bachelor seal *n. zool.* chołostiak (*= młody samiec foki*).

bacillary ['bæsəˌlerɪ], **bacillar** [bə'sɪlər] *a.* **1.** = **bacilliform**. **2.** *med.* laseczkowy, wywoływany przez laseczki.

bacilliform [bə'sɪlɪˌfɔːrm] *a. gł. biol.* laseczkowaty, pałeczkowaty.

bacillus [bə'sɪləs] *n. pl.* **bacilli** [bə'sɪlaɪ] *biol.* laseczka (*Bacillus, Clostridium*).

bacitracine [ˌbæsɪ'treɪsən] *n. U med.* bacytracyna.

back[1] [bæk] *n.* **1.** plecy; grzbiet (*t. książki, dłoni, wzgórza*); **(stand/sit) ~ to ~** (stać/siedzieć) plecami do siebie; **(lie) on one's ~** (leżeć) na plecach. **2.** kręgosłup; krzyż. **3.** oparcie (*np. krzesła*). **4.** tył; koniec (*książki*); odwrotna strona; tępa strona (*noża*); **at the ~ (of sth)** z tyłu (czegoś); **~ to front** *Br.* tył(em) naprzód; **in the ~ (of sth)** w tylnej części *l.* w głębi (czegoś). **5.** *piłka nożna l. hokej* obrońca. **6.** *przen.* **be at sb's ~** stać za kimś (*= popierać kogoś*); siedzieć komuś na karku (*= doganiać kogoś*); **be at/in the ~ of sb's mind** świtać *l.* majaczyć komuś (*o myśli l. wspomnieniu*); **be on sb's ~** *pot.* czepiać się kogoś, dokuczać komuś; **behind sb's ~** za czyimiś plecami; **break one's ~** harować, przepracowywać się; **break the ~ of sth** mieć za sobą najtrudniejszą część czegoś; **get off sb's ~** *pot.* odczepić się od kogoś, zejść z kogoś; **get/put sb's ~ up** rozdrażnić kogoś; **have eyes in the ~ of one's head** mieć oczy z tyłu głowy; **it's no skin off my ~** *zob.* **skin** *n.*; **know sth like the ~ of one's hand** znać coś jak własną kieszeń; **lie flat on one's ~** leżeć na łopatkach; rozłożyć się (*= zachorować*); **make a rod for one's own ~** ukręcić bicz na własną skórę; **put one's ~ into sth** przyłożyć się do czegoś; **see the ~ of sb/sth** mieć kogoś/coś z głowy; **stab in the ~** cios w plecy (*= zdrada*); **stab sb in the ~** wbić komuś nóż w plecy; **the ~ of beyond** odludzie; **(out) ~ of beyond** *Austr.* na odludziu; **turn one's ~ on sb/sth** *zob.* **turn** *v.*; **with one's ~ to the wall** przyparty do muru; **you scratch my ~ and I'll scratch yours** przysługa za przysługę. – *a. attr.* **1.** tylny; położony na tyłach *l.* na uboczu; **~ door** tylne *l.* kuchenne drzwi; **by/through the ~ door** *przen.* tylnymi drzwiami; **~ garden** ogród na tyłach domu; **~ vowel** *fon.* samogłoska tylna; **put sth on the ~ burner** *pot.* odłożyć coś na później. **2.** wsteczny; **~ current** prąd wsteczny. **3.** dawniejszy, wcześniejszy; **~ issues of a magazine** wcześniejsze numery czasopisma. **4.** zaległy; **~ rent/tax** zaległy czynsz/podatek. – *adv.* **1.** do tyłu, w tył, wstecz (*w przestrzeni l. czasie*); **~ and forth** w tę i nazad; **a few years ~** kilka lat temu; **a mile ~** o milę wcześniej; **comb ~** zaczesywać do tyłu; **go/move ~** cofać się; **lean ~** odchylać się w tył; **sit ~ (in a chair)** rozsiadać się (na krześle); **there and ~** tam i z powrotem; **way ~** dawno temu. **2.** z powrotem; na (dawne) miejsce; **~ home** (z powrotem) w *l.* do domu; **be ~** wrócić, być z powrotem; **be ~ to square one** *przen.* wrócić do punktu wyjścia, znaleźć się ponownie w punkcie wyjścia; **come/go ~** wracać; **give/send sth ~ (to sb)** oddawać/odsyłać coś (komuś); **(it's) ~ to the drawing board** *przen.* trzeba zacząć (jeszcze raz) od początku; **put sth ~** odkładać coś na miejsce; **turn ~** zawracać. **3.** z tyłu, na tyłach; na uboczu; z drogi; **~ of sth** *US* na tyłach czegoś; **stand ~** stać na uboczu; ustąpić z drogi. **4.** pod kontrolą; w ukryciu; **hold/keep ~** powstrzymywać; zatajać. **5.** w odpowiedzi, w rewanżu; **hit/kick (sb) ~** oddać (komuś) cios/kopniaka; **smile ~ (to sb)** odwzajemnić (czyjś) uśmiech; **talk ~ to sb** pyskować komuś, odszczekiwać się komuś; **write ~** odpisać (*na list*). – *v.* **1.** popierać, wspierać. **2.** stanowić tło dla; *muz.* towarzyszyć, akompaniować;

~**ed by an orchestra** z towarzyszeniem orkiestry. **3.** *wyścigi* obstawiać, stawiać na; ~ **the wrong horse** *przen.* postawić na niewłaściwego konia. **4.** cofać, wprowadzać *l.* wyprowadzać tyłem (*zwł. samochód*); cofać się. **5.** *żegl.* zmieniać kierunek z prawa na lewo (*o wietrze*). **6.** *żegl.* ustawiać pod wiatr (*żagiel*); ~ **and fill** manewrować żaglami; *przen.* lawirować. **7.** zaopatrywać w grzbiet *l.* oparcie. **8.** ~ **sth (with sth)** podpierać *l.* podszywać *l.* podklejać *l.* wzmacniać coś (czymś). **9.** *fin.* kontrasygnować, indosować (*czek, weksel*). **10.** *arch.* dosiadać (*wierzchowca*). **11.** ~ **away (from sth)** wycofać się (z obawy przed czymś); ~ **down (from sth)** schodzić tyłem (skądś); *przen.* ustąpić *l.* wycofać się (z czegoś); ~ **down a boat** cofnąć łódź (*za pomocą wioseł*); ~ **off (from sth)** *US* ustąpić *l.* wycofać się (z czegoś); ~ **on/onto sth** stać tyłem do czegoś (*o budynku*); ~ **out (of sth)** wycofać się (skądś *l.* z czegoś) (*zwł. z umowy, przedsięwzięcia*); ~ **up** spiętrzyć *l.* nagromadzić się (*wskutek zatoru*); zatkać się (*o zlewie, rurze*); *US* cofać (się); ~ **sb/sth up** popierać *l.* wspierać *l.* wspomagać kogoś/coś; ~ **sb up** potwierdzać czyjąś prawdomówność; ~ **sth up** uwiarygodniać *l.* potwierdzać coś (*zwł. czyjeś słowa*); *druk.* zadrukowywać odwrotną stronę czegoś; *komp.* sporządzać zapasową kopię czegoś.

back² *n.* kadź (*zwł. do warzenia piwa*).

backache [ˈbækˌeɪk] *n. U* ból pleców *l.* krzyża.

backbeat [ˈbækˌbiːt] *n. muz.* rytm synkopowany.

backbench [ˌbækˈbentʃ], **back-bench** *n. gł. Br. parl.* tylna ława poselska (*w Izbie Gmin*); ~ **MPs** szeregowi parlamentarzyści.

backbencher [ˌbækˈbentʃər] *n. Br., Austr. i NZ* szeregowy członek Izby Gmin.

backbite [ˈbækˌbaɪt] *v. pret.* **backbit** [ˈbækˌbɪt] *pp*, **backbitten** [ˈbækˌbɪtən] *pot.* **backbit** [ˈbækˌbɪt] obgadywać *l.* obmawiać (za plecami).

backbiter [ˈbækˌbaɪtər] *n.* plotka-rz/ra (*obgadujący nieobecnych*).

backbiting [ˈbækˌbaɪtɪŋ] *n. U* obgadywanie *l.* obmawianie (za plecami).

backblocker [ˈbækˌblɑːkər] *a. Austr. i NZ* człowiek z głuszy *l.* z zapadłej prowincji.

backblocks [ˈbækˌblɑːks] *n. pl. Austr. i NZ* = **back country**.

backboard [ˈbækˌbɔːrd] *n.* **1.** drewniane oparcie *l.* usztywnienie. **2.** tablica do gry w koszykówkę.

backbone [ˈbækˌboʊn] *n.* **1.** *anat.* kręgosłup, stos pacierzowy. **2.** *U przen.* kręgosłup, zasady (moralne); charakter, siła charakteru; **have no** ~ być pozbawionym kręgosłupa *l.* zasad; **have the** ~ **to do sth** mieć dość odwagi, by coś zrobić. **3. the** ~ **of sth** *przen.* oś *l.* podstawa czegoś. **4. to the** ~ *przen.* na wskroś; do szpiku kości. **5.** *druk.* grzbiet (*książki, oprawy*).

backbreaking [ˈbækˌbreɪkɪŋ] *a.* katorżniczy (*o pracy, wysiłku*).

backchat [ˈbækˌtʃæt] *n. U Br. pot.* = **back talk**.

backcloth [ˈbækˌklɔːθ] *n. teatr* prospekt (= *malowana zasłona w tle*).

backcomb [ˈbækˌkoʊm] *n. Br.* tapirować (*włosy*).

back country *n. U Austr. i NZ* odludzie, głusza; zapadła prowincja.

back crawl *n. U* = **backstroke** 1.

backcross [ˈbækˌkrɔːs] *n. biol.* krzyżówka wsteczna. – *v. biol.* krzyżować (*mieszańca*) z jednym z rodziców.

backcrossing [ˈbækˌkrɔːsɪŋ] *n. U biol.* kojarzenie wsobne wsteczne.

backdate [bækˈdeɪt] *v.* antydatować, datować wstecz.

back door *n.* **1.** tylne drzwi. **2. get in through the** ~ *t. przen.* wejść tylnymi drzwiami.

backdoor [ˈbækˌdɔːr] *a. attr.* potajemny, zakulisowy.

backdrop [ˈbækˌdrɑːp] *n. teatr* = **backcloth**; *przen.* tło, kontekst; **against a/the** ~ **of sth** na tle *l.* w kontekście czegoś.

back-end [ˈbækˌend] *n. płn. Br.* jesień, schyłek roku.

backer [ˈbækər] *n.* **1.** stronni-k/czka, zwolenni-k/czka. **2.** popleczni-k/czka, protektor/ka; sponsor/ka. **3.** *wyścigi* obstawiając-y/a.

backfield [ˈbækˌfiːld] *n. futbol amerykański* tylna strefa boiska (*za linią starcia*); **the** ~ (*zbiorowo*) gracze tyłowi; *piłka nożna, hokej na trawie l. rugby* obrońca *l.* pomocnik.

backfire [ˈbækˌfaɪr] *n.* **1.** przeciwpożar (= *kontrolowane wypalanie w celu powstrzymania pożaru*). **2.** przedwczesny zapłon *l.* wybuch (*zwł. prochu w lufie*); *techn.* strzał (= *wybuch mieszanki l. gazów spalinowych w silniku*). – *v.* **1.** wzniecać przeciwpożar. **2.** wybuchnąć przedwcześnie; strzelać (*o silniku*). **3.** *przen.* odnieść odwrotny skutek (*o działaniu, strategii*); spalić na panewce (*o planach*); ~ **on sb** ugodzić w kogoś rykoszetem (*o planach l. spiskach zgubnych dla inspiratora*).

back-formation [ˌbækfɔːrˈmeɪʃən] *n. jęz. U* derywacja wsteczna; *C* derywat wsteczny.

backgammon [ˈbækˌgæmən] *n. U* tryk-trak (*gra l. układ wygrywający*).

background [ˈbækˌgraʊnd] *n.* **1.** *t. przen.* tło; dalszy *l.* drugi plan; **in the** ~ w tle; na drugim planie. **2.** pochodzenie; środowisko (społeczne); wykształcenie; doświadczenie; **he comes from a working class** ~ pochodzi z rodziny robotniczej; **she has a** ~ **in computer science/in advertising** ma wykształcenie z zakresu informatyki/doświadczenie w reklamie; **people from different ethnic/religious** ~**s** ludzie z różnych środowisk *l.* grup etnicznych/religijnych. **3.** *U* (*także* ~ **information**) podstawowe dane, zarys sytuacji; **give sb** ~ **on sth** naświetlić komuś coś.

background music *n. U* podkład muzyczny; muzyka w tle.

background printing *n. U komp.* drukowanie w tle.

background processing *n. U komp.* przetwarzanie w tle.

background radiation *n. U* **1.** *fiz.* promieniowanie tła. **2.** *astron.* promieniowanie reliktowe.

backhand [ˈbækˌhænd] *n.* **1.** *tenis itp.* bekhend; ~ **stroke/return** uderzenie/odbicie z bekhendu. **2.** *sing.* pismo pochylone w lewo. – *v. sport* zagrać (odbicie) z bekhendu. – *adv. sport* z bekhendu.

backhanded [ˈbækˌhændɪd] *a.* **1.** *sport* zagrany z bekhendu (*o uderzeniu*). **2.** pochylony w lewo (*o piśmie*). **3.** dwuznaczny, sarkastyczny (*o komplemencie, uwadze*). **4.** lewy (*o splocie liny*).

backhandedly [ˈbækˌhændɪdlɪ] *adv.* **1.** *sport* = **backhand.** **2.** dwuznacznie, sarkastycznie.

backhander [ˈbækˌhændər] *n.* **1.** cios na odlew; *sport* uderzenie z bekhendu. **2.** *pot. przen.* atak z flanki. **3.** *Br. pot.* łapówka.

backhoe [ˈbækˌhoʊ] *n.* **1.** czerpak koparki (*zgarniający ziemię ruchem wstecz*). **2.** koparka (*z czerpakiem jw.*).

backing [ˈbækɪŋ] *n.* **1.** *U* poparcie; (*zbiorowo*) grono zwolenników *l.* popleczników. **2.** podklejka; spodnia *l.* odwrotna strona (*np. dywanu*). **3.** *U muz. pop* akompaniament *l.* śpiew towarzyszący soliście; ~ **group** *Br.* chórek. **4.** *teatr* tło (*zwł. imitujące przestrzeń za oknem*).

backlash [ˈbækˌlæʃ] *n.* **1.** *mech.* nierówna praca, szarpanie; nadmierny luz (*mechanizmu*). **2.** ~ **(against/to sth)** gwałtowny sprzeciw (wobec czegoś), gwałtowna reakcja negatywna (na coś) (*zw. na określone zjawisko polityczne l. społeczne*).

backless [ˈbækləs] *a.* bez pleców (*o sukience itp.*).

backlist [ˈbæklɪst] *n.* lista wcześniejszych publikacji (*nadal oferowanych przez wydawcę*).

backlit [ˈbæklɪt] *a.* podświetlony od tyłu (*o scenie, gablotce*).

backlog [ˈbækˌlɔːg] *n.* **1.** *US i Can.* polano podtrzymujące żar (*w głębi paleniska*). **2.** *zw. sing.* zapas (*t. zalegający w magazynie*); nawał (*spraw do załatwienia, zw. zaległych*); ~ **of orders/letters** zaległe zamówienia/korespondencja; ~ **of work** zaległości w pracy.

back-marker [ˈbækˌmɑːrkər] *n. gł. Br. sport* ostatni zawodnik.

back matter *n. U druk.* addenda, dodatki końcowe (*np. indeks*).

backmost [ˈbækmoʊst] *a. form.* znajdujący się na samym końcu *l.* w samym tyle, ostatni z ostatnich.

backpack [ˈbækˌpæk] *n.* **1.** *gł. US* plecak. **2.** tornister (*np. wojskowy l. część skafandra kosmicznego*). – *v.* podróżować z plecakiem.

backpacker [ˈbækˌpækər] *n.* turyst-a/ka piesz-y/a.

backpacking [ˈbækˌpækɪŋ] *n. U* podróżowanie z plecakiem, turystyka piesza.

back-pedal [ˈbækˌpedl] *v.* **-l-** *Br.* **-ll-** **1.** pedałować do tyłu. **2.** *przen.* wycofywać się (*on sth* z czegoś).

backpiece [ˈbækˌpiːs], **backplate** [ˈbækˌpleɪt] *n. hist. wojsk.* naplecznik (*pancerza*).

backrest [ˈbækˌrest], **back rest** *n.* oparcie (*ławki, krzesła*).

back road *n. US* droga podrzędna.

back room *a.* pokój na zapleczu; *euf.* tajne laboratorium; ~ **boys** *gł. Br. pot.* specjaliści wykonujący odpowiedzialną pracę, ale zachowujący anonimowość.

backsaw [ˈbækˌsɔː] *n. techn.* piła grzbietnica.

backscratcher [ˈbækˌskrætʃər] *n.* **1.** przyrząd do drapania się w plecy. **2.** *pot.* osoba wyświadczająca przysługę licząc na jej odwzajemnienie.

back seat *a.* tylne siedzenie (*zwł. w samochodzie*); **take a** ~ *przen. pot.* usunąć się w cień, grać drugie skrzypce; ~ **driver** *pot.* pasażer dający kierowcy nieproszone rady; *gł. US przen.* nieproszony doradca (*zwł. w polityce l. biznesie*).

backsheesh [ˈbækʃiːʃ] *n.* = **baksheesh.**

backshore [ˈbækˌʃɔːr] *n.* plaża górna (*nie zalewana przez przypływ*).

backside [ˌbækˈsaɪd] *n.* **1.** tył, tylna strona. **2.** *euf.* tyłek; **get off one's** ~ *pot.* ruszyć tyłek (= *wziąć się do roboty*).

backsight [ˈbækˌsaɪt] *n.* **1.** *broń* szczerbinka. **2.** *miern.* odczyt wstecz.

backslapping [ˈbækˌslæpɪŋ] *n. U* (wzajemne) poklepywanie się po plecach, gratulowanie sobie nawzajem (*zwł. niewspółmierne do odniesionego sukcesu*).

backslash [ˈbækˌslæʃ] *n. druk., komp.* ukośnik lewy (\).

backslide [ˈbækˌslaɪd] *v. pret. i pp.* **backslid** **1.** wrócić na złą drogę. **2.** ~ **on/over/from a promise** nie dotrzymać obietnicy.

backspace [ˈbækˌspeɪs] *v. druk., komp.* cofać (*wałek maszyny do pisania itp.*). – *n.* (*także* ~ **key**) cofacz, klawisz cofający.

backstage [ˌbækˈsteɪdʒ] *adv. teatr* **1.** *t. przen.* za kulisami; za kulisy. **2.** w głębi sceny. – *a. attr. przen.* zakulisowy.

backstairs [ˈbækˌsterz] *n. pl.* tylne schody; schody kuchenne (*dla służby*). – *a.* (*także* **backstair**) *attr.* kuchenny (*zwł. o plotkach*); zakulisowy, potajemny.

backstay [ˈbækˌsteɪ] *n.* **1.** *żegl.* baksztag. **2.** tylne wzmocnienie *l.* podpórka.

backstitch [ˈbækˌstɪtʃ] *n.* ścieg za igłą. – *v.* szyć ściegiem jw.

backstop [ˈbækˌstɑːp] *n.* **1.** *sport* ogrodzenie boiska. **2.** *baseball* łapacz. **3.** *gł. techn.* tylny kołek oporowy *l.* ogranicznik. – *v.* **-pp-** *US* popierać.

back straight *n. sport* tylna prosta (= *odcinek toru l. bieżni odległy od widzów*).

backstreet [ˈbækˌstriːt] *n.* uliczka (*w starej l. uboższej dzielnicy miasta*); zaułek. – *a. attr.* pokątny.

backstretch [ˈbækˌstretʃ] *n. wyścigi konne* = **back straight.**

backstroke [ˈbækˌstroʊk] *n.* **1.** (*także* **back crawl**) *pływanie* styl grzbietowy. **2.** odbicie; oddany cios; *sport* uderzenie z bekhendu. – *v. sport* płynąć stylem grzbietowym.

backswept [ˈbækˌswept] *a.* **1.** skierowany ukośnie w tył. **2.** zaczesany do tyłu.

backsword [ˈbækˌsɔːrd] *n.* **1.** *broń* pałasz. **2.** *szerm.* palcat (= *kij do fechtunku*).

back talk *n. U US pot.* odszczekiwanie się, pyskowanie.

back-to-back [ˌbæktəˈbæk] *a. attr.* **1.** zwrócone

l. przylegające do siebie tyłem (*zwł. o budynkach*). **2.** *pot.* kolejne, następujące po sobie.

backtrack [ˈbækˌtræk] *v.* **1.** wracać tą samą drogą *l.* po własnych śladach. **2.** *przen.* wycofywać się (*on sth* z czegoś).

backup [ˈbækˌʌp] *n.* **1.** wsparcie, poparcie. **2.** zaplecze. **3.** spiętrzenie; przelanie się (*wskutek zatoru*). **4.** *komp.* wersja *l.* kopia zapasowa. **5.** *US sport* gracz rezerwowy. – *a. attr.* **1.** pomocniczy, wspierający; ~ **group/singers** *US* chórek (*towarzyszący soliście*). **2.** zapasowy; awaryjny; ~ **copy/file** *komp.* kopia zapasowa (zbioru).

backward [ˈbækwərd] *a.* **1.** *attr.* (skierowany) wstecz *l.* do tyłu; ~ **glance** spojrzenie do tyłu *l.* za siebie; ~ **somersault** salto w tył; ~ **step/movement** krok/ruch wstecz *l.* do tyłu. **2.** zacofany, opóźniony w rozwoju; ~ **child** dziecko opóźnione w rozwoju; ~ **country** zacofany kraj. **3.** płochliwy, nieśmiały; ~ **(in sth)** nieskory (do czegoś); opieszały (w czymś). – *adv.* (*także Br. zw.* ~**s**) **1.** *t. przen.* do tyłu, w tył, wstecz; tyłem; wspak, od tyłu. **2.** ~**(s) and forward(s)** w tę i z powrotem, tam i nazad; **bend/fall/lean over** ~**(s)** *przen. pot.* wychodzić ze skóry (*to do sth* żeby coś zrobić); **go** ~**(s)** cofać się (*t. w rozwoju*); ulegać regresowi; **know sth** ~**s (and forwards)** *pot.* znać coś na wylot.

backwardation [ˌbækwərˈdeɪʃən] *n. fin.* różnica między ceną loco a ceną zakontraktowaną.

backwardly [ˈbækwərdlɪ] *adv.* płochliwie, nieśmiało; z ociąganiem.

backwardness [ˈbækwərdnəs] *n. U* **1.** zacofanie, regres, opóźnienie w rozwoju. **2.** zachowawczość, konserwatyzm. **3.** płochliwość; opieszałość.

backwards [ˈbækwərdz] *adv. zwł. Br.* = **backward.**

backwash [ˈbækˌwɑːʃ] *n. U* **1.** *hydrol.* spływanie *l.* cofanie się fali. **2.** *żegl.* woda odrzucana (*przez wiosło l. śrubę*). **3.** *przen.* następstwa, reperkusje.

backwater [ˈbækˌwɔːtər] *n.* **1.** rozlewisko; zalew (*u ujścia rzeki l. sztuczny*). **2.** *przen.* zaścianek; obszar stagnacji; **cultural/economic** ~ zaścianek kulturalny/gospodarczy.

backwoods [ˈbækˌwʊdz] *n. pl.* **the** ~ puszcza, leśna głusza; wiejskie zacisze, odludzie. – *a. attr.* **1.** (ukryty) wśród lasów. **2.** położony *l.* żyjący z dala od miasta; ~ **trail** szlak wiodący przez odludzie; ~ **vacation** wakacje na łonie natury. **3.** prosty, nieokrzesany (*o osobie l. manierach*).

backwoodsman [ˈbækˌwʊdzmən] *n. pl.* **backwoodsmen** **1.** człowiek mieszkający na odludziu. **2.** *US i Can. pot.* człowiek prosty *l.* nieokrzesany, grubianin. **3.** *Br.* mało aktywny członek partii *l.* parlamentarzysta, zwł. w Izbie Lordów.

backyard [ˌbækˈjɑːrd] *n. US i Can.* ogród *l.* trawnik na tyłach domu; *Br.* podwórko za domem; **in one's own** ~ *przen.* na własnym podwórku; ~ **barbecue** *US i Can.* przyjęcie ogrodowe z grillem.

bacon [ˈbeɪkən] *n. U* **1.** bekon, boczek wieprzowy (*wędzony l. peklowany*); ~ **and eggs** jajka na boczku; **rasher of** ~ plasterek bekonu. **2.** *przen.* **bring home the** ~ *pot.* zarabiać na utrzymanie (rodziny); odnieść zwycięstwo; **save sb's** ~ *pot.* wyciągnąć kogoś z tarapatów.

baconer [ˈbeɪkənər] *n. hodowla* młody tucznik mięsny.

bacteremia [ˌbæktəˈriːmɪə], *Br.* **bacteraemia** *n. U pat.* bakteriemia (= *obecność bakterii we krwi*).

bacteria [bækˈtiːrɪə] *n. pl. sing.* **bacterium** *biol.* bakterie; **aerobic/anaerobic/nitrogen-fixing** ~ bakterie tlenowe/beztlenowe/azotowe.

bacterial [bækˈtiːrɪəl] *a. biol., pat.* bakteryjny; ~ **conjunctivitis/pneumonia** bakteryjne zapalenie spojówek/płuc; ~ **infection/culture** infekcja/kultura bakteryjna.

bacterially [bækˈtiːrɪəlɪ] *adv.* bakteryjnie, drogą bakteryjną.

bactericidal [bækˌtiːrəˈsaɪdl] *a. med.* bakteriobójczy.

bactericide [bækˈtiːrəˌsaɪd] *n. med.* bakterycyd (= *lek l. środek bakteriobójczy*).

bacteriological [bækˌtiːrɪəˈlɑːdʒɪkl] *a.* bakteriologiczny (*t. o wojnie l. broni*).

bacteriologically [bækˌtiːrɪəˈlɑːdʒɪklɪ] *adv.* bakteriologicznie.

bacteriologist [bækˌtiːrɪˈɑːlədʒɪst] *n.* bakteriolog.

bacteriology [bækˌtiːrɪˈɑːlədʒɪ] *n. U nauka* bakteriologia.

bacteriophage [bækˈtiːrɪəˌfeɪdʒ] *n. biol.* bakteriofag.

bacteriostat [bækˈtiːrɪəˌstæt] *n. med.* lek bakteriostatyczny.

bacteriostatic [bækˌtiːrɪəˈstætɪk] *a. med.* bakteriostatyczny.

bacteriostatically [bækˌtiːrɪəˈstætɪklɪ] *adv. med.* bakteriostatycznie.

bacterium [bækˈtiːrɪəm] *n. zob.* **bacteria.**

Bactrian camel [ˌbæktrɪən ˈkæml] *n. zool.* baktrian, wielbłąd dwugarbny (*Camelus bactrianus*).

bad[1] [bæd] *a.* **worse, worst** **1.** zły; ~ **behavior** złe zachowanie; ~ **dream** zły sen; ~ **habit** zły nawyk; ~ **news** zła wiadomość; **act in** ~ **faith** działać w złej wierze; **be in a** ~ **mood/temper** być w złym nastroju/humorze; **be in** ~ **taste** być w złym guście; **get a** ~ **press** mieć złą prasę. **2.** słaby, marny, kiepski; ~ **driver/poet/student** kiepski kierowca/poeta/student; ~ **eyesight** słaby wzrok; **he's** ~ **at math** jest słaby z matematyki. **3.** szkodliwy, niezdrowy (*for sb/sth* dla kogoś/czegoś); **it's** ~ **for my heart** to mi szkodzi na serce. **4.** niedobry, nie nadający się (*for sth* do czegoś); niesprzyjający, niewłaściwy; **a** ~ **time for sth/to do sth** niesprzyjający czas *l.* niedobra pora na coś/na robienie czegoś. **5.** poważny, groźny (w skutkach); silny (*o dolegliwościach*); ~ **accident/mistake** poważny wypadek/błąd; ~ **cold/headache** silny katar/ból głowy. **6.** niemiły, nieprzyjemny, przykry, brzydki; wulgarny, brzydki; ~ **language** wulgarny *l.* niecenzuralny język; ~ **smell** przykry zapach; ~ **weather** brzydka pogoda, niepogoda; **it's** ~ **to tell lies** nieładnie jest kłamać. **7.** *pred.* **feel ~** czuć się źle; gryźć się, czuć się podle (*about sth* z powodu czegoś). **8.** chory, bolący (*o części ciała*); **~ back** chory kręgosłup; **~ tooth** bolący ząb. **9.** nieświeży, zgniły, zepsuty; **~ egg** zgniłe jajko; **~ meat** zepsute mięso; **go ~** psuć się (*o jedzeniu*). **10.** nieważny (*o czeku, bilecie*). **11.** niedobry, niegrzeczny. **12.** *sl.* świetny, pierwszorzędny. **13. be a ~ loser** nie umieć przegrywać; **come to a ~ end** źle skończyć; **he's in a ~ way** *pot.* kiepsko z nim (*o czyjejś sytuacji l. stanie zdrowia*); **go from ~ to worse** stale się pogarszać; **not (so/too/half) ~** (całkiem) niezły; (całkiem) nieźle, nienajgorzej; **it's too ~ (that...)** szkoda (że...); **(that's) too ~** *pot. zw. iron.* a to pech. – *n. U* **go to the ~** *przest.* zejść na złą drogę; **in ~ with sb** *przest. pot.* w niełasce u kogoś; **I'm $100 to the ~** *pot.* jestem sto dolarów do tyłu; **take the ~ with the good** brać życie takim, jakie jest. – *adv. US pot.* bardzo, strasznie, okropnie; **my elbow hurts so ~** strasznie boli mnie łokieć; **she needs the money real ~** ona bardzo potrzebuje tych pieniędzy.

bad[2] *v. pret.* = **bade.**

bad blood *n. U* wrogość, animozje.

bad debt *n. fin.* nieściągalny dług.

baddie ['bædɪ], **baddy** *n. pot.* czarny charakter (*zwł. w powieści l. filmie*).

baddish ['bædɪʃ] *a. pot.* **1.** nie najlepszy, kiepskawy. **2.** cokolwiek nieświeży.

bade [bæd] *rzad.* **bad** [bæd] *v. pret. zob.* **bid.**

badge [bædʒ] *n.* **1.** znaczek (*przypinany do ubrania*); odznaka, godło (*np. tarcza szkolna*); identyfikator, plakietka rozpoznawcza. **2.** *przen. form.* oznaka, znamię (*of sth* czegoś).

badger ['bædʒər] *n. zool.* borsuk; **American ~** borsuk amerykański (*Taxidea taxus*); **Eurasian ~** borsuk (europejski) (*Meles meles*); **hog/sand ~** balizaur (*Arctonyx collaris*); **honey ~** ratel (*Mellivora capensis*). – *v.* zadręczać (*with sth* czymś); zanudzać prośbami (*for sth* o coś); **~ sb into doing sth** naciągać kogoś na zrobienie czegoś.

bad guy *n. US* = **baddie.**

badinage [ˌbædən'ɑːʒ] *n. U form. l. żart.* przekomarzanie się.

badinerie [bæ'diːnəriː] *n. muz.* badinerie.

badlands ['bædˌlændz] *n. pl.* **the ~/B~** *US* skaliste pustkowia (*t. nazwa geogr. w Nebrasce, Dakocie Płd. i Płn.*).

bad luck *n. U* pech.

badly ['bædlɪ] *adv.* **worse, worst 1.** źle, niedobrze; **~ made/managed** źle wykonany/zarządzany; **sb did ~ (in an exam)** komuś źle poszło (na egzaminie); **think ~ of sb** być złego zdania o kimś; **treat sb ~** źle kogoś traktować. **2.** marnie, kiepsko, podle; **feel ~** czuć się podle, mieć wyrzuty sumienia (*about sth* z jakiegoś powodu); **speak English ~** kiepsko *l.* słabo mówić po angielsku. **3.** poważnie, groźnie, srodze; **be ~ hurt** odnieść poważne obrażenia; **be ~ mistaken** grubo się mylić. **4.** nędznie, sromotnie; **~ beaten/defeated** sromotnie pokonany. **5.** bardzo, pilnie, na gwałt; **want/need sth ~** bardzo *l.* pilnie chcieć/potrzebować czegoś; **be ~ in need of sth** pilnie wymagać czegoś (*np. naprawy*). **6.** *pred.* **~ off** biedny, ubogi; **be ~ off for sth** bardzo potrzebować czegoś.

badman ['bædmən] *n. pl.* **badmen** *gł. US pot.* najemny zbir; bandyta.

bad-mannered [ˌbæd'mænərd] *a.* źle wychowany.

badminton ['bædmɪntən] *n.* **1.** *sport* badminton. **2.** *U* (*także* **~ cup**) badminton (= *wino bordoskie z cukrem i wodą sodową*).

badmouth ['bædˌmaʊθ], **bad-mouth** *v. US, Can. i Austr. pot.* wieszać psy na (*kimś l. czymś*).

badness ['bædnəs] *n. U* **1.** zły charakter. **2.** kiepska jakość. **3.** okropność (*np. czyjegoś położenia*).

bad-off [ˌbæd'ɔːf] *a. US* biedny, ubogi.

bad-tempered [ˌbæd'tempərd] *a.* **1.** choleryczny, wybuchowy, popędliwy. **2.** w złym humorze.

baffle ['bæfl] *v.* **1.** wprawiać w zakłopotanie *l.* niepewność, peszyć; konsternować, zbijać z tropu. **2.** zaskakiwać, zdumiewać. **3.** udaremniać, niweczyć (*zamiary, wysiłki*). **4.** mieszać szyki (*komuś*). **5.** *arch.* okpić, oszukać. **6.** *techn.* przegradzać, zatrzymywać przepływ (*czegoś*), ekranować. – *n.* (*także* **~ plate/board**) *techn.* przegroda (*przedzielająca zbiornik*); ekran (*akustyczny*); deflektor; odrzutnik (*np. wiórów*).

baffled ['bæfld] *a.* **1.** zmieszany; speszony, zbity z tropu. **2.** zaskoczony.

bafflement ['bæflmənt] *n. U* **1.** zmieszanie; konsternacja. **2.** zaskoczenie.

baffling ['bæflɪŋ] *a.* **1.** zaskakujący; zagadkowy. **2.** zbijający z tropu.

BAFTA ['bæftə] *abbr. Br.* **British Academy of Film and Television Arts** Brytyjska Akademia Sztuki Filmowej i Telewizyjnej; **~ Award** nagroda BAFTy.

bag [bæg] *n.* **1.** torba; walizka. **2.** torebka, woreczek. **3.** (*także Br.* **hand~**) torebka (damska). **4.** worek (*t. jako miara objętości, zbiornik powietrza w dudach, oznakowanie bazy w baseballu*); sakwa (*t. myśliwska*). **5.** *pl.* bagaż, manatki; **pack one's ~s** pakować manatki. **6.** *w złoż.* **air ~** poduszka powietrzna; **carrier ~** *Br.* reklamówka (*torba*); **sand~** worek z piaskiem; **shopping-~** torba na zakupy; **tea ~** torebka herbaty (ekspresowej). **7.** *myśl.* zdobycz (= *ilość upolowanych sztuk*). **8.** *pl. Br. przest.* workowate spodnie. **9.** wymię (*krowy*). **10. (old) ~** *sl. pog.* babsko, babsztyl. **11.** *przen.* **~ and baggage** z całym inwentarzem; **~s of sth** *zwł. Br. pot.* (cała) masa czegoś; **~s under the eyes** worki pod oczami; **a ~ of bones** *pot.* skóra i kości; **in the ~** *pot.* w kieszeni (= *pewny; o sukcesie, wygranej*); **it's not my ~** *sl.* to nie w moim guście; **leave sb holding the ~** *US pot.* zrobić z kogoś kozła ofiarnego; **let the cat out of the ~** wygadać się; **the (whole) ~ of tricks** *pot.* cały ten kram. – *v.* **-gg- 1. ~ (up)** wkładać *l.* pakować do torby *l.* torebki *l.* worka. **2. ~ (out)** wisieć luźno (*o skórze, tkaninie*); wypychać się (*np. o spodniach*); wypychać, rozciągać (*ubranie*); nadymać. **3.** *pot.* złapać, capnąć; buchnąć, zwędzić. **4.** *Br. pot.* zająć, zaklepać sobie; **~s (I)!** *dziec.* zamawiam!, zaklepuję!. **5.** *myśl.* upolować, ustrzelić. **6.** ~ **(out)** *Austr. pot.* nabijać się z (*kogoś*).

bagatelle [ˌbægəˈtel] *n.* **1.** bagatela, drobnostka, błahostka. **2.** *muz.* bagatela. **3.** bagatelka (*gra dziecięca l. odmiana bilardu*).

bagel [ˈbeɪgl] *rzad.* **beigel** *n.* bajgel, obwarzanek.

bagful [ˈbægfʊl] *n.* **a** ~ **of sth** pełna torba *l.* worek czegoś; *przen.* mnóstwo czegoś.

baggage [ˈbægɪdʒ] *n. U* **1.** *zwł. US t. lotn.* bagaż. **2.** *wojsk.* ekwipunek. **3. cultural/emotional** ~ *przen.* bagaż kulturalny/emocjonalny. **4.** *arch. pog.* dziewka, lafirynda; *żart.* łobuzica, dziewuszysko. **5.** *Ir.* stara jędza.

baggage car *n. US, Austr. i Can.* wagon bagażowy.

baggage room *n. US, Austr. i Can.* przechowalnia bagażu.

baggily [ˈbægɪlɪ] *adv.* workowato, luźno.

bagginess [ˈbægɪnəs] *n. U* workowatość.

bagging [ˈbægɪŋ] *n. U tk.* zgrzebne płótno (workowe).

baggy [ˈbægɪ] *a.* **-ier, -iest** wypchany, rozciągnięty (*o ubraniu*); workowaty; luźno wiszący.

Baghdad [ˈbægdæd], **Bagdad** *n.* Bagdad.

bag lady *n.* (*także* **shopping-bag lady**) *gł. US pot.* bezdomna żebraczka (*nosząca swój dobytek w plastikowych torbach*).

bagman [ˈbægmən] *n. pl.* **bagmen** **1.** *US sl.* poborca haraczu (*dla mafii*). **2.** *Br. pot.* komiwojażer. **3.** *Austr.* tramp, włóczykij (*zwł. podróżujący konno w poszukiwaniu dorywczej pracy*).

bagnio [ˈbænjoʊ] *n. pl.* **-s** **1.** *rzad. euf.* dom rozpusty. **2.** *przest.* łaźnia włoska *l.* turecka. **3.** *przest.* więzienie (*orientalne*).

bagpipe [ˈbægˌpaɪp] *a. attr.* dudziarski; grany na dudach; ~ **maker** rzemieślnik wyrabiający dudy; ~ **music** muzyka na dudach. – *n. gł. US* = **bagpipes**.

bagpiper [ˈbægˌpaɪpər] *n.* dudziarz.

bagpipes [ˈbægˌpaɪps] *n. pl. muz.* dudy, koza.

baguet [bæˈget], **baguette** *n.* **1.** bagietka, bułka paryska. **2.** *jubilerstwo* bagiet (= *podłużno-prostokątny szlif kamienia*). **3.** *bud.* bagieta (*rodzaj listwy ozdobnej*).

bah [bɑː] *int.* phi! (*wyraża dezaprobatę l. irytację*).

Bahamas [bəˈhɑːməz] *n. pl.* **the** ~ *geogr.* Wyspy Bahama, Bahamy.

Bahamian [bəˈheɪmɪən] *a.* dotyczący Bahamów, bahamski. – *n.* mieszkan-iec/ka Wysp Bahama.

Bahasa [bəˈhɑːsə] *n. U jęz.* (język) bahasa; ~ **Indonesia/Malaysia** (bahasa) indonezyjski/malajski.

Bahrain [bɑːˈreɪn], **Bahrein** *n. geogr.* Bahrajn.

Bahraini [bɑːˈreɪnɪ] *a.* dotyczący Bahrajnu. – *n.* mieszkan-iec/ka Bahrajnu.

bail¹ [beɪl] *n. prawn.* **1.** poręczenie majątkowe, kaucja (sądowa); zwolnienie za kaucją; **forfeit (one's)** ~ *form.* dopuścić do przepadku poręczenia (*wskutek niedotrzymania warunków*); **grant/refuse sb** ~ zezwolić/nie zezwolić na zwolnienie kogoś za kaucją; **jump** ~ *pot.* nie stawić się w sądzie (*mimo wpłacenia kaucji*); **(out/released) on** ~ **(of...)** (zwolniony) za kaucją (w wysokości...). **2.** poręczyciel/ka; **go/stand** ~ **(for sb)** wpłacić kaucję *l.* poręczenie (za kogoś). – *v.* ~ **(out)** zwolnić za kaucją; wpłacić kaucję *l.* poręczenie za, wykupić (z aresztu); *pot.* poratować finansowo; *przen.* wyciągnąć z tarapatów.

bail² *n.* **1.** *krykiet* poprzeczka (bramki). **2.** *roln.* przegroda między boksami (*w stajni*). **3.** *Austr. i NZ roln.* uchwyt unieruchamiający łeb krowy (*podczas dojenia*). – *v. Austr. i NZ* **1.** ~ **up** *roln.* unieruchomić (*krowę na czas dojenia*); *przen.* skrępować (*zwł. ofiarę napadu*), trzymać w szachu; *pot.* zaczepić, przyczepić się do. **2.** dać się unieruchomić (*o krowie*); *przen.* poddać się, nie stawiać oporu.

bail³ *n.* **1.** kabłąk, pałąk (*wiadra, budy na wozie*). **2.** *techn.* docisk papieru (*w maszynie do pisania*).

bail⁴ (*także* **bale**) *v.* **1.** ~ **(out)** *żegl.* wygarniać z łodzi (*wodę*), opróżniać z wody (*łódź*). **2.** ~ **out (of sth)** *lotn.* wyskakiwać ze spadochronem *l.* katapultować się (z czegoś); *pot.* dać drapaka (skądś), wykręcić się (z czegoś). – *n. żegl. arch.* = **bailer**.

bailable [ˈbeɪləbl] *a. prawn.* podlegający zwolnieniu za kaucją; dopuszczający poręczenie majątkowe; ~ **offence** przestępstwo nie wykluczające zwolnienia za kaucją.

bail bond *n. prawn.* zobowiązanie do przestrzegania warunków poręczenia.

bailee [ˌbeɪˈliː] *n. handl.* depozytariusz (*towarów*).

bailer [ˈbeɪlər], **baler** *n. żegl.* czerpak (*do wylewania wody z łodzi*).

bailey [ˈbeɪlɪ] *n. bud., hist.* **1.** zewnętrzny mur (*zamku*). **2.** dziedziniec przy murze zewnętrznym.

Bailey bridge *n. Br. techn., wojsk.* most Baileya (*z lekkich prefabrykatów stalowych*).

bailie [ˈbeɪlɪ] *n.* **1.** *Scot.* magistrat (= *urzędnik reprezentujący władzę miejską; hist. l. tytuł honorowy*). **2.** *arch. l. dial.* = **bailiff**.

bailiff [ˈbeɪlɪf] *n.* **1.** *hist.* bajlif (= *urzędnik królewski*). **2.** *gł. US* woźny sądowy. **3.** *Br. admin.* pomocnik szeryfa, komornik sądowy. **4.** *Br.* rządca, ekonom.

bailiwick [ˈbeɪləwɪk] *n. hist.* bajlifat; *Br. admin.* okręg podlegający jurysdykcji komornika sądowego; **sb's** ~ *przen.* czyjeś podwórko (= *obszar zainteresowań l. kompetencji*).

bailment [ˈbeɪlmənt] *n.* **1.** *prawn.* zwolnienie za kaucją. **2.** *handl.* powierzenie towaru w depozyt.

bailor [ˈbeɪlər] *n.* deponent.

bailout¹ [ˈbeɪlˌaʊt] *n.* wykupienie (*np. aresztanta*); ratunek finansowy.

bailout² *n.* (*także* **bale-out**) *lotn.* opuszczenie samolotu (*ze spadochronem*).

bailsman [ˈbeɪlzmən] *n. pl.* **bailsmen** [ˈbeɪlzmən] *rzad.* = **bail¹** 2.

bain-marie [ˌbænməˈriː] *n. pl.* **bains-marie** [ˌbænməˈriː] *kulin.* łaźnia wodna.

bairn [bern] *n. Scot. i płn. Br.* dziecko.

bait[1] [beɪt] *n. U l. sing.* **1.** przynęta; **live** ~ żywa przynęta; **nibble at the** ~ skubać przynętę; **take the** ~ brać (*o rybach*). **2.** *Br. dial.* prowiant (*na drogę*). **3.** popas (*dla konia*); *arch.* popas, postój. **4.** *przen.* **fish or cut** ~ *US* rób, co masz robić, albo do widzenia; **rise to the** ~ dać się zwabić *l.* skusić; dać się sprowokować; **swallow/take the** ~ połknąć haczyk. – *v.* **1.** ~ **a hook/trap (with sth)** zakładać (coś jako) przynętę na haczyk/w pułapce. **2.** szczuć psami (*np. schwytanego niedźwiedzia*). **3.** *przen.* dokuczać (*komuś; zwł. uszczypliwymi uwagami*). **4.** *roln.* dać popas (*koniowi*); *arch.* stawać na popas, zatrzymywać się (*w gospodzie*).

bait[2] *n. Br. sl.* = **bate**[3].

baize [beɪz] *n. U tk.* grube, najczęściej zielone sukno, używane do pokrywania stołów bilardowych itp.

bake [beɪk] *v.* **1.** piec (się); zapiekać (się); **she likes to** ~ ona lubi piec; **we** ~ **our own bread** sami (sobie) pieczemy chleb; **the bread is baking** chleb się piecze. **2.** wypalać (się) (*o cegłach, ceramice*). **3.** *przen. pot.* **it's baking in here** strasznie tu gorąco; **I'm baking in this jacket** gotuję się w tej marynarce. – *n. US* przyjęcie z pieczonym daniem głównym.

bakeboard [ˈbeɪkˌbɔːrd] *n. Scot.* stolnica.

baked [beɪkt] *a.* pieczony; ~ **Alaska** deser składający się z ciasta, lodów i bezy, zapiekany przez krótki czas; ~ **beans** fasolka w sosie pomidorowym (*zw. z puszki*).

bakehouse [ˈbeɪkˌhaʊs] *n.* = **bakery**.

Bakelite [ˈbeɪkəˌlaɪt] *n. U* bakelit.

baker [ˈbeɪkər] *n.* **1.** pieka-rz/rka. **2.** przenośny piekarnik.

bakeress [ˈbeɪkərəs] *n. przest.* piekarka.

baker's [ˈbeɪkərz] *n. pl.* **bakers** *l.* **bakers'** **1.** *gł. Br.* = **bakery**. **2.** *przen.* ~ **dozen** *przest.* trzynaście (sztuk); **on the** ~ **list** *Ir. pot.* w pełni sił, w dobrym zdrowiu.

bakery [ˈbeɪkərɪ] *n. pl.* **-ies** piekarnia.

bakeshop [ˈbeɪkˌʃɑːp] *n.* = **bakery**.

baking [ˈbeɪkɪŋ] *n. U* **1.** pieczenie. **2.** wypieki, ciasta.

baking powder *n. U* proszek do pieczenia.

baking soda *n. U* soda do pieczenia (= *wodorowęglan sodu*).

baking tin *n.* forma do pieczenia; brytfanna.

baking tray, baking sheet *n.* blacha do pieczenia.

baklava [ˈbɑːkləvɑː] *n. U kulin.* bakława (= *przysmak grecki l. bliskowschodni*).

baksheesh [ˈbækʃiːʃ], **backsheesh** *n. U* bakszysz (= *napiwek, jałmużna l. łapówka, zwł. na Bliskim Wschodzie*). – *v.* dać bakszysz.

balaclava [ˌbæləˈklɑːvə], **Balaclava helmet** *n. zwł. Br.* (czapka) kominiarka.

balalaika [ˌbæləˈlaɪkə] *n. muz.* bałałajka.

balance [ˈbæləns] *n.* **1.** równowaga; ~ **of nature** *biol.* równowaga ekologiczna; ~ **of power** *polit.* równowaga sił; **in (perfect)** ~ w (doskonałej) równowadze; **keep/lose one's** ~ utrzymywać/stracić równowagę; **on** ~ biorąc wszystko pod uwagę, zważywszy wszystko; **off** ~ zachwiany, wytrącony z równowagi; **catch/throw sb off** ~ wytrącić kogoś z równowagi; **redress the** ~ przywrócić równowagę, zmniejszyć rozdźwięk *l.* nierówności; **strike a** ~ **(between A and B)** znaleźć kompromis (pomiędzy A i B). **2.** *zw. sing.* przeciwwaga (*to sth* dla czegoś). **3.** waga; **spring** ~ waga sprężynowa. **4.** *przen.* szala; **(be/hang/tremble) in the** ~ (ważyć się) na szali; **tip/swing the** ~ **(in favor of/against sb)** przechylić szalę (na czyjąś korzyść/przeciwko komuś). **5.** bilans; ~ **of payments/trade** *ekon.* bilans płatniczy/handlowy; **annual** ~ bilans roczny; **energy/heat** ~ *fiz.* bilans energetyczny/cieplny. **6.** **(bank)** ~ stan konta, saldo rachunku. **7.** niedobór; należna kwota; reszta; ~ **carried/brought forward** *handl.* kwota do/z przeniesienia. **8. the B**~ *rzad. astrol.* Waga. **9.** *mech.* = **balance wheel**. – *v.* **1.** *zw. przen.* ważyć; rozważać. **2.** równoważyć, utrzymywać w równowadze (*A against B* A względem B); wyrównywać (*t. niedobór finansowy*); wyważać. **3.** balansować, utrzymywać równowagę. **4.** *gł. fin.* bilansować, zestawiać, rozliczać; równoważyć się (*o bilansie, budżecie*); ~ **the books/budget** zrównoważyć budżet.

balance beam *n. sport* **1.** równoważnia. **2.** ćwiczenia na równoważni (*konkurencja gimnastyczna*).

balanced [ˈbælənst] *a.* zrównoważony (*t. psychicznie*); wyważony (*o poglądach, dyskusji, decyzji*); ~ **anesthesia** *med.* znieczulenie mieszane; ~ **budget** *ekon.* budżet zrównoważony; ~ **diet** pełnowartościowa dieta.

balance pipe *n. techn.* rura wyrównawcza (*zapewniająca jednakowe ciśnienie*).

balancer [ˈbælənsər] *n.* **1.** *zwł. przen.* przeciwwaga. **2.** *techn.* wyrównywacz. **3.** *często pl. ent.* przezmianka (= *przekształcone skrzydło u muchówek*).

balance sheet *n. ekon.* zestawienie bilansowe.

balance weight *n. mech.* przeciwwaga, przeciwciężar.

balance wheel *n. mech.* balans (*w zegarku*).

balas [ˈbæləs] *n.* (*także* ~ **ruby**) *min.* czerwony spinel (*kamień szlachetny*).

balconied [ˈbælkənɪd] *a.* posiadający balkon *l.* balkony.

balcony [ˈbælkənɪ] *n. pl.* **-ies** **1.** balkon. **2.** *teatr* galeria, jaskółka; **first** ~ *US* pierwszy balkon. – *a. attr.* balkonowy.

bald [bɔːld] *a.* **1.** *t. przen.* łysy; **(as)** ~ **as a coot** *żart.* łysy jak kolano; **go** ~ łysieć. **2.** nagi (*o krajobrazie, skale, faktach*). **3.** *attr.* bezceremonialny, bez ogródek (*np. o pytaniu*). **4.** *attr.* (*także* **~faced**) *biol.* białolicy.

baldachin [ˈbældəkɪn], **baldaquin** *n.* **1.** baldachim. **2.** *U tk.* baldach.

bald cypress *n.* (*także* **swamp cypress**) *bot.* cypryśnik błotny (*Taxodium distichum*).

bald eagle *n.* (*także* **American eagle**) *orn.* bielik amerykański (*Haliaëtus leucocephalus*); orzeł w godle USA.

balderdash [ˈbɔːldərˌdæʃ] *n. U pot.* brednie, bzdury.

baldfaced [ˈbɔːldˌfeɪst], **bald-faced** *a.* **1.** bezczelny, wierutny (*zwł. o kłamstwie*). **2.** *biol.* = **bald** 4.

baldhead [ˈbɔːldˌhed], **baldpate** *n. pot. pog.* łysa pała, łysek.

baldheaded [ˈbɔːldˌhedɪd] *a.* **1.** łysy. **2. go** ~ *pot.* iść na całość; rzucać się na oślep (*at/for/into sth* w coś).

baldie [ˈbɔːldɪ] *n.* = **baldy**.

balding [ˈbɔːldɪŋ] *a.* łysiejący.

baldish [ˈbɔːldɪʃ] *a.* łysawy.

baldly [ˈbɔːldlɪ] *adv.* bez ogródek, prosto z mostu.

baldness [ˈbɔːldnəs] *n. U* **1.** łysina. **2.** *przen.* nagość (*np. krajobrazu*). **3.** bezceremonialność, bezpośredniość (*np. pytania*).

baldpate [ˈbɔːldˌpeɪt] *n.* **1.** = **bald head**. **2.** *orn.* samiec (*kaczor*) świstuna amerykańskiego (*Anas americana*).

baldric [ˈbɔːldrɪk], **baldrick** *n. hist.* szarfa *l.* pas noszony skośnie przez pierś (*zwł. do zawieszania miecza l. trąbki*).

bald spot, *Br. i Austr.* **bald patch** *n.* łysinka, łyse miejsce.

baldy [ˈbɔːldɪ], **bald spotie** *n. zw. żart.* łysek.

bale[1] [beɪl] *n.* **1.** bela (= *sprasowany i opakowany prostopadłościan, np. siana*). **2.** bela (= *jednostka ciężaru surowców włókienniczych, różna w różnych krajach*). **3.** karton, paka. – *v.* ~ **(up)** zwijać, prasować *l.* wiązać w bele, belować; pakować w kartony.

bale[2] *n. U arch. l. poet.* **1.** zło, szkoda. **2.** ból, cierpienie, niedola.

bale[3] *n. i v. zwł. Br. i Austr.* = **bail**[4].

Baleares [ˌbælɪˈerɪz] *n. pl.* **the** ~ *geogr.* Baleary.

Balearic [ˌbælɪˈerɪk] *a.* balearski; ~ **Islands** = **the Baleares**.

baleen [bəˈliːn] *n. U* fiszbin (*substancja*); ~ **whale** *zool.* fiszbinowiec.

balefire [ˈbeɪlˌfaɪr] *n. arch. l. lit.* ognisko (*zwł. obrzędowe l. sygnalizacyjne*); stos pogrzebowy.

baleful [ˈbeɪlfʊl] *a.* **1.** *lit.* złowrogi. **2.** *arch.* przygnębiony.

balefully [ˈbeɪlfʊlɪ] *adv.* złowrogo.

baler[1] [ˈbeɪlər] *n. roln.* maszyna do belowania siana.

baler[2] *n. żegl.* = **bailer**.

Balinese [ˌbɑːləˈniːz] *a.* balijski, pochodzący z Bali. – *n.* **1.** Balij-czyk/ka. **2.** *U jęz.* (język) balijski.

balk [bɔːk], *Br.* **baulk** *n.* **1.** *bud.* bal (drewniany), belka; dźwigar (dachowy). **2.** miedza. **3.** przeszkoda, utrudnienie; rozczarowanie, zawód. **4.** *baseball* pozycja spalona. **5.** *krokiet* linia startowa (*jedna z dwu, oznaczanych A i B*). **6.** *bilard* dom; (*w niektórych odmianach gry*) pole (*między bandą a liniami dzielącymi stół*). – *v.* **1.** zaryć kopytami (*o koniu*), stanąć jak wryty (*at sth* przed czymś). **2.** zacinać się, nie ruszać z miejsca (*o silniku, samochodzie*). **3.** wzbraniać się, opierać się (*at sth* przed czymś). **4.** unikać (*problemu, pytania*). **5.** *lit.* pokrzyżować (*czyjeś plany*); ~ **sb in sth** przeszkadzać komuś w czymś; ~ **sb of sth** zabrać komuś coś sprzed nosa.

Balkan [ˈbɔːlkən] *a.* bałkański; **the** ~ **Mountains** *geogr.* Bałkany (*góry*); **the** ~ **Peninsula** *geogr.* Półwysep Bałkański. – *n. pl.* **the** ~**s** Bałkany (*góry l. region*).

Balkanization [ˌbɔːlkənaɪˈzeɪʃən], *Br. i Austr. zw.* **Balkanisation** *n. U polit.* bałkanizacja.

Balkanize [ˈbɔːlkəˌnaɪz], *Br. i Austr. zw.* **Balkanise** *v. polit.* bałkanizować.

balkily [ˈbɔːkɪlɪ], **baulkily** *adv.* opornie, zacinając się.

balkiness [ˈbɔːkɪnəs] *n. U* opór, zacinanie się.

balkline [ˈbɔːkˌlaɪn], **baulkline** *n. bilard* **1.** (*także* **string line**) linia domu. **2.** linia podziału (*jedna z czterech, równoległych do band; t. odmiana bilardu, w której takie linie odgrywają rolę*).

balky [ˈbɔːkɪ], **baulky** *a.* **-ier, -iest 1.** oporny, uparty (*np. o koniu*). **2.** zacinający się (*o silniku*).

ball[1] [bɔːl] *n.* **1.** piłka (*t. sport = podanie, uderzenie l. rzut*); piłeczka; bila; *U* piłka, gra w piłkę. **2.** *w złoż.* **basket**~ koszykówka; **foot**~ piłka nożna. **3.** kula; kulka, gałka. **4.** kłębek (*wełny, sznurka*). **5.** *w złoż.* **cannon**~ *wojsk.* kula armatnia; **eye**~ *anat.* gałka oczna; **meat**~ *kulin.* pulpet; **snow**~ kula śnieżna. **6.** *U* amunicja. **7.** ~ **of the foot/thumb** *anat.* kłąb palucha/kciuka. **8.** *pl. zob.* **balls**. **9.** *przen.* **a** ~ **of fire** *przen.* (żywy) ogień (= *osoba energiczna l. z temperamentem*); **have the** ~ **at one's feet** być przy piłce (= *mieć inicjatywę l. wpływ na wydarzenia*); **keep the** ~ **rolling** odbijać piłeczkę (*kontynuować coś*); **on the** ~ czujny, baczny; wyczulony na nowości; **play** ~ grać w drużynie (= *lojalnie współpracować*); **start/set/get the** ~ **rolling** zrobić pierwszy ruch; **the** ~ **is in your court** (teraz) twój ruch; **the whole** ~ **of wax** *US pot.* absolutnie wszystko. – *v.* **1.** zgniatać *l.* formować w kulkę; ~ **(up)** zwijać (się) w kulę *l.* kłębek; ~ **one's fist** zacisnąć pięść (w kułak). **2.** *gł. US wulg. sl.* pieprzyć (się z) (*kimś*); ~ **up** spieprzyć.

ball[2] *n.* **1.** bal. **2. have a** ~ *pot.* świetnie się bawić.

ballad [ˈbæləd] *n.* ballada.

ballade [bəˈlɑːd] *n. teor. lit., muz.* ballada.

balladeer [ˌbæləˈdiːr] *n.* balladzist-a/ka.

balladmonger [ˈbælədˌmɑːŋgər] *n.* **1.** *przest.* sprzedawca ballad. **2.** *pog.* wierszoklet-a/ka.

ballad opera *n. muz.* opera balladowa.

balladry [ˈbælədrɪ] *n. U* **1.** układanie ballad. **2.** muzyka *l.* poezja balladowa.

ball and chain *n. zw. przen.* kula u nogi (*sl. l. żart. = żona*).

ball-and-socket joint *n.* **1.** (*także* **multiaxial joint**) *mech.* przegub kulowy. **2.** *anat.* staw kulowy.

ballast [ˈbæləst] *n. U* **1.** *żegl., lotn., techn.* balast, obciążenie (*t. roln. = niestrawna część paszy*). **2.** *bud.* kruszywo, tłuczeń, szuter; podsypka. **3.** *C el.* dławik (*w obwodzie jarzeniówki*). – *v.* **1.** balastować, obciążać. **2.** *bud.* szutrować.

ball bearing *n. mech.* łożysko kulkowe.

ball boy *n. tenis* chłopiec do podawania piłek.

ball-buster [ˌbɔːlˈbʌstər], **ball-breaker** [ˌbɔːlˈbreɪkər] *n. US sl. wulg.* **1.** zajebisty problem. **2.**

herod-baba (*np. o wymagającej szefowej, której podlegają mężczyźni*).

ballcock [ˈbɔːlkɑːk] *a. techn.* zawór pływakowy.

ballerina [ˌbæləˈriːnə] *n.* baletnica; *zwł. US* balerina, primabalerina.

ballet [bæˈleɪ] *n. teatr, muz.* balet (*rodzaj sztuki, spektakl l. zespół*).

ballet dancer *n.* tancerka baletowa, baletnica; tancerz baletowy.

balletic [bəˈletɪk] *a. form.* baletowy.

balletomane [bæˈletəˌmeɪn] *n.* baletoman/ka.

ballet shoes *n. pl.* baletki.

ballflower [ˈbɔːlˌflaʊər] *n. bud., hist.* ornament pączkowy (= *trzy płatki otulające kulę*).

ball game *n.* **1.** *US i Can.* mecz baseballowy. **2.** *Br.* gra w piłkę. **3. a (whole) new ~** *przen. pot.* zupełnie nowe doświadczenie, coś całkiem nowego.

ball girl *n. tenis* dziewczyna do podawania piłek.

ballgown [ˈbɔːlˌgaʊn] *n.* suknia balowa.

ballista [bəˈlɪstə] *n. pl.* **-e** *broń hist.* balista.

ballistic [bəˈlɪstɪk] *a. attr.* balistyczny; **~ curve** *fiz.* krzywa balistyczna; **~ missile** *wojsk.* pocisk balistyczny; **~ pendulum** *mech.* wahadło balistyczne.

ballistics [bəˈlɪstɪks] *n. U fiz., wojsk.* balistyka; **~ expert** specjalist-a/ka od balistyki.

ball lightning *n. meteor.* piorun kulisty.

ball mill *n. techn.* młyn kulowy.

ballocks [ˈbɑːləks], **bollocks** *n. obsc. pl.* jaja (= *jądra*). – *int.* **= balls**. – *v.* **~ up = ball(s) up.**

ballonet [ˌbæləˈnet] *n. lotn.* balonet (*sterowca*).

balloon [bəˈluːn] *n.* **1.** balon; balonik; **barrage ~** *wojsk.* balon zaporowy; **captive/free ~** *lotn.* balon na uwięzi/wolny; **hot-air ~** balon napędzany gorącym powietrzem; **sounding ~** *meteor.* balon sonda. **2.** *komiks* dymek (dialogowy). **3.** *przen.* **go down/sink like a lead ~** *pot.* spalić na panewce (*o propozycji*); nie wypalić (*o dowcipie*); **trial ~** *gł. US* balon próbny; **when the ~ goes up** *pot.* jak się zrobi gorąco, jak się zacznie. – *v.* **1.** latać balonem, wznosić się w balonie; *sport* uprawiać baloniarstwo. **2.** nadmuchiwać. **3. ~ (out)** pęcznieć, nadymać się. **4.** *przen.* rozrastać się (*into sth* do rozmiarów czegoś). **5.** *Br. sport* kopnąć *l.* odbić za wysoko (*piłkę*).

ballooning [bəˈluːnɪŋ] *n. U sport* baloniarstwo.

balloonist [bəˈluːnɪst] *n.* pilot balonowy; *sport* balonia-rz/rka.

balloon payment *n. US* rata balonowa (= *stanowiąca spłatę większej części kredytu l. długu*).

balloon sail *n. żegl.* żagiel balonowy (*zwł. balonfok*).

balloon sleeve *n.* bufiasty rękaw.

balloon tire, *Br.* **balloon tyre** *n. mot.* opona balonowa.

ballot [ˈbælət] *n.* **1.** (tajne) głosowanie, balotaż; **(elect sb) by ~** (wybrać kogoś) w tajnym głosowaniu; **hold a ~** przeprowadzić głosowanie; **put sth to the ~** poddawać coś pod głosowanie. **2. ~ (paper)** karta do głosowania, karta wyborcza. **3.** lista wyborcza, lista kandydatów; **(be) on the ~** (figurować) na liście wyborczej. **4.** *U* liczba oddanych głosów. **5.** *U* prawo do głosowania, prawo wyborcze. **6.** *arch.* ciągnienie losów. – *v.* **-t- 1.** głosować (*for sb / sth* na kogoś/za czymś). **2. ~ sb (on/about sth)** badać czyjąś opinię (na jakiś temat) za pomocą głosowania.

ballot box *n.* **1.** urna wyborcza. **2. the ~** *przen.* wybory.

ballot paper *n. zob.* **ballot** 2.

ballot-rigging *n. U* fałszowanie wyborów.

ballpark [ˈbɔːlpɑːrk], **ball park** *n.* **1.** *US i Can.* stadion baseballowy. **2.** *przen.* **~ figure** *zwł. US* przybliżona liczba; **in the ~** *pot.* w przybliżeniu poprawny, (mieszczący się) w granicach błędu (*o liczbie, szacunkowej ocenie*).

ballplayer [ˈbɔːlˌpleɪər] *n. US i Can.* baseballista.

ballpoint [ˈbɔːlˌpɔɪnt], **ballpoint pen** *n.* długopis; pióro kulkowe.

ballroom [ˈbɔːlˌruːm] *n.* sala balowa.

balls [bɔːlz] *n. pl. sl.* **1.** *obsc.* jaja (= *jądra*); **get/have sb by the ~** *przen.* złapać/trzymać kogoś za jaja. **2.** *przen.* odwaga; determinacja; **it takes (a lot of) ~ (to do sth)** trzeba (dużo) odwagi (żeby coś zrobić). **3.** *U* **(a load of) ~** *Br. wulg.* bzdury, pieprzenie. – *int. wulg.* gówno!; gówno prawda!. – *v.* **~ up** *gł. Br. wulg.* spieprzyć.

ballsy [ˈbɔːlzɪ] *a. US sl.* z jajami (*o osobie*).

ballup [ˈbɔːlˌʌp], *Br.* **balls-up** [ˈbɔːlzˌʌp] *n. wulg.* bajzel; spieprzona robota.

ball valve *n. techn.* zawór kulowy.

ballyhoo [ˈbælɪˌhuː] *n. U pot.* (niepotrzebny) hałas; krzykliwa reklama. – *v.* **-ing, -s, -ed** *gł. US* krzykliwie reklamować, zachwalać wniebogłosy.

ballyrag [ˈbælɪˌræg] *v.* **-gg- = bullyrag.**

balm [bɑːm] *n.* balsam (*t. przen.*); roślina balsamowa; **(lemon) ~** *bot., kulin.* melisa, rojownik (*Melissa officinalis*); **~ of Gilead** balsam mekka; *bot.* drzewo balsamowe (*Commiphora opobalsamum*).

balmily [ˈbɑːmɪ] *adv.* **1.** balsamicznie, aromatycznie. **2.** łagodnie, kojąco.

balminess [ˈbɑːmɪnəs] *n. U* **1.** balsamiczność. **2.** łagodność (*zwł. klimatu, pogody*).

balmoral [bælˈmɑːrəl], **Balmoral** *n.* **1.** *przest.* wełniana halka. **2.** *zw. pl.* rodzaj sznurowanego buta. **3.** *Scot.* **= bluebonnet**.

balmy [ˈbɑːmɪ] *a.* **-ier, -iest 1.** balsamiczny, aromatyczny. **2.** łagodny (*o klimacie, wietrze*); kojący. **3.** *US pot.* **= barmy**.

balneological [ˌbælnɪəˈlɑːdʒɪkl] *a. med.* balneologiczny.

balneologist [ˌbælnɪˈɑːlədʒɪst] *n.* balneolog.

balneology [ˌbælnɪˈɑːlədʒɪ] *n. U* balneologia.

balneotherapy [ˌbælnɪəˈθerəpɪ] *n. U* balneoterapia.

baloney [bəˈloʊnɪ], **boloney** *n. U* **1.** *pot.* banialuki, brednie; bujdy. **2.** *gł. US kulin.* **= bologna**.

balsa [ˈbɔːlsə] *n.* **1.** *bot.* ogorzałka wełnista, balsa (*Ochroma lagopus*). **2. ~ (wood)** balsa, drewno balsy. **3.** *żegl.* balsa, tratwa z balsy.

balsam [ˈbɔːlsəm] *n. cz. chem.* **= balm**; **~ of Peru** (*także* **Peru ~**) balsam peruwiański; **~ of Tolu**

(*także* **tolu**) balsam tolutański; **Canada** ~ balsam kanadyjski.

balsam fir *n. bot.* jodła balsamiczna (*Abies balsamea*).

balsamic [bɔ:l'sæmɪk] *a.* balsamowy, balsamiczny.

balsaminaceous [ˌbɔ:lsəmə'neɪʃəs] *a. attr. bot.* z rodziny niecierpkowatych (*Balsaminaceae*).

balsam poplar *n. bot.* topola balsamiczna (*Populus balsamifera*).

Balt [bɔ:lt] *n. często pl.* Bałt (*określenie etniczne l. językowe*).

Baltic ['bɔ:ltɪk] *a.* bałtycki, bałtyjski; **the ~ nations/states** narody/państwa bałtyckie; **the ~ peoples/languages** ludy/języki bałtyckie *l.* bałtyjskie; **the ~ Sea** *geogr.* Morze Bałtyckie. – *n.* **the ~** *geogr.* Bałtyk.

baluster ['bæləstər] *n. bud.* balas, tralka (= *słupek balustrady*).

balustered ['bæləstərd] *a.* zaopatrzony w balustradę.

balustrade ['bæləˌstreɪd] *n.* balustrada.

bamboo [bæm'bu:] *n. zw. U* bambus; ~ **furniture** meble bambusowe; ~ **shoots** *kulin.* kiełki bambusa.

bamboozle [bæm'bu:zl] *v. pot.* **1.** skołować. **2.** nabrać; wrobić; ~ **sb into doing sth** naciągnąć kogoś na zrobienie czegoś; ~ **sb out of sth** wyłudzać coś od kogoś.

ban[1] [bæn] *v.* **-nn- 1.** zakazywać, zabraniać (*zwł. oficjalnie*); **he was ~ned from driving** odebrano mu prawo jazdy; **they were ~ned from the competition** nie dopuszczono ich do udziału w zawodach. **2.** delegalizować. **3.** *arch.* rzucać klątwę na. – *n.* **1.** (oficjalny) zakaz; delegalizacja; ~ **on smoking/nuclear testing** zakaz palenia/prób jądrowych. **2.** *hist.* banicja, wyjęcie spod prawa. **3.** *arch.* publiczne potępienie; wyklęcie. **4.** *arch.* klątwa, przekleństwo.

ban[2] *n. hist.* wezwanie na wojnę (*rozsyłane wasalom*), wici.

banal ['beɪnl] *a.* banalny.

banality [bə'nælətɪ] *n.* **1.** *U* banalność. **2.** banał.

banally ['beɪnlɪ] *adv.* banalnie.

banana [bə'nænə] *n.* banan (*owoc l. drzewo*). – *a. attr.* bananowy.

banana plug *n. el.* wtyczka bananowa.

banana republic *n. pot. uj.* republika bananowa.

bananas [bə'nænəz] *a. pred. pot.* **1.** szurnięty. **2. go ~** wściec się; zwariować (*zw. z podniecenia l. radości*).

banana skin *n. Br. pot.* kompromitujący incydent *l.* gafa (*popełniona przez osobę publiczną*).

banana split *n.* deser bananowo-lodowy.

banc [bæŋk] *n.* **en/in** ~ *prawn.* w pełnym składzie (*o sądzie*).

band[1] [bænd] *n.* **1.** grupa (*podróżnych, łowców, uciekinierów*); banda (*zbójców itp.*); *antrop.* horda, gromada. **2.** *US i Can.* stado. **3.** *muz.* zespół, orkiestra, kapela; **brass/military** ~ orkiestra dęta/wojskowa; **jazz** ~ jazz-band, orkiestra jazzowa. – *v.* ~ **(together)** zbierać się, gromadzić się razem.

band[2] *n.* **1.** opaska; obręcz, obejma; taśma (*opasująca coś*); banderola; **rubber** ~ gumka, recepturka. **2.** *w złoż.* **hair~** opaska do włosów; **hat~** wstążka do obszywania kapeluszy; **neck~** stójka (*kołnierzyk*); **waist~** pasek (= *wzmocnienie spodni lub spódnicy w talii*); **watch~** *US, Can. i Austr.* pasek od zegarka; **wrist~** mankiet. **3.** pas (*kontrastujący z tłem l. podłożem*), pasek, linia; prążek; obwódka, szlaczek; *bud.* gzymsik; *min.* warstwa. **4.** *techn.* pas transmisyjny. **5.** *często w złoż. fiz., radio, tel.* pasmo, zakres; **energy** ~ pasmo energetyczne; **frequency** ~ pasmo częstotliwości; **wave~** zakres fal. **6.** *komp.* ścieżka zapisu. **7.** obrączka; **wedding** ~ (*także* ~ **of gold**) obrączka ślubna. – *v.* **1.** ściskać gumką, obręczą *l.* opaską; banderolować; opasywać, okalać. **2.** malować w pasy; otaczać szlaczkiem. **3.** *US i Can. orn.* obrączkować.

band[3] *n. często pl. arch.* więź, węzeł; więzy (*t. przen. = niewola*); zobowiązanie.

bandage ['bændɪdʒ] *n.* bandaż, opatrunek; opaska. – *v.* ~ **(up)** bandażować, opatrywać; obwiązywać, przewiązywać.

band-aid ['bændeɪd], **Band-Aid** *n.* **1.** opatrunek samoprzylepny, plaster z opatrunkiem. **2.** ~ **solution** *zwł. US i Austr. pot.* prowizoryczne *l.* tymczasowe rozwiązanie.

bandanna [bæn'dænə], **bandana** *n.* kolorowa chusta (*na szyję l. na głowę*).

B and B, b. and b., B & B *abbr.* **bed and breakfast** *gł. Br.* nocleg ze śniadaniem; pensjonat (*oferujący usługę jw.*).

bandbox ['bændˌbɑ:ks] *n.* pudło na kapelusze.

bandeau [bæn'doʊ] *n. pl.* **bandeaux** [bæn'doʊz] opaska na głowę.

banded ['bændɪd] *a.* pasiasty (*o minerałach*); obrączkowany (*o ubarwieniu zwierząt*).

banderilla [ˌbændə'rɪə] *n. korrida* banderilla (= *krótka włócznia z chorągiewką*).

banderole ['bændəˌroʊl], **banderol**, **bannerol** ['bænəˌroʊl] *n.* **1.** *mal., bud.* banderola (= *ornament w formie wstęgi z napisem*). **2.** kir żałobny. **3.** *t. żegl. i wojsk.* proporzec, proporczyk.

band filter *n.* = **band-pass filter**.

bandicoot ['bændɪku:t] *n. zool.* jamraj, borsuk workowaty (*rodziny: Peramelidae, Thylacomyidae*). – *v. Austr.* wykopywać (*ziemniaki*).

bandiness ['bændɪnəs] *n. U pat.* koślawość (*nóg, stawów*).

bandit ['bændɪt] *n. pl.* **bandits** *przest.* **banditti** [bæn'dɪtɪ] rozbójnik, opryszek, bandyta (*łupiący podróżnych*).

banditry ['bændɪtrɪ] *n. U* rozbój; zbójectwo (*t. zbiorowo = zbójnicy*).

bandleader ['bændˌli:dər] *n.* szef orkiestry (*zwł. jazzowej*), lider zespołu.

bandmaster ['bændˌmæstər] *n.* kapelmistrz, dyrygent.

bandog ['bænˌdɔ:g] *n. kynol.* bandog (*agresywny mieszaniec ras obronnych*).

bandoleer [ˌbændə'li:r], **bandolier** *n. broń* pas z

nabojami (*przewieszany przez ramię*); *hist.* bandolier.

bandoline [ˈbændəˌliːn] *n. U przest.* pomada do włosów.

bandoneon [bænˈdoʊnɪˌɑːn] *n. muz.* bandoneon (*rodzaj harmonii ręcznej*).

bandore [bænˈdɔːr], **pandore** [pænˈdɔːr] *n. muz.* bandora, pandora.

band-pass filter *n. el., opt.* filtr pasmowy *l.* środkowoprzepustowy.

band saw *n. techn.* piła taśmowa.

bandsman [ˈbændzmən] *n. pl.* **-men** członek orkiestry (*dętej, wojskowej*).

bandstand [ˈbændˌstænd] *n.* estrada, (kryte) podium dla orkiestry.

b. and w., b & w *abbr.* **black-and-white** *telew., fot., kino* czarno-biały.

bandwagon [ˈbændˌwægən] *n. US* wóz dla orkiestry (*na paradzie*); **climb/get/jump on the ~** *przen.* pójść za silniejszym *l.* za modą.

bandwidth [ˈbændˌwɪdθ] *n. fiz., tel.* szerokość pasma; pasmo.

bandy [ˈbændɪ] *v.* **1.** wymieniać (*ciosy, piłki, argumenty*); **~ words (with sb)** *przest.* pojedynkować się (z kimś) na słowa. **2.** miotać (*czymś*), poniewierać. **3. ~ (about)** puszczać w obieg (*plotki, pomysły*); powtarzać bez potrzeby (*np. dla zrobienia na kimś wrażenia*). – *n. sport U* bandy, hokej rosyjski; laska do gry w bandy. – *a.* **-ier, -iest 1.** = **bandy-legged**. **2.** koślawy, wygięty; **~ legs** nogi ułańskie *l.* wygięte w O.

bandy-legged [ˈbændɪˌlegɪd] *a.* krzywonogi (*o nogach wygiętych w O*).

bane [beɪn] *n.* **1.** trucizna (*gł. w złoż. stanowiących nazwy silnie trujących roślin*). **2.** zmora, przekleństwo; *arch. l. poet.* zguba, nieszczęście; **be the ~ of sb's life/existence** być czyjąś zmorą.

baneberry [ˈbeɪnˌberɪ] *n. bot.* czerniec (*Actaea*).

baneful [ˈbeɪnfʊl] *a. arch. l. lit.* zgubny; zabójczy; jadowity.

bang[1] [bæŋ] *v.* **1.** trzasnąć, rąbnąć, walnąć; **~ (sth) on/against sth** trzasnąć (czymś) w coś/o coś; **~ one's head/knee** uderzyć się w głowę/kolano; **~ shut** zatrzasnąć się z hukiem (*o drzwiach, oknie*). **2.** tłuc, grzmocić; **~ sth (with sth)** tłuc w coś (czymś); **~ (sth) on/against sth** (czymś) w coś/o coś; łomotać. **3.** pękać z hukiem, wybuchać. **4.** *Br. ekon.* zbić (*cenę akcji*). **5.** *obsc.* grzmocić, rypać (= *kochać się z*); **~ (away)** grzmocić się (= *kochać się hałaśliwie*). **6.** *sl.* dać sobie w żyłę (= *wstrzyknąć narkotyk*). **7.** *przen.* **~ one's head against a brick wall** walić głową w mur; **~ the drum for sth** agitować za czymś. **8. ~ about/around/away** tłuc się, hałasować; **~ away** grzmieć (*o działach*); *pot.* bębnić (na maszynie), tłuc w klawiaturę; pracować zapamiętale; *zob.* **bang** 5; **~ down/to** zatrzasnąć (się), zamknąć (się) z trzaskiem; **~ into sth** wpaść na coś; **~ on/against sth** zderzyć się z czymś; **~ on (about sth)** *pot.* przynudzać (o czymś); **~ up** *US pot.* rozwalić (*zwł. samochód*); **~ sb up** *sl.* przymknąć kogoś (*zwł. w areszcie*). – *n.* **1.** huk; wybuch; wystrzał; **the Big B~** Wielki Wybuch, Big-Bang. **2.** trzaśnięcie (*zwł. drzwiami*); łoskot. **3.** walnięcie, uderzenie, cios; **get a ~ on the head** uderzyć się w głowę. **4.** *pot.* otrząśnięcie się, oprzytomnienie, wstrząs; **I realized with a ~ that...** nagle dotarło do mnie, że... **5.** *sing. US i Can. pot.* dreszczyk emocji, frajda; **get a ~ out of sth** mieć frajdę z czegoś. **6.** *obsc.* numer (= *stosunek, zwł. pośpieszny*). **7. go (off/over) with a ~** *przen. pot.* udać się na sto dwa (*zwł. o przyjęciu*). – *adv. pot.* **1.** z impetem; z hukiem; **fall ~** runąć *l.* wyłożyć się z hukiem; **go ~** zrobić bum (= *huknąć, eksplodować*). **2. ~ goes (my only chance/hope)** (moją jedyną szansę/nadzieję) diabli wzięli. **3.** dokładnie, prosto; **~ in the middle of the road** na samiuteńkim środku drogi; **~ into a tree** prosto w drzewo; **~ on** *Br. sl.* idealnie, dokładnie; **~ on target** w samo sedno, w dziesiątkę; **~ to rights** *sl.* prosto za kratki. – *int.* trach, łup (= *odgłos uderzenia l. trzaśnięcia*); bum, bach (= *odgłos wybuchu l. strzału*); **~, ~, you're dead!** *dziec.* pif-paf! nie żyjesz!.

bang[2] *v.* przystrzygać w grzywkę; przycinać, kurtyzować (*koński ogon*).

banger [ˈbæŋər] *n. Br. pot.* **1.** kiełbaska, serdelek. **2.** petarda. **3.** rzęch, gruchot (*o samochodzie*).

Bangladesh [ˌbɑːŋgləˈdeʃ] *n. geogr.* Bangladesz.

Bangladeshi [ˌbɑːŋləˈdeʃɪ] *a.* dotyczący Bangladeszu, wschodniobengalski. – *n.* mieszkaniec/ka Bangladeszu.

bangle [ˈbæŋgl] *n.* **1.** bransoleta (*w formie sztywnego kółka, zw. bez zapięcia*). **2.** wisiorek, ozdóbka (*zwisająca z naszyjnika lub bransoletki*).

bangs [bæŋz] *n. pl. US* grzywka.

bangtail [ˈbæŋˌteɪl] *n. jeźdz.* przycięty ogon (*koński*); koń z przyciętym ogonem.

banian [ˈbænjən] *n.* = **banyan**.

banish [ˈbænɪʃ] *v.* **1.** wygnać, wypędzić (*from / to sth* skądś/dokądś); skazać na banicję *l.* wygnanie. **2. ~ (from one's mind)** odpędzić od siebie, odegnać precz (*myśli, zmartwienia*).

banishment [ˈbænɪʃmənt] *n. U* banicja, wygnanie.

banister [ˈbænɪstər], **bannister** *n. zw. pl.* balustrada; poręcz (*wraz z balaskami*).

banjo [ˈbændʒoʊ] *n. pl.* **-s** *l.* **-es 1.** *muz.* banjo, bandżo. **2.** *sl.* patelnia.

banjoist [ˈbændʒoʊɪst] *n.* osoba grająca na banjo.

bank[1] [bæŋk] *n.* **1.** brzeg (*rzeki, wykopu*). **2.** skarpa, pochyłość, zbocze. **3.** wał ziemny, nasyp, kopiec; zaspa. **4.** *t. geol.* ławica; **oyster/pearl ~** ławica ostryg/perłowa. **5.** mielizna, łacha; **mud/sand~** łacha błotna/piaszczysta. **6.** *górn.* ława (= *pokład, warstwa*). **7.** *lotn.* przechył (*przy wykonywaniu skrętu*); (*także* **~ing**) pochyły zakręt (*jezdni, toru, bieżni*). – *v.* **1. ~ (up)** tworzyć ławicę, skarpę, zaspę *l.* nasyp; piętrzyć się; usypywać, formować w nasyp. **2. ~ (up)** obrzeżać (*with sth* czymś); obwałowywać; otaczać *l.* zabezpieczać nasypem. **3. ~ (up)** przyprószyć, przysypać (*ogień*). **4.** brać zakręt; *lotn.* kłaść (się) na skrzydło. **5.** *bilard* trafiać w bandę (*bilą*).

bank² *n.* **1.** bank; ~ **of addresses/information** bank adresów/informacji; **blood/data/organ** ~ bank krwi/danych/narządów; **cloud** ~ *zob.* **cloud**; **merchant** ~ *zob.* **merchant**. **2.** skarbonka; **piggy** ~ świnka-skarbonka. **3.** *przen.* **break the** ~ rozbić bank (*w grze hazardowej*); **it's not going to/it won't break the** ~ *żart.* to mnie/cię itd. nie zrujnuje. – *a. attr.* bankowy. – *v.* **1.** składać *l.* deponować w banku. **2.** *fin.* prowadzić bank *l.* operacje bankierskie; ~ **with...** mieć rachunek w... **3.** trzymać bank (*w grze*). **4.** ~ **on sb/sth** liczyć na kogoś/coś; ~ **on sb doing sth** liczyć (na to), że ktoś coś zrobi.

bank³ *n.* **1.** równy rząd *l.* szereg (*np. przełączników, lampek, komputerów*); *techn.* zespół, bateria (*np. cylindrów w silniku*). **2.** *żegl., gł. hist.* rząd wioseł; ława wioślarska.

bankable [ˈbæŋkəbl] *a.* **1.** *fin.* akceptowany przez banki. **2.** *pot.* pewny (jak w banku). **3.** *pot.* kasowy (*o aktorze*).

bank account *n.* konto bankowe, rachunek bankowy.

bank card *n.* **1.** *US* karta kredytowa. **2.** *Br.* karta czekowa.

bank clerk *n. Br.* urzędni-k/czka bankow-y/a.

bank draft *n. fin.* przelew bankowy.

banker¹ [ˈbæŋkər] *n.* bankier (*t. w grze*).

banker² *n.* **1.** *Can. żegl.* kuter rybacki (*do połowów przybrzeżnych*); rybak łowiący na przybrzeżnych mieliznach. **2.** *Austr. i NZ* wezbrany strumień; **run a** ~ wezbrać. **3.** *Br. myśl.* koń wspinający się na zbocza; (*także* **bank engine**) *kol.* lokomotywa pomocnicza (*używana na stromiznach*).

banker³ *n.* warsztat, ława warsztatowa; stół kamieniarski; *bud.* plansza murarska (*do rozrabiania zaprawy itp.*).

banker's card *n. Br.* = **bank card** 2.

banker's order *n. Br.* zlecenie stałe (*w banku*).

bank holiday *n.* dzień, w którym nie pracują banki; *Br.* święto państwowe.

banking¹ [ˈbæŋkɪŋ] *n.* **1.** obwałowanie, nasyp. **2.** *lotn.* przechylanie się (*podczas skrętu*). **3.** *U Can. żegl.* połowy na mieliznach.

banking² *n. U* bankierstwo; *fin.* bankowość.

banking hours *n. pl.* godziny otwarcia banku.

bank loan *n.* kredyt bankowy.

bank manager *n.* **1.** dyrektor banku. **2.** *Br.* kierowni-k/czka oddziału banku.

banknote [ˈbæŋknoʊt], **bank note** *n. zwł. Br.* banknot.

bank rate *n.* stopa procentowa od kredytu bankowego.

bankroll [ˈbæŋkˌroʊl] *n. gł. US i Can.* paczka banknotów; *pot.* kasa, szmal. – *v. pot.* finansować.

bankrupt [ˈbæŋkrəpt] *n. t. przen.* bankrut. – *a.* **1.** niewypłacalny, zbankrutowany (*t. przen.*); upadły, zrujnowany; **go** ~ zbankrutować. **2.** ~ **of sth** *Br.* odarty z czegoś, pozbawiony czegoś. – *v.* doprowadzić do bankructwa *l.* upadku.

bankruptcy [ˈbæŋkrəptsɪ] *n.* **1.** *C/U* bankructwo, upadłość. **2.** *U przen.* bankructwo (*moralne*).

banksman [ˈbæŋksmən] *n. pl.* **-men** *bud.* sygnalista dźwigowy.

bank statement *n.* wyciąg z konta (*zwł. comiesięczny*).

banner [ˈbænər] *n.* **1.** *form. l. hist.* chorągiew, proporzec, sztandar (*t. przen.*); sztandarowe hasło; **under the** ~ **of sth** *przen.* pod sztandarem czegoś. **2.** transparent; plakat (*niesiony podczas demonstracji*). **3.** (*także* ~ **headline**) *dzienn.* tytuł na całą szerokość szpalty, wielki nagłówek. – *a. US* świetny, pomyślny; ~ **year** świetny rok (*for sth* na coś).

banneret [ˈbænəˌret] *n. hist.* **1.** (*także* **knight** ~) rycerz dowodzący własną chorągwią. **2.** żołnierz nobilitowany za waleczność. **3.** [ˌbænəˈret] (*także* ~**te**) proporczyk, chorągiewka.

banner headline *n.* = **banner** 3.

bannerol [ˈbænəˌroʊl] *n.* = **banderole**.

bannister [ˈbænɪstər] *n.* = **banister**.

bannock [ˈbænək] *n. Scot.* placek pieczony na blasze (*zw. owsiany*).

banns [bænz], **bans** *n. pl. kośc.* zapowiedzi; **have one's** ~ **called** dawać na zapowiedzi; **publish/put up/read the** ~ ogłaszać zapowiedzi.

banquet [ˈbæŋkwɪt] *n.* **1.** bankiet. **2.** uczta, biesiada. – *v.* **-t- 1.** podjąć bankietem. **2.** ucztować.

banqueter [ˈbæŋkwɪtər], **banqueteer** [ˈbæŋkwɪtiːr] *n.* **1.** uczestni-k/czka bankietu. **2.** biesiadni-k/czka.

banqueting hall, *US t.* **banquet room** *n.* sala bankietowa.

banquette [bæŋˈket] *n.* **1.** *rzad.* kładka. **2.** *hist.* chodnik *l.* pomost wzdłuż muru obronnego; *wojsk.* stopień strzelecki (= *stanowisko do strzelania zza wału l. z okopu*). **3.** *US* wyściełana ława (*zwł. wzdłuż ściany*).

bans [bænz] *n. pl.* = **banns**.

banshee [ˈbænʃɪ] *n. Ir. folklor* kobieta-widmo, której zawodzenie zwiastuje śmierć w rodzinie.

bantam [ˈbæntəm] *n.* **1.** *hodowla* bantamka (*karłowata rasa drobiu*); ~ **cock/hen** kogut/kura rasy bantam. **2.** *sport* = **bantamweight**.

bantamweight [ˈbæntəmˌweɪt] *n. boks, zapasy* waga kogucia; zawodnik wagi koguciej; ~ **champion** mistrz wagi koguciej.

banter [ˈbæntər] *n. U* przekomarzanie się. – *v.* przekomarzać się, droczyć się (*with sb* z kimś).

bantering [ˈbæntərɪŋ] *a.* żartobliwie zaczepny (*o stylu rozmowy*).

bantling [ˈbæntlɪŋ] *n. arch.* szczeniak, gałgan (*o dziecku*).

Bantu [ˈbæntuː] *n. U* **1.** Bantu (*grupa ludów afrykańskich*). **2.** (grupa językowa) bantu. **3.** *pl.* **Bantu** *l.* **-s** członek jednego z ludów Bantu. – *a.* bantuski, dotyczący Bantu.

Bantustan [ˈbæntuˌstæn] *n. S.Afr.* bantustan.

banyan [ˈbænjən], **banian** *n.* (*także* ~**-tree**) *bot.* banian, figowiec bengalski (*Ficus benghalensis*).

baobab [ˈbeɪoʊˌbæb] *n. bot.* (*także* **common** ~)

baobab (właściwy), palczora (właściwa) (*Adansonia digitata*).

bap [bæp] *n. Br.* duża, miękka bułka.

baptism ['bæptɪzəm] *n. C / U* chrzest; ~ **of fire** *t. przen.* chrzest bojowy.

baptismal [bæp'tɪzml] *a. form.* chrzestny; ~ **font** chrzcielnica; ~ **name** imię chrzestne.

baptist ['bæptɪst] *n.* **1.** chrzciciel; **(St John) the B~** *Bibl.* św. Jan Chrzciciel. **2.** *rel.* **B~** baptysta/ka; **B~ Church** Kościół baptystów.

baptistry ['bæptɪstrɪ], **baptistery** *n. kośc.* **1.** baptysterium. **2.** zbiornik z wodą do chrztu (*w świątyni baptystów*).

baptize [bæp'taɪz], *Br. i Austr. zw.* **baptise** *v.* **1.** chrzcić (*t. przen.* = *nadawać nazwę, poddawać inicjacji*); **~d a Catholic** ochrzczony w obrządku katolickim; **he was ~d John** ochrzczono go imieniem John. **2.** oczyszczać (*rytualnie*).

bar[1] [bɑːr] *n.* **1.** sztaba; pręt. **2.** *pl.* krata; *przen.* kraty (= *więzienie*); **behind ~s** *pot.* za kratkami. **3.** sztaba. **4.** zasuwka, rygiel. **5.** (*także* **cross~**) *t. sport* poprzeczka; (*także* **vertical ~**) *sport* drążek, przyrząd *l.* dyscyplina gimnastyczna. **6.** kostka (*mydła*); tabliczka (*czekolady*); baton. **7.** zapora, szlaban, rogatka; *t. przen.* bariera, przeszkoda (*to sth* w osiągnięciu czegoś). **8.** smuga, pas (*światła, koloru*). **9.** (*także* **sand~**) mierzeja; bariera piaszczysta; **cross the ~** *żegl.* wyjść na pełne morze; *przen.* wyprawić się na tamten świat. **10.** bar (*alkoholowy; t. w hotelu itp.*); *Br.* bar (*jedno z pomieszczeń pubu, w którym oprócz spożywania alkoholu można też grać w rzutki itp.*). **11.** bar, bufet; kontuar, lada; **salad/sandwich ~** bufet sałatkowy/z kanapkami. **12.** punkt usługowy; **heel ~** punkt ekspresowej naprawy obuwia (*np. w domu towarowym*). **13.** miejsce dla osoby przesłuchiwanej (*przed którąś z izb parlamentu*) *l.* dla oskarżonego (*w sądzie*); **at the ~ of sth** *przen.* przed sądem *l.* pod osądem czegoś. **14.** barierka przegradzająca salę sądową. **15. the ~** (*także* **the B~**) *prawn. Br.* palestra, adwokatura; *US* zawód prawnika; ~ **examination** egzamin kończący aplikację; **be called/go to the ~** być powołanym do adwokatury; **be called within the ~** *Br.* uzyskać tytuł adwokata królewskiego; **train for the ~** przygotowywać się do zawodu prawnika. **16.** *prawn.* wniosek o umorzenie postępowania. **17.** belka (*naszywka, dystynkcja*); *zw. pl. her.* belka poprzeczna. **18.** *muz.* takt; (*także* **~ line**) kreska taktowa. **19.** *koronkarstwo* pikotka (*łącząca elementy koronki*). – *v.* **-rr- 1.** ryglować, zamykać na skobel; zagradzać, barykadować, tarasować. **2.** zabraniać, zakazywać (*czegoś*); ~ **sb from sth** uniemożliwiać komuś coś; nie dopuszczać kogoś do czegoś; wykluczać kogoś z czegoś. **3.** *prawn.* umarzać (*postępowanie*). **4.** *t. her.* oznaczać *l.* dekorować belką. **5.** *muz.* dzielić na takty. **6.** ~ **o.s. in (sth)** zamknąć *l.* zabarykadować się wewnątrz (czegoś); ~ **sb in (sth)** uwięzić kogoś wewnątrz (czegoś); ~ **sb out (of sth)** zamknąć przed kimś drzwi (czegoś). – *prep.* **1.** oprócz, wyjąwszy, nie licząc. **2.** ~ **none** bez wyjątku.

bar[2] *n. fiz.* bar (*jednostka ciśnienia*).

barb[1] [bɑːrb] *n.* **1.** zadzior (*grotu, haczyka na ryby*); kolec (*drutu kolczastego*). **2.** *przen.* docinek, kąśliwa uwaga. **3.** = **barbel**. **4.** *bot.* haczyk, czepliwy kolec *l.* łuska (*np. rzepu*). **5.** *orn.* promień (*na stosinie pióra*). **6.** *hist. l. kośc.* barbet (= *podbródek kornetu; dziś część stroju zakonnic*). – *v.* zaopatrywać w zadziory lub haczyki.

barb[2] *n. hodowla* koń berberyjski.

Barbados [bɑːr'beɪdoʊz] *n. geogr.* Barbados.

barbarian [bɑːr'berɪən] *a.* barbarzyński (= *właściwy barbarzyńcom, dziki*). – *n. t. przen.* barbarzyńca.

barbarianism [bɑːr'berɪənɪzəm] *n. U* barbarzyństwo (= *dzikość*).

barbaric [bɑːr'berɪk] *a.* barbarzyński (= *okrutny, prymitywny*).

barbarically [bɑːr'berɪklɪ] *adv.* w sposób barbarzyński.

barbarism ['bɑːrbəˌrɪzəm] *n.* **1.** *U* barbarzyństwo (= *okrucieństwo, prymitywizm*). **2.** barbarzyństwo, akt barbarzyństwa. **3.** *jęz.* barbaryzm.

barbarity [bɑːr'berətɪ] *n.* **1.** *U* barbarzyństwo (*we wszystkich znaczeniach*). **2.** barbarzyństwo, akt barbarzyństwa.

barbarize ['bɑːrbəˌraɪz], *Br. i Austr. zw.* **barbarise** *v.* barbaryzować (się).

barbarous ['bɑːrbərəs] *a.* **1.** barbarzyński (*we wszystkich znaczeniach*). **2.** pełen barbaryzmów (*o języku*).

barbarously ['bɑːrbərəslɪ] *adv.* po barbarzyńsku; z barbarzyńskim okrucieństwem.

barbarousness ['bɑːrbərəsnəs] *n. U* barbarzyństwo.

Barbary ape *n. zool.* makak berberyjski (= *małpa gibraltarska, Macaca sylvanus*).

barbate ['bɑːrbeɪt] *a. attr. biol.* brodaty.

barbecue ['bɑːrbəˌkjuː], *US t.* **barbeque** *n.* grill, ruszt ogrodowy, pieczeń z rusztu, przyjęcie z grillem na wolnym powietrzu, restauracja serwująca dania z rusztu. – *v.* **-cued/-qued, -cuing/-quing** *kulin.* **1.** piec na ruszcie. **2.** przyprawiać ostrym sosem.

barbed [bɑːrbd] *a.* **1.** zaopatrzony w zadziory *l.* haczyki. **2.** *przen.* kąśliwy, cięty.

barbed wire, *US t.* **barbwire** *n. U* drut kolczasty.

barbel ['bɑːrbl], **barb** [bɑːrb] *n.* **1.** wąs (*ryby*). **2.** *icht.* brzana (*Barbus*).

barbeque ['bɑːrbəˌkjuː] *n. i v.* = **barbecue**.

barber ['bɑːrbər] *n.* fryzjer (*męski*), golarz; *hist.* balwierz, cyrulik. – *v.* strzyc (*kogoś*); golić brodę (*komuś*).

barberry ['bɑːrˌberɪ] *n. bot.* berberys (*Berberis*).

barber's ['bɑːrbərz] *n. pl.* **barbers** *l.* **barber's 1.** *Br.* = **barbershop**. **2.** ~ **pole** godło zakładu fryzjerskiego (*słupek pomalowany spiralnie w biało-czerwone paski*). **3.** ~ **itch/rash** *pat.* grzybica skóry twarzy *l.* szyi.

barbershop ['bɑːrbərˌʃɑːp] *n. US* zakład fryzjerski (*męski*).

barbet ['bɑːrbɪt] *n. orn.* brodacz (*rodzina Capitonidae*).

barbette [bɑːr'bet] *n. wojsk.* barbeta, osłona wieży artyleryjskiej (*na okręcie*); *przest.* stanowisko artyleryjskie (*na przedpiersiu fortu*).

barbican ['bɑːrbəkən] *n. wojsk., hist.* barbakan.

barbicel ['bɑːrbɪˌsel] *n. orn.* haczyk (*na promyku pióra*).

barbie ['bɑːrbɪ] *n. Br. i Austr. pot.* = **barbecue**.

barbital ['bɑːrbɪˌtæl], *Br.* **barbitone** ['bɑːrbɪˌtoʊn] *n. med.* weronal.

barbiturate [bɑːr'bɪtʃərət] *n. chem., med.* barbituran.

barbituric acid *n. chem.* kwas barbiturowy.

barbule ['bɑːrbjuːl] *n. orn.* promyk (*pióra*).

barbwire [ˌbɑːrb'waɪr] *n. US* = **barbed wire**.

barcarole ['bɑːrkəˌroʊl], **barcarolle** *n. muz.* barkarola.

bar chart, bar diagram, bar graph *n.* wykres *l.* diagram słupkowy.

bar code *n.* kod kreskowy (*zwł. do oznaczania towarów*).

bard[1] [bɑːrd] *n.* bard (= *pieśniarz celtycki*); *arch. l. lit.* wieszcz (*zwł. narodowy*).

bard[2], **barde** *n.* **1.** *kulin.* okład ze słoniny (*na pieczeni*). **2.** *hist.* czaprak koński.

bar diagram *n.* = **bar chart**.

bar display *n. techn.* wskaźnik *l.* wyświetlacz słupkowy.

bare [ber] *a.* **barer, barest 1.** *t. przen.* nagi, goły; ~ **feet** bose stopy; ~ **to the waist** rozebrany do pasa; **the ~ facts/truth** nagie fakty/naga prawda; **with one's ~ hands** gołymi rękami. **2.** odkryty, odsłonięty, obnażony (*t. przen.* = *ujawniony*); **lay sth ~** *przen.* odsłaniać *l.* ujawniać coś. **3.** ogołocony (*of sth* z czegoś); pusty (*np. o pokoju*). **4.** *attr.* ledwo wystarczalny, minimalny; ~ **majority** minimalna większość (*zwł. głosów*); ~ **minimum** absolutne minimum; ~ **necessities/essentials** najpotrzebniejsze *l.* najniezbędniejsze rzeczy. **5. the ~ bones (of sth)** *przen.* szkielet *l.* zarys *l.* szkic (czegoś). – *v.* obnażać, odsłaniać (*t. przen.* = *ujawniać*); ~ **one's teeth** obnażyć zęby (*gł. o zwierzętach*); ~ **one's heart/soul (to sth)** *przen.* otworzyć (przed kimś) serce.

bare-assed [ˌber'æst] *a. US sl.* z gołym tyłkiem (*emf.* = *goły, rozebrany*).

bareback ['berˌbæk], **barebacked** ['berˌbækt] *a. i adv.* na oklep; ~ **riding** jazda na oklep; **ride ~** jechać na oklep.

barefaced [ˌber'feɪst] *a.* **1.** *uj.* jawny; bezwstydny, bezczelny; ~ **lie** bezczelne kłamstwo; ~ **robbery** rozbój na równej drodze. **2.** z odsłoniętą twarzą; ze zgolonym zarostem.

barefacedly [ˌber'feɪsɪdlɪ] *adv.* w żywe oczy, bezczelnie.

barefacedness [ˌber'feɪsɪdnəs] *n. U* bezczelność.

barefoot ['berˌfʊt], **barefooted** ['berˌfʊtɪd] *a.* bosy, bosonogi. – *adv.* boso.

barehanded ['berˌhændɪd] *a. i adv.* (z) gołymi rękami.

bareheaded ['berˌhedɪd] *a. i adv.* z gołą głową.

barelegged ['berˌlegɪd] *a. i adv.* z gołymi nogami.

barely ['berlɪ] *adv.* **1.** ledwo, ledwie; ~ **audible** ledwo słyszalny, prawie niesłyszalny; **he can ~ see** on ledwie widzi; **I have ~ enough (money) for...** z trudem wystarczy mi (pieniędzy) na...; **she had ~ put down the phone when the doorbell rang** ledwie zdążyła odłożyć słuchawkę, gdy rozległ się dzwonek do drzwi. **2.** skromnie (*ubogo*); ~ **furnished** skromnie umeblowany. **3.** *arch.* jawnie, otwarcie.

bareness ['bernəs] *n. U* **1.** *t. przen.* nagość. **2.** ogołocenie.

Barents Sea *n.* **the ~** *geogr.* Morze Barentsa.

baresark ['bersɑːrk] *n. rzad.* = **berserk**. – *a. i adv. arch.* bez zbroi (*o walce*).

barf [bɑːrf] *v. gł. US sl.* rzygać.

barfly ['bɑːrˌflaɪ] *n. gł. US i Can. pot.* ćma barowa.

bargain ['bɑːrgɪn] *n.* **1.** ugoda, umowa, transakcja, dobicie targu; **a ~'s a ~** umowa jest umową; **bad/good ~** kiepski/dobry interes; **drive a hard ~** targować się zacięcie; stawiać twarde warunki; **make/strike a ~** dobić targu. **2.** zakup. **3.** okazja (= *tani zakup*); **it's a ~** tanio za tę cenę. **4. in/into the ~** na dokładkę, w dodatku. – *a. attr.* obniżony, okazyjny (*o cenach*); zniżkowy; ~ **price** okazyjna cena; ~ **sale** sprzedaż po obniżonych cenach. – *v.* **1.** targować się, negocjować (*with sb* z kimś, *about / over / for sth* o coś *l.* w sprawie czegoś). **2.** dokonywać transakcji; wymieniać (*sth for sth* coś za coś). **3.** *pot.* ~ **on sth** liczyć na coś; **not ~ for/on sth** nie być przygotowanym na coś, nie spodziewać się czegoś; **he got more than he (had) ~ed for** spotkała go niemiła niespodzianka. **4.** ~ **away** *zw. przen.* przehandlować, sprzedać tanio.

bargain basement *n. handl.* dział sprzedaży zniżkowej (*zw. na najniższej kondygnacji domu towarowego*).

bargain counter *n.* **1.** = ~ **basement**. **2.** *przen.* atut, silny argument (*w negocjacjach*).

bargainer ['bɑːrgɪnər] *n.* osoba targująca się; negocjator/ka; **hard ~** twardy negocjator, uparta sztuka.

bargain hunter *n. żart.* łowca okazji (= *osoba kupująca po obniżonych cenach*).

bargaining ['bɑːrgɪnɪŋ] *n. U* targowanie się; targi, negocjacje (*zwł. między pracodawcą a związkiem zawodowym*).

bargain position *n.* pozycja przetargowa.

barge [bɑːrdʒ] *n. żegl.* **1.** barka. **2.** łódź paradna (*zwł. królewska, admiralska*). **3.** *pot.* łajba. – *v.* **1.** przewozić barką. **2.** *pot.* gramolić się, tarabanić się; pchać się; pakować się (*into sb / sth* na kogoś/coś). **3.** wtrącać się (*into sth* do czegoś). **4.** *pot.* ~ **about** tłuc się, hałasować; ~ **in** wtrącać się (*on sth* do czegoś).

bargeboard ['bɑːrdʒˌbɔːrd] *n. bud.* deska szczytowa.

barge couple *n. bud.* zewnętrzne krokwie szczytowe.

barge course *n. bud.* okap *l.* nawis szczytu.

bargee [bɑːr'dʒiː] *n. gł. Br. żegl.* = **bargeman**.

bargeman ['bɑːrdʒmən] *n. pl.* **-men** *żegl.* barkarz; kierujący barką.

bargepole [ˈbɑːrdʒˌpoʊl] *n. żegl.* tyczka do popychania barki; **I wouldn't touch it/him with a ~** *Br. przen. pot.* za żadne skarby nie chcę mieć z tym/nim do czynienia.

bar graph *n.* = **bar chart**.

barhop [ˈbɑːrˌhɑːp] *v. US pot.* odwiedzić kolejno kilka barów (*w ciągu jednego wieczora*).

baric[1] [ˈberɪk] *a. attr. chem.* barowy.

baric[2] *n. fiz., meteor.* baryczny.

barilla [bəˈrɪlə] *n. bot.* solanka kolczysta (*Salsola kali*).

barite [ˈberaɪt], *Br. i Austr.* **barytes** [bəˈraɪtiːz] *n. U min.* baryt.

baritone [ˈberəˌtoʊn] *n. muz.* baryton (*głos, śpiewak, instrument*). – *a.* barytonowy.

barium [ˈberɪəm] *n. chem.* bar.

barium meal *n. U med.* siarczan baru (*środek kontrastowy*).

bark[1] [bɑːrk] *n. U* kora; **cinchona/china/Peruvian ~** kora chinowa. – *v.* **1.** korować, odzierać z kory. **2.** otrzeć do krwi (*np. kolano*). **3.** *techn.* garbować (*używając taniny*).

bark[2] *n.* **1.** (*także* **barque**) *żegl.* bark. **2.** *poet.* łódź żaglowa.

bark[3] *n.* **1.** *U* szczekanie, ujadanie (*t. przen.* = *kaszel, kanonada, besztanie*); *C* szczeknięcie. **2.** **sb' ~ is worse than their bite** *przen.* ktoś więcej szczeka, niż gryzie (= *jest porywczy, ale niegroźny*). – *v.* **1.** szczekać (*t. przen.* = *kaszleć, strzelać, besztać*), ujadać (*at sb / sth* na kogoś/coś). **2.** **~ up the wrong tree** *przen.* być w błędzie, mylić się.

barkantine [ˈbɑːrkənˌtiːn] *n. żegl.* = **barkentine**.

bark beetle *n. ent.* kornik.

barkeeper [ˈbɑːrˌkiːpər] *n. gł. US i Can.* barman/ka.

barkentine [ˈbɑːrkənˌtiːn], **barkantine** *Br.* **barquentine, barquantine** *n. żegl.* barkentyna.

barker[1] [ˈbɑːrkər] *n. techn.* korowarka.

barker[2] *n.* **1.** hałaśliwy pies. **2.** *pot.* szczekacz/ka (= *osoba pyskata*). **3.** *handl.* naganiacz (*na jarmarku l. aukcji*).

barley [ˈbɑːrlɪ] *n. U* jęczmień (*bot.* = *Hordeum; t. ziarno l. kasza jęczmienna*); **pearl ~** kasza perłowa.

barleycorn [ˈbɑːrlɪˌkɔːrn] *n.* **1.** ziarnko jęczmienia. **2.** *miern. przest.* 1/3 cala.

barm [bɑːrm] *n. U* **1.** *dial. l. arch.* drożdże. **2.** piana fermentacyjna (*na powierzchni słodu piwnego*).

barmaid [ˈbɑːrˌmeɪd] *n. gł. Br.* barmanka; kelnerka w barze *l.* pubie.

barman [ˈbɑːrmən] *n. pl.* **-men** *gł. Br.* barman.

bar mitzvah [ˌbɑːr ˈmɪtsvə] *n. judaizm* bar micwa (*ceremonia l. chłopiec, na którego cześć się ona odbywa*).

barmy [ˈbɑːrmɪ] *a.* **-ier, -iest** *gł. Br. pot.* stuknięty, zbzikowany.

barn [bɑːrn] *n.* **1.** stodoła (*t. uj. l. żart.* = *duży, brzydki dom*). **2.** *dial.* obora; stajnia (*l. inny budynek gospodarski*). **3.** *US i Can.* remiza; zajezdnia; parowozownia.

barnacle [ˈbɑːrnəkl] *n.* **1.** *zool.* wąsonóg (*podgromada Cirripedia*); **acorn ~** pąkla (*zwł. Balanus balanoides*); **goose ~** kaczenica (*Lepas anatifera*). **2.** (*także* **~ goose**) *orn.* bernikla białolica (*Branta leucopsis*); *rzad.* bernikla obrożna (*B. bernicla*). **3.** *przen.* natręt; **cling to sb like a ~** trzymać się kogoś kurczowo; uczepić się kogoś jak rzep psiego ogona.

barnacled [ˈbɑːrnəkld] *a.* obrosły skorupiakami (*o skale, kadłubie statku*).

barn dance *n.* **1.** *U Br.* rodzaj tańca ludowego. **2.** *gł. US i Can.* zabawa z tańcami ludowymi (*typu square dance*). **3.** dyskoteka w stodole.

barn door *n.* wrota stodoły; *przen.* łatwy cel (*ze względu na duże rozmiary*).

barn owl *n. orn.* płomykówka (*Tyto alba; t. inne sowy z rodziny Tytonidae*).

barnstorm [ˈbɑːrnˌstɔːrm] *v. gł. US* jeździć po wsiach (*w ramach kampanii politycznej l. tournée*).

barn swallow *n. orn.* jaskółka dymówka (*Hirundo rustica*).

barnyard [ˈbɑːrnˌjɑːrd] *n.* zagroda, gumno. – *a. attr.* prosty, rubaszny, przaśny.

barogram [ˈberəˌgræm] *n. meteor.* barogram.

barograph [ˈberəˌgræf] *n. meteor.* barograf.

barometer [bəˈrɑːmətər] *n. meteor. l. przen.* barometr.

barometric [ˌberəˈmetrɪk], **barometrical** [ˌberəˈmetrɪkl] *a. meteor.* barometryczny.

baron [ˈberən] *n.* **1.** baron. **2.** *przen.* potentat; **press ~** magnat prasowy. **3.** **~ of beef** *kulin.* podwójna polędwica wołowa.

baronage [ˈberənɪdʒ] *n. U* **1.** baronat, baronostwo; baronia. **2.** (*zbiorowo*) baronowie; magnateria.

baroness [ˈberənes] *n.* baronowa (= *posiadaczka tytułu barona l. żona barona*).

baronet [ˈberənət] *n. Br.* baronet (= *najniższy dziedziczny tytuł szlachecki*).

baronetage [ˈberənətɪdʒ] *n.* **1.** tytuł baroneta. **2.** (*zbiorowo*) baroneci; niższa szlachta.

baronetcy [ˈberənɪtsɪ] *n.* = **baronetage** 1.

baronial [bəˈroʊnɪəl] *a.* baronowski.

barony [ˈberənɪ] *n.* **1.** baronia (*Irl. t. jednostka administracyjna*). **2.** baronat.

baroque [bəˈroʊk] *n.* (*także* **B~**) barok. – *a. t. przen.* barokowy.

baroreceptor [ˌberərɪˈseɪptər] *n. fizj.* baroreceptor, presoreceptor.

barostat [ˈberəˌstæt] *n. techn.* barostat, stabilizator ciśnienia.

barouche [bəˈruːʃ] *n.* powóz czteroosobowy z rozkładaną budą.

barque [bɑːrk] *n. żegl.* = **bark**[2] 1.

barquentine [ˈbɑːrkənˌtiːn], **barquantine** *n. Br. żegl.* = **barkentine**.

barrack[1] [ˈberək] *v. wojsk.* koszarować. – *n. rzad.* = **barracks**. – *a. attr.* (*także* **~-room**) koszarowy.

barrack[2] *v.* **1.** *Br.* głośno przeszkadzać (*zwł. przemawiającemu politykowi*). **2.** **~ for sb** *Austr.* głośno komuś kibicować.

barrack room *n. wojsk.* izba żołnierska.

barracks [ˈberəks] *n. pl.* **barracks** *wojsk.* koszary (*t. uj.* = *wielki, brzydki budynek*).

barrack square *n. wojsk.* plac musztry.

barracuda [ˌberə'ku:də] *n. pl.* **barracuda** *l.* **-s** *icht.* barrakuda (*Sphyraena*).

barrage [bə'rɑ:ʒ] *n.* **1.** *wojsk.* ogień zaporowy; **lay down a ~** położyć ogień zaporowy. **2.** zapora wodna. **3.** *przen.* grad (*ciosów, pytań, oskarżeń*). – *v.* zasypywać (*sb with sth* kogoś czymś).

barrage balloon *n. wojsk.* balon zaporowy.

barramunda [ˌberə'mʌndə] *n. pl.* **barramunda** *l.* **-s** *icht.* rogoząb, barramunda (*Neoceratodus forsteri*).

barrator ['berətər] *n.* **1.** pieniacz. **2.** handlarz urzędami kościelnymi *l.* publicznymi. **3.** *prawo morskie* winny oszustwa na szkodę armatora. **4.** *Scot. prawn.* przekupny sędzia.

barratrous ['berətrəs] *a. form.* **1.** pieniacki. **2.** nieuczciwy, sprzedajny.

barratry ['berətrɪ] *n. U* **1.** pieniactwo. **2.** handel urzędami publicznymi; *kośc.* symonia, świętokupstwo. **3.** *prawo morskie* oszustwo na szkodę armatora. **4.** *Scot. prawn.* przekupstwo (*popełnione przez sędziego*).

Barr body [ˌbɑ:r 'bɑ:dɪ] *n. pl.* **-ies** *biol.* ciałko Barra.

barred [bɑ:rd] *a.* **1.** okratowany, zakratowany. **2.** zaryglowany, zamknięty na zasuwę.

barrel ['berəl] *n.* **1.** beczka, beczułka; baryłka. **2.** = **barrelful**. **3.** *techn.* walec, bęben, cylinder (*część składowa mechanizmu*). **4.** *broń* lufa. **5.** *orn.* stosina (*pióra*). **6.** korpus, kadłub (*zwierzęcia, zwł. konia*). **7.** *przen.* **(have sb) over a ~** (trzymać kogoś) w szachu; **lock, stock and ~** z całym dobrodziejstwem inwentarza (*zw. o przeprowadzce l. kupnie*); **not be (exactly) a ~ of fun/laughs** *pot. zw. żart.* nie być szczególnie zabawnym; **scrape (the bottom of) the ~** *pot.* musieć zadowalać się nędznymi resztkami. – *v.* **-l-** *Br.* **-ll-** **1.** beczkować. **2.** **~ (along)** *US i Can. pot.* gnać, zasuwać.

barrel-chested ['berəlˌtʃestɪd] *a.* z wysklepioną piersią.

barrelful ['berəlˌfʊl] *n.* beczka; baryłka (*jako miara objętości*).

barrelhouse ['berəlˌhaʊs] *n.* **1.** *US* knajpa, spelunka. **2.** *U* (*także* **~ piano**) *muz.* rodzaj jazzu nowoorleańskiego; **~ blues** knajpiany blues (*zwł. z Nowego Orleanu*).

barrel organ *n. muz.* katarynka.

barrel roll *n. lotn.* beczka (*figura akrobatyczna*).

barrel-roll ['berəlˌroʊl] *v. lotn.* kręcić beczkę.

barrel vault *n. bud.* sklepienie kolebkowe.

barren ['berən] *a.* **1.** *t. przen.* jałowy; nieurodzajny. **2.** *przest. l. lit.* niepłodny, bezpłodny (*o kobiecie l. samicy zwierzęcia*). **3.** *przen.* bezpłodny, bezproduktywny. **4.** **~ of sth** *form.* wyzuty z czegoś, pozbawiony czegoś. – *n. zw. pl. US i Can.* nieużytki.

barrenly ['berənlɪ] *adv.* **1.** jałowo. **2.** bezpłodnie, bezproduktywnie.

barrenness ['berənnəs] *n. U* **1.** jałowość. **2.** niepłodność. **3.** bezproduktywność.

barren stratum *n. paleont.* warstwa nie zawierająca skamieniałości.

barrenwort ['berənwɜ:t] *n. bot.* dziwocznia, mitra (*Epimedium alpinum*).

barret ['berɪt] *n.* biret (*zwł. duchownego*).

barrette [bə'ret] *n. US* klamra do włosów.

barricade ['berəˌkeɪd] *n.* barykada. – *v.* **1.** barykadować (*przejście, drogę*); **~ o.s. in** zabarykadować się; **~ o.s. (in/into/inside sth)** zabarykadować się (w czymś). **2.** **be ~d against sth** *przen.* być zamkniętym na coś (*o umyśle*).

barrier ['berɪər] *n.* **1.** *t. przen.* bariera (*to sth* na drodze do czegoś); **(crash) ~** *Br.* barierka; **ice ~** *geol.* bariera lodowa (*na Antarktydzie*); **language/social/trade ~** bariera językowa/społeczna/handlowa; **sound ~** *fiz., lotn.* bariera dźwięku. **2.** szlaban, rogatka. **3.** bramka (*przy wejściu*).

barrier cream *n. Br.* krem ochronny.

barrier reef *n.* rafa przybrzeżna.

barring ['bɑ:rɪŋ] *prep.* **1.** wyjąwszy, wyłączywszy. **2.** o ile nie będzie; **~ rain** o ile nie będzie deszczu.

barrio ['bɑ:rɪoʊ] *n. pl.* **-s** *US* dzielnica latynoska; społeczność hiszpańskojęzyczna.

barrister ['berɪstər] *n.* **1.** adwokat (*Br. = członek palestry, uprawniony do prowadzenia spraw w sądach wyższej instancji; Can. = prawnik występujący w sądach*). **2.** *US rzad.* prawnik.

barroom ['bɑ:rˌru:m] *n. US* bar (*alkoholowy*).

barrow[1] ['beroʊ] *n.* **1.** (*także* **hand~**) nosze. **2.** (*także* **wheel~**) taczki. **3.** *gł. Br.* wózek straganiarski (*zw. dwukołowy, z daszkiem*); **~ boy** straganiarz.

barrow[2] *n. archeol.* kopiec, kurhan.

barrow[3] *n. hodowla* wieprz.

bartend ['bɑ:rˌtend] *v. gł. US i Can.* obsługiwać bufet.

bartender ['bɑ:rˌtendər] *n.* = **barkeeper**.

barter ['bɑ:rtər] *v.* **1.** wymieniać (*sth for sth* coś na coś). **2.** prowadzić handel wymienny (*for sth* w celu zdobycia czegoś). **3.** targować się. **4.** **~ (away)** *gł. przen.* przehandlować, sprzedać. – *n. U* wymiana; *ekon.* barter, wymiana bezpośrednia, handel wymienny.

barterer ['bɑ:rtərər] *n.* handla-rz/rka, przekupień/ka (*wymieniający towar za towar*).

bartizan ['bɑ:rtɪzən] *n. bud. hist.* wieżyczka (*wysunięta przed lico muru*).

baryon ['berɪˌɑ:n] *n. fiz.* barion; **~ number** liczba barionowa.

baryonic [ˌberɪ'ɑ:nɪk] *a.* barionowy.

barysphere ['berɪˌsfi:r] *n. geol.* barysfera, jądro Ziemi.

baryta [bə'raɪtə] *n. chem.* (*także* **barium oxide/hydroxide**) tlenek/wodorotlenek baru; **~ water** woda barytowa.

barytes [bə'raɪti:z] *n. gł. Br. min.* baryt; = **barite**.

barytic [bə'rɪtɪk] *a. chem., min.* barytowy.

baryton ['berɪˌtɑ:n] *n. muz.* baryton (*odmiana violi da gamba*).

barytone ['berɪˌtoʊn] *n. i a.* **1.** *muz. rzad.* = **baritone**. **2.** *gram.* (wyraz) barytoniczny (= *nie mający akcentu na ostatniej sylabie*).

basal ['beɪsl] *a.* **1.** stanowiący trzon, bazę *l.* podstawę, położony u podstawy *l.* u nasady; ~ **leaf** *bot.* liść przyziemny. **2.** podstawowy, zasadniczy; ~ **metabolism** *fizj.* podstawowa przemiana materii. **3.** *bot.* nasadowy.

basally ['beɪslɪ] *adv.* u podstawy, w pobliżu trzonu *l.* nasady; *bot.* przyziemnie (*o sposobie wyrastania liści*).

basalt [bə'sɔːlt] *n. U* **1.** *geol.* bazalt; *C* **flood** ~ bazalt platformowy *l.* trapowy; ~ **slab** płyta bazaltowa. **2.** *ceramika* = **basaltes ware**.

basaltes ware [bə'sɔːltiːz ˌwer], **basaltware** [bə'sɔːltˌwer] *n. U* ceramika bazaltowa, czarna kamionka (*zwł. Wedgwooda*).

basaltic [bə'sɔːltɪk] *a.* bazaltowy (*o typie skały l. lawy*).

basaltware [bə'sɔːltˌwer] *n.* = **basaltes ware**.

basanite ['bæsəˌnaɪt] *n. U geol.* bazanit.

bascule ['bæskjuːl] *n. bud.* uchylne przęsło (*mostu*) z przeciwwagą; (*także* ~ **bridge**) most uchylny.

base¹ [beɪs] *n.* **1.** baza; **air/army/naval** ~ *wojsk.* baza lotnictwa/wojskowa/marynarki. **2.** *biol., anat.* nasada. **3.** podstawa (*for sth* czegoś *w sensie abstrakcyjnym*); cokół, postument; *gram.* podstawa derywacyjna, temat fleksyjny; **cloud** ~ *meteor.* podstawa chmur; **a ~ of two/ten** *mat.* podstawa dwójkowa/dziesiętna; **the logarithm of *x* to ~ 10** *mat.* logarytm dziesiętny z *x*. **4.** = **baseline** 2. **5.** *U l. sing.* podłoże (*np. fotograficzne*); podkład (*kosmetyczny, malarski*). **6.** podstawowa ingrediencja; spoiwo (*farby*); *przen.* kanwa, osnowa; **oil** ~ spoiwo olejne; **with a ~ of chicken broth** na rosole z kury. **7.** *chem.* zasada; **acid-~ reaction** reakcja kwas-zasada. **8.** *baseball* ~ **on balls** przejście do pierwszej bazy po czterech piłkach autowych; **first/second/third** ~ pierwsza/druga/trzecia baza; **get on** ~ *baseball* zaliczyć wybicie. **9.** *gł. US i Can. przen. pot.* **be (way) off** ~ grubo się mylić; **catch sb off** ~ zaskoczyć kogoś; **get to first ~ (with sb)** *sl.* całować się (z kimś); **not get to first** ~ wyłożyć się na starcie; **touch ~ (with sb)** kontaktować się (z kimś) (*na krótko, żeby zorientować się, co nowego*). – *v.* **1.** *często pass.* zasadzać, opierać (*sth on / upon sth* coś na czymś). **2.** *zw. pass.* umieszczać, lokować; sadowić.

base² *a.* **1.** *form. uj.* niski, nikczemny, niehonorowy; **act from ~ motives** działać z niskich pobudek. **2.** pospolity, ordynarny, podły. **3.** fałszywy, zły (*o monecie*). **4.** *arch.* z nieprawego łoża, nieślubny. – *n. i a. muz. przest.* = **bass¹**.

baseball ['beɪsˌbɔːl] *n. sport* baseball; piłka baseballowa; ~ **cap** baseballówka, czapka baseballowa; ~ **field/pitch** pole/boisko do gry w baseball; ~ **game** mecz baseballowy.

baseband ['beɪsˌbænd] *n. tel., komp.* pasmo podstawowe; ~ **(local area) network** sieć (lokalna) bez modulacji przekazu; ~ **transmission** transmisja w paśmie podstawowym.

baseboard ['beɪsˌbɔːrd] *n. US i Can. bud.* listwa przypodłogowa.

baseborn ['beɪsˌbɔːrn] *a. arch.* **1.** lichy, nikczemny; podłego stanu. **2.** z nieprawego łoża, nieślubny.

base camp *n. alpinizm* obóz bazowy *l.* główny, baza.

based ['beɪst] *a. pred. l. w złoż.* **1.** ~ **on/upon sth** oparty *l.* osnuty na czymś; **computer-~ training** nauczanie oparte na technice komputerowej. **2.** ~ **in/at...** ulokowany *l.* stacjonujący w..., z siedzibą w...; **Chicago-~** z siedzibą w Chicago; **ground-~** naziemny.

base hit *n. baseball* zaliczone wybicie (*po którym zawodnik rozpoczyna bieg przez bazy*).

Basel ['bɑːzl], **Basle** [bɑːl] *n. geogr.* Bazylea.

baseless ['beɪsləs] *a.* bezpodstawny, nieuprawniony, nieuzasadniony.

baselessly ['beɪsləslɪ] *adv.* bezpodstawnie.

baselessness ['beɪsləsnəs] *n. U* bezpodstawność.

base level *n. geol.* baza *l.* podstawa erozyjna.

baseline ['beɪsˌlaɪn], **base line** *n.* **1.** *miern.* odcinek bazy triangulacyjnej. **2.** *gł. mat.* linia zerowa *l.* podstawowa; *przen.* podstawa (*for sth* czegoś). **3.** *tenis* linia końcowa (*kortu*); *baseball* linia łącząca bazy.

basely ['beɪslɪ] *adv.* nikczemnie, nisko (*pod względem moralnym*).

baseman ['beɪsmən] *n. pl.* **-men** *baseball* obrońca stojący przy bazie.

basement ['beɪsmənt] *n.* **1.** *bud.* suterena, przyziemie, piwnica; ~ **appartment** mieszkanie w suterenie. **2.** *geol.* skalna część skorupy ziemskiej.

base metal *n.* metal pospolity *l.* nieszlachetny.

baseness ['beɪsnəs] *n. U* nikczemność.

base rate *n. fin.* stopa bazowa oprocentowania kredytu.

bases¹ ['beɪsɪz] *n. pl. zob.* **base**.

bases² ['beɪsiːz] *n. pl. zob.* **basis**.

bash [bæʃ] *v. pot.* **1.** trzasnąć, wyrżnąć (*into / against sth* w/o coś, *sb on sth* kogoś w coś); ~ **sth down/in/up** rozwalić coś. **2.** *przen.* rugać. – *n. pot.* **1.** trzaśnięcie, walnięcie (*zwł. pięścią*) (*on sth* w coś). **2.** balanga. **3. have a ~ at (doing) sth** *gł. Br.* przymierzyć się do czegoś.

basher ['bæʃər] *n. w złoż. gł. Br. pot. uj.* **Bible-~** grzmiący kaznodzieja; **union/government/liberal-~** osoba ciskająca gromy na związki zawodowe/rząd/liberałów.

bashful ['bæʃful] *a.* płochliwy, wstydliwy, nieśmiały.

bashfully ['bæʃfulɪ] *adv.* płochliwie, wstydliwie.

bashfulness ['bæʃfulnəs] *n. U* płochliwość, wstydliwość.

bashing ['bæʃɪŋ] *n. U* (*zw. w złoż.*) *pot.* nagonka; **gay/queer-~** bicie gejów; **union-~** nagonka na związki zawodowe.

BASIC ['beɪsɪk], **Basic** *abbr.* **Beginners' All-purpose Symbolic Instruction Code** *komp.* Basic (*uniwersalny język instrukcji symbolicznych dla początkujących*).

basic ['beɪsɪk] *a.* **1.** *attr.* podstawowy, zasadniczy; ~ **assumptions/principles/requirements/needs** podstawowe założenia/zasady/wymagania/potrzeby; ~ **knowledge of sth** podstawowa znajomość czegoś; ~ **pay/salary** wynagrodzenie zasadnicze. **2.** *chem., geol.* zasadowy; ~ **slag** tomasyna, żużel Thomasa (*nawóz mineralny*). **3.** posiadający tylko podstawowe wyposażenie (*o samochodzie, mieszkaniu, hotelu*); *uj.* prymitywny.

basically ['beɪsɪklɪ] *adv.* zasadniczo; w zasadzie.

Basic English *n. U* uproszczony angielski (*proponowany jako pomocniczy język międzynarodowy*).

Basic Input/Output System *n. komp.* = **BIOS**.

basicity [beɪ'sɪsətɪ] *n. U chem.* zasadowość.

basic rate *n.* **1.** stopa podstawowa (*podatku*). **2.** stawka zasadnicza (*wynagrodzenia*).

basic research *n. U nauka* badania podstawowe.

basics ['beɪsɪks] *n. pl.* **1. the** ~ podstawy (*of sth* czegoś). **2. get down to** ~ skupić się na sprawach najistotniejszych.

basic training *n. U wojsk.* szkolenie zasadnicze.

basidial [bə'sɪdɪəl] *a. bot.* podstawkowy.

basidiomycete [bəˌsɪdɪoʊ'maɪsiːt] *n. bot.* podstawczak (*klasa grzybów, Basidiomycetes*).

basidiospore [bə'sɪdɪoʊˌspɔːr] *n. bot.* bazydiospora, zarodnik podstawkowy.

basidium [bə'sɪdɪəm] *n. pl.* **basidia** *bot.* podstawka (*grzyba*).

basil ['bæzl] *n. U bot., kulin.* bazylia (*Ocimum*); (*także* **mountain mint**) *US* mięta górska (*Pycnanthemum*); **sweet** ~ bazylia pospolita (*Ocimum basilicum*); **wild** ~ klinopodium pospolite, czyścica storzyszek (*Clinopodium vulgare*).

basilar ['bæsələr], **basilary** ['bæsəˌlerɪ] *a. anat.* dotyczący podstawy czaszki.

basilic [bə'sɪlɪk] *a.* = **basilican**.

basilica [bə'sɪlɪkə] *n. bud. hist. kośc.* bazylika.

basilican [bə'sɪlɪkən] *a. hist. kośc.* bazylikalny.

basilic vein *n. anat.* żyła odłokciowa.

basilisk ['bæsəlɪsk] *n.* bazyliszek (*zool.* = *Basiliscus*); ~ **glance** *t. przen.* wzrok bazyliszka.

basil-thyme ['bæzlˌtaɪm] *n. bot.* czyścica drobnokwiatowa (*Acinos arvensis*).

basin ['beɪsən] *n.* **1.** *Br.* misa, miednica; (*także* **wash**~) umywalka. **2.** = **basinful**. **3.** *techn., geol., hydrol.* basen; **ocean** ~ *geol.* basen oceaniczny. **4.** (*także* **river** ~) *hydrol.* dorzecze. **5.** *żegl.* basen portowy.

basinet ['bæsənet] *n. broń hist.* misiurka (= *lekki hełm stożkowy*).

basinful ['beɪsənfʊl] *n.* misa, miednica (*jako miara objętości*).

basis ['beɪsɪs] *n. pl.* **bases** ['beɪsiːz] **1.** podstawa (*w sensie logicznym l. abstrakcyjnym*) (*for sth* do czegoś); **on the** ~ **of sth** na podstawie czegoś; **on a weekly/monthly** ~ raz na tydzień/miesiąc; **(work) on a part-time/voluntary** ~ (pracować) w niepełnym wymiarze godzin/w charakterze wolontariusza. **2.** *mat.* baza (*przestrzeni liniowej*).

bask [bæsk] *v.* ~ **(in the sun)** wygrzewać się (na słońcu); ~ **in sb's favor/approval** *przen.* grzać się w promieniach czyjejś łaski/przychylności.

Baskerville ['bæskərvɪl] *n. druk.* baskerwil (*krój czcionki*).

basket ['bæskɪt] *n.* **1.** kosz; koszyk; ~ **of currencies** *fin.* koszyk walut; **clothes/laundry** ~ kosz na brudną bieliznę; **shopping** ~ koszyk na zakupy; **waste**~ (*także* **wastepaper** ~) kosz na śmieci. **2.** = **basketful**. **3. make/shoot a** ~ *koszykówka* zdobyć/strzelić kosza. **4. put all one's eggs in one** ~ *przen.* postawić wszystko na jedną kartę.

basketball ['bæskɪtˌbɔːl] *n. sport* koszykówka, piłka koszykowa; piłka do koszykówki; ~ **court** boisko do koszykówki; ~ **player** koszyka-rz/rka.

basket-case ['bæskɪtˌkeɪs] *n. pot.* kłębek nerwów (*zwł. o osobie nie radzącej sobie w najprostszych sytuacjach z powodu słabej konstrukcji psychicznej*).

basketful ['bæskɪtˌfʊl] *n.* kosz (*jako miara objętości*).

basket hilt *n. broń* rękojeść koszykowa.

basketry ['bæskɪtrɪ] *n. U* **1.** (*także* **basketing**) wyplatanie koszyków, koszykarstwo. **2.** wyroby koszykarskie.

basket weave *n. tk.* splot koszykowy.

basketwork ['bæskɪtˌwɜːk] *n. U* plecionka.

basking shark *n. icht.* długoszpar (*Cetorhinus maximus*).

Basque [bæsk] *n.* **1.** Bask/ijka. **2.** *U* (język) baskijski. – *a.* baskijski; ~ **beret/cap** beret baskijski, baskijka.

basque [bæsk] *n.* baskinka, baskina (= *rodzaj gorsetu l. rozkloszowany dół bluzki l. żakietu*).

basquina [bæs'kwiːnə], **basquine** [bæs'kwiːnə] *n.* **1.** = **basque**. **2.** baskina (= *szeroka spódnica hiszpańska*).

bas-relief [ˌbɑːrɪ'liːf] *n.* płaskorzeźba, bas-relief (*dzieło*); *U* bas-relief, płaski relief (*technika*).

bass[1] [bæs] *n. pl.* **bass** *l.* **basses** *icht.* **1.** bass (*rodzina Centrarchidae*); **largemouth** ~ bass wielkogębowy (*Micropterus salmoides*); **rock** ~ bass skalny (*Ambloplites rupestris*); **smallmouth** ~ bass małogębowy (*Micropterus dolomieui*). **2.** (*także* **sea** ~) okoń morski (*rodziny Serranidae, Percichthyidae*). **3.** *pot.* okoń.

bass[2] [bæs] *n. bot.* **1.** = **bast**. **2.** = **basswood**.

bass[3] [beɪs] *n. muz.* bas (*głos, śpiewak, rejestr*); *akustyka* niskie tony (*t. pokrętło regulatora*); **double** ~ (*także* ~ **viol**) kontrabas; **thorough** ~ basso continuo, bas cyfrowany, generałbas. – *a. attr. muz.* basowy; ~ **part** *śpiew* partia basa.

bass clarinet *n.* basklarnet, klarnet basowy.

bass clef *n. muz.* klucz basowy.

basset[1] ['bæsɪt] *n.* (*także* ~ **hound**) *kynol.* basset.

basset[2] *n. geol.* wychodnia. – *v.* **-t-** *geol.* odsłaniać się, wychodzić na powierzchnię.

basset horn *muz.* rożek basetowy, bassethorn (*t. rejestr organowy*).

bass fiddle *n. pot.* kontrabas.

bass guitar *n. muz.* gitara basowa.

bassinet [ˌbæsə'net] *n.* wiklinowe łóżeczko *l.* wózek (*dla niemowlęcia*).

bassist [ˈbeɪsɪst] *n. muz.* **1.** kontrabasist-a/ka, basist-a/ka. **2.** basist-a/ka (*grający na gitarze basowej*).

basso [ˈbæsoʊ] *n. pl.* **bassos** *l.* **bassi** [ˈbæsiː] *muz.* bas (*śpiewak*).

bassoon [bæˈsuːn] *n. muz.* fagot.

bassoonist [bæˈsuːnɪst] *n.* fagocist-a/ka.

bass viol *n. muz.* **1.** viola da gamba. **2.** *US* kontrabas.

basswood [ˈbæsˌwʊd] *n. bot.* lipa amerykańska (*Tilia americana*).

bast [bæst] *n. U* łyko (*t. jako surowiec*); *bot.* floem.

bastard [ˈbæstərd] *n.* **1.** *przest.* bastard (*t. biol. = mieszaniec niepłodny l. o niepożądanych cechach*), bękart. **2.** *sl.* sukinsyn, skurwysyn. **3.** *pot. cz. żart.* drań; **lucky ~** farciarz; **you old ~** ty stary draniu. – *a. attr.* **1.** *przest.* bękarci, z nieprawego łoża. **2.** *biol.* bastardowy, mieszańcowy. **3.** nietypowy, nienormalny; mieszany, skundlony, skażony; **~ language** język skażony (naleciałościami). **4.** fałszywy (*zwł. = powierzchownie podobny*); **~ measles** *pot.* różyczka.

bastard file *n. techn.* (pilnik) równiak.

bastardization [ˌbæstərdəˈzeɪʃən], *Br. i Austr. zw.* **bastardisation** *n. U* skażenie, skundlenie.

bastardize [ˈbæstərˌdaɪz], *Br. i Austr. zw.* **bastardise** *v.* **1.** kazić. **2.** *form.* uznawać za nieślubne dziecko.

bastardly [ˈbæstərdlɪ] *a.* **1.** bękarci, z nieprawego łoża. **2.** fałszywy. **3.** skażony. **4.** *sl. wulg.* skurwysyński.

bastardy [ˈbæstərdɪ] *n. U przest.* nieprawe pochodzenie, bękarctwo.

baste[1] [beɪst] *v. zwł. US i Austr.* fastrygować.

baste[2] *v. kulin.* polewać sosem (*mięso podczas pieczenia*).

baste[3] *v. pot.* łoić skórę (*komuś*).

bastinado [ˌbæstəˈneɪdoʊ] *n. pl.* **-es** *l.* **-s** bicie kijem w podeszwy stóp (*kara l. tortura*). – *v.* **-oes, -oed, -oing** bić kijem w podeszwy stóp.

basting [ˈbeɪstɪŋ] *n.* fastryga.

bastion [ˈbæstʃən] *n. bud., wojsk. l. przen.* bastion; **the last ~** *przen.* ostatnia twierdza (*of sth* czegoś).

bat[1] [bæt] *n.* **1.** nietoperz; **fruit ~s** *zool.* nietoperze owocożerne (*Megachiroptera*). **2.** *przen.* **(as) blind as a ~** ślepy jak nietoperz; **have ~s in the belfry** *pot. przest.* nie mieć dobrze w głowie; **like a ~ out of hell** *pot.* na złamanie karku (*pędzić, jechać*); **old ~** *pot.* stara wiedźma.

bat[2] *n.* **1.** pałka drewniana; *sport* bijak, kij (*do gry w palanta, krykieta, baseball*); paletka, rakieta (*pingpongowa*). **2.** *pot.* uderzenie kijem *l.* pałką. **3.** lizak (*sygnalizacyjny*). **4.** *Br. krykiet* = **batsman**. **5.** *US sl.* popijawa. **6.** *przen. pot.* **carry one's ~** *Br. krykiet* nie odpaść do końca rozgrywki; **go to ~ for sb** *US* stawać w czyjejś obronie; **off one's own ~** *Br. i Austr.* z własnej inicjatywy; **(right) off the ~** *US i Can.* z miejsca, z punktu. – *v.* **-tt- 1.** uderzać kijem *l.* pałką; *krykiet, baseball itp.* wybijać (piłkę). **2.** *dial., US i Can. pot.* **~ along/around** włóczyć się; **~ sth around** obgadać coś.

bat[3] *v.* **-tt- ~ one's eyelashes/eyes** zatrzepotać powiekami (*zwł. zalotnie*); **not ~ an eye/eyelid** *przen.* nawet nie mrugnąć.

batch [bætʃ] *n.* partia (*towarów, surowca*); porcja; plik (*listów, ulotek*); (kolejna) grupa (*np. kandydatów*); wypiek (*= partia pieczywa*); wsad (*np. hutniczy*); *komp.* pakiet (*danych, programów*). – *v.* **1.** grupować w partie *l.* pakiety. **2.** *komp.* przetwarzać wsadowo (*dane, programy*).

batch processing *n. U komp.* przetwarzanie wsadowe.

bate[1] [beɪt] *v. rzad.* uciszać, łagodzić.

bate[2] *n. U garbarstwo* bejca. – *v.* bejcować (*skórę przed garbowaniem*).

bate[3] *n.* (*także* **bait**) *Br. sl.* szał.

bated [ˈbeɪtɪd] *a. attr.* **with ~ breath** z zapartym tchem.

batfowl [ˈbætˌfaʊl] *v. myśl.* łowić ptactwo, oślepiając je światłem.

bath [bæθ] *n. pl.* **baths** [bæðz] **1.** *Br. i Austr.* wanna. **2.** kąpiel (*t. chem. i techn.*); **give sb a ~** wykąpać kogoś; **mud ~s** kąpiele błotne; **run (sb) a ~** przygotować (komuś) kąpiel; **take a ~** (*także* **have a ~**) brać kąpiel. **3.** *przen.* **take a ~** *US pot.* stracić kupę forsy; **throw the baby out with the ~ (water)** wylać dziecko (wraz) z kąpielą. **4.** *pl.* łaźnia; **Turkish ~s** łaźnia turecka; (*także* **swimming ~s**) *Br. i Austr. przest.* basen (kryty). – *v. Br. i Austr. form.* **1.** kąpać. **2.** brać kąpiel, kąpać się.

bath chair, Bath chair *n. hist.* wózek inwalidzki (*z daszkiem, używany np. w uzdrowiskach*).

bathe [beɪð] *v.* **1.** *gł. Br.* kąpać się, zażywać kąpieli (*w rzece, morzu*). **2.** *US i Can.* kąpać (się) (*w wannie*). **3.** przemywać (*np. ranę*); omywać (*o falach*). **4.** *techn.* zanurzać, poddawać kąpieli (*in sth* w czymś). **5.** *zw. pass. lit.* oblać, skąpać; **~d in moonlight** skąpany w świetle księżyca; **~d in tears** zalany łzami; **~d in sweat** zlany potem. – *n.* **go for a ~** *Br. przest.* pójść popływać.

bather [ˈbeɪðər] *n.* kąpielowicz/ka, kąpiąc-y/a się.

bathetic [bəˈθetɪk] *a. form.* wpadający z patosu w banał *l.* śmieszność.

bathhouse [ˈbæθˌhaʊs] *n. pl.* **-houses** [-haʊzɪz] łaźnia.

bathing *n.* [ˈbæθɪŋ] *gł. Br.* kąpiel (*zwł. w morzu*). – *a.* [ˈbeɪðɪŋ] *attr.* kąpielowy.

bathing cap *n. przest.* czepek kąpielowy.

bathing machine *n. hist.* kabina kąpielowa (*na kółkach*).

bathing suit, *Br. także* **bathing costume** *n.* kostium kąpielowy.

bathing trunks *n. pl. Br. przest.* kąpielówki, spodenki kąpielowe.

bath mat *n.* mata łazienkowa, dywanik łazienkowy.

bathometer [bəˈθɑːmətər] *n. hydrol.* batometr, sonda.

bathometry [bəˈθɑːmətrɪ] *n. U hydrol.* batometria.

bathos [ˈbeɪθɑːs] *n. U* **1.** *lit.* wpadanie z patosu w banał. **2.** sztuczny patos, teatralność.

bathrobe [ˈbæθˌroʊb] *n.* płaszcz kąpielowy; *US* szlafrok.

bathroom [ˈbæθˌruːm] *n.* **1.** łazienka. **2.** *gł. US i Can. euf.* toaleta; **go to the ~** skorzystać z toalety.

bath towel *n.* ręcznik kąpielowy.

bathtub [ˈbæθˌtʌb] *n. zwł. US* wanna.

bathyscaph [ˈbæθəˌskæf] *n. techn.* batyskaf.

bathysphere [ˈbæθəˌsfiːr] *n. techn.* batysfera.

batik [bəˈtiːk] *n. U tk.* batik (*tkanina l. technika barwienia*).

batiste [bəˈtiːst] *n. U tk.* batyst. – *a. attr.* batystowy.

batman [ˈbætmən] *n. pl.* **-men** *Br. wojsk.* ordynans.

bat mitzvah, bas mitzvah *n. judaizm* bat micwa (*odpowiednik bar micwy dla dziewcząt*).

baton [bəˈtɑːn] *n.* **1.** *muz.* batuta, pałeczka dyrygenta. **2.** pałka policyjna; **~ charge** *Br.* pałowanie. **3.** *sport* pałeczka sztafetowa. **4.** buława (*t. na paradzie*); **field-marshal's ~** buława marszałkowska. **5.** *her.* kij bastardzi. – *v.* uderzać *l.* okładać pałką.

batrachian [bəˈtreɪkɪən] *a.* żabi, przypominający żabę. – *n. zool.* płaz (*zwł. bezogonowy*).

bats [bæts] *a. pred. pot.* kopnięty, niespełna rozumu.

batsman [ˈbætsmən] *n. pl.* **-men** **1.** *krykiet* gracz wybijający piłkę. **2.** *wojsk.* sygnalista (*wskazujący drogę kołowania na lotniskowcu*).

batt [bæt] *n. tk.* = **batting**.

battalion [bəˈtæljən] *n. wojsk.* batalion; *pl.* hufce (zbrojne).

batten[1] [ˈbætən] *v.* **~ on/upon sb** *gł. lit.* żerować na kimś.

batten[2] *n. bud.* klepka, deska parkietowa; listwa (*wzmacniająca, zabezpieczająca, maskująca*). – *v.* **1.** wzmacniać listwą. **2.** **~ down the hatches** *żegl.* zabezpieczać luki brezentem; *przen.* przygotowywać się na trudności *l.* niebezpieczeństwa.

batter[1] [ˈbætər] *v.* **1.** tłuc, walić (*at/on sth* w coś, *against sth* o coś). **2.** bić, maltretować (*zwł. żonę l. dziecko*). **3.** obijać, szczerbić. **4.** *przen.* ostro krytykować. **5.** **~ sth to pulp/pieces** rozbić coś na miazgę/kawałki. **6.** **~ down** zdruzgotać, rozwalić. – *n. druk.* zużyta czcionka *l.* matryca; wada druku (*spowodowana zużyciem czcionki*).

batter[2] *n. U kulin.* panier (*z mąki, jajek i mleka l. wody*); *US* ciasto naleśnikowe.

batter[3] *n. baseball* gracz wybijający piłkę.

batter[4] *v.* wznosić się pochyło (*o murze*). – *n.* pochyłość (*muru, ściany*).

battered [ˈbætərd] *a.* **1.** sponiewierany (*o walizce, samochodzie, kapeluszu*); *przen.* wyniszczony (*np. o gospodarce*). **2.** *kulin.* panierowany (*zwł. o rybach*). **3.** **~ women/children** maltretowane kobiety/dzieci.

batterer [ˈbætərər] *n.* (*gł. w złoż.*) osoba dopuszczająca się bicia *l.* maltretowania.

battering [ˈbætərɪŋ] *n. U* (*gł. w złoż.*) bicie, maltretowanie; **baby ~** maltretowanie dzieci.

battering ram *n. broń hist.* taran oblężniczy.

battery [ˈbætərɪ] *n. pl.* **-ies** **1.** *t. przen.* bateria (*t. artyleryjska*); *el.* akumulator; **a ~ of questions** *przen.* bateria pytań; **car ~** *mot.* akumulator samochodowy; **dead/flat ~** wyładowana bateria *l.* akumulator; **recharge one's batteries** *przen. pot.* naładować (sobie) akumulatory. **2.** *prawn.* pobicie; **assault and ~** *zob.* **assault**. **3.** *hodowla* rząd klatek dla brojlerów; **~ egg/hen** jajko/kura z brojlerni; **~ farm** brojlernia.

batting [ˈbætɪŋ], **batt** [bæt] *n. U* płaty bawełny (*do wyrobu kołder l. poduszek*).

battle [ˈbætl] *n. t. przen.* bitwa; bój, walka (*against sth* z czymś); **a ~ of words/wits** pojedynek na słowa/inteligencję; **die in ~** zginąć w boju; **do/give/join ~** wstępować w szranki (*with sb* z kimś, *about sth* o coś); **fight a losing ~** toczyć beznadziejną walkę, być (z góry) skazanym na klęskę *l.* niepowodzenie; **half the ~** *przen.* połowa sukcesu; **the ~ of...** bitwa pod...; **the ~ of the sexes** wojna płci. – *v.* **1.** borykać się, walczyć (*with/against sth* z czymś/przeciwko czemuś). **2.** **~ on** nie poddawać się; **~ through sth** przedzierać się przez coś.

battleax [ˈbætlˌæks], **battle-ax** *Br.* **battle-axe** *n.* **1.** *broń hist.* topór bojowy; berdysz. **2.** *pot.* babsztyl, sekutnica.

battle-cruiser [ˈbætlˌkruːzər] *n. wojsk.* krążownik liniowy.

battle cry *n.* okrzyk bojowy, zawołanie bojowe; *przen.* hasło, slogan.

battledore [ˈbætlˌdɔːr] *n. przest.* **1.** rakieta do wolanta; (*także* **shuttlecock and ~**) wolant (*gra*). **2.** kijanka (*do prania*). – *v. przest.* odbijać tam i z powrotem.

battledress [ˈbætəlˌdres] *n. U wojsk.* mundur polowy.

battle fatigue *n. U* (*także* **combat fatigue**) *psych.* nerwica wojenna.

battlefield [ˈbætlˌfiːld], **battleground** [ˈbætlˌgraʊnd] *n. t. przen.* pole bitwy; pobojowisko.

battlement [ˈbætlmənt] *n. bud.* blankowanie, krenelaż; *pl.* blanki.

battlepiece [ˈbætlˌpiːs] *n. sztuka* scena batalistyczna.

battle royal *n. pl.* **battles royal** *form. l. żart.* bijatyka.

battleship [ˈbætlˌʃɪp] *n. wojsk.* pancernik; *przest.* okręt liniowy.

battue [bæˈtuː] *n. gł. Br. myśl.* nagonka; polowanie z nagonką; *przen.* masakra (*bezbronnego tłumu*).

batty [ˈbætɪ] *a.* **-ier, -iest** *pot.* stuknięty, zbzikowany.

bauble [ˈbɔːbl] *n.* **1.** błyskotka, świecidełko. **2.** *Br.* bombka (*choinkowa*). **3.** *hist.* berło trefnisia.

baud [bɔːd] *n. tel., komp.* bod (*jednostka prędkości transmisji*).

baulk [bɔːk] *n. i v. Br.* = **balk**.

baulkline [ˈbɔːkˌlaɪn] *n. Br.* = **balkline**.

bauxite [ˈbɔːksaɪt] *n. U min.* boksyt.

Bavaria [bəˈverɪə] *n. geogr.* Bawaria.

Bavarian [bəˈverɪən] *a.* bawarski. – *n.* Bawarczyk/ka.

bawd [bɔːd] *n. arch.* **1.** właściciel/ka domu publicznego; rajfur/ka. **2.** nierządnica.

bawdily [ˈbɔ:dılı] *adv.* sprośnie.

bawdiness [ˈbɔ:dınəs] *n. U* sprośność.

bawdry [ˈbɔ:drı] *n. U arch.* sprośna mowa.

bawdy [ˈbɔ:dı] *a.* **-ier, -iest** *form. l. żart.* sprośny, nieprzyzwoity (*zwł. o języku l. literaturze*).

bawdyhouse [ˈbɔ:dıˌhaʊs] *n. arch.* przybytek rozpusty, dom nierządu.

bawl [bɔ:l] *v.* **1.** wrzeszczeć, drzeć się, ryczeć (*at / against sb* na kogoś). **2.** ~ **out** *zwł. US pot.* zwymyślać, zbesztać. – *n.* wrzask.

bay[1] [beı] *n.* **1.** zatoka (*mała i otwarta*); **B~ State** stan Massachusetts. **2.** *US* część prerii wrzynająca się w lasy.

bay[2] *n.* **1.** *bud.* wnęka; wykusz. **2.** nawa (*hali fabrycznej*). **3.** rampa, podjazd (*do załadunku*). **4.** *lotn.* przegroda kadłubowa; luk, komora. **5.** sąsiek (*część stodoły*). **6.** ~ **window** okno wykuszowe; **sick** ~ *żegl.* szpital pokładowy.

bay[3] *n.* **1.** ujadanie, wycie. **2. be at** ~ być osaczonym, znaleźć się w matni; **hold at/bring to** ~ osaczyć; **hold/keep at** ~ trzymać na dystans; bronić się zajadle. – *v.* **1.** ujadać, wyć; ~ **(at) the moon** wyć do księżyca. **2.** ścigać ujadając.

bay[4] *n. t. przen.* wieniec laurowy; **sweet** ~ *bot.* wawrzyn szlachetny, laur (*Laurus nobilis*); ~ **leaf** liść laurowy *l.* bobkowy; ~ **rum/oil** olejek bajowy (*z liści Pimenta acris*).

bay[5] *n.* gniady, gniadosz. – *a.* gniady.

bayadere [ˈbaıəˌdi:r] *n. U tk.* bajadera.

bayberry [ˈbeıˌberı] *n.* **1.** *bot.* drzewo laurowe (*Pimenta acris*). **2.** owoc i liście drzewa laurowego.

bay-line [ˈbeıˌlaın] *n. Br. kol.* tor boczny, bocznica.

bay lynx *n. zool.* ryś rudy (*Lynx rufus l. Felis rufus*).

bayonet [ˈbeıənet] *n.* bagnet; ~ **catch** zatrzask bagnetu. – *v.* kłuć bagnetem.

bayou [ˈbaıu:] *n. płd. US* łacha, bagniste odgałęzienie rzeki.

bay-tree [ˈbeıˌtri:] *n.* = **bay**[4].

bay-wood [ˈbeıˌwʊd] *n. bot.* kampeszyn.

bazaar [bəˈzɑ:r], **bazar** *n.* **1.** bazar (*zwł. na Bliskim Wschodzie*). **2.** kiermasz (*często na cele dobroczynne*).

bazooka [bəˈzu:kə] *n. wojsk.* bazooka, pancerzownica.

BB [ˈbi: ˌbi:] *abbr.* **BB shot** pocisk wystrzeliwany z pistoletu pneumatycznego.

B.B.A. [ˌbi: ˌbi: ˈeı] *abbr.* **Bachelor of Business Administration** licencjat z zarządzania.

BBC [ˌbi: ˌbi: ˈsi:] *abbr.* = **British Broadcasting Corporation.**

bbl. *abbr.* = **barrel.**

BBQ *abbr.* = **barbecue.**

BBS [ˌbi: ˌbi: ˈes] *abbr.* **bulletin board service** *komp.* BBS, elektroniczny biuletyn informacyjny.

B.C.[1] [ˌbi: ˈsi:] *abbr.* **before Christ** przed narodzeniem Chrystusa, p.n.e.

B.C.[2] *abbr.* **British Columbia** *Can.* Kolumbia Brytyjska.

B.C.E.[1] [ˌbi: ˌsi: ˈi:] *abbr.* **1. Bachelor of Chemical Engineering** inżynier chemik. **2. Bachelor of Civil Engineering** inżynier budownictwa lądowego.

B.C.E.[2] *abbr.* **before the Christian/Common Era** p.n.e., przed naszą erą.

bd *abbr.* = **board** 1.

bdle *abbr.* = **bundle.**

bdrm. *abbr.* = **bedroom.**

bds *abbr.* **1.** = **boards. 2.** *zob.* **board** 1.

be [bi:] *v. 1 os. sing.* **am** [æm; əm] *pl. i 2 os. sing.* **are** [ɑ:r; ər] *3 os. sing.* **is** [ız] *1 i 3 os. sing. pret.* **was** [wʌz; wəz] *pl. i 2 os. sing. pret* **were** [wər] *pp.* **been** [bın] *part.* **being** [ˈbi:ıŋ] *neg.* **am not, are not = aren't** [ˈɑ:rnt], **is not = isn't** [ˈızənt], **was not = wasn't** [ˈwʌzənt], **were not = weren't 1.** być; **he is tall, isn't he?** jest wysoki, prawda?. **2.** *czasownik posiłkowy*; **it is raining** pada deszcz; **the room was cleaned** pokój został posprzątany; **sth is to** ~ **done** coś ma zostać zrobione. **3.** istnieć, żyć. **4.** odbywać się, dziać się. **5.** znajdować się. **6.** pozostawać, trwać; **so** ~ **it** niech już tak będzie, niech tak zostanie; **don't** ~ **long** nie siedź długo. **7.** czuć się; **how are you?** jak się czujesz?, jak się masz?. **8.** kosztować; **how much is that?** ile to kosztuje?. **9. how old are you?** ile masz lat?; **if I were you...** na twoim miejscu...; ~ **that as it may** tak czy owak, mimo to; **doctor/writer to** ~ przyszły doktor/pisarz; **for the time ~ing** chwilowo, na razie, tymczasem.

B.E.[1] [ˌbi: ˈi:] *abbr.* **(Order of the) British Empire Order** Imperium Brytyjskiego.

B.E.[2] *abbr.* **1. Bachelor of Education** licencjat z pedagogiki. **2. Bachelor of Engineering** inżynier.

beach [bi:tʃ] *n.* plaża. – *v.* wyciągać na brzeg (*łódź*); wyrzucać na brzeg (*o morzu, sztormie*); **~ing trolley** wózek transportowy hydroplanu.

beachball [ˈbi:tʃˌbɔ:l], **beach ball** *n.* piłka plażowa.

beach buggy *Br. n.* = **dune buggy.**

beachcomber [ˈbi:tʃˌkoumər] *n.* **1.** włóczęga żyjący ze zbierania przedmiotów wyrzuconych przez morze. **2.** wielka fala zalewająca plażę.

beach grass *n. bot.* piaskownica zwyczajna (*Ammophila arenaria*).

beachhead [ˈbi:tʃˌhed] *n.* **1.** *wojsk.* przyczółek morski. **2.** punkt zaczepienia.

beach-la-mar [ˌbi:tʃləˈmɑ:r], **beach-la-Mar, Bislama** [bısˈlɑ:mə] *n. U jęz.* mieszanka angielskiego i malajskiego używana w rejonie płd.-zach. Pacyfiku; język urzędowy Vanuatu.

beach wagon *n. US mot. przest.* kombi.

beachwear [ˈbi:tʃˌwer] *n. U* strój plażowy.

beacon [ˈbi:kən] *n.* **1.** znak nawigacyjny, stawa, znak nabrzeżny; punkt sygnalizacyjny; latarnia morska; ~ **buoy** pława. **2.** sygnał radiowy; **radio** ~ radiolatarnia. **3.** *przen.* drogowskaz. **4.** znak ostrzegawczy. – *v.* **1.** nadawać sygnały nawigacyjne (*świetlne l. radiowe*). **2.** przyświecać, prowadzić.

bead [bi:d] *n.* **1.** paciorek, koralik, kulka. **2.** kropla (*potu, krwi itp.*). **3. ~s** korale. **4. ~s** różaniec; **tell/say/count one's** ~ odmawiać różaniec. **5. dielectric ~s** *el.* paciorki izolacyjne. **6.** *US* piana (*na piwie itp.*). **7.** muszka (*na lufie*);

draw/get a ~ on brać na cel *l.* na muszkę, mierzyć do. **8.** *U bud.* astargal (*ornament z ułożonych na przemian perełek i pałeczek*). – *v.* **1.** ~ **(up)** perlić się (*o pocie na czole*); skraplać się. **2.** nawlekać, nizać. **3.** ozdabiać paciorkami.

beading ['bi:dıŋ] *n.* **1.** paciorki. **2.** ozdoba wykonana z paciorków. **3.** = **bead** 8.

beadle ['bi:dl] *n. kośc.* woźny kościelny; szames (*w synagodze*).

beadledom ['bi:dldəm] *n. U pog.* rządy drobnej biurokracji.

bead-roll ['bi:dˌroʊl] *n.* **1.** litania, lista (*nazwisk itp.*). **2.** *arch.* spis osób, za które odmawia się modlitwy. **3.** różaniec.

beady ['bi:dı] *a.* ~ **eyes** oczy jak paciorki.

beagle ['bi:gl] *n. kynol.* beagle – *v. Br.* polować z użyciem psów jw.

beak [bi:k] *n.* **1.** dziób (*ptaka l. podobna struktura u innych zwierząt l. owadów*). **2.** dziobek (*naczynia*). **3.** *zwł. żart.* nochal. **4.** *Br. przest.* sędzia. **5.** *Br. przest.* nauczyciel, belfer.

beaked [bi:kt] *a.* z dziobem *l.* dziobkiem; **long** ~ z długim dziobem.

beaker ['bi:kər] *n.* **1.** kubek (*duży i szeroki*). **2.** puchar, kielich. **3.** *chem.* zlewka.

be-all ['bi:ɔ:l], **be-all and end-all** [ˌbi:ɔ:lən'endɔ:l], **be all and end all** *n.* esencja, podstawa (*egzystencji, życia*), wszystko.

beam [bi:m] *n.* **1.** belka, dźwigar. **2.** *żegl.* pokładnik; szerokość całkowita. **3.** *sport* równoważnia. **4.** promień, strumień, wiązka (*światła, elektronów itp.*). **5.** *lotn.* sygnał naprowadzający. **6.** *sl.* szerokość w biodrach. **7.** promienny uśmiech. **8.** trzon kotwicy. **9.** *mech.* korbowód. **10.** *tk.* nawój. **11.** *roln.* grządziel pługa. **12.** kąt zapewniający najlepszy przekaz *l.* odbiór; maksymalny skuteczny zasięg (*mikrofonu l. głośnika*). **13.** **off the** ~ zbaczający z kursu; *przen. pot.* w błędzie; **on the** ~ utrzymujący właściwy kurs; *przen. pot.* przebiegający pomyślnie, poprawny. – *v.* **1.** promieniować. **2.** emitować (*światło, ciepło*). **3.** nadawać, transmitować. **4.** uśmiechać się promiennie.

beam aerial, *zwł. US* **beam antenna** *n. radio* antena wiązkowa.

beam attack *n. wojsk.* atak boczny.

beam compasses, beam compass *n.* cyrkiel drążkowy.

beamends [ˌbi:m'endz], **beam-ends** *n. żegl.* zakończenia pokładnic; **on her** ~ *żegl.* mocno przechylony na bok (*o statku*); **be on one's/the** ~ *Br. przest. pot.* być spłukanym.

beam power tube, beam-power tube *n. el.* tetroda wiązkowa.

beam transmission *n. U radio* nadawanie wąskokierunkowe.

beamy ['bi:mı] *a.* **1.** promieniujący. **2.** *żegl.* szeroki (*o statku*). **3.** *zool.* rogaty.

bean [bi:n] *n.* **1.** *zwł. pl.* fasola, fasolka; **broad** ~ bób; **French ~s** *Br.* zielona fasolka; **runner ~s** fasola szparagowa. **2.** ziarnko (*np. kawy*). **3.** *pot.* łeb, pała, makówka. **4.** **old** ~ *Br. przest. pot.* stary (*zwracając się do kolegi*). **5.** **be full of ~s** *pot.* tryskać energią; **not (have) a** ~ *pot.* (nie mieć) ani grosza; **not know ~s (about sth)** *US pot.* nie mieć zielonego pojęcia (o czymś); **spill the ~s** *pot.* wygadać się. – *v. pot.* uderzyć w głowę.

beanbag ['bi:nbæg] *n.* **1.** woreczek z fasolą (*do gry*). **2.** duża poducha spełniająca rolę siedziska (*wypełniona kulkami z tworzywa*).

bean caper *n. bot.* parolist wschodni (*Zygophyllum fabago*).

beancurd ['bi:nˌkɜ:rd] *n. U kulin.* tofu.

beanery ['bi:nərı] *n. pot.* jadłodajnia, tania *l.* podrzędna restauracja.

bean feast *n. Br. i Austr. pot.* przyjęcie, impreza.

bean-fed ['bi:nfed] *a.* pełen życia.

bean-goose ['bi:nˌgu:s] *n. orn.* gęś zbożowa (*Anser segetum*).

beanie ['bi:nı] *n. US* czapeczka przypominająca jarmułkę.

beano ['bi:noʊ] *n.* **1.** *US* bingo (*z użyciem ziaren fasoli jako znaczników*). **2.** *Br. przest.* = **bean feast.**

beanpole ['bi:nˌpoʊl] *n.* **1.** tyka do fasoli. **2.** *przen. pot.* tyka, tyczka (*o osobie*).

beansprout ['bi:nˌspraʊt] *n.* kiełek fasoli.

beanstalk ['bi:nˌstɔ:k] *n.* łodyga fasoli.

beany ['bi:nı] *a. sl.* w dobrym nastroju, w dobrej kondycji; = **bean-fed.**

bear[1] [ber] *v. pret.* **bore** [bɔ:r] *pp.* **born** *l.* **borne** [bɔ:rn] (*'born' występuje wyłącznie w stronie biernej i dotyczy narodzin*) **1.** *t. przen.* dźwigać (na sobie) (*ciężar*); podtrzymywać (*konstrukcję, obciążenie*); ponosić (*ciężar, odpowiedzialność*). **2.** *t. przen.* rodzić. **3.** przynosić, dawać (*plony*); ~ **fruit** *t. przen.* przynosić owoce. **4.** wytrzymywać (*próbę*). **5.** unosić, pchać, posuwać (*z prądem l. tłumem*). **6.** znosić; **can't ~ sth** nie móc czegoś znieść; **can't ~ sb doing sth** nie móc znieść, jak ktoś coś robi; **can't ~ to do sth** nie być w stanie czegoś zrobić (*np. z powodu nadmiernego zdenerwowania, żalu itp.*); **past all ~ing** nie do zniesienia. **7.** przynosić, nieść (*np. dary*). **8.** ~ **o.s.** *form.* nosić się, zachowywać się (*zwł. z godnością*). **9.** przekazywać (*wiadomości*); szerzyć, rozsiewać (*pogłoski*). **10.** składać (*zeznania, oświadczenie*); ~ **testimony/witness to sth** dawać świadectwo czemuś, świadczyć o czymś. **11.** nosić (*podpis, cechy, ślady*). **12.** ~ **a grudge against/toward sb** (*także* ~ **sb a grudge**) żywić urazę do kogoś; ~ **due east** *żegl.* trzymać się kursu na wschód; ~ **hard on sb** ciążyć komuś; ~ **left/right** trzymać się lewej/prawej (strony); ~ **no relation to sth** nie mieć (żadnego) związku z czymś; ~ **no resemblance to sb/sth** być niepodobnym do kogoś/czegoś, nie przypominać kogoś/czegoś; ~ **office** *form.* piastować urząd; ~ **sb no malice/ill will** *form.* nie czuć do kogoś gniewu; ~ **sth in mind** *zob.* **mind** *n.*; **bring influence/pressure to** ~ użyć swojego wpływu/wywierać nacisk (*on sb/sth* na kogoś coś); **(not) ~ repeating/repetition** (nie) nadawać się do powtórzenia. **13.** ~ **sb along** ponieść kogoś z sobą (*np. o tłumie*); ~ **away** zdobyć (*nagrodę*); ~ **back** odpychać; ~ **down** naciskać; obalić, przewrócić; ~ **down on sb/sth** rzucić się na kogoś/coś; *żegl.* zbliżać się do kogoś/czegoś od nawietrznej; ~ **on/upon sth** pozostawać w związku z czymś; ~ **out** potwierdzać (*np. czyjąś opinię, wersję wydarzeń*); ~ **sb out** poświadczyć, że ktoś mówi prawdę; ~ **up** trzymać się, nie upadać na duchu; ~ **up for** *żegl.* płynąć w kierunku (*portu itp.*); ~ **with sb** okazać komuś cierpliwość, traktować kogoś wyrozumiale.

bear[2] *v. giełda* grać na zniżkę; wywołać zniżkę (*cen*).

bear[3] *n.* 1. niedźwiedź; **black** ~ *zob.* **black**; **Great/Little B~** *astron.* Wielka/Mała Niedźwiedzica. 2. *giełda* gracz na zniżkę; ~ **market** rynek cen zbijanych, okres intensywnej wyprzedaży akcji. 3. *pot.* grubianin. 4. *metal.* narost, skrzep, wilk (*w piecu lub kadzi*).

bearable ['berəbl] *a.* znośny, do zniesienia.

bearbaiting, bear-baiting *n. U hist.* szczucie psami niedźwiedzia (*przykutego do słupa*).

bearberry ['ber,berı] *n. pl.* **-ies** *bot.* mącznica lekarska (*Arctostaphylos uva-ursi*).

beard [bi:rd] *n.* 1. broda, zarost. 2. *zool.* bródka (*kozy*); szczecina (*na dziobie ptasim*); wąsy (*ryby*); skrzela (*ostrygi*); macki (*skorupiaka*). 3. *bot.* wąs (*kłosa*); **old man's** ~ powojnik pnący (*Clematis vitalba*). 4. **say sth to sb's** ~ powiedzieć coś komuś prosto w twarz *l.* oczy. – *v.* przeciwstawiać się, stawiać czoło (*komuś*); ~ **the lion in his den/lair** *przen.* urągać niebezpieczeństwu.

bearded ['bi:rdıd] *a.* 1. brodaty. 2. *bot.* wąsaty.

bearded vulture *n. orn.* orłosęp (brodaty) (*Gypaetus barbatus*).

bearer ['berər] *n.* 1. ~ **of sth** *form.* osoba niosąca *l.* przynosząca coś; **pall** ~ karawaniarz; ~ **company** *wojsk.* kompania sanitarna. 2. okaziciel (*czeku*); właściciel (*np. paszportu*); oddawca, doręczyciel (*listu*). 3. **good** ~ *ogr.* roślina wydajna. 4. *techn.* element nośny, element oporowy; belka spocznikowa; **engine** ~ łoże silnika. – *a. attr.* (wystawiony) na okaziciela (*o obligacji, czeku*).

bear garden, bear-garden *n. przen.* rozgardiasz, rejwach.

bear hug *n.* niedźwiedzi uścisk.

bearing ['berıŋ] *n.* 1. zachowanie, postępowanie. 2. postawa, postura. 3. wytrzymałość, odporność (*np. na cierpienie*). 4. związek (*on* z). 5. znaczenie (*on* dla). 6. *techn.* łożysko, panew. 7. *bud.* wspornik, podpora, element nośny. 8. *zw. pl.* kierunek; *radio* współrzędne, namiar, pozycja; **true** ~ namiar geograficzny, azymut; **lose one's ~s** stracić orientację; **take one's ~s** ustalać położenie *l.* pozycję; *przen.* zorientować się w swojej sytuacji. 9. *her.* godło.

bearish ['berıʃ] *a.* 1. niedźwiedziowaty, niezgrabny. 2. *ekon.* wykazujący spadkową tendencję cen (*o rynku*); pesymistyczny (*o perspektywach w gospodarce*).

bear leader, bear-leader *n. hist.* nauczyciel prywatny podróżujący z młodym bogaczem *l.* arystokratą.

bear's-breech ['berz,bri:tʃ], **bear-breech** *n. bot.* akant (*Acanthus*).

bear's-ear ['berz,i:r] *n. bot.* pierwiosnek łyszczak (*Primula auricula*).

bear's-foot ['berz,fut] *n. bot.* ciemiernik (*Helleborus*).

bearskin ['ber,skın] *n.* 1. skóra niedźwiedzia; szuba niedźwiedzia. 2. bermyca (*czapka futrzana stanowiąca część umundurowania*).

beast [bi:st] *n.* 1. *t. przen.* bestia, zwierzę. 2. bydlak, bydlę. 3. *pot.* potwór. 4. **the** ~ **in sb** czyjaś zwierzęca natura; **the B~** *przest.* antychryst. 5. ~ **of burden** zwierzę juczne; ~ **of prey** zwierzę drapieżne. 6. **~-fly** giez.

beastie ['bi:stı] *n.* 1. *Scot.* zwierzak. 2. *żart.* stwór.

beastliness ['bi:stlınəs] *n. U* 1. zwierzęcość. 2. okropność, obrzydliwość.

beastly ['bi:stlı] *a.* 1. zwierzęcy, bydlęcy. 2. okropny, obrzydliwy, paskudny. – *adv. Br. pot.* wściekle, diablo.

beat [bi:t] *v.* **beat, beaten** 1. bić, zbić. 2. bić, uderzać, walić (*t. o sercu*). 3. trzepać, trzepotać, bić (*skrzydłami*). 4. *kulin.* ubijać (*np. białko*). 5. kuć. 6. wybijać (*takt, godziny*). 7. pokonać; pobić; przewyższyć. 8. *sl.* oszukać. 9. ~ **a parley/retreat** bębniąc ogłosić rozejm/odwrót; ~ **a path/track** wydeptać ścieżkę; *przen.* przetrzeć *l.* utorować drogę; ~ **a retreat** wycofać się; ~ **goose** zabijać ręce (*dla rozgrzania się*); ~ **it!** *pot.* zmiataj!, spływaj!; ~ **one's brains (out)** *US pot.* wysilać umysł, głowić się; ~ **one's way** utorować sobie drogę; *US* jechać na gapę; ~ **sb black and blue** posiniaczyć kogoś; ~ **sb hollow** rozgromić kogoś; ~ **the air/wind** *przen.* czynić daremne wysiłki; ~ **the breast** bić się w piersi; ~ **the deadline** zdążyć tuż przed upływem terminu; ~ **the heat** *US pot.* ochłodzić się; ~ **the streets** chodzić w tę i z powrotem; **be ~ing a dead horse** *zob.* **horse** *n.*; **it ~s me how...** nie mogę zrozumieć, jak...; **it ~s cockfighting** to jest lepsze niż cokolwiek innego; **that ~s the Dutch** *US pot.* to przechodzi wszelkie pojęcie; **to ~ the band** *US pot.* nadzwyczajnie, potężnie. 10. ~ **about** *żegl.* halsować; ~ **about/around the bush** *przen.* owijać w bawełnę; ~ **away/back** odepchnąć; odrzucić; odeprzeć (*atak*); ~ **down** ujarzmić, pognębić, zmiażdżyć; stargować, utargować (*cenę*); ~ **in** wbić, wgnieść; wpoić, wbić do głowy; ~ **off** *US obsc. sl.* onanizować się; ~ **sb/sth off** odeprzeć atak kogoś/czegoś; ~ **out** *pot.* pokonać; sklecić naprędce, napisać na kolanie; ~ **up** pobić, zbić; ~ **up on o.s.** *US pot.* przesadnie się obwiniać. – *n.* 1. uderzenie. 2. bicie (*np. bębna*). 3. bicie, uderzenie (*serca*); **sb's heart skipped a** ~ serce komuś mocniej *l.* żywiej zabiło. 4. rytm; **on the** ~ w rytm. 5. ront (*wartownika*); rewir (*policjanta*). 6. *fiz.* dudnienie. 7. *dzienn.* wiadomość podana przed innymi gazetami. 8. = **beatnik**. 9. *Missisipi, Alabama admin.* podstawowa jednostka podziału hrabstwa. – *a.* 1. *pred. pot.* zmachany, skonany. 2. *attr. muz.* beatowy (*np. o zespole*). 3. **~-up** *pot.* zdezelowany.

beaten ['bi:tən] *a.* 1. ubity; wyklepany. 2. wydeptany, utarty. 3. pokonany, pobity. 4. wyczerpany. 5. *przen.* **follow a** ~ **track** iść utartą ścieżką; **off the** ~ **track** na odludziu, na uboczu.

beater [ˈbiːtər] *n.* **1.** *techn.* bijak, trzepak, tłuczek. **2.** trzepaczka (*np. do jajek*). **3.** *myśl.* naganiacz. **4.** *US pot.* gruchot (*o samochodzie*).

Beat Generation, beat generation *n.* *zwł.* *US* bitnicy, pokolenie beatu.

beatific [ˌbɪəˈtɪfɪk] *a.* *lit.* zbawienny, błogi, święty.

beatifically [ˌbɪəˈtɪfɪklɪ] *adv.* błogo.

beatification [bɪˌætəfəˈkeɪʃən] *n.* **1.** uszczęśliwienie, błogość. **2.** *rel.* beatyfikacja.

beatify [bɪˈætəˌfaɪ] *v.* **1.** *lit.* uszczęśliwiać. **2.** *rel.* beatyfikować.

beating [ˈbiːtɪŋ] *n.* *t. przen.* bicie, lanie.

beatitude [bɪˈætəˌtuːd] *n.* **1.** błogostan, błogość. **2.** *zw. pl.* (*także* **B~**) błogosławieństwo (*jedno z ośmiu wygłoszonych w Kazaniu na Górze*).

beatnik [ˈbiːtnɪk] *n.* *zwł. US* bitnik.

beau [boʊ] *n. pl.* **-s** *l.* **-x** **1.** wielbiciel, konkurent. **2.** mężczyzna do towarzystwa. **3.** dandys.

beau ideal *n. Fr.* **1.** *pl.* **-s ideal** *l.* **-x ideal** ideał piękności. **2.** *pl.* **beau ideals** model doskonałości.

beaut [bjuːt] *n.* *US i Austr. pot. cz. iron.* coś pięknego, cudo. – *a. Austr. pot.* świetny, super.

beauteous [ˈbjuːtɪəs] *a. poet.* piękny.

beautician [bjuːˈtɪʃən] *n.* kosmetyczka (*osoba*).

beautification [ˌbjuːtəfəˈkeɪʃən] *n. U* upiększenie.

beautiful [ˈbjuːtəfʊl] *a.* **1.** piękny. **2.** wspaniały, nadzwyczajny, cudowny.

beautifully [ˈbjuːtəfʊlɪ] *adv.* **1.** pięknie. **2.** wspaniale, nadzwyczajnie, cudownie.

beautify [ˈbjuːtəˌfaɪ] *v.* **1.** upiększać. **2.** pięknieć.

beauty [ˈbjuːtɪ] *n. pl.* **-ies** **1.** *U* piękność, piękno, uroda; urok. **2.** piękność, ślicznotka. **3.** piękna rzecz, cudo. **4.** *zwł. pl.* piękno (*natury*). **5.** **~ is but skin-deep** pozory mylą; **~ is in the eye of the beholder** piękność jest rzeczą względną; **that's the ~ of it** w tym cały urok.

beauty contest, beauty pageant *n.* konkurs piękności.

beauty farm *n.* farma piękności.

beauty mark *n. US* pieprzyk; muszka (*przylepiana dla dodania urody lub ukrycia jej defektów*).

beauty parlor, beauty shop, beauty salon *n.* salon piękności, salon kosmetyczny.

beauty queen *n.* miss (*w konkursie piękności*).

beauty sleep *n.* **1.** sen przed północą (*mający rzekomo wpływ na urodę*). **2.** *żart.* wystarczająca ilość snu.

beauty spot *n.* **1.** atrakcja krajobrazowa. **2.** *Br.* = **beauty mark**.

beaux arts [ˌboʊˈzɑːr] *n. pl. Fr.* sztuki piękne.

beaver[1] [ˈbiːvər] *n.* **1.** bóbr. **2.** *U* futro z bobra. **3.** cylinder. **4.** **(eager)** ~ *pot.* nadgorliwiec, pracuś.

beaver[2] *n. hist.* przyłbica.

beaverboard [ˈbiːvərˌbɔːrd] *n.* lekkie deski z włókien drzewnych używane na przepierzenia itp.

bebop [ˈbiːˌbɑːp] *n. muz.* bebop (*odmiana jazzu*).

becall [ˈbiːˌcɔːl] *v. arch. wulg.* urągać (*komuś*); przezywać, wyzywać.

becalm [bɪˈkɑːm] *v. lit.* **1.** unieruchamiać (*statek z braku wiatru*). **2.** *arch.* uciszać, uspokajać (*np. morze*).

became [bɪˈkeɪm] *v. zob.* **become**.

because [bɪˈkɔːz] *conj.* ponieważ, dlatego, że. – *prep.* **~ of** z powodu.

béchamel [ˌbeɪʃəˈmel], **béchamel sauce** *n.* sos beszamelowy.

bechance [bɪˈtʃæns] *v. arch.* przytrafić się.

becharm [bɪˈtʃɑːrm] *v. form.* zaczarować, oczarować.

beck[1] [bek] *n.* skinienie; **be at sb's ~ and call** być na każde czyjeś skinienie *l.* zawołanie. – *v. arch.* skinąć na.

beck[2] *n. Br. dial.* potok, strumień.

becket [ˈbekɪt] *n. żegl.* oko, ucho.

beckon [ˈbekən] *v.* **1.** skinąć (*to* na) przywołać skinieniem. **2.** nęcić, przyciągać. – *n.* skinienie.

becloud [bɪˈklaʊd] *v.* **1.** *form.* zachmurzyć, przesłonić chmurami, zaćmić. **2.** *przen.* zaciemniać, przesłaniać (*obraz, prawdę*).

become [bɪˈkʌm] *v.* **became, become** **1.** stawać się, zostawać, robić się; **he became a priest** został księdzem; **it became clear that...** stało się jasne, że...; **~ pale in the face** zblednąć. **2.** **sth ~s sb** *form.* coś przystoi komuś. **3.** **~ of sb/sth** stać się z kimś/czymś; **what has ~ of...?** co się stało z...?; **whatever will ~ of...?** co będzie *l.* co się stanie z...? **4.** pasować, dobrze wyglądać na; **that dress ~s her** w tej sukni jest jej do twarzy.

becoming [bɪˈkʌmɪŋ] *a. przest.* **1.** do twarzy, twarzowy. **2.** odpowiedni, stosowny, właściwy.

bed [bed] *n.* **1.** *C / U* łóżko; *t. przen.* łoże; **go to ~** iść spać, położyć się do łóżka; **go to ~ with sb** pójść z kimś do łóżka; **in ~** w łóżku (*t. z kimś*); **make the ~** posłać *l.* pościelić łóżko; **I/you should have stayed in ~** *US* lepiej było nie wstawać z łóżka, trzeba było zostać w łóżku; **put sb to ~** kłaść kogoś do łóżka, układać kogoś do snu. **2.** *mech.* łoże, stół (*maszyny*). **3.** *ogr.* grządka; klomb; *roln.* zagon. **4.** dno (*morza*); łożysko, koryto (*rzeki*). **5.** *geol.* warstwa, złoże, pokład (*np. węgla*). **6.** *przen.* **~ of sickness** *form.* łoże boleści; **as you make your ~, so you must lie on it** (*także* **you lie in the ~ you have made**) jak sobie pościelisz, tak się wyśpisz; **be brought to ~** *przest.* powić (= *urodzić*); **get up on the wrong side of the ~** (*także Br.* **get out of ~ (on) the wrong side**) wstać (z łóżka) lewą nogą; **keep one's ~** leżeć w łóżku (= *chorować*); **(life is not) a ~ of roses** (życie to nie) bajka; **narrow ~** *lit.* grób; **put to ~** *druk.* umieszczać na maszynie drukarskiej; przygotowywać do druku; **take to one's ~** położyć się do łóżka (= *zachorować*). – *v.* **-dd-** **1.** przenocować (*kogoś*). **2.** położyć do łóżka. **3.** *przest.* spać z (*kimś*). **4.** osadzać. **5.** **~ down** przygotować posłanie *l.* legowisko dla (*osoby l. zwierzęcia*); ułożyć się do snu.

B.Ed. [ˌbiː ˈed] *abbr.* **Bachelor of Education** licencjat z pedagogiki.

bedabble [bɪˈdæbl] *v.* poplamić (*cieczą, krwią itp.*).
bed and board *n. U* **1.** mieszkanie z utrzymaniem. **2.** *przest.* stadło małżeńskie.
bed and breakfast *n.* **1.** nocleg ze śniadaniem. **2.** pensjonat (*oferujący usługę jw.*).
bedaub [bɪˈdɔːb] *v. zw. pass.* wysmarować, umazać.
bedazzle [bɪˈdæzl] *v.* zrobić ogromne wrażenie na.
bedbug [ˈbedˌbʌg], **bed bug** *n.* pluskwa.
bedchamber [ˈbedˌtʃeɪmbər] *n. przest.* sypialnia.
bedclothes [ˈbedˌkloʊz] *n. pl.* pościel.
bedder [ˈbedər], **bedding plant** *n. ogr.* roślina kwietnikowa.
bedding [ˈbedɪŋ] *n. U* **1.** pościel. **2.** legowisko (*dla zwierząt*). **3.** spodnia warstwa. **4.** *geol.* uwarstwienie, warstwowanie. **5.** *el.* odzież kabla, osłona ochronna włóknista.
bedeck [bɪˈdek] *v. zw. pass. lit.* udekorować, przyozdobić.
bedeguar [ˈbedəˌgɑːr], **bedegar** *n.* galas, wyrośl (*na liściach róży, w której żyją galasówki (Cynipidae)*).
bedel [ˈbiːdl], **bedell, beadle** *n. Br.* pedel, bedel (*woźny w zakładzie naukowym*).
bedevil [bɪˈdevl] *v. często pass. Br.* **-ll- 1.** prześladować, męczyć. **2.** opętać, zakląć, zaczarować. **3.** skomplikować, pokrzyżować (*plany, zamiary*).
bedevilment [bɪˈdevlmənt] *n. U* **1.** opętanie przez diabła. **2.** bałagan, zamieszanie.
bedew [bɪˈduː] *v. lit.* zrosić.
bedfast [ˈbedˌfæst] *a. środkowo-zach. US* obłożnie chory.
bedfellow [ˈbedˌfeloʊ] *n.* **1.** towarzysz/ka łoża. **2.** sprzymierzeniec (*zw. chwilowy*); **be/make strange/odd/unlikely/uneasy ~s** stanowić dziwną parę.
bedight [bɪˈdaɪt] *v.* **bedight, bedight(ed)** *arch.* przybrać, przystroić.
bedim [bɪˈdɪm] *v.* **-mm-** *form.* zaciemnić, przesłonić.
bedizen [bɪˈdaɪzən] *v. form.* ustroić, udekorować.
bedlam [ˈbedləm] *n.* **1.** *U* bałagan, harmider. **2.** *arch.* szpital dla umysłowo chorych, dom wariatów.
bedlamite [ˈbedləˌmaɪt] *n. arch.* chor-y/a psychicznie, wariat/ka.
bed linen *n. U* bielizna pościelowa.
bedmaker [ˈbedˌmeɪkər] *n.* **1.** pokojówka. **2.** stolarz robiący łóżka.
bedmate [ˈbedˌmeɪt] *n.* **1.** towarzysz/ka łoża. **2.** współmałżon-ek/ka. **3.** kochan-ek/ka.
Bedouin [ˈbeduːɪn], **Beduin** *n.* **1.** beduin. **2.** koczownik. – *a. attr.* beduiński, koczowniczy.
bedpan [ˈbedˌpæn] *n.* basen (*dla chorego*).
bedplate [ˈbedˌpleɪt] *n. mech.* płyta podstawowa *l.* fundamentowa (*część maszyny*).
bedpost [ˈbedˌpoʊst] *n.* **1.** noga (łóżka). **2. between you and me and the ~** *Br. pot.* mówiąc między nami.
bedraggled [bɪˈdrægld] *a.* przemoczony; zabrudzony, zachlapany (*zw. wskutek przebywania na deszczu*).
bedrail [ˈbedˌreɪl] *n.* boczna listwa łóżka (*łącząca wezgłowie z nogami*).
bed rest *n. U* leżenie w łóżku (*w czasie choroby*).
bedrid [ˈbedˌrɪd], **bedridden** *a.* obłożnie chory, przykuty do łóżka.
bedrock [ˈbedˌrɑːk] *n. U* **1.** *geol.* skała macierzysta, podłoże skalne. **2.** *przen.* opoka.
bedroll [ˈbedˌroʊl] *n. US* śpiwór (*l. inne posłanie, które można zwinąć i nosić na plecach*).
bedroom [ˈbedˌruːm] *n.* sypialnia. – *a. attr.* sypialniany, łóżkowy (*dotyczący seksu*); **~ suburb** przedmieście-sypialnia.
bedside [ˈbedˌsaɪd] *n.* **at sb's ~** u czyjegoś łoża; **~ lamp/table** lampa/stolik przy łóżku; **~ manner** podejście do chorego.
bedsitter [bedˈsɪtər], **bedsit, bedsitting room** *n. Br.* wynajmowany pokój (*spełniający jednocześnie wiele funkcji*).
bedsore [ˈbedˌsɔːr] *n.* odleżyna.
bedspread [ˈbedˌspred] *n.* narzuta, kapa (*na łóżko*).
bedstead [ˈbedˌsted] *n.* rama łóżka.
bedstraw [ˈbedˌstrɔː] *n. bot.* przytulia (*Galium verum*).
bedtime [ˈbedˌtaɪm] *n.* pora spania.
bed wetting *n. U* moczenie nocne.
bee [biː] *n.* **1.** *ent.* pszczoła (*rodzina Apoidea*). **2.** *t. przen.* pszczółka. **3.** *US* spotkanie towarzyskie w określonym celu (*np. wspólnego szycia, wzięcia udziału w konkursie itp.*). **4.** *przen. pot.* **be the ~'s knees** *zob.* **knee** *n.*; **have a ~ in one's bonnet** *zob.* **bonnet**; **tell/teach (a child) about (the) birds and (the) ~s** *zob.* **bird** *n.*
bee balm *n. bot.* **1.** pysznogłówka szkarłatna (*Monarda didyma*). **2.** melisa lekarska (*Melissa officinalis*).
beebread [ˈbiːˌbred] *n. U* pierzga (*pokarm młodych pszczół*).
beech [biːtʃ] *n.* **1.** *bot.* buk (*Fagus*). **2.** (*także* **beechwood**) drewno bukowe.
beechen [ˈbiːtʃən] *a.* bukowy.
beechfern [ˈbiːtʃˌfɝːrn] *n. bot.* paprotka (*Polypodium phegopteris*).
beechmast [ˈbiːtʃˌmæːst] *n. U* buczyna, bukiew (*jadalne orzechy buka*).
beechnut [ˈbiːtʃˌnʌt] *n. U* buczyna.
bee eater, bee-eater *n. orn.* żołna (*Merops*).
beef [biːf] *n.* **1.** *U* wołowina. **2.** *pl.* **beeves** wół (*tuczny*). **3.** *U pot.* siła, krzepa. **4.** *pl.* **-s** *sl.* skarga, narzekanie. – *v.* **1.** *pot.* narzekać, skarżyć się. **2. ~ up** *sl.* wzmocnić, zasilić; podrasować.
beefburger [ˈbiːfˌbɝːgər] *n.* = **hamburger**.
beefcake [ˈbiːfˌkeɪk] *n. sl.* paker, mięśniak (*o mężczyźnie*).
beefeater [ˈbiːfˌiːtər], **Beefeater** *n.* strażnik w londyńskiej Tower.
bee fly *n. ent.* dowolny owad z rodziny bujankowatych (*Bombyliidae*).
beefsteak [ˈbiːfˌsteɪk] *n.* befsztyk.

beefsteak fungus *n. bot.* ozorek pospolity (*Fistulina hepatica*).

beef tea *n. U* (*także* **beef bouillon**) bulion wołowy.

beefwood [ˈbi:fˌwʊd] *n. bot.* (*także* **polinesian ironwood**) rzewnia skrzypolistna (*Casuarina equisetifolia*).

beefy [ˈbi:fɪ] *a.* **-ier, -iest** *pot.* krzepki, muskularny; potężny; przy kości.

bee gum *n. płd. US* **1.** wydrążone drzewo kauczukowe, w którym mieszkają pszczoły. **2.** ul z drzewa jw.

beehive [ˈbi:ˌhaɪv] *n.* **1.** *t. przen.* ul. **2.** kok (*tapirowany, popularny w latach 60.*).

beekeeper [ˈbi:ˌki:pər] *n.* pszczelarz.

beeline [ˈbi:ˌlaɪn] *n.* **make a ~ for** *pot.* wybrać najkrótszą drogę do, udać się najkrótszą drogą do.

Beelzebub [bi:ˈelzəˌbʌb] *n. Bibl.* Belzebub.

beemaster [ˈbi:ˌmæstər] *n.* pszczelarz.

been [bɪn] *v. zob.* **be.**

bee orchis *n. bot.* dwulistnik (*Ophrys apifera*).

beep [bi:p] *n.* piknięcie. – *v.* pikać.

beeper [ˈbi:pər] *n.* aparat przywołujący, biper.

beer [bi:r] *n. U* **1.** piwo (*t. C = kufel, szklanka l. butelka piwa*); **ginger ~** piwo imbirowe (*bezalkoholowe*). **2. (not) all ~ and skittles** *Br. przest.* (nie) same rozrywki *l.* przyjemności.

beer belly, beer gut *n.* brzuch piwosza.

beer engine *n.* pompa do piwa (*do nalewania z beczki*).

beer garden *n. Br.* ogródek przy pubie.

beer house *n. Br.* piwiarnia.

beer mat *n.* podkładka pod szklankę *l.* kufel.

beer pull *n.* dźwignia kurka (*w pompie do piwa*).

beery [ˈbi:rɪ] *a.* **1.** piwny. **2.** wskazujący na spożycie piwa.

beeskep [ˈbi:skep], **bee-skep, bee-scap** [ˈbi:-skæp] *n. Br.* ul słomiany.

beestings [ˈbi:stɪŋz] *n. U fizj.* siara.

beeswax [ˈbi:zˌwæks] *n. U* wosk pszczeli. – *v.* **1.** woskować, nacierać woskiem pszczelim. **2. none of your ~** *US pot.* nie twój interes.

beeswing [ˈbi:zˌwɪŋ] *n. U* drugi osad (*w starym porto i innych winach butelkowanych*).

beet [bi:t] *n.* **1.** *US* burak ćwikłowy; *Br.* burak (*ogólnie*). **2. fodder ~** burak pastewny; **red ~** burak ćwikłowy; **sugar ~** (*także* **white ~**) burak cukrowy; **~ pulp** wysłodki buraczane. **3. (as) red as a ~** *US pot.* czerwony jak burak.

beetle[1] [ˈbi:tl] *n. ent.* chrząszcz, żuk; **black ~** *zob.* **black.** – *v. Br. pot.* mknąć, pędzić.

beetle[2] *n.* **1.** młot drewniany, ubijak drewniany. **2.** tłuczek. – *v.* **1.** bić, ubijać, wbijać. **2.** *tk.* gładzić, maglować.

beetlebrain [ˈbi:tlˌbreɪn] *n. pot.* bałwan, cymbał.

beetle-browed [ˈbi:tlˌbraʊd] *a.* **1.** o krzaczastych brwiach. **2.** *przen.* posępny.

beetlebung [ˈbi:tlˌbʌŋ] *n. bot.* drzewo z rodzaju kląża (*Nyssa sylvatica*).

beetle-crusher [ˈbi:tlˌkrʌʃər] *n. Br.* bucisko, bucior.

beetlehead [ˈbi:tlˌhed] *n.* = **beetle brain.**

beetroot [ˈbi:tru:t] *n. Br.* burak ćwikłowy.

befall [bɪˈfɔ:l] *v.* **befell, befallen** *form.* **1.** zdarzać się. **2.** przydarzać się, przytrafiać się.

befit [bɪˈfɪt] *v.* **-tt-** *form.* nadawać się na, być odpowiednim na (*daną okazję itp.*); **as befits/befitted sb/sth** jak przystało komuś/na coś.

befitting [bɪˈfɪtɪŋ] *a.* stosowny, odpowiedni.

befittingly [bɪˈfɪtɪŋlɪ] *adv.* stosownie, odpowiednio.

befog [bɪˈfɑ:g] *v.* **-gg-** *lit.* **1.** spowijać mgłą, zamglić, zasłonić. **2.** mylić, gmatwać, przesłaniać.

befool [bɪˈfu:l] *v. przest.* naciągnąć, oszukać, okpić.

before [bɪˈfɔ:r] *prep.* przed (*w czasie l. przestrzeni*); **~ long** wkrótce; **~ God** przed Bogiem. – *adv.* **1.** przedtem, wcześniej, poprzednio. **2.** (już) kiedyś; **we've met ~** już się kiedyś spotkaliśmy. **3.** *przest.* przodem, z przodu. **4. the day ~** poprzedniego dnia; **the week/month ~** tydzień/miesiąc wcześniej, w poprzednim tygodniu/miesiącu. – *conj.* zanim, nim; **~ you know it** zanim się obejrzysz.

beforehand [bɪˈfɔ:rˌhænd] *adv.* wcześniej, uprzednio; z wyprzedzeniem, z góry; **be ~ with sth** zrobić coś przed czasem.

befoul [bɪˈfaʊl] *v. form.* plugawić, kalać.

befriend [bɪˈfrend] *v. form.* **1.** zaprzyjaźnić się z. **2.** okazywać życzliwość *l.* przyjaźń; pomagać.

befuddled [bɪˈfʌdld] *a.* zdezorientowany; zamroczony.

beg [beg] *v.* **-gg-** **1.** prosić o, upraszać o. **2.** żebrać. **3.** błagać (*for sth* o coś). **4.** służyć (*o psie*). **5. ~ to do sth** pozwolić sobie coś zrobić; **~ leave to do sth** *form.* prosić o pozwolenie na zrobienie czegoś; **(I) ~ your pardon** *zob.* **pardon** *n.*; **I ~ to differ/disagree** *form.* pozwolę sobie nie zgodzić się; **I ~ to inform you** *form.* pozwalam sobie donieść Pani/Panu. **6. ~ the question** *form.* przesądzać sprawę; zakładać słuszność spornej kwestii; unikać podjęcia problemu; **be going ~ging** być do wzięcia (*np. o posadzie*). **7. ~ off (from sth)** prosić o zwolnienie (z czegoś); **~ sth off/from sb** *pot.* wyżebrać coś od kogoś.

begad [bɪˈgæd] *int. przest. pot.* = **by God.**

began [bɪˈgæn] *v. zob.* **begin.**

beget [bɪˈget] *v.* **begot, begotten** **1.** *arch.* spłodzić; zrodzić. **2.** *form.* powodować, rodzić.

begetter [bɪˈgetər] *n. form.* rodzic.

beggar [ˈbegər] *n.* **1.** żebra-k/czka, dziad/ówka. **2. poor/lucky ~** *zwł. Br. pot.* biedaczysko/szczęściarz. **3. ~'s-lice** dziad (*oset l. łopian czepiający się odzieży*). **4. ~s can't be choosers** gdy się o coś prosi, nie można przebierać. – *v.* **1.** *form.* zrobić żebraka z, zubożyć. **2. ~ description/belief** *form.* być nie do opisania/nie do wiary.

beggarly [ˈbegərlɪ] *a. przest.* **1.** żebraczy, dziadowski. **2.** nędzny (*np. o pensji*).

beggary [ˈbegərɪ] *n. U* **1.** nędza, ubóstwo. **2.** żebracy (*jako zbiorowość*).

begin [bɪˈgɪn] *v.* **began, begun, -nn-** **1.** zaczynać (się), rozpoczynać (się) (*with sth* czymś *l.* od czegoś). **2.** powstać, narodzić się (*np. o zwycza-*

ju). **3. to ~ with** przede wszystkim, po pierwsze; z początku; **not ~ to do sth** nie wystarczać do (zrobienia) czegoś; **it doesn't ~ to compare with** nie umywa się do; **I can't ~ to imagine how/what...** nie potrafię sobie (nawet) wyobrazić, jak/co...

beginner [bɪ'gɪnər] *n.* **1.** początkując-y/a, nowicjusz/ka. **2. ~s' slope** *US i Austr.* ośla łączka.

beginning [bɪ'gɪnɪŋ] *n.* **1.** początek, rozpoczęcie. **2.** *zwł. pl.* początki, zaczątki. **3.** przyczyna, źródło. **4. at the ~ (of sth)** na początku (czegoś); **(right) from the ~** od (samego) początku; **from ~ to end** od początku do końca; **in the ~** na początku, z początku; **the ~ of the end** początek końca. – *a. attr.* dla początkujących.

begird [bɪ'gɜ:d] *v.* **begirt** *l.* **begirded** *form.* opasać, przepasać; otoczyć, okrążyć, objąć.

begone [bɪ'gɔ:n] *int. arch. lit.* odejdź!, idź precz!.

begonia [bɪ'goʊnjə] *n.* begonia.

begot [bɪ'gɑ:t], **begotten** [bɪ'gɑ:tən] *v. zob.* **beget**.

begrime [bɪ'graɪm] *v. form.* zabrudzić.

begrudge [bɪ'grʌdʒ] *v.* **~ sb sth** zazdrościć komuś czegoś; żałować komuś czegoś.

beguile [bɪ'gaɪl] *v. lit.* **1.** zwieść, omamić (*with sth* czymś); **~ sb into doing sth** podstępem nakłonić kogoś do zrobienia czegoś. **2.** oczarować. **3.** miło spędzać (*czas*).

beguilement [bɪ'gaɪlmənt] *n. U* omamienie, oszukanie.

beguiling [bɪ'gaɪlɪŋ] *a.* **1.** złudny, zwodniczy. **2.** czarujący.

beguilingly [bɪ'gaɪlɪŋlɪ] *adv.* **1.** złudnie, zwodniczo. **2.** czarująco.

Beguine ['begi:n] *n. kośc.* beginka.

beguine [bɪ'gi:n] *n.* taniec w rytmie bolero.

begum [bɪ'gʌm] *n. Ind.* uprzejma forma zwracania się do zamężnych muzułmanek (*zwł. stojących wysoko w hierarchii społecznej*).

begun [bɪ'gʌn] *v. zob.* **begin**.

behalf [bɪ'hæf] *n.* **1. on ~ of sb** (*także US* **in ~ of sb**) w czyimś imieniu, w imieniu kogoś; z czyjegoś powodu. **2. on sb's ~** (*także US* **in sb's ~**) w czyimś interesie; na rzecz kogoś.

behave [bɪ'heɪv] *v.* **1.** zachowywać się (*towards* w stosunku do). **2. ~ (o.s.)** dobrze się zachowywać, być grzecznym. **3.** *techn.* działać (*o maszynach*); zachowywać się (*o materiałach*).

behavior [bɪ'heɪvjər], *Br.* **behaviour** *n. U* **1.** zachowanie (się); postępowanie; **be on one's best ~** zachowywać się najlepiej, jak się tylko potrafi; **~ pattern** *psych.* stała reakcja (*w stosunku do danego obiektu l. w danej sytuacji*). **2.** *chem.* zachowanie się (*materiału, substancji*); *techn.* działanie.

behavioral [bɪ'heɪvjərəl], *Br.* **behavioural** *a. psych.* behawioralny.

behaviorism [bɪ'heɪvjəˌrɪzəm] *n. U psych.* behawioryzm.

behaviorist [bɪ'heɪvjərɪst] *a.* behawiorystyczny. – *n.* behawioryst-a/ka.

behead [bɪ'hed] *v.* ściąć (*kogoś*), ściąć głowę (*komuś*).

beheld [bɪ'held] *v. zob.* **behold**.

behemoth [bɪ'hi:məθ] *n.* **1.** *Bibl.* hipopotam (*w Księdze Hioba*). **2.** potwór, monstrum; moloch.

behest [bɪ'hest] *n.* **at sb's ~** (*także* **at the ~ of sb**) *form.* na czyjś rozkaz; na czyjąś prośbę.

behind [bɪ'haɪnd] *prep.* **1.** za (*w czasie*). **2.** za (*w przestrzeni*), po drugiej stronie (*np. góry*). **3. ~ bars** za kratkami; **~ schedule/time** spóźniony; **~ the times** zacofany, przestarzały; **~ the wheel** za kierownicą; **be ~ sb (all the way)** popierać kogoś (na całej linii), (całkowicie) solidaryzować się z kimś; **what's ~ ...** co się kryje za... – *adv.* **1.** w tyle, z tyłu. **2. be ~ (with one's work)** mieć zaległości (w pracy); **be ~ in one's rent** zalegać z czynszem; **leave sth ~** zostawić coś, zapomnieć czegoś; **stay/remain ~** zostać (*kiedy inni już poszli*). – *a. pred.* spóźniony. – *n. pot.* tyłek, siedzenie.

behindhand [bɪ'haɪndˌhænd] *adv. form.* **be ~ with/in sth** spóźniać się z czymś; zalegać z czymś.

behold [bɪ'hoʊld] *v.* **behold, beheld** *arch. poet.* ujrzeć, oglądać. – *int.* **1.** patrz, spójrz. **2. lo and ~** *zwł. żart.* patrz, uważaj, wyobraź sobie.

beholden [bɪ'hoʊldən] *a. arch.* zobowiązany, wdzięczny; winny, dłużny.

beholder [bɪ'hoʊldər] *n. arch.* obserwator/ka, patrząc-y/a.

behoof [bɪ'hu:f] *n. pl.* **behooves** *arch.* użytek, korzyść, pożytek; **for sb's own ~** na czyjś własny użytek.

behoove [bɪ'hu:v], *Br. i Austr.* **behove** [bɪ'hoʊv] *v.* **it (ill) ~s sb to do sth** *przest. form.* (nie) wypada, żeby ktoś coś robił.

beige [beɪʒ] *n. U* beż. – *a.* beżowy.

Beijing [ˌbeɪ'dʒɪŋ] *n.* Pekin.

being ['bi:ɪŋ] *n.* **1.** *U* istnienie, egzystencja; **come into ~** zaistnieć, powstać. **2.** *U t. fil.* byt, życie. **3.** istota, żywy organizm. **4.** człowiek, osoba.

Beirut [beɪ'ru:t] *n.* Bejrut.

bejewel [bɪ'dʒu:əl] *v. Br.* **-ll-** *form.* ozdabiać (jak) klejnotami.

bel [bel] *n. fiz.* bel.

belabor [bɪ'leɪbər], *Br.* **belabour** *v.* **1.** rozwodzić się nad (*zagadnieniem, problemem*), roztrząsać. **2.** *przest.* okładać pięściami. **3.** *przen.* atakować (*werbalnie*).

Belarus [ˌbelə'ru:s], **Byelorussia** [bɪˌeloʊ'rʌʃə] *n.* Białoruś.

belated [bɪ'leɪtɪd] *a.* **1.** spóźniony. **2.** *arch.* zaskoczony przez noc.

belatedly [bɪ'leɪtɪdlɪ] *adv.* zbyt późno; z opóźnieniem.

belaud [bɪ'lɔ:d] *v. form.* obsypywać pochwałami.

belay [bɪ'leɪ] *v. żegl.* **1.** obłożyć (*linę na knadze l. polerze*). **2.** asekurować (*przy wspinaczce*). **3.** *imp. przest.* dość, przestań.

belch [beltʃ] *v.* **1.** czkać; **he ~ed** czknął, odbiło mu się. **2.** *t. przen.* buchać; **~ out** wyrzucać (*np. dym, lawę*), buchać (*czymś*); **~ out from** wydobywać się z. – *n.* czknięcie, odbicie (się).

beldam ['beldəm], **beldame** *n.* **1.** *form.* stara baba, wiedźma, jędza. **2.** *przest.* babka, babcia.

beleaguer [bɪˈliːgər] *v. form.* **1.** oblegać (*wroga*). **2.** przysparzać zmartwień, nękać.

belfry [ˈbelfrɪ] *n.* dzwonnica.

belga [ˈbelgə] *n. hist.* belg (*pieniądz*).

Belgian [ˈbeldʒən] *n.* Belg/ijka. – *a.* belgijski.

Belgic [ˈbeldʒɪk] *a.* belgijski (*t. o Belgach celtyckich*).

Belgium [ˈbeldʒəm] *n.* Belgia.

Belgrade [belˈgreɪd] *n.* Belgrad.

belie [bɪˈlaɪ] *v. form.* **1.** przeczyć, zadawać kłam (*czemuś*). **2.** maskować, ukrywać (*np. wiek, fakty*).

belief [bɪˈliːf] *n.* **1.** przekonanie, przeświadczenie; opinia. **2.** *rel.* wiara (*in* w). **3.** wiara (*in sb / sth* w kogoś/coś); zaufanie (*in sb / sth* do kogoś/czegoś). **4.** *teol.* wierzenie; **religious ~s** wierzenia religijne. **5. contrary to popular ~** wbrew powszechnemu przekonaniu; **in the ~ that** w przekonaniu, że, wierząc, że; **it is sb's ~ that** ktoś uważa, że; **shake sb's ~ in sth** zachwiać czyjąś wiarą w coś; **to the best of my ~** *Br.* o ile mi wiadomo.

believability [bɪˌliːvəˈbɪlətɪ] *n. U* wiarygodność.

believable [bɪˈliːvəbl] *a.* wiarygodny.

believably [bɪˈliːvəblɪ] *adv.* wiarygodnie.

believe [bɪˈliːv] *v.* **1.** wierzyć (*that* że); **~ sb/sth** wierzyć komuś/w coś. **2.** sądzić, uważać, przypuszczać (*that* że); **~ sb to be sth** uważać kogoś za coś; **have reason to ~ (that)...** mieć powody sądzić, że...; **I ~ so/not** sądzę, że tak/nie; **sth is widely ~d to be...** powszechnie uważa się, że coś jest... **3. ~ it or not** choć trudno w to uwierzyć; **~ sth of sb** wierzyć, że ktoś jest do czegoś zdolny; **~ (you) me** *pot.* możesz mi wierzyć; **can't ~ one's eyes/ears** nie wierzyć własnym oczom/uszom; **don't you ~ it!** *pot.* nie wierz w to!; **if you ~ that, you'll believe anything** *pot.* jeżeli w to wierzysz, to jesteś bardzo naiwny; **make ~ (that)...** udawać, że...; **seeing is believing** *zob.* **see**[1] *v.*; **would you ~ it!** *pot.* możesz to sobie wyobrazić?!; **you'd better ~ it!** *pot.* możesz mi wierzyć!. **4. ~ in** *t. rel.* wierzyć w (*Boga, kogoś, coś*).

believer [bɪˈliːvər] *n.* **1.** *rel.* wierząc-y/a, wiern-y/a. **2. ~ in sth** zwolenni-k/czka czegoś; *rel.* wyznaw-ca/czyni czegoś.

belike [bɪˈlaɪk] *adv. arch.* zapewne, prawdopodobnie.

belittle [bɪˈlɪtl] *v. form.* umniejszać, pomniejszać.

bell[1] [bel] *n.* **1.** dzwon. **2.** dzwonek. **3.** dźwięk dzwonka; gong. **4.** *żegl.* pół godziny wachty. **5. (as) clear as a ~** czysty (*o dźwięku*); **(as) clear/sound as a ~** w dobrej kondycji *l.* formie; **give sb a ~** *Br. pot.* przekręcić do kogoś; **ring a ~** brzmieć znajomo; przypominać komuś coś, kojarzyć się komuś z czymś; **saved by the ~** wyratowany z opresji; *boks* uratowany przed nokautem przez gong; **with ~s on** *US i Austr. pot.* ochoczo. – *v.* **1.** zaopatrywać w dzwon *l.* dzwonek. **2. ~ (out)** wywijać brzegi; układać (się) w kształt dzwonu.

bell[2] *n.* ryk (*jelenia w okresie rykowiska*); wycie (*psa gończego*). – *v.* ryczeć, wyć.

belladonna [ˌbeləˈdɑːnə] *n.* **1.** *bot.* pokrzyk wilcza jagoda (*Atropa belladonna*). **2.** *U* trucizna z wilczej jagody.

bell-bottoms [ˌbelˈbɑːtəmz] *n. pl.* dzwony (*spodnie*).

bellboy [ˈbelˌbɔɪ] *n. Br.* = **bellhop**.

bell buoy *n.* pława dzwonowa.

belle [bel] *n. przest.* piękność, ślicznotka; **the ~ of the ball** królowa balu.

belles-lettres [belˈletrə] *n. pl. Fr.* literatura piękna, beletrystyka.

belletrist [belˈletrɪst] *n.* beletryst-a/ka.

belletristic [ˌbeləˈtrɪstɪk] *a.* beletrystyczny.

bellflower [ˈbelˌflaʊər] *n. bot.* dzwonek (*Campanula*).

bell-founder [ˈbelˌfaʊndər] *n.* ludwisarz.

bell-founding [ˈbelˌfaʊndɪŋ] *n. U* ludwisarstwo.

bell-foundry [ˈbelˌfaʊndrɪ] *n.* ludwisarnia.

bell glass *n.* = **bell jar**.

bellhop [ˈbelˌhɑːp], **bell glassboy** *n. US* goniec hotelowy.

bellicose [ˈbelɪˌkoʊs] *a. lit.* wojowniczy, agresywny.

bellicosity [ˌbelɪˈkɑːsətɪ] *n. U* wojowniczość, agresywność.

belligerence [bəˈlɪdʒərəns] *n. U* **1.** wojowniczość. **2.** prowadzenie wojny.

belligerency [bəˈlɪdʒərənsɪ] *n. U* **1.** pozostawanie w stanie wojny. **2.** = **belligerence**.

belligerent [bəˈlɪdʒərənt] *a.* **1.** wojowniczy. **2.** *form.* prowadzący wojnę (*o państwie*). – *n.* strona prowadząca wojnę.

bell jar *n. techn.* dzwon szklany.

bell metal *n. U* brąz twardy.

bellow [ˈbeloʊ] *v.* **1.** ryczeć, wrzeszczeć (*at sb* na kogoś). **2.** ryczeć (*o zwierzętach*). – *n.* ryk, wrzask.

bellows [ˈbeloʊz] *n. t. pl.* **1.** miech, miechy. **2.** *techn.* harmonijka. **3.** płuca.

bell pepper *n.* **1.** *US* papryka (*sam owoc*). **2.** *Br. bot.* papryka (*Capsicum frutescens grossum*).

bell-ringer [ˈbelˌrɪŋər] *n.* **1.** dzwonnik. **2.** gracz na dzwonach.

bellwether [ˈbelˌweðər] *n.* **1.** baran przewodnik stada. **2.** *przen.* prowodyr/ka.

belly [ˈbelɪ] *n.* **1.** brzuch (*człowieka l. zwierzęcia*). **2.** *przen.* wnętrze (*np. statku*). **3.** brzusiec (*wypukła część przedmiotu*). **4.** łono. **5. go/turn ~ up** zakończyć się; nie powieść się; umrzeć. – *v.* **1.** wydymać (się) (*zwł. o żaglach*). **2.** czołgać się na brzuchu. **3. ~ up to** podejść blisko do.

bellyache [ˈbelɪˌeɪk] *n.* ból brzucha. – *v. pot.* kwękać, stękać.

bellyacher [ˈbelɪˌeɪkər] *n. pot.* kwękacz.

bellyband [ˈbelɪˌbænd] *n.* popręg, podbrzusznik (*konia pociągowego*).

bellybutton [ˈbelɪˌbʌtən], **belly button** *n. pot.* pępek.

belly dance *n.* taniec brzucha.

bellyful [ˈbelɪˌfʊl] *n.* **have had a ~ of sth** *pot.* mieć czegoś dosyć.

belly laugh *n. pot.* serdeczny śmiech.

belly-pinched [ˈbelɪˌpɪntʃt] *a.* wygłodniały.

belly timber *n. U Br. dial. przest.* jadło.

belong [bɪˈlɔːŋ] *v.* **1. ~ to** należeć do (*kogoś*);

należeć do, być członkiem (*grupy, organizacji*). **2. sb/sth ~s somewhere** miejsce kogoś/czegoś jest gdzieś. **3.** pasować (*with* do). **4.** przynależeć (*do grupy*); pasować (*do otoczenia*).

belongings [bɪˈlɔːŋɪŋz] *n. pl.* własność, rzeczy, dobytek.

Belorussian [ˌbeloʊˈrʌʃən] *a.* białoruski. – *n.* **1.** Białorusin/ka. **2.** *U* język białoruski.

beloved [bɪˈlʌvɪd] *a. lit. l. żart.* ukochany, drogi. – *n.* ukochan-y/a.

below [bɪˈloʊ] *adv.* **1.** poniżej; **10/20 degrees below** 10/20 stopni poniżej zera. **2.** w dole. **3.** pod wodą. **4.** niżej, dalej (*w tekście*). **5.** niżej (*w hierarchii*). – *prep.* **1.** pod. **2.** poniżej; ~ **average** poniżej przeciętnej; ~ **freezing** poniżej zera (*o temperaturze*); ~ **sb** *przen.* poniżej czyjejś godności, niegodny kogoś; ~ **the belt** *zob.* **belt.**

belt [belt] *n.* **1.** pas, pasek. **2.** pas (*strefa okalająca*). **3.** pas, strefa (*terenu*); okręg (*np. przemysłowy*). **4.** *techn.* pas, taśma. **5.** *sl.* cios. **6.** *sl.* łyk wódy. **7. at full** ~ *pot.* pędem; **below the** ~ *pot.* poniżej pasa (*o uwadze*); **Bible B~** południowe stany USA, słynące z fundamentalizmu religijnego; **black** ~ *karate* czarny pas; **have sth under one's** ~ mieć coś na swoim koncie (*dokonanie, osiągnięcie itp.*). – *v.* **1.** opasać; przypasać. **2.** zaznaczyć pasem (*farby itp.*). **3.** zbić pasem. **4.** *sl.* dać w ryja, walnąć; golnąć (sobie). **5.** ~ **(along/down)** *sl.* gnać, zasuwać; ~ **(out)** *pot.* wyśpiewywać; ~ **up** *pot.* zapiąć pas(y); ~ **up!** *Br. i Austr. sl.* zamknij się!.

Beltane [ˈbelteɪn] *n.* staroceltycki festyn majowy.

belting [ˈbeltɪŋ] *n.* **1.** *U* materiał na pasy; pasy. **2.** *pot.* lanie, baty.

beltway [ˈbeltˌweɪ], **belt line** *n. US mot.* obwodnica.

beluga [bəˈluːgə] *n. zool.* **1.** bieługa (*Huso huso*). **2.** białucha, wal biały (*Delphinapterus leucas*).

belvedere [ˈbelvəˌdiːr] *n.* belweder.

B.E.M. [ˌbiː ˌiː ˈem] *abbr.* **British Empire Medal** Medal Imperium Brytyjskiego.

bemire [bɪˈmaɪr] *v. arch.* **1.** zabłocić. **2.** *zw. pass.* ugrzęznąć w błocie.

bemoan [bɪˈmoʊn] *v. form.* **1.** użalać się na. **2.** lamentować nad.

bemuse [bɪˈmjuːz] *v.* skonsternować, zakłopotać.

ben [ben] *n.* **1.** *Scot.* góra (*zwł. w nazwach szczytów*). **2.** *Scot.* wewnętrzna izba (*w dwuizbowej chacie*).

bench [bentʃ] *n.* **1.** ławka, ława. **2.** fotel sędziowski; urząd sędziowski; **be raised to the** ~ zostać mianowanym sędzią; **be on the** ~ przewodniczyć posiedzeniu sądu. **3.** *sport* ławka rezerwowych. **4.** (*także* **workbench**) stół warsztatowy. **5.** terasa. **6.** *pl. Br. parl.* ławy w Izbie Gmin, na których zasiadają posłowie z ramienia poszczególnych partii. – *v.* **1.** zaopatrywać w ławy *l.* ławki. **2.** zasiąść na stanowisku (*np. w wyniku wyborów*). **3.** *sport* usunąć *l.* zdjąć z boiska. **4.** wystawiać na pokazie (*np. psa*). **5.** *sport pot.* wyciskać; **what do you ~?** ile wyciskasz?

bencher [ˈbentʃər] *n.* **1.** *Br.* prawnik (*wyższy członek Inns of Court*). **2.** *Br.* członek Izby Gmin. **3.** wioślarz.

bench mark, benchmark *n.* **1.** *miern.* punkt niwelacyjny, reper. **2.** *przen.* standard, punkt odniesienia.

bench press *n. C/U sport* wyciskanie (na ławie) leżąc.

bench-press [ˈbentʃˌpres] *v. sport* wyciskać (leżąc) (*t. podany ciężar*).

bend[1] [bend] *v.* **bent, bent 1.** zginać, wyginać. **2.** giąć się. **3.** pochylić (się), schylić (się), nachylić (się). **4.** skręcać (*o drodze*). **5.** zmuszać (*sb to sth* kogoś do czegoś). **6.** ugiąć się (*to sb/sth* przed kimś/czymś). **7.** ~ **the law/rules** naginać prawo/przepisy; ~ **one's mind/efforts/energies to sth** (*także* ~ **o.s. to sth**) *form.* całkowicie angażować się w coś; ~ **sb's ear** *pot.* zanudzać kogoś swoimi wynurzeniami; **on ~ed knee** *t. przen.* na kolanach; **go (down) on ~ed knee (to sb)** paść na kolana (przed kimś). **8.** ~ **sth back/away** odchylić coś; ~ **down** schylić się, pochylić się; ~ **forward** pochylić się (do przodu); ~ **over** schylić się, pochylić się; ~ **over backward (to do sth)** *przen. pot.* wychodzić ze skóry (żeby coś zrobić). – *n.* **1.** zgięcie, wygięcie; *t. przen.* ugięcie się. **2.** zakręt; wygięcie (*rury*). **3.** *żegl.* węzeł. **4. the ~s** choroba kesonowa. **5. around/round the** ~ *pot.* szurnięty; **drive/send sb round the** ~ *pot.* doprowadzać kogoś do szału; **go round the** ~ *pot.* dostawać szału.

bend[2] *n. her.* skos (*linie biegnące z prawej strony głowicy do lewej strony podstawy*); **in/per** ~ w skos; ~ **sinister** skos (*w przeciwnym kierunku; znak bękarctwa*).

bender [ˈbendər] *n.* **1.** *techn.* giętarka. **2.** *sl.* popijawa, chlanie; **go on a** ~ uchlać się. **3.** *gł. Br. obelż. sl.* pedał.

beneaped [bɪˈniːpt] *a. żegl.* osadzony na mieliźnie przez pływ kwadraturowy.

beneath [bɪˈniːθ] *adv. form.* poniżej. – *prep.* **1.** poniżej. **2.** pod. **3.** *przen.* poniżej; ~ **contempt** poniżej krytyki; **be ~ sb** uwłaczać czyjejś godności.

benedick [ˈbenɪdɪk], **benedict** *n. przest.* nowożeniec (*zwł. wcześniejszy zatwardziały stary kawaler*).

Benedictine [ˌbenəˈdɪktɪn] *n.* **1.** *kośc.* benedyktyn/ka. **2.** [ˌbenədɪkˈtiːn] benedyktyn, benedyktynka (*likier*). – *a.* benedyktyński.

benediction [ˌbenəˈdɪkʃən] *n.* błogosławieństwo.

benedictory [ˌbenəˈdɪktɔːrɪ] *a.* błogosławiący.

benefaction [ˈbenəˌfækʃən] *n.* **1.** dobry uczynek, dobrodziejstwo. **2.** dar dobroczynny.

benefactor [ˈbenəˌfæktər] *n.* **1.** dobroczyńca. **2.** ofiarodawca.

benefactress [ˈbenəˌfæktrəs] *n.* **1.** dobrodziejka. **2.** ofiarodawczyni.

benefice [ˈbenəfɪs] *n. kośc.* beneficjum (*urząd*); beneficjum, prebenda (*korzyść majątkowa*).

beneficed [ˈbenəfɪst] *a.* beneficjant, beneficjent (*obdarowany beneficjum*).

beneficence [bə'nefɪsəns] *n. U form.* dobroczynność.

beneficent [bə'nefɪsənt] *a.* **1.** dobroczynny. **2.** zbawienny.

beneficiaire [ˌbenə'fɪʃɪər] *n.* benefisant/ka.

beneficial [ˌbenə'fɪʃl] *a.* **1.** dobroczynny, zbawienny; korzystny (*to* dla). **2.** *prawn.* beneficjalny; dotyczący użytkowania.

beneficiary [ˌbenə'fɪʃɪˌerɪ] *n.* **1.** beneficjent/ka. **2.** *prawn.* beneficjent/ka; spadkobier-ca/czyni. **3.** *kośc.* = **beneficed**.

benefit ['benəfɪt] *n.* **1.** *U* korzyść, pożytek; **for the ~ of sb** (*także* **for sb's ~**) na rzecz kogoś; na czyjś użytek; **give sb the ~ of the doubt** rozstrzygnąć wątpliwości na czyjąś korzyść (*np. z braku dowodów winy*); uwierzyć komuś na słowo. **2.** świadczenie (*społeczne*), zasiłek; **~ association/society** towarzystwo samopomocy *l.* wzajemnej pomocy. **3.** impreza charytatywna (*koncert, benefis itp.*). **4.** *arch.* dobrodziejstwo. **5. ~ of clergy** obrzędy kościelne; formalny związek małżeński; *hist.* wyłączenie duchowieństwa spod jurysdykcji sądów świeckich. – *v.* **1.** być z korzyścią dla. **2.** korzystać, odnosić korzyści (*from* z).

Benelux ['benəˌlʌks] *n.* Beneluks.

benevolence [bə'nevləns] *n.* **1.** *U* życzliwość, uczynność. **2.** *U* dobroczynność. **3.** *Br. hist.* pożyczka przymusowa (*dla suwerena*).

benevolent [bə'nevlənt] *a.* **1.** życzliwy, uczynny. **2.** dobroczynny.

Bengal [ben'gɔ:l] *n.* Bengal; **~ light** ognie bengalskie.

Bengali [ben'gɔ:lɪ] *n.* **1.** *U* język bengalski. **2.** Bengal-czyk/ka. – *a.* bengalski.

benighted [bɪ'naɪtɪd] *a.* **1.** *lit.* nieoświecony, ciemny. **2.** *przest.* zaskoczony przez noc.

benign [bɪ'naɪn] *a.* **1.** dobroduszny, dobrotliwy. **2.** łagodny. **3.** dobroczynny, zbawienny. **4.** *pat.* łagodny, niezłośliwy.

benignancy [bɪ'nɪgnənsɪ] *n. U* **1.** łagodność. **2.** łaskawość, dobrotliwość.

benignant [bɪ'nɪgnənt] *a.* **1.** łaskawy, dobrotliwy. **2.** zbawienny. **3.** = **benign** 4.

benignity [bɪ'nɪgnətɪ] *n. U* łaskawość, dobrotliwość.

benignly [bɪ'naɪnlɪ] *adv.* **1.** łaskawie, dobrotliwie. **2.** łagodnie.

benison ['benɪzən] *n.* błogosławieństwo (*zwł. Boże*).

benjamin ['bendʒəmən] *n. U* **1.** (*także* **gum ~**) żywica benzoesowa. **2.** *chem.* benzoina.

bennet ['benɪt], **herb bennet** *n. bot.* kuklik pospolity (*Geum urbanum*).

benny ['benɪ] *n. sl.* amfa (*tabletka amfetaminy*).

bent[1] [bent] *a.* **1.** zgięty, wygięty. **2.** *gł. Br. sl.* skorumpowany (*zw. o policjancie*); *obelż.* homoseksualny. **3. ~ out of shape** *zwł. US pot.* wkurzony, wkuty. **4. be ~ on/upon (doing) sth** być zdecydowanym na coś; upierać się przy czymś. – *n.* **1.** zamiłowanie (*for sth* do czegoś). **2. at/to the top of one's ~** z maksymalną wydajnością.

bent[2] (*także* **~ grass**) *n.* **1.** *bot.* mietlica (*Agrostis*). **2.** badyl, burzan. **3.** *Br. dial.* nieużytek (*wykorzystywany jako pastwisko l. teren do polowań*).

benthos ['benθɑ:s] *n. biol.* bentos.

benumb [bɪ'nʌm] *v. form.* **1.** powodować drętwienie (*zwł. o zimnie*). **2.** paraliżować (*umysł, działania*).

benzene ['benzi:n] *n. chem.* benzen.

benzine ['benzi:n] *n.* benzyna lekka (*stosowana jako rozpuszczalnik*).

benzoic [ben'zoʊɪk] *a.* benzoesowy.

benzoin ['benzoʊɪn] *n. U* **1.** żywica benzoesowa. **2.** benzoina.

benzol ['benzoʊl] *n. U* **1.** *chem. przest.* benzen. **2.** benzol (*paliwo*).

benzyl ['benzɪl] *n. U chem.* benzyl.

bequeath [bɪ'kwi:θ] *v. form.* **1.** zapisywać w testamencie, zostawiać w spadku. **2.** przekazywać (*zwł. potomności*).

bequest [bɪ'kwest] *n.* **1.** *prawn.* zapis, legat. **2.** *form.* spuścizna, spadek.

berate [bɪ'reɪt] *n. form.* złajać, zwymyślać.

Berber ['bɝ:bər] *n.* **1.** Berber/yjka. **2.** *U* język berberyjski. – *a.* berberyjski.

berberry ['bɝ:bərɪ] *n.* = **barberry**.

bereave [bɪ'ri:v] *v.* **-d** *l.* **bereft** *form.* **1.** pogrążać w smutku *l.* żałobie. **2.** (*o śmierci*) zabierać (*sb of sb* komuś kogoś).

bereaved [bɪ'ri:vd] *a. form.* **1.** osamotniony, osierocony (*po śmierci bliskiej osoby*). **2. the ~** pogrążeni w żałobie (*bliscy zmarłego*).

bereavement [bɪ'ri:vmənt] *n. U form.* **1.** utrata bliskiej osoby. **2.** żałoba.

bereft [bɪ'reft] *a. form.* **1.** opuszczony (*o osobie*). **2. ~ of hope/meaning** pozbawiony wszelkiej nadziei/jakiegokolwiek znaczenia.

beret [bə'reɪ] *n.* beret.

berg [bɝ:g] *n.* **1.** (*także* **ice~**) góra lodowa. **2. ~ wind** *S.Afr.* fen.

bergamot ['bɝ:gəˌmɑ:t] *n.* **1.** *bot.* pomarańcza bergamota (*Citrus bergamia*); bergamota (*odmiana gruszy*). **2.** bergamotka (*gruszka*).

bergschrund ['bɝ:kʃrʊnt] *n. geol.* szczelina w górnej części lodowca górskiego.

berhyme [bɪ'raɪm], **berime** *v. lit.* opiewać w wierszach.

beriberi [ˌberɪ'berɪ] *n. pat.* choroba beri-beri.

berk [bɝ:k], **burk** *n. Br. i Austr. sl.* kretyn.

berkelium [bɝ:'ki:lɪəm] *n. U chem.* berkel.

Berlin [bər'lɪn] *n.* **1.** Berlin. **2.** *U* **~ (wool)** włóczka. **3.** berlinka, berlina (*rodzaj powozu*).

berm [bɝ:m] *n.* **1.** *hist.* taras pomiędzy zewnętrzną ścianą muru skarpowego a fosą. **2.** *techn.* ława ziemna, taras, stopień. **3.** pobocze (*drogi*).

Bermuda [bər'mju:də] *n.* **1.** *geogr.* Bermudy. **2. ~ shorts** bermudy.

Bermudian [bər'mju:dɪən], **Bermudan** *a.* **1.** bermudzki. **2. ~ rigging** *żegl.* ożaglowanie bermudzkie. – *n.* mieszkan-iec/ka Bermudów.

Bernardine ['bɝ:nərdɪn] *a. kośc.* **1.** bernardyński. **2.** cysterski. – *n.* cyster-s/ka.

berry ['berɪ] *n. pl.* **-ies** **1.** jagoda. **2.** owoc. **3.**

ziarnko (*np. kawy*); nasienie (*zboża*). **4.** jajeczko (*w ikrze*). – *v.* **1.** zbierać jagody. **2.** owocować (*jagodami*).

berserk [bər'sɜ:k] *a.* wściekły, rozwścieczony; **go ~** wściec się; **~er** *hist.* wojownik skandynawski.

berth [bɜ:θ] *n.* **1.** miejsce leżące, kuszetka; koja. **2.** *żegl.* miejsce postoju, stanowisko kotwiczne. **3.** *pot.* miejsce, posada (*zwł. na statku*). **4.** **give sb/sth a wide ~** *Br. przen.* trzymać się z dala od kogoś/czegoś. – *v.* **1.** dać *l.* przydzielić miejsce do spania (*komuś*). **2.** *żegl.* przycumować (*statek*).

bertha ['bɜ:θə], **bertha collar** *n.* pelerynka (*szeroki, zwł. koronkowy, kołnierz u wyciętej sukni*).

beryl ['berəl] *n. U min.* beryl.

beryllium [bɪ'rɪlɪəm] *n. U chem.* beryl.

beseech [bɪ'si:tʃ] *v.* **besought** *l.* **-ed** *lit.* upraszać, błagać; **~ sb to do sth** upraszać kogoś o zrobienie czegoś.

beseeching [bɪ'si:tʃɪŋ] *a.* błagalny.

beseem [bɪ'si:m] *v.* **sth ~s sb** *arch.* coś komuś przystoi.

beset [bɪ'set] *v.* **beset, -tt-** **1.** *form.* osaczać; nękać. **2.** otaczać. **3.** wysadzać (*klejnotami*); osadzać. **4.** **~ting sin/weakness** *cz. żart.* zły nałóg.

beshrew [bɪ'ʃru:] *v. arch.* przeklinać, rzucać urok na.

beside [bɪ'saɪd] *prep.* **1.** obok, przy, w pobliżu. **2.** oprócz, poza. **3.** **~ the point** bez związku z przedmiotem *l.* tematem; **be ~ o.s.** wychodzić z siebie; **be ~ o.s. with joy** nie posiadać się z radości. – *adv.* obok.

besides [bɪ'saɪdz] *adv.* **1.** poza tym, ponadto. **2.** oprócz tego. – *prep.* **1.** poza, oprócz. **2.** z wyjątkiem.

besiege [bɪ'si:dʒ] *v.* **1.** *t. przen.* oblegać. **2.** **~ sb with questions/offers** zasypywać kogoś pytaniami/ofertami.

beslobber [bɪ'slɑ:bər] *v.* oślinić.

besmear [bɪ'smi:r] *v.* **1.** usmarować, pomazać. **2.** *przen.* zszargać.

besmirch [bɪ'smɜ:tʃ] *v.* **1.** *arch.* zabrudzić. **2.** *lit.* zszargać.

besot [bɪ'sɑ:t] *v.* **-tt-** zamroczyć, odurzyć; ogłupić; zauroczyć, zaślepić.

besought [bɪ'sɔ:t] *v. zob.* **beseech**.

bespangle [bɪ'spæŋgl] *v. form.* ozdabiać (jak) cekinami.

bespatter [bɪ'spætər] *v. form.* **1.** opryskać, ochlapać. **2.** *przen.* pomówić (= *fałszywie oskarżyć*).

bespeak [bɪ'spi:k] *v.* **bespoke**, **bespoken** *l.* **bespoke** **1.** *lit.* prosić z góry o, rezerwować. **2.** wskazywać na; dowodzić. **3.** *lit.* zwracać się do. **4.** *przest.* **bespoke suit** garnitur szyty na zamówienie; **bespoke tailor** krawiec szyjący na zamówienie.

bespectacled [bɪ'spektəkld] *a.* w okularach, noszący okulary.

besprent [bɪ'sprent] *a. arch.* **1.** pokropiony. **2.** rozsypany.

besprinkle [bɪ'sprɪŋkl] *v.* **1.** *form.* pokropić, skropić. **2.** posypać.

Bessarabia [ˌbesə'reɪbɪə] *n.* Besarabia.

Bessarabian [ˌbesə'reɪbɪən] *a.* besarabski.

Bessemer ['besəmər] *n. metal.* **~ converter** konwertor besemerowski, gruszka besemerowska; **~ process** proces besemerowski, besemerowanie.

best [best] *a. superl. od* **good** **1.** najlepszy; **~ of all** najlepszy ze wszystkiego *l.* ze wszystkich. **2.** najodpowiedniejszy. **3.** **~ wishes** pozdrawiam (*w zakończeniu listu do osoby dobrze znanej*); **at the ~ of times** *zob.* **time** *a.*; **may the ~ man/person win** niech wygra najlepszy; **the ~ part of sth** (*także* **the better part of sth**) większa część czegoś. – *adv. superl. od* **well** najlepiej; **as ~ one can** najlepiej, jak się potrafi; **do as you think ~** rób, jak uważasz; **for reasons ~ known to o.s.** z sobie tylko wiadomych powodów; **you had ~ tell her** najlepiej będzie, jak jej powiesz. – *n.* **1.** **the ~** najlepsz-y/a (*o osobie l. rzeczy*). **2.** **~ of luck!** powodzenia!; **all the ~** wszystkiego najlepszego; **at ~** w najlepszym razie; **be at one's ~** być w najlepszej formie; **do one's ~** zrobić wszystko, co w czyjejś mocy, dać z siebie wszystko; **get/have the ~ of sb** uzyskać przewagę nad kimś; pokonać kogoś (*np. o chorobie*); **have the ~ of both worlds** *zob.* **world**; **it's (all) for the ~** tak będzie (naj)lepiej; **make the ~ of sth** radzić sobie z czymś najlepiej, jak się da; **sb's (Sunday) ~** *przest.* czyjeś najlepsze ubranie; **to the ~ of my ability** najlepiej, jak potrafię; **to the ~ of my knowledge** (*także Br.* **to the ~ of my belief**) o ile mi wiadomo; **with the ~ (of them)** na równi z najlepszymi. – *v. form.* pokonać (*zwł. w zawodach*).

best-before date *n.* data przydatności do spożycia.

bestead [bɪ'sted] *v. arch.* pomagać.

bestial ['bestʃl] *a.* **1.** zwierzęcy. **2.** bestialski. **3.** bydlęcy.

bestiality [ˌbestʃɪ'ælətɪ] *n. form.* **1.** zezwierzęcenie. **2.** bestialstwo. **3.** *pat.* sodomia, zoofilia.

bestialize ['bestʃəˌlaɪz] *v.* zezwierzęcić.

bestially ['bestʃlɪ] *adv.* bestialsko.

bestiary ['bestʃɪˌerɪ] *n.* bestiarium, bestiariusz (*utwór literacki*).

bestir [bɪ'stɜ:] *v.* **-rr-** **~ o.s.** *form. l. żart.* podrywać się do działania.

best man *n.* drużba.

bestow [bɪ'stoʊ] *v.* **1.** *form.* **~ sth on/upon sb** podarować komuś coś; nadać komuś coś, obdarzyć kogoś czymś (*np. honorem, zaszczytem*). **2.** *arch.* zakwaterować; składać, magazynować.

bestowal [bɪ'stoʊl] *n. form.* obdarowanie; nadanie.

bestrew [bɪ'stru:] *v.* **bestrewed**, **bestrewed** *l.* **bestrewn** *lit.* **1.** zasypać, usłać (*with sth* czymś). **2.** rozsypać.

bestride [bɪ'straɪd] *v.* **bestrode** *l.* **bestrid**, **bestridden** *l.* **bestrid** *form.* siadać okrakiem na (*czymś*); stawać okrakiem nad (*czymś*).

bestseller [ˌbest'selər] *n.* bestseller.

bestselling [ˌbest'selɪŋ] *a.* najlepiej sprzedający się (*o książce lub aktorze*).

bet [bet] *v.* **bet** *l.* **betted** **1.** stawiać, postawić; **~ (sth) on** postawić (coś/jakąś sumę) na. **2.** zakładać się; ~ **sth** założyć się o coś; ~ **(sb) that** założyć się (z kimś), że. **3. I/I'll** ~ nie dziwię się; akurat!; **you** ~! *pot.* no pewnie!; **don't/I wouldn't ~ on it** (na twoim miejscu) nie liczyłbym na to; ~ **one's bottom dollar** *zob.* **bottom** *a.* 3. – *n.* **1.** zakład; **make a ~ with sb** założyć się z kimś. **2.** zastaw. **3.** rzecz, o którą idzie zakład. **4. (sure)** ~ pewniak; **it's a safe ~ that** jest bardzo prawdopodobne, że; **your best** ~ najlepsze, co możesz zrobić.

beta [ˈbeɪtə] *n.* **1.** *alfabet* beta. **2.** *szkoln.* (*także* **B**) ocena dobra. **3.** druga (najjaśniejsza) gwiazda konstelacji.

beta particle *n.* cząsteczka beta.

betatron [ˈbeɪtəˌtrɑːn] *n. fiz.* betratron, akcelerator indukcyjny.

betel [ˈbiːtl] *n. bot.* ~ **peper** pieprz żuwny (*Piper betle*); ~ **nut** betel (*mieszanka pieprzu żuwnego i ziaren palmy Areca cathecu do żucia*); areka katechu (*Areca cathecu (palma, której owoce są używką)*).

bête noire [ˌbeɪtnəˈwɑːr] *n. pl.* **bêtes noires** *Fr.* najbardziej nielubiana osoba *l.* rzecz.

Bethany [ˈbeθənɪ] *n.* Betania.

Bethel [ˈbeθl] *n.* **1.** święte miejsce. **2.** kaplica dla marynarzy.

bethesda [bɪˈθezdə] *n.* kaplica (*kościoła nonkonformistycznego*).

bethink [bɪˈθɪŋk] *v.* **bethought** *przest.* ~ **o.s. of sth** zastanawiać się nad czymś; przypomnieć sobie coś.

Bethlehem [ˈbeθlɪhem] *n.* Betlejem.

betide [bɪˈtaɪd] *v. lit. l. żart.* **1.** przydarzyć się (*komuś*); **woe ~ the villain!** biada łotrowi!. **2.** wydarzyć się, zdarzyć się; **whatever ~s** bez względu na to, co się zdarzy.

betimes [bɪˈtaɪmz] *adv. przest.* **1.** wcześnie, zawczasu. **2.** wkrótce.

betoken [bɪˈtoukən] *v. lit.* oznaczać, być znakiem.

betony [ˈbetənɪ] *n. bot.* petunia (*Petunia*).

betook [bɪˈtʊk] *v. zob.* **betake.**

betray [bɪˈtreɪ] *v.* **1.** zdradzić (*kraj, współmałżonka, tajemnicę*); być nielojalnym wobec; zawieść (*przyjaciela*); ~ **sb (to sb)** wydać kogoś (komuś). **2.** wprowadzać w błąd, zwodzić.

betrayal [bɪˈtreɪl] *n.* zdrada.

betrayer [bɪˈtreɪər] *n.* zdraj-ca/czyni.

betroth [bɪˈtrouð] *v. przest.* zaręczać (się).

betrothal [bɪˈtrouðl] *n.* zaręczyny.

better [ˈbetər] *a. comp. od* **good 1.** lepszy; **much/far/a lot ~ (than)** *emf.* znacznie *l.* o wiele lepszy (niż/od); **there's nothing ~ than...** nie ma nic lepszego od *l.* niż... **2.** zdrowszy; **be/feel** ~ czuć się lepiej; **get** ~ wyzdrowieć. **3.** *przen.* ~ **luck next time** następnym razem będzie lepiej; **do sth against one's ~ judgement** zrobić coś, mimo iż rozsądek podpowiada co innego; **sb's ~ half** *żart.* czyjaś lepsza połowa; **sth has seen ~ days** *zob.* **day**; **the ~ part of sth** (*także* **the best part of sth**) większa część czegoś. – *adv. comp. od* **well 1.** lepiej; ~ **and** ~ coraz lepiej; **(or) ~ still** (albo) jeszcze lepiej; **the sooner the** ~ im prędzej, tym lepiej. **2.** bardziej. **3.** ~ **off** zamożniejszy; w lepszej sytuacji; **sb would be ~ off without sb** komuś byłoby lepiej bez kogoś. **4. had** ~ *zob.* **had. 5.** ~ **the devil you know (than the devil you don't)** *zob.* **devil** *n.*; **go (sb) one** ~ *pot.* prześcignąć kogoś; **(not) know (any)** ~ *zob.* **know** *v.*; **that's ~!** brawo!; **think ~ of it** rozmyślić się. – *v.* **1.** poprawić, polepszyć. **2.** ~ **o.s.** poprawić swoją pozycję (*społeczną l. finansową*). – *n.* **1.** *U* **for ~ or (for) worse** na dobre i (na) złe; **for the** ~ na lepsze; **get/have the ~ of sb** pokonać kogoś, uporać się z kimś; wziąć górę (*np. o uczuciu, rozsądku*); **so much the** ~ tym lepiej; **take a turn for the** ~ polepszyć się. **2. sb's ~s** *przest.* ludzie szlachetniejsi *l.* wyżej postawieni od kogoś.

betterment [ˈbetərmənt] *n. form.* **1.** poprawa. **2.** wzrost wartości (*nieruchomości*).

bettor [ˈbetər], **better** *n.* obstawiający (*w grach liczbowych, wyścigach itp.*).

between [bɪˈtwiːn] *prep.* **1.** między, pomiędzy. **2.** razem, wspólnie; **we had $12 ~ us** mieliśmy razem 12 dolarów. **3.** ~ **ourselves** (*także* ~ **you and me**) między nami (mówiąc). – *adv.* **1.** pomiędzy. **2. in** ~ pośrodku; na drodze (*o przeszkodzie*). **3. ~times** (*także* **betweenwhiles**) w przerwach, w międzyczasie. **4. they're few and far** ~ są bardzo rzadkie.

betwixt [bɪˈtwɪkst] *prep. i adv.* **1.** *zwł. płd. US* = **between. 2. ~ and between** ani jedno, ani drugie; dokładnie pomiędzy (*dwiema skrajnościami, grupami itp.*).

bevel [ˈbevl] *n.* **1.** skos; skośne cięcie. **2.** *miern.* węgielnica, kątownik nastawny; (*także* **bevel square**) *stol.* kątomierz nastawny. – *v. Br.* **-ll-** ciąć skośnie.

bevel gear *n. mech.* przekładnia zębata stożkowa *l.* kątowa.

bevel wheel *n.* koło stożkowe.

beverage [ˈbevərɪdʒ] *n.* napój.

bevy [ˈbevɪ] *n.* **1.** grupa (*zwł. dziewcząt lub młodych kobiet*). **2.** stado (*ptaków*).

bewail [bɪˈweɪl] *v. lit.* **1.** opłakiwać. **2.** użalać się nad.

beware [bɪˈwer] *v.* **1.** *tylko inf.* ~ **of sb/sth** wystrzegać *l.* strzec się kogoś/czegoś; uważać na kogoś/coś. **2.** *imp.* ~ **of the dog!** uwaga zły pies!.

bewilder [bɪˈwɪldər] *v.* konsternować; dezorientować; oszałamiać.

bewildering [bɪˈwɪldərɪŋ] *a.* wprawiający w konsternację, oszałamiający.

bewilderment [bɪˈwɪldərmənt] *n. U* konsternacja, oszołomienie.

bewitch [bɪˈwɪtʃ] *v.* **1.** oczarować. **2.** zaczarować.

bewitching [bɪˈwɪtʃɪŋ] *a.* czarujący, urzekający.

bewitchment [bɪˈwɪtʃmənt] *n. U* **1.** oczarowanie. **2.** zaczarowanie.

bewray [bɪˈreɪ] *v. arch.* zdradzić, ujawnić (*zwł. niechcący*).

beyond [biːˈɑːnd] *prep.* **1.** za. **2.** poza. **3.** dalej niż. **4.** powyżej, ponad. **5. ~ doubt** ponad wszelką wątpliwość; **be ~ belief/recognition** być nie do uwierzenia/poznania; **be ~ question** nie ulegać wątpliwości; **be ~ sb** być zbyt trudnym dla kogoś; **circumstances ~ sb's control** okoliczności niezależne od kogoś; **go (far)** ~ wychodzić *l.* wykraczać (daleko) poza; **it's ~ me why/what...** nie mogę pojąć, dlaczego/co... – *adv.* dalej. – *n.* **the (great)** ~ *lit.* życie po śmierci.

bezel ['bezl] *n.* **1.** *mech.* skośna krawędź tnąca. **2.** korona (*część szlifu kamienia ponad rondystą*); oprawa (*szkiełka w zegarku l. drogiego kamienia*).

bezique [bə'zi:k] *n. karty* bezik.

bezonian [bɪ'zoʊnɪən] *n. arch.* łajdak.

bf, b.f. *abbr. druk.* = **bold face.**

B.F.A. [ˌbi: ˌef 'eɪ] *abbr.* **Bachelor of Fine Arts** licencjat ze sztuk pięknych.

bhang [bæŋ] *n. U* konopie indyjskie, marihuana (*rozrabiana z mlekiem l. wodą l. palona*).

bheesty ['bi:stɪ], **bheestie** *n. Ind.* nosiwoda.

bi [baɪ] *n. pl.* **-s** *l.* **-'s** *sl.* biseks (*osoba o skłonnościach biseksualnych*). – *a.* biseksualny.

bias ['baɪəs] *n.* **1.** stronniczość, tendencyjność, brak obiektywizmu. **2.** uprzedzenie; ~ **in favour of/against** przychylne/nieprzychylne nastawienie do. **3.** skos (*w tkaninie*); **on the** ~ ukośnie, na skos. **4.** *el.* napięcie wstępne; przedpięcie; polaryzacja. – *a. attr.* ukośny; ~ **cut** cięcie ukośne (*np. tkaniny*). – *v. Br.* **-ss-** ~ **sb toward/in favor of** nastawiać kogoś przychylnie do; ~ **sb against** nastawiać kogoś nieprzychylnie do.

biased ['baɪəst], **biassed** *a.* stronniczy, tendencyjny, nieobiektywny; ~ **against** uprzedzony do.

biathlon [baɪ'æθlɑ:n] *n. sport* biatlon.

biatomic [baɪə'tɑ:mɪk] *a. chem.* dwuatomowy.

biaxial [baɪ'æksɪəl] *a. t. krystal. l. opt.* dwuosiowy.

bib [bɪb] *n.* **1.** śliniaczek, śliniak. **2.** klapa (*fartucha, ogrodniczek*). **3. sb's best ~ and tucker** *żart.* czyjeś najlepsze ubranie.

Bib. *abbr.* **1.** = **Bible. 2.** = **biblical.**

bibasic [baɪ'beɪsɪk] *a. chem.* dwuzasadowy.

bibcock ['bɪbˌkɑ:k] *n.* kurek czerpalny.

bibelot ['bɪbloʊ] *n.* bibelot.

Bible ['baɪbl] *n. t. przen.* Biblia.

Biblical ['bɪblɪkl] *a.* biblijny.

Biblicist ['bɪblɪsɪst] *n.* biblist-a/ka.

bibliographer [ˌbɪbli:'ɑ:grəfər] *n.* bibliograf/ka.

bibliographic [ˌbɪblɪə'græfɪk] *a.* bibliograficzny.

bibliography [ˌbɪblɪ'ɑ:grəfɪ] *n.* bibliografia.

bibliolater [ˌbɪblɪ'ɑ:lətər] *n.* **1.** czciciel/ka Biblii. **2.** biblioman/ka.

bibliolatry [ˌbɪblɪ'ɑ:lətrɪ] *n. U* **1.** kult Biblii. **2.** kult książek.

bibliomania [ˌbɪblɪoʊ'meɪnɪə] *n. U* bibliomania.

bibliomaniac [ˌbɪblɪoʊ'meɪnɪæk] *n.* biblioman/ka.

bibliophile ['bɪblɪəˌfaɪl], **bibliophilist** [ˌbɪblɪ'ɑ:fəlɪst] *n.* bibliofil/ka.

bibliophilism [ˌbɪblɪ'ɑ:fəlɪzəm] *n. U* bibliofilstwo.

bibliopole ['bɪblɪəˌpoʊl], **bibliopolist** [ˌbɪblɪ'ɑ:pəlɪst] *n.* antykwariusz.

bibliopoly [ˌbɪblɪ'ɑ:pəlɪ] *n. U* handel antykwarski.

bibulous ['bɪbjələs] *a. form. l. żart.* pijacki.

bicameral [baɪ'kæmərəl] *a. parl.* dwuizbowy.

bicarbonate [baɪ'kɑ:rbənət] *n. chem.* wodorowęglan, kwaśny węglan.

bicentenary [ˌbaɪsen'tenərɪ] *n. zwł. Br.* dwóchsetlecie. – *a.* **1.** dwóchsetletni. **2.** dwustuletni.

bicentennial [ˌbaɪsen'tenɪəl] *a. US* **1.** dwóchsetletni. **2.** dwustuletni. – *n.* dwóchsetlecie.

bicephalous [baɪ'sefələs] *a. bot., zool.* dwugłowy.

biceps ['baɪseps] *n. anat.* mięsień dwugłowy; ~ **brachii/femoris** mięsień dwugłowy ramienia/uda.

bichloride [baɪ'klɔ:raɪd] *n. chem.* dwuchlorek.

bichromate [baɪ'kroʊmeɪt] *n. chem.* dwuchromian.

bicipital [baɪ'sɪpɪtl] *a.* **1.** dwugłowy. **2.** bicepsowy.

bicker ['bɪkər] *v.* **1.** sprzeczać się. **2.** migotać (*o ogniu, płomieniu*). – *n.* sprzeczka.

bicoastal [baɪ'koʊstl] *a.* występujący na obu wybrzeżach (*zwł. na wsch. i zach. wybrzeżu US*).

bicorn ['baɪkɔ:rn] *a.* (*także* **bicornate, bicornuate, bicornuous**) **1.** dwurożny. **2.** w kształcie półksiężyca. – *n.* (*także* **bicorne**) **1.** kapelusz dwurożny, bikorn. **2.** zwierzę dwurożne.

biculturalism [baɪ'kʌltʃərəlɪzəm] *n. U* dwukulturowość.

bicuspid [baɪ'kʌspɪd] *a. anat.* **1.** dwupłatkowy, dwudzielny (*o zastawce*). **2.** dwuguzkowy (*o zębie*). – *n. dent.* przedtrzonowiec.

bicycle ['baɪsɪkl] *n.* rower. – *v.* jeździć na rowerze.

bicyclist ['baɪsɪklɪst] *n.* rowerzyst-a/ka.

bid¹ [bɪd] *v.* **bade** *l.* **bid, bidden** *l.* **bid 1.** kazać, rozkazać; ~ **sb (to) do sth** *lit.* rozkazać komuś coś zrobić. **2.** ~ **sb farewell** pożegnać kogoś; ~ **sb goodnight** życzyć komuś dobrej nocy. **3.** ~ **fair** wydawać się prawdopodobnym.

bid² *v.* **bid, bid 1.** oferować. **2.** licytować. **3.** ~ **for** stawać do przetargu o; ~ **in** *handl.* przelicytować (*w celu zachowania prawa własności*); ~ **up** *handl.* podbijać cenę. – *n.* **1.** oferta; **put in/make a ~ (for)** złożyć ofertę (na). **2.** próba (*to do sth* zrobienia czegoś); **suicide** ~ próba samobójstwa. **3.** starania, zabiegi (*for* o); **make a ~ for** zabiegać o (*np. wybór na stanowisko*). **4.** *karty* odzywka.

bidarka [baɪ'dɑ:rkə], **bidara** [baɪ'dɑ:rə], **bidarkee** [baɪ'dɑ:rkɪ], **baidarka** [baɪ'dɑ:rkə] *n.* łódź ze skóry foczej.

biddable ['bɪdəbl] *a.* **1.** *karty* nadający się do licytacji. **2.** nabywalny w drodze licytacji *l.* przetargu. **3.** *zwł. Br.* potulny.

bidder ['bɪdər] *n.* oferent/ka.

bidding ['bɪdɪŋ] *n.* **1.** oferta (*na licytacji*); licytowanie. **2.** rozkaz; **do sb's ~** *form.* stosować się do czyichś życzeń *l.* rozkazów. **3.** *karty* odzywka.

biddy¹ ['bɪdɪ] *n. Nowa Anglia i płd. US* kurczak; kurczątko.

biddy² *n. uj.* grymaśna stara kobieta.

bide [baɪd] *v.* **1.** ~ **one's time** czekać na właściwy moment. **2.** ~ **(somewhere)** *arch.* pozostawać (gdzieś).

bidentate [baɪˈdenteɪt] *a. anat.* dwuzębny.
bidet [bɪˈdeɪ] *n.* bidet.
bidirectional [ˌbaɪdaɪˈrekʃənl] *a.* dwukierunkowy.
biennial [baɪˈenɪəl] *a.* dwuletni (*trwający l. przypadający co dwa lata*). – *n.* **1.** biennale. **2.** *bot.* roślina dwuletnia.
biennium [baɪˈenɪəm] *n. pl.* **bienniums** *l.* **biennia** dwulecie (*okres*).
bier [biːr] *n.* mary (*nosze pogrzebowe*).
biff [bɪf] *n. pot.* cios. – *v. pot.* trzepnąć, walnąć.
biffin [ˈbɪfɪn] *n.* gatunek jabłka.
bifid [ˈbaɪfɪd] *a.* rozszczepiony na dwoje; dwudzielny.
bifilar [baɪˈfaɪlər] *a. techn.* bifilarny.
bifocal [baɪˈfoʊkl] *a. opt.* dwuogniskowy. – *n.* **~s** okulary dwuogniskowe.
bifurcate *v.* [ˈbaɪfərkeɪt] **1.** rozwidlać się, rozgałęziać się (*w dwóch kierunkach*). **2.** *mat.* rozdwajać, bifurkować. – *a.* [ˌbaɪˈfɝːkeɪt] rozwidlony, rozgałęziony, rozdwojony.
bifurcation [ˌbaɪfərˈkeɪʃən] *n.* **1.** rozwidlenie, rozgałęzienie. **2.** *mat.* bifurkacja. **3.** *geol.* rozwidlenie, bifurkacja, widły (*rzeki*).
big [bɪg] *a. i adv.* **-gg- 1.** duży, wielki. **2.** dorosły, dojrzały. **3.** *attr.* starszy (*o rodzeństwie*). **4.** ważny, wpływowy. **5.** popularny, modny. **6.** wspaniałomyślny; hojny; **sth is ~ of sb** coś jest wspaniałomyślne z czyjejś strony. **7.** *euf.* tęgi, przy tuszy. **8. ~ bucks** *zob.* **buck**[2]; **~ deal** *zob.* **deal** *n.*; **~ government** *US* nadopiekuńczość państwa; **~ shot** *zob.* **shot** *n.*; **~ with child/young** w (zaawansowanej) ciąży; **be ~ on sth** przywiązywać dużą wagę do czegoś; być zapalonym do czegoś; **get/grow too ~ for one's boots** *pot.* zadzierać nosa; **go over ~** zakończyć się sukcesem; **make it ~** odnieść sukces (*zwł. finansowy*).
bigamist [ˈbɪgəmɪst] *n.* bigamist-a/ka.
bigamous [ˈbɪgəməs] *a.* bigamiczny; winny bigamii.
bigamy [ˈbɪgəmɪ] *n. U* bigamia, dwużeństwo.
Big Apple *n.* **the ~** *dosł.* Wielkie Jabłko (*popularne określenie Nowego Jorku*).
bigarreau [ˈbɪgəˌroʊ] *n. bot.* czereśnia sercówka.
big bang *n.* **the ~ theory** *nauka* teoria wielkiego wybuchu.
Big Dipper *n. astron. US* Wielka Niedźwiedzica.
big dipper *n. Br. i Austr.* kolejka górska (*w wesołym miasteczku*).
biggie [ˈbɪgɪ], **biggy** *n. pot.* **1.** gruba ryba, szycha. **2.** wielka sprawa *l.* rzecz; wielki sukces.
bighead [ˈbɪgˌhed] *n. pot.* **1.** pyszałek, zarozumialec. **2.** *US i Can.* pyszałkowatość, zarozumialstwo.
big-hearted [ˌbɪgˈhɑːrtɪd] *a.* wielkoduszny, wielkiego serca.
bighorn [ˈbɪgˌhɔːrn] *n. zool.* (*także* **American ~**) owca kanadyjska *l.* gruboroga (*Ovis Canadensis*).
bight [baɪt] *n.* **1.** pętla (*liny*). **2.** wgłębienie; zatoka. – *v.* przywiązywać pętlą *l.* liną.
bigmouth [ˈbɪgˌmaʊθ] *n. pot.* **1.** gaduła; papla. **2.** chwalipięta, samochwała.
bigot [ˈbɪgət] *n.* fanaty-k/czka (*zwł. w sprawach polityki i religii*); **religious ~** bigot/ka, dewot/ka.
bigoted [ˈbɪgətɪd] *a.* zaciekły, nietolerancyjny; bigoteryjny.
bigotry [ˈbɪgətrɪ] *n. U* zaciekłość, nietolerancja; **religious ~** bigoteria, dewocja.
big stick *n.* potęga militarna (*l. groźba jej użycia*).
big-ticket [ˌbɪgˈtɪkɪt] *a. attr. US pot.* drogi, kosztowny.
big-time [ˈbɪgˌtaɪm] *a. attr. US pot.* czołowy, najwyższy (*o stanowisku, pozycji w branży*).
big top *n. pot.* namiot cyrkowy; cyrk.
big tree *n. bot.* sekwoja olbrzymia, mamutowiec olbrzymi, drzewo mamutowe (*Sequoiadendrum giganteum*).
big wheel *n.* diabelski młyn.
bigwig [ˈbɪgˌwɪg] *n. pot.* gruba ryba, szycha.
bijou [ˈbiːʒuː] *n. pl.* **bijoux** [ˈbiːʒuːz] klejnocik. – *a. attr.* mały i wytworny.
bike [baɪk] **1.** *pot.* = **bicycle**. **2.** *US pot.* motorower; motocykl. – *v.* jeździć rowerem *l.* motorowerem *l.* motocyklem.
biker [ˈbaɪkər] *n.* rowerzyst-a/ka; motocyklist-a/ka; *US pot.* człon-ek/kini gangu motocyklowego.
bikini [bɪˈkiːnɪ] *n.* bikini.
bilabial [baɪˈleɪbɪəl] *a. fon.* dwuwargowy.
bilabiate [baɪˈleɪbɪˌeɪt] *a. bot.* dwuwargowy (*o budowie kwiatu*).
bilateral [baɪˈlætərəl] *a.* **1.** *polit.* dwustronny, bilateralny. **2.** obustronny; dwuboczny.
bilaterally [baɪˈlætərəlɪ] *adv.* dwustronnie, bilateralnie; obustronnie.
bilberry [ˈbɪlˌberɪ] *n. bot.* borówka czarna (*Vaccinium myrtillus*).
bilbo [ˈbɪlboʊ] *n. pl.* **bilbos** *l.* **~es** *hist.* rodzaj szpady.
bilboes [ˈbɪlboʊz] *n. pl. hist.* dyby żelazne (*na nogi*).
bile [baɪl] *n. U* **1.** *fizj.* żółć. **2.** *przen.* tetryczność; drażliwość.
bilestone [ˈbaɪlˌstoʊn] *n. pat.* kamień żółciowy.
bilge [bɪldʒ] *n.* **1.** *żegl.* zęza; **~ (water)** woda z zęzy. **2.** *żegl.* obło; **~ keel** stępka obłowa/przechyłowa; balast dwupłetwowy. **3.** *pot.* brednie, bzdury. **4.** wybrzuszenie (*beczki*). – *v.* **1.** *żegl.* wybijać dziurę w oble. **2.** wybrzuszać (się).
biliary [ˈbɪlɪˌerɪ] *a. pat.* żółciowy; **~ calculus/stone** kamień żółciowy.
bilingual [baɪˈlɪŋgwəl] *a.* dwujęzyczny, bilingwalny. – *n.* osoba dwujęzyczna.
bilingualism [baɪˈlɪŋgwəˌlɪzəm] *n. U* dwujęzyczność, bilingw(al)izm.
bilious [ˈbɪljəs] *a.* **1.** *pat.* żółciowy. **2.** stetryczały, zrzędliwy; drażliwy; choleryczny. **3.** obrzydliwy, przyprawiający o mdłości (*zwł. o kolorach*).
biliousness [ˈbɪljəsnəs] *n. U* **1.** *pat.* dolegliwości gastryczne. **2.** zrzędliwość; drażliwość; choleryczność.

bilk [bɪlk] *v.* **1.** wykręcać się od zapłaty (*czegoś*); zwodzić (*wierzyciela*). **2.** wywieść w pole; ~ **sb out of sth** wyłudzić coś od kogoś; **be ~ed of** być oszukanym na (*kwotę*). **3.** udaremnić, pokrzyżować (*plany*). – *n.* oszustwo, wyłudzenie.

bilker [ˈbɪlkər] *pot.* oszust/ka, naciągacz/ka.

bill[1] [bɪl] *n.* **1.** rachunek; **foot the** ~ zapłacić rachunek; **pad the** ~ zawyżyć rachunek. **2.** *US* banknot. **3.** *parl.* projekt ustawy. **4.** afisz, obwieszczenie, plakat uliczny; program (*teatralny*). **5.** *prawn.* zażalenie; skarga sądowa; wniosek (*do sądu*); ~ **of indictment** akt oskarżenia; ~ **of particulars** wykaz roszczeń. **6.** *fin.* weksel; ~ **for collection** weksel inkasowy; ~ **of exchange** weksel ciągniony, trata; **accommodation** ~ weksel grzecznościowy; **documentary** ~ weksel dokumentowy; **domiciled** ~ weksel domicylowany (*ze wskazaniem miejsca płatności*); **single/sole** ~ weksel sola *l.* suchy (*w jednym egzemplarzu*). **7.** *handl.* ~ **of goods** faktura towarowa; ~ **of lading** list przewozowy, konosament; ~ **of sale** akt kupna-sprzedaży; kwit zastawny z upoważnieniem wierzyciela do sprzedaży zastawu. **8.** ~ **of entry** deklaracja celna; ~ **of fare** jadłospis, menu; program (*teatralny itp.*); ~ **of health** *żegl.* świadectwo sanitarne; ~ **of rights** *polit.* karta praw *l.* swobód. **9. fill/fit the** ~ *przen.* odpowiadać *l.* czynić zadość wymaganiom; nadawać się idealnie. – *v.* **1.** wystawiać rachunek; ~ **sb $100** wystawić komuś rachunek na 100 dolarów (*for sth* za coś). **2.** umieszczać na rachunku. **3.** umieszczać w spisie. **4.** zapowiadać; umieszczać w programie. **5.** ogłaszać na afiszach; **~ed to appear** zapowiedziany na afiszach. **6.** rozplakatować. **7.** *przen.* reklamować, zachwalać (*as* jako). **8.** *prawn.* przedkładać akt oskarżenia (*komuś*).

bill[2] *n.* **1.** dziób (*ptasi*). **2.** *żegl.* pazur (*kotwicy*). **3.** wąski przylądek. **4.** *US* daszek (*czapki itp.*). – *v.* dotykać się dziobami (*o gołębiach*); ~ **and coo** *przest. przen.* gruchać czule.

bill[3] *n.* **1.** *hist.* gizarma (*rodzaj halabardy*). **2.** *roln.* sierpak, nóż ogrodniczy.

bill[4] *n.* krzyk bąka (*ptaka*).

billabong [ˈbɪləˌbɑːŋ] *n. Austr.* ślepe ramię rzeki.

billboard [ˈbɪlˌbɔːrd] *n. US* billboard, plansza reklamowa (*zewnętrzna*).

billet[1] [ˈbɪlɪt] *n.* **1.** kwatera. **2.** nakaz kwaterunkowy. **3.** *żegl.* koja. **4.** posada, stanowisko. – *v.* zakwaterować (*on/at sb* u kogoś); załatwiać kwatery (*żołnierzom itp.*).

billet[2] *n.* **1.** polano. **2.** *metal.* kęs. **3.** *bud.* ząbek (*ornament gzymsu*).

billet-doux [ˌbɪleɪˈduː] *n. pl.* **billets-doux** [ˌbɪleɪˈduːz] *żart.* liścik miłosny.

billfold [ˈbɪlˌfoʊld] *n. US i Can.* portfel.

billhook [ˈbɪlˌhʊk] *n.* = **bill**[3] 2.

billiards [ˈbɪljərdz] *n. U* bilard.

billing [ˈbɪlɪŋ] *n.* **1.** miejsce na afiszu; **receive top** ~ otrzymać czołowe miejsce na afiszu. **2.** reklama (*spektaklu, koncertu itp.*). **3.** *handl.* fakturowanie. **4.** *US handl.* przychody ze sprzedaży.

billion [ˈbɪljən] *n.* **1.** miliard. **2.** *Br. przest.* bilion (= *tysiąc miliardów*).

billionaire [ˌbɪljəˈner] *n.* miliarder/ka.

billon [ˈbɪlən] *n.* bilon (*stop miedzi i srebra lub złota na monety*); moneta ze stopu jw.

billow [ˈbɪloʊ] *n.* **1.** *lit.* grzywacz, bałwan. **2.** kłąb (*dymu*). – *v.* **1.** *lit.* pienić się, burzyć się, przewalać się. **2.** *lit.* kłębić się. **3.** ~ **(out)** nadąć się, wydąć się (*zwł. na wietrze*).

billowy [ˈbɪloʊɪ] *a.* **1.** spieniony, wzburzony. **2.** skłębiony.

billposter [ˈbɪlˌpoʊstər], **billsticker** *n.* naklejacz/ka afiszów.

billy [ˈbɪlɪ] *n.* **1.** (*także* ~ **club**) *US i Can.* drewniana pałka (*zwł. policyjna*). **2.** (*także* **~can**) *Austr.* puszka *l.* garnek do gotowania nad ogniskiem.

billycock [ˈbɪlɪˌkɑːk] *n. Br. arch.* melonik.

billy goat *n.* kozioł, cap.

billyo [ˈbɪlɪoʊ], **billyoh** *n. Br. pot.* **like** ~ jak diabli; jak szalony; **work like** ~ uwijać się jak w ukropie.

bilobate [baɪˈloʊbeɪt], **bilobated** [baɪˈloʊbeɪtɪd], **bilobed** [ˈbaɪˌloʊbd] *a. bot.* dwupłatkowy.

bilocular [baɪˈlɑːkjələr], **biloculate** [baɪˈlɑːkjəlɪt] *a. biol. anat.* dwujamowy, dwuprzedziałowy.

bimane [ˈbaɪmeɪn] *n.* ssak dwuręki.

bimanous [ˈbɪmənəs], **bimanal** [ˈbɪmənl] *a. zool.* dwuręki.

bimanual [baɪˈmænjʊl] *a.* oburęczny.

bimbo [ˈbɪmboʊ] **1.** *pot. pog.* słodka idiotka; cizia. **2.** *zwł. US pot.* puszczalska, zdzira.

bimetallic [ˌbaɪməˈtælɪk] *a.* **1.** *ekon.* bimetalistyczny. **2.** *techn.* bimetaliczny.

bimetallism [baɪˈmetəˌlɪzəm] *n. U ekon.* bimetalizm.

bimetallist [baɪˈmetəˌlɪst] *n.* bimetalista.

bimonthly [baɪˈmʌnθlɪ] *a.* **1.** dwumiesięczny (*ukazujący się co dwa miesiące*). **2.** dwutygodniowy. – *n.* **1.** dwumiesięcznik. **2.** dwutygodnik. – *adv.* **1.** co dwa miesiące. **2.** dwa razy na miesiąc, co dwa tygodnie.

bin [bɪn] *n.* **1.** skrzynia, paka (*na zboże, węgiel itp.*). **2.** (*także* **dust~, rubbish ~**) *Br.* kosz na śmieci; pojemnik na śmieci, śmietnik. **3.** (*także* **bread ~**) *Br.* pojemnik na pieczywo. – *v.* **-nn- 1.** wkładać do skrzyni *l.* paki. **2.** *Br. pot.* wyrzucać (do kosza).

binary [ˈbaɪnərɪ] *a.* **1.** podwójny, dwuskładnikowy. **2.** dwójkowy, binarny. **3.** *mat.* dwuczłonowy; z dwiema zmiennymi, dwuargumentowy. **4.** ~ **compound** *chem.* związek dwóch pierwiastków *l.* dwuskładnikowy; ~ **form** *muz.* forma dwuczęściowa; ~ **measure** *muz.* takt parzysty; ~ **(star)** *astron.* gwiazda podwójna; ~ **system** *mat.* układ dwójkowy, system binarny.

binate [ˈbaɪneɪt] *a. bot.* parzysty.

binaural [baɪˈnɔːrəl] obuuszny, dwuuszny (*np. stetoskop*).

bind [baɪnd] *v.* **bound, bound** [baʊnd] **1.** wiązać, związać; uwiązać; przywiązywać; krępować. **2.** zobowiązać; ~ **sb to (do) sth** zobowiązać kogoś do (zrobienia) czegoś; ~ **sb to secrecy** zobowiązać kogoś do zachowania tajemnicy. **3.** przewiązać, zabandażować; opatrzyć. **4.** obszyć, oblamować. **5.** wiązać (*o cemencie itp.*). **6.** oprawiać (*książki*). **7.** (*także US* ~ **out**) przyjmować do terminu *l.* na czeladnika (*to sb* do kogoś). **8.** wywoływać obstrukcję. **9.** zacinać się, zakleszczać się. **10.** ~ **sb down** przywiązać kogoś; ograniczać *l.* krępować kogoś (*o przepisach itp.*); ~ **sb over to the jury** *prawn.* nakazać komuś stawienie się przed ławą przysięgłych; ~ **up** oprawiać w jeden tom (*książki*); ~ **up sb's wounds** opatrzyć czyjeś rany. – *n.* **1.** spoiwo, lepiszcze. **2.** *pot.* trudne położenie; **be in a** ~ być w kropce; **have sb in a** ~ wpędzić kogoś w tarapaty. **3.** *muz.* ligatura, łuk ligaturowy (*np. w synkopach*). **4.** *U górn.* stwardniała glina pomiędzy warstwami węgla. **5.** = **bine.**

binder [ˈbaɪndər] *n.* **1.** segregator. **2.** spoiwo, lepiszcze. **3.** introligator. **4.** maszyna do oprawy książek, bindownica. **5.** *roln.* (*także* **reaper** ~) snopowiązałka. **6.** *ubezp.* umowa tymczasowa. **7.** powróz; powrósło. **8.** (*także* **binding joist**) *bud.* podciąg stropowy. **9.** *bud.* ściskacz, ściągacz.

bindery [ˈbaɪndərɪ] *n.* introligatornia.

binding [ˈbaɪndɪŋ] *n.* **1.** wiązanie. **2.** związanie, połączenie, więzy. **3.** oprawa (*książki*); ~ **press** prasa introligatorska. **4.** lamówka, obszywka, obramowanie. **5.** *narty* wiązanie. – *a.* **1.** obowiązujący, wiążący (*np. o umowie*). **2.** krępujący ruchy. **3.** ~ **agent** *chem.* spoiwo, lepiszcze; ~ **energy** *fiz.* siła wiązania; ~ **rafter** *bud.* płatew.

bindle [ˈbɪndl] *n.* ~ **stiff** *US* włóczęga.

bindweed [ˈbaɪndˌwiːd] *n. U bot.* powój (*Convolvulus*).

bine [baɪn] *n. bot.* wijąca *l.* pnąca się łodyga (*np. chmielu czy powoju*).

bing [bɪŋ] *n. górn.* hałda, zwał.

binge [bɪndʒ] *n. pot.* **1.** popijawa, pijatyka; orgia obżarstwa. **2.** *pat.* napad żarłoczności (*u osoby dotkniętej bulimią*). **3. shopping** ~ szał zakupów. – *v. pot.* ~ **on sth** opić się czegoś; obżerać się czymś; używać sobie czegoś, ile wlezie.

bingo [ˈbɪŋgoʊ] *n.* bingo (*losowa gra hazardowa*); najwyższe trafienie w grze jw. – *int.* ~! tak jest!, właśnie tak!; trafiony!; **and** ~ ... aż tu nagle...; trzask prask.

bin liner *n.* (*także* **bin bag**) *Br.* worek do kosza na śmieci.

binnacle [ˈbɪnəkl] *n. żegl.* szafka kompasowa, podstawa kompasu.

binocular [bəˈnɑːkjələr] *a.* **1.** obuoczny; ~ **vision** widzenie obuoczne. **2.** *opt.* dwuobiektywowy, dwuokularowy.

binoculars [bəˈnɑːkjʊlərz] *n. pl.* lornetka.

binomial [baɪˈnoʊmɪəl] *n. mat.* dwumian. – *a.* **1.** dwumianowy; dwumienny, dwuczłonowy. **2.** mający dwie nazwy; ~ **nomenclature** nomenklatura dwuimienna.

biochemical [ˌbaɪoʊˈkemɪkl] *a.* biochemiczny.

biochemical oxygen demand *n. U* (*także* **BOD**) *ekol.* biochemiczne zapotrzebowanie tlenu.

biochemist [ˌbaɪoʊˈkemɪst] *n.* biochemi-k/czka.

biochemistry [ˌbaɪoʊˈkemɪstrɪ] *n. U* biochemia.

biodegradability [ˌbaɪoʊdɪˌgreɪdəˈbɪlətɪ] *n. U* podatność na rozkład biologiczny.

biodegradable [ˌbaɪoʊdɪˈgreɪdəbl] *a.* rozkładający się naturalnie *l.* biologicznie.

biofeedback [ˌbaɪoʊˈfiːdbæk] *n. U* biologiczne sprzężenie zwrotne.

biogenesis [ˌbaɪoʊˈdʒenəsɪs] *n. U* biogeneza.

biographer [baɪˈɑːgrəfər] *n.* biograf/ka.

biographic [ˌbaɪəˈgræfɪk], **biographical** *a.* biograficzny.

biography [baɪˈɑːgrəfɪ] *n.* biografia, życiorys.

biological [ˌbaɪəˈlɑːdʒɪkl], **biologic** [ˌbaɪəˈlɑːdʒɪk] *a.* biologiczny; ~ **clock** zegar biologiczny.

biologist [baɪˈɑːlədʒɪst] *n.* biolog.

biology [baɪˈɑːlədʒɪ] *n.* biologia.

biometric [ˌbaɪəˈmetrɪk], **biometrical** *a.* biometryczny.

biometrician [ˌbaɪoʊməˈtrɪʃən] *n.* biometra.

biometrics [ˌbaɪəˈmetrɪks], **biometry** [baɪˈɑːmɪtrɪ] *n. U* biometria.

bionic [baɪˈɑːnɪk] *a.* bioniczny.

bionics [baɪˈɑːnɪks] *n. U* bionika.

biophysicist [ˌbaɪoʊˈfɪzɪsɪst] *n.* biofizyk.

biophysics [ˌbaɪoʊˈfɪzɪks] *n. U* biofizyka.

biopsy [ˈbaɪɑːpsɪ] *n.* biopsja.

biorhythm [ˈbaɪoʊˌrɪðəm] *n.* biorytm.

BIOS [ˌbiː ˌaɪ ˌoʊ ˈes] *abbr. komp.* **basic input/output system** podstawowy system wejścia/wyjścia.

biosphere [ˈbaɪəˌsfiːr] *n.* biosfera.

biotechnological [ˌbaɪoʊˌteknəˈlɑːdʒɪkl] *a.* biotechnologiczny.

biotechnology [ˌbaɪoʊtekˈnɑːlədʒɪ] *n. U* biotechnologia.

biotic [baɪˈɑːtɪk] *a.* biotyczny; ~ **community** biocenoza.

biotite [ˈbaɪəˌtaɪt] *n. min.* biotyt.

bipartisan [baɪˈpɑːrtɪzən] *a.* ponadpartyjny, popierany przez dwie przeciwne partie polityczne.

bipartisanism [baɪˈpɑːrtɪzənɪzəm], **bipartisanship** *n. U* ponadpartyjność.

bipartite [baɪˈpɑːrtaɪt] *a.* **1.** sporządzony w dwu częściach (*o układzie, umowie*). **2.** *bot.* dwudzielny.

biped [ˈbaɪped] *n. zool.* zwierzę dwunożne. – *a.* (*także* **bipedal**) dwunożny.

bipedalism [baɪˈpedəlɪzəm] *n. U* dwunożność.

bipinnate [baɪˈpɪneɪt] *a. bot.* podwójnie pierzasty (*o liściu*).

biplane [ˈbaɪpleɪn] *n.* **1.** *lotn.* dwupłatowiec. **2.** ~ **rudder** *żegl.* ster podwójny/dwupłetwowy.

bipod [ˈbaɪpɑːd] *n.* dwójnóg.

bipolar [baɪˈpoʊlər] *a.* dwubiegunowy, bipolarny.

biquadrate [baɪˈkwɑːdreɪt] *n. mat.* czwarta potęga.

biquadratic [ˌbaɪkwɑːˈdrætɪk] *a. i n. mat.* czwartego stopnia, dwukwadratowy; ~ **(equation)** równanie dwukwadratowe/bikwadratowe.

birch [bɜːtʃ] *n.* **1.** brzoza (*Betula*). **2.** (*także*

birch rod) rózga; pęk rózg (*do bicia*). – *v.* bić rózgą.

birchen [ˈbɜːtʃən] *a. attr.* brzozowy.

bird [bɜːd] *n.* **1.** ptak; ~ **of paradise** rajski ptak; ~ **of passage** *t. przen.* wędrowny ptak; ~ **of prey** ptak drapieżny. **2.** *pot.* (*z przymiotnikami*) gość, klient; ptaszek; **odd/queer** ~ dziwny gość; **rare** ~ rzadkość, rzadki widok. **3.** *zwł. Br. sl.* panienka, laseczka. **4.** *zwł. US pot.* samolot; rakieta. **5.** *pot.* rzutek (*w strzelaniu sportowym*). **6.** *pot.* lotka (*w badmintonie*). **7.** *kulin.* zraz. **8.** **a ~ in the hand is worth two in the bush** lepszy wróbel w garści niż gołąb na dachu; **~s of a feather** ludzie tego samego pokroju; **~s of a feather flock together** ciągnie swój do swego; **the early ~ catches the worm** kto rano wstaje, temu Pan Bóg daje; **eat like a ~** jeść jak ptaszek; **(strictly) for the ~s** *US pot.* psu nad budę, do kitu; **(as) free as a ~** wolny jak ptak; **get the ~** zostać wygwizdanym; **give sb the ~** *pot.* wygwizdać kogoś; unieść środkowy palec w obscenicznym geście skierowanym do kogoś; **kill two ~s with one stone** upiec dwie pieczenie na jednym ogniu; **like a ~** jak po maśle; **a little ~ told me** *iron.* wróżka mi powiedziała; **tell/teach (a child) about (the) ~s and (the) bees** *żart.* uświadomić (dziecko) seksualnie. – *v.* **1.** polować na ptaki. **2.** obserwować ptaki.

birdbrain [ˈbɜːdˌbreɪn] *n. pot.* ptasi móżdżek (*o osobie*).

birdbrained [ˈbɜːdˌbreɪnd] *a.* o ptasim móżdżku.

birdcage [ˈbɜːdˌkeɪdʒ] *n.* klatka dla ptaków.

birdcall [ˈbɜːdˌkɔːl], **bird call** *n.* **1.** śpiew *l.* zew ptasi. **2.** wabik na ptaki.

bird cherry *n. bot.* czeremcha zwyczajna (*Prunus padus*).

bird dog *n. US i Can. myśl.* pies aportujący.

birdie [ˈbɜːdɪ] *n.* **1.** *dziec.* ptaszek. **2.** *golf* birdie (*wynik 1 poniżej normy uderzeń dołka*).

birdlime [ˈbɜːdˌlaɪm] *n. U* lep na ptaki.

birdman [ˈbɜːdˌmæn] *n. pl.* **birdmen** **1.** ptasznik. **2.** *pot.* ornitolog. **3.** *arch. pot.* lotnik.

birdseed [ˈbɜːdˌsiːd] *n. U* siemię dla ptaków.

bird's-eye [ˈbɜːdzaɪ] *a. i n.* **1.** ~ **view** widok z lotu ptaka; *przen.* ogólny ogląd, zarys. **2.** *tk.* wzorek rombu z cętką w środku. **3.** *bot.* ~ **primrose** pierwiosnka omączona (*Primula farinosa*); ~ **speedwell** *zwł. US* przetacznik ożankowy (*Veronica chamaedrys*).

bird's-foot [ˈbɜːdzfʊt] *n. bot.* seradela (*Ornithopus*).

bird's-nest [ˈbɜːdznest] *a.* ~ **orchid** *bot.* gnieźnik leśny (*Neottia nidus-avis*). – *v.* łupić ptasie gniazda (*z jaj*).

birdsong [ˈbɜːdsɔːŋ] *n. U* śpiew ptaków.

birdwatch [ˈbɜːdwɑːtʃ], **bird-watch** *v.* obserwować ptaki (*jako hobby*).

birdwatcher [ˈbɜːdwɑːtʃər] *n.* obserwator/ka ptaków.

birdwatching [ˈbɜːdwɑːtʃɪŋ] *n. U* obserwowanie ptaków.

bireme [ˈbaɪriːm] *n. żegl. hist.* birema (*rodzaj galery*).

biretta [bəˈretə] *n. kośc.* biret.

birl [bɜːl] *v. zwł. Scot.* **1.** obracać (się) szybko. **2.** *US i Can.* obracać stopami unoszący się na wodzie bal drewna (*w zawodach drwali*).

birr [bɜː] *n.* **1.** pęd. **2.** energia, wigor. **3.** warkot. – *v.* warkotać.

birth [bɜːθ] *n.* narodziny; **a poet by ~** urodzony poeta; **be Polish by ~** być z pochodzenia Polakiem/Polką; **give ~ to** urodzić; *przen.* zrodzić, dać początek; **of high ~** szlachetnie urodzony.

birth certificate *n.* metryka/akt urodzenia.

birth control *n. U* planowanie rodziny; antykoncepcja, zapobieganie ciąży.

birthday [ˈbɜːθˌdeɪ] *n.* **1.** urodziny; **happy ~!** wszystkiego najlepszego z okazji urodzin!. **2.** *t. przen.* dzień narodzin. – *a. attr.* urodzinowy; ~ **honors** *Br.* tytuły i ordery nadawane w dniu urodzin monarchy; ~ **party** przyjęcie urodzinowe; **wearing/in one's ~ suit** *żart.* w stroju Adama.

birthmark [ˈbɜːθˌmɑːrk] *n. pat.* znamię wrodzone.

birthplace [ˈbɜːθˌpleɪs] *n.* miejsce urodzenia; *przen.* miejsce narodzin.

birthrate [ˈbɜːθˌreɪt], **birth rate** *n.* wskaźnik urodzeń.

birthright [ˈbɜːθˌraɪt] *n. U* **1.** prawo przysługujące z tytułu urodzenia. **2.** prawo pierworództwa.

birthstone [ˈbɜːθˌstoʊn] *n.* kamień-talizman przypisany miesiącowi urodzenia lub znakowi zodiaku.

birthwort [ˈbɜːθˌwɜːt] *n. bot.* kokornak (*Aristolochia*).

Biscay [ˈbɪskeɪ] *n.* **Bay of ~** Zatoka Biskajska.

biscuit [ˈbɪskɪt] *n.* **1.** *Br.* herbatnik, (kruche) ciasteczko. **2.** *US* okrągła bułeczka. **3.** (*także* **bisque**) biskwit (*półwyrób ceramiczny*). **4.** *U* (*także* **bisque**) kolor jasnobrązowy. **5.** *techn.* odkuwka wstępna (*w obróbce plastycznej*). **6.** *techn.* tabletka tłoczywa (*w przemyśle tworzyw sztucznych*).

bisect [baɪˈsekt] *v.* przepoławiać.

bisection [baɪˈsekʃən] *n.* przepołowienie.

bisector [baɪˈsektər] *n. geom.* dwusieczna (*kąta*); symetralna (*odcinka*).

bisexual [baɪˈsekʃʊəl] *a.* **1.** biseksualny. **2.** *biol.* dwupłciowy, obojnaczy. – *n.* **1.** biseksualist-a/ka. **2.** *biol.* obojnak, hermafrodyta.

bishop [ˈbɪʃəp] *n.* **1.** biskup. **2.** *szachy* goniec. **3.** *kulin.* wino grzane (*z goździkami i pomarańczami*). **4.** **~'s weed** *bot.* podagrycznik pospolity (*Aegopodium podagraria*). **5.** **red** ~ *zool.* wikłacz ognisty (*Pyromelana orix*).

bishopric [ˈbɪʃəprɪk] *n.* biskupstwo.

bisk [bɪsk] *n.* = **bisque1**.

bismuth [ˈbɪzməθ] *n. U chem.* bizmut.

bison [ˈbaɪsən] *n. pl.* **bison** *l.* **~s** *zool.* (*także* **American ~**) bizon (*Bison bison*); **European ~** żubr europejski (*Bison bonasus*).

bisque1 [bɪsk] *n. U kulin.* **1.** gęsta, zawiesista zupa ze skorupiaków. **2.** rodzaj lodów.

bisque2 *tenis, golf, krokiet* fory (*w postaci dodatkowego punktu, kolejki lub uderzenia*).

bisque3 = **biscuit** 3, 4.

bissextile [baɪˈsekstaɪl] *a. i n.* (rok) przestępny.

bistort [ˈbɪstɔːrt] *n. bot.* rdest wężownik (*Polygonum bistorta*).

bistoury [ˈbɪstərɪ] *n. chir.* lancet.

bistro [ˈbɪstroʊ] *n.* bistro.

bisulfate [baɪˈsʌlfeɪt], *Br.* **bisulphisulfate** [baɪˌsʌlfɪˈsʌlfeɪt] *n. chem.* wodorosiarczan, kwaśny siarczan.

bisulfide [baɪˈsʌlfaɪd] *n.* dwusiarczek.

bisulfite [baɪˈsʌlfaɪt] *n.* wodorosiarczyn, siarczyn kwaśny.

bit[1] [bɪt] *n.* **1.** kawałek, odrobina (*of sth* czegoś). **2. a (little) ~** trochę, odrobinę; cokolwiek; **a ~ of a problem** drobny *l.* mały problem; **(he's) a ~ of a bore** (jest) cokolwiek nudny. **3.** drobna moneta. **4.** (*także* **~ part**) drobna rólka. **5. ~ by ~** (kawałek) po kawałku, stopniowo; **~s and pieces** (różne) drobiazgi; **do one's ~** *pot.* robić to, co do kogoś należy; **do the prima donna ~** *pot.* odstawiać primadonnę; **every ~ as good/clever (as)** w każdym calu tak dobry/inteligentny (jak); **for/in a ~** *Br.* przez/za chwilkę; **it's a ~ much** *pot.* to lekka przesada, tego już za wiele; **not a ~ (of it)** *zwł. Br.* ani trochę; **quite a ~ of sth** całkiem sporo czegoś; **to ~s** na kawałki *l.* strzępy; **two ~s** *US pot.* ćwierć dolara; **two-~** *t. przen.* groszowy, tani; **I wouldn't give two ~s for that** grosza bym za to nie dał; **we did the whole tourist ~** *pot.* zabawiliśmy się (na całego) w turystów; **with a ~ of luck** *zwł. Br.* przy odrobinie szczęścia. – *a. attr. US* drobny.

bit[2] *n.* **1.** wędzidło; **curb ~** kiełzno, munsztuk. **2.** świder, wiertło, dłuto. **3.** ostrze (*wiertła, świdra, tasaka*). **4.** ząb (*klucza*). **5.** płytka, nakładka (*na części robocze noża*); **~ tool** nóż oprawkowy. **6.** *mat.* cyfra dwójkowa. **7.** *komp.* bit. **8.** *przen.* **chafe/champ at the ~** niecierpliwić się; **take the ~ between/in one's teeth** *US* zawziąć się; wziąć się ostro do roboty. – *v.* **-tt- 1.** wsadzać wędzidło do pyska (*koniowi*). **2.** przyzwyczajać do wędzidła. **3.** *przen.* pohamować.

bit[3] *v. zob.* **bite.**

bitch [bɪtʃ] *n.* **1.** suka, samica (*psa, wilka itp.*). **2.** *pot.* jędza, wredny babsztyl. **3.** *wulg. obelż.* suka, zdzira, dziwka. **4.** *US pot.* upierdliwa robota, mordęga. – *v. pot.* **1.** plotkować; **~ about sb** obrabiać komuś tyłek (= *obgadywać*). **2.** zrzędzić, gderać; **~ at sb** *US* suszyć komuś głowę.

bitchiness [ˈbɪtʃɪnəs] *n. U* **1.** zrzędliwość. **2.** złośliwość.

bitchy [ˈbɪtʃɪ] *a.* **-ier, -iest** złośliwy, jędzowaty, wredny.

bite [baɪt] *v.* **bit, bitten 1.** gryźć; kąsać; **~ one's lips** przygryzać wargi; **~ one's nails** obgryzać paznokcie. **2.** brać (*o rybie*); *t. przen.* połknąć haczyk. **3.** dawać się we znaki. **4.** przenikać, przeszywać (*o mieczu itp.*). **5.** piec, palić; szczypać (*np. o mrozie*). **6.** zżerać (*np. o rdzy*). **7.** chwytać, zaczepiać (*o kołach, kotwicy*). **8.** *przen.* **~ the bullet** zaciskać zęby; **~ the dust** polec; trafić do kosza (*np. o projekcie, planie*); **~ the hand that feeds one** gryźć rękę, która cię karmi (= *zachowywać się niewdzięcznie*); **he/she won't ~ you** *żart.* przecież cię nie ugryzie; **what's biting you?** co cię gryzie?. **9. ~ back** zemścić się (*at sb* na kimś); **~ one's tongue/words back** ugryźć się w język; **~ into sth** wrzynać się w coś (*np. w skórę*); **~ off** odgryźć; **~ off more than one can chew** porywać się z motyką na słońce; **~ sb's head off** *pot.* wydzierać się na kogoś. – *n.* **1.** ugryzienie, ukąszenie; **give sb a ~** ugryźć *l.* ukąsić kogoś; **have/take a ~ of sth** ugryźć kawałek czegoś. **2.** *dent.* zgryz. **3.** *U* przyjemnie cierpki smak. **4.** *U* ciętość, zjadliwość (*satyry itp.*); siła przekonywania (*przemówienia, eseju*). **5.** kęs; **a ~ (to eat)** *pot.* przekąska, coś na ząb. **6.** *techn.* chwyt; uchwyt. **7.** *przen.* **another/a second ~ at the cherry** *zob.* **cherry**; **put the ~ on sb** *Austr. sl.* wyłudzać od kogoś forsę; **sb's ~ is worse than their bark** *zob.* **bark**[2] *n.*

biting[1] [ˈbaɪtɪŋ] *a.* **1.** bolesny, piekący; przenikliwy; **~ cold** przenikliwie zimny. **2.** *przen.* zgryźliwy, zjadliwy.

biting[2] *n. ent.* wszoł (*rząd Mallophaga*).

bitingly [ˈbaɪtɪŋlɪ] *adv.* **1.** przenikliwie. **2.** zgryźliwie.

bitstock [ˈbɪtˌstɑːk] *n. techn.* korba świdra.

bitt [bɪt] *n. żegl.* **1.** pachoł. **2.** poler.

bitten [ˈbɪtən] *v.* **1.** *zob.* **bite. 2.** *przen.* **be ~ by (the bug/craze etc.)** zarazić się (bakcylem/szaleństwem itp.); **once ~ twice shy** kto się na gorącym sparzy, ten na zimne dmucha.

bitter [ˈbɪtər] *a.* **1.** gorzki. **2.** pełen goryczy; rozgoryczony. **3.** zawzięty, zaciekły (*o wrogu*). **4.** dotkliwy. **5.** zjadliwy. **6.** przenikliwy, przejmujący (*o chłodzie*). **7. a ~ pill (to swallow)** *przen.* gorzka pigułka. **8. to the ~ end** do samego końca, do upadłego. **9. ~ cress** (*także* **bittercress**) *bot.* rzeżucha (*Cardamine*). **10. ~ principle** *chem.* goryczka. – *n. U* **1.** gorycz. **2.** *Br.* rodzaj piwa o wysokiej zawartości ekstraktu chmielowego. **3.** gorzka nalewka.

bitterling [ˈbɪtərlɪŋ] *n. icht.* różanka (*Rhodeus sericeus*).

bitterly [ˈbɪtərlɪ] *adv.* **1.** gorzko. **2.** z rozgoryczeniem. **3. ~ cold** przenikliwie zimno.

bittern[1] [ˈbɪtərn] *n. orn.* bąk (*Botaurus stellaris*); **American ~** bąk amerykański (*Botaurus lentiginosus*); **little ~** bączek (*Ixobrychus minutus*).

bittern[2] *n. U* ług macierzysty pozostały po wykrystalizowaniu się soli z wody morskiej.

bitterness [ˈbɪtərnəs] *n. U* **1.** gorycz. **2.** rozgoryczenie. **3.** zawziętość, zaciekłość.

bittersweet [ˈbɪtərˌswiːt] *a.* **1.** słodko-gorzki. **2.** *przen.* łączący słodycz z goryczą (*zwł. o wspomnieniach*). – *n.* **1.** *U* słodycz połączona z goryczą. **2.** *bot.* (*także* **woody nightshade**) psianka słodkogórz (*Solanum dulcamara*). **3.** *bot.* dławisz (*Celastrus*); **American ~** dławisz amerykański (*Celastrus scandens*).

bitterweed [ˈbɪtərˌwiːd] *n. U bot.* helenka (*Helenium*).

bitty [ˈbɪtɪ] *a.* **-ier, -iest 1.** *zwł. US pot.* malutki. **2.** *Br. i Austr. pot.* poszatkowany (*np. o filmie składającym się z wielu luźnych epizodów l. wątków*).

bitumen [bɪˈtu:mən] *n.* *U* **1.** bitumin, bitum. **2. the** ~ *Austr.* droga asfaltowa.

bituminize [bɪˈtu:məˌnaɪz], *Br.* **bituminise** *v.* bitumizować.

bituminous [bɪˈtu:mənəs] *a.* bitumiczny; ~ **coal** węgiel płomienny *l.* gazowo-płomienny; ~ **wood** lignit, ksylit (*odmiana węgla brunatnego*).

bivalent [baɪˈveɪlənt] *a. chem.* dwuwartościowy.

bivalve [ˈbaɪˌvælv] *zool. a.* dwuskorupowy. – *n.* małż (*Bivalvia*).

bivouac [ˈbɪvʊˌæk] *n.* biwak. – *v.* biwakować.

biweekly [baɪˈwi:klɪ] *a.* **1.** dwutygodniowy. **2.** ukazujący *l.* odbywający się dwa razy w tygodniu. – *n.* dwutygodnik. – *adv.* **1.** co dwa tygodnie. **2.** dwa razy w tygodniu.

biyearly [baɪˈji:rlɪ] *a.* **1.** dwuroczny. **2.** półroczny. – *n.* **1.** dwurocznik. **2.** półrocznik. – *adv.* **1.** co dwa lata. **2.** co pół roku, dwa razy do roku.

biz [bɪz] *n. pot.* = **business**.

bizarre [bɪˈzɑ:r] *a.* dziwaczny, cudaczny.

B/L [ˌbi: ˈel] *abbr. handl.* **bill of lading** list przewozowy, konosament.

blab [blæb] *v.* **-bb-** paplać; ~ **out** wypaplać. – *n.* **1.** *U* paplanina. **2.** papla, pleciuga.

blabber [ˈblæbər] *v.* = **blab**.

blabbermouth [ˈblæbərˌmaʊθ] *n.* = **blab** 2.

black [blæk] *a.* **1.** *t. przen.* czarny; **(as)** ~ **as pitch** czarny jak smoła. **2.** ciemny, pogrążony w ciemnościach. **3.** czarnoskóry. **4.** ponury (*zwł. o przyszłości*). **5.** brudny. **6.** wrogi (*zwł. o słowach l. spojrzeniu*). **7.** złowrogi, zły. **8.** ubrany na czarno. **9.** tajny, utajony. **10.** siny (*o twarzy*). **11. be in sb's** ~ **books** *pot.* podpaść komuś; **(it's) the pot calling the kettle** ~ *pot.* przyganiał kocioł garnkowi. – *n.* **1.** *U* kolor czarny, czerń. **2.** czarnoskór-y/a, Murzyn/ka. **3. be in the** ~ przynosić zyski (*o przedsiębiorstwie*); mieć dodatni bilans na koncie, być wypłacalnym. – *v.* **1.** czernieć; ciemnieć. **2.** poczerniać. **3.** czyścić pastą (*obuwie*). **4.** ~ **out** zamazać, wykreślić; utajnić przed mediami; zaciemniać (*przed nalotami*); tracić przytomność.

black alder *n. bot.* **1.** olsza czarna (*Alnus glutinosa*). **2.** amerykański gatunek ostrokrzewu (*Ilex verticillata*).

blackamoor [ˈblækəˌmʊr] *n. arch. obelż.* czarnuch.

black-and-blue [ˌblækənˈblu:], **black and blue** *a.* posiniaczony.

black and tan *n.* **1.** *U* piwo rżnięte (*jasne mieszane z ciemnym*). **2. Black and Tans** *hist.* uczestnicy brytyjskiego korpusu ekspedycyjnego przeciwko irlandzkim Sinnfeinistom w r. 1921.

black-and-tan [ˌblækənˈtæn] *a.* czarny podpalany (*o psie*).

black and white, black-and-white *a. t. przen.* czarno-biały; **in** ~ czarno na białym; na piśmie.

black art *n.* *U* czarna magia.

blackball [ˈblækˌbɔ:l] *v.* **1.** głosować przeciwko (*komuś; np. przy przyjmowaniu do klubu, organizacji*). **2.** bojkotować (*towarzysko*); wykluczyć (*np. z zawodu*).

black bear *n.* **1. (American)** ~ baribal, niedźwiedź czarny (*Ursus americanus*). **2. Asiatic** ~ niedźwiedź himalajski (*Selenarctos thibetanus*).

black beetle *n. ent.* karaczan wschodni (*Blatta orientalis*).

black belt *n. karate* czarny pas; *US* pas czarnoziemu w środkowej Alabamie i Missisipi.

blackberry [ˈblækˌberɪ] *n. bot.* jeżyna popielica (*Rubus caesius*).

blackbird [ˈblækˌbɝ:d] *n. orn.* **1.** kos (*Turdus merula*). **2.** *US* jeden z wielu amerykańskich gatunków ptaków o czarnym upierzeniu (*zwł. z podrodziny Icterinae*).

blackboard [ˈblækˌbɔ:rd] *n.* tablica (*do pisania*).

black box *n. t. przen.* czarna skrzynka.

blackbuck [ˈblækbək], **black buck** *n. zool.* garna (*Antilope cervicapra*).

blackcap [ˈblækˌkæp] *n.* **1.** *orn.* pokrzewka czarnołbiasta, gajówka (*Sylvia atricapilla*). **2.** *orn.* sikora amerykańska (*Parus atricapillus*). **3.** (*także* **black raspberry**) *US pot.* czarna malina (*Rubus occidentalis*).

black cherry *n. bot.* czeremcha późna (*Prunus serotina*).

blackcock [ˈblækˌkɑ:k] *n. orn.* samiec cietrzewia.

black comedy *n.* czarna komedia.

blackcurrant [ˈblækˌkʌrənt], **black currant** *n.* czarna porzeczka (*Ribes nigrum*).

blackdamp [ˈblækˌdæmp] *n.* *U górn.* powietrze kopalniane o niskiej zawartości tlenu.

black earth *n.* *U* czarnoziem.

black economy *n.* szara strefa (*w gospodarce*).

blacken [ˈblækən] *v.* **1.** czernić, przyciemniać. **2.** czernieć; ciemnieć. **3.** ~ **sb's name** oczerniać kogoś.

black eye *n.* **1.** podbite oko; *przen.* *US* wstyd, kompromitacja. **2. give sb a** ~ podbić komuś oko; *przen.* *US* skompromitować *l.* zdyskredytować kogoś.

black-eyed [ˌblækˈaɪd] *a.* **1.** czarnooki. **2.** z podbitym okiem. **3.** ~ **pea** *US* (*także Br.* ~ **bean**) czarno nakrapiana fasola (*Vigna unguiculata*). **4.** ~ **Susan** kwiat o ciemnym środku (*np. amerykański Rudbeckia hirta lub afrykański Thunbergia alata*).

blackface [ˈblækˌfeɪs] *n.* **1.** osoba ucharakteryzowana na Murzyna. **2.** (*także* **black letter**) *druk.* tekstura.

Black Friar, black friar *n. kośc.* dominikanin.

black frost *n.* *U* mróz bez śniegu i oszronienia.

black game, black grouse *n. orn.* cietrzew (*Lyrurus tetrix*).

black goods *n. pl. handl.* sprzęt radiowo-telewizyjny.

blackguard [ˈblægɑ:rd] *n.* **1.** *arch.* hultaj, szubrawiec. **2.** *U hist.* czeladź, pachołkowie. – *a. attr.* łajdacki. – *v.* **1.** obsypywać wyzwiskami. **2.** zachowywać się jak łajdak.

blackhead [ˈblækˌhed] *n.* **1.** wągier, zaskórnik. **2.** *pat.* choroba indycza (*zakaźne zapalenie wątroby i jelit*).

blackheart [ˈblækˌhɑːrt] *n. bot.* **1.** zgorzel roślinna. **2.** ciemna czereśnia sercówka.

black-hearted [ˌblækˈhɑːrtɪd] *a.* niegodziwy, podły.

black hole *n. astron.* czarna dziura.

black ice *n. U* gołoledź.

blacking [ˈblækɪŋ] *n. U* **1.** *przest.* czernidło. **2.** czernienie, grafitowanie.

blackish [ˈblækɪʃ] *a.* czarniawy.

blackjack[1] [ˈblækˌdʒæk] *zwł. US i Can. n.* giętka pałka o ciężkim końcu. – *v.* **1.** bić pałką jw. **2.** *przen.* terroryzować.

blackjack[2] *n. karty* oczko.

blackjack[3] *n. gł. hist.* kufel; dzban do piwa (*zwł. ze smołowanej skóry*).

blackjack[4] *n.* (*także* **black oak**) *bot.* amerykański gatunek dębu (*Quercus marilandica*).

blackjack[5] *n. U min.* bogata w żelazo odmiana sfalerytu.

black knot *n. bot.* choroba wisien i śliw wywoływana przez grzyb *Dibotryon morbosum*.

black lead *n. U* grafit.

blackleg [ˈblækˌleg] *n.* **1.** *roln.* zgorzel roślin. **2.** *wet.* obrzęk złośliwy (*choroba bydła i świń*). **3.** *pot.* oszust (*zwł. karciany l. wyścigowy*). **4.** *Br.* łamistrajk. – *v. Br.* być łamistrajkiem.

black letter *n.* = **blackface** 2.

black-letter [ˌblækˈletər] *a.* drukowany teksturą.

blacklist [ˈblækˌlɪst] *n.* czarna lista. – *v.* umieszczać na czarnej liście.

black lung *n. US pot.* pylica płuc (*pneumoconiosis*).

black magic *n. U* czarna magia.

blackmail [ˈblækˌmeɪl] *n. U* szantaż. – *v.* szantażować.

blackmailer [ˈblækˌmeɪlər] *n.* szantażyst-a/ka.

Black Maria *n. Br. przest. pot.* karetka więzienna.

black mark *n.* minus (*negatywna ocena*).

black market *n.* czarny rynek.

black marketeer *n.* paskarz.

black mass *n.* czarna msza.

black mold *n. U* pleśń (*atakująca produkty spożywcze*).

black money *n. U* zarobek na czarno.

Black Monk *n.* benedyktyn.

black mustard *n. bot.* gorczyca czarna (*Sinapsis nigra*).

black nightshade *n. bot.* psianka czarna (*Solanum nigrum*).

black oak *n.* dąb czarny (*Quercus vitulina*).

blackout [ˈblækˌaʊt] *n.* **1.** zaciemnienie (*przeciwlotnicze*). **2.** brak prądu, awaria elektryczności; awaria *l.* utrata łączności. **3.** *teatr* zgaszenie świateł. **4.** omdlenie, zamroczenie. **5.** utrata pamięci; luka w pamięci. **6.** utajnienie przed mediami; zakaz filmowania *l.* transmisji telewizyjnej.

black poplar *n. bot.* topola czarna (*Populus nigra*).

black power *n. U* (*także* **Black Power**) ruch czarnoskórych Amerykanów przeciw dyskryminacji rasowej.

black pudding *n. C/U Br. i płd. US* kaszanka.

black sheep *n. przen.* czarna owca.

blacksmith [ˈblækˌsmɪθ] *n.* **1.** kowal. **2.** ~ **forging** *techn.* kucie swobodne; odkuwka swobodna.

blacksnake [ˈblækˌsneɪk] *n.* **1.** *zool.* jadowity wąż (*Pseudechis porphyriacus*) *l.* inny z rodziny Elapidae; niejadowity północnoamerykański wąż (*Coluber constrictor*). **2.** *US i Can.* harap, bykowiec.

black spot *n.* czarny punkt (*miejsce wielu wypadków*).

black spruce *n. bot.* świerk czarny (*Picea mariana*).

blackthorn [ˈblækˌθɔːrn] *n. bot.* (śliwa) tarnina (*Prunus spinosa*).

black tie *n.* czarna muszka; męski strój wieczorowy półformalny (= *smoking i czarna muszka*). – *a.* **black-tie occasion/event/party** przyjęcie wymagające stroju jw.

blacktop [ˈblækˌtɑːp] *n. zwł. US i Can. pot.* **1.** *U* asfalt (*l. inna bitumiczna nawierzchnia*). **2.** droga asfaltowa. – *a. attr.* asfaltowy. – *v.* asfaltować.

black velvet *n. U zwł. Br.* szampan pół na pół z ciemnym piwem.

black vomit *n. U pat.* wymioty fusowate; *pot.* żółta febra.

Black Watch *n.* pułk strzelców szkockich w armii brytyjskiej.

blackwater [ˈblækˌwɔːtər] *a.* ~ **fever** *pat.* ostra odmiana malarii z hemoglobinurią.

black widow *n. ent.* czarna wdowa (*Latrodectus mactans*).

bladder [ˈblædər] *n.* **1.** *anat.* pęcherz; **swim** ~ pęcherz pławny; **(urinary)** ~ pęcherz moczowy. **2.** *anat.* pęcherzyk; **gall** ~ pęcherzyk/woreczek żółciowy. **3.** dętka (*piłki*).

bladdernose [ˈblædərˌnoʊz] *n. zool.* kapturnik, kapturzak (*Cystophora cristata*).

bladdernut [ˈblædərˌnʌt] *n. bot.* kłokoczka (*Staphylea*).

bladderwort [ˈblædərˌwɜːt] *n. bot.* pływacz (*Utricularia*).

bladdery [ˈblædərɪ] *a.* pęcherzykowaty.

blade [bleɪd] *n.* **1.** ostrze (*t. łyżew*); klinga, głownia, brzeszczot. **2.** nożyk (do golenia), żyletka. **3.** łopata (*śmigła*); skrzydło (*śruby*); płetwa (*steru*); pióro (*wiosła*). **4.** źdźbło (trawy). **5.** *bot.* blaszka (*liścia l. grzyba*). **6.** ~**(-bone)** (*także* **shoulder** ~) *anat.* łopatka. **7.** ramię dłuższe kątownika.

blading [ˈbleɪdɪŋ] *n. U* zespół łopatek; układ łopatek, ułopatkowanie.

blaeberry [ˈbleɪˌberɪ] *n. Br.* = **bilberry.**

blah [blɑː] *n. pot.* **1.** *U* (*także* **blah blah**) gadanina. **2.** *US* **the** ~**s** przygnębienie; znużenie; **give sb the** ~**s** przygnębiać kogoś.

blain [bleɪn] *n.* **1.** bąbel, pęcherz. **2.** obrzęk.

blame [bleɪm] *v.* **1.** winić, obwiniać; ~ **sb for sth** obwiniać kogoś o coś; potępiać kogoś za coś; czynić komuś wyrzuty z powodu czegoś; ~ **the messenger** winić posłańca (*za złe wiadomości*); **be to** ~ być winnym; **I don't** ~ **you/her/them** *pot.* nie dziwię ci/jej/mu się; nie mam ci/jej/mu tego za złe; **you/I only have yourself/myself to** ~ *pot.* sam sobie jesteś/jestem winien. **2.** ~ **sth on sb/sth** obarczać kogoś/coś winą za coś; zrzucać na kogoś/coś winę za coś. – *n. U* wina; potępienie; **get the** ~ **for sth** być obwinianym o coś; **pin/put/lay the** ~ **on sb** zrzucać winę na kogoś; **take the** ~ brać winę na siebie.

blamed [bleɪmd] *a. US pot. euf.* przeklęty.

blameful ['bleɪmfʊl] *a. form.* **1.** winny. **2.** naganny.

blameless ['bleɪmləs] *a. form.* **1.** niewinny. **2.** nienaganny.

blameworthy ['bleɪmˌwɜːðɪ] *a. form.* godny potępienia.

blanch [blæntʃ] *v.* **1.** bielić, wybielać; bieleć. **2.** odbarwiać; powodować blaknięcie; blaknąć. **3.** blednąć (*at sth* na wieść o czymś *l.* na widok czegoś). **4.** *kulin.* sparzać; blanszować. **5.** *ogr.* hodować bez dostępu światła (*zwł. warzywa*).

blancmange [blə'mɑːndʒ] *n. kulin.* rodzaj budyniu.

bland [blænd] *a.* **1.** mdły, bez smaku. **2.** bez wyrazu, nieciekawy, nijaki. **3.** pozbawiony emocji, beznamiętny. **4.** delikatny, łagodny (*o lekarstwie, klimacie*); kojący. **5.** pełen ogłady.

blandish ['blændɪʃ] *v.* przypochlebiać się, przymilać się.

blandishment ['blændɪʃmənt] *n.* **1.** przypochlebianie się, umizgi. **2.** przymilna zachęta.

blandly ['blændlɪ] *adv.* **1.** mdło. **2.** bez wyrazu.

blandness ['blændnəs] *n. U* **1.** brak smaku. **2.** nijakość. **3.** łagodność. **4.** beznamiętność.

blank [blæŋk] *a.* **1.** czysty, niezapisany; niewypełniony; pusty. **2.** gładki, bez ozdób. **3.** ślepy (*o oknie, ścianie, naboju*). **4.** bez wyrazu, tępy (*np. o spojrzeniu*); **look** ~ patrzeć bezradnie; mieć głupią minę. **5.** jałowy, nieciekawy. **6.** skrajny (*np. o głupocie*). **7.** stanowczy (*o odmowie*). – *n.* **1.** puste miejsce (*np. w formularzu*). **2.** pustka w umyśle; **my mind is a** ~ mam pustkę w głowie. **3.** blankiet, formularz. **4.** kreska usuwająca z tekstu wulgaryzm. **5.** *techn.* półwyrób, surówka; odkuwka wstępna, wykrojka; przedforma; artykuł jeszcze bez wzoru; krążek monety (*przed wybiciem*). **6.** ślepy nabój. **7.** biały punkt (*w środku tarczy*). **8. draw a** ~ wyciągnąć pusty los; *przen.* spełznąć na niczym; trafić w próżnię; nie móc sobie przypomnieć. – *v.* **1.** *US i Can. sport pot.* nie dopuszczać do zdobycia punktu (*przeciwnika*). **2.** *techn.* wyciąć, wykuć (*półwyrób*). **3.** ~ **out** stracić przytomność; chwilowo stracić pamięć; wyciąć, wymazać, usunąć (*z tekstu*); ~ **out on sth** (nagle) nie móc sobie czegoś przypomnieć.

blank cartridge *n.* ślepy nabój.

blank check *n.* **1.** czek in blanco. **2.** *przen.* carte blanche; **give sb a** ~ **(to do sth)** dać komuś wolną rękę (w robieniu czegoś).

blanked [blæŋkt] *a.* wykreskowany, wykropkowany (*w tekście*).

blanket ['blæŋkɪt] *n.* **1.** koc; derka; czaprak (*pod siodło*). **2.** kołdra. **3.** *przen.* płaszcz, pokrywa (*np. śnieżna*). **4.** *tk.* filc drukarski (*w farbiarstwie*). **5.** płaszcz (*reaktora*). **6.** *geol.* nadkład. **7.** *przen.* **born on the wrong side of the** ~ *żart.* nieślubny; **wet** ~ *zob.* **wet**. – *a. attr.* ogólny, uniwersalny; powszechny, całkowity; ~ **ban** całkowity zakaz; ~ **bombing** nalot dywanowy; **give** ~ **coverage to (an event)** obszernie relacjonować (wydarzenie). – *v.* **1.** przykrywać (*np. kocem, derką*). **2.** *przen.* okrywać, spowijać. **3.** *żegl.* zabierać wiatr (*innemu statkowi, przechodząc po jego nawietrznej*). **4.** ~ **out** *radio, telew.* zakłócać (*odbiór, transmisję*).

blankety-blank [ˌblæŋkɪtɪ'blæŋk] *a. attr. US pot. euf.* taki owaki, zakichany.

blankly ['blæŋklɪ] *adv.* **1.** bez wyrazu, tępo. **2.** jałowo. **3.** bez dwóch zdań, stanowczo.

blank material *n. druk.* justunek, ślepy materiał.

blankness ['blæŋknəs] *n. U* **1.** brak wyrazu, pustka. **2.** jałowość. **3.** stanowczość.

blank page *n. druk.* wakat.

blank space *n. druk.* światło.

blank verse *n. U* biały wiersz.

blare [bler] *v.* **1.** *t. przen.* trąbić; ryczeć; dudnić. **2.** nadawać na cały regulator. **3.** wrzeszczeć, drzeć się. – *n.* **1.** trąbienie; ryk; dudnienie. **2.** *przen.* wielki huk. **3.** *zwł. US* blask.

blarney ['blɑːrnɪ] *n. U* **1.** pochlebstwa. **2.** umizgi, przymilanie się. **3.** bzdury; kłamstwa. – *v.* **1.** przymilać się. **2.** wciskać bzdury.

blasé [ˌblɑːz'eɪ] *a.* zblazowany.

blaspheme [ˌblæs'fiːm] *v.* **1.** bluźnić. **2.** pomawiać, znieważać.

blasphemer [ˌblæs'fiːmər] *n.* bluźnier-ca/czyni.

blasphemous ['blæsfəməs] *a.* bluźnierczy.

blasphemy ['blæsfəmɪ] *n.* bluźnierstwo.

blast [blæst] *n.* **1.** podmuch; dmuch (*w piecach*). **2.** (nagły) dźwięk (*instrumentu dętego*). **3.** dudnienie, hałas. **4.** wybuch, eksplozja. **5.** zaraza (*zwł. roślinna l. zwierzęca*); *przen.* zaraza, przekleństwo. **6.** walnięcie, grzmotnięcie. **7.** nagła i zajadła krytyka. **8.** *US sl.* odlot, czad (*np. o imprezie*). **9. at full** ~ pełną parą, na całego; na cały regulator. – *v.* **1.** trąbić na, dudnić na. **2.** doprowadzić do uwiądu; zniszczyć, zrujnować; pogrzebać (*plany itp.*). **3.** wysadzać w powietrze; przebić wybuchem (*otwór*). **4.** grzmotnąć, walnąć. **5.** zmieszać z błotem. **6.** strzelać. **7.** ~ **off** wysadzić; wystartować (*o rakiecie l. statku kosmicznym*). – *int.* ~ **it/him!** *pot.* a niech to/go szlag!.

blast chamber *n. lotn.* komora spalania (*w silniku odrzutowym*).

blast engine *n. metal.* zespół dmuchawa tłokowa-silnik.

blast furnace *n. metal.* wielki piec; **blast-furnace gas** gaz gardzielowy.

blast hole *n. górn.* otwór strzałowy.

blastocyst ['blæstəsɪst] *n. biol.* blastocysta.

blastoderm ['blæstəˌdɜːm] *n. biol.* blastoderma.

blastodisk ['blæstəˌdɪsk], **blastodisc** *n. zool.* tarcza zarodkowa (*jaja*).

blastoff ['blæstˌɔːf] *n. U* start (*rakiety l. statku kosmicznego*).

blastomere [ˈblæstəˌmiːr] *n. biol.* blastomer.
blastomycose [ˌblæstoʊˈmaɪkoʊs] *n. pat.* blastomykoza.
blast pipe *n.* **1.** dysza. **2.** rura wydmuchowa. **3.** okrężnica (*w wielkim piecu*).
blastula [ˈblæstʃʊlə] *n. biol.* blastula.
blat [blæt] *v.* **-tt-** *US i Can. pot.* **1.** beczeć. **2.** wydzierać się. **3.** wypaplać.
blatancy [ˈbleɪtənsɪ] *n. U* **1.** rażąca oczywistość. **2.** krzykliwość.
blatant [ˈbleɪtənt] *a.* **1.** rażący; krzyczący; oczywisty, ewidentny. **2.** krzykliwy (*t. o kolorach*).
blatantly [ˈbleɪtəntlɪ] *adv.* rażąco; ~ **obvious** ewidentny.
blather [ˈblæðər], *Br.* **blether** *v.* bzdurzyć, bredzić; paplać. – *n. U* brednie.
blatherskite [ˈblæðərˌskaɪt] *n.* **1.** osoba opowiadająca brednie; pleciuch, pleciuga. **2.** *U* brednie.
blaze[1] [bleɪz] *n.* **1.** (jasny) płomień. **2.** (olśniewający) blask. **3.** *przen.* wybuch. **4.** olśnienie. **5.** *przen.* **blow sb to ~s** *zob.* **blow** *v.*; **go to ~s!** *pot.* idź do diabła!; **in a ~ of anger/passion** rozpalony złością/namiętnością; **in a ~ of glory/publicity** w blasku sławy. – *v.* **1.** płonąć, gorzeć, jaśnieć. **2.** ~ **away** palić się wielkimi płomieniami; strzelać bez przerwy; ~ **down** spaść (na ziemię) w płomieniach; palić (*o słońcu*); ~ **up** buchnąć płomieniem; wybuchnąć (*np. gniewem*); ~ **with fury/anger** poczerwienieć z wściekłości/ze złości.
blaze[2] *n.* **1.** strzałka (*l. inny znak na drzewie wskazujący drogę*). **2.** biała strzałka na łbie konia. – *v.* **1.** wycinać znaki na (*drzewie itp. dla oznaczenia drogi*). **2.** *przen.* ~ **a trail** przetrzeć szlak (*with sth* czymś); ~ **the way for sth** utorować drogę dla czegoś.
blaze[3] *v.* rozgłaszać, obwieszczać wszem i wobec.
blazer [ˈbleɪzər] *n.* **1.** blezer, marynarka sportowa (*często z insygniami szkoły l. klubu*). **2.** błyszczący *l.* płonący przedmiot.
blazing [ˈbleɪzɪŋ] *a. attr.* **1.** upalny; palący. **2.** płonący; jaśniejący. **3.** potężny. **4.** krzyczący barwami. **5.** ~ **row** gwałtowna kłótnia. **6.** ~ **star** *bot.* bezmian (*Liatris*).
blazon [ˈbleɪzən] *n.* **1.** tarcza herbowa; herb; proporzec. **2.** blazonowanie, opis *l.* przedstawienie heraldyczne. **3.** bijąca w oczy wystawność *l.* ekstrawagancja. **4.** *przen.* laurka. – *v.* **1.** obwieszczać, rozgłaszać wszem i wobec. **2.** ozdabiać barwnie. **3.** przedstawiać zgodnie z heraldyką; sporządzać opis heraldyczny. **4.** wystawiać na pokaz.
blazonry [ˈbleɪzənrɪ] *n. U* **1.** bijący w oczy pokaz *l.* dekoracja. **2.** heraldyka; opis heraldyczny. **3.** herb.
bldg. *abbr.* = **building**.
bleach [bliːtʃ] *v.* **1.** bielić, wybielać (*na słońcu l. chemicznie*); bieleć. **2.** odbarwiać (się). **3.** blaknąć. – *n. U* **1.** środek bielący, wybielacz. **2.** stopień wybielenia. **3.** bielenie.
bleacher [ˈbliːtʃər] *n.* **1.** bielarz (*tkanin*). **2.** *U* środek bielący.
bleachers [ˈbliːtʃərz] *n. pl. US* trybuny (*na stadionie*).
bleak[1] [bliːk] *a.* **1.** przygnębiający, posępny, ponury. **2.** zimny, przenikliwy (*np. o wietrze*). **3.** nagi, wystawiony na wiatr (*o równinie*).
bleak[2] *n. icht.* ukleja (*Alburnus alburnus*).
bleakly [ˈbliːklɪ] *adv.* ponuro, posępnie.
bleakness [ˈbliːknəs] *n. U* ponurość, posępność.
blear [bliːr] *v.* **1.** zamglić. **2.** mącić, zamazywać, zacierać. – *a. attr.* zamglony, mętny, zamazany. – *n.* **1.** mgiełka, zamglenie. **2.** **~-eyed** = **bleary-eyed**.
bleary [ˈbliːrɪ] *a.* **1.** zamglony (*zwł. o wzroku*); zamazany, niewyraźny. **2.** wyczerpany, zmęczony.
bleary-eyed [ˈbliːrɪˌaɪd] *a.* (*także* **blear-eyed**) o załzawionych *l.* zaczerwienionych oczach.
bleat [bliːt] *v.* **1.** *t. przen.* beczeć, meczeć. **2.** *t. przen.* jęczeć. **3.** bajdurzyć, paplać. – *n.* **1.** bek, beczenie. **2.** jęk; wycie (*np. syren*). **3.** bajdurzenie; paplanina.
bleb [bleb] *n.* **1.** pęcherz, bąbel (*na skórze*). **2.** bąbel, bańka (*powietrza itp.*).
bled [bled] *v.* **1.** *zob.* **bleed**. **2.** ~ **steam** para upustowa.
bleed [bliːd] *v.* **bled, bled** **1.** krwawić. **2.** *hist. med.* puszczać krew (*komuś*). **3.** sączyć się; przeciekać. **4.** ~ **sth (off)** spuszczać ciecz z czegoś; odsączać coś. **5.** spierać się (*o kolorach*); puszczać kolor (*w praniu; o odzieży*). **6.** odnieść rany; polec (*zwł. za ojczyznę l. sprawę*). **7.** *druk.* wychodzić poza margines (*o tekście, ilustracji*). **8.** *druk.* zbyt mocno obcinać margines (*strony*). **9.** *przen.* ~ **sb** obedrzeć kogoś ze skóry, kazać komuś zapłacić ciężkie pieniądze; ~ **sb dry/white** wycisnąć z kogoś ostatni grosz; **sb's heart ~s (for sb)** *cz. iron.* serce komuś krwawi (z czyjegoś powodu).
bleeder [ˈbliːdər] *n.* **1.** *pot.* hemofilik. **2.** *Br. sl. pog.* facet, gość; **rotten** ~ szuja, zgniłek.
bleeder resistor *n. el.* rezystor upływowy.
bleeder screw *n.* korek upustowy *l.* odpowietrzający.
bleeder well *n.* studnia ulgi (*do obniżenia ciśnienia studni artezyjskiej*).
bleeding [ˈbliːdɪŋ] *n. U* **1.** krwawienie. **2.** puszczanie krwi. – *a. attr. Br. pot. emf. euf.* cholerny.
bleed valve *n.* zawór upustowy.
bleep [bliːp] *n.* **1.** krótki sygnał elektroniczny (*zwł. zagłuszający wulgaryzm w radio l. telewizji*). **2.** **what the ~ are you doing?** *zwł. US euf.* co ty u licha wyprawiasz?. – *v.* **1.** wydawać dźwięk jw.; piszczeć. **2.** (*także* ~ **out**) zagłuszyć (*niecenzuralne słowa*); ocenzurować (*transmitowaną wypowiedź*).
blemish [ˈblemɪʃ] *v.* szpecić, plamić. – *n.* skaza, plama; wyprysk.
blench[1] [blentʃ] *v.* wzdrygnąć się.
blench[2] = **blanch**.
blend [blend] *v.* **1.** zmieszać; połączyć; zmiksować (*sth with sth* coś z czymś). **2.** zmieszać się (*dokładnie*). **3.** zlewać się w harmonijną ca-

łość. **4.** przechodzić stopniowo (*zwł. o barwach*) (*into* w). **5.** współgrać, pasować do siebie (*o kolorach*). **6.** ~ **(in)** nie wyróżniać się, dostosować się do otoczenia. – *n.* **1.** mieszanka (*zwł. herbaty, tytoniu itp.*). **2.** *jęz.* kontaminacja (*np. 'brunch' z 'breakfast' + 'lunch'*).

blende [blend] *n.* *U min.* blenda cynkowa, sfaleryt.

blender ['blendər] *n.* mikser.

blenny ['blenɪ] *n.* *icht.* ślizga (*Blennius*).

blesbok ['bles͵bɑːk], **blesbuck** ['bles͵bʌk] *n.* *zool.* blesbok (*antylopa płd.-afr. Damaliscus albifrons*).

bless [bles] *v.* **-ed** *l.* **blest** **1.** błogosławić. **2.** prosić o błogosławieństwo. **3.** chwalić (*imię Pana*). **4.** żegnać się (*czynić znak krzyża*). **5.** ~ **you!** na zdrowie! (*po kichnięciu*).

blessed ['blesɪd] *a.* **1.** błogosławiony; **the B~ Virgin** Najświętsza Maria Panna. **2.** ~ **with sth** obdarzony *l.* cieszący się czymś (*np. dobrym zdrowiem*). **3.** *attr.* błogi. **4.** *attr. euf. l. iron.* przeklęty.

blessedly ['blesɪdlɪ] *adv.* błogo.

blessedness ['blesɪdnəs] *n.* *U* błogość.

blessing ['blesɪŋ] *n.* **1.** *t. przen.* błogosławieństwo. **2.** modlitwa (*zwł. przed posiłkiem*). **3.** *przen.* dar niebios. **4.** *przen.* ~ **in disguise** błogosławione w skutkach nieszczęście; **be a mixed** ~ *zob.* **mixed; count one's ~s** (*także* **be thankful for small ~s**) być wdzięcznym za to, co się ma; **give one's** ~ **to sth** pobłogosławić coś; przyzwolić na coś.

blether ['bleðər], **bletherskite** = **blather(skite).**

blew [bluː] *v.* *zob.* **blow**[2].

blight [blaɪt] *n.* *U* **1.** *bot.* śnieć zbożowa (*l. inna zaraza roślin*). **2.** *przen.* klątwa, nieszczęście. **3. urban** ~ zaniedbane dzielnice miejskie; popadanie w ruinę dzielnic jw. – *v.* **1.** być dotkniętym zarazą roślinną. **2.** wywierać zgubny wpływ na, doprowadzać do uwiądu; ~ **sb's hopes** niweczyć czyjeś nadzieje. **3.** popadać w ruinę, niszczeć.

blighter ['blaɪtər] *n.* *Br. przest. pot.* **1.** facet, gość. **2.** biedaczysko. **3.** natręt.

Blighty ['blaɪtɪ], **blighty** *n.* *Br. wojsk. sl.* Anglia, ojczyzna (*zwł. po służbie za granicą*).

blimey ['blaɪmɪ] *int.* *Br. pot.* a niech mnie!.

blimp [blɪmp] *n.* **1.** mały balon *l.* sterowiec (*zwł. obserwacyjny l. zaporowy*). **2.** blimp (*dźwiękoszczelna obudowa kamery filmowej*).

blind [blaɪnd] *a.* **1.** *t. przen.* ślepy (*to sth* na coś); niewidomy. **2.** robiony na ślepo. **3.** zaślepiony. **4.** anonimowy (*np. o ogłoszeniu w gazecie*). **5.** ~ **drunk** *pot.* pijany w trupa; **(as)** ~ **as a bat** *emf.* ślepy jak kret; **in a** ~ **fury/rage** w ślepej furii; **turn a** ~ **eye to sth** *przen.* przymykać na coś oko. – *adv.* **1.** w ciemno; na oślep. **2.** do szczętu, kompletnie. – *v.* **1.** oślepiać. **2.** zaślepiać (*to sth* na coś). **3.** zaciemniać; zaćmić. **4.** maskować. **5.** ~ **sb with science** *zob.* **science**. – *n.* **1.** (*także* **Venetian** ~) żaluzja (pozioma); (*także Br. i Austr.* **roller** ~) żaluzja zwijana, roleta. **2.** *przen.* pozór, przykrywka. **3.** *US* = **blinder**. **4.** *US myśl.* kosz, ekran (*osłaniający myśliwego w czasie zasiadki*). **5.** *wojsk.* niewybuch. **6.** *pl.* **the** ~ niewidomi.

blindage ['blaɪndɪdʒ] *n.* *hist. wojsk.* przykrywa ochronna nad okopem.

blind alley *n.* *t. przen.* ślepa uliczka; **blind-alley occupations** zajęcia nie dające szansy awansu *l.* rozwoju.

blind chance *n.* ślepy traf.

blind coal *n.* *U* antracyt bezpłomienny.

blind date *n.* randka w ciemno.

blind eel *n.* *zool.* amfiuma (*Amphiuma means*).

blinder ['blaɪndər] *n.* *zw. pl.* **1.** *zwł. US* okulary (końskie). **2.** *przen.* klapki na oczach; **have ~s on** mieć klapki na oczach.

blind flange *n.* *techn.* zaślepka kołnierzowa (*rury*).

blind flying *n.* *U lotn.* ślepy pilotaż, lot bez widoczności.

blindfold ['blaɪnd͵foʊld] *v.* **1.** zawiązywać oczy (*komuś*). **2.** zaślepiać. – *n.* przepaska na oczy. – *a. i adv.* **1.** (*także* **~ed**) z zawiązanymi oczyma. **2.** *przen.* na oślep; w ciemno.

blind gut *n.* *anat.* jelito ślepe, kątnica.

blinding ['blaɪndɪŋ] *a.* **1.** oślepiający. **2.** oszałamiający. **3.** widoczny jak na dłoni; **the** ~ **truth (of sth)** oczywista prawdziwość (czegoś). – *n.* *U* **1.** drobny tłuczeń. **2.** wypełnianie pęknięć w asfalcie tłuczniem jw.

blindingly ['blaɪndɪŋlɪ] *adv.* ~ **clear/obvious** jasny jak słońce.

blindly ['blaɪndlɪ] *adv.* ślepo; na ślepo.

blindman's buff [͵blaɪnd͵mænz 'bʌf] *Br.* **blind man's buff** *n.* *U* ciuciubabka.

blindness ['blaɪndnəs] *n.* *U* **1.** ślepota. **2.** zaślepienie (*to sth* na coś).

blind spot *n.* **1.** *anat.* ślepa plamka. **2.** *tel.* strefa martwa (*w odbiorze radiowym*). **3.** niewidoczny dla kierowcy fragment drogi. **4. have a** ~ **about sth** nie być w stanie czegoś zrozumieć (*zwł. gdy inne aspekty tego samego zagadnienia są zrozumiałe*); udawać, że się czegoś nie rozumie.

blindstory ['blaɪnd͵stɔːrɪ], *Br.* **blindstorey** *n.* *bud.* ślepe triforium (*galeryjka*).

blind tiger, blind pig *n.* *US hist.* nielegalny szynk.

blind tooling *n.* *U druk.* wytłaczanie na sucho.

blind window *n.* *bud.* okno ślepe, blenda.

blindworm ['blaɪnd͵wɜːm] *n.* *zool.* padalec zwyczajny (*Anguis fragilis*).

blini ['bliːnɪ] *n. pl.* **blini** *l.* **-s** *kulin.* blin.

blink [blɪŋk] *v.* **1.** mrugać; mrużyć oczy. **2.** mrugać, migać, migotać; ~ **one's lights** mignąć światłami. **3. (not)** ~ **at sth** (nie) dziwić się czemuś. – *n.* **1.** mrugnięcie; mignięcie, krótki błysk. **2. be on the** ~ *pot.* nawalać (*np. o radiu*). **3. in the/a** ~ **of an eye** w mgnieniu oka.

blinker ['blɪŋkər] *n.* **1.** migający sygnał ostrzegawczy; migacz. **2.** *zwł. pl. zwł. Br.* okulary (końskie). – *v.* zakładać okulary (*koniowi*).

blinkered ['blɪŋkərər] *a.* **1.** ciasny, wąski (*o opiniach, rozumowaniu*). **2.** z klapkami na oczach.

blinking [ˈblɪŋkɪŋ] *a.* = **bleeding**.

blintze [blɪnts], **blintz** *n.* nadziewany naleśnik.

blip [blɪp] *n.* **1.** punkcik (*na ekranie radaru*). **2.** krótki skok w górę (*wykresu liniowego, przychodów firmy itp.*). **3.** = **bleep** 1.

bliss [blɪs] *n. U* niebiańskie szczęście, błogość; rozkosz.

blissful [ˈblɪsful] *a.* błogi, rozkoszny, szczęśliwy.

blissfully [ˈblɪsfulɪ] *adv.* błogo, rozkosznie, upojnie.

blister [ˈblɪstər] *n.* **1.** pęcherz, bąbel (*na skórze, szkle, metalu*). **2.** *pat.* środek pryszczący. **3.** *lotn.* kopuła obserwacyjna; wieżyczka strzelnicza (*na kadłubie samolotu*). **4.** przezroczyste tworzywo sztuczne jako część opakowania; ~ **pack** opakowanie z okienkiem z tworzywa jw., opakowanie konturowe. – *v.* **1.** powodować powstawanie pęcherzyków na (*skórze*). **2.** pokrywać się pęcherzykami. **3.** przypiekać (*o upale*). **4.** *przen.* nie zostawić suchej nitki na.

blister copper *n. U metal.* miedź konwektorowa.

blister gas *n. U* gaz parzący *l.* pryszczący.

blistering [ˈblɪstərɪŋ] *a.* **1.** powodujący pęcherze. **2.** piekący, palący, prażący. **3.** błyskawiczny. **4.** zajadły, zaciekły, zażarty.

B.Lit. [ˌbiː ˈlɪt], **B.Litt.** *abbr.* **Bachelor of Letters/Literature** licencjat z nauk humanistycznych.

blithe [blaɪð] *a.* **1.** *t. uj.* beztroski. **2.** *arch. l. lit.* radosny.

blithely [ˈblaɪðlɪ] *adv.* **1.** beztrosko. **2.** radośnie.

blithering [ˈblɪðərɪŋ] *a. attr.* **1.** ględzący. **2.** ~ **idiot** *pot.* skończony dureń.

blithesome [ˈblaɪðsəm] *a. zwł. lit.* radosny, wesoły.

blitz [blɪts] *n.* gwałtowny atak (*zwł. nalot bombowy*). – *v.* dokonać ataku jw.

blizzard [ˈblɪzərd] *n.* **1.** śnieżyca, zamieć śnieżna. **2.** *US przen.* grad, lawina, zalew.

blk. *abbr.* **1.** = **black**. **2.** = **block**. **3.** = **bulk**.

B.LL. [ˌbiː ˌel ˈel] *abbr.* **Bachelor of Laws** licencjat z prawa.

bloat[1] [bloʊt] *v.* nadymać (się); pęcznieć, puchnąć. – *n. pat.* wzdęcie.

bloat[2] *v.* solić i lekko wędzić (*śledzia l. makrelę*).

bloated [ˈbloʊtɪd] *a.* **1.** wzdęty, rozdęty; spuchnięty. **2.** *przen.* nadęty.

bloater [ˈbloʊtər] *n.* śledź *l.* makrela solona i lekko wędzona.

blob [blɑːb] *n.* **1.** kropla (*czegoś gęstego*). **2.** plama; kleks. **3.** bezkształtna masa. **4.** *Br. sl. krykiet* zerowy wynik pałkarza. – *v.* **-bb-** zaplamić, zrobić kleksa na.

bloc [blɑːk] *n. polit.* blok.

block [blɑːk] *n.* **1.** blok (*np. skalny*); kloc. **2.** *bud.* pustak. **3.** (*także* **building** ~) klocek (*do zabawy*). **4.** zespół budynków ograniczony czterema przecznicami; *US* odległość między dwiema przecznicami; **live on the same** ~ *zwł. US* mieszkać na tej samej ulicy *l.* w najbliższym sąsiedztwie. **5.** budynek, blok. **6.** *druk.* płyta; klisza. **7.** *mech.* blok, bloczek, krążek linowy; zblocze, wielokrążek; ~ **and tackle** wciągnik wielokrążkowy. **8.** *mot.* (*także* **cylinder** ~) blok cylindrów. **9.** *komp.* blok. **10.** *techn.* ślizg, suwak, wodzik. **11.** *górn.* calizna (*węglowa*). **12.** bloczek (*biletów*); arkusz (*znaczków*). **13.** forma (*na kapelusz, perukę itp.*). **14.** pień (*kata*). **15.** zator. **16.** *sport* blok, blokowanie; (*także* **starting** ~) blok (startowy). **17.** *sl.* łeb; **I'll knock your** ~ **off** oberwiesz po łbie. **18.** **chip of the old** ~ *pot.* wykapany ojciec/matka. **19.** **on the** ~ *zwł. US i Can.* wystawiony na licytację. – *v.* **1.** dzielić na bloki. **2.** blokować, tarasować, tamować, hamować. **3.** formować, modelować (*kapelusz itp.*). **4.** *druk.* tłoczyć, wytłaczać (*okładkę książki*). **5.** ~ **sth in/out** naszkicować coś z grubsza; ~ **sth out** zasłonić coś.

blockade [blɑːˈkeɪd] *n.* blokada (*zwł. wojskowa*); **raise/lift a** ~ zdjąć/przerwać blokadę; **run a** ~ przedrzeć się przez blokadę. – *v.* **1.** blokować, poddawać blokadzie (*np. port nieprzyjaciela*). **2.** tarasować.

blockader [blɑːˈkeɪdər] *n.* **1.** strona blokująca. **2.** uczestni-k/czka blokady.

blockbuster [ˈblɑːkˌbʌstər] *n.* **1.** bomba burząca (*o dużej sile niszczenia*). **2.** *przen. kino* wielki hit kasowy; bomba, przebój; osoba przebojowa.

blockhead [ˈblɑːkˌhed] *n. pot.* zakuta pała.

blockhouse [ˈblɑːkˌhaʊs] *n.* **1.** *wojsk.* blokhauz, bunkier (*bojowy*). **2.** *hist.* ostróg; drewniana fortyfikacja ze strzelnicami. **3.** dom z bierwion.

blockish [ˈblɑːkɪʃ] *a.* jak kłoda, tępy.

block letter *n.* **1.** (*także* **block capital**) drukowana litera. **2.** *druk.* grotesk, antykwa linearna bezszeryfowa.

block printing *n. tk.* odbitka klockowa.

block signal *n. kol.* semafor odstępowy.

block tin *n. U* cyna w bloczkach.

blocky [ˈblɑːkɪ] *a.* **1.** *zwł. US* bryłowaty, masywny. **2.** *fot.* z nierównomiernie rozdzielonym światłocieniem.

bloke [bloʊk] *n. Br. pot.* gość, facet.

blokish [ˈbloʊkɪʃ], **blokeish** *a. Br. zwł. uj.* prostacki, nieokrzesany.

blond [blɑːnd] *a.* **1.** blond, jasny (*o włosach*). **2.** jasnowłosy (*zwł. o mężczyźnie*). – *n.* blondyn/ka.

blonde [blɑːnd] *n.* blondynka. – *a.* **1.** blond, jasny (*o włosach*). **2.** jasnowłosy (*zwł. o kobiecie*).

blood [blʌd] *n.* **1.** krew; **give/donate** ~ oddawać krew. **2.** *przen.* **bad** ~ wrogość, animozje; **be after sb's** ~ (*także* **be out for** ~) być żądnym (czyjejś) krwi; **flesh and** ~ krewni, rodzina; *zwł. lit.* ludzka natura; **fresh/new** ~ nowa krew; **in cold** ~ z zimną krwią; **sb's** ~ **is up** krew się w kimś gotuje, krew komuś kipi w żyłach; **sth is/runs in sb's** ~ ktoś ma coś we krwi; **sth makes sb's** ~ **boil** krew komuś kipi w żyłach na myśl o czymś *l.* na widok czegoś; **sth makes sb's** ~ **run cold** krew komuś zastyga *l.* krzepnie na myśl o czymś *l.* na widok czegoś; **spill sb's** ~ przelewać czyjąś krew; ~ **is thicker than water** bliższa ciału koszula niż sukmana. – *v. myśl.* **1.** dać posmakować krwi (*psu*). **2.** plamić krwią; naznaczyć krwią (*zwł. adepta myślistwa jako symbol inicjacji*).

blood bank *n.* bank krwi.

bloodbath ['blʌdˌbæθ] *n.* rozlew krwi.

blood cell *n.* (*także* **blood corpuscule**) krwinka.

blood count *n. med.* liczba krwinek.

bloodcurdling ['blʌdˌkɝːdlɪŋ] *a.* mrożący krew w żyłach.

blood donor *n.* krwiodawca.

blooded ['blʌdɪd] *a.* **1.** czystej krwi. **2.** *zwł. myśl.* naznaczony krwią (*podczas ceremonii inicjacji*). **3. cold-/warm-~** *zool.* zmiennocieplny/stałocieplny.

blood feud *n.* krwawa waśń rodowa; vendetta.

bloodfluke ['blʌdˌfluːk], **blood fluke** *n. zool.* przywra z rodzaju *Schistosoma*.

blood group *n. zwł. Br.* grupa krwi.

bloodguilty ['blʌdˌgɪltɪ] *a.* winien przelewu krwi.

blood heat *n. U* normalna ciepłota ciała.

bloodhorse ['blʌdˌhɔːrs] *n.* koń czystej krwi.

bloodhound ['blʌdˌhaʊnd] *n.* **1.** *kynol.* pies św. Huberta. **2.** *przen.* zacięty tropiciel.

bloodied ['blʌdɪd] *a. lit.* skrwawiony.

bloodily ['blʌdɪlɪ] *adv.* krwawo.

bloodless ['blʌdləs] *a.* **1.** bezkrwawy. **2.** bezkrwisty, blady. **3.** bez życia, anemiczny.

bloodlessly ['blʌdləslɪ] *adv.* bez przelewu krwi, bezkrwawo.

bloodlessness ['blʌdləsnəs] *n. U* **1.** bezkrwawość. **2.** bladość. **3.** anemiczność.

bloodletting ['blʌdˌletɪŋ] *n. U* **1.** *hist., med.* puszczanie krwi. **2.** *t. przen. i żart.* rozlew krwi; ostre cięcia (*kadrowe itp.*).

blood lust *n. U* żądza krwi.

bloodmobile ['blʌdməˌbiːl] *n. US* ambulans do pobierania krwi.

blood money *n. U* **1.** zapłata dla najemnego mordercy. **2.** pieniądze dla rodziny zamordowanego (*od mordercy lub jego zleceniodawców*). **3.** *przen.* Judaszowe srebrniki.

blood orange *n.* pomarańcza czerwona.

blood poisoning *n. U pat.* posocznica.

blood pressure *n. U* ciśnienie (krwi).

blood pudding *n.* = **blood sausage**.

blood-red [ˌblʌd'red], **blood red** *a.* krwistoczerwony.

blood relation *n.* krewn-y/a.

blood royal *n.* rodzina królewska.

blood sausage *n.* (*także* **blood pudding**) kaszanka.

bloodshed ['blʌdˌʃed] *n. U* rozlew krwi.

bloodshot ['blʌdˌʃɑːt] *a.* przekrwiony, nabiegły krwią.

blood sport *n.* krwawy sport (*polowanie na lisa, walki kogutów itp.*).

bloodstained ['blʌdˌsteɪnd] *a.* **1.** zakrwawiony. **2.** *przen.* splamiony krwią.

bloodstock ['blʌdˌstɑːk] *n. U* konie czystej krwi.

bloodstone ['blʌdˌstoʊn] *n. min.* krwawnik.

bloodstream ['blʌdˌstriːm] *n.* krwiobieg.

bloodsucker ['blʌdˌsʌkər] *n.* **1.** *pot.* pijawka. **2.** komar (*l. inny owad pijący krew*). **3.** *przen. pot.* krwiopijca.

blood test *n.* badanie krwi.

bloodthirstiness ['blʌdˌθɝːstɪnəs] *n. U* żądza krwi, krwiożerczość.

bloodthirsty ['blʌdˌθɝːstɪ] *a.* żądny krwi, krwiożerczy.

blood ties *n. pl.* więzy *l.* węzły krwi.

blood transfusion *n.* transfuzja, przetaczanie krwi.

blood type *n. zwł. US* grupa krwi.

blood typing *n. U* ustalanie grupy krwi.

blood vessel *n.* naczynie krwionośne.

bloodwort ['blʌdˌwɝːt] *n. bot.* szczaw gajowy (*Rumex sanguineus*).

bloody ['blʌdɪ] *a.* **-ier, -iest 1.** krwisty; krwawy; zakrwawiony; krwawiący. **2.** *Br. wulg.* przeklęty, cholerny. – *v.* **-ied 1.** zakrwawić. **2.** *zwł. US* skaleczyć do krwi; pobić do krwi. – *adv. Br. wulg.* cholernie, jak cholera.

Bloody Mary *n. hist.* Maria I zwana Krwawą (*z dynastii Tudorów*); (*także* **bloody mary**) Krwawa Mary (*wódka z sokiem pomidorowym i przyprawami*).

bloom[1] [bluːm] *n.* **1.** kwiat, kwiatostan. **2.** kwitnienie. **3.** *ekol.* zakwit wody. **4.** *przen.* rozkwit. **5.** świeżość. **6.** nalot; wykwit. **7.** mgiełka (*na pomalowanej l. polakierowanej powierzchni*). **8.** *opt.* warstwa przeciwodblaskowa (*na powierzchni soczewki*). **9. in (full) ~** kwitnący, w rozkwicie; **in the ~ of youth** *lit.* w kwiecie młodości. – *v.* **1.** *t. przen.* kwitnąć, rozkwitać. **2. ~ with sth** *przen.* promienieć czymś (*np. zdrowiem*). **3.** pokrywać się nalotem.

bloom[2] *n. metal.* kęsisko kwadratowe; **~ shears** nożyce do kęsisk. – *v.* walcować *l.* kuć wlewek (*na kęsisko kwadratowe*).

bloomer[1] ['bluːmər] *n.* **1.** kwitnąca roślina. **2. she was a late ~** *przen.* późno rozwinęła skrzydła. **3.** *Br. przest. żart.* plama, wpadka, głupi błąd.

bloomer[2] *n. Br.* podłużny bochenek chleba z nacięciami na wierzchu.

bloomers ['bluːmərz] *n. pl.* **1.** *hist.* ściągane w kolanach bufiaste spodenki damskie (*noszone t. ze spódniczką*). **2.** *zwł. żart.* majtki damskie o fasonie jw.

bloomery ['bluːmərɪ] *n. metal.* piec fryszerski.

blooming[1] ['bluːmɪŋ] *n. U* **1.** *ekol.* zakwit wody. **2.** tworzenie się nalotu.

blooming[2] *n. U metal.* walcowanie wlewków na kęsiska kwadratowe.

blooming[3] *a.* = **bleeding**.

bloomy ['bluːmɪ] *a.* **1.** kwitnący. **2.** pokryty puszkiem *l.* nalotem (*zwł. o owocach*).

bloop [bluːp] *v.* **~ a ball** *US baseball* uderzyć piłkę tak, że spada tuż za polem. – *n.* = **blooper** 2.

blooper ['bluːpər] *n.* **1.** *zwł. US i Can. pot.* plama, wpadka, głupi błąd. **2.** *US baseball* (odbita) piłka spadająca tuż za polem.

blossom ['blɑːsəm] *n.* **1.** kwiat, kwiecie. **2.** kwitnienie. **3.** *przen.* rozkwit. **4. in (full) ~** kwitnący; *przen.* w pełni rozkwitu. – *v.* **1.** *t. przen.*

kwitnąć, rozkwitać. **2.** ~ **(out) into sb/sth** przeistoczyć się w kogoś/coś (*np. z podlotka w piękną kobietę*).

blot¹ [blɑ:t] *n.* **1.** plama; kleks. **2.** *przen.* skaza, plama (*zwł. na reputacji*). **3. a ~ on the landscape** koszmarek (= *szpecąca budowla*). – *v.* **-tt-** **1.** zrobić kleksa na (*czymś*); zaplamić. **2.** osuszać bibułą. **3.** *przen.* kalać (*czyjeś dobre imię*). **4.** ~ **out** wykreślić, wymazać (*zwł. wspomnienia*); zamazać; przesłonić; zniszczyć, zmieść; ~ **up** zetrzeć (*rozlany płyn*).

blot² *n.* **1.** *gra w tryktraka* zagrożony pion. **2.** *arch.* słaby punkt (*np. w strategii*).

blotch [blɑ:tʃ] *n.* **1.** skaza, znamię; krosta. **2.** plama (*zwł. czerwona l. różowa*). – *v.* plamić; robić kleksy na.

blotchy ['blɑ:tʃɪ], **blotched** [blɑ:tʃt] *a.* **1.** plamisty; krostowaty. **2.** poplamiony.

blotter ['blɑ:tər] *n.* **1.** bibularz, suszka; bibuła. **2.** podkładka do pisania. **3.** *US* dziennik, rejestr (*zwł. policyjny*).

blotting paper ['blɑ:tɪŋ ˌpeɪpər] *n.* bibuła.

blotto ['blɑ:toʊ] *a. Br. przest. sl.* zalany w trupa.

blouse [blaʊs] *n.* **1.** bluzka (*damska*). **2.** bluza wojskowa. **3.** *hist.* sukmana.

blow¹ [bloʊ] *n. t. przen.* cios; raz, uderzenie; **at a/one ~** za jednym zamachem; **come as a ~ to sb** być dla kogoś ciosem; **deal a ~ to sb/sth** zadać komuś/czemuś cios; **it came to ~s** doszło do rękoczynów; **soften/cushion the ~** złagodzić cios; **strike a ~ for sb/sth** *zob.* **strike** *v.*

blow² *v.* **blew, blown** **1.** wiać, dąć. **2.** unosić w powietrzu (*o wietrze*); unosić się na wietrze. **3.** dmuchać; nadmuchiwać; kalikować (*miechy organowe*); wydmuchiwać (*np. szkło*); ~ **one's nose** wydmuchać nos; ~ **smoke into sb's eyes** dmuchnąć komuś dymem w oczy. **4.** trąbić, grać (*o instrumencie dętym l. osobie grającej na nim*); wyć (*o syrenie*); ~ **a whistle** zagwizdać (*gwizdkiem*); ~ **one's horn** *mot.* zatrąbić, nacisnąć na klakson. **5.** *el.* przepalić się (*o bezpieczniku, żarówce*); ~ **a fuse** przepalić bezpiecznik. **6.** pęknąć (*np. o oponie*); przebić (*np. oponę*). **7.** wysadzić; wybuchnąć, eksplodować; strzelić (*np. o oponie*); ~ **a tire** złapać gumę. **8.** *pot.* przepuścić (*pieniądze*) (*on sth* na coś). **9.** *pot.* schrzanić, spartaczyć; zmarnować (*zwł. szansę*). **10.** sapać, dyszeć; doprowadzić do zadyszki (*konia*). **11.** *ent.* składać jaja (*o muchach*). **12.** *zool.* wydmuchiwać powietrze z wodą (*o wielorybie*). **13.** *zwł. Br. sl.* wyśpiewać wszystko; zakapować (*kogoś*). **14.** *warcaby* zdjąć za niewykonanie bicia (*piona przeciwnika*). **15.** *sl.* zaciągać się (*np.marihuaną*). **16.** *obsc. sl.* walić konia. **17.** *obsc. sl.* robić laskę (*komuś*). **18.** *przen.* ~ **a fuse** *US pot.* stracić panowanie nad sobą; ~ **sb a kiss** posłać komuś pocałunek; ~ **hot and cold** *pot.* być jak chorągiewka na wietrze (= *ciągle zmieniać zdanie*); ~ **it!** *pot.* niech to szlag (trafi)!; ~ **me (if...)!** (*także* **I'll be ~ed (if...)!**) *zwł. Br. pot.* niech mnie kule biją, (jeśli...)!; ~ **sb's mind** *pot.* powalać kogoś na ziemię (*ze zdumienia, zachwytu*); *sl.* dawać komuś odlot (*o narkotykach halucynogennych*); ~ **one's cool** *zwł. US* stracić zimną krew; ~ **one's cover** zdemaskować się (*zwł. przypadkiem*); ~ **one's own horn** (*także Br.* ~ **one's own trumpet**) *pot.* robić sobie samemu reklamę, przechwalać się; ~ **one's top/stack** *pot.* wychodzić z siebie; ~ **open** otworzyć (się) gwałtownie; ~ **sb to sth** postawić *l.* zafundować komuś coś; ~ **sb to blazes/glory** *pot.* posłać kogoś z hukiem na tamten świat; ~ **sth sky-high** *zob.* **sky-high**; ~ **sth to bits/pieces/atoms/smithereens** rozbić coś w drobny mak; ~ **the lid off sth** *zob.* **lid**; ~ **the whistle on sth** *pot.* ukręcić czemuś łeb (*zwł. przez ujawnienie opinii publicznej*); ujawnić coś (*np. nadużycie*); ~ **town** *US sl.* zwiać, zmyć się. **19.** ~ **away** wywiać, zdmuchnąć, porwać (*o wietrze*); ~ **sb away** *zwł. US pot.* rozwalić kogoś (*zwł. z broni maszynowej*); dokopać *l.* dołożyć komuś (*zwł. drużynie przeciwnej*); *przen.* zwalić kogoś z nóg (*np. niespodziewanie dobrą wiadomością*); ~ **down/over** przewrócić się na wietrze; ~ **sth down/over** przewrócić *l.* powalić coś (*zwł. o wietrze*); ~ **in** *pot.* zjawić się ni stąd, ni zowąd; ~ **sth in** wwiać coś, nawiać czegoś (*do pomieszczenia*); ~ **off** zdmuchnąć; zniszczyć (*eksplozją*); urwać (*o wybuchu*); ~ **sth off sth** zdmuchnąć coś z czegoś; ~ **off steam** wyładować się, dać upust emocjom; ~ **the ship off its course** zepchnąć statek z kursu (*o wietrze*); ~ **out** zdmuchnąć, zgasić; wygasnąć; strzelić (*np. o oponie*); wysiąść (*zwł. o urządzeniu elektrycznym*); ~ **one's/sb's brains out** *pot.* palnąć sobie/komuś w łeb; ~ **itself out** ustać (*o wietrze*); ~ **over** ucichnąć (*o burzy*); rozejść się po kościach (*o skandalu, aferze*); ~ **up** zerwać się, rozpętać się; wybuchnąć; rozsypać się (*o planach, strategii*); nadąć się; nadmuchać; wysadzić w powietrze; rozbić w drobny mak (*np. czyjąś strategię obrony*); wyolbrzymiać (*zwł. własne zasługi*); *fot.* powiększyć; ~ **sth up out of all proportion** rozdmuchać coś ponad wszelką miarę; ~ **up at sb** wściec się na kogoś. – *n.* **1.** powiew, podmuch. **2.** dmuchanie. **3.** *metal.* okres dmuchu (*w procesie konwertorowym*); wytop w konwertorze besemerowskim. **4.** *U US sl.* kokaina. **5.** *U Br. sl.* trawa, ziele; hasz.

blow-by-blow [ˌbloʊbaɪ'bloʊ] *a. attr.* szczegółowy, drobiazgowy (*o relacji*).

blow-dry ['bloʊˌdraɪ] *v.* suszyć suszarką (*włosy*). – *n.* suszenie (*włosów*).

blow-dryer ['bloʊˌdraɪər] *n.* suszarka (*zwł. do włosów*).

blower ['bloʊər] *n.* **1.** dmuchacz (*szkła itp.*). **2.** dmuchawa. **3.** *techn.* sprężarka doładowująca. **4.** *US pot.* samochwała. **5.** *Br. przest. sl.* telefon.

blowfly ['bloʊˌflaɪ] *n. ent.* plujka (*Calliphora*).

blowgun ['bloʊˌgʌn] *n.* **1.** *US* = **blowpipe** 1. **2.** pistolet pneumatyczny.

blowhard ['bloʊˌhɑ:rd] *n. US pot.* chwalipięta, samochwała.

blowhole ['bloʊˌhoʊl] *n.* **1.** nozdrze (*wieloryba l. delfina*). **2.** przerębel (*dostarczający powietrza fokom, wielorybom itp.*). **3.** *metal.* pęcherz (*wada wlewka*).

blow job *n. sl. obsc.* laska, obciąganie druta.

blowlamp ['bloʊˌlæmp] *n. Br.* = **blowtorch**.

blown [bloʊn] *v. zob.* **blow**. – *a.* **1.** wzdęty, nadęty. **2.** zdyszany. **3.** zakażony larwami muszymi (*o mięsie*). **4.** dmuchany (*o szkle*).

blow-off ['bloʊˌɔ:f] *n.* **1.** spust, odpływ (*nadmiaru pary, wody itp.*); ~ **(valve)** zawór spustowy. **2.** odmulanie, przedmuchiwanie (*kotła, zbiornika*). **3.** nagły skok (*cen itp.*).

blowout ['bloʊˌaʊt] *n.* **1.** guma (= *pęknięcie opony*). **2.** przepalenie się bezpiecznika. **3.** *pot.* huczne i kosztowne przyjęcie. **4.** *US pot.* łatwe zwycięstwo. **5.** (*także* ~ **sale**) *US handl.* wielka wyprzedaż.

blowpipe ['bloʊˌpaɪp] *n.* **1.** dmuchawka (*do strzelania*). **2.** piszczel, cybuch (*do wydmuchiwania szkła*). **3.** *metal.* dyszak (*w wielkim piecu*). **4.** palnik spawalniczy.

blowtorch ['bloʊˌtɔ:rtʃ] *n. US* **1.** lampa lutownicza, grzejnik lutowniczy. **2.** podgrzewacz do smarów narciarskich.

blow-up ['bloʊˌʌp] *n.* **1.** *t. przen.* wybuch. **2.** gwałtowna kłótnia. **3.** *fot.* powiększenie.

blowy ['bloʊɪ] *a.* **-ier, -iest** *pot.* wietrzny.

blowzy ['blaʊzɪ], **blowsy** *a.* **1.** czerwony na twarzy. **2.** zaniedbany; niechlujny (*o kobiecie*).

BLS [ˌbi: ˌel 'es] *abbr. US* **Bureau of Labor Statistics** Biuro Statystyki Pracy.

bls. *abbr.* **1.** = **bales**. **2.** = **barrels**.

B.L.S. [ˌbi: ˌel 'es] *abbr.* **Bachelor of Library Science** licencjat z bibliotekoznawstwa.

BLT [ˌbi: ˌel 'ti:] *abbr.* **bacon, lettuce and tomato** kanapka *l.* tost z boczkiem, sałatą i pomidorem.

blub [blʌb] *v.* **-bb-** *Br. pot.* = **blubber**[2].

blubber[1] ['blʌbər] *n. U* **1.** tłuszcz wielorybi. **2.** *pot.* sadło, fałdy *l.* pokłady tłuszczu.

blubber[2] *v. uj.* **1.** beczeć, ryczeć. **2.** wychlipać.

blubbered ['blʌbərd] *a. pot.* zaryczany.

blubbery ['blʌbərɪ] *a. pot.* **1.** spasiony. **2.** zaryczany.

bludgeon ['blʌdʒən] *n.* pałka (*z grubą główką*). – *v.* **1.** bić pałką. **2.** ~ **sb into doing sth** zmusić kogoś do zrobienia czegoś (*zwł. posługując się groźbami*).

blue [blu:] *a.* **1.** niebieski; błękitny; ~ **tit** sikora modra, modraszka (*Parus caeruleus*). **2.** siny; ~ **with cold** siny z zimna. **3.** *pred.* przygnębiony, w złym nastroju, nieszczęśliwy. **4.** przygnębiający, ponury. **5.** erotyczny; pornograficzny; nieprzyzwoity. **6.** purytański, ortodoksyjny religijnie, surowy obyczajowo. **7.** *przen.* **once in a** ~ **moon** *zob.* **moon** *n.*; **scream/shout/yell** ~ **murder** *Br. pot.* drzeć się wniebogłosy; **talk a** ~ **streak** *US pot.* gadać jak najęty; **till one is** ~ **in the face** *pot.* do skraju obłędu, do białej gorączki. – *n.* **1.** *U* błękit. **2. the** ~ *lit.* niebo; morze. **3.** (*także* **B**~) *US hist.* członek armii unionistów w czasie wojny secesyjnej. **4.** *hist.* = **bluestocking**. **5.** *ent.* modraszek (*Lycaena*). **6.** *łucznictwo* niebieska obręcz na tarczy (*za 5 punktów*). **7.** *bilard* niebieska bila. **8.** *Br. polit. pot.* torys. **9. Cambridge/Oxford** ~ jasny/ciemny błękit; *przen.* reprezentant/ka drużyny uniwersytetu Cambridge/oksfordzkiego. **10.** *przen.* **a bolt from the** ~ grom z jasnego nieba; **out of the** ~ ni stąd, ni zowąd. – *v.* **1.** barwić (się) na niebiesko *l.* granatowo. **2.** sinieć.

blue baby *n.* dziecko urodzone z sinicą.

bluebeard ['blu:ˌbi:rd], **Blue beard** *n.* Sinobrody.

bluebell ['blu:ˌbel] *n. bot.* **1.** *Scot.* dzwonek okrągłolistny (*Campanula rotundifolia*). **2.** dziki hiacynt (*Endymion nonscriptus*).

blueberry ['blu:ˌberɪ] *n. US i Can. bot.* **1.** borówka wysoka, niebieska jagoda (*Vaccinium corymbosum*). **2.** borówka pensylwańska (*Vaccinium pennsylvanicum*).

bluebird ['blu:ˌbɝ:d] *n. orn.* **1.** północnoamerykański ptak z rodzaju *Sialia* (*podrodzina drozdowate*). **2. (fairy)** ~ turkuśnik indyjski (*Irena puella l. podobny*).

blue blood *n. U* błękitna krew.

bluebonnet ['blu:ˌbɑ:nɪt] *n.* **1.** = **bluebottle** 1. **2.** łubin niebieskolistny (*zwł. Lupinus subcarnosus*). **3.** beret szkocki (*z błękitnej wełny i z piórem*); żołnierz szkocki w berecie jw.; Szkot.

blue-book ['blu:ˌbʊk] *n.* **1.** *zwł. US pot.* księga adresowa wyższych sfer. **2.** *Br.* raport oficjalny (*zwł. rady królewskiej*). **3.** *US uniw.* zeszyt na zadania egzaminacyjne.

bluebottle ['blu:ˌbɑ:tl] *n.* **1.** *bot.* chaber bławatek (*Centaurea cyanus*). **2.** = **blowfly**. **3.** *Br. pot.* gliniarz, niebieski.

blue cheese *n. C / U* ser pleśniowy.

blue chip *n.* **1.** niebieski żeton (*w pokerze*). **2.** *ekon.* akcja znanej *l.* pewnej spółki.

blue-chip ['blu:ˌtʃɪp] *a. attr. fin.* pewny, bezpieczny (*o akcjach, inwestycjach*); renomowany (*o spółce giełdowej*).

bluecoat ['blu:ˌkoʊt] *n. US* policjant.

blue-collar [ˌblu:'kɑ:lər] *a. attr.* fizyczny (*o pracy lub pracowniku*).

blue flag *n. bot.* amerykański gatunek irysa (*Iris versicolor*).

blue flu *n. U* masowa absencja chorobowa służb mundurowych (*jako forma strajku*).

blue fox *n. zool.* lis niebieski (*Alopex lagopus*).

bluegrass ['blu:ˌgræs] *n. U US* **1.** *muz.* bluegrass (*tradycyjna muzyka z południa Stanów*). **2. (Kentucky)** ~ *bot.* wiechlina łąkowa o barwie sinozielonej (*Poa pratensis*).

blue gum *n. bot.* eukaliptus gałkowy (*Eucalyptus globulus*).

blueing ['blu:ɪŋ] *n.* = **bluing**.

bluejacket ['blu:ˌdʒækɪt] *n.* marynarz służący w marynarce wojennej.

blue jay *n. orn.* sójka błękitna (*Cyanocitta cristata*).

blue laws *n. pl. US* surowe prawa purytańskie (*zwł. zakaz pracy w niedzielę l. sprzedaży alkoholu*).

blue lead *n. U* **1.** ołów metaliczny. **2.** galenit, błyszcz ołowiu.

blue malachite *n. U min.* azuryt.

Blue Mantle *n. Br.* jeden z czterech członków zarządu Kolegium Heraldycznego.

blue movie *n.* film erotyczny *l.* pornograficzny.

bluenose ['blu:ˌnoʊz] *n. US pot.* **1.** purytanin/ka. **2.** mieszkan-iec/ka Nowej Szkocji.

blue ochre *n. U* (*także* **blue earth**) *min.* wiwianit.

blue-pencil [ˌblu:'pensl] *v.* pokreślić, pociąć (*rękopis, wydruk itp.*).

Blue Peter, blue peter *n. żegl.* Piotruś (*błękitna flaga z białym kwadratem, oznaczająca „wychodzimy w morze" l. literę P*).

blue plate special *n. US* danie firmowe.

bluepoint ['blu:ˌpɔɪnt] *n. zwł. US* jadalna ostryga z wybrzeży Atlantyku (*Crassotrea virginica*).

blueprint ['blu:ˌprɪnt] *n.* **1.** światłokopia niebieska (*rysunku itp.*). **2.** *przen.* plan, projekt. – *v.* planować, projektować.

blue ribbon *n.* **1.** błękitna wstążka (*przyznawana zwycięzcy konkursu*). **2.** *przen.* najwyższe odznaczenie *l.* nagroda. **3.** *Br.* wstążka Orderu Podwiązki. **4.** wstążka noszona przez członków towarzystw abstynenckich.

blue-ribbon [ˌblu:'rɪbən] *a. attr.* **1.** zwycięski. **2.** *US* najlepszy z najlepszych, doborowy.

blue-rinse ['blu:ˌrɪns] *a. attr.* typowy dla starszych, konserwatywnych kobiet.

blue roan *n. U* maść karo-dereszowata (*konia*).

blues [blu:z] *n. U* **1.** *muz.* blues. **2. the ~** *pot.* chandra.

blue shark *n. icht.* żarłacz błękitny (*Prionace glauca*).

blueshift ['blu:ˌʃɪft], **blue shift** *n. opt.* efekt hipsochromowy.

blue-sky ['blu:ˌskaɪ] *a. attr.* **1.** marzycielski; niepraktyczny (*np. o pomysłach*). **2. ~ law** *US fin.* prawo stanowe regulujące obrót papierami wartościowymi.

blue spar *n. min.* lazulit.

blue spruce *n. bot.* świerk kłujący (*Picea pungens*).

bluestocking ['blu:ˌstɑ:kɪŋ] *n. zwł. uj.* sawantka.

bluestone ['blu:ˌstoʊn] *n. U* **1.** błękitnoszary piaskowiec. **2.** *chem.* witriol miedziany (*pięciowodny siarczan miedziowy*); *min.* chalkantyt (*naturalna postać witriolu miedzianego*).

bluet ['blu:ɪt] *n. bot. Houstonia caerulea* (*północnoamerykańska roślina zielna z rodziny marzanowatych*).

blue vitriol *n.* = **bluestone** 2.

blue whale *n. icht.* płetwal błękitny (*Balaenoptera musculus*).

bluff[1] [blʌf] *v.* blefować; **~ one's way into a job** zdobyć posadę, posługując się blefem. – *n.* blef; **call sb's ~** wezwać kogoś do przedstawienia dowodów, wykonania groźby itp.

bluff[2] *a.* **1.** bezpośredni, prostoduszny. **2.** urwisty; **~ bow** *żegl.* dziób pełny. – *n.* urwisty klif, cypel itp.

bluffly ['blʌflɪ] *adv.* bezpośrednio, prostodusznie.

bluffness ['blʌfnəs] *n. U* bezpośredniość, prostoduszność.

bluing ['blu:ɪŋ], **blueing** *n. U* **1.** niebieski barwnik do tkanin (*zwł. indygo*). **2.** czernienie, oksydowanie (*stali*).

bluish ['blu:ɪʃ] *a.* niebieskawy.

blunder ['blʌndər] *n. pot.* plama, gafa; wpadka, głupi błąd. – *v.* **1.** palnąć głupstwo. **2.** schrzanić, położyć. **3. ~ around/about** iść po omacku; błąkać się; **~ away** zmarnować (*przez nieudolność*); **~ into** wpakować się do/w; **~ on/upon** przypadkiem natknąć się na; **~ (out)** palnąć bezmyślnie.

blunderbuss ['blʌndərˌbʌs] *n.* **1.** *hist.* garłacz (*rodzaj rusznicy*). **2.** grubianin.

blunderer ['blʌndərər] *n.* niedorajda, niedołęga.

blunge [blʌndʒ] *v.* rozrabiać wodą na masę ceramiczną (*glinę*).

blunger ['blʌndʒər], **blunger mill** *n.* mieszalnik (*do mieszania gliny z wodą*).

blunt [blʌnt] *a.* **1.** *t. przen.* tępy. **2.** bezceremonialny, obcesowy. – *v.* stępić (się), przytępić (się). – *n.* **1.** krótka gruba igła. **2.** krótkie grube cygaro.

bluntly ['blʌntlɪ] *adv.* **1.** tępo. **2.** bez ogródek, obcesowo.

blur [blɝ:] *n.* **1.** smuga; plama. **2.** zamglony *l.* niewyraźny kształt. **3.** mgliste wspomnienie. – *v.* **-rr- 1.** zamazać (*np. atramentem*). **2.** zacierać (*granice*); rozmazywać (*kontury*). **3.** zacierać się, zamazywać się; mącić się; stawać się bełkotliwym (*o mowie*).

blurb [blɝ:b] *n.* **1.** tekst na obwolucie (*zwł. reklamujący książkę*). **2.** notka reklamowa.

blurry ['blɝ:ɪ] *a.* zamglony, rozmazany.

blurt [blɝ:t] *v.* **~ (out)** wygadać się z, palnąć.

blush [blʌʃ] *v.* czerwienić się, rumienić się (*with embarrassment* z zażenowania); **~ to think of** (*także* **~ at the thought of**) rumienić się na samą myśl o. – *n.* **1.** rumieniec; **spare my ~es** *przest.* (przestań mnie wychwalać,) bo się zarumienię. **2.** = **blusher** 1. **3. at first ~** na pierwszy rzut oka.

blusher ['blʌʃər] *n.* **1.** *U* róż (*do makijażu*). **2.** osoba łatwo się rumieniąca.

bluster ['blʌstər] *v.* **1.** huczeć (*zwł. o wietrze*). **2.** wrzeszczeć. **3.** przechwalać się głośno. **4.** odgrażać się. – *n. U* **1.** huk (*wiatru*). **2.** wrzask. **3.** głośne przechwałki. **4.** odgrażanie się, puste pogróżki.

blusterer ['blʌstərər] *n.* krzykacz.

blustering ['blʌstərɪŋ] *a.* **1.** wietrzny (*o pogodzie*). **2.** huczący (*o wietrze*).

blusteringly ['blʌstərɪŋlɪ] *adv.* z hukiem, z wrzaskiem.

blusterous ['blʌstərəs] *a.* wrzaskliwy, hałaśliwy.

blustery ['blʌstərɪ] *a.* wietrzny; **~ weather** zawierucha.

blvd. *abbr.* = **boulevard.**

B.M. [ˌbi: 'em], *Br.* **BM** *abbr.* **1. Bachelor of Medicine** licencjat z medycyny. **2. Bachelor of Music** (*także Br.* **BMus**) licencjat z muzyki.

BMA [ˌbi: ˌem 'eɪ] *abbr.* **British Medical Association** Brytyjskie Stowarzyszenie Medyczne.

B.M.E. [ˌbi: ˌem 'i:] *abbr.* **1. Bachelor of Mechanical Engineering** inżynier budowy maszyn.

2. **Bachelor of Mining Engineering** inżynier górnictwa. 3. **Bachelor of Music Education** licencjat z wychowania muzycznego.

Bn *abbr.* 1. = **Baron**. 2. (*także* **bn**) = **battalion**.

bn *abbr.* = **billion**.

B.N. [ˌbiː ˈen] *abbr.* **Bachelor of Nursing** licencjat z pielęgniarstwa.

B.O., *Br.* **BO** *abbr.* 1. *pot.* = **body odor**. 2. = **box office**. 3. **branch office** oddział, filia.

b.o. *abbr.* 1. = **box office**. 2. **back order** *handl.* zamówienie *l.* zlecenie zaległe.

boa [ˈboʊə] *n.* boa (*wąż l. kołnierz*); ~ **constrictor** boa dusiciel (*Constrictor constrictor*).

boar [bɔːr] *n.* 1. knur, kiernoz. 2. **(wild)** ~ dzik.

board [bɔːrd] *n.* 1. deska. 2. tablica; płyta (*pilśniowa, korkowa itp.*). 3. szachownica; plansza; ~ **game** gra planszowa. 4. tektura; okładka tekturowa. 5. *tel.* łącznica, centralka. 6. zarząd; komisja; rada; urząd; ~ **of directors** zarząd, rada nadzorcza. 7. *żegl.* burta; **man over ~!** człowiek za burtą!. 8. *żegl.* hals (*odcinek*). 9. wyżywienie; ~ **and lodging** (*także* **room and ~**) zakwaterowanie z wyżywieniem; **full** ~ pełne wyżywienie; **half** ~ *zwł. Br.* niepełne wyżywienie. 10. **~s** deski sceniczne. 11. **on ~ (a ship/plane)** na pokład *l.* na pokładzie (statku/samolotu); **be on ~** *przen.* być członkiem *l.* pracownikiem, być w składzie (*organizacji, zespołu*); **take on ~** przyjąć, wziąć sobie do serca (*postulaty, propozycje*). 12. **across the ~** dotyczący wszystkich (*np. o podwyżkach*); **back to the drawing ~** trzeba zaczynać od początku; **go by the ~** powędrować do kosza (*o planach*); powędrować do lamusa; **sweep the ~** zgarnąć całą pulę (*w kasynie*). – *v.* 1. pokrywać deskami, szalować; cembrować. 2. stołować (się) (*with sb* u kogoś). 3. wsiadać; przyjmować *l.* wpuszczać pasażerów; wdzierać się (*na inny statek*); ~ **a ship/plane/train** wsiadać na statek/do samolotu/do pociągu. 4. ~ **out** umieścić w internacie *l.* u obcej rodziny (*dziecko, ucznia*); ~ **up/over** zabijać deskami.

boarder [ˈbɔːrdər] *n.* 1. stołowni-k/czka. 2. gość pensjonatu. 3. mieszkan-iec/ka internatu. 4. marynarz wdzierający się na nieprzyjacielski statek.

boarding [ˈbɔːrdɪŋ] *n.* *U* 1. parkan. 2. deski; ~ **floor** podłoga z desek. 3. wejście na pokład (*samolotu, statku itp.*).

boarding card *n.* *Br.* = **boarding pass**.

boarding house *n.* pensjonat.

boarding pass *n.* *US i Austr.* karta pokładowa.

boarding ramp *n.* schody (*do wchodzenia na pokład samolotu*).

boarding school *n.* szkoła z internatem (*zwł. prywatna*).

boardroom [ˈbɔːrdˌruːm] *n.* sala posiedzeń (*zarządu*), sala konferencyjna.

boardwalk [ˈbɔːrdˌwɔːk] *n.* *US* promenada nadmorska (*zwł. z desek*).

boast[1] [boʊst] *v.* 1. chwalić się, chełpić się (*about / of sth* czymś). 2. szczycić się, móc się poszczycić *l.* pochwalić; **the town ~s a new library** miasto może się poszczycić nową biblioteką. – *n.* 1. przechwałka. 2. powód do dumy.

boast[2] *v.* obrabiać szerokim dłutem (*kamień*).

boaster[1] [ˈboʊstər] *n.* chwalipięta, samochwała.

boaster[2] *n.* szerokie dłuto do obróbki kamienia.

boastful [ˈboʊstfʊl] *a.* chełpliwy.

boat [boʊt] *n.* 1. łódź; łódka; **by ~** łodzią; **take to the ~s** opuszczać statek szalupami ratunkowymi. 2. *pot.* statek. 3. (*także* **gravy ~**) sosjerka. 4. *przen. pot.* **be in the same ~** jechać na jednym wózku; **burn one's ~s/bridges** *zob.* **burn**[1] *v.*; **miss the ~/bus** *zob.* **miss** *v.*; **push the ~ out** *Br.* świętować na całego; nie poskąpić grosza (*np. na imprezę, wesele*); **rock the ~** wprowadzać niepotrzebne zamieszanie. – *v.* 1. pływać łódką (*zwł. w celach rekreacyjnych*). 2. przewozić łodzią.

boatbill [ˈboʊtˌbɪl] *n.* *orn.* południowoamerykański gatunek czapli (*Cochlearius cochlearius*).

boater [ˈboʊtər] *n.* 1. osoba pływająca łódką. 2. kanotier (*kapelusz słomkowy z wąskim rondem i płaską główką*).

boatfly [ˈboʊtˌflaɪ] *n.* *ent.* grzbietopławek, pluskolec (*Notonecta glauca*).

boathook [ˈboʊtˌhʊk] *n.* bosak, osęka.

boathouse [ˈboʊtˌhaʊs] *n.* hangar na łodzie.

boatman [ˈboʊtmən] *n.* 1. osoba wypożyczająca łodzie. 2. **(water)** ~ *ent.* pluskwiak wodny z rodziny *Notonectidae* (*zwł. pluskolec*); *zob.* **boatfly**.

boatswain [ˈboʊsən] *n.* bosman.

Bob [bɑːb] *n.* **and ~'s your uncle!** *Br. pot.* i już!, i szafa gra!.

bob[1] [bɑːb] *v.* 1. skinąć (*zwł. głową*); ~ **a greeting** powitać skinieniem głowy. 2. (*także* ~ **up and down**) podskakiwać (*na wodzie*); huśtać się, kołysać się. 3. dygnąć (*to sb* przed kimś). 4. ~ **for apples** próbować złapać zębami unoszące się na wodzie jabłka (*podczas tradycyjnej zabawy w noc Halloween*). 5. ~ **below/under** zniknąć pod powierzchnią; ~ **down** pochylić się, uchylić się; ~ **up** pojawić się ni stąd, ni zowąd. – *n.* 1. skinienie. 2. dyg. 3. = **bobfloat**.

bob[2] *n.* 1. fryzura na pazia; ~ **wig** tupet (*półperuka*). 2. ogon kurtyzowany/anglizowany (*koński*). 3. ciężarek, obciążnik. 4. tarcza polerska. 5. pęczek robaków (*jako przynęta*). 6. = **bobsled**. 7. *przest.* puknięcie, stuknięcie. – *v.* 1. obciąć na pazia (*włosy*). 2. przyciąć, obciąć; kurtyzować (*ogon konia, psa itp.*). 3. jeździć bobslejem. 4. *przest.* stuknąć, puknąć.

bob[3] *n.* *Br. hist. pot.* szyling.

bobbery [ˈbɑːbərɪ] *n.* 1. gwałt, rejwach. 2. ~ **(pack)** sfora pozbierana z różnych psów.

bobbin [ˈbɑːbɪn] *n.* 1. wrzeciono. 2. szpula, szpulka. 3. klocek (*do koronek*); ~ **lace** koronka wykonana metodą przeplatania nitek (*na klocku*). 4. *el.* cewka; korpus cewki. 5. *górn.* cewa (*maszyny wyciągowej*).

bobbinet [ˌbɑːbəˈnet] *n.* koronka o splocie sześciokątnym wykonana maszynowo.

bobble [ˈbɑ:bl] *n.* **1.** *Br.* pompon (*zw. wełniany*). **2.** podskok, kiwnięcie się (*np. korka na wodzie*). – *v.* **1.** podskakiwać (*np. na wodzie*). **2.** *US pot.* zepsuć, spartaczyć (*zwł. piłkę; t. przen. np. robotę*).

bobby [ˈbɑ:bɪ] *n. pl.* **-ies** *Br. pot. przest.* policjant.

bobby pin *n. zwł. US i Can.* spinka do włosów.

bobbysocks [ˈbɑ:bɪˌsɑ:ks], **bobbysox** *n. pl. US* podkolanówki dziewczęce.

bobbysoxer [ˈbɑ:bɪˌsɑ:ksər] *n. US* podlotek (*zwł. w latach 40. i 50. XX w.*).

bobcat [ˈbɑ:bˌkæt] *n. zool.* ryś rudy (*Lynx rufus*).

bobfloat [ˈbɑ:bˌfloʊt] *n.* spławik.

bobolink [ˈbɑ:bəˌlɪŋk] *n. orn.* ryżojad (*Dolichonyx oryzivorus*).

bobsled [ˈbɑ:bˌsled], *Br.* **bobsleigh** [ˈbɑ:bˌsleɪ] *n.* bobslej. – *v.* jeździć bobslejem.

bobstay [ˈbɑ:bˌsteɪ] *n. żegl.* watersztag.

bobtail [ˈbɑ:bˌteɪl] *n.* **1.** kurtyzowany ogon, pies, koń itp. **2. ragtag and ~** *zob.* **ragtag** *n.* – *v.* kurtyzować, anglizować.

bobwhite [ˈbɑ:bˌwaɪt] *n. orn.* przepiór wirginijski (*Colinus virginianus*).

Boche [bɑ:ʃ] *n. pog. obelż.* szwab, szkop. – *a.* szwabski.

bock [bɑ:k], **bock beer** *n. U* rodzaj mocnego piwa niemieckiego.

BOD [ˌbi: ˌoʊ ˈdi:] *abbr.* **biochemical oxygen demand** *ekol.* BZT (= *biochemiczne zapotrzebowanie tlenu*).

bod [bɑ:d] *n. pot.* **1.** = **body** 1. **2.** *Br.* facet, gość; **odd ~** dziwak.

bodacious [boʊˈdeɪʃəs] *a. płd. US dial.* **1.** skończony (*o piękności itp.*). **2.** niesamowity, niezwykły. **3.** zuchwały, brawurowy.

bode[1] [boʊd] *v. zwł. lit.* wróżyć, wieścić; **~ well/ill** dobrze/źle wróżyć.

bode[2] *v. zob.* **bide**.

bodega [boʊˈdeɪgɑ:] *n. US* (*zwł. wśród Amerykanów hiszpańskojęzycznych*) sklep spożywczy.

bodement [ˈboʊdmənt] *n. zwł. lit.* omen, wróżba.

bodice [ˈbɑ:dɪs] *n.* **1.** stan (*część sukni*). **2.** gorset (*noszony na bluzce*).

bodiless [ˈbɑ:dɪləs] *a.* bezcielesny.

bodily [ˈbɑ:dɪlɪ] *a.* **1.** cielesny; fizyczny (*o napaści, bólu*); fizjologiczny (*o funkcjach*). **2.** *prawn.* **(actual) ~ harm** naruszenie czynności narządu ciała, rozstrój zdrowia; **grievous ~ harm** ciężki uszczerbek na zdrowiu. – *adv.* **1.** osobiście. **2.** fizycznie. **3.** w całości.

bodkin [ˈbɑ:dkɪn] *n.* **1.** dziurkownik (*do skóry itp.*). **2.** szydło. **3.** szpila do włosów. **4.** sztylet, sztylecik; *druk.* sztylet zecerski. **5. ~ beard** broda hiszpańska, hiszpanka.

body [ˈbɑ:dɪ] *n. pl.* **-ies 1.** *t. fiz., astron.* ciało. **2.** organizm. **3.** korpus, tułów. **4.** (*także* **dead ~**) zwłoki, ciało, trup; **over my dead ~** *pot.* po moim trupie. **5.** obiekt. **6.** *geom.* bryła. **7.** grupa; zbiór (*of sth* czegoś) (*np. przepisów*). **8.** gremium. **9.** *mot.* nadwozie; karoseria. **10.** *lotn.* kadłub. **11.** *Br.* = **~ suit**. **12.** *U* gęstość (*np. włosów*); *techn.* lepkość; konsystencja (*zwł. wina*); solidność (*materiału*). **13.** *U ceramika* masa ceramiczna, czerep. **14.** trzon (*np. nitu*). **15. ~ of water** akwen wodny; **in a ~** zbiorowo, masowo; **the ~ of sth** główna *l.* zasadnicza część czegoś (*książki, tekstu, budynku*); przeważająca część czegoś (*np. opinii publicznej*).

body bag *n.* worek na zwłoki.

body blow *n.* **1.** cios w tułów. **2.** *przen.* ciężki cios.

bodybuilder [ˈbɑ:dɪˌbɪldər] *n.* kulturyst-a/ka.

bodybuilding [ˈbɑ:dɪˌbɪldɪŋ] *n. U* kulturystyka.

body clock *n.* zegar biologiczny.

body count *n.* liczba zabitych, liczba ofiar (*zwł. wskutek działań wojennych*).

body English *n. U US* skręcenie ciała przez zawodnika dla nadania piłce odpowiedniego kierunku lotu.

bodyguard [ˈbɑ:dɪˌgɑ:rd] *n.* **1.** ochroniarz, goryl. **2.** ochrona osobista.

body language *n. U psych.* język ciała.

body louse *n.* wesz odzieżowa.

body mike *n.* mały mikrofon bezprzewodowy (*wpinany w ubranie*).

body odor, *Br.* **body odour** *n.* nieprzyjemny zapach potu.

body politic *n. sing. form.* naród, ogół obywateli państwa.

body search *n.* rewizja osobista.

body-search [ˈbɑ:dɪˌsɝ:tʃ] *v.* robić rewizję osobistą (*komuś*).

body shop *n.* warsztat blacharski.

body suit *n. US strój* body.

body tube *n. opt.* **1.** tubus (*teleskopu*). **2.** korpus (*mikroskopu*).

bodywork [ˈbɑ:dɪˌwɝ:k] *n. U* blacharstwo samochodowe.

Boer [bɔ:r] *n.* Bur. – *a.* burski.

boff [bɑ:f] *v. US sl.* **~ sb** przelecieć kogoś; bzykać się z kimś.

boffo [ˈbɑ:foʊ] *n. pl.* **-s** *US sl.* bomba, przebój (*zwł. o sztuce teatralnej*). – *a.* bombowy, przebojowy.

bog [bɑ:g] *n.* **1.** bagno, trzęsawisko, mokradło; torfowisko. **2.** *Br. sl.* kibel, klop. – *v.* **-gg- 1.** tonąć w bagnie. **2. be ~ged down in sth** *przen.* ugrzęznąć w czymś.

bogey[1] [ˈboʊgɪ] *n. golf* bogey (*wynik 1 powyżej normy uderzeń dołka*).

bogey[2] *n.* = **bogy**.

bogeyman [ˈboʊgɪˌmæn], **boogeyman** *n. mit.* licho, zły duch (*porywający niegrzeczne dzieci*).

boggart [ˈbɔ:gɑ:rt] *n. płn. Br.* licho, strach; duch.

boggle [ˈbɑ:gl] *v.* **1.** oszałamiać, zdumiewać; **the mind ~s at sth** (*także* **sth ~ the mind**) *pot.* trudno ogarnąć coś umysłem, coś przerasta ludzki umysł. **2.** wzdragać się, wahać się (*at sth* przed czymś *l.* co do czegoś).

boggy [ˈbɑ:gɪ] *a.* bagnisty.

bogie[1] [ˈboʊgɪ] *n. Br. kol.* wózek zwrotny.

bogie[2] *n.* = **bogy**.

bog iron ore *n.* limonit, ruda łąkowa.

bog manganese *n. min.* wad.

bog moss *n. bot.* torfowiec (*Sphagnum*).

bog roll *n. Br. sl.* papier toaletowy.

bogtrotter [ˈbɑːɡˌtrɑːtər] *n. pog. obelż.* Irlandczyk.

bogus [ˈboʊɡəs] *a.* fałszywy, fikcyjny, zmyślony.

bogy [ˈboʊɡɪ], **bogey, bogie** *n.* **1.** czart, licho, zły duch. **2.** postrach, zmora. **3.** *zwł. Br. wojsk. sl.* samolot nierozpoznany.

Bohemia [boʊˈhiːmɪə] *n.* **1.** Czechy (*zwł. jako kraina historyczna*). **2.** dzielnica cyganerii.

bohemian [boʊˈhiːmɪən] *a.* typowy dla cyganerii, swobodny, ekscentryczny.

bohunk [ˈboʊˌhʌŋk] *n. US sl. pog. obelż.* pepik, madziar, polaczek itp. (*o robotniku z Europy środkowo-wschodniej*).

boil[1] [bɔɪl] *v.* **1.** gotować (się); *t. przen.* wrzeć, kipieć. **2.** ~ **down to sth** sprowadzać się do czegoś; ~ **over** wykipieć; *przen.* wybuchnąć (*o gniewie*); wybuchnąć *l.* kipieć gniewem; ~ **over into** urosnąć do (*kłótni itp.*); ~ **up** narastać, zbliżać się do stanu wrzenia (*np. o niezadowoleniu*); **sth makes sb's blood** ~ *zob.* **blood**. – *n.* **the** ~ wrzenie; **bring sth to the** ~ zagotować coś; **come to a/the** ~ zagotować się.

boil[2] *n. pat.* czyrak, ropień.

boiled [bɔɪld] *a.* gotowany; ~ **potatoes** ziemniaki z wody *l.* gotowane; ~ **water** woda przegotowana.

boiled oil *n. U* pokost.

boiler [ˈbɔɪlər] *n.* **1.** kocioł; bojler. **2.** czajnik; garnek do gotowania wody.

boilerhouse [ˈbɔɪlərˌhaʊs] *n.* (*także* **boiler room**) kotłownia.

boilerplate [ˈbɔɪlərˌpleɪt] *n. U* **1.** blacha kotłowa. **2.** utarte zwroty *l.* formułki (*zwł. w korespondencji*); tekst pełen wyświechtanych frazesów. **3.** kopia matka.

boiler suit *n. Br.* kombinezon roboczy.

boiling [ˈbɔɪlɪŋ] *a.* **1.** wrzący, gotujący się; *t. przen.* kipiący; ~ **point** *t. przen.* temperatura wrzenia. **2. we're/it's ~ in here** *pot.* można się tu ugotować. – *adv. pot.* strasznie, piekielnie, jak diabli; ~ **hot** piekielnie gorąco; ~ **mad** wściekły jak diabli *l.* jak cholera.

boisterous [ˈbɔɪstərəs] *a.* **1.** hałaśliwy, nieokiełznany; *uj.* niesforny. **2.** wzburzony, gwałtowny (*o morzu, wietrze*).

boisterously [ˈbɔɪstərəslɪ] *adv.* hałaśliwie, niesfornie, burzliwie.

boisterousness [ˈbɔɪstərəsnəs] *n. U* hałaśliwość, niesforność.

bola [ˈboʊlə], **bolas** [ˈboʊləs] *n.* bolas (*południowoamerykańska broń myśliwska*).

bold [boʊld] *a.* **1.** śmiały; *uj.* zuchwały; **as ~ as brass** bezczelny; **make so ~ as to do sth** *przest.* ośmielać się coś zrobić. **2.** wyrazisty, dobrze widoczny. **3.** (*także* **~face**) pogrubiony, tłusty (*o druku, czcionce*).

bold face *n. U druk.* pogrubiona czcionka.

bold-faced [ˈboʊldˌfeɪst] *a.* **1.** zuchwały, bezwstydny. **2.** drukowany pogrubioną czcionką.

boldly [ˈboʊldlɪ] *adv.* **1.** śmiało, zuchwale. **2.** wyraziście.

boldness [ˈboʊldnəs] *n. U* śmiałość; *uj.* tupet.

bole[1] [boʊl] *n.* pień.

bole[2] *n. U mal.* bolus, pulment (*rodzaj glinki*).

bolection [boʊˈlekʃən] *n. bud.* szpros, szczeblina (*wypukła listwa, dzieląca płaski element na sekcje*).

bolero [bəˈleroʊ] *n.* bolero (*taniec l. żakiecik*).

boletus [boʊˈliːtəs] *n. pl.* **boletuses** *l.* **~i** *bot.* borowik (*Boletus*), prawdziwek.

bolide [ˈboʊlaɪd] *n.* bolid (*jasny meteor*).

Bolivia [boʊˈlɪvɪə] *n.* Boliwia.

Bolivian [boʊˈlɪvɪən] *a.* boliwijski. – *n.* Boliwij-czyk/ka.

boll [boʊl] *n. bot.* torebka nasienna (*lnu, bawełny*).

bollard [ˈbɑːlərd] *n. żegl.* pachoł(ek), knecht, poler.

bollix [ˈbɑːlɪks] *v.* (*także* ~ **up**) *US pot.* spartaczyć. – *n. US pot.* partanina, partactwo.

bollocks [ˈbɑːləks] *n. pl.* = **ballocks**.

boll weevil *n. ent.* kwieciak bawełniany (*Anthonomus grandis*).

bolo [ˈboʊloʊ] *n. pl.* **bolos** nóż filipiński (*używany także w armii USA*).

bologna [bəˈloʊnɪ] *n. C/U* (*także* ~ **sausage**) *US i Can. kulin.* mortadela.

bolometer [boʊˈlɑːmətər] *n. fiz.* bolometr (*przyrząd do pomiaru energii promieniowania*).

boloney [bəˈloʊnɪ] *n. sl.* = **baloney**.

Bolshevik [ˈboʊlʃəvɪk], **Bolshevist** [ˈboʊlʃəvɪst] *n.* bolszewik. – *a.* bolszewicki.

Bolshevism [ˈboʊlʃəˌvɪzəm] *n. U* bolszewizm.

Bolshevize [ˈboʊlʃəˌvaɪz], *Br. także* **Bolshevise** *v.* bolszewizować (się).

Bolshy [ˈboʊlʃɪ] *sl.* = **Bolshevik**.

bolster [ˈboʊlstər] *n.* wałek, podgłówek. – *v.* watować, wypychać; ~ **(up)** wspierać, umacniać, podtrzymywać na duchu.

bolsterer [ˈboʊlstərər] *n.* popleczni-k/czka.

bolt[1] [boʊlt] *n.* **1.** zasuwka, rygiel (*t. w zamku broni palnej*). **2.** bolec, sworzeń; śruba (*gwintowana, z nakrętką*). **3.** zryw, sus. **4.** zwój, rolka (*tkaniny, tapety*). **5.** bełt (= *strzała do kuszy*). **6.** (*także* **thunder~**) piorun, grom. **7.** *przen.* **a ~ from/out of the blue** grom z jasnego nieba; **make a ~ for it** rzucić się do ucieczki; **shoot one's ~** *zob.* **shoot** *v.* – *v.* **1.** ryglować, zamykać na zasuwkę. **2.** przyśrubować. **3.** zerwać się, rzucić się do ucieczki; pomknąć; ponieść (*o koniu*). **4.** porzucać, opuszczać (*zwł. partię polityczną*). **5.** ~ **(down)** łykać (*pospiesznie, łapczywie*). **6.** ~ **in** zamknąć (*w domu na klucz*). – *adv.* ~ **upright** prosto, sztywno, jakby kij połknął.

bolt[2] (*także* **boult**) *v.* **1.** przesiewać, pytlować (*mąkę*); **~ing cloth** gaza młynarska. **2.** *przen.* analizować, badać.

bolter[1] [ˈboʊltər] *n.* zbiegły koń; *Austr. pot.* „czarny koń”, outsider.

bolter[2] (*także* **boulter**) *n.* pytel (*do przesiewania mąki*).

bolthead [ˈboʊltˌhed] *n.* **1.** grot (*bełtu, strzały*). **2.** *chem. przest.* kolba destylacyjna.

bolt-hole [ˈboʊltˌhoʊl] *n.* kryjówka; miejsce ucieczki.

boltline [ˈboʊltˌlaɪn] *n. wojsk.* pozycja ryglowa.

boltrope [ˈboʊltˌroʊp] *n. żegl.* linka brzeżna.

bolus [ˈboʊləs] *n.* **1.** *med.* piguła. **2.** *mal.* = **bole**[2].

bomb [bɑːm] *wojsk. n.* **1.** bomba. **2. the ~** bomba atomowa; broń jądrowa. – *v.* **1.** bombardować. **2.** podłożyć bombę pod; rzucić bombą w. **3. ~ out** pozbawić dachu nad głową (*w wyniku bombardowania*); **~ up** załadować bombami.

bombard *v.* [bɑːmˈbɑːrd] ostrzeliwać (*z ciężkiej artylerii*), bombardować; **~ sth with sth** *fiz.* bombardować coś czymś (*np. cząstkami*); **~ sb with questions/accusations** *przen.* zarzucać *l.* bombardować kogoś pytaniami/oskarżeniami. – *n.* [ˈbɑːmˌbɑːrd] *wojsk., hist.* bombarda.

bombardier [ˌbɑːmbərˈdiːr] *n. wojsk.* **1.** celowniczy bomb. **2.** *Br.* bombardier (*stopień w artylerii*).

bombardment [bɑːmˈbɑːrdmənt] *n. U* ostrzał, bombardowanie.

bombardon [ˈbɑːmbərdən] *n. muz.* bombardon (*instrument blaszany l. rejestr organowy*).

bombast [ˈbɑːmbæst] *n. U* patos, emfaza, napuszenie.

bombastic [bɑːmˈbæstɪk] *a.* bombastyczny, napuszony.

Bombay [bɑːmˈbeɪ] *n.* Bombaj.

bomb bay *n. lotn.* komora bombowa.

bombe [bɑːm] *n.* bomba (*deser lodowy*).

bomber [ˈbɑːmər] *n.* **1.** *lotn.* bombowiec, samolot bombowy. **2.** zamachowiec (*podkładający l. rzucający bomby*).

bombing [ˈbɑːmɪŋ] *n. C / U wojsk.* bombardowanie; **blanket ~** *zob.* **blanket; precision ~** *zob.* **precision.**

bombproof [ˈbɑːmˌpruːf] *a.* przeciwbombowy.

bombshell [ˈbɑːmˌʃel] *n.* **1.** *wojsk., hist.* bomba artyleryjska. **2.** *przen.* sensacja (*zwł. nieprzyjemna*); **come as a ~** wywołać konsternację.

bombsight [ˈbɑːmˌsaɪt] *n. lotn.* celownik bombowy.

bona-fide [ˈboʊnəˌfaɪd] *a.* **1.** prawdziwy, autentyczny. **2.** szczery, uczyniony w dobrej wierze.

bonanza [bəˈnænzə] *n.* **1.** bonanza (*żyła złota, kopalnia l. pole naftowe*). **2.** *pot.* dobra passa, pomyślność.

Bonapartism [ˈboʊnəˌpɑːrtɪzəm] *n. U* bonapartyzm.

Bonapartist [ˈboʊnəˌpɑːrtɪst] *n.* bonapartysta/ka. – *a.* bonapartystyczny.

bon appétit [bɔːˌnɑːpeɪˈtiː] *int. Fr.* smacznego.

bonbon [ˈbɑːnˌbɑːn] *n.* cukierek, czekoladka (*zwł. o fantazyjnym kształcie*).

bonbonnière [ˌbɑːnbəˈnjer] *n.* bombonierka.

bond [bɑːnd] *n.* **1.** węzeł; spojenie, połączenie (*za pomocą węzła, kleju itp.*). **2.** *często pl.* więź. **3.** *pl.* więzy; *przen.* niewola. **4.** zobowiązanie, rękojmia; *fin.* skrypt dłużny, zobowiązanie (*na piśmie*). **5.** *często pl. ekon.* obligacja. **6.** *prawn.* kaucja (*sądowa*); *fin.* zastaw, zabezpieczenie. **7.** *handl.* **in ~** w składzie celnym, na cle; **out of ~** (podjęty) ze składu celnego. **8.** *bud.* wiązanie (*układ cegieł*). **9.** *chem.* wiązanie. **10.** *el.* przewód uziemiający. – *v.* **1.** wiązać, krępować; łączyć, zwierać (*np. przewody elektryczne*); spajać, wiązać (*o kleju, cemencie*). **2.** tworzyć więzi (*emocjonalne*). **3.** *handl.* składać w składzie celnym (*towar*); *zob.* **~ed warehouse. 4.** *fin.* obciążać długiem obligacyjnym. **5.** *bud.* wiązać (*cegły*).

bondage [ˈbɑːndɪdʒ] *n. U* **1.** niewola; zniewolenie, uwięzienie. **2.** *hist.* poddaństwo. **3.** krępowanie (*praktyka seksualna*).

bonded [ˈbɑːndɪd] *a.* **1.** zabezpieczony (*za pomocą kaucji, gwarancji*). **2.** *handl.* (złożony) na cle, w składzie celnym.

bonded debt *n. fin.* dług obligacyjny.

bonded warehouse *n.* skład celny.

bonder [ˈbɑːndər] *n.* **1.** osoba składająca towar na cle. **2.** *bud.* ściskacz, ściągacz (*kamień, cegła*).

bondholder [ˈbɑːndˌhoʊldər] *n.* posiadacz/ka obligacji.

bonding [ˈbɑːndɪŋ] *n. psych. U* powstawanie więzi uczuciowych.

bondmaid [ˈbɑːndˌmeɪd] *n. hist.* dziewka pańszczyźniana, poddanka.

bond paper *n. U* papier maszynowy wysokiej jakości.

bondservant [ˈbɑːndˌsɝːvənt] *n. hist.* sługa pańszczyźniany.

bondservice [ˈbɑːndˌsɝːvɪs] *n. U hist.* służba pańszczyźniana.

bondsman [ˈbɑːndzmən] *n. pl.* **bondsmen** *hist.* chłop pańszczyźniany, poddany, niewolnik.

bondstone [ˈbɑːndˌstoʊn] *n. bud.* = **bonder.**

bone [boʊn] *n.* **1.** *C / U t. w złoż. t. anat., kulin.* kość; **cheek~s** kości policzkowe; **on/off the ~** *kulin.* z kością/bez kości (*o mięsie*). **2.** ość. **3.** *pl.* szkielet; *żart.* ciało. **4.** *pl.* kości (*do gry*). **5.** *pl.* kastaniety. **6.** *sl. euf.* erekcja. **7.** *przen.* **a ~ of contention** kość niezgody; **a bag of ~s** *pot.* skóra i kości (= *chudzielec*); **as dry as a ~** *emf.* wyschnięty na kość; **bred in the ~** gruntownie wpojony; **chilled/frozen to the ~** przemarznięty do (szpiku) kości; **cut sth to the ~** ograniczyć coś do minimum; **feel/know it in one's ~s** czuć to w kościach (= *wiedzieć intuicyjnie*); **have a ~ to pick with sb** mieć z kimś do pogadania; **make no ~s about sth** nie robić z czegoś tajemnicy; nie wstydzić się czegoś; **(never) make old ~s** (nie) dożyć późnego wieku; **near/close to the ~** ryzykowny, nietaktowny (*o żartach, uwagach*); **(nothing but) skin and ~(s)** *pot.* (sama) skóra i kości; **the (bare) ~s** podstawowe fakty (*of sth* dotyczące czegoś); **with plenty of ~** rosły, dobrze zbudowany (*o koniu*); **work one's fingers to the ~** *zob.* **finger** *n.* – *v.* **1.** *kulin.* usuwać kości *l.* ości z (*czegoś*), filetować. **2.** *krawiectwo* usztywniać fiszbinami. **3.** *roln.* nawozić mączką kostną. **4.** *Br. sl.* ukraść. **5. ~ up (on sth)** *pot.* wkuwać (coś).

bone ash *n. U* popiół kostny.

boneblack [ˈboʊnˌblæk] *n. U* węgiel kostny.

bone china *n. U* porcelana kostna (*z dodatkiem popiołu kostnego*).

bone-dry [ˌboʊnˈdraɪ] *a.* suchy jak pieprz.

bonehead[1] [ˈboʊnˌhed] *n. sl.* bęcwał, kretyn.

bonehead2 (*także* **boneheaded**) *a. sl.* kretyński.

bone meal *n. U* mączka kostna.

boner ['boʊnər] *n. sl.* byk, głupi błąd.

bones [boʊnz] *n. sing. żart.* medyk, doktor.

bonfire ['bɑːnˌfaɪr] *n.* ognisko (*duże, pod gołym niebem*); **make a ~ of sth** spalić coś, puścić coś z dymem.

bongo ['bɑːŋgoʊ] *n. pl.* **bongos** *l.* **~es** *muz.* bongo (*rodzaj bębenka*).

bonhomie ['bɑːnəˌmiː] *n. U* dobroduszność, wylewność.

bonito [bə'niːtoʊ] *n. pl.* **bonito** *l.* **~s** *icht.* bonito, pelanida (*Sarda sarda*).

bonk [bɑːŋk] *v. Br. sl.* bzykać (się).

bonkers ['bɑːŋkərz] *a. pot. l. żart.* stuknięty, zbzikowany.

bon mot [ˌbɑːn'moʊ] *n. pl.* **bon mots** [ˌbɑːn'moʊz] *Fr.* bon mot (*zgrabne powiedzenie*).

bonnet ['bɑːnɪt] *n.* **1.** czepek (*damski l. dziecięcy*); kapturek; *Scot.* czapka sukienna, beret. **2.** pióropusz (*indiański*). **3.** *techn.* pokrywa, osłona, kaptur, kołpak. **4.** *Br.* maska (*samochodu*). **5. have a bee in one's ~** *przen. pot.* mieć bzika (*about sth* na punkcie czegoś).

bonnet laird *n. Scot.* drobny ziemianin.

bonnet rouge [ˌbɔːne 'ruːʒ] *n. pl.* **bonnets rouges** [ˌbɔːne 'ruːʒ] **1.** *Fr. hist.* czerwona czapka (*rewolucjonisty*). **2.** *przen.* rewolucjonista, radykał.

bonny ['bɑːnɪ] *a.* **-ier, -iest** *Scot. i dial.* **1.** piękny, przystojny; krzepki. **2.** przyjemny. **3.** spory; niezły, niezgorszy; *iron. uj.* okropny.

bonobo [bə'noʊboʊ] *n. pl.* **bonobos** *zool.* (szympans) bonobo (*Pan paniscus*).

bonsai ['boʊnsaɪ] *n. ogr.* bonsai.

bonspiel ['bɑːnspiːl] *n. Scot.* mecz curlingu; *zob.* **curling.**

bonus ['boʊnəs] *n.* **1.** premia, dodatkowa wypłata. **2.** *ekon.* dywidenda specjalna; *Br. ubezp.* premia ubezpieczeniowa. **3.** *wojsk.* odprawa pieniężna. **4.** *przen.* miła niespodzianka.

bon voyage [ˌbɑːnvɔɪ'ɑːʒ] *int. Fr.* szczęśliwej podróży.

bony ['boʊnɪ] **-ier, -iest** *a.* **1.** kostny. **2.** kościsty, chudy. **3.** ościsty.

bonze [bɑːnz] *n.* bonza (*mnich l. kapłan buddyjski*).

boo [buː] *int.* **1.** buu, uhu (*w celu nastraszenia kogoś l. okazania niezadowolenia*). **2. sb wouldn't say ~ to a goose** *przen. pot.* ktoś jest bardzo bojaźliwy *l.* nieśmiały. – *n.* buczenie (*na znak dezaprobaty*). – *v.* **-s, -ing, -ed** buczeć, pohukiwać (*na postrach l. na znak dezaprobaty*); **~ sb (off sth)** wygwizdać kogoś (skądś).

boob1 [buːb] *n. sl.* **1.** głupek, idiota. **2.** *Br.* gafa. – *v. Br. sl.* palnąć głupstwo, strzelić gafę.

boob2 *n.* (*także* **~y**) *wulg.* cycek.

boo-boo ['buːbuː] *n. pot.* **1.** gafa; głupia pomyłka. **2.** *US pot.* drobne skaleczenie, stłuczenie itp.

boob tube *n. pot.* **1.** *Br.* obcisła bluzka bez ramion. **2. the ~** *US* ogłupiacz (= *telewizor*).

booby ['buːbɪ] *n. pl.* **-ies** **1.** *pot.* głupek, idiota. **2.** ostatni/a (zawodni-k/czka) na mecie. **3.** *orn.* głuptak (*Sula*). **4.** = **boob2**.

booby hatch *n. żegl.* pokrywa luku.

booby prize *n.* nagroda pocieszenia.

booby trap *n.* **1.** pułapka (*zwł. coś spadającego na głowę w chwili otwarcia drzwi*). **2.** bomba-pułapka (*zw. w przesyłce*); *wojsk.* pułapka minowa.

booby-trap ['buːbɪˌtræp] *v.* **-pp-** podłożyć bombę-pułapkę (*komuś l. w czymś*).

boodle ['buːdl] *n. sl.* **1.** = **caboodle**. **2.** nielegalny zysk; łup (*złodziejski*).

boogie ['bʊgɪ] *n. muz.* **1.** = **boogie-woogie**. **2.** boogie (*odmiana rocka*). – *v.* **boogieing, boogied** **1.** *pot.* tańczyć (*przy muzyce rockowej*). **2.** *sl.* iść. **3.** *sl.* uprawiać seks.

boogie-woogie [ˌbʊgɪ'wʊgɪ] *n. muz.* boogie-woogie.

boohoo [ˌbuː'huː] *v.* **boohooed, boohooing** *pot.* beczeć (*płakać*). – *n.* bek.

book [bʊk] *n.* **1.** książka; księga. **2.** podręcznik. **3.** spis, rejestr. **4.** kodeks, regulamin, zbiór przepisów. **5.** zeszyt, notatnik. **6.** książeczka (*czekowa, biletowa*); karnet. **7.** klaser, album. **8.** księga (*część utworu*). **9.** księga (*bukmachera*), rejestr zakładów. **10.** *pl. fin.* księgi rachunkowe; **keep the ~s** prowadzić księgi. **11.** scenariusz; libretto. **12.** *brydż* książeczka (*wymagana liczba lew*). **13. the B~** Biblia. **14. ~ of reference** dzieło podręczne; **B~ of Common Prayer** *kośc.* Księga Wspólnej Modlitwy (*w anglikanizmie i Kościołach episkopalnych*); **bring sb to ~** udzielić komuś reprymendy. **15.** *przen.* **by/according to the ~** *pot.* według przyjętych zasad, regulaminowo; **closed ~** czarna magia (*zwł. o dziedzinie wiedzy*); **cook the ~s** *pot.* sfałszować wpisy (*w księgach rachunkowych*); **in sb's ~** *pot.* czyimś zdaniem; **be in sb's good/bad ~s** *pot.* być dobrze/źle ocenianym przez kogoś; **in the ~** w książce telefonicznej; **know/read sb like a ~** znać kogoś na wylot; **on the ~s** na liście (*członków, zawodników*); **off the ~s** *pot.* na lewo, na czarno; **open ~** otwarta księga (= *coś dobrze znanego*); **suit sb's ~** *pot.* odpowiadać *l.* pasować komuś; **take a leaf from/out of sb's ~** *zob.* **leaf** *n.*; **that's one for the ~(s)!** (*także Br.* **that's a turnup for the ~(s)!**) to trzeba zapisać!, a to ci niespodzianka!; **throw the ~ at sb** zgromić kogoś, udzielić komuś reprymendy; ukarać kogoś surowo. – *v.* **1.** rejestrować, księgować; wpisywać na listę. **2.** *pot.* spisać, odnotować w rejestrze (*zwł. osobę zatrzymaną przez policję*); *sport* ukarać żółtą kartką; **be ~ed** *pot.* dać się zapudłować. **3.** rezerwować; zamawiać (*coś l. czyjeś usługi*); angażować. **4. ~ in** zarejestrować się, zameldować się (*w hotelu*); **~ out** wymeldować się (*z hotelu*), opuścić hotel; **~ sb on sth** zarezerwować komuś bilet na coś; **~ up** zarezerwować; dokonać rezerwacji (*czegoś*).

bookbinder ['bʊkˌbaɪndər] *n.* introligator.

bookbindery ['bʊkˌbaɪndərɪ] *n.* zakład introligatorski.

bookbinding ['bʊkˌbaɪndɪŋ] *n. U* introligatorstwo.

book box *n.* futerał na książkę.

bookcase [ˈbʊkˌkeɪs] *n.* szafa na książki, biblioteczka.
book club *n.* klub książki.
book-end [ˈbʊkˌend] *n. często pl.* podpórka do książek (*na półce bibliotecznej*).
bookhand [ˈbʊkˌhænd] *n. hist.* pismo kodeksowe (*w manuskryptach*).
bookie [ˈbʊkɪ] *n. pot.* = **bookmaker**.
booking [ˈbʊkɪŋ] *n.* **1.** angaż. **2.** *zwł. Br.* rezerwacja.
booking clerk *n. Br.* kasjer/ka (*sprzedając-y / a bilety*).
booking machine *n. fin.* maszyna księgująca.
booking office *n. Br.* kasa biletowa.
bookish [ˈbʊkɪʃ] *a.* **1.** książkowy, literacki. **2.** garnący się do książek, oczytany. **3.** *uj.* oderwany od rzeczywistości, znający życie z książek.
book jacket *n.* obwoluta.
bookkeeper [ˈbʊkˌkiːpər] *n.* księgow-y/a, buchalter/ka.
bookkeeping [ˈbʊkˌkiːpɪŋ] *n. U* księgowość, buchalteria.
book label *n.* = **bookplate**.
book-learned [ˈbʊkˌlɝːnd] *a. uj.* kształcony na książkach, akademicki.
book-learning [ˈbʊkˌlɝːnɪŋ] *n. U uj.* mądrość książkowa; wiedza teoretyczna (*bez znajomości praktyki*).
booklet [ˈbʊklət] *n.* książeczka, broszur(k)a.
booklore [ˈbʊkˌlɔːr] *n.* = **book-learning**.
booklouse [ˈbʊkˌlaʊs] *pl.* **booklice** [ˈbʊkˌlaɪs] *n. ent.* mól książkowy (*zwł. Trogium pulsatorium*).
bookmaker [ˈbʊkˌmeɪkər] *n.* bukmacher.
bookman [ˈbʊkmən] *n. pl.* **bookmen** **1.** *form.* uczony; literat. **2.** *pot.* księgarz; wydawca.
bookmark [ˈbʊkˌmɑːrk] *n.* **1.** (*także* **bookmarker**) zakładka (*do książki*). **2.** *komp.* zakładka (*do strony internetowej*).
bookmobile [ˈbʊkməˌbiːl] *n.* biblioteka objazdowa.
book-plate [ˈbʊkˌpleɪt] *n.* ekslibris.
bookrest [ˈbʊkˌrest] *n. Br.* podpórka pod książkę.
bookseller [ˈbʊkˌselər] *n.* księgarz; sprzedawca książek.
bookshelf [ˈbʊkˌʃelf] *n. pl.* **bookshelves** półka na książki, półka biblioteczna.
bookshop [ˈbʊkˌʃɑːp] *n. zwł. Br.* = **bookstore**.
bookstack [ˈbʊkˌstæk] *n.* półka biblioteczna *l.* księgarska.
bookstall [ˈbʊkˌstɔːl] *n.* **1.** stoisko *l.* stragan z książkami. **2.** *Br.* stoisko z prasą.
bookstore [ˈbʊkˌstɔːr] *n. zwł. US* księgarnia.
book value *n. U fin.* wartość księgowa.
bookworm [ˈbʊkˌwɝːm] *n.* **1.** *ent.* = **booklouse**. **2.** *przen.* mól książkowy.
Boolean [ˈbuːlɪən] *a. mat., komp.* boolowski, zerojedynkowy; ~ **algebra** algebra Boole'a; ~ **value** wartość logiczna.
boom[1] [buːm] *n.* **1.** huk; grzmot, łoskot; *orn.* buczenie (*np. bąka*). **2.** hossa, koniunktura; *ekon.* rozkwit; ~ **and bust** załamanie koniunktury. **3.** ~ **box** (*także* ~**box**) *US* przenośne radio *l.* radiomagnetofon o dużej mocy. – *v.* **1.** huczeć; grzmieć; buczeć (*o ptakach, np. o bąku*). **2.** *ekon.* przeżywać rozkwit; wzrastać, zwyżkować. **3.** doprowadzić do rozkwitu.
boom[2] *n.* **1.** *żegl.* bom. **2.** bom ładowniczy, derrik. **3.** wysięgnik (*zwł. mikrofonu*). **4.** *żegl.* zapora pływająca (*chroniąca szlak wodny*). **5.** **lower the ~ on sb** ostro zareagować przeciwko komuś, rozprawić się z kimś.
boomer[1] [ˈbuːmər] *n. Austr. zool.* przewodnik stada kangurów.
boomer[2] *n. hist.* kolonizator, organizator osadnictwa (*na obszarze Terytorium Indiańskiego*).
boomerang [ˈbuːməˌræŋ] *n.* **1.** bumerang. **2.** *przen.* zgubne skutki (*własnego działania*). – *v. przen.* wracać jak bumerang; ~ **on sb** obrócić się przeciwko komuś (*o chybionych planach*).
booming [ˈbuːmɪŋ] *a.* grzmiący, huczący.
boon[1] [buːn] *n.* **1.** dobrodziejstwo; *przen.* błogosławieństwo, zbawienie. **2.** *arch.* łaska, przysługa, fawor.
boon[2] *a. arch.* wesoły, towarzyski; ~ **companion** dobry kompan.
boondocks [ˈbuːnˌdɑːks] *n.* **the ~** *US i Austr. pot. pog.* pipidówka, zadupie.
boondoggle [ˈbuːnˌdɑːgl] *n. US pot.* działalność pozorna, praca na niby. – *v.* **1.** pozorować działanie, obijać się. **2.** nabierać, robić w konia.
boonies [ˈbuːnɪz] *n.* = **boondocks**.
boor [bʊr] *n.* gbur, prostak.
boorish [ˈbʊrɪʃ] *a.* gburowaty, prostacki.
boorishly [ˈbʊrɪʃlɪ] *adv.* gburowato.
boorishness [ˈbʊrɪʃnəs] *n. U* gburowatość, prostactwo.
boost [buːst] *v.* **1.** popychać (*w górę l. naprzód*). **2.** podnosić, zwiększać; poprawiać, wzmacniać; windować (*np. ceny*). **3.** propagować, reklamować. **4.** *techn.* doładować (*silnik*). – *n.* **1.** pchnięcie (*zwł. w górę*). **2.** poprawa, wzmocnienie; podwyżka. **3.** kampania reklamowa, promocja. **4.** *techn.* doładowanie (*silnika*).
booster [ˈbuːstər] *n.* **1.** gorący zwolennik, poplecznik. **2.** *techn.* pierwszy stopień (*rakiety*). **3.** *radio, telew.* wzmacniacz sygnału antenowego. **4.** *techn.* (turbo)sprężarka (*doładowująca silnik*). **5.** ~ **(dose/shot)** *pot. med.* dawka przypominająca (*szczepionki*).
boot[1] [buːt] *n.* **1.** but, trzewik (*nad kostkę*); kozaczek; kalosz. **2.** *hist.* trzewik *l.* but hiszpański (*narzędzie tortur*). **3.** *pot.* kopniak. **4.** *Br. i Austr. mot.* bagażnik. **5.** *wojsk. sl.* rekrut (*w marynarce i piechocie morskiej*). **6.** *komp.* = **bootstrap**. **7.** *przen.* **be/get too big for one's ~s** *pot.* strugać ważniaka; **die with one's ~s on** umrzeć przy pracy; polec z bronią w ręku; **get the ~** *pot.* wylecieć z pracy; **give sb the ~** *pot.* wylać kogoś (z pracy); **have one's heart in one's ~s** czuć ciężar na duszy; **lick sb's ~s** *pog.* podlizywać się komuś; **put the ~ in** *Br. pot. t. dosł.* kopać leżącego; **the ~ is on the other foot/leg** sytuacja się odwróciła. – *v.* **1.** kopnąć (*zwł. piłkę*); *pot.* skopać (*kogoś*). **2.** obuć. **3.** *baseball* niezdarnie chwycić *l.* stracić (*piłkę*). **4.** *komp.* = **bootstrap**. **5.** ~ **(up)**

komp. uruchomić (*system l. program*). **6.** ~ **sb out** *pot.* przepędzić kogoś (*of sth* skądś); wylać kogoś (*z pracy*).

boot² *n.* **1.** *arch.* korzyść, pożytek. **2.** *dial.* wyrównanie, dopłata. **3. to** ~ na dobitkę, w dodatku. – *v. arch.* zdać się; **what boots it (to do sth)?** na cóż zda się (robienie czegoś)?.

bootblack [ˈbuːtˌblæk] *n.* pucybut.

boot camp *n. US sl. wojsk.* obóz szkoleniowy dla rekrutów (*w marynarce i piechocie morskiej*).

bootee [buːˈtiː] *n.* trzewiczek (*damski l. dziecięcy*); (*także* **bootie**) bucik (*niemowlęcy*).

Boötes [boʊˈoʊtiːz] *n. astron.* Wolarz (*gwiazdozbiór*).

booth [buːθ] *n.* **1.** stoisko; buda jarmarczna; budka, kiosk. **2.** boks (*w restauracji*). **3. polling** ~ kabina do głosowania; **telephone** ~ budka telefoniczna.

bootjack [ˈbuːtˌdʒæk] *n.* zzuwadło, konik (*do ściągania butów*).

bootlace [ˈbuːtˌleɪs] *n.* sznurowadło (*zwł. grube, do wysokich butów*).

bootleg [ˈbuːtˌleg] *n. pot.* **1.** *U* alkohol produkowany nielegalnie. **2.** *handl.* produkt piracki. – *a. attr. pot.* nielegalny, piracki. – *v.* **-gg-** *pot.* **1.** szmuglować. **2.** nielegalnie produkować; nielegalnie rozprowadzać.

bootlegger [ˈbuːtˌlegər] *n. pot.* **1.** szmugler. **2.** *handl.* pirat.

bootlegging [ˈbuːtˌlegɪŋ] *n. U pot.* **1.** szmugiel. **2.** *handl.* piractwo.

bootless [ˈbuːtləs] *a.* bezużyteczny; bezowocny.

bootlick [ˈbuːtˌlɪk] *v. pog.* podlizywać się.

bootlicker [ˈbuːtˌlɪkər] *n.* lizus.

boots [buːts] *n. pl.* **boots** *Br. przest.* pucybut hotelowy.

boots and saddle *n. wojsk., hist.* sygnał „na koń" (*w kawalerii USA*).

bootstrap [ˈbuːtˌstræp] *n.* **1.** pętelka przy cholewie (*ułatwiająca wciągnięcie buta*). **2.** *komp.* samoładowanie się (*zwł. systemu operacyjnego*). **3. pull o.s. up by one's (own)** ~**s** *pot.* zawdzięczać swoje powodzenie własnym wysiłkom. – *a. techn.* samoczynny, automatyczny; samodzielny, niezależny (*zwł. o przedsięwzięciach*). – *v.* **-pp-** *komp.* uruchomić (*komputer l. program ładujący się samoczynnie*).

boot tree *n.* prawidło do butów.

booty [ˈbuːtɪ] *n.* łup, zdobycz.

booze [buːz] *n. U pot.* **1.** wóda, gorzała. **2.** pijatyka, popijawa; **on the** ~ na fazie (= *w ciągu alkoholowym*). – *v. pot.* chlać; ~ **it up** zalewać pałę.

boozer [ˈbuːzər] *n. pot.* **1.** pija-k/czka. **2.** *Br. l. Austr.* pub, bar alkoholowy.

boozy [ˈbuːzɪ] *a. pot.* zalany, pod gazem.

bop¹ [bɑːp] *v.* **-pp-** *pot.* uderzyć, rąbnąć. – *n. pot.* cios, kuksaniec.

bop² *n.* **1.** *muz.* = **bebop**. **2.** taniec (*przy muzyce pop*). – *v.* **1.** *pot.* tańczyć (*przy muzyce pop*). **2.** *sl.* iść.

bo-peep [ˌboʊˈpiːp] *n. Br. dziec.* zabawa w „a kuku".

bopper [ˈbɑːpər] *n.* = **teenybopper**.

bor. *abbr.* = **borough**.

bora [ˈbɔːrə] *n. meteor.* bora (*zimny wiatr od gór*).

boracic [bəˈræsɪk] *a. chem.* = **boric**.

boracite [ˈbɔːrəˌsaɪt] *n. min.* boracyt.

borage [ˈbɔːrɪdʒ] *n. bot.* ogórecznik (*Borago*).

borate [ˈbɔːreɪt] *n. chem.* boran.

borax [ˈbɔːræks] *n. U min. l. chem.* boraks.

Bordeaux [bɔːrˈdoʊ] *n.* **1.** *C/U* wino bordoskie. **2.** ~ **mixture** *ogr.* ciecz bordoska (*środek grzybobójczy*).

bordello [bɔːrˈdeloʊ] *pl.* **bordellos** *n. gł. żart.* = **brothel**.

border [ˈbɔːrdər] *n.* **1.** brzeg, skraj. **2.** obwódka, obrzeżenie, obramowanie; bordiura (*t. jako kwietnik wokół klombu*). **3.** granica; pogranicze, kresy; **the B~** *Br.* Pogranicze (*między Anglią a Szkocją l. Republiką Irlandii a Irlandią Płn.*). – *v.* **1.** obrzeżać, okalać. **2.** ~ **(on)** graniczyć/mieć wspólną granicę z; ~ **on/upon** *przen.* graniczyć z.

border collie *n. kynol.* border collie.

borderer [ˈbɔːrdərər] *n.* mieszkan-iec/ka pogranicza.

borderland [ˈbɔːrdərˌlænd] *n.* pogranicze, kresy; teren sporny; *przen.* pogranicze, niepewna granica, stan przejściowy.

borderline [ˈbɔːrdərˌlaɪn] *n.* linia graniczna; *przen.* niepewna granica. – *a.* (przy)graniczny; *przen.* niejednoznaczny, niepewny, z pogranicza.

Border States *n. pl. hist.* stany pograniczne (*w okresie wojny secesyjnej: Delaware, Maryland, Virginia, Kentucky i Missouri*).

border terrier *n. kynol.* border terrier.

bordure [ˈbɔːrdʒər] *n. her.* brzeg tarczy.

bore¹ [bɔːr] *v.* **1.** wiercić, drążyć; przewiercać, świdrować; przekopywać, przebijać (*tunel, korytarz*). **2.** *sport pot.* zepchnąć z bieżni *l.* toru. **3.** *przen.* ~ **into** zagłębiać się w (*zagadnienie*); ~ **into sb** świdrować kogoś (*o oczach*); ~ **through** przebijać się przez (*tłum itp.*). – *n.* **1.** otwór, przewiert. **2.** *broń* przewód lufy; kaliber (*w złoż. po liczebniku*).

bore² *v.* nudzić (*kogoś*). – *n.* **1.** nudzia-rz/ra. **2.** nuda, nudziarstwo (*powieść, przedstawienie itp.*).

bore³ *n. hydrol.* fala przypływu (*spiętrzona w ujściu rzeki*).

bore⁴ *v. zob.* **bear¹**.

boreal [ˈbɔːrɪəl] *a. lit.* północny (*zwł. o wietrze*); (*także* **B~**) *biol. l. klimat* borealny.

borecole [ˈbɔːrˌkoʊl] *n. bot.* = **kale**.

bored [bɔːrd] *a.* ~ **(with/by sth)** znudzony (czymś).

boredom [ˈbɔːrdəm] *n. U* znudzenie, nuda.

borer [ˈbɔːrər] *n.* **1.** wiertacz. **2.** świder, wiertak; wiertarka; *górn.* świder wiertniczy. **3.** *zool.* organizm drążący otwory.

boric [ˈbɔːrɪk] *a. chem.* borowy, borny; ~ **acid** kwas borny/ortoborowy.

boride [ˈbɔːraɪd] *n. chem.* borek.

boring [ˈbɔːrɪŋ] *a.* nudny.

boringly ['bɔːrɪŋlɪ] *adv.* nudno.

borings ['bɔːrɪŋz] *n. pl.* opiłki (*wiertnicze*).

born [bɔːrn] *a.* **1.** *w złoż.* urodzony; narodzony; **newly-~** nowo narodzony; **Polish-~** urodzony w Polsce. **2.** *attr.* urodzony; **~ leader/artist** urodzony przywódca/artysta; **in all one's ~ days** *przest. pot.* w całym (swoim) dotychczasowym życiu. **3.** *pred.* **be ~ (of sb)** urodzić się (komuś), zrodzić się (z kogoś); **be ~ deaf** urodzić się głuchym; **be ~ with sth** urodzić się z czymś (*z jakąś chorobą, wadą*). **4.** *pred. przen.* **~ of sth** zrodzony z czegoś; **~ on the wrong side of the blanket** *zob.* **blanket** *n.*; **~ with a silver spoon in one's mouth** w czepku urodzony; **be ~ to do sth/be sth** urodzić się, żeby coś zrobić/być kimś; **be ~ under a lucky/unlucky star** urodzić się pod szczęśliwą/nieszczęśliwą gwiazdą; **I wasn't ~ yesterday** nie urodziłem się wczoraj (= *niełatwo mnie oszukać*).

born-again [ˌbɔːrnə'gen] *a. t. przen.* nawrócony; **~ Christian** osoba nawrócona na chrześcijaństwo (*zw. przez protestanckiego kaznodzieję l. pod wpływem przeżycia religijnego*).

borne [bɔːrn] *v. zob.* **bear**[1].

bornite ['bɔːrnaɪt] *n. U min.* bornit.

boron ['bɔːrɑːn] *n. U chem.* bor.

borough ['bɝːoʊ] *n.* **1.** (*także* **burgh**) *hist.* gród. **2.** *admin.* miasto *l.* gmina (*z samorządem i radą miejską*); dzielnica, gmina miejska (*jedna z 32 w Londynie, jedna z 5 w Nowym Jorku*); *Br.* miasto (*stanowiące okręg wyborczy l. objęte pierwotnie przywilejem królewskim*). **3.** *Br. hist. iron.* **pocket ~** „kupiony" okręg wyborczy (*kontrolowany przez miejscowego posiadacza ziemskiego*); **rotten ~** „zgniły" okręg wyborczy (*niemal pozbawiony wyborców*).

borough-English [ˌbɝːoʊ'ɪŋglɪʃ] *n. Br. hist.* minorat (*ordynacja feudalna*).

borrow ['bɑːroʊ] *v.* **1. ~ sth (from sb/sth)** pożyczyć *l.* wypożyczyć coś (od kogoś/skądś); zapożyczyć *l.* przyswoić sobie coś (od kogoś/skądś). **2.** *mat.* pożyczyć (*dziesiątkę przy odejmowaniu pisemnym*). **3.** *golf* skręcić na pochyłości greenu (*o piłce*); **~ (the ball)** wybić (piłkę) pod górkę (*uwzględniając kąt nachylenia greenu*). **4. be living on ~ed time** cudem pozostawać przy życiu. – *n. golf* kąt nachylenia greenu (*który należy uwzględnić przy puttingu*).

borrower ['bɑːroʊər] *n.* pożyczkobiorca.

borrowing ['bɑːroʊɪŋ] *n.* **1.** *U* pożyczanie, zaciąganie długów. **2.** *jęz.* pożyczka, zapożyczenie, wyraz zapożyczony.

borsch [bɔːrʃ], **borshch**, **borscht** [bɔːrʃt] *n. U* barszcz czerwony.

borstal ['bɔːrstl], **Borstal** *n. Br. i Austr. pot.* poprawczak.

bort [bɔːrt] *n. U min.* bort (*diament techniczny*); *techn.* proszek diamentowy.

borzoi ['bɔːrzɔɪ] *n. kynol.* chart rosyjski, borzoj.

boscage ['bɑːskɪdʒ], **boskage** *n. lit.* gąszcz, chaszcze, krze.

bosh[1] [bɑːʃ] *n. U pot.* bzdury, brednie.

bosh[2] *n. metal.* gar (*część wielkiego pieca*).

bosk [bɑːsk] *n. lit.* chruśniak; młodnik.

boskage ['bɑːskɪdʒ] *n.* = **boscage**.

bosket ['bɑːskɪt], **bosquet** *n.* lasek, zagajnik.

bosky ['bɑːskɪ] *a. lit.* zarosły, porośnięty chaszczami.

bo's'n ['boʊsən] *n. żegl.* = **boatswain**.

Bosnia ['bɑːznɪə] *n.* Bośnia; **~ and Herzegovina** Bośnia i Hercegowina.

Bosnian ['bɑːznɪən] *a.* bośniacki. – *n.* Bośniak/czka.

bosom ['bʊzəm] *n.* **1.** *t. przen.* pierś; klatka piersiowa; biust. **2.** stan(ik) (*sukni*); gors. **3.** zanadrze. **4. the ~ of sth** *przen.* łono czegoś (*rodziny, Kościoła itp.*). **5. ~ friend** serdeczn-y/a przyjaci-el/ółka. – *v.* **1.** uścisnąć. **2.** skryć w sercu, zachować dla siebie.

Bosphorus ['bɑːsfərəs], **Bosporus** ['bɑːspərəs] *n. geogr.* Bosfor.

bosquet ['bɑːskɪt] *n.* = **bosket**.

boss[1] [bɔːs] *n. pot.* szef, zwierzchnik; *cz. uj.* boss (*partyjny, związkowy, mafijny*); *przen.* głowa (*zwł. domu*). – *v. pot.* **1.** szefować (*komuś l. czemuś*); kierować (*czymś*). **2.** *uj.* **~ it (over sb)** narzucać (komuś) swoje zdanie; **~ sb about/around** komenderować *l.* dyrygować kimś; **~ the show** szarogęsić się, rządzić się. – *a. sl.* kapitalny, super.

boss[2] *n.* **1.** *bud.* guz ozdobny (*np. element sklepienia*). **2.** *broń* umbo (*szczyt tarczy*). **3.** *techn.* czop (*wału*).

boss[3] (*także* **~y**) *n. pot.* cielak; krówka.

bossa nova [ˌbɑːsə'noʊvə] *n. pl.* **bossa novas** *muz.* bossa nova.

bossed [bɔːst] *a.* wybrzuszony, guzowaty; zaopatrzony w guz *l.* czop.

bossily ['bɔːsɪlɪ] *adv. pot.* jak szara gęś, apodyktycznie.

bossiness ['bɔːsɪnəs] *n. U pot.* buta, ważniactwo.

bossism ['bɔːsˌɪzəm] *n. polit. uj.* rządy bossów partyjnych.

bossy[1] ['bɔːsɪ] *a.* = **bossed**.

bossy[2] *a.* **-ier, -iest** *pot.* apodyktyczny.

bossy[3] *n. pot.* = **boss**[3].

boston ['bɔːstən] *n.* boston (*gra w karty l. taniec*).

Boston terrier *n. kynol.* boston terrier.

bosun ['boʊsən] *n. żegl.* = **boatswain**.

bot [bɑːt], **bott** *n.* **1.** *ent.* larwa gzika; *zob.* **botfly**. **2. the ~s** *wet.* gastrofiloza (*choroba koni*).

bot. *abbr.* = **botanic(al)**.

botanic [bə'tænɪk], **botanical** [bə'tænɪkl] *a.* botaniczny; **~ garden** ogród botaniczny.

botanist ['bɑːtənɪst] *n.* botani-k/czka.

botanize ['bɑːtəˌnaɪz], *Br. i Austr. zw.* **botanise** *v.* uprawiać botanikę; badać (*rośliny*).

botany ['bɑːtənɪ] *n. U* **1.** botanika. **2. B~ wool/yarn** wełna/przędza australijska.

botch [bɑːtʃ] *v. pot.* **~ (up)** spaprać, spartaczyć, sfuszerować; naprawić byle jak. – *n. pot.* (*także* **~-up**) fuszerka, partanina; **make a ~ of sth** sfuszerować coś.

botcher ['bɑːtʃər] *n.* partacz, fuszer.

botchy ['bɑːtʃɪ] *a.* **-ier, -iest** spaprany, byle jaki.

botfly [ˈbɑːtˌflaɪ] *n. ent.* gzik (*Gasterophilus*).

both [boʊθ] *a. i pron.* **1.** ob-a/ie, obydw-a/ie, ob(ydw)aj, ob(ydw)oje; ~ **of us/you/them** my/wy/oni oboje; ~ **(of the) girls** obie dziewczyny. **2. have/want it/things ~ ways** *pot.* kombinować na obie strony. – *adv.* ~ **A and B** zarówno A, jak i B; i A, i B.

bother [ˈbɑːðər] *v.* **1.** dokuczać, dolegać, sprawiać ból. **2.** zawracać głowę, naprzykrzać się. **3.** niepokoić, trapić. **4.** ~ **(one's head) about sb/sth** przejmować się kimś/czymś; ~ **(sb/sth)!** do licha (z kimś/czymś)!; ~ **(to do sth)** zadać sobie trud (zrobienia czegoś); **sb can't be bothered (to do sth)** komuś się nie chce (zrobić czegoś). – *n.* zmartwienie; utrapienie; kłopot, fatyga. – *int.* **(oh)** ~! a niech to!.

botheration [ˌbɑːðəˈreɪʃən] *n. pot.* = **bother** *n.*

bothersome [ˈbɑːðərsəm] *a.* natrętny, dokuczliwy, utrapiony.

bothy [ˈbɑːθɪ], **bothie** *n. Scot.* chałupa; szałas (*w górach*).

bo tree [ˈboʊ ˌtriː] *n. bot.* drzewo święte (*Ficus religiosa*).

Botswana [bɑːtˈswɑːnə] *n.* Botswana.

Botswanan [bɑːtˈswɑːnən] *a.* botswański. – *n.* mieszkan-iec/ka Botswany.

bott [bɑːt] *n.* = **bot.**

bottle[1] [ˈbɑːtl] *n.* **1.** butelka, butla, flaszka; **hot-water** ~ termofor; **magnetic** ~ *fiz.* pułapka magnetyczna; **vacuum** ~ *techn.* termos, naczynie Dewara. **2. the** ~ *euf.* butelka, kieliszek (*alkoholizm*); **be on the ~/hit the** ~ zaglądać do kieliszka. **3. new wine in old ~s** *zob.* **wine** *n.* – *v.* **1.** butelkować; zamknąć w butli. **2.** ~ **it!** *sl.* zamknij dziób!. **3.** ~ **up** *przen.* powściągnąć (*gniew, urazę*); *wojsk.* zablokować, zamknąć w okrążeniu.

bottle[2] *n. dial.* **1.** wiązka (*siana*). **2. a needle in a ~ of hay** *przen.* igła w stogu siana.

bottlebrush [ˈbɑːtlˌbrʌʃ] *n.* **1.** szczotka do butelek. **2.** *bot.* kalistemon (*Callistemon*).

bottle-feed [ˈbɑːtlˌfiːd] *v. pret., pp.* **bottle-fed** karmić butelką.

bottle green *n. U* zieleń butelkowa.

bottle-green [ˈbɑːtlˌgriːn] *a.* ciemnozielony.

bottleneck [ˈbɑːtlˌnek] *n.* zator, zwężenie (*zwł. drogi*); *przen.* wąskie gardło.

bottlenose [ˈbɑːtlˌnoʊz] *n. zool.* (delfin) butlonos (*Tursiops*).

bottle party *n.* impreza składkowa (*na którą przychodzi się z własnym alkoholem*).

bottle washer *n. pog.* posługacz/ka, przynieś-wynieś-pozamiataj.

bottom [ˈbɑːtəm] *n.* **1.** dół (*np. strony, schodów*). **2.** (*także* ~**s**) dół (*od piżamy, dresu*). **3.** podnóże. **4.** spód, spodnia strona. **5.** podstawa, fundament. **6.** siedzenie (*np. krzesła*). **7.** *pot.* siedzenie, tyłek. **8.** odległy koniec (*ulicy*). **9.** dno (*zbiornika wodnego, naczynia, doliny*). **10.** niska pozycja; *przen.* dno (*upadku, poniżenia*). **11.** *przen.* głębia, sedno, grunt. **12.** ~ **up** do góry dnem; oddolnie; *log.* wstępująco, indukcyjnie; **~s up!** do dna! (*przy toastach*); **at** ~ *przen.* w gruncie rzeczy; **be at the ~ of sth** *przen.* stać za czymś; **from the ~ of one's heart** *przen.* z głębi serca; **get to the ~ of sth** *przen.* dotrzeć do sedna czegoś; **knock the ~ out of sth** *przen.* doprowadzić coś do załamania *l.* upadku; **touch** ~ *żegl.* osiąść na mieliźnie; *przen.* osiągnąć dno (*upadku*). – *a. attr.* **1.** dolny; najniższy; spodni; denny. **2.** *przen.* podstawowy, fundamentalny. **3.** ostatni; **bet one's ~ dollar on sth** *przen.* być czegoś absolutnie pewnym. – *v.* **1.** zaopatrzyć w dno *l.* siedzenie. **2.** *żegl.* wpaść na mieliznę. **3.** sondować, gruntować; *przen.* zgłębiać. **4.** ~ **sth on/upon sth** *przen.* opierać coś na czymś; ~ **out** *ekon.* osiągnąć najniższy poziom.

bottomless [ˈbɑːtəmləs] *a.* **1.** bez dna *l.* siedzenia. **2.** *emf.* bezdenny, niezgłębiony. **3.** niewyczerpany.

bottom line *n. fin.* podliczenie, bilans; *przen.* wynik, podsumowanie, sedno sprawy.

bottommost [ˈbɑːtəmˌmoʊst] *a. attr.* **1.** najniższy, z samego dna. **2.** fundamentalny.

bottomry [ˈbɑːtəmrɪ] *n. prawo morskie* bodmeria (*pożyczka pod zastaw statku l. ładunku*).

bottom-up [ˌbɑːtəmˈʌp] *a.* **1.** *Br.* oddolny. **2.** *log. l. komp.* wstępujący, indukcyjny.

botulin [ˈbɑːtʃələn] *n. pat. l. chem.* jad kiełbasiany.

botulism [ˈbɑːtʃəˌlɪzəm] *n. U pat.* botulizm, zatrucie jadem kiełbasianym.

boudoir [ˈbuːdwɑːr] *n.* buduar.

bouffant [buːˈfɑːnt] *a.* **1.** puszysty, tapirowany. **2.** bufiasty. – *n.* puszysta fryzura, tapir.

bougainvillea [ˌbuːgənˈviːlɪə], **bougainvillaea** *n. bot.* bugenwilla, kącicierń (*Bougainvillea*).

bough [baʊ] *n.* konar, gałąź.

bought [bɔːt] *v. zob.* **buy.**

boughten [ˈbɔːtən] *a. US i dial.* kupny.

bougie [ˈbuːdʒɪ] *n. med.* zgłębnik, sonda.

bouillabaisse [ˌbuːljəˈbeɪs] *n. kulin.* bouillabaisse (*prowansalska zupa rybna*).

bouillon [ˈbʊljɑːn] *n. kulin.* bulion, wywar.

boulder [ˈboʊldər] *n.* głaz (*t. narzutowy*), blok skalny.

boulder clay *n. U geol.* glina zwałowa.

boulevard [ˈbʊləˌvɑːrd] *n.* bulwar.

boult [bɔːlt] *v.* = **bolt**[2].

boulter [ˈboʊltər] *n.* = **bolter**[2].

bounce [baʊns] *v.* **1.** ~ **(off sth)** odbić się (od czegoś); odbijać (*zwł. piłkę podczas kozłowania*). **2.** okazać się bez pokrycia (*o czeku*); *pot.* odmówić realizacji (*czeku*). **3.** ~ **(up and down)** podskakiwać, skakać; ~ **sb (up and down)** podrzucać kogoś (*np. dziecko na kolanach*). **4.** ~ **sb (from sth)** *pot.* wylać *l.* wywalić kogoś (skądś). **5.** ~ **(along)** sunąć w podskokach; ~ **back** *przen.* wrócić do normy, stanąć na nogi; ~ **into/out of sth** wpaść dokądś/wypaść skądś w podskokach. – *n.* **1.** odbicie (się); podskok. **2.** *U* siła odbicia, sprężystość. **3.** *U przen.* energia, żywotność; rozmach. **4.** *U Br.* tupet; fanfaronada. **5. get the** ~ *sl.* zostać wylanym (z pracy).

bouncer [ˈbaʊnsər] *n. pot.* **1.** wykidajło, bramkarz. **2.** czek bez pokrycia.

bouncing [ˈbaʊnsɪŋ] *a.* energiczny (*zwł. o dziecku*); krzepki.

bouncy [ˈbaʊnsɪ] *a.* **-ier, -iest** skoczny; sprężysty, sprężynujący; żwawy, pełen temperamentu.

bound[1] [baʊnd] *n.* 1. *pl. zw. przen.* granice, ograniczenia; **be out of ~s (to/for sb)** być zakazanym (dla kogoś); **be within/beyond the ~s of possibility** być możliwym/niemożliwym; **know no ~s** *form.* nie mieć granic (*zw. o emocjach*); **within the ~s of reason/probability/the law** w granicach rozsądku/prawdopodobieństwa/prawa. 2. *pl. sport* granice boiska, linia autu; **in ~s** przed linią autu; **out of ~s** poza boiskiem, za linią autu. 3. *sing. mat.* ograniczenie; kres (*zbioru*); **lower ~** ograniczenie dolne; **greatest lower ~ bound** kres dolny, infimum; **upper ~** ograniczenie górne; **least upper ~** kres górny, supremum. – *v.* 1. stanowić granicę (*czegoś*), ograniczać. 2. **~ on sth** graniczyć z czymś.

bound[2] *v.* 1. sadzić susy; podskakiwać. 2. **~ (off sth)** odbić się (od czegoś). – *n.* sus; podskok; **by/in leaps and ~s** *przen.* w ekspresowym tempie.

bound[3] *a. często w złoż.* **~ for** zmierzający ku (*czemuś*), (zdążający) w kierunku (*np. danej miejscowości, portu; np. o statku, pociągu*); **east~** kierujący się na wschód; **homeward/outward ~** *żegl.* zmierzający do/wyruszający z portu macierzystego.

bound[4] *v. zob.* **bind**. – *a.* 1. *t. przen. i w złoż.* związany. 2. uwięziony; **house~** nie wychylający nosa z domu. 3. oprawiony (*o książce*). 4. **~ (by sth)** zmuszony (przez coś); zobowiązany (z racji czegoś); **be ~ by contract** być związanym umową. 5. **sb is ~ to do sth** ktoś na pewno coś zrobi, ktoś musi coś zrobić; **it is/was ~ to happen** to się musi/musiało stać. 6. **be ~ over to do sth** *zwł. Br. prawn.* zostać zobowiązanym przez sąd do zrobienia czegoś (*zwł. przy warunkowym umorzeniu postępowania l. zawieszeniu kary*); **be ~ up with sth** ściśle wiązać się z czymś; **be ~ up in (a meeting)** być bardzo zajętym z powodu (zebrania).

boundary [ˈbaʊndərɪ] *n.* granica (*zwł. wytyczona linia*).

bounden [ˈbaʊndən] *a.* **~ duty** *przest. cz. żart.* święty obowiązek.

boundless [ˈbaʊndləs] *a. lit.* bezkresny; *przen.* bezgraniczny.

bounteous [ˈbaʊntɪəs] *a. lit.* 1. szczodry, hojny. 2. obfity.

bounteously [ˈbaʊntɪəslɪ] *adv. lit.* szczodrze, obficie.

bounteousness [ˈbaʊntɪəsnəs] *n. U lit.* 1. szczodrość. 2. obfitość.

bountiful [ˈbaʊntɪfʊl] *a. lit.* = **bounteous**; **~ supply of sth** w bród czegoś; **lady ~** *iron.* dobra pani (*osoba znana z ostentacyjnej dobroczynności*).

bountifully [ˈbaʊntɪfʊlɪ] *adv.* = **bounteously**.

bountifulness [ˈbaʊntəfəlnəs] *n.* = **bounteousness**.

bounty [ˈbaʊntɪ] *n.* 1. *U arch.* hojność, szczodrość; szczodry dar. 2. premia (*zwł. wypłacana przez rząd*), gratyfikacja; nagroda (*za czyjąś głowę*); **~ hunter** łowca nagród.

bouquet [boʊˈkeɪ] *n.* 1. bukiet (*kwiatów*); *przen.* komplement; **throw ~s at sb** *pot.* obsypywać kogoś komplementami. 2. bukiet (*wina, brandy*), aromat.

bouquet garni [boʊˌkeɪgɑːrˈniː] *pl.* **bouquets garnis** [boʊˌkeɪzgɑːrˈniː] *Fr. kulin.* bukiet ziół.

bourbon [ˈbɜːbən] *n.* 1. *C/U* (*także* **~ whiskey**) burbon (*amerykańska whisky z kukurydzy*). 2. **the B~s** *polit. uj.* burboniści (*skrajnie konserwatywny odłam Partii Demokratycznej w płd. stanach USA*).

bourdon [ˈbʊrdən] *n. muz.* burdon (*basowy akompaniament l. rejestr organowy*).

bourgeois[1] [ˈbʊrʒwɑː] *n. pl.* **bourgeois** [ˈbʊrʒwɑːz] mieszczanin; *uj. l. żart.* burżuj, mieszczuch; *pog.* drobnomieszczanin, filister. – *a.* mieszczański; *uj.* burżuazyjny, drobnomieszczański.

bourgeois[2] [bɜːˈdʒɔɪs] *n. druk. przest.* borgis, burgos (*czcionka 9-punktowa*). – *a. druk.* borgisowy.

bourgeoisie [ˌbʊrʒwɑːˈziː] *n. U zwł. hist.* mieszczaństwo, stan średni; *cz. uj.* burżuazja.

bourgeon [ˈbɜːdʒən] *n. i v.* = **burgeon**.

bourn[1] [bɔːrn] *n. Br. dial.* strumyk, potoczek.

bourn[2] (*także* **~e**) *n. arch.* 1. cel, meta. 2. granica.

bourse [bʊrs] *n. fin.* giełda (*zagraniczna*); **the B~** giełda paryska.

bouse [baʊz], **bowse** *v. żegl.* wciągnąć *l.* podnieść (*za pomocą bloku*).

bout [baʊt] *n.* 1. *boks, zapasy* walka, pojedynek. 2. **~ of flu/depression/nausea** atak *l.* napad grypy/depresji/mdłości; **~ of (doing) sth** okres (robienia) czegoś; **drinking ~** popijawa, libacja.

boutique [buːˈtiːk] *n.* butik.

boutonniere [ˌbuːtənˈiːr] *n.* 1. *US* kwiat lub bukiecik w butonierce. 2. = **buttonhole** 2.

bouzouki [bʊˈzuːkiː] *n. muz.* buzuki (*instrument grecki*).

bovine [ˈboʊvaɪn] *a.* 1. *zool.* należący do Bovini. 2. *form.* bydlęcy. 3. *uj.* krowiasty, tępy (*o osobie, wzroku*).

bovine spongiform encephalopathy *n. U* (*także* **BSE**) *wet.* encefalopatia gąbczasta bydła, choroba szalonych krów.

bow[1] [boʊ] *n.* 1. łuk (*broń*). 2. kabłąk, pałąk. 3. smyczek; pociągnięcie smyczkiem. 4. kokardka (*węzeł*). 5. *przen.* **draw the long ~** przesadzać, koloryzować; **have two strings/a second string to one's ~** zostawić sobie otwartą furtkę, mieć inne wyjście. 6. = **~ window**. 7. = **~ compass**. – *v.* 1. wyginać w łuk *l.* pałąk. 2. wodzić smyczkiem po (*strunach*).

bow[2] [baʊ] *v.* 1. **~ (down)** zgiąć się; ugiąć, zgiąć (*np. kolano, grzbiet, kark*); **~ed (down) by/with sth** *przen.* przygnieciony *l.* przytłoczony czymś. 2. skłonić głowę; skinąć głową. 3. *przen.* **~ and scrape (to sb)** giąć się w pokłonach (przed kimś); **~ing acquaintance** przelotna znajomość; **~ (one's head) to/before sb** chylić głowę przed kimś; ukorzyć się przed kimś. 4. **~ sb in/out** powitać/pożegnać kogoś ukłonem; **~ out (of sth)** *pot.* wycofać się (z czegoś); **~ to sth** *przen.* ugiąć się przed czymś, pogodzić się z czymś. – *n.* ukłon; pokłon; skinienie głowy; **take a/one's ~** ukłonić się publiczności.

bow3 [baʊ] *n. żegl.* **1.** *cz. pl.* dziób (*łodzi, statku*); **on the (port/starboard) ~** na lewo/prawo od dziobu. **2.** = **bowman2**. **3. a shot across the ~** *zob.* **shot** *n.*

bow compass *n. geom.* cyrkiel łukowy.

bowdlerization [ˌbaʊdləraɪˈzeɪʃən], **bowdlerisation** *n. U uj.* cenzura obyczajowa, kastrowanie (*dzieła literackiego*).

bowdlerize [ˈbaʊdləˌraɪz], *Br. i Austr. zw.* **bowdlerise** *v. uj.* cenzurować, kastrować (*dzieło literackie, usuwając drastyczne fragmenty*).

bowdlerizer [ˈbaʊdləˌraɪzər], **bowdleriser** *n. uj.* pruderyjny cenzor, kastrator (*literatury*).

bowel [ˈbaʊəl] *n.* **1.** *anat.* jelito; *pl.* jelita, kiszki; **~ complaint/disorder** choroba jelit. **2.** *euf.* **move one's ~s** wypróżniać się; **~ movement** wypróżnienie; stolec. **3.** *zw. przen.* trzewia, wnętrzności; **the ~ of the earth** wnętrzności ziemi.

bower1 [ˈbaʊər] *n. żegl.* (*także* **~ anchor**) kotwica dziobowa.

bower2 *n. karty* chłopek, walet (*w grze w euchre*); **right/left ~** walet atutowy/tej samej barwy, co atutowy.

bower3 *n.* **1.** altana; cienisty zakątek (*w ogrodzie*). **2.** *poet.* chata (*w malowniczym ustroniu*). **3.** *arch.* alkowa (*zwł. w średniowiecznym zamku*), buduar.

bowerbird [ˈbaʊərˌbɜːd] *n. orn.* altannik (*rodzina Ptilonorhynchidae*).

Bowery [ˈbaʊərɪ] *n.* **the ~** ulica Bowery (*na płd. Manhattanie, o podłej reputacji*).

bowhead [ˈboʊˌhed] *n. zool.* wal grenlandzki (*Balaena mysticetus*).

bowie knife [ˈbuːɪˌnaɪf] *n.* kordelas, nóż myśliwski (*popularna broń pionierów na Dzikim Zachodzie*).

Bowie State [ˈbuːɪˌsteɪt] *n.* = **Arkansas**.

bowknot [ˈboʊˌnɑːt] *n.* kokardka (*węzeł*).

bowl1 [boʊl] *n.* **1.** *t. techn.* miska, misa; czara, puchar; **sugar ~** cukiernica. **2.** = **bowlful**. **3.** główka (*fajki*); zagłębienie, czerpak (*łyżki*). **4.** stadion; amfiteatr. **5.** niecka.

bowl2 *n.* **1.** kula (*do gry w kule l. kręgle*). **2.** rzut (*kulą do gry*). **3.** *pl.* (*także* **lawn ~s**) *sport* gra w kule. – *v.* **1.** grać w kule *l.* kręgle. **2.** rzucić, potoczyć (*kulę do gry*); toczyć się (*o kuli*). **3.** *krykiet* serwować; **~ a batsman (out)** usunąć z gry wybijającego (*przez zburzenie bramki*). **4. ~ along (sth)/down sth** sunąć naprzód *l.* w danym kierunku (*o pojeździe l. jego pasażerach*). **5. ~ sb out** *przen. pot.* załatwić kogoś; **~ sb over** przewrócić *l.* powalić kogoś; *przen. pot.* zwalić kogoś z nóg (*np. niespodziewanie dobrą wiadomością*).

bowlegged [ˈboʊˌlegəd] *a.* krzywonogi, z nogami w kształcie O.

bowleggedness [ˈboʊˌlegədnəs] *n. U pat.* szpotawość kolan.

bow legs *n. pl.* nogi ułańskie, nogi w kształcie O.

bowler1 [ˈboʊlər] *n.* gracz w kule *l.* kręgle; *krykiet* (zawodnik) serwujący.

bowler2 *n.* (*także* **~ hat**) *Br.* melonik.

bowlful [ˈboʊlfʊl] *n.* (pełna) miska.

bowline [ˈboʊlən] *n. żegl.* bulina; (*także* **~ knot**) węzeł ratowniczy.

bowling [ˈboʊlɪŋ] *n. U sport* kręgle (*zwł. amerykańskie i kanadyjskie*).

bowling alley *n.* kręgielnia.

bowling green *n. gł. Br.* trawnik do gry w kule.

bowman1 [ˈboʊmən] *n. pl.* **bowmen** [ˈboʊmən] *arch.* łucznik.

bowman2 [ˈbaʊmən] *n. pl.* **bowmen** [ˈbaʊmən] *żegl.* wioślarz na dziobie.

bowse [baʊz] *v.* = **bouse**.

bowshot [ˈboʊˌʃɑːt] *n.* strzał z łuku (*jako miara odległości*).

bowsprit [ˈbaʊsprɪt] *n. żegl.* bukszpryt.

bowstring [ˈboʊˌstrɪŋ] *n.* cięciwa (*łuku*); pasmo włosia (*w smyczku*).

bow tie *n. ubiór* muszka.

bow window *n. bud.* zaokrąglone okno wykuszowe.

bow-wow [ˈbaʊˌwaʊ] *int.* hau-hau. – *n. onomat.* **1.** szczekanie. **2.** *dziec.* piesek. **3. (big) ~** *US pot.* gruba ryba. – *v. onomat.* szczekać.

bowyer [ˈboʊjər] *n. hist.* zbrojmistrz wyrabiający łuki.

box1 [bɑːks] *n.* **1.** pudełko, pudło; **cigar ~** pudełko cygar. **2.** *cz. techn. i w złoż.* skrzynia, skrzynka; **black ~** czarna skrzynka; **boom ~** *zob.* **boom1**; **gear~** skrzynia biegów; **signal ~** skrzynka sygnalizacyjna; **tool-~** skrzynka na narzędzia. **3.** puszka; **money ~** puszka na pieniądze. **4.** = **boxful**. **5.** *pot.* trumna. **6.** (*także* **Christmas ~**) *gł. Br.* drobny upominek *l.* napiwek (*z okazji Bożego Narodzenia*); *zob.* **Boxing Day**. **7. the ~** *Br. pot.* telewizja. **8.** *często w złoż.* budka; **sentry ~** budka wartownicza. **9.** *Br.* chatka (*zwł. myśliwska*). **10. (post-office) ~** skrytka pocztowa. **11.** = **box number**. **12.** ramka (*w tekście*). **13.** *krykiet* ochraniacz (*na genitalia*). **14.** *baseball* stanowisko (*oznaczone kredową linią*). **15.** boks (*np. w restauracji, stajni*); *teatr* loża; **jury/witness ~** *sąd* miejsce dla ławy przysięgłych/dla świadków. **16.** kozioł (*siedzenie woźnicy*). – *v.* **1.** (*także* **~ up**) zamknąć (*np. w pudełku*). **2. ~ in** zablokować (*zawodnika l. pojazd podczas wyścigów*); *przen.* blokować awans; **~ed in/up** *przen.* zamknięty, uwięziony (*np. w ciasnym mieszkaniu*). **3.** *druk.* otaczać ramką. **4.** *żegl.* = **boxhaul**; **~ the compass** wymienić kolejno kierunki róży wiatrów; zmieniać kierunek (*o wietrze*); *przen.* zmieniać przekonania *l.* poglądy.

box2 *n.* uderzenie, trzepnięcie (*zwł. w ucho*). – *v.* **~ (against/with sb)** boksować się (z kimś); **~ sb's ears** dać komuś w ucho/łeb.

box3 *n.* **1.** (*także* **~ tree**) *bot.* bukszpan (*Buxus*). **2.** = **boxwood**.

box calf *n.* boks (*skóra chromowa do wyrobu obuwia*).

box camera *n. fot.* aparat amatorski.

box car *n.* wagon towarowy (*zamknięty*).

box coat *n.* peleryna; *przest.* płaszcz dorożkarski.

box elder *n. bot.* klon jesionolistny (*Acer negundo*).

boxer ['bɑːksər] *n.* **1.** bokser, pięściarz; *pl.* (*także* ~ **shorts**) spodenki bokserskie. **2.** *kynol.* bokser.

boxful ['bɑːksfʊl] *n.* (całe) pudełko.

boxhaul ['bɑːksˌhɔːl] *v. żegl.* ostrzyć (*o manewrującym żaglowcu*).

boxing ['bɑːksɪŋ] *n. U sport.* boks, pięściarstwo.

Boxing Day *n. Br.* drugi dzień Świąt Bożego Narodzenia.

boxing glove *n.* rękawica bokserska.

box iron *n. przest.* żelazko na duszę.

box kite *n.* latawiec skrzynkowy.

box number *n.* numer ogłoszenia (*w prasie*); numer skrytki pocztowej.

box office *n. kino, teatr* kasa biletowa; **good/bad** ~ duże/małe zyski (*ze sprzedaży biletów*); **box-office success** sukces kasowy.

box pleat *n.* kontrafałda.

box seat *n. teatr* miejsce w loży.

box spanner *n. Br. techn.* klucz nasadowy.

box spring *n.* sprężyna tapicerska.

boxwood ['bɑːksˌwʊd] *n. U* drewno bukszpanowe.

boxy ['bɑːksɪ] *a.* **-ier, -iest** pudełkowaty, kanciasty, graniasty.

boy [bɔɪ] *n.* **1.** chłopiec, chłopak; chłopczyk, malec; *uj.* dzieciuch, chłopaczek. **2.** *voc.* **my** ~ chłopcze (*protekcjonalnie*). **3. old** ~ *pot. euf.* starszy gość; *gł. Br.* dawny kolega szkolny; *voc.* chłopie, stary. **4.** *pl.* **the ~s** *pot.* kumple, wiara; **~s will be ~s** chłopcy *l.* faceci muszą sobie poszaleć. – *int.* **(oh)** ~! *pot.* (o) kurczę!, a niech to!.

boyar [boʊ'jɑːr] *n. hist.* bojar.

boycott ['bɔɪkɑːt] *n.* bojkot. – *v.* bojkotować.

boyfriend ['bɔɪˌfrend] *n.* chłopak, przyjaciel (*partner uczuciowy*).

boyhood ['bɔɪhʊd] *n. U* lata chłopięce, chłopięctwo.

boyish ['bɔɪɪʃ] *a.* chłopięcy, młodzieńczy.

boy scout *n.* skaut, harcerz.

boysenberry ['bɔɪzənˌberɪ] *n. bot., ogr.* malinojeżyna (*krzyżówka amerykańskich gatunków malin i jeżyn*).

boy's-love ['bɔɪzˌlʌv] *n. bot.* bylica boże drzewko (*Artemisia abrotanum*).

bozo ['boʊzoʊ] *n. pl.* **bozos** *US sl.* przygłup.

Bp *abbr. kośc.* = **bishop.**

BPD [ˌbiː ˌpiː 'diː] *abbr.* **barrels per day** baryłki dziennie.

bps [ˌbiː ˌpiː 'es], **BPS** *abbr.* **bits/bytes per second** bity/bajty na sekundę.

Br *abbr. chem.* = **bromine.**

Br. *abbr.* = **British.**

bra [brɑː] *n.* biustonosz, stanik.

brabble ['bræbl] *n. arch.* waśń. – *v.* waśnić się.

brace [breɪs] *n.* **1.** *t. techn. i bud.* klamra; obejma. **2.** *bud.* zastrzał, krzyżulec (*ukośne usztywnienie konstrukcji*). **3. (hand)** ~ (*także* ~ **and bit)** świder korbowy. **4.** *żegl.* bras. **5.** nawias klamrowy. **6.** *zw. pl. dent.* aparat ortodontyczny; *med.* szyny. **7.** *pl. Br.* szelki. **8.** *pl.* **brace** *myśl.* parka (*dwie sztuki, zwł. upolowanego ptactwa*). – *v.* **1.** ściskać, spinać klamrą. **2.** usztywniać, wzmacniać. **3.** *żegl.* brasować. **4.** ~ **one's hand/foot against sth** zaprzeć się o coś ręką/nogą; ~ **o.s. (for sth)** zbierać siły (przed czymś), przygotowywać się (na coś).

bracelet ['breɪslət] *n.* bransoleta (*t. naramienna*); bransoletka (*t. od zegarka*); *pl. sl.* obrączki (= *kajdanki*).

bracer[1] ['breɪsər] *n.* naręczak, ochraniacz (*chroniący przedramię łucznika l. szermierza*).

bracer[2] *n. pot.* drink dla kurażu.

brach [brætʃ], **brachet** ['brætʃət] *n. arch.* suka myśliwska.

brachial ['breɪkɪəl] *a. anat.* ramienny, barkowy.

brachiate ['breɪkɪˌeɪt] *a. bot.* ramienisty (*o kształcie rozwidleń*). – *v. zool.* poruszać się za pomocą brachiacji (*o niektórych małpach*).

brachiation [ˌbreɪkɪ'eɪʃən] *n. U zool.* brachiacja (*przemieszczanie się po gałęziach za pomocą kończyn górnych*).

brachiopod ['breɪkɪəˌpɑːd] *n. zool.* ramienionóg.

brachiosaur ['breɪkɪəˌsɔːr], **brachiosaurus** [ˌbreɪkɪə'sɔːrəs] *n. paleont.* brachiozaur (*Brachiosaurus*).

brachycephalic [ˌbrækiːsə'fælɪk] *a. antrop.* krótkogłowy, brachycefaliczny.

brachylogy [bræ'kɪlədʒɪ] *n. form.* brachylogia, lapidarność; skrót myślowy.

bracing ['breɪsɪŋ] *a.* ożywczy, orzeźwiający (*o powietrzu, chłodzie*). – *n. techn., bud.* wzmocnienie, usztywnienie.

bracingly ['breɪsɪŋlɪ] *adv.* ożywczo, orzeźwiająco.

bracken ['brækən] *n.* **1.** *bot.* paprocie. **2.** duża paproć (*np. orlica Pteridium aquilinum*).

bracket ['brækɪt] *n.* **1.** *bud.* wspornik, konsola, kroksztyn; okucie, zamocowanie (*np. półki, kinkietu*). **2.** nawias (*zwł. kwadratowy*); **square** ~ nawias kwadratowy. **3.** *sport* trójka (*figura łyżwiarska*). **4.** *wojsk.* widły (*przy wstrzeliwaniu się w cel*). **5.** *socjol., ekon.* przedział, kategoria, grupa (*np. wiekowa, zarobkowa*). – *v.* **1.** opierać *l.* zawieszać (*na wspornikach*); mocować (*za pomocą okuć*). **2.** ująć w nawiasy. **3.** ująć wspólnie, zgrupować. **4.** *wojsk.* obramować (*cel*).

bracket fungus *n. bot.* huba.

brackish ['brækɪʃ] *a.* słonawy (*o wodzie*).

brackishness ['brækɪʃnəs] *n. U* słonawość.

bract [brækt] *n. bot.* podsadka, przykwiatek, pochwa kwiatostanu.

bracteal ['bræktɪəl] *a. bot.* podsadkowy, przykwiatkowy.

bracteate ['bræktɪɪt] *n. archeol.* brakteat (*moneta z blaszki złotej l. srebrnej*).

brad [bræd] *n.* ćwieczek, sztyft.

bradawl ['brædˌɔːl] *n.* szydło, przekłuwacz.

brae [breɪ] *n. Scot.* zbocze, skarpa; wzgórze.

brag [bræg] *v.* **-gg-** ~ **(of/about sth)** przechwalać *l.* chełpić się (czymś). – *n.* **1.** przechwałka. **2.** obiekt przechwałek. **3.** = **braggart**.

braggadocio [ˌbrægə'doʊʃɪˌoʊ] *n. pl.* **braggadocios** *form.* pusta przechwałka.

braggart ['brægərt] *n.* samochwała, fanfaron. – *a. attr.* chełpliwy.

Brahma ['brɑːmə] *n.* **1.** (*także* **~n**) *Ind. rel.* Brahma. **2.** bramaputra (*rasa kury domowej*).

Brahman ['brɑːmən] *n. pl.* **Brahmans 1.** (*także* **Brahmin**) *Ind.* bramin. **2.** = **Brahma**. **3.** brahman (*rasa bydła*).

Brahmani ['brɑːmənɪ], **Brahmanee** *n. Ind.* braminka.

Brahmanic [brɑː'mænɪk], **Brahmanical** [brɑː'mænɪkl], **Brahminic(al)** [brɑː'mɪnɪk; -l] *a.* bramiński.

Brahmanism ['brɑːməˌnɪzəm], **Brahminism** ['brɑːməˌnɪzəm] *n. U rel.* braminizm.

Brahmin ['brɑːmɪn] *n.* **1.** = **Brahman** 1. **2.** *przen.* patrycjusz (*członek ekskluzywnej kasty społecznej, zwł. w Nowej Anglii*).

braid [breɪd] *n.* **1.** warkocz; splot. **2.** plecionka, warkoczyk (*ozdobny sznur, lamówka*); oplot. – *v.* pleść (*warkocz*); splatać; oplatać.

braided ['breɪdɪd] *a.* pleciony.

braiding ['breɪdɪŋ] *n. U* plecionka, oplot.

brail [breɪl] *n. żegl.* reflinka. – *v.* **~ (up)** *żegl.* związywać (*ref przy skracaniu żagla*).

braille ['breɪl] *n. U* pismo Braille'a, brajl.

brain [breɪn] *n.* **1.** *anat.* mózg. **2.** *pl. przen. pot.* mózg, mózgownica, szare komórki (*intelekt*); **be the ~s of the family** być najmądrzejszym w rodzinie; **beat out/cudgel one's ~s** łamać sobie głowę, wytężać mózgownicę; **blow one's ~s out** palnąć sobie w łeb; **pick sb's ~s** poradzić się kogoś; **rack one's ~(s)** łamać sobie głowę; wytężać pamięć (*for sth* w poszukiwaniu czegoś); **the ~s behind sth** mózg czegoś (*np. przedsięwzięcia, spisku*). – *v.* **~ sb** roztrzaskać komuś czaszkę; *przen. pot.* zdzielić kogoś w łeb.

brainchild ['breɪnˌtʃaɪld] *n. pl.* **brainchildren** *przen.* owoc wyobraźni.

brain-dead ['breɪnˌded] *a. pat.* (pozostający) w stanie śmierci biologicznej.

brain death *n. U pat.* śmierć biologiczna, ustanie czynności mózgu.

brain drain *n. U przen.* drenaż mózgów.

brain fever *n. U pat.* zapalenie mózgu; zapalenie opon mózgowych.

brain-fever bird *n. orn.* kukułka indyjska (*Cuculus varius*).

braininess ['breɪnɪnəs] *n. U pot.* pomyślunek, głowa na karku.

brainless ['breɪnləs] *a.* bezmózgi; bezrozumny; kretyński.

brainpan ['breɪnˌpæn] *n. pot.* mózgownica, czaszka.

brain scan *n. med.* obrazowanie mózgu (*techniką tomografii komputerowej lub rezonansu magnetycznego*).

brainsick ['breɪnˌsɪk] *a.* obłąkany, chory na umyśle; obłędny.

brainstorm ['breɪnˌstɔːrm] *n.* **1.** gonitwa myśli; *Br. pot.* nagłe zaćmienie umysłu. **2.** *US* olśnienie, błysk natchnienia. – *v.* **1.** brać udział w burzy mózgów. **2. ~ sth** poddać coś pod obrady grupowe.

brainstorming ['breɪnˌstɔːrmɪŋ] *n. U przen.* burza mózgów.

brainteaser ['breɪnˌtiːzər], **braintwister** *n.* łamigłówka.

brain trust *n.* trust mózgów.

brainwash ['breɪnˌwɔːʃ] *v.* poddać praniu mózgu.

brainwashing ['breɪnˌwɔːʃɪŋ] *n. C/U przen.* pranie mózgu; indoktrynacja.

brain wave *n.* **1.** *pl. fizj.* rytmy (potencjałów bioelektrycznych) mózgu. **2.** *Br.* = **brainstorm** 2.

brainy ['breɪnɪ] *a.* **-ier, -iest** *pot.* łebski, z głową na karku.

braise [breɪz] *v. kulin.* przyrumienić i dusić.

brake[1] [breɪk] *n.* **1.** *gł. techn. i w złoż.* hamulec; **drum ~** hamulec bębnowy; **hand~** hamulec ręczny; *pl.* hamulce, układ hamulcowy. **2. ~ (van)** *Br. kol.* wagon hamulcowy. – *v.* hamować.

brake[2] *n.* **1.** cierlica, międlarka (*do lnu, konopi*). **2. ~ (harrow)** *roln.* ciężka brona. – *v.* międlić (*len, konopie*).

brake[3] *n.* gąszcz, gęste poszycie.

brake[4] *n. bot.* = **bracken** 1.

brake[5] *n.* = **break[2]**.

brake-horsepower [ˌbreɪk'hɔːrsˌpaʊər] *n. U techn.* moc silnika (*mierzona za pomocą hamulca pomiarowego, wyrażona w koniach mechanicznych*).

brakeman ['breɪkmən] *n. pl.* **-men** *t. kol., bobsleje* hamulcowy.

bramble ['bræmbl] *n.* **1.** ciernisty krzak (*zwł. jeżyny, maliny, dzikiej róży*). **2.** *Scot.* jeżyna. – *v.* zbierać jeżyny.

brambling ['bræmblɪŋ] *n. orn.* (zięba) jer (*Fringilla montifringilla*).

bran [bræn] *n. U t. kulin.* otręby.

branch [bræntʃ] *n.* **1.** *t. przen.* gałąź; gałązka (*rośliny, koralowca*). **2.** odgałęzienie (*drogi, linii rozwojowej, przewodu*); odnoga (*rzeki, poroża*). **3.** filia, oddział (*przedsiębiorstwa, instytucji*). **4.** branża, dział. **5.** *polit.* organ (*władzy państwowej*). **6.** *jęz.* grupa (*języków pokrewnych*). **7.** *komp.* skok (*w programie*). **8. root and ~** *przen.* do cna. – *v.* **1. ~ (into sth)** rozgałęziać się (na coś). **2. ~ off** odgałęziać się, skręcać, zbaczać. **3. ~ out (into sth)** rozszerzyć działalność (o jakąś dziedzinę); spróbować sił (w czymś).

branchia ['bræŋkɪə] *n. pl.* **branchiae** ['bræŋkiiː] *anat. form.* skrzele.

branchial ['bræŋkɪəl] *a. anat.* skrzelowy.

branchiate ['bræŋkɪət] *a. biol.* skrzelodyszny.

brand [brænd] *n.* **1.** *handl.* marka. **2.** = **brand name**. **3.** rodzaj, odmiana (*zwł. humoru*). **4.** piętno; (*także* **~ing iron**) żelazo (*do piętnowania*). **5.** *arch. l. poet.* pochodnia. **6.** *bot.* głownia (*grzyb pasożytniczy l. choroba roślin*). – *v.* znakować; *t. przen.* znaczyć piętnem, piętnować; **~ sb as** napiętnować kogoś jako (*łotra, przestępcę itp.*); **~ed in sb's mind/on sb's memory** *przen.* odciśnięty piętnem w czyjejś pamięci.

brandish ['brændɪʃ] *v.* wymachiwać, potrząsać (*zwł. bronią*).

brandling ['brændlɪŋ] *n. zool.* rosówka (*Eisenia foetida*).

brand name *n. handl.* znak towarowy *l.* firmowy.

brand-new [ˌbrænd'nu:] *a.* fabrycznie nowy; nowiut(eń)ki.

brandy ['brændɪ] *n. C/U* **1.** brandy (*winiak*), koniak; **cherry ~** kirsz, wiśniówka; **plum ~** śliwowica. **2.** *US* likier, kordiał.

brandy butter *n. U Br. kulin.* gęsty sos z masła, cukru i brandy (*spożywany jako dodatek do świątecznego puddingu*).

brandy snap *n.* rurka waflowa z dodatkiem imbiru.

brant [brænt] *n. pl.* **brant** *l.* **~s** = **brent (goose)**.

brash[1] [bræʃ] *a. uj.* **1.** obcesowy, nietaktowny. **2.** pochopny. **3.** ostentacyjny, krzykliwy.

brash[2] *n. U pat.* zgaga.

brash[3] *n. U* **1.** gruz, odłamki. **2.** ścinki (*zwł. po strzyżeniu żywopłotu*), odpadki.

brashly ['bræʃlɪ] *adv.* **1.** obcesowo. **2.** pochopnie. **3.** ostentacyjnie.

brashness ['bræʃnəs] *n. U* **1.** tupet. **2.** lekkomyślność. **3.** ostentacja.

brasier ['breɪʒər] *n.* = **brazier**.

brasilwood [brə'zɪlˌwʊd] *n. bot.* = **brazilwood**.

brass [bræs] *n.* **1.** *U* mosiądz (*t.* = *przedmioty l. ozdoby mosiężne*). **2. the ~ (section)** *muz.* instrumenty (dęte) blaszane. **3.** *gł. Br.* tabliczka pamiątkowa (*wmurowana w kościele*). **4.** *techn.* pierścień zewnętrzny łożyska (*z mosiądzu lub brązu*). **5.** *U Br. sl.* forsa. **6.** *U uj.* śmiałość, czelność. **7. the top ~** *zob.* **top brass**. – *a. attr.* **1.** mosiężny, z mosiądzu; **~ plate** plakietka mosiężna (*z nazwiskiem, na drzwiach*). **2.** *muz.* blaszany (*o instrumentach*); **~ band** orkiestra dęta. **3.** *przen.* **~ hat** *wojsk. pot.* wysoka szarża (*starszy oficer*); **~ knuckles** *US* kastet; **get down to ~ tacks** *pot.* przejść do szczegółów *l.* do sedna sprawy; **not have a ~ farthing** nie mieć złamanego grosza *l.* szeląga.

brassard ['bræsɑ:rd], **brassart** ['bræsɑ:rt] *n.* **1.** opaska (*na ramię*). **2.** naramiennik (*część zbroi*).

brasserie [ˌbræsə'ri:] *n.* knajpa; restauracyjka.

brassie ['bræsɪ], **brassy** *n. golf przest.* mosiądz (*kij drewniany z mosiężnym okuciem główki*).

brassiere [brə'zi:r] *n. form.* = **bra**.

brassy[1] ['bræsɪ] *a.* **1.** mosiężny; mosiądzowany; barwy mosiądzu. **2.** *cz. uj.* blaszany, ostry (*o dźwięku*). **3. -ier, -iest** *uj.* bezczelny; krzykliwy, wulgarny (*zwł. o stroju l. zachowaniu kobiety*).

brassy[2] *n. golf* = **brassie**.

brat [bræt] *n. pog. l. żart.* bachor.

brattice ['brætɪs] *n.* **1.** *górn.* przegroda szybu. **2.** *hist., bud.* hurdycja (*drewniana galeria, wysunięta ponad szczyt muru warownego*). – *v. górn.* przegradzać (*szyb*).

bratty ['brætɪ] *a.* **-ier, -iest** rozpuszczony, rozwydrzony.

bratwurst ['brætwɜ:st] *n.* kiełbaska.

braunite ['braʊnaɪt] *n. min.* braunit.

bravado [brə'vɑ:doʊ] *n. pl.* **bravados** *l.* **~es** *cz. uj.* brawura; popis zuchwałości.

brave [breɪv] *a.* **1.** odważny, dzielny, mężny; waleczny; **the ~** zuchy, (ludzie) waleczni. **2.** *lit. l. arch.* piękny, wspaniały, widowiskowy; **~ new world** *iron.* nowy, wspaniały świat; **~ show** piękny wyczyn. – *n.* wojownik (*indiański*). – *v. form.* stawiać czoło; rzucać wyzwanie (*komuś l. czemuś*); **~ it out** gwizdać na niebezpieczeństwo, nie okazywać lęku.

bravely ['breɪvlɪ] *adv.* odważnie, dzielnie, mężnie; walecznie.

bravery ['breɪvərɪ] *n. U* odwaga, męstwo; waleczność.

bravo[1] ['brɑ:voʊ] *int. i n. pl.* **bravos** **1.** brawo (*okrzyk*). **2. B~** *tel.* Bravo (*nazwa litery B*).

bravo[2] *n. pl.* **bravos** *l.* **~oes** *lit.* zbir, najemny morderca.

bravura [brə'vjʊrə] *n.* **1.** brawurowy wyczyn. **2.** *muz.* wirtuozeria, brawura. – *a. attr. muz.* wirtuozyjny, brawurowy.

braw [brɔ:] *a. Scot. i dial.* **1.** piękny (*o pogodzie l. postawnej kobiecie*). **2.** strojny, odświętny (*zwł. o ubiorze*).

brawl [brɔ:l] *v.* **1.** urządzać burdę, awanturować się. **2.** huczeć, grzmieć (*o wodzie*). – *n.* **1.** burda, awantura. **2.** *pot.* huczna impreza.

brawler ['brɔ:lər] *n.* awanturnik, rozrabiaka.

brawn [brɔ:n] *n. U* **1.** muskulatura, umięśnienie; krzepa, tężyzna fizyczna (*w przeciwieństwie do intelektu*). **2.** *Br. kulin.* galaretka wieprzowa.

brawniness ['brɔ:nɪnəs] *n. U* muskularność.

brawny ['brɔ:nɪ] **-ier, -iest** *a.* muskularny, krzepki.

braxy ['bræksɪ] *n. Scot. wet.* zapalenie trawieńca (*choroba owiec, wywołana przez bakterię Clostridium septicum*).

bray[1] [breɪ] *n.* ryk (*zwł. osła*). – *v.* ryczeć, ryknąć (*t. o człowieku*); **~ (at sth)** ryknąć śmiechem (na widok czegoś).

bray[2] *v.* **1.** tłuc, rozcierać (*w moździerzu*). **2.** *druk.* rozprowadzać po matrycy (*farbę*).

braze[1] [breɪz] *v.* **1.** *techn.* mosiądzować (*powlekać warstwą mosiądzu*). **2.** barwić *l.* malować na kolor mosiądzu.

braze[2] *v. techn.* lutować na twardo.

brazen ['breɪzən] *a.* **1. ~(-faced)** *uj. form.* jawnie bezwstydny, bezczelny, cyniczny. **2.** mosiężny (*t. przen. o kolorze, dźwięku*). – *v. uj.* **1.** zbezczelnieć; **~ it out/through** iść w zaparte, nadrabiać bezczelnością. **2.** pozbawić wstydu.

brazenly ['breɪzənlɪ] *a.* bezwstydnie, bezczelnie.

brazenness ['breɪzənnəs] *n.* bezwstyd, bezczelność.

brazier[1] ['breɪʒər], **brasier** *n.* mosiądzownik (*rzemieślnik*).

brazier[2] *n.* koksownik; piecyk z rusztem (*na węgiel l. koks*).

Brazil [brə'zɪl] *n.* **1.** Brazylia. **2. b~ (nut)** orzech brazylijski, orzesznica wyniosła (*Bertholletia excelsa*). **3. b~** = **brazilwood**.

Brazilian [brəˈzɪljən] *a.* brazylijski. – *n.* Brazylij-czyk/ka.

brazilin [ˈbræzəlɪn] *n. U chem.* brazylina (*barwnik*).

brazilwood [brəˈzɪlˌwʊd], **brasilwood** *n. U bot.* brezylka, cezalpinia (*Caesalpinia*); *stol., bud.* drewno brezylkowe, fernambuk.

brazing [ˈbreɪzɪŋ] *n. U techn.* lutowanie twarde; *zob.* **braze[2]**.

breach [bri:tʃ] *n.* **1.** wyłom (*w murze, szyku bojowym*); **step into the ~** *przen.* zająć miejsce w szeregu (*zastępując kogoś w potrzebie*). **2.** *gł. prawn.* złamanie, naruszenie; **~ of confidence/trust** nadużycie zaufania; **~ of contract** naruszenie warunków umowy; **~ of promise** niedotrzymanie obietnicy (małżeństwa); **~ of the peace** zakłócenie spokoju publicznego. **3.** zerwanie (*zwł. stosunków*). **4.** łamanie się (*fal przyboju*). **5.** wyskok ponad wodę (*wieloryba*). – *v.* **1. ~ sth** dokonać wyłomu w czymś. **2.** wyskoczyć ponad wodę (*o wielorybie*).

bread [bred] *n.* **1.** *U* chleb, pieczywo; **loaf/slice of ~** bochenek/kromka chleba. **2.** *sl.* forsa, szmal. **3.** *przen.* **break ~** łamać się chlebem; *kośc.* przyjmować komunię świętą; udzielać komunii; **cast one's ~ upon the waters** *form.* bezinteresownie czynić dobro; **know which side one's ~ is buttered** *zob.* **buttered; (one's) daily ~** chleb powszedni (*gł. rel.*); środki utrzymania; **take the ~ out of sb's mouth** odejmować komuś chleb od ust; **the best thing since sliced ~** *Br. żart.* najlepsza rzecz pod słońcem. – *v. kulin.* panierować.

bread and butter *n. U* **1.** chleb z masłem. **2.** *przen.* podstawa bytu, środki utrzymania.

bread-and-butter [ˌbredənˈbʌtər] *a. attr.* **1.** zapewniający środki do życia. **2.** podstawowy, żywotny (*o kwestii*). **3. ~ letter** list z podziękowaniami (*zwł. za gościnę*).

breadbasket [ˈbredˌbæskɪt] *n.* **1.** kosz(yk) na pieczywo. **2.** *przen.* spichlerz (*kraju l. kontynentu*). **3.** *sl.* kałdun, bandzioch.

breadbin [ˈbredˌbɪn] *n. Br.* = **breadbox.**

breadboard [ˈbredˌbɔ:rd] *n.* **1.** deska do krojenia chleba. **2.** stolnica. **3.** *el.* model eksperymentalny (*obwodu, układu*).

breadbox [ˈbredˌbɑ:ks] *n.* pojemnik na pieczywo.

breadcrumb [ˈbredˌkrʌm] *n.* okruch *l.* okruszek (chleba); ośródka (*chleba, bułki*); *pl.* bułka tarta. – *v. kulin.* panierować, obtaczać w bułce tartej.

breaded [ˈbredɪd] *a. kulin.* panierowany.

breadfruit [ˈbredˌfru:t] *n. pl.* **breadfruit** *l.* **~s 1.** (*także* **bread tree**) *bot.* chlebowiec (*Artocarpus*). **2.** owoc chlebowca.

breadline [ˈbredˌlaɪn] *n.* kolejka po darmowy posiłek; **on the ~** *pot.* w nędzy.

bread mold, *Br.* **bread mould** *n. Br. pot.* czarna pleśń; *bot.* rozłożek czerniejący (*Rhizopus nigricans*).

breadstuff [ˈbredˌstʌf] *n. U* **1.** pieczywo. **2.** ziarno *l.* mąka na chleb.

breadth [bredθ] *n. U* **1.** szerokość (*t.* = *bela tkaniny o określonej szerokości*). **2.** rozległość, rozpiętość, zakres. **3.** otwartość (*poglądów, zainteresowań*); tolerancja. **4. by a hair's breadth** *przen.* o (mały) włos.

breadthways [ˈbredθˌweɪz], *zwł. US* **breadthwise** *adv.* wszerz.

breadwinner [ˈbredˌwɪnər] *n.* żywiciel rodziny.

break[1] [breɪk] *v. p.* **broke** [broʊk] *arch.* **brake** [breɪk] *pp.* **broken** [ˈbroʊkən] **1.** *t. przen.* złamać (się). **2.** przełamać (*t. opór, blokadę*); **~ (in half)** przełamać się *l.* pęknąć (na pół). **3.** *t. przen.* załamać się; załamywać się, rozbijać się, rozbryzgiwać się (*o falach*). **4.** stłuc (się), rozbić (się); pogruchotać; rozkruszyć; *pot.* rozmienić (*pieniądze*). **5. ~ (into sth)** rozpaść się (na coś). **6.** zepsuć (się), nawalić. **7.** przebić, przedziurawić; zaorać; **~ (through sth)** przebić *l.* przedrzeć się (przez coś). **8.** przerwać; zerwać; urwać się; skończyć się (*o pogodzie, porze roku*); *boks l. zapasy* rozdzielić się (*o zawodnikach w zwarciu*). **9.** zbankrutować; zrujnować, doprowadzić do bankructwa; zniszczyć, załamać (*psychicznie*); *wojsk.* zdegradować. **10.** osłabić impet (*np. upadku, naporu fal*). **11.** naruszyć (*zasadę, zakaz*). **12.** pęknąć, zarysować się (*np. o naczyniu*). **13. ~ (for sth)** ruszyć *l.* poderwać się *l.* wystartować (ku czemuś); *bilard* rozpocząć grę (*rozbijając układ bil*); **~ (from sth)** uciec (od czegoś); wyrwać się (skądś). **14.** rozbłysnąć (*o świetle*); nastać (*o dniu, poranku*); rozpętać się (*o burzy, wichurze*). **15.** zmienić kierunek, skręcić (*zwł. o odbitej piłce krykietowej*). **16.** *gł. sport* pobić, poprawić (*rekord*). **17.** ujeździć (*konia*). **18.** rozwiązać, rozwikłać (*zagadkę, tajemnicę*). **19.** ujawnić, ogłosić, zdradzić; wyjść na jaw, zostać ujawnionym. **20.** wyskoczyć ponad wodę (*o rybie*). **21.** mutować (*o głosie*). **22.** *przen.* **~ a set** rozdzielić kolekcję *l.* komplet (*sprzedając części osobno*); **~ a spell** odczynić zaklęcie *l.* urok; zniweczyć czar; **~ the back of sth** mieć za sobą najtrudniejszą część czegoś; **~ one's back** *pot.* harować, przepracowywać się; **~ one's balls** *wulg.* zapierdalać (= *harować*); **~ the bank** rozbić bank (*w grze hazardowej*); **~ camp** zwinąć obóz; **~ even** *ekon.* wyjść na zero; **~ fresh/new ground** dokonać przełomu, wykonać pionierską pracę; **~ ground** *bud.* rozpocząć budowę; **~ jail/prison** uciec z więzienia; **~ the ice** *zob.* **ice** *n.*; **~ loose** wyswobodzić się, zerwać się (*z uwięzi, łańcucha*); rozszaleć się (*o niszczącej sile*); **~ the news to sb** powiadomić kogoś (*zwł. o czymś nieprzyjemnym*); **~ (one's opponent's) service** *tenis* przełamać serwis (przeciwnika); **~ the wicket** *krykiet* zburzyć bramkę; **~ wind** *euf.* puszczać wiatry. **23. ~ away (from sth)** zbiec (skądś); odejść *l.* wystąpić (skądś) (*np. z organizacji*); porzucić (coś) (*zwł. kraj*); **~ down** zepsuć się; załamać się (*t. psychicznie*); zakończyć się fiaskiem; pogorszyć się (*o zdrowiu*); zepsuć; tłumić, miażdżyć; rozkładać, analizować; trawić; **~ down (into sth)** rozpadać *l.* rozkładać *l.* dzielić się (na coś); **~ in** włamać się; rozchodzić (*nowe buty*); *techn.* dotrzeć (*mechanizm*); przyuczyć (*człowieka l. zwierzę*); **~ in on/upon sb** nachodzić kogoś; **~ into** włamać się do; przerwać, wtrącić się do; ~ **into applause/laughter/tears** wybuchnąć aplauzem/śmiechem/płaczem; ~ **into bloom** *form.* rozkwitnąć; ~ **into song** zacząć śpiewać (*zwł. ni stąd, ni zowąd*); ~ **into a sweat** zacząć się pocić; ~ **into a trot/gallop** puścić się truchtem/galopem; ~ **sb of sth** oduczyć kogoś czegoś; ~ **off** zamilknąć; odłamać, odciąć, oddzielić; zerwać (*przyjaźń, stosunki*); ~ **out** wybuchnąć (*o wojnie, panice, epidemii*); ~ **out in spots/a rash** pokryć się plamami/wysypką; ~ **out (of sth)** wyrwać się *l.* zbiec (skądś); ~ **through** przedrzeć się; *przen.* uczynić przełomowy krok; ~ **up** rozdzielić, rozproszyć; zakończyć, rozwiązać; rozejść się (*t. o małżonkach*); rozpaść się; *pot.* zrywać boki, pękać ze śmiechu; ~ **with sb/sth** zerwać z kimś/czymś. – *n.* **1.** złamanie; stłuczenie, pęknięcie. **2.** luka, wyłom, wyrwa; *el.* rozwarcie, przerwa. **3.** podział (*w tekście*); **line/page** ~ nowa linia/strona. **4.** przerwa (*w podróży, pracy*); **coffee/lunch** ~ przerwa na kawę/lunch; *Br. szkoln.* przerwa. **5.** przerwanie, zakończenie; pauza, zawieszenie głosu. **6.** przełom, nagła zmiana; *tenis* przełamanie serwisu. **7.** załamanie się, spadek (*ceny, kursu*). **8.** ~ **(with sb/sth)** zerwanie (z kimś/czymś). **9.** zryw, ucieczka; **make a ~ (for it)** zbiec (*zwł. z więzienia*). **10.** początek; start; **at the ~ of day** skoro świt; **even** ~ równy start. **11.** *bilard* udana seria zagrań. **12.** *pot.* szansa; **bad** ~ zła passa; **big/lucky** ~ wielka szansa, pomyślna okazja; **give sb a** ~ dać komuś szansę. **13.** *krykiet* skręt w bok (*piłki, przy odbiciu się*). – *int. boks l. zapasy* break (*komenda nakazująca zawodnikom rozdzielić się*).

break² *n.* (*także* **brake**) brek (*pojazd konny*).

breakable [ˈbreɪkəbl] *a.* kruchy, łamliwy, łatwo tłukący się. – *n. pl.* artykuły kruche *l.* łatwo tłukące się.

breakage [ˈbreɪkɪdʒ] *n.* **1.** pęknięcie, awaria; rozbicie, stłuczka. **2.** *pl.* szkody, straty (*z powodu rozbicia l. połamania czegoś*). **3.** *pl.* stłuczki (*towar uszkodzony w czasie transportu*); *handl.* koszty stłuczek (*uwzględnione w kosztach transportu*).

breakaway [ˈbreɪkəˌweɪ] *n.* **1.** wystąpienie, odejście (*z drużyny, organizacji*). **2.** *sport* oderwanie się, ucieczka (*w trakcie wyścigu*); atak z defensywy (*w grach zespołowych*). – *a. attr. gł. polit.* rozłamowy, dysydencki (*o frakcji*).

breakbone fever *n. U pat.* denga (*choroba wirusowa*).

break dance *n.* break dance (*styl tańca z lat 80. XX w.*).

break-dance [ˈbreɪkˌdæns] *v.* tańczyć break dance.

breakdown [ˈbreɪkˌdaʊn] *n.* **1.** awaria; ~ **truck/van** *Br.* pomoc drogowa; ~ **garage** parking kasacyjny. **2.** rozpad (*małżeństwa, ustroju*). **3.** (*także* **nervous** ~) załamanie (nerwowe). **4.** analiza (*t. statystyczna*). **5.** *el.* przebicie.

breaker¹ [ˈbreɪkər] *n.* **1.** fala przyboju; grzywacz. **2.** firma demontująca stare samochody. **3.** *el.* = **circuit-breaker**.

breaker² *n. żegl.* baryłka na wodę pitną.

breakeven [ˌbreɪkˈiːvən] *n. ekon., fin.* równowaga (*często w złoż.*); ~ **point** punkt równowagi (*zerowego bilansu*).

breakfast [ˈbrekfəst] *n. C/U* śniadanie; **have** ~ jeść śniadanie. – *a. attr.* śniadaniowy; ~ **cereal** płatki śniadaniowe. – *v. form.* jeść śniadanie.

break-in [ˈbreɪkˌɪn] *n.* włamanie.

breaking [ˈbreɪkɪŋ] *n. U jęz.* fraktura, przełamanie (*dyftongizacja staroangielska l. skandynawska*).

breakneck [ˈbreɪkˌnek] *a. attr.* karkołomny, szaleńczy (*o jeździe, prędkości*).

breakout [ˈbreɪkˌaʊt] *n.* **1.** ucieczka (*zwł. z więzienia*). **2.** wybuch (*wojny, paniki, epidemii*). **3.** = **breakdown** 4.

breakpoint [ˈbreɪkˌpɔɪnt] *n. komp.* punkt przerwania (*programu*).

breakthrough [ˈbreɪkˌθruː] *n.* **1.** przełom, punkt zwrotny (*zwł. w nauce*). **2.** *wojsk.* przełamanie (*manewr*).

breakup [ˈbreɪkˌʌp] *n.* **1.** podział, rozbicie. **2.** demontaż. **3.** rozpad (*małżeństwa, związku uczuciowego, państwa*).

breakwater [ˈbreɪkˌwɔːtər] *n.* falochron.

bream [briːm] *n. pl.* **bream** *icht.* leszcz (*Abramis brama*); *US pot.* bass (*Lepomis macrochirus*); **white/silver** ~ krąp (*Blicca bjoerkna*).

breast [brest] *n.* pierś (*t. przen. i kulin.*); **beat one's** ~ *przen.* bić się w piersi; **make a clean ~ of sth** wyznać coś, wyspowiadać się z czegoś. – *v.* ~ **sth** *form.* nadstawiać pierś czemuś (*burzy, niebezpieczeństwu; t. o okręcie*).

breastbone [ˈbrestˌboʊn] *n. anat.* mostek.

breast cancer *n. C/U pat.* rak sutka *l.* piersi.

breast-feed [ˈbrestˌfiːd] *v. p. i pp.* **breast-fed** karmić piersią.

breast-feeding [ˈbrestˌfiːdɪŋ] *n. U* karmienie piersią, karmienie naturalne.

breast-high [ˌbrestˈhaɪ] *a.* sięgający piersi, (wysoki) aż do piersi.

breastpin [ˈbrestˌpɪn] *n.* zapinka, brosza (*spinająca ubiór na piersi*).

breastplate [ˈbrestˌpleɪt] *n.* **1.** *gł. hist.* pektorał (*t. ozdoba zwojów Tory*); plastron, napierśnik (*zbroi*). **2.** *zool.* tarcza brzuszna (*skorupy żółwia*).

breaststroke [ˈbrestˌstroʊk] *n. U pływanie* styl klasyczny, żabka.

breastwork [ˈbrestˌwɝːk] *n. U fortyfikacje* parapet, przedpiersie.

breath [breθ] *n. C/U* oddech, dech; wdech; **bad** ~ cuchnący oddech; **a ~ of air/wind** *lit.* lekki powiew; **a ~ of fresh air** łyk świeżego powietrza; *przen.* miła odmiana; **be the ~ of life to/for sb** *przen.* być dla kogoś najważniejszym na świecie; **catch one's** ~ łapać powietrze, chwytać oddech; **hold one's** ~ wstrzymywać oddech; *przen.* czekać z zapartym tchem; **in the same/next** ~ jednym tchem; **lose one's** ~ zadyszeć się; **out of** ~ zdyszany, zadyszany; **save your** ~ *zob.* **save** *v.*; **take sb's ~ away** zapierać komuś dech w piersiach; **under one's** ~ półgłosem, po cichu; **waste one's** ~ *przen.* mówić po próżnicy, strzępić sobie język; **with one's last/dying** ~ *przen.* w ostatnich słowach (*przed śmiercią*).

breathalyze [ˈbreθəˌlaɪz], *Br.* **breathalyse** *v.* poddać testowi za pomocą alkomatu.

breathalyzer [ˈbreθəˌlaɪzər], *Br.* **breathalyser** *n.* alkomat.

breathe [bri:ð] *v.* **1.** oddychać; *przen.* żyć; ~ **in/out** zrobić wdech/wydech; ~ **sth in/out** wdychać/wydychać coś. **2.** odetchnąć, odsapnąć. **3.** szeptać, mówić półgłosem (*zwł. w napięciu emocjonalnym*). **4.** ~ **sth** tchnąć czymś. **5.** podmuchiwać, tchnąć (*o wietrzyku*). **6.** ~ **(easy/easily/freely) again** znów oddychać swobodnie; ~ **confidence/hope into sb** natchnąć kogoś pewnością siebie/nadzieją; ~ **down sb's neck** *przen. pot.* deptać komuś po piętach; zaglądać komuś przez ramię; ~ **fire** ziać ogniem; ~ **one's last** *euf.* wydać ostatnie tchnienie, wyzionąć ducha; ~ **(fresh) life into sth** *przen.* tchnąć (nowe) życie w coś; **not ~ a word (of sth)** nie puścić (o czymś) pary z ust.

breather [ˈbri:ðər] *n. pot.* **1.** chwila odpoczynku, mała przerwa. **2.** łyk świeżego powietrza.

breathing [ˈbri:ðɪŋ] *n. U* **1.** oddychanie, oddech; ~ **apparatus** aparat nurkowy. **2.** tchnienie, powiew. **3.** wytchnienie. **4.** *fon.* **(rough) ~** przydech; **smooth ~** brak przydechu (*zwł. w klasycznej grece*).

breathing space *n. C/U* **1.** (*także* **breathing spell**) chwila wytchnienia. **2.** przestrzeń do życia (*np. przestronne mieszkanie*).

breathless [ˈbreθləs] *a.* **1.** z(a)dyszany, bez tchu. **2.** wstrzymujący oddech, (czekający) z zapartym tchem. **3.** zapierający dech. **4.** *przen.* duszny, napięty (*o nastroju, atmosferze*). **5.** *lit.* bez ducha, martwy.

breathlessly [ˈbreθləslɪ] *adv.* **1.** bez tchu. **2.** z zapartym tchem.

breathlessness [ˈbreθləsnəs] *n. U* utrata tchu; wstrzymanie tchu.

breathtaking [ˈbreθˌteɪkɪŋ] *a.* zapierający dech (w piersiach), oszałamiający.

breathtakingly [ˈbreθˌteɪkɪŋlɪ] *adv.* oszałamiająco.

breathy [ˈbreθɪ] *a.* **-ier, -iest** bezdźwięczny, matowy (*o głosie*).

breccia [ˈbretʃɪə] *n. U geol.* brekcja, druzgot (*rodzaj skały*).

bred [bred] *v. zob.* **breed** *v.*

breech [bri:tʃ] *n.* **1.** zamek (*broni palnej*). **2.** *arch.* tyłek, siedzenie. **3.** [ˈbrɪtʃɪz] *pl.* bryczesy; spodnie do kolan; *hist.* pludry; *pot.* spodnie; **too big for one's ~es** *przen.* nadęty, zarozumiały. – *v.* **1.** *broń* zaopatrzyć w zamek. **2.** *arch.* ubierać w spodnie.

breech birth *n. U* poród pośladkowy.

breechblock [ˈbri:tʃˌblɑ:k] *n.* rygiel (*zamka broni palnej*).

breechcloth [ˈbri:tʃˌklɔ:θ], **breechclout** [ˈbri:tʃˌklaʊt] *n.* = **loincloth**.

breeched [bri:tʃt] *a.* **1.** *arch.* noszący spodnie. **2.** *broń* = **breech-loading**.

breech-loader [ˈbri:tʃˌloʊdər] *n.* broń odtylcowa.

breech-loading [ˈbri:tʃˌloʊdɪŋ] *a. broń* odtylcowy.

breed [bri:d] *v.* **bred, bred** **1.** płodzić, wydawać na świat; rozmnażać się. **2.** rodzić się, lęgnąć się. **3.** hodować (*zwierzęta l. rośliny*). **4.** ~ **(as sth)** wychowywać *l.* kształcić (na kogoś). **5.** *przen.* rodzić, powodować (*zwł. coś nieprzyjemnego*). – *n.* rasa, odmiana hodowlana; *przen.* typ, rodzaj.

breeder [ˈbri:dər] *n.* **1.** hodowca. **2.** sztuka rozpłodowa (*zwierzę hodowlane*). **3.** ~ **of sth** roznosiciel *l.* propagator czegoś (*zwł. niedobrego*).

breeder reactor *n. techn.* reaktor powielający.

breeding [ˈbri:dɪŋ] *n. U* **1.** hodowla, chów. **2.** wychowanie, edukacja. **3.** dobre wychowanie, gładkie obejście.

breeze[1] [bri:z] *n.* **1.** wietrzyk, powiew; *meteor., żegl.* wiatr słaby, umiarkowany *l.* silny (*2-6 stopni w skali Beauforta*). **2.** *Br. pot.* chryja, awantura. **3.** *US pot.* bedłka, pestka (*= nic trudnego*). **4.** **shoot/bat the ~** *US pot.* uciąć sobie pogawędkę. – *v.* **1.** *lit.* przelatywać, dmuchać (*o wietrze*). **2.** *pot.* ~ **(along)** przemknąć (*o osobie*); ~ **in/out** wpaść/wypaść, wlecieć/wylecieć; ~ **through sth** *przen.* poradzić sobie z czymś bez wysiłku.

breeze[2] *n. arch. l. dial.* giez; bąk bydlęcy; ślepak.

breeze[3] *n. U Br.* popiół przemysłowy, żużel; ~ **block** cegła z żużlobetonu.

breezeway [ˈbri:zˌweɪ] *n. US bud.* pasaż, łącznik (*między budynkami*).

breezily [ˈbri:zɪlɪ] *adv.* rześko, z werwą.

breeziness [ˈbri:zɪnəs] *n. U* werwa.

breezy [ˈbri:zɪ] *a.* **1.** wietrzny; rześki. **2.** żywy, pełen werwy. **3.** błahy.

brekker [ˈbrekər] *n. Br. przest. sl.* śniadanie.

brent [brent], *Can. i US* **brant** *n. pl.* **brent** *l.* **~s** (*także* ~ **goose**) *orn.* bernikla obrożna (*Branta bernicla*).

brer [brɝ:], **br'er** *n. US dial.* = **brother**.

brethren [ˈbreðrən] *n. pl. zob.* **brother**.

Breton [ˈbretən] *a.* bretoński. – *n.* **1.** *U* (język) bretoński. **2.** Breto-ńczyk/nka.

breve [bri:v] *n.* **1.** *pismo* znak (diakrytyczny) krótkości. **2.** *Br. muz.* cała nuta. **3.** *kośc.* = **brief** 6.

brevet [brɪˈvet] *n. wojsk.* nominalne podwyższenie stopnia oficerskiego (*bez podwyżki uposażenia*); ~ **rank** *wojsk.* stopień nominalny. – *v.* **-t-/-tt-** nominalnie podwyższyć stopień (*komuś*).

breviary [ˈbri:vɪˌerɪ] *n. kośc.* brewiarz.

brevier [brəˈvi:r] *n. druk.* petit.

brevity [ˈbrevətɪ] *n. U* **1.** zwięzłość. **2.** krótki czas.

brew [bru:] *v.* **1.** warzyć (*zwł. piwo*). **2.** parzyć, zaparzać (*zwł. herbatę*). **3.** warzyć się. **4.** naciągać, parzyć się. **5.** ~ **sth (up)** *pot.* knuć *l.* kombinować coś; **sth is ~ing** zanosi się na coś. **6.** ~ **up** *Br. i NZ pot.* parzyć herbatę (*zwł. na świeżym powietrzu*). – *n.* **1.** zaparzony napój (*zwł. herbata*); **good/strong ~** dobra/mocna herbata. **2.** *pot.* browar (*= piwo*). **3.** wywar; mikstura. **4.** *przen.* **a (rich) ~ of sth** (bogata) mieszanka czegoś; **witches' brew** *żart.* piekielna mikstura.

brewage [ˈbru:ɪdʒ] *n.* **1.** *U* warzenie, zaparzanie. **2.** uwarzony napój (*zwł. piwo*).

brewer ['bru:ər] *n.* piwowar.

brewer's yeast *n. U* drożdże piwne.

brewery ['bru:ərɪ] *n. pl.* **-ies** browar.

brewis ['bru:ɪs] *n. U dial. kulin.* polewka z chleba (*rozmoczonego w rosole l. sosie mięsnym*).

briar1 ['braɪər], **brier** *n.* **1.** głóg (*Crataegus*). **2.** dzika róża; ~ **rose** dzika róża, szypszyna; **sweet** ~ róża wiśniówka (*Rosa rubiginosa*). **3.** cierń.

briar2 *n.* **1.** *bot.* wrzosiec biały (*Erica arborea*). **2.** fajka wrzoścowa.

briarroot ['braɪərˌru:t], **briarwood** *n. U* korzeń wrzośca (*używany do wyrobu fajek*).

bribe [braɪb] *n.* łapówka. – *v.* dać łapówkę, przekupić.

bribee [braɪ'bi:] *n.* osoba przekupiona, łapówkarz.

bribery ['braɪbərɪ] *n. U* przekupstwo, łapownictwo.

bric-a-brac ['brɪkəˌbræk] *n. U* bibeloty.

brick [brɪk] *n.* **1.** *C/U* cegła. **2.** *Br.* klocek (*zabawka*). **3.** kostka, blok (*czegoś*). **4.** *przen.* **come down on sb like a ton of ~s** *pot.* dać komuś popalić; **drop a** ~ *pot.* palnąć gafę; **make ~s without straw** *przest.* strzelać bez prochu; **sb is a ~ short of a load** *zob.* **short** *a.* – *a. attr.* ceglany; ceglasty. – *v.* ~ **in/up** zamurować.

brickbat ['brɪkˌbæt] *n.* **1.** odłamek cegły, ostry kamień (*jako pocisk*). **2.** *przen.* ostry zarzut.

brick kiln *n. techn.* piec do wypalania cegieł.

bricklayer ['brɪkˌleɪər] *n.* murarz.

bricklaying ['brɪkˌleɪɪŋ] *n. U* murarstwo.

brickwork ['brɪkˌwɜ:k] *n. U* **1.** = **bricklaying. 2.** *bud.* mur ceglany; konstrukcja z cegieł.

bricky ['brɪkɪ] *a.* **1.** ceglany. **2.** **-ier, -iest** ceglasty.

brickyard ['brɪkˌjɑ:rd] *n.* cegielnia; skład cegieł.

bricole [brɪ'koʊl] *n. bilard* karambol z odbiciem od bandy.

bridal ['braɪdl] *a.* ślubny, weselny; (dla) panny młodej; ~ **shower** *US* przyjęcie na cześć kobiety mającej wyjść za mąż; ~ **suite** apartament dla nowożeńców (*w hotelu*). – *n. arch.* wesele.

bride1 [braɪd] *n.* panna młoda.

bride2 *koronkarstwo* pikotka (*łącząca elementy koronki*).

bridecake ['braɪdˌkeɪk] *n.* tort weselny.

bridegroom ['braɪdˌgru:m] *n.* pan młody, nowożeniec.

bridesmaid ['braɪdzˌmeɪd] *n.* druhna (*panny młodej*).

bridewell ['braɪdˌwel] *n. Br.* lekkie więzienie; zakład poprawczy.

bridge1 [brɪdʒ] *n.* **1.** most (*t. przen., często w złoż.*); pomost; kładka; **draw~** most zwodzony; **suspension** ~ most wiszący. **2.** *żegl.* mostek (kapitański). **3.** *muz.* podstawek, mostek (*instrumentu strunowego*). **4.** *anat.* grzbiet nosa. **5.** *dent.* mostek. **6.** *przen.* **burn one's ~s/boats** *zob.* **burn1** *v.*; **we'll cross that ~ when we come to it** później będziemy się o to martwić. – *v.* **1.** połączyć mostem. **2.** ~ **the gap between X and Y** *przen.* przerzucić (po)most pomiędzy X i Y; zapełnić czas pomiędzy X i Y.

bridge2 *n. karty* brydż.

bridgehead ['brɪdʒˌhed] *n. wojsk.* przyczółek mostowy.

bridge loan, *Br.* **bridging loan** *n.* krótkoterminowa pożyczka bankowa (*zwł. dla kogoś, kto kupuje nowy dom, nie sprzedawszy jeszcze starego*).

bridgetrain ['brɪdʒˌtreɪn] *n. wojsk.* oddział saperski (*wyposażony w materiały do budowy mostów pontonowych*).

bridgework ['brɪdʒˌwɜ:k] *n. U* **1.** *dent.* mostek; mostki. **2.** budowa mostów.

bridle ['braɪdl] *n.* **1.** uzda; **put on a** ~ założyć uzdę (*koniowi*); **give a horse the** ~ popuścić *l.* oddać wodze koniowi. **2.** ~ **bridge/path/road** most/ścieżka/droga przeznaczona do jazdy konnej *l.* dla zwierząt jucznych. **3.** *przen.* hamulec, wodze. **4.** *żegl.* cuma; zasięg lin cumowniczych. **5.** *anat.* wiązadło. **6.** *techn.* strzemię, strzemiączko (*pługu*). **7.** zadarcie głowy. **8.** *hist.* narzędzie tortur. – *v.* **1.** założyć uzdę (*koniowi*). **2.** okiełznać, poskromić. **3.** kontrolować. **4.** ~ **at sb** obruszyć się na kogoś. **5.** ~ **in** trzymać na wodzy *l.* w ryzach. **6.** ~ **(up)** zadzierać głowę (*np. z próżności*).

bridlewise ['braɪdlˌwaɪz] *a.* idący posłusznie na wodzy.

bridoon [braɪ'du:n] *n.* uzda wędzidłowa (*konia wojskowego*).

brief1 [bri:f] *n.* **1.** streszczenie; *prawn.* streszczenie pozwu sądowego *l.* sprawy sądowej; ~ **of title** wyciąg *l.* streszczenie dotyczące tytułu własności. **2.** *prawn.* sprawa sądowa; **accept a ~ on behalf of sb** podjąć się czyjejś obrony; **file a ~ to** wnosić sprawę do; **give a ~ to** przekazać sprawę (*adwokatowi*); **hold a** ~ prowadzić sprawę; **hold a ~ for sb** występować w sądzie w czyimś imieniu; **take a** ~ podejmować się prowadzenia sprawy. **3.** *pl. prawn.* akta sprawy *l.* sądowe. **4.** *pl.* wytyczne. **5.** *wojsk., lotn.* odprawa (*załogi przed lotem*). **6.** **(papal)** ~ *rz.-kat.* list papieski. **7.** *pl.* majtki; slipy; figi. **8.** *Br.* format listowy. – *v.* **1.** streszczać. **2.** *prawn.* sporządzać wyciąg sądowy z. **3.** ~ **sb** *prawn.* powierzać komuś sprawę; *wojsk.* urządzać komuś odprawę; ~ **sb about/on sth** instruować *l.* informować kogoś o czymś.

brief2 *a.* **1.** krótki. **2.** krótkotrwały. **3.** zwięzły, treściwy; **be** ~ streszczać się; **have a ~ word with sb** zamienić z kimś słowo. – *n.* **in** ~ pokrótce, krótko mówiąc.

briefcase ['bri:fˌkeɪs] *n.* aktówka, teczka.

briefing ['bri:fɪŋ] *n. C/U* **1.** instruktaż, pouczenie. **2.** *wojsk.* odprawa. **3.** **press** ~ konferencja prasowa.

briefless ['bri:fləs] *a.* bez klientów (*o adwokacie*).

briefly ['bri:flɪ] *adv.* **1.** pokrótce, zwięźle. **2.** na krótko (*odwiedzać*). **3.** przelotnie (*spojrzeć, uśmiechnąć się*); **glimpse sb/sth** ~ ujrzeć kogoś/coś przelotnie.

brier1 ['braɪər], **briar** *n.* **1.** głóg (*Crataegus*). **2.** dzika róża; ~ **rose** dzika róża, szypszyna; **sweet** ~ róża wiśniówka (*Rosa rubiginosa*). **3.** cierń.

brier[2] *n.* **1.** *bot.* wrzosiec biały (*Erica arborea*). **2.** fajka wrzościowa.

briery ['braɪərɪ] *a.* **1.** ciernisty. **2.** *przen.* dokuczliwy.

brig[1] [brɪg] *n.* (*także* **brigantine**) *żegl.* bryg.

brig[2] *n.* **1.** areszt (*zwł. na statku*). **2.** *sl.* więzienie *l.* areszt wojskowy.

brig[3] *n. Scot.* = **bridge**[1].

brigade [brɪ'geɪd] *n. wojsk.* brygada; **command a ~** dowodzić brygadą; **fire ~** straż pożarna; **rescue ~** ekipa ratownicza. – *v.* tworzyć brygadę.

brigadier [ˌbrɪgə'di:r] *n. wojsk.* brygadier (*stopień pomiędzy pułkownikiem a generałem brygady*); dowódca brygady; **~-general** generał brygady; **~-major** adiutant dowódcy brygady.

brigand ['brɪgənd] *n.* bandyta, rozbójnik (*zwł. w górach i lasach*).

brigandage ['brɪgəndɪdʒ], **brigandism** ['brɪgənˌdɪzəm] *n. U* bandytyzm, rozbój.

brigandine ['brɪgənˌdi:n], **brigantine** ['brɪgənˌti:n] *n. hist.* kolczuga.

brigandish ['brɪgəndɪʃ] *a.* bandycki, zbójecki.

brigantine ['brɪgənˌti:n] *n.* **1.** *żegl.* brygantyna. **2.** = **brigandine.**

brigantiner ['brɪgənˌti:nər] *n.* członek załogi brygantyny.

bright [braɪt] *a.* **1.** jasny. **2.** błyszczący. **3.** świetlany. **4.** promienny (*np. o uśmiechu*). **5.** błyskotliwy, świetny; **have a ~ idea** mieć świetny pomysł. **6.** inteligentny, bystry. **7.** pogodny (*t. o dniu*). **8.** żywy, ożywiony (*o osobie*). **9.** *przen.* **~ and breezy** szczęśliwy i zadowolony; **~-eyed and bushy tailed** pełen energii i zapału; **~ spark** *Br. i Austr. pot. cz. iron.* bystrzak (= *inteligentna osoba*); **~ spot** szczęśliwa chwila (*np. w życiu*); **be ~ with joy** promienieć radością; **look on the ~ side (of things)** być optymistą; **the ~ lights** wielkomiejskie życie, uciechy wielkiego miasta. – *adv. tylko po v.* jasno (*np. świecić, palić się*).

brighten ['braɪtən] *v.* **1.** rozjaśniać, rozświetlać. **2.** jaśnieć, błyszczeć. **3.** rozpogadzać się. **4.** poweseleć, rozpromienić się. **5. ~ up** upiększać (*np. pokój*); poweseleć.

brightly ['braɪtlɪ] *adv.* **1.** jasno. **2.** promiennie. **3.** pogodnie.

brightness ['braɪtnəs] *n. U* **1.** jasność; światło. **2.** inteligencja, bystrość umysłu. **3.** żywość (*barw, usposobienia*).

brights [braɪts] *n. pl. US* światła drogowe (*w samochodzie*).

Bright's disease *n. U pat.* choroba Brighta.

brill [brɪl] *n. icht.* skarp (*Bothus l. Scophthalmus rhombus*).

brilliance ['brɪljəns], **brilliancy** ['brɪljənsɪ] *n. U* **1.** jasność, blask. **2.** świetność, wspaniałość. **3.** błyskotliwość (*umysłu*). **4.** wybitne zdolności. **5.** *opt.* luminacja, jaskrawość.

brilliant ['brɪljənt] *a.* **1.** błyszczący, lśniący. **2.** błyskotliwy, wybitny, wybitnie zdolny. **3.** wspaniały, znakomity, świetny. **4.** *pot.* kapitalny. – *n.* **1.** brylant. **2.** *druk.* brylant (*najmniejszy format czcionki*).

brilliantine ['brɪljənˌti:n] *n. U* brylantyna.

brilliantly ['brɪljəntlɪ] *adv.* **1.** świetnie, wspaniale. **2.** rzęsiście (*oświetlony*).

brilliant view-finder *n. fot.* celownik lustrzany.

brim [brɪm] *n.* **1.** brzeg (*zwł. naczynia*); **full to the ~** *t. przen.* wypełniony (aż) po brzegi. **2.** rondo (*kapelusza*). – *v.* **-mm- 1.** napełniać po brzegi; być pełnym po brzegi. **2. ~ over** przelewać się (*o naczyniu*); **~ over with joy** być przepełnionym radością; **~ with sth** napełniać (się) czymś.

brimful ['brɪmfʊl], **brimfull** *a.* napełniony *l.* wypełniony po brzegi.

brimmer ['brɪmər] *n.* **1.** naczynie wypełnione po brzegi. **2.** kapelusz z rondem (*zwł. słomkowy*).

brimstone ['brɪmˌstoʊn] *n. U* **1.** *arch.* siarka; **fire and ~** *rel.* ogień piekielny. **2. ~ butterfly** *zool.* motyl listkowiec cytrynek (*Gonepteryx Rhamni*).

brindled ['brɪndld], **brindle** ['brɪndl] *a.* brązowy ze smugami *l.* cętkami innego koloru (*o zwierzęciu*).

brine [braɪn] *n. U* **1.** solanka, słona woda; **~ evaporator** urządzenie do odparowywania solanki; **~pan** żelazny zbiornik *l.* płytki dół do odparowywania solanki; **~-gauge** solomierz. **2.** morze, woda morska. **3.** *poet.* łzy. – *v.* moczyć *l.* marynować w słonej wodzie.

bring [brɪŋ] *v. pret. i pp.* **brought** [brɔ:t] **1.** przynosić; przyprowadzać; przywozić. **2.** doprowadzać; **~ (sth) to an end/a conclusion** doprowadzić (coś) do końca; **~ (sth) to the boil** doprowadzić (coś) do wrzenia. **3.** sprowadzać; **~ a misfortune on sb** sprowadzić *l.* ściągnąć na kogoś nieszczęście. **4.** powodować, wywoływać. **5.** przytaczać (*argumenty, fakty*). **6.** *prawn.* **~ an accusation/charges against sb** wnieść oskarżenie przeciwko komuś; **~ an action against sb** wytoczyć komuś sprawę *l.* proces; **~ an indictment** wnieść akt oskarżenia. **7. ~ sth home to sb** *przen.* przekonać kogoś do czegoś; wytłumaczyć coś komuś; **~ o.s. to do sth** zmusić się do zrobienia czegoś. **8. ~ about** powodować, wywoływać; doprowadzić do skutku; *żegl.* zawracać (*statek*); **~ along** przyprowadzić; przynieść, przywieźć (*ze sobą*); **~ around** (*także Br.* **~ round**) przyprowadzać (*na umówione miejsce l. spotkanie*); przynosić (*jw.*); przekonać; ocucić; *żegl.* zawracać (*statek*); **~ the conversation around/round to sth** skierować rozmowę na jakiś temat; **~ away** zabierać ze sobą, przywozić (*np. wspomnienia skądś*); **~ back** odnosić, zwracać (*np. książki*); przynieść (*w drodze powrotnej*); przypominać; przywracać; **~ down** znosić, przenosić (*z góry na dół*); powalić (*na ziemię*); obalić (*rząd*); pokonać (*np. przeciwnika politycznego*); obniżyć (*cenę*); *US* przekazywać (*z pokolenia na pokolenie*); *zwł. US* podawać do publicznej wiadomości; (*o zwierzętach*) zranić, zabić; **~ sb down to earth** *pot. przen.* sprowadzić kogoś na ziemię; **~ down the house** (*także* **~ the house down**) *teatr* zostać entuzjastycznie przyjętym, wywołać burzę oklasków; **~ forth** wydawać na świat (*potomstwo*); wydawać (*owoce*); powodować; **~ forward** przesunąć (się) do przodu, przybliżyć (się); przesunąć na wcześniejszy termin (*spotkanie, zebranie*);

przedstawić, przedłożyć (*propozycję, projekt*); *fin.* przenieść (*na następną stronę*); **brought forward** *fin.* z przeniesienia; ~ **in** wnosić, przynosić; wprowadzać (*np. kogoś do pomieszczenia; t. przen. zwyczaj, modę*); zbierać (*plony*); przynosić (*dochód*); przedstawiać (*pomysł, projekt*); przyprowadzić, sprowadzić (*osobę*); ~ **in capital** *fin.* wnieść kapitał; ~ **in a verdict** *prawn.* ogłosić werdykt; ~ **sb in guilty/not guilty** *prawn.* uznać kogoś za winnego/niewinnego; ~ **sb into sth** wprowadzić kogoś gdzieś; ~ **into action/play** wprowadzić w czyn/do gry; ~ **into the books** *fin.* zaksięgować; ~ **into question** zakwestionować; ~ **into the world** wydać na świat (*dziecko*); ~ **off** uratować (*np. rozbitków*); wykonać (*zadanie*); przeprowadzić (*plan*); ~ **on** wprowadzać, wnosić; wywołać (*chorobę*); sprowokować (*dyskusję*); poruszyć (*temat*); wystawić (*sztukę*); ~ **out** wyjmować, wyciągać; wystawiać (*z budynku l. pokoju na zewnątrz*); *teatr* wystawić (*sztukę*); wydać (*książkę*); wyrazić jasno; *zwł. Br.* wprowadzać do towarzystwa (*młodą dziewczynę*); ~ **out the best/worst in sb** spowodować ujawnienie czyichś najlepszych/najgorszych cech; ~ **over** przyprowadzać; przywozić; przekonać, nawrócić; ~ **round** *Br.* = ~ **around**; ~ **through** przeprowadzić; przewieźć; wyleczyć, uratować (*pacjenta*); ~ **to** *żegl.* przymocować; ~ **sb to justice** oddać kogoś w ręce sprawiedliwości; ~ **sb to their senses** *zob.* **sense** *n.*; ~ **sth to sb's attention/notice** zwrócić czyjąś uwagę na coś, poinformować kogoś o czymś; ~ **sth to light** wydobyć coś na światło dzienne, ujawnić coś; ~ **sth to mind** *zob.* **mind** *n.*; ~ **together** doprowadzić do spotkania (*dwóch osób*); *t. przen.* połączyć; pogodzić (*zwaśnione strony*); ~ **under** podbić, ujarzmić, podporządkować sobie; ~ **up** wnosić (*na górę*); podnosić (*do wyższego poziomu*); wychowywać (*dzieci*); poruszać (*kwestię, temat*); *pot.* zwymiotować, zwrócić; *żegl.* zakotwiczyć; zatrzymać (się); *prawn.* doprowadzić (*przed trybunał l. sąd*); ~ **up the rear** *zob.* **rear** *n.*

bring and buy sale *n.* dobroczynna giełda rzeczy używanych.

bringing-up [ˌbrɪŋɪŋˈʌp] *n. sing. US* wychowanie (dzieci).

brink [brɪŋk] *n. t. przen.* brzeg, skraj; **at the ~ of war** na krawędzi wojny; **be on the ~ of (doing) sth** być bliskim (zrobienia) czegoś; **on the ~ of tears** bliski płaczu.

brinksmanship [ˈbrɪŋksmənˌʃɪp], *Br.* **brinkmanship** [ˈbrɪŋkmənˌʃɪp] *n. U* brawura (*zwł. polityczna*).

briny [ˈbraɪnɪ] *a.* **1.** solankowy, słony. **2. the ~** *pot.* morze.

briquet [brɪˈket], **briquette** *n.* brykiet (*prasowany miał węglowy*).

brisk [brɪsk] *a.* **1.** energiczny, dynamiczny, pełen werwy. **2.** orzeźwiający (*o powietrzu*). **3.** ożywiony (*o handlu*). **4.** musujący. – *v.* ~ **(up)** ożywiać (się).

brisket [ˈbrɪskɪt] *n. U kulin.* mostek (*wołowy l. cielęcy*).

briskly [ˈbrɪsklɪ] *adv.* szybko, energicznie, z werwą.

bristle [ˈbrɪsl] *n. C/U* **1.** szczecina. **2.** włosie (*szczotki*). **3. set up one's ~s** najeżyć się; **set up sb's ~s** rozdrażnić kogoś. – *v.* **1.** zjeżyć się, nastroszyć się (*o zwierzęciu*). **2.** ~ **(up)** *t. przen.* zjeżyć się; ~ **at** wzdrygać się na (*wspomnienie czegoś itp.*).

bristled [ˈbrɪsld] *a.* **1.** szczeciniasty; pokryty szczeciną. **2.** najeżony.

bristletail [ˈbrɪslˌteɪl] *n. zool.* szczeciogonek (*Machilis maritima*).

bristling [ˈbriːslɪŋ] *a.* **1.** sterczący jak szczecina. **2.** ~ **with sth** najeżony czymś (*np. kłopotami*).

bristly [ˈbriːslɪ] *a.* szczeciniasty.

Bristol [ˈbrɪstl] *n.* **1.** nazwa porcelany i wyrobów garncarskich. **2.** *U* **~-board** brystol. **3. ~-fashion** *żegl.* w największym porządku.

Brit [briːt] *abbr.* = **Britain**. – *n. pot.* = **Briton**.

Britain [ˈbrɪtən] *n.* Brytania; **Great ~** Wielka Brytania.

Britannia [brɪˈtænjə] *n.* **1.** łacińska nazwa Wielkiej Brytanii. **2.** Imperium brytyjskie. **3.** postać kobieca uosabiająca Wielką Brytanię.

britannia-metal [brɪˈtænjəˌmetl] *n. U* stop cyny, miedzi i rafinowanego antymonu.

Britannic [brɪˈtænɪk] *a.* brytyjski; **His/Her ~ Majesty** Jego/Jej Królewska Mość, Król/owa Wielkiej Brytanii.

britches [ˈbrɪtʃɪz] *n. pl. US pot.* spodnie.

Briticism [ˈbrɪtɪˌsɪzəm] *n. jęz.* (*także* **Britishism**) zwrot *l.* idiom używany wyłącznie w brytyjskiej angielszczyźnie.

British [ˈbrɪtɪʃ] *a.* **1.** brytyjski (*t. starobrytyjski*). **2.** *pl.* **the ~** Brytyjczycy.

British Broadcasting Corporation *n.* brytyjskie publiczne radio i telewizja, BBC.

British Empire *n.* Imperium brytyjskie.

British English *n. U jęz.* angielszczyzna brytyjska.

Britisher [ˈbrɪtɪʃər] *n. US* Brytyj-czyk/ka (*rdzenny mieszkaniec Wielkiej Brytanii*); poddany brytyjski.

British gum *n. U techn.* guma angielska, klej dekstrynowy.

British Isles *n. pl. geogr.* Wyspy Brytyjskie.

Britishism [ˈbrɪtɪˌʃɪzəm] *n.* **1.** cecha charakterystyczna Brytyjczyków. **2.** = **Briticism**.

British Standard *n. techn.* norma brytyjska.

British Summer Time *n.* czas letni (*od marca do października*).

British thermal unit *n.* brytyjska jednostka ciepła (= *1055 J*).

British warm *n.* rodzaj krótkiego płaszcza wojskowego.

Briton [ˈbrɪtən] *n.* **1.** Bryt (*starożytny*). **2.** *form.* Brytyj-czyk/ka. **3. North ~** Szkot/ka.

Brittany [ˈbrɪtənɪ] *n.* Bretania.

brittle [ˈbrɪtl] *a.* kruchy, łamliwy.

brittleness [ˈbrɪtlnəs] *n. U* kruchość, łamliwość.

brittle point *n. fiz.* punkt kruchości.

brittle silver ore *n. U min.* stefanit.

brittle temperature *n. fiz.* temperatura kruchości.

brittle timbre steel *n. U techn.* stal gruboziarnista.

bro [broʊ] *abbr. pot.* = **brother**.

broach[1] [broʊtʃ] *n.* **1.** *techn.* przeciągacz, przepychacz. **2.** rożen. **3.** iglica (*kościoła*). **4.** rodzaj dłuta kamieniarskiego. – *v.* **1.** poruszyć (*temat l. kwestię*). **2.** napoczynać (*beczkę l. butelkę wina l. piwa*). **3.** *techn.* przeciągać po (*w obróbce skrawaniem*); rozszerzać (*otwór*).

broach[2] *v.* ~ **to** *żegl.* obrócić statek bokiem (*do wiatru i fal*).

broad [brɔ:d] *a.* **1.** *t. przen.* szeroki; ~ **in the beam** *pot.* szeroki w biodrach; **in a** ~ **sense** w szerszym znaczeniu. **2.** rozległy, obszerny. **3.** wyraźny, niedwuznaczny; ~ **hint/clue** wyraźna aluzja/wskazówka. **4.** ogólny (*o zasadzie, regule*); **in** ~ **outline** w ogólnym zarysie. **5.** wyraźny, silny (*o akcencie regionalnym*). **6.** niewybredny, nieprzyzwoity (*o dowcipie*); rubaszny (*o humorze*). **7.** liberalny, tolerancyjny; ~ **views** liberalne poglądy. **8.** **in** ~ **daylight** w jasny *l.* biały dzień; **it is as** ~ **as it is long** *pot.* na jedno wychodzi. – *n.* **1.** *geogr.* rozlewisko; *pl.* **The B~s** rejon bagnistych jezior w angielskich hrabstwach Norfolk i Suffolk. **2.** *kino US* reflektor. **3.** *US sl. obelż.* kobieta, dziewczyna. **4.** *techn.* nóż tokarski (*do drewna*). – *adv.* **1.** szeroko. **2.** całkowicie, w pełni; ~ **awake** całkiem przytomny. **3. speak** ~ mówić z wyraźnym *l.* silnym akcentem.

broad-arrow [ˌbrɔ:d'eroʊ] *n. prawn.* pieczęć oznaczająca własność państwową.

broadax ['brɔ:dˌæks], **broadaxe** *n.* toporek, topór (*t. wojenny*); siekiera ciesielska.

broadband ['brɔ:dˌbænd] *a. attr. fiz.* szerokopasmowy, o szerokim zasięgu (*o częstotliwości*).

broad bean *n. bot.* bób (*Vicia faba*).

broadbrill ['brɔ:dˌbrɪl] *n.* **1.** *orn.* kaczka ogorzałka (*Faligula marila*); kaczka płaskonos (*Spatula l. Rhynchaspis clypeata*); warzęcha różowa (*Platalea ajaja*). **2.** *icht.* włócznik (*Xiphias gladius*).

broadbrim ['brɔ:dˌbrɪm] *n.* **1.** kapelusz z szerokim rondem. **2. B~** *US pot.* kwakier/ka.

broadcast ['brɔ:dˌkæst] *a.* **1.** *radio, telew.* nadawany, transmitowany, emitowany. **2.** *poet.* rozsiany. **3.** *roln.* siany rzutowo. – *n.* **1.** transmisja, emisja; **live** ~ transmisja na żywo. **2.** audycja, program. **3.** *roln.* sianie rzutowe. – *v.* **broadcast** *l.* **broadcasted** **1.** *radio i telew.* nadawać, transmitować, emitować. **2.** rozgłaszać, rozpowiadać. **3.** *roln.* siać rzutowo.

broadcaster ['brɔ:dˌkæstər] *n.* **1.** komentator radiowy *l.* telewizyjny. **2.** stacja *l.* firma nadająca programy. **3.** *roln.* siewnik rzutowy.

broadcasting ['brɔ:dˌkæstɪŋ] *n. U* transmitowanie, nadawanie. – *a. attr.* radiowy; telewizyjny; ~ **station** stacja nadawcza.

Broad Church *n. teol.* anglikańska szkoła teologiczna w XIX w.

broad church *n. Br.* organizacja skupiająca ludzi o różnych poglądach.

broadcloth ['brɔ:dˌklɔ:θ] *n. U tk.* **1.** czarne sukno wysokiej jakości. **2.** *US* popelina.

broaden ['brɔ:dən] *v.* poszerzać, rozszerzać; rozszerzać się; ~ **one's horizons/mind** poszerzać swoje horyzonty; ~ **out** rozszerzać się.

broadgauge ['brɔ:dˌgeɪdʒ], **broad-gage** *a.* **1.** *kol.* szerokotorowy. **2.** *US* tolerancyjny.

broad jump *n. US sport* skok w dal.

broadloom ['brɔ:dˌlu:m] *a. attr.* tkany na szerokich krosnach.

broadly ['brɔ:dlɪ] *adv. t. przen.* szeroko; ~ **based** szeroko pojęty; ~ **speaking** ogólnie mówiąc *l.* rzecz ujmując; **smile/grin** ~ uśmiechać się od ucha do ucha.

broad-minded [ˌbrɔ:d'maɪndɪd] *a.* tolerancyjny, o liberalnych poglądach.

broadpiece ['brɔ:dˌpi:s] *n. hist.* angielska złota moneta z czasów Jakuba II.

broad seal *n. przest.* pieczęć państwowa.

broadsheet ['brɔ:dˌʃi:t] *n. druk.* arkusz papieru zadrukowany jednostronnie.

broadside ['brɔ:dˌsaɪd] *n.* **1.** *wojsk.* burta okrętu (*ponad linią wody*). **2.** wszystkie działa po jednej burcie okrętu; salwa burtowa. **3.** *t. przen.* atak; ostra krytyka (*zwł. w formie pisemnej*). **4.** = **broadsheet**.

broadsword ['brɔ:dˌsɔ:rd] *n. broń.* pałasz.

broadtail ['brɔ:dˌteɪl] *n.* **1.** owca perska. **2.** *U* skóra z młodego jagnięcia owcy perskiej.

broad tuning *n. U radio* strojenie tępe.

broadways ['brɔ:dˌweɪz], **broadwise** ['brɔ:dˌwaɪz] *adv.* na szerokość, wszerz.

brocade [broʊ'keɪd] *n. tk. U* brokat. – *v.* tkać z wypukłym wzorem.

brocaded [broʊ'keɪdɪd] *a.* **1.** brokatowy. **2.** ozdobiony brokatem.

broccoli ['brɑ:kəlɪ] *n. U bot.* brokuły (*Brassica oleracea*).

broché [broʊ'ʃeɪ] *a.* **1.** *tk.* tkany z wypukłym wzorem; przetykany. **2.** *introl.* zszyty (*o nieoprawionej książce*).

brochette [broʊ'ʃet] *n.* mały rożen; szpikulec.

brochure [broʊ'ʃʊr] *n.* broszura, broszurka.

brock [brɑ:k] *n.* **1.** *zool.* borsuk. **2.** *Br. dial. pog.* śmierdziel (*o człowieku*).

brocket ['brɑ:kɪt] *n.* **1.** *zool.* dwuroczny jeleń z prostymi rogami; ~**-sister** dwuroczna łania. **2.** jeleń brazylijski (*Mazama*).

brogue[1] [broʊg] *n.* silny akcent (*zwł. irlandzki l. szkocki*). – *v.* mówić z akcentem jw.

brogue[2] *n.* but z naszywanym, ozdobnie dziurkowanym noskiem.

brogue[3] *n. Scot. arch.* oszustwo.

broider ['brɔɪdər] *v. poet. arch.* = **embroider**.

broidery ['brɔɪdərɪ] *n. arch.* = **embroidery**.

broil[1] [brɔɪl] *n.* kłótnia, awantura, wrzawa. – *v.* **1.** kłócić się, awanturować się. **2.** *US* niecierpliwić się, gorączkować się.

broil[2] *v. US* **1.** opiekać na ogniu *l.* ruszcie. **2.** *t. przen.* prażyć (się). – *n. U US* mięso na pieczeń.

broiler ['brɔɪlər] *n.* **1.** *US* mały piekarnik; grill; ruszt *l.* patelnia do opiekania mięsa. **2.**

kurczak (*nadający się do pieczenia*); brojler; ~ **house** brojlernia. **3.** *US pot.* upalny dzień.

broiling [ˈbrɔɪlɪŋ] *a. US* upalny, skwarny.

brokage [ˈbroʊkɪdʒ] *n.* = **brokerage**.

broke[1] [broʊk] *a. pred. pot.* bez grosza, spłukany; **stone/flat** ~ *US* (*także Br.* **stony** ~) do cna *l.* doszczętnie spłukany; **go** ~ zbankrutować, splajtować; **go for** ~ *US sl.* postawić wszystko na jedną kartę, zaryzykować (*gł. finansowo*).

broke[2] *n. pl. Br.* wełna krótkowłosa.

broken [ˈbroʊkən] *a.* **1.** *t. przen.* rozbity; ~ **family/home/marriage** rozbita rodzina/dom/małżeństwo. **2.** *t. przen.* złamany; ~ **promise** złamana obietnica. **3.** załamany; ~ **man** załamany *l.* zrozpaczony człowiek; bankrut. **4.** zepsuty (*np. o maszynie*). **5.** łamany; **in** ~ **English** łamaną angielszczyzną; **in a** ~ **voice** łamiącym się *l.* drżącym głosem.

broken beans *n.* fasolka szparagowa.

broken-down [ˌbroʊkənˈdaʊn] *a.* **1.** zrujnowany; w rozsypce, walący się. **2.** podupadły na zdrowiu, słabego zdrowia. **3.** zepsuty, uszkodzony.

broken ground *n. U* zaorany *l.* przekopany grunt; nierówny teren.

broken-hearted [ˌbroʊkənˈhɑːrtəd] *a.* zrozpaczony; **be** ~ mieć złamane serce.

brokenly [ˈbroʊkənlɪ] *adv.* z przerwami; nierówno.

broken sleep *n. C/U* przerywany sen.

broken tea *n. U* pył herbaciany.

broken water *n. U* burzliwa woda.

broken weather *n. U* niepewna pogoda.

broken wind *n. U wet.* dychawica końska.

brokenwinded [ˌbroʊkənˈwɪndɪd] *a.* dychawiczny (*o koniu*).

broker [ˈbroʊkər] *n.* **1.** pośrednik, broker. **2.** agent; **insurance** ~ agent ubezpieczeniowy. **3.** makler; **bank/mortgage/stock** ~ makler bankowy/hipoteczny/giełdowy. **4.** *Br.* handlarz rzeczami używanymi (*zwł. meblami l. ubraniami*). – *v.* negocjować, uzgadniać szczegóły; ~ **a deal/settlement/treaty** uzgodnić warunki umowy/ugody/traktatu.

brokerage [ˈbroʊkərɪdʒ] *n.* **1.** *U* pośrednictwo; usługi maklerskie. **2.** koszty pośrednictwa; prowizja maklerska; ~ **house/firm** dom/firma maklerska.

broking [ˈbroʊkɪŋ] *n. U* pośrednictwo, usługi maklerskie.

brolly [ˈbrɑːlɪ] *n.* **1.** *Br. pot.* parasol. **2.** *Br. sl.* spadochron.

broma [ˈbroʊmə] *n. U* **1.** kakao (*proszek l. napój*). **2.** *med.* żywność w stanie stałym (*np. w kostkach*).

bromacetone [brəˈmæsətoʊn] *n. U* bromoaceton (*t. jako gaz łzawiący używany podczas I wojny światowej*).

bromal [ˈbroʊmæl] *n. chem.* bromal, aldehyd trójbromooctowy.

bromate [ˈbroʊmeɪt] *n. chem.* bromian. – *v.* bromować.

bromatherapy [ˌbroʊməˈθerəpɪ] *n. U med.* leczenie dietą.

bromatology [ˌbroʊməˈtɑːlədʒɪ] *n. U* bromatologia (*nauka o żywności i żywieniu*).

bromic [ˈbroʊmɪk] *a. chem.* bromowy; ~ **acid** kwas bromowy; ~ **silver** bromek srebra.

bromide[1] [ˈbroʊmaɪd], **bromid** *n. chem.* bromek; ~ **paper** *fot.* papier bromosrebrowy.

bromide[2] *n.* **1.** *pot.* nudzia-rz/ra. **2.** *pot.* banał, frazes.

brominate [ˈbroʊməˌneɪt] *v.* = **bromate**.

bromine [ˈbroʊmiːn], **bromin** *n. chem.* brom.

bromism [ˈbroʊˌmɪzəm] *n. U pat.* zatrucie bromem.

bromite [ˈbroʊmaɪt] *n. chem.* bromin.

bromize [ˈbroʊmaɪz], **bromise** *v. chem.* łączyć *l.* mieszać z bromem *l.* bromkiem.

bromous [ˈbroʊməs] *a. chem.* bromawy.

bronc [brɑːŋk] *n.* = **bronco**.

bronchi [ˈbrɑːŋkɪ] *n. pl. anat.* oskrzela (*główne*).

bronchia [ˈbrɑːŋkɪə] *n. pl. anat.* oskrzela (*drugorzędne*).

bronchial [ˈbrɑːŋkɪəl] *a.* oskrzelowy; ~ **tree** drzewo oskrzelowe; ~ **tubes** *anat.* oskrzela.

bronchiogenic [ˌbrɑːŋkɪəˈdʒenɪk] *a.* oskrzelopochodny.

bronchiolar [ˌbrɑːŋkɪˈoʊlər] *a. anat.* oskrzelikowy.

bronchiole [ˈbrɑːŋkɪˌoʊl] *n. pl.* **bronchioli** *anat.* oskrzelik.

bronchiolitis [ˌbrɑːŋkɪəˈlaɪtəs] *n. U pat.* zapalenie oskrzelików.

bronchitic [brɑːŋˈkɪtɪk] *a. pat.* odnoszący się do zapalenia oskrzeli.

bronchitis [brɑːŋˈkaɪtəs] *n. U pat.* zapalenie oskrzeli, bronchit.

bronchocele [ˈbrɑːŋkəˌsiːl] *n. anat.* duża pojedyncza rozstrzeń oskrzela.

bronchograph [ˈbrɑːŋkəˌgræf] *n. med.* bronchograf.

bronchography [brɑːŋˈkɑːgrəfɪ] *n. C/U med.* bronchografia.

bronchoscope [ˈbrɑːŋkəˌskoʊp] *n. med.* bronchoskop, wziernik oskrzelowy.

bronchoscopy [brɑːŋˈkɑːskəpɪ] *n. C/U med.* bronchoskopia, wziernikowanie oskrzeli.

bronchotomy [brɑːŋˈkɑːtəmɪ] *n. C/U med.* bronchotomia.

bronchus [ˈbrɑːŋkəs] *n. pl.* **bronchi** *anat.* oskrzele.

bronco [ˈbrɑːŋkoʊ] *n.* dziki *l.* na pół oswojony koń pochodzący z Kalifornii *l.* Nowego Meksyku; ~ **buster** *US pot.* ujeżdżacz dzikich koni.

brontosaurus [ˌbrɑːntəˈsɑːrəs] *n. paleont.* brontozaur.

Bronx cheer [ˌbrɑːŋksˈtʃiːr] *int. US sl.* prrr (*na znak pogardy*).

bronze [brɑːnz] *n.* **1.** *U* brąz (*stop*). **2.** *U* brąz (*kolor*). **3.** statuetka z brązu. – *a.* brązowy, z brązu. – *v.* **1.** brązować, pokrywać brązem. **2.** brązowieć (*na słońcu*).

Bronze Age *n. sing.* epoka brązu.

bronze man *n.* człowiek epoki brązu.

bronze medal *n.* brązowy medal.

bronze medalist, *Br.* **bronze medallist** *n.* brązowy medalist-a/ka.

bronze plating *n. U* powlekanie brązem.

Bronze Star *n. US* amerykańskie odznaczenie wojskowe.

brooch [broutʃ] *n.* broszka, brosza.

brood [bru:d] *n.* **1.** wylęg, pisklęta. **2.** potomstwo. **3.** *zw. pog.* gromadka, stadko (*o czyichś dzieciach*). **4.** rasa, gatunek. – *v.* **1.** siedzieć na jajkach; wysiadywać. **2.** ~ **on/over sb** wisieć nad kimś (*o nieszczęściu, chmurach*); ~ **on/over sth** rozmyślać o czymś, medytować nad czymś; rozpamiętywać *l.* roztrząsać coś; ~ **over sth** rozciągać się nad czymś (*o ciszy, nocy*). – *a. attr.* ~ **hen/mare** kwoka/klacz zarodowa; **~-chamber** wylęgarnia.

brooder ['bru:dər] *n.* **1.** wylęgarnia. **2.** kwoka.

brooding ['bru:dıŋ] *a.* groźny, tajemniczy (*np. o scenerii*). – *n. U* **1.** wysiadywanie jaj. **2.** rozpamiętywanie; rozmyślanie.

broody ['bru:dı] *a.* **-ier, -iest 1.** lubiący rozmyślać; zamyślony. **2. feel/get** ~ *pot.* pragnąć dziecka (*o kobiecie*). **3.** ~ **hen** kwoka.

brook1 [bruk] *n.* potok, strumyk.

brook2 *v. zwł. neg. form.* tolerować, znosić.

brooklet ['bruklət] *n.* strumyczek.

brooklime ['bruk,laım] *n. bot.* przetacznik bobowniczek (*Veronica beccabunga*).

brook trout *n. icht.* pstrąg potokowy (*Salmo trutta*).

brookweed ['bruk,wi:d] *n. bot.* jarnik solankowy (*Samolus valerandi*).

broom [bru:m] *n.* **1.** miotła. **2.** *U bot.* **scotch** ~ żarnowiec miotlasty (*Sarothamnus scoparius*); szczodrzeniec (*Cytisus*); janowiec (*Genista*). – *v.* zamiatać (*miotłą*).

broomcorn ['bru:m,kɔ:rn] *n. U bot.* sorgo, proso afrykańskie (*Andropogon sorghum*).

broomrape ['bru:m,reıp] *n. U bot.* zaraza (*Orobanche*).

broomstick ['bru:m,stık] *n.* kij od miotły *l.* szczotki.

bros., Bros. *abbr.* (*w nazwie firmy*) = **brothers**.

brose [brouz] *n. U Scot.* owsianka; placek owsiany (*z mąki i gorącej wody l. mleka*).

broth [brɔ:θ] *n. U* **1.** rosół. **2.** *biol.* bulion; ~ **culture/medium** hodowla/pożywka bulionowa.

brothel ['brɑ:θl] *n.* dom publiczny.

brother ['brʌðər] *n.* **1.** *t. przen.* brat; **blood/full** ~ brat rodzony; **~-german** brat rodzony; **half-~** brat przyrodni; **twin** ~ brat bliźniak; **~-uterine** brat przyrodni (*mający innego ojca*). **2.** pobratymiec. **3.** *pl.* **brethren** *l.* **brothers** *rel.* braciszek, brat zakonny. **4.** *US sl.* kumpel, koleś (*zwł. przy zwracaniu się do kogoś bezpośrednio*). **5. ~s in arms** towarzysze broni.

brotherhood ['brʌðər,hud] *n.* **1.** *U t. przen.* braterstwo. **2.** bractwo. **3.** *przest.* cech.

brother-in-law ['brʌðərın,lɔ:] *n. pl.* **brothers-in-law** *l.* **brother-in-laws** szwagier.

brotherliness ['brʌðərlınəs] *n. U* braterskie uczucia; braterska przyjaźń.

brotherly ['brʌðərlı] *a.* bratni, braterski. – *adv.* po bratersku.

brougham ['bru:əm] *n.* **1.** kryty powóz jednokonny. **2.** staromodny samochód z oddzielonym, nie krytym miejscem dla kierowcy. **3.** limuzyna z osobnym miejscem dla kierowcy.

brought [brɔ:t] *zob.* **bring**.

brouhaha ['bru:,hɑ:,hɑ:] *n. U przest.* rwetes.

brow1 [brau] *n.* **1.** czoło. **2.** (*także* **eye~**) brew; **knit/wrinkle one's ~s** zmarszczyć brwi. **3.** występ skalny; nawis. **4.** *zwł. Br.* szczyt (*wzgórza, wzniesienia*).

brow2 *n. żegl. Br.* pomost, kładka.

brow3 *n. górn.* **1.** nadszybie. **2.** pochylnia.

browbeat ['brau,bi:t] *v.* **browbeat, browbeaten** zastraszyć; ~ **sb into doing sth** wymusić na kimś zrobienie czegoś (*groźbami*).

brown [braun] *a.* **1.** brązowy; **go** ~ brązowieć, żółknąć (*o liściach*). **2.** brunatny. **3.** opalony; ~ **as a berry** opalony na czekoladkę; **go** ~ opalić się. – *n.* **1.** *U* brąz (*kolor i barwnik*). **2.** *Br. sl.* miedziak (*pół pensa*). **3. the** ~ *Br.* lecące stado dzikiego ptactwa; **fire into the** ~ strzelać na oślep (*w stado, masę*). – *v.* **1.** brązowieć, brunatnieć. **2.** przyrumienić (*np. pieczeń*). **3.** opalać się. **4.** ~ **off** *wojsk. US sl.* zrugać; **~ed off** *Br. i Austr. pot. przest.* znudzony i zniechęcony; ~ **out (a town/district)** *US* powodować wyłączenie świateł w (mieście/dzielnicy) (*o awarii lub próbie zapobieżenia jej*).

brown algae *n. bot.* brunatnice (*Phaeophyceae*).

brown ash *n. bot.* jesion czarny (*Fraximus nigra*).

brown-bag ['braun,bæg] *v. US* **1.** ~ **(it)** przychodzić do pracy z własnym lunchem. **2.** przychodzić do restauracji z własnym alkoholem.

brown belt *n.* brązowy pas (*w sztukach walki*).

brown Bess *n. wojsk.* muszkiet skałkowy.

brown betty *n. pl.* **-ies** pudding z jabłek, mleka i chleba.

brown bread *n. U* ciemny chleb, chleb typu Graham.

brown coal *n. U* węgiel brunatny.

brown earth, brown soil *n. U roln.* gleba brunatna.

brown goods *n. pl. Br. handl.* sprzęt radiowo-telewizyjny.

brownie ['braunı] *n.* **1.** dobrotliwy skrzat, chochlik. **2.** *US* rodzaj ciasteczka czekoladowego. **3.** *fot.* mały, prosty aparat fotograficzny. **4. B~** (*także Br.* **B~ Guide**) harcerka, skautka.

browning ['braunıŋ] *n. broń* brauning.

brown iron ore *n. min.* limonit.

brownish ['braunıʃ] *a.* brązowawy; brunatnawy.

brown-nose ['braun,nouz] *v. sl.* podlizywać się.

brown-noser ['braun,nouzər] *n. sl.* pochlebca, lizus.

brown-out ['braun,aut] *n.* **1.** *US* ograniczenie zużycia energii elektrycznej (*w celu zapobieżenia awarii*). **2.** *wojsk.* częściowe zaciemnienie.

brown paper *n. U* szary papier, papier pakunkowy.

brown rice *n. U* ryż niełuskany, brązowy ryż.

brown shirts *n. pl.* brunatne koszule (= *naziści*).

brownstone ['braʊnˌstoʊn] *n.* **1.** *US* czerwonobrązowy piaskowiec (*używany zwł. na fasady domów*). **2. the ~ vote** głosy zamożnych sfer (*w wyborach*).

brown study *n. U* zamyślenie, zaduma.

brown sugar *n. U* cukier nieoczyszczony, brązowy cukier.

browse [braʊz] *n.* **1.** *U roln.* pasza zielona. **2.** *U* młode pędy, gałązki (*jako pasza*). **3.** przerzucanie kartek, pobieżne czytanie. – *v.* **1.** rozglądać się (*w sklepie*); oglądać (*nie kupując*). **2.** przeszukiwać (*komputerowo*). **3. ~ on** skubać (*trawę, liście itp.*). **4. ~ through** wertować, przeglądać, przerzucać kartki.

browser ['braʊzər] *n. komp.* wyszukiwarka.

brucella [bruː'selə] *n. biol.* pałeczka brucelozy.

brucellosis [ˌbruːsə'loʊsɪs] *n. U pat., wet.* bruceloza.

brucin ['bruːsiːn], **brucine** *n. chem.* brucyna.

Bruges ['bruːdʒ] *n.* Brugia.

bruin ['bruːɪn] *n. US* niedźwiedź (*zwł. brunatny*).

bruise [bruːz] *n.* **1.** siniak, siniec. **2.** stłuczenie, potłuczenie. **3.** kontuzja. **4.** obicie (*owocu*). – *v.* **1.** posiniaczyć; stłuc. **2.** kontuzjować. **3.** obić (*owoc*). **4.** bić, walić. **5.** zmaltretować. **6.** ranić (*uczucia*). **7.** *Br. myśl. pot.* jeździć brawurowo (*na koniu*).

bruiser ['bruːzər] *n.* **1.** bokser zawodowy. **2.** awanturnik; chuligan.

bruit [bruːt] *n.* **1.** *arch.* pogłoska. **2.** *med.* szmer, ton (*słyszalny przy osłuchiwaniu pacjenta*). – *v.* **~ sth abroad/about** rozpowiadać *l.* rozgłaszać coś.

brumal ['bruːml] *a. form.* zimowy.

brumby ['brʌmbɪ] *n. Austr.* dziki, nieujeżdżony koń.

brume [bruːm] *n.* mgła.

Brummagem ['brʌmədʒəm], **brummagem** *a.* **1.** *Br. pog.* wyprodukowany w Birmingham. **2.** tandetny. **3.** podrobiony. – *n.* **1.** *pog.* Birmingham; rzecz wyprodukowana w Birmingham (*zwł. tania biżuteria*). **2.** tandeta. **3.** podróbka; *Br.* podrobiona moneta.

brumous ['bruːməs] *a.* mglisty.

brunch [brʌntʃ] *n. C/U* połączenie późnego śniadania z lunchem.

brunet [bruː'net] *a. t. antrop.* ciemny (*o włosach l. karnacji*). – *n.* brunet.

brunette [bruː'net] *a.* = **brunet**. – *n.* brunetka.

Brunswick ['brʌnzwɪk] *n.* Brunszwik. – *a.* brunszwicki.

brunt [brʌnt] *n.* **1.** siła, impet. **2.** główne uderzenie *l.* ciężar; **bear/take the ~ of sth** najbardziej coś odczuć (*np. krytykę, atak*).

brush¹ [brʌʃ] *n.* **1.** szczotka; **give one's hair/teeth a ~** przyczesać się/umyć zęby. **2.** pędzel. **3.** kita, lisi ogon. **4.** muśnięcie; **have a ~ with death** otrzeć się o śmierć. **5.** utarczka, scysja; **have a ~ with sb** mieć z kimś scysję. **6.** *el.* szczotka. **7.** *opt. Br.* figura z zamazanym konturem. **8. daft as a ~** *gł. Br.* głupi jak but; **get the ~ from sb** zostać odtrąconym przez kogoś. – *v.* **1.** szczotkować, czyścić szczotką. **2.** zamiatać. **3.** malować. **4.** musnąć. **5. ~ aside/away** odmiatać, zmiatać; odtrącić, odepchnąć; odsunąć (*na bok*); zignorować, pominąć milczeniem; **~ down** wyczyścić szczotką; **~ o.s. down** *Br.* otrzepać się (*np. po upadku*); **~ off** usunąć, wyczyścić (*szczotką*); *przen.* nie zwracać uwagi na, ignorować; **~ o.s. off** *US* otrzepać się (*np. po upadku*); **~ sb off** *zwł. US pot.* pozbyć się kogoś, odprawić kogoś; **~ over** zamieść; **~ over sth** zająć się czymś od niechcenia; **~ past sb/sth** przemknąć obok kogoś/czegoś; **~ up** odnowić (*np. mieszkanie*); wyszczotkować (*włosy*); **~ up against sth** otrzeć się o coś; *przen.* natknąć się na coś, napotkać coś (*zwł. kłopoty*); **~ up (on)** odświeżyć (*wiedzę*); udoskonalić (*umiejętności*).

brush² *n. U* **1.** *US* zarośla, krzaki (*pokrywające rozległy teren*). **2.** = **~wood**.

brush discharge *n. U el.* snopienie, wyładowanie szczotkowe.

brush-off ['brʌʃˌɔːf] *n.* **1.** odmowa; pozbycie się (*kogoś*); **give sb the ~** potraktować kogoś oschle; odprawić kogoś z kwitkiem. **2.** *US pot.* odprawienie, zwolnienie (*pracownika*).

brushstroke ['brʌʃˌstroʊk] *n. zw. pl.* pociągnięcie pędzla.

brush turkey *n. orn.* nogal brunatny (*Alectura lathami*).

brush wheel *n. techn.* szczotka tarczowa.

brushwood ['brʌʃˌwʊd] *n. U* **1.** *US* chrust. **2.** zarośla, podszycie (*leśne*).

brushwork ['brʌʃˌwɜːk] *n. U* charakterystyczny sposób malowania, technika malarska (*danego artysty*).

brushy ['brʌʃɪ] *a.* **1.** krzaczasty. **2.** pokryty chrustem.

brush yoke *n. el.* jarzmo szczotkowe.

brusque [brʌsk] *a. przen.* szorstki, obcesowy.

brusquely ['brʌsklɪ] *adv.* szorstko, obcesowo.

brusqueness ['brʌsknəs] *n. U* szorstkość, obcesowość.

Brussels ['brʌslz] *n.* Bruksela. – *a. attr.* brukselski; **~ carpet** dywan brukselski; **~ griffon** *kynol.* gryfon holenderski; **~ lace** koronka brukselska (*z nici lnianych, wykonana techniką igłowo-klockową*); **~ sprouts** brukselka, kapusta brukselska (*Brassica oleracea gemifera*).

brut [bruːt] *a.* wytrawny (*o winie*).

brutal ['bruːtl] *a.* **1.** brutalny; bezwzględny; nieludzki; bestialski; **~ assault** brutalna napaść. **2.** okrutny, ciężki do zniesienia (*np. o burzy*).

brutality [bruː'tælətɪ] *n. U* brutalność; brutalizm; **demonstrate/display/exhibit ~** wykazywać *l.* przejawiać brutalność; **extreme ~** wyjątkowa brutalność; **police ~** brutalność policji.

brutalization [ˌbruːtəlaɪ'zeɪʃən] *n. U* brutalizacja (*życia, obyczajów*).

brutalize ['bruːtəˌlaɪz], *Br.* **brutalise** *v.* brutalizować; czynić brutalnym.

brutally ['bruːtlɪ] *adv.* brutalnie.

brute [bruːt] *n. t. przen.* bestia; bydlę. – *a. attr.* **1.** zwierzęcy. **2.** tępy (*o człowieku*). **3.** brutalny. **4.** martwy, bezduszny (*o materii*). **5. by ~ force** przemocą, na siłę.

brutify ['bru:tə,faɪ] *v.* **1.** czynić zwierzęcym *l.* brutalnym. **2.** ogłupiać.

brutish ['bru:tɪʃ] *a.* **1.** zwierzęcy. **2.** grubiański, ordynarny (*o zachowaniu*).

brutishly ['bru:tɪʃlɪ] *adv.* grubiańsko, ordynarnie.

brutishness ['bru:tɪʃnəs] *n. U* **1.** zwierzęcość. **2.** grubiańskość, ordynarność (*o zachowaniu*).

bryochore ['braɪəkɔ:r] *n. ekol.* tundra.

bryologist [braɪ'ɑ:lədʒɪst] *n.* briolog.

bryology [braɪ'ɑ:lədʒɪ] *n. U* briologia (*nauka o mchach*).

bryony ['braɪənɪ] *n. bot.* przestęp (*Bryonia*); **black ~** taminek (*Tamus communis*).

b/s *abbr.* **1. = bill of sale. 2. bits per second** *komp.* bity/bitów na sekundę.

B.S.A. [,bi: ,es 'eɪ] *abbr.* **Boy Scouts of America** chłopięca organizacja skautowska.

B.Sc. [,bi: ,es 'si:], *US* **B.S.** *abbr.* **Bachelor of Science** licencjat z nauk ścisłych.

BSE [,bi: ,es 'i:] *abbr.* **= bovine spongiform encephalopathy.**

bsh., bu. *abbr.* **= bushel.**

BSI [,bi: ,es 'aɪ] *abbr.* **British Standards Institution** brytyjski urząd normalizacyjny.

BST [,bi: ,es 'ti:] *abbr.* **= British Summer Time.**

btl. *abbr.* **= bottle.**

btry *abbr.* **= battery.**

Btu, BTU *abbr.* **= British thermal unit.**

bub [bʌb] *n. US pot. przest.* koleś (*przy zwracaniu się do kogoś*).

bubble ['bʌbl] *n.* **1.** bańka (*powietrzna, mydlana*). **2.** pęcherzyk. **3.** złudzenie, iluzja; **burst/prick the ~** rozwiać złudzenia; **burst sb's ~** pozbawić kogoś złudzeń. **4.** osłona; kopuła. **5.** wrzenie; kipienie. – *v.* **1.** wrzeć; kipieć. **2.** bulgotać. **3.** wydzielać *l.* tworzyć pęcherzyki. **4.** szemrać (*o strumieniu*). **5. ~ away** wykipieć; **~ over** przelewać się, wylewać się; **sb ~s over with happiness/joy** kogoś rozpiera szczęście/radość.

bubble and squeak *n. U Br.* potrawa ze smażonych ziemniaków i kapusty.

bubble bath *n. U* płyn do kąpieli.

bubble breakwater *n. techn.* falochron pneumatyczny.

bubble cap *n. chem.* dzwon, kołpak.

bubble chamber *n. fiz.* komora pęcherzykowa.

bubble gum *n. U* guma balonowa. – *a. attr. US* dotyczący dzieci w wieku ok. 7-13 lat.

bubblehead ['bʌbl,hed] *n. US pot.* narwaniec, postrzeleniec.

bubbleheaded ['bʌbl,hedɪd] *a. US pot.* narwany, postrzelony, mający pstro w głowie.

bubble jet printer *n.* drukarka atramentowa.

bubble point *n. fiz.* temperatura wrzenia.

bubbler ['bʌblər] *n.* **1.** *US* mała fontanna z wodą do picia. **2.** *techn.* bełkotka, barboter.

bubbly ['bʌblɪ] *a.* **-ier, -iest 1.** pełen bąbelków; musujący. **2.** *przen.* pełen animuszu *l.* entuzjazmu; pełen życia; radosny. – *n. U pot.* szampan.

bubblyjock ['bʌblɪ,dʒɑ:k] *n. Br.* indor.

bubo ['bju:bou] *n. pl.* **-es** *pat.* dymienica (*zapalny obrzęk węzłów pachwinowych*).

bubonic [bju:'bɑ:nɪk] *a.* dymieniczy; **~ plague** dżuma dymienicza.

bubonocele [bju:'bɑ:nə,si:l] *n. pat.* przepuklina pachwinowa.

buccal ['bʌkl] *a. anat.* **1.** policzkowy. **2.** ustny.

buccally ['bʌklɪ] *adv.* policzkowo; w stronę *l.* po stronie policzka.

buccaneer [,bʌkə'ni:r] *n. hist.* korsarz, pirat (*zwł. na wybrzeżach hiszp.-amer.*). – *v.* uprawiać korsarstwo.

buccinator ['bʌksə,neɪtər] *n. anat.* mięsień policzkowy.

Bucharest [,bju:kə'rest] *n.* Bukareszt.

buck¹ [bʌk] *n.* **1.** jeleń, kozioł (*samiec zwierzyny łownej*); królik, zając (*samiec*); *S.Afr.* antylopa (*samiec*). **2.** *przest. pot.* dziarski chłopak. **3.** *lit.* fircyk; elegant (*w XVIII-XIX w.*). **4.** *sport* kozioł (*przyrząd*). **5.** kozioł (*do rąbania l. piłowania drewna*). **6.** *U Br.* ług (*do prania bielizny*). **7.** *Br. ryb.* kosz do chwytania węgorzy. – *a. attr. US wojsk. pot.* najniższy w danym stopniu; **~ private** zwykły szeregowiec. – *v.* **1.** *jeźdz.* skakać pionowo z wygiętym grzbietem i ściągniętymi nogami (*o koniu*); starać się zrzucić jeźdźca (*jw.*). **2.** *US pot.* szarpać (*o samochodzie*). **3.** *Br.* ługować. **4.** pokrywać samicę (*zwł. o królikach*). **5. ~ the system** *przen.* walczyć z systemem. **6. ~ against/at sth** opierać *l.* sprzeciwiać się czemuś; walczyć z czymś; **~ for sth** zabiegać o coś z całych sił (*zwł. o awans*); **~ off** zrzucić z siodła (*jeźdźca*); **~ up** pokrzepić, dodać sił *l.* otuchy (*komuś*); rozweselić się, rozchmurzyć się; **~ up!** *Br. pot.* pospiesz się!; **~ one's ideas up** *Br. pot.* spiąć się, sprężyć się.

buck² *n.* **1.** *gł. US pot.* dolar, dolec. **2.** *gł. US karty* przedmiot zaznaczający, kto rozdaje. **3.** *przen.* **big ~s** *pot.* kupa forsy, duży szmal; **feel/look like a million ~s** *US pot.* czuć się/wyglądać super; **make a fast/quick/an easy ~** *zwł. US i Austr. pot.* zarobić kupę forsy (*szybko i na ogół nieuczciwie*); **pass the ~** wymigiwać się od odpowiedzialności; **pass the ~ to sb** zrzucać odpowiedzialność na kogoś; **the ~ stops with sb** cała odpowiedzialność spoczywa na kimś *l.* spada na kogoś.

buck³ *Br. n.* **1.** pogawędka. **2.** przechwałki. – *v.* **1.** chełpić się. **2.** przechwalać się.

buckaroo ['bʌkə,ru:] *n. US pot. l. dziec.* kowboj.

buckbean ['bʌk,bi:n] *n. bot.* bobrek trójlistkowy (*Menyanthes trifoliata*).

buckberry ['bʌk,berɪ] *n. bot.* dzika czarna jagoda amerykańska (*Gaylussacia ursina*).

buckboard ['bʌk,bɔ:rd] *n. US hist.* otwarty czterokołowy powóz konny.

bucker ['bʌkər] *n.* **1.** koń skaczący pionowo z wyciągniętym grzbietem i ściągniętymi nogami. **2.** *US sl.* osoba porzucająca swoją partię polityczną.

bucket ['bʌkɪt] *n.* **1.** wiadro, kubeł. **2.** czerpak; chwytak; łyżka (*w pogłębiarkach, kopar-*

kach itp.); ~ **dredg(er)** pogłębiarka czerpakowa. **3.** komora (*koła wodnego*). **4.** tłok; ~ **pump** pompa tłokowa (*z tłokami zaworowymi*). **5. a drop in the** ~ *przen.* kropla w morzu; **by the ~(ful)** *Br. pot.* (całymi) litrami (*np. pić coś*); **come down in ~s** *pot.* lać jak z cebra; **kick the ~** *żart. pot.* kopnąć w kalendarz, wyciągnąć kopyta (= *umrzeć*); **sweat ~s** *pot.* pocić się obficie; **weep ~s** *pot.* zalewać się łzami. – *v.* **1.** czerpać wiadrem; nosić w wiadrze. **2.** przemoczyć. **3.** (*także* ~ **down**) *Br. i Austr. pot.* lać jak z cebra. **4.** *pot.* forsować (*konia*). **5.** *sport* wiosłować zapamiętale. **6.** *gł. Br.* oszukać, okpić.

bucketful [ˈbʌkɪtˌfʊl] *n.* (pełne) wiadro.

bucket seat *n.* siedzenie składane (*w samochodzie wyścigowym l. samolocie*).

bucket shop *n.* **1.** *US* biuro gry giełdowej. **2.** *Br. pot.* biuro sprzedające tanie bilety lotnicze.

buckeye [ˈbʌkˌaɪ] *n.* **1.** *bot.* kasztanowiec amerykański (*Aesculus glabra*). **2.** nasiono *l.* owoc kasztanowca amerykańskiego. **3. B~** *US pot.* mieszkan-iec/ka Ohio.

buck fever *n. U US pot.* trema myśliwska (*na widok zwierzyny*).

buck horn *n.* róg jeleni.

buckhound [ˈbʌkˌhaʊnd] *n.* pies myśliwski (*z rasy psów gończych*).

buckish [ˈbʌkɪʃ] *a.* **1.** elegancki, wytworny. **2.** wymuskany, wystrojony; fircykowaty.

buckle [ˈbʌkl] *n.* **1.** sprzączka, zapinka. **2.** *mot.* zamek (*przy pasie bezpieczeństwa*). – *v.* **1.** spinać, zapinać (*na sprzączkę*). **2.** odkształcić się, wygiąć się (*pod wpływem ciepła l. nacisku*). **3.** *przen.* słaniać się na nogach (*ze zmęczenia*). **4.** *US* zewrzeć się w walce; walczyć wręcz. **5.** ~ **down to sth** zabrać się energicznie do czegoś; ~ **under** ustępować; poddawać się; ~ **up** *zwł. US* zapiąć pasy (*w samochodzie l. samolocie*).

buckler [ˈbʌklər] *n.* **1.** *lit.* tarcza; osłona. **2.** *zool.* pancerz. – *v.* ochraniać; osłaniać.

buck naked *a. US pot.* golusieńki, nagusieńki.

bucko [ˈbʌkoʊ] *n. pl.* **-es** **1.** *pot.* zawadiaka. **2.** *gł. Ir.* chłopak.

buckram [ˈbʌkrəm] *n. U* **1.** bukram; klejonka, płótno klejone. **2.** *przen. przest.* sztywność (*w sposobie bycia*). **3.** pozorna siła. – *a.* **1.** usztywniony (*klejonką*). **2.** *przen.* pozornie silny (*o człowieku*). – *v.* usztywniać (*klejonką*).

bucksaw [ˈbʌkˌsɔː] *n. techn.* ręczna piła kabłąkowa.

buckshee [ˈbʌkʃiː], **buckshi** *a. i adv. Br. przest. sl.* **1.** za darmo. **2.** dodatkowo.

buckshot [ˈbʌkˌʃɑːt] *n. U* gruby śrut.

buckskin [ˈbʌkˌskɪn] *n.* **1.** *U* skóra koźla (*t. wyprawiona*); *pl.* spodnie z koźlej skóry. **2.** *gł. US* maść konia. **3. B~** *hist.* żołnierz amerykański z czasów rewolucji.

bucks party *n. Austr. sl.* = **stag party**.

buckthorn [ˈbʌkˌθɔːrn] *n. bot.* szakłak (*Rhamnus catharticus*).

bucktooth [ˈbʌkˌtuːθ] *n. pl.* **-teeth** wystający ząb.

buckwheat [ˈbʌkˌwiːt] *n. U* **1.** *bot.* (*także* ~ **common**) gryka (*Fagopyrum sagittatum*); (*także* ~ **tatarian**) tatarka (*Fagopyrum tataricum*). **2.** kasza gryczana *l.* tatarka. **3.** mąka z gryki *l.* tatarki.

bucolic [bjuːˈkɑːlɪk] *a. zwł. lit.* bukoliczny, sielankowy. – *n.* **1.** bukolika, sielanka, idylla (*gatunek literacki*). **2.** *żart.* wieśniak, prostak.

bud[1] [bʌd] *n.* **1.** *bot.* pąk, pączek; **in** ~ w pąkach; **come into** ~ pokrywać się pąkami. **2.** zawiązek; **tooth** ~ *anat.* zawiązek zęba. **3.** zarodek; **crush/nip sth in the** ~ *przen.* zdusić coś w zarodku. **4.** *ogr.* oczko; ~ **grafting** okulizacja. **5.** *zool.* zwierzę pączkujące. **6.** osoba niedorosła *l.* niedojrzała. **7.** rzecz w stanie nierozwiniętym *l.* niedojrzałym. **8. taste** ~ *biol.* kubek smakowy. **9. in the** ~ dobrze rokujący *l.* zapowiadający się. – *v.* **-dd-** **1.** *bot., zool.* pączkować. **2.** *bot.* wypuszczać pąki *l.* pączki. **3.** *przen.* zaczynać się rozwijać (*o talencie, geniuszu*). **4.** przebijać się; wyrastać. **5.** *ogr.* okulizować.

bud[2] *n. voc.* (*także* **buddy**) *US pot.* bracie!, chłopie! (*do nieznajomego*).

Budapest [ˈbuːdəˌpest] *n.* Budapeszt.

Buddha [ˈbuːdə] *n.* Budda.

Buddhism [ˈbuːˌdɪzəm] *n. U* buddyzm.

Buddhist [ˈbuːdɪst] *n.* buddyst-a/ka. – *a.* buddyjski.

Buddhistic [bʊˈdɪstɪk], **Buddhistical** [bʊˈdɪstɪkl] *a.* buddyjski.

budding [ˈbʌdɪŋ] *a. attr.* **1.** obiecujący, dobrze rokujący, dobrze się zapowiadający. **2.** początkujący; znajdujący się w początkowym stadium. – *n. U* **1.** *bot., zool.* pączkowanie. **2.** *ogr.* okulizacja.

buddle [ˈbʌdl] *n. górn.* stół płuczkowy.

buddleia [bʌdˈliːə] *n. bot.* budlejnik, kulowiec (*Buddleia*).

buddy [ˈbʌdɪ] *n.* **1.** *pot.* kumpel. **2.** = **bud**[2].

budge[1] [bʌdʒ] *v. zw. neg.* **1.** ruszyć (się) z miejsca; drgnąć; **not ~ from** nie ruszać się (ani na krok) z. **2.** ustąpić; zmienić zdanie; **not ~ an inch** *przen.* nie ustąpić ani o krok; **I couldn't ~ him** pozostał niewzruszony *l.* nieugięty.

budge[2] *n. US* kożuszek. – *a. attr.* **1.** obramowany kożuszkiem. **2.** uroczysty, formalny. **3.** imponujący; okazały.

budgerigar [ˈbʌdʒərɪˌgɑːr] *n. zool.* papużka falista (*Melopsittacus undulatus*).

budget [ˈbʌdʒət] *n.* **1.** budżet; **annual** ~ budżet roczny; **balanced/tight** ~ zrównoważony/napięty budżet; **family** ~ budżet rodzinny; **national** ~ budżet państwa; **approve a** ~ zatwierdzić budżet; **balance a** ~ zrównoważyć budżet; **cut/reduce/slash a** ~ obciąć *l.* zmniejszyć budżet; **draft a** ~ sporządzić projekt budżetu; **exceed/stretch a** ~ przekroczyć budżet; **submit a** ~ przedłożyć budżet. **2.** zapas; zbiór. – *v.* **1.** budżetować. **2.** *US* obliczać. **3.** ~ **for sth** wyasygnować fundusze na coś. – *a. attr.* **1.** tani, w przystępnej cenie; ~ **holidays/seats** tanie wakacje/miejsca. **2.** niski; ~ **prices** niskie ceny.

budget account *n. bank* konto pomocnicze w koncie bieżącym (*na które co miesiąc przelewane są środki na regulowanie stałych zleceń*).

budgetary [ˈbʌdʒəˌterɪ] *a. attr.* budżetowy; ~ **restrictions** restrykcje budżetowe.

budget committee *n.* komisja budżetowa.

budget deficit *n.* deficyt budżetowy.

budget expenditure *n. U* wydatki budżetowe.

budget grants *n. pl.* dotacje z budżetu państwa.

budget law *n. U* prawo budżetowe.

budget regulations *n. pl.* przepisy budżetowe.

budget surplus *n.* nadwyżka budżetowa.

budget year *n.* rok budżetowy.

budgie [ˈbʌdʒɪ] *n.* = **budgerigar.**

buff[1] [bʌf] *a. attr.* **1.** wykonany ze skóry bawolej. **2.** żółtobrązowy. – *n. U* **1.** (*także* ~ **leather**) skóra bawola. **2.** skóra do polerowania. **3.** kolor żółtobrązowy. **4.** *C techn.* tarcza polerska. **5. in the** ~ *przest.* nago, w stroju Adama; **strip to the** ~ rozebrać się do naga. – *v.* polerować.

buff[2] *n. C pot.* entuzjast-a/tka, miłośni-k/czka; znaw-ca/czyni, spec; **computer/World War II** ~ spec od komputerów/II wojny światowej.

buffalo [ˈbʌfəˌloʊ] *n. pl.* **buffalo** *l.* **buffalo(e)s 1.** bawół. **2.** bizon. **3.** *Br. wojsk.* desantowa amfibia gąsienicowa. – *v. US pot.* **1.** zastraszyć. **2.** onieśmielić.

buffalo bug, buffalo moth *n. ent.* owad, którego larwy niszczą wełnę (*Anthrenus scrophulariae*).

buffalo fish *n. icht.* ryba słodkowodna podobna do karpia (*Ictiobus bubalus*).

buffalo gnat, buffalo fly *n. ent.* mały owad atakujący zwierzęta ciepłokrwiste (*Simulium*).

buffalo grass *n. U bot.* niska trawa porastająca prerię (*Buchloë dactyloides*).

buffer[1] [ˈbʌfər] *n.* **1.** bufor, zderzak. **2.** *komp.* bufor, pamięć buforowa. **3. hit the ~s** *Br. pot.* napotkać trudności, nie przynieść oczekiwanych rezultatów (*o dyskusji*). – *v.* ochraniać; osłaniać.

buffer[2] *n.* **(silly) old** ~ *Br. przest. sl.* stary pierdoła.

buffer disk *n. kol.* tarcza zderzaka.

buffer state *n. polit.* państwo buforowe.

buffer stop *n. kol.* kozioł oporowy.

buffer tube *n. radio* lampa oddzielająca.

buffer zone *n. wojsk.* strefa buforowa.

buffet[1] [ˈbʌfɪt] *n.* cios; szturchaniec. – *v.* **1.** uderzyć; szturchnąć. **2.** okładać pięściami. **3.** zmagać się z, borykać się z. **4.** uderzać o/w (*o falach l. wietrze*). **5.** *techn.* trząść; trzepotać.

buffet[2] [bəˈfeɪ] *n.* **1.** kredens. **2.** bufet. **3.** bar.

buffet car [bəˈfeɪˌkɑːr] *n. zwł. Br.* wagon restauracyjny.

buffet lunch *n.* stół szwedzki.

buffoon [bəˈfuːn] *n. przest.* błazen.

buffoonery [bəˈfuːnərɪ] *n. U* błazenada, błazeństwa.

buffy [ˈbʌfɪ] *a. attr.* **1.** bawoli. **2.** żółtobrązowy.

buffy coat *n. U fizj.* górna warstwa skrzepu krwi (*zawierająca osocze i krwinki białe*).

bug [bʌg] *n.* **1.** *zwł. US* robak. **2.** owad (*zwł. bezskrzydły*). **3.** *pot.* wirus, zarazek; **pick up a** ~ złapać wirusa; **tummy/stomach** ~ grypa żołądkowa. **4.** defekt, wada; *komp.* błąd (*w programie*). **5.** ukryty mikrofon; pluskwa (*urządzenie podsłuchowe*). **6.** *przen. pot.* bakcyl; **be bitten by/catch/get the (sailing/ski etc)** ~ zarazić się bakcylem *l.* połknąć bakcyla (żeglarstwa/narciarstwa itp.) (*zw. gwałtownie i na krótko*). – *v.* **1.** *pot.* zakładać podsłuch; podsłuchiwać. **2.** *zwł. US pot.* wkurzać. **3.** ~ **off!** *US wulg.* zjeżdżaj!, spadaj!; ~ **out** *US wojsk. pot.* opuszczać (*zwł. w pośpiechu*).

bugaboo [ˈbʌgəˌbuː], **bugbear** [ˈbʌgˌber] *n. przest.* straszydło; straszak.

bugbane [ˈbʌgˌbeɪn] *n. bot.* pluskwica; **American/European** ~ pluskwica amerykańska/europejska (*Cimicifuga americana / foetida*).

bugbear [ˈbʌgˌber] *n.* = **bugaboo.**

bug-eyed [ˈbʌgˌaɪd] *a.* z wytrzeszczonymi oczami.

bugger[1] [ˈbʌgər] *n.* **1.** *sl. wulg.* pedał. **2.** *zwł. Br. i Austr. wulg.* gnój, gnojek. **3.** *żart.* drań, chłop. **4.** *US pot.* rzecz (*zwł. mała*). **5.** coś denerwującego *l.* uciążliwego. **6.** ~ **all** *Br. i Austr. sl. wulg.* nic. – *v.* **1.** *prawn. l. wulg.* uprawiać sodomię. **2.** ~ **(it)!** *gł. Br. i Austr. wulg.* (o) kurwa!. **3.** ~ **about/around** *wulg.* opieprzać się; ~ **sb about** *pot.* zawracać komuś głowę; ~ **sth about** *pot.* robić bałagan w czymś; ruszać coś; ~ **about/around with sth** *pot.* grzebać w czymś; ~ **off!** *wulg.* odpierdol się!; ~ **up** *wulg.* spieprzyć.

bugger[2] *n. zwł. US* osoba zakładająca podsłuch.

buggered [ˈbʌgərd] *a. pred. gł. Br. i Austr. wulg.* **1.** zmachany, wykończony. **2.** spieprzony. **3. I'll be/I'm** ~ **if...** niech mnie diabli, jeżeli...

buggery [ˈbʌgərɪ] *n. U Br. prawn.* sodomia, seks analny.

buggy[1] [ˈbʌgɪ] *a.* **1.** zapluskwiony. **2.** *US sl.* zwariowany, zbzikowany.

buggy[2] *n.* **1.** *US* wózek dziecięcy; *Br.* wózek spacerowy, spacerówka. **2.** powozik (*na 1-2 osoby*). **3.** *wojsk.* wózek jezdny (*pojazdu gąsienicowego*).

bughouse [ˈbʌgˌhaʊs] *n. US sl.* dom wariatów. – *a.* zbzikowany, pomylony.

bugle[1] [ˈbjuːgl] *n.* **1.** trąbka (*zwł. używana w wojsku*); sygnałówka. **2.** róg myśliwski. – *v.* trąbić.

bugle[2] *n. bot.* dąbrówka (*Ajuga*); **carpet** ~ dąbrówka rozłogowa (*Ajuga reptans*).

bugle[3] *n.* rurkowaty paciorek szklany.

bugler [ˈbjuːglər] *n.* trębacz.

buglet [ˈbjuːglət] *n.* **1.** mały róg myśliwski. **2.** *Br.* trąbka (*przy rowerze*).

bugleweed [ˈbjuːglˌwiːd] *n. bot.* karbieniec (*Lycopus*).

buglight [ˈbʌgˌlaɪt] *n. US* **1.** mała latarnia morska. **2.** latarka kieszonkowa.

bugloss [ˈbjuːglɑːs] *n. bot.* **1.** farbownik (*Anchusa*). **2.** krzywoszyj (*Lycopsis*). **3.** żmijowiec (*Echium*).

buhl [buːl] *a.* inkrustowany (*mosiądzem l. szylkretem*). – *n.* **1.** inkrustacja. **2.** mebel inkrustowany (*zwł. komoda l. sekretarzyk*).

buhrstone [ˈbɜːˌstoʊn] *n. U min.* odmiana piaskowca (*używana do wyrobu kamieni młyńskich i osełek*); ~ **mill** młyn żarnowy.

build [bɪld] *v.* **built, built** **1.** *t. przen.* budować; tworzyć. **2.** kształtować; rozwijać. **3.** (*także* ~ **up**) narastać (*np. o napięciu*). **4.** ~ **bridges** *przen.* budować pomosty (*między ludźmi*). **5.** ~ **in(to)** wbudować (w); wmurować (w); włączyć na stałe (do) (*umowy itp.*); ~ **on** dobudować; ~ **on/upon sth** *przen.* opierać się na czymś; pokładać nadzieję w czymś; *przen.* wykorzystywać coś jako podstawę; ~ **over** zabudować (*teren*); ~ **up** rozwijać (*np. interes*); wzmacniać; narastać (*np. o napięciu*); *zw. pass.* zabudować (*teren*); zapewnić sobie (*np. pozycję*); ~ **up sth** (*także* ~ **sth up**) zwiększyć coś; rozbudować coś; zgromadzić coś (*np. fortunę*); ~ **sb up** podbudować kogoś (*moralnie*); chwalić kogoś; ~ **up to sth** przygotowywać się do czegoś; ~ **up sb's hopes** rozbudzać *l.* podsycać czyjeś nadzieje. – *n.* **1.** styl *l.* sposób budowy. **2.** budowa (*ciała*).

builder [ˈbɪldər] *n.* **1.** budowniczy. **2.** przedsiębiorstwo remontowo-budowlane. **3.** *chem.* wypełniacz aktywny (*zwiększający efekt piorący mydeł*). **4.** **~s' merchant** *Br.* firma handlująca materiałami budowlanymi.

building [ˈbɪldɪŋ] *n.* **1.** budynek. **2.** budowla. **3.** *U* budowa. – *a. attr.* budowlany.

building block *n.* **1.** klocek. **2.** *pl. przen.* podstawy.

building contractor *n.* przedsiębiorca budowlany.

building industry, building trade *n. U* budownictwo, przemysł budowlany.

building lease *n.* dzierżawa gruntu pod budowę.

building site *n.* plac budowy.

building society *n. Br. fin.* kasa oszczędnościowo-budowlana.

build-up [ˈbɪldˌʌp], **buildup** *n.* **1.** wzrost, nasilenie się (*np. ruchu drogowego*); narastanie (*np. napięcia*). **2.** nagromadzenie. **3.** *wojsk.* zgrupowanie oddziałów. **4.** ~ **(to)** okres przygotowań (do), końcowe odliczanie (przed). **5.** **give sb/sth a good** ~ *pot.* zrobić komuś/czemuś dobrą reklamę.

built [bɪlt] *zob.* **build**.

built-in [ˌbɪltˈɪn] *a.* **1.** wbudowany; wmurowany. **2.** *przen.* integralny.

built-up [ˌbɪltˈʌp] *a.* zabudowany (*o terenie*).

bulb [bʌlb] *n.* **1.** *bot.* cebulka, bulwa. **2.** *el.* żarówka; elektronowa lampa próżniowa. **3.** *anat.* cebulka (*włosa*); opuszka. **4.** kolba laboratoryjna. **5.** zbiornik (*termometru*). – *v.* **1.** wytwarzać cebulki *l.* bulwy. **2.** przybierać kształt gruszki.

bulbar [ˈbʌlbər] *a. anat.* opuszkowy; ~ **paralysis** *pat.* porażenie opuszkowe.

bulbed [bʌlbd] *a.* **1.** cebulowaty, cebulkowaty; bulwiasty. **2.** gruszkowaty.

bulbiferous [bəlˈbɪfərəs] *a.* wytwarzający cebulki *l.* bulwy.

bulbiform [ˈbʌlbɪˌfɔːrm] *a.* = **bulbed**.

bulbous [ˈbʌlbəs] *a. bot.* cebulkowaty, cebulasty; *t. przen.* bulwiasty.

bulbul [ˈbʊlbʊl] *n. orn.* bilbil (*Pycnonotus*); słowik (*Luscinia*).

Bulgaria [bʌlˈgerɪə] *n.* Bułgaria.

Bulgarian [bʌlˈgerɪən] *a.* bułgarski. – *n.* **1.** Bułgar/ka. **2.** *U* język bułgarski.

bulge [bʌldʒ] *n.* **1.** wybrzuszenie, wypukłość. **2.** przejściowy wzrost; **population** ~ wyż demograficzny; = **bilge**. **3.** **get/have the** ~ **on sb** *US pot.* uzyskać/mieć przewagę nad kimś. – *v.* **1.** wybrzuszać się; pęcznieć. **2.** wypychać. **3.** ~ **out** wybrzuszać się (*np. o kieszeni*); ~ **with sth** wybrzuszać się od czegoś; wypychać czymś (*kieszeń itp.*); ~ **with people** *pot.* wypełniać się ludźmi.

bulger [ˈbʌldʒər] *n. golf, hokej* wygięty kijek.

bulgy [ˈbʌldʒɪ] *a.* wydęty, wybrzuszony; wypukły.

bulimia [buːˈlɪmɪə] *n. U pat.* bulimia.

bulimic [buːˈlɪmɪk] *a. i n.* chory na bulimię.

bulk¹ [bʌlk] *n.* **1.** ogrom, masa. **2.** objętość. **3.** cielsko. **4.** *t. przen.* kolos, olbrzym. **5.** ładunek (*statku*). **6.** *introl.* blok *l.* wkład książki. **7.** **the** ~ **(of sth)** większość *l.* większa część (czegoś). **8.** **in** ~ bez opakowania, luzem; **buy/sell in** ~ kupować/sprzedawać hurtowo *l.* w ilościach hurtowych. – *v.* **1.** ~ **large** *lit.* zajmować dużo miejsca; dominować. **2.** ~ **sth out** *t. przen.* zwiększać objętość czegoś.

bulk² *n.* stragan (*przed wejściem do sklepu*).

bulk carrier *n.* masowiec (*statek*).

bulk cement *n. U* cement luzem.

bulk goods *n. pl.* towary masowe *l.* w dużych ilościach i bez opakowania.

bulkhead [ˈbʌlkˌhed] *n.* **1.** *żegl.* gródź. **2.** przegroda; ścianka działowa. **3.** poziome *l.* pochyłe drzwi do piwnicy. **4.** *bud.* obudowanie szczytu klatki schodowej itp.

bulk mail *n. U* korespondencja *l.* poczta seryjna.

bulky [ˈbʌlkɪ] *a.* **-ier, -iest** **1.** o dużej objętości; wielki, olbrzymi. **2.** masywny. **3.** nieporęczny.

bull¹ [bʊl] *n.* **1.** byk. **2.** samiec (*np. wieloryba, słonia, żyrafy*). **3.** **B~** *astron., astrol.* Byk. **4.** *giełda* gracz na zwyżkę. **5.** *US sl.* glina (= *policjant*). **6.** *gł. Br.* = **bull's-eye** 7. **7.** = **bulldog** 1. **8.** *przen.* **like a** ~ **in a china shop** jak słoń w składzie porcelany; **like a** ~ **at a gate** szybko, energicznie (*np. działać*); **like a red rag to a** ~ jak płachta na byka; **take the** ~ **by the horns** brać byka za rogi. – *v. giełda* grać na zwyżkę; podbijać kursy.

bull² *n.* (*także* **bulla**) bulla (*papieska*).

bull³ *n. U* **1.** *US i Can. pot.* bzdury. **2.** **shoot the** ~ *zob.* **shoot** *v.*

bulla [ˈbʊlə] *n.* **1.** *zob.* **bull²**. **2.** *fizj.* pęcherz (*na skórze l. tkance*).

bullace [ˈbʊlɪs] *n. bot.* śliwa lubaszka (*Prunus insititia*).

bullate [ˈbʊleɪt] *a. bot., fizj.* pokryty pęcherzami.

bullation [bʊˈleɪʃən] *n. U* **1.** *fizj.* tworzenie się pęcherzy. **2.** *pat.* obrzęk.

bulldog [ˈbʊlˌdɔːg] *n.* **1.** *kynol.* buldog. **2.** rewolwer dużego kalibru z krótką lufą. – *v.* atakować jak buldog.

bulldog edition *n.* *US* wczesne wydanie (*dziennika porannego*).

bulldoze [ˈbʊlˌdoʊz] *v.* **1.** kopać *l.* wyrównywać (*używając buldożera l. spychacza*). **2.** *US sl.* zastraszyć.

bulldozer [ˈbʊlˌdoʊzər] *n.* *bud.* spychacz, spycharka; buldożer.

bullet [ˈbʊlɪt] *n.* **1.** kula; nabój; *wojsk.* pocisk (*broni małokalibrowej, niewybuchowy*). **2. bite the ~** *przen. pot.* zacisnąć zęby.

bulletin [ˈbʊlətən] *n.* **1.** biuletyn. **2.** komunikat, ogłoszenie; **~ board** *US* tablica ogłoszeń; **news ~** *radio, telew.* serwis informacyjny.

bulletproof [ˈbʊlɪtˌpruːf] *a.* kuloodporny; pancerny.

bullet wound *n.* rana postrzałowa.

bull fiddle *n.* *US sl.* wiolonczela; kontrabas.

bullfight [ˈbʊlˌfaɪt] *n.* walka byków, corrida.

bullfighter [ˈbʊlˌfaɪtər] *n.* tor(r)eador.

bullfighting [ˈbʊlˌfaɪtɪŋ] *n.* *U* walki byków, korrida.

bullfinch¹ [ˈbʊlˌfɪntʃ] *n.* *orn.* gil (*Pyrrhula pyrrhula*).

bullfinch² *n.* rodzaj żywopłotu.

bullfrog [ˈbʊlˌfrɑːg] *n.* *zool.* żaba rycząca, żaba wół (*Rana catesbeiana*).

bullhead¹ [ˈbʊlˌhed] *n.* **1.** *icht.* nazwa kilku ryb o szerokiej głowie (*Ameiurus*). **2.** *orn.* siewka (*Charadriidae*). **3.** *zool.* kaczka złotooka (*Glaucionetta clangula*).

bullhead² *n.* *uj.* uparciuch.

bullheaded [ˌbʊlˈhedɪd] *a.* **1.** *uj.* uparty. **2. ~ rail** *kol.* szyna dwugłówkowa.

bullheadedness [ˌbʊlˈhedɪdnəs] *n.* *U uj.* upór.

bullhorn [ˈbʊlˌhɔːrn], **bull horn** *n.* *US* megafon.

bullion¹ [ˈbʊljən] *n.* *U* złoto *l.* srebro w stanie surowym *l.* w sztabach.

bullion² *n.* *U* frędzle ze złotych *l.* srebrnych nitek.

bullish [ˈbʊlɪʃ] *a.* **1.** *giełda* zwyżkujący, zwyżkowy. **2.** *zwł. US* optymistyczny.

bull market *n.* *giełda* zwyżkujący rynek.

bullock [ˈbʊlək] *n.* wół.

bull-of-the-bog [ˌbʊləvðəˈbɑːg] *n.* *Br. orn.* bąk (*Botaurus stellaris*).

bull pen *n.* *US* **1.** zagroda dla byków. **2.** *pot.* areszt tymczasowy *l.* przejściowy (*pomieszczenie*). **3.** barak mieszkalny (*np. na budowie*). **4.** *baseball* pomieszczenie dla rozgrzewających się zawodników rezerwowych.

bullpout [ˈbʊlˌpaʊt] *n.* *icht.* ryba o dużej i szerokiej głowie (*Ameiurus nebulosus*).

bull ring *n.* arena do walki byków.

bull's-eye [ˈbʊlzaɪ] *n.* **1.** środek tarczy, dziesiątka; **hit the/score a ~** strzelić w sam środek tarczy, trafić w dziesiątkę. **2.** *US przen.* strzał w dziesiątkę. **3.** *arch.* małe okrągłe okienko. **4.** *żegl.* bulaj, iluminator stały; blok drewniany (*do wyciągania*). **5.** soczewka półkolista; latarnia (*z soczewką półkolistą*). **6.** *meteor.* oko cyklonu. **7.** *gł. Br.* rodzaj twardego cukierka.

bullshit [ˈbʊlˌʃɪt] *wulg. sl. n.* *U* bzdury, bzdety; **a load of ~** kupa bzdur. – *v.* **1.** gadać bzdury. **2.** wciskać kit (*komuś; = próbować oszukać*).

bull snake *n.* *zool.* gatunek węża północnoamerykańskiego (*Pityophis melanoleucus*).

bullterrier [ˌbʊlˈterɪər] *n.* *kynol.* bulterier.

bulltongue [ˈbʊlˌtʌŋ] *n.* *US* ciężki pług (*z jednym lemieszem*).

bulltrout [ˈbʊlˌtraʊt] *n.* *icht.* łososiopstrąg, troć (*Salmo eriox*).

bullwhip [ˈbʊlˌwɪp] *n.* bykowiec. – *v.* uderzać *l.* bić bykowcem.

bully¹ [ˈbʊlɪ] *n.* **1.** osoba znęcająca się nad słabszymi. **2.** despota; tyran (*wobec słabszych l. bezbronnych*). **3.** (*także* **~boy**) *pot.* najęty zbir. **4.** *przest.* alfons. – *v.* znęcać się nad, dręczyć (*fizycznie l. moralnie*); gnębić; tyranizować; **~ sb into sth** zmusić kogoś do czegoś groźbą *l.* przemocą. – *a.* **1.** *US pot.* świetny, kapitalny. **2.** kłótliwy; hałaśliwy. **3.** żywy, wesoły. **4.** pełen fantazji; szarmancki. – *int.* **~ for you/him etc!** *pot. zw. iron.* brawo!, świetnie!.

bully² *n.* *U* (*także* **~ beef**) konserwy wołowe.

bully-off [ˈbʊlɪˌɔːf] *n.* *Br. hokej* rozpoczęcie gry.

bullyrag [ˈbʊlɪˌræg] *v.* **-gg-** dokuczać; gnębić; nękać.

bulrush [ˈbʊlˌrʌʃ] *n.* *U* **1.** sitowie. **2.** *Bibl.* papirus.

bulwark [ˈbʊlwɜːk] *n.* **1.** wał obronny. **2.** *bud.* przedmurze. **3.** *przen.* bastion, przedmurze. **4.** *przen.* ostoja. **5.** tama portowa. **6.** *zw. pl. żegl.* nadburcie; **~ rail** reling. – *v.* **1.** zaopatrzyć w wał *l.* tamę. **2.** *przen.* stanowić przedmurze (*czegoś*); bronić, ochraniać.

bum¹ [bʌm] *US n.* **1.** *pot.* włóczęga, tramp. **2.** próżniak; pasożyt. **3. beach/ski etc ~** *pot.* amator plażowania/narciarstwa itp. (*zwł. nie robiący nic innego*). **4.** *sl.* popijawa. **5. be on the ~** włóczyć się; żyć na ulicy; **go on the ~** pasożytować (*na społeczeństwie*), być darmozjadem; **~ rap** niesprawiedliwe oskarżenie *l.* kara. – *v.* **-mm- 1.** *pot.* włóczyć się; żebrać. **2.** żyć cudzym kosztem. **3. ~ one's way** puścić się w drogę jako włóczęga. **4. ~ about/around** *sl.* wałęsać się bez celu; opieprzać się; **~ along** *sl.* wlec się (*zwł. o pojeździe*); posuwać się wolno naprzód (*np. o pracy*); **~ sb out** *sl.* wkurzyć kogoś; **~ sth off sb** *sl.* wyżebrać coś od kogoś. – *a. attr. sl.* marny.

bum² *Br. i Austr. n. pot.* tyłek.

bum bag *n.* *Br.* **= fanny pack**.

bumble [ˈbʌmbl] *v.* **1.** brzęczeć, buczeć (*jak pszczoły itp.*). **2.** *pot.* spartaczyć. **3.** (*także* **~ around**) zataczać się; potykać się. **4.** (*także* **~ on**) bełkotać; plątać się.

bumblebee [ˈbʌmblˌbiː], **bumble bee** *n.* *ent.* trzmiel (*Bombus*).

bumbling [ˈbʌmblɪŋ] *a. attr.* popełniający gafy; **~ incompetence** rażąca nieudolność *l.* niekompetencja.

bumbo [ˈbʌmboʊ] *n.* *U Br.* napój alkoholowy z rumu, cukru, wody i gałki muszkatołowej.

bumf [bʌmf], **bumph** *n.* *U Br. sl.* **1.** papier toaletowy. **2.** *cz. pog.* papier. **3.** papierki (*dokumenty, rachunki itp.*).

bummel [ˈbʌml] *n.* *Br.* przechadzka. – *v.* *Br.* przechadzać się; wędrować.

bummer [ˈbʌmər] *n.* **1.** *US sl.* próżniak; nierób. **2.** *sl.* przykre doświadczenie; pech.

bump[1] [bʌmp] *v.* **1.** uderzyć (się), wyrżnąć (się) (*against / into* o/w). **2.** zderzyć się (*against / into* z). **3.** uderzać, walić (*against / into* o/w). **4.** podskakiwać (*o pojeździe*). **5.** *zw. pass. US pot.* usunąć (*ze stanowiska l. miejsca*); wyrzucić (*z zarezerwowanego miejsca, zwł. w samolocie*). **6.** *krykiet* podskoczyć nagle na dużą wysokość (*o piłce*). **7.** *wioślarstwo* dogonić *l.* dotknąć poprzedzającą łódź (*w wyścigach z wyrównaniem*). **8.** ~ **into sb/sth** *pot.* wpaść na kogoś/coś; natknąć się na kogoś/coś; ~ **sb off** *US sl.* zakatrupić kogoś, załatwić kogoś; ~ **up** podnosić nagle (*zwł. cenę*). – *n.* **1.** uderzenie, grzmotnięcie. **2.** zderzenie. **3.** stłuczka. **4.** guz. **5.** *zw. pl.* wyboje. **6.** *górn.* tąpnięcie. **7.** *lotn.* dziura powietrzna (*zmiana ciśnienia powodująca rzucanie samolotem*); wstrząs. **8.** *wioślarstwo* dotknięcie łodzi przez następną (*w zawodach jw.*); ~ **supper** *Br.* kolacja z okazji zwycięstwa w zawodach wioślarskich.

bump[2] *Br. n.* krzyk bąka (*ptaka*). – *v.* krzyczeć jak bąk.

bumper [ˈbʌmpər] *n.* **1.** *zwł. Br.* zderzak. **2.** pełny kieliszek (*zwł. do spełnienia toastu*). – *a. attr.* **1.** olbrzymi. **2.** obfity; ~ **crops** *roln.* rekordowe zbiory *l.* plony. – *v.* **1.** *US* napełniać po brzegi. **2.** spełniać toasty.

bumper cars *n. pl.* samochodziki (*w wesołym miasteczku*).

bumper sticker *n.* nalepka na tylny zderzak.

bumper-to-bumper traffic *n.* gęsty ruch samochodowy.

bumph [bʌmf] *n.* = **bumf.**

bumpiness [ˈbʌmpɪnəs] *n. U* wyboistość; zły stan (*drogi*).

bumpkin [ˈbʌmpkɪn] *n.* prostak; kmiot.

bumptious [ˈbʌmpʃəs] *a.* zarozumiały, pyszałkowaty; nadęty.

bumptiously [ˈbʌmpʃəslɪ] *adv.* zarozumiale.

bumptiousness [ˈbʌmpʃəsnəs] *n. U* zarozumialstwo, pyszałkowatość.

bumpy [ˈbʌmpɪ] *a.* **-ier, -iest 1.** wyboisty; nierówny (*o drodze*). **2.** *lotn.* pełen zawirowań powietrza; ~ **conditions** rzucanie (*w powietrzu*).

bun[1] [bʌn] *n.* **1.** *US* bułka. **2.** *Br.* słodka bułeczka. **3. have a ~ in the oven** *Br. i Austr. pot. żart.* być w ciąży; **get/have/tie a ~ on** *sl.* wstawić się, zalać się.

bun[2] *n.* kok.

bun[3] *n. Br.* **1.** basia (= *wiewiórka*). **2.** trusia, truś (= *królik*). **3.** *dial.* ogon zająca.

buna [ˈbjuːnə] *n. chem.* buna (*kauczuk syntetyczny*).

bunch [bʌntʃ] *n.* **1.** pęk (*t. kluczy*). **2.** kiść; grono. **3.** bukiet, wiązanka; ~ **of flowers** bukiet kwiatów. **4.** paczka; grupa (*ludzi*). **5.** garb; wypukłość. **6.** *pl.* kitki, kucyki. **7. a ~ of (sth)** *zwł. US* mnóstwo (czegoś); ~ **of fives** *sl.* pięść; **the pick of the ~** najlepszy ze wszystkich; **thanks a ~** *iron.* wielkie *l.* stokrotne dzięki. – *v.* **1.** układać w pęk *l.* wiązankę. **2.** (*także* ~ **together/up**) zbierać się, gromadzić się. **3.** zaciskać (*np. pięści*). **4.** ~**ing effect** *fiz.* grupowanie *l.* zbieranie w wiązki (*elektronów*).

bunchy [ˈbʌntʃɪ] *a.* **1.** posiadający pęki *l.* grona. **2.** wypukły, wystający; garbaty.

bunco [ˈbʌŋkoʊ] *n. US pot.* szulerstwo; kant; ~ **steerer** szuler; kanciarz. – *v.* okantować.

buncombe [ˈbʌŋkəm], **bunk(um)** *n. U* pusta gadanina (*zwł. obliczona na efekt polityczny*).

bund[1] [buːnd] *n.* związek; liga; stowarzyszenie.

bund[2] [bʌnd] *n. Anglo-Ind.* **1.** nadbrzeże. **2.** grobla; tama, zapora. – *v.* obwałować.

bundle [ˈbʌndl] *n.* **1.** tobołek, zawiniątko. **2.** pakunek. **3.** pęk; wiązka. **4.** plik (*np. papierów*). **5.** *anat.* pęczek, wiązka (*zwł. nerwów l. włókien mięśniowych*). **6.** *Br.* 20 zwojów (*przędzy lnianej*). **7. a ~ of joy** *pot.* pociecha (*o dziecku*); **a ~ of nerves** *przen.* kłębek nerwów; **cost a ~** *pot.* kosztować masę pieniędzy; **go a ~ on sth** *pot.* lubić coś; **make a ~** *pot.* zarobić *l.* wygrać masę pieniędzy. – *v.* **1.** wiązać w pęk *l.* tłumoczek *l.* plik. **2.** *US* spać *l.* leżeć z ukochaną osobą bez rozbierania się (*stary zwyczaj w Nowej Anglii*). **3.** ~ **into** wpakować (się) do, wepchnąć (się) do; ~ **out/off/away** wyprawić (*np. dzieci do szkoły*); odprawić, pozbyć się; ~ **up** związać; zapakować; opatulić (się).

bung [bʌŋ] *n.* **1.** zatyczka, czop (*zwł. w beczce*). **2.** *Br. sl.* bujda. **3.** *Br. sl.* łapówa. – *v.* **1.** (*także* ~ **down/up**) zaczopować, zaszpuntować. **2.** walić, tłuc. **3.** ~ **sb** *Br. sl.* dać komuś w łapę. **4.** ~ **sth in(to)** wrzucić *l.* cisnąć coś (do); ~ **up** *pot.* zapychać się (*o nosie*).

bungalow [ˈbʌŋgəˌloʊ] *n.* dom parterowy; bungalow.

bungee [ˈbʌndʒɪ], **bungee cord** *n. zwł. US* linka gumowa z zaczepem (*np. do przymocowywania bagażu do roweru itp.*).

bungee catapult *n. lotn.* katapulta szybowcowa.

bungee jumping, bungy jumping *n. U* skoki na linie (*z wysokości*).

bunghole [ˈbʌŋˌhoʊl] *n.* otwór szpuntowy (*w beczce*).

bungle [ˈbʌŋgl] *v.* **1.** partaczyć, fuszerować. **2.** popsuć; pokpić (*sprawę*). – *n.* partanina, fuszerka.

bungled [ˈbʌŋgld] *a.* nieudany (*zwł. o próbie, akcji*).

bungler [ˈbʌŋglər] *n.* **1.** partacz. **2.** niedorajda, safanduła.

bunion [ˈbʌnjən] *n. pat.* zapalenie torebki maziowej (*zwł. w pierwszym stawie dużego palca u nogi*).

bunk[1] [bʌŋk] *n.* koja; łóżko (*w pociągu*). – *v. pot.* przespać się.

bunk[2] *n.* **do a ~** *Br. pot.* zmyć się.

bunk[3] *n. U* **1.** *pot.* bzdury. **2.** = **buncombe.**

bunk beds *n. pl.* łóżko piętrowe.

bunker [ˈbʌŋkər] *n.* **1.** kosz (*zw. na węgiel*); zbiornik. **2.** zasobnia węglowa (*na statku*). **3.** *wojsk.* paliwo, dla okrętu. **4.** *wojsk.* bunkier; wał (*osłaniający stanowisko bojowe*). **5.** *golf* bunkier (*piaszczysta przeszkoda*). – *v.* **1.** ładować węgiel (*do zasobni*). **2.** *wojsk.* pobierać paliwo. **3.** *golf* umieścić w bunkrze (*piłkę*). **4.** *gł. Br. pot.* wplątać w trudności.

bunkhouse ['bʌŋkˌhaʊs] *n.* budynek z łóżkami piętrowymi (*służący jako sypialnia dla robotników lub biwakowiczów*).

bunkmate ['bʌŋkˌmeɪt] *n.* osoba dzieląca z kimś łóżko piętrowe.

bunko ['bʌŋkoʊ] *n.* = **bunco**.

bunkum ['bʌŋkəm] *n.* = **bunk**[3].

bunny ['bʌnɪ] *n. pl.* **-ies** **1.** (*także* ~ **rabbit**) króliczek. **2.** *US sl. cz. pog. l. obelż.* cizia.

bunny girl *n.* hostessa w klubie nocnym (*w stroju króliczka*).

bunny hill *n. US* ośla łączka.

Bunsen burner ['bʌnsənˌbɝːnər], **bunsen burner** *n.* palnik Bunsena.

bunt[1] [bʌnt] *n.* wybrzuszenie (*sieci rybackiej, żagla itp.*). – *v.* wybrzuszać się.

bunt[2] *n. bot.* śnieć pszeniczna (*Tilletia caries*).

bunt[3] *n. baseball* krótki rzut (*na pole wewnętrzne*). – *v. baseball* uderzyć lekko kijkiem (*piłkę*).

bunt[4] *n. lotn. gł. Br.* pół zewnętrznej pętli i pół beczki (*ewolucja*). – *v.* wykonać ewolucję jw.

bunting[1] ['bʌntɪŋ] *n.* **1.** *zool. Br.* szara krewetka (*Crangon vulgaris*). **2.** *orn. US* ptak z rodziny trznadli (*Emberizinae*); **common/corn** ~ potrzeszcz (*Emberiza miliaris*); **reed** ~ potrzos (*Emberiza schoeniclus*); **rice** ~ ryżojad (*Dolichonyx oryzivorus*); **snow** ~ śnieguła (*Plectrophanes nivalis*); **yellow** ~ trznadel (*Emberiza citrinella*).

bunting[2] *n. U* **1.** materiał na flagi. **2.** dekoracja flagami.

bunting[3] *n. US* śpioszki z kapturkiem.

buntline ['bʌntlaɪn] *n. żegl.* reflina, refszkentla.

buoy ['buːiː] *n.* **1.** boja, pława. **2.** (*także* **life~**) koło ratunkowe. – *v.* **1.** (*także* ~ **up**) utrzymywać na powierzchni; *przen.* podtrzymywać na duchu, dodawać otuchy. **2.** oznaczać bojami. **3.** *Br.* utrzymywać na wysokim poziomie (*np. ceny, dochody*).

buoyancy ['buːjənsɪ] *n. U* **1.** zdolność utrzymywania się na powierzchni; pływalność. **2.** wypór hydrostatyczny. **3.** *ekon.* stabilność (*np. cen*); prężność (*gospodarki*). **4.** *przen.* pogoda ducha.

buoyant ['buːjənt] *a.* **1.** posiadający zdolność utrzymywania się na powierzchni. **2.** prężnie rozwijający się (*o gospodarce*). **3.** zwyżkujący (*o cenach*). **4.** pogodny, radosny; raźny.

bur [bɝː] *n.* **1.** (*także* **burr**) *bot.* roślina o kolczastych nasionach *l.* kwiatach; kwiat *l.* nasienie z kolcami; rzep. **2.** narośl (*zwł. na drzewie*). **3.** *przen.* natręt.

buran [bʊ'rɑːn] *n. meteor.* porywisty wiatr wiejący od Syberii i rosyjskich stepów.

burb [bɝːb], **burbs** *abbr. sl.* = **suburb(s)**.

burble ['bɝːbl] *v.* **1.** bulgotać; szemrać. **2.** *przen.* szczebiotać. **3.** bełkotać; mamrotać. – *n. lotn.* załamanie się równego prądu powietrza (*dokoła skrzydła przy dużym kącie padania*).

burbot ['bɝːbət] *n. icht.* miętus (*Lota lota*).

burden ['bɝːdən] *n.* **1.** *t. przen.* ciężar. **2.** brzemię. **3.** obowiązek; zobowiązanie (*wydatek*); **financial/tax** ~ zobowiązanie finansowe/podatkowe. **4.** *żegl.* ładunek; **ship of** ~ statek handlowy. **5.** *form.* sedno. **6.** *metal.* wsad. **7.** *ekon.* koszty ogólne. **8.** refren. **9.** *Bibl.* wyrok losu. **10.** *pl. wioślarstwo zwł. Br.* siedzenia *l.* ławki (*w łodzi*). **11.** ~ **of proof** *prawn.* obowiązek przeprowadzenia dowodu; **beast of** ~ zwierzę juczne. – *v.* **1.** *t. przen.* obciążać. **2.** ładować; obładować. **3.** *przen.* obarczać; nakładać ciężar *l.* obowiązek na. **4.** przygniatać.

burdensome ['bɝːdənsəm] *a.* uciążliwy.

burdock ['bɝːdɑːk] *n.* (*także* **great** ~) *bot.* łopian (*Arctium lappa*).

bureau ['bjʊroʊ] *n. pl.* **-s** *l.* **-x** [-z] **1.** *US* komoda. **2.** *Br.* biurko; sekretarzyk. **3.** biuro; urząd; **Emigration B~** *Br.* Urząd Emigracyjny.

bureaucracy [bjʊ'rɑːkrəsɪ] *n.* **1.** *U* biurokracja. **2.** *C / U* biurokraci.

bureaucrat ['bjʊrəˌkræt] *n.* biurokrat-a/ka.

bureaucratic [ˌbjʊrə'krætɪk] *a.* biurokratyczny; zbiurokratyzowany.

bureaucratically [ˌbjʊrə'krætɪklɪ] *adv.* biurokratycznie.

bureaucratism ['bjʊrəkrætˌɪzəm] *n. U* biurokratyzm.

bureaucratist ['bjʊrəkrætˌɪst] *n.* zwolennik/czka biurokracji.

burette [bjʊ'ret], **buret** *n.* **1.** miarka; menzurka. **2.** *kośc.* ampułka (*na wino l. wodę używana podczas Eucharystii*).

burg [bɝːg] *n. US pot.* miasto, miasteczko.

burgage ['bɝːgɪdʒ] *n. prawn. Br. hist.* dzierżawa majątku koronnego *l.* rycerskiego.

burgee ['bɝːdʒiː] *n.* proporczyk; mała trójkątna chorągiewka (*używana na jachtach*).

burgeon ['bɝːdʒən] *n.* **1.** młody pęd. **2.** pączek. – *v.* **1.** *lit.* puszczać pędy; kiełkować. **2.** *przen.* rozrastać się, rozwijać się, rozkwitać.

burgeoning ['bɝːdʒənɪŋ] *a.* rozwijający się *l.* rosnący w szybkim tempie.

burger ['bɝːgər] *n.* **1.** = **hamburger**. **2.** *w złoż.* **fish~** hamburger rybny.

burgess ['bɝːdʒɪs] *n.* **1.** mieszkaniec królewskiego wolnego miasta; obywatel. **2.** *Br. hist.* poseł do parlamentu (*z królewskiego miasta samorządowego l. uniwersytetu*). **3.** *US hist.* delegat do ciała ustawodawczego (*w Wirginii l. Maryland w okresie kolonialnym*).

burgh [bɝːg] *n.* **1.** *Scot.* = **borough**. **2.** *arch.* zamek; fortyfikacje.

burgher ['bɝːgər] *n.* **1.** *przest. l. żart.* mieszczan-in/ka. **2.** *US hist.* Holender zamieszkały w Nowym Jorku (*w czasach osadnictwa*).

burglar ['bɝːglər] *n.* włamywacz/ka; ~ **alarm** alarm antywłamaniowy; **~-proof** zabezpieczony przed włamaniem.

burglarious [bər'glerɪəs] *a.* dotyczący włamania.

burglarize ['bɝːgləˌraɪz] *v. gł. US* **1.** włamać się do. **2.** okraść.

burglary ['bɝːglərɪ] *n. C / U* włamanie.

burgle ['bɝːgl] *v. gł. Br.* **1.** włamać się do. **2.** okraść.

burgomaster[1] ['bɜ:gəˌmæstər] *n.* burmistrz (*holenderski, flamandzki, niemiecki l. austriacki*).

burgomaster[2] *n. orn.* gatunek mewy arktycznej (*Larus hyperboreus*).

burgonet ['bɜ:gəˌnet] *n. hist.* hełm.

burgoo ['bɜ:gu:], **burgou(t)** *n. pl.* **-s** **1.** *żegl.* owsianka. **2.** *US dial.* zupa *l.* gulasz spożywane zwł. podczas pikników.

burgrave ['bɜ:greɪv] *n.* burgrabia.

Burgundian [bər'gʌndɪən] *a.* burgundzki. – *n.* mieszkan-iec/ka Burgundii.

Burgundy ['bɜ:gəndɪ] *n. geogr.* Burgundia.

burgundy, Burgundy *n.* **1.** *C/U pl.* **-ies** burgund (*wino*). **2.** *U* kolor czerwonego wina. – *a. gł. attr.* w kolorze czerwonego wina.

burial ['berɪəl] *n. C/U* pogrzeb, pochówek; ~ **ground** cmentarz; cmentarzysko; ~ **service** *kośc.* ceremonia pogrzebowa (*zwł. w kościele anglikańskim*).

burin ['bjʊrɪn] *n.* **1.** rylec (*miedziorytniczy l. do marmuru*). **2.** *archeol.* narzędzie z krzemienia podobne do dłuta.

burinist ['bjʊrɪnɪst] *n.* rytowni-k/czka.

burk [bɜ:k] *n.* = **berk**.

burke [bɜ:k] *v. rzad.* **1.** udusić. **2.** *przen.* stłumić; uciszyć. **3.** *przen.* unikać; uchylać się od.

burl [bɜ:l] *n.* **1.** węzełek (*na wełnie l. suknie*). **2.** *US* sęk. **3.** *U US* fornir, okleina (*zawierająca sęki*). – *v.* **1.** *tk.* skubać (*sukno*). **2.** *tk.* czesać (*wełnę, usuwając węzełki*).

burlap ['bɜ:læp] *n. U US* gruba tkanina workowa; tkanina jutowa.

burlesque [bər'lesk] *n.* **1.** burleska. **2.** *US hist.* rodzaj wodewilu z elementami striptizu (*popularnego na przełomie XIX i XX w.*). – *a. zw. attr.* groteskowy; karykaturalny. – *v.* parodiować.

burley ['bɜ:lɪ] *n. U* gatunek tytoniu (*rosnącego gł. w Kentucky*).

burliness ['bɜ:lɪnəs] *n. U* krzepa; tężyzna.

burly[1] ['bɜ:lɪ] *a.* **-ier, -iest** krzepki; tęgi.

burly[2] *a. US* sękaty.

Burma ['bɜ:mə] *n.* Birma.

Burman ['bɜ:mən] *a.* birmański. – *n.* **1.** Birma-ńczyk/nka. **2.** *U* (język) birmański.

Burmese [bər'mi:z] *a.* birmański. – *n.* **1.** Birma-ńczyk/nka; *pl.* **the** ~ Birmańczycy. **2.** *U* (język) birmański.

burn[1] [bɜ:n] *v.* **burnt** *l.* **burned** **1.** *t. przen.* palić (się); płonąć; ~ **to ashes/the ground** spłonąć doszczętnie; spalić doszczętnie; ~ **one's bridges/boats** spalić za sobą mosty; ~ **the candle at both ends** pracować od świtu do nocy; ~ **the daylight** *arch.* marnować czas; ~ **the midnight oil** pracować do późnej nocy; **be ~ing to do sth** palić się do zrobienia czegoś; **be ~ing with desire/passion/rage** pałać pożądaniem/namiętnością/wściekłością; **sb's face/cheeks is/are ~ing (with shame/embarrassment)** policzki kogoś palą (ze wstydu/z zakłopotania). **2.** rozpalać; rozgrzewać. **3.** oparzyć (się), poparzyć (się); ~ **one's fingers** (*także* **get one's fingers ~ed**) *przen.* poparzyć sobie palce, sparzyć się (*na czymś*). **4.** wypalać (*dziurę, znamię, glinę*); **money ~s a hole in sb's pocket** *przen.* pieniądze się kogoś nie trzymają. **5.** przypalić (*potrawę*); ~ **sth to a crisp/cinder** spalić coś na popiół. **6.** przepalić (się) (*o bezpieczniku*). **7.** spalać (*paliwo*). **8.** prażyć, piec (*o słońcu*); *zw. pass.* spiec się (*na słońcu*). **9.** topić (*metal*). **10.** spalić (*kogoś*); stracić na krześle elektrycznym; ~ **alive/to death** spalić (się) żywcem; ~ **at the stake** spalić na stosie. **11.** *US pot.* pędzić (*zwł. samochodem*); ~ **rubber** ruszać z piskiem opon. **12.** *US sl.* wkurzać (się). **13.** *sl.* oszukiwać, kantować. **14.** ~ **away** wypalić (się); ~ **sth away** doszczętnie coś spalić; ~ **down** spalić się, spłonąć; ~ **down/low** dopalać się; wypalać się powoli; ~ **for sth** bardzo czegoś pragnąć; ~ **off** spalać (*energię, kalorie*); wypalać (*trawę, ściernisko*); ~ **out** wypalić (się); zagasić; przepalić (się); *zw. pass.* spalić (*wnętrze czegoś*); ~ **sb out** wypędzić kogoś ogniem; spalić komuś dom; ~ **o.s. out** *przen.* wypalić się (*z przemęczenia l. wskutek zbyt intensywnego trybu życia*); ~ **up** buchnąć płomieniem, zapłonąć; spalić się; *US pot.* wkurzać (się); ~ **sth up** doszczętnie coś spalić. – *n.* **1.** oparzenie; **first/second/third-degree** ~ oparzenie pierwszego/drugiego/trzeciego stopnia. **2.** wypalanie. **3.** wypalone miejsce *l.* dziura. **4.** rozpalone żelazo; głownia. **5. have a** ~ *sl.* jarać (= *palić papierosa*); **slow** ~ *zwł. US pot.* narastające uczucie wściekłości.

burn[2] *n. zwł. Scot.* rzecz(uł)ka; strumy(cze)k.

burner ['bɜ:nər] *n.* **1.** palnik; **put sth on the back** ~ *przen.* odłożyć coś na później. **2. brick/charcoal/lime-~** osoba wypalająca cegły/drewno/wapno.

burnet ['bɜ:nɪt] *n. bot.* krwiściąg (*Sanguisorba*).

burning[1] ['bɜ:nɪŋ] *a. attr.* **1.** płonący. **2.** palący; ~ **matter/question** sprawa/kwestia gorąco i szeroko dyskutowana; ~ **need/ambition** przemożna potrzeba/ambicja; ~ **shame** palący wstyd; ~ **sensation** uczucie gorąca/pieczenia. **3.** ~ **glass** *opt.* wklęsłe zwierciadło *l.* soczewka. **4.** ~ **scent** *myśl.* ostry zapach.

burning[2] *adv.* ~ **hot** bardzo gorąco.

burnish ['bɜ:nɪʃ] *v.* **1.** polerować (*metal*). **2.** nabierać połysku. – *n.* połysk.

burnished ['bɜ:nɪʃt] *a. attr. zwł. lit.* lśniący.

burnisher ['bɜ:nɪʃər] *n.* polernik.

burnoose [bɜ:'nu:s], *Br.* **burnous** [bɜ:'nu:s] *n.* burnus.

burn-out ['bɜ:nˌaut] *n.* **1.** wypalenie (się); spalenie (się). **2.** wypalone miejsce. **3.** *el.* wygaśnięcie (*lampy*). **4.** *U* przemęczenie, przepracowanie.

burnsides ['bɜ:nˌsaɪdz] *n. pl.* bokobrody z wąsem (*przy wygolonej brodzie*).

burnt [bɜ:nt] *v.* **1.** *zob.* **burn**[1]. **2.** palony; spalony; przypalony; ~ **almonds** migdały smażone w cukrze; ~ **lime** wapno palone; ~ **offering** ofiara całopalna; *Br. żart.* przypalone jedzenie; ~ **sugar** karmel; **the ~ child dreads the fire** kto się na gorącym sparzył, ten na zimne dmucha.

burp [bɜ:p] *v. pot.* **1.** beknąć, czknąć. **2.** ~ **a baby** masować plecki niemowlęcia, żeby mu się odbiło. – *n.* 1. *pot.* beknięcie. 2. ~ **gun** *US* broń automatyczna o krótkiej lufie.

burr[1] [bɜː] *n.* 1. = **bur** 1. 2. szorstka krawędź (*metalu l. papieru*); zadzior. 3. osełka; ~ **chisel** dłuto trójkątne; ~ **drill** wiertło dentystyczne; ~ **saw** mała piła tarczowa. 4. obwódka; poświata (*wokół księżyca l. gwiazdy*). – *v. dent.* borować.

burr[2] *n.* 1. głoska r wymawiana jako języczkowa drżąca (*np. w Northumberland*). 2. warkot; furkot. – *v.* 1. wymawiać języczkowe drżące r. 2. warkotać; furkotać.

burrito [bəˈriːtoʊ] *n. pl.* **-s** *kulin.* meksykański cienki naleśnik z farszem z mięsa, fasoli, sera itp.

burro [ˈbɜːoʊ] *n. pl.* **-s** *zwł. US* osiołek.

burrow [ˈbɜːoʊ] *n.* 1. nora, jama. 2. *techn.* hałda, kopiec. – *v.* 1. wykopać (*jamę, dziurę*). 2. ryć; ~ **one's way** przesuwać *l.* przedzierać się, ryjąc w ziemi. 3. żyć w jamie *l.* norze. 4. ~ **into** *przen.* zakopać *l.* zaszyć się w; wtulić się w; ~ **into/through sth** *przen.* szperać w czymś; przetrząsać coś.

burrower [ˈbɜːoʊər] *n.* 1. *przen.* szperacz. 2. zwierzę ryjące.

burry [ˈbɜːɪ] *a.* **-ier, -iest** 1. szorstki; nierówny. 2. kolczasty; kłujący.

bursa [ˈbɜːsə] *n. pl.* **-ae** *l.* **-as** *anat.* kaletka, torebka.

bursal[1] [ˈbɜːsl] *a. attr. anat.* kaletkowy.

bursal[2] *a. attr. fin.* dotyczący dochodów państwowych, fiskalny.

bursar [ˈbɜːsər] *n.* 1. *uniw.* kwestor. 2. *Scot.* stypendyst-a/ka.

bursarial [bərˈserɪəl] *a.* 1. kwestorski. 2. *Scot.* stypendyjny.

bursarship [ˈbɜːsərˌʃɪp] *n.* kwestura.

bursary [ˈbɜːsərɪ] *n. pl.* **-ies** 1. kwestura. 2. *Scot.* stypendium.

burse [bɜːs] *n.* 1. sakiewka. 2. stypendium (*na szkockich i francuskich uniwersytetach*). 3. = **bursa**. 4. *przest.* = **bourse**.

bursitis [bərˈsaɪtəs] *n. U pat.* zapalenie torebki stawowej.

burst [bɜːst] *v.* **burst, burst** 1. *t. przen.* pękać. 2. *t. przen.* rozerwać; rozsadzić. 3. wyłamać; wyważyć; ~ **open** gwałtownie (się) otworzyć (*o drzwiach*). 4. rozlecieć się. 5. przekłuć (*balon, wrzód*). 6. oberwać się (*o chmurze*). 7. wylać; wystąpić z brzegów. 8. ~ **a blood vessel** spowodować pęknięcie *l.* doznać pęknięcia naczynia krwionośnego; ~ **one's sides with laughter** zrywać boki ze śmiechu; **be ~ing** *Br. pot.* odczuwać gwałtowną potrzebę pójścia do toalety; **be ~ing at the seams** *zwł. Br.* pękać w szwach; **be ~ing with envy** pękać z zazdrości; **be ~ing with joy/health** tryskać radością/zdrowiem; **he was ~ing with pride** duma go rozpierała. 9. ~ **in on sb** przeszkodzić komuś w najbardziej nieodpowiednim momencie; ~ **into** wpaść do; wedrzeć się do, wtargnąć do; ~ **into blossom** rozkwitnąć; ~ **into flames** buchnąć płomieniem; ~ **into laughter/tears** wybuchnąć śmiechem/płaczem; ~ **on/upon sth** odkryć coś; ~ **on/upon sb** stać się dla kogoś jasnym; oświecić kogoś; ~ **out** *t. przen.* wybuchnąć; uciec (*np. z więzienia*); ~ **out laughing/crying** wybuchnąć śmiechem/płaczem; ~ **out of sth** wypaść *l.* wybiec skądś; ~ **through** przedrzeć się przez (*np. obronę nieprzyjaciela*); przedrzeć się (przez chmury) (*o słońcu*); ~ **up** wylecieć w powietrze; zbankrutować. – *n.* 1. pęknięcie. 2. *t. przen.* wybuch; ~ **of applause** burza oklasków; ~ **of energy/enthusiasm** przypływ energii/entuzjazmu; ~ **of laughter** wybuch *l.* salwa śmiechu. 3. salwa. 4. nagle odkrywający się widok. 5. ~ **(of speed)** zryw (*np. na wyścigach*). 6. nieprzerwany galop. 7. pijacki epizod. 8. ~-**up** niepowodzenie (*planu, projektu itp.*); załamanie się.

burthen [ˈbɜːðən] *n. i v. arch.* = **burden**.

burton [ˈbɜːtən] *n. żegl.* talia podręczna, wielokrążek.

bury [ˈberɪ] *v.* **-ied, -ied** 1. pochować, pogrzebać; urządzić pogrzeb (*komuś*); ~ **alive** pogrzebać żywcem. 2. *przen.* pogrzebać (*np. nadzieje*); puścić w niepamięć. 3. zakopać; ~ **the hatchet** *przen.* zakopać topór wojenny. 4. zatopić (*zęby, sztylet*) (*in* w). 5. przykryć; zakryć; ~ **one's face in one's hands** ukryć twarz w dłoniach; ~ **one's hands in one's pockets** schować ręce do kieszeni; ~ **one's head in the sand** chować głowę w piasek; ~ **o.s. in one's work** całkowicie poświęcić *l.* oddać się pracy. 6. **dead and buried** *przen.* nieaktualny, nie mający już znaczenia; ~**ing ground/place** cmentarz, cmentarzysko.

bus [bʌs] *n. pl.* **bus(s)es** 1. autobus; **by** ~ autobusem; **take a/go by** ~ pojechać autobusem. 2. omnibus. 3. *pot.* wóz (*samochód*); motocykl; maszyna (*samolot*). 4. **miss the** ~ *przen.* nie skorzystać z okazji; zrobić klapę. – *v. Br.* **-ss-** 1. jeździć autobusem. 2. przewozić *l.* dowozić autobusem; ~ **children to school** *US* dowozić dzieci do szkoły autobusem (*zw. w celach integracyjnych*). 3. *US* sprzątać ze stołów (*w restauracji*).

bus. *abbr.* = **business**.

bus bar *n. el.* szyna zbiorcza.

bus boy, busboy *n. US* pomocnik kelnera (*sprzątający ze stołów*).

busby [ˈbʌzbɪ] *n. pl.* **-ies** *wojsk., hist.* wysoka czapka futrzana *l.* z piórami (*gwardzisty l. huzara*).

bus girl, busgirl *n. US* pomocnica kelnera (*sprzątająca ze stołów*).

bush[1] [bʊʃ] *n.* 1. krzak; krzaki; zarośla. 2. **the** ~ busz (*zwł. australijski*). 3. *arch.* wiecha (*nad szynkiem*); *przest.* szynk. 4. kita, lisi ogon. 5. bujna czupryna. 6. **beat about/around the** ~ owijać w bawełnę; **good wine needs no** ~ dobry towar sam się chwali. – *v.* obsadzać krzakami.

bush[2] *n. mech.* tuleja; panewka; złączka nakrętno-wkrętna. – *v.* nakładać tuleję na.

bush baby *n. zool.* lemur afrykański (*zwł. Galago senegalensis*).

bush buck *n. zool.* antylopa południowoafrykańska z gatunku świdrorogich (*Tragelaphus sylvaticus*).

bushed [bʊʃt] *a. pred. pot.* zmachany, wykończony; *Austr.* zagubiony, zdezorientowany.

bushel[1] [ˈbʊʃl] *n.* 1. buszel (*jednostka objętości ciał sypkich; = 35,24 l w USA; 36,38 l w Wiel-*

kiej Brytanii); naczynie o pojemności jw. **2.** *przen.* **a ~ of sth** mnóstwo czegoś; **hide one's light under a ~** ukrywać swoje talenty *l.* umiejętności, być przesadnie skromnym.

bushel2 *v. US* przerabiać *l.* naprawiać (*ubranie*).

busheler ['bʊʃlər], **busheller, bushelman** *n. US* osoba przerabiająca ubrania.

bushfighter ['bʊʃˌfaɪtər] *n. Br.* partyzant.

bushfighting ['bʊʃˌfaɪtɪŋ] *n. U* partyzantka.

bushing ['bʊʃɪŋ] *n.* **1.** tuleja. **2.** wciskanie tulei. **3.** *el.* izolator przepustowy.

bush league *n. baseball* podrzędna liga.

bushman ['bʊʃmən] *n. pl.* **-men 1.** *zwł. Austr.* osadnik *l.* podróżnik w buszu australijskim. **2.** *S.Afr.* **B~** Buszmen/ka; *U* język Buszmenów.

bushmaster ['bʊʃˌmæstər] *n. zool.* groźnica niema; surukusu (*jadowity wąż Lachesis mutus*).

bushranger ['bʊʃˌreɪndʒər] *n. Austr.* zbiegły skazaniec (*ukrywający się w buszu*).

bush telegraph *n. Br. i Austr. żart.* poczta pantoflowa.

bushveld ['bʊʃfelt] *n. U S.Afr.* step południowoafrykański; nizina transwalijska.

bushwhack ['bʊʃˌwæk] *v.* **1.** *US* zaatakować znienacka; zaczaić się na. **2.** *US* wycinać przejście (*w gęstwinie*).

bushwhacker ['bʊʃˌwækər] *n.* **1.** *US* partyzant. **2.** *US* osoba mieszkająca na odludziu. **3.** *Austr.* mieszkan-iec/ka buszu *l.* osoba tam pracująca.

bushy ['bʊʃɪ] *a.* **-ier, -iest 1.** krzaczasty. **2.** gęsty. **3.** bujny. **4.** puszysty (*o ogonie*).

busily ['bɪzɪlɪ] *adv.* pracowicie; skrzętnie; gorliwie; energicznie.

business ['bɪznəs] *n.* **1.** sprawa; **go about one's ~** zajmować się codziennymi sprawami; **it's my ~ to...** moja w tym głowa, żeby...; **mind one's own ~** pilnować własnych spraw; robić swoje; **mind your own ~!** pilnuj własnego nosa!; **(it's) none of your ~** (to) nie twoja sprawa/nie twój interes. **2.** *U* interesy; działalność gospodarcza; biznes; **~ as usual** pracujemy *l.* urzędujemy normalnie; **~ is bad/good** interesy idą źle/dobrze, jest mały/duży ruch w interesie; **~ is ~** w interesach nie ma sentymentów; **be in/go into ~** prowadzić/rozpocząć działalność gospodarczą; **do ~ with sb** robić z kimś interesy; **drum up ~** zwiększać obroty handlowe; **go out of ~** wypaść z interesów, zwinąć interes; *zw. neg.* **mix ~ with pleasure** łączyć interesy z przyjemnościami; **on ~** służbowo, w interesach. **3.** firma; **run a ~** prowadzić firmę *l.* interes. **4.** branża; **the advertising/film ~** branża reklamowa/filmowa. **5.** obowiązek; zadanie; zakres działania; **any other ~** wolne głosy *l.* wnioski (*w programie zebrania*); **~ before pleasure** najpierw obowiązek, a potem przyjemność; **get down to ~** zabrać się do roboty; przejść do konkretów; **know one's ~** być kompetentnym w swojej dziedzinie; **make it one's ~ to do sth** podjąć się zrobienia czegoś. **6.** zajęcie; praca zawodowa; powołanie. **7.** *teatr* akcja (*w odróżnieniu od dialogów*); niema gra. **8. be in ~** *pot.* mieć wszystko, co trzeba; **do the ~** *Br. sl.* uprawiać seks; **funny ~** *pot.* machlojki, przekręty; **have no ~ doing sth/to do sth** nie mieć prawa czegoś robić; **mean ~** *pot.* nie żartować; **monkey ~** *pot.* podejrzane zachowanie.

business address *n.* adres firmy.

business card *n.* wizytówka.

business class *n. U lotn.* klasa biznes(owa).

business end *n. pot.* **the ~ of a knife** ostrze noża; **the ~ of a gun** wylot lufy.

business hours *n. pl.* (*także* **hours of business**) godziny urzędowania *l.* pracy.

business letter *n.* list handlowy.

businesslike ['bɪznəsˌlaɪk] *a.* **1.** rzeczowy. **2.** konkretny.

businessman ['bɪznəsˌmæn] *n. pl.* **-men** biznesmen, człowiek interesów; przedsiębiorca; przemysłowiec; handlowiec.

business meeting *n.* zebranie, narada, spotkanie robocze.

business plan *n.* biznesplan.

business studies *n. pl. uniw.* zarządzanie i administracja.

business suit *n. US* garnitur do pracy (*zwł. w biurze*).

business trip *n.* wyjazd służbowy, podróż służbowa; delegacja.

businesswoman ['bɪznəsˌwʊmən] *n. pl.* **-women** bizneswoman, kobieta interesu.

busk1 [bʌsk] *n.* brykla (*stalowe l. fiszbinowe usztywnienie gorsetu*); *dial.* gorset.

busk2 *v. Br.* **1.** muzykować na ulicy (*w celach zarobkowych*). **2.** *jazz* improwizować.

busker ['bʌskər] *n. Br.* uliczny grajek *l.* śpiewak.

buskin ['bʌskɪn] *n. hist.* koturn (*w teatrze greckim*); **~ed** *przen.* tragiczny.

bus lane *n.* pas dla autobusów.

busman ['bʌsmən] *n. pl.* **-men 1.** kierowca autobusu. **2. ~'s holiday** *przen.* wakacje *l.* dzień wolny spędzony na zwykłej pracy.

bus pass *n.* bilet okresowy, sieciówka.

buss [bʌs] *n. US pot.* przyjacielski pocałunek; całus. – *v.* serdecznie ucałować.

busser ['bʌsər] *n. US* pomocnik kelnera (*sprzątający ze stołów*).

bus shelter *n.* wiata (*na przystanku autobusowym*).

bus station *n.* dworzec autobusowy.

bus stop *n.* przystanek autobusowy.

bust1 [bʌst] *n.* **1.** popiersie. **2.** biust; rozmiar biustu, obwód w biuście.

bust2 *n.* **1.** (*także* **burst**) *US pot.* hulanka, popijawa. **2.** *pot.* klapa, niepowodzenie. **3.** *ekon.* załamanie; spadek; depresja. **4.** *zwł. Br.* uderzenie (*pięścią*). **5.** *US sl.* nalot (*policyjny*); aresztowanie. – *v. US* **-ed, -ed** *Br.* **bust, bust 1.** zepsuć; zniszczyć. **2.** rozbić; złamać (*np. kończynę*). **3.** *pot.* uderzyć (się). **4.** *pot.* pęknąć. **5.** zrujnować. **6.** *wojsk. zwł. US* zdegradować. **7.** *sl.* zrobić nalot na; **~ sb (for sth)** przymknąć kogoś (za coś). **8.** *karty* przegrać (*w „oczko"*). **9. ~ a gut** *pot.* wypruwać sobie/z siebie flaki. **10. ~ out** (*także* **burst out**) *US pot.* zwiać (*of sth* skądś); **~ sth up** *US pot.* zdemolować coś; **~ up with sb**

pot. zerwać z kimś. – *a. pred.* **1. go ~** *pot.* zbankrutować. **2.** (*także* **~ed**) *US pot.* rozwalony, zepsuty.

bustard ['bʌstərd] *n. orn.* drop (*Otididae*); **great ~** drop (*Otis tarda*).

buster ['bʌstər] *n. US pot.* **1.** *często w złoż.* pogromca, poskramiacz; **bronco ~** ujeżdżacz dzikich koni; **ghost~** pogromca duchów. **2.** *voc.* (*także* **B~**) *pog.* koleś!.

bustle ['bʌsl] *v.* **1. ~ (around/round)** krzątać się; uwijać się. **2.** popędzać, zapędzać. – *n.* **1.** krzątanina, bieganina; rozgardiasz; **hustle and ~** gwar, tumult. **2.** poruszenie. **3.** *strój hist.* turniura.

bust-up ['bʌstˌʌp] *n. pot.* **1.** niepowodzenie, klapa. **2.** kłótnia, awantura. **3.** rozpad (*małżeństwa, związku uczuciowego*).

busy ['bɪzɪ] *a.* **-ier, -iest 1.** zajęty (*with sth* czymś); **~ doing sth** zajęty robieniem czegoś; **be ~ working** być zajętym pracą, pracować; **keep o.s./sb ~** wynajdować sobie/komuś zajęcia. **2.** *zwł. US tel.* zajęty; **the line is ~** linia zajęta; **~ signal** (*także Br.* **~ tone**) sygnał „zajęte". **3.** ruchliwy (*o ulicy*); tętniący życiem. **4.** energiczny; pełen wigoru; aktywny. **5.** zapracowany; pracowity; **as ~ as a bee** *przest.* pracowity jak pszczółka. **6.** wścibski. **7.** *uj.* przeładowany ozdobami, wzorami *l.* kolorami. – *n. Br. sl.* szpicel (= *detektyw*). – *v.* **~ o.s. with sth** zająć się czymś (*zwł. dla zabicia czasu*); **be busied with sth** być zajętym *l.* zaabsorbowanym czymś.

busybody ['bɪzɪˌbɑːdɪ] *n.* ciekawsk-i/a.

busyness ['bɪzɪnəs] *n. U* **1.** ruchliwość. **2.** krzątanie się.

busywork ['bɪzɪˌwɝːk] *n. U US* bezproduktywne zajęcie.

but[1] [bʌt] *conj.* **1.** ale; lecz; **intelligent ~ lazy** inteligentny, ale leniwy. **2.** (a) mimo to; (a) jednak; **the story is strange ~ true** jest to historia dziwna, a mimo to prawdziwa. **3.** *emf.* ależ; **~ that's wonderful news!** ależ to wspaniała wiadomość!. **4. ~ then (again)** ale z drugiej strony; ale przecież; (a) zresztą. **5. all ~** o mało (co) nie; prawie; **she all ~ fainted** o mało nie zemdlała. **6.** *zw. neg.* **there's no question/doubt ~ that...** nie ma wątpliwości co do tego, że...; **not a day goes by ~ that I think of her** *lit.* nie ma dnia, żebym o niej nie myślał. – *prep.* **1.** z wyjątkiem; oprócz; **all ~ him** wszyscy oprócz niego; **anywhere ~ here** wszędzie, byle nie tu; **it was anything ~ pleasant** nie było to bynajmniej przyjemne; **last ~ one** *zwł. Br.* przedostatni; **nothing ~** nic poza *l.* oprócz; **nothing ~ trouble** same kłopoty. **2.** *zw. neg.* jak tylko, niż; **we had no alternative/choice ~ to fire him** nie mieliśmy innego wyjścia, jak tylko go zwolnić; **I cannot ~ go there** *form.* nie pozostaje mi nic innego, jak tylko tam pójść; **you cannot/could not ~ admire her** *form.* można/można było ją tylko podziwiać. **3. ~ for** gdyby nie; **~ for you/us/her help** gdyby nie ty/my/jej pomoc. – *adv.* zaledwie; tylko; jedynie; **she is ~ ten** ona ma zaledwie dziesięć lat; **there is ~ one answer** jest tylko jedna odpowiedź; **had I ~ known** *form.* gdybym tylko wiedział; **I can ~ try** *form.* mogę jedynie próbować. – *n.* ale; sprzeciw; **no ~s (about it)** *pot.* tylko bez żadnych „ale".

but[2] *n. Br.* = **butt**[5].

butane ['bjuːteɪn] *n. U chem.* butan.

butanol ['bjuːtəˌnoʊl] *n. U chem.* butanol.

butch[1] [bʊtʃ] *a. attr. zwł. US sl.* **1.** męski (*zwł. o stroju lub zachowaniu lesbijki*); **~ woman** kobieta zachowująca się *l.* ubierająca jak mężczyzna. **2.** przesadnie męski (*o mężczyźnie*).

butch[2] *a. US* bardzo krótko obcięty; wystrzyżony.

butch[3] *abbr. pot.* = **butcher.**

butcher ['bʊtʃər] *n.* **1.** rzeźnik; **the ~'s** rzeźnik, sklep mięsny. **2.** *przen.* rzeźnik; oprawca. **3.** *US pot.* sprzedaw-ca/czyni gazet, słodyczy itp. w pociągu. **4.** *pot.* partacz, fuszer. **5.** *dzienn. US* zecer. – *v.* **1.** oprawiać (*zwierzęta*). **2.** *pot.* zarżnąć; zamordować. **3.** *pot.* spartaczyć, sfuszerować. **4.** *przen. pot.* przekręcać (*tekst przez złe czytanie*). **5.** *pot.* zjechać (= *skrytykować*).

butcherbird ['bʊtʃərˌbɝːd], **butcher-bird** *n. orn.* dzierzba (*Laniadae*).

butcherbroom ['bʊtʃərˌbruːm], **butcher's-broom** *n. bot.* myszopłoch (*Ruscus aculeatus*).

butcherly ['bʊtʃərlɪ] *a. t. przen.* rzeźnicki.

butchery ['bʊtʃərɪ] *n.* **1.** *pl.* **-ies** *zwł. Br.* rzeźnia; ubojnia (*np. na statku*). **2.** *U* rzeźnictwo. **3.** *U przen.* rzeź; jatka.

buteo ['bjʊtɪˌoʊ] *n. zob.* **buzzard** 1.

butler ['bʌtlər] *n.* **1.** kamerdyner; majordom; ochmistrz. **2.** *hist.* cześnik. **3. ~'s pantry** (*także* **butlery**) kredens (*pomieszczenie*).

butt[1] [bʌt] *n.* **1.** grubszy koniec; zakończenie; nasada (*narzędzia, pnia*); kolba (*broni*); ogonek (*liścia*); **give a fish the ~** odwracać ku rybie grubszy koniec wędki (*żeby się nie zerwała*). **2.** resztka; (*także* **~ end**) niedopałek. **3.** *sl.* ćmik (= *papieros*). **4.** *US pot.* tyłek; **get off one's ~** ruszyć tyłek *l.* tyłkiem; **get one's ~ out (of sth)** zabierać tyłek (skądś); **kick/whip sb's ~** dać komuś wycisk. **5.** skóra przycięta prostokątnie na grzbiecie i na bokach; krupon (*skóra używana na podeszwy*).

butt[2] *n.* **1.** *zw. sing. t. przen.* obiekt (*drwin itp.*); ofiara; **be the ~ of jokes** być obiektem żartów. **2.** kopiec (*za tarczą strzelniczą*). **3.** tarcza strzelnicza. **4.** strzelnica.

butt[3] *v.* **1.** bóść. **2.** celować. **3.** sterczeć. **4. ~ against/on** opierać (się) o/na; stykać (się) z; przylegać do. **5. ~ in** *US* wtrącać się; **~ in on sb** przerywać komuś; **~ out!** *US pot.* odwal się!. – *n.* **1.** ubodzenie; pchnięcie. **2.** styk; zetknięcie.

butt[4] *n.* beczka (*zwł. na wino l. piwo*); pojemność beczki (= *108-140 galonów*).

butt[5] *n.* (*także* **but**) *icht.* ryba z gatunku płastug (*zwł. halibut l. flądra*).

butte [bjuːt] *n. geol. US* ostaniec o płaskim wierzchołku; małe, strome wzgórze.

butter ['bʌtər] *n. U* **1.** masło. **2.** *przen. pot.* obłudne pochlebstwa. **3. look as if ~ wouldn't melt in one's mouth** *zob.* **mouth** *n.* – *v.* **1.** smarować masłem. **2.** *bud.* rozprowadzać (*zaprawę murarską*). **3.** *przen.* **~ both sides of one's bread** być rozrzutnym; żyć w luksusie; **fine words ~ no**

parsnips *przest.* dobre chęci nie wystarczą. **4.** ~ **sb up** (*także* ~ **up to sb**) *pot.* podlizywać się komuś.

butter-and-eggs [ˌbʌtərən'egz] *n.* **1.** *bot.* narcyz (*Narcissus*). **2.** *bot.* lnica pospolita (*Linaria vulgaris*).

butterball ['bʌtərˌbɔ:l] *n. US pot.* grubasek; pucołowate dziecko.

butterbean ['bʌtərˌbi:n] *n.* **1.** *bot.* fasola zwykła (*Phaseolus vulgaris*). **2.** *bot.* fasolka szparagowa woskowa.

butter-boat ['bʌtərˌbout] *n.* sosjerka.

butterbump ['bʌtərˌbʌmp], **butter-bump** *n. orn. Br.* bąk (*Botaurus stellaris*).

butterbur ['bʌtərˌbɝ:], **butterburr** *n. bot.* lepiężnik (*Petasites*).

butter cream *n. U* (*także* **butter icing**) *kulin.* polewa (*do ciast*).

buttercup ['bʌtərˌkʌp] *n. bot.* jaskier bulwkowy (*Ranunculus bulbosus*); jaskier ostry (*Ranunculus acer*); jaskier rozłogowy (*Ranunculus repens*). – *a. attr.* żółtozłoty (*o kwiecie*).

butter dish *n.* maselniczka.

buttered ['bʌtərd] *a. przen.* **have one's bread ~ for life** być dobrze zabezpieczonym na przyszłość; **know which/what side one's bread is ~ (on)** wiedzieć, gdzie stoją konfitury (= *umieć pilnować swojego interesu*).

butterfingered [ˌbʌtər'fɪŋgərd] *a. pot.* niezdarny; niezgrabny.

butterfingers ['bʌtərˌfɪŋgərz] *n. sing. pot.* niezdara, niezgrabiasz.

butterfly ['bʌtərˌflaɪ] *n. pl.* **-ies 1.** *zool.* motyl (*Lepidoptera*). **2.** *przen.* próżniak; lekkoduch. **3. break a ~ on a wheel** *Br. przen.* strzelać z armaty do muchy; **have/get butterflies (in one's stomach)** *pot.* denerwować się, mieć tremę. – *a. attr.* motyli; motylkowy.

butterfly nut *n. mech.* nakrętka skrzydełkowa *l.* motylkowa.

butterfly screw *n. mech.* śruba skrzydełkowa.

butterfly stroke *n. pływanie* styl motylkowy.

butterfly table *n.* stolik składany.

butterfly tie *n. strój* muszka.

butterfly valve *n. mech.* zawór skrzydełkowy *l.* motylkowy; przepustnica.

butterfly weed *n. bot.* trojeść (*Asclepias*).

butterine ['bʌtəri:n] *n. U* sztuczne masło.

butter knife *n.* szeroki nóż do rozsmarowywania masła.

buttermilk ['bʌtərˌmɪlk] *n. U* maślanka.

buttermuslin ['bʌtərˌmʌzlɪn] *n. U* (*także* **butter cloth**) *Br.* rodzaj gazy (*służącej dawniej do zawijania masła*).

butternut ['bʌtərˌnʌt], **butter knife-nut** *n. bot.* orzech olejny (*Juglans cirenea*). – *a. attr.* brązowoszary.

butter of antimony *n. U chem.* trójchlorek antymonu.

butter of arsenic *n. chem.* trójchlorek arsenu.

butterscotch ['bʌtərˌskɑ:tʃ] *n. U kulin.* kajmak.

butterwort ['bʌtərˌwɝ:t] *n. bot.* tłustosz pospolity (*Pinguicula vulgaris*).

buttery ['bʌtərɪ] *a.* **1.** maślany. **2.** posmarowany masłem. **3.** *przen.* miękki. **4.** *przen.* schlebiający. – *n. pl.* **-ies 1.** spiżarnia. **2.** *uniw. Br.* miejsce wydawania posiłków.

buttery-hatch ['bʌtərɪˌhætʃ] *n. Br.* okienko (*do wydawania posiłków*).

butt hinge *n.* zawias podłużny.

butthole ['bʌtˌhoul] *n. US sl. wulg.* **1.** odbyt. **2.** *obelż. pog.* dupek; dupa (*o kimś*).

butt joint *n.* złącze stykowe.

buttock ['bʌtək] *n.* **1.** *zw. pl.* pośladek. **2.** *zw. pl. żegl.* nawis rufowy; kosz rufowy.

button ['bʌtən] *n.* **1.** guzik; **do up/undo a ~** zapiąć/rozpiąć guzik. **2.** przycisk. **3.** gałka (*t. floretu*). **4.** *US* znaczek (*do przypinania*). **5.** *bot.* pączek. **6.** młody owocnik kapeluszowy (*grzyba*). **7.** *pat.* zmiana skórna w kształcie guzika. **8. at the push of a ~** *przen.* bez żadnego wysiłku; **bright as a ~** *gł. Br.* bystry; pełen życia (*zwł. o dziecku*); **dash my ~s!** *Br. pot.* do licha!; **sb is a ~ short** *pot.* komuś brak jednej klepki; **not have (got) all ~s on** *pot.* mieć nie po kolei w głowie; **on the ~** *gł. US pot.* w samą porę; **(right) on the ~** *gł. US pot.* celny, trafny (*o uwadze itp.*); **push (all) sb's ~s** *US pot.* działać komuś na nerwy; **take sb by the ~** zatrzymać kogoś rozmową (*zwł. gdy nie ma na to ochoty*). – *v.* **1.** zaopatrywać w guzik(i); przyszywać guzik(i) do. **2. ~ it!** *Br. pot.* zamknij się!; **~ sb's mouth** zamknąć komuś usta; uciszyć kogoś. **3. ~ up** zapinać (się) na guzik(i); *zw. pass. przen.* zapiąć na ostatni guzik; (*także* **~ (up) one's lip**) milczeć, nie puszczać pary z ust.

buttonboot ['bʌtənˌbu:t] *n. Br.* but zapinany na guziki.

button-down [ˌbʌtən'daun] *a. attr.* **1.** przypinany; **~ collar** kołnierzyk, którego rogi przypięte są do koszuli. **2.** (*także* **buttoned down**) *US* konwencjonalny; konserwatywny.

buttonhole ['bʌtənˌhoul], **button-hole** *n.* **1.** dziurka (*na guzik*). **2.** *Br.* kwiat lub bukiecik w butonierce. **3. = boutonniere. 4.** *chir.* mały otwór (*zw. w ścianie przewodu*). **5. take sb down a ~** *Br.* poniżyć kogoś. – *v.* **1.** robić dziurki. **2.** obszywać owerlokiem. **3.** (*także* **button-hold**) zatrzymywać rozmową (*niechętnego słuchacza*); nudzić.

buttonholer ['bʌtənˌhoulər] *n.* **1.** osoba robiąca dziurki na guziki. **2.** urządzenie do robienia dziurek na guziki (*przy maszynie do szycia*). **3.** *Br.* kwiatek do butonierki. **4.** *przen. pot.* natrętny gaduła; nudziarz.

buttonhole stitch *n.* okrętka; owerlok (*ścieg*).

buttonhook ['bʌtənˌhuk] *n.* haczyk do guzików.

button spider *n. ent.* czarna wdowa.

button-through [ˌbʌtən'θru:] *a. attr. Br.* zapinany na guziki.

butt plate *n.* nakładka stykowa.

buttress ['bʌtrəs] *n.* **1.** *bud.* przypora; wspornik. **2.** *t. przen.* podpora. **3.** skarpa. – *v. t. przen.* **1.** podpierać. **2.** podtrzymywać. **3.** umacniać. **4.** popierać.

butt weld *n.* spoina stykowa.

butty[1] ['bʌtɪ] *n. Br. dial.* **1.** *przest. pot.* kumpel. **2.** pośrednik pomiędzy właścicielem kopalni a górnikami. **3.** ~ **gang** grupa pracująca wspólnie i dzieląca równo zyski.

butty[2] *n. Br. dial. pot.* kanapka.

butyl ['bju:tl] *n. chem.* butyl; ~ **alcohol** alkohol butylowy.

butylene ['bju:tə,li:n] *n. chem.* butylen. – *a. attr.* butylenowy.

butyrate ['bju:tə,reɪt] *n. chem.* maślan.

butyric [bju:'ti:rɪk] *a. chem.* masłowy; ~ **acid** kwas masłowy; ~ **aldehyde** aldehyd masłowy.

butyrometer [bju:'tɑ:mətər] *n.* butyrometr; tłuszczomierz (*do mleka*).

butyryl ['bju:tərɪl] *n. chem.* butyryl.

buxom ['bʌksəm] *a.* dorodny; obfitych kształtów (*o kobiecie l. dziewczynie*).

buxomness ['bʌksəmnəs] *n. U* obfite kształty.

buy [baɪ] *v.* **bought, bought 1.** *t. przen.* kupować; ~ **sb sth** kupić coś komuś; ~ **sth for/from sb** kupić coś dla/od kogoś; ~ **sth for ($50 etc)** kupić coś za (50 dolarów itp.); ~ **sth at a low price** kupić coś za niską cenę; ~ **sb a drink** postawić komuś drinka. **2.** mieć siłę nabywczą (*o pieniądzu*). **3.** *przen.* uzyskać, zdobyć. **4.** *US pot.* wierzyć; **I don't ~ it** nie wierzę; **I'll ~ that** dobra myśl. **5.** *Br. pot.* poddawać się; dawać za wygraną; **I'll ~ it** poddaję się (= *nie wiem*). **6.** ~ **a pig in a poke** (*także Scot.* ~ **a cat in a poke**) kupować kota w worku; ~ **the farm** *US pot.* umrzeć; ~ **it** *pot.* zginąć, zostać zabitym (*zwł. na wojnie l. w wypadku*); ~ **sb's silence** kupić czyjeś milczenie; ~ **sth for a song** kupić coś za grosze; ~ **sth sight unseen** *zwł. US* kupić coś w ciemno; ~ **time** zyskać na czasie. **7.** ~ **back** odkupić (z powrotem); ~ **in** *Br.* zakupić (*w dużych ilościach*); zrobić zapasy (*gł. żywności*); *zw. pass.* kupić na rzecz sprzedającego (*np. na aukcji*); *pot.* wkupić się; ~ **into** zdobywać udziały w; inwestować w (*np. akcje*); *pot.* uwierzyć w; ~ **sb off** (*także* ~ **sb over**) spłacić kogoś; przekupić kogoś; zapłacić komuś (*np. za milczenie*); ~ **sth off sb** *pot.* kupić coś od kogoś; ~ **out** wykupić; ~ **sb out** wykupić czyjeś udziały; ~ **sb out (of sth)** wykupić kogoś (skądś) (*zwł. z wojska*); ~ **up** wykupić (*zapasy, firmę itp.*). – *n.* zakup; **good** ~ dobry *l.* udany zakup, okazja; **bad** ~ zły *l.* nieudany zakup.

buyable ['baɪəbl] *a.* na sprzedaż; do nabycia.

buy-back ['baɪ,bæk] *n. handl.* ponowny zakup; odkupienie (*np. udziałów*).

buyer ['baɪər] *n.* **1.** nabyw-ca/czyni; kupując-y/a. **2.** kierowni-k/czka działu zakupów; osoba prowadząca zakupy (*dla firmy itp.*). **3.** *sing.* **~'s market** rynek pełen tanich towarów.

buy-out ['baɪ,aut] *n. handl.* wykup (*np. przedsiębiorstwa*).

buzz[1] [bʌz] *v.* **1.** bzyczeć; brzęczeć; buczeć. **2.** szumieć; czynić gwar. **3.** plotkować. **4.** *gł. US pot.* przekręcić do (= *zatelefonować*). **5.** ~ **(for)** przywoływać (*np. telefonem wewnętrznym*). **6.** *pot.* przelatywać lotem koszącym nad. **7. my ears/head are/is ~ing** szumi mi w uszach/głowie; **my head/mind is ~ing (with sth)** mam mętlik w głowie (od czegoś). **8.** ~ **around/round/about** kręcić się po; ganiać po; ~ **around town** kursować po mieście; ~ **in** wpaść, wlecieć (*np. do pokoju*); ~ **off!** *pot.* spływaj!. – *n.* **1.** bzyczenie; brzęczenie; buczenie. **2.** szum; gwar. **3. give sb a** ~ *pot.* przekręcić do kogoś. **4.** *sing. pot.* frajda; dreszczyk (*emocji*); **get a ~ from sth** ekscytować się czymś; **give sb a** ~ sprawiać komuś frajdę. **5.** *pot.* plotka; **the ~ is (that)...** plotka głosi, że...

buzz[2] *n. Br. zool.* guniak czerwczyk (*Rhizotrogus solstitialis*); sztuczna mucha (*używana przez wędkarzy jako przynęta*).

buzz[3] *n.* rausz. – *v. Br.* opróżnić do dna (*butelkę*).

buzzard ['bʌzərd] *n.* **1.** *orn.* (*także* **buteo**) myszołów (*Buteo vulgaris*); **bald** ~ rybołów (*Pandion haliaëtus*); **honey** ~ pszczołojad (*Pernis apivorus*); **moor** ~ błotniak stawowy (*Circus aeruginosus*). **2.** *US t. przen.* sęp. **3.** *gł. Br. przen.* głupiec; tępak. – *a. attr. Br. przen.* bezsensowny; głupi.

buzz bomb *n. pot.* bomba latająca (*wydająca charakterystyczny dźwięk*).

buzzer ['bʌzər] *n.* **1.** brzęczyk. **2.** dzwonek (*u drzwi*). **3.** gwizdek (*parowy*). **4.** *wojsk. sl.* sygnalizator.

buzz saw *n. US* piła tarczowa; tarczówka.

buzzword ['bʌz,wɝ:d] *n.* modne słowo; modny zwrot.

b/w, B/W *abbr.* = **black and white.**

by [baɪ] *prep.* **1.** przy, obok; koło (*t. w nazwach miejscowości*); ~ **the door** przy drzwiach; **I go ~ the bank every day** codziennie przechodzę koło banku; **a cottage ~ the lake** domek nad jeziorem. **2.** *zw. po pass.* przez (*wprowadza wykonawcę czynności l. przyczynę zdarzenia*); **attacked ~ a dog** zaatakowany przez psa; **destroyed ~ bombing** zniszczony przez bombardowanie; **composed/written/painted ~ sb** skomponowany/napisany/namalowany przez kogoś; **a painting ~ Warhol** obraz Warhola. **3.** przez (= *via l. w kierunku*); **go ~ way of Houston** jechać przez Houston; **travel ~ Vienna** jechać przez Wiedeń. **4.** *t. mat.* przez; **multiply/divide** ~ mnożyć/dzielić przez; **what do you mean/understand ~ that?** co przez to rozumiesz?. **5.** stanowi część okolicznika sposobu (*tłumaczonego często przez narzędnik*); ~ **accident** przypadkiem, niechcący; ~ **airmail** pocztą lotniczą; **(all) ~ o.s.** samodzielnie, (całkiem) sam; ~ **bus/car/plane** autobusem/samochodem/samolotem; ~ **candlelight/moonlight** przy świecach/świetle księżyca; ~ **chance** przypadkiem; ~ **default** standardowo; ~ **degrees** stopniowo; ~ **force** siłą; ~ **heart** na pamięć; ~ **mistake** przez pomyłkę; ~ **phone** telefonicznie; **(achieve sth) ~ working hard** (osiągnąć coś) ciężko pracując *l.* ciężką pracą; **bit ~ bit** po kawałku, stopniowo; **come in ~ the back door** wejść tylnymi drzwiami; **day ~ day** dzień po dniu; **little ~ little** po trochu; powoli; **take sb ~ the hand** wziąć kogoś za rękę. **6.** do (*jakiegoś czasu, terminu*); ~ **now** do teraz; ~ **tomorrow/Tuesday** do jutra/wtorku. **7.** w ciągu; za; ~ **night/day** nocą/za dnia. **8.** na (*t. sztuki, setki, godziny*); **5 ft ~ 3 ft** 5 stóp na 3; ~ **God** na Boga; **sell/buy ~ measure/the yard** sprzedawać/kupować na miarę/jardy; **work ~ the hour** pracować na godziny. **9.** zgodnie z; według; **play**

~ **the rules** grać zgodnie z zasadami; ~ **sb's standards** według czyichś standardów *l.* norm; ~ **the book** regulaminowo, zgodnie z przepisami; ~ **the terms of the agreement** zgodnie z postanowieniami *l.* warunkami umowy. **10.** z; ze; ~ **birth/blood** z urodzenia; ~ **name** z nazwiska; **cautious** ~ **nature** ostrożny z natury; **have children** ~ **sb** mieć dzieci z kimś; **judge** ~ **appearances** sądzić z pozorów; **know sb** ~ **sight** znać kogoś z widzenia. **11.** o; **(cut/reduce sth)** ~ **half** (zmniejszyć/zredukować coś) o połowę; **(better)** ~ **far** o wiele (lepszy); **(miss)** ~ **an inch** (chybić) o cal. **12.** ~ **all means** wszelkimi sposobami; jak najbardziej!, ależ oczywiście! (*w odpowiedzi*); **begin** ~ zacząć od; **end** ~ skończyć na; ~ **means of sth** za pomocą czegoś; ~ **no means** w żadnym wypadku; ~ **the way** po drodze; *przen.* nawiasem mówiąc, à propos. – *adv.* **1.** obok; **go/pass** ~ przechodzić obok; upływać, mijać (*o czasie*); **march** ~ przemaszerować obok; **stop** ~ zatrzymać się obok *l.* w pobliżu. **2. call/stop** ~ wstąpić, zajrzeć. **3. put/keep/lay** ~ odkładać. **4.** ~ **and** ~ *gł. lit.* wkrótce; niebawem; ~ **and large** na ogół; ogólnie rzecz biorąc; ~ **the** ~ nawiasem mówiąc. – *a. attr.* **1.** (*także* **bye**) podrzędny; wtórny. **2.** boczny. **3.** potajemny; wtajemniczony. – *n.* = **bye**.

by-altar [ˈbaɪˌɔːltər] *n. kość.* ołtarz boczny.

by-and-by [ˌbaɪənˈbaɪ] *n.* **1.** przyszłość. **2.** zwłoka. **3.** życie pozagrobowe.

by-bidder [ˈbaɪˌbɪdər], **bybidder** *n.* osoba podbijająca ceny na licytacji.

by-bidding [ˈbaɪˌbɪdɪŋ] *n. U* podbijanie cen na licytacji.

byblow [ˈbaɪˌbloʊ] *n.* **1.** *t. lit. l. przen.* uderzenie *l.* cios w bok. **2.** bękart.

bye [baɪ] *a.* = **by**. – *n.* **1.** coś podrzędnego *l.* mniej ważnego. **2. by the** ~ (*także* **by the by**) nawiasem mówiąc (*zwł. w dygresji*). **3.** *sport* sytuacja, w której gracz *l.* drużyna pozbawione są przeciwnika (*przechodząc automatycznie do dalszych rozgrywek*). **4.** *golf* dołek *l.* dołki pozostałe po rozegraniu partii. **5.** *krykiet* punkt za przejście piłki obok batsmana i bramkarza; **leg** ~ punkt za dotknięcie batsmana przez piłkę.

bye-bye[1] [baɪˈbaɪ] *int. pot.* do widzenia; *dziec.* pa, pa!.

bye-bye[2] [ˈbaɪbaɪ] *n. dziec.* luli-luli; spanko.

bye-law [ˈbaɪˌlɔː] *n.* = **by-law**.

by-election [ˈbaɪɪˌlekʃən] *n. Br.* wybory uzupełniające.

Byelorussia [bɪˌeloʊˈrʌʃə], **Belarus** *n.* Białoruś.

Byelorussian [bɪˌeloʊˈrʌʃən] *a.* białoruski. – *n.* **1.** Białorusin/ka. **2.** *U* (język) białoruski.

by-end [ˈbaɪˌend] *n.* cel uboczny.

by-form [ˈbaɪˌfɔːrm] *n. gram.* forma oboczna; oboczność.

bygone [ˈbaɪˌgɔːn] *a. attr.* **1.** miniony; ~ **age/era** miniony wiek/epoka. **2.** przestarzały. – *n. zw. pl.* przeszłość; to, co minęło; **let ~s be ~s** puścić coś w niepamięć.

by-lane [ˈbaɪˌleɪn] *n.* boczna droga; *górn.* boczny chodnik.

by-law [ˈbaɪˌlɔː] *n.* lokalny przepis *l.* zarządzenie.

by-line [ˈbaɪˌlaɪn] *n. dzienn.* linijka z nazwiskiem autora.

by-name [ˈbaɪˌneɪm], **byname** *n.* **1.** przydomek. **2.** przezwisko.

BYO [ˌbiːwaɪˈoʊ], **BYOB** [ˌbiːwaɪoʊˈbiː] *abbr.* **bring your own (bottle)** przynieś własny (alkohol) (*napis w restauracji nie mającej licencji na sprzedaż alkoholu l. na zaproszeniu na składkową imprezę*).

bypass [ˈbaɪˌpɑːs], **by-pass** *n.* **1.** obwodnica. **2.** objazd. **3.** *med.* pomost, bypass; ~ **surgery** pomostowanie, wstawianie bypassów. **4.** odnoga (*rury, przewodu elektrycznego*). **5.** płomyk gazowy (*do zapalania głównego palnika*); iskrownik. – *v.* **1.** objeżdżać; omijać. **2.** pomijać. **3.** zbudować drogę objazdową wokół.

bypast [ˈbaɪˌpɑːst] *a. attr. poet.* miniony; przeszły; ubiegły.

by-path [ˈbaɪˌpæθ], **bypath** *n. t. przen.* boczna ścieżka *l.* dróżka.

by-play [ˈbaɪˌpleɪ] *n. U teatr* akcja drugoplanowa.

by-plot [ˈbaɪˌplɑːt] *n. teatr* wątek drugoplanowy *l.* poboczny.

by-product [ˈbaɪˌprɑːdəkt] *n.* produkt uboczny.

byre [baɪr] *n. Br. przest.* obora.

byrnie [ˈbɜːnɪ] *n. broń hist.* kolczuga.

by-road [ˈbaɪˌroʊd] *n.* boczna droga.

bysma [ˈbɪzmə] *n. med.* tampon, gazik.

byssinosis [ˌbɪsɪˈnoʊsɪs] *n. U pat.* bawełniana pylica płuc.

byssus [ˈbɪsəs] *n. pl.* **byssuses** *l.* **byssi** **1.** *hist.* bisior (*delikatne płótno używane np. do owijania mumii w staroż. Egipcie*). **2.** *zool.* włókna jedwabiste (*z wydzieliny małżów*). **3.** *med.* opaska płócienna, szarpie.

bystander [ˈbaɪˌstændər] *n.* świadek (*np. wypadku*); widz.

by-street [ˈbaɪˌstriːt] *n.* boczna ulica *l.* uliczka.

by-talk [ˈbaɪˌtɔːk] *n.* **1.** dygresja; rozmowa bez związku ze sprawą. **2.** pogawędka.

byte [baɪt] *n. komp.* bajt.

byway [ˈbaɪˌweɪ] *n.* **1.** boczna droga. **2.** *przen.* mniej znana dziedzina (*np. zainteresowań*).

byword [ˈbaɪˌwɜːd] *n.* **1.** przysłowie; utarte powiedzenie. **2.** przydomek. **3.** obiekt drwiny *l.* szyderstwa. **4. be a** ~ **for sth** być symbolem *l.* uosobieniem czegoś (*zw. negatywnego*).

by-work [ˈbaɪˌwɜːk] *n. U* praca uboczna.

Byzantine [ˈbɪzənˌtiːn] *a.* bizantyjski. – *n.* Bizantyj-czyk/ka.

Byzantium [bɪˈzænʃɪəm] *n.* Bizancjum.

C

C [si:], **c** *n. pl.* **-'s** *l.* **-s** [si:z] C, c (*litera l. głoska*).

C[1] [si:] *n. pl.* **-'s** *l.* **-s** *szkoln.* dostateczny, ocena dostateczna; **a ~ in sth** ocena dostateczna z czegoś.

C[2] *n. muz.* C, c (*dźwięk l. stopień skali*); **C sharp** cis.

C[3] *abbr.* **1.** C, °C. **2.** *jęz.* = **consonant**. **3.** *komp.* język C. **4.** (*także* **C-note**) *US sl.* stówa (= *banknot studolarowy*).

c *abbr.* **1.** ok., ca (*circa*). **2.** = **calorie**. **3.** *fiz.* = **candle(s)**. **4.** *fiz., chem.* = **curie(s)**.

C. *abbr.* **1.** = **calorie**. **2.** *uniw.* = **college**. **3.** *US polit.* = **Congress**. **4.** *polit.* = **Conservative**. **5.** *geogr.* = **Cape**. **6.** *rel.* = **Catholic**. **7.** = **Celsius**.

c. *abbr.* **1.** = **calorie**. **2.** = **carat**. **3.** **centigrade** stopni(e) w skali Celsjusza. **4.** cm. **5.** ok., ca (*circa*). **6.** rozdz. (*rozdział*). **7.** = **copyright**. **8.** = **cubic**. **9.** = **cent(s)**.

CA [ˌsi: ˈeɪ] *abbr.* = **California**.

C.A. [ˌsi: ˈeɪ] *abbr.* **1.** *geogr.* = **Central America**. **2.** *księgowość* = **chartered accountant**; = **chief accountant**. **3.** **current assets** *fin.* majątek obrotowy.

ca, ca. *abbr.* **1.** ok., ca (*circa*). **2.** = **cathode**. **3.** **centiare** metr kwadratowy.

cab[1] [kæb] *n.* **1.** taksówka. **2.** *hist.* dorożka. **3.** kabina (*kierowcy, operatora*); budka maszynisty. **4.** *lotn.* sala kontrolerów (*na wieży kontroli lotów*). – *v.* **-bb-** **1.** jechać taksówką. **2.** *hist.* jechać dorożką.

cab[2] *n. U zwł. Br.* ścinki materiału używane jako surowiec wtórny.

cabal [kəˈbæl] *n. form.* **1.** grupa spiskowców. **2.** spisek; intryga. **3.** klika, koteria (*zwł. w kręgach artystycznych*). – *v.* **-ll-** **1.** utworzyć klikę. **2.** spiskować.

cabala [kəˈbɑ:lə] *n.* = **cabbala**.

cabalist[1] [kəˈbɑ:lɪst] *n. form.* spiskowiec.

cabalist[2] *n.* = **cabbalist**.

caballero [ˌkæbəˈleroʊ] *n. pl.* **-s** *płd.-zach. US* **1.** jeździec. **2.** towarzysz damy; wielbiciel.

cabana [kəˈbænə], **cabaña** *US n. pl.* **-s** **1.** przebieralnia (*przy basenie l. na plaży*). **2.** domek, chata.

cabaret [ˈkæbəreɪ] *n.* **1.** kabaret (*lokal*); *C/U* kabaret (*forma teatralno-rozrywkowa*). **2.** stolik *l.* taca z ozdobnym serwisem do kawy *l.* herbaty. – *v.* chodzić do kabaretu.

cabbage[1] [ˈkæbɪdʒ] *n.* **1.** *C/U bot.* kapusta głowiasta (*Brassica oleracea capitata*). **2.** *C sl.* kapucha (= *pieniądze, zwł. banknoty*). **3.** *zwł. Br. pot.* warzywo (*osoba niezdolna do samodzielnego funkcjonowania, zw. wskutek urazu mózgu; t. przen.* = *osoba skrajnie bierna l. leniwa*).

cabbage[2] *n. U zwł. Br.* ścinki materiału, zwyczajowo zatrzymywane przez krawca; = **cab**[2].

cabbage butterfly *n.* (*także* **cabbage white**) *ent.* bielinek (*rodzina Pieridae*).

cabbage head *n.* **1.** główka kapusty. **2.** *przen. pot.* kapuściana głowa.

cabbage rose *n. bot.* róża stulistna *l.* cukrowa, centyfolia (*Rosa centifolia*).

cabbala [kəˈbɑ:lə], **cabala, kabbala, kabala** *n. U sing.* **1.** *judaizm* kabała. **2.** wiara okultystyczna *l.* tajemna.

cabbalism [ˈkæbəˌlɪzəm] *n. U* **1.** kabalistyka. **2.** mistycyzm; okultyzm. **3.** tradycjonalizm teologiczny. **4.** *uj.* obskurantyzm.

cabbalist [ˈkæbəlɪst] *n.* **1.** *judaizm* kabalista. **2.** kabalista, kabalarka.

cabbalistic [ˌkæbəˈlɪstɪk], **cabbalistical** [ˌkæbəˈlɪstɪkl] *a.* **1.** *judaizm* kabalistyczny. **2.** mistyczny; okultystyczny.

cabby [ˈkæbɪ], **cabbie** *pl.* **-ies** *n. pot.* = **cabdriver**.

cabdriver [ˈkæbˌdraɪvər] *n.* **1.** taksówkarz. **2.** *hist.* dorożkarz, fiakier.

caber [ˈkeɪbər] *n. Scot.* pień *l.* kłoda miotana na odległość; **tossing the ~** miotanie kłody na odległość (*sport siłowy*).

cabin [ˈkæbɪn] *n.* **1.** chata, domek. **2.** *lotn.* kabina; przedział frachtu; **passenger ~** kabina pasażerska; **crew ~** kabina załogi. **3.** *żegl.* kabina pasażerska; kajuta oficerska. – *v.* **1.** mieszkać w chacie *l.* domku. **2.** stłoczyć, zamknąć (*na małej przestrzeni*).

cabin attendant *n.* steward/essa (*w samolocie*); steward (*na statku*).

cabin boy *n. hist.* służący obsługujący oficerów *l.* pasażerów statku.

cabin class *n. U* druga klasa (*na statku*). – *adv.* drugą klasą (*podróżować*).

cabin cruiser *n.* motorowy jacht turystyczny.

cabinet [ˈkæbənət] *n.* **1.** gablotka; gablota. **2.** szafka (*na drobne przedmioty l. na telewizor, magnetofon itp.*); **bathroom/kitchen ~** szafka łazienkowa/kuchenna; **filing ~** *Br.* szafka na akta (*mebel biurowy*). **3.** *zw.* **the Cabinet** *polit.* gabinet, rząd; prezydium rządu; **in ~** na posiedzeniu rządu; **shadow ~** gabinet cieni. **4.** *arch.* mały pokój prywatny. **5.** kasetka, szkatułka. – *a. attr.*

1. gabinetowy, rządowy. **2.** nadający się do gablotki *l.* na półkę w gabinecie.

cabinetmaker ['kæbənət,meıkər] *n.* stolarz meblowy.

cabinet minister *n.* minister w rządzie.

cabinet photograph *n. Br.* fotografia formatu 10 x 15 cm.

cabinet projection *n. U kreślarstwo* rzutowanie równoległe.

cabinet reshuffle *n. Br.* rekonstrukcja rządu, przetasowanie w rządzie.

cabinetwork ['kæbənət,wɜ:k] *n.* **1.** *U* produkcja eleganckich mebli. **2.** elegancki mebel.

cabin fever *n. U US* rozdrażnienie z powodu długotrwałego przebywania w zamkniętym pomieszczeniu.

cable ['keıbl] *n.* **1.** lina (*zwł. stalowa*). **2.** *el.* kabel, przewód; **lay ~s** kłaść kable. **3.** *żegl.* kabel (*jednostka długości*). **4.** *U* = **~ television**. **5.** *przest.* depesza. – *v.* **1.** przesyłać telegraficznie (*zwł. pieniądze*). **2.** *przest.* depeszować. **3.** przymocować liną. **4.** zaopatrzyć w linę *l.* kabel. **5.** połączyć siecią telewizji kablowej.

cable car, cable-car *n.* **1.** wagon kolei linowej. **2.** *US* tramwaj (*w pagórkowatym terenie*).

cablecast ['keıbl,kæst] *n.* program nadawany w telewizji kablowej. – *v.* **cablecast** *l.* **-ed** nadawać w telewizji kablowej.

cablegram ['keıbl,græm] *n.* = **cable** 5.

cable railway *n.* kolej linowa.

cable-ready [,keıbl'redı] *a.* przystosowany do odbioru telewizji kablowej.

cable television, cable TV, (pay) cable *n. U* telewizja kablowa.

cabman ['kæbmən] *n.* = **cabdriver**.

cabochon ['kæbə,ʃɑ:n] *n.* kaboszon (*kamień szlachetny l. motyw zdobniczy*).

caboodle [kə'bu:dl] *n. U* **the whole (kit and) ~** *pot.* wszyscy, całe towarzystwo; wszystko, cały kram.

caboose [kə'bu:s] *n.* **1.** *US i Can. kol.* wagon służbowy. **2.** *Br. żegl.* kambuz, kuchnia okrętowa. **3.** *Can.* barakowóz (*zwłaszcza dla drwali*). **4.** (*także* **calaboose**) *US pot.* kić (*więzienie*). **5.** *sl.* dupa, tyłek.

cabotage ['kæbətɑ:ʒ] *n. U* **1.** *żegl.* kabotaż (= *żegluga między portami tego samego kraju l. żegluga przybrzeżna*). **2.** *lotn.* wyłączność przewoźników krajowych na loty na terytorium danego kraju.

cab-over [kæb'oʊvər], **cabover** *US n. mot.* ciągnik siodłowy z kabiną kierowcy umieszczoną nad silnikiem; karawaning z częścią mieszkalną rozciągającą się też nad kabiną kierowcy.

cab rank *n. Br.* = **cab stand**.

cabriole ['kæbrı,oʊl] *n.* **1.** (*także* **~ leg**) wygięta nóżka krzesła *l.* fotela (*zwł. w meblach z pierwszej poł. XVIII w.*). **2.** (*także* **capriole**) *taniec* cabriole, hołubiec.

cabriolet [,kæbrıə'leı] *n.* kabriolet (*typ nadwozia l. rodzaj powozu*).

cab stand *n. US* postój taksówek.

cacao [kə'kaʊ] *n. pl.* **-s** **1.** (*także* **~ tree**) *bot.* kakaowiec (*Theobroma cacao*). **2.** *zob.* **cocoa** 2.

cachalot ['kæʃə,lɑ:t] *n. zool.* kaszalot, potwal (*Physeter catodon*).

cache [kæʃ] *n.* **1.** kryjówka (*na skarby, żywność*); tajny skład (*amunicji*). **2.** ukryta rzecz. **3.** *Alaska i płn. Can.* szopa na palach (*do przechowywania zapasów poza zasięgiem zwierząt*). **4.** *komp.* (*także* **~ memory**) pamięć podręczna. – *v.* ukrywać; umieszczać w kryjówce.

cachectic [kə'kektık], **cachectical** [kə'kektıkl], **cachexic** [kə'keksık] *a. med.* charławy, wyniszczony, kachektyczny.

cache storage *n. komp.* pamięć podręczna.

cachet [kæ'ʃeı] *n. form.* **1.** pieczęć. **2.** oznaka; **~ of good manners** oznaka dobrych manier. **3.** wyraz aprobaty (*zwł. ze strony kogoś cieszącego się dużym prestiżem*). **4.** *U* prestiż. **5.** *med.* opłatek do leków.

cachexy [kə'keksı], **cachexia** [kə'keksıə] *n. U pat.* charłactwo, wyniszczenie, kacheksja.

cachinnate ['kækə,neıt] *v. lit.* śmiać się głośno.

cachinnation [,kækə'neıʃən] *n. U lit.* głośny śmiech; *pat.* bezprzyczynowy śmiech schizofreników.

cacique [kə'si:k] *n.* **1.** *t. polit.* kacyk. **2.** *Filipiny* właściciel ziemski. **3.** *orn.* wilga (*Oriolus*).

cackle ['kækl] *v.* **1.** gdakać. **2.** *przen. uj.* rechotać; jazgotać. – *n.* **1.** gdakanie. **2.** *przen. uj.* rechot; jazgot.

cacodemon [,kækə'di:mən], **cacodaemon** *n. lit. t. przen.* zły duch; demon.

cacodyl ['kækədıl] *n. chem.* kakodyl.

cacoepy [kə'koʊəpı] *n. U form.* błędna wymowa.

cacoethes [,kækoʊ'i:θi:z], **cacoëthes** *n. U form.* mania, fiksacja; złe przyzwyczajenie, nałóg.

cacography [kə'kɑ:grəfı] *n. U form.* **1.** brzydkie pismo. **2.** błędna pisownia.

cacology [kæ'kɑ:lədʒı] *n. U form.* **1.** niewłaściwy dobór słów. **2.** błędna wymowa.

cacophonic [,kækə'fɑ:nık], **cacophonous** [kə'kɑ:fənəs] *a.* kakofoniczny.

cacophony [kə'kɑ:fənı] *n. sing.* kakofonia.

cactaceous [kæk'teıʃəs] *a.* należący do rodziny kaktusowatych (*Cactaceae*).

cactus ['kæktəs] *n. pl.* **cactuses, cacti**, *l.* **cactus** *bot.* kaktus (*Cactus*).

cacuminal [kə'kju:mənl] *fon. a.* cerebralny, retrofleksyjny. – *n.* spółgłoska cerebralna *l.* retrofleksyjna.

CAD [kæd] *n. U* **computer aided design** *komp.* projektowanie wspomagane komputerowo.

cad [kæd] *n. przest.* łajdak; cham.

cadaster [kə'dæstər], **cadastre** *n. prawn.* kataster.

cadastral [kə'dæstrəl] *a.* **1.** *prawn.* katastralny. **2.** *miern.* katastralny; **~ survey** mapa katastralna.

cadaver [kə'dævər] *n. zwł. med.* zwłoki, trup.

cadaveric [kə'dævərık] *a. med.* trupi.

cadaverous [kə'dævərəs] *a.* **1.** trupi. **2.** *form.* (trupio) blady; upiorny (*o wyglądzie*). **3.** wycieńczony.

cadaverousness [kə'dævərəsnəs] *n. U* niezdrowa bladość.

CAD/CAM ['kædkæm] *n. U* **computer aided design and manufacture** *komp.* projektowanie i produkcja wspomagane komputerowo.

caddice ['kædɪs] *n.* = **caddis.**

caddie ['kædɪ], **caddy** *n.* **1.** *golf* pomocnik noszący sprzęt do gry. **2.** (*także* ~ **cart**) *golf* wózek golfowy (*do wożenia sprzętu do gry*). **3.** wózek do przewożenia ciężkich przedmiotów (*np. bagażowy*). – *v. golf* nosić sprzęt do gry (*for sb* komuś).

caddis[1] ['kædɪs], **caddice** *n. tk.* wstążka *l.* taśma z wełny czesanej.

caddis[2] *n.* (*także* ~**-worm**) *ent.* larwa chruścika.

caddis-fly ['kædɪsˌflaɪ] *n. pl.* **-flies** *ent.* chruścik (*Trichoptera*).

caddish ['kædɪʃ] *a. przest.* łajdacki; chamski.

caddy[1] ['kædɪ] *n. pl.* **-ies** metalowy pojemnik *l.* puszka; (*także* **tea** ~) puszka na herbatę.

caddy[2] *n. i v.* = **caddie.**

cade[1] [keɪd] *n. bot.* odmiana jałowca (*Juniper oxycedrus*).

cade[2] *a. wsch. Nowa Anglia i Br.* porzucony przez matkę i wychowany przez człowieka (*o zwierzęciu*).

cadence ['keɪdəns] *n.* (*także* **cadency**) **1.** kadencja (*t. muz.* = *zakończenie frazy*). **2.** *jęz.* kadencja, rytm intonacyjny. – *v.* nadawać rytm.

cadenced ['keɪdənst] *a.* rytmiczny.

cadency[1] ['keɪdənsɪ] *n. U her.* pochodzenie z linii młodszej.

cadency[2] *n.* = **cadence.**

cadenza [kə'denzə] *n. pl.* **-s** *muz.* kadencja (= *wstawka improwizacyjna solo*).

cadet [kə'det] *n.* **1.** *wojsk.* kadet. **2.** praktykant/ka. **3.** młodszy syn *l.* brat; *hist.* młodszy syn wstępujący do akademii wojskowej. **4.** *U* (*także* ~ **blue**) kolor szarawociemnoniebieski; (*także* ~ **gray**) kolor będący mieszanką szaroniebieskiego i fioletowoniebieskiego. **5.** *sl.* alfons.

cadette [kə'det] *n.* **1.** *US* (*także* **C~ scout**) kadetka (= *harcerka w wieku 12-14 lat*). **2.** *Austr.* urzędniczka państwowa.

cadge[1] [kædʒ] *v. Br. pot.* wyłudzić, wyżebrać; ~ **sth from/off sb** naciągnąć kogoś na coś.

cadge[2] *n. myśl.* rama, na której wynosi się sokoła na polowanie.

cadger ['kædʒər] *n. pot.* naciągacz/ka.

Cadmean victory [kædˌmiːən 'vɪktərɪ] *n. lit.* pyrrusowe zwycięstwo.

cadmic ['kædmɪk] *a. chem.* kadmowy.

cadmium ['kædmɪəm] *n. U chem.* kadm. – *a. attr.* kadmowy; ~ **bronze/sulfide** brąz/siarczek kadmowy; ~ **red/yellow** czerwień/żółcień kadmowa.

cadre ['kɑːdrə] *n. form.* **1.** kadra; członek kadry. **2.** ramy; zarys, schemat.

caducity [kə'duːsətɪ] *n. U form.* **1.** zniedołężnienie starcze. **2.** nietrwałość; przelotność.

caducous [kə'duːkəs] *a.* **1.** *bot.* opadający (*o liściach, kwiatach*). **2.** *zool.* odpadający we wczesnym stadium rozwoju (*np. o skrzelach u płazów*). **3.** nietrwały.

caecal ['siːkl] *a. anat., zool.* kątniczy.

caecum ['siːkəm] *n. Br.* = **cecum.**

Caesar ['siːzər] *n.* **1.** *hist.* cezar; cesarz. **2.** *uj.* tyran, dyktator.

Caesarean [sɪ'zerɪən], **Caesarian, Cesarean, Cesarian** *a.* **1.** cezarowy, cesarski. **2.** ~ **birth/delivery** *med.* poród przez cesarskie cięcie. – *n.* (*także* ~ **section, C-section**) *med. form.* cesarskie cięcie.

caesium ['siːzɪəm], **cesium** *n. U chem.* cez.

caesura [sɪ'ʒʊrə], **cesura** *n.* **-s** *l.* **-e** **1.** *wers.* cezura, średniówka. **2.** *przen. form.* cezura.

café [kæ'feɪ], **cafe** *n. pl.* **-s** **1.** kawiarnia. **2.** restauracja (*zwł. mała, przyjemna*). **3.** bar; kabaret; klub nocny. **4.** kawa.

café au lait [kæˌfeɪ oʊ 'leɪ] *n. U Fr.* kawa z mlekiem (*t. kolor*).

café car *n. US kol.* wagon restauracyjny z wydzieloną palarnią i miejscem do wypoczynku.

café con leche [kæˌfeɪ kɑːn 'letʃe] *n. U Sp.* kawa z mlekiem (*t. kolor*).

café noir [kæˌfeɪ 'nwɑːr] *n. U Fr.* czarna kawa.

cafeteria [ˌkæfə'tiːrɪə] *n.* **1.** restauracja samoobsługowa. **2.** stołówka, kantyna.

cafetiere [ˌkæfə'tiːr] *n.* dzbanek do parzenia kawy (*szklany, z filtrem*).

caffeine [kæ'fiːn] *n. U t. chem.* kofeina.

caftan ['kæftən], **kaftan** *n.* kaftan (*typu bliskowschodniego*).

cage [keɪdʒ] *n.* **1.** *t. przen.* klatka. **2.** kabina windy. **3.** *górn.* szyb wyciągowy. **4.** konstrukcja szkieletowa. **5.** *hokej* bramka. **6.** *koszykówka przest.* kosz. – *v.* **1.** zamykać *l.* trzymać w klatce. **2.** *hokej* wbić do bramki (*krążek*).

caged [keɪdʒd] *a.* **1.** zamknięty w klatce; ~ **animal/bird** zwierzę/ptak w klatce *l.* niewoli. **2.** **feel** ~ **in** *przen.* czuć się jak w klatce.

cageling ['keɪdʒlɪŋ], **cage bird** *n.* ptak w klatce.

cager ['keɪdʒər] *n.* **1.** *US pot. sport* koszykarz. **2.** *górn.* zapychacz wozów.

cagey ['keɪdʒɪ], **cagy** *a.* **-ier, -iest** *pot.* wymijający (*zwł. o odpowiedzi*); skryty.

cagily ['keɪdʒɪlɪ] *adv. pot.* wymijająco.

caginess ['keɪdʒɪnəs], **cageyness** *n. U pot.* skrytość.

cahier [kæ'jeɪ] *n. Fr.* **1.** *introl.* arkusze papieru do oprawy. **2.** sprawozdanie, raport. **3.** zeszyt; książka w miękkiej okładce.

cahoots [kə'huːts] *n. pl. pot.* **be in** ~ **with sb** być z kimś w zmowie.

CAI [ˌsiː ˌeɪ 'aɪ] *n. U* **computer aided instruction** *komp.* nauczanie wspomagane komputerowo.

caiman ['keɪmən], **cayman** *n. pl.* **-s** *zool.* kajman (*Caiman*).

Cain [keɪn] *n.* **1.** *Bibl. l. przen.* Kain. **2.** **raise** ~ *sl.* wnerwić się; rozrabiać, podnieść raban.

Cainozoic [ˌkaɪnə'zoʊɪk], **Cenozoic** *a. geol.* kenozoiczny. – *n.* **the** ~ kenozoik, era kenozoiczna.

cairn [kern], **carn** *n.* kopczyk z kamieni (*jako nagrobek, znak graniczny itp.*).

cairngorm ['kernˌgɔːrm], **Cairngorm stone** *n. U min.* kwarc zadymiony.

Cairn terrier *n. kynol.* mały szorstkowłosy terier szkocki.

Cairo ['kaɪroʊ] *n. geogr.* Kair.

caisson ['keɪsən] *n.* **1.** keson (*do prac podwodnych*). **2.** *żegl.* keson (= *pływak do podnoszenia zatopionych statków*). **3.** *żegl.* brama pływająca, brama doku. **4.** *wojsk.* wózek do przewożenia amunicji artyleryjskiej; skrzynia na amunicję. **5.** *bud.* kaseton.

caisson disease *n. U pat.* choroba kesonowa, choroba dekompresyjna.

caitiff ['keɪtəf] *n. arch.* nikczemnik; tchórz.

cajole [kə'dʒoʊl] *v.* ~ **sb into doing sth** nakłonić kogoś do zrobienia czegoś (*pochlebstwami l. obietnicami bez pokrycia*); ~ **sb out of doing sth** wyperswadować komuś robienie czegoś (*jw.*).

cajolement [kə'dʒoʊlmənt] *n. U* przymilanie się, przypochlebianie się.

cajoler [kə'dʒoʊlər] *n.* pochleb-ca/czyni.

cajolery [kə'dʒoʊlərɪ] *n. U* pochlebstwa.

Cajun ['keɪdʒən], **Cajan** *US n.* **1.** mieszkaniec/ka Luizjany uchodząc-y/a za potomka emigrantów z Akadii, dawnej kolonii francuskiej w Kanadzie. **2.** *U* dialekt francuskiego używany w Luizjanie.

cake [keɪk] *n.* **1.** *U* ciasto. **2.** ciastko; ciasto; tort; **birthday** ~ tort urodzinowy. **3.** dowolne danie w kształcie ciasta, placka itp.; **fish** ~ kotlet rybny. **4.** kostka; ~ **of soap** kostka mydła. **5.** bryła; ~ **of ice** bryła lodu. **6.** *roln.* makuch. **7.** *przen. pot.* **a piece of** ~ małe piwo, łatwizna; **go/sell like hot ~s** rozchodzić się jak świeże bułeczki; **this/that (really) takes the ~!** *US* to już szczyt wszystkiego!; **you can't have your ~ and eat it (too)** nie można mieć wszystkiego naraz. – *v.* **1.** *zw. pass.* oblepiać (*with / in sth* czymś). **2.** zbrylać (się).

cake mix *n.* ciasto w proszku.

cake pan, *Br.* **cake tin** *n.* tortownica.

cake shop *n.* ciastkarnia, cukiernia.

cakewalk ['keɪk,wɔːk] *n. US* **1.** *hist.* parada murzyńska, w której ciastem nagradzano pary prezentujące najbardziej ekscentryczny krok. **2.** *U* taniec murzyński przypominający marsz; muzyka do tańca jw. **3.** *sing. pot.* łatwe zwycięstwo; zwycięstwo walkowerem; łatwizna.

caky ['keɪkɪ], **cakey** *a.* ciastowaty.

Cal *abbr.* = **kilocalorie.**

cal *abbr.* = **calorie.**

Cal. *abbr. US* = **California.**

calabash ['kælə,bæʃ] *n.* **1.** (*także* ~ **gourd**) *bot.* tykwa (*Lagenaria vulgaris*). **2.** *bot.* dzbaniwo (*Crescentia cujete*). **3.** tykwa (*owoc l. zrobione z niego naczynie, grzechotka, bęben itp.*). **4.** fajka z główką z tykwy i zakręconym cybuchem.

calaboose ['kælə,buːs] *n.* = **caboose** 4.

calamary ['kælə,merɪ], **calamar** ['kælə,mɑːr] *n. pl.* **-ies** *zool.* kałamarnica (*Loligo vulgaris*).

calamine ['kælə,maɪn] *n. U* **1.** *min.* hemimorfit, kalamit; *zwł. Br.* smitsonit. **2.** *chem.* mieszanina sproszkowanego tlenku cynku i tlenku żelaza (*używana jako środek dezynfekcyjny*); ~ **lotion** roztwór mieszaniny jw.

calamint ['kæləmɪnt] *n. bot.* czyścica (*Calamintha*).

calamite ['kælə,maɪt] *n. paleont.* kalamit (*Calamites*).

calamitous [kə'læmətəs] *a.* katastrofalny.

calamitously [kə'læmətəslɪ] *adv.* katastrofalnie.

calamity [kə'læmətɪ] *n.* katastrofa; klęska.

calamus ['kæləməs] *n. pl.* **calami** ['kæləmaɪ] **1.** *bot.* tatarak (*Acorus*). **2.** *orn.* dudka (= *dolna część stosiny pióra*).

calc [kælk] *n. US pot.* kalkulator.

calcaneum [kæl'keɪnɪəm] *n. pl.* **calcanea,** *l.* **calcaneum** *anat.* kość piętowa.

calcaneus [kæl'keɪnɪəs] *n. pl.* **calcanei,** *l.* **calcaneus** = **calcaneum.**

calcareous [kæl'kerɪəs] *a.* wapnisty.

calceolaria [,kælsɪə'lerɪə] *n. bot.* pantofelnik, kalceolaria (*Calceolaria*).

calceolate ['kælsɪə,leɪt] *a. bot.* pantofelkowaty.

calcic ['kælsɪk] *a. chem.* wapienny.

calciferol [kæl'sɪfə,roʊl] *n. U* kalcyferol, witamina D2.

calciferous [kæl'sɪfərəs] *a. chem.* **1.** tworzący sole wapnia. **2.** zawierający węglan wapnia.

calcific [kæl'sɪfɪk] *a. zool., anat.* wapniejący; zwapniający.

calcification [,kælsəfə'keɪʃən] *n.* **1.** *t. med.* zwapnienie. **2.** *U* wapnienie gleby. **3.** stwardnienie; *przen.* usztywnienie (*stanowiska, zwł. w polityce*).

calcify ['kælsə,faɪ] *v.* **-ied, -ying 1.** zwapniać; wapnieć. **2.** *przen.* usztywniać (się).

calcimine ['kælsə,maɪn], **kalsomine** *n. U* wapno do bielenia; farba wapienna. – *v.* bielić (*wapnem*).

calcination [,kælsə'neɪʃən] *n. U* **1.** *metal.* kalcynacja, prażenie kalcynujące. **2.** wypalanie.

calcine ['kælsaɪn] *v.* **1.** *metal.* kalcynować. **2.** wypalać. – *n.* produkt kalcynowany; tlenek wapniowy.

calciner [kæl'saɪnər] *n. metal.* kalcynator, piec do kalcynacji.

calcite ['kælsaɪt] *n. U min.* kalcyt.

calcium ['kælsɪəm] *n. U chem.* wapń.

calcium carbonate *n. U chem.* węglan wapniowy.

calcium hydroxide *n. U chem.* wodorotlenek wapniowy.

calcsinter [kælk'siːntər] *n. U min.* trawertyn.

calc-spar ['kælk,spɑːr], **calc spar** *n.* = **calcite.**

calc-tufa ['kælk,tuːfə], **calc-tuff, tufa** *n. U geol.* tuf wapienny.

calculability [kælkjələ'bɪlətɪ] *n. U* **1.** wymierność. **2.** niezawodność.

calculable ['kælkjələbl] *a.* **1.** obliczalny, wymierny. **2.** *attr.* niezawodny.

calculate ['kælkjə,leɪt] *v.* **1.** obliczyć, wyliczyć, policzyć. **2.** kalkulować, oceniać; przewidywać (*skutki, konsekwencje*). **3.** *zwł. płn. US* myśleć; zamierzać.

calculated ['kælkjə,leɪtɪd] *a.* **1.** *pred.* ~ **to do sth** obliczony na osiągnięcie czegoś. **2.** *attr.* zamierzony, rozmyślny. **3.** ~ **risk** wkalkulowane ryzyko.

calculating [ˈkælkjəˌleɪtɪŋ] *a.* **1.** obliczeniowy. **2.** *uj.* wyrachowany.

calculatingly [ˈkælkjəˌleɪtɪŋlɪ] *adv.* **1.** obliczeniowo. **2.** *uj.* z wyrachowaniem.

calculating machine *n.* kalkulator.

calculation [ˌkælkjəˈleɪʃən] *n.* **1.** *U* liczenie. **2.** obliczenie, wynik. **3.** rachuba, kalkulacja, ocena. **4.** *U uj.* wyrachowanie.

calculative [ˈkælkjəˌleɪtɪv] *a.* **1.** rachunkowy, obliczeniowy. **2.** *uj.* wyrachowany.

calculator [ˈkælkjəˌleɪtər] *n.* **1.** kalkulator, rachmistrz. **2.** kalkulator. **3.** *mat.* tablica (matematyczna).

calculous [ˈkælkjələs] *a. pat.* kamiczy.

calculus [ˈkælkjələs] *n.* **1.** *U mat.* rachunek; analiza matematyczna; ~ **of finite differences** rachunek różnicowy; **differential/integral** ~ rachunek różniczkowy/całkowy. **2.** *U dent.* kamień nazębny. **3.** *pl.* **-es** *med.* kamień; **biliary** ~ kamień żółciowy.

Calcutta [kælˈkʌtə] *n. geogr.* Kalkuta.

caldera [kælˈderə] *n. geol.* kaldera.

caldron [ˈkɔːldrən], **cauldron** *n.* kocioł.

Caledonia [ˌkæləˈdounɪə] *n. lit.* Szkocja.

Caledonian [ˌkæləˈdounɪən] *n. lit.* Szkot/ka. – *a.* **1.** *lit.* szkocki. **2.** *geol.* kaledoński.

calefacient [ˌkæləˈfeɪʃənt] *n. i a. med.* (środek) rozgrzewający.

calefaction [ˌkæləˈfækʃən] *n. U* **1.** rozgrzewanie, ogrzewanie. **2.** rozgrzanie.

calefactive [ˌkæləˈfæktɪv] *a.* rozgrzewający.

calefactory [ˌkæləˈfæktərɪ] *a.* grzewczy. – *n.* kalefaktorium (= *ogrzany pokój w klasztorze, zwł. dla gości*).

calendar [ˈkæləndər] *n.* **1.** kalendarz (*t.* = *system obliczania czasu*); **the Julian/Gregorian** ~ kalendarz juliański/gregoriański. **2.** *gł. US* terminarz. **3. court** ~ *prawn.* wokanda. **4.** *parl.* terminarz (= *lista projektów ustaw itp. do rozpatrzenia*). – *v.* wpisywać do kalendarza; rejestrować. – *a. attr.* kalendarzowy; ~ **day** doba; ~ **line** linia zmiany daty; ~ **month/year** miesiąc/rok kalendarzowy.

calender[1] [ˈkæləndər] *n. techn.* kalander; gładziarka. – *v.* kalandrować; *druk.* satynować.

calender[2] *n.* **Calender** derwisz żebrzący.

calends [ˈkæləndz], **kalends** *n. pl. hist.* kalendy.

calenture [ˈkæləntʃər] *n. med.* gorączka tropikalna; udar cieplny.

calf[1] [kæf] *n. pl.* **calves** [kævz] **1.** cielę; młode (*słonia, wieloryba, foki*); **in** ~ cielna (*o samicach niektórych zwierząt*); **slip** ~ urodzić przedwcześnie (*jw.*). **2.** = **calfskin**. **3.** *przen. pot.* cielę, gapa. **4.** odłam lodowca, góry lodowej *l.* kry. **5.** *przen.* **golden** ~ *Bibl.* złoty cielec; **kill the fatted** ~ *żart.* wydać ucztę na cześć kogoś dawno nie widzianego.

calf[2] *n. pl.* **calves** *anat.* łydka.

calflike [ˈkæflaɪk] *a.* cielęcy.

calf love *n. U* szczenięca miłość.

calf's-feet jelly *n. U kulin.* galareta z wywaru z nóżek cielęcych.

calfskin [ˈkæfˌskɪn] *n. U* skóra cielęca.

caliber [ˈkæləbər], *Br.* **calibre** *n.* **1.** kaliber (*broni*); średnica wewnętrzna (*np. rury*). **2.** *U przen.* kaliber, poziom, jakość; **of great** ~ wielkiego kalibru.

calibrate [ˈkæləˌbreɪt] *v.* **1.** *techn.* kalibrować, wzorcować; skalować (*instrumenty pomiarowe*). **2.** *wojsk.* wstrzeliwać się. **3.** *przen.* opracować, zaplanować.

calibrated [ˈkæləˌbreɪtɪd] *a.* kalibrowany.

calibration [ˌkæləˈbreɪʃən] *n. U* kalibracja.

calibrator [ˈkæləˌbreɪtər], **calibrater** *n.* kalibrator.

calicle [ˈkæləkl], **calycle, calyculus** [kəˈlɪkjələs] *n.* **1.** *zool.* kielich (*np. w szkielecie koralowców*). **2.** *bot.* okwiat.

calico[1] [ˈkæləˌkou] *n. U tk.* **1.** *US* kaliko (*rodzaj perkalu*). **2.** *Br.* surówka bawełniana. – *a. attr.* kalikowy.

calico[2] *n. pl.* **-es**, *l.* **-s** *US* zwierzę o różnobarwnej sierści *l.* cętkowane (*zwł. kot*).

calico bush *n.* = **mountain laurel**.

calicular [kəˈlɪkjulər] *a. bot., zool.* kielichowaty.

Calif. *abbr.* = **California**.

California [ˌkæləˈfɔːrnɪə] *n.* Kalifornia.

Californian [ˌkæləˈfɔːrnɪən] *a.* kalifornijski. – *n.* Kalifornij-czyk/ka.

californium [ˌkæləˈfɔːrnɪəm] *n. U. chem.* kaliforn.

caliper [ˈkæləpər], *Br. i Austr.* **calliper** *n.* **1.** ~ **compasses/~s** sprawdzian szczękowy, macki; ~ **rule** suwmiarka; **vernier** ~ suwmiarka. **2.** *mot.* zaciskacz (*element hamulca*). **3.** *med.* przyrząd ortopedyczny. – *v.* mierzyć sprawdzianem szczękowym.

caliph [ˈkeɪlɪf], **calif, kalif, khalif** *n. islam* kalif.

caliphate [ˈkæləˌfeɪt] *n.* kalifat.

calisthenics [ˌkælɪsˈθenɪks], **callisthenics** *n. pl.* gimnastyka zdrowotna.

calix [ˈkeɪlɪks] *n. pl.* **-ces** *bot.* kielich.

calk[1] [kɔːk] *v.* = **caulk**.

calk[2] *n.* **1.** (*także* **calkin**) hacel (= *kolce u podkowy, zapobiegające poślizgnięciu się konia*). **2.** (*także* **calker**) *US i Can.* raki (*na butach*). – *v.* **1.** zaopatrywać w kolce (*podkowę*); zakładać raki. **2.** zranić podkową z kolcem *l.* rakami.

calk[3] *v. Br.* kalkować.

call [kɔːl] *v.* **1.** wołać; przywoływać (*np. psa*); wzywać (*np. taksówkę, świadka*). **2.** *tel.* dzwonić *l.* telefonować (do) (*kogoś*); ~ **collect** *US* dzwonić na R-kę (= *na koszt osoby przyjmującej rozmowę*). **3.** zwoływać; ~ **a meeting** zwołać zebranie. **4.** ogłaszać, obwieszczać; zapowiadać (*np. lot przez głośniki*); ~ **a strike/an election** ogłosić strajk/wybory. **5.** odczytywać głośno; ~ **the roll** odczytywać *l.* sprawdzać listę obecności. **6.** powoływać; ~ **sth into existence** powołać coś do życia. **7.** przywoływać; ~ **sth to mind** przywoływać coś na myśl. **8.** wabić (*zwierzęta*). **9.** dawać na imię (*komuś*); nazywać; **they ~ed the baby Christine** dali dziecku na imię Christine; **what's he ~ed?** jak on się nazywa?; jak on ma na imię?. **10.** zwracać się do, mówić do (*kogoś*); **don't** ~ **me „sweetheart"** nie mów do mnie „kochanie"; **she**

wants to be ~ed Mrs Roberts chce, żeby zwracano się do niej per Mrs Roberts; **you can ~ me Ed/by my first name** możesz mi mówić Ed/po imieniu. **11.** nazywać; **~ sb a liar** nazwać kogoś kłamcą. **12. be/feel ~ed to do sth** odczuwać powołanie do (robienia) czegoś (*zwł. religijne*). **13.** *sport* orzec (*o arbitrze*); zakończyć (*zawody, np. z powodu złej pogody*). **14.** *fin.* domagać się spłaty (*pożyczki l. kredytu*). **15.** *bilard amerykański* określić, która bila wpadnie do której łuzy. **16.** *komp.* wywołać i przekazać sterowanie do (*podprogramu*). **17.** *karty* żądać karty; żądać wyłożenia kart przez gracza; *poker* dopłacić do puli; *brydż* licytować. **18.** *zool.* wydawać krzyk *l.* wołanie (*np. godowe*). **19. ~ (in)** zajść, wstąpić, wpaść (*on sb* do kogoś); **~ at a store** zajść do sklepu. **20.** *przen.* **~ a spade a spade** *pot.* nazywać rzeczy po imieniu; **~ heads** stawiać na orła (*przy rzucie monetą*); **~ it a day** *pot.* skończyć (pracę) (*bo zrobiło się już dosyć l. z powodu zmęczenia*); **~ one's shot** *US* wyjawić swoje zamiary; **~ sb names** obrzucać kogoś wyzwiskami; *dziec.* przezywać kogoś; **~ sb's attention to sth** zwrócić czyjąś uwagę na coś; **~ sb's bluff** *zob.* **bluff**; **~ sb to order** *form.* przywoływać kogoś do porządku; **~ the tune/shots** *pot.* wodzić prym, rządzić, dyrygować wszystkim *l.* wszystkimi. **21. ~ at** zawijać do (*portu*); zatrzymywać się w (*danej miejscowości; o pociągu*); **~ sb away** spowodować czyjś wyjazd (*np. z powodów rodzinnych*); **~ back** wycofać (*np. ze sprzedaży*); odwołać, wycofać (*zarzuty, oskarżenia*); oddzwonić (= *zatelefonować powtórnie*); **~ by** *zwł. Br. pot.* wpaść (*po drodze, przy okazji*); **~ for** przyjść *l.* zgłosić się po; domagać się, żądać, wzywać do (*czegoś*); wymagać (*czegoś*); **~ for sb to do sth** wzywać kogoś do zrobienia czegoś; **this ~s for a celebration** trzeba to uczcić; **~ forth** *form.* zebrać (*np. odwagę*); **~ in** wycofać z obiegu; poprosić do środka; poprosić o pomoc; wezwać na konsultacje; **~ in a loan** zażądać zwrotu pożyczki *l.* kredytu (*o banku*); **~ in sick** zadzwonić do pracy z informacją, że jest się chorym; **~ into play** uruchomić; zacząć stosować; **~ into question** kwestionować, podawać w wątpliwość; **~ off** odwołać (*np. zajęcia, wojska z frontu*); zerwać (*zaręczyny*); przywołać (*np. psa, żeby kogoś zostawił*); **~ on/upon** apelować do (*kogoś*); **~ on sb** zajść *l.* wpaść *l.* wstąpić do kogoś; **~ on sb to do sth** wzywać kogoś do zrobienia czegoś; **~ sb on sth** wezwać kogoś do spełnienia *l.* wykonania czegoś (*np. obietnic, przechwałek*); **~ out** wykrzyknąć; wyczytywać na głos (*nazwiska z listy*); wezwać do działania; wydobyć (*np. ukryte możliwości*); *pot.* zaczepiać, dążyć do bójki z (*kimś*); **~ up** wywoływać (*wspomnienia, informacje z komputera*); *zwł. US* dzwonić *l.* telefonować do (*kogoś*); powoływać do wojska. – *n.* **1.** krzyk, wołanie (*t. zool., np. godowe*); **~ for help** wołanie o pomoc. **2.** *tel.* telefon (*czynność*); **get/receive a ~ from sb** otrzymać telefon od kogoś; **give sb a ~** zadzwonić do kogoś; obudzić kogoś (*telefonicznie, w hotelu*); **make a ~** zadzwonić, wykonać telefon; **return a ~** oddzwonić; **there's a ~ for you** jest do ciebie telefon. **3.** odwiedziny; wizyta (*t. lekarska*); **be on ~** dyżurować (*o lekarzu = być gotowym do złożenia wizyty*); **pay a ~ on sb** *form.* złożyć komuś wizytę. **4.** sygnał alarmowy. **5.** wezwanie (*do sądu, do akcji*). **6.** sprawdzanie obecności. **7.** *myśl.* wabik. **8.** *US pot.* decyzja; **it's your ~** decyzja należy do ciebie; **make a ~** podjąć decyzję. **9.** powołanie (*zwł. religijne*). **10.** *U* potrzeba, powód; **there's no ~ for panic** nie ma potrzeby panikować, nie ma powodu *l.* powodów do paniki. **11.** *U* zapotrzebowanie, popyt; **there's not much ~ for typewriters these days** nie ma obecnie dużego zapotrzebowania na maszyny do pisania. **12.** *karty* żądanie wyłożenia kart; *poker* wyrównanie puli; *brydż* licytowanie. **13.** *teatr* zawiadomienie o próbie; (*także* **act ~**) wezwanie aktorów na rozpoczynający się akt; (*także* **curtain ~**) ukłony (*przed kurtyną, po zakończeniu przedstawienia*); **take a ~** ukłonić się (*wychodząc przed kurtynę, w odpowiedzi na oklaski*). **14.** *sport* decyzja arbitra. **15. ~ to arms** wezwanie do wojska, mobilizacja; **~ to quarters** *wojsk.* capstrzyk; **be at sb's beck and ~** *zob.* **beck**; **close ~** *pot.* sytuacja, z której cudem wyszło się cało; **have first ~ on sth** być pierwszym w kolejce do czegoś; **stay within ~** pozostawać w zasięgu słuchu (*tak, by można usłyszeć wezwanie l. wołanie*); **the ~ of blood/the sea etc** *lit.* zew krwi/morza itp.; **the ~ of nature** *euf. l. żart.* zew natury (= *potrzeba fizjologiczna*).

calla [ˈkælə], **calla lily** *n. bot.* **1.** kalijka etiopska (*Zantedeschia aethiopica*). **2.** czermień błotna, kalla (*Calla palustris*).

callable [ˈkɔːləbl] *a.* **1.** *ekon.* podlegający wykupowi przed terminem (*o obligacjach*). **2.** płatny na żądanie.

callback [ˈkɔːlˌbæk], **call-back** *n.* **1.** wycofanie, odwołanie (*np. zarzutów*). **2.** ponowne wezwanie; wezwanie do pracy (*w nadgodzinach*); ponowne przyjęcie do pracy (*zwolnionych pracowników*). **3.** powtórne przesłuchanie (*aktora*). **4.** *żegl.* wezwanie do powrotu łodzi (*wysyłane przez statek*). – *a. attr.* **~ number** numer, pod który należy oddzwonić.

call bird *n. Br. handl. pot.* wabik (= *tani artykuł, mający zachęcić klientów do wstąpienia do sklepu*).

callboard [ˈkɔːlˌbɔːrd] *n. US teatr* tablica ogłoszeniowa.

call box *n.* **1.** *US* budka telefoniczna przy drodze, służąca do wzywania pogotowia, policji itp. **2.** *Br.* budka telefoniczna.

callboy [ˈkɔːlˌbɔɪ] *n.* **1.** *teatr* inspicjent. **2.** *US* = **bellhop**. **3.** (*także* **call boy**) mężczyzna na telefon (= *męski odpowiednik call girl*). **4.** (*także* **call boy, call-boy**) *kol. pot.* osoba odpowiedzialna za gotowość załogi pociągu do pracy.

call card *n.* = **~ slip**.

caller[1] [ˈkɔːlər] *n.* **1.** telefonując-y/a, dzwoniąc-y/a. **2.** gość, odwiedzając-y/a, osoba przychodząca z wizytą (*zw. krótką*).

caller[2] *a. Scot. i płn. Br.* **1.** świeży (*o owocach, rybach itp.*). **2.** orzeźwiający, odświeżający.

call forwarding *n. U tel.* przekazywanie rozmów telefonicznych (*z jednego numeru na drugi*).

call girl *n.* dziewczyna na telefon, call girl.

calligraph ['kæləgræf] *v.* kaligrafować.

calligrapher [kə'lɪgrəfər], **calligraphist** [kə'lɪgrəfɪst] *n.* kaligraf.

calligraphic [ˌkælə'græfɪk] *a.* kaligraficzny.

calligraphy [kə'lɪgrəfɪ] *n. U* kaligrafia.

call-in ['kɔːlɪn] *n. US radio, telew.* **1.** program z telefonicznym udziałem słuchaczy *l.* widzów. **2.** rozmowa telefoniczna transmitowana na żywo w programie jw.

calling ['kɔːlɪŋ] *n.* **1.** powołanie. **2.** *form.* zajęcie, zawód, fach. **3.** impuls. **4.** zwołanie (*np. posiedzenia parlamentu*).

calling card *n. US i Can.* wizytówka, bilet wizytowy.

calliope [kə'laɪəpɪ] *n. muz.* organy parowe.

calliper ['kæləpər] *n.* = **caliper**.

callisthenics [ˌkæləs'θenɪks] *n.* = **calisthenics**.

call letters, *Br.* **call sign** *n. radio* sygnał wywoławczy (= *nazwa składająca się z liter i cyfr*).

call loan *n. fin.* pożyczka zwrotna na żądanie.

call market *n. fin.* rynek pieniężny, na którym udziela się pożyczek zwrotnych na żądanie.

call money *n. fin.* pieniądz dzienny (= *pożyczka krótkoterminowa*).

call number *n. bibl.* sygnatura.

callose ['kælous] *n.* = **callus** 2.

callosity [kə'lɑːsətɪ] *n.* **1.** stwardnienie, zrogowacenie. **2.** *bot.* stwardnienie, zgrubienie. **3.** *pat.* modzel, stwardnienie skóry.

callous ['kæləs] *a.* **1.** stwardniały. **2.** stwardniały, zrogowaciały (*o skórze*). **3.** *przen.* bezduszny. – *v. pat.* twardnieć, rogowacieć.

calloused ['kæləst] *a.* stwardniały, zrogowaciały.

callously ['kæləslɪ] *adv.* bezdusznie.

callousness ['kæləsnəs] *n. U* bezduszność, znieczulica.

call-out ['kɔːlˌaut] *n.* **1.** okrzyk. **2.** nagłe wezwanie. **3.** oznaczenie literowe *l.* cyfrowe części ilustracji. **4.** wyzwanie na pojedynek.

callow ['kælou] *a. uj.* niedojrzały, niedoświadczony.

callowness ['kælounəs] *n. U* niedojrzałość, brak doświadczenia.

call rate *n. fin.* oprocentowanie pożyczki zwrotnej na żądanie.

call slip, call card *n. bibl.* rewers.

call-up ['kɔːlˌʌp] *n. zwł. Br.* wezwanie do wojska.

callus ['kæləs] *n. U* **1.** *anat., zool.* kostnina. **2.** (*także* **callose**) *bot.* kalus (= *tkanka miękiszowa powstająca na zranionej powierzchni narządów roślin*). **3.** *pl.* **-es** modzel, odcisk, nagniotek.

calm [kɑːm] *a.* **1.** spokojny (*t. o morzu, atmosferze itp.*), opanowany. **2.** bezwietrzny (*o pogodzie*). – *n. U* **1.** spokój; **keep ~** zachowywać spokój. **2.** *meteor.* cisza (= *prędkość wiatru poniżej 0,5 m/s*). **3.** bezruch, cisza; **the ~ before the storm** *przen.* cisza przed burzą. – *v.* **1.** uspokajać, uciszać. **2.** **~ down** uspokajać (się).

calmative ['kælmətɪv] *med. n. i a.* (środek) uspokajający.

calmly ['kɑːmlɪ] *adv.* spokojnie.

calmness ['kɑːmnəs] *n. U* spokój, opanowanie.

calomel ['kæləˌmel] *n. med.* kalomel, chlorek rtęciowy.

caloric [kə'lɔːrɪk] *a.* **1.** kaloryczny. **2.** cieplny. – *n. U form.* ciepło.

calorie ['kælərɪ] *n.* (*także fiz.* **gram/small ~**) kaloria; **count (one's) ~s** *przen.* liczyć kalorie (= *odchudzać się*).

calorific [ˌkælə'rɪfɪk] *a.* **1.** cieplny. **2.** (wysoko)kaloryczny (*o pokarmie*). **3.** **~ value/power** wartość opałowa.

calorimeter [ˌkælə'rɪmətər] *n. fiz.* kalorymetr.

calorimetric [ˌkælərə'metrɪk], **calorimetrical** [ˌkælərə'metrɪkl] *a.* kalorymetryczny.

calorimetry [ˌkælə'rɪmətrɪ] *n. U* kalorymetria.

calorize ['kæləˌraɪz], *Br. i Austr. zw.* **calorise** *v. techn.* kaloryzować.

calotte [kə'lɑːt] *n. rz.-kat.* piuska.

calpac ['kælpæk], **calpack** *n.* kołpak (*nakrycie głowy*).

calque [kælk] *jęz. n.* kalka (językowa). – *v.* utworzyć kalkę od (*jakiegoś wyrazu*).

caltrop ['kæltrəp] *n.* **1.** *bot.* buzdyganek (*Tribulus*). **2.** *wojsk.* zapora (*przeciw kawalerii, przeciwczołgowa itp.*).

calumet ['kæljəˌmet] *n.* kalumet, fajka pokoju.

calumniate [kə'lʌmnɪˌeɪt] *v. form.* rzucać kalumnie *l.* oszczerstwa na.

calumniation [kəˌlʌmnɪ'eɪʃən] *n. U form.* rzucanie oszczerstw.

calumniator [kə'lʌmnɪˌeɪtər] *n. form.* oszczerca/czyni.

calumnious [kə'lʌmnɪəs], **calumniatory** [kə'lʌmnɪətɔːrɪ] *a. form.* oszczerczy.

calumny ['kæləmnɪ] *n. pl.* **-ies** *form.* **1.** oszczerstwo, kalumnia. **2.** *U* rzucanie oszczerstw *l.* kalumnii.

calve [kæv] *v.* cielić się (*t. o lodowcu*).

calves [kævz] *n. pl. zob.* **calf**.

Calvinism ['kælvəˌnɪzəm] *n. U rel.* kalwinizm.

Calvinist ['kælvənɪst] *rel. n.* kalwin/ka, kalwinist-a/ka. – *a.* kalwiński.

Calvinistic [ˌkælvə'nɪstɪk], **Calvinistical** [ˌkælvə'nɪstɪkl] *a.* kalwiński.

calvities [kæl'vɪʃɪˌiːz] *n. form.* łysina.

calx [kælks] *n. pl.* **calxes**, *l.* **calces** **1.** popiół (*powstały w wyniku spalenia metalu l. minerału*). **2.** wapno niegaszone. **3.** wapień.

calypso [kə'lɪpsou] *n. pl.* **-s** *muz.* calypso, kalipso.

calyx ['keɪlɪks] *n. pl.* **-ces** *l.* **-xes** **1.** *bot.* kielich okwiatu. **2.** *anat., zool.* kielich (*np. nerki*).

cam [kæm] *n.* **1.** *mech.* krzywka. **2.** *pot.* = **camshaft**.

CAM [kæm] *n. U* **computer aided manufacturing** *komp.* produkcja wspomagana komputerowo.

camaraderie [ˌkɑːmə'rɑːdərɪ] *n. U form.* koleżeństwo, poczucie koleżeństwa.

camarilla [ˌkæmə'rɪlə] *n. form.* kamaryla, klika.

camber ['kæmbər] *n.* **1.** wypukłość (*np. drogi,*

ułatwiająca spływanie wody na pobocze). **2.** lekko wygięta belka *l.* deska.

cambist [ˈkæmbɪst] *n. ekon.* **1.** makler wekslowy. **2.** waluciarz (= *ekspert od obcych walut*). **3.** tabela kursów walut.

cambium [ˈkæmbiəm] *n. pl.* **-ums** *l.* **-a** *bot.* kambium, miazga łykodrzewna.

Cambodia [kæmˈboʊdɪə] *n. geogr.* Kambodża.

Cambodian [kæmˈboʊdɪən] *n.* Kambodżanin/ka. – *a.* kambodżański.

cambrel [ˈkæmbrəl] *n. Br. dial.* **1.** *zool.* goleń. **2.** hak rzeźniczy.

Cambrian [ˈkæmbrɪən] *a.* **1.** *geol.* kambryjski. **2.** *lit.* walijski. – *n.* **1.** *geol.* kambr, okres kambryjski. **2.** *lit.* Walij-czyk/ka.

cambric [ˈkeɪmbrɪk] *n. U* **1.** *tk.* weba; batyst. **2.** ~ **tea** słodzona gorąca woda z mlekiem, niekiedy z odrobiną herbaty.

Cambridge [ˈkeɪmbrɪdʒ] *n. geogr.* Cambridge.

Cambridge blue *n. U* jasny błękit.

camcorder [ˈkæmˌkɔːrdər] *n.* kamera wideo.

came[1] [keɪm] *n.* ołowiane łączenie elementów witraża.

came[2] *v. zob.* **come.**

camel [ˈkæml] *n.* **1.** *zool.* wielbłąd (*Camelus*); **Bactrian** ~ baktrian, wielbłąd dwugarbny (*Camelus bactrianus*); **dromedary** ~ dromader, wielbłąd jednogarbny (*Camelus dromedarius*). **2.** *żegl.* ponton ratowniczy, wielbłąd. **3.** *U* kolor żółtobrązowy.

camel-hair [ˈkæmlˌher], **camelhair, camel's-hair, camel's hair** *n. U* **1.** sierść *l.* wełna wielbłądzia. **2.** tkanina z sierści *l.* wełny wielbłądziej. – *a. attr.* wykonany z sierści *l.* wełny wielbłądziej.

camellia [kəˈmiːlɪə] *n. bot.* kamelia (*Camellia*).

Camembert [ˈkæməmˌber], **Camembert cheese** *n. U* (ser) camembert.

cameo [ˈkæmɪoʊ] *n. pl.* **-s** **1.** *jubilerstwo* kamea. **2.** (*także* ~ **role**) rola gościnna (= *niewielka rola zagrana przez znanego aktora*).

camera [ˈkæmərə] *n.* **1.** aparat fotograficzny. **2.** kamera. **3.** *pl.* **-e** *prawn.* prywatny gabinet sędziego przy sali rozpraw; **in** ~ w prywatnym gabinecie sędziego; prywatnie. **4. off** ~ poza kamerą (= *nie na wizji*); **on** ~ na wizji. – *a.* (*także* **~-ready**) *druk.* gotowy do reprodukcji.

camera lucida *n.* widnia optyczna.

cameraman [ˈkæmərəˌmæn] *n. pl.* **-men** kamerzysta, operator kamery.

cameraperson [ˈkæmərəˌpɜːsən] *n.* kamerzyst-a/ka, operator/ka kamery.

camera-shy [ˈkæmərəˌʃaɪ] *a.* nie lubiący się filmować *l.* fotografować.

camerawoman [ˈkæmərəˌwʊmən] *n. pl.* **-women** kamerzystka, operatorka kamery.

Cameroon [ˌkæməˈruːn], **Cameroun** *n. geogr.* Kamerun.

Cameroonian [ˌkæməˈruːnɪən] *n.* Kameru-ńczyk/nka. – *a.* kameruński.

camiknickers [ˈkæmɪˌnɪkərz], **camiknicks** [ˈkæmɪˌnɪks] *n. pl. Br.* koszulko-majtki (*bielizna damska*).

camion [ˈkæmɪən] *n.* **1.** niski wóz do transportu ciężkich ładunków. **2.** *mot.* ciężarówka.

camisole [ˈkæmɪˌsoʊl] *n.* krótka koszulka na ramiączkach (*bielizna damska*).

camlet [ˈkæmlət] *n. U* **1.** *tk.* kamlot. **2.** *tk.* mocna tkanina nieprzemakalna; *C* ubiór z tkaniny jw. – *v.* ozdabiać kolorowym wzorem (*np. tkaninę, okładkę książki*).

camomile [ˈkæməˌmaɪl], **chamomile** *n. U bot.* rumianek (*Matricaria*).

camouflage [ˈkæməˌflɑːʒ] *n. U t. biol.* kamuflaż, maskowanie się. – *a. attr.* maskujący, kamuflujący. – *v.* maskować (się), kamuflować (się).

camp[1] [kæmp] *n.* **1.** obozowisko; obóz; biwak; **break** ~ zwijać obóz; **day** ~ półkolonie; **summer** ~ obóz letni, kolonie. **2.** obóz; **army/military** ~ obóz wojskowy; **concentration** ~ obóz koncentracyjny; **labor** ~ obóz pracy; **refugee** ~ obóz dla uchodźców. **3.** *polit.* obóz (*np. prawicowy*). **4.** teren rekreacyjny. **5.** *U* życie w wojsku. – *v.* **1.** rozbijać obóz. **2.** obozować; biwakować; **go ~ing** jechać na obóz *l.* biwak. **3.** usadowić się. **4.** umieścić w obozie (*zwł. wojsko*). **5.** ~ **out** biwakować; spać pod namiotem; mieszkać w prowizorycznych warunkach.

camp[2] *a. pot.* **1.** zniewieściały; afektowany (*zw. celowo*). **2.** dotyczący subkultury gejowskiej (*np. przebierania się w kobiece stroje*). **3.** przesadnie stylowy *l.* staroświecki (*zw. w zabawny sposób*). **4.** ostentacyjnie kiczowaty (*i przez to budzący zachwyt*). – *n. U pot.* **1.** zniewieściałość; afektacja; wystawianie się na pokaz; demonstrowanie swego homoseksualizmu. **2.** subkultura gejowska. **3.** zachwyt nad kiczem, banałem *l.* wulgarnością (*zw. dla ich walorów humorystycznych*). – *v.* (*także* ~ **it up**) zachowywać się w sposób celowo afektowany; grać w sposób celowo afektowany (*o aktorze*); ostentacyjnie demonstrować swój homoseksualizm (*w stroju, sposobie mówienia itp.*).

campaign [kæmˈpeɪn] *n.* kampania, akcja (*for/against sth* na rzecz czegoś/przeciw(ko) czemuś); **advertising/election/military** ~ kampania reklamowa/wyborcza/wojskowa. – *v.* **1.** prowadzić kampanię, uczestniczyć w kampanii (*for/against sth* na rzecz czegoś/przeciw(ko) czemuś). **2.** uczestniczyć w szeregu zawodów sportowych (*zwł. w wyścigach konnych, zawodach motorowodnych l. motorowych*).

campaign button *n.* znaczek noszony przez zwolenni-ka/czkę danego kandydata (*podczas kampanii wyborczej*).

campaigner [kæmˈpeɪnər] *n.* uczestni-k/czka kampanii.

campaign fund *n.* fundusz wyborczy.

campanile [ˌkɑːmpəˈniːlɪ] *n. pl.* **-es** *l.* **-i** kampanila.

campanology [ˌkæmpəˈnɑːlədʒɪ] *n. U muz.* sztuka bicia w dzwony.

campanula [kæmˈpænjələ] *n. bot.* kampanula, dzwonek (*Campanula*).

campanulaceous [kæmˌpænjəˈleɪʃəs] *a. bot.* dzwonkowaty (*rodzina Campanulaceae*).

campanulate [kæm'pænjəlɪt] *a. zool., bot.* dzwonkowaty (*o kształcie*).

camp bed *n. Br. i Austr.* łóżko polowe.

camp chair *n.* krzesło turystyczne.

camper ['kæmpər] *n.* **1.** obozowicz/ka; biwakowicz/ka. **2.** kolonist-a/ka (=*uczestni-k / czka kolonii*). **3.** (*także* ~ **truck**, ~**-truck**, *Br.* ~ **van**) *mot.* karawaning (*samochód kempingowy*). – *v.* uprawiać karawaning.

campfire ['kæmpˌfaɪr] *n.* ognisko obozowe.

camp follower *n.* **1.** *hist.* osoba ciągnąca za wojskiem (*zwł. markietanka*). **2.** zwolenni-k/czka, sympaty-k/czka (*zwł. partii l. opcji politycznej*).

campground ['kæmpˌgraʊnd] *n.* obozowisko, teren obozu.

camphor ['kæmfər] *n. U* kamfora.

camphorate ['kæmfəˌreɪt] *v.* nasycać kamforą.

camphorated oil *n. U* olejek kamforowy (*wodny roztwór używany np. w medycynie*).

camphoric [kæm'fɔːrɪk] *a. attr.* kamforowy.

camphor oil *n.* olejek kamforowy (= *olej z kamforowca*).

camphor tree *n. bot.* kamforowiec, drzewo kamforowe, cynamonowiec kamforowy (*Cinnamonum camphora*).

campily ['kæmpɪlɪ] *adv.* z afektacją.

campiness ['kæmpɪnəs] *n. U* afektacja.

campion ['kæmpɪən] *n. bot.* wyżpin jagodowy (*Cucubalus bacciferus*).

camp meeting *n. zwł. US* zgromadzenie religijne pod gołym niebem *l.* w namiocie.

camporee [ˌkæmpə'riː] *n.* zlot harcerski.

campshedding ['kæmpˌʃedɪŋ], **campsheeting** ['kæmpˌʃiːtɪŋ], **campshot** ['kæmpˌʃɑːt] *n.* palisada umacniająca brzeg rzeki.

campsite ['kæmpˌsaɪt], **camp-site** *n.* kemping, pole namiotowe *l.* biwakowe.

campstool ['kæmpˌstuːl] *n.* stołek turystyczny.

campus ['kæmpəs] *n. uniw.* miasteczko uniwersyteckie, campus, kampus.

campy ['kæmpɪ] *a.* **-ier, -iest 1.** afektowany, przerysowany (*celowo i w zabawny sposób; np. o grze aktora*). **2.** ostentacyjnie kiczowaty.

camshaft ['kæmˌʃæft] *n. mech.* wał rozrządu.

can[1] [kæn; kən] *v. 3 os. sing.* **can** *neg.* **cannot** ['kænɑːt] *l.* **can't** [kænt] *pret.* **could** [kʊd] **1.** móc; ~ **I ask you something?** czy mogę cię o coś spytać?; ~ **I help you?** czym mogę służyć?; **he ~ do anything he wants** może robić, co mu się podoba; **she ~'t sleep because of the noise** nie może spać z powodu hałasu; **this ~'t be true!** to nie może być prawda!; **what ~ she want?** czego ona może chcieć?; **he could have been kidnapped** może go porwano, mógł zostać porwany. **2.** umieć, potrafić; ~ **you dive?** umiesz nurkować?; **he ~ be very unpleasant** on potrafi być bardzo nieprzyjemny; **I ~'t speak Hungarian** nie mówię *l.* nie umiem mówić po węgiersku. **3. I ~('t) see/hear you** (nie) widzę/słyszę cię. **4.** ~ **but** móc tylko *l.* jedynie; **we ~ but wait** możemy jedynie czekać, pozostaje nam tylko czekać. **5. no ~ do** *US pot.* nie da rady, nie mogę.

can[2] [kæn] *n.* **1.** *zwł. US* puszka; konserwa. **2.** zawartość puszki *l.* konserwy. **3.** wiadro, kubeł (*na śmieci*). **4.** pudełko *l.* kaseta na film. **5.** *Br.* bańka, kanka; kanister. **6.** *US i Can. sl.* kibel. **7.** *sl.* pierdel (= *więzienie*). **8.** *US i Can. sl.* dupa. **9.** *wojsk. sl.* bomba głębinowa. **10.** *US wojsk. sl.* niszczyciel (*okręt*). **11.** *przen.* ~ **of worms** *pot.* puszka Pandory; **carry the ~** *Br. i Can. pot.* wziąć całą winę na siebie; **in the ~** *pot.* gotowy, skończony (*zwł. o nakręconym filmie*). – *v.* **-nn- 1.** robić konserwy z; puszkować; robić zaprawy z, zaprawiać. **2.** *US sl.* wylać (z pracy). **3.** *sl.* wywalić, wyrzucić. **4.** *US pot.* ~ **it!** przestań! (*zwł. gadać l. hałasować*); ~ **that noise!** przestań(cie) hałasować!.

Can. *abbr.* **1.** = **Canada**. **2.** = **Canadian**.

can. *abbr.* **1.** = **canceled**; *zob.* **cancel**. **2.** *muz.* = **canon**. **3.** *wers.* = **canto**.

Canaan ['keɪnən] *n. Bibl. l. przen.* Kanaan, ziemia obiecana.

Canada ['kænədə] *n. geogr.* Kanada.

Canada balsam *n. U* balsam kanadyjski (*używany np. do łączenia płytek z preparatami mikroskopowymi*).

Canada goose *n. orn.* bernikla kanadyjska (*Branta canadensis*).

Canadian [kə'neɪdɪən] *a.* kanadyjski. – *n.* Kanadyj-czyk/ka.

Canadian bacon *n. U US* bekon kanadyjski.

Canadian English *n. U* kanadyjska odmiana języka angielskiego.

Canadian French *n. U* kanadyjska odmiana języka francuskiego.

canal [kə'næl] *n.* **1.** kanał (*żeglowny, nawadniający*). **2.** *anat.* przewód. **3.** *astron.* kanał na powierzchni Marsa.

canalicular [ˌkænə'lɪkjələr], **canaliculate** [ˌkænə'lɪkjəlɪt], **canaliculated** [ˌkænə'lɪkjəˌleɪtɪd] *a.* kanalikowaty.

canaliculus [ˌkænə'lɪkjələs] *n. pl.* **-i** [ˌkænə'lɪkjəlaɪ] *zool., bot.* kanalik.

canalization [ˌkænlə'zeɪʃən], *Br. i Austr. zw.* **canalisation** *n. U* **1.** tworzenie kanałów. **2.** *biol.* rozwój organizmu w sposób przewidywalny.

canalize ['kænəlaɪz], *Br. i Austr. zw.* **canalise** *v.* **1.** przeprowadzić kanał(y) przez. **2.** przekształcić w kanał. **3.** kanalizować (*rzekę*). **4.** *przen. form.* nadać kierunek; dać ujście.

Canal Zone *n. geogr.* Strefa Kanału Panamskiego.

canapé ['kænəpeɪ] *n. pl.* **-s 1.** *kulin.* mała kanapka; koreczek. **2.** *hist.* sofa (*francuska z XVIII w.*).

canard [kə'nɑːrd] *n.* **1.** kaczka dziennikarska. **2.** *lotn.* kaczka (*samolot l. szybowiec*); (*także* ~ **wing**) płat przedni kaczki.

Canaries [kə'nerɪz] *n. pl.* = **Canary Islands**.

canary [kə'nerɪ] *n. pl.* **-ies 1.** *orn.* kanarek (*Serinus canaria*). **2.** *U* (*także* ~ **yellow**) kolor kanarkowy, żółcień kanarkowa. **3.** *sl.* informator/ka. **4.** *U* wino kanaryjskie. – *a.* kanarkowy (*o kolorze*).

canary-bird [kə'nerɪˌbɜːd] *n.* **1.** *orn.* = **canary** 1. **2.** *pot.* = **jail-bird**.

canary grass *n. U bot.* kanar, mozga kanaryjska (*Phalaris canariensis*).

Canary Islands, Canaries *n. pl.* **the** ~ *geogr.* Wyspy Kanaryjskie.

canary seed *n. U* siemię kanarowe, siemię dla kanarków.

canasta [kə'næstə] *n. U karty* kanasta.

canc. *abbr.* = **cancel**; = **canceled**; = **cancellation**.

cancan ['kænˌkæn] *n.* kankan.

cancel ['kænsl] *v. Br.* **-ll-** **1.** odwołać. **2.** anulować, unieważnić (*np. czek*); kasować (*znaczek, bilet*). **3.** neutralizować (*np. złe wrażenie*); równoważyć. **4.** skreślać, przekreślać, wykreślać. **5.** *mat.* skreślać (*wspólne czynniki licznika i mianownika*). **6.** *druk.* pomijać. **7.** ~ **out** równoważyć, znosić, neutralizować. – *n. druk.* pominięcie; zastąpienie (*pominiętej części*).

cancellate ['kænsəlɪt], **cancellated** ['kænsleɪtɪd], **cancellous** ['kænsələs] *a. anat.* gąbczasty.

cancellation [ˌkænsə'leɪʃən], **cancelation** *n.* **1.** *U* odwołanie, anulowanie; wycofanie. **2.** skasowanie. **3.** *C* zwrot (*np. bilet teatralny*).

cancellous ['kænsələs] *a.* = **cancellate**.

cancer ['kænsər] *n.* **1.** *C/U pat.* rak, nowotwór; ~ **of the liver** rak wątroby; **lung/breast** ~ rak płuc/piersi. **2.** *przen.* zaraza; zło. **3. Cancer** *pl.* **Cancri** *astron., astrol.* Rak. **4. the Tropic of C~** *geogr.* Zwrotnik Raka.

cancerate ['kænsəˌreɪt] *v.* rakowacieć.

cancered ['kænsəˌreɪtɪd] *a.* dotknięty rakiem.

Cancerian [kæn'siːrɪən], **Cancerean** *n.* Rak (= *osoba spod znaku Raka*).

cancerous ['kænsərəs] *a.* rakowy, nowotworowy.

cancer stick *n. sl.* fajka, szlug (= *papieros*).

cancroid ['kæŋkrɔɪd] *a.* **1.** *pat.* rakowaty. **2.** *zool.* rakowaty. – *n. pat.* rakowiec.

candelabra [ˌkændə'lɑːbrə] *n. pl.* **-s** kandelabr.

candelabrum [ˌkændə'lɑːbrəm] *n. pl.* **-a** *l.* **-ums** kandelabr.

candescence [kæn'desəns] *n. U* żarzenie się (*białym światłem*).

candescent [kæn'desənt] *a.* żarzący się (*białym światłem*).

candid ['kændɪd] *a.* **1.** szczery, otwarty, bezpośredni; uczciwy. **2.** nieformalny, nieupozowany (*o zdjęciu*). **3.** *przest.* biały; czysty. **4.** *arch.* nieuprzedzony.

candida ['kændɪdə] *n. U gł. pat.* drożdżaki.

candidacy ['kændədəsɪ], *zwł. Br.* **candidature** ['kændədətʃər] *n.* kandydatura.

candidate ['kændɪˌdeɪt] *n.* **1.** *t. polit.* kandydat/ka. **2.** *Br. i Austr.* egzaminowan-y/a. **3. bachelor/master of arts/science** ~ student/ka licencjackich/magisterskich studiów humanistycznych/ścisłych.

candid camera *n.* **1.** małoobrazkowy aparat fotograficzny. **2.** *telew.* (program z cyklu) „ukryta kamera".

candidly ['kændɪdlɪ] *a.* szczerze, otwarcie.

candidness ['kændɪdnəs] *n. U* szczerość, otwartość.

candied ['kændiːd] *a. attr.* **1.** *kulin.* kandyzowany; ~ **peel** kandyzowana skórka cytrynowa *l.* pomarańczowa. **2.** *przen.* pochlebny.

candle ['kændl] *n.* **1.** świeca; świeczka. **2.** *fiz.* kandela. **3. Roman** ~ świeca rzymska (*rodzaj fajerwerku*). **4.** *przen.* **burn the ~ at both ends** prowadzić wyczerpujący tryb życia; **sb/sth can't hold a ~ to sb/sth** *pot.* ktoś/coś nie umywa się do kogoś/czegoś; **worth the** ~ wart świeczki. – *v.* badać pod światło (*jajka l. wino*).

candleberry ['kændlˌberɪ] *bot. n. pl.* **-ies** **1.** woskownica (*Myrica gale*). **2.** owoc woskownicy.

candlelight ['kændlˌlaɪt] *n. U* **1.** światło świec. **2.** sztuczne światło. **3.** *lit.* wieczór.

candle-lit ['kændlˌlɪt], **candlelit** *a. attr.* ~ **dinner** kolacja przy świecach.

Candlemas ['kændlməs], **Candlemas Day** *n. rz.-kat.* święto Matki Boskiej Gromnicznej (*2 lutego*).

candlestick ['kændlˌstɪk], **candleholder** *n.* świecznik (*zw. na jedną świecę*), lichtarz.

candlewick ['kændlˌwɪk] *n.* knot.

can-do [ˌkæn'duː] *a. attr. zwł. US pot.* pozytywny, optymistyczny (*o czyimś stosunku do pracy, postawie życiowej itp.*).

candor ['kændər], *Br.* **candour** *n. U* szczerość, otwartość; uczciwość.

candy ['kændɪ] *n.* **1.** *pl.* **-ies** *US i Can.* cukierek. **2.** *U* słodycze. **3.** *U sl.* koka (= *kokaina*). – *v.* **1.** kandyzować. **2.** krystalizować (się) (*w cukier*). **3.** gotować w cukrze *l.* syropie.

candy apple *n. US* kandyzowane jabłko na patyku.

candy ass, candyass, candy-ass *n. US wulg. sl.* cipa (= *tchórz*).

candy cane *n. US* twardy cukierek w postaci laseczki w biało-czerwone paski.

candy-floss ['kændɪˌflɑːs] *n. U Br.* wata cukrowa.

candy store *n. US* sklep ze słodyczami.

candy-striped ['kændɪˌstraɪpt] *a.* w wąskie paski (*jaskrawe, np. różowe, na białym tle*).

candytuft ['kændɪˌtʌft], **candyduft** *n. bot.* ubiorek (*Iberis*).

cane [keɪn] *n.* **1.** laska spacerowa. **2.** trzcina (*łodyga niektórych roślin*). **3.** *U* trzcina (*materiał używany do wyplatania mebli itp.*); ~ **chair** krzesło wyplatane trzciną. **4.** (*także* **sugar** ~) *bot.* trzcina cukrowa (*Saccharum officinarum*). **5.** trzcinka (*do bicia*). **6.** laseczka (*wosku, szkła itp.*). – *v.* **1.** *szkoln., hist.* bić trzcinką, wymierzać karę chłosty. **2.** wyplatać trzciną.

canebrake ['keɪnˌbreɪk] *n. US* kępa trzcin.

cane sugar *n. U* cukier trzcinowy.

canfield ['kænˌfiːld] *n. karty* pasjans.

Canicula [kə'nɪkjələ] *n. astron.* Syriusz, Psia Gwiazda.

canicular [kə'nɪkjələr] *a. attr. astron.* dotyczący Syriusza, Syriuszowy.

canine ['keɪnaɪn] *a.* **1.** psi. **2.** *anat.* kłowy. – *n.* **1.** *zool.* ssak z rodziny psowatych; pies. **2.** (*także* ~ **tooth**) kieł.

Canis ['keɪnɪs] *n. astron.* ~ **Major/Minor** Pies Wielki/Mały.

canister ['kænɪstər] *n.* **1.** puszka (*np. na her-*

batę; o cylindrycznym kształcie). **2.** pojemnik z gazem (*metalowy, pod ciśnieniem*). **3.** *US* pochłaniacz (*w masce gazowej*).

canister shot *n. hist.* kartacz.

canker ['kæŋkər] *n.* **1.** (*także* ~ **sore**) *pat.* opryszczka (*zwł. na ustach*). **2.** *bot.* rak (*zwł. drzew*). **3.** *przen.* zło; zaraza.

cankerous ['kæŋkərəs], **cankered** ['kæŋkərd] *a. bot.* rakowaty.

canna ['kænə] *n. bot.* paciorecznik, kanna (*Canna*).

cannabin ['kænəbɪn] *n. U* żywica konopna (*otrzymywana z konopi indyjskich*).

cannabis ['kænəbɪs] *n.* **1.** *U* marihuana. **2.** (*także* ~ **plant**) *bot.* konopie indyjskie (*Cannabis indica*).

canned [kænd] *a.* **1.** konserwowy. **2.** *attr. zw. uj.* nagrany, z taśmy (*o śmiechu w programach telewizyjnych, muzyce w supermarkecie itp.*). **3.** *pred. sl.* narąbany (= *pijany*).

cannel ['kænl], **cannel coal** *n. U* kenel, węgiel kenelski.

canner ['kænər] *n.* **1.** pracowni-k/czka fabryki konserw. **2.** zwierzę, którego mięso nadaje się tylko na konserwy.

cannery ['kænərɪ] *n. pl.* **-ies** fabryka konserw.

cannibal ['kænəbl] *n.* **1.** kanibal, ludożerca. **2.** kanibal (= *zwierzę zjadające zwierzęta tego samego gatunku*). – *a.* kanibalski, ludożerczy.

cannibalism ['kænəbəˌlɪzəm] *n. U* **1.** kanibalizm (*t. u zwierząt*), ludożerstwo. **2.** przenoszenie majątku *l.* pracowników (*z jednej firmy do drugiej*). **3.** *ekon.* wchłanianie małych firm przez wielkie korporacje.

cannibalistic [ˌkænəbə'lɪstɪk] *a.* kanibalistyczny, ludożerczy.

cannibalization [ˌkænəbələ'zeɪʃən], *Br. i Austr. zw.* **cannibalisation** *n. U* **1.** uprawianie kanibalizmu. **2.** ogałacanie, odzieranie.

cannibalize ['kænəbəˌlaɪz], *Br. i Austr. zw.* **cannibalise** *v.* **1.** poddawać kanibalizmowi. **2.** uprawiać kanibalizm. **3.** ogałacać z przydatnych części (*np. maszynę celem naprawy innej*). **4.** przenosić majątek *l.* pracowników (*z jednej firmy do drugiej*). **5.** ~ **sales** *ekon.* zmniejszać wielkość sprzedaży.

cannikin ['kænəkɪn], **canikin** *n. przest.* **1.** puszeczka; kubeczek. **2.** wiaderko (*drewniane*).

cannily ['kænɪlɪ] *adv. zob.* **canny**.

canniness ['kænɪnəs] *n. U* **1.** spryt, przebiegłość. **2.** ostrożność. **3.** oszczędność.

cannon ['kænən] *n.* **1.** *wojsk.* armata, działo (*t. haubica, moździerz*). **2.** *Br. mech.* tuleja. **3.** *hist., zbroja* opacha; zarękawie. **4.** (*także* ~ **bit, canon bit**) kiełzno; wędzidło. **5.** ucho dzwonu. **6.** *Br. bilard* karambol. **7.** *sl.* kieszonkowiec. – *v.* **1.** strzelać z działa. **2.** *Br. bilard* robić karambol.

cannonade [ˌkænə'neɪd] *n.* **1.** kanonada. **2.** *t. przen.* ostrzał. – *v.* ostrzeliwać z dział.

cannonball ['kænənˌbɔːl] *n.* **1.** kula armatnia. **2.** *tenis* piłka zaserwowana z dużą siłą (*poruszająca się praktycznie po linii prostej*). **3.** *przen.* obiekt poruszający się z ogromną prędkością (*np. pociąg ekspresowy*).

cannon bone *n. zool.* kość nadpęcinowa; nadpęcie.

cannoneer [ˌkænə'niːr] *n. wojsk.* kanonier.

cannon fodder *n. U pot.* mięso armatnie.

cannonry ['kænənrɪ] *wojsk. n. pl.* **-ies** **1.** salwa armatnia. **2.** artyleria.

cannot ['kænɑːt], *US t.* **can not** *v. neg. form. zob.* **can**[1]; ~ **but** móc jedynie; **one ~ but admire her courage** można jedynie podziwiać jej odwagę, nie sposób nie podziwiać jej odwagi.

cannula ['kænjələ], **canula** *n. chir.* kaniula, rurka.

cannular ['kænjələr] *a.* rurkowaty.

canny ['kænɪ] *a.* **-ier, -iest** **1.** sprytny (*zwł. w interesach*); przebiegły. **2.** ostrożny, rozważny. **3.** oszczędny. **4.** *Scot. i płn. Br.* przyjemny, sympatyczny; łagodny, niewinny, bezpieczny; przytulny, wygodny. – *adv.* (*także* **cannily**) **1.** sprytnie. **2.** ostrożnie. **3.** oszczędnie. **4.** *Scot.* dość, całkiem.

canoe [kə'nuː] *n.* **1.** kanu, canoe. **2.** **paddle one's own** ~ *Br. pot.* być sobie samemu sterem, żeglarzem, okrętem. – *v.* **1.** płynąć kanu. **2.** wiosłować kanu. **3.** przewozić kanu.

canoeist [kə'nuːɪst] *n.* **1.** osoba płynąca kanu. **2.** kajaka-rz/rka.

canon[1] ['kænən] *n.* **1.** *form.* kanon (*religijny, literacki, elegancji itp.*). **2.** *muz.* kanon. **3.** *druk.* kwadrat (*stopień pisma*).

canon[2] *n. kośc.* kanonik.

cañon ['kænjən] *n.* = **canyon**.

canonical [kə'nɑːnɪkl], **canonic** [kə'nɑːnɪk] *a.* **1.** *t. rel.* kanoniczny. **2.** *przen.* uznany, zaakceptowany; autentyczny. **3.** *mat.* w postaci kanonicznej. **4.** *muz.* kanonowy. **5.** *jęz.* w formie podstawowej (*o formie fleksyjnej*).

canonical age *n. kośc.* wiek dopuszczenia do niektórych obrzędów *l.* stanowisk.

canonical hours *n. pl. kośc.* liturgia godzin.

canonically [kə'nɑːnɪklɪ] *adv.* kanonicznie.

canonicals [kə'nɑːnɪklz] *n. pl.* szaty duchowne.

canonist ['kænənɪst] *n. prawn.* kanonist-a/ka (= *specjalist-a / ka od prawa kanonicznego*).

canonistic [ˌkænə'nɪstɪk], **canonistical** [ˌkænə'nɪstɪkl] *a. prawn.* kanonistyczny.

canonization [ˌkænənə'zeɪʃən], *Br. i Austr. zw.* **canonisation** *n. U* **1.** *gł. rel.* kanonizacja. **2.** *form.* usankcjonowanie.

canonize ['kænəˌnaɪz], *Br. i Austr. zw.* **canonise** *v. form.* **1.** *rel.* kanonizować. **2.** sankcjonować (*zwł. w sensie religijnym*). **3.** dopuszczać do kanonu; uznawać za kanoniczne. **4.** gloryfikować.

canon law *n. U prawn.* prawo kanoniczne.

canonry ['kænənrɪ] *n. rel.* **1.** *pl.* **-ies** kanonia (= *godność l. urząd kanonika*). **2.** *U* kanonicy (*zbiorowo*).

can opener *n. zwł. US* otwieracz do puszek *l.* konserw.

canopic jar [kəˌnoupɪk 'dʒɑːr], **Canopic jar, canopic vase** *n. hist.* kanopa (= *urna grobowa*).

canopied ['kænəpɪd] *a.* osłonięty baldachimem.

canopy ['kænəpɪ] *n. pl.* **-ies** **1.** baldachim. **2.** (*także* **crown** ~) *leśn.* okap. **3.** *przen.* sklepienie (*np. nieba*). **4.** *lotn.* czasza spadochronu. **5.** *lotn.* osłona kabiny pilota. – *v.* **-ied, -ying** osłaniać baldachimem.

canorous [kə'nɔ:rəs] *a. form.* melodyjny.

Canossa [kə'nɑ:sə] *n.* **go to** ~ pójść do Canossy (= *ukorzyć się*).

cant[1] [kænt] *n. U* **1.** *uj.* obłudne frazesy, mowa pełna hipokryzji. **2.** gwara przestępcza. **3.** żargon (*środowiskowy*). **4.** zawodzenie (*zwł. żebraków*). – *v.* **1.** moralizować (*obłudnie*). **2.** mówić gwarą *l.* żargonem. **3.** zawodzić (*zwł. żebrząc*).

cant[2] *n.* **1.** skos, skośne ścięcie; ukośna linia *l.* powierzchnia. **2.** przechylenie, nachylenie. **3.** *techn.* przechyłka (*toru, drogi*). **4.** nagły ruch powodujący przechylenie *l.* upadek. **5.** ociosany pień. – *v.* **1.** pochylać (się). **2.** przechylać (się).

cant[3] *a. Scot. i płn. Br.* otwarty; wesoły.

Cant. *abbr. Br.* = **Canterbury**.

can't [kænt] *v. neg. zob.* **can[1]**.

Cantab. ['kæntæb] *abbr.* **Cantabrigiensis** *l.* **Cantabrigian** *form.* dotyczący Uniwersytetu Cambridge w Anglii *l.* Uniwersytetu Harvarda w Cambridge, Massachussetts (*skrót stosowany zwł. po tytule naukowym absolwenta uczelni*).

cantalever ['kæntəˌlevər], **cantaliver** *n.* = **cantilever**.

cantaloup ['kæntəˌlu:p], **cantaloupe** *n. bot.* kantalup (*Cucumis melo cantalupensis*).

cantankerous [kæn'tæŋkərəs] *a.* gderliwy, zrzędliwy.

cantankerously [kæn'tæŋkərəslɪ] *adv.* gderliwie, zrzędliwie.

cantankerousness [kæn'tæŋkərəsnəs] *n. U* gderliwość, zrzędliwość.

cantata [kən'tɑ:tə] *n. muz.* kantata.

canteen [kæn'ti:n] *n.* **1.** stołówka. **2.** *wojsk.* kantyna. **3.** kuchnia polowa (*uruchamiana w sytuacjach awaryjnych, np. podczas klęski żywiołowej*). **4.** manierka. **5.** *Br.* menażka. **6.** *Br. i Austr.* komplet sztućców w pudełku.

canter[1] ['kæntər] *n.* **1.** galop. **2.** **(win) in/at a** ~ *przen. Br.* (wygrać) w cuglach. – *v.* galopować.

canter[2] *n.* obłudni-k/ca.

canterbury ['kæntərˌberɪ] *n. hist.* **1.** stojak (*na gazety, nuty itp.*). **2.** taca z przegródkami na sztućce i talerze.

Canterbury bell *n. bot.* dzwonek (*Campanula medium*).

cant frame *n. żegl.* wręg promieniowy.

cant hook *n. leśn.* kantak.

canthus ['kænθəs] *n. pl.* **-i** *anat.* kąt szpary powiekowej.

canticle ['kæntɪkl] *n.* **1.** *rz.-kat.* kantyk. **2.** wiersz pochwalny; pieśń pochwalna; **C~ of Canticles** *Bibl.* Pieśń nad Pieśniami.

cantilever ['kæntəˌlevər] *n. bud.* **1.** wspornik. **2.** *lotn.* (*także* ~ **wing**) skrzydło wolnonośne; ~ **monoplane** jednopłat wolnonośny. – *v.* **1.** wystawać (*o wsporniku*). **2.** budować z użyciem wsporników.

cantilever bridge *n.* most wspornikowy.

cantillate ['kæntəˌleɪt] *v. form.* intonować.

cantle ['kæntl] *n.* **1.** tylny łęk siodła. **2.** *rzad.* kawałek.

canto ['kæntoʊ] *n. pl.* **-s** *wers.* pieśń (= *część poematu*).

Canton [kæn'tɑ:n] *n. geogr.* Kanton, Kuangczou.

canton *n.* **1.** ['kæntɑ:n] kanton (*zwł. w Szwajcarii, Francji*). **2.** ['kæntən] *her.* prawa strona głowicy. **3.** *bud.* pilaster narożny. – *v.* ['kæntɑ:n] **1.** dzielić na kantony. **2.** kwaterować (*wojsko*).

cantonal ['kæntənl] *a.* kantonalny.

Cantonese [ˌkæntə'ni:z] *n.* **1.** mieszkan-iec/ka Kantonu. **2.** *U* język kantoński. – *a.* kantoński.

cantonment [kæn'tɑ:nmənt] *n. zwł. Br. wojsk.* **1.** wojskowy obóz szkoleniowy. **2.** kwatery wojskowe (*zwł. zimowe*).

cantor ['kæntər] *n. rel.* kantor (*w synagodze*).

cantorial [kæn'tɔ:rɪəl] *a. rel.* **1.** kantorski. **2.** (*także* **cantoris**) dotyczący północnej strony kościoła.

Cantor set *n. mat.* zbiór Cantora.

cantrip ['kæntrəp] *n.* **1.** *Br.* oszukaństwo. **2.** *gł. Scot.* czarodziejska sztuczka.

Cantuar. *abbr.* **Cantuariensis** *rel.* (Arcybiskup) Canterbury.

canty ['kæntɪ] *a. Scot.* wesoły; żwawy.

Canuck [kə'nʌk] *n. US i Can. pot.* Kanadyjczyk/ka; *przest.* Kanadyj-czyk/ka francuskojęzyczn-y/a.

canvas ['kænvəs] *n.* **1.** *U* płótno (*t. malarskie l. żaglowe*); brezent. **2.** płótno (= *obraz*). **3.** *żegl.* ożaglowanie. **4.** kanwa (*do wyszywania*). **5.** **knock sb to the** ~ *boks* powalić kogoś na deski, znokautować kogoś; **under** ~ pod namiotem; *żegl.* pod żaglami.

canvasback ['kænvəsˌbæk] *n. orn.* dzika kaczka płn.-amer. (*Aythya valisineria*).

canvass ['kænvəs] *v.* **1.** ~ **for** agitować za (*kandydatem*); zabiegać o (*głosy, zamówienia*). **2.** badać opinię (*czyjąś*), ankietować. **3.** debatować, rozprawiać. – *n.* **1.** agitacja. **2.** badanie, ankieta. **3.** *polit.* kampania wyborcza.

canvasser ['kænvəsər] *n.* agitator/ka.

canvas-stretcher ['kænvəsˌstretʃər] *n. mal.* rama (*na której rozpina się płótno*).

canyon ['kænjən], **cañon** *n. geogr., geol.* kanion.

caoutchouc ['kaʊtʃʊk] *n. U* **1.** kauczuk. **2.** guma.

cap[1] [kæp] *n.* **1.** czapka (*zwł. z daszkiem*); czapeczka. **2.** czepek; **bathing/swimming** ~ czepek kąpielowy/pływacki; **nurse's** ~ czepek pielęgniarski. **3.** *uniw.* biret; ~ **and gown** uroczysty strój akademicki. **4.** *mat.* symbol oznaczający część wspólną zbiorów. **5.** szczyt (*np. wzgórza*); grzbiet (*fali*). **6.** kapsel, nakrętka. **7.** *biol.* kapelusz (*grzyba*). **8.** kapiszon. **9.** *górn.* stropnica. **10.** *wojsk.* spłonka. **11.** *bud.* kapitel. **12.** (*także* **Dutch** ~) *zwł. Br.* krążek dopochwowy (*antykon-*

cepcyjny). **13.** górna granica (*on sth* czegoś). **14.** *przen.* **a feather in one's ~** powód do dumy; **(go to sb) ~ in hand** (prosić kogoś) pokornie. – *v.* **-pp-** **1.** *zw. pass.* zwieńczony czymś (*np. kopułą*); **snow-~ped mountains** ośnieżone szczyty gór. **2.** ukoronować, uwieńczyć. **3.** ustalać górną granicę (*czegoś*), nakładać ograniczenia na. **4.** czopować. **5.** *pot.* przebić, zakasować. **6.** *zwł. Br. sport* wybierać do reprezentacji narodowej. **7.** *Scot. i NZ uniw.* nadawać tytuł naukowy (*komuś*). **8.** **~ a tooth** *dent.* pokrywać odsłoniętą miazgę zęba opatrunkiem. **9.** **to ~ it all** *pot.* na domiar wszystkiego.

cap2 *n.* (*także* **capital**) wielka litera. – *v.* pisać wielkimi literami.

cap3 *n.* kapsułka (*zwł. narkotyku*).

cap. *abbr.* **1.** = **capital (letter)**; *zob.* **capital** 2. **2.** = **capitalize(d)** 1. **3.** = **caput**. **4.** = **capacity** 1. **5.** = **chapter** 1; **section** podrozdział, ustęp.

capability [ˌkeɪpəˈbɪlətɪ] *n. pl.* **-ies** **1.** zdolność (*to do sth* do (robienia) czegoś); *pl.* zdolności, możliwości; **be beyond sb's ~/capabilities** przerastać czyjeś możliwości. **2.** *wojsk.* potencjał; **nuclear ~** potencjał nuklearny.

capable [ˈkeɪpəbl] *a.* **1.** zdolny, utalentowany; kompetentny. **2.** **be ~ of (doing) sth** potrafić coś (zrobić); nadawać się do (robienia) czegoś; być zdolnym do (zrobienia) czegoś.

capably [ˈkeɪpəblɪ] *adv.* umiejętnie.

capacious [kəˈpeɪʃəs] *a. form.* pojemny; przestronny.

capaciously [kəˈpeɪʃəslɪ] *adv.* przestronnie.

capaciousness [kəˈpeɪʃəsnəs] *n. U* pojemność; przestronność.

capacitance [kəˈpæsətəns] *n. U el.* **1.** kapacytancja, reaktancja pojemnościowa. **2.** pojemność.

capacitate [kəˈpæsəˌteɪt] *v. form.* **1.** uczynić zdolnym (*for sth / to do sth* do czegoś/do robienia czegoś). **2.** *prawn.* uczynić zdolnym do czynności prawnych.

capacitive [kəˈpæsətɪv] *a. el.* pojemnościowy, dotyczący pojemności.

capacitor [kəˈpæsətər] *n. el.* kondensator.

capacity [kəˈpæsətɪ] *n. zw. U l. sing.* **1.** *t. el.* pojemność; *komp.* pojemność pamięci; ładowność (*statku*); przepustowość (*rury*); udźwig (*np. windy*). **2.** zdolność (*for sth / to do sth* do czegoś/do robienia czegoś); **be beyond sb's ~** przerastać czyjeś możliwości. **3.** wydajność (*produkcji*). **4.** potencjał (*np. wojskowy*). **5.** *form.* funkcja, rola; kompetencje, uprawnienia; **(do sth) in one's ~ as...** (zrobić coś) jako...; **in an advisory ~** w charakterze doradcy, jako doradca. **6.** *prawn.* zdolność do czynności prawnych. **7.** **filled to ~** wypełniony po brzegi; **seating ~** liczba miejsc siedzących; **(work) at (full) ~** (pracować) na pełnych obrotach. – *a. attr.* **~ crowd/audience** pełna sala, stadion itp.

caparison [kəˈperəsən] *n.* **1.** czaprak. **2.** *form.* bogaty ubiór *l.* ekwipunek. – *v.* **1.** przykryć czaprakiem. **2.** *form.* wystroić.

cape1 [keɪp] *n.* **1.** peleryna, narzutka. **2.** (*także* **capa**) kapa, płachta (*na byka*).

cape2 *n.* **1.** *geogr.* przylądek; **the C~** (*także* **~ Cod**) Cape Cod; (*także* **~ of Good Hope**) Przylądek Dobrej Nadziei. **2.** *U* = **~skin**. – *v. żegl.* mieć dobrą sterowność. – *a.* **C~** przylądkowy (*dotyczący Przylądka Dobrej Nadziei l. Afryki Południowej*); **C~ Dutch** *arch.* (język) afrikaans.

caped [keɪpt] *a.* w pelerynie.

capelin [ˈkæplɪn], **caplin** *n. icht.* gromadnik (*Mallotus villosus*).

caper1 [ˈkeɪpər] *v. zw. lit.* hasać; baraszkować. – *n.* **1.** *zw. lit.* koziołek; podskok. **2.** figiel, psota. **3.** *przest. pot.* przekręt (= *nielegalna działalność*). **4.** **cut a ~/cut ~s** wywinąć koziołka; wyciąć hołubca.

caper2 *n.* **1.** (*także* **~ bush**) *bot.* kapar ciernisty (*Capparis spinosa*). **2.** *zw. pl. kulin.* kapary.

capercaillie [ˌkæpərˈkeɪlɪ], **capercailzie** [ˌkæpərˈkeɪlɪ] *n. orn.* głuszec (*Tetrao urogallus*).

capeskin [ˈkeɪpˌskɪn] *n. U* skóra owcza *l.* kozia.

capias [ˈkeɪpɪəs] *n. prawn.* nakaz aresztowania.

capibara [ˌkæpəˈbɑːrə] *n.* = **capybara**.

capillarity [ˌkæpəˈlerətɪ] *n. U fiz.* (*także* **capillary action, capillary attraction**) kapilarność.

capillary [ˈkæpəˌlerɪ] *a. fiz., anat.* kapilarny, włosowaty. – *n. pl.* **-ies** *anat.* naczynie włosowate, włośniczka.

capital1 [ˈkæpɪtl] *n.* **1.** stolica (*administracyjna, kulturalna itp.*). **2.** (*także* **~ letter**) wielka litera. **3.** *U ekon.* kapitał (*t. zbiorowo = kapitaliści*); **circulating/floating /acting ~** kapitał obrotowy. **4.** **make ~ out of sth** *przen.* czerpać korzyści z czegoś, wykorzystywać coś. – *a. attr.* **1.** *ekon.* kapitałowy. **2.** najważniejszy; główny. **3.** *przest.* kapitalny, świetny. **4.** karany śmiercią; **~ offense/crime** przestępstwo, za które grozi kara śmierci. **5.** wielki, duży (*o literze*); **with a ~ A** przez duże A. **6.** fatalny, ogromny (*o błędzie*).

capital2 *n. bud.* kapitel, głowica.

capital account *n. ekon.* **1.** rachunek kapitału. **2.** bilans płatniczy (*państwa*).

capital assets *n. pl. ekon.* aktywa *l.* środki trwałe.

capital expenditure *n. U ekon.* wydatki inwestycyjne.

capital gains *n. pl. ekon.* przychody ze sprzedaży składników majątku trwałego, zyski kapitałowe.

capital gains tax *n. ekon.* podatek od zysków kapitałowych.

capital goods *n. pl. ekon.* dobra inwestycyjne, środki produkcji.

capital-intensive [ˌkæpɪtlɪnˈtensɪv] *a. ekon.* kapitałochłonny.

capitalism [ˈkæpɪtəˌlɪzəm] *n. U polit., ekon.* kapitalizm.

capitalist [ˈkæpɪtəlɪst] *n.* **1.** kapitalist-a/ka. **2.** zwolenni-k/czka kapitalizmu. **3.** *przen.* bogacz/ka.

capitalistic [ˌkæpɪtəˈlɪstɪk] *a.* kapitalistyczny.

capitalization [ˌkæpɪtləˈzeɪʃən], *Br. i Austr. zw.* **capitalisation** *n. U* **1.** pisanie wielką literą *l.* wielkimi literami. **2.** *ekon.* kapitalizacja; przekształcanie w kapitał.

capitalize [ˈkæpɪtəˌlaɪz], *Br. i Austr. zw.* **capitalise** *v.* **1.** pisać wielkimi literami. **2.** *ekon.* kapitalizować; przekształcać w kapitał. **3.** akumulować. **4.** finansować. **5.** ~ **on sth** *przen.* wykorzystać coś dla własnych celów.

capital letter *n.* = **capital** 2.

capital levy *n.* **1.** *ekon.* podatek od kapitału. **2.** *hist.* danina majątkowa.

capital punishment *n.* *U* kara śmierci, najwyższy wymiar kary.

capital ship *n.* duży okręt (*np. pancernik, krążownik l. lotniskowiec*).

capital stock *n.* *U ekon.* kapitał akcyjny.

capitate [ˈkæpɪˌteɪt] *a.* **1.** *bot.* główkowaty, główkowy. **2.** *anat.* główkowaty; ~ **bone** kość główkowata.

capitation [ˌkæpɪˈteɪʃən] *n.* **1.** *U* liczenie od głowy (= *od każdej osoby*). **2.** pogłówne, podatek pogłówny. **3.** kwota do zapłaty przypadająca na każdego.

capitation grant *n.* zasiłek należny każdej osobie spełniającej wymogi; dotacja płatna na podstawie liczby uczestników (*np. w szkolnictwie*).

Capitol [ˈkæpɪtl] *n.* **1.** *US polit.* budynek Kongresu Stanów Zjednoczonych; **c~** budynek stanowego ciała ustawodawczego; ~ **Hill** wzgórze, na którym mieści się Kongres; *przen.* Kongres. **2.** (*także* **Capitoline**) Kapitol (*wzgórze w Rzymie*).

capitular [kəˈpɪtʃələr] *n. rel.* **1.** kanonik. **2.** *pl.* kapitularz. – *a.* **1.** *rel.* kapitulny. **2.** *bot.* = **capitate**.

capitulary [kəˈpɪtʃəˌlerɪ] *a.* kapitulny; dotyczący kapituły. – *n. pl.* **-ies** **1.** kanonik; członek kapituły. **2.** *pl. hist.* kapitularze (= *ustawy królewskie we Francji za Karolingów*).

capitulate [kəˈpɪtʃəˌleɪt] *v.* **1.** kapitulować. **2.** poddawać się (*to sth* czemuś).

capitulation [kəˌpɪtʃəˈleɪʃən] *n.* **1.** kapitulacja (= *poddanie się*); akt kapitulacji. **2.** wyliczenie głównych punktów; rekapitulacja, streszczenie. **3.** *pl.* układ o eksterytorialności.

capitulator [kəˈpɪtʃəˌleɪtər], **capitulant** [kəˈpɪtʃələnt] *n.* kapitulant.

caplet [ˈkæplət] *n. med.* tabletka powlekana.

caplin [ˈkæplɪn] *n.* = **capelin**.

capo[1] [ˈkeɪpoʊ] *n. pl.* **-s** (*także* **capotasto**) *muz.* kapodaster.

capo[2] *n. pl.* **-s** przywódca grupy mafijnej.

capon [ˈkeɪpɑːn] *n.* kapłon.

caporal[1] [ˈkæpərəl] *n.* *U* gatunek tytoniu.

caporal[2] *n. płd.-wsch. US* nadzorca rancza.

capote [kəˈpoʊt], **capot** [kəˈpɑːt] *n. pl.* **-s** **1.** płaszcz z kapturem. **2.** czepek (*nakrycie głowy*). **3.** kapa (*w corridzie*). **4.** składany dach (*wózka dziecięcego, dorożki, kabrioletu*).

capper [ˈkæpər] *n.* **1.** zwieńczenie; dodatek. **2.** *US sl.* informator (*zwł. hazardzistów*). **3.** *US sl.* osoba podbijająca ceny na licytacji (*działająca w zmowie z licytatorem*).

cappuccino [ˌkæpʊˈtʃiːnoʊ] *n. pl.* **-s** (kawa) cappucino.

caprice [kəˈpriːs] *n.* **1.** kaprys. **2.** *U* kapryśność.

capricious [kəˈprɪʃəs] *a.* kapryśny.

capriciously [kəˈprɪʃəslɪ] *adv.* kapryśnie.

capriciousness [kəˈprɪʃəsnəs] *n.* *U* kapryśność.

Capricorn [ˈkæprəˌkɔːrn] *n.* **1.** (*także* **Capricornus**) *astron., astrol.* Koziorożec. **2. the Tropic of** ~ *geogr.* Zwrotnik Koziorożca.

caprification [ˌkæprəfəˈkeɪʃən] *n.* *U* zapylanie kwiatów figowca.

caprifig [ˈkæprəˌfɪg] *n.* **1.** *bot.* figowiec pospolity, figa karyjska (*Ficus carica*). **2.** figa (*owoc*).

capriole [ˈkæprɪˌoʊl] *n.* **1.** *lit.* podskok. **2.** kapriola (*skok koński*).

cap rock, caprock *n. geol.* nadkład skalny.

caps. *abbr.* **1.** = **capital letters**. **2.** *med.* = **capsule**.

cap screw *n.* śruba z łbem walcowym z gniazdem.

capsicum [ˈkæpsəkəm] *n.* **1.** (*także* ~ **pepper**) *bot.* papryka, pieprz turecki (*Capsicum annuum*). **2.** owoc papryki, pieprz turecki.

capsizable [kæpˈsaɪzəbl] *a.* wywrotny.

capsizal [kæpˈsaɪzl] *n.* wywrotka.

capsize [ˈkæpsaɪz] *v. zwł. żegl.* wywrócić (się) (*dnem do góry*).

capstan [ˈkæpstən] *n.* **1.** kabestan; wyciągarka. **2.** wałek przesuwu, wałek napędowy (*w magnetofonie*).

capstone [ˈkæpˌstoʊn] *n.* **1.** *bud.* kamień szczytowy. **2.** ukoronowanie, uwieńczenie.

capsular [ˈkæpslər] *a.* **1.** *med.* kapsułkowy. **2.** *bot.* torebkowy. **3.** *attr.* skondensowany, w pigułce (= *zwięzły*).

capsule [ˈkæpsl] *n.* **1.** *med.* kapsułka. **2.** *bot.* torebka (nasienna); pochewka, puszka. **3.** *anat.* torebka. **4.** kapsel. **5.** pudełeczko; koperta. **6.** *lotn.* kapsuła, zasobnik. **7.** (*także* **space** ~) kapsuła (*w pojazdach kosmicznych*). **8.** streszczenie; krótka notatka, nota. – *v.* **1.** zamknąć w kapsule *l.* kapsułce. **2.** (*także* **capsulize, capsulise**) *form.* streszczać, podawać w skrócie.

capt. *abbr.* kpt. (= *kapitan*).

captain [ˈkæptən] *n.* **1.** *t. żegl., lotn., sport, policja* kapitan. **2.** *wojsk.* kapitan (*w wojskach lądowych*); komandor (*w marynarce wojennej*). **3.** *polit.* lokalny przywódca. **4.** osoba wpływowa, tuz (*zwł. w gospodarce*); ~ **of industry** magnat przemysłowy. **5.** *US i Can.* kierownik sali (= *przełożony kelnerów*). **6.** *płd. US* pan; ~ **Smith** Pan Smith. **7. be the ~ of one's soul** *zob.* **soul**. – *v.* przewodzić (*komuś l. czemuś*); dowodzić (*kimś l. czymś*).

captaincy [ˈkæptənsɪ] *n.* *U* **1.** ranga kapitana. **2.** rejon podlegający kapitanowi *l.* przywódcy politycznemu. **3.** (*także* **captainship**) zdolności przywódcze.

caption [ˈkæpʃən] *n.* **1.** podpis (*pod ilustracją*); *kino, telew.* napis (*na filmie*). **2.** nagłówek. **3.** *prawn.* część wstępna dokumentu. – *v.* opatrywać podpisami, napisami *l.* nagłówkami.

captious [ˈkæpʃəs] *a. form.* **1.** nadmiernie krytyczny; doszukujący się wad i uchybień. **2.** podchwytliwy.

captivate [ˈkæptəˌveɪt] *v.* **1.** *często pass.* urzekać. **2.** *przest.* pojmać.

captivating [ˈkæptəˌveɪtɪŋ] *a.* urzekający.

captivatingly [ˈkæptəˌveɪtɪŋlɪ] *adv.* urzekająco.

captivation [ˌkæptəˈveɪʃən] *n. U* urzeczenie.

captive [ˈkæptɪv] *n.* jeniec (*zwł. wojenny*); więzień; niewolnik. – *a.* **1.** schwytany, pojmany, ujęty; wzięty do niewoli; trzymany w niewoli (*zwł. o zwierzętach*); trzymany na uwięzi (*np. o balonie*); **hold ~** trzymać w niewoli; **take ~** brać do niewoli. **2.** *przen.* urzeczony.

captive audience *n.* publiczność mimo woli.

captive company *n. ekon.* spółka zależna.

captivity [kæpˈtɪvətɪ] *n. U* niewola; **in ~** w niewoli; **released from ~** wypuszczony na wolność.

captor [ˈkæptər] *n. zw. form.* **1.** osoba, która więzi. **2.** porywacz/ka. **3.** zdobyw-ca/czyni (*nagrody*).

capture [ˈkæptʃər] *v.* **1.** ująć, pojmać (*ściganego*); złapać, schwytać (*zwierzę*). **2.** zdobyć (*np. miasto, władzę, większość głosów w wyborach*); opanować (*rynek*). **3.** zawładnąć (*wyobraźnią*). **4.** oddać, uchwycić (*charakter, atmosferę*). **5.** zarejestrować (*np. przy użyciu kamery*). **6.** *komp.* wprowadzać (*dane*). **7.** *szachy itp.* zbić (*pionek przeciwnika*). – *n.* **1.** *U* ujęcie, pojmanie; złapanie, schwytanie. **2.** *U* zdobycie, zajęcie (*np. miasta*). **3.** *form.* łup, zdobycz; pojmana osoba; pojmane zwierzę. **4.** *fiz.* wychwyt.

capturer [ˈkæptʃərər] *n.* zdobyw-ca/czyni.

capuchin [ˈkæpjʊʃən] *n.* **1.** *kość.* kapucyn. **2.** *strój* płaszcz damski z kapturem. **3.** *zool.* kapucynka, płaksa (*Cebus capucinus*).

caput [ˈkeɪpət] *n. anat.* głowa; główka.

capybara [ˌkæpəˈbɑːrə], **capibara** *n. zool.* kapibara (*Hydrochaeris hydrochaeris*).

car [kɑːr] *n.* **1.** samochód; **by ~** samochodem. **2.** *kol. US i Can.* wagon; *Br.* wagon pasażerski; **dining/sleeping ~** wagon restauracyjny/sypialny. **3.** *Br. dial.* wóz. **4.** kabina (*windy*); gondola (*sterowca l. balonu*). **5.** *lit.* rydwan.

car. *abbr.* = **carat(s)**.

carabineer [ˌkɑːrəbəˈniːr], **carabinier** *n.* = **carbineer**.

carabiner [ˌkerəˈbiːnər], **karabiner** *n.* karabińczyk, karabinek.

caracal [ˈkerəˌkæl] *n. zool.* karakal, ryś stepowy (*Lynx caracal*).

caracul [ˈkerəkl], **karakul** *n.* **1.** *zool.* karakuł (*gatunek owcy*). **2.** karakuły (*futro*).

carafe [kəˈræf] *n.* karafka (*naczynie l. objętość*).

caramel [ˈkerəml] *n.* **1.** *U* karmel, cukier palony. **2.** karmelek. **3.** *U* kolor karmelowy.

caramelize [ˈkerəməˌlaɪz], *Br. i Austr. zw.* **caramelise** *v.* karmelizować (się).

carapace [ˈkerəpeɪs] *n. zool. l. przen.* skorupa, pancerz.

carat [ˈkerət] *n.* **1.** karat (*jednostka masy kamieni szlachetnych = 200 mg*). **2.** *US t.* (*także* **karat**) karat (= *miara wartości złota*).

caravan [ˈkerəˌvæn] *n.* **1.** karawana. **2.** kryty pojazd (*np. furgonetka*). **3.** *Br.* przyczepa kempingowa. – *v.* **1.** transportować (*w karawanie, konwoju*). **2.** podróżować karawaną *l.* z przyczepą kempingową.

caravansary [ˌkerəˈvænsərɪ], **caravanserai** *n.* karawanseraj (= *zajazd dla karawan*).

caravel [ˈkerəˌvel], **carvel** [ˈkɑːrvl] *n. hist., żegl.* karawela.

caraway [ˈkerəˌweɪ] *n.* **1.** *bot.* kminek zwyczajny (*Carum carvi*). **2. ~ seed** *kulin.* kminek (*przyprawa*).

carb[1] [kɑːrb] *n. pot.* gaźnik.

carb[2] *n. pot.* węglowodan. – *v. pot.* stosować dietę bogatą w węglowodany (*zwł. przed dużym wysiłkiem fizycznym*).

car barn *n. US* zajezdnia; *kol.* wagonownia.

carbide [ˈkɑːrbaɪd] *n. chem.* **1.** węglik. **2.** karbid, węglik wapniowy.

carbine [ˈkɑːrbaɪn] *n.* karabinek.

carbineer [ˌkɑːrbəˈniːr] *n. hist. wojsk.* karabinier.

carbohydrate [ˌkɑːrboʊˈhaɪdreɪt] *n.* **1.** *chem.* węglowodan. **2.** *pot.* pokarm bogaty w węglowodany.

carbolic [kɑːrˈbɑːlɪk] *a. chem.* karbolowy; **~ acid** karbol, kwas karbolowy.

carbolize [ˈkɑːrbəˌlaɪz], *Br. i Austr. zw.* **carbolise** *v.* karbolować.

car bomb *n.* bomba ukryta w samochodzie.

carbon [ˈkɑːrbən] *n.* **1.** *U chem.* węgiel; **~ 14** węgiel-14, radiowęgiel. **2.** *el.* elektroda węglowa. **3.** = **~ paper**. **4.** = **~ copy**.

carbonaceous [ˌkɑːrbəˈneɪʃəs] *a. chem.* węglowy.

carbon arc *n.* łuk węglowy.

carbonate [ˈkɑːrbəˌneɪt] *n. chem.* węglan. – *v.* **1.** *chem.* otrzymywać węglan. **2.** *chem.* nasycać dwutlenkiem węgla.

carbonated [ˈkɑːrbəˌneɪtɪd] *a.* gazowany (*o napojach*); nasycony dwutlenkiem węgla.

carbonation [ˌkɑːrbəˈneɪʃən] *n. U* **1.** otrzymywanie węglanu. **2.** nasycanie dwutlenkiem węgla.

carbon copy *n.* **1.** kopia (*przez kalkę*). **2.** *przen.* (idealna) kopia.

carbon-date [ˈkɑːrbəndeɪt] *v.* datować węglem.

carbon-dating [ˈkɑːrbənˌdeɪtɪŋ] *n. U* datowanie węglem, radiochronologia.

carbon dioxide *n. U chem.* dwutlenek węgla.

carbonic [kɑːrˈbɑːnɪk] *a. chem.* węglowy; **~ acid** kwas węglowy.

Carboniferous [ˌkɑːrbəˈnɪfərəs] *a.* **1.** *geol.* karboński. **2. c~** węglonośny (*o skale*). – *n.* (*także* **the ~ System/Period**) *geol.* karbon, okres karboński *l.* węglowy.

carbonization [ˌkɑːrbənəˈzeɪʃən], *Br. i Austr. zw.* **carbonisation** *n. U* **1.** karbonizacja, zwęglanie. **2.** koksowanie.

carbonize [ˈkɑːrbəˌnaɪz], *Br. i Austr. zw.* **carbonise** *v.* **1.** karbonizować (się), zwęglać (się). **2.** nawęglać.

carbon monoxide *n. U chem.* tlenek węgla, czad.

carbon paper *n. U* kalka (*maszynowa l. ołówkowa*).

carborundum [ˌkɑːrbəˈrʌndəm] *n.* *U* karborund, węglik krzemu.

carboy [ˈkɑːrbɔɪ] *n.* butla oplatana, gąsior.

carbuncle [ˈkɑːrbəŋkl] *n.* **1.** *pat.* karbunkuł, czyrak mnogi. **2.** *jubilerstwo* karbunkuł (*czerwony kamień szlachetny, zwł. granat*). – *a.* karbunkułowy (*o kolorze*).

carbuncled [ˈkɑːrbəŋkəld] *a.* **1.** *pat.* cierpiący na czyraki. **2.** *jubilerstwo* wysadzany karbunkułami.

carbuncular [kɑːrˈbʌŋkjələr] *a.* karbunkułowy.

carburet [ˈkɑːrbəˌret] *v.* *Br.* **-tt-** *chem.* łączyć z węglem *l.* węglowodorami; nawęglać.

carburetor [ˈkɑːrbəˌreɪtər], **carbureter, carburator** *Br.* **carburettor, carburetter** *n.* gaźnik, karburator.

carburize [ˈkɑːrbəˌraɪz], *Br. i Austr. zw.* **carburise** *v.* **1.** łączyć z węglem. **2.** nawęglać.

carcass [ˈkɑːrkəs], *Br. t.* **carcase** *n.* **1.** ścierwo, padlina. **2.** tusza zwierzęca. **3.** szkielet (*domu, statku itp.; zwł. rozpadający się*). **4.** *mot.* kord promieniowy, osnowa (*w oponie*). **5.** **move/shift your ~!** *sl.* zabieraj tyłek! (= *rusz się*).

carcinogen [kɑːrˈsɪnədʒən] *n.* *med.* czynnik rakotwórczy.

carcinogenic [ˌkɑːrsɪnəˈdʒenɪk] *n. i a.* (czynnik) rakotwórczy.

carcinoma [ˌkɑːrsəˈnoʊmə] *n.* *pl.* **-s** *l.* **-ta** *med.* rak.

card[1] [kɑːrd] *n.* **1.** karta; **library/membership ~** karta biblioteczna/członkowska. **2.** (*także* **playing ~**) karta (*do gry*); *pl.* karty (*gra*); **pack/deck of ~s** talia kart; **deal/shuffle the ~s** rozdawać/tasować karty; **have a game of ~s** zagrać w karty; **play ~s** grać w karty. **3.** (*także* **identity ~**) dowód tożsamości. **4.** (*także* **greeting ~**) kartka (*okolicznościowa*); (*także* **post~**) kartka pocztowa. **5.** (*także* **calling ~**) *US i Can.* wizytówka, bilet wizytowy. **6.** *fin.* (*także* **bank ~**) karta bankowa; (*także* **credit ~**) karta kredytowa. **7.** *sport* protokół zawodów; program zawodów (*zwł. wyścigów konnych, meczów bokserskich*). **8.** *piłka nożna* kartka (= *ostrzeżenie*). **9.** karta dań *l.* potraw, jadłospis; karta win. **10.** (*także* **compass ~**) róża kompasowa. **11.** *komp.* (*także* **punch ~**) karta perforowana; płytka drukowana. **12.** (*także* **trading ~**) karta z wizerunkiem sportowca (*dołączana do gumy do żucia, płatków śniadaniowych itp.*). **13.** *U Br.* karton, tektura. **14.** *przest.* dziwa-k/czka. **15.** *przen.* **best/winning/trump ~** największy atut; **have a/another ~ up one's sleeve** mieć asa w rękawie; **have/hold all the ~s** kontrolować sytuację; **keep/hold one's ~s (very) close to one's chest** być (bardzo) skrytym; **play one's ~s right** dobrze to rozegrać; **put/lay one's ~s on the table** wyłożyć karty na stół; **sth is in** *US*/**on** *Br.* **the ~s** zanosi się na coś. – *v.* *US* legitymować (*w celu sprawdzenia wieku, zwł. w barze*).

card[2] *n.* (*także* **~ing machine**) *tk.* zgrzeblarka. – *v.* *tk.* zgrzeblować.

Card. *abbr. rel.* = **Cardinal.**

cardamom [ˈkɑːrdəməm], *US t.* **cardamon** [ˈkɑːrdəmən] *Br. t.* **cardamum** *n.* **1.** *bot.* kardamon malabarski (*Elettaria cardamonum*). **2.** *U kulin.* kardamon (*przyprawa*).

Cardan joint *n.* *mech.* przegub uniwersalny, przegub Cardana.

cardboard [ˈkɑːrdˌbɔːrd] *n.* *U* tektura, karton. – *a.* **1.** tekturowy; **~ box** tekturowe pudełko, karton. **2.** *przen. uj.* papierowy, dwuwymiarowy (*o bohaterze książki, sztuki itp.*).

card-carrying [ˈkɑːrdˌkerɪɪŋ] *a. attr.* **~ member** pełnoprawny członek (*zwł. partii politycznej*).

card catalog, *Br.* **card index** *n.* *gł. bibl.* katalog (fiszkowy).

card game *n.* gra karciana.

card holder *n.* **1.** członek organizacji. **2.** posiadacz/ka karty kredytowej *l.* bankowej. **3.** *bibl.* właściciel/ka karty bibliotecznej.

cardia [ˈkɑːrdɪə] *n.* *anat.* wpust, część wpustowa żołądka.

cardiac [ˈkɑːrdɪˌæk] *a. attr.* **1.** *anat., med.* sercowy; **~ arrest/failure** zatrzymanie akcji serca; **~ failure** niewydolność serca. **2.** *anat.* wpustowy. – *n.* *med.* **1.** lek nasercowy. **2.** chor-y/a na serce.

cardie [ˈkɑːrdɪ], **cardy** *n.* *Br. pot.* = **cardigan.**

cardigan [ˈkɑːrdəgən] *n.* **~ (sweater/jacket)** kardigan, sweter rozpinany.

cardinal [ˈkɑːrdənl] *a. attr. form.* kardynalny; główny, zasadniczy, fundamentalny. – *n.* **1.** *rz.-kat.* kardynał. **2.** (*także* **~ grosbeak**) *orn.* kardynał (*Cardinalis cardinalis*). **3.** *U* czerwień kardynalska (*kolor*). **4.** *strój* krótki kobiecy płaszcz z kapturem.

cardinalate [ˈkɑːrdənəleɪt] *n.* *rz.-kat.* **1.** kolegium kardynalskie. **2.** kardynalstwo (= *godność kardynała*).

cardinal flower *n.* *bot.* stroiczka szkarłatna (*Lobelia cardinalis*).

cardinal number *n.* *mat.* liczba kardynalna.

cardinal numeral *n.* *gram.* liczebnik główny.

cardinal points *n. pl.* cztery strony świata (*na kompasie*).

cardinal sin *n.* *rel.* ciężki grzech; *przen.* ciężkie przewinienie *l.* zaniedbanie.

cardinal virtues *n. pl.* *rel.* cnoty kardynalne.

card index *n.* *Br.* = **~ catalog.**

cardiogram [ˈkɑːrdɪəˌgræm] *n.* *med.* elektrokardiogram.

cardiograph [ˈkɑːrdɪəˌgræf] *n.* *med.* elektrokardiograf.

cardiography [ˌkɑːrdɪˈɑːgrəfɪ] *n.* *med.* (elektro)kardiografia.

cardiologist [ˌkɑːrdɪˈɑːlədʒɪst] *n.* *med.* kardiolog.

cardiology [ˌkɑːrdɪˈɑːlədʒɪ] *n.* *U med.* kardiologia.

cardiovascular [ˌkɑːrdɪoʊˈvæskjələr] *a.* *anat.* sercowo-naczyniowy.

cardoon [kɑːrˈduːn], **cardon** *n.* *bot.* kard, karczoch ostowy (hiszpański) (*Cynara cardunculus*).

card phone, cardphone *n.* automat telefoniczny na kartę.

cardsharp [ˈkɑːrdˌʃɑːrp], **cardsharper, card shark** *n.* oszust/ka karcian-y/a.

cardsharping ['kɑ:rd,ʃɑ:rpɪŋ] *n. U* oszukiwanie w kartach.

card vote *n. Br.* głosowanie delegatów w imieniu członków swojej organizacji (*np. na zjeździe centrali związkowej*).

care [ker] *n.* **1.** troska, zmartwienie; **not have a ~ in the world** nie mieć żadnych zmartwień. **2.** *U* opieka; piecza; **in sb's ~** (*także* **in the ~ of sb**) pod czyjąś opieką. **3.** *U* uwaga; ostrożność; staranność, dbałość; **handle with ~** ostrożnie! (*napis na pakunku ze szkłem itp.*); **take ~** uważać; **take ~!** uważaj na siebie! (*przy pożegnaniu*); **take ~ not to do sth** bardzo uważać *l.* się starać, żeby czegoś nie zrobić; **with ~** ostrożnie; uważnie; starannie, z dbałością. **4.** *Br.* **in ~** w domu dziecka; **take sb into ~** zabrać kogoś do domu dziecka. **5.** **~ of sb** na czyjś adres (*wysłać list*); **John Smith, ~ of Mr and Mrs Green** John Smith, u państwa Green (*uwaga na liście*). **6.** **take ~ of** zajmować się, opiekować się (*dzieckiem, psem itp.*); zająć się (*czymś*), dopilnować (*czegoś*); rozwiązać (*problem*). – *v.* **1.** **~ (about)** troszczyć się *l.* dbać (o); *zwł. neg.* przejmować się; **I don't ~ who/how/if ...** nie obchodzi mnie, kto/jak/czy...; **I could(n't) ~ less** *pot.* nic mnie to nie obchodzi, mam to w nosie; **(they can go to hell) for all I ~** *pot.* jeśli o mnie chodzi, (mogą iść do diabła); **what do I/they ~?** *pot.* co mnie/ich to obchodzi?; **who ~s?** *pot.* co za różnica?. **2.** *zwł. neg. i pyt.* **~ for sth** mieć ochotę na coś; **~ to do sth** mieć ochotę coś zrobić; **would you ~ for a drink?** *form.* czy ma Pan/i ochotę na drinka?; **I wouldn't ~ to have anything to do with him** nie chciałabym mieć z nim do czynienia, wolałabym nie mieć z nim do czynienia. **3.** **~ for sb** opiekować się kimś; *zwł. neg. l. pyt. form.* lubić kogoś; **she doesn't ~ for him** nie lubi go, nie przepada za nim; nie zależy jej na nim.

CARE [ker] *abbr.* **Cooperative for American Relief Everywhere** *US* amerykańska organizacja charytatywna.

careen [kə'ri:n] *v.* **1.** przechylać (się) gwałtownie (*zwł. o pojeździe l. statku*). **2.** *żegl.* przewracać (statek) na bok (*zwł. w celu czyszczenia kadłuba*). **3.** = **career**. – *n. żegl.* karenaż.

career [kə'ri:r] *n.* **1.** zawód; **~ change** zmiana zawodu; **choice of ~** wybór zawodu. **2.** *t. przen.* kariera (*in sth* w jakiejś dziedzinie). – *a. attr.* zawodowy; **~ diplomat/politician** zawodowy dyplomata/polityk. – *v.* pędzić, gnać.

career counselor *n. US* pracowni-k/czka biura karier.

careerist [kə'ri:rɪst] *n. zw. uj.* karierowicz/ka.

careers officer, careers adviser *n. Br.* = **~ counselor**.

career woman, career girl *n.* kobieta stawiająca na pierwszym miejscu pracę zawodową.

carefree ['ker,fri:] *a.* beztroski.

careful ['kerfʊl] *a.* **1.** ostrożny. **2.** uważny; staranny. **3.** *arch.* zatroskany. **4.** **(be) ~!** uważaj!, ostrożnie!; **be ~ about/of sth** uważać na coś; **be ~ (about/of) what you say** uważaj (na to), co mówisz; **be ~ not to offend her** uważaj, żeby jej nie obrazić; **be ~ (that) you don't break this** uważaj, żebyś tego nie stłukł; **be ~ with sth** uważać z czymś, być ostrożnym z czymś; **you can't be too ~** ostrożności nigdy nie za wiele.

carefully ['kerfʊlɪ] *adv.* **1.** ostrożnie. **2.** uważnie; starannie.

carefulness ['kerfʊlnəs] *n. U* **1.** ostrożność. **2.** uwaga; staranność.

caregiver ['ker,gɪvər] *n. zwł. US* opiekun/ka (*dziecka, osoby chorej l. niepełnosprawnej*).

care label *n.* wszywka z instrukcjami dotyczącymi obchodzenia się z odzieżą.

careless ['kerləs] *a.* **1.** nieuważny; nieostrożny. **2.** niedbały, niestaranny. **3.** niewystudiowany, naturalny (*o wdzięku, gestach*). **4.** *rzad.* = **carefree**. **5.** **be ~ of** *form.* nie zważać na; **be ~ with money** szastać pieniędzmi.

carelessly ['kerləslɪ] *adv.* **1.** nieuważnie; nieostrożnie. **2.** niedbale, niestarannie.

carelessness ['kerləsnəs] *n. U* **1.** nieuwaga. **2.** niedbałość. **3.** *rzad.* beztroska.

carer ['kerər] *n. zwł. Br.* = **caregiver**.

caress [kə'res] *n.* pieszczota. – *v. t. przen.* pieścić (się).

caressingly [kə'resɪŋlɪ] *adv.* pieszczotliwie.

caret ['kerɪt] *n. druk.* znak wstawienia; daszek (^).

caretaker ['ker,teɪkər] *n.* **1.** *Br.* dozor-ca/czyni; gospod-arz/yni domu; *szkoln.* woźn-y/a. **2.** *US* = **caregiver**. – *a. attr.* zastępczy, przejściowy; **~ government** rząd przejściowy; **~ Prime Minister** premier rządu przejściowego.

careworn ['ker,wɔ:rn] *a.* stroskany; udręczony.

carfare ['kɑ:r,fer] *n. U US* opłata za przejazd (*metrem, autobusem itp.*).

cargo ['kɑ:rgoʊ] *n. pl.* **-es** *l.* **-s** ładunek.

cargo bay *n.* przedział ładunkowy, ładownia (*na promie kosmicznym*).

cargo liner *n. żegl.* liniowiec (*okręt towarowy*).

cargo plane *n. lotn.* samolot towarowy *l.* dostawczy.

carhop ['kɑ:r,hɑ:p] *n. US pot.* kelner/ka w barze dla zmotoryzowanych. – *v.* pracować jako kelner/ka w barze jw.

Carib ['kerɪb] *n.* **1.** mieszkan-iec/ka Karaibów. **2.** *U jęz.* grupa języków karaibskich.

Caribbean [,kerə'bi:ən] *a.* karaibski. – *n.* **1.** mieszkan-iec/ka Karaibów. **2.** **the ~** *pot.* Karaiby. **3.** **the ~ (Sea)** *geogr.* Morze Karaibskie.

caribou ['kerə,bu:] *n. pl.* **-s** *zool.* karibu (*Rangifer tarandus*).

caricature ['kerəkətʃər] *n.* **1.** *t. przen.* karykatura. **2.** *U* karykatura, karykaturowanie. – *v.* karykaturować.

caricaturist ['kerəkətʃərɪst] *n.* karykaturzyst-a/ka.

caries ['kerɪz] *n. U pat.* **1.** (*także* **dental ~**) próchnica (zębów). **2.** próchnica kości.

carillon ['kerə,lɑ:n] *n.* **1.** zestaw dzwonów (*zw. na wieży*). **2.** kurant. **3.** *muz.* dzwony orkiestrowe. – *v.* **-nn-** grać na dzwonach.

carina[1] [kə'ri:nə] *n. pl.* **-s** *l.* **-e** **1.** *zool.* ostroga. **2.** *bot.* łódeczka (*kwiatu motylkowego*).

carina[2] *n.* **C~** *astron.* Kil.

carinal [kə'ri:nl] *a.* **1.** *zool.* ostrogowy. **2.** *bot.* łódeczkowaty.

carinate ['kerəˌneɪt] *a.* **1.** *zool.* z ostrogą. **2.** *pl.* z łódeczką.

caring ['kerɪŋ] *a.* opiekuńczy; troskliwy. – *n.* *U* **1.** opiekuńczość; troska. **2. be past** ~ *pot.* nie być w stanie się przejmować (*z powodu zmęczenia, zdenerwowania l. innych zmartwień*).

cariole ['kerɪˌoʊl], **carriole** *n.* **1.** *hist.* kariolka (= *odkryty jednokonny powóz dwukołowy*); lekka kryta bryczka. **2.** sanie kanadyjskie, tobogan.

cariosity [ˌkerɪ'ɑːsətɪ] *n.* *U pat.* próchnica.

carious ['kerɪəs] *a.* *pat.* zaatakowany przez próchnicę (*o zębach, kościach*); próchniczy (*o zmianach chorobowych*).

carjacking ['kɑːrˌdʒækɪŋ] *a.* *zwł.* *US* porwanie samochodu (*wraz ze znajdującym się wewnątrz kierowcą*).

carking ['kɑːrkɪŋ] *a.* *arch.* uciążliwy.

carl [kɑːrl], **carle** *n.* **1.** *Scot.* skąpiec. **2.** *przest.* rolnik; chłop pańszczyźniany, niewolnik. **3.** *arch.* gbur.

carline[1] ['kɑːrlɪn] *n.* (*także* **carlin**) *Scot.* starucha; wiedźma, jędza.

carline[2] *n.* *bot.* dziewięćsił (*Carlina*).

carload ['kɑːrˌloʊd] *n.* *US* **1.** ładunek całowagonowy. **2.** minimum ładunku uprawniającego do taryfy zniżkowej.

Carlovingian [ˌkɑːrlə'vɪndʒɪən] *a.* *i* *n.* = **Carolingian**.

carmaker ['kɑːrˌmeɪkər] *n.* producent samochodów.

carman ['kɑːrmən] *n.* *pl.* **-men** **1.** *US i Can.* motorniczy. **2.** woźnica, furman. **3.** przewoźnik samochodowy.

Carmelite ['kɑːrməˌlaɪt] *kośc.* *n.* **1.** karmelita. **2.** karmelitanka. – *a.* karmelitański, karmelicki.

carminative [kɑːr'mɪnətɪv] *n.* *i a.* *med.* (środek) wiatropędny.

carmine ['kɑːrmɪn] *n.* *U* karmin. – *a.* karminowy.

carnage ['kɑːrnɪdʒ] *n.* *U* rzeź, masakra.

carnal ['kɑːrnl] *a.* *form.* **1.** cielesny; zmysłowy. **2.** doczesny, ziemski. **3.** *prawn.* ~ **abuse** czyn lubieżny z dzieckiem; gwałt (*zwł. na osobie nieletniej*); ~ **knowledge** stosunek płciowy.

carnality [kɑːr'nælətɪ] *n.* *U form.* **1.** cielesność. **2.** doczesność.

carnally ['kɑːrnlɪ] *adv.* *form.* **1.** cieleśnie. **2.** docześnie.

carnation [kɑːr'neɪʃən] *n.* **1.** goździk (*Dianthus caryophyllus*). **2.** *U* kolor różowy. **3.** *przest.* karnacja. – *a.* różowy.

carnelian [kɑːr'niːlɪən], **cornelian** *n.* *min.* karneol, krwawnik.

carney ['kɑːrnɪ] *n.* *i a.* *US* = **carny**[1].

carnification [ˌkɑːrnəfə'keɪʃən] *n.* *U pat.* karnifikacja, stwardnienie mięsiste (płuc).

carnival ['kɑːrnəvl] *n.* **1.** karnawał; zapusty. **2.** *US* wesołe miasteczko. **3.** *US* festyn.

carnivore ['kɑːrnəˌvɔːr] *n.* **1.** *zool.* zwierzę mięsożerne; ssak mięsożerny (*rząd Carnivora*). **2.** *bot.* roślina owadożerna. **3.** *żart.* osoba jadająca mięso.

carnivorous [kɑːr'nɪvərəs] *a.* **1.** mięsożerny. **2.** dotyczący mięsożernych.

carny[1] ['kɑːrnɪ] *n.* *pl.* **-ies** *US i Can.* *pot.* **1.** wesołe miasteczko. **2.** pracowni-k/ca wesołego miasteczka.

carny[2] *v.* **-ied, -ying** *Br.* *dial.* przymilać się, przypochlebiać się. – *n.* *Br.* *dial.* **1.** pochlebstwo. **2.** pochlebca.

carob ['kerəb] *n.* **1.** *bot.* szarańczyn strąkowy, chleb świętojański, chleb św. Jana (*Ceratonia siliqua*). **2.** *U* jadalne strąki chleba świętojańskiego; mąka ze strąków chleba świętojańskiego.

carol ['kerəl] *n.* **1.** (*także* **Christmas** ~) kolęda. **2.** radosna pieśń *l.* hymn. **3.** *bud.* ławka w wykuszu. **4.** *kośc.* pokój *l.* pulpit do czytania (*w klasztorze*). – *v.* *zwł.* *Br.* **-ll-** **1.** śpiewać kolędy; kolędować. **2.** śpiewać radośnie.

caroler ['kerələr], **caroller** *n.* kolędni-k/czka.

Carolina [ˌkerə'laɪnə] *n.* **North/South** ~ *US geogr.* Karolina Północna/Południowa.

Carolina dove *n.* *orn.* turkawka żałobna (*Zenaida macroura*).

Carolingian [ˌkerə'lɪndʒɪən], **Carlovingian** [ˌkɑːrlə'vɪndʒɪən], **Carolinian** [ˌkerə'lɪnɪən] *hist.* *a.* *t. sztuka* karoliński. – *n.* członek dynastii Karolingów.

caroller ['kerələr] *n.* *Br.* = **caroler**.

carom ['kerəm], **carrom** *n.* **1.** *bilard* karambol. **2.** odbicie się. – *v.* **1.** *bilard* robić karambol. **2.** odbić się.

carotene ['kerəˌtiːn], **carotin** *n.* *U.* *chem.* karoten.

carotenoid [kə'rɑːtəˌnɔɪd] *biochem.* *n.* karotenoid. – *a.* karotenowy.

carotid [kə'rɑːtɪd] *anat.* *n.* **1.** (*także* ~ **artery**) tętnica szyjna. **2.** ~ **body/gland** kłębek tętnicy szyjnej. – *a.* szyjny, dotyczący tętnicy szyjnej.

carousal [kə'raʊzl] *n.* *lit.* hulanka.

carouse [kə'raʊz] *lit.* *v.* hulać. – *n.* = **carousal**.

carousel [ˌkerə'sel], **carrousel** *n.* **1.** *zwł.* *US* karuzela. **2.** stanowisko odbioru bagażu na lotnisku (*obracający się pas*).

carouser [kə'raʊzər] *n.* hulaka.

carp[1] [kɑːrp] *n.* *pl.* **carp** *icht.* karp (*Cyprinus carpio*).

carp[2] *v.* utyskiwać, psioczyć (*at sth* na coś).

carpal ['kɑːrpl] *anat.* *a.* nadgarstkowy; ~ **tunnel** *anat.* kanał nadgarstka; ~ **tunnel syndrome** *pat.* zespół kanału nadgarstka. – *n.* (*także* **carpale**) kość nadgarstka.

car park *n.* *zwł.* *Br.* parking.

Carpathian [kɑːr'peɪθɪən] *geogr.* *a.* **1.** karpacki. **2. the** ~ **Mountains** Karpaty.

carpel ['kɑːrpl] *n.* *bot.* owocolistek.

carpellary ['kɑːrpəˌlerɪ] *a.* owocolistkowy.

carpellate ['kɑːrpələt] *a.* posiadający owocolistki.

carpenter ['kɑːrpəntər] *n.* cieśla, stolarz. – *v.* **1.** uprawiać ciesielstwo. **2.** konstruować (*zwł. nieudolnie l. w sposób sztampowy*).

carpenter bee *n.* *ent.* zadrzechnia (*Xylocopa*).

carpentry ['kɑːrpəntrɪ] *n.* *U* **1.** (*także* **carpentering**) ciesielstwo, stolarstwo; *szkoln.* obróbka drewna. **2.** konstrukcja (*zwł. utworu literackiego*).

carpet [ˈkɑːrpɪt] *n.* **1.** dywan; *t. przen.* kobierzec. **2.** *zwł. wojsk.* zakłócacz radaru; pochłaniacz fal (*urządzenie pasywne*); antyradar (*urządzenie aktywne*). **3.** *przen. pot.* **on the ~** *przest.* na dywaniku (= *besztany*); *zwł. Br.* na tapecie (= *rozważany*); **call sb on the ~** *US* wezwać kogoś na dywanik; **red-~ treatment** przyjęcie z honorami. – *v.* **1.** wyłożyć dywanem *l.* wykładziną. **2.** *przen. pot. zwł. Br.* besztać, rugać.

carpetbag [ˈkɑːrpɪtˌbæg] *n.* torba podróżna (*zw. z tkaniny dywanowej*).

carpetbagger [ˈkɑːrpɪtˌbægər] *n. uj.* **1.** kandydat startujący w wyborach z okręgu, z którym nie jest związany (*w nadziei na łatwiejsze zdobycie mandatu*). **2.** *US hist.* biały mieszkaniec Północy, który po wojnie domowej przeniósł się na Południe z zamiarem czerpania korzyści politycznych *l.* finansowych.

carpet beetle, carpet bug *n. ent.* mrzyk krostowiec (*Anthrenus scrophylariae*).

carpet bombing *n. wojsk.* nalot dywanowy.

carpeting [ˈkɑːrpɪtɪŋ] *n. U* wykładzina dywanowa; (materiał na) dywany.

carpet moth *n. ent.* mól kobierzycznik (*Trichophaga tapetzella*).

carpet slippers *n. pl.* bambosze.

carpet snake, carpet python *n. zool.* pyton rombowy (*Morelia argus*).

carpet sweeper *n.* szczotka do dywanów (*typu „kasia"*).

carpology [kɑːrˈpɑːlədʒɪ] *n. U bot.* karpologia (*nauka o owocach*).

carpool [ˈkɑːrˌpuːl], **car pool** *US i Austr. n.* **1.** grupa właścicieli samochodów, którzy na zmianę podwożą się wzajemnie do pracy *l.* odwożą dzieci do szkoły. **2.** samochody stanowiące własność firmy i będące do dyspozycji jej pracowników. – *v.* (*także* **car-pool**) jeździć do pracy *l.* podwozić dzieci do szkoły w systemie jw.

carport [ˈkɑːrˌpɔːrt] *n.* wiata na samochód (*przy domu*).

carpus [ˈkɑːrpəs] *anat. n. pl.* **carpi** nadgarstek; kości nadgarstka.

carrageen [ˈkerəˌgiːn], **caragheen** *n. bot.* chrzęścica *l.* chrząstnica kędzierzawa, chrząstnik kędzierzawy, mech irlandzki (*Chondrus crispus*).

carrefour [ˈkerəˌfʊr] *n.* **1.** *rzad.* skrzyżowanie. **2.** plac *l.* rynek miejski (*zwł. na skrzyżowaniu dróg*).

carrel [ˈkerəl], **carrell** *n. bibl.* miejsce do pracy w bibliotece (*biurko l. pomieszczenie zarezerwowane dla konkretnego czytelnika*).

carriage [ˈkerɪdʒ] *n.* **1.** powóz, kareta; wóz (*zaprzęgowy*). **2.** *Br. kol.* wagon (*pasażerski*). **3.** (*także* **baby ~**) wózek (dziecięcy). **4.** podwozie. **5.** *wojsk.* laweta. **6.** karetka (*w maszynie do pisania*). **7.** *U form.* postawa, postura; chód. **8.** *U form. zwł. Br.* transport, przewóz; koszty transportu *l.* przewozu *l.* przesyłki; **~ forward** koszty transportu ponosi odbiorca; **~ free/paid** koszty transportu ponosi dostawca, transport opłacony.

carriage dog *n. kynol.* dalmatyńczyk.

carriage horse *n.* koń pociągowy.

carriage return *n.* powrót karetki (*w maszynie do pisania*).

carriage trade *n. U. przen.* bogata klientela.

carriageway [ˈkerɪdʒˌweɪ] *n. Br.* nitka, pas (*drogi, autostrady*).

carrick bend *n. żegl.* węzeł płaski.

carrier [ˈkerɪər] *n.* **1.** przewoźnik, spedytor. **2.** *zwł. US* doręczyciel/ka (*listów*); roznosiciel/ka (*gazet, ulotek*). **3.** bagażnik (*roweru itp.*); *US* bagażnik na dach (*samochodu*). **4.** *med.* nosiciel/ka (*choroby, wadliwego genu*). **5.** (*także* **aircraft ~**) *wojsk.* lotniskowiec; **~ born plane** samolot pokładowy (*startujący z lotniskowca*). **6.** *mech.* mechanizm nośny. **7.** *chem., fiz.* nośnik; (*także* **charge ~**) *fiz.* nośnik ładunku. **8.** *radio* = **~ wave**. **9.** = **~ bag**. **10.** = **~ pigeon**.

carrier bag *n. zwł. Br.* reklamówka (*torba*).

carrier-free [ˈkerɪərˌfriː] *a. chem.* beznośnikowy.

carrier pigeon *n.* gołąb pocztowy.

carrier wave *n. radio* przebieg nośny, fala nośna.

carriole [ˈkerɪˌoʊl] *n.* = **cariole**.

carrion [ˈkerɪən] *n. U* **1.** ścierwo, padlina. **2.** *t. przen.* zgnilizna. – *a.* padlinożerny.

carrion beetle *n. ent.* żuk z rodziny omarlicowate (*Silphidae*).

carrion crow *n. orn.* **1.** czarnowron (*Corvus corone*). **2.** urubu czarny (*Coragyps atratus*).

carrion flower *n. bot.* stapelia pstra (*Stapelia variegata*).

carrom [ˈkerəm] *v.* = **carom**.

carronade [ˌkerəˈneɪd] *n. hist., żegl.* krótkie działo okrętowe dużego kalibru.

carron oil *n. U hist., med.* woda wapienna z olejem z siemienia lnianego (*stosowana dawniej na oparzenia*).

carrot [ˈkerət] *n. C/U.* **1.** *bot.* marchew (*Daucus carota*); marchew, marchewka (*jadalny korzeń*). **2.** *przen. pot.* marchewka (= *zachęta*); **(the) ~ and (the) stick** kij i marchewka. – *v.* karotować (*skóry*).

carrot-top [ˈkerətˌtɑːp] *n. pot.* rudzielec.

carroty [ˈkerətɪ] *a.* marchewkowy; rudy (*o kolorze włosów l. osobie*).

carrousel [ˌkerəˈsel] *n.* = **carousel**.

carry [ˈkerɪ] *v.* **-ied, -ying** **1.** nieść; nosić (*przy sobie*). **2.** przenosić (*t. choroby*); przewozić, transportować. **3.** nieść się (*np. o głosie*). **4.** **~ o.s.** *form.* nosić się. **5.** móc pomieścić; móc unieść. **6.** *radio, telew.* transmitować, nadawać (*np. czyjeś wystąpienie*). **7.** *dzienn.* zamieszczać (*artykuł, zdjęcie; o gazecie*). **8.** zawierać (*określone informacje; np. o etykiecie*). **9.** *sport* przejąć inicjatywę (*w meczu*). **10.** przekazywać (*np. sprawę do wyższej instancji*). **11.** *gł. parl. zw. pass.* przejść (*o wniosku, ustawie*); przegłosować (*wniosek, ustawę*). **12.** *zwł. US polit.* zdobyć większość głosów w (*okręgu, stanie; o kandydacie*). **13.** *zw. pass.* rozszerzać się (*o konflikcie, wojnie*). **14.** porwać za sobą (*zwł. tłum*). **15.** stanowić podporę (*grupy, zespołu*). **16.** prowadzić (*np. główną melodię*). **17.** doprowadzać (*wodę, prąd*). **18.** nieść *l.* pociągać za sobą (*np. karę*). **19.** *przest.* być *l.* chodzić w ciąży (z) (*dzieckiem*). **20.** *handl.* prowadzić, mieć na składzie; wykazywać w księgach. **21.** *golf* powędrować za (*drzewa itp.; o piłce*). **22.** *hokej na lodzie* prowadzić krążek. **23.** *mat.* przenosić. **24.** *myśl.* iść za tropem, pozostawać na tropie (*zapachu*). **25.** działać jako nośnik *l.* przewodnik. **26.** napędzać. **27.** *jeźdz.* prowadzić się (*o koniu*). **28.** *przen.* **~ a torch for sb** *zob.* **torch** *n.*; **~ a tune** nie fałszować; **~ a guarantee** być wyposażonym w gwarancję, mieć gwarancję; **~ the can** *zob.* **can[2]** *n.*; **~ the day** zwyciężyć; **~ sth too far** przesadzać z czymś; **~ weight with sb** mieć wpływ na kogoś, liczyć się dla kogoś (*o argumentach, opiniach*); **as fast as her/his legs could ~ her/him** co sił w nogach; **be ~ing too much weight** mieć nadwagę. **29.** **~ away** porwać (= *wzbudzić emocje w*); *żegl.* zmyć *l.* zerwać z pokładu; *żegl.* pęknąć (*o linie*); **be/get carried away** dać się ponieść (emocjom); **~ forward** czynić postępy; (*także* **~ over**) *księgowość* przenosić (*na następną stronę, do następnej kolumny*); **~ off** przeprowadzić z powodzeniem, doprowadzić do szczęśliwego końca; zdobyć (*nagrodę, wyróżnienie*); *zw. pass.* spowodować śmierć (*czyjąś*); **~ on** prowadzić (*np. rozmowę*); kontynuować; trwać; *pot.* rozrabiać, dokazywać; **~ on about** narzekać na (*coś*); **~ on doing sth** robić coś nadal; **~ on with sth** kontynuować coś; **~ on with sb** *przest. pot.* mieć romans z kimś; **~ out** wykonywać (*np. polecenia*); prowadzić (*badania, dochodzenie*); przeprowadzić (*plan, atak*); spełnić (*groźbę, obietnicę*); **~ over** przenosić, przekładać (*na później*); *pass.* trwać; *księgowość* = **~ forward**; **~ over into** przenosić się na (*inny grunt*); **~ through** przeprowadzić z powodzeniem (*coś trudnego*); **~ sb through (sth)** pozwolić *l.* pomóc komuś przetrwać (coś). – *n. pl.* **-ies** **1.** nośność, zasięg (*broni*). **2.** *gł. golf* odległość pokonywana przez piłkę od uderzenia do zetknięcia się z ziemią. **3.** *zwł. US i Can.* pas lądu, przez który trzeba przenosić łódź (*np. między rzekami*).

carryall[1] [ˈkerɪˌɔːl] *n. US i Can.* duża, lekka torba podróżna.

carryall[2] *n. zwł. US* lekki jednokonny powóz czterokołowy.

carrycot [ˈkerɪˌkɑːt] *n. Br.* przenośne łóżeczko dla niemowlęcia.

carry-in [ˈkerɪˌɪn] *n. zwł. US* **1.** urządzenie przenośne (*takie, które można samemu dostarczyć do naprawy*). **2.** (*także* **~ dinner/supper**) przyjęcie składkowe.

carrying capacity *n. sing. ekol.* maksymalna liczba osobników mogących mieszkać na danym terenie.

carrying charge *n. handl.* odsetki (*przy spłacaniu rat*).

carrying-on [ˌkerɪɪŋˈɑːn] *pot. n. pl.* **carryings-on** *uj.* wygłupy; flirtowanie; nieuczciwe *l.* niemoralne postępowanie.

carry-on[1] [ˈkerɪˌɑːn] *n. i a.* (bagaż) podręczny.

carry-on[2] *n. sing. Br. pot.* szopka, cyrk (= *sytuacja, w której reakcje uczestników są przesadzone l. udawane*).

carry-out [ˈkerɪˌaʊt] *n. US i Scot.* **1.** jedzenie na wynos. **2.** restauracja oferująca dania na wynos.

carryover [ˈkerɪˌoʊvər], **carry-over** *n.* **1.** *handl.* towar do sprzedaży w późniejszym terminie. **2.** (*także* **carry-forward**) *księgowość* kwota z przeniesienia.

carse [kɑːrs] *n. Scot.* łęg.

car seat *n. Br.* fotelik samochodowy (*dla dziecka*).

carsick [ˈkɑːrˌsɪk] *a.* cierpiący na chorobę lokomocyjną.

carsickness [ˈkɑːrˌsɪknəs] *n. U* choroba lokomocyjna.

cart [kɑːrt] *n.* **1.** wóz, furmanka. **2.** *US* wózek na zakupy (*w supermarkecie*). **3.** *US* stolik na kółkach. **4.** *przest.* rydwan. **5.** *przen.* **in the ~** *pot.* w tarapatach; **put the ~ before the horse** robić wszystko na odwrót, zaczynać od końca. – *v.* **1.** przewozić wozem. **2.** taszczyć, holować, wlec. **3.** **~ away** wywozić (*np. liście*); zwozić (*np. siano*); **~ off** *pot.* zgarnąć (= *aresztować*).

cartage [ˈkɑːrtɪdʒ] *n.* **1.** przewoźne. **2.** *U* wożenie.

carte blanche [ˌkɑːrtˈblɑːnʃ] *n. U* wolna ręka; **give sb ~ (to do sth)** dawać komuś wolną rękę (w robieniu czegoś).

cartel [kɑːrˈtel] *n.* **1.** *ekon., prawn.* kartel. **2.** *polit.* koalicja (*kilku partii*). **3.** *hist.* pisemne wyzwanie na pojedynek.

cartelization [ˌkɑːrtələˈzeɪʃən], *Br. i Austr. zw.* **cartelisation** *n. U ekon.* kartelizacja.

cartelize [ˈkɑːrtəˌlaɪz], *Br. i Austr. zw.* **cartelise** *v. ekon.* tworzyć kartel; kartelizować.

carter [ˈkɑːrtər] *n.* woźnica, furman.

Cartesian [kɑːrˈtiːʒən] *a.* kartezjański. – *n.* wyznaw-ca/czyni kartezjanizmu.

Cartesianism [kɑːrˈtiːʒəˌnɪzəm] *n. U* kartezjanizm.

Carthage [ˈkɑːrθɪdʒ] *n. hist.* Kartagina.

Carthaginian [ˌkɑːrθəˈdʒɪnɪən] *hist. a.* kartagiński. – *n.* Kartagi-ńczyk/nka.

cartilage [ˈkɑːrtəlɪdʒ] *n. anat., zool.* chrząstka; *U* chrząstka, tkanka chrzęstna.

cartilaginous [ˌkɑːrtəˈlædʒənəs] *a.* **1.** *anat., zool.* chrząstkowy. **2.** *icht.* chrzęstny (*należący do gromady Chondrichthyes*).

cartload [ˈkɑːrtˌloʊd] *n.* **1.** pełen wóz; ładowność wozu. **2.** **~s of sth** *przen. emf.* tony czegoś.

cartogram [ˈkɑːrtəˌɡræm] *n. geogr.* kartogram.

cartographer [kɑːrˈtɑːɡrəfər] *n.* kartograf/ka.

cartographic [ˌkɑːrtəˈɡræfɪk], **cartographical** [ˌkɑːrtəˈɡræfɪkl] *a.* kartograficzny.

cartography [kɑːrˈtɑːɡrəfɪ] *n. U* kartografia.

carton [ˈkɑːrtən] *n.* **1.** karton (= *pudło tekturowe; pojemnik, np. z sokiem; zawartość pudła l. pojemnika*); *US* karton (*papierosów itp.*). **2.** *Br.* środek tarczy strzelniczej (*biały krążek*); strzał w środek tarczy. – *v.* pakować w kartony.

cartoon [kɑːrˈtuːn] *n.* **1.** rysunek satyryczny, karykatura. **2.** (*także* **animated ~**) kreskówka, film rysunkowy *l.* animowany. **3.** = ~ **strip**. **4.** *sztuka* karton. – *v.* karykaturować.

cartoonist [kɑ:rˈtu:nɪst] *n.* **1.** rysowni-k/czka; karykaturzyst-a/ka. **2.** *film* animator/ka.

cartoon strip *n. Br.* komiks.

cartouche [kɑ:rˈtu:ʃ], **cartouch** *n.* **1.** kartusz (*element dekoracyjny*). **2.** *bud.* ślimacznica. **3.** *wojsk.* kartusz.

cartridge [ˈkɑ:rtrɪdʒ] *n.* **1.** *t. wojsk.* nabój (= *jednostka amunicji, materiał wybuchowy, pojemnik z tuszem itp.*); **blank** ~ ślepy nabój. **2.** *fot.* kaseta (*na film do aparatu*). **3.** wkładka gramofonowa.

cartridge belt *n.* pas z nabojami.

cartridge clip *n.* ładownik, magazynek.

cartridge paper *n. U Br.* papier do wyrobu nabojów; papier rysunkowy gruby.

cartulary [ˈkɑ:rtʃəˌlerɪ], **chartulary** *n. pl.* **-ies** **1.** *prawn.* kartularz (= *rejestr własności, np. klasztoru*). **2.** archiwist-a/ka prowadząc-y/a kartularz.

cartwheel [ˈkɑ:rtˌwi:l] *n.* **1.** koło (wozu). **2.** *sport* gwiazda; **do/turn a** ~ zrobić gwiazdę. **3.** *US sl.* duża moneta (*zwł. srebrny dolar*). **4.** *sl.* amfa (= *tabletka amfetaminy*).

cartwheeler [ˈkɑ:rtˌwi:lər] *n.* kołodziej.

cartwright [ˈkɑ:rtˌraɪt] *n. zwł. Br.* = **cartwheeler**.

caruncle [kəˈrʌŋkl] *n.* **1.** *bot.* wypukłość na znaczku nasienia. **2.** *zool.* grzebień. **3.** *anat.* mięsko, strzępek.

carve [kɑ:rv] *v.* **1.** kroić na kawałki *l.* plastry, porcjować (*mięso*). **2.** rzeźbić (w); ~ **sth from marble/out of a tree trunk** wyrzeźbić coś z marmuru/z kloca drewna; ~ **wood** rzeźbić w drewnie. **3.** wycinać; ryć; ~ **one's initials on a wall/tree** wyryć/wyciąć swoje inicjały na murze/w drzewie. **4.** *przen.* ~ **out a niche/reputation for o.s.** wyrobić sobie pozycję/reputację; **~d in stone** *pot.* ustalony raz na zawsze (*o planach, regułach*). **5.** ~ **up** *Br.* pokroić (*mięso*); rozparcelować (*działkę*); *pot.* pociąć (*kogoś nożem*).

carvel [ˈkɑ:rvl], **caravel** [ˈkerəˌvel] *n. hist. żegl.* karawela.

carvel-built [ˈkɑ:rvlˌbɪlt] *a.* karwelowy, z poszyciem klepkowym stykowym (*o kadłubie*).

carver [ˈkɑ:rvər] *n.* **1.** osoba krojąca mięso (*zwł. w restauracji*). **2.** rzeźbia-rz/rka; snycerz. **3.** = **carving knife**; *zob.* **carving**.

carvery [ˈkɑ:rvərɪ] *n. pl.* **-ies** *zwł. Br.* restauracja, w której podaje się pieczone mięsa.

carving [ˈkɑ:rvɪŋ] *n.* **1.** rzeźba. **2.** *U* rzeźbiarstwo; snycerstwo. **3.** *U* krajanie, porcjowanie; ~ **knife** nóż do krajania/porcjowania mięsa.

car wash, carwash *n.* myjnia samochodowa.

caryatid [ˌkerɪˈætɪd] *n. pl.* **-es** *l.* **-s** *bud.* kariatyda.

casaba [kəˈsɑ:bə], **casaba melon**, **cassaba** *n. bot.* melon kasaba (*Cucumis melo inodorus*).

cascade [kæsˈkeɪd] *n.* **1.** *geol. l. przen.* kaskada; ~ **of hair** kaskada włosów. **2.** *chem.* kaskada (*zestaw naczyń*). **3.** *el.* kaskada, układ kaskadowy. **4.** fajerwerk w kształcie kaskady. – *v.* **1.** spływać *l.* opadać kaskadą. **2.** tworzyć kaskadę. **3.** *el.* budować układ kaskadowy.

cascade connection *n. el.* połączenie posobne.

cascade converter *n. el.* przetwornik kaskadowy.

cascade particle *n. fiz.* hiperon ksi.

cascara [kæsˈkerə] *n. bot.* szakłak Purshiana (*Rhamnus Purshiana*).

case[1] [keɪs] *n.* **1.** przypadek (*t. o osobie*); **in sb's/this/each** ~ w czyimś/tym/każdym przypadku. **2.** *med.* przypadek (chorobowy); **a bad** ~ **of pneumonia** ciężki przypadek zapalenia płuc; **emergency/hospital** ~ przypadek nagły/wymagający hospitalizacji. **3.** *gram.* przypadek; **the nominative/accusative etc.** ~ *gram.* mianownik/biernik itd. **4.** *prawn.* sprawa; proces; **be on the** ~ prowadzić sprawę (*o inspektorze policji itp.*); **have a** ~ mieć podstawy do wszczęcia sprawy; **win/lose a** ~ wygrać/przegrać proces. **5.** argumenty; **make (out) a (good)** ~ **for/against sth** przedstawić (mocne) argumenty za czymś/przeciwko czemuś. **6.** *pot.* dziwa-k/czka, ekscentry-k/czka. **7. a** ~ **in point** dobry przykład (*ilustrujący omawiane zjawisko, problem itp.*); **as the** ~ **may be** zależnie od okoliczności; **get/be on sb's** ~ *pot.* czepiać się kogoś; **get off sb's** ~ *pot.* odczepić się od kogoś; **have a** ~ **on sb** *US sl.* lecieć na kogoś (= *kochać się w kimś*); **in** ~ *US* jeżeli; **in** ~ **(it rains)** (na wypadek) gdyby (padało); **in any** ~ tak czy owak, w każdym razie; **in no** ~ w żadnym wypadku; **in that** ~ w takim razie; **in the** ~ **of** w przypadku (*kogoś l. czegoś*); **it's a** ~ **of...** mamy do czynienia z sytuacją...; **it is (not) the** ~ **that...** (nie) jest prawdą, że...; **just in** ~ (tak) na wszelki wypadek; **this is(n't) the** ~ tak (nie) jest.

case[2] *n.* **1.** futerał; etui; pokrowiec; pochwa (*np. noża*); koperta (*zegarka*). **2.** *Br.* walizka. **3.** pudełko; szkatułka; kasetka; skrzynka (*np. wina*). **4.** gablotka. **5.** para (*zwł. pistoletów*). **6.** (*także* **casing**) *bud.* ościeżnica. **7.** *introl.* okładka. **8.** *druk.* kaszta; **lower/upper** ~ małe/wielkie litery. **9.** *płd.-wsch. US* moneta (*o określonym nominale*). **10.** *metal.* utwardzona powierzchniowa warstwa stali, warstwa dyfuzyjna. – *v.* **1.** zamykać (*w skrzynce, futerale itp.*); pakować (*do skrzynki, futerału itp.*). **2.** powlekać (*in sth* czymś). **3.** *introl.* oprawiać. **4.** *US karty sl.* nieuczciwie potasować; zapamiętać (*wyłożone karty*). **5.** ~ **the joint** *sl.* obczajać lokal (= *obserwować miejsce, które ma zostać okradzione*).

caseate [ˈkeɪsɪˌeɪt] *v. pat.* serowacieć.

caseation [ˌkeɪsɪˈeɪʃən] *n. U pat.* serowacenie, martwica serowata.

case book *n. med.* księga chorych (*w szpitalu, przychodni*).

case ending *n. gram.* końcówka deklinacyjna (przypadka).

case glass, cased glass *n. U* szkło powlekane.

case-harden [ˈkeɪsˌhɑ:rdən] *v.* **1.** *metal.* nawęglać. **2.** *przen. form.* czynić nieczułym.

case history *n. med.* historia choroby; wywiad chorobowy.

casein [ˈkeɪsɪɪn] *n.* **1.** *U. biochem.* kazeina,

sernik. **2.** *sztuka U* farba kazeinowa; *C* obraz namalowany farbą kazeinową.

casein glue *n. U* klej kazeinowy, certus.

case law *n. prawn.* prawo precedensowe.

caseload [ˈkeɪsˌloʊd], **case load** *n. sing.* obciążenie (= *liczba spraw, klientów itp. przypadająca na danego pracownika l. firmę*).

casemaker [ˈkeɪsˌmeɪkər] *n. introl.* introligator/ka.

casemate [ˈkeɪsˌmeɪt] *n. hist.* kazamata.

casement [ˈkeɪsmənt] *n.* **1.** *bud.* skrzydło okienne na zawiasach. **2.** (*także* **~ window**) okno skrzynkowe; *poet.* okno.

caseous [ˈkeɪsɪəs] *a. t. pat.* serowaty.

casern [kəˈsɝːn], **caserne** *n. przest.* koszary.

case shot *n. hist.* kartacz.

case study *n.* studium, opracowanie naukowe.

case system *n. prawn.* nauka prawa oparta na studiowaniu kazusów.

casework[1] [ˈkeɪsˌwɝːk], **case work** *n. U* **1.** opieka społeczna, kuratorstwo. **2.** *socjol.* badanie historii przypadku.

casework[2] *n.* = **cabinetwork.**

caseworker [ˈkeɪsˌwɝːkər] *n.* **1.** pracownik/czka opieki społecznej, kurator/ka. **2.** *socjol.* badacz/ka przypadku.

caseworm [ˈkeɪsˌwɝːm] *n. zool.* larwa chruścika.

cash [kæʃ] *n. U* **1.** gotówka; **be out of ~** nie mieć gotówki; **in ~** w gotówce; **pay in/by ~** płacić gotówką. **2.** *pot.* pieniądze, forsa; **be short of/strapped for ~** nie mieć pieniędzy. **3.** zapłata; **~ down** zapłata *l.* płatne z góry. – *a. attr.* gotówkowy. – *v.* **1.** zrealizować (*czek, przekaz*). **2. ~ in** zamienić na gotówkę (*np. żetony w kasynie*); spieniężyć; *przen. pot.* wycofać się z interesu (= *wycofać wkłady*); **~ in on sth** *przen. uj.* wykorzystywać coś, czerpać korzyści z czegoś; **~ in one's chips** *sl.* wyciągnąć nogi (= *umrzeć*); **~ out** *US* podliczać utarg (*z danego dnia*); **~ up** *Br.* = **~ out.**

cash account *n. bank* konto gotówkowe.

cash-and-carry [ˌkæʃənˈkerɪ] *n. handl.* za gotówkę bez dostawy (*o systemie zakupów*).

cash audit *n. ekon.* kontrola kasowa.

cash basis *n. ekon.* baza gotówkowa.

cash book *n.* księga kasowa.

cash box *n.* kasetka na pieniądze.

cash cow *n. ekon. pot.* dojna krowa.

cash crop *n. roln.* uprawa rynkowa.

cash deposit *n. bank* wpłata gotówkowa.

cash desk *n. Br.* kasa (*stanowisko w sklepie*).

cash discount *n. handl.* rabat przy zapłacie gotówką.

cash dispenser *n. zwł. Br.* bankomat.

cashew [ˈkæʃuː] *n.* **1.** (*także* **~ tree**) *bot.* nanercz, nerkowiec zachodni (*Anacardium occidentale*). **2.** (*także* **~ nut**) orzech nerkowca.

cash flow *n. U ekon.* strumień pieniężny.

cashier[1] [kæˈʃiːr] *n.* **1.** kasjer/ka (*w sklepie, banku*). **2.** księgow-y/a.

cashier[2] *v.* **1.** *wojsk.* zwalniać ze służby (*dyscyplinarnie*). **2.** *rzad.* odrzucać.

cashier's check *n. bank* czek kasjerski *l.* bankierski.

cashless [ˈkæʃləs] *a.* bezgotówkowy.

cash machine *a.* bankomat.

Cashmere [kæʃˈmiːr], **Kashmir** *n.* **1.** *geogr.* Kaszmir. **2.** *U tk.* **c~** (*także* **kashmir**) kaszmir.

Cashmere goat *n. zool.* koza kaszmirska.

cash on delivery *n. poczta* płatne przy odbiorze, za pobraniem.

cashpoint [ˈkæʃpɔɪnt] *n. Br.* bankomat.

cash price *n.* cena gotówkowa.

cash register *n.* kasa (fiskalna).

cash sale *n.* sprzedaż za gotówkę.

casing [ˈkeɪsɪŋ] *n.* **1.** obudowa; osłona. **2.** (*także* **case**) *bud.* ościeżnica. **3.** *mot.* zewnętrzna powłoka opony. **4.** rama. **5.** rurowanie, orurowanie (*wieży wiertniczej*). **6.** flak (*od kiełbasy*). **7.** *żegl.* obudowa komina.

casino [kəˈsiːnoʊ] *n. pl.* **-s** **1.** kasyno. **2.** *U* = **cassino.**

cask [kæsk] *n.* **1.** beczułka (*zwł. drewniana na wino*). **2.** beczka (*t. jako miara*). **3.** *techn.* pojemnik osłonny (*do transportu materiałów radioaktywnych*).

casket [ˈkæskɪt] *n.* **1.** *zwł. US* trumna. **2.** szkatułka.

Caspian [ˈkæspɪən] *a.* **the ~ Sea** Morze Kaspijskie.

casque [kæsk] *n.* **1.** *hist.* szyszak. **2.** *zool.* stożkowaty wyrostek rogowy (*na dziobach niektórych ptaków*).

Cassandra [kəˈsændrə] *n. mit.* Kasandra.

cassation [kæˈseɪʃən] *n. U zwł. prawn.* kasacja, unieważnienie, uchylenie.

cassava [kəˈsɑːvə] *n.* **1.** *bot.* maniok (*Manihot*). **2.** *U* skrobiowa mączka maniokowa.

casserole [ˈkæsəˌroʊl] *n.* **1.** zapiekanka. **2.** żaroodporne naczynie do zapiekanek. **3.** *chem.* tygielek. – *v.* zapiekać (*w naczyniu jw.*).

cassette [kəˈset] *n.* kaseta (*magnetofonowa, filmowa l. na kliszę fotograficzną*).

cassette player *n.* odtwarzacz kasetowy.

cassette recorder *n.* magnetofon kasetowy.

cassia [ˈkæʃə] *n. bot.* **1.** (*także* **Alexandria senna**) strączyniec (*Cassia*). **2.** (*także* **chinese cinnamon**) cynamonowiec chiński (wonny) (*Cinnamomum cassia*).

cassino [kəˈsiːnoʊ], **casino** *n. U* kasyno (*gra karciana*).

cassiterite [kəˈsɪtəˌraɪt] *n. U min.* kasyteryt, kamień cynowy.

cassock [ˈkæsək] *n.* sutanna.

cassowary [ˈkæsəˌwerɪ] *n. orn.* kazuar (*Casuarius*).

cast [kæst] *v.* **cast, cast** **1.** *arch. l. poet. z wyj. utartych zwrotów* rzucać; **~ anchor** rzucać kotwicę; **~ dice** rzucać kości. **2.** zarzucać; **~ a (fishing) line** zarzucać wędkę. **3.** *ryb.* zarzucać sieć. **4.** *zool.* zrzucać (*np. skórę, rogi*). **5.** *teatr, film* wybierać obsadę do (*sztuki, filmu*); obsadzać (*sb in a part* kogoś w jakiejś roli); **~ sb as Desdemona** obsadzić kogoś w roli Desdemony. **6.** przedstawiać; formułować; **~ sb/sth as...** (*także* **~ sb/sth in the role of...**) przedstawić kogoś/coś jako... (*zw. w* *negatywnym świetle*); ~ **sth in a certain form of words** ubrać coś w jakieś słowa, sformułować *l.* przedstawić coś w jakiś sposób. **7.** poronić (*o zwierzęciu*). **8.** obliczać, zliczać, sumować. **9.** odlewać (*metal*). **10.** wykrzywiać się, paczyć się (*zwł. o drewnie*). **11.** *żegl.* odpadać (*od wiatru*). **12.** ~ **a glance/look** *lit.* rzucić spojrzenie (*at sb / sth* na kogoś/coś, *toward sb / sth* w kierunku kogoś/czegoś); ~ **a horoscope** stawiać horoskop; ~ **a shadow** rzucać cień (*on / over / across sth* na coś); ~ **a shadow over sth** *przen.* rzucać cień na coś; ~ **a shoe** zgubić podkowę (*o koniu*); ~ **a spell on/over sb** *t. przen.* rzucić urok *l.* czar na kogoś; ~ **a thought/worry from one's mind** odrzucić *l.* oddalić jakąś myśl/jakieś zmartwienie; ~ **a vote** (*także US* ~ **a ballot**) oddać głos; ~ **an eye over sth** rzucić okiem na coś (= *sprawdzić*); ~ **aspersions on sb** *form.* rzucać oszczerstwa na kogoś; ~ **doubt on sth** podawać coś w wątpliwość; ~ **in one's lot with sb** związać swój los z kimś (*zwł. z jakąś grupą*); ~ **lots** ciągnąć losy; ~ **one's net wide** prowadzić poszukiwania na szeroką skalę (*zwł. kandydata*); ~ **light on sth** *t. przen.* rzucać światło na coś; ~ **pearls before swine** *lit.* rzucać perły przed wieprze; ~ **sb into prison/a dungeon** *lit.* wtrącić kogoś do więzienia/lochu; ~ **sb/sth ashore** wyrzucić kogoś/coś na brzeg; ~ **sb's fortune** przepowiadać komuś przyszłość; **be** ~ **in the same/different mold** być ulepionym z tej samej/innej gliny; **the die is** ~ kości zostały rzucone. **13.** ~ **about/around (for sth)** gorączkowo szukać (czegoś); ~ **aside** odrzucać (*np. zahamowania, wątpliwości*); ~ **away** wyrzucić; wyrzec się (*np. dawnych przyjaciół*); **be** ~ **away** rozbić się (*zwł. o załodze statku*); ~ **back** *US* przypominać (*dalekiego przodka*); ~ **one's mind back to sth** cofać się myślą do czegoś; ~ **down one's eyes** *lit.* spuścić oczy; **be** ~ **down** *lit.* być przybitym; ~ **off** *lit.* uwalniać się od (*np. stresów, ograniczeń*); zrzucać (*buty, ubranie*); wypływać (*o statku*); *żegl.* odcumować (*łódź*); odwiązać (*cumę*); *zwł. Br.* spuszczać oczka (*w szydełkowaniu l. robocie na drutach*); *druk.* szacować objętość *książki* na podstawie rękopisu; ~ **on** *zwł. Br.* nabierać oczka; ~ **o.s. on sb's mercy** *lit.* zdać się na czyjąś łaskę i niełaskę; ~ **out** *lit.* wypędzić, wygnać (*np. złe duchy*); *hist.* skazać na wygnanie (*przestępcę*); ~ **up** podrzucać (*w górę*); wyrzucać na brzeg (*o morzu*); dodawać, zliczać, sumować; *US* zwymiotować, zwrócić; ~ **sth up at sb** wyrzucać coś komuś. – *n.* **1.** rzut; wynik rzutu (*zwł. kostką*); odległość rzutu; rzucony przedmiot. **2.** *ryb.* zarzucenie (*np. wędki, sieci*); (zarzucona) przynęta. **3.** *teatr, film* obsada; **supporting** ~ odtwórcy ról drugoplanowych. **4.** odlew; matryca, forma. **5.** (*także* **plaster** ~) *med.* opatrunek gipsowy, gips. **6.** kopczyk ziemi utworzony przez dżdżownicę. **7.** *zool.* masa z niestrawionego pożywienia, piór itp. (*zwracana przez niektóre ptaki*). **8.** *zool.* miot, przychówek. **9.** *pat.* wałeczek nerkowy. **10.** typ, rodzaj (*np. fizjonomii, umysłu*); **an odd** ~ **of mind** umysł dziwnego pokroju. **11.** odcień. **12.** obliczenie, wyliczenie; *U* dodawanie, zliczanie. **13.** wypaczenie, zniekształcenie; skrzywienie. **14. have a** ~ **in one's eye** *przest.* mieć lekkiego zeza.

castanets [ˌkæstəˈnets] *n. pl.* kastaniety.

castaway [ˈkæstəˌweɪ] *n.* **1.** rozbitek. **2.** wyrzucona rzecz.

caste [kæst] *n. t. przen. i zool.* **1.** kasta; *U* kastowość, system kastowy. **2. lose** ~ *Br.* stracić swoją pozycję społeczną.

castellan [ˈkæstələn] *n. hist. rzad.* kasztelan.

castellany [ˈkæstəˌleɪnɪ] *n. pl.* **-ies** *hist. rzad.* kasztelania (*urząd l. obszar*).

castellated [ˈkæstəˌleɪtɪd] *a.* **1.** blankowy (*o murze*). **2.** *techn.* koronowy, wielowypustowy; ~ **nut** nakrętka koronowa; ~ **shaft** wałek wielowypustowy.

caster [ˈkæstər] *n.* **1.** odlewarka, aparat odlewniczy. **2.** = **castor**[2].

caster sugar, castor sugar *n.* *U* *Br.* cukier drobno mielony.

castigate [ˈkæstəˌgeɪt] *v. form.* **1.** karcić, karać. **2.** potępiać, ganić, piętnować.

castigation [ˌkæstəˈgeɪʃən] *n.* *U* **1.** ukaranie, skarcenie. **2.** potępienie.

castigatory [ˈkæstəgəˌtɔːrɪ] *a.* **1.** karzący. **2.** potępiający.

casting [ˈkæstɪŋ] *n.* *U* **1.** odlewnictwo; odlewanie. **2.** *C* odlew. **3.** *teatr, film* dobór obsady, casting.

casting contraction *n.* skurcz odlewniczy.

casting couch *n.* **get a part through the** ~ *żart.* dostać rolę przez łóżko (*dzięki przespaniu się z reżyserem itp.*).

casting die *n. techn.* kokila, wlewnica.

cast ingot, cast block *n. metal.* wlewek.

casting vote *n.* głos rozstrzygający (*przewodniczącego przy równej ilości głosów*).

cast iron *n.* żeliwo.

cast-iron [ˌkæstˈaɪərn] *a.* **1.** żeliwny. **2.** *przen. pot.* wytrzymały, z żelaza (*np. o żołądku*). **3.** *przen.* niepodważalny, żelazny (*o wymówce, alibi*).

castle [ˈkæsl] *n.* **1.** zamek, gród warowny. **2.** *szachy* wieża. **3.** **~s in the air** *przen.* zamki na lodzie. – *v. szachy* robić roszadę.

cast-off [ˈkæstˌɔːf], **castoff** *a. attr.* porzucony; używany i niepotrzebny (*zwł. o ubraniu*). – *n.* **1.** *pl.* używane ubranie *l.* rzeczy (*zw. oddane komuś*). **2.** porzucona osoba *l.* rzecz. **3.** *druk.* szacunkowa objętość książki.

castor[1] [ˈkæstər] *n.* **1.** *U med.* krople bobrowe. **2.** futro z bobrów; czapka z bobrów. **3.** *rzad. zool.* bóbr (*Castor fiber*).

castor[2] *n.* (*także* **caster**) **1.** *Br.* naczynie do przypraw z otworami (*np. solniczka*). **2.** kółko, rolka (*np. fotela*); kółko nastawne (*np. w wózku jezdniowym*).

castor oil *n.* *U* olej rycynowy.

castor-oil plant, *US i Can. t.* **castor bean** *n. bot.* rącznik pospolity, kleszczownica, rycynus (*Ricinus communis*).

castrate [ˈkæstreɪt] *v. t. przen.* kastrować.

castration [kæˈstreɪʃən] *n.* *U* kastracja.

castrato [kæˈstrɑːtoʊ] *n. pl.* **-i** *l.* **-os** *hist.* kastrat (*śpiewak*).

cast steel *n. U* staliwo, stal lana.

casual ['kæʒʊəl] *a.* **1.** *attr.* przypadkowy, przygodny; ~ **sex** przygodny seks. **2.** swobodny, niezobowiązujący (*o sposobie bycia*). **3.** niedbały (*o pozie, stosunku do czegoś*); *attr.* nieuważny (*o obserwatorze, spojrzeniu*). **4.** *attr.* spontaniczny, (rzucony) od niechcenia (*o uwadze, spostrzeżeniu*); niezaplanowany (*o spotkaniu*). **5.** *attr.* nieregularny, dorywczy; ~ **work/labor** praca dorywcza; ~ **worker/laborer** pracownik dorywczy. **6.** nieformalny, codzienny, sportowy; ~ **wear** odzież codzienna. **7.** *biol.* = **adventive**. – *n. zw. pl.* ubranie codzienne.

casually ['kæʒʊəlɪ] *adv.* **1.** przygodnie, przypadkowo. **2.** swobodnie, niezobowiązująco. **3.** na sportowo (*ubrany*). **4.** od niechcenia. **5.** dorywczo.

casualness ['kæʒʊəlnəs] *n. U* **1.** przypadkowość, przygodność. **2.** luz, swoboda.

casualty ['kæʒʊəltɪ] *n. pl.* **-ies** **1.** *t. przen.* ofiara; **be/become a ~ of sth** paść ofiarą czegoś. **2.** *pl.* **(heavy) casualties** (duże) straty w ludziach. **3.** *U* (*także* **C~**) *Br. i Austr.* oddział urazowy (*dla przypadków nagłych*).

casuarina [ˌkæʒʊ'riːnə] *n.* (*także* **polynesian ironwood**) *bot.* rzewnia, kazuaryna (*Casuarina*).

casuist ['kæʒʊɪst] *n. form.* **1.** kazuista. **2.** sofista.

casuistic [ˌkæʒʊ'ɪstɪk], **casuistical** [ˌkæʒʊ'ɪstɪkl] *a. form.* kazuistyczny.

casuistry ['kæʒʊɪstrɪ] *n. U form.* kazuistyka.

cat [kæt] *n.* **1.** *zool.* kot (*Felis*); **domestic ~** kot domowy, *Felis catus l. domesticus*. **2.** *przest. pot.* jędza. **3.** *przest. sl.* facet, gość. **4.** *żegl.* talia kotwiczna. **5.** *pot.* = **caterpillar** 2. **6.** *pot.* = **catboat**. **7.** *pot.* = **cat-o'-nine'-tails**. **8.** *przen. pot.* **~'s whiskers/pyjamas** *Br.* ósmy cud świata, chodząca perfekcja; **a bag of ~** *Ir.* osoba zła jak osa; **fight like Kilkenny ~s** walczyć do wzajemnego wyniszczenia; **has the ~ got your tongue?** mowę ci odjęło?, nie umiesz mówić? (*zwł. do dziecka, które milczy l. odpowiada monosylabami*); **it's raining ~s and dogs** leje jak z cebra; **let the ~ out of the bag** puścić farbę (= *wygadać się*); **like a ~ on a hot tin roof** (*także Br.* **like a ~ on hot bricks**) jak na szpilkach; **like ~ and dog** jak pies z kotem; **look like something the ~ brought/dragged in** wyglądać jak półtora nieszczęścia (*o kimś brudnym, rozczochranym itp.*); **not have a ~ in hell's chance (of doing sth)** nie mieć najmniejszej szansy (na zrobienie czegoś); **play (a game of) ~ and mouse with sb** bawić się z kimś w kotka i myszkę; **put/set the ~ among the pigeons** wsadzić kij w mrowisko; **no room to swing a ~** *zob.* **swing** *v.*; **when the ~'s away the mice will play** gdy kota nie ma, myszy harcują. – *v.* **-tt-** **1.** *żegl.* podnosić przy pomocy talii kotwicznej (*kotwicę*). **2.** bić dyscypliną. **3.** *Br. sl.* puścić pawia.

cat. *abbr.* = **catalogue**.

catachresis [ˌkætə'kriːsɪs] *n. C / U pl.* **catachreses** *ret.* katachreza.

cataclysm ['kætəˌklɪzəm] *n. lit.* kataklizm.

cataclysmal [ˌkætə'klɪzml], **cataclysmic** [ˌkætə'klɪzmɪk] *a.* kataklizmowy; katastrofalny.

cataclysmically [ˌkætə'klɪzmɪklɪ] *adv.* katastrofalnie.

catacomb ['kætəˌkoʊm] *n. zw. pl.* katakumba.

catadromous [kə'tædrəməs] *a. icht.* katadromiczny.

catafalque ['kætəˌfælk] *n.* katafalk.

Catalan ['kætəˌlæn] *a.* kataloński. **1.** Katalończyk/nka. **2.** *U* (język) kataloński.

catalase ['kætəˌleɪs] *n. U biochem.* katalaza.

catalectic [ˌkætə'lektɪk] *a. wers.* katalektyczny.

catalepsy ['kætəˌlepsɪ] *n. U pat.* katalepsja.

cataleptic [ˌkætə'leptɪk] *a. pat.* kataleptyczny.

catalog ['kætəˌlɔːg], *Br.* **catalogue** *n.* **1.** *t. przen.* katalog. **2.** *US uniw.* spis zajęć. – *v.* katalogować.

Catalonia [ˌkætə'loʊnɪə] *n. geogr.* Katalonia.

catalpa [kə'tælpə] *n. bot.* surmia, katalpa (*Catalpa*).

catalysis [kə'tæləsɪs] *n. U chem.* kataliza.

catalyst ['kætəlɪst] *n. chem. l. przen.* katalizator (*for sth* dla czegoś).

catalytic [ˌkætə'lɪtɪk] *a.* katalityczny.

catalytic converter *n. mot.* katalizator (*samochodowy*).

catalytic cracker, cat cracker *n.* instalacja do krakowania katalitycznego (*w przemyśle petrochemicznym*).

catalyzer ['kætəlaɪzər], *Br. i Austr. zw.* **catalyser** *n. chem.* katalizator.

catamaran [ˌkætəmə'ræn] *n.* **1.** *żegl.* katamaran. **2.** tratwa z bali drewnianych. **3.** *zwł. Br. przest. pot.* kłótnica, jędza.

catamite ['kætəˌmaɪt] *n. form.* kochanek *l.* utrzymanek homoseksualisty.

catamount ['kætəˌmaʊnt], **catamountain** [ˌkætə'maʊntən] *n. zool.* zwierzę średniej wielkości z rodziny kotowatych (*np. puma l. ryś*).

cataphora [ˌkætə'fɔːrə] *n. jęz.* katafora.

cataphoresis [ˌkætəfə'riːsɪs] *n. U fiz.* kataforeza.

cataplasm ['kætəˌplæzəm] *n. med.* kataplazm.

cataplastic [ˌkætə'plæstɪk] *a.* kataplazmowy.

cataplectic [ˌkætə'plektɪk] *a.* kataplektyczny.

cataplexy ['kætəˌpleksɪ] *n. U pat.* katapleksja.

catapult ['kætəˌpʌlt] *n.* **1.** *hist.* katapulta. **2.** *lotn.* katapulta (*do startu samolotów*). **3.** *Br.* proca. – *v.* **1.** miotać z katapulty (*pocisk*). **2.** katapultować (*samolot*). **3.** *Br.* strzelać z procy. **4.** *zw. pass. przen.* wynieść nagle (*do władzy, ku sławie itp.*).

cataract ['kætəˌrækt] *n.* **1.** katarakta (*próg rzeczny*). **2.** *lit.* ulewa, powódź, potop. **3.** *pat.* katarakta (= *zmętnienie soczewki oka*).

catarrh [kə'tɑːr] *n. U pat.* nieżyt, katar; **autumnal/summer ~** gorączka sienna; **spring/vernal ~** nieżyt spojówek wiosenny.

catarrhal [kə'tɑːrəl], **catarrhous** [kə'tɑːrəs] *a.* nieżytowy, kataralny.

catastrophe [kə'tæstrəfɪ] *n.* katastrofa (*t. w tragedii antycznej*); kataklizm.

catastrophic [ˌkætə'strɑːfɪk] *a.* katastrofalny.

catastrophically [ˌkætə'strɑːfɪklɪ] *adv.* katastrofalnie.

catastrophism [kə'tæstrəˌfɪzəm] *n. U biol., geol.* katastrofizm, teoria kataklizmów.

catastrophist [kə'tæstrəˌfɪst] *n.* katastrofist-a/ka.

catatonia [ˌkætə'toʊnɪə] *n. U pat.* katatonia.

catatonic [ˌkætə'tɑːnɪk] *a.* katatoniczny. – *n.* katatoni-k/czka.

Catawba [kə'tɔːbə] *n. US* odmiana winnej latorośli i wina.

catbird ['kætˌbɝːd] *n. orn.* drozd amerykański (*Dumetella carolinensis*).

catboat ['kætˌboʊt] *n. żegl.* ket (*typ łodzi*).

cat brier *n. bot.* kolcorośl (*Smilax*).

cat burglar *n.* włamywacz/ka wspinający-y/a się po ścianie budynku, rurach itp.

catcall ['kætˌkɔːl] *n.* gwizd (*w teatrze itp.*). – *v.* wygwizdać.

catch [kætʃ] *v.* **caught, caught** **1.** chwytać, łapać. **2.** przyłapać (*at sth* na czymś). **3.** zdążyć na, złapać (*pociąg itp.*); zdążyć obejrzeć *l.* wysłuchać (*koncertu itp.*). **4.** uchwycić (*nastrój itp.*). **5.** *zw. w neg. l. pyt.* zrozumieć; dosłyszeć (*czyjąś odpowiedź itp.*). **6.** złapać (*chorobę*), zarazić się (*sth from / off sb* czymś od kogoś). **7.** ~ **sb's attention/eye** zwracać *l.* przyciągać czyjąś uwagę; ~ **sb's imagination** działać na czyjąś wyobraźnię; ~ **sb's interest** budzić czyjeś zainteresowanie. **8.** ~ **sight/a glimpse of** dostrzec, zobaczyć przelotnie. **9.** ~ **hold of** *t. przen.* chwycić *l.* złapać (*np. jakąś umiejętność*). **10.** ~ **one's breath** wstrzymywać oddech (*z napięcia, strachu*); złapać oddech. **11.** ~ **o.s. doing sth** złapać się na tym, że się coś robi. **12.** rozpalić się (*o ogniu*); ~ **fire** zająć się (ogniem). **13.** zamknąć (*na zamek, kłódkę itp.*). **14.** zaczepić (się), zahaczyć (się); ~ **sth on sth** zaczepić *l.* zahaczyć czymś o coś. **15.** ~ **sb on the face/chin** zdzielić kogoś w twarz/podbródek. **16.** *krykiet* wyeliminować *gracza wybijającego* przez przechwycenie piłki w locie. **17.** *baseball* grać na pozycji łapacza. **18.** *przen. pot.* ~ **as** ~ **can** radzić sobie w trudnym położeniu (*zwł. chwytając się każdego zajęcia*); ~ **sb unawares/off guard** (*także Br.* ~ **sb on the hop**) zaskoczyć kogoś (= *przyłapać, zaatakować itp. w momencie nieuwagi*); ~ **sb on the raw** zranić kogoś (*poruszając bolesny temat*); ~ **sb redhanded** (*także* ~ **sb in the act**) przyłapać kogoś na gorącym uczynku; ~ **sb with their pants down** zaskoczyć kogoś w najmniej odpowiednim momencie; ~ **sb's eye** wpaść komuś w oko; ~ **you later!** pogadamy później!; **you'll** ~ **it** *Br. pot.* oberwie ci się, dostaniesz za swoje; **you'll** ~ **your death (of cold)!** zaziębisz się na śmierć!; **you won't/wouldn't** ~ **me doing that!** ani mi się śni to robić!, za nic w świecie bym tego nie zrobił!. **19.** ~ **at sth** *t. przen.* chwytać się czegoś (*np. okazji*); **a drowning man will** ~ **at a straw** tonący chwyta się brzytwy; ~ **in** zwęzić (*ubranie*); ~ **sb in** zastać kogoś w domu; ~ **on** *pot.* chwycić, przyjąć się (= *stać się modnym*); zaskoczyć (*zrozumieć dowcip itp.*); ~ **on to sth** *pot.* chwytać coś (*nowe umiejętności itp.*); ~ **sb out** nie zastać kogoś, rozminąć się z kimś; przyłapać kogoś (*np. na kłamstwie*); *Br.* zagiąć kogoś (*np. zadając podchwytliwe pytanie*); *krykiet* wyeliminować kogoś przez przechwycenie piłki w locie; ~ **up** chwycić; skrócić, podwinąć (*ubranie*); ~ **up (on work)** nadrobić *l.* nadgonić zaległości (w pracy); ~ **up with sb** (*także Br.* ~ **sb up**) *t. przen.* dogonić kogoś, zrównać się z kimś; ~ **sb up on sth** *US pot.* złapać kogoś na czymś (*zwł. na błędzie*). – *n.* **1.** schwytanie, złapanie, chwyt. **2.** połów (= *złowione ryby*). **3.** haczyk, zaczep, zatrzask; klamka, zapadka; **safety** ~ bezpiecznik (*w broni palnej*). **4.** *pot.* haczyk (= *ukryta trudność, wada itp.*). **5.** prosta gra polegająca na podawaniu sobie piłki. **6. good** ~ *przest.* dobra partia. **7.** *muz.* rondo o komicznym *l.* nieprzyzwoitym tekście. **8.** *rzad.* urywek, fragment.

catch-all ['kætʃˌɔːl] *a. attr.* uniwersalny, obejmujący wszelkie możliwe przypadki (*zwł. o przepisie itp.*). – *n.* (*także* **catchall**) *zwł. US i Can.* szuflada, szafka itp. na różne drobiazgi.

catch-as-catch-can [ˌkætʃəzˌkætʃ'kæn] *n. zapasy l. przen.* wolnoamerykanka.

catch basin, *Br. t.* **catch pit** *n.* osadnik kanalizacyjny.

catch crop *n. roln.* śródplon, poplon.

catcher ['kætʃər] *n.* **1.** *baseball* łapacz. **2.** *techn.* chwytacz, łapacz, wyławiacz. **3.** *el.* rezonator wyjściowy. **4.** *metal.* drugi walcownik.

catchfly ['kætʃˌflaɪ] *n. bot.* lepnica (*Silene*).

catchily ['kætʃɪlɪ] *adv.* **1.** melodyjnie. **2.** podchwytliwie.

catchiness ['kætʃɪnəs] *n. U* **1.** melodyjność (*piosenki itp.*). **2.** podchwytliwość; złudność. **3.** atrakcyjność, siła przyciągania.

catching ['kætʃɪŋ] *a.* **1.** *pred. t. przen.* zaraźliwy. **2.** pociągający, ujmujący.

catchment ['kætʃmənt] *n. U* **1.** pobór *l.* magazynowanie wody; pobierana *l.* magazynowana woda; *C* zbiornik na wodę. **2.** *Br.* nabór do szkoły z jednego rejonu. **3.** ~ **area** rejon (*szpitala, szkoły itp.*); (*także* ~ **basin**) *geol.* zlewnia (*rzeki l. jeziora*).

catchpenny ['kætʃˌpenɪ] *a. attr. przest.* tandetny.

catchphrase ['kætʃˌfreɪz] *n.* slogan, znane hasło.

catchpit ['kætʃˌpɪt] *n.* = ~ **basin**.

catchpole ['kætʃˌpoʊl], **catchpoll** *n. hist.* egzekutor, komornik (*w średniowiecznej Anglii*).

catch-22 [ˌkætʃˌtwentɪ'tuː] *n.* ~ **(situation)** błędne koło.

catchup ['kætʃəp] *n.* = **catsup**.

catch-up ['kætʃˌʌp] *a. attr.* wyrównawczy; **play** ~ próbować wszelkimi środkami dorównać rywalowi, konkurencji itp.

catchword ['kætʃˌwɝːd] *n.* **1.** slogan (= *popularne hasło*). **2.** *druk.* pierwsze hasło z następnej stronicy powtórzone u dołu poprzedniej. **3.** *teatr* sygnał dla aktora do wejścia *l.* wygłoszenia kwestii.

catchy ['kætʃɪ] *a.* **1.** chwytliwy, łatwo wpadający w ucho. **2.** zwodniczy, złudny; podchwytliwy. **3.** nieregularny, nierówny (*o oddechu*); zmienny, porywisty (*o wietrze*).

cat cracker *n.* = **catalytic cracker**.

cat door *n.* drzwiczki *l.* otwór dla kota (*w zwykłych drzwiach*).

catechesis [ˌkætəˈkiːsɪs] *n. U kość.* katecheza.

catechetic [ˌkætəˈketɪk], **catechetical** [ˌkætəˈketɪkl] *a.* katechetyczny (*o metodzie nauczania*).

catechin [ˈkætətʃɪn] *n. chem.* katechina.

catechism [ˈkætəˌkɪzəm] *n. kość.* katechizm.

catechismal [ˈkætəˌkɪzəml] *a.* katechizmowy.

catechist [ˈkætəkɪst] *n.* katechet-a/ka.

catechize [ˈkætəˌkaɪz], *Br. i Austr. zw.* **catechise** *v.* **1.** *kość.* katechizować. **2.** nauczać metodą katechetyczną. **3.** *przen.* przepytywać, egzaminować.

catechol [ˈkætəˌtʃoʊl] *n. U chem., fot.* pirokatechina (*substancja wywołująca*).

catechu [ˈkætəˌtʃuː], **cachou** [kəˈʃuː], **cutch** [kʌtʃ] *n. U* katechu (*ekstrakt roślinny*).

catechumen [ˌkætəˈkjuːmən] *n. rel.* katechumen/ka.

categorial [ˌkætəˈgɔːrɪəl] *a.* **1.** kategorialny. **2.** *log.* kategoryczny.

categorical [ˌkætəˈgɔːrɪkl], **categoric** [ˌkætəˈgɔːrɪk] *a.* **1.** *t. log.* kategoryczny; ~ **imperative** *fil.* imperatyw kategoryczny. **2.** kategorialny.

categorically [ˌkætəˈgɔːrɪklɪ] *adv.* kategorycznie.

categorization [ˌkætəgərəˈzeɪʃən], *Br. i Austr. zw.* **categorisation** *n.* kategoryzacja.

categorize [ˈkætəgəˌraɪz], *Br. i Austr. zw.* **categorise** *v.* kategoryzować, klasyfikować.

category [ˈkætəˌgɔːrɪ] *n. pl.* **-ies** kategoria; **fall into a** ~ należeć do kategorii.

catenary [ˈkætəˌnerɪ] *n. pl.* **-ies** **1.** *mat.* linia łańcuchowa. **2.** *el.* zawieszenie łańcuchowe; linia nośna (*w sieci trakcyjnej*). – *a.* (*także* **catenarian**) łańcuchowy.

catenate [ˈkætəˌneɪt] *v.* łączyć w łańcuch.

cater [ˈkeɪtər] *v.* **1.** ~ **(for/at)** obsługiwać gastronomicznie (*zwł. prywatne przyjęcie*). **2.** ~ **for sb/sth** zaspokajać potrzeby czyjeś/czegoś (*np. pewnej grupy wiekowej*); ~ **to sth** *zw. uj.* zaspokajać coś (*np. czyjeś zachcianki*).

cateran [ˈkætərən] *n. hist.* szkocki rozbójnik.

cater-cornered [ˌkeɪtərˈkɔːrnərd] *a. US i Can. pot.* skośny. – *adv.* skośnie.

cater-cousin [ˌkeɪtərˈkʌzən] *n. arch.* serdeczny druh.

caterer [ˈkeɪtərər] *n.* **1.** firma obsługująca przyjęcia. **2.** pracowni-k/ca firmy jw.

catering [ˈkeɪtərɪŋ] *n. U* obsługa gastronomiczna, catering.

caterpillar [ˈkætərˌpɪlər] *n.* **1.** *ent.* gąsienica. **2.** *mot.* gąsienica. **3.** ~ **(tractor)** ciągnik gąsienicowy.

caterpillar chain *n.* łańcuch gąsienicowy.

caterpillar hunter *n. ent.* liszkarz (*Calosoma*).

caterwaul [ˈkætərˌwɔːl] *n. sing.* kocia muzyka. – *v.* drzeć się jak kot.

catfish [ˈkætˌfɪʃ] *n. icht.* **1.** sum (*Silurus*). **2.** zębacz smugowy (*Anarhichas lupus*).

catflap [ˈkætˌflæp] *n.* otwór dla kota (*w drzwiach; zasłonięty klapką*).

catgut [ˈkætˌgʌt] *n. U chir., muz.* katgut.

catharsis [kəˈθɑːrsɪs] *n.* **1.** *psych., teor. lit.* katharsis. **2.** *med.* przeczyszczenie.

cathartic [kəˈθɑːrtɪk] *a.* **1.** oczyszczający (*emocjonalnie*). **2.** *med.* przeczyszczający. – *n. med.* środek przeczyszczający.

Cathay [kəˈθeɪ] *n. arch. l. poet.* Chiny.

cathead [ˈkætˌhed] *n.* **1.** *żegl.* kotbelka. **2.** tuleja do podpierania toczonych prętów (*w tokarni*).

cathedra [kəˈθiːdrə] *n. kość.* **1.** tron biskupi (*w katedrze*). **2.** urząd biskupi.

cathedral [kəˈθiːdrəl] *n. bud.* katedra. – *a.* katedralny.

Catherine wheel *n.* **1.** *Br. bud.* okno rozetowe. **2.** koło ogniste (*rodzaj sztucznych ogni*).

catheter [ˈkæθɪtər] *n. med.* cewnik.

catheterize [ˈkæθɪtəˌraɪz], *Br. i Austr. zw.* **catheterise** *v. med.* cewnikować.

cathode [ˈkæθoʊd] *n. el.* katoda, elektroda ujemna.

cathode follower *n. el.* wtórnik katodowy.

cathode-ray tube *n. el.* lampa elektronopromieniowa.

catholic [ˈkæθəlɪk] *a.* **1.** powszechny, uniwersalny; wszechstronny. **2.** tolerancyjny, liberalny, otwarty (*to sth* na coś). **3. C~** katolicki. – *n.* katoli-k/czka.

catholicism [kəˈθɑːləsɪzəm] *n. U* **1.** powszechność, uniwersalność. **2.** liberalizm, tolerancyjność, otwartość. **3. C~** katolicyzm.

catholicity [ˌkæθəˈlɪsətɪ] *n. U* **1.** powszechność, uniwersalność. **2.** szerokość, otwartość (*zwł. opinii, upodobań itp.*). **3. C~** katolickość; katolicyzm.

catholicize [kəˈθɑːləˌsaɪz], *Br. i Austr. zw.* **catholicise** *v.* (*także* **C~**) **1.** nawracać na katolicyzm. **2.** czynić katolickim.

catholicon [kəˈθɑːləkən] *n. rzad.* panaceum.

cathouse [ˈkætˌhaʊs] *n. US i Can. sl.* burdel.

cation [ˈkætˌaɪən] *n. fiz., chem.* kation, jon dodatni.

cationic [ˌkætaɪˈɑːnɪk] *a. attr.* kationowy; ~ **detergent** detergent kationowo czynny.

catkin [ˈkætkɪn] *n. bot.* kotka, bazia.

catling [ˈkætlɪŋ] *n.* **1.** *chir.* dwuostrzowy nóż amputacyjny. **2.** *chir. rzad.* katgut. **3.** *arch.* kotek, kociak.

catmint [ˈkætˌmɪnt], **catnip** [ˈkætnɪp] *n. bot.* kocimiętka właściwa (*Nepeta cataria*).

catnap [ˈkætˌnæp] *n.* drzemka. – *v.* drzemać; zdrzemnąć się.

catnip [ˈkætnɪp] *n.* = **catmint.**

catolyte [ˈkætəlaɪt], **catholyte** [ˈkæθəlaɪt] *n. U el.* katolit, ciecz katodowa.

cat-o'-mountain [ˌkætəˈmaʊntən] *n.* = **catamount(ain).**

cat-o'nine-tails [ˌkætəˈnaɪnteɪlz] *n. hist.* dyscyplina (*do bicia; zwł. dziewięciopalczasta*).

catoptric [kəˈtɑːptrɪk] *a. fiz.* katoptryczny (= *dotyczący odbijania światła*).

catoptrics [kəˈtɑːptrɪks] *n. U fiz.* katoptryka.

CAT scan [ˈkæt ˌskæn], **CT scan** *n. med.* **1.** badanie tomograficzne. **2.** obraz *l.* zdjęcie uzyskane w wyniku tomografii.

CAT scanner [ˈkæt ˌskænər], **CT scanner** *n. med.* tomograf komputerowy.

cat's-cradle [ˌkætsˈkreɪdl] *n.* **1.** *U* kocia kołyska (= *zabawa polegająca na owijaniu sznurka wokół palców*). **2.** *przen.* plątanina, gąszcz (*przepisów itp.*).

cat's-eye [ˈkætsˌaɪ] *n.* **1.** *U min.* cymofan (*odmiana chryzoberylu*). **2.** *Br. i Austr.* kocie oko, sygnalizator odblaskowy (*wzdłuż pasa ruchu*).

cat's-foot [ˈkætsˌfut] *n. pl.* **cat's-feet** *bot.* ukwap dwupienny (*Antennaria dioica*).

cat's-paw [ˈkætsˌpɔː] *n.* **1.** *przest.* narzędzie, ślepy wykonawca (*o osobie*). **2.** *żegl.* węzeł o podwójnym oczku. **3.** lekkie zmarszczki na wodzie (*od podmuchu wiatru*).

cat's-tail [ˈkætsˌteɪl] *n. zwł. US bot.* **1.** pałka szerokolistna, rogoża (*Typha latifolia*). **2.** = **catkin.**

catsup [ˈkætsəp], **catchup, ketchup** *n. U kulin. US* keczup.

cattail [ˈkætˌteɪl] *n.* = **cat's-tail** 1.

cattily [ˈkætɪlɪ], **cattishly** [ˈkætɪʃlɪ] *adv.* **1.** kocio. **2.** złośliwie.

cattiness [ˈkætɪnəs], **cattishness** [ˈkætɪʃnəs] *n. U* **1.** kocia zwinność. **2.** złośliwość.

cattish [ˈkætɪʃ], **catty** [ˈkætɪ] *a.* **1.** *zwł. przen.* koci. **2.** złośliwy.

cattle [ˈkætl] *n. pl.* bydło; **beef/dairy** ~ bydło mięsne/mleczne; **thirty head of** ~ trzydzieści sztuk bydła.

cattle cake *n. U* makuch (= *sprasowana karma dla bydła*).

cattle comb *n.* zgrzebło.

cattle feeder *n.* karmnik dla bydła.

cattle grub *n. ent.* giez bydlęcy (*Hypoderma bovis*).

cattle leader *n.* kółko w nozdrzach byka.

cattleman [ˈkætlmən] *n. pl.* **-men 1.** oborowy. **2.** hodowca bydła.

cattle plague *n. U wet.* księgosusz, pomór bydła rogatego.

cattle tick *n. zool.* kleszcz bydlęcy (*Boofilus*).

cattle tick fever *n. U pat.* piroplazmoza.

cattle truck *n. Br.* wagon bydlęcy.

catty [ˈkætɪ] *a.* **-ier, -iest** = **cattish.**

catty-corner [ˌkætɪˈkɔːrnər] *adv. US pot.* naprzeciwko (*from / to sth* czegoś) po drugiej stronie (ulicy) (*from / to sth* od czegoś).

CATV [ˌsiː ˌeɪ ˌtiː ˈviː] *abbr.* **community antenna television** lokalna telewizja kablowa (*na obszarach, gdzie brak zwykłego odbioru*).

catwalk [ˈkætˌwɔːk] *n.* **1.** *techn.* pomost roboczy *l.* komunikacyjny (*przy budowanym l. remontowanym obiekcie*). **2.** wybieg (*dla modelek*).

Caucasian [kɔːˈkeɪʒən] *a.* **1.** *antrop.* europejski, europeidalny, biały. **2.** *geogr.* kaukaski. – *n. antrop.* człowiek rasy białej *l.* europeidalnej.

Caucasoid [ˈkɔːkəˌsɔɪd] *a.* = **Caucasian** 1.

Caucasus [ˈkɔːkəsəs] *n.* **the** ~ *geogr.* Kaukaz.

caucus [ˈkɔːkəs] *n. pl.* **-es 1.** *zwł. US i Can. polit.* posiedzenie klubu parlamentarnego; klub parlamentarny (*jakiejś partii*). **2.** komitet wyborczy (*partii*). **3.** *zwł. US* zebranie miejscowego koła partii. – *v.* zwoływać *l.* odbywać posiedzenie klubu parlamentarnego *l.* komitetu wyborczego partii.

cauda [ˈkɔːdə] *n. zool., anat.* ogon.

caudad [ˈkɔːdæd] *adv.* w kierunku ogona, doogonowo.

caudal [ˈkɔːdl] *a. anat., zool.* ogonowy.

caudate [ˈkɔːdeɪt], **caudated** [ˈkɔːdeɪtɪd] *a.* ogoniasty.

caudate nucleus, caudatum *n.* jądro ogoniaste.

caudle [ˈkɔːdl] *n. U hist.* winna polewka z kaszą (*podawana chorym*).

caught [kɔːt] *v.* **1.** *zob.* **catch. 2. be/get** ~ **(up) in sth** utknąć *l.* utkwić w czymś; *przen.* być/zostać pochłoniętym czymś. **3.** *przen. pot.* **sb wouldn't be** ~ **dead doing sth** ktoś za nic w świecie nie zrobiłby czegoś.

caul [kɔːl] *n. anat.* **1.** czepek (*noworodka*). **2.** sieć większa.

cauldron [ˈkɔːldrən], **caldron** *n.* kocioł (*do gotowania*).

caulescent [kɔːˈlesənt] *a. bot.* **1.** łodygowaty. **2.** o wyraźnej łodydze.

cauliflower [ˈkɔːləˌflauər] *n. bot.* kalafior (*Brassica oleracea botrytis*).

cauliflower ear *n. pat.* ucho kalafiorowate (= *krwiak małżowiny usznej, zwł. u bokserów*).

cauliflower top *n. metal.* wyrośnięta głowa wlewka (*wada*).

cauline [ˈkɔːlɪn] *a. bot.* łodygowy.

caulk [kɔːk], **calk** *v.* uszczelniać, doszczelniać (*okna, kadłub łodzi*).

caulking [ˈkɔːkɪŋ] *n. U* materiał uszczelniający.

causal [ˈkɔːzl] *a.* przyczynowy; ~ **link/connection/relationship** związek przyczynowy.

causalgia [kɔːˈzældʒɪə] *n. U pat.* kauzalgia, ból piekący.

causality [kɔːˈzælətɪ] *n. U form.* przyczynowość, kauzalność, związek przyczynowy; zasada przyczynowości.

causally [ˈkɔːzəlɪ] *adv.* przyczynowo.

causation [kɔːˈzeɪʃən] *n. U form.* **1.** powodowanie. **2.** = **causality.**

causational [kɔːˈzeɪʃənl] *a. form.* dotyczący przyczynowości.

causative [ˈkɔːzətɪv] *a.* **1.** *form.* sprawczy; ~ **factor** czynnik sprawczy. **2.** *gram.* kauzalny (*o czasowniku*).

cause [kɔːz] *n.* **1.** przyczyna, powód; **root/underlying** ~ **of sth** zasadnicza *l.* podstawowa przyczyna czegoś. **2.** *U* powody, powód; usprawiedliwienie, uzasadnienie; **give/have** ~ **for concern** dawać/mieć powody do obaw; **have good/just** ~ **(to do/for doing sth)** mieć powody, (żeby coś robić); **without (good)** ~ bez powodu *l.* uzasadnienia. **3.** sprawa, cel; idea; **(collect money) for a good** ~ (zbierać pieniądze) na szlachetny cel; **the** ~ **of national minorities** sprawa mniejszości narodowych; **the Communist** ~ idea komunistyczna. **4.** *prawn.* sprawa (*sądowa*); ~ **of action** podstawa roszczenia. **5. make common** ~ **(with sb)** *form.* sprzymierzyć się (z kimś). – *v.* **1.** powodować, wywoływać; ~ **concern/embarassment**

wywoływać zaniepokojenie/zakłopotanie. **2.** ~ **sb to do sth** sprawić, że ktoś coś zrobi; skłaniać kogoś do zrobienia czegoś. **3.** ~ **sb trouble/problems** przysporzyć komuś kłopotów/problemów.

’cause [kəz] *conj. pot.* bo, ponieważ.

cause célèbre [ˌkɔ:z səˈlebrə] *n. pl.* **causes célèbres** *Fr.* głośna sprawa (*zwł. sądowa*).

causeless [ˈkɔ:zləs] *a.* bez widocznej przyczyny, bezprzyczynowy; bezpodstawny, nieuzasadniony.

cause list *n. Br. prawn.* wokanda.

causerie [ˌkoʊzəˈri:] *n. form.* **1.** pogawędka; pogadanka (*zwł. na temat sztuki l. literatury*). **2.** lekki felieton.

causeway [ˈkɔ:zˌweɪ] *n.* **1.** droga na grobli. **2.** wybrukowana ścieżka.

causey [ˈkɔ:zɪ] *n.* **1.** *arch. l. dial.* = **causeway** 1. **2.** *Scot.* wybrukowana ulica; koci łeb (= *kamień polny do brukowania*).

caustic [ˈkɔ:stɪk] *a.* **1.** *chem.* żrący, kaustyczny. **2.** *przen.* kostyczny, uszczypliwy, zgryźliwy (*o uwadze, humorze*). **3.** *mat., opt.* kaustyczny. – *n.* **1.** *chem.* substancja żrąca. **2.** (*także* ~ **surface**) *mat., opt.* kaustyka, powierzchnia kaustyczna.

caustically [ˈkɔ:stɪklɪ] *adv.* **1.** żrąco, kaustycznie. **2.** *przen.* kostycznie, uszczypliwie.

causticity [kɔ:ˈstɪsətɪ], **causticness** [ˈkɔ:stɪknəs] *n. U* **1.** kaustyczność. **2.** *przen.* kostyczność, zgryźliwość.

caustic lime *n. U* wapno gaszone.

caustic liquor *n. U* ług żrący.

caustic potash *n. U* potaż żrący *l.* kaustyczny.

caustic soda *n. U* soda kaustyczna *l.* żrąca.

cauterization [ˌkɔ:təraɪˈzeɪʃən] *n. U med.* kauteryzacja, przyżeganie.

cauterize [ˈkɔ:təˌraɪz] *v. med.* kauteryzować, przyżegać.

cautery [ˈkɔ:tərɪ] *n.* **1.** (*także* **cauterant**) *med.* kauter, żegadło. **2.** *U* kauteryzacja, przyżeganie.

caution [ˈkɔ:ʃən] *n.* **1.** *U* ostrożność; **with** ~ ostrożnie. **2.** *Br. i Austr. prawn.* ostrzeżenie, upomnienie (*np. przez policjanta*); pouczenie (*zwł. o konieczności mówienia prawdy przy składaniu zeznań*). **3. word/note of** ~ ostrzeżenie, przestroga. **4. throw/fling/cast (all)** ~ **to the wind(s)** nie zważać na nic. **5.** *pot. przest. zwł. żart.* dziwak, cudak. – *v. form.* **1.** ostrzegać, przestrzegać; ~ **(sb) that** ostrzegać (kogoś), że; ~ **sb about/against doing sth** ostrzegać kogoś, żeby czegoś nie robił, przestrzegać kogoś przed robieniem czegoś. **2.** pouczać; *Br. prawn.* udzielać upomnienia *l.* nagany (*about / for sth* za coś).

cautionary [ˈkɔ:ʃəˌnerɪ] *a. attr. form.* ostrzegawczy; ~ **tale** opowieść ku przestrodze.

caution money *n. U zwł. Br.* kaucja, zastaw.

cautious [ˈkɔ:ʃəs] *a.* ostrożny (*about / of / with sth* z czymś); ~ **optimism** ostrożny *l.* umiarkowany optymizm.

cautiously [ˈkɔ:ʃəslɪ] *adv.* ostrożnie.

cautiousness [ˈkɔ:ʃəsnəs] *n. U* ostrożność.

cavalcade [ˌkævəlˈkeɪd] *n. t. przen.* kawalkada.

cavalier [ˌkævəˈlɪ:r] *n.* **1.** *arch.* jeździec, kawalerzysta. **2.** *arch.* kawaler, dżentelmen (*zwł. towarzyszący damie*). **3. C~** *hist.* „kawaler”, rojalista (*z czasów rewolucji angielskiej*). – *a.* nonszalancki, lekceważący.

cavalierly [ˌkævəˈlɪ:rlɪ] *adv.* nonszalancko, lekceważąco.

cavalry [ˈkævəlrɪ] *n. U wojsk.* **1.** *gł. hist.* kawaleria, konnica, jazda. **2.** wojska pancerne.

cavalryman [ˈkævəlrɪmən] *n. pl.* **-men** kawalerzysta.

cave[1] [keɪv] *n.* **1.** jaskinia, pieczara, grota; **dripstone** ~ jaskinia krasowa. **2.** *Br. polit.* secesja (*w łonie partii*); grupa secesjonistów (*z partii*). – *v.* **1.** wydrążać. **2.** ~ **in** zapaść się, zawalić się (*o murze, dachu itp.*); *przen.* ugiąć się, ustąpić (*to sth* pod naporem czegoś).

cave[2] [ˈkeɪvɪ] *n.* **keep** ~ *Br. szkoln. przest. sl.* stać na warcie, filować (*czy nauczyciel nie idzie*).

caveat [ˈkeɪvɪˌæt] *n.* **1.** *form.* ostrzeżenie, upomnienie; zastrzeżenie. **2.** *prawn.* wniosek o zawieszenie postępowania; **put in/enter a** ~ stawiać wniosek jw. **3.** ~ **emptor/venditor** *Lat.* ryzyko obciąża kupującego/sprzedającego.

cave dweller *n.* jaskiniowiec.

cave-in [ˈkeɪvˌɪn] *n.* zapadlisko; *górn.* zawał.

caveman [ˈkeɪvmən] *n. pl.* **-men** *t. przen. i żart.* jaskiniowiec.

cavendish [ˈkævəndɪʃ] *n. U* tytoń o złagodzonym smaku (*słodzony i prasowany*).

cave painting *n. hist.* malowidło jaskiniowe; *U* malarstwo jaskiniowe.

caver [ˈkeɪvər] *n. sport* grotołaz.

cavern [ˈkævərn] *n.* jaskinia, pieczara (*zwł. duża, podziemna*). – *v.* **1.** wydrążyć (*zwł. jaskinię*). **2.** zamknąć w jaskini.

cavernous [ˈkævərnəs] *a.* **1.** ogromny (*o pomieszczeniu*). **2.** porowaty. **3.** *geol.* kawernowaty, jamisty. **4.** *przen.* przepaścisty, przepastny (*np. o oczach*); grobowy (*o ciemnościach*); głuchy (*o głosie*); zapadnięty (*o policzkach*).

cavetto [kəˈvetoʊ] *n. pl.* **-ti** *bud.* zwierciadło (*sklepienia*); ~ **vault** sklepienie zwierciadłowe.

caviar [ˈkævɪˌɑ:r], **caviare** *n. U* **1.** *kulin.* kawior. **2.** ~ **to the general** *Br. lit. l. żart.* rzecz tylko dla koneserów.

cavicorn [ˈkævəˌkɔ:rn] *a. zool.* pustorogi.

cavil [ˈkævl] *v. Br.* **-ll-** *form.* niepotrzebnie krytykować; wysuwać błahe zarzuty (*at sth / sb* przeciwko komuś/czemuś). – *n. form.* błahy zarzut.

caviler [ˈkævlər], *Br.* **caviller** *n.* krytykant/ka, czepialsk-i/a.

caving [ˈkeɪvɪŋ] *n. U Br. i Austr. sport* chodzenie po jaskiniach.

cavity [ˈkævətɪ] *n. pl.* **-ies** **1.** zagłębienie, wgłębienie; wklęsłość. **2.** *anat.* jama; **body** ~ jama ciała; **oral** ~ jama ustna. **3.** *pat.* ubytek (*tkanki zęba*). **4. shrinkage** ~ *metal.* jama usadowa *l.* skurczowa.

cavity brick *n. bud.* (cegła) dziurawka.

cavity resonator *n. fiz.* rezonator wnękowy *l.* komorowy.

cavity wall *n. bud.* mur szczelinowy *l.* podwójny.

cavort [kəˈvɔːrt] *v.* baraszkować, brykać, hasać, wyprawiać harce.

cavy [ˈkeɪvɪ] *n. pl.* **-ies** *zool.* świnka morska (*Cavia*).

caw [kɔː] *n.* krakanie. – *v.* krakać.

cay [keɪ] *n.* = **key²**.

cayenne [kaɪˈen] *n. U* ~ **(pepper)** *kulin.* pieprz cayenne.

cayman [ˈkeɪmən] *n. pl.* **-s** *zool.* kajman (*Caiman*).

cayuse [kaɪˈjuːs] *n. zach. US i Can.* kuc indiański.

CB [ˌsiː ˈbiː] *abbr.* **Citizen's Band** radio CB.

CBC [ˌsiː ˌbiː ˈsiː] *abbr.* **Canadian Broadcasting Corporation** kanadyjska stacja telewizyjna.

cbd [ˌsiː ˌbiː ˈdiː], **CBD** *abbr.* **cash before delivery** *handl.* płatne (gotówką) przed dostawą.

CBE [ˌsiː ˌbiː ˈiː] *abbr.* **Commander of (the Order) of the British Empire** order brytyjski.

CBI [ˌsiː ˌbiː ˈaɪ] *abbr.* **Confederation of British Industry** brytyjska konfederacja pracodawców.

CBS [ˌsiː ˌbiː ˈes] *abbr.* **Columbia Broadcasting System** amerykańska sieć telewizyjna.

cc [ˌsiː ˈsiː], **c.c.** *abbr.* **1. carbon copy** kopia (*przez kalkę*); *komp.* kopia „do wiadomości" (*w programie pocztowym*). **2. copies** kopie. **3.** = **cubic centimeter.**

CCTV [ˌsiː ˌsiː ˌtiː ˈviː] *abbr.* = **closed-circuit television.**

CD [ˌsiː ˈdiː] *abbr.* **1.** = **compact disk. 2.** = **certificate of deposit. 3.** = **cerfiticate of delivery. 4. Corps Diplomatique** Korpus Dyplomatyczny. **5. Civil Defense (Corps)** obrona cywilna.

CDC [ˌsiː ˌdiː ˈsiː] *abbr. US* **Centers for Disease Control** amerykańska agencja epidemiologiczna.

CD player [ˌsiː ˌdiː ˈpleɪər] *n.* odtwarzacz kompaktowy.

CD-ROM [ˌsiː ˌdiː ˈrɑːm] *abbr.* **compact-disk read-only memory** płyta CD-ROM.

CDT [ˌsiː ˌdiː ˈtiː] *abbr.* **1. Central Daylight Time** *US* czas letni w środkowoamerykańskiej strefie czasowej. **2. Craft, Design and Technology** *Br. szkoln.* zajęcia praktyczno-techniczne, prace ręczne.

CE [ˌsiː ˈiː], **C.E.** *abbr.* **1.** = **Church of England. 2.** = **civil engineer. 3. Common Era** n.e. (*w datach*).

ceanothus [sɪəˈnoʊθəs] *n. bot.* puzyrnik (*Ceanothus*).

cease [siːs] *v. form.* **1.** ustać (*np. o deszczu, protestach, bombardowaniach*). **2.** ~ **doing sth/to do sth** przestać coś robić, zaprzestać robienia czegoś; ~ **sth** przerywać *l.* wstrzymywać coś (*np. pomoc finansową, działania wojenne*); ~ **to exist** przestać istnieć. **3.** ~ **fire!** nie strzelać!. **4. wonders will never** ~**!** *zwł. żart.* a jednak cuda się zdarzają!. – *n. U* **without** ~ *form.* bez ustanku, bez przerwy.

cease-fire [ˈsiːsˌfaɪr] *n.* zawieszenie broni.

ceaseless [ˈsiːsləs] *a.* nieustanny, bezustanny.

ceaselessly [ˈsiːsləslɪ] *adv.* nieustannie, bez ustanku.

ceaselessness [ˈsiːsləsnəs] *n. U* nieustanność.

cecum [ˈsiːkəm], *Br.* **caecum** *n. pl.* **-a** *anat., zool.* kątnica, jelito ślepe.

cedar [ˈsiːdər] *n. bot.* **1.** cedr (*Cedrus*); ~ **of Lebanon** cedr libański (*Cedrus libani*). **2. Japanese** ~ kryptomeria japońska (*Cryptomeria japonica*). **3. red** ~ jałowiec wirginijski (*Juniperus viginiana*). **4. white** ~ (*także* **American orborvitae**) żywotnik zachodni (*Thuja occidentalis*); gatunek cyprysika (*Chamaecyparis thyoides*).

cede [siːd] *v.* **1.** *form.* cedować (*sth to sb* coś na kogoś). **2.** ~ **control/authority** oddawać kontrolę/władzę (*zwł. pod przymusem*). **3.** ~ **a point to sb** przyznawać komuś rację w jakimś punkcie.

cedilla [səˈdɪlə] *n.* cédille (*znak diakrytyczny*).

ceiba [ˈseɪbə] *n. bot.* puchowiec (*Ceiba*); kapok (= *włókno puchowca*).

ceil [siːl] *v. bud.* wykładać sufit (*pomieszczenia*).

ceilidh [ˈkeɪlɪ], *Ir.* **céilidhe** *n. Scot.* wieczorek z tradycyjną celtycką muzyką i tańcami.

ceiling [ˈsiːlɪŋ] *n.* **1.** sufit, strop. **2.** *meteor.* pułap. **3.** *lotn.* pułap maksymalny (*samolotu*). **4.** *wojsk.* donośność maksymalna (*artylerii przeciwlotniczej*). **5.** *przen.* górna granica, (górny) pułap (*importu, zarobków itp.*).

celadon [ˈseləˌdɑːn] *n. U* seledyn. – *a.* seledynowy.

celandine [ˈselənˌdaɪn] *n. bot.* **1.** (*także* **greater** ~) glistnik jaskółcze ziele (*Chelidonium maius*). **2.** (*także* **lesser** ~) ziarnopłon wiosenny, pszonka (*Ranunculus ficaria*).

celeb [səˈleb] *n. pot.* = **celebrity.**

celebrant [ˈseləbrənt] *n. kośc.* **1.** celebrans, celebrant. **2.** uczestni-k/czka ceremonii, nabożeństwa itp.

celebrate [ˈseləˌbreɪt] *v.* **1.** świętować; obchodzić (*rocznicę, urodziny*); **let's** ~ uczcijmy to. **2.** *kośc.* celebrować, odprawiać. **3.** *form.* sławić, opiewać, chwalić.

celebrated [ˈseləˌbreɪtɪd] *a.* znamienity, słynny.

celebration [ˌseləˈbreɪʃən] *n.* **1.** *zw. pl.* obchody, świętowanie. **2.** *C/U* **in** ~ **of sth** dla uczczenia czegoś; **sth calls for a** ~**/is cause for** ~ coś trzeba uczcić. **3.** *U kośc.* celebrowanie, odprawianie. **4.** *U* wysławianie, sławienie.

celebratory [ˈseləbrəˌtɔːrɪ] *a. attr.* uroczysty (= *wydany dla uczczenia czegoś*).

celebrity [səˈlebrətɪ] *n.* **1.** *pl.* **-ies** sława, znakomitość, znana osobistość. **2.** *U* sława, rozgłos.

celeriac [səˈlerɪˌæk] *n. bot.* seler korzeniowy (*Apium graveolens rapaceum*).

celerity [səˈlerətɪ] *n. U form.* duża szybkość, szybkie tempo.

celery [ˈselərɪ] *n. U bot.* seler naciowy (*Apium graveolens*); **stick of** ~ (*także US* **stalk of** ~) pęd selera.

celesta [səˈlestə], **celeste** *n. muz.* czelesta.

celestial [səˈlestʃl] *a.* **1.** *form. l. poet.* niebiański, niebieski. **2.** *astron.* niebieski.

celestial body *n. form.* ciało niebieskie.

celestial equator *n. astron.* równik niebieski, równik świata.

celestial horizon *n. astron.* horyzont astronomiczny, horyzont prawdziwy.

celestial latitude *n. astron.* szerokość ekliptyczna.

celestial longitude *n. astron.* długość ekliptyczna.

celestial mechanics *n. U astron.* mechanika nieba.

celestial navigation *n. U astron.* astronawigacja, nawigacja astronomiczna.

celestial pole *n. astron.* biegun świata, biegun nieba.

celestial sphere *n. astron.* sfera niebieska.

celestine ['seləstɪn], **celestite** ['seləˌstaɪt] *n. U min.* celestyn.

celiac ['si:lɪˌæk] *a. US* = **coeliac**.

celibacy ['seləbəsɪ] *n. U* **1.** celibat, bezżenność. **2.** abstynencja seksualna.

celibate ['seləbət] *a.* **1.** bezżenny; związany celibatem, trwający w celibacie. **2.** trwający w abstynencji seksualnej. – *n.* **1.** osoba związana celibatem. **2.** abstynent/ka seksualn-y/a.

cell [sel] *n.* **1.** cela (*klasztorna l. więzienna*). **2.** *t. biol. i polit.* komórka. **3.** *min.* celka. **4.** *el.* ogniwo. **5.** *el.* elektrolizer, wanna elektrolityczna. **6.** *mat.* podklasa. **7.** *kośc.* klasztor filialny.

cella ['selə] *n. hist., bud.* cella (= *główne pomieszczenie starożytnej świątyni*).

cellar ['selər] *n.* **1.** piwnica (*zwł. do przechowywania żywności, wina itp.*). **2.** zapas win (*przechowywanych w piwnicy*). – *v.* przechowywać w piwnicy.

cellarage ['selərɪdʒ] *n. U* **1.** powierzchnia piwnicy. **2.** opłata za korzystanie z piwnicy.

cellarer ['selərər] *n.* szafarz klasztorny.

cellaret [ˌselə'ret] *n.* skrzynka, szafka *l.* kredens na wino.

cell division *n. biol.* podział komórkowy.

cellist ['tʃelɪst] *n.* wiolonczelist-a/ka.

cellmate ['selˌmeɪt] *n.* towarzysz/ka z (więziennej) celi.

cell membrane *n. U biol.* błona komórkowa.

cello ['tʃeloʊ] *n. pl.* **-s** wiolonczela.

cellophane ['seləˌfeɪn], **Cellophane** *n. U* celofan.

cellphone ['selˌfoʊn] *n. Br.* = **cellular phone**.

cellular ['seljələr] *a.* **1.** *biol.* komórkowy. **2.** porowaty. **3.** *bud.* klatkowy, komorowy.

cellular brick *n. bud.* (cegła) dziurawka.

cellular concrete *n. U bud.* beton komórkowy.

cellular glass *n. U* szkło piankowe.

cellular phone, cellular telephone *Br. t.* **cellphone** *n.* telefon komórkowy, komórka.

cellule ['selju:l] *n. biol.* komórka.

cellulite ['seljʊˌlaɪt] *n. U* cellulit, cellulitis.

cellulitis [ˌseljə'laɪtɪs] *n. U pat.* zapalenie tkanki łącznej; **pelvic** ~ zapalenie przymacicza.

celluloid ['seljəˌlɔɪd] *n. U* **1.** celuloid. **2. on** ~ *przen.* na taśmie filmowej, na ekranie.

cellulose ['seljəˌloʊs] *n. U chem.* celuloza, błonnik.

cellulose acetate *n. U* acetyloceluloza, octan celulozy.

cellulose nitrate *n. U* nitroceluloza, azotan celulozy.

cellulous ['seljələs] *a. rzad.* komórkowy.

cell wall *n. bot.* ściana komórkowa.

celom ['si:ləm] *n. zwł. US* = **coelom**.

Celsius ['selsɪəs] *n.* ~ **(scale)** skala Celsjusza.

celt [selt] *n. archeol.* toporek (*bez nasady*).

Celt [kelt] *n.* Celt.

Celtic ['keltɪk] *a.* celtycki; ~ **cross** krzyż celtycki; **the ~ fringe** obszary Wielkiej Brytanii zamieszkane przez ludność pochodzenia celtyckiego. – *n. U* języki celtyckie.

cembalo ['tʃembəˌloʊ] *n. pl.* **-i** *l.* **-os** *muz.* klawesyn, klawicymbał.

cement [sə'ment] *n. U* **1.** cement. **2.** spoiwo, kit, klej. **3.** *geol.* lepiszcze skalne. **4.** *dent.* cement (*dentystyczny*). **5.** (*także* **~um**) *anat.* kostniwo, cement (*w korzeniu zęba*). **6.** *przen.* spoiwo, element wiążący. – *v. t. przen.* cementować; spajać.

cementation [ˌsi:mən'teɪʃən] *n. U* **1.** cementacja. **2.** spajanie, klejenie. **3.** *metal.* produkcja stali z żelaza zgrzewnego przez nawęglanie w stanie stałym.

cementite [sə'mentaɪt] *n. U metal.* cementyt, węglik żelaza.

cement mixer *n.* betoniarka (*maszyna l. pojazd*).

cementum [sə'mentəm] *n.* = **cement** 5.

cemetery ['seməˌterɪ] *n. pl.* **-ies** cmentarz (*zw. poza obrębem kościoła*).

cenesthesia [ˌsi:nəs'θi:ʒə], **cenesthesis** [ˌsi:nəs'θi:sɪs] *n.* = **coenesthesia**.

cenobite ['si:nəˌbaɪt] *n.* = **coenobite**.

cenotaph ['senəˌtæf] *n.* cenotaf (= *symboliczny grobowiec ku czci poległych na wojnie*).

Cenozoic [ˌsi:nə'zoʊɪk], **Caenozoic**, **Cainozoic** [ˌkaɪnə'zoʊɪk] *a. geol.* kenozoiczny.

cense [sens] *v. kośc.* kadzić, okadzać.

censer ['sensər] *n. kośc.* kadzielnica.

censor ['sensər] *n.* **1.** *t. przen.* cenzor (*t. w starożytnym Rzymie*). **2.** *psych.* cenzura. – *v.* cenzurować.

censorial [sen'sɔ:rɪəl] *a.* cenzorski.

censorious [sen'sɔ:rɪəs] *a. form.* nadmiernie krytyczny, mentorski.

censoriously [sen'sɔ:rɪəslɪ] *adv.* zbyt krytycznie.

censoriousness [sen'sɔ:rɪəsnəs] *n. U* nadmierny krytycyzm, mentorstwo.

censorship ['sensərˌʃɪp] *n. U t. psych.* cenzura.

censurable ['senʃərəbl] *a. form.* naganny, zasługujący na potępienie.

censure ['senʃər] *n. U form.* nagana, potępienie. – *v.* potępić, udzielić nagany.

census ['sensəs] *pl.* **-es** *n.* spis ludności.

cent [sent] *n.* **1.** cent. **2.** *US przen. pot.* **for two ~s, I'd...** najchętniej bym..., mam wielką ochotę...; **not a/one red ~** (ani) złamanego grosza; **get/put/throw in one's two ~s' worth** wtrącić swoje trzy grosze.

cent. *abbr.* **1.** = **central**. **2.** **century** w. (*w datach*). **3.** **centigrade** °C.

cental ['sentl] *n.* 100 funtów (= *45,3 kg*).

centaur ['sentɔ:r] *n.* **1.** *mit.* centaur. **2. the C~** (*także* **Centaurus**) *astron.* Centaur.

centaurea [sen'tɔ:rɪə] *n. bot.* chaber (*Centaurea*).

Centaurus [sen'tɔ:rəs] *n.* = **centaur** 2.

centaury ['sentɔ:rɪ] *n. bot.* **1.** centuria, tysiącznik (*Centaurium*). **2.** chaber (*Centaurea*).

centenarian [ˌsentə'nerɪən] *a.* stuletni. – *n.* stulat-ek/ka.

centenary ['sentəˌnerɪ] *a.* **1.** stuletni. **2.** występujący *l.* mający miejsce co sto lat. – *n. pl.* **-ies 1.** stulecie, setna rocznica. **2.** *rzad.* stulecie, wiek.

centennial [sen'tenɪəl] *a.* **1.** stuletni. **2.** dotyczący setnej rocznicy. – *n. US i Can.* stulecie, setna rocznica.

centennially [sen'tenɪəlɪ] *adv.* co sto lat.

center ['sentər], *Br. i Austr.* **centre** *n.* **1.** środek; **~ of attraction** *mech.* środek przyciągań; **~ of buoyancy** *mech.* środek wyporu; **~ of curvature** *mat.* środek krzywizny; **~ of gravity** *mech.* środek ciężkości; **~ of mass** *mech.* środek masy, środek bezwładności; **~ of pressure** *lotn.* środek parcia (*profilu lotniczego*). **2.** *polit.* **the ~** centrum; **left/right of ~** *polit.* na lewo/prawo od centrum. **3.** ośrodek, centrum; **~ of attention** centrum zainteresowania; **shopping ~** centrum handlowe; **urban ~** ośrodek miejski. **4.** *techn.* kieł (*obrabiarki*); **~ lathe** tokarka kłowa; **dead ~** kieł stały; **live ~** kieł obrotowy. **5.** *piłka nożna itp.* dośrodkowanie; = **~ forward**. – *v.* **1.** umieszczać w *l.* na środku; środkować, centrować. **2.** skupiać *l.* koncentrować się (*(up)on / around sth* na czymś/wokół czegoś). **3.** *piłka nożna itp.* dośrodkowywać.

center back, center half *n. piłka nożna itp.* środkowy pomocnik, stoper.

centered ['sentərd] *a.* **1.** wyśrodkowany. **2.** skupiony, skoncentrowany (*on sth* na czymś).

centerfold ['sentərˌfoʊld] *n.* rozkładówka (*w czasopiśmie l. gazecie*).

center forward *n. piłka nożna itp.* środkowy napastnik.

centering ['sentərɪŋ], *Br. i Austr.* **centring** *n.* **1.** *U* środkowanie, centrowanie. **2.** *bud.* krążyna (*pomocnicza konstrukcja podporowa*). **3.** *U techn.* nakiełkowanie, nawiercanie nakiełków (*w obróbce skrawaniem*); **~ machine** nakiełczarka.

centerpiece ['sentərˌpi:s], *Br. i Austr.* **centrepiece** *n.* **1.** ozdoba na środku stołu (*zwł. z kwiatów*). **2.** *sing. przen.* najważniejsza część, główny punkt, gwóźdź programu.

center punch *n. techn.* punktak.

center spread, *Br.* **centre spread** *n. zwł. Br. dzienn.* rozkładówka.

centesimal [sen'tesəml] *a. form.* **1.** setny. **2.** centezymalny (*zwł. o podziałce termometru*).

centigrade ['sentəˌgreɪd] *a.* **1.** stustopniowy. **2. ~ scale** skala Celsjusza; **20 degrees ~** 20 stopni (w skali) Celsjusza.

centigram ['sentəˌgræm], *Br. t.* **centigramme** *n.* centygram.

centile ['sentɪl] *n. stat.* centyl.

centiliter ['sentəˌli:tər], *Br. i Austr.* **centilitre** *n.* centylitr.

centime ['sɑ:nti:m] *n.* centym.

centimeter ['sentəˌmi:tər], *Br. i Austr.* **centimetre** *n.* centymetr.

centipede ['sentəˌpi:d] *n. zool.* stonoga (*gromada Chilopoda*).

centner ['sentnər] *n.* cetnar (*= 100 funtów, 50 kg l. 100 kg, w zależności od kraju*).

cento ['sentoʊ] *n. pl.* **-s** *teor. lit., muz.* centon.

central ['sentrəl] *a.* **1.** centralny, środkowy. **2.** położony centralnie *l.* w centrum (*miasta*). **3.** główny, czołowy, zasadniczy.

Central America *n. geogr.* Ameryka Środkowa.

central angle *n. geom.* kąt środkowy (*w kole*).

central bank *n.* bank centralny.

Central European Time *n. U* czas środkowoeuropejski.

central government *n. C / U* rząd centralny, władze centralne.

central heating *n. U* centralne ogrzewanie.

Central Intelligence Agency *n. US* Centralna Agencja Wywiadowcza, CIA.

centralism ['sentrəˌlɪzəm] *n. U* centralizm.

centralist ['sentrəlɪst] *n.* centralist-a/ka. – *a.* (*także* **centralistic**) centralistyczny.

centrality [sen'trælətɪ] *n. U* **1.** centralne położenie. **2.** główne *l.* centralne znaczenie.

centralization [ˌsentrələ'zeɪʃən] *n. U* **1.**ześrodkowanie. **2.** centralizacja.

centralize ['sentrəˌlaɪz] *v.* **1.**ześrodkowywać. **2.** centralizować.

central limit theorem *n. mat.* centralne twierdzenie graniczne.

central locking *n. U mot.* zamek centralny (*w pojeździe*).

central nervous system *n. anat., zool.* ośrodkowy układ nerwowy.

Central Powers *n. pl. hist.* państwa centralne (*w czasie I wojny światowej*).

central processing unit *n. komp.* centralna jednostka obliczeniowa, procesor centralny.

central reserve, central reservation *n. Br.* pas dzielący, pas zieleni (*na autostradzie*).

central sulcus *n. anat.* bruzda środkowa mózgu.

central tendency *n. stat.* tendencja centralna.

Central Time, Central Standard Time *n. U US* czas środkowoamerykański.

centre ['sentər] *n. Br.* = **center**.

centric ['sentrɪk], **centrical** ['sentrɪkl] *a.* **1.** *rzad.* centralny, środkowy; centryczny. **2.** *bot.* środkowy.

centricity [sen'trɪsətɪ] *n. U* centralność; centryczność.

centrifugal [sen'trɪfjəgl] *a.* odśrodkowy.

centrifugal brake *n. mot.* automatyczny hamulec odśrodkowy.

centrifugal clutch *n. mot.* sprzęgło odśrodkowe.

centrifugal force *n. fiz.* siła odśrodkowa.

centrifugally [sen'trɪfjəglɪ] *adv.* odśrodkowo.

centrifugal machine *n.* wirówka, centryfuga.

centrifugal pump *n.* pompa odśrodkowa.

centrifuge ['sentrəˌfju:dʒ] *n.* wirówka, centryfuga.

centring ['sentrɪŋ] *a. Br. i Austr.* = **centering**.

centriole ['sentrɪˌoʊl] *n. biol.* centriola.

centripetal [sen'trɪpɪtl] *a.* dośrodkowy.

centripetal force *a. fiz.* siła dośrodkowa.

centripetally [sen'trɪpɪtlɪ] *adv.* dośrodkowo.

centrism ['sentrɪzəm] *n. U polit.* centryzm.

centrist ['sentrɪst] *n. polit.* centryst-a/ka.

centrobaric [ˌsentrə'berɪk] *a. fiz.* dotyczący środka ciężkości.

centroid ['sentrɔɪd] *n. geom.* **1.** środek masy bryły geometrycznej. **2.** punkt przecięcia przekątnych trójkąta.

centromere ['sentrəˌmi:r] *n. biol.* centromer.

centrosphere ['sentrəˌsfi:r] *n. geol.* jądro Ziemi.

centuplicate [sen'tu:pləˌkeɪt] *a. form.* stokrotny. – *n.* stokrotność. – *v.* mnożyć *l.* zwiększać stukrotnie.

centurion [sen'tu:rɪən] *n. hist., wojsk.* centurion, setnik.

century ['sentʃərɪ] *n. pl.* **-ies 1.** wiek, stulecie. **2.** *krykiet itp.* sto punktów, setka. **3.** *hist., wojsk.* centuria (*w starożytnym Rzymie*).

century plant *n. bot.* agawa amerykańska (*Agave americana*).

CEO [ˌsi: ˌi: 'oʊ], **C.E.O.** *abbr. US* **chief executive officer** prezes zarządu; *przen.* prezydent Stanów Zjednoczonych.

cep [seɪp] *n. bot.* borowik szlachetny, prawdziwek (*Boletus edulis*).

cephalic [sə'fælɪk] *a. anat.* głowowy.

cephalin ['sefəlɪn] *n. U biochem.* kefalina.

cephalochordate [ˌsefəloʊ'kɔ:rdeɪt] *n. zool.* głowostrunowiec (*Cephalochordata*).

cephalometer [ˌsefə'lɑ:mətər] *n. med.* kraniometr.

cephalometry [ˌsefə'lɑ:mətrɪ] *n. U med.* kraniometria.

cephalopod ['sefələˌpɑ:d] *n. zool.* głowonóg (*Cephalopoda*).

cephalothorax [ˌsefəloʊ'θɔ:ræks] *pl.* **-axes** *l.* **-aces** *n. zool.* głowotułów.

ceraceous [sə'reɪʃəs] *a.* woskowy; woskowaty.

ceramal [sə'ræml] *n. U* cermet, cermetal (= *spiek ceramiczno-metalowy*).

ceramic [sə'ræmɪk] *a.* ceramiczny. – *n. U* materiał ceramiczny.

ceramics [sə'ræmɪks] *n.* **1.** *U* ceramika (*sztuka*). **2.** *pl.* ceramika, wyroby ceramiczne.

ceramist ['serəmɪst] *n.* cerami-k/czka.

cerargyrite [sə'rɑ:rdʒəˌraɪt] *n. U min.* kerargiryt, chlorargiryt, srebro rogowe.

cerate ['si:reɪt] *n. U med.* maść twarda zawierająca wosk.

Cerberus ['sɜ:bərəs] *n.* **1.** *mit.* Cerber. **2.** *przen.* cerber.

cercis ['sɜ:sɪs] *n. bot.* judaszowiec (*Cercis*).

cere[1] [si:r] *n. zool.* woskówka (*u nasady ptasiego dzioba*).

cere[2] *v. poet.* spowijać w całun.

cereal ['si:rɪəl] *n.* **1.** zboże, roślina zbożowa. **2.** *U* płatki zbożowe; **breakfast** ~ płatki śniadaniowe.

cerebellum [ˌserə'beləm] *n. pl.* **-ums** *l.* **-a** *anat.* móżdżek.

cerebral ['serəbrəl] *a.* **1.** mózgowy. **2.** *fon.* cerebralny, retrofleksyjny (*o spółgłosce*). **3.** *form. l. żart.* intelektualny; *uj.* przeintelektualizowany.

cerebral hemisphere *n. anat.* półkula mózgowa.

cerebral hemorrhage *n. pat.* krwotok mózgowy.

cerebral palsy *n. U pat.* porażenie mózgowe.

cerebral vascular accident, cerebrovascular accident *n. pat.* udar naczyniowy mózgu.

cerebrate ['serəˌbreɪt] *v. form. l. żart.* rozmyślać, wytężać umysł.

cerebration [ˌserɪ'breɪʃən] *n. U form. l. żart.* myślenie, rozmyślanie.

cerebrospinal [ˌserəbroʊ'spaɪnl] *a. anat.* mózgowo-rdzeniowy.

cerebrospinal fever, cerebrospinal meningitis *n. U pat.* zapalenie opon.

cerebrospinal fluid *n. U fizj.* płyn mózgowordzeniowy.

cerebrum ['serəbrəm] *n. pl.* **-ums** *l.* **-a** *anat.* mózg.

cerecloth ['si:rˌklɔ:θ] *n. U hist.* całun woskowany.

cerement ['si:rmənt] *n. zwł. pl.* **1.** = **cerecloth**. **2.** całun.

ceremonial [ˌserə'moʊnɪəl] *a.* ceremonialny, etykietalny; rytualny, obrzędowy. – *n.* **1.** *U* ceremoniał. **2.** *rz.-kat.* księga liturgii.

ceremonialism [ˌserə'moʊnɪəˌlɪzəm] *n. U* ceremonialność.

ceremonialist [ˌserə'moʊnɪəlɪst] *n.* ceremoniant/ka, osoba (przesadnie) ceremonialna.

ceremonially [ˌserə'moʊnɪəlɪ] *adv.* ceremonialnie, rytualnie.

ceremonious [ˌserə'moʊnɪəs] *a. zwł. uj.* (przesadnie) ceremonialny, etykietalny.

ceremoniously [ˌserə'moʊnɪəslɪ] *adv. zwł. uj.* z (przesadną) ceremonią.

ceremoniousness [ˌserə'moʊnɪəsnəs] *n. U zwł. uj.* (przesadna) ceremonialność.

ceremony ['serəˌmoʊnɪ] *n.* **1.** *pl.* **-ies** ceremonia; rytuał, obrzęd. **2.** *U* ceremonialność; etykieta; **stand on** ~ krygować się, krępować się, ceregielić się; **don't stand on** ~ nie krępuj się; **without** ~ bez ceremonii. **3. master of ceremonies** (*także* **MC**) mistrz ceremonii; konferansjer.

ceresin ['serɪsɪn] *n. U chem.* cerezyna, oczyszczony ozokeryt.

cereus ['si:rɪəs] *n. bot.* pałczak (*Cereus*).

ceric ['si:rɪk] *a. chem.* cerowy.

cerise [sə'ri:s] *a.* wiśniowy. – *n. U* kolor wiśniowy.

cerium ['si:rɪəm] *n. chem.* cer.

cerographic [ˌsi:rə'græfɪk] *a. druk.* cerograficzny.

cerography [sɪ'rɑ:grəfɪ] *n. U druk.* cerografia.

ceroplastic [ˌsi:rə'plæstɪk] *a.* modelowany w wosku.

ceroplastics [ˌsi:rəˈplæstɪks] *n. U* ceroplastyka, modelowanie w wosku.

cerous [ˈsi:rəs] *a. chem.* cerawy.

cert [sɜ:t] *n.* **(dead) ~** *Br. pot.* pewniak, murowany zwycięzca (*zwł. w wyścigu*).

cert. *abbr.* **1.** = **certificate. 2.** = **certified. 3.** = **certify.**

certain [ˈsɜ:tən] *a.* **1.** pewien; jakiś, niejaki; **~ of us/them** *form.* niektórzy z nas/nich; **a ~ amount of sth** pewna ilość czegoś; **a ~ Mr. Jones** *form.* niejaki pan Jones; **of a ~ age** w pewnym wieku; **to a ~ extent/degree** do pewnego stopnia. **2.** *pred.* pewny (*of/about sth* czegoś); **he is ~ of winning** jest pewny wygranej; **he is ~ to win** na pewno wygra. **3. for ~** na pewno, bez wątpienia; **make ~** upewnić się (*that* że *l.* czy); dopilnować (*of sth/that sth happens* czegoś).

certainly [ˈsɜ:tənlɪ] *adv.* z pewnością. – *int.* oczywiście; **(yes,) ~!** ależ oczywiście! (*zwł. wyrażając zgodę*); **~ not!** w żadnym wypadku.

certainty [ˈsɜ:təntɪ] *n.* **1.** *U* pewność; **with (any) ~** z całą pewnością. **2.** *pl.* **-ies** pewnik, rzecz pewna; **it's a ~ that...** to pewne, że...; **I know for a ~ that...** wiem na pewno, że...

certes [ˈsɜ:ti:z] *adv. arch.* z pewnością.

certifiable [ˈsɜ:təˌfaɪəbl] *a.* **1.** dający się potwierdzić; *zwł. US* mogący otrzymać atest. **2.** niepoczytalny, chory umysłowo.

certifiably [ˈsɜ:təˌfaɪəblɪ] *adv.* w sposób dający się potwierdzić.

certificate [sərˈtɪfɪkət] *n.* certyfikat, zaświadczenie, świadectwo; kwit; atest; **~ of deposit** *fin.* certyfikat depozytowy, świadectwo lokaty terminowej; **~ of delivery** pokwitowanie dostawy, kwit składowy; **~ of incorporation** *handl.* świadectwo rejestracji spółki; **~ of origin** *handl.* świadectwo pochodzenia (*towaru*); **~ of unruliness** *Br. prawn.* decyzja sądu ds. nieletnich o umieszczeniu w zakładzie zamkniętym; **birth ~** metryka urodzenia; **death ~** świadectwo zgonu; **C~ of Secondary Education** *Br. szkoln.* (do 1988 r.) niższy rangą egzamin kończący szkołę średnią (*ukierunkowany zawodowo*); **General C~ of Education** *Br. szkoln.* egzamin maturalny (*z danego przedmiotu, wymagany przez większość uczelni wyższych*); **General C~ of Secondary Education** *Br. szkoln.* (od 1988 r.) niższy rangą egzamin kończący szkołę średnią, mała matura (*z danego przedmiotu, zdawana w wieku ok. 16 lat*).

certification [ˌsɜ:təfəˈkeɪʃən] *n.* **1.** *U* wystawienie zaświadczenia, poświadczenie; certyfikacja, wydawanie świadectwa *l.* atestu, atestowanie. **2.** dokument uwierzytelniający.

certified [ˈsɜ:təˌfaɪd] *a.* **1.** poświadczony, potwierdzony, uwierzytelniony. **2.** posiadający atest.

certified accountant *n. Br.* zaprzysiężony rewident księgowy.

certified check *n. bank* czek potwierdzony.

certified copy, certified true copy *n.* odpis uwierzytelniony (*dokumentu*).

certified mail *n. U US* poczta polecona.

certified milk *n. U US* mleko z atestem sanitarnym.

certified public accountant *n. US* dyplomowan-y/a księgow-y/a.

certify [ˈsɜ:təˌfaɪ] *v.* **-ied, -ying 1.** zaświadczać, poświadczać, uwierzytelniać. **2.** wydać atest (*komuś l. czemuś*), atestować. **3.** *prawn.* uznać za chorego umysłowo. **4.** *US i Can. bank* potwierdzać (*czek*).

certiorari [ˌsɜ:ʃɪəˈreraɪ] *n. prawn.* żądanie przekazania akt sprawy z sądu niższego do sądu wyższej instancji.

certitude [ˈsɜ:tɪˌtu:d] *n. U* pewność, przeświadczenie.

cerulean [səˈru:lɪən] *a. mal. l. lit.* ciemnoniebieski.

cerumen [səˈru:mən] *n. U fizj.* woskowina, woszczyna uszna.

ceruminous [səˈru:mənəs] *a.* woskowinowy, woszczynowy.

ceruse [ˈsi:ru:s] *n. chem.* biel ołowiana.

cerusite [səˈrʌsaɪt], **cerussite** *n. U min.* cerusyt.

cervical [ˈsɜ:vɪkl] *a. anat.* szyjny, szyjkowy; **~ smear** *med.* wymaz z szyjki macicy.

cervicitis [ˌsɜ:vɪˈsaɪtɪs] *n. U pat.* zapalenie szyjki macicy.

cervid [ˈsɜ:vɪd] *n. zool.* ssak z rodziny jeleniowatych (*Cervidae*).

cervine [ˈsɜ:vaɪn] *a.* **1.** *zool.* jeleni; sarni. **2.** żółtawobrązowy.

cervix [ˈsɜ:vɪks] *n. pl.* **t. -ces 1.** *anat.* szyjka (*zwł. macicy*). **2.** *anat.* szyja.

Cesarean [sɪˈzerɪən] *a. US* = **Caesarean.**

cesium [ˈsi:zɪəm], **caesium** *n. U. chem.* cez.

cess[1] [ses] *n. Br.* podatek gruntowy.

cess[2] *n. Ir. sl.* szczęście; **bad ~ to you!** żeby cię pokręciło!.

cess[3] *n.* = **~pool.**

cessation [seˈseɪʃən] *n. C/U form.* zaprzestanie, wstrzymanie; przerwanie.

cession [ˈseʃən] *n.* **1.** *U* cesja. **2.** *C* scedowana własność *l.* prawo.

cessionary [ˈseʃəˌnerɪ] *n. prawn.* cesjonariusz/ka.

cesspool [ˈsesˌpu:l], *Br. t.* **cesspit** [ˈsesˌpɪt] *n.* **1.** szambo. **2.** *przen.* bagno.

cestoid [ˈsestɔɪd] *a. zool.* tasiemcowy.

cesura [səˈʒʊrə] *n.* = **caesura.**

CET [ˌsi: ˌi: ˈti:] *abbr.* = **Central European Time.**

cetacean [səˈteɪʃən] *a.* (*także* **cetaceous**) *zool.* dotyczący waleni. – *n.* ssak z rzędu waleni (*Cetacea*).

cetane [ˈsi:teɪn] *n. chem.* cetan, heksadecen; **~ number** liczba cetanowa.

Ceylon [səˈlɑ:n] *n. geogr., hist.* Cejlon.

cf [ˌsi: ˈef], **c & f** *abbr.* **cost and freight** *handl.* koszt i fracht (*wliczone w cenę*).

c/f [ˌsi: ˈef] *abbr.* **carried forward** *księgowość* do przeniesienia.

cf. [ˌsi: ˈef] *abbr.* **confer** por. (*odnośnik w tekście*).

CFC [ˌsi: ˌef ˈsi:] *abbr.* **chlorofluorocarbon** *chem., ekol.* freon.

c.f.i. [ˌsi: ˌef ˈaɪ], **cfi, CFI** *abbr.* **cost, freight and**

insurance *handl.* koszt, fracht i ubezpieczenie (*wliczone w cenę*).

Ch., ch. *abbr.* **chapter** rozdz.

cha-cha [ˈtʃɑːˌtʃɑː], **cha-cha-cha** *n. C* cza-cza. – *v.* tańczyć cza-czę.

chaeta [ˈkiːtə] *pl.* **-e** [ˈkiːtiː] *n. zool.* szczecinka (*chitynowa*).

chafe [tʃeɪf] *v.* **1.** obcierać, drażnić (*skórę, naskórek*); ulec obtarciu *l.* podrażnieniu (*o skórze, naskórku*). **2.** zacierać, rozcierać (*zwł. ręce dla rozgrzania*). **3.** *przen.* być rozdrażnionym, irytować się (*at / under sth* z powodu czegoś). **4.** ~ **at the bit** *przen. pot.* niecierpliwić się. – *n.* otarcie, podrażnienie (*skóry*).

chafer [ˈtʃeɪfər] *n. ent.* chrząszcz z rodziny żukowatych, np. kruszyca złotawka (*Cetonia aurata*) *l.* chrabąszcz majowy (*Melolontha melolontha*).

chaff[1] [tʃæf] *n. U* **1.** *bot.* plewka. **2.** *t. przen.* sieczka. **3.** *t. przen.* plewy; **separate the wheat from the** ~ *przen.* oddzielić ziarno od plew.

chaff[2] *v. przest.* droczyć się, przekomarzać się. – *n.* droczenie się, przekomarzanie się.

chaff cutter *n. roln.* sieczkarnia.

chaffer [ˈtʃæfər] *v.* **1.** targować się. **2.** pleść, gadać, paplać. **3.** *arch.* handlować (*czymś*). – *n. U* targowanie się, targ.

chafferer [ˈtʃæfərər] *n.* osoba targująca się.

chaffinch [ˈtʃæfɪntʃ] *n. orn.* zięba zwyczajna (*Fringilla coelebs*).

chaffy [ˈtʃæfɪ] **1.** plewowaty, plewiasty. **2.** *przen.* bezwartościowy.

chafing dish *n.* garnek podgrzewany (*służący do gotowania l. do utrzymywania podanych potraw w cieple*).

chagrin [ʃəˈgrɪn] *n. U form.* **1.** rozgoryczenie, rozczarowanie; **much to sb's** ~ ku czyjemuś wielkiemu niezadowoleniu. **2.** upokorzenie. – *v.* **1.** rozczarowywać. **2.** upokarzać.

chain [tʃeɪn] *n.* **1.** *t. chem. l. przen.* łańcuch; ~ **of office** *Br.* łańcuch urzędowy (*noszony np. przez burmistrza*); **bicycle** ~ łańcuch rowerowy; **mountain** ~ *geol.* łańcuch górski. **2.** *biżuteria* łańcuszek. **3.** *pl. przen.* okowy, kajdany; **in ~s** w okowach *l.* kajdanach. **4.** sieć (*sklepów, restauracji, hoteli*). **5.** ~ **of events/circumstances** splot wydarzeń/okoliczności. **6.** (*także* **Gunter's** ~) 22 jardy (*jednostka długości*). **7.** (*także* **engineer's** ~) 100 stóp (*jednostka długości*). – *v.* **1.** ~ **(up)** uwiązać na łańcuchu (*np. psa*); zakuć w łańcuchy; przykuć łańcuchem (*to sth* do czegoś); ~ **together** skuć łańcuchem (*np. pracujących więźniów*). **2. be ~ed to sth** *przen.* być uwiązanym gdzieś (*np. w domu przy chorym*), nie móc się ruszyć skądś.

chain armor, chain mail *n. U hist.* kolczuga.

chain cutter *n. górn.* wgłębiarka łańcuchowa.

chain drive *n.* napęd łańcuchowy.

chain gang *n.* grupa więźniów skuta łańcuchem (*zwł. na czas pracy*).

chain grate *n.* ruszt łańcuchowy (*kotła*).

chain letter *n.* łańcuszek szczęścia.

chain mail *n.* = ~ **armor.**

chainplate [ˈtʃeɪnˌpleɪt] *n. żegl.* podwięź wantowa.

chain printer *n. komp.* drukarka łańcuchowa.

chain reaction *n. chem., fiz. l. przen.* reakcja łańcuchowa.

chain rule *n. mat.* wzór na pochodną funkcji złożonej.

chain saw *n.* piła łańcuchowa.

chain-smoke [ˈtʃeɪnˌsmoʊk] *v.* palić jednego papierosa za drugim.

chain-smoker [tʃeɪnˌsmoʊkər], **chain smoker** *n.* osoba paląca jednego papierosa za drugim.

chain-smoking [ˈtʃeɪnˌsmɔːkɪŋ] *n. U* palenie jednego papierosa za drugim.

chain stitch *n.* ścieg łańcuszkowy (*w wyszywaniu*).

chain store *n.* sklep należący do sieci.

chain wheel *n.* koło łańcuchowe.

chair [tʃer] *n.* **1.** krzesło; fotel; stołek; **lawn** ~ (*także Br.* **garden** ~) krzesło składane (*płócienne*); **rocking** ~ fotel na biegunach; **swivel** ~ krzesło obrotowe, fotel obrotowy (*biurowy*). **2.** *uniw.* katedra (*= profesura*). **3.** przewodnictwo (*obrad itp.*); przewodnicząc-y/a; **be in the** ~ przewodniczyć (obradom); **take the** ~ objąć przewodnictwo. **4.** *kol.* siodełko szynowe. **5. the** ~ *pot.* krzesło elektryczne. **6.** (*także* **sedan** ~) lektyka. – *v.* **1.** przewodniczyć (*obradom, sesji*). **2.** *Br.* obnosić w pozycji siedzącej (*zwł. zwycięzcę na znak triumfu*).

chair car *n. US kol.* **1.** salonka. **2.** wagon otwarty z dwoma rzędami podwójnych siedzeń po obu stronach przejścia.

chairlift [ˈtʃerˌlɪft], **chair lift** *n.* wyciąg krzesełkowy.

chairman [ˈtʃermən] *n. pl.* **-men** **1.** przewodniczący (*komitetu, obrad*). **2.** *Br.* prezes (*firmy*). **3.** *hist.* lektykarz.

chairmanship [ˈtʃermənˌʃɪp] *n. U* **1.** przewodnictwo. **2.** urząd *l.* stanowisko przewodniczącego.

chairperson [ˈtʃerˌpɜːsən] *n. pl.* **-persons** przewodnicząc-y/a.

chairwoman [ˈtʃerˌwʊmən] *n. pl.* **-women** przewodnicząca.

chaise [ʃeɪz] *n.* **1.** *hist.* gig, kabriolet, cab (*rodzaj powozu*). **2.** (*także* **post** ~) dyliżans. **3.** = ~ **longue.**

chaise longue [ˌʃeɪzˈlɔːŋ], **chaise lounge** *n. pl.* **chaise longues** *l.* **chaises longues** szezlong.

chalcedony [kælˈsedənɪ] *n. U min.* chalcedon.

chalcocite [ˈkælkəˌsaɪt] *n. U min.* chalkozyn, błyszcz miedzi.

chalcography [kælˈkɑːgrəfɪ] *n. U* miedziorytnictwo.

chalcopyrite [ˌkælkəˈpaɪraɪt] *n. U min.* chalkopiryt, piryt miedziowy.

chaldron [ˈtʃɔːldrən] *n.* miara objętości (= *36 buszli*).

chalet [ʃæˈleɪ] *n.* **1.** drewniany domek górski w stylu alpejskim. **2.** *zwł. Br.* domek wczasowy (*w stylu jw.*).

chalice [ˈtʃælɪs] *n. kośc., bot. l. poet.* kielich.

chalk [tʃɔːk] *n.* **1.** *U* kreda (*skała*); **French** ~

talk. **2.** (*także* **~s**) kreda (*do pisania*); **colored ~s** kolorowa kreda; **write in ~** pisać kredą. **3.** *przen. pot.* **as different/alike as ~ and cheese** *Br. i Austr.* podobni jak dzień do nocy; **by a long ~** *Br.* o (całe) niebo (*np. lepszy, większy*); **not by a long ~** *Br.* w żadnym razie; **he can't tell/doesn't know ~ from cheese** *przest.* nie jest w stanie dostrzec najbardziej oczywistych różnic. – *v.* **1.** znaczyć, rysować *l.* pisać kredą. **2.** zetrzeć na proszek, sproszkować. **3.** **~ out** naszkicować, przedstawić w ogólnych zarysach; **~ up** *przen. pot.* zapisać na swoim koncie (*zwł. zwycięstwo*); **~ sth up to/against sb** *przen.* zapisać coś na czyjeś konto *l.* rachunek; **~ sth up to experience** potraktować coś jako doświadczenie na przyszłość (*zwł. niepowodzenie*).

chalkboard [ˈtʃɔːkˌbɔːrd] *n.* *US i Austr.* tablica (*do pisania kredą*).

chalky [ˈtʃɔːkɪ] *a.* **-ier, -iest** kredowy.

challenge [ˈtʃælɪndʒ] *v.* **1.** wyzwać, rzucić wyzwanie (*to a fight/game* do walki/gry); wzywać (*sb to do sth* kogoś do zrobienia czegoś); **~ sb for (leadership etc)** stanąć do walki z kimś (o przywództwo itp.). **2.** kwestionować, podważać, podawać w wątpliwość. **3.** stanowić wyzwanie dla, pobudzać. **4.** zatrzymywać, żądając hasła (*o wartowniku*). – *n.* **1.** wyzwanie; **face a ~** stanąć w obliczu wyzwania; **issue/accept a ~** rzucić/przyjąć wyzwanie; **rise to/meet a ~** poradzić sobie z wyzwaniem. **2.** podanie w wątpliwość, zakwestionowanie; *US* zakwestionowanie ważności głosowania. **3.** *prawn.* sprzeciw, wniosek o wyłączenie; **~ to the array** wniosek o wyłączenie całego składu ławy przysięgłych; **~ to the poll** wniosek o wyłączenie pojedynczego sędziego przysięgłego. **4.** zatrzymanie przez wartownika (*w celu podania hasła l. personaliów*).

challenged [ˈtʃælɪndʒd] *a. zwł. US euf. cz. żart.* niepełnosprawny; **visually ~** niewidomy; źle widzący.

challenger [ˈtʃælɪndʒər] *n.* **1.** osoba rzucająca wyzwanie. **2.** pretendent/ka (*do stanowiska, tytułu*).

challenging [ˈtʃælɪndʒɪŋ] *a.* **1.** stanowiący wyzwanie, ambitny (*o zadaniu, problemie*). **2.** wyzywający, zaczepny (*o tonie itp.*).

chalone [ˈkæloun] *n. fizj.* hormon o działaniu hamującym.

chalybeate [kəˈlɪbɪət] *a.* żelazisty (*np. o wodzie mineralnej*).

cham [kæm] *n. arch.* = **khan.**

chamaephyte [ˈkæmɪˌfaɪt] *n. bot.* chamefit, krzewinka.

chamber [ˈtʃeɪmbər] *n.* **1.** sala, pokój, gabinet; *przest.* komnata; (*także* **bed~**) łożnica; **~ of horrors** gabinet okropności; **torture ~** sala tortur. **2.** *t. anat. i techn.* komora; **gas ~** komora gazowa. **3.** izba (*ciało l. miejsce posiedzeń*); **~ of commerce/trade** izba handlowa; **lower/upper ~** *parl.* izba niższa/wyższa. **4.** *pl. prawn.* kancelaria; gabinet sędziowski (*do rozpatrywania spraw mniejszej wagi*); **in ~s** przy drzwiach zamkniętych (*o rozprawie*). **5.** = **~ pot.**

chamber counsel *n. prawn.* radca prawny (*nie występujący w sądzie*).

chambered nautilus *n. zool.* łodzik (*Nautilus*).

chamberlain [ˈtʃeɪmbərlɪn] *n.* **1.** szambelan, podkomorzy, marszałek dworu; **Lord C~** marszałek dworu brytyjskiego. **2.** ochmistrz.

chambermaid [ˈtʃeɪmbərˌmeɪd] *n.* pokojówka (*zwł. hotelowa*).

chamber music *n. U* muzyka kameralna.

chamber orchestra *n.* orkiestra kameralna.

chamber pot *n.* nocnik.

chameleon [kəˈmiːlɪən] *n. zool. l. przen.* kameleon (*Chamaeleon*).

chameleonic [kəˌmiːlɪˈɑːnɪk] *a.* kameleonowy.

chameleonlike [kəˈmiːlɪənˌlaɪk], **chameleon-like** *a. przen.* kameleonowy, jak kameleon.

chamfer [ˈtʃæmfər] *n.* **1.** skos, skośne ścięcie, faza (*gzymsu itp.*). **2.** nakrój (*np. gwintownika*). – *v.* ukosować, fazować.

chamfer plane *n.* strug do ukosowania.

chamfron [ˈtʃæmfrən], **chamfrain** [ˈtʃæmfreɪn], **chanfron** [ˈtʃænfrən] *zbroja* stalowy nagłówek dla konia.

chamois [ʃæmˈwɑː] *n.* **1.** *zool.* kozica (*Rupicapra rupicapra*). **2.** *U* giemza, szewro (= *luksusowa skóra kozia*); szewret (= *imitacja szewro*). **3.** [ˈʃæmɪ] *U* **~ (leather)** (*także* **shammy (leather)**) ircha.

chamomile [ˈkæməˌmaɪl] *n.* = **camomile.**

champ[1] [tʃæmp] *v.* **1.** przeżuwać głośno (*zwł. o koniu*); mlaskać. **2.** gryźć, obgryzać (*on/at sth* coś) (*zwł. nerwowo*). **3.** **~ at the bit** *przen.* niecierpliwić się. – *n. U* **1.** żucie, mlaskanie. **2.** *płn. Ir. kulin.* ziemniaki purée z zieloną cebulką *l.* porami.

champ[2] *n. pot.* = **champion** 1.

champagne [ʃæmˈpeɪn] *n. U* szampan.

champagne flute *n.* kieliszek do szampana (*wysoki i wąski*).

champagne socialist *n. uj.* osoba żyjąca w luksusie, ale deklarująca poparcie dla idei socjalistycznych.

champaign [ʃæmˈpeɪn] *n.* **1.** (*także* **campagna**) otwarta, lekko pofałdowana równina. **2.** *arch.* pole bitwy.

champers [ˈʃæmpəz] *n. Br. pot.* = **champagne.**

champerty [ˈtʃæmpərtɪ] *n. U prawn., hist.* bezprawne finansowanie przez osobę trzecią kosztów sprawy cywilnej (*np. w celu uzyskania udziału w odszkodowaniu*).

champion [ˈtʃæmpɪən] *n.* **1.** *sport l. przen.* mistrz/yni, champion/ka; **defending ~** obrońca/czyni tytułu mistrzowskiego; **Olympic ~** mistrz/yni olimpijsk-i/a; **reigning ~** aktualn-y/a mistrz/yni; **the world football ~s** mistrzowie świata w piłce nożnej. **2.** *przen.* **~ of sth** bojowni-k/czka o coś, orędowni-k/czka *l.* szermierz czegoś; **~ of sb** obroń-ca/czyni kogoś (*np. uciśnionych*). – *v.* walczyć o (*sprawę, ideę*); bronić (*sprawy, idei*). – *adv. płn. Br. pot.* świetnie, super.

championship [ˈtʃæmpɪənˌʃɪp] *n.* **1.** *sport* mistrzostwo (= *zawody l. tytuł*); *pl.* mistrzostwa.

2. *U* ~ **of sth** *przen.* zabieganie *l.* walka o coś (*o jakąś sprawę*).

chance [tʃæns] *n.* **1.** *U* przypadek; zbieg okoliczności; los, traf; **as ~ would have it, ...** traf chciał, że...; **by ~** przypadkowo, przez przypadek; *w pyt.* **by any ~** przypadkiem; **it was pure/sheer ~ that...** to był czysty przypadek, że...; **leave nothing to ~** nie pozostawiać nic przypadkowi. **2.** szansa; sposobność, okazja; *pl.* szanse, prawdopodobieństwo; **~ of sth** szansa na coś; **~ to do sth** okazja, żeby coś zrobić; **a ~ in a million** jedna szansa na milion; **be in with a ~ (of sth)** *Br.* mieć szansę (na coś); **fifty-fifty ~** szansa pół na pół; **give sb a second/another ~** dać komuś jeszcze jedną szansę; **given half a ~** gdyby tylko było można; **have/stand a ~ of (doing) sth** mieć szansę na coś; **last ~** ostatnia szansa; **miss one's ~** przegapić okazję; zaprzepaścić szansę; **on the (off) ~** tak na wszelki wypadek (*nie spodziewając się, że się uda*); **outside ~** mała *l.* nieznaczna szansa; **take the ~** skorzystać z okazji *l.* sposobności; **the ~ of a lifetime** życiowa szansa; **(the) ~s are (that) ...** *pot.* jest szansa, że..., istnieje duże prawdopodobieństwo, że...; **what are the ~s that...?** jakie jest prawdopodobieństwo, że...?. **3.** *C / U* ryzyko (*of sth* czegoś); **an element of ~** element ryzyka; **take a ~** zaryzykować; **take ~s** ryzykować. **4.** *zwł. US* los (*loterii, t. fantowej*). **5. fat ~!** *pot. iron.* akurat!, na pewno!; **no ~!** *zwł. US pot.* nic z tego!, mowy nie ma. – *v.* **1.** *form.* ryzykownie inwestować (*sth on sth* coś w coś). **2.** wydarzyć się przypadkowo; **she ~d to be there/it ~d that she was there** *form.* przypadkowo (akurat) tam była, tak się złożyło, że akurat tam była. **3. ~ it/one's luck** (*także Br.* **~ one's arm**) *pot.* zaryzykować. **4. ~ on/upon sb/sth** natknąć się na kogoś/coś przypadkiem. – *a. attr.* przypadkowy (*zwł. o spotkaniu*).

chancel [ˈtʃænsl] *n. bud.* prezbiterium, chór.

chancellery [ˈtʃænsələrɪ] *n.* **1.** stanowisko, urząd *l.* siedziba kanclerza. **2.** (*także* **chancery**) kancelaria ambasady *l.* konsulatu.

chancellor [ˈtʃænsələr] *n.* **1.** *hist. l. polit.* kanclerz. **2.** *uniw. US* rektor; *Br. i Can.* rektor honorowy; **vice-~** *Br.* rektor (*urzędujący*). **3. C~ of the Exchequer** *Br.* minister finansów. **4. Lord C~** *Br.* Lord kanclerz (*sędzia najwyższy i przewodniczący Izby Lordów*). **5.** *Br.* główny sekretarz ambasady *l.* konsulatu. **6.** *hist.* sekretarz (*króla, magnata*).

chancellorship [ˈtʃænsələrˌʃɪp] *n.* *U* urząd kanclerski.

chancellory [ˈtʃænsələrɪ] *n.* = **chancellery**.

chance-medley [ˌtʃænsˈmedlɪ] *n. prawn.* udział w bójce *l.* pobiciu, którego następstwem jest śmierć człowieka.

chancery [ˈtʃænsərɪ] *n. pl.* **-ies** **1.** *hist.* kancelaria królewska. **2.** *U US* prawo słuszności (*stanowione przez dawne Sądy Kanclerskie*); (*także* **court of ~**) sąd słuszności (*oparty na anglosaskim prawie słuszności*); **in ~** rozpatrywany przez sąd słuszności (*o sprawie cywilnej*). **3.** (*także* **C~ Division**) *Br.* sąd Lorda kanclerza (*obecnie wydział Najwyższego Trybunału Sprawiedliwości*). **4.** archiwum dokumentów oficjalnych. **5.** = **chancellery** 2.

chanciness [ˈtʃænsənəs] *n. U* ryzykowność.

chancre [ˈʃæŋkər] *n. pat.* szankier, wrzód weneryczny.

chancroid [ˈʃæŋkrɔɪd] *n. pat.* wrzód weneryczny miękki.

chancy [ˈtʃænsɪ] *a.* **-ier, -iest** *pot.* ryzykowny.

chandelier [ˌʃændəˈliːr] *n.* żyrandol.

chandelle [ʃænˈdel] *n. lotn.* świeca (*figura akrobatyczna*). – *v. lotn.* wykonywać świecę.

chandler [ˈtʃændlər] *n.* **1.** *w złoż.* handlarz (*określonym towarem*); **ship's ~** handlowiec zaopatrujący statki (*w żywność*). **2.** handlarz świecami. **3.** *Br. arch.* sklepikarz (*zwł. handlujący produktami spożywczymi*).

chandlery [ˈtʃændlərɪ] *n. pl.* **-ies** **1.** skład świec. **2.** sklepik; *U* sklepikarstwo; towary sklepikarskie.

chanfron [ˈtʃænfrən] *n.* = **chamfron**.

change [tʃeɪndʒ] *v.* **1.** zmieniać (się); **~ course/direction** zmieniać kierunek; **~ one's job/name/address** zmieniać pracę/nazwisko/adres; **~ the sheets** zmieniać pościel; **~ the subject** zmieniać temat. **2.** przemieniać *l.* przeistaczać (się), zmieniać (się) (*into sth* w coś); **~ out of all recognition** zmienić się nie do poznania. **3.** zamieniać (się); **~ places with sb** *t. przen.* zamienić się z kimś miejscami; **~ sides** zamienić się stronami (*np. o drużynach*). **4.** wymieniać (*sth for sth* coś na coś). **5.** przebierać się (*out of sth* z czegoś, *into sth* w coś); **get ~d** przebierać się. **6.** rozmieniać (*banknot*). **7. ~ (over)** przestawiać się, przechodzić (*from sth to sth* z czegoś na coś). **8. ~ a baby** przewijać dziecko. **9. ~ trains/buses etc.** przesiadać się; **all ~!** *Br.* przystanek końcowy!, proszę wysiadać!. **10. ~ gear(s)** *Br. i Austr.* zmienić bieg; *przen.* zmienić styl, zachowanie *l.* nastawienie; **~ hands** zmienić właściciela; **~ one's mind (about sth)** zmienić zdanie (na temat czegoś), rozmyślić się (co do czegoś); **~ one's tune** *przen.* zmienić śpiewkę; **~ one's ways** zmienić swoje zachowanie (= *poprawić się*); **~ step** zmienić nogę (*o maszerujących*); **not ~ one's spots** *przen.* nie zmieniać się (*pod względem charakteru, upodobań*). **11. ~ around** zamieniać (się) miejscami; odwracać (kierunek); **~ down** *Br. i Austr.* zmieniać bieg na niższy; **~ over** zamieniać (się) miejscami *l.* rolami; **~ up** *Br. i Austr.* zmieniać bieg na wyższy. – *n.* **1.** zmiana (*of sth* czegoś, *in sth* w czymś); **~ for the better/worse** zmiana na lepsze/gorsze; **~ of scene** zmiana otoczenia. **2.** odmiana; **for a ~** dla odmiany; **that makes a ~!** (a) to coś nowego!. **3.** wymiana; **oil ~** wymiana oleju. **4.** *U* reszta (*pieniądze*); (*także* **loose ~**) drobne; **small ~** *t. przen.* drobne, drobniaki; **give sb ~ for twenty dollars** rozmienić komuś dwadzieścia dolarów; **give sb the wrong ~** źle wydać komuś resztę; **in ~** drobnymi, w drobnych; **keep the ~** proszę zatrzymać resztę. **5.** przesiadka. **6. ~ of clothes/underwear** ubranie/bielizna na zmianę. **7. the ~ (of life)** *przest. euf.* menopauza. **8. get no/small ~ out of sb** *pot.* nie wyciągnąć nic/prawie nic z kogoś, nie wskórać nic/prawie nic u kogoś; **he's had a ~ of heart** zmienił zdanie, odmieniło mu się.

changeable ['tʃeɪndʒəbl] *a.* **1.** zmienny, niestały. **2.** mieniący się (*np. o tkaninie*).

changeful ['tʃeɪndʒfʊl] *a.* **1.** zmienny, niestały. **2.** urozmaicony.

changeless ['tʃeɪndʒləs] *a.* niezmienny.

changeling ['tʃeɪndʒlɪŋ] *n.* podrzutek (*zwł. w baśniach = dziecko podmienione przez elfy*).

changeover ['tʃeɪndʒˌoʊvər] *n.* przejście, przestawienie się (*np. na inny system*).

changing room *n. zwł. Br.* **1.** *sport* szatnia. **2.** przymierzalnia, kabina (*w sklepie*).

channel¹ ['tʃænl] *n.* **1.** *geogr.* kanał (*naturalny*); **the (English) C~** kanał La Manche. **2.** koryto, łożysko (*rzeki, strumienia*). **3.** *żegl.* kanał żeglowny (= *przekop na dnie basenu wodnego*). **4.** *techn.* kanał (*radiofoniczny, telewizyjny, wentylacyjny itp.*). **5.** rowek, wyżłobienie. **6.** droga (*zwł. służbowa*); **through (official) ~s** drogą służbową. **7.** *przen.* ujście (*for sth* dla czegoś). **8.** = **~ iron**. – *v. Br.* **-ll- 1.** kanalizować; prowadzić kanałem; przekazywać kanałem. **2.** kierować (*into sth* na coś) (*pieniądze, środki*). **3.** wyżłobić (rowek w). **4.** być medium (*spirytystycznym*).

channel² *n. żegl.* ława wantowa.

channel hop *n. Br.* = **~ surf**.

channel iron, channel bar *n.* ceownik stalowy.

Channel Islands *n. pl.* **the ~** *geogr.* Wyspy Normandzkie.

channelize ['tʃænəˌlaɪz] *v.* kanalizować, prowadzić kanałem.

channel surf, *Br.* **channel hop** *v.* skakać po kanałach (*telewizyjnych*).

Channel Tunnel, *pot.* **Chunnel** *n.* **the ~** *Br.* tunel pod kanałem La Manche.

chant [tʃænt] *n.* **1.** pieśń; śpiew. **2.** *muz., rel.* kantyk, hymn; **Gregorian ~** chorał gregoriański. **3.** śpiewna, monotonna intonacja. **4.** skandowany slogan. – *v.* **1.** śpiewać, intonować (*zwł. kantyk itp.*). **2.** mówić ze śpiewną, monotonną intonacją. **3.** skandować (*slogan itp.*).

chanter ['tʃæntər] *n.* **1.** kantor, śpiewak. **2.** piszczałka (*dud*).

chanterelle [ˌʃæntə'rel] *n. bot.* pieprznik jadalny, kurka (*Cantharellus cibarius*).

chantey ['ʃæntɪ] *n. pl.* **-s** *US* szanta.

chanticleer ['tʃæntəˌkli:r], **chantecler** *n. lit.* kogut.

chantry ['tʃæntrɪ] *n. pl.* **-ies** *kośc.* **1.** fundacja kościelna. **2.** ufundowana kaplica, ołtarz itp.

chanty ['ʃæntɪ] *n. pl.* **-ies** *US* szanta.

Chanukah ['hɑ:nəkə], **Chanukkah** *n.* = **Hanukkah**.

chaos ['keɪɑ:s] *n. U* chaos; **in ~** w stanie chaosu.

chaos theory *n. U nauka* teoria chaosu.

chaotic [keɪ'ɑ:tɪk] *a.* chaotyczny; bezładny.

chaotically [keɪ'ɑ:tɪklɪ] *adv.* chaotycznie; bezładnie.

chap¹ [tʃɑ:p] *v.* **-pp- 1.** spękać, popękać (*np. o wargach, ziemi*). **2.** *Scot.* wybijać (godzinę) (*o zegarze*). **3.** *Scot.* pukać (*np. do drzwi*). – *n. zw. pl.* **1.** pęknięcie (*zwł. na skórze*). **2.** *Scot.* puknięcie, stuknięcie.

chap² *n. zwł. Br. pot.* chłop, facet, gość.

chap³ *n. rzad.* = **chop**.

chap., Chap. *abbr.* chapter, rozdz.

chaparajos [ˌʃæpə'reɪoʊs], **chaparejos** *n. pl. US* (*także* **chaps**) skórzane spodnie kowbojskie (*bez siedzenia*).

chaparral [ˌtʃæpə'ræl] *n. zwł. płd.-zach. US* gęsta dąbrowa (*z dębów karłowatych*).

chaparral cock *n. orn.* ptak kalifornijski z rodziny kukułek (*Geococcyx californianus*).

chaparral pea *n. bot.* krzew kalifornijski (*Pickeringia montana*).

chapbook ['tʃæpˌbʊk] *n. hist. zwł. US* broszura z opowieściami *l.* balladami sprzedawana przez wędrownych handlarzy.

chape [tʃeɪp] *n.* **1.** skuwka (*u nasady bagnetu*). **2.** sprzączka, klamerka (*paska itp.*).

chapel ['tʃæpl] *n.* **1.** kaplica. **2.** (*także* **~ of ease**) (anglikański) kościół filialny (*dla wygody mieszkających daleko parafian*). **3.** *U Br.* doktryna, obrządek *l.* kościół dysydencki (*w stosunku do kościoła anglikańskiego; np. metodyści, baptyści itp.*); **are you church or ~?** należysz do kościoła anglikańskiego czy dysydenckiego?. **4.** drukarnia. **5.** związek zawodowy drukarzy, pracowników gazety itp. (*w danym zakładzie*); zebranie związku jw.

chaperonage ['ʃæpəˌroʊnɪdʒ] *n. U* **1.** opieka przyzwoitki. **2.** opieka nad grupą.

chaperone ['ʃæpəˌroʊn], **chaperon** *n.* **1.** *hist. l. żart.* przyzwoitka. **2.** opiekun/ka (*zwł. grupy młodzieży w miejscu publicznym*). – *v.* **1.** być przyzwoitką dla. **2.** opiekować się (*zwł. grupą młodzieży jw.*).

chapess ['tʃæpəs] *n. Br. pot.* babka, facetka.

chapfallen ['tʃæpˌfɔ:lən], **chopfallen** ['tʃɑ:pˌfɔ:lən] *a.* przybity, przygnębiony, z nosem na kwintę.

chapiter ['tʃæpɪtər] *n. bud.* głowica, kapitel (*kolumny*).

chaplain ['tʃæplɪn] *n.* kapelan.

chaplaincy ['tʃæplɪnsɪ], **chaplainry** ['tʃæplɪnrɪ], **chaplainship** ['tʃæplɪnˌʃɪp] *n. U* urząd kapelana; duszpasterstwo.

chaplet ['tʃæplɪt] *n.* **1.** *lit.* wianuszek; diadem. **2.** naszyjnik z paciorków. **3.** warkocz upięty nad czołem. **4.** *rz.-kat.* koronka (= *1/3 różańca*). **5.** *bud.* astragal. **6.** *techn.* podpórka rdzeniowa (*w odlewnictwie*).

chapman ['tʃæpmən] *n. pl.* **-men** *arch.* kupiec; *Br.* handlarz uliczny.

chapped [tʃæpt] *a.* popękany, spierzchnięty (*zwł. o wargach, rękach*).

chappie ['tʃæpɪ], **chappy** *n. Br. przest. pot.* = **chap²**.

chaps [tʃæps] *n.* = **chaparajos**.

chapstick ['tʃæpstɪk] *n. zwł. US i Can.* pomadka ochronna.

chapter ['tʃæptər] *n.* **1.** *t. przen.* rozdział. **2.** seria, cykl, sekwencja (*wydarzeń określonego typu*); **~ of accidents** *Br. i Austr. form.* seria nieszczęść. **3.** *zwł. US* oddział (*klubu, towarzystwa*). **4.** *kośc.* kapituła; zgromadzenie kapituły (*kolegiaty, katedry, zakonu*). **5. give/quote sb ~**

and verse *przen.* podać komuś dokładne źródło (*jakiejś informacji*); **quote/cite sth ~ and verse** *przen.* cytować coś słowo w słowo. – *v.* dzielić na rozdziały.

chapter house *n. kośc.* kapitularz.

char[1] [ˈtʃɑːr] *v.* zwęglać (się); opalać (się), osmalać (się); wypalać (się) na węgiel drzewny.

char[2] *n. Br. przest. pot.* posługaczka, sprzątaczka. – *v. Br. przest. pot.* posługiwać, sprzątać (*u kogoś*).

char[3] *n. icht.* golec, palia (*Salvelinus*); **arctic ~** golec zwyczajny (*Salvelinus alpinus*).

char. *abbr.* = **character**.

charabanc [ˈʃerəˌbæŋ] *n. Br. przest.* autokar (wycieczkowy).

character [ˈkerəktər] *n.* **1.** *U l. sing.* charakter (= *natura, silna wola, interesujące cechy itp.*); **in ~/out of ~** typowy/nietypowy (*dla kogoś*); **strength of ~** siła charakteru; **a woman of great ~** kobieta wielkiego charakteru. **2.** postać (*literacka*). **3.** *form.* reputacja, dobre imię; **a slur on sb's ~** plama na czyjejś reputacji. **4.** *pot.* indywiduum, osobnik; aparat/ka (= *ekscentryk / czka*); **he's a real/quite a ~** niezły z niego aparat. **5.** *form.* charakter, rola; **in his ~ as a judge** jako sędzia. **6.** znak (*litera, cyfra itp.*). – *v. rzad.* **1.** opisywać. **2.** pisać, drukować, wypisywać.

character actor *n.* aktor/ka charakterystyczny/a.

character assassination *n.* oszczerstwo, atak na (*czyjeś*) dobre imię (*zwł. w mediach*).

character code *n. komp.* kod znaku.

characteristic [ˌkerəktəˈrɪstɪk] *a.* charakterystyczny, znamienny; typowy (*of sb / sth* dla kogoś/czegoś). – *n.* **1.** cecha, własność, właściwość. **2.** charakterystyka.

characteristically [ˌkerəktəˈrɪstɪklɪ] *adv.* **1.** typowo (*dla kogoś*). **2.** w znamienny *l.* charakterystyczny (dla siebie) sposób; **~, he did not mention it** co znamienne, nie wspomniał o tym.

characteristic curve *a. mat.* krzywa charakterystyczna.

characteristic function *a. mat.* funkcja charakterystyczna.

characterization [ˌkerəktərəˈzeɪʃən], *Br. i Austr. zw.* **characterisation** *n. C / U* opis, charakterystyka.

characterize [ˈkerɪktəˌraɪz], *Br. i Austr. zw.* **characterise** *v.* charakteryzować (= *opisywać l. cechować*).

character mode *n. komp.* tryb tekstowy.

character printer *n. komp.* drukarka znakowa *l.* szeregowa.

character reference *n.* referencje, opinia (*na piśmie*).

character set *n. komp.* zestaw znaków.

charade [ʃəˈreɪd] *n.* **1.** szarada (= *zagadka zadana przy pomocy gestów*). **2.** *zwł. Br. uj.* farsa.

charades [ʃəˈreɪdz] *n. U* szarady (= *gra towarzyska*).

charbroil [ˈtʃɑːrˌbrɔɪl] *v. US* piec na węglu drzewnym.

charcoal [ˈtʃɑːrˌkoʊl] *n. U* **1.** węgiel drzewny. **2. ~ grey** kolor ciemnoszary *l.* grafitowy.

chard [tʃɑːrd] *n.* (*także* **Swiss ~**) *bot.* burak liściowy, botwina (*Beta vulgaris cicla*).

chargeable [ˈtʃɑːrdʒəbl] *a.* **1.** podlegający opodatkowaniu (*o dochodach, zyskach*). **2.** *prawn.* stanowiący podstawę do wniesienia oskarżenia (*o wykroczeniu*).

charge account *n. US handl.* konto kredytowe (*w określonej placówce*).

charge card, *US t.* **charge plate** *handl.* karta płatnicza stałego klienta.

charge-coupled device [ˈtʃɑːrdʒˌkʌpld dəˌvaɪs] *n. komp.* urządzenie ze sprzężeniem ładunkowym.

charged [tʃɑːrdʒd] *a.* **1.** pełen emocji (*o sytuacji, filmie*); wywołujący emocje (*o kwestii, problemie*). **2. be ~ up** *US pot.* być pod wpływem środka odurzającego.

chargé d'affaires [ʃɑːrˌʒeɪ dəˈfer] *n. Fr. pl.* **chargés d'affaires** chargé d'affaires.

charge hand *n. Br.* pomocnik brygadzisty.

charge nurse *n. Br. i Austr.* oddziałow-y/a (*w szpitalu*).

charger [ˈtʃɑːrdʒər] *n.* **1.** ładowarka (*do akumulatorów itp.*). **2.** *arch. l. lit.* rumak, koń bojowy.

charge sheet *n. Br.* rejestr policyjny.

charily [ˈtʃerɪlɪ] *adv.* **1.** ostrożnie. **2.** oszczędnie.

chariness [ˈtʃerɪnəs] *n. U* **1.** ostrożność. **2.** oszczędność.

chariot [ˈtʃerɪət] *n.* **1.** *hist.* rydwan. **2.** *hist.* faeton (*lekki powóz XVIII-wieczny*). **3.** *poet.* powóz. – *v.* **1.** wieźć rydwanem. **2.** powozić rydwanem.

charioteer [ˌtʃerɪəˈtiːr] *n.* woźnica rydwanu.

charisma [kəˈrɪzmə] *n. U* charyzma.

charismatic [ˌkerɪzˈmætɪk] *a. t. rel.* charyzmatyczny. – *n. rel.* uczestni-k/czka ruchu charyzmatycznego.

charitable [ˈtʃerɪtəbl] *a.* **1.** miłosierny, łaskawy. **2.** wyrozumiały, pobłażliwy. **3.** dobroczynny, charytatywny.

charitable foundation *n.* fundacja charytatywna.

charitableness [ˈtʃerɪtəbəlnəs] *n. U* **1.** miłosierdzie. **2.** wyrozumiałość, pobłażliwość. **3.** dobroczynność.

charity [ˈtʃerətɪ] *n. U* **1.** dobroczynność, działalność charytatywna; **give to ~** dawać pieniądze na cele dobroczynne; **go to ~** zostać przekazanym na cele dobroczynne (*np. o zyskach z imprezy*). **2.** *C pl.* **-ies** instytucja *l.* organizacja charytatywna. **3.** jałmużna. **4.** miłosierdzie. **5.** wyrozumiałość, pobłażliwość; **show ~** okazywać wyrozumiałość. **6.** *Bibl.* miłość (*zwł. bliźniego*). **7. ~ begins at home** dobroczynność należy zaczynać od najbliższego otoczenia.

charivari [ʃəˌrɪvəˈriː], **shivaree** [ˌʃɪvəˈriː] *US t.* **chivaree** *n. U* **1.** *US* kocia muzyka dla nowożeńców (*przy akompaniamencie garnków itp.*). **2.** *zwł. Br.* harmider, zgiełk.

charlady [ˈtʃɑːrˌleɪdɪ] *n. Br. przest.* sprzątaczka.

charlatan [ˈʃɑːrlətən] *n.* szarlatan.

charlatanism [ˈʃɑːrlətəˌnɪzəm], **charlatanry** [ˈʃɑːrlətənrɪ] *n. U* szarlatańswo, szarlataneria.

charlatanistic [ˌʃɑːrlətəˈnɪstɪk] *a.* szarlatański.

Charles's Wain [ˌtʃɑːrlzɪz ˈweɪn] *n. Br. astron.* Wielka Niedźwiedzica.

charleston [ˈtʃɑːrlstən], **Charleston** *n.* **the ~** charleston (*taniec*).

charley horse [ˈtʃɑːrlɪ ˌhɔːrs] *n. US i Can. pot.* bolesny skurcz mięśnia.

charlie [ˈtʃɑːrlɪ] *n. Br. pot.* głupek.

charlock [ˈtʃɑːrlɑːk] *n. bot.* **1.** gorczyca polna, ognicha (*Sinapsis arvensis*). **2.** (*także* **white ~**) rzodkiew świrzepa, łopucha (*Raphanus raphanistrum*).

charlotte [ˈʃɑːrlət] *n. kulin.* **1.** ciasto owocowe; **apple ~** szarlotka. **2.** (*także* **~ russe**) deser z paluszków biszkoptowych i bitej śmietany.

charm [tʃɑːrm] *n.* **1.** *U* czar, urok osobisty, powab, wdzięk; **turn on the ~** użyć uroku osobistego. **2.** amulet, talizman. **3.** wisiorek (*przy bransoletce itp.*). **4.** zaklęcie; czar, urok; **work like a ~** *przen.* działać jak zaklęcie. **5.** *fiz.* powab (*właściwość kwarka*). – *v.* **1.** oczarować, zauroczyć. **2.** rzucić czar na, zaczarować. **3. ~ sb into doing sth** nakłonić kogoś do czegoś, wykorzystując swój urok osobisty.

charmed [tʃɑːrmd] *a.* **1.** oczarowany, zauroczony. **2. have/lead/live a ~ life** mieć szczęście (= *zawsze wychodzić cało z opałów*).

charmer [ˈtʃɑːrmər] *n.* **1.** czarodziej/ka (*t. przen.* = *czarująca osoba*). **2. snake ~** zaklinacz węży.

charmeuse [ʃɑːrˈmuːz] *n. tk.* szarmeza (*lekka tkanina jedwabna*).

charming [ˈtʃɑːrmɪŋ] *a.* **1.** czarujący, uroczy. **2. Prince C~** *przen. zw. żart.* książę z bajki.

charmingly [ˈtʃɑːrmɪŋlɪ] *adv.* czarująco, uroczo.

charnel [ˈtʃɑːrnl] *n.* (*także* **~ house**) *hist.* kostnica (*w krypcie*). – *a. attr.* grobowy; upiorny.

chart [tʃɑːrt] *n.* **1.** wykres, diagram; **bar/pie ~** wykres słupkowy/kołowy. **2.** mapa (*zwł. morska*); **weather ~** mapa pogody. **3.** *pl.* **the ~s** lista przebojów (*zwł. oparta na wielkości sprzedaży*); **top the ~s** znajdować się na szczycie listy przebojów. – *v.* **1.** sporządzać wykres (*czegoś*); przedstawiać za pomocą wykresu. **2.** nanosić na mapę. **3.** *przen.* rejestrować, śledzić (*postępy, czyjąś karierę itp.*). **4.** *zwł. US przen.* planować, wytyczać kierunki (*np. kampanii politycznej*).

charter [ˈtʃɑːrtər] *n.* **1.** statut (*t. założycielski*). **2.** *t. hist.* przywilej (*np. lokacyjny*). **3.** (*także* **C~**) karta (*praw itp.*); **United Nations C~** Karta Narodów Zjednoczonych. **4.** *U* czarter, wynajem. – *v.* **1.** zakładać na mocy statutu. **2.** nadawać przywilej. **3.** czarterować.

chartered accountant *n. Br. i Austr.* dyplomowany księgowy, biegły księgowy.

charterer [ˈtʃɑːrtərər] *n.* frachtujący (*statek, samolot itp.*).

charter flight *n. lotn.* lot czarterowy *l.* na zamówienie.

charter member *n. zwł. US* członek założyciel.

charter party *n. żegl.* **1.** umowa o czarter. **2.** frachtujący.

Chartism [ˈtʃɑːrtɪzəm] *n. U Br. hist.* czartyzm (= *ruch reformatorski w latach 1838-1848*).

chartist [ˈtʃɑːrtɪst] *n. fin.* analityk giełdowy.

chartography [kɑːrˈtɑːgrəfɪ] *n.* = **cartography**.

chartreuse [ʃɑːrˈtruːz] *n. U* **1.** typ likieru. **2.** kolor żółtawozielony.

charwoman [ˈtʃɑːrˌwʊmən] *n. Br. przest.* sprzątaczka.

chary [ˈtʃerɪ] *a.* **-ier, -iest 1.** ostrożny; **be ~ of /about doing sth** mieć opory przed czymś; ostrożnie podchodzić do czegoś. **2.** wybredny. **3.** nieśmiały. **4.** oszczędny; skąpy.

Charybdis [kəˈrɪbdɪs] *n. mit.* Charybda; **between Scylla and ~** *przen.* między Scyllą a Charybdą.

chase[1] [tʃeɪs] *v.* **1. ~ (after)** ścigać, gonić (za); *pot.* uganiać się za (*t. za pracą, kontraktem*); *pot.* podrywać. **2.** *zwł. Br. pot.* ganiać, biegać; **~ about/around the shops** biegać po sklepach. **3. ~ the dragon** *sl.* palić heroinę. **4. ~ away/off/out** przepędzić, odegnać; **~ sb up** *pot.* ponaglić *l.* przycisnąć kogoś (*about sth / to do sth* w jakiejś sprawie/żeby coś zrobił). – *n.* **1.** pościg, pogoń. **2.** ścigana osoba *l.* rzecz. **3.** *Br.* zwierzyniec nieogrodzony (*ze zwierzyną łowną*). **4.** *Br.* prawo polowania na cudzym terenie. **5. the ~** polowanie, myślistwo (*jako sport*). **6.** = **steeplechase**. **7. give ~** *lit.* wszczynać pościg.

chase[2] *n.* **1.** *druk.* rama maszynowa (*do mocowania składu*). **2.** rowek, wyżłobienie. – *v. zwł. bud.* nacinać rowki w (*kolumnie itp.*); grawerować.

chaser[1] [ˈtʃeɪsər] *n.* **1.** ścigający-y/a. **2.** kobieciarz. **3.** pościgowiec (*samolot l. statek*). **4.** działko okrętowe (*na dziobie l. rufie*). **5.** *pot.* popitka (*np. whisky po piwie l. odwrotnie*).

chaser[2] *n.* nóż gwinciarski.

Chasid [ˈhæsəd] *n.* = **Chassid**.

chasm [ˈkæzəm] *n.* **1.** rozpadlina; otchłań; *t. przen.* przepaść (*zwł. między ludźmi*). **2.** przerwa, luka; pustka.

chasmogamous [kæzˈmɑːgəməs] *a. bot.* chasmogamiczny (= *zapylany przy otwartej koronie kwiatowej*).

chasmogamy [kæzˈmɑːgəmɪ] *n. U bot.* chasmogamia.

Chassid [ˈhæsəd], **Chasid, Hassid, Hasid** *n. pl.* **-im** chasyd.

Chassidic [hæˈsɪdɪk] *a.* chasydzki.

Chassidism [ˈhæsədɪzəm] *n. U* chasydyzm.

chassis [ˈtʃæsɪ] *n. pl.* **chassis** [ˈtʃæsɪz] **1.** podwozie (*działa, samochodu*). **2.** *el.* podstawa montażowa. **3.** *arch.* rama (*np. okienna*).

chaste [tʃeɪst] *a. form l. lit.* **1.** czysty, cnotliwy, niewinny. **2.** skromny (*o zachowaniu*). **3.** surowy, prosty (*o stylu*).

chastely [ˈtʃeɪstlɪ] *adv.* **1.** cnotliwie. **2.** skromnie. **3.** surowo, prosto.

chasten [ˈtʃeɪsən] *v. form.* **1.** *zw. pass.* karcić, upominać (*w celu zdyscyplinowania, naprawy moralnej itp.*). **2.** podporządkować, ująć w karby. **3.** pohamować, powściągnąć, opanować.

chasteness [ˈtʃeɪstnəs] *n.* = **chastity**.

chaste tree *n. bot.* niepokalanek (*Vitex agnus-castus*).

chastise [tʃæsˈtaɪz] *v.* **1.** *form.* surowo upominać *l.* ganić. **2.** *przest.* karać fizycznie.

chastisement [ˈtʃæstɪzmənt] *n. U form.* **1.** potępienie, nagana. **2.** kara, zwł. cielesna.

chastity [ˈtʃæstətɪ] *n. U* **1.** czystość, cnota, niewinność; abstynencja seksualna. **2.** skromność. **3.** surowość, prostota (*stylu, wystroju*).

chastity belt *n. hist.* pas cnoty.

chasuble [ˈtʃæzjəbl] *n. kość.* ornat.

chat[1] [tʃæt] *n.* pogawędka, pogaduszki; **have a ~** uciąć sobie pogawędkę. – *v.* **-tt- 1.** gawędzić, gwarzyć. **2. ~ up** *Br. pot.* zagadywać; podrywać.

chat[2] *n. orn.* **1.** ptak europejski z rodziny drozdów (*Turdinae*). **2.** ptak amerykański z rodziny pokrzewek (*zwł. Icteria virens*).

château [ʃæˈtoʊ], **chateau** *n. pl.* **châteaux** [ʃæˈtoʊz] winnica; zamek, pałac, dwór (*zwł. we Francji*).

chatelain [ˈʃætəˌleɪn] *n. hist.* kasztelan.

chatelaine [ˈʃætəˌleɪn] *n.* **1.** *form.* pani (*na zamku, dworze; zwł. we Francji*). **2.** *hist.* sprzączka przy pasku do podwieszania kluczy, przyborów do szycia itp.

chatoyant [ʃəˈtɔɪənt] *a. lit.* mieniący się (*o tkaninie, klejnocie*).

chat show *n. Br. i Austr. radio, telew.* talk show.

chattel [ˈtʃætl] *n. często pl.* **1.** *prawn.* majątek ruchomy; **~ personal** ruchomość stanowiąca majątek osobisty; **~ real** prawo majątkowe do nieruchomości (*np. dzierżawa*). **2. goods and ~s** *przest.* dobytek.

chattel mortgage *n. prawn.* hipoteka na ruchomości.

chatter [ˈtʃætər] *v.* **1.** trajkotać, paplać. **2.** skrzeczeć (*o niektórych ptakach*); krzyczeć (*np. o małpach*). **3.** szczękać (*o zębach*). **4.** *techn.* drgać (*o narzędziu w obróbce skrawaniem*). **5. the ~ing classes** *Br. zw. uj.* wykształcona klasa średnia (*której przedstawiciele z upodobaniem omawiają bieżące wydarzenia*). – *n. U* **1.** trajkotanie, paplanina. **2.** skrzeczenie (*ptaków*); krzyk (*małp itp.*). **3.** grzechot, szczęk (*np. części maszyny*). **4.** *techn.* nieregularne karbowanie powierzchni (*wskutek drgania narzędzia l. przedmiotu*).

chatterbox [ˈtʃætərˌbɑːks] *n. pot.* gaduła, papla, trajkotka.

chatter mark *n.* **1.** *techn.* ślad pozostawiony przez drgające narzędzie. **2.** *geol.* polodowcowe żłobienie skalne.

chattily [ˈtʃætɪlɪ] *adv.* **1.** gadatliwie. **2.** gawędziarsko; plotkarsko.

chattiness [ˈtʃætɪnəs] *n. U* **1.** gadatliwość. **2.** gawędziarstwo.

chatty [ˈtʃætɪ] *a.* **-ier, -iest 1.** gadatliwy. **2.** gawędziarski (*zwł. o stylu*); plotkarski; utrzymany w swobodnym tonie (*zwł. o liście*).

chauffer [ˈtʃɔːfər], **chaufer** *n.* przenośny piecyk *l.* grzejnik.

chauffeur [ˈʃoʊfər] *n.* kierowca, szofer (*osobisty*). – *v.* **1.** pracować jako szofer (*for sb* u kogoś). **2. ~ sb (around/about)** wozić kogoś, robić za czyjegoś szofera (*pot.*).

chaunt [tʃɔːnt] *n. i v. rzad.* = **chant**.

chausses [ʃoʊs] *n. zbroja, hist.* trzewik i nagolennik z kolczugi.

chauvinism [ˈʃoʊvəˌnɪzəm] *n. U* szowinizm.

chauvinist [ˈʃoʊvənɪst] *n.* szowinist-a/ka; **male ~ (pig)** męski szowinista. – *a.* (*także* **chauvinistic**) szowinistyczny.

chaw [tʃɔː] *v. dial.* żuć (tytoń). – *n.* porcja tytoniu do żucia.

cheap [tʃiːp] *a.* **1.** *t. przen.* tani; niedrogi; **~ joke** *przen. uj.* tani dowcip; **~ labor** tania siła robocza; **dirt ~** *pot.* tani jak barszcz. **2.** *uj.* lichy, nędzny, tandetny. **3.** *US pot.* skąpy. **4. feel ~** wstydzić się. **5. ~ and cheerful** *Br. pot.* tani, ale niezły (*zwł. o jedzeniu l. restauracji*); **~ and nasty** *Br. i Austr.* wyjątkowo tandetny; **~ at the price/at any price/at half the price** *pot.* wart swojej ceny. – *adv.* tanio; **buy/sell sth ~** tanio coś kupić/sprzedać; **be going ~** być sprzedawanym tanio *l.* po niższej cenie; **sth does not come ~** coś nie jest tanie. – *n.* **on the ~** *Br. pot.* tanio; tanim kosztem.

cheapen [ˈtʃiːpən] *v.* **1.** potanieć. **2.** spowodować spadek ceny *l.* wartości (*czegoś*); *t. przen.* deprecjonować. **3. ~ (o.s.)** poniżać (się); **~ o.s. by doing sth** zniżyć się do czegoś.

cheap-jack [ˈtʃiːpˌdʒæk] *Br. pot. n. przest.* handlarz tandetą. – *a.* nędzny, tandetny, lichy.

cheaply [ˈtʃiːplɪ] *adv.* **1.** tanio. **2.** tandetnie.

cheapness [ˈtʃiːpnəs] *n. U* **1.** taniość. **2.** tandetność.

cheapo [ˈtʃiːpoʊ] *a. attr. pot.* tani i byle jaki.

cheapskate [ˈtʃiːpˌskeɪt] *n. pot.* sknera.

cheapy [ˈtʃiːpɪ], **cheapie** *n. pot.* taniocha; tandeta. – *a. attr. pot.* tani i byle jaki.

cheat[1] [tʃiːt] *v.* **1.** oszukiwać; **~ at cards** oszukiwać przy grze w karty; **feel ~ed** czuć się oszukanym. **2.** *szkoln.* ściągać. **3. ~ sb (out) of sth** pozbawić kogoś czegoś oszustwem *l.* podstępem. **4. ~ on sb** *pot.* zdradzać kogoś (*męża, żonę itp.*). **5. ~ death** *lit.* uniknąć śmierci. – *n.* **1.** oszust/ka. **2.** oszustwo.

cheat[2] *n. US bot.* stokłosa żytnia (*Bromus secalinus*).

cheater [ˈtʃiːtər] *n.* **1.** oszust/ka. **2.** osoba niewierna (*zwł. w małżeństwie*).

check [tʃek] *v.* **1.** sprawdzać, kontrolować, badać; **~ sth against/with sth** porównywać coś z czymś; **~ that...** sprawdzić *l.* upewnić się, czy *l.* że...; **~ with sb** skonsultować się z kimś, spytać kogoś; **double-~** sprawdzać drugi raz. **2.** powstrzymać; pohamować, zahamować; ograniczyć; **~ o.s.** pohamować się. **3.** *szachy* szachować (*króla przeciwnika*). **4.** *gł. US i Can.* zgadzać się, pokrywać się (*with sth* z czymś). **5.** *US i Can.* odhaczyć, odfajkować, postawić ptaszek przy. **6.** *US, Can. i NZ* oddawać, zostawiać na przechowanie (*bagaż, okrycie*); przyjmować na przechowanie. **7.** ozdabiać kratą *l.* wzorem szachownicowym. **8.** *roln.* = **checkrow**. **9.** *hokej* kryć (*przeciwnika*). **10.** *myśl.* zatrzymać się po zgubieniu śladu (*o psie myśliwskim*). **11.** pękać (*o farbie itp.*). **12.** *poker* sprawdzać. **13.** ~ **the helm** *żegl.* kontrować sterem. **14.** ~ **back** sprawdzić we wcześniejszych notatkach, dokumentach itp.; ~ **in** nadać (*bagaż*); oddać na przechowanie (*okrycie, bagaż*); zameldować się (*w hotelu*); zgłosić się do odprawy (*na lotnisku*); ~ **off** odhaczać (*pozycje na liście itp.*); *pot.* kończyć pracę (*zwł. o stałej porze*); potrącać z poborów (*np. składki związkowe*); ~ **on** *pot.* rozpoczynać pracę (*zwł. o stałej porze*); ~ **on sb** sprawdzać, co u kogoś słychać, sprawdzać, czy u kogoś wszystko w porządku; ~ **out** wymeldować się (*z hotelu*); zgadzać się (*o danych, nazwiskach itp.*); kończyć pracę (*zwł. o stałej porze*); *pot.* zejść (= *umrzeć*); *pot.* zbadać, wybadać, sprawdzić; *zwł. US* wypożyczać (*książki z biblioteki*); ~ **sth over/through (for mistakes)** sprawdzać coś (pod kątem błędów) (*np. test przed oddaniem*); ~ **up** gromadzić informacje o; sprawdzać; ~ **up on sb** sprawdzać kogoś (*zwł. potajemnie*); ~ **sb up/over** poddawać kogoś ogólnemu badaniu lekarskiemu. – *n.* **1.** kontrola, sprawdzanie; badanie (kontrolne); **dental/eye** ~ kontrolne badanie stomatologiczne/okulistyczne; **keep a** ~ **on sb/sth** kontrolować kogoś/coś; **run/do a** ~ **on sb/sth** sprawdzać kogoś/coś; **spot** ~ wyrywkowa kontrola. **2.** zatrzymanie, zahamowanie; ograniczenie, pohamowanie; przeszkoda, hamulec, bariera. **3.** *US i Can.* haczyk, ptaszek (= *znaczek w kształcie V*). **4.** *US i Can.* czek. **5.** *US i Scot.* rachunek (*w restauracji*). **6.** pokwitowanie (*np. na oddany do przechowalni bagaż*); numerek (*z szatni*). **7.** *szachy* szach. **8.** krata, kratka; ~ **shirt** koszula w kratę. **9.** pęknięcie, rysa (*zwł. w drewnie l. farbie*). **10.** *hokej* krycie (*przeciwnika*). **11.** **keep/hold sth in** ~ kontrolować coś (*np. wydatki*); panować nad czymś, pohamowywać coś (*np. swój temperament*). **12.** ~**s and balances** *US polit.* system wzajemnej kontroli między władzą wykonawczą, ustawodawczą i sądowniczą.

checkbook [ˈtʃekˌbʊk] *n. US i Can.* książeczka czekowa.

checkbook journalism *n. U uj.* dziennikarstwo goniące za sensacją (*zwł. poprzez płacenie wielkich kwot za sensacyjne wyznania*).

checked [tʃekt] *a.* **1.** kratkowany, w kratę. **2.** *fon.* zamknięty (*o sylabie*).

checker[1] [ˈtʃekər] *n.* **1.** *US* pion w warcabach. **2.** wzór szachownicowy; krata.

checker[2] *n.* **1.** *US i Can.* kasjer/ka (*zwł. w supermarkecie*). **2.** kontroler/ka. **3.** szatniarz/rka.

checkerberry [ˈtʃekərˌberɪ] *n. bot.* jagoda północnoamerykańskiego krzewu *Gaultheria procumbens*.

checkerbloom [ˈtʃekərˌbluːm] *n. bot.* kalifornijska roślina z rodziny ślazowatych (*Sidalcea malvaeflora*).

checkerboard [ˈtʃekərˌbɔːrd] *n. US* plansza do warcabów.

checkered [ˈtʃekərd], *Br. i Austr.* **chequered** *a.* **1.** zmienny, burzliwy (*o kolejach losu, karierze*). **2.** w szachownicę (*o wzorze*).

checkers [ˈtʃekərz] *n. U US* warcaby.

check-in [ˈtʃekˌɪn] *n.* **1.** *U* odprawa (*na lotnisku*). **2.** (*także* ~ **counter/desk**) punkt *l.* stanowisko odprawy (*jw.*).

checking account *n. US i Can. bank* rachunek bieżący *l.* rozliczeniowy.

checklist [ˈtʃekˌlɪst], **check list** *n.* zestawienie, lista, spis (*porównawczy l. kontrolny*).

checkmate [ˈtʃekˌmeɪt] *n. U* **1.** *szachy* mat. **2.** *przen.* klęska. – *v.* **1.** *szachy* dać mata. **2.** *przen.* udaremnić; obezwładnić.

check-off [ˈtʃekˌɔːf] *n.* potrącenie z poborów (*zwł. składki związkowej*).

checkout [ˈtʃekˌaʊt], **check-out** *n.* **1.** *U* wymeldowanie (*z hotelu itp.*). **2.** (*także* ~ **counter**) *US* kasa (*w supermarkecie itp.*).

checkpoint [ˈtʃekˌpɔɪnt] *n.* punkt *l.* posterunek kontrolny (*zwł. na granicy*).

checkrail [ˈtʃekˌreɪl] *n. kol.* odbojnica (*w torze kolejowym*).

checkrein [ˈtʃekˌreɪn] *n. US* wytok (*część uprzęży*).

checkroom [ˈtʃekˌruːm] *n. US i Can.* **1.** szatnia. **2.** przechowalnia bagażu.

checkrow [ˈtʃekˌroʊ] *n. US roln.* szachownica. – *v.* sadzić w szachownicę.

checkup [ˈtʃekˌʌp] *n.* **1.** kontrola, kontrolne badanie lekarskie. **2.** przegląd (*np. u dentysty*).

check valve *n. techn.* zawór zwrotny *l.* jednokierunkowy.

cheddar [ˈtʃedər] *n. U* cheddar (*ser*).

cheder [ˈheɪdər] *n. pl.* **chadarim**, *l.* **cheders** cheder (= *żydowska szkoła religijna*).

cheek [tʃiːk] *n.* **1.** policzek; ~ **to** ~ policzek przy policzku, twarz przy twarzy (*tańczyć*). **2.** *U l. sing. zwł. Br.* bezczelność, tupet; **give sb** ~ zachowywać się bezczelnie w stosunku do kogoś, pyskować komuś; **have (got) a** ~ mieć tupet; **have the** ~ **to do sth** mieć czelność coś zrobić; **what a** ~! co za tupet!. **3.** *zw. pl. pot.* pośladek. **4.** *zw. pl. bud.* bok otworu. **5.** *żegl.* boczna płaszczyzna bloku. **6.** *pl. żegl.* jarzmo steru. **7.** *przen.* ~ **by jowl (with sb)** ramię w ramię (z kimś); **tongue in** ~ (*także* **with (one's) tongue in (one's)** ~) żartem; **turn the other** ~ nadstawić drugi policzek. – *v. Br. pot.* zachowywać się bezczelnie wobec (*kogoś*), pyskować (*komuś*).

cheekbone [ˈtʃiːkˌboʊn] *n.* kość policzkowa.

cheekily [ˈtʃiːkɪlɪ] *adv.* bezczelnie.

cheekiness [ˈtʃiːkɪnəs] *n. U* bezczelność, tupet.

cheeky [ˈtʃiːkɪ] *a.* **-ier, -iest** *zwł. Br.* bezczelny, pyskaty.

cheep [tʃiːp] *n.* pisk (*pisklęcia itp.*). – *v.* piszczeć, popiskiwać.

cheer [tʃiːr] *v.* **1.** wiwatować. **2.** wznosić okrzyki na cześć (*kogoś*); zgotować owację (*komuś*). **3.** pocieszać; rozweselać. **4.** ~ **sb on** *t. przen.* dopingować kogoś, kibicować komuś; ~ **up** rozchmurzyć się; ~ **sb up** pocieszyć kogoś; rozweselić kogoś. – *n.* **1.** wiwat; okrzyk (*dopingujący, na czyjąś cześć itp.*); **three** ~**s for (the birthday boy/girl)!** niech żyje (solenizant/ka)! **2.** *U przest. l. lit.* pogoda ducha; radość; **be of** ~ **cheer** być radosnym; być dobrej myśli.

cheerful [ˈtʃiːrfʊl] *a.* **1.** wesoły, radosny. **2.** pogodny. **3.** *attr.* chętny, ochoczy. **4. cheap and ~** *zob.* **cheap.**

cheerfully [ˈtʃiːrfʊlɪ] *adv.* **1.** wesoło, radośnie. **2.** pogodnie.

cheerfulness [ˈtʃiːrfʊlnəs] *n. U* **1.** wesołość. **2.** pogoda ducha.

cheerily [ˈtʃiːrɪlɪ] *adv.* wesoło, radośnie.

cheeriness [ˈtʃiːrɪnəs] *n. U* wesołość.

cheeringly [ˈtʃiːrɪŋlɪ] *adv.* wesoło, radośnie.

cheerio [ˈtʃiːrɪˌoʊ] *int. Br. pot.* cześć!, na razie!

cheerleader [ˈtʃiːrˌliːdər] *n. US i Can.* cheerleaderka.

cheerless [ˈtʃiːrləs] *a.* ponury; przygnębiony.

cheerlessly [ˈtʃiːrləslɪ] *adv.* ponuro.

cheerlessness [ˈtʃiːrləsnəs] *n. U* ponurość.

cheers [tʃiːrz] *int.* **1.** na zdrowie! (*toast*). **2.** *Br. pot.* dzięki!. **3.** *Br. pot.* = **cheerio.**

cheery [ˈtʃiːrɪ] *a.* **-ier, -iest** wesoły, radosny.

cheese[1] [tʃiːz] *n. C/U* **1.** ser; **grated/hard ~** tarty/żółty ser; **~ sandwich/omelette** kanapka/omlet z serem. **2. big ~** *pot.* gruba ryba, szycha. **3. say ~!** proszę o uśmiech! (*do zdjęcia*). **4. as different/alike as chalk and ~** *zob.* **chalk.**

cheese[2] *v.* **~ it** *pot.* dać spokój, przestać; *US* zwiać, dać nogę.

cheeseboard [ˈtʃiːzbɔːrd] *n.* **1.** deska do krojenia sera. **2.** półmisek *l.* wybór serów (*podawany zw. na koniec posiłku*).

cheeseburger [ˈtʃiːzˌbɜːgər] *n.* cheeseburger.

cheesecake [ˈtʃiːzˌkeɪk] *n.* **1.** sernik. **2.** *U przest. pot.* zdjęcia skąpo odzianych panienek.

cheesecloth [ˈtʃiːzˌklɔːθ] *n. U* cienka tkanina bawełniana (*do zawijania sera l. na ubrania*).

cheesed off [ˌtʃiːzdˈɔːf] *a. Br. pot.* **be ~ with sth** mieć czegoś po dziurki w nosie.

cheese mite *n. zool.* rozkruszek serowy (*Tyroglyphus longior*).

cheesemonger [ˈtʃiːzˌmɑːŋər] *n.* handlarz nabiałem.

cheeseparing [ˈtʃiːzˌperɪŋ] *a.* skąpy; przesadnie oszczędny. – *n.* **1.** okrawek sera; *przen.* bezużyteczny odpadek. **2.** *U* skąpstwo.

cheese skipper *n. ent.* sernica pospolita (*Piophila casei*).

cheesiness [ˈtʃiːzɪnəs] *n. U* **1.** serowatość. **2.** *US pot.* tandetność.

cheesy [ˈtʃiːzɪ] *a.* **-ier, -iest 1.** serowaty. **2.** wyszczerzony i nieszczery (*o uśmiechu*). **3.** *US pot.* tandetny, kiepski.

cheetah [ˈtʃiːtə] *n. zool.* gepard (*Acinonyx iubatus*).

chef [ʃef] *n.* kucha-rz/rka; szef/owa kuchni (*zwł. w restauracji, hotelu*).

chef-d'oeuvre [ʃeɪˈdʌv] *n. pl.* **chefs d'oeuvre** *Fr. form.* arcydzieło.

chela[1] [ˈkiːlə] *n. pl.* **-e** [ˈkiːliː] *zool.* szczękonóże.

chela[2] [ˈtʃeɪlə] *n. hinduizm* nowicjusz, uczeń.

Chelsea bun [ˌtʃelsɪ ˈbʌn] *n. Br. kulin.* słodka bułeczka z rodzynkami posypana cukrem.

chem. *abbr.* = **chemical;** = **chemist;** = **chemistry.**

chemical [ˈkemɪkl] *a.* chemiczny. – *n.* **1.** substancja chemiczna; *pl.* chemikalia. **2.** *pl. US sl.* prochy, narkotyki (*zwł. psychotropowe*).

chemical bond *n.* wiązanie chemiczne.

chemical engineering *n. U* inżynieria chemiczna.

chemical equation *n.* równanie chemiczne.

chemically [ˈkemɪklɪ] *adv.* chemicznie.

chemical machining *n. U* obróbka chemiczna metali trawieniem.

chemical potential *n.* potencjał chemiczny.

chemical reaction *n.* reakcja chemiczna.

chemical warfare *n. U* wojna chemiczna.

chemiluminescence [ˌkeməˌluːməˈnesəns] *n. U fiz.* chemiluminescencja.

chemin de fer [ʃəˌmæn də ˈfer] *n. U karty* chemin de fer (*odmiana bakarata*).

chemise [ʃəˈmiːz] *n.* (*także pot.* **shimmy**) *strój* **1.** szmizjerka. **2.** długa luźna halka.

chemisette [ˌʃemɪˈzet] *n.* gorsecik wypełniający dekolt (*z koronki, muślinu itp.*).

chemist [ˈkemɪst] *n.* **1.** chemi-k/czka. **2.** *Br.* apteka-rz/rka. **3.** *arch.* = **alchemist.**

chemistry [ˈkemɪstrɪ] *n. U t. przen.* chemia.

chemist's [ˈkemɪsts] *n.* (*także* **~ shop**) *Br.* apteka.

chemmy [ˈʃemɪ] *n. pot.* = **chemin de fer.**

chemokinesis [ˌkiːmoʊkəˈniːsɪs] *n. U* chemokineza.

chemosynthesis [ˌkiːmoʊˈsɪnθɪsɪs] *n. U biochem.* chemosynteza.

chemotaxis [ˌkiːmoʊˈtæksɪs] *n. U biol.* chemotaksja.

chemotherapy [ˌkiːmoʊˈθerəpɪ] *n. U med.* chemioterapia.

chemotropism [kəˈmɑːtrəˌpɪzəm] *n. U biol.* chemotropizm.

chenille [ʃəˈniːl] *n. U* **1.** kordonek. **2.** tkanina wełniana z wątkiem z jedwabnego *l.* aksamitnego kordonka.

cheque [tʃek] *n. Br. i Austr.* czek.

chequer [ˈtʃekər] *n. Br. i Austr.* = **checker**[1].

chequered [ˈtʃekərd] *a. Br. i Austr.* = **checkered.**

Chequers [ˈtʃekərz] *n. Br.* urzędowa willa wiejska premiera Wielkiej Brytanii w hrabstwie Buckinghamshire.

cherish [ˈtʃerɪʃ] *v.* **1.** być przywiązanym do, miłować. **2.** żywić (*nadzieję, uczucie*). **3.** zachowywać, pielęgnować (*pamięć*).

Cherokee [ˈtʃerəˌkiː] *n. US* **1.** *pl.* **Cherokee** *l.* **-s** Czerokez/ka. **2.** *U* (język) czerokeski.

cheroot [ʃəˈruːt] *n.* cygaro obcięte na obu końcach.

cherry [ˈtʃerɪ] *n. pl.* **-ies 1.** (*także* **sweet ~**) *bot.* czereśnia, trześnia (*Cerasus avium*). **2.** (*także* **sour ~**) *bot.* wiśnia kwaśna (*Cerasus collina*). **3.** (*także* **ground ~**) *bot.* miechunka omszona (*Physalis pubescens*). **4.** wiśnia; czereśnia (*owoc*). **5.** *U* drewno wiśniowe, wiśnia; drewno czereśniowe, czereśnia. **6.** *U* kolor wiśniowy. **7.** *sing. wulg. sl.* cnota, dziewictwo; błona dziewicza; **lose one's ~** stracić cnotę. **8.** *przen.* **another/a second bite at the ~** *Br.* jeszcze jedna szansa; **the**

~ **on the cake/top** *Br.* niespodziewany, miły dodatek.

cherry brandy *n. U* wiśniówka.

cherry picker *n. techn.* urządzenie dźwigowe naprawcze z ruchomym wysięgnikiem.

cherry pie *n.* **1.** *kulin.* placek z wiśniami. **2.** (*także* **cherry-pie**) *Br. bot.* heliotrop ogrodowy (*Heliotropium peruvianum*).

cherry plum *n. bot.* śliwa ałycza, śliwa kaukaska, śliwa wiśniowa (*Prunus cerasifera*).

cherry tree *n.* **1.** wiśnia, drzewo wiśniowe. **2.** czereśnia, drzewo czereśniowe.

chert [tʃɜ:t] *n. U min.* rogowiec, czert.

cherub ['tʃerəb] *n. pl.* **-s** *l.* **cherubim** ['tʃerəbɪm] **1.** *Bibl., teol.* cherubin. **2.** cherubinek (= *urocze dziecko*).

cherubic [tʃə'ru:bɪk], **cherubical** [tʃə'ru:bɪkl] *a.* cherubinowy.

chervil ['tʃɜ:vɪl] *n.* (*także* **garden** ~) *bot.* trybuła ogrodowa (*Anthriscus cerefolium*).

chess[1] [tʃes] *n. U* szachy.

chess[2] *n. US rzad. bot.* stokłosa polna (*Bromus arvensis*).

chess[3] *n.* deska pomostowa (*mostu pontonowego*).

chessboard ['tʃes,bɔ:rd] *n.* szachownica.

chessman ['tʃes,mæn] *n. pl.* **-men** bierka szachowa (*figura l. pion*).

chesspiece ['tʃes,pi:s] *n.* figura szachowa.

chessplayer ['tʃes,pleɪər] *n.* szachist-a/ka.

chest [tʃest] *n.* **1.** pierś, klatka piersiowa. **2.** skrzynia, kufer. **3.** *rzad.* skarbiec, szkatuła; fundusz. **4. get sth off one's** ~ *pot.* wyrzucić coś z siebie (= *zwierzyć się z czegoś*).

chesterfield ['tʃestər,fi:ld] *n.* **1.** wygodna kanapa (*zw. skórzana*). **2.** rodzaj męskiego płaszcza do kolan.

chestnut ['tʃes,nʌt] *n.* **1.** *bot.* kasztan (*Castanea*); **sweet/Spanish** ~ kasztan jadalny (*Castanea sativa*); **horse** ~ kasztanowiec (*Aesculus*); **water** ~ kotewka orzech wodny (*Trapa natans*). **2.** *U* kolor kasztanowy, kasztan (*t. jako maść konia*). **3.** koń cisawy, kasztan. **4.** kasztan (= *rogowata narośl na końskiej kończynie*). **5. the/an old** ~ *Br. pot.* dowcip *l.* kawał z brodą. **6. pull sb's ~s out of the fire** *Br. pot.* uratować kogoś (*zwł. w ostatniej chwili*).

chestnutty ['tʃes,nʌtɪ] *a.* kasztanowaty.

chest of drawers *n.* komoda.

chesty ['tʃestɪ] *a.* **1.** *Br. pot.* przeziębiony (*o osobie*); flegmatyczny, mokry (*o kaszlu*). **2.** *US* głęboki (*o głosie*). **3.** *US* próżny, zarozumiały. **4.** *pot.* biuściasta (*o kobiecie*).

chetah ['tʃi:tə] *n.* = **cheetah**.

cheval glass [ʃə'væl ,glæs] *n.* wysokie lustro obrotowe.

chevalier [,ʃevə'li:r] *n.* **1.** kawaler (*zakonu rycerskiego, Legii Honorowej itp.*). **2.** kawalerzysta francuski (*zwł. kadet*). **3.** szlachcic francuski. **4.** *arch.* rycerz. **5.** galant.

cheviot ['tʃevɪət] *n.* **1. C~** *zool.* szewiot (*rasa owiec*). **2.** *U tk.* szewiot (*tkanina wełniana*).

chevron ['ʃevrən] *n.* **1.** *wojsk.* szewron (= *naszywka w kształcie litery V*). **2.** *bud.* zygzak (*ornament*). **3.** *U* (*także* ~ **weave**) *tk.* szewron, jodełka.

chevroned ['ʃevrənd] *a.* **1.** zygzakowaty. **2.** w jodełkę.

chevy ['tʃevɪ] *n. i v. Br.* = **chivy**.

chew [tʃu:] *v.* **1.** żuć (*t. gumę*); przeżuwać. **2.** żuć tytoń. **3.** obgryzać (*np. paznokcie*). **4.** ~ **the cud** *zob.* **cud** 2; ~ **the fat/rag** *pot.* wykłócać się; gawędzić, plotkować; **bite off more than one can** ~ *zob.* **bite**. **5.** ~ **on/over** *pot.* rozmyślać nad, rozpamiętywać; ~ **out** *US i Can. pot.* ochrzanić; ~ **up** zmiażdżyć; **be ~ed up about sth** *pot.* być nerwowym z jakiegoś powodu; gryźć się czymś. – *n.* **1.** żucie. **2.** porcja tytoniu do żucia.

chewing gum *n. U* guma do żucia (*t. przen.* = *mało ambitne programy telewizyjne itp.*).

chewy ['tʃu:ɪ] *a.* **-ier, -iest** ciągnący się (*o cukierku itp.*); trudny do pogryzienia.

Cheyenne [ʃaɪ'en] *n. US* **1. the** ~ Czejenowie. **2.** Indian-in/ka za szczepu Czejenów.

chg., chge. *abbr.* **1.** = **change**. **2.** = **charge**.

chiaroscuro [kɪ,ɑ:rə'skʊroʊ] *n. U mal.* światłocień, chiaroscuro.

chiasm ['kaɪæzəm], **chiasma** [kaɪ'æzmə] *n. pl. t.* **chiasmata** **1.** *anat.* skrzyżowanie nerwów, szlaków nerwowych *l.* ścięgien. **2.** *biol.* chiazma (= *miejsce skrzyżowania chromatyd podczas mejozy*).

chiasmus [kaɪ'æzməs] *n. ret.* chiazm (= *odwrócenie szyku wyrazów w drugim z dwóch paralelnych zdań*).

chic [ʃi:k] *a.* szykowny, stylowy. – *n.* szyk, styl.

Chicana [tʃɪ'kɑ:nə] *n. US* Amerykanka pochodzenia meksykańskiego.

chicane [ʃɪ'keɪn] *n.* **1.** *brydż* pusta ręka (*bez atutów*). **2.** *rzad.* = **chicanery**. – *v.* **1.** oszukać przy pomocy słownych matactw. **2.** sprzeczać się.

chicanery [ʃɪ'keɪnərɪ] *n. pl.* **-ies** **1.** krętactwo, matactwo (*słowne*). **2.** oszustwo.

Chicano [tʃɪ'kɑ:noʊ] *n. pl.* **-s** *US* Amerykanin pochodzenia meksykańskiego.

chichi[1] ['ʃi:ʃi:] *a. pot.* **1.** szykowny, stylowy. **2.** *uj.* krzykliwy, przeładowany ozdobami (*o stylu, wystroju wnętrza*).

chichi[2] *n. US pot.* cycek.

chick [tʃɪk] *n.* **1.** pisklę; kurczę. **2.** *sl.* laska (= *dziewczyna*). **3. have neither ~ nor child** *US przest. l. lit.* żyć w zupełnej samotności (*bez dzieci, zwierząt domowych itp.*).

chickadee ['tʃɪkə,di:] *n. orn. US* sikora (*Parus atricapillus*).

Chickasaw ['tʃɪkə,sɔ:] *n. US* szczep Indian muskogejskich.

chicken ['tʃɪkən] *n.* **1.** kurczak. **2.** *U kulin.* kurczę, kura. **3.** *pot.* tchórz. **4.** *przen. pot.* ~ **and egg problem/situation/dilemma** błędne koło; **be no (spring)** ~ być nie pierwszej młodości; **don't count your ~s before they are hatched** nie chwal dnia przed zachodem słońca; **run/rush (about/around) like a ~ with its head cut off** (*także Br.* **rush like a headless** ~) biegać/latać jak kot z pęcherzem; **sb's ~s have come home to roost** los się na kimś zemścił; **which came first, the ~ or the egg?** co było pierwsze: kura czy jajko?. – *a. pred. pot.* tchórzem podszyty; **are you ~?** tchórz cię obleciał?. – *v.* **~ out** *sl.* stchórzyć (*of doing sth* przed zrobieniem czegoś).

chicken breast *n.* **1.** *anat.* kurzy mostek. **2.** *kulin.* pierś *l.* filet z kurczaka.

chicken-broth [ˈtʃɪkənˌbrɔːθ] *n. U kulin.* rosół z kury.

chicken cholera *n. U* pomór drobiu.

chicken feed *n. U* **1.** karma dla drobiu. **2.** *przen. pot.* nędzne grosze, tyle, co kot napłakał.

chicken-fried steak *n. US kulin.* kotlet wołowy panierowany.

chicken hawk *n. orn.* jastrząb gołębiarz.

chicken-hearted [ˌtʃɪkənˈhɑːrtɪd] *a.* (*także* **chicken livered**) tchórzliwy; strachliwy.

chickenheartedly [ˌtʃɪkənˈhɑːrtɪdlɪ] *adv.* tchórzliwie.

chickenpox [ˈtʃɪkɪnˌpɑːks], **chicken pox** *n. U pat.* ospa wietrzna.

chicken shit *n. US sl.* tchórz.

chicken thief *n. US pot.* złodziejaszek.

chickling[1] [ˈtʃɪklɪŋ] *n.* kurczątko, kurczaczek.

chickling[2] *n.* (*także* **~ pea**) *bot.* groszek siewny, lędźwian (*Lathyrus sativus*).

chickpea [ˈtʃɪkˌpiː] *n. bot.* ciecierzyca pospolita (*Cicer arientinum*).

chickweed [ˈtʃɪkˌwiːd] *n. U bot.* gwiazdnica pospolita (*Stellaria media*).

chicle [ˈtʃɪkl] *n. U* (*także* **~ gum**) guma chicle (*podstawowy składnik gumy do żucia*).

chicory [ˈtʃɪkərɪ] *n. pl.* **-ies** **1.** *bot.* cykoria (*Cichorium*). **2.** *U* korzeń cykorii (*jako substytut l. dodatek do kawy*). **3.** *US* endywia.

chide [tʃaɪd] *v. pret.* **chided, chid** *pp.* **chided, chid, chidden** *form.* strofować, łajać, karcić (*sb for sth / doing sth* kogoś za coś/zrobienie czegoś).

chidingly [ˈtʃaɪdɪŋlɪ] *adv.* strofująco, karcąco.

chief [tʃiːf] *n.* **1.** wódz (*t. plemienia*); przywódca. **2.** przewodniczący; naczelnik (*np. policji*). **3.** *pot.* szef, kierownik. **4.** *her.* głowica (*część tarczy herbowej*); **in ~** na górze, w górnej części (*tarczy*). **5.** **in ~** główny, najwyższy rangą; **commander-in-~** głównodowodzący, naczelny dowódca; **editor in ~** redaktor naczelny. **6.** **too many ~s and not enough Indians** (*także* **all ~s and no Indians**) *pot.* sami kierownicy, a pracować nie ma komu. – *a. attr.* naczelny, najwyższy; najważniejszy; główny, czołowy. – *adv. arch.* głównie.

chief constable *n. Br.* nadkomisarz *l.* szef policji (*w danym okręgu*).

chiefdom [ˈtʃiːfdəm], **chiefship** [ˈtʃiːfˌʃɪp] *n. U* szefostwo, naczelnictwo, kierownictwo.

chief executive *n.* **1.** *zwł. Br.* = **chief executive officer**. **2.** **the C~ E~** *US polit.* prezydent Stanów Zjednoczonych; gubernator (*danego stanu*).

chief executive officer *n. zwł. US* dyrektor naczelny.

chief inspector *n. Br.* nadinspektor (*funkcjonariusz policji średniego szczebla*).

chief justice *n. prawn.* przewodniczący trybunału; *US* przewodniczący Sądu Najwyższego.

chiefly [ˈtʃiːflɪ] *adv.* głównie, przeważnie; przede wszystkim. – *a. form.* wodzowski; odpowiedni dla wodza.

chief of staff *n. pl.* **chiefs of staff** *gł. wojsk.* szef sztabu.

chief of state *n. pl.* **chiefs of state** (tytularna) głowa państwa (= *monarcha l. prezydent*).

chief rabbi *n.* główny rabin.

chiefship [ˈtʃiːfˌʃɪp] *n.* = **chiefdom**.

chieftain [ˈtʃiːftən] *n.* **1.** wódz; naczelnik (*plemienia, klanu*). **2.** herszt.

chieftaincy [ˈtʃiːftənsɪ], **chieftainship** *n. U* wodzostwo, naczelnictwo.

chiff-chaff [ˈtʃɪfˌtʃæf] *n. orn.* pierwiosnek, zaganiacz wielogłosy (*Phylloscopus collybita*).

chiffon [ʃɪˈfɑːn] *n. U* **1.** *tk.* szyfon. **2.** *zw. pl. rzad.* fatałaszki. – *a. attr.* **1.** szyfonowy. **2.** *kulin.* lekki i puszysty (*o cieście, suflecie*).

chiffonier [ˌʃɪfəˈniːr], **chiffonnier** *n.* **1.** *US* szyfoniera, szyfonierka (= *wysoka komódka*). **2.** niski kredens.

chigger [ˈtʃɪgər], **chigoe** [ˈtʃɪgoʊ] *n. zool.* **1.** *US i Can.* pasożytnicza larwa różnych gatunków roztoczy z rodziny *Trombidiidae* (*wywołująca silne podrażnienie skóry*). **2.** (*także* **jigger**) gatunek tropikalnej pchły (*Tunga penetrans*).

chignon [ˈʃiːnjɑːn] *n.* rodzaj koka.

chignoned [ˈʃiːnjɑːnd] *a.* upięty w kok.

chilblain [ˈtʃɪlˌbleɪn] *n.* odmrożenie (*palców rąk l. nóg albo uszu*).

chilblained [ˈtʃɪlˌbleɪnd] *a.* odmrożony.

child [tʃaɪld] *n. pl.* **children** [ˈtʃɪldrən] **1.** *t. przen.* dziecko; **acknowledge a ~ as one's own** uznać dziecko za swoje; **be (heavy/great) with ~** *przest.* być w (zaawansowanej) ciąży; **bring up/raise/rear a ~** wychowywać dziecko; **from a ~** od dziecka (*np. być przyzwyczajonym do czegoś*); **have a ~** urodzić (dziecko); **illegitimate ~** *przest.* nieślubne dziecko; **only ~** jedyna-k/czka; **young ~** małe dziecko. **2.** *przen. często uj.* dzieciak, dzieciuch; **he's such a ~** straszny z niego dzieciuch. **3.** **~ prostitute/victim** młodociana prostytutka/ofiara. **4.** **be like a ~ in a sweetshop** *przen. Br.* być szczęśliwym jak dziecko; **neither chick nor ~** *zob.* **chick**.

child abuse *n. U* maltretowanie dzieci, znęcanie się nad dziećmi; wykorzystywanie dzieci (*zwł. seksualne*), molestowanie dzieci.

child allowance *n. Br.* zasiłek rodzinny.

childbearing [ˈtʃaɪldˌberɪŋ] *n. U* **1.** rodzenie. **2.** **~ age** wiek rozrodczy.

childbed [ˈtʃaɪldˌbed] *n. arch.* = **childbirth**.

child benefit *n. U Br. i NZ* zasiłek rodzinny.

childbirth [ˈtʃaɪldˌbɝːθ] *n. U* poród; **(die) in ~** (umrzeć) przy porodzie.

childcare [ˈtʃaɪldˌker], **child care** *n. U* opieka nad dziećmi.

child endowment *n. U Austr.* zasiłek rodzinny.

childhood [ˈtʃaɪldhʊd] *n. C/U* **1.** dzieciństwo. **2.** **second ~** zdziecinnienie.

childish [ˈtʃaɪldɪʃ] *a.* **1.** dziecięcy. **2.** *uj.* dziecinny, infantylny.

childishly [ˈtʃaɪldɪʃlɪ] *adv.* dziecinnie, infantylnie.

childishness [ˈtʃaɪldɪʃnəs] *n.* *U* **1.** dziecinność, infantylność. **2.** dziecinada.

child labor, *Br.* **child labour** *n.* *U* dziecięca siła robocza; praca dzieci.

childless [ˈtʃaɪldləs] *a.* bezdzietny.

childlessness [ˈtʃaɪldləsnəs] *n.* *U* bezdzietność.

childlike [ˈtʃaɪldˌlaɪk] *a.* dziecięcy; dziecinny.

child-lock [ˈtʃaɪldˌlɑːk] *n.* zamek uniemożliwiający dziecku dostęp (*np. do drzwi samochodu, szuflady*).

childly [ˈtʃaɪldlɪ] *a.* *form.* dziecięcy; dziecinny. – *adv.* na sposób dziecięcy; dziecinnie.

childminder [ˈtʃaɪldˌmaɪndər] *n.* *Br.* opiekun/ka do dziecka *l.* dzieci (*zw. zajmująca się dziećmi w swoim własnym domu*).

child molester *n.* osoba molestująca dzieci, pedofil.

child prodigy *n.* cudowne dziecko.

childproof [ˈtʃaɪldpruːf], **child-resistant** [ˌtʃaɪldrɪˈzɪstənt] *a.* niedostępny dla dzieci, zabezpieczony przed dziećmi (*zwł. o zamku l. pojemniku*).

children [ˈtʃɪldrən] *n. pl.* *zob.* **child**; **~ should be seen and not heard** *przen.* dzieci i ryby głosu nie mają; **~'s home** *Br.* dom dziecka.

child's play [ˈtʃaɪldz ˌpleɪ] *n.* *U* *przen.* dziecinna igraszka *l.* zabawa (= *coś bardzo łatwego*).

child support *n.* *U* *US* alimenty (*na dziecko*).

child welfare *n.* *U* **1.** dobro dziecka. **2.** *socjol.* troska o zdrowie i warunki życia dziecka (*dziedzina socjologii*).

Chile [ˈtʃɪlɪ] *n.* *geogr.* Chile.

chile [ˈtʃɪlɪ] *n.* = **chili**.

Chilean [ˈtʃɪlɪən] *a.* chilijski. – *n.* Chilijczyk/ka.

chili [ˈtʃɪlɪ], *Br.* **chilli** *n.* **1.** *pl.* **-es** papryka chili (*nasiona l. strąki*). **2.** *U* (*także* **~ powder**) chili (*przyprawa*). **3.** *U* (*także* **~ con carne**) meksykańska potrawa z fasoli, chili i mięsa.

chill [tʃɪl] *n.* **1.** *t. przen.* chłód; uczucie zimna; **cast/throw a ~ over sb** *przen.* zmrozić kogoś; **take the ~ off sth** lekko coś podgrzać *l.* ogrzać. **2.** dreszcz; **send a ~ down sb's spine** (*także* **send ~s down/up sb's spine**) *zw. przen.* przyprawiać kogoś o dreszcze. **3.** przeziębienie; **catch a ~** przeziębić się. **4.** *odl.* ochładzalnik; (*także* **~ mold**) kokila (*forma metalowa*). – *a.* = **chilly**. – *v.* **1.** oziębiać (się); chłodzić (się); **serve ~ed** podawać schłodzone. **2.** *zw. pass.* **~ed (to the bone/marrow)** przemarznięty (do szpiku kości). **3.** *metal.* utwardzać przez szybkie studzenie. **4.** *przen.* **~ sb to the bone/marrow** śmiertelnie kogoś przerazić; **~ sb's hopes** rozwiać czyjeś nadzieje; **~ sb's keenness** ostudzić czyjś zapał. **5.** **~ out** *zwł. US pot.* wyluzować się.

chill casting *n.* *metal.* odlew kokilowy *l.* utwardzony; *U* odlewanie kokilowe.

chiller [ˈtʃɪlər] *n.* **1.** (*także* **spine-~**) *pot.* dreszczowiec (*film l. książka*). **2.** chłodziarka.

chilli [ˈtʃɪlɪ] *n.* *Br.* = **chili**.

chillily [ˈtʃɪlɪlɪ] *adv.* *t. przen.* chłodno.

chilliness [ˈtʃɪlɪnəs] *n.* *U* *t. przen.* chłód.

chilling [ˈtʃɪlɪŋ] *a.* **1.** przenikliwie chłodny (*np. o wietrze*). **2.** przerażający; przyprawiający o dreszcze, mrożący krew w żyłach. **3.** przygnębiający, przytłaczający; szkodliwy (*o skutkach, wpływie*).

chillingly [ˈtʃɪlɪŋlɪ] *adv.* **1.** chłodno. **2.** przerażająco.

chillness [ˈtʃɪlnəs] *n.* *U* *t. przen.* chłód.

chilly [ˈtʃɪlɪ] *a.* **-ier, -iest** **1.** *t. przen.* chłodny; chłodnawy. **2.** wrażliwy na chłód. – *adv.* *t. przen.* chłodno.

chimaera [kɪˈmiːrə] *n.* = **chimera**.

chime[1] [tʃaɪm] *n.* **1.** dzwon (*np. na wieży kościelnej*); *zw. pl.* dzwony; dzwonki (*w orkiestrze l. podczas mszy*). **2.** gra *l.* bicie dzwonów; dzwonienie; uderzenie zegara. **3.** kurant. **4.** *przen.* harmonia, zgoda. **5.** rytm; deklamacja rytmiczna. – *v.* **1.** bić (*o dzwonach itp.*). **2.** wydzwaniać (*melodię, godzinę*); wybijać (*godzinę*). **3.** bić w dzwon; grać na dzwonach. **4.** zwoływać biciem w dzwony. **5.** *przen.* harmonizować, zgadzać się (*with sth* z czymś). **6.** powtarzać mechanicznie, recytować. **7.** rymować się. **8.** **~ in** włączać się (*np. do rozmowy*); **~ in with** zgadzać się z; pasować do.

chime[2] *n.* wątor (= *wystająca krawędź beczki*).

chimer [ˈtʃaɪmər] *n.* dzwonnik; osoba grająca na dzwonach.

chimera [kaɪˈmiːrə], **chimaera** *n.* **1.** (*także* **C~**) *mit.* chimera. **2.** urojenie, mrzonka, fantazja. **3.** *biol.* chimera (= *organizm składający się z tkanek o różnych genotypach*). **4.** *icht.* chimera, przeraza (*Chimaera monstrosa*).

chimeric [kaɪˈmerɪk], **chimerical** [kaɪˈmerɪkl] *a.* chimeryczny; nierealny, urojony; nieziszczalny.

chimerically [kaɪˈmerɪklɪ] *adv.* chimerycznie.

chimney [ˈtʃɪmnɪ] *n.* **1.** komin (*t. skalny, wulkaniczny*); przewód kominowy. **2.** klosz (*lampy naftowej*). **3.** **smoke like a ~** *zob.* **smoke** *v.*

chimney breast *n.* część ściany otaczająca podstawę komina (*zw. z wbudowanym kominkiem*).

chimney corner *n.* przypiecek.

chimney head *n.* = **~ top**.

chimney jack *n.* obrotowa nasadka kominowa.

chimneyless [ˈtʃɪmnɪləs] *a.* nie posiadający komina; dymny (*o izbie*).

chimney piece *n.* *Br.* gzyms nad kominkiem.

chimney pot *n.* nasadka kominowa.

chimney-pot hat *n.* *Br. arch. pot.* cylinder (*kapelusz*).

chimney stack *n.* **1.** *Br.* wysoki komin (*np. fabryczny*). **2.** grupa kominów dachowych.

chimney swallow *n.* *orn.* jaskółka dymówka (*Hirundo rustica*).

chimney sweep, chimney sweeper *n.* **1.** kominiarz. **2.** szczotka kominiarska.

chimney swift *n.* *orn.* ptak północnoamerykański gnieżdżący się często w starych kominach (*Chaetura pelagica*).

chimney top, chimney head *n.* komin dachowy, nasada komina.

chimp [tʃɪmp] *n.* *pot.* = **chimpanzee**.

chimpanzee [ˌtʃɪmpænˈziː] *n.* *zool.* szympans (*Pan troglodytes*).

chin [tʃɪn] *n.* **1.** broda; podbródek; **double ~** podwójny podbródek; **up to the ~** (*także* **~-deep**) po szyję. **2.** *przen. pot.* **(keep your) ~ up!** głowa do góry! (= *nie poddawaj się*); **take it on the ~** ponieść sromotną klęskę. – *v.* **-nn- 1.** ~ **(the bar)** *gimnastyka* podnosić się (na drążku) na wysokość brody. **2.** *US pot.* gawędzić, plotkować. **3.** wkładać pod brodę (*skrzypce*).

China [ˈtʃaɪnə] *n. geogr.* Chiny; **People's Republic of ~** Chińska Republika Ludowa.

china [ˈtʃaɪnə] *n. U* porcelana; (*także* **~ware**) porcelana, wyroby porcelanowe. – *a. attr.* **1.** porcelanowy, z porcelany. **2. like a bull in a ~ shop** *zob.* **bull.**

China aster *n. bot.* aster chiński (*Callistephus chinensis*).

chinaberry [ˈtʃaɪnəˌberɪ] *n. pl.* **-ies** (*także* **chinaberry tree, china tree, soapwood**) *bot.* **1.** mydleniec właściwy (*Sapindus saponaria*). **2.** miodla pospolita (*Melia azedarach*).

china clay *n. U* kaolin, glinka biała.

China grass *n. U bot.* szczmiel biały (*Boehmeria nivea*).

China ink *n. U* (*także* **Indian ink**) tusz.

Chinaman [ˈtʃaɪnəmən] *n. pl.* **-men 1.** *arch. l. pog.* Chińczyk. **2. ~'s chance** *US pot.* marne szanse.

chinar [tʃɪˈnɑːr] *n. bot.* (*także* **~ tree, chenar**) platan wschodni (*Platanus orientalis*).

China rose *n. bot.* róża chińska (*Hibiscus rosa-sinensis*).

China Sea *n. geogr.* Morze Chińskie; **East ~** Morze Wschodniochińskie; **South ~** Morze Południowochińskie.

China silk *n. U tk.* chiński jedwab.

China tea *n. U* herbata chińska (*bot.* = *Camellia sinensis*).

Chinatown [ˈtʃaɪnəˌtaʊn] *n.* dzielnica chińska.

chincapin [ˈtʃɪŋkəpɪn] *n.* = **chinquapin.**

chinch [tʃɪntʃ] *n. zool.* **1.** (*także* **~ bug**) *US* gatunek pluskwiaka, szkodnika zbóż (*Blissus leucopterus*). **2.** *płd. US* pluskwa.

chinchilla [tʃɪnˈtʃɪlə] *n.* **1.** *zool.* szynszyla (*Chinchilla laniger*). **2.** *U* (*także* **~ fur**) szynszyle, futro z szynszyli.

chincough [ˈtʃɪnˌkɔːf] *n. pat. gł. US przest.* koklusz.

chine[1] [ʃiːˈneɪ] **1.** *anat.* kręgosłup; rdzeń kręgowy. **2.** *kulin.* mięso z tylnej części barana *l.* wołu (*zwł. żeberka i polędwica*); schab z kością. **3.** krawędź, kant.

chine[2] *płd. Br.* wąwóz (*zwł. na wyspie Wight*).

chine[3] = **chime**[2].

Chinese [tʃaɪˈniːz] *a.* chiński. – *n.* **1.** Chińczyk/Chinka; **the ~** (*zbiorowo*) Chińczycy. **2.** *U* (język) chiński. **3.** *U Br. pot.* chińszczyzna (*potrawa*); *C* restauracja chińska.

Chinese cabbage, Chinese leaves *n. U bot.* kapusta pekińska (*Brassica pekinensis*); kapusta chińska (*Brassica chinensis*).

Chinese fire drill *n. US pot.* straszliwe zamieszanie; totalny chaos.

Chinese gooseberry *n.* kiwi (*owoc*).

Chinese lantern *n.* **1.** latarnia chińska, lampion. **2.** *bot.* miechunka rozdęta (*Physalis alkekengi*).

Chinese medicine *n. U* chińska medycyna naturalna.

Chinese mitten crab *n. zool.* krab wełnistoręki (*Eriocheir sinensis*).

Chinese puzzle *n.* **1.** chińska układanka (*np. polegająca na wkładaniu pudełeczek jedno do drugiego*). **2.** *przen.* bardzo trudny problem.

Chinese rose *n. bot.* róża chińska (indyjska) (*Rosa chinensis*).

Chinese wall *n. przen.* przeszkoda nie do pokonania.

Chinese whispers *n. U Br.* **1.** głuchy telefon (*zabawa towarzyska*). **2.** pogłoski, plotki (*zw. zniekształcone*).

Chinese white *n. U chem.* biel cynkowa.

Chink [tʃɪŋk], *Br. t.* **Chinky** [ˈtʃɪŋkɪ] *n. sl. obelż.* żółtek.

chink[1] [tʃɪŋk] *n.* **1.** szczelina, szpara. **2. ~ of light** promień *l.* struga światła. **3. a ~ in sb's armor** *przen.* czyjś słaby punkt. – *v. gł. US i Can.* **1.** zrobić szczelinę w. **2.** zatykać *l.* wypełniać szpary w.

chink[2] *n.* **1.** brzęk (*szkła, monet*). **2.** *U pot. żart.* brzęcząca moneta, drobne. – *v.* brzęczeć, pobrzękiwać; **they ~ed their glasses** trącili się kieliszkami.

chinkapin [ˈtʃɪŋkəpɪn] *n.* = **chinquapin.**

chinky [ˈtʃɪŋkɪ], **chinkie** *n. pl.* **-ies** *gł. Br. sl.* **1.** chińska knajpa. **2.** *U* chińskie żarcie, chińszczyzna (*zwł. na wynos*).

chinless [ˈtʃɪnləs] *a. gł. Br.* **1.** z cofniętym podbródkiem. **2.** *przen.* słabego charakteru; **~ wonder** *Br. i Austr. pot.* młody człowiek bez charakteru (*zw. z wyższych sfer*).

chino [ˈtʃiːnoʊ] *n.* **1.** *U tk.* mocna tkanina bawełniana. **2.** *pl.* **~s** luźne spodnie z tkaniny jw.

Chinook[1] [ʃɪˈnʊk] *n.* (*także* **c~**) *US meteor.* **1.** (*także* **wet ~**) ciepły wilgotny wiatr południowo-zachodni występujący na wybrzeżach stanów Waszyngton i Oregon. **2.** ciepły suchy wiatr wiejący wzdłuż wschodnich stoków Gór Skalistych.

Chinook[2] *n. pl.* **Chinook,** *l.* **-s** *US* **1.** szczep Indian zamieszkujących niegdyś dorzecze Columbii w stanie Oregon. **2.** *U* rodzina języków szczepu Chinook.

Chinook jargon *n. U* żargon Chinook.

Chinook salmon *n. icht.* łosoś czawycza (*Oncorhynchus tschawytscha*).

chinquapin [ˈtʃɪŋkəpɪn], **chincapin, chinkapin** *n. bot.* **1.** *wsch. US* kasztan karłowaty (*Castanea pumila*). **2.** *płn.-zach. US* (*także* **giant ~**) zimozielone drzewo bukowate *Castanopsis chrysophylla.* **3.** kasztan jednego z drzew jw.

chin rest *n.* podbródek (*skrzypiec*).

chinstrap [ˈtʃɪnˌstræp] *n.* zapinka hełmu *l.* kasku.

chintz [tʃɪnts] *n. U tk.* **1.** chintz (= *drukowana tkanina bawełniana z lśniącym wykończeniem, używana na zasłony, obicia i abażury*). **2.** = **calico**[1] 1.

chintzy [ˈtʃɪntsɪ] *a.* **-ier, -iest 1.** wykonany z tkaniny jw.; pokryty tkaniną jw. **2.** *US pot.* tandetny. **3.** *Br. pot.* przesadnie przytulny (*np. o wystroju wnętrza*). **4.** *US pot.* skąpy.

chin-up [ˈtʃɪnˌʌp] *n. US gimnastyka* podnoszenie się na drążku na wysokość brody.

chinwag [ˈtʃɪnˌwæg] *n. sing. Br. pot.* pogaduszki, pogawędka. – *v.* **-gg-** *Br. pot.* gadać, ucinać sobie pogawędkę.

chip[1] [tʃɪp] *n.* **1.** drzazga, wiór; odłamek (*szkła, kamienia*). **2.** wyszczerbienie, szczerba (*np. w filiżance*). **3.** *zw. pl.* (*także* **potato ~s**) *US, Can. i Austr.* chipsy. **4.** *zw. pl. Br. i Austr.* frytki. **5.** (*także* **micro~**) *komp.* mikroprocesor. **6.** żeton (*w grach hazardowych*). **7.** *US pot.* moneta; *pl.* drobne. **8.** *U* włókno drewniane do wyrobu kapeluszy, koszyków itp. **9.** = **~ shot**. **10.** *przen. pot.* **a ~ off the old block** wykapany ojciec/wykapana matka; **be in the ~s** *US* być przy forsie; **buy ~s** inwestować; **cash in one's ~s** *zob.* **cash** *v.*; **have a ~ on one's shoulder (about sth)** mieć pretensje do całego świata (o coś); być czułym (na jakimś punkcie); **have had one's ~s** *Br.* być skończonym; **let the ~s fall where they may** *US* niech się dzieje, co chce; **when the ~s are down** jak przyjdzie co do czego. – *v.* **-pp- 1.** ciosać; rąbać. **2.** wyszczerbić. **3.** odłupywać, odłamywać. **4.** rozbijać (*skorupkę; zwł. o pisklętach*). **5. ~ (off)** odpryskiwać, odpadać (*o farbie*). **6.** *sport* uderzyć *l.* kopnąć (piłkę) pionowo w górę. **7.** *Br.* ciąć na podłużne kawałki (*np. ziemniaki*). **8. ~ away** odpadać; **~ sth away** odłupać *l.* odłamać coś (*za pomocą narzędzia*); **~ away at sth** stopniowo coś niszczyć; **~ in** *pot.* zrzucić się; dorzucić się, dołożyć się; *Br.* wtrącić się, dorzucić swoje trzy grosze; **~ sth off** odłupać coś.

chip[2] *v.* **-pp-** *US* piszczeć (*o myszach l. pisklętach*). – *n.* pisk.

chip basket *n.* łubianka.

chipboard [ˈtʃɪpˌbɔːrd], **chip-board** *n. U bud.* płyta wiórowa.

chipmaker [ˈtʃɪpˌmeɪkər] *n.* producent układów scalonych.

chipmunk [ˈtʃɪpmʌŋk] *n. zool.* **1.** pręgowiec amerykański (*Tamias striatus*). **2.** burunduk (*Eutamias*).

chip pan *n. Br.* frytkownica.

chipped [tʃɪpt] *a.* wyszczerbiony.

chipped beef *n. U US kulin.* suszona wołowina w plasterkach (*często w sosie śmietanowym*).

chipper[1] [ˈtʃɪpər] *n.* dłuto; maszyna do ciosania drewna.

chipper[2] *v. US* **1.** świergotać. **2.** *pot.* paplać.

chipper[3] *a. US pot.* rześki, tryskający energią.

chipping [ˈtʃɪpɪŋ] *n.* **1.** *pl. Br.* tłuczeń (*używany do budowy dróg*). **2. ~ squirrel = chipmunk.**

chippy[1] [ˈtʃɪpɪ] *a.* **-ier, -iest** *gł. Can. pot.* drażliwy.

chippy[2] *n. pl.* **-ies 1.** *US pot.* = **chipmunk**. **2.** *Br. pot.* = **chip shop**. **3.** *Br. i NZ sl.* stolarz. **4.** *US i Can. sl.* dziwka.

chip shop *n. Br.* sklep ze smażonymi rybami i frytkami.

chip shot *n. piłka nożna, golf* posłanie piłki pionowo w górę.

chiral [ˈkaɪrəl] *a. chem.* chiralny.

chirality [kaɪˈræləlɪ] *n. U chem.* chiralność.

chirk [tʃɝːk] *v. US pot.* **~ up** rozweselić się. – *a. US pot.* żywy, wesoły.

chirm [tʃɝːm] *n. US* świergot. – *v. US* świergotać.

chiromancy [ˈkaɪrəˌmænsɪ] *n. U* chiromancja, wróżenie z ręki.

chiropodist [kaɪˈrɑːpədɪst] *n. med.* specjalist-a/ka chorob stóp.

chiropody [kaɪˈrɑːpədɪ] *n. U* pedicure.

chiropractic [ˌkaɪrəˈpræktɪk] *n. U* kręgarstwo.

chiropractor [ˈkaɪrəˌpræktər] *n.* kręgarz.

chiropteran [kaɪˈrɑːptərən] *a.* = **cheiropteran**.

chirp [tʃɝːp] *v. t. przen.* ćwierkać, świergotać; cykać. – *n.* ćwierkanie, świergot; cykanie.

chirper [ˈtʃɝːpər] *n.* ptaszek.

chirpily [ˈtʃɝːpɪlɪ] *adv.* żwawo; radośnie.

chirpiness [ˈtʃɝːpɪnəs] *n. U* żwawość.

chirpy [ˈtʃɝːpɪ] *a.* **-ier, -est** dziarski, żwawy; radosny.

chirr [tʃɝː], **churr** *v.* cykać; ćwierkać (*gł. o owadach*). – *n.* cykanie; ćwierkanie.

chirrup [ˈtʃiːrəp] *v.* **1.** ćwierkać, świergotać; *t. przen.* szczebiotać (*np. do dziecka*). **2.** cmokać (*np. na konia*). – *n.* ćwierkanie, świergot.

chirrupy [ˈtʃiːrəpɪ] *a.* żywy; wesoły; wesoło szczebioczący.

chisel [ˈtʃɪzl] *n.* **1.** *t. chir.* dłuto. **2. C~** *astron.* Rylec (*gwiazdozbiór*). – *v.* **-ll-** *Br.* **1.** dłutować; ciąć; rzeźbić dłutem; cyzelować. **2.** *US* oszukiwać; wyłudzać (*posługując się oszustwem*).

chiseled [ˈtʃɪzld], *zwł. Br.* **chiselled** *a.* **1.** *przen.* wyrzeźbiony; **~ features** rzeźbione rysy. **2.** *przen.* precyzyjny; kunsztowny (*np. o stylu*).

chiseler [ˈtʃɪzlər], *zwł. Br.* **chiseller** *n.* **1.** osoba posługująca się dłutem; kamieniarz. **2.** *gł. US pot.* kombinator/ka, oszust/ka.

chisel teeth *n. pl. zool.* siekacze (*gryzoni*).

chi-square test [ˈkaɪskwerˌtest] *a. stat.* test chi-kwadrat.

chit [tʃɪt] *n.* **1.** *przest. uj. l. żart.* smarkula, smarkata. **2.** *pot.* kwitek, świstek; notka, karteczka.

chital [ˈtʃiːtl] *n. zool.* aksis (*gatunek jelenia; Axis axis*).

chitarrone [ˌkiːtəˈrouneɪ] *n. muz.* cytra.

chit-chat [ˈtʃɪttʃæt], **chitchat** *n. U* **1.** pogawędka. **2.** ploteczki. – *v.* rozmawiać o głupstwach.

chitin [ˈkaɪtɪn] *n. U biochem.* chityna.

chitinous [ˈkaɪtɪnəs] *a.* chitynowy.

chitterlings [ˈtʃɪtərlɪŋz], **chitlings** [ˈtʃɪtlɪŋz], **chitlins** [ˈtʃɪtlənz] *n. pl.* jelito cienkie świni; *kulin. zwł. płd. US* flaczki.

chivalric [ˈʃɪvəlrɪk] *a. attr.* rycerski; **~ ages/days** czasy rycerskie.

chivalrous [ˈʃɪvəlrəs] *a. t. przen.* rycerski.

chivalrously [ˈʃɪvəlrəslɪ] *adv.* rycersko.

chivalrousness [ˈʃɪvəlrəsnəs] *n. U* rycerskość.

chivalry [ˈʃɪvəlrɪ] *n. U* **1.** *hist.* rycerstwo; (*zbiorowo*) rycerze, rycerstwo; **age of ~** czasy rycerstwa; **flower of ~** kwiat rycerstwa. **2.** rycerskość (*zespół wartości, sposób zachowania*).

chivalry-romance [ˈʃɪvəlrɪrouˌmæns] *n. teor. lit.* romans rycerski.

chive [tʃaɪv] *n. zw. pl. bot.* szczypiorek (*Allium schoenoprasum*).

chivy [ˈtʃɪvɪ], **chivvy** *Br.* **chevy** [ˈtʃevɪ] *v.* **-ied, -ying, -vv- 1.** ~ **sb along/up** popędzać *l.* poganiać kogoś. **2.** polować na. – *n. pl.* **-ies** polowanie.

chloasma [kloʊˈæzmə] *n. U pat.* ostuda, plama barwnikowa (*na twarzy*).

chloral [ˈklɔːrəl] *n. U chem.* chloral, aldehyd trójchlorooctowy.

chloramine [ˈklɔːrəˌmiːn] *n. chem.* chloramina.

chlorate [ˈklɔːreɪt] *n.* chloran.

chlorella [kləˈrelə] *n. U biol.* chlorella (*Chlorella*).

chloric [ˈklɔːrɪk] *a. chem.* chlorowy; ~ **acid** kwas solny.

chloride [ˈklɔːraɪd] *n. chem.* chlorek (*t. do bielenia*).

chlorinate [ˈklɔːrəˌneɪt] *v.* chlorować.

chlorinated water *n. U* woda chlorowana.

chlorination [ˌklɔːrəˈneɪʃən] *n. U* chlorowanie.

chlorine [ˈklɔːriːn] *n. U* chlor; ~ **group** *chem.* grupa chlorowców.

chlorite[1] [ˈklɔːraɪt] *n. U min.* chloryt.

chlorite[2] *n. U chem.* chloryn.

chlorofluorocarbon [ˌklɔːrəˌflɔːrəˈkɑːrbən], **CFC** *n. chem.* freon.

chloroform [ˈklɔːrəˌfɔːrm] *n. U chem.* chloroform. – *v.* chloroformować, usypiać chloroformem.

chlorophyll [ˈklɔːrəfɪl], **chlorophyl** *n. U bot.* chlorofil.

chlorophyllous [ˌklɔːrəˈfɪləs] *a.* chlorofilowy.

Chlorophyta [klɔːˈrɑːfətə] *n. pl. biol.* zielenice.

chloroplast [ˈklɔːrəˌplæst] *n. bot.* chloroplast, ciałko zieleni.

chlorosis [klɔːˈroʊsɪs] *n. U* **1.** *bot.* chloroza. **2.** *pat.* blednica.

chlorotic [klɔːˈrɑːtɪk] *a. pat.* bledniczy.

chlorous [ˈklɔːrəs] *a. chem.* chlorawy.

chm., chmn. *abbr.* = **chairman.**

choc [tʃɑːk] *n. U Br. pot.* czekolada.

chocaholic [ˌtʃɑːkəˈhɑːlɪk] *n.* = **chocoholic.**

choc ice, choc-ice *n. Br.* lody w polewie czekoladowej.

chock[1] [tʃɑːk] *n.* **1.** klin, klocek (*pod beczkę, koło itp.*). **2.** kabłąk (*na linę*). – *v.* klinować; umieszczać na klinach (*zwł. łódź*). – *adv.* **1.** ciasno, szczelnie. **2.** *gł. US* całkowicie, całkiem.

chock[2] *n. onomat.* (*także* **chock-chock**) odgłos ciosania *l.* rąbania.

chockablock [ˈtʃɑːkəˌblɑːk], **chock-a-block** *a. pred. pot.* napchany, nabity, wypchany *l.* wypełniony po brzegi (*with sb / sth* kimś/czymś).

chocker [ˈtʃɑːkər] *a. pred. pot. Br.* **be** ~ **with sth** mieć czegoś dość; być czymś zdegustowanym; *Austr. i NZ* = **chockablock.**

chock-full [ˈtʃɑːkfʊl] *a.* = **chockablock.**

chocoholic [ˌtʃɑːkəˈhɑːlɪk], **chocaholic** *n. t. żart.* osoba uzależniona od czekolady.

chocolate [ˈtʃɑːklɪt] *n.* **1.** *U* czekolada (*t. napój*); **bar of** ~ tabliczka czekolady; **dark** (*Br.* **plain**) ~ czekolada gorzka *l.* deserowa; **hot** ~ gorąca czekolada; **milk/white** ~ czekolada mleczna/biała; **plain** (*Br.* **cooking**) ~ czekolada do gotowania, wypieków itp. **2.** czekoladka; **box of ~s** pudełko czekoladek, bombonierka. **3.** *U* kolor czekoladowy.

chocolate box, chocolate-box *a. attr. pot. uj.* cukierkowy, przesłodzony.

chocolate cake *n.* **1.** *U* ciasto czekoladowe. **2.** ciastko czekoladowe; tort czekoladowy.

chocolate chip cookie *n. US* kruche ciasteczko z kawałeczkami czekolady.

chocolate cream *n. U* czekolada nadziewana.

chocolate ice cream *n. U* lody czekoladowe.

chocolate-tree [ˈtʃɑːklɪtˌtriː] *n. bot.* drzewo kakaowe, kakaowiec (*Theobroma cacao*).

chocolaty [ˈtʃɑːklətɪ], **chocolatey** *a.* czekoladowy (*o smaku, wyglądzie, zapachu*); czekoladopodobny.

Choctaw [ˈtʃɑːktɔː] *n. US* **1.** *pl.* **Choctaw** *l.* **-s** Indian-in/ka ze szczepu Choctaw. **2.** *U* język szczepu jw. (*z grupy języków muskogejskich*).

choctaw [ˈtʃɑːktɔː] *n. Br. łyżwiarstwo* przekładanka.

choice [tʃɔɪs] *n.* **1.** *U* wybór (*of sth* czegoś, *between sth and sth* pomiędzy czymś a czymś); wybieranie; **freedom of** ~ wolność *l.* swoboda wyboru. **2.** wybór, asortyment; **wide** ~ duży *l.* szeroki wybór/asortyment. **3.** elita, śmietanka, kwiat (*np. społeczeństwa*). **4.** wybran-iec/ka. **5. at** ~ do wyboru, dowolnie; **be spoiled** (*Br.* **spoilt**) **for** ~ mieć trudny *l.* za duży wybór; **by/from** ~ z wyboru; **first/second** ~ pierwszy/drugi wybór; **give sb a** ~ pozwolić komuś wybrać; **have a** ~ mieć wybór; **have no** ~ nie mieć (żadnego) wyboru; **have no** ~ **but to do sth** nie mieć innego wyboru, jak tylko coś zrobić; **have one's** ~ mieć swobodny wybór; **leave sb with no** ~ nie pozostawić komuś (żadnego) wyboru; **make** ~ **of** wybierać; **make a** ~ dokonać wyboru; **of** ~ *gł. US* ulubiony; **newspaper/wine of** ~ ulubiona gazeta/wino; **of one's** ~ z własnego wyboru; wybrany; **the girl of one's** ~ wybranka serca; **take one's** ~ decydować się na wybór; **without** ~ bez możliwości wyboru. – *a. attr.* **-r, -st** *form.* **1.** doborowy, wyborowy; starannie dobrany; w dobrym gatunku. **2. a few** ~ **words** kilka ostrych słów.

choicely [ˈtʃɔɪslɪ] *adv. form.* starannie; specjalnie; znakomicie, wspaniale.

choiceness [ˈtʃɔɪsnəs] *n. U form.* **1.** wspaniałość, wyborowa jakość. **2.** wybredność.

choir [kwaɪr] *n.* **1.** chór (*t.* = *miejsce dla chóru w kościele; grupa instrumentów smyczkowych l. dętych*). **2.** *bud.* prezbiterium, chór.

choir boy, choirboy, choir-boy *n.* chłopiec śpiewający w chórze.

choir girl, choirgirl, choir-girl *n.* dziewczynka śpiewająca w chórze.

choir loft *n. US* galeria dla chóru.

choir-man [ˈkwaɪrmɑːn] *n. pl.* **-men** chórzysta.

choir-master [ˈkwaɪrˌmæstər] *n.* dyrygent/ka chóru.

choir-mistress [kwaɪrˈmɪstrɪs] *n.* dyrygentka chóru.

choir organ, choir-organ *n. muz.* trzeci manuał organowy.

choir practice *n.* próba chóru.

choir stalls *n. pl.* miejsca dla chóru (*w prezbiterium kościoła*).

choke [ˈtʃoʊk] *v.* **1.** dławić się, krztusić się (*on sth* czymś); ~ **with anger/laughter** krztusić się z gniewu/ze śmiechu. **2.** dusić (się); *przen.* zdusić, stłumić (*t. emocje*). **3.** zatykać (się), zapychać (się) (*with sth* czymś). **4.** *US przen. pot.* spalić się (*z nerwów; zwł. o zawodniku*). **5. big enough to ~ a horse** *US pot.* ogromniasty, wielgachny. **6.** ~ **back** tłumić, powstrzymywać (*gniew, łzy*); ~ **down** przełykać z trudem; tłumić z trudem (*zwł. wzruszenie*); ~ **off** zdławić, powstrzymać; ~ **sb off** *pot.* zrazić kogoś do siebie, pozbyć się kogoś; ~ **out** wykrztusić; *zw. pass.* ~ **up** zatykać (*t. o emocjach*). – *n.* **1.** *t. przen.* duszenie się, dławienie się (*stan l. odgłos*). **2.** *techn.* dławik; *mot.* zasysacz (*w gaźniku*). **3.** przewężenie, gardziel. **4.** *Br.* niejadalny środek karczocha.

chokeberry [ˈtʃoʊkˌberɪ] *n. pl.* **-ies 1.** *bot.* aronia (*Aronia*). **2.** owoc aronii.

chokebore [ˈtʃoʊkˌbɔːr] *n.* **1.** lufa zwężająca się w stronę wylotu. **2.** broń o lufie jw.

choke chain *n.* kolczatka (*obroża*).

chokecherry [ˈtʃoʊkˌtʃerɪ] *n.* **1.** *bot.* czeremcha wirginijska (*Prunus virginiana*). **2.** owoc czeremchy wirginijskiej.

choke coil *n. el.* cewka dławikowa.

choked [tʃoʊkt] *a.* **1.** stłumiony, zdławiony (*o głosie*). **2.** *pred. Br. pot.* wkurzony (*about sth* czymś).

chokedamp [ˈtʃoʊkˌdæmp] *n. U* gaz duszący (*zwł. występujący pod ziemią*).

chokepoint [ˈtʃoʊkˌpɔɪnt] *n. US* przewężenie (*zwł. powodujące zator na jezdni*).

choker [ˈtʃoʊkər] *n.* **1.** stójka (*kołnierzyk*); koloratka; *hist.* kreza, kryza. **2.** obróżka (= *naszyjnik itp. ściśle okalający szyję*).

choky [ˈtʃoʊkɪ] *a.* **-ier, -iest** *pot.* **1.** duszący. **2.** duszny. **3.** zdławiony (*o głosie*).

cholecystectomy [ˌkɑːləsɪsˈtektəmɪ] *n. pl.* **-ies** *med.* usunięcie pęcherzyka żółciowego.

cholecystitis [ˌkɑːləsɪsˈtaɪtɪs] *n. U pat.* zapalenie pęcherzyka żółciowego.

cholelithiasis [ˌkɑːləlɪˈθaɪəsɪs] *n. U pat.* kamica żółciowa.

choler [ˈkɑːlər] *n. U* **1.** *lit. l. arch.* gniew. **2.** *hist.* żółć (*jeden z czterech humorów*).

cholera [ˈkɑːlərə] *n. U pat.* **1.** cholera; **Asiatic ~** cholera azjatycka; **chicken/fowl ~** cholera drobiu. **2.** (*także* ~ **nostras,** ~ **bilious, British ~, summer ~**) choleryna.

choleraic [ˌkɑːləˈreɪɪk] *a. arch.* odnoszący się do cholery, choleryczny.

choleric [ˈkɑːlərɪk] *a.* choleryczny (*t. o temperamencie*).

cholerine [ˈkɔːləriːn] *n. U pat.* choleryna.

cholesterol [kəˈlestəˌroʊl] *n. U* cholesterol.

choline [ˈkoʊliːn] *n. U biochem.* cholina.

cholla [ˈtʃoʊɪə] *n. bot.* opuncja (*Opuntia*).

chomp [tʃɑːmp] *v.* głośno przeżuwać.

choo-choo [ˈtʃuːˌtʃuː] *n.* ~ **(train)** *onomat. l. dziec.* ciuchcia.

choose [tʃuːz] *v.* **chose, chosen 1.** wybierać (*between/from* (po)między/spośród); ~ **sb/sth (as/for sth)** wybrać kogoś/coś (na coś); ~ **at random** wybierać na chybił trafił. **2.** ~ **to do sth** zdecydować się coś zrobić; woleć coś robić; **cannot ~ but do sth** *form.* nie mieć innego wyboru, jak tylko coś zrobić; **pick and ~** przebierać (= *grymasić*); **there's nothing/little to ~ between them** nie ma między nimi większej różnicy. **3.** ~ **up** wybierać, selekcjonować (*np. członków drużyny*).

choosily [ˈtʃuːzɪlɪ] *adv.* wybrednie.

choosiness [ˈtʃuːzɪnəs] *n. U* wybredność.

choosing [ˈtʃuːzɪŋ] *n. U* **of one's own ~** z własnego wyboru.

choosy [ˈtʃuːzɪ], **choosey** *a.* **-ier, -iest** *zwł. Br. pot.* wybredny.

chop[1] [tʃɑːp] *v.* **-pp- 1.** ~ **(up)** rąbać; siekać; ~ **sth into pieces/chunks** porąbać *l.* posiekać coś na kawałki. **2.** rąbnąć, walnąć. **3.** *pot.* obcinać, drastycznie redukować (*zwł. zatrudnienie*). **4.** *sport* ścinać (*piłkę*). **5.** zacinać się (*w mowie*). **6.** ~ **one's way through** wycinać sobie drogę (przez) (*busz itp.*). **7.** ~ **back** odrąbać; *przen. pot.* obciąć (*np. wydatki*); ~ **down** zrąbać, ściąć; wykarczować; ~ **off** odrąbać, ściąć (*zw. siekierą; t. głowę*); ~ **sb off** przerwać komuś w pół zdania. – *n.* **1.** rąbnięcie (*np. siekierą*). **2.** walnięcie, cios. **3.** *kulin.* kotlet (*z kością*). **4.** *sport* ścięcie (*piłki*). **5.** burzenie się (*morza*). **6.** *Br. i Austr. pot.* **the ~** wylanie, zwolnienie (*z pracy*); **be for the ~** być wytypowanym do zwolnienia; **get the ~** zostać wylanym *l.* zwolnionym (*o pracowniku*); zostać wstrzymanym *l.* skasowanym (*o projekcie*).

chop[2] *n.* **1.** szczęka; *pl.* szczęki; wargi (*zwł. zwierzęcia*); **lick one's ~s** *przen. uj.* oblizywać się. **2.** wejście do kanału *l.* portu (*zwł. do kanału La Manche z Oceanu Atlantyckiego*).

chop[3] *v.* **-pp- 1.** ~ **and change** *Br. i Austr. pot.* ciągle zmieniać zdanie; ~ **logic** używać zawiłych wywodów (*w dyskusji*). **2.** ~ **about/around** miotać się; zmieniać kierunek; zmieniać zdanie.

chop[4] *n.* **1.** oficjalny stempel, pieczątka (*zwł. na Dalekim Wschodzie*). **2.** *przen.* pozwolenie, zgoda.

chop-chop [ˈtʃɑːpˌtʃɑːp], **chop chop** *zwł. Br. adv.* migiem. – *int.* hop hop! (= *pospiesz się!*).

chopfallen [ˈtʃɑːpˌfɔːlən] *a.* = **chapfallen**.

chophouse[1] [ˈtʃɑːpˌhaʊs] *n.* restauracja specjalizująca się w kotletach i befszykach.

chophouse[2] *n.* chiński urząd celny.

chopper [ˈtʃɑːpər] *n.* **1.** rębacz. **2.** narzędzie do rąbania; *techn.* rębarka; *gł. Br.* tasak; topór rzeźnicki. **3.** *el.* przerywacz stykowy. **4.** *pot.* helikopter. **5.** *pot.* motocykl (*zwł. duży*). **6.** *zwł. US sl.* pistolet maszynowy. **7.** *Br. wulg. sl.* kutas. **8.** *pl. sl.* zęby; sztuczna szczęka.

choppiness [ˈtʃɑːpɪnəs] *n. U* **1.** wzburzenie (*morza*). **2.** brak ciągłości (*wypowiedzi*).

chopping [ˈtʃɑːpɪŋ] *a.* **1.** wzburzony (*o morzu*). **2.** *Br. pot.* krzepki.

chopping block *n.* pieniek (*do rąbania l. katowski*).

chopping board *n. Br.* deska do krojenia.

choppy [ˈtʃɑːpɪ] *a.* **-ier, -iest 1.** wzburzony (*o morzu*). **2.** zmienny (*o wietrze*). **3.** urywany (*o wypowiedzi*).

chop shop *n. US pot.* dziupla (*warsztat specjalizujący się w demontażu kradzionych samochodów*).

chopsticks [ˈtʃɑːpˌstɪks] *n. pl.* pałeczki (*używane zamiast sztućców*).

chop suey [tʃɑːpˈsuːɪ] *n. U kulin.* potrawa z mięsa, kiełków fasoli, pędów bambusa itp.

choral [ˈkɔːrəl] *a. attr.* chórowy, chóralny; ~ **service** *kośc.* nabożeństwo z chórem; **full** ~ **service** *kośc.* nabożeństwo śpiewane.

chorale [kəˈræl] *n.* chorał (= *utwór muzyczny l. oficjalny śpiew kościoła protestanckiego*).

choralist [ˈkɔːrəlɪst] *n.* chórzyst-a/ka.

chorally [ˈkɔːrəlɪ] *adv.* chóralnie, chórem.

chord[1] [kɔːrd] **1.** *t. przen.* struna; **strike/touch the right** ~ *przen.* trafić *l.* uderzyć we właściwą strunę. **2.** *geom.* cięciwa. **3.** *anat.* **spinal** ~ (*także* **spinal cord**) rdzeń kręgowy; **vocal** ~**s** (*także* **vocal cords**) struna głosowa. **4.** *lotn.* cięciwa profilu. **5.** *techn.* pas dźwigara kratowego.

chord[2] *n. muz.* akord.

chordal[1] [ˈkɔːrdl] *a.* strunowy.

chordal[2] *a. muz.* akordowy.

chordate [ˈkɔːrdeɪt] *a. zool.* posiadający strunę grzbietową. – *n. zool.* strunowiec.

chordophone [ˈkɔːrdəˌfoʊn] *n. muz.* chordofon, instrument strunowy.

chore [tʃɔːr] *n.* **1.** praca domowa; **household** ~**s** prace *l.* obowiązki domowe. **2.** przykry obowiązek.

chorea [kəˈriːə] *n. U pat.* taniec św. Wita, pląsawica.

choreograph [ˈkɔːrɪəˌgræf] *v.* **1.** przygotowywać choreografię do. **2.** *przen.* kierować (*np. swoją karierą*).

choreographer [ˌkɔːrɪˈɑːgrəfər] *n.* choreograf/ka.

choreographic [ˌkɔːrɪəˈgræfɪk] *a.* choreograficzny.

choreographically [ˌkɔːrɪəˈgræfɪklɪ] *adv.* choreograficznie.

choreography [ˌkɔːrɪˈɑːgrəfɪ] *n. U* choreografia.

choric [ˈkɔːrɪk] *a.* chórowy (*w tragedii greckiej*).

chorine [ˈkɔːriːn] *n. zwł. US* = **chorus girl**.

chorion [ˈkɔːrɪˌɑːn] *n. fizj.* kosmówka.

chorister [ˈkɔːrɪstər] *n.* **1.** chórzyst-a/ka (*zwł. w chórze kościelnym lub katedralnym przy uniwersytecie*). **2.** *US* dyrygent/ka chóru.

chorography [kəˈrɑːgrəfɪ] *n. U gł. hist.* opis ziem.

choroid [ˈkɔːrɔɪd] *a. fizj.* naczyniowy. – *n.* (*także* ~ **coat**) *anat.* naczyniówka (*oka*).

chortle [ˈtʃɔːrtl] *v.* chichotać. – *n.* chichot.

chorus [ˈkɔːrəs] *n. pl.* **-es** **1.** *t. przen.* chór (*t. w tragedii greckiej*); **in** ~ chórem, chóralnie; jednocześnie. **2.** refren. **3.** *musical* statyści. **4.** *teatr* narrator (*zwł. w dramacie elżbietańskim*); partia narratora (*jw.*). – *v.* mówić chórem *l.* jednocześnie.

chorus girl *n. musical* statystka.

chorus line *n. musical* grupa statystów (*zwł. śpiewająca i tańcząca w jednym rzędzie*).

chose [tʃoʊz] *v. pret. zob.* **choose**.

chosen [ˈtʃoʊzən] *v. pp. zob.* **choose**. – *a. attr.* wybrany; *pl.* **the** ~ wybrani, wybrańcy; **the** ~ **few** garstka wybrańców; **the** ~ **people** *Bibl.* naród wybrany.

chough [tʃʌf] *n. orn.* **1.** (*także* **red-billed** ~) wrończyk (*Pyrrhocorax pyrrhocorax*); **alpine** ~ wieszczek (*Phyrrhocorax graculus*). **2.** (*także* **white-winged** ~) skałowron (*Corcorax melanorhamphus*).

choux pastry [ˌʃuː ˈpeɪstrɪ] *n. U kulin.* ciasto ptysiowe.

chow[1] [tʃaʊ] *gł. US sl. n. U* żarcie. – *v.* ~ **down on sth** szamać coś.

chow[2] *n. kynol.* = **chow-chow**[1].

chow-chow[1] [ˈtʃaʊˌtʃaʊ] *n. kynol.* chow-chow.

chow-chow[2] *n. U kulin.* **1.** chińska konfitura ze skórek pomarańczy. **2.** sos musztardowy (*z kawałkami marynowanych warzyw*); warzywa marynowane.

chowder [ˈtʃaʊdər] *n.* **1.** *U* (*także* **clam** ~) zupa z owoców morza. **2.** ~ **party** *US* piknik nad morzem (*na którym podaje się zupę jw.*). **3.** *U* **corn** ~ *US* zupa z kukurydzy, ziemniaków i mleka.

chow mein [ˌtʃaʊ ˈmeɪn] *n. U kulin.* potrawa z mięsa, jarzyn, grzybów, krewetek i smażonych łazanek.

Chr. *abbr.* **1.** = **Christ**. **2.** = **Christian**.

chrestomathy [kresˈtɑːməθɪ] *n. pl.* **-ies** *rzad.* chrestomatia.

chrism [ˈkrɪzəm] *n. U kośc.* **1.** krzyżmo (= *olej święty*). **2.** namaszczenie, chryzmat.

Christ [kraɪst] *n.* **1.** *rel.* Chrystus; **(the)** ~ **child** Dzieciątko Jezus. **2. for** ~**'s sake!** (*także* **for Chrissake!**) *Br.* na litość Boską!, na miłość Boską!. – *int.* **Christ!** Chryste (Panie)!.

christen [ˈkrɪsən] *v.* **1.** *rel.* chrzcić. **2.** nadawać imię (*t. statkom, dzwonom*). **3.** *zwł. Br. pot.* ochrzcić (*t.* = *użyć po raz pierwszy*).

Christendom [ˈkrɪsəndəm] *n. U przest.* chrześcijaństwo; świat chrześcijański, ogół chrześcijan.

christener [ˈkrɪsənər] *n.* osoba udzielająca chrztu.

christening [ˈkrɪsənɪŋ] *n.* chrzest.

Christian [ˈkrɪstʃən] *a.* **1.** *rel.* chrześcijański. **2.** *rel.* Chrystusowy. **3.** (*także* **c**~) *pot. l. żart.* ludzki; przyzwoity; cywilizowany. – *n.* **1.** chrześcijan-in/ka. **2.** *pot.* dobry *l.* przyzwoity człowiek.

Christian democrat *n. polit.* chrześcijański demokrata.

Christian democratic *a. polit.* chrześcijańsko-demokratyczny.

Christian era *n.* era nowożytna.

Christianity [ˌkrɪstʃɪˈænətɪ] *n. U* chrześcijaństwo.

Christianization [ˌkrɪstʃənəˈzeɪʃən], *Br. i Austr. zw.* **Christianisation** *n. U* chrystianizacja.

Christianize [ˈkrɪstʃəˌnaɪz], *Br. i Austr. zw.* **Christianise** *v.* chrystianizować (się).

Christian name *n.* (*także* **first name**) imię.

Christian Science *n. U* system religijny zapoczątkowany w USA w 1866 r., w skład którego wchodzi m.in. leczenie przez wiarę.

Christlike ['kraɪstˌlaɪk] *a.* chrystusowy; podobny do Chrystusa.

Christly ['kraɪstlɪ] *a.* chrystusowy.

Christmas ['krɪsməs] *n. C/U pl.* **-es** Boże Narodzenie, Gwiazdka; okres świąt Bożego Narodzenia; **Father** ~ *zob.* **Father**; **Happy/Merry** ~! Wesołych Świąt!

Christmas box *n.* prezent *l.* datek pieniężny z okazji Gwiazdki (*dla listonosza, roznosiciela mleka itp.*).

Christmas card *n.* kartka świąteczna.

Christmas carol *n.* kolęda.

Christmas cracker *n.* kolorowa papierowa tuba z niespodzianką w środku, eksplodująca przy otwarciu.

Christmas Day *n.* (pierwszy) dzień (świąt) Bożego Narodzenia.

Christmas dinner *n.* obiad świąteczny (*w pierwszy dzień świąt Bożego Narodzenia*).

Christmas Eve *n.* Wigilia (Bożego Narodzenia).

Christmas Island *n. geogr.* Wyspa Bożego Narodzenia.

Christmas pudding *n. U* świąteczny pudding.

Christmas rose *n. bot.* ciemiernik biały (*Helleborus niger*).

Christmas stocking *n.* długa skarpeta na prezenty.

Christmassy ['krɪsməsɪ] *a. Br. pot.* Bożonarodzeniowy, świąteczny.

Christmastime ['krɪsməsˌtaɪm] *n. U* (*także form.* **Christmastide**) okres Bożego Narodzenia, okres świąteczny.

Christmas tree *n.* **1.** choinka. **2.** *telew.* statyw z wieloma lampami.

Christology [krɪ'stɑ:lədʒɪ] *n. U teol.* chrystologia.

chroma ['kroumə] *n. U opt.* nasycenie barwy.

chromaffin ['kroumәfәn] *a. attr. fizj.* chromochłonny.

chroma key, chromakey *n. U telew.* kluczowanie kolorem, technika „błękitnej maski".

chromate ['kroumeɪt] *n. chem.* chromian.

chromatic [krou'mætɪk] *a. opt., muz.* chromatyczny.

chromatic abberation *n. U opt.* abberacja chromatyczna, chromatyzm.

chromatically [krou'mætɪklɪ] *adv. muz.* chromatycznie.

chromaticism [krou'mætəˌsɪzəm] *n. U muz.* chromatyczność.

chromaticity [ˌkroumə'tɪsətɪ] *n. U fiz.* chromatyczność (*jakościowa cecha barwy*).

chromatic scale *n. muz.* skala chromatyczna.

chromatid ['kroumətɪd] *n. biol.* chromatyda (= *połowa podzielonego podłużnie chromosomu*).

chromatin ['kroumətɪn] *n. U biol.* chromatyna.

chromatogram ['kroumətəˌgræm] *n. chem.* chromatogram.

chromatograph ['kroumətəˌgræf] *n. chem., techn.* chromatograf.

chromatography [ˌkroumə'tɑ:grəfɪ] *n. U chem.* chromatografia.

chrome [kroum] *n. U* chrom. – *v.* chromować; pokrywać chromem.

chrome alum *n. U chem.* ałun chromowo-potasowy (*stosowany przy wywoływaniu zdjęć*).

chromed [kroumd] *a.* chromowany; pokryty chromem.

chrome green *n. U* zieleń chromowa.

chrome leather *n. U* skóra chromowa (*używana na cholewki*).

chrome orange *n. U* oranż chromowy.

chrome plating *n. U* chromowanie.

chrome red *n. U* czerwień chromowa.

chrome steel *n. U* stal chromowa.

chrome yellow *n. U* żółcień chromowa.

chromic ['kroumɪk] *a. chem.* chromowy.

chromic acid *n. chem.* kwas chromowy.

chromic iron *n. U* (*także* **chromite**) *min.* chromit, żelaziak chromowy.

chromium ['kroumɪəm] *n. U chem.* chrom.

chromium plate *n. U* powłoka chromowa. – *v.* powlekać chromem.

chromium steel *n.* = **chrome steel**.

chromolithograph [ˌkroumə'lɪθəˌgræf] *n. hist.* chromolitografia (*druk*).

chromolithography [ˌkrouməlә'θɑ:grəfɪ] *n. U hist.* chromolitografia (*metoda*).

chromophotograph [ˌkroumə'foutəˌgræf] *n.* chromofotografia, fotografia barwna.

chromophotography [ˌkroumәfə'tɑ:grəfɪ] *n. U* fotografia barwna (*metoda*).

chromosomal [ˌkroumə'souml] *a. biol.* chromosomowy; chromosomalny.

chromosome ['krouməˌsoum] *n. biol., genetyka* chromosom; ~ **number** liczba chromosomów (*charakterystyczna dla danego gatunku*).

chromosphere ['krouməˌsfi:r] *n. astron.* chromosfera.

chromous ['krouməs] *a. chem.* chromawy.

chron. *abbr.* **1.** = **chronicle**. **2.** = **chronology**; = **chronological**.

chronic ['krɑ:nɪk] *a. zw. attr.* **1.** chroniczny, przewlekły. **2.** odwieczny, ciągły (*np. o braku czegoś*). **3.** notoryczny; ~ **gambler** nałogow-y/a hazardzist-a/ka. **4.** *Br. pot.* fatalny, okropny.

chronically ['krɑ:nɪklɪ] *adv.* chronicznie.

chronic fatigue syndrome *n. U pat.* zespół chronicznego zmęczenia.

chronicity [krɑ:'nɪsətɪ] *n. U* chroniczność, stan chroniczny.

chronicle ['krɑ:nɪkl] *n.* kronika. – *v.* **1.** prowadzić kronikę (*czegoś*). **2.** spisywać (*w kolejności wydarzeń*).

chronicler ['krɑ:nɪklər] *n.* kronikarz.

Chronicles ['krɑ:nɪklz] *n. pl. Bibl.* Księgi Kronik.

chronogram ['krɑ:nəˌgræm] *n.* chronogram (*np. LorD haVe MerCy = 1650, po dodaniu cyfr rzymskich*).

chronograph ['krɑ:nəˌgræf] *n.* chronograf; stoper.

chronological [ˌkrɑ:nə'lɑ:dʒɪkl] *a.* chronologiczny; **in** ~ **order** w porządku chronologicznym.

chronologically [ˌkrɑːnəˈlɑːdʒɪklɪ] *adv.* chronologicznie.

chronologist [krəˈnɑːlədʒɪst], **chronologer** [krəˈnɑːlədʒər] *n.* osoba zajmująca się chronologią *l.* studiująca chronologię.

chronology [krəˈnɑːlədʒɪ] *n. U* **1.** chronologia. **2.** następstwo w czasie, kolejność (*wydarzeń, zjawisk*). **3.** *pl.* **-ies** tablica chronologiczna.

chronometer [krəˈnɑːmətər] *n.* chronometr.

chronometry [krəˈnɑːmətrɪ] *n. U* chronometria (= *nauka o pomiarach czasu*).

chronoscope [ˈkrɑːnəˌskoʊp] *n. techn.* chronoskop.

chrysalis [ˈkrɪsəlɪs], **chrysalid** [ˈkrɪsəlɪd] *n. pl.* **-es** **1.** *ent.* poczwarka; powłoka poczwarki. **2.** *przen.* stadium przejściowe; okres przygotowania.

chrysanthemum [krɪˈsænθəməm] *n. bot.* złocień, chryzantema (*Chrysanthemum*).

chryselephantine [krɪˌseləˈfeɪntiːn] *a.* pokryty płytkami ze złota *l.* kości słoniowej (*zw. o dziele sztuki*).

chrysoberyl [ˈkrɪsəˌberəl] *n. U min.* chryzoberyl.

chrysolite [ˈkrɪsəˌlaɪt] *n. U min.* chryzolit (*kamień szlachetny*).

chrysomelid [ˌkrɪsəˈmelɪd] *n. ent.* owad z rodziny stonkowatych (*Chrysomelidae*).

chrysoprase [ˈkrɪsəˌpreɪz] *n. U min.* **1.** chryzopraz (*kamień półszlachetny*). **2.** *Bibl.* złotozielony kamień szlachetny.

chthonian [ˈθoʊnɪən], **chthonic** [ˈθɑːnɪk] *a.* chtoniczny, związany ze światem podziemnym; **~ deity** *gł. mit.* bóstwo chtoniczne, bóstwo świata podziemnego.

chub [tʃʌb] *n. pl.* **-s** *l.* **chub** *icht.* kleń (*Leuciscus cephalus*).

chubbiness [ˈtʃʌbɪ] *n. U* pucołowatość.

chubby [ˈtʃʌbɪ] *a.* **-ier, -iest** pyzaty, pucołowaty; **~-chaser** *pot.* wielbiciel korpulentnych kobiet.

chuck[1] [tʃʌk] *v. pot.* **1.** cisnąć (*niedbale*), rzucić (*sb sth / sth at sth* coś komuś/czymś w coś); **~ sb** *Br. przest.* rzucić kogoś. **2.** **~ sb under the chin** ująć kogoś pod brodę (*zw. dziecko*). **3.** **~ sth about/around** rzucać coś gdzie popadnie; **~ one's arms/legs about/around** wymachiwać rękami/nogami; **~ one's money about/around** *przen.* szastać pieniędzmi na prawo i lewo; **~ one's weight about/around** *przen.* szarogęsić się; **~ away** wyrzucić; zmarnować (*np. szansę*); **~ sth down** rzucić coś (*na dół*); **~ o.s. down** rzucić się na ziemię; **~ down one's tools** *przen.* zastrajkować; **~ in** *Br.* rzucić, porzucić (*pracę, studia*); wtrącić (*uwagę, słowo*); **~ sth in** wrzucić coś (*gdzieś*); **~ in one's cards/hand** rzucić karty (= *skończyć grę*); *przen.* poddać się; **~ in the towel** *boks l. przen.* poddać się; **~ it in!** przestań!; **~ off** zrzucić, strącić; uwolnić się od; **~ sb off** zwiać komuś; **~ out** wyrzucić; odrzucić (*sugestię, projekt*); rzucić od niechcenia (*np. uwagę*); *zw. pass.* popsuć; **our plans were ~ed out by bad weather** brzydka pogoda popsuła nam plany; **~ sb out (of sth)** wyrzucić *l.* wyprosić kogoś (skądś); **~ together** zbierać w pośpiechu; **they were ~ed together by the war** połączyła ich wojna; **~ up** *Br. sl.* haftować (= *wymiotować*); **~ up the sponge** *przen.* machnąć ręką (= *dać za wygraną*). – *n. pot.* **1.** delikatne klepnięcie. **2.** **give sb the ~** wyrzucić *l.* wylać kogoś (*z pracy*); **give sth the ~** odrzucić coś.

chuck[2] *n. techn.* uchwyt (*tokarni, wiertarki*). – *v.* umocować w uchwycie.

chuck[3] *n.* (*także* **~ steak**) *U* łopatka *l.* karkówka wołowa.

chuck[4] *n.* **1.** gdakanie. **2.** cip, cip!; taś, taś!. **3.** cmokanie (*na konia*). – *v.* **1.** gdakać. **2.** cmokać (*na konia*).

chuck[5] *n.* (*także* **chuckie**) *Br. dial. pot.* złotko, skarbie.

chuck[6] *n. U sl.* żarcie, żarło.

chuck-a-luck [ˈtʃʌkəˌlʌk] *n. US* = **chuck-luck**.

chuck-full [ˈtʃʌkfʊl] *a. US* = **chock-full**.

chuckhole [ˈtʃʌkˌhoʊl] *n. US* wyrwa, dziura (*w jezdni*).

chuck key *n. techn.* klucz do uchwytu (*wiertarki*).

chuckle [ˈtʃʌkl] *v.* **1.** chichotać (*at sth* z czegoś); śmiać się samemu do siebie. **2.** gdakać. – *n.* **1.** chichot. **2.** gdakanie.

chucklehead [ˈtʃʌklˌhed] *n. US pot.* bałwan, cymbał.

chuckleheaded [ˈtʃʌklˌhedɪd] *a. pot.* głupi, durny.

chuck-luck [ˈtʃʌkˌlʌk] *n. U US* rodzaj gry w kości.

chuck wagon *n. US przest.* wóz zaprzęgowy z kuchnią i zapasami żywności (*zwł. dla kowbojów*).

chuddar [ˈtʃʌdər], **chudder**, **chuddah** [ˈtʃʌdə], **chador** [ˈtʃædər] *n.* czador.

chuff[1] [tʃʌf] *n. onomat.* puff (= *odgłos lokomotywy*). – *v. Br.* sapać, dyszeć (*o lokomotywie*).

chuff[2] *n. dial.* gbur.

chuffed [tʃʌft] *a. pred. Br. i Austr. pot.* **be ~** nie posiadać się ze szczęścia (*with / about sth* z jakiegoś powodu).

chug[1] [tʃʌg] *n.* **1.** (*także* **chug-chug**) pykanie, sapanie (*maszyny, silnika*). **2.** wybuch (*zwł. w rurze wydechowej*). – *v.* **-gg-** **1.** pykać, sapać, dyszeć (*o maszynie l. silniku*). **2.** buchać (*zwł. o gazach spalinowych*). **3.** **~ along/up/around** telepać się.

chug[2] *v.* (*także* **~-a-lug**) *sl.* golnąć, wychylić (*kieliszek l. butelkę za jednym razem*).

chukker [ˈtʃʌkər], *Br.* **chukka** [ˈtʃʌkə] *n. polo* jedna z sześciu części gry.

chum[1] [tʃʌm] *n. przest. pot.* kumpel/a. – *v.* **-mm-** *gł. Br. przest. pot.* **~ around with** kolegować się z; **~ up with** zaprzyjaźnić się z.

chum[2] *n. U gł. US* rybie odpadki; przynęta z rybich odpadków. – *v. gł. US* łowić na przynętę jw.

chummily [ˈtʃʌmɪlɪ] *adv. pot.* serdecznie; po przyjacielsku.

chumminess [ˈtʃʌmɪnəs] *n. U pot.* bliskość; zażyłość.

chummy [ˈtʃʌmɪ] *a.* **-ier, -iest** *pot.* zaprzyjaźniony, bliski; przyjacielski.

chump [tʃʌmp] *n.* **1.** kloc (*drewna*). **2.** *przest. pot.* głupek, tępak. **3.** (*także* ~ **chop/steak**) *Br. i Austr.* gruby kawałek mięsa z kością (*zwł. polędwicy baraniej*). **4. be/go off one's** ~ *Br. sl.* mieć coś z głową/dostawać na głowę.

chunk [tʃʌŋk] *n.* **1.** kawał (*drewna, chleba, sera*). **2.** *pot.* pokaźna część. **3.** ~ **of change** *US pot.* kupa forsy. – *v. US* dzielić na kawałki.

chunkily [ˈtʃʌŋkɪlɪ] *adv.* **1.** przysadziście. **2.** masywnie.

chunkiness [ˈtʃʌŋkɪnəs] *n. U* **1.** przysadzistość. **2.** masywność.

chunky [ˈtʃʌŋkɪ] *a.* **-ier, -iest 1.** przysadzisty, krępy. **2.** masywny, ciężki (*np. o biżuterii*). **3.** *Br.* gruby, grubo tkany (*np. o swetrze*). **4.** w kawałkach; pełen dużych kawałków (*np. o karmie dla psów*).

Chunnel [ˈtʃʌnl] *n. Br. pot.* = **Channel Tunnel**.

church [tʃɜ˞ːtʃ] *n.* **1.** kościół (*budynek l. wyznanie*); **parish** ~ kościół parafialny. **2.** *U l. sing.* (*także* **C**~) kościół, Kościół (*instytucja l. społeczność wierzących*); **the Anglican/Catholic/Orthodox/Protestant C**~ kościół anglikański/katolicki/prawosławny/protestancki; **Established C**~ kościół uznany za państwowy (*zwł. Kościół Anglikański w Wielkiej Brytanii*); **separation of** ~ **and state** rozdział kościoła od państwa; **State C**~ kościół narodowy. **3.** *U* nabożeństwo; msza; **after** ~ po kościele; **be late for** ~ spóźnić się na mszę *l.* nabożeństwo; **go to/attend** ~ chodzić do kościoła. **4. the** ~ stan duchowny; duchowieństwo; **go into/enter the** ~ przyjąć święcenia kapłańskie. **5. a broad** ~ *Br. przen.* organizacja o szerokim przekroju społecznym. – *v. anglikanizm, hist.* przyprowadzić do kościoła na specjalną uroczystość (*zwł. kobietę z okazji urodzenia dziecka*); *US* poddać dyscyplinie kościelnej.

Church Army *n.* organizacja misyjna kościoła anglikańskiego (*wzorowana na Armii Zbawienia*).

church-book [ˈtʃɜ˞ːtʃˌbʊk] *n.* **1.** książeczka do nabożeństwa. **2.** rejestr parafialny (*narodzin, zgonów itp.*).

church-fair [ˈtʃɜ˞ːtʃˌfer] *n. US* bazar *l.* jarmark przykościelny.

church-father [ˈtʃɜ˞ːtʃˌfɑːðər] *n. rel.* Ojciec Kościoła.

church-festival [ˈtʃɜ˞ːtʃˌfestəvl] *n.* święto kościelne.

church fete *n. Br.* bazar przykościelny.

churchgoer [ˈtʃɜ˞ːtʃˌgoʊər] *n.* praktykując-y/a.

churchgoing [ˈtʃɜ˞ːtʃˌgoʊɪŋ] *n. U* chodzenie do kościoła. – *a. attr.* praktykujący.

church key *n. US pot.* otwieracz do butelek i/lub puszek.

church-law [ˈtʃɜ˞ːtʃˌlɔː] *n. U* prawo kościelne.

churchman [ˈtʃɜ˞ːtʃmən] *n. pl.* **-men 1.** duchowny. **2.** praktykujący członek kościoła.

Church Millitant *n. U form.* kościół walczący.

church-mouse [ˈtʃɜ˞ːtʃˌmaʊs] *n.* **(as) poor as a** ~ *przen.* biedny jak mysz kościelna.

church-music [ˈtʃɜ˞ːtʃˌmjuːzɪk] *n. U* muzyka sakralna.

Church of England *n.* kościół anglikański.

Church of Scotland *n.* szkocki kościół narodowy (= *kościół prezbiteriański*).

churchrate [ˈtʃɜ˞ːtʃˌreɪt], **church-rate** *n. Br.* podatek kościelny, danina na parafię.

church school *n. Br.* szkoła finansowana i częściowo kontrolowana przez Kościół.

church-service [ˈtʃɜ˞ːtʃˌsɜ˞ːvɪs] *n.* nabożeństwo (kościelne).

church text *n. U pismo, hist.* gotyk; *Br.* pismo staroangielskie.

churchwarden[1] [ˈtʃɜ˞ːtʃˌwɔːrdən] *n.* kościelny.

churchwarden[2] *n. pot.* długa fajka gliniana.

church wedding *n.* ślub kościelny.

churchwoman [ˈtʃɜ˞ːtʃˌwʊmən] *n. pl.* **-women** praktykująca członkini kościoła.

churchy [ˈtʃɜ˞ːtʃɪ] *a.* **-ier, -iest** *pot. uj.* **1.** przesadnie religijny. **2.** sztywny jak w kościele (*np. o atmosferze*).

churchyard [ˈtʃɜ˞ːtʃˌjɑːrd] *n.* cmentarz parafialny.

churl [tʃɜ˞ːl] *n.* cham; gbur.

churlish [ˈtʃɜ˞ːlɪʃ] *a.* **1.** gburowaty, grubiański; chamski. **2.** skąpy. **3.** ciężki do uprawy; jałowy (*o ziemi*).

churlishly [ˈtʃɜ˞ːlɪʃlɪ] *adv.* grubiańsko.

churlishness [ˈtʃɜ˞ːlɪʃnəs] *n. U* grubiańskość.

churn [tʃɜ˞ːn] *n.* **1.** (*także* **butter** ~) maselnica. **2.** (*także* **milk** ~) *Br.* duża bańka na mleko. – *v.* **1.** ~ **milk/cream** ubijać masło. **2.** ~ **(up)** burzyć *l.* pienić *l.* kotłować (się). **3. sb's stomach is ~ing** *zob.* **stomach** *n.* **4.** ~ **out** *pot.* trzaskać (= *produkować masowo, nie dbając o jakość*); ~ **sth up** zniszczyć powierzchnię czegoś (*depcząc l. przejeżdżając po niej*); ~ **sb up** wzburzyć kogoś.

churn dash, churn dasher *n.* ubijacz do masła.

churr [tʃɜ˞ː] *v. i n.* = **chirr**.

chute[1] [ʃuːt] *n.* **1.** ślizg, zsuwnia; (*także* **garbage/***Br.* **rubbish** ~) zsyp, rynna zsypowa. **2.** *gł. US* wodospad; próg rzeczny. **3.** zjeżdżalnia (*zwł. na pływalni*). – *v.* spuszczać po zsuwni.

chute[2] *n. pot.* **1.** spadochron. **2.** *żegl.* spinaker.

chutist [ˈʃuːtɪst] *n. pot.* spadochronia-rz/rka.

chutney [ˈtʃʌtnɪ] *n. U kulin.* gęsty sos owocowy z dodatkiem octu, cukru i ostrych przypraw.

chutzpah [ˈhʊtspə], **chutzpa, hutzpah, hutzpa** *n. U gł. US i Can. pot.* hucpa, bezczelność, tupet.

chyle [kaɪl] *n. U fizj.* mlecz (*sok pokarmowy*).

chyme [kaɪm] *n. U fizj.* miazga pokarmowa.

chymotrypsin [ˌkaɪməˈtrɪpsɪn] *n. U biochem.* chymotrypsyna (*enzym trzustki*).

CIA [ˌsiː ˌaɪ ˈeɪ], **C.I.A.** *abbr.* = **Central Intelligence Agency**.

ciao [tʃaʊ] *int. pot.* cześć!, na razie!.

ciborium [sɪˈbɔːrɪəm] *n. pl.* **-a** [sɪˈbɔːrɪə] **1.** *bud.* baldachim. **2.** *kośc.* cyborium (= *kielich do przechowywania komunikantów*).

cicada [sɪˈkeɪdə] *n. ent.* piewik, cykada (*Cicada*).

cicatrice [ˈsɪkətriːs], **cicatrix** [ˈsɪkətrɪks] *n.* **1.**

blizna (*po zagojonej ranie l. na korze drzewa*). **2.** *bot.* blizna liściowa.

cicatricial [ˌsɪkəˈtriːʃl] *a.* bliznowaty.

cicatricle [ˈsɪkətrɪkl], **cicatricule** [ˈsɪkətrɪkjuːl] *n.* **1.** *biol.* blizenka (*na żółtku*). **2.** *bot.* = **cicatrice.** **3.** *med.* znamię.

cicatrix [ˈsɪkətrɪks] *n. pl.* **-ices** = **cicatrice.**

cicatrization [ˌsɪkətrəˈzeɪʃən] *n. U form.* bliznowacenie.

cicatrize [ˈsɪkəˌtraɪz] *v.* **1.** zabliźniać się. **2.** pokrywać się bliznami.

cicely [ˈsɪsəlɪ] *n. bot.* marchewnik (*Myrrhis*).

cicerone [ˌtʃɪtʃəˈrounɪ] *n. pl.* **-es** *l.* **-i** [ˌtʃɪtʃəˈrouniː] *lit.* cicerone, przewodnik.

Ciceronian [ˌsɪsəˈrounɪən] *a.* cyceroński (*zwł. o stylu*). – *n.* badacz/ka *l.* wielbiciel/ka Cycerona.

cider [ˈsaɪdər] *n. U* **1.** *Br.* cydr, jabłecznik. **2.** (*także* **apple/sweet ~**) *US* napój jabłkowy (*bezalkoholowy*).

cider press *n.* tłocznia do jabłek.

cider vinegar *n. U* ocet jabłkowy.

cig [sɪg] *n.* = **ciggy.**

cigar [sɪˈgɑːr] *n.* **1.** cygaro. **2. no ~** *US pot.* nic z tego.

cigar band *n.* banderola.

cigarette [ˌsɪgəˈret], *US cz.* **cigaret** *n.* papieros.

cigarette butt, *Br.* **cigarette end** *n.* niedopałek.

cigarette case *n.* papierośnica.

cigarette factory *n.* wytwórnia *l.* fabryka papierosów.

cigarette holder *n.* cygarniczka.

cigarette lighter *n.* zapalniczka.

cigarette machine *n.* automat z papierosami (*na monety*).

cigarette paper *n.* bibułka papierosowa.

cigar holder *n.* cygarniczka.

cigarillo [ˌsɪgəˈrɪlou] *n. pl.* **-s** cygaretka.

cigar-shaped [sɪˌgɑːrˈʃeɪpt] *a.* w kształcie cygara.

cigar-store [sɪˈgɑːrˌstɔːr] *n. US* sklep z cygarami i akcesoriami z nimi związanymi.

ciggy [ˈsɪgɪ] *n. pl.* **-ies** *Br. pot.* fajka, szlug.

cilantro [sɪˈlæntrou] *n. U* (*także* **coriander**) *US bot., kulin.* kolendra (*Coriandrum*).

cilia [ˈsɪlɪə] *n. pl. zob.* **cilium.**

ciliary [ˈsɪlɪˌerɪ] *a. anat.* **1.** rzęskowy. **2.** rzęsowy.

ciliary body *n. anat.* ciało rzęskowe.

ciliary muscle *n. anat.* mięsień rzęskowy.

ciliary processes *n. pl. anat.* wyrostki rzęskowe.

ciliary ring *n. anat.* obrączka rzęskowa.

ciliate [ˈsɪliːɪt], **ciliated** [ˈsɪliːeɪtɪd] *a. anat.* urzęsiony, posiadający rzęski.

ciliation [ˌsɪlɪˈeɪʃən] *n. U* urzęsienie.

cilice [ˈsɪlɪs] *n. gł. hist.* włosiennica; *U* materiał na włosiennice.

cilium [ˈsɪlɪəm] *n. pl.* **-a** [ˈsɪlɪə] **1.** *anat.* rzęsa (*na powiece*). **2.** *zw. pl. bot., zool.* rzęski.

C-in-C [ˌsiːɪnˈsiː] *abbr.* = **commander in chief.**

cinch [sɪntʃ] *n.* **1.** *US i Can.* popręg. **2.** *sing. pot.* pestka, łatwizna. **3.** *sing. pot.* rzecz murowana; pewniak. – *v.* **1. ~ up** *US i Can.* zacisnąć popręg (*koniowi*). **2.** zacisnąć pasek wokół. **3.** *pot.* zagwarantować sobie.

cinchona [sɪnˈkounə] *n.* **1.** *bot.* drzewo chinowe, chinowiec (*Cinchona*). **2.** *U* (*także* **~ bark**) kora chinowa. **3.** *U med.* chinina.

cinchonaceous [ˌsɪnkəˈneɪʃəs] *a. bot.* chinowy.

cinchonine [ˈsɪnkəˌniːn] *n. U chem.* cynchomina.

cinchonize [ˈsɪnkəˌnaɪz] *v.* nasycać chininą.

cincture [ˈsɪŋktʃər] *lit. n.* pas. – *v. t. przen.* opasywać.

cinder [ˈsɪndər] *n.* **1.** żarzący się węgiel; *pl.* żar. **2.** *zw. pl.* popiół; **spread ~s** rozrzucać popiół (*np. na ośnieżoną jezdnię*). **3.** *US* popiół przemysłowy, żużel. **4. burnt to a ~** *przen.* spalony na popiół *l.* węgiel. – *v. rzad.* spalać na żużel *l.* popiół.

cinder block *n. US* cegła z żużlobetonu.

Cinderella [ˌsɪndəˈrelə] *n.* Kopciuszek; *przen.* kopciuszek.

cinder track *n.* tor żużlowy.

cine-camera [ˈsɪnɪˌkæmərə] *n. Br.* kamera filmowa.

cine-film [ˈsɪnɪˌfɪlm] *n. U Br.* taśma filmowa.

cinema [ˈsɪnəmə] *n. gł. Br.* **1.** kino; **go to the ~** chodzić do kina. **2.** *U l. sing.* kinematografia; sztuka filmowa.

cinematheque [ˈsɪnɪməˌtek] *n.* filmoteka, archiwum filmowe.

cinematic [ˌsɪnəˈmætɪk] *a.* kinowy; filmowy.

cinematize [ˈsɪnəməˌtaɪz], **cinematise** *v. Br.* sfilmować, zaadaptować (*dla potrzeb kina*).

cinematograph [ˌsɪnəˈmætəˌgræf] *n. gł. Br. hist.* kinematograf.

cinematographer [ˌsɪnəməˈtɑːgrəfər] *n.* operator filmowy.

cinematographic [ˌsɪnəˌmætəˈgræfɪk] *a.* kinematograficzny, filmowy.

cinematographically [ˌsɪnəˌmætəˈgræfɪklɪ] *adv.* kinematograficznie.

cinematography [ˌsɪnəməˈtɑːgrəfɪ] *n. U* kinematografia.

cinephile [ˈsɪnɪˌfaɪl] *n. form.* kinoman/ka.

cineplex [ˈsɪnɪpleks] *n. gł. US* multikino.

cinerama [ˌsɪnəˈrɑːmə] *n.* cinerama, kinopanorama (= *szeroki ekran*).

cineraria [ˌsɪnəˈrerɪə] *n. bot.* (*także* **common ~**) starzec purpurowy, cyneraria, popielnik (*Senecio cruentus*).

cinerarium [ˌsɪnəˈrerɪəm] *n. pl.* **-ums** *l.* **-a** [ˌsɪnəˈrerɪə] miejsce przechowywania urn z prochami zmarłych.

cinerary urn *n.* cinerarium, urna (*na prochy*).

cinereous [sɪˈniːrɪəs], **cineritious** [ˌsɪnəˈrɪʃəs] *a. form.* popielaty (*zwł. o upierzeniu*).

cingulum [ˈsɪŋgjələm] *n. pl.* **-a** [ˈsɪŋgjələ] *anat.* **1.** obręcz (*pasa kończyn l. półkuli mózgu*). **2.** zgrubienie szkliwa (*okolicy szyjki zęba*).

cinnabar [ˈsɪnəˌbɑːr] *n.* **1.** *U* cynober, siarczan rtęci. **2.** (*także* **~ moth**) *ent.* marzymłódka proporzec (*Thyria jacobaeae*). – *a. attr.* jasnoczerwony; cynobrowy.

cinnamate [ˈsɪnəˌmeɪt] *n. chem.* cynamonian.

cinnamic [sɪ'næmɪk], **cinnamonic** [ˌsɪnə'mɑ:nɪk] *a. chem.* cynamonowy.

cinnamon ['sɪnəmən] *n.* **1.** *U kulin.* cynamon. **2.** *U* kolor cynamonowy. **3.** *bot.* cynamonowiec (*Cinnamomum*).

cinnamon bear *n. US zool.* rudobrązowa odmiana amerykańskiego niedźwiedzia czarnego.

cinnamonic [ˌsɪnə'mɑ:nɪk] *a.* = **cinnamic.**

cinque [sɪŋk] *n.* piątka (*w kościach l. kartach*); pięć (*na kostce do gry*).

cinquefoil ['sɪŋkˌfɔɪl] *n.* **1.** *bot.* pięciornik (*Potentilla*). **2.** *bud.* rozeta pięciolistna.

cion ['saɪən] *n.* = **scion.**

cipher ['saɪfər], **cypher** *n.* **1.** szyfr; **break a ~** złamać szyfr; **in ~** szyfrem. **2.** (*także* **~-key**) klucz do szyfru. **3.** monogram. **4.** *lit.* zero. **5.** *przen.* pionek. **6.** cyfra arabska. **7.** *Br.* zacięcie się klawisza organowego. – *v.* **1.** szyfrować. **2.** liczyć. **3.** *Br.* dźwięczeć (*o nucie; wskutek zacięcia się organu*). **4. ~ out** *US pot.* kalkulować.

cipolin ['sɪpəlɪn] *n. U* cipolino (*włoski marmur białozielony*).

cir. *abbr.* **1.** ok. (= *około*). **2. circular** okólnik.

circ. *abbr.* **1.** ok. (= *około*). **2.** obw. (= *obwód*). **3. circular** okólnik. **4. circulation** nakład.

circa ['sɝ:kə] *adv. i prep.* około (roku).

circadian [ˌsɝ:kə'dɪən] *a. attr. fizj.* całodobowy.

circinate ['sɝ:səˌneɪt] *a.* **1.** *bot.* zwinięty pastorałowato *l.* ślimakowato (*np. o liściu paproci*). **2.** *anat.* obrączkowy.

circle ['sɝ:kl] *n.* **1.** *t. geom.* koło. **2.** *t. geom.* okrąg. **3.** *t. przen.* krąg, koło; sfera; **~ of friends** krąg przyjaciół; **move in different ~s** obracać się w różnych kręgach; **political/ruling ~s** koła *l.* kręgi polityczne/rządzące; **well-informed ~s** koła dobrze poinformowane; **wide ~ of influence** szeroka sfera wpływów. **4.** cykl. **5.** (*także* **dress ~**) *teatr* balkon. **6.** *astron.* orbita. **7.** *archeol.* kromlech, krąg kamienny. **8.** pierścień. **9.** korona; diadem. **10. polar ~** krąg polarny, koło podbiegunowe. **11. traffic ~** *US* rondo. **12. vicious ~** *log. l. przen.* błędne koło. **13.** *przen. pot.* **come/turn full ~** wrócić do punktu wyjścia; **go/run around in ~s** kręcić się w kółko; dreptać w miejscu; **have ~s around/under the eyes** mieć podkrążone oczy; **(attempt/try to) square the ~** porywać się z motyką na słońce. – *v.* **1.** okrążać, zataczać koło *l.* koła wokół. **2.** brać w kółko, zaznaczać kółkiem. **3.** otaczać. **4.** krążyć (*wokół stołu, np. o winie*). **5. ~ the wagons** *US pot.* jednoczyć się w obronie wspólnego interesu. **6. ~ about/around sb/sth** krążyć wokół kogoś/czegoś (*t. jakiegoś tematu*); **~ over sth** krążyć *l.* zataczać koła nad czymś (*zwł. o samolocie*).

circlet ['sɝ:klət] *n.* **1.** kółko. **2.** *biżuteria* obręcz, opaska (*zwł. na głowę*).

circlip ['sɝ:klɪp] *n. Br.* pierścień sprężynujący zabezpieczający; zatrzask pierścieniowy.

circs [sɝ:ks] *n. pl. Br. pot.* = **circumstances.**

circuit ['sɝ:kət] *n.* **1.** obieg; **the Earth's ~ around the Sun** obieg ziemi wokół słońca. **2.** *el.* obwód; **short ~** krótkie spięcie; **printed ~** obwód drukowany. **3.** objazd. **4.** runda, okrążenie. **5.** *Br.* tor wyścigowy (*samochodowy l. motorowy; zw. o nieregularnym kształcie*). **6.** *Br. sport* seria rozgrywek. **7.** *Br. prawn.* obwód sądowy (*jeden z sześciu w Anglii*); podróż objazdowa sędziego; adwokaci sesji objazdowej. **8.** zespół teatrów *l.* kin pod wspólnym zarządem. **9.** *kośc. metodystów* okręg.

circuit board *n. komp., el.* płytka montażowa.

circuit breaker *n. el.* **1.** wyłącznik (*automatyczny*). **2.** przerywacz prądu.

circuit closer *n. el.* wyłącznik.

circuit court *n. prawn.* **1.** sąd objazdowy. **2.** sąd okręgowy.

circuitous [sər'kju:ətəs] *a. t. przen.* okrężny.

circuitously [sər'kju:ətəslɪ] *adv.* okrężnie, okrężną drogą.

circuit rider, circuit-preacher *n. US* wędrowny kaznodzieja (*odwiedzający wiejskie okręgi kościoła metodystów*).

circuitry ['sɝ:kətrɪ] *n. U el.* zespół obwodów elektrycznych.

circular ['sɝ:kjələr] *a.* **1.** okrągły. **2.** *t. przen.* okrężny. **3.** *przen.* kręcący się w kółko, powracający do punktu wyjścia, mający charakter błędnego koła (*o dyskusji, wywodzie*). – *n.* **1.** okólnik. **2.** ulotka reklamowa.

circular argument *n. t. log.* błędne koło.

circularity [ˌsɝ:kjə'lerətɪ] *n. U* **1.** okrągłość. **2.** *przen.* błędność (*zwł. wywodu logicznego*); *C* błędne koło.

circularize ['sɝ:kjələˌraɪz], *Br. i Austr. zw.* **circularise** *v.* **1.** wysyłać okólniki *l.* ulotki do. **2.** ankietować (*kogoś*).

circular letter *n.* okólnik.

circular saw *n. techn.* piła tarczowa.

circulate ['sɝ:kjəˌleɪt] *v.* **1.** krążyć (*t. o krwi*); być w obiegu, cyrkulować; obiegać. **2.** puszczać w obieg; rozprowadzać; rozpowszechniać (*zwł. informacje*). **3.** krążyć, kursować (*między gośćmi na przyjęciu*). **4.** *gł. US bibl.* wypożyczać (*książki*); być wypożyczanym (*o książkach*). **5.** *gł. US pot.* podróżować. **6.** *mat.* = **recur.**

circulating capital *n. U fin.* kapitał obrotowy.

circulating decimal *n. mat.* ułamek okresowy.

circulating library *n.* wypożyczalnia książek (*część biblioteki publicznej*).

circulating medium *n. fin.* środek płatniczy.

circulating pump *n. techn.* pompa obiegowa *l.* cyrkulacyjna.

circulation [ˌsɝ:kjə'leɪʃən] *n. U* **1.** *fizj.* krążenie (krwi). **2.** obieg (*pieniędzy, wody*); **be in ~** być w obiegu; *przen. pot.* bywać w towarzystwie; **be out of ~** być poza obiegiem; *przen. pot.* wypaść z obiegu; **withdraw sth from ~** wycofać coś z obiegu. **3.** rozchodzenie się (*wiadomości, informacji*). **4.** nakład (*zwł. gazet*); kolportaż. **5.** *fin.* całkowita suma pieniędzy w obiegu. **6.** *gł. US bibl.* wypożyczenie książki; liczba książek wypożyczonych w danym okresie.

circulation desk *n. gł. US bibl.* wypożyczalnia; stanowisko wypożyczania książek.

circulative ['sɝ:kjələtɪv] *a.* **1.** mający tendencję do krążenia. **2.** pobudzający obieg.

circulator ['sɝ:kjəˌleɪtər] *n.* osoba puszczająca w obieg *l.* rozpowszechniająca (*nowości, monetę*).

circulatory [ˈsɜ:kjələˌtɔ:rɪ] *a. attr.* krążeniowy (*zwł. o krwi l. sokach roślinnych*).

circulatory system *n. anat., zool.* układ krążenia.

circumambient [ˌsɜ:kəmˈæmbɪənt] *a. attr. lit.* otaczający (*zwł. o powietrzu l. wodzie*).

circumambulate [ˌsɜ:kəmˈæmbjəˌleɪt] *v. form.* **1.** wędrować; przechadzać się (dookoła). **2.** *przen.* owijać w bawełnę.

circumambulatory [ˌsɜ:kəmˌæmbjəˈlætərɪ] *a.* **1.** wędrowny. **2.** *przen.* wymijający (*zwł. o odpowiedzi*).

circumcircle [ˈsɜ:kəmˌsɜ:kl] *n. geom.* okrąg opisany.

circumcise [ˈsɜ:kəmˌsaɪz] *v.* **1.** obrzezać, dokonać obrzezania. **2.** usunąć łechtaczkę.

circumcision [ˌsɜ:kəmˈsɪʒən] *n. U* **1.** obrzezanie; usunięcie łechtaczki. **2.** *rz.-kat.* święto Obrzezania Pańskiego (*1 stycznia*).

circumference [sərˈkʌmfərəns] *n. geom.* **1.** okrąg. **2.** *t. geom.* obwód; **two inches in ~** dwa cale w obwodzie.

circumferential [sərˌkʌmfəˈrenʃl] *a.* obwodowy.

circumflex [ˈsɜ:kəmˌfleks] *n.* **1.** cyrkumfleks (= *znak ^ np. w ê*). **2.** (*także* **~ accent**) *fon.* cyrkumfleks (= *akcent o złożonym przebiegu melodycznym*). – *a. fon.* **1.** cyrkumfleksowy (*o akcencie, intonacji*). **2.** *anat.* okalający (*o nerwach l. naczyniach krwionośnych*).

circumfluent [sərˈkʌmfluənt] *a. form.* opływający; otaczający.

circumfluous [sərˈkʌmfluəs] *a. form.* **1.** opływający. **2.** otoczony wodą.

circumfuse [ˌsɜ:kəmˈfju:z] *v. form.* **~ sth with sth** oblewać *l.* obsypywać coś czymś; **~ sth around/about sth** rozlewać *l.* rozsypywać coś wokół czegoś.

circumfusion [ˌsɜ:kəmˈfju:ʒən] *n. U form.* oblewanie; obsypywanie.

circumjacent [ˌsɜ:kəmˈdʒeɪsənt] *a. przest.* otaczający.

circumlocution [ˌsɜ:kəmloʊˈkju:ʃən] *n.* **1.** *ret.* peryfraza, omówienie. **2.** *U form.* mówienie nie wprost.

circumlocutory [ˌsɜ:kəmˈlɑ:kjəˌtɔ:rɪ] *n. form.* ogólnikowy.

circumlunar [ˌsɜ:kəmˈlu:nər] *a. astron.* okołoksiężycowy (*np. o orbicie*).

circumnavigate [ˌsɜ:kəmˈnævəˌgeɪt] *v. form.* **1.** opływać (*kulę ziemską, wyspę*). **2.** *przen. czas. żart.* omijać (*przeszkody, kałuże*); obchodzić (*przepisy*).

circumnavigation [ˌsɜ:kəmˌnævəˈgeɪʃən] *n. C/U form.* opłynięcie.

circumpolar [ˌsɜ:kəmˈpoʊlər] *a. geogr.* okołobiegunowy.

circumscribe [ˌsɜ:kəmˈskraɪb] *v. form.* **1.** ograniczać; wyznaczać granice *l.* zakres (*czegoś*); określać (*pojęcie*). **2.** *geom.* opisywać okrąg na. **3.** podpisywać dookoła (*np. petycję, dla zatarcia kolejności*).

circumscription [ˌsɜ:kəmˈskrɪpʃən] *n. form.* **1.** *U* wyznaczenie granic; określenie (*pojęcia*). **2.** *U geom.* opisanie. **3.** rejon, okręg (*o dokładnie określonych granicach*). **4.** napis w otoku (*monety, pieczęci*).

circumsolar [ˌsɜ:kəmˈsoʊlər] *a. astron.* okołosłoneczny.

circumspect [ˈsɜ:kəmˌspekt] *a.* ostrożny; rozważny.

circumspection [ˌsɜ:kəmˈspekʃən] *n. U* ostrożność; rozwaga.

circumspective [ˌsɜ:kəmˈspektɪv] *a. attr.* ostrożny; rozważny.

circumspectly [ˈsɜ:kəmˌspektlɪ] *adv.* ostrożnie; rozważnie.

circumstance [ˈsɜ:kəmˌstæns] *n.* **1.** *zw. pl.* okoliczności; warunki; sytuacja; **~s alter cases** wszystko zależy od okoliczności; **~s beyond our control** okoliczności od nas niezależne; **extenuating ~s** okoliczności łagodzące; **favorable/unfavorable ~s** sprzyjające/niesprzyjające okoliczności; **in mysterious/suspicious ~s** w tajemniczych/podejrzanych okolicznościach; **under/in no ~s** w żadnym wypadku; **under/in the ~s** w tej sytuacji. **2.** *zw. pl.* warunki materialne, sytuacja materialna. **3.** *U* splot wydarzeń; los; **by force of ~** z konieczności; **victim of ~** ofiara nieszczęśliwego zbiegu wydarzeń. **4.** *U* **of no ~** *form.* nieważny, nieistotny; **pomp and ~** *lit.* wielka parada. – *v.* **1.** umieszczać, sytuować (*w danych warunkach*); **be well ~d** być dobrze sytuowanym. **2.** *przest.* szczegółowo podać, wyszczególnić.

circumstantial [ˌsɜ:kəmˈstænʃl] *a.* **1.** *form.* szczegółowy. **2.** przypadkowy; *zwł. prawn.* poszlakowy.

circumstantial evidence *n. U prawn.* poszlaki.

circumstantiality [ˌsɜ:kəmˌstænʃɪˈælətɪ] *n. U* **1.** szczegółowy charakter. **2.** przypadkowość.

circumstantially [ˌsɜ:kəmˈstænʃəlɪ] *adv.* **1.** szczegółowo. **2.** przypadkowo.

circumterrestrial [ˌsɜ:kəmtəˈrestrɪəl] *a. astron.* okołoziemski (*zwł. o orbicie*).

circumvallate [ˌsɜ:kəmˈvæleɪt] *v. wojsk., gł. hist.* obwałować. – *a.* **1.** obwałowany. **2.** *poet.* otoczony.

circumvallation [ˌsɜ:kəmvəˈleɪʃən] *n. wojsk.* cyrkumwalacja, obwałowanie; **line of ~** linia umocnień, wał fortyfikacyjny.

circumvent [ˌsɜ:kəmˈvent] *v. form.* **1.** obchodzić, omijać, zwł. przepisy. **2.** przechytrzyć, podejść (*t. dosł.; np. obozowisko wroga w celu wzięcia zakładników*).

circumvention [ˌsɜ:kəmˈvenʃən] *n. U form.* przebiegłość, podstęp.

circumvolution [ˌsɜ:kəmvəˈlu:ʃən] *n. U form.* **1.** okręcanie, obracanie. **2.** skręcanie się, zwijanie się; ruch obrotowy. **3.** *C* pełen obrót.

circus [ˈsɜ:kəs] *n. pl.* **-es** **1.** *t. przen.* cyrk; **flying ~** grupa wędrownych akrobatów. **2.** *t. hist.* amfiteatr. **3.** *lotn.* eskadra samolotów (*wykonujących akrobacje*). **4.** *sing. Br.* (*zwł. w nazwach*) plac (*okrągły, z wychodzącymi nań ulicami*); **Piccadilly C~** Plac Piccadilly. – *a. attr.* **1.** cyrkowy; **~ act/ring** sztuczka/arena cyrkowa. **2.** *przen.* hałaśliwy; dziki, nieokiełznany (*o zachowaniu, atmosferze*).

circussy [ˈsɜːkəsɪ] *a.* cyrkowy, przypominający cyrk.

cirque [sɜːk] *n.* **1.** *geol.* cyrk. **2.** *poet.* koło.

cirrate [ˈsɪreɪt] *a.* = **cirrose** 2.

cirrhosis [sɪˈroʊsɪs] *n. U pat.* marskość wątroby.

cirrhotic [sɪˈrɑːtɪk] *a. pat.* marski.

cirriped [ˈsɪrəˌped] *n. zool.* wąsonóg.

cirro-cumulus [ˌsɪroʊˈkjuːmjələs] *n. U l. pl.* **-cumuli** chmura pierzasto-kłębiasta.

cirrose [ˈsiːroʊs], **cirrous** [ˈsɪrəs] *a.* **1.** *meteor.* pierzasty. **2.** (*także* **cirrate**) *biol.* posiadający wici *l.* wąsy (*np. czepne*).

cirro-stratus [ˌsɪroʊˈstreɪtəs] *n. U l. pl.* **-strati** chmura warstwowo-pierzasta.

cirrus [ˈsɪrəs] *n.* **1.** *U meteor.* chmura pierzasta. **2.** *pl.* **cirri** *biol.* wąs, wić.

CIS [ˌsiː ˌaɪ ˈes] *abbr. polit.* **Commonwealth of Independent States** WNP (= *Wspólnota Niepodległych Państw*).

cisalpine [sɪsˈælpaɪn] *a. form.* południowoalpejski (*z punktu widzenia Rzymu = znajdujący się po tej samej stronie Alp*).

cisatlantic [ˌsɪsətˈlæntɪk] *a. form.* znajdujący się po tej samej stronie Atlantyku (*co mówiący l. piszący*).

cislunar [sɪsˈluːnər] *a. astron.* dotyczący obszaru wewnątrz orbity księżyca.

cissus [ˈsɪsəs] *n. bot.* cissus, winnik (*Cissus*).

cissy [ˈsɪsɪ] *n. i a.* = **sissy**.

cist [sɪst] *n. archeol.* miejsce pochówku w kształcie skrzyni (*grota skalna l. wyrzeźbiony pień drzewa*).

Cistercian [sɪˈstɜːʃən] *n. kośc.* cyster-s/ka. – *a.* cysterski.

cistern [ˈsɪstərn] *n.* **1.** *t. anat.* cysterna, zbiornik. **2.** podziemny zbiornik na wodę deszczową.

cistron [ˈsɪstrən] *n. biochem.* cistron (= *najmniejsza jednostka czynnościowa mechanizmu dziedziczności*).

cit. *abbr.* **1. citation** cyt. (= *cytat*); **cited** cytowany. **2.** = **citizen**.

citable [ˈsaɪtəbl] *a.* = **citeable**.

citadel [ˈsɪtədl] *n. t. przen.* cytadela; przyczółek; **the last ~ of freedom** ostatni przyczółek wolności.

citation [saɪˈteɪʃən] *n.* **1.** cytat; przytoczenie. **2.** zaszczytna wzmianka. **3.** *zwł. wojsk.* oficjalna pochwała (*w formie przemówienia l. listu*). **4.** *gł. US prawn.* pozew, wezwanie. **5.** *prawn.* odwołanie się (*do poprzedniej sprawy*).

cite [saɪt] *v.* **1.** cytować, przytaczać (*jako dowód, przykład l. powód*). **2.** *prawn.* pozywać, wzywać (*przed sąd*). **3.** *US* wymieniać (*w komunikacie urzędowym*). **4.** *form.* udzielać pochwały (*for sth* za coś).

citeable [ˈsaɪtəbl] *a.* dający się zacytować *l.* przytoczyć.

cither [ˈsɪθər], **cithern** [ˈsɪθərn], **cittern** [ˈsɪtərn] *n. muz.* cytra; *hist.* cytara.

citified [ˈsɪtɪˌfaɪd] *a. form. zw. uj.* żyjący, zachowujący się *l.* ubierający się na sposób (wielko)miejski; **become ~** przejmować wielkomiejskie zwyczaje *l.* sposób życia (*o ludziach l. małych miejscowościach*).

citizen [ˈsɪtɪzən] *n.* **1.** obywatel/ka; **~ of the world** obywatel świata; **second-class ~** obywatel drugiej kategorii; **senior ~** *euf.* emeryt/ka. **2.** mieszkan-iec/ka (*miasta*). **3.** cywil, osoba cywilna.

citizenry [ˈsɪtɪzənrɪ] *n. U* ogół obywateli.

citizen's arrest *n. prawn.* aresztowanie przez osobę cywilną; **make a ~** doprowadzić przestępcę na posterunek policji (*o osobie cywilnej*).

citizens band, Citizens' Band, CB *n. U radio* pasmo fal krótkich wykorzystywanych w radiu CB; (*także* **~ radio**) radio CB.

citizenship [ˈsɪtɪzənˌʃɪp] *n. U* obywatelstwo; **dual ~** podwójne obywatelstwo.

citole [ˈsɪtoʊl] *n. rzad.* = **cittern**.

citral [ˈsɪtrəl] *n. U chem.* cytral.

citrate [ˈsɪtreɪt] *n. chem.* cytrynian.

citric [ˈsɪtrɪk] *a. t. chem.* cytrynowy.

citric acid *n. U chem.* kwas cytrynowy.

citriculture [ˈsɪtrəˌkʌltʃər] *n. U* uprawa drzew cytrusowych.

citrine [ˈsɪtriːn] *n. U* **1.** kolor cytrynowy. **2.** (*także* **~ quartz**) *min.* cytryn.

citron [ˈsɪtrən] *n.* **1.** *bot.* cytron, cedrat (*Citrus medica*). **2.** owoc cytronu.

citronella [ˌsɪtrəˈnelə] *n.* **1.** (*także* **~ grass**) *bot.* cytronela szczetna, palczatka szczetna (*Cymbopogon nardus*). **2.** *U* (*także* **~ oil**) olejek z cytroneli (*wykorzystywany w przemyśle spożywczym i perfumeryjnym*).

citrus [ˈsɪtrəs] *n. pl.* **-es** (*także* **~ fruit**) cytrus, owoc cytrusowy; (*także* **~ tree**) cytrus, drzewo cytrusowe. – *a. attr.* (*także* **citrous**) *bot.* cytrusowy.

cittern [ˈsɪtərn] *n.* = **cithern**.

city [ˈsɪtɪ] *n. pl.* **-ies** miasto (*zw. duże*); **capital ~** miasto stołeczne; **Eternal C~** Wieczne Miasto (= *Rzym*); **the C~** (*także* **the C~ of London**) City (*londyńskie*).

city bus *n.* autobus miejski.

city center, *Br.* **city centre** *n.* centrum (*miasta*).

city council *n.* rada miejska.

city desk *n. dzienn.* **1.** *US i Can.* dział miejski. **2.** *Br.* dział finansowy.

city dweller *n.* mieszkan-iec/ka miasta.

city editor *n. dzienn.* **1.** *US i Can.* redaktor/ka działu miejskiego. **2.** *Br.* redaktor/ka działu finansowego.

city fathers *n. pl. przest.* ojcowie miasta (= *członkowie zarządu miasta*).

city gent *n. Br. pot.* biznesmen (*zwł. z londyńskiego City*).

city hall *n. gł. US* **1.** ratusz miejski. **2.** *U* (*także* **City Hall**) władze miasta.

city limits *n. pl. US* granice miasta.

city-man [ˈsɪtɪˌmæn] *n. pl.* **-men** **1.** obywatel; mieszkaniec miasta. **2.** (*także* **City-man**) handlowiec; finansista (*zwł. z londyńskiego City*).

city manager *n. US* administrator, zarządca (*w niektórych miastach USA*).

city page *n. dzienn.* **1.** *US* kronika miejska *l.*

lokalna. **2.** *Br.* informacja finansowa i gospodarcza.

city planning *US n. U* planowanie przestrzenne (miasta), planowanie urbanistyczne.

cityscape [ˈsɪtɪˌskeɪp] *n.* krajobraz miejski.

city slicker *n. pot. uj.* mieszczuch.

city-state [ˈsɪtɪˌsteɪt] *n. hist.* miasto-państwo.

citywide [ˈsɪtɪˌwaɪd] *a. zwł. US* obejmujący całe miasto.

Civ. *abbr.* **1.** = **civil** 2, 3. **2.** = **civilian**.

civet [ˈsɪvɪt] *n.* **1.** (*także* ~ **cat**) *zool.* gatunek wiwery (*Viverra civetta*). **2.** *U* wydzielina z gruczołów wiwery używana w przemyśle perfumeryjnym.

civic [ˈsɪvɪk] *a. attr.* **1.** miejski (*np. o władzach*). **2.** obywatelski (*o dumie, obowiązkach*).

civic centre *n. Br.* część miasta, w której znajdują się siedziby władz miejskich, obiekty rekreacyjne i inne budynki użyteczności publicznej.

civics [ˈsɪvɪks] *n. U zwł. US szkoln.* wychowanie obywatelskie, wiedza o społeczeństwie.

civil [ˈsɪvl] *a. attr.* **1.** cywilny (*o władzy, prawie*). **2.** obywatelski (*o swobodach, prawach*); społeczny (*o konfliktach*); domowy (*o wojnie*). **3.** uprzejmy (*w formalny sposób*); **keep a ~ tongue in your head!** zachowuj się przyzwoicie!; **not have a ~ word to say for sb** nie potrafić o kimś powiedzieć dobrego słowa.

civil aviation *n. U* lotnictwo cywilne.

civil commotion *n. Br. prawn.* zamieszki, rozruchy.

civil court *n. prawn.* sąd cywilny.

civil death *n. U US* całkowite pozbawienie praw obywatelskich.

civil defence *n. U* obrona cywilna.

civil disobedience *n. U* nieposłuszeństwo obywatelskie.

civil engineer *n.* inżynier budownictwa wodno-lądowego.

civil engineering *n. U* inżynieria wodno-lądowa.

civilian [sɪˈvɪljən] *n.* **1.** cywil. **2.** *prawn.* cywilist-a/ka. – *a. attr.* cywilny; ~ **population** ludność cywilna.

civility [sɪˈvɪlətɪ] *n.* **1.** *U* uprzejmość; **have the ~ to do sth** mieć na tyle przyzwoitości, żeby coś zrobić. **2.** *pl. form.* uprzejmości; **exchange civilities** wymienić uprzejmości.

civilization [ˌsɪvələˈzeɪʃən], *Br. i Austr. zw.* **civilisation** *n.* **1.** cywilizacja. **2.** *U* cywilizowanie się.

civilize [ˈsɪvəˌlaɪz], *Br. i Austr. zw.* **civilise** *v. t. żart.* cywilizować.

civilized [ˈsɪvəˌlaɪzd], *Br. i Austr. zw.* **civilised** *a.* **1.** cywilizowany. **2.** uprzejmy, kulturalny. **3.** *gł. Br.* przyjemny, miły; **this is very ~** bardzo tu przyjemnie.

civil law *n. U prawn.* prawo cywilne.

civil liberties *n. pl.* wolności *l.* swobody obywatelskie.

civil list, Civil List *n. sing. Br.* lista płac członków rodziny królewskiej (*zatwierdzana przez Parlament*).

civilly [ˈsɪvəlɪ] *adv.* **1.** w sposób obywatelski. **2.** cywilnie (= *zgodnie z prawem cywilnym*). **3.** uprzejmie, kulturalnie.

civil marriage *n.* ślub cywilny.

civilness [ˈsɪvlnəs] *n. U rzad.* uprzejmość.

civil rights, civil-rights *n. pl.* prawa obywatelskie.

civil servant *n.* urzędnik administracji państwowej, urzędnik państwowej służby cywilnej.

Civil Service *n. U* **the ~** administracja państwowa, państwowa służba cywilna.

civil war *n.* wojna domowa.

civil year *n.* rok kalendarzowy.

civvies [ˈsɪvɪz], **civies** *n. pl. sl.* ubranie cywilne.

civvy [ˈsɪvɪ] *n. Br. sl. gł. wojsk. itp.* **1.** cywil. **2.** ~ **street** życie w cywilu (*w odróżnieniu od życia w wojsku*).

CJ [ˌsiː ˈdʒeɪ] *abbr.* **Chief Justice** sędzia główny; prezes sądu.

CJD [ˌsiː ˌdʒeɪ ˈdiː] *abbr. U* **Creutzfeldt-Jakob disease** *pat.* choroba Creutzfeldta-Jakoba.

ck. *abbr.* **check** sprawdzać.

cl *abbr.* = **centilitre.**

clabber [ˈklæbər] *n. U gł. US* zsiadłe mleko. – *v.* zsiadać się (*o mleku*).

clack [klæk] *n.* **1.** *zw. sing.* stukot; klekot. **2.** *U przen.* trajkotanie; *uj.* kłapanie jęzorem. **3.** (*także* **~-valve**) klapa (*w pompie itp.*), zawór; wieko. – *v.* **1.** stukotać; klekotać. **2.** *przen.* trajkotać.

clad [klæd] *a. pred. lit. l. form.* **1.** odziany, przyodziany, przyobleczony (*in sth* w coś); **scantily ~** skąpo odziany; **warmly ~** ciepło ubrany; *zob. t.* **clothe**. **2.** *w złoż.* **armor-~** opancerzony; **snow-/heather-/ivy-~** pokryty śniegiem/wrzosem/bluszczem.

claim [kleɪm] *v.* **1.** żądać, domagać się; ubiegać się o; żądać zwrotu; zgłaszać się po (*np. zgubę*); ~ **benefit/an allowance** ubiegać się o zasiłek; ~ **damages** żądać odszkodowania; ~ **expenses** zażądać zwrotu wydatków; ~ **on the insurance** złożyć wniosek o odszkodowanie (z tytułu ubezpieczenia). **2.** ~ **(that)** twierdzić *l.* utrzymywać, że; ~ **innocence** utrzymywać, że jest się niewinnym; ~ **responsibility for sth** twierdzić, że jest się za coś odpowiedzialnym, przyznawać się do czegoś (*np. do zamachu terrorystycznego*); ~ **to have done sth** twierdzić, że się coś zrobiło; **I don't ~ to be (an expert on...)** *pot.* nie uważam się za (eksperta od...), nie twierdzę, że jestem (ekspertem od...); **sb ~s credit for sth** ktoś przypisuje sobie coś, ktoś twierdzi, że coś jest jego zasługą. **3.** ~ **lives** pochłaniać ofiary (*o wojnie, kataklizmie*); **the hurricane ~ed 300 lives** huragan pochłonął 300 ofiar. **4.** ~ **sb's attention** zasługiwać na czyjąś uwagę (*o kwestii, problemie*). – *n.* **1.** żądanie (*czegoś należnego*); roszczenie; **pay ~s** roszczenia płacowe; **meet sb's ~s** zaspokoić czyjeś roszczenia; **put in/make a ~ on the insurance** złożyć wniosek o odszkodowanie (z tytułu ubezpieczenia); **put in/submit a ~ for travelling expenses** ubiegać się o zwrot kosztów podróży. **2.** prawo ~ **to fame** powód do dumy; **have a ~ on/to sth** mieć prawo do czegoś; **have no ~s on sb** nie mieć (żądnego) prawa do kogoś (*zwł. do czyichś pieniędzy*); **lay ~/stake a ~ to sth** rościć sobie prawo *l.* pretensje do czegoś. **3.** twierdzenie; **dispute a ~** polemizować z twierdzeniem; **I make no ~ to (do sth)/to be...** nie twierdzę *l.* nie udaję, że potrafię (zrobić coś)/że jestem... **4.** *gł. US* (*także* **mining ~**) działka (*zwł. górnicza*); **jump a ~** przywłaszczyć sobie działkę (*zw. ropo- l. złotonośną*).

claimant [ˈkleɪmənt] *n.* osoba wysuwająca roszczenie.

claim form *n.* formularz podania *l.* wniosku (*o zasiłek, odszkodowanie itp.*).

clairvoyance [klerˈvɔɪəns] *n. U* jasnowidzenie, jasnowidztwo.

clairvoyant [klerˈvɔɪənt] *a.* jasnowidzący. – *n.* jasnowidz.

clam [klæm] *n.* **1.** *zool., kulin.* małż; **giant ~** przydacznica wielka (*Tridacna gigas*); **softshell ~** (*także* **soft ~**) małgiew, piaskołaz (*Mya arenaria*). **2.** *US pot.* milczek. **3.** *sl.* dolec, zielony (= *dolar*). **4.** *przen. pot.* **as happy as a ~** *US* cały w skowronkach (= *szczęśliwy*); **shut up lika a ~** nabierać wody w usta. – *v.* **-mm- 1.** *US* zbierać małże. **2. ~ up** *pot.* zamilknąć; zamknąć się w sobie.

clamant [ˈkleɪmənt] *a. lit.* hałaśliwy, krzykliwy; natarczywy.

clambake [ˈklæmˌbeɪk] *n. US i Can.* **1.** piknik, na którym piecze się mięczaki (*zw. nad morzem*). **2.** wesołe zebranie *l.* spotkanie (*zwł. jazz session*). **3.** *radio, telew. sl.* spartaczony program.

clamber [ˈklæmbər] *v.* wspinać się (*pomagając sobie rękami*), wdrapywać się (*up sth* na coś); gramolić się (*to/into sth* do czegoś). – *n. zw. sing.* mozolna wspinaczka, wdrapywanie się; gramolenie się.

clamberer [ˈklæmbərər] *n.* **1.** osoba mozolnie się wspinająca. **2.** roślina pnąca.

clamminess [ˈklæmɪnəs] *n. U* **1.** lepkość. **2.** parność, duchota.

clammy [ˈklæmɪ] *a.* **-ier, -iest 1.** lepki, wilgotny, klejący się (*zwł. od potu*). **2.** parny, duszny. **3.** klajstrowaty; z zakalcem (*o pieczywie*).

clamor [ˈklæmər], *Br.* **clamour** *n. U l. sing.* **1.** zgiełk, wrzawa. **2.** oburzenie, krzyk (*na znak protestu*). – *v.* krzyczeć, wołać; podnosić wrzawę (*against sth* przeciwko czemuś); **~ for sth** głośno domagać się czegoś; **~ sb down** zagłuszyć kogoś (krzykiem).

clamorous [ˈklæmərəs] *a.* **1.** hałaśliwy; krzykliwy. **2.** natarczywy (*np. o agencie*).

clamorously [ˈklæmərəslɪ] *adv.* **1.** hałaśliwie; krzykliwie. **2.** natarczywie.

clamorousness [ˈklæmərəsnəs] *n. U* **1.** hałaśliwość; krzykliwość. **2.** natarczywość.

clamp1 [klæmp] *n.* **1.** zacisk; docisk; klamra. **2.** *chir.* zacisk, szczypce, kleszczyki. **3.** *techn.* płyta dociskowa (*do mocowania noża w tokarce*). **4.** (*także* **~ circuit**) *el.* układ poziomujący. **5.** (*także* **wheel ~**) *Br.* blokada na koło (*nieprawidłowo zaparkowanego samochodu*). **6.** *żegl.* wzdłużnik pokładowy. – *v.* **1.** zaciskać; dociskać; klamrować; mocować (*w zacisku*); **~ sth to/onto sth** przymocować *l.* przytwierdzić coś do czegoś. **2.** *Br.* założyć blokadę na koło (*samochodu*). **3. ~ a hand over sb's mouth** zatkać komuś usta ręką. **4.** *przen.* **~ one's mouth shut** *pot.* przymknąć się, zamknąć dziób na kłódkę; **~ sanctions on** nałożyć sankcje na. **5. ~ down on sb** podjąć zdecydowane kroki wobec kogoś (*zwł. wobec przestępców*); **~ down on sth** zaostrzyć kontrolę nad czymś; ukrócić coś.

clamp2 *n. Br.* stos, sterta, hałda; *roln.* kopiec (*np. ziemniaków*). – *v. Br.* **1.** *roln.* kopcować. **2. ~ up** układać w stos.

clampdown [ˈklæmpˌdaʊn] *n. zw. sing.* **~ on sth** *pot.* akcja mająca na celu powstrzymanie *l.* ukrócenie czegoś (*rządowa, policyjna itp.*).

clamper1 [ˈklæmpər] *n.* = **clamp1** 1.

clamper2 *n.* blacha z kolcami na podeszwę (*zapobiegająca ślizganiu się na lodzie*).

clamshell [ˈklæmˌʃel] *n.* **1.** skorupa małża. **2.** *techn.* chwytak dwuszczękowy (*np. koparki*).

clan [klæn] *n. t. przen. l. żart.* klan.

clandestine [klænˈdestɪn] *a. form.* **1.** ukradkowy, potajemny (*np. o spotkaniach*). **2.** tajny (*o organizacji, operacji*).

clandestinely [klænˈdestɪnlɪ] *adv. form.* **1.** potajemnie, ukradkiem. **2.** w sposób tajny.

clandestineness [klænˈdestɪnnəs], **clandestinity** [ˌklændəˈstɪnətɪ] *n. U form.* **1.** ukradkowość. **2.** tajność.

clang [klæŋ] *n. zw. sing.* brzęk (*np. dzwonka*); szczęk (*metalu*). – *v.* **1.** brzękać, dzwonić; szczękać. **2. ~ sth shut** zamknąć coś ze szczękiem.

clanger [ˈklæŋər] *n.* **drop a ~** *gł. Br. pot.* palnąć coś głupiego, głupio się odezwać.

clangor [ˈklæŋər], *Br.* **clangour** *n. U* dzwonienie, dźwięczenie (*metalu*).

clangorous [ˈklæŋərəs] *a.* dźwięczący, dzwoniący.

clank [klæŋk] *n. zw. sing.* brzęk (*metalu*); szczęk (*łańcucha, maszyn*). – *v.* brzękać; szczękać.

clannish [ˈklænɪʃ] *a. uj.* klanowy.

clannishness [ˈklænɪʃnəs] *n. U uj.* klanowość.

clanship [ˈklænˌʃɪp] *n. U* ustrój klanowy; *t. przen.* klanowość.

clansman [ˈklænzmən] *n. pl.* **-men** członek klanu.

clap1 [klæp] *n. sing.* **1.** klaśnięcie; **give sb a ~** (*także* **give a ~ to/for sb**) *gł. Br.* oklaskiwać kogoś. **2.** klepnięcie; **give sb a ~ on the back/shoulder** poklepać kogoś po plecach/ramieniu. **3. ~ of thunder** uderzenie pioruna, grzmot. – *v.* **-pp- 1.** klaskać; oklaskiwać; **~ one's hands** klaskać; klasnąć w dłonie. **2.** klepnąć, poklepać; **~ sb on the back/shoulder** poklepać kogoś po plecach/ramieniu; **~ each other on the back** *przen. pot.* gratulować sobie nawzajem (*zwł. przesadnie*). **3.** łopotać (*o skrzydłach*); (*także* **~ its wings**) łopotać skrzydłami (*o ptaku*). **4. ~ sb in irons** zakuć kogoś w łańcuchy; **~ sb in/into prison/jail** wsadzić kogoś do więzienia. **5.** *pot.* **~ eyes on** *Br.* zobaczyć (*zwł. po raz pierwszy*); **~ hold of** złapać, chwycić; **~ shut** zamknąć z hukiem (*drzwi,* *książkę*). **6.** ~ **on** narzucić (na siebie) (*część garderoby*); ~ **out** wyklaskiwać (*rytm*).

clap² *n. U* (*także* **the** ~) *sl.* tryper.

clapboard ['klæbərd] *n. US* **1.** *U bud.* oszalowanie (*ścian budynku*). **2.** *film* klaps.

clap-net ['klæpˌnet] *n.* ściągana sznurkiem siatka na ptaki *l.* owady.

clapped-out [ˌklæpt'aʊt] *a. Br., Austr. i NZ pot.* **1.** rozklekotany, zdezelowany. **2.** *przen.* wykończony, zmachany.

clapper ['klæpər] *n.* **1.** serce dzwonu. **2.** kołatka (*do płoszenia ptaków*). **3.** klakier. **4.** *pot.* jęzor, ozór. **5. run like the ~s** *Br. pot.* gnać, pędzić.

clapper-board ['klæpərˌbɔːrd] *n. Br.* = **clapboard** 2.

clapping ['klæpɪŋ] *n. U* oklaski.

claptrap ['klæpˌtræp] *n. U pot.* głupie gadanie; czcza gadanina, puste frazesy.

claque [klæk] *n. t. przen.* klaka.

claqueur [klæ'kɝː] *n.* klakier.

clarence ['klerəns] *n. hist.* czterokołowy zamknięty powóz (*z czterema miejscami w środku i dwoma na koźle*).

clarendon ['klerəndən] *n. druk.* typ tłustej czcionki.

claret ['klerɪt] *n.* **1.** *C/U gł. Br.* bordo, wino bordoskie (*czerwone*). **2.** *U* (kolor) bordo. – *a. attr.* bordowy.

clarification [ˌklerəfə'keɪʃən] *n.* **1.** wyjaśnienie. **2.** *U* klarowanie (*cieczy*).

clarifier ['klerəˌfaɪər] *n. techn.* **1.** środek klarujący. **2.** klarownica. **3.** odstojnik (*np. w browarze*).

clarify ['klerəˌfaɪ] *v.* **-ies, -ied 1.** wyjaśniać. **2.** klarować (*ciecz*). **3.** przetapiać (*tłuszcz*). **4.** *t. przen.* oczyszczać (się).

clarinet [ˌklerə'net] *n. muz.* klarnet.

clarinetist [ˌklerə'netɪst], **clarinettist** *n.* klarnecist-a/ka.

clarion call *n. lit. l. form.* apel (*for sth* o coś) nawoływanie (*for sth* do czegoś).

clarionet [ˌklerɪə'net] *n.* = **clarinet**.

clarity ['klerətɪ] *n. U* jasność, klarowność.

clarkia ['klɑːrkɪə] *n. bot.* dzierotka (*Clarkia*).

clary ['klerɪ] *n. bot.* szałwia muszkatołowa (*Salvia sclarea*).

clash [klæʃ] *n.* **1.** *t. sport* starcie, potyczka (*with sb/between A and B* z kimś/pomiędzy A i B). **2.** konflikt; zderzenie (się); niezgodność; ~ **of interests** konflikt interesów; **personality** ~ niezgodność charakterów. **3.** nałożenie się (na siebie) (*terminów, wydarzeń*). **4.** brzęk (*np. talerzy w orkiestrze*); szczęk (*broni*). – *v.* **1.** ścierać się (*with sb* z kimś, *on/over sth* o coś) (*przy użyciu siły l. słownie*). **2.** nie pasować (do siebie), gryźć się (*o kolorach, deseniach*). **3.** nakładać się (na siebie), kolidować (ze sobą) (*o terminach, wydarzeniach*). **4.** brzęczeć; szczękać.

clasp [klæsp] *n.* **1.** zatrzask; zapięcie; klamra. **2.** *techn.* obejma; klamra. **3.** uścisk (*t. dłoni*). **4.** *wojsk.* metalowa ozdoba na wstędze odznaczenia (*np. podająca miejsce bitwy l. kampanii, za którą zostało przyznane*). – *v.* **1.** spinać. **2.** ściskać; obejmować (rękoma); ~ **sb in one's arms** wziąć kogoś w objęcia *l.* ramiona; ~ **sb to one's chest/bosom** przytulić kogoś do piersi; ~ **sth in one's hands** ściskać coś w dłoni.

claspers ['klæspərz] *n. pl. zool.* narząd do przytrzymywania samicy podczas kopulacji (*np. u niektórych owadów*).

clasp knife *n.* duży nóż składany.

class [klæs] *n. pl.* **-es 1.** klasa, warstwa; **lower/middle/upper ~es** warstwy niższe/średnie/wyższe; **ruling/working** ~ klasa rządząca/robotnicza. **2.** *U* (*także* ~ **system**) system *l.* ustrój klasowy. **3.** *szkoln.* klasa (= *grupa uczniów*); *uniw.* grupa (*studentów*). **4.** *szkoln.* lekcja; *uniw.* zajęcia, ćwiczenia; ~ **in modern drama** zajęcia z dramatu współczesnego; **astronomy** ~ lekcja astronomii; **attend ~es** chodzić na zajęcia; **cut ~es** *US* (*także Br.* **miss ~es**) opuszczać zajęcia; **in** ~ na lekcji, na lekcjach; na zajęciach. **5.** *US* kurs. **6.** *uniw. zwł. US* rocznik (= *studenci kończący studia w danym roku*); **the** ~ **of 1965** rocznik 65. **7.** klasa, kategoria; **business/economy/tourist** ~ klasa biznes/ekonomiczna/turystyczna; **cabin** ~ klasa pośrednia między turystyczną a pierwszą (*na statku l. promie*); **first/second** ~ pierwsza/druga klasa. **8.** *U pot.* klasa, styl; **have/show** ~ mieć/pokazać klasę. **9.** *zool., bot.* klasa (*ranga jednostki systematycznej*). **10.** *przen.* **in a** ~ **of one's own** jedyny w swoim rodzaju, nie mający sobie równych (*o osobie*); **in a** ~ **by itself** jedyny w swoim rodzaju, nie mający sobie równych (*o rzeczy, dokonaniu*); **not be in the same** ~ **as sb/sth** nie dorównywać komuś/czemuś, nie dorastać komuś/czemuś do pięt. – *a. attr.* **1.** klasowy; ~ **differences/divisions/privileges** różnice/podziały/przywileje klasowe. **2.** pierwszorzędny, znakomity (*o artyście, graczu*). – *v. często pass.* zaliczać (*sb/sth as/among/with* kogoś/coś do).

class. *abbr.* **1.** = **classic**. **2.** = **classical**. **3.** = **classification**; = **classified**.

class action *n. U prawn. US* powództwo grupowe, pozew grupowy.

class-action [ˌklæs'ækʃən] *a. attr. prawn. US* z powództwa grupowego.

classbook ['klæsˌbʊk] *n.* **1.** *US* księga klasowa (*zw. pamiątkowa*). **2.** *Br.* zeszyt do pracy w klasie.

class-conscious [ˌklæs'kɑːnʃəs] *a.* świadomy klasowo.

class consciousness *n. U* świadomość klasowa.

class day, class-day *n. uniw. US* uroczystość zakończenia studiów (*obchodzona przez abiturientów z danego rocznika*).

classic ['klæsɪk] *a. zw. attr.* klasyczny (= *typowy, ponadczasowy l. należący do klasyki gatunku*); ~ **case/example/symptom** klasyczny przypadek/przykład/objaw; ~ **cut/design** klasyczny krój/wzór; ~ **horror movie** klasyczny film grozy – *n.* **1.** klasyczne dzieło, klasyka (*książka, film itp.*). **2.** klasy-k/czka (*twórca*). **3.** = **classic race** **4.** *zob. t.* **classics**.

classical ['klæsɪkl] *a.* klasyczny (= *antyczny l tradycyjny*).

classical education *n. U* wykształcenie klasyczne *l.* humanistyczne.

classically ['klæsɪklɪ] *adv.* klasycznie.

classical mechanics *n. U* mechanika klasyczna *l.* newtonowska.

classical music *n. U* muzyka poważna.

classical physics *n. U* fizyka klasyczna (*w odróżnieniu np. od kwantowej*).

classicism ['klæsɪˌsɪzəm], **classicalism** ['klæsɪkəˌlɪzəm] *n. U* klasycyzm.

classicist ['klæsɪsɪst], **classicalist** ['klæsɪkəlɪst] *n.* **1.** klasycyst-a/ka. **2.** student/ka filologii klasycznej.

classicize ['klæsɪˌsaɪz], *Br. i Austr. t.* **classicise** *v.* klasycyzować, nawiązywać do wzorów klasycznych.

classic race *n. Br.* jeden z pięciu głównych wyścigów konnych.

classics ['klæsɪks] *n. U* **1.** *uniw.* filologia klasyczna; **study** (*Br. t.* **read**) ~ studiować filologię klasyczną. **2. the** ~ literatura klasyczna; języki klasyczne.

classifiable [ˌklæsə'faɪəbl] *a.* dający się zaklasyfikować.

classification [ˌklæsəfə'keɪʃən] *n.* **1.** *U* klasyfikacja. **2.** klasa, kategoria.

classification certificate *n. żegl.* świadectwo klasy statku *l.* jachtu.

classification standard *n.* norma klasyfikacyjna.

classificatory ['klæsɪfəkəˌtɔːrɪ] *a.* klasyfikacyjny.

classified ['klæsəˌfaɪd] *a. attr.* poufny, tajny (*o informacjach, dokumentach*).

classified ad *n.* ogłoszenie kupna-sprzedaży; ogłoszenie drobne.

classified advertising *n. U* ogłoszenia drobne.

classified directory *n. Br.* panorama firm (*rodzaj książki telefonicznej*).

classifier ['klæsəˌfaɪər] *n.* **1.** klasyfikator. **2.** sortownik. **3.** *gram.* klasyfikator; wykładnik klasy nominalnej.

classify ['klæsəˌfaɪ] *v.* **-ies, -ied 1.** klasyfikować (*by / according to* według); dzielić (*into* na); zaliczać (*as* do). **2.** *gł. US* zaklasyfikować (*jako poufne l. tajne*).

classiness ['klæsɪnəs] *n. U pot.* **1.** klasowość. **2.** posiadanie klasy (*przez kogoś*).

classism ['klæsɪzəm] *n. U* uprzedzenia klasowe.

classless ['klæsləs] *a.* bezklasowy (*o społeczeństwie*).

class list *n. Br.* lista klasyfikacyjna (*przy egzaminie*).

classmate ['klæsˌmeɪt] *n.* kole-ga/żanka z klasy; *US uniw.* kole-ga/żanka z grupy.

class number *n. bibl.* sygnatura.

classroom ['klæsˌruːm] *n.* klasa, sala lekcyjna.

class struggle *n. marksizm* walka klas.

classwork ['klæsˌwɜːk] *n. U* praca w klasie *l.* na lekcji.

classy ['klæsɪ] *a.* **-ier, -iest** *pot.* **1.** z klasą. **2.** pierwszorzędny, pierwsza klasa.

clastic ['klæstɪk] *a.* **1.** *anat., biol.* rozdzielny. **2.** *geol.* klastyczny.

clastic rock *n. U geol.* skała klastyczna *l.* okruchowa.

clatter ['klætər] *n. U l. sing.* **1.** brzęk (*np. naczyń*). **2.** stukot (*końskich kopyt*). **3.** trajkotanie. – *v.* **1.** brzęczeć. **2.** stukać kopytami. **3.** trajkotać. **4.** ~ **(sth) about** hałasować (czymś); ~ **down** upaść z brzękiem.

clattery ['klætərɪ] *a. pot.* brzęczący; rozklekotany.

claudication [ˌklɔːdə'keɪʃən] *n. U pat.* utykanie, chromanie; **intermittent** ~ chromanie przestankowe.

clausal ['klɔːzl] *a. gram.* **1.** zdaniowy. **2.** *prawn.* klauzulowy.

clause [klɔːz] *n.* **1.** *gram.* zdanie; **main** ~ zdanie główne; **relative** ~ zdanie względne; **subordinate** ~ zdanie podrzędne. **2.** *prawn.* klauzula.

claustral ['klɔːstrəl] *a. rzad.* = **cloistral**.

claustrophobia [ˌklɔːstrə'foʊbɪə] *n. U psychiatria l. przen.* klaustrofobia.

claustrophobic [ˌklɔːstrə'foʊbɪk] *a.* klaustrofobiczny. – *n.* osoba cierpiąca na klaustrofobię.

clavate ['kleɪveɪt], **claviform** ['klævəˌfɔːrm] *a. bot., zool.* maczugowaty, pałeczkowaty.

clavichord ['klævəˌkɔːrd] *n. muz.* klawikord.

clavicle ['klævəkl] *n. anat.* obojczyk.

clavicular [klə'vɪkjʊlər] *a. attr. anat.* obojczykowy.

clavier [klə'viːr] *n. muz.* **1.** klawiatura. **2.** instrument klawiaturowy.

claviform ['klævəˌfɔːrm] *a.* = **clavate**.

claw [klɔː] *n.* **1.** szpon; pazur. **2.** szczypce, kleszcze (*skorupiaka*). **3.** *zool.* pazurek (*na odnóżach niektórych owadów*). **4.** *techn.* kieł (*sprzęgła*). **5.** narzędzie do wyciągania gwoździ. **6. get one's ~s into sb** *przen. pot.* uczepić się kogoś kurczowo (*zwł. o kobiecie pragnącej usidlić mężczyznę*); dobrać się do kogoś, dopaść kogoś w swoje ręce. – *v.* **1.** drapać (*at sth* w coś); podrapać, poranić pazurami; wydrapać (*dziurę*). **2.** szarpać (*at sth* za coś); rozszarpać. **3.** wczepiać się (*at sth* w coś). **4.** ~ **one's way across sth** przedzierać się przez coś; ~ **one's way up** wspinać się (*z wysiłkiem, trzymając się mocno rękami*). **5.** ~ **the wind** *żegl.* łapać wiatr. **6.** ~ **back** *przen.* odzyskać z trudem; ~ **off** *żegl.* odpływać od brzegu.

claw coupling *n. techn.* sprzęgło kłowe.

claw hammer *n.* młotek do gwoździ.

clay [kleɪ] *n. U* **1.** glina; ił. **2.** *poet.* proch, glina (= *ciało ludzkie*). **3.** *przen. pot.* **feet of** ~ kolos na glinianych nogach; **wet/moisten one's** ~ zwilżyć gardło (= *napić się*).

clay-bank ['kleɪˌbæŋk] *n.* **1.** gliniasty brzeg. **2.** *U US* kolor żółtawobrązowy.

clay-cold [ˌkleɪ'koʊld] *a.* zimny jak lód (*zwł. o zwłokach*).

clay court *n. tenis* kort ceglasty.

clayey ['kleɪɪ] *a.* gliniasty.

clay ironstone *n. U geol.* syderyt ilasty, glinosyderyt.

claymore ['kleɪˌmɔːr] *n. broń, hist.* szeroki szkocki miecz obosieczny.

claypan [ˈkleɪˌpæn] *n.* **1.** *Austr.* zbiornik z gliniastym dnem (*na deszczówkę*). **2.** *U US* warstwa gliny (*w glebie*).

clay pigeon *n.* **1.** rzutek (= *cel do strzelania*), dysk gliniany. **2.** *US pot.* łatwy cel (= *bezbronna osoba*).

clay pigeon shooting *n. U Br. sport* strzelanie do rzutków (*glinianych*).

clay pipe *n.* fajka gliniana.

clay-pit [ˈkleɪˌpɪt] *n.* glinianka.

clay-slate [ˈkleɪˌsleɪt] *n. U geol.* iłołupek.

clay-soil [ˈkleɪˌsɔɪl] *n. U* gleba gliniasta.

clay stone, clay-stone *n. U geol.* iłowiec.

clean [kliːn] *a.* **1.** czysty; **(as) ~ as a whistle/a (new) pin** *emf. pot.* czyściutki, czyściuteńki; **scrub sth ~** wyszorować coś do czysta; **spotlessly ~** nieskazitelnie czysty. **2.** pusty, czysty (*o kartce*). **3.** przepisowy, czysty; **~ fight** czysta *l.* przepisowa walka. **4.** nie notowany, nie karany; **have a ~ record** być nie karanym; (*także Br.* **~ a driving licence**) nie mieć punktów karnych (*w ewidencji policji drogowej*). **5.** przyzwoity (*o dowcipie*); **keep it ~** tylko bez świntuszenia. **6.** *pred. sl.* czysty (= *nie mający przy sobie nielegalnych substancji, broni itp. l. nie biorący narkotyków*). **7.** gładki, równy; prosty. **8.** *przen.* **a ~ bill of health** zaświadczenie o dobrym stanie zdrowia; zaświadczenie, że maszyna, fabryka itp. spełnia wymogi bezpieczeństwa; **a ~ sweep** czystka (*w organizacji, firmie*); *sport* zwycięstwo we wszystkich konkurencjach; zdobycie trzech pierwszych miejsc (*przez członków danej reprezentacji*); **come ~ (about sth)** *pot.* przyznać się (do czegoś); powiedzieć całą prawdę (o czymś); **have ~ hands** mieć czyste ręce; **keep one's hands ~** *pot.* trzymać się z dala od brudnej roboty; **keep one's nose ~** *pot.* nie mieszać się w nic; **make a ~ break with sth** zerwać z czymś całkowicie; **make a ~ breast of it** zrzucić ciężar z serca (= *przyznać się do winy*); **make a ~ job of sth** *pot.* odwalić kawał dobrej roboty; **show a ~ pair of heels** *pot.* wziąć nogi za pas. – *adv.* **1.** czysto. **2.** *emf.* zupełnie, całkiem, kompletnie; **I ~ forgot** na śmierć zapomniałam; **the bullet went ~ through his arm** kula przeszyła mu ramię na wylot. – *n.* czyszczenie; **give sth a ~** wyczyścić coś. – *v.* **1.** czyścić (się); oczyszczać (się); **~ one's teeth** myć *l.* czyścić zęby. **2.** sprzątać. **3.** *żegl.* przebrać się w mundur. **4. ~ one's plate** *przen.* wymieść talerz do czysta. **5. ~ down** wytrzeć; wyszorować; **~ off** wyczyścić; zetrzeć; **~ out** *pot.* zmyć się, zwiać; **~ sb out** *pot.* obrobić kogoś (= *okraść*); **~ sth out** opróżnić coś; posprzątać coś; wyczyścić coś; **~ up** sprzątać (*after sb* po kimś); **~ o.s. up** *zwł. US* umyć się; doprowadzić się do porządku; **~ sth up** wysprzątać coś; zrobić porządek w czymś; *pot.* zrobić z czymś porządek; **~ up on sb** *US pot.* pobić *l.* pokonać kogoś; **~ up on sth** *gł. US i Can.* dorobić się *l.* zbić majątek na czymś; **~ up one's act** *pot.* poprawić się.

cleanable [ˈkliːnəbl] *a.* dający się wyczyścić; nadający się do czyszczenia.

clean break *n. med.* złamanie proste.

clean-bred [ˌkliːnˈbred] *a.* czystej krwi, rasowy.

clean copy *n.* czystopis.

clean-cut [ˌkliːnˈkʌt] *a.* **1.** o wyraźnych *l.* ostrych konturach; wyraźnie zarysowany. **2.** o miłej powierzchowności. **3.** wyraźny, zdecydowany; oczywisty, jednoznaczny.

cleaner [ˈkliːnər] *n.* **1.** sprzątacz/ka. **2.** preparat czyszczący. **3.** urządzenie czyszczące; *mech.* oczyszczarka; **vacuum ~** odkurzacz.

cleaner's [ˈkliːnərz] *n. pl.* **cleaners** *l.* **cleaners'** **1.** pralnia chemiczna. **2. take sb to the ~** *przen. pot.* puścić kogoś z torbami; rozgromić kogoś (*zwł. w zawodach*).

clean-handed [ˌkliːnˈhændɪd] *a. przen.* o czystych rękach, uczciwy, nieprzekupny.

clean-handedness [ˌkliːnˈhændɪdnəs] *n. U przen.* uczciwość.

cleaning [ˈkliːnɪŋ] *n. U* sprzątanie; **do the ~** sprzątać.

cleaning lady, cleaning woman *n.* sprzątaczka.

clean-limbed [ˌkliːnˈlɪmd] *a.* proporcjonalnie zbudowany; wysoki i smukły.

cleanliness [ˈklenlɪnəs] *n. U* czystość; schludność.

cleanly *a.* [ˈklenlɪ] **-ier, -iest** *arch.* czysty; schludny. – *adv.* [ˈkliːnlɪ] *t. przen.* **1.** czysto. **2.** równo. **3.** gładko; bez przeszkód.

cleanness [ˈkliːnnəs] *n. U t. przen.* czystość.

cleanse [klenz] *v.* **1.** czyścić; oczyszczać (*np. ranę*). **2.** *przen.* oczyszczać (się) (*of/from sth* z czegoś) (*np. z grzechu*), uwalniać (się) (*of/from sth* od czegoś). **3.** *Bibl. arch.* uleczyć (*zw. trędowatego*).

cleanser [ˈklenzər] *n.* **1.** środek czyszczący. **2.** mleczko *l.* płyn do zmywania twarzy.

clean-shaven [ˌkliːnˈʃeɪvən] *a.* gładko ogolony.

clean sheet *n. sing.* (*także* **clean slate**) *przen.* czyste konto (= *wolność od wszelkich zobowiązań*).

cleansing [ˈklenzɪŋ] *n. U* **1.** czyszczenie; oczyszczanie. **2. ethnic ~** czystki etniczne.

cleansing department *n. Br.* przedsiębiorstwo oczyszczania miasta.

cleansing milk *n. U* mleczko kosmetyczne.

clean-up [ˈkliːnˌʌp], **cleanup** *n. zw. sing.* **1.** gruntowne sprzątanie *l.* porządki. **2.** czystka. **3.** *gł. US pot.* oszałamiający zysk.

clear [klɪːr] *a.* **1.** *t. przen.* czysty; **~ conscience** czyste sumienie. **2.** przezroczysty; *t. przen.* przejrzysty, klarowny. **3.** jasny; oczywisty; wyraźny (*t. o fotografii*); **~ example/case of sth** oczywisty *l.* ewidentny przykład/przypadek czegoś; **(as) ~ as a bell** *emf.* bardzo wyraźny, bardzo dobrze słyszalny; **(as) ~ as crystal/day** *emf. przen.* jasny jak słońce; **(as) ~ as mud** *pot. żart.* mętny, zagmatwany; **be ~ about/on sth** mieć jasność co do czegoś; **be ~ (on sth)** wyrażać się jasno (o czymś); stawiać jasno sprawę (czegoś); **become ~** stawać się jasnym; **do I make myself ~?** czy wyrażam się (dostatecznie) jasno?; **have a ~ picture of sth** mieć jasny obraz czegoś; **I am (still) not ~ whether/what/how...** (nadal) nie jest dla mnie jasne, czy/co/jak...; **let's get one thing ~** wyjaśnijmy sobie jedną rzecz; **make it ~ to sb that...** dać komuś wyraźnie do zrozumienia, że...; uzmysłowić komuś, że... **4.** bezchmurny (*o dniu, niebie, pogodzie*). **5.** *pred.* wolny (*of sth* od czegoś) (*długów, kłopotów, podejrzeń itp.*). **6.** *attr.* jawny, niekodowany (*o wiadomości*). **7.** *attr.* czysty, netto; ~ **profit** zysk netto, czysty zysk; **a ~ $1000** 1000 dolarów netto; **earn a ~ $1000** zarobić na czysto 1000 dolarów. **8.** *attr.* pełny, cały; **four ~ weeks** całe *l.* pełne cztery tygodnie. **9.** *attr.* otwarty (*o przestrzeni*). **10.** pusty, rozładowany (*zwł. o statku*). **11.** *żegl.* wyklarowany (*o statku*). **12.** wolny od zajęć, niezajęty (*np. o dniu*). **13.** bystry, przenikliwy. **14. all ~!** *zw. wojsk.* alarm odwołany, koniec alarmu; **be ~ of sth** nie dotykać czegoś, nie stykać się z czymś; **out of a ~ (blue) sky** *przen.* jak grom z jasnego nieba; **the coast is ~** *zob.* **coast** *n.* – *n. U* **1.** wolna przestrzeń. **2. in the ~** *przen.* wolny od podejrzeń; niewinny; zupełnie zdrowy (*po przebytej chorobie*); na prostej (*uporawszy się z problemami*). – *adv.* **1.** jasno, wyraźnie. **2.** *gł. US* zupełnie, dokładnie; prosto; **~ through the water/crowd** *pot.* prosto przez wodę/tłum. **3.** z dala; **keep/stay/steer ~ of** trzymać się z dala *l.* z daleka od (*kogoś l. czegoś*). – *v.* **1.** *t. przen.* oczyszczać; **~ the air** oczyścić atmosferę. **2.** sprzątać; **~ the table** sprzątać ze stołu. **3.** ewakuować (*budynek, ludzi*); usuwać (*sb / sth from sth* kogoś/coś skądś). **4.** przejaśniać się, rozpogadzać się; rozchodzić się, przerzedzać się, ustępować (*np. o mgle*); **the weather should ~ soon** wkrótce powinno się przejaśnić. **5. ~ sb of sth** uwalniać kogoś od czegoś, oczyszczać kogoś z czegoś; **~ sb's name** uwolnić kogoś od zarzutów *l.* podejrzeń. **6.** wydać zgodę na; otrzymać pozwolenie na; **~ sth with sb** otrzymać od kogoś pozwolenie l. zgodę na coś; ustalić *l.* skonsultować coś z kimś. **7.** odprawiać (*statek, samolot*); **~ customs** przejść kontrolę celną. **8.** *bank* rozliczać (*czek*); zostać rozliczonym (*o czeku*). **9.** *pot.* zarabiać na czysto. **10.** przeskoczyć (przez) (*nie dotknąwszy*); **~ a fence/hurdle/wall** przeskoczyć przez ogrodzenie/płotek/mur. **11.** trzebić (*teren*); przerzedzać (*las*). **12.** opróżniać (się); **~ a ship** rozładowywać statek. **13.** klarować (się) (*o cieczy*). **14.** odkodować (*wiadomość*). **15. ~ a debt/loan** spłacić dług/pożyczkę; **~ one's throat** odchrząknąć; **~ sb's head/mind** rozjaśnić komuś w głowie; pomóc komuś wytrzeźwieć; **~ the decks** *przen.* przygotować teren *l.* front robót; **~ the way for sth** zrobić miejsce *l.* przejście dla czegoś; *przen.* przygotować grunt pod coś, umożliwić coś. **16. ~ away** zniknąć (*o osobie*); sprzątać ze stołu; **~ sth away/up** uprzątnąć coś, pozbierać coś (*np. zabawki*); **~ off** przejaśniać się; ustępować (*np. o mgle*); *US* sprzątać ze stołu; **~ off!** *Br. pot.* zmiataj!; **~ sth off/from sth** usuwać coś skądś; **~ out!** *pot.* zmiataj!; **~ sb out** *pot.* obrobić kogoś (= *okraść*); **~ sth out** sprzątnąć coś (*t. pot. = wyczerpać cały zapas czegoś*); opróżnić coś; pozbyć się czegoś, wyrzucić coś; **~ up** przejaśnić się (*o pogodzie*); rozchmurzyć się (*o osobie*); przejść, minąć (*o chorobie, infekcji*); wyjaśnić (*tajemnicę, nieporozumienie*); posprzątać (*after sb* po kimś).

clearance ['kli:rəns] *n. U* **1.** usuwanie; likwidacja; **slum ~** likwidacja slumsów; **snow ~** usuwanie śniegu, odśnieżanie. **2.** oficjalne pozwolenie *l.* zgoda; **customs ~** odprawa celna; **security ~** zezwolenie na dostęp do tajnych informacji. **3.** *bank* rozliczanie (*czeków*). **4.** przestrzeń, miejsce, odstęp (*niezbędny dla uniknięcia kolizji; np. pomiędzy łukiem mostu a dachem przejeżdżającego pod nim pojazdu*). **5.** *el.* odstęp izolacyjny. **6.** *żegl.* klarowanie (*statku*). **7.** *C* (masowe) wysiedlenie. **8.** *C* = **clearing** 1.

clearance fit *n. U techn.* pasowanie luźne.

clearance sale *n. handl.* wyprzedaż likwidacyjna.

clearance space *n. U techn.* przestrzeń wolna.

clearance volume *n. U techn.* objętość *l.* przestrzeń szkodliwa; objętość komory sprężania (*w silnikach spalinowych*).

clearcole ['kli:rˌkoʊl] *n. U Br. hist.* grunt (*pod malowidło ścienne*). – *v.* gruntować (*ścianę*).

clear-cut [ˌkli:r'kʌt] *a.* **1.** wyraźnie zarysowany. **2.** wyraźny, zdecydowany; oczywisty, jednoznaczny. – *n. US* poręba, karczowisko.

clear-eyed [ˌkli:r'aɪd] *a.* **1.** o jasnym wzroku *l.* spojrzeniu. **2.** *przen.* bystry.

clearheaded [ˌkli:r'hedɪd], **clear-headed** *a.* o jasnym umyśle, jasno *l.* trzeźwo myślący.

clearheadedly [ˌkli:r'hedɪdlɪ] *adv.* w sposób jasny, trzeźwo.

clearheadedness [ˌkli:r'hedɪdnəs] *n. U* jasność *l.* trzeźwość umysłu.

clearing ['kli:rɪŋ] *n.* **1.** karczowisko (*w lesie*); przesieka, polanka. **2.** *bank* rozliczenie, rozrachunek.

clearing bank *n. Br.* bank clearingowy (= *wchodzący w skład izby rozrachunkowej*).

clearing hospital *n. wojsk.* szpital polowy.

clearinghouse ['kli:rɪŋˌhaʊs], **clearing house** *n. fin.* izba rozrachunkowa.

clearly ['kli:rlɪ] *adv.* **1.** jasno (*myśleć, wyrażać się*); wyraźnie (*mówić, słyszeć*); przejrzyście (*wyjaśniać, tłumaczyć*). **2.** najwyraźniej, najwidoczniej; bez wątpienia, z pewnością.

clearness ['kli:rnəs] *n. U t. przen.* jasność; przejrzystość; ostrość (*widzenia l. słuchu*).

clear-sighted [ˌkli:r'saɪtɪd] *a.* bystry; wnikliwy.

clearstarch ['kli:rˌstɑ:rtʃ], **clear-starch** *v.* krochmalić (*na sztywno*).

clear-up ['kli:rˌʌp] *n.* gruntowne sprzątanie *l.* porządki.

clearway ['kli:rˌweɪ] *n. Br.* droga szybkiego ruchu.

clearwing ['kli:rˌwɪŋ] *n. ent.* przeziernik (*Sesiidae*).

cleat [kli:t] *n.* **1.** *żegl.* knaga; pachoł; **clam ~** knaga zaciskowa. **2.** klin. **3.** listewka wzmacniająca. **4.** łącznik; zacisk. **5.** *pl.* kołki (*pod podeszwą buta*); buty piłkarskie.

cleavage ['kli:vɪdʒ] *n.* **1.** *C / U* dekolt kobiecy. **2.** *form.* rozłam; podział. **3.** pęknięcie; rozszczepienie. **4.** *biol.* podział komórkowy (*zwł. zapłodnionej komórki jajowej*). **5.** *U min.* łupliwość; kliważ.

cleavage plane *n. min.* płaszczyzna łupliwości.

cleave1 [kli:v] *v. pret.* **cleaved, clove, cleft 1.** *pp.* **cleaved, cloven, cleft** *form.* łupać; rozłupywać (się). **2.** *t. chem.* rozszczepiać (się); pękać. **3.** rozcinać; przeszywać, pruć (*wodę, powietrze*). **4.** *biol.* dzielić się (*o komórce*).

cleave2 *v. pret. t.* **clave** *arch. l. lit.* ~ **to sb/sth** trzymać się mocno kogoś/czegoś; trwać wiernie przy kimś/czymś.

cleaver [ˈkli:vər] *n.* topór rzeźnicki; tasak.

cleavers [ˈkli:vərz] *n. sing. l. pl. bot.* przytulia czepna (*Galium aparine*).

clef [klef] *n. muz.* klucz.

cleft [kleft] *n.* pęknięcie; szczelina; *geol.* rozpadlina. – *a. attr.* **1.** rozszczepiony; podzielony; rozdwojony. **2. be in a ~ stick** *Br.* być w bardzo niezręcznej sytuacji.

cleft lip *n. pat.* rozszczep wargi.

cleft palate *n. pat.* rozszczep podniebienia.

cleg [kleg] *n. bot. Scot.* mucha końska (*nazwa potoczna*), jusznica deszczowa (*Haematopota pluvialis*).

cleistogamic [ˌklaɪstəˈgæmɪk], **cleistogamous** [klaɪˈstɑ:gəməs] *a. bot.* klejstogamiczny (*dotyczy kwiatów zamkniętych*).

cleistogamy [klaɪˈstɑ:gəmɪ] *n. U bot.* klejstogamia (= *samozapylenie w zamkniętym pąku kwiatowym*).

clem [klem] *v.* **-mm-** *Br. dial.* **1.** głodzić. **2.** głodować.

clematis [ˈklemətɪs] *n. bot.* powojnik (*Clematis*).

clemency [ˈklemənsɪ] *n. U form.* **1.** łagodność (*charakteru, klimatu*). **2.** litość, miłosierdzie; *prawn.* łaska; łagodny wymiar kary; **appeal for ~** prośba o łagodny wymiar kary.

clement [ˈklemənt] *a. form.* **1.** łagodny. **2.** miłosierny.

clemently [ˈkleməntlɪ] *adv.* **1.** łagodnie. **2.** miłosiernie.

clench [klentʃ] *v.* **1.** zaciskać (się); ~ **one's fists/teeth/jaws** zaciskać pięści/zęby/szczęki. **2.** ściskać mocno. **3.** *zob.* **clinch**. – *n.* **1.** zaciśnięcie; uścisk. **2.** *zob.* **clinch**.

clencher [ˈklentʃər] *n.* = **clincher**.

clepsydra [ˈklepsɪdrə] *n. pl.* **-s** *l.* **-e** [ˈklepsɪdri:] *hist.* klepsydra (= *zegar wodny*).

clergy [ˈklɜ:dʒɪ] *n. sing. l. pl.* **-ies** duchowieństwo, kler; duchowni.

clergyman [ˈklɜ:dʒɪmən] *n. pl.* **-men** duchowny.

clergywoman [ˈklɜ:dʒɪwʊmən] *n. pl.* **-women** kobieta pastor.

cleric [ˈklerɪk] *n. przest.* duchowny.

clerical [ˈklerɪkl] *a.* **1.** urzędniczy; biurowy; ~ **error** pomyłka urzędnika. **2.** duchowny; klerykalny; ~ **dress** strój duchowny, szata duchowna. – *n.* **1.** *parl.* klerykał. **2.** *pl. pot.* strój duchowny.

clerical collar *n.* koloratka.

clericalism [ˈklerɪkəˌlɪzəm] *n. U* klerykalizm.

clericalist [ˈklerɪkəlɪst] *n.* klerykał.

clerically [ˈklerɪklɪ] *adv.* **1.** klerykalnie. **2.** urzędniczo.

clerisy [ˈklerɪsɪ] *n. U arch.* uczeni, intelektualiści.

clerk [klɜ:k] *n.* **1.** urzędni-k/czka; biuralist-a/ka, kancelist-a/ka. **2.** (*także* **sales~**) *US i Can.* sprzedaw-ca/czyni. **3.** (*także* **desk ~**) *US i Can.* recepcjonist-a/ka (*w hotelu*). **4.** (*także* **~ in holy orders**) *form.* duchowny (*w kościele anglikańskim*). **5.** (*także* **~ of the court**) pisarz sądowy, protokolant/ka. **6. ~ of (the) works** kierownik robót, nadzorca budowlany. – *v. gł. US* pracować jako urzędnik.

clerkship [ˈklɜ:kˌʃɪp] *n. U przest.* stanowisko *l.* wykształcenie urzędnicze.

clever [ˈklevər] *a.* **1.** zdolny, inteligentny; bystry. **2.** sprytny, pomysłowy; *uj.* cwany. **3.** zmyślny (*zwł. o urządzeniu*). **4.** *US pot.* miły, uprzejmy. **5.** *US dial.* zgrabny, ładny. **6. be ~ at doing sth** umieć coś robić, dobrze coś robić; **be ~ with one's hands** *zwł. Br.* mieć zdolności manualne. **7.** *Br. pot. uj.* **~ clogs/dick** mądrala; **too ~ by half** przemądrzały.

cleverly [ˈklevərlɪ] *adv.* **1.** inteligentnie. **2.** sprytnie. **3.** zręcznie. **4.** zmyślnie.

cleverness [ˈklevərnəs] *n. U* **1.** inteligencja. **2.** spryt. **3.** zręczność.

clevis [ˈklevɪs] *n. techn.* strzemię; łącznik kabłąkowy.

clew [klu:] *rzad.* **clue** *n.* **1.** kłębek (*nici, przędzy, sznurka*). **2.** *żegl.* róg szotowy żagla. **3.** *zw. pl.* linki hamaka. – *v.* **1.** zwijać w kłębek. **2. ~ up** *żegl.* zwijać (*żagiel, posługując się gejtawami*).

clew cringle *n. żegl.* ucho szotowe.

clew line, clew rope *n. żegl.* gejtawa.

clew ring *n. żegl.* pierścień szotowy.

cliché [kli:ˈʃeɪ], **cliche** *n.* **1.** komunał, oklepany frazes, klisza. **2.** *druk. gł. Br.* klisza (*metalowa*).

clichéd [kli:ˈʃeɪd] *a.* oklepany, banalny, szablonowy.

click [klɪk] *v.* **1. ~ one's fingers** pstryknąć palcami; **~ one's tongue** mlasnąć językiem; **~ one's heels** trzasnąć *l.* stuknąć *l.* strzelić obcasami. **2.** *fon.* mlaskać (*przy artykułowaniu spółgłosek w niektórych językach afrykańskich*). **3.** *komp.* kliknąć (*on sth* coś *l.* na czymś). **4.** zaskoczyć, wskoczyć; **~ into place** wskoczyć na miejsce (*np. o zapadce*); **~ shut** zamknąć się z pstryknięciem *l.* trzaskiem. **5.** *przen. pot.* przypaść sobie (nawzajem) do gustu; przyjąć się (*np. o pomyśle*), spodobać się (*with sb* komuś); zaskoczyć; **it ~ed (with him/me)** oświeciło go/mnie, zaskoczył/em. – *n.* **1.** pstryknięcie; trzask; stuknięcie. **2.** *fon.* mlask (*typ spółgłoski w niektórych językach afrykańskich*). **3.** *pl. el.* trzaski; **atmospheric ~s** trzaski atmosferyczne. **4.** zatrzask; zapadka. **5.** *komp.* kliknięcie (*myszką*).

clickable [ˈklɪkəbl] *a. komp.* dający się kliknąć.

click-beetle [ˈklɪkˌbi:tl] *n. ent.* chrząszcz z rodziny sprężykowatych (*Elateridae*).

click-clack [ˈklɪkˌklæk] *n. onomat.* kłap-kłap.

clicker1 [ˈklɪkər] *n.* pstryczek.

clicker2 *n. Br. druk. pot.* starszy zecer.

client ['klaɪənt] *n.* **1.** klient/ka (*firmy, adwokata itp.*). **2.** *komp.* klient (*np. sieciowy*).

clientele [ˌklaɪən'tel] *rzad.* **clientage** ['klaɪəntɪdʒ] *n. sing. l. pl.* klientela, klienci.

client state *n. polit.* państwo wasalne.

cliff [klɪf] *n.* klif, wybrzeże klifowe.

cliff dwellers *n. pl. hist.* przodkowie Indian Pueblo mieszkający w jaskiniach skalnych; *US sl.* mieszkańcy drapaczy chmur.

cliff-hanger ['klɪfˌhæŋər], **cliffhanger** *n.* **1.** pełna napięcia sytuacja. **2.** trzymający w napięciu film, serial, opowiadanie itp.; nagłe i dramatyczne zakończenie odcinka serialu.

cliffhanging ['klɪfˌhæŋɪŋ] *a.* pełen napięcia; trzymający w napięciu.

cliffsman ['klɪfsmən] *n. pl.* **-men** wytrawny alpinista.

cliff swallow *n. orn.* jaskółka amerykańska (*Petrochelidon*).

cliffy ['klɪfɪ] *a.* klifowy; urwisty.

climacteric [klaɪ'mæktərɪk] *n.* **1.** *fizj.* klimakterium, menopauza; andropauza. **2.** *lit.* krytyczny *l.* przełomowy okres; przełomowe wydarzenie, przełom. – *a.* (*także* **~al**) **1.** *fizj.* klimakteryczny. **2.** *lit.* krytyczny, przełomowy.

climactic [klaɪ'mæktɪk] *a.* szczytowy, kulminacyjny.

climate ['klaɪmɪt] *n.* **1.** klimat. **2.** *przen.* klimat, atmosfera, nastrój; **~ of opinion** nastroje społeczne; **~ of suspicion/distrust** atmosfera podejrzliwości/nieufności; **economic/political ~** sytuacja ekonomiczna/polityczna.

climatic [klaɪ'mætɪk] *a. attr.* klimatyczny (*o warunkach, zmianach*).

climatically [klaɪ'mætɪklɪ] *adv.* klimatycznie.

climatic zone *n. meteor.* strefa klimatyczna.

climatological [ˌklaɪmətə'lɑːdʒəkl] *a.* klimatologiczny.

climatologist [ˌklaɪmə'tɑːlədʒɪst] *n.* klimatolog.

climatology [ˌklaɪmə'tɑːlədʒɪ] *n. U* klimatologia.

climax ['klaɪmæks] *n. zw. sing.* **1.** szczyt, apogeum; punkt kulminacyjny; kulminacyjna scena; **reach a ~** osiągnąć punkt kulminacyjny. **2.** szczytowanie, orgazm. **3.** *ret.* stopniowanie (*pojęć l. wyrażeń*). **4.** *ekol.* klimaks. – *v.* **1.** osiągać punkt kulminacyjny, sięgać zenitu. **2.** szczytować, mieć orgazm.

climb [klaɪm] *v.* **1.** wspinać się; *sport* uprawiać wspinaczkę; **~ a mountain** wspinać się na górę; **~ a tree** wspinać się *l.* wchodzić na drzewo; **~ a wall** wdrapywać się na mur; **~ down a ladder** złazić po drabinie; **~ into clothes** wbijać się w ciuchy; **~ onto the roof** wdrapać się *l.* wleźć na dach; **~ over a wall** przełazić przez mur; **~ (the) stairs** wchodzić po schodach; **~ through a hole** przecisnąć się *l.* przeleźć przez dziurę; **~ to the top** wspiąć się na szczyt; **~ up a wall** wspinać się po ścianie. **2.** piąć się (*o roślinie, zboczu, drodze*); piąć się w górę, awansować. **3.** wznosić się, wzbijać się (*o słońcu, samolocie*). **4.** wzrastać, rosnąć (*o cenach, temperaturze*). **5.** *przen. pot.* **~ on the bandwagon** *US* przejść na stronę silniejszego; **~ the ladder** zdobywać kolejne szczeble kariery; **be ~ing walls** chodzić po ścianach (*z niecierpliwości, zdenerwowania*). **6.** **~ down** *gł. Br. pot.* spuścić z tonu; przyznać się do błędu. – *n. zw. sing.* **1.** wspinaczka. **2.** miejsce wspinaczki. **3.** wznoszenie się (*samolotu*). **4.** wzrost (*cen, temperatury*).

climb-down ['klaɪmˌdaʊn] *n. sing. gł. Br. pot.* ustępstwo; przyznanie się do błędu.

climber ['klaɪmər] *n.* **1.** alpinist-a/ka, taternik/czka. **2.** *bot.* pnącze. **3.** = **social ~**. **4.** = **climbing-irons**. **5.** *sl.* człowiek-mucha (= *złodziej*).

climbing ['klaɪmɪŋ] *n. U* **1.** wspinaczka; alpinistyka; **mountain/rock ~** wspinaczka górska/skalna. **2.** *lotn.* wznoszenie.

climbing boots *n. pl.* buty do wspinaczki.

climbing buck-wheat *n. bot.* rdest powojowy (*Polygonum convolvulus*).

climbing equipment *n. U* wyposażenie wspinaczkowe.

climbing frame *n. Br.* drabinki (*na placu zabaw*).

climbing-irons ['klaɪmɪŋˌaɪərnz] *n.* **1.** słupołazy. **2.** raki.

climbing perch *n. icht.* łaziec (*Anabas scandeus*).

climbing plant *n. bot.* pnącze, roślina pnąca.

climbing rose, climbing sailor *n. bot.* lnica bluszczykowata (*Linaria cymbalaria*).

climbing speed *n. U lotn.* prędkość przy wznoszeniu.

climbing wall *n. sport* (sztuczna) ściana do wspinaczki.

clime [klaɪm] *n. lit. l. żart.* **1.** kraina. **2.** klimat.

clinch [klɪntʃ] *v.* **1.** sfinalizować (*np. kontrakt*); **~ the deal** przypieczętować interes. **2.** rozstrzygnąć (*zwł. o wyniku zawodów, wygrywając je*); **~ the championship/title** zdobyć mistrzostwo/tytuł; **~ the contest** wygrać zawody. **3.** **~ it** *pot.* zadecydować, przesądzić sprawę (*o czynniku, argumencie*). **4.** *boks* zewrzeć się (*w uścisku*). **5.** obejmować się, ściskać się. **6.** (*także* **clench**) *żegl.* mocować węzłem cumowniczym (*linę*). **7.** (*także* **clench**) **~ a nail** zaginać *l.* zakrzywiać koniec gwoździa (*po wbiciu*); **~ a rivet** zakuwać *l.* zamykać nit. – *n.* **1.** (*także* **clench**) *boks* zwarcie. **2.** uścisk (*miłosny*). **3.** (*także* **~ knot**) *żegl.* węzeł zaciskowy.

clinch-bolt ['klɪntʃˌboʊlt] *n.* nitowkręt.

clincher ['klɪntʃər] *n.* rozstrzygający argument.

clincher-built ['klɪntʃərˌbɪlt] *a. żegl.* = **clinker-built**.

clinching ['klɪntʃɪŋ] *a. attr.* rozstrzygający (*o argumencie*).

clinch-nail ['klɪntʃˌneɪl] *n. żegl.* nit szkutniczy.

cline [klaɪn] *n. nauka* kontinuum.

cling [klɪŋ] *v.* **clung, clung** **1.** **~ (on) to sb/sth** *t. przen.* trzymać się kogoś/czegoś kurczowo, uczepić się kogoś/czegoś; przylgnąć do kogoś/czegoś; **~ to the hope that...** kurczowo trzymać się nadziei, że... **2.** **~ to sth** przylegać do czegoś (*zw. o ubraniu*); przywierać do czegoś. **3.** **~ together** zlepiać się (*np. o kartkach*); trzymać się razem;

lgnąć do siebie (*o ludziach*). **4.** uzależniać się emocjonalnie od opiekuna (*zw. o dziecku*). **5.** utrzymywać się, unosić się w powietrzu (*o zapachu*).

cling film, clingfilm *n. U Br.* folia spożywcza.

clinging ['klɪŋɪŋ], **clingy** ['klɪŋɪ] *a. attr.* **1.** przylegający, przywierający; opinający się, obcisły. **2.** *przen.* niesamodzielny, trzymający się matczynego fartucha (*o dziecku*).

clinging vine *n. gł. US przen.* kobieta-bluszcz (= *zdająca się we wszystkim na mężczyznę*).

clingstone ['klɪŋˌstoʊn] *n.* owoc o miąższu przylegającym do pestki (*np. niektóre odmiany brzoskwini*). – *a. attr.* przylegający do pestki.

clingy ['klɪŋɪ] *a.* **-ier, -iest** = **clinging**.

clinic ['klɪnɪk] *n.* **1.** poradnia, przychodnia (*zw. przyszpitalna*); **dental/family planning ~** poradnia stomatologiczna/planowania rodziny. **2.** wykład kliniczny (*z demonstracją chorego*). **3.** *US* zespół lekarzy (*pracujących razem*). **4.** *Br.* prywatna klinika (*szpital l. dom opieki*). **5.** *Br.* godziny przyjęć *l.* konsultacji (*lekarza*); godziny dyżurów (*posła w danym okręgu*); **hold a ~** przyjmować (*o lekarzu*); dyżurować, przyjmować interesantów (*o pośle*). **6.** *gł. US* krótki kurs; **guitar ~** krótki kurs gry na gitarze.

clinical ['klɪnɪkl] *a.* **1.** *attr.* kliniczny; **~ symptoms/tests/trials** objawy/testy/próby kliniczne. **2.** szpitalny (*t. przen. o bieli, charakterze pomieszczenia itp.*). **3.** *przen. uj.* beznamiętny, pozbawiony emocji.

clinical death *n. U pat.* śmierć kliniczna.

clinical depression *n. U pat.* ciężka *l.* kliniczna depresja.

clinically ['klɪnɪklɪ] *adv.* klinicznie; **~ dead** w stanie śmierci klinicznej; **~ depressed** w ciężkiej depresji; **~ tested** przebadany klinicznie.

clinical medicine *n. U* medycyna kliniczna.

clinical psychology *n. U* psychologia kliniczna.

clinical thermometer *n.* termometr lekarski.

clinician [klɪ'nɪʃən] *n. med.* klinicyst-a/ka.

clink[1] [klɪŋk] *v.* **1.** dzwonić, pobrzękiwać. **2.** **~ glasses** trącać się kieliszkami. – *n. sing.* dzwonienie, brzęk (*np. kieliszków*).

clink[2] *n. pot.* ciupa (= *więzienie*).

clinker ['klɪŋkər] *n.* **1.** klinkier (*cegła*). **2.** *U* żużel (*zastygły*). **3.** *sing. US i Can. pot.* fałszywa nuta (*zagrana podczas występu*); *przest.* chała, bubel.

clinker brick *n. bud.* cegła klinkierowa.

clinker-built ['klɪŋkərˌbɪlt], **clincher-built** *a. żegl.* budowany na zakładkę (*o łodzi*).

clinometer [klaɪ'nɑːmətər] *n.* klinometr; *lotn.* chyłomierz; *żegl.* przechyłomierz.

clip[1] [klɪp] *v.* **-pp-** przypinać (*sth on/onto/to sth* coś do czegoś); (*także* **~ together**) spinać (razem); **~ sth into sth** wpinać coś do czegoś. – *n.* **1.** (*także* **paper~**) spinacz; **bulldog ~** *Br.* klips do papieru. **2.** spinka; **hair~** spinka do włosów. **3.** zacisk; klamra; *chir.* klamerka, zacisk. **4.** (*także* **cartridge ~**) magazynek (*z nabojami*).

clip[2] *v.* **-pp-** **1.** przycinać (*żywopłot, uszy psa*); obcinać (*paznokcie*); strzyc (*włosy, wełnę, owce*). **2.** wycinać (*sth out of/from sth* coś z czegoś) (*zwł. artykuł l. zdjęcie z gazety*). **3.** okrawać, obcinać brzeg (*monety*). **4.** obcinać, połykać (*głoski, końcówki wyrazów*). **5.** *Br.* przedziurkować (*bilet; o konduktorze*). **6.** *gł. US sl.* orżnąć, okantować. **7.** *US pot.* pędzić. **8.** *przen.* **~ sb round the ear/earhole** *Br. pot.* trzepnąć kogoś w ucho; **~ sb's wings** podciąć komuś skrzydła. – *n.* **1.** wycinek (*prasowy*). **2.** *kino telew.* urywek (z) filmu (*zwł. wyświetlany w celach reklamowych*). **3.** *telew.* klip muzyczny. **4.** (*także* **wool ~**) *Austr. i NZ* strzyża (= *ilość wełny nastrzyżonej w danym miejscu l. okresie*). **5.** **give sth a ~** przyciąć, podciąć *l.* przystrzyc coś. **6.** *pot.* **a ~ round the ear/earhole** *Br.* trzepnięcie w ucho; **at a good/fair ~** szybko; **at a ~** *US* na raz, za jednym zamachem; **$100 a ~** *US* (po) 100 dolarów za sztukę.

clip art *n. U komp.* gotowy rysunek (*który można dodawać do własnych plików*).

clipboard ['klɪpˌbɔːrd] *n.* **1.** tabliczka z zaciskiem na papiery. **2.** *komp.* schowek (= *program służący do tymczasowego przechowywania danych*).

clip-clop ['klɪpˌklɑːp] *n. sing. onomat.* tętent.

clip joint *n. sl.* knajpa z bardzo zawyżonymi cenami.

clip-on ['klɪpˌɑːn] *n.* **1.** (*także* **~ earring**) *biżuteria* klips. **2.** *pl.* (*także* **~ sunglasses**) okulary słoneczne dopinane do leczniczych.

clipper ['klɪpər] *n.* **1.** postrzygacz (*owiec*). **2.** (*także* **~ ship**) *żegl.* kliper. **3.** *el.* układ obcinający; ogranicznik (*sygnałów*). **4.** *pot.* rączy koń; szybki statek, samolot, sanie itp.

clippers ['klɪpərz] *n. pl.* **1.** maszynka do strzyżenia. **2.** *ogr.* nożyce; sekator. **3.** (*także* **nail ~**) cążki (*do obcinania paznokci*).

clippie ['klɪpɪ] *n. Br. przest. pot.* konduktorka (*w autobusie*).

clipping ['klɪpɪŋ] *n.* **1.** **(newspaper) ~** wycinek (z gazety); **press ~** wycinek prasowy. **2.** *zw. pl.* ścinki, skrawki. **3.** *U* połykanie końcówek wyrazów. **4.** *U gł. radio* obcinanie wysokich częstotliwości. – *a. attr. pot.* bardzo szybki.

clique [kliːk] *n.* klika. – *v. US* tworzyć klikę.

cliquey ['kliːkɪ], **cliquy** *a.* **-ier, -iest** *uj.* klikowy.

cliquish ['kliːkɪʃ] *a.* = **cliquey**.

cliquishness ['kliːkɪʃnəs] *n. U* klikowość.

clitic ['klɪtɪk] *n. jęz.* klityka, wyraz atoniczny.

clitoral ['klɪtərəl] *a.* łechtaczkowy.

clitoris ['klɪtərɪs] *n. anat.* łechtaczka.

cloaca [kloʊ'eɪkə] *n. pl.* **-ae** [kloʊ'eɪkiː] **1.** *zool.* kloaka, stek (*odcinek przewodu pokarmowego*). **2.** *rzad.* kloaka, ściek.

cloacal [kloʊ'eɪkl] *a.* kloaczny.

cloak [kloʊk] *n.* **1.** peleryna. **2.** *przen.* przykrywka (*for sth* dla czegoś); **under the ~ of darkness** pod osłoną ciemności; **under the ~ of piety** pod płaszczykiem pobożności. – *v. zw. pass.* ukrywać (*zwł. prawdziwe uczucia*); okrywać, spowijać; **~ed in mist** *lit.* spowity mgłą; **~ed in secrecy** otoczony *l.* owiany tajemnicą.

cloak-and-dagger [ˌkloʊkən'dægər] *a. attr.* **1.** sensacyjny, pełen intryg (*o opowiadaniu l. fil-*

mie, zwł. szpiegowskim). **2.** potajemny, pokątny (*o działaniach, metodach*).

cloakroom ['klouk,ru:m] *n.* **1.** *gł. Br.* szatnia, garderoba. **2.** *Br. euf.* toaleta (*w budynku publicznym*).

clobber1 ['klɑ:bər] *v. pot.* **1.** sprać, zlać. **2.** rozgromić, roznieść (*drużynę przeciwnika*). **3.** zjechać (= *ostro skrytykować*). **4.** ukarać surowo (*za wykroczenie*).

clobber2 *n. U Br. i Austr. pot.* majdan, manatki, bambetle; ciuchy.

cloche [klouʃ] *n.* **1.** *ogr.* klosz (*na rośliny*). **2.** damski kapelusz w kształcie hełmu (*popularny zwł. w latach 20. XX w.*).

clock [klɑ:k] *n.* **1.** zegar; **alarm ~** budzik; **biological/body ~** zegar biologiczny; **by the kitchen ~** według zegara kuchennego; **cuckoo ~** zegar z kukułką; **grandfather ~** zegar stojący; **set the ~ ahead** *US* (*także Br.* **put the ~ forward**) przesuwać zegar do przodu (*przy zmianie czasu*); **set/(***Br.* **put) the ~ back** cofać zegar (*przy zmianie czasu*); **set the ~ by sth** ustawiać zegar według czegoś; **set the ~ for 6:30** nastawić zegar na 6:30; **start/stop the ~** włączyć/zatrzymać zegar, zacząć/przerwać mierzenie czasu (*zwł. na zawodach sportowych*); **the ~ is slow/fast** zegar się spóźnia/spieszy; **the ~ says 5:15** zegar wskazuje godzinę 5:15; **the ~ strikes noon** zegar wybija południe; **time ~** zegar rejestrujący godzinę przyjścia i wyjścia (*z pracy*); **wind (up) the ~** nakręcić zegar. **2.** *pot.* licznik (*przebiegu*); taksometr; **the car had 5,000 miles on the ~** samochód miał 5000 mil na liczniku. **3.** (*także* **dandelion ~**) *bot. Br.* baldachim (*mniszka lekarskiego*). **4.** *przen.* **around/round the ~** dwadzieścia cztery godziny na dobę, na okrągło; **like a ~** jak w zegarku; **live by the ~** robić wszystko z zegarkiem w ręku; **put the ~ forward** wyprzedzić czas, wybiegać w czasie; **put/set/turn the ~ back** cofać zegar historii; **run out/kill the ~** *US* nie dopuszczać przeciwnika do gry (*np. w końcówce meczu*); **watch the ~** co chwila spoglądać na zegar (*z nudów*); **when one's ~ strikes** kiedy wybije czyjaś godzina; **work against the ~** pracować pod presją czasu, walczyć z czasem. – *v.* **1.** mierzyć prędkość (*komuś*); **the police ~ed him doing 80 miles an hour** policja zarejestrowała, jak jechał 80 mil na godzinę. **2.** pokonać *dystans* w czasie (*zwł. o sportowcu*); mierzyć czas (*zwł. sportowcowi*); **he ~ed 10 seconds in the 100 meters** pobiegł 100 metrów w 10 sekund; **she was ~ed at 58.4 seconds for the first lap** jej czas (zmierzony) po pierwszym okrążeniu wynosił 58,4 sekundy. **3.** *Br. pot.* obserwować. **4. ~ sb one** *gł. Br. pot.* przyłożyć komuś. **5. ~ a car** *Br. pot.* cofać licznik w samochodzie. **6. ~ in** (*także Br.* **~ on**) *pot.* odbijać kartę zegarową (*po przyjściu do pracy*); **~ out** (*także Br. i Austr.* **~ off**) *pot.* odbijać kartę zegarową (*przy wyjściu z pracy*); **~ up** *pot.* zaliczać (*np. kolejne zwycięstwa*).

clock-case ['klɑ:k,keɪs] *n.* skrzynka *l.* szafka z mechanizmem zegarowym.

clock-face ['klɑ:k,feɪs] *n.* cyferblat.

clocking hen *n. Br. dial.* kura siedząca na jajkach.

clockmaker ['klɑ:k,meɪkər], **clock-maker** *n.* zegarmistrz.

clock radio *n.* (*także* **radio alarm clock**) radio z budzikiem.

clock-tower [klɑ:k 'tauər] *n.* wieża zegarowa.

clock-watch ['klɑ:k,wɑ:tʃ] *v.* pracować z zegarkiem w ręku (*i ani minuty dłużej*).

clockwise ['klɑ:k,waɪz] *adv.* zgodnie z ruchem wskazówek zegara.

clockwork ['klɑ:k,wɜ:k], **clock-work** *n. U* (*także* **~-train**) **1.** mechanizm zegarowy. **2. like ~** jak w zegarku. – *a. attr.* mechaniczny.

clod [klɑ:d] *n.* **1.** bryła, gruda (*ziemi, błota*). **2.** *U* ziemia (*zwł. ciężka, bryłowata*). **3.** *przest. pot.* bęcwał. **4.** *U Br.* karkówka wołowa. **5.** *zw. pl. sl.* miedziaki (= *monety*).

cloddish ['klɑ:dɪʃ] *a.* bęcwałowaty.

cloddishly ['klɑ:dɪʃlɪ] *adv.* bęcwałowato.

cloddishness ['klɑ:dɪʃnəs] *n. U* bęcwalstwo.

clodhopper ['klɑ:d,hɑ:pər] *n. pot.* **1.** niezdara, gamoń. **2.** *pl. pot. często żart.* buciory.

clodhopping ['klɑ:d,hɑ:pɪŋ] *a. attr. pot.* niezdarny, gamoniowaty.

clog [klɑ:g] *n.* **1.** chodak, drewniak. **2.** *przen.* przeszkoda, kula u nogi. **3.** *przen. pot.* **clever ~s** *Br. uj.* mądrala; **pop one's ~s** *Br. żart.* wyciągnąć kopyta. – *v.* **-gg- 1.** (*także* **~ up**) zatykać (się), zapychać (się). **2.** tarasować, blokować. **3.** przeszkadzać; utrudniać; krępować.

clogged [klɑ:gd] *a.* zapchany, zatkany (*o nosie, porach, rurze*).

cloggy ['klɑ:gɪ] *a.* **-ier, -iest 1.** bryłowaty. **2.** lepki (*np. o spoconych rękach*).

cloister ['klɔɪstər] *n.* **1.** *zw. pl.* krużganek. **2.** klasztor; (*także* **the ~**) *t. przen.* klasztorne życie. – *v.* **1.** (*także* **~ up**) zamykać w klasztorze *l.* odosobnieniu, izolować; **~ o.s. (away)** zamykać *l.* izolować się (*żeby móc się lepiej skupić*). **2.** *przen.* ograniczać.

cloistered ['klɔɪstərd] *a.* **1.** otoczony krużgankiem. **2.** w odosobnieniu, wolny od problemów codzienności (*o trybie życia*).

cloistral ['klɔɪstrəl] *rzad.* **claustral** ['klɔ:strəl] *a.* klasztorny; podobny do klasztoru.

clomp [klɑ:mp] *n. i v. zob.* **clump**.

clonal ['klounl] *a. biol.* kloniczny.

clone [kloun] *n.* **1.** *biol.* klon. **2.** *komp.* komputer będący kopią już istniejącego (*zw. tańszy i produkowany przez inną firmę*). **3.** *przen. pot. często uj.* klon, wierna kopia. – *v. biol. l. przen.* klonować.

clonic ['klɑ:nɪk] *a. pat.* kloniczny, trząsowy.

clonk [klɑ:ŋk] *n. sing. onomat.* bęc, łup. – *v.* **1.** łupnąć. **2. ~ sb** *pot.* walnąć kogoś.

clonus ['klounəs] *n. U pat.* klonus, trząs.

clop [klɑ:p] *v.* **-pp-** stukać (*zwł. kopytami*). – *n. sing.* stukot (*np. kopyt*).

close1 [klous] *a.* **1.** *t. przen.* bliski; **~ association/link** bliski związek; **~ cooperation** bliska *l.* ścisła współpraca; **~ friend** blisk-i/a przyjaciel/ółka; **~ colleagues** bliscy współpracownicy; **~ relations/relatives** bliscy krewni; **~ to death** bliski śmierci; ~ **to (doing) sth** bliski (zrobienia) czegoś; **at ~ range/quarters** z niewielkiej odległości, z bliska; **how ~ is New York to Washington?** jak daleko jest z Nowego Jorku do Waszyngtonu?; **in ~ proximity (to)** w niewielkiej odległości (od); **keep in ~ contact/touch** utrzymywać bliskie stosunki (*with sb* z kimś). **2.** *fon.* przymknięty (*o samogłosce*); **half-~ vowel** samogłoska półprzymknięta. **3.** parny, duszny (*o pogodzie, pomieszczeniu*). **4.** *pred.* skryty (*about sth* jeśli chodzi o coś). **5.** *pred.* (*także* **~ with one's money**) skąpy. **6.** gęsty; **~ print/stitches** gęsty druk/ścieg. **7.** *attr.* dokładny; ścisły; baczny; drobiazgowy; **~ investigation** dokładne *l.* drobiazgowe śledztwo; **in ~ confinement/arrest** pod ścisłym nadzorem, w ścisłym odosobnieniu; **keep a ~ watch/eye on sb/sth** bacznie kogoś/coś obserwować, nie spuszczać kogoś/czegoś z oczu; **take a ~ look at sth** przyjrzeć się czemuś z bliska *l.* dokładnie. **8.** wyrównany (*o pojedynku, walce*). **9.** zwarty (*o szyku, rozumowaniu*); **~ siege** oblężenie zwartym pierścieniem. **10.** *przen.* **~ but no cigar** *US pot.* niewiele brakowało, blisko, ale nic z tego; **~ to home** wprawiający w zakłopotanie, bo prawdziwy (*o uwagach, krytyce*); **~ to the bone** sprawiający przykrość, bo prawdziwy (*o uwagach, krytyce*); **it was a ~ call/shave/thing** (*także* **it was ~**) niewiele brakowało (*a stałoby się coś niebezpiecznego l. kompromitującego*); **you're/that's ~** *pot.* jesteś blisko (= *prawie zgadłeś*). – *adv.* **1.** *t. przen.* blisko (*to sth* czegoś); **~ at hand** tuż obok; **~ behind** tuż za; **~ to/on 50 miles** prawie *l.* niemal 50 mil; **~ to the road** tuż przy drodze; **~ up** (*także* **up ~**) z bliska (*zobaczyć*); **be ~ by** być tuż obok; **come ~ to (doing) sth** być bliskim (zrobienia) czegoś, o mało czegoś nie zrobić; **get ~** zbliżyć się; **hold/draw sb ~** mocno kogoś przytulić; **lie ~** leżeć w ukryciu; **run sb ~** deptać komuś po piętach (= *być prawie tak dobrym, jak ktoś*); **sail ~ to the wind** *żegl.* płynąć ostro na wiatr; *przen.* obrać ryzykowny kurs; **stand/sit ~** stać/siedzieć tuż obok *l.* jeden obok drugiego; **stay/keep ~ together** trzymać się blisko *l.* razem; **too ~ for comfort** niebezpiecznie *l.* nieprzyjemnie blisko. **2.** szczelnie; ciasno; **~ together** ciasno, jeden przy drugim; **shut sth ~** zamknąć coś szczelnie. – *n. gł. Br.* **1.** *prawn.* teren prywatny (*zw. ogrodzony*). **2.** teren katedry. **3.** boisko (*zwł. szkolne*). **4.** (*także* **C~**) (*w nazwach*) ulica (*mała, zamknięta z jednej strony*). **5.** *Scot.* wejście od ulicy do klatki schodowej (*kamienicy*).

close[2] [klouz] *v.* **1.** *t. przen.* zamykać (się); **~ an account** *bank* zamknąć rachunek, zlikwidować konto; **~ one's eyes** zamykać oczy; **~ a door/window** zamykać drzwi/okno; **the Exchange ~ed at an average 50 cents a share** Giełda zamknęła się średnim wynikiem 50 centów za akcję; **his hand ~d upon the knife** jego ręka zacisnęła się na nożu; **the prison gate ~d upon him** zamknęła się za nim brama więzienna; **the shops ~ at six** sklepy zamyka się o szóstej. **2.** zatykać. **3.** zakończyć (się) (*with sth / by doing sth* czymś/robiąc coś); **~ one's days** *euf.* zakończyć życie; **special offer ~s January 31** promocja kończy się 31 stycznia. **4.** finalizować; **~ a bargain** dobić targu; **~ a contract** sfinalizować kontrakt. **5.** *t. el.* łączyć (się); schodzić się. **6.** *przen.* **~ one's eyes to sth** przymykać oczy na coś; **~ ranks** zewrzeć szeregi; **~ the book(s) on sth** zamknąć coś (*zwł. śledztwo z braku dowodów*); **~ the door on sth** uniemożliwić coś. **7.** **~ down** zamykać (*na stałe*), likwidować; ulegać likwidacji; *radio, telew. zwł. Br.* kończyć nadawanie (*o stacji*); **darkness ~d down on the city** *US* zmrok zapadł nad miastem; **~ in** nadciągać (*o nocy, burzy*); **~ sth in** zamykać coś (*np. przejście*); **the days are closing in** dni stają się coraz krótsze, ubywa dnia; **~ in on/upon sb/sth** otaczać kogoś/coś; zbliżać się do kogoś/czegoś (*żeby zaatakować*); **~ off** zamykać (dla ruchu); **~ on/upon sb** przytłaczać kogoś; **~ on/upon sth** ogarniać coś (*stopniowo*). **8.** **~ (sth) out** *US* wyprzedawać (coś); **~ up** zamykać (*np. sklep na noc*); zamykać się w sobie; goić się (*o ranie*); przybliżać się do siebie, zwierać szeregi; **~ with** *Br.* dogadać się z, dobić targu z; *lit.* zewrzeć *l.* zetrzeć się z (*np. wojskiem nieprzyjaciela*). – *n.* **1.** *form.* koniec, zakończenie; **at the ~ of the century/day** pod koniec wieku/dnia; **bring sth to a ~** zakończyć coś; **come/draw to a ~** zbliżać się do końca. **2.** *muz.* = **cadence** 1.

close annealing *n. U techn.* wyżarzanie czyste.

close-coupled [ˌklousˈkʌpld] *n. gł. Br.* ściśle połączony, sprzężony.

close-cropped [ˌklousˈkrɑːpt] *a.* krótko przystrzyżony *l.* obcięty.

closed [klouzd] *a. t. mat., geom. l. przen.* zamknięty; **~ to the public/visitors** zakaz wstępu; **behind ~ doors** *przen.* za zamkniętymi drzwiami (*o spotkaniu, posiedzeniu*).

closed book *n. przen.* **1.** zamknięta księga (= *sprawa zakończona raz na zawsze*). **2.** czarna magia; **sth is a ~ to sb** coś jest dla kogoś czarną magią.

closed-captioned [ˌklouzdˈkæpʃənd] *a. telew.* ze specjalnymi napisami (*dla osób słabo słyszących*).

closed chain *n. chem.* łańcuch zamknięty.

closed circuit *n. el.* obwód zamknięty.

closed-circuit television [ˌklouzdˌsɝːkɪt ˈteləˌvɪʒən], **CCTV** [ˌsiː ˌsiː ˌtiː ˈviː] *n. U* sieć telewizyjna zamknięta, telewizja przemysłowa, kamery (*pot.*).

closed-door [ˌklouzdˈdɔːr] *a. attr.* za zamkniętymi drzwiami, zamknięty dla publiczności, tajny (*o posiedzeniu, rozprawie*).

closed loop *n.* **1.** obwód zamknięty. **2.** *komp.* pętla zamknięta (*rozkazów*).

close-down [ˈklouzˌdaun], **closedown** *n.* **1.** zamknięcie, likwidacja (*fabryki, sklepu*). **2.** *radio, telew. zwł. Br.* koniec programu (*na dany dzień*).

closed season *n. US* okres ochronny (*dla zwierzyny*).

closed shop *n.* zakład, którego pracownicy muszą należeć do określonego związku zawodowego.

closed syllable *n. fon.* sylaba zamknięta (= *zakończona spółgłoską*).

close-fisted [ˌkloʊsˈfɪstɪd], **closefisted** *a.* skąpy.

close-fitting [ˌkloʊsˈfɪtɪŋ] *a.* obcisły (*o ubraniu*).

close-grained [ˌkloʊsˈgreɪnd] *a.* o gęstych słojach (*o drewnie*).

close-hauled [ˌkloʊsˈhɔːld] *a. żegl.* płynący ostro na wiatr.

close-knit [ˌkloʊsˈnɪt], **closely-knit** [ˌkloʊslɪˈnɪt] *a.* zwarty, zżyty (*o grupie, społeczności*).

close-lipped [ˌkloʊsˈlɪpt], **close-mouthed** [ˌkloʊsˈmaʊðd] *a.* milczący, małomówny (*żeby nie zdradzić tajemnicy*).

closely [ˈkloʊslɪ] *adv.* **1.** blisko (*spokrewniony, powiązany*); ~ **resemble** być bardzo zbliżonym do. **2.** dokładnie, bacznie (*obserwować*); ściśle (*strzec*). **3.** ciasno (*upchany, wypakowany*).

closely-knit [ˌkloʊslɪˈnɪt] *a.* = **close-knit**.

close medium shot *n. telew.* plan amerykański.

close mourning *n. U* głęboka żałoba.

closemouthed [ˌkloʊsˈmaʊðd], **close-mouthed** *a.* = **close-lipped**.

closeness [ˈkloʊsnəs] *n. U* **1.** bliskość. **2.** dokładność. **3.** duchota.

closeout [ˈkloʊzˌaʊt] *n. US* wyprzedaż.

closer [ˈkloʊzər] *n.* **1.** urządzenie zamykające. **2.** *bud.* zwornik (*w sklepieniu*).

close-range [ˌkloʊsˈreɪndʒ] *a. attr.* **1.** z bliska; wręcz (*o walce*). **2.** o krótkim zasięgu (*o broni*).

close-reach [ˌkloʊsˈriːtʃ] *n. żegl.* hals półwiatrem.

close season *n. Br.* = **closed season**.

close-set [ˌkloʊsˈset] *a.* blisko osadzony (*o oczach*).

close shot *n. kino* plan bliski.

closet [ˈklɑːzɪt] *n.* **1.** *gł. US* szafa ścienna. **2.** = **water** ~. **3.** *przen.* **come out of the** ~ przyznać się do swojej orientacji homoseksualnej; wyjść z ukrycia; **a skeleton in the** ~ *US* trup w szafie (= *wstydliwie skrywana tajemnica*). – *a. attr.* ukradkowy, potajemny; trzymany w sekrecie (*o przekonaniach, nawykach, lękach*); ~ **alcoholic** alkoholik ukrywający swój nałóg; ~ **homosexual/radical** homoseksualista/radykał nie przyznający się do swojej orientacji seksualnej/politycznej. – *v. zw. pass.* ~ **o.s. (away)** zamykać się (*zw. żeby móc w spokoju pracować l. oddawać się medytacji*); **be ~ed with sb** odbywać z kimś spotkanie *l.* naradę przy drzwiach zamkniętych.

closet drama *n. gł. US* sztuka tylko do czytania.

closet queen *n. Br. pot.* homoseksualista ukrywający swoje skłonności.

closeup [ˈkloʊsˌʌp], **close-up** *n. fot., kino* **1.** zbliżenie; **big/extreme** ~ detal; **in** ~ z bliska; **medium** ~ półzbliżenie. **2.** drobiazgowy opis; szczegółowe studium.

closing [ˈkloʊzɪŋ] *n.* = **closure**. – *a. attr.* końcowy; ~ **minutes/seconds/stages** końcowe minuty/sekundy/stadia; ~ **remarks** uwagi końcowe.

closing ceremony *n.* uroczystość *l.* ceremonia zamknięcia.

closing date *n.* ostateczny termin (*np. składania podań*).

closing price *n. giełda* kurs zamknięcia.

closing session *n.* sesja końcowa, posiedzenie końcowe.

closing time *n. C/U* godzina zamknięcia (*sklepu, urzędu*); *Br.* godzina zamknięcia pubu.

closure [ˈkloʊʒər] *n.* **1.** *C/U* zamknięcie; ~ **of a bridge/road** zamknięcie mostu/drogi (*na określony czas*); ~ **of the debate/investigation** zamknięcie debaty/śledztwa; **pit/factory ~s** zamykanie kopalń/fabryk. **2.** zamknięcie (*w formie nakrętki na butelkę, zgrzewu torebki foliowej itp.*). – *v. parl.* zamykać *debatę*, przystępując do natychmiastowego głosowania.

clot [klɑːt] *n.* **1.** masa zsiadła; grudka. **2.** *pat.* skrzep; **blood** ~ (*także* **the** ~) skrzeplina *l.* skrzep krwi; **postmortem** ~ skrzeplina pośmiertna. **3.** *Br. pot.* osioł, baran. – *v.* **-tt- 1.** ścinać się, zsiadać się. **2.** krzepnąć. **3.** powodować krzepnięcie.

cloth [klɔːθ] *n. pl.* **-s** [klɔːθs] **1.** *U* materiał, tkanina; materia; sukno; ~ **of gold/silver** złotogłów; **American** ~ *Br.* skaj, derma. **2.** (*także* **table**~) obrus. **3.** ścierka, ściereczka, szmatka; **dish**~ ściereczka do naczyń; **floor**~ ścierka do podłogi. **4.** *U żegl.* bryt, płótno żaglowe. **5. the** ~ szaty duchowne; *lit.* duchowieństwo; **take the** ~ *form.* przywdziać szaty (= *zostać księdzem*). **6.** *przen.* **be cut from the same** ~ być ulepionym z tej samej gliny; **cut one's coat according to one's** ~ tak krawiec kraje, jak mu materii staje; **out of whole** ~ *US i Can. pot.* wyssany z palca.

cloth binding *n. U introl.* oprawa płócienna.

cloth-bound [ˈklɔːθbaʊnd] *a.* oprawiony w płótno.

cloth cap *n. Br.* wełniana czapka z daszkiem. – *a. attr. Br. przen.* robotniczy, typowy dla klasy robotniczej (*o etosie, wartościach, poglądach*).

clothe [kloʊð] *v. zw. pass.* **clothed** *arch. i lit. t.* **clad 1.** ubierać (*t. = zapewniać środki na ubranie*); **be fully/partly ~d** być całkowicie/częściowo ubranym; **she had to feed and ~ the whole family** musiała wyżywić i ubrać całą rodzinę. **2.** *przen.* zakrywać, maskować. **3.** *lit.* **be ~d in** być spowitym *l.* obleczonym w; **be ~d with** być wyposażonym w (*zwł. jakieś cechy*).

cloth-ears [ˌklɔːθˈiːrz] *n. pl. Br. przest. pot. pog.* głuch-y/a.

clothes [kloʊz] *n. pl.* **1.** ubranie, ubrania, rzeczy; **put on/take off one's** ~ zakładać/zdejmować ubranie, ubierać/rozbierać się. **2.** *gł. Br.* = **bedclothes**.

clothes basket *n.* kosz na brudną bieliznę.

clothes brush *n.* szczotka do ubrań.

clothes-conscious [ˌkloʊzˈkɑːnʃəs] *a.* przywiązujący wagę do stroju.

clothes dummy *n.* manekin (*sklepowy*).

clothes hanger *n.* wieszak, ramiączko.

clotheshorse [ˈkloʊzˌhɔːrs] *n.* **1.** stojak do suszenia *l.* wietrzenia ubrań. **2.** *gł. US pot.* strojni-ś/sia.

clothes line *n.* (*także* **clothes rope**) sznur na bieliznę.

clothes moth *n. ent.* mól włosienniczek (*Tineola bisselliella*).

clothes peg *Br. i Austr. n.* = **clothespin.**

clothespin ['klouz,pɪn] *US n.* spinacz *l.* klamerka do bielizny.

clothes pole, *Br.* **clothes prop** *n.* podpórka sznura na bieliznę.

clothes press *n. US i Scot.* **1.** bieliźniarka (*szafa*). **2.** prasownica do odzieży.

clothes rack *n.* wieszak (*zwł. sklepowy, w formie metalowej ramy z poprzecznym prętem*).

cloth halls *n. pl.* sukiennice.

clothier ['klouðjər] *n. przest.* producent *l.* sprzedawca odzieży męskiej *l.* materiałów na ubrania.

clothing ['klouðɪŋ] *n. U form.* **1.** odzież; strój; **article/item/piece of ~** część garderoby; **protective ~** odzież ochronna. **2.** osłona (*np. kotła*).

clothing industry *n. sing.* przemysł odzieżowy.

clotting ['klɑːtɪŋ] *n. U fizj.* krzepnięcie.

clotting time *n. U fizj.* czas krzepnięcia.

clotty ['klɑːtɪ] *a.* **1.** guzełkowaty; pełen grudek. **2.** *pat.* skrzepły.

cloture ['kloutʃər] *US parl. n.* zamknięcie debaty poprzez zarządzenie natychmiastowego głosowania nad projektem ustawy. – *v.* zamykać (*debatę; jw.*).

cloud [klaud] *n.* **1.** chmura, obłok. **2.** chmura, tuman, kłąb (*dymu*). **3.** *przen.* widmo (*strachu, wojny*); mrok, osłona (*nocy*). **4.** chmara (*owadów, ludzi*). **5.** zmętnienie (*w wodzie, oku*). **6.** plama (*niewyraźna, rozmazana na tle czegoś*). **7.** *przen.* **~s gathering over sb's head** chmury zbierające się nad czyjąś głową; **be under a ~** *pot.* być w niełasce, nie cieszyć się sympatią; **cast a ~ over sth** zepsuć *l.* zakłócić coś (*imprezę, zebranie*); **every ~ has a silver lining** nie ma tego złego, co by na dobre nie wyszło; **have one's head in the ~s** (*także* **live in the ~s**) *pot.* chodzić z głową w chmurach, bujać w obłokach; **on a ~** (*także* **on ~ nine**) *przest. pot.* w siódmym niebie; **(the only) ~ on the horizon** (jedyne) zmartwienie. – *v.* **1.** zmącić; zmętnić; pokryć parą *l.* mgiełką; zmatowieć, zmącić się, zajść mgłą. **2.** zaciemniać (*sprawę, kwestię*). **3.** rzucać cień na (*reputację itp.*). **4. ~ (up/over)** *t. przen.* zachmurzyć się, spochmurnieć (*o niebie, osobie, twarzy*).

cloud bank *n. meteor.* wiszące zwały chmur.

cloud-berry ['klaud,berɪ] *n. bot.* malina moroszka (*Rubus chamaemorus*).

cloudburst ['klaud,bɜːst] *n.* oberwanie chmury.

cloud-capped ['klaud,kæpt] *a.* przykryty chmurami (*o szczycie górskim*).

cloudiness ['klaudɪnəs] *n. U* **1.** pochmurna pogoda. **2.** chmurność, posępność. **3.** mętność, zawiłość (*np. wywodu*).

cloudland ['klaud,lænd], *Br. t.* **cloud-cuckoo-land** [,klaud'kukuː,lænd] *n. przen.* kraina *l.* świat baśni *l.* bajek; świat utopii, utopia.

cloudless ['klaudləs] *a.* bezchmurny.

cloudlet ['klaudlət] *n.* chmurka, obłoczek.

cloudscape ['klaudskeɪp] *n. gł. mal.* panorama *l.* pejzaż nieba z chmurami.

cloudy ['klaudɪ] *a.* **-ier, -iest 1.** pochmurny; zachmurzony; **it's ~** jest pochmurno. **2.** mętny; matowy; zamglony. **3.** mglisty, niejasny (*o perspektywach, pojęciu*). **4.** posępny (*o spojrzeniu, wyrazie twarzy*).

clough [klʌf] *n. Br. dial.* parów.

clout [klaut] *n.* **1.** *pot.* walnięcie, cios. **2.** *U* władza, wpływy. **3.** *US baseball* dalekie wybicie. **4.** *hist., łucznictwo* cel; tarcza (*niegdyś w formie płóciennego kwadratu*). **5.** (*także* **~ nail**) gwóźdź z szerokim łebkiem (*do przybijania blachy*), papiak. – *v.* **1.** *pot.* walnąć, zdzielić. **2.** *arch. dial.* łatać (*tkaniną, blachą*).

clove[1] [klouv] *n. C/U kulin.* goździk (*przyprawa*); (*także* **~-tree**) *bot.* goździkowiec korzenny (*Eugenia caryophyllata*); **oil of ~s** olejek goździkowy.

clove[2] *n.* ząbek (*czosnku*).

clove[3] *v. pret. zob.* **cleave.**

clove hitch *n. żegl.* węzeł wantowy *l.* wyblinkowy.

cloven[1] ['klouvən] *v. pp. zob.* **cleave.**

cloven[2] *a.* rozszczepiony; rozpłatany.

cloven hoof, cloven foot *n.* racica.

cloven hoofed, cloven footed *a. zool.* parzystokopytny.

clove pink *n. bot.* goździk ogrodowy (*Dianthus caryophyllus*).

clover ['klouvər] *n. U. bot.* **1.** koniczyna (*Trifolium*). **2. be/live in ~** *przen.* opływać w dostatki, pływać jak pączek w maśle.

cloverleaf ['klouvər,liːf] *n.* koniczyn(k)a, liść koniczyny (*dwupoziomowe skrzyżowanie autostrad*). – *a. attr.* w kształcie (czterolistnej) koniczyny.

clown [klaun] *n.* **1.** klown, błazen (*t. cyrkowy*); kawalarz; *uj.* błazen, pajac; **make a ~ of o.s.** zbłaźnić się, wygłupić się. **2.** *pot.* prostak, gbur. **3.** *przest.* chłop, wieśniak. – *v.* (*także* **~ around**) błaznować, wygłupiać się.

clownery ['klaunərɪ] *n. pl.* **-ies** błazeństwo.

clownish ['klaunɪʃ] *a.* **1.** błazeński. **2.** prostacki.

clownishly ['klaunɪʃlɪ] *adv.* **1.** po błazeńsku. **2.** po prostacku.

clownishness ['klaunɪʃnəs] *n. U* **1.** błazenada. **2.** prostactwo.

cloy [klɔɪ] *v.* przesycić; znużyć (*o nadmiarze słodyczy, uczuć itp.*).

cloying ['klɔɪɪŋ] *a.* **1.** mdły (*np. o zapachu*). **2.** *przen.* przesłodzony, ckliwy.

cloze test *n. szkoln.* test luk.

clr. *abbr.* = **clear.**

club[1] [klʌb] *n.* **1.** pałka. **2.** *sport* (*także* **golf ~**) kij (golfowy); **Indian ~s** maczugi (*zwł. gimnastyczne*). – *v.* **-bb-** bić *l.* okładać pałką; pałować (*o policji*).

club[2] *n.* **1.** *t. sport* klub (*organizacja l. pomieszczenie*); **belong to/join a ~** należeć/wstąpić do klubu; **book ~** klub książki; **fan ~** fanklub; **golf/tennis ~** klub golfowy/tenisowy; (*także* **night~**) klub nocny; **youth ~** klub młodzieżowy. **2. ball ~** *US* drużyna baseballowa. **3.** *przen.* **in the ~** *Br. przest. sl.* przy nadziei (= *w ciąży*); **welcome to the ~** (*także Br.* **join the ~**) *pot.* to tak, jak ja (= *ja mam ten sam problem*). – *a. attr.* klubowy. – *v.* **-bb- 1.** (*także* ~ **together**) połączyć się, zjednoczyć się; składać się (*na wspólny cel l. fundusz*); poskładać, połączyć (*for sth* na coś) (*środki, fundusze*). **2.** działać w klubie; chodzić do klubu.

club[3] *n. karty* trefl (*karta*); *pl.* trefl, trefle (*kolor*); **king/jack of ~s** król/walet trefl.

clubbable [ˈklʌbəbl], **clubable** *a. Br. przest.* towarzyski.

clubber [ˈklʌbər] *n.* (częsty) bywalec klubów nocnych.

clubbing [ˈklʌbɪŋ] *n. U* **go ~** *Br. pot.* regularnie odwiedzać kluby nocne.

clubby [ˈklʌbɪ] *a.* **-ier, -iest** *US* **1.** towarzyski (*zwł. przesadnie*). **2.** ekskluzywny; snobistyczny.

club car *n. US kol.* salonka.

club chair *n.* fotel klubowy (*duży, skórzany, z niskim oparciem*).

clubfoot [ˈklʌbˌfʊt] *n. pat. U* stopa zdeformowana, deformacja stopy (*jednostka chorobowa*); *pl.* **-feet** zdeformowana stopa (*zwł. od urodzenia*).

clubhaul [ˈklʌbˌhɔːl] *v. żegl.* robić zwrot na kotwicy.

clubhouse [ˈklʌbˌhaʊs] *n.* **1.** budynek klubu; klub, świetlica. **2.** *sport* budynek klubowy (*zwł. na polu golfowym l. przy torze wyścigów konnych*); szatnia (*zespołu*).

clubmoss [ˈklʌbˌmɑːs] *n. bot.* widłak (*Lycopodium*); (*także* **common ~**) widłak goździsty, babimór (*Lycopodium clavatum*).

clubroot [ˈklʌbˌruːt] *n. U bot.* kiła kapusty (*choroba*).

club sandwich *n. US* potrójna kanapka (*zw. z wędliną, sałatą, pomidorem i majonezem*).

club soda *n. C / U US* woda sodowa.

cluck [klʌk] *v.* **1.** gdakać, kwokać. **2.** *przen.* cmokać (*współczująco l. z dezaprobatą*). – *n. zw. sing.* **1.** gdaknięcie, kwoknięcie. **2.** *przen.* cmoknięcie (*wyrażające współczucie l. dezaprobatę*). **3.** *gł. US pot.* głupek.

clue [kluː] *n.* **1.** ślad, trop; wskazówka; klucz (*to sth* do czegoś); **give sb a ~** dać komuś wskazówkę, naprowadzić kogoś; **look/search for ~s** szukać wskazówek *l.* tropów (*zwł. podczas śledztwa*). **2. not have a ~** (*także US* **have no ~**) *pot.* nie mieć pojęcia (*about sth* o czymś). **3.** *rzad.* = **clew**. – *v.* **~ sb in/up (on sth)** *pot.* poinformować kogoś (o czymś); wtajemniczyć kogoś (w coś).

clued-in [ˌkluːdˈɪn], *Br. i Austr.* **clued-up** [ˌkluːdˈʌp] *a. pred.* **be ~ about sth** *pot.* dobrze się orientować *l.* mieć dobre rozeznanie w czymś.

clueless [ˈkluːləs] *a.* **be ~ (about sth)** *pot.* nie mieć pojęcia (o czymś).

clump [klʌmp] *n.* **1.** kępa (*drzew, krzaków*); kępka (*trawy*). **2.** gruda, bryła (*ziemi, błota*); zbity *l.* posklejany pęk (*zwł. włosów*). **3.** *med.* skupisko, aglutynat (*zwł. unieczynnionych bakterii*). **4.** *sing.* (*także* **clomp**) dudnienie (*ciężkich kroków*). – *v.* **1.** (*także* **clomp**) ciężko stąpać; dudnić (*o krokach*). **2. ~ together** sklejać (się), zbijać (się) (*w masę l. grudki*).

clumsily [ˈklʌmzɪlɪ] *adv.* **1.** niezgrabnie, niezdarnie; niezręcznie. **2.** nieporęcznie, niewygodnie.

clumsiness [ˈklʌmzɪnəs] *n. U* **1.** niezgrabność, niezdarność; niezręczność. **2.** nieporęczność.

clumsy [ˈklʌmzɪ] *a.* **-ier, -iest 1.** niezdarny, niezgrabny (*o osobie, ruchach*); niezręczny (*t. o wymówce, przeprosinach*). **2.** ciężki, nieporęczny, niewygodny (*o przedmiocie, przyrządzie*).

clung [klʌŋ] *v. pp. zob.* **cling**.

clunk [klʌŋk] *n.* **1.** *sing. onomat.* brzdęk, bęc. **2.** *pot.* zakuta pała. **3.** = **clunker** 2. – *v.* bęcnąć.

clunker [ˈklʌŋkər] *n. US pot.* (stary) grat *l.* gruchot (*np. o samochodzie*).

clunky [ˈklʌŋkɪ] *a.* **-ier, -iest** ciężki, toporny (*zwł. o butach*).

cluster [ˈklʌstər] *n.* **1.** grono, kiść (*winogron*); pęk (*kwiatów*). **2.** kępa (*drzew, krzaków*). **3.** *t. astron.* skupisko (*gwiazd, galaktyk*). **4.** grupka, gromadka (*osób*). **5.** *US wojsk.* metalowa ozdoba na wstędze odznaczenia (*wskazująca, iż zostało ono nadane ponownie*). **6. (consonantal) ~** *fon.* zbitka (spółgłoskowa). – *v.* **1.** gromadzić się, zbierać się (*around sb / sth* wokół kogoś/czegoś). **2.** tworzyć pęki, kępy *l.* skupiska; **~ed with trees** porośnięty kępami drzew.

cluster bomb *n. wojsk.* bomba rozpryskowa.

cluster headache *n. pat.* ból głowy gromadny.

clutch[1] [klʌtʃ] *v.* **1.** chwytać. **2.** ściskać (kurczowo); trzymać się za. **3. ~ at sth** starać się złapać *l.* uchwycić coś; *przen.* chwytać się czegoś (*np. wymówki, sposobności*); **~ at straws** *przen.* chwytać się każdej nadziei. **4.** *mot.* używać sprzęgła, posługiwać się sprzęgłem. – *n.* **1.** chwyt, uścisk; **in sb's ~es** *przen.* w czyichś szponach. **2.** *mech.* chwytak (*żurawia*). **3.** *mech. mot.* sprzęgło; **claw/disk/slipping ~** sprzęgło kłowe/(cierne) tarczowe/poślizgowe; **let in/push in/release the ~** wcisnąć *l.* włączyć sprzęgło; **let out the ~** puścić *l.* wyłączyć sprzęgło. **4.** = **~ purse**. **5.** *US pot.* **in the ~** (*także* **in a ~ situation**) w krytycznym momencie; **when it comes to the ~** jak przyjdzie co do czego. – *a. attr. zwł. sport pot.* **1.** w krytycznym momencie (*o golu, zagraniu*). **2.** sprawdzony, wypróbowany (*o zawodniku, taktyce*).

clutch[2] *n.* **1. ~ of chickens** wylęg (= *pisklęta z jednego lęgu*); **~ of eggs** jaja do wylęgu. **2.** *pot.* paczka, banda.

clutch purse, *zwł. Br.* **clutch bag** *n.* koperta, kopertówka (*rodzaj torebki*).

clutter [ˈklʌtər] *n. U* **1.** rupiecie; graty. **2.** bałagan, nieporządek. **3.** *radar* zakłócenia. – *v.* **~ (up)** zagracać, zaśmiecać (*with sth* czymś); **~ (up) one's mind** zaśmiecać sobie umysł (*bezużytecznymi informacjami l. szczegółami*).

clutz [ˈklʌts] *n.* = **klutz**.

clypeal [ˈklɪpɪəl] *a. ent.* tarczowy.

clypeate [ˈklɪpɪət] *a.* **1.** tarczowaty (*o kształcie*). **2.** *ent.* wyposażony w tarczę głowową.

clypeus [ˈklɪpɪəs] *n. pl.* **-i** [ˈklɪpɪaɪ] *ent.* tarcza głowowa.

clyster ['klɪstər] *n. med. przest.* lewatywa.

cm, cm. *abbr.* cm; = **centimeter(s).**

cmdg. *abbr.* = **commanding.**

Cmdr. *abbr.* = **Commander.**

cml. *abbr.* = **commercial.**

c'mon [kəm'ɑːn] *abbr. pot.* = **come on**; *zob.* **come.**

CMV [ˌsiː ˌem 'viː] *abbr.* = **cytomegalovirus.**

CNN [ˌsiː ˌen 'en] *abbr.* **Cable News Network** CNN (*amerykańska sieć telewizyjna*).

C-note ['siːˌnoʊt] *n. US pot.* stówa (= *banknot studolarowy*).

CO *abbr.* **1.** *US* = **Colorado. 2.** *wojsk.* = **Commanding Officer. 3.** = **conscientious objector.**

Co., co. *abbr.* **1.** = **Company; X and co.** *pot.* X i spółka. **2.** = **County.**

c.o. [ˌsiː 'oʊ] *abbr.* **1.** = **care of;** *zob.* **care. 2.** = **carried over;** *zob.* **carry.**

C/o [ˌsiː 'oʊ], **c/o** *abbr.* = **care of;** *zob.* **care.**

coacervation [koʊˌæsər'veɪʃən] *n. U chem.* koacerwacja.

coach[1] [koʊtʃ] *n.* **1.** *US* autobus; *zwł. Br.* autokar, autobus dalekobieżny; **by ~** (*także US* **on ~**) autobusem; *Br.* autokarem. **2.** *hist.* powóz; kareta; **(stage) ~** dyliżans; **~ and four/six** zaprzęg cztero/sześciokonny. **3.** *Br. kol.* wagon (*pasażerski*).

coach[2] *n.* **1.** *gł. sport* trener/ka; instruktor/ka; **basketball ~** trener koszykówki. **2.** *zwł. Br. szkoln.* korepetytor/ka. – *v.* **1.** *zwł. sport* trenować (*zawodnika, drużynę*). **2. ~ sb in sth** *zwł. Br. szkoln.* dawać komuś korepetycje z czegoś; przygotowywać kogoś do egzaminu z czegoś.

coach[3] *n. U US lotn.* klasa turystyczna; *kol.* druga klasa. – *adv. US* **fly/travel ~** latać klasą turystyczną/podróżować drugą klasą.

coachdog ['koʊtʃˌdɔːg], **coach dog** *n. kynol.* dalmatyńczyk.

coachhouse ['koʊtʃˌhaʊs] *n. hist.* wozownia.

coaching ['koʊtʃɪŋ] *n. U zwł. Br.* korepetycje.

coachman ['koʊtʃmən] *n. pl.* **-men** *gł. hist.* woźnica; stangret.

coach station *n. Br.* dworzec autobusowy.

coachwork ['koʊtʃˌwɝːk] *n. U Br. mot.* nadwozie.

coadjutor [koʊ'ædʒətər] *n.* **1.** *rz.-kat.* koadiutor (= *biskup pomocniczy*). **2.** *rzad.* pomocnik.

coadunate [koʊ'ædʒənɪt] *a. fizj., bot.* zrośnięty.

coadunation [koʊˌædʒʊ'neɪʃən] *n. U* zrośnięcie.

coagulant [koʊ'ægjələnt] *n. fiz., chem.* koagulant, koagulator.

coagulate [koʊ'ægjʊˌleɪt] *v.* koagulować, powodować krzepnięcie *l.* koagulację (*czegoś*); ścinać się, krzepnąć (*o krwi*); zsiadać się (*zwł. o mleku*); *fiz., chem.* koagulować się.

coagulation [koʊˌægjʊ'leɪʃən] *n. U* krzepnięcie, ścinanie się; *fiz., chem.* koagulacja.

coagulator [koʊ'ægjəˌleɪtər] *n. fiz., chem.* = **coagulant.**

coagulum [koʊ'ægjələm] *pl.* **-a** [koʊ'ægjələ] *n.* koagulat.

coal [koʊl] *n.* **1.** *U min.* węgiel; **brown ~** węgiel brunatny; **hard ~** antracyt, węgiel kamienny (*najlepszej jakości*); **soft/bituminous ~** węgiel kamienny (*zwykły*). **2.** *U* (*także* **char~**) węgiel (rysunkowy). **3.** *zw. pl.* węgielek, węgiel. **4.** *przen.* **blow the ~s** podsycać ogień, dolewać oliwy do ognia; **carry/take ~s to Newcastle** *Br. pot.* lać wodę do studni, nosić grzyby do lasu; **rake/haul/drag sb over the ~s (for sth)** zmyć komuś głowę (za coś); **white ~** biały węgiel (= *energia wodna*). – *a. attr.* węglowy. – *v. rzad.* **1.** spalać na węgiel. **2.** zaopatrywać (się) w węgiel.

coalbin ['koʊlˌbɪn] *n. przest.* skrzynia na węgiel.

coal bunker *n.* skład węgla.

coal car *n. kol. górn.* węglarka.

coalesce [ˌkoʊə'les] *v. form.* łączyć się; jednoczyć się; zespalać się; zlewać się.

coalescence [ˌkoʊə'lesəns] *n. U* **1.** łączenie się; zlewanie się. **2.** zespolenie, zjednoczenie, połączenie.

coalface ['koʊlˌfeɪs], **coal face** *n. zwł. Br. górn.* przodek.

coalfield ['koʊlˌfiːld], **coal field** *n.* zagłębie węglowe.

coal gas *n. U* gaz węglowy.

coalition [ˌkoʊə'lɪʃən] *n.* **1.** *t. polit.* koalicja; porozumienie; **government ~** koalicja rządowa. **2.** *U* tworzenie koalicji. – *a. attr. polit.* koalicyjny; **~ government** rząd koalicyjny.

coalitional [ˌkoʊə'lɪʃənl] *a.* koalicyjny.

coalitionist [ˌkoʊə'lɪʃənɪst] *n.* zwolenni-k/czka koalicji.

coalman ['koʊlmən] *n. pl.* **-men** *Br.* dostawca węgla.

coal measures, Coal Measures *n. pl. geol.* węglonośne warstwy karbońskie.

coal mine, coalmine *n.* kopalnia (węgla).

coal miner *n.* górnik.

coal mining *n. U* górnictwo (*węgla*).

coal oil *n. U US i Can. przest.* **1.** ropa naftowa. **2.** nafta.

coal pit = **~ mine.**

coalsack ['koʊlˌsæk] *n.* **1.** *arch.* worek na węgiel. **2.** *astron.* **C~** Wielki i Mały Obłok Magellana; **(Northern) C~** czarna mgławica w gwiazdozbiorze Łabędzia.

coalscuttle ['koʊlˌskʌtl] *n.* wiadro na węgiel.

coal tar *n. U* smoła węglowa.

coaltit ['koʊlˌtɪt] *n. orn.* sosnówka czarna, sikora sosnówka (*Parus ater*).

coaly ['koʊlɪ] *a.* **1.** węglowy. **2.** zawierający węgiel.

coaming ['koʊmɪŋ] *n. żegl.* obramowanie kokpitu.

co-anchor [koʊ'æŋkər] *n. telew. zwł. US* współprezenter/ka wiadomości. – *v.* współprowadzić program informacyjny (*łącząc się z reporterami w terenie*).

coarse [kɔːrs] *a.* **1.** szorstki (*o skórze, powierzchni*). **2.** gruby (*o ziarnie, rysach twarzy, pilniku*). **3.** (*także* **~-grained**) gruboziarnisty (*o piasku*); grubokrystaliczny (*o skale*). **4.** surowy (*o tkaninie*). **5.** wulgarny (*o języku, dowcipie*). **6.**

przest. przen. pośledni, pospolity. **7.** (*także* **~-grained, ~-fibered**) *przen.* bez ogłady, nieokrzesany. **8.** *techn.* surowy, nieoszlifowany (*o metalu*); zgrubny (*o szlifie, wykończeniu*).

coarse file *n. techn.* zdzierak (= *najgrubszy pilnik do metalu*).

coarsely ['kɔːrslɪ] *adv.* **1.** szorstko. **2.** grubo. **3.** wulgarnie. **4.** nieokrzesanie.

coarsen ['kɔːrsən] *v.* **1.** czynić szorstkim (*zwł. skórę*); stawać się szorstkim (*zwł. o skórze*). **2.** pogrubiać (*rysy*); grubieć (*o rysach twarzy*).

coarseness ['kɔːrsnəs] *n. U* **1.** szorstkość, surowość (*obejścia, manier, stylu*). **2.** grubość (*rysów twarzy*); grubość, gruboziarnistość (*piasku*); ziarnistość (*skały*). **3.** wulgarność (*języka, dowcipu*). **4.** surowość (*tkaniny, metalu*).

coast [koʊst] *n.* **1.** wybrzeże; **off the ~ of Florida** u wybrzeża *l.* wybrzeży Florydy; **on the ~** na wybrzeżu; **the East/(West) C~** *US* Wschodnie/Zachodnie Wybrzeże (*Stanów Zjednoczonych*). **2.** zjazd (z góry *l.* w dół) (*na sankach l. na rowerze bez pedałowania*); jazda *l.* zjazd na wolnym biegu (*samochodem*). **3.** **~ to ~** przez cały kraj (= *od morza do morza*); *sport* z jednego końca boiska na drugi; **~-to-~** *US* (rozpościerający się) od Wschodniego do Zachodniego Wybrzeża; **the ~ is clear** *przen. pot.* droga wolna, nie ma nikogo (= *niebezpieczeństwo minęło*). – *v.* **1.** *US* zjeżdżać na sankach. **2.** jechać na wolnym biegu (*samochodem*). **3.** żeglować *l.* płynąć wzdłuż wybrzeży; uprawiać kabotaż. **4.** *przen.* **~ through sth** prześlizgiwać się przez coś (*zwł. przez szkołę*); **~ to victory** bez trudu odnieść zwycięstwo.

coastal ['koʊstl] *a. attr.* nadbrzeżny; przybrzeżny.

coaster ['koʊstər] *n.* **1.** podkładka, podstawek (*pod kieliszek, kufel, szklankę; zw. z korka*); *przest.* taca (*pod karafkę*). **2.** *żegl.* statek żeglugi przybrzeżnej, kabotażowiec. **3.** (*także* **roller ~**) kolejka górska (*w wesołym miasteczku l. parku rozrywki*). **4.** *US* sanki (*do zjeżdżania*).

coaster brake *n. US* hamulec w torpedzie (*roweru*).

coast guard *n. wojsk.* **1.** *U* morska straż graniczna; **Coast Guard** *US* straż przybrzeżna chroniąca wybrzeża Stanów Zjednoczonych. **2.** (*także* **coast-guards-man, coastguardsman**) strażnik straży przybrzeżnej.

coasting ['koʊstɪŋ] *a. attr. żegl.* przybrzeżny, kabotażowy (*o handlu*).

coastline ['koʊstˌlaɪn] *n.* **1.** *geogr.* linia brzegowa. **2.** wybrzeże (= *pas terenu i wody bezpośrednio przy linii brzegowej*).

coastward ['koʊstwərd] *adv.* (*także zwł. Br.* **coastwards**) w kierunku wybrzeża *l.* brzegu. – *a. attr.* (zmierzający) w kierunku wybrzeża *l.* brzegu.

coastwise ['koʊstˌwaɪz] *arch.* **coastways** *adv.* wzdłuż wybrzeża, wybrzeżem. – *a. attr.* wzdłuż wybrzeża; przybrzeżny.

coat [koʊt] *n.* **1.** płaszcz; **fur ~** futro; **put on/take off one's ~** zakładać/zdejmować płaszcz. **2.** *zool.* sierść; futro; skóra; *orn.* upierzenie (*ptaka*). **3.** *bot.* kora (*drzewa*); skórka (*owocu*); **seed ~** łupina nasienna. **4.** warstwa zewnętrzna; powłoka, okrywa, otoczka, otulina; **a ~ of dust/paint** warstwa kurzu/farby. **5.** *US i przest. Br.* marynarka; surdut. **6.** *pot.* = **~ of arms**. **7.** *przen.* **cut your ~ according to your cloth** *zob.* **cloth**; **trail one's ~** *zob.* **trail** *v.* – *v.* **1.** **~ sth with/in sth** pokrywać *l.* przykrywać coś czymś *l.* warstwą czegoś. **2.** okrywać, osłaniać; *przen.* otulać.

coat armor, *Br.* **coat armour** *n.* = **~ of arms**.

coat check *n. US* szatnia.

coat dress *n.* sukienka płaszczowa.

coated ['koʊtɪd] *a.* **1.** **~ with/in sth** pokryty czymś; **~ in/with breadcrumbs/chocolate** obtaczany w bułce tartej/oblewany czekoladą; **~ in mud** oblepiony błotem; **~ with dust** pokryty warstwą kurzu, przykurzony. **2.** obłożony (*o języku*). **3.** *opt., fot.* pokryty warstwą przeciwodblaskową (*o powierzchni soczewki*). **4.** *w złoż.* **fur/winter-~** ubrany w futro/płaszcz zimowy; **plastic-~** pokryty plastikiem; laminowany; **smooth-~** gładkowłosy (*np. o psie*); **sugar-~** w cukrze (*o migdałach itp.*); *przen.* lukrowany.

coated paper *n. U druk.* papier powlekany *l.* kredowany.

coat hanger *n.* wieszak, ramiączko.

coat-hook ['koʊtˌhʊk], *Br. t.* **coat peg** *n.* wieszak, kołek (*zw. na drzwiach*).

coati [koʊ'ɑːtɪ], **coati-mondi** [koʊˌɑːtɪ 'mʌndɪ], **coati-mundi** *n. zool.* ostronos, koati (*Nasua*).

coating ['koʊtɪŋ] *n.* **1.** warstwa, powłoka (*dekoracyjna l. ochronna*). **2.** *U* flausz.

coat of arms *n. pl.* **coats of arms** *her.* herb, tarcza herbowa.

coat of mail *n. pl.* **coats of mail** *hist.* kolczuga.

coat peg *n. Br.* = **coat-hook**.

coatrack ['koʊtˌræk], **coat-rack** *n. US* wieszak (*w postaci deski z kołkami mocowanej na ścianie*).

coatroom ['koʊtˌruːm], **coat-room** *n. US* szatnia.

coatstand ['koʊtˌstænd] *n.* wieszak (*stojący*).

coattail ['koʊtˌteɪl], **coat-tail** *n.* **1.** poła (*marynarki, fraka*). **2.** *przen.* **~ benefits** korzyści ze znajomości (*z kimś wpływowym lub sławnym*); **on sb's ~s** na czyichś plecach (= *dzięki znajomości z kimś l. na fali czyjegoś sukcesu*).

coat tree *n.* wieszak (*stojący*).

coauthor [koʊ'ɔːθər], **co-author** *n.* współautor/ka. – *v.* być współautor-em/ką (*książki, artykułu*).

coax[1] [koʊks] *v.* **1.** nęcić, zachęcać; nakłaniać, namawiać; **~ sb back/down/out** nakłonić kogoś do powrotu/zejścia/wyjścia; **~ sb to do sth/into doing sth** namówić kogoś do zrobienia czegoś; **~ sb out of doing sth** wyperswadować coś komuś. **2.** **~ sth from/out of sth** wyciągnąć *l.* wydobyć coś skądś (*zwł. ostrożnym manewrowaniem*); **~ sth from/out of sb** *przen.* wyciągnąć *l.* wydobyć coś z kogoś (*posługując się łagodną perswazją*).

coax[2] ['koʊæks] *n. pot.* =**coaxial cable** *zob.* **coaxial**.

coaxial [koʊ'æksɪəl], **coaxal** [koʊ'æksl] *a. ge-*

om. współosiowy; ~ **cable** *tel.* przewód *l.* kabel koncentryczny.

coaxing [ˈkoʊksɪŋ] *n. U* perswazja, namowa. – *a.* łagodnie namawiający (*o głosie, tonie*); zapraszający; kuszący, wabiący.

coaxingly [ˈkoʊksɪŋlɪ] *adv.* **1.** z łagodną perswazją (*w głosie*). **2.** zapraszająco; kusząco.

cob[1] [kɑ:b] *n.* **1.** (*także* **corn~**) *bot.* kolba (kukurydzy). **2.** *zool.* samiec łabędzia. **3.** *zool.* krępy koń z rasy anglo-normandzkiej. **4.** (*także* ~ **loaf**) *Br.* okrągły bochenek chleba. **5.** kupka (*węgla, rudy*). **6.** = **cobnut**.

cob[2] *n. U hist., bud.* polepa.

cobalt [ˈkoʊbɔ:lt] *n. U chem.* kobalt.

cobalt blue *n. U* błękit kobaltowy (*kolor*); *chem.* błękit Thenarda. – *a.* kobaltowy (*o kolorze*).

cobalt bomb *n. wojsk., med.* bomba kobaltowa.

cobaltic [koʊˈbɔ:ltɪk] *a. chem.* kobaltowy.

cobaltous [koʊˈbɔ:ltəs] *a. chem.* kobaltawy.

cobber [ˈkɑ:bər] *n. Austr. i NZ przest. pot.* stary (*forma zwracania się mężczyzn do siebie*).

cobble[1] [ˈkɑ:bl] *n.* **1.** (*także* **~stone**) brukowiec. **2.** *pl.* = **cob coal**. **3.** *pl.* bruk; kocie łby. – *v.* brukować (*with sth* czymś).

cobble[2] *v.* **1.** naprawiać, łatać (*obuwie*). **2.** ~ **(together)** *pot.* sklecić naprędce (*np. wypracowanie*).

cobbled [ˈkɑ:bld] *a.* brukowany; ~ **street** ulica brukowana (kocimi łbami).

cobbler[1] [ˈkɑ:blər] *n.* **1.** *przest.* szewc. **2.** *pl. Br. pot.* bzdury; **a load of (old) ~s** stek bzdur.

cobbler[2] *n.* **1.** słodki mrożony napój z wina lub likieru z dodatkiem owoców. **2.** *gł. US* deser z owoców pokrytych warstwą ciasta, spożywany na gorąco.

cobblestone [ˈkɑ:blˌstoʊn] *n.* **1.** = **cobble**[1] 1. **2.** *U* = **cobble**[1] 3.

cob coal *n. U* kostka (*sortyment węgla*).

cobelligerent [ˌkoʊbəˈlɪdʒərənt] *n. wojsk., polit.* państwo sojusznicze (*w czasie wojny*).

coble [ˈkoʊbl] *n. płn. Br.* rodzaj łódki rybackiej.

cobnut [ˈkɑ:bˌnʌt], **cob** [kɑ:b] *n.* = **hazelnut**.

COBOL [ˈkoʊbɔ:l], **Cobol** *n. U komp.* COBOL (= *common business oriented language*).

cobra [ˈkoʊbrə] *n. zool.* kobra (*Naja*).

cobweb [ˈkɑ:bˌweb] *n.* **1.** pajęczyna. **2.** *przen.* (delikatna) siateczka; sieć (*pułapka*). **3.** *pl.* **the ~s** zamęt, mętlik; **blow/brush/clear the ~s away** odświeżyć (sobie) umysł (*przez spacer na świeżym powietrzu, wypicie kawy itp.*). – *v.* **-bb-** osnuwać *l.* pokrywać pajęczyną; *przen.* oplatać jak pajęczyną.

cobwebbed [ˈkɑ:bˌwebd], **cobwebby** [ˈkɑ:bˌwebɪ] *a.* zasnuty pajęczyną *l.* pajęczynami.

cobwebby [ˈkɑ:bˌwebɪ] *a.* **1.** = **cobwebbed**. **2.** *przen.* delikatny jak nić pajęcza; pokryty puszkiem.

coca [ˈkoʊkə] *n.* **1.** *bot.* krasnodrzew, krzew kokainowy (*Erythroxylon coca*). **2.** *U* koka (*liście krzewu jw.*).

cocaine [koʊˈkeɪn] *n. U* kokaina.

cocainism [koʊˈkeɪnɪzəm] *n. U pat.* kokainizm.

cocainize [koʊˈkeɪnaɪz] *v.* znieczulać kokainą.

coccus [ˈkɑ:kəs] *n. pl.* **-i** [ˈkɑ:ksaɪ] **1.** *biol.* ziarenkowiec. **2.** *bot.* rozłupka (*część owocu*).

coccyx [ˈkɑ:ksɪks] *n. pl. t.* **-ges** [kɑ:kˈsaɪdʒi:z] *anat.* kość ogonowa (*u ludzi i niektórych małp*).

cochineal [ˌkɑ:tʃəˈni:l] *n.* **1.** (*także* ~ **insect**) *ent.* koszenila (*Dactylopius coccus*). **2.** *U chem.* koszenila (*purpurowy barwnik*).

cochlea [ˈkɑ:klɪə] *n. pl.* **-e** *l.* **-s** *anat.* ślimak (*część ucha wewnętrznego*).

cochlear [ˈkɑ:klɪər] *a. anat.* ślimakowy; ~ **canal** przewód ślimakowy.

cock[1] [kɑ:k] *n.* **1.** *gł. Br.* kogut. **2.** *w złoż.* samiec (*zwł. ptaków*); ~ **sparrow** samiec wróbla; ~ **lobster** samiec homara. **3.** *wulg. sl.* kutas, fiut. **4.** (*także* **weather~**) kurek (na dachu). **5.** (*także* **stop~**) kurek (= *zawór*); kurek (*np. w pistolecie*). **6.** *U Br. pot.* bzdury, bzdety. **7.** *Br. pot. przest.* stary (*forma zwracania się mężczyzn do siebie*). **8.** ~ **of the head** (raptowne) uniesienie głowy; przekrzywienie głowy. **9. go off at half ~** = **go off half-~ed**. **10.** *arch.* = **cockcrow**. – *v.* **1.** ~ **(up)** podnieść, unieść (*część ciała*); ~ **a/its leg** podnieść nogę *l.* łapę (*np. o załatwiającym się psie*); ~ **one's ears** postawić uszy; nastawić uszu; ~ **one's head** unieść głowę; ~ **one's head to one side** przechylić *l.* przekrzywić głowę; ~ **one's hat** przekrzywić kapelusz (*na bok l. na bakier*). **2.** odwieść kurek (*strzelby*). **3.** *przest.* nastawić (*migawkę aparatu l. inny przyrząd*). **4.** ~ **(up)** *zwł. Br. sl.* sknocić, spieprzyć. **5.** *przen.* ~ **a snook at sb** *Br. pot.* zagrać komuś na nosie, zadrwić sobie z kogoś; **go off half-~ed** (*także* **go off at half ~**) zacząć się przedwcześnie (*o planie, akcji*); zadziałać przedwcześnie (*o osobie*); **keep an ear ~ed** *pot.* nasłuchiwać (*for sth* czegoś).

cock[2] *n. zwł. płn. US przest.* kopka (*siana*). – *v.* układać w kopki.

cockade [kɑ:ˈkeɪd] *n. zwł. wojsk.* kokardka na nakryciu głowy (*funkcjonująca jako znak rangi l. ozdoba*).

cock-a-doodle-doo [ˌkɑ:kəˌdu:dlˈdu:] *int.* kukuryku. – *n. dziec. l. żart.* kogut, kukuryku.

cock-a-hoop [ˌkɑ:kəˈhu:p] *a. pred. pot.* wniebowzięty (*about / at / over sth* z powodu czegoś).

cock-a-leekie [ˌkɑ:kəˈli:kɪ], **cockieleekie** [ˌkɑ:kɪˈli:kɪ] *n. Scot.* rosół z porami.

cockalorum [ˌkɑ:kəˈlɔ:rəm] *n. przest. pot.* **1.** ważniak, bufon. **2.** *U* przechwałki.

cockamamie [ˌkɑ:kəˈmæmɪ], **cockamamy** *a. attr. US pot.* poroniony (*o pomyśle*); niedorzeczny (*o historii, wymówce*).

cock-and-bull story [ˌkɑ:kənˌbʊlˈstɔ:rɪ] *n. pot.* bajeczka.

cockatiel [ˌkɑ:kəˈti:l], **cockateel** *n. orn.* szarożółta papużka australijska z czubkiem na głowie (*Nymphicus hollandicus*).

cockatoo [ˈkɑ:kəˌtu:] *n. orn.* (papuga) kakadu (*zwł. Cacatua*).

cockatrice [ˈkɑ:kətrɪs] *n. mit.* bazyliszek.

cockboat [ˈkɑ:kˌboʊt], **cockleboat** [ˈkɑ:klˌboʊt] *n. żegl.* mała łódka; mała szalupa.

cockchafer [ˈkɑːkˌtʃeɪfər] *n. ent.* chrabąszcz (*Melolontha*).

cockcrow [ˈkɑːkˌkroʊ], **cockcrowing** [ˈkɑːkˌkroʊɪŋ] *n. U lit.* pianie koguta *l.* kogutów (= *świt*).

cocked hat *n.* **1.** *hist.* kapelusz trójgraniasty, tricorne; kapelusz dwurożny (*z XVIII w., podobny do admiralskiego*). **2. knock/beat sb/sth into a ~** *przen.* bić kogoś/coś na głowę, być o niebo *l.* o klasę lepszym od kogoś/czegoś.

cocker¹ [ˈkɑːkər] *v. rzad.* rozpieszczać. – *n. Br. pot.* = **cock¹** 7.

cocker² *n.* = **cocker spaniel**.

cocker³ *n.* miłośni-k/czka walk kogutów.

cockerel [ˈkɑːkərəl] *n.* kogucik, kogutek.

cocker spaniel *n. kynol.* cocker-spaniel.

cockeyed [ˈkɑːkˌaɪd] *a. pot.* **1.** zezowaty. **2.** przechylony (na bok), krzywy. **3.** *uj.* bzdurny (*zwł. o pomyśle*). **4.** *US przest.* wstawiony (= *pijany*).

cockfight [ˈkɑːkˌfaɪt] *n.* walka kogutów.

cockfighting [ˈkɑːkˌfaɪtɪŋ] *n. U* walki kogutów.

cockhorse [ˈkɑːkˌhɔːrs] *n. przest.* konik na kiju (*zabawka*); koń na biegunach.

cockily [ˈkɑːkɪlɪ] *adv.* arogancko; zarozumiale.

cockiness [ˈkɑːkɪnəs] *n. U* arogancja, tupet; zarozumiałość, pewność siebie.

cockle¹ [ˈkɑːkl] *n.* chwast polny; (*także* **~ corn**) *bot.* kąkol polny (*Agrostemma githago*).

cockle² *n.* **1.** *zool., kulin.* sercówka (*zwł. jadalna; Cardium (edule)*). **2.** = **~shell** 1, 2. **3. warm the ~s of sb's heart** *przest. przen.* wlewać balsam w czyjeś serce.

cockle³ *v.* marszczyć (się) (*o tkaninie, papierze*). – *n.* zmarszczka, fałda (*na tkaninie, papierze*).

cockleshell [ˈkɑːklˌʃel] *n.* **1.** muszla (dwudzielna) (*w kształcie serca, zwł. sercówki jadalnej*). **2.** *żegl.* łódeczka; łupin(k)a.

cockloft [ˈkɑːkˌlɔːft] *n.* stryszek.

cockney [ˈkɑːknɪ], **Cockney** *n.* **1.** mieszkaniec/ka wschodniego Londynu, zwł. z niższych warstw społecznych. **2.** *U* dialekt charakterystyczny dla mieszkańców Londynu jw. – *a.* londyński (*zwł. o akcencie, poczuciu humoru itp. niższych warstw społecznych*).

cockneyish [ˈkɑːknɪɪʃ] *a.* przypominający akcent londyński jw.

cock of the walk *n. przest.* nadęty pyszałek.

cockpit [ˈkɑːkˌpɪt] *n.* **1.** *lotn.* kabina pilota. **2.** *sport, mot.* kabina. **3.** *żegl.* kokpit (*jachtu*). **4.** arena do walk kogutów. **5.** *wojsk. przen.* arena *l.* widownia walk. **6.** *hist., wojsk.* kabina (*samolotu*); punkt opatrunkowy (*na statku*).

cockroach [ˈkɑːkˌroʊtʃ], **roach** *n. ent.* karaluch (*Blattidae*).

cockscomb [ˈkɑːksˌkoʊm] *n.* **1.** grzebień (*koguta*). **2.** *hist.* czapka błazeńska. **3.** *bot.* grzebionatka (właściwa) (*Celosia (cristata)*). **4.** *arch.* = **coxcomb**.

cocksfoot [ˈkɑːksfʊt] *n. bot. zwł. Br.* kupkówka pospolita (*Dactylis glomerata*).

cockspur [ˈkɑːkˌspɝː], **cockspur hawthorn** *n. bot.* głóg ostrogowy (*Crataegus crus-galli*).

cocksucker [ˈkɑːkˌsʌkər] *n. US* **1.** *obsc. sl.* ciągutka (= *kobieta odbywająca stosunek oralny*). **2.** *wulg. sl. obelż.* kutas, chuj (*o mężczyźnie*).

cocksure [ˌkɑːkˈʃʊr] *a. pot.* (zbyt) pewny siebie, zadufany (w sobie), nonszalancki, arogancki; **~ of/about sth** święcie przekonany o czymś.

cocksurely [ˌkɑːkˈʃʊrlɪ] *adv.* nonszalancko; z wielką pewnością siebie.

cocksureness [ˌkɑːkˈʃʊrnəs] *n. U* zarozumialstwo, zadufanie, nonszalancja.

cockswain [ˈkɑːksən] *n. żegl., arch.* = **coxswain**.

cocktail¹ [ˈkɑːkˌteɪl] *n.* **1.** *kulin.* koktajl, cocktail (*alkoholowy, owocowy, z krewetek*). **2.** *przen.* (niebezpieczna) mieszanka. **3. Molotov ~** koktajl Mołotowa. – *a. attr.* koktajlowy.

cocktail² *n.* **1.** koń kurtyzowany (= *z przyciętym ogonem*). **2.** koń rasy półkrwi.

cocktail cabinet *n.* barek.

cocktail dress *n.* suknia koktajlowa.

cocktail party *n.* koktajl (*przyjęcie*).

cocktail shaker *n.* shaker.

cocktail waitress *n. US* kelnerka w barze.

cockup [ˈkɑːkˌʌp], **cock-up** *n. Br. pot.* knot, fuszera.

cocky [ˈkɑːkɪ] *a.* **-ier, -iest** arogancki; zarozumiały, zbyt pewny siebie.

coco [ˈkoʊkoʊ] *n. pl.* **-s** = **coconut**; (*także* **~ palm**) = **coconut palm**.

cocoa [ˈkoʊkoʊ] *n.* **1.** *U* kakao (*napój*); (*także* **~ powder**) kakao (*w proszku*); miazga kakaowa. **2. ~ bean** (*także* **cacao (bean)**) ziarn(k)o kakaowe *l.* kakaowca; *U* **~ butter** (*także* **cacao butter**) masło kakaowe. – *a. attr.* kakaowy (*t. o kolorze*).

cocomat [ˈkoʊkoʊˌmæt] *n. U US* mata kokosowa.

coconut [ˈkoʊkəˌnʌt], **cocoanut** *n.* **1.** kokos, orzech kokosowy. **2.** *U* miąższ kokosa; *kulin.* masa kokosowa. – *a. attr.* kokosowy.

coconut butter *n. U* masło kokosowe.

coconut matting *n. Br.* = **cocomat**.

coconut milk *n. U* mleko kokosowe.

coconut oil *n. U* olej kokosowy.

coconut palm, coconut tree *n. bot.* palma kokosowa, kokosowiec (*Cocos nucifera*).

cocoon [kəˈkuːn] *n.* **1.** *ent.* kokon, oprzęd (*zwł. jedwabnika*). **2.** *przen.* kokon, osłona; **in a ~ of blankets** zawinięty w koce, opatulony kocami; **in a ~ of love** otoczony miłością. **3.** *techn.* powłoka ochronna (*zdzieralna, natryskiwana na nieużywany sprzęt*). – *v.* **1.** *zool.* snuć oprzęd; osnuwać oprzędem. **2.** *przen.* trzymać pod kloszem; chronić (*against / from sth* przed czymś); owijać *l.* otaczać (*in sth* czymś); **~ed existence** życie pod kloszem. **3.** *techn.* zabezpieczać powłoką ochronną.

cocotte [koʊˈkɑːt] *n. przest.* kokota.

cod¹ [kɑːd] *n. pl.* **~** *l.* **-s** (*także* **~fish**) *icht.* dorsz (*Gadus morhus*); ryba z rodziny dorszowatych (*Gadidae*); *U kulin.* dorsz (*mięso*).

cod² *v.* **-dd-** *Br. i Ir. pot.* nabijać się z, robić wariata z; zrobić w konia.

C.O.D. [ˌsiː ˌoʊ ˈdiː], **COD, c.o.d.** *abbr. poczta* = **cash/collect on delivery**.

coda ['koʊdə] *n.* **1.** *muz., teatr. lit.* koda. **2.** *ret.* zakończenie.

coddle ['kɑ:dl] *v.* **1.** rozpieszczać, chuchać na. **2.** *kulin.* podgotowywać, nie doprowadzając do wrzenia (*zwł. jajka*).

code [koʊd] *n.* **1.** *t. prawn.* kodeks; regulamin; ~ **of conduct/behavior** kodeks zachowania; ~ **of practise** kodeks postępowania (*w danej profesji l. branży*); **building** ~ *prawn.* przepisy budowlane; **dress** ~ regulamin dotyczący stroju; **health** ~ = **sanitary** ~; **penal** ~ *prawn.* kodeks karny; **sanitary** ~ przepisy sanitarne. **2.** *t. komp.* kod; *żegl.* kod (sygnałowy); *zwł. wojsk.* kod, szyfr; *tel.* kod, alfabet, system sygnalizacyjny; **area** ~ *US, Can. i Austr. tel.* numer kierunkowy; **ASCII** ~ *komp.* kod ASCII; **bar** ~ *handl.* kod kreskowy; **break/crack/decipher a** ~ złamać kod; **character** ~ *komp.* kod znaku; **dialling** ~ (*także* **STD** ~) *Br. tel.* numer kierunkowy; **genetic** ~ kod genetyczny; **in** ~ szyfrem; **machine** ~ *komp.* kod maszynowy; **Morse** ~ *tel.* alfabet Morse'a; **post**~ *Br. i Austr.* kod pocztowy; **source** ~ *komp.* kod źródłowy; **STD** ~ *Br.* = **dialling** ~; **telegraphic** ~ kod *l.* alfabet telegraficzny; **zip/ZIP** ~ *US* kod pocztowy. – *v.* kodować (= *oznaczać symbolami l. szyfrować*); **color-**~ oznaczać różnymi kolorami.

codeclination [ˌkoʊdeklə'neɪʃən] *n. astron.* odległość biegunowa.

codefendant [ˌkoʊdɪ'fendənt] *n. prawn.* współoskarżon-y/a.

codeine ['koʊdi:n] *n. U med.* kodeina.

code name, codename *n.* = ~ **word.**

coder ['koʊdər] *n.* **1.** kodując-y/a; *wojsk.* szyfrant/ka. **2.** *el.* koder.

code-switching ['koʊdˌswɪtʃɪŋ] *n. U jęz.* zmienianie kodu językowego (*np. mówienie na przemian po polsku i angielsku*).

code word, codeword, code name *n.* **1.** *t. wojsk.* kryptonim. **2.** pseudonim.

codex ['koʊdeks] *n. pl.* **-ices** ['koʊdɪsi:z] **1.** *hist.* kodeks (= *księga rękopiśmienna*). **2.** *przest. prawn.* kodeks.

codfish ['kɑ:dˌfɪʃ] *n. pl.* **codfish** *l.* **-es** = **cod**[1] 1.

codger ['kɑ:dʒər] *n. pot. uj. l. żart.* (stary) dziwak.

codicil ['kɑ:dɪsl] *n. prawn.* kodycyl.

codicillary [ˌkɑ:də'sɪlərɪ] *a.* kodycylowy.

codification [ˌkɑ:dəfə'keɪʃən] *n. U t. prawn.* kodyfikacja.

codifier ['kɑ:dəfaɪər] *n.* kodyfikator/ka.

codify ['kɑ:dəˌfaɪ] *v.* **-ied, -ying** *t. prawn.* kodyfikować.

codling[1] ['kɑ:dlɪŋ] *n.* (*także* **codlin**) *gł. Br.* podłużne jabłko używane do gotowania; niedojrzałe jabłko.

codling[2] *icht.* mały dorsz (*Gadus callarias*).

cod-liver oil ['kɑ:dlɪvər ˌɔɪl] *n. U* tran.

codpiece ['kɑ:dˌpi:s] *n. strój, hist.* suspensorium (*z ozdobnej materii, noszone w XV-XVI w.*).

co-driver ['koʊˌdraɪvər] *n.* **1.** *jazda rajdowa* pilot. **2.** zmiennik (*kierowcy*).

coed ['koʊˌed], **co-ed** *a. attr. gł. szkoln.* koedukacyjny (*t. o basenie, akademiku*). – *n. US przest.* uczennica (*szkoły koedukacyjnej*); studentka (*uczelni koedukacyjnej*).

coeducation [ˌkoʊˌedʒə'keɪʃən] *n. U szkoln.* koedukacja.

coeducational [ˌkoʊˌedʒə'keɪʃənl] *a. szkoln. form.* koedukacyjny.

coefficient [ˌkoʊə'fɪʃənt] *n. mat., fiz.* współczynnik; ~ **of friction** *fiz.* współczynnik tarcia; **correlation** ~ *stat.* współczynnik korelacji; **differential** ~ *mat. zwł. Br.* pochodna.

coelenterate [sɪ'lentəˌreɪt] *n. zool.* jamochłon (*Coelenterata*).

coeliac ['si:lɪˌæk], *US zw.* **celiac** *a. anat.* trzewny.

coeliac disease *n. U pat.* celiakia.

coelom ['si:ləm], *US zw.* **celom** *n. pl.* **-s** *l.* **-ata** *anat., zool.* celoma (= *wtórna jama ciała u kręgowców i niektórych bezkręgowców*).

coenesthesia [ˌsi:nɪs'θi:ʒə], **cenesthesia** [ˌsi:nɪs'θi:ʒə], **c(o)enesthesis** [ˌsi:nɪs'θi:sɪz] *n. U psych.* cenestezja (= *ogólna świadomość własnego ciała*).

coenobite ['si:nəˌbaɪt], **cenobite** *n. rel.* cenobita (= *zakonnik żyjący we wspólnocie*).

coenzyme [koʊ'enzaɪm] *n. biochem.* koenzym.

coequal [koʊ'i:kwəl] *a. form.* równy (*rangą, wielkością*); równoważny. – *n.* równ-y/a.

coequality [ˌkoʊɪ'kwɑ:lətɪ], **coequalness** [koʊ'i:kwəlnəs] *n. U* równość (*pod względem rangi, wielkości*); równoważność.

coerce [koʊ'ɜ:s] *v. często pass. form.* **1.** przymuszać, zmuszać (*sb into (doing) sth* kogoś do (zrobienia) czegoś); stosować przymus wobec. **2.** ~ **obedience** wymuszać posłuszeństwo.

coercion [koʊ'ɜ:ʃən] *n. U form.* przymus; stosowanie przymusu; **under** ~ pod przymusem.

coercive [koʊ'ɜ:sɪv] *a. form.* przymusowy; ~ **measures** środki przymusu.

coercively [koʊ'ɜ:sɪvlɪ] *adv. form.* **1.** pod przymusem. **2.** stosując przymus, na zasadzie przymusu.

coessential [ˌkoʊɪ'senʃl] *a. fil., rel.* zjednoczony istotowo; współist(ot)ny.

coetaneous [ˌkoʊɪ'teɪnɪəs] *a. lit.* współczesny (= *dotyczący tego samego okresu*).

coeternal [ˌkoʊɪ'tɜ:nl] *a. fil., rel.* współwieczny.

coeval [koʊ'i:vl] *a. form.* współczesny (*with sb / sth* komuś/czemuś). – *n.* współczesn-y/a.

coexecutor [ˌkoʊɪg'zekjətər] *n. prawn.* współwykonawca.

coexecutrix [ˌkoʊɪg'zekjətrɪks] *n. prawn.* współwykonawczyni.

coexist [ˌkoʊɪg'zɪst] *v. form.* współistnieć, koegzystować; ~ **with sth** istnieć *l.* występować obok czegoś.

coexistence [ˌkoʊɪg'zɪstəns] *n. U form.* współistnienie, koegzystencja; **peaceful** ~ *polit.* pokojowe współistnienie.

coexistent [ˌkoʊɪg'zɪstənt] *a. form.* współistniejący, koegzystujący.

coextensive [ˌkoʊɪk'stensɪv] *a. form.* jednakowo rozległy; **be** ~ **with sth** dorównywać czemuś rozmiarami *l.* rozległością.

C of C [ˌsiːəvˈsiː] *abbr.* **Chamber of Commerce** Izba Handlowa.

C of E [ˌsiːəvˈiː] *abbr.* = **Church of England.**

coffee [ˈkɔːfɪ] *n.* **1.** *U* kawa (*ziarna l. napój*); *C* kawa (*filiżanka, porcja*); **black ~** czarna kawa; **white ~** kawa z mlekiem. **2.** (*także* **~ tree**) *bot.* kawowiec (*Coffea (arabica / canephora)*). **3. wake up and smell the ~** *US przen. pot.* spojrzeć prawdzie w oczy. – *a. attr.* kawowy (*t. o kolorze*).

coffee bar *n. Br.* bar kawowy.

coffee bean *n.* ziarnko kawy.

coffee break *n.* przerwa (na kawę).

coffee cake *n.* **1.** *US i Austr.* ciasto drożdżowe z bakaliami (*podawane do kawy*). **2.** *Br. i Austr.* ciasto kawowe.

coffee cup *n.* filiżanka do kawy.

coffee grinder *n. Br.* = **~ mill.**

coffee grounds *n.* fusy (*kawowe*).

coffeehouse [ˈkɔːfɪˌhaʊs] *n.* kawiarnia (*zwł. typu europejskiego, serwująca też proste posiłki*).

coffee klatsch, coffee klatch *n.* *US* = **kaffeeklatsch.**

coffee machine *n.* automat do kawy.

coffee maker *n.* ekspres do kawy.

coffee mill, coffee grinder *n.* młynek do kawy.

coffeepot [ˈkɔːfɪˌpɑːt], **coffee pot** *n.* dzbanek do kawy.

coffee shop *n.* **1.** *US* bistro. **2.** *Br.* kawiarnia (*w hotelu l. domu towarowym*).

coffee table *n.* ława, niski stolik.

coffee-table book *n.* droga, bogato ilustrowana książka *l.* album (*bardziej do przeglądania niż czytania*).

coffer [ˈkɔːfər] *n.* **1.** skrzynia (*zwł. okuta, na kosztowności*). **2.** *pl.* kasa, fundusze (*organizacji*). **3.** *bud.* kaseton. **4.** = **~dam.** – *v. bud.* ozdabiać kasetonami.

cofferdam [ˈkɔːfərˌdæm] *n. żegl.* koferdam (= *skrzynia pływająca z komorą roboczą*); *bud.* koferdam, grobla, grodza.

coffin [ˈkɔːfɪn] *n.* **1.** trumna; **a nail in sb's/sth's ~** *przen.* gwóźdź do trumny. **2.** *zool.* kość kopytowa (*konia itp.*); **~ bone** ostatni człon trzeciego palca (*wewnątrz kopyta*). – *v. lit.* zasklepić.

coffin nail *n. gł. US sl.* szlug, fajka (= *papieros*).

coffle [ˈkɑːfl] *n. gł. hist.* karawana skutych łańcuchami więźniów *l.* spętanych zwierząt.

cog[1] [kɑːg] *n.* **1.** (*także* **~wheel**) koło *l.* kółko zębate. **2.** ząb, tryb (*koła zębatego*). **3.** *przen. pot.* **a ~ in the machine/wheel** trybik w maszynie, pionek (*o osobie*); **big ~** *US* gruba ryba; **slip a ~** *US* kropnąć się (= *pomylić się*).

cog[2] *n. stol.* wypust, występ.

cog[3] *v.* **-gg-** oszukiwać (*zwł. w grze w kości*); **~ged dice** fałszowane kości.

cogency [ˈkoʊdʒənsɪ] *n. U form.* trafność, siła przekonywania (*argumentu, wywodu*).

cogent [ˈkoʊdʒənt] *a.* trafny, przekonujący.

cogently [ˈkoʊdʒəntlɪ] *adv.* trafnie, przekonująco.

cogged[1] [kɑːgd] *a.* zębaty (= *zaopatrzony w tryby*).

cogged[2] *a.* fałszowany (*o kościach do gry*).

cogitable [ˈkɑːdʒɪtəbl] *a. form.* wyobrażalny; *zwł. fil.* pojmowalny.

cogitate [ˈkɑːdʒɪˌteɪt] *v. form. l. żart.* **1.** rozmyślać (*about / on sth* o czymś) rozważać (*about / on sth* coś). **2.** obmyślać.

cogitation [ˌkɑːdʒɪˈteɪʃən] *n. U* rozmyślania, rozważania.

cogitative [ˈkɑːdʒɪˌteɪtɪv] *a.* **1.** zamyślony; pełen skupienia. **2.** myślący; **~ faculty** zdolność myślenia.

cogitator [ˈkɑːdʒɪˌteɪtər] *n. form.* myśliciel/ka.

cognac [ˈkoʊnjæk] *n. C / U* koniak.

cognate [ˈkɑːgneɪt] *a.* **1.** *zwł. jęz.* pokrewny (*o językach, wyrazach*). **2.** spokrewniony; wywodzący się od wspólnego przodka (*zwł. ze strony matki*). – *n.* **1.** *jęz.* wyraz pokrewny. **2.** osoba spokrewniona. **3. ~ object/accusative** *gram.* dopełnienie pokrewne orzeczeniu (*np. 'gift' w 'give a gift'*).

cognately [ˈkɑːgneɪtlɪ] *adv. form.* na podobnej zasadzie, analogicznie.

cognateness [ˈkɑːgneɪtnəs] *n. form. U* pokrewieństwo.

cognation [kɑːgˈneɪʃən] *n. U arch.* pokrewieństwo; podobieństwo.

cognition [kɑːgˈnɪʃən] *n. U zwł. fil.* poznanie (*proces l. rezultat*).

cognitional [kɑːgˈnɪʃənl] *a. form.* poznawczy.

cognitive [ˈkɑːgnɪtɪv] *a.* **1.** poznawczy. **2.** *zwł. psych. i jęz.* kognitywny.

cognitively [ˈkɑːgnɪtɪvlɪ] *adv.* **1.** poznawczo. **2.** kognitywnie.

cognizable [ˈkɑːgnɪzəbl] *a.* **1.** *gł. fil.* poznawalny. **2.** rozpoznawalny. **3.** *prawn.* leżący w kompetencji sądu.

cognizance [ˈkɑːgnɪzəns] *Br. i Austr. zw.* **cognisance** *n. U form.* **1.** świadomość (*of sth* czegoś); **have ~ of sth** wiedzieć o czymś, być świadomym czegoś; **take ~ of sth** przyjmować coś do wiadomości, odnotowywać coś; zwrócić uwagę na coś, zapoznać się z czymś (*t. o sądzie*). **2.** *prawn.* kompetencje (*sądu*). **3.** wiedza; kompetencje; **within sb's ~** w granicach czyichś kompetencji; **be beyond sb's ~** wykraczać poza czyjeś kompetencje. **4.** *her.* godło (*noszone jako znak rozpoznawczy*).

cognizant [ˈkɑːgnɪzənt], *Br. i Austr. zw.* **cognisant** *a. pred. form.* świadomy (*of sth* czegoś).

cognize [ˈkɑːgnaɪz] *v. fil.* poznawać.

cognomen [kɑːgˈnoʊmən] *n. pl. t.* **-ina** [kɑːgˈnoʊmənə] **1.** *form.* przydomek. **2.** *hist.* nazwisko (*zwł. w starożytnym Rzymie*).

cognoscenti [ˌkɑːnjəˈʃentɪ] *n. pl. lit. l. form.* **the ~** wtajemniczeni (= *znawcy, zwł. sztuki*).

cognoscible [kɑːgˈnɑːsəbl] *a. przest.* poznawalny.

cog railway *n. kol.* kolej zębata.

cogwheel [ˈkɑːgˌwiːl] *n. mech.* = **cog**[1] 1.

cohabit [koʊˈhæbɪt] *v.* **1.** mieszkać razem (*bez ślubu*), żyć w konkubinacie. **2.** współistnieć.

cohabitant [koʊˈhæbɪtənt] *n.* konkubent, konkubina.

cohabitation [koʊˌhæbɪ'teɪʃən] *n. U* wolny związek, konkubinat.

coheir [koʊ'er] *n. prawn.* współspadkobierca.

coheiress [koʊ'erɪs] *n. prawn.* współspadkobierczyni.

cohere [koʊ'hiːr] *v. form.* **1.** być spójnym; ~ **well** brzmieć składnie (*o argumentach*). **2.** *t. polit.* zachowywać jedność (*np. o wielonarodowościowym państwie*). **3.** trzymać się (*o łączonych materiałach l. przedmiotach*).

coherence [koʊ'hiːrəns], **coherency** [koʊ'hiːrənsɪ] *n. U* **1.** (*także* **cohesion**) spójność; zwartość; (wewnętrzna) logika, logiczność. **2.** (*także* **cohesion**) *t. polit.* jedność. **3.** *fiz.* koherencja.

coherent [koʊ'hiːrənt] *a.* **1.** logiczny; wewnętrznie spójny; koherentny. **2.** komunikatywny (*o osobie*); **be** ~ mówić *l.* pisać z sensem.

coherently [koʊ'hiːrəntlɪ] *adv.* spójnie; logicznie; z sensem.

cohesion [koʊ'hiːʒən] *n. U* **1.** = **coherence** 1, 2. **2.** *fiz.* spójność, kohezja. **3.** *bot.* zrośnięcie (*np. działek kielicha kwiatu*).

cohesive [koʊ'hiːsɪv] *a.* **1.** *t. fiz.* spójny. **2.** spoisty (*o glebie*).

cohesively [koʊ'hiːsɪvlɪ] *adv.* spójnie.

cohesiveness [koʊ'hiːsɪvnəs] *n. U t. fiz.* spójność.

cohort ['koʊhɔːrt] *n.* **1.** *hist. l. przen. uj.* kohorta. **2.** *gł. US uj. l. iron.* kamrat, wspólnik. **3.** *stat.* grupa; przedział (*populacji*). **4.** *biol.* osobnik, jednostka (*populacji*).

co-host ['koʊˌhoʊst] *n. radio, telew.* współgospod-arz/yni programu. – *v.* być współgospodarzem/ynią (*programu*).

coif [kwɑːf] *n.* **1.** kornet (*zakonnicy*); *hist.* czepek, czepiec (*kobiecy*). **2.** *hist., zbroja* czepiec (*skórzany l. z siatki kolczugopodobnej*). **3.** = **coiffure** 1. – *v.* **1.** nakładać czepek (*komuś*). **2.** = **coiffure**.

coiffeur [kwɑː'fɝː] *n.* fryzjer (*zwł. damski, ekskluzywny*).

coiffure [kwɑː'fjʊr] *n.* **1.** *form.* fryzura; koafiura. **2.** *arch.* nakrycie głowy. – *v.* układać, modelować (*włosy*).

coiffurist [kwɑː'fjʊrɪst] *n. rzad.* fryzjer (damski).

coign [kɔɪn] *n.* **1.** = **quoin**. **2.** ~ **of vantage** dobry punkt (*np. obserwacyjny*).

coil[1] [kɔɪl] *n.* **1.** zwój (*liny, drutu, węża*); skręt, splot; lok (*włosów*). **2.** *techn.* wężownica. **3.** *el.* cewka; spirala (grzejna). **4.** *med. pot.* spirala (*antykoncepcyjna*). – *v.* **1.** zwijać (*np. linę*); ~ **(up)** zwijać (się), skręcać (się); ~ **sth around sth** owijać coś wokół czegoś. **2.** wić się.

coil[2] *n. arch. poet.* zamęt, rozgwar, zgiełk.

coiling drum *n.* bęben do nawijania drutu.

coin [kɔɪn] *n.* **1.** moneta; **flip/toss a** ~ rzucić monetę; **ten-cent** ~ moneta dziesięciocentowa. **2.** *U* bilon, monety; *pot.* kasa (= *pieniądze*); **in** ~ bilonem, drobnymi (*płacić*). **3.** *przen.* **pay sb back in their own** ~ *Br. przest.* odpłacać komuś pięknym za nadobne; **the other side of the** ~ druga strona medalu; **two sides of the same** ~ dwie strony medalu. – *v.* **1.** bić, wybijać (*monety*); przekuwać na monety; ~ **money** (*także Br.* ~ **it**) *przen. pot.* robić duże pieniądze. **2.** ukuć (*wyraz, zwrot*); **to** ~ **a phrase** *przen. żart.* że się tak wyrażę.

coinage ['kɔɪnɪdʒ] *n.* **1.** *U* system monetarny (*danego kraju*), waluta. **2.** *U* bicie monet. **3.** *U* tworzenie neologizmów. **4.** nowo ukuty wyraz, neologizm.

coincide [ˌkoʊɪn'saɪd] *v.* **1.** pokrywać *l.* zbiegać się (w czasie) (*with sth* z czymś). **2.** pokrywać się (*t. w przestrzeni*); być zbieżnym (*o opiniach, poglądach*); zgadzać się (*o wersjach, zeznaniach*).

coincidence [koʊ'ɪnsɪdəns] *n. C/U* **1.** zbieg okoliczności, przypadek; **by** ~ przypadkowo, przypadkiem; **by a funny** ~ dziwnym zbiegiem okoliczności, dziwnym trafem; **sheer/pure** ~ czysty przypadek; **what a** ~! co za zbieg okoliczności!. **2.** *sing. form.* zbieżność, zgodność (*of sth* czegoś).

coincident [koʊ'ɪnsɪdənt] *a. form.* **1.** pokrywający się; zbieżny, zgodny (*with sth* z czymś). **2.** *geom.* przystający.

coincidental [koʊˌɪnsɪ'dentl] *a.* przypadkowy.

coincidentally [koʊˌɪnsɪ'dentlɪ] *adv.* przypadkowo, przypadkowym zbiegiem okoliczności.

coiner ['kɔɪnər] *n.* **1.** *hist.* mincarz, mincerz. **2.** fałszerz monet.

coinheritance [ˌkoʊɪn'herɪtəns] *n. U prawn.* współdziedziczenie.

coin machine, coin-operated machine *n.* automat na monety.

coinstantaneous [ˌkoʊɪnstən'teɪnɪəs] *a. form.* jednoczesny.

coinsurance [ˌkoʊɪn'ʃʊrəns] *n. U ubezp. US* **1.** ubezpieczenie, w którym składka pokrywana jest przez dwa podmioty, zw. przez zatrudnionego i pracodawcę. **2.** ubezpieczenie częściowe.

coinsure [ˌkoʊɪn'ʃʊr] *v.* **1.** ubezpieczyć (się) wspólnie. **2.** ubezpieczyć (się) częściowo.

coir [kɔɪr] *n. U* włókno kokosowe.

coital ['koʊɪtl] *a. biol., fizj.* dotyczący spółkowania.

coitus ['koʊɪtəs] *n. U med. l. form.* stosunek (płciowy); spółkowanie; ~ **interruptus** stosunek przerywany.

coke [koʊk] *n.* **1.** *C/U* **C**~ *pot.* Coca Cola. **2.** *U* koks (*materiał opałowy*). **3.** *U sl.* koka (= *kokaina*). – *v.* **1.** koksować. **2.** *zw. pass.* **be ~d (up/out)** *pot.* być naszprycowanym (*zwł. kokainą*).

coke plant *n.* koksownia.

coking coal *n. U* węgiel koksujący.

col [kɑːl] *n. geogr.* przełęcz.

Col. *abbr.* **1.** = **Colonel**. **2.** = **Colorado**. **3.** (*także* **Col**) *Bibl.* = **Colossians**.

col. *abbr.* **1.** = **collect**; = **collected**; = **collector**. **2.** = **college**; = **collegiate**. **3.** = **colony**; = **colonial**. **4.** = **color**; = **colored**. **5.** = **column**.

COLA ['koʊlə] *abbr. pl.* **-s** *l.* **-'s** *US* **cost-of-living adjustment** indeksacja (*płac l. świadczeń emerytalnych*).

cola[1] ['koʊlə] *n.* **1.** *C/U* cola (*napój*). **2.** *bot.*

(*także* **kola**) kola (*Cola acuminata l. nitida*); ~ **nuts** (*także* **kola nuts**) orzeszki kola.

cola2 *n. pl. zob.* **colon.**

colander [ˈkʌləndər] *n.* cedzak, durszlak.

co-latitude [koʊˈlætɪˌtu:d] *n. U astron.* dopełnienie szerokości ekliptycznej.

colcannon [kəlˈkænən] *n. U Ir. kulin.* duszone ziemniaki z kapustą.

colchicum [ˈkɑ:ltʃəkəm] *n. bot.* zimowit (jesienny) (*Colchicum (autumnale)*).

colcothar [ˈkɑ:lkəθər] *n. U chem.* czerwień żelazowa.

cold [koʊld] *a.* **1.** zimny (*t. o kolorze*); zmarznięty; **as ~ as ice** *emf.* zimny jak lód; **~ shower** *t. przen.* zimny prysznic; **get ~** zmarznąć; (*także Br.* **go ~**) wystygnąć (*o jedzeniu*); **ice/stone/freezing ~** lodowaty; **I am/feel ~** jest mi zimno; **the room feels ~** w pokoju jest zimno; **turn ~** ochłodzić się, oziębić się (*zwł. gwałtownie*). **2.** *przen.* zimny, oziębły (*o osobie, spojrzeniu*); chłodny (*o przyjęciu*). **3.** *attr. kulin.* na zimno; **~ chicken** kurczak na zimno. **4.** słaby, zatarty (*o śladach, tropie*); stary, nieaktualny (*o wiadomości*). **5.** *przen.* **~ comfort** *zob.* **comfort** 2; **~ (hard) cash** *US pot.* żywa gotówka; **get/have ~ feet** *pot.* dostać/mieć pietra; **give sb the ~ shoulder** *pot.* traktować kogoś ozięble; **in ~ blood** z zimną krwią; **in the ~ light of day** na trzeźwo; **it leaves me ~** ani mnie to ziębi, ani grzeje, mało mnie to wzrusza; **pour/throw ~ water on** zgasić, ostudzić (*czyjś optymizm, zapał*), wylać kubeł zimnej wody na (*czyjeś plany, nadzieje*); **you're getting ~er** *pot.* zimno, zimniej (*w grze w ciepło-zimno*). – *n.* **1.** *U* **the ~** zimno, chłód (*zwł. o pogodzie*); **(blue/shivering) with ~** (siny/drżący) z zimna. **2.** (*także* **common ~**) przeziębienie; **catch (a) ~** przeziębić się; **head ~** (*także* **~ in the head**) katar. **3.** *przen. pot.* **come in from the ~** *Br.* zostać zaakceptowanym (*dzięki zmianie polityki, zachowania itp.*); **leave sb (out) in the ~** zostawić kogoś na lodzie. – *adv.* **1.** raptownie (*np. przerwać*). **2.** *gł. US i Can. pot.* kompletnie, absolutnie; **know sth ~** *US* mieć coś w małym palcu; **turn sb down ~** nawet nie chcieć z kimś gadać. **3.** (*także* **out ~**) nieprzytomny; **he was knocked (out) ~** *pot.* oberwał tak, że stracił przytomność; **lay sb (out) ~** *US zwł. sport* znokautować kogoś.

coldblooded [ˌkoʊldˈblʌdɪd], **cold-blooded** *a.* **1.** *zool.* zmiennocieplny. **2.** *przen.* zimny, bezduszny, bezwzględny; (popełniony) z zimną krwią; działający na zimno *l.* bez emocji. **3.** *pot.* wrażliwy na zimno.

coldbloodedly [ˌkoʊldˈblʌdɪdlɪ] *adv.* z zimną krwią; na zimno, bez emocji.

coldbloodedness [ˌkoʊldˈblʌdɪdnəs] *n. U* bezduszność, bezwzględność.

cold chisel *n. techn.* przecinak (*ślusarski*).

cold cream *n. U* tłusty krem do oczyszczania twarzy.

cold cuts *n. pl. gł. US* zimne zakąski (*zw. wędliny i gotowane mięsa*).

cold deck *n. US karty sl.* oszukana *l.* podrobiona talia.

cold-draw [ˌkoʊldˈdrɔ:] *v.* **-drew, -drawn** *techn.* ciągnąć (na zimno) (*metal*).

cold fish *n. przen. pot.* sztywnia-k/czka.

cold frame *n. ogr.* inspekt.

cold front *n. meteor.* chłodny front (atmosferyczny).

cold-hearted [ˌkoʊldˈhɑ:rtɪd] *a.* zimny, bezduszny.

cold light *n. U fiz.* zimne światło.

coldly [ˈkoʊldlɪ] *adv.* zimno, chłodno, ozięble.

coldness [ˈkoʊldnəs] *n. U* zimno, chłód, oziębłość.

cold pack *n.* **1.** *med.* zimny okład (*z mokrego prześcieradła*). **2.** *U kulin.* wekowanie surowych produktów.

cold-pack [ˈkoʊldˌpæk] *v.* **1.** *med.* zawijać w mokre prześcieradło (*dla zbicia gorączki*). **2.** *kulin.* wekować na surowo.

cold-rolled [ˌkoʊldˈroʊld] *a. techn.* walcowany (na zimno) (*o blasze, metalu*).

cold rolling *n. U* walcowanie (na zimno).

cold-short [ˌkoʊldˈʃɔ:rt] *a.* kruchy na zimno (*zwł. o żelazie*).

cold-shoulder [ˌkoʊldˈʃoʊldər] *v.* traktować ozięble.

cold snap *n.* nagłe oziębienie *l.* ochłodzenie.

cold sore *n. pat.* opryszczka (*na wardze*), febra.

cold spell *n.* fala chłodów.

cold steel *n. U lit.* biała broń.

cold storage *n. U* **1.** składowanie w chłodni. **2. put sth into ~** *przen.* odłożyć coś na później.

cold store *n.* chłodnia składowa.

cold sweat *n. sing.* zimny pot.

cold turkey *n. U sl.* zupełna odstawka (= *odstawienie narkotyków z dnia na dzień*). – *adv.* na żywioł; bez przygotowania; **go ~ (off heroin)** przestać brać (heroinę) z dnia na dzień.

cold-turkey [ˌkoʊldˈtɜ˞:kɪ] *a. attr.* na żywioł; nieprzygotowany; **~ effect** *pat. pot.* objawy nagłego odstawienia narkotyku.

cold war *n.* **the C~ W~** *hist., polit.* zimna wojna.

cold wave *n. meteor.* fala chłodnego powietrza.

cold work *n. U techn.* obróbka plastyczna na zimno.

cold-work [ˌkoʊldˈwɜ˞:k] *v.* obrabiać na zimno (*metal*).

cole [koʊl], **colewort** [ˈkoʊlˌwɜ˞:t] *n. bot.* roślina z rodziny Brassica (kapusta) (*zwł. kapusta (Brassica oleracea capitata), jarmuż (Brassica oleracea acephala) l. rzepak (Brassica napus oleifera)*).

coleopteran [ˌkoʊlɪˈɑ:ptərən] *n. ent.* chrząszcz.

coleopterous [ˌkoʊlɪˈɑ:ptərəs] *a. ent.* tęgopokrywy.

coleslaw [ˈkoʊlˌslɔ:] *n. U* (*także US, Can. i Austr.* **slaw**) *kulin.* surówka z białej kapusty z dodatkiem majonezu.

colewort [ˈkoʊlˌwɜ˞:t] *n. bot.* = **cole.**

colic [ˈkɑ:lɪk] *n. U pat.* kolka; **hepatic/nephritic ~** kolka wątrobowa/nerkowa.

colicky [ˈkɑ:lɪkɪ] *a.* cierpiący na częste kolki (*o niemowlęciu*).

coliseum [ˌkɑ:lə'sɪəm], **colosseum** *n. zwł. US* stadion; (wielki) amfiteatr; **the C~** *hist.* Koloseum.

colitis [kə'laɪtɪs] *n. U pat.* zapalenie okrężnicy.

coll. *abbr.* **1.** = **college**; = **collegiate**. **2.** = **colloquial**.

collaborate [kə'læbəˌreɪt] *v.* **1.** współpracować (*with sb* z kimś); pracować wspólnie (*on sth* nad czymś). **2.** *uj.* kolaborować.

collaboration [kəˌlæbə'reɪʃən] *n. U* **1.** współpraca. **2.** *uj.* kolaboracja.

collaborationist [kəˌlæbə'reɪʃənɪst] *n.* kolaborant/ka.

collaborative [kə'læbəˌreɪtɪv] *a.* wspólny; kolektywny, zespołowy (*o pracy, projekcie*).

collaborator [kə'læbəˌreɪtər] *n.* **1.** współpracowni-k/czka. **2.** *uj.* kolaborant/ka.

collage [kə'lɑ:ʒ] *n. C/U sztuka* kolaż, collage (*technika l. dzieło*).

collagen ['kɑ:lədʒən] *n. U biochem.* kolagen.

collagen implant *n. chir. plastyczna* implant kolagenowy.

collagist [kə'lɑ:ʒɪst] *n.* kolażyst-a/ka.

collapse [kə'læps] *v.* **1.** zawalić się, runąć (*o budynku, konstrukcji*); załamać się, zarwać się (*o krześle, lodzie*); załamać się (*o negocjacjach, nerwach, rynku*); rozpaść się (*o małżeństwie, systemie*); upaść (*o rządzie, firmie*). **2.** spowodować zawalenie *l.* załamanie się (*dachu, konstrukcji*). **3.** upaść (*o kimś słabym l. chorym*); zasłabnąć; (o)padać (*np. na łóżko, zwł. ze zmęczenia*). **4.** składać się (*o krześle, stoliku*). **5.** *pat.* zapaść się (*o płucu*). – *n.* **1.** *U* zawalenie się (*dachu, konstrukcji*); załamanie się (*krzesła, lodu*); załamanie (się) (*rynku*); rozpad (*małżeństwa*); upadek (*rządu*). **2.** *pat.* załamanie (*nerwowe, fizyczne*); zapaść; **circulatory ~** zapaść naczyniowa *l.* sercowa; **lung/pulmonary ~** zapadnięcie się płuca.

collapsible [kə'læpsəbl], **collapsable** *a.* składany (*o krześle, stole, rowerze*).

collar ['kɑ:lər] *n.* **1.** *strój* kołnierz, kołnierzyk; **clerical ~** (*także pot.* **dog ~**) koloratka. **2.** obroża. **3.** *zool.* kołnierz (= *inny kolor sierści, skóry l. piór na szyi*). **4.** *techn.* kołnierz; pierścień. **5.** chomąto. **6.** *przen. pot.* **hot under the ~** wkurzony; **make a ~** *US sl.* dokonać aresztowania (*o policji*). – *v.* **1.** złapać za kołnierz. **2.** *pot.* złapać, dopaść; capnąć (*przestępcę*). **3. ~ a dog/horse** nałożyć obrożę psu/chomąto koniowi.

collarbone ['kɑ:lərˌboʊn] *n. anat.* obojczyk.

collard ['kɑ:lərd] *n.* **1.** *bot.* jarmuż, kapusta pastewna (*Brassica oleracea var. sabellica*). **2.** *pl.* (*także* **~ greens**) *kulin.* jarmuż (*liście stosowane do celów spożywczych*).

collarette [ˌkɑ:lə'ret] *n. przest.* kreza; kołnierz z futra (*kobiecy*).

collarless ['kɑ:lərləs] *a.* **1.** bez kołnierza *l.* kołnierzyka (*np. o bluzie*). **2.** bez obroży (*o psie*).

collat. *abbr.* = **collateral**.

collate [kɑ:'leɪt] *v.* **1.** zebrać (i uporządkować) (*dzieła, manuskrypty*); zestawiać (*w odpowiedniej kolejności*); sortować, układać. **2.** dokładnie porównywać; kolacjonować (*wersje dokumentu*). **3.** *introl., druk.* sprawdzać kolejność (*arkuszy l. stron dzieła*). **4.** *komp.* scalać (*pliki*); sortować (*drukowane kopie dokumentu*). **5.** *kość.* nadawać *l.* przyznawać beneficjum (*komuś*).

collateral [kə'lætərəl] *n. form.* **1.** *C/U fin.* (dodatkowe) zabezpieczenie (*spłaty pożyczki*). **2.** krewn-y/a w linii bocznej (*t. u zwierząt i roślin*). – *a.* **1.** *attr.* dodatkowy (*o zabezpieczeniu, dowodzie*). **2.** poboczny; uboczny. **3.** (spokrewniony) w linii bocznej. **4.** równoległy; równorzędny.

collateral damage *n. U wojsk.* zniszczenia uboczne.

collateral loan *n. fin.* pożyczka pod zabezpieczenie.

collaterally [kə'lætərəlɪ] *adv.* **1.** dodatkowo. **2.** ubocznie. **3.** równolegle; obok. **4.** w linii bocznej (*spokrewniony*).

collateral property *n. fin.* majątek będący zabezpieczeniem pożyczki.

collation[1] [kɑ:'leɪʃən] *n. zw. U* **1.** zebranie, zestawienie (*w kolejności*). **2.** *t. komp.* sortowanie, układanie. **3.** dokładne porównanie; kolacjonowanie (*wersji dokumentu*). **4.** *introl., druk.* sprawdzanie kolejności (*arkuszy l. stron dzieła*). **5.** *kość.* nadanie beneficjum.

collation[2] *n.* **1.** *rz.-kat.* postny posiłek. **2.** *form.* lekki posiłek; **(cold) ~** zimny bufet; zimna przekąska.

collator [kɑ:'leɪtər] *n.* **1.** *przest.* edytor/ka, redaktor/ka; pracowni-k/ca introligatorni kontrolując-y/a kolejność arkuszy. **2.** *hist., kość.* kolator.

colleague ['kɑ:li:g] *n.* kole-ga/żanka (*z pracy, po fachu*); współpracowni-k/ca.

collect[1] [kə'lekt] *v.* **1.** *t. przen.* zbierać (się); gromadzić (się). **2.** zbierać, kolekcjonować (*jako hobby*). **3. ~ (money) for sth** zbierać (pieniądze) *l.* prowadzić zbiórkę (pieniędzy) na coś, kwestować na jakiś cel. **4. ~ sb/sth (from somewhere)** *zwł. Br.* odbierać kogoś/coś (skądś). **5.** pobierać, ściągać (*podatek, opłatę*); inkasować (należne pieniądze); **I ~ed on the damage to my car** *pot.* odebrałem odszkodowanie za samochód. **6.** pobierać (*pocztę, list*); wybierać (*listy ze skrzynki*). **7. ~ o.s.** (*także* **~ one's thoughts**) opanować się (*zwł. po doznanym szoku*); zebrać myśli. **8. ~ a horse** *jeźdz.* zebrać konia. – *a. attr.* **~ call** *US tel.* rozmowa na koszt abonenta. – *adv.* **call/phone sb ~** *US* dzwonić do kogoś na jego koszt.

collect[2] ['kɑ:lekt] *n. kość.* kolekta (= *krótka modlitwa mszalna przed epistołą*).

collected [kə'lektɪd] *a.* **1.** skupiony; opanowany. **2.** zebrany (*t. o chodzie konia*); **~ works** dzieła zebrane.

collectedly [kə'lektɪdlɪ] *adv.* **1.** spokojnie, z opanowaniem. **2.** w zebraniu (*o koniu*).

collectible [kə'lektəbl] *a.* **1.** ściągalny (*o długu*). **2.** nadający się do kolekcjonowania. – *n.* przedmiot nadający się do kolekcjonowania.

collection [kə'lekʃən] *n.* **1.** kolekcja, zbiór (*znaczków, dzieł sztuki*); *moda* kolekcja; zbiór (*wierszy, piosenek*). **2.** *zw. U* zbieranie, gromadzenie; **garbage** ~ wywóz śmieci. **3.** zbiórka (pieniędzy), kwesta; składka; **have/hold a** ~ organizować kwestę; **take (up) a** ~ *kośc.* zbierać na składkę. **4.** *U* odbieranie; wyjmowanie (*listów ze skrzynki pocztowej*); odbiór, odebranie (*towaru, kogoś skądś*); **ready for** ~ gotowy do odbioru *l.* odebrania. **5.** zbiorowisko (*wody, kurzu, śmieci*); *zw. sing.* zestaw (*osób*). **6.** *pl. Br.* egzaminy końcowe (*na Uniwersytecie Oksfordzkim*).

collective [kəˈlektɪv] *a. zw. attr.* **1.** zbiorowy (*np. o bezpieczeństwie, własności, odpowiedzialności*); wspólny (*o działaniach, decyzji*). **2.** *gł. hist.* kolektywny. – *n.* **1.** zorganizowany zespół, kolektyw. **2.** = ~ **noun**. **3.** = ~ **farm**.

collective agreement *n.* umowa zbiorowa.

collective bargaining *n. U* negocjacje w kwestii zawarcia umowy zbiorowej o pracę.

collective farm *n. hist.* spółdzielnia rolnicza, kołchoz (*w byłym ZSRR*).

collective fruit *n. bot.* owocostan, owoc złożony.

collectively [kəˈlektɪvlɪ] *adv.* zbiorowo; wspólnie; kolektywnie.

collective noun *n. gram.* rzeczownik zbiorowy.

collective unconscious *n. U psych.* podświadomość zbiorowa.

collectivism [kəˈlektəˌvɪzəm] *n. U hist.* kolektywizm.

collectivist [kəˈlektəvɪst] *n.* kolektywist-a/ka, zwolenni-k/czka kolektywizmu.

collectivistic [kəˌlektəˈvɪstɪk] *a.* kolektywistyczny.

collectivity [kəˌlekˈtɪvətɪ] *pl.* **-ies** *n.* **1.** zbiorowość. **2.** kolektyw.

collectivization [kəˌlektɪvəˈzeɪʃən] *n. U* kolektywizacja.

collectivize [kəˈlektəˌvaɪz] *v.* kolektywizować.

collect on delivery *a. i adv. US poczta* płatne przy odbiorze, za pobraniem.

collector [kəˈlektər] *n.* **1.** poborca (*zwł. podatkowy*); inkasent/ka. **2.** zbieracz/ka, kolekcjoner/ka; **~'s item** rzadki okaz *l.* egzemplarz; biały kruk. **3.** *techn.* kolektor; **(solar)** ~ kolektor (słoneczny).

colleen [ˈkɑːliːn] *n.* **1.** *Ir.* dziewczyna. **2.** irlandzka dziewczyna, młoda Irlandka.

college [ˈkɑːlɪdʒ] *n. szkoln.* **1.** kolegium (*licencjackie*); szkoła policealna; college (= *uczelnia półwyższa nadająca stopień naukowy będący odpowiednikiem licencjatu*); **community** ~ *US* lokalna szkoła dwuletnia typu półwyższego przygotowująca na studia uniwersyteckie; **junior** ~ *US i Can.* szkoła dwuletnia typu półwyższego; **teacher('s) (training)** ~ (*także zwł. Br.* ~ **of education**) kolegium nauczycielskie. **2.** college (= *jednostka organizacyjna uniwersytetu*). **3.** szkoła wyższa (*profilowana*); **business** ~ (wyższa) szkoła biznesu. **4.** technikum; *Br., gł. w nazwach* prywatne liceum. **5.** kolegium (*np. elektorskie*); zgromadzenie; **C~ of Cardinals** *rz.-kat.* kolegium kardynalskie. **6.** zrzeszenie. **7.** *hist., rel.* klasztor. **8. be in** ~ studiować; uczyć się w szkole; **drop out of** ~ rzucić studia; **go to** ~ iść na studia.

college boards *n. pl. US* egzaminy wstępne do niektórych college'ów *l.* na uniwersytet.

collegial [kəˈliːdʒɪəl] *a.* **1.** = **collegiate**. **2.** kolegialny, zbiorowy.

collegiality [kəˌliːdʒɪˈælətɪ] *n. U* kolegialność.

collegian [kəˈliːdʒən] *n. form.* **1.** akademik (= *student lub pracownik uczelni*). **2.** członek społeczności szkolnej (= *uczeń l. nauczyciel technikum, szkoły profilowanej itp.*).

collegiate [kəˈliːdʒɪt] *a.* **1.** (*także* **collegial**) uczelniany; studencki; akademicki; o charakterze college'u. **2.** podzielony na college'e (*o uniwersytecie*).

collegiate church *n. kośc.* kościół kolegiacki, kolegiata (*w kościele rzymsko-katolickim i anglikańskim*); *US* jeden z grupy połączonych kościołów prowadzonych wspólnie przez zespół pastorów (*protestanckich*); *Scot.* kościół prowadzony przez dwóch lub więcej pastorów (*protestancki*).

collet [ˈkɑːlɪt] *n.* **1.** *mech.* tuleja zaciskowa (*stożkowa*); pierścień zaciskowy; uchwyt zaciskowy. **2.** kołnierz; pierścień (*rury, pręta*). **3.** *jubilerstwo* oprawa (*kamienia szlachetnego*).

collide [kəˈlaɪd] *v.* **1.** zderzyć się (*with sth* z czymś). **2.** być sprzecznym, kłócić się (*o poglądach, opiniach*).

collie [ˈkɑːlɪ] *n. kynol.* owczarek szkocki.

collier [ˈkɑːljər] *n. gł. Br.* **1.** *żegl.* węglowiec. **2.** *form.* górnik.

colliery [ˈkɑːljərɪ] *n. pl.* **-ies** *gł. Br.* kopalnia węgla.

colligate [ˈkɑːləˌgeɪt] *v. form.* powiązać (ze sobą) (*zwł. fakty, spostrzeżenia*); połączyć (ze sobą).

collimate [ˈkɑːləˌmeɪt] *v. opt.* **1.** przetwarzać na wiązkę równoległą *l.* ustawiać równolegle (*rozbieżną wiązkę światła*). **2.** nastawiać *l.* regulować linię widzenia (*przyrządu optycznego*); justować (przyrząd optyczny).

collimation [ˌkɑːləˈmeɪʃən] *n. U* **1.** kolimacja. **2.** justowanie (*przyrządu optycznego*).

collimator [ˈkɑːləˌmeɪtər] *n. opt.* kolimator.

collinear [kəˈlɪnɪər] *a. geom.* współliniowy.

collision [kəˈlɪʒən] *n. C/U t. fiz. l. przen.* zderzenie; kolizja; **be on a** ~ **course** być na kursie kolizyjnym; *przen.* zmierzać do konfrontacji; **come into** ~ zderzyć się; **head-on** ~ zderzenie czołowe.

collocate [ˈkɑːləˌkeɪt] *v.* **1.** rozmieszczać, ustawiać (*obok siebie*). **2.** *jęz.* kolokować, występować w kolokacji (*with sth* z czymś). – *n. jęz.* kolokat.

collocation [ˌkɑːləˈkeɪʃən] *n.* **1.** *U* rozmieszczenie, ustawienie (*obok siebie*). **2.** *jęz.* kolokacja, syntagma skonwencjonalizowana; kolokat; *U* występowanie w kolokacji, łączliwość.

collocational [ˌkɑːləˈkeɪʃənl] *a. jęz.* kolokacyjny.

collodion [kəˈloʊdɪən] *n. U fot., chir.* kolodium.

collogue [kəˈloʊg] *v. gł. płd. US form. l. żart.* mieć *l.* prowadzić konszachty (*with sb* z kimś).

colloid [ˈkɑːlɔɪd] *n. chem., fizj., pat.* koloid. – *a.* = **colloidal**.

colloidal [kəˈlɔɪdl] *a.* koloidowy, koloidalny.

colloidality [ˌkɑːlɔɪˈdælətɪ] *n. U* koloidalność.

collop ['kɑ:ləp] *n. dial.* **1.** plasterek; kawałek (*zwł. mięsa*). **2.** *arch.* fałd tłuszczu (*na ciele*).

colloq. *abbr.* = **colloquial**; = **colloquially**; = **colloquialism**.

colloquia [kə'loʊkwɪə] *n. pl. zob.* **colloquium**.

colloquial [kə'loʊkwɪəl] *a.* potoczny, kolokwialny (*o języku, stylu*).

colloquialism [kə'loʊkwɪəˌlɪzəm] *n.* **1.** wyraz *l.* zwrot potoczny, kolokwializm. **2.** *U* potoczność, kolokwializm.

colloquially [kə'loʊkwɪəlɪ] *adv.* potocznie, kolokwialnie.

colloquium [kə'loʊkwɪəm] *n. pl.* **-ums** *l.* **-a** sympozjum (*monotematyczne*), seminarium, kolokwium.

colloquy ['kɑ:ləkwɪ] *n. pl.* **-ies** *form.* **1.** *teor. lit.* dialog (*forma dzieła literackiego*). **2.** *przest.* formalna rozmowa.

collotype ['kɑ:ləˌtaɪp] *n. druk.* **1.** światłodruk. **2.** *U* światłodruk, fototypia (*technika*).

collude [kə'lu:d] *v.* działać w zmowie (*with sb* z kimś).

colluder [kə'lu:dər] *n.* uczestni-k/czka zmowy.

collusion [kə'lu:ʒən] *n. U form. l. prawn.* zmowa; ukartowana gra; **in ~ with sb** w zmowie z kimś.

collusive [kə'lu:sɪv] *a.* **1.** potajemny; ukartowany. **2.** działający w zmowie.

colluvium [kə'lu:vɪəm] *n. pl.* **-ums** *l.* **-a** piarg.

collyrium [kə'li:rɪəm] *n. pl.* **-ia** *med.* lek do oczu w płynie.

collywobbles ['kɑ:lɪˌwɑ:blz] *n. pl.* **the ~** *Br. pot.* skręcanie w żołądku (*z nerwów*).

Colo. *abbr.* = **Colorado**.

colobus ['kɑ:ləbəs], **colobus monkey** *n. zool.* gereza (*Colobus*).

colocynth ['kɑ:ləsɪnθ] *n.* **1.** *bot.* kolokwinta (*Citrullus colocynthis*). **2.** owoc kolokwinty.

colog ['koʊlɔ:g] *abbr.* = **cologarithm**.

cologarithm [koʊ'lɔ:gəˌrɪðəm] *n. mat.* kologarytm.

cologne [kə'loʊn], **Cologne water** *n. U* woda kolońska.

Colombian [kə'lʌmbɪən] *a.* kolumbijski. – *n.* Kolumbij-czyk/ka.

colon[1] ['koʊlən] *n.* **1.** dwukropek. **2.** *pl.* **cola** *prozodia* kolon.

colon[2] *n. pl. t.* **cola** *anat.* okrężnica.

colonate [kə'loʊneɪt] *n. hist.* kolonat (*w późniejszym cesarstwie rzymskim*).

colon bacillus *n. biol.* pałeczka okrężnicy (*Escherichia coli*).

colonel ['kɝ:nl] *n.* **1.** *wojsk.* pułkownik. **2.** *płd. US* honorowy tytuł dostojników cywilnych przyznawany w niektórych stanach. **3.** *płd. US arch.* tytuł dodawany do nazwiska starszego, dystyngowanego mężczyzny.

colonelcy ['kɝ:nlsɪ] *przest.* **colonelship** ['kɝ:nlˌʃɪp] *n.* ranga pułkownika, pułkownikostwo.

colonial [kə'loʊnɪəl] *a.* **1.** kolonialny. **2.** (*także* **C~**) *hist.* kolonialny (= *dotyczący pierwszych 13 kolonii brytyjskich w Ameryce Płn.*); **C~ style** *US hist.* styl kolonialny. **3.** *zool.* kolonijny, żyjący w koloniach. – *n.* biał-y/a mieszkan-iec/ka kolonii.

colonialism [kə'loʊnɪəˌlɪzəm] *n. U* kolonializm.

colonialist [kə'loʊnɪəlɪst] *a. polit.* kolonialny. – *n.* kolonialist-a/ka.

colonially [kə'loʊnɪəlɪ] *adv.* kolonialnie.

colonist ['kɑ:lənɪst] *n.* kolonist-a/ka, osadni-k/czka.

colonitis [ˌkoʊlə'naɪtɪs] *n. U pat.* = **colitis**.

colonizable [ˌkɑ:lə'naɪzəbl], *Br. i Austr. zw.* **colonisable** *a.* (nadający się) do skolonizowania.

colonization [ˌkɑ:lənaɪ'zeɪʃən] *n. U* kolonizacja; osadnictwo.

colonize ['kɑ:ləˌnaɪz] *v.* **1.** kolonizować; zakładać kolonie *l.* kolonię w. **2.** osadzać w kolonii, osiedlać (*kolonistów*).

colonizer ['kɑ:ləˌnaɪzər] *n.* kolonizator/ka.

colonnade [ˌkɑ:lə'neɪd] *n.* **1.** *bud.* kolumnada. **2.** rząd drzew.

colonnaded [ˌkɑ:lə'neɪdɪd] *a.* **1.** kolumnadowy; posiadający kolumnadę *l.* kolumnady. **2.** wysadzany drzewami.

colony ['kɑ:lənɪ] *n. pl.* **-ies** **1.** *t. polit. i biol.* kolonia. **2. Old C~** *US* Massachusetts (*przydomek stanu*). **3.** *pl.* **the Colonies** *US hist.* 13 kolonii brytyjskich w Ameryce Płn., które utworzyły Stany Zjednoczone. **4.** *Br.* kolonie brytyjskie.

colophon ['kɑ:ləˌfɑ:n] *n. U hist., druk.* kolofon.

colophony ['kɑ:ləˌfoʊnɪ] *n. U* kalafonia.

color ['kʌlər], *Br.* **colour** *n.* **1.** *C* / *U* kolor; barwa; **in ~** w kolorze; **primary ~s** barwy podstawowe *l.* zasadnicze; **red/green in ~** koloru czerwonego/zielonego; **what ~ is...?** jakiego koloru jest...?. **2.** *zw. U* kolor skóry (*zwł. inny niż biały*); **persons/people of ~** osoby o kolorze skóry innym niż biały. **3.** *U* karnacja; kolory, rumieńce; **change ~** czerwienić się; blednąć; **gain/lose ~** nabrać kolorów/stracić kolory; **have a lot of ~** (*także Br.* **have a high ~**) mieć rumianą twarz. **4.** farba; barwnik. **5.** *U* kolorystyka; koloryt (*t. literacki, lokalny*); zabarwienie; nastrój; ton, nuta (*utworu muzycznego*). **6.** *U* barwność (*postaci, opowiadania*); **add/give ~ to sth** ubarwić coś. **7.** *fiz.* kolor (= *stan kwarka*). **8.** *przen.* **give/lend ~ to sth** uprawdopodabniać *l.* uwiarygodniać coś; **have the ~ of sth** sprawiać wrażenie *l.* pozory czegoś; *pred.* **off ~** niezdrów (*o osobie*); nieprzyzwoity (*o żarcie, historyjce*); **paint sb/sth in glowing/dark ~s** malować kogoś/coś w jasnych/ciemnych barwach; **see the ~ of sb's money** *pot.* oglądać czyjeś pieniądze (= *sprawdzać, czy ma dosyć pieniędzy, żeby zapłacić*); **under ~ of sth** pod pozorem *l.* pretekstem czegoś. – *v.* **1.** barwić; *t. przen.* zabarwiać; kolorować; farbować. **2.** rumienić się. **3.** *przen.* rzutować na, wywierać wpływ na. **4.** *przen.* koloryzować, przejaskrawiać. **5. ~ in** kolorować (*rysunek, książeczkę*). – *a. attr.* kolorowy (*o telewizji, monitorze, filmie*); kolorowy, barwny (*o zdjęciu, ilustracji*).

colorable ['kʌlərəbl] *a.* **1.** fałszywy, udawany (*np. o sympatii*). **2.** z pozoru wiarygodny *l.* prawdopodobny (*np. o wymówce*).

colorably ['kʌlərəblɪ] *adv.* pozornie; z pozoru słusznie.

Colorado beetle [ˌkɑːləˌrædoʊ ˈbiːtl], **Colorado potato beetle** *n. ent.* stonka ziemniaczana, chrząszcz kolorado (*Leptinotarsa decemlineata*).

colorant [ˈkʌlərənt] *n.* barwnik, pigment.

coloration [ˌkʌləˈreɪʃən] *n. U* ubarwienie (*zwł. zwierzęcia*).

coloratura [ˌkʌlərəˈtʊrə] *n. muz.* **1.** *U* koloratura. **2.** sopran koloraturowy. – *a. attr.* koloraturowy.

color bar, *Br.* **colour bar** *n. U* = ~ **line.**

colorbearer [ˈkʌlərˌberər] *n.* chorąży (*noszący sztandar*).

color-blind [ˈkʌlərˌblaɪnd] *a.* **1.** cierpiący na daltonizm, nie rozróżniający kolorów. **2.** *przen.* nie zwracający uwagi na przynależność rasową, przestrzegający równości rasowej (*np. o przepisach prawa*).

color blindness *n. U* **1.** daltonizm, nierozróżnianie kolorów. **2.** *przen.* zachowywanie *l.* przestrzeganie równości rasowej.

color code *n. U* oznaczenie różnymi kolorami.

color-code [ˈkʌlərˌkoʊd] *v.* oznaczać różnymi kolorami.

color-coordinated [ˌkʌlərkoʊˈɔːrdəneɪtɪd] *a.* dobrany kolorystycznie (*o częściach garderoby, elementach wystroju wnętrza*).

colored [ˈkʌlərd], *Br.* **coloured** *a.* **1.** kolorowy (*np. o ołówku, ptaku, szkle*). **2.** *w złoż.* **brightly-~** jaskrawy, w jaskrawych barwach; **flesh-~** cielisty, w kolorze cielistym; **multi-~** różnokolorowy, wielobarwny. **3.** *przest. l. pog.* kolorowy (*zw.* = *czarnoskóry; S.Afr.* = *mający przodków rasy białej i niebiałej*). **4.** tendencyjny (*o zdaniu, osądzie*); **opinion ~ by sth** opinia naznaczona wpływem czegoś. **5. (highly) ~** (mocno) zniekształcony *l.* ubarwiony (*np. o relacji*). – *n.* (*także* **C~**) *pl. t.* **colored** *pog.* kolorow-y/a.

colorfast [ˈkʌlərˌfæst], *Br.* **colourfast** *a.* zachowujący kolor *l.* kolory.

colorfastness [ˈkʌlərˌfæstnəs] *n. U* **1.** trwałość koloru *l.* kolorów. **2.** *tk.* trwałość wybarwienia.

color film *n. fot.* film kolorowy *l.* barwny.

color filter *n. fot.* filtr barwny.

colorful [ˈkʌlərfʊl] *a.* **1.** (różno)kolorowy, (wielo)barwny. **2.** *przen.* barwny (*o opowiadaniu, języku, postaci*).

colorfully [ˈkʌlərfʊlɪ] *adv.* **1.** (różno)kolorowo, (wielo)barwnie. **2.** *przen.* barwnie (*opowiadać, pisać*).

colorfulness [ˈkʌlərfʊlnəs] *n. U* **1.** (wielo)barwność. **2.** *przen.* barwność.

color guard *n. t. wojsk.* poczet sztandarowy.

colorific [ˌkʌləˈrɪfɪk] *a.* **1.** nadający kolor; barwiący. **2.** barwny.

colorimeter [ˌkʌləˈrɪmətər] *n. chem., fiz.* kolorymetr.

colorimetric [ˌkʌlərəˈmetrɪk] *a.* kolorymetryczny.

colorimetry [ˌkʌləˈrɪmətrɪ] *n. U* kolorymetria.

coloring [ˈkʌlərɪŋ], *Br.* **colouring** *n. U* **1.** karnacja. **2.** barwnik; **food ~** barwnik spożywczy. **3.** ubarwienie. **4.** zabarwienie, kolor; charakter, ton; kolorystyka; koloryt.

colorist [ˈkʌlərɪst] *n.* **1.** *mal.* kolioryst-a/ka. **2.** *US* fryzjer (damski) specjalizujący się w farbowaniu włosów.

coloristic [ˌkʌləˈrɪstɪk] *a. mal.* kolorystyczny.

colorize [ˈkʌləraɪz], *Br.* **colourise, colourize** *v. telew., kino* koloryzować, kolorować (*film czarno-biały*).

colorless [ˈkʌlərləs] *a.* **1.** *t. przen.* bezbarwny. **2.** *pred.* wyblakły; blady.

colorlessly [ˈkʌlərləslɪ] *adv. t. przen.* bezbarwnie.

colorlessness [ˈkʌlərləsnəs] *n. U t. przen.* bezbarwność.

color line, color bar *n. zw. sing. U* segregacja rasowa; dyskryminacja rasowa.

colors [ˈkʌlərz], *Br.* **colours** *n. pl.* **1.** *zob.* **color.** **2.** barwy (*narodowe, klubowe*); strój *l.* emblemat (*klubowy, partyjny itp., noszony jako znak przynależności*); **get one's ~** *sport* dostać się do drużyny; *Br. szkoln.* dostać się do szkoły; **go with/follow/join the ~** przywdziać mundur (= *wstąpić do wojska*); **serve with the ~** służyć w wojsku. **3.** flaga (*zwł. państwowa*); sztandar; bandera; *wojsk.* apel (*połączony z podnoszeniem lub opuszczaniem sztandaru*); **lower/raise the ~** opuścić/podnieść flagę *l.* sztandar *l.* banderę. **4.** *przen.* **give false ~ to sth** (*także* **cast/put false ~ (up)on sth**) przedstawiać coś w fałszywym świetle, zniekształcać coś; **lower one's ~** spuścić z tonu; **nail one's ~ to the mast** *Br.* powiedzieć, co się myśli; **sail under false ~** stroić się w cudze piórka; **show one's true ~** (*także Br.* **show/reveal o.s. in one's true ~**) pokazać swoje prawdziwe oblicze; **with flying ~** śpiewająco, w pięknym stylu.

color scheme, *Br.* **colour scheme** *n.* kolorystyka; zestawienie *l.* dobór kolorów (*na obrazie, w mieszkaniu*).

colossal [kəˈlɑːsl] *a.* olbrzymi, kolosalny.

colossally [kəˈlɑːslɪ] *adv.* kolosalnie.

colosseum [ˌkɑːləˈsɪəm] *n.* = **coliseum.**

Colossians [kəˈlɑːʃənz] *n. sing. Bibl.* List (św. Pawła Apostoła) do Kolosan.

colossus [kəˈlɑːsəs] *n. pl.* **-i** [kəˈlɑːsaɪ] **1.** kolos, olbrzym (*posąg, osoba, budynek*). **2.** *przen.* gigant.

colostomy [kəˈlɑːstəmɪ] *n. pl.* **-ies** *chir.* kolostomia, wytworzenie przetoki okrężniczo-skórnej.

colostrum [kəˈlɑːstrəm] *n. U fizj.* siara.

colotomy [kəˈlɑːtəmɪ] *n. pl.* **-ies** *chir.* nacięcie okrężnicy.

colour [ˈkʌlər] *n., v. i a. Br.* = **color.**

colour supplement *n. zwł. Br. dzienn.* kolorowy dodatek (*zwł. do niedzielnego wydania gazety*).

colpitis [kɑːlˈpaɪtɪs] *n. U pat.* zapalenie pochwy.

colportage [ˈkɑːlˌpɔːrtɪdʒ] *n. U* obwoźna sprzedaż wydawnictw o tematyce religijnej.

colporteur [ˈkɑːlˌpɔːrtər] *n.* sprzedawca wydawnictw o tematyce religijnej (*zwł. Biblii*).

colposcope [ˈkɑːlpəˌskoʊp] *n. med.* kolposkop, wziernik pochwowy.

colposcopy [ˌkɑːlˈpɑːskəpɪ] *n. pl.* **-ies** *med.* kolposkopia, wziernikowanie pochwy.

colt [koʊlt] *n.* **1.** źrebak, źrebię (*płci męskiej*); ogierek (*do czterech lat*). **2.** *przen.* nowicjusz/ka. **3. C~** kolt, colt (*typ rewolweru*).

colter [ˈkoʊltər] *n. hist., roln.* radło.

coltish [ˈkoʊltɪʃ] *a.* **1.** niezgrabny (*zwł. o ruchach młodej osoby l. zwierzęcia*). **2.** niedoświadczony. **3.** dziki, rozbrykany.

coltsfoot [ˈkoʊltsˌfʊt] *n. pl.* **-s** *bot., med.* podbiał (*Tussilago farfara*).

colubrid [ˈkɑːləbrɪd] *n. zool.* niejadowity wąż z rodziny wężowatych (*Colubridae*). – *a. zool.* wężowaty.

colubrine [ˈkɑːləˌbraɪn] *a.* **1.** *form.* wężowaty (= *podobny do węża*). **2.** *zool.* = **colubrid**.

columbarium [ˌkɑːləmˈberɪəm] *n. pl.* **-a 1.** kolumbarium (= *przechowalnia urn z prochami*). **2.** gołębnik.

Columbia [kəˈlʌmbɪə] *n. US poet.* Stany Zjednoczone; **District of ~** *US admin.* Dystrykt Kolumbii.

Columbian [kəˈlʌmbɪən] *a.* **1.** *poet.* amerykański (= *dotyczący USA*). **2.** Kolumbowy.

columbine [ˈkɑːləmˌbaɪn] *n. bot.* orlik pospolity (*Aquilegia vulgaris*); orlik błękitny (*Aquilegia caerula*).

Columbus Day *n. US* Dzień Kolumba (*święto obchodzone w drugi poniedziałek października*).

column [ˈkɑːləm] *n.* **1.** *bud.* kolumna; filar. **2.** kolumna (*tabeli, tekstu*); kolumna, słupek (*liczb*). **3.** *przen.* słup (*dymu, cieczy, rtęci*). **4.** *druk.* kolumna, szpalta. **5.** *dzienn.* felieton; (stała) rubryka. **6.** *wojsk.* kolumna (*żołnierzy, czołgów, statków*). **7.** *anat.* słup; sznur; **vertebral/spinal ~** kręgosłup. **8.** *bot.* słupek (*zwł. w kwiecie obupłciowym*); prętosłup (*u storczyka*).

columnar [kəˈlʌmnər] *a.* **1.** w kształcie kolumny. **2.** *bud.* kolumnowy. **3.** *druk.* szpaltowy, kolumnowy. **4.** *anat.* słup(k)owy; walcowaty (*np. o nabłonku*).

columnated [ˈkɑːləmˌneɪtɪd] *a. bud.* podparty kolumnami.

columned [ˈkɑːləmd] *a.* **1.** *bud.* posiadający kolumny, wyposażony w kolumny. **2.** *druk.* = **columnar** 3. **3.** = **columnar** 1.

columniation [kəˌlʌmnɪˈeɪʃən] *n. bud.* **1.** *U* zastosowanie kolumn. **2.** układ *l.* system kolumn.

columnist [ˈkɑːləmnɪst] *n. dzienn.* felietonist-a/ka (*mający swoją stałą rubrykę w czasopiśmie*).

colza [ˈkɑːlzə] *n. U bot.* rzepak (*Brassica napus*).

Com. *abbr.* **1.** = **Commander**. **2.** = **Commission**; = **Commissioner**. **3.** = **Committee**. **4.** = **Commodore**.

com. *abbr.* **1.** = **comedy**. **2.** = **commander**. **3.** = **commerce**; = **commercial**. **4.** = **committee**. **5.** = **common**; = **commonly**. **6.** = **communications**.

coma[1] [ˈkoʊmə] *n. pat.* śpiączka; **be/lie in a ~** znajdować się w stanie śpiączki; **go into a ~** zapaść w śpiączkę.

coma[2] *n. pl.* **comae** [ˈkoʊmiː] **1.** *astron.* koma (= *świetlista otoczka jądra komety*). **2.** *opt.* koma, komat (*wada obiektywu*). **3.** *bot.* pęczek włosków (*na końcu nasionka*); gałązki u szczytu korony drzewa; koronka przylistków na szczycie kwiatostanu.

Comanche [koʊˈmæntʃɪ] *n.* **1.** *pl.* **Comanche** *l.* **-s** Indian-in/ka ze szczepu Komanczów. **2.** *U* język szczepu Komanczów.

comatose [ˈkɑːməˌtoʊs] *a.* **1.** *pat.* (znajdujący się) w stanie śpiączki. **2.** *przen. pot.* nieprzytomny (*ze zmęczenia, przepracowania, przepicia*).

comb [koʊm] *n.* **1.** *t. tk. i mech.* grzebień (*t. fali*). **2.** = **cocks~** 1. **3.** = **curry-~**. **4.** = **honey~**. **5. my hair needs a ~** muszę przyczesać włosy. **6. go through sth with a fine-tooth(ed) ~** *przen.* bardzo dokładnie coś przeszukać *l.* przetrząsnąć. – *v.* **1.** czesać (*włosy, konia, wełnę*). **2.** *przen.* przeczesywać, przeszukiwać, przetrząsać (*sth for sb / sth* coś w poszukiwaniu kogoś/czegoś); **~ sb from a group** oddzielić kogoś od reszty grupy. **3.** piętrzyć się i przełamywać (*o falach*). **4. ~ out** *pot.* odsiać *l.* wyizolować (*osobę z grupy*); wyszukać (*informacje, dane*); **~ out knots/snarls/tangles from one's hair** rozczesać włosy.

comb. *abbr.* = **combination**; = **combined**; = **combining**.

combat [ˈkɑːmbæt] *n.* **1.** *U t. przen.* walka (*against / with sb / sth* z kimś/czymś *l.* przeciwko komuś/czemuś); **armed ~** walka zbrojna. **2.** bój; bitwa (*between A i B* pomiędzy A i B); **single ~** pojedynek. – *v. zwł. Br.* **-tt-** *form.* **1.** walczyć z. **2.** zwalczać. – *a. attr.* bojowy (*o locie, oddziałach, sprzęcie*); wojskowy (*o butach, kurtce*).

combatant [kəmˈbætənt] *a.* walczący. – *n.* walcząc-y/a; strona walcząca.

combat car *n. wojsk.* samochód bojowy (*pancerny*).

combat fatigue *n. U* (*także* **battle fatigue**) *psych.* nerwica frontowa *l.* wojenna.

combative [kəmˈbætɪv] *a.* wojowniczy, wojowniczo nastawiony.

combatively [kəmˈbætɪvlɪ] *adv.* wojowniczo.

combativeness [kəmˈbætɪvnəs] *n. U* wojowniczość.

combed wool *n. U tk.* wełna czesankowa.

comber [ˈkoʊmər] *n.* **1.** *tk.* czesarka, iglarka; pracowni-k/ca działu czesalniczego. **2.** bałwan (*morski*).

combination [ˌkɑːmbəˈneɪʃən] *n.* **1.** *C / U* połączenie; *t. chem.* związek; **in ~ with** w połączeniu z. **2.** *t. mat., szachy* kombinacja; szyfr (*zamku*). **3.** *Br. hist.* motocykl trójkołowy z przyczepką. **4. winning ~** *przen.* szczęśliwie dobrany zespół *l.* zestaw (*osób l. rzeczy, które dobrze razem działają*).

combination lock *n.* zamek szyfrowy.

combinations [ˌkɑːmbəˈneɪʃən] *n. Br. przest.* kombinezon (wełniany) (*jako bielizna*).

combinative [ˈkɑːmbəˌneɪtɪv] *a.* kombinacyjny.

combinatorial [ˌkɑːmbɪnəˈtɔːrɪəl] *a. mat., fon.* kombinatoryczny.

combinatorial analysis, combinatorics *n. U mat.* kombinatoryka.

combinatory [ˈkɑːmbɪnəˌtɔːrɪ] *a.* = **combinatorial**; = **combinative.**

combine[1] [kəmˈbaɪn] *v.* łączyć (*sth with/and sth* coś z czymś); łączyć się; łączyć w sobie (*zwł. cechy*); ~ **business with pleasure** łączyć przyjemne z pożytecznym; ~ **forces/efforts** połączyć siły/wysiłki; ~ **to form sth** łączyć się w coś, łączyć się, tworząc coś (*np. związek chemiczny, jedną organizację*).

combine[2] [ˈkɑːmbaɪn] *v. roln.* zbierać *l.* ścinać *l.* młócić kombajnem. – *n.* **1.** (*także* ~ **harvester**) *roln.* kombajn. **2.** *rzad.* porozumienie, związek (*zwł. w celu politycznym lub gospodarczym*).

combined [kəmˈbaɪnd] *a.* połączony; ~ **effect(s)** połączone działanie (*dwóch l. więcej czynników*); ~ **effort** wspólny wysiłek; ~ **(military) forces** połączone siły (wojskowe); **all the rest** ~ cała reszta razem wzięta; **feel** ~ **relief and regret** odczuwać jednocześnie ulgę i żal; **X** ~ **with Y** X w połączeniu z Y.

combiner [kəmˈbaɪnər] *n. rzad.* **1.** uczestnik/czka porozumienia (*handlowego l. politycznego; zw. nielegalnego*). **2. be a** ~ **of X and Y** łączyć (w sobie) X i Y.

combings [ˈkoʊmɪŋz] *n. pl.* **1.** wyczesane włosy. **2.** *tk.* wyczeski.

combining form *n. gram.* forma używana w pierwszym członie złożenia (*np. 'Anglo' zamiast 'English' w 'Anglo-American'*).

comb jelly *n. zool.* żebropław (*Ctenophora*).

combo [ˈkɑːmboʊ] *n.* **1.** kapela jazzowa. **2.** *gł. US pot.* kombinacja, połączenie; zestaw (*zwł. obiadowy w restauracji szybkiej obsługi*).

comb-out [ˈkoʊmˌaʊt] *n.* **1.** dokładne wyczesanie *l.* wyszczotkowanie (*włosów*). **2.** *przen.* przeczesanie, przetrząśnięcie.

combustibility [kəmˌbʌstəˈbɪlətɪ] *n. U* palność.

combustible [kəmˈbʌstəbl] *a.* palny; *t. przen.* zapalny. – *n.* materiał palny, substancja palna.

combustion [kəmˈbʌstʃən] *n. U t. chem.* spalanie (się); **internal** ~ **engine** silnik spalinowy; **spontaneous** ~ samozapłon.

combustion chamber *n.* komora spalania.

combustion gases *n. pl.* gazy spalinowe.

combustor [kəmˈbʌstər] *n. techn., lotn.* zespół komory spalania.

Comdr., comdr. *abbr.* = **commander.**

Comdt., comdt. *abbr.* = **commandant.**

come [kʌm] *v.* **came, come 1.** przychodzić; nadchodzić; ~ **and see me on Sunday** przyjdź do mnie w niedzielę; ~ **and get it!** *pot.* (chodź tu i) weź sobie (sam)!; ~ **here!** chodź tu(taj)!; ~ **running** przybiec; nadbiec; *pot.* przylecieć na zawołanie; ~ **speeding/flying** przygnać; ~ **to dinner** przyjść na obiad; ~ **to see sb** przyjść do kogoś (w odwiedziny), odwiedzić kogoś; **don't** ~ **near the water!** nie podchodź do wody!; **here ~s X** (właśnie) idzie *l.* nadchodzi X, oto i X. **2.** przybywać; przyjeżdżać; nadjeżdżać; nadciągać. **3.** pojawiać się; ~ **and go** pojawiać się i znikać. **4.** sięgać, dochodzić (*to sth* czegoś). **5.** następować, przypadać (*after sth* po czymś); **Easter ~s in spring** Wielkanoc przypada na wiosnę. **6.** *sl.* mieć orgazm, szczytować. **7.** *z przymiotnikiem* stać się; ~ **loose** poluźnić *l.* obluźnić się; ~ **open** otworzyć się; ~ **true** *zob.* **true** *a.*; ~ **unstuck** odkleić się; ~ **untied** rozwiązać się. **8.** *przen.* ~, ~ (*także* ~ **now**) *przest. pot.* już dobrze (*pocieszając kogoś*); śmiało (= *nie wstydź się powiedzieć*); ~ **again?** *pot.* możesz powtórzyć?; ~ **as a surprise/relief** stanowić zaskoczenie/ulgę; **it ~s as no surprise that...** wcale nie dziwi, że...; ~ **cheap** wypadać tanio, być tanim; ~ **clean (about sth)** *pot.* przyznać się (do czegoś); ~ **easily/naturally to sb** przychodzić komuś łatwo/naturalnie; ~ **first** być na pierwszym miejscu, być najważniejszym; ~ **first/last/second** *gł. sport* zająć pierwsze/ostatnie/drugie miejsce; ~ **home to sb** dotrzeć do kogoś (= *stać się zrozumiałym*); ~ **near losing one's life** o mało (co) nie stracić życia; ~ **now!** *przest. pot.* zastanów się!, spokojnie! (= *nie przesadzaj*); ~ **sb's way** przytrafić się komuś; nie ominąć kogoś; pojawić się na czyjejś drodze (*o szczęściu, przeznaczeniu*); ~ **Sunday, we'll be back home again** w niedzielę będziemy z powrotem w domu; ~ **what may** cokolwiek się stanie; niech się dzieje co chce; **as stupid as they** ~ tak głupi, jak tylko można sobie wyobrazić; **easy** ~ **easy go** łatwo przyszło, łatwo poszło; **for years to** ~ przez następne lata; **generations to** ~ przyszłe pokolenia; **have** ~ **a long way** mieć za sobą daleką drogę (= *bardzo się zmienić, dojrzeć itp.*); **how ~?** jak to (możliwe)?; **how is it coming?** *pot.* jak idzie?; **it'll all** ~ **right** *zwł. Br. pot.* wszystko się ułoży; **take sth as it ~s** brać coś takim, jakim jest; **these jackets** ~ **in two sizes** te marynarki są dostępne w dwóch rozmiarach; **the worst is yet to** ~ najgorsze dopiero przed nami. **9.** ~ **about** powstać; zdarzyć się; *żegl.* wykonać zwrot; **how did it** ~ **about?** jak do tego doszło?; **it came about that...** stało się tak, że...; ~ **across** *US sl.* wykazać się (= *stanąć na wysokości zadania*); ~ **across well** być zrozumiałym *l.* przekonującym (*o intencjach, podtekście, mówcy*); **she ~s across as being petty** robi wrażenie (osoby) małostkowej; ~ **across sb/sth** natknąć się na kogoś/coś; ~ **after sb** tropić kogoś; ~ **along** przyłączyć się (*do mówiącego*); posuwać się naprzód (*o pracy, projekcie*); pojawić się (*o autobusie, sposobności*); ~ **along!** no, już!, dalej! (= *pospiesz(cie) się!*); ~ **apart** rozpaść się; ~ **around** (*także Br.* ~ **round**) ocknąć się, odzyskać przytomność; dojść do siebie (*t. po napadzie złego humoru*); zajrzeć, wpaść z wizytą; wracać, przychodzić znowu (*np. o powtarzających się sytuacjach, świętach*); zmienić zdanie, dać się przekonać; ~ **around to sb's point of view** w końcu zgodzić się z kimś; ~ **at sb** nacierać na kogoś, atakować kogoś (*np. o nadmiarze informacji*); ~ **at sth** dojść do czegoś, zdobyć *l.* uzyskać coś; podejść do czegoś (*problemu, sprawy*); ~ **away** wyjść; ~ **back** wracać; *przen.* dojść do siebie, stanąć z powrotem na nogach; *zwł. sport* odrobić straty; ~ **back (at sb)** odciąć się (komuś) (*with sth* czymś); ~ **back (to sb)** *pot.* wracać (do kogoś) (*o wspomnieniach*), przypominać się (komuś); ~ **back strong** powracać z pełną siłą (*o fali, trendzie*); powracać pełnym (nowej) energii (*o* *polityku, osobie publicznej*); odrobić straty w wielkim stylu (*o sportowcu, graczu*); **high heels are coming back** wraca moda na wysokie obcasy; ~ **before sb** *form.* stanąć przed kimś; ~ **between** poróżnić; ~ **by sth** zdobyć coś; dojść do czegoś; dostać coś; *US* wpaść *l.* zajrzeć gdzieś (*do biura, domu*); **sth is hard to ~ by** trudno o coś; ~ **down** zejść (*schodami*); zjechać (*windą*); upaść; zawalić się, runąć (*o budynku*); spaść (*o cenach*); opaść (*o poziomie*); pojechać (*w kierunku mówiącego - zwł. na południe l. na prowincję*); przyjść (*zwł. o rozporządzeniu wyższej instancji*); ~ **down in sb's opinion** stracić w czyichś oczach; ~ **down in the world** stracić na prestiżu, obniżyć swój status (społeczny); ~ **down in favor** *US*/**favour** *Br.* **of sth** (*także* ~ **down on the side of sth**) opowiedzieć się po stronie czegoś; ~ **down to** ciągnąć się *l.* sięgać w (dół) (aż) do; *przen.* zejść (aż) do (= *obniżyć cenę*); ~ **(back) down to earth** *przen.* zejść na ziemię; ~ **down to sb** przejść na kogoś (*o majątku, spadku*); *przen.* przyjść *l.* dotrzeć do kogoś (*o tradycji, starym tekście*); **it all ~s down to...** wszystko sprowadza się do...; ~ **down on/upon sb** *przen. pot.* dać komuś po głowie; ~ **down with sth** zachorować na coś; ~ **for sb/sth** przyjść *l.* przyjechać po kogoś/coś; ~ **forward** wystąpić; ofiarować się (*z pomocą*), zgłosić się (*na ochotnika*); odpowiedzieć na apel; ~ **from** pochodzić z (*kraju, miasta*); pochodzić od (*wyrazu*); brać się z (*czegoś; = być następstwem*); **I can't understand where he's coming from** *pot.* nie pojmuję jego rozumowania; **that's what ~s from drunk driving** takie (właśnie) są skutki jazdy po pijanemu; ~ **in** wejść (do środka); przyjechać, wjechać (na stację) (*o pociągu, autobusie*); nadejść (*o raporcie, wiadomości*); wpłynąć (*o pieniądzach*); *sport* dotrzeć do mety; ~ **in!** proszę (wejść)!; **where do I ~ in?** na czym polega moja rola?, w którym momencie się włączam?; **in the 1960's miniskirts first came in** w latach 60. zaczęła się moda na minispódniczki; **we came in third** *sport* zajęliśmy trzecie miejsce, ukończyliśmy zawody na trzecim miejscu; ~ **in handy/useful** przydać się; **sb ~s in for sth** coś kogoś spotyka (*zwł. krytyka*); coś się komuś dostaje; ~ **in on sth** przyłączyć się do czegoś; ~ **into a room** wejść do pokoju; ~ **into sth** *przen.* zdobyć coś, wejść w posiadanie czegoś; odziedziczyć coś, dostać coś w spadku; zaangażować się w coś; ~ **into effect/force** wejść w życie; ~ **into fashion** stać się modnym; ~ **into one's own** uniezależnić się (*o osobie*); sprawdzić się, udowodnić swoją przydatność (*o odkryciu, przyrządzie*); ~ **into play** wchodzić w grę; ~ **into use** wejść do użytku; ~ **into view** pojawić się; **love doesn't ~ into it** to nie ma nic wspólnego z miłością; **that's what ~s of gambling** takie (właśnie) są następstwa hazardu; ~ **of age** osiągnąć pełnoletność; *przen.* dojrzeć (*o artyście, organizacji*); ~ **off** odpadać, złazić (*o farbie*); odpaść (od) (*płaszcza, koszuli itp.; o guziku*); dokonać się, nastąpić (*o operacji, ataku*); mieć miejsce (*o imprezie*); ~ **off well/badly** dobrze/źle wypaść (*o imprezie, mówcy*); **it didn't (quite) ~ off** to się nie (bardzo) udało; ~ **off it!** *pot.* daj spokój!; ~ **off the drugs** zerwać z narkotykami, odstawić narkotyki; ~ **on** zapalić się (*o świetle*); włączyć się (*o urządzeniu*); nadchodzić, nadciągać (*o chorobie, burzy*); rozwijać się, postępować (*o chorobie*); *teatr* wchodzić na scenę; zaczynać *l.* rozpoczynać się (*o programie, audycji*); ~ **on!** dalej!, no już!; daj spokój!; **he came on as a traditionalist** sprawiał wrażenie tradycjonalisty; ~ **on sb** spaść na kogoś (*o nieszczęściu, losie*); ogarnąć kogoś (*o uczuciu*); ~ **on sb/sth** natknąć się na kogoś/coś; ~ **on (to sb)** *sl.* dowalać *l.* przystawiać się (do kogoś); **how are you coming on (with that)?** *Br.* jak ci (z tym) idzie?; ~ **out** wyjść (*t. o słońcu*); ukazać się (*o książce, płycie*); ujawnić się; przyznać się (publicznie) do homoseksualizmu; wyjść na jaw (*o prawdzie*); zejść (*o plamie*); *przest.* pokazać się po raz pierwszy w towarzystwie (*zwł. o młodej dziewczynie*); zadebiutować (*np. w teatrze*); otworzyć się (*o kwiecie*); *Br.* zastrajkować; ~ **out well/badly** wyjść/nie wyjść, udać się/nie udać się (*o zdjęciach, przedstawieniu*); dobrze/źle wypaść; **it came out all wrong** to wyszło zupełnie nie tak (*o czymś, co zostało powiedziane*); **it came out that...** okazało się, że...; ~ **out for/against sth** opowiedzieć się (publicznie) za czymś/przeciwko czemuś; ~ **out in spots/a rash** *Br.* dostać wysypki; ~ **out of the room** wyjść z pokoju; **nothing came out of it** nic z tego nie wyszło *l.* nie wynikło; ~ **out with** wypuścić (*nowy produkt na rynek*); *pot.* wyrwać się z (*uwagą, komentarzem*); wyrzucić z siebie (*przeprosiny, oskarżenie*); wystąpić z (*wystawą, przedstawieniem*); *zwł. US* ujawnić, ogłosić (*listę nazwisk, dane*); ~ **over** przyjść (*dokądś*); przyjechać (*do jakiegoś miasta, kraju*); przejść (*przez przeszkodę, w stronę mówiącego*); ~ **over to sb's side** *t. przen.* przejść na czyjąś stronę; ~ **over sb** opanować *l.* ogarnąć kogoś (*o emocjach*); **what's ~ over him?** *pot.* co go napadło *l.* naszło?; ~ **round** *Br.* = ~ **around**; ~ **through** zostać ogłoszonym (*o wiadomości, wyniku, zwł. w mediach*); zostać załatwionym (*o formalnościach*); stanąć na wysokości zadania; przejawiać się (*in sth* w czymś); ~ **through sth** przetrwać *l.* wytrzymać coś; ~ **to** ocknąć się, odzyskać przytomność; *żegl.* skręcić na wiatr; stanąć na kotwicy; **it'll ~ to me** przypomnę sobie; **then the solution came to me** wtedy przyszło mi do głowy rozwiązanie; **the estate came to her from her aunt** odziedziczyła majątek po ciotce; **he had it coming (to him)** *pot.* sam tego chciał, sam się o to prosił; **the bill came to $1,500** rachunek wyniósł 1500 dolarów; **it came to nothing** nic z tego nie wyszło; **what's the world coming to?** (*także* **what's it all coming to?**) *pot.* do czego ten świat zmierza?; **if it ~s to that** jeżeli do tego dojdzie; jeśli tak; jeżeli już o to chodzi; **if it (ever) ~s to...** jeśli (kiedykolwiek) dojdzie do...; **it's ~ to this!** *pot.* (a więc) do tego już doszło!; **when it ~s to making decisions** kiedy przychodzi do podejmowania decyzji; ~ **to blows (over sth)** pobić się (o coś); ~ **to a decision** podjąć decyzję; ~ **to an end** skończyć się, ustać; **the talks came to a sudden halt** rozmowy nagle utknęły; **he will ~ to no good** on źle skończy; **use whatever ~s to hand** użyj tego, co wpadnie ci w rękę; ~ **to harm** doznać szkody; **it has ~ to our knowledge that...** doszło *l.* dotarło do nas, że...; ~ **to life** odzyskać przytomność; budzić się do życia (*o roślinach*); *przen.* ożywać, nabierać życia (*o opowiadaniu*); ~ **to light** wyjść na jaw *l.* na światło dzienne, okazać się; ~ **to mind** przychodzić na myśl *l.* do głowy; ~ **to power** objąć władzę; ~ **to one's senses** opamiętać się; ~ **to that** (*także* **(now that I) ~ to think of it**) skoro (już) o tym mowa; ~ **to terms** dojść do porozumienia (*with sb* z kimś); pogodzić się (*with sth* z czymś); ~ **to do sth** zacząć coś robić; **how did you ~ to be there?** skąd się tam wziąłeś?; ~ **to be used** wejść do użytku; **have ~ to believe (that)...** zacząć wierzyć, że..., dojść do przekonania, że...; ~ **to exist** powstać; **I've ~ to expect it** (teraz już) spodziewam się tego; ~ **to like sb/sth** polubić kogoś/coś (*z czasem*); ~ **to pass** *lit.* wydarzyć się; ~ **under** leżeć w gestii (*sądu, instytucji*), podlegać (*instytucji, władzy*); dostać się pod (*wpływ*); podpadać pod (*kategorię*); figurować pod (*hasłem*); ~ **under fire** *t. przen.* znaleźć się pod ostrzałem; ~ **under the hammer** *ekon.* pójść pod młotek; ~ **up** podejść (*to sb / sth* do kogoś/czegoś); pojawić się (*o ofercie pracy, wakacie, problemie*); paść (*np. o nazwisku w dyskusji*); przyjechać (*zwł. do miejsca ważniejszego lub położonego na północ*); wzejść (*o słońcu, księżycu*); wyrastać (z ziemi); *prawn.* wejść na wokandę; *pot.* podchodzić do gardła (*o jedzeniu*); *Br.* wstąpić na uniwersytet (*zwł. w Oksfordzie l. Cambridge*); **be coming up** zbliżać się (*o rocznicy, imprezie*); **something came up** coś mi wypadło; **coming (right) up!** już podaję! (*odpowiedź kelnera*); ~ **up against sth** musieć zmierzyć się z czymś; ~ **up for review** podlegać przeglądowi *l.* weryfikacji; ~ **up (in the world/from the ranks)** wybić się (= *zrobić karierę*); ~ **up to (sb's) expectations** spełnić (czyjeś) oczekiwania; **it's coming up on** *US*/**to** *Br.* **3 o'clock** dochodzi (godzina) trzecia; ~ **up with sth** wymyślić coś; wykombinować coś (*zwł. pieniądze*); ~ **up with an idea/a suggestion** wyjść z pomysłem/propozycją; ~ **upon sb** spaść na kogoś (*o nieszczęściu, losie*); ogarnąć kogoś (*o uczuciu*); ~ **upon sb/sth** natknąć się na kogoś/coś. – *n. U sl.* sperma, nasienie.

comeback [ˈkʌmˌbæk], **come-back** *n. zw. sing.* **1.** powrót (*do dawnej popularności l. świetności*), comeback; *zwł. sport* odrobienie strat; **make a ~** wrócić (*np. na scenę; o artyście*); odrobić straty (*np. o sportowcu, firmie*). **2.** *US* riposta.

COMECON [ˈkɑːmɪkɑːn], **Comecon** *abbr. hist., polit.* **Council for Mutual Economic Assistance** RWPG.

comedian [kəˈmiːdɪən] *n.* **1.** komik (*gł. estradowy*); aktor komiczny; *przest.* komediant. **2.** wesołek. **3.** komediopisarz.

comedic [kəˈmiːdɪk] *a.* komediowy.

comedienne [kəˌmiːdɪˈen] *n.* **1.** (kobieta-)komik. **2.** aktorka komiczna. **3.** komediantka.

comedo [ˈkɑːməˌdoʊ] *n. pl.* **comedos** *l.* **comedones = blackhead** 1.

comedown [ˈkʌmˌdaʊn] *n. zw. sing. pot.* **1.** upadek, degradacja. **2.** rozczarowanie.

comedy [ˈkɑːmədɪ] *n.* **1.** *pl.* **-ies** *t. przen.* komedia; ~ **of manners** komedia obyczajowa; **musical ~** komedia muzyczna; **situation ~** komedia sytuacyjna. **2.** widowisko rozrywkowe. **3.** *U* komizm.

come-hither [ˌkʌmˈhɪðər] *a. attr. pot.* ponętny, pociągający (*zwł. o spojrzeniu*).

comeliness [ˈkʌmlɪnəs] *n. U lit.* **1.** uroda. **2.** *przest.* przyzwoitość, obyczajność.

comely [ˈkʌmlɪ] *a.* **-ier, -iest** *lit.* **1.** urodziwy. **2.** *przest.* przyzwoity, obyczajny.

come-on [ˈkʌmˌɑːn] *n.* **1.** *pot.* wabik, trik (*zwł. żeby przyciągnąć klienta*). **2.** *sl.* propozycja (*seksualna*).

comer [ˈkʌmər] *n. pot.* **1.** przybysz; przybywając-y/a; przyjeżdżając-y/a; **all ~s** wszyscy, którzy się zjawią *l.* zgłoszą. **2.** osoba dobrze rokująca, nadzieja; wschodząca gwiazda.

comestible [kəˈmestəbl] *a. form. l. żart.* jadalny. – *n. zw. pl. form.* artykuły spożywcze.

comet [ˈkɑːmɪt] *n.* kometa.

cometary [ˈkɑːmɪterɪ], **cometic** [kəˈmetɪk] *a.* kometowy.

comeuppance [ˌkʌmˈʌpəns], **come-uppance** *n. sing. pot.* zasłużona kara; **get one's ~** dostać za swoje.

comfiness [ˈkʌmfɪnəs] *n. U pot.* wygoda, luksus.

comfit [ˈkʌmfɪt] *n.* kandyzowany owoc; kamyczek (= *orzeszek w polewie*).

comfort [ˈkʌmfərt] *n.* **1.** *C / U* wygoda; **designed for ~** zaprojektowany dla wygody; **dress for ~** ubierać się wygodnie; **too close/hot for ~** nieprzyjemnie *l.* niebezpiecznie blisko/gorąco. **2.** *U* pociecha, pocieszenie; **bring/give ~** przynosić pociechę; **cold/small ~** słaba pociecha; **draw/derive/take ~ from (the fact that...)** czerpać pociechę z (faktu, że...), pocieszać się (tym, że...); **if it's any ~** jeśli cię to pocieszy. **3.** pociecha (*osoba, rzecz, zajęcie*); **be a ~ to sb** być dla kogoś pociechą. **4.** *gł. środk. i płd. US* = **comforter** 4. – *v.* **1.** pocieszać. **2.** przynosić ulgę (*w cierpieniu*); pokrzepiać (*o napoju*). – *a. attr.* poprawiający nastrój; ~ **eating/shopping** jedzenie/robienie zakupów dla poprawy nastroju; ~ **food** typ pokarmu, który spożywa się dla poprawy nastroju (*np. czekolada*).

comfortable [ˈkʌmftəbl] *a.* **1.** wygodny; komfortowy; **are you ~?** czy jest ci wygodnie?; **make yourself ~** rozgość się. **2.** swobodny; **be/feel ~** czuć się swobodnie. **3.** spokojny (na duchu); **I don't feel/I'm not ~ about it** niepokoi mnie to. **4.** dobrze sytuowany. **5.** zdecydowany (*o przewadze, zwycięstwie*); ~ **lead** zdecydowane prowadzenie; ~ **majority** znaczna *l.* zdecydowana większość (*głosów*). **6. be ~** nie odczuwać bólu, nie cierpieć (*o chorym l. rannym*).

comfortableness [ˈkʌmftəblnəs] *n. U* **1.** wygoda; komfortowość. **2.** swoboda.

comfortably [ˈkʌmftəblɪ] *adv.* **1.** wygodnie; komfortowo. **2.** swobodnie. **3.** zdecydowanie (*wygrać, prowadzić*). **4. be ~ off** być dobrze sytuowanym.

comforter [ˈkʌmfərtər] *n.* **1.** pocieszyciel/ka;

C~ *rel.* (Duch Święty) Pocieszyciel; **Job's ~** *przest.* pocieszyciel/ka od siedmiu boleści. **2.** *US* pikowana kapa na łóżko; kołdra. **3.** smoczek. **4.** *zwł. Br. przest.* ciepły wełniany szalik.

comforting [ˈkʌmfərtɪŋ] *a.* pocieszający, pokrzepiający (*o myśli, wiadomości*).

comfortingly [ˈkʌmfərtɪŋlɪ] *adv.* pocieszająco, pokrzepiająco.

comfortless [ˈkʌmfərtləs] *a. form.* **1.** pozbawiony wygód. **2.** ponury (*o kraju, zimie, życiu*). **3.** nieszczęśliwy (*o osobie*).

comforts [ˈkʌmfərts] *n. pl.* wygody, komfort; **creature ~** wygody życiowe; **material ~** dobra materialne.

comfort station *n. US euf.* toaleta publiczna.

comfort stop *n. Austr. euf.* przystanek na skorzystanie z toalety (*np. podczas długiej podróży samochodem*).

comfrey [ˈkʌmfrɪ] *n. bot.* żywokost (*Symphytum*).

comfy [ˈkʌmfɪ] *a.* **-ier, -ier** *pot.* wygodny; przytulny.

comic [ˈkɑːmɪk] *a.* **1.** komediowy. **2.** komiczny. **3.** komiksowy. **4.** śmieszny, humorystyczny. – *n.* **1.** komik (*estradowy*). **2.** (*także US* **~ book**) komiks (*książeczka*). **3.** *pl. gł. US i Can.* historyjki obrazkowe (*zwł. w gazetach*).

comical [ˈkɑːmɪkl] *a.* **1.** komiczny, śmieszny. **2.** *przest.* komediowy.

comicality [ˌkɑːmɪˈkælətɪ] *n. U* = **comicalness**.

comically [ˈkɑːmɪklɪ] *adv.* komicznie, śmiesznie.

comicalness [ˈkɑːmɪklnəs] *n. U* komiczność, śmieszność.

comic book *n. US* komiks (*książeczka*).

comic opera *n. C / U* opera komiczna.

comic strip *n.* historyjka obrazkowa (*zwł. w gazecie*).

coming [ˈkʌmɪŋ] *a.* **1.** *attr.* nadchodzący, najbliższy; **in the ~ year** w nadchodzącym roku; **this ~ Wednesday** w najbliższą środę. **2.** (*także* **up and ~**) obiecujący, dobrze się zapowiadający. – *n.* **1.** przyjście, nadejście (*t. przen. = początek l. powstanie*). **2.** **~ of age** osiągnięcie pełnoletności. **3.** **~s and goings** *pot.* ruch, bieganina.

Comintern [ˈkɑːmɪnˌtɜːn], **Komintern** *n. hist.* Komintern, III Międzynarodówka.

comity of nations *n. U prawn.* wzajemne poszanowanie praw i obyczajów narodowych; kurtuazja w stosunkach międzynarodowych.

comm. *abbr.* **1.** = **commander**. **2.** = **commerce**. **3.** = **commission**. **4.** = **committee**.

comma [ˈkɑːmə] *n.* **1.** *interpunkcja* przecinek; **inverted ~s** *gł. Br.* cudzysłów. **2.** *zwł. muz.* cezura.

comma fault *n.* = **~ splice**.

command [kəˈmænd] *v.* **1.** nakazywać, kazać (*sb to do sth* komuś zrobić coś); *zwł. wojsk.* rozkazywać; **he ~ed that the troops (should) attack at once** rozkazał, żeby wojsko natychmiast przystąpiło do ataku. **2.** rozporządzać (*kimś l. czymś*); *wojsk.* dowodzić (*armią, posterunkiem*). **3.** kontrolować (*np. większość parlamentarną*). **4.** *form.* władać (*językiem*). **5.** *form.* zdobyć *l.* zasłużyć (sobie) na (*szacunek, podziw, poparcie*); wzbudzać (*sympatię, współczucie*); osiągać (*cenę*); uzyskiwać (*zarobki*). **6. the place ~s a view of...** *form.* z tego miejsca rozciąga *l.* rozpościera się widok na... – *n.* **1.** *t. wojsk.* rozkaz, komenda; *t. komp.* polecenie. **2.** *U* kierownictwo, zwierzchnictwo; władanie; panowanie (*t. nad emocjami; t. militarne w powietrzu, na morzu*); *zwł. wojsk.* dowództwo; **~ in chief** naczelne dowództwo; **at (sb's) ~** do (czyjejś) dyspozycji; **be in/have ~ of sb/sth** dowodzić kimś/czymś; panować nad kimś/czymś; **take ~ of sth** objąć dowództwo nad czymś; pokierować czymś; **under sb's ~** pod czyimś dowództwem. **3.** *wojsk.* zakres dowodzenia; podległa jednostka *l.* placówka; *US lotn., wojsk.* jednostka sił powietrznych Stanów Zjednoczonych większa od force. **4.** *C / U* znajomość, opanowanie (*of sth* czegoś); **have (a) ~ of five languages** władać pięcioma językami. – *a. attr.* na rozkaz *l.* żądanie (*np. o występie*).

commandant [ˌkɑːmənˈdænt] *n. wojsk.* komendant; dowódca.

commandeer [ˌkɑːmənˈdiːr] *v.* rekwirować, konfiskować (*zwł. w czasie wojny*).

commander [kəˈmændər] *n.* **1.** *wojsk.* dowódca; *US i Br.* komandor porucznik (*floty wojennej*); **lieutenant ~** komandor podporucznik; **wing ~** *Br.* podpułkownik lotnictwa. **2.** *kość., gł. hist.* komandor, komtur (*zakonu*).

commander in chief *n. wojsk.* naczelny wódz *l.* dowódca, głównodowodzący.

command headquarters *n. wojsk.* kwatera główna (dowództwa), punkt dowodzenia.

commanding [kəˈmændɪŋ] *a.* **1.** *wojsk.* dowodzący. **2.** władczy (*o głosie, tonie*). **3.** zdecydowany (*o prowadzeniu*). **4.** imponujący (*o widoku*).

commandingly [kəˈmændɪŋlɪ] *adv.* **1.** władczo (*przemawiać*). **2.** imponująco (*prezentować się*).

commanding officer *n. wojsk.* dowódca, oficer dowodzący.

commandment [kəˈmændmənt] *n. rel.* przykazanie; **the Ten C~s** dziesięcioro przykazań (Bożych).

command module *n.* człon dowodzenia (*statku kosmicznego*).

commando [kəˈmændoʊ] *n. pl.* **-s** *l.* **-es** *wojsk.* **1.** oddział komandosów, oddział szturmowo-desantowy. **2.** komandos. **3.** *Br.* podstawowa jednostka marynarki królewskiej. **4.** *S.Afr. hist.* oddział partyzantów burskich. **5. go ~** *sl.* chodzić bez bielizny.

commando raid *n.* atak komandosów.

command performance *n. teatr, opera* przedstawienie *l.* występ na rozkaz monarchy.

command post *n. wojsk.* kwatera polowa dowódcy.

comma splice, comma fault *n.* *interpunkcja* błąd polegający na oddzieleniu zdań niezależnych przecinkiem (*zamiast kropką lub średnikiem*).

commemorate [kəˈmeməˌreɪt] *v.* **1.** upamiętniać; uczcić pamięć (*kogoś*); obchodzić pamiątkę *l.* rocznicę (*czegoś*). **2.** być poświęconym pamięci (*kogoś l. czegoś*).

commemoration [kəˌmeməˈreɪʃən] *n. U* **1.** upamiętnienie; **in ~ of sb/sth** dla upamiętnienia *l.* uczczenia kogoś/czegoś. **2.** obchody, uroczystości (*of sb / sth* ku czci kogoś/na pamiątkę czegoś).

commemorative [kəˈmeməˌreɪtɪv], **commemoratory** [kəˈmemərəˌtɔːrɪ] *a.* **1.** upamiętniający (*of sth* coś). **2.** pamiątkowy (*np. o tablicy, znaczku*); ku czci (*np. o nabożeństwie*). – *n.* pamiątka.

commemorator [kəˈmeməˌreɪtər] *n.* obchodzący/a pamiątkę (*of sth* czegoś); czczący/a pamięć (*of sb / sth* kogoś/czegoś).

commemoratory [kəˈmemərəˌtɔːrɪ] *a.* = **commemorative.**

commence [kəˈmens] *v. form.* rozpoczynać (się), zaczynać (się) (*with sth* czymś *l.* od czegoś); **~ doing sth** zacząć coś robić.

commencement [kəˈmensmənt] *n.* **1.** rozpoczęcie (się), początek. **2.** *US uniw.* promocja, wręczenie dyplomów; *US i Can. szkoln.* wręczenie nagród (*w szkole średniej*).

commencer [kəˈmensər] *n.* inicjator/ka, rozpoczynając-y/a.

commend [kəˈmend] *v. form.* **1. ~ sb for/on sth** udzielić komuś pochwały za coś. **2.** polecać, rekomendować; **sth does not have much to ~ it** coś nie jest specjalnie godne polecenia, coś nie zasługuje na specjalną uwagę. **3.** *przest.* powierzać; polecać; **~ sb/sth to sb's care** powierzyć kogoś/coś czyjejś opiece.

commendable [kəˈmendəbl] *a.* **1.** chwalebny, godny pochwały. **2.** godny polecenia; wskazany, pożądany.

commendably [kəˈmendəblɪ] *adv.* w sposób godny pochwały (*spisać się*).

commendation [ˌkɑːmənˈdeɪʃən] *n.* **1.** wyróżnienie, pochwała. **2.** polecenie, rekomendacja. **3.** *pl. arch.* pozdrowienia, ukłony.

commendatory [kəˈmendəˌtɔːrɪ] *a.* **1.** pochwalny. **2.** polecający.

commensal [kəˈmensl] *a.* **1.** *zool., bot.* komensaliczny (*współbiesiadny*). **2.** *arch.* współbiesiadujący. – *n.* **1.** *zool., bot.* komensal (*współbiesiadnik*). **2.** *arch.* współbiesiadnik.

commensalism [kəˈmensəˌlɪzəm] *n. U bot., zool.* komensalizm.

commensurable [kəˈmensərəbl] *a.* **1.** *mat.* o wspólnym podzielniku. **2.** = **commensurate** 2.

commensurate [kəˈmensərɪt] *form. a.* **1.** jednakowy pod względem zakresu *l.* czasu trwania; tej samej długości (*with sth* co coś). **2.** współmierny, proporcjonalny (*to / with sth* do czegoś).

commensurately [kəˈmensərɪtlɪ] *adv.* równo; współmiernie, proporcjonalnie.

commensurateness [kəˈmensərɪtnəs] *n. U* współmierność, proporcjonalność.

comment [ˈkɑːment] *n.* **1.** uwaga, obserwacja, komentarz; **make a ~ on/about sth** wygłosić uwagę *l.* komentarz na jakiś temat, skomentować coś; **no ~** bez komentarza. **2.** *U* komentarze (= *plotki, krytyka*). **3.** notatka; objaśnienie; *t. przen.* komentarz (*on / to sth* do czegoś) (*t. krytyczny*). – *v.* **~ on sth** komentować coś; stanowić komentarz do czegoś (*np. o wydarzeniu*); robić komentarze na temat czegoś *l.* do czegoś (*t. złośliwe*); **decline/refuse to ~** odmówić komentarza; **she ~ed that...** zauważyła, że..., zwróciła uwagę na fakt, że...

commentary [ˈkɑːmənˌterɪ] *n. pl.* **-ies 1.** komentarz (*t. literacki, sportowy*); **be a sad ~ on sth** *przen.* stanowić smutny komentarz do czegoś; **running ~ on the game** *sport* sprawozdanie z meczu. **2.** *pl.* pamiętniki.

commentate [ˈkɑːmənˌteɪt] *v. zwł. dzienn.* relacjonować, komentować (*wydarzenie, imprezę na żywo*).

commentator [ˈkɑːmənˌteɪtər] *n.* **1.** komentator/ka (*wydarzeń politycznych*). **2.** *radio, telew.* komentator/ka, sprawozdaw-ca/czyni.

commerce [ˈkɑːmərs] *n. U* **1.** handel (*zwł. na dużą skalę*); **chamber of ~** izba handlowa. **2.** *przest.* stosunki towarzyskie. **3.** *arch.* obcowanie (*płciowe*).

commercial [kəˈmɝːʃl] *a.* **1.** handlowy; kupiecki. **2.** prowadzący działalność handlową (*o farmerze, ogrodniku*). **3.** *t. uj.* komercyjny. – *n. radio, telew.* reklama.

commercial agency *n. US* agencja zajmująca się sondażem firm handlowych.

commercial art *n. U* sztuka użytkowa.

commercial bank *n.* bank komercyjny.

commercial break *n. radio, telew.* przerwa na reklamę.

commercial college *n.* szkoła handlowa.

commercialism [kəˈmɝːʃəˌlɪzəm] *n. U* komercyjność; *uj.* komercjalizm.

commercialization [kəˌmɝːʃəlaɪˈzeɪʃən] *n. U* komercjalizacja.

commercialize [kəˈmɝːʃəˌlaɪz] *v.* **1.** nastawić na produkcję rynkową. **2.** *uj.* skomercjalizować.

commercially [kəˈmɝːʃəlɪ] *adv.* handlowo, komercyjnie; z handlowego *l.* komercyjnego punktu widzenia.

commercial paper *n. handl.* weksel handlowy krótkoterminowy.

commercial radio station *n.* komercyjna *l.* prywatna stacja radiowa.

commercial television *n. U* telewizja komercyjna.

commercial traveler, *Br.* **commercial traveller** *n.* agent handlowy, komiwojażer.

commercial vehicle *n.* samochód dostawczy.

commie [ˈkɑːmɪ], **Commie** *n. pot. pog.* komuch.

commination [ˌkɑːməˈneɪʃən] *form. n.* **1.** grożenie karą *l.* zemstą (*zwł. boską*). **2.** (publiczne) potępienie. **3.** *kośc.* odczytywanie gróźb Bożych wobec grzeszników (*w kościele anglikańskim w środę popielcową*).

comminatory [kəˈmɪnəˌtɔːrɪ] *a.* **1.** zawierający groźby. **2.** potępiający.

commingle [kəˈmɪŋgl] *v. form.* zmieszać (się); pomieszać (się).

comminute [ˈkɑːməˌnuːt] *v. form.* kruszyć; rozdrabniać; dzielić na drobne części (*zwł. majątek*). – *a.* rozdrobniony.

comminution [ˌkɑːməˈnuːʃən] *n. U* rozdrobnienie.

commiserable [kə'mɪzərəbl] *a.* godny współczucia.

commiserate [kə'mɪzəˌreɪt] *v. form.* **1. ~ with sb** współczuć komuś; wyrazić (swoje) współczucie dla kogoś. **2.** *rzad.* ubolewać nad (*stanem rzeczy, czyjąś stratą*).

commiseration [kəˌmɪzə'reɪʃən] *n.* **1.** *U* współczucie. **2.** *pl. często żart.* wyrazy współczucia (*zw. dla kogoś, kto przegrał mecz itp.*).

commiserative [kə'mɪzəˌreɪtɪv] *a.* współczujący.

commiseratively [kə'mɪzəˌreɪtɪvlɪ] *adv.* współczująco, ze współczuciem.

commiserator [kə'mɪzəˌreɪtər] *n.* osoba prawdziwie współczująca.

commissar ['kɑːməˌsɑːr] *n. hist.* (*także* **People's C~**) komisarz (ludowy); (*także* **political c~**) komisarz (polityczny).

commissariat [ˌkɑːmə'serɪət] *n.* **1.** *zwł. wojsk.* kwatermistrzostwo; intendentura. **2.** *hist.* komisariat ludowy (= *odpowiednik ministerstwa w ZSRR przed 1946 r.*).

commissary ['kɑːməˌserɪ] *n. pl.* **-ies 1.** sklep zaopatrzeniowy (*placówki wojskowej, obozu górniczego*). **2.** *US* kantyna (*zwł. w studiu filmowym*). **3.** komisarz; delegat. **4.** *US wojsk.* intendent, oficer intendentury; **~ general** szef intendentury.

commission [kə'mɪʃən] *n.* **1.** komisja; komitet; **European C~** *polit.* Komisja Europejska. **2.** zamówienie, zlecenie (*t. dokument*). **3.** *form.* polecenie; misja. **4.** *U form.* popełnienie (*przestępstwa*). **5.** *C / U* prowizja; **10% ~ on sales** prowizja od sprzedaży w wysokości 10%; **be/work on ~** dostawać prowizję (od sprzedaży). **6.** *wojsk.* nominacja oficerska; stanowisko oficerskie; ranga oficera. **7.** *U* **in ~** *żegl.* w stanie gotowości bojowej (*o okręcie*); gotowy do eksploatacji; sprawny (*o urządzeniu*); **into ~** *wojsk.* w stanie gotowości bojowej; **out of ~** niezdolny do walki; nie eksploatowany (*o okręcie*); niesprawny (*o urządzeniu*); *pot.* chory; ranny. – *v.* **1.** delegować, wyznaczać (z urzędu); zlecać (*misję, zadanie*); **~ sb to do th** zlecić komuś wykonanie czegoś. **2.** dawać zlecenie *l.* zamówienie (*np. artyście*); zamawiać (*dzieło*); **~ a painting (from sb)** zamówić (u kogoś) obraz. **3.** *wojsk.* postawić w stan gotowości (*okręt, jednostkę*). **4.** *wojsk.* nadać stopień oficera (*komuś*).

commission agent *n. handl.* komisant.

commissionaire [kəˌmɪʃə'ner] *n. Br.* portier (*w liberii*).

commission contract *n. handl.* komis (*umowa*).

commissioned officer *n. wojsk.* oficer.

commissioner [kə'mɪʃənər] *n.* **1.** człon-ek/kini komisji *l.* komitetu. **2.** pełnomocnik (*rządu, komisji, organizacji*); minister (*w niektórych krajach*); *zwł. hist.* komisarz (*rządowy*); **United Nations High C~ for Refugees** Wysoki Komisarz ONZ do spraw Uchodźców. **3. police ~** *US* okręgowy komendant policji. **4.** *US sport* specjalny pełnomocnik związku sportowego do spraw prawno-administracyjnych. **5.** *Br.* = **ombudsperson.**

commission plan *n. US* system rządów miejskich, w którym władza wykonawcza i ustawodawcza znajduje się w rękach wybranej w głosowaniu kilkuosobowej komisji.

commission shop *n. handl.* komis (*sklep*).

commissural [kə'mɪʃərəl] *a. anat.* spoidłowy.

commissure ['kɑːməˌʃʊr] *n.* **1.** spojenie (*punkt l. odcinek*); spoina (*np. w murze*). **2.** *anat.* spoidło (*mózgu, rdzenia*); skrzyżowanie (*nerwów wzrokowych*); szew (*czaszki*). **3.** *bot.* szew (= *miejsce zrośnięcia owocolistków*).

commit [kə'mɪt] *v.* **-tt- 1.** popełniać; dopuszczać się; **~ murder/suicide/a crime** popełnić morderstwo/samobójstwo/przestępstwo; **~ treason** dopuścić się zdrady. **2.** zobowiązywać (*sb to (doing) sth* kogoś do (zrobienia) czegoś); **~ o.s. to doing sth** zobowiązać się coś zrobić, podjąć się zrobienia czegoś; **~ o.s. to a relationship** zaangażować się w związek; **not ~ o.s.** nie angażować się; nic nie obiecywać; nie zajmować stanowiska (*on sth* w jakiejś kwestii). **3.** przeznaczać (*to sth* na coś) (*zwł. pieniądze l. czas*); **~ troops to battle** zaangażować oddziały w bezpośrednią walkę. **4.** *zw. pass.* umieszczać w zakładzie (*karnym, psychiatrycznym, leczniczym*); **~ sb to prison** osadzić kogoś w więzieniu. **5.** *parl.* odsyłać do komisji (*projekt ustawy*). **6.** powierzać, oddawać; **~ sth to memory** nauczyć się czegoś na pamięć, zapamiętać coś; **~ sth to paper/writing** zapisać *l.* zanotować coś, przelać coś na papier; **~ sb to the earth/soil** *lit.* pogrzebać kogoś; **~ sth to the flames** *lit.* wydać *l.* rzucić coś na pastwę płomieni.

commitment [kə'mɪtmənt] *n. U* **1.** zobowiązanie się (*to sth* do czegoś); *C* zobowiązanie (*rodzinne, finansowe*); **make a ~ to sb/to do sth** zobowiązać się wobec kogoś/coś zrobić. **2.** zaangażowanie (*to sth* w coś) oddanie *l.* poświęcenie (się) (*to sth* czemuś). **3.** umieszczenie w zakładzie (*karnym, psychiatrycznym, leczniczym*). **4.** popełnienie (*przestępstwa*). **5.** *parl.* odesłanie do komisji (*wniosku*). **6.** *US* zaangażowanie (*środków, pieniędzy*).

committal [kə'mɪtl] *n. U* **1.** = **commitment** 2, 3. **2.** *form.* pogrzeb, pochówek; kremacja.

committed [kə'mɪtɪd] *a. zw. attr.* oddany, pełen oddania; zaangażowany (*to sth* w coś); **~ Christian** wiern-y/a chrześcijan-in/ka.

committee [kə'mɪtɪ] *n.* **1.** komitet; komisja; **~ of the whole** *US parl.* nieformalne posiedzenie izby, na którym omawia się wstępnie propozycję ustawy; **be/sit on a ~** być/zasiadać w komisji; **set up a ~** powołać komisję; **standing ~** stała komisja; **steering ~** komisja ustalająca porządek obrad (*zwł. ciała ustawodawczego*); **welcoming ~** komitet powitalny. **2.** *przest. prawn.* opiekun prawny.

committeeman [kə'mɪtɪmən] *n. pl.* **-men** *gł. US* **1.** członek komisji *l.* komitetu. **2.** przewodniczący dzielnicowego *l.* okręgowego komitetu partyjnego.

committeewoman [kə'mɪtɪˌwʊmən] *n. pl.* **-women** *gł. US* **1.** członkini komisji *l.* komitetu. **2.** przewodnicząca dzielnicowego *l.* okręgowego komitetu partyjnego.

commix [kəˈmɪks] *arch. poet. v.* mieszać (się).

commixture [kəˈmɪkstʃər] *n.* **1.** *U* wymieszanie. **2.** mieszanina; połączenie, mieszanka.

commode [kəˈmoʊd] *n.* **1.** *przest.* komoda. **2.** *hist.* toaleta (= *krzesło z nocnikiem l. szafka z nocnikiem l. miednicą*); przenośna toaleta (*dla osób niepełnosprawnych*); *US dial.* toaleta. **3.** *hist.* fontaź (= *koronkowa ozdoba fryzury kobiecej*).

commodious [kəˈmoʊdɪəs] *form. a.* przestronny.

commodiously [kəˈmoʊdɪəslɪ] *adv.* przestronnie.

commodiousness [kəˈmoʊdɪəsnəs] *n. U* przestronność.

commodity [kəˈmɑːdətɪ] *n. pl.* **-ies 1.** *handl.* towar; artykuł, produkt; *pl. giełda* surowce (*t. rolnicze*). **2.** *form.* użyteczna *l.* wartościowa rzecz *l.* cecha.

commodore [ˈkɑːməˌdɔːr] *n. żegl.* **1.** *wojsk.* komodor (*stopień pomiędzy kontradmirałem a komandorem*); *zwł. Br.* komodor (= *tymczasowy dowódca związku taktycznego okrętów wojennych*). **2.** dowódca floty statków handlowych; dowódca konwoju. **3.** komandor (= *prezes klubu żeglarskiego*).

common [ˈkɑːmən] *a.* **1.** wspólny (*to sb / sth* dla kogoś/czegoś); ~ **ground** *przen.* wspólna płaszczyzna *l.* podstawa; **make ~ cause (with sb)** *form.* działać wspólnie (z kimś), sprzymierzyć się (z kimś). **2.** ogólny, powszechny; rozpowszechniony (*among* wśród); **by ~ consent** za ogólną zgodą; **court of ~ pleas** *US* sąd powszechny (*w niektórych stanach*); **for the ~ good** dla dobra ogółu; **it is a ~ belief/assumption that...** powszechnie uważa/przyjmuje się, że...; **it is ~ knowledge that...** powszechnie wiadomo, że...; **sth is ~ practice** coś jest na porządku dziennym. **3.** zwykły, zwyczajny; prosty; *t. uj.* pospolity; **it's ~ courtesy/decency to...** zwykła grzeczność/przyzwoitość wymaga, żeby...; **the ~ touch** *przen.* umiejętność trafiania do (serca) zwykłego *l.* prostego człowieka, dobry kontakt z prostymi ludźmi (*zwł. u polityka - z wyborcami*). **4.** *zwł. Br. uj.* prostacki, prosty. – *n.* **1.** wspólna ziemia, wygon; **right of ~** prawo do wspólnego użytkowania (*pastwiska l. łowiska*). **2.** = **commons** 1. **3. have sth in ~ (with sb/sth)** mieć coś wspólnego (z kimś/czymś); **in ~ with sb/sth** wspólnie *l.* na równi z kimś/czymś.

commonage [ˈkɑːmənɪdʒ] *n. U* **1.** *gł. prawn.* wspólne użytkowanie (*zwł. ziemi*); prawo do wspólnego użytkowania (*np. pastwiska*). **2.** wspólna ziemia. **3.** wspólność. **4.** = **commonalty** 1.

commonality [ˌkɑːməˈnælətɪ] *n.* **1.** *U* wspólność (*t. cech*). **2.** *pl.* **-ies** = **commonalty** 1.

commonalty [ˈkɑːmənltɪ] *n. pl.* **-ies 1.** pospólstwo, lud; zwykli ludzie. **2.** zrzeszenie, członkowie zrzeszenia. **3.** ogół (*ludzkości, grupy społecznej*).

common carrier *n.* przedsiębiorstwo transportowe; firma telekomunikacyjna.

common case *n. gram.* forma deklinacyjna pełniąca funkcję kilku przypadków (*zwł. mianownika (podmiot) i biernika (dopełnienie)*).

common cold *n. sing.* **the ~** przeziębienie.

common denominator *n. t. przen.* wspólny mianownik; **the lowest ~** najmniejszy wspólny mianownik; *przen. uj.* niewykształcone masy.

commoner [ˈkɑːmənər] *n.* **1.** prosty człowiek, człowiek z ludu (*bez tytułu szlacheckiego*). **2.** *Br. hist.* student/ka nie otrzymując-y/a stypendium (*zwł. w Oksfordzie*).

Common Era *n.* = **Christian Era**.

common fraction *n. mat.* ułamek zwykły.

common gender *n. gram.* rodzaj wspólny *l.* podwójny (= *męski i żeński*).

common law *n. U* prawo zwyczajowe *l.* powszechne.

common-law [ˌkɑːmənˈlɔː] *a. attr.* dotyczący prawa zwyczajowego; zgodny z prawem zwyczajowym; ~ **husband/wife** konkub-ent/ina; ~ **marriage** konkubinat.

common logarithm *n. mat.* logarytm dziesiętny.

commonly [ˈkɑːmənlɪ] *adv.* **1.** powszechnie; ~ **found** powszechnie spotykany; ~ **known as...** powszechnie znany jako... **2.** *zwł. Br. uj.* po prostacku (*zachowywać się*).

Common Market *n.* **the ~** *hist., polit.* Wspólny Rynek (= *Europejska Wspólnota Gospodarcza*).

common measure *n.* = **common time**.

common multiple *n. mat.* wspólna wielokrotność *l.* wielokrotna.

common name *n.* = **common noun**.

commonness [ˈkɑːmənnəs] *n. U* **1.** wspólność. **2.** powszechność. **3.** zwyczajność, powszedniość, pospolitość. **4.** *uj.* prostactwo.

common noun, common name *n. gram.* rzeczownik zwykły *l.* pospolity.

common-or-garden [ˌkɑːmənərˈgɑːrdən] *a. attr. Br. pot.* zwykły, pospolity.

commonplace [ˈkɑːmənˌpleɪs] *a.* zwyczajny, powszedni; **be ~** być rzeczą zwyczajną, być na porządku dziennym. – *n.* **1.** stereotyp, komunał. **2.** *zw. sing.* rzecz zwyczajna *l.* często spotykana. **3.** *arch.* aforyzm; ~ **book** złote myśli (= *rodzaj pamiętnika*).

Common Prayer *n. kośc.* liturgia nabożeństwa (*w kościele anglikańskim*); **Book of ~** Księga Wspólnej Modlitwy (= *oficjalny modlitewnik w anglikanizmie i Kościołach episkopalnych do r. 1980*).

common room *n. zwł. Br. uniw.* klub (*zwł. w college'u, dla studentów l. nauczycieli*).

commons [ˈkɑːmənz] *n.* **1.** (*także* **common**) *przest.* główny plac *l.* park (*zwł. małego miasta, używany do celów rekreacyjnych*); błonia (miejskie). **2.** *sing. l. pl.* gmin, pospólstwo, lud; **the (House of) C~** *Br. polit.* Izba Gmin. **3.** *pl.* = **commonalty** 1. **4. the ~** *US uniw.* klub (*zwł. w college'u, dla studentów l. nauczycieli*). **5.** *sing. Br. uniw.* sala jadalna (*zwł. w college'u*). **6.** *Br.* prowiant, przydział *l.* zapas żywności (*dla grupy osób*).

common sense *n. U* zdrowy rozsądek.

common-sense [ˌkɑːmən'sens] *a. attr.* zdroworozsądkowy, rozsądny.

commonsensical [ˌkɑːmən'sensɪkl] *a.* zdroworozsądkowy; posiadający zdrowy rozsądek, charakteryzujący się zdrowym rozsądkiem.

common stock *n. US giełda* akcje zwykłe.

common time, common measure *n. muz.* takt parzysty, metrum parzyste (*na dwa l. cztery*).

commonweal ['kɑːmənˌwiːl], **common weal** *n. arch. l. form.* **1.** *U* dobro publiczne. **2.** = **commonwealth.**

commonwealth ['kɑːmənˌwelθ] *n. polit.* wspólnota (narodowa); **the British C~ of Nations** *hist.* = **the C~ (of Nations)**; **the C~ of Independent States** Wspólnota Niepodległych Państw; **the C~ (of Nations)** Wspólnota Narodów.

common year *n.* rok zwykły (= *nie przestępny*).

commotion [kə'moʊʃən] *n. U l. sing.* **1.** zamieszanie; poruszenie. **2.** zamieszki.

commove [kə'muːv] *v.* **1.** *lit.* gwałtownie poruszyć; wzburzyć (*powietrze, piasek*). **2.** *form.* poruszyć (*kogoś*), wstrząsnąć (*kimś*).

communal [kə'mjuːnl] *a.* **1.** wspólny (*np. o łazience, kuchni*). **2.** samorządowy; należący do lokalnej społeczności *l.* wspólnoty. **3.** społeczny; wspólnotowy; **~ life** życie we wspólnocie *l.* w społeczności (*zwł. lokalnej*); **~ riots/tension** niepokoje/napięcia społeczne.

communalism [kə'mjuːnəˌlɪzəm] *n. U* **1.** *gł. hist.* komunalizm (= *teoria autonomicznego samorządu lokalnego*); system federacji autonomicznych społeczności lokalnych oparty na teorii jw. **2.** wspólnota majątkowa. **3.** przedkładanie interesów lokalnych ponad interes państwa.

communalist [kə'mjuːnəlɪst] *n.* **1.** zwolennik/czka życia we wspólnocie (majątkowej) *l.* komunie. **2.** działacz/ka lokaln-y/a; obroń-ca/czyni interesów reprezentowanej przez siebie mniejszości.

communalistic [kəˌmjuːnə'lɪstɪk] *a.* dotyczący społeczności lokalnych.

communalize [kə'mjuːnəˌlaɪz] *v.* oddać w ręce samorządu lokalnego *l.* społeczności lokalnej.

communally [kə'mjuːnlɪ] *adv.* **1.** wspólnie. **2.** społecznie (*w obrębie danej społeczności lokalnej*). **3.** na zasadzie wspólnoty (majątkowej).

Communard ['kɑːmjəˌnɑːrd] *n. hist.* **1.** komunard (= *uczestnik Komuny Paryskiej 1871 r.*). **2.** **c~** człon-ek/kini komuny *l.* wspólnoty.

commune[1] [kə'mjuːn] *v.* **1.** dzielić się najskrytszymi myślami (*with sb* z kimś). **2.** łączyć się duchowo, obcować; **~ with nature** obcować z przyrodą. **3.** *gł. US kośc.* przyjmować komunię, przystępować do komunii.

commune[2] ['kɑːmjuːn] *n.* **1.** komuna (= *grupa osób żyjących we wspólnocie*); *hist.* komuna miejska; **the (Paris) C~** (*także* **the C~ of Paris**) *hist.* Komuna Paryska. **2.** *admin.* gmina (*we Francji, Belgii, Włoszech i Szwajcarii*). **3.** *U* = **communion** 2.

communicability [kəˌmjuːnəkə'bɪlətɪ], **communicableness** [kə'mjuːnəkəblnəs] *form. n. U med.* możliwość przenoszenia (się), zaraźliwość, zakaźność (*choroby*).

communicable [kə'mjuːnəkəbl] *a.* **1.** *med.* zaraźliwy, zakaźny (*o chorobie*). **2.** dający się przekazać, możliwy do przekazania (*np. o myśli*). **3.** *arch.* rozmowny.

communicableness [kə'mjuːnəkəblnəs] *n.* = **communicability.**

communicant [kə'mjuːnəkənt] *n.* **1.** *kośc.* osoba przystępująca do komunii. **2.** informator/ka.

communicate [kə'mjuːnəˌkeɪt] *v.* **1.** komunikować (*sth to sb* coś komuś); przekazywać (*wiadomości, dane*); wyrażać (*np. radość*); **~ itself** znajdować wyraz, dawać się odczuć (*zwł. o czyichś nastrojach*). **2.** porozumiewać się, komunikować się (*with sb* z kimś); kontaktować się (*listownie, telefonicznie*). **3.** *zw. pass.* przenosić (*chorobę, wirusa*). **4.** *form.* łączyć się (*o pokojach, budynkach*). **5.** *kośc.* przystępować do komunii; udzielać komunii.

communication [kəˌmjuːnə'keɪʃən] *n.* **1.** *U* porozumiewanie się, komunikowanie się; przekazywanie, komunikowanie (*wiadomości*); komunikacja, łączność, kontakt; **be in ~ with sb** *form.* utrzymywać kontakt z kimś, pozostawać w łączności z kimś; **means of ~** środki łączności. **2.** *form.* wiadomość (*t.* = *list*).

communicational [kəˌmjuːnə'keɪʃənl] *a.* komunikacyjny.

communication cord *n. Br. kol.* hamulec bezpieczeństwa.

communications [kəˌmjuːnə'keɪʃənz] *n. pl.* **1.** systemy przekazywania *l.* wymiany informacji. **2.** połączenia (= *koleje, drogi itp.*); *wojsk.* łączność.

communication skills *n. pl.* umiejętności komunikacyjne *l.* komunikowania się (*t. w obcym języku*).

communications satellite *n.* satelita (tele)komunikacyjny.

communicative [kə'mjuːnəˌkeɪtɪv] *a.* **1.** rozmowny. **2.** komunikacyjny; *t. jęz.* komunikatywny.

communicator [kə'mjuːnəˌkeɪtər] *n.* **1.** przekaziciel/ka informacji. **2.** krasomów-ca/czyni.

communion [kə'mjuːnjən] *n.* **1.** *kośc.* = **Holy C~.** **2.** *U lit.* obcowanie (*t. z przyrodą*); głębokie porozumienie, łączność duchowa (*with / between* z/pomiędzy). **3.** *rel. form.* wspólnota religijna, zgromadzenie współwyznawców.

communiqué [kə'mjuːnɪkeɪ] *n.* (oficjalny) komunikat.

communism ['kɑːmjəˌnɪzəm] *n. U* komunizm.

communist ['kɑːmjənɪst], **Communist** *n.* komunist-a/ka. – *a.* komunistyczny; **the ~ bloc** *hist., polit.* blok komunistyczny.

communistic [ˌkɑːmjə'nɪstɪk] *a.* komunistyczny; komunizujący.

communitarian [kəˌmjuːnɪ'terɪən] *a. polit.* człon-ek/kini *l.* zwolenni-k/czka wspólnoty komunistycznej.

community [kə'mjuːnətɪ] *n. pl.* **-ies** **1.** społeczność; **local ~** społeczność lokalna; **the international ~** społeczność międzynarodowa. **2.** gmina (*np. żydowska*). **3.** środowisko (*zawodowe, ekologiczne*). **4.** **the ~** społeczeństwo, ogół społeczeństwa. **5.** *C/U* wspólnota (*międzynarodowa, majątkowa, interesów*); **European C~** *hist.* Wspólnota Europejska; **European Economic C~** *hist.* Europejska Wspólnota Gospodarcza; **sense of ~** poczucie wspólnoty; **speech ~** *jęz.* wspólnota językowa.

community center *n.* miejscowy ośrodek *l.* dom kultury.

community chest *n. US i Can.* lokalny fundusz zapomogowy.

community college *n. US* lokalna szkoła dwuletnia typu półwyższego przygotowująca na studia uniwersyteckie.

community property *n. U US prawn.* wspólny majątek (*małżonków*).

community service *n. U* praca społeczna (*dobrowolna l. nakazana wyrokiem sądowym*).

community singing *n. U* śpiew zbiorowy, wspólne śpiewanie (*zwł. hymnów*).

community spirit *n. sing.* duch *l.* poczucie wspólnoty.

community theater *n. US* miejscowy teatr amatorski.

communization [ˌkɑːmjənəˈzeɪʃən] *n. U* **1.** komunizacja. **2.** uspołecznienie, upaństwowienie.

communize [ˈkɑːmjənaɪz] *v.* **1.** komunizować. **2.** uspołecznić, upaństwowić.

commutability [kəˌmjuːtəˈbɪləti] *n. U prawn.* możliwość zamiany *l.* złagodzenia (*kary*).

commutable [kəˈmjuːtəbl] *a.* **1.** *prawn.* z możliwością zamiany *l.* złagodzenia (*o karze*). **2.** dostępny dla dojeżdżających; nadający się do dojeżdżania (= *dostatecznie krótki; o odległości*).

commutate [ˈkɑːmjəˌteɪt] *v. el.* **1.** komutować, zmieniać kierunek (*prądu*). **2.** zamieniać na prąd stały, prostować (*prąd zmienny*).

commutation [ˌkɑːmjəˈteɪʃən] *n. U* **1.** *prawn.* zamiana, złagodzenie (*kary*); **~ of a death sentence to life** zamiana kary śmierci na dożywocie. **2.** *form.* zamiana formy świadczenia (*np. renty na jednorazową wypłatę*). **3.** *US* dojeżdżanie (do pracy) (*zwł. spoza miasta*). **4.** *el.* komutacja; komutowanie.

commutation ticket *n. US* bilet okresowy.

commutative [kəˈmjuːtətɪv] *a.* **1.** zamienny, zamienialny. **2.** *mat.* przemienny, komutatywny (*o działaniu*); **~ law of/for addition** prawo przemienności dodawania.

commutator [ˈkɑːmjəˌteɪtər] *n. el.* komutator.

commute [kəˈmjuːt] *v.* **1.** dojeżdżać (do pracy) (*from X to Y/between X and Y* z X do Y). **2.** zamieniać (*zwł. formę świadczenia l. wypłaty*) (*to/into sth* na coś); wypłacać ryczałtem. **3.** *prawn.* zamienić, złagodzić (*karę*); **his death sentence was ~d to life imprisonment** karę śmierci zamieniono mu na dożywotnie więzienie. **4.** służyć zastępczo. **5.** *mat.* być przemiennym. – *n. pot.* dojazd (do pracy).

commuter [kəˈmjuːtər] *n.* osoba dojeżdżająca (do pracy). – *a. attr.* dla (osób) dojeżdżających (*o linii kolejowej, połączeniu*); lokalny (*o połączeniu lotniczym, locie*).

commuter belt *n.* pierścień miejscowości wokół metropolii (= *obszar, z którego dojeżdża się do miasta do pracy*).

commuter traffic *n.* ruch związany z dojazdem do pracy; ruch w porannych godzinach szczytu.

comose [ˈkoʊmoʊs] *a. bot.* włochaty, puszysty; pokryty kępkami włosków.

comp [kɑːmp] *pot. n.* **1.** *US* darmowy biletu wstępu *l.* zaproszenie (*na koncert, mecz, do teatru*). **2.** *druk.* = **compositor**. **3.** *szkoln.* = **composition**. **4.** = **compensation**. **5.** = **accompaniment**. **6.** = **competition**. **7.** *Br.* = **comprehensive school**. – *v.* **1.** *zwł. jazz* grać *l.* wykonywać akompaniament (do). **2.** *druk.* pracować jako zecer.

comp. *abbr.* **1.** = **comparative**; = **compare**. **2.** = **compensation**. **3.** = **compilation**; = **compiled**; = **compiler**. **4.** = **complement**. **5.** = **complete**. **6.** = **composition**. **7.** = **compositor**. **8.** = **compound**. **9.** = **comprehensive**. **10.** = **comprising**.

compact[1] *a.* [kɑːmˈpækt] **1.** niewielki, niewielkich rozmiarów (*np. o aparacie fotograficznym*). **2.** gęsty, zbity (*o ziemi, betonie*); ścisły, spoisty (*o gruncie*); zwarty (*o zabudowie, budowie kryształu*); solidny (*o budowie ciała*); lity (*o metalu, rudzie*). **3.** *przen.* zwarty, zwięzły (*o stylu*). – *n.* [ˈkɑːmpækt] **1.** (*także* **powder ~**) puderniczka; wkład (*do puderniczki*). **2.** (*także* **~ car**) *US, Can. i Austr.* samochód kompaktowy. – *v.* [kəmˈpækt] **1.** zbijać, ubijać; zagęszczać, kondensować. **2.** prasować (i paczkować) (*złom, śmieci*); prasować się, dawać się prasować.

compact[2] [ˈkɑːmpækt] *n. form.* umowa, porozumienie.

compact disc [ˌkɑːmpækt ˈdɪsk], **CD** [ˌsiː ˈdiː] *n.* płyta kompaktowa.

compact disc player *n.* odtwarzacz kompaktowy *l.* płyt kompaktowych.

compactly [kɑːmˈpæktli] *adv.* **1.** ciasno, ściśle (*zapakować, rozmieścić*). **2.** zwięźle (*wyrazić, przekazać wiadomość*).

compactness [kɑːmˈpæktnəs] *n. U* **1.** niewielkie rozmiary. **2.** gęstość, ścisłość. **3.** zwartość, zwięzłość.

compactor [ˈkɑːmpæktər] *n. techn.* prasa (do pakietowania złomu).

companion [kəmˈpænɪən] *n.* **1.** towarzysz/ka; **constant ~** nieodłączn-y/a towarzysz/ka; **traveling ~** towarzysz/ka podróży. **2.** *gł. hist.* dama do towarzystwa (*zwł. młoda, towarzysząca starszej w podróży*). **3.** *przest.* dodatek, uzupełnienie (= *coś do pary*) (*of/to sth* (dla) czegoś). **4.** przewodnik (*zwł. w tytule książki*). **5.** *żegl.* = **companionway**. – *v. form.* towarzyszyć (*komuś l. czemuś*). – *a. attr.* **~ album/volume (to an earlier one)** album/tom stanowiący uzupełnienie *l.* kontynuację (poprzedniego).

companionable [kəmˈpænɪənəbl] *a.* towarzyski; przyjazny; niekrępujący (*o ciszy, milczeniu między dobrze znającymi się osobami*).

companionate [kəmˈpænɪənɪt] *a.* **1.** dla *l.* do towarzystwa. **2.** harmonijny, zgodny, zgrany.

companionate marriage *n. prawn.* małżeństwo partnerskie (*w którym strony uzgadniają bezdzietność i zachowują prawo do rozwodu za* *obopólną zgodą bez konieczności płacenia alimentów).*

companionless [kəm'pænɪənləs] *a.* samotny, sam; pozbawiony towarzystwa.

companionship [kəm'pænjən,ʃɪp] *n. U* towarzystwo; przyjaźń.

companionway [kəm'pænjən,weɪ] *n. żegl.* zejściówka, kapa.

company ['kʌmpənɪ] *n. pl.* **-ies** **1.** *U* towarzystwo; **in sb's ~** (*także* **in the ~ of sb**) w czyimś towarzystwie, w towarzystwie kogoś. **2.** *U* goście; **be expecting/have ~** spodziewać się/mieć gości *l.* gościa. **3.** *ekon.* firma, przedsiębiorstwo; spółka; **X and ~** *t. żart.* X i spółka; **finance ~** spółka finansowa (*pożyczająca pod zastaw, wykupująca wierzytelności oraz kredytująca producentów i sprzedawców*); **holding ~** spółka holdingowa; **(joint-)stock ~** spółka akcyjna; **limited (liability) ~** *Br.* spółka z ograniczoną odpowiedzialnością; **manage/run a ~** prowadzić firmę; **set up/start a ~** założyć firmę. **4.** *teatr* zespół (*teatralny, taneczny itp.; łącznie z personelem administracyjnym i technicznym*). **5.** *wojsk.* kompania. **6.** *żegl.* załoga (*z oficerami włącznie*). **7. he's good ~** jest dobrym kompanem; **in ~ with sth** wspólnie z kimś; **in ~ with sth** równocześnie z czymś; **get/fall into bad ~** popaść w złe towarzystwo; **(I don't like) the ~ you keep/are keeping** (nie podoba mi się) towarzystwo, w jakim się obracasz; **keep sb ~** towarzyszyć komuś, dotrzymywać komuś towarzystwa; **keep ~ with sb** *przest.* spotykać się z kimś, chodzić z kimś; **part ~ (with sb)** zerwać (z kimś) stosunki, rozstać się (z kimś); **present ~ excepted (of course)** (oczywiście) z wyjątkiem (osób) tu obecnych; **two's ~ (three's a crowd)** (we trójkę) jest o jedną osobę za dużo (= *zostawmy ich samych, nie potrzebują przyzwoitki*); **you're in good ~** *zw. żart.* jesteś w dobrym towarzystwie (= *lepsi od ciebie mają podobne problemy*). – *v.* **-ied, -ying** *arch.* **1.** przestawać, zadawać się (*with sb* z kimś). **2.** towarzyszyć (*komuś*).

company car *n.* samochód służbowy.

company grade *n. wojsk.* ranga oficerska poniżej stopnia majora.

company man *n. pl.* **-men** *zw. uj.* człowiek ponad wszystko przedkładający interes firmy.

company policy *n. U* polityka firmy.

company town *n.* miasto, którego większość mieszkańców pracuje w jednym przedsiębiorstwie.

company union *n. gł. US i Can.* zakładowy związek zawodowy (*zw. kontrolowany przez pracodawcę*).

compar. *abbr.* = **comparative**.

comparability [kɑːmpərə'bɪlətɪ] *n. U* porównywalność.

comparable ['kɑːmpərəbl] *a.* porównywalny, dający się porównać (*with/to sb/sth* z kimś/czymś) (*in sth* pod względem czegoś).

comparably ['kɑːmpərəblɪ] *adv.* porównywalnie.

comparatist [kəm'perətɪst] *n. jęz., teor. lit.* komparatyst-a/ka.

comparative [kəm'perətɪv] *a.* **1.** *attr.* porównawczy (*np. o metodzie, anatomii, badaniach literackich*). **2.** *attr.* stosunkowy, względny (*np. o korzyściach, łatwości*). **3.** *gram.* wyższy (*o stopniu przymiotnika l. przysłówka*); w stopniu wyższym (*o formie przymiotnika l. przysłówka*). – *n. gram.* **the ~** stopień wyższy.

comparative linguistics *n. U* językoznawstwo porównawcze, lingwistyka porównawcza.

comparatively [kəm'perətɪvlɪ] *adv.* **1.** stosunkowo, względnie. **2.** porównawczo, komparatystycznie (*analizować, badać*). **3.** *gram.* w stopniu wyższym (*użyć przymiotnika l. przysłówka*).

comparator ['kɑːmpə,reɪtər] *n. techn.* komparator.

compare [kəm'per] *v.* **1.** porównywać (*sb/sth with/to sb/sth* kogoś/coś z kimś/czymś); przyrównywać (*sth to sth* coś do czegoś); **~ and contrast X and Y** *szkoln.* przeprowadź analizę porównawczą X i Y (*temat wypracowania*); **~ed to/with sb/sth** w porównaniu z kimś/czymś. **2.** dawać się porównać, być porównywalnym; **~ with sb/sth** dorównywać komuś/czemuś, móc się równać *l.* mierzyć z kimś/czymś; **~ (un)favorably with X** wypadać (nie)korzystnie w porównaniu z X; **how do X and Y ~?** jak mają się do siebie X i Y?, jak wygląda X w porównaniu z Y?; **nothing ~s to X** nic nie może się równać z X. **3.** *gram.* stopniować (*przymiotnik l. przysłówek*). **4. ~ notes** *przen.* dzielić się wrażeniami; wymieniać poglądy (*on sth* na jakiś temat). – *n. U* **beyond/without ~** *lit.* niezrównany.

comparison [kəm'perɪsən] *n.* **1.** *C/U* porównanie (*t. poetyckie*); **by ~** stosunkowo; **draw/make a ~** przeprowadzić porównanie, dokonać porównania; **for ~** dla porównania; **in ~ with/to sb/sth** w porównaniu z kimś/czymś; **stand/bear ~ with sb/sth** dorównywać komuś/czemuś, wytrzymywać porównanie z kimś/czymś; **there is no ~ between X and Y** nie ma porównania między X i Y. **2.** *U gram.* stopniowanie (*przymiotników i przysłówków*).

compartment [kəm'pɑːrtmənt] *n.* **1.** przegródka (*np. portfela*); skrytka; (oddzielne) pomieszczenie (*np. na bagaż*); **freezer ~** komora zamrażalnika (*w lodówce*); **glove ~** schowek (*w samochodzie*). **2.** *gł. Br.* przedział (*kolejowy*). – *v.* = **compartmentalize**.

compartmentalization [kəmpɑːrt,mentəlaɪ'zeɪʃən] *n. U* kategoryzowanie, szufladkowanie.

compartmentalize [kəmpɑːrt'mentə,laɪz] *v.* kategoryzować, szufladkować.

compass ['kʌmpəs] *n. pl.* **-es** **1.** kompas; busola. **2.** (*także* **(pair of) ~es**) cyrkiel. **3.** obwód, granica. **4.** *form. l. lit.* obręb; zasięg (*t. głosu*); **within the ~ of sth** w obrębie czegoś. – *v.* **1.** obchodzić; objeżdżać; opływać; zataczać krąg wokół. **2.** otaczać; zamykać. **3.** osiągnąć. **4.** ogarniać (umysłem). – *a. attr.* półokrągły, w kształcie łuku.

compass card *n. żegl.* róża kompasowa (*tarcza*).

compasses ['kʌmpəsɪz] *n. pl.* = **compass** 2.

compassion [kəm'pæʃən] *n. U* współczucie

(*for / toward sb* dla kogoś); **feel/show ~** odczuwać/okazywać współczucie.

compassionate [kəm'pæʃənət] *a.* współczujący.

compassionate leave *n. U* urlop okolicznościowy (*w związku ze śmiercią l. chorobą członka rodziny*).

compassionately [kəm'pæʃənətlɪ] *adv.* współczująco, ze współczuciem.

compass plant *n. bot.* sylfium kompasowe (*Sylphium laciniatum*).

compass rose *n.* róża kompasowa (*wydrukowana na mapie*).

compass saw *n. stol.* otwornica.

compass window *n.* półkoliste okno wykuszowe.

compatibility [kəmˌpætə'bɪlətɪ] *n. U* **1.** zgodność. **2.** *komp.* kompatybilność.

compatible [kəm'pætəbl] *a.* **1.** zgodny (= *harmonijny l. dający się pogodzić*) (*with sth* z czymś). **2.** (dobrze) dobrany (*o parze, małżeństwie*). **3.** *komp.* kompatybilny. – *n. komp.* komputer kompatybilny (*z danym standardem*); **IBM ~** komputer kompatybilny ze standardem IBM.

compatibly [kəm'pætəblɪ] *adv.* **1.** zgodnie. **2.** *komp.* kompatybilnie.

compatriot [kəm'peɪtrɪət] *n.* **1.** roda-k/czka, ziomek. **2.** *US* towarzysz/ka; kole-ga/żanka; współpracowni-k/czka. – *a. attr.* = **compatriotic.**

compatriotic [kəmˌpeɪtrɪ'ɑːtɪk] *n.* pochodzący z jednego kraju.

compd. *abbr.* = **compound.**

compeer [kəm'piːr] *n. form.* **1.** równ-y/a (*of sb* komuś). **2.** towarzysz/ka; kole-ga/żanka.

compel [kəm'pel] *v.* **-ll- 1.** zmuszać (*sb to do sth* kogoś do (zrobienia) czegoś); **feel ~ed to do sth** czuć się zmuszonym do (zrobienia) czegoś. **2.** *form.* wymuszać (*posłuszeństwo, oszczędność, zmiany*); wywoływać (*np. podziw, zwł. mimowolny*); przykuwać (*uwagę*). **3. ~ sb to/from a place** *arch. l. poet.* zapędzić kogoś dokądś/wypędzić kogoś skądś.

compellation [ˌkɑːmpə'leɪʃən] *n. rzad.* = **appellation.**

compelling [kəm'pelɪŋ] *a.* **1.** nie do odparcia (*o argumencie*); nieodparty (*o chęci, pragnieniu, uroku*). **2.** przykuwający uwagę, robiący (ogromne) wrażenie.

compellingly [kəm'pelɪŋlɪ] *adv.* **1.** nieodparcie, w nieodparty sposób. **2.** w sposób przykuwający uwagę.

compendious [kəm'pendɪəs] *a. form.* zwięzły, skrótowy; mający formę kompendium (*o książce*).

compendiously [kəm'pendɪəslɪ] *adv.* zwięźle, skrótowo.

compendium [kəm'pendɪəm] *n. pl. t.* **-a** [kəm'pendɪə] kompendium; skrót, zarys.

compensable [kəm'pensəbl] *a. prawn.* podlegający odszkodowaniu (*zwł. o uszkodzeniu ciała*).

compensate ['kɑːmpənˌseɪt] *v.* **1.** *t. psych.* kompensować; *t. mech.* równoważyć, wyrównywać (*for sth* coś); **~ sth with sth else** równoważyć coś czymś innym. **2. ~ sb for sth** wynagrodzić *l.* zrekompensować komuś coś (*t. finansowo*); dać komuś rekompensatę *l.* wyrównanie za coś; wypłacić komuś odszkodowanie za coś.

compensation [ˌkɑːmpən'seɪʃən] *n. U* **1.** odszkodowanie, rekompensata; **award/grant sb ~** przyznać komuś odszkodowanie; **by way of ~** tytułem *l.* w ramach rekompensaty; **claim/seek ~** domagać się odszkodowania, ubiegać się o odszkodowanie; **in ~ (for sth)** w zamian (za coś); **pay sb ~** wypłacić komuś odszkodowanie. **2.** *C/U* czynnik równoważący; forma zastępcza; przeciwwaga. **3.** *U t. mech.* zrównoważenie, wyrównanie; *t. biol., psych., fiz., techn.* kompensacja.

compensation balance, compensating balance, compensated balance *n.* balans, balansjer (*zegar(k)a mechanicznego*).

compensator ['kɑːmpənseɪtər] *n. techn.* **1.** urządzenie kompensacyjne, kompensator. **2.** dysza kompensacyjna (*silnika spalinowego*). **3.** *el.* autotransformator (*kompensujący*).

compensatory [kəm'pensəˌtɔːrɪ] *a. t. prawn.* kompensacyjny, wyrównawczy (*np. o rencie, dodatku*).

compensatory damages *n. pl.* odszkodowanie.

compensatory lengthening *n. C / U fon.* wzdłużenie zastępcze.

compere ['kɑːmper], **compère** *gł. Br. telew. n.* prezenter/ka, gospod-arz/yni programu. – *v.* prowadzić (*program*), być gospod-arzem/ynią (*programu*).

compete [kəm'piːt] *v.* **1.** konkurować, rywalizować, walczyć (*against / with sb* z kimś) (*for sth* o coś). **2.** *t. sport* współzawodniczyć, stawać do rywalizacji; brać udział (*in sth* w czymś). **3. can't ~ with sb/sth** *przen.* nie móc rywalizować *l.* konkurować z kimś/czymś, przegrywać w konkurencji z kimś/czymś.

competence ['kɑːmpətəns] *n. U* **1.** *t. prawn.* kompetencje; **sth is within/outside sb's ~** coś leży/nie leży w granicach czyichś kompetencji. **2.** *C* umiejętność, kwalifikacja. **3.** odpowiednie dochody *l.* środki finansowe. **4.** *jęz.* kompetencja (językowa). **5.** *med.* wydolność (*np. immunologiczna*). **6. ~ of a law court** *prawn.* właściwość sądu.

competency ['kɑːmpətənsɪ] *n. U* **1.** *prawn.* zdolność do czynności prawnych. **2.** *rzad.* = **competence** 1, 3.

competent ['kɑːmpətənt] *a.* **1.** kompetentny; kwalifikowany (*for sth / to do sth* do czegoś/żeby coś zrobić). **2.** fachowo wykonany. **3.** *prawn.* właściwy (*o sądzie*).

competently ['kɑːmpətəntlɪ] *adv.* **1.** kompetentnie. **2.** fachowo.

competing [kəm'piːtɪŋ] *a.* rywalizujący (ze sobą), konkurencyjny (*o poglądach, teoriach*); sprzeczny (*o interesach*).

competition [ˌkɑːmpə'tɪʃən] *n.* **1.** *U* rywalizacja (*between / among* pomiędzy) (*for sth* o coś); współzawodnictwo; **be in ~** rywalizować, konkurować (*with sb / sth* z kimś/czymś); **fierce/intense/stiff ~** ostra *l.* zacięta rywalizacja. **2. the ~** *t. ekon., handl., sport* konkurencja (*t. ogólnie* = *konkurenci*). **3.** *t. sport* konkurs; zawody; **enter a ~** przystąpić *l.* stanąć do konkursu.

competitive [kəm'petətɪv] *a.* **1.** oparty na

współzawodnictwie *l.* rywalizacji (*o społeczeństwie*); oparty na bezpośredniej rywalizacji (*o sporcie*); **highly ~ business** branża, w której panuje silna konkurencja; **the ~ spirit** duch rywalizacji. **2.** nastawiony na współzawodnictwo *l.* rywalizację (*o osobie, osobowości*). **3.** konkurencyjny (*o cenach, ofercie, firmie*).

competitive edge *n. sing.* przewaga nad konkurentami (*wynikająca z silnej woli zwycięstwa*).

competitively [kəm'petətɪvlɪ] *adv.* **1.** konkurencyjnie, w sposób konkurencyjny (*działać, sprzedawać*); **~ priced goods** towary po cenach konkurencyjnych. **2.** konkursowo, na zasadzie konkursu; *sport* (rywalizując) w zawodach.

competitiveness [kəm'petətɪvnəs] *n.* *U* **1.** *ekon., handl.* konkurencyjność. **2.** rywalizacyjny charakter (*sportu, pracy*).

competitor [kəm'petətər] *n.* **1.** konkurent/ka, rywal/ka; (współ)zawodni-k/czka, uczestni-k/czka zawodów. **2.** *ekon.* konkurent.

compilation [ˌkɑ:mpə'leɪʃən] *n.* **1.** kompilacja, zestawienie; **~ album/cassette** *muz.* kompilacja. **2.** *U* zestawianie; zbieranie; *t. komp.* kompilacja, kompilowanie.

compilatory [kəm'paɪləˌtɔ:rɪ] *a.* kompilacyjny, mający charakter kompilacji (*o pracy, publikacji*).

compile [kəm'paɪl] *v.* **1.** zebrać (*materiały, teksty itp. w jednym tomie*); skompilować, zestawić, opracować (*np. listę*). **2.** *komp.* kompilować (*program*).

compiler [kəm'paɪlər] *n.* **1.** kompilator/ka, autor/ka zestawienia *l.* kompilacji. **2.** *komp.* kompilator.

complacency [kəm'pleɪsənsɪ], **complacence** [kəm'pleɪsəns] *n.* *U* **1.** samozadowolenie. **2.** *arch.* = **complaisance**.

complacent [kəm'pleɪsənt] *a.* **1.** zadowolony z siebie (*o osobie*); pełen samozadowolenia (*o uśmiechu, zachowaniu*). **2. be/get ~** spocząć na laurach. **3.** *arch.* = **complaisant**.

complacently [kəm'pleɪsəntlɪ] *adv.* z samozadowoleniem.

complain [kəm'pleɪn] *v.* **1.** narzekać, skarżyć się (*about sth / that...* na coś/że...) (*to sb* komuś). **2.** wnosić *l.* składać zażalenie *l.* skargę (*to sb* do kogoś); **he ~ed to the police** złożył skargę na policji. **3.** *handl.* składać reklamację. **4. (I) can't ~** *pot.* nie mogę narzekać, nie narzekam. **5. ~ of** skarżyć się na, uskarżać się na (*ból l. inną dolegliwość*).

complainant [kəm'pleɪnənt] *n.* *prawn.* strona powodowa, powód/ka.

complainer [kəm'pleɪnər] *n.* maruda, zrzęda; **she's a ~** ona ciągle narzeka.

complainingly [kəm'pleɪnɪŋlɪ] *adv.* z wyrzutem.

complaint [kəm'pleɪnt] *n.* **1.** *C/U* skarga, zażalenie (*against sb* na kogoś); **make a ~** złożyć zażalenie; **submit/file/lodge a ~** *form.* złożyć zażalenie; **letter of ~** (pisemne) zażalenie; **reason/grounds/cause for ~** powód do skarg *l.* narzekań. **2.** *handl.* reklamacja. **3.** *prawn.* powództwo. **4.** zarzut. **5.** dolegliwość (*fizyczna*); bolączka.

complaisance [kəm'pleɪsəns] *form. n.* *U* usłużność, układność, uniżenie.

complaisant [kəm'pleɪsənt] *a.* usłużny, układny, uniżony.

complaisantly [kəm'pleɪsəntlɪ] *adv.* usłużnie, układnie, uniżenie.

compleat [kəm'pli:t] *a. arch.* (*zwł. w tytułach książek*) = **complete**.

complected [kəm'plektɪd] *a. US pot. l. dial.* = **complexioned**.

complement *n.* ['kɑ:mpləmənt] **1.** dopełnienie (*t. czyniące coś idealnym*); uzupełnienie (*to sth* czegoś). **2.** element do pary *l.* kompletu. **3.** komplet (*załogi, osób, elementów*); (pełen) zestaw, komplet *l.* garnitur (*zw. elementów*); **full ~ of (people/chromosomes)** (pełen) komplet (osób/chromosomów). **4.** *gram.* dopełnienie. **5.** *mat., geom.* dopełnienie (*zbioru, kąta*). **6.** *biochem.* dopełniacz. **7.** *wojsk.* obsada, załoga. – *v.* [ˌkɑ:mplə'ment] uzupełniać; dopełniać; stanowić dopełnienie (*czegoś*).

complemental [ˌkɑ:mplə'mentl] *a.* = **complementary**.

complementarity [ˌkɑ:mpləmen'terətɪ] *n.* *U* komplementarność, (wzajemne) uzupełnianie się.

complementary [ˌkɑ:mplə'mentərɪ] *a.* komplementarny, (wzajemnie) uzupełniający się; uzupełniający, dopełniający; **~ angles/colors** kąty/barwy dopełniające się.

complementary medicine *n.* *U* medycyna alternatywna.

complement clause *n. gram.* zdanie dopełnieniowe.

complement fixation *n.* *U* *biochem.* wiązanie dopełniacza.

complete [kəm'pli:t] *a.* **1.** kompletny, całkowity, cały; zupełny; pełen; wszystek; **the ~ works (of X)** dzieła zebrane *l.* wszystkie (X). **2.** *pred.* ukończony, skończony. **3.** *attr.* kompletny, absolutny, skończony (*np. o idiocie, łajdaku*). **4.** *attr.* z prawdziwego zdarzenia, w każdym calu (*np. o uczonym, artyście*). **5. ~ with** łącznie z. – *v.* **1.** ukończyć, zakończyć (*przygotowania*); wypełnić (*zadanie, misję*). **2.** dopełnić (*zbiór, zestaw*); skompletować (*kolekcję*). **3.** wypełniać (*formularz, ankietę*); uzupełniać (*ćwiczenie*); **~ the following sentences:...** uzupełnij następujące zdania:...

completely [kəm'pli:tlɪ] *adv.* **1.** kompletnie, całkiem, zupełnie (*np. zapomnieć*). **2.** w całości, w pełni.

complete metamorphosis *n. zool.* przeobrażenie zupełne.

completeness [kəm'pli:tnəs] *n.* *U* całkowitość, kompletność; pełnia.

completion [kəm'pli:ʃən] *n.* *U* **1.** uzupełnienie. **2.** skompletowanie. **3.** dopełnienie. **4.** ukończenie; **be nearing ~** być na ukończeniu; **on ~ of sth** po ukończeniu czegoś. **5.** sfinalizowanie sprzedaży (*np. domu*).

completion date *n.* data ukończenia.

complex *a.* [ˌkɑ:m'pleks] złożony (*t.* = *skomplikowany*). – *n.* ['kɑ:mpleks] **1.** zespół (*miast, bu-*

dynków); kompleks; **sports/leisure** ~ kompleks sportowy/rekreacyjny, zespół obiektów sportowych/rekreacyjnych. **2.** *t. psych.* kompleks; **give sb a** ~ wpędzać kogoś w kompleksy; **have a ~ about sth** mieć kompleks na punkcie czegoś; **inferiority/superiority** ~ kompleks niższości/wyższości; **Oedipus** ~ kompleks Edypa.

complex fraction *n. mat.* ułamek piętrowy.

complexion [kəm'plekʃən] *n.* **1.** cera, karnacja. **2.** *przen.* zabarwienie; charakter; **put a (whole) new ~ on sth** stawiać coś w (zupełnie) nowym świetle, nadawać czemuś (zupełnie) nowe zabarwienie. **3.** *hist., fizj.* temperament (*choleryczny, flegmatyczny, melancholiczny l. sangwiniczny*).

complexioned [kəm'plekʃənd] *a.* **light/smooth-~** o jasnej/gładkiej cerze.

complexity [kəm'pleksətɪ] *n.* **1.** *U* złożoność. **2.** *pl.* **-ies** zawiłość; **legal/historical complexities** (*także* **the complexities of law/history**) zawiłości prawne/historyczne.

complexly [kɑːm'plekslɪ] *adv.* **1.** w sposób złożony. **2.** zawile.

complexness [kɑːm'pleksnəs] *n. U* = **complexity**.

complex number *n. mat.* liczba zespolona.

complex sentence *n. gram.* zdanie złożone.

complex word *n. gram.* wyraz złożony.

compliance [kəm'plaɪəns], **compliancy** [kəm'plaɪənsɪ] *form. n. U* **1.** podporządkowanie się, zastosowanie się (*do przepisów, czyjegoś życzenia*); zgodność (*with sth* z czymś); **in ~ with** zgodnie z. **2.** uległość. **3.** *fiz., mech.* podatność.

compliant [kəm'plaɪənt] *a. form.* uległy.

compliantly [kəm'plaɪəntlɪ] *a.* ulegle.

complicacy ['kɑːmpləkəsɪ] *n. rzad.* = **complexity**.

complicate ['kɑːmplɪˌkeɪt] *v.* **1.** komplikować; gmatwać, wikłać. **2.** *pat.* powodować powikłania. – *a.* **1.** *rzad.* = **complicated**. **2.** *biol.* składany wzdłużnie (*np. o liściach, skrzydłach owadów*).

complicated ['kɑːmpləˌkeɪtɪd] *a.* skomplikowany, złożony; **highly** ~ bardzo skomplikowany.

complicatedly ['kɑːmpləˌkeɪtɪdlɪ] *adv.* w skomplikowany sposób.

complicatedness ['kɑːmpləˌkeɪtɪdnəs] *n. U* skomplikowanie, złożoność.

complication [ˌkɑːmplə'keɪʃən] *n.* **1.** komplikacja; problem, szkopuł. **2.** *U* skomplikowanie. **3.** *zw. pl. pat.* powikłanie, komplikacja.

complicitous [kəm'plɪsətəs] *a.* **1.** *form.* dotyczący współsprawstwa *l.* współudziału. **2.** *rzad.* = **complex**.

complicity [kəm'plɪsətɪ] *n. U* **1.** *prawn.* współsprawstwo; *form.* współudział (*in sth* w czymś). **2.** *rzad.* = **complexity**.

compliment *n.* ['kɑːmpləmənt] **1.** komplement; **fish for ~s** dopominać się o komplementy; **pay sb a** ~ powiedzieć komuś komplement; **pay sb the ~ of doing sth** wyświadczyć komuś komplement, robiąc coś (= *okazać zaufanie, szacunek itp.*); **return/repay the** ~ odwzajemnić się, zrewanżować się. **2.** *arch.* podarek; napiwek. – *v.* ['kɑːmpləˌment] ~ **sb (on sth)** powiedzieć komuś komplement (na temat czegoś); pogratulować komuś (czegoś); pochwalić kogoś (za coś).

complimentarily [ˌkɑːmplə'mentərɪlɪ] *adv.* **1.** pochlebnie. **2.** gratis (*rozdawać, zw. w celach reklamowych*).

complimentariness [ˌkɑːmplə'mentərɪnəs] *n. U* **1.** pochlebność. **2.** darmowość, gratisowość.

complimentary [ˌkɑːmplə'mentərɪ] *a.* **1.** pochlebny (*np. o recenzji, uwadze*); **be ~ about sth** wyrażać się pochlebnie o czymś. **2.** *zw. attr.* darmowy, bezpłatny, gratis(owy); ~ **copy** egzemplarz bezpłatny; ~ **ticket** darmowy bilet (wstępu).

compliments ['kɑːmpləmənts] *n. pl. form.* **1.** ukłony, wyrazy uszanowania; **make/pay one's** ~ składać uszanowanie *l.* wyrazy uszanowania; **with the ~ of...** z wyrazami uszanowania od... (*tekst bileciku dołączonego do bezpłatnego egzemplarza książki itp.*). **2.** gratulacje, wyrazy uznania; **my ~ to the chef!** gratulacje dla kucharza!. **3.** ~ **of the season** najlepsze życzenia świąteczne i noworoczne (*tekst kartki okolicznościowej*).

compliments slip *n.* bilecik grzecznościowy (*z adresem firmy, dołączany do przesyłki*).

complin ['kɑːmplɪn], **compline** *n. kośc.* kompleta (= *ostatnie nabożeństwo w ciągu dnia*).

complot [kəm'plɑːt] *arch. n.* spisek. – *v.* **-tt-** spiskować.

comply [kəm'plaɪ] *form. v.* podporządkować się, być posłusznym; ~ **with** stosować się do, przestrzegać; **penalties for failure to ~ with the regulations** kary za nieprzestrzeganie przepisów.

compo ['kɑːmpoʊ] *n. pl.* **-s** **1.** *techn.* kompozyt, materiał zespolony. **2.** *Austr. i NZ* rekompensata, odszkodowanie. – *a. zw. attr. wojsk.* kilkudniowy; ~ **rations** racje na kilka dni.

component [kəm'poʊnənt] *n.* **1.** składnik, element; *t. chem.* komponent. **2.** *mat.* składowa. **3.** *zwł. el.* podzespół. – *a. attr.* składowy.

componential [ˌkɑːmpə'nenʃl] *a.* składnikowy.

componential analysis *n. U jęz.* analiza składnikowa (*w semantyce*).

componentry [ˌkɑːmpə'nentərɪ] *n. U techn.* części składowe, podzespoły.

compony [kəm'poʊnɪ], **componé** [kəm'poʊneɪ] *a. zw. po n. her.* złożony z jednego rzędu kwadratów na przemian złotych *l.* srebrnych i kolorowych.

comport[1] [kəm'pɔːrt] *form. v.* **1.** ~ **o.s.** zachowywać się, postępować. **2.** ~ **with sth** zgadzać się z czymś; odpowiadać czemuś. – *n. przest.* = **comportment**.

comport[2] *n.* = **compotier**.

comportment [kəm'pɔːrtmənt] *przest.* **comportance** [kəm'pɔːrtəns] *form. n. U* zachowanie, postępowanie.

compose [kəm'poʊz] *v.* **1.** składać się na, stanowić. **2. be ~d of** składać się z, być złożonym z. **3.** *t. muz.* komponować; tworzyć muzykę; *sztuka* tworzyć kompozycję. **4.** układać; ~ **a poem/speech** ułożyć wiersz/przemówienie. **5.** ~ **o.s.**

opanować się, uspokoić się; ~ **one's features** przybrać spokojny wyraz twarzy; ~ **one's thoughts** uporządkować myśli. **6.** *druk.* składać. **7. they ~d their differences** *form.* doszli do porozumienia.

composed [kəm'poʊzd] *a. zw. pred.* opanowany, spokojny.

composedly [kəm'poʊzədlɪ] *adv.* spokojnie, z opanowaniem.

composedness [kəm'poʊzədnəs] *n. U* spokój, opanowanie.

composer [kəm'poʊzər] *n.* kompozytor/ka (*zwł. muzyki poważnej*); autor/ka *l.* twórca muzyki (*np. do filmu*).

composing room *n. druk.* zecernia.

composing stick *n. druk.* kątnik, kątownik, winkielak, wierszownik.

composite [kəm'pɑːzɪt] *a. attr.* **1.** *t. mat.* złożony. **2.** wielostopniowy (*o rakiecie*). **3.** niejednorodny (*o paliwie rakietowym*). **4.** *żegl.* o konstrukcji mieszanej (*o kadłubie*). – *n.* **1. be a ~ of** być złożonym z, składać się z. **2.** *bot.* roślina z rodziny *Compositae*. **3.** obraz *l.* zdjęcie kombinowane; *policja* portret pamięciowy.

composite color signal *n. telew.* całkowity sygnał synchronizacji koloru.

composite family *n. bot.* (rodzina) złożone (*Compositae*).

compositely [kəm'pɑːzɪtlɪ] *adv.* w sposób złożony.

composite order, Composite order *n. bud., hist.* porządek kompozytowy (= *łączący cechy porządku jońskiego i korynckiego*).

composite photograph *n. fot.* zdjęcie kombinowane, fotografia trickowa.

composite print *n. film* kopia dźwiękowa (*korekcyjna*).

composite school *n. Can. szkoln.* liceum zawodowe.

composite shot *n. film* ujęcie kombinowane.

composition [ˌkɑːmpə'zɪʃən] *n.* **1.** kompozycja (= *utwór muzyczny, literacki itp.*); *U* kompozycja, komponowanie, sztuka kompozycji. **2.** *U* skład, struktura; **chemical ~** skład chemiczny. **3.** materiał złożony, kompozyt. **4.** *przest. szkoln.* wypracowanie. **5.** *U jęz.* tworzenie złożeń. **6.** *zwł. prawn.* ugoda (*pomiędzy wierzycielem a dłużnikiem*); suma ugody jw. **7.** *U druk.* skład; podział na strony. **8.** *mat.* złożenie (*np. funkcji prostych w złożoną*). **9. ~ of forces** *mech.* składanie sił, redukcja układu sił.

compositor [kəm'pɑːzɪtər] *pot.* **comp** [kɑːmp] *n. druk.* zecer, składacz/ka.

compos mentis *a. pred. Lat. prawn. l. żart.* w pełni władz umysłowych.

compossible [kɑːm'pɑːsəbl] *a. rzad. form.* zdolny do współistnienia, mogący istnieć w połączeniu (*with sth* z czymś).

compost ['kɑːmpoʊst] *n. U* **1.** kompost. **2.** (*także* **potting ~**) podłoże kwiatowe, ziemia doniczkowa. – *v.* **1.** nawozić kompostem. **2.** przerabiać na kompost.

composter ['kɑːmpoʊstər] *n.* kompostownia.

composure [kəm'poʊʒər] *n. U* opanowanie, spokój; **keep/maintain one's ~** zachowywać panowanie nad sobą; **lose one's ~** tracić panowanie nad sobą; **recover/regain one's ~** odzyskać panowanie nad sobą.

compotation [ˌkɑːmpə'teɪʃən] *n. rzad.* libacja.

compotator ['kɑːmpəˌteɪtər] *n. rzad.* towarzysz/ka libacji.

compote ['kɑːmpoʊt] *n.* **1.** *C/U* kompot. **2.** = **compotier.**

compotier [ˌkɑːmpə'tiːr], **compote** ['kɑːmpoʊt], **comport** ['kɑːmpɔːrt] *n.* kompotiera.

compound[1] ['kɑːmpaʊnd] *a. attr.* **1.** złożony, o złożonej budowie. **2.** *zool.* = **colonial** 2. **3.** *muz.* trójdzielny; ~ **time** takt trójdzielny. **4.** *mech.* sprężony (*o silniku*). – *n.* **1.** mieszanka. **2.** *chem.* związek. **3.** *gram.* złożenie, wyraz złożony. – *v.* **1.** łączyć, mieszać (*składniki*). **2.** stworzyć, skonstruować (*z wielu elementów*). **3.** *zwł. prawn.* zawrzeć ugodę. **4. ~ a crime** *prawn.* odstąpić od ścigania przestępstwa (*w zamian za jakąś obietnicę, łapówkę itp.*). **5.** *fin.* naliczać *l.* wypłacać odsetki łączne od. **6.** *zw. pass.* wzmagać, pogłębiać (*zwł. trudności*).

compound[2] *n.* **1.** teren ogrodzony. **2.** obóz (*zwł. dla jeńców*).

compound engine *n. mech.* silnik sprężony.

compound eye *n. ent.* oko złożone.

compound fault *n. geol.* uskok złożony.

compound flower *n. bot.* kwiat złożony.

compound fraction *n. mat.* ułamek piętrowy.

compound fracture *n. pat.* złamanie otwarte.

compound function *n. mat.* funkcja złożona.

compound interest *n. U fin.* odsetki łączne, odsetki składane.

compound interval *n. muz.* odległość większa niż oktawa.

compound lens *n. opt.* zespół soczewek, soczewki zespolone.

compound number *n.* wartość złożona (*np. 1 m 23 cm*).

compound ovary *n. bot.* zalążnia wielokomorowa.

compound pendulum *n. fiz.* wahadło fizyczne, wahadło złożone.

compound sentence *n. gram.* zdanie współrzędnie złożone.

compound-wound [ˌkɑːmpaʊnd'waʊnd] *a. el.* szeregowo-bocznikowy (*o urządzeniu*).

comprehend [ˌkɑːmprə'hend] *v.* **1.** pojmować, rozumieć. **2.** *form.* obejmować, zawierać.

comprehendingly [ˌkɑːmprə'hendɪŋlɪ] *adv.* ze zrozumieniem.

comprehensibility [ˌkɑːmprəˌhensə'bɪlətɪ], **comprehensibleness** [ˌkɑːmprə'hensəblnəs] *n. U* zrozumiałość.

comprehensible [ˌkɑːmprə'hensəbl] *a.* zrozumiały.

comprehensibly [ˌkɑːmprə'hensəblɪ] *adv.* zrozumiale.

comprehension [ˌkɑːmprə'henʃən] *form. n. U* **1.** pojmowanie, rozumienie; zrozumienie; **beyond sb's ~** nie do pojęcia dla kogoś; **have no ~ of sth** nie rozumieć czegoś; **listening ~ (test)**

szkoln. (test na) rozumienie ze słuchu. **2.** *log. przest.* konotacja.

comprehensive [ˌkɑːmprəˈhensɪv] *a.* **1.** pełny, wszechstronny, wyczerpujący; obszerny. **2.** *ubezp.* ogólny (*o polisie*). – *n.* **1.** (*także* **~s, ~ examination**) *US szkoln.* egzamin kompleksowy (*sprawdzający wiedzę z danego przedmiotu i wiedzę ogólną*). **2.** *US* szczegółowy projekt reklamy (*obrazujący rozkład poszczególnych elementów*). **3.** *Br.* = **~ school** 2.

comprehensive school *szkoln. n.* **1.** *Can.* = **composite school**. **2.** *Br.* szkoła średnia przyjmująca uczniów z danego rejonu bez względu na wyniki w nauce.

compress *v.* [kəmˈpres] **1.** ściskać; prasować (*złom, bawełnę*); ubijać (*np. ziemię w doniczce*). **2.** sprężać (*gaz*). **3.** skrócić, skondensować (*tekst, kurs, porcję informacji*). **4.** *t. med.* uciskać. – *n.* [ˈkɑːmpres] **1.** *med.* kompres, okład; opatrunek uciskowy. **2.** prasa (*zwł. do bawełny*).

compressed [kəmˈprest] *a.* **1.** ściśnięty; sprężony; **~ air** sprężone powietrze. **2.** spłaszczony; *zool., bot.* spłaszczony bocznie.

compressed petroleum gas *n.* *U* gazol, gaz płynny.

compressed speech *n.* tekst mówiony odtwarzany z przyspieszeniem.

compressibility [kəmˌpresəˈbɪlətɪ] *n.* *U t. fiz.* ściśliwość.

compressible [kəmˈpresəbl] *a.* ściśliwy.

compression [kəmˈpreʃən] *n.* *U* **1.** (*także* **compressure**) ściskanie; sprężanie; kompresja. **2.** *mech.* sprężenie (*w silniku*).

compression ignition, compression-ignition *n.* *U mech.* zapłon sprężeniowy.

compression molding *n.* *U* prasowanie *l.* formowanie tłoczne (*tworzyw sztucznych*).

compression ratio *n.* *mot.* stopień sprężania (*silnika*).

compression wave, compressional wave *n.* *fiz.* fala kompresyjna, fala zagęszczeniowa.

compressive [kəmˈpresɪv] *a.* ściskający; sprężający; uciskający.

compressor [kəmˈpresər] *n.* **1.** *mech.* kompresor, sprężarka. **2.** *anat.* mięsień zaciskający. **3.** *el.* kompresor (*amplitudy sygnału*).

comprisal [kəmˈpraɪzl] *n.* *U form.* skład.

comprise [kəmˈpraɪz] *v.* *form.* **1.** obejmować, składać się z. **2.** stanowić, składać się na. **3. be comprised of** składać się z.

compromis [ˈkɑːmprəˌmiː] *n.* *pl.* **-es** *prawn.* kompromis, zapis na sąd (*w prawie międzynarodowym = umowa stron dotycząca arbitrażu*).

compromise [ˈkɑːmprəˌmaɪz] *n.* **1.** kompromis, ugoda; **arrive at/reach a ~** osiągnąć kompromis; **work out a ~** wypracować kompromis. **2.** narażenie na szwank (*zwł. reputacji*). – *v.* **1.** zawrzeć kompromis, pójść na ugodę (*with sb* z kimś) (*on sth* w sprawie czegoś). **2. ~ one's chances** zaprzepaścić swoje szanse; **~ one's principles/ideas** sprzeniewierzyć się swoim (własnym) zasadom/ideom; **~ one's reputation** narazić na szwank swoją reputację *l.* swoje dobre imię; **~ o.s.** skompromitować się (*zwł. o osobie publicznej*).

compromised [ˈkɑːmprəˌmaɪzd] *a.* *pat.* upośledzony (*o czynnościach organizmu, narządów*).

compromise joint *n.* *kol.* złącze szynowe przejściowe.

compromise rail *n.* *kol.* przejściowy odcinek szyny (*do łączenia różnych rodzajów szyn*).

compromising [ˈkɑːmprəˌmaɪzɪŋ] *a.* **1.** kompromitujący (*o sytuacji, liście, fotografii*). **2.** ugodowy (*np. o nastroju*).

compromisingly [ˈkɑːmprəˌmaɪzɪŋlɪ] *adv.* **1.** kompromitująco. **2.** ugodowo.

compt. *abbr.* = **comptroller**.

compte rendu [ˌkɔːŋt rɑːŋˈdiː] *n.* *pl.* **comptes rendus** *Fr.* **1.** krótki opis (*zwł. recenzja książki*). **2.** *bank* wyciąg z konta.

comptroller [kənˈtroʊlər], **controller** *n.* *form.* rewident księgowy.

compulsion [kəmˈpʌlʃən] *n.* **1.** *U* przymus; **under ~** pod przymusem. **2.** wewnętrzny przymus; wewnętrzna potrzeba (*to do sth* zrobienia czegoś). **3.** *psychiatria* natręctwo, kompulsja.

compulsive [kəmˈpʌlsɪv] *a.* **1.** nałogowy; **~ drinker/liar/gambler** nałogowy pijak/kłamca/hazardzista. **2.** *psychiatria* natrętny, zmuszający. **3. ~ viewing/reading** *przen.* program telewizyjny/lektura, od której nie można się oderwać. – *n.* *psychiatria* osoba cierpiąca na natręctwo.

compulsively [kəmˈpʌlsɪvlɪ] *adv.* nałogowo, obsesyjnie, z wewnętrznego przymusu.

compulsiveness [kəmˈpʌlsɪvnəs] *n.* *U* nałogowość, obsesyjność.

compulsorily [kəmˈpʌlsərɪlɪ] *a.* przymusowo, obowiązkowo.

compulsoriness [kəmˈpʌlsərɪnəs] *n.* *U* przymus, obowiązek.

compulsory [kəmˈpʌlsərɪ] *a.* przymusowy, obowiązkowy (*zwł. w świetle prawa*). – *n.* *pl.* **-ies** *gł. sport* element obowiązkowy; *pl. łyżwiarstwo* tańce obowiązkowe.

compulsory purchase *n.* *prawn.* wywłaszczenie.

compunction [kəmˈpʌŋkʃən] *n.* *U form.* skrupuły, wyrzuty sumienia.

compunctious [kəmˈpʌŋkʃəs] *a.* wywołujący skrupuły; odczuwający skrupuły.

compurgation [ˌkɑːmpərˈgeɪʃən] *n.* *hist., prawn.* oczyszczenie z zarzutu na mocy przysięgi osób godnych zaufania.

compurgator [ˈkɑːmpərˌgeɪtər] *n.* świadek oczyszczający z zarzutu, świadek składający przysięgę w przedmiocie niewinności oskarżonego.

computability [kəmˌpjuːtəˈbɪlətɪ] *n.* *U* obliczalność.

computable [kəmˈpjuːtəbl] *a.* obliczalny, dający się obliczyć.

computation [ˌkɑːmpjəˈteɪʃən] *form. n.* **1.** *U* obliczanie, obliczenia. **2.** obliczenie, wynik obliczeń.

computational [ˌkɑːmpjəˈteɪʃənl] *a.* obliczeniowy.

computational linguistics *n. U jęz.* językoznawstwo komputerowe.

compute [kəm'pju:t] *form. v.* **1.** obliczać. **2.** stosować komputer *l.* kalkulator. – *n. U* **beyond ~** nie do obliczenia.

computer [kəm'pju:tər] *komp. n.* **1.** komputer. **2.** kalkulator (*osoba*). – *a. attr.* komputerowy.

computer-aided design, CAD *n. U* projektowanie wspomagane komputerowo.

computer-aided publishing *n. U* prace wydawnicze wspomagane komputerowo, poligrafia komputerowa.

computer-assisted makeup *n. U* skład wspomagany komputerowo.

computer conferencing *n. U* prowadzenie telekonferencji przy pomocy technik komputerowych.

computer dating *n. U* komputerowe dobieranie par (*przez agencję matrymonialną*).

computerese [kəm,pju:tə'ri:z] *n.* żargon komputerowy.

computer game *n.* gra komputerowa.

computer graphics *n. U* grafika komputerowa.

computerist [kəm'pju:tərɪst] *n.* komputerowiec.

computerizable [kəm,pju:tə'raɪzəbl], *Br. i Austr. zw.* **computerisable** *a.* **1.** dający się przetworzyć komputerowo. **2.** dający się skomputeryzować.

computerization [kəm,pju:tərаɪ'zeɪʃən] *n. U* komputeryzacja.

computerize [kəm'pju:tə,raɪz] *v.* **1.** przetwarzać komputerowo. **2.** komputeryzować (się).

computerized [kəm'pju:tə,raɪzd], *Br. i Austr. zw.* **computerised** *a.* skomputeryzowany.

computerized axial tomography, *Br.* **computed tomography, computer tomography,** *Br.* **computer-assisted tomography** *n. U med.* tomografia komputerowa.

computer language *n.* język programowania.

computer literacy *n. U* umiejętność obsługi komputera.

computer literate *n.* osoba umiejąca obsługiwać komputer.

computer memory *n. U* pamięć komputera.

computer programer, *Br.* **computer programmer** *n.* programist-a/ka.

computer programing, *Br.* **computer programming** *n. U* programowanie.

computer science *n. U* informatyka.

computer scientist *n.* informaty-k/czka.

computer typesetting *n. U* skład komputerowy.

computer virus *n.* wirus komputerowy.

computer vision *n. U* widzenie komputerowe (= *wprowadzanie i rozpoznawanie obrazów*).

computing [kəm'pju:tɪŋ] *n. U* **1.** prowadzenie obliczeń. **2.** stosowanie komputerów do obróbki danych.

computist [kəm'pju:tɪst] *n.* osoba dokonująca obliczeń.

Comr. *abbr.* = **Commissioner.**

comrade ['kɑ:mræd] *n.* **1.** *t. polit.* towarzysz/ka. **2.** *form.* kolega, druh.

comrade in arms *n. pl.* **comrades in arms** *wojsk.* towarzysz broni.

comradely ['kɑ:mrædlɪ] *a.* koleżeński.

comradeship ['kɑ:mræd,ʃɪp], **comradery** ['kɑ:mrædrɪ], **camaraderie** *n. U form.* koleżeństwo, poczucie koleżeństwa.

comsat ['kɑ:msæt], **Comsat** *n.* satelita komunikacyjny.

comstockery ['kɑ:mstɑ:kərɪ], **Comstockery** *n. U* nadgorliwa cenzura.

comsymp ['kɑ:m,sɪmp] *n. US pot. pog.* komuch (= *sympatyk partii komunistycznej*).

con[1] [kɑ:n] *pot. v.* **-nn-** okantować; **~ sb into doing sth** naciągnąć kogoś na zrobienie czegoś; **~ sb out of $100** naciągnąć kogoś na 100 dolarów. – *n.* kant, oszustwo.

con[2] *a.* przeciwny (*wnioskowi, propozycji*). – *adv.* przeciwko. – *n.* argument *l.* osoba przeciwna (*czemuś l. komuś*); **the pros and ~s** argumenty za i przeciw.

con[3] *n. sl.* skazaniec, wię-zień/źniarka.

con[4] *arch. v.* **-nn-** studiować (= *gruntownie badać*); **~ by rote** uczyć się na pamięć.

con[5] *żegl. US t.* (*także* **conn**) *v.* **-nn-** kierować statkiem (*dawać komendy do steru*). – *n.* **1.** kierowanie sterowaniem okrętu. **2.** miejsce, z którego kieruje się sterowaniem okrętu, mostek nawigacyjny.

con[6] *Br. dial. v.* **-nn- 1.** uderzyć. **2.** przybić młotkiem. **3.** zbić, pobić (*kogoś*).

Con. *abbr.* **1.** = **Conformist** 2. **2.** *Br.* = **Conservative. 3.** = **Consul.**

con. *abbr.* **1.** = **concerto. 2.** = **conclusion. 3.** = **connection. 4.** = **consolidated. 5.** = **consul. 6.** = **continued. 7.** = **contra.**

conacre ['kɑ:n,eɪkər] *n. Ir.* wydzierżawiana ziemia (*na sezon l. 11 miesięcy*).

con artist *n. pot.* kanciarz, oszust/ka, naciągacz/ka.

conation [koʊ'neɪʃən] *n. U psych.* konacja.

conative ['kɑ:nətɪv] *a. psych., jęz.* konatywny.

conatus [koʊ'neɪtəs] *n. pl.* **conatus** *t. fil.* wysiłek; dążenie; impuls.

conc. *abbr.* **1.** = **concentrate;** = **concentrated;** = **concentration. 2.** = **concerning. 3.** = **concerto. 4.** = **concrete.**

concatenate [kɑ:n'kætə,neɪt] *v. form.* łączyć (*w serię l. łańcuch*). – *a.* połączony (*jw.*).

concatenation [kɑ:n,kætə'neɪʃən] *n. form.* **1.** *C/U* połączenie, związek; łańcuch, seria, splot (*wydarzeń*). **2.** *log., jęz., komp.* konkatenacja. **3.** *el.* połączenie w kaskadę.

concave [kɑ:n'keɪv] *a.* **1.** *t. geom., opt.* wklęsły. **2.** *przest.* wydrążony, pusty. – *v.* **1.** czynić wklęsłym. **2.** tworzyć wklęsłość. – *n.* wklęsłość, wklęśnięcie.

concavely [kɑ:n'keɪvlɪ] *adv.* wklęsło.

concaveness [kɑ:n'keɪvnəs] *n. U* = **concavity** 1.

concavity [kɑ:n'kævətɪ] *n. form.* **1.** *U* wklęsłość (*cecha*). **2.** *pl.* **-ies** wklęsłość, wklęśnięcie.

concavo-concave [kɑ:n,keɪvoʊkɑ:n'keɪv] *gł. opt. a.* dwuwklęsły, dwustronnie wklęsły.

concavo-convex [kɑ:n,keɪvoʊkɑ:n'veks] *a.* wklęsło-wypukły.

conceal [kən'si:l] *zw. form. v.* **1.** ukrywać, chować; zasłaniać. **2.** taić, ukrywać (*sth from sth* coś przed kimś).

concealed [kən'si:ld] *a.* ukryty (*np. o kamerze*).

concealment [kən'si:lmənt] *n. U* **1.** ukrywanie. **2.** ukrycie, kryjówka.

concede [kən'si:d] *v.* **1.** przyznawać; ~ **(that)**... przyznać, że...; ~ **defeat** przyznać się do porażki; ~ **sth to sb/sth** przyznać coś komuś/czemuś (*przywilej, prawo, niepodległość*). **2.** oddać (*wbrew własnej woli; np. władzę, terytoria*). **3.** wyrazić zgodę na (*reformy, zmiany*). **4.** ~ **a goal/point** *sport* stracić bramkę/punkt. **5.** ustąpić, dać za wygraną.

conceit [kən'si:t] *n.* **1.** *U* zarozumiałość. **2.** *teor. lit.* koncept (*barokowy, zwł. w angielskiej poezji metafizycznej*). **3.** *przest.* błyskotka. **4.** *U arch.* wyobraźnia. **5.** *arch.* pomysł. – *v. przest.* wyobrażać sobie; obmyślać.

conceited [kən'si:tɪd] *a.* zarozumiały.

conceitedly [kən'si:tɪdlɪ] *adv.* zarozumiale.

conceitedness [kən'si:tɪdnəs] *n. U* zarozumiałość.

conceivability [kənˌsi:və'bɪlətɪ], **conceivableness** [kən'si:vəbəlnes] *n. U* wyobrażalność; możliwość.

conceivable [kən'si:vəbl] *a.* wyobrażalny; możliwy; **can see no** ~ **reason for doing sth** nie widzieć absolutnie żadnej przyczyny, dla której miałoby się coś robić; **it's** ~ **(that)**... niewykluczone, że...

conceivably [kən'si:vəblɪ] *adv.* wyobrażalnie; możliwie.

conceive [kən'si:v] *v.* **1.** obmyślić, wymyślić, wykoncypować; zaplanować, zaprojektować, być autorem (*planu, pomysłu*). **2.** ~ **of sth** wyobrażać sobie coś; **I'd never** ~ **of doing something like that** nie wyobrażam sobie, że mogłabym zrobić coś takiego, nie przyszłoby mi do głowy zrobienie czegoś takiego. **3.** począć, zajść w ciążę. **4.** *form.* sądzić, uważać. **5.** *rzad.* wyrażać, ujmować (*w słowa*).

conceiver [kən'si:vər] *n.* autor/ka (*pomysłu, planu*).

concelebrant [kɑ:n'seləˌbrənt] *kośc. n.* koncelebrant.

concelebrate [kɑ:n'seləˌbreɪt] *v.* koncelebrować (*mszę nabożeństwo*); uczestniczyć w koncelebracji.

concelebration [kɑ:nˌselə'breɪʃən] *n. C/U* koncelebracja.

concent [kən'sent] *n. arch.* zgodność, harmonia (*zwł. głosów, dźwięków*).

concenter [kɑ:n'sentər], *Br. i Austr.* **concentre** *v.* zbiegać się;ześrodkowywać (się), koncentrować (się).

concentrate ['kɑ:nsənˌtreɪt] *v.* **1.** koncentrować (się), skupiać (się) (*on sth* na czymś) (*around sth* wokół czegoś). **2.** zagęszczać, koncentrować, stężać (*roztwór*). **3.** *górn.* wzbogacać (*rudę*). – *n. C/U* koncentrat.

concentrated ['kɑ:nsənˌtreɪtɪd] *a.* **1.** skoncentrowany, skupiony. **2.** stężony.

concentration [ˌkɑ:nsən'treɪʃən] *n.* **1.** *U* koncentracja, skupienie. **2.** skupisko. **3.** *C/U t. chem.* stężenie. **4.** *U wojsk.* koncentracja sił; koncentracja ognia (*zwł. artyleryjskiego*). **5.** *ekon.* koncentracja (*kapitału, produkcji*).

concentration camp *n. hist.* obóz koncentracyjny.

concentration cell *n. chem.* ogniwo stężeniowe.

concentrative ['kɑ:nsənˌtreɪtɪv] *a. form.* **1.** skupiający; koncentracyjny. **2.** *attr.* ogromny (*np. o wysiłku*).

concentric [kən'sentrɪk], **concentrical** [kən'sentrɪkl] *a.* koncentryczny, współśrodkowy.

concentrically [kən'sentrɪklɪ] *adv.* koncentrycznie, współśrodkowo.

concentricity [ˌkɑ:nsən'trɪsətɪ] *n. U* koncentryczność, współśrodkowość.

concept ['kɑ:nsept] *n.* **1.** pojęcie (*zwł. abstrakcyjne*), koncept. **2.** koncepcja, pomysł, idea.

conceptacle [kən'septəkl] *n. bot.* konceptakulum (*komora w obwodowej części plechy gametofitu glonu, w której powstają gamety*).

conception [kən'sepʃən] *n.* **1.** *U biol. l. przen.* poczęcie; *przen.* początek, moment powstania. **2.** *C/U* koncepcja, pojęcie (*of sth* czegoś); **have no** ~ **of sth** nie mieć pojęcia o czymś, nie rozumieć czegoś. **3.** koncepcja, pomysł, idea.

conceptional [kən'sepʃənl] *a.* koncepcyjny.

conceptive [kən'septɪv] *a. form.* koncypujący.

conceptual [kən'septʃʊəl] *form. a.* pojęciowy; *t. sztuka* konceptualny.

conceptual art *n. U sztuka* konceptualizm, sztuka konceptualna.

conceptual artist *n. sztuka* konceptualist-a/ka.

conceptualism [kən'septʃʊəˌlɪzəm] *n. U fil.* konceptualizm.

conceptualist [kən'septʃʊəlɪst] *n. fil.* konceptualist-a/ka.

conceptualization [kənˌseptʃʊəlaɪ'zeɪʃən], *Br. i Austr. zw.* **conceptualisation** *n. U* sformułowanie (*pojęcia, koncepcji*).

conceptualize [kən'septʃʊəˌlaɪz], *Br. i Austr. zw.* **conceptualise** *v.* formułować (*koncepcję, pogląd, opinię*).

conceptually [kən'septʃʊəlɪ] *adv.* pojęciowo; konceptualnie.

conceptus [kən'septəs] *n. pl.* **-es** *med.* zarodek, płód.

concern [kən'sɝ:n] *v.* **1.** dotyczyć, odnosić się do; **as** ~**s** co się tyczy, jeśli chodzi o; **to whom it may** ~ do wszystkich zainteresowanych (*nagłówek rekomendacji*). **2.** ~ **o.s. in/with sth** interesować się czymś; zajmować się czymś, angażować się w coś. **3.** martwić, niepokoić; ~ **o.s.** martwić *l.* niepokoić się (*about sth* czymś *l.* o coś). – *n.* **1.** zmartwienie. **2.** zainteresowanie. **3.** *U l. sing.* troska (*for sb* o kogoś). **4.** *U* zaniepokojenie (*about/over sth* czymś); obawy, obawa, niepokój (*about/over sth* o coś) (*for sb* o kogoś); **cause** ~ (*także* **be a cause for** ~) być powodem obaw; **growing** ~ rosnące zaniepokojenie; **matter of (great)** ~ (bardzo) niepokojąca sprawa. **5.** *U* sprawa, rzecz; **it's not my ~** (*także* **it's none of my ~**) to nie moja sprawa. **6.** znaczenie, waga; **be of ~ to sb** być dla kogoś ważnym; leżeć komuś na sercu. **7.** *ekon.* koncern; przedsiębiorstwo, firma, interes; **going ~**, dobrze prosperująca firma.

concerned [kən'sɜ:nd] *a.* **1.** *zw. pred.* zainteresowany; **all ~** wszyscy zainteresowani, wszyscy, których to dotyczy; **as far as I am ~** jeśli o mnie chodzi; **be ~ in sth** być zamieszanym w coś, uczestniczyć w czymś; **be ~ with sth** dotyczyć czegoś; **where X is ~** gdy w grę wchodzi X. **2.** zmartwiony, zaniepokojony; **be ~ about/for sth** martwić się czymś *l.* o coś; **be ~ (that)...** martwić *l.* obawiać się, że.

concernedly [kən'sɜ:ndɪdlɪ] *adv.* z niepokojem.

concernedness [kən'sɜ:ndɪdnəs] *n. U* niepokój.

concerning [kən'sɜ:nɪŋ] *prep. form.* odnośnie do, dotyczący, w sprawie.

concernment [kən'sɜ:nmənt] *n. rzad.* sprawa; interes.

concert *n.* ['kɑ:nsɜ:t] **1.** koncert (*występ*); **be/perform in ~** dawać koncert, występować z koncertem. **2. in ~** *form.* wspólnie, w porozumieniu *l.* we współpracy (*with sb/sth* z kimś/czymś). – *a.* ['kɑ:nsɜ:t] *attr.* koncertowy. – *v.* [kən'sɜ:t] *form.* wspólnie zaplanować, zaaranżować *l.* obmyślić.

concertante [ˌkoʊntʃər'tɑ:nteɪ] *n. pl.* **-i** *muz.* utwór symfoniczny z partiami solowymi.

concerted [kən'sɜ:tɪd] *a.* **1.** wspólny, zbiorowy (*o wysiłku, kampanii*). **2.** *muz.* rozpisany na głosy *l.* instrumenty.

concertedly [kən'sɜ:tɪdlɪ] *adv.* wspólnie.

concertedness [kən'sɜ:tɪdnəs] *n. U* wspólność, łączność (*zwł. w działaniu*).

concert goer *n.* meloman/ka.

concert grand, concert grand piano *n.* fortepian koncertowy.

concert hall *n.* sala koncertowa.

concertina [ˌkɑ:nsər'ti:nə] *n. pl.* **-e** [ˌkɑ:nsər'ti:ni:] *muz.* koncertyna. – *v.* **-ed** *Br. i Austr.* składać (się) w harmonijkę (*t. na skutek zderzenia*). – *a. attr.* harmonijkowy.

concertina movement, concertina action *n.* składanie harmonijkowe.

concertina table *n.* stół składany (*harmonijkowo*).

concertinist [ˌkɑ:nsər'ti:nɪst] *n.* osoba grająca na koncertynie.

concertino [ˌkɑ:ntʃər'ti:noʊ] *n. pl.* **-ini** [ˌkɑ:ntʃər'ti:ni:] *muz.* concertino.

concertize ['kɑ:nsərˌtaɪz], *Br. i Austr. zw.* **concertise** *n. form.* koncertować (*zwł. o dyrygencie l. soliście*).

concertmaster ['kɑ:nsɜ:tˌmæstər] *n. US i Can. muz.* koncertmistrz, pierwszy skrzypek.

concerto [kən'tʃertoʊ] *n. pl.* **-os** *l.* **-i** *muz.* koncert (*utwór*).

concert pitch *n. U* **1.** *muz.* częstotliwość 440 Hz dla A (*do strojenia instrumentów koncertowych*). **2. be at ~** *przen. pot.* być doskonale przygotowanym (*zwł. do zrobienia czegoś ważnego*).

concertstück ['kɑ:nsɜ:tˌʃti:k] *n. muz.* concertino; utwór koncertowy.

concert tuning *n. U muz.* standardowe strojenie gitary (*EADGHE*).

concession [kən'seʃən] *n.* **1.** ustępstwo; **make ~s** pójść na ustępstwa. **2.** *Br.* zniżka (*np. dla studentów*). **3.** *ekon.* koncesja, pozwolenie; *US i Can.* koncesjonowany punkt sprzedaży (*zw. określonego produktu na terenie obiektu należącego do kogo innego*). **4. tax ~** ulga podatkowa. **5.** *Can.* jednostka podziału terytorialnego (*o powierzchni 26 km²*); = **~ road.**

concessionaire [kənˌseʃə'ner], **concessioner** [kən'seʃənər], **concessionary** [kən'seʃəˌnerɪ] *n.* koncesjonariusz/ka.

concessionary [kən'seʃəˌnerɪ] *a.* **1.** koncesyjny. **2.** *gł. Br.* ulgowy, zniżkowy. – *n.* = **concessionaire.**

concessioner [kən'seʃənər] *n.* = **concessionaire.**

concession road *n. Can.* droga na pograniczu jednostek podziału terytorialnego.

concessive [kən'sesɪv] *a.* **1.** ustępliwy. **2.** *gram.* przyzwalający, koncesywny; **~ clause** zdanie (podrzędne okolicznikowe) przyzwolenia, zdanie koncesywne.

conch [kɑ:ŋk] *n. pl.* **-(e)s** **1.** koncha, muszla. **2.** *zool.* ślimak, brzuchonóg (*Gastropoda*). **3.** (*także* **concha**) *bud.* koncha (*rodzaj półokrągłego sklepienia*). **4.** *US sl. czas. pog.* mieszkaniec/ka Florida Keys; mieszkan-iec/ka Wysp Bahama.

concha ['kɑ:ŋkə] *n. pl.* **-e** **1.** *anat.* małżowina, muszla; **auricular/nasal ~** małżowina uszna/nosowa. **2.** *bud.* = **conch** 3.

conchie ['kɑ:ntʃɪ], **conchy** *n. pot.* **1.** *Br. przest. pog.* = **conscientious objector**. **2.** *Austr.* osoba bardzo sumienna.

conchiferous [kɑ:ŋ'kɪfərəs] *a.* **1.** *zool.* okryty muszlą. **2.** *geol.* zawierający muszle (*o skałach*).

conchoid ['kɑ:ŋkɔɪd] *n. geom.* konchoida.

conchoidal [kɑ:ŋ'kɔɪdl] *a. min.* muszlowy; **~ fracture** przełom muszlowy.

conchology [kɑ:ŋ'kɑ:lədʒɪ] *n. U zool.* konchiologia, konchyliologia.

concierge [ˌkɑ:nsɪ'erʒ] *n. pl.* **-s** **1.** konsjerż/ka, dozor-ca/czyni domu (*zwł. we Francji*). **2.** *gł. US* pracowni-k/czka hotelu zajmując-y/a się specjalnymi zleceniami gości.

conciliar [kən'sɪlɪər] *a. rel.* soborowy.

conciliate [kən'sɪlɪˌeɪt] *form. v.* **1.** zjednać, przejednać. **2.** pojednać; zażegnać rozbieżności *l.* konflikt (*between* pomiędzy).

conciliating [kən'sɪlɪˌeɪtɪŋ] *a.* pojednawczy.

conciliatingly [kən'sɪlɪˌeɪtɪŋlɪ] *adv.* pojednawczo.

conciliation [kənˌsɪlɪ'eɪʃən] *n. U* pojednanie.

conciliative [kən'sɪlɪˌeɪtɪv] *a.* pojednawczy.

conciliator [kən'sɪlɪˌeɪtər] *n.* pojednawca.

conciliatory [kən'sɪlɪəˌtɔ:rɪ] *a.* pojednawczy (*o geście, tonie*).

concinnity [kən'sɪnətɪ] *n. U form.* harmonia, zgodność; *ret.* zgodność stylowa tonu i argumentacji.

concinnous [kən'sɪnəs] *a. form.* harmonijny, zgodny.

concise [kən'saɪs] *a.* zwięzły.

concisely [kən'saɪslɪ] *adv.* zwięźle.

conciseness [kən'saɪsnəs] *n. U* zwięzłość.

concision [kən'sɪʒən] *n.* **1.** zwięzłość. **2.** *arch.* okaleczenie.

conclave ['kɑ:nkleɪv] *n.* **1.** tajne spotkanie *l.* zebranie. **2.** *rz.-kat.* konklawe.

conclude [kən'klu:d] *v. zw. form.* **1.** zakończyć (się) (*with sth* czymś) (*by doing sth* robiąc coś). **2.** konkludować. **3.** wnioskować (*from sth* z czegoś *l.* na podstawie czegoś); ~ **that...** dojść do wniosku, że... **4.** zawrzeć (*układ, umowę*). **5.** postanowić, zdecydować; **nothing has been ~d** nic nie zostało postanowione. **6.** *przest.* zamknąć; odgrodzić.

concluding [kən'klu:dɪŋ] *a. attr.* końcowy (*o stwierdzeniu, uwadze, stadium*).

conclusion [kən'klu:ʒən] *n.* **1.** wniosek; **come to/draw/reach/ a ~** wyciągnąć wniosek; **come to the ~ that...** dojść do wniosku, że...; **jump to ~s** wyciągać pochopne wnioski; **lead/point to the ~ that...** prowadzić do wniosku, że... **2.** zakończenie (*np. książki*). **3.** *U* zawarcie (*umowy, traktatu*). **4.** *log.* konkluzja. **5.** *prawn.* przeszkoda (*nie pozwalająca stronie na powołanie się na fakty l. okoliczności sprzeczne z jej poprzednimi oświadczeniami l. czynnościami*); konkluzja, wniosek strony. **6.** *gram.* następnik (*w okresie warunkowym*). **7. foregone ~** z góry przesądzony wynik *l.* rezultat; **in ~, ...** *form.* na zakończenie..., na koniec...; **try ~s with sb** *arch.* zmierzyć się z kimś.

conclusive [kən'klu:sɪv] *a.* niezbity, jednoznaczny (*np. o dowodach*); rozstrzygający; ostateczny, definitywny.

conclusively [kən'klu:sɪvlɪ] *adv.* ostatecznie, definitywnie (*np. dowieść czegoś*).

conclusiveness [kən'klu:sɪvnəs] *n. U* moc rozstrzygająca; ostateczny charakter.

concoct [kɑ:n'kɑ:kt] *v. t. przen.* spreparować (*np. wymówkę*).

concoction [kɑ:n'kɑ:kʃən] *n.* **1.** mieszanina, mieszanka; *często żart.* mikstura; wywar. **2.** zmyślenie, nieprawda.

concomitance [kən'kɑ:mətəns] *n. form.* **1.** *U* współwystępowanie, współistnienie; *teol.* współistnienie ciała i krwi Chrystusa w eucharystii. **2.** = **concomitant**.

concomitant [kɑ:n'kɑ:mətənt] *form. a.* współwystępujący, towarzyszący; **be ~ with sth** towarzyszyć czemuś; **old age with all its ~ problems** starość i wszystkie wiążące się z nią problemy. – *n.* okoliczność towarzysząca, czynnik towarzyszący; **be a ~ of sth** towarzyszyć czemuś.

concomitantly [kɑ:n'kɑ:mətəntlɪ] *adv.* wspólnie, łącznie.

concord ['kɑ:nkɔ:rd] *n. U* **1.** *form.* zgoda, zgodność; harmonia; *t. polit.* pokojowe współistnienie. **2.** *gram.* zgoda, związek zgody. **3.** ugoda, układ. **4.** *muz.* konsonans.

concordance [kən'kɔ:rdəns] *n. form.* **1.** *U* zgodność, zgoda. **2.** konkordancja (*w formie książkowej l. elektronicznej*).

concordant [kən'kɔ:rdənt] *a. form.* **1.** zgodny, harmonizujący. **2.** *muz.* konsonansowy.

concordat [kən'kɔ:rdæt] *n. polit.* konkordat.

concourse ['kɑ:nkɔ:rs] *n.* **1.** zgromadzenie, zbiorowisko. **2.** hol (*dworca, lotniska*). **3.** plac (*na którym mogą odbywać się wielkie zgromadzenia*). **4.** *zwł. US* teren sportowy. **5. ~ of events** splot wydarzeń.

concrescence [kən'kresəns] *n. U biol.* zrastanie się.

concrete ['kɑ:nkri:t] *a. zw. attr.* **1.** betonowy. **2.** konkretny. **3.** zwarty, zespolony. – *n. U* **1.** beton; **reinforced ~** żelazobeton. **2. the ~** konkret(y). **3. set/cast sth in ~** *przen.* nadać czemuś ostateczny kształt. – *v.* **1.** betonować. **2.** zespalać. **3.** twardnieć, tężeć.

concrete jungle *n.* betonowa dżungla (= *gęsto zabudowany teren bez zieleni*).

concretely ['kɑ:nkri:tlɪ] *adv.* konkretnie.

concrete mixer *n.* betoniarka.

concrete music *n. U muz.* muzyka konkretna.

concreteness ['kɑ:nkri:tnəs] *n. U* konkretność.

concrete noun *n. gram.* rzeczownik konkretny.

concrete poetry *n. U teor. lit.* poezja konkretna.

concretion [kən'kri:ʃən] *n. U* **1.** tężenie, twardnienie, krzepnięcie; zrastanie się. **2.** zakrzepła masa. **3.** *pat.* złóg, kamień. **4.** *C geol.* konkrecja.

concretionary [kən'kri:ʃə,nerɪ] *a.* **1.** stwardniały; zakrzepły. **2.** *geol.* konkrecyjny.

concretize ['kɑ:nkrə,taɪz], *Br. i Austr. zw.* **concretise** *v.* konkretyzować.

concubinage [kɑ:n'kju:bənɪdʒ] *n. U zwł. prawn.* konkubinat.

concubinary [kɑ:n'kju:bə,nerɪ] *a.* dotyczący konkubinatu. – *n. pl.* **-ies** osoba żyjąca w konkubinacie.

concubine ['kɑ:ŋkjə,baɪn] *n.* **1.** konkubina. **2.** kolejna żona (*w społeczeństwach poligamicznych*); nałożnica (*w haremie*).

concupiscence [kɑ:n'kju:pɪsəns] *przest. l. lit. n. U* chuć.

concupiscent [kɑ:n'kju:pɪsənt] *a.* pożądliwy.

concur [kən'kɝ:] *form. v.* **-rr- 1.** zgadzać się (*with sb / sth* z kimś/czymś). **2.** współpracować, współdziałać. **3.** zbiegać się w czasie. **4.** *przest.* zbiegać się (*w jednym punkcie*).

concurrence [kən'kɝ:əns] *n. U* **1.** zgodność. **2.** współdziałanie. **3.** zbieżność w czasie, jednoczesność. **4.** *geom.* zbieżność. **5.** *prawn.* zbieżność roszczeń. **6.** *arch.* rywalizacja.

concurrent [kən'kɝ:ənt] *form. a.* **1.** jednoczesny. **2.** współdziałający. **3.** *prawn.* zbieżny, ten sam (*o jurysdykcji l. właściwości sądów*). **4.** zgodny (*np. o zeznaniach*). **5.** *geom.* zbieżny. – *n.* **1.** okoliczność towarzysząca, czynnik towarzyszący. **2.** *arch.* konkurent/ka, rywal/ka.

concurrently [kən'kɝ:əntlɪ] *adv.* równocześnie, jednocześnie.

concurrent processing *n. U komp.* przetwarzanie współbieżne.

concurrent resolution *n. US parl.* uchwała

podjęta przez obie izby równolegle (*nie wymagająca podpisu głowy państwa*).

concurring opinion *n. prawn.* zgodna opinia (*sędziego z innymi sędziami*).

concuss [kən'kʌs] *v.* **1.** *zw. pass.* **be ~ed** *pat.* doznać wstrząsu mózgu. **2.** wstrząsnąć (*kimś*).

concussion [kən'kʌʃən] *n.* **1.** *U pat.* wstrząs, wstrząśnienie; (*także* **brain ~**) wstrząśnienie mózgu. **2.** wstrząsanie; wstrząs.

concussion grenade *n. wojsk.* granat zaczepny (*burzący*).

concussive [kən'kʌsɪv] *a. gł. pat.* wstrząsowy.

concyclic [kən'saɪklɪk] *a. geom.* leżący na okręgu (*o punktach*).

cond. *abbr.* **1.** = **condenser**. **2.** = **condition**. **3.** = **conditional**. **4.** = **conductor**.

condemn [kən'dem] *v.* **1.** potępiać (*for sth* za coś) (*as sth* jako coś). **2.** skazywać; **~ sb to death** skazać kogoś na śmierć; **~ sb to a life of poverty** *przen.* skazywać kogoś na życie w nędzy. **3.** *US prawn.* wywłaszczać. **4.** świadczyć o winie (*o czyimś zachowaniu, dowodach*). **5.** uznawać za nieuleczalnie chorego; uznawać za niezdatny do użytku *l.* spożycia; uznawać za niezdatny do zamieszkania, przeznaczać do rozbiórki (*budynek*).

condemnable [kən'deməbl] *a.* godny potępienia.

condemnation [ˌkɑ:ndem'neɪʃən] *n. U* **1.** potępienie. **2.** skazanie. **3.** *US prawn.* wywłaszczenie.

condemnatory [kən'demnəˌtɔ:rɪ] *a.* **1.** potępiający. **2.** skazujący.

condemned [kən'demd] *a.* **1.** potępiony. **2.** skazany.

condemned cell *n. Br.* cela śmierci.

condensability [kənˌdensə'bɪlətɪ] *n. U* możliwość kondensacji, zagęszczalność.

condensable [kən'densəbl] *a.* dający się skondensować, zagęszczalny.

condensate [kən'denseɪt] *n. t. chem.* kondensat, skropliny.

condensation [ˌkɑ:nden'seɪʃən] *n. U* **1.** *t. chem.* kondensacja. **2.** *fiz.* kondensacja, skraplanie. **3.** = **condensate**. **4.** *meteor.* skroplenie pary wodnej. **5.** *C* skrócona wersja (*np. książki*).

condensation nucleus *n. meteor.* jądro kondensacji.

condensation point *n. mat.* punkt kondensacji.

condensation polymerization *n. U chem.* polikondensacja, polimeryzacja kondensacyjna.

condensation trail *n. lotn.* smuga kondensacyjna.

condense [kən'dens] *v.* **1.** kondensować (się), zagęszczać (się). **2.** skraplać (się) (*into sth* w coś). **3.** kondensować, skracać (*informację, treść*) (*into sth* do czegoś).

condensed [kən'denst] *a.* **1.** skondensowany, zagęszczony. **2.** skroplony. **3.** skrócony. **4.** *druk.* wąski (*o składzie*).

condensed matter *n. U fiz.* ciała stałe i płynne.

condensed milk *n. U* mleko skondensowane.

condenser [kən'densər] *n.* **1.** *techn.* kondensator, skraplacz. **2.** *opt.* kondesor. **3.** *el.* kondensator.

condescend [ˌkɑ:ndɪ'send] *v.* **1.** **~ to sb** traktować kogoś protekcjonalnie, zniżać się do kogoś. **2.** **~ to do sth** zechcieć *l.* raczyć coś zrobić. **3.** *przest.* zgadzać się, przyznawać.

condescendence [ˌkɑ:ndɪ'sendəns] *n. U* **1.** = **condescesion**. **2.** *Scot. prawn.* wyszczególnienie faktów.

condescending [ˌkɑ:ndɪ'sendɪŋ] *a.* protekcjonalny.

condescension [ˌkɑ:ndɪ'senʃən] *n. U* **1.** protekcjonalność. **2.** zejście *l.* zniżenie się do czyjegoś poziomu.

condign [kən'daɪn] *a. form.* zasłużony, słuszny (*np. o karze*).

condiment ['kɑ:ndəmənt] *form. n.* przyprawa (*dla dodania smaku potrawie; np. sól, keczup, musztarda*).

condition [kən'dɪʃən] *n.* **1.** *U* stan; kondycja; *med.* stan zdrowia; **be in no ~ to do sth** nie być w stanie czegoś zrobić, nie nadawać się do robienia czegoś (*z powodu choroby, zdenerwowania, nadużycia alkoholu*); **in good/bad/perfect ~** w dobrym/złym/doskonałym stanie; **in that ~** w tym *l.* takim stanie; **out of ~** w kiepskiej kondycji, nie w formie. **2.** *sing. form.* kondycja, sytuacja, położenie; **the human ~** kondycja ludzka. **3.** *pot.* choroba; **have a heart ~** mieć chore serce. **4.** warunek; **on ~ that...** pod warunkiem, że...; **on one ~** pod jednym warunkiem. **5.** *prawn.* warunek, zastrzeżenie (*zwł. w umowie sprzedaży*). **6.** *US uniw.* warunkowe kontynuowanie studiów. **7.** *gram.* poprzednik (*w okresie warunkowym*). **8.** *log.* przesłanka. – *v.* **1.** *psych.* warunkować, wyrabiać odruch warunkowy u. **2.** przyzwyczajać. **3.** doprowadzać do odpowiedniego stanu. **4.** stanowić warunek (*czegoś*). **5.** *zw. pass. form.* uzależniać; **be ~d by sth** być uwarunkowanym czymś, być uzależnionym od czegoś. **6.** stosować odżywkę do (*włosów*). **7.** (*także* **air-~**) klimatyzować. **8.** *US uniw.* zezwolić na warunkową kontynuację studiów. **9.** określić, ustalić; zastrzec. **10.** *handl., tk.* kondycjonować. **11.** *arch.* stawiać warunki.

conditional [kən'dɪʃənl] *a.* **1.** warunkowy (*t. jęz.*), zależny; uwarunkowany, uzależniony; **be ~ on/upon sth** *form.* być uzależnionym od czegoś. **2.** *gram.* warunkowy. **3.** *log.* hipotetyczny; zawierający przynajmniej jedną przesłankę (*o sylogizmie*). **4.** *mat.* warunkowy (*o nierówności*); zbieżny warunkowo (*o ciągu nieskończonym*). – *n. gram.* tryb przypuszczający.

conditional access *n. U telew.* kodowanie programów *l.* kanałów.

conditional convergence *n. mat.* zbieżność warunkowa.

conditional discharge *n. sing. prawn.* warunkowe zwolnienie od odpowiedzialności.

conditionality [kənˌdɪʃə'nælətɪ] *n. U* warunkowość, warunkowy charakter.

conditionally [kən'dɪʃənlɪ] *adv.* warunkowo.

conditional operation *n. komp.* operacja wynikania warunkowego.

conditional probability *n. stat.* prawdopodobieństwo warunkowe.

conditional sale *n. gł. prawn.* sprzedaż warunkowa.

condition code register *n. komp.* rejestr wskaźników (*kodów warunkowych*).

condition codes *n. pl. komp.* kody warunkowe.

conditioned [kən'dɪʃənd] *a.* **1.** *psych.* warunkowy; ~ **response/reflex** odruch warunkowy; ~ **stimulus** bodziec warunkowy. **2.** przyzwyczajony (*to sth* do czegoś); wyćwiczony (*to sth* w czymś). **3.** (*także* **air-~**) klimatyzowany.

conditioner [kən'dɪʃənər] *n.* **1.** płyn zmiękczający (*do tkanin*). **2.** odżywka; (*także* **hair ~**) odżywka do włosów. **3.** *sport* trener/ka. **4.** = **air ~**.

conditioning [kən'dɪʃənɪŋ] *psych. n. U* warunkowanie; **operant/instrumental ~** warunkowanie instrumentalne; **classical/respondent/Pavlov's ~** warunkowanie klasyczne *l.* pawłowowskie.

conditions [kən'dɪʃənɪŋz] *n. pl.* warunki; **in/under dreadful ~** w okropnych warunkach; **lay down/impose ~** stawiać warunki; **under the ~ of the agreement** zgodnie z warunkami porozumienia; **weather ~** warunki atmosferyczne; **working/living ~** warunki życia/pracy.

condo ['kɑ:ndoʊ] *n. pl.* **-s** *pot.* = **condominium** 1.

condolatory [kən'doʊlə,tɔ:rɪ] *a.* kondolencyjny.

condole [kən'doʊl] *form. v.* **1.** składać kondolencje *l.* wyrazy współczucia (*with sb* komuś). **2.** *przest.* wspólnie opłakiwać.

condolences [kən'doʊlənsɪz], **condolments** [kən'doʊlmənts] *n. pl.* kondolencje, wyrazy współczucia.

condolent [kən'doʊlənt] *a.* okazujący współczucie.

condolingly [kən'doʊlɪŋlɪ] *adv.* ze współczuciem.

condom ['kɑ:ndəm] *n.* prezerwatywa, kondom.

condominium [,kɑ:ndə'mɪnɪəm] *n. pl.* **-s** **1.** (*także* **condo**) *US i Can.* budynek z mieszkaniami własnościowymi; lokal własnościowy (*w budynku jw.*). **2.** *prawn.* kondominium.

condonation [,kɑ:ndə'neɪʃən] *n. U* darowanie winy, przebaczenie.

condone [kən'doʊn] *v.* **1.** akceptować, godzić się na, tolerować (*zachowanie łamiące normy moralne, np. przemoc*). **2.** *t. prawn.* darować, przebaczać (*zwł. zdradę współmałżonkowi*).

condor ['kɑ:ndər] *n. orn.* kondor; **Andean ~** kondor olbrzymi (*Vultur gryphus*); **California ~** kondor amerykański (*Gymnogyps californianus*).

condottiere [,kɔ:ndə'tjereɪ] *n. pl.* **-ri** *hist.* kondotier.

conduce [kən'du:s] *v. form.* ~ **to/towards sth** sprzyjać czemuś, przyczyniać się do czegoś; prowadzić do czegoś.

conducive [kən'du:sɪv] *a. pred. form.* ~ **to sth** sprzyjający czemuś; prowadzący do czegoś.

conduct *n.* ['kɑ:n,dʌkt] *U* **1.** *form.* zachowanie; postępowanie; sprawowanie (się). **2.** zarządzanie, prowadzenie. **3.** *rzad.* oprowadzanie. **4.** *rzad.* przewodnik; eskorta. – *v.* [kən'dʌkt] **1.** ~ **o.s.** *form.* zachowywać się, postępować. **2.** prowadzić, przeprowadzać (*eksperyment, ankietę, śledztwo*). **3.** *muz.* dyrygować (*orkiestrą, chórem*). **4.** oprowadzać (*wycieczkę*); **~ed tour** wycieczka z przewodnikiem. **5.** *fiz., el.* przewodzić (*prąd, ciepło*). **6.** przewodzić (= *kierować*).

conductance [kən'dʌktəns] *n. U el.* konduktancja, przewodność właściwa *l.* rzeczywista.

conductibility [kən,dʌktə'bɪlətɪ] *n. U fiz.* przewodnictwo; *el.* przewodność.

conductible [kən'dʌktəbl] *a.* przewodzący.

conduction [kən'dʌkʃən] *n. U* **1.** przenoszenie, transportowanie. **2.** *fiz.* przewodnictwo. **3.** *fizj.* przewodnictwo nerwowe.

conduction band *n. fiz.* pasmo przewodnictwa.

conductive [kən'dʌktɪv] *a.* przewodzący.

conductivity [,kɑ:ndək'tɪvətɪ] *n. U* **1.** *fiz.* przewodnictwo. **2.** (*także* **specific conductance**) *el.* konduktywność, przewodność właściwa. **3.** *fiz.* przewodność cieplna.

conductivity water *n. U el., chem.* woda do pomiarów przewodności elektrolitów.

conductometric titration *n. U chem.* miareczkowanie konduktometryczne.

conductor [kən'dʌktər] *n.* **1.** dyrygent, kapelmistrz. **2.** *US i Can. kol.* kierowni-k/czka pociągu. **3.** *Br.* konduktor (*w autobusie, tramwaju*). **4.** *fiz.* przewodnik. **5.** piorunochron.

conductor rail *n. kol.* trzecia szyna, szyna prądowa.

conductress [kən'dʌktrɪs] *n.* **1.** dyrygentka. **2.** konduktorka.

conduit ['kɑ:ndwɪt] *n.* **1.** kanał, przewód. **2.** *el.* kanał kablowy, rurka izolacyjna. **3.** *rzad.* fontanna.

conduplicate [kɑ:n'du:pləkɪt] *a. bot.* złożony podwójnie wzdłuż (*o liściu w pąku*).

condyle ['kɑ:ndaɪl] *n. anat.* kłykieć.

condyloid ['kɑ:ndə,lɔɪd] *a.* kłykciowy.

condyloma [,kɑ:ndə'loʊmə] *n. pl. t.* **-ta** [,kɑ:ndə'loʊmətə] *pat.* kłykcina; ~ **acuminatum** kłykcina kończysta.

cone [koʊn] *n.* **1.** *t. geom.* stożek. **2.** (*także* **ice-cream ~**) rożek (= *wafel l. lody w waflu*). **3.** *bot.* szyszka. **4.** (*także* **retinal ~**) *anat.* czopek siatkówki. **5.** pachołek (= *słupek ostrzegawczy na drodze*). **6.** (*także* **pyrometric ~**) *techn.* stożek pirometryczny, stożek Segera. – *v.* **1.** nadawać formę stożka. **2.** ~ **off** *Br.* odgradzać pachołkami, zamykać dla ruchu (*odcinek autostrady*).

coneflower ['koʊn,flaʊər] *n. bot.* rudbekia (*Rudbeckia*).

conehead ['koʊn,hed] *US sl. n.* **1.** głąb, palant. **2.** jajogłowy.

cone of silence *n. radio* stożek ciszy, stożkowa strefa milczenia.

cone pepper *n. bot.* odmiana papryki rocznej (*Capsicum annuum conoides*).

cone plant *n. bot.* konofit (*Conophytum*).

cone pulley *n. techn.* koło pasowe stopniowe *l.* schodkowe.

cone shell, cone snail *n. zool.* stożek (*Conus*).

coney ['koʊnɪ] *n.* = **cony**.

conf. *abbr.* **1. compare** porównaj. **2.** = **confection** 5. **3.** = **conference**. **4.** = **confessor**. **5.** = **confidential**.

confab ['kɑːnfæb] *pot.* = **confabulation**; = **confabulate**.

confabulate [kən'fæbjəˌleɪt] *v.* **1.** *form.* gawędzić. **2.** *psych.* konfabulować.

confabulation [kənˌfæbjə'leɪʃən] *n.* **1.** *form.* pogawędka. **2.** *U psych.* konfabulacja.

confect [kən'fekt] *v. form.* **1.** przyrządzać, sporządzać. **2.** *kulin.* robić konfitury z (*czegoś*). – *n.* = **comfit**.

confection [kən'fekʃən] *n.* **1.** *U* przyrządzanie, sporządzanie. **2.** konfitura, powidła. **3.** wyrób cukierniczy. **4.** lekki *l.* frywolny utwór (*np. sztuka teatralna*). **5.** *med.* powidełko. **6.** *przest.* wymyślny artykuł stroju (*zwł. damskiego*). – *v. arch.* przyrządzać, sporządzać.

confectionary [kən'fekʃəˌnerɪ] *n. pl.* **-ies 1.** zakład cukierniczy. **2.** (*także* **confectionery**) sklep cukierniczy, cukiernia. – *a. attr.* cukierniczy.

confectioner [kən'fekʃənər] *n.* cukierni-k/czka.

confectioners' sugar *n. U US* cukier puder.

confectionery [kən'fekʃəˌnerɪ] *n.* **1.** *U* wyroby cukiernicze; słodycze. **2.** *U* cukiernictwo. **3.** *pl.* **-ies** (*także* **confectionary**) sklep cukierniczy, cukiernia.

confed. *abbr.* = **confederacy**; = **confederate**; = **confederation**.

confederacy [kən'fedərəsɪ] *n. pl.* **-ies 1.** konfederacja. **2.** spisek. **3. the C~** *US hist.* = **Confederate States of America**.

confederate [kən'fedərət] *a. zw. attr.* sprzymierzony, sojuszniczy; *US hist.* skonfederowany. – *n.* **1.** sojuszni-k/czka. **2.** *uj.* wspólni-k/czka, współspraw-ca/czyni. **3. C~** *US hist.* konfederat. – *v.* konfederować (się).

Confederate States of America *n. US hist.* Skonfederowane Stany Ameryki, Konfederacja Południa.

Confederate War *n. US hist.* wojna secesyjna.

confederation [kənˌfedə'reɪʃən] *n.* konfederacja; **the C~** *US hist.* Konfederacja (= *związek 13 niepodległych stanów*); **C~** *Can. hist.* państwo federalne (*powstałe w 1867 r. jako dominium brytyjskie*).

confederationism [kənˌfedə'reɪʃəˌnɪzəm] *n. U* konfederacjonizm.

confederationist [kənˌfedə'reɪʃənɪst] *n.* konfederacjonist-a/ka.

confederative [kən'fedəˌreɪtɪv] *a.* konfederacyjny, związkowy.

confer [kən'fɝː] *form. v.* **-rr- 1.** nadawać (*tytuł, stopień*) (*on/upon sb* komuś). **2.** konferować, naradzać się (*with sb* z kimś). **3.** *przest.* porównywać.

conferee [ˌkɑːnfə'riː], **conferree** *n.* **1.** uczestni-k/czka konferencji. **2.** osoba otrzymująca tytuł, stopień itp.

conference ['kɑːnfərəns] *n.* **1.** konferencja (*on sth* na temat czegoś); **attend a ~** wziąć udział *l.* uczestniczyć w konferencji; **hold a ~** zorganizować konferencję; **tele~** telekonferencja. **2.** narada, zebranie (*with sb* z kimś); **be in ~** mieć naradę *l.* zebranie; **have/hold a ~** odbyć naradę. **3.** *rel.* synod (*zwł. w kościołach protestanckich*). **4.** *US i Can. sport* liga; konferencja (= *część ligi*). **5.** *rzad.* = **conferral**. – *v.* organizować konferencję; uczestniczyć w konferencji.

conference call *n. tel.* połączenie konferencyjne.

Conference on Security and Cooperation in Europe, CSCE *n. polit.* Konferencja Bezpieczeństwa i Współpracy w Europie, KBWE.

conference room *n.* sala konferencyjna.

conferencing ['kɑːnfərənsɪŋ] *n. U* przeprowadzanie konferencji; uczestniczenie w konferencji (*zwł. przy użyciu łączy telefonicznych l. satelitarnych*).

conferential [ˌkɑːnfə'renʃl] *a.* konferencyjny.

conferral [kən'fɝːəl], **conferment** [kən'fɝːmənt] *n. U* nadanie (*tytułu, stopnia*).

conferva [kɑːn'fɝːvə] *n. pl. t.* **-e** [kɑːn'fɝːviː] *bot.* rzęsa (*Lemna*).

confess [kən'fes] *v.* **1.** przyznać się (*to doing/having done sth* do zrobienia czegoś); **~ to murder** przyznać się do morderstwa; **he ~ed (that) he had killed his wife** przyznał się do zabicia żony; **I have sth to ~** muszę się do czegoś przyznać. **2.** przyznać; **I ~ (that)...** przyznaję, że...; **I have to/must ~ that...** muszę przyznać, że...; **she ~ed herself (to be) puzzled/baffled by it** przyznała, że ją to dziwi/zdumiewa. **3.** wyznać (*sth to sb* coś komuś). **4.** *zwł. rz.-kat.* spowiadać się; **~ one's sins** wyspowiadać się z grzechów.

confessant [kən'fesənt] *n.* osoba spowiadająca się.

confessed [kən'fest] *a. attr.* **~ alcoholic/gambler** alkoholik/hazardzista, który otwarcie przyznaje się do nałogu.

confessedly [kən'fesɪdlɪ] *adv.* przyznając otwarcie.

confession [kən'feʃən] *n.* **1.** przyznanie się; *prawn.* przyznanie się do winy; **~ of failure** przyznanie się do porażki; **make a ~** przyznać się (do winy) (*o przestępcy*). **2.** wyznanie; (*także* **~ of faith**) *rel.* wyznanie wiary. **3.** *zw. U rz.-kat. l. przen.* spowiedź; **be/go to ~** być u/iść do spowiedzi; **hear sb's ~** wyspowiadać kogoś, wysłuchać czyjejś spowiedzi. **4.** wyznanie (= *religia*). **5.** *kość.* konfesja (= *grobowiec męczennika*).

confessional [kən'feʃənl] *a.* mający charakter przyznania się, wyznania *l.* spowiedzi (*np. o wypowiedzi, książce*). – *n. kość.* konfesjonał.

confessionary [kən'feʃəˌnerɪ] *a.* dotyczący spowiedzi. – *n. arch.* konfesjonał.

confessor [kən'fesər], **confesser** *n.* **1.** *zwł. rz.-kat.* spowiednik. **2.** *hist., rel.* konfesor (= *osoba dająca świadectwo wiary chrześcijańskiej, ale nie będąca męczennikiem*). **3. the C~** (*także* **Edward the C~**) *Br. hist.* Edward Wyznawca.

confetti [kən'fetɪ] *n. U* konfetti.

confidant [ˌkɑːnfɪ'dænt] *n.* powierni-k/czka.

confidante [ˌkɑːnfɪ'dænt] *n.* powiernica, powierniczka.

confide [kən'faɪd] *v.* **1. ~ sth to sb** zwierzyć się komuś z czegoś; **~ to sb (that)...** zwierzyć się komuś, że... **2.** ufać, wierzyć, mieć wiarę (*in sth* w coś). **3.** powierzać (*sth to sb* coś komuś). **4.** ~ **in** zawierzyć, zaufać; mieć całkowite zaufanie do.

confidence [ˈkɑːnfɪdəns] *n.* **1.** *U* zaufanie; **gain/win sb's** ~ zdobyć czyjeś zaufanie; **have** ~ **in sb/sth** wierzyć w kogoś/coś (*np. w czyjeś możliwości*); **in** ~ w zaufaniu, w tajemnicy *l.* sekrecie; **lose** ~ **in sb/sth** stracić zaufanie do kogoś/czegoś; **motion of no** ~ *zwł. polit.* wniosek o udzielenie wotum nieufności; **take sb into one's** ~ zaufać komuś, obdarzyć kogoś zaufaniem; **undermine/restore** ~ **in sth** podkopać/przywrócić wiarę w coś; **vote of** ~ *zwł. polit.* wotum zaufania. **2.** *U* wiara w siebie, pewność siebie; **gain (in)** ~ nabrać pewności siebie; **lack of** ~ brak pewności siebie. **3.** *U* pewność, przekonanie; **have every** ~ **that...** być święcie przekonanym, że... **4.** sekret (*wyznany komuś*); poufna informacja.

confidence interval *n. stat.* przedział ufności.

confidence level *n. stat.* poziom ufności.

confidence limits *n. pl. stat.* granice (przedziału) ufności.

confidence man *n. pl.* **confidence men** oszust, kanciarz, naciągacz.

confident [ˈkɑːnfɪdənt] *a.* **1.** *pred.* pewny (*of sth / that* czegoś/że). **2.** pewny siebie. **3.** *przest.* ufny.

confidential [ˌkɑːnfɪˈdenʃl] *a.* **1.** poufny. **2.** zaufany. **3.** poufały.

confidentiality [ˌkɑːnfɪˌdenʃɪˈælətɪ] *n.* *U* **1.** poufność. **2.** poufałość.

confidentially [ˌkɑːnfɪˈdenʃəlɪ] *adv.* **1.** poufnie. **2.** poufale.

confidently [ˈkɑːnfɪdəntlɪ] *adv.* **1.** pewnie. **2.** w sposób pewny siebie.

confiding [kənˈfaɪdɪŋ] *a.* ufny, łatwowierny; chętny do dzielenia się sekretami.

configurate [kənˈfɪgjəreɪt] *v.* konfigurować.

configuration [kənˌfɪgjəˈreɪʃən] *form. n. t. chem., astron., komp.* konfiguracja.

configurationism [kənˌfɪgjəˈreɪʃəˌnɪzəm] *n.* *U psych.* konfiguracjonizm, psychologia postaci.

configure [kənˈfɪgjər] *v.* **1.** *form.* projektować, planować. **2.** *komp.* konfigurować.

confine *v.* [kənˈfaɪn] **1.** ograniczać (*to sth* do czegoś); ~ **o.s. to (doing) sth** ograniczać się do (robienia) czegoś. **2.** *pass.* **be ~d to sth** ograniczać się do czegoś (*np. o czyichś obowiązkach*); dotyczyć wyłącznie czegoś; **be ~d to bed/a wheelchair** być przykutym do łóżka/wózka inwalidzkiego. **3.** zamykać (*to / in sth* w czymś); trzymać w zamknięciu, więzić. **4.** ~ **a disease/fire** powstrzymać rozprzestrzenianie się choroby/pożaru. – *n.* [ˈkɑːnˌfaɪn] **1.** *przest.* więzienie; miejsce odosobnienia. **2.** *arch.* = **confinement.**

confined [kənˈfaɪnd] *a.* **1.** ograniczony; zamknięty (*o przestrzeni*). **2.** *med.* rodząca.

confinee [kənˌfaɪˈniː] *n.* wię-zień/źniarka; osoba przebywająca w zamknięciu *l.* odosobnieniu.

confinement [kənˈfaɪnmənt] *n. zw. U* **1.** ograniczenie. **2.** zamknięcie w odosobnieniu; odosobnienie; **solitary** ~ izolacja więźnia. **3.** *med.* poród.

confines [ˈkɑːnˌfaɪnz] *n. pl. zw. przen.* granice; terytorium, obszar, teren (*of sth* czegoś).

confirm [kənˈfɜːm] *v.* **1.** potwierdzać. **2.** zatwierdzać, ratyfikować. **3.** ~ **sb in their belief/opinion that...** utwierdzać *l.* umacniać kogoś w przekonaniu/opinii, że... **4.** *kość.* bierzmować; konfirmować (*w kościołach protestanckich*).

confirmable [kənˈfɜːməbl] *a.* potwierdzalny, sprawdzalny.

confirmand [ˌkɑːnfərˈmænd] *n. kość.* przystępując-y/a do sakramentu bierzmowania, kandydat/ka do bierzmowania; konfirmant/ka (*w kościołach protestanckich*).

confirmation [ˌkɑːnfərˈmeɪʃən] *n.* *U* **1.** potwierdzenie. **2.** zatwierdzenie. **3.** umocnienie, utwierdzenie. **4.** *kość.* bierzmowanie; konfirmacja (*w kościołach protestanckich*).

confirmative [kənˈfɜːmətɪv], **confirmatory** [kənˈfɜːməˌtɔːrɪ] *a.* potwierdzający.

confirmed [kənˈfɜːmd] *a. attr.* **1.** zaprzysięgły (*np. o abstynencie, wegetarianinie*). **2.** *pat.* chroniczny.

confiscable [kənˈfɪskəbl] *zwł. prawn. a.* podlegający konfiskacie.

confiscate [ˈkɑːnfɪˌskeɪt] *v.* konfiskować. – *a.* skonfiskowany.

confiscation [ˌkɑːnfɪˈskeɪʃən] *n.* *C / U* konfiskata.

confiscator [ˈkɑːnfɪˌskeɪtər] *n.* osoba dokonująca konfiskaty.

confiscatory [kənˈfɪskəˌtɔːrɪ] *a.* **1.** dotyczący konfiskaty. **2.** powodujący konfiskatę.

confiture [ˈkɑːnfɪˌtʃʊr] *n.* *C / U* konfitura.

conflagrant [kənˈfleɪgrənt] *form. a.* płonący.

conflagration [ˌkɑːnfləˈgreɪʃən] *n.* pożoga, wielki pożar.

conflate [ˈkɑːnfleɪt] *v. form.* łączyć w jedną całość (*np. różne wersje tekstu*).

conflation [kənˈfleɪʃən] *n.* *U* połączenie.

conflict *n.* [ˈkɑːnflɪkt] *C / U* konflikt; *psych.* konflikt psychiczny; **armed** ~ konflikt zbrojny; **be in** ~ **with** być w konflikcie z; **enter/come into** ~ **with** popaść w konflikt z; **enter into** ~ **with the law** wejść w kolizję z prawem. – *v.* [kənˈflɪkt] **1.** ścierać się; być sprzecznym (*with sth* z czymś). **2.** walczyć.

conflicting [kənˈflɪktɪŋ] *a.* sprzeczny (*o opiniach, interesach, zeznaniach*).

confliction [kɑːnˈflɪkʃən] *n. rzad.* konflikt.

conflict of interest *n. t. prawn.* konflikt interesów.

conflict of laws *n. prawn.* kolizja przepisów prawnych.

confluence [ˈkɑːnfluəns], **conflux** [ˈkɑːnflʌks] *n.* **1.** *geogr.* konfluencja, zbieg rzek. **2.** *form.* zgromadzenie. **3.** punkt zbieżności (*idei, zasad*).

confluent [ˈkɑːnfluənt] *a.* **1.** zbieżny. **2.** *pat.* zlewający się; zrastający się. – *n. geogr.* rzeka zbiegająca się z inną; dopływ.

confocal [kɑːnˈfoʊkl] *a. mat., fiz.* współogniskowy.

conform [kənˈfɔːrm] *v.* **1.** dostosować się, podporządkować się; ~ **to a law/rule** stosować się do przepisu/reguły; ~ **to/with the (safety) standards** odpowiadać standardom (bezpieczeństwa), spełniać wymogi (bezpieczeństwa); ~ **to the pattern/model/ideal** *form.* być zgodnym z wzorem/modelem/ideałem. **2.** czynić podobnym; stawać się podobnym.

conformability [kən͵fɔ:rmə'bɪlətɪ] *n. U form.* **1.** dostosowanie się. **2.** posłuszeństwo, uległość. **3.** podobieństwo.

conformable [kən'fɔ:rməbl] *a. form.* **1.** posłuszny, uległy. **2.** dostosowany (*to sth* do czegoś). **3.** podobny.

conformal [kən'fɔ:rml] *a. mat.* konforemny.

conformal projection *n. kartogr.* rzut *l.* odwzorowanie wiernokątne, przekształcenie konforemne.

conformance [kən'fɔ:rməns] *n. U form.* **1.** dostosowanie się. **2.** zgodność.

conformation [͵kɑ:nfər'meɪʃən] *n. C/U* **1.** *form.* układ, budowa, struktura; kształt. **2.** *chem.* konformacja.

conformism [kən'fɔ:rmɪzəm] *n. U* konformizm.

conformist [kən'fɔ:rmɪst] *n.* **1.** *uj.* konformist-a/ka. **2. C~** *rel.* konformist-a/ka (*w kościele anglikańskim*). – *a.* konformistyczny.

conformity [kən'fɔ:rmətɪ] *n. U form.* **1.** zgodność; **in ~ with (your request)** zgodnie z (Pan-a/i życzeniem). **2.** podporządkowanie się normom (*zwł. społecznym*). **3.** *geol.* zgodność, ułożenie zgodne (*warstw*).

confound [kɑ:n'faʊnd] *v.* **1.** wprawić w zakłopotanie; zawstydzić. **2.** *form.* pomylić (*with sth* z czymś). **3.** pomieszać; zaplątać. **4.** obalić (*argument*). **5.** *przest.* zmarnować. **6.** *arch. l. form.* pokonać (*np. wroga*). **7.** ~ **it/him!** *przest. pot.* niech to/go cholera!.

confounded [kɑ:n'faʊndɪd] *a. attr. przest. pot.* przeklęty, cholerny.

confoundedly [kɑ:n'faʊndɪdlɪ] *adv. przest. pot.* cholernie.

confraternity [͵kɑ:nfrə'tɝ:nətɪ] *n. pl.* **-ies** *zwł. hist.* konfraternia, bractwo.

confrère ['kɑ:n͵frer] *n.* **1.** *hist.* konfrater. **2.** *form.* kolega; współpracownik.

confront [kən'frʌnt] *v.* **1.** przeciwstawić się (*komuś l. czemuś*); stanąć przed (*problemem, zadaniem*); stawić czoło (*wrogowi, niebezpieczeństwu*); *zw. pass.* **be ~ed with/by sth** stanąć w obliczu czegoś. **2.** przeciwstawiać sobie, zestawiać ze sobą (*dla porównania*). **3.** ~ **sb with the evidence/proof** przedstawić komuś dowody (*zw. winy*).

confrontation [͵kɑ:nfrən'teɪʃən] *n. C/U* konfrontacja.

confrontational [͵kɑ:nfrən'teɪʃənl] *a.* konfrontacyjny.

Confucian [kən'fju:ʃən] *a.* konfucjański. – *n.* konfucjanist-a/ka.

Confucianism [kən'fju:ʃə͵nɪzəm] *n. U* konfucjanizm.

Confucianist [kən'fju:ʃənɪst] *n.* konfucjanist-a/ka.

confuse [kən'fju:z] *v.* **1.** mącić w głowie (*komuś*). **2.** gmatwać; ~ **the issue/matter** zagmatwać sprawę. **3.** mylić (*sb/sth with sb/sth* kogoś/coś z kimś/czymś). **4.** wprawiać w zakłopotanie *l.* zmieszanie. **5.** psuć szyki (*np. wrogowi*).

confused [kən'fju:zd] *a.* **1.** pogmatwany, niejasny. **2.** zdezorientowany; **get ~** pogubić się; **I'm totally ~** wszystko mi się pomieszało, kompletnie się pogubiłem. **3.** zakłopotany, zmieszany.

confused elderly *a. Br. opieka społeczna* niezdolny do samodzielnego funkcjonowania (*ze względu na ograniczoną podeszłym wiekiem sprawność umysłową*).

confusedly [kən'fju:zɪdlɪ] *adv.* **1.** w zagmatwany sposób; chaotycznie. **2.** z zakłopotaniem.

confusedness [kən'fju:zɪdnəs] *n. U* **1.** zagmatwanie. **2.** dezorientacja. **3.** zakłopotanie.

confusing [kən'fju:zɪŋ] *a.* **1.** zagmatwany, pogmatwany. **2.** mylący.

confusingly [kən'fju:zɪŋlɪ] *adv.* w sposób zagmatwany *l.* mylący.

confusion [kən'fju:ʒən] *n. U* **1.** zamieszanie, zamęt; nieład, chaos; **lead to/create ~** wprowadzać zamieszanie. **2.** pomylenie (*between X and Y* X z Y); pomyłka; **to avoid ~** żeby uniknąć pomyłki. **3.** *t. psych.* dezorientacja. **4.** zakłopotanie, zmieszanie.

confutation [͵kɑ:nfjʊ'teɪʃən] *form. n.* **1.** *U* obalenie, wykazanie błędności (*argumentów*). **2.** *ret.* confutatio, element polemiczny (*część wypowiedzi oratorskiej*).

confute [kən'fju:t] *v.* obalić (*argumenty*); udowodnić błędność argumentacji (*komuś*).

Cong [kɑ:ŋ] *n. US hist. pot.* Vietcong.

Cong. *abbr.* **1.** = **Congregational**; = **Congregationalist**. **2.** = **Congress**; = **Congressional**.

cong. *abbr.* = **congius**.

conga ['kɑ:ŋgə] *muz. n.* **1.** conga (*taniec kubański*). **2.** muzyka do tańca jw. **3.** (*także* ~ **drum**) kongo (*rodzaj bębna*). – *v.* **-s**, **-ing**, **-ed** tańczyć conga.

con game *n. pot.* = **confidence game**.

congé [koʊn'ʒeɪ], **congee** *n. pl.* **-s** *form.* **1.** zezwolenie na odejście; zwolnienie, odprawienie; **give sb their ~** odprawić kogoś. **2.** pożegnanie. **3.** *bud.* skocja, wklęsek.

congeal [kən'dʒi:l] *v.* **1.** krzepnąć (*np. o krwi*); ścinać się; zastygać, tężeć. **2.** powodować krzepnięcie, ścinanie się *l.* tężenie (*czegoś*). **3.** *przen.* ugruntować się, okrzepnąć (*np. o poglądach*).

congealable [kən'dʒi:ləbl] *a.* krzepnący; zastygający.

congealed [kən'dʒi:ld] *a.* zakrzepły; ścięty; zastygły, stężały.

congealment [kən'dʒi:lmənt] *n. U* krzepnięcie; ścinanie się; zastyganie, tężenie.

congee ['kɑ:ndʒɪ] *n.* = **congé**. – *v. przest.* pożegnać się.

congelation [͵kɑ:ndʒə'leɪʃən] *n. U* = **congealment**.

congelifraction [kən͵dʒelə'frækʃən] *geol. n. U* wietrzenie mrozowe.

congeliturbation [kən͵dʒelətɝ:'beɪʃən] *n. U* zaburzenia mrozowe (*w strukturze gleby*).

congener ['kɑ:ndʒənər] *n.* **1.** *biol.* organizm należący do tego samego gatunku. **2.** *med.* osobnik pokrewny. **3.** *anat.* mięsień agonista.

congeneric [ˌkɑ:ndʒəˈnerɪk] *a. form.* **1.** (*także* **congenerous**) pokrewny; *biol.* jednogatunkowy. **2.** kompleksowy (*np. o usługach*).

congenial [kənˈdʒi:nɪəl] *a.* **1.** sympatyczny, przyjemny. **2.** kongenialny (*np. o charakterze*).

congeniality [kənˌdʒi:nɪˈælətɪ], **congenialness** [kənˈdʒi:nɪəlnəs] *n. U* **1.** sympatyczność. **2.** kongenialność.

congenially [kənˈdʒi:nɪəlɪ] *adv.* **1.** sympatycznie. **2.** kongenialnie.

congenital [kənˈdʒenɪtl] *a.* **1.** *zwł. pat.* wrodzony; ~ **defect/disease** wada/choroba wrodzona. **2.** *pot.* kompletny, skończony; notoryczny, niereformowalny; ~ **idiot** kompletny idiota; ~ **liar** notoryczny kłamca.

congenitally [kənˈdʒenɪtlɪ] *adv. pat.* od urodzenia (*uszkodzony, chory*).

congenitalness [kənˈdʒenɪtlnəs] *n. U pat.* wrodzony charakter (*wady, kalectwa*).

conger [ˈkɑ:ŋgər], **conger eel** *n. icht.* konger (*Conger conger*).

congeries [kɑ:nˈdʒi:ri:z] *n. sing. l. pl.* skupisko, zbiorowisko.

congest [kənˈdʒest] *v.* **1.** przepełniać. **2.** tłoczyć się; tworzyć zator. **3.** *pat.* przekrwić się. **4.** *zw. pass.* zapychać (*nos*).

congested [kənˈdʒestɪd] *a.* **1.** przepełniony; zatłoczony. **2.** *pat.* przekrwiony. **3.** zapchany (*t. o nosie*).

congestion [kənˈdʒestʃən] *n. U* **1.** przepełnienie; tłok. **2.** zator. **3.** *pat.* przekrwienie, zastój krwi.

congestive heart failure *n. U pat.* zastoinowa niewydolność serca.

congius [ˈkɑ:ndʒɪəs] *n. pl.* **-i** **1.** *med.* galon amerykański (*na receptach*). **2.** *hist.* rzymska miara objętości = 3,2 l.

conglobate [kɑ:nˈgloʊbeɪt], **conglobe** [kɑ:nˈgloʊb] *form. v.* nadawać kształt kulisty; przybierać kształt kulisty; *med.* tworzyć pakiety węzłów. – *a.* kulisty.

conglobation [ˌkɑ:ngləˈbeɪʃən] *n. U* nadanie *l.* przybranie kształtu kulistego.

conglobe [kɑ:nˈgloʊb] *v.* = **conglobate.**

conglomerate [kənˈglɑ:mərət] *n.* **1.** konglomerat, zbiór, skupisko. **2.** *ekon.* konglomerat. **3.** *geol.* konglomerat, zlepieniec. – *a.* ukształtowany w okrągłą masę; zbity. – *v.* **1.** skupiać; zbijać (*w kulistą masę*). **2.** *ekon.* wchodzić w skład konglomeratu; tworzyć konglomerat.

conglomeration [kənˌglɑ:məˈreɪʃən] *form. n.* konglomerat, zbiór, skupisko (*of sth* czegoś).

conglutinant [kənˈglu:tənənt] *med. a.* zlepny, sprzyjający zlepianiu *l.* zrastaniu się (*o brzegach rany l. złamania*).

conglutinate [kənˈglu:təˌneɪt] *v.* zlepiać się (*o brzegach rany*); zrastać się (*o złamaniu*).

conglutination [kənˌglu:təˈneɪʃən] *n. U* zlepianie (się), sklejanie (się).

Congo [ˈkɑ:ŋgoʊ] *geogr. n.* **1.** (*także* **Republic of the** ~) Kongo, Republika Konga. **2.** (*także* **Democratic Republic of** ~) Kongo, Demokratyczna Republika Konga (*dawniej Zair*).

Congo eel, Congo snake *n. zool.* amfiuma (*Amphiuma means*).

Congolese [ˌkɑ:ŋgəˈli:z] *n.* mieszkan-iec/ka Konga *l.* kotliny Konga. – *a.* dotyczący Konga *l.* rejonu kotliny Konga.

Congo snake *n.* = ~ **eel.**

congrats [kənˈgræts] *int. pot.* gratulacje, gratuluję.

congratulate [kənˈgrætʃəˌleɪt] *v.* **1.** ~ **sb on sth** gratulować *l.* winszować komuś czegoś, składać komuś gratulacje z okazji czegoś; ~ **sb on doing/having done sth** pogratulować komuś zrobienia czegoś; ~ **o.s. on sth** gratulować sobie czegoś (= *cieszyć się l. być dumnym z czegoś*). **2.** *przest.* pozdrawiać.

congratulation [kənˌgrætʃəˈleɪʃən] *n. U* gratulowanie, składanie gratulacji.

congratulations [kənˌgrætʃəˈleɪʃənz] *n. pl.* gratulacje, powinszowania (*on (doing) sth* z okazji (zrobienia) czegoś); **give her/pass on my** ~ przekaż jej moje gratulacje, złóż jej gratulacje w moim imieniu. – *int.* gratulacje, gratuluję.

congratulator [kənˈgrætʃəˌleɪtər] *n.* gratulant.

congratulatory [kənˈgrætʃələˌtɔ:rɪ] *a.* gratulacyjny (*np. o przemówieniu, telegramie*); z gratulacjami *l.* życzeniami (*o kartce okolicznościowej*).

congregant [ˈkɑ:ŋgrɪgənt] *n.* człon-ek/kini zgromadzenia *l.* kongregacji (*zwł. żydowskiej*).

congregate [ˈkɑ:ŋgrɪˌgeɪt] *v.* gromadzić się. – *a.* **1.** zebrany. **2.** zbiorowy.

congregation [ˌkɑ:ŋgrəˈgeɪʃən] *n.* **1.** zgromadzenie, zebranie. **2.** *rel.* zgromadzenie wiernych (= *grupa osób uczęszczających do tego samego kościoła itp.*). **3.** *rel.* stowarzyszenie religijne. **4.** *rz.-kat.* kongregacja. **5.** *Bibl.* zgromadzenie Izraela; kościół katolicki (*w Nowym Testamencie*). **6.** *Br. uniw.* zebranie kadry akademickiej. **7.** *US hist.* parafia; miasto; plantacja; osada.

congregational [ˌkɑ:ŋgrəˈgeɪʃənl] *a.* **1.** dotyczący zgromadzenia. **2.** *rel.* dotyczący doktryny independentów.

Congregationalism [ˌkɑ:ŋrɪˈgeɪʃənəˌlɪzəm] *rel. n. U* kongregacjonalizm, independentyzm (*odłam angielskiego protestantyzmu*).

Congregationalist [ˌkɑ:ŋrɪˈgeɪʃənəˌlɪst] *n. rel.* kongregacjonalist-a/ka, independent/ka.

congress [ˈkɑ:ŋgrəs] *n.* **1.** kongres, zjazd. **2.** stowarzyszenie, związek. **3.** *polit.* Zgromadzenie Narodowe. **4.** *form.* stosunek płciowy. **5.** **C~** *US parl.* Kongres. **6.** (*także* **C~ Party, Indian National C~**) *Ind. polit.* Partia Kongresowa.

congress boot *n. US hist.* but z elastycznymi wstawkami w cholewkach.

congressional [kənˈgreʃənl] *a. attr.* **1.** kongresowy, zjazdowy. **2.** **C~** *US parl.* kongresowy.

Congressional district *US parl. n.* okręg wyborczy (*w wyborach do Izby Reprezentantów*).

Congressional Medal of Honor *n.* Medal Kongresu (*najwyższe odznaczenie wojskowe*).

Congressional Record *n.* diariusz parlamentarny.

congressman [ˈkɑ:ŋgrəsmən] *n. pl.* **-men** *US*

parl. kongresman, kongresmen, członek Kongresu.

congressman-at-large [ˌkɑːŋgrəsmənət'lɑːrdʒ] *n. pl.* **-men-at-large** *US parl.* kongresman wybierany z całego stanu (*a nie z okręgu wyborczego*).

congressmember ['kɑːŋgrəsˌmembər] *n. US parl.* człon-ek/kini Kongresu (*zwł. Izby Reprezentantów*).

Congress of Industrial Organizations *n. US polit.* Kongres Organizacji Przemysłowych (*związek zawodowy*).

Congress of Vienna *n. hist.* kongres wiedeński.

congressperson ['kɑːŋgrəsˌpɜːsən] *n.* = **congressmember**.

congresswoman ['kɑːŋgrəsˌwʊmən] *n. pl.* **-women** *US parl.* członkini Kongresu.

congruence ['kɑːŋgrʊəns], **congruency** ['kɑːŋgrʊənsɪ] *n. U* **1.** *form.* zgodność, odpowiedniość. **2.** *mat.* kongruencja liczb.

congruent ['kɑːŋgrʊənt] *a.* **1.** (*także* **congruous**) *form.* zgodny (*with sth* z czymś). **2.** (*także* **congruous**) *form.* odpowiedni, stosowny. **3.** *mat.* kongruentny (*o liczbach*). **4.** *geom.* przystający, kongruentny (*o figurach*).

congruently ['kɑːŋgrʊəntlɪ] *adv.* **1.** zgodnie. **2.** kongruentnie.

congruity [kən'gruːətɪ] *n. U* **1.** *form.* zgodność; odpowiedniość. **2.** *geom.* przystawanie, kongruencja.

congruous ['kɑːŋgrʊəs] *form. a.* = **congruent** 1, 2.

conic ['kɑːnɪk] *a.* (*także* **conical**) stożkowy. – *n.* (*także* ~ **section**) *geom.* stożkowa (*krzywa*).

conical pendulum *n. mech.* wahadło stożkowe *l.* odśrodkowe.

conicoid ['kɑːnəˌkɔɪd] *n. geom.* kwadryka.

conic projection *n. kartogr.* rzut stożkowy.

conics ['kɑːnɪks] *n. U geom.* dział geometrii zajmujący się stożkowymi.

conidiophore [koʊ'nɪdɪəˌfɔːr] *n. bot.* konidiofor, trzonek konidialny.

conidium [koʊ'nɪdɪəm] *n. pl.* **-a** *bot.* konidium, zarodnik konidialny, konidiospora.

conifer ['kɑːnəfər] *n. bot.* roślina iglasta *l.* szpilkowa.

coniferous [koʊ'nɪfərəs] *a. bot.* iglasty, szpilkowy.

coniine ['koʊnɪˌiːn], **conin**, **conine** *n. U chem.* koniina.

conirostral [ˌkoʊnɪ'rɑːstrəl] *a. orn.* stożkowaty (*o dziobie*).

conium ['koʊnɪəm] *n. bot.* szczwół plamisty (*Conium maculatum*).

conj. *abbr.* **1.** = **conjugation**. **2.** = **conjunction**; = **conjunctive**.

conjectural [kən'dʒektʃərəl] *form. a.* spekulatywny, hipotetyczny.

conjecture [kən'dʒektʃər] *n.* **1.** *U* spekulowanie, snucie domysłów. **2.** przypuszczenie, domysł, spekulacja. – *v.* snuć domysły *l.* przypuszczenia, przypuszczać, spekulować.

con job ['kɑːn ˌdʒɑːb] *n. pot.* = **confidence game**.

conjoin [kən'dʒɔɪn] *form. v.* łączyć (się).

conjoined [kən'dʒɔɪnd] *a.* połączony.

conjoint [kən'dʒɔɪnt] *a.* połączony; wspólny.

conjointly [kən'dʒɔɪntlɪ] *adv.* wspólnie, razem.

conjugal ['kɑːndʒəgl] *a. attr. form.* małżeński; ~ **rite** *prawn.* powinność małżeńska.

conjugant ['kɑːndʒəgənt] *n. zool.* osobnik uczestniczący w koniugacji.

conjugate ['kɑːndʒəgət] *v.* **1.** *gram.* odmieniać (się), koniugować (się) (*o czasowniku*). **2.** *biol.* koniugować. **3.** sprząc (*zwł. substancje w mieszaninę*). **4.** *przest.* łączyć (*zwł. w związek małżeński*). **5.** *rzad.* odbywać stosunek płciowy. – *a.* **1.** połączony. **2.** *bot.* sprzężony, rozmnażający się przez koniugację. **3.** *jęz.* pokrewny (*o wyrazach*). **4.** *mat.* sprzężony. **5.** *chem.* w stanie równowagi; sprzężony. – *n.* **1.** *jęz.* wyraz pokrewny. **2.** *mat.* sprzężony punkt, linia itp.; (*także* ~ **complex number**) liczba zespolona sprzężona.

conjugate axis *n. geom.* urojona oś hiperboli.

conjugate protein *n. biochem.* białko złożone, proteid.

conjugate solution *n. chem.* roztwory sprzężone (*roztwory w stanie równowagi*).

conjugation [ˌkɑːndʒə'geɪʃən] *n.* **1.** *gram.* koniugacja, odmiana czasownika. **2.** *U* łączenie. **3.** *U biol.* koniugacja.

conjugational [ˌkɑːndʒə'geɪʃənl] *a.* **1.** koniugacyjny. **2.** dotyczący łączenia.

conjunct [kən'dʒʌŋkt] *a.* **1.** połączony, zjednoczony. **2.** *fon.* łączliwy (*o spółgłosce*). – *n. log.* zdanie składowe koniunkcji.

conjunction [kən'dʒʌŋkʃən] *n.* **1.** *gram.* spójnik. **2.** *U* łączenie, spajanie. **3.** zbieg (*wydarzeń, okoliczności*). **4.** *log.* koniunkcja, iloczyn logiczny. **5.** *U astron., astrol.* koniunkcja. **6. in** ~ **with** w połączeniu z, łącznie z; wspólnie z.

conjunctional [kən'dʒʌŋkʃənl] *a.* **1.** *gram.* spójnikowy. **2.** łączny. **3.** *log., astron., astrol.* koniunkcyjny.

conjunctiva [ˌkɑːndʒʌŋk'taɪvə] *n. pl. t.* **-e** [ˌkɑːndʒʌŋk'taɪviː] *anat.* spojówka.

conjunctive [kən'dʒʌŋktɪv] *a.* **1.** łączący. **2.** łączny; połączony. **3.** *gram.* łączący (*o trybie*). **4.** *fon.* = **conjunct** 2. **5.** *gram.* spójnikowy. **6.** *log.* koniunktywny. – *n. gram.* = **conjunction** 1.

conjunctivitis [kənˌdʒʌŋktə'vaɪtɪs] *n. U pat.* zapalenie spojówek.

conjuncture [kən'dʒʌŋktʃər] *form. n.* **1.** koniunktura (= *splot okoliczności, zwł. niesprzyjających*); sytuacja krytyczna, kryzys. **2.** *rzad.* połączenie.

conjuration [ˌkɑːndʒʊ'reɪʃən] *n. form.* **1.** *U* wzywanie, przywoływanie (*świętego imienia*). **2.** *U rzad.* = **conjuring**. **3.** zaklęcie. **4.** *arch.* błaganie, usilna prośba.

conjure *v.* **1.** ['kɑːndʒər] uprawiać magię; pokazywać sztuczki magiczne. **2.** wyczarowywać. **3.** [kən'dʒər] błagać, usilnie prosić. **4.** ['kɑːndʒər] *przest.* spiskować. **5. a name to** ~ **with** wpływowa osoba *l.* osobistość; długie i trudne do wymówienia nazwisko. **6.** ~ **up** *t. przen.* wyczarowywać; wywoływać (*duchy, wspomnienia*). – *n.* ['kɑːndʒər] *U zwł. płd. US* magia, czary.

conjure man ['kɑ:ndʒər ˌmɑ:n] *v. płd. US* czarownik.

conjurer ['kɑ:ndʒərər], **conjuror** *n.* **1.** sztukmistrz, magik; iluzjonist-a/ka, prestidigitator/ka. **2.** czarownik, czarnoksiężnik; kobieta czyniąca czary.

conjuring ['kɑ:ndʒərɪŋ] *n. U* prestidigitatorstwo, sztuczki magiczne. – *a. attr.* magiczny.

conjuring trick *n.* sztuczka magiczna.

conk[1] [kɑ:ŋk] *sl. n.* **1.** łeb, pała. **2.** walnięcie w łeb. **3.** *Br., Austr. i NZ żart.* kinol, nochal. – *v.* **1.** walnąć w łeb. **2.** ~ **(out)** nawalić, wysiąść (*np. o silniku*); zwolnić; stanąć (*zwł. o zepsutym pojeździe*); paść (= *zasnąć, zemdleć l. umrzeć*). **3.** ~ **(off)** paść (= *zasnąć*).

conk[2] *n. bot.* owocnik (*grzybów pasożytujących na drewnie*).

conk[3] *sl. n.* **1.** chemiczne prostowanie włosów. **2.** fryzura uzyskana dzięki zabiegowi jw. – *v.* prostować chemicznie (*włosy*).

conker ['kɑ:ŋkər] *Br. pot. n.* **1.** kasztan (= *owoc kasztanowca*). **2.** *pl.* zabawa, w której dziecko stara się rozbić zawieszony na sznurku kasztan przeciwnika swoim kasztanem.

conman ['kɑ:ŋmæn] *n. pl.* **-men** oszust, kanciarz.

conn [kɑ:n] *v. i n. zwł. US* = **con**[5].

Conn. *abbr.* = **Connecticut.**

connate ['kɑ:neɪt] *a.* **1.** *t. pat.* wrodzony. **2.** pokrewny. **3.** *biol.* zrośnięty. **4.** *geol.* kopalny.

connatural [kə'nætʃərəl] *a. form.* **1.** o podobnym pochodzeniu. **2.** wrodzony.

connect [kə'nekt] *v.* **1.** łączyć (się) (*t. logicznie*); łączyć, kojarzyć (*sth with sth* coś z czymś). **2.** *zw. pass.* wiązać (się); **be ~ed with sth** być związanym z czymś. **3.** podłączać (*do sieci*). **4.** umożliwiać przesiadkę (*o środkach komunikacji*); **this train ~s with a train to Washington** z tego pociągu jest (dogodna) przesiadka na pociąg do Waszyngtonu. **5.** *gł. US* dobrze się rozumieć (*with sb* z kimś). **6.** przyłączyć się (= *przystąpić do grupy*); współpracować, utrzymywać kontakty (*zwł. zawodowe*). **7.** *sl.* znaleźć dojście do narkotyków. **8.** *boks, baseball* uderzać skutecznie. **9.** *US i Can. pot.* odnieść sukces. **10.** ~ **up** podłączać (się) (*do sieci, gazu itp.*). – *a. attr.* dotyczący połączeń *l.* podłączeń; instalacyjny (*o opłacie przy podłączeniu do sieci*).

connected [kə'nektɪd] *a.* **1.** połączony. **2.** podłączony. **3.** spójny (*zwł. o sposobie rozumowania*). **4.** spokrewniony. **5.** mający koneksje. **6.** *mat.* spójny (*o zbiorze*).

connectedly [kə'nektɪdlɪ] *adv.* **1.** łącznie. **2.** w sposób spójny.

connectedness [kə'nektɪdnəs] *n. U* **1.** łączność. **2.** spójność.

connecter [kə'nektər] *n.* = **connector.**

connectibility [kəˌnektə'bɪlətɪ], **connectability** *n. U* możliwość połączenia *l.* podłączenia.

connectible [kə'nektəbl], **connectable** *a.* dający się połączyć *l.* podłączyć.

Connecticut [kə'netəkət] *n.* **1.** *US* stan Connecticut. **2.** ~ **Compromise** *US hist.* kompromis z Connecticut (*porozumienie dotyczące postanowień Konstytucji w sprawie wyborów do Kongresu*).

connecting rod, *pot.* **con rod** *n. mech.* łącznik; korbowód.

connection [kə'nekʃən], *Br. t.* **connexion** *n.* **1.** połączenie (*t. telefoniczne, kolejowe itp.*). **2.** złącze. **3.** *U* związek; **in ~ with** w związku z; **in this ~** *form.* skoro o tym mowa. **4.** skojarzenie. **5.** kontekst (*słowa, wyrażenia*). **6.** środek transportu. **7.** krewn-y/a. **8.** *zw. pl.* koneksje. **9.** *sl.* dealer/ka narkotyków. **10.** *zw. pl.* źródła zaopatrzenia (*zwł. nielegalne*). **11.** *rel. rzad.* wyznanie, religia; sekta. **12.** *rzad.* stosunek płciowy. **13.** grupa (*przyjaciół, znajomych l. osób połączonych wspólnymi interesami*). **14.** *zw. pl. NZ* właściciele konia wyścigowego. **15.** *el.* przewód.

connective [kə'nektɪv] *a. zw. form.* łączący. – *n.* **1.** łącznik, złącze. **2.** *gram.* spójnik. **3.** *bot.* tkanka łącząca obie komory pylnika.

connective tissue *n. U anat.* tkanka łączna.

connective tissue disease *n. U pat.* kolagenoza, choroba kolagenowa.

connectivity [ˌkɑ:nek'tɪvətɪ] *n. U* łączność; łączliwość.

connector [kə'nektər] *n. t. techn.* łącznik; złączka.

connex ['kɑ:neks], **connex box** *n. US wojsk.* zasobnik, kontener.

connexion [kə'nekʃən] *n. Br.* = **connection.**

conning tower ['kɑ:nɪŋ ˌtauər] *n. wojsk.* **1.** kiosk (*łodzi podwodnej*). **2.** wieża pancerna dowodzenia (*okrętu*).

conniption [kə'nɪpʃən], **conniption fit** *n. zw. pl. US i Can. pot. często żart.* napad wściekłości.

connivance [kə'naɪvəns] *n. U* **1.** zmowa; spiskowanie, knowania. **2.** *prawn.* pomocnictwo, przyzwolenie (*na dokonanie przestępstwa*); *przest.* przyzwolenie na zdradę (*wykorzystywane potem jako podstawa pozwu o rozwód*).

connive [kə'naɪv] *v.* **1.** być w zmowie (*with sb* z kimś); spiskować, knuć. **2.** ~ **at** przymykać oczy na, patrzeć przez palce na; *prawn.* przyzwalać na.

connivent [kə'naɪvənt] *a. bot., zool.* zbieżny.

connivery [kə'naɪvərɪ] *n. U rzad.* = **connivance** 1.

connoisseur [ˌkɑ:nə'sɜ:] *n.* koneser/ka, znawca/czyni (*of sth* czegoś).

connoisseurship [ˌkɑ:nə'sɜ:ˌʃɪp] *n. U* koneserstwo, znawstwo.

connotation [ˌkɑ:nə'teɪʃən] *n.* skojarzenie; *t. log.* konotacja.

connotative ['kɑ:nəˌteɪtɪv], **connotive** ['kɑ:nətɪv] *a.* skojarzeniowy; konotacyjny.

connote [kə'nout] *v. form.* **1.** wywoływać skojarzenia z; konotować. **2.** pociągać za sobą, implikować.

connubial [kə'nu:bɪəl] *form. a. attr.* małżeński.

connubial bliss *n. U* szczęście małżeńskie.

conoid ['kounɔɪd] *geom. a.* (*także* **conoidal**) stożkowaty, stożkowy. – *n.* konoida.

conoscenti [ˌkounə'ʃentɪ] *n. pl.* = **cognoscenti.**

conoscope ['kounəˌskoup] *n. opt.* konometr (= *przyrząd do badania struktury kryształów*).

conquer [ˈkɑːŋkər] *v. t. przen.* **1.** podbić, zawojować (*t. czyjeś serce*); zdobyć (*t. szczyt*). **2.** pokonać (*t. inflację, chorobę*), zwyciężyć, przezwyciężyć, strach, opory.

conquerable [ˈkɑːŋkərəbl] *a.* dający się podbić *l.* pokonać.

conqueror [ˈkɑːŋkərər] *n.* zdobyw-ca/czyni; **(William) the C~** *hist.* Wilhelm I Zdobywca.

conquest [ˈkɑːnkwest] *n.* **1.** *sing.* podbój; **the ~ of space** podbój kosmosu; **the (Norman) C~** *hist.* najazd Normanów (*na Anglię w 1066 r.*). **2.** zdobycz (*zwł. terytorialna*); podbity teren *l.* kraj. **3.** *żart.* zdobycz, podbój (= *osoba, której uczucia zostały zdobyte*).

conquistador [kɑːnˈkwɪstəˌdɔːr] *n. pl.* **-s** *l.* **-es** *hist.* konkwistador.

con rod [ˈkɑːn ˌrɑːd] *n. pot.* = **connecting rod.**

Cons. *abbr.* **1.** = **Conservative.** **2.** = **Constable.** **3.** = **Constitution.** **4.** = **Consul.** **5.** = **Consulting.**

cons. *abbr.* **1.** = **consecrated.** **2.** = **conservative.** **3.** = **consigned;** = **consignment.** **4.** = **consolidated.** **5.** = **consonant.** **6.** = **constable.** **7.** = **constitution;** = **constitutional.** **8.** = **construction.** **9.** = **consul.** **10.** = **consulting.**

consanguine [kɑːnˈsæŋgwɪn], **consanguineous** [ˌkɑːnsæŋˈgwɪnɪəs] *form. a. t. przen.* pokrewny.

consanguinity [ˌkɑːnsæŋˈgwɪnətɪ] *n. U* **1.** *t. przen.* pokrewieństwo. **2.** *geol.* pokrewieństwo skał.

conscience [ˈkɑːnʃəns] *n.* **1.** *C/U* sumienie; **have a bad/guilty ~** mieć nieczyste sumienie, mieć wyrzuty sumienia; **have a clear ~** mieć czyste sumienie; **have no ~** nie mieć wyrzutów sumienia (*about sth* z jakiegoś powodu); **(have sth) on one's ~** (mieć coś) na sumieniu; **in good ~** *Br.* (*także* **in all ~**) z czystym sumieniem; **prey/weigh on sb's ~** ciążyć komuś na sumieniu; **prick sb's ~** wywoływać u kogoś wyrzuty sumienia. **2.** *U* sumienność. **3.** *przest.* świadomość. **4. prisoner of ~** osoba więziona za przekonania.

conscience clause *n. prawn.* klauzula wolności sumienia.

conscienceless [ˈkɑːnʃənsləs] *a.* pozbawiony sumienia, bez sumienia.

conscience money *n. U* pieniądze wpłacone dobrowolnie dla uspokojenia sumienia (*zwł. za niepłacone wcześniej podatki*).

conscience-stricken [ˌkɑːnʃənsˈstrɪkən], **conscience-smitten** [ˌkɑːnʃənsˈsmɪtən] *a.* targany wyrzutami sumienia.

conscientious [ˌkɑːnʃɪˈenʃəs] *a.* sumienny.

conscientiously [ˌkɑːnʃɪˈenʃəslɪ] *adv.* sumiennie.

conscientiousness [ˌkɑːnʃɪˈenʃəsnəs] *n. U* sumienność.

conscientious objector, *pot.* **conchie, conchy** *n.* osoba odmawiająca służby wojskowej ze względu na przekonania.

conscionable [ˈkɑːnʃənəbl] *a. arch.* zgodny z sumieniem.

conscious [ˈkɑːnʃəs] *a.* **1.** przytomny. **2.** *pred.* świadomy (*of sth/that...* czegoś/że...). **3.** *zw. attr.* świadomy, celowy (*o wysiłku, próbie, decyzji*). **4.** świadomy siebie. **5.** *w złoż.* **clothes-~** przywiązujący (dużą) wagę do stroju; **fashion-~** przejmujący się modą; **health/figure-~** dbający o zdrowie/figurę. – *n. U* **the ~** *psych.* świadomość.

consciously [ˈkɑːnʃəslɪ] *adv.* świadomie.

consciousness [ˈkɑːnʃəsnəs] *n. U* **1.** przytomność; **lose/regain ~** stracić/odzyskać przytomność. **2.** świadomość; **~ of danger** świadomość niebezpieczeństwa; **class/political ~** świadomość klasowa/polityczna; **enter into/impinge on sb's ~** docierać do czyjejś świadomości.

consciousness-expanding [ˌkɑːnʃəsnəsɪkˈspændɪŋ] *a.* halucynogenny (*zwł. o narkotykach*).

consciousness raising *n. U* podnoszenie świadomości.

conscript *v.* [kənˈskrɪpt] *zw. pass.* **1.** powoływać (do wojska); **he was ~ed (into the army)** został powołany *l.* dostał powołanie do wojska. **2.** rekrutować (*do organizacji, grupy*). – *n.* [ˈkɑːnskrɪpt] poborowy, rekrut. – *a. attr.* poborowy, z poboru.

conscriptable [kənˈskrɪptəbl] *a.* podlegający poborowi, w wieku poborowym.

conscript fathers *n. pl. form. parl.* dostojni członkowie ciała ustawodawczego (*zwł. hist.* = *senatorowie rzymscy*).

conscription [kənˈskrɪpʃən] *n. U wojsk.* pobór.

consecrate [ˈkɑːnsəˌkreɪt] *v.* **1.** *kośc.* konsekrować, święcić (*np. budynek*); konsekrować, udzielać święceń biskupich (*kapłanowi*); konsekrować, dokonywać przeistoczenia (*chleba i wina w ciało i krew Chrystusa*). **2.** uświęcać (*zwyczaj, tradycję*). **3.** *form.* poświęcić (*czas l. życie jakiejś sprawie*). – *a. arch.* = **consecrated.**

consecrated [ˈkɑːnsəˌkreɪtɪd] *n.* **1.** konsekrowany, poświęcony; święty. **2.** uświęcony.

consecration [ˌkɑːnsəˈkreɪʃən] *n. U kośc.* konsekracja, poświęcenie; konsekracja, przeistoczenie (= *główna część mszy*).

consecrator [ˈkɑːnsəˌkreɪtər] *n. kośc.* konsekrator.

consecratory [ˈkɑːnsəkrəˌtɔːrɪ], **consecrative** [ˈkɑːnsəˌkreɪtɪv] *a.* konsekracyjny.

consecution [ˌkɑːnsəˈkjuːʃən] *n.* **1.** *U form.* kolejność, następstwo. **2.** *log.* następstwo logiczne.

consecutive [kənˈsekjətɪv] *a.* **1.** kolejny, następny, konsekutywny; **for five ~ days** przez pięć dni z rzędu; **the third ~ week** trzeci tydzień z kolei. **2.** *gram.* skutkowy (*zwł. o zdaniu*).

consecutively [kənˈsekjətɪvlɪ] *adv.* kolejno, po kolei.

consecutiveness [kənˈsekjətɪvnəs] *n. U* kolejność.

consensual [kənˈsenʃʊəl] *a.* **1.** *prawn.* konsensualny. **2.** *fizj.* odruchowy.

consensus [kənˈsensəs] *n. U l. sing.* **~ (of opinion)** konsens; **general ~** powszechna zgoda, jednomyślność; **reach a ~** osiągnąć konsens *l.* jednomyślność (*on sth* co do czegoś).

consensus sequence *n. biochem., genetyka* kod uniwersalny.

consent [kənˈsent] *zw. form. v.* **1.** zgadzać się,

przyzwalać, pozwalać (*to sth* na coś). **2.** *arch.* zgadzać się (*w opiniach, poglądach*). – *n.* **1.** *U* zgoda, przyzwolenie, pozwolenie; **age of ~** *prawn.* pełnoletność (= *dolna granica wieku uprawniająca do wyrażenia zgody na współżycie płciowe*); **give one's ~** wyrazić zgodę; **parental ~** *gł. prawn.* zgoda rodziców; **without sb's ~** bez czyjejś zgody, bez czyjegoś pozwolenia. **2.** zgodność (*opinii, poglądów*), zgoda, jednomyślność; **by common ~** jednomyślnie, jednogłośnie (*np. wybrać kogoś*); w powszechnej opinii (*uchodzić za coś l. kogoś*); **by mutual ~** *t. prawn.* za obopólną zgodą, za zgodą obu stron; **with one ~** *przest.* jednogłośnie, jednomyślnie.

consentaneity [kən͵sentə'ni:ətɪ], **consentaneousness** [͵kɑ:nsen'teɪnɪəsnəs] *n. U rzad.* **1.** zgodność. **2.** jednomyślność.

consentaneous [͵kɑ:nsen'teɪnɪəs] *a. rzad.* **1.** zgodny (*to sth* z czymś). **2.** jednomyślny.

consent decree, consent judgement *n. prawn.* ugoda sądowa.

consentience [kən'senʃəns] *n. U* **1.** *form.* zgodność, zbieżność (*np. poglądów, opinii*). **2.** *fizj.* reagowanie odruchowe.

consentient [kən'senʃənt] *a.* **1.** *form.* zgodny; jednomyślny. **2.** *fizj.* odruchowy.

consenting adult *n. gł. Br. prawn.* osoba dorosła (= *mająca prawo do wyrażenia zgody na współżycie płciowe*).

consentual [kən'sentʃʊəl] *a. prawn.* = **consensual** 1.

consequence ['kɑ:nsə͵kwens] *n.* **1.** *C/U* konsekwencja, skutek; **as a/in ~ of sth** w wyniku *l.* wskutek czegoś; **in ~** w rezultacie; **disastrous ~s** zgubne skutki; **take/face/suffer the ~s (of sth)** ponieść konsekwencje (czegoś). **2.** *form.* znaczenie, waga (*to sb* dla kogoś); **of ~** znaczący, doniosły; **of great ~** wielkiej wagi; **of little/no ~** bez (większego) znaczenia. **3.** *log.* wynik rozumowania.

consequent ['kɑ:nsə͵kwent] *a.* **1.** wynikający (*on/upon/to sth* z czegoś); następujący (*on/upon/to sth* po czymś); **pollution and the ~ damage to the environment** zanieczyszczenie i wynikające z niego szkody dla środowiska. **2.** konsekwentny (= *wynikający logicznie*). **3.** *geogr., geol.* płynący *l.* erodujący zgodnie z ukształtowaniem terenu (*o rzece*). – *n.* **1.** *form.* następstwo. **2.** *log., mat.* następnik.

consequential [͵kɑ:nsə'kwenʃl] *form. a.* **1.** *rzad.* = **consequent** 1. **2.** ważny, znaczący. **3.** ważny, zarozumiały.

consequentially [͵kɑ:nsə'kwenʃəlɪ] *adv.* znacząco.

consequently ['kɑ:nsə͵kwentlɪ] *adv.* w rezultacie, wskutek tego.

conservable [kən'sɜ:vəbl] *a.* dający się oszczędzać, chronić *l.* konserwować.

conservancy [kən'sɜ:vənsɪ] *n. pl.* **-ies** **1.** *Br.* ciało sprawujące kontrolę nad rzeką, portem, terenem wiejskim itp. (*zwł. z punktu widzenia ochrony środowiska*). **2.** *U* = **conservation** 1.

conservation [͵kɑ:nsər'veɪʃən] *n. U* **1.** ochrona (zasobów) środowiska (naturalnego); zarządzanie zasobami naturalnymi. **2.** konserwacja (*zabytków, dzieł sztuki*). **3.** oszczędzanie; **energy ~** oszczędzanie energii. **4.** *fiz., chem.* zachowanie, zasada zachowania; **(law of) ~ of angular/linear momentum** zasada zachowania krętu/pędu; **(law of) ~ of energy** prawo zachowania energii; **(law of) ~ of mass/matter** prawo zachowania masy.

conservational [͵kɑ:nsər'veɪʃənl] *a.* dotyczący ochrony środowiska.

conservation area *n.* obszar *l.* teren objęty ochroną.

conservationist [͵kɑ:nsər'veɪʃənɪst] *n.* **1.** działacz/ka na rzecz ochrony środowiska. **2.** działacz/ka na rzecz ochrony zabytków.

conservatism [kən'sɜ:və͵tɪzəm] *n. U t. polit.* konserwatyzm.

conservative [kən'sɜ:vətɪv] *a.* **1.** konserwatywny, zachowawczy. **2.** tradycyjny. **3.** *med.* zachowawczy (*o leczeniu*). **4.** *fiz.* zachowawczy (*o polu, systemie*). **5.** ostrożny (*o kalkulacji, ocenie*). **6.** **C~** *polit.* konserwatywny (*zwł. = dotyczący Partii Konserwatywnej w Wlk. Brytanii*). **7.** **C~** *rel.* konserwatywny (*zwł. = dotyczący ortodoksyjnego judaizmu*). **8.** *mat.* bezwirowy, niewirowy, potencjalny. – *n.* **1.** konserwatyst-a/ka. **2.** **C~** *polit.* konserwatyst-a/ka (= *członek partii konserwatywnej, zwł. w Wlk. Brytanii*). **3.** środek konserwujący, konserwant.

conservatively [kən'sɜ:vətɪvlɪ] *adv.* **1.** konserwatywnie. **2.** zachowawczo.

conservativeness [kən'sɜ:vətɪvnəs] *n. U* **1.** konserwatyzm. **2.** zachowawczość.

Conservative Party *n.* **the ~** *Br. polit.* Partia Konserwatywna.

conservatoire [kən͵sɜ:və'twɑ:r] *Br. n.* = **conservatory** 1.

conservator ['kɑ:nsər͵veɪtər] *n.* **1.** strażnik/czka; opiekun/ka. **2.** konserwator/ka (*dzieł sztuki, zabytków, książek*). **3.** *Br.* strażni-k/czka przyrody (*zwł. = członek ciała sprawującego kontrolę nad rzeką, portem itp.*).

conservatorium [kən͵sɜ:və'tɔ:rɪəm] *Austr. n.* = **conservatory** 1.

conservatory [kən'sɜ:və͵tɔ:rɪ] *n. pl.* **-ies** **1.** *US szkoln. l. uniw., muz.* konserwatorium. **2.** cieplarnia, szklarnia (*zwł. przylegająca do domu*), oszklona weranda (*z roślinami*). – *a.* konserwujący.

conserve [kən'sɜ:v] *v.* **1.** oszczędzać (*siły, energię*). **2.** chronić (*środowisko naturalne*). **3.** *fiz., chem.* zachowywać (*np. masę, pęd, ładunek*). **4.** *kulin.* robić konfitury z (*owoców*). – *n.* (*także* **~s**) konfitury.

consider [kən'sɪdər] *v.* **1.** rozważać, zastanawiać się nad; rozpatrywać; **~ doing sth** rozważać możliwość zrobienia czegoś; **have you ~ed what you'll do if...?** czy zastanawiałeś się, co zrobisz, jeśli...?. **2.** uważać za; **~ sb (to be) a fool/hero** uważać kogoś za głupca/bohatera; **~ sb (to be) innocent** uważać, że ktoś jest niewinny; **~ sth an honor/a duty** uważać coś za zaszczyt/za swój obowiązek. **3.** brać pod uwagę; mieć wzgląd na (*czyjeś uczucia, preferencje*); **have you ~ed that...?** czy wzięłaś pod uwagę, że...?. **4.** przyglądać się, przypatrywać się (*komuś l. czemuś*). **5.** *przest.* analizować, badać. **6.** *przest.* zrekompensować, wynagrodzić. **7.** ~ **yourself lucky (that...)** masz *l.* miałeś szczęście (że...); **all things ~ed** wziąwszy wszystko pod uwagę, w ogólnym rozrachunku.

considerable [kən'sɪdərəbl] *a.* **1.** znaczny; spory. **2.** godny szacunku.

considerably [kən'sɪdərəblɪ] *adv.* znacznie, o wiele.

considerance [kən'sɪdərəns] *n. przest.* = **consideration.**

considerate [kən'sɪdərət] *a.* **1.** liczący się z innymi, szanujący uczucia innych; **it was very ~ of you to tell us** to bardzo ładnie z twojej strony, że nam powiedziałeś. **2.** *rzad.* przemyślany; rozważny.

considerately [kən'sɪdərətlɪ] *adv.* **1.** licząc się z innymi. **2.** *rzad.* rozważnie.

considerateness [kən'sɪdərətnəs] *n. U* wzgląd na innych.

consideration [kənˌsɪdə'reɪʃən] *n.* **1.** *U* rozważanie; namysł; **after long ~** po długim namyśle; **give sth one's fullest ~** rozważyć coś gruntownie; **take into ~** brać pod uwagę *l.* rozwagę, uwzględniać, rozważać; **under ~** rozważany, rozpatrywany. **2.** czynnik (*wpływający na decyzję*), okoliczność, wzgląd; **political/social ~s** względy polityczne/społeczne. **3.** *U* wzgląd (*for sb* na kogoś); **out of ~ for** przez wzgląd na; **show ~ for** mieć wzgląd na (*zwł. czyjeś uczucia*). **4.** opinia. **5.** *przest. l. żart.* wynagrodzenie; opłata; **for a small ~** za drobną *l.* niewielką opłatą. **6.** *prawn.* zobowiązanie. **7.** *form.* **in ~ of** biorąc pod uwagę; w zamian za (*zwł. czyjeś usługi*); **of little/no ~** bez (większego) znaczenia; **on no ~** pod żadnym pozorem.

considered [kən'sɪdərd] *a. attr.* **1.** (starannie) przemyślany (*o opinii*). **2. well/highly ~** poważany, szanowany.

considering [kən'sɪdərɪŋ] *prep. i conj.* biorąc *l.* wziąwszy pod uwagę (że); zważywszy na (to, że). – *adv.* (*na końcu zdania*) *pot.* biorąc wszystko pod uwagę; w sumie; **it went off well, ~** (w sumie) wyszło nawet nieźle.

consign [kən'saɪn] *v. form.* **1.** powierzać; **~ sb/sth to sb's care** powierzyć/coś kogoś czyjejś opiece. **2.** wyrzucać (*np. list do kosza*); odrzucać, odpychać (*zwł. nieprzyjemne myśli, wspomnienia*). **3.** *handl.* konsygnować, dostarczać (*zakupiony towar do klienta za pokwitowaniem*). **4.** *przest.* zatwierdzić. **5.** *przest.* przystać, zgodzić się (*to sth* na coś). **6.** *t. przen.* skazywać; **~ sb to jail** osadzić kogoś w więzieniu; **~ sb to poverty** skazywać kogoś na życie w biedzie; **~ sth to oblivion** skazywać coś na zapomnienie; **~ sth to the flames** *lit.* oddać coś na pastwę płomieni.

consignation [ˌkɑːnsɪg'neɪʃən] *n.* **1.** *U* powierzenie. **2.** przesyłka.

consignee [ˌkɑːnsaɪ'niː] *n.* **1.** odbior-ca/czyni, adresat/ka (*przesyłki*). **2.** *handl.* komisant; konsygnatariusz.

consignment [kən'saɪnmənt] *handl. n.* **1.** partia towaru (*wysłana do klienta*). **2.** *U* oddanie w komis; **on ~** do sprzedaży konsygnacyjnej, w komis. – *a.* komisowy.

consignment note *n.* list przewozowy.

consignor [kən'saɪnər], **consigner** *n.* **1.** nadaw-ca/czyni. **2.** *handl.* komitent; konsygnant.

consist [kən'sɪst] *v.* **1.** ~ **of sth** składać się z czegoś. **2.** ~ **in sth** *form.* polegać na czymś. **3.** *form.* zgadzać się, pasować. **4.** *arch.* współistnieć. – *n. US kol.* skład pociągu (*bez lokomotywy*).

consistency [kən'sɪstənsɪ], **consistence** [kɑːn'sɪstəns] *n. U* **1.** konsekwencja. **2.** *t. C* konsystencja. **3.** spójność (*t. argumentu*); trwałość. **4.** zgodność (*with sth* z czymś).

consistent [kən'sɪstənt] *a.* **1.** konsekwentny. **2.** *pred.* zgodny (*with sth* z czymś). **3.** spójny. **4.** stały (*np. o rozwoju, wzroście*).

consistent equations *n. pl. mat.* równania niesprzeczne.

consistently [kən'sɪstəntlɪ] *adv.* **1.** konsekwentnie. **2.** zgodnie. **3.** spójnie.

consistorial [ˌkɑːnsɪ'stɔːrɪəl] *a. rel.* konsystorski, konsystorialny.

consistory [kən'sɪstərɪ] *n. pl.* **-ies** **1.** *rel.* konsystorz. **2.** *arch.* rada; sala posiedzeń rady.

consociate [kən'souʃɪˌeɪt] *form. v.* **1.** kojarzyć, łączyć. **2.** stowarzyszać, zrzeszać. – *n.* **1.** towarzysz/ka. **2.** wspólni-k/czka. – *a.* **1.** stowarzyszony. **2.** połączony.

consociation [kənˌsousɪ'eɪʃən] *n.* **1.** *U* połączenie (się); stowarzyszenie (się), zrzeszenie (się). **2.** *rel.* związek kościołów *l.* religii.

consol. *abbr.* = **consolidated.**

consolation [ˌkɑːnsə'leɪʃən] *n.* **1.** *U* pocieszenie, konsolacja; *sing.* pociecha; **if it's (of) any ~** jeśli cię to pocieszy. **2.** *sport* zawody pocieszenia (*dla tych, którzy odpadli przed rundą finałową*); *rzad.* finał B.

consolation prize *n.* nagroda pocieszenia.

consolatory [kən'sɑːləˌtɔːrɪ] *a. form.* pocieszający, konsolacyjny.

console[1] *v.* [kən'soul] pocieszać (*with sth* czymś).

console[2] *n.* ['kɑːnsoul] **1.** szafka na telewizor, komputer itp. (*ustawiany na podłodze*). **2.** *techn.* konsola, konsoleta. **3.** *muz.* konsola organowa. **4.** *bud.* konsola. **5.** = **~ table.**

consoler [kən'souər] *n.* pocieszyciel/ka.

console table [ˌkɑːnsoul 'teɪbl] *n.* konsola (= *ozdobny stolik pod ścianę*).

consolidate [kən'sɑːlɪˌdeɪt] *v.* **1.** konsolidować (się). **2.** wzmacniać (się). **3.** *wojsk.* umocnić się na pozycjach.

consolidated [kən'sɑːlɪˌdeɪtɪd] *a.* **1.** skonsolidowany. **2.** wzmocniony, umocniony. **3.** *ekon.* łączny, zbiorczy (*np. o bilansie*).

consolidated fund, Consolidated Fund *n. Br.* Fundusz Konsolidacyjny (*na spłacanie procentów od długów państwowych, diety rodziny królewskiej itp.*).

consolidated school *n. US* szkoła zbiorcza.

consolidation [kənˌsɑːlɪ'deɪʃən] *n. U* **1.** konsolidacja. **2.** wzmocnienie (się). **3.** *prawn.* kodyfikacja. **4.** *pat.* zagęszczenie tkanki. **5.** *geol.* skamienienie, lityfikacja.

consolidation loan *n. ekon.* pożyczka skonsolidowana.

consolidator [kən'sɑːlɪˌdeɪtər] *n.* konsolidator/ka.

consolingly [kən'soʊlɪŋlɪ] *adv.* pocieszająco.

consols [kən'sɑːlz] *n. pl. gł. Br. fin.* konsole (*rodzaj państwowych papierów wartościowych*).

consolute ['kɑːnsəˌluːt] *a. chem.* **1.** mieszalny (*o roztworach*). **2.** rozpuszczalny (*o substancji*).

consommé [ˌkɑːnsə'meɪ] *n. U kulin.* bulion.

consonance ['kɑːnsənəns], **consonancy** ['kɑːnsənənsɪ] *n.* **1.** *U form.* zgoda, harmonia; **in ~ with** w zgodzie z. **2.** *muz., wers.* konsonans. **3.** *fiz.* konsonans, współbrzmienie harmonijne.

consonant ['kɑːnsənənt] *n.* **1.** *fon.* spółgłoska. **2.** *pismo* litera oznaczająca spółgłoskę. – *a.* **1.** *attr. fon.* spółgłoskowy (*o systemie, zbitce*). **2.** *pred. form.* zgodny (*with sth* z czymś). **3.** harmonijny, współbrzmiący. **4.** *muz., fiz.* konsonansowy.

consonantal [ˌkɑːnsə'næntl] *a.* spółgłoskowy.

consonant shift *n. jęz., hist.* przesuwka spółgłoskowa (*rodzaj zmiany dźwiękowej*).

consort *n.* ['kɑːnsɔːrt] **1.** małżon-ek/ka (*zwł. władcy*); **prince ~** książę małżonek; **queen ~** królowa (= *małżonka króla*). **2.** *muz.* zespół wykonujący muzykę dawną; grupa instrumentów (*zwł. dawnych, w zespole jw.*). **3.** *form.* towarzysz/ka; współpracowni-k/czka. **4.** porozumienie, umowa. **5.** *żegl.* statek eskortujący. **6.** *arch.* stowarzyszenie. **7.** *arch.* harmonia (*t. dźwięków*). **8. in ~ with** *form.* wspólnie z. – *v.* [kən'sɔːrt] **1. ~ with sb** zadawać się *l.* przestawać z kimś; **~ together** zadawać ze sobą. **2.** *rzad.* łączyć, jednoczyć.

consortium [kən'sɔːrʃɪəm] *n. pl.* **-a** **1.** *ekon.* konsorcjum. **2.** stowarzyszenie; spółka; unia. **3.** *prawn.* prawo małżonków do współżycia, wzajemnej pomocy i opieki.

conspecific [ˌkɑːnspə'sɪfɪk] *n. i a. biol.* (osobnik) tego samego gatunku.

conspectus [kən'spektəs] *form. n. pl.* **-es** **1.** przegląd. **2.** konspekt.

conspicuous [kən'spɪkjʊəs] *a.* rzucający się w oczy, widoczny; zwracający uwagę; **sb was ~ by his/her absence** *zwł. żart.* czyjaś nieobecność została zauważona.

conspicuous consumption *n. U* rozrzutność (*zwł. na pokaz*).

conspicuously [kən'spɪkjʊəslɪ] *a.* wyraźnie; w sposób rzucający się w oczy *l.* zwracający uwagę.

conspicuousness [kən'spɪkjʊəsnəs], **conspicuity** [ˌkɑːnspɪ'kjʊətɪ] *n. U* rzucanie się w oczy; zwracanie uwagi.

conspiracy [kən'spɪrəsɪ] *n. pl.* **-ies** **1.** *U* konspiracja, konspirowanie; (*zbiorowo*) konspiracja, konspiratorzy, spiskowcy. **2.** spisek, zmowa; **~ of silence** zmowa milczenia. **3.** *prawn.* porozumienie przestępcze.

conspiracy theory *n.* teoria spisku.

conspirative [kən'spɪrətɪv] *a.* spiskujący.

conspirator [kən'spɪrətər] *n.* spiskowiec, konspirator/ka.

conspiratorial [kənˌspɪrə'tɔːrɪəl] *a.* **1.** spiskowy. **2.** konspiracyjny (*np. o szepcie, spojrzeniu*).

conspiratorially [kənˌspɪrə'tɔːrɪəlɪ] *adv.* **1.** w sposób spiskowy. **2.** konspiracyjnie (*spojrzeć, szepnąć*).

conspire [kən'spaɪr] *v.* **1.** spiskować, knuć, konspirować (*with sb* z kimś) (*against sb* przeciwko komuś). **2.** współpracować, współdziałać; działać w zmowie. **3.** *przen.* sprzysięgać się, o okolicznościach.

conspirer [kən'spaɪrər] *n.* konspirator/ka, spiskowiec.

conspiringly [kən'spaɪrɪŋlɪ] *adv.* w sposób spiskowy.

Const. *abbr.* = **Constitution.**

const. *abbr.* **1.** = **constable. 2.** = **constant. 3.** = **constitution**; = **constitutional. 4.** = **construction.**

constable ['kɑːnstəbl] *n.* **1.** urzędnik nadzorujący przestrzeganie porządku publicznego. **2.** *Br., Austr., Can. i NZ* konstabl, posterunkowy. **3.** *hist.* majordom; marszałek.

constabulary [kən'stæbjəˌlerɪ] *gł. Br. n. pl.* **-ies** policja, siły porządkowe, aparat przestrzegania porządku publicznego (*danego rejonu*). – *a. attr.* policyjny, porządkowy.

constancy ['kɑːnstənsɪ] *form. n. U* **1.** *t. przen.* stałość (*t. w uczuciach*); niezmienność; stabilność. **2.** wierność, lojalność.

constant ['kɑːnstənt] *a.* **1.** stały; niezmienny. **2.** nieprzerwany, nieustanny; ciągły, nieustający. **3.** wierny, lojalny (*o przyjacielu, kochanku*). – *n. t. mat., fiz., log.* stała; **~ of gravitation** (*także* **gravitational ~**) *fiz.* stała grawitacji, stała powszechnego ciążenia; **~ of integration** *mat.* stała całkowania; (*także* **logical ~**) *log.* stała logiczna.

constantan ['kɔːnstənˌtæn] *n. U techn.* konstantan (*stop oporowy*).

constant dollar *n. ekon.* dolar o niezmiennej sile nabywczej.

Constantinople [ˌkɑːnˌstæntən'oʊpl] *n. geogr.* Stambuł; *hist.* Konstantynopol.

Constantinopolitan Creed [ˌkɑːnstænˌtɪnoʊˌpɑːlətən 'kriːd] *n.* (*także* **Niceno-Constantinopolitan Creed**) *kośc.* Credo Nicejsko-Konstantynopolitańskie.

Constantinopolitan rite *n. kośc.* obrządek bizantyjski, obrządek grekokatolicki.

constantly ['kɑːnstəntlɪ] *adv.* stale, ciągle.

constant-velocity joint, constant velocity joint *n. mot.* przegub równobieżny *l.* homokinetyczny.

constatation [ˌkɑːnstə'teɪʃən] *n. form.* konstatacja.

constative ['kɑːnstətɪv] *jęz. a.* orzekający, oznajmujący. – *n.* zdanie orzekające *l.* oznajmujące.

constellate ['kɑːnstəˌleɪt] *v.* tworzyć konstelację *l.* gwiazdozbiór.

constellation [ˌkɑːnstə'leɪʃən] *n.* **1.** *t. astron.* konstelacja (*t. przen.* = *układ, stan rzeczy*); gwiazdozbiór. **2.** *astrol.* układ gwiazd; charakter określany układem gwiazd. **3. a (whole) ~ of...** *lit. l. żart.* (cała) plejada... (*gwiazd, osób wybitnych l. sławnych*).

consternate ['kɑ:nstər,neɪt] *v.* konsternować.

consternation [,kɑ:nstər'neɪʃən] *n. U* konsternacja.

constipate ['kɑ:nstə,peɪt] *v.* **1.** *pat.* wywoływać zaparcie u (*kogoś*). **2.** *pot.* zwalniać, opóźniać (*np. załatwianie spraw*).

constipated ['kɑ:nstə,peɪtɪd] *a. pat.* cierpiący na zaparcie.

constipation [,kɑ:nstə'peɪʃən] *n. U* **1.** *pat.* zaparcie, zatwardzenie. **2.** *pot.* spowolnienie.

constituency [kən'stɪtʃuənsɪ] *polit. n. pl.* **-ies** **1.** okręg wyborczy. **2.** elektorat, wyborcy (*z danego okręgu*). **3.** klientela (polityczna).

constituent [kən'stɪtʃuənt] *a. attr.* **1.** składowy. **2.** *parl.* konstytucyjny, konstytutywny (*o zgromadzeniu*). – *n.* **1.** część składowa, składnik. **2.** *zwł. polit.* wyborca. **3.** *prawn.* osoba udzielająca pełnomocnictwa. **4.** *gram.* człon konstytutywny.

constituent assembly *n. parl.* konstytuanta.

constituent structure *n. gram.* struktura wyrażenia językowego (*zwł. frazy l. zdania*).

constitute ['kɑ:nstɪ,tu:t] *form. v.* **1.** składać się na, stanowić. **2.** stanowić (= *być*). **3.** wyznaczać (*na stanowisko, do pełnienia funkcji*). **4.** założyć (*np. szkołę*). **5.** *prawn.* ukonstytuować, ustanowić (*zgromadzenie, sąd*).

constitution [,kɑ:nstɪ'tu:ʃən] *n.* **1.** *form.* skład (*związku chemicznego, komitetu*). **2.** *sing. biol., med.* konstytucja (= *budowa ciała i sposób reagowania na bodźce środowiska, w tym odporność na choroby*); **have a strong/weak ~** mieć silny/słaby organizm. **3.** *polit., parl.* konstytucja; **C~ (of the United States)** *US* Konstytucja Stanów Zjednoczonych. **4.** statut. **5.** *arch.* charakter, stan umysłu, usposobienie.

constitutional [,kɑ:nstɪ'tu:ʃənl] *a.* **1.** *polit., prawn.* konstytucyjny; zgodny z konstytucją; statutowy. **2.** *med., psych.* konstytucjonalny. **3.** zasadniczy. **4.** korzystny dla zdrowia, zdrowy. – *n. przest. l. żart.* przechadzka dla zdrowia.

constitutional amendment *n. polit., prawn.* poprawka do konstytucji.

Constitutional Convention *n. US hist., parl.* Konwencja Konstytucyjna.

constitutionalism [,kɑ:nstɪ'tu:ʃənə,lɪzəm] *n. U polit.* konstytucjonalizm.

constitutionalist [,kɑ:nstɪ'tu:ʃənlɪst] *n.* konstytucjonalist-a/ka.

constitutionality [,kɑ:nstɪ,tu:ʃə'nælətɪ] *n. U polit., prawn.* konstytucyjność, zgodność z konstytucją.

constitutionalize [,kɑ:nstɪ'tu:ʃənaɪz], *Br. i Austr. zw.* **constitutionalise** *v.* zawrzeć w konstytucji.

constitutionally [,kɑ:nstɪ'tu:ʃənlɪ] *adv.* **1.** *polit., prawn.* konstytucyjnie, zgodnie z konstytucją. **2.** z natury; **~ weak** wątłego zdrowia, chorowity.

constitutional monarchy *n. polit.* monarchia konstytucyjna.

constitutional psychology *n. U psych.* konstytucjonalizm.

Constitution State *n. US* stan Connecticut.

constitutive ['kɑ:nstɪ,tu:tɪv] *a.* **1.** składowy. **2.** konstytutywny (= *mający prawo ustanawiać l. stanowić*). **3.** *fiz., chem.* konstytucyjny.

constr. *abbr.* **1.** = **construction**. **2.** = **construed**; *zob.* **construe**.

constrain [kən'streɪn] *v. form.* ograniczać, krępować (*by sth* czymś).

constrained [kən'streɪnd] *a.* **1.** ograniczony. **2. be/feel ~ to do sth** być/czuć się zmuszonym do robienia czegoś. **3.** wymuszony, sztuczny, sztywny (*o sposobie bycia, uśmiechu*).

constrainedly [kən'streɪndlɪ] *adv.* w sposób wymuszony, sztucznie, sztywno.

constraint [kən'streɪnt] *form. n.* **1.** ograniczenie; **place/impose ~s on sth** nakładać ograniczenia na coś. **2.** *jęz.* ograniczenie (*stosowania jakiejś reguły, zwł. syntaktycznej*). **3.** *U* przymus; **under ~** pod przymusem. **4.** *U form.* skrępowanie, sztuczność (*w zachowaniu*).

constrict [kən'strɪkt] *form. v.* **1.** kurczyć; ściskać; zwierać; ściągać; zwężać, obkurczać (*t. naczynia krwionośne*). **2.** ograniczać (*swobodę*); zawężać (*wybór, możliwości*); utrudniać (*np. oddychanie, ruchy*).

constriction [kən'strɪkʃən] *n.* **1.** ograniczenie. **2.** ucisk (*zwł. w piersiach*). **3.** *pat.* zwężenie (*np. przełyku*). **4.** *fon.* szczelina (*przy artykulacji spółgłosek*).

constrictive [kən'strɪktɪv] *a.* **1.** ograniczający. **2.** ściskający, zwierający; zwężający; ściągający.

constrictor [kən'strɪktər] *n.* **1.** *zool.* dusiciel (= *wąż z rodziny Boidae*); **boa ~** boa dusiciel (*Constrictor constrictor*). **2.** *anat.* zwieracz.

constringe [kən'strɪndʒ] *rzad. v.* kurczyć; ściągać.

constringency [kən'strɪndʒənsɪ] *n. U* kurczenie; ściąganie.

constringent [kən'strɪndʒənt] *a.* kurczący; ściągający.

construable [kən'stru:əbl] *a.* **1.** dający się zinterpretować. **2.** dający się wywnioskować.

construal [kən'stru:əl] *n. U* **1.** interpretacja. **2.** wniosek.

construct *v.* [kən'strʌkt] **1.** konstruować, budować (*t. zdanie, teorię*). **2.** *geom.* konstruować, wykreślać (*figurę*). – *n.* ['kɑ:nstrəkt] *form.* twór, wytwór; twór myśli, konstrukt.

construction [kən'strʌkʃən] *n.* **1.** *U* budowa, konstrukcja (*proces*); *C* budowa, konstrukcja (*struktura*); **under ~** w budowie. **2.** *U* budownictwo. **3.** *gram.* konstrukcja (*składniowa*). **4.** interpretacja (*tekstu, przepisu prawnego, czyjegoś zachowania*); **put a (different/wrong) ~ on sth** *form.* zinterpretować coś (inaczej/źle). **5.** *U geom.* konstrukcja (= *sposób wykreślania figury*). **6.** *sztuka* dzieło konstruktywistyczne.

constructional [kən'strʌkʃənl] *a.* **1.** konstrukcyjny. **2.** strukturalny. **3.** budowlany.

construction industry *n. U* przemysł budowlany.

constructionist [kən'strʌkʃənɪst] *n. US prawn.*

osoba interpretująca prawo (*zwł. w sposób bardzo ścisły*).

construction loan *n. fin.* kredyt budowlany.

construction paper *n. U* brystol.

construction site *n.* plac budowy.

constructive [kən'strʌktɪv] *a.* **1.** konstruktywny (*o radach, krytyce, działaniach*). **2.** konstrukcyjny, strukturalny. **3.** wywnioskowany. **4.** *prawn.* domniemany.

constructive dismissal *n. U* działania pracodawcy zmuszające pracownika do złożenia wymówienia.

constructive interference *n. U fiz.* interferencja fal (*prowadząca do wzmocnienia natężenia fali wypadkowej*).

constructively [kən'strʌktɪvlɪ] *adv.* konstruktywnie.

constructiveness [kən'strʌktɪvnəs] *n. U* konstruktywność.

constructivism [kən'strʌktɪˌvɪzəm] *sztuka n.* konstruktywizm.

constructivist [kən'strʌktɪvɪst] *n.* konstruktywist-a/ka.

constructor [kən'strʌktər] *rzad.* **constructer** *n.* **1.** budowniczy, konstruktor/ka. **2.** przedsiębiorstwo budowlane. **3.** *US* autor/ka krzyżówek.

construe [kən'struː] *v.* **1.** *form.* interpretować; objaśniać. **2.** odczytać (*czyjeś intencje, zamiary*); wywnioskować. **3.** *gram.* dokonywać rozbioru (*zdania, zwł. w łacinie l. grece*). **4.** *gram.* konstruować zdania z (*wyrazów*). **5.** *szkoln. przest.* tłumaczyć dosłownie (*zwł. ustnie, w ramach ćwiczeń językowych*). – *n. przest.* dosłowne tłumaczenie (*jw.*).

consubstantial [ˌkɑːnsəb'stænʃl] *teol. a.* mający tę samą naturę (*o osobach Trójcy Świętej*).

consubstantiality [ˌkɑːnsəbˌstænʃɪ'æləti] *n. U* posiadanie tej samej natury (*przez osoby Trójcy Świętej*).

consubstantiation [ˌkɑːnsəbˌstænʃɪ'eɪʃən] *n. U* konsubstancjacja (= *obecność ciała i krwi Chrystusa w Eucharystycznym chlebie i winie*); wiara w konsubstancjację.

consuetude ['kɑːnswɪˌtuːd] *form. n.* zwyczaj (*zwł. mający moc prawną*).

consuetudinary [ˌkɑːnswɪ'tuːdəˌnerɪ] *a.* zwyczajowy, tradycyjny.

consul ['kɑːnsl] *n.* konsul (*t. hist. w starożytnym Rzymie l. we Francji 1799-1804*).

consular ['kɑːnsjʊlər] *a.* konsularny; ~ **agent/office** agent konsularny/biuro konsularne; ~ **duties** obowiązki konsula.

consulate ['kɑːnsəlɪt] *n.* **1.** konsulat. **2.** urząd konsula. **3.** (*także* **C~**) *hist.* konsulat (*w starożytnym Rzymie l. we Francji 1799-1804*).

consulate general *n. pl.* **consulates general** *l.* **consulate generals** konsulat generalny.

consul general *n. pl.* **consuls general** *l.* **consul generals** konsul generalny.

consulship ['kɑːnslˌʃɪp] *n. C/U* urząd konsula.

consult [kən'sʌlt] *v.* **1.** ~ **sb (about/on sth)** zasięgać czyjejś porady *l.* konsultować się z kimś (w jakiejś sprawie). **2.** ~ **with sb** pytać kogoś o zdanie; naradzać się z kimś. **3.** ~ **a dictionary/map** sprawdzać w słowniku/na mapie. **4.** udzielać porad *l.* konsultacji (*za opłatą, zw. w określonych godzinach*). **5.** brać pod uwagę, uwzględniać (*np. uczucia*). – *n.* **1.** *rzad.* konsultacja. **2.** *arch.* potajemne spotkanie (*zwł. spiskowców*).

consultancy [kən'sʌltənsɪ] *n. pl.* **-ies** **1.** firma konsultingowa. **2.** stanowisko konsultanta. **3.** *Br. med.* stanowisko lekarza specjalisty (*w szpitalu*).

consultant [kən'sʌltənt] *n.* **1.** konsultant, doradca; **management** ~ doradca do spraw zarządzania. **2.** *zwł. Br. med.* lekarz specjalista (*w szpitalu*). **3.** osoba zasięgająca porady.

consultation [ˌkɑːnsəl'teɪʃən] *n.* **1.** konsultacja, porada; *U* radzenie się, zasięganie porady, konsultacje; **after ~s with sb** po konsultacjach z kimś; **in ~ with sb** w porozumieniu z kimś. **2.** *med.* konsylium. **3.** *Br. med.* wizyta u lekarza. **4.** *Br. prawn.* nakaz sądowy przekazujący sprawę do ponownego rozpatrzenia przez sąd kanoniczny.

consultative [kən'sʌltətɪv], **consultatory** [kən'sʌltəˌtɔːrɪ], **consultive** [kən'sʌltɪv] *a.* doradczy.

consulting [kən'sʌltɪŋ] *n. U* doradztwo (*zwł. finansowe*), konsulting. – *a. attr.* **1.** doradczy, konsultacyjny. **2.** konsultingowy.

consulting company *n.* firma konsultingowa.

consulting room *n. Br.* gabinet lekarski.

consultor [kən'sʌltɪv] *n. rz.-kat.* doradca biskupa; doradca Kurii Rzymskiej.

consumable [kən'suːməbl] *a.* konsumpcyjny. – *n. zw. pl.* towary konsumpcyjne.

consume [kən'suːm] *v.* **1.** *form.* konsumować, spożywać (*zwł. w dużych ilościach*). **2.** zużywać (*paliwo, energię*). **3.** strawić (*o ogniu, pożarze*). **4.** pochłaniać (*czas, środki*); **time-~ing** czasochłonny. **5.** **~ed with envy/curiosity** zżerany *l.* trawiony zazdrością/ciekawością.

consumedly [kən'suːmɪdlɪ] *adv. przest.* nadmiernie; niezwykle, niesłychanie.

consumer [kən'suːmər] *n.* **1.** *t. ekon.* konsument/ka; odbiorca (*np. energii*). **2.** *biol.* konsument.

consumer advocate, consumerist *n.* rzecznik/czka praw konsumenta.

consumer credit *n. fin.* kredyt konsumpcyjny.

consumer durables *n. ekon.* dobra konsumpcyjne trwałego użytku.

consumer goods, consumption goods *n. pl. ekon.* dobra *l.* towary konsumpcyjne.

consumerism [kən'suːmərˌɪzəm] *n. U* **1.** *ekon.* konsumeryzm. **2.** *uj.* konsumpcjonizm. **3.** = **consumer protection**.

consumerist [kən'suːmərɪst] *n.* = **consumer advocate**. – *a. attr.* konsumencki; dotyczący konsumeryzmu.

consumerize [kən'suːməraɪz], *Br. i Austr. zw.* **consumerise** *v. ekon.* upowszechniać, czynić powszechnie dostępnym (*towar l. usługę*); wywoływać wzrost konsumpcji (*jw.*).

consumer price index *n. US i Austr. ekon.* wskaźnik cen artykułów konsumpcyjnych.

consumer protection, consumerism *n. U* ochrona praw konsumenta.

consumer society *n.* społeczeństwo konsumpcyjne.

consumer strike *n. handl.* bojkot towaru przez klientów.

consuming [kən'su:mɪŋ] *a. attr.* pochłaniający całą energię (*o pasji, ambicji, pragnieniu*).

consummate *form. v.* [ˌkɑ:nsə'meɪt] **1.** spełnić (*np. ambicje*). **2.** zwieńczyć (*np. działalność*). **3.** sfinalizować (*np. umowę*). **4.** *lit.* doprowadzić do perfekcji. **5.** *prawn.* skonsumować (*małżeństwo, związek*). – *a.* [kən'sʌmət] **1.** wytrawny, znakomity, wielkiej miary (*np. o polityku, artyście*). **2.** *attr. uj.* zupełny, kompletny, skończony.

consummately [kən'sʌmətlɪ] *adv.* **1.** doskonale, perfekcyjnie, idealnie. **2.** *uj.* zupełnie, kompletnie.

consummation [ˌkɑ:nsə'meɪʃən] *n. U* **1.** spełnienie (*ambicji*). **2.** zwieńczenie (*działalności*). **3.** *prawn.* skonsumowanie (*małżeństwa*).

consummatory [kən'sʌməˌtɔ:rɪ] *a.* **1.** spełniający. **2.** wieńczący.

consummatory behavior *n. U psych., biol.* zaspokojenie.

consumption [kən'sʌmpʃən] *n. U* **1.** *form.* konsumpcja, spożycie; **unfit for human ~** nie nadający się do spożycia. **2.** *ekon.* konsumpcja (= *kupowanie i używanie*); **conspicuous ~** *zob.* **conspicuous.** **3.** zużycie, wyczerpywanie (*zasobów*). **4.** *pat. przest.* suchoty; wycieńczenie. **5.** *przen.* **for internal ~** do użytku wewnętrznego (*o materiałach, dokumentach*); **for sb's ~** do czyjejś wiadomości, przeznaczony dla kogoś.

consumption goods *n. pl.* = **consumer goods.**

consumption tax *n. ekon., fin.* podatek konsumpcyjny.

consumptive [kən'sʌmptɪv] *a.* **1.** niszczący, trawiący. **2.** konsumpcyjny (= *dotyczący zużycia*). **3.** *pat. przest.* suchotniczy; cierpiący na suchoty. – *n. pat. przest.* suchotni-k/czka.

Cont. *abbr.* = **Continental.**

cont. *abbr.* **1.** = **containing**; *zob.* **contain.** **2.** = **contents**; *zob.* **content** 1. **3.** = **continent**; = **continental.** **4.** = **continue**; = **continued.** **5.** = **contra.** **6.** = **contract.** **7.** = **contraction.** **8.** = **control.**

contact ['kɑ:ntækt] *n.* **1.** *U* kontakt (*between / with* pomiędzy/z); **be/stay in ~ (with)** być/pozostawać w kontakcie (z); **business ~s** kontakty służbowe *l.* handlowe; **get in ~ (with)** nawiązać kontakt (z); **lose ~ with** stracić kontakt z; **make ~ with** nawiązać kontakt *l.* łączność z; **put sb in ~ with sb** skontaktować kogoś z kimś. **2.** *U* styczność, kontakt (*t. przez dotyk*); **be in ~ with** stykać się (z); mieć styczność (z); **come into ~ with** zetknąć się z; **on ~ with** w momencie zetknięcia (się) z; **point of ~** *zw. przen.* punkt styczny. **3.** kontakt (*osoba*). **4.** *el.* styk. **5.** *geol.* kontakt. **6.** *med.* osoba stykająca się z chorym zakaźnie. **7.** *pot.* kontakt (= *soczewka kontaktowa*). – *v.* kontaktować się z. – *a. attr.* kontaktowy.

contactable ['kɑ:ntæktəbl] *a.* osiągalny; **she is ~ (at...)** można się z nią skontaktować (pod numerem telefonu...).

contactant [kən'tæktənt] *n. pat.* alergen kontaktowy.

contact cement *n. U* klej kontaktowy.

contact dermatitis *n. U pat.* zapalenie skóry kontaktowe.

contactee *n.* osoba utrzymująca, że nawiązała kontakt z istotami pozaziemskimi.

contact flying, contact flight *n. U lotn.* lot z widocznością ziemi.

contact group *n. polit.* grupa kontaktowa.

contact language *n. jęz.* język kontaktowy (= *uproszczona forma języka obcego, używana w rejonach, w których większość mieszkańców nie ma wspólnego języka ojczystego*).

contact lens *n. opt.* soczewka kontaktowa, szkło kontaktowe.

contact man *n. pl.* **contact men** pośrednik.

contact metamorphism *n. U geol.* metamorfizm kontaktowy.

contact mine *n. wojsk.* mina kontaktowa.

contactor ['kɑ:ntæktər] *n. el.* stycznik.

contact paper *n. U fot.* papier kontaktowy.

contact patch *n. mot.* powierzchnia styczności opony z nawierzchnią.

contact point *n. geom.* punkt styczności.

contact potential *n. U el.* napięcie stykowe *l.* kontaktowe.

contact print *n. fot.* odbitka stykowa, kopia stykowa, stykówka.

contact printer *n. fot.* kopiarka stykowa *l.* kontaktowa.

contact process *n. chem.* metoda kontaktowa.

contact sheet *n. fot.* stykówka (= *cały film wywołany na jednym arkuszu*).

contact sport *n.* sport kontaktowy.

contactual [kɑ:n'tæktʃuəl] *a.* kontaktowy.

contagion [kən'teɪdʒən] *n. gł. pat.* **1.** *U* zarażenie; zakażenie. **2.** choroba zaraźliwa *l.* zakaźna. **3.** kanał przenoszenia choroby jw. **4.** *U* rozprzestrzenianie się (*idei, nastroju, postawy*). **5.** *przen.* złe towarzystwo, zły wpływ.

contagious [kən'teɪdʒəs] *a. pat.* zakaźny; *t. przen.* zaraźliwy (*np. o entuzjazmie, śmiechu*).

contagious abortion *n. U wet.* choroba Banga, bruceloza, ronienie zakaźne bydła.

contagious ecthyma *n. U wet.* zakaźne zapalenie skóry (*u owiec i kóz*).

contagiously [kən'teɪdʒəslɪ] *adv.* zakaźnie, zaraźliwie.

contagious magic *n. U* magia, w której w rzucaniu czaru na kogoś wykorzystuje się jego rzeczy osobiste.

contagiousness [kən'teɪdʒəsnəs] *n. U* zakaźność, zaraźliwość.

contagium [kən'teɪdʒəm] *n. pl.* **-a** *pat.* czynnik zakaźny, zarazek, drobnoustrój chorobotwórczy.

contain [kən'teɪn] *v.* **1.** zawierać; mieścić (w sobie). **2.** powstrzymywać, hamować, opanowywać (*np. rozprzestrzenianie sie epidemii, swoje emocje*); **~ o.s.** opanować się. **3.** *mat.* dzielić się przez, być podzielnym przez. **4.** *wojsk.* wiązać (*siły przeciwnika*).

containable [kən'teɪnəbl] *a.* **1.** dający się zawrzeć *l.* zmieścić. **2.** dający się powstrzymać *l.* opanować.

container [kən'teɪnər] *n.* **1.** pojemnik. **2.** kontener.

containerboard [kən'teɪnərˌbɔːrd], **container board** *n. U* tektura na opakowania.

container car *n. US kol.* platforma kontenerowa.

containerization [kənˌteɪnərə'zeɪʃən], *Br. i Austr. zw.* **containerisation** *n. U* konteneryzacja.

containerize [kən'teɪnəˌraɪz], *Br. i Austr. zw.* **containerise** *v.* **1.** pakować w kontenery. **2.** przystosowywać do konteneryzacji (*np. port, system transportu*).

containership [kən'teɪnərˌʃɪp], **container ship** *n. żegl.* kontenerowiec.

containment [kən'teɪnmənt] *n.* **1.** *U* powstrzymanie, opanowanie. **2.** *U polit.* polityka ograniczania wpływów (*zwł. wroga*). **3.** zbiornik bezpieczeństwa, obudowa bezpieczeństwa (*reaktora jądrowego*).

contaminant [kən'tæmənənt] *n.* substancja zanieczyszczająca, czynnik zanieczyszczający.

contaminate [kən'tæməˌneɪt] *v.* zanieczyszczać; skazić (*substancją radioaktywną l. przen.*). – *n.* = **contaminant**. – *a. przest.* = **contaminated**.

contaminated [kən'tæməˌneɪtɪd] *a.* zanieczyszczony; skażony.

contamination [kənˌtæmə'neɪʃən] *n. U* **1.** zanieczyszczenie; skażenie. **2.** *jęz.* kontaminacja.

contaminator [kən'tæməˌneɪtər] *n.* czynnik zanieczyszczający.

contango [kən'tæŋgoʊ] *Br. giełda n.* **1.** *hist.* odroczenie rozliczenia. **2.** odsetki płacone przez nabywcę walorów za odroczenie rozliczenia. – *v.* **-es, -ing, -ed** ustalić odroczenie rozliczenia (*czegoś*).

contd., contd *abbr.* = **continued**.

conte [koʊŋt] *n. teor. lit.* opowiadanie (*zwł. przygodowe*).

contemn [kən'tem] *v. form.* gardzić, pogardzać (*kimś l. czymś*).

contemp. *abbr.* = **contemporary**.

contemplable [kən'templəbl] *a.* nadający się do kontemplacji.

contemplate ['kɑːntəmˌpleɪt] *v.* **1.** *form.* oglądać, kontemplować (*coś*), przypatrywać się (*czemuś*). **2.** kontemplować, rozważać, rozmyślać nad, zastanawiać się nad; ~ **doing sth** rozważać możliwość zrobienia czegoś, myśleć o zrobieniu czegoś. **3.** kontemplować, rozpamiętywać.

contemplation [ˌkɑːntəm'pleɪʃən] *n.* **1.** *U* kontemplacja, medytacja. **2.** *form.* zamiar.

contemplative [kən'templətɪv] *a.* kontemplacyjny, medytacyjny. – *n. form.* osoba oddająca się kontemplacji (*religijnej*).

contemplatively [kən'templətɪvlɪ] *n.* kontemplacyjnie.

contemplative order *n. rel.* zakon kontemplacyjny.

contemplator ['kɑːntəmˌpleɪtər] *n.* osoba oddająca się kontemplacji.

contemporaneity [kənˌtempərə'niːətɪ], **contemporaneousness** [kənˌtempə'reɪnɪəsnes] *form. n. U* współczesność (= *pochodzenie z tego samego okresu*).

contemporaneous [kənˌtempə'reɪnɪəs] *a. form.* współczesny (*with sb / sth* komuś/czemuś).

contemporaneously [kənˌtempə'reɪnɪəslɪ] *adv.* współcześnie (*with sb / sth* z kimś/czymś).

contemporaneousness [kənˌtempə'reɪnɪəsnəs] *n.* = **contemporaneity**.

contemporarily [kən'tempəˌrerɪlɪ] *adv.* współcześnie (= *teraz*).

contemporariness [kən'tempəˌrerɪnəs] *n. U* współczesność.

contemporary [kən'tempəˌrerɪ] *rzad.* **cotemporary** [koʊ'tempəˌrerɪ] *a. attr.* **1.** współczesny; ~ **art/music** sztuka/muzyka współczesna. **2.** współczesny (*with sb / sth* komuś/czemuś). – *n. pl.* **-ies** **1.** współczesny (= *osoba żyjąca w tej samej epoce*); **Lincoln and his contemporaries** Lincoln i jemu współcześni. **2.** rówieśni-k/czka. **3.** *dzienn.* konkurencyjna gazeta.

contemporize [kən'tempəˌraɪz], *Br. i Austr. zw.* **contemporise** *v. form.* **1.** uwspółcześniać. **2.** umiejscawiać w tej samej epoce.

contempt [kən'tempt] *n. U* **1.** pogarda, wzgarda (*for sb* dla kogoś); **hold sb/sth in ~** gardzić kimś/czymś; **with ~** z pogardą, ze wzgardą. **2.** obraza; lekceważenie (*zwł. postanowień władzy*); *prawn.* = **~ of court**. **3. beneath ~** poniżej wszelkiej krytyki (*o czyimś zachowaniu*). **4. familiarity breeds ~** *zob.* **familiarity** 4.

contemptible [kən'temptəbl] *a.* zasługujący na pogardę, niegodny.

contemptibly [kən'temptəblɪ] *adv.* niegodnie.

contempt of court *n. U prawn.* **1.** obraza sądu. **2.** niestawiennictwo. **3.** niezastosowanie się do nakazu sądu.

contemptuous [kən'temptʃʊəs] *a.* pogardliwy; lekceważący; **be ~ of sb/sth** wyrażać się pogardliwie o kimś/czymś.

contemptuously [kən'temptʃʊəslɪ] *adv.* pogardliwie; lekceważąco.

contend [kən'tend] *v.* **1.** rywalizować, walczyć (*for sth* o coś) (*with sb* z kimś). **2.** polemizować. **3.** utrzymywać, twierdzić (*that* że). **4. ~ with sth** borykać się z czymś; **have to ~ with sth** musieć stawić czemuś czoło.

contender [kən'tendər] *n.* **1.** rywal/ka, konkurent/ka; zawodni-k/czka, uczestni-k/czka zawodów. **2.** *polit.* kandydat/ka. **3.** pretendent/ka (*for sth* do czegoś).

content1 ['kɑːntent] *n.* **1.** *pl.* zawartość (*np. naczynia*); treść; **(table of) ~s** spis treści. **2.** *sing.* zawartość; **fat/alcohol ~** zawartość tłuszczu/alkoholu. **3.** *U* treść (*w odróżnieniu od formy, stylu*). **4.** pojemność; rozmiar, wielkość. **5.** *mat.* wyraz wielomianu o najwyższym stopniu.

content2 [kən'tent] *a. pred.* **1.** zadowolony, kontent (*with sth* z czegoś); **be ~ to do sth** chętnie coś robić; **not ~ with X, he...** *zwł. żart.* jakby nie dość mu było X,... **2.** *Br. przest. l. form.* wyrażający zgodę. – *v.* zadowalać, satysfakcjonować; **~ o.s. with sth** zadowalać się czymś. – *n. U lit.* **1.** zadowolenie, ukontentowanie. **2. to one's heart's ~** do woli. – *int. Br. Izba Lordów* za (*przy głosowaniu*); **not ~** przeciw (*przy głosowaniu*).

content-addressable memory [ˌkɑːntentəˌdresəbl ˈmemərɪ] n. *U komp.* pamięć asocjacyjna *l.* skojarzeniowa.

content-analysis [ˌkɑːntentəˈnæləsɪs] *n.* analiza znaczenia (*przekazu medialnego*).

contented [kənˈtentɪd] *a.* zadowolony, usatysfakcjonowany, kontent.

contentedly [kənˈtentɪdlɪ] *adv.* z zadowoleniem, z ukontentowaniem.

contentedness [kənˈtentɪdnəs] *n. U* zadowolenie, ukontentowanie.

contention [kənˈtenʃən] *n. form.* **1.** *U* spór, niezgoda; **a bone of ~** kość niezgody; **in ~** będący przedmiotem sporu, sporny. **2.** twierdzenie, opinia (*w sporze*); **it is my ~ that...** twierdzę, że... **3.** *U* walka, rywalizacja, współzawodnictwo; **be in ~ for sth** rywalizować o coś.

contentious [kənˈtenʃəs] *form. a.* **1.** kłótliwy. **2.** sporny (*t. prawn.*); kontrowersyjny.

contentiously [kənˈtenʃəslɪ] *adv.* kłótliwie.

contentiousness [kənˈtenʃəsnəs] *n.* kłótliwość.

contentment [kənˈtentmənt] *n. U* zadowolenie, ukontentowanie.

content word *n. jęz.* wyraz samodzielny (= *posiadający samodzielne znaczenie*).

conterminous [kənˈtɜːmənəs], **coterminous** [kouˈtɜːmənəs], **conterminal** [kənˈtɜːmənl] *a.* **1.** pokrywający się. **2. ~ with sth** graniczący z czymś; stykający się z czymś.

contest *n.* [ˈkɑːntest] **1.** zawody; konkurs; **beauty ~** konkurs piękności. **2.** rywalizacja, walka (*for sth* o coś). – *v.* [kənˈtest] *form.* **1.** walczyć o (*np. mistrzostwo*); ubiegać się o (*np. mandat poselski*). **2.** kwestionować (*decyzję, zapis, testament*). **3.** uczestniczyć w, startować w (*wyborach, konkursie*).

contestable [kənˈtestəbl] *a.* sporny.

contestableness [kənˈtestəblnəs] *n. U* sporność.

contestably [kənˈtestəblɪ] *adv.* w sposób sporny.

contestant [kənˈtestənt] *n.* **1.** uczestni-k/czka zawodów, zawodni-k/czka. **2.** *polit.* kandydat/ka (*np. na prezydenta*). **3.** *prawn.* osoba kwestionująca ważność testamentu *l.* decyzję sądu.

contestation [ˌkɑːntəˈsteɪʃən] *n.* **1.** spór. **2.** sporne twierdzenie.

contester [kənˈtestər] *n.* **1.** uczestni-k/czka zawodów. **2.** rywal/ka. **3.** osoba kwestionująca (*of sth* coś).

context [ˈkɑːntekst] *n.* **1.** *C / U* kontekst; **in ~** w (szerszym) kontekście, całościowo; **in a historical ~** w kontekście historycznym; **in the ~ of sth** w kontekście czegoś; **taken out of ~** wyjęty *l.* wyrwany z kontekstu. **2.** *bot.* hymenofor.

context of situation *n. jęz.* kontekst pozajęzykowy.

contextual [kənˈtekstʃuəl] *a.* kontekstowy.

contextual definition *n. log., fil.* definicja kontekstowa.

contextualism [kənˈtekstʃuəlˌɪzəm] *n. U t. film, bud.* kontekstualizm.

contextualize [kənˈtekstjuəˌlaɪz], *Br. i Austr. zw.* **contextualise** *v.* kontekstualizować, umieszczać w kontekście.

contexture [kənˈtekstʃər] *n. form.* **1.** struktura, budowa, układ. **2.** splot; *U* tkanie, splatanie.

contg. *abbr.* = **containing**; *zob.* **contain.**

contiguity [ˌkɑːntəˈgjuətɪ], **contiguousness** [kənˈtɪgjuəsnes] *form. n.* **1.** *U* przyleganie, styczność; sąsiedztwo. **2.** *pl.* **-ies** łańcuch (*np. wydarzeń*).

contiguous [kənˈtɪgjuəs] *a.* **1.** przylegający, przyległy (*with / to sth* do czegoś); styczny (*with / to sth* z czymś). **2.** sąsiedni; ościenny; sąsiadujący (*t. w czasie*) (*with sth* z czymś).

contiguously [kənˈtɪgjuəslɪ] *adv.* przylegle, stycznie.

continence [ˈkɑːntənəns], **continency** [ˈkɑːntənənsɪ] *n. U* **1.** *fizj.* trzymanie moczu i stolca. **2.** *przest.* powściągliwość, wstrzemięźliwość (*zwł. płciowa*).

continent[1] [ˈkɑːntənənt] *n.* **1.** *t. geogr.* kontynent. **2. the C~** *Br.* Europa (Zachodnia) (*bez Wysp Brytyjskich*). **3.** *przest.* stały ląd. **4.** *arch.* ograniczenie, granica.

continent[2] *form. a.* **1.** *fizj.* trzymający mocz i stolec. **2.** *przest.* powściągliwy, wstrzemięźliwy (*zwł. płciowo*). **3.** *przest.* obszerny. **4.** *przest.* ograniczający. **5.** *przest.* ciągły (*zwł. o odcinku lądu*).

continental [ˌkɑːnˈtənentl] *a.* **1.** kontynentalny. **2.** *attr.* północnoamerykański. **3.** (*także* **C~**) *Br.* (zachodnio)europejski (*z wyłączeniem Wysp Brytyjskich*). **4.** (*także* **C~**) *US hist.* dotyczący pierwszych 13 kolonii amerykańskich. – *n.* **1.** (*także* **C~**) *Br.* Europej-czyk/ka (*z Europy Zachodniej, wyłączając Brytyjczyków*). **2.** *przest.* mieszkan-iec/ka kontynentu. **3. C~** *US hist.* żołnierz Armii Kontynentalnej. **4.** *US hist.* pieniądz wyemitowany przez Kongres podczas wojny o niepodległość. **5. not worth a ~** *US pot.* nic nie wart.

Continental Army *n. US hist.* Armia Kontynentalna.

continental breakfast *n.* śniadanie kontynentalne (= *kawa i pieczywo z dżemem*).

Continental Celtic *n. U jęz.* języki celtyckie kontynentalne.

continental climate *n. geogr.* klimat kontynentalny.

continental code *n.* alfabet Morse'a.

Continental Congress *n. US hist.* Kongres Kontynentalny (*pierwszy l. drugi*).

continental crust *n. geol.* skorupa kontynentalna.

continental cuisine *n. U Br.* kuchnia (zachodnio)europejska.

continental divide *n. geogr.* wododział (*kontynentalny*); **C~ D~** *US* Wododział Kontynentalny.

continental drift *n. U geol.* dryf kontynentów, przesuwanie się kontynentów.

continentally [ˌkɑːn'tənentlɪ] *adv.* kontynentalnie.

continental margin *n. geogr.* strefa marginalna płyty kontynentalnej.

continental quilt *n. Br.* kołdra.

continental rise *n. geogr.* wzniesienie kontynentalne (*dna morskiego*).

continental seating *n. U teatr, kino* układ foteli bez centralnego przejścia, ale z dużymi odległościami pomiędzy rzędami.

continental shelf *n. pl.* **continental shelves** *geogr.* szelf kontynentalny.

continental slope *n. geogr.* stok *l.* skłon kontynentalny.

Continental System *n.* **the ~** *hist.* system kontynentalny, blokada kontynentalna (*plan Napoleona z 1806 r.*).

contingence [kən'tɪndʒəns] *n.* **1.** *U* stykanie się. **2.** = **contingency**.

contingency [kən'tɪndʒənsɪ], **contingence** [kən'tɪndʒəns] *n. pl.* **-ies** *form.* **1.** ewentualność, możliwość. **2.** wypadek (*zwł. nieprzewidziany*), przypadek.

contingency fee, contingent fee *n. US prawn.* wynagrodzenie wypłacane prawnikowi w przypadku wygrania przez niego sprawy.

contingency fund, contingent fund *n. fin., ekon.* fundusz na nieprzewidziane wydatki *l.* pokrycie strat nadzwyczajnych.

contingency plan *n.* plan awaryjny.

contingency reserve, contingent reserve *n. fin., ekon.* rezerwa na pokrycie nadzwyczajnych strat i nieprzewidzianych wydatków.

contingency table *n. stat.* tablica wielodzielcza.

contingency tax *n. fin.* podatek dodatkowy (*w przypadku niedoboru w budżecie*).

contingent [kən'tɪndʒənt] *form. a.* **1.** *pred.* zależny, uzależniony (*on / upon sth* od czegoś). **2.** możliwy, ewentualny. **3.** przypadkowy. **4.** względny; warunkowy. – *n.* **1.** *wojsk.* kontyngent. **2.** reprezentacja, delegacja (*np. danego kraju*). **3.** udział (= *część przypadająca na kogoś*). **4.** = **contingency**.

contingent beneficiary *n. ubezp.* uposażony zastępczy.

contingent fee *n.* = **contingency fee**.

contingent fund *n.* = **contingency fund**.

contingent liability *n. U prawn.* odpowiedzialność warunkowa.

contingently [kən'tɪndʒəntlɪ] *adv.* **1.** przypadkowo. **2.** warunkowo.

contingent reserve *n.* = **contingency reserve**.

continual [kən'tɪnjʊəl] *a. attr.* ciągły (*t. o czymś irytującym*); ustawiczny; nieustający, nieustanny, bezustanny.

continually [kən'tɪnjʊəlɪ] *adv.* ciągle; nieustannie, bez przerwy.

continuance [kən'tɪnjʊəns] *n.* **1.** *U form.* = **continuation** 1. **2.** *US prawn.* odroczenie (*sprawy, postępowania*).

continuant [kən'tɪnjʊənt] *fon. n.* kontynuanta, spółgłoska ciągła. – *a.* ciągły (*o spółgłosce*).

continuation [kənˌtɪnjʊ'eɪʃən] *n.* **1.** *U* kontynuowanie, kontynuacja. **2.** przedłużenie. **3.** dalszy ciąg. **4.** wznowienie. **5.** *Br. fin.* = **contango**.

continuative [kən'tɪnjʊˌeɪtɪv] *a.* **1.** *form.* powodujący *l.* wspomagający trwanie *l.* kontynuację (*czegoś*). **2.** *gram.* wyrażający czynność trwającą (*o czasowniku, frazie, zdaniu*). **3.** *gram.* ciągły (*o formie czasownika*). – *n. gram.* czasownik, fraza *l.* zdanie wyrażające czynność trwającą.

continuator [kən'tɪnjʊˌeɪtər] *n.* kontynuator/ka.

continue [kən'tɪnjuː] *v.* **1.** kontynuować (*t.* = *mówić dalej*); **~ to do/doing sth** nadal *l.* w dalszym ciągu coś robić, kontynuować robienie czegoś; **~ (with) sth** kontynuować coś. **2.** trwać. **3.** wznawiać; zostać wznowionym. **4.** iść *l.* jechać dalej. **5.** ciągnąć się (*np. o drodze*). **6.** pozostawać (*as sth* na jakimś stanowisku). **7.** przedłużać (*np. linię*). **8.** *US i Scot. prawn.* odraczać.

continued [kən'tɪnjuːd] *a.* **1.** *attr.* trwały; ciągły, nieprzerwany. **2.** wznowiony. **3.** **~ on p. 23** ciąg dalszy na str. 23; **to be ~** ciąg dalszy nastąpi.

continued fraction *n. mat.* ułamek ciągły *l.* łańcuchowy.

continued proportion *n. mat.* proporcjonalność wprost.

continuing [kən'tɪnjuːɪŋ] *a.* = **continued** 1.

continuing education *n. U* **1.** kształcenie dorosłych (*zw. wieczorowe*). **2.** *US* kształcenie ustawiczne (*mające na celu zapoznawanie specjalistów z rozwojem ich dziedziny*).

continuing resolution *n. US polit.* prowizorium budżetowe.

continuity [ˌkɑːntɪ'nuːətɪ] *n. pl.* **-ies** **1.** *U t. mat.* ciągłość (*np. funkcji*); trwanie. **2.** *U film* ciągłość akcji; **~ girl/man** sekreta-rka/rz planu. **3.** *film* scenopis. **4.** *telew., radio* wprowadzenie (*do wiadomości*); przejście (*od jednej wiadomości do drugiej*). **5.** *pl. handl.* pojedyncze części większych zestawów rozdawane *l.* tanio sprzedawane w celach promocyjnych (*np. naczynia, kolejne tomy encyklopedii*).

continuo [kən'tɪnjʊˌoʊ] *n. pl.* **-s** *muz.* (basso) continuo, bas generalny, generałbas, bas cyfrowany.

continuous [kən'tɪnjʊəs] *a. attr. t. gram., mat.* ciągły; stały, nieprzerwany.

continuous assessment *n. U gł. Br. szkoln.* ocena postępów ucznia na podstawie wyników z całego roku (*zamiast na podstawie egzaminu końcowego*).

continuous casting *n. U metal.* odlewanie ciągłe.

continuous creation theory *n. kosmologia* teoria ciągłej kreacji, teoria nieustannego tworzenia materii.

continuous-form [kən'tɪnjʊəsˌfɔːrm] *a.* ciągły (*zwł. o papierze do drukarek*).

continuous function *n. mat.* funkcja ciągła.

continuously [kən'tɪnjʊəslɪ] *adv.* ciągle; stale, nieprzerwanie.

continuously variable transmission *n. U mot.* przekładnia zmienna bezstopniowa.

continuousness [kən'tɪnjʊəsnəs] *n. U* stałość; ciągłość.

continuous spectrum *n. fiz.* widmo ciągłe.

continuous stationery *n. U komp.* papier ciągły (*składany w harmonijkę*), składanka komputerowa.

continuous wave *n.* **1.** *el.* fala ciągła. **2.** *tel. pot.* alfabet Morse'a.

continuous wave radar *n.* radar na fali ciągłej.

continuum [kən'tɪnjʊəm] *form. n. pl.* **-a** *l.* **-ums** *gł. nauka i fil.* kontinuum; *mat.* continuum (*t.* = *moc zbioru liczb rzeczywistych*).

contort [kən'tɔːrt] *v.* wykrzywiać (się); skręcać (się), wyginać (się).

contorted [kən'tɔːrtɪd] *a.* wykrzywiony (*o twarzy*); skręcony, powyginany.

contortion [kən'tɔːrʃən] *n.* **1.** *C/U* skrzywienie, wykrzywienie, kontorsja; wygięcie, skręt. **2.** *pat.* skręcenie. **3.** *t. przen.* wygibas (*np. myślowy*).

contortionist [kən'tɔːrʃənɪst] *n.* kontorsjonist-a/ka.

contortive [kən'tɔːrtɪv] *a.* wykrzywiający; skręcający.

contour ['kɑːntʊr] *n.* **1.** kontur, zarys, sylweta. **2.** ukształtowanie (*powierzchni*); kształt. **3.** (*także* ~ **line**) *kartogr.* warstwica, poziomica, izohipsa. **4.** (*także* **intonation** ~) *fon.* kontur intonacyjny, przebieg melodyczny. – *v.* **1.** konturować. **2.** budować zgodnie z ukształtowaniem terenu (*np. drogę, linię kolejową*). **3.** modelować. – *a. attr.* konturowy.

contour curtain *n. teatr* kurtyna składana w harmonijkę.

contour feather *n. orn.* pióro konturowe.

contour integration *n. U mat.* całkowanie wzdłuż obwodu zamkniętego.

contour interval *n. kartogr.* odstęp poziomic, skok warstwicowy.

contour map *n. kartogr.* mapa poziomicowa.

contour ploughing *n. U roln.* orka konturowa.

contour sheet *n.* prześcieradło z gumką (*naciągane na materac*).

contr. *abbr.* **1.** = **contract**; = **contracted**; = **contraction**. **2.** = **contralto**. **3.** = **contrary**. **4.** = **contrasted**. **5.** = **control**; = **controller**.

contra[1] ['kɑːntrə] *prep.* przeciw. – *adv.* w przeciwieństwie do.

contra[2] *n. pl.* **-s** *hist.* kontrrewolucjonist-a/ka nikaraguańsk-i/a (*w latach 80. XX w.*).

contraband ['kɑːntrəˌbænd] *n.* **1.** *U* kontrabanda, przemyt; ~ **of war** kontrabanda wojenna. **2.** *US hist.* niewolnik zbiegły *l.* przemycony na terytorium Unii (*podczas wojny secesyjnej*). – *a.* z przemytu, nielegalny (*o towarach*).

contrabandist ['kɑːntrəˌbændɪst] *n.* kontrabandzist-a/ka, przemytni-k/czka.

contrabass ['kɑːntrəˌbeɪs] *muz. n.* kontrabas. – *a.* kontrabasowy.

contrabassoon [ˌkɑːnrəbæ'suːn] *n.* kontrafagot.

contraception [ˌkɑːntrə'sepʃən] *n. U* antykoncepcja, zapobieganie ciąży.

contraceptive [ˌkɑːntrə'septɪv] *n. i a.* (środek) antykoncepcyjny.

contraclockwise [ˌkɑːntrə'klɑːkˌwaɪz] *a. i adv. US i Can.* przeciwnie do ruchu wskazówek zegara.

contract *n.* ['kɑːntrækt] **1.** *C/U t. prawn., ekon.* umowa, kontrakt; ~ **of employment** umowa o pracę; **be in breach of** ~ naruszyć postanowienia umowy; **be under** ~ **(to sb)** pracować (dla kogoś) na umowę-zlecenie; **break a** ~ zerwać umowę; **enter into/sign a** ~ zawrzeć/podpisać umowę. **2.** *zw. pl. prawn.* prawo o zobowiązaniach. **3.** *pot.* kontrakt na zabicie kogoś; **put a** ~ **on sb** wynająć płatnego mordercę do zabicia kogoś. **4.** *gł. hist.* kontrakt małżeński. **5.** *U* (*także* ~ **bridge**) *karty* brydż porównawczy. – *a.* ['kɑːntrækt] *attr.* **1.** kontraktowy. **2.** zlecony (*o pracy*). **3.** umowny (*o cenie*). – *v.* [kən'trækt] **1.** kurczyć (się) (*np. o metalu*). **2.** marszczyć (się) (*np. o brwiach*). **3.** *gram.* ściągać (*formę wyrazu l. frazy*). **4.** *fon.* ulegać kontrakcji *l.* ściągnięciu (*o sąsiadujących ze sobą samogłoskach*). **5.** podpisać umowę (*with sb* z kimś) (*for sth* na coś); ~ **to do sth** zobowiązać się w drodze umowy do zrobienia czegoś. **6.** zawrzeć; ~ **an alliance** zawrzeć przymierze *l.* sojusz; ~ **a marriage** *gł. hist.* zawrzeć kontrakt małżeński. **7.** *form.* nabawić się (*choroby*). **8.** zaciągnąć (*dług, zobowiązanie*). **9.** ~ **in (to sth)** *Br. form.* przystąpić *l.* zgłosić akces (do czegoś) (*oficjalnie*); ~ **out (of sth)** *Br. form.* wycofać się *l.* zrezygnować (z czegoś) (*oficjalnie*); ~ **sth out (to sb)** podzlecać coś (komuś).

contract furniture *n. U* meble użytkowe (*do biur, poczekalni itp.*).

contractibility [kənˌtrækta'bɪlətɪ] *n. U* kurczliwość.

contractible [kən'træktəbl] *a.* kurczliwy.

contractile [kən'træktl] *a.* **1.** kurczliwy. **2.** kurczący.

contractile vacuole *n. biol.* wodniczka *l.* wakuola tętniąca.

contractility [ˌkɑːntræk'tɪlətɪ] *n. U* kurczliwość.

contraction [kən'trækʃən] *n.* **1.** *U* kurczenie się (*np. metalu*). **2.** *fizj., pat.* skurcz (*np. mięśnia, macicy*). **3.** *gram.* forma ściągnięta. **4.** *U ekon.* spadek koniunktury; kurczenie się rynku.

contraction joint *n. bud.* szczelina skurczowa.

contractive [kən'træktɪv] *a.* **1.** kurczliwy. **2.** kurczący.

contractor ['kɑːntræktər] *n.* **1.** zleceniobiorca; wykonawca; dostawca; **(building)** ~ przedsiębiorca budowlany. **2.** *anat.* mięsień ściągacz.

contract practice *n. U med.* opieka lekarska za z góry ustaloną odpłatnością.

contractual [kən'træktʃʊəl] *a. attr.* **1.** kontraktowy. **2.** umowny.

contracture [kən'træktʃər] *n. pat.* przykurcz.

contracyclical [ˌkɑːntrə'saɪklɪkl] *a. ekon.* przeciwstawiający się jakieś tendencji cyklicznej.

contradance ['kɑːntrəˌdæns] *n.* = **contredanse**.

contradict [ˌkɑːntrəˈdɪkt] *v.* **1.** zaprzeczać; przeczyć; być sprzecznym *l.* pozostawać w sprzeczności z; **~ o.s.** przeczyć samemu sobie. **2.** **~ (sb)** sprzeciwiać się (komuś).

contradiction [ˌkɑːntrəˈdɪkʃən] *n.* **1.** *C/U t. log.* sprzeczność; **a ~ in terms** sprzeczność sama w sobie, oksymoron; **be in (direct) ~ to sth** stać w (oczywistej) sprzeczności z czymś. **2.** *U* sprzeciw; **without fear of ~** nie obawiając się sprzeciwu.

contradictious [ˌkɑːntrəˈdɪkʃəs] *a.* przekorny.

contradictive [ˌkɑːntrəˈdɪktɪv] *a.* **1.** przeczący. **2.** sprzeczny. **3.** przekorny.

contradictory [ˌkɑːntrəˈdɪktərɪ] *a.* **1.** *t. log.* sprzeczny. **2.** przekorny; kłótliwy. – *n. pl.* **-ies** *log.* zdanie sprzeczne (*jedno z dwóch*).

contradistinction [ˌkɑːntrədɪˈstɪŋkʃən] *n. form.* przeciwstawienie, rozróżnienie; **in ~ to sth** w odróżnieniu od czegoś.

contradistinguish [ˌkɑːntrədɪˈstɪŋgwɪʃ] *v. form.* przeciwstawiać (sobie), rozróżniać.

contraflow [ˈkɑːntrəˌfloʊ] *n. zwł. Br.* ruch w obie strony na jednej nitce autostrady (*np. z powodu robót drogowych l. usuwania skutków wypadku*).

contra-guide rudder [ˌkɑːntrəˌgaɪd ˈrʌdər] *n. żegl.* przeciwster.

contrail [ˈkɑːntreɪl] *n. US lotn.* smuga kondensacyjna.

contraindicated [ˌkɑːntrəˈɪndəkeɪtɪd] *med. a.* przeciwwskazany (*o leku, terapii*).

contraindication [ˌkɑːntrəˌɪndəˈkeɪʃən] *n.* przeciwwskazanie.

contralateral [ˌkɑːntrəˈlætərəl] *a. anat., fizj.* przeciwstronny, kontralateralny.

contralto [kənˈtræltoʊ] *muz. n. pl.* **-os** *l.* **-i** kontralt. – *a.* kontraltowy.

contraoctave [ˌkɑːntrəˈɑːktɪv] *n. muz.* kontraoktawa, kontroktawa, kontra.

contrapose [ˈkɑːntrəˌpoʊz] *v. form.* przeciwstawiać.

contraposition [ˌkɑːntrəpəˈzɪʃən] *n. U form.* **1.** przeciwstawienie; **in ~ to** w opozycji do (*np. o stanowisku w dyskusji*). **2.** *log.* kontrapozycja (*przekształcenie*).

contrapositive [ˌkɑːntrəˈpɑːzɪtɪv] *n. log.* kontrapozycja (*przekształcone zdanie*).

contrapposto [ˌkoʊntrəˈpɑːstoʊ] *n. pl.* **-s** *sztuka* kontrapost.

contraprop [ˈkɑːntrəˌprɑːp], **contrapropellers** [ˌkɑːntrəprəˈpelərz] *n. lotn.* śmigła przeciwbieżne.

contraption [kənˈtræpʃən] *n. pot.* ustrojstwo.

contrapuntal [ˌkɑːntrəˈpʌntl] *muz. a. attr.* kontrapunktowy.

contrapuntally [ˌkɑːntrəˈpʌntlɪ] *adv.* kontrapunktowo.

contrapuntist [ˌkɑːntrəˈpʌntɪst], **contrapuntalist** [ˌkɑːntrəˈpʌntəlɪst] *n.* kontrapunkcist-a/ka.

contrarian [ˌkɑːnˈtrerɪən] *n. form. zwł. ekon.* przeciwni-k/czka (*przeważającej opinii*).

contrariety [ˌkɑːntrəˈraɪətɪ] *n. pl.* **-ies** **1.** *C/U* rozbieżność, niezgodność, sprzeczność. **2.** *log.* sprzeczność (*pomiędzy dwoma zdaniami*). **3.** przeciwność, przeciwieństwo (*losu, aury*).

contrarily [ˈkɑːntrerɪlɪ] *adv.* **1.** z drugiej strony. **2.** odwrotnie, przeciwnie. **3.** na przekór.

contrariness [ˈkɑːntrerɪnəs] *n. U* **1.** przeciwieństwo. **2.** przekora.

contrarious [kənˈtrerɪəs] *a.* **1.** *wsch. US* przekorny. **2.** *arch.* niepomyślny, przeciwny.

contrariwise [ˈkɑːntrerɪˌwaɪz] *adv. przest. l. żart.* **1.** w przeciwnym kierunku. **2.** z drugiej strony. **3.** przekornie.

contrary *a.* [ˈkɑːntrerɪ] **1.** przeciwstawny (*to sth* czemuś); **be ~ to fact** nie odpowiadać faktom *l.* stanowi faktycznemu. **2.** przeciwny (*o kierunku*). **3.** inny, drugi (*z dwóch możliwości*). **4.** *form.* niekorzystny, zły (*o warunkach atmosferycznych*). **5.** [kənˈtrerɪ] przekorny; uparty. – *n.* [ˈkɑːntrerɪ] **1.** *pl.* **-ies** *log.* jedno z pary zdań sprzecznych. **2.** *U form.* **evidence/proof to the ~** dowody wskazujące na coś zupełnie przeciwnego; **I believe/think the ~** myślę/uważam zupełnie odwrotnie; **on the ~** (wprost *l.* wręcz) przeciwnie; **unless we hear to the ~** jeśli nie otrzymamy innych instrukcji. – *adv.* [ˈkɑːntrerɪ] **~ to** wbrew; **~ to popular opinion/belief** wbrew powszechnemu przekonaniu.

contrast *v.* [kənˈtræst] **1.** przeciwstawiać sobie; zestawiać (*dla kontrastu*) (*sth with sth* coś z czymś). **2.** kontrastować (*with sth* z czymś). – *n.* [ˈkɑːnˌtræst] *C/U t. mal., fot.* kontrast (*between X and Y* między X i Y); przeciwieństwo; przeciwstawienie; **be a ~ to sth** stanowić kontrast dla czegoś; **by/in ~** przeciwnie, odwrotnie; **in ~ to/with** w przeciwieństwie do, w odróżnieniu od; **marked/stark/striking ~** wyraźny/rzucający się w oczy/uderzający kontrast.

contrasting [kənˈtræstɪŋ] *a.* kontrastowy, kontrastujący.

contrast medium [ˈkɑːnˌtræst ˌmiːdɪəm] *n. med.* środek kontrastowy.

contrasty [kənˈtræstɪ] *a. gł. fot.* kontrastowy.

contravallation [ˌkɑːntrəvəˈleɪʃən] *n. wojsk., hist.* przeciwobwałowanie (*przeciw załodze miasta oblężonego*).

contravene [ˌkɑːntrəˈviːn] *v.* **1.** naruszać, przekraczać (*np. przepisy*). **2.** podawać w wątpliwość.

contravention [ˌkɑːntrəˈvenʃən] *n. C/U form.* przekroczenie, naruszenie; **in ~ of the law** z naruszeniem prawa.

contredanse [ˈkɑːntrəˌdæns], **contradance** *n.* kontredans (*taniec l. muzyka do niego*).

contre-jour [ˈkɑːntrəˌʒʊr] *n. U fot.* oświetlenie tylne, kontra.

contretemps [ˈkɑːntrəˌtɑːŋ] *n. pl.* **contretemps** *często żart.* **1.** sprzeczka, nieporozumienie. **2.** nieszczęśliwy traf *l.* wypadek (*zwł. krępujący*).

contrib. *abbr.* = **contribution**; = **contributor**.

contribute [kənˈtrɪbjuːt] *v.* **1.** ofiarowywać (*zwł. jakąś sumę*), wpłacać (*to/towards sth* na coś). **2.** **~ to sth** przyczyniać się do czegoś (*np. sukcesu, porażki*); zasilać coś (*np. fundację*); wnosić wkład do czegoś (*np. rozmowy, dyskusji*). **3.** **~ to a newspaper/magazine** (regularnie) pisywać do gazety/czasopisma, współpracować z gazetą/czasopismem; ~ **to a publication** złożyć artykuł do publikacji (*zwł. do pracy zbiorowej*), być współautor-em/ką publikacji.

contribution [ˌkɑːntrəˈbjuːʃən] *n.* **1.** wkład, udział; przyczynek, pomoc; **make a ~ to sth** przyczynić się do czegoś; wnieść (swój) wkład w coś. **2.** datek, ofiara; **make a ~ to sth** ofiarować datek na coś. **3.** składka. **4.** artykuł (*w czasopiśmie, pracy zbiorowej*); opowiadanie, wiersz itp. (*w antologii*). **5.** *arch.* kontrybucja (*wojenna*).

contributive [kənˈtrɪbjətɪv] *a.* **1.** składkowy. **2.** stanowiący wkład *l.* przyczynek.

contributor [kənˈtrɪbjətər] *n.* **1. be a ~ to sth** *form.* przyczyniać się do czegoś. **2.** ofiarodawca/czyni. **3.** współpracowni-k/czka (*gazety, czasopisma*).

contributory [kənˈtrɪbjəˌtɔːrɪ] *a.* **1.** *attr.* **~ cause/reason** jedna z przyczyn (*of sth* czegoś); **~ factor** jeden z czynników (*in sth* składających się na coś). **2.** *ubezp.* opłacany częściowo przez ubezpieczonego, a częściowo przez pracodawcę (*o ubezpieczeniu społecznym*). – *n. pl.* **-ies** *prawn. ekon.* wspólnik partycypujący w spłacie wierzycieli przy likwidacji spółki.

contributory negligence *n.* *U Br. i Austr. prawn.* zaniedbanie ze strony poszkodowanego.

contributory pension plan, *Br. i Austr.* **contributory pension scheme** *n. ubezp.* składkowy fundusz emerytalny.

con trick *n. pot.* = **confidence game.**

contrite [kənˈtraɪt] *form. l. lit. a.* skruszony, pełen skruchy.

contritely [kənˈtraɪtlɪ] *adv.* ze skruchą.

contriteness [kənˈtraɪtnəs] *n. U* skrucha.

contrition [kənˈtrɪʃən] *n. U* **1.** skrucha. **2.** *rel.* żal (*za grzechy*).

contrivance [kənˈtraɪvəns] *n.* **1.** urządzenie (*zwł. pomysłowe l. niecodzienne*); wynalazek. **2.** podstęp, fortel, sztuczka. **3.** *U* wymyślanie, obmyślanie. **4.** *U* pomysłowość, inwencja.

contrive [kənˈtraɪv] *v.* **1.** zaaranżować (*spotkanie, sytuację*). **2.** wymyślić; wynaleźć; **~ to do sth** znaleźć sposób na zrobienie czegoś. **3.** uknuć, ukartować.

contrived [kənˈtraɪvd] *a. uj.* sztuczny, nienaturalny, wymuszony; wydumany (*np. o fabule, zakończeniu*).

contriver [kənˈtraɪvər] *n.* **1.** wynalaz-ca/czyni. **2.** autor/ka (*planu, pomysłu*).

control [kənˈtroʊl] *v.* **-ll- 1.** kontrolować, nadzorować; kierować, rządzić (*czymś*); sprawować kontrolę nad (*przedsiębiorstwem, organizacją, jakością*); sprawować władzę w (*państwie*). **2.** sterować (*urządzeniem*). **3.** trzymać w ryzach, panować nad (*emocjami*); **~ o.s.** opanować się. **4.** hamować, ograniczać (*rozprzestrzenianie się choroby, przyrost naturalny*); opanowywać (*pożar, epidemię*); reglamentować. **5.** *fin.* kontrolować, sprawdzać (*rachunki*). – *n.* **1.** *U* kontrola, kierownictwo, nadzór; władza, rządy; **assume/regain ~** przejąć/odzyskać władzę; **be in ~** sprawować kontrolę, kierownictwo *l.* władzę; **be/come under sb's ~** znajdować/znaleźć się pod czyimiś rządami; **gain/take ~ of sth** przejąć kontrolę *l.* kierownictwo nad czymś. **2.** *U* panowanie; opanowanie; **be in ~** panować (nad sobą); **be in ~ of sth** panować nad czymś; **bring sth under ~** zapanować nad czymś, opanować coś; **circumstances beyond sb's ~** okoliczności od kogoś niezależne; **get out of ~** nie dawać się opanować, wymykać się spod kontroli; **have ~ of/over sth** panować nad czymś; **keep sth under ~** panować nad czymś; **lose ~ of sth/o.s.** stracić panowanie nad czymś/sobą; **the car went out of ~** kierowca stracił panowanie nad samochodem; **under ~** pod kontrolą (*o sytuacji*). **3.** *C/U* kontrola; ograniczenia; reglamentacja; **arms ~** kontrola zbrojeń; **birth ~** *zob.* **birth**; **impose strict ~s on sth** nałożyć ścisłe ograniczenia na coś; **price/wage ~s** ograniczenia cenowe/płacowe. **4.** *U* kontrola, sprawdzanie; **passport ~** kontrola paszportowa. **5.** *pl.* urządzenia sterujące, układ sterowania; przełączniki, klawisze (*np. w radioodbiorniku*); **at the ~s** *t. przen.* u steru.

control account, controlling account *n. bank* konto zbiorcze.

control column, control stick *n. lotn.* drążek sterowy, kolumna sterownicy.

control experiment *n.* eksperyment kontrolny (*mający na celu sprawdzenie l. skorygowanie wyników wcześniejszego eksperymentu*).

control freak *n. US pot. uj.* osoba usiłująca podporządkować sobie wszystkich dookoła.

control grid *n. el.* siatka sterująca.

control group *n.* grupa kontrolna (*w eksperymencie naukowym*).

control key *n. komp.* klawisz sterujący.

controllable [kənˈtroʊləbl] *a.* dający się opanować *l.* kontrolować.

controllably [kənˈtroʊləblɪ] *adv.* w sposób dający się opanować *l.* kontrolować.

controlled [kənˈtroʊld] *a.* **1.** opanowany. **2.** kontrolowany. **3.** reglamentowany.

controlled drug *n. prawn.* lek będący jednocześnie narkotykiem.

controlled experiment *n.* eksperyment kontrolowany.

controlled parking zone *n.* strefa ograniczonego parkowania.

controlled substance *n. prawn.* nielegalna substancja (*zwł. narkotyk*).

controller [kənˈtroʊlər] *n.* **1.** kierownik, dyrektor (*zwł. części organizacji*). **2.** kontroler (*np. ruchu*). **3.** (*także* **comptroller**) *form.* rewident księgowy. **4.** regulator, urządzenie sterujące.

controlling [kənˈtroʊlɪŋ] *a.* kontrolny; **~ interest/stake** *fin.* pakiet kontrolny (*akcji*).

control panel *n.* pulpit sterowniczy.

control rod *n.* pręt sterowniczy *l.* regulacyjny (*w reaktorze jądrowym*).

control room *n.* **1.** *wojsk.* sterownia. **2.** *radio, telew.* pokój aparatury.

control stick *n.* = **control column.**

control surface *n. lotn.* powierzchnia sterowa.

control tower *n. lotn.* wieża kontrolna (*lotniska*).

controversial [ˌkɑːntrəˈvɝːʃl] *a.* kontrowersyjny; sporny.

controversially [ˌkɑ:ntrəˈvɝ:ʃəlɪ] *adv.* kontrowersyjnie.

controversy [ˈkɑ:ntrəˌvɝ:sɪ] *n. pl.* **-ies** *C/U* kontrowersja, kontrowersje (*about/over/surrounding sth* na temat/co do/wokół czegoś); **bitter/fierce/heated ~** zacięte *l.* ostre kontrowersje.

controvert [ˈkɑ:ntrəˌvɝ:t] *v. form.* **1.** podawać w wątpliwość, negować, zaprzeczać (*czemuś*); przeciwstawiać się (*czemuś*). **2.** spierać się o.

contumacious [ˌkɑ:ntəˈmeɪʃəs] *form. a.* krnąbrny, oporny (*zwł. wobec postanowień sądu*).

contumaciously [ˌkɑ:ntəˈmeɪʃəslɪ] *adv.* krnąbrnie, opornie.

contumaciousness [ˌkɑ:ntəˈmeɪʃəsnəs] *n.* = **contumacy** 1.

contumacy [kənˈtu:məsɪ] *n. U* **1.** krnąbrność, opór, niesubordynacja. **2.** *prawn.* niestawienie się, niestawiennictwo (*przed sądem*); niepodporządkowanie się (*postanowieniom sądu*).

contumelious [ˌkɑ:ntəˈmi:lɪəs] *form. a.* obelżywy, obraźliwy.

contumely [ˈkɑ:ntəməlɪ] *n.* **1.** *pl.* **-ies** obelga, zniewaga. **2.** *U* obelgi; obelżywe zachowanie.

contuse [kənˈtu:z] *pat. v.* stłuc, zbić, kontuzjować.

contusion [kənˈtu:ʒən] *n. C/U* stłuczenie, rana tłuczona, siniak.

contusive [kənˈtu:sɪv] *a.* tłuczony (*o ranie*).

conundrum [kəˈnʌndrəm] *n. t. przen.* łamigłówka, zagadka.

conurbation [ˌkɑ:nərˈbeɪʃən] *n.* konurbacja.

conus [ˈkoʊnəs] *n. anat., zool.* stożek.

convalesce [ˌkɑ:nvəˈles] *v.* wracać do zdrowia.

convalescence [ˌkɑ:nvəˈlesəns] *n. sing.* rekonwalescencja.

convalescent [ˌkɑ:nvəˈlesənt] *a.* dotyczący rekonwalescencji, rekonwalescencki. – *n.* rekonwalescent/ka.

convalescent home, convalescent hospital *n.* sanatorium (*dla rekonwalescentów*).

convalescent leave *n.* urlop zdrowotny *l.* dla poratowania zdrowia.

convection [kənˈvekʃən] *n. U fiz.* konwekcja.

convectional [kənˈvekʃənl] *a.* konwekcyjny.

convection current *n.* prąd konwekcyjny.

convector [kənˈvektər], **convector heater** *n.* konwektor.

convenance [ˈkɑ:nvəˌnɑ:ns] *n. U form. l. lit.* konwenanse (*towarzyskie*).

convene [kənˈvi:n] *v. form.* **1.** gromadzić (się), zbierać (się) (*na zebranie, posiedzenie*). **2.** zwoływać (*zebranie*). **3.** pozywać (*przed sąd*).

convener [kənˈvi:nər], **convenor** *n.* **1.** zwołując-y/a zebranie, organizator/ka zebrania; przewodnicząc-y/a (*obrad, posiedzenia*). **2.** *Br.* funkcjonariusz związku zawodowego wysokiego szczebla (*w danym zakładzie*).

convenience [kənˈvi:nɪəns] *n.* **1.** *U* wygoda, dogodność; **at your ~** w dogodnej dla Pan-a/i chwili; **at your earliest ~** *form.* przy najbliższej sposobności; **for ~'s sake** dla wygody; **for (sb's) ~** dla (czyjejś) wygody. **2.** udogodnienie; wygodne urządzenie; **all modern ~s** (*także* **all mod cons**) *Br.* z wszystkimi wygodami (*o mieszkaniu, zwł. w ogłoszeniach*). **3.** (*także* **public ~**) *Br. euf.* toaleta publiczna. **4.** *przen.* **flag of ~** *żegl.* tania bandera; **marriage of ~** małżeństwo z rozsądku; **make a ~ of sb** wykorzystywać kogoś.

convenience food, convenience foods *n. C/U* dania szybkie (*mrożonki itp.*).

convenience store *n. US* sklepik z żywnością, prasą itp. (*otwarty do późna l. przez całą dobę*).

convenient [kənˈvi:nɪənt] *a.* **1.** wygodny; dogodny (*o porze, momencie*); **is five thirty ~ for you?** czy wpół do szóstej ci odpowiada?. **2. ~ for sth** położony blisko czegoś (*szkoły, sklepów, przystanku autobusowego*).

conveniently [kənˈvi:nɪəntlɪ] *adv.* **1.** wygodnie; dogodnie. **2. sb has ~ forgotten/lost sth** *zw. żart.* ktoś udaje, że o czymś zapomniał/coś zgubił.

convent [ˈkɑ:nvent] *n.* **1.** zakon (*zw. żeński*). **2.** klasztor. **3.** (*także* **~ school**) szkoła przyklasztorna (*zw. żeńska*).

conventicle [kənˈventɪkl] *n. form.* **1.** konwentykiel (= *zebranie sekty religijnej, zwł. nielegalne l. tajne*). **2.** budynek, w którym odbywają się konwentykle.

convention [kənˈvenʃən] *n.* **1.** *C/U* konwenans, zwyczaj; **by ~** zgodnie ze zwyczajem; **defy/flout ~** odrzucać konwenanse. **2.** *t. sztuka* konwencja; **break with ~s** łamać (obowiązujące) konwencje (*o pisarzu, artyście*). **3.** konferencja, zjazd (*zwł. partii*). **4.** *polit.* konwencja, umowa. **5.** (*także* **~al**) *brydż* konwencja.

conventional [kənˈvenʃənl] *a.* **1.** konwencjonalny; tradycyjny (*np. o weselu*). **2.** umowny. **3.** dotyczący zjazdu *l.* zgromadzenia. – *n.* = **convention** 5.

conventionalism [kənˈvenʃənlˌɪzəm] *n. U* konwencjonalizm.

conventionalist [kənˈvenʃənlɪst] *n.* konwencjonalist-a/ka.

conventionality [kənˌvenʃəˈnælətɪ] *n. U* **1.** konwencjonalność. **2.** umowność.

conventionalize [kənˈvenʃənlˌaɪz] *v.* konwencjonalizować.

conventionally [kənˈvenʃənlɪ] *adv.* **1.** konwencjonalnie. **2.** umownie.

conventional medicine *n. U* medycyna konwencjonalna.

conventional oven *n.* zwykły piekarnik (*w odróżnieniu od kuchenki mikrofalowej*).

conventional weapons *n. pl.* broń konwencjonalna.

conventual [kənˈventʃuəl] *form. a.* zakonny. – *n.* zakonni-k/ca.

converge [kənˈvɝ:dʒ] *v.* **1.** zbiegać się (*o liniach, drogach*). **2.** *przen.* być zbieżnym (*o celach, interesach*); upodabniać się do siebie (*o poglądach, opiniach*). **3. ~ on sth** zbliżać się *l.* podchodzić do czegoś (*zw. z wielu stron naraz, np. o armiach*); przybywać gdzieś (*jw., np. na miejsce wypadku l. imprezy*).

convergence [kənˈvɝ:dʒəns] *n. U* **1.** zbieżność. **2.** *mat.* konwergencja.

convergent [kənˈvɝ:dʒənt] *a.* zbieżny.

conversable [kənˈvɝ:səbl] *a. form.* **1.** miły w rozmowie. **2.** rozmowny.

conversance [kən'vɜ:səns], **conversancy** [kən'vɜ:sənsɪ] *n. form.* znajomość (*jakiegoś przedmiotu l. dziedziny*).

conversant [kən'vɜ:sənt] *a.* **1. ~ with sth** *form.* zaznajomiony *l.* obeznany z czymś. **2. ~ in Polish/Spanish etc.** *US* zdolny do prowadzenia konwersacji w języku polskim/hiszpańskim itd. (*ale nie mówiący nim biegle*).

conversation [ˌkɑ:nvər'seɪʃən] *n. C/U* rozmowa, konwersacja; **be in ~ (with sb)** rozmawiać (z kimś); **get into (a) ~ with sb** nawiązać rozmowę z kimś (*nieznajomym*); **carry on/hold a ~** prowadzić rozmowę; **make ~** wymyślać kolejne tematy do rozmowy (*bo wymaga tego sytuacja, np. na przyjęciu*); **strike up (a) ~ (with sb)** nawiązać rozmowę (z kimś); **they've run out of ~** zabrakło im tematów (do rozmowy).

conversational [ˌkɑ:nvər'seɪʃənl] *a.* **1.** konwersacyjny (*o stylu, wyrażeniu*). **2.** mówiony, potoczny (*o języku*). **3. = conversable.**

conversationalist [ˌkɑ:nvər'seɪʃənlɪst] *n.* osoba biegła w sztuce konwersacji.

conversationally [ˌkɑ:nvər'seɪʃənlɪ] *adv.* konwersacyjnie.

conversational skills *n. pl.* umiejętność prowadzenia rozmowy.

conversation piece *n.* temat do rozmowy (*często żart. o czymś niezwykłym l. wyjątkowo brzydkim*).

conversazione [ˌkɔ:nvərsɑ:tsɪ'ounɪ] *n. pl.* **-i** [ˌkɔ:nvərsɑ:tsɪ'ouni:], *l.* **-es** *form.* wieczór naukowy *l.* artystyczny.

converse[1] *v.* [kən'vɜ:s] *form.* **1.** konwersować (*with sb* z kimś) (*on/about sth* o czymś). **2.** obcować (*zwł. duchowo*). **3.** *arch.* utrzymywać stosunki (*towarzyskie*). **4.** *arch.* współżyć (*płciowo*). – *n.* ['kɑ:nvɜ:s] *U form.* **1.** konwersacja. **2.** *arch.* stosunki (*towarzyskie*). **3.** *arch.* współżycie (*płciowe*).

converse[2] ['kɑ:nvɜ:s] *form. a. attr.* odwrotny, przeciwny. – *n.* **1. the ~ of sth** odwrotność czegoś. **2.** *log.* sąd odwrócony.

conversely [kən'vɜ:slɪ] *adv. form.* na odwrót, przeciwnie.

conversion [kən'vɜ:ʒən] *n. C/U* **1.** konwersja, przekształcenie (*into sth* w coś); przeróbka (*into sth* na coś); *Br.* przebudowa, adaptacja (*zwł. dużego domu na kilka mieszkań*). **2.** *rel. l. przen.* nawrócenie (*to sth* na coś) (*from sth* z czegoś). **3.** *log.* konwersja. **4.** *mat.* przeliczanie, zamiana (*np. mil na kilometry*). **5.** *jęz.* derywacja bezafiksalna. **6.** przestawienie się, przejście (*np. na system metryczny*). **7.** *prawn.* przywłaszczenie. **8.** *rugby, futbol amerykański* próba, strzał na bramkę po przyłożeniu.

convert *v.* [kən'vɜ:t] **1.** przekształcać, zamieniać (*into sth* w coś); przerabiać (*into sth* na coś). **2.** *rel. l. przen.* nawracać się (*to* na coś) (*from sth* z czegoś). **3.** przeliczać, zamieniać (*jednostki, waluty itp.*) (*into sth* na coś). **4.** *log.* dokonywać konwersji. **5.** *prawn.* przywłaszczać. – *n.* ['kɑ:nvɜ:t] *t. przen.* nawrócon-y/a.

converted [kən'vɜ:tɪd] *a.* nawrócony. – *n.* **be preaching to the ~** (*także US* **be preaching to the choir**) *przen.* nawracać nawróconych.

converter [kən'vɜ:tər], **convertor** *n.* **1.** *fiz.* przetwornik. **2.** *metal.* konwertor, gruszka.

convertibility [kənˌvɜ:tə'bɪlətɪ] *n. U* **1.** zamienialność, wymienialność. **2.** przekształcalność.

convertible [kən'vɜ:təbl] *a.* **1.** zamienialny, wymienialny. **2.** przekształcalny. – *n. mot.* kabriolet.

convertible bond *n. fin.* obligacja zamienna.

convertible currency *n. C/U fin.* waluta wymienialna.

convex ['kɑ:nveks] *a. t. opt. geom.* wypukły.

convexity [kən'veksətɪ] *n. C/U pl.* **-ies** wypukłość.

convexly [kən'vekslɪ] *adv.* wypukle.

convexo-concave [kənˌveksoukɑ:n'keɪv] *a. opt.* wypukło-wklęsły.

convexo-convex [kənˌveksoukɑ:n'veks] *a.* dwuwypukły, podwójnie wypukły.

convey [kən'veɪ] *v.* **1.** przekazywać (*informacje, emocje, podziękowania*); komunikować (*wiadomość*); oddawać (*nastrój, atmosferę*). **2.** *form.* przewozić, przenosić, transportować; doprowadzać. **3.** *prawn.* przekazywać, przenosić (*prawo własności*). **4.** *arch.* kraść.

conveyable [kən'veɪəbl] *a.* **1.** dający się przekazać. **2.** przewoźny.

conveyance [kən'veɪəns] *n. U* **1.** przewóz, transport. **2.** *C form.* środek transportu, pojazd. **3.** przekazywanie, komunikowanie. **4.** *prawn.* przeniesienie tytułu własności (*t. sam dokument*).

conveyancer [kən'veɪənsər] *n. prawn.* prawnik sporządzający przeniesienie tytułu własności; notariusz (*zajmujący się zmianą tytułu własności nieruchomości*).

conveyancing [kən'veɪənsɪŋ] *n. U prawn.* **1.** przeniesienie tytułu własności (*do nieruchomości*). **2.** czynności notarialne (*związane z własnością nieruchomości*).

conveyor [kən'veɪər], **conveyer** *n.* przenośnik, urządzenie transmisyjne.

conveyor belt *n.* przenośnik taśmowy.

convict *prawn. v.* [kən'vɪkt] skazać, uznać winnym; **~ sb of sth** uznać kogoś winnym czegoś. – *n.* ['kɑ:nvɪkt] skazaniec, skazan-y/a.

conviction [kən'vɪkʃən] *n. C/U* **1.** *prawn.* uznanie winnym; skazanie, wyrok skazujący (*for sth* za coś). **2.** przekonanie, przeświadczenie; **carry ~** być przekonującym (*o słowach, głosie*).

convictive [kən'vɪktɪv] *a.* **1.** *prawn.* wystarczający do uznania winnym. **2.** *form.* przekonujący.

convince [kən'vɪns] *v.* **~ sb (of sth)** przekonać kogoś (o czymś); **~ sb (that)...** przekonać kogoś, że...; **~ sb to do sth** przekonać kogoś, żeby coś zrobił.

convinced [kən'vɪnst] *a.* **1.** przekonany (*of sth/that* o czymś/że). **2.** *attr.* z przekonania.

convincedly [kən'vɪnsədlɪ] *adv.* z przekonaniem.

convincement [kən'vɪnsmənt] *n. U* przekonanie.

convincible [kən'vɪnsəbl] *a.* dający się przekonać.

convincing [kən'vɪnsɪŋ] *a.* przekonujący.

convincingly [kən'vɪnsɪŋlɪ] *adv.* przekonująco.

convincingness [kən'vɪnsɪŋnəs] *n. U* siła przekonywania.

convivial [kən'vɪvɪəl] *a.* serdeczny, wesoły, przyjazny; biesiadny.

conviviality [kən,vɪvɪ'ɑːlətɪ] *n. U* serdeczna atmosfera; biesiadny nastrój.

convivially [kən'vɪvɪəlɪ] *adv.* serdecznie, przyjaźnie; biesiadnie.

convocation [,kɑːnvə'keɪʃən] *n. form.* **1.** zgromadzenie (*np. absolwentów college'u na niektórych brytyjskich uniwersytetach*); *hist.* konwokacja. **2.** *U* zwołanie (*zgromadzenia*). **3.** *Br. kośc.* synod (*duchowieństwa prowincji Canterbury l. Yorku*).

convocational [,kɑːnvə'keɪʃənl] *a.* **1.** zwołujący. **2.** konwokacyjny.

convoke [kən'voʊk] *v. form.* zwoływać.

convolute ['kɑːnvə,luːt] *v.* zwijać, skręcać. – *a. bot.* zwinięty, skręcony.

convoluted ['kɑːnvə,luːtɪd] *a.* **1.** zawiły, zagmatwany (*np. o stylu*). **2.** skręcony, zwinięty.

convolutedness ['kɑːnvə,luːtɪdnəs] *n. U* **1.** zawiłość, zagmatwanie. **2.** skręcenie, zwinięcie.

convolution [,kɑːnvə'luːʃən] *n.* **1.** *U* skręcanie, zwijanie. **2.** *anat.* zwój (*mózgowy*). **3.** *C/U przen.* zawiłość (*np. fabuły*).

convolutional [,kɑːnvə'luːʃənl], **convolutionary** [,kɑːnvə'luːʃə,nerɪ] *a.* zwojowy, splotowy.

convolve [kən'vɑːlv] *v.* zwijać, skręcać.

convolvulus [kən'vɑːlvɪələs] *n. pl. t.* **-i** [kən'vɑːlvɪəlaɪ] *bot.* powój (*Convolvulus*).

convoy ['kɑːnvoʊɪ] *v.* konwojować. – *n.* konwój.

convulsant [kən'vʌlsənt] *n. i a. med.* (środek) powodujący drgawki.

convulse [kən'vʌls] *v.* **1.** wywoływać konwulsje *l.* drgawki u (*kogoś*); mieć konwulsje *l.* drgawki; **be ~ed with laughter/anger** *przen.* trząść *l.* skręcać się ze śmiechu/złości. **2.** wstrząsać gwałtownie (*czymś*); *przen.* zakłócić, spowodować zakłócenia w (*np. ruchu drogowym*).

convulsion [kən'vʌlʃən] *n.* **1.** *zw. pl.* konwulsje, drgawki; **go into ~s** dostać konwulsji *l.* drgawek. **2.** *pl. pot.* konwulsyjny śmiech; **be in ~s** pokładać *l.* skręcać się ze śmiechu. **3.** *lit.* wstrząs, gwałtowne zaburzenia (*fizyczne, społeczne, polityczne*).

convulsionary [kən'vʌlʃə,nerɪ] *a.* **1.** konwulsyjny, spazmatyczny. **2.** podlegający konwulsjom.

convulsive [kən'vʌlsɪv] *a. pat.* **1.** konwulsyjny, drgawkowy, spazmatyczny. **2.** *przen.* spazmatyczny, niepohamowany (*np. o śmiechu*).

convulsively [kən'vʌlsɪvlɪ] *adv.* konwulsyjnie, spazmatycznie.

cony ['koʊnɪ], **coney** *n. pl.* **-ies** *l.* **-eys** **1.** *zool.* królik (*zwł. Oryctolagus cuniculus*). **2.** *U* skóra królicza.

coo[1] [kuː] *v.* **1.** gruchać (*zwł. o gołębiach*). **2.** mruczeć (*o osobie*). **3. bill and ~** *przest. przen.* gruchać czule. – *n. U* gruchanie.

coo[2] *int. Br. sl.* a niech mnie!

cook [kʊk] *v.* **1.** gotować (się); *przen. pot.* gotować się (*z gorąca*). **2.** *pot.* fałszować (*np. rachunki, dowody w sprawie*). **3.** *sl.* dawać czadu (*o zespole*). **4.** *przen. pot.* **~ sb's goose** załatwić kogoś; **~ the books** sfałszować rachunki (*zwł. o księgowym dopuszczającym się malwersacji*); **be ~ing with gas** *US* świetnie sobie radzić; **there's sth ~ing** coś się święci; **what's ~ing?** co jest grane?. **5. ~ up** ugotować naprędce; *przen. pot.* zmyślić, spreparować. – *n.* kucha-rz/rka; **too many ~s (spoil the broth)** *przen.* gdzie kucharek sześć, tam nie ma co jeść.

cookbook ['kʊk,bʊk] *n. zwł. US* książka kucharska.

cook-chill ['kʊk,tʃɪl] *a. zwł. Br. kulin.* utrwalony przez szybkie schłodzenie (*o produktach gotowych do spożycia po podgrzaniu*).

cooked [kʊkt] *a.* gotowany.

cooked breakfast *n. Br.* śniadanie angielskie.

cooker ['kʊkər] *n. Br.* **1.** kuchenka, piecyk kuchenny. **2.** *kulin. pot.* jabłko *l.* inny owoc nadający się tylko do gotowania.

cookery ['kʊkərɪ] *n. U Br.* gotowanie, sztuka kucharska.

cookery book *Br. i Austr.* = **cookbook**.

cookhouse ['kʊk,haʊs] *n. przest.* kuchnia (*okrętowa l. obozowa, t. pod gołym niebem*).

cookie ['kʊkɪ], **cooky** *n. pl.* **-ies** **1.** *US i Can.* (kruche) ciasteczko; herbatnik. **2.** *Scot.* bułeczka (*słodka*). **3.** *zwł. US pot.* sztuka (*o osobie*); **smart/tough ~** cwana/twarda sztuka, spryciarz/ra. **4.** *zwł. US przest. pot.* niezła sztuka (*o kobiecie*). **5.** *przen.* **that's the way the ~ crumbles** *pot.* tak to już bywa (*komentarz do przykrego wydarzenia, z którym trzeba się pogodzić*); **toss/spill one's ~** *sl.* puszczać pawia.

cookie cutter *n. US i Can. kulin.* foremka do kruchych ciasteczek.

cookie-cutter ['kʊkɪ,kʌtər] *a. attr. US* jak spod sztancy (*np. o identycznych domach*).

cookie sheet *n. US* blacha do pieczenia.

cooking ['kʊkɪŋ] *n. U* **1.** gotowanie. **2.** kuchnia (*danego kraju, regionu*); **home ~** *przen.* domowa kuchnia. – *a. attr.* nadający się (tylko) do gotowania (*np. o jabłkach, czekoladzie*).

cookout ['kʊk,aʊt] *n. gł. US i Can. pot.* posiłek spożywany na wolnym powietrzu (*zw. jako część przyjęcia*).

cookstove ['kʊk,stoʊv] *n. US* piecyk kuchenny, kuchenka.

cookware ['kʊk,wer] *n. U* naczynia kuchenne.

cooky ['kʊkɪ] *n.* = **cookie**.

cool [kuːl] *a.* **1.** *t. przen.* chłodny; **get a ~ reception/welcome** *przen.* zostać chłodno przyjętym. **2.** przewiewny, lekki (*o tkaninie, ubraniu*). **3.** chłodny, zimny (*o kolorze*). **4.** spokojny; **~ as a cucumber** idealnie spokojny; **~, calm and collected** spokojny, opanowany; **~ customer** *pot.* osoba zachowująca spokój graniczący z arogancją; **stay/keep ~** zachować spokój. **5.** *sl.* świetny, super; (super)modny. **6. a ~ hundred/thousand**

dollars *pot.* ni mniej ni więcej, tylko sto/tysiąc dolarów. – *v. t. przen.* **1.** chłodzić (się), studzić (się); stygnąć. **2.** *pot.* ~ **it!** spokojnie!, uspokój się!; ~ **one's heels** *zob.* **heel**1 *n.* **3.** ~ **down** ochłodzić (się), ostudzić (się); ostygnąć, wystygnąć; *przen.* ochłonąć, uspokoić się; ~ **off** *t. przen.* ochłodzić się, ostygnąć (*t. o uczuciach, stosunkach*); *przen.* ochłonąć, uspokoić się. – *n. U* **1.** chłód; **the ~ of the evening** wieczorny chłód. **2.** *pot.* spokój, opanowanie; **keep one's ~** zachowywać spokój; **lose one's ~** stracić zimną krew. – *adv.* **play it ~** *pot.* zachowywać spokój. – *int. sl.* świetnie!, super!.

coolant ['ku:lənt] *n. C/U techn.* chłodziwo; ciecz chłodząca.

cool box, cool bag *n. Br.* lodówka turystyczna (*chłodzona lodem*).

cooler ['ku:lər] *n.* **1.** chłodnica. **2.** naczynie do chłodzenia. **3.** (*także* ~ **bag**) *US* lodówka turystyczna. **4.** (*także* **wine ~**) drink z wina, soku i wody sodowej. **5.** *US* urządzenie klimatyzacyjne. **6. the ~** *sl.* ciupa, puszka (= *więzienie*).

cool-headed ['ku:lˌhedɪd] *a.* chłodny, zrównoważony, opanowany.

coolibah ['ku:ləˌbɑ:], **coolabah** *n. bot.* kuliba (*australijskie drzewo Eucalyptus microtheca*).

coolie ['ku:lɪ], **cooly** *n. pl.* **-ies** *pog.* kulis.

cooling ['ku:lɪŋ] *n. U* chłodzenie, studzenie.

cooling-off period [ˌku:lɪŋ'ɔ:f ˌpi:rɪəd] *n.* **1.** czas na ochłonięcie (*np. po kłótni l. przed podjęciem ostatecznej decyzji o strajku*). **2.** okres próbny (*w czasie którego można wycofać się z podpisanej umowy, np. z funduszem emerytalnym*).

cooling system *n.* układ chłodzenia.

cooling tower *n.* chłodnia kominowa.

coolly ['ku:lɪ] *adv.* **1.** *t. przen.* chłodno. **2.** spokojnie.

coolness ['ku:lnəs] *n. U* **1.** *t. przen.* chłód. **2.** spokój, opanowanie.

coolth [ku:lθ] *n. U dial. pot. l. żart.* chłód (*zwł. przyjemny*).

coom [ku:m], **coomb** *n. U dial. gł. płn. Br.* pył *l.* miał węglowy.

coomb [ku:m] *n.* **1.** *płd. Br. geol.* wądół, dolinka. **2.** *płn. Br. geol.* kocioł, kar, cyrk lodowcowy. **3.** *płn. Br.* = **coom.**

coon [ku:n] *n.* **1.** *US pot.* = **raccoon. 2.** *obelż. sl.* czarnuch, asfalt (= *Murzyn*). **3. in a ~'s age** *US pot.* od długiego czasu.

coop [ku:p] *n.* **1.** kojec (*dla drobiu*). **2.** klitka (= *ciasne pomieszczenie*); cela (*więzienna*). **3.** *Br. ryb.* kosz (*do połowów*). **4. fly the ~** *pot.* zwiać, dać nogę. – *v.* ~ **(up)** stłoczyć; **be ~ed up** gnieździć *l.* kisić się (*in sth* w czymś).

co-op ['kouɑ:p] *n.* = **co-operative.**

cooper ['ku:pər] *n.* bednarz. – *v.* pracować jako bednarz; naprawiać *l.* zbijać (*beczki*).

cooperage ['ku:pərɪdʒ], **coopery** ['ku:pərɪ] *n.* **1.** *U* bednarstwo. **2.** pracownia bednarska. **3.** opłata pobierana przez bednarza.

cooperate [kou'ɑ:pəˌreɪt], **co-operate** *v.* współpracować, współdziałać (*with sb* z kimś) (*in sth* przy/w czymś).

cooperation [kouˌɑ:pə'reɪʃən], **co-operation** *n. U* współpraca, współdziałanie, kooperacja.

cooperative [kou'ɑ:pərətɪv], **co-operative** *a.* **1.** współpracujący; pomocny; chętny (*do współpracy*). **2.** wspólny (*o wysiłku*). **3.** spółdzielczy; kooperatywny. – *n.* spółdzielnia; kooperatywa.

cooperatively [kou'ɑ:pərətɪvlɪ] *adv.* we współpracy.

cooperativeness [kou'ɑ:pərətɪvnəs] *n. U* gotowość do współpracy, chęć współpracy.

cooperative society *n.* towarzystwo spółdzielcze, spółdzielnia.

cooperator [kou'ɑ:pəˌreɪtər], **co-operator** *n.* współpracowni-k/czka; kooperant/ka.

coopery ['ku:pərɪ] *n.* = **cooperage.**

co-opt [kou'ɑ:pt], **coopt** *v.* dokooptować, dobrać (sobie) (*np. dodatkowego pracownika*).

co-optation [ˌkouɑ:p'teɪʃən] *n. U* kooptacja.

coordinal [kou'ɔ:rdɪnl], **co-ordinal** *a. bot., zool.* należący do tego samego rzędu.

coordinate, co-ordinate *v.* [kou'ɔ:rdəneɪt] **1.** koordynować, uzgadniać. **2.** harmonizować *l.* współgrać ze sobą. – *n.* [kou'ɔ:rdənɪt] **1.** *mat.* współrzędna, koordynata. **2.** *pl.* zestaw (*dobranej kolorystycznie odzieży damskiej*). – *a.* [kou'ɔ:rdənɪt] *gram.* współrzędny (*o zdaniu*).

coordinately [kou'ɔ:rdənɪtlɪ] *adv.* w sposób skoordynowany *l.* zharmonizowany.

coordinating conjunction *n. gram.* spójnik współrzędny (*np. „and" l. „but"*).

coordination [kouˌɔ:rdə'neɪʃən], **co-ordination** *n. U* koordynacja.

coordination number *n. chem.* liczba koordynacyjna.

coordinative [kou'ɔ:rdəˌneɪtɪv], **co-ordinative** *a.* koordynacyjny.

coordinator [kou'ɔ:rdəˌneɪtər] *n.* koordynator/ka.

coot [ku:t] *n.* **1.** *orn.* łyska (*Fulica atra*). **2. old ~** *US pot. uj.* głupi dziad.

cootie ['ku:tɪ] *n. US pot.* wesz.

cop1 [kɑ:p] *n.* **1.** *pot.* gliniarz, glina. **2.** *Br. pot.* zatrzymanie, aresztowanie. – *v.* **-pp- 1.** *Br. sl.* nakryć, zwinąć (*przestępcę*). **2.** *sl.* buchnąć (= *ukraść*); zdobyć (*nielegalne narkotyki*). **3.** ~ **a few Z's** *US sl.* skimnąć się; ~ **a plea** *US sl.* przyznać się dobrowolnie (*w nadziei na łagodniejszy wyrok*); ~ **(hold of) this!** *sl.* bierz *l.* trzymaj to!; ~ **it** *Br. i Austr. pot.* oberwać (= *zostać ukaranym*). **4.** ~ **out** *sl.* wykręcić się (*of/on sth* od czegoś).

cop2 *n.* **not be much ~** *Br. sl.* być do bani (= *być niewiele wartym*).

cop. *abbr.* = **copyright**; = **copyrighted.**

copacetic [ˌkoupə'setɪk], **copasetic, copesetic, copesettic** *a. US i Can. sl.* świetny, super.

copal ['koupl] *n. U* kopal (*rodzaj żywicy*).

coparcenary [kou'pɑ:rsəˌnerɪ], **coparceny** [kou'pɑ:rsənɪ] *n. U prawn.* współdziedziczenie; współwłasność.

copartner [kou'pɑ:rtnər] *n.* wspólni-k/czka, udziałow-iec/czyni.

copartnership [kou'pɑ:rtnərˌʃɪp] *n. U* wspólnictwo, udział.

cope[1] [koʊp] *v.* uporać się; dawać sobie radę (*with sb / sth* z kimś/czymś); **have to ~ with sth** (musieć) borykać się z czymś.

cope[2] *n.* **1.** *kośc.* kapa (*szata liturgiczna*). **2.** pokrywa. **3.** *metal.* skrzynka formierska górna. **4.** *bud.* = **coping**. – *v.* **1.** okrywać kapą. **2.** przykrywać. **3.** *bud.* zwieńczać ławą szczytową (*mur*).

copeck ['koʊpek] *n.* kopiejka.

Copenhagen blue [ˌkoʊpənˌheɪgən 'blu:] *n.* *U* kolor szarawoniebieski.

copepod ['koʊpəˌpɑ:d] *n.* *zool.* skorupiak z rzędu widłonogów (*Copepoda*).

coper ['koʊpər] *n.* *Br.* handlarz końmi.

Copernican [koʊ'pɜ:nɪkən] *a.* *attr.* kopernikański, kopernikowski.

copestone ['koʊpˌstoʊn], **coping stone** *n.* *bud.* kamień gzymsowy, nakrywa kamienna.

copier ['kɑ:pɪər] *n.* **1.** kopist-a/ka. **2.** (foto)kopiarka.

copilot ['koʊˌpaɪlət] *n.* drugi pilot.

coping ['koʊpɪŋ] *n.* *bud.* przykrycie, korona *l.* zwieńczenie muru.

coping stone *n.* = **copestone**.

copious ['koʊpɪəs] *a.* **1.** obfity, suty. **2.** obszerny (*np. o notatkach*).

copiously ['koʊpɪəslɪ] *adv.* **1.** obficie. **2.** obszernie.

copiousness ['koʊpɪəsnəs] *n.* *U* **1.** obfitość. **2.** obszerność.

coplanar [koʊ'pleɪnər] *a.* *geom.* współpłaszczyznowy, koplanarny.

copolymer [koʊ'pɑ:ləmər] *chem.* *n.* kopolimer.

copolymerization [koʊˌpɑ:ləmərə'zeɪʃən] *n.* *U* kopolimeryzacja.

copolymerize [koʊ'pɑ:ləməˌraɪz] *v.* kopolimeryzować.

cop-out ['kɑ:pˌaʊt] *n.* *sl.* wykręcenie się (*zwł. od odpowiedzialności*); wykręt, wymówka.

copper[1] ['kɑ:pər] *n.* **1.** *U* miedź. **2.** *U* kolor miedzi *l.* miedziany. **3.** *zw. pl.* *Br.* *pot.* miedziaki (= *drobne*). **4.** *Br.* kocioł miedziany. **5.** *ent.* czerwończyk (*Lycaena*). – *a.* *zw. attr.* miedziany. – *v.* miedziować.

copper[2] *n.* *Br.* *sl.* gliniarz, glina.

copper beech *n.* *bot.* czerwonolistna odmiana buku zwyczajnego (*Fagus silvatica antropunicea*).

copper-bottomed [ˌkɑ:pər'bɑ:təmd] *a.* **1.** o miedzianym dnie. **2.** *Br.* *pot.* pewny, wiarygodny (*zwł. finansowo*).

copperhead ['kɑ:pərˌhed] *n.* **1.** *zool.* jadowity wąż północnoamerykański (*Agkistrodon contortrix*). **2.** *zool.* jadowity wąż australijski (*Denisonia superba*). **3.** **C~** *US* *hist.* *pot.* mieszkaniec Północy sympatyzujący ze stanami południowymi podczas wojny secesyjnej.

copperplate ['kɑ:pərˌpleɪt] *n.* miedzioryt (*płyta l. odbitka*).

copperplate handwriting *n.* *U* staranne, staroświeckie pismo odręczne.

coppersmith ['kɑ:pərˌsmɪθ] *n.* *gł.* *hist.* kotlarz miedziany.

coppery ['kɑ:pərɪ] *a.* miedziany (*zwł. o kolorze*).

coppice ['kɑ:pɪs], **copse** [kɑ:ps] *n.* zagajnik; lasek (*zwł. niskopienny, okresowo wycinany*).

copra ['kɑ:prə] *n.* *U* kopra (= *suszony miąższ orzecha kokosowego*).

coprolalia [ˌkɑ:prə'leɪlɪə] *n.* *psychiatria* koprolalia.

coprolite ['kɑ:prəˌlaɪt] *min.* *n.* *U* koprolit.

coprolitic [ˌkɑ:prə'lɪtɪk] *a.* koprolitowy.

coprology [kɑ:'prɑ:lədʒɪ] *n.* *U* skatologia.

coprophagous [kɑ:'prɑ:fəgəs] *a.* *ent.* odżywiający się odchodami (*o żuku*).

coprophagy [kɑ:'prɑ:fəgəs] *n.* *U* *pat.* koprofagia.

copse [kɑ:ps] *n.* = **coppice**.

Copt [kɑ:pt] *n.* Kopt/yjka.

copter ['kɑ:ptər], **'copter** *n.* *pot.* = **helicopter**.

Coptic ['kɑ:ptɪk] *a.* koptyjski. – *n.* *U* język koptyjski.

copula ['kɑ:pjələ] *n.* **1.** *log.*, *gram.* łącznik, kopula, spójka. **2.** część łącząca, łącznik.

copular ['kɑ:pjələr] *a.* **1.** łącznikowy. **2.** łączący.

copulate ['kɑ:pjəˌleɪt] *v.* spółkować, kopulować.

copulation [ˌkɑ:pjə'leɪʃən] *n.* *U* kopulacja, spółkowanie.

copulative ['kɑ:pjələtɪv] *a.* **1.** kopulacyjny. **2.** *zwł. gram.* łącznikowy.

copy ['kɑ:pɪ] *n.* **1.** kopia (*np. listu, obrazu*); odbitka; **certified (true) ~** odpis uwierzytelniony. **2.** egzemplarz (*czasopisma, książki*). **3.** wzór (*do kopiowania*); **master ~** egzemplarz wzorcowy. **4.** *U* *druk.* rękopis do druku; *dzienn.* *pot.* dobry materiał (*na artykuł*). **5.** tekst sloganu reklamowego. – *v.* **1.** kopiować (*np. obraz*); przepisywać (*np. list*); powielać. **2.** naśladować, imitować. **3.** *szkoln.* ściągać (*from / off sb* od kogoś). **4.** **~ sth out** skopiować coś dokładnie *l.* słowo w słowo.

copybook ['kɑ:pɪˌbʊk] *n.* *hist.* zeszyt do kaligrafii; **blot one's ~** *przen.* *pot.* zepsuć sobie reputację. – *a.* *attr.* *Br.* **1.** wzorowy, modelowy. **2.** *uj.* szablonowy.

copycat ['kɑ:pɪˌkæt] *n.* *pot.* *zwł.* *dziec.* papuga (= *naśladow-ca / czyni*). – *a.* *attr.* naśladowniczy (*np. o morderstwie, podłożeniu bomby*); podrobiony (*np. o perfumach*).

copy desk *n.* *dzienn.* dział redakcyjny.

copy edit *n.* *dzienn.* redagować (= *robić korektę*), przygotowywać do druku.

copy editor *n.* *dzienn.* adiustator/ka.

copyhold ['kɑ:pɪˌhoʊld] *n.* *C / U* *Br.* *hist.* dzierżawa dziedziczna (= *władanie majątkiem l. majątek będący czyjąś własnością na podstawie wypisu z sądowej księgi latyfundiów*).

copyholder ['kɑ:pɪˌhoʊldər] *n.* **1.** *komp.* stojak na dokumenty; klips na monitor. **2.** *druk.* pomocni-k/ca korektora (*czytający tekst na głos*). **3.** *Br.* *hist.* dzierżawca dziedziczny.

copyist ['kɑ:pɪɪst] *n.* **1.** kopist-a/ka, przepisywacz/ka (*t. nut*); *hist.* kopista, pisarz (*np. nadworny*). **2.** *uj.* naśladow-ca/czyni, imitator/ka.

copy protection *n.* *U* *komp.* zabezpieczenie przed (nielegalnym) kopiowaniem (*programu*).

copy reader *n.* *US dzienn.* adiustator/ka.

copyright [ˈkɑːpɪˌraɪt] *n.* *C/U prawn.* prawo *l.* prawa autorskie; ~ **reserved** prawa autorskie zastrzeżone. – *a.* (*także* ~**ed**) chroniony *l.* objęty prawem autorskim. – *v.* zastrzegać sobie prawa autorskie do (*czegoś*).

copy writer, copywriter *dzienn.* autor/ka tekstów reklamowych *l.* informacyjnych.

coq au vin [ˌkoʊk oʊ ˈvæn] *n.* *U kulin.* kurczak w winie.

coquet [koʊˈket] *lit.* *v.* **-tt-** **1.** zachowywać się kokieteryjnie; flirtować (*with sb* z kimś). **2.** bagatelizować sobie (*with sth* coś). – *n.* flirciarz, bawidamek.

coquetry [ˈkoʊkɪtrɪ] *n.* *U* kokieteria, zalotność.

coquette [koʊˈket] *n.* **1.** kokietka. **2.** *orn.* furczek ozdobny (*Lophornis magnifica*).

coquettish [koʊˈketɪʃ] *a.* kokieteryjny, zalotny.

coquettishly [koʊˈketɪʃlɪ] *adv.* kokieteryjnie, zalotnie.

coquettishness [koʊˈketɪʃnəs] *n.* *U* kokieteryjność, zalotność.

cor [kɔːr] *int.* *Br. pot. zw. żart.* a to dopiero!

Cor. *abbr.* *Bibl.* = **Corinthians**; *zob.* **Corinthian** 2.

cor. *abbr.* **1.** = **corner**. **2.** = **correct**; = **corrected**; = **correction**.

coracle [ˈkɔːrəkl] *n.* *żegl.* okrągła łódka z wiklinowym szkieletem obciągniętym skórą.

coracoid [ˈkɔːrəˌkɔɪd] *n.* *anat.* wyrostek kruczy.

coral [ˈkɔːrəl] *n.* *U* **1.** koral. **2.** *kulin.* ikra z homara *l.* kraba. – *a.* koralowy.

coral island *n.* wyspa koralowa.

corallike [ˈkɔːrəlˌlaɪk] *a.* koralopodobny.

coralline [ˈkɔːrəlɪn] *n.* **1.** *bot.* glon wapienny (*Corallina*). **2.** koralowiec. – *a.* koralowy.

coralloid [ˈkɔːrəˌlɔɪd] *a.* koralowaty. – *n.* koralowiec.

coral reef *n.* rafa koralowa.

coral snake *n.* wąż koralowy.

cor anglais [ˌkɔːr ɑːnˈgleɪ] *muz.* rożek angielski.

corbel [ˈkɔːrbl] *bud.* *n.* wspornik wysadzony; odsadzka gzymsowa.

corbeling [ˈkɔːrbəlɪŋ], *Br.* **corbelling** *n.* **1.** *U* wysadzanie gzymsu. **2.** odsadzka gzymsowa.

corbie [ˈkɔːrbɪ] *n.* *Scot. orn.* kruk.

corbiestep [ˈkɔːrbɪˌstep], **corbie step** *n.* *bud.* schodkowate zakończenie ściany szczytowej.

cord [kɔːrd] *n.* **1.** *C/U US, Can. i Austr. el.* przewód, sznur; **power** ~ przewód sieciowy. **2.** *C/U* sznur; powróz; postronek. **3.** *tk.* prążek (*na tkaninie*); *U* sztruks; *pl.* sztruksy (= *spodnie*). **4.** *leśn., miern.* sąg (*miara objętości drewna opałowego* = $3,62\ m^3$). **5.** *anat.* **spinal** ~ rdzeń kręgowy; **umbillical** ~ pępowina; **vocal ~s** struny *l.* fałdy *l.* wiązadła głosowe. **6. cut the** ~ *przen.* przeciąć pępowinę. – *v.* **1.** przewiązywać sznurem, sznurować. **2.** zaopatrywać w sznur. **3.** *leśn.* ustawiać w sągi (*drewno*). – *a. attr.* sztruksowy.

cordage [ˈkɔːrdɪdʒ] *n.* *U* liny; *żegl.* olinowanie.

cordate [ˈkɔːrdeɪt] *a.* *anat. l. form.* sercowaty.

corded [ˈkɔːrdɪd] *a.* prążkowany.

cordial [ˈkɔːrdʒəl] *a.* serdeczny, kordialny. – *n.* *C/U* **1.** *Br.* syrop owocowy (*do rozcieńczania*). **2.** *US przest.* kordiał, likier.

cordiality [ˌkɔːrɪˈdʒælətɪ] *n.* *U* serdeczność, kordialność.

cordially [ˈkɔːrdʒlɪ] *adv.* **1.** serdecznie, kordialnie; serdecznie, szczerze; ~ **hated/disliked** serdecznie *l.* szczerze nielubiany/znienawidzony. **2.** z serdecznymi pozdrowieniami (*w zakończeniu listu*).

cordialness [ˈkɔːrdʒlnəs] *n.* = **cordiality**.

cordiform [ˈkɔːrdəˌfɔːrm] *a.* *anat. l. form.* sercowaty, w kształcie serca.

cordite [ˈkɔːrdaɪt] *n.* *U techn., wojsk.* kordyt (= *proch bezdymny*).

cordless [ˈkɔːrdləs] *a.* bezprzewodowy; ~ **telephone/iron** telefon/żelazko bezprzewodowe.

cordon [ˈkɔːrdən] *n.* **1.** kordon; ~ **sanitaire** *med., polit.* kordon sanitarny. **2.** wstęga (*oznaka wyróżnienia*). **3.** sznurek, plecionka (*do ozdoby*). **4.** *bud.* gzyms kordonowy. **5.** *ogr.* kordon (= *silnie przycięte drzewo owocowe*). – *v.* ~ **off** otaczać kordonem.

cordon bleu [kɔːrˌdɔːŋ ˈblʊ] *a.* *gł. kulin.* pierwszorzędny (*o kuchni, potrawach*). – *n.* *pl.* **cordon bleus** (*także* ~ **chef**) doborowy kucharz.

cordovan [ˈkɔːrdəvən] *n.* *U* kurdyban (= *droga skóra, dawniej koźlęca, dziś przeważnie końska*).

corduroy [ˈkɔːrdəˌrɔɪ] *n.* *tk.* **1.** *U* sztruks. **2.** *pl.* sztruksy (= *spodnie*). – *a. attr.* **1.** sztruksowy. **2.** ułożony z pni *l.* okrąglaków (*o drodze, chodniku*).

CORE [kɔːr] *abbr.* *US* **Congress of Racial Equality** Kongres Równości Rasowej.

core [kɔːr] *n.* **1.** ogryzek (*jabłka, gruszki*); *bot.* zalążnia. **2.** serce (*miasta*); jądro, rdzeń (*organizacji*); sedno (*problemu*). **3.** *techn.* rdzeń (*skały, formy odlewniczej, cewki, reaktora*). **4.** *astron., geol.* rdzeń, jądro (*planety*). **5.** *komp.* jądro. **6. (rotten) to the** ~ *przen.* (zepsuty) do cna *l.* szpiku kości. – *v.* *kulin.* wydrążyć, usunąć gniazda nasienne z (*jabłek itp.*). – *a. attr.* zasadniczy, podstawowy (*np. o znaczeniu wyrazu l. wyznawanych przez kogoś wartościach*).

core curriculum *n.* *U szkoln., uniw.* **1.** podstawa programowa. **2.** przedmioty obowiązkowe.

core dump *n.* **1.** *komp.* kopia jądra pamięci. **2.** *pot. żart.* długa i zawiła odpowiedź na proste pytanie.

coreligionist [ˌkoʊrɪˈlɪdʒənɪst] *n.* *rel.* współwyznaw-ca/czyni.

corer [ˈkɔːrər] *n.* nóż do usuwania gniazd nasiennych (*np. z jabłek*).

corespondent [ˌkoʊrɪˈspɑːndənt] *n.* *prawn.* współpozwan-y/a (*w procesie rozwodowym*).

core time *n.* *U* środek dnia, podczas którego obecność wszystkich pracowników jest obowiązkowa (*w zakładzie o ruchomym czasie pracy*).

corf [kɔ:rf] *n. pl.* **corves** [kɔ:rvz] *Br.* **1.** *górn. przest.* kosz (*do noszenia węgla*). **2.** *ryb.* sadzak.

corgi [ˈkɔ:rgɪ], **Welsh corgi** *n. Br. kynol.* Welsh corgi.

coriaceous [ˌkɔ:rɪˈeɪʃəs] *a. form.* skórzasty, skóropodobny.

coriander [ˌkɔ:rɪˈændər] *n. U zwł. Br. bot., kulin.* kolendra (*Coriandrum sativum*).

Corinthian [kəˈrɪnθɪən] *a. t. bud.* koryncki (*o porządku, kolumnie*). – *n.* **1.** Koryntian-in/ka (*obywatel / ka państwa*); koryntian-in/ka (*mieszkan-iec / ka miasta*). **2.** **~s** *sing.* Bibl. List (św. Pawła Apostoła) do Koryntian.

cork [kɔ:rk] *n.* **1.** *U* korek (*substancja*). **2.** korek (*np. do butelki*). **3.** *ryb.* spławik. **4.** *przen. pot.* **blow/pop one's ~** wyjść z siebie, nie wytrzymać; **put a ~ in it!** przymknij się!. – *v.* **1.** **~ (up)** zakorkować; **~ up one's feelings** (*także* **~ one's feelings up**) *pot.* dusić wszystko w sobie (= *nie ujawniać emocji*). **2.** czernić (*zwęglonym korkiem, np. twarz l. ręce*).

corkage [ˈkɔ:rkɪdʒ] *n. U* opłata za podanie alkoholu przyniesionego przez klienta (*w restauracji l. hotelu*).

corkboard [ˈkɔ:rkˌbɔ:rd] *n.* **1.** *U* korek (*płytki l. panele*). **2.** *US* tablica ogłoszeń.

corked [kɔ:rkt] *a.* smakujący *l.* trącący korkiem (*o winie*).

corker [ˈkɔ:rkər] *n.* **1.** *Br. przest. sl.* odjazd, rewelacja. **2.** *pot.* koniec dyskusji. **3.** korkownica; zakorkowywacz/ka.

corking [ˈkɔ:rkɪŋ] *a. attr. Br. przest. sl.* zabójczy (= *świetny*).

corkscrew [ˈkɔ:rkˌskru:] *n.* korkociąg. – *a. attr.* spiralny, kręcony. – *v.* wić się (*o drodze*); opadać spiralą (*o samolocie*).

corky [ˈkɔ:rkɪ] *a.* **1.** = **corked**. **2.** korkowaty. **3.** korkowy. **4.** *pot.* dziarski.

corm [kɔ:rm] *n. bot.* bulwiasta łodyga podziemna.

cormorant [ˈkɔ:rmərənt] *n.* **1.** *orn.* kormoran (*Phalacrocorax*). **2.** *przen.* sęp (= *chciwiec*).

corn[1] [kɔ:rn] *n. U* **1.** *US, Can., Austr. i NZ* kukurydza. **2.** *Br.* zboże; **spring ~** zboże jare; **winter ~** ozimina. **3.** *C arch. l. dial.* ziarno, ziarnko. **4.** *US pot.* = **~ whiskey**. **5.** *US pot.* wyciskacz łez; nudy na pudy (*np. o filmie*). – *v.* **1.** granulować. **2.** *kulin.* marynować w soli, solić; peklować. **3.** *US* karmić kukurydzą (*zwierzęta*). **4.** *US* obsiewać kukurydzą.

corn[2] *n.* odcisk, nagniotek; **tread on sb's ~s** *przen. pot.* nastąpić komuś na odcisk.

cornball [ˈkɔ:rnˌbɔ:l] *n. gł. US pot.* amator/ka łzawych historii *l.* piosenek; *pog.* prosta-k/czka. – *a. attr. US pot.* = **corny** 1.

corn borer *n. ent.* szkodnik kukurydzy (*Pyrausta nubilis z rodziny omacnicowatych*).

corn bread, cornbread *n. U US* chleb kukurydziany.

corn circle *n.* = **crop circle**.

corncob [ˈkɔ:rnˌkɑ:b] *n.* **1.** kolba kukurydzy. **2.** (*także* **~ pipe**) fajka z kaczana kukurydzy.

corn cockle *n. bot.* kąkol polny (*Agrostemma githago*).

corn crake *n. orn.* derkacz (*Crex crex*).

corncrib [ˈkɔ:rnˌkrɪb] *n. US roln.* szopa na kukurydzę.

cornea [ˈkɔ:rnɪə] *n. anat.* rogówka.

corneal [ˈkɔ:rnɪəl] *a. anat.* rogówkowy; **~ graft** *med.* przeszczep rogówki.

corned beef [ˌkɔ:rnd ˈbi:f] *n. U* peklowana wołowina (*Br. zw. w puszce*).

cornel [ˈkɔ:rnl] *n. bot.* dereń (*Cornus*).

cornelian [kɔ:rˈni:lɪən] *n. U min.* karneol (*odmiana chalcedonu*).

corneous [ˈkɔ:rnɪəs] *a. form.* rogowy; rogowaty; zrogowaciały.

corner [ˈkɔ:rnər] *n.* **1.** róg; *t. boks* narożnik; **in the (top righthand) ~** w (prawym górnym) rogu (*kartki, obrazu*). **2.** róg, narożnik (*ulicy*); węgieł; zakręt; **on/at the ~** na rogu; **drive round ~s** brać zakręty. **3.** kąt; kącik (*t. ust*); **in the ~** w kącie (*pokoju itp.*); **put sb in the ~** *szkoln.* postawić kogoś do kąta (*za karę*). **4.** zakątek; **distant/far/remote ~ (of the globe/world/earth)** odległy zakątek (świata). **5.** (*także* **~ kick**) *piłka nożna, hokej* róg, rzut rożny, korner. **6.** *ekon.* akaparacja, korner (= *wykupienie towaru w celach spekulacyjnych*); zmowa spekulacyjna. **7.** **back/drive/force/paint sb into a ~** *przen.* przyprzeć kogoś do muru; **be in a (tight) ~** (*także* **be boxed into a ~**) *przen.* znajdować się w sytuacji bez wyjścia; **cut (off) a ~** ścinać róg (= *iść na skrót*); **cut ~s** *przen.* iść na łatwiznę *l.* na skróty; **hold up a ~** *US sl.* obijać się; **(just) around/round the ~** (tuż) za rogiem, nieopodal; *przen.* tuż, tuż (= *w niedalekiej przyszłości*); **see sth out of the ~ of one's eye** zobaczyć coś kątem oka; **talk out of the ~ of one's mouth** mówić półgębkiem; **the four ~s/all the ~s of the earth/world** (wszystkie) cztery strony świata; **turn a/the ~** skręcić za róg (*ulicy*); *przen.* przetrwać kryzys (*w chorobie, kłopotach*). – *v.* **1.** przyprzeć do muru; postawić w sytuacji bez wyjścia. **2.** zaopatrywać w rogi *l.* kąty. **3.** *mot.* brać zakręty (*o samochodzie*). **4.** *szkoln.* postawić do kąta. **5.** *ekon.* akaparować; wykupywać (*walory l. towary w celach spekulacyjnych*).

corner kick *n.* = **corner** 5.

corner shop *n. Br. i Austr.* lokalny sklepik.

cornerstone [ˈkɔ:rnərˌstoʊn] *n. t. przen.* kamień węgielny.

cornet [kɔ:rˈnet] *n.* **1.** (*także* **~-à-piston(s)**) *muz.* kornet. **2.** tytka (= *papierowa torebka w kształcie stożka*). **3.** *Br.* rożek (*wafel do lodów*). **4.** kornet (*nakrycie głowy, zwł. zakonnicy*).

cornetist [kɔ:rˈnetɪst] *n. muz.* kornecist-a/ka.

cornflag [ˈkɔ:rnˌflæg] *n. bot.* gladiola, mieczyk (*Gladiolus*).

cornflakes [ˈkɔ:rnˌfleɪks] *n. pl.* płatki kukurydziane.

cornflour [ˈkɔ:rnˌflaʊər], **corn flour** *n. U Br. i Austr.* mąka kukurydziana.

cornflower [ˈkɔ:rnˌflaʊər] *n. C / U bot.* chaber bławatek (*Centaurea cyanus*).

cornflower blue *n. i a.* (kolor) chabrowy.

cornice [ˈkɔ:rnəs] *n. bud.* gzyms. – *v.* zaopatrywać w gzyms.

corniculate [kɔ:rˈnɪkjəˌleɪt] *a. form.* rożkowaty.

corniness [ˈkɔ:rnɪnəs] *n. U US pot.* banalność; łzawość, ckliwość.

Cornish [ˈkɔ:rnɪʃ] *a.* kornwalijski. – *n.* **1.** *U* język kornwalijski. **2. the ~** Kornwalijczycy.

Cornishman [ˈkɔ:rnɪʃmən] *n. pl.* **-men** Kornwalijczyk.

Cornishwoman [ˈkɔ:rnɪʃˌwumən] *n. pl.* **-women** Kornwalijka.

corn liquor *n.* = **corn whiskey**.

cornmeal [ˌkɔ:rnˈmi:l], **corn meal** *n. U gł. US* mąka kukurydziana.

corn oil *n. U* olej kukurydziany.

corn on the cob *n. kulin.* gotowane kolby kukurydzy.

corn pone *n. płd. US* chleb *l.* placek kukurydziany.

cornpone [ˈkɔ:rnˌpoun] *a. US pot.* wiejski, prosty (*w pozytywnym znaczeniu*).

corn poppy *n. C/U bot.* mak polny (*Papaver rhoeas*).

cornrow [ˈkɔ:rnˌrou] *n.* warkoczyk pleciony ciasno przy skórze (*na sposób karaibski*). – *v.* zaplatać w warkoczyki jw.

corn silk *n. U hist. med.* nitki kukurydzy (*stosowane niegdyś jako środek moczopędny*).

corn smut *n. bot.* śnieć zbożowa (*Ustilago zeae, pasożyt kukurydzy*).

corn stalk, cornstalk *n.* **1.** *bot.* łodyga kukurydzy. **2.** *Austr. pot.* drągal.

cornstarch [ˈkɔ:rnˌstɑ:rtʃ], **corn starch** *n. U* skrobia kukurydziana.

cornsyrup [ˈkɔ:rnˌsɪrəp], **corn syrup** *n. U* syrop skrobiowy (kukurydziany).

cornucopia [ˌkɔ:rnəˈkoupɪə] *n.* **1.** *t. przen.* róg obfitości. **2. ~ of sth** obfitość czegoś.

cornuted [kɔ:rˈnu:tɪd] *a. form.* **1.** rogaty. **2.** przypominający róg, rogopodobny.

corn whiskey, corn liquor *n. U US* whisky pędzona z kukurydzy.

corny [ˈkɔ:rnɪ] *a.* **1. -ier, -iest** *pot.* banalny, oklepany (*np. o dowcipie*); łzawy, ckliwy (*o piosence, filmie*). **2.** *przest.* zbożowy; obfitujący w zboże.

corolla [kəˈrɑ:lə] *n. bot.* korona (kwiatu).

corollaceous [ˌkɔ:rəˈleɪʃəs] *a. bot.* koronowy, płatkowy.

corollary [ˈkɔ:rəˌlerɪ] *form. n. pl.* **-ies** *form.* **1.** następstwo, (naturalna) konsekwencja (*of/to sth* czegoś). **2.** (oczywisty) wniosek. – *a.* wynikający (*of/to sth* z czegoś) będący konsekwencją (*of/to sth* czegoś).

corona [kəˈrounə] *n. pl. t.* **-e** [kəˈrouni:] **1.** *astron.* halo, aureola (= *poświata wokół ciała niebieskiego*); korona (słoneczna). **2.** *bot.* wieniec, korona (*kwiatu*). **3.** *anat.* wieniec (*czaszki*); korona (*zęba*). **4.** *bud.* płyta *l.* wieniec gzymsu. **5.** *el.* = **~ discharge**.

coronach [ˈkɔ:rənək] *n. Scot. i Ir.* pieśń pogrzebowa.

corona discharge *n. el.* ulot.

coronal [kəˈrounl] *n. poet.* diadem; wieniec. – *a.* **1.** *anat.* wieńcowy (= *dotyczący wieńca czaszki*). **2.** *fon.* koronalny.

coronary [ˈkɔ:rəˌnerɪ] *a. anat.* wieńcowy (= *dotyczący naczyń wieńcowych serca*). – *n. pat.* = **~ thrombosis**.

coronary disease *n. U pat.* choroba wieńcowa.

coronary thrombosis *n. U pat.* zakrzepica wieńcowa; zawał (mięśnia sercowego).

coronation [ˌkɔ:rəˈneɪʃən] *n.* koronacja.

coroner [ˈkɔ:rənər] *n. prawn.* koroner (= *urzędnik badający przyczyny nagłych zgonów*); **~'s inquest** = **inquest** 1.

coronet [ˈkɔ:rənɪt] *n.* **1.** korona. **2.** diadem. **3.** *zool.* koronka kopyta.

corp., Corp. *abbr.* **1.** = **corporation**. **2.** = **corporal**[1].

corpora [ˈkɔ:rpərə] *n. pl. zob.* **corpus**.

corporal[1] [ˈkɔ:rpərəl] *n. wojsk.* kapral.

corporal[2] *a. form. l. lit.* cielesny.

corporal[3] *n. kość.* korporał (= *obrus mszalny*).

corporality [ˌkɔ:rpəˈræləti] *form. l. lit. n. U* cielesność.

corporally [ˈkɔ:rpərəlɪ] *adv.* cieleśnie.

corporal punishment *n. U* kary cielesne.

corporate [ˈkɔ:rpərət] *a.* **1.** *attr.* dotyczący korporacji, spółki *l.* firmy; **~ image/identity** wizerunek/tożsamość firmy. **2.** korporacyjny, związkowy; zrzeszony. **3.** zbiorowy (*o własności, odpowiedzialności*).

corporate body *n.* **1.** *prawn.* osoba prawna. **2.** *form.* zespół, grupa.

corporately [ˈkɔ:rpərətlɪ] *adv.* **1.** zbiorowo. **2.** jako korporacja.

corporate raider *n. fin.* osoba *l.* organizacja przechwytująca kontrolę finansową nad spółką (*zwł. potajemnie*).

corporate stock *n. fin.* kapitał spółki.

corporation [ˌkɔ:rpəˈreɪʃən] *n.* **1.** korporacja; zrzeszenie. **2.** spółka; towarzystwo. **3.** (*także* **municipal ~**) *hist.* gmina miejska; samorząd miejski. **4. ~ aggregate/sole** *prawn.* osoba prawna zbiorowa/pojedyncza. **5.** *przest. pot.* bandzioch, brzuszysko.

corporative [ˈkɔ:rpəˌreɪtɪv] *a. ekon., polit.* korporacyjny.

corporator [ˈkɔ:rpəˌreɪtər] *n. ekon.* członek korporacji.

corporeal [kɔ:rˈpɔ:rɪəl] *a. form.* **1.** cielesny. **2.** materialny, fizyczny.

corporeal chattels *n. pl. prawn.* majątek ruchomy, ruchomości.

corporeal hereditament *n. U prawn.* dziedziczenie przedmiotów materialnych.

corporeality [kɔ:rˌpɔ:rɪˈæləti], **corporealness** [kɔ:rˈpɔ:rɪənəs] *n. U* **1.** cielesność. **2.** materialność, fizyczność.

corporeally [kɔ:rˈpɔ:rɪəlɪ] *adv.* **1.** cieleśnie. **2.** materialnie, fizycznie.

corposant [ˈkɔ:rpəˌzænt] *n. arch. meteor.* ognie św. Elma.

corps [kɔ:r] *n. pl.* **corps** [kɔ:rz] **1.** *t. wojsk.* korpus; **diplomatic ~** korpus dyplomatyczny; **intelligence/medical/press ~** służby wywiadowcze/medyczne/prasowe. **2.** zespół.

corps de ballet [ˌkɔ:r də bæˈleɪ] *n. pl.* **corps de ballet** zespół baletowy.

corpse [kɔ:rps] *n.* zwłoki, ciało; trup.

corpsman ['kɔ:rmən] *n. pl.* **-men** *US wojsk.* sanitariusz/ka.

corpulence ['kɔ:rpjələns], **corpulency** ['kɔ:rpjələnsɪ] *form. n. U* korpulentność.

corpulent ['kɔ:rpjələnt] *a.* korpulentny.

cor pulmonale [ˌkɔ:r ˌpʊlmə'nælɪ] *n. U pat.* serce płucne, przerost prawej komory (serca).

corpus ['kɔ:rpəs] *n. pl.* **corpora** ['kɔ:rpərə] **1.** *teor. lit.* zbiór dzieł. **2.** *jęz. komp.* korpus (*tekstów*). **3.** *anat.* ciałko, ciało; ~ **cavernosum** ciało jamiste.

Corpus Christi [ˌkɔ:rpəs 'krɪstɪ] *n. U gł. rz.-kat.* Boże Ciało.

corpuscle ['kɔ:rpəsl], **corpuscule** ['kɔ:rpəskɪəl] *n.* **1.** *fiz.* cząstka, korpuskuła. **2.** *anat., biol.* krwinka; ciałko.

corpuscular [kɔ:r'pʌskjʊlər] *a.* **1.** korpuskularny, cząsteczkowy. **2.** *anat., biol.* krwinkowy; ciałkowy.

corr. *abbr.* **1.** = **corrected**; = **correction**. **2.** = **correspondence**; = **correspondent**; = **corresponding**.

corral [kə'ræl] *n.* **1.** *gł. US i Can.* zagroda (*dla koni, bydła l. do chwytania dzikich zwierząt*). **2.** *gł. US hist.* tabor obronny. – *v.* **-ll-** *US i Can.* **1.** zapędzać do zagrody (*bydło, konie*). **2.** ustawiać w tabor (*wozy*). **3.** *pot.* złapać (*np. przestępcę*); otoczyć (*np. manifestantów*); zebrać (*np. fundusze*).

correct [kə'rekt] *a.* **1.** poprawny, prawidłowy (*np. o odpowiedzi*). **2.** poprawny, właściwy, odpowiedni, na miejscu (*zwł. o zachowaniu*). **3.** *form.* **that is** ~ zgadza się; **you are** ~ ma Pan/i rację. – *v.* **1.** poprawiać; prostować; korygować (*t. wzrok, wady postawy*). **2.** robić korektę (*zwł. tekstu*). **3.** *przest.* karać; karcić (*zwł. dziecko, w celach wychowawczych*). **4.** ~ **me if I'm wrong but...** może się mylę, ale...; **I stand ~ed** *form. l. żart.* przyznaję się do błędu.

correctable [kə'rektəbl], **correctible** *a.* do poprawienia; naprawialny, korygowalny (*o błędzie*).

correction [kə'rekʃən] *n.* **1.** *t. mat.* poprawka; **make ~s** nanosić poprawki. **2.** *U* poprawa; poprawianie; korekcja; korekta. **3.** *U przest. l. prawn.* kara; **house of** ~ *hist.* więzienie o niskim rygorze (*dla drobnych przestępców*).

correctional [kə'rekʃənl] *a. attr. prawn.* karny, poprawczy.

correctional facility *n. US prawn. l. żart.* zakład karny.

correctitude [kə'rektəˌtu:d] *n. U form.* poprawność (*zwł. zachowania*).

corrective [kə'rektɪv] *a.* korekcyjny; korygujący, poprawiający; ~ **lenses** *med.* szkła korekcyjne; ~ **surgery** *chir.* zabieg korygujący. – *n. form.* czynnik korygujący.

correctly [kə'rektlɪ] *adv.* poprawnie, prawidłowo.

correctness [kə'rektnəs] *n. U* poprawność, prawidłowość.

correlate ['kɔ:rəˌleɪt] *v.* **1.** wiązać, korelować (*sth with sth* coś z czymś). **2.** pozostawać we wzajemnym stosunku, być powiązanym (*with/to sth* z czymś); *stat.* korelować, być współzależnym, pozostawać w korelacji (*with sth* z czymś). – *n. form.* korelat, odpowiednik.

correlation [ˌkɔ:rə'leɪʃən] *n. t. stat.* korelacja, współzależność; ~ **coefficient** (*także* **coefficient of** ~) *stat.* współczynnik korelacji.

correlational [ˌkɔ:rə'leɪʃənl] *a.* korelacyjny.

correlative [kə'relətɪv] *a. form.* współzależny, korelatywny.

correspond [ˌkɔ:rə'spɑ:nd] *v.* **1.** odpowiadać (*with/to sth* czemuś); pokrywać się, zgadzać się (*with/to sth* z czymś). **2.** korespondować (*with sb* z kimś).

correspondence [ˌkɔ:rə'spɑ:ndəns] *n. U* **1.** zgodność (*with/to sth* z czymś); odpowiedniość, analogia (*between X and Y* pomiędzy X i Y). **2.** korespondencja; **(be) in ~ with sb** (być) w kontakcie (listownym) z kimś; **carry on/keep up a ~ with sb** prowadzić/utrzymywać korespondencję z kimś.

correspondence column *n. dzienn.* rubryka listów od czytelników.

correspondence course *n.* kurs korespondencyjny.

correspondent [ˌkɔ:rə'spɑ:ndənt] *n. t. dzienn., telew., radio* korespondent/ka. – *a. form.* odpowiadający (*to/with sth* czemuś); zgodny (*to/with sth* z czymś).

corresponding [ˌkɔ:rə'spɑ:ndɪŋ] *a. attr.* zgodny (*to/with sth* z czymś); odpowiedni, analogiczny; **in the ~ period last year** w analogicznym okresie roku ubiegłego; **wage increases and the ~ rise in the rate of inflation** podwyżki płac i towarzyszący im wzrost tempa inflacji.

correspondingly [ˌkɔ:rə'spɑ:ndɪŋlɪ] *adv.* odpowiednio.

corresponding member *n.* członek-korespondent.

corresponsive [ˌkɔ:rə'spɑ:nsɪv] *a. form.* responsywny, wrażliwy.

corridor ['kɔ:rədər] *n.* **1.** *t. lotn., żegl.* korytarz; **the Polish** ~ *hist. polit.* korytarz gdański. **2. the ~s of power** *przen.* kuluary władzy.

corrie ['kɔ:rɪ] *n. Scot.* kotlina.

corrigendum [ˌkɔ:rɪ'dʒendəm] *n. pl.* **-a** [ˌkɔ:rɪ'dʒendə] *form.* **1.** poprawka (*do naniesienia*). **2. corrigenda** errata, błędy dostrzeżone w druku.

corrigible ['kɔ:rɪdʒəbl] *a. form.* naprawialny, korygowalny; dający się poprawić.

corrival [kə'raɪvl] *n. form.* rywal/ka.

corroborant [kə'rɑ:bərənt] *n. i a.* **1.** *form.* (fakt) potwierdzający. **2.** *med.* (środek *l.* lek) wzmacniający.

corroborate [kə'rɑ:bəˌreɪt] *v. form.* potwierdzać (*teorię, zeznania*).

corroborating [kə'rɑ:bəˌreɪtɪŋ] *a.* potwierdzający; ~ **evidence** *prawn.* dowód potwierdzający.

corroboration [kəˌrɑ:bə'reɪʃən] *n. U* potwierdzenie.

corroborative [kə'rɑ:bəreɪtɪv], **corroboratory** [kə'rɑ:bərəˌtɔ:rɪ] *a.* = **corroborating**.

corroboree [kə'rɑ:bəri:] *n. Austr.* zgromadzenie aborygenów (*o charakterze religijnym, świątecznym l. w celach wojennych*).

corrode [kə'roud] *v.* **1.** *t. przen.* zżerać, trawić (*o rdzy, kwasie, chorobach, wątpliwościach*); *chem.* powodować korozję (*metalu*). **2.** zużywać się, niszczeć; *chem.* korodować, rdzewieć.

corrosion [kə'rouʒən] *n. U* **1.** zżeranie, trawienie. **2.** *chem.* korozja, rdzewienie; niszczenie.

corrosive [kə'rousɪv] *n. i a. chem.* (czynnik *l.* środek) korozyjny, żrący *l.* trawiący.

corrugate ['kɑːrəˌgeɪt] *v. form.* fałdować (się); marszczyć (się).

corrugated ['kɑːrəˌgeɪtɪd] *a.* falisty; ~ **(card)board** tektura falista; ~ **iron/sheet** blacha falista.

corrugation [ˌkɔːrə'geɪʃən] *n. form.* **1.** *U* marszczenie (się); fałdowanie (się). **2.** zmarszczka.

corrugator ['kɑːrəˌgeɪtər] *n. anat.* mięsień marszczący.

corrupt [kə'rʌpt] *a.* **1.** skorumpowany, przekupny; ~ **practices** nieuczciwe praktyki, korupcja. **2.** zepsuty, zdemoralizowany. **3.** *komp.* uszkodzony (*np. o pliku*). **4.** *arch.* zanieczyszczony, skażony. – *v.* **1.** korumpować, przekupywać. **2.** psuć, demoralizować. **3.** *komp.* uszkodzić.

corruptibility [kəˌrʌptə'bɪlətɪ] *n. U* **1.** przekupność, korumpowalność. **2.** podatność na demoralizację.

corruptible [kə'rʌptəbl] *a.* **1.** przekupny, korumpowalny. **2.** podatny na demoralizację.

corruption [kə'rʌpʃən] *n. U* **1.** korupcja. **2.** demoralizacja, zepsucie, zgnilizna (*moralna*). **3.** psucie się, rozkład, gnicie. **4.** *C jęz.* zniekształcona forma wyrazu.

corruptionist [kə'rʌpʃənɪst] *n. zwł. polit.* malwersant/ka.

corruptive [kə'rʌptɪv] *a.* **1.** korupcyjny; korumpujący. **2.** demoralizujący. **3.** psujący; niszczycielski; szkodliwy.

corruptly [kə'rʌptlɪ] *adv.* przekupnie (*rządzić*).

corruptness [kə'rʌptnəs] *n. U* zepsucie, skorumpowanie.

corsage [kɔːr'sɑːʒ] *n.* **1.** bukiecik (*przypinany do sukni*). **2.** *przest.* stan (*sukni*).

corsair ['kɔːrser] *n. arch.* **1.** korsarz, pirat (*zwł. północnoafrykański*). **2.** statek piracki (*jw.*).

corse [kɔːrs] *n. arch.* = **corpse**.

corselet ['kɔːrslət] *n.* **1.** (*także* **corselette, corslet**) gorset (*tworzący jedną całość ze stanikiem*). **2.** (*także* **corslet**) *broń, hist.* pancerz; napierśnik.

corselette [ˌkɔːrsə'let] *n.* = **corselet** 1.

corset ['kɔːrsɪt] *n. t. med.* gorset.

Corsica ['kɔːrsɪkə] *n. geogr.* Korsyka.

Corsican ['kɔːrsɪkən] *a.* korsykański. – *n.* Korsykan-in/ka.

corslet ['kɔːrslət] *n.* = **corselet** 1, 2.

cortege [kɔːr'teʒ], **cortège** *n.* **1.** (*także* **funeral** ~) kondukt *l.* orszak pogrzebowy. **2.** świta, orszak.

cortex ['kɔːrteks] *n. pl.* **cortices** ['kɔːrtɪsiːz] *anat., bot.* kora (*mózgowa, nerkowa*).

cortical ['kɔːrtɪkl] *a. anat., bot.* korowy.

corticate ['kɔːrtəkɪt], **corticated** ['kɔːrtəkeɪtɪd] *a. anat., bot.* okryty korą; korowaty.

corticoid ['kɔːrtəˌkɔɪd] *n. biochem., med.* kortykoid, kortykosteroid.

corticospinal [ˌkɔːrtəkou'spaɪnl] *a. anat.* korowo-rdzeniowy.

corticosteroid [ˌkɔːrtəkou'sterɔɪd] *n. biochem. med.* kortykosteroid. – *a. biochem., med.* kortykosteroidowy.

corticosterone [ˌkɔːrtə'kɑːstəroun] *n. U biochem., med.* kortykosteron.

corticotropin [ˌkɔːrtəkou'troupən] *n. U biochem., med.* kortykotropina, ACTH.

cortisol ['kɔːrtəˌsɔːl] *n. U biochem., med.* kortyzol.

cortisone ['kɔːrtəˌzoun] *n. U biochem., med.* kortyzon.

corundum [kə'rʌndəm] *n. U min.* korund.

coruscate ['kɔːrəˌskeɪt] *form. v. t. przen.* skrzyć się, błyszczeć.

coruscating ['kɔːrəˌskeɪtɪŋ] *a.* skrzący się, błyszczący.

corvée [kɔːr'veɪ] *n. U hist.* pańszczyzna.

corvette [kɔːr'vet] *n. żegl.* korweta.

corvine ['kɔːrvaɪn] *a. orn. l. form.* kruczy.

corymb ['kɔːrɪmb] *n. bot.* baldachogrono.

corymbose [kə'rɪmbous] *a. bot.* baldachogroniasty.

coryphaeus [ˌkɔːrə'fiəs] *n. pl.* **-aei** [ˌkɔːrə'fiaɪ] *hist. l. przen.* koryfeusz.

coryphée [ˌkɔːrɪ'feɪ] *n. balet* koryfeusz (*solista*).

coryza [kə'raɪzə] *n. U pat.* **1.** nieżyt śluzowy nosa. **2.** przeziębienie.

cos [kɑːs], **cos lettuce** *n. C / U bot., kulin.* sałata rzymska *l.* długolistna.

cos. *abbr.* **1.** [kɑːz] *pot. zwł. Br.* = **because**. **2.** [kɑːs] *mat.* = **cosine**.

cosecant [kou'siːkənt] *n. mat.* kosekans, cosecans.

coseismal [kou'saɪsml] *a. geol., miern.* kosejsmiczny. – *n. geol., miern.* linia *l.* krzywa kosejsmiczna.

cosh [kɑːʃ] *Br. i Austr. pot. n.* pałka. – *v.* zdzielić pałką.

cosher ['kɑːʃər] *Ir. v.* rozpieszczać. – *n.* pogawędka.

cosign ['kousaɪn] *prawn. v.* kontrasygnować.

cosignatory [kou'sɪgnəˌtɔːrɪ], **cosigner** ['kousaɪnər] *n.* (kontra)sygnatariusz/ka.

cosily ['kouzɪlɪ] *adv. Br.* = **cozily**.

cosine ['kousaɪn] *n. mat.* kosinus, cosinus.

cosiness ['kouzɪnəs] *n. Br.* = **coziness**.

cosmetic [kɑːz'metɪk] *a. attr. t. przen.* kosmetyczny; ~ **exercise/change** *przen.* (czysto) kosmetyczny zabieg/zmiana. – *n.* kosmetyk.

cosmetically [kɑːz'metɪklɪ] *adv.* kosmetycznie.

cosmetician [ˌkɑːzmə'tɪʃən] *n.* **1.** kosmetyczka (*osoba*). **2.** producent *l.* sprzedawca kosmetyków.

cosmetic surgery *n. U chir.* operacja plastyczna; chirurgia plastyczna.

cosmetologist [ˌkɑːzmə'tɑːlədʒəst] *n.* kosmetolo-g/żka.

cosmetology [ˌkɑːzməˈtɑːlədʒɪ] *n. U* kosmetologia.

cosmic [ˈkɑːzmɪk] *a. t. przen.* kosmiczny.

cosmically [ˈkɑːzmɪklɪ] *adv.* kosmicznie.

cosmic rays, cosmic radiation *n. pl. astron.* promieniowanie kosmiczne.

cosmodrome [ˈkɑːzməˌdroʊm] *n. astron.* kosmodrom.

cosmogonic [ˌkɑːzməˈgɑːnɪk], **cosmogonical** [ˌkɑːzməˈgɑːnɪkl] *astron., fil. a.* kosmogoniczny.

cosmogony [kɑːzˈmɑːgənɪ] *n. C/U* kosmogonia.

cosmography [kɑːzˈmɑːgrəfɪ] *n. U hist.* kosmografia.

cosmoline [ˈkɑːzməˌliːn] *n. U techn., wojsk.* kosmolina (*smar do konserwacji broni*). – *v.* smarować (*broń*).

cosmological [ˌkɑːzməˈlɑːdʒɪkl] *fil. a.* kosmologiczny.

cosmologically [ˌkɑːzməˈlɑːdʒɪklɪ] *adv.* kosmologicznie.

cosmologist [kɑːzˈmɑːlədʒɪst] *n.* kosmolog.

cosmology [kɑːzˈmɑːlədʒɪ] *n. C/U* kosmologia.

cosmonaut [ˈkɑːzməˌnɔːt] *n.* kosmonaut-a/ka.

cosmopolis [kɑːzˈmɑːpəlɪs] *n. form.* kosmopolis (= *miasto o międzynarodowym charakterze l. znaczeniu*).

cosmopolitan [ˌkɑːzməˈpɑːlətən] *a.* kosmopolityczny; oświecony, o szerokich horyzontach. – *n.* kosmopolit-a/ka.

cosmopolitanism [ˌkɑːzməˈpɑːlətəˌnɪzəm] *n. U* kosmopolityczność.

cosmopolite [kɑːzˈmɑːpəˌlaɪt] *n. rzad.* kosmopolit-a/ka. – *a. t. biol.* kosmopolityczny.

cosmopolitism [ˌkɑːzməˈpɑːləˌtɪzəm] *n. U* kosmopolityzm.

cosmos [ˈkɑːzməs] *n.* **the ~** kosmos.

Cossack [ˈkɑːsæk] *gł. hist. n.* Koza-k/czka. – *a.* kozacki.

cosset [ˈkɑːsɪt] *v. Br.* **-tt-** rozpieszczać, hołubić. – *n.* zwierzątko domowe (*zwł. owieczka*).

cossie [ˈkɑːzɪ], **cozzie** *n. Br. i Austr. pot.* kostium kąpielowy.

cost [kɔːst] *n. C/U* **1.** *ekon., fin. l. przen.* koszt; *handl. l. przen.* cena; *pl. prawn.* koszty sądowe *l.* procesowe; **~ of living** koszty utrzymania; **at ~** po kosztach własnych; **at (a) ~ to o.s.** własnym kosztem; **at no extra ~** bez dodatkowej opłaty, za tę samą cenę (*np. o wyposażeniu dołączonym do sprzedawanego produktu*); **below ~** poniżej kosztów; **running ~s** koszty eksploatacji. **2.** *przen.* **at all ~s** (*także* **at any ~, whatever the ~**) za wszelką cenę; **at the ~ of sth** kosztem czegoś (*np. zdrowia, życia*); **count the ~ (of sth)** ponosić konsekwencje (czegoś) (*zwł. popełnionych wcześniej błędów*); **find/learn sth to one's ~** przekonać się o czymś na własnej skórze. – *v.* **cost, cost 1.** *t. przen.* kosztować; **~ (sb) sth** kosztować (kogoś) ileś *l.* coś; **~ a (small) fortune/the earth** *emf.* kosztować mnóstwo pieniędzy; **~ an arm and a leg/a pretty penny/a packet** *emf.* zbyt dużo kosztować; **~ sb dear/dearly** *przen.* drogo kogoś kosztować (*np. o pomyłce*); **how much does it ~?** ile to kosztuje?; **it ~ her her life/job/marriage** *przen.* przypłaciła to życiem/utratą pracy/rozpadem małżeństwa; **it'll/that'll ~ you** *pot.* to będzie drogo kosztować. **2. -ed, -ed** *fin.* ustalać *l.* obliczać koszty, robić kosztorys (*czegoś*), skalkulować.

cost accountant, cost clerk *n. fin.* kalkulator/ka (kosztów).

costal [ˈkɑːstl] *a. attr. anat.* żebrowy.

costar [ˈkoʊstɑːr], **co-star** *n. telew., kino, teatr* jedna z gwiazd, gwiazda grająca jedną z głównych ról. – *v.* **- rr-** *telew., kino, teatr* grać jedną z głównych ról; **~ with sb** partnerować komuś.

costard [ˈkɑːstərd] *n.* **1.** *Br. ogr.* gatunek dużego jabłka. **2.** *arch. żart.* makówka (= *głowa*).

Costa Rica [ˌkoʊstə ˈriːkə] *n. geogr.* Kostaryka.

Costa Rican [ˌkoʊstə ˈriːkən] *n.* Kostarykanin/nka. – *a.* kostarykański; pochodzący z Kostaryki.

costate [ˈkɑːstət] *a. anat. form.* żebrowany, z żebrami.

cost clerk *n.* = **cost accountant.**

cost-effective [kɔːstɪˈfektɪv] *ekon. a.* wydajny; opłacalny.

cost-effectively [kɔːstɪˈfektɪvlɪ] *adv.* wydajnie; opłacalnie.

cost-effectiveness [kɔːstɪˈfektɪvnəs] *n. U* wydajność; opłacalność.

costermonger [ˈkɑːstərˌmʌŋger], **coster** [ˈkɑːstər] *n. gł. Br. arch.* stragania-rz/rka, przekupień/ka.

costing [ˈkɔːstɪŋ] *n.* kosztorys, kalkulacja; *U* sporządzanie kosztorysu *l.* kalkulacji.

costive [ˈkɑːstɪv] *a. form.* **1.** cierpiący na zaparcie. **2.** ociężały, powolny.

costliness [ˈkɔːstlɪnəs] *n. U* wysokie koszty, kosztowność.

costly [ˈkɔːstlɪ] *a.* **-ier, -iest** *uj. t. przen.* kosztowny.

costmary [ˈkɔːstˌmerɪ] *n. bot.* złocień wonny (*Chrysanthemum balsamita, używany jako przyprawa*).

costoclavicular [ˌkɑːstoʊkləˈvɪkjələr] *a. anat.* żebrowo-obojczykowy.

cost-of-living index [ˌkɔːstəvˈlɪvɪŋ ˌɪndeks] *n. ekon. US i Austr.* wskaźnik wzrostu kosztów utrzymania.

costoscapular [ˌkɑːstoʊˈskæpjələr] *a. anat.* żebrowo-łopatkowy.

cost price *n. U* cena własna; **sell sth at ~** sprzedać coś po cenie własnej.

costume [ˈkɑːstuːm] *n.* **1.** *t. teatr* kostium. **2.** *C/U* strój; **dancers in/wearing national/historical ~** tancerze w strojach narodowych/historycznych. **3.** (*także* **swimming ~**) *Br.* kostium (kąpielowy). – *a. attr.* kostiumowy; **~ ball/party** bal kostiumowy *l.* przebierańców; **~ drama/piece** sztuka kostiumowa; *gł. telew.* film kostiumowy. – *v:* **1.** przebierać (w kostium). **2.** *telew., kino, teatr* dostarczyć kostium *l.* kostiumy do (*filmu, sztuki*).

costume jewelry, *Br.* **costume jewellery** *n. U* sztuczna biżuteria.

costumier [kɑːˈstuːmɪər], **costumer** [kɑːˈstuːmər] *n.* producent kostiumów; pracownia kostiumowa; wypożyczalnia kostiumów.

cosy [ˈkoʊzɪ] *n. zwł. Br.* = **cozy.**

cot[1] [kɑːt] **1.** *US* łóżko polowe *l.* składane. **2.** *Br.* łóżeczko dziecięce. **3.** *żegl.* koja wisząca.

cot[2] **1.** = **cote. 2.** *arch. l. lit.* chatka. **3.** *med.* palec gumowy, pochewka (= *ochrona na zraniony palec*).

cotangent [koʊˈtændʒənt] *n. mat.* kotangens, cotangens.

cot death *n. Br.* = **crib death.**

cote [koʊt], **cot** [kɑːt] *n.* szopa (*np. dla owiec*).

cotemporary [koʊˈtempəˌrerɪ] *a. i n. rzad.* = **contemporary.**

cotenant [koʊˈtenənt] *n. prawn.* współlokator/ka; współnajemca; współdzierżawca.

coterie [ˈkoʊtərɪ] *n.* koteria, klika.

coterminous [koʊˈtɜːmənəs] *a.* = **conterminous.**

cothurnus [koʊˈθɜːnəs] *n. pl.* **-i** [koʊˈθɜːnaɪ] *teatr* koturn.

cotidal line [koʊˈtaɪdl ˌlaɪn] *n. geogr., żegl.* linia jednakowych pływów.

cotillion [koʊˈtɪljən], **cotillon** [kəˈtɪlən] *n.* **1.** kotylion (*dawny taniec l. muzyka do niego*). **2.** *US i Can.* uroczysty bal.

cotoneaster [kəˌtoʊnɪˈæstər] *n. bot.* irga (*Cotoneaster*).

cotta [ˈkɑːtə] *n. kośc.* komża.

cottage [ˈkɑːtɪdʒ] *n.* **1.** *zwł. Br.* domek, chata, chatka; **country ~** domek na wsi; **thatched ~** chata kryta strzechą. **2.** *zwł. US i Can.* domek letniskowy (*na wsi l. nad morzem*). **3.** *przest. sl.* toaleta publiczna (*zwł. jako miejsce spotkań homoseksualistów*).

cottage cheese *n. U* twarożek, serek wiejski *l.* ziarnisty *l.* grani.

cottage industry *n. C/U pl.* **-ies** praca chałupnicza, chałupnictwo.

cottage pie *n. U kulin.* zapiekanka z ziemniaków i mielonego mięsa.

cottage pudding *n. U kulin.* pieczony *l.* gotowany na parze pudding z owoców i przypraw korzennych.

cottager [ˈkɑːtɪdʒər] *n.* **1.** *US i Can.* właściciel/ka domku letniskowego; letni-k/czka. **2.** mieszkan-iec/ka domku na wsi. **3.** *Br. sl.* mężczyzna szukający partnerów homoseksualnych w publicznych toaletach.

cotter[1] [ˈkɑːtər] *n. mech.* przetyczka; klin (poprzeczny); (*także* **~ pin**) zawleczka.

cotter[2] *n. hist.* chłop małorolny bez prawnego tytułu do ziemi.

cottier [ˈkɑːtɪər] *n. hist. Ir.* drobny dzierżawca rolny.

cotton[1] [ˈkɑːtən] *n. U* **1.** bawełna (*roślina, surowiec, przędza i tkanina*). **2.** (*także* **absorbent ~**) *US* wata. **3.** *zwł. Br.* nici. – *a. attr.* bawełniany, z bawełny; **~ shirt/dress** bawełniana koszula/sukienka.

cotton[2] *v.* **~ on** *pot.* skapnąć się, załapać (= *zrozumieć*); **~ (on) to sb/sth** *US pot.* przekonać się do kogoś/czegoś.

Cotton Belt *n.* **the ~** *US* rolniczy okręg w płd.-wsch. Stanach słynący z uprawy bawełny.

cotton bud *n. Br. i Austr.* = **cotton swab.**

cotton candy *n. U US* wata cukrowa.

cotton gin *n. mech.* odziarniarka bawełny.

cotton grass *n. U bot.* wełnianka (*Eriophorum*).

cotton mill *n. mech.* przędzalnia bawełny.

cottonmouth [ˈkɑːtənˌmaʊθ], **cotton mouth** *n. zool.* mokasyn błotny (*wąż jadowity Agkistrodon piscivorus*).

cotton pad *n. US* wacik.

cotton-picking [ˈkɑːtənˌpɪkɪŋ] *a. attr. US pot.* zakichany.

cottonseed oil [ˈkɑːtənˌsiːd ˌɔɪl] *n. U* olej bawełniany.

cotton swab *n. US* pałeczka higieniczna (*do czyszczenia uszu itp.*).

cottontail [ˈkɑːtənˌteɪl] *n. zool.* królik amerykański (*Silvilagus*).

cottonwood [ˈkɑːtənˌwʊd] *n. bot.* topola kanadyjska *l.* amerykańska (*Populus (deltoides)*).

cotton wool, cottonwool *n. U* **1.** *US* (surowa) bawełna. **2.** *Br. i Austr.* wata; **~ pad** = **cotton pad**; **~ existence** *przen. pot.* życie w wacie, życie pod kloszem.

cottony [ˈkɑːtənɪ] *a.* puszysty.

cotyledon [ˌkɑːtəˈliːdən] *n. bot.* liścień.

couch[1] [kaʊtʃ] *n.* **1.** sofa, kanapa. **2.** kozetka, leżanka (*zwł. u psychoanalityka*). **3.** *t. mal.* podkład, powłoka podkładowa (= *pierwsza warstwa farby l. lakieru*). **4.** *lit.* łoże, posłanie. **5.** *arch.* legowisko (*dzikiego zwierza*), matecznik. – *v.* **1.** *zw. pass. form.* formułować, ujmować; **~ed in beautiful words** ubrany w piękne słowa; **~ed in legal jargon** napisany żargonem prawniczym. **2.** *arch. l. lit.* położyć (się); ułożyć (się) (jak) do snu. **3.** *arch. l. lit.* czaić się (*zwł. o drapieżniku*). **4.** opuszczać (do ataku) (*dzidę*). **5.** *chir.* spychać (*zaćmę*).

couch[2] *n.* = **couch grass.**

couchant [ˈkaʊtʃənt] *a. her.* (leżący) z podniesioną głową (*o zwierzęciu*).

couchette [kuˈʃet] *a. kol.* kuszetka.

couch grass *n. U bot.* perz (właściwy) (*Agropyron repens*).

couching [ˈkaʊtʃɪŋ] *n. U* haft nakładany.

couch potato *n. pl.* **-es** *pot.* telemania-k/czka, mania-k/czka telewizyjn-y/a.

cougar [ˈkuːgər] *n. zool.* kuguar, puma (*Felis concolor*).

cough [kɔːf] *n. t. pat.* kaszel. – *v.* **1.** kaszleć; krztusić się (*t. o silniku*). **2.** **~ (up)** odkasływać, odkrztuszać; **~ (up) blood** *pat.* pluć krwią. **3.** **~ down** zagłuszyć kaszlem (*mówcę*); **~ out** wykrztusić (*t. słowa*); **~ up** wykrztusić; *pot.* wysupłać (*pieniądze*), wybulić; *pot.* wydusić z siebie (*informacje*); **come on, ~ up!** *sl.* wyskakuj z forsy!.

cough drop *n. US* pastylka na kaszel.

cough lolly *n. Austr.* = **cough drop.**

cough mixture, *Br. t.* **cough syrup** *n. U* syrop na kaszel.

cough sweet *n. Br.* = **cough drop.**

could [kʊd] *v. 3 os. sing.* **could** *neg.* **couldn't** [ˈkʊdənt] **1.** *zob.* **can**[1] *v.* **2.** (*w prośbach i pytaniach o pozwolenie*) **~ you pass the salt?** czy mogę prosić o sól?; **~ I open the window?** czy mógłbym otworzyć okno?. **3.** (*wyraża możliwość*) ~ **that be true?** czy to możliwe?; **it ~ have been someone else** to mógł być ktoś inny; **it couldn't be her** to nie może być ona; **it ~ happen again** to się może powtórzyć. **4.** (*wyraża sugestię*) **we ~ take a taxi** możemy wziąć taksówkę, a może byśmy wzięli taksówkę?; **we ~ always do it tomorrow** (równie dobrze) możemy to zrobić jutro; **you ~ do with a rest** *pot.* przydałby ci się odpoczynek. **5.** (*wyraża wymówkę*) **(at least) you ~ have called!** mogłaś przynajmniej zadzwonić?; **how ~ you (do this to me)?** jak mogłeś (mi to zrobić)?. **6. couldn't be better/worse** (już) lepiej/gorzej być nie mogło; **I couldn't** dziękuję, (ale) już nie mogę, naprawdę nie dam rady (*odmowa poczęstunku*); **I couldn't agree more** święta racja; **I couldn't care less** *pot.* nic mnie to nie obchodzi, mam to w nosie; **I ~'ve died** *przen.* myślałam, że się pod ziemię zapadnę (*ze wstydu*); **I ~'ve killed/strangled him** *pot.* myślałem, że go zabiję/uduszę (*ze złości*).

coulee [ku'leɪ], **coulée** *n.* **1.** *geol.* strumień lawy. **2.** *płn.-zach. US i Can.* głęboki parów (*z wysychającym w lecie strumieniem*).

coulisse [ku'liːs] *n.* **1.** *zw. pl.* kulisa (*w formie ścianki*). **2.** (*także* **cullis**) *stol.* prowadnica, rowek.

couloir [kuːl'wɑːr] *n. geol.* żleb.

coulomb ['kuːlɑːm] *n. el., miern.* kulomb.

coulter ['koʊltər] *n. roln.* krój (*pługa*).

coumarin ['kuːmərɪn] *n. U chem.* kumaryna.

council ['kaʊnsl] *n.* **1.** rada; posiedzenie rady; **C~ of Europe** *polit.* Rada Europy; **town/city ~** rada miejska; **United Nations Security C~** *polit.* Rada Bezpieczeństwa Narodów Zjednoczonych. **2.** narada; **~ of war** *zw. żart.* narada wojenna. **3.** *kośc.* sobór. **4.** *Austr.* izba wyższa parlamentu. – *a. attr. Br.* komunalny, czynszowy.

council estate *n. Br.* osiedle domów komunalnych.

council house *n. Br.* budynek komunalny *l.* czynszowy.

council housing *n. U Br.* budownictwo komunalne.

councilman ['kaʊnslmən] *n. pl.* **-men** *US* radny (*miejski*).

councilor ['kaʊnslər], *Br.* **councillor** *n.* **1.** radn-y/a. **2.** człon-ek/kini rady.

councilwoman ['kaʊnslˌwʊmən] *n. pl.* **-women** *US* radna (*miejska*).

counsel ['kaʊnsl] *n.* **1.** *sing. prawn.* radca prawny; adwokat; zespół adwokatów (*w danej sprawie*); **~ for the defense/prosecution** obrońca/oskarżyciel, obrona/oskarżenie. **2.** *U form. l. lit.* rada, porada; **take ~ from sb** posłuchać czyjejś rady, pójść za czyjąś radą; **take ~ with sb** radzić się kogoś. **3.** *arch.* mądrość, roztropność. **4. keep one's own ~** taić swoje zamiary; zachowywać swoją opinię dla siebie. – *v. Br.* **-ll- 1.** *form.* radzić, doradzać (*sb to do sth* komuś, żeby coś zrobił). **2.** udzielać porad, zajmować się (zawodowo) udzielaniem porad (*np. alkoholikom, bezrobotnym, ofiarom klęski żywiołowej*).

counseling ['kaʊnslɪŋ], *Br.* **counselling** *n. U* poradnictwo, pomoc terapeuty.

counselor ['kaʊnslər], *Br.* **counsellor** *n.* **1.** terapeut-a/ka (*udzielając-y/a porad osobom z problemami*). **2.** doradca. **3.** *US* wychowawca (*na obozie, koloniach*). **4.** (*także* **~-at-law**) *US prawn.* adwokat. **5.** *polit.* radca; **~ of embassy/state** radca ambasady/stanu.

count[1] [kaʊnt] *v.* **1.** **~ (up)** liczyć; **~ (up) to ten** liczyć do dziesięciu. **2.** wyliczać. **3.** wliczać, liczyć; **(not) ~ing sb/sth** (nie) licząc *l.* wliczając kogoś/czegoś. **4.** zaliczać; **~ sb/sth among...** zaliczać kogoś/coś do..., uważać kogoś/coś za... **5.** liczyć się, mieć znaczenie; **~ for nothing** w ogóle się nie liczyć; **not ~ for much** nie mieć większego znaczenia. **6.** *boks* liczyć (*zawodnika na deskach*). **7.** *przen.* **~ one's blessings** *zob.* **blessing**; **~ sheep** liczyć barany; **~ the cost (of sth)** *zob.* **cost**; **~ yourself lucky/fortunate** miałeś *l.* masz szczęście; **be able to ~ sth on (the fingers of) one hand** móc coś policzyć na palcach jednej ręki; **don't ~ your chickens (before they are hatched)** *zob.* **chicken**; **who's ~ing?** *pot.* czy to ważne?, co za różnica?. **8.** **~ against sb** liczyć się przeciwko komuś, działać na czyjąś niekorzyść; **~ down** odliczać (*wstecz*); **~ down to** odliczać sekundy do (*północy itp.*); **~ sb in** *pot.* włączać kogoś (*w coś*), liczyć na kogoś; **~ me in (on this)** *pot.* możecie na mnie liczyć, ja też się na to piszę; **~ on/upon (sb/sth)** liczyć na (kogoś/coś); **~ on/upon sb doing/to do sth** liczyć na to, że ktoś coś zrobi; być pewnym, że ktoś coś zrobi; **~ out** odliczać (*pieniądze*); *boks* wykluczyć (*liczonego zawodnika*); *pot.* wykluczać (= *nie brać pod uwagę*); **~ me out (on this)** *pot.* na mnie nie liczcie, ja się na to nie piszę; **~ toward sth** liczyć się na poczet czegoś; **~ up** zliczać, podliczać; **~ upon** = **~ on**. – *n.* **1.** liczba; suma. **2.** *U t. przen.* rachuba, rachunek; **keep ~ of sth** liczyć coś, prowadzić rachunek czegoś; **lose ~ of sth** stracić rachubę czegoś. **3.** wzgląd; **on all ~s** pod każdym względem; **on several ~s** z kilku względów. **4.** liczenie (*t. głosów*); przeliczenie; **at the last ~** przy ostatnim liczeniu, kiedy ostatnio liczyliśmy; **lose ~** pomylić się w liczeniu; **on the ~ of three/ten** kiedy policzę do trzech/dziesięciu. **5.** poziom; **blood (cell) ~** liczba krwinek w mm^3; **cholesterol/pollen ~** poziom cholesterolu/stężenia pyłków. **6.** *prawn.* zarzut, punkt aktu oskarżenia; **three ~s of murder** trzy zarzuty morderstwa; **guilty on all ~s** winny wszystkich postawionych zarzutów. **7. be out for the ~** *boks* leżeć na deskach; *przen. pot.* spać jak zabity; **take the ~** *US boks* być liczonym, wylądować na deskach; *przen. pot.* przenieść się na tamten świat. – *a. attr. gram.* policzalny (*o rzeczowniku*).

count[2] *n.* hrabia.

countable ['kaʊntəbl], **count** [kaʊnt] *a. t. gram.* policzalny.

countable noun *n. gram.* rzeczownik policzalny.

countdown ['kaʊntˌdaʊn] *n.* odliczanie (*to sth* przed czymś).

countenance ['kaʊntənəns] *n. form.* **1.** oblicze,

twarz; wyraz twarzy; **change (one's) ~** zmienić się na twarzy. **2.** *U* pewność siebie; opanowanie; **keep/lose one's ~** zachować/stracić pewność siebie; **put sb out of ~** zbić kogoś z tropu. **3.** *U* aprobata, poparcie; **give/lend ~ to sth** udzielić czemuś (swego) poparcia. – *v.* **1.** aprobować, popierać. **2.** tolerować (*sth / doing sth* coś/robienie czegoś).

counter¹ ['kaʊntər] *n.* **1.** (*także* **kitchen ~**) *US* blat (kuchenny). **2.** lada, kontuar, stoisko; okienko (kasowe); **at the ~** za ladą (*stać; o sprzedawcy*); przy okienku, w kasie (*płacić*); **behind/on the ~** przy okienku, w kasie (*siedzieć; o pracowniku*); **on/at the bread ~** na stoisku z pieczywem; **over the ~** *med.* bez recepty (*kupować leki*); *fin.* w biurze maklerskim (*kupować walory*); **under the ~** spod lady, pokątnie (*sprzedawać, kupować*). **3.** żeton; pionek (*w grach planszowych*).

counter² *n. techn.* licznik; miernik; **(page) hit ~** *komp.* licznik odwiedzin (*strony internetowej*).

counter³ *n.* **1.** riposta; odwet. **2.** *sport* kontra. **3.** *żegl.* nawis *l.* kosz rufy. **4.** pięta, usztywnienie pięty (*w bucie*). **5.** *zool., jeźdz.* pierś (*konia*). – *v.* **1.** przeciwstawiać się, sprzeciwiać się (*komuś l. czemuś*). **2.** odpierać (*argumenty, zarzuty*). **3.** odpowiedzieć, zrewanżować się (*with sth* czymś) (*by doing sth* robiąc coś). **4.** *sport* kontrować. – *a.* **1.** przeciwległy. **2.** przeciwny. – *adv.* przeciwnie; w odwrotnym kierunku; **~ to sth** wbrew czemuś; **run ~ to sth** kłócić się z czymś, stać *l.* być w sprzeczności z czymś.

counteract [ˌkaʊntər'ækt] *v.* przeciwdziałać (*czemuś*); neutralizować (*truciznę*).

counteractant [ˌkaʊntər'æktənt] *n. form.* czynnik przeciwdziałający; czynnik neutralizujący.

counteraction [ˌkaʊntər'ækʃən] *n.* **1.** *U* przeciwdziałanie; neutralizacja. **2.** kontrakcja.

counteractive [ˌkaʊntər'æktɪv] *a.* przeciwdziałający; neutralizujący.

counteractively [ˌkaʊntər'æktɪvlɪ] *adv.* przeciwdziałająco; neutralizująco.

counterargument [ˌkaʊntər'ɑːrgjəmənt] *n.* kontrargument.

counterattack *sport, wojsk. n.* [ˌkæʊntərə'tæk] kontratak, przeciwuderzenie, przeciwnatarcie. – *v.* ['kæʊntərəˌtæk] kontratakować.

counterbalance *n.* ['kaʊntərˌbæləns] przeciwwaga. – *v.* [ˌkaʊntər'bæləns] równoważyć, wyrównywać; stanowić przeciwwagę dla (*czegoś*).

counterblast ['kaʊntərˌblæst] *n. lit.* ostra replika *l.* riposta (*słowna*).

counterchange [ˌkaʊntər'tʃeɪndʒ] *v.* **1.** zamieniać (się) miejscami. **2.** *lit.* upstrzyć (*zwł. kontrastującymi barwami*).

countercharge ['kaʊntərˌtʃɑːrdʒ] *n.* **1.** kontroskarżenie. **2.** *U prawn.* powództwo wzajemne. **3.** *wojsk.* przeciwnatarcie. – *v.* odpowiadać kontroskarżeniem (*komuś*).

countercheck ['kaʊntərˌtʃek] *n.* **1.** podwójne *l.* dodatkowe zabezpieczenie. **2.** podwójna *l.* ponowna kontrola. **3.** przeciwdziałanie; powstrzymanie. – *v.* **1.** przeciwdziałać (*czemuś*); powstrzymywać. **2.** skontrolować ponownie.

counterclaim ['kɔɪntərˌkleɪm] *n. prawn.* roszczenie wzajemne. – *v. prawn.* występować z roszczeniem wzajemnym (wobec) (*kogoś*).

counterclockwise [ˌkaʊntər'klɑːkˌwaɪz] *adv. US i Can.* przeciwnie do ruchu wskazówek zegara, w lewo (*obracać (się)*).

counterculture [ˌkaʊntər'kʌltʃər] *n.* kontrkultura.

countercurrent [ˌkaʊntər'kɝːənt] *n. techn.* przeciwprąd, prąd przeciwny.

counterdemonstration [ˌkaʊntərˌdemən'streɪʃən] *n. polit.* kontrdemonstracja.

counterespionage [ˌkaʊntər'espɪəˌnɑːʒ] *n. U polit., wojsk.* kontrwywiad.

counterfeit ['kaʊntərfɪt] *a.* **1.** fałszywy, podrobiony. **2.** udany, udawany. – *n.* **1.** fałszerstwo; podróbka. **2.** *arch.* konterfekt, wizerunek. – *v.* **1.** fałszować, podrabiać. **2.** udawać (*uczucie*). **3.** bardzo przypominać (*wyglądem*).

counterfeiter ['kaʊntərfɪtər] *n.* **1.** fałszerz/rka. **2.** *przest.* hipokryt-a/ka.

counterfoil ['kaʊntərˌfɔɪl] *n. gł. Br.* odcinek (kontrolny) (*czeku, przekazu*).

counterinsurgency [ˌkaʊntərɪn'sɝːdʒənsɪ] *n. U polit.* zwalczanie rebelii.

counterintelligence [ˌkaʊntərɪn'telɪdʒəns] *n. U polit., wojsk.* kontrwywiad.

counterirritant [ˌkaʊntər'ɪrɪtənt] *n. med.* środek leczniczy wywołujący łagodny odczyn zapalny (*np. bańki*).

counter jumper *n. przest. uj.* subiekt/ka (= *ekspedient / ka*).

counterman ['kaʊntərˌmæn] *n. pl.* **-men** bufetowy; barman.

countermand [ˌkaʊntər'mɑːnd] *v. form.* **1.** odwoływać, cofać (*rozkaz, polecenie*). **2.** *t. wojsk.* wycofywać (*np. oddziały*). – *n.* cofnięcie rozkazu.

countermarch ['kaʊntərˌmɑːrtʃ] *v.* **1.** *gł. wojsk. t. przen.* iść *l.* maszerować w przeciwnym kierunku. **2.** przeprowadzać kontrmarsz; kierować w przeciwną stronę (*wojsko*). – *n.* kontrmarsz.

countermeasure ['kaʊntərˌmeʒər] *n. zw. pl.* środek zaradczy; przeciwdziałanie.

countermine *n.* [ˌkaʊntər'maɪn] *wojsk.* kontrmina. – *v.* ['kaʊntərˌmaɪn] *wojsk.* zakładać kontrminy przeciwko (*czemuś*); *przen.* przeciwdziałać (*czemuś*).

countermove ['kaʊntərˌmuːv] *n.* reakcja (*na czyjeś posunięcie*); ruch (*w grze, będący reakcją na ruch przeciwnika*).

counteroffensive [ˌkaʊntərə'fensɪv] *n. wojsk.* kontrofensywa.

counterpane ['kaʊntərˌpeɪn] *n. przest.* narzuta, kapa (*na łóżko*).

counterpart ['kaʊntərˌpɑːrt] *n.* **1.** odpowiednik (*np. przedmiot, zjawisko*); odpowiedni-k/czka (= *osoba na analogicznym stanowisku*). **2.** duplikat, kopia (*dokumentu*).

counterplot ['kaʊntərˌplɑːt] *n.* przeciwspisek. – *v.* **-tt- 1.** organizować przeciwspisek. **2.** pokrzyżować (*plany*).

counterpoint ['kauntər,pɔɪnt] *n.* *U* *muz.* kontrapunkt.

counterpoise ['kauntər,pɔɪz] *n.* *form.* **1.** *t. przen.* przeciwwaga. **2.** równowaga. – *v. t. przen.* równoważyć.

counterpoison ['kauntər,pɔɪzən] *n.* *med.* odtrutka, antidotum.

counterproductive [,kauntərprə'dʌktɪv] *a.* destrukcyjny; jałowy; **be ~** przynosić skutki odwrotne od zamierzonych.

counterpropaganda [,kauntər,prɑ:pə'gændə] *n.* *U* kontrpropaganda.

counterproposal [,kauntərprə'pouzl] *n.* kontrpropozycja.

counterreformation [,kauntər,refər'meɪʃən] *n.* *polit.* kontrreforma; *U* ruch przeciwko reformie *l.* reformom.

Counter-Reformation [,kauntər,refər'meɪʃən] *n.* *hist., rel.* kontrreformacja.

counterrevolution [,kauntər,revə'lu:ʃən] *n.* *polit.* kontrrewolucja.

counterrevolutionary [,kauntər,revə'lu:ʃə,nerɪ] *n.* kontrrewolucjonist-a/ka. – *a.* kontrrewolucyjny.

counterscarp ['kauntər,skɑ:rp] *n.* *bud., wojsk.* kontrskarpa.

countershaft ['kauntər,ʃæft] *n.* *mech.* wał pośredni *l.* pośredniczący.

countersign ['kauntər,saɪn] *n.* **1.** *prawn.* = **countersignature**. **2.** odzew (= *umówiona odpowiedź na hasło*); *gł. wojsk.* hasło. – *v. prawn.* kontrasygnować.

countersignature [,kauntər'sɪgnətʃər] *n.* *prawn.* kontrasygnata.

countersink ['kauntər,sɪŋk] *mech., stol.* *v.* **-sunk, -sunk** **1.** nawiercać (*zagłębienie pod główkę śruby l. wkrętu*); sfazować (*brzeg otworu*). **2.** wpuszczać (*śrubę, wkręt*). – *n.* zagłębienie (*pod główkę śruby l. wkrętu*).

counterstain [,kauntər'steɪn] *v.* barwić kontrastowo (*preparat pod mikroskopem*).

counterstern [,kauntər'stɜ:n] *n.* *żegl.* rufa nawisająca.

counterstroke ['kauntər,strouk] *n.* przeciwuderzenie.

countertenor ['kauntər,tenər] *n.* *muz.* kontratenor (*śpiewak l. głos*).

counter-terrorist [,kauntər'terərɪst] *a.* *attr.* antyterrorystyczny (*o brygadzie, operacji*).

countertype ['kauntər,taɪp] *n.* *form.* **1.** odpowiednik. **2.** przeciwieństwo.

countervail [,kauntər'veɪl] *v.* *form.* **1.** przeciwdziałać (*czemuś*). **2.** równoważyć.

countervailing duty *n.* *ekon.* cło ochronne *l.* wyrównawcze.

counterweight ['kauntər,weɪt] *n.* *t. przen.* przeciwwaga.

counterwork ['kauntər,wɜ:k] *n.* **1.** *U* kontrakcja, przeciwdziałanie. **2.** *wojsk.* fortyfikacje obronne.

countess ['kauntɪs] *n.* hrabina.

counting house *n.* *arch.* *ekon.* biuro *l.* dział rachunkowości (*firmy*).

countless ['kauntləs] *a.* niezliczony.

count noun *n.* = **countable noun**.

count-out ['kaunt,aut] *n.* *boks* wykluczenie (*liczonego zawodnika*).

countrified ['kʌntrɪ,faɪd] *a.* wiejski; sielski; *uj.* prowincjonalny.

country ['kʌntrɪ] *n.* *pl.* **-ies** **1.** kraj; ojczyzna; **die for one's ~** umrzeć za ojczyznę; **Old C~** *US* stary kraj (= *ojczyzna imigranta*). **2. the ~** wieś (*w odróżnieniu od miasta*); **live in the ~** mieszkać na wsi. **3.** *U* okolica (*o określonym charakterze*); **hilly/farming ~** pagórkowata/rolnicza okolica. **4. go to the ~** *Br. polit.* odwołać się do narodu (= *rozwiązać parlament i rozpisać wybory*); **put o.s. upon the ~** *prawn.* stanąć dobrowolnie przed sądem przysięgłych.

country-and-western [,kʌntrɪən'westərn] *n.* = **country music**.

country bumpkin *n.* prostak (ze wsi), kmiot.

country club *n.* rozległy teren rekreacyjny, zw. z dużym polem golfowym, dostępny dla zamożnych członków za stałą opłatą.

country cousin *n.* *uj.* wieśnia-k/czka, chłopak/dziewczyna ze wsi.

country dancing *n.* *U* tańce ludowe (*angielskie*).

countryfied ['kʌntrɪ,faɪd] *a.* = **countrified**.

country gentleman *n.* *pl.* **-men** *hist.* ziemianin, właściciel ziemski.

country house *n.* rezydencja wiejska, dwór.

countryman ['kʌntrɪmən] *n.* *pl.* **-men** **1.** (*także* **fellow ~**) rodak, krajan. **2.** mieszkaniec (*danego kraju*); **~ of Norway/Switzerland** mieszkaniec Norwegii/Szwajcarii. **3.** mieszkaniec wsi.

country music, country-and-western *n.* *U* *muz.* (muzyka) country.

countryseat ['kʌntrɪ,si:t] *n.* *Br.* posiadłość *l.* rezydencja wiejska.

countryside ['kʌntrɪ,saɪd] *n.* *U* **1.** wieś (*w odróżnieniu od miasta*); **in the ~** na wsi. **2.** okolica; krajobraz (*wiejski*).

country singer *n.* *muz.* piosenka-rz/rka country.

countrywide ['kʌntrɪ,waɪd] *a.* ogólnokrajowy, narodowy. – *adv.* na cały kraj.

countrywoman ['kʌntrɪ,wumən] *n.* *pl.* **-women** **1.** rodaczka, krajanka. **2.** mieszkanka (*danego kraju*). **3.** mieszkanka wsi.

county ['kauntɪ] *n.* *pl.* **-ies** *Br.* hrabstwo; *US* okręg (administracyjny), hrabstwo; **Fairfax ~** hrabstwo Fairfax. – *a. attr.* **1.** dotyczący hrabstwa; *US* okręgowy. **2.** *Br. pot. zw. uj.* charakterystyczny dla wyższych sfer (*o rozrywkach, akcencie*).

county borough *n.* *Br. hist.* miasto wydzielone (*w Anglii i Walii, od 1888-1974 r.*).

county council *n.* *Br.* rada hrabstwa.

county court *n.* *Br.* sąd hrabstwa (*cywilny*).

county seat *n.* *US* stolica hrabstwa.

county town *n.* *Br.* stolica hrabstwa.

coup [ku:] *n.* *Fr.* **1.** (*także* **~ d'état**) *polit.* zamach stanu. **2.** wyczyn, osiągnięcie.

coup de grâce [,ku: də 'grɑ:s] *n.* *zw. sing.* **1.** cios ostateczny. **2.** dobicie (*rannego, w geście litości*).

coup de main [ˌkuː də ˈmɑːŋ] *n. pl.* **coups de main** *wojsk.* śmiały *l.* niespodziewany wypad.

coup d'état [ˌkuː deɪˈtɑː] *n. pl.* **coups d'état** = **coup** 1.

coup de théâtre [ˌkuː də teɪˈɑːtrə] *n.* **1.** *teatr l. przen.* sensacyjny zwrot akcji. **2.** *teatr* sukces sceniczny (*o sztuce, przedstawieniu*).

coup d'oeil [kuː ˈdʌjə] *n. pl.* **coups d'oeil** *form.* rzut oka.

coupé [ˈkuːpeɪ] *n.* **1.** (*także* **coupe**) *mot.* coupé (= *wersja dwudrzwiowa samochodu*). **2.** *gł. hist.* dwuosobowy powóz konny.

couple [ˈkʌpl] *n.* **1.** para (*małżeńska, taneczna*). **2.** dwa/dwie/dwoje; parę; **a ~ of children** dwoje dzieci; **a ~ of drinks/minutes/people** parę drinków/minut/osób; **every ~ of weeks** co dwa tygodnie. **3.** *fiz.* para (sił). **4.** *zwł. myśl.* podwójna smycz. – *v.* **1.** łączyć; kojarzyć. **2.** łączyć się. **3.** *el., mech.* sprzęgać, łączyć. **4.** *fizj.* spółkować, kopulować; parzyć się.

coupled [ˈkʌpld] *a. el., mech.* sprzężony, podwójny.

coupler [ˈkʌplər] *n.* **1.** *mech.* złączka. **2.** *muz.* kopulacja (*do łączenia dwóch manuałów, np. organowych*). **3.** *el., kol.* sprzęg.

couplet [ˈkʌplət] *n. wers.* dwuwiersz.

coupling [ˈkʌplɪŋ] *n.* **1.** *fizj.* akt kopulacji *l.* spółkowania. **2.** *techn.* sprzęgło; sprzężenie, połączenie; złączka (rurowa); **angle ~** kolanko; **capacitance ~** *el.* sprzężenie pojemnościowe.

coupon [ˈkuːpɑːn] *n.* **1.** *handl.* kupon (rabatowy); talon (*wymienialny na towar*); (*także* **food ~**) kartka (żywnościowa). **2.** kupon, odcinek (*np. konkursowy*).

courage [ˈkɜːɪdʒ] *n. U* odwaga; dzielność; **Dutch ~** *pot.* odwaga po pijaku; **have the ~ to do sth** mieć odwagę coś zrobić; **have the ~ of one's (own) convictions** mieć odwagę postąpić zgodnie z własnymi przekonaniami; **pluck/summon up the ~** zebrać się na odwagę; **take ~** wymagać odwagi (*o przedsięwzięciu*); **take one's ~ in both hands** zdobyć się na odwagę.

courageous [kəˈreɪdʒəs] *a.* odważny; dzielny.

courageously [kəˈreɪdʒəslɪ] *adv.* odważnie; dzielnie.

courageousness [kəˈreɪdʒəsnəs] *n. U* odwaga; dzielność.

courgette [kʊrˈʒet] *n. gł. Br. bot., kulin.* cukinia.

courier [ˈkɜːɪər] *n.* **1.** *t. wojsk.* kurier; goniec, posłaniec. **2.** *Br.* pilot/ka (wycieczek).

courlan [ˈkʊrlən] *n. orn.* kurlan (*Aramus guarauna*).

course [kɔːrs] *n.* **1.** bieg, przebieg; tok, tryb; **~ of events** bieg rzeczy; **~ of nature** naturalny bieg wypadków, zwykła kolej rzeczy; **in due ~** w swoim *l.* we właściwym czasie; **in/during the ~ of sth** w ciągu *l.* w toku czegoś; **in the ~ of time** (*także US* **over the ~ of time**) z czasem, z biegiem czasu; **let things take their ~** zostawić sprawy (ich) własnemu biegowi; **run/take its ~** dobiec końca. **2. of ~** oczywiście; **of ~ not!** oczywiście, że nie!, ależ skąd!; **(as a) matter of ~** *zob.* **matter** *n.* **3.** *szkoln., uniw.* kurs (*on/in sth* czegoś); przedmiot; **~ of lectures** cykl wykładów. **4.** (*także* **~ of action**) sposób postępowania; wyjście, rozwiązanie. **5.** *żegl., lotn. l. przen.* kurs; **be off ~** zboczyć z kursu; **be on ~** trzymać się kursu; *przen.* zmierzać we właściwym kierunku (*for sth* do osiągnięcia czegoś); **change ~** zmienić kurs; *przen.* zmienić kierunek, potoczyć się innym torem (*np. o dyskusji*); **lay out a ~** wytyczyć kurs; **stay the ~ (of sth)** *US przen.* wytrwać (w dążeniu do czegoś); **steer/adopt/take a middle ~** *przen.* wybrać drogę pośrednią (*between X and Y* pomiędzy X i Y). **6.** *med.* seria (*np. zastrzyków, antybiotyku*); (*także* **~ of treatment**) leczenie, kuracja. **7.** *geogr.* bieg (*rzeki*); łożysko; potok, strumień. **8.** *kulin.* danie; **main ~** danie główne; **4-~ meal** posiłek (złożony) z czterech dań. **9.** *sport* (*także* **race ~**) bieżnia; tor wyścigowy; **golf ~** pole golfowe. **10.** *mech.* przebieg (*tłoka*). **11.** *bud.* warstwa (*cegieł*). **12.** *żegl.* płótnisko (*żagla*); najniższy żagiel. – *v.* **1.** przemierzać (*ocean, równinę*). **2.** *lit.* pędzić, gnać; płynąć (wartko) (*o rzece, strumieniu*); krążyć; pulsować; **blood ~ing through her veins** krew pulsująca w jej żyłach; **tears were ~ing down his cheeks** łzy spływały mu po policzkach. **3.** *myśl.* polować z psami na (*zające itp.*). **4.** pędzić (*psy*); puścić biegiem (*konia*).

coursebook [ˈkɔːrsˌbʊk] *n. Br. szkoln.* podręcznik.

courser [ˈkɔːrsər] *n. poet.* rumak.

court [kɔːrt] *n.* **1.** podwórze; podwórzec, dziedziniec. **2.** dwór (= *pałac królewski l. świta*). **3.** hala (*np. muzealna*). **4. C~** *zwł. Br.* zaułek, ulica (*gł. w nazwach*). **5.** *C/U prawn.* sąd; trybunał; gmach sądu; sala rozpraw; **the ~** sędzia; zespół orzekający *l.* sędziowski; **appear in ~** stawić się w sądzie; **come before the ~** stanąć przed sądem; **go to ~** oddać sprawę do sądu; **settle out of ~** załatwić sprawę polubownie, pójść na ugodę; **take sb to ~** pozwać kogoś (do sądu). **6.** *sport* boisko (*do koszykówki, siatkówki*); kort (tenisowy). **7.** *U przest.* zaloty, umizgi; **pay ~ to sb** zalecać się do kogoś; nadskakiwać komuś. **8.** *admin.* rada zarządzająca (*spółki*); zespół doradców (*firmy*). **9.** *przen.* **be laughed out of ~** *zob.* **laugh** *v.*; **the ball is in your ~** *zob.* **ball**[1] 7; **hold ~** być otoczonym tłumem wielbicieli *l.* wiernych słuchaczy. – *v.* **1.** *przest.* zalecać się do (*kogoś*); starać się o rękę (*czyjąś*); chodzić ze sobą (*zwł. w okresie narzeczeństwa*). **2.** nadskakiwać (*komuś*). **3.** zabiegać o (*poparcie, względy, głosy wyborców*). **4.** *zool.* wabić (*samca, samicę*). **5.** *przen.* prosić się o (*niepożądane następstwa*); **~ danger/death** igrać ze śmiercią/z niebezpieczeństwem; **~ trouble** szukać guza; **he's ~ing disaster** doigra się nieszczęścia.

court card *a. Br. karty* figura.

courteous [ˈkɜːtɪəs] *a.* uprzejmy, grzeczny.

courteously [ˈkɜːtɪəslɪ] *adv.* uprzejmie, grzecznie.

courteousness [ˈkɜːtɪəsnəs] *n. U* uprzejmość, grzeczność.

courtesan [ˈkɔːrtəzən], **courtezan** *n. gł. hist.* kurtyzana.

courtesy [ˈkɜːtəsɪ] *n. pl.* **-ies 1.** *C/U* uprzejmość, grzeczność; kurtuazja; **(by) ~ of sb/sth** dzięki uprzejmości kogoś/czegoś; za zgodą kogoś/czegoś (*uwaga w publikacji, na okładce płyty itp.*); dzięki komuś/czemuś; **have the ~ to do sth** mieć na tyle przyzwoitości, żeby coś zrobić. **2.** *U form.* zgoda, przyzwolenie; **by ~** za (ogólną) zgodą, z (ogólnego) przyzwolenia (*a nie z racji przysługującego prawa*). **3.** ['kɜ:tsɪ] *arch.* = **curtsy.** – *a. attr.* **1.** grzecznościowy, kurtuazyjny. **2.** bezpłatny; dla klientów *l.* gości.

courtesy bus *n.* autobus dla gości (*z hotelu do centrum lub na lotnisko*).

courtesy call *n.* kurtuazyjna wizyta.

courtesy card *n.* karta stałego klienta (*np. w supermarkecie*).

courtesy light *n. mot.* oświetlenie kabiny (*w samochodzie*).

courtesy mailbox, courtesy collection box *n. US* skrzynka pocztowa (*np. w supermarkecie*).

courtesy title *n.* tytuł grzecznościowy *l.* zwyczajowy.

courtezan ['kɔ:rtəzən] *n.* = **courtesan.**

court hand *n. Br. hist.* pismo kancelaryjne (*używane przez pisarzy dworskich i sądowych*).

courthouse ['kɔ:rtˌhaʊs] *n. gł. US* gmach sądu.

courtier ['kɔ:rtɪər] *n.* **1.** dworzan-in/ka. **2.** *uj.* sługus/ka, lizus/ka.

courtliness ['kɔ:rtlɪnəs] *n. U* **1.** dworskość. **2.** wytworność, polor. **3.** *uj.* służalczość.

courtly ['kɔ:rtlɪ] *a.* **-ier, -ier 1.** dworski. **2.** wytworny. **3.** *uj.* służalczy.

courtly love *n. U hist.* miłość dworska *l.* rycerska (*w średniowieczu*).

court martial *n. pl.* **courts martial** *l.* **court martials** sąd wojenny *l.* polowy.

court-martial ['kɔ:rtˌmɑ:rʃl] *v. Br.* **-ll-** oddawać pod sąd wojenny.

court of appeal, court of appeals *n. prawn.* sąd apelacyjny.

court of first instance *n. prawn.* sąd pierwszej instancji (*zwł. podlegający Europejskiemu Trybunałowi Sprawiedliwości*).

court of inquiry *n.* **1.** *Br.* komisja śledcza *l.* dochodzeniowa. **2.** *wojsk.* wojskowy sąd śledczy.

court of law *n. form.* sąd, organ sprawiedliwości.

court order *n. prawn.* nakaz sądu *l.* sądowy.

court plaster *n. hist.* plaster (*na drobne skaleczenia l. udający pieprzyk na twarzy*).

court recorder, *Br.* **court reporter** *n. prawn.* protokolant/ka sądow-y/a (*z wykształceniem prawniczym*).

court roll *n. hist.* sądowa księga latyfundiów.

courtroom ['kɔ:rtˌru:m] *n.* sala rozpraw, sala sądowa.

courtship ['kɔ:rtˌʃɪp] *n.* **1.** *C/U* zaloty; okres narzeczeństwa. **2.** *U zool.* zachowania godowe.

court shoe *n. Br.* czółenko (*but*).

courtyard ['kɔ:rtˌjɑ:rd] *n.* dziedziniec.

couscous ['ku:sˌku:s] *n. U kulin.* (kasza) kuskus.

cousin ['kʌzən] *n. t. przen.* kuzyn/ka; **first ~** (*także* **~ german, full ~**) brat cioteczny, siostra cioteczna (= *dziecko ciotki l. wuja*); **second/third/distant ~** dalsz-y/a kuzyn/ka.

cousinhood ['kʌzənhʊd], **cousinship** *n. U* kuzynostwo (= *bycie kuzynami*); pokrewieństwo.

cousinly ['kʌzənlɪ] *a.* kuzynowski.

couth [ku:θ] *a. żart.* dobrze wychowany *l.* ułożony.

couture [kʊ'tʊr], **haute couture** *n. U Fr.* **1.** ekskluzywna moda (*tworzona przez czołowych projektantów*); świat mody; czołowi projektanci mody. **2. ~ show/collection/house** pokaz/kolekcja/dom mody.

couturier [kʊ'tʊrɪˌeɪ] *n.* (światowej sławy) projektant/ka mody, wielki krawiec.

covalence [koʊ'veɪləns], *Br.* **covalency** [koʊ'veɪlənsɪ] *n. chem.* wartościowość kowalencyjna, współwartościowość.

covariance [koʊ'verɪəns] *n. U stat.* kowariancja.

cove¹ [koʊv] *n.* **1.** *geogr.* zatoczka. **2.** *geogr.* kotlinka. **3.** (*także* **coving**) *bud.* faseta. – *v. bud.* zaokrąglać (*zwł. sufit na styku ze ścianą*).

cove² *n. Austr. i przest. Br. sl.* gość, facet.

coven ['kʌvən] *n. t. przen.* sabat czarownic.

covenant ['kʌvənənt] *n.* **1.** *prawn.* ugoda; umowa; pakt; **C~ of the League of Nations** *hist.* pakt Ligi Narodów. **2.** klauzula. **3.** *Bibl.* przymierze; **Ark of the C~** arka przymierza; **land of the ~** ziemia obiecana. – *v.* **1.** zawierać umowę. **2.** zobowiązywać się do (*czegoś*).

covenanter ['kʌvənəntər] *n.* **1.** osoba zawierająca umowę; *prawn.* osoba uprawniona na mocy umowy. **2. C~** *Scot. hist.* zwolennik porozumienia ustanawiającego prezbiterianizm (*w XVI i XVII w.*).

covenantor ['kʌvənəntər] *n. prawn.* strona zobowiązana na mocy umowy.

Coventry ['kʌvəntrɪ] *n.* **send sb to ~** *Br. przen. pot.* bojkotować kogoś.

cover ['kʌvər] *v.* **1.** pokrywać (*t.* = *obejmować, zawierać, płacić za*); **~ the cost of sth** pokryć koszt czegoś. **2.** *t. przen.* okrywać (*with / in sth* czymś); powlekać (*with sth* czymś). **3. ~ (up)** zakrywać; przykrywać; nakrywać. **4.** skrywać, ukrywać (*uczucia*); osłaniać, ochraniać. **5.** *ubezp.* ubezpieczać (*against / for sth* od *l.* na wypadek czegoś); obejmować, pokrywać (*o polisie*). **6.** *szkoln.* omawiać, realizować (*temat, materiał*). **7.** traktować o (*czymś*); zajmować się (*tematem*), poruszać, omawiać (*np. o mediach, dziennikarzach*). **8.** pokonywać, przemierzać (*odległość*). **9.** *wojsk.* osłaniać (ogniem); pokrywać, zabezpieczać (*teren*). **10.** *sport* kryć (*gracza*). **11.** *zool.* kryć, pokrywać (*zwł. klacz*). **12.** nagrać (na płycie) (*utwór z repertuaru innego wykonawcy*). **13.** *przen.* **~ (all) the bases** *US* zabezpieczyć się na wszystkich frontach, przygotować się na każdą ewentualność; **~ one's ass** *US sl.* asekurować się (*zwł.* = *zapewnić sobie alibi*). **14. ~ for sb** zastąpić kogoś; **~ in** przykryć; zasypać; **~ up** przykryć, zakryć, nakryć; okryć się; *polit.* zatuszować, ukryć; **~ o.s. up** zakrywać całe ciało (*np. o kobietach muzułmańskich*); **~ up for sb** kryć kogoś. – *n.* **1.** pokrywka; przykrywka; okrycie; pokrowiec. **2.** przebranie; ukrycie; pozór; przykrywka (*for sth* dla czegoś); **under ~** w przebraniu; w tajemnicy, potajemnie; **under (the) ~ of sth** *przen.* pod przykrywką *l.* pozorem czegoś. **3.** oprawa (*książki*); okładka; (*także* **dust ~**) obwoluta; **read sth from ~ to ~** przeczytać coś od deski do deski. **4.** *U form.* **under this ~** w załączeniu (*w liście*); **under plain ~** w zwykłej kopercie; **under separate ~** oddzielną przesyłką, osobno (*wysyłać coś*). **5.** *U* osłona, ochrona; ukrycie; **break ~** wyjść z ukrycia; **run for ~** szukać schronienia, kryć się; **take ~** ukryć się, schronić się; **under ~ of night/darkness** pod osłoną nocy/ciemności. **6.** (naturalne) schronienie (*= roślinność, dla zwierzyny*). **7.** kapa, narzuta (*na łóżko*); *pl.* pościel (*= koce i prześcieradła*). **8.** nakrycie (*na jedną osobę, zwł. w restauracji*). **9.** *fin.* pokrycie, gwarancja. **10.** *ubezp.* = **coverage**. **11.** (*także* **~ version**) nagranie (płytowe) (*utworu z repertuaru innego wykonawcy*). **12.** *pot.* osoba kryjąca przestępcę. **13.** *sport* krycie (*zawodnika*); zawodni-k/czka kryjąc-y/a.

coverage [ˈkʌvrɪdʒ] *n.* *U* **1.** *ubezp.* zakres *l.* pokrycie ubezpieczenia, ryzyko objęte ubezpieczeniem. **2.** pokrycie, zasięg, zakres; **broadcast ~** zasięg nadajnika *l.* stacji. **3.** *dzienn.* nagłośnienie (*w mediach*), uwaga, zainteresowanie (*mediów*).

coveralls [ˈkʌvərɔːlz] *n. pl.* *US* kombinezon (*roboczy*).

cover charge *n.* opłata od osoby (*doliczana do rachunku w restauracji, klubie nocnym itp.*).

covered [ˈkʌvərd] *a.* **1.** *w złoż.* **mist-~** spowity mgłą; **snow-~**, okryty śniegiem. **2.** kryty.

covered wagon *n.* *US hist.* wóz kryty (*zwł. pionierów amerykańskich*).

covered wire *n.* *U el.* drut powlekany.

coverer [ˈkʌvərər] *n.* *ubezp.* ubezpieczyciel.

cover girl *n.* dziewczyna z okładki (*pisma*).

cover glass *n.* = **cover slip**.

covering [ˈkʌvərɪŋ] *n.* **1.** powłoka; warstwa (*np. ochronna*). **2.** przykrycie; okrycie. **3.** osłona.

covering letter *n.* *Br.* = **cover letter**.

covering power *n.* *U* wydajność (*farby*).

coverlet [ˈkʌvərlət] *n.* kapa (*na łóżko*).

cover letter, *Br.* **covering letter** *n.* list przewodni, pismo przewodnie.

cover note *n.* *ubezp.* nota pokrycia, nota kryjąca.

cover page, cover sheet *n.* strona tytułowa (*faksu*).

cover slip, cover glass *n.* szkiełko nakrywkowe (*do preparatu pod mikroskopem*).

cover story *n.* *dzienn.* artykuł wiodący (*związany ze zdjęciem na okładce pisma*).

covert [ˈkʌvərt] *a.* ukradkowy, potajemny (*np. o spojrzeniu*); ukryty, niewidoczny (*o zagrożeniu*); z ukrycia (*o ataku*). – *n.* **1.** schronienie, kryjówka. **2.** *myśl.* zagajnik (*jako kryjówka dla zwierzyny*). **3.** *orn.* pióro okrywowe. **4.** *U* (*także* **~ cloth**) *tk.* gabardyna.

covertly [ˈkʌvərtlɪ] *adv.* ukradkowo, potajemnie (*spojrzeć*); ukrycie (*zagrażać*); z ukrycia (*atakować*).

covertness [ˈkʌvərtnəs] *n.* *U form.* ukradkowość.

coverture [ˈkʌvərtʃər] *n.* **1.** *rzad.* schronienie, ukrycie; przebranie. **2.** *U prawn.* status kobiety zamężnej.

cover-up [ˈkʌvərˌʌp] *n.* *polit.* próba zatuszowania (skandalu).

cover version *n.* = **cover** *n.* 11.

covet [ˈkʌvɪt] *Bibl. l. form. v.* pożądać (*zwł. cudzej własności*).

coveter [ˈkʌvɪtər] *n.* chciwiec.

covetous [ˈkʌvətəs] *Bibl. l. form. a.* chciwy; pożądliwy; **be ~ of sth** pożądać czegoś.

covetously [ˈkʌvətəslɪ] *adv.* chciwie; pożądliwie.

covetousness [ˈkʌvətəsnəs] *n.* *U* chciwość; pożądliwość.

covey [ˈkʌvɪ] *n.* **1.** stadko (*kuropatw, przepiórek*). **2.** *przen.* grupka (*osób*).

coving [ˈkoʊvɪŋ] *n.* *bud.* = **cove**[1] *n.* 3.

cow[1] [kaʊ] *n.* **1.** krowa. **2.** samica (*dużych ssaków*); **~ elephant/seal** słonica/foka; **~ whale** samica wieloryba. **3.** *Br. obelż. sl.* krowa, krówsko (*o kobiecie*). **4.** *przen.* **a (fair) ~** *Austr. i NZ pot.* coś okropnego; **have a ~** *US pot.* wściekać się; **sacred ~** *rel. l. uj.* święta krowa; **till the ~s come home** *pot.* bez końca.

cow[2] *v.* zastraszyć; zmusić groźbą (*sb into sth* kogoś do czegoś).

coward [ˈkaʊərd] *n.* tchórz.

cowardice [ˈkaʊərdɪs], **cowardliness** [ˈkaʊərdlɪnəs] *n.* *U* tchórzostwo.

cowardly [ˈkaʊərdlɪ] *a.* tchórzliwy. – *adv.* tchórzliwie.

cowbane [ˈkaʊˌbeɪn] *n.* *bot.* szalej (jadowity), cykuta (*Cicuta virosa*).

cowbell [ˈkaʊˌbel] *n.* **1.** dzwonek krowi. **2.** *bot.* lepnica rozdęta (*Silene inflata (= S. vulgaris)*).

cowberry [ˈkaʊˌberɪ] *n.* *bot.* borówka (brusznica) (*Vaccinium vitis-idaea*).

cowbird [ˈkaʊˌbɜːd] *n.* *orn.* starzyk (rudogłowy) (*Molothrus (ather)*).

cowboy [ˈkaʊˌbɔɪ] *n.* **1.** (*także* **cowhand**) kowboj, pasterz (konny), zaganiacz bydła. **2.** kowboj (*z westernów, zwł. walczący z Indianami*); *U* **~s and Indians** zabawa w kowbojów i Indian. **3.** *Br. pot.* kanciarz, kombinator; partacz. – *a. attr.* kowbojski; **~ hat/movie** kapelusz/film kowbojski.

cowcatcher [ˈkaʊˌkætʃər] *n.* *US i Can. kol.* zderzak.

cow chip, cow pie *n.* *US* krowi placek (*łajno*).

cower [ˈkaʊər] *v.* **1.** kulić się (*zwł. ze strachu*). **2.** kucać, przykucnąć.

coweringly [ˈkaʊərɪŋlɪ] *adv.* bojaźliwie.

cowfish [ˈkaʊˌfɪʃ] *n.* *zool., icht.* ssak morski *l.* ryba z wydatnym pyskiem *l.* wyrostkami nadocznymi (*np. mors, kostera l. manat*).

cowgirl [ˈkaʊˌgɜːl] *n.* pasterka (konna), zaganiaczka bydła.

cowhand [ˈkaʊˌhænd] *n.* paste-rz/rka (konny/a), zaganiacz/ka bydła.

cowherd [ˈkaʊˌhɜːd] *n.* *hist. l. lit.* paste-rz/rka (bydła) (*zwł. poruszający się pieszo*).

cowhide ['kaʊˌhaɪd] *n.* **1.** *U* skóra wołowa. **2.** bykowiec. – *v. US* chłostać (*bykowcem*).

cowl [kaʊl] *n.* **1.** kaptur (*szeroki, luźny*). **2.** *kośc.* habit (*mnisi, z kapturem*). **3.** *bud.* nasada kominowa. **4.** *US mot.* przód karoserii. **5.** *lotn.* = **cowling**. – *v.* zakapturzyć.

cowlick ['kaʊˌlɪk] *n.* sterczący kosmyk (włosów) (*nad czołem*).

cowlike ['kaʊˌlaɪk] *a.* krowi.

cowling ['kaʊlɪŋ], **cowl** *n. lotn.* kaptur, osłona silnika.

cowl neck *n.* duży, luźny kołnierz typu golf (*opadający z przodu w fałdach*).

cowman ['kaʊmən] *n. pl.* **-men** **1.** *US i Can.* hodowca bydła. **2.** *Br.* = **cowhand**.

co-worker [koʊˌwɝːkər], **coworker** *n.* współpracowni-k/ca.

cow parsley *n. bot.* trybula leśna (*Anthriscus sylvestris*).

cowpat ['kaʊˌpæt] *n. Br.* krowi placek (*łajno*).

cowpea ['kaʊˌpiː] *n. bot.* wigna chińska (*Vigna sinensis*).

cow pie *n. US* = **cow chip**.

cowpoke ['kaʊˌpoʊk], **cowpuncher** *n. US i Can. przest. pot.* = **cowhand**.

cowpox ['kaʊˌpɑːks] *n. U wet.* ospa krowia, krowianka.

cowrie ['kaʊrɪ], **cowry** *n. zool.* porcelanka (monetka) (*ślimak Cypraea (moneta)*); muszelka (*porcelanki*).

co-write ['koʊˌraɪt], **cowrite** *v.* **-wrote, -written** napisać wspólnie (*with sb* z kimś) (*piosenkę, scenariusz filmowy l. telewizyjny*), być współautorem/ką (*jw.*).

co-writer ['koʊˌraɪtər] *n.* współautor/ka (*jw.*).

cowshed ['kaʊˌʃed] *n.* obora.

cowslip ['kaʊslɪp] *n. bot.* **1.** *US* kaczeniec, knieć błotna (*Caltha palustris*). **2.** *Br.* pierwiosnek (*Primula veris*).

cox [kɑːks] *n.* = **coxswain**.

coxa ['kɑːksə] *n. anat., zool.* biodro (*t. owada, skorupiaka*); staw biodrowy.

coxal ['kɑːksl] *a. anat.* biodrowy.

coxcomb ['kɑːksˌkoʊm], **cockscomb** *n.* **1.** *przest.* strojniś, modniś; bufon, fanfaron. **2.** *hist.* czapka błazeńska.

coxcombry ['kɑːksˌkoʊmrɪ] *n. U* bufonada, fanfaronada.

coxswain ['kɑːksən] *n. żegl.* sterni-k/czka.

coy [kɔɪ] *a.* **1.** wstydliwy, skromny, nieśmiały. **2.** kokieteryjny. **3.** ~ **about sth** niechętnie udzielający informacji na jakiś temat; ~ **of speech** ostrożny *l.* powściągliwy w mowie (*zwł. w sposób irytujący innych*).

coyly ['kɔɪlɪ] *adv.* **1.** wstydliwie, skromnie, nieśmiało. **2.** kokieteryjnie.

coyness ['kɔɪnəs], **coyishness** ['kɔɪɪʃnəs] *n. U* **1.** wstydliwość, skromność, nieśmiałość. **2.** kokieteryjność.

coyote [kaɪ'oʊtɪ] *n. pl.* **coyotes** *l.* **coyote** *zool.* kojot (*Canis latrans*).

coypu ['kɔɪpuː] *n. pl.* **coypus** *l.* **coypu** *zool.* nutria (*Myocastor coypus*).

coz [kʌz] *n. arch.* = **cousin**.

cozen ['kʌzən] *arch. v.* **1.** okpić, oszukać. **2.** wyłudzić (*sb out of sth* coś od kogoś). **3.** skłonić podstępem (*sb into (doing) sth* kogoś do (zrobienia) czegoś).

cozenage ['kʌzənɪdʒ] *n. C / U* oszustwo.

cozily ['koʊzɪlɪ] *adv.* **1.** przytulnie; wygodnie. **2.** miło, przyjemnie; kameralnie.

coziness ['koʊzɪnəs] *n. U* przytulność; wygoda.

cozy ['koʊzɪ] *a.* **-ier, -iest** *US* **1.** przytulny (*np. o pokoiku*); wygodny (*np. o łóżku*). **2.** miły, przyjemny (*o wieczorze, pogawędce*); kameralny (*o atmosferze*). **3.** *uj.* wygodny (*o posadce*); cichy, konfidencjonalny (*o układach itp.*). – *n. pl.* **-ies** **tea/egg** ~ pokrowiec na dzbanek z herbatą/jajko (*zapobiegający utracie ciepła*). – *v. gł. US i Can.* **1.** ~ **up to sb** *uj.* przymilać się do kogoś, przypochlebiać się komuś. **2.** ~ **up to sb/sth** przytulać się do kogoś/czegoś; wtulać się w kogoś/coś.

cozzie ['kɑːzɪ] *n.* = **cossie**.

CPA [ˌsiː ˌpiː 'eɪ], **C.P.A.** *abbr. US* = **certified public accountant**.

cpd. *abbr.* = **compound**.

CPI [ˌsiː ˌpiː 'aɪ] *abbr.* = **consumer price index**.

cpl. *abbr. wojsk.* = **corporal**.

CPR [ˌsiː ˌpiː 'ɑːr] *abbr.* **cardiopulmonary resuscitation** *gł. US med.* sztuczne oddychanie (z masażem serca), reanimacja.

cps *abbr.* **1. characters per second** *komp.* znak na sekundę (*miara szybkości pisania na klawiaturze*). **2. cycles per second** *fiz., miern. przest.* cykl na sekundę (= *herc*).

CPU [ˌsiː ˌpiː 'juː] *abbr. komp.* = **central processing unit**.

cr. *abbr.* **1.** *fin.* = **credit**; = **creditor**. **2.** = **crown**.

crab [kræb] *n.* **1.** *zool.* krab. **2.** *U kulin.* kraby, mięso krabów. **3. the C~** *astron., astrol.* Rak. **4.** *US pot.* zrzęda, maruda. **5.** *mech.* wózek *l.* podnośnik suwnicy; wyciąg. **6.** *pat.* = ~ **louse**. **7.** *lotn.* kompensacja (bocznego) wiatru (= *lot lekko pod wiatr*). **8.** *przen.* **catch a** ~ źle pociągnąć wiosło (*przy wiosłowaniu*); **draw the ~s** *Austr.* budzić niezdrową sensację. – *v.* **-bb- 1.** *pot.* zrzędzić, marudzić. **2.** łowić kraby, polować na kraby. **3.** *lotn.* kompensować (boczny) wiatr. **4.** przemykać się.

crab apple *n.* **1.** rajskie jabłuszko. **2.** *bot., ogr.* rajska *l.* dzika jabłoń (*Malus sylvestris*).

crabbed ['kræbɪd] *a.* **1.** *przest.* stłoczony (*o charakterze pisma*). **2.** *rzad.* zawiły (*o tekście, stylu*). **3.** *przest.* drażliwy.

crabber ['kræbər] *n.* poławiacz/ka krabów.

crabbiness ['kræbɪnəs] *n. U* zrzędność; drażliwość.

crabby ['kræbɪ] *a.* **-ier, -iest** zrzędny; drażliwy.

crab grass, crabgrass *n. bot.* palusznik (krwawy) (*chwast trawników Digitaria (sanguinalis)*).

crablouse ['kræbˌlaʊs] *n. pl.* **-lice** [-laɪs] *ent., pat.* wesz łonowa (*Phthirius pubis*).

crabmeat ['kræbˌmiːt] *n. U* mięso krabów, kraby.

crabstick ['kræbˌstɪk] *n.* **1.** (*także* **crab stick**) *kulin.* paluszek krabowy. **2.** laska, kij (*zwł. z dzikiej jabłoni*). **3.** *pot.* zrzęda, maruda.

crabwise [ˈkræbwaɪz], **crabways** [ˈkræbweɪz] *adv.* **1.** bokiem; niezgrabnie (*przesuwać l. poruszać się*). **2.** *przen.* ostrożnie, okrężną drogą, nie wprost.

crack [kræk] *v.* **1.** pękać; powodować pęknięcie (*czegoś*); zarysowywać (się). **2.** rozbić (się). **3.** trzaskać; ~ **a whip** trzaskać z bicza; ~ **one's knuckles/fingers** strzelać palcami. **4.** uderzyć, trzasnąć, walnąć; ~ **one's head** uderzyć się w głowę (*against sth* o coś); ~ **sb over/in/on the head** walnąć kogoś w głowę. **5.** ~ **(open)** łupać, rozłupywać (*orzechy*); rozłupać (*czaszkę*). **6.** *pot.* załamać się (*o osobie, systemie politycznym*); puścić (*o nerwach*). **7.** załamywać się (*o głosie*). **8.** ~ **(open)** rozpruć (*sejf*); *pot.* napocząć, otworzyć (*butelkę*). **9.** złamać (*szyfr*); rozszyfrować (*np. zagadkę*), rozgryźć (*np. trudny problem, sprawę kryminalną*); *komp.* skrakować (*program*). **10.** *dial. pot.* uchylić (*okno, drzwi*). **11.** *zwł. Scot.* gawędzić. **12.** *chem.* krakować, rozkładać (*ropę na frakcje*). **13.** *przen. pot.* ~ **a deal (with sb)** *US* dogadać się (z kimś), ubić interes (z kimś); ~ **a smile** *US* uśmiechnąć się (*słabo, z trudem*); ~ **jokes** sypać kawałami; ~ **the whip** rozstawiać wszystkich po kątach; **a hard nut to** ~ twardy orzech do zgryzienia; **get ~ing** ruszać się, zbierać się. **14.** ~ **down on sth** wziąć się za coś (= *rozpocząć akcję przeciwko czemuś, np. narkotykom, korupcji*); tłumić coś (*rozruchy, demonstracje*); tłamsić coś (*opozycję, demokrację*); ~ **up** *pot.* załamać się (psychicznie); rozbić (*samochód, samolot*); pękać ze śmiechu; wychwalać, reklamować; **not all/everything/what it's ~ed up to be** *pot.* (wcale) nie taki wspaniały (za jaki uchodzi). – *n.* **1.** pęknięcie, rysa. **2.** szpara, szczelina; **open the window a (tiny)** ~ (lekko) uchylić okno, zostawić w oknie (małą) szparkę. **3.** wada, defekt (*in sth* czegoś). **4.** trzask (*bicza, łamanej gałęzi*); huk (*strzelby, grzmotu*). **5.** uderzenie; **get a** ~ **on the head** uderzyć się w głowę. **6.** zmieniony *l.* skrzeczący głos. **7.** *pot.* próba; **have/take a** ~ **(at sth)** spróbować (czegoś), spróbować swoich sił (w czymś); **I'll give it a** ~ spróbuję. **8.** *pot.* szansa; **give sb a** ~ **(at sth)** dać komuś szansę (w czymś), dać komuś spróbować (czegoś). **9.** *U* (*także* ~ **cocaine**) crack (*rodzaj kokainy*). **10.** *pot.* żart, dowcip, kawał; odzywka (*dowcipna i złośliwa*); **make a** ~ **about sb/sth** zażartować (sobie) z kogoś/czegoś. **11.** *pot.* spec (*at sth* w czymś). **12.** *U zwł. Scot. pot.* pogaduszki. **13.** *komp.* krak (*do programu*). **14.** *przest.* włamywacz. **15.** *przen.* ~ **of doom** koniec świata, sąd ostateczny; **at the** ~ **of dawn** skoro świt, bladym świtem; **good (fun and)** ~ *zwł. Ir. pot.* dobra zabawa; **in a** ~ migiem; **what's the ~?** *Br. pot.* co nowego?, co słychać?. – *a. attr.* doborowy, pierwszorzędny; **she's a** ~ **shot** świetny z niej strzelec, świetnie strzela; ~ **troops** *wojsk.* elitarne oddziały.

crackajack [ˈkrækəˌdʒæk] *n.* = **crackerjack**.

crackbrained [ˈkrækˌbreɪnd] *a. pot.* pomylony.

crackdown [ˈkrækˌdaʊn] *n. zw. sing.* (zdecydowana) akcja (*np. policyjna*) (*on sth* przeciwko czemuś).

cracked [krækt] *a.* **1.** pęknięty; popękany; spękany (*t. o skórze*). **2.** łamiący się (*o głosie*). **3.** *pred. pot.* pomylony.

cracker [ˈkrækər] *n.* **1.** *US kulin.* krakers. **2.** petarda. **3.** (*także* **Christmas** ~) strzelająca niespodzianka (*w kształcie dużego cukierka, który pęka głośno po pociągnięciu za końce, ujawniając ukryty w środku upominek*). **4.** (*także* **nut** ~) dziadek (do orzechów). **5.** **C~** *US* mieszkaniec/ka Georgii. **6.** *US obelż.* ubogi biały (*w płd.-wsch. Stanach*). **7.** **not worth a** ~ *Austr. i NZ pot.* do niczego.

crackerjack [ˈkrækərˌdʒæk] *US sl. a.* ekstra, rewelacyjny. – *n.* rewelacja (= *coś doskonałego*); gość (= *ktoś doskonały*).

crackers [ˈkrækərz] *a. pred. Br. pot.* stuknięty; **go** ~ zbzikować, dostać na głowę.

crackhead [ˈkrækˌhed] *n. sl.* narkoman/ka biorąc-y/a crack.

crackhouse [ˈkrækˌhaʊs], **crack house** *n. sl.* meta dealera cracku.

cracking [ˈkrækɪŋ] *a. attr.* **1.** bardzo szybki, błyskawiczny (*o tempie*). **2.** *Br. pot.* świetny.

crackjaw [ˈkrækˌdʒɔː] *pot. a. attr.* trudny do wymówienia. – *n.* łamaniec językowy.

crackle [ˈkrækl] *v.* **1.** trzaskać, strzelać (*o ogniu, gałązce*); trzeszczeć. **2.** *przen.* skrzyć się (*dowcipem*). **3.** pokrywać się pajęczynką (*o porcelanie*); pokrywać pajęczynką (*porcelanę*). – *n.* **1.** trzask; trzeszczenie; ~ **of static** *radio* trzaski, trzeszczenie. **2.** *U* pajęczynka (*na powierzchni porcelany*); (*także* ~ **china,** ~ **glass,** **~ware**) porcelana *l.* szkło z pajęczynką.

crackling [ˈkræklɪŋ] *n. U* **1.** trzeszczenie, trzaski; trzaskanie. **2.** *kulin.* chrupiąca skórka z pieczeni (*zwł. wieprzowej*).

cracknel [ˈkræknl] *n.* **1.** sucharek. **2.** *zw. pl. US i Can. kulin.* skwarki.

crackpot [ˈkrækˌpɑːt] *pot. żart. n.* pomyleniec. – *a. attr.* szalony, zwariowany (*o pomyśle, osobie*).

cracksman [ˈkræksmən] *n. pl.* **-men** *sl.* włamywacz; rozpruwacz sejfów.

crackup [ˈkrækˌʌp], **crack-up** *n. US pot.* **1.** zderzenie, wypadek (*samochodowy*). **2.** załamanie (nerwowe).

cracky [ˈkrækɪ] *a.* **-ier, -iest** **1.** popękany; *Br.* łatwo pękający. **2.** *dial.* pomylony.

Cracow [ˈkrɑːkaʊ] *n. geogr.* Kraków.

cradle [ˈkreɪdl] *n.* **1.** kołyska; *t. przen.* kolebka (*of sth* czegoś). **2.** *tel.* widełki. **3.** *techn., mech.* kołyska. **4.** *stocznia* łoże (dokowe); *żegl.* sanie (*jachtu*). **5.** płuczka na biegunach (*do poszukiwania złota*). **6.** *mot.* leżanka (monterska). **7.** *roln.* rama kosy. **8.** *el.* siatka bezpieczeństwa (*pod linią wysokiego napięcia*). **9.** **cat's** ~ = **cat's-~**. **10.** *przen.* **from/in the** ~ od maleńkiego, od najmłodszych lat; **from the** ~ **to the grave** przez całe życie. – *v.* **1.** włożyć do kołyski. **2.** tulić (*w ramionach*). **3.** kołysać. **4.** wychować, odkarmić. **5.** *tel.* odkładać (*słuchawkę*). **6.**

techn. umieszczać na kołysce. **7.** płukać (*złoto*). **8.** *roln.* kosić kosą z ramą (*zboże*).

cradle car *n.* (*także* **cradle wagon**) *kol.* wywrotka kołyskowa *l.* kolebowa.

cradle robber *n.* (*także Br.* **cradle snatcher**) *pot. uj. l. żart.* osoba wiążąca się ze znacznie młodszym partnerem.

cradle song *n.* kołysanka.

cradle wagon *n.* = **cradle car**.

craft[1] [kræft] *n. U* **1.** rękodzieło. **2.** *t. C* rzemiosło, sztuka; **arts and ~s** *zob.* **arts**. **3.** biegłość, zręczność. **4.** chytrość, przebiegłość; podstęp. – *v. zw. pass.* wykonywać (*posługując się specjalnymi umiejętnościami*); **hand-~ed** wykonany ręcznie, ręcznie robiony.

craft[2] *n. pl.* **craft** **1.** statek. **2.** samolot. **3.** statek kosmiczny. **4.** flota.

craft guild *n.* cech.

craftiness [ˈkræftɪnəs] *n. U* przebiegłość.

craftsman [ˈkræftsmən] *n. pl.* **-men** rzemieślnik.

craftsmanship [ˈkræftsmənˌʃɪp] *n. U* **1.** rzemiosło. **2.** kunszt.

craftsperson [ˈkræftsˌpɜːsən] *n.* rzemieślnik/czka.

craftswoman [ˈkræftsˌwʊmən] *n. pl.* **-women** rzemieślniczka.

craft union *n. hist.* związek branżowy.

crafty [ˈkræftɪ] *a.* **-ier, -iest** przebiegły, chytry.

crag [kræg] *n. geol.* grań.

craggy [ˈkrægɪ] *a.* **-ier, -iest** **1.** skalisty (*o krajobrazie*); urwisty (*o skale*). **2.** wyrazisty, ostry (*w atrakcyjny sposób; o męskich rysach twarzy*).

cragsman [ˈkrægzmən] *n. pl.* **-men** wspinacz, alpinista.

crake [kreɪk] *n. orn.* chruściel (*ptak z rodziny Rallidae, np. derkacz l. zielonka*).

cram [kræm] *v.* **-mm-** **1.** wpychać, wtłaczać (*sth into sth* coś do czegoś). **2.** tłoczyć się (*o ludziach*) (*into sth* gdzieś). **3.** napychać (*sth with sth* coś czymś). **4.** przekarmiać. **5.** *szkoln. pot.* wkuwać, zakuwać, kuć (*for sth* do czegoś) (*egzaminu, sprawdzianu*); *Br.* douczać (*uczniów, studentów, zwł. przed egzaminami*). **6.** **~ sth down** połykać coś w pośpiechu; **~ sth down sb's throat** *przen.* wbijać coś komuś do głowy; zanudzać kogoś czymś. – *n.* tłok.

crambo [ˈkræmboʊ] *n. przest.* **1.** *U* rymowanki (*gra*). **2.** *uj.* rym częstochowski.

crammer [ˈkræmər] *n. pot.* kurs przygotowawczy (*do egzaminów*); nauczyciel/ka przygotowujący/a do egzaminów; podręcznik przygotowujący do egzaminów; *Br. przest.* specjalna szkoła przygotowująca w krótkim czasie do egzaminów (*zwł. uczniów, którzy już raz nie zdali*).

cramming [ˈkræmɪŋ] *n. szkoln. pot.* wkuwanie, zakuwanie, kucie (*przed egzaminem*).

cramp [kræmp] *n.* **1.** *C/U pat.* skurcz, kurcz; *pl. zwł. US i Can.* bóle menstruacyjne; **have/get a ~** (*także Br. i Austr.* **have/get ~**) dostać skurczu; **writer's ~** kurcz pisarski. **2.** *mech.* zacisk, klamra; **screw ~** zacisk śrubowy. **3.** (*także* **~ iron**) *bud.* klamra, zwora. – *v.* **1.** wywoływać skurcz w (*części ciała*); powodować skurcz u (*kogoś*). **2.** ściskać (klamrą). **3.** stłoczyć. **4.** krępować, ograniczać (*swobodę*); **~ sb's style** ograniczać *l.* krępować kogoś.

cramped [kræmpt] *a.* **1.** ciasny (*o pomieszczeniach*); stłoczony (*o ludziach, meblach, piśmie*); ścieśniony, ściśnięty. **2.** zawiły (*o stylu pisarskim*).

crampfish [ˈkræmpˌfɪʃ] *n. icht.* drętwa (*jedna z ryb elektrycznych z rodziny Torpedinidae*).

cramp iron *n.* = **cramp** *n.* 3.

crampon [ˈkræmpɑːn], **crampoon** [kræmˈpuːn] *n.* **1.** *techn.* chwytak nożycowy. **2.** *pl.* raki (*do chodzenia po lodzie*).

cran [kræn] *n. ryb.* beczka (*jednostka objętości świeżych śledzi = ok. 170 l*).

cranage [ˈkreɪnɪdʒ] *n. U* dźwigowe (*opłata*).

cranberry [ˈkrænˌberɪ] *n. pl.* **-ies** *bot.* **1.** żurawina błotna (*Oxycoccus quadripetalus*); **large/American ~** żurawina wielkoowocowa *l.* amerykańska (*Vaccinium macrocarpon*); **mountain ~** *US i Can.* borówka brusznica (*Vaccinium vitis-idaea*). **2.** **highbush ~** *US i Can.* kalina (*Viburnum*).

cranberry tree, cranberry bush *n. bot.* kalina koralowa (*Viburnum opulus*).

crane [kreɪn] *n.* **1.** *orn.* żuraw (*rodzina Gruidae*); **common European ~** żuraw zwyczajny (*Grus grus*); **sandhill ~** żuraw kanadyjski (*Grus canadensis*); **whooping ~** żuraw krzykliwy (*Grus americana*). **2.** dźwig; *techn.* dźwignica; żuraw; *film* kran zdjęciowy, dźwig operatorski; (*także* **overhead ~**) suwnica; **bridge ~** suwnica mostowa; **derricking jib ~** żuraw masztowy, derrik; **gantry ~** żuraw bramowy; **harbor/wharf ~** żuraw portowy; **tower ~** żuraw wieżowy. – *v.* **1.** podnosić (*za pomocą żurawia itp.*). **2.** *jeźdz.* zatrzymać się przed przeszkodą (*o koniu; t. przen. o osobie*). **3.** **~ (forward)** zapuszczać żurawia; **~ one's neck** wyciągać szyję.

crane fly *n. pl.* **-ies** *ent.* komarnica (*rodzina Tipulidae; t. inne długonogie muchówki*).

craneman [ˈkreɪnˌmæn] *n. pl.* **-men** dźwigowy, dźwignicowy, suwnicowy.

crane operator *n.* dźwigow-y/a, dźwignicow-y/a, suwnicow-y/a.

cranesbill [ˈkreɪnzbɪl] *n. bot.* bodziszek, geranium (*Geranium*).

crane shot *n. film* ujęcie z kranu *l.* dźwigu.

cranial [ˈkreɪnɪəl] *a. anat.* czaszkowy (= *dotyczący czaszki, znajdujący się w czaszce*).

craniate [ˈkreɪnɪət] *a. zool.* czaszkowy (= *posiadający czaszkę*). – *n. zool. przest.* czaszkowiec.

craniological [ˌkreɪnɪəˈlɑːdʒɪkl] *a. anat.* kraniologiczny.

craniologist [ˌkreɪnɪˈɑːlədʒɪst] *n.* kraniolog.

craniology [ˌkreɪnɪˈɑːlədʒɪ] *n. U* kraniologia.

craniometer [ˌkreɪnɪˈɑːmətər] *n.* kraniometr (*do badania wymiarów czaszki*).

craniometric [ˌkreɪnɪəˈmetrɪk], **craniometrical** [ˌkreɪnɪəˈmetrɪkl] *a. anat., antrop.* kraniometryczny.

craniometrist [ˌkreɪnɪəˈmetrɪst] *n.* specjalist-a/ka od kraniometrii.

craniometry [ˌkreɪnɪˈɑːmətrɪ] *n. U* kraniometria.

craniotomy [ˌkreɪnɪˈɑːtəmɪ] *n. pl.* **-ies** *chir.* kraniotomia, cięcie czaszki.

cranium [ˈkreɪnɪəm] *n. pl.* **-s** *l.* **crania** [ˈkreɪnɪə] *anat.* puszka mózgowa, mózgoczaszka; *zool.* czaszka (*jako część szkieletu kręgowców*).

crank [kræŋk] *n.* **1.** korba (*t. techn. = część wału korbowego*), korbka. **2.** *pot.* dziwa-k/czka, szajbus/ka. **3.** *US i Can. pot.* zrzęda, tetryk/czka. **4. quips and ~s** *rzad.* celne *l.* zgryźliwe dowcipy *l.* uwagi. **5.** *arch.* wygięcie. – *v.* **1.** obracać (za pomocą korby); **~ open** odkręcić, uchylić przez pokręcenie korbką (*zwł. szybę w samochodzie*). **2.** *mot.* kręcić się (*o silniku w chwili rozruchu*); zapalać (*silnik, zwł. na korbę*). **3. ~ out** *zwł. US pot.* trzaskać (= *produkować jedno po drugim*); **~ up** zapalić (*silnik*); *pot.* podkręcić, podgłośnić; *przen.* wykrzesać (*zapał, nadzieję*); nabierać rozmachu, rozkręcać się; *sl.* dawać sobie w żyłę (= *wstrzykiwać narkotyk*). – *a.* **1.** *attr.* ekscentryczny (*o pomyśle*). **2.** *żegl.* = **cranky**.

crankcase [ˈkræŋkˌkeɪs] *n. techn.* skrzynia korbowa (*silnika*).

cranked [kræŋkt] *a. attr.* **1.** w kształcie korby. **2.** korbowy (= *napędzany korbą*); **~ instruments** *muz.* instrumenty korbowe; **hand-~ camera** *film* kamera napędzana ręcznie.

crankily [ˈkræŋkɪlɪ] *adv.* **1.** *pot.* dziwacznie, ekscentrycznie. **2.** *żegl.* niestatecznie, chybotliwie.

crankiness [ˈkræŋkɪnəs] *n. U* **1.** *pot.* dziwactwo, szajba. **2.** *żegl.* niestateczność, wywrotność.

crankpin [ˈkræŋkˌpɪn] *n. techn.* czop korbowy.

crankshaft [ˈkræŋkˌʃæft] *n. techn.* wał korbowy; **solid/built-up ~** wał korbowy jednolity/składany.

cranky [ˈkræŋkɪ] *a.* **-ier, -iest 1.** *pot.* dziwaczny, ekscentryczny; nawiedzony, maniacki. **2.** *US, Austr. Can. i Ir.* drażliwy, rozdrażniony; zrzędliwy, tetryczny. **3.** rozchwiany, rozklekotany. **4.** kręty, powyginany. **5.** (*także* **crank**) *żegl.* niestateczny, wywrotny (*o jachcie, statku*). **6.** *Br. dial.* chory; chorowity.

crannied [ˈkrænɪd] *a.* spękany, pełen szpar.

crannog [ˈkrænəg] *n. archeol.* krannog (= *celtycki gród obronny na wyspie*).

cranny [ˈkrænɪ] *n.* szpara, szczelina; **every nook and ~** wszystkie zakamarki.

crap[1] [kræp] *n. sl.* **1.** *U* kit, bzdety (= *nieprawda, przesada*); **a load/bunch of ~** kupa bzdetów; **be full of ~** pieprzyć od rzeczy; **cut the ~!** przestań pieprzyć!; **don't pull that ~!** nie próbuj mi wciskać kitu!. **2.** *U* chłam, badziewie; chała; **a load/bunch of ~** straszliwa chała (*np. o filmie, książce*). **3.** *sing. wulg.* gówno; **have/take a ~** wysrać się. – *v.* **-pp- 1.** *wulg.* srać. **2. ~ out** *sl.* wymięknąć (= *zrezygnować, stchórzyć*).

crap[2] *n.* **1.** = **craps**; **~ game** partia crapsa. **2.** rzut przegrywający (*w grze w crapsa*).

crape [kreɪp] *n.* = **crepe**.

crappie [ˈkræpɪ] *n. icht.* bass (*Pomoxis*); **black/white ~** bass czarny/biały (*Pomoxis nigromaculatus / annularis*).

crappy [ˈkræpɪ] *a.* **-ier, -iest** *sl.* badziewiasty (= *tandetny*); gówniany, do dupy.

craps [kræps] *n. U l. pl.* craps (*hazardowa gra w kości*); **shoot ~** grać w crapsa.

crapshoot [ˈkræpˌʃuːt] *n. US pot.* loteria (= *ryzykowna sytuacja*).

crapulence [ˈkræpjʊləns] *n. U form. przest.* **1.** nieumiarkowanie, brak umiaru (*w jedzeniu i piciu*). **2.** przesyt (*z przejedzenia l. przepicia*).

crapulent [ˈkræpjʊlənt], **crapulous** [ˈkræpjʊləs] *a. form. przest.* **1.** nie znający umiaru (*w jedzeniu i piciu*). **2.** cierpiący wskutek braku umiaru (*jw.*).

crash[1] [kræʃ] *v.* **1.** roztrzaskać (się), rozbić (się) (*into sth* o coś); zderzyć się (*np. o samochodach*); przejść z trzaskiem na wylot, wlecieć z impetem, przebić *l.* przełamać się (*through sth* przez coś); trzasnąć (= *narobić łoskotu*). **2.** *ekon.* zrobić klapę (*o interesie*); **the stock market ~ed** nastąpił krach na giełdzie. **3.** *komp.* ulec awarii. **4.** *pot.* = **gatecrash**. **5. ~ (out)** *sl.* walić się z nóg (*ze zmęczenia*); przekimać się (*byle gdzie*); waletować, melinować się (*with sb / at sb's place* u kogoś). **6. ~ down** spaść z trzaskiem (*onto sth* na coś); **~ down to the ground/floor** runąć na ziemię/podłogę. – *n.* **1.** trzask, łoskot. **2.** kraksa, zderzenie, wypadek; **air ~** katastrofa lotnicza; **car ~** kraksa (samochodowa). **3.** *lotn.* = **crash-landing**. **4.** *ekon.* krach, kryzys. **5.** *komp.* awaria; **program/system ~** awaria programu/systemu; **disk(-drive) ~** awaria (napędu) dysku; **head ~** uszkodzenie dysku (*wskutek zadrapania przez głowicę*). – *a. attr.* **1.** przyspieszony, skrócony; intensywny, błyskawiczny (*o programie, kursie*). **2.** gwałtowny (*np. o hamowaniu*). – *adv.* **fall ~** zwalić się z trzaskiem, runąć.

crash[2] *n. U tk.* samodział.

crash barrier *n. Br. i Austr.* bariera ochronna (*na autostradzie l. torze wyścigowym*).

crash course *n.* intensywny *l.* przyspieszony kurs.

crash cymbal *n. muz.* talerz (*uderzany pałeczką*).

crash diet *n.* drakońska dieta (*mająca na celu zrzucenie wagi w krótkim czasie*).

crash dive *n. wojsk.* zanurzenie alarmowe (*okrętu podwodnego*).

crash-dive [ˈkræʃˌdaɪv] *v.* **1.** *wojsk.* zanurzać się alarmowo (*o okręcie podwodnym*). **2.** *lotn.* wpaść w lot nurkowy, gwałtownie tracić wysokość.

crash helmet *n.* kask ochronny.

crashing [ˈkræʃɪŋ] *a. pot.* uciążliwy, dobijający; **~ bore** *Br. przest.* upierdliw-y/a nudzia-rz/ra.

crash-land [ˈkræʃˌlænd] *v. lotn.* lądować awaryjnie *l.* przymusowo (*z uszkodzeniem maszyny*).

crash-landing [ˈkræʃˌlændɪŋ] *n. lotn.* lądowanie awaryjne *l.* przymusowe.

crash pad *n. sl.* meta (= *miejsce, gdzie można waletować*).

crash test *n. mot.* test zderzeniowy.

crash-test [ˈkræʃˌtest] *v. mot.* poddawać testom zderzeniowym.

crashworthiness [ˈkræʃwɜːðɪnəs] *n. U mot.* odporność na zderzenia.

crashworthy [ˈkræʃwɜːðɪ] *a. mot.* odporny na zderzenia (*o elementach konstrukcyjnych*).

crass [kræs] *a.* **-er, -est 1.** grubiański, prostacki, prymitywny. **2.** rażący, jaskrawy, skrajny (*zwł. o głupocie, ignorancji*). **3.** *rzad.* szorstki, gruby (*o tkaninie*).

crassitude [ˈkræsəˌtuːd] *n. form.* = **crassness**.

crassly [ˈkræslɪ] *adv.* po prostacku, prymitywnie.

crassness [ˈkræsnəs] *n. U* prostactwo, prymitywizm.

crassulaceous [ˌkræsjʊˈleɪʃəs] *a. bot.* gruboszowaty (*rodzina Crassulaceae*).

cratch [krætʃ] *n. roln.* paśnik.

crate [kreɪt] *n.* **1.** skrzynka (*np. na owoce*); kontener (*na butelki*); skrzynia transportowa, paka. **2.** *sl. l. żart.* pudło, gruchot (= *stary samochód; przest. lotn.* = *samolot*). – *v.* ~ **(up)** pakować w skrzynki, kontenery *l.* skrzynie transportowe.

crater [ˈkreɪtər] *n.* **1.** krater (*t. naczynie greckie l. defekt powierzchni*); **electrode** ~ *techn.* krater spoiny spawalniczej; **impact** ~ *geol., astron.* krater uderzeniowy. **2. the C~** *astron.* Puchar (*gwiazdozbiór*).

crater lake *n. geol.* jezioro kraterowe.

craterous [ˈkreɪtərəs] *a.* pokryty kraterami.

craunch [krɔːntʃ] *dial.* = **crunch**.

cravat [krəˈvæt] *n.* męska apaszka; halsztuk.

crave [kreɪv] *v.* ~ **(for) sth** bardzo pragnąć czegoś; być złaknionym czegoś; mieć nieprzepartą ochotę na coś; *arch. l. form.* błagać o coś (*np. o przebaczenie*).

craven [ˈkreɪvən] *form. a.* tchórzliwy; nędzny, pozbawiony godności; ~ **submission** tchórzliwa uległość (*to sb* wobec kogoś). – *n.* nędzny tchórz.

cravenly [ˈkreɪvənlɪ] *adv.* tchórzliwie.

cravenness [ˈkreɪvənnəs] *n. U* tchórzostwo.

craving [ˈkreɪvɪŋ] *n.* przemożna chęć *l.* ochota (*for sth* na coś).

craw [krɔː] *n.* **1.** *zool.* wole (*ptasie l. owadzie*). **2.** *pot.* żołądek (*zwierzęcy*). **3. stick in sb's** ~ *zob.* **stick**[2] *v.*

crawdad [ˈkrɔːˌdæd], **crawdaddy** [ˈkrɔːˌdædɪ] *n. US dial. pot.* = **crayfish** 1.

crawfish [ˈkrɔːˌfɪʃ] *n. gł. US* = **crayfish**.

crawl[1] [krɔːl] *v.* **1.** ~ **(along)** pełznąć, czołgać się; ~ **(around)** pełzać (*o niemowlęciu*). **2.** wlec się (*o pojeździe*). **3.** ~ **to sb** *pog.* płaszczyć się przed kimś. **4.** *pot.* obchodzić po kolei, zaliczać (*np. puby, w ciągu jednego wieczora*). **5.** płynąć kraulem. **6. be ~ ing with sth** roić się od czegoś. **7.** cierpnąć (*o skórze*); **make sb's flesh/skin** ~ sprawiać, że kogoś ciarki przechodzą. – *n. sing.* **1.** czołganie, pełznięcie; pełzanie. **2. the** ~ (*także* **Australian ~, front ~**) kraul, crawl, styl dowolny. **3. at a** ~ *przen.* w żółwim tempie. **4.** *pot.* przechadzka, obchód; **pub** ~ *gł. Br.* rundka po pubach.

crawl[2] *n. ryb.* zagroda w wodzie (*dla ryb, homarów itp.*).

crawler [ˈkrɔːlər] *n.* **1.** *pot. pog.* padalec (= *osoba płaszcząca się*). **2.** zwierzę pełzające. **3.** (*także* **web** ~) *komp.* szperacz sieciowy. **4.** *pl.* pajacyk (*ubranko*). **5.** *US pot.* glista (= *dżdżownica*).

crawler track *n. techn.* gąsienica.

crawler tractor *n. mot.* ciągnik *l.* traktor gąsienicowy.

crawlspace [ˈkrɔːlˌspeɪs], **crawl space** *n. bud.* kanał umożliwiający dostęp (*do rur, przewodów*).

crawly [ˈkrɔːlɪ] *a.* **-ier, -iest** (*także* **creepy-~**) *pot.* przyprawiający o gęsią skórkę.

crayfish [ˈkreɪˌfɪʃ], *US t.* **crawfish** [ˈkrɔːˌfɪʃ] *n. pl.* **-fish** *l.* **-fishes** *zool.* **1.** (*także* **crawdad, crawdaddy**) rak słodkowodny (*zwł. Astacus, Cambarus*). **2.** *pot.* rak (*t. langusta l. inny podobny skorupiak*).

crayon [ˈkreɪɑːn] *n.* **1.** *C/U* kredka (*t. technika rysunku*), ołówek kolorowy; kreda kolorowa; **in** ~ kredką. **2.** rysunek kredką. – *v.* rysować kredką; kolorować kredką.

craze [kreɪz] *n.* **1.** (chwilowa *l.* przelotna) moda; szaleństwo, mania (*for sth* na punkcie czegoś); **the latest** ~ ostatni krzyk mody. **2.** wariactwo, obłąkanie. – *v.* **1.** przyprawiać o obłęd. **2.** *ceramika* ozdabiać krakelurą. **3.** *arch. l. dial.* stłuc, rozbić; rozchwiać, osłabić.

crazed [kreɪzd] *a.* **1.** oszalały (*with sth* z czegoś) (*np. z rozpaczy, zazdrości*); **drug-~** odurzony narkotykami; **half-~** na wpół obłąkany. **2.** *ceramika* zdobiony krakelurą.

crazily [ˈkreɪzɪlɪ] *adv.* szaleńczo, do szaleństwa; po wariacku.

craziness [ˈkreɪzɪnəs] *n. U* szaleństwo, wariactwo (= *brak rozsądku*).

crazing [ˈkreɪzɪŋ] *n. U ceramika* krakelura.

crazy [ˈkreɪzɪ] *a.* **-ier, -iest 1.** *pot.* obłąkany, szalony; **be ~ about sb/sth** szaleć za kimś/czymś; **drive/make sb** ~ *zw. przen.* doprowadzać kogoś do obłędu *l.* szału; **go** ~ *t. przen.* oszaleć, zwariować; **it'd be ~ to...** szaleństwem byłoby...; **like** ~ jak szalony. **2.** zwariowany, zbzikowany (*about/over sth* na punkcie czegoś); narwany. **3.** *arch.* rozklekotany, rozpadający się. – *n. pl.* **-ies** *US sl.* wariat/ka, pomyleniec.

crazy bone *n. US pot.* tkliwe miejsce w łokciu (*wyrostek kości ramiennej*).

crazy paving *n. U Br. i Austr.* nawierzchnia mozaikowa (*z niejednolitych płytek l. kostek kamiennych*).

crazy quilt *n. US* narzuta mozaikowa (*zszyta z nieregularnych skrawków tkaniny*).

creak [kriːk] *v.* skrzypieć; ~ **(along)** jechać *l.* toczyć się poskrzypując. – *n.* skrzypnięcie.

creakily [ˈkriːkɪlɪ], **creakingly** [ˈkriːkɪŋlɪ] *adv.* skrzypliwie, ze skrzypieniem.

creakiness [ˈkriːkɪnəs] *n. U* **1.** skrzypliwość. **2.** *przen.* chwiejność, brak solidnych podstaw.

creaky [ˈkriːkɪ] *a.* **-ier, -iest 1.** skrzypiący, skrzypliwy. **2.** *przen.* chwiejny, niesolidny.

cream [kriːm] *n.* **1.** *U* śmietana; śmietanka; **coffee** ~ śmietanka do kawy; **sour** ~ kwaśna śmietana; **whipped** ~ bita śmietana; **whipping** ~ (śmietana) kremówka. **2.** *C / U* krem; **beauty** ~ krem pielęgnacyjny; **hand** ~ krem do rąk; **shaving** ~ krem do golenia. **3.** *C / U kulin.* (zupa-) krem; ~ **of asparagus (soup)** krem ze szparagów. **4.** kremówka (= *ciastko przekładane kremem*); pomadka (*cukierek*); **chocolate** ~ pomadka czekoladowa. **5.** *U* kolor kremowy. **6. the** ~ **of sth** *przen.* śmietanka czegoś. – *a. attr.* **1.** śmietankowy; ~ **cheese** serek śmietankowy; ~ **fudge** krówka śmietankowa. **2.** kremowy (*t. o kolorze*); ~ **cake** kremówka, napoleonka; ~ **sherry** sherry kremowe (*mocne, dosładzane*). – *v.* **1.** zbierać *l.* odciągać śmietankę z (*mleka*); zostawiać do odstania (*mleko*). **2.** dodawać śmietanki *l.* śmietany do; zabielać (*śmietanką l. śmietaną*). **3.** kremować, smarować kremem. **4.** rozcierać *l.* ubijać na krem. **5.** *US i Can. sl.* zbić na kwaśne jabłko. **6.** *obsc., wulg.* mieć wytrysk. **7.** ~ **sb/sth (off)** *przen.* odłowić *l.* zgarnąć kogoś/coś (*jako elitę l. najlepszą część*).

creamer ['kri:mər] *n.* **1.** chłodnik (= *naczynie do odciągania śmietany*). **2.** śmietanka w proszku, zabielacz (*do kawy*). **3.** *gł. US i Can.* dzbanuszek na śmietankę.

creamery ['kri:mərɪ] *n. pl.* **-ies** *przest.* mleczarnia; sklep z nabiałem.

creamily ['kri:mɪlɪ] *adv.* **1.** śmietankowo. **2.** kremowo.

creaminess ['kri:mɪnəs] *n. U* konsystencja kremu *l.* śmietany.

cream of tartar *n. U* kamień winny (*chem.* = *wodorowinian potasu*).

cream puff *n.* **1.** ptyś (*ciastko*). **2.** *sl. pog.* baba (= *zniewieściały mężczyzna*).

cream tea *n. Br.* herbata i bułeczki z dżemem i bitą śmietaną (*jako podwieczorek*).

creamware ['kri:mˌwer] *n. U ceramika* fajans delikatny.

creamy ['kri:mɪ] *a.* **-ier, -iest 1.** śmietankowy; ze śmietanką (*o kawie*); tłusty (*o mleku*). **2.** o konsystencji kremu *l.* śmietany. **3.** kremowy (*t. o kolorze*).

crease[1] [kri:s] *n.* **1.** zagięcie, fałda; zmarszczka (*na tkaninie l. skórze*); kant (*spodni itp.*); **iron a** ~ **into sth** zaprasować kant na czymś. **2.** *krykiet l. hokej* linia pola bramkowego. – *v.* **1.** marszczyć (się); miąć (się), gnieść (się). **2.** prasować w kant. **3.** *pot.* drasnąć (*pociskiem*). **4.** ~ **up** *Br. pot.* skręcać się ze śmiechu; rozśmieszać do łez.

crease[2] *n. rzad.* = **kris**.

creaseless ['kri:sləs] *a.* bez kantów *l.* zmarszczek.

crease-resistant ['kri:srɪˌzɪstənt] *a.* niemnący.

creasy ['kri:sɪ] *a.* **-ier, -iest** zmięty; pomarszczony, pofałdowany.

create [krɪ'eɪt] *v.* **1.** tworzyć (*t.* = *pracować twórczo*); stwarzać; kreować (*t. rolę*); ~ **a precedent** stworzyć precedens. **2.** wywoływać, powodować (*zwł. zamieszanie*); ~ **a good impression** zrobić dobre wrażenie. **3.** *Br.* nadać tytuł, godność *l.* stanowisko (*komuś*); **he was ~d president of the Society** mianowano go prezesem Towarzystwa. **4.** *Br. i Austr. pot.* robić hałas *l.* awanturę (*about sth* o coś).

creatine ['krɪəˌti:n], **creatin** *n. U biochem.* kreatyna.

creatinine [krɪ'ætəˌni:n] *n. U biochem.* kreatynina.

creation [krɪ'eɪʃən] *n.* **1.** *U* tworzenie. **2.** wykreowanie, stworzenie; akt twórczy; **the C~** *Bibl., mit.* stworzenie świata; **(God's) C~** *teol.* stworzenie (= *cały świat*). **3.** wytwór (*inteligencji, wyobraźni*). **4.** kreacja (*balowa, wyjściowa itp.*). **5. in** ~ na świecie, jak świat długi i szeroki.

creational [krɪ'eɪʃən] *a.* kreacyjny (*o działalności artystycznej*).

creationism [krɪ'eɪʃəˌnɪzəm] *n. U teol., fil.* kreacjonizm; **(scientific)** ~ (*także* **creation science**) *US* kreacjonizm naukowy (= *antyewolucjonizm*).

creationist [krɪ'eɪʃənɪst] *n.* kreacjonist-a/ka (*US t.* = *fundamentalist-a / ka*).

creationistic [krɪ'eɪʃənɪstɪk] *a.* kreacjonistyczny.

creative [krɪ'eɪtɪv] *a.* twórczy, kreatywny; kształcący wyobraźnię.

creative accounting *n. U uj. l. iron.* twórcze księgowanie (= *niezgodne z prawdą, ale nie naruszające prawa*).

creatively [krɪ'eɪtɪvlɪ] *adv.* twórczo, kreatywnie.

creativeness [krɪ'eɪtɪvnəs], **creativity** [ˌkrɪeɪ'tɪvətɪ] *n. U* kreatywność; talent twórczy, zdolności twórcze.

creative writing *n. U szkoln.* nauka kompozycji literackiej.

creator [krɪ'eɪtər] *n.* **1.** twór-ca/czyni. **2.** stworzyciel/ka; **the C~** *Bibl.* Stwórca.

creatress [krɪ'eɪtrəs] *n.* **1.** *rzad.* twórczyni. **2.** = **creatrix**.

creatrix [krɪ'eɪtrɪks] *n. pl.* **creatrices** *l.* **creatrixes** *form.* stworzycielka.

creatural ['kri:tʃərəl], **creaturely** ['kri:tʃərlɪ] *a. form.* mający postać stworzenia (*ludzką l. zwierzęcą*).

creature ['kri:tʃər] *n.* **1.** stworzenie; istota, stwór; **living** ~ żywe stworzenie. **2.** (*z przymiotnikami wyrażającymi podziw, współczucie, pogardę*) **adorable/charming** ~ urocze stworzenie (*o kobiecie*); **poor** ~ biedactwo; biedaczysko; **stupid** ~ głuptas; głupiec. **3.** ~ **of habit** niewolni-k/ca przyzwyczajeń; ~ **of the imagination** wytwór wyobraźni; **sb's** ~ (*także* **the** ~ **of sb**) *pog.* czyjaś kreatura (= *marionetka*).

creature comforts *n. pl. zob.* **comforts**.

creaturely ['kri:tʃərlɪ] *a.* = **creatural**.

crèche [kreʃ] *n.* **1.** *Br. i Austr.* żłobek. **2.** *US kośc.* żłóbek. **3.** *przest.* ochronka (*dla sierot i podrzutków*).

cred [kred] *n. U Br. sl.* = **credibility**.

credence ['kri:dəns] *n. U* **1.** *form.* wiara (= *przekonanie o wiarygodności*); **gain** ~ nabierać wiarygodności; **give** ~ **to sth** dawać czemuś wiarę; **lend** ~ **to sth** uwiarygodniać coś; **letter of** ~ list uwierzytelniający *l.* polecający. **2.** (*także* ~ **table**) = **credenza**.

credendum [krɪ'dendəm] *n. pl.* **-a** [krɪ'dendə] *kośc. form.* artykuł wiary.

credentials [krɪ'denʃlz] *n. pl.* **1.** upoważnienie; list uwierzytelniający, referencje. **2.** kompetencje, kwalifikacje (*for sth* do czegoś, *to do sth* do robienia czegoś, *as*... do występowania jako...).

credenza [krɪ'denzə] *n.* **1.** *hist.* komoda (= *podręczny stolik, z którego próbowano, czy potrawy i napoje do podania na stół nie zawierają trucizny*). **2.** *kośc.* stolik na wino i hostię (*przed konsekracją*).

credibility [ˌkredɪ'bɪlətɪ] *n.* *U* wiarygodność; miarodajność; **gain/lose ~** zyskać/utracić wiarygodność.

credibility gap *n. gł. polit.* uszczerbek autorytetu (*wskutek utraty wiarygodności*).

credible ['kredəbl] *a.* wiarygodny; miarodajny, rzetelny.

credibly ['kredəblɪ] *adv.* wiarygodnie; miarodajnie, rzetelnie.

credit ['kredɪt] *n.* **1.** *C / U fin., handl.* kredyt (*t.* = *uznanie wypłacalności, odroczenie płatności*); pożyczka; **grant/refuse sb ~** udzielić/odmówić komuś kredytu; **letter of ~** list kredytowy; **on ~** na kredyt. **2.** (*także* **~ balance**) *fin.* środki na koncie; **be/stay in ~** mieć dodatni bilans (*na koncie*); **have sth to one's ~** *t. przen.* mieć coś na (swoim) koncie; **in ~** *Br.* z dodatnim bilansem (*o koncie*). **3.** *fin.* rubryka *ma*; zapis księgowy po stronie *ma*; **~ entries/items** pasywa, wpisy po stronie *ma*. **4.** *U* uznanie (zasługi *l.* udziału), podkreślenie osiągnięć; **deserve ~** zasługiwać na uznanie (*for sth* z racji czegoś); **get (all the) ~** zebrać (wszystkie) pochwały (*for sth* za coś); **give sb (the) ~ for sth** uznać coś za czyjąś zasługę, zapisać coś na czyjś rachunek; **(give) ~ where ~'s due** po sprawiedliwości (= *oddając komuś l. czemuś sprawiedliwość*); **take (the) ~ for sth** przypisywać sobie coś (*jako zasługę, osiągnięcie*). **5.** *C / U* chluba; pochwała, zaszczyt; dobra reputacja; **be a ~ to sb/sth** (*także* **bring ~ to sb/sth**) przynosić chlubę komuś/czemuś; **do sb ~** (*także* **be to sb's ~**) dobrze o kimś świadczyć; **reflect ~ on sb/sth** przysparzać chwały komuś/czemuś. **6.** *U* wiarygodność, kredyt zaufania; **acquire/gain ~** uzyskać wiarygodność, zdobyć zaufanie; **give ~ to sth** uznać coś za wiarygodne; **have ~** brzmieć wiarygodnie. **7.** *gł. US uniw.* zaliczenie. **8.** *pl. zob.* **credits**. – *v.* **1. ~ sb with sth** (*także* **~ sth to sb**) przypisywać komuś coś (*zasługę, osiągnięcie*); *fin.* zapisywać coś na czyjeś konto. **2.** *fin.* zapisywać w rubryce *ma*. **3.** dawać wiarę (*czemuś*). **4.** *US uniw.* dawać zaliczenie (*studentowi*).

creditability [ˌkredɪtə'bɪlətɪ], **creditableness** ['kredɪtəbəlnes] *n.* *U* zasługiwanie na uznanie.

creditable ['kredɪtəbl] *a.* **1.** chlubny, zaszczytny, godny uznania. **2.** *przest.* wiarygodny.

creditableness ['kredɪtəbəlnəs] *n.* = **creditability**.

creditably ['kredɪtəblɪ] *adv.* chlubnie, zaszczytnie.

credit account *n. Br. handl.* konto kredytowe (*w określonej placówce*).

credit card *n. bank* karta kredytowa.

credit crunch *n. US ekon.* polityka ograniczania kredytów.

credit line *n.* (*także* **line of credit**) *bank* linia kredytowa, pożyczka odnawialna.

creditor ['kredɪtər] *n. fin.* wierzyciel/ka.

credit rating *n. fin.* ocena zdolności kredytowej.

credits ['kredɪts] *n.* **the ~** (*także* **credit lines, credit titles**) *kino, telew.* napisy (*czołowe l. końcowe*).

credit side *n.* **1.** *fin.* prawa strona rachunków, rubryka *ma*. **2. on the ~** *przen.* po stronie zysków.

credit squeeze *n. Br. i Austr.* = **credit crunch**.

credit standing *n. fin.* = **creditworthiness**.

credit transfer *n. bank* przekaz pieniężny.

credit union *n. fin.* towarzystwo kredytowe.

creditworthiness ['kredɪtˌwɜːðɪnəs] *n.* *U fin.* zdolność kredytowa.

creditworthy ['kredɪtˌwɜːðɪ] *a.* wiarygodny jako kredytobiorca.

credo ['kriːdoʊ] *n. pl.* **-s** **1.** (*także* **creed**) *t. polit.* kredo. **2. C~** (*także* **Creed**) *kośc.* wyznanie wiary, kredo, Credo; *muz., kośc.* Credo (*część cyklu mszalnego*).

credulity [krə'duːlətɪ], **credulousness** ['kredʒələsnes] *n.* *U* łatwowierność.

credulous ['kredʒələs] *a.* łatwowierny.

credulously ['kredʒələslɪ] *adv.* łatwowiernie.

Cree [kriː] *n.* **1.** *pl.* **Cree** *l.* **-s** (Indian-in/ka) Kri. **2.** *U jęz.* język kri; pismo kri.

creed [kriːd] *n.* = **credo**; **the Apostles' C~** *kośc.* Skład Apostolski; **the Nicene C~** *kośc.* Credo Nicejskie.

Creek [kriːk] *n.* **1.** *pl.* **Creek** *l.* **-s** (Indian-in/ka) Creek. **2.** *U jęz.* języki creek (*rodzina muskogejska*).

creek [kriːk] *n.* **1.** *US, Can., Austr. i NZ* potok, rzeczka. **2.** *Br.* zatoczka (morska). **3. up the ~ (without a paddle)** (*także* **up shit ~ (without a paddle)**) *pot.* w kropce, w tarapatach.

creel [kriːl] *n.* **1.** *ryb.* wiklinowy kosz na ryby; pułapka wiklinowa (*na ryby, raki, homary*). **2.** *tk.* rama natykowa (*do osadzania szpul w przędzarce*); wał osnowowy (*w krośnie*).

creep [kriːp] *v. pret. i pp.* **crept** **1. ~ (along)** pełznąć, czołgać się. **2.** raczkować (*o niemowlęciu*). **3.** skradać się. **4.** płożyć się, piąć się (*o roślinach*). **5.** *Br. pot. pog.* płaszczyć się (*(up) to sb* przed kimś). **6.** cierpnąć (*o skórze*); **make sb's flesh/skin ~** sprawiać, że kogoś ciarki przechodzą. **7.** przesuwać *l.* obluzowywać się (*pod działaniem stałych sił*); zmieniać się niepostrzeżenie (*pod wpływem czynników zewnętrznych*); *techn.* ulegać odkształceniu plastycznemu. **8. ~ in** *przen.* wkraść się, zakraść się (*np. o błędzie*); **~ over sb** *przen.* ogarnąć kogoś, owładnąć kimś (*o uczuciach*); **~ up** podpełznąć (*to / towards sb / sth* do kogoś/czegoś); *przen.* powoli *l.* niepostrzeżenie wzrastać (*np. o inflacji*); **~ up on sb** podkraść się do kogoś; zaskoczyć kogoś (*z ukrycia*); dosięgnąć kogoś ukradkiem (*o starości, chorobie*). – *n.* **1.** *U* czołganie, pełzanie. **2.** powolna zmiana; obluzowanie *l.* przesunięcie (*wskutek stałe-*

go nacisku); *geol.* obsuwanie się (*gleby, materiału skalnego*); *techn.* odkształcenie plastyczne. **3.** *zwł. US pot.* gad, gadzina (= *wredny typ*). **4.** *Br. pot.* lizus/ka. **5.** *pl. zob.* **creeps**.

creeper [ˈkri:pər] *n.* **1.** *bot.* pnącze. **2.** (*także* **tree ~**) *orn.* pełzacz (*rodzina Certhiidae*). **3.** hak do sondowania dna.

creepily [ˈkri:pɪlɪ] *adv.* **1.** *pot.* niesamowicie (= *w sposób budzący grozę*); dziwacznie. **2.** powolnym *l.* pełzającym ruchem.

creepiness [ˈkri:pɪnəs] *n. U pot.* niesamowitość, groza.

creeping [ˈkri:pɪŋ] *a.* pełzający (*uj.* = *narastający stopniowo*); **~ inflation** *ekon.* pełzająca inflacja; **~ unrest** *polit.* narastające niezadowolenie (społeczne).

creeping thistle *n. bot.* ostrożeń polny (*Cirsium arvense*).

creeps [kri:ps] *n. pl.* ciarki, dreszcz, gęsia skórka; **give sb the ~s** przyprawiać kogoś o ciarki *l.* gęsią skórkę.

creepy [ˈkri:pɪ] *a.* **-ier, -iest 1.** niesamowity, przyprawiający o gęsią skórkę. **2.** pełzający, powolny.

creepy-crawly [ˌkri:pɪˈkrɔ:lɪ] *n. pl.* **-ies** *Br. pot.* robal. – *a.* **-ier, -iest** *Br. pot.* = **creepy**.

creese [kri:s] *n. rzad.* = **kris**.

cremate [ˈkri:meɪt] *v.* kremować, palić (*zwłoki*).

cremation [krɪˈmeɪʃən] *n. C/U* kremacja.

cremationist [krɪˈmeɪʃənɪst] *n.* zwolennik/czka kremacji.

cremator [ˈkri:meɪtər] *n.* kremator, palacz zwłok.

crematorium [ˌkri:məˈtɔ:rɪəm] *n. pl.* **-oriums** *l.* **-oria** [-ɔ:rɪə] krematorium, piec kremacyjny.

crematory [ˈkri:məˌtɔ:rɪ] *a.* kremacyjny, krematoryjny. – *n. pl.* **-ies** *gł. US* = **crematorium**.

crème [krem] *n. C/U Fr.* **1.** *form.* krem (*t.* = *likier*); **~ de cacao/menthe** krem *l.* likier kakaowy/miętowy. **2.** = **crème de la crème**. – *a.* esencjonalny i słodki (*o likierze*).

crème brûlée [ˌkrem bru:ˈleɪ] *n. pl.* **crèmes brûlée** *l.* **crèmes brûlées** *Fr. kulin.* krem posypany karmelizowanym cukrem.

crème caramel [ˌkrem ˌkerəˈmel] *n. pl.* **crèmes caramel** *l.* **crème caramels** *Fr. kulin.* krem z polewą karmelową.

crème de la crème [ˌkrem də lɑ: ˈkrem] *n. sing. Fr.* sama śmietanka (= *najlepsza część*) (*of sth* czegoś); śmietanka towarzyska.

crème fraîche [ˌkrem ˈfreʃ] *n. U Fr. kulin.* śmietana zakwaszona.

crenate [ˈkri:neɪt], **crenated** [ˈkri:neɪtɪd] *a. bot.* karbowany (*o brzegu liścia*).

crenation [krɪˈneɪʃən], **crenature** [ˈkrenətʃər] *n. bot.* **1.** *U* karbowanie. **2.** (*także* **crenel**) zaokrąglony ząbek; karb (*na brzegu liścia*).

crenel [ˈkrenl] *n.* **1.** (*także* **crenelle**) *hist. bud.* krenel (= *prześwit między blankami*). **2.** *bot.* = **crenation**.

crenelate [ˈkrenəˌleɪt], *Br.* **crenellate** *v.* **1.** *bud.* blankować, krenelować. **2.** wrębiać.

crenelation [ˌkrenəˈleɪʃən], *Br.* **crenellation** *n. bud.* krenelaż, blankowanie.

crenelle [krɪˈnel] *n. bud.* = **crenel**.

crenulate [ˈkrenjəˌleɪt], **crenulated** [ˈkrenjəˌleɪtɪd] *a. bot.* drobno karbowany (*o brzegu liścia*).

crenulation [ˌkrenjəˈleɪʃən] *n. bot.* **1.** *U* drobne karbowanie. **2.** drobny zaokrąglony ząbek; karbek (*na brzegu liścia*).

creole [ˈkri:oʊl] *n.* **1.** *jęz.* język kreolski. **2.** **C~** Kreol/ka (*US t.* = *potomek francuskojęzycznych osadników w Luizjanie*); *jęz.* dialekt francuski z Luizjany. – *a. attr.* **1.** *jęz.* kreolski. **2.** *kulin.* (przyrządzony) po kreolsku (= *w ostrym sosie pomidorowym*). **3.** **C~** kreolski (= *dotyczący Kreolów*).

creolization [ˌkri:ələˈzeɪʃən], *Br. i Austr. zw.* **creolisation** *n. U* **1.** *jęz.* kreolizacja. **2.** adaptacja (*kolonistów l. niewolników sprowadzonych do kolonii*) do warunków miejscowych.

creolized [ˈkri:əˌlaɪzd], *Br. i Austr. zw.* **creolised** *a. jęz.* skreolizowany (= *zmieniony wskutek kontaktu z innymi językami*).

creosol [ˈkri:əˌsoʊl] *n. U chem.* kreozol (= *metoksymetylofenol*).

creosote [ˈkri:əˌsoʊt] *n. U chem., med.* kreozot. – *v. techn.* impregnować kreozotem.

creosotic [ˌkri:sɑ:tɪk] *a.* kreozotowy.

crepe [kreɪp], **crêpe, crape** *n.* **1.** *C/U* krepa (= *tkanina, nić jedwabna l. opaska żałobna*). **2.** *kulin.* naleśnik (*cienki, zw. nadziewany*). **3.** = **crepe paper**. **4.** = **crepe rubber**. – *v.* **1.** *techn.* krepować (*papier, tkaninę*). **2.** okrywać krepą.

crepe de Chine [ˌkreɪp də ˈʃi:n], **crêpe de Chine** *n. U tk.* krepdeszyna, krepa chińska.

crepe hair *n. teatr* krepina (= *sztuczne włosy*).

crepe paper *n. U* krepina, bibułka krepowa.

crepe rubber *n. U* krepa (= *kauczuk w arkuszach*).

crêpe suzette [ˌkreɪp suˈzet] *n. pl.* **crêpes suzettes** *Fr. kulin.* naleśnik suzette (*płonący, o smaku pomarańczowym*).

crepitant [ˈkrepɪtənt] *a. form.* trzaskający, pstrykający; *pat.* charczący (*o oddechu*).

crepitate [ˈkrepɪˌteɪt] *v. form.* trzaskać, pstrykać; *pat.* charczeć (*przy oddychaniu*).

crepitation [ˌkrepɪˈteɪʃən] *n. U* **1.** *form.* trzaskanie, pstrykanie (*zwł. odgłos wydawany przez zwierzę*). **2.** *ent.* strzykanie cuchnącą wydzieliną (*w celach obronnych*). **3.** *pat.* = **crepitus**.

crepitus [ˈkrepɪtəs] *n. U pat.* **1.** krepitacja (= *charczący oddech*). **2.** zgrzyt złamanej kości.

crept [krept] *v. pret. i pp. zob.* **creep**.

crepuscular [krɪˈpʌskjələr] *a.* **1.** *form.* dotyczący zmierzchu, półmroczny. **2.** *zool.* aktywny o zmierzchu *l.* przed świtem.

crescendo [krəˈʃendoʊ] *n. pl.* **-os, -oes** *l.* **-i** *zw. sing. muz. l. przen.* crescendo; kulminacja; **~ passage** fragment (grany) crescendo; **rise to/reach a ~** osiągnąć kulminację. – *adv. muz.* crescendo (= *coraz głośniej*). – *v.* **-oes, -oed, -oing** narastać.

crescent [ˈkresənt] *n.* **1.** *t. her.* półksiężyc; **lunar ~** sierp księżyca. **2.** **the C~** *t. przen.* Półksiężyc (*symbol islamu; hist.* = *mocarstwo tureckie*).

3. (*także* **C~**) *Br.* rząd domów w kształcie łuku; ulica (*gł. w nazwach*). – *a.* **1.** (*także* **~-shaped**) sierpowaty, w kształcie półksiężyca; ~ **moon** księżyc w pierwszej *l.* ostatniej kwadrze. **2.** *arch. l. poet.* narastający.

cresol [ˈkriːsɑːl] *n. U chem.* krezol (= *metylofenol*).

cress [kres] *n. U bot., kulin.* rzeżucha (*t. inne rodzaje z rodziny krzyżowych*); **bitter** ~ rzeżucha łąkowa (*Cardamine pratensis*); **garden** ~ pieprzyca siewna (*Lepidium sativum*); **water~** rukiew wodna (*Nasturtium officinale*).

cresset [ˈkresət] *n. hist.* kaganiec (*do oświetlania, zawieszany na tyczce*).

crest [krest] *n.* **1.** grzebień (*zwierzęcia, fali, hełmu*); czub, czubek (*zwł. ptasi*). **2.** grzebień szyjny (*np. u konia, lwa*); grzywa (*jw.*). **3.** pióropusz; *przen.* hełm rycerski. **4.** grzbiet (*wzgórza, fali, gwintu, dachu*). **5.** *anat.* krawędź (*kości*). **6.** *her.* klejnot; **family** ~ klejnot rodowy (= *zwieńczenie herbu*). **7. be riding (on) the ~ of a wave** *przen.* być u szczytu powodzenia. – *v.* **1.** wspinać się na grzbiet (*wzgórza*); unosić się na (*fali*); wznosić się. **2.** tworzyć grzebień piany (*o fali*). **3.** zwieńczać.

crested [ˈkrestɪd] *a. attr.* **1.** ozdobiony klejnotem herbowym (*o papierze listowym*). **2.** *zool.* czubaty, grzebieniasty; **double-~ cormorant** kormoran dwuczuby (*Phalacrocorax auritus*).

crested lark *n. orn.* dzierlatka (*Galerida cristata*).

crested newt *n. zool.* traszka grzebieniasta (*Triturus cristatus*).

crested tit *n. orn.* (sikora) czubatka (*Parus cristatus*).

crestfallen [ˈkrestˌfɔːlən] *a.* strapiony, markotny, z nosem (spuszczonym) na kwintę.

cresting [ˈkrestɪŋ] *n. bud., stol.* ozdobne zwieńczenie (*muru, dachu, mebla*).

crestless [ˈkrestləs] *a. zool.* pozbawiony czuba *l.* grzebienia (*gł. o ptakach*).

cretaceous [krɪˈteɪʃəs] *geol. a.* **1.** kredowy (= *zbudowany z kredy*). **2. C~** kredowy (= *dotyczący okresu kredowego*). – *n.* **the C~ (period)** kreda (*okres geologiczny*).

Cretan [ˈkriːtən] *a.* kreteński. – *n.* Kreteńczyk/nka.

Crete [kriːt] *geogr.* Kreta.

cretin [ˈkriːtən] *n. pat. l. pog.* kretyn/ka.

cretinism [ˈkriːtəˌnɪzəm] *n. U pat.* kretynizm, matołectwo.

cretinoid [ˈkriːtəˌnɔɪd] *a. pat.* kretynoidalny.

cretinous [ˈkriːtənəs] *a.* kretynowaty, kretyński.

cretonne [ˈkriːtɑːn] *n. U tk.* kreton.

Creutzfeldt-Jakob disease [ˌkrɔɪtsfeltˈjɑːkoʊb dɪˌziːz] *n. U pat.* choroba Creutzfeldta-Jakoba.

crevasse [krəˈvæs] *n.* **1.** rozpadlina (*lodowa l. skalna*). **2.** *US* wyrwa, pęknięcie (*zwł. w wale przeciwpowodziowym*). – *v.* przerwać (*wał przeciwpowodziowy; o rzece*).

crevice [ˈkrevɪs] *n.* szpara, szczelina; rysa.

creviced [ˈkrevɪst] *a.* spękany, pełen szczelin.

crew¹ [kruː] *n. sing. l. pl.* **1.** *żegl., lotn. itp.* załoga (*zwł. z wyłączeniem oficerów*). **2.** *wioślarstwo* osada. **3.** zespół, ekipa; **camera/lighting/sound ~** *film* zespół kamerzystów/oświetleniowców/dźwiękowców. **4.** *uj.* zgraja. **5.** *arch.* zbrojna czereda. – *v.* **1.** *żegl. l. lotn.* zaopatrywać w załogę. **2.** ~ **(for sb/on sth)** *żegl.* pływać (u kogoś/na czymś).

crew² *v. pret. arch. zob.* **crow²**.

crew cut *n.* krótko ostrzyżone włosy, jeż.

crewed [kruːd] *a. lotn.* załogowy; ~ **spaceflight** załogowy lot kosmiczny.

crewel [ˈkruəl] *n. U tk.* luźno skręcona przędza czesankowa (*gł. do haftowania*).

crew member *n.* człon-ek/kini załogi.

crew neck *n.* **1.** okrągłe wykończenie przy szyi (*swetra*). **2.** sweter z wykończeniem jw.

crib [krɪb] *n.* **1.** *gł. US i Can.* łóżeczko dziecięce (*zwł. z prętami*); kojec. **2.** zagroda dla bydła; obora. **3.** żłób. **4.** *gł. Br. kość.* żłóbek. **5.** spichlerz. **6.** *pot.* chałupina; klitka. **7.** pojemnik (*zwł. na ziarno*). **8.** *pot.* burdel. **9.** *pot.* plagiat; *szkoln.* ściągnięta odpowiedź; (*także* ~ **sheet**) ściąga, bryk (*zwł. ułatwiający tłumaczenie*). **10.** *bud.* = **cribwork**. **11.** *karty pot.* = **cribbage**; stos (*w grze w cribbage*). – *v.* **-bb- 1.** ~ **(up)** zamknąć w zagrodzie; stłoczyć na małej przestrzeni. **2.** *pot.* zrzynać (*cudze pomysły*); *szkoln.* ściągać (*off / from sb / sth* od kogoś/z czegoś); korzystać z bryku. **3.** *bud.* cembrować (*belkami drewnianymi*).

cribbage [ˈkrɪbɪdʒ] *n. U* (*także* **crib**) *karty* cribbage (*gra dla 2-4 osób*); ~ **board** deszczułka z otworkami (*do notowania punktów w grze jw.*).

cribber [ˈkrɪbər] *n. pot.* plagiator/ka; osoba ściągająca.

crib death *n. US pat.* zespół nagłego zgonu niemowląt.

cribriform [ˈkrɪbrəˌfɔːrm], **cribrose** [ˈkrɪbroʊz], **cribrous** [ˈkrɪbrəs] *a. bot., anat.* sitowy.

crib sheet *n. zob.* **crib** *n.* 9.

cribwork [ˈkrɪbˌwɝːk] *n.* (*także* **crib**) *bud.* drewniana cembrowina (*obudowa szybu l. wykopu*).

crick [krɪk] *n.* strzyknięcie (= *bolesny skurcz mięśni karku l. pleców*). – *v.* **he ~ed his neck/back** strzyknęło go w karku/plecach.

cricket¹ [ˈkrɪkɪt] *n. ent.* świerszcz (*rodzina Gryllidae; t. inne szarańczaki*); **field** ~ świerszcz polny (*Gryllus*); **house** ~ świerszcz domowy (*Acheta domesticus*); **mole** ~ turkuć (*rodzina Gryllotalpidae*).

cricket² *n. U* **1.** *sport* krykiet; ~ **ball/bat** kij/piłeczka do krykieta; ~ **match/team** mecz/drużyna krykieta. **2. not** ~ *Br. przest. l. żart.* nie fair. – *v.* grać w krykieta.

cricket³ *n.* taborecik.

cricketer [ˈkrɪkɪtər] *n. sport* gracz w krykieta.

cricoid [ˈkraɪkɔɪd] *anat. a. attr.* pierścieniowaty. – *n. U* (*także* ~ **cartilage**) chrząstka pierścieniowata.

crier [ˈkraɪər] *n.* **1.** przekup-ień/ka głośno zachwalając-y/a swój towar. **2.** *islam* muezzin. **3.** (*także* **town** ~) *hist.* obwoływacz miejski.

crikey [ˈkraɪkɪ] *int. Br. przest. pot.* jejku.

crime [kraɪm] *n.* **1.** *t. prawn.* zbrodnia; przestępstwo; ~ **of passion/against humanity** zbrodnia w afekcie/przeciwko ludzkości; **commit a** ~ popełnić przestępstwo; **petty** ~ wykroczenie; **scene of the** ~ miejsce zbrodni *l.* przestępstwa. **2.** *U* przestępczość; **organized** ~ przestępczość zorganizowana. **3.** *pot.* granda, skandal, rzecz karygodna *l.* godna pożałowania.

Crimea [kraɪ'mɪə] *n.* **the** ~ *geogr.* Krym.

Crimean [kraɪ'mɪən] *a.* krymski.

crime detection *n. U* wykrywanie *l.* wykrywalność przestępstw.

crime novel *n.* powieść kryminalna.

crime passionel *n. pl.* **crimes passionels** *Fr. prawn.* = **crime of passion**; *zob.* **crime** 1.

crime prevention *n. U* zapobieganie przestępstwom, walka z przestępczością.

crime rate *n.* wskaźnik *l.* współczynnik przestępczości.

crime victim *n.* ofiara przestępstwa.

crime wave *n.* fala przestępstw, wzrost przestępczości.

crime writer *n.* autor/ka opowiadań *l.* powieści kryminalnych.

criminal ['krɪmənl] *a.* **1.** *t. przen.* kryminalny. **2.** *pot.* karygodny, skandaliczny. **3.** *attr. gł. prawn.* zbrodniczy, przestępczy; karny; karalny. – *n.* przestęp-ca/czyni; zbrodnia-rz/rka; kryminalist-a/ka; **hardened** ~ zatwardział-y/a kryminalist-a/ka, recydywist/ka; **war** ~ zbrodniarz wojenny.

criminal case *n. prawn.* sprawa karna.

criminal court *n. prawn.* sąd karny, sąd orzekający w sprawach karnych.

criminal element *n. sing.* element przestępczy (= *przestępcy w danym środowisku*).

criminal intent *n. prawn.* zamiar popełnienia przestępstwa.

criminality [ˌkrɪmə'nælətɪ] *n.* **1.** *U* zbrodniczość. **2.** *rzad.* czyn przestępczy.

criminalization [ˌkrɪmənələ'zeɪʃən], *Br. i Austr. zw.* **criminalisation** *n. U prawn.* uznanie za przestępstwo.

criminalize ['krɪmənəlaɪz], *Br. i Austr. zw.* **criminalise** *v. prawn.* uznać za przestępstwo.

criminal law *n. U prawn.* prawo karne.

criminally ['krɪmənlɪ] *adv.* **1.** kryminalnie; zbrodniczo. **2.** *pot.* karygodnie.

criminal negligence *n. U* karygodne niedbalstwo *l.* zaniedbanie.

criminal offense *n. prawn.* przestępstwo karne.

criminal record *n.* przeszłość kryminalna, historia karalności.

criminate ['krɪməˌneɪt] *v. rzad.* **1.** stawiać w stan oskarżenia. **2.** ganić, potępiać. **3.** = **incriminate.**

crimination [ˌkrɪmə'neɪʃən] *n. U rzad.* **1.** postawienie w stan oskarżenia. **2.** potępienie, dezaprobata. **3.** = **incrimination.**

criminative ['krɪməˌneɪtɪv], **criminatory** ['krɪmənəˌtɔːrɪ] *a.* **1.** oskarżycielski. **2.** pełen potępienia.

criminological [ˌkrɪmənə'lɑːdʒɪkl] *a.* kryminologiczny.

criminologically [ˌkrɪmənə'lɑːdʒɪklɪ] *adv.* kryminologicznie.

criminologist [ˌkrɪmə'nɑːlədʒɪst] *n.* kryminolog.

criminology [ˌkrɪmə'nɑːlədʒɪ] *n. U* kryminologia.

crimp[1] [krɪmp] *v.* **1.** fałdować, plisować. **2.** fryzować w fale *l.* loczki (*włosy*). **3.** *kulin.* sklejać ściskając palcami (*brzegi ciasta, np. przy robieniu pierogów*). **4.** *kulin.* nacinać przed przyrządzeniem (*mięso, rybę*). **5.** *techn.* karbować przy łączeniu (*krawędzie elementów blaszanych*); łączyć za pomocą zawijania i karbowania (*sth to sth* coś z czymś). **6.** modelować, formować (*skórę na buty*). **7.** *US pot.* stawać na przeszkodzie (*czemuś*). – *n.* **1.** fałda, plisa. **2.** *zw. pl.* loczek, kędziorek. **3.** *U tk.* naturalne skręcenie (*wełny*). **4.** *techn.* karbowane połączenie (*blach*). **5. put a** ~ **in sth** *US pot.* stawać na przeszkodzie czemuś.

crimp[2] *n. hist.* werbownik (*zaciągający do wojska l. marynarki*). – *v.* werbować, naganiać (*siłą l. podstępem*).

crimper ['krɪmpər] *n. techn.* karbowarka (*do blachy*).

crimple ['krɪmpl] *v.* **1.** marszczyć, miąć. **2.** kędzierzawić (*włosy l. włókna*).

crimpy ['krɪmpɪ] *a.* **1.** sfałdowany. **2.** kędzierzawy. **3.** karbowany.

crimson ['krɪmzən] *a.* karmazynowy. – *n. U* karmazyn, kolor karmazynowy. – *v.* **1.** barwić (się) na karmazynowo. **2.** *lit.* rumienić się.

cringe [krɪndʒ] *v.* **1.** kulić się, kurczyć się (*from sth / at the sight of sth* na widok czegoś); ~ **in fear/terror** kulić się ze strachu/z przerażenia. **2.** płaszczyć się (*to / before sb* przed kimś). **3.** ~ **with embarrassment/disgust** *pot.* skręcać się z zakłopotania/obrzydzenia. – *n. U* płaszczenie się, czołobitność, służalczość; **the cultural** ~ *Austr.* czołobitność wobec zagranicznych wzorców.

cringer ['krɪndʒər] *n.* służalec.

cringingly ['krɪndʒɪŋlɪ] *adv.* **1.** lękliwie. **2.** służalczo, czołobitnie.

cringle ['krɪŋgl] *n. żegl.* ucho żagla.

crinite ['kraɪnaɪt] *a. biol.* kosmaty.

crinkle ['krɪŋkl] *v.* **1.** ~ **(up)** marszczyć (się); miąć (się); zwijać (się). **2.** szeleścić. – *n.* **1.** zgięcie, zmarszczka (*tkaniny, papieru, skóry*). **2.** szelest.

crinkly ['krɪŋklɪ] *a.* **-ier, -iest 1.** (*także* **crinkled**) pomarszczony. **2.** kędzierzawy (*o włosach*).

crinkum-crankum [ˌkrɪŋkəm'kræŋkəm] *n. żart.* esy-floresy, arabeska.

crinoid ['kraɪnɔɪd] *n. zool.* liliowiec. – *a.* **1.** *attr. zool.* należący do gromady liliowców (*Crinoidea*). **2.** *form.* lilioksztaltny.

crinoline ['krɪnəlɪn] *n.* krynolina.

cripple ['krɪpl] *n.* **1.** *przest. l. pog.* kaleka; kulawy. **2. emotional** ~ *przen.* inwalida emocjonalny. – *v.* **1.** uczynić kaleką; okaleczyć; okulawić. **2.** *przen.* unieruchomić, sparaliżować; zrujnować; zaprzepaścić; zaszkodzić (*czemuś*).

crippledom [ˈkrɪpldəm] *n.* *U* kalectwo, upośledzenie.

crippling [ˈkrɪplɪŋ] *a.* *przen.* paraliżujący, obezwładniający; rujnujący (*np. o długach, podatkach*).

cripplingly [ˈkrɪplɪŋlɪ] *adv.* *przen.* paraliżująco.

crisis [ˈkraɪsɪs] *n.* *pl.* **crises** [ˈkraɪsi:s] *C / U* *t. med., ekon., polit.* kryzys; przesilenie, przełom; ~ **management/talks** radzenie sobie/negocjacje w sytuacji kryzysowej; ~ **of/in confidence** *gł. polit.* kryzys zaufania; **be in** ~ przechodzić kryzys; **come to/reach a** ~ osiągnąć punkt krytyczny; **energy** ~ kryzys energetyczny.

crisp [krɪsp] *a.* (*także* **crispy**) **1.** kruchy; chrupki; chrupiący. **2.** nieco sztywny (*o papierze*), szeleszczący (*o banknocie*). **3.** orzeźwiający, rześki (*np. o powietrzu, poranku*). **4.** energiczny, zdecydowany, pełen werwy (*zwł. o zachowaniu, sposobie bycia*); ożywiony (*zwł. o rozmowie*). **5.** zwięzły i rzeczowy (*np. o odpowiedzi*). **6.** jasny, bystry (*zwł. o rozumowaniu*). **7.** kręcony, kędzierzawy (*o włosach*). – *n.* **1.** *zw. pl. Br.* chrupka, chips; **potato ~s** chrupki ziemniaczane. **2. burn sth to a** ~ *zob.* **burn**[1] *v.* 5. – *v.* (*także* ~ **up**) piec *l.* przysmażać na chrupko.

crispate [ˈkrɪspeɪt], **crispated, crisped** *a. bot. l. form.* kędzierzawy, o blaszce liściowej, włosach.

crispation [krɪˈspeɪʃən] *n.* *U form.* **1.** kędzierzawość (*włosów*). **2.** marszczenie się (*powierzchni wody*). **3.** ciarki, gęsia skórka.

crispbread [ˈkri:spˌbred] *n.* *U* pieczywo chrupkie.

crisped [krɪspt] *a.* = **crispate**.

crisper [ˈkrɪspər] *n.* pojemnik na świeże warzywa (*w lodówce*).

crisply [ˈkrɪsplɪ], **crispily** [ˈkrɪspɪlɪ] *adv.* **1.** chrupko. **2.** rześko. **3.** energicznie.

crispness [ˈkrɪspnəs], **crispiness** [ˈkrɪspɪnəs] *n.* *U* **1.** chrupkość. **2.** rześkość. **3.** ożywienie, energia, werwa.

crispy [ˈkrɪspɪ] *a.* **-ier, -iest** = **crisp**.

crisscross [ˈkrɪsˌkrɔ:s], **criss-cross** *v.* **1.** przecinać (się) wzdłuż i wszerz. **2.** przemierzać (w różnych kierunkach). **3.** przekreślać (*with sth* czymś). – *n.* **1.** wzór z krzyżujących się linii, kratka. **2.** *U US* kółko i krzyżyk (*gra*). – *a.* (*także* **~ed**) **1.** na krzyż; ~ **lines** krzyżujące się *l.* skrzyżowane linie. **2.** kratkowany. – *adv.* wzdłuż i wszerz, na krzyż.

crista [ˈkrɪstə] *n. pl.* **cristae** [ˈkrɪsti:] *biol.* grzebień mitochondrialny.

cristate [ˈkrɪsteɪt], **cristated** [ˈkrɪsteɪtɪd] *a. zool.* grzebieniasty, czubaty.

cristobalite [krɪˈstoʊbəˌlaɪt] *n.* *U min.* krystobalit.

crit [kri:t] *n. pot.* omówienie, recenzja (*książki, filmu itp. w gazecie*).

crit. *abbr.* = **critic**; = **critical**; = **criticism**.

criterion [kraɪˈti:rɪən] *n. pl.* **criteria** [kraɪˈti:rɪə] *t. fil. i log.* kryterium (*of sth* czegoś) (*np. prawdy*); **criteria for division/classification** kryteria podziału/klasyfikacji.

critic [ˈkrɪtɪk] *n.* **1.** krytyk (*of sth* czegoś); **film/music/theater** ~ krytyk filmowy/muzyczny/teatralny; **literary** ~ krytyk literacki; **the ~s** krytyka (= *ogół krytyków*). **2.** (*także* **armchair** ~) krytykant/ka.

critical [ˈkrɪtɪkl] *a.* **1.** krytyczny (*o osobie, stosunku, opinii*) (*of sb / sth* wobec *l.* w stosunku do kogoś/czegoś); **with a** ~ **eye** krytycznym okiem. **2.** krytyczny (= *dotyczący krytyki, zwł. artystycznej*); ~ **acclaim** uznanie krytyki; **be a** ~ **success** odnieść sukces wśród krytyków, spodobać się krytyce (*np. o przedstawieniu*). **3.** krytyczny (= *analityczny*); ~ **analysis/dissertation** analiza/rozprawa krytyczna. **4.** *gł. med.* krytyczny (= *ciężki*); **in (a)** ~ **condition** w stanie krytycznym; **the** ~ **list** lista pacjentów w stanie krytycznym (*w szpitalu*). **5.** krytyczny, rozstrzygający; przełomowy, kluczowy; ~ **temperature/volume** *fiz.* temperatura/objętość krytyczna; ~ **path** *mat.* ścieżka krytyczna (*w analizie sieci czynności*); ~ **point/state** *fiz.* punkt/stan krytyczny; ~ **time** czas *l.* moment przełomu; **be** ~ **to sth** mieć przełomowe znaczenie dla czegoś *l.* w czymś; **of** ~ **importance** kluczowej wagi; **go** ~ *techn.* osiągnąć stan krytyczny (*o reaktorze jądrowym; t. przen. o sytuacji*).

critically [ˈkrɪtɪklɪ] *adv.* krytycznie; ~ **ill** w stanie krytycznym (*o chorym*).

critical mass *n.* *C / U fiz. l. przen.* masa krytyczna.

criticism [ˈkrɪtəˌsɪzəm] *n.* **1.** *U* krytyka (*of sth* czegoś); *C* opracowanie krytyczne, analiza krytyczna; **constructive** ~ konstruktywna krytyka; **literary/music** ~ krytyka literacka/muzyczna. **2.** *U* krytycyzm; *C* uwaga krytyczna (*of sth* dotycząca *l.* na temat czegoś). **3.** *U* (*także* **textual** ~) tekstologia.

criticize [ˈkrɪtəˌsaɪz], *Br. i Austr. zw.* **criticise** *v.* **1.** krytykować (*sb / sth for sth* kogoś/coś za coś *l.* z jakiegoś powodu) (*sb for doing sth* kogoś za to, że coś zrobił). **2.** poddawać ocenie, analizować krytycznie.

critique [krɪˈti:k] *n.* *C / U* krytyka, analiza krytyczna. – *v. gł. US* poddawać krytyce, analizować krytycznie.

critter [ˈkrɪtər] *n.* *US i Can. dial. l. pot.* stworzenie, stwór (*zwł. = zwierzę domowe*).

croak [kroʊk] *n.* rechot; krakanie; chrapliwy głos. – *v.* **1.** rechotać. **2.** krakać (*t. przen. = wyrażać ponure przewidywania*). **3.** chrypieć; ~ **(out)** wychrypieć (= *powiedzieć chrapliwym głosem*). **4.** *sl.* odwalić kitę. **5.** *sl.* zakatrupić. **6.** *Br. sl.* sypać (*o podejrzanym, więźniu*).

croaker [ˈkroʊkər] *n.* **1.** *zool.* zwierzę kraczące *l.* rechoczące. **2.** *icht.* scjena, orłoryb (*rodzina Sciaenidae*). **3.** *pot.* czarnowidz.

croaky [ˈkroʊkɪ] *a.* rechocący; kraczący; chrapliwy, ochrypły.

Croat [ˈkroʊæt], **Croatian** [kroʊˈeɪʃən] *n.* **1.** Chorwat/ka. **2.** *U jęz.* (język) chorwacki. – *a.* chorwacki.

Croatia [kroʊˈeɪʃə] *n. geogr.* Chorwacja.

croc [krɑ:k] *n. pot.* = **crocodile**.

crochet [kroʊˈʃeɪ] *n.* **1.** *U* (*także* **~ing**) szydełkowanie; robótka szydełkowa; *tk.* dzianina szydełkowa; ~ **hook/needle** szydełko do robótek. **2.** *bud.* = **crocket**. – *v.* **crochets** [kroʊˈʃeɪz], **cro-**

cheted [kroʊˈʃeɪd], **crocheting** [kroʊˈʃeɪɪŋ] szydełkować.

crocheter [kroʊˈʃeɪər] *n. tk.* szydełkarka (*maszyna dziewiarska*).

crock¹ [krɑːk] *n.* **1.** naczynie gliniane (*zwł. dzban na wodę*); *pl. Br. przest.* = **crockery**. **2.** *zw. pl.* skorupa. **3. (what) a ~ (of shit)** *US pot.* (co za) bzdury.

crock² *n. gł. Br.* **1.** chabeta (*koń*); stara owca. **2. old ~** *Br. przest. pot.* (stary) gruchot (*samochód*); ramol (*osoba*). – *v. gł. Br. pot.* zramoleć, skapcanieć.

crocked [krɑːkt] *a. pred.* **1.** *Br. pot.* uszkodzony; stłuczony; złamany. **2.** *US i Can. pot.* zalany (= *pijany*).

crockery [ˈkrɑːkərɪ] *n. U zwł. Br.* naczynia stołowe (*zwł. gliniane*); porcelana stołowa.

crocket [ˈkrɑːkɪt], **crochet** [kroʊˈʃeɪ] *n. hist. bud.* żabka (*ornament gotycki*).

crocodile [ˈkrɑːkəˌdaɪl] *n. pl.* **-s** *l.* **crocodile** **1.** *zool.* krokodyl (*podrodzina Crocodilinae; pot. t. aligator l. gawial*); **African ~** krokodyl nilowy (*Crocodilus niloticus*). **2.** *U* skóra z krokodyla; **~(-skin) shoes/purse** buty/torebka z krokodylowej skóry. **3.** *sing. Br. żart.* dzieci szkolne idące parami. **4. shed/weep/cry ~ tears** *przen.* płakać krokodylimi łzami (= *udawać żal*).

crocodile bird *n. orn.* siewka egipska (*Pluvianus aegyptius*).

crocodile clip *n. el.* zacisk krokodylkowy.

crocodilian [ˌkrɑːkəˈdɪlɪən] *n. zool.* gad z rzędu krokodyli (*Crocodilia*). – *a.* krokodylowaty; *attr. zool.* należący do rzędu krokodyli.

crocoite [ˈkroʊkoʊˌaɪt] *n. U min.* krokoit.

crocus [ˈkroʊkəs] *n. pl.* **-es** **1.** *bot.* szafran, krokus (*Crocus*); **saffron ~** szafran uprawny (*Crocus sativus*). **2. autumn ~** *bot.* zimowit jesienny (*Colchicum autumnale*). **3.** *U techn.* róż polerski. – *a.* szafranowy (*o kolorze*).

Croesus [ˈkriːsəs] *n. hist.* Krezus; *przen.* krezus; **(as) rich as ~** *przest.* bogaty jak Krezus.

croft [krɔːft] *n. gł. Scot.* małe gospodarstwo rolne; *Br. arch.* ogrodzone poletko.

crofter [ˈkrɔːftər] *n. gł. Scot.* właściciel *l.* dzierżawca małego gospodarstwa.

croissant [krwɑːˈsɑːŋ] *n.* rogalik francuski.

Cro-Magnon [kroʊˈmægnən] *a. attr. archeol.* kromanioński; **~ man** kromaniończyk, człowiek z Cro-Magnon.

cromlech [ˈkrɑːmlek] *n. archeol.* kromlech.

crone [kroʊn] *n.* starucha, wiedźma.

cronish [ˈkroʊnɪʃ] *a.* wiedźmowaty.

crony [ˈkroʊnɪ] *n. pl.* **-ies** *pot. uj.* koleś, kompan.

cronyism [ˈkroʊnɪˌɪzəm] *n. U pot.* kumoterstwo; *polit.* rządy kolesiów.

crook [krʊk] *n.* **1.** hak, haczyk. **2.** pastorał; zagięta laska pasterska. **3.** zagięcie; **the ~ of one's arm** zgięcie łokcia. **4.** *pot.* oszust, kanciarz; złodziej. **5. by hook or by ~** *zob.* **hook**. – *v.* zginać (*palec l. łokieć*); zakrzywiać (się), wyginać (się). – *a. pred. Austr. i NZ pot.* **1.** chory. **2.** kiepski, byle jaki. **3. go ~ at/on sb** ochrzanić kogoś; **go (off) ~** wkurzyć się.

crookback [ˈkrʊkˌbæk] *n. arch.* **1.** garb. **2.** garbus.

crookbacked [ˈkrʊkˌbækt] *a. arch.* garbaty.

crooked [ˈkrʊkɪd] *a.* **-er**, **-est** [ˈkrʊkɪdɪst] **1.** krzywy, zgięty; wykrzywiony, wypaczony; zniekształcony; garbaty, pokręcony (*o osobie*); na bakier (*o czapce, kapeluszu*); **~ smile** krzywy uśmiech. **2.** *pot.* nieuczciwy (*o człowieku l. przedsięwzięciu*); oszukańczy, szachrajski, złodziejski.

crookedly [ˈkrʊkɪdlɪ] *adv.* **1.** krzywo. **2.** *pot.* nieuczciwie.

crookedness [ˈkrʊkɪdnəs] *n. U* **1.** skrzywienie. **2.** *pot.* nieuczciwość, szachrajstwa.

croon [kruːn] *v.* **1.** śpiewać *l.* nucić łagodnie. **2.** mówić łagodnym głosem. **3.** *Br. dial.* zawodzić, lamentować. – *n. C/U* łagodny śpiew *l.* nucenie.

crooner [ˈkruːnər] *n. przest.* piosenka-rz/rka śpiewając-y/a ciepłym, łagodnym głosem.

crooning [ˈkruːnɪŋ] *n. U muz.* głęboki, łagodny śpiew z lekkim vibrato (*w sentymentalnych utworach popularnych*).

crop [krɑːp] *n.* **1.** *roln.* plon, zbiór; wielkość produkcji; wysyp (*t. przen.* = *mnóstwo*); *t. przen.* urodzaj (*of sth / sb* na coś/kogoś); *pl.* uprawy, zasiewy, płody rolne; **bumper ~** rekordowe zbiory. **2.** *jeźdz.* biczysko (= *trzonek bata*); **(riding) ~** bat ujeżdżeniowy; **(hunting) ~** harap. **3.** wyprawiona skóra (*z całego zwierzęcia*). **4.** *sing.* **~ (of hair)** krótko ostrzyżone włosy; **~ of dark/blonde hair** (krótka) ciemna/jasna czupryna. **5.** *zool.* wole (*ptasie l. owadzie*). **6. neck and ~** *emf.* kompletnie. – *v.* **-pp-** **1.** obcinać *l.* strzyc krótko (*włosy*); przycinać (*uszy zwierzęcia, brzegi fotografii*); przystrzygać (*np. trawnik*). **2.** skubać, szczypać (*trawę, liście; o zwierzętach*). **3.** zbierać (*plony, owoce*). **4.** wydać plon, obrodzić (*o ziemi*). **5.** obsiewać, obsadzać (*ziemię*). **6. ~ out** *geol.* odsłaniać się, wychodzić na powierzchnię (*o warstwie skalnej*); **~ up** pojawić się (*zwł. niespodziewanie*), wyłonić się, wypłynąć (*o problemie, temacie, nazwisku*).

crop circle *n.* kręgi w zbożu (*mające rzekomo stanowić efekt działalności istot pozaziemskich*).

crop duster *n. roln.* **1.** samolot do opylania *l.* opryskiwania pól. **2.** pilot samolotu jw.

crop dusting, crop spraying *n. U roln.* opylanie *l.* opryski lotnicze.

crop-eared [ˈkrɑːpˌiːrd] *a.* **1.** z przyciętymi uszami. **2.** krótko ostrzyżony.

crop failure *n.* nieurodzaj.

cropland [ˈkrɑːpˌlænd] *n. U* ziemia uprawna.

cropper [ˈkrɑːpər] *n.* **1.** rolnik (*uprawiający zboże*); (*także* **share~**) *US* dzierżawca ziemi uprawnej płacący czynsz w naturze. **2.** *roln.* (*o roślinach*) **good/poor ~** dający dobre/marne zbiory; **light/heavy ~** dający niewielkie/obfite plony. **3.** *tk.* postrzygarka. **4.** *techn.* obcinak (*do nadlewów, prętów, rur*). **5.** *Br. pot.* **come a ~** zwalić się, rymsnąć na ziemię (*z konia, roweru*); *przen.* dać plamę, rozłożyć się (*np. na pytaniu egzaminacyjnym*); ponieść sromotną klęskę (*np. w rozgrywkach, zwł. niespodziewanie*).

crop rotation *n. U roln.* płodozmian.

crop spraying *n. roln.* = **crop dusting.**

croquet [kroʊˈkeɪ] *n. U sport* krokiet. – *v.* **croquets** [kroʊˈkeɪz], **croqueted** [kroʊˈkeɪd], **croqueting** [kroʊˈkeɪɪŋ] krokietować (*kulę przeciwnika; = odbijać za pomocą swojej kuli*).

croquette [kroʊˈket] *n. kulin.* krokiet.

crore [krɔːr] *n. pl.* **-s** *l.* **crore** *Ind.* dziesięć milionów (*rupii; t. ekwiwalent = milion funtów szterlingów*).

crosier [ˈkroʊʒər], **crozier** *n.* **1.** *kośc.* pastorał. **2.** *bot.* pastorałowato zwinięty liść paproci.

cross [krɔːs] *n.* **1.** *t. rel., her.* krzyż; krzyżyk; **the C~** *rel.* krzyż Chrystusa (*t. przen. = chrześcijaństwo*); *sztuka* Ukrzyżowanie (*jako temat dzieła*); **~ of Lorraine** krzyż lotaryński; **Maltese ~** krzyż maltański; **tau/St.Anthony's ~** krzyż św. Antoniego; **the Red C~** Czerwony Krzyż; **(make) the sign of the ~** *rel.* (robić) znak krzyża. **2.** (*w nazwach odznaczeń*) **C~ of Merit** Krzyż Zasługi; **Distinguished Service C~** Krzyż Służby Wybitnej; **Victoria C~** Krzyż Wiktorii. **3.** *techn.* krzyżak, czwórnik (*łącznik rurowy*). **4.** *film* przejście (*aktora przed kamerą*). **5.** *boks* prawy prosty. **6.** *piłka nożna* dośrodkowanie. **7.** skrzyżowanie (= *mieszanka, kombinacja*) (*between A and B* A z B); *biol.* krzyżówka, mieszaniec (*between A and B* A i B). **8.** *sl.* kant, szwindel. **9.** **on the ~** po przekątnej, na ukos; *sl.* kantem (= *nieuczciwie*). **10.** *przen.* **a heavy ~ to bear** krzyż pański; **bear one's ~** dźwigać swój krzyż. – *v.* **1.** przejść przez; *t. przen.* przekroczyć; **~ (over)** przeprawić się (*from A to B* z A do B); **~ the border** przekraczać granicę, przechodzić przez granicę; **~ the street/road** przechodzić przez ulicę. **2.** przecinać (się) (*o liniach, ulicach*); krzyżować się (z) (*inną ulicą, drogą*); **our paths ~ed** *przen.* nasze drogi przecięły się. **3.** mijać się (*o pociągach*); mijać się w drodze (*o listach*). **4.** składać na krzyż; krzyżować (*np. ramiona*); **~ one's legs** zakładać nogę na nogę. **5.** *biol.* krzyżować (*sth with sth* coś z czymś). **6.** przekreślać (*w poprzek l. na krzyż*) (*with sth* czymś); wykreślać, skreślać (*off sth* z czegoś); **~ a cheque** *Br. i Austr. bank* zakreślać czek (*uniemożliwiając jego realizację w gotówce*). **7.** kreślić krzyżyk *l.* znak krzyża na (*czymś*); **~ o.s.** przeżegnać się. **8.** *tel.* zakłócać się wzajemnie (*wskutek przeniku sygnałów*); **get one's lines/wires ~ed** *pot.* mieć zakłócenia na łączach (*przen. = paść ofiarą nieporozumienia*). **9.** sprzeciwiać się (*komuś*); grać na nosie (*komuś*); mieszać szyki (*komuś*); wywodzić w pole. **10.** *piłka nożna* dośrodkować. **11.** *przen.* **~ my heart (and hope to die)!** *pot.* jak Bozię kocham!; **~ one's fingers** (*także* **keep one's fingers ~ed**) trzymać kciuki (*dosł. = krzyżować palce, kładąc środkowy na wskazującym*); **~ one's t's** dbać o szczegóły; **~ sb's face** przemknąć komuś po twarzy; **~ sb's mind** przejść komuś przez myśl; **~ sb's palm/hand with silver** *zwł. Br.* wsunąć komuś do ręki monetę (*zwł. jako zapłatę za wróżbę*); **~ sb's path** natknąć się na kogoś; wejść komuś w paradę; **~ swords** skrzyżować szpady (*with sb* z kimś); **~ the Rubicon** przekroczyć Rubikon; **we'll ~ that bridge when we come to it** *zob.* **bridge**[1] *n.* 6. **12.** **~ off** wykreślać, skreślać (*wykonane zadanie l. nazwisko z listy*); **~ out** skreślać, przekreślać (*np. błędną odpowiedź*); **~ over (from A to B)** przerzucić się (z A na B); zdradzić (A dla B); **~ up** przechytrzyć, wyprowadzić w pole; nabrać, wykiwać. – *a.* **1.** *attr.* poprzeczny. **2.** *attr.* przeciwny (*o wietrze, prądzie morskim*), niekorzystny. **3.** *attr. biol.* zhybrydyzowany, powstały w wyniku skrzyżowania. **4.** **-er, -est** *zwł. Br.* zły (*with sb* na kogoś, *about sth* o coś); **get ~** złościć się. **5.** *Br. sl.* nieuczciwy.

crossbar [ˈkrɔːsˌbɑːr] *n.* **1.** poprzeczka (*t. bramki*); linia, belka *l.* listwa poprzeczna. **2.** *druk.* kreska pozioma (*w literze*). **3.** rama (*roweru*).

crossbeam [ˈkrɔːsˌbiːm] *n. bud.* trawersa, belka poprzeczna.

cross-bench [ˈkrɔːsˌbentʃ] *a. attr. Br. parl.* niezależny (*o posłach; t. przen.*).

cross-bencher [ˈkrɔːsˌbentʃər] *n. Br. parl.* poseł/łanka niezależn-y/a.

cross-benches [ˈkrɔːsˌbentʃɪʒ] *n. pl. Br. parl.* ławy posłów niezależnych.

crossbill [ˈkrɔːsˌbɪl] *n. orn.* krzyżodziób (*Loxia*); **parrot/red/white-winged ~** krzyżodziób sosnowy/świerkowy/dwupręgowy (*Loxia pytyopsittacus / curvirostra / leucoptera*).

crossbones [ˈkrɔːsˌboʊnz] *n. pl.* skrzyżowane piszczele (*pod trupią czaszką; np. na fladze pirackiej*).

crossbow [ˈkrɔːsˌboʊ] *n. broń* kusza.

crossbowman [ˌkrɔːsˈboʊmən] *n. pl.* **-men** *hist. wojsk.* kusznik.

crossbred [ˈkrɔːsˌbred] *hodowla a.* skrzyżowany, mieszany (*pod względem rasy*). – *n.* mieszaniec z rodziców czystej rasy.

crossbreed [ˈkrɔːsˌbriːd] *hodowla v. pret. i pp.* **-bred** krzyżować. – *n.* mieszaniec, krzyżówka, hybryda.

crosscheck [ˈkrɔːsˌtʃek] *v.* weryfikować za pomocą niezależnego źródła *l.* metody (*np. doniesienia, obliczenia*). – *n.* (niezależna) weryfikacja.

cross-country [ˌkrɔːsˈkʌntrɪ] *a.* **1.** *gł. sport* przełajowy; **~ cycling/running** kolarstwo/biegi przełajowe; **~ skiing** biegi narciarskie. **2.** biegnący przez cały kraj (*o drogach, liniach kolejowych l. lotniczych*). – *adv.* **1.** na przełaj. **2.** przez cały kraj. – *n. Br. sport* przełaj, wyścig przełajowy; bieg na przełaj (*zwł. konny*).

cross-cultural [ˌkrɔːsˈkʌltʃərəl] *a.* międzykulturowy.

cross-culturally [krɔːsˈkʌltʃərəlɪ] *adv.* **1.** międzykulturowo. **2.** w różnych kulturach (*np. obecny, podobny*).

crosscurrent [ˈkrɔːsˌkɝːənt] *n.* **1.** *fiz., hydrol.* prąd skrzyżowany. **2.** *przen.* postawa *l.* tendencja nonkonformistyczna; **~ of opinion against sth** część opinii (publicznej) protestująca przeciwko czemuś.

crosscut [ˈkrɔːsˌkʌt] *a.* ścięty *l.* przecięty poprzecznie. – *n.* **1.** cięcie poprzeczne. **2.** skrót (= *droga na przełaj*). **3.** *górn.* sztolnia udostępniająca. – *v.* **-tt-** *pret. i pp.* **-cut 1.** ciąć *l.* przecinać w poprzek. **2.** *film* montować równolegle.

crosscut file *n. techn.* pilnik o nacięciu krzyżowym.

crosscut saw *n. stol.* piła poprzeczna, poprzecznica.

cross-dressing [ˌkrɔːs'dresɪŋ] *n. U* ubieranie się w stroje płci przeciwnej (*zwł. dla osiągnięcia satysfakcji seksualnej*).

crosse [krɔːs] *n. sport* rakieta do gry w lacrosse.

cross-examination [ˌkrɔːsɪgˌzæmə'neɪʃən] *n. C/U* **1.** *sąd* przesłuchanie (świadka strony przeciwnej), zadawanie pytań (świadkowi strony przeciwnej). **2.** krzyżowy ogień pytań.

cross-examine [ˌkrɔːsɪg'zæmɪn] *v.* **1.** *sąd* przesłuchiwać, zadawać pytania (*świadkowi strony przeciwnej*). **2.** brać w krzyżowy ogień pytań.

cross-examiner [ˌkrɔːsɪg'zæmɪnər] *n.* **1.** *sąd* prawnik zadający pytania świadkowi strony przeciwnej. **2.** bezlitosny *l.* uparty wypytywacz.

cross-eyed ['krɔːsˌaɪd] *a.* zezowaty.

cross-fade [ˌkrɔːs'feɪd] *radio, film n.* płynne przenikanie (*nagrań, ujęć w montażu ciętym*). – *v.* miksować *l.* montować, stosując przenikanie.

cross-fertilization [ˌkrɔːsˌfɝːtlə'zeɪʃən] *n. U biol.* zapłodnienie międzyosobnicze; *bot.* = **cross-pollination**.

cross-fertilize [ˌkrɔːs'fɝːtəˌlaɪz] *v. biol.* zapładniać plemnikiem pochodzącym od innego osobnika; *bot.* = **cross-pollinate**.

crossfire ['krɔːsˌfaɪr] *n.* **1.** *wojsk.* ogień krzyżowy; ostrzał z dwu stron. **2.** *przen.* gwałtowna wymiana zdań; **be/get caught in the ~** znaleźć się pomiędzy młotem a kowadłem, oberwać z obu stron.

cross-grained [ˌkrɔːs'greɪnd] *a.* **1.** *stol.* z nieregularnym *l.* ukośnym układem włókien (*o drewnie*). **2.** *przen.* przewrotny, przekorny.

cross hairs, crosshairs *n. pl.* (*także* **cross wires**) *techn. l. wojsk.* krzyż celowniczy, nitki celownika.

crosshatch ['krɔːsˌhætʃ] *v. rysunek* kreskować *l.* cieniować w kratkę.

crosshatching ['krɔːsˌhætʃɪŋ] *n. U* kreskowanie w kratkę.

crosshead ['krɔːsˌhed] *n.* **1.** *druk.* podtytuł w tekście. **2.** *techn.* wodzik, krzyżulec (*w mechanizmie tłokowym*). **3.** *żegl.* rumpel.

cross-index [ˌkrɔːs'ɪndeks] *v.* zaopatrywać w odsyłacze (*słownik, encyklopedię, strony internetowe*). – *n.* zestaw odsyłaczy.

crossing ['krɔːsɪŋ] *n.* **1.** przeprawa; przepłynięcie (*przez morze*); przejście (*przez jezdnię, wodę*); **border ~** przejście graniczne; (*także* **pedestrian ~**) przejście dla pieszych; **zebra ~** zebra, pasy. **2.** skrzyżowanie (*dróg, torów, naw w kościele*), przecięcie; **level ~** *Br. i Austr.* przejazd kolejowy. **3.** *U biol.* krzyżowanie.

crossing over *n. U* (*także* **crossover**) *genetyka* crossing over (= *wymiana odcinków chromosomowych*).

crossjack ['krɔːsˌdʒæk] *n. żegl.* sterżagiel.

cross-legged [ˌkrɔːs'legɪd] *a. i adv.* (siedzący) po turecku; *sport* (siedzący) w siadzie skrzyżnym.

crosslet ['krɔːslət] *n.* (*także* **cross ~**) *her.* krzyż zdwojony.

cross-link [ˌkrɔːs'lɪŋk] *v. chem.* sieciować (*polimer*). – *n. chem.* wiązanie poprzeczne; mostek (*między łańcuchami polimeru*).

crossly ['krɔːslɪ] *adv.* ze złością, gniewnie.

cross member *n. bud.* poprzeczka ramy.

crossness ['krɔːsnəs] *n. U pot.* złość.

crossover ['krɔːsˌoʊvər] *n.* **1.** punkt przecięcia, zbieg; *kol.* rozjazd krzyżowy. **2.** przejście (= *mostek, kładka*). **3.** *el.* skrzyżowanie ścieżek przewodzących. **4.** *łyżwiarstwo* przeplatanka. **5.** *koszykówka* kozłowanie na przemian lewą i prawą ręką. **6.** *muz. U* muzyka nie mieszcząca się w ramach jednego stylu; *C* muzyk wykraczający poza konwencje stylistyczne; ~ **audience** publiczność słuchająca muzyki z pogranicza stylów; ~ **hit** przebój nie mieszczący się w danej konwencji. **7.** *US polit.* głos uzyskany od przedstawiciela partii konkurencyjnej (*w wyborach wstępnych*). **8.** *genetyka* genotyp powstały w wyniku wymiany odcinków chromosomowych; *U* = **crossing over**.

crosspatch ['krɔːsˌpætʃ] *n. przest. pot.* piekielni-k/ca.

crosspiece ['krɔːsˌpiːs] *n.* element poprzeczny (*budowli, konstrukcji*).

cross-ply ['krɔːsˌplaɪ] *a. mot.* diagonalny (*o oponie*).

cross-pollinate [ˌkrɔːs'pɑːləˌneɪt] *v. bot.* zapylać krzyżowo (*pyłkiem pochodzącym z innego kwiatu*).

cross-pollination [ˌkrɔːsˌpɑːlə'neɪʃən] *n. U bot.* obcopylność, allogamia; zapylanie krzyżowe.

cross-purpose [ˌkrɔːs'pɝːpəs] *n.* przeciwstawny cel *l.* zamysł; **be/talk at ~s** nie móc dojść do porozumienia, mówić o zupełnie różnych rzeczach.

cross-question [ˌkrɔːs'kwestʃən] *v.* = **cross-examine**. – *n. sąd* pytanie zadane świadkowi strony przeciwnej.

cross-refer [ˌkrɔːsrɪ'fɝː] *v.* odnosić się, odsyłać (*to sth* do czegoś) (*np. do innego hasła w słowniku, innej części tekstu*).

cross-reference [ˌkrɔːs'refərəns] *n.* odnośnik, odsyłacz. – *v.* = **cross-refer**.

crossroad ['krɔːsˌroʊd] *n. US i Can.* **1.** droga poprzeczna. **2.** = **crossway**.

crossroads ['krɔːsˌroʊdz] *n. sing.* skrzyżowanie; rozstaje, rozdroże; **at a ~** *przen.* na rozdrożu.

crossruff ['krɔːsˌrʌf] *brydż n.* seria obustronnych przebitek. – *v.* grać na obustronne przebitki.

cross section *n.* **1.** przekrój poprzeczny. **2.** przekrój (= *reprezentatywna próba*) (*of sth* czegoś *l.* przez coś). **3.** *fiz.* przekrój czynny.

cross-sectional [ˌkrɔːs'sekʃənl] *a.* przekrojowy.

cross-stitch ['krɔːsˌstɪtʃ] *n. C/U* haft krzyżykowy. – *v.* wyszywać krzyżykami.

crosstalk ['krɔːsˌtɔːk] *n. U* **1.** *tel.* przenik sygnału. **2.** *Br.* szermierka słowna.

crosstie [ˈkrɔːsˌtaɪ] *n.* (*także* **tie**) *US i Can. kol.* podkład kolejowy.

crosstown [ˈkrɔːsˌtaʊn] *a. attr. US i Can.* średnicowy (= *z jednego końca miasta na drugi*).

cross-train [ˈkrɔːsˌtreɪn] *v.* szkolić w dodatkowych umiejętnościach (*sportowców, pracowników*).

cross training *n. U* trening *l.* szkolenie wielostronne.

crosstrees [ˈkrɔːsˌtriːz] *n. pl. żegl.* saling.

crosswalk [ˈkrɔːsˌwɔːk] *n. US i Can.* przejście dla pieszych.

crossway [ˈkrɔːsˌweɪ] *n. US i Can.* droga łącznikowa (*między dwiema drogami głównymi*).

crosswind [ˈkrɔːsˌwɪnd] *n. gł. żegl.* wiatr boczny.

cross wires *n.* = **crosshairs**.

crosswise [ˈkrɔːsˌwaɪz], **crossways** [ˈkrɔːsˌweɪz] *adv.* w poprzek; ukośnie; na krzyż. – *a.* poprzeczny; ukośny; w kształcie krzyża.

crossword [ˈkrɔːsˌwɜːd] *n.* (*także* ~ **puzzle**) krzyżówka; **cryptic** ~ krzyżówka z utrudnieniami (*z grą słów i skojarzeń w hasłach*).

crosswort [ˈkrɔːsˌwɜːt] *n. bot.* przytulia krzyżowa (*Galium cruciata*).

crotch [krɑːtʃ] *n.* **1.** (*także Br.* **crutch**) *anat.* krocze (*t. euf.* = *genitalia*), krok (*t. część spodni itp.*). **2.** rozwidlenie (*gałęzi*), rosocha, okraczki; rozwidlony kij.

crotched [krɑːtʃt] *a.* rozwidlony.

crotchet [ˈkrɑːtʃət] *n.* **1.** *Br. muz.* ćwierćnuta, ćwiartka. **2.** haczyk. **3.** dziwaczny pomysł; widzimisię.

crotchety [ˈkrɑːtʃətɪ] *a. pot.* drażliwy (*o osobie*).

croton [ˈkroʊtən] *n. bot.* kroton, krocień (*Croton, Codiaeum*).

croton oil *n. U wet.* olej krotonowy.

crouch [kraʊtʃ] *v.* ~ **(down)** kucać; przykucać, przycupnąć; kulić się (*służalczo l. ze strachu*); przysiadać na zadzie, sprężać się do skoku (*o zwierzęciu*). – *n.* przykucnięcie; przysiad.

croup¹ [kruːp] *n. anat.* zad (*zwł. koński*). – *v.* (*także* ~**y**) ~ **(down)** *Scot. i Br. dial.* = **crouch**.

croup² *n. U pat.* krup.

croupier [ˈkruːpɪər] *n.* krupier/ka.

croupous [ˈkruːpəs] *a. pat.* krupowy.

croupy¹ [ˈkruːpɪ] *a.* **-ier, -iest** rozkaszlany, dławiący się od kaszlu.

croupy² *v. Scot. i Br. dial.* = **croup¹**.

crouton [ˈkruːtɑːn] *n. zw. pl. kulin.* grzanka (*podawana w zupie l. sałacie*).

Crow [kroʊ] *n. pl.* **-s** *l.* **Crow** **1.** (Indian-in/ka z plemienia) Crow. **2.** *U jęz.* język crow.

crow¹ [kroʊ] *n.* **1.** *orn.* wrona (*większość gatunków z rodzaju Corvus*); **American/common** ~ wrona amerykańska (*Corvus brachyrhynchos*); **carrion** ~ wrona (siwa) *l.* czarnowron (*Corvus corone*); **Mexican/Tamaolipas** ~ wrona meksykańska (*Corvus imparatus*); **the** ~ **family** krukowate (*Corvidae*). **2. the C**~ *astron.* Kruk (*gwiazdozbiór*). **3.** = **crowbar**. **4.** *przen.* **as the** ~ **flies** w linii prostej (*przy określaniu odległości*); **eat** ~ *US i Can. pot.* odszczekać; pokajać się; **stone the** ~**s!** *Br. i Austr. przest. pot.* niech mnie kule biją!

crow² *n. t. przen.* pianie; pisk zachwytu. – *v. pret.* **crowed** *Bibl. i Br. arch.* **crew** [kruː] *pp.* **crowed** **1.** piać (*zwł. o kogucie*). **2.** piszczeć *l.* piać z zachwytu (*zwł. o niemowlęciu*). **3.** *uj.* przechwalać się (*over / about sth* czymś).

crowbar [ˈkroʊˌbɑːr] *n.* (*także* **crow**) łom.

crowberry [ˈkroʊˌberɪ] *n. pl.* **-ies** *bot.* bażyna (*Empetrum*).

crowd¹ [kraʊd] *n.* **1.** tłum; ciżba, tłok. **2.** *sing. pot.* wiara, paczka (= *grupa znajomych*); publika; zgraja; **the** ~ *często uj.* masy, pospólstwo. **3.** *pot. często pl.* mnóstwo; **a whole** ~ cała masa (*of sth* czegoś). **4.** *przen.* **stand out in a** ~ wyróżniać się; **go with/move with/follow the** ~ *uj.* iść za tłumem, poddawać się owczemu pędowi. – *v.* **1.** tłoczyć się, cisnąć się (*around sb / sth* wokół kogoś/czegoś); wpychać się (*into sth* dokądś); ~ **sth** zapełniać coś, gromadzić się gdzieś *l.* na czymś. **2.** upychać, wciskać (*dużą liczbę osób l. rzeczy*) (*into sth* gdzieś *l.* do czegoś). **3.** ~ **sb** *pot.* pchać się *l.* napierać na kogoś; *przen. zwł. US* naciskać na kogoś (= *wywierać nadmierną presję*). **4.** ~ **in** wpychać się; upychać; *przen.* cisnąć się do głowy (*on sb* komuś) (*o myślach*); ~ **on sail** *żegl.* postawić wszystkie żagle; ~ **out (of sth)** wypierać (skądś) (*t. z rynku*).

crowd² *n. muz.* = **crwth**.

crowd control *n. U* panowanie nad tłumem.

crowded [ˈkraʊdɪd] *a.* zatłoczony, przepełniony; *przen.* wypełniony (*with sth* czymś).

crowd puller *n. przen.* magnes dla publiczności.

crowd scene *n. film* scena zbiorowa.

crowfoot [ˈkroʊˌfʊt] *n.* **1.** *pl.* **-s** *bot.* jaskier (*niektóre gatunki*); **cursed** ~ jaskier jadowity (*Ranunculus sceleratus*). **2.** *pl.* **-feet** *żegl.* olinowanie daszka płóciennego. **3.** *pl.* **-feet** *wojsk.* gwiazdka (= *czteroramienny kolec do przebijania opon*).

crown [kraʊn] *n.* **1.** korona (*t. drzewa, zęba*); wieniec (*zwycięzcy; t. przen.* = *najwyższa nagroda, tytuł mistrzowski*); ~ **of thorns** korona cierniowa. **2. the** ~**/C**~ *przen.* korona (*zwł. Br.* = *królestwo, władza monarchy*); **appear for the** ~ *prawn.* reprezentować koronę (= *oskarżać w imieniu państwa*); **minister of the** ~ minister rządu Jego/Jej Królewskiej Mości; **relinquish the** ~ abdykować. **3.** korona (*jednostka monetarna, np. w Skandynawii*); *Br. hist.* jednokoronówka (= *moneta o wartości 5 szylingów*). **4.** *sing. t. bud.* wierzchołek, zwieńczenie; czubek (*t. ptasi*); ~ **of a hill** wierzchołek wzgórza; ~ **of the head** czubek głowy. **5.** (*także* **artificial** ~) *dent.* koronka, korona protetyczna. **6.** *zegar* pokrętło wskazówek. **7.** *Br. druk.* format 15×20 cali. **8.** *U* (*także* ~ **glass**) *opt.* kron, crown (*szkło optyczne*); ~ **lens** soczewka kronowa (*część achromatu*). **9.** *przen.* **the** ~ **of sth** uwieńczenie *l.* zwieńczenie *l.* ukoronowanie czegoś; **the jewel in the** ~ *zob.* **jewel**. – *v.* **1.** koronować; ~ **sb king/queen** koronować kogoś na króla/królową. **2.** *form.* wieńczyć, zwieńczać (*with sth* czymś); **to** ~ **it all** *Br. i Austr. pot.* na dobitkę, na domiar złego; **the end** ~**s all/the work** koniec wieńczy dzieło. **3.** *warcaby* promować na damkę (*pionek*). **4.** *dent.* założyć koronkę na (*ząb*). **5.** *pot.* dać po łbie (*komuś*).

crown and anchor *n. U* korony i kotwice (*gra, w której używa się specjalnie oznakowanych kości*).

crown colony *n. Br. polit.* kolonia koronna (*zarządzana bezpośrednio przez władze brytyjskie*).

crown court *n. Br. prawn.* (okręgowy) sąd koronny (*rozpatrujący poważne sprawy kryminalne*).

crowned [kraʊnd] *a.* **1.** koronowany; ~ **heads** koronowane głowy. **2.** *pred. form.* uwieńczony (*with sth* czymś) (*np. sukcesem*).

crown imperial *n. bot.* szachownica cesarska, carska korona (*Fritillaria imperialis*).

crowning [ˈkraʊnɪŋ] *a.* szczytowy, wieńczący całość (*o osiągnięciu*). – *n. U* **1.** koronowanie, koronacja. **2.** *położnictwo* wyrzynanie się główki.

crowning glory *n. sing.* główny atut; największe osiągnięcie.

crown jewels *n. pl.* klejnoty koronne.

crown land *n. U Br.* posiadłości *l.* dobra koronne.

crown-of-thorns [ˌkraʊnəvˈθɔ:rnz] *n. pl.* **crowns-of-thorns** **1.** *zool.* korona cierniowa (*rozgwiazda Acanthaster planci*). **2.** *bot.* wilczomlecz okazały, korona cierniowa (*Euphorbia milii*).

crownpiece [ˈkraʊnˌpi:s] *n.* **1.** *bud.* element wieńczący. **2.** *jeźdz.* nagłówek (*część uździenicy*).

crown prince *n.* następca tronu.

crown princess *n.* **1.** następczyni tronu. **2.** małżonka następcy tronu.

crown saw *techn.* piła walcowa.

crown wheel *n. mot.* wieniec napędzający (*przekładni różnicowej*).

crownwork [ˈkraʊnˌwɜ:k] *n.* **1.** *bud., wojsk.* czoło fortyfikacji (*zwł. wysunięty bastion*). **2.** *U dent.* wyrób koron protetycznych; wstawienie koronki *l.* koronek.

crow's-foot [ˈkroʊzˌfʊt] *n. pl.* **-feet** **1.** *zw. pl.* kurze łapki (= *zmarszczki w kącikach oczu*). **2.** kurza stopka (*ścieg, zakończenie szwu l. wzór tkaniny*).

crow's-nest [ˈkroʊzˌneɪst] *n. żegl.* bocianie gniazdo.

croze [kroʊz] *n.* wątor (= *wyżłobienie na denko beczki l. kadzi*).

crozier [ˈkroʊʒər] *n.* = **crosier**.

CRT [ˌsi: ˌɑ:r ˈti:] *abbr.* = **cathode-ray tube**.

cru [kru:], **crû** *n.* **1.** winnica; rejon winiarski (*we Francji*). **2.** klasa wina (*przyznawana oficjalnie, np. premier cru*).

cruces [ˈkru:si:z] *n. pl. zob.* **crux**.

crucial [ˈkru:ʃl] *a.* **1.** decydujący, rozstrzygający (*to/for sth* dla czegoś); ~ **factor/moment** decydujący czynnik/moment. **2.** *pot.* zasadniczy, kluczowy; ~ **decision** kluczowa decyzja. **3.** *Br. sl.* bombowy (= *bardzo dobry*).

crucially [ˈkru:ʃlɪ] *adv.* w decydujący sposób; *pot.* w sposób zasadniczy; **be ~ important** mieć zasadnicze *l.* kluczowe znaczenie.

crucian [ˈkru:ʃən] *n. pl.* **crucian** *l.* **-s** *icht.* karaś (pospolity) (*Carassius carassius*).

cruciate [ˈkru:ʃɪeɪt] *a. attr. anat., bot.* krzyżowy (= *w kształcie krzyża*); **anterior ~ ligament** *anat.* więzadło krzyżowe przednie (*stawu kolanowego*).

crucible [ˈkru:səbl] *n.* **1.** *chem., techn.* tygiel. **2.** *techn.* gar (*pieca hutniczego*). **3.** *przen.* próba ogniowa; **the C~** *US wojsk.* sprawdzian wytrzymałości (*w piechocie morskiej*).

crucible furnace *n. techn.* piec tyglowy.

crucible steel *n. U techn.* stal tyglowa.

crucifer [ˈkru:səfər] *n.* **1.** *kośc. form.* osoba niosąca krzyż (*podczas procesji*). **2.** *bot.* roślina z rodziny krzyżowych.

cruciferous [kruˈsɪfərəs] *a. attr. bot.* z rodziny krzyżowych (*Cruciferae*).

crucifix [ˈkru:səfɪks] *n. rel.* krucyfiks; krzyż.

crucifixion [ˌkru:səˈfɪkʃən] *n. C/U* ukrzyżowanie; **the C~** *rel., sztuka* Ukrzyżowanie.

cruciform [ˈkru:səˌfɔ:rm] *a.* krzyżowy, w kształcie krzyża; **on a ~ plan** *bud.* na planie krzyża. – *n.* **in ~** *her.* wpisany w krzyż.

crucify [ˈkru:səˌfaɪ] *v.* **-ied, -ying** **1.** ukrzyżować. **2.** *pot.* pastwić się nad, nie zostawić suchej nitki na (*kimś; o prasie, krytykach*). **3.** dręczyć, torturować (*t. o bólu, wyrzutach sumienia*). **4.** poskramiać (*własne namiętności, słabości*).

crud [krʌd] *n. U pot.* **1.** breja; zeskorupiała masa. **2.** odpady (*zwł. radioaktywne*). **3.** *pog.* obrzydliwiec. **4. (the)** ~ świństwo, paskudztwo (*t. o chorobie*); zgnilizna.

cruddy [ˈkrʌdɪ] *a.* **-ier, -iest** *pot.* lepki; obrzydliwy.

crude [kru:d] *a.* **1.** surowy (= *nieprzetworzony; o surowcach l. przen. o danych, faktach*). **2.** prymitywny, prosty (*np. o narzędziach*); zgrzebny; niedopracowany, zrobiony z grubsza *l.* byle jak; *uj.* niewyszukany, niewyrafinowany, grubymi nićmi szyty (*np. o intrydze*); ~ **approximation** grube przybliżenie; ~ **sketch** swobodny *l.* niedopracowany szkic. **3.** nieokrzesany, prostacki (*o osobie, manierach*); wulgarny (*o dowcipie, geście*). **4.** *arch.* niedojrzały. – *n.* = ~ **oil**.

crudely [ˈkru:dlɪ] *adv.* **1.** prymitywnie, zgrzebnie. **2.** z grubsza, byle jak. **3.** wulgarnie, po prostacku.

crudeness [ˈkru:dnəs] *n.* = **crudity**.

crude oil, crude petroleum *n. U górn., techn.* ropa naftowa.

crude sugar *n. U* cukier nierafinowany.

crudités [ˌkru:dɪˈteɪ] *n. pl. kulin.* surowe warzywa w kawałkach (*jako przystawka, zw. do maczania w sosach*).

crudity [ˈkru:dətɪ] *n. U* **1.** (*także* **crudeness**) prymitywizm; nieokrzesanie, brak ogłady; wulgarność. **2.** bylejakość.

cruel [ˈkrʊəl] *a.* **-er, -est** *Br.* **-ler, -lest** **1.** okrutny, bezlitosny (*to sb/sth* wobec *l.* dla kogoś/czegoś); **be ~ (only) to be kind** być okrutnym dla czyjegoś dobra. **2.** bolesny.

cruelly [ˈkrʊəlɪ] *adv.* **1.** okrutnie, bezlitośnie. **2.** boleśnie.

cruelness [ˈkrʊənəs] *n.* = **cruelty** 1.

cruelty ['kruəltɪ] *n.* **1.** *U* okrucieństwo (*to sb / sth* wobec kogoś/czegoś). **2.** *pl.* **-ies** akt okrucieństwa; okrutny wybryk.

cruelty-free ['kruəltɪˌfri:] *a. attr. Br.* nietestowany na zwierzętach (*zwł. o kosmetykach*).

cruet ['kruɪt] *n.* **1.** szklany pojemnik (*do podawania soli l. pieprzu*); flaszeczka stołowa (*na ocet, oliwę*); (*także* ~ **stand**) stojak z przyprawami (*do podawania na stół*). **2.** *kość.* ampułka (*do podawania wina i wody podczas mszy*).

cruise [kru:z] *v.* **1.** płynąć (statkiem *l.* jachtem) dla przyjemności (*zwł. zawijając do wielu portów*). **2.** *wojsk.* patrolować (*o okręcie*); odbywać rejs patrolowy. **3.** ~ **(about)** krążyć (ulicami) (*zwł. o taksówce l. wozie policyjnym*); *sl.* krążyć po mieście (*w poszukiwaniu przygód erotycznych*); obchodzić (*bary, lokale; jw.*). **4.** *żegl., mot.* płynąć *l.* jechać z prędkością ekonomiczną. **5.** *lotn.* lecieć z prędkością przelotową. – *n.* **1.** rejs wycieczkowy; **go on a** ~ wybrać się w rejs dla przyjemności. **2.** rejs patrolowy. **3.** przejażdżka. **4.** *lotn.* krążenie.

cruise control *n. U mot.* automatyczna regulacja prędkości.

cruise missile *n. wojsk.* pocisk manewrujący.

cruiser ['kru:zər] *n.* **1.** *wojsk.* krążownik; **armoured deck** ~ krążownik pancerno-pokładowy. **2.** (*także* **cabin-~**) *żegl.* jacht motorowy.

cruising power *n. U lotn.* moc przelotowa.

cruising speed *n. C / U* **1.** *żegl., mot.* prędkość ekonomiczna. **2.** *lotn.* prędkość przelotowa.

cruller ['krʌlər], **kruller** *n. US i Can. kulin.* gniazdko (= *lukrowany pączek z dziurką*); ciastko plecione (*smażone w głębokim tłuszczu*).

crumb [krʌm] *n.* **1.** okruszek, okruch, kruszyna. **2.** *przen.* okruch, odrobina (*np. nadziei*). **3.** *U* ośródka (*chleba*). **4.** *gł. US przest. sl.* drań. – *v.* **1.** *kulin.* panierować, obtaczać w bułce tartej. **2.** kruszyć, rozdrabniać.

crumble ['krʌmbl] *v.* ~ **(away)** kruszyć, rozdrabniać; kruszyć się, rozsypywać się, rozpadać się (*into / to sth* na/w coś); *przen.* kruszeć, słabnąć; ~ **to dust** rozpaść się w proch i w pył. – *n. C / U Br. kulin.* pudding owocowy (*z kruchą warstwą ciasta na wierzchu, spożywany na gorąco*).

crumbliness ['krʌmblɪnəs] *n. U* kruchość.

crumbly ['krʌmblɪ] *a.* **-ier, -iest** kruchy, rozsypujący się.

crumbs [krʌmz] *int. Br. i Austr. pot.* o rany!

crumby ['krʌmɪ] *a.* **-ier, -iest 1.** pełen okruszyn, zaśmiecony okruchami. **2.** pulchny. **3.** = **crummy**.

crumminess ['krʌmɪnəs] *n. U pot.* bylejakość.

crummy ['krʌmɪ] *a.* **-ier, -iest** *pot.* **1.** byle jaki, marny; obskurny, zakazany (*o ulicy, dzielnicy*). **2.** niezdrów; przygnębiony; **feel** ~ czuć się marnie. – *n. pl.* **-ies** *Can. pot.* ciężarówka dowożąca drwali na wyrąb.

crump [krʌmp] *v.* **1.** huknąć, łupnąć (= *wydać łoskot*). **2.** *wojsk. sl.* ostrzeliwać z ciężkiej artylerii. – *n.* huk, łupnięcie (*zwł.* = *głucha eksplozja*).

crumpet ['krʌmpɪt] *n.* **1.** *gł. Br. kulin.* okrągła drożdżowa bułka (*spożywana na gorąco z masłem*); *Scot.* słodki placek z ciasta naleśnikowego. **2.** *U Br. sl.* kobitki, towar; **a bit/piece of** ~ fajna cizia. **3. not worth a** ~ *Austr. sl.* funta kłaków nie wart.

crumple ['krʌmpl] *v.* **1.** miąć się; ~ **(up)** zmiąć, zgnieść (*into sth* w coś). **2.** wykrzywić się (w grymasie) (*o twarzy*). **3.** paść *l.* zwalić się na ziemię (*zwł. straciwszy przytomność*). **4.** *przen.* przełamać, zgnieść (*opór*); ~ **(up)** załamać się (*o oporze, odwadze*).

crunch [krʌntʃ] *v.* **1.** ~ **(on) sth** chrupać coś. **2.** chrzęścić, skrzypieć (*o śniegu, żwirze, krokach, kołach*) (*beneath / under sth* pod czymś) (*on sth* po czymś); (*także* ~ **along**) iść, jechać *l.* brnąć z chrzęstem. **3.** *pot.* analizować, przetwarzać (*dane, liczby*); **number ~ing** analiza numeryczna. – *n. zw. sing.* **1.** chrupanie; chrupnięcie. **2.** chrzęst, skrzypienie. **3. the** ~ *pot.* moment krytyczny; sytuacja krytyczna; *US* trudna sytuacja finansowa; **feel the** ~ cienko prząść (= *nie mieć pieniędzy*); **when/if it comes to the** ~ jak przyjdzie co do czego. – *a. attr. pot.* decydujący, krytyczny; ~ **time** moment krytyczny.

crunchily ['krʌntʃɪlɪ] *adv.* **1.** chrupko; chrupiąco. **2.** z chrzęstem.

crunchiness ['krʌntʃɪnəs] *n. U* chrupkość.

crunchy ['krʌntʃɪ] *a.* **-ier, -iest 1.** chrupki; chrupiący. **2.** chrzęszczący, skrzypiący.

crupper ['krʌpər] *n. jeźdź.* **1.** podogonie (*uprzęży*). **2.** zad konia (*wraz z lędźwiami*).

crural ['krurəl] *a. attr. anat.* goleniowy.

crus [krʌs] *n. pl.* **crura** *anat.* **1.** goleń, podudzie. **2.** odnoga (*narządu*).

crusade [kru'seɪd] *n.* **1.** (*także* **C~**) *hist.* wyprawa krzyżowa, krucjata. **2.** *przen.* krucjata, kampania (*for / against sth* na rzecz czegoś/przeciwko czemuś). – *v.* **1.** *hist.* udawać się na wyprawę krzyżową. **2.** *przen.* prowadzić krucjatę (*for / against sth* na rzecz czegoś/przeciw czemuś).

crusader [kru'seɪdər] *n.* **1.** *hist.* krzyżowiec. **2.** ~ **for/against sth** *przen.* orędowni-k/czka jakiejś sprawy/walki z czymś.

cruse [kru:z] *n. ceramika* kruża (= *dzbanek z szyjką*).

crush [krʌʃ] *v.* **1.** kruszyć, rozgniatać; *t. przen.* miażdżyć; *emf.* miażdżyć w uścisku, przyciskać mocno (*sb to one* kogoś do siebie); ~ **(up)** *techn.* rozdrabniać. **2.** zgnieść się, ulec zmiażdżeniu. **3.** wpychać na siłę; tłoczyć się, pchać się (*into sth* dokądś, *past / through sth* przez coś). **4.** *przen.* zdusić, zdławić (*opór, powstanie*); rozgromić (*drużynę przeciwnika*); zdruzgotać (*nadzieje*); załamać (*kogoś; np. o złej wiadomości*). **5.** wyciskać (*zwł. sok*) (*from / out of sth* z czegoś). **6. be ~ed to death** zostać zmiażdżonym na śmierć; ~ **the life out of sb** zadusić kogoś na śmierć. – *n.* **1.** *sing.* ścisk, tłok; miażdżący nacisk. **2.** *C / U gł. Br.* napój z soku owocowego. **3. have/get a** ~ **on sb** *pot.* durzyć/zadurzyć się w kimś, podkochiwać się/zacząć się podkochiwać w kimś.

crush bar *n. teatr* bar serwujący napoje (*podczas antraktu*).

crush barrier *n.* barierka zapobiegająca miażdżeniu ludzi w tłumie (*np. na stadionie piłkarskim*).

crusher ['krʌʃər] *n. techn.* kruszarka, gniotownik.

crushing ['krʌʃɪŋ] *a. t. przen.* miażdżący (*o ciosie, klęsce, krytyce*).

crust [krʌst] *n.* **1.** *C / U* skórka (*chleba, ciasta, pasztetu*); *gł. przen.* kromka (suchego) chleba; **earn a ~** *Br., Austr. i NZ pot.* zarabiać na chleb; **share one's last ~ with sb** dzielić się z kimś ostatnim kawałkiem chleba. **2.** skorupa (*np. lodu*); **the Earth's ~** *geol.* skorupa ziemska. **3.** *biol.* pancerz, pancerzyk. **4.** strup. **5.** skorupka osadu (*zwł. w butelce wina*). **6. the upper ~** *pot. czas. żart.* klasa wyższa. **7.** *sl.* bezczelność, tupet. – *v.* **1.** skorupieć. **2. ~ over** pokrywać się skorupą *l.* strupem.

crustacean [krə'steɪʃən] *n. zool.* skorupiak (*podtyp Crustacea*). – *a. attr.* należący do skorupiaków; dotyczący skorupiaków.

crustaceous [krə'steɪʃəs] *a.* **1.** skorupiasty; okryty skorupą *l.* pancerzem. **2.** = **crustacean**.

crustal ['krʌstl] *a. attr. geol.* dotyczący skorupy ziemskiej, litosferyczny; **~ plate** płyta tektoniczna.

crusted ['krʌstɪd] *a.* **1.** pokryty skorupą, zaskorupiały; **~ with sth** pokryty warstwą czegoś (*zwł. brudu*). **2.** kupażowany i dojrzewający w butelkach (*o portwajnie*).

crustily ['krʌstɪlɪ] *adv.* szorstko, opryskliwie.

crustiness ['krʌstɪnəs] *n. U* szorstkość, opryskliwość.

crusty ['krʌstɪ] *a.* **-ier, -iest 1.** *kulin.* z grubą, twardą *l.* chrupką skórką. **2.** *przen. pot.* stetryczały, zrzędliwy.

crutch [krʌtʃ] *n.* **1.** *zw. pl.* kula; **walk on ~es** chodzić o kulach. **2.** podpórka (*zwł. = tyczka z widełkami*). **3.** *przen.* podpora psychiczna. **4.** *żegl.* widełki (*do osadzania wiosła l. bomu*). **5.** *Br.* = **crotch** 1. – *v.* podpierać.

crux [krʌks] *n. pl.* **cruces** ['kru:si:z] *l.* **-es 1.** sedno; **the ~ of the matter/problem** sedno sprawy/problemu. **2.** sęk (= *trudność*). **3.** *alpinizm* krytyczny odcinek trasy. **4. the C~** *astron. form.* Krzyż Południa.

crwth [kru:θ], **crowd** [kraʊd] *n. muz.* chrotta, rota, krut (= *gęśle l. lira celtycka*).

cry [kraɪ] *v.* **-ied, -ying 1.** płakać (*over / about sth* nad czymś *l.* z jakiegoś powodu) szlochać; **~ for joy/with anger** płakać ze szczęścia/ze złości; **~ one's eyes/heart out** *emf.* wypłakiwać (sobie) oczy; **~ o.s. to sleep** płakać w poduszkę (= *zasypiać pochlipując*); **laugh till/until one cries** zaśmiewać się do łez. **2.** krzyczeć (*t. o ptakach i innych zwierzętach*); krzyknąć. **3.** wołać (*t. = prosić, żebrać*) (*for sth* o coś). **4.** rozgłaszać, obwieszczać; **~ one's wares** *lit.* (głośno) zachwalać swój towar (*o ulicznym sprzedawcy*). **5.** *myśl.* grać (*o psach*). **6.** *przen.* **~ for the moon** żądać gwiazdki z nieba; **~ into one's beer** *pot.* użalać się nad sobą; **~ mercy/quits** poddawać się; **~ on sb's shoulder** *pot.* wypłakiwać się przed kimś; **~ to heaven** wołać o pomstę do nieba; **~ wolf** podnosić fałszywy alarm; **it's no use/good ~ing over spilled** *US*/**spilt** *Br.* **milk** co się stało, to się nie odstanie. **7. ~ down** pomniejszać (*zalety, zasługi*); **~ sb down** zakrzyczeć kogoś; **~ off** *Br. pot.* wycofać się; **~ out** zawołać; wykrzyknąć; **~ out in/with pain/terror** krzyknąć z bólu/przerażenia; **~ out against sth** głośno protestować przeciwko czemuś; **be ~ing out for sth** *pot.* (aż) prosić się o coś (= *wymagać czegoś; np. umycia, remontu*); **for ~ing out loud** *pot.* do licha ciężkiego; **~ up** wysławiać, wynosić pod niebiosa. – *n. pl.* **-ies 1.** krzyk; okrzyk; wołanie; zawołanie; **~ for help** wołanie o pomoc; **~ of joy/pain/terror** okrzyk radości/bólu/przerażenia; **let out/give a ~** wydać okrzyk. **2.** głos, krzyk (*np. mew*); wycie (*np. wilków*). **3.** nawoływanie (*ulicznego sprzedawcy*). **4.** (publiczne *l.* głośne) domaganie się *l.* żądanie (*for sth* czegoś). **5.** *arch.* ustne obwieszczenie. **6.** (*także* **battle/war-~**) zawołanie bojowe (*t. przen. = hasło*). **7.** *sing. zwł. Br.* płacz; **have a (good) ~** wypłakać się (porządnie). **8.** *myśl.* granie (*sfory psów*); sfora; **in full ~** (ujadający) w pogoni za zwierzyną. **9.** *przen.* **be a far ~ from sth** *pot.* w niczym nie przypominać czegoś; **be in full ~ (over sth)** zajadle kłócić się (o coś); zawzięcie krytykować (coś); **(raise) a hue and ~** *zob.* **hue**.

crybaby ['kraɪˌbeɪbɪ] *n. pl.* **-ies** *pot. pog.* mazgaj, płaksa, beksa-lala.

crying ['kraɪɪŋ] *n. U* płacz. – *a. attr.* **1.** naglący, pilny, palący; **~ need** nagląca potrzeba (*for sth* czegoś). **2.** godny pożałowania; wołający o pomstę do nieba; **it's a ~ shame (that)...** *pot.* wielka szkoda, że...; to skandal, że...

cryingly ['kraɪɪŋlɪ] *adv.* nagląco, pilnie.

cryogen ['kraɪədʒən] *n. U chem.* mieszanina kriogeniczna.

cryogenic [ˌkraɪoʊ'dʒenɪk] *a.* kriogeniczny.

cryogenics [ˌkraɪoʊ'dʒenɪks] *n. U fiz.* kriogenika.

cryohydrate [ˌkraɪoʊ'haɪdreɪt] *n. chem.* kriohydrat.

cryolite ['kraɪəˌlaɪt] *n. U min.* kriolit.

cryometer [kraɪ'ɑ:mətər] *n. techn.* kriometr.

cryometry [kraɪ'ɑ:mətrɪ] *n. U fiz.* kriometria.

cryophysics [ˌkraɪoʊ'dʒenɪks] *n. U* fizyka niskich temperatur, kriofizyka.

cryoscope ['kraɪəˌskoʊp] *n. techn.* krioskop.

cryoscopy [kraɪ'ɑ:skəpɪ] *n. U chem.* krioskopia.

cryostat ['kraɪəˌstæt] *n. techn.* kriostat.

cryosurgery [ˌkraɪoʊ'sɜ:dʒərɪ] *n. U med.* kriochirurgia.

cryotherapy [ˌkraɪoʊ'θerəpɪ] *n. U med.* krioterapia.

cryotron ['kraɪəˌtrɑ:n] *n. el.* kriotron.

crypt [krɪpt] *n.* krypta.

cryptarithm ['krɪptəˌrɪðəm] *n.* kryptarytm (*rodzaj łamigłówki logicznej*).

cryptic ['krɪptɪk] *a.* **1.** (*także* **~al**) zagadkowy, tajemniczy; dwuznaczny (*o uwadze, komentarzu*); ukryty (*o znaczeniu*); sekretny. **2.** *zool.* ochronny (*o ubarwieniu l. kształcie*).

cryptically ['krɪptɪklɪ] *adv.* zagadkowo, tajemniczo; dwuznacznie.

cryptococcus [ˌkrɪptoʊ'kɑ:kəs] *n. pl.* **-cocci**

biol., pat. kryptokok (*Cryptococcus neoformans*).

cryptocrystalline [ˌkrɪptoʊˈkrɪstlɪn] *a. min.* kryptokrystaliczny.

cryptogam [ˈkrɪptəˌgæm] *n. bot.* kryptogam (= *roślina zarodnikowa*).

cryptogamic [ˌkrɪptəˈgæmɪk], **cryptogamous** [krɪpˈtɑːgəməs] *a. bot.* kryptogamiczny, skrytopłciowy, zarodnikowy.

cryptogenic [ˌkrɪptəˈdʒenɪk] *n. pat.* o nieznanej etiologii.

cryptogram [ˈkrɪptəˌgræm] *n.* kryptogram (= *zaszyfrowany tekst l. podpis; t. = znak tajnego pisma*).

cryptograph [ˈkrɪptəˌgræf] *n.* **1.** kryptogram (= *zaszyfrowany tekst*). **2.** maszyna szyfrująca.

cryptographer [krɪpˈtɑːgrəfər] *n.* = **cryptologist**.

cryptographic [ˌkrɪptəˈgræfɪk] *a.* kryptograficzny; ~ **algorithm/technique** algorytm/technika szyfrowania; ~ **code/system** klucz kryptograficzny, szyfr.

cryptographically [ˌkrɪptəˈgræfɪklɪ] *adv.* kryptograficznie, szyfrem.

cryptography [krɪpˈtɑːgrəfɪ] *n. U* **1.** kryptografia (= *technika szyfrowania*). **2.** = **cryptology**.

cryptologic [ˌkrɪptəˈlɑːdʒɪk], **cryptological** [ˌkrɪptəˈlɑːdʒɪkl] *a.* kryptologiczny; ~ **services** *wojsk.* służby kryptologiczne.

cryptologist [krɪpˈtɑːlədʒɪst] *n.* (*także* **cryptographer**) kryptolog (= *specjalista od szyfrów*).

cryptology [krɪpˈtɑːlədʒɪ] *n. U t. wojsk.* kryptologia.

cryptomeria [ˌkrɪptəˈmiːrɪə] *n. bot.* szydlica japońska, kryptomeria (*Cryptomeria japonica*).

cryptorchidism [krɪpˈtɔːrkɪˌdɪzəm] *n. U pat.* wnętrostwo.

crystal [ˈkrɪstl] *n.* **1.** kryształ; kryształek (*t. el. = rezonator krystaliczny*); *U* kryształ (*t. = szkło ołowiowe*); kryształy (= *wyroby z kryształu*). **2.** *US* szkiełko zegarka. – *a. attr.* **1.** kryształowy, z kryształu; ~ **chandelier/vase** kryształowy żyrandol/wazon. **2.** krystaliczny (= *przezroczysty*).

crystal ball *n.* szklana *l.* kryształowa kula (*do przepowiadania przyszłości*).

crystal class *n. fiz.* klasa krystalograficzna.

crystal clear *a. pred.* **1.** kryształowo czysty. **2.** *przen.* jasny jak słońce; **make one's meaning** ~ wyrażać się jasno.

crystal detector *n. el.* detektor kryształkowy.

crystal gazing *n. U* wróżenie z kuli.

crystal lattice *n.* siatka krystaliczna.

crystalline [ˈkrɪstlɪn] *a.* **1.** krystaliczny (= *będący kryształem; zbudowany z kryształów*). **2.** *form.* krystalicznie czysty, przezroczysty.

crystalline lens *n. anat.* soczewka oka.

crystallite [ˈkrɪstəˌlaɪt] *n. fiz., min.* krystalit.

crystallizable [ˌkrɪstəˈlaɪzəbl], **crystalizable** *Br. i Austr. zw.* **crystallisable** *a.* dający się skrystalizować, ulegający krystalizacji.

crystallization [ˌkrɪstələˈzeɪʃən], **crystalization** *Br. i Austr. zw.* **crystallisation** *n. U* krystalizacja.

crystallize [ˈkrɪstəˌlaɪz], **crystalize** *Br. i Austr. zw.* **crystallise** *v.* **1.** krystalizować. **2.** *przen.* wykrystalizować się. **3.** scukrzać się (*zwł. o miodzie*). **4.** *kulin.* kandyzować, cukrować.

crystallizer [ˈkrɪstəˌlaɪzər], **crystalizer** *Br. i Austr. zw.* **crystalliser** *n. techn., chem.* krystalizator.

crystallographic [ˌkrɪstələˈgræfɪk] *a.* krystalograficzny.

crystallographically [ˌkrɪstələˈgræfɪklɪ] *adv.* krystalograficznie.

crystallography [ˌkrɪstəˈlɑːgrəfɪ] *n. U* krystalografia.

crystalloid [ˈkrɪstəˌlɔɪd] *chem., bot. n.* krystaloid. – *a.* **1.** = **crystalloidal**. **2.** *form.* krystaliczny (= *w formie kryształu*).

crystalloidal [ˈkrɪstəˌlɔɪdl] *a.* **1.** *bot.* krystaloidowy. **2.** *chem.* krystaloidalny.

crystal nucleus *n. pl.* **crystal nuclei** *chem.* zarodek krystalizacji.

crystal set *n. radio, hist.* odbiornik kryształkowy.

crystal system *n. fiz.* układ krystalograficzny.

c/s, cps *abbr. fiz.* okres na sekundę, herc.

C.S.A. [ˌsiː ˌes ˈeɪ] *abbr. hist.* = **Confederate States of America**.

C-section [ˈsiːˌsekʃən] *n. pot.* cesarka (= *cięcie cesarskie*).

CST [ˌsiː ˌes ˈtiː], **C.S.T., c.s.t.** *abbr.* = **Central Standard Time**; *zob.* **Central Time**.

CT [ˌsiː ˈtiː] *abbr.* **1.** = **Connecticut**. **2.** (*także* **C.T., c.t.**) = **Central Time**. **3.** (*także* **CAT**) *med.* **computerized tomography** tomografia komputerowa; **CT scan** badanie tomograficzne; **CT scanner** tomograf.

ct., ct *abbr.* **1.** *pl.* **cts.** *jubilerstwo* = **carat**. **2.** *pl.* **cts.** *US* = **cent**. **3.** *US* = **county**.

ctenoid [ˈtiːnɔɪd] *a. icht.* ktenoidalny (*o łusce*).

ctenophoran [tɪˈnɑːfərən], **ctenophore** [ˈtenəˌfɔːr] *n. zool.* żebropław (*typ Ctenophora*).

ctn *abbr. mat.* ctg (= *cotangens*).

ctn., ctn *abbr. pl.* **ctns.** = **carton**.

ctr. *abbr.* = **center**.

cu, cu. *abbr.* = **cubic**.

cub [kʌb] *n.* **1.** szczenię (*wilka l. lisa*); młode (*drapieżnika*); **lion/bear** ~ lwiątko/niedźwiedziątko. **2.** *przen.* młokos, żółtodziób; *przest. pog.* szczeniak. **3.** (*także* **C~**) = **Cub Scout**. – *v.* **-bb- 1.** rodzić (*o samicy drapieżnika*). **2.** *myśl.* polować na młode liski.

Cuba [ˈkjuːbə] *n. geogr.* Kuba.

cubage [ˈkjuːbɪdʒ] *n.* = **cubature** 1.

Cuba libre [ˌkjuːbə ˈliːbrə] *n. US* koktajl z rumu, coca coli i soku z limy.

Cuban [ˈkjuːbən] *a.* kubański. – *n.* Kubańczyk/nka.

cubature [ˈkjuːbətʃər] *n.* **1.** (*także* **cubage**) kubatura (*budynku, zbiornika*). **2.** *U geom.* wyznaczanie objętości.

cubbish [ˈkʌbɪʃ] *a. t. przen.* szczenięcy.

cubby [ˈkʌbɪ], **cubbyhole** [ˈkʌbɪˌhoʊl] *n.* **1.** pokoik, klitka. **2.** przegródka (*na korespondencję, dokumenty*).

cube [kjuːb] *n.* **1.** *geom., alg.* sześcian. **2.** kostka (*sześcienna*); *sl.* kość (*do gry*); **Rubik's** ~ kostka Rubika; **sugar** ~ kostka cukru. – *v.* **1.** *alg.*

podnosić do sześcianu. **2.** *kulin.* kroić w kostkę. **3.** *geom., miern.* wyznaczać objętość *l.* kubaturę (*czegoś*).

cubeb ['kju:beb] *n. U bot., kulin., med.* (pieprz) kubeba (*Piper cubeba = Cubeba officinalis*).

cuber ['kju:bər] *n. techn.* krajalnica *l.* prasa produkująca kostki; **hay ~** *roln.* prasa do siana.

cube root *n. alg.* pierwiastek sześcienny *l.* trzeciego stopnia.

cubic ['kju:bɪk] *a.* **1.** sześcienny (*t. miern.* = *do trzeciej potęgi*); trójwymiarowy; *alg.* trzeciego stopnia. **2.** *krystal.* regularny (*o układzie*). – *n. alg.* wyrażenie *l.* równanie sześcienne *l.* trzeciego stopnia.

cubical ['kju:bɪkl] *a.* **1.** sześcienny (= *w kształcie sześcianu*). **2.** objętościowy.

cubically ['kju:bɪklɪ] *adv.* **1.** sześciennie. **2.** objętościowo.

cubicle ['kju:bɪkl] *n.* boks (*np. w biurze l. wieloosobowej sypialni*); kabina (= *przymierzalnia w sklepie, przebieralnia na basenie itp.*).

cubiform ['kju:bəˌfɔ:rm] *a. form.* = **cubical** 1.

cubism ['kju:bɪzəm] *n. U sztuka* kubizm.

cubist ['kju:bɪst] *sztuka n.* kubist-a/ka. – *a.* (*także* **cubistic**) kubistyczny.

cubistically ['kju:bɪstɪklɪ] *adv.* kubistycznie.

cubit ['kju:bɪt] *n. hist., miern.* łokieć (*zw.* = *2 stopy*).

cubital ['kju:bɪtl] *a. anat.* łokciowy.

cuboid ['kju:bɔɪd] *a.* (*także* **~al**) sześcienny (= *zbliżony kształtem do sześcianu*). – *n. geom.* prostopadłościan.

cuboidal ['kju:bɔɪdl] *a.* = **cuboid.**

cuboid bone *n. anat.* kość sześcienna.

cub reporter *n. dzienn.* reporter-stażysta.

Cub Scout, cub scout *n.* (*także* **cub**) wilczek (= *młodszy skaut, odpowiednik zucha*); **the Cub Scouts** (*także* **the Cubs**) *zwł. Br.* wilczęta (= *organizacja skautowska dla chłopców w wieku 8-11 lat*).

cucking stool ['kʌkɪŋˌstu:l] *n. hist.* stolec hańby (*używany w średniowieczu przy wymierzaniu kar*).

cuckold ['kʌkoʊld] *n. przest. pog.* rogacz. – *v.* przyprawić rogi (*komuś*).

cuckoo ['ku:ku:] *n. pl.* **-s** **1.** *orn.* kukułka (*rodzina Cuculidae*); **European ~** kukułka (europejska) (*Cuculus canorus*); **black-billed/yellow-billed ~** kukułka czarnodzioba/żółtodzioba (*Coccyzus erythrophthalmus / americanus*). **2.** *pot.* wariat/ka. – *a. pred. pot.* stuknięty; **be/go ~** mieć/dostać kuku na muniu. – *v.* **1.** kukać. **2.** powtarzać w kółko.

cuckoo clock *n.* zegar z kukułką.

cuckooflower ['ku:ku:ˌflaʊər] *n. bot.* **1.** rzeżucha łąkowa (*Cardamine pratensis*). **2.** firletka poszarpana, kukułka (*Lychnis flos-cuculi*).

cuckoopint ['ku:ku:ˌpaɪnt] *n. bot.* obrazki plamiste (*Arum maculatum*).

cucumber ['kju:kəmbər] *n.* **1.** *C/U* ogórek (*bot.* = *Cucumis sativus*). **2. (as) cool as a ~** *zob.* **cool** *a.* 4. – *a. attr.* ogórkowy; **~ salad** sałatka z ogórków; mizeria; **~ sandwich** kanapka z ogórkiem.

cucumber tree *n. bot.* magnolia zaostrzona (*Magnolia acuminata*).

cucurbit [kjʊ'kɜ:bɪt] *n. bot.* roślina z rodziny dyniowatych (*np. ogórek, arbuz, dynia*).

cucurbitaceous [kju:ˌkɜ:bə'teɪʃəs] *a. bot.* dyniowaty (*rodzina Cucurbitaceae*).

cud [kʌd] *n. U* **1.** miazga pokarmowa (*zwracana z żołądka do jamy gębowej przeżuwacza*). **2. chew the ~** *Br. pot.* długo rozmyślać *l.* dumać (*zwł. przed podjęciem decyzji*).

cudbear ['kʌdˌber] *n.* **1.** *U* barwnik otrzymywany z porostów (*lakmus l. orseina*). **2.** *bot.* porost barwierski (*zwł. orselka, Roccella*).

cuddie ['kʌdɪ] *n. Scot.* = **cuddy**[2].

cuddle ['kʌdl] *v.* **1.** tulić, przytulać; tulić się do siebie. **2. ~ up** mościć się; przytulać się (*to / against sb / sth* do kogoś/czegoś, *together* do siebie). – *n.* (czuły) uścisk; **give sb a ~** przytulić kogoś.

cuddlesome ['kʌdlsəm] *a.* = **cuddly.**

cuddly ['kʌdlɪ] *a.* **-ier, -iest** miluśki (= *budzący chęć przytulenia; np. o dziecku, kotku*).

cuddly toy ['kʌdlɪ ˌtɔɪ] *n. Br. i Austr.* przytulanka.

cuddy[1] ['kʌdɪ] *n. pl.* **-ies** **1.** *żegl.* kajuta. **2.** izdebka; spiżarnia.

cuddy[2] *n.* (*także* **cuddie**) *Scot.* osioł; konik.

cuddy[3] *n. icht.* młody czarniak (*Pollachius*).

cudgel ['kʌdʒl] *n.* **1.** pałka (*do bicia*). **2. take up (the) ~s for sb/sth** *Br. i Austr. przen.* stanąć w obronie kogoś/czegoś. – *v.* **-l-** *Br.* **-ll-** **1.** bić pałką. **2. ~ one's brains** *przen.* łamać sobie głowę.

cudweed ['kʌdˌwi:d] *n. bot.* ukwap (*Antenaria*).

cue[1] [kju:] *n.* **1.** znak, sygnał (*np. dla aktora, muzyka*) (*to do sth* do zrobienia czegoś); **miss one's ~** przegapić sygnał (*np. o aktorze*); nie zareagować w odpowiednim momencie. **2.** *psych.* bodziec. **3.** *komp.* wywołanie. **4.** *przen.* **(right) on ~** jak na komendę *l.* zawołanie (= *we właściwym momencie*); **take one's ~ from sb** brać przykład z kogoś; **take one's ~ from sth** naśladować coś. – *v.* **~ sb (in)** dawać komuś sygnał (*np. aktorowi do wejścia l. rozpoczęcia kwestii*).

cue[2] *n.* **1.** *sport* kij (*bilardowy l. do gry w shuffleboard*). **2.** włosy spięte *l.* splecione z tyłu głowy. **3.** *US* = **queue.** – *v.* **1.** *sport* uderzać kijem (*bilę l. krążek*). **2.** spinać *l.* splatać z tyłu głowy (*włosy*).

cue ball *n. bilard* biała bila (*przeznaczona do uderzenia kijem*).

cue bid *n. brydż* odzywka sygnalizacyjna (*informująca o asie l. renonsie w danym kolorze*).

cuesta ['kwestə] *n. geol.* kuesta (= *stromy, asymetryczny próg*).

cuff[1] [kʌf] *n.* **1.** mankiet (*rękawa l. rękawiczki*); *US, Can. i Austr.* mankiet u spodni. **2.** *pl. pot.* obrączki (= *kajdanki*). **3.** *przen.* **off the ~** bez namysłu, na poczekaniu; **off-the-~** zaimprowizowany na poczekaniu (*o dowcipie, uwadze*); **on the ~** *sl.* na kredyt.

cuff² *n.* pacnięcie otwartą dłonią (*zwł. w czyjąś głowę*). – *v.* pacnąć dłonią.

cuff link, cufflink *n.* spinka do mankietu.

cuirass [kwɪ'ræs] *n.* **1.** *broń, hist.* kirys. **2.** *zool.* pancerz. – *v. rzad.* opancerzać.

cuirassier [ˌkwi:rə'si:r] *n. hist., wojsk.* kirasjer.

cuish [kwɪʃ] *n. broń, hist.* = **cuisse.**

cuisine [kwɪ'zi:n] *n. U kulin.* kuchnia (*danego kraju, regionu, lokalu*).

cuisse [kwɪs], **cuish** [kwɪʃ] *n. zbroja, hist.* nabiodrek.

culch [kʌltʃ], **cultch** *n.* **1.** *U* podłoże do hodowli ostryg (*ze żwiru, muszli itp.*); larwy ostryg (*przyczepione do podłoża*). **2.** *dial.* śmieci.

cul-de-sac [ˌkʌldə'sæk] *n. pl.* **cul-de-sacs** *l.* **culs-de-sac** **1.** zaułek, ślepa uliczka. **2.** *przen.* ślepy zaułek, impas. **3.** *anat.* przewód zamknięty na jednym końcu (*np. jelito ślepe*).

culet ['kju:lɪt] *n. jubilerstwo* spód (*szlifowanego kamienia*).

culinarily ['kju:ləˌnerɪlɪ] *adv.* kulinarnie.

culinary ['kju:ləˌnerɪ] *a. attr. form.* kulinarny; kuchenny; kucharski, gastronomiczny; ~ **delights**, kulinarne specjały.

cull [kʌl] *v.* **1.** wybierać, selekcjonować; *form.* zebrać, wybrać, zaczerpnąć (*np. informacje l. ilustracje z wielu różnych źródeł*). **2.** *hodowla* przeprowadzać ubój *l.* odstrzał selektywny (*najsłabszych zwierząt*); usuwać, brakować (*zwierzęta nieprzydatne do hodowli*). **3.** *lit.* zbierać (*kwiaty, owoce*). – *n. hodowla* **1.** selekcja. **2.** zwierzę wybrakowane (*przeznaczone do usunięcia*).

cullender ['kʌləndər] *n.* = **colander.**

culler ['kʌlər] *n. hodowla* **1.** selekcjoner/ka (*Austr. t. = myśliwy prowadzący odstrzał selekcyjny*). **2.** *Austr. i NZ* wybrakowana owca.

cullet ['kʌlət] *n. U* stłuczka szklana (*surowiec wtórny*).

cullis ['kʌlɪs] *n.* = **coulisse** 2.

cully ['kʌlɪ] *n. pl.* **-ies** *Br. sl.* koleś.

culm¹ [kʌlm] *n. U górn.* **1.** odpady z kopalni węgla. **2.** miał węglowy.

culm² *n. bot.* źdźbło (*t. = łodyga bambusa*).

culminant ['kʌlmənənt] *a. form.* kulminacyjny, szczytowy.

culminate ['kʌlməˌneɪt] *v.* **1.** *t. astron.* kulminować; osiągać finał *l.* szczyt (*rozwoju, napięcia*). **2.** ~ **in sth** zakończyć się czymś.

culmination [ˌkʌlmə'neɪʃən] *n. t. astron.* kulminacja; punkt kulminacyjny *l.* szczytowy; ukoronowanie (*np. kariery*).

culottes [ku'lɑ:ts] *n. pl.* spódnica-spodnie (*o długości do kolan*).

culpability [ˌkʌlpə'bɪlətɪ] *n. U* naganność; *prawn.* karalność.

culpable ['kʌlpəbl] *a.* **1.** naganny; *prawn.* karalny. **2.** winny; **hold sb** ~ obwiniać kogoś.

culpableness ['kʌlpəblnəs] *n.* = **culpability.**

culpably ['kʌlpəblɪ] *adv.* nagannie.

culprit ['kʌlprɪt] *n. prawn.* delikwent/ka, podsądn-y/a; *t. przen.* winowajca (*np. = czynnik wywołujący chorobę*).

cult [kʌlt] *n.* **1.** *C/U* kult; **personality** ~ (*także* ~ **of personality**) *polit.* kult jednostki. **2.** obiekt kultu. **3.** *często uj.* sekta (*religijna*). – *a. attr. pot.* kultowy; ~ **following** grono fanów; ~ **movie/figure** kultowy film/kultowa postać.

cultch [kʌltʃ] *n.* = **culch.**

cultic ['kʌltɪk] *a. form.* kultowy (= *związany z kultem religijnym*).

cultically ['kʌltɪklɪ] *adv.* kultowo.

cultigen ['kʌltɪdʒən] *n. bot.* kultygen (= *gatunek uprawny nieznany w stanie dzikim*).

cultish ['kʌltɪʃ] *a.* kultowy (= *modny, mający grono wielbicieli*).

cultism ['kʌltɪzəm] *n. U często uj.* skłonność do praktyk kultowych; sekciarstwo religijne.

cultist ['kʌltɪst] *n.* osoba uprawiająca kult; zwolenni-k/czka sekty.

cultivable ['kʌltəvəbl] *a.* uprawny.

cultivar ['kʌltəˌvɑ:r] *n. bot.* kultywar (= *odmiana hodowlana*).

cultivate ['kʌltəˌveɪt] *v.* **1.** *roln.* uprawiać (*ziemię, rośliny*); spulchniać (*glebę*). **2.** hodować (*zwł. bakterie*). **3.** *przen. form.* rozwijać (*zainteresowania*); kształcić (*umysły*); kultywować (*uczucia*); pielęgnować (*przyjaźń, zdolności, znajomości*). **4.** zabiegać o względy (*kogoś; zwł. z myślą o własnych korzyściach*). **5.** ukulturalniać, cywilizować.

cultivated ['kʌltəˌveɪtɪd] *a.* **1.** hodowlany, uprawny (*o roślinach*). **2.** kulturalny, obyty.

cultivation [ˌkʌltə'veɪʃən] *n. U* **1.** *roln.* uprawa (*ziemi, roślin*); spulchnianie (*gleby*). **2.** kultywowanie, kształcenie. **3.** kultura, obycie.

cultivator ['kʌltəˌveɪtər] *n. roln.* **1.** hodowca (*roślin*). **2.** kultywator, drapacz.

cultrate ['kʌltreɪt], **cultrated** ['kʌltreɪtɪd] *a. biol.* nożowaty, brzeszczotowaty.

cultural ['kʌltʃərəl] *a. attr.* kulturalny (= *dotyczący kultury*); kulturowy; ~ **activity** działalność kulturalna; ~ **center** centrum kultury; ~ **desert** *pot.* pustynia kulturalna; ~ **heritage/traditions** dziedzictwo/tradycje kulturowe.

cultural anthropologist *n. US* etnolog, etnograf.

cultural anthropology *n. U US* etnologia, etnografia, antropologia społeczna.

culturally ['kʌltʃərəlɪ] *adv.* kulturalnie, pod względem kultury; kulturowo.

Cultural Revolution *n. hist.* rewolucja kulturalna (*w Chinach, 1965-1968*).

cultural studies *n. U uniw.* kulturoznawstwo.

culture ['kʌltʃər] *n. C/U* **1.** kultura; **American/Western** ~ kultura amerykańska/Zachodu; **ideological/material/social** ~ kultura duchowa/materialna/społeczna; **popular** ~ kultura masowa, popkultura; **primitive** ~**s** prymitywne kultury; **youth** ~ kultura młodzieżowa. **2.** hodowla (*roślin, pszczół, jedwabników, ostryg*); *biol.* kultura (= *hodowla bakterii*); **tissue** ~ *biol.* hodowla tkanek. – *v.* hodować (*rośliny, bezkręgowce, bakterie, tkanki*).

cultured ['kʌltʃərd] *a.* **1.** kulturalny; światły, wykształcony. **2.** sztucznie wyhodowany; sztuczny, syntetyczny.

cultured pearl *n. jubilerstwo* perła hodowlana.

culture medium *n. biol.* podłoże, pożywka (*dla kultury bakteryjnej*).

culture shock *n. socjol.* szok kulturowy.

culver ['kʌlvər] *n. arch. l. poet.* gołąb; gołębica.

culverin ['kʌlvərɪn] *n. broń, hist.* kolubryna, serpentyna.

culvert ['kʌlvərt] *n. bud.* **1.** przepust (*pod jezdnią, linią kolejową*). **2.** kanał kablowy.

cum [kʌm] *prep. Lat. w złoż.* i (zarazem); **barman-cum-waiter** barman i kelner (*w jednej osobie*); **kitchen-cum-dining room** połączenie kuchni z jadalnią, kuchnia połączona z jadalnią.

cu. m. *abbr.* = **cubic meter.**

cumber ['kʌmbər] *lit. v.* **1.** stać na przeszkodzie, zawadzać (*komuś l. czemuś*). **2.** obarczać (*sb with sth* kogoś czymś); *arch.* sprawiać kłopot (*komuś*), inkomodować. – *n.* = **cumbrance.**

cumbersome ['kʌmbərsəm] *a.* **1.** nieporęczny. **2.** nieefektywny. **3.** uciążliwy, kłopotliwy.

cumbersomely ['kʌmbərsəmlɪ] *adv.* nieporęcznie.

cumbersomeness ['kʌmbərsəmnəs] *n. U* nieporęczność.

cumbrance ['kʌmbrəns] *n. form.* **1.** przeszkoda, zawada; obciążenie. **2.** kłopot, niewygoda.

Cumbrian Mountains [ˌkʌmbrɪən 'mauntənz] *n. pl. geogr.* Góry Kumbryjskie (*w płn. Anglii*).

cumbrous ['kʌmbrəs] *a.* = **cumbersome.**

cumin ['kʌmɪn], **cummin** *n. U bot., kulin.* kmin, czarnuszka (*Cuminum cyminum*).

cum laude [kum 'laudɪ] *adv. i a. gł. US uniw.* z wyróżnieniem (*ocena końcowa*); **magna/summa ~** z wielkim/najwyższym wyróżnieniem.

cummerbund ['kʌmərˌbʌnd], **kummerbund** *n.* szarfa do smokingu.

cummin ['kʌmɪn] *n. rzad.* = **cumin.**

cumquat ['kʌmkwɑ:t], **kumquat** *n. bot., kulin.* kumkwat (*Fortunella*).

cumulate ['kju:mjəleɪt] *v.* **1.** = **accumulate. 2.** łączyć. – *a. attr.* łączny, skumulowany.

cumulation [ˌkju:mjə'leɪʃən] *n. U* kumulacja; nagromadzenie, skupienie.

cumulative ['kju:mjələtɪv] *a.* kumulacyjny; kumulatywny, skumulowany, łączny; **~ benefit/tax** *fin.* zysk/podatek skumulowany; **~ effect/impact/weight** łączny skutek/wpływ/znaczenie; **~ process** proces kumulacyjny (= *polegający na stopniowym gromadzeniu czegoś*); **be ~** kumulować się (*np. o skutkach*).

cumulative error *n. mat.* błąd sumaryczny.

cumulative evidence *n. U prawn.* łączna moc materiału dowodowego.

cumulatively ['kju:mjələtɪvlɪ] *adv.* kumulacyjnie; kumulatywnie, łącznie.

cumulativeness ['kju:mjələtɪvnəs] *n. U* kumulacyjność; kumulatywność.

cumulative poison *n. pat.* trucizna gromadząca się w organizmie.

cumulative voting *n. U polit.* głosowanie, w którym elektor dysponuje pulą głosów (*równą liczbie kandydatów z danego okręgu*).

cumulonimbus [ˌkju:mjəlou'nɪmbəs] *n. pl.* **-nimbi** *l.* **-nimbuses** (*także* **~ cloud**) *meteor.* cumulonimbus, chmura kłębiasta deszczowa.

cumulous ['kju:mjələs] *a. attr.* cumulusowy, kłębiasty (*o chmurze*).

cumulus ['kju:mjələs] *n. pl.* **cumuli** *l.* **-es** ['kju:mjələsɪz] **1.** (*także* **~ cloud**) *meteor.* cumulus, chmura kłębiasta. **2.** *anat.* wzgórek jajonośny.

cunctation [kʌŋk'teɪʃən] *n. U form.* zwłoka; zwlekanie, kunktatorstwo.

cunctative ['kʌŋktətɪv] *a. form.* kunktatorski; skłonny do zwlekania.

cunctator [kʌŋk'teɪtər] *n. form.* kunktator/ka.

cuneate ['kju:nɪeɪt] *a. gł. bot., anat.* klinowaty.

cuneately ['kju:nɪeɪtlɪ] *adv.* klinowato.

cuneiform ['kju:nɪˌfɔ:rm] *a.* **1.** *hist.* klinowy; **~ writing** pismo klinowe. **2.** *anat.* klinowaty. – *n.* **1.** *U hist.* pismo klinowe. **2.** *anat.* kość klinowata.

cunnilingus [ˌkʌnə'lɪŋgəs] *n. U* oralna stymulacja żeńskich narządów płciowych.

cunning ['kʌnɪŋ] *n. U* spryt, pomysłowość; *zw. uj.* przebiegłość, chytrość; **resort to low ~** uciekać się do niecnych sztuczek. – *a.* **1.** sprytny, zmyślny (*t. o urządzeniu*); *często uj.* przebiegły, chytry, podstępny; **~ old fox** *przen.* szczwany lis; **~ smile** chytry uśmieszek; **as ~ as a fox** przebiegły jak lis. **2.** *US przest. pot.* śliczny, uroczy.

cunningly ['kʌnɪŋlɪ] *adv.* sprytnie, zmyślnie; *uj.* przebiegle, chytrze, podstępnie.

cunningness ['kʌnɪŋnəs] *n. U* zmyślność; chytrość.

cunt [kʌnt] *n. obsc. sl.* **1.** pizda, cipa (*t. obelż. o osobie*); **you stupid ~!** *obelż.* ty głupia cipo!. **2.** *obelż.* dupa, cipa (= *kobieta jako obiekt seksualny*).

cup [kʌp] *n.* **1.** *często w złoż.* filiżanka; kubek; **~ and saucer** filiżanka ze spodkiem; **a ~ of tea/coffee** filiżanka herbaty/kawy; **coffee/tea ~** filiżanka do kawy/herbaty; **paper/polystyrene ~** kubek papierowy/styropianowy. **2.** (*także* **tea~**) = **cupful. 3.** czarka; *form.* kielich (*t. do eucharystii*); **egg-~** kieliszek do jajek. **4.** *sing. sport* puchar (*t. = zawody o puchar*); **the World C~** puchar świata; **~ competition** mistrzostwa, zawody pucharowe. **5.** *C/U Br.* poncz winny na zimno (*z dodatkiem owoców l. aromatycznych ziół*); **cider/claret ~** zimny poncz na bazie jabłecznika/bordeaux. **6.** miseczka (*stanika*); rozmiar miseczki; **wear a D ~** nosić stanik (typu) D. **7.** *techn.* panewka (*np. łożyska stożkowego*). **8.** (*także* **floral ~**) *bot.* dno kwiatowe. **9. the ~ of one's hand** zagłębienie dłoni. **10.** *przen.* **be in one's ~s** *Br. przest.* mieć w czubie; **bitter ~** czara goryczy; **it's not my ~ of tea** nie przepadam za tym; nie znam się na tym; **my ~ of joy is full/overflowing** *form.* przepełnia mnie radość. – *v.* **-pp-** **1. ~ one's hands** składać dłonie w miseczkę *l.* trąbkę (*around/round sth* wokół czegoś). **2.** ujmować, obejmować (*in/with sth* czymś); umieszczać, osadzać (*in sth* w zagłębieniu czegoś). **3.** *med.* stawiać bańki (*komuś*).

cupbearer ['kʌpˌberər] *n. hist.* podczaszy.

cupboard ['kʌbərd] *n.* **1.** kredens (*pomieszczenie l. mebel*); spiżarnia; szafa z półkami; **a lot of ~ space** dużo miejsca w szafach; **built-in ~** szafa wnękowa; **kitchen ~** szafka kuchenna. **2.** *przen.*

~ **love** *Br.* przypochlebianie się; **skeleton in the ~** *Br.* = **skeleton in the closet**; *zob.* **closet** *n.*; **the ~ is bare** pusto w kredensie (= *wyczerpały się środki l. zapasy*).

cupcake ['kʌpˌkeɪk] *n. US i Austr. kulin.* babeczka.

cupel ['kju:pl] *n.* **1.** *techn.* kupela (= *tygiel do oczyszczania metali szlachetnych*). **2.** kupelka (= *porowaty tygielek probierczy*). – *v.* **-l-** *Br.* **-ll-** *metal., probierstwo* kupelować.

cupellation [ˌkju:pə'leɪʃən] *n. U* kupelacja.

cup final *sport* finał mistrzostw; **the C~ F~** *piłka nożna* finał rozgrywek ligowych.

cupful ['kʌpˌfʊl] *n. gł. kulin.* szklanka, filiżanka (*miara objętości = ok. 1/4 l*).

Cupid ['kju:pɪd] *n.* **1.** *mit.* Amor, Kupidyn. **2. c~** amorek, kupidynek (*zwł. jako motyw plastyczny*).

cupidity [kjʊ'pɪdətɪ] *n. U form.* chciwość, zachłanność.

cuplike ['kʌpˌlaɪk] *a.* kubkowaty, miseczkowaty.

cupola ['kju:pələ] *n. pl.* **-s 1.** *bud.* kopułka, hełm; podniebienie kopuły. **2.** *wojsk.* kopuła wieży artyleryjskiej (*w fortyfikacjach lądowych*). **3.** (*także* **~ furnace**) *metal.* żeliwiak.

cupolaed ['kju:pələd], **cupolated** ['kju:pəˌleɪtɪd] *a. bud.* zwieńczony hełmem; zaopatrzony w kopułki.

cuppa ['kʌpə] *n. Br. pot.* filiżanka herbaty.

cupping glass ['kʌpɪŋ ˌglæs] *n. hist., med.* bańka.

cupreous ['kju:prɪəs] *a. form.* miedziowy; miedziany (*t. o kolorze*).

cupric ['kju:prɪk] *a. chem.* miedziowy.

cupriferous [kjʊ'prɪfərəs] *a. geol.* miedzionośny.

cuprite ['kju:praɪt] *n. U min.* kupryt.

cupronickel [ˌkju:prə'nɪkl] *n. U metal.* miedzionikiel, nikielina.

cuprotitanium [ˌkju:prətaɪ'teɪnɪən] *n. U metal.* miedziotytan.

cuprous ['kju:prəs] *a. chem.* miedziawy.

cup tie *n. Br. sport* mecz eliminacyjny (*w mistrzostwach*).

cupula ['kju:pələ] *n. pl.* **-ae** ['kju:pəli:] *anat.* osklepek.

cupular ['kju:pjələr], **cupulate** ['kju:pjəˌleɪt] *a.* **1.** *form.* = **cuplike**. **2.** *bot.* zaopatrzony w miseczkę.

cupule ['kju:pju:l] *n. bot.* miseczka (*np. żołędzia*).

cur [kɜ:] *n. przest. uj.* **1.** zły *l.* podstępny kundel. **2.** *przen.* parszywy pies (*o osobie*).

cur. *abbr.* **1.** *fin.* = **currency**. **2.** = **current**.

curability [ˌkjʊrə'bɪlətɪ] *n. U* uleczalność.

curable ['kjʊrəbl] *a.* uleczalny.

curably ['kjʊrəblɪ] *adv.* uleczalnie.

curaçao ['kju:rəˌsoʊ] *n. U* curaçao (= *likier pomarańczowy*).

curacy ['kjʊrəsɪ] *n. pl.* **-ies** *kość.* **1.** urząd *l.* godność wikariusza. **2.** wikariat.

curagh ['kɜ:ə] *n. Ir. i Scot. żegl.* = **currach**.

curare [kjʊ'rɑ:rɪ], **curari** *n.* **1.** *U* kurara. **2.** *bot.* kulczyba (*Strychnos toxifera*).

curarine ['kjʊərəˌri:n] *n. U chem., med.* kuraryna.

curarize ['kjʊrəˌraɪz], *Br.* **curarise** *n.* **1.** porazić za pomocą kurary. **2.** *med.* leczyć kurarą *l.* kuraryną.

curassow ['kjʊrəˌsoʊ] *n. orn.* czubacz (*rodzina Cracidae*); **great ~** czubacz rudy (*Crax rubra*).

curate ['kjʊrɪt] *n.* **1.** *kość.* wikariusz, wikary; **(perpetual) ~** (*także* **~-in-charge**) duchowny zarządzający parafią (= *pełniący obowiązki proboszcza*). **2. a/the ~'s egg** *Br. przen., iron.* jajeczko częściowo nieświeże (= *coś, co ma pewne dobre strony, ale ogólnie jest kiepskie*).

curative ['kjʊrətɪv] *a. i n. med.* (środek) leczniczy.

curatively ['kjʊrətɪvlɪ] *adv.* leczniczo.

curator [kjʊ'reɪtər] *n.* **1.** kustosz/ka (*muzeum, galerii, biblioteki*). **2.** *gł. Scot. prawn.* opiekun/ka prawn-y/a osoby niepełnoletniej.

curatorial [ˌkjʊrə'tɔ:rɪəl] *a.* kustoszowski; **~ department** dział muzeum.

curatorship [kjʊ'reɪtərˌʃɪp] *n. U* funkcja kustosza, kustoszostwo.

curb [kɜ:b] *n.* **1.** *jeźdz.* (*także* **~ bit**) munsztuk; (*także* **~ chain**) łańcuszek munsztuka, podbródek; **~ rein** wodze munsztukowe. **2.** ograniczenie (*on sth* czegoś); cugle (*przen.*); **put/keep a ~ on sth** brać coś w karby; trzymać coś na wodzy. **3.** (*także Br.* **kerb**) krawężnik. **4.** *bud.* obmurowanie. **5.** *wet.* zajęczak (= *twarda narośl na stawie skokowym konia*). – *v.* **1.** *t. przen.* trzymać na wodzy; brać w karby, ograniczać. **2.** trzymać przy krawężniku (*psa prowadzonego na smyczy*).

curb-crawling ['kɜ:bˌkrɔ:lɪŋ] *n. U* wolna jazda samochodem wzdłuż chodnika (*dla nawiązania kontaktu z przechadzającą się prostytutką*).

curbing ['kɜ:bɪŋ] *n. bud.* materiał na krawężnik.

curb launch *n. deskorolka* wyskok z krawężnika.

curbstone ['kɜ:bˌstoʊn] *n. bud.* kamień krawężnikowy.

curcuma ['kɜ:kjʊmə] *n. bot.* kurkuma, żółcień (*Curcuma*).

curcumin ['kɜ:kjʊmɪn] *n. U chem.* kurkumina.

curd [kɜ:d] *n. zw. pl.* skrzep mleka, twarożek; serek; twarogowaty *l.* kłaczkowaty osad; **~s and whey** zsiadłe mleko; **soya-bean ~** twarożek sojowy, tofu; **~ cheese** ser twarogowy śmietankowy. – *v.* ścinać, zwarzyć (*mleko*); zsiadać się (*o mleku*).

curdle ['kɜ:dl] *v.* **1.** ścinać (się); zsiadać się. **2. make sb's blood ~** (*także* **~ sb's blood**) *przen.* mrozić komuś krew w żyłach.

curdy ['kɜ:dɪ] *a.* **-ier, -iest** twarogowaty; zsiadły (*o mleku*); ścięty, zwarzony.

cure [kjʊr] *n.* **1.** *t. przen.* lekarstwo (*for sth* na coś). **2.** *C/U* wyleczenie, uzdrowienie; kuracja, leczenie; **effect/work a ~** spowodować wyleczenie; **take the ~** *przest.* jeździć do wód (*dla podreperowania zdrowia*). **3.** *kość.* probostwo (*t.* =

parafia, prebenda); **obtain/resign a ~** otrzymać probostwo/zrezygnować z probostwa; (*także* **the ~ of souls**) *form.* posługa duchowa (*t.* = *uprawnienia kapłańskie proboszcza parafii*). **4.** *U kulin.* peklowanie; solenie; wędzenie. **5.** *U techn.* wulkanizacja; utwardzanie (*tworzywa sztucznego, betonu*). **6. an ounce of prevention is worth a pound of ~** (*także* **prevention is better than ~**) *zob.* **prevention.** – *v.* **1.** *t. przen.* wyleczyć (*chorobę l. chorego*), kurować; uzdrawiać; **~ sb of sth** *t. przen.* wyleczyć kogoś z czegoś. **2.** *gł. kulin.* marynować (*mięso*), peklować; zasolić; wędzić (*t. tytoń*); marynować *l.* peklować się (*o mięsie, rybach*); wędzić się. **3.** *techn. l. chem.* poddawać obróbce chemicznej (*w celu uszlachetnienia*); wulkanizować; utwardzać (*tworzywo sztuczne, żywicę, spoiwo, beton*). **4. kill or ~** *przen.* wóz albo przewóz.

curé [kjʊ'reɪ] *n. kośc.* proboszcz katolicki (*we Francji*).

cure-all ['kjʊrˌɔ:l] *n. przen.* lekarstwo na wszystko, panaceum (*for sth* na coś).

cureless ['kjʊrləs] *a. rzad.* nieuleczalny.

curer ['kjʊrər] *n.* uzdrowiciel/ka.

curettage [ˌkjʊrə'tɑ:ʒ], **curettement** [kjʊ'retmənt] *n. U chir.* łyżeczkowanie; **dilation and ~** *zob.* **dilation.**

curette [kjʊ'ret] *chir. n.* łyżeczka, skrobaczka. – *v.* łyżeczkować, wyskrobywać.

curfew ['kɝ:fju:] *n. sing.* **1.** godzina policyjna; **after ~** po godzinie policyjnej; **impose/enforce a ~** zarządzić *l.* wprowadzić godzinę policyjną; **lift/end a ~** znieść godzinę policyjną; **there's a ~ from ten till seven** od dziesiątej do siódmej obowiązuje godzina policyjna. **2.** *hist.* wieczorne wezwanie do wygaszania ognia (*zw. za pomocą bicia w dzwon*); pora wieczornego spoczynku i gaszenia świateł; (*także* **~ bell**) dzwon wzywający do wygaszania ognia.

curia ['kjʊrɪə] *n. pl.* **-ae** ['kjʊrɪi:] *kośc. l. hist.* kuria.

curial ['kjʊrɪəl] *a.* kurialny.

curie ['kjʊrɪ] *n. fiz.* kiur (=*jednostka aktywności ciała promieniotwórczego*).

Curie point ['kjʊrɪ ˌpɔɪnt], **Curie temperature** ['kjʊrɪ ˌtemprətʃər] *n. fiz.* punkt *l.* temperatura Curie.

curio ['kjʊrɪˌoʊ] *n. pl.* **-s** perełka kolekcjonerska, rarytas.

curiosa [ˌkjʊrɪ'oʊsə] *n. pl.* **1.** osobliwości. **2.** kurioza bibliofilskie, białe kruki (*zwł. o tematyce erotycznej*).

curiosity [ˌkjʊrɪ'ɑ:sətɪ] *n. pl.* **-ies 1.** *U l. sing.* ciekawość (*about sth* czegoś); zaciekawienie; dociekliwość; **~ killed the cat** *przen.* ciekawość to pierwszy stopień do piekła; **~ to know/learn sth** chęć poznania/dowiedzenia się czegoś; **burn/burst with ~** *przen.* pękać z ciekawości; **out of (idle) ~** z (pustej) ciekawości; **satisfy one's ~** zaspokoić ciekawość. **2.** *U* kuriozalność, osobliwość; **this object has ~ value** wartość tego przedmiotu polega na jego osobliwości. **3.** ciekawostka, osobliwość; kuriozum. **4.** *uj.* dziwoląg.

curious ['kjʊrɪəs] *a.* **1.** ciekawy; zaciekawiony; *pred.* ciekaw (*about sth* czegoś); **be ~ to see/hear sth** chcieć coś zobaczyć/usłyszeć. **2.** *uj.* ciekawski. **3.** dziwny, zastanawiający; osobliwy, niecodzienny; **look ~** wyglądać dziwnie. **4.** *lit.* kunsztowny. **5.** *arch.* wybredny.

curiously ['kjʊrɪəslɪ] *adv.* **1.** ciekawie, z zaciekawieniem. **2.** dziwnie, osobliwie. **3.** *lit.* kunsztownie. **4. ~ (enough),...** co ciekawe,...

curiousness ['kjʊrɪəsnəs] *n. U* **1.** ciekawość. **2.** niezwykłość.

curium ['kjʊrɪəm] *n. U chem.* kiur (*pierwiastek*).

curl [kɝ:l] *n.* **1.** lok, loczek, kędzior; **fall in ~s** opadać lokami. **2.** spirala, kręta strużka (*np. dymu*), spiralna strużyna; zawirowanie. **3. a ~ of one's mouth/lip** skrzywienie ust/warg. **4.** *alg.* rotacja, wirowość (*pola wektorowego*). **5.** *bot., pat.* kędzierzawka (*choroba roślin*). – *v.* **1. ~ (up)** zwijać w loki, zakręcać (*włosy*); podkręcać; powodować zwinięcie *l.* zmarszczenie (*np. papieru, liści*); skręcać się spiralnie, zwijać się. **2.** wić się (*o strużce dymu, pnączu*); tworzyć zawirowania. **3. ~ one's lip** wykrzywić wargi, skrzywić się (*na znak pogardy*). **4.** *przen. pot.* **make sb's hair ~** sprawiać, że włosy stają komuś dęba (*ze strachu*); **make sb's toes ~** wprawiać kogoś w zażenowanie *l.* zakłopotanie. **5. ~ up** zwijać się w kłębek (*o człowieku l. zwierzęciu*); *t. przen.* skręcać się (*z bólu, zażenowania, śmiechu*); **make sb ~ up** (*także* **~ sb up**) *przen. pot.* doprowadzać kogoś do konwulsji; **I wanted to ~ up and die** *przen. pot.* chciałam się zapaść pod ziemię. **6.** *sport* grać w curling.

curler ['kɝ:lər] *n.* **1.** lokówka, wałek (do włosów). **2.** *sport* gracz w curling.

curlew ['kɝ:lu:] *n. orn.* kulik (*Numenius*); **long-billed ~** kulik długodzioby (*Numenius americanus*).

curlicue ['kɝ:ləˌkju:], **curlycue** *n.* zawijas, esflores.

curliness ['kɝ:lɪnəs] *n. U* kędzierzawość; skręcenie.

curling ['kɝ:lɪŋ] *n. U sport* curling.

curling tongs, *Br. t.* **curling iron(s)** *n. pl.* lokówka elektryczna; *hist.* żelazko *l.* szczypce do kręcenia włosów.

curlpaper ['kɝ:lˌpeɪpər] *n.* papilot.

curly ['kɝ:lɪ] *a.* **-ier, -iest** kędzierzawy (*o włosach, liściach*); pozwijany, poskręcany, spiralny.

curlycue ['kɝ:ləˌkju:] *n.* = **curlicue.**

curmudgeon [kər'mʌdʒən] *n. przest.* mruk, ponurak; sknera.

curmudgeonly [kər'mʌdʒənlɪ] *a.* mrukowaty, ponury.

currach ['kɝ:ə], **curagh, curragh** *n. Ir. i Scot. żegl.* łódź celtycka (*z wiklinowym szkieletem obciągniętym skórą*).

currant ['kɝ:ənt] *n.* **1.** *zw. pl. kulin.* koryntka (= *drobna rodzynka bezpestkowa*). **2.** porzeczka (*bot.* = *Ribes*); **American black ~** porzeczka (czarna) amerykańska (*Ribes americanum*); **black/golden ~** porzeczka czarna/złocista (*Ribes nigrum / aureum*); **red/white ~** porzeczka czerwona/biała (*mieszańce hodowlane R. rubrum, R. sativum i in.*).

currency ['kɝ:ənsɪ] *n.* **1.** *C/U* waluta, środek płatniczy; **gold/paper ~** waluta złota/papierowa. **2.** *U* obieg, cyrkulacja; powszechność (*poglądu, wyrażenia*); rozgłos; trwanie, pozostawanie w obiegu; ważność, aktualność; **enjoy brief/long/wide ~** cieszyć się krótkotrwałą/długotrwałą/szeroką popularnością; **gain ~** szerzyć się; **give ~ to sth** nadawać czemuś rozgłos.

currency crisis *n. ekon.* kryzys walutowy.

current ['kɝ:ənt] *a.* **1.** bieżący; obecny, aktualny. **2.** obiegowy (*o walucie, opinii*); pozostający w obiegu, nadal istniejący; **be no longer ~** wyjść z użycia. **3.** potoczny; powszechny, ogólnie przyjęty, rozpowszechniony. – *n.* **1.** prąd (*wodny, powietrzny, morski*), przepływ; *t. przen.* nurt; **tidal ~** *hydrol.* prąd pływowy; **with/against the ~** *t. przen.* z prądem/pod prąd. **2.** *przen.* bieg (*of sth* czegoś). **3.** prąd elektryczny; *pot.* światło (= *elektryczność*); **direct/alternating ~** (*także* **AC/DC**) *el.* prąd stały/zmienny.

current account *n.* **1.** *Br. bank* rachunek bieżący *l.* rozliczeniowy. **2.** *ekon.* bilans obrotów bieżących.

current affairs *n. pl.* aktualności, bieżące wydarzenia (*zwł. polityczne*).

current assets *n. pl. fin.* środki obrotowe.

current density *n. U fiz.* gęstość prądu.

current expenditure *n. fin.* wydatki bieżące.

currently ['kɝ:əntlɪ] *adv.* obecnie, aktualnie.

currentness ['kɝ:əntnəs] *n. rzad.* pozostawanie w obiegu; powszechność.

curricle ['kɝ:ɪkl] *n. hist.* karykiel (= *dwukółka spacerowa*).

curricula [kə'rɪkjələ] *n. pl. zob.* **curriculum.**

curricular [kə'rɪkjələr] *a. attr. szkoln.* programowy, dotyczący programu nauczania (*np. o zmianach, innowacjach*); znajdujący się w programie nauczania, przewidziany programem, obowiązkowy (*o przedmiotach, zajęciach*); **extra-~** nadobowiązkowy.

curriculum [kə'rɪkjələm] *n. pl.* **curricula** [kə'rɪkjələ] *l.* **-s** *szkoln. uniw.* program zajęć *l.* nauczania (*t.* = *lista przedmiotów*); **core ~** *zob.* **core.**

curriculum vitae, CV [ˌsi: 'vi:] *n. pl.* **curriculum vitaes** *l.* **curricula vitae** **1.** *Br.* życiorys (*dołączany do podania*). **2.** *US uniw.* życiorys (kandydata na) nauczyciela akademickiego (*zawierający listę publikacji*).

curried ['kɝ:ɪd] *a. zw. attr. kulin.* w sosie curry; z (dodatkiem) curry.

currier ['kɝ:ɪər] *n.* **1.** *garbarstwo* pracownik wykańczający skórę. **2.** *jeźdz. rzad.* masztalerz.

currish ['kɝ:ɪʃ] *a. przest.* wredny.

curry¹ ['kɝ:ɪ] *n. pl.* **-ies** **1.** *kulin.* curry (*danie*); **chicken ~** curry z kurczaka, kurczak w sosie curry. **2.** *U* curry (*przyprawa w formie proszku, sosu l. przecieru*). **3. give sb ~** *Austr. sl.* dać komuś popalić. – *v. kulin.* przyprawiać curry.

curry² *v.* **1.** trzepać (*w celu oczyszczenia*). **2.** *jeźdz.* czyścić zgrzebłem (*konia*). **3.** *garbarstwo* wykańczać (*skórę*). **4. ~ favor with sb** *zob.* **favor** *n.* 2.

currycomb ['kɝ:ɪˌkoʊm], **curry-comb** *n. jeźdz.* zgrzebło.

curry powder *n. U kulin.* (przyprawa) curry (*w proszku*).

curse [kɝ:s] *n.* **1.** *t. przen.* przekleństwo. **2.** klątwa (*t. kośc.* = *ekskomunika*); zaklęcie; **be under a ~** być dotkniętym klątwą; **lift a ~** zdjąć klątwę (*from sb* z kogoś); **put a ~ on/upon sb** (*także* **put sb under a ~**) rzucić na kogoś klątwę *l.* zaklęcie. **3. the ~** *przest. euf. pot.* ciotka (= *miesiączka*). – *v.* **1.** kląć, przeklinać; miotać przekleństwa (*at sb / sth* na kogoś/coś). **2.** przeklinać (*sb / sth for (doing) sth* kogoś/coś za coś); złorzeczyć (*komuś l. czemuś*). **3.** rzucić klątwę na; *t. kośc.* wykląć.

cursed ['kɝ:səd; kɝ:st] *arch.* **curst** [kɝ:st] *a.* **1.** *lit. l. żart.* przeklęty (= *obłożony klątwą*); **~ with sth** *przen.* pokarany czymś przez los. **2.** *attr. przest. pot.* przeklęty, cholerny.

cursedly ['kɝ:sədlɪ] *adv. przest. pot.* piekielnie, sakramencko.

curser ['kɝ:sər] *n.* osoba rzucająca klątwę.

cursive ['kɝ:sɪv] *a.* kursywny (*o stylu pisma l. czcionki*). – *n.* **1.** *U* kursywa (= *styl pisma odręcznego*); *druk.* pisanka. **2.** *hist.* manuskrypt napisany kursywą.

cursively ['kɝ:sɪvlɪ] *adv.* kursywą (*pisany*); z łączeniem liter.

cursor ['kɝ:sər] *n.* **1.** *komp.* kursor. **2.** *techn.* przesuwka, ruchome okienko (*np. suwaka logarytmicznego*).

cursorial [kɝ:'sɔ:rɪəl] *a. zool.* biegający (*o zwierzętach dwunożnych, zwł. ptakach*); przystosowany do biegania.

cursorily ['kɝ:sərɪlɪ] *adv.* pobieżnie.

cursoriness ['kɝ:sərɪnəs] *n. U* pobieżność.

cursory ['kɝ:sərɪ] *a.* pobieżny.

curst [kɝ:st] *a. arch.* = **cursed.**

curt [kɝ:t] *a.* **1.** krótki, lakoniczny, zwięzły. **2.** bezceremonialny, obcesowy (*with sb* wobec kogoś).

curtail ['kɝ:teɪl] *v. form.* skracać (*t.* = *kończyć wcześniej*); obcinać, redukować; ograniczać.

curtailment ['kɝ:teɪlmənt] *n. U* skrócenie; ograniczenie.

curtail step *n. bud.* poszerzony i zaokrąglony stopień (*u podnóża schodów*).

curtain ['kɝ:tən] *n.* **1.** *t. przen.* zasłona (*np. deszczu, mgły, tajemnicy*); **draw the ~s** zaciągać zasłony; odsłaniać zasłony; *przen.* spuszczać zasłonę (*on / upon sth* na coś); **lace/net ~s** firanki; **shower ~** zasłona prysznicowa. **2.** *teatr l. przen.* kurtyna (*przen.* = *koniec*); **after the (final) ~** po przedstawieniu; **have a 7.30 ~ (time)** zaczynać się o 7:30 (*o przedstawieniu w teatrze*); **ring up/down the ~ (on sth)** dawać sygnał do podniesienia/opuszczenia kurtyny (przed/po czymś); *przen.* oznajmiać rozpoczęcie/koniec (czegoś); **the ~ goes up/rises** kurtyna idzie w górę/podnosi się; **the ~ falls** kurtyna opada; **the ~ has fallen** *lit.* kurtyna opadła (*on / upon sth* na coś); **the final ~** ostatni spektakl; *przen.* ostatnia odsłona; **the Iron C~**

hist. przen. żelazna kurtyna. **3.** *pl. pot.* szlus, mogiła; **it's ~s for us/you** już po nas/tobie. – *v.* **1.** ~ **(off)** oddzielić zasłoną. **2.** *rzad.* zaopatrzyć w zasłony *l.* firanki.

curtain call *n. teatr* wywołanie przed kurtynę (*aktora, wykonawcy*); **take a** ~ wychodzić przed kurtynę, zostać wywołanym oklaskami.

curtain hook *n.* żabka (*do wieszania zasłon na karniszu*).

curtain lecture *n. żart.* połajanka małżeńska (*na osobności*).

curtain rail *n.* karnisz.

curtain-raiser [ˈkɝːtənˌreɪzər] *n.* **1.** *teatr* jednoaktówka grana przed głównym przedstawieniem. **2.** *przen.* przygrywka (*for/to sth* do czegoś).

curtana [kɝːˈteɪnə] *n. Br.* stępiony miecz koronacyjny (*symbolizujący miłosierdzie*).

curtilage [ˈkɝːtəlɪdʒ] *n. form.* obejście (= *podwórze i gospodarstwo*).

curtly [ˈkɝːtlɪ] *adv.* zwięźle, krótko; bez ceregieli, prosto z mostu.

curtness [ˈkɝːtnəs] *n.* zwięzłość; bezceremonialność.

curtsy [ˈkɝːtsɪ], **curtsey** *n.* dyg, dygnięcie; **make/drop/bob a** ~ robić *l.* składać dyg, dygać (*to sb* przed kimś). – *v.* **curtsies** *l.* **curtseys** *pret. i pp.* **curtsied** *l.* **curtseyed** dygać (*to sb* przed kimś).

curvaceous [kɝːˈveɪʃəs], **curvacious** *a.* pełen krzywizn *l.* zaokrągleń (*o kształcie ciała, budowli*); *pot.* zmysłowo zaokrąglona (*o kobiecie*).

curvaceously [kɝːˈveɪʃəslɪ] *adv.* z zaokrągleniami; *pot.* ponętnie, zmysłowo.

curvaceousness [kɝːˈveɪʃəsnəs] *n.* zaokrąglenie; *pot.* ponętne krągłości, zmysłowość (*kształtów*).

curvature [ˈkɝːvətʃər] *n. C/U* krzywizna, wygięcie, zakrzywienie; ~ **of the spine** *pat.* skrzywienie kręgosłupa; **center/radius of** ~ *mat.* środek/promień krzywizny.

curve [kɝːv] *n.* **1.** *mat.* krzywa (*pot.* = *wykres, przebieg zależności*); **bell/Gaussian/normal** ~ *stat.* krzywa Gaussa, krzywa rozkładu normalnego; **unemployment** ~ krzywa bezrobocia. **2.** (*także* **drawing/French** ~) krzywik kreślarski. **3.** zakręt, łuk; krzywizna, zaokrąglenie. – *v.* **1.** wyginać (się). **2.** zakręcać; zataczać łuk.

curved [kɝːvd] *a.* wygięty, krzywy (*np. o ostrzu*).

curvedly [ˈkɝːvɪdlɪ] *adv.* krzywo, łukowato.

curvedness [ˈkɝːvɪdnəs] *n. U* wygięcie.

curvet [kərˈvet] *jeźdź. n.* kurbeta (*rodzaj skoku*). – *v.* **-tt-** *l.* **-t-** wykonywać kurbetę (*o koniu l. jeźdźcu*).

curvilinear [ˌkɝːvəˈlɪnɪər] *a.* krzywoliniowy (*t. o ruchu*).

curvilinearity [ˌkɝːvəˌlɪnɪˈerətɪ] *n. U* krzywoliniowość.

curvilinearly [ˌkɝːvəˈlɪnɪərlɪ] *adv.* krzywoliniowo, po krzywej.

curvy [ˈkɝːvɪ] *a.* **-ier, -iest** *pot.* **1.** falisty, powyginany. **2.** = **curvaceous**.

cusec [ˈkjuːsek] *n. miern.* stopa sześcienna na sekundę (*jednostka przepływu*).

cushat [ˈkʌʃət] *n. Br. dial.* (gołąb) grzywacz.

cushaw [kəˈʃɔː] *n. bot., kulin.* dynia piżmowa (*Cucurbita moschata*).

cushily [ˈkʊʃɪlɪ] *adv. pot.* komfortowo.

cushiness [ˈkʊʃɪnəs] *n. U pot.* komfort, wygoda (życiowa).

cushion [ˈkʊʃən] *n.* **1.** poduszka (*ozdobna, do siedzenia l. wyściełania mebli; przen.* = *coś miękkiego; techn.* = *amortyzator itp.; często w złoż.*); **air** ~ *techn.* poduszka powietrzna *l.* pneumatyczna; **pin-**~ poduszeczka do szpilek. **2.** *przen.* asekuracja, zabezpieczenie (*against sth* przed czymś). **3.** *bilard* banda. **4.** *bud.* głowica kostkowa (*np. w architekturze romańskiej*). – *v.* **1.** mościć poduszkami; wyściełać. **2.** *t. techn.* amortyzować (*np. pneumatycznie l. hydraulicznie*), łagodzić (*cios, impet, wstrząsy*). **3.** chronić (*against/from sth* przed czymś).

cushiony [ˈkʊʃənɪ] *a.* poduszkowaty.

cushy [ˈkʊʃɪ] *a.* **-ier, -iest** *pot., zw. uj. l. iron.* komfortowy (*zwł.* = *nie wymagający wysiłku*); ~ **job** ciepła posadka; **get o.s. a** ~ **(little) number** *Br.* urządzić się komfortowo (= *znaleźć łatwą pracę*).

cusp [kʌsp] *n.* **1.** czubek, ostre zakończenie; róg (*sierpa księżyca*); *mat., bud.* ostrze (*krzywej, łuku*); *bot.* szczyt (*liścia*). **2.** *anat.* guzek (*korony zęba*). **3.** *anat.* płatek (*przegrody serca*).

cuspate [ˈkʌspɪt], **cuspated** [ˈkʌspeɪtɪd], **cusped** [kʌspt] *a. form.* spiczasty, zakończony ostrzem.

cuspid [ˈkʌspɪd] *n. anat.* ząb jednoguzkowy; kieł.

cuspidal [ˈkʌspɪdl], **cuspidate** [ˈkʌspɪˌdeɪt], **cuspidated** [ˈkʌspɪˌdeɪtɪd] *a.* **1.** *bot.* długo zaostrzony (*o liściu*). **2.** *anat.* guzkowaty. **3.** = **cuspate**.

cuspidor [ˈkʌspɪˌdɔːr] *n. US euf.* spluwaczka.

cuss [kʌs] *n. pot.* **1.** przekleństwo; **not give a** ~ *przen.* gwizdać sobie (*about sth* na coś). **2.** (*z przymiotnikami*) stworzenie, bydlę (*t. z irytacją o człowieku*); **awkward (old)** ~ (stary) niedołęga. – *v. pot.* kląć, przeklinać.

cussed [ˈkʌsɪd] *a. pot.* **1.** *attr.* przeklęty, cholerny. **2.** uparty; przekorny.

cussedly [ˈkʌsɪdlɪ] *adv. pot.* **1.** cholernie. **2.** z uporem; przekornie.

cussedness [ˈkʌsɪdnəs] *n. U pot.* maniacki upór; robienie na złość.

custard [ˈkʌstərd] *n. kulin.* **1.** *U zwł. Br.* krem budyniowy. **2.** (*także* **baked** ~) ciasto z kremem budyniowym.

custard apple *n. bot., kulin.* flaszowiec siatkowaty (*Annona reticulata*); jakakolwiek roślina z rodziny papajowatych (*Annonaceae*).

custard pie *n. kino* placek z kremem (*sztucznym, do obrzucania się w komediach sytuacyjnych*).

custard-pie humor [ˌkʌstərdˌpaɪ ˈhjuːmər] *n. U* slapstick, humor farsowy.

custard powder *n. U Br. i Austr. kulin.* budyń (*w proszku*).

custodial [kəˈstoʊdɪəl] *a.* **1.** *form.* sprawujący pieczę *l.* dozór. **2.** *prawn.* dotyczący aresztu *l.* więzienia.

custodial care *n. U* dozór nad pensjonariuszami (*w domu opieki*).

custodial parent *n. prawn.* rodzic będący prawnym opiekunem dziecka.

custodial sentence *n. prawn.* kara pozbawienia wolności.

custodian [kə'stoʊdɪən] *n.* **1.** dozor-ca/czyni, strażni-k/czka (*t. w służbie więziennej*). **2.** kustosz/ka. **3.** ~ **of the status quo/of public morals** *przen.* strażnik *l.* obrońca zastanego porządku/moralności publicznej.

custodianship [kə'stoʊdɪən,ʃɪp] *n. U* **1.** funkcja strażnika *l.* dozorcy. **2.** dozór, opieka.

custody ['kʌstədɪ] *n. U* **1.** *prawn. l. form.* opieka (*zwł. przyznana sądownie*); piecza; kuratela; **give/grant/award the mother/father** ~ **of the child** *prawn.* powierzyć matce/ojcu opiekę nad dzieckiem; **in the** ~ **of sb** (*także* **in sb's** ~) *form.* pod czyjąś opieką. **2.** areszt; **(hold/remand sb) in** ~ (trzymać/zatrzymać kogoś) w areszcie; **take sb into** ~ aresztować kogoś.

custom ['kʌstəm] *n.* **1.** zwyczaj, obyczaj (*of doing sth* robienia czegoś); *U* tradycja; **as was her** ~ *lit.* (tak,) jak to miała w zwyczaju; **by** ~ (*także* **according to the** ~) zgodnie ze zwyczajem; **slave to** ~ *przen.* niewolni-k/czka tradycji. **2.** (*także* ~ **and practice**) *prawn.* prawo zwyczajowe. **3.** *U form. zwł. Br.* stałe korzystanie z usług (*sklepu l. firmy*); (*zbiorowo*) klientela; **have/lose sb's** ~ pozyskać/stracić kogoś jako stałego klienta; **take away** ~ **from sb/sth** odbierać klientów komuś/czemuś; **thank you for your** ~dziękujemy za korzystanie z naszych usług (*napis w sklepie itp.*); **withdraw one's** ~ (*także* **take one's** ~ **elsewhere**) zrezygnować z czyichś usług – *a. attr.* **1.** = **custom-built/made**. **2.** *handl.* specjalizujący się w produktach wykonywanych na zamówienie.

customable ['kʌstəməbl] *a.* podlegający opłacie celnej.

customarily ['kʌstə,merɪlɪ] *adv.* zwyczajowo, jak nakazuje obyczaj.

customariness ['kʌstə,merɪnəs] *n. U* zgodność z panującym zwyczajem.

customary ['kʌstə,merɪ] *a.* **1.** przyjęty, zgodny z panującym zwyczajem; *t. prawn.* zwyczajowy; wynikający z tradycji; **it's** ~ **for sb to do sth** przyjęło się, że ktoś coś robi. **2.** zwykły (*w danej sytuacji*); typowy (*dla kogoś*); **she reacted with her** ~ **calm** zareagowała z typowym dla siebie spokojem. **3.** *prawn.* posiadany na mocy prawa zwyczajowego; ~ **constitution** *zwł. Br. polit.* zwyczajowe prawo konstytucyjne; ~ **usage** zwyczaj międzynarodowy (= *powszechna praktyka państw, uznawana za prawo*). – *n. pl.* **-ies** *prawn.* zbiór praw i praktyk zwyczajowych (*zwł. w formie spisu*).

custom-built [,kʌstəm'bɪlt] *a. handl.* zbudowany *l.* wykonany na zamówienie (*zwł. o domu, samochodzie*).

customer ['kʌstəmər] *n.* **1.** klient/ka; **regular** ~ stał-y/a klient/ka. **2.** *pot.* gość, typ; **cool** ~ *zob.* **cool** *a.* 4; **queer/tough** ~ dziwny/twardy gość.

customer services, customer service department *n. handl.* dział obsługi klienta.

custom house *n.* = **customs house.**

customization [,kʌstəmaɪ'zeɪʃən], *Br. i Austr. zw.* **customisation** *n. U* dostosowanie do potrzeb klienta *l.* użytkownika.

customize ['kʌstə,maɪz], *Br. i Austr. zw.* **customise** *v.* dostosowywać do potrzeb klienta *l.* użytkownika.

custom-made [,kʌstəm'meɪd] *a. handl.* wykonywany *l.* szyty na zamówienie (*zwł. o odzieży i obuwiu*).

customs ['kʌstəmz] *n. pl. i sing.* **1.** cło, taryfa celna. **2.** (*także* ~ **check**) kontrola celna (*punkt kontrolny l. czynność*); **clear** ~ przejść kontrolę celną. **3.** *admin.* urząd ceł.

Customs and Excise *n. Br. admin.* Główny Urząd Celno-Podatkowy.

customs house, custom house *n.* komora celna.

customs officer *n.* celni-k/czka, urzędni-k/czka celn-y/a.

customs search *n.* przeszukanie przez celników.

customs union *n. polit.* unia celna.

cut [kʌt] *v.* **-tt-** *pret. i pp.* **cut** **1.** kroić (*t. ubranie*); odkrawać; ~ **(sb) a piece of bread** ukroić (komuś) kawałek chleba; ~ **sth in half/two** przekroić coś na pół; ~ **sth into quarters/pieces/cubes** pokroić coś na ćwiartki/na kawałki/w kostkę. **2.** ciąć (*t. = piłować*); odcinać (*from sth* od czegoś); *t. geom.* przecinać; ścinać, obcinać, przycinać (*t. włosy, paznokcie*); strzyc (*włosy, żywopłot*); **have/get one's hair** ~ (dać sobie) obciąć włosy. **3.** siekać; rąbać; rżnąć (*t. szkło*); podcinać, podrzynać; *szerm.* siec. **4.** żąć, kosić. **5.** wydobywać, uwalniać (*tnąc l. piłując*) (*from sth* skądś). **6.** ryć, rzeźbić. **7.** *jubilerstwo* szlifować. **8.** kroić się, ciąć się (*o mięsie, drewnie itp. = dawać się ciąć*). **9.** wbijać się, wgryzać się (*o narzędziu*) (*into sth* w coś); przekopywać (*podkop, kanał*); (*także* ~ **one's way**) wyrąbywać *l.* przekopywać sobie drogę (*through sth* przez coś). **10.** zamachnąć się (*ostrym narzędziem*) (*at sb* na kogoś); dźgać, uderzać (*ostrym narzędziem*) (*at sth* w coś); ugodzić. **11.** kaleczyć, ranić (*t. przen. - słowami*); ~ **o.s.** skaleczyć się (*on sth* czymś); ~ **one's finger** skaleczyć się w palec; ~ **one's head open** rozciąć *l.* rozbić sobie głowę. **12.** ścinać (*zakręt, piłkę*); iść na skróty (*across / through sth* przez coś, *along sth* wzdłuż czegoś); ~ **corners** ścinać zakręty; *przen.* iść na łatwiznę. **13.** odłączać; wyłączać (*światło, prąd, silnik*). **14.** wyrzynać się (*o zębach*); ~ **teeth/a tooth** ząbkować (*o dziecku*); ~ **one's teeth on sth** *przen. pot.* wprawiać się na czymś; uczyć się czegoś od początku. **15.** *muz. pot.* nagrywać. **16.** *wet.* trzebić, kastrować. **17.** *karty* przekładać (*talię*); ciągnąć karty; ~ **for dealer** losować rozdającego. **18.** wycinać (*t. fragment tekstu, scenę*), usuwać (*from sth* z czegoś). **19.** obcinać, okrawać, redukować (*by...* o..., *from... to...* z... do...). **20.** wtrącać się (*into sth* do czegoś). **21.** rozcieńczać (*alkohol, farbę*) (*with sth* czymś); rozpuszczać (*np. tłuszcz; o środkach* *czyszczących*). **22.** *film* robić cięcie *l.* przejście (*from A to B* od A do B); montować (*film*); ~! cięcie! (= *koniec ujęcia*). **23.** *sl.* przerwać, skończyć; ~ **the chatter!** koniec gadania!; ~ **the crap!** przestań pieprzyć!; ~ **the kidding!** przestań robić sobie jaja!. **24.** *przen.* ~ **a dash** *zwł. Br.* zachowywać się *l.* ubierać się w sposób zwracający uwagę; robić (duże) wrażenie; ~ **a fine/sorry figure** robić korzystne/żałosne wrażenie; ~ **across boundaries/divisions/lines** przekraczać granice *l.* podziały; ~ **and run** *sl.* dać drapaka, zwiać; ~ **both/two ways** działać w obie strony (*o obosiecznym argumencie*); mieć dwojakie skutki; ~ **capers/a caper** *zob.* **caper**[1] *n.* 4; ~ **class/school** *US pot.* urywać się z zajęć *l.* lekcji, chodzić na wagary; ~ **it/things (too) fine** planować na styk, zostawiać sobie (zbyt) mały margines błędu; ~ **loose** *US i Austr.* szaleć; ~ **no ice (with sb)** *zob.* **ice** *n.*; ~ **one's coat according to one's cloth** *Br. zob.* **cloth**; ~ **sb dead** *Br.* traktować kogoś jak powietrze; ~ **sb short** przerwać komuś; ~ **sth short** przerwać *l.* skrócić coś (*np. wykład, urlop*); ~ **sb to the quick** dotknąć kogoś do żywego; ~ **the cord** przeciąć pępowinę (= *usamodzielnić się*); ~ **the Gordian knot** przeciąć węzeł gordyjski; **not** ~ **the mustard** *US pot.* nie być wystarczająco dobrym; **to** ~ **a long story short,...** *pot.* krótko mówiąc,... **25.** ~ **away** wycinać, usuwać (*from sth* skądś); ~ **back** przycinać (*t. gałęzie*); ~ **back on sth** (*także* ~ **sth back**) ograniczać coś (*np. wydatki, produkcję*); ~ **down** ściąć (*drzewo*); skosić; *lit.* powalić (*t.* = *zabić*); skracać (*ubranie, tekst*) (*to... do...*); ~ **down on sth** (*także* ~ **sth down**) ograniczać coś (*np. picie, palenie, spożycie, wydatki*); ~ **sb down** wytargować u kogoś obniżenie ceny (*to... do...*); ~ **sb down to size** *przen.* przytrzeć komuś rogów, utrzeć komuś nosa; ~ **in** włączać się (*zwł. automatycznie; o urządzeniu*); zajeżdżać drogę (*on sb / sth* komuś/czemuś) (*przy wyprzedzaniu*); *taniec* odbijać partner-a/kę; *karty* przysiąść się do stolika (*for sb* za kogoś); ~ **in line** *US* wepchnąć się poza kolejnością *l.* kolejką; ~ **in on sb** wpadać komuś w słowo; ~ **in on sth** przerywać coś (*zwł. rozmowę*); ~ **sb in on sth** *pot.* wtajemniczyć kogoś w coś; podzielić się z kimś zyskiem z czegoś; ~ **off** odcinać (*t.* = *przerywać, wyłączać*); rozłączać (*rozmowę telefoniczną*); oddzielać, odrywać (*from sb / sth* od kogoś/czegoś); kłaść kres (*czemuś*); *wojsk.* odcinać odwrót (*nieprzyjacielowi*); wydziedziczyć; ~ **sb off without a cent/penny** nie zostawić komuś złamanego centa *l.* grosza; ~ **off one's nose to spite one's face** *przen.* na złość babci odmrozić sobie uszy; ~ **out** wycinać; wykrawać; kroić (*zwł. ubranie*); wyłączyć się (*o urządzeniu elektrycznym*); zgasnąć (*o silniku*); *karty* odpadać z gry; *hodowla* oddzielać (*sztuki od stada*); *pot.* wysiudać (*rywala*); *piłka nożna* przechwycić (*podanie*); *Austr. i NZ* kończyć się; ~ **it/that out!** *pot.* przestań!, uspokój się!; ~ **sb out of one's will** wykreślić kogoś z testamentu; **(not) be** ~ **out for sth/to be sth** (nie) być stworzonym do czegoś/na kogoś; **they're** ~ **out for each other** są dla siebie stworzeni; **have one's work** ~ **out (for one)** *pot.* mieć pełne ręce roboty; ~ **up** pociąć, pokroić, posiekać, porąbać; poranić, pokiereszować; *przen. pot.* zmiażdżyć (*o krytyce*); ~ **up rough** *Br. pot.* wkurzyć się; **be badly** ~ **up** być mocno pokiereszowanym; **be (badly)** ~ **up about sth** *przen. pot.* bardzo coś przeżywać. – *n.* **1.** cięcie (*czynność l. rezultat*); nacięcie (*t. techn.* = *układ zębów pilnika*). **2.** skaleczenie; rana cięta; szrama, blizna. **3.** *film* cięcie (montażowe), ostre przejście (*from A to B* od A do B). **4.** cięcie, redukcja; **budget ~s** cięcia budżetowe; **job ~s** redukcja etatów *l.* zatrudnienia; **make ~s in expenditure** obcinać *l.* redukować wydatki. **5.** odcięcie, przerwa (*w dostarczaniu czegoś*); **power** ~ awaria elektryczności. **6.** przecinka, przejście wycięte w gąszczu; przekop; kanał (*Br. t.* = *droga wodna*). **7.** wycięcie (*fragmentu tekstu l. filmu*), skrót (*np. dokonany przez cenzora*). **8.** płat (*mięsa*) (*off sth* odcięty z czegoś). **9.** krój, fason. **10.** *przen.* styl, sznyt. **11.** *US druk.* klocek; matryca. **12.** (*także* **gem** ~) *jubilerstwo* szlif. **13.** *US szkoln.* nieobecność, opuszczone zajęcia. **14.** *sport* ścięcie piłki (*t. krykiet* = *silne płaskie odbicie*). **15.** *karty* rezultat ciągnienia kart (*np. przy losowaniu rozdającego*); **the low/high** ~ najniższa/najwyższa wyciągnięta karta. **16.** *muz. pot.* (pojedynczy) nagrany utwór. **17.** *chem.* frakcja destylacyjna. **18.** *pot.* udział (*w zyskach*), dola. **19.** *przen.* wycieczka słowna, kąśliwa uwaga (*at sb* pod czyimś adresem). **20.** ~ **and thrust** *szerm.* walka z zastosowaniem cięć i pchnięć (*zwł. na szable*); *przen.* ferwor (*dyskusji*). **21.** *przen. pot.* **be a** ~ **above sb/sth** być o klasę lepszym od kogoś/czegoś; **I don't like the** ~ **of him** *Ir.* nie podoba mi się jego gęba. – *a.* **1.** *attr.* cięty (*o kwiatach*). **2.** *attr.* rżnięty, szlifowany (*o kamieniu l. szkle*). **3.** *bot.* wycięty (*o liściu*). **4.** *attr.* zredukowany, obniżony (*zwł. o cenie*). **5.** *pred. Br. sl.* zalany (= *pijany*). **6.** *pred.* urażony.

cut-and-dried [ˌkʌtən'draɪd], **cut-and-dry** *a.* **1.** uzgodniony zawczasu, nie wymagający dyskusji. **2.** utarty, rutynowy.

cut and paste *n. U komp.* przenoszenie zaznaczonego fragmentu (*technika edycji tekstu*).

cutaneous [kjʊ'teɪnɪəs] *a. attr. anat., pat.* skórny; ~ **tumor/lesion** nowotwór/uszkodzenie skóry.

cutaneously [kjʊ'teɪnɪəslɪ] *adv. pat.* skórnie.

cutaway ['kʌtəˌweɪ] *n.* **1.** żakiet męski. **2.** (*także* ~ **model/view**) model z wycięciem (*ukazującym wnętrze*), przekrój częściowy. **3.** *pływanie* skok tyłem w przód. **4.** *film* fragment ujęcia (*stanowiący wizualny komentarz do akcji*).

cutback ['kʌtˌbæk] *n. zw. pl.* **1.** cięcie (*in sth* w czymś *l.* czegoś) (*np. zatrudnienia*). **2.** (*także* **flashback**) *gł. US film* ujęcie retrospektywne.

cute [kju:t] *a.* **-er, -est** **1.** uroczy, śliczny, słodki. **2.** *gł. US i Can.* bystry, sprytny; *uj.* przemądrzały, cwany.

cutely ['kju:tlɪ] *adv.* **1.** uroczo. **2.** *gł. US i Can.* sprytnie; przemądrzale.

cuteness ['kju:tnəs] *n. U* **1.** wdzięk, słodycz. **2.** *gł. US i Can.* spryt; *uj.* mądrzenie się, cwaniactwo.

cutesiness [ˈkjuːtsɪnəs] *n. U US i Can. uj.* cukierkowość, cukierkowatość.

cutesy [ˈkjuːtsɪ], **cutesie** *a.* **-ier, -iest** *US i Can. emf.* miluśki, słodziutki; *uj.* cukierkowy, cukierkowaty.

cutey [ˈkjuːtɪ] *n.* = **cutie**.

cut glass *n. U* szkło rżnięte *l.* szlifowane; kryształ.

cut-glass [ˌkʌtˈglæs] *a. attr.* **1.** z rżniętego szkła; kryształowy. **2.** *przen.* z wyższych sfer (*o akcencie*).

cuticle [ˈkjuːtɪkl] *n.* **1.** skórka (*wokół paznokcia*); ~ **nippers/scissors** cążki/nożyczki do skórek; ~ **remover** płyn do usuwania skórek. **2.** *U anat.* naskórek; *zool.* epiderma, oskórek; *bot.* kutykula, nabłonek.

cuticular [kjʊˈtɪkjələr] *a. anat.* naskórkowy.

cutie [ˈkjuːtɪ], **cutey** *n. zwł. US pot.* **1.** ślicznotka. **2.** kochanie (*forma zwracania się do atrakcyjnej l. darzonej sympatią osoby*); **he's (such) a** ~ on jest (taki) słodki *l.* kochany.

cut-in [ˈkʌtˌɪn] *n. film* wcinka, przebitka.

cutin [ˈkjuːtɪn] *n. U bot.* kutyna.

cutis [ˈkjuːtɪs] *n. pl.* **cutes** *l.* **cutises** *anat. form.* skóra.

cutlass [ˈkʌtləs] *n. broń, hist.* szabla marynarska (*o krótkiej, szerokiej głowni*).

cutlass fish *n. US icht.* pałasz (*Trichiurus lepturus*).

cut-leaved [ˌkʌtˈliːvd] *a. bot.* o wyciętych liściach.

cutler [ˈkʌtlər] *n.* nożownik (= *rzemieślnik wyrabiający noże*); producent *l.* sprzedawca sztućców.

cutlery [ˈkʌtlərɪ] *n. U* **1.** sztućce; ~ **set** komplet sztućców. **2.** nożownictwo (*dział rzemiosła*).

cutlet [ˈkʌtlət] *n. kulin.* plaster mięsa, kotlet (*zwł. barani l. z karkówki cielęcej, smażony l. z rusztu*); płaski kotlet mielony (*t. rybny, drobiowy, wegetariański*).

cutoff [ˈkʌtˌɔːf] *n.* **1.** odcięcie, przerwanie (*dopływu*), wyłączenie (*zwł. elektryczności*); (*także* ~ **switch**) *el.* wyłącznik odcinający; (*także* ~ **valve**) *techn.* zawór odcinający; ~ **current/voltage** *el.* prąd/napięcie odcięcia. **2.** (*także* ~ **point**) limit, granica; ~ **date** ostateczny termin. **3.** *hydrol.* nowe koryto rzeki (*przecinające szyję meandra*); starorzecze. **4.** *US* skrót (= *krótsza droga*). **5.** *pl.* obcięte spodnie (*zwł. dżinsy*).

cutoff saw *n. techn.* (piła) obcinarka.

cutoff wheel *n. techn.* przecinak ścierny.

cutout [ˈkʌtˌaʊt] *n.* **1.** wycinek; wycinanka; wycięcie; rysunek *l.* fotografia z wyciętym tłem. **2.** (*także* ~ **switch**) *el.* wyłącznik bezpieczeństwa.

cut-price [ˌkʌtˈpraɪs] *a. Br.* = **cut-rate**.

cutpurse [ˈkʌtˌpɜːs] *n. arch.* złodziej kieszonkowy.

cut-rate [ˌkʌtˈreɪt] *a. attr. US i Can.* zniżkowy; sprzedawany po obniżonej cenie; sprzedający po obniżonej cenie.

cutter [ˈkʌtər] *n.* **1.** (*także* **tailor's** ~) krojczy/ni. **2.** *w złoż. górn.* rębacz; **meat** ~ pracownik dzielący tusze mięsne; **wood**~ drwal. **3.** *w złoż. techn.* nóż, frez; przecinarka; obcinarka; krajarka, krajalnica, gilotyna; **cigar** ~ przyrząd do obcinania cygar; **glass** ~ diament (szklarski); **wire-**~**s** szczypce do cięcia drutu. **4.** *żegl.* kuter (*typ jachtu l. łodzi okrętowej; t.* = *łódź straży przybrzeżnej*). **5.** *hodowla* tucznik mięsny.

cutthroat [ˈkʌtˌθroʊt] *n.* **1.** *arch.* nożownik, morderca. **2.** (*także* ~ **razor**) *Br. i Austr.* brzytwa. – *a. attr.* **1.** *przen.* morderczy, zbójecki, bezwzględny (*o rywalizacji, metodach walki z konkurencją*). **2.** *karty* dla trzech osób (*o odmianach pokera, brydża itp.*).

cutthroat trout *n. pl.* **cutthroat trout** *icht.* łosoś Clarka (*Salmo clarki*).

cutting [ˈkʌtɪŋ] *n.* **1.** *zw. pl.* ścinek, wiór, strużyna. **2.** *ogr. U* dzielenie (*metoda rozmnażania roślin*); *C* pęd odcięty od rośliny matecznej. **3.** **(press/newspaper)** ~ *Br.* wycinek prasowy. **4.** *Br.* wykop, przekop (*dla przeprowadzenia drogi l. linii kolejowej*). – *a.* **1.** *attr. techn.* służący do skrawania. **2.** przenikliwy (*o wietrze*). **3.** cięty, kąśliwy, złośliwy (*o uwadze l. osobie*).

cutting board *n. US* deska do krojenia.

cutting edge *n. sing.* front, awangarda (*zwł. w nauce i technice*); **cutting-edge research team** zespół prowadzący badania nad nową technologią; **be (at) the ~ of sth** wyznaczać kierunki rozwoju w jakiejś dziedzinie.

cuttingly [ˈkʌtɪŋlɪ] *adv.* **1.** na wylot (*np. przewiać*). **2.** kąśliwie, złośliwie.

cutting room *n. film* montażownia.

cuttle [ˈkʌtl] *n.* **1.** (*także* **cuttlefish**) *zool.* mątwa, sepia (*rodzina Sepiidae*). **2.** (*także* **cuttlebone**) wapienna muszelka mątwy (*U* = *materiał ścierny l. dodatek do karmy dla ptaków*).

cutty [ˈkʌtɪ] *a. płn. Br. dial.* kusy, krótki. – *n. pl.* **-ies** **1.** fajka z krótkim cybuchem. **2.** łyżka z krótkim uchwytem. **3.** *uj.* latawica, lafirynda; *Scot.* dziwka (*obelż. o kobiecie*).

cutup [ˈkʌtˌʌp] *n. US pot.* dowcipniś, żartowniś, kawalarz.

cutuppery [ˈkʌtˌʌpərɪ] *n. U US pot.* błazenowanie, wygłupy.

cutwater [ˈkʌtˌwɔːtər] *n. żegl.* dziobowa część kadłuba.

cutwork [ˈkʌtˌwɝːk] *n. U* haft wycinany.

cutworm [ˈkʌtˌwɝːm] *n. ent.* gąsienica rolnicy (*Agrotis, Euxoa, Rhyacia*).

CV [ˌsiː ˈviː] *abbr. i n.* = **curriculum vitae**.

CW *abbr.* **1.** *wojsk.* = **chemical warfare**. **2.** *el.* = **continuous wave**.

cw *abbr.* = **clockwise**.

cwt *abbr.* = **hundredweight**.

cyan [ˈsaɪæn] *a. i n. U* (kolor) niebieskozielony.

cyanate [ˈsaɪəˌneɪt] *n. chem.* cyjanian.

cyanic [saɪˈænɪk] *a.* **1.** *chem.* cyjanowy. **2.** *rzad.* siny, niebieskawy.

cyanide [ˈsaɪəˌnaɪd] *n. chem.* cyjanek; **hydrogen** ~ cyjanowodór (= *kwas pruski*); **potassium/sodium** ~ cyjanek potasu/sodu.

cyanide process *n. sing. górn.* ekstrakcja złota *l.* srebra z rud za pomocą cyjanków.

cyaniding [ˈsaɪəˌnaɪdɪŋ] *n. U techn.* cyjanowanie, węgloazotowanie kąpielowe (*stali*).

cyanine [ˈsaɪəˌniːn], **cyanin** [ˈsaɪənɪn] *n.* *U chem.* cyjanina (*barwnik*).

cyanite [ˈsaɪəˌnaɪt], **kyanite** *n.* *U min.* dysten, cyjanit.

cyanobacteria [ˌsaɪənoʊbækˈtiːrɪə] *n. pl. biol.* sinice.

cyanogen [saɪˈænədʒən] *n.* *U chem., wojsk.* dwucyjan (*gaz bojowy*).

cyanosis [ˌsaɪəˈnoʊsɪs] *n.* *U pat.* sinica, cyjanoza.

cybernate [ˈsaɪbərneɪt] *v. techn.* sterować komputerowo (*procesem przemysłowym*).

cybernation [ˌsaɪbərˈneɪʃən] *n.* *U techn.* sterowanie komputerowe.

cybernetic [ˌsaɪbərˈnetɪk], **cybernetical** [ˌsaɪbərˈnetɪkl] *a.* cybernetyczny.

cyberneticist [ˌsaɪbərˈnetəsɪst], **cybernetician** [ˌsaɪbərnəˈtɪʃən] *n.* cybernety-k/czka.

cybernetics [ˌsaɪbərˈnetɪks] *n.* *U* cybernetyka.

cyberphobia [ˈsaɪbərˈfoʊbɪə] *n.* *U pat.* lęk przed komputerami.

cyberpunk [ˈsaɪbərˌpʌŋk] *n.* **1.** *U* fantastyka cyberpunkowa (*gatunek literacki*). **2.** *komp. sl.* haker.

cyberspace [ˈsaɪbərˌspeɪs] *n.* *U komp.* przestrzeń cybernetyczna (= *światowy system sieci komputerowych l. rzeczywistość wirtualna*).

cybersurfer [ˈsaɪbərˌsɜːfər], **cybertraveler** *n. sl.* szperacz/ka internetow-y/a (*osoba, której zabiera to dużo czasu*).

cyborg [ˈsaɪbɔːrg] *n.* *fantastyka naukowa* cyborg.

cycad [ˈsaɪkæd] *n. bot.* sagowiec (*rząd Cycadales*).

Cyclades [ˈsɪkləˌdiːz] *n. pl. geogr.* **the ~** Cyklady.

cyclamen [ˈsɪkləmən] *n. bot.* cyklamen, fiołek alpejski (*Cyclamen*).

cycle [ˈsaɪkl] *n.* **1.** cykl; **business ~** *ekon.* cykl ekonomiczny; **carbon ~** *astron., ekol.* cykl węglowy; **liturgical ~** *kość.* cykl liturgiczny; **song ~** *muz.* cykl pieśni (*zwł. romantycznych, skomponowanych do tekstów jednego poety*); **the ~ of the seasons** cykl *l.* następstwo pór roku; **the Arthurian ~** cykl arturiański (= *opowieści o rycerzach Okrągłego Stołu*). **2.** *fiz., el.* cykl drgań (= *okresowa zmiana stanu*); **~ per second** herc. **3.** *pot.* = **bicycle**; = **motorcycle**. – *v.* **1.** *zwł. Br.* jeździć na rowerze. **2.** zmieniać się cyklicznie; krążyć.

cycler [ˈsaɪklər] *n.* *US* = **cyclist**.

cycle race *n.* wyścig rowerowy.

cycle rack *n.* stojak na rowery.

cycle shop *n.* sklep rowerowy.

cyclic [ˈsaɪklɪk], **cyclical** [ˈsaɪklɪkl] *a.* **1.** *t. gram.* cykliczny; powtarzalny, okresowy. **2.** *chem.* cykliczny, pierścieniowy. **3.** *bot.* okółkowy.

cyclically [ˈsaɪklɪklɪ] *adv.* **1.** cyklicznie. **2.** *bot.* okółkowo.

cycling [ˈsaɪklɪŋ] *n.* *U* jazda na rowerze, *sport* kolarstwo; **~ shorts/helmet** spodenki rowerowe/kask rowerowy.

cyclist [ˈsaɪklɪst], **cycler** [ˈsaɪklər] *n.* rowerzyst-a/ka, cyklist-a/ka.

cyclo [ˈsaɪkloʊ] *n. pl.* **-s** riksza rowerowa.

cyclogiro [ˌsaɪkloʊˈdʒaɪroʊ] *n. lotn.* cyklożyro.

cyclograph [ˈsaɪkləˌgræf] *n. kreślarstwo* cyklograf.

cyclohexane [ˌsaɪkloʊˈheksеɪn] *n.* *U chem.* cykloheksan.

cycloid [ˈsaɪklɔɪd] *n. mat.* cykloida. – *a.* (*także* **cycloidal**) **1.** cykloidalny (*icht. o łusce; mat. o wahadle*). **2.** *psychiatria* dwubiegunowy (*o chorobach afektywnych*).

cyclometer [saɪˈklɑːmətər] *n.* cyklometr (= *licznik obrotów koła*).

cyclone [ˈsaɪkloʊn] *n. meteor.* cyklon (*pot. t.* = *huragan, tajfun*).

cyclonic [saɪˈklɑːnɪk], **cyclonical** [saɪˈklɑːnɪkl], **cyclonal** [saɪˈkloʊnl] *a. meteor.* cykloniczny.

Cyclopean [ˌsaɪkləˈpiːən] *a. mit.* cyklopowy, cyklopi (*przen.* = *olbrzymi l. jednooki*).

cyclopedia [ˌsaɪkləˈpiːdɪə], *Br.* **cyclopaedia** *n.* = **encyclopedia**.

cyclopentane [ˌsaɪkloʊˈpenteɪn] *n.* *U chem.* cyklopentan.

cyclopropane [ˌsaɪkloʊˈproʊpeɪn] *n.* *U chem.* cyklopropan.

cyclops [ˈsaɪklɑːps] *n. pl.* **cyclopses** *l.* **cyclopes** [saɪˈkloʊpiːz] **1.** *zool.* oczlik, cyklop (*Cyclops*). **2.** **C~** *mit.* cyklop.

cyclorama [ˌsaɪkləˈræmə] *n.* **1.** *teatr* cyklorama. **2.** *mal.* panorama.

cycloramic [ˌsaɪkləˈræmɪk] *a.* panoramiczny (*o obrazie, dekoracji*).

cyclostomate [saɪˈklɑːstəmɪt], **cyclostomatous** [ˌsaɪkləˈstɑːmətəs] *a. icht.* krągłousty.

cyclostome [ˈsaɪkləˌstoʊm] *n. icht.* kręgowiec z gromady krągłoustych (*Cyclostomata*). – *a. attr.* = **cyclostomate**.

cyclothymia [ˌsaɪkləˈθaɪmɪə] *n.* *U psychiatria* cyklotymia.

cyclothymiac [ˌsaɪkləˈθaɪmɪˌæk], **cyclothymic** [ˌsaɪkləˈθaɪmɪk] *n.* cyklotymi-k/czka. – *a.* cyklotymiczny.

cyclotron [ˈsaɪkləˌtrɑːn] *n. fiz.* cyklotron.

cyder [ˈsaɪdər] *n. Br. rzad.* = **cider**.

cygnet [ˈsɪgnət] *n. orn.* pisklę łabędzia; młody łabędź.

Cygnus [ˈsɪgnəs] *n. astron.* Łabędź (*gwiazdozbiór*).

cylinder [ˈsɪlɪndər] *n.* **1.** *geom.* walec. **2.** *techn.* cylinder, bęben. **3.** (*także* **~ seal**) *archeol.* pieczęć cylindryczna. **4.** **working/firing on all ~s** *przen.* pracujący pełną parą.

cylinder block *n. mot.* blok cylindrów.

cylindered [ˈsɪlɪndərd] *a. techn.* zaopatrzony w cylindry.

cylinder head *n. mot.* głowica cylindra.

cylindrical [sɪˈlɪndrɪkl] *a.* **1.** *mat.* walcowy; **~ coordinates/functions** współrzędne/funkcje walcowe. **2.** walcowaty, cylindryczny.

cylindrically [sɪˈlɪndrɪklɪ] *adv.* walcowato, cylindrycznie.

cylindroid [ˈsɪlɪnˌdrɔɪd] *n. geom.* walec eliptyczny. – *a.* przypominający walec.

cyma [ˈsaɪmə] *n. pl.* **cymae** *l.* **-s** [ˈsaɪməz] *bud.* cyma, esownica.

cymbal ['sɪmbl] *n. muz.* talerz, czynel.
cymbalist ['sɪmbəlɪst], **cymbaler** ['sɪmbələr] *n.* czynelist-a/ka.
cyme [saɪm] *n. bot.* wierzchotka (*typ kwiatostanu*).
cymoid ['saɪmɔɪd] *a.* **1.** *bot.* = **cymose**. **2.** *bud.* esowaty (*o ornamencie*).
cymose ['saɪmoʊs] *a. bot.* wierzchotkowaty (*o kwiatostanie*).
Cymric ['kɪmrɪk], **Kymric** *form. a.* walijski. – *n. U jęz.* **1.** język walijski. **2.** grupa brytońska języków celtyckich.
Cymru ['kʌmrɪ] *n. form.* Walia (*walijska nazwa kraju*).
cynic ['sɪnɪk] *n.* **1.** cyni-k/czka. **2.** **C~** *hist., fil.* cynik. – *a.* **1.** *rzad.* = **cynical**. **2.** *astron., astrol.* związany z Syriuszem.
cynical ['sɪnɪkl] *a.* cyniczny; **be ~ about sth** cynicznie zapatrywać się na coś; cynicznie wyrażać się o czymś.
cynically ['sɪnɪklɪ] *adv.* cynicznie.
cynicism ['sɪnɪˌsɪzəm] *n. U* **1.** cynizm. **2.** **C~** *fil.* cynizm (*doktryna l. postawa filozoficzna*).
cynosure ['saɪnəˌʃʊr] *n. zw. sing. form.* **1.** obiekt podziwu (*osoba l. rzecz*); **be the ~ of all eyes** przyciągać (wszystkie) spojrzenia. **2.** *przen.* gwiazda przewodnia.
cyperaceous [ˌsaɪpə'reɪʃəs] *a. attr. bot.* należący do rodziny turzycowatych (*Cyperaceae*).
cypher ['saɪfər] *n.* = **cipher**.
cypress ['saɪprəs] *n. bot.* cyprys (*Cupressus; pot. t. = cyprysik, cypryśnik*); **Lawson's ~** cyprysik Lawsona (*Chamaecyparis lawsoniana*); **bald/swamp ~** cypryśnik błotny (*Taxodium distichum*).
Cyprian ['sɪprɪən] *a. i n.* = **Cypriot**.
cyprinid [sɪ'praɪnɪd] *n. i a. attr. icht.* (ryba) z rodziny karpiowatych (*Cyprinidae*).
cyprinodont [sɪ'prɪnəˌdɑːnt] *n. i a. attr. icht.* (ryba) z rodziny karpieńcowatych (*Cyprinodontidae*).
Cypriot ['sɪprɪət] *rzad.* **Cyprian** ['sɪprɪən] *a.* cypryjski. – *n.* Cypryj-czyk/ka.
Cyprus ['saɪprəs] *n. geogr.* Cypr.
Cyrillic [sɪ'rɪlɪk] *n. U* (*także* **~ script/alphabet**) cyrylica. – *a.* pisany cyrylicą.
cyst [sɪst] *n.* **1.** *pat.* cysta, torbiel; **dermoid ~** torbiel skórzasta, skórzak; **ovarian ~** torbiel jajnika; **retention ~** torbiel zastoinowa. **2.** *anat.* pęcherzyk, woreczek; *biol.* otorbienie.
cystectomy [sɪ'stektəmɪ] *n. C/U chir.* **1.** cystektomia (= *usunięcie pęcherza moczowego l. woreczka żółciowego*). **2.** usunięcie torbieli.
cysteine ['sɪstəˌiːn] *n. U biochem.* cysteina.
cystic ['sɪstɪk] *a. anat., pat.* **1.** pęcherzowy; woreczkowy. **2.** pęcherzykowaty; torbielowaty.
cystic fibrosis *n. U pat.* mukowiscydoza.
cystine ['sɪstiːn] *n. U biochem.* cystyna.
cystitis [sɪ'staɪtɪs] *n. U pat.* zapalenie pęcherza moczowego.
cystography [sɪ'stɑːgrəfɪ] *n. C/U med.* cystografia (= *rentgenografia pęcherza moczowego*).
cystoid ['sɪstɔɪd] *a. pat., anat.* torbielowaty, pęcherzykowaty. – *n. pat.* torbiel rzekoma.
cystolith ['sɪstəlɪθ] *n.* **1.** *bot.* cystolit. **2.** *pat.* kamień moczowy.
cystoscope ['sɪstəˌskoʊp] *n. med.* wziernik pęcherzowy, cystoskop.
cystoscopic [ˌsɪstə'skɑːpɪk] *a. med.* cystoskopowy (*o badaniu*).
cystoscopy [sɪ'stɑːskəpɪ] *n. C/U med.* cystoskopia, wziernikowanie pęcherza moczowego.
cystotomy [sɪ'stɑːtəmɪ] *n. C/U chir.* cystotomia, otwarcie pęcherza moczowego.
cytochemical [ˌsaɪtə'kemɪkl] *a.* cytochemiczny.
cytochemistry [ˌsaɪtə'kemɪstrɪ] *n. U* cytochemia.
cytochrome ['saɪtəˌkroʊm] *n. biochem.* cytochrom.
cytokinesis [ˌsaɪtoʊkɪ'niːsɪs] *n. U biol.* cytokineza.
cytological [ˌsaɪtə'lɑːdʒəkl] *n.* cytologiczny.
cytologically [ˌsaɪtə'lɑːdʒəklɪ] *adv.* cytologicznie.
cytologist [saɪ'tɑːlədʒɪst] *n.* cytolog.
cytology [saɪ'tɑːlədʒɪ] *n. U* cytologia.
cytomegalovirus [ˌsaɪtə'megəloʊˌvaɪrəs] *n.* (*także* **CMV**) *pat.* cytomegalowirus; *U* cytomegalia (= *zakażenie wirusem CMV*).
cytoplasm ['saɪtəˌplæzəm] *n. U biol.* cytoplazma.
cytoplasmic [ˌsaɪtə'plæzmɪk] *a. biol.* cytoplazmatyczny.
cytosine ['saɪtəˌsiːn] *n. U biochem.* cytozyna.
czar [zɑːr], *Br.* **tsar, tzar** *n.* **1.** *hist.* car, imperator. **2.** *przen.* tyran, autokrata; *pot.* przywódca.
czardas ['tʃɑːrdɑːʃ] *n. muz.* czardasz.
czardom ['zɑːrdəm], *Br.* **tsardom, tzardom** *n. hist.* carstwo (= *państwo carskie*); *U* carat.
czarevitch ['zɑːrəvɪtʃ], *Br.* **tsarevitch, tzarevitch** *n.* carewicz.
czarevna [zɑː'revnə], *Br.* **tsarevna, tzarevna** *n.* carówna.
czarina [zɑː'riːnə], *Br.* **tsarina, tzarina** *n.* caryca, imperatorowa; carowa (= *żona cara*).
czarism ['zɑːrˌɪzəm], *Br.* **tsarism, tzarism** *n. U hist.* carat.
czarist ['zɑːrɪst], *Br.* **tsarist, tzarist** *a.* carski; procarski. – *n.* zwolenni-k/czka caratu.
czaritza [zɑː'rɪtsə], *Br.* **tsaritsa, tzaritsa** *n.* = **czarina**.
Czech [tʃek] *n.* Cze-ch/szka. – *a.* czeski; **the ~ Republic** Czechy, Republika Czeska.
Czechoslovak [ˌtʃekə'sloʊvæk], **Czechoslovakian** [ˌtʃekəslə'vɑːkɪən] *a. hist.* czechosłowacki.
Czechoslovakia [ˌtʃekəslə'vɑːkɪə] *n. hist.* Czechosłowacja.

D

D [di:], **d** *n. pl.* **-'s** *l.* **-s** [di:z] D, d (*litera l. głoska*).

D[1] [di:] *n. pl.* **-'s** *l.* **-s** **1.** *szkoln.* mierny (*ocena*). **2.** *bilard* półkole „D" (*w bilardzie angielskim i snookerze*).

D[2] *n. muz.* D, d (*dźwięk l. stopień skali*); **D flat** des.

D[3] *abbr.* **1.** = **deep**; = **depth**. **2.** *opt.* = **diopter**. **3.** = **divorced**. **4.** = **Dutch**.

'd [d] *v.* **1.** forma ściągnięta od "had". **2.** forma ściągnięta od "did". **3.** forma ściągnięta od "would" *l.* "should".

d' [d] *v.* forma ściągnięta od "do" *l.* "did" (*przed "you"*).

D. *abbr.* **1.** = **day**. **2.** = **December**. **3.** = **Democrat**; = **Democratic**. **4.** = **Department**. **5.** *fiz.* = **density**. **6.** = **Deus**. **7.** = **dinar(s)**. **8.** *opt.* = **diopter**. **9.** = **Director**. **10.** = **Doctor**. **11.** = **dose**. **12.** = **Duchess**; = **Duke**. **13.** = **Dutch**.

d. *abbr.* **1.** = **dam**. **2.** = **date**. **3.** = **daughter**. **4.** = **day**. **5.** = **deceased**. **6.** = **deep**. **7.** = **degree**. **8.** = **delete**. **9.** **denarius** *Br. hist.* pens (*w systemie monetarnym sprzed 1971 r.*). **10.** *fiz.* = **density**. **11.** = **depart(s)**. **12.** = **depth**. **13.** = **deputy**. **14.** = **dialect**; = **dialectal**. **15.** = **diameter**. **16.** = **died**. **17.** = **dinar(s)**. **18.** = **dime**. **19.** = **dividend**. **20.** = **dollar(s)**. **21.** = **dose**. **22.** = **drachma(s)**.

DA[1] [ˌdi: ˈeɪ] *abbr.* **1. Department of Agriculture** *zob.* **department**. **2. District Attorney** *US prawn.* prokurator okręgowy.

DA[2] *n. pl.* **DAs** *l.* **DA's** *pot.* fryzura męska w „kaczy kuper" (*popularna w latach 50. XX w.*).

da.[1] [ˌdi: ˈeɪ] *abbr.* **1.** *bank* = **deposit account**. **2. days after acceptance** *ekon.* dni po akceptacji. **3. documents against acceptance** *ekon.* dokumenty za akcept (*o warunkach płatności*).

da.[2] *abbr.* **1.** = **daughter**. **2.** = **day(s)**.

D.A. [ˌdi: ˈeɪ] *abbr.* **1.** = **delayed-action**. **2.** = **direct action**. **3. District Attorney** *US prawn.* prokurator okręgowy. **4.** *bank* = **deposit account**. **5. documents against acceptance** *ekon.* dokumenty za akcept (*o warunkach płatności*). **6. doesn't/don't answer** nie odpowiada/ją.

dab[1] [dæb] *v.* **-bb-** **1.** delikatnie przemywać *l.* przecierać (*dotykając kilkakrotnie*); **~ at one's eyes with a handkerchief** przykładać chusteczkę do oczu. **2.** nakładać (*sth on / onto sth* coś na coś) (*np. krem na twarz*); **~ on some perfume** skropić się lekko perfumami. **3.** mazać (*farbą*), pacykować. **4.** *zach. US* zarzucać (*linę, lasso*). – *n.* **1.** delikatne dotknięcie. **2.** *pot.* kropelka; plamka. **3.** *pot.* odrobina. **4.** *pl. zwł. Br. przest. sl.* odciski palców.

dab[2] *n. icht.* zimnica (*Limanda limanda*).

dab[3] *pot. n.* **1.** (*także* **~ hand**) *Br.* spec (*at sth* w czymś). **2.** super człowiek; super rzecz. – *a.* **1.** specjalistyczny, ekspercki. **2.** superowy, ekstra.

dabber [ˈdæbər] *n. druk.* tampon, walec z maszonem filcowym.

dabble [ˈdæbl] *v.* **1.** chlapać się, pluskać się; ochlapać. **2.** zanurzać (*np. stopy l. palce w wodzie*). **3.** **~ at/in sth** parać się czymś, zajmować się czymś po amatorsku. **4.** pomazać (*with sth* czymś). **5.** dziobać wodę (*o kaczce poszukującej pokarmu*). **6.** *zwł. płd. US* obmyć.

dabbler [ˈdæblər] *n.* dyletant/ka, amator/ka.

dabbling duck [ˈdæblɪŋ ˌdʌk] *n. zool.* kaczka właściwa (*Anas*).

dabchick [ˈdæbˌtʃɪk] *n. orn.* perkozek (*Tachybaptus ruficollis*).

dabster [ˈdæbstər] *n.* **1.** *Br. dial.* = **dab[3]** *n.* 1. **2.** *US pot.* partacz/ka.

dace [deɪs] *n. pl.* **dace** *l.* **daces** *icht.* jelec (*Leuciscus leuciscus*).

dacha [ˈdætʃə], **datcha** *n.* dacza.

dachshund [ˈdɑ:ksˌhʊnd] *n. kynol.* jamnik.

Dacron [ˈdeɪkrɑ:n] *n. U US tk.* dakron, tergal.

dacryorrhea [ˌdækrɪəˈrɪə] *n. U pat.* łzawienie.

dactyl [ˈdæktl] *n.* **1.** (*także* **dactylic**) *wers.* daktyl, stopa daktyliczna. **2.** *zool.* palec (*kręgowca*).

dactylic [dækˈtɪlɪk] *a.* **1.** *wers.* daktyliczny. **2.** *zool.* palcowy. – *n. wers.* = **dactyl** 1.

dactylogram [dækˈtɪləˌgræm] *n. zwł. US* daktylogram, odcisk palca.

dactylography [ˌdæktəˈlɑ:grəfɪ] *n. U zwł. US* daktyloskopia.

dactylology [ˌdæktəˈlɑ:lədʒɪ] *n. pl.* **-ies** daktylografia, miganie, chirologia, porozumiewanie się na migi.

dactylomegaly [ˌdæktəloʊˈmegəli:] *n. pat.* wielki palec *l.* palce (*jednostka chorobowa*).

dactyloscopy [ˌdæktəˈlɑ:skəpɪ] *n. U* daktyloskopia.

dad[1] [dæd] *n. pot.* tata, tato.

dad[2] *int.* (*w przekleństwach*) **~-blamed** (*także* **~-blasted, ~-burned, ~-gummed, ~-gum**) *euf. pot.* przeklęty, cholerny.

dada [ˈdɑ:dɑ:], **Dada, dadaism** [ˈdɑ:dɑ:ˌɪzəm] *n. U sztuka* dadaizm.

dadaist [ˈdɑ:dɑ:ɪst] *n.* dadaist-a/ka.

daddy [ˈdædɪ] *n. pl.* **-ies** **1.** *dziec.* tatuś. **2.**

(*także* **sugar ~**) *sl.* podtatusiały kochanek (*zwł. utrzymujący dużo młodszą partnerkę*). **3. the ~ (of them all)** *US, Can. i Austr. sl.* najlepsz-y/a (z nich wszystkich). – *v.* **-ies, -ied** *zwł. wsch. US* być ojcem (*dziecka; zwł. = spłodzić je*).

daddy-longlegs [ˌdædɪ'lɔːŋˌlegz], **daddy longlegs** *ent. pot. n.* **1.** *US i Can.* kosarz (*Opilio*). **2.** *Br.* komarnica, koziułka (*Tipulidae*).

dado ['deɪdoʊ] *n. pl.* **-s** *l.* **-es 1.** (*także* **die**) *bud.* część piedestału między bazą a gzymsem. **2.** dół ściany (*wykończony tapetą, tkaniną, farbą itp.*). **3.** *stol.* wpust prostokątny. – *v.* **1.** wykończyć tapetą, tkaniną, farbą itp. (*dół ściany*). **2. ~ in** wpuścić we wpust prostokątny (*deskę l. płytę*).

dae [deɪ] *v. Scot.* = **do.**

daedal ['diːdl], **dedal** *lit. a.* **1.** zręczny; pomysłowy. **2.** skomplikowany; przemyślny. **3.** różnorodny.

Daedalus ['dedələs] *n. mit.* Dedal.

daemon ['diːmən], **daimon** *lit. n.* **1.** *mit.* demon (*w mitologii greckiej*); duch opiekuńczy (*miejsca l. osoby*). **2.** = **demon.**

daff[1] [dæf] *gł. Scot. v.* wygłupiać się; dokazywać, baraszkować.

daff[2] *arch. v.* odsunąć; odrzucić.

daff[3] *n. pot.* = **daffodil.**

daffadilly ['dæfəˌdɪlɪ], **daffodilly** *n. pl.* **-ies** *zwł. Br. dial.* = **daffodil.**

daffiness ['dæfɪnəs] *n. U* głupota; wariactwo.

daffodil ['dæfədɪl] *n.* **1.** *bot.* żonkil, narcyz żółty (*Narcissus pseudonarcissus l. jonquilla*). **2.** *bot.* roślina z rodzaju narcyz (*Narcissus*). **3.** *U* kolor żółty. – *a.* żółty (*o kolorze*).

daffy ['dæfɪ] *a.* **-ier, -iest** *pot.* głupi, głupkowaty; zwariowany.

daft [dæft] *Br. pot. a.* **1.** głupi, głupkowaty; **(as) ~ as a brush** głupi jak but. **2.** zwariowany; **be ~ about sb/sth** mieć fioła na punkcie kogoś/czegoś. **3.** *Scot.* rozbrykany, dokazujący.

dag[1] [dæg] *n.* **1.** ozdobny obrębek. **2.** = **daglock.** – *v.* **-gg-** obrębić ozdobnie.

dag[2] *Austr. i NZ pot. n.* **1.** dziwa-k/czka, ekscentry-k/czka. **2.** niechluj. **3. what a ~!** ale numer!.

dag[3] *abbr.* = **dekagram(s).**

Dagestan [ˌdɑːgə'stɑːn] *n. geogr.* Dagestan.

Dagestanian [ˌdɑːgə'stɑːnɪən] *a.* dagestański. – *n.* **1.** Dagesta-ńczyk/nka. **2.** *U jęz.* grupa języków północnokaukaskich.

dagga ['dægə] *n. U S.Afr.* marihuana.

dagger ['dægər] *n.* **1.** sztylet; kordzik. **2.** *druk.* krzyżyk (*znak*). **3.** *przen.* **be at ~s drawn with sb** być z kimś na noże; **look ~s at sb** sztyletować kogoś wzrokiem. – *v.* **1.** zasztyletować. **2.** *druk.* oznaczać krzyżykiem.

daggerboard ['dægərˌbɔːrd] *n. żegl.* miecz szybrowy.

daggle ['dægl] *v. arch.* zabłocić; wlec (się) w błocie.

daggy ['dægɪ] *a. Austr. i NZ pot.* potargany; niechlujny.

daglock ['dægˌlɑːk] *n.* (*także* **dag**) kołtun (*u owcy*), brudne kosmyki na zadzie (*owcy*).

dago ['deɪgoʊ] *n. pl.* **-s** *l.* **-es** *sl. pog. l. obelż.* makaroniarz (*Włoch*); Portugalczyk *l.* Hiszpan; **D~ red** *pog.* sikacz (*zwł. = tanie czerwone wino włoskie*).

dagoba ['dɑːgəbə] *n. rel.* stupa (*świątynia buddyjska*).

D.Agr. *abbr.* **Doctor of Agriculture** *uniw.* doktor nauk rolniczych.

daguerrotype [də'gerətaɪp] *hist., fot. n.* **1.** *U* dagerotypia. **2.** dagerotyp. – *v.* sfotografować metodą dagerotypii.

dahlia ['dæljə] *n. pl.* **-s 1.** *bot.* dalia, georginia (*Dahlia*). **2.** kwiat *l.* korzeń dalii. **3.** *U* (kolor) bladofioletowy.

Dahomey [də'hoʊmɪ] *n. hist., geogr.* Dahomej (*dawna nazwa Beninu*).

Dáil Éireann [ˌdɔɪl 'erən], **Dáil** [dɔɪl], **Dail** *n. Ir. parl.* niższa izba parlamentu Republiki Irlandii.

daily ['deɪlɪ] *a. attr.* **1.** dzienny; **~ rate** stawka dzienna. **2.** codzienny; powszedni; **~ bread** *t. rel.* chleb powszedni; **earn one's ~ bread** *przen.* zarabiać na życie; **~ life** życie codzienne; **the ~ round/grind** codzienne obowiązki/harówka. – *adv.* **1.** dziennie; **twice ~** dwa razy dziennie. **2.** codziennie. – *n. pl.* **-ies 1.** (*także* **~ paper**) dziennik, gazeta codzienna. **2.** (*także* **~ help**) *Br. przest.* pomoc domowa (*dochodząca*). **3.** *pl. US film* materiał dnia zdjęciowego, materiał dzienny (= *ujęcia z danego dnia*).

daily-breader [ˌdeɪlɪ'bredər] *n. Br. pot.* osoba dojeżdżająca do pracy.

daily double *n. wyścigi konne* zakład podwójny.

daily dozen *n. pot.* codzienna gimnastyka, zestaw codziennie wykonywanych ćwiczeń.

daintily ['deɪntɪlɪ] *adv.* **1.** delikatnie. **2.** smakowicie. **3.** wybrednie.

daintiness ['deɪntɪnəs] *n. U* **1.** delikatność. **2.** smakowitość. **3.** wybredność.

dainty ['deɪntɪ] *a.* **-ier, -iest 1.** delikatny, filigranowy. **2.** smakowity. **3.** wybredny. – *n. pl.* **-ies** smakołyk (*zwł. coś słodkiego*).

daiquiri ['daɪkərɪ] *n. pl.* **-s** cocktail z rumu, soku z limony i cukru.

dairy ['derɪ] *n. pl.* **-ies 1.** mleczarnia. **2.** sklep nabiałowy. **3.** (*także* **~ farm**) gospodarstwo mleczarskie. **4.** *U* (*także* **~ products**) nabiał, produkty mleczne. **5.** *U* mleczarstwo, przetwórstwo mleka. **6.** *NZ* sklepik spożywczy. – *a. attr.* **1.** mleczny; **~ breed/cattle** *hodowla* rasa mleczna, bydło mleczne. **2.** mleczarski; **~ industry** przemysł mleczarski. **3.** nabiałowy.

dairying ['derɪɪŋ] *n. U* mleczarstwo.

dairymaid ['derɪˌmeɪd] *n. gł. hist.* kobieta pracująca w mleczarni; dojarka, dójka.

dairyman ['derɪmən] *n. pl.* **-men** mleczarz.

dairywoman ['derɪˌwʊmən] *n. pl.* **-women** mleczarka.

dais ['deɪɪs] *n. sing.* podium, podest.

daisy ['deɪzɪ] *n. pl.* **-ies 1.** *bot.* stokrotka pospolita (*Bellis perennis*). **2.** (*także* **oxeye ~, moon ~**) *bot.* złocień właściwy (*Chrysanthemum leucanthemum*). **3.** *sl.* cudo. **4.** *przen. pot.* **push up the daisies** (*także* **be pushing up the daisies**) *żart.* wąchać kwiatki od spodu (= *nie żyć*); **fresh as a ~** rześki *l.* świeżutki jak skowronek.

daisy-chain [ˈdeɪzɪˌtʃeɪn], **daisy chain** *n.* **1.** wianek ze stokrotek. **2.** *pot.* seria wydarzeń. **3.** *sl.* seks grupowy (*w którym poszczególne osoby są jednocześnie biernymi i aktywnymi partnerami*). **4.** *komp.* połączenie łańcuchowe.

daisy-cutter [ˈdeɪzɪˌkʌtər], **daisycutter** *pot. n.* **1.** *gł. krykiet* piłka tocząca się po ziemi. **2.** *wojsk.* odłamkowy pocisk przeciwpiechotny.

daisy fleabane *n. bot.* przymiotno białe (*Erigeron annuus*).

daisy wheel *n. komp.* rozetka (*w drukarce*).

daisy-wheel printer *n. komp.* drukarka rozetkowa.

Dak. *abbr. US* = **Dakota.**

Dakota [dəˈkoʊtə] *US n.* **1.** *hist., geogr.* Dakota; **North/South ~** Dakota Północna/Południowa; **the ~s** Dakota Północna i Południowa. **2.** *pl.* **Dakota** *l.* **-s** (Indian-in/ka) Dakota. **3.** *U* (język) dakota (*z grupy sju*).

dal *abbr.* = **dekaliter(s).**

Dalai Lama [ˌdɑːlaɪ ˈlɑːmə] *n.* **the ~** dalajlama.

dale [deɪl] *n. płn. Br. l. poet.* (szeroka) dolina.

dalesman [ˈdeɪlzmən] *n. pl.* **-men** *zwł. płn. Br.* mieszkaniec dolin.

dalles [dælz], **dells** *n. pl. US geogr.* progi rzeczne (*w kanionie*), przełom.

dalliance [ˈdælɪəns] *n. U* **1.** *lit.* marnotrawstwo czasu. **2.** *przest.* igraszki miłosne, flirt.

dally [ˈdælɪ] *v.* **1.** *przest.* ociągać się, marudzić (*over sth* z czymś); **~ (away)** marnować czas. **2.** *przest.* flirtować, romansować. **3. ~ with sth** igrać z czymś (*np. z niebezpieczeństwem, czyimiś uczuciami*); rozważać coś *l.* zastanawiać się nad czymś nie całkiem serio.

Dalmatia [dælˈmeɪʃə] *n. geogr., hist.* Dalmacja.

Dalmatian [dælˈmeɪʃən] *a.* dalmatyński. – *n.* **1.** Dalmaty-ńczyk/nka. **2.** (*także* **d~**) *kynol.* dalmatyńczyk, wyżeł dalmatyński.

dalmatic [dælˈmætɪk] *n.* **1.** *kośc.* dalmatyka (= *krótka szata liturgiczna przypominająca ornat*). **2.** *Br.* szata koronacyjna.

dalton [ˈdɔːltən] *n. fiz.* dalton, jednostka masy atomowej.

daltonism [ˈdɔːltəˌnɪzəm] *n. U pat.* daltonizm, ślepota barw.

Dalton plan, Dalton scheme, Dalton system *n. US szkoln.* daltoński plan laboratoryjny (*metoda nauczania kładąca nacisk na samodzielną, długofalową pracę ucznia*).

Dalton's law *n. fiz., chem.* prawo ciśnień cząstkowych Daltona.

dam[1] [dæm] *n.* **1.** tama, zapora. **2.** sztuczny zalew, zbiornik zaporowy. **3.** bariera, przeszkoda (*w kształcie tamy*). – *v.* **-mm- ~ (up)** zbudować tamę na (*rzece, strumieniu*); zamknąć tamą; zatamować, zablokować; *przen.* tłumić (*zwł. uczucia*).

dam[2] *n. hodowla* matka (*np. konia; zwł. w rodowodach*).

dam[3] *v.* = **damn.**

dam[4] *abbr.* = **dekameter(s).**

damage [ˈdæmɪdʒ] *n.* **1.** *C/U t. przen.* szkody, straty; zniszczenia; uszkodzenie (*to sth* czegoś); uszczerbek (*to sth* na czymś); **~ to property** straty materialne; **brain/liver ~** uszkodzenie mózgu/wątroby; **do/cause ~** wyrządzać *l.* powodować szkody (*to sth* w czymś); **flood ~** zniszczenia spowodowane powodzią; **irreparable/irreversible ~** nieodwracalne szkody. **2.** *pl. prawn.* odszkodowanie; **in ~s** tytułem odszkodowania. **3. the ~ is done** stało się (= *jest już za późno na naprawienie szkody*); **what's the ~?** *pot. żart.* ile to będzie?, ile płacę?. – *v.* **1.** uszkodzić. **2.** wyrządzić szkodę (*komuś*); narazić na szwank (*zwł. czyjąś reputację*). **3.** doznać szkody.

damageable [ˈdæmɪdʒəbl] *a.* zniszczalny.

damage control *n. U* **1.** *żegl.* służby odpowiedzialne za usuwanie uszkodzeń. **2.** *zwł. ekon.* ograniczanie strat.

damaging [ˈdæmɪdʒɪŋ] *a.* szkodliwy (*to sb/sth* dla kogoś/czegoś) (*zwł. o wpływie, skutkach*).

Damascene [ˈdæməˌsiːn] *a.* damasceński. – *n.* damasce-ńczyk/nka, mieszkan-iec/ka Damaszku.

damascene [ˈdæməˌsiːn] *v.* (*także* **damask, damaskeen**) ozdabiać techniką damaskinażu. – *n. U* damaskinaż, damasceńska robota. – *a.* damaskinażowy.

Damascus [dəˈmæskəs] *n. geogr., Bibl.* Damaszek.

Damascus steel, damask steel *n. U hist.* stal damasceńska, bułat.

damask [ˈdæməsk] *n. U* **1.** *tk.* adamaszek. **2.** = **Damascus steel.** **3.** kolor szaroworóżowy. – *a.* **1.** adamaszkowy. **2.** damasceński. **3.** *lit.* różowy, różany (*np. o cerze*). – *v.* **1.** = **damascene.** **2.** *tk.* tkać we wzory; ozdabiać wzorami.

damask rose *n. bot.* róża damasceńska (*Rosa damascena*).

dame [deɪm] *n.* **1. D~** *Br.* Dame (*żeński odpowiednik Lorda; tytuł damy Orderu Imperium Brytyjskiego l. żony szlachcica, zwł. baroneta*). **2.** *arch.* pani (*forma zwracania się do wysoko postawionej kobiety*). **3.** *zwł. Br. arch.* matrona. **4.** *zwł. US i Can. przest. pot.* babka, facetka.

dame-school [ˈdeɪmˌskuːl], **dame school** *n. hist., szkoln.* szkółka powszechna (*prowadzona przez starszą panią w jej własnym domu*).

dame's rocket *n.* (*także* **dame's violet, damewort**) *bot.* wieczornik damski (*Hesperis matronalis*).

damfool [ˌdæmˈfuːl] *n. US pot.* cholerny głupiec. – *a.* (*także* **~ish**) wyjątkowo głupi.

dammar [ˈdæmər], **damar, dammer** *n. U* damara (*żywica naturalna*).

dammit [ˈdæmɪt] *int. pot.* do cholery, do diaska.

damn [dæm] *v.* **1.** potępić. **2.** przekląć. **3.** *rel.* skazać na wieczne potępienie. **4.** *teatr* przyjąć chłodno (*sztukę*); spowodować zdjęcie z afisza (*przedstawienia*). **5.** *zw. pass.* skazać na niepowodzenie. **6.** udowodnić winę (*komuś*). **7. ~ you/him!** *pot.* (a) niech cię/go diabli!; **~ with faint praise** chwalić bez przekonania; **(as) near as ~ it** *Br. pot.* plus minus; **(God) ~ it!** *pot.* cholera!; **I'll be ~ed** *pot.* a niech to, o cholera (*wyrażając zdu-*

mienie); **I'll be ~ed if...** *pot.* niech mnie diabli wezmą, jeżeli... – *a. attr.* **1.** cholerny, przeklęty. **2.** kompletny; ~ **fool** kompletny głupiec. – *adv. pot.* wyjątkowo (*dobrze, zimno itp.*); ~ **all** *Br.* zupełnie nic; ~ **well** na pewno, z całą pewnością; **know ~ well** dobrze wiedzieć. – *int.* cholera!. – *n. pot.* **not give a ~ about sth** nie dbać o coś, nie przejmować się czymś; **I don't give a ~** mam to gdzieś; **not worth a ~** nic nie wart.

damnable [ˈdæmnəbl] *przest. a.* **1.** nikczemny, niecny, zasługujący na potępienie. **2.** przeklęty, cholerny; okropny (*np. o pogodzie, upale*).

damnation [dæmˈneɪʃən] *n. U t. teol.* potępienie. – *int. przest.* niech to diabli (wezmą)!.

damnatory [ˈdæmnəˌtɔːrɪ] *a.* potępiający.

damned [dæmd] *a.* **1.** *t. teol.* skazany na potępienie wieczne. **2.** przeklęty, cholerny. **3.** kompletny. **4.** *pot.* wspaniały. **5.** ~ **if I care** *pot.* mam to gdzieś. – *n. pl.* **the ~** przeklęci, potępieni. – *adv.* **1.** wyjątkowo (*np. głupi, dobry*). **2.** ~ **well** *pot.* na pewno, z całą pewnością.

damnedest [ˈdæmdɪst] *pot. n. U* **try/do one's ~** robić, co tylko jest w czyjejś mocy, stawać na głowie (*to do sth* żeby coś zrobić). – *a. zwł. US* najdziwniejszy, najbardziej zdumiewający.

damnify [ˈdæmnəˌfaɪ] *v. prawn.* wyrządzić szkodę *l.* krzywdę (*komuś*); narazić na straty.

damning [ˈdæmɪŋ] *a.* potępiający, obciążający; ~ **evidence/indictment** dowód/zarzut obciążający.

damnyankee [ˌdæmˈjæŋkiː], **damyankee** *n. płd. US pot.* mieszkan-iec/ka północy Stanów Zjednoczonych.

Damocles [ˈdæməˌkliːz] *n.* **sword of ~** *mit. l. przen.* miecz Damoklesa *l.* damoklesowy.

damoiselle [ˌdæməˈzel], **damosel, damozel** *n. arch.* = **damsel**.

damp [dæmp] *a.* **1.** wilgotny, mokry (*w nieprzyjemny sposób*). **2.** mało entuzjastyczny (*o przyjęciu, reakcji*). **3.** *arch.* przygnębiony, przybity. – *n. U* **1.** wilgoć; **patch of ~** *Br. i Austr.* zaciek (*na ścianie*). **2.** *C* = **damper** 1. **3.** *górn.* gazy kopalniane. **4.** *arch.* przygnębienie. – *v.* **1.** zwilżać. **2.** ~ **(down)** ostudzić (*np. entuzjazm*); osłabić; zdusić, stłumić, zgasić (*ogień*). **3.** *muz., fiz.* tłumić (*drgania*). **4.** *arch.* przygnębiać. **5.** ~ **off** butwieć.

dampcourse [ˈdæmpˌkɔːrs], **damp-proof course** *n. Br. bud.* warstwa izolacyjna przeciwwilgociowa.

damp-dry [ˈdæmpˌdraɪ] *v.* wysuszyć częściowo (*rzeczy do prasowania; tak, żeby były lekko wilgotne*). – *a.* częściowo wysuszony.

dampen [ˈdæmpən] *v.* **1.** zwilżać. **2.** *fiz., muz.* tłumić. **3.** osłabiać; ~ **sb's enthusiasm** ostudzić czyjś zapał.

damper [ˈdæmpər] *n.* **1.** czynnik zniechęcający; **put a ~ on** ostudzić (*np. radość, entuzjazm*). **2.** zasuwa do regulowania ciągu (*w piecu, palenisku itp.*). **3.** *muz.* tłumik (*fortepianu, pianina l. instrumentów dętych*); ~ **pedal** *muz.* pedał forte (*w pianinie*). **4.** *mech.* tłumik drgań, amortyzator. **5.** *Austr. i NZ kulin.* podpłomyk.

damping [ˈdæmpɪŋ] *n. U* **1.** zwilżanie. **2.** stłudzenie (*np. zapału*). **3.** *el., mech.* tłumienie; dławienie.

damping-off [ˌdæmpɪŋˈɔːf] *n. U bot.* butwienie.

damply [ˈdæmplɪ] *adv.* wilgotno.

damp-mop [ˈdæmpˌmɑːp] *v.* **-pp-** przecierać wilgotnym mopem.

dampness [ˈdæmpnəs] *n. U* wilgoć.

dampproof [ˈdæmpˌpruːf], **damp-proof** *bud. v.* zabezpieczać przed wilgocią. – *a.* odporny na wilgoć.

damp squib *n. Br. pot.* rozczarowanie (= *coś, co nie wywarło większego wrażenia l. zawiodło oczekiwania*).

damsel [ˈdæmzl] *n. arch. l. lit.* **1.** panna, panienka; dziewica, dziewczę; ~ **in distress** *żart.* dziewica w potrzebie (*w średniowiecznych opowieściach ratowana przez dzielnego rycerza*). **2.** ~**fish** (*także* **demoiselle**) *icht.* garbik daya (*Pomacenturus sindensis*). **3.** ~**fly** *ent.* ważka (*Odonata*).

damson [ˈdæmzən] *n.* **1.** *bot.* (śliwa domowa) damaszka (*Prunus insititia damascena*). **2.** śliwka damaszka. **3.** *U* (kolor) śliwkowy.

damson cheese *n. U kulin.* powidła śliwkowe (*z damaszek*).

dan[1] [dæn] *n. sztuki walki* dan.

dan[2] *n.* (*także* ~ **buoy**) *żegl.* pława łowiskowa, jonasz.

dance [dæns] *v.* **1.** tańczyć (*with sb* z kimś); pląsać; ~ **a waltz/tango** tańczyć walca/tango; ~ **sb (across the floor)** poprowadzić kogoś w tańcu (przez parkiet). **2.** wirować, kręcić się; kołysać się (*np. na wietrze*); podskakiwać (*np. na falach*). **3.** *przen.* ~ **attendance on sb** nadskakiwać komuś; ~ **on air** *sl.* zadyndać na stryczku; ~ **one's way to stardom** zdobyć sławę jako tance-rz/rka; ~ **to another tune** zmienić śpiewkę (= *zacząć zachowywać się inaczej*); ~ **to sb's tune** tańczyć tak, jak ktoś zagra (= *robić to, czego ktoś zażąda*). **4.** ~ **about** podrygiwać; ~ **away** przetańczyć (*np. noc*); ~ **sb up (and down)** huśtać *l.* podrzucać kogoś (*dziecko na kolanach*). – *n.* **1.** *t. przen.* taniec; **do a ~ of joy** *przen.* odtańczyć taniec radości; **have a ~ (with sb)** zatańczyć (z kimś). **2.** bal (*taneczny*); tańce, potańcówka, zabawa (*taneczna*). **3.** *U* taniec (*artystyczny*); balet. **4.** *przen.* **a song and ~ (about sth)** *zob.* **song**; **lead sb a (merry) ~** *zob.* **lead**[1] *v.*

danceable [ˈdænsəbl] *a.* taneczny, nadający się do tańczenia.

dance band *n.* orkiestra taneczna, zespół przygrywający do tańca.

dance card *n. hist.* karnet (*do zapisywania kolejności tańców i partnerów*).

dance drama *n.* widowisko taneczne.

dance floor *n.* parkiet.

dance hall *n.* sala balowa.

dance of death *n. sing. gł. sztuka* taniec śmierci, danse macabre.

dancer [ˈdænsər] *n.* tance-rz/rka.

dancing [ˈdænsɪŋ] *n. U* tańce, taniec, tańczenie. – *a.* tańczący.

dancing girl *n.* girlsa, girlaska.

dancing-lady orchid *n. bot.* motylnik (*Oncidium*).

D and C [ˌdiː ənd ˈsiː] *n.* (*także* **dilation and curettage**) *chir.* rozszerzenie i wyłyżeczkowanie (jamy macicy).

dandelion [ˈdændəˌlaɪən] *bot. n.* **1.** mniszek lekarski (*Taraxacum officinale*). **2.** mniszek (*Taraxacum*).

dander[1] [ˈdændər] *n. U* **1.** *zool.* łupież zwierzęcy. **2. get one's/sb's ~ up** *przest. pot.* rozzłościć się/kogoś.

dander[2] *n. płn. Br.* przechadzka.

dandify [ˈdændəfaɪ] *v.* zrobić dandysa z; wysztafirować.

dandle [ˈdændl] *v. przest.* **1.** huśtać, kołysać (*dziecko na rękach l. kolanach*). **2.** pieścić.

dandruff [ˈdændrəf] *przest.* **dandriff** *n. U* łupież.

dandy[1] [ˈdændɪ] *n. pl.* **-ies** **1.** *przest.* dandys, elegant, fircyk. **2.** *US pot.* cudo, pierwszorzędna rzecz. – *a.* **-ier, -iest** **1.** *przest.* dandysowaty, fircykowaty. **2.** *pot.* pierwszorzędny, wspaniały, cudowny.

dandy[2] *n.* (*także* **~ fever**) *pat.* = **dengue**.

dandy brush, dandy-brush *n.* zgrzebło.

dandyish [ˈdændɪɪʃ] *a.* dandysowaty, fircykowaty.

dandyism [ˈdændɪˌɪzəm] *n. U* dandyzm.

dandy roll, dandy roller *n. papiernictwo* eguter.

Dane [deɪn] *n.* **1.** Du-ńczyk/nka. **2.** *hist.* wiking.

Danegeld [ˈdeɪnˌgeld], **Danegelt** *n. U Br. hist.* Danegeld (= *haracz pobierany przez wikingów najeżdżających Anglię od VIII w.*).

Danelaw [ˈdeɪnˌlɔː], **Danelage, Danelagh** *Br. hist. n. sing.* **1.** Danelaw (= *władztwo duńskie w Anglii od IX do XI w.*). **2.** prawo duńskie obowiązujące jw.

danewort [ˈdeɪnˌwɜːt] *n. bot.* (bez) hebd (*Sambucus ebulus*).

dang [dæŋ] *v., a. i n. euf.* = **damn**.

danger [ˈdeɪndʒər] *n. C/U* niebezpieczeństwo; zagrożenie; **be a ~ to sb/sth** stanowić zagrożenie dla kogoś/czegoś; **be in ~** znajdować się w niebezpieczeństwie; **fraught with ~** najeżony niebezpieczeństwami, bardzo niebezpieczny; **on the ~ list** w stanie krytycznym (*o pacjencie w szpitalu*); **put sb in ~** narażać kogoś na niebezpieczeństwo; **sb is out of ~** komuś *l.* czyjemuś życiu nie zagraża już niebezpieczeństwo; **there is a ~ of sth happening** istnieje niebezpieczeństwo, że coś się stanie; **there is no ~ of that** nie ma takiego niebezpieczeństwa.

danger angle *n. żegl.* kąt bezpieczny, kąt niebezpieczeństwa.

danger money *n. U Br. i Austr.* dodatek za pracę w niebezpiecznych warunkach.

dangerous [ˈdeɪndʒərəs] *a.* niebezpieczny; **~ ground/territory** *przen.* niebezpieczny *l.* śliski grunt.

dangerously [ˈdeɪndʒərəslɪ] *adv.* niebezpiecznie; **~ ill** poważnie *l.* ciężko chory.

danger zone *n.* strefa zagrożenia.

dangle [ˈdæŋgl] *v.* **1.** zwisać, dyndać. **2.** majtać, wymachiwać (*czymś*). **3.** *przen.* **~ sth in front of/before sb** kusić kogoś czymś, obiecywać komuś coś (*w zamian za zrobienie czegoś*); **keep sb dangling** trzymać kogoś w niepewności.

dangling participle [ˌdæŋglɪŋ ˈpɑːrtəˌsɪpl] *n. gram.* zdanie-reszta.

danio [ˈdeɪnɪˌoʊ] *n. pl.* **-s** *icht.* danio (*Danio, rybka akwariowa*).

Danish [ˈdeɪnɪʃ] *a.* duński. – *n.* **1.** *U* język duński. **2.** = **Danish pastry**.

Danish blue *n. U* duński ser pleśniowy.

Danish pastry, danish *n.* ciastko duńskie (*zw. z nadzieniem, przypominające drożdżówkę*).

dank [dæŋk] *a.* zatęchły, zawilgocony.

dankness [ˈdæŋknəs] *n. U* stęchlizna.

Dano-Norwegian [ˌdeɪnoʊnɔːrˈwiːdʒən] *n. U jęz.* bokmål (*odmiana języka norweskiego*).

danseur [ˌdɑːnˈsʊr] *n. form.* tancerz baletowy.

danseuse [dɑːnˈsuːz] *n. form.* baletnica.

Dantean [ˈdæntɪən] *a.* **1.** (*także* **Dantesque**) dantejski (= *w stylu Dantego*). **2.** dotyczący (dzieł) Dantego. – *n.* badacz/ka twórczości Dantego.

Danube [ˈdænjuːb] *n.* **the ~** *geogr.* Dunaj.

DAP [ˌdiː ˌeɪ ˈpiː] *n.* **distributed array processor** *komp.* rozproszony procesor macierzowy.

dap[1] [dæp] *v.* **-pp-** **1.** łowić ryby na przynętę unoszącą się na wodzie. **2.** zanurkować (*np. o polującym ptaku*). **3.** odbijać (się). **4.** puszczać kaczki. **5.** *stol.* zacinać, wrębiać. – *n. stol.* zacios, wrąb.

dap[2] *n. płd.-zach. Br.* tenisówka.

daphne [ˈdæfnɪ] *n. bot.* wawrzynek (*Daphne*).

daphnia [ˈdæfnɪə] *n. zool.* dafnia, rozwielitka (*Daphnia*).

dapper [ˈdæpər] *a.* **1.** szykowny, elegancki (*o mężczyźnie drobnej postury*). **2.** żwawy, fertyczny (*jw.*).

dapple [ˈdæpl] *n.* **1.** *U* cętki, plamki. **2.** nakrapiane *l.* cętkowane zwierzę. – *a.* nakrapiany, cętkowany. – *v. lit.* upstrzyć (się).

dappled [ˈdæpld] *a.* nakrapiany, cętkowany.

dapple-grey [ˌdæplˈgreɪ], **dapple-gray** *a.* jabłkowity (*o maści konia*).

D.A.R. [ˌdiː ˌeɪ ˈɑːr], **DAR** *abbr.* **Daughters of the American Rewolutiuon** *US* Córy Rewolucji Amerykańskiej (*organizacja kobieca*).

darbies [ˈdɑːrbɪz] *n. pl. Br. sl.* bransoletki (= *kajdanki*).

darby [ˈdɑːrbɪ] *n. pl.* **-ies** *bud.* łata tynkarska.

Dardanelles [ˌdɑːrdəˈnelz] *n. pl.* **the ~** *geogr.* Dardanele, cieśnina Dardanele.

dare [der] *v. 3 os. sing.* **dare** *l.* **dares** **1. ~ (to) do sth** ośmielić się *l.* śmieć coś zrobić; **don't/just you ~!** nie waż się!, tylko spróbuj!; **how ~ you!** jak śmiesz!; **I ~n't tell her** nie mam odwagi jej powiedzieć. **2. ~ sb to do sth** rzucić komuś wyzwanie do zrobienia czegoś. **3. I ~ say...** (*także* **I ~say**) *zwł. Br.* zapewne..., przypuszczam, że... **4. ~ I say/suggest, ...** *form.* jeśli wolno mi (to *l.* tak) powiedzieć,... – *n.* wyzwanie.

daredevil [ˈderˌdevl] *n.* śmiałek. – *a. attr.* śmiały; brawurowy.

daredevilry [ˈderˌdevlrɪ], **daredeviltry** *n. U* śmiałość; brawura.

daresay [ˌderˈseɪ] *v. zob.* **dare** *v.* 3.

darg [dɑ:rg] *n.* **1.** *płn. Br. dial.* dniówka. **2.** *Austr.* robota.

daring [ˈderɪŋ] *n. U* odwaga, śmiałość. – *a.* odważny, śmiały.

daringly [ˈderɪŋlɪ] *adv.* odważnie, śmiało.

dark [dɑ:rk] *a.* **1.** *t. przen.* ciemny (*t. = złowrogi, zły; nieoświecony; podejrzany; o głosie, dźwięku - niski, głęboki*). **2.** (*z nazwami kolorów*) ~ **brown/blue** ciemnobrązowy/ciemnoniebieski. **3.** mroczny, ponury. **4.** niejasny, niezrozumiały. **5.** milczący; powściągliwy. **6.** nieczynny (*o teatrze*). **7. it's getting ~** ściemnia się, robi się ciemno. **8. keep sth ~** *pot.* trzymać coś w sekrecie. – *n. U* **1. the ~** ciemność, ciemności, mrok; **in the ~** w ciemności, po ciemku. **2.** zmrok; **after ~** po zmroku; **before ~** przed zapadnięciem zmroku. **3.** *przen.* **a shot in the ~** *pot.* strzał w ciemno; **be in the ~ about sth** *pot.* nic nie wiedzieć o czymś; **keep sb in the ~ about sth** trzymać kogoś w zupełnej nieświadomości czegoś, nic komuś nie mówić o czymś. – *v. arch.* = **darken.**

dark adaptation *n. U opt.* adaptacja oka do ciemności *l.* przyćmionego światła.

Dark Ages *n.* **the ~** *hist.* wczesne średniowiecze, mroki średniowiecza.

dark chocolate *n. U US i Austr.* czekolada gorzka.

Dark Continent *n.* **the ~** *przest.* Czarny Ląd (= *Afryka*).

dark current *n. U el.* prąd ciemny.

darken [ˈdɑ:rkən] *v.* **1.** ciemnieć; przyciemniać; zaciemniać (się). **2.** *t. przen.* zachmurzyć się, spochmurnieć. **3.** zasmucić, przygnębić; zepsuć (*atmosferę*). **4. never ~ my door/these doors again** *lit.* niech twoja noga więcej tu nie postanie.

dark-eyed junco [ˌdɑ:rkˌaɪd ˈdʒʌŋkoʊ] *n. orn.* junko (*Junco hyemalis*).

dark-field illumination [ˌdɑ:rkˌfi:ld ɪˌlu:məˈneɪʃən] *n. U opt.* oświetlenie w ciemnym polu (*w obrazie mikroskopowym*).

dark-field microscope *n. opt.* ultramikroskop.

dark glasses *n.* ciemne okulary.

dark horse *n. przen.* czarny koń.

darkie [ˈdɑ:rkɪ] *n.* = **darky.**

darkish [ˈdɑ:rkɪʃ] *a.* ciemnawy.

dark lantern *n.* ślepa latarka.

darkle [ˈdɑ:rkl] *arch. l. lit. v.* **1.** ściemniać się. **2.** jawić się niewyraźnie.

darkling [ˈdɑ:rklɪŋ] *poet. a.* **1.** ciemniejący. **2.** ciemny. **3.** dziejący się po ciemku *l.* w ciemności. **4.** mroczny; złowrogi. – *adv.* po ciemku, w ciemności.

darkly [ˈdɑ:rklɪ] *adv.* **1.** ciemno. **2.** tajemniczo. **3.** złowrogo.

dark meat *n.* **1.** *U* ciemne mięso (*np. noga kurczaka*). **2.** *wulg. sl. obelż.* czarna dupa (*o ciemnoskórej kobiecie w kategoriach seksualnych*).

dark mineral *n. geol.* minerał skałotwórczy ciężki.

dark nebula *n. astron.* mgławica galaktyczna ciemna.

darkness [ˈdɑ:rknəs] *n. U* **1.** *t. przen.* ciemność, mrok. **2.** zło; **Prince of D~** *przen.* książę ciemności (= *Szatan*). **3.** niejasność.

dark reaction *n. bot.* faza ciemna (*fotosyntezy*).

darkroom [ˈdɑ:rkˌru:m] *n. fot.* ciemnia.

dark slide *n. fot.* kaseta ciemniowa.

darksome [ˈdɑ:rksəm] *a. lit.* ciemny; ciemnawy.

dark star *n. astron.* gwiazda niewidoczna w układzie gwiazdy podwójnej.

darktown [ˈdɑ:rkˌtaʊn] *n. przest. sl. pog.* dzielnica czarnuchów.

darky [ˈdɑ:rkɪ], **darkie, darkey** *n. pl.* **-ies** *przest. obelż.* **1.** czarnuch/a (= *Murzyn/ka*). **2.** *Austr.* aborygen/ka.

darling [ˈdɑ:rlɪŋ] *n.* **1.** kochanie (*zwł. jako forma zwracania się do kogoś*); **he is/you are (such) a ~** jest/jesteś (taki) kochany. **2. the/a ~ of sb/sth** ulubieni-ec/ca kogoś/czegoś (*zwł. większej grupy*). – *a.* **1.** *attr.* ukochany, kochany; ulubiony. **2.** *pot.* uroczy.

darn[1] [dɑ:rn] *v.* cerować. – *n.* cera (= *zacerowane miejsce*).

darn[2] *int., n., a. i adv pot. euf.* = **damn.**

darnel [ˈdɑ:rnl] *n. bot.* życica (*Lolium*).

darning [ˈdɑ:rnɪŋ] *n. U* cerowanie; rzeczy do cerowania *l.* zacerowane; **~ egg/mushroom** grzybek do cerowania.

darning needle *n.* **1.** igła do cerowania. **2.** *US i Can. dial.* ważka.

dart [dɑ:rt] *n.* **1.** rzutka, strzałka; *pl.* gra w rzutki *l.* strzałki. **2.** *sing.* zryw; pęd. **3.** *zool.* żądło. **4.** *krawiectwo* zaszewka. **5.** *przen.* **make a ~ for/at the door** rzucić się do drzwi; **shoot ~s at sb** *US pot.* rzucać komuś gniewne spojrzenia. – *v.* **1.** rzucić się (*towards sth* w kierunku czegoś *l.* ku czemuś). **2. ~ a glance/look at sb** *przen.* rzucić komuś spojrzenie. **3. ~ along/forward/off** popędzić, pognać.

dartboard [ˈdɑ:rtˌbɔ:rd] *n.* tarcza do gry w rzutki.

darter [ˈdɑ:rtər] *n. orn.* wężówka (*Anhinga*).

Darwinian [dɑ:rˈwɪnɪən] *a.* darwinistyczny. – *n.* darwinist-a/ka.

Darwinism [ˈdɑ:rwəˌnɪzəm] *n. U* darwinizm.

Darwinist [ˈdɑ:rwəˌnɪst], **Darwiniite** [dɑ:rˈwɪnɪaɪt] *n.* darwinist-a/ka.

das [dæs], **dassie** [ˈdæsɪ] *n. zool.* góralek (*ssak z rzędu Hyracoidea*).

DASD [ˌdɪ: ˌeɪ ˌes ˈdi:] *abbr.* **direct-access storage device** *komp.* urządzenie pamięciowe o dostępie bezpośrednim.

dash[1] [dæʃ] *v.* **1.** rzucić, cisnąć; roztrzaskać na kawałki. **2.** uderzać, walić (*sth against sth* czymś o coś). **3.** chlapnąć (*wodą, farbą*). **4.** rzucić się (*toward sth* w kierunku czegoś *l.* ku czemuś). **5.** zmieszać (*sth with sth* coś z czymś) (*np. dwa rodzaje farby*). **6.** zniechęcić, przygnębić, przybić. **7. ~ sb's hopes** zniweczyć czyjeś nadzieje. **8. I have to/must ~** *Br. pot.* muszę lecieć. **9. ~ away/off** popędzić, pognać; **~ off/down** napisać na kolanie, odwalić (*np. wypracowanie*). – *n.* **1.** *sing.* szczypta, odrobina (*of sth* czegoś). **2.**

zryw; pęd; **mad ~** *pot.* szalony pęd *l.* wyścig; **make a ~ for it** zerwać *l.* rzucić się do ucieczki; **make a ~ for/toward sth** rzucić się w kierunku czegoś *l.* ku czemuś. **3.** myślnik. **4.** kreska (*w sygnale telegraficznym, alfabecie Morse'a*). **5.** pociągnięcie (*piórem, długopisem*). **6.** plusk (*np. fal*). **7.** *zwł. US i Can. sport* sprint, bieg krótkodystansowy. **8.** *US pot.* = **dashboard**. **9.** *przest.* werwa, wigor. **10.** *arch.* cios, uderzenie. **11. cut a ~** *zob.* **cut** *v.* 24.

dash2 *v. Br.* = **damn**.

dash3 *zach. Afryka n.* **1.** napiwek. **2.** łapówka. – *v.* **1.** dać napiwek (*komuś*). **2.** przekupić, dać łapówkę (*komuś*).

dashboard [ˈdæʃˌbɔːrd] *n.* **1.** *mot.* deska rozdzielcza. **2.** tablica wskaźników. **3.** *przest.* osłona (*przed błotem, odpryskami spod kopyt w wozie konnym*).

dashed1 [dæʃt] *a.* **~ line** linia przerywana.

dashed2 *a. i adv. attr. zwł. Br.* = **damned**.

dasheen [dæˈʃiːn] *n. bot.* kleśnica jadalna, taro, kolokazja jadalna (*Colocasia esculenta*).

dasher [ˈdæʃər] *n.* mieszadło; ubijacz (*np. w maselnicy*).

dashiki [dəˈʃiːkɪ] *n.* barwna koszula męska (*bez guzików, typu afrykańskiego*).

dashing [ˈdæʃɪŋ] *a.* **1.** *przest.* pełen wigoru (*o mężczyźnie*). **2.** stylowy; pełen fantazji, fantazyjny (*o stroju*).

dash light *n. mot.* podświetlenie deski rozdzielczej.

dashpot [ˈdæʃˌpɑːt] *n. mech.* tłumik *l.* amortyzator tłokowy.

dastard [ˈdæstərd] *n. arch.* nikczemny tchórz. – *a.* tchórzliwy.

dastardly [ˈdæstərdlɪ] *a. przest.* tchórzliwy; nikczemny.

dasymeter [dæˈsɪmɪtər] *n.* urządzenie do mierzenia gęstości gazu.

dasyure [ˈdæsɪˌjʊr] *n. zool.* niełaz (*ssak z rodzaju Dasyurus*).

DAT [dæt] *abbr.* **digital audiotape** magnetofonowa taśma cyfrowa.

dat. *abbr.* = **dative**.

data [ˈdeɪtə] *n. U l. pl.* dane.

data bank, databank *n. zwł. komp.* **1.** bank danych. **2.** baza danych.

database [ˈdeɪtəˌbeɪs], **data base** *n. zwł. komp.* baza danych.

database management *n. U* zarządzanie bazą danych.

data capture *n. U komp.* wprowadzanie danych.

datacenter [ˈdeɪtəˌsentər], **data center, data processing center** *n. komp.* centrum przetwarzania danych, centrum obliczeniowe.

data communication *n. U* transmisja *l.* przesyłanie danych.

data dictionary *n.* (*także* **data directory**) *komp.* słownik bazy danych.

dataflow architecture [ˈdeɪtəflou ˌɑːrkɪˌtektʃər] *n. komp.* architektura przepływu danych.

data pen *n.* czytnik kodów magnetycznych (*np. na opakowaniach*).

data processing *n. U komp.* przetwarzanie danych.

data processor *n. komp.* procesor, jednostka przetwarzania danych.

data protection *n. U komp.* ochrona danych.

data set *n. komp.* **1.** zbiór *l.* plik danych. **2.** modem.

data structure *n. komp.* struktura danych.

date1 [deɪt] *n.* **1.** data; **~ of birth** data urodzenia; **what's the ~ today?** którego dzisiaj mamy?. **2.** termin; **at a later ~** w późniejszym terminie; **closing ~** ostateczny termin; **set a ~** wyznaczyć termin. **3.** randka; spotkanie; **go (out) on a ~** iść na randkę; **it's a ~** jesteśmy umówieni; **make a ~** umówić się (*na spotkanie*); **sb's ~** *US* osoba, z którą ktoś się spotyka *l.* ma randkę. **4.** okres; **of the same ~** z tego samego okresu (*zwł. o wykopaliskach, dziełach sztuki*). **5.** *pl.* **(sb's) ~s** rok (czyjegoś) urodzenia i śmierci. **6. out of ~** przestarzały; przeterminowany. **7. to ~** do tej pory, do chwili obecnej. **8. up to ~** aktualny, nowoczesny; **bring sth up to ~** uaktualnić coś; **bring sb up to ~** zapoznać kogoś z najnowszymi informacjami. – *v.* **1.** datować, opatrzyć datą (*np. list*). **2.** datować, określać wiek (*np. dzieła sztuki, znaleziska*). **3. ~ from** (*także* **~ back to**) pochodzić z (*jakiegoś okresu*). **4. be dating sb** *zwł. US i Can.* chodzić z kimś. **5.** starzeć się; wychodzić z mody. **6. ~ sb** postarzać kogoś, ujawniać czyjś wiek (*np. o stroju, makijażu*).

date2 *n.* daktyl (*owoc*).

datebook [ˈdeɪtˌbʊk] *n.* kalendarz, terminarz.

dated [ˈdeɪtɪd] *a.* **1.** datowany. **2.** przestarzały; niemodny; **be ~** trącić myszką. **3.** *ekon.* terminowy (*o papierach wartościowych*).

dateless [ˈdeɪtləs] *a.* **1.** ponadczasowy, zawsze aktualny *l.* modny. **2.** *arch. l. lit.* nieskończony, bezgraniczny.

date line, International Date Line *n. geogr.* linia zmiany daty.

dateline [ˈdeɪtˌlaɪn] *n. dzienn.* nagłówek artykułu (*zawierający datę i miejsce jego powstania*).

date of record *n. ekon.* ostateczny termin wypłacenia dywidendy.

date palm *n. bot.* daktylowiec właściwy, palma daktylowa, daktyl (*Phoenix dactylifera*).

dater [ˈdeɪtər] *n.* datownik.

date rape *n.* wymuszony stosunek płciowy, gwałt (*podczas randki*).

date stamp *n.* **1.** datownik. **2.** data wybita datownikiem.

date-stamp [ˈdeɪtˌstæmp] *v.* datować (*datownikiem*).

dating agency [ˈdeɪtɪŋ ˌeɪdʒənsɪ] *n. Br.* = **dating service**.

dating bar *n.* bar dla samotnych.

dating service *n. US i Austr.* biuro matrymonialne, agencja matrymonialna.

dative [ˈdeɪtɪv] *gram. n.* celownik. – *a.* celownikowy, w celowniku.

dative bond *n. chem.* wiązanie koordynacyjne, wiązanie semipolarne, wiązanie półbiegunowe.

datolite [ˈdætəˌlaɪt] *n. U min.* datolit.

datum [ˈdeɪtəm] *n.* **1.** *pl.* **data** dana, informacja, element danych. **2.** *pl.* **datums** podstawa odniesienia, podstawa wymiarowa; *miern.* rzędna niwelacyjna; ~ **plane/level/line** *miern.* płaszczyzna/poziom/linia odniesienia.

datura [dəˈtʊrə] *n. bot.* bieluń (*Datura*).

dau. *abbr.* = **daughter**.

daub [dɑ:b] *v.* **1.** smarować, mazać (*sth with sth* coś czymś). **2.** oblepić (*np. tynkiem, gliną*); zamalować, zapacykować. **3.** pacykować, malować bohomazy. – *n.* **1.** *U bud.* glina; **wattle and ~** polepa (= *glina z sieczką jako materiał budowlany*). **2.** maźnięcie. **3.** bohomaz, kicz.

dauber [ˈdɑ:bər] *n.* pacykarz.

daubery [ˈdɑ:bərɪ], **daubry** *n.* **1.** *U* pacykowanie, pacykarstwo. **2.** bohomaz.

daughter [ˈdɔ:tər] *n.* **1.** *t. przen.* córka; córa (*t. np. rewolucji*). **2.** *chem., fiz.* produkt rozpadu promieniotwórczego. **3.** **like mother, like ~** *zob.* **like**[1] *prep.*

daughter cell *n. biol.* komórka siostrzana.

daughter-in-law [ˈdɔ:tərˌɪnˌlɔ:] *n. pl.* **daughters-in-law** *l.* **daughter-in-laws** synowa.

daughter languages *n. pl. jęz.* języki o drugim stopniu pokrewieństwa, języki potomne.

daughterly [ˈdɔ:tərlɪ] *a. przest. l. form.* wymagany *l.* oczekiwany od córki (*np. o posłuszeństwie, miłości*).

daunt [dɔ:nt] *v. zw. pass.* onieśmielać; odstraszać; zniechęcać, zrażać; **nothing ~ed** *form.* bynajmniej niezrażony.

daunting [ˈdɔ:ntɪŋ] *a.* onieśmielający; odstraszający; zniechęcający.

dauntless [ˈdɔ:ntləs] *a. zwł. lit.* nieustraszony.

dauntlessly [ˈdɔ:ntləslɪ] *adv.* nieustraszenie.

dauntlessness [ˈdɔ:ntləsnəs] *n. U* nieustraszoność.

dauphin [ˈdɔ:fɪn] *n. hist.* delfin (= *następca tronu francuskiego*).

dauphine [doʊˈfi:n], **dauphiness** [dɔ:ˈfi:nəs] *n.* żona delfina.

davenport [ˈdævənˌpɔ:rt] *n.* **1.** *US i Can.* tapczan, sofa (*rozkładana*). **2.** *Br.* biurko, sekretarzyk (*wysoki, z pochyłym blatem*).

Davis Cup [ˈdeɪvɪs ˌkʌp] *n. tenis* Puchar Davisa.

davit [ˈdævɪt] *n. żegl.* żurawik.

Davy Jones [ˌdeɪvɪ ˈdʒoʊnz] *żegl. n.* **1.** duch morski. **2.** **~'s locker** *pot. żart.* dno morskie (*jako grób marynarzy*).

Davy lamp [ˈdeɪvɪ ˌlæmp] *n. górn. przest.* lampa bezpieczeństwa, lampa Davy'ego.

daw [dɔ:] *n. arch. dial. l. poet.* = **jackdaw**.

dawdle [ˈdɔ:dl] *pot. v.* **1.** guzdrać się, grzebać się; wlec się. **2.** ~ **(away)** marnować (*np. czas*).

dawdler [ˈdɔ:dlər] *n.* **1.** guzdrała, grzebalski/a. **2.** próżniak.

dawn [dɔ:n] *n. C/U* **1.** świt, brzask; **~ is breaking** świta, wstaje świt; **at (the break of) ~** o świcie; **at the crack of ~** bladym świtem, skoro świt; **from ~ to dusk** od świtu do zmroku. **2.** *przen.* zaranie, początek; **since the ~ of time** od zarania dziejów. – *v.* **1.** świtać, dnieć; **it/the day was ~ing** świtało. **2.** *lit.* rozpoczynać się. **3.** **it ~ed on me that...** zaświtało mi (w głowie), że...

dawn chorus *n. sing. Br.* poranne trele (*ptaków*).

dawn patrol *n. hist., lotn., wojsk.* poranny rekonesans lotniczy.

dawn redwood *n. bot.* metasekwoja chińska, kopalina chińska (*Metasequoia glyptostroboides*).

day [deɪ] *n.* **1.** *C/U* dzień; **all ~ (long)** przez cały dzień; **by ~** za dnia; **in a few ~s** (*także* **in a few ~s' time**) za parę dni; **the ~ after/before** następnego/poprzedniego dnia, dzień później/wcześniej; **the ~ before yesterday** przedwczoraj; **the following ~** następnego dnia. **2.** doba. **3.** dzień pracy, dzień roboczy; **~ off** wolny dzień; **paid by the ~** płacony od dniówki; **work an eight-hour ~** mieć ośmiogodzinny dzień pracy. **4.** *t. pl.* czas, czasy, dni (*of sth* czegoś). **5.** *pl.* **sb's ~s** czyjeś życie; **his ~s are numbered** jego dni są policzone; **end one's ~s** dokonać żywota. **6.** **~ and night** dniem i nocą, dniami i nocami; **~ by ~** dzień po dniu; **~ in, ~ out** (*także* **~ after ~**) dzień w dzień; **any ~ (now)** w każdej chwili (= *już wkrótce*); **as plain/clear as ~** jasny jak słońce; **at the end of the ~** *zwł. Br.* w ostatecznym rozrachunku; **by ~** za dnia; **call it a ~** *zob.* **call** *v.*; **dish/soup of the ~** danie/zupa dnia; **every dog has his ~** *zob.* **dog** *n.*; **from ~ one** *pot.* od samego początku; **from ~ to ~** z dnia na dzień (*żyć*); **from one ~ to the next** z dnia na dzień (*zmienić się*); **give me X any ~** *pot.* ja tam wolę X, nie ma to jak X; **have a nice ~!** *zwł. US* miłego dnia!; **have an off ~** mieć gorszy dzień; **in all my born ~s** *pot.* przez całe życie; **in its ~** w okresie swojej największej świetności; **in my/his ~** za moich/jego czasów; **in this ~ and age** w dzisiejszych czasach (*zwł. wyrażając zdumienie*); **it's all in a ~'s work** to należy do normalnych obowiązków; **it's early in the ~** (*także* **it's early ~s (yet)**) *gł. Br. pot.* jeszcze za wcześnie, żeby wyrokować; **it's (just) one of those ~s** *pot.* to jeden z tych dni (*kiedy nic się nie udaje*); **it's not every ~ (that)** *pot.* niecodziennie zdarza się, żeby...; **it's your/my lucky ~!** *pot.* to twój/mój szczęśliwy dzień!; **late in the ~** późno; zbyt późno; **live to see the ~ when...** *pot.* dożyć dnia, kiedy...; **make a ~ of it** *pot.* dać sobie cały dzień (*zwł. na coś przyjemnego*); **make sb's ~** wprawić kogoś w doskonały nastrój; **one/some ~** (*także* **one of these ~s**) któregoś *l.* pewnego dnia, kiedyś (*w przyszłości*); **save the ~** uratować sytuację; **sb's ~ will come** nadejdzie (jeszcze) kiedyś czyjś dzień; **sth has had its ~** coś się (już) przeżyło; **sth has seen better ~s** coś widziało lepsze czasy (= *jest bardzo wysłużone, zużyte*); **that will be the ~!** *pot.* już to widzę! (*wyrażając powątpiewanie*); **the good old ~s** stare, dobre czasy; **the other ~** parę dni temu, niedawno; **these ~s** aktualnie, obecnie; w dzisiejszych czasach; **(thirty five years ago) to the ~** dokładnie (trzydzieści pięć lat temu); **those were the ~s!** to były czasy!; **to this ~** po dziś dzień; **win/carry the ~** zwyciężyć (*w zawodach, konkursie*); odnieść sukces.

day bed *n.* leżanka.

day blindness *n. U pat.* ślepota dzienna, upośledzenie widzenia w silnym świetle.

daybook [ˈdeɪˌbʊk] *n.* **1.** *handl.* księga kasowa. **2.** dziennik, pamiętnik. **3.** terminarz, kalendarz.

day boy *n. zwł. Br. szkoln.* ekstern, uczeń dochodzący.

daybreak [ˈdeɪˌbreɪk] *n. U* świt, brzask.

day camp *n.* półkolonie.

day care, daycare *n. U* opieka dzienna (*nad dziećmi, osobami starszymi l. niepełnosprawnymi*).

day care center, *Br.* **day care centre** *n.* **1.** *US* = **day nursery**. **2.** *Br.* dzienny ośrodek pomocy społecznej.

day coach *US n. kol.* wagon pasażerski (= *nie sypialny*); klasa zwykła (*do podróży dziennych*).

day cruiser *n. żegl.* mała łódź motorowa (*bez miejsc do spania*).

daydream [ˈdeɪˌdriːm] *n.* marzenie, mrzonka. – *v.* marzyć, fantazjować, śnić na jawie.

daydreamer [ˈdeɪˌdriːmər] *n.* marzyciel/ka.

daydreaming [ˈdeɪˌdriːmɪŋ] *n. U* marzycielstwo.

dayflower [ˈdeɪˌflaʊər] *n. bot.* roślina z rodziny komelinowatych (*Commelinaceae*).

dayfly [ˈdeɪˌflaɪ] *n. pl.* **-flies** *ent.* jętka (*Ephemera*).

daygirl [ˈdeɪˌgɝːl] *n. zwł. Br. szkoln.* eksternistka, uczennica dochodząca.

dayglo [ˈdeɪˌgloʊ], **Day-Glo** *a. attr.* jaskrawy (*o kolorze*).

dayglow [ˈdeɪˌgloʊ] *n. U geogr.* poświata niebieska dzienna.

day in court *prawn. n.* **1.** dzień wyznaczony do rozpoznania sprawy. **2.** czas na przedstawienie sprawy w sądzie.

day jasmine *n. bot.* mrzechlina (*Cestrum*).

day job *n. US pot.* praca dla pieniędzy (*traktowana tymczasowo przez kogoś, kto stara się osiągnąć sukces jako pisarz, artysta itp.*).

day labor, *Br.* **day labour** *n.* **1.** *U* siła robocza wynajmowana od dnia. **2.** dniówka.

day laborer, *Br.* **day labourer** *n.* pracownik dniówkowy.

daylight [ˈdeɪˌlaɪt] *n.* **1.** *U t. przen.* światło dzienne; dzień; **in broad ~** w biały dzień. **2.** *U* brzask, świt. **3.** *przen. pot.* **knock/beat the (living) ~s out of sb** stłuc *l.* sprać kogoś na kwaśne jabłko; **scare/frighten the (living) ~s out of sb** śmiertelnie kogoś przestraszyć; **see ~** zaczynać rozumieć; zobaczyć światełko w tunelu.

daylight lamp *n. fiz.* lampa o świetle dziennym.

daylight robbery *n. pl.* **-ies** *pot.* rozbój w biały dzień, zdzierstwo.

daylight-saving time, *Austr.* **daylight saving** *n. U* czas letni.

daylily [ˈdeɪˌlɪlɪ], **day lily** *n. bot.* liliowiec (*Hemerocallis*).

day-liner [ˈdeɪˌlaɪnər] *n.* **1.** środek komunikacji kursujący w dzień. **2.** pasażer/ka środka komunikacji jw.

day loan *n. ekon.* pożyczka jednodniowa.

daylong [ˈdeɪˌlɔːŋ] *a.* całodzienny, całodniowy. – *adv.* przez cały dzień.

daymark [ˈdeɪˌmɑːrk] *n. żegl.* stawa nieoświetlona, znak dzienny.

day-neutral [ˌdeɪˈnuːtrəl] *a. bot.* kwitnący niezależnie od długości dnia.

day nursery *n.* żłobek; przedszkole.

Day of Atonement *n. judaizm* Jom Kippur, Sądny Dzień.

Day of Judgement *n. rel.* Dzień Sądu Ostatecznego.

day of reckoning *n.* dzień rozliczenia *l.* rozrachunków (*z obowiązków, długów itp.*).

daypack [ˈdeɪˌpæk] *n. US* mały plecak *l.* torba.

day pupil *n. zwł. Br. szkoln.* ekstern/istka, ucze-ń/nnica dochodząc-y/a.

day release *n. U Br.* zwalnianie pracowników na jeden dzień w tygodniu, żeby mogli się dokształcać.

day return *n. Br.* bilet powrotny jednodniowy.

day room *n.* świetlica (*zwł. w szpitalu*).

days [deɪz] *adv. pot.* dniami, w dzień (*np. pracować*).

day sailer *n. żegl.* otwarta łódź żaglowa (*bez miejsc do spania*).

day school *n.* **1.** szkoła dzienna. **2.** szkoła prywatna dla dochodzących.

day shift *n.* dzienna zmiana.

dayside [ˈdeɪˌsaɪd] *n.* **1.** *dzienn.* dzienna zmiana (*w redakcji gazety*). **2.** *astron.* jasna strona planety.

days of grace *n.* karencja.

dayspring [ˈdeɪˌsprɪŋ] *n. arch. l. poet.* świt, brzask.

daystar [ˈdeɪˌstɑːr] *n.* **1.** *lit.* gwiazda poranna. **2.** *arch. l. lit.* słońce.

day student *n. US i Austr. szkoln.* ekstern/istka, ucze-ń/nnica dochodząc-y/a.

daytime [ˈdeɪˌtaɪm] *n. U* dzień; **in the ~** w dzień, za dnia. – *a. attr.* dzienny.

day-to-day [ˌdeɪtəˈdeɪ] *a. attr.* **1.** codzienny. **2.** z dnia na dzień (*np. o planowaniu*).

day trip *n.* wycieczka jednodniowa.

day-tripper [ˌdeɪˈtrɪpər] *n. Br.* wycieczkowicz/ka.

daywear [ˈdeɪˌwer] *n. U* odzież dzienna.

daywork [ˈdeɪˌwɝːk] *n.* **1.** *U* praca dzienna. **2.** dniówka.

daze [deɪz] *v. zw. pass.* **1.** oszałamiać. **2.** ogłuszyć. – *n.* oszołomienie; **in a ~** oszołomiony.

dazzle [ˈdæzl] *v. zw. pass.* **1.** oślepiać. **2.** *przen.* olśniewać. – *n. U* oślepiające światło; *t. przen.* blask (*np. sławy*).

dazzling [ˈdæzlɪŋ] *a.* **1.** oślepiający. **2.** *przen.* olśniewający; oszałamiający (*np. o sukcesie*).

dB [ˌdiː ˈbiː], **db** *abbr. fiz.* = **decibel(s)**.

d.b. *abbr.* = **daybook**.

DBA [ˌdiː ˌbiː ˈeɪ], **dba, d.b.a.** *abbr.* **doing business as** *handl.* działający pod nazwą handlową.

D.B.A. [ˌdiː ˌbiː ˈeɪ] *abbr.* **Doctor of Business Administration** *uniw.* doktor zarządzania.

dbl. *abbr.* = **double**.

DBMS [ˌdiː ˌbiː ˌem ˈes] *abbr.* **Data Base Man-**

agement System *komp.* system zarządzania bazą danych.

DC [ˌdi: ˈsi:] *abbr.* **1.** *el.* = **direct current**. **2. District of Columbia** *US* Dystrykt Kolumbii (*zwł. w kodach pocztowych*).

dc [ˌdi: ˈsi:], **d.c.** *abbr. el.* = **direct current**.

D.C. [ˌdi: ˈsi:] *abbr.* **1.** *el.* = **direct current**. **2.** = **District of Columbia**. **3. Doctor of Chiropractic** *gł. US med.* doktor kręgarstwa.

D.C.L. [ˌdi: ˌsi: ˈel] *abbr.* **Doctor of Civil Law** *uniw.* doktor prawa cywilnego.

DD [ˌdi: ˈdi:] *abbr.* **dishonorable discharge** *US wojsk.* zwolnienie ze służby z naganą.

dd [ˌdi: ˈdi:] *abbr.* **1. today's date** *prawn.* data dzisiejsza. **2.** *techn.* = **degree-day**. **3.** *handl.* **delayed delivery** opóźniona dostawa; **delivered** (*także* **dd.**) dostarczony. **4.** *fin.* = **demand draft**. **5.** = **double-deck**. **6.** = **dry dock**.

D.D. [ˌdi: ˈdi:] *abbr.* **1.** *fin.* = **demand draft**. **2. Doctor of Divinity** *uniw.* doktor teologii.

D-day [ˈdi:ˌdeɪ], **D-Day** *n. U* **1.** *hist.* dzień lądowania wojsk sojuszniczych w Normandii (*6 czerwca 1944 r.*). **2.** *wojsk. l. przen.* dzień rozpoczęcia operacji.

DDP [ˌdi: ˌdi: ˈpi:] *abbr.* **distributed data processing** *komp.* przetwarzanie danych rozproszonych.

D.D.S. [ˌdi: ˌdi: ˈes] *abbr.* **Doctor of Dental Surgery** *uniw.* doktor stomatologii.

DDT [ˌdi: ˌdi: ˈti:], **D.D.T.** *abbr. i n. U* **dichlorodiphenyltrichloroethane** *chem.* DDT.

DE *abbr.* **1.** *US* = **Delaware**. **2.** = **destroyer escort**.

D.E. [ˌdi: ˈi:] *abbr.* **1. Doctor of Engineering** *uniw.* doktor inżynier. **2. driver education** *szkoln.* nauka jazdy (*przedmiot*).

DEA [ˌdi: ˌi: ˈeɪ] *abbr.* **Drug Enforcement Administration** *US admin.* Urząd do Walki z Handlem Narkotykami.

deaccelerate [ˌdi:ækˈseləˌreɪt] *v.* = **decelerate**.

deaccession [ˌdi:ækˈseʃən] *v.* (*także* **de-acquisition**) *muzealnictwo, bibl.* sprzedawać (*dzieła sztuki l. książki*) w celu zgromadzenia funduszy (*na zakup nowych zbiorów*).

deacetylate [ˌdi:əˈsetəˌleɪt] *v. chem.* odacetylować, dezacetylować.

deacidify [ˌdi:əˈsɪdəˌfaɪ] *v. chem.* odkwasić.

deacon [ˈdi:kən] *n.* **1.** *rz.-kat.* diakon. **2.** *protestantyzm* świecki urzędnik kościelny.

deaconess [ˈdi:kənəs] *n. rel.* diakonisa.

deaconry [ˈdi:kənrɪ] *n. U* **1.** diakonat. **2.** diakoni (*zbiorowo*).

deaconship [ˈdi:kənˌʃɪp] *n. U* diakonat.

de-acquisition [ˌdi:ækwɪˈzɪʃən] *v.* = **deaccession**.

deactivate [di:ˈæktəˌveɪt] *v.* **1.** pozbawić aktywności *l.* mocy. **2.** *wojsk.* zdemobilizować, rozwiązać (*jednostkę*). **3.** rozbrajać (*bombę, ładunek wybuchowy*). **4.** *chem., fiz.* dezaktywować (*po napromieniowaniu*).

deactivation [di:ˌæktəˈveɪʃən] *n. U* **1.** pozbawienie aktywności. **2.** *chem., fiz.* dezaktywacja.

dead [ded] *a.* **1.** *t. przen.* martwy (*t. o języku, kapitale, przepisie prawnym*); zmarły; nieżyjący, nieżywy; **he's ~** nie żyje; **she dropped ~** padła martwa *l.* nieżywa. **2.** zdechły. **3.** obumarły, zwiędnięty. **4.** nieożywiony; nieorganiczny. **5.** wymarły (*np. o mieście*). **6.** zdrętwiały (*ścierpnięty*) (*o części ciała*); **go ~** zdrętwieć (*ścierpnąć*). **7.** nieczuły, głuchy, obojętny (*to sth* na coś). **8.** bez życia (= *apatyczny l. nudny*). **9.** zepsuty (*np. o silniku*); wyładowany (*o akumulatorze, baterii*); głuchy (*o telefonie*); **the line went ~** *gł. tel.* połączenie zostało przerwane. **10.** *t. przen.* wygasły (*o ogniu, uczuciu, emocjach*); wypalony (*np. o zapałkach*). **11.** stojący, nieruchomy (*o wodzie, powietrzu*). **12.** *pot.* skonany, nieżywy (ze zmęczenia). **13.** jałowy, nieurodzajny. **14.** całkowity, absolutny; **~ silence** kamienna cisza. **15.** *attr.* zupełny; **come to a ~ stop** stanąć w miejscu. **16.** *attr.* dokładny, precyzyjny; **the ~ center** sam środek. **17.** matowy. **18.** bez smaku. **19.** prosty (*np. o linii*). **20.** pusty, głuchy (*o dźwięku*). **21.** *prawn.* pozbawiony praw cywilnych. **22.** *el.* bez napięcia. **23.** *metal.* uspokojony (*o stali*). **24.** *przen. pot.* **~ from the neck up** głupi; **~ to the world** nieświadom, co się dookoła dzieje (= *zaspany, pijany l. nieprzytomny*); **(as) ~ as a/the dodo** całkowicie przestarzały, kompletnie bez przyszłości; **(as) ~ as a doornail** martwy jak kłoda; **(have/catch sb) ~ to rights** *US* (złapać kogoś) na gorącym uczynku; **over my ~ body** po moim trupie; **sb wouldn't be seen/caught ~ somewhere/in sth/with sb** ktoś za nic w świecie nie chciałby, żeby go widziano gdzieś/w czymś/z kimś. – *n.* **1.** *pl.* **the ~** zmarli, umarli; **rise/come back from the ~** *rel. l. przen.* powstać z martwych, zmartwychwstać. **2. the ~ of night/winter** środek nocy/zimy. – *adv. pot.* **1.** zupełnie, całkowicie (*np. pewny*); **~ set against sth** absolutnie przeciwny czemuś; **~ set on sth** całkowicie zdecydowany na coś. **2.** dokładnie; prosto; równo; **~ ahead** prosto przed siebie; **~ in the center** w samym środku; **~ on time** co do minuty. **3.** nagle, momentalnie; **stop ~ (in one's tracks)** stanąć jak wryty. **4.** *Br.* bardzo, strasznie. **5. ~ on** właśnie, dokładnie tak.

dead air *n. U US radio l. telew.* zanik sygnału.

dead-air space *n.* pomieszczenie bez wentylacji.

dead-and-alive [ˌdedənəˈlaɪv] *a. Br.* śmiertelnie nudny.

dead-ball line *n. rugby* linia końcowa boiska.

dead beat *a.* **1.** *pot.* śmiertelnie zmęczony, skonany. **2.** *mech.* tłumiony; bezodrzutowy. – *n.* (*także* **deadbeat**) **1.** *gł. US i Can. sl.* leń, pasożyt; naciągacz/ka (= *osoba nie płacąca długów*). **2.** *mech.* wychwyt spoczynkowy (*w zegarze*).

dead body *n. pl.* **-ies** zwłoki, ciało, trup.

dead bolt *n. US* zamek (drzwiowy) wpuszczany.

dead center *n. mech.* **1.** punkt martwy *l.* zwrotny (*tłoka*). **2.** kieł stały *l.* nieruchomy (*w tokarce*).

dead duck *n. pot.* poroniony pomysł; przeżytek.

deaden [ˈdedn] *v.* **1.** tłumić, łagodzić (*ból*),

znieczulać (*nerwy*), przytępiać (*zmysły; np. o alkoholu*). **2.** tłumić (*dźwięk, wibracje*).

dead end *n.* **1.** *t. przen.* ślepa uliczka, ślepy zaułek; **come to/reach a ~** zabrnąć w ślepą uliczkę. **2.** ślepy koniec (*np. rury*).

dead-end [ˈdedˌend] *a.* **1.** ślepy (*o ulicy*). **2.** **~ job/kids** *pot.* praca/młodzież bez perspektyw. – *v.* kończyć się ślepo.

deadening [ˈdednɪŋ] *n. U* **1.** środek *l.* materiał do matowania. **2.** materiał głuszący, materiał dźwiękochłonny.

deadeye [ˈdedˌaɪ] *n.* **1.** *US sl.* strzelec wyborowy, snajper. **2.** *żegl.* nawlek, jufer, jufers.

deadfall [ˈdedˌfɔːl] *n.* **1.** *myśl.* pułapka (*ze spadającym ciężarem*). **2.** masa zwalonych drzew i gałęzi.

dead fingers *n. U pat.* niedokrwienie palców wskutek skurczu naczyń (*zwł. u osób pracujących z młotem pneumatycznym*).

dead firing *n. U* jałowe zasilanie paleniska (*pieca l. kotła*).

dead freight *n. handl.* **1.** fracht martwy (= *opłata za niewykorzystaną część zafrachtowanego statku*). **2.** niewykorzystana część zafrachtowanego statku. **3.** trwały ładunek ciężki.

dead hand *n. sing.* **1.** ograniczający *l.* deprymujący wpływ (*of sth* czegoś). **2.** *prawn.* martwa ręka; dobra martwej ręki.

deadhead [ˈdedˌhed] *pot. n.* **1.** nudzia-rz/ra. **2.** pasażer/ka *l.* widz posiadający bezpłatny bilet. **3.** *US i Can.* pusty środek komunikacji *l.* transportu (*np. pociąg bez pasażerów l. ładunku*). **4.** *metal.* nadlew. – *v.* **1.** *US i Can.* prowadzić pusty (pociąg, autobus itp.). **2.** *Br. ogr.* odcinać zwiędłe kwiaty z (*krzewu itp.*).

Dead Heart *n.* **the ~** *Austr.* wnętrze kontynentu.

dead heat *n. gł. sport* **1.** nierozstrzygnięty bieg. **2.** remis.

dead key *n.* martwy klawisz (*np. w maszynie do pisania*).

dead letter *n.* **1.** *poczta* przesyłka niedoręczona, zwrot. **2.** *prawn.* martwy przepis, martwa litera prawa. **3.** *pot.* rzecz niewarta uwagi.

dead letter box *n.* (*także* **dead letter drop**) skrzynka kontaktowa.

dead letter office *n.* biuro przesyłek nie doręczonych.

dead lift *n. podnoszenie ciężarów* martwy ciąg.

deadlight [ˈdedˌlaɪt] *n.* **1.** *żegl.* blindklapa. **2.** świetlik (*okno*).

deadline [ˈdedˌlaɪn] *n.* **1.** termin (*ostateczny, nieprzekraczalny*); **I'm working to a ~** muszę wykonać tę pracę w terminie; **meet the ~** dotrzymać terminu, zmieścić się w terminie; **the ~ for applications is...** termin składania podań upływa... **2.** *US hist.* linia, której nie wolno było więźniom przekraczać pod groźbą kary śmierci.

deadliness [ˈdedlɪnəs] *n. U* śmiertelność; śmiercionośność.

dead load *n.* (*także* **dead weight**) ciężar własny (*np. mostu*).

deadlock [ˈdedˌlɑːk] *n.* impas; **break/resolve the ~** przełamać impas. – *v.* **1.** doprowadzić do impasu, spowodować impas w (*negocjacjach itp.*). **2.** utknąć w martwym punkcie.

dead loss *n.* **1.** nieodwracalna strata. **2.** **be a ~** *pot.* być kompletnie bezużytecznym; stanowić całkowitą stratę czasu.

deadly [ˈdedlɪ] *a.* **-ier, -iest** **1.** śmiertelny, śmiercionośny (*np. o broni, truciźnie*). **2.** *attr.* śmiertelny; **~ enemy/insult/paleness** śmiertelny wróg/obraza/bladość; **in ~ earnest** śmiertelnie poważnie, całkiem na poważnie. **3.** morderczy, nieludzki, szalony (*np. o pośpiechu*). **4.** absolutny (*np. o precyzji, ciszy*); nieubłagany (*np. o logice*). **5.** *pot.* śmiertelnie nudny. – *adv.* śmiertelnie, strasznie; **~ boring/dull** śmiertelnie nudny; **~ serious** śmiertelnie poważny.

deadly nightshade *n. bot.* pokrzyk wilcza jagoda (*Atropa belladonna*).

deadly sin *n. rel.* grzech główny *l.* śmiertelny.

deadman [ˈdedˌmæn] *n. pl.* **-men** *bud.* blok kotwiący, masyw kotwiący.

dead-man's fingers *n. bot.* próchnilec (*Xylaria*).

dead-man's float *n. sing. US* unoszenie się na wodzie w pozycji „na topielca" (*na brzuchu, ze złączonymi nogami i wyciągniętymi ramionami*).

dead man's handle *n. gł. kol.* czuwak.

dead march *n. muz.* marsz żałobny.

dead marine *n. Austr. i NZ pot.* pusta butelka po piwie.

dead matter *n. druk.* zużyta złożona czcionka.

dead-melt [ˈdedˌmelt] *v. metal.* nagrzewać do temperatury znacznie wyższej niż temperatura topnienia (*danego metalu l. stopu*).

dead metal *n. U druk.* justunek, ślepy materiał.

deadness [ˈdednəs] *n. U* **1.** *t. przen.* martwota. **2.** uczucie zdrętwienia.

dead nettle, dead-nettle *n. bot.* roślina z rodziny jasnotowatych *l.* wargowych (*Lamiaceae l. Labiatae*); **white ~** jasnota biała, głucha pokrzywa (*Lamium album*).

dead-on [dedˈɑːn] *a. attr. pot.* dokładny (*np. o przepowiedni*), w dziesiątkę.

deadpan [ˈdedˌpæn] *a.* **1.** śmiertelnie poważny; udający powagę. **2.** beznamiętny. – *adv.* ze śmiertelną powagą, z kamienną twarzą. – *v.* **-nn-** przybierać poważny wyraz twarzy, robić poważną minę. – *n.* kamienna twarz.

dead reckoning *żegl. n.* **1.** *U* nawigacja zliczeniowa, zliczenie nawigacyjne. **2.** pozycja zliczona.

dead ringer *n. pot.* sobowtór; **he's a ~ for his father** to wykapany ojciec.

deadrise [ˈdedˌraɪs], **dead-rise** *n. żegl.* podoblenie (*dna statku*).

dead run *n.* bieg ze stałą szybkością.

Dead Sea *n.* **the ~** *geogr.* Morze Martwe.

Dead Sea Scrolls *n. pl. hist.* zwoje znad Morza Martwego (*odkryte w latach 40. i 50. XX w., zawierające m.in. niektóre księgi Starego Testamentu*).

dead season *n.* martwy sezon.

dead set *n. myśl.* stójka. – *a. myśl.* w stójce (*o

psie). – *int. Austr. pot.* słowo daję (= *naprawdę*).

dead shot *n.* niezawodny strzelec.

dead slow *adv. żegl.* bardzo wolno (*w komendach*).

dead-smooth file *n. techn.* pilnik jedwabnik.

dead soldier *n. przest. sl.* pusta butelka *l.* puszka po alkoholu.

dead space *n. wojsk.* martwe pole.

dead spot *n.* **1.** *radio itp.* strefa martwa, strefa milczenia. **2.** *przen.* miejsce na widowni, z którego źle widać *l.* słychać.

dead-stick landing *n. lotn.* lądowanie z wyłączonym silnikiem.

dead stock *n. roln.* inwentarz martwy (= *maszyny*).

dead storage *n. U* składowanie na czas nieokreślony (*mebli, dokumentów*).

dead time *n. el.* czas bezprądowy.

dead water *n. żegl.* kilwater, ślad torowy.

dead weight, deadweight *n.* **1.** *t. przen.* wielki ciężar. **2.** *zwł. żegl.* nośność. **3.** (*także* **dead load**) ciężar własny.

deadweight tonnage, deadweight capacity *n. U żegl.* nośność całkowita, nośność brutto.

Dead White (European) Male *n. pot. uj.* pisarz, artysta itp., którego znaczenie historyczne zostało wyolbrzymione z racji jego uprzywilejowanej pozycji (*gł. z tytułu bycia białym mężczyzną*).

deadwood [ˈdedˌwʊd] *n. U* **1.** obumarłe drzewa; obumarłe gałęzie. **2.** *przen.* niepotrzebny balast (*o osobach, rzeczach*). **3.** rozwlekłość (*w piśmie*). **4.** *żegl.* dejwud.

deadwork [ˈdedˌwɜːk] *n. U górn.* roboty przygotowawcze w kamieniu (*przed odkryciem rudy*).

de-aerate [diːˈereɪt] *v. techn.* odpowietrzać.

deaf [def] *a.* **1.** *t. przen.* głuchy; niesłyszący; niedosłyszący; **~ as a post/doornail** (*także* **stone ~**) głuchy jak pień. **2.** *przen.* **fall on ~ ears** być puszczanym mimo uszu, trafiać w próżnię (*np. o ostrzeżeniach, radach*); **turn a ~ ear to sth** być głuchym *l.* obojętnym na coś. – *n.* **the ~** głusi; niedosłyszący.

deaf aid *n. Br. pot.* aparat słuchowy.

deaf-and-dumb [ˌdefənˈdʌm] *czas. pog. a.* głuchoniemy. – *n.* głuchoniem-y/a.

deafen [ˈdefən] *v.* **1.** *t. przen.* ogłuszać. **2.** *arch.* zagłuszać.

deafening [ˈdefənɪŋ] *a.* ogłuszający.

deaf-mute [ˌdefˈmjuːt] *czas. pog. n.* głuchoniem-y/a. – *a.* głuchoniemy.

deafness [ˈdefnəs] *n. U* głuchota.

deal[1] [diːl] *v.* **dealt, dealt 1.** wymierzyć, zadać; **~ a (crippling/decisive) blow** *t. przen.* zadać (decydujący) cios. **2.** *sl.* handlować narkotykami. **3. ~ (out)** rozdawać (karty). **4.** *sl. sport* dokonać transferu. **5. ~ in sth** handlować czymś; **~ sb in** *pot.* wciągnąć kogoś do interesu; **~ off** *sl.* spuścić (= *sprzedać*); **~ out** rozdawać (*t. karty*); rozdzielać; wymierzać (*karę*); **~ with sb** robić interesy *l.* handlować z kimś; postępować z kimś; *arch.* mieć konszachty z kimś; **~ with sb/sth** zająć się kimś/czymś; uporać się *l.* poradzić sobie z kimś/czymś; **~ with sth** zajmować się czymś (= *parać się czymś, dotyczyć czegoś, traktować o czymś*). – *n.* **1. a great/good ~** (bardzo) dużo (*of sth* czegoś); **a great/good ~ more/faster** o wiele więcej/szybciej; **we talked a great/good ~** (bardzo) dużo rozmawialiśmy. **2.** interes, transakcja; **get a good ~** *pot.* zrobić dobry interes. **3.** porozumienie, układ; **cut/do/make a ~** *pot.* dojść do porozumienia, dogadać się. **4.** *sing. karty* rozdanie; karty w ręku; **whose ~ is it?** kto rozdaje?. **5.** podział, przydział. **6.** *przest.* udział, część. **7. the New D~** *US hist., polit.* Nowy Ład, polityka Nowego Ładu. **8. big ~!** *pot.* wielka rzecz!, też mi coś!; **get a raw/rough ~** zostać źle potraktowanym; **it's a ~!** zgoda!, umowa stoi!; **it's a done ~** *gł. US* klamka zapadła; **it's no big ~** *pot.* to nic takiego *l.* nadzwyczajnego; nie ma sprawy; **make a big ~ out of sth** *pot.* wyolbrzymiać coś; **what's the ~?** *US pot.* co się dzieje?; **what's the big ~?** *pot.* w czym problem?, o co tyle hałasu?

deal[2] *n. Br.* **1.** deska z miękkiego drewna (*np. sosny l. jodły*). **2.** *U* drewno sosnowe *l.* jodłowe; tarcica sosnowa *l.* jodłowa. – *a.* sosnowy; jodłowy (*np. o meblach*).

dealer [ˈdiːlər] *n.* **1.** handla-rz/rka, dealer/ka. **2. (drug) ~** dealer, handlarz narkotyków. **3.** *karty* rozdający-y/a. **4.** *giełda* uczestni-k/czka giełdowego handlu papierami wartościowymi zawierając-y/a transakcje na własny rachunek.

dealership [ˈdiːlərˌʃɪp] *n. U* **1.** handel. **2.** przedstawicielstwo handlowe (= *upoważnienie do handlowania danym towarem*).

dealer's plates *n. US mot.* próbna tablica rejestracyjna.

dealings [ˈdiːlɪŋz] *n. pl.* stosunki, kontakty; **business ~** interesy; **have ~ with sb** utrzymywać z kimś stosunki.

dealt [delt] *v. zob.* **deal**[1] *v.*

deambulatory [diːˈæmbjələˌtɔːrɪ] *n. pl.* **-ies** *bud.* galeria; krużganek.

deaminase [diːˈæməˌneɪs] *n. U biochem.* dezaminaza.

deaminate [diːˈæməˌneɪt], **deaminize** *Br. i Austr. zw.* **deaminise** [diːˈæməˌnaɪz] *v. biochem.* dezaminować, odaminować.

dean[1] [diːn] *n.* **1.** *szkoln., uniw., rel.* dziekan. **2.** dziekan korpusu dyplomatycznego. **3.** *US* osoba najstarsza rangą, stażem *l.* doświadczeniem.

dean[2] *n.* (*także* **dene**) *gł. płd. Br.* piaszczysty obszar *l.* wydmy niedaleko morza.

deanery [ˈdiːnərɪ] *n. pl.* **-ies** *rel.* **1.** dziekanat, dekanat. **2.** dziekania.

deanship [ˈdiːnˌʃɪp] *n. U* urząd *l.* stanowisko dziekana.

dean's list *n. US uniw.* lista studentów osiągających najlepsze wyniki w nauce.

dear [dɪːr] *a.* **-er, -est 1.** drogi (= *kochany, lubiany, ceniony*); **D~ Sir/Madam** Szanowny Panie/Szanowna Pani (*w listach*); **~ to sb's heart** drogi czyjemuś sercu; **my ~** mój drogi/moja droga. **2.** *zwł. Br.* drogi (*np. o towarze, restauracji*); wygórowany (*zw. o cenie*). **3.** uroczy, śliczny, słodki; **~ little puppy** uroczy szczeniaczek. **4.** *przest.* rzadki. **5.** *przest.* szanowny, czcigodny.

6. for ~ life z całych sił (*np. trzymać się czegoś*); co sił w nogach (*uciekać*). – *n.* **1.** kochanie (*forma zwracania się do kogoś*). **2.** *zwł. Br.* dobra *l.* kochana osoba; **be a ~ and post this letter for me** bądź tak dobry i wyślij mi ten list; **she's such a ~** ona jest (taka) kochana. – *adv.* drogo; **cost sb ~** *zw. przen.* drogo kogoś kosztować. – *int.* **(oh) ~!** (*także* **~ me!**) ojej!.

dearest [ˈdiːrɪst] *n.* najdroższ-y/a (*forma zwracania się do kogoś*).

dearie [ˈdiːrɪ] *n.* = **deary**.

Dear John *n.* (*także* **Dear John letter**) *pot.* list informujący o zerwaniu związku (*zwł. do narzeczonego*).

dearly [ˈdiːrlɪ] *adv.* **1.** bardzo, z całego serca (*np. kochać kogoś, chcieć czegoś*). **2.** drogo; **cost sb ~** *przen.* drogo kogoś kosztować; **pay ~ for sth** *przen.* drogo za coś zapłacić. **3. ~ beloved,...** *kośc.* umiłowani bracia i siostry,...

dearness [ˈdiːrnəs] *n. U* **1.** drogość, drożyzna. **2.** cenność.

dearth [dɝːθ] *n. sing. form.* niedostatek; brak (*of sth* czegoś) (*np. żywności*).

deary [ˈdiːrɪ], **dearie** *n. pl.* **-ies** *przest. pot.* kochanie (*forma zwracania się do kogoś*).

death [deθ] *n.* **1.** *C/U* śmierć; zgon (*from sth* spowodowany czymś); **bleed to ~** wykrwawić się na śmierć; **die a natural ~** umrzeć śmiercią naturalną; **put sb to ~** *przest.* stracić *l.* zgładzić kogoś, wykonać egzekucję na kimś. **2.** ofiara śmiertelna. **3.** *sing. przen.* koniec, upadek (*np. instytucji, systemu politycznego*). **4. D~** *zwł. sztuka* Śmierć, kostucha. **5.** *arch.* plaga, pomór, zaraza. **6. at ~'s door** jedną nogą w grobie; **be dicing with ~** igrać ze śmiercią; **be in at the ~** *myśl.* być obecnym przy dobiciu lisa; *Br. przen.* być świadkiem końca *l.* kulminacji (*zwł. czegoś ważnego*); **be sick to ~ of sth** *pot.* mieć czegoś po dziurki w nosie; **bored/scared to ~** *pot.* śmiertelnie znudzony/przerażony; **die the/a ~** pójść w zapomnienie; wyjść z mody; zrobić klapę (*o przedstawieniu, aktorze*); **do sb to ~** *pot.* zabić *l.* zamordować kogoś; **do/flog sth to ~** *pot.* wałkować coś do znudzenia *l.* bez końca; **fight to the ~** walczyć na śmierć i życie; *przen.* walczyć do upadłego; **hold/hang on (to sb/sth) like grim ~** *zob.* **grim**; **look like ~ warmed over** (*także Br. i Austr.* **look like ~ warmed up**) *pot.* wyglądać jak własna śmierć; **meet one's ~** *lit.* umrzeć; **sure as ~** *pot.* jak amen w pacierzu (= *na pewno*); **till ~ do us part** *kośc. l. form.* dopóki śmierć nas nie rozłączy; **you'll be the ~ of me!** *przest. pot.* ty mnie wpędzisz do grobu!; **you'll catch your ~ (of cold)!** *przest. pot.* zaziębisz się na śmierć!.

death adder *n. zool.* zdradnica śmiercionośna (*Acanthophis antarcticus*).

death angel *n.* **1.** anioł śmierci. **2.** *bot.* = **death cap**.

deathbed [ˈdeθˌbed] *n.* **on one's ~** na łożu śmierci, tuż przed śmiercią. – *a. attr.* **~ conversion/confessions** nawrócenie/wyznania na łożu śmierci.

death benefit *n. ubezp.* wypłata z tytułu ubezpieczenia na wypadek śmierci.

deathblow [ˈdeθˌbloʊ] *n. t. przen.* śmiertelny cios.

death camp *n.* obóz śmierci, obóz koncentracyjny.

death cap *n.* (*także* **death angel**) *bot.* muchomor sromotnikowy *l.* zielonawy (*Amanita phalloides*).

death cell *n. Br.* cela śmierci.

death certificate *n.* świadectwo *l.* akt zgonu.

death chair *n.* krzesło elektryczne.

death chamber *n.* pomieszczenie, w którym przeprowadza się egzekucje.

deathday [ˈdeθˌdeɪ] *n.* **1.** dzień śmierci. **2.** rocznica śmierci.

death-dealing [ˈdeθˌdiːlɪŋ] *a. lit.* śmiercionośny, zabójczy.

death-defying [ˈdeθdɪˌfaɪɪŋ] *a.* narażający życie, ryzykujący życiem.

death duty *n. Br. prawn.* podatek od spadku.

death grant *n. Br.* zasiłek pogrzebowy; odprawa pośmiertna.

death house *n. US* część więzienia, w której skazańcy oczekują na egzekucję; cela śmierci.

death instinct *n.* **1.** skłonności samobójcze; skłonności do samozniszczenia. **2.** *psych.* zanik instynktu samozachowawczego.

death knell *n.* **1.** dzwon pogrzebowy. **2.** *przen.* zwiastun śmierci, zniszczenia *l.* końca; **sound/toll the ~ for/of sth** zwiastować koniec czegoś.

deathless [ˈdeθləs] *a.* **1.** *zwł. przen.* nieśmiertelny (*ze względu na swe ponadczasowe walory*). **2. ~ lines/prose/verse** *żart.* bardzo kiepska *l.* nudna pisanina.

deathlessly [ˈdeθləslɪ] *adv.* nieśmiertelnie.

deathlessness [ˈdeθləsnəs] *n. U* nieśmiertelność.

deathlike [ˈdeθˌlaɪk] *a.* śmiertelny (= *przypominający śmierć*), trupi.

deathliness [ˈdeθlɪnəs] *n. U* **1.** śmiercionośność. **2.** śmiertelność.

deathly [ˈdeθlɪ] *a.* **1.** śmiercionośny, śmiertelny (*np. o ciosie*). **2.** śmiertelny, grobowy (*np. o ciszy*); trupi (*np. o bladości*). – *adv.* trupio (*np. blady*).

death mask *n.* maska pośmiertna.

death penalty *n. sing.* kara śmierci.

deathplace [ˈdeθˌpleɪs] *n.* miejsce śmierci.

death rate *n. t. stat.* śmiertelność, umieralność ogólna.

death rattle *n. U* charczenie agonalne.

death row *n. U zwł. US* część więzienia z celami śmierci; **on ~** oczekujący na egzekucję (*o skazańcu*).

death seat *n. US i Austr. sl.* miejsce pasażera obok kierowcy.

death sentence *n.* wyrok *l.* kara śmierci.

death's-head [ˈdeɪθsˌheɪd] *n.* trupia czaszka *l.* główka (*symbol śmierci*).

death's-head moth *n. ent.* trupia główka (*Acherontia atropos*).

deathsman [ˈdeθsmən] *n. pl.* **-men** *arch.* kat.

death spiral *n. łyżwiarstwo* spirala śmierci.

death squad *n.* szwadron śmierci (*zwł. w Ameryce Środkowej*).

death tax *n. prawn.* podatek od spadku.

death throes *n. pl.* **1.** drgawki przedśmiertne. **2.** *przen.* ostatnie podrygi.

death toll *n.* liczba ofiar (śmiertelnych).

deathtrap [ˈdeθˌtræp] *n. zw. przen. pot.* śmiertelna pułapka (*np. walący się budynek l. niesprawny samochód*).

death warrant *n.* **1.** nakaz wykonania wyroku śmierci. **2. sign one's (own)** ~ *przen.* podpisać na siebie wyrok śmierci.

deathwatch [ˈdeθˌwɑːtʃ] *n.* **1.** czuwanie przy umierającym *l.* zmarłym. **2.** strażnik przy skazańcu przed egzekucją. **3.** (*także* ~ **beetle**) *ent.* kołatek czerwotok (*Anobium pertinax*).

death wish *n. sing. psych.* skłonności samobójcze (*zwł. w psychologii Freuda*).

deb [deb] *n. pot.* = **debutante**.

deb. *abbr.* = **debenture**.

debacle [deɪˈbɑːkl] *n.* **1.** (*także* **débâcle**) klęska, fiasko. **2.** pękanie kry na rzece.

debar [dɪˈbɑːr] *v.* **-rr-** wykluczać, odsuwać; ~ **sb from doing sth** zabronić komuś robienia czegoś.

debark[1] [dɪˈbɑːrk] *v.* **1.** *żegl.* debarkować. **2.** *US form.* rozładowywać (*przywieziony towar*).

debark[2] [diːˈbɑːrk] *v.* okorować (*drzewo*).

debarkation [ˌdiːbɑːrˈkeɪʃən] *n. U żegl.* debarkacja.

debarment [dɪˈbɑːrmənt] *n. U* wykluczenie, odsunięcie.

debase [dɪˈbeɪs] *v.* **1.** dewaluować; deprecjonować. **2.** poniżyć, upodlić; ~ **o.s.** poniżać się.

debasement [dɪˈbeɪsmənt] *n. U* **1.** dewaluacja; deprecjacja. **2.** poniżenie, upodlenie.

debatable [dɪˈbeɪtəbl], **debateable** *a.* **1.** dyskusyjny; **it is ~ whethe...** jest kwestią dyskusyjną, czy..., można dyskutować, czy... **2.** *zwł. prawn.* sporny.

debate [dɪˈbeɪt] *n. C/U* debata; dyskusja (*about/on sth* na jakiś temat); **fierce/heated** ~ zażarta/gorąca dyskusja; **public** ~ publiczna debata; **sth is open to** ~ (*także* **sth is a matter for** ~) coś jest kwestią do dyskusji (= *nie jest jeszcze rozstrzygnięte*). – *v.* **1.** debatować *l.* dyskutować nad (*czymś*). **2.** zastanawiać się nad (*czymś*), rozważać; ~ **whether/how** zastanawiać się, czy/jak. **3.** zmierzyć się *l.* wziąć udział w debacie z (*kimś*). **4.** *przest.* spierać się *l.* walczyć o.

debater [dɪˈbeɪtər] *n.* dyskutant/ka; uczestnik/czka debaty.

debating [dɪˈbeɪtɪŋ] *n. U* **1.** debatowanie. **2.** rozważanie.

debating society *n.* towarzystwo dyskusyjne (*zwł. na uniwersytecie*).

debauch [dɪˈbɔːtʃ] *v. form.* **1.** *zw. pass.* demoralizować, deprawować. **2.** uwieść (*zwł. kobietę*). – *n.* **1.** orgia, hulanka. **2.** rozpusta.

debauched [dɪˈbɔːtʃt] *a.* rozpustny, rozpasany, wyuzdany.

debauchee [ˌdebɔːˈtʃiː] *n.* rozpustni-k/ca.

debauchery [dɪˈbɔːtʃərɪ] *n.* **1.** *U* rozpusta, rozpasanie, wyuzdanie. **2.** *pl.* **-ies** orgia, hulanka.

debeak [diːˈbiːk] *v. wet. form.* skracać dziób (*ptakowi*).

debenture [dɪˈbentʃər] *n. ekon.* **1.** obligacja. **2.** skrypt dłużny. **3.** świadectwo uprawniające eksportera do zwrotu cła *l.* premii eksportowej.

debenture bond *n. ekon.* obligacja nie zabezpieczona określonym składnikiem majątku.

debilitate [dɪˈbɪlɪˌteɪt] *v.* osłabiać, pozbawiać sił (*np. o chorobie, upale*).

debilitating [dɪˈbɪlɪˌteɪtɪŋ] *a.* osłabiający, wycieńczający.

debilitation [dɪˌbɪlɪˈteɪʃən] *n. U* osłabienie.

debility [dɪˈbɪlətiː] *n.* **1.** *form.* osłabienie, wycieńczenie (*zwł. spowodowane chorobą*). **2.** *pat.* zniedołężnienie; *przest.* niedorozwój umysłowy.

debit [ˈdebɪt] *fin. n.* **1.** debet; rubryka *winien*; zapis księgowy po stronie *winien*. **2.** *przen.* minus, zła strona. – *v.* **1.** debetować, obciążać (*rachunek, konto*); ~ **a sum from sb's account** obciążyć czyjś rachunek jakąś kwotą. **2.** zapisywać w ciężar (rachunku).

debit balance *n. bank* saldo debetowe.

debit card *n. bank* karta debetowa.

debit note *n. bank* nota debetowa.

debit side *n.* **1.** *fin.* lewa strona rachunków, rubryka *winien*. **2. on the** ~ *przen.* po stronie strat.

debonair [ˌdebəˈner], **debonaire** *a.* **1.** elegancki i czarujący (*o mężczyźnie*). **2.** beztroski (*o mężczyźnie*).

debonairly [ˌdebəˈnerlɪ] *adv.* **1.** czarująco. **2.** beztrosko.

debone [ˌdiːˈboʊn] *v. kulin.* filetować.

debouch [dɪˈbaʊtʃ] *v.* **1.** *geogr.* wylewać się (*do szerszej doliny l. zbiornika wodnego; o rzece, lodowcu*). **2.** *wojsk.* debuszować (= *nagle ujawnić przeciwnikowi swoją obecność, przechodząc w rozwiniętym szyku do walki*). **3.** *form.* wyłaniać się (*przechodząc do większego pomieszczenia l. na większą przestrzeń*). – *n.* = **débouché**.

débouché [ˌdeɪˌbuːˈʃeɪ] *n.* (*także* **debouch**) *wojsk.* przejście w murach fortyfikacji dla żołnierzy robiących wypad.

debouchment [dɪˈbaʊtʃmənt] *n.* **1.** (*także* **debouchure**) *geogr.* ujście. **2.** *wojsk.* debuszowanie. **3.** *form.* wyłonienie się.

debridement [dɪˈbriːdmənt] *n. U chir.* usunięcie dewitalizowanych tkanek, opracowanie chirurgiczne rany.

debrief [ˌdiːˈbriːf] *v.* **1.** wysłuchać raportu *l.* sprawozdania (*np. żołnierza po rekonesansie, dyplomaty po wykonaniu misji*). **2.** zdać raport *l.* sprawozdanie. **3.** zakazać ujawniania (tajnych) informacji (*komuś*). **4.** *psych.* objaśnić cel eksperymentu (*uczestnikowi po jego zakończeniu*).

debris [dəˈbriː], **débris** *n. U* **1.** gruz, gruzy. **2.** *geol.* rumosz, rumowisko skalne.

debt [det] *n. C/U* **1.** *t. przen.* dług; zobowiązanie; **bad** ~ *fin.* dług niepewny *l.* nieściągalny, pożyczka przeterminowana; **be in sb's** ~ *form.* być komuś zobowiązanym, być czyimś dłużnikiem; **go/get/run into** ~ zapożyczyć się; **owe a ~ of gratitude to sb** *form.* mieć wobec kogoś dług wdzięczności; **pay (off)/clear/repay one's ~s** spłacić długi; **run up a ~** zadłużyć się, narobić długów. **2.** *arch.* grzech, przewinienie.

debt collector *n.* komornik.

debt issue *n. fin.* emisja obligacji.

debt limit *n. fin.* limit zadłużenia.

debt of honor *n.* dług honorowy (*np. karciany*).

debtor [ˈdetər] *n.* dłużni-k/czka.

debt service *n. fin.* kwota przeznaczona na obsługę długu.

debt servicing *n. U fin.* obsługa długu.

debug [ˌdiːˈbʌg] *v.* **-gg- 1.** *komp.* usuwać błędy z (*programu, systemu*), poprawiać. **2.** usuwać urządzenia podsłuchowe z (*pomieszczenia, budynku*), odpluskwiać. **3.** *pot.* wytępić insekty w (*pomieszczeniu*).

debunk [dɪˈbʌŋk] *v.* obalić, rozprawić się z (*mitem, fałszywym przekonaniem*); zdemaskować (*zwł. przez ośmieszenie*).

deburr [ˌdiːˈbɜːː] *v.* **1.** stępiać ostre krawędzie, usuwać rąbki z (*obrabianego kawałka metalu*). **2.** *tk.* oczyszczać (*wełnę*).

debus [ˌdiːˈbʌs] *v.* **-s(s)- 1.** wysiadać z autobusu (*zwł. o wojsku*). **2.** wyładowywać z autobusu.

debut [deɪˈbjuː], **début** *n.* **1.** debiut; **make one's ~** zadebiutować (*as*... jako... *l.* w roli...). **2.** *handl.* wejście na rynek (*produktu*). – *v.* **1.** debiutować. **2.** *handl.* wchodzić na rynek. – *a. attr.* debiutancki (*np. o płycie*).

debutante [ˈdebjuːˌtɑːnt], **débutante** *n. gł. Br. hist.* panna wprowadzana do towarzystwa (*zw. na oficjalnym balu*).

Dec, Dec. *abbr.* = **December**.

dec. *abbr.* **1.** = **deceased**. **2.** = **decimeter**. **3.** = **declaration**. **4.** = **declension**. **5.** = **decrease**. **6.** = **decrescendo**.

decade [ˈdekeɪd] *n.* **1.** dziesięciolecie, dekada. **2.** *rzad.* dziesiątek, dziesiątka (= *dziesięć sztuk, grupa dziesięciu osób itp.*).

decadence [ˈdekədəns], **decadency** *n. U* **1.** dekadencja. **2.** chylenie się ku upadkowi, schyłek.

decadent [ˈdekədənt] *a.* **1.** dekadencki. **2.** chylący się ku upadkowi, schyłkowy. – *n.* dekadent/ka.

decaf [ˈdiːkæf] *pot. n. U* kawa *l.* herbata bezkofeinowa. – *a.* = **decaffeinated**.

decaffeinate [diːˈkæfəˌneɪt] *v.* usuwać kofeinę z (*kawy, herbaty*).

decaffeinated [diːˈkæfəˌneɪtɪd] *a.* bezkofeinowy.

decagon [ˈdekəˌgɑːn] *geom. n.* dziesięciokąt.

decagonal [dəˈkægənl] *a.* dziesięciokątny.

decagram [ˈdekəˌgræm] *n.* = **dekagram**.

decahedral [ˌdekəˈhiːdrəl] *geom. a.* dziesięciościenny.

decahedron [ˌdekəˈhiːdrən] *n.* dziesięciościan.

decal [ˈdiːkæl] *n. zwł. US i Austr.* dekalkomania (*wzór l. obrazek*).

decalcification [diːˌkælsəfəˈkeɪʃən] *n. U* odwapnianie.

decalcify [diːˈkælsəˌfaɪ] *v.* **-ied, -ying** odwapniać.

decalcomania [dɪˌkælkəˈmeɪnɪə] *n.* **1.** *U* dekalkomania (*proces*). **2.** = **decal**.

decalescence [ˌdiːkəˈlesəns] *n. U metal.* dekalescencja.

decaliter [ˈdekəˌliːtər] *n.* = **dekaliter**.

Decalogue [ˈdekəˌlɔːg] *n. sing.* **the ~** *rel.* dekalog, dziesięcioro przykazań.

decameter [ˈdekəˌmiːtər] *n.* = **dekameter**.

decametric [ˌdekəˈmetrɪk], **dekametric** *a. radio* krótki (*o falach*).

decamp [dɪˈkæmp] *v.* **1.** zwijać *l.* opuszczać obóz. **2.** *pot.* ulotnić się (= *uciec*).

decampment [dɪˈkæmpmənt] *n. U* **1.** zwinięcie *l.* opuszczenie obozu. **2.** ulotnienie się.

decanal [ˈdekənl] *a. form.* **1.** dziekański. **2.** *kośc.* po południowej stronie chóru.

decanoid acid [ˌdekənɔɪd ˈæsɪd] *n. chem.* kwas dekanowy.

decant [dɪˈkænt] *v.* **1.** dekantować, zlewać (*znad osadu*); przelewać (*zwł. wino do karafki*). **2.** przekwaterować tymczasowo (*zwł. na czas remontu*).

decanter [dɪˈkæntər] *n.* **1.** karafka. **2.** dekanter, odstojnik.

decapitate [dɪˈkæpɪˌteɪt] *v.* ściąć (*kogoś*), ściąć głowę (*komuś*).

decapitation [dɪˌkæpɪˈteɪʃən] *n. U* ścięcie.

decapitator [dɪˈkæpɪˌteɪtər] *n.* **1.** kat. **2.** gilotyna.

decapod [ˈdekəˌpɑːd] *zool. n.* dziesięcionóg. – *a.* dziesięcionożny.

decapsulate [dɪˈkæpsəleɪt] *v. chir.* obłuszczać, odłuszczać (*np. nerkę*).

decarbonate [diːˈkɑːrbəˌneɪt] *v.* dekarbonizować.

decarbonize [diːˈkɑːrbəˌnaɪz] *v.* = **decarburize**.

decarboxylase [ˌdiːkɑːrˈbɑːksəˌleɪs] *n. U biochem.* dekarboksylaza.

decarboxylate [ˌdiːkɑːrˈbɑːksəˌleɪt] *v. chem.* dekarboksylować.

decarburize [diːˈkɑːrbəˌraɪz] *v.* (*także* **decarbonize**) odwęglać.

decastyle [ˈdekəˌstaɪl] *bud. a.* dziesięciokolumnowy. – *n.* portyk z dziesięcioma kolumnami.

decasyllabic [ˌdekəsɪˈlæbɪk] *a.* dziesięciozgłoskowy, dziesięciosylabowy.

decasyllable [ˈdekəˌsɪləbl] *n. gł. wers.* dziesięciozgłoskowiec.

decathlete [dɪˈkæθliːt] *n. sport* dziesięcioboista.

decathlon [dɪˈkæθlɑːn] *n. sing. sport* dziesięciobój.

decay [dɪˈkeɪ] *v.* **1.** gnić (*np. o liściach*); rozkładać się (*np. o zwłokach*); psuć się (*np. o zębach*). **2.** powodować gnicie, rozkład *l.* psucie się (*czegoś*). **3.** podupadać, niszczeć, marnieć chylić się ku upadkowi. **4.** *fiz.* rozpadać się (*o jądrze pierwiastka radioaktywnego*). – *n. U* **1** *t. przen.* gnicie; rozkład; zgnilizna. **2.** upadek, schyłek; zanik; uwiąd. **3.** niszczenie; **fall into (a state of) ~** niszczeć. **4.** (*także* **tooth ~**) próchnica (zębów). **5.** (*także* **radioactive ~**) *fiz.* rozpad promieniotwórczy.

decay constant *n. fiz.* stała rozpadu promieniotwórczego, stała przemiany promieniotwórczej.

decay series *n. fiz.* szereg promieniotwórczy.

decay time *n. fiz.* okres rozpadu promieniotwórczego.

decd. *abbr.* = **deceased**.

dece [di:s], **dees** *a. US sl.* super, ekstra, świetny.

decease [dɪ'si:s] *gł. prawn. n. U* zgon, zejście śmiertelne. – *v.* umrzeć.

deceased [dɪ'si:st] *form. a.* zmarły. – *n.* **the ~** zmarł-y/a, nieboszcz-yk/ka; *pl.* zmarli.

decedent [dɪ'si:dnt] *n. zwł. US prawn.* zmarły/a; **~ estate** majątek pozostawiony przez zmarłego/ą.

deceit [dɪ'si:t] *n.* **1.** *U* nieuczciwość, fałsz. **2.** oszustwo; kłamstwo. **3.** *U* kłamliwość.

deceitful [dɪ'si:tfʊl] *a.* **1.** oszukańczy; kłamliwy. **2.** zwodniczy.

deceitfully [dɪ'si:tfʊlɪ] *adv.* **1.** kłamliwie. **2.** zwodniczo.

deceitfulness [dɪ'si:tfʊlnəs] *n. U* **1.** kłamliwość. **2.** zwodniczość.

deceivable [dɪ'si:vəbl] *a.* łatwowierny.

deceive [dɪ'si:v] *v.* **1.** oszukiwać; okłamywać; **~ sb into doing sth** podstępem nakłonić kogoś do (zrobienia) czegoś. **2.** zwodzić. **3. ~ o.s.** oszukiwać samego siebie, łudzić się. **4.** zdradzać (*męża, żonę itp.*). **5. are my eyes deceiving me?** *pot.* nie wierzę własnym oczom!.

deceiver [dɪ'si:vər] *n.* oszust/ka.

deceiving [dɪ'si:vɪŋ] *a.* **1.** oszukańczy. **2.** zwodniczy, złudny.

deceivingly [dɪ'si:vɪŋlɪ] *adv.* **1.** oszukańczo. **2.** zwodniczo, złudnie.

decelerate [di:'selə͵reɪt] *v.* **1.** *t. przen.* zwalniać, zmniejszać szybkość. **2.** *mech.* opóźniać.

deceleration [di:͵selə'reɪʃən] *n. U* **1.** zwalnianie, zmniejszanie szybkości. **2.** *mech.* opóźnienie, przyspieszenie ujemne.

decelerometer [di:͵selə'rɑ:mətər] *n.* opóźnieniomierz.

deceleron [di:'selə͵rɑ:n] *n. lotn.* lotka - hamulec aerodynamiczny.

December [dɪ'sembər] *n. C/U* grudzień; *zob. t.* **February**.

Decembrist [dɪ'sembrɪst] *n. hist.* dekabryst-a/ka.

decemvir [dɪ'semvər] *n. pl.* **-s** *l.* **-i** **1.** *hist.* decemwir (*w starożytnym Rzymie*). **2.** *arch.* członek dziesięcioosobowej rady.

decemvirate [dɪ'semvərɪt] *n. gł. hist.* decemwirat.

decenary [dɪ'senərɪ], **decennary** *a. hist.* dotyczący dziesięciny.

decency ['di:sənsɪ] *n.* **1.** *U* przyzwoitość, obyczajność; **have the ~ to do sth** mieć na tyle przyzwoitości, żeby coś zrobić; **it's common ~ to...** zwykła przyzwoitość wymaga, aby...; **sense of ~** poczucie przyzwoitości. **2.** *pl.* **the decencies** *form.* zasady *l.* nakazy przyzwoitości, powszechnie przyjęte obyczaje.

decennary [dɪ'senərɪ] *n. pl.* **-ies** *form.* dziesięciolecie, dekada. – *a. hist.* = **decenary**.

decennial [dɪ'senɪəl] *a.* dziesięcioletni, trwający dziesięć lat; odbywający się co dziesięć lat. – *n.* dziesięciolecie, dziesiąta rocznica.

decennium [dɪ'senɪəm] *n. pl.* **-iums** *l.* **-ia** *form.* dziesięciolecie, dekada, decennium.

decent ['di:sənt] *a.* **1.** przyzwoity, porządny (= *niezły, wystarczający, znośny; t.* = *skromny, obyczajny*); **do the ~ thing** zachować się przyzwoicie, postąpić jak należy. **2.** poczciwy, dobry, miły; pobłażliwy, wspaniałomyślny; **be ~ about sth** *zwł. Br.* okazać wspaniałomyślność *l.* pobłażliwość, jeśli chodzi o coś; **it was very ~ of her to help us** to było bardzo miłe z jej strony, że nam pomogła. **3.** *pot. zw. żart.* ubrany. **4.** *sl.* super, ekstra.

decently ['di:səntlɪ] *adv.* przyzwoicie, porządnie.

decentralization [di:͵sentrələ'zeɪʃən], *Br. i Austr. zw.* **decentralisation** *admin. polit. n. U* decentralizacja.

decentralize [di:'sentrə͵laɪz] *v.* decentralizować (się).

decentralized processing *n. U komp.* rozproszone przetwarzanie danych.

deception [dɪ'sepʃən] *n.* **1.** oszustwo; *U* oszukiwanie, okłamywanie. **2.** podstęp.

deceptive [dɪ'septɪv] *a.* **1.** złudny, zwodniczy. **2.** oszukańczy, kłamliwy.

deceptively [dɪ'septɪvlɪ] *adv.* zwodniczo, złudnie (*np. prosty*).

deceptiveness [dɪ'septɪvnəs] *n. U* zwodniczość, złudność.

decerebrate [di:'serə͵breɪt] *v. chir.* odkorować, odmóżdżyć. – *n. i a.* (osobnik) odmóżdżony.

decern [dɪ'sɜ˞:n] *v.* **1.** *Scot. prawn.* orzekać. **2.** *arch.* = **discern**.

decertify [di:'sɜ˞:tə͵faɪ] *v.* **-ied, -ying** *form.* odebrać dyplom, patent itp. (*komuś*).

dechlorinate [di:'klɔ:rəneɪt] *v. chem.* odchlorować.

decibel ['desə͵bel] *n.* decybel.

decidable [dɪ'saɪdəbl] *a.* rozstrzygalny.

decide [dɪ'saɪd] *v.* **1.** decydować, postanawiać; zdecydować się, podjąć decyzję; **~ for o.s.** samemu podjąć decyzję; **~ in favor of/against sb/sth** zdecydować/nie zdecydować się na kogoś/coś; **~ on/against doing sth** postanowić coś zrobić/czegoś nie robić; **~ on sth** zdecydować się na coś; **~ sb** być dla kogoś (czynnikiem) decydującym; **~ sb to do sth** zadecydować o tym, że ktoś coś zrobi, skłonić *l.* przekonać kogoś do zrobienia czegoś (*o czynniku, argumencie*); **~ sth** decydować *l.* stanowić o czymś (*np. o losie, przyszłości*); **~ (that)...** zadecydować, że... **2.** rozstrzygnąć (*spór, konkurs, kwestię*); przesądzić o (*wyniku meczu, wyborów*). **3.** wybrać (*between X and Y* między X i Y). **4. ~ in favor of/against sb** *prawn.* wydać orzeczenie na czyjąś korzyść/niekorzyść.

decided [dɪ'saɪdɪd] *a.* **1.** zdecydowany, wyraźny (*np. o zmianie*). **2.** zdecydowany, stanowczy (*np. o poglądach*).

decidedly [dɪ'saɪdɪdlɪ] *form. adv.* **1.** zdecydowanie, wyraźnie. **2.** zdecydowanie, stanowczo.

decider [dɪ'saɪdər] *n. Br. sport* rozstrzygający bieg, punkt, bramka, mecz itp.
deciding [dɪ'saɪdɪŋ] *a.* decydujący, rozstrzygający; ~ **factor** decydujący czynnik; ~ **vote** głos decydujący *l.* rozstrzygający.
decidua [dɪ'sɪdʒʊə] *n. pl.* **-as** *l.* **-ae** *anat.* błona doczesna.
deciduate [dɪ'sɪdʒuːɪt] *a.* **1.** *anat.* doczesnowy, doczesny. **2.** = **deciduous** 2.
deciduitis [dɪˌsɪdʒə'aɪtɪs] *n. U pat.* zapalenie błony doczesnej.
deciduous [dɪ'sɪdʒʊəs] *a.* **1.** *bot.* zrzucający liście. **2.** *zool.* zrzucany (*o sierści, upierzeniu, porożu*). **3.** *rzad.* przemijający, przejściowy.
deciduous tooth *n. anat.* ząb mleczny.
decigram ['desəˌgræm], *Br.* **decigramme** *n.* decygram.
decile ['desɪl] *n. stat.* decyl.
deciliter ['desəˌliːtər], *Br.* **decilitre** *n.* decylitr.
decillion [dɪ'sɪljən] *n.* decylion (*US = 1 z 33 zerami; Br. = 1 z 60 zerami*).
decimal ['desəml] *a. attr.* dziesiętny, decymalny. – *n.* (*także* ~ **fraction**) *mat.* ułamek dziesiętny.
decimalize ['desəməˌlaɪz], *Br. i Austr. zw.* **decimalise** *v.* sprowadzać do układu dziesiętnego, decymalizować.
decimal place *n. mat.* miejsce dziesiętne, miejsce po przecinku.
decimal point *n. mat.* przecinek dziesiętny.
decimal system *n. mat.* system dziesiętny.
decimate ['desəˌmeɪt] *v.* dziesiątkować.
decimation [ˌdesə'meɪʃən] *n. U* zdziesiątkowanie.
decimeter ['desəˌmiːtər], *Br.* **decimetre** *n.* decymetr.
decipher [dɪ'saɪfər] *v.* **1.** odcyfrować. **2.** rozszyfrować. **3.** *przest.* przedstawić.
decipherable [dɪ'saɪfərəbl] *a.* dający się odcyfrować *l.* rozszyfrować.
decipherment [dɪ'saɪfərmənt] *n. U* **1.** odcyfrowanie. **2.** rozszyfrowanie.
decision [dɪ'sɪʒən] *n.* **1.** decyzja, postanowienie; rozstrzygnięcie; **difficult/hard/tough** ~ trudna decyzja; **final/big** ~ ostateczna/ważna decyzja; **make/take a** ~ podjąć decyzję; **reach/arrive at/come to a** ~ powziąć (ostateczną) decyzję. **2.** *U* zdecydowanie, stanowczość; **with** ~ zdecydowanie, stanowczo (*działać, powiedzieć*). **3.** *boks* zwycięstwo na punkty. – *v. boks* zwyciężyć na punkty.
decisional [dɪ'sɪʒənl] *n.* decyzyjny.
decision-maker [dɪ'sɪʒənˌmeɪkər] *n.* decydent/ka.
decision-making [dɪ'sɪʒənˌmeɪkɪŋ] *n. U* proces decyzyjny, proces podejmowania decyzji.
decision support system *n. komp.* system wspomagający wypracowanie decyzji.
decision table *n. komp.* tablica decyzyjna.
decision theory *n. U log., komp.* teoria podejmowania decyzji.
decision tree, decision-tree *n. log., komp.* dendryt decyzyjny, drzewo decyzyjne.
decisive [dɪ'saɪsɪv] *a.* **1.** decydujący, rozstrzygający; **play a** ~ **role in sth** odegrać decydującą rolę w czymś. **2.** zdecydowany, stanowczy. **3.** zdecydowany, wyraźny.
decisively [dɪ'saɪsɪvlɪ] *adv.* **1.** w sposób decydujący *l.* rozstrzygający. **2.** zdecydowanie, stanowczo. **3.** zdecydowanie, wyraźnie.
decisiveness [dɪ'saɪsɪvnəs] *n. U* zdecydowanie, stanowczość.
deck [dek] *n.* **1.** *C/U żegl.* pokład; **below ~(s)** pod pokładem; **on** ~ na pokładzie. **2.** platforma; pomost. **3.** poziom; piętro. **4.** *US, Can. i Austr.* taras (*na tyłach domu*). **5.** *meteor.* warstwa chmur. **6.** *karty zwł. US i Can.* talia. **7.** *druk.* podtytuł. **8.** *sl.* działka (*zwł. heroiny*). **9.** (*także* **rear** ~) *mot.* tylna półka (= *półka l. przestrzeń za tylnym siedzeniem w samochodzie*). **10.** (*także* **cutter/mower** ~) obudowa noży kosiarki. **11.** (*także* **tape** ~) deck, magnetofon kasetowy (*bez wzmacniacza*). **12. flight** ~ *żegl., wojsk.* pokład startowy (*lotniskowca*); *lotn.* kabina pilotów. **13. clear the ~s** *zob.* **clear** *v.*; **hit the** ~ wykonać pad, paść na ziemię (*zwł. w obronie własnej*); zostać powalonym *l.* znokautowanym; *pot.* wstać z łóżka; *przen.* przygotować się do działania; **on** ~ *baseball* gotowy do wybijania; *pot.* następny; *pot.* gotowy (*do działania*); **play with/have a full** ~ *sl.* być kumatym (= *mieć po kolei w głowie*); **stack the** ~ *karty* oszukiwać przy tasowaniu; *przen.* manipulować. – *v.* **1.** ~ **(out)** przystrajać, przyozdabiać (*with sth* czymś); **~ed (out) in sth** wystrojony w coś. **2.** zaopatrywać w pokład. **3.** *sl.* powalić na ziemię (*uderzeniem*). **4.** ~ **over** *żegl.* pokrywać pokładem.
deck-access ['dekˌækses] *a. attr. bud.* mający na każdym piętrze balkony, z których prowadzą drzwi do mieszkań.
deck beam *n. żegl.* pokładnik.
deck bolt *n. żegl.* szpilka pokładowa.
deck bridge *n. bud.* most z jazdą górą.
deck chair, deckchair *n.* leżak.
deck crane *n. żegl.* dźwig pokładowy.
deck department *n. żegl.* załoga pokładowa.
deckel ['dekl] *n.* = **deckle.**
decker ['dekər] *n.* pojazd z kilkoma pokładami; **double-~ bus** autobus piętrowy, piętrus.
deck hand *n. żegl.* marynarz pokładowy.
deckhouse ['dekˌhaʊs] *n. żegl.* pokładówka.
decking ['dekɪŋ] *n. bud.* pokrycie dachu *l.* pokładu.
deckle ['dekl], **deckel** *n. druk.* **1.** wózek formatowy. **2.** (*także* ~ **edge**) brzeg nieobcięty.
deck lid, decklid *n. mot.* podnoszona półka tylna.
deck light *n. żegl.* **1.** szkło pokładowe. **2.** latarnia pokładowa.
deck load *n. żegl.* ładunek pokładowy.
deck log *n. żegl.* dziennik pokładowy.
deck officer *n. żegl.* oficer pokładowy.
deck passage *n. żegl.* miejsce do spania na pokładzie.
decks [deks] *n.* (*także* **'tween deck**) *żegl.* międzypokładzie.
deck tennis *n. U sport* ringo.
deck watch *n. żegl.* zegar obserwacyjny.

decl. *n.* = **declension.**

declaim [dɪˈkleɪm] *v.* **1.** deklamować. **2.** *form.* protestować głośno (*against/about sth* przeciwko czemuś).

declaimer [dɪˈkleɪmər] *n.* deklamator/ka.

declamation [ˌdekləˈmeɪʃən] *n. C/U* **1.** deklamacja. **2.** głośne protesty.

declamatory [dɪˈklæməˌtɔːrɪ] *a.* **1.** deklamacyjny; deklamatorski. **2.** pełen efektów retorycznych (*ale ubogi w treść; np. o przemówieniu*); *przen.* krzyczący (*np. o kolorach*).

declarable [dɪˈklerəbl] *a.* podlegający ocleniu.

declarant [dɪˈklerənt] *n.* **1.** osoba zeznająca *l.* czyniąca deklarację. **2.** *US prawn.* obcokrajowiec, który złożył formalne oświadczenie o woli przyjęcia obywatelstwa amerykańskiego.

declaration [ˌdekləˈreɪʃən] *n.* **1.** *t. przen.* deklaracja, oświadczenie; **D~ of Independence** *US hist.* Deklaracja Niepodległości. **2.** wyznanie (*miłosne*). **3.** zeznanie, oświadczenie (*majątkowe, podatkowe*). **4.** wypowiedzenie, ogłoszenie; **~ of war** wypowiedzenie wojny. **5.** *karty* zapowiedź.

declarative [dɪˈklerətɪv], **declaratory** [dɪˈklerəˌtɔːrɪ] *a.* deklaracyjny.

declaratory judgement *n. prawn.* wyrok deklaratywny.

declare [dɪˈkler] *v.* **1.** oświadczyć, oznajmić; zadeklarować; **~ o.s. (to be) sth** oświadczyć, że jest się czymś. **2.** ogłosić (*np. niepodległość, upadłość*); wprowadzić (*np. stan wojenny*). **3.** uznać (*zwł. oficjalnie*); **~ sb insane** uznać kogoś za chorego umysłowo; **~ sth a success/failure** uznać coś za sukces/porażkę. **4.** zgłaszać do oclenia; deklarować; wykazać w deklaracji (*celnej, podatkowej*); **have you anything to ~?** czy ma Pan/i coś do oclenia?. **5.** *ekon.* zatwierdzić *l.* nakazać wypłatę (*zwł. dywidendy*). **6.** *karty* licytować, zapowiadać wyższą grę. **7.** **~ sth open** uroczyście *l.* oficjalnie otworzyć coś (*np. zawody*); **~ war on sb/sth** *t. przen.* wypowiedzieć wojnę komuś/czemuś; **(well), I ~!** *przest.* a to (ci) dopiero!. **8.** **~ for/against sth** opowiedzieć się za czymś/przeciwko czemuś.

declared [dɪˈklerd] *a.* zdeklarowany, jawny, otwarty (*np. o zwoleniku, zamiarze*); oficjalny (*np. o polityce*).

declaredly [dɪˈklerɪdlɪ] *adv.* wyraźnie, ze zdecydowaniem.

declarer [dɪˈklerər] *n.* **1.** osoba czyniąca deklarację. **2.** *karty* zapowiadając-y/a.

declass [diːˈklæs] *v.* deklasować, degradować.

déclassé [ˌdeɪklæˈseɪ] *a.* **1.** podupadły. **2.** zdeklasowany, zdegradowany społecznie.

declassify [diːˈklæsəˌfaɪ] *v.* **-ied, -ying** odtajniać.

declension [dɪˈklenʃən] *n.* **1.** *gram.* deklinacja (= *typ deklinacyjny l. wszystkie formy deklinacyjne danego wyrazu*); *U* deklinacja, odmiana przez przypadki. **2.** odchylenie, dewiacja (*od wartości standardowej*). **3.** nachylenie, spadek (*np. terenu*). **4.** *form.* spadek (= *zmniejszenie l. pogorszenie się*).

declensional [dɪˈklenʃənl] *a. gram.* deklinacyjny.

declinable [dɪˈklaɪnəbl] *a. gram.* odmieniający się przez przypadki.

declinate [ˈdekləˌneɪt] *a. bot.* opadający (*o częściach roślin*).

declination [ˌdekləˈneɪʃən] *n.* **1.** *astron.* deklinacja, zboczenie. **2.** (*także* **magnetic ~**) *fiz.* deklinacja, odchylenie (*magnetyczne*). **3.** *rzad.* odmowa (*zwł. grzeczna l. oficjalna*); odmowa objęcia urzędu.

declinational [ˌdekləˈneɪʃənl] *a. astron., fiz.* deklinacyjny.

decline [dɪˈklaɪn] *v.* **1.** nie przyjąć (*czegoś*), odrzucić; **~ an invitation** nie przyjąć zaproszenia; **~ an offer/proposal** odrzucić ofertę/propozycję. **2.** odmówić; **~ to do sth** odmówić zrobienia czegoś; **she politely ~d** grzecznie odmówiła. **3.** pochylać (się); obniżać (się); opadać. **4.** podupadać; pogarszać się (*np. o zdrowiu*). **5.** *gram.* deklinować (się), odmieniać (się) przez przypadki. **6.** słabnąć, zanikać, zamierać. – *n. sing. l. U* **1.** spadek, nachylenie. **2.** spadek, obniżenie się (*in sth* czegoś) (*np. cen, liczby ludności*). **3.** upadek (*t. moralny*); schyłek; zanik; uwiąd. **4.** pogorszenie (się) (*zwł. stanu zdrowia*). **5.** **be on the ~** zanikać; słabnąć; pogarszać się; **go/fall into ~** spadać, obniżać się; podupadać; **sb's declining years** ostatnie lata czyjegoś życia.

declinometer [ˌdekləˈnɑːmətər] *n.* deklinometr.

declivitous [dɪˈklɪvɪtəs] *form. a.* pochyły, spadzisty.

declivity [dɪˈklɪvətɪ] *n. pl.* **-ies** pochyłość, spadzistość; skłon, stok.

declivous [dɪˈklaɪvəs], **declivent** *a.* opadający, pochyły.

declutch [diːˈklʌtʃ] *v. zwł. mot.* wysprzęglać, wyłączać sprzęgło.

deco [ˈdekoʊ] *n. i a.* = **art déco.**

decoct [dɪˈkɑːkt] *t. med. v.* przygotować odwar *l.* wywar z (*czegoś*); wygotować.

decoction [dɪˈkɑːkʃən] *n.* **1.** odwar. **2.** *U* otrzymywanie odwaru.

decode [diːˈkoʊd] *v.* **1.** deszyfrować, odszyfrować. **2.** rozszyfrowywać. **3.** *telew.* dekodować, odkodowywać.

decoder [diːˈkoʊdər] *n. telew., komp.* dekoder.

decoke [diːˈkoʊk] *v.* = **decarbonize.**

decollate[1] [dɪˈkɑːleɪt] *v. komp.* rozrywać, dzielić na części *l.* strony (*papier harmonijkowy*).

decollate[2] *v. arch.* = **decapitate.**

decollation [ˌdiːkəˈleɪʃən] *n. arch.* = **decapitation.**

décolletage [deɪˌkɑːləˈtɑːʒ], **decolletage** *n.* **1.** dekolt (*sukni, bluzki*). **2.** strój z dekoltem.

décolleté [ˌdeɪkɑːˈleɪ], **decollete** *n.* dekolt (*kobiecy*). – *a.* wydekoltowany (*o stroju l. kobiecie*).

decolonization [diːˌkɑːlənaɪˈzeɪʃən], *Br. i Austr. zw.* **decolonisation** *n. U* dekolonizacja.

decolonize [diːˈkɑːləˌnaɪz], *Br. i Austr. zw.* **decolonise** *v.* dekolonizować.

decolor [diːˈkʌlər], **decolorize** [diːˈkʌləˌraɪz] *Br. zw.* **decolour, decolourise** *v.* odbarwiać.

decolorant [diːˈkʌlərənt] *a.* odbarwiający. – *n.*

(*także* **decolorizer, decolouriser**) odbarwiacz, środek odbarwiający.

decommission [ˌdi:kəˈmɪʃən] *v.* **1.** *wojsk.* przenosić do demobilu (*sprzęt*). **2.** zamykać, likwidować (*zwł. elektrownię jądrową*).

decompensation [ˌdi:kɑ:mpənˈseɪʃən] *a. U pat.* dekompensacja, niewyrównanie.

decompose [ˌdi:kəmˈpoʊz] *v.* **1.** rozkładać (się); gnić. **2.** *t. chem.* rozkładać (*na substancje prostsze*).

decomposer [ˌdi:kəmˈpoʊzər] *n. ekol.* destruent, organizm powodujący rozkład.

decomposition [ˌdi:kɑ:mpəˈzɪʃən] *n. U* rozkład.

decompound [ˌdi:kəmˈpaʊnd] *v.* **1.** *rzad.* = **decompose**. **2.** *przest.* składać podwójnie *l.* wielokrotnie. – *a. bot.* wielokrotnie złożony (*o liściu*).

decompress [ˌdi:kəmˈpres] *v.* **1.** przeprowadzać dekompresję (*czegoś*); ulegać dekompresji; przechodzić dekompresję. **2.** *komp.* rozpakowywać. **3.** *US pot.* odprężyć się.

decompression [ˌdi:kəmˈpreʃən] *n. U* **1.** dekompresja. **2.** *med.* odbarczenie. **3.** *US pot.* odprężenie.

decompression chamber *n. techn.* komora dekompresyjna.

decompression sickness *n. U* (*także* **decompression illness**) *pat.* choroba kesonowa *l.* dekompresyjna.

decon [ˈdi:kɑ:n] *v. pot.* = **decontaminate**.

decongest [ˌdi:kənˈdʒest] *v.* **1.** *med.* obkurczać śluzówkę, zmniejszać przekrwienie. **2.** rozrzedzać.

decongestant [ˌdi:kənˈdʒestənt] *n. i a. med.* (środek) obkurczający śluzówkę, (środek) zmniejszający przekrwienie.

deconsecrate [di:ˈkɑ:nsəˌkreɪt] *v.* zeświecczyć, przeznaczyć na świecki cel (*budynek sakralny*).

deconstruct [ˌdi:kənˈstrʌkt] *v.* **1.** *teor. lit.* poddawać dekonstrukcji. **2.** *form.* rozbierać na części.

deconstruction [ˌdi:kənˈstrʌkʃən] *n. U teor. lit.* dekonstrukcja.

deconstructionism [ˌdi:kənˈstrʌkʃəˌnɪzəm] *n. U teor. lit.* dekonstrukcjonizm.

deconstructionist [ˌdi:kənˈstrʌkʃənɪst] *n. teor. lit.* dekonstrukcjonist-a/ka.

decontaminate [ˌdi:kənˈtæməˌneɪt] *v.* odkażać.

decontamination [ˌdi:kənˌtæməˈneɪʃən] *n. U* odkażanie.

decontrol [ˌdi:kənˈtroʊl] *v.* **-ll-** liberalizować, ograniczać kontrolę państwową nad (*czynszami, cenami*).

décor [deɪˈkɔ:r], **decor** *n. C/U* **1.** wystrój (*wnętrza*). **2.** *teatr* scenografia, dekoracje.

decorate [ˈdekəˌreɪt] *v.* **1.** ozdabiać, dekorować (*with sth* czymś). **2.** *zwł. Br.* urządzać (*wnętrze*); malować; tapetować. **3.** *często pass.* udekorować, odznaczyć (*medalem, orderem*) (*for sth* za coś).

Decorated architecture [ˌdekəˌreɪtɪd ˈɑ:rkɪˌtektʃər] *n. sing.* (*także* **Decorated style**) *hist., bud.* styl ozdobny (*w gotyckiej architekturze angielskiej XIV w.*).

decoration [ˌdekəˈreɪʃən] *n.* **1.** *często pl.* dekoracja, ozdoba; *U* dekorowanie, ozdabianie. **2.** *U zwł. Br.* urządzanie (*wnętrza*); malowanie; tapetowanie. **3.** *U* (*także* **interior** ~) dekoratorstwo wnętrz. **4.** odznaczenie, order.

decorative [ˈdekərətɪv] *a.* dekoracyjny (*t. uj.* = *nie spełniający funkcji użytkowej*); ozdobny.

decoratively [ˈdekərətɪvlɪ] *adv.* dekoracyjnie.

decorativeness [ˈdekərətɪvnəs] *n. U* dekoracyjność.

decorator [ˈdekəˌreɪtər] *n.* **1.** *zwł. Br.* malarz (*pokojowy*); tapeciarz. **2.** (*także* **interior** ~) dekorator/ka wnętrz.

decorous [ˈdekərəs] *a. form.* stosowny (*o zachowaniu*); godny; w dobrym guście.

decorously [ˈdekərəslɪ] *adv.* stosownie; z godnością.

decorticate [di:ˈkɔ:rtəˌkeɪt] *v.* **1.** *techn.* korować, łuszczyć (*drzewo*); łuskać, łuszczyć (*np. nasiona roślin strączkowych*). **2.** *chir.* dekortykować, obłuszczać, odłuszczać.

decortication [di:ˌkɔ:rtəˈkeɪʃən] *n. U* **1.** korowanie, łuszczenie. **2.** *chir.* dekortykacja.

decorum [dɪˈkɔ:rəm] *n. U form.* godność (*zachowania*); przyzwoitość; dobre maniery; **act/behave with** ~ zachowywać się godnie; **sense of** ~ poczucie przyzwoitości.

decouple [di:ˈkʌpl] *v.* **1.** rozłączać. **2.** *el.* odsprzęgać, rozsprzęgać.

decoy *n.* [ˈdi:kɔɪ] **1.** *myśl. l. przen.* wabik, przynęta. **2.** *myśl.* pułapka (*w postaci zamkniętego obszaru leśnego l. wodnego*). **3.** *wojsk.* makieta, atrapa (*np. czołgu, mająca zmylić przeciwnika*). – *v.* [dɪˈkɔɪ] wabić.

decrease [dɪˈkri:s] *v.* **1.** zmniejszać się, maleć. **2.** zmniejszać. – *n. C/U* zmniejszanie się, spadek (*in sth* czegoś); **be on the** ~ zmniejszać się, maleć.

decreasing [dɪˈkri:sɪŋ] *a. attr.* zmniejszający się, malejący; *mat.* malejący (*o funkcji*).

decreasingly [dɪˈkri:sɪŋlɪ] *adv.* ~ **effective** coraz mniej skuteczny; ~ **often** coraz rzadziej.

decree [dɪˈkri:] *n.* **1.** *admin.* rozporządzenie, zarządzenie; *polit.* dekret. **2.** *prawn.* orzeczenie. **3.** *t. rel.* wyrok (*np. boski, losu*). – *v. form.* postanowić, zarządzić (*that* że).

decree absolute *n. pl.* **-s absolute** *prawn.* prawomocny wyrok rozwodowy.

decree-law [dɪˈkri:ˌlɔ:] *n. prawn.* dekret z mocą ustawy.

decree nisi [dɪˌkri: ˈnaɪsaɪ] *n. pl.* **-s nisi** *prawn.* warunkowy wyrok rozwodowy.

decrement [ˈdekrəmənt] *n. form.* **1.** *U* stopniowa redukcja. **2.** ubytek. **3.** *mat.* dekrement, ubytek. **4.** *fiz.* dekrement tłumienia.

decremeter [ˈdekrəˌmi:tər] *n. el.* dekremetr.

decreolization [ˌdi:kri:ələˈzeɪʃən], *Br. i Austr. zw.* **decreolisation** *n. U jęz.* dekreolizacja (= *upodabnianie się języka kreolskiego do standardowego języka, z którego powstał*).

decrepit [dɪˈkrepɪt] *a.* **1.** rozpadający się, walący się (*np. o domu*). **2.** zniedołężniały.

decrepitate [dɪˈkrepɪˌteɪt] *v.* **1.** *techn.* prażyć. **2.** pękać pod wpływem gorąca.

decrepitude [dɪ'krepɪˌtu:d] *n. U form.* zniedołężnienie.

decrescendo [di:krə'ʃendoʊ] *muz. a. i adv.* decrescendo (= *coraz ciszej*). – *n. pl.* **-os** *l.* **-i** decrescendo (= *stopniowe ściszanie*).

decrescent [dɪ'kresənt] *a. form.* zmniejszający się, malejący; ubywający (*o księżycu*).

decretal [dɪ'kri:tl] *prawn. a.* dekretowy; *kość.* dekretalny. – *n. kość.* dekretał (= *autorytatywne orzeczenie papieskie*); *pl.* **D~s** dekretalia (= *zbiór dekretałów mający moc prawa kanonicznego*).

decretory ['dekrəˌtɔ:rɪ] *a. form.* dekretowy; zadekretowany; mający moc dekretu.

decrial [dɪ'kraɪəl] *n. U form.* potępienie.

decriminalize [di:'kri:mɪnəˌlaɪz], *Br. i Austr. zw.* **decriminalise** *v.* zalegalizować.

decry [dɪ'kraɪ] *v.* **-ies, -ied, -ying** *form.* potępić (*zwł. publicznie*).

decrypt [di:'krɪpt] *v.* **1.** odszyfrować. **2.** *telew.* odkodować.

decubitus [dɪ'kju:bɪtəs] *n. med.* pozycja chorego w łóżku.

decubitus ulcer *n. pat.* odleżyna.

decuman ['dekjʊmən] *a. lit.* olbrzymi, potężny.

decumbent [dɪ'kʌmbənt] *a.* **1.** *bot.* płożący się (*o łodydze*). **2.** *zool.* układający się płasko (*np. o sierści, szczecinie*). **3.** *form.* leżący.

decuple ['dekjʊpl] *form. a.* dziesięciokrotny. – *n.* dziesięciokrotność. – *v.* zwiększyć dziesięciokrotnie.

decurion [dɪ'kjʊrɪən] *n. hist.* dekurion (*w starożytnym Rzymie*).

decurrent [dɪ'kɜ:ənt] *a. bot.* zbiegający (*o osadzeniu liścia na łodydze*).

decurved [di:'kɜ:vd] *a. orn., bot.* zagięty ku dołowi (*o ptasim dziobie, brzegu płatka*).

decussate [dɪ'kʌseɪt] *v.* krzyżować się; przecinać się. – *a.* **1.** skrzyżowany; przecinający się. **2.** *bot.* naprzeciwległy, wzajemnie nakrzyżległy (*o ulistnieniu*).

decussation [ˌdi:kə'seɪʃən] *n. U* przecinanie się; krzyżowanie się.

D.Ed. [ˌdi:'ed] *abbr.* **Doctor of Education** *uniw.* doktor pedagogiki.

dedans [də'dɑ:ŋ] *n. pl.* **dedans 1.** *tenis* galeria dla widzów (*po stronie serwisowej*). **2.** widzowie galerii jw.

dedicate ['dedəˌkeɪt] *v.* **1.** poświęcać (*np. czas, wysiłek, uwagę*); ~ **o.s./one's life to sth** poświęcić *l.* oddać się/(swoje) życie czemuś. **2.** *t. rel.* poświęcić (*np. świątynię, kaplicę*) (*to sb* komuś). **3.** dedykować (*książkę, piosenkę*) (*to sb* komuś). **4.** poświęcić, przeznaczyć (*na jakiś cel*). – *a. arch.* = **dedicated**.

dedicated ['dedəˌkeɪtɪd] *a.* **1.** oddany (*komuś, sprawie, idei*). **2.** *zw. attr.* wydzielony, przeznaczony do specjalnych celów; pasujący tylko do jednego modelu (*np. o częściach zapasowych, podzespołach*); *komp.* dedykowany.

dedicatedly ['dedəˌkeɪtɪdlɪ] *adv.* z oddaniem *l.* poświęceniem.

dedication [ˌdedə'keɪʃən] *n.* **1.** *U* poświęcenie, oddanie. **2.** dedykacja. **3.** inauguracja, otwarcie (*budynku, połączone z nadaniem imienia*).

dedicatory ['dedəkəˌtɔ:rɪ], **dedicative** ['dedəkətɪv] *a.* dedykacyjny.

deduce [dɪ'du:s] *form. v.* **1.** *t. log.* wydedukować, wywnioskować (*from sth* z czegoś). **2.** *arch.* wywodzić, wyprowadzać (= *badać pochodzenie l. historię czegoś*).

deducible [dɪ'du:səbl] *a.* dający się wywnioskować.

deduct [dɪ'dʌkt] *v.* odciągać, potrącać (*sth from sth* coś z czegoś) odejmować (*sth from sth* coś od czegoś).

deductible [dɪ'dʌktəbl], *Austr. t.* **deductable** *a.* **1.** podlegający potrąceniu. **2.** *US i Can.* do odpisania od podatku. – *n. US i Can. ubezp.* udział własny.

deduction [dɪ'dʌkʃən] *n.* **1.** *U* odciągnięcie, potrącenie; *C* potrącenie (*kwota*). **2.** wniosek; *U* wnioskowanie; *log.* dedukcja.

deductive [dɪ'dʌktɪv] *a.* dedukcyjny.

dee[1] [di:] *n.* **1.** kółko metalowe (*do przyczepiania ekwipunku, zwł. przy siodle*). **2.** *fiz.* duant (*cyklotronu*).

dee[2] *v. Scot.* = **die**.

deed [di:d] *n.* **1.** *lit. l. przest.* czyn; uczynek; postępek; **do a good** ~ zrobić dobry uczynek. **2.** wyczyn. **3.** *prawn.* akt (*zwł. notarialny*). – *v. US i Can. prawn.* przekazać aktem notarialnym tytuł własności do (*czegoś*).

deed box *n.* kasetka na dokumenty.

deed of covenant *n. prawn.* zgoda notarialna.

deed of trust *n. prawn.* umowa powiernicza.

deed poll *n. prawn.* zobowiązanie jednostronne.

deejay ['di:dʒeɪ] *n. pot.* dyskdżokej.

deem [di:m] *v. często pass. form.* uważać; uznać (*sb / sth (to be)...* kogoś/coś za...).

de-emphasis [di:'emfəsɪs], **deemphasis** *n. pl.* **-es 1.** zmniejszenie nacisku (*na coś*). **2.** *el.* wyróżnienie wtórne, deemfaza.

de-emphasize [di:'emfəˌsaɪz], *Br. i Austr. zw.* **-ise** *v.* przykładać mniejszą wagę do (*czegoś*), zmniejszyć nacisk kładziony na (*coś*).

deemster ['di:mstər], **dempster** *n. Br. prawn.* jeden z dwóch sędziów na wyspie Man.

de-energize [di:'enərˌdʒaɪz], *Br. i Austr. zw.* **de-energise** *v.* **1.** *el.* odłączyć od źródła prądu (*obwód elektryczny*). **2.** *przen.* powodować utratę energii u (*kogoś*).

deep [di:p] *a.* **1.** *t. przen.* głęboki (*t. o śnie, uczuciu, wierze, tajemnicy, żałobie*); **eight inches/two meters** ~ głęboki na osiem cali/dwa metry; **knee/ankle-~** głęboki po kolana/kostki; **take a ~ breath** wziąć głęboki oddech, odetchnąć głęboko. **2.** niski (*o tonie, głosie*). **3.** ciemny; intensywny (*o kolorze*). **4.** poważny (*o kłopotach, zmartwieniach*); ciężki, sromotny (*np. o hańbie*). **5.** dogłębny (*o zrozumieniu*), rozległy, gruntowny (*o wiedzy*). **6.** wnikliwy, przenikliwy. **7.** przebiegły, chytry (*o planie*). **8.** zawiły, zagmatwany, niejasny. **9.** *pred.* pokryty, zalany, zawalony (*in sth* czymś); *przen.* pogrążony, zatopiony, pochłonięty (*in sth* czymś); ~ **in con-**

versation/study pochłonięty rozmową/nauką; ~ **in debt** po uszy w długach; ~ **in thought** pogrążony *l.* zatopiony w myślach. **10.** *przen.* **go off (at) the ~ end** *pot.* stracić panowanie nad sobą; *gł. US i Can.* działać pochopnie; **in ~ water** *pot.* w poważnych tarapatach; **thrown/pitched/chucked in at the ~ end** *pot.* rzucony (od razu) na głęboką wodę (= *postawiony przed nowym i trudnym zadaniem*). – *adv.* **1.** głęboko. **2.** dogłębnie. **3.** ~ **down** w głębi duszy; ~ **in the past** w odległej przeszłości; ~ **into the night** do późnej nocy; **in ~** mocno zaangażowany (*np. uczuciowo l. w interes*); **knee/waist-~ in water** po kolana/pas w wodzie; **run/go ~** *przen.* być głęboko zakorzenionym (*np. o strachu, nienawiści, przesądach*); **(stand) two/ten ~** (stać) w dwóch/dziesięciu rzędach; **still waters run ~** *przen.* cicha woda brzegi rwie. – *n. U* **1.** *t. żegl.* głębia. **2. the ~** *poet.* ocean, morze; *krykiet* głębia boiska. **3.** ogrom (*np. czasu*). **4. in the ~ of night/winter** *lit.* w środku nocy/zimy.

deep-dish [ˌdi:pˈdɪʃ] *a. attr.* pieczony w głębokim naczyniu (*np. o pizzy*).

deep-draw [ˈdi:pˌdrɔ:] *v.* **-drew, -drawn** *metal.* głęboko tłoczyć.

deep-dyed [ˌdi:pˈdaɪd] *a. attr. uj.* skończony (*np. o łajdaku*).

deepen [ˈdi:pən] *v.* **1.** *t. przen.* pogłębiać (się). **2.** wzmagać (się), nasilać (się). **3.** *meteor.* spadać (*o ciśnieniu*).

deep-etch plate [ˌdi:pˌetʃ ˈpleɪt] *n. druk.* płyta głęboko trawiona.

deep floor *n. żegl.* dennik skrajnika, dennik wysoki.

deep focus *n. film* pełna głębia ostrości.

deep freeze *n.* **1.** zamrażarka. **2.** przechowywanie produktów w stanie zamrożenia. **3.** *pot.* zastój; wstrzymanie.

deep-freeze [ˌdi:pˈfri:z] *v.* **-freezed** *l.* **-froze, -freezed** *l.* **-frozen 1.** szybko zamrażać. **2.** przechowywać w stanie zamrożenia.

deep freezer *n.* zamrażarka.

deep-fry [ˌdi:pˈfraɪ] *v.* **-ies, -ying, -ied** *kulin.* smażyć w głębokim tłuszczu.

deep fryer *n.* (*także* **deep-fat fryer**) frytkownica.

deep kiss *n.* pocałunek francuski.

deep-kiss [ˌdi:pˈkɪs] *v.* całować (się) po francusku.

deep-laid [ˌdi:pˈleɪd] *a.* potajemny i głęboko przemyślany (*zwł. o planie*).

deep-litter [ˌdi:pˈlɪtər] *n. hodowla kur* ściółka głęboka.

deeply [ˈdi:plɪ] *adv.* **1.** *przen.* głęboko; ~ **in love** głęboko zakochany, zakochany po uszy; **breathe ~** oddychać głęboko. **2.** dogłębnie, wnikliwie, gruntownie. **3.** bardzo, niezmiernie, niesłychanie (*np. wdzięczny, kłopotliwy, żenujący*).

deepness [ˈdi:pnəs] *n. U* głębokość; głębia.

deep-rooted [ˌdi:pˈru:tɪd] *a.* (*także* **deeply rooted**) głęboko zakorzeniony (*o przekonaniach, tradycjach*).

deep-sea [ˌdi:pˈsi:] *a. attr.* głębinowy.

deep-seated [ˌdi:pˈsi:tɪd] *a.* głęboko zakorzeniony *l.* utrwalony (*zwł. o poczuciu obowiązku; t. o przekonaniach, przesądach*).

deep-set [ˌdi:pˈset] *a.* głęboko osadzony (*o oczach*).

deep-six [ˌdi:pˈsɪks], **deep six** *v. US sl.* **1.** wyrzucić za burtę. **2.** zniszczyć (*np. dokumenty*). **3.** odrzucić (*np. projekt*).

Deep South *n. sing. US* Głębokie Południe (= *Południowa Karolina, Georgia, Alabama, Missisipi i Luizjana*).

deep space *n. U* przestrzeń kosmiczna, głęboki kosmos (= *kosmos poza układem słonecznym*).

deep structure *n. jęz.* struktura głęboka.

deep therapy *n. U med.* radioterapia głęboka.

deepwater [ˌdi:pˈwɔ:tər] *a. attr.* głębokowodny (*działający l. odbywający się na głębokiej wodzie*).

deer [di:r] *n. pl.* **deer** *l.* **-s** *zool.* **1.** (*zbiorowo*) zwierzyna płowa (*rodzina Cervidae*); (*także* **red ~**) jeleń (*Cervus elaphus*); (*także* **roe ~**) sarna (*Capreolus capreolus*); (*także* **fallow ~**) daniel (*Dama dama l. Dama mesopothamica*). **2.** *płn. Can.* = **caribou**.

deer fly *n. pl.* **-ies** *ent.* ślepak (*Chrysops*).

deer fly fever *n. U pat., wet.* tularemia.

deergrass [ˈdi:rgræs] *n. bot.* wełnianeczka darniowa (*Trichophorum caespitosum*).

deer-lick [ˈdi:rˌlɪk], **deer lick** *n. leśn.* lizawka.

deer mouse *n. pl.* **deer mice** *zool.* myszak (*Peromyscus leucopus; t. inne myszy północnoamerykańskie z gatunku Peromyscus*).

deerskin [ˈdi:rˌskɪn] *n. U* skóra jelenia *l.* sarnia (*garbowana*). – *a. attr.* wykonany ze skóry jeleniej *l.* sarniej.

deerstalker [ˈdi:rˌstɔ:kər] *n.* **1.** czapka sukienna z daszkiem z przodu i z tyłu (*w stylu Sherlocka Holmesa*). **2.** *myśl.* myśliwy polujący na płową zwierzynę.

de-escalate [di:ˈeskəˌleɪt], **deescalate** *v.* załagodzić, zażegnać (*zwł. kryzys*).

def [def] *a. sl.* super, świetny (*zwł. w odniesieniu do hip-hopu*).

def. *abbr.* **1.** = **defective**. **2.** = **defendant**. **3.** = **defense**. **4.** = **deferred**. **5.** = **defined**; *zob.* **define**. **6.** = **definite**. **7.** = **definition**.

deface [dɪˈfeɪs] *v.* zniszczyć (*np. książkę, afisz; zwł. pisząc l. rysując po nich*); oszpecić (*np. wizerunek, rzeźbę*); zbezcześcić (*np. pomnik, nagrobek*); zamazać, zabazgrać (*napis, ścianę*).

defacement [dɪˈfeɪsmənt] *n. U* zniszczenie; zbezczeszczenie.

de facto [deɪ ˈfæktoʊ] *adv. form. l. prawn.* de facto, w praktyce. – *a. attr. form.* faktyczny. – *n. pot. Austr. i NZ* konkub-ent/ina; kochan-ek/ka.

defalcate [dɪˈfælkeɪt] *v. prawn.* sprzeniewierzyć, zdefraudować.

defalcation [ˌdeflˈkeɪʃən] *n.* **1.** *U* sprzeniewierzenie, defraudacja. **2.** zdefraudowana *l.* sprzeniewierzona suma.

defalcator [dɪˈfælkeɪtər] *n.* defraudant/ka.

defamation [ˌdefəˈmeɪʃən] *form. n. U* zniesławienie, oszczerstwo, potwarz.

defamatory [dɪˈfæməˌtɔːrɪ] *a.* zniesławiający, oszczerczy.

defame [dɪˈfeɪm] *v.* **1.** zniesławiać. **2.** *arch.* przynosić ujmę (*komuś*). **3.** *arch.* oskarżać.

defang [diːˈfæŋ] *v.* **1.** *zool.* usunąć kły *l.* zęby jadowe (*zwierzęciu*). **2.** *przen.* unieszkodliwić.

default [dɪˈfɔːlt] *n.* *U* **1.** *zw. sing.* *komp.* wartość domyślna *l.* standardowa. **2.** zaniedbanie, niedotrzymanie zobowiązania; niezapłacenie, niewywiązanie się z płatności. **3.** *prawn.* niestawiennictwo; **judgment by ~** wyrok zaoczny. **4.** *sport* niestawienie się (*na zawody*); **win/lose by ~** przegrać walkowerem. **5. in ~ of sth** *form.* z braku czegoś. – *v.* **1.** dopuścić się zaniedbania; nie dotrzymać zobowiązania; **~ on sth** nie wywiazywać się z płacenia czegoś (*np. długów, alimentów*). **2.** *prawn.* nie stawić się (*w sądzie, przegrywając tym samym sprawę*). **3.** *sport* nie stawić się (*na zawodach*); przegrać walkowerem. **4.** *prawn.* wydać wyrok zaoczny. **5.** *zwł. prawn.* stwierdzić zaniedbanie *l.* niewywiązanie się z obowiązku.

defaulter [dɪˈfɔːltər] *n.* **1.** winn-y/a zaniedbania *l.* niestawienia się; *zwł. prawn.* strona nie wywiązująca się ze zobowiązań. **2.** *zwł. Br.* żołnierz, który złamał regulamin wojskowy (*i został za to osądzony przez sąd wojskowy*).

defeasance [dɪˈfiːzəns] *prawn.* *n.* **1.** *U* unieważnienie. **2.** *U* wygaśnięcie. **3.** dokument zawierający warunki unieważnienia innego dokumentu.

defease [dɪˈfiːz] *v.* unieważnić.

defeasible [dɪˈfiːzəbl] *a.* unieważnialny.

defeat [dɪˈfiːt] *v.* **1.** pokonać. **2.** udaremnić. **3.** *prawn.* unieważnić, anulować. – *n.* **1.** *C/U* porażka, niepowodzenie; klęska; **admit ~** przyznać się do porażki; **suffer a ~** doznać porażki. **2.** *U* obalenie; pokonanie; udaremnienie (*of sth* czegoś). **3.** *U prawn.* unieważnienie. **4.** *U arch.* zniszczenie.

defeatism [dɪˈfiːtɪzəm] *n.* *U* defetyzm.

defeatist [dɪˈfiːtɪst] *a.* defetystyczny. – *n.* defetyst-a/ka.

defecate [ˈdefəˌkeɪt], **defaecate** *v.* **1.** *form.* oddawać kał. **2.** *chem.* usuwać zanieczyszczenia z (*roztworu, zwł. zawierającego cukier*).

defecation [ˌdefəˈkeɪʃən] *n.* *U form.* defekacja, oddawanie kału.

defect *n.* [ˈdiːfekt] **1.** wada, defekt, błąd, usterka (*in sth* czegoś *l.* w czymś); mankament; skaza; ułomność, upośledzenie; **character ~** wada charakteru; **genetic ~** wada genetyczna; **mental ~** upośledzenie umysłowe; **physical ~** ułomność fizyczna; **sight/speech ~** wada wzroku/wymowy. **2.** (*także* **crystal ~**, **lattice ~**) *min.* defekt sieci krystalicznej, defekt sieciowy. – *v.* [dɪˈfekt] **1.** wyjechać z kraju (*z powodów politycznych*), uciec (*from... to...* z... do...). **2.** zdradzić (= *opowiedzieć się po stronie dotychczasowego przeciwnika*); **~ to the enemy** przejść na stronę wroga.

defection [dɪˈfekʃən] *n.* *U* **1.** ucieczka (*z powodów politycznych, np. na Zachód*). **2.** przejście na stronę wroga, zdrada; dezercja; odstępstwo. **3.** = **defect** *n.* 1.

defective [dɪˈfektɪv] *a.* **1.** wadliwy, wybrakowany. **2.** *przest.* ułomny; niedorozwinięty. **3.** *gram.* ułomny (*o czasowniku*). – *n. przest.* kaleka; osoba niedorozwinięta.

defectively [dɪˈfektɪvlɪ] *adv.* wadliwie.

defectiveness [dɪˈfektɪvnəs] *n.* *U* **1.** wadliwość. **2.** *przest.* ułomność, kalectwo; niedorozwój.

defective verb *n. gram.* defectivum, czasownik ułomny (= *nie posiadający niektórych form fleksyjnych; np. „can" l. „must"*).

defector [dɪˈfektər] *n.* **1.** uciekinier/ka polityczn-y/a. **2.** zdraj-ca/czyni; dezerter/ka (*np. z partii politycznej*); odstęp-ca/czyni.

defence [dɪˈfens] *n. Br. i Austr.* = **defense**.

defend [dɪˈfend] *v.* **1.** bronić (*sb/sth against/from sb/sth* kogoś/czegoś przed kimś/czymś); stawać *l.* występować w obronie (*kogoś l. czegoś*); **~ o.s.** bronić się. **2.** *prawn.* bronić (*w sądzie*); **~ing counsel** obrona (= *obrońca l. obrońcy w sprawie*). **3.** *sport* bronić (*wyniku, bramki, tytułu*); **~ing champion** obroń-ca/czyni tytułu mistrzowskiego.

defendable [dɪˈfendəbl] *a.* dający się obronić.

defendant [dɪˈfendənt] *n.* **1.** *prawn.* pozwan-y/a (*w sprawie cywilnej*); oskarżon-y/a, podsądn-y/a (*w sprawie karnej*). **2.** *przest.* obrońca/czyni. – *a.* **1.** broniący się. **2.** *przest.* obronny.

defender [dɪˈfendər] *n.* **1.** *t. sport* obrońca/czyni. **2.** *sport* mistrz/yni (= *zawodni-k/czka broniąc-y/a tytułu*). **3. D~ of the Faith** *Br.* Obrońca Wiary (*tytuł monarchy brytyjskiego*).

defenestration [diːˌfenəˈstreɪʃən] *n. form.* defenestracja, wyrzucenie przez okno (*człowieka*).

defense [dɪˈfens], *Br. i Austr.* **defence** *n.* **1.** *U* obrona; pomoc; **come to sb's ~** stanąć w czyjejś obronie; przyjść komuś z pomocą; **in ~ of sth** w obronie czegoś (*np. sprawy, idei*); **in sb's/sth's ~** w obronie kogoś/czegoś; **rush to sb's ~** pospieszyć komuś na pomoc *l.* z pomocą. **2.** *prawn.* **the ~** obrona (= *obrońca l. obrońcy w sprawie*); **witness for the ~** świadek obrony. **3.** *C/U* ochrona (*t.* = *coś, co chroni*). **4.** *U polit., wojsk.* obronność, obrona (narodowa); **~ spending** wydatki na obronę; **D~** *US pot.* = **Defense Department**. **5.** *C/U sport* obrona; **play (on) ~** (*także Br.* **play in defence**) grać w obronie; **the ~** obrona (*gracze*). **6.** *psych.* = **defense mechanism**. **7.** *pl.* siły obronne (*np. organizmu*); *wojsk.* fortyfikacje, linie obronne.

Defense Department *n. US polit., admin.* Departament Obrony (= *Ministerstwo Obrony Narodowej*).

defenseless [dɪˈfensləs] *a.* bezbronny.

defenseman [dɪˈfensmən] *n. pl.* **-men** *sport* obrońca.

defense mechanism *n. psych.* mechanizm obronny.

defensible [dɪˈfensəbl] *a.* dający się obronić (*o pozycjach wojskowych, twierdzeniu*); dający się usprawiedliwić.

defensive [dɪˈfensɪv] *a.* **1.** obronny, defensywny. **2.** ~ **about sth** czuły (na krytykę) na jakimś punkcie. – *n. U* defensywa; **be on the** ~ być w defensywie, zachowywać się defensywnie.

defensive back *n. futbol amerykański* kraniec obrony (*zawodnik*).

defensive medicine *n. U US med.* leczenie posługujące się rozbudowaną diagnostyką (*w celu zabezpieczenia się na wypadek pozwu o błąd w sztuce*).

defer[1] [dɪˈfɜː] *v.* **-rr-** odraczać, odkładać (na później), wstrzymywać (*tymczasowo*).

defer[2] *v.* **-rr-** *form.* ~ **to sb** ustąpić *l.* ulec komuś (*przez szacunek l. grzeczność, niekoniecznie z przekonania*) (*on sth* w jakiejś sprawie); ~ **to sb's wishes** zastosować się do czyichś życzeń (*jw.*).

deferable [dɪˈfɜːəbl] *n.* = **deferrable.**

deference [ˈdefərəns] *form. n. U* **1.** uległość. **2.** szacunek; **out of/in** ~ **to sb/sth** z szacunku *l.* przez szacunek dla kogoś/czegoś.

deferent[1] [ˈdefərənt] *a.* = **deferential.**

deferent[2] *a. fizj.* odprowadzający (*o nerwie, naczyniu, przewodzie*). – *n. hist., astron.* deferent.

deferential[1] [ˌdefəˈrenʃl] *a.* pełen szacunku (*to/towards sb* dla kogoś) okazujący szacunek (*to/towards sb* komuś).

deferential[2] *a. anat.* nasieniowodowy.

deferentially [ˌdefəˈrenʃlɪ] *adv.* z szacunkiem.

deferment [dɪˈfɜːmənt], **deferral** [dɪˈfɜːəl] *n. C/U* odłożenie, odroczenie; *wojsk.* odroczenie służby wojskowej.

deferrable [dɪˈfɜːəbl], **deferable** *a.* dający się odłożyć; *wojsk.* kwalifikujący się do odroczenia.

deferral [dɪˈfɜːəl] *n.* = **deferment.**

deferred annuity [dɪˌfɜːd əˈnuːətɪ] *n. ubezp.* renta odroczona.

deferred charge *n. fin.* wydatek przyszłych okresów.

deferred sentence *n. prawn.* wyrok w zawieszeniu.

deferred share *n. zwł. Br. ekon.* akcja, od której dywidendy wypłaca się po wypłaceniu dywidend od akcji uprzywilejowanych i zwykłych.

defervescence [ˌdiːfərˈvesəns] *n. U med.* odgorączkowanie, ustąpienie gorączki.

defiance [dɪˈfaɪəns] *form. n. U* bunt, opór; przekora; lekceważenie, wyzywające zachowanie *l.* postawa; **bid** ~ **to sb/sth** buntować się przeciwko komuś/czemuś; **in** ~ **of sth** wbrew *l.* na przekór czemuś, lekceważąc coś.

defiant [dɪˈfaɪənt] *a.* buntowniczy; przekorny; wyzywający.

defiantly [dɪˈfaɪəntlɪ] *adv.* buntowniczo; przekornie; wyzywająco.

defibrate [diːˈfaɪbreɪt], **defiber** [diːˈfaɪbər], **defibratize** [diːˈfaɪbrəˌtaɪz] *Br. i Austr. zw.* **defibratise** *v. techn.* defibrować, rozwłókniać (*papier, tkaninę*).

defibrillate [diːˈfaɪbrəˌleɪt] *med. v.* defibrylować.

defibrillation [ˌdiːfɪbrəˈleɪʃən] *n. U* defibrylacja.

defibrillator [diːˈfaɪbrəˌleɪtər] *n.* defibrylator.

defibrinate [diːˈfaɪbrəˌneɪt] *v. med.* odwłóknić (*krew*), usunąć włóknik z (*krwi*).

deficiency [dɪˈfɪʃənsɪ] *n. C/U pl.* **-ies 1.** brak; niedostatek, niedobór. **2.** *t. ekon.* deficyt.

deficiency account *n.* (*także* **deficiency statement**) *fin.* rachunek deficytowy.

deficiency disease *n. C/U pat.* choroba spowodowana niedoborem (*np. witamin*).

deficiency judgment *n. prawn.* wyrok na resztę długu (= *wyrok orzekający pokrycie niespłaconej części długu*).

deficient [dɪˈfɪʃənt] *a.* **1.** niewystarczający; **be** ~ **in sth** wykazywać niedobór czegoś *l.* braki w czymś. **2.** wybrakowany, wadliwy; niedoskonały.

deficit [ˈdefəsɪt] *n.* **1.** *t. ekon.* deficyt (*of...* wynoszący...); strata; **budget/trade** ~ deficyt budżetowy/handlowy. **2.** brak, niedobór (*in sth* czegoś).

deficit financing *n. U ekon.* finansowanie przez deficyt budżetowy.

deficit spending *n. U ekon.* wydatki finansowane przez deficyt budżetowy.

defier [dɪˈfaɪər] *n.* ~ **of sth** osoba buntująca się przeciwko czemuś.

defilade [ˌdefəˈleɪd] *wojsk. n.* zabezpieczenie przed ostrzałem (*wykorzystujące naturalne ukształtowanie terenu*). – *v.* zabezpieczać przed ostrzałem (*jw.*).

defile[1] [dɪˈfaɪl] *form. v.* **1.** skalać, zbrukać, splugawić; zepsuć; oszpecić. **2.** zepsuć reputację (*komuś*). **3.** *t. rel.* zbezcześcić, sprofanować. **4.** zanieczyścić, skazić. **5.** *arch.* pozbawić dziewictwa, pohańbić (*kobietę*).

defile[2] *n.* **1.** wąwóz. **2.** wąskie przejście (*przez które można przechodzić wyłącznie pojedynczo*). – *v. t. wojsk.* maszerować jeden za drugim.

defilement [dɪˈfaɪlmənt] *n. U* skalanie, zbezczeszczenie, splugawienie.

define [dɪˈfaɪn] *v.* **1.** definiować (*as...* jako...). **2.** określać; **clearly/precisely ~d** ściśle określony. **3.** wyznaczać (*granice, zakres, kres*); ograniczać; **strictly ~d** ściśle ograniczony (*np. o czyjejś roli*). **4.** charakteryzować, stanowić cechę charakterystyczną dla (*danej jednostki, gatunku, klasy*). **5.** *zw. pass.* zarysowywać; **sharply/clearly ~d** ostro/wyraźnie zarysowany (*against sth* na tle czegoś *l.* na czymś) (*np. o sylwetce, konturach, śladach*).

definiendum [dɪˌfɪnɪˈendəm] *n. pl.* **-a** *zwł. log.* definiendum.

definiens [dɪˈfɪnɪənz] *n. pl.* **-tia** *zwł. log.* definiens.

definite [ˈdefənɪt] *a.* **1.** określony. **2.** wyraźny. **3.** pewny. **4. be** ~ **(about sth)** być stanowczym (w jakiejś sprawie); wypowiadać się zdecydowanie (na jakiś temat). **5.** *bot.* wiechowaty (*o kwiatostanie*).

definite article *n. gram.* przedimek *l.* rodzajnik określony.

definite integral *n. mat.* całka oznaczona.

definitely [ˈdefənɪtlɪ] *adv.* zdecydowanie, z pewnością, na pewno; ~ **not** na pewno nie.

definiteness [ˈdefənɪtnəs] *n. U* **1.** określoność. **2.** pewność; zdecydowanie, stanowczość.

definite relative clause *n. gram.* zdanie przydawkowe ograniczające.

definite relative pronoun *n. gram.* zaimek względny ograniczający.

definition [ˌdefəˈnɪʃən] *n.* **1.** definicja; określenie; *U* definiowanie; określanie. **2.** *U opt., fot.* rozdzielczość; *telew.* ostrość (*obrazu*); *t. radio i telew.* czystość (*dźwięku*). **3. be the ~ of sth** *form.* być uosobieniem czegoś; **by ~** z definicji, z (samej swojej) natury.

definitive [dɪˈfɪnətɪv] *a.* **1.** *zw. attr.* definitywny, ostateczny; rozstrzygający, autorytatywny; pełny, kompletny, najlepszy z istniejących (*np. o opracowaniu, studium*). **2.** *biol.* w pełni rozwinięty *l.* wykształcony.

definitive host *n. zool.* żywiciel główny.

definitively [dɪˈfɪnətɪvlɪ] *adv.* definitywnie, ostatecznie.

definitive plumage *n. U orn.* upierzenie dorosłych ptaków.

definitude [dɪˈfɪnəˌtuːd] *n. U form.* **1.** określoność. **2.** dokładność, precyzja.

deflagrate [ˈdefləˌgreɪt] *v. lit. l. chem.* palić *l.* spalać (się) gwałtownie.

deflagration [ˌdefləˈgreɪʃən] *n. zwł. chem.* deflagracja.

deflate [dɪˈfleɪt] *v.* **1.** wypuszczać *l.* spuszczać powietrze z (*balona, ogumienia itp.*); **the balloon/tire ~d** z balonu/opony uszło powietrze. **2.** odebrać pewność siebie (*komuś*); **feel ~d** czuć się mniej pewnie, stracić pewność siebie. **3.** obalić (*teorię, argument*). **4.** *ekon.* przeprowadzać deflację (*gospodarki, zasobów pieniężnych*).

deflation [dɪˈfleɪʃən] *n. U* **1.** wypuszczanie *l.* spuszczanie powietrza. **2.** *ekon.* deflacja. **3.** *geol.* deflacja.

deflationary [dɪˈfleɪʃəˌnerɪ] *a. ekon.* deflacyjny.

deflect [dɪˈflekt] *v.* **1.** odchylać (*np. światło*); załamywać (*np. fale*); odbić (*np. strzał, piłkę*); odchylać się, zbaczać, gwałtownie skręcać; załamywać się; odbijać się (*off sth* od czegoś). **2.** *przen.* **~ attention** odwracać uwagę (*away from sth* od czegoś); **~ criticism** odpierać krytykę; **~ sb from their goal/ambition** sprawić, że ktoś zboczy z obranej drogi.

deflected [dɪˈflektɪd], **deflexed** [dɪˈflekst] *a. biol.* odchylony w dół.

deflection [dɪˈflekʃən], *Br. t.* **deflexion** *n. U* **1.** odchylenie; wychylenie. **2.** *fiz.* dewiacja, zboczenie. **3.** zgięcie, ugięcie, wygięcie.

deflection yoke *n. el.* zespół cewek odchylających.

deflective [dɪˈflektɪv] *a.* powodujący odchylenie.

deflectometer [ˌdɪflekˈtɑːmətər] *n.* deflektometr, ugięciomierz.

deflocculate [diːˈflɑːkjəleɪt] *chem. v.* deflokulować, odkłaczkować.

deflocculation [diːˌflɑːkjəˈleɪʃən] *n. U* deflokulacja, odkłaczkowanie.

defloration [ˌdefləˈreɪʃən] *n. U lit.* defloracja.

deflower [dɪˈflaʊər] *v.* **1.** *lit.* zdeflorować, pozbawić dziewictwa. **2.** *ogr.* pozbawić kwiatów (*roślinę*).

defocus [diːˈfoʊkəs] *v.* **1.** stracić ostrość (*w aparacie fotograficznym, mikroskopie*). **2.** zdekoncentrować (się). – *n. U* brak ostrości.

defog [diːˈfɑːg] *US mot. v.* **-gg-** usuwać parę wodną z (*szyby*).

defogger [diːˈfɑːgər] *n.* ogrzewanie tylnej szyby.

defoliant [diːˈfoʊlɪənt] *n. leśn., roln., wojsk.* defoliant.

defoliate [diːˈfoʊlɪˌeɪt] *v.* **1.** odzierać z liści. **2.** *leśn., roln., wojsk.* przeprowadzać defoliację (*czegoś*). **3.** tracić liście. – *a.* bezlistny (*o drzewie*).

deforce [dɪˈfɔːrs] *prawn. v.* **1.** eksmitować siłą (*prawowitego właściciela*). **2.** zatrzymywać bezprawnie (*cudzą własność, zwł. grunty*), przemocą pozbawiać własności (*prawowitego właściciela*).

deforest [diːˈfɔːrɪst] *v.* wylesiać, wycinać las na (*danym terenie*).

deforestation [diːˌfɔːrɪˈsteɪʃən] *n. U* wylesianie, wycinanie lasów.

deform [dɪˈfɔːrm] *v.* **1.** zniekształcić, zdeformować. **2.** oszpecić. **3.** *mech., geol.* odkształcać (się).

deformalize [dɪˈfɔːrməˌlaɪz], *Br. i Austr. zw.* **deformalise** *v. form.* uczynić mniej formalnym; uczynić bardziej swobodnym.

deformation [ˌdiːfɔːrˈmeɪʃən] *n. U* **1.** zniekształcenie, deformacja. **2.** *mech., geol.* odkształcenie.

deformed [dɪˈfɔːrmd] *a.* **1.** zniekształcony, zdeformowany; szpetny. **2.** odkształcony.

deformeter [dɪˈfɔːrmiːtər] *n. techn.* tensometr.

deformity [dɪˈfɔːrmətɪ] *n. pl.* **-ies** **1.** *U* ułomność, kalectwo. **2.** *pat.* zniekształcenie, malformacja. **3.** *U* szpetota.

defraud [dɪˈfrɔːd] *v.* okradać (*sb of sth* kogoś z czegoś) (*przez defraudację*).

defrauder [dɪˈfrɔːdər] *n.* złodziej/ka, defraudant/ka.

defray [dɪˈfreɪ] *form. v.* pokryć (*koszty, wydatki*).

defrayal [dɪˈfreɪəl] *n. U* pokrycie (*kosztów, wydatków*).

defrock [diːˈfrɑːk] *v. kośc.* pozbawić habitu *l.* kapłaństwa (*zw. za karę*).

defrost [dɪˈfrɔːst] *v.* **1.** rozmrażać (*jedzenie, lodówkę, zamrażarkę*); rozmrażać się (*o jedzeniu, lodówce, zamrażarce*). **2.** *US mot.* usuwać parę wodną z (*szyby*).

defroster [dɪˈfrɔːstər] *n. US mot.* ogrzewanie tylnej szyby.

deft [deft] *a.* zręczny, zgrabny, zwinny, sprawny.

deftly [ˈdeftlɪ] *adv.* zręcznie, sprawnie.

defunct [dɪˈfʌŋkt] *a. form.* martwy; nie obowiązujący (*np. o prawie*); *żart.* nie działający (*np. o sprzęcie gospodarstwa domowego*).

defuse [diːˈfjuːz], *US czas. t.* **defuze** *v.* **1.** rozbroić (*bombę*). **2.** *przen.* rozładować (*napięcie, sytuację, gniew*).

defy [dɪˈfaɪ] *v.* **-ies, -ied, -ying** **1.** przeciwstawiać się, opierać się (*komuś l. czemuś*). **2. ~ de-**

scription/imagination być nie do opisania/wyobrażenia, nie dawać się opisać/wyobrazić. **3.** ~ **sb to do sth** *form.* wezwać kogoś do zrobienia czegoś, rzucić komuś wyzwanie do zrobienia czegoś. **4.** *arch.* wyzwać na pojedynek.

deg. *abbr.* = **degree(s)**.

dégagé [ˌdeɪgɑːˈʒeɪ] *a. form.* **1.** swobodny, niewymuszony. **2.** bezstronny.

degas [diːˈgæs] *v.* **-ss-** odgazować.

degauss [diːˈgaʊs] *v.* odmagnetyzować.

degenderize [diːˈdʒendəraɪz], *Br. i Austr. zw.* **degenderise** *v.* **1.** usuwać odwołania do płci z (*tekstów, podręczników*). **2.** likwidować różnice wynikające z przynależności płciowej w (*polityce zatrudnienia itp.*).

degeneracy [dɪˈdʒenərəsɪ] *n. U t. fiz.* degeneracja, zwyrodnienie.

degenerate *v.* [dɪˈdʒenəreɪt] **1.** pogarszać się, ulegać degeneracji *l.* pogorszeniu; ~ **into sth** przerodzić się w coś. **2.** *biol.* degenerować się. – *a.* [dɪˈdʒenərət] *t. fiz.* zdegenerowany, zwyrodniały. – *n.* [dɪˈdʒenərət] degenerat/ka, zwyrodnialec; zboczeniec.

degeneration [dɪˌdʒenəˈreɪʃən] *n. U* zwyrodnienie, degeneracja.

degenerative [dɪˈdʒenərətɪv] *a.* **1.** degeneracyjny. **2.** zdegenerowany.

degenerative joint disease *n. U pat.* zapalenie kości i stawów.

deglaciation [diːˌgleɪsɪˈeɪʃən] *n. U geogr.* deglacjacja.

deglutinate [diːˈgluːtəˌneɪt] *v.* usuwać gluten z (*ziarna l. mąki*).

deglutition [ˌdiːgluˈtɪʃən] *n. U zwł. med.* połykanie.

degradation [ˌdegrəˈdeɪʃən] *n. U* **1.** poniżenie. **2.** *t. geol.* degradacja. **3.** *chem.* degradacja, rozkład.

degrade [dɪˈgreɪd] *v.* **1.** poniżać. **2.** zmniejszać, osłabiać. **3.** pogarszać się. **4.** *t. geol.* degradować. **5.** *chem.* degradować (się), rozkładać (się).

degraded [dɪˈgreɪdɪd] *a.* **1.** zdegradowany. **2.** zdeprecjonowany.

degrading [dɪˈgreɪdɪŋ] *a.* poniżający.

degrease [diːˈgriːs] *v.* usuwać tłuszcz *l.* smar z (*np. silnika, zwł. za pomocą środków chemicznych*).

degree [dɪˈgriː] *n.* **1.** *t. geom., geogr., meteor.* stopień (= *jednostka miary kąta, temperatury, ciśnienia, szerokości l. długości geograficznej itp.*); **10 ~s below (zero)** 10 stopni (Celsjusza) poniżej zera; **45-~ angle** kąt 45 stopni. **2.** *uniw.* stopień naukowy; **do/take a ~ in sth** studiować coś, robić dyplom z czegoś; **he has (got) a bachelor's/master's ~ in psychology** *zwł. US i Austr.* ma licencjat/magisterium z psychologii; **honorary ~** doktorat honorowy; **she has (got) a chemistry ~/a ~ in chemistry (from Harvard)** skończyła chemię (na Harvardzie), ma dyplom z chemii (Uniwersytetu Harvarda). **3.** *med.* stopień oparzenia; **second/third-~ burns** oparzenia drugiego/trzeciego stopnia. **4.** *gram.* stopień (*przymiotnika, przysłówka*); **positive/comparative/superlative ~** stopień równy/wyższy/najwyższy. **5.** *mat.* stopień równania. **6.** *muz.* stopień skali. **7.** *genealogia* stopień pokrewieństwa. **8. murder in the first ~** (*także* **first-~ murder**) *US prawn.* zabójstwo pierwszego stopnia. **9.** *arch.* stopień (*schodów*), szczebel (*drabiny*). **10.** *U przest.* status (*społeczny l. zawodowy*), ranga. **11. by ~s** stopniowo; **to a (certain) ~** (*także* **to some ~**) do pewnego stopnia, w pewnym stopniu; **give sb the third ~** *pot.* wymaglować kogoś (= *przesłuchać l. wypytać*).

degree day *n. uniw.* promocja, dzień promocji.

degree-day [dɪˈgriːˌdeɪ] *n. techn.* miara odchylenia temperatury od normy.

degree mill *n. pot.* uczelnia nadająca stopnie naukowe bez stawiania wysokich wymagań; uczelnia, na której studiuje ogromna liczba osób.

degree of freedom *n. fiz., chem., stat.* stopień swobody.

degression [dɪˈgreʃən] *form. n.* **1.** degresja. **2.** *ekon.* degresja podatkowa.

degressive [dɪˈgresɪv] *a.* degresywny.

degum [diːˈgʌm] *v.* **-mm-** *tk.* odgumować, odserycynować.

degust [dɪˈgʌst], **degustate** *v. form.* degustować (*z upodobaniem*).

degut [diːˈgʌt] *v.* **-tt-** **1.** wypatroszyć. **2.** *pot.* pozbawić siły *l.* charakteru (*kogoś*).

dehisce [dɪˈhɪs] *form. v.* pękać.

dehiscence [dɪˈhɪsəns] *n. U* **1.** *bot.* pękanie (*owoców, strączków*). **2.** *chir.* rozejście się (*brzegów rany*).

dehiscent [dɪˈhɪsənt] *a.* pękający.

dehorn [diːˈhɔːrn] *v.* **1.** *zool.* usuwać rogi (*zwierzęciu*); zapobiegać wzrostowi rogów u (*zwierzęcia*). **2.** *ogr.* przycinać główne gałęzie (*drzewa*).

dehumanization [diːˌhjuːmənəˈzeɪʃən], *Br. i Austr. zw.* **dehumanisation** *n. U* dehumanizacja, odczłowieczenie.

dehumanize [diːˈhjuːməˌnaɪz] *v.* dehumanizować, odczłowieczać.

dehumanizing [diːˈhjuːməˌnaɪzɪŋ] *a.* dehumanizujący, odczłowieczający.

dehumidifier [ˌdiːhjuˈmɪdəˌfaɪər] *n.* osuszacz, odwilżacz.

dehumidify [ˌdiːhjuˈmɪdəˌfaɪ] *v.* **-ied, -ying** osuszać, odwilżać.

dehydrate [diːˈhaɪdreɪt] *v. t. chem., pat.* odwadniać (się).

dehydrated [diːˈhaɪdreɪtɪd] *a.* **1.** *pat.* odwodniony. **2.** w proszku (*np. o mleku*).

dehydration [ˌdiːhaɪˈdreɪʃən] *n. U t. pat.* odwodnienie.

dehypnotize [diːˈhɪpnəˌtaɪz], *Br. i Austr. zw.* **dehypnotise** *v.* budzić z hipnozy.

deice [diːˈaɪs], **de-ice** *v.* odladzać; zapobiegać powstawaniu pokrywy lodowej na (*czymś*).

deicer [diːˈaɪsər] *n.* odladzacz; skrobaczka do lodu; substancja przeciwoblodzeniowa.

deicide [ˈdeɪɪˌsaɪd] *n. form.* **1.** *U* bogobójstwo. **2.** bogobój-ca/czyni.

deictic ['daɪktɪk] *n. i a. gram., log.* (element) deiktyczny.

deific [diː'ɪfɪk] *a. form.* **1.** deifikujący. **2.** boski (= *mający boską naturę*).

deification [ˌdiːəfə'keɪʃən] *n. U* deifikacja, apoteoza.

deiform ['diːəˌfɔːrm] *a.* boski (= *wyglądem przypominający boga, boginię l. bóstwo*).

deify ['diːəˌfaɪ] *v.* **-ied, -ying** *form.* **1.** deifikować. **2.** ubóstwiać, czcić.

deign [deɪn] *v.* **~ to do sth** *uj. czas. żart.* raczyć coś zrobić, zechcieć coś zrobić.

deindustrialization [ˌdiːɪnˌdʌstrɪəlaɪ'zeɪʃən], *Br. i Austr. zw.* **deindustrialisation** *n. U* deindustrializacja, likwidacja *l.* utrata potencjału przemysłowego.

deindustrialize [ˌdiːɪn'dʌstrɪəˌlaɪz] *v.* **1.** likwidować potencjał przemysłowy (*regionu, kraju*). **2.** tracić charakter *l.* potencjał przemysłowy.

deinstitutionalize [ˌdiːɪnstə'tuːʃənəˌlaɪz], *Br. i Austr. zw.* **deinstitutionalise** *v.* wypisać ze szpitala (*zwł. psychiatrycznego, kontynuując terapię w naturalnym środowisku chorego*).

deionize [diː'aɪəˌnaɪz], **de-ionize** *Br. i Austr. zw.* **deionise** *v. chem.* dejonizować.

deism ['diːɪzəm] *fil. n. U* deizm.

deist ['diːɪst] *n.* deist-a/ka.

deistic ['diːɪstɪk], **deistical** *a.* deistyczny.

deity ['diːətɪ] *n. pl.* **-ies** **1.** bóg, bóstwo, bożek; *przen.* bożyszcze; **the D~** *form.* Bóg. **2.** *U* boskość.

deixis ['daɪksɪs] *n. U gram., log.* deixis, wskazywanie.

déjà vu [ˌdeɪʒɑː'vuː] *n. U t. psych.* déjà vu(e); **sense/feeling of ~** uczucie déjà vu(e).

deject [dɪ'dʒekt] *v. arch.* przygnębić, przybić.

dejecta [dɪ'dʒektə] *n. pl. fizj.* odchody.

dejected [dɪ'dʒektɪd] *a.* przygnębiony, przybity.

dejectedly [dɪ'dʒektɪdlɪ] *adv.* z przygnębieniem.

dejection [dɪ'dʒekʃən] *n. U* **1.** przygnębienie. **2.** *fizj.* wypróżnienie; odchody.

de jure [diː 'dʒʊrɪ] *v. prawn. l. form.* de iure, zgodnie z prawem.

dekagram ['dekəˌgræm], **decagram** *n.* dekagram.

dekaliter ['dekəˌliːtər], **decaliter** *Br.* **dekalitre** *n.* dekalitr.

dekameter ['dekəˌmiːtər], **decameter** *Br.* **dekametre** *n.* dekametr.

dekko ['dekoʊ] *n. pl.* **-s** *Br. i Austr. przest. sl.* luknięcie (= *zerknięcie*); **have/take a ~ at sth** luknąć na coś.

Del. *abbr.* = **Delaware**.

del. *abbr.* **1.** = **delegate**; = **delegation**. **2.** = **delete**; = **deletion**.

delaminate [diː'læməˌneɪt] *v.* rozszczepiać (się) na warstwy, rozwarstwiać (się).

delamination [diːˌlæmə'neɪʃən] *n. U* rozwarstwienie.

delate [dɪ'leɪt] *form. v.* **1.** *zwł. Scot.* zadenuncjować, donieść na (*kogoś*). **2.** *rzad.* zgłosić, złożyć zawiadomienie o (*przestępstwie*). **3.** *arch.* donosić *l.* informować o (*czymś*).

delation [dɪ'leɪʃən] *n.* donos.

delator [dɪ'leɪtər] *n.* donosiciel/ka.

Delaware ['deləˌwer] *n. US* **1.** *admin.* stan Delaware. **2.** *pl.* **-s** *l.* **Delaware** człon-ek/kini plemienia Delawarów.

Delawarean [ˌdelə'werɪən] *n. US* mieszkaniec/ka stanu Delaware. – *a.* dotyczący (mieszkańców) stanu Delaware.

delay [dɪ'leɪ] *v.* **1.** odraczać, odkładać (na później); odwlekać (*sth / doing sth* coś/zrobienie czegoś). **2.** *często pass.* opóźniać; powodować opóźnienie (*np. pociągu*); zatrzymywać (*kogoś, powodując że się gdzieś spóźni*); **be ~ed** mieć opóźnienie, być opóźnionym (*o pociągu, locie*). **3.** zwlekać, ociągać się. – *n.* **1.** odroczenie, odłożenie. **2.** opóźnienie. **3.** *U* zwłoka; **without ~** bezzwłocznie.

delayed [dɪ'leɪd] *a.* opóźniony.

delayed-action [dɪˌleɪd'ækʃən] *a. attr.* (*także* **delay-action**) zwłoczny, czasowy (*o ładunku wybuchowym*).

delaying [dɪ'leɪɪŋ] *a. attr.* opóźniający.

delaying tactics *n. pl.* gra *l.* granie na zwłokę.

dele ['diːliː] *druk. v.* usuwać. – *n.* deleatur.

delectable [dɪ'lektəbl] *lit. a.* **1.** wyśmienity, przepyszny. **2.** przeuroczy, rozkoszny. – *n.* wyśmienite danie; smakołyk.

delectably [dɪ'lektəblɪ] *adv.* rozkosznie.

delectation [ˌdiːlek'teɪʃən] *n. U form. l. żart.* rozkosz, rozkoszowanie się; przyjemność; zachwyt.

delegacy ['deləgəsɪ] *n. pl.* **-ies** **1.** *rzad.* = **delegation** 1, 2. **2.** *Br. uniw.* komisja uczelniana; wydział *l.* instytut.

delegalize [diː'liːgəˌlaɪz], *Br. i Austr. zw.* **delegalise** *v.* delegalizować.

delegate ['deləgeɪt] *n.* **1.** delegat/ka, wysłanni-k/czka. **2.** *US parl.* człon-ek/kini Izby Reprezentantów. **3.** *Wirginia, Maryland parl.* członek/kini izby niższej parlamentu stanowego. – *v.* **1.** przekazywać (*uprawnienia*), udzielać (*pełnomocnictw*); zlecać, wyznaczać (*zadania*); **~ sth to sb** zlecić komuś zrobienie czegoś. **2.** delegować (*sb to do sth* kogoś do zrobienia czegoś).

delegation [ˌdelə'geɪʃən] *n.* **1.** delegacja. **2.** *U* delegowanie; udzielanie pełnomocnictw. **3.** *zwł. parl.* przedstawicielstwo, reprezentacja.

delegitimize [ˌdiːlɪ'dʒɪtəˌmaɪz], *Br. i Austr. zw.* **delegitimise** *v.* delegalizować.

delete [dɪ'liːt] *v.* wykreślać, usuwać, wymazywać; *zwł. komp.* kasować.

deleterious [ˌdelɪ'tiːrɪəs] *form. a.* szkodliwy (*t. dla zdrowia*), zgubny (*t. moralnie*).

deletion [dɪ'liːʃən] *n.* **1.** *U* wykreślenie, usunięcie; skasowanie. **2.** usunięty *l.* skasowany wyraz, fragment tekstu itp.

delft [delft], **Delft** *n. U* (*także* **~ware**) ceramika z Delft (*t. angielska w tym samym stylu*).

deli ['delɪ] *n. pl.* **-s** *pot.* = **delicatessen** 1.

deliberate *a.* [dɪ'lɪbərət] **1.** umyślny, zamierzony; rozmyślny, (wykonany) z premedytacją. **2.** rozważny, przemyślany. **3.** spokojny, niespieszny (*zwł. o sposobie poruszania się*). – *v.* [dɪ'lɪbəreɪt] **1.** zastanawiać się, deliberować (*on / about sth* nad czymś). **2.** obradować, naradzać się.

deliberately [dɪˈlɪbərətlɪ] *adv.* **1.** umyślnie. **2.** z rozwagą.

deliberation [dɪˌlɪbəˈreɪʃən] *form. n. U* **1.** rozważanie, rozważania. **2.** namaszczenie; rozwaga. **3.** *często pl.* narada, obrady.

deliberative [dɪˈlɪbəˌreɪtɪv] *a.* **1.** opiniodawczy (*o ciele, zgromadzeniu*). **2.** wynikły z rozważań (*o wniosku*).

delicacy [ˈdeləkəsɪ] *n.* **1.** *U* delikatność (= *wrażliwość, kruchość, wątłość, subtelność, takt*). **2.** *pl.* **-ies** delikates, przysmak.

delicate [ˈdeləkɪt] *a.* delikatny.

delicately [ˈdeləkɪtlɪ] *adv.* delikatnie.

delicateness [ˈdeləkɪtnəs] *n. U* delikatność.

delicates [ˈdeləkɪts] *n. pl.* odzież z jedwabiu, wełny itp. (*wymagająca delikatnych środków piorących*).

delicatessen [ˌdeləkəˈtesən] *n.* **1.** (*także* **deli**) delikatesy (*sklep*). **2.** *pl.* delikatesy (= *artykuły sprzedawane w delikatesach*).

delicious [dɪˈlɪʃəs] *a.* **1.** wyśmienity, wyborny, pyszny, smakowity. **2.** rozkoszny, przemiły.

deliciously [dɪˈlɪʃəslɪ] *adv.* **1.** wyśmienicie. **2.** rozkosznie.

deliciousness [dɪˈlɪʃəsnəs] *n. U* wyśmienitość, smakowitość.

delict [dɪˈlɪkt] *n. prawn.* delikt, naruszenie prawa, przewinienie.

delight [dɪˈlaɪt] *n.* **1.** *U* zachwyt; radość; **cry/gasp of ~** okrzyk/westchnienie zachwytu; **in/with ~** z radości *l.* zachwytu; **to sb's ~** ku czyjejś radości. **2.** rozkosz, przyjemność; **the ~s of sth** rozkosze *l.* uroki czegoś. **3. take ~ in doing sth** znajdować upodobanie w czymś (*zwł. w czymś, czego robić się nie powinno*). – *v.* **1.** cieszyć, radować; zachwycać (*sb with sth* kogoś czymś). **2. ~ in sth** rozkoszować się czymś; lubować się w czymś.

delighted [dɪˈlaɪtɪd] *a.* zachwycony (*at / by sb / sth* kimś/czymś); **be ~ (that)...** cieszyć się, że...; **I'd be ~ (to come)** z przyjemnością (przyjdę) (*w odpowiedzi na zaproszenie*); **I'm ~ to hear that** miło mi to słyszeć.

delightedly [dɪˈlaɪtɪdlɪ] *adv.* z zachwytem; z radością; z lubością *l.* upodobaniem.

delightful [dɪˈlaɪtfʊl] *a.* **1.** zachwycający.. **2.** rozkoszny, uroczy.

delightfully [dɪˈlaɪtfʊlɪ] *adv.* **1.** zachwycająco. **2.** rozkosznie, uroczo.

delightsome [dɪˈlaɪtsəm] *a. poet.* = **delightful**.

delimit [dɪˈlɪmɪt], **delimitate** [dɪˈlɪməteɪt] *v. form.* ograniczać.

delimitation [dɪˌlɪməˈteɪʃən] *n.* ograniczenie.

delineate [dɪˈlɪnɪˌeɪt] *form. v.* **1.** nakreślić, naszkicować, w zarysie; wyznaczyć (*granice*). **2.** przedstawić za pomocą wykresu. **3.** określić, opisać (*zwł. szczegółowo*).

delineation [dɪˌlɪnɪˈeɪʃən] *n.* **1.** *U* nakreślenie. **2.** wykres. **3.** opis.

delineator [dɪˈlɪnɪˌeɪtər] *n. krawiectwo* wykrój (*dający się dostosować do różnych rozmiarów*).

delinquency [dɪˈlɪŋkwənsɪ] *n. pl.* **-ies** **1.** *prawn.* przestępstwo, wykroczenie; *U* przestępczość; **juvenile ~** przestępczość nieletnich. **2.** *form.* zaniedbanie, niedopełnienie obowiązku. **3.** *US form.* niezapłacony podatek, dług itp.

delinquent [dɪˈlɪŋkwənt] *a.* **1.** winny zaniedbania, przewinienia *l.* wykroczenia; niedopełniający obowiązków. **2.** przestępczy, społecznie naganny (*o zachowaniu*). **3.** zaległy (*o podatku, płatności*). – *n.* przestęp-ca/czyni; (*także* **juvenile ~**) młodocian-y/a przestęp-ca/czyni.

deliquesce [ˌdeləˈkwes] *form. v.* **1.** rozpływać się pod wpływem wilgoci z powietrza (*zwł. o soli*); topnieć. **2.** *bot.* rozgałęziać się.

deliquescence [ˌdeləˈkwesəns] *n. U* **1.** rozpływanie się; topnienie. **2.** *bot.* rozgałęzianie się.

deliquescent [ˌdeləˈkwesənt] *a.* **1.** rozpływający się; topniejący; chłonący wodę z atmosfery. **2.** *bot.* rozgałęziający się.

deliriant [dɪˈliːrɪənt] *n. i a. med.* (środek) powodujący delirium.

delirious [dɪˈliːrɪəs] *a.* **1.** *pat.* dotknięty delirium, majaczący; **be ~** majaczyć, bredzić. **2. be ~ (with joy)** *przen.* szaleć (z radości).

deliriously [dɪˈliːrɪəslɪ] *adv.* **1.** *pat.* w delirium (*np. krzyczeć, szamotać się*). **2.** *przen.* szaleńczo (*np. szczęśliwy*).

delirium [dɪˈliːrɪəm] *n. pl.* **-s** *l.* **deliria** **1.** *pat.* delirium, majaczenie. **2.** *U l. sing. przen.* szał (= *wielkie podniecenie*).

delirium tremens [dɪˌliːrɪəm ˈtriːmenz] *n. U pat.* delirium tremens, majaczenie alkoholowe, ostry obłęd opilczy.

delist [diːˈlɪst] *v.* **1.** usunąć z listy. **2.** *US giełda* wycofać z obrotu na giełdzie.

delitescence [ˌdelɪˈtesəns] *pat. n. U* **1.** nagłe ustąpienie objawów choroby. **2.** okres inkubacji zakażenia.

delitescent [ˌdelɪˈtesənt] *a.* utajony (*o stanie chorobowym, zakażeniu*).

deliver [dɪˈlɪvər] *v.* **1.** doręczać (*listy, paczki*); dostarczać (*towar*). **2.** przekazywać (*t. wiadomości*). **3.** wygłosić; **~ a speech/lecture/sermon** wygłosić przemówienie/wykład/kazanie. **4.** wydać; **~ a cry** *lit.* wydać okrzyk; **~ a verdict** wydać wyrok; **~ sb to the enemy** wydać kogoś wrogowi. **5.** wyrazić (*sąd, opinię*). **6.** dawać, przynosić; **the well ~s 500 barrels of oil a day** odwiert daje 500 baryłek ropy dziennie. **7.** zadać, wymierzyć; **~ a blow** zadać cios. **8. ~ (sb of) a baby** odebrać (czyjś) poród; **be ~ed of a daughter/son** *form.* wydać na świat *l.* powić córkę/syna. **9.** *lit.* wybawić, uratować (*sb from sth* kogoś od czegoś); oswobodzić, wyzwolić (*sb from sth* kogoś spod czegoś); **~ us from evil** *rel.* zbaw nas od(e) złego. **10.** *sport* podawać (*piłkę*). **11.** nie sprawić zawodu; **~ on a promise** *US* spełnić obietnicę; **~ the goods** *pot.* wywiązać się z obietnic (*zwł. wyborczych*); spełnić oczekiwania. **12.** *polit. zwł. US* zapewnić *l.* zdobyć głosy (*określonych wyborców l. okręgu wyborczego*); **~ Ohio** zdobyć głosy wyborców z Ohio. **13. ~ o.s. of** wyrazić (*opinię*); wygłosić z namaszczeniem (*mowę*). **14. ~ up/over** *form.* przekazać, zdać (*to sb* komuś) (*np. materiały, dokumenty*).

deliverable [dɪ'lɪvərəbl] *a.* dający się doręczyć, dostarczyć, spełnić itp. – *n.* **1.** *zw. pl. handl.* rzecz, którą firma zobowiązała się zdobyć dla klienta (*zwł. oprogramowanie komputerowe*). **2.** rzecz wykonalna.

deliverance [dɪ'lɪvərəns] *form. l. lit. n. U* **1.** uwolnienie, wyzwolenie, wybawienie; zbawienie (*from sth* od czegoś). **2.** wypowiedź, oświadczenie; wyrok. **3.** = **delivery** 1.

delivered price [dɪˌlɪvərd 'praɪs] *n. handl.* cena z dostawą na miejsce.

deliverer [dɪ'lɪvərər] *n.* zbaw-ca/czyni, wybawiciel/ka.

delivery [dɪ'lɪvərɪ] *n. pl.* **-ies** **1.** doręczenie, dostarczenie; dostawa. **2.** *U* przekazanie. **3.** *U* dykcja. **4.** *U sport* podanie. **5.** *med.* poród. **6.** *prawn.* przeniesienie prawa własności. **7.** **take ~ of sth** otrzymać coś (*zwł. zamówiony towar*); objąć coś w posiadanie (*oficjalnie*).

deliveryman [dɪ'lɪvərɪmæn] *n. pl.* **-men** dostawca.

delivery room *n. Br. i Austr.* sala porodowa.

delivery truck, *Br.* **delivery van** *n.* samochód dostawczy.

dell [del] *n.* **1.** *geogr.* debrza, zalesiona dolina zboczowa. **2.** *lit.* dolinka.

delocalize [diː'loʊkəˌlaɪz] *Br. i Austr. zw.* **delocalise** *v.* **1.** przenosić (*ze zwykłego miejsca*). **2.** pozbawiać lokalnego charakteru *l.* naleciałości (*np. akcent*).

delouse [diː'laʊs] *v.* odwszawić.

Delphi ['delfaɪ] *n. geogr., hist.* Delfy.

Delphic ['delfɪk], **Delphian** ['delfɪən] *a.* **1.** delficki; ~ **oracle** *hist.* wyrocznia delficka. **2.** (*także* **d~**) *przen.* niejasny, wieloznaczny.

delphinium [del'fɪnɪəm] *n. bot.* ostróżka (*Delphinium*).

delta ['deltə] *n.* **1.** *t. alfabet, geogr., mat.* delta. **2.** **D~** *astron.* czwarta pod względem jasności gwiazda konstelacji.

delta connection *n. el.* połączenie trójkątowe *l.* w trójkąt.

delta function *n. mat.* funkcja delta, delta Diraca.

deltaic [del'teɪɪk], **deltic** ['deltɪk] *a.* deltowy.

delta iron *n. U metal.* żelazo delta (*odmiana alotropowa*).

delta rays *n. pl. fiz.* promieniowanie delta.

delta rhythm *n. med.* rytm delta (*ekg*).

Delta team *n. US wojsk.* oddział antyterrorystyczny.

delta wing *n. lotn.* skrzydło delta *l.* trójkątne.

deltoid ['deltɔɪd] *n. anat.* mięsień naramienny. – *a.* **1.** *anat.* dotyczący mięśnia naramiennego. **2.** (*także* **deltoidal**) deltoidalny; trójkątny.

deltoidal [del'tɔɪdl] *a.* **1.** *geogr.* deltowy. **2.** = **deltoid** 2.

delude [dɪ'luːd] *v.* zwodzić, wprowadzać w błąd; ~ **o.s.** łudzić się, oszukiwać samego siebie.

deluge ['deljuːdʒ] *n. zw. sing.* **1.** powódź, potop; **the D~** *Bibl.* potop. **2.** ulewa. **3.** *przen.* zalew, lawina (*of sth* czegoś) (*np. listów, petycji*). – *v.* **1.** *form.* zalewać, zatapiać. **2.** *zw. pass. przen.* zalewać, zasypywać (*with sth* czymś).

delusion [dɪ'luːʒən] *n.* **1.** złudzenie; **~s of grandeur** złudzenie wielkości, władzy *l.* potęgi. **2.** *U* ułuda, złuda. **3.** *t. psychiatria* urojenie; **he is under the ~ that he is Napoleon** wydaje mu się, że jest Napoleonem.

delusive [dɪ'luːsɪv], **delusory** *a.* złudny, ułudny.

delusterant [diː'lʌstərənt], **delustrant** *n. i a. chem.* (środek) matujący.

deluxe [də'lʌks], **de luxe** *a. zw. attr.* luksusowy.

delve [delv] *v.* **1.** grzebać, szperać (*in / among sth* w czymś); szukać (*for sth* czegoś). **2.** ~ **into sth** zagłębiać się w coś (*zw. w poszukiwaniu informacji*). **3.** grzebać w ziemi (*o zwierzętach*). **4.** *arch. l. dial.* kopać (*łopatą*).

dely. *abbr.* = **delivery**.

Dem [dem] *US polit. pot. n.* **1.** Demokrat-a/ka. **2.** **the ~s** Demokraci (= *Partia Demokratyczna*).

Dem. *abbr.* = **Democrat**; = **Democratic**.

dem. *abbr.* **1.** = **demonstrative**. **2.** = **demurrage**.

demagnetization [diːˌmægnətə'zeɪʃən], *Br. i Austr. zw.* **demagnetisation** *n. U* rozmagnesowanie.

demagnetize [diː'mægnəˌtaɪz] *v. techn.* rozmagnesowywać, odmagnesowywać.

demagogic [ˌdemə'gɑːgɪk], **demagogical** [ˌdemə'gɑːgɪkl] *a.* demagogiczny.

demagogue ['deməˌgɑːg], *US t.* **demagog** *n. t. hist.* demagog.

demagoguery ['deməgɑːgərɪ], **demagoguism** ['deməˌgɑːgɪzəm], **demagogism** *zwł. Br.* **demagogy** ['deməgɑːgɪ] *n. U* demagogia.

demand [dɪ'mænd] *v.* **1.** domagać się, żądać (*sth of / from sb* czegoś od kogoś); ~ **that sth be done** zażądać zrobienia czegoś; **I ~ to see X/know why...** chcę widzieć się z X/wiedzieć, dlaczego... **2.** wymagać (*np. uwagi, skupienia*). **3.** zapytać (*stanowczo*). – *n.* **1.** żądanie (*for sth* czegoś). **2.** *pl.* wymagania, wymogi; **make great/heavy ~s on sb** stawiać komuś duże wymagania. **3.** *U ekon.* popyt; zapotrzebowanie (*for sth* na coś); **meet/-satisfy ~** zaspokajać zapotrzebowanie; **X is in (great) ~** istnieje (duże) zapotrzebowanie na X, X cieszy się (ogromnym) powodzeniem. **4.** *prawn.* roszczenie; powództwo. **5.** **on ~** *form.* na żądanie.

demandant [dɪ'mændənt] *n. prawn.* powód/ka.

demand bill, demand draft *n. fin.* weksel *l.* trata a vista.

demand deposit *n. bank* depozyt a vista.

demanding [dɪ'mændɪŋ] *a.* **1.** wymagający (*np. o nauczycielu*). **2.** trudny, ciężki (*np. o warunkach*).

demandingly [dɪ'mændɪŋlɪ] *adv.* **1.** w sposób wymagający. **2.** trudno, ciężko.

demand loan *n. bank* pożyczka płatna na żądanie.

demand management *n. U ekon.* sterowanie popytem.

demand note *n. fin.* skrypt dłużny płatny za okazaniem.

demand-pull inflation [dɪˌmændˌpʊl ɪn'fleɪʃən]

n. U ekon. inflacja spowodowana wzrostem popytu.

demarcate [dɪ'mɑ:rkeɪt], **demark** [dɪ'mɑ:rk] *v. form.* **1.** wyznaczać granice (*czegoś*). **2.** *t. przen.* rozgraniczać.

demarcation [ˌdi:mɑ:r'keɪʃən], **demarkation** *n. C/U* **1.** rozgraniczenie, rozdział. **2.** demarkacja; **line of ~** *polit., wojsk.* linia demarkacyjna.

demarcation dispute *n. Br. i Austr.* spór o rozdział między gałęziami przemysłu (*zw. prowadzony przez związki zawodowe różnych branż*).

démarche [deɪ'mɑ:rʃ] *n. pl.* **-s** *form.* **1.** *dyplomacja* démarche. **2.** protest obywatelski (*wystosowany na ręce władz*). **3.** ruch, manewr.

demarketing [dɪ'mɑ:rkɪtɪŋ] *n. U ekon.* demarketyzacja, demarketing, marketing negatywny (= *działania mające na celu wywołanie obniżki popytu na dany produkt*).

dematerialize [ˌdi:mə'ti:rɪəˌlaɪz], *Br. i Austr. zw.* **dematerialise** *v.* dematerializować (się).

demean¹ [dɪ'mi:n] *v. form.* **~ o.s.** poniżać się.

demean² *v. rzad.* **~ o.s.** zachowywać się, postępować.

demeaning [dɪ'mi:nɪŋ] *a.* poniżający.

demeanor [dɪ'mi:nər], *Br.* **demeanour** *n. U* **1.** *form.* zachowanie (się), postępowanie; postawa. **2.** aparycja, wygląd.

dement [dɪ'ment] *v. rzad.* **1.** tracić zmysły (*zwł. ze starości*). **2.** przyprawiać o obłęd.

demented [dɪ'mentɪd] *a.* **1.** *przest. l. pot.* obłąkany. **2.** *psychiatria* cierpiący na demencję.

dementedly [dɪ'mentɪdlɪ] *adv.* **1.** w sposób obłąkany. **2.** w demencji.

démenti [ˌdeɪmən'ti:] *n. polit.* dementi, sprostowanie.

dementia [dɪ'menʃə] *n. U psychiatria* demencja, otępienie; **senile ~** otępienie starcze; **~ pr(a)ecox** *przest.* schizofrenia.

demento [də'mentoʊ] *n. pl.* **-s** *sl.* czubek, świr.

demerara [ˌdemə'rerə], **demerara sugar** *n. U* cukier trzcinowy.

demerit [di:'merɪt] *form. n.* **1.** *US i Can. zwł. szkoln. l. wojsk.* zła nota, negatywna ocena (*zwł. z zachowania*). **2.** *często pl.* zła strona, negatywny aspekt; **the merits and ~s of sth** dobre i złe strony czegoś.

demersal [dɪ'mɝ:sl] *a. biol.* denny (*np. o rybach*).

demesne [dɪ'meɪn] *n.* **1.** *prawn.* własność gruntu. **2.** *prawn.* nieruchomość pozostająca w wyłącznym posiadaniu właściciela. **3.** *form.* majątek ziemski. **4.** *gł. hist.* dobra, włości, posiadłości (*zwł. feudalne*); domeny, dobra królewskie.

demigod ['demɪˌgɑ:d] *mit. l. przen. n.* półbóg.

demigoddess ['demɪˌgɑ:dɪs] *n.* półbogini.

demijohn ['demɪˌdʒɑ:n] *n.* gąsior (*butla*).

demilitarization [di:ˌmɪlətərə'zeɪʃən], *Br. i Austr. zw.* **demilitarisation** *n. U wojsk.* demilitaryzacja.

demilitarize [di:'mɪlətəˌraɪz] *v. wojsk.* demilitaryzować; **~ed zone** (*także* **DMZ**) strefa zdemilitaryzowana.

demilune ['demɪˌlu:n] *n. form. t. fortyfikacje* półksiężyc.

demimondaine [ˌdemɪmɑ:n'deɪn] *n. przest. lit.* kobieta z półświatka.

demimonde ['demɪˌmɑ:nd] *n. zw. sing. przest. l. lit.* **1.** demi-monde, półświatek. **2.** kobiety z półświatka (*zwł. w XIX w.*).

demineralize [di:'mɪnərəˌlaɪz], *Br. i Austr. zw.* **demineralise** *v.* demineralizować (się).

demi-pension ['demɪˌpenʃən] *n. form.* taryfa hotelowa z niepełnym utrzymaniem (= *pokój, śniadanie i jeden dodatkowy posiłek*).

demiquaver ['demɪˌkweɪvər] *n. muz.* szesnastka.

demirep ['demɪˌrep] *n. rzad.* = **demimondaine**.

demise [dɪ'maɪz] *n. U* **1.** *form. prawn. l. euf.* zgon, zejście. **2.** *przen.* koniec, upadek; zanik. **3.** *prawn.* przekazanie majątku. **4. ~ of the crown** *form.* przekazanie korony *l.* władzy królewskiej. – *v.* **1.** *zwł. US przen.* dogorywać, kończyć się. **2.** *prawn.* oddać w dzierżawę. **3.** *prawn.* przekazać w spadku. **4.** przenieść na następcę tronu (*władzę; w wyniku śmierci l. abdykacji monarchy*).

demi-sec [ˌdemi:'sek] *a.* półwytrawny (*o winie, szampanie*).

demisemiquaver ['demi:ˌsemɪˌkweɪvər] *n. zwł. Br. muz.* trzydziestka dwójka.

demission [dɪ'mɪʃən] *rzad. n.* **1.** abdykacja. **2.** dymisja.

demist [di:'mɪst] *mot. v. zwł. Br.* usuwać parę wodną z (*szyby*).

demister [di:'mɪstər] *n.* **1.** *zwł. Br.* ogrzewanie tylnej szyby. **2.** nawiew szyby bocznej.

demit [dɪ'mɪt] *v.* **-tt-** *form.* **1.** rezygnować z (*czegoś*). **2.** podawać się do dymisji. **3.** *arch.* zwolnić (*kogoś*).

demitasse ['demɪˌtæs] *n.* mała filiżanka (*do podawania czarnej kawy, zwł. po posiłku*); mała czarna (*kawa*).

demiurge ['demɪˌɝ:dʒ] *n.* **1.** (*także* **D~**) *fil.* demiurg; siła twórcza. **2.** *hist., admin.* demiurg (*w starożytnej Grecji*).

demivierge ['demɪˌvjɝ:ʒ] *n. lit.* półdziewica (= *kobieta aktywna seksualnie, ale zachowująca dziewictwo*).

demivolt ['demɪˌvoʊlt], **demivolte** *n. jeźdz.* półwolta.

demiworld ['demɪˌwɝ:ld] *n.* = **demimonde**.

demo ['demoʊ] *pot. n. pl.* **-s** **1.** demonstracja, manifestacja (*na znak protestu*). **2.** demonstracja, pokaz. **3.** egzemplarz pokazowy (*urządzenia*). **4.** *muz.* taśma *l.* płyta demo. **5. D~** *US polit.* Demokrat-a/ka.

demob [di:'mɑ:b] *zwł. Br. pot. v.* **-bb-** demobilizować. – *n.* **1.** *U* demobilizacja. **2.** zdemobilizowany żołnierz.

demobilization [di:ˌmoʊbələ'zeɪʃən], *Br. i Austr. zw.* **demobilisation** *n. U* demobilizacja.

demobilize [di:'moʊbəˌlaɪz] *v. form.* demobilizować.

democracy [dɪ'mɑ:krəsɪ] *n.* **1.** *U* demokracja (*ustrój, system*). **2.** *pl.* **-ies** państwo demokratyczne.

democrat [ˈdeməˌkræt] *n.* **1.** demokrat-a/ka. **2. D~** *US polit.* Demokrat-a/ka (= *człon-ek/kini Partii Demokratycznej*).

democratic [ˌdeməˈkrætɪk], **democratical** *a.* demokratyczny.

democratically [ˌdeməˈkrætɪklɪ] *adv.* demokratycznie.

Democratic Party *n. US polit.* Partia Demokratyczna.

democratization [dɪˌmɑːkrətəˈzeɪʃən], *Br. i Austr. zw.* **democratisation** *n. U* demokratyzacja.

democratize [dɪˈmɑːkrəˌtaɪz] *v.* demokratyzować.

Democritus [dɪˈmɑːkrɪtəs] *n. hist.* Demokryt.

démodé [ˌdeɪmoʊˈdeɪ] *a. form.* niemodny.

demodulate [diːˈmɑːdʒəˌleɪt] *v. tel.* demodulować.

demodulation [diːˌmɑːdʒəˈleɪʃən] *n. U* demodulacja, detekcja.

demographer [dɪˈmɑːgrəfər], **demographist** [dɪˈmɑːgrəfɪst] *n.* demograf.

demographic [ˌdeməˈgræfɪk] *a.* demograficzny.

demographically [ˌdeməˈgræfɪklɪ] *adv.* demograficznie.

demographics [ˌdeməˈgræfɪks] *n. pl.* demograficzne dane statystyczne.

demography [dɪˈmɑːgrəfɪ] *n. U* demografia.

demoiselle [ˌdemwɑːˈzel] *n.* **1.** *lit.* = **damsel**. **2.** (*także* ~ **crane**) *orn.* żuraw stepowy (*Anthropoides virgo*). **3.** = **damselfish**. **4.** *rzad.* = **damselfly**.

demolish [dɪˈmɑːlɪʃ] *v.* **1.** burzyć; niszczyć. **2.** *przen.* obalić (*instytucję, teorię, argument*). **3.** *zwł. Br. pot. l. żart.* wtrząchnąć, wszamać (= *zjeść szybko*).

demolition [ˌdeməˈlɪʃən] *n. U* **1.** burzenie; rozbiórka (*np. domu*). **2.** zniszczenie. **3.** obalenie. **4.** *pl. wojsk.* materiały wybuchowe.

demolition bomb *n. wojsk.* bomba burząca.

demolition derby *n.* **1.** *US sport* wyścig starych samochodów polegający na eliminacji przeciwników poprzez rozbijanie ich aut. **2.** *przen. pot.* katastrofalne w skutkach wydarzenie.

demon [ˈdiːmən] *n.* **1.** *t. przen.* demon, diabeł, zły duch; **drive out/exorcise the ~s** wypędzać złe duchy. **2.** = **daemon**. **3.** *Austr. i NZ pot.* policjant/ka; detektyw. **4.** *pot.* ~ **driver/poker player** wytrawny kierowca/pokerzysta; ~ **for work** *żart.* tytan pracy; **the ~ drink** *żart.* alkohol.

demonetize [diːˈmɑːnəˌtaɪz], **demonetarize** [diːˈmɑːnətəˌraɪz] *v. ekon.* demonetyzować.

demoniac [dɪˈmoʊnɪˌæk], **demoniacal** *a.* **1.** (*także* **demonian, daemonian, demonic**) demoniczny, szatański. **2.** opętany. – *n.* osoba opętana przez diabła.

demoniacally [ˌdiːməˈnaɪəklɪ] *adv.* **1.** demonicznie. **2.** opętańczo.

demonic [dɪˈmɑːnɪk], **daemonic**, **demonical** [dɪˈmɑːnɪkl] *a.* demoniczny, szatański.

demonism [ˈdiːməˌnɪzəm] *n. U* **1.** demonizm (= *wiara w demony*). **2.** = **demonology**.

demonize [ˈdiːməˌnaɪz], *Br. i Austr. zw.* **demonise** *v.* **1.** demonizować. **2.** poddawać władzy demonów.

demonolatry [ˌdiːməˈnɑːlətrɪ] *n. U* kult demonów.

demonology [ˌdiːməˈnɑːlədʒɪ], **daemonology** *n. U* demonologia.

demonstrable [dɪˈmɑːnstrəbl] *form. a.* **1.** dający się wykazać *l.* udowodnić. **2.** wyraźny, oczywisty.

demonstrably [dɪˈmɑːnstrəblɪ] *adv.* **1.** w sposób dający się wykazać *l.* udowodnić. **2.** wyraźnie, w oczywisty sposób.

demonstrate [ˈdemənˌstreɪt] *v.* **1.** wykazywać, dowodzić (*that* że). **2.** pokazywać, okazywać, demonstrować (*uczucia, odwagę*). **3.** demonstrować, prezentować (*urządzenie, produkt*). **4.** *zwł. polit.* demonstrować, manifestować (*for/against sth* w obronie czegoś/przeciwko czemuś). **5.** *wojsk.* dokonać pokazu siły (*zwł. dla zmylenia przeciwnika*).

demonstration [ˌdemənˈstreɪʃən] *n. C/U* **1.** wykazanie, udowodnienie; *mat.* dowód (*twierdzenia*). **2.** *zwł. polit.* demonstracja, manifestacja; **break up a ~** rozpędzić manifestację; **stage/hold a ~** urządzić *l.* zorganizować demonstrację. **3.** demonstracja, pokaz, prezentacja; **give a ~** dokonać demonstracji, przeprowadzić pokaz. **4.** *form.* dowód (*uczuć*), okazywanie (*poparcia*). **5.** *wojsk.* pokaz siły.

demonstrational [ˌdemənˈstreɪʃənl] *a.* demonstracyjny, pokazowy.

demonstration model *n. handl.* egzemplarz demonstracyjny *l.* pokazowy (*sprzedawany po niższej cenie po wykorzystaniu do celów reklamowych*).

demonstrative [dəˈmɑːnstrətɪv] *a.* **1.** wylewny. **2.** wyjaśniający, opisujący. **3.** *form.* dowodzący (*of sth* czegoś). **4.** *gram.* wskazujący. – *n.* (*także* ~ **pronoun**) *gram.* zaimek wskazujący.

demonstrator [ˈdemənˌstreɪtər] *n.* **1.** demonstrant/ka, manifestant/ka. **2.** demonstrator. **3.** *US* = **demonstration model**.

demoralization [dɪˌmɔːrələˈzeɪʃən], *Br. i Austr. zw.* **demoralisation** *n. U* **1.** utrata wiary w siebie. **2.** demoralizacja.

demoralize [dɪˈmɔːrəˌlaɪz] *v.* **1.** zniechęcać; odbierać wiarę w siebie (*komuś*). **2.** wprowadzać chaos *l.* zamieszanie w (*czymś*). **3.** demoralizować.

demoralizing [dɪˈmɔːrəˌlaɪzɪŋ] *a.* **1.** zniechęcający. **2.** demoralizujący.

demos [ˈdiːmɑːs] *n.* **1.** *hist.* demos (*w starożytnej Grecji*). **2.** *form. rzad.* lud, naród.

Demosthenes [dɪˈmɑːsθəˌniːz] *n. hist.* Demostenes.

demote [dɪˈmoʊt] *v. często pass.* zdegradować.

demotic [dɪˈmɑːtɪk] *form. a.* **1.** ludowy. **2.** *hist.* demotyczny (*o piśmie*). – *n. U* **1.** *hist.* pismo demotyczne (*w starożytnym Egipcie*). **2. D~** *jęz.* język nowogrecki.

demotion [dɪˈmoʊʃən] *n. C/U* degradacja.

demount [diːˈmaʊnt] *v. form.* demontować.

demulcent [dɪˈmʌlsənt] *zwł. med. n. i a.* (środek) łagodzący podrażnienie; (środek) przeciwzapalny.

demulsify [diː'mʌlsəˌfaɪ] *v.* **-ied, -ying** *chem.* deemulgować, demulgować.

demur [dɪ'mɜːr] *form. v.* **-rr- 1.** sprzeciwiać się (*at sth* czemuś). **2.** *prawn.* wnieść sprzeciw. **3.** *arch.* wahać się. – *n. U* **1.** *t. prawn.* sprzeciw; **without** ~ bez sprzeciwu. **2.** *arch.* wahanie.

demure [dɪ'mjʊr] *a.* **1.** powściągliwy, spokojny, poważny. **2.** skromny, wstydliwy (*zwł. w afektowany sposób*).

demurely [dɪ'mjʊrlɪ] *adv.* **1.** powściągliwie, spokojnie, poważnie. **2.** skromnie, wstydliwie.

demurrage [dɪ'mɜːɪdʒ] *handl. n.* **1.** przetrzymanie, przestój (*zwł. statku w porcie; t. wagonu, ciężarówki*). **2.** przestojowe (= *opłata za przestój*); składowe. **3.** *Br.* opłata pobierana przez Bank Anglii za wymianę sztab złota na banknoty.

demurral [dɪ'mɜːəl] *n. t. prawn.* sprzeciw.

demurrer [dɪ'mɜːər] *n.* **1.** *prawn.* sprzeciw przeciwko twierdzeniom zawartym w pozwie. **2.** obiekcja, sprzeciw.

demy [dɪ'maɪ] *n. pl.* **-ies 1.** *Br.* format papieru drukarskiego (*44 × 57 cm*). **2.** format papieru do pisania *l.* rysowania (*US = 41 × 53 cm; Br. = 38 × 51 cm*). **3.** (*także* ~ **octavo**) format nieobcięty książki (*14 × 48 cm*); (*także* ~ **quarto**) *gł. Br.* format nieobcięty książki (*22 × 28 cm*).

demyelination [diːˌmaɪələ'neɪʃən] *n. U pat.* demielinacja, demielinizacja, rozpad otoczki mielinowej (*np. przy stwardnieniu rozsianym*).

demystify [diː'mɪstəfaɪ] *v.* **-ied, -ying** wyjaśnić; wyjawić.

demythologize [ˌdiːmɪ'θɑːləˌdʒaɪz], *Br. i Austr. zw.* **demythologise** *v.* odmitologizować.

den [den] *n.* **1.** *t. przen.* nora; jaskinia (*zwł. służąca jako kryjówka*); ~ **of vice/iniquity** *zw. żart.* jaskinia rozpusty; **lion's** ~ *zw. przen.* jaskinia lwa. **2.** melina. **3.** *zwł. US* pokój do relaksu. **4.** *zwł. Br. przest.* pokój do pracy (*mały, odizolowany od reszty mieszkania*).

denarius [dɪ'nerɪəs] *n. pl.* **-i** *hist.* denar (*w starożytnym Rzymie*).

denary ['denərɪ] *a. form.* dziesiętny.

denasalize [diː'neɪzəˌlaɪz], *Br. i Austr. zw.* **denasalise** *v. fon.* denazalizować.

denationalization [diːˌnæʃənələ'zeɪʃən], *Br. i Austr.* **denationalisation** *v. U ekon.* denacjonalizować.

denationalize [diː'næʃənəˌlaɪz] *v. ekon.* denacjonalizować.

denaturalize [diː'nætʃərəˌlaɪz], *Br.* **denaturalise** *v.* **1.** *prawn.* denaturalizować, pozbawiać obywatelstwa. **2.** *form.* wynaturzać.

denaturant [diː'neɪtʃərənt] *n.* **1.** *chem.* substancja skażająca, denaturant. **2.** *fiz.* denaturator.

denature [diː'neɪtʃər], **denaturize** [diː'neɪtʃəˌraɪz], *Br. i Austr. zw.* **denaturise** *v.* **1.** *form.* wynaturzyć. **2.** *chem.* denaturować, skażać. **3.** *biochem.* denaturować. **4.** *fiz.* denaturować (*paliwo nuklearne*).

denatured alcohol [diːˌneɪtʃərd 'ælkəˌhɔːl] *n. U* spirytus denaturowany, denaturat.

denazify [diː'nɑːtsəˌfaɪ] *v. hist.* denazyfikować.

dendriform ['dendrəˌfɔːrm] *a. form.* w kształcie drzewa.

dendrite ['dendraɪt] *n.* **1.** *U min.* dendryt. **2.** (*także* **dendron**) *anat.* dendryt.

dendritic [den'drɪtɪk], **dendritical** [den'drɪtɪkl] *a.* **1.** dendrytowy. **2.** drzewiasty.

dendrochronology [ˌdendroʊkrə'nɑːlədʒɪ] *n. U archeol.* dendrochronologia.

dendroid ['dendrɔɪd], **dendroidal** *a. form.* drzewiasty.

dendrologist [den'drɑːlədʒɪst] *n.* dendrolog.

dendrology [den'drɑːlədʒɪ] *n. U* dendrologia, drzewoznawstwo.

dendron ['dendrɑːn] *n. pl.* **-s** *l.* **dendra** *przest. anat.* dendryt.

dendrophagus [den'drɑːfəgəs] *a. zool.* drzewożerny.

dendrophilous [den'drɑːfələs] *a. zool.* nadrzewny.

dene [diːn] *n.* = **dean**2.

denervate [diː'nɜːveɪt] *v. med.* odnerwić, wyłączyć unerwienie (*narządu*).

D.Eng., DEng. *abbr.* **Doctor of Engineering** *uniw.* doktor inżynier.

dengue ['deŋgeɪ] *n. U* (*także* ~ **fever**) *pat.* denga (= *choroba wywoływana przez arbowirusa grupy B*).

deniability [dɪˌnaɪə'bɪlətɪ] *n. U* możliwość zaprzeczenia *l.* zakwestionowania.

deniable [dɪ'naɪəbl] *a.* dający się zakwestionować.

denial [dɪ'naɪəl] *n.* **1.** *t. prawn.* zaprzeczenie. **2.** odmowa; *U* odmawianie (*np. praw*). **3.** wyparcie się, wyrzeczenie się, odrzucenie (*of sb / sth* kogoś/czegoś). **4.** *U psych.* wyparcie, mechanizm wyparcia. **5.** = **self-denial**.

denier [də'niːr] *n. U Br.* jednostka wagi przędzy jedwabnej (*1 g / 9000 m*).

denigrate ['denəˌgreɪt] *form. v.* **1.** oczerniać. **2.** bagatelizować, umniejszać. **3.** *rzad.* zaczerniać.

denigration [ˌdenə'greɪʃən] *n. U* **1.** oczernianie. **2.** umniejszanie.

denigrator ['denəˌgreɪtər] *n.* oszczer-ca/czyni.

denim ['denəm] *n.* **1.** *U tk.* denim, drelich. **2.** *pl. przest.* dżinsy.

denitrate [diː'naɪtreɪt] *v. chem.* denitrować.

denitrify [diː'naɪtrəˌfaɪ] *v.* **-ied, -ying** *chem.* denitryfikować.

denizen ['denɪzən] *n.* **1.** *lit. l. żart.* mieszkaniec/ka (*danego kraju l. obszaru; t. o zwierzętach i roślinach*); bywal-ec/czyni, gość. **2.** *Br.* naturalizowan-y/a cudzoziem-iec/ka. – *v. Br.* naturalizować, przyznać prawo stałego pobytu (*komuś*).

Denmark ['denmɑːrk] *n. geogr.* Dania.

denom. *abbr. rel.* = **denomination**.

denominal [dɪ'nɑːmənl] *n. i a. zob.* **denominative**.

denominate [dɪ'nɑːməˌneɪt] *v. form.* nazywać, określać, mianować.

denomination [dɪˌnɑ:mə'neɪʃən] *n.* **1.** *rel.* wyznanie. **2.** *fin.* nominał; **notes of small ~s** banknoty o niskich nominałach. **3.** *form.* nazwa, określenie, miano.

denominational [dɪˌnɑ:mə'neɪʃənl] *a.* **1.** religijny, wyznaniowy (*np. o szkole*). **2.** *form.* nazewniczy.

denominative [dɪ'nɑ:məˌneɪtɪv] *a.* **1.** (*także* **denominal**) *gram.* odrzeczownikowy (*zwł. o czasownikach*). **2.** *form.* określający, nazywający. – *n.* (*także* **denominal**) *gram.* formacja odrzeczownikowa (*zwł. czasownik*).

denominatively [dɪ'nɑ:məˌneɪtɪvlɪ] *adv.* *gram.* odrzeczownikowo, od rzeczownika.

denominator [dɪ'nɑ:məˌneɪtər] *n.* *mat.* mianownik; **common** ~ *t. przen.* wspólny mianownik.

denotation [ˌdi:noʊ'teɪʃən] *n.* **1.** *log., jęz.* denotacja, znaczenie denotacyjne; zakres (*znaczeniowy*). **2.** *U* oznaczanie. **3.** symbol, znak.

denotative ['di:noʊˌteɪtɪv], **denotive** [di:'noʊtɪv] *a.* **1.** *jęz.* denotujący. **2.** *form.* oznaczający; wskazujący.

denote [dɪ'noʊt] *v.* **1.** oznaczać; wskazywać na. **2.** znaczyć. **3.** symbolizować.

denouement [ˌdeɪnu:'mɑ:ŋ], **dénouement** *n.* **1.** *teor. lit.* rozwiązanie akcji. **2.** *form.* zakończenie, finał (*w którym wszystko staje się jasne*).

denounce [dɪ'naʊns] *v.* **1.** potępiać (*sb/sth as* kogoś/coś jako). **2.** donieść na, zadenuncjować, wydać (*sb to sb* kogoś komuś) (*np. przestępcę policji*). **3.** wypowiadać (*traktat, zawieszenie broni, umowę*). **4.** *arch.* zapowiadać, zwiastować (*coś złego*).

denouncement [dɪ'naʊnsmənt] *n.* **1.** potępienie. **2.** doniesienie, denuncjacja. **3.** wypowiedzenie (*np. umowy*). **4.** *arch.* zapowiedź, zwiastun.

dense [dens] *a.* **1.** gęsty (*o lesie, tłumie, mgle; t. fiz. - o substancji; mat. - o zbiorze*); zbity; zwarty. **2.** *pot. uj.* tępy. **3.** ciężki, trudny (*z powodu przeładowania informacjami l. skomplikowanego języka; o tekście*). **4.** *fot., opt.* gęsty, zaczerniony. **5.** nieprzejrzysty, nieprzezroczysty (*np. o szkle*).

densely ['denslɪ] *adv.* gęsto.

denseness ['densnəs] *n.* *U* gęstość.

densify ['densəˌfaɪ] *v.* **-ied, -ying** utwardzać (*drewno*).

densimeter ['den'sɪmɪtər] *n.* *fiz., chem.* gęstościomierz, densymetr, areometr.

densitometer [ˌdensə'tɑ:mətər] *n.* *fot.* densytometr, densometr.

density ['densətɪ] *n.* *U* **1.** *t. fiz., stat.* gęstość; zagęszczenie; zwartość; **current** ~ *el.* gęstość prądu; **population** ~ gęstość zaludnienia. **2.** *pot. uj.* tępota. **3.** *fot.* zaczernienie. **4.** *komp.* gęstość zapisu; **double-/high-~ disk** dyskietka o podwójnej/wysokiej gęstości.

density current *n.* *geol.* prąd zawiesinowy.

density function *n.* *stat.* funkcja częstości, funkcja gęstości prawdopodobieństwa.

dent[1] [dent] *n.* **1.** wgniecenie. **2.** *przen.* uszczerbek; **make a ~ in sth** nadszarpnąć coś (*np. finanse, budżet*); **make a ~ in/on sth** wywrzeć wpływ na coś; dokonać zmiany w czymś. – *v.* **1.** wgnieść (się); wygiąć (się). **2.** *przen.* zadać cios, przynieść uszczerbek (*czemuś*).

dent[2] *n.* *techn.* ząb.

dent. *abbr.* = **dental**; = **dentist**; = **dentistry**.

dental ['dentl] *a. attr.* **1.** *anat., fon.* zębowy. **2.** dentystyczny, stomatologiczny. – *n.* *fon.* spółgłoska zębowa.

dental caries *n.* *U pat.* próchnica zębów.

dental floss *n.* *U* nić dentystyczna.

dental hygiene *n.* *U* higiena jamy ustnej.

dental hygienist *n.* higienist-a/ka stomatologiczn-y/a.

dental nurse *n.* asystent/ka dentysty.

dental plaque *n.* *U pat.* płytka nazębna.

dental plate *n.* *med.* proteza dentystyczna.

dental pulp *n.* *U anat.* miazga zębowa.

dental surgeon *n.* *med.* lekarz stomatolog.

dental technician *n.* techni-k/czka dentystyczn-y/a.

dentate ['denteɪt] *a.* *bot., zool.* ząbkowany.

dentation [den'teɪʃən] *n.* *U zwł. bot., zool.* ząbkowanie.

dent corn *n.* *bot.* kukurydza koński ząb (*Zea mays indentata*).

denticle ['dentɪkl] *n.* *bot., zool.* ząbek.

denticulate [den'tɪkjəlɪt], **denticulated** [den'tɪkjəleɪtɪd] *a.* *bot., zool. i bud.* ząbkowany.

dentiform ['dentəˌfɔ:rm] *a.* *form.* w kształcie zęba.

dentifrice ['dentəfrɪs] *n.* środek do czyszczenia zębów.

dentil ['dentl] *n.* *bud.* ząbek (*ornament*).

dentilabial [ˌdentə'leɪbɪəl] *fon.* *a.* wargowo-zębowy. – *n.* spółgłoska wargowo-zębowa.

dentilingual [ˌdentə'lɪŋgwəl] *fon. rzad.* *a.* językowo-zębowy. – *n.* spółgłoska językowo-zębowa.

dentin ['dentən], **dentine** *n.* *U anat.* zębina.

dentist ['dentɪst] *n.* dentyst-a/ka, stomatolog.

dentistry ['dentɪstrɪ] *n.* *U* stomatologia, dentystyka.

dentist's ['dentɪsts] *n. pl.* **dentists** *l.* **dentists'** (*także* ~ **surgery**) gabinet dentystyczny *l.* stomatologiczny; **at the** ~ u dentysty; **go to the** ~ iść do dentysty.

dentition [den'tɪʃən] *n.* **1.** uzębienie. **2.** *U* ząbkowanie, wyrzynanie się zębów.

dentures ['dentʃərz] *n. pl.* proteza dentystyczna, sztuczna szczęka.

denuclearize [di:'nju:klɪəˌraɪz], *Br. i Austr. zw.* **denuclearise** *v.* **1.** usunąć broń nuklearną z (*jakiegoś miejsca*). **2.** zakazać posiadania *l.* produkcji broni nuklearnej (*komuś*).

denudation [ˌdenjʊ'deɪʃən] *n.* *U* **1.** *form.* obnażenie; ogołocenie. **2.** *geol.* denudacja.

denude [dɪ'nu:d], **denudate** [dɪ'nu:deɪt] *form. v. t. geol.* obnażać; ogałacać (*of sth* z czegoś).

denuded [dɪ'nu:dɪd], **denudate** *a. t. geol.* obnażony.

denumerable [dɪ'nu:mərəbl] *a.* *mat.* policzalny.

denunciate [dɪ'nʌnsɪˌeɪt] *v.* *form.* potępić (*otwarcie, publicznie*).

denunciation [dɪˌnʌnsɪ'eɪʃən] *n.* **1.** potępienie;

oskarżenie (*publiczne*). **2.** denuncjacja, doniesienie. **3.** wypowiedzenie (*traktatu, umowy*).

denunciator [dɪˈnʌnsɪˌeɪtər] *n.* donosiciel/ka, denuncjator/ka; oskarżyciel/ka.

denunciatory [dɪˈnʌnsɪəˌtɔːrɪ], **denunciative** *a.* **1.** potępiający. **2.** oskarżycielski; donosicielski, denuncjatorski.

deny [dɪˈnaɪ] *v.* **-ied, -ying 1.** zaprzeczać (*czemuś*); nie przyznawać się do (*czegoś*); **~ a charge** zaprzeczyć oskarżeniu; **~ sth to be true** *form.* zaprzeczyć, jakoby coś było prawdą; **flatly/categorically/vehemently ~** stanowczo/kategorycznie/gwałtownie zaprzeczyć; **I don't/can't ~ (that)...** nie przeczę/nie mogę zaprzeczyć, że...; **she denies having seen him** zaprzecza, jakoby go widziała; **there's no ~ing (the fact) that...** *pot.* nie da się zaprzeczyć *l.* ukryć, że... **2.** *często pass.* odmawiać (*sb sth* komuś czegoś); nie zgadzać się na; odrzucić (*np. prośbę*); **~ sb access to sth** odmówić komuś dostępu do czegoś, nie dopuścić kogoś do czegoś. **3.** *form.* wyprzeć się, wyrzec się (*np. wiary, krewnych*); sprzeniewierzyć się (*zasadom*). **4.** **~ o.s.** odmawiać sobie, robić wyrzeczenia (*zwł. z przyczyn religijnych l. moralnych*).

deodar [ˈdiːəˌdɑːr] *n. bot.* cedr himalajski (*Cedrus deodara*).

deodorant [diːˈoʊdərənt] *n. C/U* **1.** dezodorant. **2.** *techn.* odwaniacz. – *a.* **1.** dezodoryzujący. **2.** *techn.* odwaniający.

deodorize [diːˈoʊdəˌraɪz], *Br. i Austr. zw.* **deodorise** *v.* **1.** dezodoryzować. **2.** *techn.* odwaniać.

deodorizer [diːˈoʊdəˌraɪzər], *Br. i Austr. zw.* **deodoriser** *n.* **1.** dezodorant. **2.** *techn.* odwaniacz.

deontology [ˌdiːɑːnˈtɑːlədʒɪ] *n. U fil.* deontologia.

deorbit [diːˈɔːrbɪt] *v.* **1.** sprowadzić z orbity (*np. statek kosmiczny*). **2.** zejść z orbity (*zwł. o statku kosmicznym przygotowującym się do lądowania*).

deoxidant [diːˈɑːksɪdənt] *n. chem.* odtleniacz, środek odtleniający.

deoxidize [diːˈɑːksɪˌdaɪz], *Br. i Austr. zw.* **deoxidise** *v.* odtleniać.

deoxygenate [diːˈɑːksɪdʒəˌneɪt], **deoxygenize** *Br. i Austr. zw.* **deoxygenise** *v. chem.* usuwać tlen z (*substancji*).

deoxyribonucleic acid [diːˌɑːksɪˌraɪboʊnjuːˌkliːɪk ˈæsɪd] *n. U biochem.* kwas dezoksyrybonukleinowy.

dep. *abbr.* **1. = depart(s)**; **= departure**. **2. = department**. **3. = deponent**. **4. = deposed**; *zob.* **depose**. **5. = deposit**. **6. = depot**. **7. = deputy**.

depart [dɪˈpɑːrt] *v.* **1.** odjeżdżać; wyjeżdżać; wychodzić; wyruszać; **the train for Chicago will ~ from platform 3** pociąg do Chicago odjedzie z peronu 3. **2.** **~ from** odstępować od (*zasady*), odbiegać od (*normy*), odchodzić od (*tradycji*). **3.** *euf.* odejść (= *umrzeć*). **4.** *arch.* rozstawać się z (*czymś*), opuszczać, porzucać; **~ this life** *form.* rozstać się z tym światem.

departed [dɪˈpɑːrtɪd] *a. attr.* **1.** *euf.* zmarły. **2.** *lit.* bezpowrotnie miniony (*np. o młodości*). – *n.* **the ~** *euf.* zmarł-y/a; *pl.* zmarli.

department [dɪˈpɑːrtmənt] *n.* **1.** dział (*zakładu pracy, domu towarowego*); oddział (*organizacji, szpitala*). **2.** *uniw.* wydział; instytut; katedra; sekcja; **English D~** Instytut Anglistyki. **3.** *polit., admin.* departament, wydział (*w ministerstwie*); *US* departament (= *ministerstwo*); **D~ of Agriculture** *US* Departament Rolnictwa (= *Ministerstwo Rolnictwa*); **State D~** *US* Departament Stanu (= *Ministerstwo Spraw Zagranicznych*). **4.** dziedzina (*nauki, wiedzy*). **5.** (*także* **département**) *admin.* departament (*jednostka podziału administracyjnego Francji*), okręg. **6.** *pot.* działka (= *specjalność l. obowiązek*); **doing sth is (not) sb's ~** robienie czegoś (nie) należy do kogoś. **7. be lacking in the looks/brain ~** *pot. żart.* nie grzeszyć urodą/inteligencją.

departmental [diːpɑːrtˈmentl] *a.* **1.** *uniw.* wydziałowy; instytutowy; **~ head** dyrektor instytutu; kierownik katedry *l.* sekcji; **~ meeting** zebranie wydziału, instytutu itp. **2.** oddziałowy; **~ manager** kierowni-k/czka działu *l.* oddziału. **3.** *polit., admin.* departamentalny; ministerialny.

departmentalism [diːpɑːrtˈmentəˌlɪzəm] *n. U* **1.** podział na wydziały, instytuty, departamenty itp. (*zwł. odbijający się negatywnie na jakości pracy*). **2.** troszczenie się przede wszystkim o interesy własnego departamentu (*w rządzie, ministerstwie*).

departmentalization [diːpɑːrtˌmentələˈzeɪʃən], *Br. i Austr. zw.* **departmentalisation** *n. U* podział na działy, departamenty itp.

departmentalize [diːpɑːrtˈmentəˌlaɪz], *Br. i Austr. zw.* **departmentalise** *v.* dzielić na działy, departamenty itp.

department store *n.* dom towarowy.

departure [dɪˈpɑːrtʃər] *n. C/U* **1.** wyjazd (*for sth* dokądś); odjazd (*zwł. pociągu*); odlot (*samolotu*). **2.** odejście (*z pracy, instytucji*). **3.** odstępstwo, odejście (*from sth* od czegoś) (*np. od zasady, reguły, tradycji*). **4. new/fresh ~** nowy kierunek działań (*for sb/sth* dla kogoś/czegoś). **5.** *żegl.* zboczenie nawigacyjne; **point of ~** dokładnie określona pozycja, od której rozpoczyna się zliczenie nawigacyjne; odejście od lądu. **6.** *miern.* odchylenie. **7.** *arch. l. euf.* śmierć.

departure lounge *n.* hala odlotów.

departures board *n.* tablica z rozkładem jazdy (*na dworcu*); tablica odlotów (*na lotnisku*).

departure times *n. pl.* godziny odjazdów; godziny odlotów.

depasture [diːˈpæstʃər] *v. roln.* **1.** zniszczyć wskutek nadmiernego wypasu (*pastwisko, łąkę*). **2.** wypasać (*bydło, owce*).

depauperate [dɪˈpɔːpərɪt] *a.* **1.** *biol.* niedorozwinięty. **2.** *ekol.* ubogi w gatunki (*zwierząt i roślin*).

depend [dɪˈpend] *v.* **1.** zależeć; być zależnym *l.* uzależnionym (*on/upon sb/sth* od kogoś/czegoś) (*t. finansowo*); **~ on how/what...** zależeć od tego, jak/co...; **~ing on the result/circumstances** zależnie *l.* w zależności od wyniku/okoliczności; **it/that (all) ~s** to zależy; **we ~ on her for our hap-**

piness nasze szczęście zależy od niej. **2.** ~ **on/upon sb/sth** polegać na na kimś/czymś; ~ **on sb doing/to do sth** wierzyć *l.* być pewnym, że ktoś coś zrobi; **(you can)** ~ **upon it** możesz być (tego) pewny. **3.** *arch.* zwisać, zwieszać się (*from sth* z czegoś).

dependability [dɪˌpendə'bɪlətɪ], **dependableness** *n. U* niezawodność.

dependable [dɪ'pendəbl] *a.* niezawodny.

dependably [dɪ'pendəblɪ] *adv.* niezawodnie.

dependant [dɪ'pendənt] *n. t. prawn.* osoba pozostająca na czyimś utrzymaniu. – *a. zwł. US* = **dependent**.

dependence [dɪ'pendəns], *US t.* **dependance** *n. U* **1.** zależność (*on / upon sb / sth* od kogoś/czegoś) (*t. polityczna l. terytorialna*). **2.** uzależnienie; **drug/alcohol** ~ uzależnienie od narkotyków/alkoholu. **3.** *form.* zaufanie, wiara.

dependency [dɪ'pendənsɪ], *US t.* **dependancy** *n. pl.* **-ies 1.** *polit.* terytorium zależne. **2.** *bud.* przybudówka, dobudówka. **3.** *U* = **dependence**.

dependent [dɪ'pendənt] *a.* **1.** zależny (*on / upon sb / sth* od kogoś/czegoś); **be** ~ **on sth** *form.* zależeć *l.* być uzależnionym od czegoś. **2.** **(drug/alcohol)** ~ uzależniony (od narkotyków/alkoholu). **3.** podległy, zależny (*np. o terytoriach*). **4.** *gram.* podrzędny. – *n. zwł. US* = **dependant**.

dependent clause *n. gram.* zdanie podrzędne.

dependently [dɪ'pendəntlɪ] *adv.* zależnie.

dependent variable *n. mat.* zmienna zależna.

deperm [di:'pɜ˞:m] *v. żegl.* demagnetyzować (*kadłub statku*).

depersonalization [di:ˌpɜ˞:sənələ'zeɪʃən], *Br. i Austr. zw.* **depersonalisation** *n. U zwł. psych.* depersonalizacja.

depersonalize [di:'pɜ˞:sənəˌlaɪz] *v. zwł. psych.* depersonalizować.

depict [dɪ'pɪkt] *rzad.* **depicture** [dɪ'pɪktʃər] *form. v.* przedstawiać; odmalowywać, opisywać.

depiction [dɪ'pɪkʃən] *n. C / U* przedstawienie; odmalowanie, opis.

depilate ['depəˌleɪt] *v.* depilować.

depilation [ˌdepə'leɪʃən] *n. U* depilacja.

depilator ['depəˌleɪtər] *n.* depilator (*mechaniczny*).

depilatory [dɪ'pɪləˌtɔ:rɪ] *n. i a. attr. pl.* **-ies** (środek) depilujący (*zw. w kremie*).

deplane [di:'pleɪn] *v. zwł. US i Can.* wysiadać z samolotu.

deplete [dɪ'pli:t] *v.* **1.** *często pass.* wyczerpywać, zużywać; uszczuplać, naruszać (*zasoby, zapasy, środki*). **2.** opróżniać (*całkowicie l. częściowo*). **3.** *med.* usuwać płyn z (*narządu, naczynia*).

depleted [dɪ'pli:tɪd] *a.* **1.** uszczuplony, naruszony (*np. o zapasach*). **2.** wyczerpany, osłabiony (*fizycznie l. emocjonalnie; o osobie*).

depleted uranium *n. U chem.* uran zubożony.

depletion [dɪ'pli:ʃən] *n. U* wyczerpanie, zużycie; uszczuplenie, naruszenie.

depletion allowance *n. ekon.* ulga podatkowa od przychodów z surowców nieodnawialnych (*np. ropy naftowej*).

depletion layer *n. el.* warstwa zubożona.

deplorable [dɪ'plɔ:rəbl] *a.* **1.** żałosny, opłakany (*zwł. o stanie*). **2.** godny ubolewania (*np. o pomyłce*).

deplorably [dɪ'plɔ:rəblɪ] *adv.* **1.** w żałosny sposób. **2.** w sposób godny ubolewania.

deplore [dɪ'plɔ:r] *v.* **1.** ubolewać nad, boleć nad (*czymś*); wyrażać ubolewanie z powodu (*czegoś*). **2.** nie pochwalać (*czegoś*), potępiać. **3.** opłakiwać.

deploy [dɪ'plɔɪ] *v.* **1.** *zwł. wojsk.* rozmieszczać (*broń strategiczną, oddziały*). **2.** *wojsk.* rozwijać (się) w linię. **3.** wykorzystywać, robić użytek z (*np. umiejętności*).

deployment [dɪ'plɔɪmənt] *n. C / U* **1.** rozmieszczenie (*zwł. strategiczne*). **2.** użycie, zastosowanie.

deplume [di:'plu:m] *v.* oskubać (*ptaka*).

depolarize [di:'poʊləˌraɪz], *Br. i Austr. zw.* **depolarise** *v. el.* depolaryzować.

depoliticize [ˌdi:pə'lɪtəˌsaɪz], *Br. i Austr. zw.* **depoliticise** *v.* odpolityczniać, czynić apolitycznym.

depollution [ˌdi:pə'lu:ʃən] *n. U* usuwanie zanieczyszczeń.

depolymerize [ˌdi:pə'lɪməˌraɪz], *Br. i Austr. zw.* **depolymerise** *v. chem.* degradować polimer; depolimeryzować (się).

depone [dɪ'poʊn] *v. prawn.* zeznawać pod przysięgą.

deponent [dɪ'poʊnənt] *n.* **1.** *prawn.* osoba zeznająca pod przysięgą (*zwł. na piśmie*). **2.** *gram.* deponens (*zwł. w łacinie*). – *a. gram.* występujący w formie biernej, a mający znaczenie czynne (*o czasowniku*).

depopulate [di:'pɑ:pjəˌleɪt] *v. zw. pass.* wyludniać.

depopulation [di:ˌpɑ:pjə'leɪʃən] *n. U* wyludnienie.

deport [dɪ'pɔ:rt] *v.* **1.** deportować. **2.** zsyłać, skazywać na zesłanie *l.* banicję. **3.** ~ **o.s.** *form.* zachowywać się.

deportation [ˌdi:pɔ:r'teɪʃən] *n.* **1.** deportacja; ~ **order** nakaz deportacji; **mass ~s** masowe deportacje. **2.** zesłanie.

deportee [ˌdi:pɔ:r'ti:] *n.* **1.** osoba deportowana. **2.** zesłaniec.

deportment [dɪ'pɔ:rtmənt] *n. U form.* zachowanie (się); sposób poruszania się.

deposable [dɪ'poʊzəbl] *a.* dymisjonowalny, usuwalny (*o władcy, urzędniku*).

deposal [dɪ'poʊzl] *n.* dymisja, usunięcie z urzędu *l.* stanowiska.

depose [dɪ'poʊz] *v.* **1.** zdymisjonować, usunąć z urzędu *l.* stanowiska; zdetronizować. **2.** *prawn.* zeznawać pod przysięgą.

deposit [dɪ'pɑ:zɪt] *v.* **1.** *bank* wpłacać. **2.** deponować, oddawać na przechowanie (*sth with sb* coś komuś); zostawiać (*sth with sb* coś u kogoś). **3.** *t. geol., chem.* osadzać, odkładać. **4.** składać (*np. jaja; o ptaku*); układać, umieszczać, kłaść. – *n.* **1.** *bank* depozyt, wpłata; wkład, lokata; **make a** ~ dokonać wpłaty; **on** ~ płatny w pierwszej racie. **2.** pierwsza wpłata, zadatek; **put down a** ~ **on sth** dokonać pierwszej wpłaty na coś, wpłacić zadatek na coś. **3.** kaucja, zastaw, depozyt, wadium. **4.** *geol.* osad, warstwa osadowa; *chem.* osad. **5.** *zwł. górn.* złoże, pokład; żyła (*np. złota*). **6.** (*także* **depository**) składnica.

deposit account *n. zwł. Br. bank* rachunek depozytowy *l.* terminowy.

depositary [dɪ'pɑːzəˌterɪ] *n. pl.* **-ies** **1.** *zwł. prawn., ekon.* depozytariusz/ka; powiernik. **2.** (*także* **depository**) składnica.

deposition [ˌdepə'zɪʃən] *n.* **1.** *prawn.* pisemne zeznanie pod przysięgą; **file/give a ~** złożyć zeznanie. **2.** *C / U form.* zdymisjonowanie, usunięcie z urzędu *l.* stanowiska. **3.** *U zwł. geol.* odkładanie *l.* osadzanie (się). **4.** depozyt; *U* deponowanie. **5.** *U* złożenie (*np. dokumentów w jakimś miejscu*). **6.** **D~** *rel., sztuka* zdjęcie z krzyża.

deposit money *n. U* pieniądz bezgotówkowy *l.* żyrowy.

depositor [dɪ'pɑːzɪtər] *n.* **1.** deponent/ka, depozytor/ka. **2.** *bank* posiadacz/ka konta bankowego.

depository [dɪ'pɑːzəˌtɔːrɪ] *n. pl.* **-ies** **1.** składnica. **2.** = **depositary** 1. – *a.* depozytowy; składowy.

deposit slip *n. US bank* formularz *l.* druczek wpłaty.

depot ['diːpoʊ] *n.* **1.** *US i Can.* stacja kolejowa; dworzec autobusowy. **2.** *t. wojsk.* składnica, magazyn, skład. **3.** *zwł. Br.* zajezdnia (*autobusowa l. tramwajowa*).

depr. *abbr.* **1.** = **depreciation**. **2.** = **depression**.

depravation [ˌdeprə'veɪʃən] *n. U* deprawacja.

deprave [dɪ'preɪv] *v.* **1.** deprawować. **2.** *przest.* zniesławiać.

depraved [dɪ'preɪvd] *a.* zdeprawowany, zepsuty.

depraver [dɪ'preɪvər] *n.* deprawator/ka.

depravity [dɪ'prævətɪ] *n.* **1.** *U* zdeprawowanie, zepsucie. **2.** *pl.* **-ies** niemoralny czyn *l.* postępek.

deprecate ['deprəˌkeɪt] *form. v.* **1.** potępiać. **2.** protestować przeciwko (*czemuś*). **3.** deprecjonować.

deprecating ['deprəˌkeɪtɪŋ] *a.* wyrażający dezaprobatę.

deprecation [ˌdeprə'keɪʃən] *n. U* **1.** potępienie. **2.** sprzeciw. **3.** deprecjacja.

deprecatory ['deprəkəˌtɔːrɪ] *a.* **1.** (*także* **deprecative**) potępiający. **2.** przepraszający.

depreciate [dɪ'priːʃɪˌeɪt] *v.* **1.** *ekon.* deprecjonować, dewaluować. **2.** *ekon.* amortyzować. **3.** *form.* deprecjonować się, tracić na wartości.

depreciation [dɪˌpriːʃɪ'eɪʃən] *n. U* **1.** *t. ekon.* deprecjacja, dewaluacja. **2.** *ekon.* amortyzacja. **3.** *C ekon.* odpis amortyzacyjny. **4.** obniżenie wartości.

depreciatory [dɪ'priːʃɪəˌtɔːrɪ], **depreciative** [dɪ'priːʃɪətɪv] *a.* deprecjonujący.

depredate ['deprəˌdeɪt] *form. v.* grabić.

depredation [ˌdeprə'deɪʃən] *n.* grabież.

depredator ['deprəˌdeɪtər] *n.* grabieżca.

depredatory [dɪ'predətɔːrɪ] *a.* grabieżczy.

depress [dɪ'pres] *v.* **1.** przygnębiać; wywoływać przygnębienie *l.* depresję u (*kogoś*). **2.** osłabić; przytłumić. **3.** zmniejszyć, obniżyć (*wartość, ilość, poziom*). **4.** *form.* wcisnąć (*guzik, przycisk*). **5.** *muz.* obniżyć (*ton*).

depressant [dɪ'presənt] *n. i a. t. med.* (środek) uspokajający.

depressed [dɪ'prest] *a.* **1.** przygnębiony, przybity (*about / by / over sth* czymś *l.* z powodu czegoś); *pat.* cierpiący na depresję. **2.** osłabiony. **3.** obniżony, poniżej normy. **4.** wciśnięty (*o przycisku*). **5.** *ekon.* znajdujący się w depresji, dotknięty kryzysem. **6.** *biol.* spłaszczony.

depressed area *n.* obszar dotknięty bezrobociem strukturalnym.

depressing [dɪ'presɪŋ] *a.* przygnębiający.

depression [dɪ'preʃən] *n.* **1.** *C / U* przygnębienie; *pat.* depresja; **deep/severe ~** głęboka/ciężka depresja; **clinical/postnatal ~** depresja kliniczna/poporodowa. **2.** *geogr.* depresja. **3.** *ekon.* depresja; **the (Great) D~** *US hist.* Wielki Kryzys (*1929-1930*). **4.** *mat., miern.* depresja, pozorne pogłębienie poziomu. **5.** *C meteor.* depresja, niż baryczny. **6.** *C* zagłębienie, wgłębienie.

depressive [dɪ'presɪv] *a.* depresyjny; skłonny do depresji; **manic-~** *pat.* maniakalno-depresyjny. – *n.* osoba cierpiąca na depresję.

depressomotor [dɪˌpresoʊ'moʊtər] *a. fizj., med.* opóźniający czynności ruchowe. – *n. med.* lek opóźniający czynności ruchowe.

depressor [dɪ'presər] *n.* **1.** czynnik wywołujący depresję. **2.** *anat.* mięsień obniżający. **3.** (*także* **~ nerve**) *fizj.* nerw hamujący. **4.** *chir.* przyrząd obniżający. **5.** **tongue ~** *med.* szpatułka (*laryngologiczna*).

depressurize [diː'preʃəˌraɪz], *Br. i Austr. zw.* **depressurise** *v.* rozhermetyzować.

deprival [dɪ'praɪvl] *n. U* **1.** pozbawienie (*of sth* czegoś). **2.** *arch.* usunięcie z urzędu.

deprivation [ˌdeprə'veɪʃən] *n.* **1.** *C / U* pozbawienie; utrata; brak; niedostatek; **sleep ~** brak snu. **2.** *U* ubóstwo.

deprive [dɪ'praɪv] *v. często pass.* **1. ~ sb of sth** pozbawiać kogoś czegoś; odbierać komuś coś. **2.** *arch.* usunąć z urzędu.

deprived [dɪ'praɪvd] *a.* upośledzony (*np. o rejonie*); ubogi, cierpiący niedostatek (*o środowisku, dzieciach*).

deprogram ['deprəˌgræm] *v.* **-m(m)-** **1.** uwolnić spod wpływu sekty. **2.** uwolnić od nawyku.

depside ['depsaɪd] *n. chem.* depsyd.

dept. *abbr.* **1.** = **department**. **2.** = **deponent**. **3.** = **deputy**.

depth [depθ] *n.* **1.** *U l. sing.* głębokość; **be two meters in ~** być głębokim na dwa metry, mieć dwa metry głębokości; **to/at a ~ of five inches** do/na głębokości pięciu cali. **2.** *U t. przen.* głębia (*uczuć, wiedzy, tematu*). **3.** *pl. lit.* otchłań, głębina, czeluść; **the ~s of the ocean** otchłań morska. **4.** *czas. pl.* najdalszy *l.* najbardziej skrajny punkt *l.* stan; stan upadku (*moralnego l. intelektualnego*); **from the ~s of the wood** z głębi lasu; **in the ~s of despair** w skrajnej rozpaczy; **plumb new ~s of unpopularity** osiągnąć kolejny rekord niepopularności (*o rządzie, partii, polityku*). **5.** moment największej intensywności, środek; **in the ~ of night/winter** w samym środku nocy/zimy. **6.** *sport* siła ławki rezerwowych. **7.** **(study sth) in ~** (badać *l.* studiować coś) dogłębnie. **8. out of/beyond one's ~** nie czując gruntu pod nogami; *przen.* nie w swoim żywiole.

depth charge *n.* (*także* **depth bomb**) *wojsk.* bomba głębinowa.

depth gauge *n.* *mech.* głębokościomierz, sprawdzian głębokości.

depth of field *n.* (*także* **depth of focus**) *opt., fot.* głębia ostrości.

depth perception *n.* *U* orientacja przestrzenna.

depth psychology *n.* *U psych.* psychologia podświadomości *l.* głębi.

depurate [ˈdepjəˌreɪt] *form. v.* oczyszczać (*zwł. usuwając toksyny*).

depuration [ˌdepjəˈreɪʃən] *n. U* oczyszczanie.

depurative [ˈdepjəˌreɪtɪv] *n. i a.* (środek) oczyszczający.

deputation [ˌdepjəˈteɪʃən] *n.* **1.** *U* delegowanie. **2.** delegacja, deputacja.

depute [dəˈpjuːt] *form. v.* **1.** mianować reprezentantem *l.* zastępcą; wyznaczyć w zastępstwie; **~ sb to do sth** wydelegować kogoś do zrobienia czegoś; **~ sth to sb** zlecić coś komuś. **2. ~ authority/duties** przekazać pełnomocnictwo/obowiązki (swojemu) zastępcy.

deputize [ˈdepjəˌtaɪz], *Br. i Austr. zw.* **deputise** *v.* **1. ~ for sb** występować w charakterze czyjegoś zastępcy, zastępować kogoś. **2.** mianować reprezentantem *l.* zastępcą.

deputy [ˈdepjətɪ] *n. pl.* **-ies** **1.** zastęp-ca/czyni; **~ minister/chairperson** wiceminister/wiceprzewodnicząc-y/a. **2.** (*także* **~ sheriff**) *US* zastępca/czyni szeryfa. **3.** (*także* **~ head**) *Br. szkoln.* wicedyrektor/ka. **4.** *parl.* deputowan-y/a (*zwł. do niższej izby parlamentu francuskiego*). **5.** *Br. górn.* pracowni-k/czka odpowiedzialn-y/a za ochronę przeciwpożarową kopalni.

der. *n.* = **derivation**; = **derivative**; = **derive**; = **derived**.

deracinate [dɪˈræsəˌneɪt] *v. form. t. przen.* wykorzenić; odciąć od korzeni (*zwł. od rodzimej kultury l. znanego otoczenia*).

deradicalize [diːˈrædɪkəˌlaɪz], *Br. i Austr. zw.* **deradicalise** *v.* pozbawić elementów radykalnych.

deraign [dɪˈreɪn], **darraign** *przest. v.* **1.** *prawn.* kwestionować. **2.** *wojsk.* ustawiać w szyku bojowym.

derail [diːˈreɪl] *v.* **1.** *zw. pass.* wykoleić. **2.** popsuć, zakłócić (*np. plan*). – *n. kol.* wykolejnica.

derailleur [diːˈreɪlɪər] *n.* przerzutka rowerowa.

derailment [diːˈreɪlmənt] *n. C/U* wykolejenie (się).

derange [dɪˈreɪndʒ] *v.* **1.** pomieszać, zdezorganizować; zakłócić. **2.** przyprawiać o obłęd.

deranged [dɪˈreɪndʒd] *a.* **1.** (*także* **mentally ~**) obłąkany. **2.** zdezorganizowany.

derangement [dɪˈreɪndʒmənt] *n. U* **1.** *psychiatria* obłęd. **2.** dezorganizacja.

derate [diːˈreɪt] *v. Br.* obniżyć wartość (*zwł. gruntów rolnych przy płaceniu podatków lokalnych*).

deration [diːˈreɪʃən] *v.* znosić racjonowanie (*np. żywności, benzyny*).

derby [ˈdɜːbɪ] *n. pl.* **-ies** **1.** (*także* **~ hat**) *US i Can.* melonik. **2.** *jeźdz.* derby (= *doroczne wyścigi trzylatków*); **the D~** *Br.* doroczne wyścigi konne w Epsom Downs. **3. local ~** *futbol* derby (= *mecz dwóch lokalnych drużyn*). **4.** *sport zwł. US* zawody otwarte. **5.** zawody, współzawodnictwo; **gubernatorial ~** *polit. zwł. US* wyścig o fotel gubernatora.

derecognize [diːˈrekəgnaɪz], *Br. i Austr. zw.* **derecognise** *v.* **1.** *polit.* cofnąć uznanie (*misji dyplomatycznej*). **2.** *Br.* przestać uznawać prawa do negocjacji (*danego związku zawodowego*).

deregister [diːˈredʒɪstər] *v.* wyrejestrować.

deregulate [diːˈregjəleɪt] *v. ekon.* liberalizować, wyjmować spod kontroli państwowej (*np. daną gałąź przemysłu*).

deregulation [diːˌregjəˈleɪʃən] *n. U* liberalizacja, wyjęcie spod kontroli państwowej.

derelict [ˈderəlɪkt] *a.* **1.** *zw. attr.* opuszczony, porzucony (*zwł. o budynku, terenie*). **2.** zaniedbany; walący się, w rozsypce. **3.** *prawn.* winny zaniedbania (obowiązku). – *n.* **1.** wyrzutek społeczeństwa; włóczęga. **2.** porzucona *l.* bezpańska rzecz. **3.** *żegl.* porzucony statek. **4.** *prawn.* osoba winna zaniedbania (obowiązku).

dereliction [ˌderəˈlɪkʃən] *form. n. U* **1.** zaniedbanie; **~ of duty** zaniedbanie obowiązku. **2.** opuszczenie, porzucenie.

derequisition [diːˌrekwəˈzɪʃən] *v. Br. wojsk.* zwalniać od rekwizycji.

derestrict [ˌdiːrɪˈstriːkt] *v. Br.* znosić ograniczenia (*np. prędkości na danej drodze*).

deride [dɪˈraɪd] *v. form.* szydzić z, drwić z (*kogoś l. czegoś*).

de rigueur [də rɪˈgɜː] *a. pred. form.* wymagany, obowiązujący (*zgodnie ze zwyczajem, etykietą, modą*); **evening dress is ~** obowiązuje strój wieczorowy.

derisible [dɪˈrɪzəbl] *a.* będący przedmiotem drwin *l.* szyderstwa; godny pośmiewiska.

derision [dɪˈrɪʒən] *n.* **1.** *U* drwina, szyderstwo. **2.** przedmiot drwin, pośmiewisko.

derisive [dɪˈraɪsɪv] *a.* szyderczy, drwiący.

derisively [dɪˈraɪsɪvlɪ] *adv.* szyderczo, drwiąco.

derisory [dɪˈraɪsərɪ] *a.* **1.** = **derisive**. **2.** śmieszny, śmiechu wart.

deriv. *abbr.* = **derivation**; = **derivative**; = **derive**; = **derived**.

derivation [ˌderəˈveɪʃən] *n.* **1.** pochodzenie, źródło; źródłosłów. **2.** *U* wyprowadzanie, wywodzenie. **3.** *gram.* derywat; *U* derywacja. **4.** *U mat.* wyprowadzanie twierdzenia; różniczkowanie.

derivative [dɪˈrɪvətɪv] *a.* pochodny, wtórny, niepierwotny. – *n.* **1.** rzecz pochodna. **2.** (*także* **derived form**) *gram.* wyraz pochodny, derywat. **3.** *chem.* pochodna, związek pochodny. **4.** *mat.* pochodna.

derive [dɪˈraɪv] *v.* **1.** wywodzić się, pochodzić (*from sth* od czegoś *l.* skądś). **2.** czerpać; **~ ben-**

efit/comfort from sth czerpać korzyści/pociechę z czegoś. **3.** wywodzić, wyprowadzać. **4.** *chem.* derywować, tworzyć związki pochodne od (*czegoś*). **5.** *gram.* derywować. **6.** *mat.* różniczkować.

derived curve [dɪˌraɪvd ˈkɜ˞:v] *n. mat.* krzywa pochodna.

derived form *n. gram.* = **derivative** *n.* 2.

derived unit *n. chem., fiz.* jednostka pochodna.

derma[1] [ˈdɜ˞:mə] *n. U* (*także* **dermis, derm**) *anat., zool.* skóra właściwa.

derma[2] *n. U kulin.* kiszka (= *potrawa kuchni żydowskiej l. osłonka kiełbasy z jelita wołowego l. drobiowego*).

dermabrasion [ˌdɜ˞:məˈbreɪʒən] *n. U zwł. chir.* dermabrazja, ścieranie naskórka.

dermal [ˈdɜ˞:ml] *a.* (*także* **dermic**) skórny.

dermapteran [dɜ˞:ˈmæptərən] *n. ent.* skorek (= *owad z rzędu Dermaptera*).

dermatitis [ˌdɜ˞:məˈtaɪtɪs] *n. U pat.* zapalenie skóry.

dermatogen [dɜ˞:ˈmætədʒən] *n. U bot.* praskórka, protoderma.

dermatoglyphics [dɜ˞:ˌmætəˈglɪfɪks] *n.* **1.** *pl.* dermatoglify (= *linie papilarne dłoni i stóp*). **2.** *U* dermatoglifika (= *badanie linii papilarnych*).

dermatographia [dɜ˞:ˌmætəˈgræfɪə], **dermatographism** [ˌdɜ˞:məˈtɑ:grəˌfɪzəm], **dermographia** [ˌdɜ˞:məˈgræfɪə], **dermographism** [dɜ˞:ˈmɑ:grəˌfɪzəm] *n. U pat.* dermografia, dermografizm.

dermatoid [ˈdɜ˞:məˌtɔɪd], **dermoid** *a.* skóropodobny.

dermatological [ˌdɜ˞:mətəˈlɑ:dʒɪkl] *a. med.* dermatologiczny.

dermatologist [ˌdɜ˞:məˈtɑ:lədʒɪst] *n. med.* dermatolog, leka-rz/rka chorób skórnych.

dermatology [ˌdɜ˞:məˈtɑ:lədʒɪ] *n. U med.* dermatologia.

dermatome [ˈdɜ˞:məˌtoʊm] *n.* **1.** *chir.* dermatom (= *nóż do pobierania przeszczepów skóry*). **2.** *anat.* obszar skóry unerwiony przez jeden korzeń nerwowy tylny. **3.** *anat., zool.* dermatom (*część somitu*).

dermatomycosis [ˌdɜ˞:mətəmaɪˈkoʊsɪs] *n. U pat.* dermatomykoza, grzybica skórna.

dermatomyositis [ˌdɜ˞:mətəˌmaɪoʊˈsaɪtɪs] *n. U pat.* zapalenie skórno-mięśniowe.

dermatophyte [ˈdɜ˞:mətəˌfaɪt] *n. biol., med.* dermatofit (*grzyb pasożytniczy*).

dermatophytosis [ˌdɜ˞:mətəfaɪˈtoʊsɪs] *n. U pat.* grzybica skóry.

dermatoplasty [ˈdɜ˞:mətəˌplæstɪ], **dermoplasty** [ˈdɜ˞:məˌplæstɪ] *n. U chir.* plastyka skóry.

dermatosis [ˌdɜ˞:məˈtoʊsɪs] *n. pl.* **-ses** *pat.* dermatoza, choroba skóry.

dermic [ˈdɜ˞:mɪk] *a.* = **dermal**.

dermis [ˈdɜ˞:mɪs] *n.* = **derma**[1].

dermopteran [dɜ˞:ˈmɑ:pərən] *n. zool.* latawiec (*ssak z rzędu Dermoptera*).

dernier cri [ˌdɜ˞:nɪeɪ ˈkri:] *n. form.* ostatni krzyk mody.

derogate [ˈderəˌgeɪt] *v.* **1.** ~ **from sth** *form.* umniejszać coś. **2.** ~ **from** odbiegać (na niekorzyść) od (*normy, poziomu*). **3.** uwłaczać (*czemuś*). **4.** *prawn.* derogować.

derogation [ˌderəˈgeɪʃən] *n. U* **1.** umniejszenie. **2.** uwłaczanie. **3.** *prawn.* derogowanie.

derogatory [dɪˈrɑ:gəˌtɔ:rɪ], **derogative** [dɪˈrɑ:gətɪv] *a.* **1.** umniejszający. **2.** uwłaczający.

derrick [ˈderɪk] *n.* **1.** *mech.* żuraw (*dźwig*). **2.** (*także* **oil** ~) wieża wiertnicza. **3.** *żegl.* żuraw bomowy. – *v. mech.* podnosić *l.* opuszczać wysięgnik (*żurawia*).

derriére [ˌderɪˈer], **derriere** *n. euf. często żart.* pupa.

derring-do [ˌderɪŋˈdu:] *n. U arch. l. żart.* bohaterstwo; **acts/deeds/feats of** ~ bohaterskie czyny.

derringer [ˈderɪndʒər], **deringer** *n. hist.* mały pistolet dużego kalibru.

derry[1] [ˈderɪ] *n. pl.* **-ies** *Austr. i NZ* uprzedzenie; niechęć; **have a ~ on sb** być uprzedzonym do kogoś, żywić niechęć do kogoś.

derry[2] *n. pl.* **-ies** *przest. sl.* rudera (*zwł. zamieszkiwana przez bezdomnych l. narkomanów*).

derv [dɜ˞:v] *n. U Br.* olej napędowy (*nazwa handlowa*).

dervish [ˈdɜ˞:vɪʃ] *n. rel.* derwisz.

desalinate [di:ˈsæləˌneɪt], **desalinize** [di:ˈsæləˌnaɪz], *Br. i Austr. zw.* **desalinise** *v.* odsalać (*np. wodę morską*).

desaturated [di:ˈsætʃəˌreɪtɪd] *a. zwł. fiz.* utworzony przez zmieszanie koloru z widma optycznego z kolorem białym (*o kolorze*).

desc. *abbr.* = **descendant**.

descant, discant *n.* [ˈdeskænt] **1.** *muz.* wysoki kontrapunkt; dyszkant (= *głos najwyższy w zespole*). **2.** *arch.* komentarz, uwaga; wywód. – *a.* [ˈdeskænt] *muz. zwł. Br.* dyszkantowy, sopranowy. – *v.* [dɪˈskænt] **1.** *muz.* komponować *l.* wykonywać wysoki kontrapunkt. **2.** *arch.* śpiewać słodko *l.* melodyjnie. **3.** *lit.* rozwodzić się (*on / upon sth* nad czymś).

descend [dɪˈsend] *form. v.* **1.** schodzić; zstępować; ~ **from a hill** schodzić ze wzgórza; ~ **the stairs** schodzić po schodach. **2.** opadać (*o stoku, ścieżce, samolocie*); *przen.* spadać, opadać, obniżać się (*w hierarchii, serii, szeregu*). **3.** *lit.* zapadać (*o nocy, ciemnościach*); osiadać (*o mgle, chmurach*). **4.** być przekazywanym *l.* dziedziczonym (*po przodkach*), przechodzić (*from sb to sb* z kogoś na kogoś) (*np. z ojca na syna*). **5.** *astron.* zachodzić (*o słońcu, księżycu*). **6.** ~ **from** *t. przen.* pochodzić od (*prostszego organizmu, wcześniejszej idei itp.*); **be ~ed from** wywodzić się z (*rodziny, rodu*), pochodzić od (*kogoś*); ~ **on/upon sb** napaść *l.* najechać na kogoś (*o wrogu*); *pot.* najść kogoś, zwalić się komuś na głowę (*o niezapowiedzianych gościach*); *przen.* nachodzić kogoś (*o myślach*), opanowywać kogoś (*np. o rozpaczy*); **silence ~ed on the room** w pokoju zapanowała cisza; ~ **to (doing) sth** zniżyć się do (robienia) czegoś.

descendable [dɪˈsendəbl], **descendible** *a. prawn.* możliwy do przeniesienia w drodze spadku.

descendant [dɪˈsendənt] *n.* **1.** potomek; *pl.* potomkowie, potomność; **direct** ~ potomek w linii prostej. **2.** *prawn.* zstępny, krewny w linii zstępnej, descendent. **3.** rzecz wywodząca się od innej. **4. D~** *astrol.* descendent.

descendent [dɪ'sendənt], **descendant** *a.* **1.** opadający, schodzący, zstępujący, obniżający się. **2. ~ from sb/sth** pochodzący od kogoś/czegoś.

descender [dɪ'sendər] *n. druk.* część czcionki pod linią (*np. w literze p, j, g*).

descendible [dɪ'sendəbl] *a.* **1.** *prawn.* = **descendable. 2.** umożliwiający zejście.

descending [dɪ'sendɪŋ] *a.* opadający; zstępujący; malejący; **in ~ order** w porządku malejącym.

descending colon *n. anat.* okrężnica zstępująca.

descending node *n. astron.* węzeł zstępujący.

descent [dɪ'sent] *n.* **1.** *C/U* opadanie; schodzenie, zstępowanie; *lotn.* opadanie, wytracanie wysokości; podchodzenie do lądowania. **2.** spadek, pochyłość (*schodów, terenu*); *przen.* spadek, obniżenie się (*np. poziomu*). **3.** *U* pochodzenie, rodowód; **she's Polish by ~** (*także* **she's of Polish ~**) jest z pochodzenia Polką. **4.** *sing.* najazd, najście (*on sb/sth* na kogoś/coś). **5.** *genealogia* pokolenie. **6.** *U prawn.* przechodzenie (*w drodze spadku*), dziedziczenie.

deschool [di:'sku:l] *v. form.* oddzielić od instytucji szkoły (*proces edukacji*); zabrać ze szkoły i uczyć w domu (*dziecko*).

descramble [di:'skræmbl] *v.* dekodować (*sygnał radiowy l. telefoniczny*).

descrambler [di:'skræmblər] *n.* dekoder.

describable [dɪ'skraɪbəbl] *a.* dający się opisać.

describe [dɪ'skraɪb] *v.* **1.** opisać; określić (*sb/sth as...* kogoś/coś jako...). **2.** *form. t. geom.* opisywać; kreślić; zataczać (*np. linię, łuk w powietrzu*). **3.** przedstawić (*obrazowo l. za pomocą modelu*).

description [dɪ'skrɪpʃən] *n.* **1.** *C/U* opis; **answer/fit a ~** odpowiadać opisowi; **beyond/past ~** nie do opisania; **boring beyond ~** nieopisanie nudny. **2.** rysopis. **3.** *U t. geom.* opisywanie. **4.** rodzaj, typ; **of every ~** (*także* **of all ~s**) wszelkiego rodzaju *l.* autoramentu, wszelkiej maści.

descriptive [dɪ'skrɪptɪv] *a.* **1.** opisowy. **2.** *fil.* oparty na faktach, rzeczywisty.

descriptive clause *n. gram.* zdanie przydawkowe opisujące.

descriptive geometry *n. U* geometria wykreślna.

descriptive grammar *n. U* gramatyka opisowa.

descriptive linguistics *n. U* językoznawstwo opisowe *l.* deskryptywne.

descriptively [dɪ'skrɪptɪvlɪ] *adv.* opisowo.

descriptiveness [dɪ'skrɪptɪvnəs] *n. U* opisowość.

descriptivism [dɪ'skrɪptɪˌvɪzəm] *n. U jęz., fil.* deskryptywizm.

descriptivist [dɪ'skrɪptɪvɪst] *n.* deskryptywista/ka. – *a.* opisowy, deskryptywny.

descriptor [dɪ'skrɪptər] *n.* słowo *l.* wyrażenie kluczowe; *komp.* deskryptor.

descry [dɪ'skraɪ] *v.* **-ied, -ying 1.** *lit.* dostrzec, wypatrzyć. **2.** *lit. l. żart.* odkryć, wykryć.

desecrate ['desəˌkreɪt] *v.* **1.** zbezcześcić, sprofanować. **2.** zeświecczyć.

desecration [ˌdesə'kreɪʃən] *n. U* **1.** zbezczeszczenie, profanacja. **2.** zeświecczenie.

desecrator ['desəˌkreɪtər], **desecrater** *n.* profanator/ka.

desegregate [di:'segrəˌgeɪt] *v.* desegregować, eliminować segregację rasową w (*szkołach, zakładach pracy*).

desegregation [di:ˌsegrə'geɪʃən] *n. U* desegregacja.

deselect [ˌdi:sə'lekt] *v.* **1.** *US* odrzucić w trakcie szkolenia (*stażystę, praktykanta*). **2.** *Br. polit.* odmówić nominacji na ponowne kandydowanie w wyborach (*zwł. urzędującemu posłowi*). **3.** *komp.* skasować wybór (*opcji, fragmentu tekstu*).

desensitization [di:ˌsensətə'zeɪʃən], *Br. i Austr. zw.* **desensitisation** *n. U med., fot.* odczulanie.

desensitize [di:'sensəˌtaɪz] *v.* **1.** *med.* odczulać. **2.** *przen.* znieczulać (*to sth* na coś) (*np. na przemoc*). **3.** *fot.* odczulać, zmniejszać czułość (*filmu*). **4.** *chem.* flegmatyzować (*materiał wybuchowy*).

desert[1] ['dezərt] *n.* **1.** *geogr. l. przen.* pustynia; **cultural ~** pustynia kulturalna; **in the ~** na pustyni; **the Sahara D~** Sahara. **2.** *arch.* jałowa *l.* nieurodzajna ziemia. – *a. attr.* pustynny.

desert[2] [dɪ'zɜ:t] *v.* **1.** *t. przen.* opuszczać, porzucać (*osobę l. miejsce*); **his courage ~ed him** opuściła go odwaga. **2.** *wojsk.* dezerterować; **~ (from) the army** zdezerterować z wojska.

desert boots *n. pl.* trzewiki (*zw. zamszowe, o miękkiej podeszwie*).

deserted [dɪ'zɜ:tɪd] *a.* opuszczony, porzucony.

deserter [dɪ'zɜ:tər] *n. wojsk. l. przen.* dezerter/ka.

desert fever ['dezərt ˌfi:vər] *n. U pat.* kokcydioidmikoza.

deserticolous [ˌdezər'tɪkələs] *a. biol.* pustynny.

desertification [dɪˌsɜ:təfə'keɪʃən] *n. U ekol.* pustynnienie.

desertion [dɪ'zɜ:ʃən] *n.* **1.** *U* opuszczenie; *t. prawn.* porzucenie. **2.** *C/U wojsk.* dezercja.

desert island *n.* bezludna wyspa.

desert locust *n. ent.* szarańcza pustynna (*Schistocerca gregaria*).

desert lynx *n. zool.* karakal, ryś perski (*Lynx caracal*).

desert rat *n.* **1.** *zool.* szczur pustynny (*Jaculus orientalis*). **2.** *pot. zach. US* człowiek żyjący na pustyni; *Br. hist.* szczur pustynny (= *żołnierz brytyjski walczący w Afryce Północnej w latach 1941-42*).

deserts [dɪ'zɜ:ts] *n. pl.* zasłużona nagroda *l.* kara; **get one's (just) ~** dostać to, na co się zasłużyło.

desert soil *n. U* gleba pustynna.

desert varnish *n. U* (*także* **desert polish**) *geol.* polewa pustynna, lakier pustynny.

deserve [dɪ'zɜ:v] *v.* zasługiwać na; być godnym (*czegoś*); **~ attention/consideration** być godnym uwagi/rozważenia; **~ better** zasługiwać na coś lepszego (= *na lepszy los l. lepsze traktowanie*); ~ **to win** zasługiwać na zwycięstwo, zasługiwać na to, żeby zwyciężyć; **get what one ~s** dostać to, na co się zasłużyło *l.* co się komuś należało; **she ~s our thanks** należą się jej nasze podziękowania.

deserved [dɪˈzɜːvd] *a.* zasłużony; sprawiedliwy; słuszny.

deservedly [dɪˈzɜːvɪdlɪ] *adv.* zasłużenie; sprawiedliwie; słusznie.

deserving [dɪˈzɜːvɪŋ] *a.* **1.** zasłużony (*o osobie*); chwalebny, godny poparcia (*o czynie, idei*). **2. be ~ of sth** *form.* zasługiwać na coś. **3. the ~ poor** ludzie biedni nie z własnej winy (*pracowici, szlachetni itp.*).

desexualize [diːˈsekʃuəˌlaɪz], *Br. i Austr. zw.* **desexualise** *v.* **1.** (*także* **desex**) kastrować. **2.** pozbawiać seksapilu.

déshabillé [ˌdezəˈbiːeɪ] *n. Br.* = **dishabille**.

desiccant [ˈdesəkənt] *a. t. med.* wysuszający. – *n. t. med.* środek wysuszający *l.* osuszający; *roln.* desykant.

desiccate [ˈdesəˌkeɪt] *form. v.* **1.** wysuszać. **2.** suszyć, zasuszać (*zwł. produkty żywnościowe*). **3.** wysychać.

desiccated [ˈdesəˌkeɪtɪd] *a.* **1.** wysuszony; suszony. **2.** *przen.* zasuszony (= *przestarzały*).

desiccated coconut *n. U* wiórki kokosowe.

desiccation [ˌdesəˈkeɪʃən] *n. U* wysuszanie, osuszanie; *roln., med.* desykacja.

desiccative [ˈdesəkətɪv] *a.* wysuszający.

desiccator [ˈdesəˌkeɪtər] *n.* **1.** osuszacz (*zwł. do żywności*). **2.** *chem.* eksykator.

desiderata [dɪˌsɪdəˈreɪtə] *n. pl. zob.* **desideratum**.

desiderate [dɪˈsɪdəˌreɪt] *v. arch.* odczuwać brak, pragnąć (*czegoś*).

desiderative [dɪˈsɪdəˌreɪtɪv] *a.* **1.** *form.* wyrażający pragnienie. **2.** *gram.* wyrażający życzenie (*o czasowniku*). – *n. gram.* czasownik wyrażający życzenie.

desideratum [dɪˌsɪdəˈreɪtəm] *n. pl.* **-a** *form.* dezyderat.

design [dɪˈzaɪn] *v. często pass.* **1.** projektować; **~ed for...** zaprojektowany z myślą o...; **well/badly ~ed** dobrze/źle zaprojektowany. **2.** obmyślać, planować; **~ed as...** pomyślany jako...; **~ed to do sth** mający w zamierzeniu robić coś. **3.** przygotowywać, układać (*np. test*). **4.** przeznaczać (*sth for sb / sth* coś dla kogoś/na coś). – *n.* **1.** projekt, plan (*for sth* czegoś). **2.** wzór, deseń. **3.** kompozycja; konstrukcja. **4.** *U* projektowanie. **5.** zamiar, zamierzenie, zamysł (*t. artystyczny l. literacki*). **6.** cel, dążenie. **7.** *pl. pot.* zakusy, (niecne) zamiary; **have ~s on/upon sb** mieć zamiary wobec *l.* względem kogoś; **have ~s on/upon sth** robić zakusy na coś; mieć chętkę *l.* chrapkę na coś. **8. by ~** celowo, z rozmysłem. **9. argument from ~** *fil.* teleologiczny dowód na istnienie Boga.

designate *v.* [ˈdezɪgˌneɪt] **1.** desygnować, mianować, wyznaczyć (*sb to do sth* kogoś do zrobienia czegoś); **~ sb to be/as one's successor** mianować kogoś swoim następcą. **2.** oficjalnie przeznaczyć *l.* wyznaczyć (*sth for / as sth* coś na coś) (*zwł. pomieszczenie na jakiś cel*). **3.** oznaczać, zaznaczać (*np. na mapie, planie*). **4.** określać. **5.** *form.* mianować, nazywać, tytułować. – *a.* [ˈdezɪgnət] *tylko po n. form.* desygnowany, wyznaczony; **ambassador/minister ~** desygnowany ambasador/minister.

designated [ˈdezɪgˌneɪtɪd] *a. t. log.* desygnowany.

designated driver *n. US pot.* osoba nie pijąca alkoholu, żeby móc po imprezie odwieźć innych do domu.

designation [ˌdezɪgˈneɪʃən] *n.* **1.** *U* desygnacja, mianowanie, wyznaczenie (*na urząd*). **2.** oznaczenie (*np. na mapie*). **3.** określenie. **4.** *form.* tytuł (= *sposób zwracania się do kogoś*).

designedly [dɪˈzaɪnɪdlɪ] *adv. form.* celowo, umyślnie, z rozmysłem.

designer [dɪˈzaɪnər] *n.* **1.** projektant/ka, designer; **fashion ~** projektant/ka mody. **2.** *techn.* konstruktor/ka. **3.** projektodaw-ca/czyni, pomysłodaw-ca/czyni, autor/ka. **4.** *uj.* intrygant/ka. – *a. attr.* **1.** (pochodzący) od znanego projektanta (*o strojach, meblach, okularach słonecznych*). **2.** *pot.* zmodyfikowany genetycznie (*np. o wirusie*); zaprojektowany do walki z konkretną chorobą, bakterią itp. (*np. o leku, środku owadobójczym*).

designer drug *n.* narkotyk syntetyczny (*zmodyfikowany tak, że posiadanie go jest legalne, mimo iż działa równie silnie jak twarde narkotyki*).

designer gene *n.* gen wprowadzony do organizmu w celu kontrolowania obecności określonej cechy.

designer label *n.* **1.** metka znanego projektanta mody. **2.** *pl.* (*także* **clothes**) stroje od znanego projektanta.

designer stubble *n. pot.* zarost mający sprawiać wrażenie, że właściciel się ostatnio nie golił (*a w rzeczywistości starannie pielęgnowany*).

designing [dɪˈzaɪnɪŋ] *a. uj.* chytry, sprytny. – *n. U* projektowanie, projektanctwo.

desilver [diːˈsɪlvər], **desilverize** [diːˈsɪlvəraɪz], *Br. i Austr. zw.* **desilverise** *v. metal.* odsrebrzać (*zwł. ołów*).

desinence [ˈdesənəns] *n. gram.* końcówka fleksyjna.

desirability [dɪˌzaɪrəˈbɪlətɪ] *n. U* potrzeba (*of sth* czegoś) (*np. reform, zmian*).

desirable [dɪˈzaɪrəbl] *a.* **1.** pożądany, wskazany; zalecany; **highly ~** wysoce pożądany; **it is ~ that...** wskazane jest, by... **2.** atrakcyjny (*seksualnie*), budzący pożądanie. – *n.* przedmiot pożądania (*rzecz l. osoba*).

desirably [dɪˈzaɪrəblɪ] *adv.* w sposób pożądany; **~ situated** położony w dobrym miejscu *l.* w modnej okolicy (*np. o domu*).

desire [dɪˈzaɪr] *v.* **1.** *form.* pragnąć (*czegoś*); **~ to do sth** pragnąć coś zrobić; **~ sb to do sth** pragnąć, by ktoś coś zrobił. **2.** pożądać, pragnąć (*kogoś*). **3.** życzyć sobie (*czegoś*), prosić o; **leave much to be ~d** pozostawiać wiele do życzenia. – *n.* **1.** pragnienie; chęć, ochota; życzenie; **have no**

~ **to do sth** nie mieć ochoty czegoś robić; **show/express a ~ to do sth** okazać chęć/wyrazić życzenie zrobienia czegoś; **sb's heart's ~** czyjeś największe pragnienie. **2.** *U* pożądanie, żądza; *C* przedmiot pożądania; **satisfy one's ~** zaspokoić pożądanie.

desired [dɪ'zaɪrd] *a.* **1.** pożądany; upragniony. **2.** właściwy.

desirous [dɪ'zaɪrəs] *a. form.* pragnący, żądny; **be ~ of sth** życzyć sobie *l.* pragnąć czegoś.

desist [dɪ'zɪst] *v.* **~ from sth** *form.* zaprzestać *l.* zaniechać czegoś; odstąpić od czegoś.

desistance [dɪ'zɪstəns], **desistence** *n. U* zaprzestanie, zaniechanie.

desk [desk] *n.* **1.** biurko; *szkoln.* ławka. **2.** *t. muz.* pulpit. **3.** *zwł. dzienn. i telew.* wydział, dział; **foreign/sports ~** dział zagraniczny/sportowy. **4.** lada, kontuar; *zwł. Br.* kasa (*w sklepie, restauracji*); **information ~** punkt informacyjny, informacja (*np. na lotnisku*); (*także* **reception ~**) recepcja (*w hotelu*).

deskbound ['desk͵baʊnd], **desk-bound** *a.* **1.** siedzący (*o trybie pracy*). **2.** niezaznajomiony z zagadnieniami wykraczającymi poza własne obowiązki (*zwł. o pracowniku na kierowniczym stanowisku*). **3.** *wojsk.* nie biorący udziału w walce, siedzący za biurkiem.

desk calendar *n.* kalendarz na biurko.

desk clerk *n. US i Can.* recepcjonist-a/ka (*w hotelu*).

desk copier *n.* kserokopiarka podręczna (*mieszcząca się na blacie biurka*).

desk dictionary *n.* słownik podręczny.

deskill [diː'skɪl] *v.* **1.** zautomatyzować, skomputeryzować (*pracę*). **2.** przesunąć do prostej pracy (*wykwalifikowanego pracownika*).

desk job *n.* praca biurowa.

desk jobber *n. US handl.* agent komisowy.

desk pad *n.* podkładka na biurko.

desk-size ['desk͵saɪz], **desk-sized** *a.* mieszczący się na biurku.

desktop ['desk͵tɑːp] *n.* blat biurka. – *a. attr.* mieszczący się na biurku.

desktop computer *n.* komputer stacjonarny, desktop.

desktop publishing *n. U komp.* mała poligrafia, wydawnictwo podręczne.

desk work *n. U czas. pog.* praca biurowa.

desman ['desmən] *n. pl.* **-s** *zool.* wychuchol, chuchol, desman (*rodzina Talpidae*); **Pyrenean ~** desman pirenejski (*Galemys pyrenaicus*); **Russian ~** wychuchol ukraiński *l.* piżmowy (*Desmana moschata*).

desmid ['desmɪd] *n. bot.* desmidia (*glon z rodziny Desmidiaceae*).

desmitis [des'maɪtɪs] *n. U pat.* zapalenie więzadła.

desmoid ['desmɔɪd] *a. anat., zool.* włóknisty. – *n. pat.* włókniec, guz z fibroplastów.

desmosome ['deɪzmə͵soʊm] *n. biol.* desmosom.

desolate *a.* ['desələt] **1.** opuszczony, wyludniony; odludny, nieprzyjazny; spustoszony, zdewastowany (*o miejscu, krajobrazie*). **2.** niepocieszony, zrozpaczony; opuszczony, osamotniony (*o osobie*). **3.** posępny, ponury. – *v.* ['desəleɪt] *zw. pass. lit.* **1.** spustoszyć, zdewastować; spowodować wyludnienie (*miejsca*). **2.** unieszczęśliwić, pogrążyć w żalu. **3.** opuścić.

desolately ['desələtlɪ] *adv.* **1.** w osamotnieniu. **2.** ze smutkiem. **3.** posępnie.

desolation [͵desə'leɪʃən] *n. U* **1.** spustoszenie, dewastacja, ruina. **2.** pustka, pustkowie. **3.** opuszczenie, osamotnienie. **4.** rozpacz.

desorb [diː'sɔːrb] *v. chem.* odpędzać.

despair [dɪ'sper] *n.* **1.** *U* rozpacz; **be in ~** być zrozpaczonym (*over / about sth* z powodu czegoś); **drive sb to ~** doprowadzać kogoś do rozpaczy; **give way to ~** wpadać w rozpacz; **the depths of ~** czarna rozpacz. **2. the ~ of sb** źródło *l.* powód czyjejś rozpaczy (*zw. osoba*). – *v.* **1.** rozpaczać. **2. ~ of sth** stracić nadzieję na coś, zwątpić w coś.

despairing [dɪ'sperɪŋ] *a.* **1.** zrozpaczony. **2.** rozpaczliwy.

despairingly [dɪ'sperɪŋlɪ] *adv.* **1.** z rozpaczą. **2.** rozpaczliwie.

despatch [dɪ'spætʃ] *v. i n.* = **dispatch**.

desperado [͵despə'rɑːdoʊ] *n. pl.* **-s** *l.* **-es** desperat/ka, straceniec (*zw. = przestępca nie mający nic do stracenia*).

desperate ['despərət] *a.* **1.** zdesperowany (*o osobie*). **2.** rozpaczliwy, beznadziejny. **3.** desperacki, podyktowany rozpaczą (*o czynie, próbie, walce*). **4.** *pred.* **be ~ for sth** rozpaczliwie potrzebować czegoś; **be ~ to do sth** rozpaczliwie pragnąć coś zrobić. **5.** okropny (*np. o guście*). – *n. przest.* desperat/ka.

desperately ['despərətlɪ] *adv.* **1.** z desperacją, desperacko. **2.** strasznie (= *bardzo*).

desperation [͵despə'reɪʃən] *n. U* **1.** desperacja; **in (sheer) ~** w desperacji. **2.** rozpacz; beznadzieja.

despicable [dɪ'spɪkəbl] *a.* nikczemny, podły.

despicably [dɪ'spɪkəblɪ] *a.* nikczemnie, podle.

despise [dɪ'spaɪz] *v.* gardzić, pogardzać (*kimś l. czymś*).

despite [dɪ'spaɪt] *prep.* **1.** mimo, pomimo (*czegoś*); **~ the fact that...** pomimo tego, że... **2. ~ o.s.** wbrew (samemu) sobie; chcąc nie chcąc. – *n.* **1.** *arch.* obraza, obelga. **2. in ~ of** *arch.* = **in spite of**; *zob.* **spite** *n.* – *v. arch.* = **spite** *v.*

despiteful [dɪ'spaɪtfʊl], **despiteous** [dɪ'spɪtɪəs] *a. arch.* = **spiteful**.

despoil [dɪ'spɔɪl] *form. v.* ograbić, ogołocić z wszystkiego (*miejsce, krajobraz*); splądrować, obrabować, sprofanować (*grób, grobowiec*).

despoiler [dɪ'spɔɪlər] *n.* łupieżca, grabieżca.

despoilment [dɪ'spɔɪlmənt], **despoliation** [dɪ͵spɔɪl'teɪʃən] *n. U* ograbienie, ogołocenie.

despond [dɪ'spɑːnd] *v. arch. l. lit.* upadać na duchu. – *n. arch.* = **despondency**.

despondency [dɪ'spɑːndənsɪ], **despondence** [dɪ'spɑːndəns] *n. U* przygnębienie, zwątpienie.

despondent [dɪ'spɑːndənt] *a.* przygnębiony, przybity.

despondently [dɪ'spɑːndəntlɪ] *adv.* w przygnębieniu *l.* zwątpieniu, bez jakiejkolwiek nadziei.

despot [ˈdespət] *n.* despot-a/ka, tyran.

despotic [dɪˈspɑːtɪk], **despotical** *a.* despotyczny.

despotically [dɪˈspɑːtɪklɪ] *adv.* despotycznie.

despotism [ˈdespəˌtɪzəm] *n. U* despotyzm.

despumate [dɪˈspjuːmeɪt] *v.* **1.** *techn.* zdejmować pianę z (*powierzchni płynu*). **2.** *chem.* pienić się, wytwarzać pianę (*o płynie*).

desquamate [ˈdeskwəˌmeɪt] *v.* **1.** *fizj., pat.* łuszczyć się, złuszczać się (*o naskórku, skórze*). **2.** *med.* złuszczać (*wierzchnie warstwy skóry, zwł. w leczeniu trądziku*).

desquamation [ˌdeskwəˈmeɪʃən] *n.* łuszczenie (się), złuszczanie (się).

dessert [dɪˈzɜːt] *n. C / U* deser; **for ~** na deser.

dessert fork *n.* widelczyk deserowy.

dessert knife *n.* nóż do owoców.

dessertspoon [dɪˈzɜːtˌspuːn] *n. zwł. Br.* łyżeczka deserowa.

dessert wine *n. C / U* wino deserowe.

destabilization [diːˌsteɪbələˈzeɪʃən], *Br. i Austr. zw.* **destabilisation** *n. U* destabilizacja.

destabilize [diːˈsteɪbəˌlaɪz] *v.* destabilizować.

destination [ˌdestəˈneɪʃən] *n.* **1.** cel podróży; **arrive at one's ~** dotrzeć do celu *l.* na miejsce; **popular tourist ~** popularne miejsce wyjazdów *l.* wycieczek turystycznych. **2.** *zwł. handl.* miejsce przeznaczenia. **3.** adres docelowy; adresat/ka; **reach its (final/ultimate) ~** dotrzeć do adresata (*o liście, przesyłce*). **4.** przeznaczenie (= *cel*).

destine [ˈdestɪn] *v. form.* przeznaczać.

destined [ˈdestɪnd] *a. pred.* **1.** przeznaczony (*for sth* do czegoś *l.* na coś) (*np. o pieniądzach, środkach*); **he was ~ for a brilliant career** olśniewająca kariera była jego przeznaczeniem; **she was ~ to do it** było jej pisane *l.* przeznaczone, że to zrobi. **2.** **~ for New York** (jadący *l.* lecący) do Nowego Jorku (*o środku lokomocji*); udający się *l.* podróżujący do Nowego Jorku (*o pasażerach*).

destiny [ˈdestənɪ] *n. pl.* **-ies** **1.** *U l. sing.* przeznaczenie; los. **2.** **the Destinies** *mit.* Parki, Mojry.

destitute [ˈdestɪˌtuːt] *a.* **1.** pozbawiony środków do życia, żyjący w skrajnej nędzy. **2.** **~ of sth** *form.* pozbawiony czegoś. – *n. pl.* **the ~** osoby pozbawione środków do życia.

destitution [ˌdestɪˈtuːʃən] *n. U* **1.** skrajna nędza, brak środków do życia. **2.** *rzad.* brak.

destrier [ˈdestrɪər] *n. arch.* rumak, koń bojowy.

destroy [dɪˈstrɔɪ] *v.* **1.** *t. przen.* zniszczyć, zrujnować (*t. kogoś*); zniweczyć, zburzyć (*t. ład, spokój*). **2.** uśmiercić, zgładzić; *euf.* uśpić (*zwierzę*). **3.** pokonać. **4.** siać zniszczenie.

destroyable [dɪˈstrɔɪəbl] *a.* zniszczalny.

destroyer [dɪˈstrɔɪər] *n.* **1.** niszczyciel/ka; burzyciel/ka. **2.** *żegl., wojsk.* niszczyciel.

destroying angel [dɪˌstrɔɪɪŋ ˈeɪndʒl] *n. biol.* muchomor jadowity (*Amanita virosa*).

destruct [dɪˈstrʌkt] *gł. wojsk. v.* **1.** zniszczyć (*własną rakietę l. pocisk po wystrzeleniu*). **2.** ulec zniszczeniu *l.* samozniszczeniu (*o rakiecie, pocisku jw.*). – *n. U* zniszczenie (*rakiety, pocisku*); **automatic ~** samozniszczenie. – *a. attr.* niszczący (*o mechanizmie*).

destructible [dɪˈstrʌktəbl] *a.* zniszczalny.

destruction [dɪˈstrʌkʃən] *n. U przen.* zniszczenie, destrukcja; ruina; rozpad, rozkład; zagłada; zguba; **be sb's ~** *form.* zniszczyć *l.* zgubić kogoś (*np. o nałogu*); **weapons of mass ~** broń masowej zagłady.

destructionist [dɪˈstrʌkʃənɪst] *n.* wyznawca/czyni idei rozpadu instytucji społecznych itp.

destructive [dɪˈstrʌktɪv] *a.* **1.** niszczący (*of / to sth* coś); niszczycielski. **2.** destruktywny, destrukcyjny.

destructive distillation *n. U chem.* destylacja rozkładowa.

destructively [dɪˈstrʌktɪvlɪ] *adv.* **1.** niszcząco. **2.** destruktywnie, destrukcyjnie.

destructiveness [dɪˈstrʌktɪvnəs] *n. U* destruktywność, destrukcyjność.

destructor [dɪˈstrʌktər] *n.* **1.** *gł. Br.* piec do spalania odpadów. **2.** *wojsk.* likwidator, mechanizm samoniszczący.

desuetude [ˈdeswɪˌtuːd] *n. form.* wyjście z użycia; **fall into ~** wyjść z użycia.

desulphurize [diːˈsʌlfəˌraɪz], *Br. i Austr. zw.* **desulphurise** *US t.* **desulfurize** *v. chem.* odsiarczać.

desultorily [ˈdesəlˌtɔːrɪlɪ] *adv. form.* **1.** bez entuzjazmu. **2.** bez związku.

desultory [ˈdeslˌtɔːrɪ] *a. form.* **1.** pozbawiony entuzjazmu, zdawkowy; przeskakujący z tematu na temat, rozkojarzony; bezładny, chaotyczny. **2.** bez związku, przypadkowy.

det. *abbr.* **1.** = **detach**; = **detachment**. **2.** = **detail**. **3.** = **determine**.

detach [dɪˈtætʃ] *v.* **1.** odczepiać, odłączać (*from sth* od czegoś); zdejmować; odpinać (*np. kaptur, kołnierz od płaszcza*); odrywać (*np. część formularza*). **2.** **~ o.s.** odizolować *l.* odseparować się (*from sb* od kogoś); *form.* oderwać się (*from sth* od czegoś). **3.** *wojsk.* odkomenderować.

detachable [dɪˈtætʃəbl] *a.* odczepiany, zdejmowany.

detached [dɪˈtætʃt] *a.* **1.** oddzielony, odczepiony; osobny; luzem. **2.** *Br. bud.* wolno stojący (*o domu, garażu*); **semi-~ house** bliźniak (*dom*). **3.** bezstronny, obiektywny. **4.** obojętny. **5.** *Br.* dochodzący (*o pracowniku opieki społecznej zajmującym się podopiecznymi w ich własnych domach*).

detachedly [dɪˈtætʃɪdlɪ] *adv.* **1.** osobno. **2.** bezstronnie. **3.** obojętnie.

detachment [dɪˈtætʃmənt] *n. U* **1.** bezstronność, obiektywność. **2.** obojętność, dystans. **3.** odczepienie, odłączenie. **4.** *C wojsk.* oddział (specjalny).

detail [ˈdiːteɪl] *n.* **1.** *C / U* szczegół, detal; **attention to ~** dbałość o szczegóły; **disclose/divulge the ~s (of sth)** zdradzić szczegóły (czegoś); **full/further ~s** wszystkie/dalsze szczegóły; **go into ~(s)** wdawać się w szczegóły; **have an eye for ~** zauważać najdrobniejsze szczegóły; **in (great) ~** (bardzo) szczegółowo, ze (wszystkimi) szczegółami. **2.** drobnostka, drobiazg. **3.** *bud.* detal. **4.** wyszczególnienie. **5.** *wojsk.* grupa odkomenderowana do określonego zadania; zadanie. –

v. **1.** wyszczególniać. **2.** *wojsk.* odkomenderować (*sb to (do) sth* kogoś do (zrobienia) czegoś). **3.** dekorować, ozdabiać (*detalami*).

detail drawing *n. techn.* rysunek części (*urządzenia*).

detailed [ˈdiːteɪld] *a.* szczegółowy, drobiazgowy.

detailing [ˈdiːteɪlɪŋ] *n. U* ozdoby, ozdobne dodatki (*np. na garderobie, w samochodzie*).

detain [dɪˈteɪn] *v.* zatrzymać (*t. = aresztować*); **~ed in custody** zatrzymany w areszcie; **forcibly ~ed** zatrzymany siłą.

detainee [ˌdiːteɪˈniː] *n.* zatrzyman-y/a, aresztowan-y/a.

detainer [dɪˈteɪnər] *n. U prawn.* **1.** zatrzymanie; (*także* **writ of ~**) nakaz zatrzymania. **2.** bezprawne zatrzymanie cudzego mienia.

detainment [dɪˈteɪnmənt] *n. U* zatrzymanie.

detect [dɪˈtekt] *v.* **1.** wykryć; odkryć; wyczuć. **2.** *el., radio* dostroić; demodulować.

detectable [dɪˈtektəbl], **detectible** *a.* wykrywalny; wyczuwalny.

detection [dɪˈtekʃən] *n. U* **1.** wykrywanie; wykrycie, wyśledzenie; **crime ~** wykrywalność przestępstw; **escape ~** pozostać na wolności (*o przestępcy*); nie zostać wykrytym (*np. o błędzie*). **2.** *el.* dostrojenie; demodulacja.

detective [dɪˈtektɪv] *n.* detektyw, wywiadowca; **private ~** prywatny detektyw. – *a. attr.* **1.** detektywistyczny, kryminalny, sensacyjny; **~ story/novel** kryminał. **2.** wykrywający, służący do wykrywania. **3.** wywiadowczy, śledczy.

detector [dɪˈtektər] *n.* **1.** wykrywacz, detektor; **lie/smoke/mine ~** wykrywacz kłamstw/dymu/min. **2.** *el.* detektor.

detent [dɪˈtent] *n. mech.* **1.** zapadka; zaczep. **2.** kotwica wychwytu chronometrowego.

détente [deɪˈtɑːnt], **detente** *n. U polit.* odprężenie, détente.

detention [dɪˈtenʃən] *n.* **1.** *U* zatrzymanie, aresztowanie; areszt; **in ~** w areszcie. **2.** *C/U szkoln.* kara zatrzymania po lekcjach; **be (kept) in ~** zostać po lekcjach; **he's had three ~s this month** trzy razy w tym miesiącu musiał zostać w szkole po lekcjach.

detention camp *n.* obóz dla internowanych.

detention center, *Br. i Austr.* **detention centre** *n.* **1.** (*także US* **detention home**) dom poprawczy. **2.** *US* ośrodek, w którym czasowo przetrzymuje się cudzoziemców nielegalnie przebywających w kraju.

deter [dɪˈtɝː] *v.* **-rr- 1. ~ sb (from doing sth)** odstraszać kogoś (od robienia czegoś); powstrzymywać kogoś (przed czymś). **2.** zapobiegać (*czemuś*), powstrzymywać (*coś*).

deterge [dɪˈtɝːdʒ] *v. t. med.* oczyszczać (*np. ranę*).

detergency [dɪˈtɝːdʒənsɪ], **detergence** [dɪˈtɝːdʒəns] *n. U* właściwości czyszczące.

detergent [dɪˈtɝːdʒənt] *n.* detergent; środek czyszczący; środek piorący. – *a.* (*także* **detersive**) czyszczący.

deteriorate [dɪˈtiːrɪəˌreɪt] *v.* **1.** pogarszać się (*np. o sytuacji, jakości, stanie zdrowia*). **2.** podupadać się; podupadać. **3. ~ into sth** przeradzać się w coś.

deterioration [dɪˌtiːrɪəˈreɪʃən] *n. U* **1.** pogarszanie się; pogorszenie. **2.** upadek.

determent [dɪˈtɝːmənt] *n. U form.* odstraszanie.

determinable [dɪˈtɝːmənəbl] *a.* **1.** dający się określić, możliwy do określenia. **2.** *prawn.* wypowiadalny, rozwiązywalny (*o kontrakcie, umowie*).

determinacy [dɪˈtɝːmənəsɪ] *n. U form.* określoność.

determinant [dɪˈtɝːmənənt] *form. n.* **1.** determinant, determinanta. **2.** *mat.* wyznacznik, determinant. **3.** (*także* **antigenic ~**) *med.* determinant antygenowy. – *a.* **~ (of sth)** determinujący *l.* warunkujący (coś), decydujący (o czymś).

determinate [dɪˈtɝːmɪnət] *a. form.* **1.** określony; ustalony. **2.** ostateczny. **3.** zdeterminowany; przewidywalny. **4.** *bot.* groniasty (*o kwiatostanie*).

determination [dɪˌtɝːməˈneɪʃən] *n.* **1.** *U* determinacja, zdecydowanie. **2.** *C/U* określenie, ustalenie (*np. przyczyny, polityki na przyszłość*). **3.** postanowienie, rozstrzygnięcie; *prawn.* orzeczenie. **4.** *zwł. prawn.* rozwiązanie; wygaśnięcie, utrata mocy wskutek przedawnienia.

determinative [dɪˈtɝːməˌneɪtɪv] *a.* określający. – *n.* **1.** determinant, determinanta. **2.** *gram.* = **determiner**.

determine [dɪˈtɝːmɪn] *v.* **1.** ustalać, określać. **2.** *t. geom.* wyznaczać. **3.** determinować. **4.** rozstrzygnąć (*spór, kwestię*). **5. ~ to do sth** *form.* postanowić coś zrobić. **6.** wykazywać; **~ that ...** wykazać, że... **7.** *prawn.* wypowiadać, rozwiązywać (*umowę*).

determined [dɪˈtɝːmɪnd] *a.* **1.** zdeterminowany, zdecydowany; **~ to do sth** zdecydowany coś zrobić. **2.** stanowczy (*o postanowieniu, sprzeciwie*). **3.** określony, ustalony.

determinedly [dɪˈtɝːmɪnɪdlɪ] *adv.* z determinacją.

determiner [dɪˈtɝːmənər] *n. gram.* określnik.

determinism [dɪˈtɝːməˌnɪzəm] *zwł. fil. n. U* determinizm.

determinist [dɪˈtɝːmənɪst] *n.* determinist-a/ka.

deterministic [dɪˌtɝːməˈnɪstɪk] *a.* deterministyczny.

deterrence [dɪˈtɝːəns] *n. U* odstraszanie, działanie odstraszające.

deterrent [dɪˈtɝːənt] *n.* **1.** czynnik odstraszający; straszak; **act/serve as a ~** działać odstraszająco; **be a ~ to sb** odstraszać kogoś (*np. potencjalnych złodziei*). **2.** *wojsk.* środki odstraszania (*zwł. = broń jądrowa*). – *a. attr.* odstraszający (*o funkcji, efekcie*).

detersive [dɪˈtɝːsɪv] *a.* = **detergent**.

detest [dɪˈtest] *v.* nie cierpieć, nienawidzić (*kogoś l. czegoś*).

detestable [dɪˈtestəbl] *a. form.* wstrętny, obrzydliwy, obmierzły.

detestably [dɪˈtestəblɪ] *adv. form.* wstrętnie, obrzydliwie.

detestation [ˌdi:te'steɪʃən] *n. form.* **1.** *U* wstręt, obrzydzenie. **2.** przedmiot wstrętu.

dethrone [di:'θroʊn] *t. przen. v.* zdetronizować.

dethronement [di:'θroʊnmənt] *n. U* detronizacja.

detinue [ˌdetə'nu:] *n. prawn.* roszczenie o odzyskanie rzeczy bezprawnie zatrzymanej.

detonate ['detəˌneɪt] *v.* **1.** wybuchać, eksplodować. **2.** detonować.

detonation [ˌdetə'neɪʃən] *n.* **1.** wybuch, eksplozja. **2.** *U* detonowanie. **3.** *U fiz., mot.* detonacja.

detonative ['detəˌneɪtɪv] *a.* wybuchowy.

detonator ['detəˌneɪtər] *n.* **1.** detonator. **2.** substancja wybuchowa.

detour ['di:tʊr] *n.* objazd; *t. przen.* okrężna droga; **make a ~** (*także US* **take a ~**) zboczyć z trasy, pojechać okrężną drogą. – *v.* **1.** *zwł. US* robić objazd, jechać okrężną drogą. **2.** skierować objazdem.

detox ['di:tɑ:ks] *pot. n.* = **detoxification**. – *v.* = **detoxify**.

detoxification [dɪˌtɑ:ksəfə'keɪʃən], **detoxication** [dɪˌtɑ:ksə'keɪʃən] *n. U* odtruwanie, detoksykacja.

detoxification center, *Br. i Austr.* **detoxification centre** ['sentər] *n.* **1.** oddział odwykowy. **2.** izba wytrzeźwień.

detoxify [di:'tɑ:ksəfaɪ] *med. v.* **-ied, -ying 1.** odtruwać (*zwł. od alkoholu l. narkotyków*). **2.** przechodzić kurację odtruwającą.

detract [dɪ'trækt] *v.* **1.** **~ from sth** umniejszać *l.* pomniejszać coś (*np. czyjeś osiągnięcia*); zakłócać coś (*np. przyjemność*); szkodzić czemuś (*np. czyjejś reputacji, piękności*). **2.** **~ attention from sth** odwracać uwagę od czegoś.

detraction [dɪ'trækʃən] *n. U* umniejszanie, pomniejszanie.

detractive [dɪ'træktɪv] *a.* krytykujący, krytyczny (*zwł. niesprawiedliwie*).

detractively [dɪ'træktɪvlɪ] *a.* krytycznie (*jw.*).

detractor [dɪ'træktər] *n.* krytyk (*zwł. niesprawiedliwy*).

detrain [di:'treɪn] *v. form.* wysiadać z pociągu; wysadzać z pociągu.

detribalize [di:'traɪbəˌlaɪz], *Br.* **detribalise** *v.* **1.** zatracać plemienne tradycje, kulturę itp. (*zwł. pod wpływem innej kultury*). **2.** powodować przyjęcie miejskiego trybu życia przez (*ludy plemienne*).

detriment ['detrəmənt] *n. U form.* szkoda, uszczerbek; **to the ~ of sb/sth** ze szkodą dla kogoś/czegoś; **without ~ to sb/sth** bez szkody *l.* uszczerbku dla kogoś/czegoś.

detrimental [ˌdetrə'mentl] *a.* szkodliwy, zgubny (*to sth* dla czegoś) (*np. dla zdrowia*).

detrimentally [ˌdetrə'mentlɪ] *adv.* szkodliwie.

detrital [dɪ'traɪtl] *a. geol.* rumowiskowy.

detrition [dɪ'trɪʃən] *n. U* ścieranie.

detritivore [dɪ'trɪtəˌvɔ:r], **detritovore** *n. ekol.* detrytofag (= *organizm żywiący się szczątkami organicznymi*).

detritus [dɪ'traɪtəs] *n. U* **1.** *geol.* materiał rozdrobniony. **2.** *biol.* detrytus. **3.** gruz, szczątki.

de trop [də 'troʊ] *a. pred. form. l. żart.* niepożądany, niepotrzebny; zawadzający.

detrude [dɪ'tru:d] *v. form.* odepchnąć; zepchnąć.

detruncate [dɪ'trʌŋkeɪt] *v. rzad.* = **truncate**.

detumescence [ˌdi:tu:'mesəns] *n. U fizj.* ustąpienie wzwodu; *med.* ustąpienie obrzęku.

deuce[1] [du:s] *n. U* **1.** *karty, kości* dwójka. **2.** *tenis* równowaga; **~ court** prawy kort serwisowy po stronie odbierającego (*przy równowadze*). **3.** *US sl.* dwójka (= *dwa dolary*).

deuce[2] *n. U przest. sl.* diabeł, licho; **what/where the ~** co/gdzie u licha *l.* diaska.

deuced ['du:st] *zwł. Br. przest. sl. a. attr.* cholerny, diabelny, piekielny. – *adv.* (*także* **~ly**) cholernie, diabelnie, piekielnie.

deus ex machina [ˌdeʊs eks 'mækɪnə] *n. teatr antyczny l. przen.* deus ex machina.

deuteragonist [ˌdu:tə'rægənɪst] *n. teatr antyczny* deuteragonista.

deuteranopia [ˌdu:tərə'noʊpɪə] *n. U pat.* ślepota na barwę zieloną.

deuterate ['du:təˌreɪt] *v. chem.* dodawać deuter do (*związku chemicznego*).

deuteride ['du:təˌraɪd] *n. chem.* deuterek.

deuterium [du:'ti:rɪəm] *n. chem.* deuter, ciężki wodór; **~ oxide** tlenek deuteru, ciężka woda.

deuterocanonical [ˌdu:tərəkə'nɑ:nɪkl] *a. Bibl.* deuterokanoniczny; **~ books** księgi deuterokanoniczne.

deuterogamy [ˌdu:tə'rɑ:gəmɪ] *n. prawn. l. form.* powtórne małżeństwo.

deuteron ['du:təˌrɑ:n] *n. fiz.* deuteron.

Deuteronomy [ˌdu:tə'rɑ:nəmɪ] *n. Bibl.* Deuteronomium, Księga Powtórzonego Prawa, Piąta Księga Mojżeszowa.

Deutschmark ['dɔɪtʃˌmɑ:rk] *n.* marka niemiecka.

deutzia ['du:tsɪə] *n. pl.* **-s** *l.* **deutzia** *bot.* żylistek (*Deutzia*).

dev. *abbr.* **1.** = **development**. **2.** = **deviation**.

devaluate [di:'vælju:ˌeɪt] *v.* = **devalue**.

devaluation [di:ˌvælju:'eɪʃən] *n. C/U ekon. l. przen.* dewaluacja.

devalue [di:'vælju:] *v. ekon. l. przen.* dewaluować (się).

Devanagari [ˌdeɪvə'nɑ:gərɪ] *n. U jęz.* dewanagari (= *sylabiczne pismo północnoindyjskie*).

devastate ['devəˌsteɪt] *v. zw. pass.* **1.** zniszczyć doszczętnie; obrócić w perzynę *l.* zgliszcza. **2.** *przen.* przytłaczać.

devastated ['devəˌsteɪtɪd] *a.* przytłoczony, zdruzgotany (*by/at sth* czymś).

devastating ['devəˌsteɪtɪŋ] *a.* **1.** niszczycielski (*o wpływie, sile*); siejący spustoszenie (*np. o broni, huraganie*). **2.** druzgocący, przytłaczający (*np. o wiadomości*); miażdżący (*o argumencie, krytyce*). **3.** *przest. pot.* oszałamiający (*np. o urodzie*).

devastatingly ['devəˌsteɪtɪŋlɪ] *adv.* **1.** niszczycielsko. **2.** druzgocąco. **3.** *przest. pot.* oszałamiająco (*np. przystojny*).

devastation [ˌdevə'steɪʃən] *n. U* zniszczenie, spustoszenie.

devastator ['devəˌsteɪtər] *n.* niszczyciel/ka.

devel. *abbr.* = **development**.

develop [dɪˈveləp] *v.* **1.** *t. przen.* rozwijać (się) (*out of*/*from sth* z czegoś); ~ **into sth** rozwinąć *l.* przekształcić się w coś. **2.** opracowywać (*np. nowe technologie, leki*). **3.** wywiązać się (*o kłótni, chorobie*). **4.** nabawić się (*choroby*). **5.** zagospodarowywać (*teren, grunt*). **6.** wykorzystywać (*zasoby, złoża*). **7.** *biol.* dojrzewać, rozwijać się. **8.** *geom., rysunek techniczny* rozwijać, wykonywać rzut rozwinięty (*czegoś*). **9.** *mat.* rozwijać (*np. szereg*). **10.** *fot.* wywoływać (się). **11.** *górn.* udostępniać, przygotowywać do eksploatacji (*złoże*). **12.** wynikać (*from sth* z czegoś). **13.** *bud.* zabudowywać (*grunt*); uzbrajać (*działkę*). **14.** *muz.* rozwijać (*wątek, melodię*). **15.** ~ **a taste for sth** nabrać upodobania do czegoś, zasmakować w czymś; **the computer ~ed faults** w komputerze wystąpiły usterki.

developable [dɪˈveləpəbl] *a.* dający się rozwinąć; wykorzystać, zabudować itp.

developable surface *n. mat.* powierzchnia rozwijalna.

developed [dɪˈveləpt] *a. zw. attr.* **1.** *zwł. ekon.* rozwinięty; ~ **countries/nations** kraje rozwinięte. **2.** zaawansowany.

developer [dɪˈveləpər] *n.* **1.** (*także* **property** ~) *bud.* inwestor (budowlany), deweloper, firma deweloperska. **2.** (*także* **developing agent**) *fot.* wywoływacz. **3. late** ~ dziecko rozwijające się wolniej od rówieśników.

developing [dɪˈveləpɪŋ] *a. zw. attr. t. ekon.* rozwijający się; ~ **countries/nations** kraje rozwijające się.

developing agent *n.* = **developer** 2.

development [dɪˈveləpmənt] *n.* **1.** *U* rozwój; wzrost; **research and** ~ prace badawczo-rozwojowe; **research and ~ (department)** dział badawczo-rozwojowy. **2.** produkt rozwoju, wytwór. **3.** wydarzenie, fakt (*zwł. zmieniający sytuację*). **4.** *bud.* osiedle; teren zabudowany. **5.** *U* zagospodarowanie. **6.** *U górn.* roboty przygotowawcze.

developmental [dɪˌveləpˈmentl] *a.* rozwojowy.

development area *n. Br.* obszar dotknięty bezrobociem strukturalnym (*na którym rząd promuje inwestycje*).

development education *n. U Br. szkoln.* wiedza o świecie współczesnym (*przedmiot szkolny*).

development rights *n. pl. prawn.* prawo do zagospodarowania terenu.

development system *n. komp.* system opracowywania programów.

development well *n. górn.* odwiert konturujący (*określający zasięg produktywnego pola ropy naftowej*).

deverbative [diːˈvɜːbətɪv], **deverbal** [diːˈvɜːbl] *gram. a.* odczasownikowy. – *n.* formacja odczasownikowa.

deviance [ˈdiːvɪəns], **deviancy** [ˈdiːvɪənsɪ] *n. U* dewiacja.

deviant [ˈdiːvɪənt] *a.* odbiegający od normy. – *n.* dewiant/ka.

deviate [ˈdiːvɪˌeɪt] *v. form.* **1.** odbiegać, odstępować (*from sth* od czegoś). **2.** zbaczać. **3.** powodować odchylenie (*czegoś*). – *a.* = **deviant**. – *n.* **1.** (*także* **deviant**) dewiant/ka. **2.** zboczeniec seksualny. **3.** *stat.* odchylenie.

deviation [ˌdiːvɪˈeɪʃən] *n.* **1.** *U* dewiacja. **2.** *stat.* odchylenie. **3.** *żegl.* dewiacja. **4.** *opt.* ugięcie. **5.** odstępstwo (*od zasad, przyjętej ideologii itp.*).

deviationism [ˌdiːvɪˈeɪʃəˌnɪzəm] *n. U polit.* odstępstwo od ideologii (*zwł. komunistycznej*).

deviationist [ˌdiːvɪˈeɪʃənɪst] *n. polit.* odstępca/czyni od ideologii (*jw.*).

device [dɪˈvaɪs] *n.* **1.** urządzenie, przyrząd. **2.** sposób, środek; fortel, sztuczka. **3.** *zwł. teor. lit.* figura (*retoryczna, stylistyczna*). **4.** wzór, ornament. **5.** *zwł. her.* godło (= *emblemat l. herb*). **6.** dewiza. **7.** (*także* **explosive** ~) *euf.* bomba. **8. leave sb to their own ~s** zostawić kogoś samemu sobie (*nie udzielając wskazówek ani pomocy*).

devil [ˈdevl] *n.* **1.** *t. przen.* diabeł, czart; **the D~** *rel.* Diabeł, Szatan. **2.** *pot.* **little/young** ~ diabełek (= *niegrzeczne dziecko*); **lucky** ~ szczęściarz/ra; **poor** ~ biedaczysko; **silly** ~ głuptas. **3.** *techn.* przenośny piecyk (*do lutowania, podgrzewania lepiku itp.*). **4.** *meteor.* burza pyłowa *l.* piaskowa. **5.** *przen.* **a/the ~ of a mess/job** *pot.* piekielny bałagan/cholerna robota; **better the ~ you know (than the ~ you don't)** z dwojga złego lepsze to, które się zna; **between the ~ and the deep (blue) sea** między młotem a kowadłem; **go on, be a ~!** *Br. żart.* zaszalej sobie!; **go to the** ~ *pot.* pójść na marne; **go to the ~!** *przest. pot.* idź do diabła *l.* w diabły!; **have the luck of the** ~ mieć diabelne szczęście; **(let) the ~ take the hindmost** *Br. przest.* troszczyć się tylko o siebie; **like the** ~ *przest.* jak szalony (*np. biec, pracować*); **play the ~ with** *pot.* znacznie pogorszyć *l.* pogłębić (*np. czyjeś dolegliwości*); **raise the** ~ podnieść wrzawę; **talk/speak of the** ~ o wilku mowa; **what/where the ~ ...** *pot.* co/gdzie u diabła *l.* diaska ...; **the ~'s own** piekielnie *l.* cholernie trudny; **there'll be the ~ to pay** *przest.* to się źle skończy. – *v. Br.* **-ll- 1.** *kulin.* przyrządzać na ostro. **2.** *US pot.* dręczyć.

devil dog *n. US wojsk. pot.* żołnierz piechoty morskiej.

devilfish [ˈdevlˌfɪʃ] *n. zool.* **1.** (*także* **devil ray**) manta, diabeł morski (*Manta birostris*). **2.** ośmiornica (*Octopus*).

devilish [ˈdevlɪʃ] *a.* **1.** diaboliczny, diabelski. **2.** *pot.* diabelny, piekielny. – *adv. pot.* diablo (= *bardzo*).

devilishly [ˈdevlɪʃlɪ] *adv.* **1.** diabolicznie. **2.** diablo.

devilkin [ˈdevlkɪn] *n. lit. l. przen.* diabełek, diablę.

devil-may-care [ˌdevlˌmeɪˈker] *a. zw. attr.* niedbały; beztroski, lekkomyślny.

devilment [ˈdevlmənt] *n. U lit.* **1.** psoty. **2.** psotność, łobuzerstwo.

devilry [ˈdevlrɪ] *n. U lit.* **1.** podłość, niegodziwość. **2.** sztuka diabelska, czarna magia. **3.** demonologia. **4.** *pl.* **-ies** *arch.* złośliwa psota.

devil's advocate [ˌdevlz ˈædvəkət] *n.* **1.** *rz.-kat.* advocatus diaboli (*w procesie kanonizacyjnym*). **2.** *przen.* adwokat diabła.

devil's darning needle *n. zwł. płn. i zach. US* ważka.

devil's dung *n. hist., med.* asafetyda, czarcie łajno, smrodziec.

devil's food cake *n. US i Can.* ciasto czekoladowe.

devil's grip *n. pat.* ból opłucnej.

devils-on-horseback [ˌdevlzɑːnˈhɔːrsˌbæk] *n. U kulin.* suszone śliwki zawijane w boczku i podawane na grzankach.

devil's paintbrush *n. bot.* jastrzębiec pomarańczowy (*Hieracium aurantiacum*).

devil's-tongue [ˈdevlzˌtʌŋ] *n. bot.* dziwidło Riviera (*Amorphophallus Rivieri*).

Devil's triangle *n. pot.* Trójkąt Bermudzki.

deviltry [ˈdevltrɪ] *n.* = **devilry**.

devious [ˈdiːvɪəs] *a.* **1.** przebiegły. **2.** pokrętny. **3.** *form.* kręty (*o drodze*).

deviously [ˈdiːvɪəslɪ] *adv.* **1.** przebiegle. **2.** pokrętnie.

deviousness [ˈdiːvɪəsnəs] *n. U* przebiegłość.

devisable [dɪˈvaɪzəbl] *a.* **1.** dający się obmyślić *l.* wynaleźć. **2.** *prawn.* mogący być przedmiotem zapisu.

devisal [dɪˈvaɪzl] *n. U* **1.** obmyślenie. **2.** *prawn.* zapisanie w testamencie (*zwł. nieruchomości*).

devise [dɪˈvaɪz] *v.* **1.** obmyślić; wynaleźć. **2.** *prawn.* zapisać w testamencie (*zwł. nieruchomości*). – *n. prawn.* zapis testamentowy (*zwł. dotyczący nieruchomości*).

devisee [ˌdɪvaɪˈziː] *n. prawn.* spadkobierca/-czyni testamentow-y/a.

deviser [dɪˈvaɪzər] *n.* autor/ka pomysłu; wynalaz-ca/czyni.

devisor [dɪˈvaɪzər] *n. prawn.* spadkodaw-ca/czyni testamentow-y/a.

devitalize [diːˈvaɪtəˌlaɪz], *Br. i Austr. zw.* **devitalise** *v. form.* pozbawić żywotności *l.* wigoru.

devitrify [diːˈvɪtrəˌfaɪ] *v.* **-ied, -ying 1.** *chem.* odszklić. **2.** *min.* rekrystalizować.

devoice [diːˈvɔɪs], **devocalize** [diːˈvoʊkəˌlaɪz], *Br. i Austr. zw.* **devocalise** *fon. v.* ubezdźwięczniać.

devoicing [diːˈvɔɪsɪŋ] *n. U* ubezdźwięcznienie.

devoid [dɪˈvɔɪd] *a.* ~ **of sth** *form.* pozbawiony czegoś.

devoirs [dəˈvwɑːrz] *n. pl. arch. l. lit.* wyrazy szacunku *l.* uszanowania.

devolution [ˌdevəˈluːʃən] *n. U* **1.** przekazanie (*np. uprawnień podwładnemu l. zastępcy*). **2.** *polit.* decentralizacja. **3.** *biol.* degeneracja. **4.** *prawn.* dziedzictwo, sukcesja.

devolutionist [ˌdevəˈluːʃənɪst] *n. polit.* zwolenni-k/czka decentralizacji.

devolve [dɪˈvɑːlv] *v. form.* **1.** ~ **sth on/upon/to sb** przekazywać coś komuś (*np. władzę, obowiązki*). **2.** ~ **on/upon sb/sth** zależeć od kogoś/czegoś. **3.** ~ **on/upon sb** *prawn.* przechodzić na kogoś (*zwł. w przypadku braku testamentu l. bankructwa*).

Devon. *abbr.* **1.** = **Devonian. 2. Devonshire** *Br.* hrabstwo Devonshire.

Devonian [dəˈvoʊnɪən] *a.* **1.** *geol.* dewoński. **2.** *Br.* dotyczący Devonshire. – *n.* **the** ~ *geol.* dewon.

devote [dɪˈvoʊt] *v.* **1.** ~ **sth/o.s. to sb/sth** poświęcać coś/się komuś/czemuś. **2.** *arch.* przekląć, skazać na zagładę.

devoted [dɪˈvoʊtɪd] *a.* **1.** oddany (= *wierny, kochający*) (*to sb* komuś). **2.** ~ **to sb/sth** poświęcony komuś/czemuś (*np. o świątyni*).

devotedly [dɪˈvoʊtɪdlɪ] *adv.* z oddaniem.

devotee [ˌdevəˈtiː] *n.* **1.** gorąc-y/a zwolenni-k/czka, entuzjast-a/ka, fan/ka (*of sth* czegoś). **2.** *rel.* wiern-y/a, wyznaw-ca/czyni.

devotement [dɪˈvoʊtmənt] *n. U form.* poświęcenie.

devotion [dɪˈvoʊʃən] *n. U* **1.** oddanie (*t.* = *miłość, wierność*); poświęcenie. **2.** pobożność. **3.** *pl.* obrzędy religijne; modlitwy.

devotional [dɪˈvoʊʃənl] *a.* nabożny; do nabożeństwa (*np. o książeczce*); modlitewny; religijny (*np. o muzyce, literaturze*). – *n. zw. pl.* krótkie nabożeństwo modlitewne.

devour [dɪˈvaʊr] *v. t. przen.* pożerać, pochłaniać (*t. książki itp.*); trawić (*o ogniu*); **~ed by curiosity/jealousy** *przen.* zżerany przez ciekawość/zazdrość; ~ **sb with one's eyes** *przen.* pożerać kogoś wzrokiem.

devout [dɪˈvaʊt] *a.* **1.** pobożny, nabożny. **2.** *form.* szczery, gorący (*np. o nadziei, pragnieniu*).

devoutly [dɪˈvaʊtlɪ] *adv.* **1.** pobożnie. **2.** szczerze.

devoutness [dɪˈvaʊtnəs] *n. U* pobożność.

dew [duː] *n. U* **1.** rosa. **2.** *lit.* kropelki (*wilgoci, łez, potu*). **3.** *lit.* świeżość. – *v. lit.* zraszać.

D.E.W. [duː], **DEW** *abbr.* **Distant Early Warning** *wojsk.* system wczesnego ostrzegania; ~ **line** linia radarów wczesnego ostrzegania.

Dewar flask [ˈduːər ˌflæsk] *n.* (*także* **Dewar vessel**) termos (*zwł. do przechowywania gazów w stanie ciekłym*).

dewater [diːˈwɔːtər] *v.* odwadniać (*np. ścieki, ropę naftową*).

dewberry [ˈduːˌberɪ] *n. pl.* **-ies** *bot. US i Can.* jeżyna o płożących się pędach (*różne gatunki, np. Rubus hispidus*); *Br.* jeżyna sinojagodowa, popielica (*Rubus caesius*).

dewclaw [ˈduːˌklɔː] *n. zool.* szczątkowy palec; raciczka.

dewdrop [ˈduːˌdrɑːp] *n.* **1.** kropla rosy. **2.** *Br. euf.* sopel (*u nosa*).

dewfall [ˈduːˌfɔːl] *n. U lit.* osiadanie *l.* opad rosy.

dewlap [ˈduːˌlæp] *n.* **1.** *zool.* podgardle, wole (*u bydła*); korale (*u drobiu*). **2.** luźne fałdy skóry na szyi (*zwł. starszej osoby*).

deworm [diːˈwɝːm] *v. wet.* odrobaczać.

dew plant *n. bot.* rosiczka (*Drosera*).

dew point *n. fiz.* punkt *l.* temperatura rosy.

dew pond *n. zwł. Br.* sztuczny stawek (*na wzniesieniu, napełniający się regularnie rosą i deszczem*).

dew worm *n. zwł. US i Can. zool.* rosówka, dżdżownica (*Lumbricus*).

dewy [ˈduːɪ] *a.* **-ier, -iest** **1.** zroszony, pokryty rosą. **2.** wilgotny. **3.** *lit.* świeży; niewinny.

dewy-eyed [ˈduːɪˌaɪd] *a.* **1.** z wilgotnymi oczami. **2.** *przen.* dziecięco *l.* romantycznie naiwny.

dexter [ˈdekstər] *a.* **1.** *arch.* prawy (= *znajdujący się po prawej stronie*). **2.** *zw. po n. her.* po prawej strony tarczy herbowej.

dexterity [dekˈsterətɪ] *n.* *U* **1.** zręczność, sprawność. **2.** bystrość, zmyślność. **3.** *rzad.* praworęczność.

dexterous [ˈdekstrəs], **dextrous** *a.* **1.** zręczny, sprawny. **2.** sprytny, zmyślny. **3.** *rzad.* praworęczny.

dextral [ˈdekstrəl] *form.* *a.* **1.** prawostronny. **2.** praworęczny. **3.** *zool.* prawoskrętny (*o muszli*).

dextrality [dekˈstrælətɪ] *n.* *U* **1.** prawostronność. **2.** praworęczność. **3.** *zool.* prawoskrętność.

dextran [ˈdekstrən] *n.* *U biochem., chem.* dekstran.

dextrin [ˈdekstrɪn], **dextrine** *n.* *U biochem., chem.* dekstryna.

dextrocardia [ˌdekstroʊˈkɑːrdɪə] *n.* *U pat.* dekstrokardia, prawostronne położenie serca.

dextrocular [dekˈstrɑːkjələr] *a. med., opt.* prawooczny, lepiej widzący prawym okiem.

dextroglucose [ˌdekstroʊˈgluːkoʊs] *n.* = **dextrose**.

dextrorotary [ˌdekstroʊˈroʊtərɪ] *a. opt.* prawoskrętny.

dextrorse [ˈdekstrɔːrs], **dextrorsal** [ˈdekstrɔːrsl] *a. bot.* prawoskrętny (*o łodydze*).

dextrose [ˈdekstroʊs] *n.* *U* (*także* **dextroglucose**) *biochem.* dekstroza, glukoza, cukier gronowy.

dey [deɪ] *n. hist.* dej.

D.F. [ˌdiː ˈef] *abbr.* **1.** *Br.* = **Defender of the Faith**. **2. Doctor of Forestry** *uniw.* doktor leśnictwa.

D.F.A. [ˌdiː ˌef ˈeɪ] *abbr.* **Doctor of Fine Arts** *uniw.* doktor sztuk pięknych.

dg. *abbr.* = **decigram(s)**.

D.G. [ˌdiː ˈdʒiː] *abbr.* **1. Dei gratia** z łaski bożej. **2. Director General** dyrektor generalny *l.* naczelny.

dharma [ˈdɑːrmə] *n.* **1.** *hinduizm* zwyczaj społeczny postrzegany jako religijny i moralny obowiązek; prawo naturalne; cnota (= *postępowanie zgodne z prawem naturalnym*). **2.** *buddyzm* wieczna *l.* uniwersalna prawda.

dhole [doʊl] *n. zool.* cyjon (*Cuon alpinus*).

dhoti [ˈdoʊtɪ], **dhootie, dhotie, dhuti** *n.* hinduska opaska na biodra (*element stroju męskiego*).

dhow [daʊ] *n. żegl.* arabski jedno- *l.* dwumasztowiec.

DI [ˌdiː ˈaɪ] *abbr.* **Department of the Interior** *US admin.* Departament Zasobów Naturalnych i Spraw Indiańskich.

di., dia. *abbr.* = **diameter**.

diabase [ˈdaɪəˌbeɪs] *n.* *U min.* diabaz.

diabetes [ˌdaɪəˈbiːtɪs] *n.* *U pat.* **1.** (*także* ~ **mellitus**) cukrzyca; **insulin-dependent** ~ cukrzyca insulinozależna; **maturity-onset** ~ cukrzyca dorosłych. **2.** ~ **insipidus** moczówka prosta.

diabetic [ˌdaɪəˈbetɪk] *a.* **1. be** ~ mieć cukrzycę, chorować na cukrzycę. **2.** *pat.* cukrzycowy (*np. o śpiączce*). **3.** dla cukrzyków (*o żywności*). – *n.* chor-y/a na cukrzycę, diabety-k/czka, cukrzyk.

diabetologist [ˌdaɪəbɪˈtɑːlədʒɪst] *n. med.* diabetolog.

diablerie [diːˈɑːblərɪ] *n.* *U* **1.** czarnoksięstwo, czary. **2.** domena diabłów. **3.** demonologia. **4.** *lit.* psoty.

diabolical [daɪəˈbɑːlɪkl], **diabolic** *a.* **1.** diabelski, diaboliczny. **2.** okrutny. **3.** *pot.* ohydny (*np. o pogodzie*).

diabolically [daɪəˈbɑːlɪklɪ] *adv.* diabolicznie.

diabolicalness [daɪəˈbɑːlɪklnəs] *n.* *U* diaboliczność.

diabolism [daɪˈæbəˌlɪzəm] *n.* *U* **1.** *zwł. teol.* czary, czarnoksięstwo; kult szatana; natura szatana. **2.** szatański charakter *l.* zachowanie.

diabolize [daɪˈæbəˌlaɪz], *Br. i Austr. zw.* **diabolise** *v.* **1.** uczynić diabelskim. **2.** przedstwiać w sposób diaboliczny. **3.** poddawać diabelskim wpływom.

diabolo [diːˈæbəˌloʊ] *n. pl.* **-s** diabolo (*gra dziecięca*); bąk używany w grze w diabolo.

diacetyl [ˌdaɪəˈsiːtl] *n. chem.* dwuacetyl.

diacetylomorphine [ˌdaɪəˈsiːtələˌmɔːrfiːn] *n.* *U med.* heroina.

diachronic [ˌdaɪəˈkrɑːnɪk] *jęz.* *a.* diachroniczny.

diachronically [ˌdaɪəˈkrɑːnɪklɪ] *adv.* diachronicznie.

diachronic linguistics *n.* *U* językoznawstwo diachroniczne.

diachrony [daɪˈɑːkrənɪ] *n.* *U gł. jęz.* diachronia.

diacidic [daɪəˈsɪdɪk] *a. chem.* dwuwodorotlenowy (*o zasadzie*).

diaconal [daɪˈækənl] *kość. a.* diakoński.

diaconate [daɪˈækənɪt] *n.* *U* **1.** diakonat. **2.** diakonowie.

diacritic [ˌdaɪəˈkrɪtɪk] *n.* (*także* **~al mark**) znak diakrytyczny. – *a.* **1.** = **diacritical**. **2.** *med.* diagnostyczny.

diacritical [ˌdaɪəˈkrɪtɪkl] *a.* diakrytyczny (*zwł. o znaku*); odróżniający.

diacritically [ˌdaɪəˈkrɪtɪklɪ] *adv.* diakrytycznie.

diactinic [ˌdaɪækˈtɪnɪk] *a. fiz., opt.* diaktyniczny, przenoszący promienie aktyniczne.

diadelphous [ˌdaɪəˈdelfəs] *a. bot.* dwuwiązkowy (*o pręcikowiu*).

diadem [ˈdaɪəˌdem] *n.* **1.** diadem. **2.** *przen.* władza *l.* godność królewska. – *v.* ukoronować *l.* ozdobić diademem.

diadem spider *n. zool.* krzyżak ogrodowy (*Araneus diadematus*).

diadochy [daɪˈædəkaɪ] *n.* *U min.* izomorfizm, równopostaciowość.

diaeresis [daɪˈerəsɪs], **dieresis** *n. pl.* **-es** *jęz., wers.* diereza.

diag. *abbr.* **1.** = **diagonal**; = **diagonally**. **2.** = **diagram**.

diagenesis [ˌdaɪəˈdʒenəsɪs] *n.* *U geol.* diageneza.

diagnose [ˈdaɪəgˌnoʊs] *v.* **1.** *med. l. przen.* diagnozować; stawiać diagnozę *l.* rozpoznanie; ~ **sth as...** zdiagnozować coś jako...; ~ **that...** postawić diagnozę, że...; **she was ~d as having anorexia/being anorexic** zdiagnozowano u niej anoreksję. **2.** *zwł. biol.* systematyzować.

diagnosis [ˌdaɪəgˈnoʊsɪs] *n. pl.* **diagnoses 1.** *med. l. przen.* diagnoza, rozpoznanie; *U* zdiagnozowanie (*of sth* czegoś); **make/give a ~** postawić diagnozę. **2.** *biol.* opis systematyczny.

diagnostic [ˌdaɪəgˈnɑːstɪk] *a.* diagnostyczny. – *n.* **1.** *med.* objaw diagnostyczny. **2.** *med.* diagnoza. **3.** *komp.* komunikat diagnostyczny; program diagnostyczny.

diagnostically [ˌdaɪəgˈnɑːstɪklɪ] *adv.* diagnostycznie, dla celów diagnostycznych.

diagnostician [ˌdaɪəgnɑːˈstɪʃən] *n. med.* diagnosta.

diagnostics [ˌdaɪəgˈnɑːstɪks] *n. U med.* diagnostyka.

diagonal [daɪˈægənl] *a.* **1.** *geom.* przekątny, diagonalny. **2.** ukośny, skośny. – *n.* **1.** *zwł. geom.* przekątna. **2.** *druk.* kreska ukośna, ukośnik (= *znak /*). **3.** *U* (*także* ~ **cloth**) *tk.* diagonal.

diagonally [daɪˈægənlɪ] *adv.* ukośnie, na ukos; po przekątnej, po skosie.

diagonal matrix *n. mat.* macierz diagonalna.

diagram [ˈdaɪəˌgræm] *n. t. mat.* diagram, wykres, schemat. – *v. Br.* **-mm-** przedstawić na diagramie; wykonać diagram (*czegoś*).

diagrammatic [ˌdaɪəgrəˈmætɪk], **diagrammatical** [ˌdaɪəgrəˈmætɪkl] *a.* w formie diagramu, graficzny.

diagrammatically [ˌdaɪəgrəˈmætɪklɪ] *adv.* za pomocą diagramu, na wykresie (*przedstawić*).

diagraph [ˈdaɪəˌgræf] *n. techn.* diagraf.

diakinesis [ˌdaɪəkəˈniːsɪs] *n. U biol.* diakineza (= *ostatnia faza mejozy*).

dial [ˈdaɪl] *n.* **1.** tarcza zegara. **2.** skala tarczowa. **3.** potencjometr, pokrętło. **4.** przyciski numeryczne (*aparatu telefonicznego*); (*także* **rotary** ~) tarcza numerowa (*jw.*). **5.** (*także* **miner's** ~) *górn.* kompas. **6.** *Br. sl.* maska (= *twarz*). – *v. Br.* **-ll- 1.** *gł. tel.* wykręcać, wybierać; ~ **a wrong number** wybrać zły numer; ~ **Monterey direct** zadzwonić do Monterey bezpośrednio. **2.** mierzyć za pomocą tarczy. **3.** ustawiać pokrętłem. – *a. attr.* z tarczą numerową (*o telefonie*).

dial. *abbr.* = **dialect**; = **dialectal**.

dialect [ˈdaɪəˌlekt] *jęz. n. C/U* dialekt; gwara; narzecze; **speak** ~ mówić dialektem.

dialectal [ˌdaɪəˈlektl], **dialectic** [ˌdaɪəˈlektɪk], **dialectical** [ˌdaɪəˈlektɪkl] *a.* dialektalny, dialektowy.

dialect atlas *n.* atlas dialektów.

dialect geography *n. U* geografia lingwistyczna.

dialectic [ˌdaɪəˈlektɪk] *a.* (*także* ~**al**) **1.** *fil.* dialektyczny. **2.** *jęz.* = **dialectal**. – *n. U* (*także* ~**s**) *log., fil.* dialektyka; **Hegelian** ~ dialektyka heglowska.

dialectical [ˌdaɪəˈlektɪkl] *a.* **1.** = **dialectal**. **2.** = **dialectic**.

dialectical materialism *n. U hist. fil.* materializm dialektyczny.

dialectician [ˌdaɪəlekˈtɪʃən] *n.* **1.** *fil.* dialektyk. **2.** *jęz.* dialektolog.

dialectics [ˌdaɪəˈlektɪks] *n. U log., fil.* dialektyka.

dialectologist [ˌdaɪəlekˈtɑːlədʒɪst] *n.* dialektolog.

dialectology [ˌdaɪəlekˈtɑːlədʒɪ] *n. U* dialektologia.

dialer [ˈdaɪlər], *Br.* **dialler** *n.* urządzenie do automatycznego wybierania zaprogramowanych numerów (*w aparacie telefonicznym*).

dial gauge *n.* przyrząd pomiarowy czujnikowy.

diallage [ˈdaɪəlɪdʒ] *n. U min.* dialag.

dialling code [ˈdaɪlɪŋ ˌkoʊd] *tel. n. Br.* numer kierunkowy.

dialling tone [ˈdaɪlɪŋ ˌtoʊn] *n. Br.* = **dial tone.**

dialogic [ˌdaɪəˈlɑːdʒɪk] *a.* dialogowy, w formie dialogu.

dialogist [daɪˈælədʒɪst] *n.* **1.** *film, radio, telew.* autor/ka dialogów. **2.** uczestni-k/czka dialogu.

dialogite [daɪˈæləˌdʒaɪt] *n. U min.* dialogit, rodochrozyt.

dialogize [daɪˈæləˌdʒaɪz], *Br. i Austr. zw.* **dialogise** *v.* = **dialogue** *v.* 1.

dialogue [ˈdaɪəˌlɔːg] *US często* **dialog** *n.* **1.** dialog, rozmowa. **2.** *teor. lit.* dialog. – *v.* **-ued, -uing** *rzad.* **1.** (*także* **dialogize**) prowadzić dialog, konwersować. **2.** nadać formę dialogu (*czemuś*).

dial tone [ˈdaɪl ˌtoʊn] *n. US, Can. i Austr. tel.* sygnał zgłoszenia (= *oznaczający, że linia jest wolna*).

dial-up [ˈdaɪlˌʌp] *a. komp.* komutowany.

dialyse [ˈdaɪəˌlaɪz] *v. Br.* = **dialyze**.

dialysis [daɪˈæləsɪs] *med., chem. n. C/U* dializa.

dialytic [ˌdaɪəˈlɪtɪk] *a.* dializacyjny.

dialyze [ˈdaɪəˌlaɪz] *v.* dializować; poddawać dializie.

dialyzer [ˈdaɪəˌlaɪzər], **dialyzator** *n.* dializator.

diam. *abbr.* = **diameter**.

diamagnet [ˈdaɪəˌmægnɪt] *fiz. n.* diamagnetyk, ciało diamagnetyczne.

diamagnetic [ˌdaɪəmægˈnetɪk] *a.* diamagnetyczny.

diamagnetism [ˌdaɪəˈmægnəˌtɪzəm] *n. U* diamagnetyzm.

diamanté [dɪəˈmɑːnteɪ] *n. U* sztuczne diamenty (= *kryształ górski do wyrobu biżuterii i zdobienia tkanin*).

diameter [daɪˈæmɪtər] *n. zwł. geom.* średnica; **(a circle) two inches in** ~ (okrąg) o średnicy dwóch cali; **be five centimeters in** ~ mieć średnicę pięciu centymetrów *l.* pięć centymetrów średnicy.

diametral [daɪˈæmɪtrəl] *a. geom.* tworzący średnicę.

diametrical [ˌdaɪəˈmetrɪkl], **diametric** [ˌdaɪəˈmetrɪk] *a.* **1.** diametralny (*zwł. o różnicy*). **2.** = **diametral**.

diametrically [ˌdaɪəˈmetrɪklɪ] *adv.* diametralnie; ~ **opposed/opposite/different** diametralnie różny.

diamond ['daɪmənd] *n.* **1.** *U min.* diament. **2.** *jubilerstwo* (*także* **cut** ~) brylant; *pl.* brylanty (= *biżuteria*); ~ **ring** pierścionek z brylantem (*zwł. zaręczynowy*); **(rough)** ~ diament (nieoszlifowany). **3.** *geom.* romb. **4.** *karty* karo (*karta*); *pl.* karo (= *karty w kolorze karo; kolor karo*). **5.** *druk.* diament. **6.** *baseball* pole bramkowe; boisko. **7.** *przen.* ~ **cut** ~ trafiła kosa na kamień; ~ **in the rough** *US* (*także Br.* **rough** ~) nieokrzesany, ale poczciwy człowiek; **black** ~ czarny diament (= *węgiel*). – *v.* ozdabiać diamentami.

diamond anniversary *n.* 60. (*rzadziej 75.*) rocznica; *US* brylantowe *l.* diamentowe gody.

diamondback ['daɪmənd,bæk] *n. zool.* grzechotnik diamentowy (*Crotalus adamanteus*).

diamond bird, diamondbird *n. orn.* lamparcik (*Pardalotus*).

diamond dust *n. U techn.* proszek diamentowy (*ścierny*).

diamondiferous [,daɪmən'dɪfərəs], **diamantiferous** *a. górn.* diamentonośny.

diamond jubilee *n. zwł. Br.* 60. (*rzadziej 75.*) rocznica (*np. koronacji*).

diamond lane *n. mot.* pas dla autobusów.

diamond-like ['daɪmənd,laɪk] *a.* diamentowy, brylantowy.

diamond point *n. meble* diament (*narzędzie*).

diamond python *n.* = **diamond snake**.

diamond-shaped [,daɪmənd'ʃeɪpt] *n.* w kształcie rombu, romboidalny.

diamond skin disease *n. U wet.* skórna postać różycy świń.

diamond snake *n. zool.* pyton rombowy (*Morelia argus*).

Diamond State *n. US pot.* stan Delaware.

diamond wedding *n. Br.* brylantowe *l.* diamentowe gody.

diandrous [daɪ'ændrəs] *n. bot.* dwupręcikowy.

dianthus [daɪ'ænθəs] *n. pl.* **-es** *bot.* goździk (*Dianthus*).

diapason [,daɪə'peɪzən] *n. muz.* **1.** diapazon. **2.** kamerton.

diapause ['daɪə,pɔːz] *n. biol.* diapauza. – *v.* przechodzić diapauzę.

diapendesis [,daɪə'pendɪsɪs] *n. U fizj.* diapendeza (= *przechodzenie krwinek przez nietkniętą ścianę naczynia*).

diaper ['daɪpər] *n.* **1.** *US i Can.* pieluszka. **2.** *U tk.* (*także* ~ **cloth**) tkanina bawełniana *l.* lniana tkana w romby; (*także* ~ **pattern**) wzór na tkaninie jw. – *v.* **1.** *US i Can.* przewijać (*dziecko*). **2.** *tk.* tkać w romby.

diaper rash *n. U US i Can. pat.* pieluszkowe zapalenie skóry niemowląt.

diaphanous [daɪ'æfənəs] *a. lit.* półprzezroczysty, prześwitujący (*zwł. o tkaninie l. stroju*).

diaphoresis [,daɪəfə'riːsɪs] *med. n. U* obfite pocenie się, poty (*zwł. wywołane sztucznie*).

diaphoretic [,daɪəfə'retɪk] *n. i a. med.* (środek) napotny.

diaphragm ['daɪə,fræm] *n.* **1.** *anat.* przepona, diafragma. **2.** *med.* krążek dopochwowy (*antykoncepcyjny*). **3.** *zwł. chem.* membrana; błona półprzepuszczalna. **4.** *tel., radio* membrana. **5.** *fot.* przesłona.

diaphragmatic [,daɪəfræg'mætɪk] *a. anat.* przeponowy.

diaphragm shutter *n. fot.* migawka irysowa *l.* tęczówkowa.

diaphysis [daɪ'æfɪsɪs] *n. pl.* **-es** *anat.* trzon kości długiej.

diapir ['daɪə,piːr] *n. geol.* diapir.

diapositive [,daɪə'pɑːzətɪv] *n. fot.* diapozytyw, przezrocze.

diarchy ['daɪɑːrkɪ], **dyarchy** *n. polit.* diarchia (= *rząd złożony z dwóch osób l. ciał rządzących; t. = państwo rządzone jw.*).

diarist ['daɪərɪst] *n.* autor/ka dziennika *l.* pamiętnika, pamiętnika-rz/rka.

diarrhea [,daɪə'riːə], *zwł. Br.* **diarrhoea** *pat. n. U* biegunka.

diarrheal [,daɪə'riːəl], **diarrhoeal**, **diarrh(o)eic** [,daɪə'riːɪk], **diarrh(o)etic** [,daɪə'riːtɪk] *a.* biegunkowy.

diarthrosis [,daɪɑːr'θroʊsɪs] *n. pl.* **-es** *anat.* staw z błoną maziową.

diary ['daɪərɪ] *n. pl.* **-ies** **1.** dziennik, pamiętnik; **keep a** ~ pisać pamiętnik. **2.** *Br.* terminarz.

diaschisis [daɪ'æskəsɪs] *n. U pat.* diaschiza (= *nagłe zatrzymanie czynności mózgu po uszkodzeniu ogniskowym*).

diaspora [daɪ'æspərə] *n. form.* diaspora; (*także* **the D~**) Diaspora Żydowska.

diaspore ['daɪə,spɔːr] *n.* **1.** *U min.* diaspor. **2.** *bot.* diaspora.

diastase ['daɪə,steɪs] *n. U chem.* alfa-amylaza, diastaza.

diastasis [daɪ'æstəsɪs] *n. pl.* **-es** **1.** *pat.* rozdzielenie normalnie złączonych struktur (*zwł. kości długiej od jej nasady, bez jednoczesnego złamania*). **2.** *fizj.* końcowy okres rozkurczu serca.

diastema [,daɪə'stiːmə] *n. pl.* **-ta** **1.** *pat.* rozstęp (*zwł. kości*). **2.** *dent.* rozstęp między zębami, szczelina.

diaster [daɪ'æstər] *n. biol.* telofaza (*jedno ze stadiów podziału komórki*).

diastole [daɪ'æstəlɪ] *n. fizj.* rozkurcz (*serca*).

diastolic [,daɪə'stɑːlɪk] *a.* rozkurczowy (*np. o ciśnieniu krwi*).

diastrophism [daɪ'æstrə,fɪzəm] *n. U geol.* diastrofizm.

diastyle ['daɪə,staɪl] *bud. a.* diastylowy. – *n.* diastyl.

diathermancy [,daɪə'θɝːmənsɪ] *n. U fiz.* zdolność przepuszczania promieni cieplnych.

diathermanous [,daɪə'θɝːmənəs] *a.* przepuszczający promienie cieplne.

diathermy ['daɪə,θɝːmɪ], **diathermia** *n. U med.* diatermia.

diathesis [daɪ'æθəsɪs] *n. pl.* **-es** *pat.* skaza, diateza, wrodzona skłonność.

diatom ['daɪə,tɑːm] *n. bot.* okrzemek (*glon z gromady Diatomeae*).

diatomaceous [ˌdaɪətəˈmeɪʃəs] *geol. a.* okrzemkowy.

diatomaceous earth *n. U* (*także* **diatomite**) ziemia okrzemkowa *l.* diatomitowa, diatomit.

diatomic [ˌdaɪəˈtɑːmɪk] *a. chem.* dwuatomowy.

diatomite [daɪˈætəˌmaɪt] *n.* = **diatomaceous earth**.

diatonic [ˌdaɪəˈtɑːnɪk] *a. muz.* diatoniczny; ~ **scale** skala diatoniczna.

diatribe [ˈdaɪəˌtraɪb] *n. form.* diatryba (*against sb / sth* przeciwko komuś/czemuś).

diazo [daɪˈæzoʊ] *a. chem.* dwuazowy; ~ **group** grupa dwuazowa.

diazo process *n. fot., druk.* dwuazotypia, diazotypia.

diazotize [daɪˈæzəˌtaɪz], *Br.* **diazotise** *v. chem.* dwuazować.

dibasic [daɪˈbeɪsɪk] *a. chem.* dwuzasadowy.

dibatag [ˈdɪbəˌtæg] *n. zool.* dibatag, gazela Clarka (*Ammodorcas clarkei*).

dibble¹ [ˈdɪbl] *ogr. n.* (*także* **dibber**) sadzak ogrodniczy, kołek do sadzenia rozsady. – *v.* **1.** dołkować pod sadzenie. **2.** sadzić w dołkach.

dibble² *v.* = **dabble**.

dibbuk [ˈdɪbək] *n.* = **dybbuk**.

dibromide [daɪˈbroʊmaɪd] *n. chem.* dwubromek.

dibs [dɪbz] *n. pot.* **1.** *przest.* kasa (= *pieniądze, zwł. w niewielkich ilościach*). **2.** ~ **on ...!** *US zwł. dziec.* zamawiam (sobie)...!

dicarboxylic acid [daɪˌkɑːrbɑːkˌsɪlɪk ˈæsɪd] *n. chem.* kwas dwukarboksylowy.

dice [daɪs] *n. zw. pl. sing.* **dice** *l.* **die** **1.** *pl.* kości do gry; *U* gra w kości; *sing.* kostka do gry; **load the** ~ *zob.* **load** *v.*; **throw/roll the** ~ rzucić kostką. **2.** *kulin.* kostki (= *pokrojona w kostki żywność*). **3. no** ~ *US i Can. sl.* nie ma mowy (*w odpowiedzi na prośbę*). – *v.* **1.** ~ **(up)** *kulin.* kroić w kostkę. **2.** *lit.* grać w kości (*with sb* z kimś) (*for sth* o coś). **3.** ~ **with death** *przen.* igrać ze śmiercią.

dice cup *n.* kubek do gry w kości.

dicentra [daɪˈsentrə] *n. bot.* serduszka, ładniczka (*roślina z rodzaju Dicentra*).

dicephalous [daɪˈsefələs] *a. zwł. zool.* dwugłowy.

dicey [ˈdaɪsɪ] *a.* **dicier, diciest** *gł. Br. pot.* niepewny, ryzykowny.

dichloride [daɪˈklɔːraɪd] *n. chem.* dwuchlorek.

dichogamous [daɪˈkɑːgəməs] *bot. a.* dychogamiczny.

dichogamy [daɪˈkɑːgəmɪ] *n. U* dychogamia.

dichotomic [ˌdaɪkəˈtɑːmɪk], **dichotomous** [daɪˈkɑːtəməs] *a.* **1.** *form.* dychotomiczny. **2.** *bot.* dwudzielny.

dichotomize [daɪˈkɑːtəˌmaɪz], *Br. i Austr. zw.* **dichotomise** *v. form.* dzielić (się) na dwoje.

dichotomy [daɪˈkɑːtəmɪ] *n. pl.* **-ies** **1.** *form.* rozdźwięk (*between sth and sth* pomiędzy czymś a czymś). **2.** *t. bot.* dwudzielność, dychotomia. **3.** *astron.* kwadra (*Księżyca, Wenus l. Merkurego*).

dichroic [daɪˈkroʊɪk], **dichroitic** *min. a.* dwubarwny, dychroiczny (*o krysztale*).

dichroism [ˈdaɪkroʊˌɪzəm] *n. U* dwubarwność, dychroizm.

dichromatic [ˌdaɪkroʊˈmætɪk] *a.* **1.** dychromatyczny, dwubarwny (= *składający się tylko z dwóch barw*). **2.** *zool.* dwubarwny (*o zwierzętach tego samego gatunku posiadających różne ubarwienie*). **3.** (*także* **dichromic**) *pat.* rozróżniający tylko dwie barwy podstawowe (*zamiast trzech*).

dichromatism [daɪˈkroʊməˌtɪzəm] *n. U* **1.** *form.* dwubarwność. **2.** *med., opt.* dichromasia (= *rozróżnianie tylko dwóch barw podstawowych*).

dichromic¹ [daɪˈkroʊmɪk] *a.* = **dichromatic** 3.

dichromic² *a. chem.* dwuchromowy (*o kwasie*).

dick [dɪk] *n.* **1.** *wulg. sl.* kutas, chuj. **2.** *zwł. Br. sl. obelż.* bałwan, baran. **3.** *US przest. sl.* tajniak. **4. clever** ~ *Br. pot.* mądrala. **5. spotted** ~ *zob.* **spotted**.

dickens [ˈdɪkɪnz] *n. przest. pot.* **as smart/handsome as the** ~ *US* diabelnie bystry/przystojny; **what/where the** ~ co/gdzie u diabła.

Dickensian [dɪˈkenzɪən] *a.* dickensowski, w stylu Dickensa, jak u Dickensa (*o fabule = pełen zaskakujących zwrotów akcji i zbiegów okoliczności; o postaci = jowialny; o budynku, okolicy = nędzny, zaniedbany*).

dicker¹ [ˈdɪkər] *v.* **1.** prowadzić handel wymienny, wymieniać się (*towarami*). **2.** *zwł. US pot.* targować się; ~ **over the price** targować się o cenę. **3.** *polit.* zawrzeć układ. – *n.* **1.** *U* wymiana; targowanie się; *C* wymieniona *l.* wytargowana rzecz. **2.** *polit.* układ.

dicker² *n. przest.* dziesiątek (*zwł. skór*).

dickhead [ˈdɪkˌhed] *n. sl. obelż.* bałwan, baran.

dicky¹ [ˈdɪkɪ] (*także* **dickey, dickie**) *n. pl.* **dickies** *l.* **dickeys** **1.** przodzik (= *wstawka imitująca przód bluzki l. koszuli*). **2.** kołnierzyk (*przypinany*). **3.** śliniaczek. **4.** = **dickybird**. **5.** = **dicky bow**. **6.** *gł. Br.* osioł (*zwł. samiec*). **7.** *hist.* zewnętrzne siedzenie w powozie. **8.** *Br. hist., mot.* zewnętrzne siedzenie na tyle samochodu.

dicky² *a.* **dickier, dickiest** **1.** *Br. i Austr. pot.* słabowity; niepewny; **have a** ~ **heart/ticker** mieć słabe serce; **I'm a bit** ~ **today** kiepsko się dziś czuję. **2.** *US sl.* zrypany (= *zepsuty*).

dickybird [ˈdɪkɪˌbɜːd] *n. Br.* **1.** *zwł. dziec.* ptaszek. **2. not (hear) a** ~ **(about sth)** *pot.* (nie słyszeć) ani słowa (o czymś).

dicky bow *n. Br. pot.* muszka (*krawat*).

diclinous [ˈdaɪklənəs] *a. bot.* **1.** dwupienny (*o roślinach*). **2.** jednopłciowy (*o kwiatach*).

dicotyledon [daɪˌkɑːtəˈliːdən], **dicot** [ˈdaɪkɑːt], **dicotyl** [daɪˈkɑːtl] *bot. n.* roślina dwuliścienna (*z klasy Dicotyledones*).

dicotyledonous [daɪˌkɑːtəˈliːdənəs] *a.* dwuliścienny.

dicrotic [daɪˈkrɑːtɪk], **dicrotal** *a. fizj.* dwubitny, dykrotyczny (*o tętnie*).

dict. *abbr.* **1.** = **dictation**. **2.** = **dictator**. **3.** = **dictionary**.

dicta [ˈdɪktə] *n. pl. zob.* **dictum**.

Dictaphone [ˈdɪktəˌfoʊn] *n.* dyktafon.

dictate *v.* [dɪkˈteɪt] **1.** dyktować. **2.** *t. przen.* dyktować, narzucać (*np. warunki*); narzucać swoją wolę, rozkazywać (*to sb* komuś); **~ed by sth** podyktowany czymś (*np. potrzebą, koniecznością*); **as ~ed by sb** zgodnie z czyimś rozkazem; **I won't be ~ed to** nikt mi nie będzie rozkazywał. – *n.* [ˈdɪkteɪt] *form.* **1.** rozkaz. **2.** dyktat (*np. mody*); nakaz (*np. sumienia, rozumu*).

dictation [dɪkˈteɪʃən] *n.* **1.** *U* dyktowanie; **at ~ speed** w tempie dyktowania; **take ~ from sb** pisać pod czyjeś dyktando, zapisywać to, co ktoś dyktuje. **2.** *szkoln.* dyktando. **3.** *form.* narzucanie swojej woli, rozkazywanie.

dictator [ˈdɪkteɪtər] *n. t. przen.* dyktator/ka.

dictatorial [ˌdɪktəˈtɔːrɪəl] *a.* dyktatorski.

dictatorially [ˌdɪktəˈtɔːrɪəlɪ] *a.* po dyktatorsku.

dictatorship [dɪkˈteɪtərˌʃɪp] *n. U* dyktatura (*ustrój, rządy*); *C* dyktatura (*państwo*).

diction [ˈdɪkʃən] *n. U* **1.** dykcja. **2.** styl (*zwł. pisarski*), dobór słów.

dictionary [ˈdɪkʃəˌnerɪ] *n. pl.* **-ies** słownik; **look sth up in a ~** sprawdzić coś w słowniku.

dictum [ˈdɪktəm] *n. pl.* **-a** *l.* **-ums 1.** *form.* dictum, wypowiedź. **2.** powiedzenie, maksyma, sentencja. **3.** (*także* **obiter ~**) *prawn.* uwaga sądu nie mająca decydującego znaczenia dla sprawy; *form.* uwaga mimochodem.

dicty [ˈdɪktɪ], **dickty** *US sl. a.* **-ier, -iest 1.** szykowny. **2.** nadęty (= *zarozumiały*).

did [dɪd] *v. zob.* **do.**

didact [ˈdaɪˌdækt] *n.* osoba pouczająca innych.

didactic [daɪˈdæktɪk], **didactal** [daɪˈdæktl] *a. form.* **1.** dydaktyczny (= *pedagogiczny*). **2.** *uj.* dydaktyczny, pouczający, moralizatorski.

didactically [daɪˈdæktɪklɪ] *adv.* dydaktycznie.

didacticism [daɪˈdæktɪˌsɪzəm] *n. U* dydaktyzm.

didactics [daɪˈdæktɪks] *n. U* dydaktyka.

didapper [ˈdaɪˌdæpər] *n. orn.* perkozek (*Podiceps ruficollis*).

diddle[1] [ˈdɪdl] *pot. v.* **1.** *często pass.* nabrać, wykiwać; **~ sb out of sth** oszukać kogoś na jakąś sumę (*zw. niewielką*). **2.** *komp.* manipulować (*danymi*).

diddle[2] *US v.* **1. ~ with sth** *pot.* majstrować przy czymś. **2. ~ around/about** *pot.* obijać się. **3.** *pot.* szarpać, poruszać szybko w tył i w przód (*czymś*); **~ the switch and see if the light comes on** popstrykaj kontaktem i może światło się zapali. **4.** *wulg. sl.* pieprzyć, rżnąć (*kobietę*).

diddly [ˈdɪdlɪ] *n. pl.* **-ies** (*także* **~shit, ~squat**) *US sl.* nic.

diddy [ˈdɪdɪ] *a.* **-ier, -iest** *pot.* maluteńki, maluśki. – *n. pl.* **-ies** *dial. pot.* cycuś.

didn't [ˈdɪdənt] *v.* = **did not**; *zob.* **do.**

dido [ˈdaɪdoʊ] *n. pl.* **-es** *l.* **-s** *pl. pot.* figle, psoty.

didst [dɪdst] *v. arch.* 2 osoba liczby pojedynczej czasu teraźniejszego od „do".

die[1] [daɪ] *v.* **died, dying 1.** *t. przen.* umierać; ginąć; **~ a hero/beggar** umrzeć jako bohater/żebrak; **~ a natural death** umrzeć śmiercią naturalną; **~ a saintly death** umrzeć śmiercią męczennika; **~ a violent death** umrzeć nagle; **~ by one's own hand/by the bullet** *lit.* zginąć z własnej ręki/od kuli; **~ for sth** umrzeć za coś; **~ from wounds** umrzeć w wyniku odniesionych ran; **~ in one's sleep/one's own bed** umrzeć we śnie/we własnym łóżku; **~ intestate** *prawn.* umrzeć nie pozostawiwszy testamentu; **~ of pneumonia/starvation/natural causes** umrzeć na zapalenie płuc/z głodu/z przyczyn naturalnych; **~ young** umrzeć młodo. **2.** zdechnąć, paść (*o zwierzęciu*). **3.** uschnąć, zwiędnąć (*o roślinie*). **4.** słabnąć, zanikać, ustępować; **~ hard** trzymać się mocno, nie dawać się łatwo wykorzenić (*o przesądach, nawykach*). **5.** *pot.* zatrzymać się, przestać funkcjonować; **the motor ~d** silnik zgasł; **the phone ~d on me** telefon przestał działać w trakcie rozmowy. **6.** zobojętnieć, stracić zainteresowanie; **~ to wordly matters** stracić zainteresowanie sprawami doczesnymi. **7.** *pot.* **be dying for sth** marzyć o czymś; **be dying to do sth** bardzo chcieć coś zrobić, nie móc się doczekać zrobienia czegoś. **8.** *przen.* **~ in harness** *pot.* umrzeć przed osiągnięciem wieku emerytalnego; **~ on the vine** *lit.* spalić na panewce (*zwł. z braku poparcia*); **~ standing up** *teatr* spotkać się z chłodnym przyjęciem (*o przedstawieniu*); **~ with one's boots/shoes on** umrzeć na posterunku (= *pracując l. walcząc*); **be dying of boredom/hunger/thirst** *pot.* umierać z nudów/głodu/pragnienia; **I'd rather ~ (than do that)** *pot.* wolałabym umrzeć (niż to zrobić), nigdy w życiu (tego nie zrobię); **I nearly/almost ~d** (*także* **I could have ~d**, *US* **I just ~d**) *pot.* o mało nie umarłem (*ze wstydu*); myślałem, że padnę (*ze zdumienia, rozbawienia*); **never say ~!** *pot.* nie poddawaj się!; **to one's dying day** do śmierci, do ostatka. **9. ~ away** cichnąć, słabnąć (*zwł. o dźwięku*); **~ back** *ogr., roln.* obumierać; **~ down** więdnąć; słabnąć; cichnąć; **~ off** wymierać (*jeden po drugim*); **~ out** wymrzeć; wyginąć; ucichnąć, osłabnąć.

die[2] *n. pl.* **-s 1.** *techn.* matryca; tłocznik; ciągadło. **2.** *metal.* kokila; forma do odlewania pod ciśnieniem. **3.** *techn.* narzynka. **4.** *techn.* sztanca. **5.** = **dado** *n.* 1. **6.** *sing. zob.* **dice** *n.* 1. **7.** *przen.* **(as) straight as a ~** *Br.* uczciwy, szczery; **the ~ is cast** kości zostały rzucone.

dieback [ˈdaɪˌbæk] *n. U ogr., roln.* obumieranie.

die-cast [ˈdaɪˌkɑːst], **die cast** *v.* **-cast, -cast** *metal.* odlewać metodą kokilową *l.* ciśnieniową.

die-hard [ˈdaɪˌhɑːrd], **diehard** *n.* zatwardziały konserwatyst-a/ka. – *a.* zatwardziały, uparty.

diel [ˈdaɪəl] *a. biol.* dobowy.

dielectric [ˌdaɪɪˈlektrɪk] *el. n.* dielektryk. – *a.* dielektryczny.

dielectric constant *n.* przenikalność elektryczna względna, stała dielektryczna.

dielectric heating *n.* nagrzewanie pojemnościowe *l.* dielektryczne.

dielectric loss *n.* strata dielektryczna.

dielectric strength *n.* wytrzymałość dielektryczna.

diencephalon [ˌdaɪenˈsefəˌlɑːn] *n. anat.* międzymózgowie.

die-off [ˈdaɪˌɔːf] *n.* wymarcie, wyginięcie.

dieresis [daɪˈerɪsɪs] *n.* = **diaeresis.**

diesel [ˈdiːzl] *gł. mot. i kol. a. zw. attr.* **1.** napędzany silnikiem wysokoprężnym. **2.** wysokoprężny, dieslowski. – *n.* **1.** = **diesel engine. 2.**

pojazd napędzany silnikiem wysokoprężnym, diesel. **3.** *pot.* = **diesel oil.**

diesel-electric [ˌdi:zlɪ'lektrɪk] *a.* spalinowo-elektryczny. – *n.* lokomotywa spalinowo-elektryczna.

diesel engine, diesel motor *n.* silnik wysokoprężny, silnik Diesla.

diesel oil, *US t.* **diesel fuel** ['fju:əl] *n. U* olej napędowy.

diesinker ['daɪˌsɪŋkər] *n. techn.* frezarko-kopiarka do matryc.

diestock ['daɪˌstɑ:k] *n. techn.* pokrętło *l.* oprawka do narzynek; gwintownica.

diet[1] ['daɪət] *n.* **1.** *C/U t. przen.* odżywianie, dieta; wikt; **exist/live on a ~ of rice/hamburgers** odżywiać się samym ryżem/samymi hamburgerami; **healthy/varied ~** zdrowe/urozmaicone odżywianie. **2.** dieta (*odchudzająca, zdrowotna*); **be on a ~** być na diecie, stosować dietę; **go on a ~** przejść na dietę; zacząć się odchudzać. – *v.* być na diecie, stosować dietę. – *a. attr.* dietetyczny.

diet[2] *n.* **1.** *przest.* zjazd. **2.** (*także* **D~**) *polit.* parlament (*np. w Japonii*). **3.** *Scot. prawn.* posiedzenie sądu; dzień rozpatrywania sprawy.

dietary ['daɪəˌterɪ] *a. attr.* żywieniowy (*np. o nawykach*), dotyczący diety *l.* odżywiania (*np. o wymogach, ograniczeniach*). – *n. pl.* **-ies** *przest.* dieta (*zwł. = konkretna dieta odchudzająca*).

dieter ['daɪətər] *n.* osoba na diecie.

dietetic [ˌdaɪə'tetɪk], **dietetical** [ˌdaɪə'tetɪkl] *a. attr.* dietetyczny.

dietetics [ˌdaɪə'tetɪks] *n. U* dietetyka.

dietician [ˌdaɪə'tɪʃən], **dietitian** *n.* dietetyk/czka.

diet kitchen *n. US med.* kuchnia szpitalna przygotowująca posiłki dla pacjentów na specjalnej diecie.

diet pill *n.* tabletka odchudzająca.

dif [dɪf] *n. US pot.* różnica; **what's the ~** co za różnica.

dif., diff. *abbr.* = **difference**; = **different.**

differ ['dɪfər] *v.* **1.** różnić się (*from sb/sth* od kogoś/czegoś). **2.** nie zgadzać się (*with sb* z kimś) (*about/on/over sth* co do czegoś); **agree to ~** uzgodnić, że każdy pozostanie przy swoim zdaniu; **I beg to ~** *zob.* **beg.**

difference ['dɪfərəns] *n.* **1.** *t. mat.* różnica (*between A i B* pomiędzy A i B); **~ in age/size** różnica wieku/rozmiarów; **it doesn't make any/the slightest ~ to me** (*także* **it makes no ~ to me**) nie robi mi to (żadnej) różnicy; **tell the ~** widzieć różnicę; umieć odróżnić (*between A i B* A od B). **2.** różnica poglądów; nieporozumienie, sprzeczka (*about/over sth* o coś); **let's bury our ~s** zapomnijmy o tym, co nas dzieli; **they've settled/resolved their ~s** pogodzili się; **we have our ~s** różnimy się w niektórych sprawach. **3.** *log.* = **differentia. 4. make a ~** odnieść skutek; **make a big ~/all the ~/a world of ~** mieć kolosalne znaczenie (*zw. pozytywne*) (*to sth/for sb* dla czegoś/kogoś); **for all the ~ it will make** chociaż to nic nie da *l.* nie zmieni; **same ~** *pot.* wszystko jedno; na jedno wychodzi; **split the ~** *zob.* **split; with a ~** wyróżniający się (*w pozytywny sposób*), wyjątkowy, nietuzinkowy. – *v. rzad.* odróżniać; rozróżniać.

different ['dɪfərənt] *a.* **1.** inny, różny, odmienny. **2. ~ from sb/sth** (*także US* **than sb/sth**) (*także Br.* **to sb/sth**) inny od kogoś/czegoś *l.* niż ktoś/coś. **3.** *attr.* różny, rozmaity. **4.** wyjątkowy, nietuzinkowy.

differentia [ˌdɪfə'renʃɪə] *n. pl.* **differentiae** [ˌdɪfə'renʃɪeɪ] *log.* (*także* **difference**) cecha odróżniająca; **~ specifica** różnica gatunkowa.

differentiability [ˌdɪfəˌrenʃɪə'bɪlətɪ] *n. U* rozróżnialność.

differentiable [ˌdɪfə'renʃɪəbl] *a.* **1.** dający się odróżnić. **2.** *mat.* różniczkowalny.

differential [ˌdɪfə'renʃl] *a.* **1.** odróżniający. **2.** zróżnicowany; różny. **3.** *fiz., mech.* różnicowy. **4.** *mat.* różniczkowy. – *n.* **1.** różnica. **2.** *mat.* różniczka. **3.** *mech., mot.* = **differential gear. 4.** *zwł. Br.* różnica stawek wynagrodzenia. **5.** *handl.* różnica stawek cenowych.

differential analyser *n. komp., mat.* analizator równań różniczkowych, analizator różnicowy.

differential calculus *n. U mat.* rachunek różniczkowy.

differential coefficient *n. zwł. Br. mat.* pochodna.

differential equation *n. mat.* równanie różniczkowe.

differential gear *n. mech., mot.* dyferencjał, mechanizm różnicowy.

differential geometry *n. U mat.* geometria różniczkowa.

differential operator *n. mat.* operator różniczkowy.

differential psychology *n. U psych.* psychologia porównawcza.

differential quotient *n. mat.* iloraz różniczkowy, pochodna.

differential rate *n. handl.* obniżona stawka *l.* cena.

differential topology *n. U mat.* topologia różniczkowa.

differentiate [ˌdɪfə'renʃɪˌeɪt] *v.* **1.** odróżniać (*A from B* A od B). **2.** rozróżniać (*between A i B* pomiędzy A i B). **3.** *t. biol.* różnicować (się). **4.** *mat.* różniczkować.

differentiation [ˌdɪfəˌrenʃɪ'eɪʃən] *n. U* **1.** rozróżnianie, odróżnianie. **2.** zróżnicowanie. **3.** *biol.* różnicowanie (się). **4.** *mat.* różniczkowanie.

differentiator [ˌdɪfə'renʃɪˌeɪtər] *n.* **1.** *komp.* układ różniczkujący. **2.** *el.* obwód różniczkujący.

differently ['dɪfərəntlɪ] *adv.* **1.** inaczej, odmiennie. **2.** różnie, rozmaicie.

difficile [ˌdɪfɪ'si:l] *a. form.* trudny w pożyciu *l.* obcowaniu.

difficult ['dɪfəˌkəlt] *a.* **1.** trudny (*t. w pożyciu*), ciężki; **~ to do/understand** trudny do zrobienia/zrozumienia; **he finds it ~ to breathe** trudno mu (jest) oddychać; **make it ~ for sb to do sth** utrudniać komuś zrobienie czegoś; **make life ~ for sb** utrudniać komuś życie. **2.** trudny do zadowolenia, wymagający (*np. o pracodawcy*).

difficulty ['dɪfəˌkəltɪ] *n. pl.* **-ies 1.** *U* trudność (*t.* = *stopień trudności*), trudności; **have ~ speaking** mieć trudności z mówieniem; **with (great) ~** z (wielkim) trudem. **2.** *często pl.* trudność, problem, kłopot; **be in ~** mieć kłopoty; **have difficulties with sth** mieć problemy z czymś; **financial difficulties** kłopoty finansowe; **learning difficulties** trudności w nauce *l.* z nauką; **personal difficulties** problemy osobiste.

diffidence [ˈdɪfɪdəns] *n. U* **1.** brak wiary w siebie. **2.** nieśmiałość, rezerwa.

diffident [ˈdɪfɪdənt] *a.* **1.** nie wierzący w siebie. **2.** nieśmiały.

diffluence [ˈdɪfluəns], **difluence** *n. U form.* **1.** rozpływanie się; topnienie. **2.** zmiana kierunku przepływu.

diffluent [ˈdɪfluənt] *a.* rozpływający się; topniejący.

diffract [dɪˈfrækt] *v. zwł. fiz.* uginać.

diffraction [dɪˈfrækʃən] *fiz. n. U* dyfrakcja, ugięcie.

diffraction grating *n.* siatka dyfrakcyjna.

diffraction pattern *n.* obraz dyfrakcyjny, dyfraktogram.

diffusate [dɪˈfju:zeɪt] *n. chem.* dyfuzat, produkt dyfuzji.

diffuse *form. v.* [dɪˈfju:z] **1.** *opt.* rozpraszać. **2.** szerzyć, rozpowszechniać (*np. wiedzę, wiadomości*). **3.** *fiz.* dyfundować. – *a.* [dɪˈfju:s] **1.** *opt.* rozproszony (*o świetle*). **2.** niejasny, mętny. **3.** rozrzucony.

diffusely [dɪˈfju:slɪ] *adv.* w sposób rozproszony.

diffuseness [dɪˈfju:snəs] *n. U* rozproszenie.

diffuser [dɪˈfju:zər], **diffusor** *n.* **1.** dyfuzor, aparat dyfuzyjny. **2.** rozpraszacz. **3.** *opt., fot.* filtr zmiękczający.

diffusible [dɪˈfju:zəbl] *a.* podlegający dyfuzji.

diffusion [dɪˈfju:ʒən] *n. U* **1.** rozpraszanie (się). **2.** niejasność, mętność (*wypowiedzi, stylu*). **3.** *fiz.* dyfuzja. **4.** *film* rozproszenie (*obrazu*). **5.** *socjol., antrop.* dyfuzja.

diffusion coefficient *n. fiz.* współczynnik dyfuzji, stała dyfuzji.

diffusionism [dɪˈfju:ʒəˌnɪzəm] *n. U socjol., antrop.* dyfuzjonizm.

diffusion line, diffusion range *n. moda* kolekcja znanego projektanta wykonana z tańszych surowców.

diffusive [dɪˈfju:sɪv] *a.* dyfuzyjny.

diffusivity [ˌdɪfjuˈsɪvətɪ] *n. U fiz.* dyfuzyjność.

dig¹ [dɪg] *v.* **dug, dug, -gg- 1.** kopać (*for sth* w poszukiwaniu czegoś). **2. ~ (up)** wykopać; **~ a tunnel** wykopać tunel; **~ one's own grave** *przen.* kopać sobie grób. **3.** *t. przen.* przekopywać (się); **~ (up) the garden** przekopywać ogródek; **~ through the files** przekopać (się przez) akta. **4.** *Br. pot.* mieszkać. **5.** *US sl.* kuć (= *uczyć się*). **6. ~ sb in the ribs** dać komuś kuksańca w żebra (*zwł. przy opowiadaniu dowcipu*). **7. ~ in** *wojsk., t. przen.* okopać się; *pot.* pozostać przy swoim; *pot.* wsuwać (= *jeść*); **~ one's heels in** *pot.* zaprzeć się; **~ in/into** wbijać *l.* wrzynać (się) w; mieszać z ziemią, zakopywać (*nawóz*); **~ into** *pot.* zabrać się do (*roboty, jedzenia*); sięgnąć do (*oszczędności*); **~ out** odkopać, wykopać; odgrzebać (= *odnaleźć*); **~ up** wykopać; rozkopać (*np. ulicę*); dokopać *l.* dogrzebać się do (*np. informacji*). – *n.* **1.** kopanie. **2.** *pot.* kuksaniec, szturchnięcie; **~ in the ribs** kuksaniec w żebra. **3.** przytyk, złośliwa aluzja (*at sb / sth* pod czyimś adresem/do czegoś). **4.** *archeol.* wykopalisko. **5.** *pl. zob.* **digs**.

dig² *sl. v.* **dug, dug, -gg- 1.** kumać (= *rozumieć*). **2.** zwrócić uwagę na; **~ his shoes** popatrz na jego buty. **3.** *przest.* lubić; **I ~ that music** podoba mi się ta muzyka.

dig. *abbr.* = **digest**.

digamy [ˈdɪgəmɪ] *n. prawn.* powtórne małżeństwo.

digastric [daɪˈgæstrɪk] *anat. a.* dwubrzuściowy (*o mięśniu*). – *n.* mięsień dolnej szczęki.

digest [daɪˈdʒest] *v.* **1.** *fizj. l. przen.* trawić. **2.** przetrawiać (*w umyśle*); przemyśleć, ułożyć sobie w głowie. **3.** systematyzować, klasyfikować. **4.** streszczać; skracać. **5.** *chem.* roztwarzać; ekstrahować. – *n.* [ˈdaɪdʒest] **1.** kompendium. **2. the D~** *hist., prawn.* digesta (*dział kodeksu Justyniana*). **3.** *dzienn.* przegląd (*periodyk*). **4.** *prawn.* zbiór praw (*zwł. kazusów*).

digester [daɪˈdʒestər], **digestor** *n. chem.* aparat do roztwarzania, aparat ekstrakcyjny; autoklaw.

digestibility [daɪˌdʒestəˈbɪlətɪ] *n. U* strawność.

digestible [daɪˈdʒestəbl] *a.* strawny.

digestion [daɪˈdʒestʃən] *n. U* **1.** trawienie. **2.** przetrawianie (*w umyśle*), przyswajanie. **3.** gnicie, fermentacja. **4.** *chem.* roztwarzanie.

digestive [daɪˈdʒestɪv] *a. attr.* **1.** *fizj.* trawienny; *anat.* pokarmowy. **2.** ułatwiający trawienie. – *n.* **1.** = **digestive biscuit**. **2.** (*także* **digestant**) substancja ułatwiająca trawienie.

digestive biscuit *n. Br.* herbatnik z mąki razowej.

digestive gland *n. fizj.* gruczoł trawienny.

digestive system *n. anat.* układ pokarmowy.

digestive tract *n. anat.* przewód pokarmowy.

digger [ˈdɪgər] *n.* **1.** kopacz. **2.** *techn.* koparka, czerparka. **3.** *górn.* górnik, kopacz (*zwł.* = *poszukiwacz złota*). **4. D~ (Indian)** *US hist., czas. pog.* Indian-in/ka żywiący się głównie wykopanymi korzeniami. **5.** (*także* **D~**) *sl. hist., wojsk.* żołnierz australijski *l.* nowozelandzki podczas I wojny światowej. **6. the D~s** *Br. hist.* diggerzy.

diggings [ˈdɪgɪŋz] *n.* **1.** *sing.* miejsce robót ziemnych. **2.** *pl.* kopalnia (*zwł. złota*). **3.** *pl.* wykopaliska (= *wykopane przedmioty*). **4.** *przest.* = **digs**.

dight [daɪt] *v.* **dight** *l.* **dighted** *arch.* przystroić *l.* wyposażyć (jak) na bitwę.

digit [ˈdɪdʒɪt] *n.* **1.** *zool., anat. l. form.* palec (*t. jako miara*). **2.** cyfra. **3.** wskaźnik (= *przyrząd do wskazywania czegoś na wykresie, planszy*).

digital [ˈdɪdʒɪtl] *a.* **1.** *zwł. anat.* palcowy. **2.** cyfrowy. – *n. muz.* klawisz (*np. organów, pianina*).

digital audio tape *n.* (*także* **DAT**) cyfrowa taśma dźwiękowa.

digital clock *n.* zegar cyfrowy.

digital computer *n.* komputer cyfrowy.

digitalis [ˌdɪgɪ'tæləs] *n.* **1.** (*także* **foxglove**) *bot.* naparstnica purpurowa, digitalis (*Digitalis purpurea*). **2.** *med.* digitalis (*lek nasercowy*).

digitalism ['dɪdʒɪtəˌlɪzəm] *n. U pat.* zatrucie naparstnicą.

digitalize ['dɪdʒɪtəˌlaɪz], *Br. i Austr.* **digitalise** *v.* **1.** *med.* leczyć naparstnicą. **2.** = **digitize**.

digitally ['dɪdʒɪtəlɪ] *adv.* cyfrowo.

digital mapping *n. U* kartografia cyfrowa.

digital recording *n.* **1.** *muz.* nagranie cyfrowe. **2.** *komp.* zapis cyfrowy.

digital versatile disc, digital video disc *n.* DVD, uniwersalna płyta cyfrowa.

digital watch *n.* zegarek cyfrowy.

digitate ['dɪdʒɪˌteɪt], **digitated** ['dɪdʒɪˌteɪtɪd] *a.* **1.** *zool.* palczasty, mający palczaste wyrostki *l.* wyciski. **2.** *bot.* palczasty (*o kształcie liścia*).

digitation [ˌdɪdʒɪ'teɪʃən] *n. biol.* układ *l.* podział palczasty.

digitigrade ['dɪdʒɪtəˌgreɪd] *n. i a. zool.* (ssak) palcochodny.

digitize ['dɪdʒɪˌtaɪz], *Br. i Austr. zw.* **digitise** *v.* (*także* **digitalize**) *komp.* dyskretyzować (= *przetwarzać na postać cyfrową*).

diglossia [daɪ'glɑːsɪə] *n.* **1.** *jęz.* istnienie w ramach jednego języka dwóch odmian różniących się prestiżem. **2.** *pat.* występowanie dwóch języków *l.* języka rozszczepionego.

diglot ['daɪglɑːt] *rzad. a.* dwujęzyczny. – *n.* dwujęzyczna książka.

dignified ['dɪgnəˌfaɪd] *a.* dostojny, pełen godności.

dignify ['dɪgnəˌfaɪ] *v.* **-ied, -ying 1.** *t. iron.* nobilitować (*np. przez nadanie mądrze brzmiącej nazwy*). **2.** uświetniać; **the meeting was dignified by the ambassador** (*także* **the presence of the ambasador dignified the meeting**) ambasador uświetnił spotkanie swoją obecnością. **3.** uhonorować, nadać godność *l.* order (*komuś*).

dignitary ['dɪgnɪˌterɪ] *n. pl.* **-ies** *form.* dygnitarz, dostojnik.

dignity ['dɪgnətɪ] *n.* **1.** *U* godność, dostojeństwo; **beneath sb's ~** poniżej czyjejś godności; **stand/be on one's ~** domagać się szacunku *l.* godnego traktowania. **2.** godność, ranga, stanowisko (*zwł. w rządzie l. w hierarchii kościelnej*).

digraph ['daɪgræf], **digram** ['daɪgræm] *n. jęz.* dwuznak (*np. „rz" w polskim*).

digress [daɪ'gres] *v. form.* zrobić dygresję, odejść od tematu; **~ from sth** odbiec od czegoś.

digression [daɪ'greʃən] *n. C/U* dygresja, odejście od tematu.

digressive [daɪ'gresɪv] *a.* dygresyjny.

digs [dɪgz] *n. pl. Br. pot.* stancja, kwatera prywatna; **live in ~** mieszkać na stancji.

dihedral [daɪ'hiːdrəl] *geom. a.* dwuścienny (*o kącie*). – *n.* (*także* **~ angle, dihedron**) dwuścian.

dihybrid [daɪ'haɪbrɪd] *n. genetyka* dwuhybryda (= *potomek rodziców różniących się dwiema cechami*).

dihydrate [daɪ'haɪdreɪt] *n. chem.* dwuwodzian, dwuhydrat.

dik-dik ['dɪkˌdɪk] *n. zool.* (antylopa) dikdik (*Madoqua saltiana*).

dike[1] [daɪk], **dyke** *n.* **1.** tama; grobla. **2.** rów. **3.** droga na grobli. **4.** *Br. dial.* niski murek (*odgradzający pola*). **5.** *geol.* dajka, żyła niezgodna. **6.** przeszkoda. **7.** *Austr. i NZ pot.* kibel. – *v.* **1.** osuszać przy pomocy rowu *l.* grobli. **2.** ogrodzić groblą, otamować.

dike[2] *n. sl.* lesba.

dil. *abbr.* = **dilute**; = **diluted**.

dilacerate [dɪ'læsəˌreɪt] *v. form.* rozerwać, porwać na kawałki.

dilaceration [dɪˌlæsə'reɪʃən] *n. U* **1.** *form.* rozerwanie. **2.** *dent.* przesunięcie części zawiązka zęba, który rozwija się w innym miejscu.

dilapidate [dɪ'læpɪˌdeɪt] *v.* **1.** niszczeć, walić *l.* rozsypywać się. **2.** pozwalać na niszczenie (*coś*), doprowadzić do zniszczenia *l.* ruiny.

dilapidated [dɪ'læpɪˌdeɪtɪd] *a.* walący się, rozsypujący się, w rozsypce.

dilapidation [dɪˌlæpɪ'deɪʃən] *n.* **1.** *U* ruina, zniszczenie. **2.** *pl. Br. prawn.* zniszczenia spowodowane przez najemcę nieruchomości (*oszacowywane pod koniec okresu wynajmu*); zakres *l.* koszt napraw koniecznych w sytuacji jw.

dilatability [dɪˌleɪtə'bɪlətɪ] *n. U* rozszerzalność.

dilatable [dɪ'leɪtəbl] *a.* rozszerzalny.

dilatant [dɪ'leɪtnt] *a.* **1.** rozszerzający (się). **2.** *chem., fiz., min.* dylatacyjny.

dilatate [dɪ'leɪteɪt] *a.* rozszerzony.

dilatation [ˌdɪlə'teɪʃən] *n. U* **1.** *pat.* powiększenie (*otworu l. przewodu*). **2.** *chir.* rozszerzenie; poszerzenie, udrożnienie. **3.** *mech.* rozszerzanie. **4.** *C* rozszerzony element.

dilate [daɪ'leɪt] *v.* **1.** *fizj., med.* rozszerzać (się) (*np. o źrenicach*). **2. ~ on/upon sth** *form.* rozwodzić się nad czymś.

dilation [daɪ'leɪʃən] *n.* **1.** = **dilatation**. **2.** *form.* zwłoka, opóźnienie. **3. time ~** (*także* **time dilatation**) *fiz.* wydłużanie się czasu, paradoks zegarowy (*w teorii względności*).

dilation and curettage *n. zob.* **D and C**.

dilative [daɪ'leɪtɪv] *a.* rozszerzający.

dilatometer [ˌdɪlə'tɑːmətər] *n. fiz.* dylatometr.

dilator [daɪ'leɪtər], **dilater**, **dilatator** ['daɪləˌteɪtər] *n.* **1.** (*także* **~ muscle**) *anat.* mięsień rozwieracz. **2.** *chir.* rozszerzadło, rozszerzacz, rozwieracz.

dilatory ['dɪləˌtɔːrɪ] *form. a.* **1.** powolny. **2.** obliczony na zwłokę; **~ strategy** granie na zwłokę.

dildo ['dɪldoʊ], **dildoe** *n. pl.* **-(e)s** *sl.* sztuczny penis.

dilemma [dɪ'lemə] *n. pl.* **-s** *t. log.* dylemat; **be (caught) in a ~** mieć dylemat, być w rozterce; **be on the horns of a ~** mieć do wyboru dwie równie niemiłe możliwości; **moral/ethical ~** dylemat moralny/etyczny.

dilemmatic [ˌdɪlə'mætɪk] *a.* problematyczny.

dilettante [ˌdɪlə'tɑːntɪ] *n. pl.* **-es** *l.* **-i 1.** *pog.* dyletant/ka. **2.** *przest.* miłośni-k/czka sztuk pięknych. – *a.* dyletancki.

dilettantish [ˌdɪlə'tɑːntɪʃ], **dilettanteish** *a.* dyletancki.

dilettantism [ˌdɪlə'tɑːntˌɪzəm] *n. U* dyletantyzm, dyletanctwo.

diligence[1] ['dɪlɪdʒəns] *n. U* **1.** pilność, pracowitość. **2.** *prawn.* staranność, dbałość; **due ~** należyta staranność.

diligence[2] *n. pl.* **-s** *hist.* dyliżans.

diligent ['dɪlɪdʒənt] *a.* **1.** pilny, pracowity. **2.** staranny, skrupulatny.

diligently ['dɪlɪdʒəntlɪ] *adv.* **1.** pilnie. **2.** starannie.

dill [dɪl] *n.* **1.** *U bot.* koper ogrodowy (*Anethum graveolens*); (*także* **~weed**) *kulin.* koper, koperek (*przyprawa*). **2.** *zwł. Austr. i NZ sl.* idiot-a/ka, kretyn/ka.

dill pickle *n.* ogórek kiszony.

dilly ['dɪlɪ] *n. pl.* **-ies** *US i Can. przest. pot.* wyjątkowa osoba *l.* rzecz; **a ~ of a movie** super film.

dilly bag *n. Austr.* kosz *l.* torba z plecionki (*używane przez aborygenów*).

dillydally ['dɪlɪˌdælɪ] *v.* **-ied, -ying** *pot.* ociągać się, tracić czas.

diluent ['dɪljʊənt] *n. chem.* rozcieńczalnik. – *a. chem.* rozcieńczający.

dilute [daɪ'lu:t] *v.* **1.** rozcieńczać, rozwadniać (*sth with sth* coś czymś). **2.** *przen.* osłabiać (*wiarę, barwę, wymowę czegoś*); zmniejszać (*np. udział, inwestycje*). – *a.* **1.** *chem.* rozcieńczony. **2.** wypłukany, blady (*o kolorze*).

dilution [daɪ'lu:ʃən] *n.* **1.** *U* rozcieńczenie, rozwodnienie. **2.** *chem.* roztwór.

diluvial [dɪ'lu:vɪəl], **diluvian** [dɪ'lu:vɪən] *a.* **1.** *t. Bibl.* potopowy. **2.** *geol.* dyluwialny.

dim [dɪm] *a.* **-mm- 1.** ciemny, źle oświetlony (*o pomieszczeniu*). **2.** przyćmiony, słaby (*o świetle*). **3.** niewyraźny, mglisty, zatarty, zamazany (*o konturach, zarysie, wspomnieniu*); mętny, zamglony (*o wzroku*). **4.** przyćmiony, zgaszony, matowy (*o kolorze*). **5.** ponury (*o perspektywie*); nikły, mizerny (*o szansach na sukces*). **6.** *pot.* ciemny (= *niezbyt bystry*). **7. in the ~ and distant past** *żart.* w zamierzchłej przeszłości; **take a ~ view of sth** niechętnie na coś patrzeć (= *nie pochwalać czegoś*). – *v.* **-mm- 1.** przyciemniać (się); przygaszać (się); przyćmiewać (się); **~ one's lights/headlights** *US mot.* włączyć światła mijania. **2.** *przen.* blednąć, tracić blask (*np. o urodzie*); słabnąć, przygasać (*o nadziei, szansach*); przygasić (*np. urodę, zapał*); osłabiać (*nadzieję, szanse*).

dim. *abbr.* **1.** = **dimension(s)**. **2.** = **diminish**. **3.** = **diminuendo**.

dime [daɪm] *n. US i Can.* **1.** dziesięciocentówka; *pl.* forsa. **2.** *przen. pot.* **drop a/the ~ on sb** *US* zakapować kogoś; **sth is a ~ a dozen** czegoś jest od metra *l.* na pęczki (*i dlatego jest to niewiele warte*).

dime novel *n. US pot.* powieść groszowa; czytadło.

dimension [dɪ'menʃən] *n.* **1.** *t. mat., fiz., astron. l. przen.* wymiar; **new/different ~** nowy/inny wymiar; **political/social ~** wymiar polityczny/społeczny. **2.** *pl.* wymiary, gabaryty; rozmiary; *przen.* skala (*problemu*); **of great/small ~s** dużych/małych rozmiarów.

dimerous ['dɪmərəs] *a. anat., bot.* dwuczłonowy.

dime store *n. US* sklep z tanimi artykułami (*zwł. gospodarstwa domowego*).

dime-store ['daɪmˌstɔ:r] *a. attr. US* **1.** groszowy, tani. **2.** tandetny.

dimeter ['dɪmɪtər] *n. wers.* dymetr, czterostopowiec.

dimetric [daɪ'metrɪk] *a. krystal.* czworokątny, tetragonalny.

dimidiate [dɪ'mɪdɪˌeɪt] *a.* **1.** *form.* przepołowiony. **2.** *anat.* niesymetryczny (*o rogach*). – *v. rzad.* przepoławiać.

diminish [dɪ'mɪnɪʃ] *v.* **1.** *t. przen.* zmniejszać się, maleć, kurczyć się; słabnąć; obniżać się, spadać; **~ in value/importance** tracić na wartości/znaczeniu; **law of ~ing returns** *ekon.* prawo malejących dochodów. **2.** *t. muz.* zmniejszać; pomniejszać (*t. czyjeś osiągnięcia*); uszczuplać; osłabiać; ograniczać. **3.** *bud.* zwężać (się) ku górze.

diminished [dɪ'mɪnɪʃt] *a.* **1.** zmniejszony, ograniczony; osłabiony. **2.** *muz.* zmniejszony (*o interwale*).

diminished responsibility, *US t.* **diminished capacity** *n. U prawn.* ograniczona poczytalność; zmniejszona odpowiedzialność.

diminuendo [dɪˌmɪnju:'endoʊ] *n., a. i adv. muz.* diminuendo.

diminution [ˌdɪmə'nu:ʃən] *n.* **1.** *U form.* zmniejszenie (się). **2.** *muz.* powtórzenie pasażu w szybszym tempie.

diminutive [dɪ'mɪnjətɪv] *a.* **1.** drobniutki, malutki, maleńki. **2.** *gram.* zdrobniały. – *n. gram.* zdrobnienie; wyraz zdrobniały.

dimity ['dɪmətɪ] *n. U tk.* dymka (= *cienka tkanina bawełniana tkana w pasy l. kwadraty*).

dimly ['dɪmlɪ] *adv.* **1.** słabo (*oświetlony, widoczny*). **2.** blado (*świecić*). **3.** niewyraźnie, jak przez mgłę (*widzieć, pamiętać*).

dimmer ['dɪmər] *n. el., bud.* regulator oświetlenia.

dimmers ['dɪmərz] *n. pl. US mot.* **1.** światła mijania. **2.** światła postojowe.

dimmer switch *n. mot.* przełącznik świateł.

dimorph ['daɪmɔ:rf] *bot., zool., chem., min. n.* jedna z (dwu) postaci (*kryształu, organizmu, związku chemicznego*).

dimorphic [daɪ'mɔ:rfɪk], **dimorphous** [daɪ'mɔ:rfəs] *a.* dwupostaciowy, dymorficzny.

dimorphism [daɪ'mɔ:rˌfɪzəm] *n. U* dwupostaciowość, dymorfizm.

dim-out ['dɪmˌaʊt] *n. US wojsk.* zaciemnienie (*w czasie nalotu*).

dimple ['dɪmpl] *n.* **1.** dołeczek (*zwł. w policzku, brodzie*). **2.** dołek, wgłębienie. **3.** zmarszczka (*na wodzie*). **4.** pęcherzyk (*w szkle*). – *v.* **1.** powodować powstawanie wgłębień, dołeczków itp. w (*czymś*). **2.** marszczyć (*wodę*).

dimpled ['dɪmpld], **dimply** ['dɪmplɪ] *a.* z dołeczkami *l.* dołeczkiem (*o policzkach, brodzie*); z dołeczkami w policzkach *l.* dołeczkiem w brodzie (*o osobie*).

dim sum *n. U kulin.* zestaw pierożków na parze (*w kuchni chińskiej*).

dimwit ['dɪmˌwɪt] *pot. często obelż. n.* tuman, ciemniak.

dimwitted ['dɪmˌwɪtɪd] *a. pot.* ciemny (= *tępy*).

din [dɪn] *n. sing.* hałas; gwar, wrzawa; **kick up a ~** narobić hałasu. – *v.* **-nn- 1.** ogłuszać. **2.** hałasować. **3. ~ sth into sb** *przen.* wbijać coś komuś do głowy.

dinar [dɪ'nɑ:r] *n.* dinar (*jednostka monetarna*).

dine [daɪn] *v. form.* **1.** jeść obiad; **~ in/out** jeść w domu/poza domem; **~ on/off sth** mieć coś na obiad (*zwł. coś drogiego, wykwintnego*); **~ sb** podejmować kogoś obiadem; **wine and ~** *zob.* **wine. 2.** mieścić (*podaną liczbę osób – o jadalni, stole*).

diner ['daɪnər] *n.* **1.** *US i Can.* tania restauracja (*często przypominająca wyglądem wagon restauracyjny*). **2.** konsument/ka (*w restauracji*); osoba jedząca obiad. **3.** *US kol.* wagon restauracyjny.

dinette [daɪ'net] *US i Can. n.* aneks jadalny, wnęka jadalna; mała jadalnia (*przylegająca do kuchni*).

dinette set *n.* zestaw mebli do jadalni (*stół z krzesłami*).

ding[1] [dɪŋ] *n.* dzwonienie, dzwonek. – *v.* **1.** dzwonić (*zwł. uporczywie*). **2.** *US pot.* truć, przynudzać.

ding[2] *mot. v.* wgnieść; zadrapać. – *n.* wgniecenie; zadrapanie.

ding-a-ling ['dɪŋəˌlɪŋ] *n. US pot. obelż.* palant.

dingbat ['dɪŋˌbæt] *n.* **1.** = **dingus. 2.** = **ding-a-ling.**

ding-dong ['dɪŋˌdɑ:ŋ] *int.* dzyń-dzyń, bimbom. – *n.* **1.** dzwonienie, dzwonek. **2.** *sing. Br. pot.* głośna kłótnia. – *v.* dzwonić. – *a. attr.* **1.** dzwoniący. **2.** *przen.* zacięty; pełen niespodzianek (*o walce, meczu*).

dinghy ['dɪŋgɪ], **dingey** *n. żegl.* **1.** bączek (*łódka*). **2.** dingi, (pneumatyczna) tratwa ratunkowa.

dingily ['dɪŋgɪlɪ] *adv.* obskurnie, brudno.

dinginess ['dɪŋgɪnəs] *n. U* obskurność, brud.

dingle ['dɪŋgl] *n. poet. l. dial.* zalesiona kotlina *l.* dolina; zalesiony wąwóz.

dingo ['dɪŋgoʊ] *pl.* **-es** (pies) dingo (*Canis dingo*).

dingus ['dɪŋəs] *n. US sl.* dynks, dings (= *coś, czego nazwy nie znamy l. nie pamiętamy*).

dingy ['dɪŋgɪ] *a.* **-ier, -iest** obskurny, brudny.

dining car ['daɪnɪŋ ˌkɑ:r] *n. kol.* wagon restauracyjny.

dining room *n.* **1.** jadalnia, pokój jadalny *l.* stołowy. **2.** restauracja (*hotelowa*).

dining table ['daɪnɪŋ ˌteɪbl] *n.* stół, przy którym spożywa się posiłki.

dinkey ['dɪŋkɪ] *a.* = **dinky.**

dinkum ['dɪŋkəm] *Austr. i NZ pot. a.* (*także* **fair ~**) prawdziwy, autentyczny.

dinkum oil *n. U* szczera prawda.

dinky[1] ['dɪŋkɪ], **dinkey** *a.* **-ier, -iest 1.** *US uj.* ciasny, za mały (*o pokoju, domu*). **2.** *Br. i Austr.* przytulny, malutki (*jw.*).

dinky[2] *n. zwł. Br. pot.* bezdzietna para, w której oboje partnerzy dużo zarabiają (*skrót od "double income no kids yet"*).

dinner ['dɪnər] *n.* **1.** *C / U* obiad; kolacja; **candlelit ~** kolacja przy świecach; **have ~** jeść obiad; **have sb over for ~** zaprosić kogoś na obiad *l.* kolację; **Sunday/Christmas ~** niedzielny/świąteczny obiad. **2.** przyjęcie; **give a ~ for sb/in honor of sth** wydawać obiad na czyjąś cześć/z okazji czegoś. **3.** *przen.* **more (sth) than you've had hot ~s** *Br. żart.* więcej (czegoś), niż jesteś w stanie sobie wyobrazić; **dressed up like a dog's ~** *zob.* **dog.**

dinner dance *n.* przyjęcie z kolacją i tańcami.

dinner jacket *n. Br.* (*także* **DJ, d.j.**) smoking.

dinner party *n.* przyjęcie, proszony obiad.

dinner service, dinner set *n.* zastawa obiadowa.

dinner table *n.* stół, przy którym jada się obiad; **at/over the ~** przy obiedzie, przy stole (*np. rozmawiać o czymś*).

dinnertime ['dɪnərˌtaɪm] *n.* pora obiadowa *l.* obiadu.

dinosaur ['daɪnəˌsɔ:r] *n. paleont. l. przen.* dinozaur.

dinothere ['daɪnəˌθi:r] *n. paleont.* dinoterium (*wielki ssak kopalny*).

dint [dɪnt] *n.* **1.** *przest.* **by ~ of sth** dzięki czemuś, stosując coś; **by ~ of great effort** wielkim wysiłkiem, przy użyciu wielkiego wysiłku. **2.** *arch.* uderzenie; ślad uderzenia; wgniecenie. – *v.* wgnieść; poobijać.

diocesan [daɪ'ɑ:sɪsən] *kośc. a.* diecezjalny. – *n.* biskup diecezjalny.

diocese ['daɪəˌsɪs] *n.* diecezja.

diode ['daɪoʊd] *n. el.* dioda.

dioecious [daɪ'i:ʃəs] *a. biol.* rozdzielnopłciowy.

Dionysiac [ˌdaɪə'nɪsɪˌæk], **Dionysian** [ˌdaɪə'nɪʃən] *a. mit. l. przen.* dionizyjski.

Dionysus [ˌdaɪə'naɪsəs], **Dionysos** *n. mit.* Dionizos.

dioptase [daɪ'ɑ:pteɪs] *n. U min., chem.* dioptaz, uwodniony krzemian miedzi.

diopter [daɪ'ɑ:ptər], *Br.* **dioptre** *opt. n.* dioptria.

dioptric [daɪ'ɑ:ptrɪk] *a.* dioptryczny; załamujący światło.

dioptrics [daɪ'ɑ:ptrɪks] *n. U* dioptryka (= *nauka o załamywaniu światła*).

diorama [ˌdaɪə'ræmə] *n.* diorama.

dioxide [daɪ'ɑ:ksaɪd] *n. U chem.* dwutlenek; **carbon ~** dwutlenek węgla.

dioxin [daɪ'ɑ:ksɪn] *n. U chem., ekol.* dioksyna.

dip[1] [dɪp] *v.* **-pp- 1.** zanurzać (się); maczać; umoczyć. **2.** czerpać; **~ up** nabrać, zaczerpnąć (*np. płynu, ziarna*). **3.** farbować przez zamaczanie. **4.** obniżać się (*o terenie, drodze*). **5.** zanurkować, dać nura (*np. o samolocie, słońcu gwałtownie znikającym za horyzontem*). **6.** spadać (*zwł. chwilowo; np. o cenach, obrotach*). **7.** *pot.* pogrążyć (= *wpędzić w długi*). **8.** pochylić (*sztandar, żagiel*). **9.** poddawać kąpieli odkażającej (*owce*). **10.** wyrabiać metodą zanurzeniową (*świece*). **11.** nachylić *l.* pochylić się; **~ with the weight** uginać się pod ciężarem. **12. ~ one's headlights/lights** *Br. i Austr. mot.* włączyć światła mijania. **13. ~ one's wick** *sl. wulg.* zamoczyć (sobie) (*o mężczyźnie = odbyć stosunek*). **14. ~ in/into sth** sięgać do czegoś (*żeby coś wyjąć*); **~ into (a book/magazine)** przeglądać *l.* czytać wyrywkowo (książkę/czasopismo); **~ (one's hand) into one's pocket/purse/wallet/savings** *przen.*

sięgnąć do kieszeni (= *wysupłać pieniądze, zwł. oszczędności*). – *n.* **1.** *C / U kulin.* sos (*do zamaczania zakąsek*), dip. **2.** spadek (*zwł. chwilowy; np. cen, temperatury*). **3.** zanurzenie (się); zamoczenie; *pot.* kąpiel (*np. w morzu*); **go for/take a** ~ iść popływać. **4.** *chem.* kąpiel; kąpiel odkażająca (*zwł. dla owiec*). **5.** *US* gałka, porcja (*lodów*). **6.** nachylenie, pochylenie (*terenu, korytarza*). **7.** *geol.* upad; **angle of** ~ upad warstwy, kierunek upadu. **8.** *geol., astron.* inklinacja magnetyczna. **9.** *el.* zwis (*przewodów*). **10.** *sl.* kieszonkowiec.

dip[2] *n. US pot.* frajer/ka.

Dip. *abbr.* = **diploma.**

diphase [ˈdaɪˌfeɪz] *a. el.* dwufazowy.

diphtheria [dɪfˈθiːrɪə], *Br. t.* **diphtheritis** [ˌdɪfθəˈraɪtɪs] *n. U pat.* błonica, dyfteryt.

diphtherial [dɪfˈθiːrɪəl], **diphtheric** [dɪfˈθerɪk], **diphtheritic** [ˌdɪfθəˈrɪtɪk] *a. pat.* błoniczy, dyfteryjny.

diphthong [ˈdɪfθɔːŋ] *fon. n.* dyftong, dwugłoska.

diphthongal [dɪfˈθɔːŋgl] *a. jęz.* dyftongalny, dwugłoskowy.

diplococcus [ˌdɪpləˈkɑːkəs] *n. pl.* **diplococci** [ˌdɪpləˈkɑːksaɪ] *biol., med.* dwoinka, diplokok.

diplodocus [dɪˈplɑːdəkəs] *n. paleont.* diplodok (*dinozaur*).

diploma [dɪˈploʊmə] *n. uniw. US t. szkoln.* dyplom (*in sth* z czegoś *l.* z jakiejś dziedziny); **high school** ~ *US* świadectwo ukończenia szkoły średniej; **master's** ~ dyplom magistra.

diplomacy [dɪˈploʊməsɪ] *n. U l. przen.* dyplomacja.

diplomat [ˈdɪpləˌmæt] *przest.* **diplomatist** [dɪˈploʊmətɪst] *n. t. przen.* dyplomat-a/ka.

diplomatic [ˌdɪpləˈmætɪk] *a. t. przen.* dyplomatyczny.

diplomatically [ˌdɪpləˈmætɪklɪ] *adv. zw. przen.* dyplomatycznie.

diplomatic corps *n. U* korpus dyplomatyczny.

diplomatic immunity *n. U* przywilej *l.* immunitet dyplomatyczny.

diplomatic relations *n. pl.* stosunki dyplomatyczne.

diplomatics [ˌdɪpləˈmætɪks] *n. U* dyplomatyka (*dział historii*).

diplomatic service *n.* **the Diplomatic Service** służba dyplomatyczna.

diplomatist [dɪˈploʊmətɪst] *n. przest.* = **diplomat.**

dipnoan [ˈdɪpnoʊən] *icht. a.* dwudyszny. – *n.* ryba dwudyszna.

dipody [ˈdɪpədɪ] *n. wers.* dypodia, dwustopowiec.

dipolar [daɪˈpoʊlər] *a. fiz., el.* dwubiegunowy, dipolowy.

dipole [ˈdaɪˌpoʊl] *n. fiz., el.* dipol, dwubiegun; (*także* ~ **antenna/aerial**) antena dipolowa, dipol.

dipper [ˈdɪpər] *n.* **1.** chochla; łyżka; czerpak. **2. Big/Little D~** *US i Can. astron.* Wielki/Mały Wóz, Wielka/Mała Niedźwiedzica. **3.** *orn.* pluszcz (*Cinclus*).

dipper switch *n.* = **dip switch.**

dippy [ˈdɪpɪ] *a.* **-ier, -iest** *pot.* głupi; narwany.

dipshit [ˈdɪpˌʃɪt] *n. US pot.* przygłup.

dipso [ˈdɪpsoʊ] *n. sl. pog.* = **dipsomaniac.**

dipsomania [ˌdɪpsəˈmeɪnɪə] *n. U pat.* dypsomania, opilstwo napadowe.

dipsomaniac [ˌdɪpsəˈmeɪnɪˌæk] *n. pat.* dypsomania-k/czka, nałogow-y/a pija-k/czka.

dipstick [ˈdɪpstɪk] *n.* **1.** *mot.* bagnet, (prętowy) wskaźnik poziomu oleju. **2.** *miern.* wskaźnik prętowy.

dip switch *n.* (*także* **dipper switch**) *Br. mot.* przełącznik świateł.

dipterous [ˈdɪptərəs] *a. ent.* **1.** dwuskrzydły. **2.** z rzędu muchówek, należący do rzędu muchówek.

diptych [ˈdɪptɪk] *n. sztuka* dyptyk, dyptych.

dire [daɪr] *a.* **1.** *zw. attr.* opłakany, zgubny (*o konsekwencjach*); skrajny (*o nędzy*); dramatyczny (*o sytuacji, potrzebie*); **(be) in ~ straits** (być) w tarapatach. **2.** *zw. attr.* złowieszczy, złowróżbny; ~ **warning** ostrzeżenie przed czymś strasznym. **3.** *pot.* okropny (*np. o filmie, przedstawieniu*).

direct [dəˈrekt] *v.* **1.** kierować, rządzić, dyrygować (*kimś l. czymś*); ~ **the traffic** kierować ruchem. **2.** *form.* polecić, kazać (*sb to do sth* komuś coś zrobić); zarządzić (*that...* aby...); pouczyć, poinstruować (*t. ławę przysięgłych, oskarżonego l. świadka*). **3.** kierować (*np. wzrok, strumień światła*) (*at sb / sth* na kogoś/coś); ~ **a question/remark at sb** skierować pytanie/uwagę do kogoś; ~ **one's attention toward sth** skierować uwagę na coś; ~ **one's efforts toward sth** kierować wysiłki na coś; **can you ~ me to ...?** czy może mi Pan/i wskazać drogę do...? **4.** *film, teatr* reżyserować. **5.** *gł. US muz.* dyrygować. – *a.* **1.** bezpośredni (*np. o skutku, związku, locie, trafieniu; t. o osobie = szczery, otwarty*); wprost (*np. o odpowiedzi*); w prostej linii (*o pochodzeniu, potomku*). **2.** *attr.* dokładny (*np. o cytacie*); całkowity (*np. o przeciwieństwie, kontraście*). – *adv.* **1.** bezpośrednio (*zwł. = bez przesiadki l. bez pomocy telefonistki*); **fly ~ (from Warsaw) to Chicago** lecieć bezpośrednio (z Warszawy) do Chicago; **you can dial Poland ~** można dzwonić do Polski bezpośrednio. **2.** bezpośrednio, prosto, wprost; **buy sth ~ from the producer** kupować coś bezpośrednio od producenta.

direct access *n. U komp.* dostęp bezpośredni.

direct action *n. polit.* akcja bezpośrednia (*np. strajk, demonstracja*).

direct current *n. U el.* prąd stały.

direct debit *n. zwł. Br. bank* zlecenie stałe.

direct deposit *n. U US i Can. bank* przelewanie pensji bezpośrednio na konto pracownika.

direct discourse *n. US* = **direct speech.**

direction [dəˈrekʃən] *n.* **1.** kierunek; strona; **change ~** zmienić kierunek; **in sb's ~** w czyjąś stronę (*np. spojrzeć*); **in the ~ of Szczecin** w kierunku Szczecina; **in the opposite ~** w przeciwnym kierunku, w przeciwną stronę. **2.** *U* kierownictwo; przywództwo; **under sb's ~** (*także* **under the ~ of sb**) pod czyimś kierownictwem *l.* przywództwem. **3.** *pl.* instrukcje; wskazówki;

~s (for use) instrukcja (użytkowania *l.* obsługi); **care/washing ~s** przepis prania; **ask for ~s** pytać o drogę; **give sb ~s** wskazywać komuś drogę. **4.** *U* reżyseria. **5. sense of ~** orientacja (w terenie); *przen.* poczucie celu (*w życiu*).

directional [dəˈrekʃənl] *a. radio, tel.* kierunkowy (*o antenie, mikrofonie*).

direction finder *n. radio* namiernik.

directive [dəˈrektɪv] *a.* **1.** nakazowy; kierowniczy. **2.** wskazujący drogę, naprowadzający. – *n.* dyrektywa, wytyczna, odgórne zarządzenie.

directly [dəˈrektlɪ] *adv.* **1.** bezpośrednio; wprost. **2.** *Br. przest.* zaraz. – *conj. Br.* gdy tylko, zaraz po tym, jak.

direct mail, *Br. t.* **direct mailshot** *n. U* przesyłki bezadresowe; przesyłki reklamowe.

direct marketing *n. U* (*także* **direct sales**) sprzedaż bezpośrednia (*np. wysyłkowa, telefoniczna l. przez akwizytorów*).

directness [dəˈrektnəs] *n. U* bezpośredniość; **with ~** otwarcie, prosto z mostu.

direct object *n. gram.* dopełnienie bliższe.

director [dəˈrektər] *n.* **1.** człon-ek/kini zarządu; **board of ~s** zarząd, rada nadzorcza. **2.** dyrektor/ka; kierowni-k/czka; **financial/sales ~** dyrektor finansowy/do spraw sprzedaży. **3.** *film, teatr* reżyser/ka. **4.** *gł. US muz.* dyrygent/ka. **5.** *wojsk.* przyrząd centralny (*koordynujący ogień artyleryjski*).

directorate [dəˈrektərɪt] *n.* **1.** zarząd, rada nadzorcza. **2.** = **directorship**.

directorial [dəˌrekˈtɔːrɪəl] *a.* dyrektorski.

Director of Public Prosecutions *n. Br. prawn.* prokurator generalny.

directorship [dəˈrektərˌʃɪp] *n. U* dyrekcja; kierownictwo.

directory [dəˈrektərɪ] *n. pl.* **-ies 1.** (*także* **(telephone ~)**) książka telefoniczna. **2.** (*także* **street ~**) księga adresowa. **3.** *komp.* katalog, folder. **4.** *US* zarząd (*towarzystwa*). **5. the D~** *hist.* Dyrektoriat (*we Francji*). – *a.* **1.** kierujący. **2.** wskazujący; doradczy.

directory assistance, *Br.* **directory enquiries** *n. tel.* biuro numerów.

directrix [daɪˈrektrɪks] *n. pl. t.* **directrices** [daɪˈrektrəˌsiːz] *mat.* kierownica (*hiperboli, stożka*).

direct sales *n.* = **direct marketing**.

direct speech, *US t.* **direct discourse** [ˈdɪsˌkɔːrs] *n. U gram.* mowa niezależna.

direct tax *n. C/U fin.* podatek bezpośredni.

direful [ˈdaɪrfʊl] *a. rzad.* opłakany (*zwł. o następstwach*).

dirge [dɝːdʒ] *n.* **1.** pieśń pogrzebowa *l.* żałobna. **2.** *teor. lit.* tren.

dirigible [ˈdɪrədʒəbl] *n. lotn.* sterowiec.

diriment [ˈdɪrɪmənt] *a. prawn.* unieważniający; **~ impediment** przeszkoda unieważniająca małżeństwo od samego początku.

dirk [dɝːk] *zwł. Scot. n.* sztylet. – *v.* pchnąć sztyletem.

dirndl [ˈdɝːndl] *n.* **1.** spódnica tyrolska (*szeroka, marszczona*). **2.** tradycyjny kobiecy strój tyrolski (= *spódnica jw. i obcisły gorset zakładany na bluzkę z krótkim rękawem*).

dirt [dɝːt] *n. U* **1.** brud; błoto; nieczystości; odchody. **2.** *zwł. US i Austr.* ziemia. **3.** *przen.* świństwa (= *nieprzyzwoitości*); *pot.* brudy (= *niepochlebne plotki, pogłoski*). **4.** *przen.* **dish the ~** *zob.* **dish** *v.*; **do (sb) ~** *pot.* świnić (komuś); **eat ~** *pot.* przełknąć obelgę *l.* zniewagę; **fling ~ at sb** obrzucać kogoś błotem; **hit the ~** *zob.* **hit.** *v.*; **treat sb like ~** *pot.* traktować kogoś jak śmieć; **yellow ~** *pog.* złoto.

dirt bike *n.* **1.** motocykl terenowy. **2.** rower terenowy.

dirt-cheap [ˌdɝːtˈtʃiːp] *pot. a.* tani jak barszcz. – *adv.* za bezcen, za psie pieniądze.

dirtily [ˈdɝːtɪlɪ] *adv.* **1.** brudno. **2.** nieprzyzwoicie.

dirtiness [ˈdɝːtɪnəs] *n. U* **1.** brud. **2.** nieprzyzwoitość.

dirt-poor [ˌdɝːtˈpʊr] *a. US pot.* straszliwie biedny.

dirt road *a.* droga gruntowa.

dirt track *n.* **1.** *sport* tor żużlowy. **2.** = **dirt road**.

dirty [ˈdɝːtɪ] *a.* **-ier, -iest 1.** *t. przen.* brudny; zabrudzony; brudzący (*np. o dymie*); przybrudzony, brudnawy (*np. o kolorze*). **2.** świński, sprośny, nieprzyzwoity (*o zdjęciach, dowcipie, filmie*). **3.** *pot.* podły (*o osobie, pogodzie, postępku*). **4.** *sport* nieczysty, nieuczciwy. **5.** *US sl.* z towarem (= *w posiadaniu narkotyków*). **6.** *przen.* **do sb's ~ work (for them)** odwalać za kogoś brudną robotę; **give sb a ~ look** spojrzeć na kogoś niechętnie; **have a ~ mind** mieć sprośne myśli; **wash one's ~ linen in public** (*także US* **air/do one's ~ laundry in public**) prać brudy przy wszystkich, publicznie prać (swoje) brudy. – *n.* **do the ~ on sb** *Br. i Austr. pot.* zrobić komuś świństwo. – *adv.* **1.** *pot.* **play ~** *t. przen.* grać nieczysto *l.* nieuczciwie; **talk ~** świntuszyć. **2.** *Br. i Austr. sl.* strasznie (= *bardzo*); **~ big/great** ogromniasty; **~ rotten** wyjątkowo parszywy *l.* podły. – *v. t. przen.* brudzić (się); **~ one's hands on sth** *przen.* pobrudzić sobie czymś ręce.

dirty old man *n. pot. uj. l. żart.* stary zbereźnik.

dirty pool *n. U US sl.* kanciarstwo, przewały.

dirty trick *n.* świństwo, podłość; *polit.* machlojka.

dirty word *n.* **1.** brzydki wyraz. **2.** *przen.* coś wstydliwego *l.* niepopularnego (*zwł. w pewnych kręgach; np. o idei l. ideologii*).

dis [dɪs] *v.* = **diss**.

disability [ˌdɪsəˈbɪlətɪ] *n. pl.* **-ies 1.** *U* niepełnosprawność; inwalidztwo, kalectwo; upośledzenie (umysłowe); **persons/people with ~/disabilities** osoby niepełnosprawne. **2.** niezdolność; ułomność. **3.** *U prawn.* brak zdolności prawnej. **4.** *prawn.* przeszkoda prawna.

disable [dɪsˈeɪbl] *v.* **1.** *często pass.* spowodować kalectwo *l.* inwalidztwo (*czyjeś l. u kogoś*). **2.** *przen.* paraliżować (*np. o nieśmiałości*). **3.** *techn.* wyłączać (*zabezpieczenie*); unieszkodliwiać (*alarm, bombę*). **4.** *prawn.* pozbawiać zdolności prawnej.

disabled [dɪsˈeɪbld] *a.* **1.** niepełnosprawny; kaleki; **mentally ~** upośledzony (umysłowo); **severely ~** ciężko uszkodzony *l.* upośledzony. **2.** *attr.* dla niepełnosprawnych; **~ toilet/parking** toaleta/parking dla niepełnosprawnych. – *n. pl.* **the ~** niepełnosprawni.

disablement [dɪsˈeɪblmənt] *n. U* **1.** niepełnosprawność; inwalidztwo, kalectwo. **2.** niezdolność do pracy. **3.** *prawn.* pozbawienie *l.* utrata zdolności prawnej.

disabuse [ˌdɪsəˈbjuːz] *v. form.* wyprowadzać z błędu (*sb of sth* kogoś co do czegoś).

disaccord [ˌdɪsəˈkɔːrd] *n. U form.* niezgoda; niezgodność. – *v. form.* nie zgadzać się.

disaccustom [ˌdɪsəˈkʌstəm] *v. form.* odzwyczajać (*sb to sth* kogoś od czegoś).

disadvantage [ˌdɪsədˈvæntɪdʒ] *n.* **1.** ujemna *l.* zła strona, wada; **the advantages and ~s of city life** dobre i złe strony życia w mieście. **2.** niekorzyść; niekorzystne położenie *l.* sytuacja; **at a ~ (to sb)** w niekorzystnym (dla kogoś) położeniu; **have sb at a ~** mieć nad kimś (nieuczciwą) przewagę; **put/place sb at a ~** stawiać kogoś w niekorzystnym położeniu; **work to sb's ~** działać na czyjąś niekorzyść. **3.** *form.* strata, szkoda. – *v.* stawiać w niekorzystnym położeniu, działać na niekorzyść (*kogoś*).

disadvantaged [ˌdɪsədˈvæntɪdʒd] *a.* społecznie upośledzony.

disadvantageous [dɪsˌædvənˈteɪdʒəs] *a.* niekorzystny (*to sb / sth* dla kogoś/czegoś).

disaffect [ˌdɪsəˈfekt] *v. zw. pass.* zrażać (do siebie), zniechęcać (do siebie).

disaffected [ˌdɪsəˈfektɪd] *a.* zrażony, zniechęcony (*zwł. do określonej polityki, ideologii, organizacji*); nielojalny (*z powodu rozczarowania czyjąś dotychczasową polityką itp.*); zbuntowany (*o młodzieży*).

disaffection [ˌdɪsəˈfekʃən] *n. U zwł. polit.* niezadowolenie, rozczarowanie; nielojalność.

disaffirm [ˌdɪsəˈfɜːm] *v. prawn.* **1.** przeczyć, zaprzeczać (*stwierdzeniu*). **2.** uchylać, cofać (*decyzję*); odwoływać; anulować.

disaffirmation [ˌdɪsæfərˈmeɪʃən] *n. U prawn.* **1.** zaprzeczenie. **2.** uchylenie, cofnięcie; odwołanie; anulowanie.

disafforest [ˌdɪsəˈfɔːrɪst] *v.* **1.** *prawn.* odebrać status terenów leśnych (*jakiemuś terenowi*). **2.** wytrzebić drzewa z (*jakiegoś terenu*).

disagree [ˌdɪsəˈgriː] *v.* **1.** nie zgadzać się (*with sb / sth* z kimś/czymś) (*about / on sth* co do czegoś); być przeciwnym (*with sth* czemuś); być odmiennego zdania. **2. ~ with sb** szkodzić *l.* nie służyć komuś (*np. o jedzeniu, klimacie*).

disagreeable [ˌdɪsəˈgriːəbl] *a.* nieprzyjemny (*o pogodzie, zapachu, osobie*).

disagreeably [ˌdɪsəˈgriːəblɪ] *adv.* nieprzyjemnie.

disagreement [ˌdɪsəˈgriːmənt] *n. C / U* **1.** różnica zdań (*about / over / as to sth* co do czegoś) (*among* wśród); niezgoda, brak zgody; **be in ~** nie zgadzać się (ze sobą); **have a ~ with sb** nie zgadzać się z kimś. **2.** niezgodność. **3.** nieporozumienie, sprzeczka.

disallow [ˌdɪsəˈlaʊ] *v.* **1.** nie pozwalać na, nie dopuszczać do (*czegoś*). **2.** *prawn.* odrzucać (*sprzeciw, prośbę, apelację*). **3.** *sport* nie uznać (*bramki*).

disambiguate [ˌdɪsæmˈbɪgjʊˌeɪt] *v.* uściślić (*np. wypowiedź l. przepis prawny poprzez eliminację dwuznaczności*).

disannul [ˌdɪsəˈnʌl] *v.* **-ll-** *prawn.* anulować, unieważnić.

disappear [ˌdɪsəˈpiːr] *v.* **1.** znikać; zniknąć, przepaść; zapodziać *l.* zawieruszyć się; **~ from view/sight** zniknąć z pola widzenia; **~ mysteriously** zniknąć w tajemniczych okolicznościach; **~ without a trace** zniknąć *l.* przepaść bez śladu. **2.** zanikać (*np. o różnicach, tradycjach*).

disappearance [ˌdɪsəˈpiːrəns] *n. C / U* **1.** zniknięcie; zaginięcie. **2.** zanik.

disappoint [ˌdɪsəˈpɔɪnt] *v.* **1.** rozczarować, zawieść (*kogoś*); **~ sb's expectations/hopes** zawieść czyjeś oczekiwania/nadzieje. **2.** pokrzyżować (*czyjeś plany*).

disappointed [ˌdɪsəˈpɔɪntɪd] *a.* rozczarowany (*at / about / with sth* czymś); zawiedziony; **I'm ~ in/with him** zawiodłam się na nim; **she was ~ (to find/hear/see) that...** rozczarowało ją, że...

disappointing [ˌdɪsəˈpɔɪntɪŋ] *a.* rozczarowujący, poniżej oczekiwań; mierny.

disappointment [ˌdɪsəˈpɔɪntmənt] *n. C / U* rozczarowanie; zawód; **be a ~ to sb** rozczarować kogoś, sprawić komuś zawód; **to sb's (great) ~** ku czyjemuś (wielkiemu) rozczarowaniu.

disapprobation [ˌdɪsæprəˈbeɪʃən] *n. U form.* dezaprobata.

disapproval [ˌdɪsəˈpruːvl] *n. U* dezaprobata (*of sb / sth* dla *l.* wobec kogoś/czegoś); niechęć (*of sb / sth* do kogoś/czegoś); **with/in ~** z dezaprobatą.

disapprove [ˌdɪsəˈpruːv] *v.* **~ of sb/sth** nie pochwalać kogoś/czegoś; potępiać kogoś/coś; **I ~** jestem przeciw.

disapproving [ˌdɪsəˈpruːvɪŋ] *a.* pełen dezaprobaty.

disapprovingly [ˌdɪsəˈpruːvɪŋlɪ] *adv.* z dezaprobatą.

disarm [dɪsˈɑːrm] *v. polit. l. przen.* rozbrajać (się).

disarmament [dɪsˈɑːrməmənt] *n. U polit.* rozbrojenie.

disarming [dɪsˈɑːrmɪŋ] *a.* rozbrajający (*o uśmiechu, szczerości*).

disarmingly [dɪsˈɑːrmɪŋlɪ] *adv.* rozbrajająco (*np. uśmiechnąć się*).

disarrange [ˌdɪsəˈreɪndʒ] *v. form.* dezorganizować; wprowadzać nieporządek *l.* bałagan w (*czymś*).

disarray [ˌdɪsəˈreɪ] *n. U* nieład; zamieszanie; **in ~** w nieładzie; **throw sth into ~** wprowadzić zamieszanie w czymś. – *v. form.* **1.** dezorganizować. **2.** *poet.* rozdziewać.

disarticulate [ˌdɪsɑːrˈtɪkjəˌleɪt] *v.* rozczłonkowywać; rozbierać na części.

disassemble [ˌdɪsəˈsembl] *techn. v.* demontować; rozbierać.

disassembly [ˌdɪsəˈsemblɪ] *n. U* demontaż; rozbiórka.

disassimilation [ˌdɪsəˌsɪməˈleɪʃən] *n. U fizj., biol.* rozpad, metabolizm wsteczny.

disassociate [ˌdɪsəˈsoʊʃɪˌeɪt] *v.* = **dissociate**.

disaster [dɪˈzæstər] *n. t. przen.* katastrofa, nieszczęście; (*także* **natural** ~) klęska żywiołowa; **rail/air** ~ katastrofa kolejowa/lotnicza; **he's a ~ as a teacher** *pot.* jest beznadziejnym nauczycielem; **the party was a complete ~** *pot.* przyjęcie zupełnie nie wypaliło.

disaster area *n.* **1.** obszar klęski (żywiołowej), obszar dotknięty klęską (żywiołową). **2.** *przen. żart.* pobojowisko (*np. o pomieszczeniu po imprezie*).

disastrous [dɪˈzæstrəs] *a.* katastrofalny; zgubny; fatalny.

disastrously [dɪˈzæstrəslɪ] *adv.* katastrofalnie; fatalnie.

disavow [ˌdɪsəˈvaʊ] *form. v.* zaprzeczać (*np. powiązaniom, wiedzy*); wypierać się (*np. odpowiedzialności za coś*).

disavowal [ˌdɪsəˈvaʊəl] *n. C/U* zaprzeczenie; wyparcie się.

disband [dɪsˈbænd] *v.* **1.** rozwiązywać (*organizację*). **2.** rozwiązywać się (*o organizacji*).

disbandment [dɪsˈbændmənt] *n. U* rozwiązanie (się).

disbar [dɪsˈbɑːr] *v.* **-rr-** *prawn.* wykluczać z adwokatury, odbierać uprawnienia adwokackie (*komuś*).

disbarment [dɪsˈbɑːrmənt] *n. U prawn.* wykluczenie z adwokatury, odebranie uprawnień (adwokackich).

disbelief [ˌdɪsbɪˈliːf] *n. U* niedowierzanie; **in ~** z niedowierzaniem.

disbelieve [ˌdɪsbɪˈliːv] *v. form.* nie dawać wiary, nie dowierzać, nie wierzyć (*komuś l. czemuś*); **~ in sth** nie wierzyć w coś.

disbranch [dɪsˈbræntʃ] *v.* odzierać z gałęzi (*drzewo*).

disburden [dɪsˈbɜːdn] *v. form.* **1.** uwalniać od ciężaru, odciążać. **2.** **~ o.s./one's mind of sth** zrzucić ciężar z serca (*zwierzając się komuś*). **3.** *arch.* rozładowywać (towar).

disburse [dɪsˈbɜːs] *form. v. C/U* wydatkować (*fundusze*); wykładać (*pieniądze*).

disbursement [dɪsˈbɜːsmənt] *n. fin.* wydatek; nakład.

disc [dɪsk] *n. zwł. Br.* = **disk**.

discalced [dɪsˈkælst] *a. kośc.* bosy (*o zakonnikach/cach noszących sandały*).

discard *v.* [dɪsˈkɑːrd] **1.** wyrzucać; pozbywać się (*czegoś*). **2.** porzucać; odrzucać (*strój, wierzenia, zwyczaje*). **3.** *karty* odkładać, odrzucać (*kartę*). – *n.* [ˈdɪskɑːrd] **1.** *U* odrzucenie. **2.** osoba *l.* rzecz odrzucona. **3.** *karty* odłożona *l.* odrzucona karta.

discern [dɪˈsɜːn] *v.* **1.** dostrzegać. **2.** rozróżniać. **3.** uchwycić (= *zrozumieć*).

discernible [dɪˈsɜːnəbl] *rzad.* **discernable** *a.* **1.** dostrzegalny. **2.** rozróżnialny.

discernibly [dɪˈsɜːnəblɪ] *adv.* w dostrzegalny sposób.

discerning [dɪˈsɜːnɪŋ] *a.* **1.** znający się na rzeczy (*np. o klientach*); mający dobry gust *l.* smak (*zwł. w dziedzinie sztuki*), wyrobiony (*np. o publiczności*). **2.** wnikliwy; przenikliwy; spostrzegawczy.

discernment [dɪˈsɜːnmənt] *n. U* **1.** dobry gust *l.* smak; wyrobienie. **2.** wnikliwość; przenikliwość.

discharge *v.* [dɪsˈtʃɑːrdʒ] **1.** zwalniać (*więźnia, pracownika, żołnierza*); wypisywać (*pacjenta*) (*from sth* skądś); **~ o.s.** opuścić szpital na własne żądanie. **2.** *t. fizj. i pat.* wydzielać (*np. śluz, ropę, dym, odpady*); wydzielać się, wydobywać się, wypływać. **3.** **~ a duty/promise** *form.* wywiązać się z obowiązku/obietnicy. **4.** *fin.* spłacić (*dług*); uwolnić od dalszych zobowiązań (*bankruta*). **5.** *t. el.* wyładowywać, rozładowywać (*np. statek, ładunek*). **6.** *bud.* odciążać, rozkładać (*ciężar*). **7.** wystrzelić, odpalić (*pocisk*); wypalić z, wystrzelić z (*broni*); wystrzelić, wypalić (*o broni*). – *n.* [ˈdɪstʃɑːrdʒ] *C/U* **1.** zwolnienie; uwolnienie; **conditional ~** zwolnienie warunkowe; **dishonorable ~** *zob.* **dishonorable**. **2.** świadectwo zwolnienia; wypis (*ze szpitala*). **3.** *fizj., pat.* wydzielina; wydalina. **4.** wydzielanie, wydobywanie się, wypuszczanie (*np. pary*). **5.** *t. el.* wyładowanie, rozładowanie (*statku, ładunku*). **6.** *bud.* odciążenie. **7.** wystrzał. **8.** spłata, uiszczenie (*długu*). **9.** wywiązanie się, spełnienie obowiązku.

disciple [dɪˈsaɪpl] *n. rel. l. przen.* ucze-ń/nnica; wyznaw-ca/czyni; **the D~s** *rel.* Apostołowie.

disciplinarian [ˌdɪsəpləˈnerɪən] *n.* służbist-a/ka. – *a. rzad.* dyscyplinarny.

disciplinary [ˈdɪsəpləˌnerɪ] *a.* dyscyplinarny.

discipline [ˈdɪsəplɪn] *n.* **1.** *U* dyscyplina; zdyscyplinowanie, karność; **keep ~** utrzymywać dyscyplinę. **2.** dyscyplina, dziedzina. **3.** dyscyplina (*do bicia*). – *v.* **1.** ćwiczyć, kształcić (*zwł. charakter*). **2.** narzucać dyscyplinę (*komuś*), dyscyplinować; utrzymywać w ryzach; **~ o.s. to do sth** mobilizować się do robienia czegoś (*zwł. dla własnego dobra*). **3.** karać (*zwł. dyscyplinarnie*).

disciplined [ˈdɪsəplɪnd] *a.* zdyscyplinowany, karny.

disclaim [dɪsˈkleɪm] *v. form.* **1.** zaprzeczać (*twierdzeniu, wiedzy*); wypierać się (*odpowiedzialności*); dementować. **2.** *prawn.* zrzekać się (*prawa*).

disclaimer [dɪsˈkleɪmər] *n.* **1.** *często polit.* dementi; **issue a ~** złożyć dementi. **2.** *prawn. U* zrzeczenie się odpowiedzialności; *C* klauzula zrzeczenia się odpowiedzialności. **3.** *U prawn.* zrzeczenie się pretensji.

disclose [dɪsˈkloʊz] *v.* ujawniać, wyjawiać; odsłaniać, odkrywać.

disclosure [dɪsˈkloʊʒər] *n. C/U prawn.* ujawnienie, wyjawienie; odkrycie.

disco [ˈdɪskoʊ] *n.* **1.** *pl.* **-s** dyskoteka. **2.** *U* (muzyka) disco.

discobolus [dɪˈskɑːbələs] *n. pl.* **-li** [dɪˈskɑːbəlaɪ] *hist.* dyskobol.

discoid [ˈdɪskɔɪd] *a. bot., anat.* krążkowaty, tarczowaty.

discolor [dɪsˈkʌlər], *Br.* **discolour** *v.* **1.** przebarwiać (się); odbarwiać (się). **2.** plamić (się). **3.** płowieć; tracić kolor.

discoloration [dɪsˌkʌləˈreɪʃən], **discolorment** [dɪsˈkʌlərmənt] *n.* **1.** przebarwienie; odbarwienie. **2.** *U* płowienie.

discombobulate [ˌdɪskəmˈbɑːbjəˌleɪt] *v. żart.* zbić z pantałyku.

discomfit [dɪsˈkʌmfɪt] *form. v.* **1.** wprawiać w zakłopotanie. **2.** pokrzyżować (*plany*). **3.** *arch.* pobić, rozgromić.

discomfiture [dɪsˈkʌmfɪtʃər] *n.* **1.** *U* zmieszanie. **2.** *U* pokrzyżowanie szyków. **3.** *arch.* porażka.

discomfort [dɪsˈkʌmfərt] *n.* **1.** *U* dyskomfort; uwieranie; ból. **2.** *U* zakłopotanie, zażenowanie (*at sth* z jakiegoś powodu). **3.** niewygoda. – *v.* **1.** wprawiać w zakłopotanie. **2.** sprawiać niewygodę (*komuś*).

discommode [ˌdɪskəˈmoʊd] *v. form.* narażać na niewygody.

discompose [ˌdɪskəmˈpoʊz] *form. v.* **1.** wyprowadzić z równowagi, wzburzyć. **2.** *przest.* dezorganizować.

discomposedly [ˌdɪskəmˈpoʊzɪdlɪ] *adv.* ze wzburzeniem.

discomposure [ˌdɪskəmˈpoʊʒər] *n.* *U* wzburzenie.

disconcert [ˌdɪskənˈsɝːt] *v. często pass.* **1.** zaniepokoić, wywołać niepokój u (*kogoś*). **2.** wprawiać w zakłopotanie; zbijać z tropu. **3.** psuć (*plany*).

disconcerted [ˌdɪskənˈsɝːtɪd] *a.* zakłopotany, zmieszany, zbity z tropu.

disconcerting [ˌdɪskənˈsɝːtɪŋ] *a.* niepokojący; żenujący.

disconnect [ˌdɪskəˈnekt] *v. el., techn., tel.* odłączać; rozłączać; wyłączać.

disconnected [ˌdɪskəˈnektɪd] *a.* bez związku, bezładny (*o tekście, mowie*).

disconnectedly [ˌdɪskəˈnektɪdlɪ] *adv.* bez związku, bezładnie (*pisać, mówić*).

disconnection [ˌdɪskəˈnekʃən], *Br. t.* **disconnexion** *n.* **1.** *el., techn., tel.* odłączenie; rozłączenie; wyłączenie. **2.** *U* oderwanie; brak związku.

disconsolate [dɪsˈkɑːnsəlɪt] *a. lit.* niepocieszony.

disconsolately [dɪsˈkɑːnsəlɪtlɪ] *adv.* niepocieszenie.

discontent [ˌdɪskənˈtent] *n.* *U* (*także* **~ment**, **~edness**) niezadowolenie (*at/about/over/with sth* z czegoś). – *a.* (*także* **~ed**) niezadowolony (*with sth* z czegoś). – *v.* wywoływać niezadowolenie (*czyjeś l. u kogoś*).

discontentedly [ˌdɪskənˈtentɪdlɪ] *adv.* z niezadowoleniem.

discontinuance [ˌdɪskənˈtɪnjʊəns], **discontinuation** [ˌdɪskənˌtɪnjuːˈeɪʃən] *n.* *C/U form.* **1.** przerwa. **2.** *prawn.* wstrzymanie; zawieszenie.

discontinue [ˌdɪskənˈtɪnjuː] *v.* **1.** przerwać. **2.** przestać produkować (*model, wzór wyrobu*). **3.** porzucić (*zwyczaj*). **4.** *prawn.* wstrzymać; zawiesić.

discontinuity [ˌdɪskɑːntəˈnuːətɪ] *n.* *C/U* **1.** brak ciągłości, przerwanie ciągłości. **2.** *astron., fiz.* nieciągłość. **3.** *el.* przerwa.

discontinuous [ˌdɪskənˈtɪnjʊəs] *a.* nieciągły, przerywany.

discord [ˈdɪskɔːrd] *n.* **1.** *U form.* niezgoda; rozdźwięk. **2.** *C/U muz.* dysonans. – *v. form.* **1.** nie zgadzać się; kłócić się. **2.** *muz.* tworzyć dysonans.

discordance [dɪsˈkɔːrdns] *n.* *U* niezgodność, brak zgodności.

discordant [dɪsˈkɔːrdnt] *a.* **1.** niezgodny. **2.** *muz.* dysharmonijny.

discotheque [ˌdɪskoʊˈtek], **discothèque** *n.* dyskoteka.

discount [ˈdɪskaʊnt] *n. handl.* zniżka, ulga, rabat, bonifikata; **at a ~** po atrakcyjnych cenach; *przen. pot.* nie w cenie, niemile widziany; **give sb a ~ (on sth)** dać komuś rabat *l.* ulgę *l.* zniżkę (na coś); **student ~** zniżka dla uczących się. – *a. handl.* **1.** okazyjny, przeceniony, po obniżonej cenie (*o towarach, usługach*); obniżony (*o cenie*); z artykułami przecenionymi *l.* po cenach obniżonych (*o sklepie*). **2.** *fin.* dyskonto; **~ rate** stopa dyskontowa. – *v.* **1.** *handl.* stosować rabat *l.* ulgę *l.* zniżkę; obniżać (*cenę*); obniżać cenę (*towaru, usługi*); potrącać, odliczać (*część kwoty*). **2.** wykluczać (*możliwość, opcję*). **3.** traktować sceptycznie (*twierdzenie*).

discountenance [dɪsˈkaʊntənəns] *v. form.* **1.** speszyć, zmieszać, zawstydzić. **2.** nie pochwalać (*czegoś*).

discourage [dɪˈskɝːɪdʒ] *v.* zniechęcać (*sb from (doing) sth* kogoś do (robienia) czegoś); odstraszać (*potencjalnych złodziei*).

discouraged [dɪˈskɝːɪdʒd] *a.* zniechęcony.

discouragement [dɪˈskɝːɪdʒmənt] *n.* **1.** *U* zniechęcenie. **2.** *U* zniechęcanie, odradzanie. **3.** coś, co działa zniechęcająco.

discouraging [dɪˈskɝːɪdʒɪŋ] *a.* zniechęcający.

discouragingly [dɪˈskɝːɪdʒɪŋlɪ] *adv.* zniechęcająco.

discourse *n.* [ˈdɪskɔːrs] *U* **1.** *C* rozprawa (*on/upon sth* na jakiś temat). **2.** rozmowa (*poważna, na istotne tematy*). **3.** *gł. jęz.* dyskurs. **4.** **direct/indirect ~** *US gram.* mowa niezależna/zależna. – *v.* [dɪsˈkɔːrs] rozprawiać (*on/upon sth* o czymś).

discourteous [dɪsˈkɝːtɪəs] *form. a.* nieuprzejmy, niegrzeczny.

discourteously [dɪsˈkɝːtɪəslɪ] *adv.* nieuprzejmie, niegrzecznie.

discourtesy [dɪsˈkɝːtɪsɪ] *n.* *C/U* nieuprzejmość.

discover [dɪˈskʌvər] *v.* **1.** odkrywać. **2.** wynaleźć; wykryć. **3.** *przest.* wyjawiać, ujawniać.

discovered check *n. szachy* szach z odsłony.

discoverer [dɪˈskʌvərər] *n.* odkryw-ca/czyni, wynalaz-ca/czyni.

discovery [dɪˈskʌvərɪ] *n. pl.* **-ies** **1.** *t. przen.* odkrycie (*of sth* czegoś); **make a ~** dokonać odkrycia. **2.** znalezienie, odnalezienie (*np. osoby za-*

ginionej). **3.** *prawn.* ujawnienie (*obowiązkowe, dokumentów w sądzie*).

discredit [dɪs'kredɪt] *v.* **1.** dyskredytować; kompromitować. **2.** nie dawać wiary (*czemuś*). – *n. U* **1.** kompromitacja; dyskredytacja; utrata dobrego imienia; **be to sb's ~** przynosić komuś ujmę; **bring ~ on/upon sb/sth** dyskredytować kogoś/coś, rzucać cień na kogoś/coś. **2.** brak zaufania, niewiara.

discreditable [dɪs'kredɪtəbl] *a.* kompromitujący; dyskredytujący; przynoszący ujmę.

discreet [dɪ'skri:t] *a.* **1.** dyskretny. **2.** ostrożny; bezpieczny (*np. o odległości*).

discreetly [dɪ'skri:tlɪ] *adv.* dyskretnie.

discrepancy [dɪ'skrepənsɪ] *n. pl.* **-ies** rozbieżność, sprzeczność (*between* pomiędzy).

discrepant [dɪ'skrepənt] *a.* rozbieżny, sprzeczny; pełen sprzeczności.

discrete [dɪ'skri:t] *a.* **1.** *form.* odrębny, oddzielny. **2.** *mat., fiz., komp.* dyskretny.

discretion [dɪ'skreʃən] *n. U* **1.** swoboda decyzji, uznanie; **at sb's ~** (*także* **at the ~ of sb**) zależnie od czyjegoś uznania; **I leave it to your ~** pozostawiam to twojemu uznaniu; **sth is within sb's ~** ktoś o czymś decyduje, coś zależy od kogoś. **2.** dyskrecja; **be the soul of ~** być wcieleniem *l.* uosobieniem dyskrecji. **3.** rozsądek, rozwaga; ostrożność, powściągliwość; **use ~** zachowywać się powściągliwie. **4. age/years of ~** *prawn.* wiek odpowiedzialności prawnej *l.* za czyny. **5. ~ is the better part of valor** *przest.* strzeżonego Pan Bóg strzeże.

discretionary [dɪ'skreʃəˌnerɪ] *a. form.* fakultatywny, dobrowolny, dyskrecjonalny.

discriminate [dɪ'skrɪməˌneɪt] *v.* **1.** odróżniać (*sb / sth from sb / sth* kogoś/coś od kogoś/czegoś); rozróżniać (*between* pomiędzy). **2. ~ against sb** dyskryminować kogoś; **~ in favor of sb** faworyzować kogoś.

discriminating [dɪ'skrɪməˌneɪtɪŋ] *a.* **1.** znający się na rzeczy, wyrobiony (*np. o widzu*). **2.** zróżnicowany, dyferencyjny (*o podatku, cle*).

discrimination [dɪˌskrɪmə'neɪʃən] *n. U* **1.** dyskryminacja; **racial/sex ~** dyskryminacja rasowa/płciowa. **2.** rozeznanie, znajomość rzeczy; bystrość, spostrzegawczość. **3.** rozróżnienie.

discriminative [dɪ'skrɪməˌneɪtɪv] *a.* **1.** różnicujący. **2.** (*także* **discriminatory**) dyskryminacyjny (*o prawie, praktykach*).

discursive [dɪ'skɝ:sɪv] *a.* **1.** pełen dygresji, chaotyczny (*o pisarstwie*). **2.** *fil.* dyskursywny.

discus ['dɪskəs] *n. pl. t.* **disci** ['dɪskaɪ] *sport* dysk; **the ~** rzut dyskiem.

discuss [dɪ'skʌs] *v.* omawiać; **~ sth (with sb)** dyskutować (z kimś) o czymś.

discussant [dɪ'skʌsənt] *n.* dyskutant/ka, uczestni-k/czka dyskusji.

discussion [dɪ'skʌʃən] *n. C / U* **1.** dyskusja; **under ~** będący przedmiotem dyskusji, omawiany. **2.** omówienie.

disdain [dɪs'deɪn] *form. n. U* pogarda, wzgarda (*for sb* dla kogoś). – *v.* **1.** gardzić (*kimś l. czymś*). **2. ~ to do sth** nie raczyć zrobić czegoś.

disdainful [dɪs'deɪnful] *a.* pogardliwy.

disdainfully [dɪs'deɪnfʊlɪ] *adv.* pogardliwie, z pogardą.

disease [dɪ'zi:z] *n. C / U t. przen.* choroba; choroby; **cause ~** wywoływać choroby; **kidney/heart ~** choroba nerek/serca.

diseased [dɪ'zi:zd] *a. zw. attr. t. przen.* chory; schorowany.

disembark [ˌdɪsɪm'bɑ:rk] *v.* **1.** *żegl., lotn.* wyładowywać (*ładunek*). **2.** *żegl.* wysadzać (na ląd) (*pasażerów*). **3.** wysiadać (*o pasażerach*).

disembarkation [dɪsˌembɑ:r'keɪʃən], **disembarkment** *n. C / U* **1.** *żegl., lotn.* wyładunek. **2.** *żegl.* zejście na ląd.

disembarrass [ˌdɪsɪm'berəs] *v. form.* **1.** wybawić z kłopotu *l.* opresji. **2.** uwolnić, wybawić (*sb of sth* kogoś od czegoś).

disembodied [ˌdɪsɪm'bɑ:dɪd] *a.* bezcielesny.

disembodiment [ˌdɪsɪm'bɑ:dɪmənt] *n. U* odcieleśnienie.

disembody [ˌdɪsɪm'bɑ:dɪ] *v.* **-ied, -ying** odcieleśniać, uwalniać od ciała (*duszę, ducha*).

disembogue [ˌdɪsɪm'boʊg] *v.* (*także* **~ itself**) wpadać, uchodzić (*o rzece*); *przen.* wlewać się (*o tłumie*); wylewać (*słowa*).

disembowel [ˌdɪsɪm'baʊəl] *v. Br.* **-ll-** patroszyć; wypruwać wnętrzności z (*kogoś l. czegoś*).

disembroil [ˌdɪsɪm'brɔɪl] *v. lit.* rozwikłać, rozplątać; wyplątać.

disempower [ˌdɪsɪm'paʊər] *v. t. polit.* pozbawiać władzy.

disenable [ˌdɪsɪn'eɪbl] *v. form.* **1.** pozbawiać zdolności. **2.** uniemożliwiać.

disenchant [ˌdɪsɪn'tʃænt] *v.* **1.** rozczarować, pozbawić złudzeń. **2.** *przest.* odczarować.

disenchanted [ˌdɪsɪn'tʃæntɪd] *a.* rozczarowany, pozbawiony złudzeń.

disenchantment [ˌdɪsɪn'tʃæntmənt] *n. U* **1.** rozczarowanie. **2.** *przest.* odczarowanie.

disencumber [ˌdɪsɪn'kʌmbər] *v. form.* uwalniać od ciężaru (*kogoś*); usuwać przeszkody na (*czyjejś*) drodze.

disendow [ˌdɪsɪn'daʊ] *v.* pozbawić subwencji, odebrać wsparcie finansowe, wstrzymać dofinansowanie (*komuś l. czemuś*).

disenfranchise [ˌdɪsɪn'fræntʃaɪz] *v.* = **disfranchise**.

disengage [ˌdɪsɪn'geɪdʒ] *v.* **1.** *t. mot.* zwalniać (się) (*o sprzęgle, mechanizmie*); odczepiać (się); rozłączać (się); rozluźniać (się); wyłączać (się). **2. ~ o.s. from sth** wyzwolić *l.* uwolnić *l.* wyrwać się z czegoś (*np. z czyjegoś uścisku*); oderwać się od czegoś (*np. od zabawy*). **3.** *wojsk.* przerwać działania bojowe.

disengagement [ˌdɪsɪn'geɪdʒmənt] *n. U* **1.** zwolnienie; odczepienie; rozluźnienie. **2.** wolność od zobowiązań; niezależność, swoboda.

disentangle [ˌdɪsɪn'tæŋgl] *v.* **1.** wyswobodzić (się), wyplątać (się). **2.** rozplątać (się). **3.** rozwikłać.

disentanglement [ˌdɪsɪn'tæŋglmənt] *n. U* **1.** wyswobodzenie, wyplątanie. **2.** rozplątanie. **3.** rozwikłanie.

disenthrall [ˌdɪsɪn'θrɔ:l], *Br. i Austr.* **disenthral**

v. **-ll-** *form.* wyzwalać, uwalniać (*zwł. niewolników*).

disenthrallment [ˌdɪsɪnˈθrɔːlmənt] *n.* wyzwolenie, uwolnienie.

disentomb [ˌdɪsɪnˈtuːm] *v. form.* **1.** wydobywać z grobu, ekshumować. **2.** wykopywać, wygrzebywać.

disentwine [ˌdɪsɪnˈtwaɪn] *v. form.* rozpleść (się); rozwiązać (się).

disequilibrium [dɪsˌiːkwəˈlɪbrɪəm] *n. U form.* nierównowaga; rozchwianie; brak *l.* utrata równowagi.

disestablish [ˌdɪsɪˈstæblɪʃ] *polit. v.* **1.** dokonać rozdziału (*kościoła*) od państwa; znieść oficjalny status (*kościoła*). **2.** znieść (*np. ustalony zwyczaj*).

disestablishment [ˌdɪsɪˈstæblɪʃmənt] *n. U* rozdział (*kościoła*) od państwa.

disesteem [ˌdɪsɪˈstiːm] *form. v.* nie szanować (*kogoś*). – *n. U* brak szacunku.

disfavor [dɪsˈfeɪvər], *Br.* **disfavour** *n. U form.* niełaska, nieprzychylność; **be in ~** być w niełasce; **fall into ~** popaść w niełaskę; **look with ~ on/upon sb/sth** nieprzychylnie odnosić się do kogoś/czegoś. – *v.* nieprzychylnie odnosić się do (*kogoś l. czegoś*).

disfeature [dɪsˈfiːtʃər] *v. form.* zniekształcić, zeszpecić, oszpecić.

disfiguration [dɪsˌfɪgjəˈreɪʃən] *n.* zniekształcenie (*twarzy, ciała*).

disfigure [dɪsˈfɪgjər] *v.* zniekształcić, zeszpecić, oszpecić.

disfigurement [dɪsˈfɪgjərmənt] *rzad.* **disfiguration** *n. C / U* zniekształcenie, zeszpecenie, oszpecenie.

disforest [dɪsˈfɔːrɪst] *v.* = **disafforest.**

disfranchise [dɪsˈfræntʃaɪz], **disenfranchise** [ˌdɪsɪnˈfræntʃaɪz] *v.* **1.** *polit.* pozbawiać praw obywatelskich. **2.** *handl.* pozbawiać licencji *l.* prawa wyłączności.

disfranchisement [dɪsˈfræntʃaɪzmənt] *n. U polit.* pozbawienie praw obywatelskich.

disfrock [dɪsˈfrɑːk] *v. kośc.* pozbawiać godności duchownego.

disgorge [dɪsˈgɔːrdʒ] *v.* **1.** *lit.* wyrzucać z siebie, wypluwać (*np. dym; t. ludzi - np. o budynku, pociągu*). **2.** wymiotować (*czymś*). **3.** *żart.* łaskawie zwrócić (*coś nieprawnie zabranego*). **4. this river ~s (itself/its waters) into...** ta rzeka wpada *l.* uchodzi do...

disgrace [dɪsˈgreɪs] *n. C / U* **1.** hańba, wstyd; **be a ~ to sb/sth** przynosić wstyd komuś/czemuś; **bring ~ on sb/sth** okryć kogoś/coś hańbą; **it's a ~ (that...)** to skandal (że...); **there's no ~ in that** to żaden wstyd. **2.** niełaska; **(be) in ~** (być) w niełasce. – *v.* hańbić, przynosić wstyd (*komuś*).

disgraceful [dɪsˈgreɪsful] *a.* haniebny, hańbiący.

disgracefully [dɪsˈgreɪsfulɪ] *adv.* haniebnie.

disgruntled [dɪsˈgrʌntld] *a.* zawiedziony, niezadowolony; skwaszony.

disguise [dɪsˈgaɪz] *v.* **1.** przebierać (*sb as sb / sth* kogoś za kogoś/coś); charakteryzować; zmieniać (*głos*); **~ o.s. by wearing a false moustache** zmienić wygląd za pomocą sztucznych wąsów. **2.** ukrywać (*fakty, zamiary, uczucia*); przedstawiać w fałszywym świetle (*fakty*); **there is no ~ing the fact that...** nie sposób ukryć, że... – *n. C / U* przebranie; charakteryzacja; kamuflaż; **in ~** w przebraniu, zamaskowany; *przen.* zakamuflowany; **blessing in ~** *zob.* **blessing.**

disguised [dɪsˈgaɪzd] *a.* **1.** w przebraniu, zamaskowany. **2. barely ~** ledwo *l.* z trudem skrywany (*o gniewie, nienawiści*); **thinly ~** lekko zawoalowany (*o aluzji*).

disgust [dɪsˈgʌst] *n. U* **1.** obrzydzenie, wstręt, odraza (*at / for / toward / against sb / sth* do kogoś/czegoś); **in/with ~** ze wstrętem. **2.** oburzenie; **(much) to my/her ~** ku memu/jej (wielkiemu) oburzeniu. – *v. często pass.* budzić obrzydzenie *l.* wstręt w (*kimś*), napawać obrzydzeniem *l.* wstrętem; **sb is ~ed by/with sth** ktoś jest czymś zdegustowany.

disgustful [dɪsˈgʌstful] *a.* **1.** wstrętny, odrażający. **2.** pełen wstrętu *l.* odrazy *l.* obrzydzenia (*o uczuciu*).

disgusting [dɪsˈgʌstɪŋ] *a.* wstrętny, obrzydliwy, odrażający.

disgustingly [dɪsˈgʌstɪŋlɪ] *adv.* wstrętnie, obrzydliwie, odrażająco.

dish [dɪʃ] *n.* **1.** naczynie; półmisek; **do/wash the ~es** zmywać naczynia. **2.** potrawa, danie; **~ of the day** danie dnia; **meat/fish ~** danie mięsne/rybne. **3.** *sl.* laska (= *atrakcyjna kobieta*); przystojniak, men (= *atrakcyjny mężczyzna*). **4.** *pot.* satelita (= *antena satelitarna*); **satellite ~** antena satelitarna. **5.** *pot.* = **dish antenna.** – *v.* **1.** nakładać (na półmisek). **2.** drążyć; wygniatać, tłoczyć (*blachę*). **3. ~ the dirt on sb** *US pot.* złośliwie obgadywać kogoś. **4. ~ out** *pot.* podawać, serwować (*jedzenie*); rozdawać (na prawo i lewo) (*np. nagrody, pieniądze*); udzielać (*rad, zwł. nieproszonych*); wymierzać (*karę*); **he can ~ it out, but he can't take it** chętnie krytykuje innych, ale sam nie potrafi przyjąć krytyki; **~ up** nakładać na talerze *l.* półmiski (*jedzenie*).

dishabille [ˌdɪsəˈbiːl] *n. US lit. l. żart.* dezabil, negliż; **in ~** w negliżu.

dish antenna, *Br.* **dish aerial** *n. tel.* antena czaszowa, czasza.

disharmonious [ˌdɪsˌhɑːrˈmoʊnɪəs] *form. a.* nieharmonijny.

disharmony [dɪsˈhɑːrmənɪ] *n. U* dysharmonia, niezgoda.

dishcloth [ˈdɪʃˌklɔːθ], *dial. t.* **dishclout** *n.* **1.** ścierka do naczyń. **2.** ściereczka do mycia naczyń.

dishearten [dɪsˈhɑːrtən] *v.* zniechęcać.

disheartened [dɪsˈhɑːrtənd] *a.* zniechęcony.

disheartening [dɪsˈhɑːrtənɪŋ] *a.* zniechęcający.

dished [dɪʃt] *a.* **1.** wklęsły; zapadły (*o twarzy*). **2.** *sl.* zmachany (= *zmęczony*). **3.** *mot.* pochyły, zbieżny ku dołowi (*o kołach*).

disheveled [dɪˈʃevəld], *Br.* **dishevelled** *a.* **1.** rozczochrany (*o włosach*). **2.** zaniedbany, w nieładzie (*np. o ubraniu*).

dishonest [dɪsˈɑːnɪst] *a.* nieuczciwy.

dishonestly [dɪsˈɑːnɪstlɪ] *adv.* nieuczciwie.

dishonesty [dɪsˈɑːnɪstɪ] *n. U* nieuczciwość.

dishonor [dɪsˈɑːnər], *Br.* **dishonour** *form. n. U* **1.** hańba, dyshonor; **bring ~ on sb/sth** okryć kogoś/coś hańbą. **2.** odmowa przyjęcia (*czeku, karty*). – *v.* **1.** zhańbić, okryć hańbą. **2.** nie przyjmować, nie honorować (*czeku, karty*).

dishonorable [dɪsˈɑːnərəbl] *a.* haniebny, hańbiący; niehonorowy.

dishonorable discharge *n. C/U wojsk.* zwolnienie dyscyplinarne, wydalenie (*z wojska za poważne przewinienie*).

dishpan [ˈdɪʃˌpæn] *n. gł. US i Can.* miska do mycia naczyń.

dishrag [ˈdɪʃˌræg] *n.* ściereczka do mycia naczyń.

dishtowel [ˈdɪʃˌtaʊəl] *n. US i Can.* ścierka do naczyń.

dishwash [ˈdɪʃˌwɑːʃ] *n. U* pomyje.

dishwasher [ˈdɪʃˌwɑːʃər] *n.* **1.** zmywarka (do naczyń). **2.** pomywacz/ka.

dishwater [ˈdɪʃˌwɔːtər] *n. U* pomyje.

dishy [ˈdɪʃɪ] *a.* **-ier, -iest** *Br. i Austr. sl.* seksowny.

disillusion [ˌdɪsɪˈluːʒən] *v.* pozbawić złudzeń; rozczarować. – *n. U* rozczarowanie.

disillusioned [ˌdɪsɪˈluːʒənd] *a.* nie mający złudzeń (*by/with sth* co do czegoś).

disillusionment [ˌdɪsɪˈluːʒənmənt] *n. U* rozczarowanie.

disincentive [ˌdɪsɪnˈsentɪv] *n.* **~ to sth** czynnik zniechęcający do czegoś *l.* hamujący coś.

disinclination [dɪsˌɪnkləˈneɪʃən] *form. n. U* niechęć.

disincline [ˌdɪsɪnˈklaɪn] *v.* usposabiać niechętnie, zniechęcać (*for/to sth* do czegoś, *to do sth* do robienia czegoś).

disinclined [ˌdɪsɪnˈklaɪnd] *a.* **be/feel ~ to do sth** *form.* nie mieć ochoty czegoś robić.

disinfect [ˌdɪsɪnˈfekt] *v.* odkażać, dezynfekować.

disinfectant [ˌdɪsɪnˈfektənt] *a. i n.* (środek) odkażający *l.* dezynfekujący.

disinfection [ˌdɪsɪnˈfekʃən] *n. U* odkażanie, dezynfekcja.

disinflation [ˌdɪsɪnˈfleɪʃən] *n. U ekon.* polityka antyinflacyjna, walka z inflacją.

disinformation [ˌdɪsɪnfərˈmeɪʃən] *n. U* dezinformacja.

disingenuous [ˌdɪsɪnˈdʒenjʊəs] *a.* nieszczery.

disingenuously [ˌdɪsɪnˈdʒenjʊəslɪ] *adv.* nieszczerze.

disinherit [ˌdɪsɪnˈherɪt] *v. prawn.* wydziedziczyć.

disinheritance [ˌdɪsɪnˈherɪtəns] *n. U prawn.* wydziedziczenie.

disintegrate [dɪsˈɪntəˌgreɪt] *v.* **1.** rozpadać się (*into sth* na coś); ulegać dezintegracji. **2.** powodować rozkład *l.* dezintegrację (*t. społeczeństwa*).

disintegration [dɪsˌɪntəˈgreɪʃən] *n. C/U t. fiz., chem.* rozpad, dezintegracja.

disinter [ˌdɪsɪnˈtɝː] *v.* **-rr-** *form.* ekshumować (*zwłoki*); odkopać, wygrzebać.

disinterest [dɪsˈɪntərəst] *n. U* **1.** bezstronność, obiektywizm. **2.** brak zainteresowania (*in sth* czymś). – *v. form.* nużyć.

disinterested [dɪsˈɪntərəstɪd] *a.* **1.** bezstronny, obiektywny. **2.** niezainteresowany.

disinterment [ˌdɪsɪnˈtɝːmənt] *n. C/U form.* ekshumacja.

disinvest [ˌdɪsɪnˈvest] *v. ekon.* **1.** **~ (in sth)** wycofywać zainwestowany kapitał (skądś). **2.** zmniejszać kapitał akcyjny (*np. nie inwestując w wymianę zużytych maszyn*).

disjoin [dɪsˈdʒɔɪn] *v.* rozłączać (się), rozdzielać (się).

disjoint [dɪsˈdʒɔɪnt] *v.* **1.** *pat.* zwichnąć, wywichnąć. **2.** filetować, rozbierać (*kurczaka*). **3.** wychodzić ze stawu, wywichnąć się. – *a. mat.* rozłączny (*o zbiorach*).

disjointed [dɪsˈdʒɔɪntɪd] *a.* bezładny, chaotyczny.

disjointedly [dɪsˈdʒɔɪntɪdlɪ] *adv.* bezładnie, chaotycznie.

disjointedness [dɪsˈdʒɔɪntɪdnəs] *n. U* bezład, chaos.

disjunct [dɪsˈdʒʌŋkt] *a.* **1.** rozłączony, rozdzielony. **2.** *muz.* szerokointerwałowy, wielkointerwałowy. **3.** *zool., anat.* segmentowany (*o ciele z wyodrębnionym tułowiem, głową itd.*).

disjunction [dɪsˈdʒʌŋkʃən] *n.* **1.** *U* rozłączenie, rozdzielenie. **2.** *log. mat.* alternatywa, dysjunkcja, suma logiczna.

disjunctive [dɪsˈdʒʌŋktɪv] *a.* **1.** rozłączający. **2.** *gram.* rozłączny. **3.** *log.* dysjunktywny, alternatywny.

disk [dɪsk], **disc** *n.* **1.** krążek; tarcza; dysk. **2.** *muz.* płyta, kompakt, krążek. **3.** *komp.* dysk; (*także* **floppy ~**) dyskietka; (*także* **compact ~**) płyta CD. **4.** *anat.* krążek międzykręgowy, dysk; **slipped ~** *pat.* wypadnięty dysk.

disk brake *n. mot.* hamulec tarczowy.

disk crash *n. komp.* awaria (twardego) dysku.

disk drive *n. komp.* stacja *l.* napęd dysków.

diskette [dɪˈsket] *n. komp.* dyskietka.

disk jockey, disc jockey, DJ *n.* dyskdżokej.

disk operating system *n. komp.* system operacyjny.

dislike [dɪsˈlaɪk] *v.* nie lubić (*kogoś l. czegoś*); **~ doing sth** nie lubić czegoś robić. – *n.* **1.** niechęć, odraza, antypatia (*to/of/for sb/sth* do kogoś/czegoś); **take a ~ to sb** zapałać antypatią do kogoś. **2.** *pl.* **sb's ~s** rzeczy, których ktoś nie lubi.

dislocate [ˈdɪsloʊˌkeɪt] *v.* **1.** *pat.* zwichnąć (*staw, kończynę*); she ~d her knee (*zwichnęła sobie kolano*). **2.** przemieścić; przesunąć. **3.** zakłócić, zaburzyć (*gospodarkę, porządek*).

dislocated [ˈdɪsloʊˌkeɪtɪd] *a. pat.* zwichnięty.

dislocation [ˌdɪsloʊˈkeɪʃən] *n. C/U* **1.** *pat.* zwichnięcie. **2.** przemieszczenie; przesunięcie. **3.** zakłócenie, zaburzenie. **4.** *geol.* dyslokacja, zaburzenie.

dislodge [dɪsˈlɑːdʒ] *v.* **1.** wyrwać; ruszyć z miejsca; usunąć. **2.** *wojsk.* wyprzeć (*nieprzyjaciela, okupanta*).

disloyal [dɪsˈlɔɪəl] *a.* nielojalny (*to sb/sth* w

stosunku do *l.* wobec kogoś/czegoś); niewierny (*to sb / sth* komuś/czemuś).

disloyalty [dɪs'lɔɪəltɪ] *n. U* niewierność; nielojalność.

dismal ['dɪzml] *a.* **1.** ponury, posępny. **2.** fatalny; **it was a ~ failure** to było jedno wielkie niepowodzenie.

dismally ['dɪzməlɪ] *adv.* **1.** ponuro, posępnie. **2.** fatalnie.

dismals ['dɪzmlz] *n. pl.* **1.** *pot.* chandra. **2.** *płd. US* bagna.

dismal science *n. U* **the ~** *żart.* ekonomia.

dismantle [dɪs'mæntl] *n.* **1.** *techn.* rozbierać (*urządzenie, budynek*); demontować (*część*). **2.** odzierać, ogałacać (*sth of sth* coś z czegoś).

dismast [dɪs'mæst] *v.* *żegl.* pozbawiać masztu *l.* masztów (*statek*).

dismay [dɪs'meɪ] *n. U form.* konsternacja; trwoga; **with/in ~** z konsternacją *l.* trwogą; **to sb's ~** ku czyjejś konsternacji; **fill sb with ~** napawać kogoś przerażeniem *l.* trwogą. – *v. form.* napawać trwogą; przerażać; konsternować; **~ed at sth** przerażony czymś.

dismember [dɪs'membər] *v.* **1.** poćwiartować; pozbawić kończyn (*ciało*). **2.** rozczłonkować (*t. kraj*). **3.** rozbierać (na części).

dismembered [dɪs'membərd] *a.* poćwiartowany; pozbawiony kończyn (*o ciele*).

dismiss [dɪs'mɪs] *v.* **1.** wykluczać (*możliwość*); odrzucić (*sugestię*); zlekceważyć (*zagrożenie*); oddalić, odpędzić (*złą myśl*); **~ sth as impossible** wykluczyć *l.* odrzucić coś jako niemożliwe; **~ sth out of hand** z miejsca coś wykluczyć. **2.** zbywać (*pytanie, temat*). **3.** *szkoln.* puszczać (*uczniów do domu l. na przerwę*); **class ~ed!** koniec zajęć! **4.** puszczać wolno; odprawiać. **5.** **~ sb (from their job/post)** zwolnić kogoś (z pracy/ze stanowiska) (*for sth* za coś). **6.** *polit.* zdymisjonować. **7.** rozwiązywać (*zebranie*). **8.** *t. wojsk.* rozpuszczać (*wojsko*); **~(ed)!** rozejść się!. **9.** *prawn.* oddalać (*powództwo, apelację*).

dismissal [dɪs'mɪsl] *n. C / U* **1.** zwolnienie; **unfair ~** bezpodstawne zwolnienie. **2.** *polit.* dymisja; odprawienie. **3.** zlekceważenie; zbycie. **4.** usunięcie. **5.** rozpuszczenie. **6.** *prawn.* oddalenie.

dismissive [dɪs'mɪsɪv] *a.* lekceważący (*of sb / sth* kogoś/coś).

dismissively [dɪs'mɪsɪvlɪ] *adv.* lekceważąco.

dismount [dɪs'maʊnt] *v.* **1.** zsiadać, schodzić (*from sth* z czegoś) (*np. konia, roweru, motocykla, drążka gimnastycznego*). **2.** demontować. – *n.* zejście.

disobedience [ˌdɪsə'bi:dɪəns] *n. U* nieposłuszeństwo (*to sb / sth* wobec kogoś/czegoś).

disobedient [ˌdɪsə'bi:dɪənt] *a.* nieposłuszny.

disobey [ˌdɪsə'beɪ] *v.* nie słuchać (*kogoś l. czegoś*), być nieposłusznym wobec (*kogoś l. czegoś*).

disoblige [ˌdɪsə'blaɪdʒ] *form. v.* **1.** ignorować, lekceważyć (*kogoś*); ignorować życzenia (*czyjeś*). **2.** obrażać.

disobliging [ˌdɪsə'blaɪdʒɪŋ] *n.* lekceważący; obraźliwy (*to sb* w stosunku do kogoś).

disobligingness [ˌdɪsə'blaɪdʒɪŋnəs] *n. U* lekceważenie.

disorder [dɪs'ɔ:rdər] *n.* **1.** *U* nieporządek, bałagan, nieład; **in ~** w nieładzie. **2.** *C / U* rozruchy, zamieszki; **civil ~** niepokoje społeczne. **3.** *t. prawn.* nieprawidłowość. **4.** *C / U pat.* zaburzenia; choroba; **blood ~** (*także* **~ of the blood**) choroba krwi; **mental/emotional/sleep ~** zaburzenia psychiczne/emocjonalne/snu. – *v.* **1.** wprowadzać nieporządek *l.* bałagan w (*czymś*). **2.** *pat.* powodować zaburzenia u (*kogoś*).

disordered [dɪs'ɔ:rdərd] *a.* **1.** w nieładzie. **2.** *pat.* chory (*np. o umyśle*); zaburzony (*o śnie, funkcjonowaniu narządu*); rozstrojony (*o żołądku*).

disorderliness [dɪs'ɔ:rdərlɪnəs] *n. U* **1.** nieporządek. **2.** chaotyczność. **3.** rozpasanie. **4.** zdziczenie.

disorderly [dɪs'ɔ:rdərlɪ] *a.* **1.** nieporządny, nieposprzątany (*o pomieszczeniu*). **2.** bezładny, chaotyczny (*np. o zebraniu*). **3.** zakłócający porządek; rozpasany (*o zachowaniu*); zdziczały (*o tłumie*).

disorderly conduct *n. U prawn.* zakłócenie porządku publicznego.

disorderly house *n. Br. prawn.* **1.** dom publiczny. **2.** dom gier (*hazardowych*).

disorganization [dɪsˌɔ:rgənə'zeɪʃən], *Br. i Austr. zw.* **disorganisation** *n. U* dezorganizacja.

disorganize [dɪs'ɔ:rgəˌnaɪz] *v.* dezorganizować.

disorganized [dɪs'ɔ:rgəˌnaɪzd] *a.* **1.** źle zorganizowany. **2.** zdezorganizowany.

disorient [dɪs'ɔ:rɪˌent], *Br.* **disorientate** [dɪs'ɔ:rɪənˌteɪt] *v.* dezorientować.

disorientation [dɪsˌɔ:rɪən'teɪʃən] *n. U* dezorientacja.

disoriented [dɪs'ɔ:rɪˌentɪd], *Br.* **disorientated** [dɪs'ɔ:rɪənˌteɪtɪd] *a.* zdezorientowany.

disown [dɪs'oʊn] *v.* wyrzec się (*osoby*); wyprzeć się (*czynu*).

disparage [dɪ'sperɪdʒ] *v. form.* dyskredytować; pomniejszać; odnosić się z pogardą *l.* lekceważeniem do (*kogoś*).

disparagement [dɪ'sperɪdʒmənt] *n. U* dyskredytowanie; pomniejszanie; pogarda; lekceważenie.

disparaging [dɪ'sperɪdʒɪŋ] *a.* lekceważący (*np. o uwadze*); pogardliwy (*about sb / sth* w stosunku do kogoś/czegoś).

disparate ['dɪspərɪt] *a. form.* nieporównywalny; całkowicie różny *l.* odmienny. – *n. zw. pl.* całkowicie różne rzeczy; całkowicie różne osoby.

disparity [dɪ'sperətɪ] *n. C / U pl.* **-ies** **1.** zasadnicza różnica (*in / between* w/pomiędzy); nierówność (*zwł. niesprawiedliwa*). **2.** brak podobieństwa.

dispassion [dɪs'pæʃən] *n. U form.* **1.** beznamiętność. **2.** obiektywność.

dispassionate [dɪs'pæʃənɪt] *a.* **1.** beznamiętny; spokojny. **2.** bezstronny, obiektywny.

dispassionately [dɪs'pæʃənɪtlɪ] *adv.* **1.** beznamiętnie; spokojnie. **2.** bezstronnie, obiektywnie.

dispatch [dɪ'spætʃ], *Br. t.* **despatch** *v.* **1.** wysyłać; ekspediować. **2.** załatwić; wykonać (*zadanie, obowiązek*). **3.** *przest. pot.* zjeść szybko, spałaszować. **4.** *przest.* wysłać na tamten świat (= *zabić*). – *n.* **1.** wysyłka, wysłanie. **2.** depesza; raport. **3.** *dzienn.* doniesienie, depesza. **4.** *wojsk.* meldunek; komunikat; **be mentioned in ~es** być chlubnie wymienionym w rozkazie dziennym. **5. with ~** *przest. form.* szybko i sprawnie.

dispatch box *n.* skrzynka na dokumenty (*zwł. państwowe*).

dispatch case *n.* teczka na dokumenty.

dispatch department *n.* dział wysyłki.

dispatcher [dɪˈspætʃər] *n.* **1.** osoba odpowiedzialna za wysyłkę. **2.** *US* dyspozytor/ka, kierowni-k/czka ruchu (*np. na dworcu autobusowym*).

dispatch money *n.* *U ekon.* premia za pośpiech.

dispatch note *n.* kwit wysyłkowy.

dispatch rider *n. zwł. Br.* kurier, goniec (*poruszający się po mieście za pomocą motocykla l. roweru*).

dispel [dɪˈspel] *v.* **-ll-** rozwiewać (*obawy, wątpliwości*); rozpraszać (*chmury, ciemności*).

dispensable [dɪˈspensəbl] *a.* **1.** zbędny, zbyteczny, niekonieczny. **2.** (możliwy) do uchylenia (*o prawie, przysiędze*). **3.** (możliwy) do wydania (*np. o leku*); (możliwy) do rozdzielenia *l.* rozdysponowania (*np. o pieniądzach*).

dispensary [dɪˈspensərɪ] *n. pl.* **-ies 1.** apteka (*zwł. szpitalna*). **2.** prowizoryczny punkt pomocy medycznej.

dispensation [ˌdɪspənˈseɪʃən] *n. form.* **1.** *U* wydzielanie; przygotowywanie i wydawanie (*leków*); rozdział, rozdysponowanie (*pieniędzy*). **2.** wydane lekarstwo; rozdzielone pieniądze. **3.** *U* wymierzanie (*sprawiedliwości, kary*). **4.** *gł. rz.-kat.* dyspensa, pozwolenie. **5.** zwolnienie; uwolnienie (*from sth* od czegoś). **6.** *rel. U* opatrzność; zrządzenie opatrzności; system, prawo (*np. mojżeszowe*).

dispensatory [dɪˈspensəˌtɔːrɪ] *n.* **1.** spis lekarstw. **2.** *przest.* = **dispensary**.

dispense [dɪˈspens] *v. form.* **1.** wydzielać; przygotowywać i wydawać (*leki*). **2.** wymierzać (*sprawiedliwość, karę*); administrować (*np. opieką zdrowotną*). **3.** udzielać (*rad*). **4.** rozdzielać, rozdysponowywać (*pieniądze*). **5.** zwalniać, udzielać zwolnienia (*from sth* od czegoś). **6.** *rel.* udzielać dyspensy. **7. ~ with sth** obchodzić *l.* obywać się bez czegoś; pozbyć się czegoś.

dispenser [dɪˈspensər] *n.* **1.** *zw. w złoż.* urządzenie dozujące, dozownik; **cash ~** bankomat; **drinks ~** automat z napojami; **soap ~** dozownik mydła. **2.** apteka-rz/rka, farmaceut-a/ka (*pracujący w aptece*).

dispensing chemist [dɪˌspensɪŋ ˈkemɪst] *n. Br. i Austr.* **1.** apteka. **2.** = **dispenser** 2.

dispersal [dɪˈspɜːsl] *n. U* **1.** rozproszenie (się). **2.** rozsiewanie (*ziarna*). **3.** roznoszenie (*wiadomości, informacji*).

disperse [dɪˈspɜːs] *v.* **1.** rozpraszać (się). **2.** rozsiewać (*ziarno*). **3.** roznosić (*wiadomości, informacje*). **4.** *opt.* rozszczepiać (*białe światło*).

dispersed development *n. U bud.* zabudowa rozproszona.

disperse medium *n. fiz.* faza rozpraszająca, ośrodek dyspersyjny.

disperse phase *n. fiz.* faza rozproszona, składnik rozproszony.

dispersion [dɪˈspɜːʒən] *n. U* **1.** rozproszenie (się). **2.** *fiz.* rozproszenie, dyspersja; rozkład (*promieniowania elektromagnetycznego*); **~ of light** *opt.* dyspersja *l.* rozszczepienie światła. **3.** *stat.* rozrzut, dyspersja statystyczna. **4. the D~** Diaspora (*żydowska*).

dispersive [dɪˈspɜːsɪv] *a.* rozpraszający, dyspersyjny.

dispersive medium *n. fiz.* środowisko dyspersyjne.

dispirit [dɪˈspɪrɪt] *v.* zniechęcać; przygnębiać.

dispirited [dɪˈspɪrɪtɪd] *a.* zniechęcony; przygnębiony.

dispiritedly [dɪˈspɪrɪtɪdlɪ] *adv.* w przygnębieniu.

dispiriting [dɪˈspɪrɪtɪŋ] *a.* przygnębiający.

displace [dɪsˈpleɪs] *v.* **1.** przestawiać; przekładać (*w inne miejsce*). **2.** usuwać, zwalniać (*z pracy, stanowiska*). **3.** wypierać; zastępować. **4.** *fiz.* wypierać (*ciecz*). **5.** wysiedlać.

displaced person *n.* wysiedleniec.

displacement [dɪsˈpleɪsmənt] *n. C/U* **1.** przestawienie; przełożenie. **2.** usunięcie, zwolnienie (*z pracy, stanowiska*). **3.** wyparcie; zastąpienie. **4.** *fiz.* wypieranie (*cieczy przez zanurzone w niej ciało*); ilość cieczy wyparta przez zanurzone w niej ciało. **5.** *żegl.* wyporność (*statku*); **with a ~ of 50,000 tons** o wyporności 50 000 ton. **6.** wysiedlenie (*ludności*). **7.** *t. mech.* przesunięcie. **8.** *psych.* przeniesienie uczucia (*z jednego obiektu na drugi*).

displacement current *n. el.* prąd przesunięcia.

displacement of strata *n. geol.* przesunięcie warstw.

displacement ton *n. żegl.* tona wypornościowa.

displacement volume *n.* objętość skokowa (*cylindra*).

display [dɪˈspleɪ] *v.* **1.** wystawiać (*eksponaty, towary*). **2.** okazywać (*uczucia*). **3.** wyświetlać (*dane, godziny odjazdu*). **4.** wystawiać na pokaz (*ostentacyjnie*). **5.** *druk.* wyróżniać (*tytuł, podpis*). – *n.* **1.** wystawa (*np. sklepowa*); **on ~** prezentowany (*o eksponatach*); wystawiony (*o towarach*); **put sth on ~** wystawić coś. **2. fireworks ~** (*także Br.* **firework ~**) pokaz sztucznych ogni. **3.** pokaz (*zwł. ostentacyjny*), manifestacja; **~ of affection** okazywanie uczuć; **~ of courage** popisywanie się odwagą. **4.** *komp.* wyświetlanie (*danych*); (wyświetlane) dane; monitor. **5.** *techn.* wyświetlanie (*np. godziny*); wyświetlana informacja; wyświetlacz. **6.** *druk.* wyróżnienie; tekst wyróżniony.

displease [dɪsˈpliːz] *v. zw. pass.* **1.** drażnić, denerwować. **2.** wywoływać niezadowolenie u (*kogoś*) (*at/with sth* z czegoś). **3.** obrażać.

displeasure [dɪs'pleʒər] *n.* *U* **1.** niezadowolenie. **2.** irytacja. – *v. arch.* = **displease.**

disport [dɪ'spɔ:rt] *v.* (*także* ~ **o.s.**) *przest. l. żart.* igrać, bawić się. – *n. arch.* wytchnienie, rozrywka.

disposable [dɪ'spoʊzəbl] *a.* **1.** jednorazowy, jednorazowego użytku (*o naczyniu, strzykawce, pieluszce*). **2.** rozporządzalny (*np. o aktywach*); dostępny (*np. o czasie wolnym*).

disposable income *n. ekon.* dochód netto.

disposal [dɪ'spoʊzl] *n.* *U* **1.** pozbycie się (*of sth* czegoś) (*zw. niepotrzebnych rzeczy*); wywóz (*śmieci*); usuwanie (*odpadów radioaktywnych*). **2.** *C US pot.* młynek zlewozmywakowy, kuchenny rozdrabniacz odpadków. **3.** rozmieszczenie (*mebli, elementów*). **4.** załatwianie; sposób załatwiania (*spraw*). **5.** przekazanie (*majątku*); dysponowanie (*majątkiem*). **6. at one's ~** do (swojej) dyspozycji; **put sth at sb's ~** oddać coś do czyjejś dyspozycji.

disposal plant *n.* zakłady usuwania odpadów promieniotwórczych.

dispose [dɪ'spoʊz] *v.* **1.** rozmieszczać. **2.** *zw. pass.* **~ sb to sth** usposabiać *l.* skłaniać kogoś do czegoś. **3.** **~ of** załatwić (*sprawę*); pozbyć się (*kogoś l. czegoś; t. euf. = zabić*); dysponować, rozporządzać (*majątkiem*); radzić sobie z (*zadaniem, problemem*); skonsumować (*potrawę, napój*); *giełda* sprzedawać (*akcje*). **4. man proposes, God ~s** *przest.* człowiek strzela, Pan Bóg kule nosi.

disposed [dɪ'spoʊzd] *a.* **be ~ to do sth** być skłonnym coś zrobić; mieć ochotę coś zrobić; **be well ~ toward sb** być dobrze *l.* przyjaźnie usposobionym *l.* nastawionym do kogoś.

disposition [ˌdɪspə'zɪʃən] *n. form.* **1.** usposobienie; **have a cheerful/sunny ~** mieć pogodne usposobienie. **2.** skłonność; **have/show a ~ to do sth** mieć/przejawiać skłonność do robienia czegoś. **3.** = **disposal** 3, 4, 5.

dispossess [ˌdɪspə'zes] *v. zw. pass. form.* **1.** wywłaszczać (*of sth* z czegoś). **2.** wysiedlać (*of sth* skądś). **3.** pozbawiać (*of sth* czegoś).

dispossession [ˌdɪspə'zeʃən] *n.* *U* **1.** wywłaszczenie. **2.** wysiedlenie. **3.** pozbawienie.

dispraise [dɪs'preɪz] *form. n.* *U* **1.** krytyka. **2.** potępienie. – *v.* **1.** krytykować. **2.** potępiać.

disproof [dɪs'pru:f] *n.* **1.** *U* obalenie (*teorii, przekonania*); zbicie (*zarzutów, wywodów*). **2.** dowód obalający teorię *l.* zbijający zarzuty.

disproportion [ˌdɪsprə'pɔ:rʃən] *n.* *C/U* dysproporcja.

disproportional [ˌdɪsprə'pɔ:rʃənl], **disproportionate** [ˌdɪsprə'pɔ:rʃənɪt] *a.* nieproporcjonalny; nieproporcjonalnie duży *l.* mały.

disprovable [dɪs'pru:vəbl] *a.* dający się obalić (*o teorii*); dający się zbić (*o zarzucie*).

disprove [dɪs'pru:v] *v.* obalić (*teorię*); zbić (*zarzuty*).

disputable [dɪ'spju:təbl] *a.* wątpliwy, sporny.

disputant [dɪ'spju:tənt] *a.* dysputujący. – *n.* dysputant/ka.

disputation [ˌdɪspjʊ'teɪʃən] *n. form.* dysputa; debata (*t. jako ćwiczenie*).

disputatious [ˌdɪspjʊ'teɪʃəs], **disputative** [dɪ'spju:tətɪv] *a. form.* skłonny do polemizowania; kłótliwy.

disputatiously [ˌdɪspjʊ'teɪʃəslɪ] *adv.* polemicznie.

dispute [dɪ'spju:t] *v.* **1.** dyskutować. **2.** kłócić się, sprzeczać się. **3.** podawać w wątpliwość, kwestionować. **4.** walczyć o; spierać się o. **5.** walczyć z (*czymś*); opierać się (*czemuś*). – *n.* *C/U* **1.** spór; dysputa. **2.** kłótnia. **3.** *przest.* walka. **4. be in ~** spierać się (*with sb* z kimś, *over sth* o coś); **be in/under ~** być przedmiotem dyskusji (*o kwestii*); być przedmiotem sporu (*np. o terytorium*); **beyond (all)/without ~** bezsprzecznie.

disqualification [dɪsˌkwɑ:ləfə'keɪʃən] *n.* *C/U* **1.** dyskwalifikacja (*from sth* z czegoś). **2.** (*także* **~ from driving**) *Br.* odebranie prawa jazdy.

disqualify [dɪs'kwɑ:ləˌfaɪ] *v.* **-ied, -ying 1.** *t. sport* dyskwalifikować (*sb for sth* kogoś za coś). **2. ~ sb from doing sth** odebrać komuś prawo robienia czegoś; **he has been disqualified from driving** *Br.* odebrali mu prawo jazdy.

disquiet [dɪs'kwaɪət] *form. v.* niepokoić. – *n.* *U* zaniepokojenie (*over sth* czymś). – *a. arch.* niespokojny.

disquieted [dɪs'kwaɪətɪd] *a.* zaniepokojony.

disquieting [dɪs'kwaɪətɪŋ] *a.* niepokojący.

disquietude [dɪs'kwaɪəˌtu:d] *n.* *U* niepokój.

disquisition [ˌdɪskwɪ'zɪʃən] *n. form.* rozprawa (*on sth* na temat czegoś).

disrate [dɪs'reɪt] *v. żegl.* zdegradować (*oficera*).

disregard [ˌdɪsrɪ'gɑ:rd] *v.* nie zważać na; lekceważyć. – *n.* *U* lekceważenie (*of/for sth* czegoś); **with (complete/total) ~ for sth** (zupełnie) nie zważając na coś.

disrelish [dɪs'relɪʃ] *form. v.* nie lubić, czuć awersję do (*kogoś l. czegoś*). – *n.* niechęć, awersja.

disremember [ˌdɪsrɪ'membər] *v. dial. l. pot.* nie pamiętać (*czegoś*).

disrepair [ˌdɪsrɪ'per] *n.* *U* ruina, zły stan (*z powodu braku konserwacji l. napraw*); **be in ~** być w bardzo złym stanie (*zwł. o budynku, drodze*); **fall into ~** popadać w ruinę.

disreputable [dɪs'repjətəbl] *a.* **1.** o złej sławie *l.* reputacji (*np. o dzielnicy*); podejrzany (*o osobie*); naganny (*o zachowaniu*). **2.** brudny; nędzny.

disrepute [ˌdɪsrɪ'pju:t] *n.* *U* zła sława *l.* reputacja, niesława; **be in ~** cieszyć się złą sławą; **bring sb/sth into ~** okryć kogoś/coś niesławą.

disrespect [ˌdɪsrɪ'spekt] *n.* *U* **1.** brak szacunku. **2. no ~ (to sb), but...** *pot.* z całym szacunkiem (dla kogoś),... – *v.* okazywać brak szacunku (*komuś*).

disrespectful [ˌdɪsrɪ'spektfʊl] *a.* niegrzeczny; lekceważący; obraźliwy.

disrespectfully [ˌdɪsrɪ'spektfʊlɪ] *adv.* niegrzecznie; lekceważąco; obraźliwie.

disrobe [dɪs'roʊb] *v. form. l. żart.* **1.** rozbierać (się); rozdziewać (się) z szat. **2.** *przen.* pozbawiać władzy *l.* stanowiska.

disroot [dɪs'ru:t] *v.* = **uproot.**

disrupt [dɪs'rʌpt] *v.* zakłócić (*wydarzenie,*

ruch); przerwać (*rozmowę, pracę*); pokrzyżować (*plany*).

disruption [dɪs'rʌpʃən] *n.* *C/U* zakłócenie; przerwanie; pokrzyżowanie.

disruptive [dɪs'rʌptɪv] *a.* destrukcyjny.

disruptive discharge *n.* *C/U el.* rozładowanie z przebiciem.

disruptive voltage *n.* *C/U el.* napięcie przebicia.

diss [dɪs], **dis** *v.* *US sl.* traktować z pogardą.

dissatisfaction [ˌdɪssætɪs'fækʃən] *n.* *U* niezadowolenie.

dissatisfied [dɪs'sætɪsˌfaɪd] *a.* niezadowolony (*with sb/sth* z kogoś/czegoś).

dissatisfy [dɪs'sætɪsˌfaɪ] *v.* **-ied, -ying** nie zadowalać; wywoływać niezadowolenie u (*kogoś*).

dissect [dɪ'sekt] *v.* **1.** przeprowadzać sekcję (*zwierzęcia l. rośliny*). **2.** *przen.* analizować dokładnie, rozkładać na czynniki pierwsze (*np. teorię, wiersz*).

dissection [dɪ'sekʃən] *n.* *C/U* **1.** sekcja. **2.** analiza. **3.** preparat (*ludzki, zwierzęcy l. roślinny*).

disseize [dɪs'si:z], **disseise** *v.* ~ **of** *prawn.* bezprawnie pozbawić, wyzuć z (*majątku*).

disseizin [dɪs'si:zɪn], **disseisin** *n.* *U prawn.* bezprawne pozbawienie majątku.

dissemblance [dɪ'sembləns] *form.* *n.* *U* **1.** ukrywanie, maskowanie. **2.** udawanie, symulowanie. **3.** *przest.* ignorowanie.

dissemble [dɪ'sembl] *v.* **1.** ukrywać, maskować (*uczucie, motywy*). **2.** udawać, symulować. **3.** *przest.* ignorować.

dissembler [dɪ'semblər] *n.* obłudni-k/ca.

disseminate [dɪ'seməˌneɪt] *v.* rozpowszechniać.

dissemination [dɪˌsemə'neɪʃən] *n.* *U* rozpowszechnianie.

disseminator [dɪ'seməˌneɪtər] *n.* *przen.* siewca (*of sth* czegoś).

dissension [dɪ'senʃən], *US t.* **dissention** *n.* *U* niezgoda; waśń, waśnie.

dissent [dɪ'sent] *v.* **1.** nie zgadzać się (*from sb/sth* z kimś/czymś); wyłamywać się. **2.** *rel.* odrzucać religię panującą. **3.** *US prawn.* nie zgadzać się z werdyktem pozostałych sędziów. – *n.* *U* **1.** różnica zdań *l.* poglądów; niezgoda; wyłamanie się. **2.** *rel.* odstępstwo (*od religii panującej*); odejście (*np. od linii partyjnej*).

dissenter [dɪ'sentər] *n.* **1.** inaczej myśląc-y/a. **2. D~** *rel.* dysydent/ka (*zwł. Br. = protestant/ka odrzucający doktrynę kościoła anglikańskiego w XVII-XVIII w.*).

dissentient [dɪ'senʃənt] *a.* sprzeciwiający się (*zwł. woli większości*). – *n.* = **dissident**.

dissenting [dɪ'sentɪŋ] *a.* **1.** nie zgadzający się; ~ **voice** głos sprzeciwu. **2.** *kośc.* dysydencki; ~ **minister** duchowny dysydencki.

dissepiment [dɪ'sepəmənt] *n.* *bot., zool.* przegroda.

dissertation [ˌdɪsər'teɪʃən] *n.* *gł. uniw.* dysertacja, rozprawa (*on sth* na jakiś temat).

disserve [dɪs'sɝ:v] *v.* *arch.* źle się przysłużyć, zaszkodzić (*komuś*).

disservice [dɪs'sɝ:vɪs] *n.* zła przysługa; szkoda; **do sb/sth a ~** (*także* **do a ~ to sb/sth**) źle się komuś/czemuś przysłużyć.

dissever [dɪ'sevər] *v.* *form.* **1.** odrywać (się). **2.** dzielić (*na części*).

dissidence ['dɪsɪdəns] *n.* *U* niezgoda (*zwł. z autorytetami l. z powszechnie panującą opinią*); dysydentyzm.

dissident ['dɪsɪdənt] *gł. polit.* *a.* dysydencki. – *n.* dysydent/ka.

dissimilar [dɪ'sɪmələr] *a.* *często w neg.* odmienny, różny; ~ **to sth** niepodobny do czegoś.

dissimilarity [dɪˌsɪmə'lerətɪ] *n.* *C/U* *pl.* **-ies** brak podobieństwa, odmienność, różnica.

dissimilate [dɪ'sɪməˌleɪt] *v.* *fon.* dysymilować, odpodabniać; ulegać dysymilacji (*o spółgłosce*).

dissimilation [dɪˌsɪmə'leɪʃən] *n.* *C/U* **1.** *fon.* dysymilacja, odpodobnienie. **2.** *biol.* dysymilacja.

dissimilatory [dɪ'sɪmələˌtɔ:rɪ], **dissimilative** [dɪ'sɪmələtɪv] *a.* *fon.* dysymilacyjny.

dissimilitude [ˌdɪsɪ'mɪləˌtu:d] *n.* = **dissimilarity**.

dissimulate [dɪ'sɪmjəˌleɪt] *v.* *form.* **1.** = **dissemble**. **2.** *med.* dysymulować, ukrywać chorobę.

dissimulation [dɪˌsɪmjə'leɪʃən] *n.* *U* **1.** = **dissemblance**. **2.** *med.* dysymulacja, ukrywanie choroby.

dissimulator [dɪ'sɪmjəˌleɪtər] *n.* = **dissembler**.

dissipate ['dɪsəˌpeɪt] *v.* *form.* **1.** rozpraszać (*chmury, uwagę, energię*); rozwiewać (*obawy*). **2.** rozpraszać się; rozwiewać się. **3.** trwonić; marnować, marnotrawić (*pieniądze, czas*). **4.** hulać.

dissipated ['dɪsəˌpeɪtɪd] *a.* *form.* *lit.* zniszczony rozpustą (*o osobie*); rozpustny (*o zachowaniu, życiu*); zmarnowany (*wskutek rozpustnego życia; np. o młodości*).

dissipation [ˌdɪsə'peɪʃən] *n.* *U form.* **1.** rozproszenie (się); rozwianie (się). **2.** *fiz.* dyssypacja, rozproszenie. **3.** trwonienie; marnowanie, marnotrawienie. **4.** rozpusta.

dissipative ['dɪsəˌpeɪtɪv] *a.* **1.** rozpraszający. **2.** marnotrawny. **3.** *el.* stratny.

dissociable [dɪ'soʊʃɪəbl] *a.* **1.** rozłączalny; dający się rozdzielić; dający się wyróżnić. **2.** niedobrany, niedopasowany; niespójny. **3.** nietowarzyski. **4.** *chem.* zdolny do dysocjacji.

dissociate [dɪ'soʊʃɪˌeɪt] *v.* **1.** rozdzielać (się), rozłączać (się); oddzielać (się). **2.** przestać kojarzyć (*sb/sth from sb/sth* kogoś/coś z kimś/czymś). **3.** *chem.* dysocjować, ulegać dysocjacji. **4. ~ o.s. from sth** odcinać się od czegoś (*np. od jakichś poglądów*).

dissociation [dɪˌsoʊsɪ'eɪʃən] *n.* *U* **1.** rozdzielanie (się), rozłączanie (się); oddzielanie (się). **2.** *chem.* dysocjacja. **3.** *psychiatria* dysocjacja.

dissociative [dɪ'soʊʃɪˌeɪtɪv] *a.* **1.** rozdzielający; oddzielający. **2.** *chem.* dysocjacyjny, powodujący dysocjację *l.* rozpad.

dissoluble [dɪ'sɑ:ljəbl] *a.* *rzad.* = **soluble**.

dissolute ['dɪsəˌlu:t] *lit.* *a.* rozwiązły, rozpustny.

dissolutely ['dɪsəˌlu:tlɪ] *adv.* rozwiąźle, rozpustnie.

dissoluteness [ˈdɪsəˌluːtnəs] *n.* *U* rozwiązłość, rozpusta.

dissolution [ˌdɪsəˈluːʃən] *n.* **1.** rozkład, rozpad (*t.* = *zanik, śmierć*). **2.** rozwiązanie (*umowy, małżeństwa, parlamentu*). **3.** rozpuszczanie (się) (*np. lodu, śniegu*).

dissolvable [dɪˈzɑːlvəbl] *a.* **1.** rozpuszczalny. **2.** rozwiązywalny.

dissolve [dɪˈzɑːlv] *v.* **1.** rozpuszczać (*sth in sth* coś w czymś) (*zw. w cieczy*); rozpuszczać się (*w cieczy l. w ciecz*). **2.** rozwiązywać (*małżeństwo, parlament, spółkę*); zakończyć (*kampanię*). **3.** rozpadać się (*o małżeństwie, stowarzyszeniu*). **4.** znikać (*o problemie, sprzeciwie*). **5.** ~ **one scene into another** *film* zastosować przenikanie obrazów. **6.** ~ **in/into laughter** wybuchnąć śmiechem; ~ **in/into tears** zalać się łzami. – *n.* *film* przenikanie się (*scen, obrazów*).

dissolvent [dɪˈzɑːlvənt] *a.* rozpuszczający (*of sth* coś). – *n.* rozpuszczalnik.

dissonance [ˈdɪsənəns] *n.* *U* **1.** dysharmonia; niezgodność, rozdźwięk. **2.** *muz. l. przen.* dysonans.

dissonant [ˈdɪsənənt] *a.* **1.** *muz.* dysonansowy. **2.** dysharmonijny; niezgodny (*from / to / with sth* z czymś).

dissuade [dɪˈsweɪd] *v.* ~ **sb from (doing) sth** odwodzić kogoś od (robienia) czegoś; odradzać komuś coś.

dissuasion [dɪˈsweɪʒən] *n.* *U* odradzanie.

dissuasive [dɪˈsweɪsɪv] *a.* odradzający.

dissyllable [dɪˈsɪləbl] *n.* = **disyllable**.

dissymmetric [ˌdɪsɪˈmetrɪk], **dissymmetrical** [ˌdɪsɪˈmetrɪkl] *a.* **1.** niesymetryczny, asymetryczny. **2.** symetryczny w przeciwnych kierunkach, będący lustrzanym odbiciem (*np. tak, jak ludzkie dłonie*). **3.** *chem.* chiralny.

dissymmetry [dɪˈsɪmətrɪ] *n.* *U* **1.** niesymetryczność, asymetryczność. **2.** symetria w przeciwnych kierunkach. **3.** *chem.* chiralność.

dist. *abbr.* **1.** = **distance**; = **distant**. **2.** = **distinguish**; = **distinguished**. **3.** = **district**. **4.** = **distributed**; = **distribution**; = **distributor**.

distaff [ˈdɪstæf] *n.* *pl.* **-s** *l.* **distaves** [ˈdɪstævz] **1.** *hist., tk.* kądziel. **2.** *lit.* kobiece zajęcia; sprawy kobiece. **3. on the ~ side** *przest. lit.* po kądzieli (*o pokrewieństwie*).

distal [ˈdɪstl] *a.* *anat.* odsiebny, dystalny, dalszy (*od osi ciała, punktu zaczepienia*).

distance [ˈdɪstəns] *n.* **1.** *C / U* odległość, dystans; oddalenie; **at a ~ of five miles** w odległości pięciu mil; **at/from a ~** z daleka *l.* oddali; **follow sb at/from a ~** iść za kimś w pewnej odległości; **in the ~** w oddali; **it's within walking/driving ~** można tam dojść na piechotę/dojechać samochodem; **keep one's ~** trzymać się z dala (*from sb / sth* od kogoś/czegoś); **keep your ~!** *przest.* nie zbliżać się!; **some ~ from sth** (*także* **a good ~ away from sth**) w sporej odległości od czegoś, dość daleko od czegoś; **what's the ~ from X to Y?** (*także* **what's the ~ between X and Y?**) jak daleko jest z X do Y?. **2.** *C / U* dystans, rezerwa; **keep sb at a ~** trzymać kogoś na dystans, traktować kogoś z rezerwą. **3.** *U* *mal.* głębia, dal (*w obrazie*); **middle ~** drugi plan. **4.** *przen.* **come quite a ~** zrobić duży postęp (*w jakiejś sprawie*); **go the (full) ~** *pot.* wytrwać do końca (*np. zawodów, rozgrywek*); **within striking/spitting ~ (of sth)** *pot.* o włos (od czegoś). – *v.* **1. ~ o.s. (from sth)** dystansować się (od czegoś). **2.** zdystansować (= *przewyższyć*). **3.** umieszczać *l.* trzymać w oddali.

distant [ˈdɪstənt] *a.* **1.** odległy (*w przestrzeni l. czasie*); daleki (*o krewnym, związku, podróży*); **in the ~ future** w dalszej przyszłości; **in the not too ~ future** w niezbyt odległej *l.* niedalekiej przyszłości; **in the dim and ~ past** *zob.* **dim** *a.* **2.** chłodny (*o głosie, sposobie bycia*); nieobecny (*o spojrzeniu*).

distantly [ˈdɪstəntlɪ] *adv.* **1.** daleko. **2.** z dala. **3.** chłodno, z rezerwą.

distaste [dɪsˈteɪst] *n.* *U* wstręt, obrzydzenie; niechęć, odraza (*for sb / sth* do kogoś/czegoś).

distasteful [dɪsˈteɪstfʊl] *a.* wstrętny, obrzydliwy (*to sb* dla kogoś).

Dist. Atty. *abbr.* *US* = **district attorney**.

distemper[1] [dɪsˈtempər] *n.* *U* **1.** (*także* **canine ~**) *wet.* nosówka. **2.** *arch. pat.* zaburzenia, rozstrój; *zwł. polit.* niepokoje, rozruchy; niezadowolenie. – *v.* *arch.* rozstrajać; wzburzać.

distemper[2] *n.* **1.** *U* farba klejowa. **2.** *C / U* *mal.* tempera (*farba, technika l. obraz*). – *v.* **1.** malować farbą klejową. **2.** *mal.* malować temperą.

distend [dɪˈstend] *v.* **1.** rozszerzać (się). **2.** nadymać (się); wydymać się. **3.** *fizj., pat.* roszerzać się (*o źrenicach*); rozdymać się (*o żołądku*).

distensibility [dɪˌstensəˈbɪlətɪ] *n.* *U* rozszerzalność.

distensible [dɪˈstensəbl] *a.* rozszerzalny.

distension [dɪˈstenʃən], **distention** *n.* *C / U* rozszerzanie (się), rozdymanie (się).

distich [ˈdɪstɪk] *n.* *wers.* dystych, dwuwiersz.

distichous [ˈdɪstəkəs] *a.* *bot.* ułożony w dwu pionowych szeregach po przeciwnych stronach łodygi (*o liściach*).

distill [dɪˈstɪl], *Br.* **distil** *v.* **-ll-** **1.** destylować (się). **2.** *przen.* szlifować; oczyszczać (*np. styl*). **3.** *przen.* czerpać (*informacje, wiedzę*); wydobywać (*znaczenie*). **4. ~ off/out** wydestylować, oddestylować.

distillate [ˈdɪstəlɪt] *n.* destylat.

distillation [ˌdɪstəˈleɪʃən] *n.* **1.** *U* destylacja. **2.** destylat. **3.** *przen.* esencja.

distillatory [dɪˈstɪləˌtɔːrɪ] *a.* destylacyjny.

distilled [dɪˈstɪld] *a.* destylowany.

distilled water *n.* *U* woda destylowana.

distiller [dɪˈstɪlər] *n.* **1.** aparat destylacyjny, destylator. **2.** destylator, gorzelnik (*osoba*).

distillery [dɪˈstɪlərɪ] *n.* **1.** destylarnia. **2.** gorzelnia.

distinct [dɪˈstɪŋkt] *a.* **1.** *pred.* różny, odmienny (*from sth* od czegoś). **2.** odrębny. **3.** wyraźny. **4.** *attr.* niewątpliwy, zdecydowany; **have a ~ advantage** mieć zdecydowaną przewagę. **5. X as ~ from Y** X w odróżnieniu od Y.

distinction [dɪˈstɪŋkʃən] *n.* **1.** różnica; rozróżnienie; **draw/make a ~ between A and B** przeprowadzać/robić rozróżnienie pomiędzy A i B, rozróżniać pomiędzy A i B. **2.** *U* wybitność; **of (great) ~** (bardzo) wybitny (*np. o artyście, uczonym*). **3.** wyróżnienie (*Br. t. szkoln.* = *wysoka ocena*); zaszczyt; **I had the ~ of being invited to the ceremony** zostałem wyróżniony zaproszeniem na uroczystość; **she had the ~ of delivering the opening lecture** przypadł jej w udziale zaszczyt wygłoszenia wykładu inauguracyjnego. **4.** cecha charakterystyczna.

distinctive [dɪˈstɪŋktɪv] *a.* **1.** wyróżniający; charakterystyczny. **2.** *fonologia* dystynktywny (*o cechach*).

distinctively [dɪˈstɪŋktɪvlɪ] *adv.* wyraźnie; wyraziście.

distinctiveness [dɪˈstɪŋktɪvnəs] *n.* *U* wyrazistość.

distinctly [dɪˈstɪŋktlɪ] *adv.* **1.** wyraźnie; niewątpliwie, zdecydowanie. **2. I ~ remember asking him** dobrze *l.* dokładnie pamiętam, że go spytałam.

distinctness [dɪˈstɪŋktnəs] *n.* *U* wyraźność.

distingué [ˌdiːstæŋˈgeɪ] *a. form.* dystyngowany.

distinguish [dɪˈstɪŋgwɪʃ] *v.* **1.** odróżniać (*sb / sth from sb / sth* kogoś/coś od kogoś/czegoś); wyróżniać (*sb / sth from sb / sth* kogoś/coś spośród kogoś/czegoś). **2.** rozróżniać (*between X and Y* pomiędzy X i Y). **3.** rozpoznawać. **4.** wyróżniać; charakteryzować; **~ing feature** cecha charakterystyczna *l.* wyróżniająca. **5. ~ o.s.** odznaczyć się (*np. w bitwie*).

distinguishable [dɪˈstɪŋgwɪʃəbl] *adv.* **1.** rozpoznawalny; dostrzegalny. **2.** dający się odróżnić (*from sth* od czegoś).

distinguished [dɪˈstɪŋgwɪʃt] *a.* **1.** wybitny; znakomity. **2.** dystyngowany.

distort [dɪˈstɔːrt] *v.* **1.** wykrzywiać (się), deformować (się). **2.** wypaczać, przekręcać, przeinaczać (*argumenty, fakty*). **3.** *zwł. el.* zniekształcać (*dźwięk, obraz*).

distorted [dɪˈstɔːrtɪd] *a.* zniekształcony, wypaczony.

distortion [dɪˈstɔːrʃən] *n.* *C / U* **1.** wykrzywianie (się), wykrzywienie, deformacja. **2.** wypaczenie, przekręcenie (*argumentów, faktów*). **3.** zniekształcenie (*dźwięku, obrazu*).

distract [dɪˈstrækt] *v. często pass.* **1.** rozpraszać, dekoncentrować; **~ sb from their work** odrywać kogoś od pracy; **~ sb's attention (away) from sth** odrywać czyjąś uwagę od czegoś. **2.** bawić, zabawiać. **3.** trapić, martwić. **4.** doprowadzać do szału.

distracted [dɪˈstræktɪd] *a.* **1.** nieuważny, roztargniony. **2.** zmieszany; w rozterce. **3.** strapiony.

distractedly [dɪˈstræktɪdlɪ] *adv.* w roztargnieniu.

distracting [dɪˈstræktɪŋ] *a.* **1.** rozpraszający. **2. be (pleasantly) ~** dostarczać (miłej) rozrywki (*zwł. o grach i zabawach*).

distraction [dɪˈstrækʃən] *n.* *C / U* **1.** zakłócenie uwagi; odwrócenie uwagi. **2.** rozrywka; **he needs ~** potrzebuje rozrywki. **3.** szaleństwo; rozterka (*duchowa*); **drive sb to ~** doprowadzać kogoś do szału; **love sb to ~** kochać kogoś do szaleństwa.

distrain [dɪˈstreɪn] *v. prawn.* dokonywać zajęcia (*upon sb / sth* czyjejś własności/czegoś) (*w celu zmuszenia do spłaty długu, zaległego czynszu itp.*).

distrainer [dɪˈstreɪnər], **distrainor** *n.* wierzyciel dokonujący zajęcia.

distrainment [dɪˈstreɪnmənt], **distraint** [dɪˈstreɪnt] *n. prawn.* = **distress** 4.

distrait [dɪˈstreɪ] *a. form.* roztargniony, nieuważny.

distraught [dɪˈstrɔːt] *a.* **1.** *form.* wzburzony (*by / over sth* czymś); zrozpaczony. **2.** *rzad.* szalony, obłąkany.

distress [dɪˈstres] *n.* *U* **1.** udręka; zgryzota (*at sth* z powodu czegoś); *sing.* dotkliwe zrządzenie losu, cios. **2.** *form.* cierpienie (*fizyczne*), dotkliwy ból. **3.** niebezpieczeństwo, zagrożenie; tarapaty, ciężkie położenie; **in ~** w opałach *l.* tarapatach, w ciężkiej sytuacji (*zwł. finansowej*); *żegl., lotn.* w niebezpieczeństwie, w stanie zagrożenia; **damsel in ~** *zob.* **damsel** 1. **4.** *prawn.* zajęcie (*czyjejś własności, np. przez komornika sądowego*). – *v.* **1.** dręczyć (*psychicznie*); trapić. **2.** sztucznie postarzać (*meble, tkaninę*). **3.** *prawn.* = **distrain**. **4.** *arch.* zmuszać (*into sth* do czegoś).

distressed [dɪˈstrest] *a.* **1.** bardzo zdenerwowany; roztrzęsiony. **2.** cierpiący, odczuwający ból (*zwł. o zwierzęciu*). **3.** *form.* w bardzo trudnej sytuacji finansowej. **4.** *ekon.* = **depressed** 5.

distressful [dɪˈstresfʊl] *a.* dotkliwy, przykry.

distressfully [dɪˈstresfʊlɪ] *adv.* dotkliwie.

distressing [dɪˈstresɪŋ] *a.* przykry, bolesny.

distressingly [dɪˈstresɪŋlɪ] *adv.* przykro, boleśnie.

distress merchandise *n.* *U US handl.* towar wyprzedawany w celu szybkiego uregulowania wierzytelności.

distress signal *n. żegl., lotn.* sygnał SOS, sygnał wzywania pomocy.

distress warrant *n. prawn.* nakaz zajęcia.

distributable [dɪˈstrɪbjʊtəbl] *a.* dający się rozprowadzić, rozdzielić *l.* rozproszyć.

distributary [dɪˈstrɪbjʊˌterɪ] *n. hydrol.* ramię, odnoga (*rzeki, zwł. w obrębie delty*).

distribute [dɪˈstrɪbjuːt] *v.* **1.** rozdawać, rozdzielać; dostarczać (*to sb* komuś) (*wielu odbiorcom*); dystrybuować, rozprowadzać (*among sb / sth* między kogoś/coś). **2.** rozmieszczać, rozkładać; rozpraszać. **3.** *mat.* stosować rozdzielność (*A over B* A względem B) (*w celu rozwinięcia wyrażenia*). **4.** dzielić (*in / into sth* na coś) (= *klasyfikować*). **5. ~ justice** *arch.* wymierzać sprawiedliwość.

distributed [dɪˈstrɪbjuːtɪd] *a.* **1.** rozdzielony (*among sb / sth* między kogoś/coś). **2.** rozmieszczony, rozłożony; **normally ~** *stat.* mający rozkład normalny (*o zmiennej losowej*). **3.** *biol.* rozprzestrzeniony (*np. o gatunku*). **4.** *komp.* rozproszony (= *zdecentralizowany*); **~ database** rozproszona baza danych; **~ intelligence/network** inteligencja/sieć rozproszona; **~ (data) processing** przetwarzanie (danych) rozproszone.

distributee [dɪˌstrɪbjʊ'tiː] *n. gł. US prawn.* współspadkobier-ca/czyni.

distribution [ˌdɪstrə'bjuːʃən] *n.* **1.** *U t. mat.* dystrybucja; rozdawanie, rozdzielanie (*among sb/sth* między kogoś); rozprowadzanie, rozpowszechnianie; dostarczanie (*to sb* komuś). **2.** *C/U* podział (*dóbr, spadku, masy upadłościowej; t. = klasyfikacja*). **3.** *C/U* rozprzestrzenienie; *biol.* występowanie. **4.** *C/U* rozmieszczenie. **5.** *stat.* rozkład; ~ **curve/function** krzywa/funkcja rozkładu; **normal/Poisson** ~ rozkład normalny/Poissona. **6.** *U mat.* rozdzielność (*of A over B* A względem B).

distributional [ˌdɪstrə'bjuːʃənl] *a.* **1.** dystrybucyjny (= *zajmujący się dystrybucją*). **2.** dotyczący podziału.

distributive [dɪ'strɪbjətɪv] *a.* **1.** = **distributional. 2.** rozdzielczy. **3.** *gram.* dystrybutywny (*o funkcji afiksu l. wyrazu*). – *n. gram.* wyraz pełniący funkcję dystrybutywną (*zwł. zaimek*).

distributive law *n. mat.* prawo rozdzielności.

distributively [dɪ'strɪbjətɪvlɪ] *adv.* **1.** rozdzielczo. **2.** *gram.* dystrybutywnie.

distributiveness [dɪ'strɪbjətɪvnəs] *n. U gram.* dystrybutywność.

distributor [dɪ'strɪbjətər] *n.* **1.** rozdawca. **2.** *handl.* dystrybutor (*osoba l. instytucja*). **3.** *mot.* rozdzielacz (*zapłonu*).

district ['dɪstrɪkt] *n. admin.* okręg, obwód, dystrykt; rejon (*zwł. = obszar działania służby publicznej*); dzielnica; **the D~ (of Columbia)** (*także* **D.C.**) *US* Dystrykt Kolumbii (= *okręg stołeczny w USA*); **judicial** ~ *US* okręg prokuratorski; **postal/school** ~ rejon pocztowy/szkolny. – *v. rzad.* dzielić na okręgi, dystrykty *l.* rejony.

district attorney *n.* (*także* **DA**) *US prawn.* prokurator okręgowy.

district council *n. Br.* rada samorządu lokalnego.

district court *n. US prawn.* sąd okręgowy (*zajmujący się sprawami dotyczącymi prawa federalnego, nie stanowego*).

district nurse *n. Br.* pielęgniarka rejonowa *l.* środowiskowa.

distrust [dɪs'trʌst] *n. U* nieufność, podejrzliwość (*of sb/sth* wobec kogoś/czegoś). – *v.* nie dowierzać, nie ufać (*komuś l. czemuś*).

distrustful [dɪs'trʌstfʊl] *a.* nieufny, podejrzliwy (*of sb/sth* wobec kogoś/czegoś).

distrustfully [dɪs'trʌstfʊlɪ] *adv.* nieufnie, podejrzliwie.

disturb [dɪ'stɜːb] *v.* **1.** przeszkadzać (*komuś*); **"do not ~"** „nie przeszkadzać" (*wywieszka na drzwiach*); **sorry to ~ you** przepraszam, że przeszkadzam. **2.** niepokoić, martwić. **3.** zaburzać, zakłócać, naruszać; ~ **the peace** *prawn.* zakłócać porządek *l.* spokój publiczny. **4.** ruszać (*coś, czego się ruszać nie powinno*); przestawiać, przekładać; robić bałagan w (*czymś*).

disturbance [dɪ'stɜːbəns] *n.* **1.** *C/U* zakłócenie; zaburzenie (*in sth* czegoś); **emotional/mental** ~ *psych.* zaburzenia emocjonalne/umysłowe; **magnetic** ~ *meteor.* zaburzenie pola geomagnetycznego. **2. be a ~ (to sb)** przeszkadzać (komuś) (*o rzeczy l. osobie*). **3.** *form.* zakłócenie porządku; *pl.* zamieszki, niepokoje; **cause a** ~ zakłócać porządek (publiczny).

disturbed [dɪ'stɜːbd] *a.* **1.** zaniepokojony, poruszony (*at sth* czymś). **2.** *psychiatria* zaburzony (*o osobowości*); **emotionally/mentally** ~ niezrównoważony psychicznie.

disturbing [dɪ'stɜːbɪŋ] *a.* niepokojący.

disturbingly [dɪ'stɜːbɪŋlɪ] *adv.* niepokojąco.

disulfate [daɪ'sʌlfeɪt], *Br.* **disulphate** *chem. n.* pirosiarczan.

disulfide [daɪ'sʌlfaɪd] *n.* dwusiarczek.

disulfuric acid [ˌdaɪsəlˌfjʊrɪk 'æsɪd] *a.* kwas pirosiarkowy.

disunion [dɪs'juːnjən] *n.* = **disunity.**

disunite [ˌdɪsjuː'naɪt] *v. form.* **1.** rozdzielać, rozbijać (= *powodować rozłam*). **2.** zrywać, rozstawać się (*from sb/sth* z kimś/czymś). **3.** poróżnić, skłócić.

disunity [dɪs'juːnətɪ] *n. U* rozłam, rozbrat; brak jedności.

disuse ['dɪsjuːs] *n. U* nieużywanie; **fall into** ~ przestać być używanym *l.* wykorzystywanym (*np. o budynku, lotnisku*); wyjść z użycia (*np. o przepisie prawnym*); **in** ~ nie używany, zarzucony.

disused ['dɪsjuːzd] *a.* nie używany.

disyllabic [ˌdaɪsɪ'læbɪk] *jęz. a.* dwusylabowy, dwuzgłoskowy.

disyllable ['daɪsɪləbl] *n.* wyraz dwusylabowy, dwuzgłoskowiec.

dit [dɪt] *n. tel.* kropka (= *krótki sygnał w kodzie telegraficznym*).

ditch [dɪtʃ] *n.* rów (*t. obronny*), przekop; kanał (*irygacyjny l. żeglugowy*). – *v.* **1.** *pot.* pozbyć się (*kogoś l. czegoś*); rzucić (*chłopaka, dziewczynę*); porzucić (*np. samochód*); zarzucić (*plan, pomysł*). **2.** *pot.* wpakować do rowu (*pojazd, zwł. w celu uniknięcia zderzenia*); wykoleić (*pociąg*). **3.** *lotn.* wodować przymusowo (*o pilocie l. maszynie*); posadzić na wodzie (*samolot podczas przymusowego lądowania*). **4.** otoczyć *l.* przeciąć rowem.

ditch eel *n. zool.* amfiuma (*Amphiuma means*).

ditcher ['dɪtʃər] *n.* kopacz rowów; *techn.* koparka do rowów.

ditch reed *n. bot.* trzcina pospolita (*Phragmites australis*).

ditchwater ['dɪtʃˌwɔːtər] *n. U* **1.** stojąca woda (*zwł. w rowie*). **2. as dull as** ~ *przen. zob.* **dull** *a.* 1.

ditheism ['daɪθɪˌɪzəm] *teol. n. U* diteizm (= *wiara w dwóch równorzędnych bogów*); dualizm.

ditheistic [ˌdaɪθɪ'ɪstɪk] *a.* diteistyczny; dualistyczny.

dither ['dɪðər] *v.* **1.** *gł. Br. uj.* wahać się, nie móc się zdecydować (*about/over sth* co do czegoś). **2.** *gł. US* być roztrzęsionym. **3.** *dial.* dygotać, trząść się. **4.** *komp.* symulować kolor *l.* cieniowanie (*grafiki*) za pomocą mikrowzoru. – *n.* **1.** *gł. Br.* wahanie; **be (all) of a ~/in a ~** *pot. uj.* być niezdecydowanym, nie umieć podjąć decyzji. **2.**

gł. US zdenerwowanie, roztrzęsienie. **3.** *komp.* mikrowzór (*np. kropkowanie*).

ditherer [ˈdɪðərər] *n. uj.* osoba mająca kłopoty z podejmowaniem decyzji.

dithering [ˈdɪðərɪŋ] *n. U komp.* rozpraszanie (*technika druku stopni szarości*); symulowanie koloru (*za pomocą różnobarwnych punktów*).

dithery [ˈdɪðərɪ] *a.* **-ier, -iest** *uj.* nie umiejący podjąć decyzji.

dithyramb [ˈdɪθəˌræm] *n. teor. lit. l. iron.* dytyramb.

dithyrambic [ˌdɪθəˈræmbɪk] *a.* dytyrambiczny.

ditransitive [daɪˈtrænsətɪv] *a. gram.* mogący mieć dwa dopełnienia (*o czasowniku*).

ditsy [ˈdɪtsɪ], **ditzy** *a.* **-ier, -iest** *sl.* roztrzepany, rozkojarzony.

dittany [ˈdɪtənɪ] *n. bot.* **1.** (*także* ~ **of Crete**) lebiodka kreteńska (*Origanum dictamnus*). **2.** dyptam jesionolistny (*Dictamnus albus*). **3.** *US* mięta skalna (*Cunila origanoides*).

ditto [ˈdɪtoʊ] *adv.* jak wyżej, ditto; takoż, tak samo; *pot.* ja też. – *n. pl.* **-s 1.** to samo, co wyżej (*na liście, w spisie*). **2.** (*także* ~ **copy**) *pot.* duplikat. – *v.* **-os, -oed, -oing** kopiować, powielać (*czyjeś zachowanie*).

dittography [dɪˈtɑːgrəfɪ] *n. pl.* **-ies** *form.* omyłkowe powtórzenie (*litery l. słowa w tekście*).

ditto mark *n. często pl.* znak powtórzenia (").

ditty [ˈdɪtɪ] *n. pl.* **-ies** *uj. l. żart.* śpiewka, prosta piosenka.

ditty bag *n. gł. żegl.* płócienna torba na drobne przybory.

ditty box *n.* skrzynka na przybory (*zwł. marynarska l. rybacka*).

ditzy [ˈdɪtsɪ] *a.* = **ditsy**.

diuresis [ˌdaɪjʊˈriːsɪs] *n. U fizj.* diureza, wydzielanie moczu (*w nerce*).

diuretic [ˌdaɪjʊˈretɪk] *a. i n. med.* (lek) moczopędny *l.* diuretyczny.

diuretically [ˌdaɪjʊˈretɪklɪ] *adv. med.* moczopędnie.

diurnal [daɪˈɜːnl] *a.* **1.** *gł. zool.* dzienny (= *aktywny w dzień*). **2.** *gł. astron.* dobowy. **3.** *form.* codzienny. – *n.* **1.** *arch.* gazeta codzienna. **2.** *kośc.* diurnał (*część brewiarza*).

diurnally [daɪˈɜːnlɪ] *adv. form.* **1.** w dzień, za dnia. **2.** dziennie; dobowo.

diurnal parallax *n. astron.* paralaksa dzienna.

div. *abbr.* **1.** = **divided**; = **division**. **2.** = **divine**; = **divinity**. **3.** = **divorced**.

diva [ˈdiːvə] *n. pl.* **-s** *l.* **dive** [ˈdiːveɪ] *opera l. przen.* diwa, primadonna.

divagate [ˈdaɪvəˌgeɪt] *v. rzad.* **1.** dywagować, odbiegać od tematu. **2.** błąkać się.

divagation [ˌdaɪvəˈgeɪʃən] *n.* **1.** dywagacja. **2.** błądzenie.

divalency [daɪˈveɪlənsɪ] *chem. n. U* dwuwartościowość.

divalent [daɪˈveɪlənt] *a.* dwuwartościowy.

divan [dɪˈvæn] *n.* **1.** otomanka (= *wyściełana ława*). **2.** (*także* ~ **bed**) sofa, otomana. **3.** (*także* **diwan**) *przest.* palarnia (*wydzielone pomieszczenie, np. w kawiarni*). **4.** (*także* **diwan**) dywan (*w krajach muzułmańskich = zbiór utworów jednego poety; przest.* = *sąd, rejestr l. urząd finansowy; rada sułtańska*).

divaricate [daɪˈverɪˌkeɪt] *v. form.* rozwidlać się (*tworząc szeroki kąt*), rozchodzić się. – *a. bot.* szeroko rozwidlony.

divarication [daɪˌverɪˈkeɪʃən] *n.* rozwidlenie; *U* rozchodzenie się (*odnóg, gałęzi*).

dive [daɪv] *v. pret.* **-d** *US t.* **dove** *pp.* **dived 1.** nurkować (*t. o samolocie* = *pikować*), dawać nurka (*from/off sth* skądś, *into/under sth* w/pod coś, *for sth* po coś); ~ **(down)** zanurzać się (*zwł. o okręcie podwodnym l. wielorybie*); ~ **(in)** skakać do wody. **2.** *przen.* dawać nura (*np. do sklepu, samochodu*); ~ **(into/under sth) for cover/shelter** chować się (do czegoś/pod coś) (*przed deszczem, ostrzałem*). **3.** *żegl.* zanurzać (*okręt podwodny*); *lotn.* wprowadzać w lot nurkowy (*samolot*). **4.** ~ **(one's hand) into one's bag/pocket** sięgnąć (ręką) do torby/kieszeni (*for sth* po coś). **5.** *przen.* ~ **in** zabrać się energicznie do roboty, przystąpić do dzieła; ~ **in!** *pot.* jedz(cie)!; ~ **into sth** rzucić się w wir czegoś, bez reszty zaangażować się w coś. – *n.* **1.** skok do wody; nurkowanie; zanurzenie (*t. okrętu podwodnego*). **2.** *lotn.* lot nurkowy, nurkowanie. **3.** *boks sl.* pozorowany upadek na deski; **take a** ~ upozorować upadek. **4.** rzut (= *energiczny wyskok*); **make a** ~ **for sth** rzucić się za czymś *l.* po coś. **5.** *pot.* spelunka.

dive-bomb [ˈdaɪvˌbɑːm] *v. lotn.* bombardować z lotu nurkowego.

dive bomber *n. lotn.* nurkowiec, bombowiec nurkujący.

diver [ˈdaɪvər] *n.* **1.** nurek (*t. zool.* = *zwierzę zdolne do nurkowania*); płetwonurek. **2.** skoczek (do wody). **3.** *Br. orn.* nur (*rodzina Gaviidae*).

diverge [dɪˈvɜːdʒ] *v. form.* **1.** rozbiegać się, rozchodzić się. **2.** *mat.* być rozbieżnym (*o ciągu*). **3.** *opt.* rozpraszać się (*o promieniach przechodzących przez soczewkę*). **4.** różnicować się; odbiegać od siebie (*np. o poglądach*). **5.** ~ **from** zbaczać z (*trasy, obranego kursu*); *przen.* odchodzić od (*przyjętych zasad itp.*).

divergence [dɪˈvɜːdʒəns] *n. C/U* **1.** *t. techn.* rozbieżność; narastanie różnic. **2.** *mat., biol.* dywergencja.

divergency [dɪˈvɜːdʒənsɪ] *n.* = **divergence** 1.

divergent [dɪˈvɜːdʒənt] *a.* **1.** odbiegający (*from sth* od czegoś). **2.** *mat.* rozbieżny, dywergentny (*o ciągu*). **3.** *biol.* dywergentny.

divergently [dɪˈvɜːdʒəntlɪ] *adv.* rozbieżnie.

diverging lens *n. opt.* soczewka rozpraszająca.

divers [ˈdaɪvərz] *a. attr. przest.* (*tylko z rzeczownikami w liczbie mnogiej*) rozmaici, rozmaite; ~ **of them** niektó-rzy/re z nich.

diverse [dɪˈvɜːs] *a.* różnorodny, urozmaicony; zróżnicowany.

diversely [dɪˈvɜːslɪ] *adv.* różnorodnie, rozmaicie.

diverseness [dɪˈvɜːsnəs] *n. U* różnorodność; zróżnicowanie.

diversification [dɪˌvɜːsəfəˈkeɪʃən] *n. U* zróżnicowanie, urozmaicenie; różnorodność; *ekon.* dywersyfikacja (*produkcji, portfela papierów wartościowych*).

diversiform [dɪˈvɜːsəˌfɔːrm] *a. form.* różnokształtny; różnoraki.

diversify [dɪˈvɜːsəˌfaɪ] *v.* **-ied, -ying** **1.** urozmaicać; różnicować. **2.** *ekon.* rozpraszać (*inwestycje, udziały*). **3.** *handl.* poszerzać (*asortyment, rynek zbytu*); urozmaicać ofertę.

diversion [dɪˈvɜːʒən] *n.* **1.** odwrócenie uwagi; **create a ~** zrobić zamieszanie (*dla odwrócenia uwagi*). **2.** rozrywka. **3.** *C/U* zmiana kierunku (*t. produkcji, inwestycji*); zmiana biegu (*rzeki*). **4.** *zwł. Br.* objazd. **5.** *gł. wojsk.* dywersja, akcja dywersyjna.

diversional [dɪˈvɜːʒənl], **diversionary** [dɪˈvɜːʒəˌnerɪ] *a. gł. wojsk.* dywersyjny.

diversity [dɪˈvɜːsətɪ] *n. C/U* **1.** różnorodność, rozmaitość; **biological ~** (*także* **biodiversity**) *ekol.* różnorodność biologiczna. **2.** rozbieżność (*poglądów*).

divert [dɪˈvɜːt] *v.* **1.** zmieniać kierunek (*t. rzeki*); zawracać (*kogoś l. coś*); *zwł. Br.* skierowywać objazdem (*ruch uliczny*). **2.** **~ (sb's) attention from sth** odwracać (czyjąś) uwagę od czegoś; **~ sb/sb's thoughts from sth** odrywać kogoś/czyjeś myśli od czegoś. **3.** **~ funds/resources** zmieniać przeznaczenie funduszy/środków (*from sth into sth* z czegoś na coś). **4.** *form.* rozrywać, zabawiać.

diverticulitis [ˌdaɪvɜːˌtɪkjʊˈlaɪtɪs] *pat. n. U* zapalenie uchyłka (*zwł. jelita*).

diverticulosis [ˌdaɪvɜːˌtɪkjʊˈloʊsɪs] *n. U* uchyłkowatość.

diverticulum [ˌdaɪvərˈtɪkjələm] *n. pl.* **diverticula** uchyłek.

divertimento [dɪˌvɜːtəˈmentoʊ] *n. pl.* **divertimenti** *muz.* divertimento.

diverting [dɪˈvɜːtɪŋ] *a. form.* zabawny.

divertingly [dɪˈvɜːtɪŋlɪ] *adv.* zabawnie.

divertissement [dɪˈvɜːtɪsmənt] *n.* **1.** *teatr l. muz.* divertissement (*zwł. = wstawka taneczna*). **2.** *muz.* = **divertimento**.

divest [dɪˈvest] *v. form.* **1.** **~ sb/o.s. of sth** rozbierać kogoś/się z czegoś. **2.** pozbawiać (*of sth* czegoś) (*zwł. urzędu, majątku, praw*). **3.** **~ o.s. of sth** uwalniać się od czegoś (*np. od myśli, podejrzeń*).

divestiture [dɪˈvestɪtʃər], **divesture** [dɪˈvestʃər], **divestment** [dɪˈvestmənt] *n. U prawn.* pozbawienie majątku.

divi [ˈdɪvɪ] *n.* = **divvy**.

dividable [dɪˈvaɪdəbl] *a.* = **divisible**.

divide [dɪˈvaɪd] *v.* **1.** (*także* **~ up**) *t. mat.* dzielić (się) (*into sth* na coś, *by x* przez *x*); *przen.* dzielić (= *wywoływać niezgodę*) (*on/upon sth* w jakiejś sprawie); **~ and rule** dziel i rządź; **they are (bitterly) ~d over/about the issue** ich opinie w tej sprawie są (głęboko) podzielone. **2.** (*także* **~ out/up**) rozdzielać (*between/among* pomiędzy/wśród); rozdzielać (się); oddzielać (*sth from sth* coś od czegoś). **3.** **~ into *x y* times** *mat.* mieścić się (bez reszty) *y* razy w *x*. **4.** *Br. parl.* przystąpić do głosowania (*o izbie*); **~ the House** wezwać członków izby do głosowania. – *n. zw. sing.* **1.** *gł. polit.* podział. **2.** (*także* **drainage ~**) *gł. US i Can. geogr.* dział wodny; **continental ~** *zob.* **continental**.

divided highway [dɪˌvaɪdɪd ˈhaɪˌweɪ] *n. US i Can. mot.* droga o rozdzielonych jezdniach.

dividend [ˈdɪvɪˌdend] *n.* **1.** *fin., ubezp.* dywidenda. **2.** *mat.* dzielna. **3.** *prawn.* udział wierzycieli w masie upadłościowej. **4.** **pay ~s** *przen.* procentować, przynosić korzyści.

divider [dɪˈvaɪdər] *n.* **1.** separator (*między kartkami w segregatorze*). **2.** (*także* **room ~**) przepierzenie. **3.** **voltage ~** *el.* dzielnik napięcia.

dividers [dəˈvaɪdərz] *n. pl.* (*także* **pair of ~**) *miern.* cyrkiel pomiarowy, przenośnik.

dividing line [dɪˈvaɪdɪŋ ˌlaɪn] *n. przen.* granica (*between sth and sth* pomiędzy czymś i czymś) (*np. patosem i śmiesznością*).

divination [ˌdɪvəˈneɪʃən] *n.* **1.** *U* wróżbiarstwo; wróżenie, zasięganie rady wyroczni. **2.** wróżba, przepowiednia.

divinatory [dɪˈvɪnəˌtɔːrɪ] *a.* wróżebny.

divine [dɪˈvaɪn] *a.* **1.** boski; *gł. kośc. i teol.* boży; **~ inspiration** boskie natchnienie; **~ intervention** *teol.* ingerencja sił nadprzyrodzonych (= *cud*). **2.** *przest. emf.* boski; **you look ~** wyglądasz bosko. – *n.* **1.** **the D~** *teol.* pierwiastek boski; Bóg. **2.** *kośc. form.* duchowny; teolog. – *v.* **1.** wróżyć; przepowiadać. **2.** przeczuwać; odgadywać. **3.** szukać za pomocą różdżki (*for sth* czegoś).

divinely [dɪˈvaɪnlɪ] *adv. przest. emf.* bosko.

Divine Office *n. kośc.* liturgia godzin.

diviner [dɪˈvaɪnər] *n.* **1.** (*także* **water-~**) różdżka-rz/rka. **2.** wróżbit-a/ka.

divine right *n.* **1.** (*także* **divine right of kings**) *hist.* boża łaska (*legitymizująca władzę monarszą*). **2.** **not have the ~ to do sth** *pot.* nie mieć prawa czegoś robić.

divine service *n. kośc.* nabożeństwo.

diving [ˈdaɪvɪŋ] *n. U* **1.** nurkowanie. **2.** skoki do wody.

diving beetle *n. ent.* pływak (*rodzina Dytiscidae*); **great ~** pływak żółtobrzeżek (*Dytiscus marginalis*).

diving bell *n. techn.* dzwon nurkowy.

diving board *n. pływanie* trampolina.

diving dress *n.* = **diving suit**.

diving duck *n. orn.* grążyca (*kaczka nurkująca*).

diving helmet *n.* hełm nurkowy.

diving suit *n.* skafander *l.* strój nurka.

divining [dɪˈvaɪnɪŋ] *n. U* **1.** różdżkarswo. **2.** wróżenie; **~ bowl/sticks** miseczka/patyczki do wróżenia.

divining rod *n.* różdżka (*do wykrywania wody itp.*).

divinity [dɪˈvɪnətɪ] *n.* **1.** *U gł. teol.* boskość, natura boska. **2.** *U* (*także* **D~**) *uniw.* teologia; **Doctor of D~** doktor teologii. **3.** *pl.* **-ies** bóstwo; **the D~** *teol.* Bóg.

divinization [dɪˌvɪnəˈzeɪʃən], *Br. i Austr. zw.* **divinisation** *form. n. U* uznanie za boga, ubóstwienie.

divinize [ˈdɪvəˌnaɪz] *v.* uznawać za boga.

divisibility [dɪˌvɪzə'bɪlətɪ] *n. U gł. mat.* podzielność.

divisible [dɪ'vɪzəbl] *a.* dający się podzielić (*into sth* na coś); *mat.* podzielny (*by x* przez *x*).

division [dɪ'vɪʒən] *n.* **1.** *C/U* podział (*into sth* na coś); **cell** ~ *biol.* podział komórkowy; **fair/unfair** ~ sprawiedliwy/niesprawiedliwy podział. **2.** linia podziału, granica (*between* między). **3.** *C/U* podział, rozłam. **4.** *U mat.* dzielenie. **5.** dział (*przedsiębiorstwa*), oddział (*banku*), wydział (*policyjny*). **6.** kategoria; **middleweight/heavyweight** ~ *boks* waga średnia/ciężka. **7.** *Br. gł. piłka nożna* liga; **first/second** ~ pierwsza/druga liga. **8.** *wojsk.* dywizja (*w wojskach lądowych*); dywizjon (*w lotnictwie l. marynarce*). **9.** *pl. żegl.* zbiórka załogi. **10.** *bot.* gromada, dawniej typ (*jednostka systematyczna*). **11.** *Br. parl.* głosowanie (*w parlamencie*); **force a** ~ przeforsować głosowanie.

divisional [dɪ'vɪʒənl] *a.* **1.** dotyczący podziału. **2.** oddziałowy, wydziałowy. **3.** *sport* ligowy. **4.** *wojsk.* dywizyjny; ~ **commander/headquaters** dowódca/kwatera główna dywizji.

divisional leader *n. sport* drużyna prowadząca w lidze.

division bell *n. Br. parl.* dzwonek wzywający na głosowanie.

divisionism [dɪ'vɪʒəˌnɪzəm] *n. U hist., mal.* dywizjonizm.

divisionist [dɪ'vɪʒənɪst] *a.* dywizjonistyczny. – *n.* dywizjonist-a/ka.

division of labor, *Br.* **division of labour** *n. C/U* podział pracy.

division sign *n. mat.* znak dzielenia.

divisive [dɪ'vaɪsɪv] *a.* **1.** stwarzający *l.* podtrzymujący podziały (*np. o systemie edukacji*); rozłamowy (*o polityce*). **2.** sporny (*o kwestii*). **3.** *arch.* różnicujący, umożliwiający rozróżnienie.

divisively [dɪ'vaɪsɪvlɪ] *adv.* stwarzając podziały.

divisiveness [dɪ'vaɪsɪvnəs] *n. U* **1.** stwarzanie podziałów. **2.** sporny charakter (*kwestii*).

divisor [dɪ'vaɪzər] *n. mat.* dzielnik; **greatest common** ~ największy wspólny dzielnik.

divorce [dɪ'vɔːrs] *n.* **1.** *C/U* rozwód (*t. prawn. = orzeczenie rozwodu*); ~ **case** *prawn.* sprawa rozwodowa; ~ **law/proceedings** *prawn.* prawo/postępowanie rozwodowe; ~ **rate** liczba *l.* odsetek rozwodów; **end in** ~ kończyć się rozwodem (*o małżeństwie*); **file for** ~ *prawn.* wystąpić o rozwód, wnieść *l.* złożyć pozew o rozwód; **get a** ~ **(from sb)** rozwieść się (z kimś); **sue (sb) for** ~ *prawn.* zażądać (od kogoś) rozwodu. **2.** *form.* trwały *l.* definitywny rozdział (*of sth from sth* czegoś od czegoś, *between sth and sth* pomiędzy czymś a czymś). – *v.* **1.** rozwodzić się (z) (*kimś*); ~ **(each other)** rozwieść się (*o parze małżeńskiej*). **2.** ~ **sth from sth** *przen.* odrywać *l.* oddzielać coś od czegoś.

divorced [dɪ'vɔːrst] *a.* **1.** rozwiedziony; **get** ~ **(from each other)** rozwieść się (*o parze małżeńskiej*). **2.** *przen.* oderwany (*from sth* od czegoś); **be** ~ **from reality** nie mieć nic wspólnego z rzeczywistością (*o czyichś pomysłach*).

divorcee [dɪvɔːr'siː] *n.* osoba rozwiedziona; (*także* **divorcé**) rozwodnik; (*także* **divorcée**) rozwódka.

divorcement [dɪ'vɔːrsmənt] *n. rzad.* = **divorce.**

divot ['dɪvət] *n. golf* kawałek darni wyrwany uderzeniem kija.

divulge [dɪ'vʌldʒ] *v. form.* wyjawiać, zdradzać (*sth to sb* coś komuś).

divulgement [dɪ'vʌldʒmənt], **divulgence** [dɪ'vʌldʒəns] *n. U* wyjawienie.

divulsion [dɪ'vʌlʃən] *form. n.* rozerwanie, rozdarcie.

divulsive [dɪ'vʌlsɪv] *a.* rozrywający.

divvy[1] ['dɪvɪ] *n. pl.* **-ies** (*także* **divi**) **1.** *US i Can. pot.* działka, udział (= *część przypadająca na kogoś*). **2.** *Br. przest. pot.* dywidenda. – *v.* **-ied, -ying** (*także* ~ **up**) *pot.* podzielić między siebie.

divvy[2] *n. pl.* **-ies** *Br. sl. obelż.* dureń.

Dixie ['dɪksɪ] *US pot. n. sing.* **1.** (*także* ~**land**) Południe (*zwł. hist. = stany wchodzące w skład Konfederacji Południa w czasie wojny secesyjnej*). **2. be whistling** ~ *przen.* mówić nieprawdę; być bardzo zadowolonym. – *a. attr.* południowy.

Dixieland ['dɪksɪˌlænd] *n.* **1.** *U* (*także* **d**~) *muz.* dixieland (*styl jazzu nowoorleańskiego*). **2.** = **Dixie.**

DIY [ˌdiː ˌaɪ 'waɪ] *abbr. zwł. Br.* **do it yourself** zrób to sam; ~ **kit** zestaw „zrób to sam".

dizen ['daɪzən] *v. arch.* stroić, przyozdabiać (*zwł. pretensjonalnie*).

dizygotic [ˌdaɪzaɪ'gɑːtɪk] *a. biol.* dwujajowe (*o bliźniętach*).

dizzily ['dɪzɪlɪ] *adv.* **1.** odczuwając zawrót głowy. **2.** w oszołomieniu, nieprzytomnie. **3.** zawrotnie, oszałamiająco.

dizziness ['dɪzɪnəs] *n. U* **1.** zawroty głowy. **2.** oszołomienie.

dizzy ['dɪzɪ] *a.* **-ier, -iest 1.** ~ **spell/turn** atak zawrotów głowy; **be/feel** ~ mieć/odczuwać zawroty głowy; **make sb** ~ przyprawiać kogoś o zawroty głowy; *przen.* przyprawiać kogoś o zawrót głowy. **2.** skołowany, oszołomiony (*from (doing) sth* czymś *l.* od czegoś); **sb is** ~ **with sth** *przen.* komuś kręci się w głowie z *l.* od czegoś (*np. z podniecenia*). **3.** *attr.* zawrotny, oszałamiający (*o tempie*). **4.** *pot.* roztrzepany, mający pstro w głowie; niezbyt bystry. **5.** ~ **height/peak** *lit.* niebosiężny szczyt, niebosiężna wysokość; **the** ~ **height(s)** *przen. żart.* wysoka pozycja (*zawodowa*). – *v. gł. przen.* przyprawiać o zawrót *l.* zawroty głowy; oszałamiać.

dizzying ['dɪzɪɪŋ] *a.* oszałamiający, zawrotny.

dizzyingly ['dɪzɪɪŋlɪ] *adv.* oszałamiająco, zawrotnie.

DJ [ˌdiː 'dʒeɪ] *abbr.* **1.** = **disc jockey. 2.** (*także* **d.j.**) *Br.* (*zwł. w zaproszeniach*) = **dinner jacket.**

D.J. [ˌdiː 'dʒeɪ] *abbr.* **district judge** *US prawn.* sędzia okręgowy.

djellaba ['dʒeləbə], **djellabah** *n.* dżelaba (*strój północnoafrykański*).

djinni ['dʒɪnɪ], **djinny** *n. pl.* **djinn** [dʒɪn] = **jinni.**

D.Lit. [ˌdiː ˈlɪt], **D.Litt.** *abbr.* (*także* **Litt.D.**) = **Doctor of Letters/Literature.**

D.M.D. [ˌdiː ˌem ˈdiː] *abbr.* **Doctor of Dental Medicine** *uniw.* doktor stomatologii.

DMZ [ˌdiː ˌem ˈziː] *abbr.* = **demilitarized zone.**

DNA [ˌdiː ˌen ˈeɪ] *abbr. i n. U* (*także* **deoxyribonucleic acid**) *biochem.* DNA, kwas dezoksyrybonukleinowy.

DNA fingerprinting *n. U* metoda genetycznych odcisków palców.

DNA strand *n.* łańcuch DNA.

D-notice [ˈdiːˌnoʊtɪs] *n. Br.* embargo informacyjne (= *oficjalny zakaz publikacji*).

do[1] [duː; də; d] *v. 3 os. sing.* **does** [dʌz] *pret.* **did** [dɪd] *pp.* **done** [dʌn] *part.* **doing** [ˈduːɪŋ] *neg.* **do not = don't** [duː nɑːt; doʊnt], **does not = doesn't** [dʌz nɑːt; dʌznt], **did not = didn't** [dɪd nɑːt; dɪdnt] **1.** *czasownik posiłkowy:* (*z przeczeniem*) **I don't know him** nie znam go; **don't forget your umbrella** nie zapomnij (swojego) parasola; **we didn't see anybody** nie widzieliśmy nikogo; (*w pytaniach*) ~ **you believe me?** wierzysz mi?; **didn't she help you?** czy ona ci nie pomogła?; (*w pytaniach dodanych*) **you work there, don't you?** ty tam pracujesz, prawda?; **they didn't live in New York, did they?** oni nie mieszkali w Nowym Jorku, prawda?; (*dla wyrażenia nacisku*) **you ~ look tired** naprawdę wyglądasz na zmęczonego; ~ **be nice to her** bądźże dla niej miły; **I did see you there** naprawdę cię tam widziałam; (*w szyku odwróconym po niektórych okolicznikach*) **little did I know what their intentions were** nawet nie podejrzewałem, jakie mają zamiary; **only rarely did we invite guests** *form.* z rzadka tylko zapraszaliśmy gości; (*w zastępstwie poprzedzającego czasownika*) **"D~ you have a computer?" "Yes, I ~"/"No, I don't"** *zwł. US* „Czy masz komputer?" „Owszem, mam"/„Nie mam"; **she speaks better Spanish than I ~** ona mówi po hiszpańsku lepiej niż ja *l.* lepiej ode mnie; **"Who told him to leave?" "I did"** „Kto mu kazał wyjść?" „Ja". **2.** robić (*t. = postępować, zachowywać się, zajmować się zawodowo*), czynić, działać; ~ **as I say** rób, co mówię; ~ **as you would be done by** *form.* nie rób drugiemu, co tobie niemiło; ~ **one's best** *zob.* **best** *n.* 2; ~ **one's damnedest** *zob.* **damnedest** *n.*; ~ **something to sb** *pot.* działać na kogoś (= *wprawiać w podniecenie*); ~ **sth about sth** zrobić coś w sprawie czegoś; ~ **sth to sb/o.s.** robić coś komuś/sobie; ~ **sth with sb/sth** robić coś z kimś/czymś; **all he can ~ is complain** jedyne, co potrafi (robić), to narzekać; **(it's) easier said than done** łatwiej powiedzieć, niż zrobić; **she doesn't know what to ~ with herself** nie wie, co ze sobą zrobić (*czym się zająć, gdzie się podziać*); **what do you want to ~ when you graduate?** co chcesz robić, kiedy skończysz studia?; **what does he ~ for a living?** jak on zarabia na życie?; **what is done cannot be undone** co się stało, to się nie odstanie; **what the hell are you ~ing?** co ty u diabła wyprawiasz?; **when in Rome, ~ as the Romans ~** *przest.* jeśli wejdziesz między wrony, musisz krakać jak i one. **3.** (*o czymś, czego nie da się uniknąć*) ~ **and die** *poet.* spełnić swój obowiązek i polec; ~ **or die** *przen.* wóz albo przewóz; *zob.* **do-or-die. 4.** załatwiać, brać na siebie (*wykonanie czynności, zwł. codziennych*); **I'll ~ the ironing/shopping** ja się zajmę prasowaniem/zakupami. **5.** (*w pytaniach*) zaopatrywać się (*for sth* w coś); **what/how do you ~ for milk?** skąd bierzecie mleko?. **6.** *gł. Br.* ~ **for sb** pracować u kogoś jako pomoc domowa; ~ **for o.s.** samemu prowadzić własne gospodarstwo. **7.** *pot.* doprowadzać do porządku; traktować *l.* obsługiwać rutynowo; ~ **a customer** obsłużyć klienta (*np. o fryzjerze*); ~ **one's hair** uczesać się; ~ **one's teeth** umyć zęby; ~ **the dishes** pozmywać; ~ **the flowers** ułożyć kwiaty; ~ **the laundry** zrobić pranie; ~ **the ticket** skasować bilet; ~ **the windows** umyć okna. **8.** wykonywać, spełniać; ~ **(full) justice** oddawać (w pełni) sprawiedliwość (*to sb / sth* komuś/czemuś); ~ **one's duty** spełnić swój obowiązek; ~ **one's homework/math/English** odrobić pracę domową/matematykę/angielski; ~ **one's military service** odbywać służbę wojskową; ~ **sb a favor** wyświadczyć komuś przysługę; **I'm just ~ing my job** po prostu robię, co do mnie należy. **9.** przeprowadzać (*badania, doświadczenia*); ~ **business** prowadzić interesy (*with sb / sth* z kimś/czymś). **10.** zakończyć (pomyślnie), doprowadzić do końca; ~ **some/a lot of work** wykonać trochę/mnóstwo pracy; **be/have done with sb/sth** mieć kogoś/coś z głowy; **done!** załatwione (= *zgoda!*); **they've done a fine job** zrobili kawał dobrej roboty; **well done!** brawo!. **11.** (*dla wyrażenia irytacji*) *pot.* **now you've done it** no i doigrałeś się; **that does it** będzie już tego (= *dość!*); **that's done it** no to pięknie (*iron.*); a to pech. **12.** powodować, przynosić (*zły l. dobry skutek*); ~ **sb harm** (*także* ~ **harm to sb**) zaszkodzić komuś; ~ **no wrong** nie robić nic złego; ~ **something/a lot for sb/sth** wychodzić na korzyść komuś/czemuś; **crying won't ~ any good now** płacz na nic się teraz nie zda. **13.** *szkoln.* przerabiać (*przedmiot l. zagadnienie*); ~ **quadratic equations/Shakespeare** przerabiać równania kwadratowe/Szekspira; ~ **law/economics** robić kurs prawa/ekonomii. **14.** rozwiązywać (*zadanie, zagadkę*); ~ **a crossword puzzle/an equation** rozwiązać krzyżówkę/równanie. **15.** tworzyć; ~ **an essay** napisać wypracowanie; ~ **a translation** dokonać tłumaczenia; ~ **a painting** namalować obraz. **16.** *zwł. kulin.* przyrządzać; dopiekać, dogotowywać. **17.** serwować, prowadzić (= *sprzedawać, dostarczać; t. przen. = uznawać*); ~ **breakfasts** serwować śniadania (*o lokalu*). **18. be/have (sth) to ~ with sb/sth** mieć coś wspólnego z kimś/czymś; **have little/nothing to ~ with sb/sth** mieć mało/nie mieć nic wspólnego z kimś/czymś (*t. pod względem zainteresowań l. stosunków towarzyskich*). **19.** ~ **drugs** *sl. zob.* **drug** *n.* 2. **20.** radzić sobie; ~ **well/fine** dobrze się spisywać; mieć się dobrze; odnieść korzyść; **how are you ~ing at work?** jak ci leci w pracy?; **I can/must ~ without sb/sth** dam sobie radę/muszę dać sobie radę bez kogoś/czegoś. **21.** (*dla wyrażenia potrzeby*) **I could ~ with ten dollars** przydałoby mi się dziesięć dolarów; **I could ~ with a cup of coffee** chętnie napiłabym się kawy. **22.** (*z przeczeniem*) **there's no ~ing**

anything with sb/sth *pot.* nie ma rady na kogoś/coś; **nothing ~ing** *sl.* nic z tego, nie ma mowy. **23.** przebywać, pokonywać (*dystans*); odbywać (*podróż*); **~ a hundred miles a day** przejeżdżać sto mil dziennie; **~ forty miles to the gallon** spalać galon (paliwa) na czterdzieści mil (*o samochodzie*). **24.** spędzać (*czas*); **~ a year in/at...** spędzić rok w...; **~ time** *pot.* siedzieć (w więzieniu). **25.** odgrywać (*sztukę l. rolę*); naśladować, parodiować (*osobę*). **26.** (*w czasie przyszłym l. trybie przypuszczającym*) wystarczać, nadawać się, być stosownym (*for sth* do czegoś); **it/that (simply) won't ~/will never ~** tak (po prostu) nie można *l.* nie wypada; **ten dollars wouldn't ~** dziesięć dolarów nie wystarczyłoby; **that will ~** dość tego; wystarczy; **this nail will ~ (just) fine** ten gwóźdź będzie w sam raz. **27. ~ sb** *pot.* urządzić kogoś (= *wziąć odwet; poturbować kogoś*). **28.** *często pass. pot.* przymknąć (= *aresztować*) (*sb for sth* kogoś za coś). **29.** *pot.* **~ for sb/sth** załatwić *l.* wykończyć kogoś/coś (= *zabić, zrujnować, zniszczyć*); **I'm done for** jestem skończony. **30.** *pot.* nabrać, wystrychnąć na dudka; **~ sb out of sth** pozbawić kogoś czegoś podstępem; wyłudzić coś od kogoś. **31.** *sl.* obrobić (*sklep, bank, mieszkanie*). **32.** *pot.* **~ away with sth** pozbyć się czegoś, skończyć z czymś; **~ away with sb** skończyć z kimś, sprzątnąć kogoś (= *zabić*); **~ away with o.s.** skończyć ze sobą; **~ sb/sth down** *pot.* obgadywać kogoś/coś, mówić lekceważąco o kimś/czymś; **~ sb in** *pot.* załatwić kogoś (= *zabić*); dołożyć komuś; **~ o.s. in** *pot.* skończyć ze sobą; **~ one's back/ankle in** *pot.* załatwić (= *nadwerężyć*) sobie plecy/nogę w kostce; **be done in** *pot.* być wykończonym *l.* zmachanym; **~ sth out** *pot.* wysprzątać coś; **~ sb over** *pot.* obić kogoś; **~ sth over** odnawiać coś, oczyszczać coś (*z brudu, patyny*); **~ up** zapinać się (*o części garderoby*); zapinać (*część garderoby, guzik, haftkę*); upinać (*włosy*); pakować, zawijać (*sth in sth* coś w coś); odnawiać, remontować (*dom, pomieszczenie*); **~ o.s. up** przebrać się (*as sth* za coś, *in sth* w coś); *pot.* odstrzelić się, wysztafirować się; umalować się.

do² *n.* **1.** *pot.* akcja, zamieszanie. **2.** *pot.* impreza (*towarzyska*). **3.** *pot.* fryzura. **4.** *pl.* **~s and don'ts** *pot.* to, co wypada i czego nie wypada (= *zwyczaje, zasady*).

do³ *n. muz.* = **doh.**

DOA [ˌdi: ˌoʊ ˈeɪ], **D.O.A.** *abbr.* **dead on arrival** *med.* zmarł-y/a w drodze do szpitala.

doable [ˈdu:əbl] *a.* możliwy do zrobienia, dający się wykonać.

DOB [ˌdi: ˌoʊ ˈbi:], **d.o.b.** *abbr.* = **date of birth**; *zob.* **date.**

dob [dɑ:b] *v.* **~ sb in** *Austr. sl.* donieść na kogoś.

dobber [ˈdɑ:bər] *n.* (*także* **~-in**) *Austr. sl.* donosiciel/ka, kapuś.

dobbin [ˈdɑ:bɪn], **Dobbin** *n.* koń zaprzęgowy *l.* roboczy (*t. częste imię konia, zwł. w bajkach*).

dobby [ˈdɑ:bɪ] *n. pl.* **-ies** *tk.* maszyna nicielnicowa.

dobby weave *n. tk.* splot drobnowzorzysty.

Doberman [ˈdoʊbərmən] *n.* (*także* **~ pinscher**) *kynol.* doberman.

doc [dɑ:k] *n. pot. często żart.* doktor; doktorek.

doch-an-doris [ˌdɑ:hənˈdɔ:rəs], **deoch-an-doruis** *n. Scot.* strzemienne (= *toast pożegnalny*).

docile [ˈdɑ:sl] *a.* **1.** potulny, uległy. **2.** *rzad.* pojętny (*o uczniu*).

docilely [ˈdɑ:sələ] *adv.* potulnie, ulegle.

docility [dɑ:ˈsɪlətɪ] *n.* **1.** potulność, uległość. **2.** *rzad.* pojętność.

dock¹ [dɑ:k] *n.* **1.** *żegl.* dok, basen portowy; *pl.* nabrzeże przeładunkowe; **be in ~** być w doku (*o remontowanym statku*); *Br. przen.* być w naprawie (*np. o samochodzie; t. żart. o osobie = być w szpitalu*); **container-ship ~** terminal kontenerowy; **dry ~** suchy dok; **go into ~** być wprowadzanym *l.* wpływać do doku (*o remontowanym statku*); *Br. przen.* pójść do naprawy (*np. o samochodzie; t. żart. o osobie = pójść do szpitala*). **2.** *US i Can.* rampa przeładunkowa (*dla wagonów towarowych l. ciężarówek*). **3.** (*także* **scene ~/bay**) *teatr* skład dekoracji. – *v.* **1.** *żegl.* wpływać do doku; dokować (*statek*). **2.** *żegl.* przybijać do nabrzeża; cumować do nabrzeża (*statek*). **3.** *astronautyka* połączyć się na orbicie (*o statkach kosmicznych*).

dock² *n.* koścista część ogona (*zwł. psa l. owcy*); kikut (*po przycięciu ogona*); *jeźdz.* rzep. – *v.* **1.** przycinać *l.* kurtyzować (*ogon*); przycinać ogon (*zwierzęciu*). **2. ~ sb's wages/pay** *pot.* obcinać komuś wypłatę, potrącać komuś z wypłaty.

dock³ *n. zwł. Br. sąd* miejsce dla oskarżonego (*zw. ogrodzone barierką*); ława oskarżonych; **put sb in the ~** zaprowadzić kogoś na ławę oskarżonych (= *postawić przed sądem*).

dock⁴ *n. U bot.* szczaw (*Rumex*); **sour ~** szczaw zwyczajny (*Rumex acetosa*).

dockage¹ [ˈdɑ:kɪdʒ] *n. U żegl.* **1.** opłata za korzystanie z doku. **2.** urządzenia doku *l.* nadbrzeża przeładunkowego. **3.** dokowanie.

dockage² *n. U* potrącenie (*części wypłaty*).

docker [ˈdɑ:kər] *n. Br.* doker.

docket [ˈdɑ:kɪt] *n.* **1.** etykieta adresowa (*opisująca zawartość przesyłki*); *gł. Br. handl.* list przewozowy. **2.** *Br. handl.* kwit celny. **3.** (*także prawn.*) księgi sądowe, akta; opis sprawy (*włączony do ksiąg*). **4.** *US* terminarz, agenda; *prawn.* wokanda; kalendarz rozpraw; **on the ~** na wokandzie. **5.** streszczenie (*załączone do dokumentu*). – *v.* **1.** zaopatrywać w etykietę adresową. **2.** *prawn.* włączać (*sprawę*) do ksiąg sądowych. **3.** *US prawn.* umieszczać (*sprawę*) na wokandzie. **4.** zaopatrywać (*dokument*) w streszczenie.

dockhand [ˈdɑ:kˌhænd] *n.* = **dockworker.**

docking [ˈdɑ:kɪŋ] *n. U astronautyka* cumowanie, łączenie (*statków kosmicznych*); **~ module** moduł *l.* człon cumowniczy.

dockland [ˈdɑ:klənd] *n.* (*także* **~s**) *Br.* teren wokół doków *l.* portu przeładunkowego.

dockside [ˈdɑ:kˌsaɪd] *n.* **the ~** nabrzeże.

dock-tailed [ˈdɑ:kˌteɪld] *a.* z przyciętym ogonem (*o zwierzęciu*).

dockworker [ˈdɑːkˌwɝːkər] *n.* doker; robotnik portowy.

dockyard [ˈdɑːkˌjɑːrd] *n.* stocznia (*zwł. marynarki wojennej*).

doctor [ˈdɑːktər] *n.* **1.** leka-rz/rka, doktor (*US i Can. t. = dentysta, kręgarz, weterynarz, zwł. jako tytuł przed nazwiskiem l. forma grzecznościowa używana przez pacjentów*); **~'s orders** *często żart.* zalecenie lekarza; **call the ~** wezwać lekarza (*to sb* do kogoś); **go to the ~('s)** pójść do lekarza; **see a ~** poradzić się lekarza (*about sth* w jakiejś sprawie). **2.** *uniw.* doktor (*stopień naukowy l. jego posiadacz / ka*); **D~ of the Church** *kość.* doktor Kościoła; **D~ of Divinity/Law/Medicine/Science** doktor teologii/prawa/medycyny/nauk ścisłych; **D~ of Letters** doktor filologii (*zw. = tytuł nadawany honoris causa*); **D~ of Philosophy** doktor nauk (*nadawany w różnych dziedzinach oprócz teologii, prawa i medycyny*). **3.** *arch.* uczony. **4.** *pot.* spec, fachowiec (*zwł. od naprawiania czegoś*). **5.** *sl.* kucharz (*okrętowy l. obozowy*). **6.** *ryb.* sztuczna mucha. **7.** *techn.* nóż zgarniający (*maszyny papierniczej*). **8.** *techn.* urządzenie do łatania powłok galwanicznych. **9.** *przen. pot.* **just what the ~ ordered** dokładnie to, czego mi/nam (było) trzeba; **you're the ~** ty tu rządzisz, decyzja należy do ciebie. – *v.* **1.** fałszować, preparować (*np. dane liczbowe, dokumenty, dowody w sprawie*). **2.** dodawać narkotyku *l.* trucizny do (*napoju, jedzenia*). **3.** *Br. i Austr. wet.* kastrować (*zwł. psa l. kota*). **4.** łatać (*= naprawiać prowizorycznie*). **5.** przystosowywać. **6.** leczyć (*chorego l. chorobę*); *pot.* prowadzić praktykę lekarską.

doctoral [ˈdɑːktərəl] *a. attr.* doktorski; **~ dissertation/thesis** rozprawa doktorska.

doctorate [ˈdɑːktərɪt] *n.* (*także* **doctor's degree**) *uniw.* doktorat, stopień doktora; **honorary ~** doktorat honoris causa.

doctrinaire [ˌdɑːktrəˈner] *a.* doktrynerski. – *n.* doktryner/ka.

doctrinairism [ˌdɑːktrəˈneˌrɪzəm] *n. U* doktrynerstwo.

doctrinal [ˈdɑːktrənl] *a.* **1.** doktrynalny. **2.** *uj.* doktrynerski.

doctrinally [ˈdɑːktrənlɪ] *adv.* **1.** doktrynalnie. **2.** *uj.* po doktrynersku.

doctrinarian [ˌdɑːktrəˈnerɪən] *a.* = **doctrinaire**.

doctrinarism [ˌdɑːktrəˈneˌrɪzəm] *n.* = **doctrinairism**.

doctrine [ˈdɑːktrɪn] *n. C / U* doktryna (*t. = teoria naukowa; często uj. = nauka oderwana od życia*).

docudrama [ˈdɑːkjʊˌdrɑːmə] *n. US* = **drama documentary**.

document *n.* [ˈdɑːkjəmənt] **1.** *t. komp. l. przen.* dokument. **2.** *U przest.* dowody. – *v.* [ˈdɑːkjəˌment] dokumentować.

documentary [ˌdɑːkjəˈmentərɪ] *a.* dokumentalny. – *n. radio, telew.* dokument, program dokumentalny.

documentation [ˌdɑːkjəmənˈteɪʃən] *n. U* dokumentacja; udokumentowanie.

DOD [ˌdiː ˌoʊ ˈdiː] *abbr.* **Department of Defense** *US* Departament Obrony.

dodder[1] [ˈdɑːdər] *v.* **1.** trząść się (*zwł. ze starości*). **2.** (*także* **~ about/around/along**) kuśtykać.

dodder[2] *n. bot.* kanianka (*Cuscuta*).

dodderer [ˈdɑːdərər] *n. uj.* trzęsący się starzec.

doddering [ˈdɑːdərɪŋ], **doddery** [ˈdɑːdərɪ] *a. pot.* trzęsący się (*zwł. ze starości*); niepewny, chwiejny (*o kroku*).

doddle [ˈdɑːdl] *n. Br. pot.* pestka, łatwizna.

dodecagon [doʊˈdekəˌgɑːn] *n. geom.* dwunastokąt.

dodecagonal [ˌdoʊdɪˈkægənl] *a.* dwunastokątny.

dodecahedral [doʊˈdekəˌhiːdrəl] *a. geom.* dwunastościenny.

dodecahedron [doʊˌdekəˈhiːdrən] *n. geom.* dwunastościan; **regular/rhombic ~** dwunastościan foremny/rombowy.

Dodecanese [doʊˌdekəˈniːs] *n. pl.* **the ~ (Islands)** *geogr.* Dodekanez.

dodecaphonic [ˌdoʊdekəˈfɑːnɪk] *a. muz.* dodekafoniczny.

dodecaphonist [doʊˈdekəfənɪst] *n.* dodekafonist-a/ka.

dodecaphony [doʊˈdekəˌfoʊnɪ] *n. U* dodekafonia.

dodge [dɑːdʒ] *v.* **1.** zrobić unik; uchylić się *l.* uskoczyć (przed) (*czymś*); kluczyć, przemykać się; **~ out of the way** uskoczyć na bok (*np. przed ciosem, strzałem*); **~ the traffic** przemykać się pomiędzy samochodami. **2.** *pot.* uchylać się od, wymigiwać *l.* wykręcać się od (*czegoś*); **~ the issue** uchylać się od odpowiedzi, odpowiadać wymijająco; **~ one's taxes** uchylać się od płacenia podatków. – *n.* **1.** *pot.* unik; **make a ~** zrobić unik. **2.** *pot.* wybieg, sztuczka; chytry plan; **tax ~** sposób na uniknięcie płacenia podatku. **3.** *pot.* ustrojstwo (*= sprytne urządzenie*).

dodgems [ˈdɑːdʒəmz], **Dodgems** *n. pl.* **the ~** *Br.* samochodziki (*w wesołym miasteczku*).

dodger [ˈdɑːdʒər] *n.* **1.** *pot.* krętacz/ka; kombinator/ka; osoba wymigująca się od obowiązków; *wojsk.* dekownik. **2.** *US i Austr.* ulotka. **3.** *żegl.* buda płócienna (*osłaniająca sternika na statku l. jachcie*).

dodgy [ˈdɑːdʒɪ] *a.* **-ier, -iest** *Br., Austr. i NZ pot.* **1.** śliski (*= ryzykowny*). **2.** niepewny.

dodo [ˈdoʊdoʊ] *n. pl.* **-s** *l.* **-es** **1.** (*także* **Mauritius ~**) *orn.* (dront) dodo (*Raphus cucullatus*). **2.** *pot.* mamut (*= zasuszony konserwatysta*). **3.** *US pot.* głupek. **4. (as) dead as a/the ~** *zob.* **dead**.

dodoism [ˈdoʊdoʊˌɪzəm] *n. U pog.* groteskowy konserwatyzm.

doe [doʊ] *n. zool.* **1.** łania, samica jeleniowatych (*zwł. sarny, daniela l. renifera*). **2.** samica zająca, królika *l.* kangura.

doer [ˈduːər] *n.* **1.** spraw-ca/czyni; **~ of good** osoba czyniąca dobro. **2.** człowiek czynu. **3.** silne i zdrowe zwierzę (*zwł. koń*).

does [dʌz] *v. zob.* **do**.

doeskin [ˈdoʊˌskɪn] *n. U* **1.** delikatna skórka sarnia, owcza *l.* jagnięca (*używana zwł. do wy-*

robu rękawiczek). **2.** *tk.* gładka tkanina wełniana.

doesn't ['dʌzənt] *v.* = **does not**; *zob.* **do.**

doff [dɑːf] *v. przest. form.* **1.** uchylać (*czapki, kapelusza*). **2.** zdejmować (*odzież*).

dog [dɔːg] *n.* **1.** pies (*zool.* = *Canis familiaris; t. inne z rodziny Canidae*). **2.** samiec (*psa i podobnych zwierząt*); ~ **fox/wolf** lis/wilk, samiec lisa/wilka. **3. the ~s** *Br. pot.* wyścigi chartów. **4.** zapadka. **5.** zaczep; chwytak; klamra ciesielska. **6.** zderzak. **7.** *pl.* kleszcze. **8.** *pl.* (*także* **fire ~s**) stojak (*na drewno w kominku, na podparcie rusztu l. na przyrządy do ognia*). **9. Great/Little D~** *astron.* Wielki/Mały Pies. **10.** *pot.* gość, facet; **lucky ~** szczęściarz; **sly ~** chytra sztuka; **top ~** ważniak, szycha. **11.** *pot.* łajdak. **12.** *sl.* poczwara (= *nieatrakcyjna kobieta*). **13.** *Austr. sl.* kapuś. **14.** *pl. US przest. pot.* stopy. **15.** *przen.* **~ and pony show** *US uj.* pokazówka, efekciarstwo; **~ eat ~** bezkompromisowa walka *l.* konkurencja; **~ in the manger** pies ogrodnika (= *taki, co sam nie zje i drugiemu nie da*); **~s bark but the caravans move on** psy szczekają, a karawana idzie dalej; **as sick as a ~** *zob.* **sick** *a.*; **be dressed/done/got up like a ~'s dinner** *Br. i Austr. pot.* odstawić się jak stróż na pochód pierwszomajowy; **be going to the ~s** *pot.* schodzić na psy; **call off the ~s** zaprzestać ataku *l.* krytyki; **every ~ has his/its day** każdy ma (w życiu) swoje pięć minut; **give a ~ a bad name (and hang him)** *przest.* jak coś raz do człowieka przylgnie, ciężko się tego pozbyć; **(it's) a ~'s life** *pot.* pieskie życie; **it's raining cats and ~s** leje jak z cebra; **let sleeping ~s lie** nie budzić licha, nie wywoływać wilka z lasu; **like a ~ with two tails** *pot.* nie posiadając się z radości; **make a ~'s breakfast/dinner (out) of sth** *Br. i Austr. pot.* narobić bałaganu w czymś, spartaczyć coś; **not have a ~'s chance** *pot.* nie mieć najmniejszej szansy; **put on the ~** *US i Austr. przest. pot.* zgrywać ważniaka; **sth is a ~** *US i Can. pot.* coś jest do kitu; **teach an old ~ new tricks** uczyć kogoś na stare lata; **the ~s of war** *poet.* głód, śmierć i pożoga; **the hair of the ~ (that bit you)** *żart.* klin (klinem); **throw sb to the ~s** zostawić kogoś na pastwę losu; **whose ~ is dead?** *pot.* co tu się stało?; **why keep a ~ and bark oneself?** *pot.* od tego są inni, to nie mój obowiązek. – *v.* **-gg-** **1. ~ sb** śledzić kogoś, chodzić krok w krok za kimś; *przen.* prześladować kogoś (*zwł. o nieszczęściach, pechu*). **2.** *techn.* chwytać zaczepnikiem. **3.** *bud.* klamrować.

dogberry ['dɔːgˌberɪ] *n. pl.* **-ies** *bot. pot.* dziki dereń.

dog biscuit *n.* sucharek dla psów.

dogbox ['dɔːgˌbɑːks] *n. Austr. pot.* przedział w wagonie kolejowym bez korytarza.

dogcart ['dɔːgˌkɑːrt] *n.* **1.** powozik dwukołowy (*z siedzeniami zwróconymi do siebie oparciami*). **2.** psi wózek.

dogcatcher ['dɔːgˌkætʃər] *US n.* hycel, rakarz.

dog-cheap [ˌdɔːg'tʃiːp] *a.* tani jak barszcz. – *adv.* za psie pieniądze (*kupić coś*).

dog clutch *n. techn.* sprzęgło kłowe.

dog collar *n.* **1.** obroża. **2.** *Br. pot.* koloratka.

dog days *n. pl. gł. lit.* kanikuła (= *okres letnich upałów*); sezon ogórkowy, martwy sezon.

doge [doʊdʒ] *n. hist.* doża (*wenecki*).

dog-eared ['dɔːgˌiːrd] *a.* z pozaginanymi rogami, z oślimi uszami, zniszczony (*zwł. o książce*).

dog-end [ˌdɔːg'end] *n. Br. pot.* pet (= *niedopałek*).

dogface ['dɔːgˌfeɪs] *n. US wojsk. pot.* piechur.

dogfennel ['dɔːgˌfenl] *n. bot.* rumian psi (*Anthemis cotula*).

dogfight ['dɔːgˌfaɪt] *n.* **1.** walka psów (*jako rodzaj rozrywki*). **2.** *przen. pot.* walka powietrzna; zacięta walka.

dog fighting *n. U wojsk.* walka kołowa (*samolotów*).

dogfish ['dɔːgˌfɪʃ] *n. pl.* **-fish** *l.* **-es** *icht.* rekinek psi (*Scyliorhinus caniculus*); rekinek koci (*Scyliorhinus catulus*).

dog food *n. U* karma dla psów.

dogged ['dɔːgɪd] *a.* uparty, zawzięty; **it's ~ as does it** *pot.* wytrwałość działa cuda.

doggedly ['dɔːgɪdlɪ] *adv.* uparcie, zawzięcie.

doggedness ['dɔːgɪdnəs] *n. U* upór, zawziętość.

dogger ['dɔːgər] *n. żegl.* dwumasztowa holenderska łódź rybacka.

doggerel ['dɔːgərəl] *n. U* rymy częstochowskie.

doggery ['dɔːgərɪ] *n. pl.* **-ies** *US* **1.** psiarnia. **2.** *przen.* hołota.

doggie ['dɔːgɪ] *n.* = **doggy**.

doggish ['dɔːgɪʃ] *a.* **1.** *t. przen.* psi. **2.** opryskliwy. **3.** (*także* **doggy**) *US pot.* odstawiony (= *wyelegantowany*).

doggo ['dɔːgoʊ] *adv.* **lie ~** *Br. przest. pot.* siedzieć (cicho) jak trusia, przyczaić się.

doggone [ˌdɔːg'gɔːn] *US przest. pot. v.* **~ it!** niech to diabli!. – *a. attr.* (*także* **doggoned**) *pot.* przeklęty, cholerny.

dog grass *n. U bot.* = **couch grass**.

doggy ['dɔːgɪ], **doggie** *n.* piesek, psiak, psina. – *a.* **1.** psi. **2.** lubiący psy. **3.** *US pot.* = **doggish** 3.

doggy bag *n.* torebka z resztkami posiłku (*zabierana z restauracji*).

doggy paddle, dog paddle *n. sing.* piesek (*styl pływacki*). – *v.* pływać pieskiem.

dog handler *n.* treser/ka *l.* opiekun/ka psa (*zwł. policyjnego*).

doghouse ['dɔːgˌhaʊs] *n.* **1.** *US i Can.* (psia) buda. **2.** *żegl.* kabina sternika (*małej łodzi*). **3. be in the ~** *US pot.* podpaść (= *narazić się*).

dogie ['doʊgɪ], **dogey, dogy** *n. US i Can.* cielę bez matki.

dog Latin *n. U* łacina kuchenna.

dog-leg ['dɔːgˌleg] *n.* nagła zmiana kierunku; ostry zakręt. – *a. attr.* zygzakowaty, z ostrymi zakrętami. – *v.* poruszać się zygzakiem.

dog-leg staircase *n.* (*także* **dog-leg stair**) *Br.* schody z podestami piętrowymi.

dog-leg tack *n. żegl.* półzwrot.

dogma ['dɔːgmə] *n. C/U pl.* **-s** *l.* **-ta** dogmat.

dog-madness [ˌdɔːg'mædnəs] *n. U pot.* wścieklizna psów.

dogmatic [dɔ:g'mætɪk], **dogmatical** [dɔ:g'mætɪkl] *a. t. przen.* dogmatyczny.

dogmaticality [dɔ:gˌmætə'kælətɪ] *n. U* dogmatyczność.

dogmatically [dɔ:g'mætɪklɪ] *adv.* dogmatycznie.

dogmatics [dɔ:g'mætɪks] *n. U gł. teol.* dogmatyka.

dogmatism ['dɔ:gməˌtɪzəm] *n. U* dogmatyzm.

dogmatist ['dɔ:gmətɪst] *n.* dogmaty-k/czka.

dogmatize ['dɔ:gməˌtaɪz] *v.* wyrażać (się) dogmatycznie.

dog-nap ['dɔ:gˌnæp] *n. U pot.* krótka drzemka na siedząco.

do-gooder [ˌdu:'gʊdər] *n. pot. uj.* uszczęśliwiacz/ka innych.

dog paddle *n.* = **doggy paddle**.

dog rose *n. bot.* dzika róża, szypszyna (*Rosa canina*).

dog's age [ˌdɔ:gz 'eɪdʒ] *n. pot.* kopę lat, wieki całe.

dogsbody ['dɔ:gzˌbɑ:dɪ] *n. pl.* **-ies** *Br. i Austr. pot.* posługacz/ka; wyrobni-k/ca.

dog's breakfast *n.* (*także* **dog's dinner**) *sl.* bajzel, burdel.

dog's-ear ['dɔ:gzˌi:r] *n.* ośle ucho (*w książce*). – *v.* robić ośle uszy w (*książce*), zaginać rogi kartek (*książki*).

dog-sled ['dɔ:gˌsled], **dog-sledge** ['dɔ:gˌsledʒ], *Br.* **dog sleigh** ['dɔ:gˌsleɪ] *n.* sanie z psim zaprzęgiem.

dog-sleep ['dɔ:gˌsli:p] *n. U* lekki sen.

dog's letter *n. pot.* dźwięk „r".

dog's mercury *n. bot.* szczyr trwały (*Mercurialis perennis*).

dog's parsley *n. bot.* blekot pospolity (*Aethusa cynapium*).

dog's-tail ['dɔ:gzˌteɪl] *n. bot.* grzebienica pospolita (*Cynosurus cristatus*).

dog star *n. astron.* Syriusz, psia gwiazda.

dog's-tongue ['dɔ:gzˌtʌŋ] *n. bot.* ostrzeń pospolity, psi język (*Cynoglossum officinale*).

dog's-tooth ['dɔ:gzˌtu:θ] *n. pl.* **-teeth** *bot.* **1.** psiząb (*Erythronium*); psiząb liliowy (*Erythronium dens-canis*). **2.** psiząb palczasty (*Cynodon dactylon*).

dog tag *n. US sl.* znak tożsamości żołnierza (*noszony na szyi*).

dog-team ['dɔ:gˌti:m] *n.* psi zaprzęg.

dog-tired [ˌdɔ:g'taɪrd] *a.* (*także* **dog-weary**) *pot.* zmachany, wykończony.

dog-tooth ['dɔ:gˌtu:θ] *n. pl.* **-teeth** **1.** kieł. **2.** *bud.* warstwa cegieł w murze w zęby pilaste (= *mały ornament piramidalny, zwł. w budownictwie normańskim i wczesnoangielskim*).

dog-tree ['dɔ:gˌtri:] *n.* = **dogwood**.

dogtrot ['dɔ:gˌtrɑ:t] *n.* wolny krok. – *v.* wlec się.

dog-vane ['dɔ:gˌveɪn] *n. żegl. pot.* wskaźnik kierunku wiatru.

dog violet *n. bot.* fiołek psi (*Viola canina*).

dog warden *n. Br.* = **dog catcher**.

dog-watch ['dɔ:gˌwɑ:tʃ], **dog watch** *n. żegl.* krótka wachta dwugodzinna, psia wachta (*zw. późnopopołudniowa l. wieczorna*).

dog-weary [ˌdɔ:g'wi:rɪ] *a.* = **dog-tired**.

dogwood ['dɔ:gˌwʊd] *n. bot.* dereń (*Cornus*); dereń świdwa (*Cornus sanguinea*).

doh [doʊ], **do** *n. U l. sing. muz.* do (*nazwa dźwięku c w każdej oktawie*).

doily ['dɔɪlɪ] *n. pl.* **-ies** ozdobna serwetka (*zw. koronkowa l. papierowa; np. kładziona pod ciastkiem na talerzyku*).

doing ['du:ɪŋ] *n. U* czyn; sprawka; **this is his ~** to jego sprawka; **take some ~** wymagać wysiłku *l.* zachodu.

doings ['du:ɪŋz] *n. pl.* **1.** poczynania. **2.** *Br. i NZ pot.* (to) coś (= *coś, czego nazwy nie pamiętamy l. nie chcemy użyć*); **put down that ~** odłóż to coś.

doit [dɔɪt] *n.* **1.** szeląg. **2.** drobiazg, błahostka.

do-it-yourself [ˌdu:ɪtʃər'self], **DIY** *n. U* majsterkowanie.

do-it-yourselfer [ˌdu:ɪtʃər'selfər] *n.* majsterkowicz/ka.

doldrums ['doʊldrəmz] *n. pl.* **1. the ~** strefa ciszy (*przy równiku*). **2. be in the ~** *pot.* mieć chandrę; podupadać, przeżywać zastój (*zwł. o gałęzi przemysłu*).

dole[1] [doʊl] *n. U Br. pot.* **1.** zasiłek, zapomoga; **be on the ~** być na zasiłku; **go on the ~** iść na zasiłek. **2.** *arch.* dola, los. – *v. pot.* **~ (out)** wydzielać, rozdawać (*zwł. pieniądze, jedzenie*).

dole[2] *n. U arch.* żałość, żale; **make ~** lamentować.

dole drawer *n.* osoba pobierająca zasiłek.

doleful ['doʊlfʊl] *a.* żałosny, przepełniony żalem; smętny.

dolefully ['doʊlfʊlɪ] *adv.* żałośnie; smętnie.

dolefulness ['doʊlfəlnəs] *n. U* żałość, smutek.

dole queue *n. Br.* **the ~** kolejka po zasiłek; *przen.* bezrobocie.

dolerite ['dɑ:ləˌraɪt] *n. U min.* doleryt.

dolichocephalic [ˌdɑ:lɪkoʊsə'fælɪk], **dolichocephalous** [ˌdɑ:lɪkoʊ'sefələs] *a. anat.* długogłowy.

dolichocephaly [ˌdɑ:lɪkoʊ'sefəlɪ], **dolichocephalism** [ˌdɑ:lɪkoʊ'sefəˌlɪzəm] *n. U anat.* długogłowie.

doline [doʊ'li:n], **dolina** [doʊ'li:nə] *n. geol.* zapadlisko krasowe.

doll [dɑ:l] *n.* **1.** lalka. **2.** *sl.* lala, laleczka, lalunia (*zwł. jako forma zwracania się do kobiety*). **3. be a ~ and help me** *US pot.* bądź tak miły i pomóż mi. – *v.* **~ o.s. up** (*także* **get ~ed up**) *pot.* odstawić się, odpicować się.

dollar ['dɑ:lər] *n.* dolar; **~-a-year man** *US* pracownik federalny pobierający symboliczne wynagrodzenie; **bet one's bottom ~** *pot.* założyć się o wszystko, stawiać ostatni grosz; **feel/look like a million ~s** *zwł. US pot.* czuć się/wyglądać rewelacyjnie; **(I'll bet you) ~s to doughnuts** *US przest. pot.* założę się o co tylko chcesz.

dollar area *n. ekon.* strefa dolarowa.

dollar diplomacy *n. U gł. US polit.* wykorzystywanie potęgi finansowej państwa w polityce zagranicznej.

dollar mark *n.* (*także* **dollar sign**) znak dolara (*$*).

dollars-and-cents [ˌdɑːlərzənd'sents] *a. attr. US* finansowy (*np. o punkcie widzenia*); kierujący się względami finansowymi.

doll house, *Br.* **doll's house** *n.* domek dla lalek.

dollish ['dɑːlɪʃ] *a.* lalkowaty.

dollop ['dɑːləp] *pot. n.* bezkształtna masa, klucha (*zwł. miękkiego jedzenia*); łycha (*np. lodów, owsianki, rzucona niedbale na talerz*). – *v.* ~ **(out)** nakładać łychą (*na talerze*).

dolly ['dɑːlɪ] *n. pl.* **-ies** *dziec.* **1.** lala, laleczka. **2.** *gł. film* dolka (= *niski wózek l. platforma na kółkach*). **3.** *techn.* wspornik do nitowania; zakownik. **4.** *bud.* blok (*pomiędzy palem a babą kafaru*). **5.** *US* lokomotywa wąskotorowa. **6.** mieszadło. **7.** *krykiet* łatwa piłka. – *v. film* **1.** przesuwać na wózku. **2.** filmować w ruchu.

dolly shot *n. film* ujęcie z jazdą.

dolly tub *n. górn., hist.* skrzynia mułowa (*do szlamowania*).

dolly winch *n. żegl.* mała winda ręczna.

dolman ['doʊlmən] *n. pl.* **-s 1.** dolman (= *długa turecka szata męska z obcisłymi rękawami*). **2.** płaszcz damski z szerokimi rękawami (*wykrojonymi z tego samego kawałka materiału, co reszta*).

dolmen ['doʊlmen] *n. archeol.* dolmen (= *grobowiec z okresu neolitu*).

dolomite ['doʊləˌmaɪt] *n. U min.* dolomit; **the D~s** (*także* **the D~ Mountains**) *geogr.* Dolomity.

dolomitic [ˌdɑːlə'mɪtɪk] *a.* dolomitowy.

dolor ['doʊlər], *Br.* **dolour** *n. U poet.* żałość, smutek, boleść.

dolorous ['dɑːlərəs] *a. poet.* żałosny, bolesny.

dolostone ['doʊləˌstoʊn] *n. U min.* wapień dolomityczny.

dolphin ['dɑːlfɪn] *n.* **1.** *zool.* delfin (*rodzina Delfinidae*). **2.** (*także* **~fish**) *icht.* smagla (*Coryphaena hippurus*). **3.** odbijacz burtowy (*łodzi*). **4.** *żegl.* dalba.

dolphinarium [ˌdɑːlfə'nerɪəm] *n. pl. t.* **-aria** delfinarium.

domain [doʊ'meɪn] *n.* **1.** *t. mat., fiz.* domena, dziedzina, zakres; **fall within the ~ of sth** wchodzić w zakres czegoś; **in the public ~** ogólnie dostępny (= *nieutajniony; np. o informacjach, dokumentach*). **2.** *często pl.* domeny, włości, dobra, posiadłości. **3.** *prawn.* **eminent ~** prawo władzy suwerennej do wszelkiej własności w państwie (*z wywłaszczeniem włącznie*); **private/public ~** własność prywatna/państwowa.

domain name *n. komp.* rozszerzenie wspólne dla danej grupy adresów internetowych (*np. „com" l. „pl"*).

dome [doʊm] *n.* **1.** kopuła. **2.** *przen.* sklepienie (*niebieskie, drzew itp.*). **3.** *sl.* pała (= *głowa*). **4.** *US* stadion sportowy z dachem w kształcie kopuły. **5.** okrągły szczyt górski. **6.** *geol.* kopuła, fałd kopulasty. **7.** *poet.* dwór (*budowla*). – *v.* **1.** nakrywać kopułą. **2.** nadawać kształt kopuły (*czemuś*).

domed [doʊmd] *a.* nakryty kopułą.

domesday ['duːmzˌdeɪ] *n.* **1.** *arch.* = **doomsday. 2. D~ (Book)** *Br. hist.* kataster gruntowy sporządzony na polecenie Wilhelma Zdobywcy.

domestic [də'mestɪk] *a.* **1.** *attr.* krajowy; wewnętrzny; **~ flights/airport** loty/lotnisko krajowe; **~ oil producers** krajowi producenci ropy naftowej; **~ issues** zagadnienia polityki wewnętrznej; **~ market/trade** rynek/handel wewnętrzny; **~ news** wiadomości z kraju *l.* krajowe; **~ policy** polityka wewnętrzna. **2.** *attr.* domowy; **~ animals/duties** zwierzęta/obowiązki domowe; **~ appliances** sprzęt gospodarstwa domowego. **3.** *zw. attr.* rodzinny, w rodzinie; **~ life/happiness/trouble** życie/szczęście/kłopoty rodzinne; **~ violence** przemoc w rodzinie. **4.** oswojony, udomowiony (*o zwierzętach*). **5.** *często pred.* lubiący przebywać w domu; **be ~** być domator-em/ką. – *n.* **1.** (*także* **~ help/worker**) pomoc domowa, służąc-y/a (*zwł. w dużym domu*). **2.** *US* wyrób produkcji krajowej.

domestically [də'mestɪklɪ] *adv.* **1.** w kraju; wewnętrznie. **2.** domowo, w domu; rodzinnie, w rodzinie.

domesticate [də'mestəˌkeɪt] *v.* **1.** oswoić, udomowić; obłaskawić (*zwierzę*). **2.** przystosować do uprawy (*roślinę*). **3.** *często żart.* zrobić domatora z (*kogoś*); przyzwyczaić do prac domowych *l.* pomagania w domu (*zwł. partnera*).

domestication [dəˌmestə'keɪʃən] *n. U* **1.** oswojenie, udomowienie. **2.** aklimatyzacja.

domesticity [ˌdoʊme'stɪsətɪ] *n. pl.* **-ies 1.** *U* życie rodzinne; domowe zacisze. **2.** *U* domatorstwo. **3.** *pl.* sprawy domowe; obowiązki domowe.

domestic relations court *n. US* sąd rodzinny.

domestic science *n. U Br. szkoln. przest.* nauka gospodarstwa domowego.

domestic service *n. U* służba (*praca, zwł. w dużym domu*).

domical ['doʊmɪkl] *a. form.* **1.** kopułowy, w kształcie kopuły. **2.** posiadający kopułę.

domicile ['dɑːmɪˌsaɪl] *n. form.* **1.** *gł. US* mieszkanie. **2.** *prawn.* miejsce zamieszkania. **3.** *handl.* miejsce płatności (*czeku*). – *v.* **1.** (*także* **domiciliate**) osiedlić (*sb somewhere* kogoś gdzieś); dać mieszkanie (*komuś*). **2.** zamieszkiwać; **~d in...** zamieszkały (na stałe) w... **3.** *handl.* oznaczać miejsce płatności (*czeku*).

domiciliary [ˌdɑːmə'sɪlɪˌerɪ] *a. prawn. l. form.* **1.** dotyczący miejsca zamieszkania. **2.** domowy, w domu; **~ care** opieka w domu (*np. nad chorym*); **~ visit** wizyta domowa.

domiciliate [ˌdɑːmə'sɪlɪˌeɪt] *v.* = **domicile** *v.* 1.

domiciliation [ˌdɑːməˌsɪlɪ'eɪʃən] *n. U* **1.** osiedlenie (się). **2.** zamieszkanie.

dominance ['dɑːmənəns] *n. U* dominacja (*t. genetyczna, polityczna, militarna*); przewaga; górowanie.

dominant ['dɑːmənənt] *a.* **1.** dominujący (*np. o genie, cesze, osobowości, partnerze*). **2.** przeważający (*np. o udziale*); główny (*np. o roli*). – *n.*

1. *sing. muz.* dominanta. **2.** *genetyka* cecha dominująca. **3.** *ekol.* gatunek dominujący.

dominantly [ˈdɑːmənəntlɪ] *adv.* **1.** dominująco. **2.** w sposób przeważający.

dominate [ˈdɑːməˌneɪt] *v.* **1.** dominować (*gdzieś l. w czymś*); *t. polit.* panować *l.* mieć zwierzchnictwo nad (*kimś l. czymś*); zdominować (*np. dyskusję, kampanię wyborczą*). **2.** wznosić się *l.* górować nad (*czymś; np. o budynku*). **3.** przeważać.

domination [ˌdɑːməˈneɪʃən] *n.* **1.** *U* dominacja, zwierzchnictwo, panowanie. **2.** *U* przewaga. **3.** *pl. teol.* chóry anielskie czwartego stopnia.

dominative [ˈdɑːməˌneɪtɪv] *a. form.* władczy.

dominatrix [ˌdɑːməˈneɪtrɪks] *n. pl.* **-rices** domina (= *kobieta odgrywająca dominującą rolę w związku sado-masochistycznym*).

domineer [ˌdɑːməˈniːr] *v. form.* **1.** sprawować rządy tyrana. **2.** zachowywać się apodyktycznie.

domineering [ˌdɑːməˈniːrɪŋ] *a.* apodyktyczny, władczy.

dominical [dəˈmɪnɪkl] *a. form.* **1.** *rel.* Pański (*np. o dniu, roku*). **2.** niedzielny.

dominical letter *n. kośc.* jedna z liter od A do G (*do oznaczania pierwszej niedzieli w roku i świąt ruchomych*).

Dominican[1] [dəˈmɪnəkən] *kośc. a.* dominikański. – *n.* dominikan-in/ka.

Dominican[2] *a. geogr.* dominikański. – *n.* Dominikan-in/ka.

dominie [ˈdɑːmənɪ] *n.* **1.** *Scot. szkoln.* nauczyciel. **2.** *US* pastor holenderskiego kościoła reformowanego; *pot.* duchowny, ksiądz (*t. jako forma zwracania się*).

dominion [dəˈmɪnjən] *n.* **1.** *U lit.* zwierzchnictwo, władza, panowanie; **have/hold ~ over sth** rozciągać panowanie *l.* zwierzchnictwo na czymś, sprawować władzę nad czymś. **2.** *form.* dominium (= *posiadłości pana feudalnego, władcy l. rządowe; Br. t.* = *państwo wchodzące w skład Brytyjskiej Wspólnoty Narodów*).

dominium [dəˈmɪnɪəm] *n. U gł. US prawn.* prawo posiadania.

domino [ˈdɑːməˌnoʊ] *n. pl.* **-es** **1.** kostka domina. **2.** *pl.* domino (*gra*). **3.** *gł. hist.* domino (= *płaszcz używany wraz z maską jako strój maskaradowy ; t. sam płaszcz, sama maska l. osoba w nie ubrana*).

domino effect *n.* efekt domina.

domino theory *n. polit.* teoria domina.

don[1] [dɑːn] *v.* **-nn-** *form.* przywdziewać.

don[2] *n.* **1.** *Br. uniw.* starszy nauczyciel akademicki (*zwł. w Oksfordzie l. Cambridge*). **2.** don (*szlachcic hiszpański*); **D~** don (*tytuł przed nazwiskiem jw.*). **3.** *US pot.* głowa rodziny mafijnej. **4.** *arch.* ważna osobistość.

donate [ˈdoʊneɪt] *v.* ofiarować, darować, przekazać (*zwł. na cele dobroczynne*); **~ blood** oddawać krew.

donation [doʊˈneɪʃən] *n.* **1.** darowizna, donacja; datek; **make a ~** ofiarować *l.* przekazać pieniądze, dokonać darowizny. **2.** *U* ofiarowanie, przekazanie (*pieniędzy, darów*).

donative [ˈdɑːnətɪv] *n. form.* oficjalna donacja *l.* darowizna. – *a.* ofiarowany *l.* przekazany w darze.

donator [ˈdoʊneɪtər] *n. form.* donator/ka, ofiarodaw-ca/czyni, darczyńca.

done [dʌn] *v. pp. zob.* **do.** – *a.* **1.** skończony, zakończony; **be/have ~ with sb/sth** skończyć z kimś/czymś; **over and ~ with** całkowicie skończony; **that's ~ it!** teraz to już koniec!. **2.** ugotowany, gotowy (*do jedzenia*); **well-~** dobrze wypieczony (*o befsztyku*). **3.** stosowny; **it's (not) the ~ thing** tak się (nie) robi. **4.** *pot.* **~ in/up** zmachany, wykończony; **be/get ~ (for sth)** *Br.* zostać przyłapanym (na czymś); zostać ukaranym (za coś); **we're ~ for** koniec z nami, jesteśmy skończeni (= *jesteśmy w opałach*). – *int.* załatwione!, umowa stoi!.

donee [doʊˈniː] *n. prawn.* obdarowan-y/a.

donjon [ˈdɑːndʒən] *n.* (*także* **dungeon**) *hist. bud.* donżon, stołp.

Don Juan [ˌdɑːn ˈwɑːn] *n.* donżuan.

donkey [ˈdɑːŋkɪ] *n.* **1.** *zool.* osioł (*Equus asinus*). **2.** *pot.* osioł (*głupek*); uparciuch. **3.** **(for) ~'s years** *Br. pot.* kopę lat, całe wieki; **talk the hind leg(s) off a ~** *zob.* **hind**[1] *a.*

donkey boiler *n. żegl.* kocioł pomocniczy.

donkey engine *n. żegl.* mały silnik pomocniczy.

donkey jacket *n. Br.* kufajka.

donkeywork [ˈdɑːŋkɪˌwɝːk] *n. U Br. pot.* czarna robota.

donnish [ˈdɑːnɪʃ] *a. zwł. Br.* pedantyczny; profesorski, belferski.

donnybrook [ˈdɑːnɪˌbrʊk] *n. US i Austr.* rejwach; zażarty spór.

donor [ˈdoʊnər] *n.* **1.** ofiarodaw-ca/czyni. **2.** *t. med.* daw-ca/czyni. **3.** *fiz.* donor (*atom l. grupa atomów*).

donor card *n.* karta dawcy (*zawierająca zgodę właściciela na pobranie organów do przeszczepu w razie śmierci*).

do-nothing [ˈduːˌnʌθɪŋ] *pot. n.* nierób, próżniak. – *a.* próżniaczy.

Don Quixote [ˌdɑːn kiːˈhoʊtɪ] *n.* donkiszot.

don't [doʊnt] *v.* = **do not**; *zob.* **do.** – *n.* **dos and ~s** nakazy i zakazy, co wolno, a czego nie wolno; **long list of ~s** długa lista zakazów.

donut [ˈdoʊnət] *n.* = **doughnut.**

doodad [ˈduːdæd], *Br.* **doodah** [ˈduːdɑː] *n. pot.* **1.** wichajster. **2.** **all of a ~** cały podekscytowany.

doodle[1] [ˈduːdl] *v. pot.* **1.** rysować esy-floresy (*bezmyślnie, np. podczas nudnego zebrania*), gryzmolić. **2.** **~ (away)** *US* obijać się. – *n.* esy-floresy, gryzmoły.

doodle[2] *v. gł. Scot.* grać na dudach.

doodlebug [ˈduːdlˌbʌg] *n.* **1.** *zwł. US* różdżka (*radiestety*). **2.** *US* larwa mrówkolewa (*l. podobnego owada*). **3.** *Br. hist. pot.* bomba latająca V-1 (*używana podczas II wojny światowej*).

doodler [ˈduːdlər] *n.* osoba bazgrająca bezmyślnie; osoba lubiąca bazgrać bezmyślnie.

doofus [ˈduːfəs], **dufus** *n. pl.* **-es** *US pot.* głupek.

doohickey [ˈduːˌhɪkiː], **doojigger** [ˈduːˌdʒɪgər] *n. US pot.* = **doodad.**

doolally [ˈduːˌlælɪ] *a. pot.* szurnięty.

doom [duːm] *n. U* **1.** zły los, fatum; zguba, śmierć, zagłada; **impending ~** zbliżająca się katastrofa; **meet one's ~** spotkać swoje przeznaczenie; **spell ~ for sb** zwiastować czyjąś zgubę. **2.** (*także* **D~**) *rel.* sąd ostateczny; **day of ~** dzień sądu ostatecznego. **3.** *form.* potępienie. **4.** *arch.* postanowienie, wyrok. **5.** *hist.* statut, ustawa. – *v. zw. pass.* **1.** z góry skazywać (*to sth* na coś); przesądzać o niepowodzeniu (*czegoś*). **2.** *form.* potępiać. **3.** *arch.* orzekać śmierć (*czyjąś*).

doomed [duːmd] *a.* z góry skazany na zgubę, przegraną itp.; **~ to extinction** skazany na wymarcie *l.* zagładę; **~ to failure** skazany na porażkę *l.* niepowodzenie; **we're ~ to lose** na pewno przegramy.

doomsday [ˈduːmzˌdeɪ] *n.* **1.** *przen.* sądny dzień. **2.** *rel.* dzień sądu ostatecznego; **till ~** na wieki, na zawsze; **D~ Book** = **Domesday Book.**

doomster [ˈduːmstər] *n.* **1.** *pot.* czarnowidz. **2.** *arch.* sędzia.

doomy [ˈduːmɪ] *a.* **-ier, -iest** *pot.* **1.** pesymistyczny, ponury. **2.** złowieszczy.

door [dɔːr] *n.* **1.** drzwi; drzwiczki; **answer the ~** otworzyć drzwi (*w odpowiedzi na dzwonek l. pukanie*); **at the ~** przy drzwiach, u drzwi, pod drzwiami (*np. czekać*); **behind closed ~s** za zamkniętymi drzwiami, przy drzwiach zamkniętych; **front/back/side ~** drzwi wejściowe *l.* frontowe/tylne/boczne; **kitchen/bathroom ~** drzwi do kuchni/łazienki; **(from) ~ to ~** do *l.* pod same drzwi (= *do domu, np. dostarczać coś*); **go from ~ to ~** chodzić od domu do domu *l.* po domach; **knock at/on the ~** pukać do drzwi; **next ~** za ścianą, obok, po sąsiedzku; **open the ~** otwierać drzwi; **shut/close the ~** zamykać drzwi; **show/see sb to the ~** odprowadzić kogoś do drzwi; **sliding/revolving/swing ~** drzwi rozsuwane/obrotowe/wahadłowe; **two/three ~s down/up/away (from sb)** dwa/trzy domy dalej (od kogoś). **2.** *przen.* **as one ~ closes, another opens** jedne drzwi się zamykają, a inne otwierają (*o możliwościach*); **at death's ~** *zob.* **death**; **be on the ~** *Br.* pracować jako bileter/ka (*w teatrze, klubie itp.*); **close/shut the ~ on sth** uniemożliwić coś; **get a/one's foot in the ~** *zob.* **foot** *n.*; **lay sth at sb's ~** posądzać kogoś o coś, przypisywać *l.* zarzucać coś komuś; **leave the ~ open** zostawiać (sobie) otwartą furtkę; **open ~s for sb** otwierać komuś drzwi (= *stwarzać komuś możliwości*); **open the ~ to sth** umożliwiać coś, stwarzać możliwość czegoś; **out of ~s** na świeżym powietrzu, na dworze; **show sb the ~** pokazać komuś drzwi (= *wyprosić kogoś*).

doorbell [ˈdɔːrˌbel] *n.* dzwonek przy drzwiach (*zw. wejściowych*); **ring the ~** nacisnąć dzwonek.

door-casing [ˈdɔːrˌkeɪsɪŋ], *Br.* **doorcase** *n.* futryna, ościeżnica.

door check *n. US* ogranicznik (*zamykania l. otwierania drzwi*).

do-or-die [ˌduːərˈdaɪ] *a. attr.* pełen determinacji (*o osobie*); za wszelką cenę (*o próbie, nastawieniu*).

doorframe [ˈdɔːrˌfreɪm] *n. Br.* futryna.

door furniture *n. U* okucia do drzwi.

door handle *n.* klamka.

door head *n.* nadproże.

doorjamb [ˈdɔːrˌdʒæm] *n. gł. US* stojak ościeżnicy drzwiowej.

doorkeeper [ˈdɔːrˌkiːpər] *n. Br.* odźwierny.

doorknob [ˈdɔːrˌnɑːb] *n.* klamka u drzwi (*w formie gałki*).

doorknocker [ˈdɔːrˌnɑːkər] *n. Br.* kołatka.

doorman [ˈdɔːrˌmən] *n. pl.* **-men** odźwierny; portier (*np. w hotelu, teatrze*).

doormat [ˈdɔːrˌmæt] *n.* **1.** wycieraczka. **2.** *pot.* popychadło.

doormoney [ˈdɔːrˌmʌnɪ] *n. U* opłata za wstęp.

doornail [ˈdɔːrˌneɪl] *n.* **1.** gwóźdź do obijania drzwi. **2.** *przen. pot.* **dead as a ~** *zob.* **dead**; **deaf as a ~** *zob.* **deaf.**

doorplate [ˈdɔːrˌpleɪt] *n.* tabliczka na drzwiach (*zw. mosiężna, z nazwiskiem*).

doorpost [ˈdɔːrˌpoʊst] *n.* = **doorjamb.**

doorprize [ˈdɔːrˌpraɪz] *n. US* premia dla właściciela wylosowanego biletu wstępu.

doorsill [ˈdɔːrˌsɪl] *n.* próg.

doorstep [ˈdɔːrˌstep] *n.* **1.** stopień przy drzwiach (*zw. zewnętrznych*); **on one's (own) ~** *przen.* tuż za progiem, pod samym nosem. **2.** *Br. pot. żart.* pajda chleba. – *v. Br. uj.* agitować po domach (*zwł. w czasie kampanii wyborczej*); nachodzić w domu (*o nachalnym dziennikarzu*).

doorstone [ˈdɔːrˌstoʊn] *n.* **1.** płyta przed drzwiami. **2.** kamienny próg.

doorstop [ˈdɔːrˌstɑːp], **doorstopper** [ˈdɔːrˌstɑːpər] *n.* **1.** odbój drzwiowy. **2.** ogranicznik otwarcia drzwi.

door-to-door [ˌdɔːrtəˈdɔːr] *a. attr.* obwoźny; domokrążny; **~ salesman** domokrążca; **~ selling** handel obwoźny.

door-trim [ˈdɔːrˌtrɪm] *n. US* futryna.

doorway [ˈdɔːrˌweɪ] *n.* wejście; otwór na drzwi; **in the ~** w drzwiach (*np. stać, czekać*); **~ to success** *przen.* drzwi do sukcesu.

dooryard [ˈdɔːrˌjɑːrd] *n. US* podwórko *l.* ogródek przed drzwiami wejściowymi.

dopamine [ˈdoʊpəmiːn] *n. U biochem.* dopamina.

dopant [ˈdoʊpənt] *n.* (*także* **doping agent**) *el.* domieszka, substancja domieszkująca (*do półprzewodnika*).

dope [doʊp] *n.* **1.** *U pot.* narkotyk (*zwł. marihuana*); środek odurzający; środek dopingujący (*podawany nielegalnie sportowcom, koniom l. chartom*). **2.** *US sl.* = **dope fiend.** **3.** *sl.* tuman, bałwan. **4.** *U* olej, smar. **5.** *U* lakier lotniczy. **6.** *U* zaprawa (*do tkaniny*). **7. the ~ (on sth)** *pot.* poufne informacje (na jakiś temat). – *v.* **1. ~ (up)** *pot.* odurzać (*przez podanie narkotyku*). **2.** *pot.* podawać środki dopingujące (*sportowcom, koniom itp.*). **3.** *el.* domieszkować (*półprzewodnik*). **4.** smarować (*lakierem l. gęstą cieczą*). **5. ~ out** *US sl.* wykombinować.

dope fiend *n. zwł. US sl.* ćpun/ka.

dope head *n. sl.* ćpun/ka.
dope pusher *n. pot.* handlarz narkotykami.
dope sheet *n. sl.* broszurka z informacjami na temat koni startujących w wyścigach.
dopester ['doupstər] *n. zwł. US sl.* osoba udzielająca poufnych informacji.
dope test *n. sport* test antydopingowy.
dopey ['doupɪ], **dopy** *a.* **-ier, -iest** *pot.* **1.** otumaniony, ogłupiały (*np. po narkotyku l. środku odurzającym*). **2.** gapowaty; głupkowaty.
doping ['doupɪŋ] *n. U el.* domieszkowanie (*półprzewodników*); ~ **agent** = **dopant.**
doppelgänger ['dɑ:plˌgæŋər] *n.* **1.** zjawa, duch (*czyjś*). **2.** sobowtór.
Doppler effect ['dɑ:plər ɪˌfekt] *n. U fiz.* zjawisko Dopplera.
Doppler shift *n. fiz.* zmiana obserwowanej częstotliwości wskutek zjawiska Dopplera.
dopy ['doupi:] *n.* = **dopey.**
dor [dɔ:r] *n.* (*także* ~ **beetle, dorr**) *ent.* żuk gnojowy (*Geotrupes stercorarius*).
Dorado [də'rɑ:dou] *n. astron.* Złota Ryba (*gwiazdozbiór*).
dorado [də'rɑ:dou] *n. pl.* **-s** *l.* **dorado** *icht.* smagla (*Coryphaena hippurus*).
dorcas gazelle *n. zool.* gazela dorkas (*Gazella dorcas*).
Dorian ['dɔ:rɪən] *a.* **1.** *hist.* dorycki (= *dotyczący plemienia l. dialektu doryckiego*). **2.** ~ **mode** *muz.* skala dorycka.
Doric ['dɔ:rɪk] *a. bud., jęz.* dorycki (*np. o stylu, kolumnie, dialekcie starogreckim*). – *n. U* **1.** *bud.* styl dorycki. **2.** *jęz., hist.* dialekt dorycki (*w starożytnej Grecji*). **3.** *jęz.* dialekt wiejski języka angielskiego (*zwł. w północno-wschodniej Szkocji*).
Doric order *n. bud.* porządek dorycki.
dork [dɔ:rk] *gł. US i Austr. pot. n.* głupek (*zwł.* = *ktoś dziwnie się zachowujący l. dziwnie ubrany*).
dorky ['dɔ:rkɪ] *a.* **-ier, -iest** głupkowaty.
dorm [dɔ:rm] *n. pot.* = **dormitory.**
dormancy ['dɔ:rmənsɪ] *n. U* stan uśpienia.
dormant ['dɔ:rmənt] *a.* **1.** uśpiony, drzemiący (*np. o czyichś możliwościach, emocjach*); **lie/remain** ~ pozostawać w zawieszeniu *l.* w stanie uśpienia. **2.** *zool.* śpiący snem zimowym. **3.** *bot.* w stanie spoczynku (*np. o nasionach, pączkach*). **4.** *geol.* drzemiący (*o wulkanie*). **5.** *zw. po n. her.* (śpiący) z głową na łapach (*o zwierzęciu*).
dormer ['dɔ:rmər] *n.* (*także* ~ **window**) okno mansardowe (= *wystające pionowo ze spadzistego dachu*).
dormice ['dɔ:rmaɪs] *n. pl. zob.* **dormouse.**
dormie ['dɔ:rmɪ] *a.* = **dormy.**
dormitory ['dɔ:rməˌtɔ:rɪ] *n. pl.* **-ies** **1.** *US* akademik. **2.** sala sypialna (*np. w internacie, schronisku*).
dormitory town *n. zwł. Br.* miasteczko-sypialnia (*którego mieszkańcy dojeżdżają do pracy do pobliskiej metropolii*).
dormouse ['dɔ:rˌmaus] *n. pl.* **-mice** [maɪs] *zool.* orzesznica (*Muscardinus avellanarius*).
dormy ['dɔ:rmɪ], **dormie** *a. pred. golf* mający przewagę tylu dołków, ile jest jeszcze do rozegrania.
dorp [dɔ:rp] *n. S.Afr.* wieś, osada.
dorr [dɔ:r] *n.* = **dor.**
dorsal ['dɔ:rsl] *a. attr. anat., bot., zool.* grzbietowy.
dorsal fin *n. zool.* płetwa grzbietowa.
dorsally ['dɔ:rslɪ] *adv.* grzbietowo.
dorsolateral [ˌdɔ:rsou'lætərəl] *anat., zool. a.* grzbietowo-boczny.
dorsolumbar [ˌdɔ:rsou'lʌmbər] *a. anat., zool.* grzbietowo-lędźwiowy.
dorsoventral [ˌdɔ:rsou'ventrəl] *a. anat., zool.* grzbietowo-brzuszny.
dorsum ['dɔ:rsəm] *n. pl.* **dorsa** *anat., zool.* grzbiet (*stopy, ręki, języka*).
dory[1] ['dɔ:rɪ] *n. pl.* **-ies** *US i Can. żegl.* mała płaskodenna łódź wiosłowa.
dory[2] *n. pl.* **-ies** (*także* **John Dory**) *icht.* piotrosz, paszczak (*Zeus faber*).
DOS [dɑ:s] *abbr.* **disk operating system** *komp.* DOS.
dosage ['dousɪdʒ] *n.* **1.** *med. zw. sing.* dawka; *U* dawkowanie, dozowanie. **2.** dodatek (*np. do wina*).
dose [dous] *n.* **1.** *t. przen.* dawka, doza; **fatal/lethal** ~ śmiertelna dawka; **in small ~s** *przen.* w małych dawkach *l.* ilościach (= *przez krótki czas; np. tolerować czyjeś towarzystwo*). **2.** *sl.* tryper; **have a** ~ złapać trypra. **3.** *Br.* atak; **a ~ of flu** atak grypy. **4. like a ~ of salts** *Br. przest. pot.* jak burza (= *błyskawicznie, z łatwością*). – *v.* **1.** ~ **o.s./sb (up) with sth** aplikować sobie/komuś coś. **2.** dozować. **3.** dodawać domieszkę do (*wina itp.*).
dosh [dɔ:ʃ] *n. U Br. i Austr. sl.* forsa.
dosimeter [dou'sɪmɪtər] *n. radiologia* dawkomierz, dozymetr.
doss [dɑ:s], *Br. sl. v.* **1.** ~ **(down)** spać gdzie popadnie. **2.** ~ **around/about** obijać się. – *n.* **1. have a** ~ przespać się (*byle gdzie*). **2.** = **doss-house. 3.** *sing.* łatwizna.
dossal ['dɑ:sl] *n. kośc.* kotara (*za ołtarzem l. po bokach prezbiterium*).
dosser[1] ['dɑ:sər] *n.* **1.** kosz na plecy *l.* juczny. **2.** = **dossal**; *U* ozdobna tkanina na oparcie (*zwł. tronu*).
dosser[2] *n. Br. sl.* włóczęga; mieszkaniec noclegowni.
doss-house ['dɑ:sˌhæus] *n. Br. sl.* noclegownia.
dossier ['dɔ:sɪˌeɪ] *n.* dossier, akta, kartoteka, teczka (*zwł. z informacjami na czyjś temat*).
dost [dʌst] *v. arch.* 2 osoba liczby pojedynczej czasu teraźniejszego od „do".
dot[1] [dɑ:t] *n.* **1.** *t. muz., alfabet Morse'a* kropka; punkcik; *pl. interpunkcja* wielokropek. **2.** (*także* **decimal** ~) *mat.* przecinek dziesiętny. **3.** *przen.* **on the** ~ co do minuty; **on the ~ of four (o'clock)** (*także* **at four (o'clock) on the** ~) punkt czwarta, punktualnie o czwartej; **since the year** ~ *Br. i Austr. przest. pot.* od niepamiętnych czasów. – *v.* **-tt-** **1.** kropkować; punktować; stawiać kropkę nad (*literą i*); *muz.* oznaczać krop-

ką (*nutę l. pauzę*). **2.** *zw. pass.* upstrzyć; rozsiać; *zob.* **dotted. 3.** ~ **the/one's i's and cross the/one's t's** *przen. pot.* dopracowywać szczegóły; zwracać nadmierną uwagę na szczegóły.

dot[2] *n. prawn.* posag, wiano.

dotage [ˈdoʊtɪdʒ] *n. U* **1.** zdziecinnienie (*zwł. starcze*); **in one's** ~ *przest. l. żart.* zdziecinniały. **2.** *arch.* miłosne zaślepienie.

dotal [ˈdoʊtl] *a. prawn.* posagowy.

dotard [ˈdoʊtərd] *pog. obelż. n.* ramol.

dotardly [ˈdoʊtərdlɪ] *a.* zramolały.

dotation [doʊˈteɪʃən] *n. prawn.* darowanie posagu.

dot com [ˌdɑːt ˈkɑːm] *n. zw. pl. pot.* dotcom (= *spółka internetowa*).

dote [doʊt] *v.* **1.** ~ **on/upon sb** świata poza kimś nie widzieć, mieć bzika na czyimś punkcie (*zwł. na punkcie dziecka*). **2.** *arch.* być zdziecinniałym (*zwł. ze starości*).

doth [dʌθ] *v. arch.* 3 os. liczby pojedynczej czasu teraźniejszego od „do".

doting [ˈdoʊtɪŋ] *a. attr.* czuły, kochający (*zwł. demonstracyjnie l. ślepo; zw. o rodzicach l. dziadkach*).

dotingly [ˈdoʊtɪŋlɪ] *adv.* czule (*jw.*).

dot-matrix printer [ˌdɑːtˌmeɪtrɪks ˈprɪntər] *a. komp.* drukarka igłowa.

dotted [ˈdɑːtɪd] *a.* ~ **with sth** upstrzony *l.* usiany czymś; ~ **about/around (the country)** rozsiany (po całym kraju).

dotted line *n.* linia kropkowana; **sign on the** ~ *przen. pot.* wyrazić zgodę (*zwł. podpisując oficjalny dokument*).

dotted note *n. muz.* nuta z kropką.

dotterel [ˈdɑːtərəl] *n. orn.* mornel (*Charadrius morinellus*); *Austr. i NZ* dżdżownik, siewka (*Charadrius*).

dottle [ˈdɑːtl], **dottel** *n.* niewypalony tytoń w fajce.

dotty [ˈdɑːtɪ] *a.* **-ier, -iest 1.** *gł. Br. pot.* stuknięty; **be** ~ **about sb/sth** mieć fioła na punkcie kogoś/czegoś. **2.** kropkowany, nakrapiany.

double [ˈdʌbl] *a.* **1.** podwójny; dwukrotny. **2.** dwojaki, dwoisty. **3.** dwuosobowy (*o łóżku, pokoju*). **4.** *przen.* fałszywy; **lead a** ~ **life** prowadzić podwójne życie. **5.** *muz.* niższy o oktawę. – *adv.* podwójnie, dwa razy; we dwójkę; **be bent** ~ być zgiętym w pół; **cost** ~ kosztować dwa razy tyle; **fold sth** ~ złożyć coś na pół; **see** ~ widzieć podwójnie. – *n.* **1.** podwójna ilość. **2.** dublet. **3.** podwojenie. **4.** sobowtór. **5.** ostry zakręt (*ściganego zwierza l. rzeki*); *przen.* nagły zwrot (*akcji*). **6.** *film* dubler/ka. **7.** *pl. tenis, badminton* debel; **mixed ~s** debel mieszany. **8.** *brydż* kontra. **9.** ~ **or nothing** (*także Br.* ~ **or quits**) podwójna stawka albo nic (*odzywka przy decydującej rozgrywce*); **on the** ~ (*także Br.* **at the** ~) biegiem, na jednej nodze. – *v.* **1.** *t. muz.* podwajać (się); ~ **a letter** podwajać literę. **2.** dwoić się (= *pracować dwa razy szybciej*). **3.** zginać *l.* składać na pół. **4.** ~ **one's fists** *US* zaciskać pięści (*w gotowości do walki*). **5.** *żegl.* opływać (*przylądek*). **6.** *brydż* kontrować. **7.** *wojsk.* biec. **8.** robić ostry zakręt (*podczas ucieczki*), kluczyć; *przen.* stosować uniki, oszukiwać. **9.** *muz.* grać jednocześnie (*na dwóch l. kilku instrumentach*). **10.** *szachy* ustawić jeden za drugim (*dwa pionki l. wieże*). **11.** *baseball* wybić piłkę do drugiej bazy. **12.** ~ **in brass** *US* potrafić grać na dodatkowym instrumencie (*dętym l. blaszanym*); *pot.* mieć dodatkową specjalność *l.* umiejętność. **13.** ~ **(up) as sb/sth** pełnić jednocześnie funkcję kogoś/czegoś; ~ **back** zawracać, wracać tą samą drogą; ~ **sth back** składać *l.* zginać coś na pół; ~ **for sb** zastępować kogoś; ~ **over with (laughter/pain)** zwijać się (ze śmiechu/z bólu); ~ **sth over** składać *l.* zginać coś na pół; ~ **up** *pot.* ścieśniać się; skręcać się (*z bólu, śmiechu*); ~ **up with sb** dzielić z kimś pokój; ~ **sth up** składać *l.* zginać coś na pół.

double-act [ˈdʌblˈækt] *n.* przedstawienie z dwoma aktorami; duet (*zwł. komików*).

double-acting [ˈdʌblˈæktɪŋ] *a. mech.* dwusuwowy (*o silniku*).

double agent *n.* podwójn-y/a agent/ka.

double bar *n. muz.* podwójna kreska.

double-barrel [ˌdʌblˈberəl] *a. attr.* **1.** o dwu lufach; ~ **gun** dubeltówka. **2.** podwójny (*o nazwisku*).

double-barreled [ˌdʌblˈberəld], *Br.* **double-barrelled** *a.* **1.** o dwu lufach. **2.** podwójny (*o nazwisku*). **3.** *US i Austr.* mający podwójny cel (*o pytaniu, planie*). **4.** *US* zintensyfikowany, ze zdwojoną siłą (*o ataku*).

double bass [ˌdʌbl ˈbeɪs] *n. muz.* kontrabas.

double bassoon *n. muz.* kontrafagot.

double bed *n.* podwójne *l.* dwuosobowe łóżko.

double bill *v. Br.* = **double feature**.

double bind *n. zw. sing.* sytuacja bez wyjścia.

double-bitt [ˌdʌblˈbɪt] *v. żegl.* obłożyć podwójnie (*linę na dwóch pachołkach*).

double-blind experiment [ˌdʌblˌblaɪnd ɪkˈsperɪmənt] *a. attr.* eksperyment, w trakcie którego ani badani, ani badający nie wiedzą, która z grup jest faktycznie testowana.

double bluff *n. Br.* podwójny blef (= *mówienie prawdy w nadziei, że słuchacz weźmie ją za oszustwo*).

double boiler *n.* podwójne naczynie (*do gotowania na parze*).

double bollard *n. żegl.* pachoł podwójny.

double-book [ˈdʌblˌbʊk] *v.* zarezerwować dwa razy *l.* podwójnie (*przez pomyłkę; np. miejsce w samolocie l. pokój w hotelu*).

double-booking [ˈdʌblˌbʊkɪŋ] *n. U* podwójna rezerwacja.

double bottom *n.* podwójne dno.

double-breasted [ˌdʌblˈbrestɪd] *a.* dwurzędowy (*o kamizelce, marynarce*).

double-check [ˈdʌblˌtʃek] *v.* sprawdzić podwójnie *l.* dwa razy *l.* ponownie (*np. obliczenia*).

double chin *n.* podwójny podbródek.

double-click [ˈdʌblˌklɪk] *v. komp.* kliknąć dwa razy.

double-clutch [ˈdʌblˌklʌtʃ] *v. US mot.* zmieniać bieg z podwójnym wysprzęgleniem.

double cream *n. U Br.* śmietana kremówka.

double-cross [ˌdʌblˈkrɔːs] *v.* przechytrzyć,

zdradzić (*zwł. wspólnika w przestępstwie*). – *n.* przechytrzenie; zdrada (*jw.*).

double dagger *n.* (*także* **double obelisk**) *druk.* podwójny krzyżyk (*odnośnik, zwł. do przypisu*).

double date *zwł. US n.* podwójna randka. – *v.* ~ **(sb)** umawiać się na podwójną randkę (z kimś).

double-dealer [ˌdʌblˈdiːlər] *pot. n.* osoba prowadząca podwójną grę.

double-dealing [ˌdʌblˈdiːlɪŋ] *a. attr.* prowadzący podwójną grę. – *n. U* podwójna gra.

double-decker [ˌdʌblˈdekər] *n.* **1.** *gł. Br.* autobus piętrowy. **2.** dwupokładowiec (*statek*). **3.** łóżko piętrowe. **4.** (*także* ~ **sandwich**) *kulin. pot.* podwójna kanapka.

double-declutch [ˌdʌbldiːˈklʌtʃ] *v. Br. mot.* zmieniać bieg z podwójnym wysprzęgleniem.

double decomposition *n. chem.* reakcja podwójnej wymiany.

double density *a. attr. komp.* o podwójnej gęstości (*zapisu*).

double digit *a. attr. US* dwucyfrowy (*np. o inflacji*).

double-dip [ˈdʌblˌdɪp] *v. US pot.* czerpać zyski z dwóch źródeł (*zwł. w sposób nielegalny*). – *n. US* rożek z dwiema gałkami lodów.

double Dutch, double dutch *n. U* **1.** *Br. i Austr. pot.* chińszczyzna (= *niezrozumiały język*). **2.** *US* zabawa z użyciem dwóch skakanek.

double duty *n. US* **do** ~ pracować na dwa etaty; spełniać wielorakie funkcje (*o przedmiocie*).

double-dyed [ˌdʌblˈdaɪd] *a.* **1.** podwójnie farbowany (*o tkaninie*). **2.** *attr. lit.* skończony (*np. o łotrze, łajdaku*).

double eagle *n.* **1.** dwugłowy orzeł (*jako symbol*). **2.** *US* złota dwudziestodolarówka.

double-edged [ˌdʌblˈedʒd] *a.* **1.** o dwu ostrzach, obosieczny; ~ **sword** *przen.* broń obosieczna. **2.** dwuznaczny (*o sytuacji, uwadze*).

double entendre [ˌduːbl ɑːnˈtɑːndrə] *n.* dwuznaczna uwaga, dwuznacznik (*zwł. nieprzyzwoity*).

double entry *n. księgowość* podwójny wpis.

double exposure *n. fot.* podwójnie naświetlona klatka.

double-faced [ˌdʌblˈfeɪst] *a.* **1.** *przen.* dwulicowy, nieszczery. **2.** mający dwa aspekty. **3.** dwustronny (*np. o tkaninie*).

double fault *n. tenis* podwójny błąd serwisowy.

double feature *n. US kino* podwójny seans.

double first *n. Br. uniw.* ukończenie studiów z najwyższą oceną z obu kierunków.

double-glazing [ˌdʌblˈgleɪzɪŋ] *n. U zwł. Br.* podwójne szyby.

double-headed [ˌdʌblˈhedɪd] *a.* **1.** dwugłowy (*np. o potworze*). **2.** ciągnięty przez dwie lokomotywy (*o pociągu*).

doubleheader [ˌdʌblˈhedər], **double-header** *n.* **1.** *gł. US baseball* dwie partie rozgrywane przez te same drużyny tego samego dnia bezpośrednio po sobie; podwójna partia. **2.** pociąg ciągnięty przez dwie lokomotywy.

double helix *n. biochem.* helisa podwójna (*kwasu DNA*).

double indemnity *n. U US i Can. ubezp.* wypłata podwojonej stawki polisy na wypadek nagłej śmierci.

double jeopardy *n. U US prawn.* sądzenie dwa razy za to samo przestępstwo.

double-jointed [ˌdʌblˈdʒɔɪntɪd] *a.* o bardzo elastycznych stawach.

double-leaded [ˌdʌblˈledɪd] *a. Br. druk.* na dwie interlinie.

double-lock [ˌdʌblˈlɑːk] *v.* zamykać na dwa spusty *l.* zamki.

double negation *n. C / U gram.* podwójne przeczenie.

double negative *n. gram.* zdanie z podwójnym przeczeniem.

doubleness [ˈdʌblnəs] *n. U* podwójność; dwoistość.

double obelisk *n. druk.* = **double dagger**.

double-page [ˌdʌblˈpeɪdʒ] *n.* (*także* **double-page spread**) *dzienn.* rozkładówka.

double-park [ˌdʌblˈpɑːrk] *v.* parkować na drugiego.

double pneumonia *n. U pat.* obustronne zapalenie płuc.

double precision *n. U komp.* podwójna precyzja (*obliczeń*).

double-quick [ˌdʌblˈkwɪk] *a.* bardzo szybki. – *adv.* biegiem, błyskawicznie. – *n.* = **double time**. – *v.* = **double-time**.

double-reed [ˌdʌblˈriːd] *a. muz.* instrument z podwójnym stroikiem (*np. obój l. fagot*).

double-ripper [ˌdʌblˈrɪpər] *n.* (*także* **double-runner**) podwójne sanki złączone deską.

double room *n. hotelarstwo* pokój dwuosobowy.

double-sided [ˌdʌblˈsaɪdɪd] *a.* dwustronny, obustronny.

doublespeak [ˈdʌblˌspiːk] *n. gł. Br.* = **double-talk**.

double standard *n.* podwójna norma *l.* miara (*inna dla różnych grup osób*).

double-stopping [ˌdʌblˈstɑːpɪŋ] *n. U muz.* jednoczesne brzmienie dwóch nut na dwóch strunach (*np. skrzypiec*).

doublet [ˈdʌblɪt] *n.* **1.** *hist.* obcisły kubrak. **2.** para. **3.** dublet (*z pary*). **4.** *jęz.* oboczność. **5.** *gra w kości* dubla. **6.** *chem., fiz.* dublet (*widmowy*).

double take *n.* spóźniona reakcja (*często dająca komiczny efekt*); **do a** ~ reagować z opóźnieniem.

double-talk [ˈdʌblˌtɔːk], **doubletalk** *n. U gł. US pot.* owijanie w bawełnę, kręcenie. – *v.* owijać w bawełnę, kręcić.

double-time [ˈdʌblˌtaɪm] *n. U* **1.** podwójna stawka (*za pracę w dni świąteczne*). **2.** *US wojsk.* bardzo szybki marsz. – *adv. US pot.* biegiem, natychmiast; ale już!. – *v.* biec.

double-tongued [ˌdʌblˈtʌŋd] *a. przen.* dwulicowy, fałszywy.

double-tree [ˈdʌblˌtriː] *n.* podwójny orczyk (*u wozu, pługa*).

double vision *n. U pat.* podwójne widzenie.

double whammy *n. Br. pot.* podwójne nieszczęście.

double yellow line *n. Br.* podwójna żółta linia (*= zakaz parkowania*).

doubloon [də'blu:n] *n. hist.* dublon (*= podwójny dukat hiszpański*).

doublure [də'blʊr] *n.* ozdobna okładka wewnętrzna książki (*zw. skórzana*).

doubly ['dʌblɪ] *adv.* **1.** podwójnie; w dwójnasób. **2.** dwojako.

doubt [daʊt] *n. C/U* wątpliwość; wątpliwości (*about/as to sth* co do czegoś); **beyond/without (a) ~** *form.* bez wątpienia, ponad wszelką wątpliwość; **be in ~** być wątpliwym *l.* niepewnym (*np. o przyszłości*); **be in ~ about sth** mieć *l.* żywić wątpliwości co do czegoś; **cast ~(s) on sth** (*także* **raise ~s abouth sth**) rzucać cień wątpliwości na coś, stawiać coś pod znakiem zapytania; **dispel/resolve a ~** rozwiać wątpliwości; **give sb the benefit of the ~** *zob.* **benefit**; **have/entertain (one's) ~s about sth** mieć/żywić wątpliwości co do czegoś; **if/when in ~** w razie wątpliwości; **no ~** niewątpliwie; **no ~ about it** nie ma co do tego (żadnej) wątpliwości; **open to ~** niepewny, wątpliwy; **without a shadow of a ~** bez cienia wątpliwości. – *v.* **1.** wątpić (*whether/if* czy); **~ sth** wątpić w coś; **I ~ it (very much)** (bardzo) wątpię; **I don't ~ that...** nie wątpię, że... **2.** nie dowierzać (*czemuś*); podawać w wątpliwość, kwestionować; **~ sb's word** nie wierzyć komuś, nie wierzyć w to, co ktoś mówi. **3. ~ (of) sth** *Br. arch.* obawiać się czegoś.

doubter ['daʊtər] *n.* niedowiarek; osoba mająca wątpliwości.

doubtful ['daʊtfʊl] *a.* **1.** wątpliwy; **it is ~ whether/if...** jest wątpliwe, czy..., jest mało prawdopodobne, żeby... **2.** pełen wątpliwości, niepewny; **be ~ about sth** mieć wątpliwości co do czegoś; **be ~ about doing sth** nie być pewnym, czy należy coś zrobić; **be ~ of sth** *form.* wątpić w coś.

doubtfully ['daʊtfʊlɪ] *adv.* **1.** z powątpiewaniem. **2.** niepewnie.

doubtfulness ['daʊtfʊlnəs] *n. U* **1.** powątpiewanie. **2.** niepewność.

doubting ['daʊtɪŋ] *a.* wątpiący; powątpiewający.

doubtingly ['daʊtɪŋlɪ] *adv.* z powątpiewaniem.

doubting Thomas [ˌdaʊtɪŋ 'tɑ:məs] *n. zw. sing. żart.* niewierny Tomasz.

doubtless ['daʊtləs] *a. form.* pozbawiony wątpliwości, pewien. – *adv.* niewątpliwie, bez wątpienia.

doubtlessly ['daʊtləslɪ] *adv.* niewątpliwie, bez wątpienia.

doubtlessness ['daʊtləsnəs] *n. U* niewątpliwość, pewność.

douce [du:s] *a. zwł. Scot.* spokojny, zrównoważony.

douceur [du:'sɜ:] *n. form.* napiwek; łapówka.

douche [du:ʃ] *n. zw. sing.* **1.** tusz, natrysk. **2.** *t. med.* irygacja; płukanka do irygacji; urządzenie do irygacji. – *v.* **1.** brać tusz *l.* prysznic. **2.** polewać wodą. **3.** *t. med.* stosować irygację (*czegoś*).

dough [doʊ] *n. U* **1.** ciasto (*surowe*). **2.** *przest. pot.* forsa, szmal.

doughboy ['doʊˌbɔɪ] *n.* **1.** *US pot.* piechociarz (*zwł. w okresie I wojny światowej*). **2.** *kulin.* pyza.

doughnut ['doʊnət] *US i Austr. t.* **donut** *n.* **1.** *kulin.* pączek (*często z dziurką*). **2. (I'll bet you) dollars to ~s** *zob.* **dollar**.

doughty ['daʊtɪ] *a.* **-ier, -iest** *lit.* dzielny, mężny.

doughy ['doʊɪ] *a.* **-ier, -iest 1.** ciastowaty, zakalcowaty. **2.** ziemisty (*o cerze*).

douma ['du:mɑ:] *n.* = **duma**.

dour [dʊr] *a.* **1.** ponury; surowy, srogi. **2.** *zwł. Scot.* uparty; nieugięty.

dourly ['dʊrlɪ] *adv.* **1.** ponuro; surowo. **2.** *zwł. Scot.* uparcie.

dourness ['dʊrnəs] *n. U* **1.** ponuractwo; surowość. **2.** *zwł. Scot.* upór.

douse[1] [daʊs] *v.* (*także* **dowse**) **1.** oblewać, polewać (*with/in sth* czymś); zamaczać, zanurzać (*with/in sth* w czymś). **2.** *t. przen.* gasić (*np. świecę, pożar*). **3.** *US pot.* zrzucać (*buty, odzież*).

douse[2] *v. żegl.* zrzucać (*żagiel*); **~ a rope** popuszczać linę.

dove[1] [dʌv] *n.* **1.** *orn.* gołąb (*rodzina Columbidae*). **2.** gołąbek (*zwł. jako symbol pokoju*); **the D~** *rel.* gołębica (*= symbol Ducha Świętego*). **3.** *polit.* osoba przedkładająca dyskusję nad konfrontację i rozwiązania siłowe. **4.** *U* = **dovegray**.

dove[2] [doʊv] *v. pret. gł. US zob.* **dive**.

dovecot ['dʌvkɑ:t], **dovecote** *n.* **1.** gołębnik. **2. flutter the ~s** (*także* **cause a flutter among the ~s**) *przen.* narobić zamieszania (*zwł. w jakimś środowisku*).

dove-eyed ['dʌvˌaɪd] *a.* **1.** o gołębich oczach, o łagodnym spojrzeniu. **2.** *przen.* łagodny, niewinny.

dovegray [ˌdʌv'greɪ], *Br.* **dove-grey** *a. i n. U* (kolor) gołębi (*delikatny odcień szarości*).

dovehawk ['dʌvˌhɔ:k] *n. orn.* błotniak zbożowy (*Circus cyaneus*).

dovehouse ['dʌvˌhaʊs] *n.* **1.** gołębnik. **2.** *przen.* mały domek.

dovekie ['dʌvkɪ], **dovekey** *n. gł. US orn.* traczyk lodowy (*Plautus alle*).

Dover sole ['doʊvər ˌsoʊl] *n. icht.* sola, podeszwica (*Solea solea*).

dove's-foot cranesbill [ˌdʌvzfʊt 'kreɪnzbɪl] *n. bot.* bodziszek kosmaty (*Geranium molle*).

dovetail ['dʌvˌteɪl] *n.* (*także* **~ joint**) *stol.* wczep jaskółczy, jaskółczy ogon. – *v.* **1.** łączyć na wczepy jaskółcze. **2.** *przen.* łączyć (się) ściśle z sobą.

dovish ['dʌvɪʃ] *a. zwł. polit.* pokojowo nastawiony; unikający konfrontacji i rozwiązań siłowych.

dowager ['daʊədʒər] *n.* **1.** wdowa nosząca tytuł po zmarłym mężu *l.* korzystająca z jego majątku; **~ duchess** księżna-wdowa. **2.** *pot.* matrona.

dowdily ['daʊdɪlɪ] *adv.* niemodnie; bez gustu (*ubrana*).

dowdiness [ˈdaʊdɪnəs] *n. U* niemodny *l.* niechlujny strój; niechlujny *l.* zaniedbany wygląd.

dowdy [ˈdaʊdɪ] *a.* **-ier, -iest 1.** niemodny, pozbawiony gustu (*o stroju*); zaniedbany (*o wyglądzie*). **2.** niemodnie *l.* źle ubrana (*o kobiecie*).

dowel [ˈdaʊəl] *n.* czop, kołek, dybel. – *v. Br.* **-ll-** czopować, mocować na kołek.

dowel pin *n. techn.* kołek ustalający.

dowel screw *n. stol.* kołek dwustronny (*do drewna*).

dower [ˈdaʊər] *n.* **1.** dożywotne uposażenie wdowy, wdowia renta. **2.** *arch.* = **dowry** 1. **3.** wrodzony dar. – *v. lit.* wyposażać, obdarzać (*with sth* czymś) (*np. talentem*).

dowerless [ˈdaʊərləs] *a.* bez posagu.

Dow Jones Average [ˌdaʊ ˌdʒoʊnz ˈævərɪdʒ] *n.* (*także* **Dow Jones Index**) *giełda* wskaźnik *l.* indeks Dow Jonesa.

down[1] [daʊn] *adv.* **1.** na dół, w dół; na ziemię; **~!** leżeć! (*do psa*); **tell him to come ~** powiedz mu, żeby zszedł na dół. **2.** na dole, w dole; **(put it) ~ here/there** (połóż to) tu/tam (na dole); **the bridge is ~** most jest opuszczony; **the tide is ~** fala opadła. **3.** do niższego poziomu; **be/come ~ by 20 per cent** obniżyć się *l.* spaść o 20 procent; **prices are ~** ceny spadły. **4.** pod powierzchnią; na dnie; **you can see the bottom 35 feet ~** można zobaczyć dno 35 stóp pod wodą. **5.** z prądem; z wiatrem. **6.** na południe; z północy; **drive ~ from San Francisco (to Los Angeles)** jechać z San Francisco (do Los Angeles); **she came ~ from Scotland** przyjechała ze Szkocji (*do miejscowości położonej bardziej na południe*). **7.** na prowincję (= *z dużego do mniejszego miasta l. na wieś*); **we came all the way ~ from New York** przyjechaliśmy aż z Nowego Jorku. **8.** pionowo (*w krzyżówce*). **9.** gotówką, w gotówce; **no money ~** nie trzeba płacić gotówką (*przy zakupie*); **pay $100 ~** wpłacić 100 dolarów zadatku. **10. ~ to** (aż) do *l.* po; **from general ~ to common soldier** od generała do prostego żołnierza; **~ to the present day** aż po dzień dzisiejszy; **~ to the ground** do cna, doszczętnie, dokumentnie; **be ~ to one's last dollar/pound** być spłukanym do ostatniego grosza; **come ~ to sth** sprowadzać się do czegoś; **come ~ to sb** (*także Br.* **be ~ to sb**) leżeć w czyjejś gestii. **11. ~ and out** = **down-and-out**; **~ east/west** *US* na wschodnim/zachodnim wybrzeżu; **~ from university** *Br.* na wakacjach (*o studencie l. nauczycielu akademickim*); **~ in the mouth** *pot.* w złym nastroju, z nosem na kwintę; **~ under** *pot.* na antypodach, po drugiej stronie kuli ziemskiej (= *w Australii l. Nowej Zelandii*); **~ with X!** *pot.* precz z X!; **be/go ~ with sth** zachorować na coś; **be three goals ~** przegrywać trzema bramkami (*o drużynie*); **have sth ~ cold/pat** *US* umieć *l.* znać coś na pamięć *l.* na wyrywki; **have/put sb ~ for sth/to do sth** wciągnąć *l.* zapisać kogoś na listę do czegoś/do zrobienia czegoś; **kick sb when they are ~** *przen.* kopać leżącego; **my computer went ~** mój komputer wysiadł; **note/take/write sth ~** zapisać coś; **pass/hand sth ~** przekazywać coś (z pokolenia na pokolenie); **the sun is ~** słońce zaszło *l.* jest za horyzontem; **three ~** *karty* o trzy lewy za mało; **up and ~** tam i z powrotem. – *prep.* **1.** w dół (*czegoś*); z góry na dół (*czegoś*); **~ the river** w dół rzeki; **~ the wind** z wiatrem. **2.** wzdłuż (*czegoś*); poprzez, przez; **walk ~ the street** iść ulicą. **3.** w; do; na; **~ east/south** na wschodzie/południu; na wschód/południe; **~ the pub/park** *Br. pot.* w pubie/parku; do pubu/parku; **~ the shops** *Br. pot.* na zakupach; na *l.* po zakupy. **4.** *przen.* **a few years ~ the road/line/pike** *US* za parę lat; **be/go ~ the drain/toilet/plughole/tube(s)** pójść na marne, zmarnować się; zostać wyrzuconym w błoto. – *a.* **1.** *pred.* nieszczęśliwy, przygnębiony. **2.** *attr. pot.* ponury, kiepski; gorszy; **there were up days and ~ days** były lepsze i gorsze dni. **3.** *pred. pot.* skończony, zrobiony; **four ~ and two do go** cztery zrobione i jeszcze dwa do zrobienia. **4.** *pred.* w tyle, pokonany (*w grze*). **5.** *pred. komp.* niesprawny; niedostępny. **6.** *attr.* skierowany w dół; dolny; **~ escalator** schody ruchome (zjeżdżające) w dół. **7.** *attr.* odjeżdżający z głównego dworca *l.* dużego miasta (*o pociągu*); **~ and up train** pociąg wahadłowy. **8.** *attr.* w gotówce, gotówką (*o zapłacie*). **9.** *pot.* **be ~ and out** być na samym dnie (= *nie mieć pracy, mieszkania, narkotyzować się itp.*); **be ~ on/in one's luck** mieć pecha *l.* złą passę, nie mieć szczęścia; **be ~ on sb/sth** *pot.* być złego zdania o kimś/czymś. – *v. pot.* **1.** wychylić, wypić duszkiem; połknąć, pochłonąć (= *zjeść*). **2.** powalić, przewrócić (*kogoś*). **3.** strącić, zestrzelić (*samolot*). **4. ~ tools** *Br.* złożyć narzędzia (= *skończyć pracę*); przerwać pracę (*na znak protestu*). – *n.* **1.** zmiana losu, niepowodzenie; **ups and ~s** *pot.* wzloty i upadki, zmienne koleje losu. **2.** *futbol amerykański* jedna z czterech kolejnych prób, w której drużyna musi wybić piłkę na co najmniej 10 jardów, aby jej nie stracić. **3. have a ~ on sb** *Br. pot.* być ciętym na kogoś.

down[2] *n. U* puch (*ptasi*); puszek, meszek (*na twarzy, owocach, liściach*).

down[3] *n.* łagodnie opadające wzgórze; **the D~s** *Br.* łagodne wzgórza kredowe i wapienne na południu Anglii (*używane gł. jako pastwiska*).

down-and-out [ˌdaʊnənˈaʊt] *a.* **1.** *boks* znokautowany. **2.** przegrany (*o zawodniku*). **3.** spłukany, bez środków do życia. – *n.* kloszard, tramp.

down-at-the-heel [ˌdaʊnætðəˈhiːl], *Br. i Austr.* **down-at-heel** *a.* **1.** znoszony, zdarty (*o butach, odzieży*). **2.** zaniedbany, zapuszczony (*o osobie, wyglądzie*). **3.** zubożały; podupadły.

downbeat [ˈdaʊnˌbiːt] *n. muz.* akcentowana miara taktu. – *a. pot.* przybity.

downcast [ˈdaʊnˌkæst] *a.* **1.** spuszczony (*o oczach*). **2.** przybity, przygnębiony. – *n.* (*także* **down shaft**) *górn.* szyb wlotowy.

downcome [ˈdaʊnˌkʌm] *n.* **1.** *arch.* = **downfall**. **2.** = **downcomer**.

downcomer [ˈdaʊnˌkʌmər] *n. kanalizacja* rura odprowadzająca w dół, przewód opadowy.

downcurved [ˌdaʊnˈkɝːvd] *a. attr.* wygięty w dół; skręcający w dół.

downcut [ˌdaʊnˈkʌt] *v.* **-tt-, -cut, -cut** *geol.* ulegać erozji w głąb (*o korycie rzeki*).

downdraft [ˈdaʊnˌdræft], *Br.* **downdraught** *n.*

1. strumień powietrza skierowany w dół; ciąg odwrotny (*w kominie*). **2.** *meteor.* zstępujący prąd powietrza.

down-easter [ˌdaʊnˈiːstər] *n. US* mieszkaniec Nowej Anglii (*zwł. stanu Maine*).

downer [ˈdaʊnər] *n. pot.* **1.** środek uspokajający. **2. be on a ~** *Br.* być w dołku (= *w depresji*); **what a ~!** co za kanał! (*o okropnym przeżyciu l. doświadczeniu*).

downfall [ˈdaʊnˌfɔːl] *n. sing.* **1.** upadek, zguba; **be sb's ~** być czyjąś zgubą, spowodować czyjś upadek. **2.** opady (*deszczu, śniegu*). **3.** *US* pułapka z zapadką.

downgrade *v.* [ˌdaʊnˈgreɪd] **1.** zaszeregować do niższej kategorii; zdegradować (*sb / sth to sth* kogoś/coś do czegoś). **2.** umniejszać znaczenie *l.* wartość (*kogoś l. czegoś*). – *n.* [ˈdaʊnˌgreɪd] **1. be on the ~** spadać (*np. o dochodach*); chylić się ku upadkowi. **2.** *gł. US i Can.* pochyłość, spadek (*terenu*).

downhaul [ˈdaʊnˌhɔːl] *n. żegl.* kontrafał.

downhearted [ˌdaʊnˈhɑːrtɪd] *a.* przygnębiony; zniechęcony.

downheartedly [ˌdaʊnˈhɑːrtɪdlɪ] *adv.* w przygnębieniu *l.* zniechęceniu.

downheartedness [ˌdaʊnˈhɑːrtɪdnəs] *n. U* przygnębienie; zniechęcenie.

downhill *adv.* [ˌdaʊnˈhɪl] *tylko po v.* w dół, na dół; **go ~** biec w dół zbocza (*o drodze*); zjeżdżać ze zbocza; *przen.* staczać się (*o osobie*); *przen.* podupadać. – *a.* [ˈdaʊnˌhɪl] **1.** opadający w dół, pochyły (*o zboczu, drodze*). **2.** *pred.* łatwy (*po uporaniu się z trudniejszą częścią zadania*); **it's ~ all the way/all ~ from here** teraz już będzie cały czas z górki. – *n.* [ˈdaʊnˌhɪl] **1.** spadek; opadające zbocze. **2.** (*także* **~ race**) *sport* bieg zjazdowy.

downhiller [ˈdaʊnˌhɪlər] *n. sport* narcia-rz/rka *l.* motocyklist-a/ka biorący udział w biegu zjazdowym.

down-home [ˈdaʊnˌhoʊm] *a. attr. US* dotyczący wartości *l.* zwyczajów wiejskich (*zwł. na południu Stanów*).

down-home blues *n. U US* stary dobry blues.

Downing Street [ˈdaʊnɪŋ ˌstriːt] *n.* siedziba premiera Wielkiej Brytanii; *przen.* premier *l.* rząd brytyjski.

downlink [ˈdæʊnˌlɪŋk] *tel. n.* połączenie z ziemią (*satelity, statku kosmicznego, samolotu*). – *v.* łączyć z ziemią.

download [ˈdæʊnˌloʊd] *komp. v.* ściągać (*np. dane, programy; zwł. z Internetu l. serwera*). – *n. U* ściąganie (*danych*); ściągnięte dane.

downmarket [ˌdæʊnˈmɑːrkət], **down-market** *a. gł. attr. Br.* tani; kiepskiej jakości.

down payment *n.* pierwsza rata; zadatek; **make a ~ on sth** zapłacić pierwszą ratę za coś; wpłacić zadatek na coś.

downpipe [ˈdaʊnˌpaɪp] *n. Br.* **1.** rynna spustowa. **2.** rura opadowa.

downplay [daʊnˈpleɪ] *v.* bagatelizować.

downpour [ˈdaʊnˌpɔːr] *n.* ulewa.

downright [ˈdaʊnˌraɪt] *a. attr.* **1.** jawny (*np. o zniewadze*); skończony (*np. o łotrze*). **2.** bezceremonialny, prostolinijny, bezpośredni. **3.** *arch.* pionowy. – *adv.* wręcz; po prostu, zwyczajnie; **he was ~ rude** był po prostu niegrzeczny.

downriver [ˌdaʊnˈrɪvər] *a. i adv.* (płynący) w dół rzeki *l.* z prądem; (położony) w dole rzeki.

downscale [ˌdaʊnˈskeɪl] *v. US* zmniejszać rozmiary *l.* skalę (*zwł. prowadzonej działalności gospodarczej*).

downshift [ˈdaʊnˌʃɪft] *v. US mot.* zmieniać bieg na niższy.

downside [ˈdaʊnˌsaɪd] *n.* zła strona, minus (*jakiejś sytuacji*).

downsize [ˈdaʊnˌsaɪz] *v.* redukować *l.* zmniejszać (zatrudnienie) (*w celu obniżenia kosztów produkcji*).

downslide [ˈdaʊnˌslaɪd] *n.* spadek; tendencja spadkowa.

downspout [ˈdaʊnˌspaʊt] *n. US* rura spustowa.

Down's syndrome [ˈdaʊnz ˌsɪndroʊm], **Down syndrome** *n. U pat.* zespół Downa.

downstage [ˌdaʊnˈsteɪdʒ], **down-stage** *a. i adv. teatr* (znajdujący się) na proscenium; (poruszający się) w kierunku proscenium.

downstairs [ˌdaʊnˈsterz] *adv.* **1.** na dół (*po schodach*); **run ~** zbiec (po schodach) na dół. **2.** na dole; piętro niżej. – *n.* **the ~** parter, dół. – *a. attr.* (*także* **downstair**) na parterze; piętro niżej; **my ~ neighbor** mój sąsiad z parteru *l.* z dołu; mój sąsiad piętro niżej.

downstate *US a. i adv.* [ˌdaʊnˈsteɪt] (znajdujący się) na południu stanu; (położony) na prowincji (*stanu, którego metropolia znajduje się na północy*); **~ Illinois** prowincjonalne południe Illinois. – *n.* [ˈdaʊnˌsteɪt] *U* południe stanu; prowincja stanu (*którego metropolia znajduje się na północy*).

downstater [ˈdaʊnˌsteɪtər] *n.* mieszkan-iec/ka południowej części stanu (*jw.*).

downstream [ˌdaʊnˈstriːm] *a.* **1.** płynący w dół rzeki *l.* z prądem; położony w dole rzeki. **2.** *przemysł naftowy* dotyczący późniejszych etapów przetwarzania ropy (*tuż przed rafinacją*). – *adv.* **1.** w dół rzeki, z prądem; w dole rzeki. **2.** *genetyka* (dalej) w kierunku tej części łańcucha DNA, w której zachodzi replikacja.

downstroke [ˈdaʊnˌstroʊk] *n. pismo* kreska *l.* linia w dół.

downswing [ˈdaʊnˌswɪŋ] *n.* **1.** tendencja spadkowa. **2.** *golf* zamach.

down-the-line [ˌdaʊnðəˈlaɪn] *a. attr. US* niezachwiany, całkowity (*o poparciu, lojalności*).

downthrow [ˈdaʊnˌθroʊ] *n. geol.* zrzut *l.* uskok normalny.

down timber *n. U US* powalone drzewa (*np. na skutek wichury*).

down time *n. U* **1.** okres wyłączenia (*komputera*); okres postoju (*maszyny*). **2.** *przen.* okres wyciszenia.

down-to-earth [ˌdaʊntəˈɝːθ] *a.* przyziemny; praktyczny; realistyczny, trzeźwy.

downtown [ˌdaʊnˈtaʊn] *zwł. US adv.* w śródmieściu *l.* centrum; do miasta *l.* centrum. – *a. attr.* położony w śródmieściu *l.* centrum; ~

Chicago śródmieście Chicago. – *n. U* śródmieście.

downtrodden ['daʊnˌtrɑːdən], **downtrod** *a.* poniewierany; ciemiężony, uciskany.

downturn ['daʊnˌtɜːn] *n.* spadek, obniżenie (*in sth* czegoś).

downward ['daʊnwərd] *a. attr.* w dół, ku dołowi (*o ruchu*); spadkowy, zniżkowy (*o tendencji*); zstępujący (*o prądzie*). – *adv.* (*także Br.* **~s**) w dół, ku dołowi; **face ~** twarzą w dół; **(everyone) from the manager ~** (wszyscy) od dyrektora w dół.

downwardly ['daʊnwərdlɪ] *adv.* = **downward**.

downwardly mobile *a. socjol.* ubożejący, biedniejący.

downwind [ˌdaʊn'wɪnd] *a. i adv.* **1.** z wiatrem. **2.** *żegl.* po nawietrznej.

downy ['daʊnɪ] *a.* **-ier, -iest 1.** puchowy. **2.** puszysty. **3.** pokryty puchem *l.* meszkiem. **4.** *Br. przest. pot.* nie w ciemię bity.

dowry ['daʊrɪ] *n. pl.* **-ies 1.** posag, wiano. **2.** wrodzony dar.

dowse¹ [daʊs] *v.* = **douse¹**.

dowse² [daʊz] *v.* poszukiwać za pomocą różdżki (*np. wody, złóż minerałów*).

dowser ['daʊzər] *n.* różdżka-rz/rka, radiestet-a/ka.

dowsing ['daʊzɪŋ] *n. U* różdżkarstwo, radiestezja.

dowsing rod ['daʊzɪŋ ˌrɑːd] *n.* różdżka (*radiestety*).

doxie ['dɑːksɪ] *n.* = **doxy¹**.

doxological [ˌdɑːksə'lɑːgɪkl] *kośc. a.* pochwalny, gloryfikujący (*Boga*).

doxology [dɑːk'sɑːlədʒɪ] *n. pl.* **-ies** hymn pochwalny.

doxy¹ ['dɑːksɪ] *n.* (*także* **doxie**) *pot.* pogląd; doktryna (*zwł. teologiczna*).

doxy² *n. arch. sl.* dziwka; kochanka.

doxycycline [ˌdɑːksə'saɪkliːn] *n. U med.* doksycyklina.

doyen ['dɔɪən] *n.* nestor, senior (*of sth* czegoś).

doyenne [dɔɪ'en] *n.* nestorka, seniorka.

doz. *abbr.* = **dozen**.

doze [doʊz] *v.* drzemać; **~ off** zdrzemnąć się. – *n. sing. zwł. Br.* drzemka; **have a ~** zdrzemnąć się.

dozen ['dʌzən] *n. pl.* **-s** *l.* **dozen 1.** tuzin; **a ~ (books/eggs)** tuzin (książek/jajek); **half a ~** pół tuzina; **two ~** dwa tuziny; **three dollars a ~** po trzy dolary za tuzin. **2.** *przen. pot.* **~s of sth** dziesiątki czegoś; **~s of times** setki razy; **baker's ~** trzynaście; **by the ~** tuzinami; na pęczki; **it's six of one and half a ~ of the other** to na jedno wychodzi; **sth is a dime a ~** *zob.* **dime**; **talk nineteen to the ~** *Austr. i Br.* mleć językiem.

dozily ['doʊzɪlɪ] *adv.* sennie.

doziness ['doʊzɪnəs] *n. U* senność.

dozy ['doʊzɪ] *a.* **-ier, -iest 1.** senny, śpiący. **2.** *Br. pot.* wolno myślący, głupi.

DP [ˌdiː 'piː] *abbr. komp.* = **data processing**.

DPhil [ˌdiː'fɪl], **DPh** *abbr.* = **Doctor of Philosophy**.

DPT, DTP *abbr. med.* **diphtheria, pertussis, tetanus** błonica, krztusiec, tężec (*szczepionka*).

dpt *abbr.* **1.** = **department**. **2.** = **diopter**.

Dr., Dr *abbr.* **1.** = **doctor**. **2. Drive** ulica (*w nazwach*).

dr. *n.* **1.** = **drachm**. **2.** = **drachma**.

drab¹ [dræb] *a.* **1.** bezbarwny, monotonny, szary (= *nudny*). **2.** brunatnozielony, koloru khaki. – *n. U* **1.** bezbarwność, szarzyzna, monotonia. **2.** tkanina koloru khaki.

drab² *arch. n.* niechluj, flejtuch (*o kobiecie*); puszczalska. – *v.* **-bb-** puszczać się.

drabble ['dræbl] *v.* zachlapać (się) (*zwł. błotem*).

drabness ['dræbnəs] *n. U* bezbarwność, szarzyzna, monotonia.

dracaena [drə'siːnə] *n. bot.* **1.** dracena, smokowiec (*Dracaena*). **2.** kordylina (*Cordyline*).

drachm [dræm] *n.* drachma (*aptekarska jednostka masy = 1/8 uncji l. 3,888 g*).

drachma ['drækmə] *n. pl.* **-s** *l.* **-e** ['drækmiː] drachma (*waluta grecka l. srebrna moneta starogrecka*).

dracone ['drækoʊn] *n.* pływający holowany pojemnik elastyczny do ładunków ciekłych.

draconian [drə'koʊnɪən], **draconic** [drə'kɑːnɪk] *a.* drakoński.

draff [dræf] *n. U* **1.** wysłodziny, młóto (*browarniane; używane także jako pasza*). **2.** *lit.* męty, szumowiny.

draft [dræft] *n.* **1.** projekt, plan, szkic (*np. dokumentu, ustawy*); *dzienn.* wstępny szkic artykułu prasowego; **~ proposal/copy/version** wersja robocza; **first/final ~** pierwsza/ostateczna wersja; **make a ~** sporządzić szkic *l.* projekt. **2.** brudnopis. **3.** *zwł. Br. bank* przekaz *l.* przelew bankowy; **by ~** przelewem. **4.** *fin.* trata. **5. the ~** *US wojsk.* pobór; poborowi (*zbiorowo*). **6.** *U komp.* oszczędne drukowanie (*opcja drukarki*). **7.** *US* ciągnięcie. **8.** *US* podmuch; przeciąg; ciąg. **9.** *US* łyk (*powietrza, napoju*). **10.** *US* piwo beczkowe; **on ~** z beczki (*o piwie*). **11.** *żegl.* zanurzenie. **12.** dłutowa obróbka krawędzi (*kamienia*). **13.** zbieżność (*odkówki*); skos matrycowy. – *v.* **1.** napisać pierwszą wersję (*czegoś*); sporządzić projekt *l.* szkic (*t. ustawy*). **2.** *US wojsk.* przeprowadzać pobór; **be ~ed into the army** zostać powołanym do wojska. **3.** odkomenderować, oddelegować (*zwł. część wojska l. policji do zadań specjalnych*). **4.** *US* odciągnąć. **5.** obrabiać dłutem krawędź (*kamienia*).

draft animal *n. US* zwierzę pociągowe.

draft beer *n. U US* piwo beczkowe.

draft board *n. US wojsk.* komisja poborowa.

draft dodger *n. US* osoba uchylająca się od poboru (*do wojska*).

draftee [dræf'tiː] *n. US* poborowy.

draftsman ['dræftsmən] *n. pl.* **-men 1.** (*także Br.* **draughtsman**) rysowni-k/czka; kreślarz/rka. **2.** osoba przygotowująca projekty dokumentów *l.* ustaw.

draftsmanship ['dræftsmənˌʃɪp] *n. U* rysunek (*technika l. jakość*); umiejętność rysowania.

drafty ['dræftɪ], *Br.* **draughty** *a.* **-ier, -iest 1.** pełen przeciągów; przewiewny. **2.** *Br.* nieszczelny (*o oknie, drzwiach*).

drag [dræg] *v.* **-gg- 1.** wlec (się); ciągnąć (się). **2.** *pot.* zaciągnąć, zawlec (*sb / sth somewhere* kogoś/coś gdzieś). **3.** ~ **one's feet/heels** powłóczyć nogami; *przen.* ociągać się, zwlekać. **4.** dragować, bagrować; ~ **a pond/river** przeszukiwać staw/rzekę (*for sth* w poszukiwaniu czegoś). **5.** bronować (*ziemię*). **6.** hamować (*koło, pojazd*). **7.** *komp.* przeciągać (*myszką*). **8.** *pot.* zaciągać się (*paląc*). **9.** ~ **(the) anchor** *żegl.* wlec kotwicę; dryfować na kotwicy. **10.** ~ **sb's name through the mud/mire/dirt** *gł. Br. przen.* zszargać czyjąś reputację. **11.** ~ **at sth** zaciągać się czymś; ~ **sb/o.s. away from sth** oderwać *l.* odciągnąć kogoś/się od czegoś; ~ **behind (sb)** zostawać w tyle (za kimś); ~ **by** wlec się, dłużyć się (*o czasie*); ~ **sb down** przygnębiać kogoś; ~ **sb down to one's own level** *zw. żart.* ściągnąć kogoś do własnego poziomu (= *sprawić, że zachowuje się równie źle*); ~ **in** *pot.* poruszać niepotrzebnie (*jakiś temat*); **why ~ her/him in?** *pot.* po co ją/go w to mieszać?; ~ **sb into sth** *pot.* wciągać kogoś w coś (*wbrew jego woli*); ~ **sth into a conversation** *pot.* poruszać coś w rozmowie (*niepotrzebnie, na siłę*); ~ **off** odciągać; ~ **on (for hours)** wlec *l.* ciągnąć się (godzinami); ~ **on sth** zaciągać się czymś; ~ **out** wlec się, dłużyć się; ~ **o.s. out of bed** zwlec się z łóżka; ~ **sth out** *pot.* przeciągać *l.* przedłużać coś (*np. dyskusję*); ~ **sth out of sb** wyciągnąć *l.* wydobyć coś z kogoś; ~ **sth up** *pot.* wywlekać coś (= *niepotrzebnie poruszać jakiś temat*); ~ **sb up** *Br. pot.* wychować kogoś byle jak. – *n.* **1.** *sing. pot.* męka, koszmar (= *coś bardzo nudnego*); nudzia-rz/ra; **it was a real ~** to była prawdziwa męka. **2.** *U* wleczenie (się); ciągnięcie (się). **3.** *U zwł. lotn.* opór. **4.** hamulec (*zw. żelazny na kole wozu*); *przen.* hamulec postępu; kula u nogi; **be a ~ on sth** *przen.* przeszkadzać w czymś. **5.** *żegl.* kotwica pływająca. **6.** *pot.* mach (= *zaciągnięcie się*); **take a ~ on sth** zaciągnąć się czymś. **7.** *U pot.* damskie stroje (*noszone przez mężczyznę*); **in ~** w damskim stroju, przebrany za kobietę. **8. the main ~** *gł. US pot.* główna ulica (*w mieście*). **9.** *U US pot.* wpływ; siła oddziaływania. **10.** pogłębiarka, bagier; draga (*do oczyszczania dna l. wyławiania topielców*). **11.** *ryb.* niewód; włok. **12.** *myśl.* sieć na zwierzynę; przynęta o ostrym zapachu (*dla psów gończych*); polowanie z przynętą jw. **13.** *US* wolny taniec; *sl.* impreza z tańcami. **14.** *U bilard* ściągnięcie (*kuli, żeby zatrzymała się po uderzeniu drugiej*). **15.** *hist.* prywatny pojazd czterokonny (*w rodzaju dyliżansu*). **16.** *hist.* włóka (*rodzaj brony*).

drag anchor *n.* (*także* **drift anchor**) (*także Br.* **water anchor**) *żegl.* kotwica pływająca, dryfkotwa.

drag-and-drop [ˌdrægən'drɑːp] *n. komp.* metoda „przeciągnij i upuść".

drag chain *n.* **1.** *roln.* łańcuch zagarniający. **2.** *mot.* łańcuch antystatyczny. **3.** *przen.* hamulec, przeszkoda.

dragée [dræ'ʒeɪ] *n.* drażetka (*cukierek l. tabletka*).

drag-fold ['drægˌfoʊld] *n. geol.* fałd izoklinalny.

dragger ['drægər] *n. US ryb.* kuter rybacki (*używający sieci włóczonej*).

draggle ['drægl] *v.* **1.** *lit.* włóczyć *l.* wlec po ziemi; zabłocić. **2.** *przen.* wlec się z tyłu.

draggy ['drægɪ] *a.* **-ier, -iest** *pot.* **1.** ociężały, ospały; wlekący się (*np. o poranku*). **2.** nudny.

draghound ['drægˌhaʊnd] *n. myśl.* pies używany do polowania z przynętą.

drag hunt *n. myśl.* polowanie z przynętą.

drag-hunt ['drægˌhʌnt] *v. myśl.* polować z przynętą.

dragline ['drægˌlaɪn] *n.* żuraw linowłókowy.

draglink ['drægˌlɪŋk] *n.* **1.** *mech.* korba bierna (*w mechanizmie dwukorbowym*). **2.** *mot.* drążek kierowniczy wzdłużny.

dragnet ['drægˌnet] *n. ryb.* sieć włóczona, włok, niewód.

dragoman ['drægəmən] *n. pl.* **-s** *l.* **-men** dragoman (= *tłumacz l. przewodnik na Bliskim Wschodzie*).

dragon ['drægən] *n.* **1.** smok. **2.** *pot.* jędza, wiedźma, hetera. **3.** *zool.* smok latający (*Draco volans*). **4.** *astron.* Smok (*gwiazdozbiór*). **5. chase the ~** *sl. zob.* **chase** *v.* 3.

dragonet [ˌdrægə'net] *n.* **1.** smoczek, mały smok. **2.** *icht.* lira (*Callionymus lyra*).

dragonfly ['drægənˌflaɪ] *n. pl.* **-ies** *ent.* ważka (*Odonata*).

dragonhead ['drægənˌhed] *n. bot.* pszczelnik (*Dracocephalum*).

dragon's blood ['drægənz ˌblʌd] *n. U* smocza krew (= *jasnoczerwona żywica uzyskiwana z owoców niektórych palm*).

dragon's teeth *n. pl. hist., wojsk. pot.* zapora czołgowa w kształcie kolców (*używana podczas II wojny światowej*).

dragon tree *n. bot.* dracena właściwa, smocze drzewo (*Dracaena draco*).

dragoon [drə'guːn] *n. hist.* dragon. – *v.* **1.** ~ **sb into (doing) sth** zmusić kogoś do (zrobienia) czegoś. **2.** prześladować (*zwł. przy użyciu wojska*).

drag queen *n. pot.* mężczyzna w kobiecym stroju (*zwł. występujący na scenie*).

drag race *n.* wyścig samochodów *l.* motocykli z silnikami o dużej mocy (*na krótkim odcinku*).

dragrope ['drægˌroʊp] *n.* lina holownicza; lina trałowa.

dragster ['drægstər] *n.* **1.** samochód *l.* motocykl używany w wyścigach typu „drag race". **2.** kierowca pojazdu jw.

dragstrut ['drægˌstʌt] *n. lotn.* rozpórka skrzydłowa.

drain [dreɪn] *v.* **1.** drenować, osuszać; odwadniać. **2.** osuszać się; ociekać. **3.** ~ **(off)** osączać, odcedzać (*warzywa, makaron*); odlewać (*np. wodę z ugotowanego ryżu*). **4.** spływać (*o wodzie z jakiegoś obszaru*). **5.** odprowadzać (*t. wodę, np. do morza*). **6.** *chir.* sączkować, drenować. **7.** ~ **sb/sth of sth** *przen.* pozbawiać kogoś czegoś, wyciągać coś od kogoś/z czegoś. **8.** wyczerpywać, wykańczać. **9.** ~ **(off)** wysączyć; ~ **a glass/bottle**

opróżnić kieliszek/butelkę (= *wypić zawartość do dna*). **10. ~ away** odprowadzać (*np. ciecz rurami*); *t. przen.* topnieć (*o zasobach, bogactwie*); odpływać; **all color/blood ~ed away/from her cheeks/face** *przen.* krew odpłynęła jej z twarzy (*zwł. na skutek szoku, przerażenia*); **~ into** odprowadzać wody do (*większego zbiornika wodnego; o rzece*); **~ off** odprowadzać (*np. ciecz rurami*); **~ out** wyczerpać się; zniknąć, wyparować. – *n.* **1.** rura odprowadzająca; *zwł. Br.* rura ściekowa. **2.** spust, ściek. **3.** studzienka ściekowa. **4.** *t. chir.* dren, sączek. **5.** *el.* dren (*tranzystora*). **6.** *przen.* odpływ (*np. specjalistów z branży*). **7. a ~ on sth** *przen.* ciężar *l.* obciążenie dla czegoś; **it's a great ~ on my resources** to jest dla mnie wielkie obciążenie finansowe. **8. go/be down the ~** *przen. pot.* pójść na marne, zostać wyrzuconym w błoto; **it's six months' work down the ~** sześć miesięcy pracy diabli wzięli.

drainage [ˈdreɪnɪdʒ] *n. U* **1.** odwadnianie, drenaż, drenowanie; odpływ. **2.** system odwadniający *l.* odpływowy. **3.** odprowadzana ciecz; ścieki.

drainage basin *n.* zlewnia, powierzchnia spływu; dorzecze.

drainboard [ˈdreɪnˌbɔːrd] *n. US* ociekacz (*na naczynia*).

drain cock *n.* korek spustowy (*np. w bojlerze*).

drained [dreɪnd] *a.* wycieńczony, wyczerpany; **I feel ~ of energy** opuściła mnie *l.* odpłynęła ze mnie cała energia.

drainer [ˈdreɪnər] *n.* ociekacz.

draining board [ˈdreɪnɪŋ ˌbɔːrd] *n. Br.* = **drainboard.**

drainpipe [ˈdreɪnˌpaɪp] *n. Br.* **1.** rura spustowa *l.* ściekowa. **2.** rynna spustowa.

drainpipe trousers *n. pl.* (*także* **drainpipes**) *Br.* rury (= *spodnie z bardzo wąskimi nogawkami*).

drake[1] [dreɪk] *n.* kaczor; **play ducks and ~s** *zob.* **ducks.**

drake[2] *n.* **1.** (*także* **~ fly**) *ent.* odmiana muszki rybackiej (*z rodzaju jętek*). **2.** *US hist., wojsk.* mała armata z brązu (*używana w XVII i XVIII wieku*).

dram [dræm] *n.* **1.** *zwł. Scot.* łyczek, kieliszeczek (*zwł. whisky*). **2.** drachma (*handlowa jednostka masy = 1/16 uncji l. 1,77 g*); (*także* **drachm**) drachma (*aptekarska jednostka masy = 1/8 uncji l. 3,888 g*).

drama [ˈdrɑːmə] *n.* **1.** *t. przen.* dramat; *U teor. lit.* dramat (*rodzaj literacki*). **2.** *U* dramatyzm (*sytuacji*). **3. make a ~ out of sth** *pot.* robić z czegoś dramat *l.* tragedię.

drama documentary *n.* (*także* **docudrama**) *telew., radio* fabularyzowany dokument.

drama school *n.* (*także* **drama college**) szkoła teatralna.

dramatic [drəˈmætɪk] *a.* **1.** *t. przen.* dramatyczny. **2.** gwałtowny. **3.** radykalny, drastyczny.

dramatically [drəˈmætɪklɪ] *adv.* **1.** dramatycznie. **2.** gwałtownie. **3.** radykalnie, drastycznie.

dramatic irony *n. U teor. lit.* ironia dramatyczna *l.* tragiczna.

dramatic monologue *n. teor. lit.* monolog dramatyczny (*zw. w formie wiersza*).

dramatics [drəˈmætɪks] *n.* **1.** *U* sztuka dramatyczna. **2.** *pl.* występy teatralne (*zwł. amatorskie*). **3.** *pl.* melodramatyczne zachowanie *l.* reakcja.

dramatic tenor *n. U muz.* tenor bohaterski.

dramatis personae [ˌdræmətɪs pərˈsoʊnaɪ] *n. pl. Lat. teatr* osoby dramatu (*t. przen.* = *uczestnicy wydarzeń*).

dramatist [ˈdræmətɪst] *n.* dramaturg, dramatopisa-rz/rka.

dramatization [ˌdræmətəˈzeɪʃən], *Br. i Austr. zw.* **dramatisation** *n. C/U* adaptacja, przeróbka sceniczna.

dramatize [ˈdræməˌtaɪz], *Br. i Austr. zw.* **dramatise** *v.* **1.** zaadaptować (*książkę, opowiadanie; zwł. dla potrzeb teatru l. telewizji*). **2.** *przen.* dramatyzować (= *przesadzać*); udramatyzować (*sytuację, wydarzenie*).

dramaturge [ˈdræməˌtɜːdʒ] *n.* **1.** (*także* **dramaturgist**) dramaturg, dramatopisa-rz/rka. **2.** (*także* **dramaturg**) *gł. teatr* kierownik literacki.

dramaturgic [ˌdræməˈtɜːdʒɪk] *a.* dramaturgiczny.

dramaturgy [ˈdræməˌtɜːdʒɪ] *n. U* dramaturgia, dramatopisarstwo.

drank [dræŋk] *v. pret. zob.* **drink.**

drape [dreɪp] *v.* **1.** drapować, układać w fałdy; upinać (*tkaninę*); przyozdabiać (*udrapowaną tkaniną*); układać się (*o tkaninie*). **2.** owijać (*sth with/in sth* coś czymś) (*sth over/around sth* coś wokół czegoś); **she ~d her arm over the back of the chair** przewiesiła ramię przez oparcie fotela; **with a towel ~d around him** owinięty ręcznikiem. – *n.* **1.** *zw. pl. zwł. US* zasłona (*zwł. z grubej tkaniny*). **2.** *U* sposób, w jaki tkanina się układa.

draperied [ˈdreɪpərɪd] *a.* udrapowany.

drapery [ˈdreɪpərɪ] *n. pl.* **-ies 1.** *C/U* draperia. **2.** *zw. pl. zwł. US* zasłona (*zwł. układająca się w fałdy*). **3.** *U Br.* tkaniny i wyroby pasmanteryjne; *przest.* handel tkaninami i wyrobami pasmanteryjnymi.

drastic [ˈdræstɪk] *a.* drastyczny; radykalny.

drastically [ˈdræstɪklɪ] *adv.* drastycznie; radykalnie.

drat [dræt] *int. przest. pot.* a niech to!.

dratted [ˈdrætɪd] *a. attr. pot.* przeklęty.

draught [dræft] *n. gł. Br. zob.* **draft.** – *v.* = **draft.**

draughtsman [ˈdræftsmən] *n. pl.* **-men 1.** *Br.* = **draftsman** 1. **2.** *Br.* pionek (*w warcabach*).

draughty [ˈdræftɪ] *a.* **-ier, -iest** *gł. Br.* = **drafty.**

Dravidian [drəˈvɪdɪən] *n.* **1.** *U* języki drawidyjskie. **2.** mieszkan-iec/ka drawidyjskiego obszaru językowego. – *a.* drawidyjski.

draw [drɔː] *v.* **drew, drawn 1.** *t. przen.* rysować; kreślić (*t. słowami*); **~ sb sth** (*także* **~ sth for sb**) narysować coś komuś *l.* dla kogoś; **~ sth from memory** narysować coś z pamięci. **2.** *t. przen.* ciągnąć (*wóz, lokomotywę*). **3. ~ (out)** *t. przen.* wyciągać (*sth from sth* coś z czegoś *l.* skądś); **~ a cork/nail** wyciągnąć korek/gwóźdź; **~ a gun/sword** wyciągnąć broń/miecz, dobyć broni/miecza; **~ a tooth** wyrwać *l.* usunąć ząb; **~ an ace** *karty* wyciągnąć asa; **~ a conclusion/moral**

from sth *przen.* wyciągnąć wniosek/morał z czegoś; ~ **sth from sb** (*także* ~ **sth out of sb**) *przen.* wyciągnąć coś od *l.* z kogoś (*zwł. informacje*). **4.** ~ **(out)** rozciągać (*np. drut*). **5.** *t. przen.* przyciągać (*np. klientów*); ~ **crowds** przyciągać tłumy (*o wydarzeniu, imprezie*); ~ **sb's attention to sth** zwrócić czyjąś uwagę na coś; ~ **sb's eye** przyciągnąć czyjąś uwagę; **he felt ~n to her** pociągała go. **6.** losować (*np. numer, zwycięzcę*); ~ **lots** ciągnąć losy. **7.** posuwać się, przemieszczać się (*along/toward/past sth* wzdłuż/w kierunku/obok czegoś); ~ **alongside/level with sb** zrównać się z kimś, dogonić kogoś; ~ **near/close** zbliżać się, nadchodzić (*t. o czasie*); ~ **to an end/a close** dobiegać końca, zbliżać się ku końcowi; ~ **to a halt/stop** zatrzymać się, stanąć (*o pojeździe*). **8.** wciągać (*np. powietrze do płuc*); wdychać; zasysać; ~ **breath** *t. przen.* łapać oddech. **9.** podnosić (*żagiel, most zwodzony*). **10.** *t. przen.* czerpać (*wodę ze studni, dochody, natchnienie*); ~ **comfort from sth** czerpać pociechę z czegoś. **11.** *bank* ~ **(out)** podejmować (*pieniądze z konta*); ~ **a check (on a bank)** wystawić czek (na jakiś bank). **12.** ~ **wages/unemployment benefit** otrzymywać pensję/zasiłek. **13.** ~ **a comparison/distinction/an analogy** przeprowadzić porównanie/rozróżnienie/analogię. **14.** przynosić (*efekty*), dawać (*wyniki*); pociągać za sobą (*następstwa*); wywoływać (*reakcję, podziw*). **15.** *zwł. Br. sport* zremisować (*with sb* z kimś); ~ **a battle** nie rozstrzygnąć bitwy; ~ **a game** zremisować partię. **16.** gromadzić się, zbierać się (*about/around sth* wokół czegoś). **17.** parzyć, zaparzać (*herbatę*); parzyć się, naciągać (*o herbacie*). **18.** spuszczać (*ciecz z naczynia*); odprowadzać (*wodę*). **19.** ściągnąć, sprowadzić (*zło, nieszczęście*). **20.** *bilard* ściągać (*kulę*). **21.** ~ **blood** *t. przen.* zranić kogoś; **they drew blood** polała się krew. **22.** ~ **a bow** naciągać *l.* napinać łuk. **23.** rozsuwać, odsuwać; zasuwać (*firanki, zasłony*); spuszczać (*storę, roletę*); ~ **the curtains** zasłonić *l.* odsłonić zasłony. **24.** sporządzić (*dokument, umowę*); wystawić (*rachunek*). **25.** *zw. pass.* nakłaniać do mówienia (*on sth* na jakiś temat). **26.** patroszyć (*drób*). **27.** *myśl.* przetrząsać, przeczesywać (*zagajnik w poszukiwaniu zwierzyny*); tropić, iść po śladach (*o psie myśliwskim*). **28.** wypędzić, wypłoszyć (*np. borsuka l. lisa z nory*). **29.** *żegl.* mieć zanurzenie (*o statku*). **30.** *żegl.* nabierać wiatru (*o żaglu*); ~ **full** intensywnie nabierać wiatru; ~ **ahead** wyostrzać się. **31.** *hist.* wlec (*skazańca*) za koniem na miejsce egzekucji; ~ **and quarter** rozrywać końmi. **32.** *przen.* ~ **a bead on sb/sth** *gł. US* mierzyć do kogoś/czegoś z pistoletu; ~ **a blank** *pot.* doznać zawodu, nie mieć szczęścia (*w poszukiwaniach, badaniach*); ~ **a line under sth** definitywnie coś zakończyć; ~ **a veil over sth** spuścić na coś zasłonę milczenia; ~ **fire from sb** *gł. Br.* być przez kogoś ostro krytykowanym; ~ **it mild** *pot.* miarkować się; ~ **it strong** *pot.* przesadzać, nie panować nad sobą; ~ **one's pen against sb** zaatakować kogoś piórem; ~ **one's sword against sb** stanąć do walki z kimś; ~ **the line at (doing) sth** stanowczo przeciwstawiać się czemuś; stanowczo odmawiać zrobienia czegoś; **be at daggers ~n** *zob.* **dagger** 3. **33.** ~ **ahead** prowadzić, iść na czele; *sport* awansować, wysuwać się na prowadzenie (*w rozgrywkach*); ~ **apart** odsunąć *l.* oderwać się od siebie, rozdzielić się (*np. o obejmującej się parze*); ~ **aside** rozstąpić się (*o tłumie*); ~ **sb aside** odciągnąć kogoś na bok *l.* na stronę; ~ **at sth** zaciągać się czymś (*zwł. fajką*); ~ **away** oddalić się, odejść; wysunąć się na prowadzenie; ~ **back** cofać się; ~ **back from sth** odsuwać się od czegoś; *przen.* wycofywać się z czegoś (*przedsięwzięcia, umowy*); ~ **sth back** odsuwać coś (*np. zasłony*); ~ **down** ściągnąć, sprowadzić (*nieszczęście, czyjś gniew*); ~ **forth** *form.* wydobywać (*sth from sb* coś z kogoś) (*np. najlepsze cechy*); wywoływać (*np. śmiech, łzy*); ~ **in** wjeżdżać (*na stację*); zjeżdżać na bok (*drogi*); ściągać (*długi, należności*); *przen.* oszczędzać, liczyć każdy grosz; ~ **sb in** przyciągać kogoś; wciągać kogoś (*zwł. w coś, na co nie ma ochoty*); ~ **in one's claws** *przen.* schować pazurki; ~ **in one's horns** *Br. przen.* spuścić z tonu (*zwł. = ograniczyć wydatki*); **the days are ~ing in** ubywa dnia; ~ **sb into sth** wciągać kogoś w coś (*zwł. wbrew jego woli*); ~ **off** ściągać, zdejmować (*zwł. coś ciasnego*); odciągać (*zwł. czyjąś uwagę*); *wojsk.* wycofywać (się); ~ **on** naciągać (*np. rękawiczki*), zakładać (*zwł. coś ciasnego*); nadchodzić, zbliżać się (*np. o porze roku*); ~ **on/upon sth** opierać się na czymś, wykorzystywać coś (*np. dotychczasowe doświadczenie*); ~ **sb on** zachęcać kogoś; wabić kogoś; ~ **on a cigarette/cigar** zaciągać się papierosem/cygarem; ~ **on one's savings** sięgnąć do oszczędności; ~ **out** odjeżdżać, ruszać (*o pociągu*); przeciągać (się), przedłużać (się); wyprowadzić, odkomenderować (*zwł. wojsko*); wyciągać na jaw; naszkicować, zarysować (*np. plan*), sporządzić (*projekt*); ~ **sb out** zachęcać kogoś (*zwł. do rozmowy*); **the days are ~ing out** przybywa dnia; ~ **up** zatrzymać się (*o pojeździe*); ustawiać (*np. w szeregu*); podjechać (*zw. samochodem*); nakreślić, naszkicować, przygotować (*plan, projekt, umowę*); ~ **up a chair** przysunąć (sobie) krzesło; ~ **up one's knees** przyciągnąć kolana do siebie; ~ **o.s. up (to one's full height)** wyprostować się, wyprężyć się (*z determinacją*). — *n.* **1.** pociągnięcie; szarpnięcie. **2.** losowanie; loteria; wylosowany los; **the luck of the** ~ *przen.* kwestia szczęścia. **3.** *zwł. Br. sport* remis; *krykiet* nierozstrzygnięta rozgrywka (*z powodu braku czasu*). **4.** wyciągnięcie broni (*z kabury*); **be quick/fast on the** ~ łatwo chwytać za rewolwer; *przen.* kojarzyć w mig; **beat sb to the** ~ *US przen.* uprzedzić kogoś. **5.** atrakcja, magnes (*dla publiczności*). **6.** platforma (*mostu zwodzonego*). **7.** *gł. US i Can.* niewielki wąwóz. **8.** *U Br. pot.* hasz (= *haszysz*).

drawback [ˈdrɔːˌbæk] *n.* **1.** wada, minus, ujemna strona (*of/to (doing) sth* (robienia) czegoś). **2.** (*także* **duty** ~) zwrot akcyzy *l.* cła wywozowego.

drawbar [ˈdrɔːˌbɑːr] *n.* **1.** dyszel (*wozu, przyczepy*). **2.** *kol.* uchwyt do sprzęgania (*lokomotywy i wozów*). **3.** szlaban, podnoszona barierka.

drawbridge [ˈdrɔːˌbrɪdʒ] *n.* most zwodzony; **lower/raise a** ~ opuścić/podnieść most.

drawee [drɔːˈiː] *n. bank* trasat (*czeku*).

drawer [drɔːr] *n.* **1.** szuflada; **chest of ~s** komoda. **2.** rysowni-k/czka. **3.** *pl. przest.* majtki, reformy; kalesony. **4.** *bank* trasant. **5.** *arch.* barman/ka.

drawing [ˈdrɔːɪŋ] *n.* **1.** rysunek; plan; szkic. **2.** *U* rysowanie, rysunek; kreślenie. **3.** *zwł. US* losowanie.

drawing account *n. US bank* konto debetowe.

drawing block *n.* blok rysunkowy.

drawing board *n.* **1.** deska kreślarska, rysownica. **2.** *przen.* **(be) back to the ~** (być *l.* znaleźć się) z powrotem w punkcie wyjścia; **go back to the ~** zaczynać (wszystko) od początku.

drawing card *n. US i Can.* atrakcja, magnes (*dla publiczności*).

drawing compass, drawing compasses *n.* cyrkiel.

drawing die *n. techn.* **1.** matryca ciągowa. **2.** ciągadło.

drawing frame *n. tk.* rozciągarka (*taśm*).

drawing ink *n. U* tusz kreślarski.

drawing instruments *n. pl.* przybory rysunkowe.

drawing knife *n.* = **drawknife.**

drawing machine *n. techn.* ciągarka.

drawing paper *n. U* papier rysunkowy; papier kreślarski.

drawing pen *n.* grafion.

drawing pin *n. Br.* pinezka.

drawing room *n. przest. l. form.* **1.** salon (*zwł. w dużym domu*). **2.** *Br. arch.* poranna audiencja (*na dworze*).

drawknife [ˈdrɔːˌnaɪf] *n. pl.* **-knives** (*także* **drawing knife**) *techn.* ośnik (*rodzaj noża ciesielskiego*).

drawl [drɔːl] *n. sing.* przeciąganie samogłosek (*charakterystyczne dla mieszkańców południowych Stanów*). – *v.* mówić przeciągając samogłoski.

drawn [drɔːn] *v. pp. zob.* **draw.** – *a.* **1.** ciągniony (*o drucie, rurze, szkle*). **2.** nierozstrzygnięty (*o grze, bitwie*). **3.** wymizerowany (*o twarzy, osobie*).

drawn butter *n. U US* masło topione.

drawn-out [ˌdrɔːnˈaʊt] *a.* przewlekły, ciągnący się.

drawn-thread work [ˌdrɔːnˌθred ˈwɝːk] *n. U* (*także* **drawn work**) mereżka.

drawplate [ˈdrɔːˌpleɪt] *n. metal.* płytka do obijania i wyciągania modelu (*z formy*).

drawstring [ˈdrɔːˌstrɪŋ], **draw string** *n.* sznurek (*do zaciągania, np. kaptura*).

drawtube [ˈdrɔːˌtuːb] *n. opt.* tubus (*o zmiennej długości*).

draw well *n.* studnia (*z której czerpie się wodę wiadrem*).

dray [dreɪ] *n.* **1.** platforma (*do przewożenia ciężkich ładunków, zwł. beczek z piwem*). **2.** *Austr. i NZ* wóz dwukołowy. – *v.* przewozić platformą.

drayage [ˈdreɪɪdʒ] *n. U* opłata za przewóz platformą; przewóz platformą.

drayhorse [ˈdreɪˌhɔːrs] *n.* ciężki koń zaprzęgowy.

drayman [ˈdreɪmən] *n. pl.* **-men** *zwł. Br.* woźnica browarowy; kierowca platformy.

dread [dred] *v.* bać się, lękać się (*czegoś*); **~ doing sth** (*także* **be ~ing doing sth**) bać się coś zrobić; **~ sb doing sth** bać się, że ktoś coś zrobi; **~ (that)...** bać się, że...; **I ~ to think what/how...** boję się myśleć, co/jak..., strach pomyśleć, co/jak... – *n.* **1.** *U* strach; lęk (*of sth* przed czymś); przerażenie; **fill sb with ~** napełniać kogoś przerażeniem; **live in ~ of sth** żyć w strachu przed czymś. **2.** *pot.* osoba nosząca dredy; *pl.* = **dreadlocks.** – *a. attr. lit.* = **dreaded** 1.

dreaded [ˈdredɪd] *a. attr.* **1.** (*także* **dread**) przerażający, budzący grozę *l.* przerażenie. **2.** *często żart.* straszny, okropny.

dreadful [ˈdredfʊl] *a. zwł. Br.* straszny, okropny (*t. emf.* = *bardzo zły, naganny itp.*); potworny; **~ weather** okropna pogoda; **feel ~** czuć się okropnie.

dreadfully [ˈdredfʊlɪ] *adv. zwł. Br.* **1.** strasznie, okropnie. **2.** strasznie (= *bardzo*); **I'm ~ busy at the moment** jestem w tej chwili strasznie zajęta.

dreadlocks [ˈdredlɑːks] *n. pl.* (*także* **dreads**) dredloki, dredy.

dreadnought [ˈdredˌnɔːt], **dreadnaught** *n.* **1.** *wojsk., hist.* pancernik (*z początku XX w., wyposażony w działa o dużym kalibrze*). **2.** *arch.* osoba nieustraszona. **3.** *arch.* płaszcz przeciwdeszczowy.

dream [driːm] *n.* **1.** sen; marzenie senne; **have a bad ~** mieć zły sen; **I had a ~ about her** śniła mi się; **recurring ~** powtarzający się *l.* powracający sen; **seem like a ~** wydawać się snem; **waking ~** sen na jawie. **2.** marzenie; **a ~ come true** spełnienie marzeń; **be beyond one's wildest ~s** przechodzić czyjeś najśmielsze marzenia; **live in a ~ world** żyć marzeniami; **the man/house of sb's ~s** mężczyzna/dom czyichś marzeń. **3. go/run/work like a ~** *przen.* działać jak złoto; **in your ~s!** *pot.* śnij dalej! (= *nigdy!*). – *v. pret., pp.* **dreamed** *l.* **dreamt 1.** śnić; **I ~ed (that)...** śniło mi się, że...; **I often ~ about/of you** często mi się śnisz. **2.** marzyć (*that* że) (*about / of sb / sth* o kimś/czymś); **~ about doing sth** marzyć o tym, żeby coś zrobić. **3.** *przen.* **I must have dreamt it** musiało mi się to przyśnić *l.* przywidzieć; **I wouldn't ~ of doing it** nigdy w życiu bym tego nie zrobił; **who would have dreamt it?** kto by pomyślał?. **4. ~ away** tracić *czas* na marzenia; **~ on!** *pot.* śnij dalej!; **~ sth up** *pot.* wydumać *l.* wymyślić coś (*zwł. dziwnego l. niemądrego*). – *a. attr.* wymarzony, idealny.

dream boat, dreamboat *n. przest. pot.* bajeczny chłopak; bajeczna dziewczyna.

dream book *n.* sennik.

dreamer [ˈdriːmər] *n.* **1.** marzyciel/ka. **2.** osoba śniąca.

dream-hole [ˈdriːmˌhoʊl] *n. Br.* otwór świetlny (*np. w ścianie wieży*).

dreamily [ˈdriːmɪlɪ] *adv.* marzycielsko; z rozmarzeniem.

dreamland [ˈdriːmˌlænd] *n.* kraina marzeń *l.* snów.

dreamless [ˈdriːmləs] *a.* bezsenny.

dreamlike [ˈdriːmlaɪk] *a.* jak sen, nierealny.

dream reader *n.* interpretator/ka snów.

dream team *n. sport* drużyna marzeń.

dream ticket *n. polit. pot.* para idealnych kandydatów (*zwł. na prezydenta i wiceprezydenta*).

dream world *n.* świat marzeń.

dreamy [ˈdriːmɪ] *a.* **-ier, -iest 1.** marzycielski (*o osobie*); rozmarzony (*np. o wzroku*). **2.** kojący (*o muzyce, widoku*). **3.** *pot.* bajeczny.

drear [driːr] *a. lit.* = **dreary**.

drearily [ˈdriːrɪlɪ] *adv.* posępnie, ponuro.

dreariness [ˈdriːrɪnəs] *n. U* posępność, ponurość.

dreary [ˈdriːrɪ] *a.* **-ier, -iest 1.** posępny, ponury. **2.** drętwy (= *nudny*).

dredge[1] [dredʒ] *n.* draga, bagier; pogłębiarka. – *v.* **1.** dragować, bagrować; pogłębiać dno. **2.** ~ **up** wydobywać na powierzchnię (*z dna rzeki*); *przen. pot.* odgrzebywać (*np. dawne urazy*).

dredge[2] *v. kulin.* posypywać lekko (*mąką, cukrem*).

dredger[1] [ˈdredʒər] *n.* **1.** = **dredge**. **2.** statek z pogłębiarką. **3.** robotnik pracujący na dradze.

dredger[2] *n.* puszka z sitkiem (*do posypywania potraw mąką, cukrem itp.*).

dree [driː] *v. Scot. l. arch.* znosić, cierpieć; ~ **one's weird** cierpliwie znosić swój los.

dregs [ˈdregz] *n. pl.* osad; fusy; **drink sth to the** ~ wypić coś do dna; **the** ~ **of society/humanity** *przen.* męty społeczne, najgorsze szumowiny.

drench [drentʃ] *v.* **1.** przemoczyć. **2.** moczyć (*np. skórę przy garbowaniu*). **3.** *wet.* poić lekarstwem. – *n.* **1.** przemoczenie. **2.** *wet.* dawka płynnego lekarstwa.

drenched [drentʃt] *a.* przemoczony, mokry (*in / with sth* od czegoś); ~ **to the skin** przemoczony do suchej nitki; **sun-**~ zalany słońcem.

drencher [ˈdrentʃər] *n.* **1.** ulewa. **2.** *wet.* naczynie do pojenia zwierząt lekarstwami.

drenching [ˈdrentʃɪŋ] *a.* ~ **rainfall** rzęsista ulewa.

Dresden [ˈdrezdən] *n. geogr.* Drezno.

Dresden china *n. U Br.* porcelana miśnieńska.

dress [dres] *n.* **1.** suknia, sukienka. **2.** *U* ubiór, strój; **evening** ~ strój wieczorowy; **fancy** ~ przebranie, kostium (*na bal przebierańców*); **full** ~ strój galowy; **morning** ~ elegancki garnitur (*zw. jasny, noszony na specjalne okazje, np. na ślub*); **national** ~ strój narodowy. – *v.* **1.** ubierać (się); ~ **warmly** ubierać się ciepło; **he ~es very well** on się bardzo dobrze ubiera; **how do you ~ for work?** w co *l.* jak się ubierasz do pracy?; **she usually ~es in black** zwykle ubiera się na czarno; **this three-year-old can ~ himself** ten trzylatek potrafi sam się ubrać. **2.** przebierać się (*zwł. na specjalną okazję*); ~ **as sth** przebrać się za coś; ~ **for dinner** przebrać się do obiadu; włożyć strój wieczorowy; **I need to go home to** ~ muszę iść do domu, żeby się przebrać. **3.** dekorować, ozdabiać (*wystawę sklepową*); przybierać, stroić (*np. dom na święta*); ~ **ship** udekorować okręt (*flagami*). **4.** ~ **a cut** opatrzyć skaleczenie; ~ **a wound** opatrzyć *l.* zabandażować ranę. **5.** *kulin.* czyścić, oprawiać (*drób, ryby, skorupiaki*). **6.** ~ **a salad** *kulin.* przyprawić sałatkę (*sosem*). **7.** *form.* czesać, układać (*włosy*). **8.** szczotkować, czyścić (*konia*). **9.** *ogr.* przycinać (*drzewa, krzewy*). **10.** *techn.* wykańczać powierzchnię (*np. tkaniny*); polerować (*metal*); ~ **leather** wyprawiać skórę; ~ **stone** ciosać kamień. **11.** nawozić (*ziemię*). **12.** ~ **ranks** *wojsk.* równać szeregi. **13.** ~ **down** ubierać się niedbale (= *gorzej niż zwykle l. niż wymagałaby tego okazja*); ~ **sb down** *przen. pot.* zbesztać *l.* objechać kogoś; ~ **up** stroić się; przebierać (się) (*as sth* za coś); ~ **sth up** *przen.* upiększać coś.

dressage [drəˈsɑːʒ] *n. U jeźdz.* ujeżdżanie (*konia wierzchowego*).

dress circle *n. teatr* pierwszy balkon.

dress coat *n.* frak.

dress code *n.* wymagania dotyczące stroju (*np. w eleganckiej restauracji*).

dress-conscious [ˌdresˈkɑːnʃəs] *a.* przywiązujący wagę do stroju, dbający o ubiór.

dress designer *n.* projektant/ka odzieży.

dressed [drest] *a.* ubrany; **get** ~ ubierać się; **well/badly** ~ dobrze/źle ubrany; ~ **to kill** *pot.* wystrzałowo ubrany; ~ **(up) to the nines** *zob.* **nine**; **be ~ up like a dog's dinner** *zob.* **dog** *n.*; **be all ~ up and/with nowhere to go** *przen. pot.* być w pełni gotowym, ale nie móc nic zrobić.

dressed coal *n. U* węgiel wzbogacony.

dressed stone *n. U* kamień ciosany.

dressed timber *n. U* drewno obrobione.

dresser[1] [ˈdresər] **1. fashionable/sloppy** ~ osoba ubierająca się modnie/byle jak. **2.** *teatr* garderobian-y/a. **3.** *Br.* pomocnik chirurga (*asystujący przy operacji*). **4.** *techn.* miękki młotek blacharski. **5.** *górn.* duży kilof.

dresser[2] *n.* **1.** *US* komoda (*z lustrem*); toaletka. **2.** *Br.* kredens (*kuchenny*).

dress guard, dress-guard *n.* ochraniacz ubrania (*np. dla rowerzysty*).

dress improver *n.* turniura.

dressiness [ˈdresɪnəs] *n. U* wytworność; strojność.

dressing [ˈdresɪŋ] *n. C / U* **1.** *kulin.* sos (*zwł. do sałatek*). **2.** *US kulin.* nadzienie (*np. do kurczaka*). **3.** opatrunek. **4.** *tk.* apretura. **5.** nawóz. **6.** *roln.* zaprawianie, bejcowanie (*nasion*). **7.** *roln.* zaprawa, bejca (*do nasion*).

dressing box *n.* (*także* **dressing case**) *Br.* neseser; kosmetyczka.

dressing-down [ˌdresɪŋˈdaʊn] *n. sing. pot.* reprymenda, bura; **give sb a** ~ zbesztać *l.* zwymyślać kogoś.

dressing gown, dressing-gown *n. Br.* szlafrok.

dressing room *n.* **1.** *teatr* garderoba. **2.** szatnia; przebieralnia.

dressing station *n.* punkt opatrunkowy.

dressing table *n. Br.* toaletka.

dress jacket *n. US* marynarka.

dressmaker [ˈdresˌmeɪkər] *n.* krawiec damski; krawcowa.

dressmaking ['dresˌmeɪkɪŋ] *n. U* krawiectwo (*zwł. damskie*).

dress parade *n. wojsk.* defilada w mundurach galowych.

dress preserver *n.* **1.** = **dress shield**. **2.** *hist.* metalowa rama przy stopniu powozu, chroniąca suknię przed zabłoceniem.

dress rehearsal *n. teatr* próba generalna *l.* kostiumowa.

dress sense *n. U* (dobry) gust (*w wyborze stroju, doborze dodatków itp.*).

dress shield *n. gł. hist.* potnik (*wszywany w rękawy w celu zabezpieczenia odzieży przed przepoceniem*).

dress shirt *n.* koszula frakowa.

dress suit *n. US* frak.

dress uniform *n. wojsk.* **1.** mundur galowy. **2.** *U* strój galowy.

dressy ['dresɪ] *a.* **-ier, -iest** elegancki, wytworny; strojny.

drew [druː] *v. pret. zob.* **draw**.

drey [dreɪ] *n.* gniazdo wiewiórki.

dribble ['drɪbl] *v.* **1.** *zwł. Br.* ślinić się. **2.** kapać (*from / out of sth* skądś). **3.** puszczać kroplami. **4.** *koszykówka* kozłować (*piłkę*); *piłka nożna* dryblować; *bilard* lekko uderzyć (*bilę*). – *n.* **1.** strużka (*np. krwi*). **2. a ~ of sth** *t. przen.* kapka *l.* kropelka czegoś. **3.** *U zwł. Br.* ślina (*cieknąca z ust*). **4.** *piłka nożna* dryblowanie; *koszykówka* kozłowanie. **5.** *U Br.* bzdura, nonsens.

dribbler ['drɪblər] *n.* dryblujący piłkarz.

driblet ['drɪblɪt], **dribblet** *n.* **1.** kapka, kropelka. **2.** odrobina.

dribs and drabs [ˌdriːbz ən 'dræbz] *n. pl.* **in ~** pomału; po trochu (*zwł. w nieregularnych ilościach l. odstępach czasu*).

dried [draɪd] *v. pret, pp. zob.* **dry**. – *a.* suszony.

dried fruit *n. U* suszone owoce.

dried milk *n. U* mleko w proszku.

drier[1] ['draɪər] *n.* = **dryer**.

drier[2] *a. comp. zob.* **dry**.

driest ['draɪɪst] *a. sup. zob.* **dry**.

drift [drɪft] *v.* **1.** dryfować (*toward sth* w kierunku czegoś). **2. ~ (away)** znosić (*o prądzie, nurcie*). **3. ~ (in)** nanosić, nawiewać (*śnieg, piasek*); tworzyć zaspy. **4.** zachowywać się biernie, poddawać się biegowi wypadków; **~ into conversation** dać się wciągnąć w rozmowę; **~ into sleep** powoli zapadać w sen; **let things ~** pozostawiać sprawy własnemu biegowi. **5.** poruszać *l.* snuć się bez celu; przenosić się (*zwł. z miejsca na miejsce*). **6.** robić dygresje, odbiegać od tematu. **7.** *techn.* wybijać *l.* powiększać dziurę (*za pomocą przebijaka l. wybijaka*). **8.** *górn.* drążyć (*chodnik, sztolnię*). **9. ~ along** *t. przen.* poruszać się bez celu, dryfować (*t. w życiu*); **~ apart** *t. przen.* oddalać się od siebie; **~ away** odchodzić, odpływać; przenosić się myślami gdzie indziej; **~ away from sth** *przen.* porzucić coś; **~ in** zjawić się, przyjść niepostrzeżenie; **~ off** zasypiać, zapadać w sen; **~ out** rozchodzić się powoli; znosić (*na otwarte morze*); **~ toward sth** *przen.* zmierzać do czegoś, podążać w kierunku czegoś. – *n.* **1.** zaspa (*śnieżna, piaskowa*); hałda. **2.** *żegl.* znoszenie, dryf. **3.** *U* odchylenie, zboczenie (*z kursu*); derywacja (*pocisku*). **4.** *przen.* bieg wypadków. **5.** sens (*of sth* czegoś); tok (*myślenia*); **I follow/get/catch your ~** rozumiem, o co ci chodzi *l.* do czego zmierzasz. **6.** powolna *l.* stopniowa zmiana (*t. językowa*); kierunek zmian; tendencja, dążność. **7.** odpływ; napływ (*ludności*). **8.** *U* niezdecydowanie, bierność. **9.** prąd dryfowy. **10.** zawierucha; zamieć. **11.** przedmioty unoszone przez wodę (*gł. drewno*). **12.** *U geol.* osad (*lodowcowy*), naniesienie; **the D~** osady lodowców dyluwialnych. **13.** *wyścigi samochodowe* kontrolowany poślizg (*przy wchodzeniu w zakręt z dużą prędkością*). **14.** *Br. hist.* spęd bydła (*np. w celu ustalenia własności*). **15.** *ryb.* = **drift net**. **16.** *górn.* przekop; sztolnia; chodnik. **17.** *techn.* przebijak; wybijak. **18.** *S.Afr.* bród.

driftage ['drɪftɪdʒ] *n. U* **1.** znoszenie, dryfowanie. **2.** nanoszenie; *geol.* nanos. **3.** dryfujące przedmioty.

drift anchor *n.* = **drag anchor**.

drift angle *n. żegl.* kąt dryfowania.

drift boat *n. żegl.* lugier (*rybacki*).

drift bolt *n.* wkręt do drewna.

drift current *n.* prąd dryfowy.

drifter ['drɪftər] *n.* **1.** osoba nie mogąca nigdzie zagrzać miejsca; tułacz, włóczęga. **2.** lugier, dryfter (*rybacki l. marynarki wojennej*). **3.** *górn.* górnik drążący chodniki, sztolnie itp. **4.** (*także* **~ drill**) *górn.* wiertarka obrotowo-udarowa. **5.** wiatr powodujący zaspy.

drift ice *n. U* tłuka lodowa, lód dryfujący.

drift indicator, drift meter *n. lotn.* wskaźnik znoszenia.

drift mining *n. U górn.* **1.** drążenie przekopów. **2.** eksploatacja sztolniowa.

drift net *n. ryb.* sieć (*np. na śledzie, unoszona przez fale*).

drift sight *n. lotn.* wskaźnik znoszenia optyczny.

drift-weed ['drɪftˌwiːd] *n. bot.* **1.** gronorost (*Sargassum*). **2.** (*także* **deep-sea tangle**) listownica, laminaria (*Laminaria*).

driftwood ['drɪftˌwʊd], **drift-wood** *n. U* drzewo unoszone przez wodę *l.* wyrzucone na brzeg; spławiane drewno.

drill[1] [drɪl] *n.* **1.** świder; wiertło (*t. dentystyczne*); **hand ~** wiertarka ręczna; **electric ~** wiertarka elektryczna; **pneumatic ~** wiertarka pneumatyczna. **2.** *U wojsk.* musztra. **3.** *szkoln.* ćwiczenie polegające na wielokrotnym powtarzaniu (*zwł. w nauce języka obcego*). **4.** *U* ćwiczenia (*np. na wypadek pożaru, z obrony cywilnej*). – *v.* **1.** świdrować, wiercić; **~ for gas/oil/water** wiercić w poszukiwaniu gazu/ropy/wody; **~ through** przewiercić. **2.** *wojsk.* musztrować. **3. ~ sb in sth** *szkoln.* ćwiczyć kogoś w czymś (*przez wielokrotne powtarzanie*). **4.** odbywać ćwiczenia (*np. na wypadek pożaru*). **5. ~ sth into sb** *przen.* wpajać coś komuś, wbijać coś komuś do głowy.

drill[2] *n. roln.* **1.** siewnik rzędowy. **2.** rowek do siania. **3.** rząd roślin zasianych w rowkach. – *v.* siać w rowkach, drylować.

drill3 *n. U tk.* drelich.

drill4 *n. zool.* dryl (*Mandrillus leucophaeus*).

driller1 ['drɪlər] *n.* **1.** wiertacz. **2.** wiertarka.

driller2 *n.* (*także* **drillmaster**) *wojsk.* specjalist-a/ka od musztry; instruktor/ka musztry.

drilling ['drɪlɪŋ] *n.* wiercenie, odwiert.

drilling platform *n.* platforma wiertnicza.

drilling rig *n.* wiertnica, urządzenie wiertnicze.

drill pipe *n.* rura płuczkowa *l.* wiertnicza.

drill press *n.* wiertarka pionowa.

drill sergeant *n. wojsk.* sierżant odpowiedzialny za musztrę.

drill stem *n.* **1.** przedłużacz wiertła (*do długich otworów*). **2.** żerdź wiertnicza.

drily ['draɪlɪ] *adv.* = **dryly**.

drink [drɪŋk] *v.* **drank, drunk 1.** pić; ~ **deep of sth** *form.* pociągnąć duży łyk czegoś; ~ **of the cup of sorrow** *lit.* wypić kielich goryczy; **fit to** ~ zdatny do picia (*o wodzie*); **would you like sth to ~?** napijesz się czegoś?. **2.** pić (*alkohol*); ~ **and drive** prowadzić w stanie nietrzeźwym; ~ **heavily** (zbyt) dużo pić; ~ **like a fish** *pot.* pić na umór; ~ **o.s. to death** zapić się na śmierć; ~ **o.s. unconscious** upić się do nieprzytomności; ~ **sb under the table** *pot.* spić kogoś; ~ **(to) sb's health** wypić (za) czyjeś zdrowie; ~ **with the flies** *Austr. pot.* pić do lustra; **I don't** ~ nie piję (*alkoholu*); **what are you ~ing?** *pot.* co pijesz? (*do osoby, której chcemy postawić drinka*). **3.** pić, chłonąć (*wodę, wilgoć; np. o roślinach*). **4.** ~ **away** przepić (*np. majątek*); ~ **sth in** wchłaniać coś (*np. wilgoć*); *przen.* chłonąć coś, upajać się czymś (*np. widokiem*); ~ **to sth** wypić za coś; **I'll ~ to that!** *pot.* wypiję za to! (*t. przen.* = *zgoda!*); ~ **up** wypić do dna *l.* duszkiem; ~ **up!** wypij (do końca)!. – *n.* **1.** *C/U* napój; drink; trunek; **(cold/hot)** ~ coś (zimnego/ciepłego) do picia; **cold/hot ~s** napoje zimne/gorące (*w karcie dań*); **go out for a** ~ *Br.* pójść na drinka, wyjść do pubu; **have a** ~ napić się; **soft** ~ napój bezalkoholowy; **stand sb a** ~ postawić komuś drinka; **stiff** ~ mocny trunek; **take to** ~ zacząć pić (= *wpaść w nałóg*). **2.** łyk, haust; **I'd like a ~ of water** poproszę o łyk wody (= *chciałbym napić się wody*). **3. the** ~ *pot.* woda (= *morze, ocean*).

drinkable ['drɪŋkəbl] *a.* **1.** zdatny do picia. **2.** nadający się do picia (= *niezłej jakości; np. o winie*). – *n. zw. pl.* napoje, trunki.

drink-driving [ˌdrɪŋk'draɪvɪŋ] *n. U Br.* = **drunk-driving**.

drinker ['drɪŋkər] *n.* **1.** pija-k/czka; **be a hard/heavy** ~ dużo pić. **2.** *zw. w złoż.* pijący (*of sth* coś). **3. I'm not a coffee/beer** ~ nie pijam kawy/piwa.

drinking ['drɪŋkɪŋ] *n. U* picie.

drinking bout *n.* pijatyka, napad pijaństwa.

drinking chocolate *n. U* czekolada do picia.

drinking fountain *n. Br.* = **water fountain**.

drinking habit *n.* nałóg pijaństwa *l.* picia.

drinking problem *n. US i Austr.* problem alkoholowy.

drinking song *n.* piosenka *l.* pieśń biesiadna.

drinking-up time [ˌdrɪŋkɪŋ'ʌp ˌtaɪm] *n. U Br.* czas na dokończenie drinków (*przed zamknięciem pubu*).

drinking water *n. U* woda pitna.

drink problem *n. Br. i Austr.* = **drinking problem**.

drinks [drɪŋks] *n. pl.* **1.** *zob.* **drink** *n.* **2.** (*także* ~ **party**) *Br.* przyjęcie z drinkami; **invite some friends for** ~ zaprosić przyjaciół na drinka (*do domu*).

drinks cabinet *n.* barek.

drinks machine *n.* automat z napojami.

drip [drɪp] *v.* **-pp- 1.** kapać, skapywać (*from sth* z czegoś); sączyć się, przeciekać (*through sth* przez coś). **2.** ociekać (*o praniu*). **3.** ciec, cieknąć (*o kranie*); **your umbrella is ~ping** z twojego parasola cieknie *l.* kapie woda. **4. be ~ping with blood** ociekać krwią; **be ~ping with gold** *przen.* ociekać złotem; **I was ~ping with sweat** lał się ze mnie pot. – *n.* **1.** *U* kapanie; cieknięcie. **2.** kropla. **3.** (*także* ~ **feed**) *Br. med.* kroplówka; **be on a** ~ dostawać kroplówkę, być odżywianym dożylnie. **4.** *bud.* okap. **5.** *pot.* nudzia-rz/ra; mięczak; nieudacznik.

drip coffee *n. U zwł. US* kawa filtrowana *l.* z ekspresu.

drip-drop ['drɪpˌdrɑːp] *n. U* kapanie (*zwł. uporczywe*).

drip-dry *a.* [ˌdrɪp'draɪ] *attr.* nie wymagający prasowania (*po powieszeniu bez wykręcania*). – *v.* ['drɪpˌdraɪ] ociekać bez wykręcania, o upranej odzieży; wieszać bez wykręcania (*upraną odzież*).

drip feed *n. med.* **1.** kroplówka. **2.** *techn.* zasilanie kroplowe. – *v. med.* **1.** odżywiać dożylnie. **2.** *techn.* zasilać kroplami.

drip-moulding [ˌdrɪp'moʊldɪŋ] *n. mot.* rynna dachowa, listwa ściekowa.

drip pan *n.* = **dripping pan**.

dripping ['drɪpɪŋ] *n. U* **1.** kapanie. **2.** *gł. Br.* tłuszcz z pieczeni. – *a.* **1.** cieknący (*o kranie*). **2.** ociekający wodą; (*także* ~ **wet**) przemoczony do suchej nitki.

dripping pan *n.* (*także* **drip pan**) blacha na ściekający tłuszcz (*w piekarniku*).

drippings ['drɪpɪŋz] *n. pl. US* tłuszcz z pieczeni.

drip-proof ['drɪpˌpruːf] *a. techn.* kroploszczelny.

dripstone ['drɪpˌstoʊn] *n.* **1.** *bud.* gzyms okapnikowy. **2.** *geol.* naciek (= *stalaktyt l. stalagmit*).

drive [draɪv] *v.* **drove, driven 1.** prowadzić (*pojazd*), kierować (*pojazdem*). **2.** jechać *l.* podróżować samochodem; ~ **(at) 60 mph** jechać (z prędkością) 60 mil na godzinę. **3.** wieźć, wozić (*samochodem*); ~ **sb home** odwieźć kogoś do domu; ~ **sb to the airport** zawieźć kogoś na lotnisko. **4.** doprowadzać; popychać, zmuszać (*sb to (do) sth* kogoś do (zrobienia) czegoś); ~ **sb mad/crazy** doprowadzać kogoś do szału *l.* obłędu; ~ **sb to crime/suicide** popchnąć kogoś do zbrodni/samobójstwa; ~ **sb to despair** doprowadzać kogoś do rozpaczy; ~ **sb to drink** wpędzić kogoś w alkoholizm; ~ **sb to resign** zmusić kogoś do rezygnacji. **5.** *często pass. mech.* napędzać (*np. o parze*);

przen. być siłą napędową (*czegoś*). **6.** popędzać, poganiać; zaganiać (*zwł. zwierzęta*). **7.** wbijać (*gwóźdź, pal*) (*into sth* w coś); ~ **sth home** wbić coś do oporu; *przen.* wyjaśnić coś dogłębnie; ~ **sth into sb** *pot.* wbijać coś komuś do głowy. **8.** *sport* posłać (*piłkę*). **9.** wiercić (*np. szyb*); drążyć (*ziemię*). **10.** unosić (*o wodzie, wietrze*). **11.** zapędzić w matnię (*zwierzynę, nieprzyjaciela*); zwabić (*pszczoły do nowego ula*). **12.** przetrząsać, przeczesywać (*obszar, zwł. w poszukiwaniu zwierzyny*). **13.** *przen.* ~ **a hard bargain** *zob.* **bargain** *n.* 1; ~ **a wedge between (sb and sb)** poróżnić *l.* skłócić (kogoś z kimś); ~ **o.s. too hard** pracować zbyt ciężko, przemęczać się; ~ **sb into a corner** zapędzić kogoś w kozi róg; ~ **sb out of their mind** doprowadzać kogoś do szału; ~ **sb round the bend** *zob.* **bend**[1] *n.* 5; ~ **sb up the wall** *pot.* wkurzać kogoś; ~ **the center** *US* trafić w samo sedno. **14.** ~ **at sth** *przen.* zmierzać do czegoś; **what are you driving at?** *pot.* do czego zmierzasz?, co chcesz przez to powiedzieć?; ~ **away** odjechać (*samochodem*); odpędzać, odganiać; ~ **back** zawracać, jechać z powrotem; odwieźć (*zwł. kogoś do domu*); odeprzeć (*wroga*); ~ **in** wjechać; zapędzić, zagonić (*np. bydło do obory*); ~ **off** odjechać; przepędzić (*wroga*), odeprzeć (*atak*); ~ **out** wyjechać (*np. z garażu*); wyprowadzić (*samochód z garażu*); wypędzić (*np. złe duchy*); ~ **through** przejechać (*przez coś*), nie zatrzymując się; ~ **up** jechać dalej; podjeżdżać (*samochodem, wozem*); *przen.* powodować wzrost (*cen, kosztów*). – *n.* **1.** jazda, podróż samochodem; **it's a 2 hours' ~ from Boston** to dwie godziny jazdy z Bostonu; **left/right-hand** ~ lewostronny/prawostronny układ kierowniczy. **2.** przejażdżka; **go for a ~** wybrać się na przejażdżkę. **3.** (*także* **~way**) podjazd. **4.** ulica (*w nazwach*). **5.** *U* tendencja, dążność. **6.** *psych.* popęd, naturalna potrzeba; **sex ~** popęd płciowy. **7.** *U* energia, zapał, werwa; determinacja. **8.** *U mech., mot.* napęd; **direct ~** napęd bezpośredni; **front/rear/four-wheel ~** napęd na przednie/tylne/cztery koła. **9.** akcja, działanie; *US* zbiórka (*pieniędzy*); **economy ~** akcja oszczędzania. **10.** *golf, tenis* silne uderzenie. **11.** spęd (*bydła*). **12.** obława (*na zwierzynę l. nieprzyjaciela*); polowanie. **13.** *U US* presja, pilność (*sprawy*). **14.** *US* grupa ściętych pni płynących w dół rzeki. **15.** *górn.* wyrobisko; przodek chodnikowy. **16.** *komp.* = **disc drive**.

drivebolt ['draɪvˌboult] *n.* wkręt do drewna.

drive-by ['draɪvˌbaɪ] *a. attr.* ~ **shooting/killing** strzelanie/zabójstwo z jadącego samochodu.

drive-in ['draɪvˌɪn] *n. i a. attr. zwł. US* (bar, sklep itp.) obsługujący klientów siedzących w samochodach.

drive-in cinema [ˌdraɪvˌɪn 'sɪnəmə] *n. US* kino dla zmotoryzowanych.

drivel ['drɪvl] *v. Br.* **-ll-** **1.** bredzić (*about sth* o czymś). **2.** ślinić się. – *n. U* **1.** brednie, bzdury. **2.** ślina (*cieknąca z ust*).

driven ['drɪvən] *v. pp. zob.* **drive**. – *a.* **1.** *mech. l. przen.* napędzany (*by sth* czymś); **he was ~ by jealousy** powodowała *l.* kierowała nim zazdrość. **2.** *w złoż.* **chauffeur-~ car** samochód z szoferem *l.* kierowcą; **demand-~** kierowany *l.* sterowany popytem. **3.** bardzo ambitny; mający silną motywację. **4. I am ~ to the conclusion that...** *form.* narzuca mi się wniosek, że... **5. as pure as the ~ snow** *przen. często iron.* czysty jak łza (*w sensie moralnym*).

driver ['draɪvər] *n.* **1.** kierowca (*samochodu, autobusu*); szofer; **back seat ~** *pot. zob.* **back seat**; **be in the ~'s seat** (*także Br.* **be in the driving seat**) *przen.* kontrolować sytuację; **Sunday ~** niedzielny kierowca. **2.** *kol.* maszynista. **3.** *mech.* człon napędzający; koło napędowe; **front/rear ~** rower z napędem na przednie/tylne koło. **4.** młot. **5.** poganiacz (*bydła, niewolników*). **6.** *golf* giętki kij z drewnianą główką (*do odbijania piłki daleko*). **7.** *komp.* program obsługi, sterownik. **8.** *żegl.* bezan (= *żagiel bezanmasztu*).

driver's education *n. U US szkoln.* nauka jazdy (*przedmiot*).

driver's license *n. US* prawo jazdy.

driver's test *n. US* egzamin na prawo jazdy.

drive-screw ['draɪvˌskru:] *n.* nitowkręt.

drive shaft *n.* **1.** wał napędzający. **2.** *mot.* wał napędowy.

drive-through ['draɪvˌθru:] *n. i a. US* (restauracja, bank itp.) obsługujący klientów siedzących w samochodach.

drive train, drive-train *n.* (*także* **drive line**) koło łańcuchowe.

driveway ['draɪvˌweɪ] *n. gł. US* **1.** podjazd. **2.** droga, jezdnia.

drive-wheel ['draɪvˌwi:l] *n.* koło napędowe.

driving ['draɪvɪŋ] *n. U* prowadzenie (*samochodu*), jazda (*samochodem*). – *a. zw. attr.* **1.** zacinający, siekący (*o deszczu, śniegu*). **2.** porywający (*np. o polityku*).

driving axle *n. mech.* oś napędowa; *mot.* oś pędna.

driving force *n. przen.* siła napędowa *l.* napędzająca.

driving licence *n. Br.* prawo jazdy.

driving school *n.* ośrodek szkolenia kierowców.

driving seat *n. Br. zob.* **driver** 1.

driving test *n. Br.* egzamin na prawo jazdy.

driving under the influence *n. U* (*także* **DUI**) *US prawn.* jazda po pijanemu.

driving wheel *n.* koło napędowe.

driving while intoxicated *n. U* (*także* **DWI**) *US prawn.* jazda po pijanemu.

drizzle ['drɪzl] *v.* **1.** mżyć; **it's drizzling** mży. **2.** *kulin.* delikatnie polewać (*np. masłem, sosem*). – *n. U l. sing.* mżawka.

drizzly ['drɪzlɪ] *a.* mżący, drobny (*o deszczu*).

drogue [droʊg] *n. lotn.* cel ćwiczebny holowany (*przez samolot*).

drogue parachute *n.* spadochron hamujący.

droit [drɔɪt] *n.* prawo (*do czegoś; t. moralne*).

droit de seigneur [ˌdrwa: də seɪn 'jɝ:] *n. U hist.* prawo pierwszej nocy.

droll [droʊl] *przest. l. żart. a.* zabawny, ucieszny, pocieszny.

drollery ['droʊlərɪ] *n.* **1.** *U* żarty; błaznowanie, błazenada. **2.** *pl.* **-ies** *rzad.* krotochwila; żart.

drollness ['droʊlnəs] *n. U* **1.** zabawność. **2.** błazeństwo.

drolly ['droʊlɪ] *adv.* zabawnie, pociesznie.

drome [droʊm] *n. Br. pot.* = **aerodrome.**

dromedary ['drɑːməˌderɪ] *n. pl.* **-ies** *zool.* dromader (*Camelus dromedarius*).

dromond ['drɑːmənd], **dromon** ['drɑːmən] *n. hist.* duży średniowieczny statek.

drone[1] [droʊn] *n.* **1.** *ent.* truteń. **2.** *zwł. Br. przen.* próżniak, truteń. **3.** *lotn.* samolot zdalnie sterowany; cel latający zdalnie sterowany.

drone[2] *n.* **1.** bzyczenie, brzęczenie, buczenie (*owadów*); warkot (*samolotu, silnika*); dudnienie (*t. instrumentu muzycznego*). **2.** monotonna mowa. **3.** *muz.* jednostajna nuta *l.* akord. **4.** *muz.* piszczałka basowa dud. **5.** *pot.* nudziarz/ra; pracuś. – *v.* **1.** buczeć; dudnić. **2.** ~ **on** ględzić, przynudzać (*about sth* o czymś).

drone fly *n. ent.* gnojka *l.* gnojkówka trutniowata (*Eristalis tenax*).

drool [druːl] *v.* **1.** ślinić się. **2.** ~ **over sb/sth** *przen. pot.* rozpływać się (z zachwytu) nad kimś/czymś. – *n. U* ślina (*cieknąca z ust*).

droop [druːp] *v.* **1.** opadać, zwisać, zwieszać się; więdnąć. **2.** słabnąć, omdlewać, opadać z sił; upadać na duchu, tracić otuchę. **3.** zwieszać, spuszczać (*głowę, oczy*). **4.** *poet.* zachodzić (*o słońcu*). – *n.* **1.** zwisanie; opadanie. **2. brewer's/drinker's** ~ *pot.* pijacki zwis (*impotencja*).

droopiness ['druːpɪnəs] *n. U* opadanie; zwisanie; pochylenie.

droopy ['druːpɪ] *a.* smutny, przygnębiony, strapiony.

drop [drɑːp] *v.* **-pp- 1.** *t. przen.* upuścić; opuścić; spuścić; ~ **one's eyes/gaze** spuścić oczy/wzrok; ~ **one's trousers** spuścić spodnie (*zwł. w miejscu publicznym*). **2.** upaść; opaść (*np. na fotel*); ~ **anchor** *żegl.* rzucić kotwicę; ~ **dead** *t. przen.* paść trupem; ~ **dead!** *pot.* spadaj!, spływaj!; ~ **to one's knees** paść na kolana; **be ~ping like flies** *pot.* padać jak muchy; **work until one ~s** *pot.* pracować do upadłego. **3.** spadać (*t. o cenach*); ~ **sharply** spaść gwałtownie; **the temperature has ~ed below 60° F** temperatura spadła poniżej 60° Fahrenheita. **4.** opadać (*o terenie, głosie*); ~ **one's voice** (*także* **let one's voice** ~) zniżyć głos. **5.** rzucić (*chłopaka, szkołę, studia*). **6.** zarzucić; zaniechać, zaprzestać (*czegoś*); zrezygnować z (*czegoś*); ~ **everything** rzucić wszystko (*żeby zająć się czymś innym*); ~ **it!** (*także* ~ **the subject!**) daj spokój!, przestań!; **let the matter** ~ zostawić sprawę *l.* temat w spokoju. **7.** opuszczać; *zwł. Br. i Austr.* ~ **one's aitches** nie wymawiać „h" (*co często kojarzone jest z brakiem wykształcenia*); ~ **a stitch** zgubić oczko (*robiąc na drutach*). **8.** *gł. US i Can. pot.* przepuszczać (*pieniądze, zwł. w grach hazardowych*). **9.** kapać, ciec. **10.** wysadzić (*pasażera*); zostawić (*paczkę*). **11.** *US* zwolnić (*z pracy, uczelni*); *sport* wykluczyć, usunąć (*z drużyny*); wyłączyć (*z gry*). **12.** wydać na świat (*o zwierzętach*). **13.** zrzucać (*bomby*) (*on sth* na coś); dokonywać zrzutu (*np. żywności*). **14.** *sl.* łykać (*narkotyki, zwł. LSD*). **15.** *sport* stracić (*punkt*). **16.** *sport* spaść (*w tabeli rozgrywek*). **17.** *krykiet* puścić piłkę (= *nie złapać*). **18.** *rugby* zdobyć bramkę (*przez kopnięcie piłki*). **19.** *przen.* ~ **a bombshell** *pot.* wywołać sensację (= *powiedzieć l. ogłosić coś zaskakującego*); ~ **a brick/clanger** *Br. pot.* palnąć coś głupiego; ~ **a curtsy** *zob.* **curtsy** *n.*; ~ **a/the dime on sb** *zob.* **dime** 2; ~ **a hint** napomknąć (*about sth* o czymś); ~ **astern** *żegl.* pozostawać w tyle, zostać wyprzedzonym (*np. w regatach*); ~ **one's guard** przestać się pilnować, pofolgować sobie; ~ **names** rzucać (znane) nazwiska (= *chwalić się znajomościami*); ~ **sb a line/note** *pot.* skrobnąć do kogoś parę słów; ~ **the ball** *US pot.* popełnić błąd; nie wywiązać się z obowiązku; **(let)** ~ **a remark/suggestion** rzucić uwagę/sugestię (*od niechcenia*). **20.** ~ **away/off** spadać, maleć (*o liczbie, zainteresowaniu*); pogarszać się; ~ **back/behind** zostawać w tyle; ~ **by** *pot.* wpaść, zajrzeć (*z wizytą*); ~ **down** spaść; zrzucić na dół; upuścić; *pot.* wpaść (*z nieoczekiwaną wizytą*); ~ **in** *pot.* wpaść (*on sb* do kogoś); *pot.* przyłączać się stopniowo, napływać pojedynczo; *teatr* opuszczać (*dekoracje*); ~ **sth into sth** wrzucić coś do czegoś; ~ **into a deep sleep** zapaść w głęboki sen; ~ **into a habit** wpaść w nałóg; ~ **off** = **drop away**; odpaść (*np. o guziku*); obniżać się gwałtownie (*o terenie*); *pot.* zasypiać (*mimowolnie*); ~ **sb/sth off somewhere** podrzucić *l.* podwieźć kogoś/coś gdzieś; ~ **out** wypaść; wycofać się (*of sth* z czegoś); odpaść (*np. z rywalizacji*); ~ **out of school/college** rzucić szkołę/studia; ~ **over** *pot.* wpaść (*z wizytą*); ~ **up** *zwł. US pot.* pojawić się niespodziewanie. – *n.* **1.** kropla; odrobina (*of sth* czegoś); ~ **by** ~ po kropelce; **whiskey with a** ~ **of soda** whisky z odrobiną wody sodowej. **2.** drażetka; cukierek; **cough ~s** drażetki na kaszel (*do ssania*); **fruit/peppermint ~s** drażetki owocowe/miętowe. **3.** *t. przen.* spadek (*in sth* czegoś); różnica poziomów; *sport pot.* spadek do niższej ligii; **sudden** ~ **in air pressure** nagły spadek ciśnienia. **4.** zrzut (*np. żywności*). **5.** *lotn.* spadek. **6.** *teatr* = **drop curtain. 7.** (*także* ~ **earring**) kolczyk wiszący. **8.** zapadnia (*pod szubienicą*). **9.** *pot.* kryjówka, tajny schowek. **10.** ruchoma blaszka przykrywająca dziurkę od klucza. **11.** *US i Can.* otwór, przez który wrzuca się listy (*w skrzynce*). **12.** *przen.* **a** ~ **in the bucket** (*także Br.* **a** ~ **in the ocean**) kropla w morzu; **at the** ~ **of a hat** bez wahania *l.* zastanowienia; natychmiast, na zawołanie; przy każdej nadarzającej się okazji; **have the** ~ **on sb** *US i NZ pot.* mieć przewagę nad kimś; **he's had a** ~ **too much** *pot.* odrobinę za dużo wypił; **I haven't touched a** ~ *pot.* nie wypiłem ani kropelki; **take a** ~ *pot.* wypić sobie jednego.

drop cake *n. gł. US* ciastko lane (*na gorący tłuszcz*).

drop capital *n.* (*także* **drop initial**) wielka litera rozciągająca się na więcej niż jedną linijkę.

drop cloth *n.* **1.** *US* tkanina służąca za pokrowiec (*chroniący meble przed kurzem l. podczas remontu*). **2.** = **drop curtain.**

drop curtain *n. teatr* kurtyna opuszczana.

drop-down ['drɑːpˌdaʊn] *a. attr.* opuszczany;

rozkładany (*o łóżku, stole*). – *n.* (*także* **drop-down menu**) *komp.* menu opadające.

drop forging *n. metal.* **1.** *U* kucie matrycowe (*wielowykrojowe*). **2.** odkuwka matrycowa.

drop-glass ['drɑ:pˌglæs] *n.* pipeta; zakraplacz.

drop goal *n.* (*także* **dropped goal**) *rugby* bramka z „kozła".

drop hammer *n.* młot opadowy.

drop initial *n.* = **drop capital**.

drop keel *n. żegl.* miecz (*łodzi żaglowej*).

drop kick *n. rugby* wykop z „kozła".

drop-kick ['drɑ:pˌkɪk] *v.* kopnąć (piłkę) po jej odbiciu się od ziemi.

drop leaf *a.* opuszczany blat (*stołu*).

droplet ['drɑ:plət] *n.* kropelka.

droplet infection *n. pat.* zakażenie kropelkowe.

droplight ['drɑ:pˌlaɪt] *n. zwł. US* lampa opuszczana.

drop-meter ['drɑ:pˌmi:tər] *n.* kroplomierz.

drop-off ['drɑ:pˌɔ:f] *n.* **1.** spadek (*np. sprzedaży*). **2.** *gł. US* strome zbocze; klif.

dropout ['drɑ:pˌaʊt], **drop-out** *n.* **1.** osoba, która nie ukończyła szkoły *l.* studiów. **2.** odszczepieniec.

droppable ['drɑ:pəbl] *a.* dający się opuścić, porzucić itp.

dropper ['drɑ:pər] *n.* zakraplacz.

dropping bottle *n.* butelka z zakraplaczem.

dropping point *n.* miejsce zrzutu.

droppings ['drɑ:pɪŋz] *n. pl.* odchody (*zwierzęce*).

dropping zone *n.* strefa zrzutu.

drop press *n.* młot opadowy.

drop rudder *n. żegl.* ster opuszczany.

drops [drɑ:ps] *n. pl. med.* krople, kropelki; **ear/eye ~** krople do uszu/oczu.

drop scone *n. kulin.* placuszek pieczony na blasze.

drop shipment *n. handl.* **1.** *U* przesyłanie dużej ilości towarów bezpośrednio od producenta do klienta. **2.** przesyłka wysłana jw.

drop shot *n. tenis* piłka ścięta (*spadająca tuż za siatką*).

drop shoulder *n. krawiectwo* opuszczane ramiona.

drop shutter *n. fot.* migawka.

dropsical ['drɑ:psɪkl] *a. pat.* **1.** dotyczący puchliny. **2.** opuchnięty; powiększony.

dropside ['drɑ:psaɪd] *a. attr.* z opuszczanymi bokami (*np. o ciężarówce*). – *n.* opuszczany bok skrzyni ładunkowej.

drop sulfur *n. U* (*także* **drop tin**) siarka granulowana.

dropsy ['drɑ:psɪ] *n. pl.* **-ies** *pat.* **1.** puchlina, obrzęk. **2.** *pot.* łapówka; napiwek.

drop tank *n. lotn.* odrzucany zbiornik paliwa.

drop test *n.* **1.** *techn.* próba spadowa *l.* zrzutowa. **2.** *metal.* próba kafarowa.

drop tin *n. U* = **drop sulfur**.

drop waist *n. krawiectwo* opuszczana talia.

dropwort ['drɑ:pˌwɜ:t] *n. bot.* **1.** (*także* **common/field/mountain ~**) tawuła (*Spiraea filipendula*). **2.** (*także* **water/hemlock ~**) kropidło piszczałkowate (*Oenanthe fistulosa*).

drosera [droʊ'serə] *n. bot.* rosiczka (*Drosera*).

drosky ['drɑ:skɪ], **droshky** *n. pl.* **-ies** *hist.* lekka bryczka; dorożka (*rosyjska*).

drosophila [drə'sɑ:fələ] *n. pl.* **-s** *l.* **-a** *ent.* muszka owocowa, drozofila karłówka (*Drosophila melanogaster*).

dross [drɔ:s] *n. U* **1.** szlaka; odpady żużlowe. **2.** zanieczyszczenia. **3.** odpadki, śmieci.

drossy ['drɔ:sɪ] *a.* **1.** zawierający szlakę. **2.** zanieczyszczony. **3.** odpadkowy.

drought [draʊt] *n. U* **1.** susza; posucha (*t. przen. = brak, zastój*). **2.** *arch.* pragnienie.

droughty ['draʊtɪ] *a.* suchy, wyschnięty, wysuszony.

drouth [draʊθ] *n. U US, dial. l. poet.* = **drought**.

drove[1] [droʊv] *v. pret. zob.* **drive**.

drove[2] *n.* **1.** stado, trzoda (*w ruchu*). **2.** *zw. pl.* tłum, masa (*ludzi*); **come in ~s** *przen.* nadchodzić całymi grupami *l.* tłumnie. **3.** szerokie dłuto (*kamieniarskie*). – *v.* pędzić na targ (*bydło*).

drover ['droʊvər] *n.* **1.** poganiacz bydła. **2.** handlarz bydłem.

droving ['droʊvɪŋ] *n.* spęd bydła.

drown [draʊn] *v.* **1.** *t. przen.* tonąć, topić się (*in sth* w czymś); **~ in sleep** pogrążać się we śnie; **~ in tears** tonąć we łzach; **a ~ing man will clutch at a straw** *przen.* tonący brzytwy się chwyta. **2.** topić, zatapiać; zalewać, pochłaniać (*o wodzie*); **~ sth in sth** zanurzyć coś w czymś; **~ sth with/in sth** polewać coś czymś (*obficie*); **~ one's sorrows** *pot.* topić smutki w kieliszku; **look like a ~ed rat** *pot.* wyglądać jak zmokła kura. **3. ~ (out)** zagłuszać, tłumić.

drowse [draʊz] *v.* **1.** drzemać; być sennym; być ospałym. **2.** usypiać (*= czynić sennym*). **3. ~ away** zapadać w drzemkę; przesypiać (*czas*). – *n.* półsen; drzemka.

drowsily ['draʊzɪlɪ] *adv.* sennie; ospale.

drowsiness ['draʊzɪnəs] *n. U* **1.** senność; ospałość. **2.** apatia, letarg.

drowsy ['draʊzɪ] *a.* **-ier, -iest 1.** rozespany, senny; ospały. **2.** usypiający. **3.** apatyczny.

drub [drʌb] *v.* **-bb- 1.** tłuc, bić; **~ sb to death** zatłuc kogoś na śmierć. **2.** *pot.* pobić (*= zwyciężyć*). **3.** *przen. pot.* **~ sth into sb** wbijać komuś coś do głowy; **~ sth out of sb** wybić coś komuś z głowy.

drubbing ['drʌbɪŋ] *n.* cięgi, lanie; **give sb a ~** *przen. pot.* sprawić komuś lanie, dać komuś cięgi (*= zwyciężyć kogoś*).

drudge [drʌdʒ] *n.* wół roboczy (*o człowieku*). – *v.* harować (jak wół).

drudgery ['drʌdʒərɪ] *n. U* harówka, mordęga.

drug [drʌg] *n.* **1.** lek, lekarstwo; **administer a ~** podawać lek; **prescription/over-the-counter ~** lek na receptę/bez recepty; **prescribe sb a ~** przepisać komuś lek; **take ~s** brać *l.* zażywać leki (*for sth* na coś). **2.** narkotyk; **arrest sb on ~ charges** aresztować kogoś pod zarzutem posiadania narkotyków; **hard/soft ~s** twarde/miękkie narkotyki; **take/use ~s** brać/zażywać narkotyki. **3. be a ~ on the market** *przen.* nie znajdować nabywców, zalegać na rynku (*z powodu zbyt wysokiej podaży*); **be on ~s** być na prochach; **designer ~** *zob.* **designer**; **do ~s** *sl.* ćpać, brać; **miracle ~** *zob.* **miracle**. – *v.* **-gg- 1.** podać środek nasenny *l.* przeciwbólowy (*komuś*); uśpić; odurzyć. **2.** dodać narkotyk do (*czyjegoś jedzenia l. picia*).

drug abuse *n.* *U* **1.** zażywanie narkotyków; narkomania. **2.** nadużywanie leków.

drug addict *n.* **1.** narkoman/ka. **2.** *rzad.* lekoman/ka.

drug addiction *n.* *U* **1.** narkomania, uzależnienie od narkotyków. **2.** *rzad.* lekomania, farmakomania.

drug baron *n.* (*także* **drug lord**) *pot.* baron narkotykowy (= *głowa organizacji handlującej narkotykami*).

drug bust *n.* *pot.* przejęcie narkotyków (*przez policję*).

drug dealer *n.* handlarz narkotykami, dealer.

drug-free [ˌdrʌgˈfriː] *a.* **1.** nie zawierający narkotyków. **2.** nie biorący (narkotyków) (*o osobie*).

drugged [drʌgd] *a.* **1.** odurzony (*with sth* czymś); **be ~ out** *US* być pod wpływem narkotyków. **2.** **~ up to the eyeballs** *zwł.* *Br.* *pot.* nafaszerowany lekami.

drugget [ˈdrʌgɪt] *n.* *C / U* drogiet (*szorstka tkanina chodnikowa l. chodnik z niej*).

druggie [ˈdrʌgɪ], **druggy** *n.* *pl.* **-ies** *pot.* ćpun/ka.

druggist [ˈdrʌgɪst] *n.* *US i Can.* *przest.* aptekarz/rka.

drug lord *n.* = **drug baron**.

drug pusher *n.* handlarz narkotykami.

drug rehab, *Br.* **drug rehabilitation** *n.* *U* terapia odwykowa.

drug runner *n.* kurier (*przewożący narkotyki*).

drugstore [ˈdrʌgˌstɔːr], **drug store** *n.* *US* drogeria (*sprzedająca też leki, napoje i proste posiłki*).

drug trafficking *n.* *U* handel narkotykami.

Druid [ˈdruːɪd], **druid** *n.* **1.** *hist.* druid. **2.** poeta, bard. **3.** urzędnik walijskiego zgromadzenia narodowego.

Druidic [druːˈɪdɪk] *a.* druidyczny.

Druidism [ˈdruːɪˌdɪzəm] *n.* *U* druidyzm.

drum[1] [drʌm] *n.* **1.** *muz.*, *techn.* bęben; bębenek. **2.** *pl.* perkusja. **3.** = **eardrum**. **4.** beczka (*zwł. na ropę, chemikalia*). **5.** *bud.* tambur (= *cylindryczna podstawa kopuły*). **6.** *zool.* rezonator (*np. u małp wyjących*). **7.** *hist.* dobosz. **8.** **the ~ of rain** bębnienie *l.* dudnienie deszczu; **the ~ of hooves** tętent kopyt. **9.** = **drumfish**. **10.** **bang/beat the ~ for sb/sth** *przen.* *pot.* agitować za kimś/czymś. – *v.* **-mm-** **1.** grać na bębnie. **2.** bębnić; **~ at the door/on the piano** bębnić w drzwi/na pianinie; **~ one's fingers** bębnić palcami. **3.** furkotać skrzydłami (*o ptakach*); stukać dziobem (*np. w drzewo*). **4.** **~ sth into sb** wbijać coś komuś do głowy; **~ sb out of sth** wyrzucić kogoś skądś z hukiem (*zwł. z jakiejś organizacji*); **~ up** wydębić (*np. zamówienie*); pozyskać (*poparcie*); wzbudzić (*entuzjazm*).

drum[2] *n.* *geol.* = **drumlin**.

drumbeat [ˈdrʌmˌbiːt] *n.* odgłos bębna.

drum brake *n.* *mot.* hamulec bębnowy.

drumfire [ˈdrʌmˌfaɪr] *n.* *U* *wojsk.* ogień huraganowy.

drumfish [ˈdrʌmˌfɪʃ] *n.* *pl.* *t.* **-es** ryba z rodziny kulbinowatych (*Sciaenidae*).

drumhead [ˈdrʌmˌhed] *n.* **1.** skóra na bębnie, membrana. **2.** *żegl.* bęben (*kabestanu*). **3.** *anat.* błona bębenkowa.

drumhead court-martial *n.* *hist.* sąd wojenny (*wokół odwróconego bębna*).

drum kit *n.* *Br.* = **drum set**.

drumlin [ˈdrʌmlɪn] *n.* (*także* **drum**) *geol.* drumlin (= *grzbiet moreny dennej*).

drum major *n.* tamburmajor.

drum majorette *n.* *gł.* *US* majoretka (= *dziewczyna maszerująca z buławą na czele parady*).

drummer [ˈdrʌmər] *n.* **1.** perkusist-a/ka. **2.** dobosz. **3.** *gł.* *US pot.* komiwojażer/ka.

drum roll, drum-roll *n.* werbel, tusz werbli; bicie w bęben (*w celu obwieszczenia czegoś*).

drums [drʌmz] *n.* *pl.* *zob.* **drum**[1] *n.* 2.

drum set *n.* *US* zestaw instrumentów perkusyjnych (*w zespole muzycznym*).

drumstick [ˈdrʌmˌstɪk] *n.* **1.** pałeczka (*do grania na bębnie l. perkusji*). **2.** *kulin.* nóżka (= *dolna część udka*).

drumstick primrose, drumstick primula *n.* *bot.* pierwiosnek ząbkowany (*Primula denticulata*).

drunk [drʌŋk] *v.* *pp.* *zob.* **drink**. – *a.* *pred.* **1.** pijany; **get ~** upijać się (*on sth* czymś); **~ as a lord/skunk** *pot.* pijany jak szewc; **beastly/blind/dead ~** *pot.* pijany jak bela, zalany w trupa; **(being) ~ and disorderly** *prawn.* zakłócanie porządku publicznego w stanie nietrzeźwym. **2.** **~ with power/freedom** *przen.* upojony władzą/wolnością. – *n.* **1.** pija-k/czka. **2.** *sl.* pijatyka, pijaństwo.

drunkard [ˈdrʌŋkərd] *n.* pija-k/czka.

drunk-driver [ˌdrʌŋkˈdraɪvər] *n.* pijany kierowca.

drunk-driving [ˌdrʌŋkˈdraɪvɪŋ] *n.* *U* *US* jazda po pijanemu.

drunken [ˈdrʌŋkən] *a.* *attr.* **1.** pijany; zapity. **2.** pijacki; **~ brawl** pijacka burda; **~ party/orgy** libacja alkoholowa; **fall into a ~ stupor** zapaść w pijacki sen.

drunkenly [ˈdrʌŋkənlɪ] *adv.* po pijanemu; pijacko.

drunkenness [ˈdrʌŋkənnəs] *n.* *U* **1.** stan upojenia alkoholowego. **2.** pijaństwo. **3.** *przen.* upojenie.

drunk tank *n.* *US pot.* izba wytrzeźwień.

drupaceous [druːˈpeɪʃəs] *a.* *bot.* pestkowy.

drupe [druːp] *n.* *bot.* pestkowiec, owoc pestkowy.

drupelet [ˈdruːplət], **drupel** [ˈdruːpl] *n.* *bot.* pojedynczy owoc w gronie.

druse [druːz] *n.* *geol.* druza, szczotka kryształów.

dry [draɪ] *a.* **drier, driest** **1.** *t. przen.* suchy (*t.* = *bez opadów*); wyschnięty; wysuszony; **~ season** pora sucha; **~ cough** suchy kaszel; **~ skin/hair** sucha skóra/włosy; **(as) ~ as a bone** (*także* **bone-~**) suchy jak pieprz *l.* wiór; **on ~ land** na suchym lądzie; **run/go ~** wyschnąć (*o rzece, jeziorze, studni*); **rub/wipe sth ~** wytrzeć coś do sucha; **sb's mouth is ~** ktoś ma sucho w ustach. **2.** *pot.* spragniony (*o osobie*); wywołujący pragnienie (*o pracy*). **3.** ironiczny, sarkastyczny (*o dowcipie, poczuciu humoru*). **4.** wytrawny (*o winie, sher-*

ry). **5.** *pot.* suchy, nudny (*o przemówieniu, lekturze*); **(as) ~ as dust** nudny jak flaki z olejem. **6.** beznamiętny, pozbawiony emocji (*o głosie*). **7.** przestrzegający prohibicji (*o mieście, stanie*); **go ~** *pot.* wprowadzić prohibicję. **8.** nie dający mleka (*o krowie*). **9.** *zw. pred.* trzeźwy; wolny od nałogu. – *v.* **-ied, -ying 1.** suszyć się; schnąć; wysychać. **2.** suszyć; osuszać (*ziemię*). **3.** wycierać (*ręce, naczynia*); ocierać (*łzy*). **4. ~ off** wysuszyć (się); **~ out** wysuszyć (się); wyschnąć (*np. o jedzeniu*); *przen.* przestać pić, przejść kurację odwykową; **~ up** wyschnąć (*np. o zbiorniku wodnym*); *Br.* wycierać (*naczynia*); *przen.* skończyć się, wyczerpać się (*o zapasach, natchnieniu*); przestać mówić, zamilknąć (*zwł. zgubiwszy wątek*); **~ up!** *pot.* zamknij się!. – *n. pl.* **drys** *l.* **dries** *pot.* **1. in the ~** w suchym miejscu, tam, gdzie jest sucho. **2.** wytrawne wino. **3.** *US* zwolenni-k/czka prohibicji. **4.** *Br. przest. polit.* twardy torys. **5. the ~** *Austr.* pora sucha.

dryad [ˈdraɪəd] *n. mit.* driada.

dryas [ˈdraɪəs] *n. bot.* dębik (*Dryas*).

dryasdust [ˈdraɪəzˌdʌst] *n. i a. attr. przest.* (ktoś) nudny jak flaki z olejem.

dry battery *n. el.* sucha bateria.

dry cell *n. el.* suche ogniwo.

dry-clean [ˌdraɪˈkli:n] *v.* czyścić chemicznie.

dry-cleanable [ˌdraɪˈkli:nəbl] *a.* nadający się do czyszczenia chemicznego.

dry cleaner's *n. pl.* **dry cleaner's** pralnia chemiczna.

dry-cleaning [ˌdraɪˈkli:nɪŋ] *n. U* czyszczenie chemiczne.

dry cooper, dry-cooper *n.* bednarz wyrabiający beczki na towary sypkie.

dry distillation *n. U* sucha destylacja.

dry dock *n. żegl.* suchy dok.

dry-dock [ˈdraɪˌdɑ:k] *v.* wprowadzać (*statek*) do suchego doku; wpływać do suchego doku.

dryer [ˈdraɪər], **drier** *n.* **1.** suszarka; **hair~** suszarka do włosów; **spin/tumble-~** *zwł. Br.* suszarka do bielizny. **2.** *chem.* sykatywa, suszka.

dry-eyed [ˌdraɪˈaɪd] *a.* bez łez.

dry-farming [ˌdraɪˈfɑ:rmɪŋ] *n. U gł. US* uprawa roli w rejonie prawie zupełnie pozbawionym opadów (*bez nawadniania, z zastosowaniem roślin odpornych na suszę*).

dry-fly [ˈdraɪˌflaɪ] *v.* **-ied, -ying** *ryb.* łowić na muszkę unoszącą się na wodzie.

dry-foot [ˈdraɪˌfʊt] *adv.* suchą nogą, bez zamaczania nóg.

dry-fry [ˈdraɪˌfraɪ] *v. kulin.* smażyć bez oleju.

dry fuck *US wulg. sl. n.* pieprzenie *l.* rżnięcie na sucho. – *v.* pieprzyć *l.* rżnąć (się) na sucho.

dry goods *n. pl. gł. US* **1.** pasmanteria. **2.** towary sypkie.

dry hole *n. przemysł naftowy* odwiert suchy (*nieproduktywny*).

dry ice *n. U chem.* suchy lód.

dry kiln *n. techn.* suszarnia wysokotemperaturowa, piec suszarniczy.

dry law *n. US* prohibicja.

dry lease *n.* wynajęcie samolotu bez załogi.

dryly [ˈdraɪlɪ], **drily** *adv.* **1.** sucho. **2.** oschle, bez emocji. **3.** jałowo; nudnie.

dry martini *n. C/U* wytrawne martini.

dry measure *n.* system miar objętości ciał sypkich; jednostka miary objętości ciał sypkich.

dry milk *n. U US* mleko w proszku.

dryness [ˈdraɪnəs] *n. U* **1.** suchość. **2.** jałowość; nuda. **3.** brak emocji; powściągliwość.

dry-nurse [ˈdraɪˌnɜ:s] *n.* niańka. – *v.* karmić butelką (*niemowlę*).

dry-point [ˈdraɪˌpɔɪnt] *n.* sucha igła (*miedziorytnicza*). – *v.* ryć suchą igłą.

dry rot *n.* **1.** *U* mursz; butwienie. **2.** *bot.* stroczek domowy *l.* łzawy (*Serpula lacrymans*).

dry run *n. pot.* próba.

dry shampoo *n. U* szampon suchy (*w proszku*).

dry shave *n.* golenie na sucho (*golarką elektryczną*).

dry-shod [ˈdraɪˌʃɑ:d] *adv. lit.* suchą stopą, nie zamoczywszy nóg.

dry slope *n.* sztuczny stok narciarski.

dry-stone [ˈdraɪˌstoʊn] *a. attr.* (zbudowany) bez zaprawy murarskiej.

DSc [ˌdi: ˌes ˈsi:] *abbr. uniw.* = **Doctor of Science**.

DST [ˌdi: ˌes ˈti:], **D.S.T.** *abbr.* = **daylight saving time**.

DT [ˌdi: ˈti:] *abbr.* **1.** (*także* **DTs**) = **delirium tremens**. **2.** *komp.* = **data transmission**.

DTh [ˌdi: ˈti:h], **DTheol** *abbr. uniw.* = **Doctor of Theology**.

DTP [ˌdi: ˌti: ˈpi:] *abbr.* = **desktop publishing**.

duad [ˈdu:æd] *n. rzad.* = **dyad** 1.

dual [ˈdu:əl] *a. attr.* **1.** podwójny. **2.** dwoisty. **3.** dwudzielny. – *n. gram.* liczba podwójna, dualis.

dual carriageway *n. Br.* droga dwupasmowa.

dual citizenship *n.* = **dual nationality**.

dual controls *n. pl. lotn.* dwuster.

dualism [ˈdu:əˌlɪzəm] *n. U* **1.** dwoistość. **2.** *fil., teol.* dualizm.

dualist [ˈdu:əlɪst] *n. fil., teol.* dualist-a/ka.

dualistic [ˌdu:əˈlɪstɪk] *a.* **1.** dualistyczny; dwoisty. **2.** podwójny.

duality [du:ˈælətɪ] *n. U form.* dwoistość; podwójność.

dual nationality *n. U* (*także* **dual citizenship**) podwójne obywatelstwo.

dual personality *n. psychiatria* rozdwojenie osobowości.

dual-purpose [ˌdu:əlˈpɜ:pəs] *a.* dwufunkcyjny.

dub¹ [dʌb] *v.* **-bb- 1.** *zw. pass.* przezwać; nadać przydomek (*komuś l. czemuś*); **he was ~bed "Fatso"** przezywali go „Grubas". **2.** *lit.* pasować; nadać tytuł (*komuś*); **~ sb a knight** pasować kogoś na rycerza. **3.** *garbarstwo* natłuszczać (*skórę*). **4.** *ryb.* przyrządzać (*sztuczną muszkę*).

dub² *US i Can. v.* **1.** wtykać. **2.** uderzać; szturchać. **3.** bić w bęben. **4.** *golf* musieć powtórzyć (*uderzenie, rzut*). – *n.* **1.** uderzenie. **2.** odgłos bębna. **3.** *pot.* patałach.

dub³ *v.* **-bb- 1.** *kino, telew.* dubbingować (*film, program*); **~ (in)** podkładać (*dialogi, muzykę*);

~**bed into Polish** z polską wersją dźwiękową (*o filmie*). **2.** *zwł. Br.* miksować (*muzykę*). – *n.* wstawka (*w pasmo dźwiękowe*).

dub[4] *n. gł. Scot.* bajoro, kałuża.

dubbin [ˈdʌbɪn], **dubbing** *n. U Br.* tłuszcz garbarski (*do impregnacji skóry*).

dubiety [du:ˈbaɪətɪ] *n. form.* **1.** *U* wątpliwość. **2.** *pl.* **-ies** wątpliwa rzecz *l.* sprawa.

dubious [ˈdu:bɪəs] *a.* **1.** wątpliwy; niepewny, problematyczny; **be ~ about sth** mieć wątpliwości co do czegoś; **highly ~** wysoce wątpliwy. **2.** podejrzany (*o towarzystwie, zyskach, charakterze*).

dubiously [ˈdu:bɪəslɪ] *adv.* **1.** wątpliwie. **2.** z powątpiewaniem. **3.** podejrzanie.

dubiousness [ˈdu:bɪəsnəs] *n. U* **1.** wątpliwy *l.* niepewny charakter; problematyczność. **2.** powątpiewanie.

dubitable [ˈdu:bətəbl] *a. rzad.* wątpliwy.

dubitation [ˌdu:bəˈteɪʃən] *n. rzad.* = **doubt** *n.*

ducal [ˈdu:kl] *a. zw. attr.* książęcy.

ducat [ˈdʌkət] *n.* **1.** *hist.* dukat. **2.** *pl. przest. pot.* forsa.

duchess [ˈdʌtʃɪs] *n.* **1.** księżna. **2.** *Br. pot.* księżniczka (*pieszczotliwa forma zwracania się do kogoś*).

duchy [ˈdʌtʃɪ] *n. pl.* **-ies** księstwo.

duck[1] [dʌk] *n.* **1.** *orn.* kaczka (*Anas domestica; t. = samica kaczki w odróżnieniu od kaczora*); **wild ~** dzika kaczka (*Anas boscas*). **2.** *U kulin.* mięso kacze, kaczka; **duck à l'orange** (*także* **~ in orange sauce**) kaczka w sosie pomarańczowym. **3.** (*także* **~s, ~y, ~ie**) *Br. przest. pot.* skarbie, złotko. **4.** *pot.* dziwak (*zwł. sympatyczny*). **5.** *krykiet* zerowy wynik wybijającego. **6.** *przen.* **be like water off a ~'s back** *pot.* spływać jak (woda) po kaczce; **break one's ~** *pot.* przełamać złą passę, odnieść pierwsze zwycięstwo; **dead ~** *zob.* **dead; like a ~ in a thunder(storm)** *pot.* jak ogłupiały; **lame ~** *zob.* **lame; sitting ~** *zob.* **sitting; take to sth like a ~ to water** *pot.* ciągnąć do czegoś jak ryba do wody (= *mieć naturalny talent do czegoś; odnajdywać się w czymś*).

duck[2] *v.* **1.** **~ (down)** uskoczyć, uchylić się; dać nura (*into / behind sth* w/za coś); **~ one's head** schylić głowę, schylić się (*np. żeby nie uderzyć się o framugę*). **2.** podtapiać (*kogoś dla żartu*); **~ (one's head) under/in water** zanurzać głowę pod/w wodę. **3.** *pot.* uchylać się od, starać się uniknąć (*czegoś*). **4.** **~ out of (doing) sth** *pot.* wymigać się od (zrobienia) czegoś.

duck[3] *n.* **1.** *U* cienkie płótno żaglowe. **2.** *pl.* spodnie z płótna jw. (*zwł. marynarskie*).

duck[4] *n.* (*także* **DUKW**) *hist., wojsk.* amfibia desantowa (*używana podczas II wojny światowej*).

duck-billed platypus [ˌdʌkˌbɪld ˈplætɪpəs] *n. zool.* dziobak (*Ornithorhynchus anatinus*).

duckboard [ˈdʌkˌbɔ:rd], **duckboards** *n.* wąska kładka z desek (*w rowie strzeleckim l. przez błoto*).

duck dive, duck-dive *v.* skakać na główkę. – *n.* skok na główkę.

duck-egg blue [ˌdʌkˌeg ˈblu:] *a. i n. U* blady (kolor) zielonkawoniebieski.

ducker [ˈdʌkər] *n.* **1.** hodowca kaczek. **2.** myśliwy polujący na kaczki. **3.** *Br. orn.* perkoz (*Podiceps*). **4.** *Br. orn.* pluszcz wodny (*Cinclus aquaticus*).

duck hawk *n. orn.* **1.** błotniak stawowy (*Circus aeruginosus*). **2.** *US orn. przest.* sokół wędrowny (*Falco peregrinus*).

duckie [ˈdʌkɪ] *n.* = **duck**[1] *n.* 3.

ducking stool *n. hist.* krzesło do zanurzania (*skazanych*) w wodzie.

duckling [ˈdʌklɪŋ] *n.* kaczątko, kaczuszka; **ugly ~** *przen.* brzydkie kaczątko.

duckpin [ˈdʌkˌpɪn] *n.* kręgiel mały (*używany w kręglach amerykańskich*).

ducks [dʌks] *n.* **1.** *pl. zob.* **duck**[1]; **fine day for ~** (*także* **~'s weather**) *iron.* pogoda pod psem; **get/have (all) one's ~ in a row** *US przen.* poukładać *l.* poustawiać (sobie) wszystko po kolei; **play ~ and drakes** puszczać kaczki (*na wodzie*); **play ~ and drakes (with sb/sth)** *Br. przen.* beztrosko sobie poczynać (z kimś/czymś). **2.** *sing.* = **duck**[1] *n.* 3.

duck's ass, *Br.* **duck's arse** *n.* (*także* **DA**) *pot.* fryzura męska w „kaczy kuper" (*popularna w latach 50.*).

duck soup *n. U US pot.* łatwizna, pestka, pryszcz.

duck tail *n. US* = **duck's ass.**

duckwalk [ˈdʌkˌwɔ:k] *n.* kaczy chód.

duckweed [ˈdʌkˌwi:d] *n. U bot.* rzęsa (*Lemna*).

ducky [ˈdʌkɪ] *przest. pot. n. pl.* **-ies** *Br.* = **duck**[1] *n.* 3. – *a.* **-ier, -iest** *US* rozkoszny, uroczy.

duct [dʌkt] *n. t. anat.* przewód, kanał; rurka; **bile/hepatic ~** przewód żółciowy/wątrobowy; **guttural ~** trąbka słuchowa *l.* Eustachiusza.

ductal [ˈdʌktl] *a.* przewodowy.

ductile [ˈdʌktl] *a.* **1.** kowalny; elastyczny, giętki. **2.** ciągliwy (*o glinie, metalu*). **3.** *t. przen.* plastyczny; dający się urobić. **4.** potulny, uległy.

ductility [dʌkˈtɪlətɪ] *n. U* **1.** kowalność, elastyczność, giętkość. **2.** ciągliwość. **3.** *t. przen.* plastyczność. **4.** uległość, potulność.

ductless [ˈdʌktləs] *a. anat.* bezprzewodowy.

ductless gland *n. anat.* gruczoł dokrewny *l.* wydzielania wewnętrznego.

duct tape *n. U* srebrna taśma izolacyjna (*samoprzylepna*).

ductule [ˈdʌktu:l] *n. anat.* przewodzik, kanalik.

ductwork [ˈdʌktˌwɝ:k] *n. U techn.* system *l.* sieć przewodów.

dud [dʌd] *n. pot.* **1.** safanduła, niedołęga. **2.** niewypał (*pocisk*). **3.** bubel. **4.** podróbka (*banknot l. moneta*). **5.** *pl. zob.* **duds**. – *a. Br.* **1.** bezużyteczny, do niczego; nie działający. **2.** fałszywy, podrobiony.

dud cheque *n. Br.* czek bez pokrycia.

dude [du:d] *n. zwł. US i Can. sl.* **1.** facet, gość. **2.** elegancik, dandys. **3.** *przest.* mieszczuch (*zwł. spędzający wakacje w zachodnich, rolniczych stanach USA*).

dude ranch *n.* ranczo dla turystów (*w zach. stanach USA*).

dudgeon [ˈdʌdʒən] *n. U arch.* uraza, obraza; **in high ~** *form.* wielce obrażony *l.* urażony.

dudman ['dʌdmən] *n. Br. dial.* strach na wróble.

duds [dʌdz] *n. pl. sl.* **1.** szmaty, ciuchy. **2.** *US* manatki.

due [du:] *a.* **1.** planowy; planowany; oczekiwany, spodziewany; **be ~ for promotion/a raise** spodziewać się *l.* oczekiwać awansu/podwyżki; **be ~ to do sth** mieć coś zrobić; **the train/flight is ~ at 3:10** pociąg przyjeżdża/samolot przylatuje o trzeciej dziesięć; **when is the baby ~?** kiedy dziecko ma się urodzić?; **you were ~ back an hour ago** miałeś być z powrotem godzinę temu. **2.** *pred.* płatny; należny; **be/become/fall ~** być płatnym; **be ~ (to) sb (by sb)** należeć się komuś (od kogoś) (*zwł. o określonej sumie stanowiącej zapłatę*); **sb is ~ sth** coś należy się komuś (*o zapłacie, zwrocie pieniędzy itp.*). **3.** należyty; należny (*to sb / sth* komuś/czemuś); **I am ~ two weeks holiday** należą mi się dwa tygodnie wakacji; **treat sb with ~ respect** traktować kogoś z należnym (mu) szacunkiem; **with all ~ respect, ...** z całym szacunkiem... **4.** *attr. form.* właściwy, odpowiedni, należyty; **~ diligence** *prawn.* należyta staranność; **drive without ~ care and attention** *Br. i Austr. prawn.* jechać nie zachowując należytej ostrożności; **in ~ course/time** we właściwym *l.* w swoim czasie; **take ~ steps** podjąć odpowiednie kroki. **5. ~ to sth** z powodu czegoś, z uwagi na coś; **~ to sickness** z powodu choroby; **be ~ to sth** być spowodowanym czymś. – *adv.* dokładnie (*przed nazwami stron świata*); **~ west/north** dokładnie na zachód/północ. – *n.* **1. give sb their ~** oddawać komuś sprawiedliwość. **2.** *pl.* należności; składki (*członkowskie*); opłaty (*portowe*); **pay one's ~s** opłacać składki; *US przen.* zapracować sobie na sukces *l.* uznanie.

due bill *n. fin.* weksel płatny (tylko) wierzycielowi.

due date *n. fin.* data płatności.

duel ['du:əl] *n. t. przen.* pojedynek; **challenge sb to a ~** wyzwać kogoś na pojedynek; **fight a ~** stoczyć pojedynek (*over sb / sth* o kogoś/coś). – *v. Br.* **-ll-** pojedynkować się (*with sb* z kimś).

dueler ['du:ələr], *Br.* **dueller** *n.* osoba pojedynkująca się.

duelist ['du:əlɪst], *Br.* **duellist** *n.* = **dueler**.

duenna [du:'enə] *n. hist.* przyzwoitka, opiekunka (*młodej kobiety; zwł. w Hiszpanii i Portugalii*).

due process of law *n. U US prawn.* właściwy *l.* uczciwy proces sądowy.

duet [du:'et] *n. muz. l. przen.* duet (*utwór l. wykonanie*).

duff[1] [dʌf] *n. U* ściółka leśna. – *a.* **1.** *Br. pot.* do niczego, do kitu. **2.** niewłaściwy; fałszywy (*np. o nucie*).

duff[2] *v. pot.* **1.** *Br.* preparować (*towar przez nadanie mu pozorów świeżości*). **2.** *Br. golf* spudłować. **3.** *Austr.* kraść (*zwł. bydło*). **4. ~ sb up/in** *Br. sl.* pobić kogoś (*z intencją wyrządzenia trwałej krzywdy l. zastraszenia*).

duff[3] *n. US pot.* tyłek; **get off your ~!** rusz tyłkiem!.

duff[4] *n.* **up the ~** *Br. sl.* z brzuchem (= *w ciąży*).

duffel ['dʌfl], **duffle** *n.* **1.** *U tk.* grube sukno z gęstym włosem. **2.** *U US i Can.* ekwipunek (*obozowicza, turysty pieszego*). **3.** = **duffel bag**. **4.** = **duffel coat**.

duffel bag *n.* worek marynarski.

duffel coat *n. zwł. Br.* budrysówka.

duffer ['dʌfər] *n.* **1.** *przest. pot.* beztalencie; patałach; matoł. **2.** *przest. pot.* chłam, badziewie. **3.** *dial. arch.* domokrążca; handlarz (*zwł. sprzedający tandetę*). **4.** *Austr. sl.* złodziej bydła. **5.** *Austr. sl.* nierentowna kopalnia.

dug[1] [dʌg] *n.* **1.** wymię (*np. krowie*). **2.** *lit.* pierś (*stara, obwisła, budząca niesmak*).

dug[2] *v. pret, pp. zob.* **dig**.

dugong ['du:gɑ:ŋ] *n. t.* **-s** *zool.* diugoń (*Dugong dugong*); piersiopławka indyjska (*Halicore dugong*).

dugout ['dʌgˌaʊt] *n.* **1.** *wojsk.* ziemianka (*zwł. w okopach*); podziemny schron przeciwatomowy. **2.** *piłka nożna* ławka trenerska *l.* rezerwowych (*obniżona w stosunku do boiska*). **3.** (*także* **~ canoe**) czółno drążone w pniu. **4.** *sl.* reaktywowany oficer, urzędnik administracji państwowej itp.

duh [dʌ] *int. US pot.* ba.

DUI [ˌdi: ˌju: 'aɪ] *abbr. US* = **driving under the influence**.

duiker ['daɪkər] *n. t.* **-s** **1.** *zool.* dujker (*Cephalophus; mała antylopa afrykańska*). **2.** *S.Afr. orn.* kormoran czarny (*Phalacrocorax carbo*).

du jour [də 'ʒʊr] *a. tylko po n.* (*zw. w karcie dań*) **soup ~** zupa dnia.

duke [du:k] *n.* **1.** książę (*udzielny l. nie należący do rodziny królewskiej*); **Grand D~** Wielki Książę; **royal ~** książę będący członkiem rodziny królewskiej. **2.** *zw. pl. przest. pot.* pięści, piąchy; **put up one's ~s** *gł. US* zaciskać pięści (*szykując się do walki*).

dukedom ['du:kdəm] *n.* **1.** księstwo. **2.** tytuł książęcy.

dulcet ['dʌlsɪt] *a. lit.* słodki, kojący (*zwł. o dźwiękach*); **sb's ~ tones** *żart.* czyjś dźwięczny głosik.

dulcify ['dʌlsəˌfaɪ] *v.* **-ies, -ied** **1.** *lit.* czynić przyjemnym (*dla zmysłów*). **2.** *rzad.* osładzać.

dulcimer ['dʌlsəmər] *n. muz.* cymbały.

dull [dʌl] *a.* **1.** nudny; **(as) ~ as ditchwater** *zwł. Br. pot.* nudny jak flaki z olejem; **deadly/terribly ~** śmiertelnie/strasznie nudny; **never a ~ moment** *często żart.* nie ma czasu, żeby się nudzić (= *nie narzekam na brak zajęć*). **2.** tępy (*t. przest. o osobie*); przytępiony (*o wzroku, słuchu*); **~ knife/blade** *zwł. US* tępy nóż/ostrze; **~ pain/ache** tępy ból. **3.** głuchy, przytłumiony (*o dźwięku*). **4.** ospały, apatyczny. **5.** będący w zastoju (*o handlu*). **6.** pochmurny (*o pogodzie, dniu*). **7.** ciemny, stonowany (*o kolorze*). **8.** słaby, niewyraźny, przyćmiony (*o świetle, blasku*). – *v.* przytępić (*zwł. ból*).

dullard ['dʌlərd] *n. przest. pog.* tępak, tuman.

dullness ['dʌlnəs] *n.* **1.** nuda. **2.** tępota. **3.** otępienie; apatia, ospałość.

dullsville ['dʌlzvɪl] *n. sl.* **1.** nuda, nudy (= *nudna rzecz, miejsce l. zajęcie*). **2.** *U* znudzenie.

dull-witted [ˌdʌl'wɪtɪd] *a.* tępy, ciemny (*o osobie*).

dully ['dʌlɪ] *adv.* **1.** nudno. **2.** tępo. **3.** słabo, niewyraźnie.

dulse [dʌls] *n. pl.* **-s** *l.* **dulse** *bot.* jadalny glon morski (*Rhodymenia palmata*).

duly ['du:lɪ] *adv.* **1.** należycie, jak należy; właściwie. **2.** zgodnie z planem, planowo; punktualnie.

duma ['du:mə], **douma** *n. polit.* Duma (= *parlament rosyjski*).

dumb [dʌm] *a.* **1.** *t. przen.* niemy; oniemiały (*np. ze zdziwienia*); ~ **animals/beasts** nieme stworzenia (= *zwierzęta, zwł. z punktu widzenia krzywd doznawanych od człowieka*); **be struck** ~ oniemieć, zaniemówić; **deaf and** ~ głuchoniemy. **2.** *zwł. US pot.* głupi; **play** ~ udawać głupiego, zgrywać głupa. – *v. lit.* odbierać mowę (*komuś*).

dumb-ass ['dʌmˌæs] *a. attr. US pot.* głupi, kretyński.

dumb barge *n. żegl.* szalanda (= *barka bez napędu*).

dumbbell ['dʌmˌbel] *n.* **1.** *sport* hantla. **2.** *US i Can. pot.* przygłup.

dumb blonde *n.* głupia blondynka (*jako stereotyp*).

dumb cane *n. bot.* difenbachia (*Dieffenbachia sequine*).

dumbfound [dʌm'fæʊnd] *v. przen.* odbierać mowę (*komuś*), zdumiewać.

dumbfounded [dʌm'fæʊndɪd] *a.* oniemiały, osłupiały.

dumbhead ['dʌmˌhed] *n. gł. US pot.* głupek.

dumbly ['dʌmlɪ] *adv.* **1.** w niemym osłupieniu. **2.** *gł. US pot.* głupio.

dumbness ['dʌmnəs] *n. U* **1.** niemota; brak słów. **2.** *gł. US pot.* głupota.

dumbo ['dʌmboʊ] *n. pl.* **-oes** *pot.* głupek.

dumb piano *n. muz.* klawisze bez strun (*do ćwiczenia palców*).

dumb show *n.* **1.** *teatr* pantomima (*zwł. we wczesnym dramacie angielskim*). **2.** *U* gestykulacja, pantomima.

dumb-struck ['dʌmˌstrʌk] *a.* oniemiały, osłupiały.

dumbwaiter [ˌdʌm'weɪtər] *n.* **1.** wyciąg pionowy kuchenny (*w restauracji, hotelu*). **2.** *Br.* podręczny stolik (*do podawania potraw*); obracająca się taca (*z potrawami, na stole*).

dumb well *n.* studnia do odprowadzania wody naziemnej.

dumdum ['dʌmˌdʌm] *n.* (*także* ~ **bullet**) kula dum-dum.

dumfound [dʌm'faʊnd] *v.* = **dumbfound**.

dummy ['dʌmɪ] *n. pl.* **-ies** **1.** manekin (*krawiecki, woskowy, do strzelania*). **2.** figurant/ka, osoba podstawiona. **3.** *pot. pog.* niemowa. **4.** *pot.* milczek. **5.** *karty* dziadek. **6.** makieta, atrapa; imitacja. **7.** *Br. i Austr.* smoczek (*dziecięcy*). **8.** *US i Can. pot.* bałwan, głupek. **9.** **give/sell sb a** ~ *piłka nożna, rugby pot.* zmylić *l.* wykiwać kogoś. – *a. attr.* **1.** sztuczny, na niby; ~ **gun** imitacja pistoletu. **2.** podstawiony (*np. o kupującym*); fikcyjny (*np. o firmie, wspólniku*); fałszywy (*np. o nazwisku*). **3.** ślepy (*o naboju*). **4.** *gram.* logiczny (*o podmiocie*). – *v.* **-ied, -ying** **1.** przygotowywać makietę (*książki l. strony z książki, zw. dla celów promocyjnych*). **2.** ~ **up** *US sl.* zaniemówić.

dummy run *n.* próba.

dump [dʌmp] *v.* **1.** rzucić, walnąć (*sth somewhere* coś gdzieś). **2.** *pot.* rzucić (*chłopaka, dziewczynę*). **3.** wyrzucać, pozbywać się (*czegoś*). **4.** *handl.* rzucać *towar* na rynek zagraniczny po zaniżonej cenie; uprawiać dumping. **5.** *komp.* zrzucać (*np. na dyskietkę*). **6.** ~ **on sb** *US pot.* najeżdżać na kogoś (= *krytykować*); zwalać komuś na głowę wszystkie swoje kłopoty. – *n.* **1.** (*także* **rubbish** ~) wysypisko (śmieci), śmietnik. **2.** *wojsk.* magazyn; skład amunicji. **3.** *gł. US t. górn.* hałda, zwał. **4.** *pot.* nora (*o pomieszczeniu*). **5.** *komp.* zrzut (*zawartości pamięci, np. na dyskietkę*). **6.** *Br.* łoskot, głuchy łomot. **7.** **have/take a** ~ *wulg. sl.* wysrać się.

dumper ['dʌmpər] *n.* **1.** śmieciarka. **2.** = **dumper truck**. **3.** *Austr.* silna fala (*mogąca wyrzucić surfującego na brzeg*).

dumper truck *n. Br.* = **dump truck**.

dumping ['dʌmpɪŋ] *n. U* **1.** składowanie śmieci; **"no ~"** „zakaz wysypywania śmieci". **2.** *handl.* dumping.

dumping ground *n.* wysypisko śmieci.

dumpling ['dʌmplɪŋ] *n.* **1.** *kulin.* knedel; pyza; kluska. **2.** *pot. żart.* klucha (*o osobie*).

dumps [dʌmps] *n. pl.* **be (down) in the** ~ *przen. pot.* być w dołku (*o osobie, gospodarce*).

Dumpster ['dʌmpstər], **dumpster** *n. US* kubeł na śmieci.

dump truck *n. US* wywrotka.

dumpy[1] ['dʌmpɪ] *a.* **-ier, -iest** przysadzisty.

dumpy[2] *a.* (*także* **dumpish**) *przest.* przygnębiony.

dumpy level *n. miern.* niwelator głuchy (*ze stałą lunetą*).

dun[1] [dʌn] *a.* **1.** bury (*o kolorze*). **2.** *poet.* ciemny, mroczny.

dun[2] *n.* **1.** egzekutor długów. **2.** żądanie zapłaty (*zwł. na piśmie*). – *v.* **-nn-** domagać się spłaty długu od (*dłużnika*).

dunbird ['dʌnˌbɜ:d] *n. Br. orn.* kaczka podgorzałka *l.* czerwonoszyja (*Fuligula ferina*); kaczka ogorzałka (*Fuligula marila*).

dunce [dʌns] *n. szkoln. przest.* osioł, nieuk.

dunce cap, *Br.* **dunce's cap** *n. szkoln. przest.* ośla czapka.

dunderhead ['dʌndərˌhed] *n.* (*także* **dunderpate**) *przest. pot.* cymbał, tuman, bałwan.

dune [du:n] *n.* wydma, diuna.

dune buggy *n. US* otwarty samochód z ciężkimi oponami do jazdy po plaży.

dunfly ['dʌnˌflaɪ] *n. pl.* **-ies** *ryb.* sztuczna mucha (*imitująca larwy pewnych much*).

dung [dʌŋ] *n. U* **1.** gnój, łajno. **2.** obornik, nawóz zwierzęcy. – *v.* nawozić (*nawozem zwierzęcym*).

dungaree [ˌdʌŋgə'ri:] *n. U* drelich.

dungarees [ˌdʌŋgəˈri:z] *n. pl.* **1.** *US* spodnie robocze; kombinezon. **2.** *Br.* ogrodniczki.

dung beetle *n. ent.* żuk gnojowy (*Geotrupes stercorarius*).

dungeon [ˈdʌndʒən] *n.* **1.** loch. **2.** = **donjon.**

dung fly *n. pl.* **-ies** *ent.* mucha z rodziny cuchnowatych (*Scatophagidae*); **yellow ~** cuchna nawozowa (*Scatophaga stercoraria*).

dung hill *n.* (*także* **dung heap**) kupa gnoju, gnojowisko.

dunite [ˈdu:naɪt] *n. U geol.* dunit, oliwinit.

duniwassal [ˈdu:nɪˌwɑ:sl] *n. Scot. hist.* szlachcic zaściankowy.

dunk [dʌŋk] *v.* **1.** maczać (*sth in sth* coś w czymś) (*np. ciastko w herbacie*). **2.** *US* podtapiać (*kogoś dla żartu*). **3.** *koszykówka* wrzucić pionowo do kosza (*piłkę*).

Dunker [ˈdʌŋkər], **Dunkard** [ˈdʌŋkərd] *n. US hist., rel.* członek sekty baptystów German Baptist Brethren (*przeciwnych służbie wojskowej*).

Dunkirk [ˈdʌnkɜ:k] *n. geogr.* Dunkierka.

dunlin [ˈdʌnlɪn] *n. orn.* brodziec (*Tringa alpina*).

dunnage [ˈdʌnɪdʒ] *n. U* **1.** *US* bagaż, manatki (*marynarza*). **2.** *żegl.* podściółka, wyściółka (*dla zabezpieczenia ładunku okrętowego*). **3.** przekładki drewniane (*umieszczane między skrzynkami ustawianymi w stosy*).

dunno [dəˈnoʊ] *abbr. pot.* = **(I) don't know.**

dunnock [ˈdʌnək] *n. Br. orn.* **1.** płochacz pokrzywnica (*Prunella modularis*). **2.** krętogłów (*Jynx torquilla*).

dunny [ˈdʌnɪ] *n. pl.* **-ies** *Austr. i NZ pot.* kibelek.

dunt [dʌnt] *n. płn. Br.* **1.** uderzenie znienacka (*z głuchym odgłosem*). **2.** bicie serca. – *v.* uderzyć (*jw.*).

duo [ˈdu:oʊ] *n. pl.* **-s** **1.** *muz.* duet (*utwór l. wykonawcy*). **2.** *pot.* para.

duodecimal [ˌdu:oʊˈdesəml] *a.* dwunastkowy. – *n. U mat.* układ dwunastkowy.

duodecimo [ˌdu:oʊˈdesəˌmoʊ] *n. pl.* **-s** *druk.* dwunastka (*format*).

duodenal [ˌdu:əˈdi:nl] *a. anat.* dwunastniczy.

duodenary [ˌdu:əˈdenərɪ] *a. rzad.* dwunastkowy.

duodenitis [ˌdu:oʊdəˈnaɪtɪs] *n. U pat.* zapalenie dwunastnicy.

duodenoscopy [ˌdu:oʊdəˈnɑ:skəpɪ] *n. U med.* wziernikowanie dwunastnicy.

duodenum [ˌdu:əˈdi:nəm] *n. pl.* **-s, -a** *anat.* dwunastnica.

duologue [ˈdu:əˌlɔ:g] *n.* dialog (*t. jako utwór dramatyczny*).

dupe [du:p] *n.* osoba wystrychnięta na dudka; naiwnia-k/czka. – *v.* nabrać, wystrychnąć na dudka; naciągnąć (*sb into doing sth* kogoś na zrobienie czegoś).

duper [ˈdu:pər] *n.* oszust/ka.

dupery [ˈdu:pərɪ] *n. U* nabieranie; naciąganie.

duple [ˈdu:pl] *a. mat., muz.* podwójny.

duple time *n. U muz.* takt podwójny.

duplex [ˈdu:pleks] *a.* **1.** podwójny. **2.** *komp.* z możliwością drukowania po obu stronach kartki (*o drukarce*). – *n. US i Can.* **1.** (*także* **~ apartment**) mieszkanie dwupoziomowe. **2.** (*także* **~ house**) bliźniak, dom dwurodzinny. **3.** *tel.* dupleks, układ dupleksowy.

duplex printing *n. U komp.* druk dwustronny.

duplex process *n. metal.* proces duplex *l.* podwójny.

duplicate *n.* [ˈdu:plɪkət] **1.** duplikat; kopia; odbitka. **2.** **in ~** w dwóch egzemplarzach. – *a.* [ˈdu:plɪkət] *attr.* **1.** zapasowy, dodatkowy (*np. o kluczu*). **2.** podwójny. – *v.* [ˈdu:plɪkeɪt] **1.** kopiować; powielać (*t. = robić niepotrzebnie jeszcze raz*). **2.** *form.* powtarzać (*np. eksperyment*). **3.** podwajać (się).

duplication [ˌdu:pləˈkeɪʃən] *n.* **1.** *U* podwajanie. **2.** duplikat. **3.** *U* powielanie, dublowanie. **4.** *genetyka* duplikacja.

duplicator [ˈdu:pləˌkeɪtər] *n.* (*także* **duplicating machine**) powielacz.

duplicity [du:ˈplɪsətɪ] *n. U* **1.** *form.* obłuda, fałsz, dwulicowość. **2.** *arch.* dwoistość.

dura [ˈdʊrə] *n.* (*także* **~ mater**) *anat.* opona twarda.

durability [ˌdʊrəˈbɪlətɪ] *n. U* trwałość; wytrzymałość.

durable [ˈdʊrəbl] *a.* trwały; wytrzymały.

durable goods *n. pl. US* dobra konsumpcyjne trwałego użytku.

durably [ˈdʊrəblɪ] *adv.* trwale.

duralumin [dʊˈræljəmən] *n. U metal.* duraluminium.

duramen [dʊˈreɪmɪn] *n. U bot.* twardziel (*element anatomiczny drewna*).

durance [ˈdʊrəns] *n. U arch. l. lit.* **1.** uwięzienie, pobyt w więzieniu. **2.** = **duration.**

duration [dʊˈreɪʃən] *n. U form.* trwanie, czas trwania; **for the ~ (of sth)** na czas trwania (czegoś); **of short ~** krótkotrwały.

durative [ˈdʊrətɪv] *a. gram.* ciągły, progresywny, niedokonany (*o formie czasownika*).

duress [dʊˈres] *n. U prawn.* przymus; przymusowe pozbawienie wolności; **under ~** pod przymusem; **plea of ~** zarzut działania pod przymusem.

Durex [ˈdʊreks], **durex** *n.* **1.** *Br.* prezerwatywa. **2.** *U Austr.* przezroczysta taśma klejąca.

durian [ˈdʊrɪən] *n. bot.* durian, rościan, zybuczkowiec (*Durio zibethinus*).

during [ˈdʊrɪŋ] *prep.* podczas, w czasie; **~ the night** w nocy.

durmast oak [ˈdɜ:ˌmæst ˌoʊk] *n. bot.* dąb bezszypułkowy (*Quercus petraea / sessilis*); dąb omszony (*Quercus pubescens*).

durn [dɜ:n] *v. US* = **darn**2.

durra [ˈdʊrə] *n. U bot.* durra, sorgo murzyńskie (*Sorghum durra*).

durst [dɜ:st] *v. pret. arch.* czas przeszły od "dare".

durum [ˈdʊrəm] *n. U bot.* pszenica twarda *l.* makaronowa (*Triticum durum*).

dusk [dʌsk] *n.* **1.** zmierzch, zmrok; **at ~** o zmierzchu *l.* zmroku; **from dawn to ~** od świtu do zmierzchu. **2.** *poet.* mrok, cień. – *a. poet.* ciemny, mroczny. – *v. poet.* ściemniać (się); zmierzchać.

dusky ['dʌskı] *a.* **-ier, -iest** **1.** mroczny. **2.** przyćmiony (*t. o kolorze*). **3.** śniady, smagły (*o cerze*).

dust [dʌst] *n. U* **1.** kurz, pył; **coal ~** pył węglowy; **gather/collect ~** pokrywać się kurzem (*t. przen. = nie być używanym*). **2.** *sing.* starcie kurzu; odkurzenie; **give sth a ~** zetrzeć kurz z czegoś; pościerać kurze w czymś, odkurzyć coś (*np. pokój*). **3.** *t. przen.* proch; *poet.* prochy (*zmarłego*); **ashes to ashes, ~ to ~** *kośc.* z prochu powstałeś i w proch się obrócisz. **4.** pyłek (*kwiatowy*). **5.** *Br.* śmieci. **6.** *sl.* forsa, siano. **7.** *przen.* **~ and ashes** wielkie rozczarowanie, niewypał; **(as) dry as ~** *zob.* **dry** *a.* 5; **be eating sb's ~** *US pot.* zostać daleko w tyle za kimś; **be like gold ~** być na wagę złota; **bite the ~** *zob.* **bite** *v.* 8; **kick up ~** (*także Br.* **kick up a ~**) *pot.* podnieść wrzawę, narobić zamieszania; **let the ~ settle** (*także* **wait for the ~ to settle**) poczekać, aż sytuacja się wyklaruje; **make the ~ fly** *gł. US pot.* pracować, aż drzazgi lecą; **not see sb for ~** *Br. pot.* nie uświadczyć kogoś, już więcej kogoś nie ujrzeć; **shake the ~ of sth off one's feet** *Br.* zostawić coś za sobą, otrząsnąć się z czegoś; **throw ~ in sb's eyes** mydlić komuś oczy; **turn to ~** *lit.* okazać się pustym (*np. o obietnicach*). – *v.* **1.** ścierać kurze z (*czegoś*); odkurzać. **2.** posypywać; **~ the cake with icing sugar** (*także* **~ icing sugar over/onto the cake**) posypać ciasto cukrem pudrem; **~ one's face with powder** upudrować *l.* przypudrować (sobie) twarz. **3.** kąpać się w piasku (*o ptakach*). **4.** *arch.* kurzyć się; pokrywać (się) pyłem *l.* kurzem. **5.** **~ down** odkurzyć, oczyścić z kurzu; **~ o.s. down** otrzepać się; **~ sb down** *pot.* objechać kogoś; **~ off** strzepnąć kurz z (*czegoś*); *t. przen.* odkurzyć, odświeżyć; **~ out** *US pot.* zwiać; **~ sb up** *US sl.* dołożyć komuś (*t. słownie*).

dustballs ['dʌstˌbɔːlz] *n. pl.* (*także* **dust bunnies**) *US* koty (*z kurzu*).

dustbin ['dʌstˌbın] *n.* **1.** *Br.* kosz *l.* kubeł na śmieci (*zwł. przed domem*), śmietnik. **2.** *przen.* śmietnik (*np. historii*).

dustbin bag *n.* (*także* **dustbin liner**) *Br.* worek do kosza na śmieci.

dustbin lorry *n. Br.* śmieciarka.

dustbin man *n. pl.* **-men** *Br. pot.* śmieciarz.

dust bowl *n. geol.* obszar półpustynny, narażony na burze piaskowe.

dust bunnies *n. pl. US* = **dustballs**.

dust cart *n. Br.* śmieciarka.

dust cloak *n.* fartuch, kitel (*chroniący przed kurzem*).

dust cloth *n. US* ściereczka do kurzu.

dust counter *n.* pyłomierz, licznik cząstek pyłu (*w powietrzu*).

dust cover *n.* **1.** *US* obwoluta. **2.** pokrowiec.

duster ['dʌstər] *n.* **1.** ściereczka do kurzu. **2.** *US* fartuch, kitel. **3.** *US pot.* burza piaskowa.

dustiness ['dʌstınəs] *n. U* **1.** zakurzenie. **2.** zapylenie (*powietrza*).

dusting ['dʌstıŋ] *n.* **1.** *U* ścieranie kurzu; odkurzanie. **2.** *U roln.* opylanie. **3.** *zw. sing.* cienka warstwa (*of sth* czegoś) (*np. śniegu na ziemi*). **4.** *pot. gł. przen.* lanie, cięgi. **5.** *U Br.* rzucanie (*statku podczas burzy*).

dusting cloth *n.* ściereczka do kurzu.

dusting down *n. sing.* bura, reprymenda.

dusting-powder ['dʌstıŋˌpaudər] *n. U med.* zasypka, talk.

dust jacket *n. zwł. Br.* = **dust cover** 1.

dustless ['dʌstləs] *a.* pozbawiony kurzu.

dustman ['dʌstˌmæn] *n. pl.* **-men** **1.** *Br.* śmieciarz. **2.** = **sandman**.

dustpan ['dʌstˌpæn] *n.* śmietniczka, szufelka.

dustproof ['dʌstˌpruːf] *a.* pyłoszczelny.

dustsheet ['dʌstˌʃiːt] *n. Br.* = **drop cloth**.

dust storm *n.* burza piaskowa.

dust trap *n.* siedlisko *l.* zbiorowisko kurzu.

dust-up ['dʌstˌʌp] *n. Br. sl.* bijatyka; pyskówka.

dusty ['dʌstı] *a.* **-ier, -iest** **1.** zakurzony; przykurzony; zapylony. **2.** drobno sproszkowany. **3.** przyćmiony, szarawy (*o kolorze, zwł. różu l. błękicie*). **4.** *Br. lit.* nudny (*zwł. dlatego, że niejasny l. przestarzały*). **5.** mętny (*o winie*). **6.** **not so ~** *Br. przest. pot.* nie najgorzej (*w odpowiedzi na pytanie o samopoczucie*).

dusty answer *n. Br. przest.* mglista odpowiedź.

dusty miller *n. bot.* pierwiosnek łyszczak (*Primula auricula*).

Dutch [dʌtʃ] *a.* **1.** holenderski. **2.** *przen.* **go ~** płacić każdy za siebie (*np. w restauracji*); **talk (to sb) like a ~ uncle** prawić komuś kazanie. – *n.* **1.** *U* (język) holenderski. **2.** **the ~** Holendrzy. **3.** **Pennsylvania ~** *zob.* **Pennsylvania**. **4.** *przen.* **be in ~ (with sb)** *US przest. sl.* być w niełasce (u kogoś); **beat the ~** *US sl.* zakasować wszystkich; **double ~** *zob.* **double**.

dutch [dʌtʃ] *n. Br. dial. sl.* stara (= *żona*).

Dutch auction *n.* licytacja zniżkowa (*polegająca na obniżaniu ceny wywoławczej*).

Dutch barn *n.* bróg, stodoła bez ścian bocznych.

Dutch cap *n.* **1.** *med.* krążek dopochwowy (*antykoncepcyjny*). **2.** *hist.* rodzaj koronkowego czepka noszonego przez kobiety holenderskie.

Dutch courage *n. U Br. i Austr.* odwaga po pijanemu.

Dutch door *n. bud. US* drzwi o skrzydłach dzielonych poziomo.

Dutch elm disease *n. U* naczyniowa *l.* holenderska choroba wiązów, grafioza.

Dutch gold *n. U* = **Dutch metal**.

Dutchman ['dʌtʃmən] *n. pl.* **-men** **1.** Holender. **2.** **Flying ~** *legenda* latający Holender. **3.** (*także* **d~**) *techn. US* wkładka (*wypełniająca l. wzmacniająca, zwł. w konstrukcjach drewnianych*). **4.** **then/and I'm a ~** *Br. przest. iron.* to/a ja jestem chiński cesarz (= *akurat!*).

Dutchman's breeches *n. gł. US bot.* serduszka okazałe (*Dicentra spectabilis*).

Dutchman's log *n. żegl.* log burtowy.

Dutchman's pipe *n. gł. US bot.* kokornak (*Aristolochia*).

Dutch mattress *n.* = **mattress** 2.

Dutch metal *n. U* (*także* **Dutch gold**) złoto holenderskie (= *stop miedzi i cynku*).

Dutch oven *n.* **1.** garnek uniwersalny. **2.** *gł. hist.* przedpalenisko, palenisko przednie.

Dutch treat *n. US* okazja, kiedy każdy płaci za siebie (*np. w restauracji l. teatrze*).

Dutchwoman [ˈdʌtʃˌwʊmən] *n. pl.* **-women** Holenderka.

duteous [ˈduːtɪəs] *a. arch. l. form.* **1.** obowiązkowy. **2.** posłuszny, uległy.

dutiable [ˈduːtɪəbl] *a.* podlegający ocleniu (*l. innym opłatom*).

dutiful [ˈduːtɪfʊl] *a.* **1.** obowiązkowy, sumienny; posłuszny; dobry (*o współmałżonku, córce, synu*). **2.** *attr.* z obowiązku *l.* grzeczności (*np. o odpowiedzi, oklaskach*).

dutifully [ˈduːtɪfʊlɪ] *adv.* **1.** obowiązkowo; posłusznie; jak należy. **2.** z obowiązku *l.* grzeczności.

duty [ˈduːtɪ] *n. pl.* **-ies 1.** *C / U* obowiązek, powinność (*to / toward sb* względem kogoś); *pl.* obowiązki (*np. służbowe*); **be (in) ~ bound to do sth** mieć obowiązek zrobienia czegoś, być zobowiązanym coś zrobić; **do one's ~** spełnić swój obowiązek, wypełnić swoją powinność; **make it one's ~ to do sth** zobowiązać się do zrobienia czegoś; **out of ~** z (poczucia) obowiązku; **strong sense of ~** silne poczucie obowiązku. **2.** *U* służba (*t. kościelna*); dyżur; **be on night ~** mieć nocny dyżur; pracować na nocną zmianę; **on/off ~** na/po służbie *l.* dyżurze; w czasie/po pracy; **report for ~** stawiać się do pracy; meldować się na służbę. **3.** *U* cło; *Br.* opłata skarbowa. **4.** *U Br. mech.* wydajność nominalna (*maszyny, urządzenia*). **5.** (*także* **~ of water**) *US roln.* ilość wody potrzebna do nawodnienia jednego akra ziemi. **6.** *arch.* szacunek (*należny komuś z racji wieku l. pozycji społecznej*). **7. do ~ as/for sth** służyć za coś *l.* w charakterze czegoś, pełnić funkcję czegoś.

duty cycle *n. el.* **1.** cykl pracy *l.* roboczy. **2.** *komp.* cykl pracy *l.* obowiązkowy.

duty-free [ˌduːtɪˈfriː] *a.* wolny od cła, wolnocłowy.

duty-free shop *n.* sklep wolnocłowy.

duty officer *n.* oficer dyżurny.

duty-paid [ˈduːtɪˌpeɪd] *a. attr.* oclony.

duumvir [duːˈʌmvər] *n. pl.* **-i 1.** *hist.* duumwir (*w starożytnym Rzymie*). **2.** *polit.* jeden z dwóch mężczyzn wspólnie sprawujących władzę.

duumvirate [duːˈʌmvərət] *n.* duumwirat.

duvet [duːˈveɪ] *n. zwł. Br.* kołdra.

DV [ˌdiː ˈviː] *abbr.* **Deo volente** jeśli Bóg pozwoli.

DVD [ˌdiː ˌviː ˈdiː] *abbr.* DVD.

DVM [ˌdiː ˌviː ˈem] *abbr.* **Doctor of Veterinary Medicine** *uniw.* doktor weterynarii.

dwale [dweɪl] *n. bot. Br.* pokrzyk wilcza jagoda (*Atropa belladonna*).

dwarf [dwɔːrf] *n. pl.* **-s** *l.* **dwarves 1.** karzełek, krasnoludek. **2.** *pat. l. obelż.* karzeł; karlica. **3.** *astron.* = **dwarf star**. – *a. attr.* karłowaty, skarlały. – *v.* **1.** *zw. pass.* pomniejszać (*przez kontrast*); **be ~ed by sth** wydawać się bardzo małym przez kontrast *l.* w porównaniu z czymś. **2.** powodować karłowacenie (*czegoś*).

dwarfish [ˈdwɔːrfɪʃ] *a.* karłowaty.

dwarfism [ˈdwɔːrˌfɪzəm] *n. U* karłowatość.

dwarf lemur *n. zool.* lemur karłowaty (*Cheirogaleidae*).

dwarf pine *n. bot.* kosodrzewina (*Pinus mugo*).

dwarf star *n. astron.* karzeł (= *gwiazda średniej wielkości i jasności*).

dwell [dwel] *v. pret., pp. t.* **dwelt 1.** *lit.* mieszkać, zamieszkiwać. **2. ~ on/upon sth** rozpamiętywać coś; zatrzymywać *l.* rozwodzić się nad czymś. **3.** spoczywać (*on sth* na czymś) (*o wzroku, uwadze*). **4.** *jeźdz. Br.* podnosić wolno nogi (*o koniu*); zwlekać z braniem przeszkody. – *n. Br.* sterowana przerwa w ruchu maszyny.

dweller [ˈdwelər] *n.* **1.** mieszkan-iec/ka; **cave ~** jaskiniowiec; **city/town ~** mieszkan-iec/ka miasta. **2.** *jeźdz. Br.* koń zwlekający z braniem przeszkody.

dwelling [ˈdwelɪŋ] *n. form.* mieszkanie.

dwelling house *n. prawn.* dom *l.* lokal mieszkalny.

dwelling place *n.* miejsce zamieszkania.

DWI [ˌdiː ˌdʌbljuː ˈaɪ] *abbr. US* = **driving while intoxicated**.

dwindle [ˈdwɪndl] *v.* **~ (away)** topnieć, kurczyć się, maleć, spadać.

dyad [ˈdaɪæd] *n.* **1.** (*także* **duad**) dwójka; para. **2.** *chem.* pierwiastek dwuwartościowy. **3.** *mat.* diada.

dyadic [daɪˈædɪk] *a.* **1.** dwójkowy. **2.** *mat.* podwójny, dwuczłonowy.

Dyak [ˈdaɪæk], **Dayak** *n. pl. t.* **-s** *l.* **Dyak** Diak (= *mieszkan-iec / ka Borneo*).

dyarchy [ˈdaɪɑːrkɪ] *n.* = **diarchy**.

dybbuk [ˈdɪbək], **dibbuk** *n. pl.* **-im** *l.* **-s** *folklor żydowski* dybuk.

dye [daɪ] *n. C / U* **1.** barwnik; farba. **2.** barwa, kolor (*uzyskany za pomocą farbowania*). – *v.* **dyed, dyeing** barwić; farbować; **~ sth black/blonde** zafarbować coś na czarno/blond; **~ sth in the wool/in grain** farbować coś w stanie surowym.

dyeability [daɪəˈbɪlətɪ] *n. U* zdolność barwienia się, podatność na barwienie.

dyeable [ˈdaɪəbl] *a.* nadający się do farbowania *l.* barwienia.

dye-bath [ˈdaɪˌbæθ] *n.* kąpiel barwiąca *l.* farbiarska.

dyed-in-the-wool [ˌdaɪdɪnðəˈwʊl] *a. attr.* zagorzały, o niezmiennych poglądach.

dye house, dye-house *n.* farbiarnia.

dyer [ˈdaɪər] *n.* farbiarz.

dyer's rocket, dyer's mignonette *n. U bot.* rezeda żółtawa (*Reseda luteola*).

dyer's weed *n. U bot.* **1.** (także **dyer's greenweed**) janowiec barwierski (*Genista tinctoria*). **2.** (*także* **dyer's woad**) urzet barwierski (*Isatis tinctoria*).

dye-stuff [ˈdaɪˌstʌf] *n. U* (*także* **dye-ware, dyewood**) barwnik (*surowiec*).

dyeworks [ˈdaɪˌwɜːks], **dye-works** *n.* farbiarnia.

dying [ˈdaɪɪŋ] *n.* **1.** *U* umieranie. **2. the ~**

umierający, konający (*zbiorowo*). – *a. attr.* **1.** umierający. **2.** *przen.* kończący się; dogasający (*o ogniu*); zamierający (*np. o tradycji*); ostatni, końcowy (*np. o sekundach meczu*). **3. to one's ~ day** do ostatniego tchu.

dying declaration *n.* wyznanie przedśmiertne.

dying oath *n.* przysięga (jak) w obliczu śmierci.

dying prayer *n.* modlitwa na łożu śmierci.

dying wish *n.* ostatnie życzenie.

dyke [daɪk] *n.* = **dike.**

dynamic [daɪ'næmɪk], **dynamical** [daɪ'næmɪkl] *a.* dynamiczny.

dynamically [daɪ'næmɪklɪ] *adv.* dynamicznie.

dynamics [daɪ'næmɪks] *n.* **1.** *U fiz., muz. l. przen.* dynamika. **2.** *form.* siła sprawcza.

dynamism ['daɪnə,mɪzəm] *n. U fil. l. przen.* dynamizm.

dynamist ['daɪnəmɪst] *n. fil., fiz.* dynamist-a/ka.

dynamite ['daɪnə,maɪt] *n. U t. przen.* dynamit. – *v.* wysadzać dynamitem. – *a. pot.* wystrzałowy.

dynamiter ['daɪnə,maɪtər] *n.* zamachowiec z dynamitem.

dynamitic [,daɪnə'mɪtɪk] *a.* dynamitowy.

dynamo ['daɪnə,moʊ] *n. pl.* **-s** *el.* prądnica (*prądu stałego*), dynamo.

dynamometer [,daɪnə'mɑːmɪtər] *n.* **1.** dynamometr, siłomierz. **2.** hamulec dynamometryczny.

dynast ['daɪnæst] *n.* dynasta.

dynastic [daɪ'næstɪk] *a.* dynastyczny.

dynastically [daɪ'næstɪklɪ] *adv.* dynastycznie.

dynasty ['daɪnəstɪ] *n. pl.* **-ies** dynastia.

dyne [daɪn] *n. fiz.* dyna, dyn (*jednostka siły*).

dynode ['daɪnoʊd] *n. el.* katoda wtórna, dynoda.

dysarthria [dɪs'ɑːrθrɪə] *n. U pat.* dyzartria (= *upośledzenie mowy*).

dyscalculia [,dɪskæl'kuɪə] *n. U pat.* zaburzenie zdolności liczenia.

dyscrasia [dɪs'kreɪʒə] *n. U pat.* dyskrazja (= *nieprawidłowy skład krwi*).

dysentery ['dɪsən,terɪ] *n. U pat.* czerwonka, dyzenteria; **amebic/bacterial ~** czerwonka pełzakowa/bakteryjna.

dysesthesia [,dɪsɪs'θiːʒɪə], *Br.* **dysaesthesia** *n. pl.* **-s** *l.* **-ae** [,dɪsɪs'θiːʒɪeɪ] *pat.* **1.** nieprawidłowe *l.* przykre odczuwanie bodźców. **2.** upośledzenie czucia.

dysfunction [dɪs'fʌŋkʃən] *n. U pat.* zaburzenie czynności, dysfunkcja.

dysgenic [dɪs'dʒenɪk] *a. pat.* powodujący zaburzenia genetyczne.

dysgraphia [dɪs'græfɪə] *n. U pat.* **1.** dysgrafia. **2.** kurcz pisarski.

dyskinesia [,dɪskə'niːʒə] *n. U pat.* dyskineza (= *zaburzenie ruchów dowolnych*).

dyslalia [dɪs'leɪlɪə] *n. U pat.* zaburzenia artykulacji mowy.

dyslectic [dɪs'lektɪk] *pat. a.* (*także* **dyslexic**) cierpiący na dysleksję; dotyczący dysleksji. – *n.* dyslekty-k/czka.

dyslexia [dɪs'leksɪə] *n. U pat.* dysleksja.

dyslexic [dɪs'leksɪə] *a.* = **dyslectic.**

dyslogistic [,dɪslə'dʒɪstɪk] *a. rzad.* ujemny (*zwł. o sensie terminu*).

dysmenorrhea [,dɪsmenə'rɪə], *zwł. Br.* **dysmenorrhoea** *n. U pat.* bolesne miesiączkowanie.

dyspareunia [,dɪspə'ruːnɪə] *n. U pat.* dyspareunia (= *bolesny stosunek*).

dyspepsia [dɪs'pepʃə] *rzad.* **dispepsy** [dɪs'pepsɪ] *n. U pat.* dyspepsja, niestrawność.

dyspeptic [dɪs'peptɪk] *a. i n.* cierpiący na dyspepsję *l.* niestrawność.

dysphagia [dɪs'feɪdʒɪə] *n. U pat.* dysfagia (= *utrudnienie połykania*).

dysphasia [dɪs'feɪʒɪə] *n. U pat.* dysfazja (= *zaburzenia mowy pochodzenia korowego*).

dysphonia [dɪs'foʊnɪə] *n. U pat.* dysfonia (= *chrypka przy uszkodzeniu narządu głosu*).

dyspnea [dɪsp'nɪə], *zwł. Br.* **dyspnoea** *n. U pat.* duszność.

dyspneic [dɪsp'nɪɪk] *a.* dusznościowy.

dysrhythmia [dɪs'rɪðmɪə] *n. U pat.* dysrytmia (= *zaburzenia rytmu EEG*).

dystocia [dɪs'toʊʃɪə] *n. U pat.* dystocja (= *bolesny poród*).

dystrophia [dɪ'stroʊfɪə], **dystrophy** ['dɪstrəfɪ] *n. U pat.* dystrofia.

dystrophic [dɪs'trɑːfɪk] *a.* dystroficzny.

dysuria [dɪs'jʊrɪə] *n. U pat.* dysuria (= *bolesne l. trudne oddawanie moczu*).

dz. *abbr.* = **dozen.**

E [iː], **e** *n. pl.* **-'s** *l.* **-s** [iːz] E, e (*litera l. głoska*); **mute ~** nieme E (= *pisane, ale niewymawiane*).

E [iː] *n. pl.* **-'s** *l.* **-s** *muz.* E, e (*dźwięk l. stopień skali*); **E flat/sharp** es/eis.

E., E *abbr.* **1.** *Br.* = **earl**. **2.** = **Earth**. **3.** = **east(ern)**. **4.** = **engineering**.

ea. *abbr.* = **each**.

each [iːtʃ] *pron. i a. attr.* każdy (*poszczególny, z osobna*); **~ and every one** wszyscy razem i każdy z osobna; **~ day** każdego dnia; **~ time** za każdym razem; **~ of the boys tell(s) a different story** (*także* **the boys ~ tell a different story**) każdy z chłopców twierdzi co innego; **~ (one) of us/you/them** każdy z nas/was/nich (*form. z czasownikiem w liczbie pojedynczej, pot. często pl.*); **we/you/they ~** każdy z nas/was/nich (*zawsze pl.* = *my / wy / oni indywidualnie*); **I gave you $50 ~** (*także* **I gave ~ of you $50**) dałem wam/każdemu z was po 50 dolarów; **these pens are/cost a dollar ~** te długopisy są/kosztują po dolarze.

each other [ˌiːtʃ ˈʌðər] *pron.* (*form. o dwu osobach lub rzeczach, pot. często o większej liczbie*) się *l.* siebie *l.* sobie *l.* sobą (nawzajem); **these kids can't live without ~** te dzieciaki nie mogą bez siebie żyć; **they compete with ~** rywalizują ze sobą; **they smiled at ~** uśmiechnęli się do siebie; **those two love/hate ~** ci dwoje kochają/nienawidzą się (nawzajem); **we help ~** pomagamy sobie (wzajemnie *l.* nawzajem).

eager [ˈiːgər] *a.* **1.** *pred.* żądny (*for sth* czegoś); skory, chętny (*for sth* do czegoś, *to do sth* do zrobienia czegoś). **2.** wyczekujący (*o spojrzeniu, tłumie wielbicieli*). **3.** skwapliwy, gorliwy; **~ beaver** *pot.* pracuś, nadgorliwiec. **4.** *arch.* ostry, szczypiący (*zwł. o powietrzu*).

eagerly [ˈiːgərlɪ] *adv.* **1.** z ochotą. **2.** wyczekująco, z utęsknieniem. **3.** skwapliwie, gorliwie.

eagerness [ˈiːgərnəs] *n. U* **1.** chęć, żądza (*for sth* czegoś, *to do sth* zrobienia czegoś). **2.** skwapliwość, gorliwość.

eagle [ˈiːgl] *n.* **1.** orzeł (*t. jako godło l. symbol heraldyczny; orn. zwł.* = *duże ptaki z rodzaju Aquila, t. niektóre inne z rodziny jastrzębi, np. orliki, bieliki*); orzełek; **American ~** orzeł amerykański (*w godle państwowym USA, wzorowany na bieliku amerykańskim*); **bald ~** *orn.* bielik amerykański (*Haliaeetus leucocephalus*); **golden ~** orzeł przedni (*Aquila chrysaetos*); **harpy ~** harpia (*Harpia harpyja*); **Philippine ~** małpożer (*Pithecophaga jefferyi*); **white-tailed ~** (*także* **European sea ~**) bielik, birkut (*Haliaeetus albicilla*). **2.** *US* złota dziesięciodolarówka (*wycofana z obiegu w 1934 r.*). **3.** *golf* wynik par minus dwa (= *2 punkty poniżej normy na dołku*).

eagle eye *n. przen.* sokoli wzrok.

eagle-eyed [ˌiːglˈaɪd] *a.* o sokolim wzroku, bystrooki.

eaglehawk [ˈiːglˌhɔːk] *n.* (*także* **wedge-tailed eagle**) *orn.* orzeł australijski (*Aquila audax*).

eagle owl *n. orn.* puchacz (*Bubo bubo*).

eagle ray *n. icht.* orleń (*Myliobates aquila*).

eaglet [ˈiːglət] *n.* orlę, orlątko.

eaglewood [ˈiːglˌwʊd] *n. bot.* kalambak (*Aquilaria malaccensis*); *U* drewno kalambakowe (*dostarczające wonnej żywicy*).

eagre [ˈiːgər] *n. Br. hydrol.* fala przypływu (*spiętrzona w ujściu rzeki*).

EAN [ˌiː ˌeɪ ˈen] *abbr.* **European Article Numbering** *handl.* europejski system oznaczania towarów (*za pomocą kodów kreskowych*).

ear[1] [iːr] *n.* **1.** *anat.* ucho; **external/middle/internal ~** ucho zewnętrzne/środkowe/wewnętrzne. **2.** ucho (*np. dzbanka*). **3.** (*także* **~piece**) *dzienn.* ramka w górnym rogu strony (*zwł. tytułowej*). **4.** *przen.* **be all ~s** zamieniać się w słuch; **be music to sb's ~s** być rozkoszą dla czyichś uszu; **be out on one's ~** *pot.* wylecieć na zbity pysk; **be up to one's ~s in sth** *pot.* tkwić w czymś po uszy; **be wet behind the ~s** *iron.* mieć mleko pod nosem; **box sb's ~s** dać komuś w ucho; **come to/reach sb's ~s** dotrzeć do czyichś uszu (*o nowinie, plotce*); **fall on deaf ~s** *zob.* **deaf** *a.* 2; **feel one's ~s burning** rumienić się po same uszy (*na myśl, że jest się obiektem rozmowy*); **sb's ~s are/must be burning** ktoś pewnie dostaje czkawki (*bo go obmawiają*); **give ~ to sb/sth** dawać posłuch komuś/czemuś; **give sb/get a thick ~** *pot.* dać komuś/oberwać w ucho; **go in one ~ and out the other** wlatywać jednym uchem, a wylatywać drugim; **have an ~ for music/languages** mieć ucho do muzyki/języków; **have a word in sb's ~** szepnąć komuś słówko; **have/get/win sb's ~** mieć/uzyskać/zdobyć dojście do kogoś *l.* wpływ na kogoś; **have/keep one's ~ to the ground** mieć się na baczności; wiedzieć, co w trawie piszczy; **head over ~s** po uszy (= *na całego, bez pamięci*); **keep one's ~s open** mieć uszy otwarte (*for sth* na coś); **lend an ~ to sb** wysłuchać kogoś; **listen with half an ~** słuchać jednym uchem; **make a pig's ~ (out) of sth** *pot.* spaprać coś; **not believe one's ~s** nie wierzyć własnym uszom; **play (sth) by ~** grać (coś) ze słuchu; **play (it) by ~** *pot.* improwizować; **prick up one's ~s** nastawiać uszu *l.* ucha (= *przejawiać nagłe zainteresowanie*); **send sb away**

with a flea in their ~ *pot.* powiedzieć komuś coś do słuchu; **set sb by the ~s** poróżnić kogoś, skłócić kogoś (ze sobą); **shut one's ~s to sth** zamykać uszy na coś; **smile from ~ to ~** uśmiechać się od ucha do ucha; **turn a deaf ~ to sth** *zob.* **deaf** *a.* 2; **walls have ~s** ściany mają uszy.

ear2 *n.* kłos (*zwł. zboża*). – *v.* kłosić się (*o roślinie*).

earache [ˈiːrˌeɪk] *n. U l. sing. pat.* ból ucha.

eardrop [ˈiːrˌdrɑːp] *n.* **1.** kolczyk z wisiorkiem. **2.** *pl. med.* krople do uszu.

eardrum [ˈiːrˌdrʌm] *n.* (*także* **drum**) *anat.* bębenek, błona bębenkowa.

eared [iːrd] *a.* mający uszy, uszaty; *w złoż.* **long-~** długouchy; **lop-~** zwisłouchy.

eared seal *n. zool.* uchatka (*rodzina Otariidae*).

ear fatigue *n. U fizj.* zmęczenie słuchu.

earflap [ˈiːrˌflæp] *n.* (*także* **earlap**) nausznik (*czapki*).

earful [ˈiːrfʊl] *n. pot.* **1.** rzecz podsłuchana *l.* zasłyszana; plotka. **2.** reprymenda; **give sb an ~** powiedzieć komuś coś do słuchu; **get an ~** nasłuchać się (*wymówek*).

earing [ˈiːrɪŋ] *n. żegl.* linka umocowana do rogu żagla (*używana przy refowaniu*).

earl [ɝːl] *n. Br.* **1.** tytuł arystokratyczny, trzeci w hierarchii parów Anglii (*odpowiednik hrabiego*). **2. E~ Marshal** przewodniczący brytyjskiego Kolegium Heraldycznego.

earlap [ˈiːrˌlæp] *n.* **1.** = **earflap**. **2.** *rzad. anat.* małżowina uszna; płatek małżowiny.

earldom [ˈɝːldəm] *n.* tytuł *l.* godność earla.

earless [ˈiːrləs] *a.* bezuchy, pozbawiony uszu.

earlier [ˈɝːlɪər] *a. i adv. comp. zob.* **early**.

earliest [ˈɝːlɪɪst] *a. i adv. sup. zob.* **early**; **at your ~ convenience** *zob.* **convenience** 1; **the ~ mammals/humans** *paleont.* najwcześniejsze *l.* pierwsze ssaki/istoty ludzkie. – *n.* **(tomorrow/Sunday) at the ~** najwcześniej (jutro/w niedzielę).

earliness [ˈɝːlɪnəs] *n. U* wczesność; przedwczesność; dawność.

earlobe [ˈiːrˌloʊb], **ear lobe** *n. anat.* płatek małżowiny usznej.

early [ˈɝːlɪ] *a.* **-ier, -iest 1.** wczesny (*t. = dojrzewający l. zakwitający wcześnie*); **at an ~ age** w młodym wieku; **be in one's ~ twenties/thirties** mieć niewiele ponad dwadzieścia/trzydzieści lat; **from an ~ age** od najmłodszych lat; **have/get an ~ night** pójść wcześnie spać; **in ~ June** na początku czerwca; **in the ~ hours** we wczesnych godzinach rannych (= *przed świtem*); **in the ~ morning** wczesnym rankiem; **it's ~ days (yet)** *zob.* **day** 6; **keep ~ hours** wstawać wcześnie; chodzić wcześnie spać. **2.** zbyt wczesny; przedwczesny (*np. o śmierci*); **you're (half an hour) ~** przyszedłeś (o pół godziny) za wcześnie. **3.** ranny, poranny; **~ bird/riser** *często żart.* ranny ptaszek; **the ~ bird catches the worm** *przest.* kto rano wstaje, temu Pan Bóg daje. **4.** *attr.* pierwszy; dawny; *t. hist. jęz.* wczesny; **~ Christians/settlers** pierwsi chrześcijanie/osadnicy; **E~ Middle English** (język) wczesnośredniοangielski; **in ~ times** w dawnych *l.* zamierzchłych czasach; **sb's ~ works** (*także* **the ~ works of sb**) czyjeś wczesne dzieła *l.* utwory. **5.** rychły, szybki; niezwłoczny; **an ~ decision would be wise** przydałaby się szybka decyzja. – *adv.* **1. -ier, -iest** wcześnie; rano (*zwł. wstawać*); w początkach (*danego okresu*); dawno temu; **~ in the month/year** na początku miesiąca/roku; **~ in the twentieth century** w początkach dwudziestego wieku; **~ last week** na początku zeszłego tygodnia; **~ on** (niemal) od początku; **~ to bed and ~ to rise (makes a man healthy, wealthy and wise)** *przest.* kłaść się z kurami i wstawać o świcie (to recepta na mądrość, bogactwo i zdrowe życie); **as ~ as the twelfth century** już w dwunastym wieku. **2.** wcześniej, przed czasem; przedwcześnie, za wcześnie; **come/arrive five minutes ~** zjawić się pięć minut przed czasem; **it's (rather) ~ to be doing sth** jest (trochę) za wcześnie na robienie czegoś; **if you finish ~, you can go** jeśli skończysz wcześniej *l.* przed czasem, możesz iść.

early closing *n. U Br.* wczesne zamykanie sklepów (*w wyznaczonym dniu tygodnia*); (*także* **early-closing day**) dzień wczesnego zamykania (*większości sklepów w danym mieście*); **Thursday is early closing** w czwartek zamykają wcześniej.

early retirement *n. U* wcześniejsza emerytura.

early warning *n.* **1.** ostrzeżenie zawczasu. **2.** *wojsk.* wczesne ostrzeganie; **(missile) early warning system** system wczesnego ostrzegania (przed atakiem rakietowym).

earmark [ˈiːrˌmɑːrk] *n. hodowla* **1.** znak na uchu zwierzęcia (*zwł. nacięty numer l. kolczyk*). **2.** *przen.* cecha rozpoznawcza (*of sth* czegoś). – *v.* **1.** *hodowla* znakować za pomocą nacięcia na uchu; kolczykować. **2.** *często pass. przen.* przeznaczać, rezerwować (*zwł. fundusze, środki*) (*for sth* na coś); wyznaczać (*sb for sth / to do sth* kogoś do czegoś/do zrobienia czegoś); naznaczać, piętnować (*as...* jako...).

earmuffs [ˈiːrˌmʌfs] *n. pl.* nauszniki (*przytwierdzone do opaski na głowę*).

earn [ɝːn] *v.* **1.** zarabiać; *fin.* przynosić zysk (*o ulokowanych pieniądzach*); **~ an honest penny** pracować ciężko i uczciwie; **~ one's keep** zarabiać na siebie (*t. o narzędziu pracy*); **~ one's living** zarabiać na utrzymanie (*by doing sth* robiąc coś); **~ed income** zarobki, wynagrodzenie z tytułu zatrudnienia. **2.** zasłużyć sobie na; **~ a name** *często uj.* zasłynąć (*for sth* z powodu czegoś, *as...* jako...). **3. ~ sb sth** zjednywać komuś coś (*np. pochwały, uznanie*).

earner [ˈɝːnər] *n.* **high/low/average ~** osoba dużo/mało/przeciętnie zarabiająca.

earnest1 [ˈɝːnɪst] *a.* **1.** poważny (= *zachowujący powagę, nieskory do żartów; t. uj. = bez poczucia humoru*). **2.** szczery, solenny (*o życzeniu, nadziei, obietnicy*). – *n. U* **in ~** (na) serio, (na) poważnie; **be in (dead(ly)/complete) ~** mówić (śmiertelnie/najzupełniej) serio.

earnest2 *n.* **1. an ~ of sth** *form.* zapowiedź *l.* obietnica czegoś. **2.** (*także* **~ money**) *prawn.* zadatek pieniężny.

earnestly [ˈɜ:nɪstlɪ] *adv.* **1.** poważnie, serio. **2.** solennie.

earnestness [ˈɜ:nɪstnəs] *n. U* **1.** powaga; *uj.* namaszczenie, śmiertelna powaga. **2.** solenność, szczerość (*intencji*).

earnings [ˈɜ:nɪŋz] *n. pl.* **1.** zarobki, dochody. **2.** *fin.* zyski (*z lokaty l. przedsięwzięcia*).

earnings-related [ˈɜ:nɪŋzrɪˌleɪtɪd] *a.* uzależniony od dochodów (*np. o wysokości renty*).

earphone [ˈi:rˌfoʊn] *n. zw. pl. techn.* słuchawka (*douszna l. zakładana na głowę*).

earpiece [ˈi:rˌpi:s] *n.* **1.** *tel.* głośnik słuchawki telefonicznej. **2.** (*także* **earplate**) *zbroja, hist.* nausznik (*hełmu*). **3.** *gł. Br. dzienn.* = **ear**[1] 2.

ear piercing *n. U* przekłuwanie uszu.

ear-piercing [ˈi:rˌpi:rsɪŋ] *a.* świdrujący w uszach, przenikliwy (*o dźwięku*).

earplate [ˈi:rˌpleɪt] *n.* = **earpiece** 2.

earplug [ˈi:rˌplʌg] *n. zw. pl.* zatyczka do uszu.

earring [ˈi:rˌrɪŋ] *n. często pl.* kolczyk; klips.

earringed [ˈi:rˌrɪŋd] *a.* noszący kolczyki *l.* klipsy; ozdobiony kolczykiem.

ear shell *zool.* słuchotka (*Haliotis*).

earshot [ˈi:rˌʃɑ:t] *n. U* **within/out of ~** w zasięgu/poza zasięgiem słuchu.

earsplitting [ˈi:rˌsplɪtɪŋ] *a.* ogłuszający, rozdzierający (*o dźwięku*).

earth [ɜ:θ] *n.* **1.** *U* ziemia (*t. = jeden z żywiołów, suchy ląd*), gleba; powierzchnia ziemi. **2.** **the ~/E~** Ziemia. **3.** *t. chem., geol., techn.* **diatomaceous/fuller's ~** ziemia okrzemkowa/fulerska; *pl.* **rare ~s** ziemie rzadkie (= *tlenki lantanowców*); (*także* **rare ~ elements/metals**) pierwiastki/metale ziem rzadkich (= *lantanowce*). **4.** *zw. sing. Br. el.* uziemienie. **5.** *gł. Br. myśl.* nora (*zwł. lisia*); **go/run to ~** uciekać do nory; *przen.* ukrywać się; **run (a fox/badger) to ~** zapędzić (lisa/borsuka) do nory; **run sb to ~** *przen.* nakryć *l.* przydybać kogoś. **6.** *przen.* **charge/cost/pay the ~** *pot.* policzyć/kosztować/zapłacić fortunę; **come back/down to ~** zejść na ziemię (= *wrócić do rzeczywistości*); **feel the ~ under one's feet** czuć twardy grunt *l.* stały ląd pod stopami; **(go to) the ends of the ~** (pójść na) koniec *l.* kraj świata; **look/feel/taste like nothing on ~** *Br. pot.* wyglądać/czuć się/smakować bardzo dziwnie; **move heaven and ~** poruszyć niebo i ziemię; **in the four corners of the ~** po całym świecie; **promise sb the ~** obiecywać komuś złote góry; **the salt of the ~** sól ziemi; **the worst job on ~** najgorsze z możliwych zajęć; **what on ~ is he doing?** cóż on u licha robi?; **where on ~ have you been?** gdzieś ty był?; **wipe sth off the face of the ~** zetrzeć coś z oblicza *l.* powierzchni ziemi. – *v.* **1.** *Br. el.* uziemiać. **2.** *myśl.* uciec do nory (*o lisie*). **3.** **~ up** *ogr.* okrywać ziemią.

earthborn [ˈɜ:θˌbɔ:rn] *a. poet.* **1.** ziemski. **2.** ludzki; śmiertelny, doczesny.

earthbound [ˈɜ:θˌbaʊnd] *a.* **1.** umieszczony na Ziemi; związany z Ziemią, pochodzenia ziemskiego. **2.** *uj.* przyziemny.

earth dam *n.* tama ziemna.

earthed [ɜ:θt] *a. Br. el.* uziemiony.

earthen [ˈɜ:θən] *a. attr.* **1.** ziemny, (zrobiony) z ziemi. **2.** *ceramika* gliniany.

earthen floor *n.* klepisko.

earthenware [ˈɜ:θənˌwer] *n. U* naczynia gliniane. – *a. attr.* z wypalonej gliny.

earth goddess *n.* bogini ziemi.

earthily [ˈɜ:θɪlɪ] *adv.* **1.** pragmatycznie. **2.** zgrzebnie, siermiężnie; rubasznie.

earthiness [ˈɜ:θɪnəs] *n. U* **1.** przyziemna praktyczność, pragmatyzm. **2.** siermiężność; rubaszność.

earthlight [ˈɜ:θˌlaɪt] *n. U* (*także* **earthshine**) *astron.* blask Ziemi (*oświetlający nocną stronę Księżyca*).

earthling [ˈɜ:θlɪŋ] *n.* Ziemian-in/ka, istota ziemska (*zwł. w literaturze fantastyczno-naukowej*).

earthly [ˈɜ:θlɪ] *a. attr.* **1.** doczesny; ziemski, światowy (= *związany z tym światem*); **~ joys/sorrows** ziemskie radości/troski; **~ paradise** raj na ziemi; **~ possessions** dobra doczesne. **2.** *zwł. z neg. pot.* wyobrażalny, najmniejszy; **be no ~ use** być kompletnie bezużytecznym; **have no ~ chance/hope** nie mieć cienia szansy/nadziei (*of sth* na coś, *of doing sth* na zrobienie czegoś); **there is no ~ reason for...** nie ma najmniejszego powodu, żeby...

earthman [ˈɜ:θˌmæn] *n. pl.* **-men** Ziemianin (*zwł. w literaturze fantastyczno-naukowej*).

earthnut [ˈɜ:θˌnʌt] *n. bot.* nazwa kilku roślin baldaszkowatych o jadalnych bulwach lub kłączach podziemnych (*Conopodium majus, Bunium flexuosum, Carum bulbocastanum*); *pot.* orzeszek ziemny *l.* arachidowy; trufla.

earthquake [ˈɜ:θˌkweɪk] *n.* (*także* **quake**) *geol.* trzęsienie ziemi.

earth sciences *n. pl.* nauki o Ziemi.

earthshaking [ˈɜ:θˌʃeɪkɪŋ] *a.* (*także* **earthshattering**) przełomowy, doniosły.

earthshine [ˈɜ:θˌʃaɪn] *n. astron.* = **earthlight**.

earthstar [ˈɜ:θˌstɑ:r] *n. bot.* gwiazdosz (*Geastrum, rodzaj grzyba*).

earthward [ˈɜ:θˌwərd] *a.* skierowany *l.* zmierzający ku ziemi. – *adv.* (*także Br.* **~s**) ku ziemi.

earthwax [ˈɜ:θˌwæks] *n. U geol.* ozokeryt, wosk ziemny.

earthwork [ˈɜ:θˌwɜ:k] *n. bud.* **1.** *pl.* roboty ziemne. **2.** *wojsk.* szaniec.

earthworm [ˈɜ:θˌwɜ:m] *n.* **1.** dżdżownica (*zool. = rodzina Lumbricidae; t. inne skąposzczety żyjące w glebie*). **2.** *arch. pog.* robak (= *człowiek płaszczący się*).

earthy [ˈɜ:θɪ] *a.* **-ier, -iest** **1.** ziemisty. **2.** przyziemny, pragmatyczny. **3.** siermiężny, zgrzebny; rubaszny.

ear trumpet *n. przest.* trąbka do ucha (*rodzaj aparatu słuchowego*).

earwax [ˈi:rˌwæks] *n. U fizj.* woskowina, woszczyna uszna.

earwig [ˈi:rˌwɪg] *n.* **1.** *ent.* skorek (*rząd Dermaptera*). **2.** *US pot.* stonoga. – *v.* **-gg-** **1.** *pot.* podsłuchać. **2.** *arch.* urabiać podszeptami.

ease [i:z] *n. U* spokój, beztroska; swoboda, nieskrępowanie; łatwość; komfort, wygoda; **~ of**

manner niewymuszony sposób bycia; ~ **of mind** spokój ducha; **at** ~! *wojsk.* spocznij!; **at one's** ~ w wolnej chwili, bez pośpiechu; **be/feel at** ~ czuć się wygodnie *l.* swobodnie; **live a life of** ~ wieść wygodne *l.* beztroskie życie; **put/set sb at (their)** ~ rozproszyć czyjeś obawy, uspokoić kogoś; **put/set one's mind at** ~ pozbyć się obaw; **stand at** ~ *wojsk.* stać w postawie swobodnej (*stopy rozstawione, dłonie założone z tyłu*); **take one's** ~ odprężyć się; **with** ~ bez trudu, gładko. – *v.* **1.** koić, uśmierzać (*ból, zmartwienie*); łagodzić (*napięcie*). **2.** uspokajać (*umysł, sumienie*). **3.** zelżeć, złagodnieć. **4.** odciążać; ~ **sb of pain/suffering/anxiety** uwolnić kogoś od bólu/cierpienia/lęku; ~ **o.s./nature** *arch. l. żart.* ulżyć sobie (*euf. = załatwić potrzebę*). **5.** poluzować; popuścić (*szwy*); podkroić (*np. pachy w sukience*). **6.** ułatwiać, udogadniać. **7.** ostrożnie wsunąć *l.* wprowadzić, wmanewrować (*np. samochód*) (*into sth* do czegoś); wysunąć, wyprowadzić, wymanewrować (*out of sth* skądś); przemieścić (się) ostrożnie *l.* z dużą precyzją (*along/across sth* wzdłuż/w poprzek czegoś, *up/down sth* w górę/w dół *l.* wzdłuż czegoś). **8.** ~ **down** zwolnić (*o kierowcy*); ~ **off** poluzować; zelżeć, złagodnieć, osłabnąć (*o napięciu, niepogodzie, nasileniu ruchu*); ~ **up** zelżeć, uspokoić się (*o natłoku spraw*); ~ **up on sb/sth** *pot.* dać spokój komuś/czemuś.

easeful [ˈiːzfʊl] *lit. a.* błogi, beztroski.

easefully [ˈiːzfʊlɪ] *adv.* błogo, beztrosko.

easefulness [ˈiːzfʊlnəs] *n. U* błogość, beztroska.

easel [ˈiːzl] *n.* **1.** *mal.* sztalugi. **2.** stojak do tablicy. **3.** *US i Can. fot.* maskownica.

easel painting *n. mal.* **1.** *U* malarstwo sztalugowe. **2.** płótno (= *obraz malowany na sztalugach*).

easement [ˈiːzmənt] *n.* **1.** *U prawn.* prawo użytkowania cudzych gruntów (*np. w celu uzyskania dostępu do własnej nieruchomości*). **2.** *form.* ułatwienie, udogodnienie.

easily [ˈiːzɪlɪ] *adv.* **1.** z łatwością, bez trudu, bez wysiłku; gładko; swobodnie, nonszalancko. **2.** niewątpliwie, bez dwóch zdań; ~ **the best** bez wątpienia najlepszy. **3.** łatwo (= *ze znacznym prawdopodobieństwem*); **it may** ~ **rain** całkiem możliwe, że będzie padać; **you may** ~ **drown here** można się tu łatwo utopić.

easiness [ˈiːzɪnəs] *n. U* **1.** łatwość. **2.** swobodne maniery, luz, nonszalancja.

east [iːst] *n. U* **the** ~ wschód; **to the** ~ **of sth** na wschód od czegoś; **the E**~ Wschód (*w sensie politycznym l. kulturalno-religijnym*); *US* stany wschodnie (*na płn. od rzeki Ohio i na wsch. od Missisipi*); **the Far** ~ Daleki Wschód; **the Middle/Near** ~ Bliski Wschód. – *a. attr.* wschodni; **E**~ **Africa** Afryka Wschodnia; ~ **wind** wiatr wschodni. – *adv.* **1.** na wschód (*of sth* od czegoś); w kierunku wschodnim; ~ **by north/south** *żegl.* wschód do północy/południa (*kierunki kompasowe*). **2.** *arch.* ze wschodu (*o kierunku wiatru*).

eastbound [ˈiːstˌbaʊnd] *a.* zmierzający na wschód, w kierunku wschodnim; zdążający na wschód (*o ruchu*); prowadzący na wschód (*o trasie, drodze*); *żegl.* idący na wschód.

East Coast *n.* **the** ~ *geogr.* Wschodnie Wybrzeże (*Stanów*).

Easter [ˈiːstər] *n. C/U kość.* Wielkanoc; ~ **Sunday/Day** niedziela wielkanocna, Wielka Niedziela; ~ **Monday** poniedziałek wielkanocny; **at** ~ na Wielkanoc, w święta wielkanocne.

Easter bunny *n. sing. US* zając wielkanocny.

Easter egg *n.* **1.** *US* pisanka. **2.** *Br.* czekoladowe jajko wielkanocne.

Easter Island *n. geogr.* Wyspa Wielkanocna.

Easter Islander *n.* mieszkan-iec/ka Wyspy Wielkanocnej.

easterlies [ˈiːstərlɪz] *n. pl. żegl.* wiatr wschodni.

easterly [ˈiːstərlɪ] *a. zw. attr.* wschodni, ze wschodu (*o wietrze*); skierowany na wschód; **in an** ~ **direction** w kierunku wschodnim. – *adv.* ku wschodowi.

eastern [ˈiːstərn] *a. attr.* wschodni; (*także* **E**~) dotyczący Wschodu (*w sensie politycznym l. kulturalno-religijnym; US = dotyczący stanów wschodnich*); orientalny.

Eastern Block *n. hist., polit.* blok wschodni (= *kraje zdominowane przez ZSRR*).

Eastern Church *n. rel.* Kościół wschodni (*np. prawosławny, koptyjski, ormiański*).

easterner [ˈiːstərnər], **Easterner** *n.* mieszkan-iec/ka Wschodu (*t. wschodnich stanów USA*).

easternmost [ˈiːstərnˌmoʊst] *a. geogr.* wysunięty najdalej na wschód.

Eastern Standard Time *n. U US i Can.* czas strefowy wschodniego wybrzeża.

Eastertide [ˈiːstərˌtaɪd] *n. U lit.* okres świąt wielkanocnych.

easting [ˈiːstɪŋ] *n.* **1.** *żegl.* odchylenie na wschód, odległość przebyta w kierunku wschodnim. **2.** *kartogr.* odległość kątowa od danego południka (*mierzona w kierunku wschodnim*); linia południkowa (*siatki kartograficznej*).

east-northeast [ˌiːstˌnɔːrθˈiːst] *n. i adv. gł. żegl.* (na) wschód-północo-wschód. – *a.* wschodnio-północno-wschodni.

east-southeast [ˌiːstˌsaʊθˈiːst] *n. i adv. gł. żegl.* (na) wschód-południo-wschód. – *a.* wschodnio-południowo-wschodni.

eastward [ˈiːstwərd] *a. attr.* skierowany *l.* zmierzający na wschód. – *adv.* (*także Br.* ~**s**) na wschód (*from sth* od czegoś); ku wschodowi. – *n.* kierunek wschodni.

eastwardly [ˈiːstwərdlɪ] *a. i adv.* (zmierzający, biegnący *l.* wiejący) w kierunku wschodnim.

easy [ˈiːzɪ] *a.* **-ier, -iest 1.** łatwy (*t. uj. = płytki, niewybredny, bez oporów moralnych*); lekki (= *niewymagający trudu*); dogodny; nieskomplikowany, przystępny. **2.** łatwy w pożyciu; ustępliwy (*about sth* w sprawie czegoś). **3.** spokojny, beztroski. **4.** *pot.* ~ **on the ear** przyjemny dla ucha; ~ **on the eye** cieszący oko; atrakcyjny (*o osobie*). **5.** lekki, delikatny. **6.** łagodny (*t. = niezbyt stromy*); pobłażliwy. **7.** niewymuszony, naturalny (*o stylu, sposobie bycia*); swobodny, luźny; ~ **grace** niewymuszony wdzięk; ~ **manners**

swobodne obejście. **8.** *ekon.* łatwo dostępny (*o towarach*); nasycony (*o rynku*). **9.** ~ **game/mark** osoba prostoduszna (*dająca się wystrychnąć na dudka*); ~ **money** *uj.* łatwe pieniądze; ~ **of approach** przystępny (*o osobie*); ~ **prey/victim** łatwowierna ofiara (*np. oszustwa*); ~ **touch** *sl.* osoba, którą łatwo naciągnąć na pożyczkę; **(as)** ~ **as ABC/as anything/as falling off a log/as pie/as shelling peas/as winking** *emf.* dziecinnie łatwy; **free and** ~ *zob.* **free**; **have an** ~ **time** poradzić sobie bez trudu; **I'm** ~ *pot.* ja się dostosuję; **on** ~ **terms** *fin.* na dogodnych warunkach; **take the** ~ **way out** *pot.* wykpić się byle czym; **woman of** ~ **virtue** *przest.* kobieta lekkich obyczajów. – *adv.* **1.** ostrożnie, delikatnie, powoli (*w poleceniach*) (*with sth* z czymś). **2. -ier, -iest** *dial. l. w utartych zwrotach* łatwo; ~ **come,** ~ **go** łatwo przyszło, łatwo poszło; **come** ~ **(to sb)** *pot.* przychodzić (komuś) łatwo *l.* bez trudu; **easier said than done** łatwo się mówi, łatwiej powiedzieć, niż zrobić. **3.** *pot.* (*w utartych zwrotach*) spokojnie, lekko (= *nie przejmując się*); na luzie; ~ **does it** nie tak szybko, (zrób to) spokojnie; **go** ~ nie przepracowywać się; **go** ~**!** powoli!, nie tak nerwowo!; **go** ~ **on/with sb/sth** zostawić kogoś/coś (w spokoju); **stand** ~ *wojsk.* stać swobodnie (*w postawie rozluźnionej*); **take it/things** ~ nie przejmować się. – *v. zw. imp.* (*także* ~**-oar**) *żegl.* przerwać wiosłowanie.

easy chair *n.* duży wyściełany fotel.

easygoing [ˌiːzɪˈgoʊɪŋ], **easy-going** *n.* **1.** wyrozumiały, pobłażliwy. **2.** beztroski, na luzie.

easy-mannered [ˌiːzɪˈmænərd] *a.* wyrobiony towarzysko, o swobodnych manierach.

easy-peasy [ˌiːzɪˈpiːzɪ] *a. Br. pot.* łatwiuteńki.

eat [iːt] *v. pret.* **ate** [eɪt] *pp.* **eaten** [ˈiːtən] **1.** jeść; spożywać; odżywiać się; posilać się; ~ **in/out** jeść (obiad) w domu/na mieście; ~ **like a bird/horse** *pot.* jeść jak ptaszek/za dwóch; ~ **o.s. sick** rozchorować się z przejedzenia (*on sth* czymś); ~ **right** *US* odżywiać się prawidłowo; **I could** ~ **a horse** *pot.* zjadłbym konia z kopytami; **we usually** ~ **around 7** zwykle jemy (obiad) około siódmej; **would you like something to** ~**?** zjesz coś?. **2.** ~ **(away/up)** zżerać, trawić (*np. o rdzy*); *przen.* gryźć (*o niepokoju, wyrzutach sumienia*). **3.** ~ **sb** *obsc. sl.* uprawiać z kimś seks oralny. **4.** *przen. pot.* ~ **humble pie** (*także US i Austr.* ~ **crow**) pokajać się; ~ **one's words** odszczekać to, co się powiedziało; ~ **sb alive/for breakfast** zniszczyć kogoś (= *pokonać z łatwością l. wyładować na kimś swój gniew*); ~ **sb out of house and home** *zw. żart.* puścić kogoś z torbami; **have one's cake and** ~ **it** *zob.* **cake** *n.* 7; **(it's a case of) dog** ~ **dog** albo ja jego, albo on mnie (*o konkurencji*); **I'll** ~ **my hat if...** *przest.* niech mnie gęś kopnie, jeśli...; **she'll soon have them** ~**ing out of her hand** niedługo będą jej jedli z ręki; **what's** ~**ing you?** co cię gryzie?. **5.** ~ **sth away** (*także* ~ **away at sth**) erodować, żłobić *l.* podmywać coś; *przen.* pochłaniać *l.* zżerać coś (*np. oszczędności*); ~ **away at sb** *przen.* nie dawać komuś spokoju, gnębić kogoś (*np. o myśli*); ~ **into sth** wżerać się w coś (*np. o rdzy*); *przen.* stopniowo uszczuplać coś (*np. oszczędności*); ~ **one's heart out** *Br.* zamartwiać się (*for sb / sth* z powodu kogoś/czegoś); **I'm an excellent basketball player -** ~ **your heart out, Michael Jordan!** *żart.* jestem świetnym koszykarzem - niech się schowa Michael Jordan!; ~ **up** zjeść do końca; pożreć; *przen.* chłonąć (*czyjeś słowa*); ~ **up!** dokończ jedzenie!, zjedz do końca!; ~ **up the miles** *przen.* połykać mile; **be** ~**en up with jealousy/curiosity** *przen.* być zżeranym przez zazdrość/ciekawość.

eatable [ˈiːtəbl] *a.* jadalny, zjadliwy, nadający się do jedzenia. – *n. zw. pl. pot.* coś do jedzenia.

eater [ˈiːtər] *n.* **1. be a big/small/slow** ~ jeść dużo/mało/wolno; **fussy** ~ niejadek. **2.** = **eating apple/pear**; *zob.* **eating.**

eatery [ˈiːtərɪ] *n. zwł. US pot. często żart.* restauracja, jadłodajnia.

eating [ˈiːtɪŋ] *n. U* jedzenie; ~ **apple/pear** jabłko/gruszka do bezpośredniego spożycia (= *nie na przetwory*); ~ **house/place** restauracja; **make excellent** ~ znakomicie nadawać się do jedzenia; **the proof of the pudding is in the** ~ *zob.* **proof.**

eating disorder *n. pat.* zaburzenie łaknienia (*np. bulimia, anoreksja*).

eats [iːts] *n. pl. pot.* żarcie.

eau de Cologne [ˌoʊ də kəˈloʊn] *n. U* (*także* **cologne (water)**) woda kolońska.

eau de nil [ˌoʊ də ˈniːl] *Fr. n. U* żółtawy odcień seledynu.

eau-de-nil [ˌoʊ də ˈniːl] *a. attr.* seledynowy z odcieniem żółtawym, groszkowy.

eau de vie [ˌoʊ də ˈviː] *n. U Fr.* gorzałka, okowita.

eaves [iːvz] *n. pl. bud.* okap (*dachu*).

eavesdrop [ˈiːvzˌdrɑːp] *v.* **-pp-** podsłuchiwać (*on sb / sth* kogoś/coś).

eavesdropper [ˈiːvzˌdrɑːpər] *n.* podsłuchiwacz/ka.

ebb [eb] *n.* **1.** (*także* ~ **tide**) odpływ (*morza*). **2.** *przen.* słabnięcie, pogarszanie się; ~ **and flow** narastanie i opadanie, falowanie (= *zmienna intensywność*) (*of sth* czegoś); **be at a low** ~ przechodzić kryzys; **be on the** ~ maleć, słabnąć. – *v.* **1.** cofać się, odpływać (*o wodach morskich*). **2.** ~ **(away)** *przen.* słabnąć, opadać.

ebon [ˈebən] *n. i a. poet.* = **ebony.**

Ebonics [iːˈbɑːnɪks] *n. U US* potoczny język czarnych Amerykanów (*ze względów politycznych traktowany niekiedy jako odrębny od angielskiego*).

ebonite [ˈebəˌnaɪt] *n. U chem., techn.* ebonit.

ebonize [ˈebəˌnaɪz], *Br. i Austr. zw.* **ebonise** *v. stol.* bejcować na hebanowo.

ebony [ˈebənɪ] *n.* **1.** *U* heban (*drewno l. kolor*). **2.** *pl.* **-ies** *bot.* heban (*Diospyros ebenum*). – *a. zw. attr. lit.* hebanowy.

ebony keys *n. pl.* czarne klawisze (*fortepianu*).

ebullience [ɪˈbʌljəns], **ebulliency** [ɪˈbʌljənsɪ] *n. U* wrzenie, kipienie (*zwł. przen.* = *energia, entuzjazm*); bujny wzrost, rozmach.

ebullient [ɪˈbʌljənt] *a.* kipiący, żywiołowy; wrzący; bujny.

ebulliently [ɪ'bʌljəntlɪ] *adv.* kipiąco, z werwą, żywiołowo; bujnie.

ebulliometer [ˌɪbʌl'jɑ:mɪtər] *n. fiz.* ebuliometr.

ebulliometry [ˌɪbʌl'jɑ:mətrɪ], **ebullioscopy** [ˌɪbʌl'jɑ:skəpɪ] *n. U chem.* ebuliometria, ebulioskopia.

ebullition [ˌebə'lɪʃən] *n. U* **1.** *fiz.* wrzenie. **2.** *przen.* wybuch (*uczuć*).

EC [ˌi: 'si:] *abbr.* = **European Community**.

écarté [ˌeɪkɑ:r'teɪ] *n.* écarté (*gra karciana l. figura baletowa*).

eccentric [ɪk'sentrɪk] *a.* **1.** ekscentryczny (*t. o położeniu = odśrodkowy*), dziwaczny. **2.** *mech.* mimośrodowy. **3.** *astron., astronautyka* wydłużony (*o orbicie*). **4.** *geom.* niewspółśrodkowy. – *n.* **1.** ekscentry-k/czka, dziwa-k/czka. **2.** *mech.* mimośród.

eccentrically [ɪk'sentrɪklɪ] *adv.* **1.** ekscentrycznie, dziwacznie. **2.** *techn., geom.* mimośrodowo, niewspółśrodkowo.

eccentricity [ˌeksən'trɪsətɪ] *n. pl.* **-ies 1.** *U* ekscentryczność (*t. = położenie odśrodkowe*). **2.** dziwactwo, ekscentryzm. **3.** *U* niewspółśrodkowość. **4.** *mat., astron., astronautyka* mimośród (*krzywej stożkowej, orbity eliptycznej*).

Eccl., **Eccles.** *abbr. Bibl.* = **Ecclesiastes**.

eccl., **eccles.** *abbr.* = **eccleciastic(al)**.

ecclesia [ɪ'kli:ʒɪə] *n. pl.* **ecclesiae 1.** *kośc. form.* zgromadzenie wiernych; gmina chrześcijańska. **2.** *hist.* eklezja (ateńska) (= *zgromadzenie obywateli*).

Ecclesiastes [ɪˌkli:zɪ'æsti:z] *n. sing. Bibl.* Księga Koheleta, Eklezjastes.

ecclesiastic [ɪˌkli:zɪ'æstɪk] *a.* kościelny. – *n.* duchowny.

ecclesiastical [ɪˌkli:zɪ'æstɪkl] *a.* dotyczący duchowieństwa *l.* Kościoła; ~ **history** historia Kościoła.

ecclesiastically [ɪˌkli:zɪ'æstɪklɪ] *adv.* zgodnie z przepisami Kościoła.

ecclesiasticism [ɪˌkli:zɪ'æstɪˌsɪzəm] *n. U* przywiązanie do praktyk i przepisów kościelnych (*często uj. = świętoszkowatość*).

Ecclesiasticus [ɪˌkli:zɪ'æstɪkəs] *n. sing. Bibl.* Księga Syracha (*przez protestantów zaliczana do apokryfów*), Eklezjastyk.

ecclesiolatry [ɪˌkli:zɪ'ɑ:lətrɪ] *n. U form.* obsesyjna gorliwość praktyk religijnych.

ecclesiologist [ɪˌkli:zɪ'ɑ:lədʒɪst] *n.* **1.** *teol.* eklezjolog. **2.** znaw-ca/czyni budownictwa sakralnego.

ecclesiology [ɪˌkli:zɪ'ɑ:lədʒɪ] *n. U* **1.** *teol.* eklezjologia (= *nauka o Kościele*). **2.** nauka o budownictwie sakralnym.

Ecclus. *abbr. Bibl.* = **Ecclesiasticus**.

eccrine ['ekrɪn] *a. attr. anat.* zewnątrzwydzielniczy.

ecdemic [ek'demɪk] *a. biol., pat.* zawleczony.

ecdysiast [ek'dɪzɪˌæst] *n. żart.* striptizer/ka.

ecdysis ['ekdɪsɪs] *n. U zool.* linienie (= *zrzucanie naskórka l. szkieletu zewnętrznego*).

ecdysone ['ekdɪsoʊn] *n. U biochem.* ekdyson, ekdysteroid (= *hormon metamorfozy owadów*).

ECG [ˌi: ˌsi: 'dʒi:] *abbr. med.* EKG; ~ **test** badanie EKG.

echelon ['eʃəˌlɑ:n] *n. form.* **1.** szczebel dowodzenia *l.* zarządzania; **the upper ~s** decydenci, góra, góry (partyjne); górne warstwy (*społeczeństwa*). **2.** *wojsk.* eszelon (= *ustopniowany szyk oddziałów l. okrętów; t. = grupa l. kolumna wyodrębniona z oddziału*); *wojsk.* pociąg z transportem wojskowym; (*także* ~ **formation**) *lotn.* schody (*szyk grupy samolotów*); **in** ~ rozwinięty w eszelon; *lotn.* w szyku „schody". **3.** (*także* ~ **grating**) *opt.* eszelon (*rodzaj siatki dyfrakcyjnej*). – *v. wojsk.* formować w eszelon (*oddział, eskadrę okrętów*); *lotn.* grupować w szyk schodów (*samoloty*).

echeveria [ˌetʃə'vi:rɪə] *n. bot.* eszeweria (*Echeveria*).

echidna [ɪ'kɪdnə] *n. pl.* **-s** *l.* **-e** [ɪ'kɪdni:] *zool.* kolczatka (*rodzina Tachyglossidae*).

echinate ['ekəˌneɪt], **echinated** ['ekəˌneɪtɪd] *a. attr. biol.* kolczasty.

echinococcosis [ɪˌkaɪnəkɑ:'koʊsɪs] *n. U pat.* bąblowica, echinokokoza.

echinococcus [ɪˌkaɪnə'kɑ:kəs] *n. pl.* **-cocci** *zool.* tasiemiec bąblowcowy (*Echinococcus*); bąblowiec, echinokok (= *larwa tasiemca*).

echinoderm [ɪ'kaɪnəˌdɝ:m] *n. zool.* szkarłupień (*typ Echinodermata*).

echinoid [ɪ'kaɪnɔɪd] *n. zool.* jeżowiec (*gromada Echinoidea*).

echinus [ɪ'kaɪnəs] *n. pl.* **-i** [ɪ'kaɪnaɪ] *bud.* echinus (= *dolna część głowicy doryckiej l. toskańskiej*).

echo ['ekoʊ] *n. pl.* **-es 1.** echo, pogłos; **artificial** ~ sztuczny pogłos; **flutter** ~ *akustyka, tel.* echo trzepoczące; **radar** ~ *techn.* echo radiolokacyjne. **2.** *przen.* echo (= *wspomnienie, powtórzenie*); oddźwięk; *pl.* echa (= *reperkusje*); **cheer sth to the** ~ *przest.* nagrodzić coś gromkimi owacjami. **3.** *uj.* potakiwacz/ka. **4. E~** *tel.* Echo (*nazwa litery E w międzynarodowym kodzie łączności*). – *v.* **-es, -ed, -ing 1.** odbijać (*dźwięki*); rozbrzmiewać (*to / with sth* czymś); budzić echo. **2.** *t. przen.* odbijać *l.* rozlegać się echem. **3.** *lit.* powtarzać (*zwł. słowo w słowo*). **4.** *lit.* naśladować, imitować.

echocardiography [ˌekoʊˌkɑ:rdɪ'ɑ:grəfɪ] *n. U med.* echokardiografia.

echo chamber *n. akustyka* komora pogłosowa.

echoic [e'koʊɪk] *a.* **1.** dźwiękonaśladowczy. **2.** echowy.

echoically [e'koʊɪklɪ] *adv.* dźwiękonaśladowczo.

echolalia [ˌekoʊ'leɪlɪə] *n. U pat.* echolalia.

echolocation [ˌekoʊloʊ'keɪʃən] *n. U techn.* echolokacja.

echopraxia [ˌekoʊ'præksɪə] *n. U pat.* echopraksja (= *automatyczne powtarzanie ruchów*).

echo-sounder [ˌekoʊ'saʊndər] *n. techn.* echosonda.

echo-sounding [ˌekoʊ'saʊndɪŋ] *n. U techn.* sondowanie akustyczne.

echovirus ['ekoʊˌvaɪərəs] *n. pat.* wirus ECHO.

éclair [eɪ'kler] *n. kulin.* ekler.

eclampsia [ɪ'klæmpsɪə] *n. U pat.* rzucawka porodowa.

éclat [eɪˈklɑː] *n. U lit.* **1.** błyskotliwość; **with ~** błyskotliwie. **2.** poklask, uznanie.

eclectic [ɪˈklektɪk] *a. form.* eklektyczny. – *n.* eklekty-k/czka.

eclectically [ɪˈklektɪklɪ] *adv.* eklektycznie.

eclecticism [ɪˈklektɪˌsɪzəm] *n. U* eklektyzm.

eclipse [ɪˈklɪps] *n.* **1.** przesłonięcie *l.* przyćmienie (*źródła światła*); *astron.* zaćmienie; **lunar/solar ~** zaćmienie Księżyca/Słońca; **partial/annular/total ~** zaćmienie częściowe/obrączkowe/całkowite. **2.** *C / U przen. form.* utrata powodzenia *l.* popularności; **remain in ~** pozostawać w zapomnieniu; **he suffered an ~** jego gwiazda przygasła. – *v. t. przen.* zaćmić, przyćmić; usunąć na drugi plan.

eclipsing binary [ɪˌklɪpsɪŋ ˈbaɪnərɪ] *n.* (*także* **eclipsing variable**) *astron.* gwiazda zmienna zaćmieniowa.

ecliptic [ɪˈklɪptɪk] *n. astron.* ekliptyka; **poles of the ~** bieguny ekliptyki. – *a. astron.* **1.** zaćmieniowy, dotyczący zaćmień. **2.** ekliptyczny.

ecliptically [ɪˈklɪptɪklɪ] *adv. astron.* **1.** zaćmieniowo. **2.** ekliptycznie.

ecliptic plane *n. astron.* płaszczyzna ekliptyki.

ecliptic system *n. astron.* układ współrzędnych ekliptycznych.

eclogue [ˈeklɔːg] *n. teor. lit.* ekloga, sielanka.

eco [ˈiːkoʊ] *a. attr. pot.* = **ecological**.

eco catastrophe *n.* katastrofa ekologiczna.

eco-friendly [ˌɪkoʊˈfrendlɪ] *a.* ekologiczny, przyjazny dla środowiska (*o produktach*).

E. coli [ˌiː ˈkoʊlaɪ] *n. fizj., pat.* pałeczka okrężnicy.

ecological [ˌekəˈlɑːdʒɪkl] *a.* ekologiczny (= *dotyczący ekologii l. przyjazny dla środowiska*).

ecologically [ˌiːkəˈlɑːdʒɪklɪ] *adv.* **1.** ekologicznie. **2.** z ekologicznego punktu widzenia.

ecologist [ɪˈkɑːlədʒɪst] *n.* ekolog (*pot. t.* = *członek ruchu Zielonych*).

ecology [ɪˈkɑːlədʒɪ] *n. U l. sing.* ekologia (*pot. t.* = *ochrona środowiska, ruch Zielonych*); **human ~** ekologia człowieka; **~ party** *polit.* partia ekologiczna.

econ. *abbr.* = **economic(s)**; = **economy**.

econometric [ɪˌkɑːnəˈmetrɪk], **econometrical** [ɪˌkɑːnəˈmetrɪkl] *a.* ekonometryczny.

econometrically [ɪˌkɑːnəˈmetrɪklɪ] *adv.* ekonometrycznie.

econometrics [ɪˌkɑːnəˈmetrɪks] *n. U* ekonometria.

economic [ˌiːkəˈnɑːmɪk] *a.* **1.** *attr.* gospodarczy, ekonomiczny; **~ crisis/growth** kryzys/wzrost gospodarczy. **2.** *gł. Br.* dochodowy, rentowny. **3.** *pot.* niedrogi.

economical [ˌiːkəˈnɑːmɪkl] *a.* **1.** oszczędny (*t. o stylu*) (*in / with sth* w czymś); gospodarny. **2.** ekonomiczny (= *tani w eksploatacji*). **3. be ~ with the truth** *euf. żart.* rozmijać się z prawdą.

economically [ˌiːkəˈnɑːmɪklɪ] *adv.* **1.** gospodarczo, pod względem gospodarki, z ekonomicznego punktu widzenia. **2.** ekonomicznie, oszczędnie.

economic geography *n. U* geografia gospodarcza.

economic indicator *n.* wskaźnik ekonomiczny.

economic policy *n.* polityka gospodarcza.

economics [ˌiːkəˈnɑːmɪks] *n.* **1.** *U* ekonomia (*nauka*). **2.** *pl.* aspekty finansowe (*of sth* czegoś).

economism [ɪˈkɑːnəˌmɪzəm] *n. polit.* ekonomizm.

economist [ɪˈkɑːnəmɪst] *n.* **1.** ekonomist-a/ka. **2.** *arch.* osoba oszczędna.

economize [ɪˈkɑːnəˌmaɪz], *Br. i Austr. zw.* **economise** *v.* oszczędzać (*on sth* na czymś).

economizer [ɪˈkɑːnəˌmaɪzər], *Br. i Austr. zw.* **economiser** *n. techn.* ekonomizer (*w gaźniku l. instalacji kotłowej*).

economy [ɪˈkɑːnəmɪ] *n.* **1.** gospodarka (*kraju, regionu*); **the state of the ~** stan gospodarki. **2.** *C / U* oszczędność, gospodarność; ekonomiczność; **~ of language** oszczędność środków językowych; **~/economies of scale** obniżenie kosztów jednostkowych dzięki zwiększeniu wielkości produkcji; **make economies** oszczędzać; **with ~** oszczędnie. **3.** gospodarowanie, ekonomia (= *racjonalne zarządzanie zasobami*); **agricultural/industrial/domestic ~** ekonomia rolnictwa/przemysłu/gospodarstwa domowego. **4.** *arch.* gospodarstwo (*domowe*).

economy class *n. lotn.* klasa turystyczna.

economy drive *n.* akcja oszczędzania (*poprzez ograniczanie wydatków, zwł. w organizacji, instytucji*).

economy pack *n. handl.* duże *l.* oszczędnościowe opakowanie (*np. proszku do prania*).

ecosphere [ˈekoʊˌsfiːr] *n.* ekosfera.

ecosystem [ˈekoʊˌsɪstəm] *n. ekol.* ekosystem.

ecotourism [ˈekoʊˌtʊrˌɪzəm] *n. U* ekoturystyka.

ecotype [ˈekəˌtaɪp] *n.* ekotyp.

ecowarrior [ˈekəˌwɔːrɪər] *n.* wojujący ekolog (*często stosujący nielegalne środki protestu*).

ecru [ˈeɪkruː] *a. i n. U* ecru (= *kolor(u) surowego płótna*).

ecstasy [ˈekstəsɪ] *n. pl.* **-ies** **1.** *C / U gł. psych.* ekstaza. **2.** *często pl.* uniesienie, upojenie, zachwyt; **be thrown/go into ~/ecstasies** wpadać w zachwyt (*over sth* nad czymś); **in ~** w uniesieniu; **in an ~ of delight** w rozkosznym upojeniu. **3.** *U* (*także* **E~**) *narkotyki pot.* ekstaza, ecstasy (= *metylenodioksymetamfetamina, MDMA*).

ecstatic [ekˈstætɪk] *a.* **1.** *gł. psych.* ekstatyczny. **2.** zachwycony; podniecony, rozentuzjazmowany (*at sth* czymś); entuzjastyczny (*np. o powitaniu*). – *n.* **1.** *psych.* osoba doświadczająca stanów ekstatycznych. **2.** *pl.* porywy zachwytu.

ecstatically [ekˈstætɪklɪ] *adv.* **1.** ekstatycznie. **2.** entuzjastycznie.

ECT [ˌiː ˌsiː ˈtiː] *abbr.* = **electroconvulsive therapy**.

ectasia [ekˈteɪʃə], **ectasis** [ˈektəsɪs] *n. pat.* rozdęcie, rozszerzenie.

ecthyma [ˈekθəmə] *n. pat.* niesztowica (= *wykwit pęcherzowo-ropny*).

ectoderm [ˈektəˌdɝːm] *n.* (*także* **ectoblast**) *biol.* ektoderma, ektoblast, zewnętrzny listek zarodkowy.

ectodermal [ˌektə'dɜːml] *a.* (*także* **ectoblastic**) *biol.* ektodermalny.

ectopia [ek'toʊpɪə] *n. pat.* przemieszczenie, ektopia.

ectopic [ek'tɑːpɪk] *a. pat.* przemieszczony (*zw. o narządzie*).

ectopic pregnancy *n. C / U pat.* ciąża pozamaciczna.

ectoplasm ['ektəˌplæzəm] *n. biol., spirytyzm* ektoplazma.

ectoplasmic [ˌektə'plæzmɪk] *n.* ektoplazmatyczny.

ectotherm ['ektəˌθɜːm] *n. zool.* zwierzę zmiennocieplne.

ectothermic [ˌektə'θɜːmɪk] *a.* zmiennocieplny.

ectypal ['ektəpl] *a. form.* naśladowczy, wtórny; odbity, powstały wskutek powielenia.

ectype ['ektaɪp] *n.* **1.** *gł. archeol.* naśladownictwo. **2.** *bud.* odcisk, odlew (*wzoru dekoracyjnego*). **3.** *form.* imitacja; *przen.* naśladow-ca/czyni.

ECU [eɪ'kuː], **ecu** *abbr. i n.* **European Currency Unit** *fin.* europejska jednostka monetarna (*przed 1999 r.*).

Ecuador ['ekwəˌdɔːr] *n. geogr.* Ekwador.

Ecuadoran [ˌekwə'dɔːrən], **Ecuadorian** [ˌekwə'dɔːrɪən], **Ecuadorean** *a.* ekwadorski. – *n.* Ekwador-czyk/ka.

ecumenic [ˌekjə'menɪk] *rzad.* **oecumenic** *a.* = **ecumenical**.

ecumenical [ˌekjə'menɪkl] *rzad.* **oecumenical** *a. gł. rel.* ekumeniczny; powszechny, światowy; **E~ Council** *kośc.* sobór powszechny.

ecumenicalism [ˌekjə'menɪkəˌlɪzəm] *n. U rel.* ekumenizm.

ecumenically [ˌekjə'menɪklɪ] *adv.* **1.** *rel.* ekumenicznie. **2.** *rzad.* powszechnie, na skalę światową.

ecumenism ['ekjʊməˌnɪzəm], **ecumenicism** [ˌekjə'menɪˌsɪzəm] *n. rel.* = **ecumenicalism**.

eczema ['eksəmə] *n. U pat.* wyprysk, egzema.

eczematous [ek'ziːmətəs] *a. pat.* wypryskowy.

ed [ed] *n. pot.* = **education**.

ed. [ed] *abbr.* **1.** *pl.* **eds.** = **editor**; = **edition**. **2.** = **education**; = **educated**.

edacious [ɪ'deɪʃəs] *a. form. l. żart.* żarłoczny.

edaciously [ɪ'deɪʃəslɪ] *adv.* żarłocznie.

edacity [ɪ'dæsətɪ] *n. U* obżarstwo, żarłoczność.

Edam ['iːdəm] *n. C / U* (*także* ~ **cheese**) ser edamski.

edaphic [ɪ'dæfɪk] *a. ekol.* edaficzny, glebowy.

eddy ['edɪ] *n. pl.* **-ies** wir; skłębienie (*mgły, kurzu*); *t. przen.* zawirowanie. – *v.* **-ied, -ying 1.** wirować, tworzyć zawirowania; kłębić się. **2.** *przen.* krążyć, kręcić się (*about / around sth* po czymś).

eddy current *n. el.* prąd wirowy.

edelweiss ['eɪdlˌvaɪs] *n. bot.* szarotka alpejska (*Leontopodium alpinum*).

edema [ɪ'diːmə], *Br.* **oedema** *n. pl.* **-s** *l.* **-ta** *pat.* obrzęk; **cerebral/pulmonary** ~ obrzęk mózgu/płuc.

edematous [ɪ'diːmətəs], **edematose** *a. pat.* obrzękowy.

Eden ['iːdn] *n. Bibl. l. przen.* Eden, raj; **the Garden of ~** rajski ogród.

edentate [iː'denteɪt] *n. zool.* szczerbak (*rząd Xenarthra*).

edge [edʒ] *n.* **1.** krawędź; brzeg; *t. przen.* skraj; ~ **to** ~ krawędziami do siebie; **on the ~ of sth** *przen.* u progu *l.* na skraju czegoś. **2.** ostrze, ostra krawędź; **give sb the (rough) ~ of one's tongue** *przen.* dociąć komuś; **live on a razor's ~** *przen.* żyć w ciągłym niebezpieczeństwie. **3.** *w złoż.* **blunt/sharp-~d** stępiony/zaostrzony; **double/two-~d** o dwóch ostrzach, obosieczny. **4.** *C / U przen.* ostrość, wyrazistość, ciętość; **be on ~** być podminowanym, denerwować *l.* niepokoić się; **cutting ~** *zob.* **cutting**; **give an ~ to sth** zaostrzyć coś (*zwł. czyjś apetyt*); **have the/an ~ on/over sb** mieć przewagę nad kimś; **lack ~** być pozbawionym siły *l.* wyrazistości; **not to put too fine an ~ upon it** nie owijając w bawełnę, nazywając rzeczy po imieniu; **set sb's teeth on ~** wyprowadzać kogoś z równowagi; **take the ~ off sth** stępić *l.* złagodzić coś; **take the ~ off one's appetite** zaspokoić pierwszy głód; **take the ~ off sb's success/victory** popsuć komuś radość z powodzenia/ze zwycięstwa; **(there is) an ~ to/in sb's voice** (słychać) ostry ton w czyimś głosie. – *v.* **1.** obrzeżać; obrębiać; okrawać, wyrównywać brzeg (*czegoś*). **2.** *t. przen.* ostrzyć, zaostrzać. **3.** *krykiet* uderzać (*piłkę*) krawędzią bijaka. **4.** *narty* zagłębiać (*nartę*) krawędzią w śnieg. **5.** posuwać, przesuwać (*zwł. chyłkiem, ostrożnie*); (*także* ~ **one's way**) posuwać się (*along / across sth* wzdłuż/w poprzek czegoś, *forward* naprzód); ~ **away** odsuwać się (*from sb / sth* od kogoś/czegoś); ~ **back** cofać się rakiem. **6.** ~ **sb out (of sth)** wypierać kogoś (z czegoś *l.* skądś).

edgeless ['edʒləs] *a.* pozbawiony ostrza.

edge tool *n.* ostre narzędzie.

edgewise ['edʒˌwaɪz], **edgeways** ['edʒˌweɪz] *adv.* **1.** węższą stroną, kantem, bokiem, krawędzią naprzód. **2.** na krawędzi, na brzegu (*o ustawieniu czegoś*). **3. get a word in ~** (*często z neg l. pyt.*) wtrącić słowo, dojść do głosu.

edgily ['edʒɪlɪ] *adv.* nerwowo, niespokojnie.

edginess ['edʒɪnəs] *n. U* podenerwowanie, niepokój.

edging ['edʒɪŋ] *n. C / U* obrzeżenie, obwódka; obrębienie, obszycie.

edging-shears ['edʒɪŋ ˌʃiːrz] *n. pl. ogr.* nożyce do strzyżenia krawędzi trawnika.

edgy ['edʒɪ] *a.* **-ier, -iest 1.** *gł. pred.* podminowany, podenerwowany. **2.** *mal.* konturowy (*zw. uj. = o zbyt ostrych liniach*).

edh [eð], **eth** *n.* **1.** *pismo, hist.* nazwa litery *ð* w alfabecie runicznym. **2.** nazwa dźwięku [ð] w transkrypcji fonetycznej.

edibility [ˌedə'bɪlətɪ] *n. U* (*także* **edibleness**) jadalność.

edible ['edəbl] *a.* jadalny, zdatny do jedzenia. – *n. pl.* wiktuały, żywność.

edict ['iːdɪkt] *n. form. l. żart.* edykt.

edictal [ɪ'dɪktl] *a. prawn., hist.* edyktowy, stanowiony za pomocą edyktów.

edification [ˌedəfəˈkeɪʃən] *n. U form. l. żart.* budujący wpływ; podbudowa (*duchowa, moralna*); **for sb's ~** gwoli czyjegoś zbudowania *l.* oświecenia.

edifice [ˈedəfɪs] *n. form.* **1.** budowla, gmach (*zwł. imponujący*). **2.** *przen.* struktura, system (*zwł. utrwalony przez tradycję*).

edify [ˈedəfaɪ] *v.* **-ied, -ying** *form. l. żart.* budować (*duchowo, moralnie*), podbudowywać.

edifying [ˈedəfaɪɪŋ] *a. form., często iron.* budujący (*moralnie*); **(not) an ~ spectacle** (niezbyt) budujące widowisko.

edifyingly [ˈedəfaɪɪŋlɪ] *adv.* budująco.

edile [ˈiːdaɪl] *n. hist.* = **aedile.**

Edinburgh [ˈedɪnˌbɜːə] *geogr.* Edynburg.

edit [ˈedɪt] *v.* **1.** ogłaszać drukiem, wydawać (*książki, prasę*). **2.** *druk.* redagować, przygotowywać do druku; *komp.* edytować (*dokument tekstowy, grafikę*); *film, radio* montować (*film, dźwięk*). **3.** (*także* **~ out**) usunąć (*w trakcie opracowywania l. montażu*). – *n. pot.* dopracowanie, wykończenie; **give sth a final ~** nadać czemuś ostateczny kształt.

edit. *abbr.* = **edited**; = **edition**; = **editor**.

editing [ˈedɪtɪŋ] *n. U* redagowanie; *komp.* edycja; *film, radio* montaż; **~ room** montażownia; **~ table** stół montażowy.

edition [ɪˈdɪʃən] *n.* **1.** wydanie, edycja; **morning/afternoon/evening ~** *dzienn.* wydanie poranne/popołudniowe/wieczorne; **first ~** *druk.* pierwsze wydanie; **paperback/hardcover/de luxe ~** wydanie w miękkiej oprawie/w twardej oprawie/luksusowe; **revised ~** wydanie poprawione. **2.** *druk.* nakład. **3.** *handl.* wersja (*produktu*).

editor [ˈedɪtər] *n.* **1.** *druk., dzienn., radio, telew.* redaktor/ka; **literary/sports/fashion ~** redaktor literacki/działu sportowego/działu mody; **~ in chief** redaktor naczelny. **2.** *film, radio* montażyst-a/ka. **3.** wydawca, edytor/ka. **4.** *komp.* edytor (*tekstów, rysunków*).

editorial [ˌedɪˈtɔːrɪəl] *a.* edytorski, redakcyjny; wydawniczy, redaktorski. – *n. dzienn.* artykuł redakcyjny *l.* wstępny.

editorialize [ˌedɪˈtɔːrɪəˌlaɪz], *Br. i Austr. zw.* **editorialise** *v.* **1.** wtrącać osobiste opinie (*on sth* na jakiś temat). **2.** *iron.* wygłaszać zarozumiałe komentarze (*tonem artykułów wstępnych*).

editorially [ˌedɪˈtɔːrɪəlɪ] *adv.* w imieniu wydawcy *l.* redakcji; w artykule wstępnym.

editorship [ˈedɪtərˌʃɪp] *n. U* **1.** funkcja *l.* stanowisko redaktor-a/ki. **2.** redakcja (= *praca redaktora*).

editress [ˈedɪtrəs] *n. rzad.* edytorka, redaktorka.

EDP [ˌiː ˌdiː ˈpiː] *abbr.* = **electronic data processing.**

EDT [ˌiː ˌdiː ˈtiː], **E.D.T.** *abbr.* **Eastern Daylight Time** *US i Can.* czas letni wschodniego wybrzeża.

educ. *abbr.* = **educated**; = **educational.**

educability [ˌedʒʊkəˈbɪlətɪ] *n. U* podatność na kształcenie.

educable [ˈedʒʊkəbl] *a.* dający się kształcić.

educate [ˈedʒʊˌkeɪt] *v.* **1.** kształcić, edukować, szkolić (*sb in sth / to do sth* kogoś w czymś/w robieniu czegoś); przyuczać (*sb to do sth* kogoś do robienia czegoś). **2.** uświadamiać (*sb in/on/about sth* kogoś w zakresie czegoś). **3.** rozwijać, kształtować (*osobowość, gust, zdolności*).

educated [ˈedʒʊˌkeɪtɪd] *a.* **1.** wykształcony; **Harvard-~** będący absolwentem Harvardu. **2.** kulturalny. **3.** *attr.* oparty na wiedzy *l.* doświadczeniu.

educated guess *n.* przewidywanie na podstawie posiadanej wiedzy *l.* doświadczenia.

education [ˌedʒʊˈkeɪʃən] *n. U l. sing.* **1.** kształcenie, edukacja, nauczanie; szkolnictwo, oświata; **adult ~** kształcenie dorosłych; **elementary ~** (*także Br.* **primary ~**) szkolnictwo podstawowe; nauczanie początkowe; **secondary/higher ~** szkolnictwo średnie/wyższe. **2.** wykształcenie; **secondary/higher ~** wykształcenie średnie/wyższe. **3.** *U* (*także* **~ theory**) pedagogika.

educational [ˌedʒʊˈkeɪʃənl] *a.* **1.** *attr.* edukacyjny; oświatowy; dotyczący nauczania. **2.** kształcący, pomagający w rozwoju; pouczający (*np. o doświadczeniu*).

educationalist [ˌedʒʊˈkeɪʃənlɪst] *n.* = **educationist.**

educationally [ˌedʒʊˈkeɪʃənlɪ] *adv.* **1.** edukacyjnie, pod względem wykształcenia. **2.** pouczająco.

educational psychology *n. U* psychologia nauczania.

educational technology *n.* technika kształcenia.

educational toy *n.* zabawka rozwijająca wyobraźnię.

educationist [ˌedʒʊˈkeɪʃənɪst] *n.* (*także* **educationalist**) pedagog, specjalist-a/ka od nauczania; pracowni-k/ca oświaty.

educative [ˈedʒʊˌkeɪtɪv] *a. form.* pouczający.

educator [ˈedʒʊˌkeɪtər] *n.* osoba szerząca oświatę; *zwł. US form.* nauczyciel/ka.

educatory [ˈedʒʊkəˌtɔːrɪ] *a. form.* **1.** oświatowy. **2.** kształcący.

educe [ɪˈduːs] *v.* **1.** *rzad.* wydobywać na jaw. **2.** *log.* wyprowadzać, wywodzić. **3.** *chem.* wydzielać (*from sth* z czegoś).

educible [ɪˈduːsəbl] *a.* **1.** *log.* wyprowadzalny. **2.** *chem.* dający się wydzielić.

educt [ˈiːdəkt] *n. chem.* substancja wydzielona.

eduction [ɪˈdʌkʃən] *n.* **1.** wywód, wyprowadzenie. **2.** *U chem.* wydzielanie (*substancji*). **3.** *techn.* suw wydechu (*w silniku*).

edulcorate [ɪˈdʌlkəˌreɪt] *v. techn.* opłukiwać z rozpuszczalnych zanieczyszczeń.

edutainment [ˌedʒəˈteɪnmənt] *n. U gł. telew., komp.* nauka poprzez zabawę; programy łączące walory edukacyjne z rozrywkowymi.

Edwardian [edˈwɔːrdɪən] *Br. hist. a.* edwardiański (= *z czasów Edwarda VII (1901-1910)*). – *n.* osoba żyjąca w czasach edwardiańskich.

E.E. [ˌiː ˈiː] *abbr.* = **electrical engineering**; = **electrical engineer.**

EEC [ˌiː ˌiː ˈsiː] *abbr. hist.* EWG.

EEG [ˌiː ˌiː ˈdʒiː] *abbr. med.* = **electroencephalogram**; = **electroencephalograph.**

eel [iːl] *n.* **1.** *icht.* węgorz (*Anguilla; t. inne ry-*

by z rzędu Anguilliformes); **electric ~** węgorz elektryczny (*Electrophorus electricus*). **2.** *przen.* osoba wywijająca się jak piskorz.

eelgrass [ˈi:lˌgræs] *n. U bot.* **1.** tasiemnica, trawa morska (*Zostera*). **2.** nurzaniec, walisneria (*Vallisneria*).

eellike [ˈi:lˌlaɪk] *a.* węgorzowaty, przypominający węgorza.

eelpout [ˈi:lˌpaʊt] *n. icht.* węgorzyca (*Zoarces*).

eelworm [ˈi:lˌwɝ:m] *n. zool.* węgorek (*rodzina Anguillulidae*).

eely [ˈi:lɪ] *a.* **-ier, -iest** *t. przen.* zwinny, wyślizgujący się (jak węgorz).

e'en [i:n] *adv. arch. l. poet.* = **even**. – *n. arch. l. poet.* = **evening**.

EEOA [ˌi: ˌi: ˌoʊ ˈeɪ] *abbr.* **Equal Educational Opportunities Act** *US* ustawa o równości szans w szkolnictwie.

e'er [er] *adv. arch. l. poet.* = **ever**.

eerie [ˈi:rɪ], **eery** *a.* **-ier, -iest** niesamowity, nie z tej ziemi; upiorny.

eerily [ˈi:rɪlɪ] *adv.* niesamowicie; upiornie.

eeriness [ˈi:rɪnəs] *n. U* niesamowitość.

EET [ˌi: ˌi: ˈti:] *abbr.* **Eastern European Time** czas wschodnioeuropejski.

eff [ef] *v. Br. sl. euf.* = **fuck**; **~ and blind** kląć, przeklinać; **~ off!** odwal się!.

effable [ˈefəbl] *a. arch.* wyrażalny.

efface [ɪˈfeɪs] *v.* **1.** zacierać, wymazywać (*t. wspomnienia*); ścierać (*linię, rysunek*). **2. ~ o.s.** *przen.* usuwać się w cień.

effaceable [ɪˈfeɪsəbl] *a.* dający się zatrzeć *l.* usunąć.

effacement [ɪˈfeɪsmənt] *n. U* zatarcie, wymazanie.

effect [ɪˈfekt] *n.* **1.** *C/U* skutek, wynik, efekt; **have/achieve the desired ~** osiągnąć zamierzony skutek; **have little/some ~** przynieść nikłe/pewne wyniki; **to good ~** z dobrym skutkiem. **2.** *nauka* efekt, zjawisko; **the Doppler/Faraday ~** *fiz.* zjawisko *l.* efekt Dopplera/Faradaya. **3.** *U form.* skuteczność; moc prawna, obowiązywanie; **be/remain in ~** być/pozostawać w mocy; **bring/put sth into ~** wprowadzać coś w życie; **come into/take ~** wchodzić w życie; **give ~ to sth** *form.* wcielać coś w życie; **of no ~** bezskuteczny; **to no ~** bezskutecznie, na darmo; **with immediate ~** ze skutkiem natychmiastowym (*np. zacząć obowiązywać*). **4.** *C/U* działanie, wpływ; **have an ~ on sb/sth** mieć wpływ na kogoś/coś; **take ~** zaczynać działać (*zwł. o leku*). **5.** *zw. sing.* wrażenie, efekt; **for ~** dla efektu, na pokaz; **strain for ~** *zob.* **strain**[1] *v.* **6.** (ogólny) sens; **...or something to this/that ~** ...czy coś w tym sensie *l.* stylu; **her letter was to the ~ that...** ogólny sens jej listu był taki, że... **7.** *pl.* (*także* **special ~s**) *film* efekty specjalne. **8.** *pl.* (*także* **personal/household ~s**) *prawn. l. form.* przedmioty osobistego użytku, mienie osobiste. **9. in ~** w gruncie rzeczy, w praktyce. – *v. form.* dokonać, doprowadzić do (*czegoś*); przeprowadzić, wprowadzić w życie; **~ a cure/reconciliation** doprowadzić do wyleczenia/pojednania.

effective [ɪˈfektɪv] *a.* **1.** skuteczny, wydajny; efektywny; *t. fiz.* użyteczny. **2.** *attr.* faktyczny, rzeczywisty. **3.** *zw. pred.* obowiązujący, ważny, pozostający w mocy; **become ~ from/as of...** wchodzić w życie od/z dniem ... **4.** efektowny, robiący wrażenie. **5.** *attr. wojsk.* w gotowości bojowej, pod bronią. – *n. wojsk.* żołnierz *l.* jednostka w gotowości bojowej.

effectively [ɪˈfektɪvlɪ] *adv.* **1.** skutecznie, efektywnie. **2.** w praktyce, w gruncie rzeczy. **3.** efektownie.

effectiveness [ɪˈfektɪvnəs] *n. U* **1.** skuteczność, efektywność. **2.** obowiązywanie, moc prawna. **3.** efektowność.

effective power *n. fiz.* moc użyteczna.

effective range *n. wojsk.* zasięg skuteczny.

effector [ɪˈfektər] *n.* **1.** *fizj., biochem.* efektor. **2. end ~** *techn.* chwytak (*robota*).

effectual [ɪˈfektʃʊəl] *a.* **1.** *form.* skuteczny. **2.** *prawn.* ważny, zachowujący moc prawną.

effectuality [ɪˌfektʃʊˈælətɪ] *n. U* **1.** *form.* skuteczność. **2.** *prawn.* ważność, moc prawna.

effectually [ɪˈfektʃʊəlɪ] *adv. form.* **1.** skutecznie; gruntownie. **2.** w istocie, w rzeczywistości.

effectualness [ɪˈfektʃʊəlnəs] *n. U* = **effectuality**.

effectuate [ɪˈfektʃʊˌeɪt] *v. form.* = **effect**.

effectuation [ɪˌfektʃʊˈeɪʃən] *n. U* dokonywanie, przeprowadzanie, wprowadzanie w życie.

effeminacy [ɪˈfemənəsɪ] *n. U pog.* zniewieściałość; wydelikacenie.

effeminate [ɪˈfemənɪt] *a. pog.* zniewieściały, babski; gnuśny, wydelikacony.

effeminately [ɪˈfemənɪtlɪ] *adv.* zniewieściale; bez wigoru.

effeminateness [ɪˈfemənɪtnəs] *n. U* = **effeminacy**.

efferent [ˈefərənt] *a. fizj., anat.* odprowadzający.

effervesce [ˌefərˈves] *v.* **1.** musować, burzyć się, pienić się (*o płynie*). **2.** tworzyć bąbelki, bulgotać (*o gazie*). **3.** *form. przen.* kipieć (*with sth* czymś).

effervescence [ˌefərˈvesəns] *n. U* **1.** musowanie, bulgotanie. **2.** *przen.* ożywienie, podniecenie.

effervescent [ˌefərˈvesənt] *a.* **1.** musujący, pieniący się, bulgocący. **2.** *przen.* ożywiony, radosny, podniecony.

effervescently [ˌefərˈvesəntlɪ], **effervescingly** [ˌefərˈvesɪŋlɪ] *adv.* **1.** burzliwie. **2.** *przen.* z ożywieniem, radośnie.

effete [ɪˈfi:t] *a. form.* **1.** schyłkowy, dekadencki, chylący się ku upadkowi. **2.** bezsilny, rachityczny, zużyty. **3.** przekwitły, bezpłodny. **4.** zniewieściały.

effetely [ɪˈfi:tlɪ] *adv.* **1.** schyłkowo. **2.** bezsilnie, rachitycznie. **3.** bezpłodnie. **4.** zniewieściale.

effeteness [ɪˈfi:tnəs] *n. U* **1.** schyłkowość, dekadencja. **2.** bezwład. **3.** bezpłodność. **4.** zniewieściałość.

efficacious [ˌefəˈkeɪʃəs] *a. form.* skuteczny (*o leku, kuracji*), przynoszący pożądany skutek.

efficaciously [ˌefəˈkeɪʃəslɪ] *adv.* skutecznie.

efficacy [ˈefəkəsɪ] *n. U* skuteczność (*zwł. leku*).

efficiency [ɪ'fɪʃənsɪ] *n. U* sprawność, wydajność; **mechanical/thermal** ~ *fiz.* sprawność mechaniczna/cieplna.

efficiency appartment *n. US* kawalerka; niewielkie mieszkanie.

efficient [ɪ'fɪʃənt] *a.* **1.** sprawny (*at sth* w czymś) sprawnie działający, wydajny (*o pracowniku, maszynie, systemie*). **2.** *attr. gł. fil.* sprawczy; ~ **cause** przyczyna sprawcza.

efficiently [ɪ'fɪʃəntlɪ] *adv.* sprawnie, wydajnie.

effigy ['efɪdʒɪ] *n. pl.* **-ies** podobizna, wizerunek; kukła (*wyobrażająca konkretną osobę*); **burn/hang sb in** ~ spalić/powiesić czyjąś kukłę (*hist. = wykonać wyrok in effigie*).

effing ['efɪŋ] *a. attr. Br. sl. euf.* pieprzony; = **fucking.**

effloresce [ˌeflə'res] *v.* **1.** *lit.* rozkwitać. **2.** *chem.* rozsypywać się na proszek krystaliczny (*zwł. wskutek wysychania*). **3.** *chem., geol.* pokrywać się kryształkami *l.* wykwitami.

efflorescence [ˌeflə'resəns] *n. U* **1.** *lit.* rozkwit; kulminacja. **2.** *bot.* kwitnienie; pora kwitnienia. **3.** *chem.* (rozsypywanie się na) proszek krystaliczny. **4.** *geol., pat.* wykwit; wykwitanie.

efflorescent [ˌeflə'resənt] *a.* **1.** *lit.* kwitnący, w rozkwicie. **2.** wykwitający; pokryty wykwitami *l.* drobnymi kryształkami.

effluence ['efluəns] *n. form.* wypływ (*hydrol. = miejsce, gdzie rzeka wypływa z jeziora*).

effluent ['efluənt] *a. form.* wypływający. – *n. C/U* **1.** ściek, ścieki; odpływ (*ścieków przemysłowych*). **2.** *hydrol.* strumień wypływający.

effluent discharge *n. C/U* odprowadzanie ścieków.

effluvial [ɪ'flu:vɪəl] *a.* ulatniający się; tworzący wyziewy.

effluvium [ɪ'flu:vɪəm] *n. pl.* **-ums** *l.* **effluvia** [ɪ'flu:vɪə] wyziew.

efflux ['efləks] *n.* **1.** *form.* wypływ (*cieczy, gazu*). **2.** *przen.* upływ (*czasu*).

efflux velocity *n. fiz.* prędkość wypływu.

effort ['efərt] *n.* **1.** *U* wysiłek, trud; **put a lot of ~ into sth** wkładać w coś wiele wysiłku; **require/take** ~ wymagać wysiłku; **take all the ~ out of sth** uczynić coś znacznie łatwiejszym *l.* lżejszym; **with** ~ z wysiłkiem *l.* trudem; **without** ~ bez wysiłku *l.* trudu. **2.** *często pl.* staranie, usiłowanie, próba; **in an ~ to do sth** usiłując coś zrobić; **make an ~ (to do sth)** postarać się (coś zrobić) (*zwł. gdy nie ma się na to ochoty*); **make every ~ to do sth** dołożyć wszelkich starań, żeby coś zrobić; **through sb's ~s** dzięki czyimś staraniom. **3.** rezultat starań *l.* wysiłków; **good** ~ dobra robota.

effortless ['efərtləs] *a.* **1.** niewymagający wysiłku. **2.** lekki, swobodny (*np. o stylu*). **3.** *arch.* bierny, niezadający sobie trudu.

effortlessly ['efərtləslɪ] *adv.* **1.** bez wysiłku. **2.** lekko, swobodnie.

effrontery [ɪ'frʌntərɪ] *n. form.* **1.** *U* bezczelność, tupet; **have the ~ to do sth** mieć czelność coś zrobić. **2.** *pl.* **-ies** bezczelny postępek.

effulge [ɪ'fʌldʒ] *v. form. rzad.* rozbłyskiwać.

effulgence [ɪ'fʌldʒəns] *n. U form.* blask.

effulgent [ɪ'fʌldʒənt] *a. form.* rozbłyskujący, promienny.

effuse *a.* [ɪ'fjəu:s] *bot.* rozłożysty (*o kwiatostanie*). – *v.* [ɪ'fjəu:z] *form.* **1.** wylewać (się), rozlewać (się); wypływać (*t. fiz. o gazach pod ciśnieniem*). **2.** mówić z zapałem, perorować. **3.** roztaczać (*blask, woń*).

effusion [ɪ'fju:ʒən] *n. C/U* **1.** *form.* wyciek, wypływ; *pat., geol.* wylew (*krwi, magmy*); *pat.* wysięk; *fiz., geol.* efuzja. **2.** *uj.* wylewność; słowotok, rozgadanie. **3.** *form.* roztaczanie (*blasku, woni*).

effusive [ɪ'fju:sɪv] *a.* **1.** wylewny (*np. o powitaniu*). **2.** przegadany (*o stylu*); przeładowany, kapiący od ozdób (*o ornamentyce*). **3.** *geol.* wylewny (*o skałach*).

effusively [ɪ'fju:sɪvlɪ] *adv.* wylewnie.

effusiveness [ɪ'fju:sɪvnəs] *n. U* **1.** wylewność. **2.** przegadanie; przeładowanie, nadmiar ozdób.

EFL [ˌi: ˌef 'el] *abbr. i n. U* **English as a Foreign Language** *szkoln.* angielski jako język obcy.

eft¹ [eft] *n. arch. l. dial.* traszka; **red** ~ *zool.* traszka nakrapiana (*Notophthalmus viridescens*).

eft² *adv. arch.* **1.** znów. **2.** następnie.

EFTA ['eɪftə] *abbr.* = **European Free Trade Association.**

eftsoons [eft'su:nz] *adv. arch.* **1.** niebawem. **2.** raz po raz.

e.g. [ˌi: 'dʒi:], **eg** *abbr.* **exempli gratia** *Lat.* np. (= *na przykład*).

egad [ɪ'gæd] *int. arch.* przebóg.

egalitarian [ɪˌgælɪ'terɪən] *a.* **1.** egalitarny. **2.** egalitarystyczny. – *n. gł. polit.* egalitaryst-a/ka.

egalitarianism [ɪˌgælə'terɪəˌnɪzəm] *n. U* egalitaryzm.

egest [i:'dʒest] *v. fizj.* wydalać.

egesta [ɪ'dʒestə] *n. pl. fizj.* wydaliny, odchody.

egestion [ɪ'dʒestʃən] *n. U fizj.* wydalanie.

egestive [ɪ'dʒestɪv] *a. anat.* wydalniczy.

egg¹ [eg] *n.* **1.** *t. anat., biol.* jajo (*przen. = jajowaty kształt l. przedmiot*); **lay ~s** znosić *l.* składać jaja. **2.** *C/U kulin.* jajko; **dip sth in** ~ obtoczyć coś w jajku; **fried ~s** jajka sadzone; **scrambled ~s** jajecznica; **soft-boiled/hard-boiled** ~ jajko na miękko/na twardo. **3.** *przen.* **curate's** ~ *zob.* **curate** 2; **don't teach your grandmother to suck ~s** *zob.* **grandmother**; **good/not a bad** ~ *przest. pot.* fajny/w porządku gość; **have ~ on/all over one's face** *pot.* wyjść na idiotę; **kill the goose that lays the golden ~(s)** *zob.* **goose** *n.*; **lay an** ~ *US i Can. sl.* położyć dowcip; zrobić klapę; **put all one's ~s in one basket** stawiać wszystko na jedną kartę; **you can't make an omelet without breaking/cracking ~s** gdzie drwa rąbią, tam wióry lecą. **4.** *zdobnictwo* wole oko (*owalny element kimationu*); ~ **and dart/tongue/anchor** jajownik ze strzałkami/języczkami/kotwiczkami. – *v.* **1.** *kulin.* obtaczać w jajku. **2.** *US pot.* obrzucać jajami.

egg² *v.* ~ **sb on** namawiać kogoś (*to do sth* do robienia czegoś) (*zwł. czegoś, czego robić nie powinien*).

egg-and-spoon race [ˌegənd'spu:n ˌreɪs] *n.* wyścig z jajkiem (*trzymanym na łyżce*).

eggbeater ['egˌbi:tər] *n.* **1.** (*także* **egg whisk**) trzepaczka (*do ubijania piany*). **2.** *US i Can. pot.* helikopter; silnik do motorówki.

egg cell *n. biol.* komórka jajowa.

eggcup ['egˌkʌp] *n.* kieliszek do jajek.

egger ['egər], **eggar** *n. ent.* barczatka (*Lasiocampa, Eriogaster i ćmy z pokrewnych rodzajów*).

egg flip *n.* = **eggnog**.

egghead ['egˌhed] *n. pot.* jajogłowy (= *intelektualista*).

eggnog ['egˌnɑ:g] *n. U* (*także* **egg flip**) korzenny napój alkoholowy na jajkach i mleku.

eggplant ['egˌplænt] *n. C/U gł. US i Can. bot., kulin.* oberżyna, bakłażan (*Solanum melongena*).

egg roll *n. US kulin.* sajgonka, krokiet wiosenny (*potrawa kuchni orientalnej*).

egg-shaped [ˌeg'ʃeɪpt] *a.* jajowaty.

eggshell ['egˌʃel] *n.* **1.** skorupka jaja. **2.** *U* barwa żółtawobiała. – *a.* **1.** lekko chropowaty (*o papierze, farbie*). **2.** żółtawobiały.

eggshell china *n. U* (*także* **eggshell porcelain**) delikatna porcelana chińska.

egg slice *n. kulin.* łopatka kuchenna.

egg spoon *n.* łyżeczka do jajek.

egg timer *n.* klepsydra kuchenna (*do odmierzania czasu gotowania jajek*).

egg tooth *n. pl.* **egg teeth** *zool.* ząb zarodkowy (*u płazów, gadów i ptaków*).

egg whisk *n.* = **eggbeater**.

egg white *n. C/U* białko (*jaja*).

egg yolk *n. C/U* żółtko.

egis ['i:dʒɪs] *n. rzad.* = **aegis**.

eglantine ['egləntaɪn] *n. bot., ogr.* róża szkocka (*Rosa rubiginosa*).

ego ['i:goʊ] *n. pl.* **-s** jaźń; *psych. l. pot.* ego; **boost/bolster sb's ~** podbudować *l.* podreperować czyjeś ego; **have a big/an enormous ~** mieć wybujałe ego; **make a dent in sb's ~** podważyć czyjeś dobre mniemanie o sobie.

egocentric [ˌi:goʊ'sentrɪk] *a.* egocentryczny. – *n.* egocentry-k/czka.

egocentrically [ˌi:goʊ'sentrɪklɪ] *adv.* egocentrycznie.

egocentricity [ˌi:goʊsen'trɪsətɪ] *n. U* egocentryzm.

egocentrism [ˌi:goʊ'sentˌrɪzəm] *n.* **1.** *uj.* = **egocentricity**. **2.** *psych.* egocentryzm dziecięcy (*cecha rozwojowa*).

egoism ['i:goʊˌɪzəm] *n. U t. fil.* egoizm; *uj.* egotyzm, samolubstwo.

egoist ['i:goʊɪst] *n.* egoist-a/ka.

egoistic [ˌi:goʊ'ɪstɪk], **egoistical** [ˌi:goʊ'ɪstɪkl] *a.* egoistyczny, samolubny.

egoistically [ˌi:goʊ'ɪstɪklɪ] *adv.* egoistycznie, samolubnie.

egomania [ˌi:goʊ'meɪnɪə] *n. U pat.* patologiczny egotyzm; samouwielbienie.

egomaniac [ˌi:goʊ'meɪnɪæk] *n.* osoba ogarnięta patologicznym egotyzmem.

egomaniacal [ˌi:goʊmə'naɪəkl] *a.* patologicznie samolubny.

egotism ['i:gəˌtɪzəm] *n. U* egotyzm.

egotist ['i:gətɪst] *n.* egotyst-a/ka.

egotistic [ˌi:gə'tɪstɪk], **egotistical** [ˌi:gə'tɪstɪkl] *a.* egotystyczny.

egotistically [ˌi:gə'tɪstɪklɪ] *adv.* egotystycznie.

ego trip *n. pot.* przedsięwzięcie *l.* postępowanie będące źródłem narcystycznej satysfakcji.

ego-trip ['i:goʊˌtrɪp] *v.* **-pp-** *pot.* podbudowywać swoje ego.

egregious [ɪ'gri:dʒəs] *a. form.* **1.** *uj.* jawny, oczywisty; wierutny (*o kłamstwie l. łgarzu*); skończony (*o łotrze, głupcu*). **2.** *arch.* wyjątkowy, nadzwyczajny.

egregiously [ɪ'gri:dʒəslɪ] *adv. form.* **1.** *uj.* jawnie, wierutnie. **2.** *arch.* wyjątkowo.

egress *n.* [i:'gres] **1.** *C/U form. l. prawn.* wyjście; pozwolenie *l.* prawo oddalenia się; **means/point of ~** droga ewakuacyjna. **2.** *astron.* = **emersion**. – *v.* ['i:gres] *form.* wyruszać, udawać się w drogę.

egression [ɪ'greʃən] *n. U* wyjście, wychodzenie.

egret ['i:grət] *n. orn.* czapla (*zwł. gatunki biało upierzone*); **great ~** czapla biała, egreta (*Casmerodius albus*); **little ~** czapla nadobna (*Egretta garzetta*); **snowy ~** czapla śnieżna (*Leucophoyx thula*).

Egypt ['i:dʒɪpt] *n. geogr.* Egipt.

Egyptian [ɪ'dʒɪpʃən] *a.* **1.** egipski. **2.** *arch.* cygański. – *n.* **1.** Egipcjan-in/ka. **2.** *arch.* Cygan/ka. **3.** *U jęz.* (język) egipski.

Egyptological [ɪˌdʒɪptə'lɑ:dʒɪkl] *a.* egiptologiczny.

Egyptologist [ˌi:dʒɪp'tɑ:lədʒɪst] *n.* egiptolog.

Egyptology [ˌi:dʒɪp'tɑ:lədʒɪ] *n. U* egiptologia.

eh [eɪ] *int. Br. i Can. pot.* **~?** co (takiego)? (*wyrażając zdziwienie l. prosząc o powtórzenie*); (no) nie? (*oczekując potwierdzenia*).

EHF [ˌi: ˌeɪtʃ 'ef] *abbr.* **extremely high frequency** *tel.* bardzo wielka częstotliwość.

eider ['aɪdər] *n.* (*także* **~ duck**) *orn.* edredon (*Somateria, Polysticta*); **common ~** kaczka edredonowa, miękkopiór (*Somateria mollissima*); **king ~** edredon okazały, turkan (*Somateria spectabilis*).

eiderdown ['aɪdərˌdaʊn] *n.* **1.** kołdra puchowa. **2.** *U* edredon, puch edredonowy. **3.** *U US tk.* baja (*puszysta tkanina bawełniana*).

eidetic [aɪ'detɪk] *a. psych.* ejdetyczny.

eidetically [aɪ'detɪklɪ] *adv.* ejdetycznie.

eidolon [aɪ'doʊlən] *n. pl.* **-s** *l.* **eidola** *form.* **1.** zjawa, majak. **2.** wizerunek (*zwł. wyidealizowany*).

eight [eɪt] *num.* osiem; ośmioro; ośmiu. – *n.* **1.** ósemka (*numer, grupa; t.* = *łódź l. osada łodzi ośmioosobowej*); **figure (of) ~** ósemka (*kształt, węzeł, figura łyżwiarska l. lotnicza*). **2.** *U* **~ (o'clock)** (godzina) ósma; **at ~** o ósmej. **3. have had one over the ~** *Br. przest. pot.* być wstawionym.

eight ball *n.* **1.** *bilard* ósemka (= *czarna bila z cyfrą 8; t. odmiana bilardu, w której używa się* *takiej bili*). **2. behind the** ~ *sl.* zapędzony w kozi róg.

eighteen [ˌeɪ'tiːn] *num.* **1.** osiemnaście; osiemnaścioro; osiemnastu. **2. in the** ~ **twenties/thirties** w latach dwudziestych/trzydziestych XIX wieku. – *n.* osiemnastka (*numer l. grupa; t. sport = drużyna w futbolu australijskim*).

eighteenmo [ˌeɪ'tiːnmoʊ] *n. pl.* **-s** *druk.* osiemnastka (*format książki*).

eighteenth [ˌeɪ'tiːnθ] *num.* osiemnasty. – *n.* jedna osiemnasta.

eightfold ['eɪtˌfoʊld] *a.* ośmiokrotny; ośmioraki, ośmiodzielny, złożony z ośmiu części. – *adv.* ośmiokrotnie.

eighth [eɪtθ] *num.* ósmy. – *n.* **1.** jedna ósma; **three ~s** trzy ósme. **2.** *muz.* oktawa.

eighth note *n. US i Can. muz.* ósemka (*wartość nuty*).

eightieth ['eɪtɪəθ] *num.* osiemdziesiąty. – *n.* (jedna) osiemdziesiąta.

eighty ['eɪtɪ] *num.* osiemdziesiąt; osiemdziesięcioro; osiemdziesięciu. – *n.* osiemdziesiątka; **be in one's eighties** mieć osiemdziesiąt parę lat; **in the eighties** w okolicach osiemdziesięciu stopni (*w skali Fahrenheita*); **the (nineteen) eighties** lata osiemdziesiąte (dwudziestego wieku).

eikon ['aɪkɑːn] *n. rzad.* = **icon.**

einsteinium [aɪn'staɪnɪəm] *n. U chem.* einstein (*pierwiastek*).

Eire ['erə], **Éire** *Ir. form.* Irlandia (*często = Republika Irlandii*).

eirenic [aɪ'riːnɪk] *a.* = **irenic.**

eirenicon [aɪ'riːnɪˌkɑːn] *n.* = **irenicon.**

eisteddfod [aɪ'stedvɑːd] *n. pl.* **-s** *l.* **eisteddfodau** [ˌaɪsted'vɑːdaɪ] festiwal pieśni i poezji walijskiej; **the (Royal National) E~** Eisteddfod (= *doroczny walijski festiwal narodowy*).

eisteddfodic [ˌaɪsted'vɑːdɪk] *a.* dotyczący festiwalu Eisteddfod.

either ['iːðər] *a. i pron.* którykolwiek, obojętnie który (*z dwóch*); albo jeden, albo drugi; i jeden, i drugi (*z czasownikiem w liczbie pojedynczej; pot. t. w liczbie mnogiej*); ~ **of us** któryś z nas (dwóch), któraś z nas (dwóch), któreś z nas (dwojga); ~ **way** tak czy siak, tak czy owak; ~ **will do** może być albo jeden, albo drugi; **I don't like ~ (of them)** nie lubię ani jednego, ani drugiego; **in ~ case** w obu przypadkach; **on ~ side** po obu stronach. – *adv.* (*tylko po zdaniu w neg.*) też nie; **if he doesn't pay, I won't (pay) ~** jeśli on nie zapłaci, to ja też nie (zapłacę). – *conj.* ~ ... **or...** albo..., albo...; *z neg.* ani..., ani...; **he didn't say ~ yes or no** nie powiedział ani tak, ani nie.

either-or [ˌiːðər'ɔːr] *a. attr. pot.* albo-albo (*o sytuacji wymagającej wyboru*).

ejaculate *v.* [ɪ'dʒækjəˌleɪt] **1.** *fizj.* mieć wytrysk (*nasienia*). **2.** *przest. l. żart.* wykrzyknąć, wyrzucić z siebie (*słowa*). – *n.* [ɪ'dʒækjələt] *U fizj.* ejakulat, płyn nasienny.

ejaculation [ɪˌdʒækjə'leɪʃən] *n.* **1.** *C/U fizj.* ejakulacja, wytrysk (*nasienia*); **premature/retarded ~** *pat.* wytrysk przedwczesny/opóźniony. **2.** *przest. l. żart.* okrzyk; wykrzyknik.

ejaculatio praecox [ɪˌdʒækjəˌleɪʃɪoʊ 'priːˌkɑːks] *n. U pat.* wytrysk przedwczesny.

ejaculatory [ɪ'dʒækjələˌtɔːrɪ] *a.* **1.** *fizj., anat.* związany z ejakulacją. **2.** *przest. l. żart.* wykrzyknikowy, emfatyczny.

eject [ɪ'dʒekt] *v.* **1.** wypędzać; eksmitować; *prawn.* zmuszać do opuszczenia nieruchomości. **2.** wyrzucać (*np. monety – o automacie; t. kogoś z pracy l. ze stanowiska*); wyrzucać z siebie (*np. trującą substancję - o zwierzętach*), strzelać, tryskać (*np. jadem*). **3.** *lotn.* katapultować się. **4.** *psych.* usuwać ze świadomości (*pragnienia l. impulsy, zwł. za pomocą projekcji*).

ejecta [ɪ'dʒektə] *n. pl. geol.* materiał wyrzucony (*podczas erupcji wulkanu l. upadku meteorytu*); ~ **sheet** warstwa materiału wyrzuconego.

ejection [ɪ'dʒekʃən] *n.* *C/U* **1.** wypędzenie; eksmisja. **2.** wyrzucenie (*t. z pracy l. stanowiska*). **3.** *techn.* wyrzut. **4.** *lotn.* katapultowanie się; odpalenie, wystrzelenie. **5.** *psych.* usuwanie ze świadomości.

ejection seat *n. US i Can. lotn.* fotel wyrzucany.

ejection system *n. lotn.* system katapultowania.

ejective [ɪ'dʒektɪv] *a.* **1.** *fon.* ejektywny (*o sposobie wymowy spółgłosek*). **2.** *techn.* wyrzutowy; powodujący wyrzucenie. – *n. fon.* spółgłoska ejektywna (= *zwarta glottalizowana*).

ejectment [ɪ'dʒektmənt] *n. U* **1.** *form.* wyrzucenie; eksmisja. **2.** *prawn., hist.* zajazd, zajęcie nieruchomości siłą (*przez prawowitego właściciela*).

ejector [ɪ'dʒektər] *n. techn.* wyrzutnik (*t. w broni palnej*), ejektor; **air/steam(-jet)/water ~** ejektor powietrzny/parowy/wodny.

ejector pump *n. techn.* pompa ejektorowa.

ejector seat *n. Br. lotn.* = **ejection seat.**

eke[1] [iːk] *v.* **1.** ~ **out** uzupełniać (*zwł. dochody, chwytając się dodatkowej pracy*); zużywać oszczędnie (*zapasy, środki, zwł. używając namiastek*); ~ **out an existence/a living** wiązać koniec z końcem. **2.** *arch.* powiększać. – *n. arch.* dodatek, uzupełnienie.

eke[2] *adv. arch.* takoż, również.

EKG [ˌiː ˌkeɪ 'dʒiː] *abbr. med.* = **ECG.**

el [el] *US pot.* = **elevated railroad/railway.**

elaborate *v.* [ɪ'læbəreɪt] **1.** dopracowywać, doskonalić; wykańczać, cyzelować. **2.** rozwijać, objaśniać, omawiać bardziej szczegółowo *l.* szerzej, uzupełniać szczegółami (*on/upon sth* coś). **3.** *fizj.* przetwarzać (*substancje odżywcze*). – *a.* [ɪ'læbərət] wyszukany, kunsztowny, misterny, wycyzelowany; *często uj.* zawiły, skomplikowany.

elaborately [ɪ'læbərətlɪ] *adv.* **1.** kunsztownie, misternie; starannie, z dbałością o szczegóły. **2.** *często uj.* zawile.

elaborateness [ɪ'læbərətnəs] *n. U* = **elaboration** 1.

elaboration [ɪˌlæbə'reɪʃən] *n.* **1.** *U* dopracowanie, doskonalenie; cyzelowanie. **2.** artyzm, kunszt wykonania. **3.** *często pl. uj.* (zbędny) ozdobnik, zawiłość.

elaborative [ɪˈlæbəˌreɪtɪv] *a.* służący do ozdoby *l.* wykończenia; kunsztowny, pedantyczny.

Elam [ˈiːləm] *n. hist., geogr.* Elam.

Elamite [ˈiːləˌmaɪt] *n.* **1.** *hist.* Elamit-a/ka. **2.** = **Elamitic**. – *a. hist.* elamicki.

Elamitic [ˌiːləˈmɪtɪk] *n. U* (język) elamicki.

élan [eɪˈlɑːn] *n. U lit.* żywiołowość, wigor, rozmach (*zwł. jako składnik wirtuozerii*); **with** ~ żywiołowo.

eland [ˈiːlənd] *n. zool.* (*także* **common** ~) (antylopa) eland, kanna (*Taurotragus oryx*); **(Lord) Derby/giant** ~ eland olbrzymi (*Taurotragus derbianus*).

elapid [ˈeləpɪd] *n. zool.* zdradnica (*rodzina Elapidae*).

elapse [ɪˈlæps] *v. form.* upływać, mijać (*o czasie*).

elasmobranch [ɪˈlæsməˌbræŋk] *n. icht.* (ryba) spodousta (*podgromada Elasmobranchii = Selachii*).

elastic [ɪˈlæstɪk] *a.* **1.** *t. przen.* elastyczny; giętki; rozciągliwy; sprężysty (*t. o kroku, ruchach*), gibki. **2.** *przen.* wytrzymały, odporny na przeciwności życiowe. – *n.* gumka (*U = taśma l. nić elastyczna; C US i Can. = recepturka, podwiązka itp.*).

elastically [ɪˈlæstɪklɪ] *adv.* elastycznie; giętko; sprężyście.

elasticate [ɪˈlæstɪkeɪt] *v. Br.* = **elasticize**.

elastic band *n. Br.* gumka, recepturka.

elastic bandage *n.* bandaż elastyczny.

elastic cartilage *n. U anat.* tkanka chrzęstna sprężysta.

elasticity [ˌiːlæˈstɪsətɪ] *n. U t. przen.* elastyczność; giętkość; rozciągliwość; *t. fiz.* sprężystość.

elasticize [ɪˈlæstɪˌsaɪz] *v. US* zaopatrywać w taśmę elastyczną; *tk.* elastyfikować (*= przetykać nicią elastyczną*).

elastic limit *n. fiz., techn.* granica sprężystości.

elastin [ɪˈlæstɪn] *n. U biochem.* elastyna.

elastomer [ɪˈlæstəmər] *n. techn.* elastomer.

elastomeric [ɪˌlæstəˈmerɪk] *a. techn.* elastomerowy, zachowujący elastyczność (*zwł. o spoiwach*).

elate [ɪˈleɪt] *v.* radować; przepełniać dumą.

elated [ɪˈleɪtɪd] *a.* uradowany (*at / by sth* czymś) radosny; przepełniony dumą.

elatedly [ɪˈleɪtɪdlɪ] *adv.* radośnie, w uniesieniu.

elater [ˈelətər] *n.* **1.** (*także* **elaterid**) *ent.* sprężyk (*rodzina Elateridae*). **2.** *zw. pl. bot.* elater (= *komórka wspomagająca rozsiewanie zarodników wątrobowców*).

elation [ɪˈleɪʃən] *n. U* rozradowanie; radosne uniesienie.

elative [ˈiːlətɪv] *n. gram.* elativus (= *przypadek oznaczający oddalanie się z wnętrza czegoś*).

Elbe [elb] *n.* **the** ~ *geogr.* Łaba.

elbow [ˈelbou] *n.* **1.** *t. anat.* łokieć (*t. część rękawa*). **2.** kolano, kolanko (*np. rury*). **3.** *przen.* **at sb's** ~ u czyjegoś boku; **be up to the ~s in/with sth** mieć z czymś roboty po same łokcie; **give sb the** ~ *Br. pot.* zerwać z kimś; pozbyć się kogoś; **more power to your/his/her ~!** *Br. pot.* (życzę ci/mu/jej) powodzenia!; **not know one's ass from one's** ~ *pot. wulg.* być skończonym durniem; **out at (the) ~(s)** wytarty, zniszczony (*o ubraniu*); obdarty, nędznie odziany (*o osobie*). – *v.* **1.** roztrącać łokciami, odpychać, odtrącać (*aside* na bok, *out of the way* z drogi). **2.** rozpychać się łokciami. **3.** ~ **one's way** torować sobie drogę (*forward* naprzód, *out* do wyjścia, *through sth* przez coś).

elbow grease *n. U żart.* harówka, urabianie sobie rąk po łokcie.

elbow joint *n. anat.* staw łokciowy.

elbowroom [ˈelbouˌruːm] *n. U* wolna przestrzeń; swoboda ruchu *l.* działania.

eld [eld] *n. U arch.* **1.** starość. **2.** dawne czasy, starożytność.

elder[1] [ˈeldər] *a. comp.* **1.** starszy; **sb's ~ brother** czyjś starszy brat; **the ~ of sb's sisters/daughters** starsza z czyichś sióstr/córek; **the ~ of two** starsze z dwojga (dzieci); **the E~ Gods** *mit.* starsi bogowie (*np. Tytani w mitologii greckiej*); **Pliny the E~** Pliniusz Starszy. **2.** ~ **hand/player** *karty* gracz na ręku (*z pierwszeństwem wyjścia, zwł. w pikiecie*). – *n.* **1. be sb's** ~ być starszym od kogoś (*by...* o...); **one's ~s and betters** (ludzie) starsi i mądrzejsi od kogoś; **respect one's ~s** szanować starszych. **2.** członek starszyzny; *kośc.* starszy członek wspólnoty (*u mormonów i w niektórych Kościołach protestanckich*); *pl.* **the ~s** starszyzna; **council of the ~s** *hist.* rada starszych, areopag.

elder[2] *n. bot.* (dziki) bez (*Sambucus*); **black/common/European** ~ (*także* **~berry**) bez czarny (*Sambucus nigra*).

elderberry [ˈeldərˌberɪ] *n.* bez czarny (*owoc l. roślina*); ~ **wine** wino z czarnego bzu.

elderliness [ˈeldərlɪnəs] *n. U* starszy wiek (*t. euf. = starość*).

elderly [ˈeldərlɪ] *a.* starszy, w starszym *l.* podeszłym wieku (*t. euf. = stary*); **the** ~ (*zbiorowo, z czasownikiem w liczbie mnogiej*) osoby w starszym wieku, ludzie starsi.

eldership [ˈeldərˌʃɪp] *n. U* funkcja członka starszyzny; *kośc.* starszeństwo (*w hierarchii wspólnot protestanckich l. mormońskich*).

elder statesman *n. pl.* **-men** doświadczony mąż stanu.

eldest [ˈeldɪst] *a. sup.* najstarszy (*w rodzinie*); **sb's** ~ najstarsze z czyichś dzieci; **the ~ of three/four** najstarsze z trojga/czworga (dzieci).

El Dorado [ˌel dəˈrɑːdou] *n. mit.* Eldorado (= *legendarna kraina bogactw*); *przen.* = **eldorado**.

eldorado [ˌeldəˈrɑːdou] *n.* eldorado (= *urojony raj, ziemia obiecana*).

eldrich [ˈeldrɪtʃ], **eldritch** *a. Scot. l. poet.* niesamowity, nadprzyrodzony.

elecampane [ˌeləkæmˈpeɪn] *n. bot.* oman wielki (*Inula helenium*).

elect [ɪˈlekt] *n. form.* wybraniec; elekt. – *a. form. pred.* wybrany; **president/governor** ~ prezydent/gubernator elekt; **the** ~ wybrani (*zwł. rel. = przeznaczeni do zbawienia*). – *v.* **1.** wybierać (*t. o Bogu = przeznaczać do zbawienia*); **~ sb mayor/president** wybrać kogoś na burmistrza/

prezydenta. **2.** ~ **to do sth** *form.* zdecydować się coś zrobić.

electable [ɪˈlektəbl] *a.* wybieralny, obieralny.

election [ɪˈlekʃən] *n.* **1.** *polit.* wybory, elekcja; *sing.* wybór (*przez głosowanie*); ~ **board/campaign** komisja/kampania wyborcza; ~ **results** wyniki wyborów; **congressional/parliamentary** ~ wybory do kongresu/parlamentu; **general/primary** ~ wybory powszechne/wstępne; **gubernatorial/presidential** ~ wybory gubernatorskie/prezydenckie; **hold an** ~ przeprowadzić wybory; **stand for** ~ kandydować w wyborach. **2.** *form.* wybór; **make an** ~ dokonać wyboru.

electioneer [ɪˌlekʃəˈniːr] *v.* agitować, angażować się w kampanię wyborczą. – *n.* agitator/ka, osoba zaangażowana w kampanię wyborczą.

electioneering [ɪˌlekʃəˈniːrɪŋ] *n.* *U* agitacja wyborcza.

elective [ɪˈlektɪv] *a.* **1.** dotyczący głosowania, wyborczy; ~ **procedure** procedura głosowania. **2.** obieralny, elekcyjny, pochodzący z wyboru. **3.** *szkoln., uniw.* wybieralny, nieobowiązkowy. – *n. szkoln., uniw.* przedmiot *l.* kurs wybieralny.

electively [ɪˈlektɪvlɪ] *adv.* w drodze wyborów, elekcyjnie.

electiveness [ɪˈlektɪvnəs] *n.* *U* **1.** obieralność, elekcyjność. **2.** *szkoln., uniw.* wybieralność (*przedmiotu, kursu*).

elector [ɪˈlektər] *n.* **1.** wybor-ca/czyni. **2.** *t. hist.* elektor/ka.

electoral [ɪˈlektərəl] *a.* wyborczy; *t. hist.* elektorski.

electoral college *n.* *US polit.* kolegium elektorów (*w wyborach prezydenckich*).

electorally [ɪˈlektərəlɪ] *adv.* wśród elektoratu *l.* wyborców (*np. popularny*).

electoral register *n.* (*także* **electoral roll**) lista wyborców (*uprawnionych do głosowania w danym okręgu*).

electorate [ɪˈlektərɪt] *n.* **1.** *zw. sing.* elektorat, wyborcy. **2.** *hist.* elektorat (= *godność elektora l. kraj podlegający władzy elektora*). **3.** *Austr. i NZ* okręg wyborczy.

electorship [ɪˈlektərˌʃɪp] *n.* **1.** funkcja elektora. **2.** *hist.* elektorstwo (= *władza l. godność elektora*).

Electra complex [ɪˈlektrə ˌkɑːmpleks] *n.* *zw. sing. psychoanaliza* kompleks Elektry.

electress [ɪˈlektrəs] *n.* *rzad.* **1.** wyborczyni, elektorka. **2.** *hist.* małżonka elektora.

electret [ɪˈlektrət] *n. fiz., techn.* elektret.

electric [ɪˈlektrɪk] *a.* **1.** elektryczny (*zwł.* = *zasilany l. naładowany elektrycznie*); ~ **cable/furnace/motor** kabel/piec/silnik elektryczny. **2.** *przen.* naładowany, napięty (*o atmosferze*). – *n. pot.* **1.** kolej elektryczna. **2.** pojazd elektryczny. **3.** *pl. zob.* **electrics**.

electrical [ɪˈlektrɪkl] *a.* elektryczny (= *dotyczący elektryczności*).

electrical engineer *n.* inżynier elektryk.

electrical engineering *n.* *U* elektrotechnika (*specjalność inżynierska*).

electrically [ɪˈlektrɪklɪ] *adv.* elektrycznie.

electricals [ɪˈlektrɪklz] *n. pl.* firmy elektroniczne.

electrical storm *n.* (*także* **electric storm**) burza z wyładowaniami elektrycznymi.

electric arc *n. fiz.* łuk elektryczny.

electric blanket *n.* koc elektryczny.

electric blue *n.* *U* metaliczny błękit.

electric catfish *n. pl.* **-fish** *icht.* sum elektryczny (*Malapterus electricus*).

electric cell *n. el.* ogniwo elektryczne.

electric chair *n.* **the** ~ krzesło elektryczne.

electric charge *n. fiz.* ładunek elektryczny.

electric current *n. fiz.* prąd elektryczny.

electric eel *n. zob.* **eel**.

electric eye *n. el. pot.* fotokomórka.

electric fence *n.* płot *l.* ogrodzenie pod napięciem.

electric field *n. fiz.* pole elektryczne.

electric fire *n. Br.* = **electric heater**.

electric guitar *n. muz.* gitara elektryczna.

electric heater *n. US i Austr.* grzejnik *l.* piecyk elektryczny.

electrician [ɪlekˈtrɪʃən] *n.* elektry-k/czka, elektrotechni-k/czka.

electricity [ɪlekˈtrɪsətɪ] *n.* *U* **1.** elektryczność (*t. przen.* = *ładunek emocjonalny*); **atmospheric/static** ~ elektryczność atmosferyczna/statyczna. **2.** *fiz.* elektryka (= *nauka o elektryczności*).

electricity bill *n.* rachunek za prąd *l.* światło.

electricity board *n. Br.* zakład energetyczny.

electricity industry *n.* przemysł energetyczny.

electricity meter *n.* licznik prądu *l.* elektryczności.

electric light *n.* *U* światło elektryczne.

electric organ *n.* **1.** *muz.* organy elektryczne. **2.** *zool.* narząd elektryczny.

electric potential *n.* *U fiz.* potencjał elektryczny.

electric ray *n. icht.* drętwa, płaszczka elektryczna (*rodzina Torpedinidae*).

electric razor *n.* elektryczna maszynka do golenia.

electrics [ɪˈlektrɪks] *n. pl.* **the** ~ *Br.* instalacja (elektryczna), kable (*zwł. w samochodzie*).

electric shock *n.* wstrząs elektryczny; *med.* elektrowstrząs; **electric-shock therapy** = **electroconvulsive therapy**.

electric storm *n.* = **electrical storm**.

electrifiable [ɪˈlektrəˌfaɪəbl] *a.* dający się naelektryzować.

electrification [ɪˌlektrɪfəˈkeɪʃən] *n.* *U* **1.** *techn.* elektryfikacja; **rural** ~ elektryfikacja wsi. **2.** *fiz.* elektryzowanie. **3.** *przen.* zelektryzowanie (= *ekscytacja*).

electrify [ɪˈlektrəˌfaɪ] *v.* **-ied, -ying** **1.** elektryfikować. **2.** *t. przen.* elektryzować.

electro [ɪˈlektroʊ] *n. i v. pot.* **1.** = **electroplate**. **2.** *druk.* = **electrotype**.

electroacoustic [ɪˌlektroʊəˈkuːstɪk] *a.* *techn.* elektroakustyczny.

electroacoustics [ɪˌlektroʊəˈkuːstɪks] *n.* *U* elektroakustyka.

electroanalysis [ɪˌlektroʊəˈnælɪsɪs] *n.* *chem.* elektroanaliza, analiza elektrochemiczna.

electroanalytic [ɪˌlektroʊˌænəˈlɪtɪk], **electroanalytical** [ɪˌlektroʊˌænəˈlɪtɪkl] *a.* elektroanalityczny.

electrocardiogram [ɪˌlektroʊˈkɑːrdɪəˌgræm] *n. med.* elektrokardiogram.

electrocardiograph [ɪˌlektroʊˈkɑːrdɪəˌgræf] *n. med.* elektrokardiograf.

electrocardiographic [ɪˌlektroʊˌkɑːrdɪəˈgræfɪk] *a.* elektrokardiograficzny.

electrocardiographically [ɪˌlektroʊˌkɑːrdɪəˈgræfɪklɪ] *adv.* elektrokardiograficznie.

electrocardiography [ɪˌlektroʊˌkɑːrdɪˈɑːgrəfɪ] *n. U* elektrokardiografia.

electrochemical [ɪˌlektroʊˈkemɪkl] *a.* elektrochemiczny.

electrochemically [ɪˌlektroʊˈkemɪklɪ] *adv.* elektrochemicznie.

electrochemist [ɪˌlektroʊˈkemɪst] *n.* elektrochemi-k/czka.

electrochemistry [ɪˌlektroʊˈkemɪstrɪ] *n. U* elektrochemia.

electrocoagulate [ɪˌlektroʊkoʊˈægjəleɪt] *v. chir.* usuwać za pomocą elektrokoagulacji.

electrocoagulation [ɪˌlektroʊkoʊˌægjəˈleɪʃən] *n. U* elektrokoagulacja.

electroconvulsive therapy [ɪˌlektroʊkənˌvʌlsɪv ˈθerəpɪ] *n. U med.* terapia elektrowstrząsowa, leczenie elektrowstrząsami.

electrocute [ɪˈlektrəˌkjuːt] *v. zw. pass.* **1.** porazić prądem (*zwł. śmiertelnie*). **2.** stracić na krześle elektrycznym.

electrocution [ɪˌlektrəˈkjuːʃən] *n.* **1.** porażenie prądem. **2.** egzekucja na krześle elektrycznym.

electrode [ɪˈlektroʊd] *n. el.* elektroda; ~ **furnace** piec elektrodowy.

electrodeposit [ɪˌlektroʊdɪˈpɑːzɪt] *n. techn.* osad elektrolityczny. – *v.* osadzać elektrolitycznie.

electrodeposition [ɪˌlektroʊˌdepəˈzɪʃən] *n. U* osadzanie elektrolityczne.

electrodynamic [ɪˌlektroʊdaɪˈnæmɪk] *a. fiz.* elektrodynamiczny.

electrodynamics [ɪˌlektroʊdaɪˈnæmɪks] *n. U* elektrodynamika.

electroencephalogram [ɪˌlektroʊenˈsefələˌgræm] *n. med.* elektroencefalogram.

electroencephalograph [ɪˌlektroʊenˈsefələˌgræf] *n. med.* elektroencefalograf.

electroencephalographic [ɪˌlektroʊenˌsefələˈgræfɪk] *a.* elektroencefalograficzny.

electroencephalographically [ɪˌlektroʊenˌsefələˈgræfɪklɪ] *adv.* elektroencefalograficznie.

electroencephalography [ɪˌlektroʊenˌsefəˈlɑːgrəfɪ] *n. U* elektroencefalografia.

electrograph [ɪˈlektrəˌgræf] *n. techn.* **1.** urządzenie do elektrodruku. **2.** elektrofaks; obraz elektrofotograficzny.

electrographic [ɪˌlektrəˈgræfɪk] *a.* elektrodrukowy, elektrograficzny; elektrofaksowy; elektrofotograficzny.

electrographically [ɪˌlektrəˈgræfɪklɪ] *adv.* elektrodrukowo, elektrograficznie.

electrography [ɪˌlekˈtrɑːgrəfɪ] *n. U* elektrodruk, elektrografia; elektrofaks; elektrofotografia.

electrokinetic [ɪˌlektroʊkəˈnetɪk] *a. fiz.* elektrokinetyczny.

electrokinetically [ɪˌlektroʊkəˈnetɪklɪ] *adv.* elektrokinetycznie.

electrokinetics [ɪˌlektroʊkəˈnetɪks] *n. U* elektrokinetyka.

electrologist [ɪˌlekˈtrɑːlədʒɪst] *n. US kosmetyka* specjalist-a/ka od depilacji elektrolitycznej.

electroluminescence [ɪˌlektroʊˌluːməˈnesəns] *n. U fiz.* elektroluminescencja.

electroluminescent [ɪˌlektroʊˌluːməˈnesənt] *a.* elektroluminescencyjny.

electrolysis [ɪˌlekˈtrɑːlɪsɪs] *n. U* **1.** *chem.* elektroliza. **2.** *kosmetyka* depilacja elektrolityczna.

electrolyte [ɪˈlektrəˌlaɪt] *n. chem.* elektrolit.

electrolytic [ɪˌlektrəˈlɪtɪk] *a.* elektrolityczny; ~ **capacitor** *el.* kondensator elektrolityczny; ~ **cell** ogniwo elektrolityczne.

electrolyze [ɪˈlektrəˌlaɪz], *Br. i Austr. zw.* **electrolyse** *v.* **1.** *chem.* poddawać elektrolizie. **2.** *kosmetyka* usuwać elektrolitycznie (*owłosienie*).

electrolyzer [ɪˈlektrəˌlaɪzər] *n. chem.* elektrolizer.

electromagnet [ɪˌlektroʊˈmægnɪt] *n. el.* elektromagnes.

electromagnetic [ɪˌlektroʊmægˈnetɪk] *a. fiz., techn.* elektromagnetyczny; ~ **field/interaction/spectrum** *fiz.* pole/oddziaływania/widmo elektromagnetyczne.

electromagnetically [ɪˌlektroʊmægˈnetɪklɪ] *adv.* elektromagnetycznie.

electromagnetic pump *n. techn.* pompa elektromagnetyczna.

electromagnetic wave *n. fiz.* fala elektromagnetyczna.

electromagnetism [ɪˌlektroʊˈmægnəˌtɪzəm] *n. U fiz.* elektromagnetyzm.

electromechanical [ɪˌlektroʊməˈkænɪkl] *a. techn.* elektromechaniczny, elektromaszynowy.

electromechanically [ɪˌlektroʊməˈkænɪklɪ] *adv.* elektromechanicznie.

electrometallurgical [ɪˌlektroʊˌmetəˈlɝːdʒɪkl] *a.* elektrometalurgiczny.

electrometallurgy [ɪˌlektroʊˈmetəˌlɝːdʒɪ] *n. U* elektrometalurgia.

electrometer [ɪˌlekˈtrɑːmɪtər] *n. fiz.* elektrometr, galwanometr elektrostatyczny.

electrometric [ɪˌlektroʊˈmetrɪk], **electrometrical** [ɪˌlektroʊˈmetrɪkl] *a.* elektrometryczny.

electrometrically [ɪˌlektroʊˈmetrɪklɪ] *adv.* elektrometrycznie.

electrometry [ɪˌlekˈtrɑːmɪtrɪ] *n. U* elektrometria.

electromotive [ɪˌlektrəˈmoʊtɪv] *a. fiz.* elektromotoryczny, napięciowy; ~ **force** siła elektromotoryczna; ~ **series** *chem.* szereg napięciowy.

electromyograph [ɪˌlektroʊˈmaɪəgræf] *n. med.* elektromiograf.

electromyography [ɪˌlektroʊmaɪˈɑːgrəfɪ] *n. U* elektromiografia.

electron [ɪˈlektrɑːn] *n. fiz.* elektron; ~ **beam** wiązka elektronów; ~ **capture** wychwyt elektronu.

electron configuration *n.* = **electronic configuration.**

electronegative [ɪˌlektroʊ'negətɪv] *a. fiz., chem.* elektroujemny.

electronegativity [ɪˌlektroʊˌnegə'tɪvətɪ] *n. U* elektroujemność.

electron gun *n. el.* działo elektronowe, wyrzutnia elektronowa.

electronic [ɪˌlek'trɑ:nɪk] *a.* **1.** elektroniczny; **in ~ form** *komp.* w formie elektronicznej (= *w postaci pliku danych*). **2.** *chem.* elektronowy.

electronically [ɪˌlek'trɑ:nɪklɪ] *adv.* elektronicznie.

electronic configuration *n.* (*także* **electron configuration**) *chem.* konfiguracja elektronowa.

electronic data processing *n. U komp.* elektroniczne przetwarzanie danych.

electronic mail *n. U* (*także* **e-mail**) *komp.* poczta elektroniczna.

electronic music *n. U* muzyka elektroniczna.

electronic organ *n. muz.* organy elektroniczne.

electronics [ɪˌlek'trɑ:nɪks] *n.* **1.** *U* elektronika (*dziedzina nauki l. techniki*); **~ engineering** elektronika (*specjalność inżynierska*); **~ industry** przemysł elektroniczny; **~ plant** zakłady elektroniczne. **2.** *pl.* elektronika (= *urządzenia elektroniczne ogółem l. elektroniczne części danego urządzenia*).

electronic shopping *n. U* zakupy za pośrednictwem Internetu.

electronic surveillance *n. U techn.* **1.** elektroniczny system zabezpieczeń (*przed włamaniem l. kradzieżą*). **2.** podsłuch elektroniczny.

electronic warfare *n. U wojsk.* wojna elektroniczna.

electron lens *n. el.* soczewka elektronowa.

electron microscope *n.* mikroskop elektronowy.

electron optics *n. U* optyka elektronowa.

electron tube *n.* lampa elektronowa.

electron volt *n. fiz.* elektronowolt.

electrophorus [ɪˌlek'trɑ:fərəs] *n. fiz.* elektrofor.

electrophotographic [ɪˌlektrəˌfoʊtə'græfɪk] *a. druk.* elektrofotograficzny (*o druku, drukarce l. kopiarce*).

electroplate [ɪ'lektrəˌpleɪt] *v. metal.* galwanizować, powlekać *l.* platerować galwanicznie. – *n. U* wyroby galwanizowane (*zwł. srebrem*), plater.

electroplater [ɪ'lektrəˌpleɪtər] *n.* galwanizer, galwanizator.

electroplating [ɪ'lektrəˌpleɪtɪŋ] *n. U* galwanizacja, powlekanie galwaniczne; galwanotechnika.

electropositive [ɪˌlektrə'pɑ:zɪtɪv] *a. fiz., chem.* elektrododatni.

electroreceptor [ɪˌlektrərɪ'septər] *n. zool.* receptor elektryczny.

electroretinogram [ɪˌlektrə'retənəˌgræm] *n.* (*także* **ERG**) *med.* elektroretinogram.

electroretinography [ɪˌlektrəˌretən'ɑ:rəfɪ] *n. U* elektroretinografia.

electroscope [ɪ'lektrəˌskoʊp] *n. fiz.* elektroskop.

electroscopic [ɪˌlektrə'skɑ:pɪk] *a.* elektroskopowy.

electroshock [ɪ'lektrəˌʃɑ:k] *n. med.* wstrząs elektryczny; **~ therapy** *US* = **electroconvulsive therapy.**

electrostatic [ɪˌlektrə'stætɪk] *a. fiz.* elektrostatyczny.

electrostatically [ɪˌlektrə'stætɪklɪ] *adv.* elektrostatycznie.

electrostatic generator *n. techn.* generator elektrostatyczny.

electrostatics [ɪˌlektrə'stætɪks] *n. U* elektrostatyka.

electrotechnical [ɪˌlektroʊ'teknɪkl] *a.* elektrotechniczny.

electrotechnician [ɪˌlektroʊtek'nɪʃən] *n.* elektrotechnik.

electrotechnics [ɪˌlektroʊ'teknɪks] *n. U* elektrotechnika.

electrotechnology [ɪˌlektroʊtek'nɑ:lədʒɪ] *n.* = **electrotechnics.**

electrotherapy [ɪˌlektroʊ'θerəpɪ] *n. U med.* elektroterapia.

electrotype [ɪ'lektrəˌtaɪp] *druk. n.* (*także* **electro**) galwanotyp. – *v. druk.* powielać za pomocą galwanotypii.

electrotyping [ɪ'lektrəˌtaɪpɪŋ] *n. U* galwanotypia.

electrovalence [ɪˌlektroʊ'veɪləns], **electrovalency** [ɪˌlektroʊ'veɪlənsɪ] *n. U chem.* elektrowartościowość, elektrowalencyjność.

electrovalent [ɪˌlektroʊ'veɪlənt] *a.* elektrowalencyjny (*o wiązaniu*).

electroweak interaction [ɪˌlektroʊˌwi:k ˌɪntər'ækʃən] *n. U fiz.* oddziaływania słabe.

electrum [ɪ'lektrəm] *n. U metal.* elektron (*stop złota i srebra*).

electuary [ɪ'lektʃʊˌerɪ] *n. pl.* **-ies** *rzad. med.* lekarstwo zmieszane z miodem *l.* syropem.

eleemosynary [ˌelə'mɑ:səˌnerɪ] *a. form.* dobroczynny, charytatywny; jałmużniczy; **~ contribution** darowizna na cel dobroczynny.

elegance ['eləgəns] *rzad.* **elegancy** ['eləgənsɪ] *n. U* elegancja; wytworność.

elegant ['eləgənt] *a.* elegancki (*t. o teorii, wywodzie, rozumowaniu*); wytworny, gustowny.

elegantly ['eləgəntlɪ] *adv.* elegancko; wytwornie.

elegiac [ˌelə'dʒaɪək] *a. wers. l. form.* elegijny, żałobny. – *n. wers.* (*także* **~ couplet**) dystych elegijny; (*także* **~ stanza**) strofa elegijna; **~s** poezja elegijna.

elegist ['elɪdʒɪst] *n.* poeta elegijny.

elegize ['elɪˌdʒaɪz], *Br. i Austr. zw.* **elegise** *v.* **1.** opiewać w elegii. **2.** tworzyć elegię; pisać *l.* przemawiać w stylu elegijnym (*upon sb / sth* na temat kogoś/czegoś).

elegy ['elɪdʒɪ] *n. pl.* **-ies** elegia; *U* poezja elegijna.

elem. *abbr.* = **element;** = **elementary.**

element ['eləmənt] *n.* **1.** element; składnik, komponent; *pl.* elementy (= *podstawy*) (*of sth* czegoś). **2.** *przen.* ziarno, źdźbło, odrobina; **there's an ~ of truth in that** jest w tym odrobina prawdy. **3.** *chem.* pierwiastek. **4.** (*także* **heating ~**) *el.* element grzejny, grzałka. **5.** *z przymiotni-*

kiem **criminal** ~ element przestępczy (*w danym środowisku*); **right-wing** ~ element prawicowy (*np. w partii*). **6.** *t. przen.* żywioł; *pl.* żywioły; **exposed to (the fury of) the ~s** wydany na pastwę żywiołów; **in/out of one's** ~ w swoim/nie w swoim żywiole; **the four ~s** *hist. fil.* cztery żywioły. **7.** *geom.* figura elementarna.

elemental [ˌelə'mentl] *a.* **1.** żywiołowy (= *dotyczący żywiołów, sił natury l. pierwotnych instynktów*). **2.** *form.* podstawowy, elementarny. **3.** *chem.* pierwiastkowy; wolny, w stanie wolnym.

elementally [ˌelə'mentlɪ] *adv.* żywiołowo.

elementarily [ˌeləmen'terɪlɪ] *adv.* elementarnie.

elementariness [ˌeləmen'terɪnəs] *n.* *U* elementarność (= *prostota, niepodzielność*).

elementary [ˌelə'mentərɪ] *a.* **1.** *t. mat., fiz.* elementarny. **2.** *attr.* podstawowy; początkowy, przygotowawczy; ~ **class/course** *szkoln.* kurs podstawowy; ~ **education** *zob.* **education**. **3.** (trywialnie) prosty. **4.** *chem.* dotyczący pierwiastków.

elementary particle *n.* *fiz.* cząstka elementarna.

elementary school *n.* *szkoln.* **1.** (*także* **grade/grammar school**) *US i Can.* szkoła podstawowa. **2.** *Br. hist.* szkoła podstawowa w Anglii i Walii dla dzieci w wieku 5-13 lat (*w drugiej połowie XIX i początkach XX w.*). **3.** *Br. przest.* = **primary school**.

elemi ['eləmi:] *n.* *U chem., techn.* elemi (= *żywica kanarecznika, Canarium luzonicum*).

elenchus [ɪ'leŋkəs] *n.* *pl.* **elenchi** *log.* elench (= *falsyfikacja za pomocą rozumowania nie wprost*); **Socratic** ~ metoda elenktyczna (= *sprowadzanie argumentów rozmówcy do sprzeczności*).

elenctic [ɪ'leŋktɪk] *a.* *log.* elenktyczny, apagogiczny.

elephant ['eləfənt] *n.* *pl.* **-s** *l.* **elephant** **1.** *zool.* słoń (*rodzina Elephantidae*); **African** ~ słoń afrykański (*Loxodonta africana*); **Asian/Indian** ~ słoń indyjski (*Elephas maximus*). **2.** **white** ~ *przen.* *zob.* **white**.

elephant bird *n.* *paleont.* = **aepyornis**.

elephant fish *n.* *pl.* **elephant fish** *icht.* mruk (*Gnathonemus numenius*).

elephantiasis [ˌeləfən'taɪəsɪs] *n.* *U pat.* słoniowacizna, elefantiaza.

elephantiastic [ˌeləfən'taɪəstɪk] *a.* *pat.* słoniowaty, dotknięty słoniowacizną.

elephantine [ˌelə'fæntɪn] *a.* *t. przen.* słoniowaty.

elephant seal *n.* *zool.* słoń morski (*Mirounga*).

elephant's ear *n.* *bot.* kolokazja (*Colocasia*).

elephant shrew *n.* *zool.* ryjoskoczek (*rząd Macroscelidea*).

Eleusinian mysteries [ˌeljʊˌsɪnɪən 'mɪstərɪz] *n.* *pl.* *hist.* misteria eleuzyńskie, Eleuzynie.

elev. *abbr.* = **elevation**.

elevate ['eləˌveɪt] *v.* *form.* **1.** wznosić; podnosić (*t. głos*). **2.** *często pass.* wynosić; **he was ~d to the peerage** wyniesiono go do godności para. **3.** podbudowywać (moralnie); uwznioślać, uszlachetniać; radować, podnosić na duchu; ~ **sb's mind** umoralniać kogoś.

elevated ['eləˌveɪtɪd] *a.* *form.* **1.** podniosły; wzniosły. **2.** *uj.* wygórowany (*zwł. o mniemaniu o sobie*). **3.** *attr.* wysoki (*o pozycji, randze, stanowisku*). **4.** podwyższony (*o terenie, poziomie, temperaturze*).

elevated railroad, *Br.* **elevated railway** *n.* *kol.* nadziemna kolej miejska.

elevating ['eləˌveɪtɪŋ] *a.* *form. l. żart.* budujący, umoralniający.

elevation [ˌelə'veɪʃən] *n.* *form.* **1.** *U* wyniesienie (*to sth* do stanu, rangi *l.* godności czegoś). **2.** *U t. kośc.* podniesienie. **3.** wysokość (*zwł. nad poziomem morza*); **above an ~ of 1000 meters** na wysokości powyżej 1000 m (n.p.m.). **4.** *bud., wojsk.* elewacja. **5.** *wojsk.* podniesienie (*lufy działa*). **6.** *astron.* elewacja, wysokość.

elevator ['eləˌveɪtər] *n.* **1.** *US i Can.* winda. **2.** *techn.* podnośnik, wyciąg; **bucket/screw** ~ podnośnik kubełkowy/śrubowy. **3.** *gł. US i Can.* elewator, spichlerz. **4.** *anat.* (mięsień) dźwigacz. **5.** *lotn.* ster wysokości.

elevator dredge *n.* *techn.* pogłębiarka czerpakowa.

elevator music *n.* *U gł. US pot.* muzyka z taśmy puszczana w windach, supermarketach, na lotniskach itp. (*t. uj. = muzyka mało ambitna*).

elevatory [elə'veɪtərɪ] *a.* *form.* = **elevating**.

eleven [ɪ'levən] *num.* jedenaście; jedenaścioro; jedenastu. – *n.* **1.** jedenastka (*t. sport = drużyna futbolowa, hokejowa l. krykietowa*). **2.** *U* ~ **(o'clock)** (godzina) jedenasta; **at** ~ o jedenastej.

eleven-plus [ɪˌlevən'plʌs] *n.* **the** ~ *Br. szkoln.* egzamin zdawany w wieku 11 lat, decydujący o typie szkoły średniej, w jakim dziecko kontynuować będzie naukę (*gł. hist.; obecnie tylko w niektórych rejonach Anglii i Walii*).

elevenses [ɪ'levənzɪz] *n.* *U l. pl. Br. pot.* drugie śniadanie (*zw. kawa l. herbata i coś słodkiego*).

eleventh [ɪ'levənθ] *num.* **1.** jedenasty. **2.** **at the ~ hour** *przen.* za pięć dwunasta, w ostatniej chwili. – *n.* jedna jedenasta.

eleventh-hour [ɪˌlevənθ'aʊr] *a.* *attr.* odłożony na ostatnią minutę, podjęty w ostatniej chwili (*o decyzji*).

elf [elf] *n.* *pl.* **elves** [elvz] *mit.* elf, chochlik (*t. przen. = psotne dziecko*).

elf-cup ['elfˌkʌp] *n.* *biol.* grzyb w kształcie miseczki, kustrzebkowiec (*rząd Pezizales*); **orange-peel** ~ dzieżka pomarańczowa (*Aleuria aurantia*); **scarlet** ~ czarka szkarłatna (*Sarcoscypha coccinea*).

elfin ['elfɪn] *a.* **1.** elfi, chochlikowy. **2.** filigranowy, drobny.

elfish ['elfɪʃ], **elvish** ['elvɪʃ] *a.* (*także* **elflike**) chochlikowy; psotny.

elfishly ['elfɪʃlɪ] *adv.* psotnie.

elflock ['elfˌlɑ:k] *n.* *często pl. pat.* kołtun.

elf owl *n.* *orn.* sóweczka kaktusowa (*Micrathene whitneyi*).

Elias [ɪ'laɪəs] *n.* = **Elijah**.

elicit [ɪ'lɪsɪt] *v. form.* **1.** ~ **sth from sb** wywołać coś u kogoś (*zwł. określoną reakcję*); uzyskać coś od kogoś (*np. odpowiedź*); wydobyć coś z kogoś (*zw. informacje*). **2.** wydobywać na jaw, ujawniać.

elicitable [ɪ'lɪsɪtəbl] *a.* **1.** dający się uzyskać (*dzięki sprowokowanej reakcji*). **2.** dający się ujawnić.

elicitation [ɪˌlɪsɪ'teɪʃən] *n. U* **1.** uzyskanie (*w odpowiedzi*). **2.** wydobycie na jaw, ujawnienie.

elide [ɪ'laɪd] *v. fon.* usuwać, pomijać w wymowie (*głoskę, sylabę*).

eligibility [ˌelɪdʒə'bɪlətɪ] *n. U* (niezbędne) kwalifikacje *l.* warunki (*for sth* do ubiegania się o coś *l.* uczestniczenia w czymś).

eligible ['elɪdʒəbl] *a.* **1.** uprawniony (*for sth* do ubiegania się o coś); mogący kandydować; kwalifikujący się (*for sth* do czegoś, *to do sth* do robienia czegoś). **2.** odpowiedni (*do ożenku l. zamążpójścia*), na wydaniu; ~ **bachelor/young man** kawaler do wzięcia.

eligibly ['elɪdʒəblɪ] *adv.* odpowiednio, zgodnie z wymaganiami.

Elijah [ɪ'laɪdʒə] *n.* (*także* **Elias**) *Bibl.* Eliasz.

eliminate [ɪ'lɪməˌneɪt] *v.* **1.** usuwać, eliminować, wykluczać (*from sth* skądś *l.* z czegoś); likwidować (*np. nędzę, bezrobocie*). **2.** *sport* wyeliminować (*przeciwnika*). **3.** *pot.* zlikwidować (*euf. = zabić*). **4.** *fizj.* wydalać (*produkty przemiany materii*). **5.** *mat.* rugować (*zmienną l. niewiadomą*).

elimination [ɪˌlɪmə'neɪʃən] *n. U* **1.** usunięcie, eliminacja, wykluczenie; zlikwidowanie, wyeliminowanie; **by a process of** ~ przez eliminację, w drodze eliminacji (*np. dojść do jakiegoś wniosku*). **2.** *pot.* likwidacja (*euf. = zabójstwo*). **3.** *fizj.* wydalanie. **4.** *mat.* rugowanie.

eliminative [ɪ'lɪməˌneɪtɪv] *a.* (*także* **eliminatory**) eliminacyjny.

eliminator [ɪ'lɪməˌneɪtər] *n. tel., mech.* eliminator.

elision [ɪ'lɪʒən] *n. C/U fon.* elizja, pominięcie w wymowie (*głoski l. sylaby*).

elite [ɪ'li:t], **élite** *n. t. z czasownikiem w liczbie mnogiej* elita; ~ **school/college** elitarna szkoła/elitarny college; ~ **troops** *wojsk.* elitarne oddziały *l.* jednostki.

elitism [ɪ'li:tɪzəm] *n. U* **1.** elitaryzm. **2.** *uj.* elitarność.

elitist [ɪ'li:tɪst] *a.* **1.** elitarystyczny. **2.** *uj.* elitarny. – *n.* elitaryst-a/ka.

elixir [ɪ'lɪksər] *n.* **1.** eliksir; ~ **of life/youth** eliksir życia/młodości. **2.** *przen.* panaceum (*for sth* na coś).

Elizabeth [ɪ'lɪzəbəθ] *n. t. Bibl.* Elżbieta.

Elizabethan [ɪˌlɪzə'bi:θən] *a. hist.* elżbietański; ~ **Age** epoka elżbietańska; ~ **drama** dramat elżbietański; ~ **sonnet** (*także* **English/Shakespearean sonnet**) *wers.* sonet szekspirowski (*o układzie rymów abab cdcd efefgg*). – *n.* mieszkaniec/ka Anglii za panowania Elżbiety I.

elk [elk] *n. pl.* **elk** *l.* **-s** **1.** *zool. Br.* łoś (*Alces alces*); (*także* **American** ~) *US i Can.* wapiti (*Cervus elaphus canadensis, C. e. nelsoni*). **2.** *U* skóra łosiowa (*t. imitacja ze skóry końskiej l. cielęcej*).

ell[1] [el] *hist.* łokieć (*miara długości = ok. 45 cali*).

ell[2] **1.** *bud.* skrzydło (*tworzące kąt prosty z główną częścią budynku*). **2.** *techn.* kolanko.

ellipse [ɪ'lɪps] *n. mat.* elipsa.

ellipsis [ɪ'lɪpsɪs] *pl.* **-es** [ɪ'lɪpsi:s] **1.** *C/U gram., ret.* elipsa, wyrzutnia. **2.** *druk.* opuszczenie (*fragmentu tekstu*).

ellipsoid [ɪ'lɪpsɔɪd] *n. mat.* elipsoida; ~ **of revolution** elipsoida obrotowa.

ellipsoidal [ɪlɪp'sɔɪdl] *a. geom.* elipsoidalny.

elliptic [ɪ'lɪptɪk] *a. mat., gram.* eliptyczny; ~ **function/geometry** *mat.* funkcja/geometria eliptyczna.

elliptical [ɪ'lɪptɪkl] *a.* eliptyczny (*t. o stylu*); ~ **orbit/galaxy** *astron.* orbita/galaktyka eliptyczna.

elliptically [ɪ'lɪptɪklɪ] *adv.* eliptycznie.

ellipticity [ɪlɪp'tɪsətɪ] *n. pl.* **-ies** eliptyczność.

elm [elm] *n.* **1.** (*także* ~ **tree**) *bot.* wiąz (*rodzina Ulmaceae*); **American/English** ~ wiąz amerykański/angielski (*Ulmus americana / procera*); **Dutch** ~ **disease** *zob.* **Dutch**; **wych** ~ (*także* **witch** ~) wiąz górski, brzost (*Ulmus glabra*). **2.** *U stol.* wiąz, drewno wiązowe.

elocute ['eləˌkju:t] *v. żart.* deklamować (= *mówić w sposób nienaturalny, napuszony*).

elocution [ˌelə'kju:ʃən] *n. U* sztuka wymowy, krasomówstwo, oratorstwo; ~ **lessons/teacher** lekcje/nauczyciel wymowy.

elocutionary [ˌelə'kju:ʃəˌnerɪ] *a.* krasomówczy, oratorski.

elocutionist [ˌelə'kju:ʃənɪst] *n.* **1.** nauczyciel/ka wymowy. **2.** krasomówca.

eloign [ɪ'lɔɪn], **eloin** *arch. v.* usuwać (się) (*w odległe miejsce*).

eloignment [ɪ'lɔɪnmənt] *n. U* usunięcie (się).

elongate [ɪ'lɔ:ŋgeɪt] *v. form.* wydłużać (się). – *a. gł. bot.* wydłużony; równowąski (*o liściach*).

elongated [ɪ'lɔ:ŋgeɪtɪd] *a.* wydłużony, wyciągnięty.

elongation [ɪˌlɔ:ŋ'geɪʃən] *n. C/U* **1.** wydłużenie. **2.** *biol.* wzrost przez wydłużanie. **3.** *astron.* elongacja.

elope [ɪ'loʊp] *v.* uciec (*with sb* z kimś) (*o kochankach zamierzających się pobrać bez zgody rodziców*).

elopement [ɪ'loʊpmənt] *n. C/U* ucieczka (*kochanków jw.*).

eloquence ['eləkwəns] *n. U* elokwencja, wymowność; wielomówność.

eloquent ['eləkwənt] *a. form.* elokwentny; wymowny (*t. o gestach, mimice*); **wax** ~ wpadać w ferwor (*on sth* mówiąc o czymś).

eloquently ['eləkwəntlɪ] *adv.* elokwentnie, wymownie.

else [els] *adv.* **1.** (*po zaimkach*) ponadto, poza tym; **how** ~ jak inaczej; **little/not much** ~ niewiele więcej; **nobody/nothing** ~ nikt/nic więcej (*but* oprócz); **somebody/anybody** ~ ktoś/ktokolwiek inny; **somebody** ~**'s** należący do kogoś innego, cudzy; **somewhere/nowhere/where** ~ gdzieś/nigdzie/gdzie indziej; **something** ~ coś innego;

what/whatever ~ co/cóż innego; **(would you like) anything** ~? (czy życzy Pan/i sobie) coś jeszcze? **2. or** ~ w przeciwnym razie; bo jak nie, to..., bo inaczej... (*pogróżka, często niedopowiedziana*).

elsewhere ['elsˌwer] *adv.* **1.** gdzie(ś) indziej; w inne miejsce. **2.** poza tym (= *w pozostałych przypadkach*).

ELT [ˌiː ˌel 'tiː] *abbr. i n. U zwł. Br.* **English Language Teaching** *szkoln.* nauka języka angielskiego dla obcokrajowców.

elucidate [ɪ'luːsɪˌdeɪt] *v. form.* wyjaśniać, wyświetlać (*problem, zagadkę*).

elucidation [ɪˌluːsɪ'deɪʃən] *n. C/U* wyjaśnienie, wyświetlenie.

elucidative [ɪ'luːsɪˌdeɪtɪv], **elucidatory** [ɪ'luːsədəˌtɔːrɪ] *a. rzad.* służący wyjaśnieniu.

elude [ɪ'luːd] *v. form.* **1.** ~ **sb** *t. przen.* wymykać się komuś; być dla kogoś nieosiągalnym (*np. o sukcesie*); wylecieć komuś z pamięci; **her name ~s me (for the moment)** nie mogę sobie (w tej chwili) przypomnieć jej nazwiska. **2.** unikać, stronić od *l.* wykręcać się od (*czegoś*).

elusion [ɪ'luːʒən] *n. form.* **1.** *U* wymykanie się; wymknięcie się. **2.** wykręt, unik.

elusive [ɪ'luːsɪv] *a.* **1.** *t. przen.* nieuchwytny; nieosiągalny. **2.** ulotny; trudny do zrozumienia *l.* zapamiętania. **3.** *rzad.* stroniący od ludzi.

elusively [ɪ'luːsɪvlɪ] *adv.* **1.** nieuchwytnie. **2.** ulotnie.

elusiveness [ɪ'luːsɪvnəs] *n. U* **1.** nieuchwytność. **2.** ulotność.

elusory [ɪ'luːsərɪ] *a. form.* **1.** nieuchwytny (*dla umysłu l. wyobraźni*). **2.** wykrętny, omijający sedno.

elute [iː'luːt] *chem., geol. v.* wymywać, wypłukiwać.

elution [iː'luːʃən] *n. U* wymywanie, wypłukiwanie, elucja.

elutriate [ɪ'luːtrɪˌeɪt] *v. chem.* uzyskiwać *l.* oczyszczać za pomocą elutriacji.

elutriation [ɪˌluːtrɪ'eɪʃən] *n. U* elutriacja, wymywanie i odsączanie.

eluvial [ɪ'luːvɪəl] *a. geol.* eluwialny.

eluviation [ɪˌluːvɪ'eɪʃən] *n. U geol.* wymywanie.

eluvium [ɪ'luːvɪəm] *n. pl.* **eluvia** [ɪ'luːvɪə] *geol.* eluwium, osad eluwialny.

elver ['elvər] *n. icht.* młody węgorz (*zwł. samica migrująca w górę rzeki*).

elves [elvz] *n. pl. zob.* **elf.**

elvish ['elvɪʃ] *a.* = **elfish.**

Elysian [ɪ'lɪʒən] *a. mit. l. przen.* elizejski; ~ **Fields** Pola Elizejskie.

Elysium [ɪ'lɪʒɪəm] *n. mit. l. przen.* Elizjum, Pola Elizejskie.

elytron ['elɪˌtrɑːn], **elytrum** ['elɪtrəm] *n. pl.* **elytra** ['elɪtrə] *ent.* pokrywa (= *przednie skrzydło chrząszcza*).

EM [ˌiː 'em] *abbr.* = **electromagnetic.**

em [em] *n. druk.* **1.** em (= *kwadrat o boku równym stopniowi czcionki*). **2.** (*także* **pica** ~) cycero (= *12 punktów typograficznych*).

'em [əm] *pron. pot.* = **them.**

emaciate [ɪ'meɪʃɪˌeɪt] *a.* wychudzić, wycieńczyć.

emaciated [ɪ'meɪʃɪˌeɪtɪd] *a.* wychudzony, wychudły, wycieńczony.

emaciation [ɪˌmeɪʃɪ'eɪʃən] *n. U* wychudzenie, wycieńczenie.

e-mail ['iːmeɪl], **E-mail, email** *n. komp.* (*także* **electronic mail**) e-mail, poczta elektroniczna. – *v.* **1.** wysyłać pocztą elektroniczną. **2.** ~ **sb (about sth)** napisać do kogoś (o czymś), używając poczty elektronicznej.

emanate ['eməˌneɪt] *v. form. l. żart.* **1.** *t. przen.* emanować, promieniować (*czymś*); rozsiewać, wydzielać. **2.** rozchodzić się, dochodzić (*from sth* skądś) (*np. o zapachu, głosie*); ~ **from sb/sth** *t. przen.* emanować z kogoś/czegoś; wywodzić się *l.* pochodzić od kogoś/czegoś (*o pomysłach, ideach*).

emanation [ˌemə'neɪʃən] *n. C/U* **1.** emanowanie, wydzielanie. **2.** *t. fil., teol., fiz.* emanacja (*t. form.* = *oddziaływanie idei*). **3.** *przen.* aura, atmosfera.

emanational [ˌemə'neɪʃənl] *a. fil., teol.* emanacyjny.

emanative ['eməˌneɪtɪv], **emanatory** ['emənəˌtɔːrɪ] *a. form.* dotyczący emanacji *l.* oddziaływania.

emancipate [ɪ'mænsəˌpeɪt] *v.* wyzwalać, emancypować, uwalniać (*from sth* od *l.* spod czegoś) (*w sensie politycznym l. obyczajowym*).

emancipated [ɪ'mænsəˌpeɪtɪd] *a.* wyzwolony, wyemancypowany.

emancipation [ɪˌmænsə'peɪʃən] *n. U* emancypacja (*kobiet*); wyzwolenie (*niewolników*); uwolnienie (*od ucisku społecznego l. ograniczeń obyczajowych*).

emancipationist [ɪˌmænsə'peɪʃənɪst] *n. polit.* emancypant/ka, zwolenni-k/czka emancypacji.

emancipator [ɪ'mænsəˌpeɪtər] *n. form.* oswobodziciel/ka.

emancipatory [ɪ'mænsəpəˌtɔːrɪ] *a. polit.* emancypacyjny.

emancipist [ɪ'mænsəpɪst] *n. Austr. hist.* skazaniec uwolniony po odbyciu kary.

emasculate *v.* [ɪ'mæskjəleɪt] **1.** *zw. pass. form.* trzebić, kastrować. **2.** *przen.* osłabiać, pozbawiać wigoru *l.* skuteczności. **3.** *bot.* pozbawiać (*kwiat*) pręcików (*żeby zapobiec samozapyleniu*). – *a.* [ɪ'mæskjələt] *form.* **1.** wykastrowany. **2.** *przen.* słaby, nieskuteczny.

emasculation [ɪˌmæskjə'leɪʃən] *n. U* **1.** kastracja. **2.** *przen.* osłabienie, brak wigoru. **3.** *bot.* usunięcie pręcików.

emasculative [ɪ'mæskjələtɪv], **emasculatory** [ɪ'mæskjələˌtɔːrɪ] *a.* odbierający wigor *l.* skuteczność.

embalm [em'bɑːm] *v.* **1.** balsamować. **2.** *przen.* utrwalać (*np. wspomnienia*). **3.** *poet.* napełniać aromatem.

embalmer [em'bɑːmər] *n.* balsamist-a/ka.

embalming [em'bɑːmɪŋ] *n. U* balsamowanie (zwłok).

embalmment [em'bɑːmmənt] *n. U* zabalsamowanie.

embank [em'bæŋk] *v.* obwałowywać (*drogę, brzeg rzeki*).

embankment [em'bæŋkmənt] *n.* obwałowanie, nasyp; nadbrzeże.

embargo [em'bɑːrgoʊ] *n. pl.* **-es** *handl., polit.* embargo (*on / upon sth* na coś); **put/impose/lay an ~ on sth** (*także* **place sth under (an) ~**) nałożyć embargo na coś; **lift/raise/remove an ~** znieść embargo. – *v.* **-es, -ed, -ing 1.** obejmować embargiem. **2.** rekwirować, zajmować (*na rzecz państwa*).

embark [em'bɑːrk] *v.* **1.** wsiadać na statek; wsiadać do samolotu (*for...* udając się w podróż do...). **2.** zabierać na pokład (*o statku l. samolocie*). **3.** *wojsk.* zaokrętować, załadować (*wojsko, sprzęt na okręt*). **4. ~ on/upon sth** przedsięwziąć coś (*zwł. nowego i trudnego*); **~ on/upon a journey** wyruszyć w podróż; **~ on/upon a career** rozpocząć karierę.

embarkation [ˌembɑːr'keɪʃən] *n. C / U* **1.** wsiadanie na pokład (*statku, samolotu*). **2.** załadunek.

embarrass [ɪm'berəs] *v.* **1.** *zw. pass.* wprawiać w zakłopotanie *l.* zażenowanie, krępować. **2.** *arch.* wikłać, komplikować. **3.** *arch.* przeszkadzać, zawadzać (*komuś*).

embarrassed [ɪm'berəst] *a.* **1.** zakłopotany, skrępowany, zażenowany (*by / about sth* czymś). **2. be financially ~** *zw. żart.* mieć kłopoty finansowe.

embarrassing [ɪm'berəsɪŋ] *a.* krępujący, żenujący, kłopotliwy; wprawiający w zakłopotanie.

embarrassingly [ɪm'berəsɪŋlɪ] *adv.* krępująco, żenująco.

embarrassment [ɪm'berəsmənt] *n.* **1.** *C / U* zakłopotanie, skrępowanie, zażenowanie; wstyd (*at sth* z powodu czegoś); **be an ~ to sb** przysparzać komuś wstydu (*o osobie*). **2.** kłopotliwa sytuacja; komplikacja. **3.** *arch.* ambaras.

embassy ['embəsɪ] *n. pl.* **-ies 1.** ambasada; **~ officials** urzędnicy ambasady; **the Polish ~** Ambasada Polski. **2.** stanowisko, misja *l.* pełnomocnictwa ambasadora. **3.** *przest.* poselstwo, misja; **send sb/go on an ~ (to sb)** wysłać kogoś/udać się w misji dyplomatycznej (do kogoś).

embattle [em'bætl] *v. wojsk.* **1.** rozmieszczać (*wojsko przed bitwą*), ustawiać w szyk bojowy. **2.** *zw. pass.* umacniać, fortyfikować.

embattled [em'bætld] *a.* **1.** *form.* nękany problemami *l.* trudnościami, atakowany ze wszystkich stron. **2.** *wojsk.* w szyku bojowym. **3.** warowny. **4.** zaopatrzony w blanki, zębaty (*o murze*). **5.** *her.* krenelowany (*o linii dzielącej tarczę*).

embay [em'beɪ] *v. gł. pass.* **1.** zamykać (*jak zatoka morska*), ogarniać. **2.** *żegl.* zaganiać (*statek*) do zatoki (*o wietrze*).

embayed [em'beɪd] *a.* wcięty na kształt zatoki.

embayment [em'beɪmənt] *n.* wcięcie wybrzeża.

embed [em'bed] *v. zw. pass.* **-dd- 1.** osadzać; zagłębiać (*in sth* w czymś); wbijać (*in sth* w coś). **2.** *przen.* utrwalać (*np. przesądy*). **3.** *gram., mat.* wbudowywać (*zdanie podrzędne, wyrażenie*), zagnieżdżać. **4.** okrywać, otulać.

embedded [em'bedɪd] *a.* **1.** zakorzeniony, utrwalony (*o uczuciach, przesądach*); **deeply ~** głęboko zakorzeniony. **2.** *gram., mat.* podrzędny, zagnieżdżony.

embellish [em'belɪʃ] *v.* **1.** upiększać, ozdabiać (*with sth* czymś *l.* za pomocą czegoś). **2.** *przen.* upiększać, ubarwiać (*np. relację*). **3.** *muz.* zaopatrywać w ozdobniki.

embellishment [em'belɪʃmənt] *n. C / U* **1.** upiększenie, ubarwienie. **2.** *często pl.* ozdobnik.

ember ['embər] *n.* żarzący się węgielek; *pl.* dogasający żar; **the (dying) ~s of sb's love/passion** *lit.* (stygnące) popioły czyjejś miłości/namiętności.

ember goose *n. pl.* **ember geese** *orn. pot.* nur lodowiec (*Gavia immer*).

embezzle [ɪm'bezl] *v. t. prawn.* sprzeniewierzyć, zdefraudować.

embezzlement [ɪm'bezlmənt] *n. U* sprzeniewierzenie (*pieniędzy l. mienia*), malwersacja.

embezzler [ɪm'bezlər] *n.* malwersant/ka.

embitter [ɪm'bɪtər] *v.* **1.** *zw. pass.* rozżalić. **2.** rozjątrzać (*złe stosunki*), pogarszać (*trudną sytuację*).

embittered [ɪm'bɪtərd] *a.* rozgoryczony, rozżalony (*by sth* wskutek czegoś).

embitterment [ɪm'bɪtərmənt] *n. U* rozgoryczenie.

emblaze [ɪm'bleɪz] *v. arch.* **1.** rozświetlić. **2.** podpalić.

emblazon [ɪm'bleɪzən] *v.* **1.** *her.* opisywać według zasad heraldyki; rysować *l.* barwić tynkturami (*herb*). **2.** ozdabiać (*with sth* czymś) (*np. napisem, znakiem firmowym*). **3.** *lit.* sławić, wynosić pod niebiosa.

emblazonment [ɪm'bleɪzənmənt] *n.* **1.** *her.* rysunek herbu; ornament heraldyczny. **2.** *U* sławienie.

emblazonry [ɪm'bleɪzənrɪ] *n.* = **blazonry**.

emblem ['embləm] *n.* **1.** godło (*t. państwowe*); emblemat. **2.** symbol, znak. **3.** *przest.* malowidło alegoryczne; **~ book** zbiór alegorii.

emblematic [ˌemblə'mætɪk], **emblematical** [ˌemblə'mætɪkl] *a.* **1.** herbowy. **2.** symbolizujący (*of sth* coś). **3.** *przest.* alegoryczny.

emblematically [ˌemblə'mætɪklɪ] *adv.* **1.** symbolicznie. **2.** *przest.* alegorycznie.

emblematize [em'blemaˌtaɪz], *Br. i Austr. zw.* **emblematise** *v.* **1.** symbolizować. **2.** przedstawiać alegorycznie.

emblements ['embləmənts] *n. pl. prawn.* **1.** roczne zbiory (*płodów rolnych*). **2.** roczny dochód z ziemi.

emblemize ['embləmaɪz], *Br. i Austr. zw.* **emblemise** *v.* = **emblematize**.

embodiment [ɪm'bɑːdɪmənt] *n.* ucieleśnienie, wcielenie (*of sth* czegoś).

embody [ɪm'bɑːdɪ] *v.* **-ied, -ying 1.** ucieleśniać. **2.** *form.* zawierać. **3.** *form.* ujmować, zbierać (w całość) (*in sth* w czymś *l.* w formie czegoś).

embolden [ɪm'boʊldn] *v. często pass. form.* ośmielać (*sb to do sth* kogoś do zrobienia czegoś).

embolectomy [ˌembə'lektəmɪ] *n. pl.* **-ies** *C / U chir.* usunięcie zatoru.

embolism ['embəˌlɪzəm] *n. zw. U* **1.** *pat.* embolia (= *tworzenie się zatoru*); *pot.* = **embolus**. **2.** *rachuba czasu* wstawienie dodatkowego dnia *l.* miesiąca (*dla wyrównania roku kalendarzowego*).

embolus ['embələs] *n. pl.* **emboli** ['embəlaɪ] *pat.* zator.

embonpoint [ˌɑ:mboʊn'pwæn] *n. U żart.* zażywność, tęgość. – *a. przest. żart.* zażywny, korpulentny.

embosom [ɪm'bʊzəm] *v. arch. l. poet.* przytulać; *przen.* otaczać, osłaniać; hołubić.

emboss [ɪm'bɔ:s] *v. zw. pass.* rzeźbić, drukować *l.* odlewać wypukło; wytłaczać (*wzory, litery; t. papier, skórę*).

embossed [ɪm'bɔ:st] *a.* wypukły (*o płaskorzeźbie, druku*), wytłaczany (*on sth* na czymś, *with sth* czymś) (*o wzorze l. podłożu wzoru*).

embossment [ɪm'bɔ:smənt] *n.* wypukła rzeźba *l.* odlew; wytłoczenie.

embouchure [ˌɑ:mbʊ'ʃʊr] *n.* **1.** *form.* ujście (*rzeki*); wylot (*doliny*). **2.** *muz.* ustnik (*zwł. instrumentu blaszanego*); właściwy sposób przyłożenia ustnika do warg.

embowel [ɪm'baʊəl] *v. Br.* **-ll-** = **disembowel**.

embower [ɪm'baʊər] *v. arch. l. poet.* zamykać jak w altanie, ocieniać.

embrace [ɪm'breɪs] *v.* **1.** obejmować (się), ściskać (się). **2.** *form.* obejmować, zawierać w sobie. **3.** *form.* przyjąć (*wiarę, nauczanie, ideę*). **4.** *form.* wyzyskać (*szansę, sposobność*), chwycić się (*sposobu*). – *n.* uścisk, objęcia; *pl. euf.* igraszki miłosne; **hold sb in an ~** trzymać kogoś w objęciach.

embranchement [ɪm'bræntʃmənt] *n.* **1.** odgałęzienie, odnoga. **2.** *U* rozgałęzianie się, tworzenie odnogi *l.* odgałęzienia.

embrasure [em'breɪʒər] *n.* **1.** *wojsk.* strzelnica (= *otwór strzelniczy*), ambrazura. **2.** *bud.* framuga, nisza drzwiowa *l.* okienna (*zwł. w starych budowlach*).

embrocate ['embroʊˌkeɪt] *v. med.* nacierać (*płynem l. mazidłem*).

embrocation [ˌembroʊ'keɪʃən] *n. C/U* liniment, płyn *l.* mazidło do nacierania.

embroider [ɪm'brɔɪdər] *v.* **1.** haftować, wyszywać (*on/upon sth* na czymś, *in sth* czymś, *with sth* w coś). **2.** *przen.* koloryzować, upiększać (*fakty, opowieść*).

embroiderer [ɪm'brɔɪdərər] *n.* hafcia-rz/rka.

embroideress [ɪm'brɔɪdərəs] *n. rzad.* hafciarka.

embroidery [ɪm'brɔɪdərɪ] *n. pl.* **-ies** **1.** haft, wyszywanka; *U* haft, hafciarstwo, wyszywanie. **2.** *U przen.* upiększenia (= *zmyślone szczegóły*).

embroil [ɪm'brɔɪl] *v. zw. pass.* **1.** wplątywać; **be/become/get ~ed in sth** uwikłać się *l.* zostać uwikłanym w coś. **2.** gmatwać, wikłać (*sprawę*).

embryo ['embrɪˌoʊ] *n. pl.* **-s** **1.** *biol.* embrion (*ludzki l. zwierzęcy*); zarodek (*t. roślinny*). **2.** *przen.* zalążek; **in ~** w stadium embrionalnym (*zw. o planach*).

embryogenesis [ˌembrɪoʊ'dʒenəsɪs] *n. biol.* = **embryogeny**.

embryogenic [ˌembrɪoʊ'dʒenɪk] *a. biol.* embriogenetyczny.

embryogeny [ˌembrɪ'ɑ:dʒənɪ] *n. U* embriogeneza, embriogenia.

embryologic [ˌembrɪə'lɑ:dʒɪk], **embryological** [ˌembrɪə'lɑ:dʒɪkl] *a. med., biol.* embriologiczny.

embryologically [ˌembrɪə'lɑ:dʒɪklɪ] *adv.* embriologicznie.

embryologist [ˌembrɪ'ɑ:lədʒɪst] *n.* embriolog.

embryology [ˌembrɪ'ɑ:lədʒɪ] *n. U* embriologia.

embryonic [ˌembrɪ'ɑ:nɪk] *a. biol. l. przen.* embrionalny, zarodkowy; **~ foetus** płód w stadium zarodkowym; **~ plant** zarodek *l.* zawiązek rośliny.

embryo sac *n. bot.* woreczek zalążkowy.

embryo stage *n. biol. l. przen.* stadium embrionalne.

embus [ɪm'bʌs] *v.* **-ss-** *Br. wojsk.* ładować do pojazdu (*żołnierzy*); wsiadać do pojazdu (*o żołnierzach*).

emcee [ˌem'si:] *n. US pot.* mistrz ceremonii; prezenter, konferansjer. – *v.* **-ees, -eed, -eeing** być mistrzem ceremonii, prowadzić konferansjerkę; prowadzić (*imprezę, uroczystość*); prezentować (*kogoś*).

em dash ['em ˌdæʃ] *n. druk.* myślnik (*długi*), pauza.

emend [ɪ'mend] *v. form.* poprawiać (*tekst, błąd w tekście; o wydawcy l. filologu*).

emendable [ɪ'mendəbl] *a.* dający się poprawić (*o błędzie w tekście*).

emendation [ˌemən'deɪʃən] *n.* emendacja, poprawka (*edytorska, filologiczna*); *U* poprawianie krytyczne.

emendator ['emənˌdeɪtər] *n.* autor/ka poprawek.

emendatory [ɪ'mendəˌtɔ:rɪ] *a.* dotyczący poprawek (*w wydaniu krytycznym tekstu*).

emerald ['emərəld] *n.* **1.** *min., jubilerstwo* szmaragd; **~ ring** pierścionek ze szmaragdem. **2.** *U* szmaragd, (kolor) szmaragdowy. **3.** *druk. przest.* czcionka sześcioipółpunktowa. – *a.* szmaragdowy (*o kolorze*); **~ green** zieleń szmaragdowa, (kolor) szmaragdowozielony; **the E~ Isle** *poet.* Szmaragdowa Wyspa (= *Irlandia*).

emerge [ɪ'mɝ:dʒ] *v.* **1.** wynurzać się, wyłaniać się (*from sth* z czegoś *l.* skądś, *from behind sth* zza czegoś). **2.** *przen.* powstawać, rozwijać się (*from sth* z czegoś). **3.** pojawiać się, objawiać się (*as* ... jako ...). **4.** wyjść na jaw; **it ~d that...** wyszło na jaw *l.* okazało się, że... **5.** **~ from sth** *przen.* wyjść z czegoś (*obronną ręką*), przetrzymać *l.* przetrwać coś.

emergence [ɪ'mɝ:dʒəns] *n.* **1.** *U* wynurzanie się; powstawanie; pojawienie się. **2.** *bot.* wybujałość, wyrostek.

emergency [ɪ'mɝ:dʒənsɪ] *n. C/U* nagły wypadek; sytuacja awaryjna, wyjątkowa sytuacja; nagła potrzeba; **in an ~** w razie wypadku; w sytuacji awaryjnej; **state of ~** stan wyjątkowy.

emergency brake *n. US mot.* hamulec ręczny.

emergency cord *n. US* hamulec bezpieczeństwa (*w pociągu*).

emergency exit *n.* wyjście awaryjne.

emergency landing *n.* lądowanie awaryjne.

emergency meeting *n.* nadzwyczajne zebranie *l.* spotkanie (*w sytuacji kryzysowej*).

emergency repair *n.* naprawa awaryjna *l.* prowizoryczna.

emergency room *n. US med.* oddział urazowy (*dla przypadków nagłych*).

emergency services *n. pl. Br.* służby ratownicze.

emergent [ɪ'mɜ:dʒənt] *a. attr.* **1.** wyłaniający się; pojawiający się. **2.** *polit.* niedawno *l.* nowo powstały (*o państwie*); rozwijający się. **3.** *bot.* wynurzający się (*o pędach l. liściach roślin wodnych*). **4.** *fil.* emergentny (*o sposobie rozwoju*).

emerging [ɪ'mɜ:dʒɪŋ] *a. attr.* **1.** = **emergent** 1. **2.** *US* = **emergent** 2.

emeritus [ɪ'merɪtəs] *a. uniw.* emerytowany (*zachowujący prawo do tytułu*); **professor ~** (*także* **~ professor**) emerytowany profesor.

emersion [ɪ'mɜ:ʒən] *n. C/U astron.* wynurzenie się, wyjście (*ciała niebieskiego po zaćmieniu l. przesłonięciu*).

emery ['emərɪ] *n. U min., techn.* szmergiel.

emery board *n.* pilniczek do paznokci (*pokryty szmerglem*).

emery paper *n. U* papier szmerglowy.

emery wheel *n. techn.* tarcza szlifierska (*pokryta szmerglem*).

emetic [ɪ'metɪk] *a.* wymiotny. – *n. med.* emetyk, środek wymiotny.

emetically [ɪ'metɪklɪ] *adv.* wymiotnie.

emigrant ['eməgrənt] *n.* emigrant/ka; **~ laborer/worker** emigrant zarobkowy, gastarbeiter; **~s from... to...** osoby emigrujące z... do...

emigrate ['emə͵greɪt] *v.* emigrować (*fro ... to...* z... do...).

emigration [͵emə'greɪʃən] *n. C/U* emigracja (*t. = ogół emigrantów*).

emigratory ['eməgrə͵tɔ:rɪ] *a.* emigracyjny.

émigré ['emɪgreɪ] *n.* uchodźca, emigrant/ka; **~ literature** literatura emigracyjna.

eminence ['emənəns] *n.* **1.** *U* znakomitość, wybitność; sława; **rise to/reach ~** *form.* zdobyć sławę (*in sth* w czymś, *as...* jako...). **2.** *form.* wyniosłość (*gruntu*). **3. Your/His E~** *kośc.* Wasza/Jego Eminencja (*sposób zwracania się do kardynałów*).

éminence grise [͵eɪmɪnɑ:ŋs 'gri:z] *n. pl.* **éminences grises** [͵eɪmɪnɑ:ŋs 'gri:z] *Fr.* szara eminencja.

eminent ['emənənt] *a.* **1.** *attr.* wybitny, znakomity; godny uwagi. **2.** *form.* wyniesiony (= *wyższy od otoczenia*); wystający.

eminent domain *n. U prawn. zob.* **domain** 3.

eminently ['emənəntlɪ] *adv.* wybitnie.

emir [e'mi:r] *n.* emir.

emirate ['emərət] *n.* emirat; **the United Arab E~s** *geogr.* Zjednoczone Emiraty Arabskie.

emissary ['emə͵serɪ] *n. pl.* **-ies** emisariusz/ka, wysłanni-k/czka; **~ delegation** grupa wysłanników. – *a. anat.* wypustowy (*o naczyniu krwionośnym*).

emission [ɪ'mɪʃən] *n. C/U* **1.** emisja (*światła, dźwięku, głosu, pieniądza*); wyrzucanie (*zwł. strumienia cieczy l. gazu*). **2.** *t. fizj.* wydzielanie; **nocturnal ~** polucja, zmaza nocna.

emission spectrum *n. fiz.* widmo emisyjne.

emissive power [ɪ͵mɪsɪv 'paʊər], **emissivity** [͵emə'sɪvətɪ] *n. U fiz.* zdolność emisyjna.

emit [ɪ'mɪt] *v.* **-tt-** wypuszczać, wysyłać; wyrzucać; wydzielać; emitować (*t. pieniądz*).

emitter [ɪ'mɪtər] *n.* **1.** *fiz.* źródło emisji; **alpha/beta ~** źródło promieniowania alfa/beta. **2.** *el.* emiter (*tranzystora*).

emmer ['emər] *n. U* (*także* **~ wheat**) *bot.* (pszenica) płaskurka (*Triticum dicoccum*).

emmet ['emɪt] *n. arch. l. dial.* mrówka.

emmetropia [͵emɪ'troʊpɪə] *n. U fizj.* miarowość oka, emmetropia.

emollient [ɪ'mɑ:lɪənt] *n. med.* (środek) rozmiękczający. – *a.* **1.** *med.* rozmiękczający. **2.** *przen.* ugodowy (*o postawie*); łagodzący, uspokajający (*o wypowiedzi*).

emolument [ɪ'mɑ:ljəmənt] *n.* *często pl. Br. form.* pobory, wynagrodzenie; honorarium.

emote [ɪ'moʊt] *v. lit. l. żart.* histeryzować, zachowywać się zbyt emocjonalnie.

emoter [ɪ'moʊtər] *n. uj.* histery-k/czka.

emotion [ɪ'moʊʃən] *n.* **1.** emocja; uczucie; **appeal to sb's ~s** odwoływać się do czyichś emocji. **2.** *U* wzruszenie, przejęcie; **overcome by/with ~** wzruszony, przejęty.

emotional [ɪ'moʊʃənl] *a.* **1.** uczuciowy (*o osobie*); emocjonalny (*o reakcjach, rozwoju, problemach, potrzebach*); **be ~ about sth** podchodzić do czegoś emocjonalnie. **2.** budzący emocje (*o kwestii*); pełen emocji, naładowany emocjonalnie (*np. o muzyce*); poruszający uczucia, wzruszający (*np. o apelu*).

emotionalism [ɪ'moʊʃənl͵ɪzəm] *n. U* emocjonalność, uleganie emocjom; odwoływanie się do emocji; *psych.* emocjonalizm.

emotionalist [ɪ'moʊʃənlɪst] *n.* osoba ulegająca emocjom.

emotionality [ɪ͵moʊʃə'nælətɪ] *n. U* emocjonalność, uczuciowość.

emotionally [ɪ'moʊʃənlɪ] *adv.* **1.** emocjonalnie, uczuciowo. **2.** z uczuciem, odwołując się do emocji.

emotive [ɪ'moʊtɪv] *a. form.* **1.** emotywny, ekspresywny (*o języku*). **2.** budzący emocje; obliczony na wzbudzenie emocji.

emotively [ɪ'moʊtɪvlɪ] *adv.* **1.** emotywnie. **2.** w sposób budzący emocje.

emotiveness [ɪ'moʊtɪvnəs] *n. U* (*także* **emotivity**) **1.** emotywność. **2.** wzbudzanie emocji.

Emp. *abbr.* **1.** (*przed imieniem*) = **Emperor**; = **Empress**. **2.** = **Empire**.

empale [em'peɪl] *v.* = **impale**.

empanel [em'pænl] *v. Br.* **-ll-** = **impanel**.

empathetic [͵empə'θetɪk], **empathic** [ɪm'pæθɪk] *a.* empatyczny.

empathetically [͵empə'θetɪklɪ], **empathically** [ɪm'pæθɪklɪ] *adv.* empatycznie.

empathist [ɪm'pæθɪst] *n.* osoba skłonna do empatii.

empathize ['empə͵θaɪz], *Br. i Austr. zw.* **em-**

pathise *v.* utożsamiać się uczuciowo (*with sb / sth* z kimś/czymś).

empathy ['empəθɪ] *n. U* empatia (*with sb* wobec kogoś); *psych.* emocjonalne utożsamianie się (*with sb / sth* z kimś/czymś).

empennage [ˌɑːmpə'nɑːʒ] *n. U lotn.* usterzenie ogonowe.

emperor ['empərər] *n.* **1.** cesarz, imperator. **2.** (*także* ~ **moth**) *ent.* pawica grabówka (*Saturnia pavonia; pot. t. inne duże motyle*).

emperor penguin *n. orn.* pingwin cesarski (*Aptenodytes forsteri*).

emperorship ['empərərˌʃɪp] *n.* władza *l.* godność cesarska.

emphasis ['emfəsɪs] *n. C / U pl.* **emphases** emfaza, nacisk, akcent, podkreślenie; **give ~ to sth** akcentować coś (*np. słowo, sylabę*); **lay/place/put (great/special) ~ on sth** kłaść (wielki/szczególny) nacisk na coś.

emphasize ['emfəˌsaɪz], *Br. i Austr. zw.* **emphasise** *v.* kłaść nacisk na, akcentować; podkreślać (*that...* że...).

emphatic [ɪm'fætɪk] *a.* **1.** emfatyczny (*t. fon. o typie spółgłosek*), wyrazisty. **2.** dobitny; stanowczy, kategoryczny; **be ~** stanowczo nalegać; dobitnie stwierdzać.

emphatically [ɪm'fætɪklɪ] *adv.* **1.** z emfazą, wyraziście. **2.** dobitnie; stanowczo, kategorycznie.

emphysema [ˌemfɪ'siːmə] *n. pat.* (*także* **pulmonary ~**) rozedma płuc, emfizema.

emphysematous [ˌemfɪ'semətəs] *a.* (*także* **emphysemic**) *pat.* dotyczący rozedmy; dotknięty rozedmą.

empire ['empaɪr] *n.* **1.** cesarstwo; *t. przen.* imperium. **2.** *U* **E~** (styl) empire; **E~ furniture** meble empirowe.

empire-building ['empaɪrˌbɪldɪŋ] *n. U zw. uj.* wyrabianie sobie wpływów, dochodzenie do władzy.

Empire State *n. US pot.* stan Nowy Jork.

empiric [ɪm'pɪrɪk] *a. rzad.* = **empirical**. – *n.* **1.** empiry-k/czka, prakty-k/czka. **2.** *arch.* szarlatan/ka, znachor/ka.

empirical [ɪm'pɪrɪkl] *a. t. fil.* empiryczny, doświadczalny. – *n. stat.* prawdopodobieństwo a posteriori.

empirically [ɪm'pɪrɪklɪ] *adv.* empirycznie, doświadczalnie.

empiricism [ɪm'pɪrɪˌsɪzəm] *n. U* **1.** *fil.* empiryzm; empiria. **2.** korzystanie z doświadczenia, praktyka. **3.** *arch.* szarlataneria, znachorstwo.

empiricist [ɪm'pɪrɪsɪst] *n.* **1.** *fil.* empiryst-a/ka. **2.** empiry-k/czka, prakty-k/czka.

emplace [ɪm'pleɪs] *v. gł. wojsk.* lokować, umieszczać na stanowisku.

emplacement [ɪm'pleɪsmənt] *n. wojsk.* stanowisko, pozycja (*działa, baterii*); *U* ulokowanie.

emplane [ɪm'pleɪn] *v. Br.* = **enplane**.

employ [ɪm'plɔɪ] *v.* **1.** zatrudniać, angażować (*sb to do sth* kogoś do robienia czegoś, *in / on sth* przy czymś, w czymś *l.* na czymś, *as...* jako/w charakterze...). **2.** używać (*sth to do sth* czegoś do robienia czegoś, *sth as sth* czegoś jako czegoś); **~ force** używać siły; **~ one's talents/influence** używać swoich talentów/wpływów. **3.** zajmować, absorbować (*osobę, czas, uwagę*); **be ~ed in doing sth** być zajętym robieniem czegoś. – *n. U form.* posada; służba; **in sb's ~** (w służbie *l.* na posadzie) u kogoś.

employable [ɪm'plɔɪəbl] *a.* **1.** zdatny do zatrudnienia. **2.** dający się użyć.

employee [ɪm'plɔɪiː], *US t.* **employe** *n.* pracowni-k/ca, zatrudnion-y/a.

employee benefits *n. pl.* świadczenia pracownicze.

employer [ɪm'plɔɪər] *n.* **1.** pracodaw-ca/czyni. **2.** *rzad.* użytkowni-k/czka.

employers' association *n.* stowarzyszenie pracodawców.

employment [ɪm'plɔɪmənt] *n.* **1.** *U* zatrudnienie, praca; **be in sb's ~** *form.* być zatrudnionym u kogoś; **find ~** znaleźć pracę; **full ~** pełne zatrudnienie; **equal ~ opportunities** równe szanse zatrudnienia; **give ~ to sb** dać komuś zatrudnienie; **in/out of ~** *Br. form.* zatrudniony/bezrobotny; **look for ~** szukać pracy; **place of ~** miejsce zatrudnienia. **2.** zajęcie. **3.** *U form.* użycie, stosowanie (*np. przemocy*).

employment agency *n. zwł. US* agencja pośrednictwa pracy.

employment insurance *n. ubezp.* ubezpieczenie od utraty zatrudnienia.

employment office *n. Br.* biuro pośrednictwa pracy.

empoison [ɪm'pɔɪzən] *v. arch. t. przen.* zatruwać.

emporium [ɪm'pɔːrɪəm] *n. pl.* **-s** *l.* **emporia 1.** *hist.* emporium (*t. = targ, giełda, ośrodek handlu*). **2.** centrum handlowe.

empoverish [ɪm'pɑːvərɪʃ] *v.* = **impoverish**.

empower [ɪm'paʊər] *v.* **1. ~ sb** dawać komuś wiarę we własne siły; dawać komuś kontrolę nad własnym życiem. **2. ~ sb to do sth** *form.* dawać komuś pełnomocnictwo *l.* upoważniać kogoś do zrobienia czegoś.

empowerment [ɪm'paʊərmənt] *n. U form.* upoważnienie, plenipotencje.

empress ['emprɪs] *n.* cesarzowa (*władczyni l. żona cesarza*); imperatorowa, caryca.

emprise [ɪm'praɪz] *n. arch.* **1.** przygoda rycerska, śmiałe przedsięwzięcie. **2.** *U* śmiałość, dzielność.

emptily ['emptɪlɪ] *adv.* pusto; jałowo; bez wyrazu.

emptiness ['emptɪnəs] *n. U* pustka, próżnia, nicość; jałowość.

empty ['emptɪ] *a.* **-ier, -iest 1.** *t. przen.* pusty; **half ~** do połowy pusty; **(do sth) on an ~ stomach** (robić coś) na pusty żołądek; **the house stood ~ for years** dom stał pusty przez lata. **2.** *przen.* czczy, gołosłowny (*o obietnicach, groźbach*); jałowy. **3.** *pot.* głodny. **4.** *pred.* wyzuty, wyprany (*of sth* z czegoś); **feel ~** czuć się wyczerpanym. **5.** niewidzący, pozbawiony wyrazu (*o wzroku, spojrzeniu*). – *n. pl.* **-ies** *zw. pl.* pusty pojemnik (*zwł. butelka*). – *v.* **1.** opróżniać (*of sth* z czegoś). **2.** (*także* **~ out**) wypróżniać (*into sth* do czegoś, *onto sth* na coś) (*pojemnik*); wysypywać, wylewać, wyrzucać (*into sth* do czegoś, *onto sth* na coś) (*zawartość pojemnika*). **3.** opróżniać się (*of sth* z czegoś); wyciekać, wylewać się, wysypywać się (*from / out of sth* z czegoś, *into sth* do czegoś, *onto sth* na coś); wpadać, wpływać (*into sth* do czegoś) (*o rzece*). **4.** ~ **o.s. of sth** *przen.* dawać upust *l.* folgę czemuś.

empty-handed [ˌemptɪ'hændɪd] *a. t. przen.* z pustymi rękami.

empty-headed [ˌemptɪ'hedɪd] *a.* głupiutki.

empty-nest syndrome [ˌemptɪ'nest ˌsɪndroʊm] *n. psych.* syndrom pustego gniazda (*po opuszczeniu domu przez dorosłe dzieci*).

empty set *n. mat.* zbiór pusty.

empyema [ˌempaɪ'i:mə] *n. pl.* **-s** *l.* **-ta** [ˌempaɪ'i:mətə] *pat.* ropniak (*zwł. opłucnej*).

empyreal [empɪ'ri:əl] *a.* **1.** *poet.* empirejski, niebiański. **2.** *arch.* ognisty, płomienisty.

empyrean [ˌempɪ'ri:ən] *a.* = **empyreal**. – *n. arch.* empireum (= *najwyższa sfera niebios*); *poet.* niebo.

EMS [ˌi: ˌem 'es] *abbr.* = **European Monetary System**.

EMT [ˌi: ˌem 'ti:] *abbr.* **emergency medical technician** *med.* sanitariusz pogotowia ratunkowego.

emu ['i:mju:] *n. orn.* emu (*Dromaius novaehollandiae*).

emulate ['emjəˌleɪt] *v.* **1.** imitować, naśladować; ~ **sb (at sth)** współzawodniczyć *l.* rywalizować z kimś (w czymś), starać się dorównać komuś (w czymś) (*zwł. naśladując go*). **2.** *komp.* emulować (*np. terminal*).

emulation [ˌemjə'leɪʃən] *n. U form.* **1.** naśladowanie, naśladownictwo; współzawodnictwo, rywalizacja. **2.** *komp.* emulacja. **3.** *arch.* zawiść.

emulative ['emjəˌleɪtɪv] *a. form.* dotyczący rywalizacji *l.* konkurencji.

emulator ['emjəˌleɪtər] *n.* **1.** *form.* rywal/ka; naśladow-ca/czyni, imitator/ka. **2.** *komp.* emulator.

emulous ['emjələs] *a.* **1.** *form.* żądny rywalizacji. **2.** *arch.* zawistny.

emulously ['emjələslɪ] *adv.* w duchu rywalizacji.

emulousness ['emjələsnəs] *n. U* żądza rywalizacji.

emulsification [ɪˌmʌlsɪfɪ'keɪʃən] *n. U chem., techn.* emulgowanie; tworzenie się emulsji.

emulsifier [ɪ'mʌlsɪˌfaɪər] *n.* (*także* **emulsifying agent**) emulgator.

emulsify [ɪ'mʌlsəˌfaɪ] *v.* **-ied, -ying** emulgować.

emulsion [ɪ'mʌlʃən] *n. C / U chem., fot., techn.* emulsja; **light-sensitive** ~ *fot.* emulsja światłoczuła; ~ **paint** farba emulsyjna.

emulsive [ɪ'mʌlsɪv] *a.* emulsyjny.

emulsoid [ɪ'mʌlsɔɪd] *n. chem.* emulsoid (*rodzaj zolu*).

emunctory [ɪ'mʌŋktərɪ] *a. fizj.* wydalniczy, wydalający. – *n.* gruczoł *l.* przewód wydalający.

en [en] *n. druk.* en (= *połowa stopnia czcionki*).

enable [ɪn'eɪbl] *v.* **1.** ~ **sb to do sth** umożliwiać komuś zrobienie czegoś; upoważniać *l.* uprawniać kogoś do zrobienia czegoś, nadawać komuś pełnomocnictwo do zrobienia czegoś. **2.** *form.* umożliwiać, czynić możliwym. **3.** *komp.* uaktywniać.

enablement [ɪn'eɪblmənt] *n. C / U* **1.** stworzenie możliwości. **2.** upoważnienie, pełnomocnictwo.

enabling act [ɪn'eɪblɪŋ ˌækt] *n. polit.* ustawa o pełnomocnictwach (*zwł. władzy wykonawczej*).

enabling signal *n. komp.* sygnał zezwalający.

enact [ɪn'ækt] *v. form.* **1.** uchwalać, stanowić (*akty prawne*); postanawiać, dekretować. **2.** wystawiać (*sztukę*); odgrywać (*scenę, rolę*); **be ~ed** rozgrywać się.

enactive [ɪn'æktɪv] *a. admin.* zdolny stanowić *l.* uchwalać prawa.

enactment [ɪn'æktmənt] *n.* **1.** uchwała, postanowienie; dekret. **2.** *C / U* wystawienie (*sztuki*); odegranie (*sceny, roli*).

enactory [ɪn'æktərɪ] *a. prawn.* ustanawiający (*przepisy prawne*).

enamel [ɪ'næml] *n. U* **1.** emalia; ~ **paint** farba emaliowa. **2.** szkliwo; **tooth** ~ *anat.* szkliwo nazębne. **3.** *ceramika* polewa; **vitrified** ~ polewa szklista. **4.** lakier (*t. do paznokci*). **5.** (*także* **~ware**) wyroby emaliowane; ~ **vase/ring** emaliowana waza/pierścionek. – *v. Br.* **-ll-** emaliować.

enameler [ɪ'næmlər], **enameller** *n.* = **enamelist**.

enameling [ɪ'næmlɪŋ], *Br.* **enamelling** *n. U* **1.** powłoka emalii. **2.** emaliowanie; emalierstwo.

enamelist [ɪ'næmlɪst], *Br.* **enamellist** *n.* emalier.

enamelware [ɪ'næmlˌwer] *n. zob.* **enamel** *n.* 5.

enamor [ɪn'æmər], *Br.* **enamour** *v. zw. pass.* rozkochać (w sobie).

enamored [ɪn'æmərd], *Br.* **enamoured** *a. pred.* **1.** ~ **of/with sth** rozmiłowany w czymś; *żart.* zachwycony *l.* oczarowany czymś. **2.** ~ **of/with sb** *form.* zakochany w kimś.

enantiomer [ɪ'næntɪəmər] *n. chem.* enancjomer.

enantiomorph [ɪ'næntɪəˌmɔ:rf] *chem. n.* postać enancjomorficzna (*kryształu*).

enantiomorphic [ɪˌnæntɪə'mɔ:rfɪk] *a.* enancjomorficzny.

enantiomorphism [ɪˌnæntɪə'mɔ:rfɪzəm] *n. U* enancjomorfizm.

enarthrosis [ˌenɑ:r'θroʊsɪs] *n. pl.* **enarthroses** [ˌenɑ:r'θroʊsi:s] *anat.* staw kulisty panewkowy.

enate [i:'neɪt] *a.* **1.** *bot.* wyrastający (*z rośliny matecznej*). **2.** *form.* po kądzieli (*o krewnych*). – *n. form.* enat (= *krewny w linii żeńskiej*).

enatic [i:'nætɪk] *a.* = **enate**.

en bloc [ˌɑ:ŋ 'blɑ:k] *adv. Fr.* **1.** w całości (*np. przyjąć l. odrzucić coś*). **2.** (wszyscy) razem.

enc. *abbr.* **1.** = **enclosed**. **2.** = **enclosure**.

encaenia [en'si:nɪə] *n. rzad.* uroczyste upamiętnienie.

encage [ɪn'keɪdʒ] *v. form. t. przen.* zamknąć *l.* uwięzić w klatce.

encamp [ɪn'kæmp] *v. form.* **1.** *t. przen.* obozować, stawać *l.* rozkładać się obozem. **2.** umieszczać w obozie.

encampment [ɪn'kæmpmənt] *n.* **1.** obóz (*zwł. wojskowy*), obozowisko. **2.** *U* rozbicie obozu.

encapsulate [ɪn'kæpsəˌleɪt], **incapsulate** *v. form.* **1.** mieścić (się), zawierać (się) (*in sth* w czymś). **2.** *przen.* ujmować w skrócie.

encapsulation [ɪnˌkæpsə'leɪʃən] *n. C/U* **1.** zamknięcie (*w niewielkim pojemniku*). **2.** *przen.* zwięzłe ujęcie, streszczenie.

encarnalize [ɪn'kɑːrnəˌlaɪz], *Br. i Austr. zw.* **encarnalise** *v. rzad.* **1.** ucieleśniać; nadawać postać (*czemuś*). **2.** czynić cielesnym *l.* zmysłowym.

encase [ɪn'keɪs] *v. zw. pass.* (*także* **incase**) unieruchamiać, zamykać (*sth in sth* coś w czymś) (*np. złamaną kończynę w gipsie*).

encasement [ɪn'keɪsmənt] *n.* otoczka, okrywa.

encash [ɪn'kæʃ] *v. Br. form. bank* realizować (*czek*).

encaustic [ɪn'kɔːstɪk] *a. mal.* enkaustyczny; ~ **tile** płytka podłogowa barwiona enkaustycznie. – *n.* **1.** *U* (*także* ~ **paint**) farba enkaustyczna; **in** ~ techniką enkaustyczną. **2.** (*także* ~ **painting**) enkausta (*malowidło*); *U* enkaustyka (*malarstwo*).

encaustically [ɪn'kɔːstɪklɪ] *adv.* enkaustycznie, techniką enkaustyczną.

enceinte[1] [ɪn'seɪnt] *a. form. euf.* ciężarna (*o kobiecie*).

enceinte[2] *n. hist., bud.* obwód forteczny.

encephalic [ˌensə'fælɪk] *a. anat.* mózgowy.

encephalitic [enˌsefə'lɪtɪk] *a. pat.* dotyczący zapalenia mózgu.

encephalitis [enˌsefə'laɪtɪs] *n. U pat.* zapalenie mózgu; ~ **lethargica** śpiączkowe zapalenie mózgu.

encephalogram [ɪn'sefələˌgræm] *n. med.* encefalogram.

encephalograph [ɪn'sefələˌgræf] *n.* encefalograf.

encephalography [enˌsefə'lɑːgrəfɪ] *n. U* encefalografia.

encephaloma [enˌsefə'loʊmə] *n. pl.* **-s** *l.* **encephalomata** [enˌsefə'loʊmətə] *pat.* guz mózgu.

encephalomyelitis [enˌsefəloʊˌmaɪə'laɪtɪs] *n. U pat.* zapalenie mózgu i rdzenia.

encephalon [ɪn'sefəˌlɑːn] *n. pl.* **-la** [ɪn'sefələ] *anat.* mózgowie.

encephalopathy [enˌsefə'lɑːpəθɪ] *n. U* **1.** *pat.* encefalopatia. **2. bovine spongiform** ~ (*także* **BSE**) *wet.* encefalopatia gąbczasta bydła, choroba szalonych krów.

encephalous [ɪn'sefələs] *a.* mózgowy; dotyczący mózgowia.

enchain [ɪn'tʃeɪn] *v. form.* **1.** zakuwać w łańcuchy, zniewalać. **2.** *przen.* przykuwać (*np. uwagę*).

enchainment [ɪn'tʃeɪnmənt] *n. U* **1.** zakucie w łańcuchy. **2.** *przen.* przykucie (*uwagi*).

enchant [ɪn'tʃænt] *v. zw. pass.* **1.** oczarować (*by/with sth* czymś). **2.** *lit.* zaczarować, rzucić urok *l.* zaklęcie na (*kogoś*).

enchanted [ɪn'tʃæntɪd] *a.* **1.** oczarowany (*by/with sth* czymś). **2.** *lit.* zaklęty, zaczarowany.

enchanter [ɪn'tʃæntər] *n.* **1.** czarująca osoba. **2.** *lit.* czarodziej/ka.

enchanting [ɪn'tʃæntɪŋ] *a.* czarujący, czarowny.

enchantingly [ɪn'tʃæntɪŋlɪ] *a.* czarująco, czarownie.

enchantment [ɪn'tʃæntmənt] *n.* **1.** *U* oczarowanie, zachwyt. **2.** czar, zaklęcie.

enchantress [ɪn'tʃæntrəs] *n. lit. t. przen.* czarodziejka.

enchase [ɪn'tʃeɪs] *v. techn.* = **chase.**

enchilada [ˌentʃə'lɑːdə] *n.* **1.** *kulin.* faszerowana tortilla z sosem chili (*potrawa meksykańska*). **2. the whole** ~ *US sl.* wszystko (razem).

enchiridion [ˌenkaɪ'rɪdɪən] *n. pl.* **-s** *l.* **enchiridia** [ˌenkaɪ'rɪdɪə] *arch.* podręcznik.

enchondroma [ˌenkən'droʊmə] *n. pl.* **-s** *l.* **-ta** [ˌenkən'droʊmətə] *pat.* chrzęstniak śródkostny.

encipher [ɪn'saɪfər] *v.* szyfrować.

encipherment [ɪn'saɪfərmənt] *n. C/U* zaszyfrowanie.

encircle [ɪn'sɝːkl] *v. często pass.* otaczać, okalać, ogradzać; okrążać.

encirclement [ɪn'sɝːklmənt] *n.* **1.** krąg (*wokół czegoś*), ogrodzenie. **2.** *U* okrążenie.

encl. *abbr.* **1.** = **enclosed. 2.** = **enclosure.**

enclasp [ɪn'klæsp] *v. lit.* chwytać w ramiona; obejmować, ściskać.

enclave ['enkleɪv] *n.* enklawa.

enclitic [ɪn'klɪtɪk] *a. gram., fon.* enklityczny. – *n.* enklityka, wyraz enklityczny.

enclitically [ɪn'klɪtɪklɪ] *adv.* enklitycznie.

enclose [ɪn'kloʊz], *US t.* **inclose** *v. często pass.* **1.** ogradzać (*with sth* czymś); szczelnie otaczać, zamykać. **2.** zawierać. **3.** załączać, dołączać, przesyłać w załączeniu *l.* jako załącznik.

enclosed [ɪn'kloʊzd] *a.* załączony; ~ **herewith** *form.* załączony do niniejszego listu; **please find** ~... w załączeniu przesyłam(y)...

enclosed order *n. kość.* zakon klauzurowy.

enclosure [ɪn'kloʊʒər], *US t.* **inclosure** *n.* **1.** zagroda; miejsce otoczone płotem, murem *l.* żywopłotem. **2.** *U* ogradzanie, ogrodzenie. **3.** załącznik (*do listu l. przesyłki*). **4.** *kość.* klauzura.

encode [ɪn'koʊd] *v. t. komp., tel., biol.* kodować; szyfrować.

encodement [ɪn'koʊdmənt] *n. C/U* zakodowanie.

encoder [ɪn'koʊdər] *n. techn.* urządzenie kodujące *l.* szyfrujące, koder, szyfrator.

encoding [ɪn'koʊdɪŋ] *n. U t. komp.* kodowanie; szyfrowanie.

encomiast [ɪn'koʊmɪˌæst] *n. form.* panegirysta; chwalca.

encomiastic [enˌkoʊmɪ'æstɪk], **encomiastical** [enˌkoʊmɪ'æstɪkl] *a.* panegiryczny.

encomium [ɪn'koʊmɪəm] *n. pl. t.* **-ia** [ɪn'koʊmɪə] **1.** *form.* panegiryk. **2.** eulogia, pochwała.

encompass [ɪn'kʌmpəs] *v. form.* **1.** obejmować (= *zawierać w sobie*), ogarniać. **2.** *form.* doprowadzać do (*czegoś*). **3.** *zw. pass. przest.* otaczać, opasywać.

encompassment [ɪn'kʌmpəsmənt] *n. U* ogarnięcie.

encore ['ɑːnkɔːr] *int. i n.* bis; **as/for an** ~ na bis; **give an** ~ bisować. – *v.* domagać się bisu od (*ko-

goś); domagać się wykonania na bis (*utworu, numeru*).

encounter [ɪn'kaʊntər] *v.* **1.** spotkać (*zwł. niespodziewanie*), natknąć się na (*kogoś*); napotykać (*zwł. trudności, przeszkody*); stykać się z (*zw. z czymś nowym l. nieprzyjemnym*). **2.** *gł. wojsk.* potykać *l.* ścierać się z (*kimś*). – *n.* **1.** spotkanie, zetknięcie się (*with sb / sth* z kimś/czymś); **chance ~** przypadkowe spotkanie. **2.** *wojsk., sport* potyczka, starcie.

encourage [ɪn'kɜːrɪdʒ] *v.* **1.** ośmielać, zachęcać; dodawać odwagi (*sb in sth / to do sth* komuś do czegoś/do zrobienia czegoś). **2.** sprzyjać (*czemuś*), popierać; rozwijać (*sth in sb* coś w kimś).

encouragement [ɪn'kɜːrɪdʒmənt] *n. C / U* **1.** zachęta (*to sb* dla kogoś, *to do sth* do zrobienia czegoś). **2.** poparcie.

encouraging [ɪn'kɜːrɪdʒɪŋ] *a.* zachęcający; obiecujący.

encouragingly [ɪn'kɜːrɪdʒɪŋlɪ] *adv.* zachęcająco; obiecująco.

encroach [ɪn'kroʊtʃ] *v. form.* **~ on/upon sth** wtargnąć, wkroczyć *l.* wedrzeć się na teren *l.* w głąb czegoś; *przen.* ingerować w coś; naruszać coś (*np. czyjeś prawa*).

encroacher [ɪn'kroʊtʃər] *n.* intruz.

encroachment [ɪn'kroʊtʃmənt] *n. C / U* **1.** wdarcie się, wtargnięcie. **2. ~ on/upon sth** *przen.* ingerencja w coś; naruszenie czegoś.

encrust [ɪn'krʌst], **incrust** *v. często pass. form.* **1.** pokrywać (*with sth* czymś) (*zwł. skorupą l. osadem*). **2.** wysadzać, inkrustować (*with sth* czymś) (*zwł. kamieniami szlachetnymi*). **3.** skorupieć, tworzyć skorupę, złóg *l.* warstwę (*on / upon sth* na czymś).

encrustation [ˌenkrəs'teɪʃən] *n.* **1.** skorupa, warstwa. **2.** *U* wysadzanie, inkrustacja.

encrusted [ɪn'krʌstɪd] *a.* **~ with sth** wysadzany czymś; pokryty warstwą czegoś.

encrypt [ɪn'krɪpt] *v.* szyfrować; *t. komp.* kodować.

encryption [ɪn'krɪpʃən] *n. U* szyfrowanie, kodowanie.

enculturation [enˌkʌltʃə'reɪʃən] *n. U psych., antrop.* socjalizacja.

enculturative [ɪn'kʌltʃəˌreɪtɪv] *a.* socjalizacyjny.

encumber [ɪn'kʌmbər] *v. form.* **1.** obciążać, obarczać (*sb with sth* kogoś czymś). **2.** zawadzać w (*czymś*), utrudniać. **3.** zapychać, tarasować, zagracać (*sth with sth* coś czymś).

encumbered [ɪn'kʌmbərd] *a.* **1.** obarczony, obciążony (*t. prawn. l. ekon., np. o nieruchomości*) (*with / by sth* czymś). **2.** zawalony, zagracony (*with sth* czymś).

encumbrance [ɪn'kʌmbrəns] *n.* **1.** zawada; *przen.* ciężar. **2.** *prawn., ekon.* obciążenie, hipoteka. **3.** *rzad.* osoba na utrzymaniu (*zwł. dziecko*).

encumbrancer [ɪn'kʌmbrənsər] *n. prawn.* posiadacz/ka hipoteki.

encyclical [ɪn'sɪklɪkl] *n. kośc.* encyklika. – *a. form.* okólny, otwarty (*o liście*); *kośc.* encykliczny (*o liście pasterskim*).

encyclopedia [enˌsaɪklə'piːdɪə], *Br. t.* **encyclopaedia** *n.* encyklopedia; **children's ~** encyklopedia dla dzieci; **medical ~** (*także* **~ of medicine**) encyklopedia lekarska; **walking ~** *żart.* chodząca encyklopedia.

encyclopedic [enˌsaɪklə'piːdɪk], *Br. t.* **encyclopaedic** *a.* encyklopedyczny.

encyclopedically [enˌsaɪklə'piːdɪklɪ] *adv.* encyklopedycznie.

encyclopedism [enˌsaɪklə'piːdɪzəm] *n. U* **1.** *t. fil.* encyklopedyzm. **2.** encyklopedyczność.

encyclopedist [enˌsaɪklə'piːdɪst] *n.* encyklopedyst-a/ka.

encyst [en'sɪst] *v. fizj., pat.* otorbić (się).

encystation [ˌensɪs'teɪʃən], **encystment** [en'sɪstmənt] *n. C / U* otorbienie.

end [end] *n.* **1.** *t. przen.* koniec; kraniec; kres (*t. euf.* = *śmierć*); zakończenie; **~ of story** *zob.* **story[1]**; **at the ~ of May** pod koniec maja; **at the ~ of one's rope** (*także Br.* **at the ~ of one's tether**) *przen.* u kresu wytrzymałości; **at the ~ of the day** *zob.* **day**; **be at an ~** kończyć się; **be at loose ~s** (*także Br.* **be at a loose ~**) nie mieć nic szczególnego do roboty; **be at one's wits' ~** być w kropce, nie wiedzieć, co począć; **be nearing one's ~** zbliżać się do kresu życia; **bring sth to an ~** doprowadzić coś do końca; **come/draw to an ~** dobiegać końca; **come to a bad/sticky ~** *pot.* źle/marnie skończyć; **dead ~** *t. przen.* ślepa uliczka; **(fight/struggle) to the bitter ~** (walczyć) do upadłego; **for days/years on ~** całymi dniami/latami; **from beginning to ~** od początku do końca; **(go to) the ~s of the earth** (pójść na) koniec *l.* kraj świata; **in the ~** w końcu, ostatecznie; **(it's not) the ~ of the world** (to jeszcze nie) koniec świata; **I'll never hear the ~ of it** będę musiał w kółko o tym słuchać; **make an ~ of sth** *form.* położyć czemuś kres; **no ~ (of sth)** *pot.* co niemiara (czegoś); **put an ~ to sth** położyć czemuś kres; **put an ~ to o.s./one's life** skończyć ze sobą; **reach the ~ of the line/road** *przen.* znaleźć się w impasie; **the beginning of the ~** początek końca; **the ~ of an era** koniec pewnej epoki; **this is the ~** *pot.* tego już za wiele, to już szczyt wszystkiego; **till/to the ~ of time** *lit.* po wszystkie czasy; **without ~** bez końca. **2.** koniec, koniuszek, czubek; **~ to ~** jeden przy drugim (*w rzędzie*); na styk; zderzak w zderzak (*o samochodach*); **all ~s up** *pot.* kompletnie, dokumentnie; **the business ~ of sth** *zob.* **business**; **collide/meet ~ on** *żegl.* zderzyć się/stuknąć się dziób w dziób, rufa w rufę *itp.*; **make sb's hair stand on ~** sprawiać, że włosy stają komuś dęba; **on ~** na sztorc, pionowo; **the thin ~ of the wedge** *Br. przen.* pierwszy krok (*prowadzący do poważnych, niechcianych konsekwencji*). **3.** koniec, strona, część; aspekt; **at my/your ~** *przen.* u mnie/u ciebie; **be at/on the receiving ~ of sth** *przen.* być wziętym za cel czegoś, być ofiarą czegoś; **be thrown in at the deep ~** *zob.* **deep** *a.*; **burn the candle at both ~s** *zob.* **burn[1]** *v.* 1; **from one ~ (of sth) to the other** od końca do końca (czegoś); **get the short ~ (of the stick)** *US pot.* być gorzej *l.* niesprawiedliwie traktowanym; **get (hold of) the wrong ~ of the stick** *Br. pot.* zrozumieć wszystko na opak; **go off (at) the deep ~** *zob.* **deep** *a.*; **keep/**

hold one's ~ up *Br. pot.* dzielnie się spisywać; **make (both) ~s meet** wiązać koniec z końcem; **the east/west ~ (of a town)** wschodnie/zachodnie dzielnice (miasta); **the marketing ~ (of a business)** *przen.* strona marketingowa *l.* sprawy marketingu (przedsiębiorstwa). **4.** końcówka, resztka; **candle ~** ogarek świeczki; **cigarette ~** niedopałek papierosa; **odds and ~s** *zob.* **odds. 5.** cel; **achieve/gain/win one's ~s** osiągnąć swoje cele, dopiąć swego; **a means to an ~** środek (wiodący) do celu; **an ~ in itself** cel sam w sobie; **the ~ justifies the means** cel uświęca środki; **to this ~** (*także* **with this ~ in view**) *form.* w tym celu. **6.** *sport* połowa boiska; **change ~s** zmienić połowy (*po przerwie*). **7.** *futbol amerykański* (gracz) skrzydłowy. – *v.* **1.** kończyć (*with sth* czymś); położyć kres (*czemuś*), zakończyć; kończyć się (*with sth* czymś, *in sth* czymś, na czymś *l.* na coś) (*np. na daną literę*); **~ in failure/(an) uproar** skończyć się niepowodzeniem/awanturą; **~ in tears** *Br.* skończyć się płaczem *l.* łzami; **~ it all** (*także* **~ one's life**) *euf.* skończyć ze sobą; **~ one's days/life** zakończyć życie, spędzić resztę swoich dni (*in / at...* w jakimś stanie *l.* gdzieś, *doing sth* robiąc coś); **all's well that ~s well** wszystko dobre, co się dobrze kończy; **the novel to ~ all novels** powieść, która przyćmi wszystko, co dotąd napisano; **the war to ~ all wars** wojna mająca położyć kres wszystkim wojnom (= *I wojna światowa*). **2. ~ off** zakończyć (*w sposób przynoszący satysfakcję*), ukoronować (*by doing sth* robiąc coś, *with sth* czymś); **~ up** skończyć, wylądować; **~ up broke** znaleźć się bez grosza; **~ up dead** skończyć w grobie; **~ up in prison** wylądować w więzieniu.

end-all [ˈendˌɔːl] *n. pot.* = **be-all and end-all**; *zob.* **be-all.**

endamage [ɪnˈdæmɪdʒ] *v. form.* = **damage.**

endanger [ɪnˈdeɪndʒər] *v.* zagrażać (*komuś l. czemuś*), narażać na niebezpieczeństwo.

endangered species [ɪnˌdeɪndʒeɪrd ˈspiːʃiːz] *n. ekol.* gatunek zagrożony (wymarciem).

en dash [ˈen ˌdæʃ] *n. druk.* półpauza (= *krótki myślnik*).

end car *n.* wagon końcowy (*w składzie pociągu*).

endear [ɪnˈdiːr] *v.* **~ sb/o.s. to sb** *form.* zjednywać komuś/sobie czyjąś sympatię *l.* względy (*with sth* czymś).

endearing [ɪnˈdiːrɪŋ] *a.* ujmujący (*np. o uśmiechu*).

endearingly [ɪnˈdiːrɪŋlɪ] *adv.* ujmująco.

endearment [ɪnˈdiːrmənt] *n.* **1.** *C / U* serdeczność, czułość; **term of ~** pieszczotliwe określenie; **whisper ~s (to sb)** szeptać komuś czułe słówka. **2.** *U* przypodobanie się, zdobycie sympatii.

endeavor [ɪnˈdevər], *Br.* **endeavour** *form. v.* starać się, usiłować (*to do sth* zrobić coś). – *n. C / U* przedsięwzięcie; usiłowanie, próba; staranie, wysiłek, zabiegi; **make every ~** dołożyć wszelkich starań (*to do sth* żeby coś zrobić).

endemic [enˈdemɪk] *a.* **1.** *biol., pat.* endemiczny, występujący endemicznie (*to / in...* na terenie...); **~ species/genus** *ekol.* gatunek/rodzaj endemiczny, endemit. **2.** *przen.* rozpowszechniony; **be ~** szerzyć się (*np. o przestępczości*). – *n.* **1.** *pat.* endemia, choroba endemiczna; **~ region** obszar utrzymywania się endemii. **2.** *bot.* endemit. **3.** *przen.* chroniczny problem (*o lokalnym zasięgu*).

endemical [enˈdemɪkl] *a. rzad.* = **endemic.**

endemically [enˈdemɪklɪ] *adv.* endemicznie.

endemicity [ˌendəˈmɪsətɪ] *n. U* endemiczność.

endemism [ˈendəˌmɪzəm] *n. U biol.* endemizm.

endermic [ɪnˈdɜːmɪk] *a. i n. med.* (lek) naskórny.

endgame [ˈendˌgeɪm] *n. zwł. szachy* końcówka.

ending [ˈendɪŋ] *n.* **1.** zakończenie; **happy ~** szczęśliwe zakończenie, happy end. **2.** *gram.* końcówka. **3.** *szachy* = **endgame.**

endive [ˈendaɪv] *n. C / U* **1.** *bot., kulin.* endywia (*Cichorium endivia*). **2.** (*także* **Belgian/French ~**) *US kulin.* cykoria sałatowa.

end leaf *n.* = **endpaper.**

endless [ˈendləs] *a.* **1.** nieskończony (*np. o wszechświecie*); bezkresny (*o połaciach, przestrzeniach*). **2.** niekończący się, ciągnący się bez końca (*np. o kłótni, poszukiwaniach*). **3.** bezgraniczny, niewyczerpany (*o cierpliwości, zasobach*); nieograniczony (*o możliwościach*). **4.** *techn.* zamknięty (*o pasie, łańcuchu*).

endlessly [ˈendləslɪ] *adv.* bez końca.

endlessness [ˈendləsnəs] *n. U* wieczne trwanie.

endlong [ˈendˌlɔːŋ] *adv. arch.* **1.** wzdłuż. **2.** na sztorc.

end matter *n.* = **back matter.**

endmost [ˈendˌmoʊst] *a. form.* skrajny, najbliższy końca; najdalszy.

endobiotic [ˌendoʊbaɪˈɑːtɪk] *a. biol.* endobiotyczny, wewnątrzustrojowy.

endoblast [ˈendəˌblæst] *n.* = **endoderm.**

endoblastic [ˌendəˈblæstɪk] *a.* = **endodermal.**

endocardiac [ˌendoʊˈkɑːrdɪˌæk], **endocardial** [ˌendoʊˈkɑːrdɪəl] *a. anat.* wsierdziowy.

endocarditis [ˌendoʊkɑːrˈdaɪtɪs] *n. U pat.* zapalenie wsierdzia.

endocardium [ˌendoʊˈkɑːrdɪəm] *n. pl.* **-ia** [ˌendoʊˈkɑːrdɪə] *anat.* wsierdzie.

endocarp [ˈendəˌkɑːrp] *n. bot.* endokarp, owocnia wewnętrzna.

endocast [ˈendəˌkæst] *n.* (*także* **endocranial cast**) *antrop., paleont.* odlew wnętrza czaszki.

endocentric [ˌendoʊˈsentrɪk] *n. gram.* endocentryczny (*o konstrukcji*).

endocrinal [ˌendəˈkraɪnl], **endocrinic** [ˌendəˈkrɪnɪk], **endocrinous** [ɪnˈdɑːkrənəs] *a.* = **endocrine.**

endocrine [ˈendəkrɪn] *fizj. anat. a.* dokrewny, wewnątrzwydzielniczy. – *n.* (*także* **~ gland**) gruczoł dokrewny *l.* wydzielania wewnętrznego.

endocrinologic [ˌendoʊˌkrɪnəˈlɑːdʒɪk], **endocrinological** [ˌendoʊˌkrɪnəˈlɑːdʒɪkl] *a. med.* endokrynologiczny.

endocrinologist [ˌendoʊkrəˈnɑːlədʒɪst] *n.* endokrynolog.

endocrinology [ˌendoʊkrəˈnɑːlədʒɪ] *n. U* endokrynologia.

endoderm [ˈendəˌdɜːm] *n.* (*także* **entoderm**) *zo-*

ol. endoderma (= *wewnętrzny listek zarodkowy*), entoblast.

endodermal [ˌendə'dɜ:məl], **endodermic** [ˌendə'dɜ:mɪk] *a.* endodermalny.

endodermis [ˌendə'dɜ:mɪs] *n. U bot.* endoderma, śródskórnia.

end office *a.* biuro na końcu korytarza.

endogamic [ˌendə'gæmɪk], **endogamous** [en'dɑ:gəməs] *a. antrop.* endogamiczny.

endogamy [en'dɑ:gəmɪ] *n. U* endogamia.

endogenous [en'dɑ:dʒənəs] *a.* **1.** *biochem.* endogenny. **2.** *geol.* endogeniczny.

endogenous depression *n. C/U pat.* depresja endogenna.

endolymph ['endəˌlɪmf] *n. U fizj.* endolimfa (*wypełniająca błędnik*).

endometrial [ˌendoʊ'mi:trɪəl] *a. anat.* endometrialny.

endometrial cancer *n. U pat.* rak błony śluzowej macicy.

endometriosis [ˌendoʊˌmi:trɪ'oʊsɪs] *n. U pat.* endometrioza, gruczolistność śródmaciczna.

endometritis [ˌendoʊmə'traɪtɪs] *n. U pat.* zapalenie błony śluzowej macicy.

endometrium [ˌendoʊ'mi:trɪəm] *n. pl.* **-ia** *anat.* błona śluzowa macicy.

endomitosis [ˌendoʊmə'toʊsɪs] *n. U biol.* endomitoza.

endomorph ['endəˌmɔ:rf] *n.* **1.** *anat.* osobnik endomorficzny (*o szerokiej, zażywnej budowie*). **2.** *min.* wrostek.

endomorphy ['endəˌmɔ:rfɪ] *n. U anat.* endomorfia.

endoparasite [ˌendoʊ'perəˌsaɪt] *n. pat.* pasożyt wewnętrzny.

endopeptidase [ˌendoʊ'peptədeɪs] *n. U biochem.* endopeptydaza.

endoplasmic reticulum [ˌendəˌplæzmɪk rɪ'tɪkjələm] *n. pl.* **endoplasmic reticula** *biol.* siateczka śródplazmatyczna, retikulum endoplazmatyczne.

endorphin [en'dɔ:rfɪn] *n. U biochem.* endorfina.

endorsable [ɪn'dɔ:rsəbl] *a. prawn.* dający się indosować.

endorse [ɪn'dɔ:rs] *v.* **1.** *form.* popierać (*zwł. oficjalnie*); zatwierdzać. **2.** *reklama* wyrażać się z uznaniem o (*produkcie*). **3.** zaopatrywać w uwagi na odwrocie; *prawn., fin.* podpisywać na odwrocie, indosować (*czek, weksel*) (*over to sb* na rzecz kogoś). **4.** *zw. pass. Br.* wpisywać adnotację o wykroczeniu do (*prawa jazdy*).

endorsee [endɔ:r'si:] *n. prawn.* indosatariusz.

endorsement [ɪn'dɔ:rsmənt] *n. C/U* **1.** *form.* poparcie (*zwł. oficjalne*), aprobata; zatwierdzenie. **2.** podpis *l.* adnotacja na odwrocie; *prawn., fin.* indos. **3.** *Br.* adnotacja o wykroczeniu wpisana do prawa jazdy.

endorser [ɪn'dɔ:rsər] *n.* **1.** *form.* osoba udzielająca poparcia. **2.** *prawn.* indosant.

endoscope ['endəˌskoʊp] *n. med.* wziernik, endoskop.

endoscopic [ˌendə'skɑ:pɪk] *a.* endoskopowy (*o biopsji, zabiegu chirurgicznym*).

endoscopically [ˌendə'skɑ:pɪklɪ] *adv.* endoskopowo.

endoscopy [ɪn'dɑ:skəpɪ] *n. pl.* **-ies** *C/U* endoskopia, wziernikowanie.

endoskeletal [ˌendoʊ'skelətl] *a.* dotyczący szkieletu wewnętrznego.

endoskeleton [ˌendoʊ'skelɪtən] *n. zool.* szkielet wewnętrzny.

endosmosis [ˌendɑ:s'moʊsɪs] *n. U biol.* endosmoza.

endosmotic [ˌendɑ:s'mɑ:tɪk] *a.* endosmotyczny.

endosperm ['endəˌspɜ:m] *n. bot.* bielmo (*w nasionach roślin*), endosperma.

endospore ['endəˌspɔ:r] *n. bot.* endospora.

endosymbiosis [ˌendoʊˌsɪmbaɪ'oʊsɪs] *n. U biol.* endosymbioza.

endothelial [ˌendoʊ'θi:lɪəl] *a. anat.* śródbłonkowy.

endothelioma [ˌendoʊˌθi:li:'oʊmə] *n. pl.* **-s** *l.* **endotheliomata** [ˌendoʊˌθi:li:'oʊmətə] *pat.* śródbłoniak.

endothelium [ˌendoʊ'θi:lɪəm] *n. pl.* **-ia** [ˌendoʊ'θi:lɪə] *anat.* śródbłonek.

endotherm ['endoʊˌθɜ:m] *n. zool.* zwierzę stałocieplne.

endothermic [ˌendoʊ'θɜ:mɪk] *a.* **1.** *zool.* stałocieplny. **2.** *chem.* endotermiczny (*o reakcji*).

endothermically [ˌendoʊ'θɜ:mɪklɪ] *adv. chem.* endotermicznie.

endothermy ['endoʊˌθɜ:mɪ] *n. U* **1.** *zool.* stałocieplność. **2.** *chem.* endotermiczność.

endotoxin [ˌendoʊ'tɑ:ksɪn] *n. biochem.* endotoksyna, jad wewnątrzkomórkowy.

endow [ɪn'daʊ] *v.* **1.** dokonywać zapisu i/lub darowizny na rzecz (*instytucji użyteczności publicznej*). **2.** **be ~ed with sth** być obdarzonym czymś (*z natury; np. talentem, urodą*). **3.** uposażać (*t. arch.* = *zaopatrywać w posag*).

endower [ɪn'daʊər] *n.* fundator/ka.

endowment [ɪn'daʊmənt] *n.* **1.** zapis, darowizna, donacja. **2.** (naturalny) dar, talent. **3.** *U* uposażenie (= *zaopatrzenie w środki finansowe*).

endowment insurance, *Br.* **endowment assurance** *n.* (*także* **endowment policy**) *ubezp.* kapitałowe ubezpieczenie na życie.

endpaper ['endˌpeɪpər] *n.* (*także* **end leaf**) *druk.* pusta kartka (*wklejana w celu połączenia wkładu z okładką*).

end pin *n. muz.* nóżka (*wiolonczeli, kontrabasu*).

endplay ['endˌpleɪ] *brydż n.* przymus (*zastosowany pod koniec rozgrywki*). – *v.* ~ **sb for sth** zmusić kogoś do zrzucenia czegoś (*zatrzymania jednego z kolorów*).

endpoint ['endˌpɔɪnt] *n.* **1.** *chem.* punkt końcowy (*miareczkowania*). **2.** *geom.* koniec (*krzywej, odcinka*).

end product *n. zw. sing. techn. l. przen.* produkt końcowy.

end result *n. zw. sing.* ostateczny rezultat, efekt końcowy.

endue [ɪn'du:], **indue** *v. form.* **1.** *zw. pass.* obdarzać (*with sth* czymś) (*cechą, zaletą*). **2.** *rzad.*

przywdziać (*strój*); przybrać (*pozę, wygląd*). **3.** *zw. pass. rzad.* odziać, ustroić (*with sth* w coś).

endurability [ɪnˌdʊrəˈbɪlətɪ] *n. U* znośność.

endurable [ɪnˈdʊrəbl] *a.* znośny.

endurably [ɪnˈdʊrəblɪ] *adv.* znośnie.

endurance [ɪnˈdʊrəns] *n. U* **1.** wytrzymałość (*of sth* na coś); cierpliwość, tolerancja. **2.** próba wytrzymałości *l.* cierpliwości.

endurance competition *n.* (*także* **endurance sport**) konkurencja wytrzymałościowa (*np. maraton*).

endurance test *n. t. przen.* próba wytrzymałości.

endure [ɪnˈdʊr] *v.* **1.** wytrzymywać, znosić cierpliwie (*kłopoty, ból, stratę*); cierpieć (*trudy, dolegliwości*). **2.** *zw. neg.* znosić, tolerować; **I can't ~ seeing/to see that** nie znoszę *l.* nie cierpię na to patrzeć. **3.** *form.* trwać, istnieć nadal; przetrwać; **as long as life ~s** póki życia.

enduring [ɪnˈdʊrɪŋ] *a.* **1.** trwały; niezatarty. **2.** wytrwały, cierpliwy.

enduringly [ɪnˈdʊrɪŋlɪ] *adv.* **1.** trwale. **2.** wytrwale.

enduringness [ɪnˈdʊrɪŋnəs] *n. U* **1.** trwałość. **2.** wytrwałość.

end user *n.* **1.** *handl.* ostateczny odbiorca *l.* użytkownik. **2.** *komp.* użytkownik (programu).

endwise [ˈendˌwaɪz], *Br.* **endways** [ˈendˌweɪz] *adv.* końcem naprzód *l.* w górę; na jednym końcu, na czubku (*ustawić podłużny przedmiot*). – *a.* pionowy, oparty jednym końcem.

end zone *n. sport* strefa końcowa (*w hokeju na lodzie l. futbolu amerykańskim*).

enema [ˈenəmə] *n. pl.* **-s** *l.* **-ta** [ˌenəˈmɑːtə] *med.* lewatywa, enema (*zabieg*); *U* lewatywa, płyn do lewatywy.

enemy [ˈenəmɪ] *n. pl.* **-ies** **1.** *t. przen.* wróg; przeciwnik; **be one's own worst ~** działać na własną szkodę *l.* zgubę; **carry the war into the ~'s camp** *przen.* przejść do ofensywy, przejąć inicjatywę; **make an ~ of sb** zrobić sobie z kogoś wroga; **make enemies** narobić sobie wrogów; **public ~** wróg publiczny; **sworn enemies** zaprzysięgli wrogowie. **2. the ~** (*z czasownikiem w liczbie pojedynczej l. mnogiej*) *gł. wojsk.* nieprzyjaciel; **~ aircraft/forces/strategy** samoloty/siły/strategia nieprzyjaciela.

energetic [ˌenərˈdʒetɪk] *a.* energiczny.

energetically [ˌenərˈdʒetɪklɪ] *adv.* energicznie.

energetics [ˌenərˈdʒetɪks] *n. U fiz., techn.* energetyka.

energize [ˈenərˌdʒaɪz], *Br. i Austr. zw.* **energise** *v.* **1.** dodawać wigoru (*komuś*), napełniać energią, ożywiać. **2.** *zw. pass. el.* podłączać do źródła zasilania.

energizer [ˈenərˌdʒaɪzər] *n.* środek dodający energii.

energumen [ˌenərˈgjuːmən] *n. rzad. form.* **1.** opętan-y/a. **2.** fanaty-k/czka.

energy [ˈenərdʒɪ] *n. pl.* **-ies** **1.** *U t. fiz.* energia; **be full of ~** tryskać energią; **it's a waste of (time and) ~** szkoda (czasu i) fatygi; **kinetic/potential ~** *fiz.* energia kinetyczna/potencjalna. **2.** *pl.* wysiłek, siły; **apply/devote one's energies to sth** poświęcić siły czemuś; **concentrate one's energies on/upon sth** skupić wysiłki na czymś.

energy band *n. fiz.* pasmo energetyczne.

energy conversion *n. U* przetwarzanie energii.

energy crisis *n.* kryzys energetyczny.

energy gap *n. fiz.* pasmo wzbronione, przerwa energetyczna.

energy level *n. fiz.* poziom energetyczny.

enervate *v.* [ˈenərˌveɪt] *form.* pozbawiać wigoru, osłabiać (*fizycznie l. umysłowo*). – *a.* [ɪˈnɜːvət] osłabiony, pozbawiony sił, wyczerpany.

enervating [ˈenərˌveɪtɪŋ] *a.* wyczerpujący.

enervation [ˌenərˈveɪʃən] *n. U* **1.** osłabienie, pozbawienie sił. **2.** wyczerpanie.

enervative [ˌenərˈveɪtɪv] *a.* powodujący osłabienie, wyczerpujący.

en face [enˈfeɪs] *a. i adv. Fr.* en face, z przodu.

enface [ɪnˈfeɪs] *v. form.* **1.** umieszczać na pierwszej stronie dokumentu. **2.** opatrywać (*dokument*) pieczęcią, nadrukiem *l.* adnotacją na pierwszej stronie.

en famille [ˌɑːn fəˈmiːl] *adv. Fr.* **1.** na łonie rodziny, w domu. **2.** swobodnie, po domowemu.

enfant terrible [ɑːŋˌfɑːŋ təˈriːblə] *n. pl.* **enfants terribles** [ɑːnˌfɑːn təˈriːblə] *Fr. często żart.* enfant terrible.

enfeeble [ɪnˈfiːbl] *v. zw. pass. form.* nadwątlać, osłabiać.

enfeeblement [ɪnˈfiːblmənt] *n. U* nadwątlenie.

enfeoff [ɪnˈfiːf] *v.* **1.** *hist.* nadawać lenno (*komuś*). **2.** *prawn.* nadawać własność gruntową (*komuś*).

enfeoffment [ɪnˈfiːfmənt] *n. C/U hist.* nadanie lenna (*dokument l. akt*).

en fête [ˌɑːŋ ˈfeɪt] *adv. Fr.* odświętnie.

enfilade *n.* [ˈenfɪˌleɪd] *wojsk. przest.* linia frontu *l.* umocnień ostrzeliwana z flanki. – *v.* [ˌenfɪˈleɪd] **1.** ostrzeliwać ogniem amfiladowym (*z flanki*). **2.** ustawiać (*artylerię, żołnierzy*) do prowadzenia ostrzału wzdłuż linii frontu.

enfold [ɪnˈfoʊld], **infold** *v. form.* **1.** owijać, zawijać. **2.** obejmować, brać w objęcia *l.* ramiona. **3.** otaczać.

enforce [ɪnˈfɔːrs] *v.* **1.** wymuszać przestrzeganie (*czegoś*), egzekwować; wprowadzać w życie; **~ the law** pilnować przestrzegania prawa. **2. ~ sth on/upon sb** narzucać coś komuś, wymuszać coś na kimś. **3.** wzmacniać (*argumentację, żądanie*).

enforceable [ɪnˈfɔːrsəbl] *a.* dający się wyegzekwować *l.* narzucić.

enforced [ɪnˈfɔːrst] *a.* wymuszony, narzucony, przymusowy.

enforcedly [ɪnˈfɔːrsɪdlɪ] *adv.* siłą, pod przymusem.

enforcement [ɪnˈfɔːrsmənt] *n. U* **1.** *prawn.* egzekwowanie (*decyzji, przepisów*); egzekucja (*płatności*); **law ~** egzekwowanie prawa. **2.** *form.* narzucenie, wymuszenie.

enfranchise [ɪnˈfræntʃaɪz] *v. form.* **1.** nadawać (*komuś*) prawa obywatelskie (*zwł. wyborcze*). **2.** wyzwalać, uwalniać (*niewolników*). **3.** *Br. polit.*

nadawać (*miastu*) prawo do reprezentacji w parlamencie.

enfranchisement [ɪn'fræntʃɪzmənt] *n. U* **1.** nadanie praw wyborczych. **2.** uwolnienie. **3.** nadanie prawa do reprezentacji w parlamencie.

Eng. *abbr.* **1.** = **engineer(ing)**. **2.** = **England**; = **English**.

engage [ɪn'geɪdʒ] *v.* **1.** zatrudniać, angażować (*as*... jako..., *to do sth* do zrobienia czegoś). **2.** pochłaniać, absorbować (*kogoś l. czyjeś myśli, uwagę, czas*); ~ **sb's sympathy** wzbudzać czyjeś współczucie. **3.** *wojsk.* wiązać walką; ~ **the enemy** wiązać siły nieprzyjaciela. **4.** *mech., mot.* łączyć się, zazębiać się (*o członach przekładni*); włączać się (*o sprzęgle, biegach*); łączyć (*człony przekładni*), włączać (*sprzęgło*), wrzucać (*biegi*); wprawić w ruch (*piłę l. inne narzędzie*). **5.** *form.* ujmować, skłaniać ku sobie. **6.** ~ **to do sth** *przest. form.* podjąć się zrobić coś, obiecać, że się coś zrobi. **7.** ~ **in sth** zajmować się czymś; angażować *l.* wdawać się w coś; ~ **sb in conversation** zająć kogoś rozmową.

engagé [ˌɑːŋgɑː'ʒeɪ] *a. Fr. form.* zaangażowany (*zwł. o pisarzu, artyście*).

engaged [ɪn'geɪdʒd] *a.* **1.** zaręczony; **get** ~ **to sb** zaręczyć się z kimś. **2.** zajęty (*t. o miejscu, stoliku, toalecie*); **I'm otherwise** ~ *form.* mam (w tym czasie) inne zobowiązania. **3.** *Br. tel.* zajęty (*o linii, numerze*); ~ **tone** sygnał „zajęte". **4.** *bud.* przyścienny (*zwł. o filarze*).

engagée [ˌɑːŋgɑː'ʒeɪ] *a. Fr. form.* zaangażowana (*zwł. o pisarce, artystce*).

engagement [ɪn'geɪdʒmənt] *n.* **1.** zaręczyny; **break off one's** ~ zerwać zaręczyny. **2.** zobowiązanie (*towarzyskie, urzędowe*); umówione spotkanie; zaplanowane zajęcie; **I have a previous/prior** ~ jestem już z kimś umówiony. **3.** zatrudnienie (*zwł. na czas ograniczony*); angaż. **4.** *wojsk.* starcie, potyczka (*with sb* z kimś). **5.** *U techn.* połączenie (*członów przekładni*), puszczenie w ruch (*mechanizmu l. narzędzia*).

engagement ring *n.* pierścionek zaręczynowy.

engaging [ɪn'geɪdʒɪŋ] *a.* **1.** zajmujący, absorbujący. **2.** ujmujący, czarujący.

engagingly [ɪn'geɪdʒɪŋlɪ] *adv.* ujmująco.

engender [ɪn'dʒendər] *v. form. zw. przen.* rodzić.

engenderment [ɪn'dʒendərmənt] *n. U* zrodzenie.

engine ['endʒən] *n.* **1.** silnik (*zwł. zasilany paliwem*); **steam/diesel** ~ silnik parowy/Diesla; **internal-combustion** ~ silnik spalania wewnętrznego. **2.** *kol.* lokomotywa. **3.** (*także* **fire** ~) wóz strażacki. **4.** *arch.* machina, urządzenie; ~**s of torture** narzędzia tortur; **siege** ~ *hist.* machina oblężnicza.

engine driver *n. Br. i Austr. kol.* maszynista.

engineer [ˌendʒə'niːr] *n.* **1.** inżynier; **chemical/electrical/mechanical** ~ inżynier chemik/elektryk/mechanik; **civil** ~ inżynier budownictwa lądowego; **flight** ~ *lotn.* inżynier pokładowy. **2.** *US i Can. kol.* maszynista. **3.** *Br.* technik, mechanik. **4.** *żegl.* mechanik (*na statku*); **chief** ~ (*także* ~ **officer**) pierwszy mechanik. **5.** *wojsk.* saper. – *v.* **1.** planować, projektować; konstruować. **2.** *pot.* zaaranżować; uknuć; ~ **sb's downfall** doprowadzić do czyjegoś upadku; ~ **a plot/scheme** uknuć spisek/intrygę.

engineering [ˌendʒə'niːrɪŋ] *n. U* inżynieria; **aeronautical** ~ inżynieria lotnicza; **civil** ~ budownictwo lądowe, inżynieria lądowa; **electronics** ~ elektronika; **genetic** ~ inżynieria genetyczna; **military** ~ inżynieria wojskowa.

engine room *n.* maszynownia (*zwł. na statku*).

enginery ['endʒənrɪ] *n. pl.* **-ies** **1.** *t. przen.* maszyneria. **2.** *arch.* machiny wojenne.

England ['ɪŋglənd] *n. geogr.* Anglia.

English ['ɪŋglɪʃ] *a.* angielski; ~ **literature** literatura w języku angielskim; literatura angielska (*t. pot. = brytyjska*); **she's** ~ ona jest Angielką. – *n.* **1.** *U* (język) angielski, angielszczyzna; ~ **lesson/teacher** lekcja/nauczyciel/ka (języka) angielskiego; **American/British** ~ angielszczyzna amerykańska/brytyjska; **in** ~ po angielsku; **in plain** ~ *przen.* otwarcie, bez ogródek; **she's an** ~ **major** ona studiuje anglistykę; **the Queen's/King's** ~ *pot.* poprawna angielszczyzna brytyjska. **2. the** ~ Anglicy (*pot. t. = Brytyjczycy*). **3.** *przest. druk.* średnian, mitel (= *czcionka czternastopunktowa*). **4.** (*także* **Old** ~) *druk.* fraktura angielska. **5.** (*także* **e**~) *US i Can. bilard* podkręcenie. – *v.* **1.** *arch.* zangielszczyć, przełożyć na angielski. **2.** (*także* **e**~) *US i Can. bilard* podkręcać.

English breakfast *n.* śniadanie angielskie (*obfite, zawierające t. dania gorące*).

English Canadian *n.* Kanadyj-czyk/ka anglojęzyczn-y/a.

English Channel *n.* **the** ~ *geogr.* kanał La Manche.

English flute *n. muz.* flet prosty.

English horn *n. zwł. US muz.* rożek angielski.

Englishism ['ɪŋglɪˌʃɪzəm] *n. gł. US* **1.** *jęz.* anglicyzm. **2.** *U* anglofilia.

Englishman ['ɪŋglɪʃmən] *n. pl.* **-men** ['ɪŋglɪʃmən] Anglik (*t. pot. = Brytyjczyk*).

Englishry ['ɪŋglɪʃrɪ] *n. U rzad.* **1.** (*z czasownikiem w liczbie mnogiej*) ludność pochodzenia angielskiego (*zwł. w Irlandii*). **2.** angielskość, angielskie pochodzenie.

English setter *n. kynol.* seter angielski.

Englishwoman ['ɪŋglɪʃˌwʊmən] *n. pl.* **-women** ['ɪŋglɪʃˌwɪmɪn] Angielka (*t. pot. = Brytyjka*).

engorge [ɪn'gɔːrdʒ] *v.* **1.** *zw. pass. pat.* nabiegać krwią. **2.** *form.* pożerać. **3.** ~ **o.s.** obżerać się (*with / on sth* czymś).

engraft [ɪn'græft], **ingraft** *v. ogr. l. przen.* zaszczepiać (*onto sth* na czymś, *in / into sb / sth* w kimś/czymś).

engraftment [ɪn'græftmənt] *n. U t. przen.* zaszczepienie.

engrail [ɪn'greɪl] *v. często pass.* ząbkować (*krawędź, zwł. monety*).

engrailment [ɪn'greɪlmənt] *n. C / U* ząbkowanie (*ozdoba l. wykończenie krawędzi*).

engrain [ɪn'greɪn] *v.* = **ingrain**.

engram ['enˌgræm] *n. psych., fizj.* engram, ślad pamięciowy.

engrammic [en'græmɪk], **engrammatic** [ˌengrə'mætɪk] *a.* dotyczący śladów pamięciowych.

engrave [ɪn'greɪv] *v.* **1.** rytować, grawerować (*on sth* na czymś, *A with B* B na A). **2.** *druk.* drukować techniką druku wklęsłego. **3. be ~d in sb's memory/mind** *form.* wryć się komuś w pamięć/umysł.

engraver [ɪn'greɪvər] *n.* rytownik, grawer.

engraving [ɪn'greɪvɪŋ] *n.* **1.** grawerunek; *U* grawerstwo. **2.** rycina, sztych.

engross [ɪn'groʊs] *v.* **1.** *form.* pochłaniać, absorbować (*kogoś*). **2.** *ekon.* wykupywać (*towary, akcje*); monopolizować (*rynek przez wykupywanie towaru l. akcji*). **3.** *prawn.* nadawać formę prawną (*dokumentowi*). **4.** *przest.* przepisywać dużym, czytelnym pismem (*rękopis*).

engrossed [ɪn'groʊst] *a.* zaabsorbowany, pochłonięty (*in / with sth* czymś).

engrossing [ɪn'groʊsɪŋ] *a.* absorbujący.

engrossment [ɪn'groʊsmənt] *n.* **1.** *U* pochłonięcie, zaabsorbowanie (*in sth* czymś). **2.** *prawn.* dokument w ostatecznej formie prawnej.

engulf [ɪn'gʌlf], **ingulf** *v. form.* ogarniać (*o ogniu, płomieniach; t. przen. o ciszy, nastroju, strachu*), zatapiać (*o morzu, falach*); *przen.* przytłaczać.

engulfed [ɪn'gʌlft] *a.* ogarnięty (*in / by sth* czymś) (*np. paniką*); pogrążony (*in / by sth* w czymś).

engulfment [ɪn'gʌlfmənt] *n.* *U* ogarnięcie, pogrążenie.

enhance [ɪn'hæns] *v.* podnosić (*wartość*); zwiększać (*szanse*); poprawiać (*np. wizerunek firmy*); umacniać (*reputację, pozycję*); uwydatniać, uwypuklać, podkreślać (*urodę, smak*); potęgować (*wrażenie*).

enhancement [ɪn'hænsmənt] *n.* *C / U* umocnienie; spotęgowanie; poprawa.

enhancer [ɪn'hænsər] *n. zw. w złoż.* **mood ~** *t. med.* środek poprawiający nastrój; **flavor ~** *kulin.* dodatek smakowy.

enharmonic [ˌenhɑːr'mɑːnɪk] *a. muz.* enharmoniczny (*np. o modulacji*).

enharmonically [ˌenhɑːr'mɑːnɪklɪ] *adv.* enharmonicznie.

enigma [ɪ'nɪgmə] *n. form.* enigma, zagadka.

enigmatic [ˌenɪg'mætɪk], **enigmatical** [ˌenɪg'mætɪkl] *a.* enigmatyczny, zagadkowy.

enigmatically [ˌenɪg'mætɪklɪ] *adv.* enigmatycznie.

enigmatize [e'nɪgməˌtaɪz], *Br. i Austr. zw.* **enigmatise** *v.* czynić enigmatycznym.

enisle [ɪn'aɪl] *v. poet.* **1.** zamienić w wyspę. **2.** umieścić na wyspie; umieścić w odosobnieniu.

enjambment [ɪn'dʒæmmənt], **enjambement** *n.* *prozodia* przerzutnia, enjambement.

enjoin [ɪn'dʒɔɪn] *v.* **1. ~ sth on/upon sb** *form.* nakazywać coś komuś. **2. ~ sb from sth** *prawn. zwł. US* zakazywać komuś czegoś sądownie.

enjoy [ɪn'dʒɔɪ] *v.* **1. ~ doing sth** lubić coś robić, znajdować przyjemność w robieniu czegoś; **~ good health** cieszyć się dobrym zdrowiem; **~ o.s.** dobrze się bawić; **did you ~ the movie?** czy podobał ci się film?. **2. ~!** *US* smacznego!.

enjoyable [ɪn'dʒɔɪəbl] *a.* przyjemny.

enjoyment [ɪn'dʒɔɪmənt] *n.* **1.** *U* **~ of sth** rozkoszowanie się czymś; *prawn.* korzystanie z czegoś; posiadanie czegoś. **2.** przyjemność, rozrywka.

enkindle [ɪn'kɪndl] *v. lit. t. przen.* rozpalać, wzniecać (*ogień, wojnę*); **~ sb** rozniecać w kimś namiętność.

enlace [ɪn'leɪs] *v. form.* **1.** opasywać. **2.** spowijać. **3.** splatać.

enlarge [ɪn'lɑːrdʒ] *v.* **1.** zwiększać (się); *t. fot.* powiększać; poszerzać (*np. umysł*); **~d edition** wydanie rozszerzone. **2. ~ on/upon sth** rozwodzić się nad czymś.

enlargeable [ɪn'lɑːrdʒəbl] *a. fot.* nadający się do powiększenia.

enlargement [ɪn'lɑːrdʒmənt] *n.* *C / U t. fot.* powiększenie.

enlarger [ɪn'lɑːrdʒər] *n. fot.* powiększalnik.

enlighten [ɪn'laɪtən] *v.* oświecać (*sb on sth* kogoś co do czegoś).

enlightened [ɪn'laɪtənd] *a. przen.* oświecony; światły.

enlightenment [ɪn'laɪtənmənt] *n.* *U* **1.** *form.* oświecanie. **2. the E~** *hist.* Oświecenie.

enlist [ɪn'lɪst] *v.* **1.** *wojsk.* zaciągać (się) do wojska; **~ed man/woman/person** *US* żołnierz. **2.** wciągać do współpracy, werbować, zjednywać (*np. dla sprawy*); pozyskiwać (*pomoc, wsparcie*).

enlistment [ɪn'lɪstmənt] *n.* *C / U* **1.** *wojsk.* zaciągnięcie (się) do wojska; pobór. **2.** wciąganie do współpracy, werbowanie, zjednywanie (*osoby*); pozyskiwanie (*pomocy, wsparcia*).

enliven [ɪn'laɪvən] *v.* ożywiać.

enlivenment [ɪn'laɪvənmənt] *n.* *U* ożywienie.

en masse [ˌɑːn 'mæs] *adv. Fr.* w całości, en masse (*o grupie osób robiących coś jednocześnie*).

enmesh [ɪn'meʃ], **inmesh** *v.* wplątać (jak) w sieć.

enmeshment [ɪn'meʃmənt] *n.* *U* wplątanie.

enmity ['enmətɪ] *n. form.* **1.** *U* wrogość. **2.** *pl.* **-ies** przejaw wrogości.

ennead ['enɪˌæd] *n. form.* **1.** grupa *l.* seria dziewięciu (*osób, ksiąg, punktów*). **2.** dziewiątka.

enneagon ['enɪəˌgɑːn] *n. geom.* dziewięciobok.

enneahedral [ˌenɪə'hiːdrəl] *a. geom.* dziewięcioboczny.

enneahedron [ˌenɪə'hiːdrɑːn] *n.* dziewięciobok.

ennoble [ɪn'noʊbl] *v. form.* **1.** uszlachetniać. **2.** nobilitować; nadawać tytuł szlachecki (*komuś*).

ennoblement [ɪn'noʊblmənt] *n.* *U* nobilitacja; nadanie tytułu szlacheckiego.

ennui [ˌɑːn'wiː] *n.* *U lit.* nuda, znudzenie; znużenie.

enormity [ɪ'nɔːrmətɪ] *n. pl.* **-ies** **1.** *U l. sing.* potworność (*np. zbrodni*). **2.** potworność, potworna zbrodnia. **3.** *U* ogrom.

enormous [ɪ'nɔːrməs] *a.* **1.** ogromny, olbrzymi. **2.** *arch.* potworny.

enormously [ɪ'nɔːrməslɪ] *adv.* ogromnie.

enormousness [ɪ'nɔ:rməsnəs] *n. U* ogrom.

enough [ɪ'nʌf] *a., adv. i pron.* dosyć, dość; ~ **bread** dosyć chleba; ~ **of this!** (*także US* ~ **already!**) dość tego!; ~ **is** ~! (*także* **I've had** ~!) mam (tego) dosyć!; ~ **is as good as a feast** *Br. przest.* co za dużo, to niezdrowo; ~ **said** nie musisz nic więcej mówić (= *wszystko rozumiem*); dość już o tym; **big** ~ wystarczająco *l.* dostatecznie duży; **fair** ~ *zob.* **fair; have you had** ~ **(to eat)?** najadłeś się?; **I've had** ~ **of them** mam ich dosyć; **it's not good** ~ to mnie/nas nie zadowala; **more than** ~ (*także* ~ **and to spare**) aż nadto; **not nearly** ~ (*także* **nowhere near** ~) o wiele za mało; **oddly/funnily/strangely** ~ dziwna rzecz, co ciekawe; dziwnym trafem; **sure** ~ *zob.* **sure; that's** ~, **thanks** dziękuję, wystarczy; **well** ~ dość dobrze; wystarczająco dobrze; **would you be good** ~ **to give me a ride?** *form.* czy byłbyś tak uprzejmy i podwiózł mnie?; **you know well** ~... doskonale wiesz, że...

enounce [ɪ'naʊns] *v.* **1.** wymawiać (*wyraźnie*). **2.** *form.* ogłaszać.

enouncement [ɪ'naʊnsmənt] *n. U* **1.** wymawianie. **2.** *form.* ogłoszenie.

enow [ɪ'naʊ] *arch.* = **enough**.

en passant [ˌɑ:n pɑ:'sɑ:n] *adv. Fr.* **1.** mimochodem. **2. take** ~ *szachy* bić w przelocie (*pionek wysunięty o dwa pola*).

enplane [ɪn'pleɪn] *v. US* wsiadać do samolotu; wpuszczać na pokład samolotu.

en prise [ˌɑ:n 'pri:z] *adv. szachy* do bicia.

enquire [ɪn'kwaɪr] *v. zwł. Br.* = **inquire**.

enquiry [ɪn'kwaɪrɪ] *n. zwł. Br.* = **inquiry**.

enrage [ɪn'reɪdʒ] *v.* rozwścieczać.

enrapt [ɪn'ræpt] *a. form.* zachwycony, pełen zachwytu.

enrapture [ɪn'ræptʃər] *v. zw. pass.* zachwycać, oczarowywać, porywać.

enrich [ɪn'rɪtʃ] *v.* **1.** *t. przen.* wzbogacać. **2.** użyźniać (*ziemię*). **3.** zwiększać wartości odżywcze (*np. chleba*).

enrichment [ɪn'rɪtʃmənt] *n. U* **1.** wzbogacanie. **2.** użyźnianie.

enrobe [ɪn'roʊb] *v. form.* przywdziewać (*szatę*); przyodziewać (*w szatę*).

enroll [ɪn'roʊl], *Br.* **enrol** *v.* **-ll- 1.** wciągać na listę *l.* do akt. **2.** *wojsk.* zaciągać (się) do wojska; ~ **in the Navy** zaciągnąć się *l.* wstąpić do marynarki. **3.** *t. uniw., szkoln.* ~ **for/in/on a course** zapisywać (się) na kurs; ~ **in/at a school** zapisywać (się) do szkoły.

enrollment [ɪn'roʊlmənt] *n. U* **1.** wciągnięcie na listę *l.* do akt. **2.** wpisanie (się), zapisanie (się). **3.** *gł. wojsk.* zaciągnięcie się do wojska; zaciąg, werbunek. **4.** zapisy. **5.** *C* liczba zapisanych.

enroot [ɪn'ru:t] *v. zw. pass.* **1.** osadzać korzeniem. **2.** *form. przen.* osadzać mocno *l.* głęboko.

en route [ˌɑ:n 'ru:t] *adv. Fr.* po drodze (*from sth* skądś, *for / to sth* dokądś).

ens [enz] *n. pl.* **entia** *fil.* byt, istnienie.

ensample [ɪn'sæmpl] *n. arch.* = **example**.

ensanguined [ɪn'sæŋgwɪnd] *a. form.* zakrwawiony.

ensconce [ɪn'skɑ:ns] *v. często pass.* **1.** *lit. l. żart.* usadowić (*wygodnie*); ~ **o.s.** usadowić się. **2.** *arch. l. lit.* ukryć (*w bezpiecznym miejscu*).

ensemble [ɑ:n'sɑ:mbl] *n.* **1.** *muz., teatr* (*z czasownikiem w liczbie pojedynczej l. mnogiej*) zespół, ensemble. **2.** *zw. sing.* całość (*złożona z kilku elementów*); całokształt, ogólne wrażenie; strój (*zestawiony z kilku pasujących do siebie części*). – *a. attr. muz., teatr* zespołowy (= *bez wyraźnej dominacji któregoś z solistów l. aktorów pierwszoplanowych*).

enshrine [ɪn'ʃraɪn], **inshrine** *v. zw. pass. form.* **1.** chronić pieczołowicie; czcić jak świętość; **these rights are ~d in the constitution** te prawa są zagwarantowane w konstytucji. **2.** *kośc.* zamykać w relikwiarzu; stanowić relikwiarz dla (*czegoś*).

enshrinement [ɪn'ʃraɪnmənt] *n. U* **1.** chronienie; zagwarantowanie (*np. praw*). **2.** *kośc.* zamknięcie w relikwiarzu.

enshroud [ɪn'ʃraʊd] *v. form.* zakrywać, zasłaniać.

ensiform ['ensəˌfɔ:rm] *a.* **1.** *form.* w kształcie miecza; *t. anat.* mieczykowaty. **2.** *bot.* równowąski (*o liściu*).

ensiform cartilage *n. anat.* wyrostek mieczykowaty.

ensign *n.* **1.** ['ensən] sztandar, flaga; *żegl.* bandera. **2.** ['ensaɪn] odznaka, znak (*urzędu*). **3.** *wojsk.* chorąży; *US* podporucznik (*najniższy stopień oficerski w marynarce wojennej*); *Br. hist.* podporucznik (*najniższy stopień oficerski w piechocie przed 1871 r.*).

ensigncy ['ensaɪnsɪ] *n.* (*także* **ensignship**) *wojsk.* ranga chorążego; ranga podporucznika.

ensilage ['ensəlɪdʒ] *n. U* **1.** silosowanie. **2.** pasza kiszona, kiszonka.

ensile [ɪn'saɪl] *v.* silosować.

enslave [ɪn'sleɪv] *v. zw. pass.* **1.** *t. przen.* czynić niewolnikiem; **be ~d to a habit** być niewolnikiem nałogu. **2.** *form.* podporządkować sobie, ujarzmić.

enslavement [ɪn'sleɪvmənt] *n. U* **1.** niewola. **2.** podporządkowanie sobie, ujarzmienie.

ensnare [ɪn'sner], **insnare** *v. form.* chwytać w sidła *l.* pułapkę; *przen.* usidlać.

ensnarement [ɪn'snermənt] *n. U* schwytanie w sidła *l.* pułapkę; *przen.* usidlenie.

ensoul [ɪn'soʊl], **insoul** *v. lit.* **1.** tchnąć duszę w (*kogoś*). **2.** zachować w duszy (*np. wspomnienie*).

ensphere [ɪn'sfi:r], **insphere** *v. lit.* **1.** okalać. **2.** nadawać kulistą formę (*czemuś*).

ensue [ɪn'su:] *v.* **1.** następować, wywiązywać się. **2.** wynikać (*from sth* z czegoś).

ensuing [ɪn'su:ɪŋ] *a. attr.* **1.** następny, następujący (później); **in the ~ months/years** w następnych miesiącach/latach. **2.** wynikły; **the ~ fight/argument** bitwa/kłótnia, która się (potem) wywiązała.

en suite [ɑ:ŋ 'swi:t] *zwł. Br. a.* z łazienką (*o pokoju, zwł. hotelowym*). – *n.* **1.** łazienka przylegająca do pokoju. **2.** pokój z łazienką.

ensure [ɪn'ʃʊr], *US t.* **insure** *v.* **1.** zabezpieczać (*against / from sth* przed czymś). **2.** zapewniać; **~ that...** dopilnować, żeby...

enswathe [ɪn'swɑːð] *v. lit.* **1.** owijać (*bandażem l. tkaniną*). **2.** *przen.* spowijać.

entablature [ɪn'tæblətʃər] *n. U bud.* belkowanie.

entablement [ɪn'teɪblmənt] *n.* plinta (*posągu*).

entail [ɪn'teɪl] *v.* **1.** *form. t. log.* pociągać za sobą (*konsekwencje logiczne, ryzyko, wydatki*); wymagać (*pracy, poświęceń*); **~ doing sth** wymagać zrobienia czegoś. **2.** **~ an estate** *prawn.* ograniczać dziedziczenie majątku do określonej linii spadkobierców. – *n.* (*także* **~ment**) *prawn. U* ograniczenie dziedziczenia do określonej linii spadkobierców; *C* majątek, którego dziedziczenie ograniczono jw.

entangle [ɪn'tæŋgl] *v. zw. pass.* **1.** *t. przen.* plątać, gmatwać. **2.** wplątywać w trudności. **3.** łapać w pułapkę.

entangled [ɪn'tæŋgld] *a.* **be/become ~ in/with sth** zaplątać się w coś (*np. w sieci*); **be/become ~ in sth** *przen.* zaplątać *l.* uwikłać się w coś; **be/become romantically ~ with sb** wdać się w romans z kimś.

entanglement [ɪn'tæŋglmənt] *n.* **1.** *U* poplątanie, pogmatwanie. **2.** *U* wplątanie (się) w trudności; złapanie (się) w pułapkę. **3.** (*także* **wire ~**) *wojsk.* zasieki z drutu kolczastego.

entasis ['entəsɪs] *n. pl.* **-es** *bud.* entaza (= *zgrubienie trzonu kolumny*).

entelechy [en'teləkɪ] *n. pl.* **-ies** *fil.* entelechia.

entellus [ɪn'teləs] *n. zool.* langur (*Presbytes entellus; brodata małpa tradycyjnie uważana w Indiach za świętą*).

entente [ˌɑːn'tɑːnt] *n. dyplomacja* porozumienie; **E~ Cordiale** *hist.* Entente Cordiale (= *porozumienie brytyjsko-francuskie z 1904 r.*); **(Triple) E~** *hist.* Ententa, trójporozumienie (*Wielkiej Brytanii, Francji i Rosji, 1904-07*).

enter ['entər] *v.* **1.** *t. przen.* wchodzić do (*pokoju, budynku*); wchodzić w (*okres, stadium, fazę*); wpadać do (*morza*); dostawać się do (*krwiobiegu*). **2.** *didaskalia* wchodzi; **~ Romeo** wchodzi Romeo. **3.** wstępować do (*klubu, armii*); wstępować na (*uniwersytet*). **4.** brać udział w (*zawodach*). **5.** zapisywać, wpisywać (*np. nazwiska*); *komp.* wprowadzać (*dane*); **~ (up)** księgować (*szereg pozycji*). **6.** zgłaszać (*protest, wniosek, zawodnika*); **~ sb for a competition** zgłosić kogoś do zawodów *l.* konkursu. **7.** **~ politics** zająć się polityką; **~ sb's life/voice** pojawić się w czyimś życiu/głosie; **it never ~ed my mind/head that...** *pot.* nigdy mi nie przyszło na myśl/do głowy, że ...; **the talks have now ~ed their third week** właśnie rozpoczął się trzeci tydzień rozmów. **8.** **~ into** wchodzić do (*pokoju*); wchodzić w (*stosunki, ugodę*); wdawać się w (*dyskusję, rozmowę*); nawiązywać (*korespondencję*); zawierać (*umowę*); przystępować do (*badań*); brać na siebie (*obowiązki, zobowiązania*); **money doesn't ~ into it** nie chodzi tu o pieniądze; pieniądze nie grają tu roli; **~ on/upon** *form.* wchodzić w posiadanie (*czegoś*); rozpoczynać (*nowe życie, karierę*); podejmować (*temat*).

enteric [ɪn'terɪk] *a. anat.* jelitowy. – *n. U* (*także* **~ fever**) *pat.* dur *l.* tyfus brzuszny.

enteritis [ˌentə'raɪtɪs] *n. U pat.* zapalenie jelit.

enterprise ['entərˌpraɪz] *n.* **1.** przedsięwzięcie. **2.** *U* przedsiębiorczość, inicjatywa; **have no ~** nie mieć ducha przedsiębiorczości; **free ~** wolna inicjatywa; **private ~** sektor prywatny. **3.** przedsiębiorstwo; **state-owned ~** przedsiębiorstwo państwowe.

enterprising ['entərˌpraɪzɪŋ] *a.* przedsiębiorczy (*o osobie*); pomysłowy (*o projekcie, planie*).

enterprisingly ['entərˌpraɪzɪŋlɪ] *adv.* z inicjatywą; pomysłowo.

entertain [ˌentər'teɪn] *v.* **1.** przyjmować (*gości*); **they ~ a great deal** oni często przyjmują gości. **2.** zabawiać (*sb with sth* kogoś czymś). **3.** *form.* rozważać, brać pod uwagę (*możliwość, propozycję*); **~ hopes/doubts** żywić nadzieje/wątpliwości.

entertainer [ˌentər'teɪnər] *n.* artyst-a/ka estradow-y/a.

entertaining [ˌentər'teɪnɪŋ] *a.* zabawny, rozrywkowy. – *n. U* przyjmowanie gości.

entertainingly [ˌentər'teɪnɪŋlɪ] *adv.* zabawnie; zajmująco.

entertainment [ˌentər'teɪnmənt] *n.* **1.** *U* rozrywka; **much to our ~** ku naszej wielkiej uciesze. **2.** widowisko.

entertainment allowance *n.* fundusz reprezentacyjny.

enthrall [ɪn'θrɔːl], *Br.* **enthral** *v.* **-ll- 1.** zafascynować; oczarować. **2.** *przest.* wziąć w niewolę.

enthralling [ɪn'θrɔːlɪŋ] *a.* fascynujący.

enthrallment [ɪn'θrɔːlmənt] *n. U* **1.** fascynacja, zafascynowanie; oczarowanie. **2.** *przest.* niewola.

enthrone [ɪn'θroʊn] *v. zw. pass.* **1.** intronizować, wprowadzać na tron. **2.** *form.* cenić najbardziej, nadawać najwyższą rangę (*np. idei*).

enthronement [ɪn'θroʊnmənt] *n. C / U* **1.** intronizacja, wprowadzenie na tron. **2.** *form.* nadanie najwyższej rangi.

enthronization [enˌθroʊnaɪ'zeɪʃən], *Br. i Austr. zw.* **enthronisation** *n.* = **enthronement**.

enthuse [ɪn'θuːz] *v. pot.* **1.** **~ about/over sth** zachwycać *l.* entuzjazmować się czymś. **2.** **~ sb (with sth)** wywoływać u kogoś zachwyt (czymś); zarażać kogoś entuzjazmem (do czegoś).

enthusiasm [ɪn'θuːzɪˌæzəm] *n.* **1.** *U* entuzjazm, zapał (*for sth* do czegoś). **2.** *form.* pasja, zainteresowanie.

enthusiast [ɪn'θuːzɪˌæst] *n.* **1.** entuzjast-a/ka (*for sth* czegoś); zapaleniec; **jazz/golfing ~** entuzjast-a/ka jazzu/golfa. **2.** *arch. rel.* wizjoner/ka; fanaty-k/czka.

enthusiastic [enˌθuːzɪ'æstɪk] *a.* entuzjastyczny (*o przyjęciu, powitaniu*); rozentuzjazmowany (*o tłumie, zwolennikach*); pełen entuzjazmu (*o osobie, odpowiedzi*); **be ~ about sth** entuzjazmować się czymś.

enthusiastically [enˌθuːzɪ'æstɪklɪ] *adv.* entuzjastycznie.

enthymeme ['enθəˌmiːm] *n. log.* entymemat (= *sylogizm z pominięciem jednej lub więcej przesłanek*).

entia [ˈenʃɪə] *n. pl. zob.* **ens.**

entice [ɪnˈtaɪs] *v.* nęcić, kusić (*sb to do sth* kogoś, żeby coś zrobił); przyciągać; wabić (*into sth* gdzieś *l.* do czegoś); **~ sb away from sth** odciągać kogoś od czegoś.

enticement [ɪnˈtaɪsmənt] *n.* **1.** *U* nęcenie, kuszenie; wabienie. **2.** przynęta.

enticer [ɪnˈtaɪsər] *n.* kusiciel/ka.

enticing [ɪnˈtaɪsɪŋ] *a.* kuszący, nęcący (*o ofercie, propozycji*); ponętny (*o osobie*).

entire [ɪnˈtaɪr] *a.* **1.** *attr.* cały. **2.** *attr.* całkowity, pełny, nieograniczony (*o zaufaniu, poparciu*). **3.** *form.* nietknięty, nieuszkodzony. **4.** *bot.* całobrzegi (*o liściu l. płatku*). **5.** *wet.* nie kastrowany (*zwł. o psie l. koniu*). – *n.* **1.** *rzad.* = **entirety**. **2.** *wet.* ogier. **3.** *filatelistyka* całostka.

entirely [ɪnˈtaɪrlɪ] *adv.* **1.** całkiem, zupełnie. **2.** wyłącznie.

entirety [ɪnˈtaɪrtɪ] *n. pl.* **-ies 1.** *U* całość; **in its/their ~** *form.* w całości. **2. possession by entireties** *prawn.* własność niepodzielna.

entitle [ɪnˈtaɪtl] *v. zw. pass.* **1.** uprawniać, upoważniać (*sb to sth / to do sth* kogoś do czegoś/do robienia czegoś); **be ~d to sth/to do sth** mieć prawo do czegoś/robić coś. **2.** zatytułować (*książkę, obraz*). **3.** nadać tytuł (*komuś*); tytułować; **~ sb prince** tytułować kogoś księciem.

entitled [ɪnˈtaɪtld] *a. pred.* **1.** uprawniony. **2.** zatytułowany, pod tytułem.

entitlement [ɪnˈtaɪtlmənt] *n. C / U* uprawnienie.

entity [ˈentətɪ] *n. pl.* **-ies 1.** *form.* jednostka, (wyodrębniona) całość. **2.** *fil.* byt, istnienie. **3.** *fil.* istota (= *prawdziwa natura*).

entoderm [ˈentəˌdɜːm] *n.* = **endoderm.**

entomb [ɪnˈtuːm] *v. zw. pass. form. l. lit.* **1.** *t. przen.* grzebać, chować. **2.** być grobem dla (*kogoś l. czegoś*).

entombment [ɪnˈtuːmmənt] *n.* złożenie do grobu, pochówek.

entomological [ˌentəməˈlɑːdʒɪkl] *a.* entomologiczny.

entomologist [ˌentəˈmɑːlədʒɪst] *n.* entomolog.

entomology [ˌentəˈmɑːlədʒɪ] *n. U* entomologia.

entomophagous [ˌentəˈmɑːfəgəs] *a. zool., bot.* owadożerny.

entourage [ˌɑːntʊˈrɑːʒ] *n.* **1.** świta, orszak. **2.** *lit.* otoczenie, środowisko.

entr'acte [ˈɑːntrækt] *n. teatr, opera* antrakt (= *przerwa między aktami l. utwór muzyczny wykonywany w przerwie*).

entrails [ˈentreɪlz] *n. pl. t. przen.* wnętrzności.

entrain [ɪnˈtreɪn] *v. gł. wojsk.* **1.** ładować do pociągu (*wojsko*). **2.** wsiadać do pociągu (*o wojsku*).

entrance[1] [ˈentrəns] *n.* **1.** wejście, drzwi wejściowe (*to sth* do czegoś). **2.** *zw. sing.* wejście (*czynność*); **make one's/an ~** wejść (*zwł. efektownie l. na scenę*), zrobić wejście. **3.** *U* wstęp, prawo wstępu; **~ into office/upon duties** objęcie urzędu/obowiązków; **gain ~ to** dostać się na (*uniwersytet itp.*); zostać przyjętym do (*organizacji, profesji*); **refuse ~** odmówić prawa wstępu.

entrance[2] [ɪnˈtrɑːns] *v.* **1.** oczarować, zachwycić. **2.** wprawiać w trans; hipnotyzować.

entrance box *n. el.* skrzynka wpustowa (*przewodów*).

entrance examination *n. uniw.* egzamin wstępny.

entrance fee *n.* opłata za wstęp (*np. do muzeum*); wpisowe (*do organizacji, towarzystwa*).

entrance ramp *n. US* wjazd (*na autostradę*).

entrant [ˈentrənt] *n. form.* **1.** uczestni-k/czka (*konkursu, zawodów*). **2.** osoba wstępująca (*to sth* do czegoś) (*np. do szkoły, towarzystwa*). **3.** osoba wchodząca (*np. do pokoju*).

entrap [ɪnˈtræp] *v.* **-pp-** *form.* **1.** *t. przen.* złapać w pułapkę, usidlić. **2. ~ sb into sth/into doing sth** podstępem doprowadzić kogoś do czegoś/do zrobienia czegoś.

entrapment [ɪnˈtræpmənt] *n.* **1.** *U* złapanie w pułapkę, usidlenie. **2.** *C / U prawn.* prowokacja policyjna.

entreat [ɪnˈtriːt] *form. v.* błagać, usilnie prosić (*sb for sth / to do sth* kogoś o coś/żeby coś zrobił); **~ sb's permission** błagać kogoś o pozwolenie.

entreatingly [ɪnˈtriːtɪŋlɪ] *adv.* błagalnie, prosząco.

entreaty [ɪnˈtriːtɪ] *n. pl.* **-ies** błaganie, usilna prośba.

entrechat [ˌɑːntrəˈʃɑː] *n. balet* skok połączony z uderzaniem obcasami *l.* krzyżowaniem nóg.

entrecôte [ˈɑːntrəkoʊt] *n. kulin.* antrykot; żeberka bez kości.

entrée [ˈɑːntreɪ], **entree** *n.* **1.** *kulin.* danie główne; danie podawane bezpośrednio przed daniem głównym (*zwł. na oficjalnych przyjęciach*). **2.** *C / U form.* wstęp, prawo wstępu (*to / into sth* gdzieś *l.* do czegoś).

entrench [ɪnˈtrentʃ], **intrench** *v.* **1.** otaczać okopem, okopywać (*pozycję, wojsko, miasto*). **2. ~ o.s.** *t. przen.* okopać *l.* obwarować się, umocnić *l.* ugruntować swą pozycję; **~ o.s. behind one's dignity** zasłaniać się swoją godnością. **3. ~ on/upon sth** *arch.* wdzierać się gdzieś *l.* w coś.

entrenched [ɪnˈtrentʃt] *a.* **1.** otoczony okopami. **2.** *przen.* zakorzeniony (*o poglądach*); utrwalony (*o władzy*); zawarowany (*o prawie, przywilejach*); **deeply/firmly ~** głęboko/mocno zakorzeniony; **he was well ~** miał mocną pozycję (*w biurze, firmie*).

entrenchment [ɪnˈtrentʃmənt] *n.* **1.** *U* otoczenie okopem *l.* okopami; *przen.* zakorzenienie (się); utrwalenie (się), ugruntowanie (się); zawarowanie (*praw*). **2.** okop, okopy.

entre nous [ˌɑːntrə ˈnuː] *adv. Fr. form. l. żart.* między nami (= *w sekrecie*).

entrepôt [ˌɑːntrəˈpoʊ] *n.* **1.** magazyn, skład. **2.** centrala rozdzielcza (*w miejscu, gdzie import i reeksport towarów nie pociąga za sobą konieczności opłacania cła*).

entrepreneur [ˌɑːntrəprəˈnɜː] *n.* przedsiębiorca.

entrepreneurial [ˌɑːntrəprəˈnɜːɪəl] *a.* inwestycyjny (*o kapitalizmie*); **the ~ spirit** duch przedsiębiorczości.

entrepreneurship [ˌɑːntrəprəˈnɜːʃɪp] *n. U* przedsiębiorczość.

entresol [ˈentrəˌsɑːl] *n. bud.* antresola.

entropy ['entrəpɪ] *n. U fiz., teoria informacji* entropia.

entrust [ɪn'trʌst], **intrust** *v.* ~ **sb with sth** (*także* ~ **sth to sb**) powierzać coś komuś.

entrustment [ɪn'trʌstmənt] *n. U* powierzenie.

entry ['entrɪ] *n. pl.* **-ies** **1.** *C / U* wejście (= *akt wchodzenia l. drzwi wejściowe*); wjazd (*t. uroczysty*); wstąpienie, przystąpienie; **gain ~ (to sth)** *t. przen.* wejść *l.* dostać się (do czegoś) (*np. do Unii Europejskiej*). **2.** *U* wstęp; **no ~** wstęp wzbroniony; zakaz wjazdu (*znak drogowy*). **3.** hasło; **dictionary ~** hasło słownikowe. **4.** praca konkursowa; **winning ~** zwycięska praca. **5.** *U* udział, uczestnictwo; prawo uczestnictwa (*to sth* w czymś) (*w konkursie, zawodach*). **6.** *zw. sing.* liczba uczestników (*konkursu, zawodów*); nabór (*do szkoły, na kurs*). **7.** *księgowość* wpis (*do rejestru, księgi rachunkowej*); zapis; pozycja (*t. w katalogu*). **8.** *U komp.* wprowadzanie (*danych*). **9.** *prawn.* wkroczenie na czyjąś własność celem objęcia w posiadanie; wkroczenie na obcy teren celem popełnienia przestępstwa.

entryphone ['entrɪˌfoʊn] *n. Br.* domofon.

entryway ['entrɪˌweɪ] *n. US* wejście (*do większego pomieszczenia*); wąski pasaż.

entwine [ɪn'twaɪn], **intwine** *v. zw. pass.* **1.** *t. przen.* splatać (się); **inextricably ~d** nierozerwalnie splecione (ze sobą); **with arms ~d** z rękami założonymi na piersiach. **2.** oplatać.

entwist [ɪn'twɪst] *v.* = **entwine**.

enucleate [ɪn'nu:klɪeɪt] *v.* **1.** *chir.* wyłuskiwać. **2.** *biol.* usuwać jądro z (*komórki*). **3.** *przest.* wyjaśniać.

enucleation [ɪnˌnu:klɪ'eɪʃən] *n. U* **1.** *chir.* wyłuskanie. **2.** *biol.* usunięcie jądra. **3.** *przest.* wyjaśnienie.

enumerable [ɪ'nu:mərəbl] *a. form.* policzalny.

enumerate [ɪ'nu:məˌreɪt] *v. form.* **1.** wyliczać. **2.** liczyć, przeliczać.

enumeration [ɪˌnu:mə'reɪʃən] *n.* **1.** *U* wyliczanie; liczenie, przeliczanie. **2.** lista, spis.

enumerator [ɪ'nu:məˌreɪtər] *n.* **1.** autor/ka listy *l.* spisu. **2.** kalkulator (*osoba l. urządzenie*).

enunciate [ɪ'nʌnsɪˌeɪt] *v.* **1.** wymawiać starannie (*słowa*); mieć staranną wymowę. **2.** *form.* wyłuszczać, wykładać (*np. teorię*).

enunciation [ɪˌnʌnsɪ'eɪʃən] *n. U* **1.** staranna wymowa. **2.** *form.* wyłuszczenie, wyłożenie.

enure [ɪn'jʊr] *v.* = **inure**.

enuresis [ˌenjə'ri:sɪs] *n. U pat.* moczenie bezwolne.

envelop [ɪn'veləp] *v.* **1.** *t. przen.* owijać, spowijać (*in sth* czymś *l.* w coś); **~ed in clouds/mystery** spowity chmurami/tajemnicą. **2.** *wojsk.* otaczać, okrążać (*nieprzyjaciela*).

envelope ['envəˌloʊp] *n.* **1.** koperta. **2.** *t. przen.* powłoka; otulina. **3.** *mat.* obwiednia. **4.** *tel.* obwiednia fali. **5.** *el.* bańka (*np. lampy*). **6.** *przen. pot.* **on the back of an ~** na kolanie, naprędce; **push the ~** *US* starać się zrobić wrażenie za wszelką cenę.

envelopment [ɪn'veləpmənt] *n. U* **1.** owinięcie, zawinięcie; *t. przen.* spowicie. **2.** *wojsk.* otoczenie, okrążenie (*nieprzyjaciela*). **3.** otulina, osłona.

envenom [ɪn'venəm] *v. form. t. przen.* zatruwać.

enviable ['envɪəbl] *a.* godny pozazdroszczenia.

enviably ['envɪəblɪ] *adv.* w sposób godny pozazdroszczenia.

envious ['envɪəs] *a.* zazdrosny; zawistny; **be ~ of sb/sth** być zazdrosnym o kogoś/coś; **make sb ~** wzbudzać w kimś zazdrość.

enviously ['envɪəslɪ] *adv.* zazdrośnie; zawistnie.

enviousness ['envɪəsnəs] *n. U* zazdrość; zawiść.

environ [ɪn'vaɪrən] *v. lit.* otaczać.

environment [ɪn'vaɪrənmənt] *n.* **1.** środowisko, otoczenie. **2. the ~** środowisko naturalne.

environmental [ɪnˌvaɪrən'mentl] *a. attr.* środowiskowy (*o czynnikach, badaniach*); **~ conditions** warunki otoczenia; **~ contamination/pollution** skażenie/zanieczyszczenie środowiska; **~ pollutants** substancje zanieczyszczające środowisko.

environmentalism [ɪnˌvaɪrən'mentəˌlɪzəm] *n. U* **1.** ruch *l.* działania na rzecz ochrony środowiska (naturalnego). **2.** *psych.* teoria głosząca prymat środowiska nad dziedzicznością w rozwoju jednostki.

environmentalist [enˌvaɪrən'mentəlɪst] *n.* **1.** działacz/ka na rzecz ochrony środowiska, ekolog. **2.** *psych.* zwolenni-k/czka teorii o prymacie środowiska nad dziedzicznością.

environmentally [ɪnˌvaɪrən'mentlɪ] *adv.* środowiskowo; z punktu widzenia środowiska (naturalnego); **~ sound/friendly** (*także* **environment-friendly**) ekologiczny.

environmental science *n. U* nauka o ochronie środowiska.

environmental studies *n. sing. l. pl. uniw.* ochrona środowiska (*kierunek studiów*).

environs [ɪn'vaɪrənz] *n. pl. form.* **1.** okolice (*of sth* czegoś). **2.** okolice podmiejskie, przedmieścia.

envisage [ɪn'vɪzɪdʒ] *v.* **1.** wyobrażać sobie. **2.** przewidywać. **3.** *przest.* stać w obliczu (*np. niebezpieczeństwa, trudności*).

envision [ɪn'vɪʒən] *v. US* = **envisage** 1, 2.

envoy[1] ['envɔɪ] *n.* wysłanni-k/czka; poseł.

envoy[2] *n.* (*także* **envoi**) *teor. lit.* przesłanie (= *zakończenie utworu, zwł. ballady, zawierające dedykację, wyjaśnienia itp.*).

envy ['envɪ] *n.* **1.** *U* zawiść; zazdrość; **green with ~** zielony z zazdrości. **2.** przedmiot zawiści *l.* zazdrości; **their wealth was the ~ of the whole town** całe miasto zazdrościło im bogactwa. – *v.* **-ied, -ying ~ sb (for) sth** zazdrościć komuś czegoś.

enwind [ɪn'waɪnd] *v. pret. i pp.* **enwound** *lit.* wić się wokół (*czegoś*), oplatać.

enwomb [ɪn'wu:m] *v. często pass.* **1.** *lit.* zamykać (jak) w łonie. **2.** *arch.* zapłodnić (*kobietę*).

enwrap [ɪn'ræp], **inwrap** *v.* **-pp-** **1.** owijać; spowijać; zawijać (*in sth* w coś). **2.** *zw. pass. form.* pogrążać; **~ped in thought** pogrążony w myślach.

enwreathe [ɪn'ri:ð] *v. lit.* otaczać wieńcem; oplatać.

enzootic [ˌenzoʊ'ɑ:tɪk] *a. wet.* enzootyczny,

miejscowy (*o chorobie*). – *n.* enzootia (= *choroba nawiedzająca bydło itp. na określonym terenie*).

enzymatic [ˌenzəˈmætɪk] *biochem. a.* enzymatyczny.

enzyme [ˈenzaɪm] *n.* enzym.

enzymology [ˌenzəˈmɑːlədʒɪ] *n. U* enzymologia.

Eocene [ˈiːəˌsiːn] *a. geol.* eoceński. – *n.* **the ~** eocen.

Eolian [ɪˈoʊlɪən] *a. i n.* = **Aeolian.**

eolith [ˈiːəlɪθ] *n. archeol.* eolit.

eolithic [ˌiːəˈlɪθɪk] *a.* eolityczny.

eon [ˈɪən] *n.* = **aeon.**

EPA [ˌiː ˌpiː ˈeɪ] *abbr.* **Environmental Protection Agency** *US admin.* Agencja Ochrony Środowiska.

epact [ˈiːpækt] *n. astron.* epakta (= *różnica pomiędzy rokiem słonecznym a księżycowym l. liczba dni między początkiem roku kalendarzowego a nowiem bezpośrednio go poprzedzającym*).

eparch [ˈepɑːrk] *n. admin., rel.* eparch (*starosta l. biskup*).

eparchy [ˈepɑːrkɪ] *n. pl.* **-ies** (*także* **eparchate**) eparchia (= *powiat w Grecji l. diecezja prawosławna*).

epaulet [ˈepəˌlet], *Br.* **epaulette** *n.* epolet, naramiennik, szlifa.

epaxial [epˈæksɪəl] *a. anat.* leżący ponad *l.* za osią.

épée [eɪˈpeɪ] *n. szerm.* szpada.

epenthesis [eˈpenθəsɪs] *n. pl.* **-ses** [eˈpenθəsiːs] *fon.* **1.** *C / U* epenteza, wtrącenie głoski. **2.** głoska wtrącona.

epenthetic [ˌepənˈθetɪk] *a.* epentetyczny, wtrącony.

epergne [ɪˈpɝːn] *n.* ozdobny stojak na owoce, słodycze *l.* kwiaty, stawiany na środku stołu.

epexegesis [epˌeksɪˈdʒiːsɪs] *n. pl.* **-es** *ret.* epegzegeza (= *dodanie frazy l. zdania dla wyjaśnienia; t. fraza l. zdanie dodane w tym celu*).

Eph. *abbr.* = **Ephesians.**

ephebe [ɪˈfiːb] *n. hist.* efeb.

ephemera [ɪˈfemərə] *n. pl. t.* **-ae** [ɪˈfemәreɪ] **1.** (*także* **ephemerid**) *ent.* jętka, efemeryda (*rodzaj Ephemera*). **2.** (*także* **ephemeron**) *przen.* efemeryda.

ephemeral [ɪˈfemərəl] *a.* efemeryczny, krótkotrwały, przemijający. – *n. ent., bot.* efemeryda.

ephemeris [ɪˈfemərɪs] *n. pl.* **-ides** [ˌefəˈmerəˌdiːs] *astron.* efemeryda (= *tabela z danymi dotyczącymi przebiegu przyszłego zjawiska astronomicznego l. rocznik podający takie dane*).

ephemeron [ɪˈfeməˌrɑːn] *n. pl. t.* **ephemera** [ɪˈfemərə] *zob.* **ephemera** 2.

Ephesians [ɪˈfiːʒənz] *n. sing. Bibl.* List (św. Pawła Apostoła) do Efezjan.

Ephesus [ˈefɪsəs] *n. hist.* Efez.

ephor [ˈefɔːr] *n. pl. t.* **-i** [ˈefɔːraɪ] *hist.* efor (= *jeden z pięciu najwyższych urzędników w starożytnej Sparcie*).

epiblast [ˈepəˌblæst] *n. biol.* ektoblast.

epic [ˈepɪk] *a.* **1.** epicki, epiczny. **2.** imponujący; ogromny; **of ~ proportions** imponujących rozmiarów. – *n.* **1.** *teor. lit.* epos; *U* poezja epicka. **2.** epopeja (*książka, film l. serial*). **3.** długa seria przygód *l.* bohaterskich czynów.

epical [ˈepɪkl] *a.* epicki, epiczny.

epicene [ˈepɪˌsiːn] *a.* **1.** *biol.* obupłciowy. **2.** bezpłciowy. **3.** *lit.* zniewieściały. **4.** *gram.* rodzaju wspólnego (*o rzeczowniku*). – *n.* **1.** *biol.* hermafrodyta. **2.** *gram.* rzeczownik rodzaju wspólnego.

epicenter [ˈepɪˌsentər], *Br. i Austr.* **epicentre** *n.* **1.** *geol.* epicentrum. **2.** *przen.* centrum (*aktywności, działalności*).

epicure [ˈepəˌkjʊr] *n. form.* epikurej-czyk/ka; smakosz/ka.

Epicurean [ˌepɪkjʊəˈriːən] *a.* **1.** *hist., fil.* epikurejski. **2.** **e~** *przen.* epikurejski. – *n.* **1.** *hist., fil.* epikurejczyk. **2.** **e~** *przen.* epikurej-czyk/ka.

Epicureanism [ˌepəkjʊəˈriːəˌnɪzəm] *n. U hist., fil.* epikureizm.

epicurism [ˌepəˈkjʊrˌɪzəm] *n. U przen.* epikureizm.

epicycle [ˈepɪˌsaɪkl] *n.* **1.** *astron.* epicykl. **2.** *geom.* koło odtaczające.

epicyclic [ˌepɪˈsaɪklɪk] *a.* (*także* **~al**) epicykliczny.

epicyclic gear *n. mech.* przekładnia obiegowa *l.* planetarna.

epicycloid [ˌepɪˈsaɪklɔɪd] *n. geom.* epicykloida.

epidemic [ˌepɪˈdemɪk] *a.* epidemiczny. – *n. t. przen.* epidemia; **flu ~** epidemia grypy.

epidemically [ˌepɪˈdemɪklɪ] *adv.* epidemicznie.

epidemiology [ˌepɪˌdiːmɪˈɑːlədʒɪ] *n. U* epidemiologia.

epidermal [ˌepɪˈdɝːml], **epidermic** *a.* naskórkowy.

epidermis [ˌepɪˈdɝːmɪs] *n. U* **1.** *anat.* naskórek. **2.** *zool.* nabłonek (*u bezkręgowców*); naskórek. **3.** *bot.* epiderma, skórka.

epidiascope [ˌepɪˈdaɪəˌskoʊp] *n.* epidiaskop.

epidictic [ˌepɪˈdɪktɪk], **epideictic** *a. ret.* obliczony na pokaz.

epidural [ˌepɪˈdjʊərəl] *n. med.* znieczulenie zewnątrzoponowe (*stosowane zwł. przy porodzie*). – *a. anat.* nadtwardówkowy.

epigastric [ˌepɪˈgæstrɪk] *a. anat.* nadbrzuszny.

epigastrium [ˌepɪˈgæstrɪəm] *n. pl.* **-ia** [ˌepɪˈgæstrɪə] nadbrzusze.

epigene [ˈepɪˌdʒiːn] *a. geol.* epigeniczny (= *utworzony l. zachodzący blisko powierzchni ziemi*).

epigenesis [ˌepɪˈdʒenəsɪs] *n. U* **1.** *biol.* epigeneza (= *rozwój zarodka przez różnicowanie się komórek i tworzenie nowych struktur*). **2.** *geol.* epigeneza (= *powstanie utworu geologicznego w późniejszym czasie niż powstanie skały, w której on występuje*).

epigenetic [ˌepɪdʒəˈnetɪk] *a. geol.* epigenetyczny.

epiglottis [ˌepɪˈglɑːtɪs] *n. anat.* nagłośnia, języczek.

epigone [ˈepɪˌgoʊn], **epigon** *n. form.* epigon/ka.

epigram [ˈepɪˌgræm] *n.* **1.** *wers.* epigram, epigramat. **2.** dowcipne powiedzenie.

epigrammatic [ˌepɪgrəˈmætɪk] *a.* **1.** epigramatyczny. **2.** dowcipny.

epigrammatically [ˌepɪgrəˈmætɪklɪ] *a.* **1.** epigramatycznie. **2.** dowcipnie.

epigrammatist [ˌepɪˈgræmətɪst] *n.* autor/ka epigramatów.

epigrammatize [ˌepɪˈgræməˌtaɪz], *Br. i Austr. zw.* **epigrammatise** *v.* **1.** układać epigramaty. **2.** wyrażać (się) dowcipnie.

epigraph [ˈepɪˌgræf] *n.* epigraf.

epigraphic [ˌepɪˈgræfɪk] *a.* epigraficzny.

epigraphist [ˌepɪˈgræfɪst] *n.* (*także* **epigrapher**) autor/ka epigrafów.

epigraphy [eˈpɪgrəfɪ] *n. U* epigrafika.

epilepsy [ˈepɪˌlepsɪ] *n. U pat.* epilepsja, padaczka.

epileptic [ˌepɪˈleptɪk] *a. pat.* epileptyczny; ~ **fit** atak epilepsji; **be** ~ mieć padaczkę. – *n.* epilepty-k/czka.

epilogist [ɪˈpɪlədʒɪst] *n.* autor/ka *l.* recytator/ka epilogu.

epilogue [ˈepəˌlɔːg], *US t.* **epilog** *n. t. przen.* epilog.

Epiphany [ɪˈpɪfənɪ] *n. U* **1.** *rel.* Objawienie Pańskie, święto Trzech Króli. **2. e~** *lit.* epifania, objawienie (się).

epiphenomenalism [ˌepɪfəˈnɑːmɪnəˌlɪzəm] *n. U fil.* epifenomenalizm.

epiphenomenon [ˌepɪfəˈnɑːməˌnɑːn] *n. pl.* **-a** [ˌepɪfəˈnɑːmənə] *form.* epifenomen (= *zjawisko wtórne; t. pat. = objaw towarzyszący chorobie, ale z nią nie związany*).

epiphyte [ˈepəˌfaɪt] *n. bot.* epifit, porośle.

episcopacy [ɪˈpɪskəpəsɪ] *n. U kośc.* **1.** episkopalizm (= *kościelne rządy biskupie*). **2.** = **episcopate**.

episcopal [ɪˈpɪskəpl] *a. kośc.* **1.** biskupi. **2. E~ Church** Kościół episkopalny (*samodzielna gałąź Wspólnoty Anglikańskiej w Szkocji i USA*).

episcopalian [ɪˌpɪskəˈpeɪlɪən] *kośc. a.* episkopalny. – *n.* **1.** zwolenni-k/czka episkopalizmu. **2. E~** człon-ek/kini Kościoła episkopalnego.

episcopalianism [ɪˌpɪskəˈpeɪlɪəˌnɪzəm], **episcopalism** [ɪˌpɪskəˈpeɪlˌɪzəm] *n. U* episkopalizm.

episcopate [ɪˈpɪskəpət] *n. kośc.* episkopat (= *godność l. władza biskupa*); biskupstwo (*urząd l. siedziba*); **the** ~ episkopat (= *ogół biskupów*).

episode [ˈepɪˌsoʊd] *n.* **1.** epizod. **2.** *telew., radio* odcinek (*serialu*).

episodic [ˌepɪˈsɑːdɪk], **episodical** [ˌepɪˈsɑːdɪkl] *a. form.* **1.** epizodyczny. **2.** sporadyczny. **3.** przelotny, chwilowy.

episodically [ˌepɪˈsɑːdɪklɪ] *adv. form.* **1.** epizodycznie. **2.** sporadycznie. **3.** przelotnie.

epispastic [ˌepɪˈspæstɪk] *n. i a. med.* (środek) drażniący skórę.

epistaxis [ˌepɪˈstæksɪs] *n. U pat.* krwawienie z nosa.

epistemological [ɪˌpɪstɪməˈlɑːdʒɪkl] *fil. a.* epistemologiczny.

epistemologist [ɪˌpɪstəˈmɑːlədʒɪst] *a.* epistemolog.

epistemology [ɪˌpɪstəˈmɑːlədʒɪ] *n. U* epistemologia, teoria poznania.

epistle [ɪˈpɪsl] *n.* **1.** *form.* list (*zwł. literacki l. dydaktyczny*); *żart.* epistoła. **2. E~** *Bibl.* list apostolski; *kośc.* lekcja, epistoła (= *czytanie z listu apostolskiego*).

epistolary [ɪˈpɪstəˌlerɪ] *a.* **1.** *form.* listowy; listowny. **2.** *teor. lit.* epistolarny, w formie listów (*zwł. o powieści*).

epistoler [ɪˈpɪstələr], **epistler** [ɪˈpɪslər] *n.* **1.** *form.* autor/ka listu *l.* listów. **2.** *kośc.* lektor/ka epistoły.

epistyle [ˈepɪˌstaɪl] *n. bud.* epistyl, architraw.

epitaph [ˈepɪˌtæf] *n.* epitafium.

epithalamion [ˌepəθəˈleɪmɪən], **epithalamium** [ˌepəθəˈleɪmɪəm] *n. pl.* **-ia** *teor. lit.* epitalamium, pieśń weselna.

epithelial [ˌepəˈθiːlɪəl] *a. zool.* nabłonkowy.

epithelium [ˌepəˈθiːlɪəm] *n. pl. t.* **-ia** [ˌepəˈθiːlɪə] nabłonek.

epithet [ˈepəˌθet] *n.* epitet.

epithetic [ˌepəˈθetɪk], **epithetical** [ˌepəˈθetɪkl] *a.* o charakterze epitetu.

epitome [ɪˈpɪtəmɪ] *n.* **1.** uosobienie; typowy *l.* najlepszy przykład (*of sth* czegoś). **2.** *form.* skrót, streszczenie (*tekstu pisanego*).

epitomist [ɪˈpɪtəmɪst] *n.* autor/ka skrótu *l.* streszczenia.

epitomize [ɪˈpɪtəˌmaɪz], *Br. i Austr. zw.* **epitomise** *v.* **1.** uosabiać; być typowym przykładem (*czegoś*). **2.** *form.* dokonywać skrótu *l.* streszczenia (*tekstu*).

epizoic [ˌepɪˈzoʊɪk] *a.* **1.** *biol.* epizoiczny (= *żyjący l. rosnący na ciele żywego zwierzęcia*). **2.** *bot.* przenoszony przez zwierzęta (*o nasionach*).

epizoon [ˌepɪˈzoʊɑːn] *n. pl.* **-oa** [ˌepɪˈzoʊə] *biol.* organizm epizoiczny.

epizootic [ˌepɪzoʊˈɑːtɪk] *a. wet.* epizootyczny. – *n.* epizootia, pomór.

epoch [ˈepək] *n. t. geol.* epoka.

epochal [ˈepəkl] *a.* **1.** (*także* **epoch-making**) epokowy (*o wydarzeniu, odkryciu*). **2.** *form.* charakterystyczny dla danej epoki.

epode [ˈepoʊd] *n. prozodia* epoda (*typ l. strofa ody starogreckiej*).

eponym [ˈepənɪm] *n. gł. jęz., teor. lit.* eponim.

eponymous [ɪˈpɑːnəməs] *a.* eponimiczny, odimienny (*o wyrazie, nazwie*); ~ **hero/heroine** bohater/ka tytułow-y/a.

epopee [ˈepəˌpɪ], **epopeia** [ˌepəˈpiːə] *n. teor. lit.* **1.** poemat epicki, epopeja. **2.** *U* poezja epicka.

EPOS [ˈiːpɑːs] *abbr.* **Electronic Point of Sale** komputerowa kasa rejestrująca.

epos [ˈepɑːs] *n. teor. lit.* **1.** *U* poezja epicka. **2.** epos.

epoxy [ɪˈpɑːksɪ] *a.* epoksydowy. – *n. pl.* **-ies** (*także* ~ **resin**) (*także* **epoxide resin**) żywica epoksydowa. – *v.* **-ied, -ying** łączyć żywicą epoksydową.

EPROM [ˈiːprɑːm] *abbr. komp.* **erasable-programable read-only memory** pamięć EPROM, pamięć stała kasowalna i programowalna.

epsilon [ˈepsəˌlɑːn] *n. alfabet grecki* epsilon.

Epsom salts [ˌepsəm ˈsɔːlts] *n. U med.* sól gorzka, epsomit.

eq. *abbr.* **1.** = **equal**. **2.** = **equation**. **3.** = **equivalent**.

equability [ˌekwəˈbɪlətɪ] *n. U* **1.** zrównoważenie, spokój. **2.** jednostajność. **3.** równy rytm, równomierność.

equable [ˈekwəbl] *a.* **1.** zrównoważony, spokojny (*o usposobieniu*). **2.** jednostajny (*o klimacie*). **3.** równy, równomierny (*o pulsie*).

equal [ˈiːkwəl] *a.* **1.** równy (~ *to / with sb / sth* komuś/czemuś); taki sam, jednakowy; **on ~ terms** na tych samych *l.* równych prawach; jak równy z równym; **they are ~ in size** (*także* **they are of ~ size**) są równej *l.* jednakowej wielkości. **2.** *pred. form.* **be ~ to doing sth** być w stanie coś zrobić; **be ~ to sth** (być w stanie) sprostać czemuś (*wyzwaniu, żądaniom*); **be ~ to the task/occasion** stanąć na wysokości zadania; **be ~ with sb in sth** dorównywać komuś w czymś. **3.** *przest.* sprawiedliwy, bezstronny. **4.** *przest.* = **equable**. – *n.* równ-y/a; **have no ~** (*także* **be without ~**) nie mieć sobie równych; **she treats us as ~s** traktuje nas jak równych sobie. – *v. Br.* **-ll- 1.** równać się (*czemuś, ileś*); **two plus three ~s five** dwa dodać trzy równa się pięć. **2.** dorównywać (*komuś l. czemuś*). **3.** *sport* wyrównać (*rekord*).

equal-area map projection *a. attr. kartogr.* równopowierzchniowy (*o odwzorowaniu*).

Equal Employment Opportunity Commission *n. US* komisja do spraw równouprawnienia zawodowego.

equalitarian [ɪˌkwɑːlɪˈterɪən] *a. i n.* = **egalitarian**.

equality [ɪˈkwɑːlətɪ] *n. U* **1.** równość, równouprawnienie; **racial/sexual ~** równouprawnienie ras/płci. **2.** *t. mat.* równość.

equalization [ˌiːkwələˈzeɪʃən], *Br. i Austr. zw.* **equalisation** *n. U* **1.** zrównywanie. **2.** *Br. i Austr. sport* wyrównanie.

equalize [ˈiːkwəˌlaɪz] *v.* **1.** zrównywać (*np. szanse*); znosić różnice w (*społeczeństwie*). **2.** *Br. i Austr. sport* wyrównać, zdobyć wyrównującą bramkę (*zwł. w piłce nożnej*).

equalizer [ˈiːkwəˌlaɪzər] *n.* **1.** *techn.* wyrównywacz, urządzenie wyrównawcze. **2.** *el.* korektor; obwód wyrównawczy. **3.** *Br. i Austr. sport* wyrównująca bramka; wyrównujący punkt. **4.** *US sl.* gnat (= *broń, zwł. pistolet*).

equalizing [ˈiːkwəˌlaɪzɪŋ], *Br. i Austr. zw.* **equalising** *a.* zrównujący; wyrównujący; wyrównawczy.

equalizing charge *n. el.* doładowanie wyrównawcze (*akumulatora*).

equalizing tank *n. techn.* zbiornik wyrównawczy.

equally [ˈiːkwəlɪ] *adv.* **1.** równo (*dzielić*). **2.** równie, w równym stopniu, tak samo, jednakowo (*np. ważny*). **3. (but) ~...** (ale) równocześnie...

equal opportunity *n. U* (*także* **equal opportunities**) równouprawnienie, równość szans; polityka równych szans *l.* równouprawnienia.

equal sign, *Br.* **equals sign** *n. mat.* znak równości.

equal temperament *n. muz.* system równomiernie temperowany.

equanimity [ˌiːkwəˈnɪmətɪ] *n. U form.* opanowanie, spokój; równowaga umysłu.

equate [ɪˈkweɪt] *v.* **1.** zrównywać (*with sb / sth* z kimś/czymś). **2.** przyrównywać (*to sb / sth* do kogoś/czegoś). **3. ~ A and B** *mat. l. przen.* stawiać znak równości pomiędzy A i B. **4.** *form.* zgadzać się (ze sobą) (*np. o relacjach świadków*).

equation [ɪˈkweɪʒən] *n.* **1.** *gł. mat.* równanie; **chemical ~** *chem.* równanie chemiczne; **personal ~** *astron.* równanie indywidualne (= *błąd l. różnica w ocenie wynikające z cech indywidualnych l. poprawka na wypadek takiego błędu*). **2.** *C / U* zrównanie; przyrównywanie; **make the ~ between A and B** *przen.* stawiać znak równości pomiędzy A i B. **3.** *C / U* wyrównywanie; równoważenie (*np. popytu i podaży*). **4.** *przen.* **enter into the ~** (*także* **be part of the ~**) wchodzić w grę, odgrywać rolę; **the other side of the ~** druga strona medalu.

equation of equinoxes *n. astron.* równanie punktów równonocy.

equation of momentum and impulse *n. fiz.* zasada pędu i popędu.

equation of state *n. fiz.* równanie stanu, równanie charakterystyczne.

equation of time *n. astron.* równanie czasu.

equator [ɪˈkweɪtər] *n. U* **1. the ~/E~** *geogr.* równik. **2.** *geom.* równik. **3.** *astron.* = **celestial equator**.

equatorial [ˌiːkwəˈtɔːrɪəl] *a.* równikowy. – *n.* (*także* **~ telescope**) teleskop paralaktyczny.

Equatorial Guinea *n.* (*także* **Republic of ~**) *geogr.* Gwinea Równikowa.

equerry [ˈekwərɪ] *n. pl.* **-ies** *hist.* koniuszy.

equestrian [ɪˈkwestrɪən] *a. zw. attr.* **1.** konny (*o posłańcu*); jeździecki (*o klubie*); hippiczny (*o zawodach*); do jazdy konnej (*o stroju*). **2.** *hist.* należący do stanu (rzymskich) ekwitów; rycerski. – *n.* jeździec (konny); woltyżer.

equestrianism [ɪˈkwestrɪəˌnɪzəm] *n. U* jeździectwo.

equestrienne [ɪˌkwestrɪˈen] *n.* **1.** amazonka. **2.** woltyżerka.

equiangular [ˌiːkwɪˈæŋgjələr] *a. geom.* równokątny.

equidistant [ˌiːkwɪˈdɪstənt] *a.* jednakowo odległy (*from sth* od czegoś).

equilateral [ˌiːkwəˈlætərəl] *a. geom.* równoboczny. – *n.* równobok.

equilibrant [ɪˈkwɪləbrənt] *n.* (*także* **~ of forces**) *fiz.* siła równoważąca.

equilibrate [ɪˈkwɪləˌbreɪt] *v.* równoważyć (się).

equilibrist [ɪˈkwɪləbrɪst] *n.* ekwilibryst-a/ka.

equilibrium [ˌiːkwəˈlɪbrɪəm] *n. U l. sing. fiz. l. przen.* równowaga.

equine [ˈiːkwaɪn] *form. a.* koński. – *n.* koń.

equinoctial [ˌiːkwəˈnɑːkʃl] *a. astron.* **1.** równonocny. **2.** równikowy. – *n.* **1.** (*także* **~ circle**) *astron.* równik niebieski. **2.** *meteor.* sztorm *l.* wichura mająca miejsce podczas równonocy.

equinoctial point *n.* (*także* **equinox**) *astron.* punkt równonocy.

equinox [ˈiːkwəˌnɑːks] *n. astron.* **1.** równonoc,

zrównanie dnia z nocą; **the spring/autumn** ~ równonoc wiosenna/jesienna. **2.** = **equinoctial point**.

equip [ɪˈkwɪp] *v.* **-pp- 1.** wyposażać; zaopatrywać; ekwipować (*with sth* w coś). **2.** *zw. pass.* przygotowywać (*for sth* na coś *l.* do czegoś).

equipage [ˈekwəpɪdʒ] *n.* **1.** ekwipaż, powóz (*zwł. z asystą lokajów w liberii*). **2.** *gł. hist., wojsk.* wyposażenie, ekwipunek. **3.** *arch.* orszak, świta.

equipment [ɪˈkwɪpmənt] *n. U* wyposażenie; sprzęt; ekwipunek; **piece of** ~ urządzenie; **sports** ~ sprzęt sportowy.

equipment earth *n. U el.* uziemienie ochronne.

equipoise [ˈiːkwəˌpɔɪz] *n. U form.* **1.** równowaga. **2.** przeciwwaga. – *v.* równoważyć; stanowić przeciwwagę dla (*czegoś*).

equipollence [ˌiːkwəˈpɑːləns], **equipollency** [ˌiːkwəˈpɑːlənsɪ] *n. U* **1.** równoważność, równowartość (*siły, ciężaru, mocy*). **2.** równoznaczność.

equipollent [ˌiːkwəˈpɑːlənt] *a.* **1.** równoważny. **2.** równoznaczny. – *n.* **1.** równoważnik. **2.** równoznacznik.

equiponderance [ˌiːkwəˈpɑːndərəns] *n. U form.* **1.** równowaga. **2.** zrównoważenie.

equiponderant [ˌiːkwəˈpɑːndərənt] *a.* **1.** równoważny; *attr.* równoważący. **2.** zrównoważony.

equiponderate [ˌiːkwəˈpɑːndəˌreɪt] *v.* równoważyć.

equipotential [ˌiːkwəpəˈtenʃl] *a. fiz.* **1.** ekwipotencjalny. **2.** (*także* **equipotent**) równoważny (*co do mocy lub skutku*).

equipotential surface *n. fiz.* powierzchnia ekwipotencjalna, powierzchnia jednakowego potencjału.

equitable [ˈekwɪtəbl] *a.* **1.** *form.* sprawiedliwy, słuszny. **2.** *prawn.* dotyczący prawa słuszności (*w odróżnieniu od prawa stanowionego lub zwyczajowego*).

equitably [ˈekwɪtəblɪ] *adv.* sprawiedliwie.

equitation [ˌekwɪˈteɪʃən] *n. U form.* jazda konna; jeździectwo.

equities [ˈekwətɪz] *n. pl. Br. giełda* akcje zwykłe *l.* nieuprzywilejowane (*bez ustalonej dywidendy*).

equity [ˈekwətɪ] *n. U form.* **1.** sprawiedliwość, słuszność. **2.** *prawn.* prawo słuszności (= *oparte na ogólnych zasadach sprawiedliwości, uzupełniające prawo stanowione i zwyczajowe w ramach anglosaskiego systemu prawnego*). **3.** *prawn.* słuszne prawo *l.* pretensja. **4.** *prawn.* część majątku pozostała po zaspokojeniu wierzytelnych pretensji.

equity capital *n. U ekon.* kapitał własny.

equity earnings *n. pl. fin.* dochody z akcji zwykłych.

equity of redemption *n. prawn.* prawo wykupu zadłużonej własności przez właściciela poprzez spłacenie długu hipotecznego.

equiv. *abbr.* = **equivalence**; = **equivalent**.

equivalence [ɪˈkwɪvələns] *n. zw. U* równoważność; równowartość; równoznaczność.

equivalent [ɪˈkwɪvələnt] *a.* równoważny (*to sth* czemuś); równoznaczny (*to sth* z czymś); równowartościowy. – *n.* odpowiednik; równoważnik, ekwiwalent.

equivalent circuit *n. el.* układ zastępczy.

equivalently [ɪˈkwɪvələntlɪ] *adv.* równoważnie; równoznacznie.

equivalent weight *n. chem.* ciężar równoważnikowy.

equivocal [ɪˈkwɪvəkl] *a. form.* **1.** dwuznaczny, niejednoznaczny. **2.** wymijający (*o odpowiedzi*). **3.** podejrzany, niepewny.

equivocality [ɪˌkwɪvəˈkælətɪ], **equivocalness** [ɪˈkwɪvəkəlnəs] *n. U* **1.** dwuznaczność, niejednoznaczność. **2.** podejrzany charakter.

equivocate [ɪˈkwɪvəˌkeɪt] *v. form.* mówić dwuznacznie *l.* wymijająco.

equivocation [ɪˌkwɪvəˈkeɪʃən] *n. C/U* dwuznaczność; dwuznacznik.

equivoque [ˈekwəˌvoʊk], **equivoke** *n. form.* **1.** gra słów, kalambur. **2.** dwuznaczne wyrażenie. **3.** *U* dwuznaczność.

ER [ˌiː ˈɑːr], **E.R.** *abbr.* **1.** = **emergency room**. **2. Elizabeth Regina** *Br.* Królowa Elżbieta.

ERA [ˌiː ˌɑːr ˈeɪ] *abbr.* **1. Equal Rights Amendment** *US* poprawka do konstytucji amerykańskiej gwarantująca równouprawnienie kobiet. **2. Education Reform Act** *US* akt parlamentu z 1988 r. dotyczący reformy szkolnictwa.

era [ˈiːrə] *n.* era.

eradiate [ɪˈreɪdɪˌeɪt] *v. rzad.* = **radiate**.

eradicable [ɪˈrædəkəbl] *a. form.* możliwy do wykorzenienia *l.* wytępienia.

eradicate [ɪˈrædəˌkeɪt] *v.* **1.** wykorzenić, wytępić (*zwł. problemy l. patologie społeczne*); wyeliminować (*np. chorobę zakaźną*). **2.** *rzad. dosł.* wyrywać z korzeniami.

eradication [ɪˌrædəˈkeɪʃən] *n. U* wykorzenienie, wytępienie.

erasable [ɪˈreɪsəbl] *a.* dający się wymazać.

erase [ɪˈreɪs] *v.* **1.** *t. przen.* wymazywać; kasować (*nagranie, zapis magnetyczny*). **2.** *US sl.* sprzątnąć (= *zabić*).

eraser [ɪˈreɪsər] *n. zwł. US* **1.** gumka (*do wymazywania*). **2.** szmatka *l.* gąbka do (ścierania) tablicy.

erasure [ɪˈreɪʃər] *n. form.* **1.** *U* wymazanie. **2.** ślad pozostały po wymazaniu.

erbium [ˈɜːbɪəm] *n. U chem.* erb.

ere [er] *arch. l. poet. prep.* przed; ~ **long** niebawem, wkrótce. – *conj.* zanim.

erect [ɪˈrekt] *a.* wyprostowany, prosty (*o postawie*); podniesiony (*o ogonie, uszach*); w stanie wzwodu *l.* erekcji (*o członku*). – *v. form.* **1.** *t. przen.* wznosić, stawiać; ~ **social barriers** wznosić zapory społeczne; ~ **principles into a system** tworzyć system zasad. **2.** podnosić; prostować, wyprostowywać; ~ **one's body/o.s.** wyprostować się. **3.** *fizj.* ulegać wzwodowi *l.* erekcji. **4.** *geom.* kreślić (*prostopadłą, figurę*). **5.** montować.

erectile [ɪˈrektl] *a. fizj.* wyprężny, wyprostny, wzwodny.

erect image *n. opt.* obraz prosty *l.* nieodwrócony.

erecting crane [ɪˈrektɪŋ ˌkreɪn] *n. techn.* dźwig montażowy.

erecting shop *n.* montownia.

erection [ɪ'rekʃən] *n.* **1.** *fizj.* erekcja, wzwód. **2.** *U* wyprostowanie; podniesienie. **3.** *U t. przen.* wzniesienie (*np. budynku*); postawienie (*namiotu*); stworzenie (*klasy, systemu*). **4.** *form.* budowla. **5.** *U geom.* nakreślenie. **6.** *U* zmontowanie.

erection stand *n. techn.* kozioł montażowy.

erector [ɪ'rektər], **erecter** *n. anat.* mięsień naprężający.

eremite ['erəˌmaɪt] *n. rel.* eremit-a/ka, pustelni-k/czka.

eremitic [ˌerə'mɪtɪk], **eremitical** [ˌerə'mɪtɪkl] *a.* eremicki, pustelniczy.

erethism ['erəˌθɪzəm] *n. U pat.* nadmierna pobudliwość.

erewhile [er'waɪl], **erewhiles** [er'waɪlz] *adv. arch.* jakiś czas temu.

erg [ɝːg] *n. fiz.* erg.

ergometer [ɝː'gɑːmɪtər] *n. fiz.* siłomierz, ergometr.

ergon ['ɝːgoʊn] *n. fiz.* kwant energii drgania.

ergonomic [ˌɝːgə'nɑːmɪk] *a.* ergonomiczny.

ergonomically [ˌɝːgə'nɑːmɪklɪ] *adv.* ergonomicznie.

ergonomics [ˌɝːgə'nɑːmɪks] *n. U* ergonomia.

ergot ['ɝːgət] *n. biol.* sporysz (*Claviceps purpurea*).

ergotism ['ɝːgəˌtɪzəm] *n. U pat.* zatrucie sporyszem.

ericaceae [ˌerə'keɪʃɪeɪ] *n. pl. bot.* wrzosowate (*Ericaceae*).

ericaceous [ˌerə'keɪʃəs] *a.* wrzosowaty.

Erin ['erɪn] *n. przest. l. poet.* Irlandia.

erinaceous [ˌerə'neɪʃəs] *a. zool.* jeżowaty.

Erinyes [ɪ'rɪnɪˌiːz] *n. pl. mit.* Erynie.

eristic [e'rɪstɪk] *a. fil.* erystyczny. – *n.* **1.** *U* erystyka, sztuka dyskutowania. **2.** miłośnik/czka erystyki.

Eritrea [ˌerɪ'trɪə] *n. geogr.* Erytrea.

Eritrean [ˌerɪ'trɪən] *a.* erytrejski. – *n.* mieszkan-iec/ka Erytrei.

erlking ['ɝːlˌkɪŋ] *n. mit. germańska* król olch.

ERM [ˌiː ˌɑːr 'em] *abbr.* **Exchange Rate Mechanism** *fin.* dopuszczalne odchylenia kursu centralnego walut państw należących do Europejskiego Systemu Walutowego.

ermine ['ɝːmɪn] *pl.* **-s** *l.* **ermine** *n.* **1.** *zool.* gronostaj (*Mustela erminea*). **2.** *pl.* gronostaje (*futro*). **3.** *przen.* godność *l.* urząd sędziego *l.* para. **4.** *her.* białe pole z czarnymi kropkami.

ermined ['ɝːmɪnd] *a.* **1.** gronostajowy. **2.** w gronostajach.

ern [ɝːn], **erne** *n. orn.* bielik łomognat (*Halioëtus albicilla*).

erode [ɪ'roʊd] *v.* **1.** *geol.* powodować erozję (*czegoś*); ulegać erozji, erodować (*o skale*); żłobić (= *tworzyć za pomocą erozji*). **2.** *chem.* powodować korozję (*czegoś*), wyżerać, trawić; ulegać korozji. **3.** *pat.* nadżerać. **4.** *przen.* stopniowo niszczyć (*uczucie, przyjaźń*); ograniczać (*wolność*); podkopywać (*zaufanie*).

erodibility [ɪˌroʊdə'bɪlətɪ] *n. U* uleganie erozji.

erodible [ɪ'roʊdəbl] *a.* ulegający erozji.

erogenous [ɪ'rɑːdʒənəs], **erogenic** [erə'dʒenɪk] *a.* **1.** *fizj.* erogenny. **2.** podniecający seksualnie; dający przyjemność seksualną.

erogenous zone *n. fizj.* strefa erogenna.

erosion [ɪ'roʊʒən] *n. U* **1.** *geol.* erozja; żłobienie. **2.** *chem.* wyżeranie. **3.** *C pat.* nadżerka. **4.** *przen.* stopniowe niszczenie.

erosive [ɪ'roʊsɪv] *a.* **1.** *geol.* powodujący erozję; erozyjny; żłobiący. **2.** *chem.* żrący, trawiący. **3.** *przen.* niszczący.

erotic [ɪ'rɑːtɪk], **erotical** [ɪ'rɑːtɪkl] *a.* erotyczny.

erotica [ɪ'rɑːtɪkə] *n. pl.* erotica (= *rysunki, książki itp. o tematyce erotycznej*).

erotically [ɪ'rɑːtɪklɪ] *adv.* erotycznie.

eroticism [ɪ'rɑːtɪˌsɪzəm], **erotism** ['erəˌtɪzəm] *n. U* **1.** erotyka. **2.** *t. psych.* erotyzm.

erotomania [ɪˌroʊtə'meɪnɪə] *n. U pat.* erotomania.

err [ɝː] *v. form.* **1.** mylić się; popełnić błąd. **2.** błądzić (*t.* = *grzeszyć*); ~ **on the side of caution** (woleć) być ostrożnym *l.* przezornym; **to ~ is human (to forgive, divine)** błądzić jest rzeczą ludzką.

errancy ['ɝːənsɪ] *n. U* błądzenie.

errand ['erənd] *n.* **1.** polecenie, zlecenie; sprawa do załatwienia (*zwł. drobna, wymagająca wyjścia do miasta*); **go on/run ~s** załatwiać sprawy; chodzić/biegać na posyłki; **I have a few ~s to do/run** mam kilka spraw do załatwienia; **send sb on an ~** kazać komuś coś załatwić. **2.** *przen.* **an ~ of mercy** *lit. l. żart.* misja dobroci; **a fool's ~** *Br. pot.* robota głupiego.

errand boy *n. przest.* chłopiec na posyłki.

errant ['erənt] *a.* **1.** *attr. form. l. żart.* niewierny (*o współmałżonku*); błądzący (*o dziecku, naukowcu*). **2.** *przest.* błędny; wędrowny; **knight ~** (*także* **~ knight**) błędny rycerz.

errantry ['erəntrɪ] *n. U* żywot *l.* przygody błędnego rycerza; donkiszoteria.

erratic [ɪ'rætɪk] *a.* **1.** niekonsekwentny (*o zachowaniu, próbach*); nieobliczalny (*o osobie*); nieregularny (*np. o odgłosach*). **2.** *geol.* eratyczny, narzutowy. – *n. geol.* głaz narzutowy, eratyk.

erratically [ɪ'rætɪklɪ] *adv.* **1.** niekonsekwentnie; nieobliczalnie. **2.** nieregularnie.

erratum [ɪ'reɪtəm] *n. pl.* **-a** błąd (*drukarski, pisarski*); *zw. pl.* errata, omyłki w druku.

errhine ['eraɪn] *n. i a. med.* (środek) pobudzający wydzielanie śluzu przez nos.

erroneous [ɪ'roʊnɪəs] *a.* błędny.

erroneously [ɪ'roʊnɪəslɪ] *adv.* błędnie.

erroneousness [ɪ'roʊnɪəsnəs] *n. U* błędność.

error ['erər] *n.* **1.** *C/U* błąd; ~ **of judgement** błąd w ocenie sytuacji; błędna decyzja; **be in ~** być w błędzie, mylić się; **commit/make an ~** popełnić/zrobić błąd; **in ~** przez pomyłkę; **margin for ~** margines błędu; **see the ~ of one's ways** *form. l. żart.* uznać swój błąd, uznać błędność swojego postępowania; **spelling/typing ~** błąd ortograficzny/maszynowy; **writ of ~** *prawn.* skarga o unieważnienie wyroku z powodu błędu. **2.** *baseball* błąd przedłużający grę gracza wybijającego *l.* umożliwiający posuwanie się naprzód gracza biegnącego.

error message *n. komp.* komunikat błędu.

ersatz [ˈerzɑːts] *a. zw. attr.* sztuczny. – *n.* erzac, namiastka.

Erse [ɜːs] *n. U* (język) gaelicki (*zwł. jego irlandzka odmiana*). – *a.* dotyczący języka jw.

erst [ɜːst] *adv. arch.* **1.** ongiś. **2.** najpierw.

erstwhile [ˈɜːstˌwaɪl] *a. attr. form.* dawny, były, niegdysiejszy. – *adv. arch.* ongiś.

erubescence [ˌeruˈbesəns] *n. U form.* **1.** czerwienienie się. **2.** czerwoność; zaczerwienienie.

erubescent [ˌeruˈbesənt] *a.* **1.** czerwieniący się. **2.** czerwony; zaczerwieniony, rumiany.

eruct [ɪˈrʌkt], **eructate** [ɪˈrʌkteɪt] *v. form.* **1.** bekać; **he ~ed** beknął, odbiło mu się. **2.** zionąć (*o wulkanie*).

eructation [ɪˌrʌkˈteɪʃən] *n. U* **1.** bekanie, odbijanie (się). **2.** zionięcie.

erudite [ˈerjəˌdaɪt] *a.* pełen erudycji, uczony.

eruditely [ˈerjəˌdaɪtlɪ] *n.* z erudycją, uczenie.

erudition [ˌerjəˈdɪʃən] *n.* erudycja, uczoność.

erupt [ɪˈrʌpt] *v.* **1.** *t. przen.* wybuchać (*t. o wulkanie*); **~ in anger/into laughter** *przen.* wybuchnąć gniewem/śmiechem. **2.** wyrzucać (*lawę, popiół*); być wyrzucanym (*o lawie, popiele*). **3.** *dent.* wyrzynać się (*o zębach*). **4.** *pat.* wysypywać się, wyskakiwać (*o zmianach skórnych*); **his back ~ed in spots** powyskakiwały mu krosty na plecach.

eruption [ɪˈrʌpʃən] *n. C/U* **1.** *t. przen.* wybuch, erupcja. **2.** *dent.* wyrzynanie się (*zębów*). **3.** *pat.* wysypka.

eruptive [ɪˈrʌptɪv] *a.* **1.** wybuchowy. **2.** *pat.* wysypkowy.

eruptive rock *n. geol.* skała wylewna.

erysipelas [ˌerɪˈsɪpələs] *n. U pat.* róża.

erythema [ˌerəˈθiːmə] *n. U pat.* rumień.

erythrism [ɪˈrɪθˌrɪzəm] *n. U* nadmierna czerwoność (*włosów l. upierzenia*).

erythrocyte [ɪˈrɪθrəˌsaɪt] *n. biol.* erytrocyt, czerwone ciałko krwi.

ESA [ˌiː ˌes ˈeɪ] *abbr.* **European Space Agency** Europejska Agencja Przestrzeni Kosmicznej.

Esc *abbr. komp.* = **escape key**.

escadrille [ˌeskəˈdrɪl] *n. lotn.* eskadra (*zwł. samolotów francuskich w I wojnie światowej*).

escalade [ˌeskəˈleɪd] *n. hist., wojsk.* wspinanie się po drabinach (*w celu zdobycia fortyfikacji*). – *v.* wspinać się po drabinie na (*mur*).

escalate [ˈeskəˌleɪt] *v.* nasilać (się).

escalation [ˌeskəˈleɪʃən] *n. C/U* eskalacja, nasilanie (się).

escalator [ˈeskəˌleɪtər] *n.* **1.** schody ruchome. **2.** (*także* **~ clause**) klauzula (w kontrakcie) regulująca warunki zmiany cen, indeksacji płac itp.

escalop [ɪˈskæləp], **escallop** *n.* = **scallop**.

escapade [ˈeskəˌpeɪd] *n.* **1.** eskapada. **2.** wybryk.

escape [ɪˈskeɪp] *v.* **1.** uciec; zbiec (*from / through / to...* z/przez/do...); **~ sb's attention/notice** umknąć czyjejś uwadze; **~ sb/sb's lips** wyrwać się komuś/z czyichś ust (*o okrzyku*); **~ to safety** schronić się *l.* uciec w bezpieczne miejsce; **the name/title ~s me** nie mogę sobie przypomnieć nazwiska/tytułu; **there's no escaping the fact that...** nie da się ukryć, że... **2.** wyciekać (*o płynie*); uchodzić, ulatniać się (*o gazie*). **3.** uniknąć (*konsekwencji, nieszczęścia*); wymigać się od (*kary*). **4.** *bot.* rosnąć dziko (*o roślinach uprawnych*). – *n.* **1.** *C/U t. przen.* ucieczka (*from sth* skądś); **make one's ~** uciec; **there is no ~** nie można się wycofać; **we had a narrow/a hair-breadth ~** o włos uniknęliśmy nieszczęścia, ledwie *l.* cudem wyszliśmy cało. **2.** *sing.* wyciek (*cieczy*); ulatnianie się, uchodzenie (*gazu*). **3.** ujście; wylot. **4.** *bot.* zdziczała roślina uprawna (*uciekinier z uprawy*). **5.** = **fire escape**.

escape artist *n.* (*także Br.* **escapologist**) magik uwalniający się z więzów *l.* zamknięcia.

escape clause *n. handl.* klauzula uprawniająca do uwolnienia od zobowiązania.

escapee [ɪˌskeɪˈpiː] *n. form.* zbieg, uciekinier/ka.

escape hatch *n.* luk ratunkowy (*zwł. w łodzi podwodnej*).

escape key *n.* (*także* **Esc**) *komp.* klawisz „escape".

escape mechanism *n. psych.* mechanizm ucieczki.

escapement [ɪˈskeɪpmənt] *n.* **1.** *mech.* wychwyt, mechanizm wychwytowy; urządzenie wychwytowe wózka (*maszyny do pisania*). **2.** wylot; ujście.

escape pipe *n.* rura wylotowa.

escape route *n.* **1.** droga ewakuacyjna (*np. na wypadek pożaru*). **2.** droga ucieczki (*więźniów, zbiegów*).

escape shaft *n. górn.* szyb ratunkowy *l.* ucieczkowy.

escape slide *n. lotn.* rynna ratunkowa, trap pneumatyczny.

escape valve *n.* **1.** *mech.* zawór wylotowy. **2.** zawór wydechowy (*hełmu nurkowego*).

escape velocity *n. astron.* prędkość ucieczki, druga prędkość kosmiczna.

escape wheel *n. mech.* koło wychwytowe.

escapism [ɪˈskeɪpˌɪzəm] *n. U* eskapizm.

escapist [ɪˈskeɪpɪst] *n.* eskapist-a/ka. – *a.* eskapistyczny (*zwł. o literaturze, filmach*).

escapologist [eskəˈpɑːlədʒɪst] *n. Br.* = **escape artist**.

escarole [ˈeskəˌroul] *n. US kulin.* eskariol, eskariola (*odmiana endywii używana w sałatkach*).

escarp [ɪˈskɑːrp] *n. fortyfikacje* skarpa.

escarpment [ɪˈskɑːrpmənt] *n.* skarpa.

eschalot [ˈeʃəˌlɑːt] *n.* = **shallot**.

eschar [ˈeskɑːr] *n. pat.* strup (*powstały wskutek oparzenia l. przyżegania*).

escharotic [ˌeskəˈrɑːtɪk] *n. i a. med.* (środek) kaustyczny.

eschatological [ˌeskətəˈlɑːdʒɪkl] *a. teol.* eschatologiczny.

eschatologically [ˌeskətəˈlɑːdʒɪklɪ] *adv.* eschatologicznie.

eschatologist [ˌeskəˈtɑːlədʒɪst] *n.* eschatolog.

eschatology [ˌeskəˈtɑːlədʒɪ] *n. U* eschatologia.

escheat [esˈtʃiːt] *n. prawn.* kaduk; spadek bezdziedziczny; majątek kadukowy. – *v.* **1.** konfiskować na rzecz państwa, Korony itp. **2.** przechodzić na rzecz państwa, Korony itp. (*o majątku*).

eschew [es'tʃuː] *v. form.* unikać, wystrzegać się (*czegoś*); powstrzymywać się od (*czegoś*); rezygnować z (*czegoś*).

eschscholtzia [ɪ'ʃɑːlʃɪə], **eschscholzia** *n. bot.* mak kalifornijski, maczypłoń (*Eschscholzia californica*).

escort *n.* ['eskɔːrt] **1.** osoba towarzysząca. **2.** osoba do towarzystwa (*zwł. zatrudniona w agencji towarzyskiej*). **3.** *C/U wojsk., policja* eskorta (*t. honorowa*); **under ~** pod eskortą. – *v.* [ɪ'skɔːrt] **1.** towarzyszyć (*komuś*). **2.** eskortować. **3. ~ sb around/round (sth)** oprowadzać kogoś (po czymś).

escort agency *n.* (*także* **escort service**) agencja towarzyska.

escort destroyer *n. wojsk.* eskortowiec, niszczyciel eskortowy.

escort vessel *n. wojsk.* okręt eskortowy, dozorowiec.

escritoire [ˌeskrə'twɑːr] *n.* biurko; sekretarzyk.

escrow ['eskroʊ] *n. U* depozyt; *prawn.* pieniądze, towary lub dokument złożone u osoby trzeciej do chwili wypełnienia określonego warunku. – *v.* złożyć w depozycie.

esculent ['eskjələnt] *a. form.* jadalny. – *n.* jadalna rzecz *l.* substancja (*zwł. roślina*).

escutcheon [ɪ'skʌtʃən] *n.* **1.** *her.* tarcza herbowa. **2.** tarczka (*na dziurce od klucza*). **3.** *żegl.* pawęż. **4. a blot on one's ~** *przen.* plama na honorze.

Esdras ['ezdrəs] *n. Bibl.* **1.** Księga Ezdrasza. **2.** Księga Nehemiasza.

esker ['eskər], **eskar** *n. geol.* esker, oz.

Eskimo ['eskəˌmoʊ] *n. pl.* **-s** *l.* **Eskimo 1.** Eskimos/ka. **2.** *U* (język) eskimoski. – *a.* eskimoski.

Eskimo-Aleut [ˌeskəˌmoʊ ə'luːt] *n. U jęz.* rodzina języków eskimosko-aleuckich.

Eskimo dog *n.* pies eskimoski.

ESL [ˌiː ˌes 'el] *abbr. i n. U* **English as a Second Language** *szkoln.* angielski jako drugi język.

esophagus [ɪ'sɑːfəgəs] *n. anat.* przełyk.

esoteric [ˌesə'terɪk] *a.* **1.** ezoteryczny. **2.** zawiły, niezrozumiały.

ESP [ˌiː ˌes 'piː] *abbr. i n. U* **1. English for Special Purposes** *szkoln.* angielski jako język do celów specjalistycznych. **2. = extrasensory perception.**

esp. *abbr.* **especially** szczeg. (= *szczególnie*).

espalier [ɪ'spæljər] *n. ogr.* **1.** drzewo *l.* krzew rosnące płasko. **2.** drabinka, krata itp. do rozpinania drzew *l.* krzewów, by rosły płasko. – *v.* rozpinać (*drzewo l. krzew przy drabince l. kracie*).

esparto [e'spɑːrtoʊ] *n. bot.* esparto, ostnica (*Stipa tenacissima*).

especial [ɪ'speʃl] *a. attr. form.* = **special**.

especially [ɪ'speʃlɪ] *adv.* **1.** szczególnie, wyjątkowo. **2.** szczególnie, zwłaszcza; **~ that...** zwłaszcza że... **3.** specjalnie (*for sb* dla kogoś).

Esperantist [ˌespə'rɑːntɪst] *n.* esperantyst-a/ka. – *a.* esperancki.

Esperanto [ˌespə'rɑːntoʊ] *n. U* (język) esperanto.

espial [ɪ'spaɪəl] *n. U arch.* **1.** szpiegowanie. **2.** bycie szpiegowanym. **3.** wyśledzenie.

espionage ['espɪəˌnɑːʒ] *n. U* szpiegostwo, działalność szpiegowska.

esplanade [ˌesplə'neɪd] *n.* esplanada.

espousal [ɪ'spaʊzl] *n.* **1.** *sing. l. U* **~ of sth** *form.* opowiedzenie się za czymś. **2.** *często pl. arch.* zaślubiny.

espouse [ɪ'spaʊz] *v.* **1.** *form.* opowiadać się za (*czymś*). **2.** *arch.* poślubić (*zw. kobietę*).

espouser [ɪ'spaʊzər] *n.* zwolenni-k/czka.

espresso [e'spresoʊ] *n. pl.* **-s 1.** *C/U* (kawa) espresso. **2.** ekspres do kawy.

esprit [e'spriː] *n. U form.* żywość umysłu; dowcip.

esprit de corps [eˌspriː də 'kɔːr] *n. U* poczucie solidarności zespołowej.

espy [ɪ'spaɪ] *v.* **-ied, -ying** *lit.* spostrzec, dojrzeć; wyśledzić.

Esq., Esqr. *abbr.* **= esquire** 1.

Esquimau ['eskəˌmoʊ] *n. i a. przest.* **= Eskimo.**

esquire [e'skwaɪr] *n.* **1.** (*także* **Esq.**) *gł. Br.* tytuł grzecznościowy pisany na liście po nazwisku adresata, zw. w formie skróconej; **John Smith, Esq.** W.P. John Smith. **2.** *Br.* tytuł szlachecki. **3.** *Br. arch.* **= squire.**

ess [es] *n.* litera s.

essay *n.* ['eseɪ] **1.** *teor. lit.* esej, szkic literacki. **2.** *zwł. Br. i Austr. szkoln.* wypracowanie. **3.** *form.* próba (*at sth* czegoś). – *v.* [e'saʊ] *przest. form.* **1.** próbować (*sth / to do sth* czegoś/zrobić coś). **2.** wypróbowywać.

essayist ['eseɪɪst] *n.* eseist-a/ka.

esse ['essɪ] *n. fil.* **1.** byt. **2.** natura, istota (*czegoś*).

essence ['esəns] *n.* **1.** *U* istota, natura (*rzeczy, problemu*); **in ~** zasadniczo, w gruncie rzeczy; **of the ~** nieodzowny, konieczny; **the ~ of sth** *przen.* wcielenie *l.* ucieleśnienie czegoś. **2.** *fil.* esencja, istota. **3.** *teol.* istność duchowa *l.* niematerialna. **4.** *C/U* esencja; olejek; **vanilla ~** olejek waniliowy.

Essene ['esiːn] *n. judaizm* esseńczyk.

essential [ɪ'senʃl] *a.* **1.** niezbędny (*to sth* do czegoś), nieodzowny (*to sth* dla czegoś). **2.** zasadniczy; istotny; kluczowy (*to sb / sth* dla kogoś/czegoś); **it is ~ that we finish on time** jest sprawą zasadniczą, żebyśmy skończyli na czas. **3.** absolutny, zupełny. – *n. zw. pl.* **1.** rzecz niezbędna; **bare ~s** rzeczy najpotrzebniejsze. **2. the ~s of sth** podstawy czegoś (*np. gramatyki języka obcego, obsługi komputera*).

essential fatty acids *n. pl. biochem.* niezbędne nienasycone kwasy tłuszczowe, NNKT.

essentially [ɪ'senʃlɪ] *adv.* zasadniczo; w gruncie rzeczy.

essential oil *n.* olejek eteryczny *l.* lotny.

EST [ˌiː ˌes 'tiː], **E.S.T.** *abbr.* **= Eastern Standard Time.**

est. *abbr.* **1.** = **estimate**; = **estimated**. **2.** = **estate**.

estab. *abbr.* **established** zał. (= *założony*).

establish [ɪ'stæblɪʃ] *v.* **1.** zakładać (*organizację, firmę*). **2.** ustalać (*przyczyny, związki*); ~ **that...** ustalić, że... **3.** nawiązywać (*kontakty, stosunki*). **4.** ustanawiać (*precedens, prawo, zwyczaj*). **5.** ~ **o.s. as... /in sth** wyrobić sobie pozycję jako.../w czymś. **6.** *karty* ściągnąć wszystkie forty w (*danym kolorze*).

established [ɪ'stæblɪʃt] *a. attr.* **1.** ustalony, przyjęty (*o zwyczaju, praktyce*). **2.** o ustalonej pozycji *l.* reputacji.

established church *n.* **1.** kościół państwowy. **2. Established Church** *Br.* Kościół anglikański.

establishment [ɪ'stæblɪʃmənt] *n.* **1.** *U* założenie (*organizacji, firmy*); ustalenie (*faktów, przyczyn*); nawiązanie (*kontaktów, stosunków*); ustanowienie (*precedensu, prawa, zwyczaju*). **2. the E~** (*z czasownikiem w liczbie pojedynczej l. mnogiej*) establishment. **3.** *form.* zakład, przedsiębiorstwo, firma; instytucja, placówka; **educational** ~ placówka oświatowa. **4.** personel (*zakładu, instytucji*); służba (*domu*).

estaminet [eˌstɑ:mi:'ne] *n.* kawiarenka; bar; bistro (*zwł. we Francji*).

estate [ɪ'steɪt] *n.* **1.** majątek ziemski. **2.** *prawn.* majątek. **3.** *prawn.* masa spadkowa; masa upadłościowa; **personal** ~ majątek ruchomy, ruchomości; **real** ~ nieruchomość, majątek nieruchomy. **4.** (*także* **housing** ~) *Br.* osiedle (mieszkaniowe). **5.** stan; **the Three E~s** *hist.* trzy stany (= *duchowieństwo, szlachta i burżuazja*); **second** ~ *hist.* drugi stan (= *szlachta*); **third** ~ *hist.* trzeci stan (= *mieszczaństwo; zwł. przed Rewolucją Francuską*); **fourth** ~ (*także* **Fourth E~**) *przen.* czwarta władza (= *prasa, media*). **6.** *U arch.* stan, status; wiek; **holy** ~ **of matrimony** święty stan małżeński; **man's** ~ wiek męski.

estate agency *n. Br.* biuro obrotu nieruchomościami.

estate agent *n.* **1.** *Br.* pośredni-k/czka w obrocie nieruchomościami. **2.** rządca majątku.

estate car *n. Br.* (samochód) kombi.

esteem [ɪ'sti:m] *v.* **1.** cenić, szanować, poważać. **2.** *przest. form.* ~ **sth useless** uważać coś za bezużyteczne; **we** ~ **it an honor** poczytujemy to sobie za zaszczyt. – *n. U* szacunek, poważanie; **hold sb in high/great** ~ darzyć kogoś wielkim szacunkiem.

ester ['estər] *n. chem.* ester; ~ **gum** żywica estrowa.

esthet- *zob.* **aesthet-**.

Esthonia [ɪ'stoʊnɪə] *n.* = **Estonia**.

estimable ['estəməbl] *a.* **1.** *form.* godny szacunku, szanowny. **2.** *rzad.* dający się oszacować.

estimate *v.* ['estɪˌmeɪt] **1.** szacować, obliczać w przybliżeniu (*at...* na...). **2.** *t. przen.* oceniać; **I** ~ **that...** według moich szacunków *l.* mojej oceny... **3.** preliminować. **4.** *chem.* oznaczać ilościowo. – *n.* ['estɪmət] **1.** szacunkowe *l.* przybliżone obliczenie, szacunek; **at a rough** ~ w przybliżeniu. **2.** ocena (*t. charakteru, cech*). **3.** kosztorys; **give sb an** ~ **of sth** przedstawić komuś kosztorys czegoś.

estimated ['estɪˌmeɪtɪd] *a. attr.* **1.** przybliżony. **2.** przewidywany; ~ **time of arrival/departure** przewidywany czas przybycia/odlotu *l.* odjazdu (*samolotu, pociągu*). **3.** szacunkowy; ~ **cost** *handl.* koszty (własne) szacunkowe; ~ **price** *handl.* cena orientacyjna.

estimation [ˌestə'meɪʃən] *n. U* **1.** ocena; oszacowanie; **in my** ~ w moim odczuciu, według mojej oceny. **2.** *chem.* oznaczanie ilościowe. **3.** *stat.* estymacja. **4.** szacunek, poważanie; **be in** ~ cieszyć się szacunkiem *l.* poważaniem; **hold sb in** ~ szanować *l.* poważać kogoś.

estimative ['estəˌmeɪtɪv] *a.* szacunkowy.

estimator ['estəˌmeɪtər] *n.* **1.** *ekon.* kosztorysant/ka. **2.** *stat.* estymator.

estiv- *zob.* **aestiv-**.

Estonia [e'stoʊnɪə] *n. geogr.* Estonia.

Estonian [e'stoʊnɪən] *a.* estoński. – *n.* **1.** Esto-ńczyk/nka. **2.** *U* (język) estoński.

estop [e'stɑ:p] *v.* **-pp- 1.** *prawn.* uniemożliwić (*świadkowi*) zaprzeczenie prawdziwości oświadczenia uczynionego wcześniej. **2.** *arch.* = **stop**.

estoppel [e'stɑ:pl] *n. prawn.* reguła uniemożliwiająca zaprzeczenie prawdziwości oświadczenia jw.

estovers [e'stoʊvərz] *n. pl. prawn.* rzeczy niezbędne (*przyznawane przez prawo, np. drewno na opał dla dzierżawcy ziemi, alimenty dla byłej żony*).

estradiol [ˌestrə'daɪoʊl], *Br.* **oestradiol** *n. U biochem.* estradiol.

estrange [ɪ'streɪndʒ] *v. zw. pass.* **1.** odstręczać (*from sb* od kogoś) zrażać (*from sb* do kogoś). **2. be ~d from** pozostawać w separacji z (*żoną l. mężem*); nie mieszkać z (*rodziną*).

estrangement [ɪ'streɪndʒmənt] *n. U form.* **1.** odsunięcie się (*od siebie, od kogoś*). **2.** oziębienie stosunków. **3.** separacja.

estray [ɪ'streɪ] *n. prawn.* zwierzę bezpańskie.

estreat [ɪ'stri:t] *n. prawn.* odpis (*z akt sądowych*); wyciąg (*jw.*). – *v.* **1.** wyciągać z akt sądowych (*dla celów postępowania karnego*). **2.** ściągać (*tytułem grzywny itp.*).

estriol ['estrɪˌoʊl], *Br.* **oestriol** *n. U biochem.* estriol.

estrogen ['estrədʒən] *n. U biochem.* estrogen.

estrous ['estrəs], *Br.* **estrus** *a. zool.* rujowy.

estrum ['estrəm], *Br.* **oestrum** *n. U zool.* ruja.

estrus ['estrəs], *Br.* **oestrua** *n.* = **estrum**.

estuary ['estʃʊˌerɪ] *n. pl.* **-ies 1.** ujście (rzeki), estuarium. **2.** mała zatoka.

esurient [ɪ'sʊrɪənt] *a. form.* **1.** zgłodniały. **2.** żarłoczny.

ET [ˌi: 'ti:], **E.T.** *abbr.* = **Eastern Time**.

ETA [ˌi: ˌti: 'eɪ], **E.T.A.** *abbr.* = **estimated time of arrival**.

eta ['eɪtə] *n. alfabet grecki* eta.

et al. [ˌet 'ɑ:l] *abbr.* **1. et alii** i in. **2. et alibi** i gdzie indziej.

etc. *abbr.* itd.; itp.

et cetera [ˌet 'setərə], **etcetera** *adv.* i tak dalej; i tym podobne.

etceteras [ˌet ˈsetərəz] *n. pl.* dodatki; dodatkowe osoby.

etch [etʃ] *v.* **1.** wytrawiać (*na szkle, metalu*). **2.** wykonać kwasorytem. **3.** uprawiać kwasoryt. **4.** *zw. pass. przen.* **be ~ed on sb's memory/mind** *lit.* wryć się komuś w pamięć; **her face was ~ed with pain** jej twarz naznaczona była bólem.

etchant [ˈetʃənt] *n. C / U* odczynnik do trawienia.

etcher [ˈetʃər] *n.* **1.** artyst-a/ka uprawiający kwasoryt. **2.** przyrząd do wytrawiania.

etching [ˈetʃɪŋ] *n.* **1.** *U* trawienie; wytrawianie. **2.** *C / U* kwasoryt.

ETD [ˌiː ˌtiː ˈdiː], **E.T.D.** *abbr.* = **estimated time of departure**.

eternal [ɪˈtɝːnl] *a.* **1.** wieczny; wieczysty; **~ life** życie wieczne; **the E~** *rel.* Bóg Wiekuisty. **2.** wieczny, niezmienny, odwieczny (*np. o prawdach*). **3.** *pot.* wieczny, nieustanny, ciągły (*np. o narzekaniu*).

Eternal City *n.* **the ~** Wieczne Miasto (= *Rzym*).

eternalize [ɪˈtɝːnəˌlaɪz], *Br. i Austr., zw.* **eternalise** *v. form.* (*także* **eternize**) uwieczniać, unieśmiertelniać.

eternally [ɪˈtɝːnlɪ] *adv.* wiecznie.

eternal triangle *n. sing. Br.* miłosny trójkąt.

eterne [ɪˈtɝːn] *a. poet.* = **eternal**.

eternity [ɪˈtɝːnətɪ] *n. pl.* **-ies** **1.** *U t. rel.* wieczność; **for (all) ~** po wieczne czasy; **send sb to ~** *pot.* wysłać kogoś na tamten świat (= *zabić*). **2.** *emf.* cała wieczność, całe wieki; **every moment seemed like an ~** każda chwila dłużyła się w nieskończoność. **3.** *zw. pl.* prawda odwieczna.

eternize [ɪˈtɝːnaɪz], *Br. i Austr. zw.* **eternise** *v.* = **eternalize**.

etesian winds [ɪˌtiːʒən ˈwɪndz] *n. pl. meteor.* etezje (= *wiatry wiejące w lecie z północnego zachodu na Morzu Śródziemnym*).

eth [eð] *n.* = **edh**.

ethane [ˈeθeɪn] *n. U chem.* etan.

ethanol [ˈeθəˌnoʊl] *n. U chem.* etanol, alkohol etylowy.

ethene [ˈeθiːn] *n.* = **ethylene**.

ether [ˈiːθər] *n. U* **1.** *chem., fiz.* eter. **2.** (*także* **aether**) *poet.* (czyste) niebo. **3.** **the ~** *Br. przest.* fale eteru, eter.

ethereal [ɪˈθiːrɪəl] *a.* **1.** *chem.* eterowy, eteryczny; **~ oil** olejek eteryczny, olejek lotny; **~ solution** *chem.* roztwór eterowy. **2.** *przen.* eteryczny, lekki, zwiewny; niematerialny, niebiański, nieziemski.

ethereality [ɪˌθiːrɪˈælətɪ] *n. U t. przen.* eteryczność.

etherealize [ɪˈθiːrɪəˌlaɪz], *Br. i Austr. zw.* **etherealise** *v.* ueteryczniać.

etheric [iːˈθerɪk] *a. chem.* eterowy.

etherify [ɪˈθerəˌfaɪ] *v.* **-ied, -ying** *chem.* zamieniać w eter.

etherize [ˈiːθəˌraɪz], *Br. i Austr. zw.* **etherise** *v. hist., med.* znieczulać eterem; usypiać eterem.

ethic [ˈeθɪk] *a.* etyczny. – *n.* **1.** *U* etyka. **2.** zasada etyczna.

ethical [ˈeθɪkl] *a.* **1.** etyczny. **2.** *med.* dostępny tylko na receptę (*o leku*).

ethically [ˈeθɪklɪ] *adv.* etycznie, z etycznego punktu widzenia.

ethicist [ˈeθɪsɪst] *n.* ety-k/czka.

ethics [ˈeθɪks] *n. pl.* etyka (*moralność*); *U* etyka (*nauka*); **breach of ~** złamanie zasad etyki; **code of ~** kod etyczny; **professional ~** etyka zawodowa.

Ethiop [ˈiːθɪˌɑːp], **Ethiope** [ˈiːθɪˌoʊp] *a. i n.* = **Ethiopian**.

Ethiopia [ˌiːθɪˈoʊpɪə] *n. geogr.* Etiopia.

Ethiopian [ˌiːθɪˈoʊpɪən] *n.* **1.** Etiop-czyk/ka. **2.** *arch.* czarn-y/a. – *a.* **1.** etiopski. **2.** *przest. antrop.* czarny.

Ethiopic [ˌiːθɪˈɑːpɪk] *a. i n. U* **1.** (język) etiopski. **2.** = **Ethiopian**.

ethmoid [ˈeθmɔɪd] *a. anat.* sitowaty. – *n. anat.* kość sitowa.

ethnic [ˈeθnɪk] *a.* etniczny (*t.* = *egzotyczny, np. o kuchni, zwyczajach*); **~ violence/unrest** przemoc/zamieszki na tle etnicznym. – *n. zwł. US i Austr.* człon-ek/kini mniejszości etnicznej.

ethnical [ˈeθnɪkl] *a.* etniczny.

ethnically [ˈeθnɪklɪ] *adv.* etnicznie, pod względem etnicznym.

ethnic cleansing *n. U euf.* czystki etniczne.

ethnicity [eθˈnɪsətɪ] *n. U* przynależność etniczna.

ethnic minority *n. pl.* **-ies** mniejszość etniczna.

ethnocentric [ˌeθnoʊˈsentrɪk] *a.* etnocentryczny.

ethnocentrism [ˌeθnoʊˈsentˌrɪzəm] *n. U* etnocentryzm.

ethnogenesis [ˌeθnoʊˈdʒenəsɪs] *n. U* etnogeneza.

ethnographer [eθˈnɑːgrəfər] *n.* etnograf/ka.

ethnographic [ˌeθnəˈgræfɪk], **ethnographical** *a.* etnograficzny.

ethnographically [ˌeθnəˈgræfɪklɪ] *adv.* etnograficznie.

ethnography [eθˈnɑːgrəfɪ] *n. U* etnografia.

ethnolinguist [ˌeθnoʊˈlɪŋgwɪst] *n.* etnolingwist-a/ka.

ethnolinguistic [ˌeθnoʊlɪŋˈgwɪstɪk] *a.* etnolingwistyczny.

ethnolinguistically [ˌeθnoʊlɪŋˈgwɪstɪklɪ] *adv.* etnolingwistycznie.

ethnolinguistics [ˌeθnoʊlɪŋˈgwɪstɪks] *n. U* etnolingwistyka.

ethnologic [ˌeθnəˈlɑːdʒɪk], **ethnological** [ˌeθnəˈlɑːdʒɪkl] *a.* etnologiczny.

ethnologically [ˌeθnəˈlɑːdʒɪklɪ] *adv.* etnologicznie.

ethnologist [eθˈnɑːlədʒɪst] *n.* etnolog.

ethnology [eθˈnɑːlədʒɪ] *n. U* etnologia.

ethological [ˌeθəˈlɑːdʒɪkl] *a.* etologiczny.

ethologist [iːˈθɑːlədʒɪst] *n.* etolog.

ethology [iːˈθɑːlədʒɪ] *n. U* etologia.

ethos [ˈiːθɑːs] *n. sing.* etos.

ethyl [ˈeθl] *n. U chem.* etyl; (*także* **~ fluid**) płyn etylowy (*dodatek antydetonacyjny do paliwa*); **~(ic) alcohol** alkohol etylowy, etanol; **~ gasoline** benzyna etylizowana, etylina.

ethylene [ˈeθəˌliːn], **ethene** [ˈeθiːn] *n. U chem.* etylen, eten.

etiolate [ˈiːtɪəˌleɪt] *v.* **1.** *bot.* etiolować (= *powodować bladość (rośliny) przez pozbawienie światła).* **2.** *przen.* osłabiać; słabnąć (*np. wskutek złego odżywiania*).

etiological [ˌiːtɪəˈlɑːdʒɪkl] *a. med.* etiologiczny.

etiology [ˌiːtɪˈɑːlədʒɪ] *n. pl.* **-ies** *C/U* etiologia.

etiquette [ˈetəkɪt] *n. U* **1.** etykieta. **2.** etyka zawodowa.

Eton collar [ˌiːtən ˈkɑːlər] *n.* sztywny biały kołnierz wykładany.

Eton crop *n.* fryzura „na pazia" (*popularna wśród kobiet w latach 20. XX w.*).

Eton jacket *n.* krótka marynarka z otwartym przodem i z tyłem w kształcie litery V.

Etruria [ɪˈtrʊrɪə] *n. hist.* Etruria.

Etrurian [ɪˈtrʊrɪən] *n. i a.* = **Etruscan**.

Etruscan [ɪˈtrʌskən] *hist. a.* etruski. – *n.* **1.** Etrusk/a. **2.** *U* (język) etruski.

étude [eɪˈtuːd] *n. muz.* etiuda.

étui [eɪˈtwiː] *n. pl.* **-s** etui, futerał.

ETV [ˌiːˌtiːˈviː] *abbr. US* **Educational Television** Telewizja Edukacyjna.

etymologic [ˌetəməˈlɑːdʒɪk], **etymological** *a.* etymologiczny.

etymologically [ˌetəməˈlɑːdʒɪklɪ] *adv.* etymologicznie.

etymologist [ˌetəˈmɑːlədʒɪs] *n.* etymolog.

etymologize [ˌetəˈmɑːləˌdʒaɪz], *Br. i Austr. zw.* **etymologise** *v.* **1.** podawać etymologię (*wyrazu*). **2.** uprawiać etymologię.

etymology [ˌetəˈmɑːlədʒɪ] *n. U jęz.* etymologia.

etymon [ˈetəˌmɑːn] *n. pl. t.* **etyma** [ˈetəmə] *jęz.* etymon.

EU [ˌiː ˈjuː] *abbr.* UE; = **European Union**.

eucalyptus [ˌjuːkəˈlɪptəs] *n. pl. t.* **eucalypti** [ˌjuːkəˈlɪptaɪ] *bot.* eukaliptus (*Eucalyptus*).

eucalyptus oil *n. U* olejek eukaliptusowy.

Eucharist [ˈjuːkərɪst] *n.* **the ~** *kośc.* Eucharystia.

Eucharistic [ˌjuːkəˈrɪstɪk], **Eucharistical** [ˌjuːkəˈrɪstɪkl] *a.* eucharystyczny.

euchre [ˈjuːkər] *n. US i Can. karty* **1.** euchre (*gra karciana*). **2.** niedopuszczenie do zdobycia przez gracza zakontraktowanych lew. – *v.* **1.** *karty* nie dopuścić do zdobycia zakontraktowanych lew przez (*gracza*); pokonać w euchre. **2. ~ (out)** *US, Can., Austr. i NZ pot.* przechytrzyć; oszukać.

Euclidean [juːˈklɪdɪən], **Euclidian** *a. geom.* euklidesowy.

eudemonism [jʊˈdiːməˌnɪzəm], **eudaemonism** *n. U fil.* eudajmonizm.

eudiometer [ˌjuːdɪˈɑːmɪtər] *n. chem.* eudiometr.

eugenic [jʊˈdʒenɪk] *a.* eugeniczny.

eugenicist [jʊˈdʒenɪsɪst] *n.* eugenik.

eugenics [jʊˈdʒenɪks] *n. U* eugenika.

eugenist [ˈjuːdʒənɪst] *a.* eugeniczny. – *n.* eugenik.

euhemerism [jʊˈhiːməˌrɪzəm] *n. U* euhemeryzm (= *teoria dopatrująca się w mitach śladów wydarzeń i postaci historycznych*).

eulogist [ˈjuːlədʒɪst] *n. form.* **1.** chwal-ca/czyni. **2.** autor/ka mowy lub utworu pochwalnego; panegiryst-a/ka.

eulogistic [ˌjuːləˈdʒɪstɪk] *a.* pochwalny.

eulogize [ˈjuːləˌdʒaɪz], *Br. i Austr. zw.* **eulogise** *v.* wychwalać.

eulogizer [ˈjuːləˌdʒaɪzər], *Br. i Austr. zw.* **eulogiser** *n.* = **eulogist**.

eulogy [ˈjuːlədʒɪ] *n. pl.* **-ies** **1.** *teor. lit.* utwór pochwalny, panegiryk. **2.** *form.* mowa pochwalna; pochwała.

Eumenides [jʊˈmenɪˌdiːz] *n. pl. mit.* Eumenidy.

eunuch [ˈjuːnək] *n.* eunuch.

eupatrid [jʊˈpætrɪd] *n. pl. t.* **eupatridae** [jʊˈpætrɪdeɪ] *hist.* eupatryda (*w starożytnej Grecji*).

eupepsia [jʊˈpepʃə] *n. U fizj.* dobre trawienie.

eupeptic [jʊˈpeptɪk] *a.* **1.** dotyczący dobrego trawienia. **2.** ułatwiający trawienie. **3.** mający dobre trawienie.

euphemism [ˈjuːfəˌmɪzəm] *n.* eufemizm.

euphemistic [ˌjuːfəˈmɪʃtɪk] *a.* eufemistyczny.

euphemistically [ˌjuːfəˈmɪʃtɪklɪ] *adv.* eufemistycznie.

euphemize [ˈjuːfəˌmaɪz], *Br. i Austr. zw.* **euphemise** *v.* eufemizować; posługiwać się eufemizmami.

euphonic [jʊˈfɑːnɪk], **euphonious** [jʊˈfoʊnɪəs] *a. form.* eufoniczny.

euphonium [jʊˈfoʊnɪəm] *n. muz.* eufonium, baryton (*instrument dęty blaszany*).

euphony [ˈjuːfənɪ] *n. U* eufonia.

euphorbia [jʊˈfɔːrbɪə] *n. bot.* euforbia, wilczomlecz (*Euphorbia*).

euphoria [jʊˈfɔːrɪə] *n. U* euforia.

euphoric [jʊˈfɔːrɪk] *a.* euforyczny.

euphorically [jʊˈfɔːrɪklɪ] *adv.* euforycznie.

euphrasy [ˈjuːfrəsɪ] *n. bot.* świetlik (*Euphrasia*).

Euphrates [jʊˈfreɪtiːz] *n. geogr.* Eufrat.

euphuism [ˈjuːfjʊˌɪzəm] *n.* **1.** *U hist. lit.* eufuizm (= *afektowany styl, zwł. w prozie angielskiej końca XVI w.*). **2.** *form.* eufuizm (= *sztuczne l. afektowane wyrażenie*).

eupnea [juːpˈnɪə], **eupnoea** *n. U fizj.* łatwy *l.* normalny oddech.

Eurasia [jʊˈreɪʒə] *n. geogr.* Eurazja.

Eurasian [jʊˈreɪʒən] *a.* eurazjatycki. – *n.* Eurazjat-a/ka.

Euratom [jʊˈrætəm] *n.* Euratom, Europejska Wspólnota Energii Atomowej.

eureka [jʊˈriːkə] *int.* eureka.

eurhythmic [jʊˈrɪðmɪk], *US t.* **eurythmic** *a.* eurytmiczny.

eurhythmical [jʊˈrɪðmɪkl] *a.* eurytmiczny.

eurhythmics [jʊˈrɪðmɪks] *n. U* rytmika.

eurhythmy [jʊˈrɪðmɪ] *n. U* eurytmia.

euro [ˈjʊroʊ], **Euro** *n. pl.* **-s** *l.* **euro** *waluta* euro.

Eurocentric [ˌjʊroʊˈsentrɪk] *a.* eurocentryczny.

Eurocentrism [ˌjʊroʊˈsentˌrɪzəm] *n. U* eurocentryzm.

Eurocheque [ˈjʊroʊˌtʃek] *n. bank* euroczek.

Eurocrat [ˈjʊroʊˌkræt] *n. pot.* eurokrat-a/ka.

Eurodollar [ˈjʊroʊˌdɑːlər] *n. zw. pl.* eurodolar.

Euromarket [ˌjʊroʊˈmɑːrkɪt] *n. ekon.* eurorynek.

Euro MP *n. pot.* pos-eł/łanka do Parlamentu Europejskiego.

Europa [jʊˈroʊpə] *n. mit., astron.* Europa.

Europe [ˈjʊrəp] *n.* **1.** *geogr., polit.* Europa. **2.** *Br.* Europa Zachodnia (*z wyłączeniem Wysp Brytyjskich*).

European [ˌjʊrəˈpiːən] *a.* europejski. – *n.* Europej-czyk/ka.

European Commission *n. polit.* Komisja Europejska.

European Community *n.* (*także* **EC**) *hist.* Wspólnota Europejska.

European Council *n. polit.* Rada Europy.

European Court of Justice *n. polit.* Europejski Trybunał Sprawiedliwości.

European Currency Unit *n. ekon.* Europejska Jednostka Monetarna.

European Economic Community *n.* (*także* **EEC**) *hist.* Europejska Wspólnota Gospodarcza.

European Free Trade Association *n.* (*także* **EFTA**) *ekon.* Europejskie Stowarzyszenie Wolnego Handlu.

Europeanism [ˌjʊrəˈpiːəˌnɪzəm] *n. U* europeizm.

Europeanization [ˌjʊrəˌpiːənəˈzeɪʃən], *Br. i Austr. zw.* **Europeanisation** *n. U* europeizacja.

Europeanize [ˌjʊrəˈpiːəˌnaɪz], *Br. i Austr. zw.* **Europeanise** *v.* europeizować.

European Monetary System *n.* (*także* **EMS**) *ekon.* Europejski System Walutowy.

European Parliament *n. polit.* Parlament Europejski.

European plan *n. US* system usług hotelowych, w którym posiłki nie są wliczane w cenę.

European Union *n.* (*także* **EU**) *polit.* Unia Europejska.

Europhile [ˌjʊrəˈfaɪl] *n.* eurofil/ka.

europium [jʊˈroʊpɪəm] *n. U chem.* europ.

Euro-sceptic [ˌjʊroʊˈskeptɪk], **Eurosceptic** *n. polit.* euroscepty-k/czka.

Eurovision [ˈjʊəroʊˌvɪʒən] *n. telew.* Eurowizja.

Eustachian tube [jʊˌsteɪʃən ˈtuːb] *n. anat.* trąbka Eustachiusza.

eutectic [jʊˈtektɪk] *a. techn.* eutektyczny, łatwo topliwy (*zwł. o stopie*). – *n.* eutektyk, eutektyka.

euthanasia [ˌjuːθəˈneɪʒə] *n. U* eutanazja.

Euxine Sea [ˈjuːksaɪn ˌsiː] *a. rzad.* = **Black Sea**.

eV *abbr.* = **electronvolt**.

EVA [ˌiː ˌviː ˈeɪ] *abbr.* **extravehicular activity** działalność astronautów w przestrzeni poza statkiem kosmicznym.

evacuant [ɪˈvækjʊənt] *n. i a. med.* (środek) wypróżniający.

evacuate [ɪˈvækjʊˌeɪt] *v.* **1.** ewakuować (się) (*from/to sth* skądś/dokądś). **2.** opróżniać. **3.** usuwać. **4.** *fiz.* wytwarzać próżnię w (*czymś*). **5.** *fizj.* wydalać (*zwł. kał l. mocz*); wypróżniać się.

evacuation [ɪˌvækjʊˈeɪʃən] *n. C/U* **1.** ewakuacja. **2.** opróżnianie. **3.** usuwanie. **4.** *fiz.* wytwarzanie próżni. **5.** *fizj.* wydalanie; wypróżnianie się.

evacuee [ɪˌvækjʊˈiː] *n.* osoba ewakuowana.

evade [ɪˈveɪd] *v.* **1.** uchylać się od (*odpowiedzialności*); obchodzić (*przeszkodę, przepis*); unikać (*kogoś*); umykać, uchodzić (*pogoni*); ~ **paying (one's) taxes** uchylać się od płacenia podatków. **2.** uchylać się od odpowiedzi na (*pytanie*). **3.** *form.* omijać (*kogoś; np. o sukcesie*), być nieosiągalnym dla (*kogoś*).

evaginate [ɪˈvædʒəˌneɪt] *v. med.* wywracać na zewnątrz (*organ rurkowaty*).

evaluate [ɪˈvæljʊˌeɪt] *v.* **1.** dokonywać ewaluacji (*czegoś*), ewaluować, oceniać; szacować. **2.** *mat.* wyznaczać wartość (*czegoś*); wyrażać liczbą.

evaluation [ɪˌvæljʊˈeɪʃən] *n. C/U* **1.** ocena, ewaluacja. **2.** *mat.* wyznaczenie wartości; wyrażenie liczbą.

evaluative [ɪˈvæljʊˌeɪtɪv] *a.* **1.** oceniający, ewaluujący. **2.** *fil.* wartościujący.

evanesce [ˌevəˈnes] *v. lit.* znikać; zanikać.

evanescence [ˌevəˈnesənt] *n. U* znikanie; zanikanie.

evanescent [ˌevəˈnesənt] *a.* **1.** znikający; zanikający. **2.** krótkotrwały; przemijający.

evangel [ɪˈvændʒl] *rel. n.* **1.** *arch. l. przen.* ewangelia. **2.** *US* kaznodzieja.

evangelical [ˌiːvænˈdʒelɪkl], **evangelic** *a. rel.* **1.** ewangeliczny. **2.** ewangelicki. – *n.* ewangelik/czka.

evangelicalism [ˌiːvænˈdʒelɪkəˌlɪzəm] *n. U rel.* ewangelicyzm.

evangelism [ɪˈvændʒəˌlɪzəm] *n. U* **1.** głoszenie ewangelii, ewangelizm (*w kościołach protestanckich*), ewangelizacja (*w Kościele katolickim*). **2.** działalność *l.* wygląd (typowe dla) kaznodziei.

evangelist [ɪˈvændʒəlɪst] *n. rel.* **1.** kaznodzieja. **2.** **E~** ewangelista (*= jeden z autorów Ewangelii*). **3.** **E~** dostojnik w Kościele mormońskim.

evangelistic [ɪˌvændʒəˈlɪstɪk] *a.* **1.** kaznodziejski. **2.** dotyczący ewangelisty *l.* ewangelistów.

evangelize [ɪˈvændʒəˌlaɪz], *Br. i Austr. zw.* **evangelise** *v. rel.* **1.** ewangelizować; głosić ewangelię. **2.** nawracać na chrześcijaństwo.

evanish [ɪˈvænɪʃ] *v. poet.* = **vanish**.

evaporable [ɪˈvæpərəbl] *a.* zamienialny w parę.

evaporate [ɪˈvæpəˌreɪt] *v.* **1.** parować, zamieniać się w parę. **2.** odparowywać; wyparowywać; ~ **to dryness** *chem.* odparowywać do sucha. **3.** *techn.* naparowywać (*np. metal*). **4.** *przen.* wyparować, ulotnić się (*np. o obawach, wątpliwościach*).

evaporated milk [ɪˌvæpəˌreɪtɪd ˈmɪlk] *n. U* mleko zgęszczone (*niesłodzone*).

evaporated salt *n. U* sól warzona, warzonka.

evaporating dish [ɪˈvæpəˌreɪtɪŋ ˌdɪʃ] *n. chem.* parownica.

evaporation [ɪˌvæpəˈreɪʃən] *n. U* **1.** parowanie, przechodzenie w stan pary. **2.** odparowywanie. **3.** *przen.* wyparowanie, ulotnienie się.

evaporation deposit *n.* (*także* **evaporation mineral deposit**) *geol.* złoże ewaporacyjne.

evaporative [ɪˈvæpəˌreɪtɪv] *a.* dotyczący parowania; ~ **cooling** chłodzenie wyparne; ~ **power** zdolność parowania.

evaporator [ɪ'væpəˌreɪtər] *n. techn.* **1.** wyparka, aparat wyparny (*stosowany np. w przemyśle chemicznym, spożywczym, farmakologicznym*). **2.** parownik (*w urządzeniach chłodniczych*).

evaporimeter [ɪˌvæpə'rɪmɪtər], **evaporometer** *n.* ewaporometr.

evasion [ɪ'veɪʒən] *n.* **1.** *U* uchylanie się (*od odpowiedzialności, obowiązku*); obchodzenie (*prawa, przepisów*); **draft** ~ uchylanie się od poboru; **tax** ~ uchylanie się od płacenia podatku. **2.** unik; wybieg; wykręt, wymówka.

evasive [ɪ'veɪsɪv] *a.* **1.** wymijający, wykrętny (*o odpowiedzi*); **be** ~ wypowiadać się *l.* odpowiadać wymijająco (*about sth* na jakiś temat); **(take)** ~ **action** (zastosować) unik. **2.** nieuchwytny.

evasively [ɪ'veɪsɪvlɪ] *adv.* wymijająco.

evasiveness [ɪ'veɪsɪvnəs] *n. U* **1.** wymijający charakter (*zwł. odpowiedzi*). **2.** nieuchwytność.

Eve [i:v] *n. t. Bibl.* Ewa.

eve [i:v] *n.* **1.** wigilia, przeddzień; **on the** ~ **of** w przeddzień *l.* w przededniu (*czegoś*); **Christmas E~** Wigilia (Bożego Narodzenia); **New Year's E~** sylwester. **2.** *arch. l. poet.* wieczór.

evection [ɪ'vekʃən] *n. astron.* ewekcja (= *zakłócenie orbity księżycowej wskutek przyciągania Słońca*).

even[1] ['i:vən] *a.* **1.** równy, gładki, płaski (*o powierzchni*); ~ **country** teren równinny, równina. **2.** równy, równomierny, regularny (*o pulsie, oddechu*). **3.** równy (= *jednakowy*); ~ **money** zakład w stosunku jeden do jednego; ~ **odds** równe szanse; **break** ~ *zob.* **break**[1] *v.*; **get** ~ **(with sb)** *pot. przen.* wyrównać (z kimś) rachunki, porachować się (z kimś); **we're** ~ *pot.* jesteśmy kwita. **4.** *mat.* parzysty. **5.** wyrównany (*np. o meczu, rywalizacji*). **6.** zrównoważony, spokojny (*o charakterze, usposobieniu*). **7. of** ~ **date** *prawn. form. l. przest.* dnia dzisiejszego; z tą samą datą. – *adv.* **1.** nawet; ~ **as** dokładnie w chwili, gdy; ~ **if** nawet jeśli; ~ **so** mimo to; nawet gdyby tak było; ~ **then/now** mimo wszystko; ~ **though** pomimo że, chociaż. **2.** *z comp.* jeszcze; ~ **more** jeszcze więcej; jeszcze bardziej. – *v.* **1.** ~ **(out)** wyrównywać (się); zrównywać (się); wygładzać (się). **2.** ~ **up** wyrównywać (się) (*zwł. o zobowiązaniach finansowych*).

even[2] *n. U arch. l. poet.* wieczór.

even chance *n.* szansa pół na pół.

evenfall ['i:vənˌfɔ:l] *n. U arch.* zmierzch.

even-handed [ˌi:vən'hændɪd] *a.* bezstronny, sprawiedliwy.

even-handedly [ˌi:vən'hændɪdlɪ] *adv.* bezstronnie, sprawiedliwie.

evening ['i:vnɪŋ] *n.* **1.** *C/U* wieczór; **~s** *zwł. US* wieczorem, wieczorami; co wieczór; **in the** ~ wieczorem; **this** ~ dziś wieczorem *l.* wieczór; **tomorrow/yesterday** ~ jutro/dziś wieczorem. **2.** *płd. US i Br. dial.* popołudnie (*do zmierzchu włącznie*). **3.** wieczór, wieczorek; **musical/poetry** ~ wieczór muzyczny/poetycki. **4. the** ~ **of one's life** *lit.* schyłek życia. – *int.* **(good)** ~! dobry wieczór!

evening class *n.* kurs wieczorowy.

evening dress *n.* **1.** *U* strój wieczorowy. **2.** (*także* **evening gown**) suknia wieczorowa.

Evening Prayer *n.* = **evensong** 1.

evening primrose *n. bot.* wiesiołek (*Oenothera*).

evening star *n. sing.* gwiazda wieczorna (*zw.* = *Wenus*).

evenly ['i:vənlɪ] *adv.* **1.** równo. **2.** równomiernie.

evenness ['i:vənnəs] *n. U* **1.** równość. **2.** gładkość, płaskość. **3.** równomierność, regularność. **4.** *mat.* parzystość. **5.** zrównoważenie.

even parity bit *n. komp.* bit parzystości, parytа.

evens ['i:vənz] *a. i adv. gł. wyścigi konne* z równymi szansami wygrania i przegrania.

even series *n. chem.* grupa główna (*układu okresowego*).

evensong ['i:vənˌsɔ:ŋ] *n. U* **1.** (*także* **Evening Prayer**) nabożeństwo wieczorne (*w Kościele anglikańskim*). **2.** *rz.-kat.* nieszpory. **3.** *arch. l. poet.* wieczór.

even-steven [ˌi:vən'sti:vən], **even-Stevens** [ˌi:vən'sti:vənz] *a. US pot.* równy, jednakowy.

event [ɪ'vent] *n.* **1.** wydarzenie; *t. mat.* zdarzenie; **course/sequence of** ~ bieg/kolejność wydarzeń; **in the normal course of ~s** w normalnych okolicznościach. **2.** impreza; **social/sporting** ~ impreza towarzyska/sportowa. **3.** *sport* konkurencja. **4.** rezultat, wynik (*ostateczny*); **in the** ~ ostatecznie, w rezultacie; **wise after the** ~ mądry po szkodzie *l.* po fakcie. **5.** przypadek; **in any** ~ (*także Br.* **at all ~s**) w każdym razie *l.* przypadku; **in either** ~ w obu przypadkach, tak czy owak; **in the** ~ **of fire/war** w przypadku *l.* w razie pożaru/wojny; **in the** ~ **that I can't come** w razie gdybym nie mógł przyjść. – *v. sport* brać udział w konkursie hipicznym.

event-driven [ɪˌvent'drɪvən] *a. komp.* sterowany przerwaniami.

even-tempered [ˌi:vən'tempərd] *a.* zrównoważony, spokojny.

eventful [ɪ'ventfʊl] *a.* obfitujący *l.* bogaty w wydarzenia.

eventfulness [ɪ'ventfʊlnəs] *n. U* bogactwo wydarzeń.

event horizon *n. astrofizyka* horyzont zdarzeń (*wokół czarnej dziury*).

eventide ['i:vənˌtaɪd] *n. U arch. l. poet.* wieczór, wieczorna pora.

eventide home *n. euf.* dom spokojnej starości.

eventing [ɪ'ventɪŋ] *n. U sport* wszechstronny konkurs konia wierzchowego.

eventless [ɪ'ventləs] *a.* ubogi w wydarzenia, bez szczególnych wydarzeń; spokojny.

eventual [ɪ'ventʃʊəl] *a.* **1.** ostateczny, końcowy. **2.** *arch.* ewentualny, możliwy.

eventuality [ɪˌventʃʊ'ælətɪ] *n. pl.* **-ies** *form.* ewentualność; **be prepared for every ~/for all eventualities** być przygotowanym na każdą ewentualność.

eventually [ɪ'ventʃʊəlɪ] *adv.* ostatecznie, w końcu, koniec końców.

eventuate [ɪˈventʃʊˌeɪt] *v. form.* **1. ~ in sth** kończyć się czymś. **2. ~ from sth** wynikać z czegoś; pojawiać się jako rezultat czegoś.

ever [ˈevər] *adv.* **1.** zawsze; *w złoż.* stale, ciągle; *z neg.* nigdy; **~ after/since** od tego czasu, od tej pory; **they lived happily ~ after** żyli długo i szczęśliwie; **~ since childhood** od dzieciństwa; **~ and anon** *arch.* od czasu do czasu; **~-increasing/growing** stale *l.* ciągle rosnący; **~-present** stale *l.* zawsze obecny; **as ~** jak zawsze, jak zwykle; **for ~** na zawsze; **for ~ and ~** *form.* na zawsze, na wieki wieków; **hardly ~** prawie nigdy; **never ~** przenigdy; **nothing ~ happens here** tu się nigdy nic nie dzieje; **yours ~** (*także* **~ yours**) *Br.* uściski (*przed podpisem w liście*). **2.** kiedykolwiek, kiedyś; **better than ~ (before)** lepszy niż kiedykolwiek (przedtem); **have you ~ been to Greece?** czy byłeś kiedyś w Grecji?; **rarely, if ~** chyba nigdy; **the best movie ~** najlepszy film wszech czasów. **3.** *emf.* **~ so good/such a waste** *zwł. Br. pot.* tak (bardzo) dobry/taka (wielka) strata; **a great writer if ~ there was one** *pot.* naprawdę wielki pisarz; **as fast as ~ you can** tak szybko, jak tylko potrafisz; **be it ~ so humble** niech będzie najskromniejsze, choćby było najskromniejsze; **did you ~!** *przest.* naprawdę!, coś podobnego!; **how did you ~ manage to do that?** jakim cudem *l.* jak w ogóle udało ci się to zrobić?; **was he ~ mad!** *US i Austr. pot.* ale był wściekły!; **where ~ have you been?** gdzieś ty był?; **why ~ not?** a dlaczegóż by nie?.

Everest [ˈevərɪst] *n.* (*także* **Mount ~**) *geogr.* Mount Everest.

everglade [ˈevərˌgleɪd] *n. US* **1.** bagnisty teren pokryty miejscami wysoką trawą. **2. the E~s** *geogr.* rozległe tereny bagniste na południu Florydy.

evergreen [ˈevərˌgriːn] *a. bot.* zimozielony, wiecznie zielony. – *n. bot.* roślina zimozielona.

everlasting [ˌevərˈlæstɪŋ] *a.* wieczny (*t. uj.* = *nieustanny, ciągły*). – *n.* **1.** *U* wieczność. **2.** (*także* **~ flower**) *bot.* kocanka piaskowa (*Helichrysum arenarium*). **3. the E~** *lit.* Bóg Wiekuisty.

evermore [ˌevərˈmɔːr] *adv.* zawsze; **for ~** *lit.* na zawsze.

eversion [ɪˈvɝːʒən] *a. C/U fizj., chir.* wynicowanie.

evert [ɪˈvɝːt] *v.* wynicować.

every [ˈevrɪ] *a.* **1.** każdy; **~ one of them** (oni) wszyscy; (one) wszystkie; **~ time** za każdym razem; **~ Tom, Dick and Harry** *pot. uj.* wszyscy, każdy (= *byle kto*); **~ which way** *US i Can.* na wszystkie strony; *Br.* na wszystkie sposoby; **in ~ way** pod każdym względem; **(it's) ~ man for himself** *zob.* **man** *n.*; **one in ~ hundred/thousand** jeden na sto/tysiąc. **2.** wszelki; pełny, całkowity; **I have ~ reason to believe (that)...** mam wszelkie powody, by sądzić, że...; **we have ~ confidence in you** mamy do ciebie pełne *l.* całkowite zaufanie; **we wish you ~ success** życzymy ci wszelkich sukcesów. **3.** co; **~ day** codziennie; **~ month** co miesiąc; **~ other/third day** co drugi/trzeci dzień; **~ now and then/again** (*także* **~ so often**) (*także* **~ once in a while**) co jakiś czas. **4. ~ bit as funny/important as...** *emf.* równie śmieszny/ważny jak...

everybody [ˈevrɪˌbɑːdɪ] *n.* każdy; wszyscy; **~ but me** wszyscy z wyjątkiem mnie; **~ else** wszyscy inni; **~ got a prize** każdy dostał nagrodę; **~ knew** wszyscy wiedzieli.

everyday [ˈevrɪˌdeɪ] *a. attr.* codzienny; zwykły, zwyczajny; **~ clothes** ubranie na co dzień *l.* codzienne; **~ life** życie codzienne.

everyman [ˈevrɪˌmæn] *n. pl.* **-men 1.** *lit.* zwykły człowiek. **2. E~** Każdy (*średniowieczny moralitet angielski*).

everyone [ˈevrɪˌwʌn] *pron.* = **everybody**.

everyplace [ˈevrɪˌpleɪs] *adv. US pot.* = **everywhere**.

everything *pron.* wszystko; **~ but/except the kitchen sink** *pot. zw. żart.* dużo więcej (rzeczy), niż potrzeba; **~ else** wszystko inne; **~ under the sun** *zob.* **sun** *n.*; **and ~** *pot.* i w ogóle; **anything and ~** *emf.* absolutnie wszystko; **be/mean ~ to sb** być dla kogoś wszystkim; **do ~ in one's power to...** zrobić wszystko, co w czyjejś mocy, żeby...; **in spite of ~** pomimo wszystko.

everywhere [ˈevrɪˌwer] *adv.* wszędzie; **~ he went...** dokądkolwiek *l.* gdziekolwiek poszedł,...

evict [ɪˈvɪkt] *v.* **1.** eksmitować (*sb from sth* kogoś skądś). **2.** odzyskiwać (*własność l. tytuł własności*) (*from / of sb* od kogoś).

eviction [ɪˈvɪkʃən] *n. C/U* **1.** eksmisja. **2.** odzyskanie (*własności l. tytułu własności*), ewikcja.

evidence [ˈevɪdəns] *n. U* **1.** dowód; dowody (*t. prawn.*) (*for sth* na coś); znak, oznaka (*of sth* czegoś); **be (much) in ~** *form.* być (wyraźnie) widocznym, (bardzo) rzucać się w oczy; **circumstantial ~** *prawn.* poszlaki; **not a shred of ~** ani cienia dowodu; **show ~ of sth** zdradzać oznaki czegoś. **2.** *prawn.* zeznania; **give ~** składać zeznania, zeznawać; **(turn) Queen's/King's/State's ~** (wystąpić jako) świadek koronny. – *v. zw. pass. form. zwł. US* dowodzić, dawać dowód (*czegoś*); świadczyć o (*czymś*); **as ~d by X** (*na początku zdania*) jak o tym świadczy *l.* jak tego dowodzi X; (*na końcu zdania*) o czym świadczy *l.* czego dowodzi X.

evident [ˈevɪdənt] *a.* widoczny, oczywisty, ewidentny (*to sb* dla kogoś).

evidential [ˌevɪˈdenʃl] *a.* dowodowy.

evidently [ˈevɪdəntlɪ] *adv.* **1.** ewidentnie, wyraźnie (*np. zdenerwowany*). **2.** najwyraźniej.

evil [ˈiːvl] *a.* **1.** zły; **the ~ eye** (zły) urok; **the ~ hour** zła godzina; **the ~ one** *euf.* zły (= *diabeł, szatan*). **2.** złośliwy (*o usposobieniu*). **3.** brzydki (*o zapachu, pogodzie*). – *n.* **1.** *C/U* zło; **necessary ~** zło konieczne; **the lesser ~** (*także* **the lesser of two ~s**) mniejsze zło. **2. the king's ~** *pat. przest.* skrofuły. – *adv.* źle; **speak ~ of sb** mówić źle o kimś.

evildoer [ˈiːvlˌduːər] *n. przest.* złoczyńca.

evildoing [ˈiːvlˌduːɪŋ] *n. U przest.* czynienie zła; złe uczynki.

evil-minded [ˌiːvlˈmaɪndɪd] *a.* **1.** zły. **2.** złośliwy. **3.** sprośny (*o osobie*).

evil-smelling [ˈiːvlˌsmelɪŋ] *a.* cuchnący.

evince [ɪˈvɪns] *v. form.* okazywać (wyraźnie); ~ **one's desire to go home** wyrazić życzenie pójścia do domu.

eviscerate [ɪˈvɪsəˌreɪt] *v.* **1.** patroszyć (*zwierzę*). **2.** *przen.* pozbawić żywotnej treści (*np. utwór literacki*). **3.** *chir.* usuwać zawartość (*gałki ocznej l. innego organu*). **4.** *chir.* wystawać przez ranę pooperacyjną (*o organach wewnętrznych*).

evocable [ˈevəkəbl] *a. form.* dający się wywołać.

evocation [ˌevəˈkeɪʃən] *n. C/U* **1.** wywołanie. **2.** *biol.* indukcja embriologiczna.

evocative [ɪˈvɑːkətɪv] *a.* nastrojowy (*np. o melodii*); ~ **of sth** wywołujący coś; przywodzący coś na myśl.

evocatively [ɪˈvɑːkətɪvlɪ] *adv.* nastrojowo; w sposób wywołujący wspomnienia *l.* emocje.

evoke [ɪˈvoʊk] *v.* wywoływać.

evolute [ˈevəˌluːt] *n.* (*także* ~ **curve**) *mat.* ewoluta, rozwinięta.

evolution [ˌevəˈluːʃən] *n.* **1.** *U* ewolucja (= *rozwój*). **2.** *zw. pl.* ewolucja (*baletowa, lotnicza*). **3.** *U chem., fiz.* wydzielanie (się) (*gazu, ciepła*). **4.** *U mat.* pierwiastkowanie.

evolutional [ˌevəˈluːʃənl] *a.* ewolucyjny.

evolutionary [ˌevəˈluːʃəˌnerɪ] *a.* ewolucyjny; ~ **theory** *biol.* teoria ewolucji.

evolutionism [ˌevəˈluːʃəˌnɪzəm] *biol., fil. n. U* ewolucjonizm.

evolutionist [ˌevəˈluːʃənɪst] *n.* ewolucjonista/ka. – *a.* ewolucjonistyczny.

evolutionistic [ˌevəˌluːʃəˈnɪstɪk] *a.* ewolucjonistyczny.

evolve [ɪˈvɑːlv] *v.* **1.** ewoluować, rozwijać (się) (*from sth / out ouf sth* z czegoś, *into sth* w coś); wykształcić (się) (*zwł. na drodze ewolucji*). **2.** wydzielać (*np. ciepło*).

evolvement [ɪˈvɑːlvmənt] *n. U* **1.** rozwój, ewolucja; wykształcenie (się) (*np. organu*). **2.** wydzielanie (się).

evolvent [ɪˈvɑːlvənt] *n. mat.* rozwijająca, ewolwenta.

evulsion [ɪˈvʌlʃən] *n. C/U form.* wyrwanie; wydarcie.

ewe [juː] *n.* owca (*samica*); ~ **lamb** jagnię, owieczka (*jw.*).

ewe-necked [ˌjuːˈnekt] *a.* o jeleniej szyi (*o koniu*).

ewer [ˈjuːər] *n.* dzban (*duży, z szerokim dziobkiem*).

ex [eks] *a. w złoż.* ~**-president** były prezydent, eks-prezydent; ~**-wife** była żona. – *n.* **1. sb's** ~ *pot.* czyjś były mąż *l.* chłopak; czyjaś była żona *l.* dziewczyna. **2.** litera x. – *prep.* **1.** *handl.* loco (*o towarze*), (odbierany *l.* sprzedawany) ze (*składu, statku itp.*); ~ **bond** z magazynu celnego; ~ **factory/warehouse** loco fabryka/skład. **2.** *fin.* bez; ~ **dividend** bez prawa do dywidendy; ~ **interest** bez odsetek.

ex. *abbr.* **1. examined** spr. (= *sprawdzony*). **2.** = **example**. **3. except(ed)** z wyj. (= *z wyjątkiem*); = **exception**. **4.** = **excursion**. **5.** = **export**. **6.** = **express**. **7. extra** dod. (= *dodatkowy*).

exacerbate [ɪgˈzæsərˌbeɪt] *v.* **1.** zaostrzać (*ból, chorobę*); pogarszać (*sytuację*). **2.** drażnić, irytować.

exacerbation [ɪgˌzæsərˈbeɪʃən] *n. U* zaostrzenie; pogorszenie.

exact [ɪgˈzækt] *a.* **1.** dokładny; precyzyjny (*t. o przyrządach*); wierny (*o kopii*). **2.** ścisły (*np. o nauce, umyśle*); **to be** ~ jeśli chodzi o ścisłość, ściśle mówiąc *l.* biorąc. **3.** *attr.* **at the ~ moment (when)...** dokładnie w chwili, gdy...; **the ~ distance is...** odległość wynosi dokładnie...; **the ~ opposite** dokładne przeciwieństwo. – *v. form.* **1.** wymagać (*sth from / of sb* czegoś od kogoś). **2.** egzekwować, ściągać. **3.** wymuszać (*sth from / of sb* coś na kimś).

exacting [ɪgˈzæktɪŋ] *a.* **1.** wymagający (*o osobie*). **2.** pracochłonny, wymagający (koncentracji, umiejętności itp.) (*o zadaniu*).

exactingly [ɪgˈzæktɪŋlɪ] *adv.* wymagająco.

exaction [ɪgˈzækʃən] *n.* **1.** *U* egzekwowanie, ściąganie. **2.** *U* wymuszenie. **3.** ściągnięta kwota.

exactitude [ɪgˈzæktɪˌtuːd] *n. U form.* dokładność; precyzja; ścisłość.

exactly [ɪgˈzæktlɪ] *adv.* dokładnie; ściśle; ~! dokładnie (tak)!, właśnie!; **I don't know** ~ (*także* **I don't ~ know**) nie jestem pewien; **not** ~ *t. iron.* niezupełnie; **he's not ~ handsome** trudno go uznać za przystojnego.

exactness [ɪgˈzæktnəs] *n. U* dokładność; precyzja; ścisłość.

exactor [ɪgˈzæktər], **exacter** *n.* **1.** poborca. **2.** zdzierca.

exaggerate [ɪgˈzædʒəˌreɪt] *v.* **1.** przesadzać. **2.** wyolbrzymiać. **3.** potęgować.

exaggerated [ɪgˈzædʒəˌreɪtɪd] *a.* **1.** przesadzony (*np. o uwadze*); przesadny (*np. o grzeczności*). **2.** wyolbrzymiony (*np. o zasługach, niebezpieczeństwie*). **3.** wygórowany (*o opinii, cenie*). **4.** *pat.* powiększony (*o narządzie*).

exaggeratedly [ɪgˈzædʒəˌreɪtɪdlɪ] *adv.* **1.** przesadnie; z przesadą. **2.** w wyolbrzymiony sposób.

exaggeration [ɪgˌzædʒəˈreɪʃən] *n. C/U* **1.** przesada, przesadzanie; **it is no ~ to say (that)...** nie będzie przesadą twierdzenie, że... **2.** wyolbrzymianie; potęgowanie.

exaggerative [ɪgˈzædʒəˌreɪtɪv] *a.* przesadny.

exalt [ɪgˈzɔːlt] *v. form.* **1.** wywyższać, wynosić (*np. w hierarchii*). **2.** wychwalać; chwalić (*zwł. Boga*); ~ **sb to the skies** wychwalać kogoś pod niebiosa; ~ **ye the Lord** *arch. rel.* chwalcie Pana. **3.** pobudzać (*wyobraźnię*). **4.** potęgować, wzmacniać (*np. barwę*). **5.** wywoływać uniesienie u (*kogoś*).

exaltation [ˌegzɔːlˈteɪʃən] *n.* **1.** *C/U* uniesienie, egzaltacja; zachwyt. **2.** *U* wywyższanie; wychwalanie. **3.** *U* pobudzanie; potęgowanie, wzmacnianie.

exalted [ɪgˈzɔːltɪd] *a.* **1.** *form.* wniebowzięty, zachwycony, nieposiadający się z radości. **2.** wysoko postawiony (*o osobie*). **3.** wzniosły (*np. o ideałach*). **4.** wygórowany (*o opinii*).

exam [ɪgˈzæm] *n.* **1.** *szkoln., uniw.* egzamin; ~ **results** wyniki egzaminu; **fail an** ~ nie zdać egzaminu, oblać egzamin; **pass an ~** zdać egzamin; **take an ~** (*także Br.* **sit an ~**) przystępować do egzaminu, zdawać egzamin. **2.** *US szkoln., uniw.* arkusz z pytaniami egzaminacyjnymi. **3.** *US med.* badanie.

examination [ɪgˌzæmə'neɪʃən] *n.* **1.** *form.* egzamin. **2.** *C/U* badanie, sprawdzanie; oględziny (*przedmiotu*); rozpatrywanie (*np. propozycji*); analiza (*planu*); przeszukiwanie, rewizja (*kieszeni, toreb*); **on closer ~** po dokładniejszym zbadaniu; **the matter is under ~** sprawa jest rozpatrywana. **3.** *med.* badanie; **undergo a medical ~** poddać się badaniu lekarskiemu. **4.** *prawn.* przesłuchanie. **5.** *ekon.* kontrola (*ksiąg*); **customs ~** kontrola *l.* rewizja celna.

examinational [ɪgˌzæmə'neɪʃənl] *a.* egzaminacyjny.

examination paper *n.* = **exam paper**.

examine [ɪg'zæmɪn] *v.* **1.** badać (*sth for sth* coś pod kątem *l.* w poszukiwaniu czegoś); sprawdzać; oglądać (*dokładnie*); rozpatrywać (*propozycję, sprawę*); analizować (*plan*); przeszukiwać, rewidować (*kieszenie, torby*). **2.** *szkoln.* egzaminować (*sb in/on sth* kogoś z czegoś). **3.** *med.* badać. **4.** *prawn.* przesłuchiwać (*sb on sth* kogoś w jakiejś sprawie). **5.** *ekon.* kontrolować (*księgi*).

examinee [ɪgˌzæmə'niː] *n.* egzaminowan-y/a.

examiner [ɪg'zæmɪnər] *n.* **1.** egzaminator/ka. **2.** osoba badająca *l.* przesłuchująca.

exam paper *n. szkoln., uniw.* **1.** *US* arkusz, na którym odpowiada się na pytania egzaminacyjne. **2.** *Br.* arkusz z pytaniami egzaminacyjnymi.

example [ɪg'zæmpl] *n.* przykład (*of sth* czegoś *l.* na coś); wzór (*to sb* dla kogoś); **classic/typical ~** klasyczny/typowy przykład; **follow sb's ~** iść za czyimś przykładem; **for ~** na przykład; **give (sb) an ~** podać (komuś) przykład; **make an ~ of sb** ukarać kogoś przykładnie *l.* dla przykładu; **prime ~** najlepszy *l.* klasyczny przykład (*czegoś nagannego*); **set an ~** dawać (dobry) przykład; **without ~** *form.* bezprzykładny.

exampled [ɪg'zæmpld] *a.* uwidoczniony na przykładzie.

exanimate [ɪg'zænəmɪt] *a. rzad. form.* **1.** martwy, nieożywiony. **2.** bez życia.

exarch ['eksɑːrk] *n.* egzarcha (= *namiestnik bizantyński, zwierzchnik niezależnego kościoła prawosławnego l. biskup w Kościele prawosławnym*).

exarchate ['eksɑːrˌkeɪt] *n.* egzarchat.

exasperate [ɪg'zæspəˌreɪt] *v. zw. pass.* **1.** doprowadzać do rozpaczy, frustrować; irytować, złościć. **2.** pogarszać (*złe samopoczucie, chorobę, ból*).

exasperated [ɪg'zæspəˌreɪtɪd] *a.* doprowadzony do rozpaczy; rozdrażniony; **sb is ~ by/at sth** coś doprowadza kogoś do rozpaczy.

exasperatedly [ɪg'zæspəˌreɪtɪdlɪ] *adv.* z irytacją *l.* rozdrażnieniem.

exasperating [ɪg'zæspəˌreɪtɪŋ] *a.* doprowadzający do rozpaczy; irytujący, denerwujący.

exasperatingly [ɪg'zæspəˌreɪtɪŋlɪ] *adv.* rozpaczliwie (*np. nieudolny, powolny*).

exasperation [ɪgˌzæspə'reɪʃən] *n. U* rozdrażnienie, złość, irytacja.

Exc. *abbr.* **Excellency** Eks. (= *Ekscelencja*).

exc. *abbr.* **1.** = **excellent**. **2.** **except(ed)** z wyj. (= *z wyjątkiem*). **3.** = **exception**. **4.** = **excursion**.

excaudate [eks'kɔːdeɪt] *a. zool.* bezogonowy.

excavate ['ekskəˌveɪt] *v.* **1.** kopać; drążyć. **2.** wykopywać. **3.** *archeol.* prowadzić wykopaliska.

excavation [ˌekskə'veɪʃən] *n. U* **1.** kopanie; drążenie. **2.** odkopanie; wykopanie. **3.** wykopywanie; *górn.* urabianie. **4.** *C* wykop; *górn.* wyrobisko. **5.** *C archeol.* wykopalisko.

excavator ['ekskəˌveɪtər] *n.* **1.** *Br. i Austr.* koparka; czerparka. **2.** kopacz. **3.** *dent.* ekskawator, wydrążacz.

exceed [ɪk'siːd] *v.* **1.** przekraczać (*np. sumę, uprawnienia*); **~ the speed limit** przekroczyć dopuszczalną prędkość. **2.** przewyższać; **~ sb's expectations** przechodzić czyjeś oczekiwania.

exceeding [ɪk'siːdɪŋ] *a. form.* niezmierny.

exceedingly [ɪk'siːdɪŋlɪ] *adv.* niezmiernie, niezwykle.

excel [ɪk'sel] *v.* **-ll-** **1.** celować, wybijać się, osiągać znakomite wyniki (*at/in sth* w czymś). **2.** przewyższać (*sb at/in sth* kogoś w czymś); **~ o.s.** *zwł. Br. często żart.* przechodzić samego siebie.

excellence ['eksələns] *n.* **1.** *U* doskonałość, wybitność. **2.** *form.* mocna strona. **3.** **E~** = **Excellency**.

Excellency ['eksələnsɪ] *n. pl.* **-ies** *t. rz.-kat.* Ekscelencja; **His/Your ~** Jego/Wasza Ekscelencja.

excellent ['eksələnt] *a.* **1.** doskonały, wyborny, znakomity, świetny. **2.** **~!** doskonale!, świetnie!.

excellently ['eksələntlɪ] *adv.* doskonale, znakomicie.

excelsior [ɪk'selsɪər] *n. U US* wełna drzewna (*do opakowań*).

except [ɪk'sept] *prep. i conj.* (*także* **~ for**) oprócz, z wyjątkiem (*kogoś l. czegoś*); poza (*kimś l. czymś*); **~ for her young age, she would be perfect for the job** gdyby nie jej młody wiek, idealnie nadawałaby się na to stanowisko; **~ (that)...** (tyle) tylko, że...; **~ if/when...** chyba, że...; **he does everything ~ cook/wash** robi wszystko z wyjątkiem gotowania/prania; **we had no option ~ to agree** nie mieliśmy innego wyjścia, jak tylko zgodzić się; **you cannot see her ~ by making an appointment** można się z nią zobaczyć wyłącznie po wcześniejszym umówieniu. – *v. form.* **1.** wyłączać (*from sth* z *l.* spod czegoś). **2.** **~ to sth** *rzad.* sprzeciwiać się czemuś, protestować przeciwko czemuś.

excepted [ɪk'septɪd] *a. tylko po n.* **X ~** z wyjątkiem X; **present company ~** z wyjątkiem tu obecnych.

excepting [ɪk'septɪŋ] *prep.* z wyjątkiem (*kogoś l. czegoś*).

exception [ɪk'sepʃən] *n. C/U* **1.** wyjątek; **~ to a/the rule** wyjątek od reguły; **be no ~** nie stanowić wyjątku; **make an ~** zrobić wyjątek (*for sb/sth* dla kogoś/czegoś); **the ~ that proves the rule** wyjątek potwierdzający regułę; **with the ~ of sb/sth** z wyjątkiem kogoś/czegoś; **without ~** bez wyjątku. **2.** wyłączenie; wykluczenie. **3.** sprzeciw, zastrzeżenie; **be subject to ~** budzić zastrzeżenia; **take ~ to sth** protestować przeciwko czemuś; czuć się czymś urażonym.

exceptionable [ɪk'sepʃənəbl] *a. form.* nie do przyjęcia, naganny.

exceptional [ɪk'sepʃənl] *a.* **1.** wyjątkowy (*t. = niezwykły, nietypowy*). **2.** wyjątkowo dobry.

exceptionality [ɪkˌsepʃə'nælətɪ] *n. U* wyjątkowość.

exceptionally [ɪk'sepʃənlɪ] *adv.* wyjątkowo.

exceptive [ɪk'septɪv] *a. form.* stanowiący zarzut; dotyczący zarzutu.

excerpt *n.* ['eksɜːpt] wyjątek, ustęp (*z książki, artykułu*); urywek (*z filmu*). – *v.* [ek'sɜːpt] *zw. pass. zwł. US* **1.** wybierać (*wyjątki, urywki*) (*from sth* z czegoś). **2.** przytaczać (*jw.*).

excerption [ek'sɜːpʃən] *n. U* **1.** wybieranie (*wyjątków, urywków*). **2.** przytaczanie (*jw.*).

excess *n.* [ɪk'ses] *U l. sing.* **1.** nadmiar; nadwyżka (*of sth* czegoś); **be in ~ of sth** przekraczać coś. **2.** brak umiaru; **do sth to ~** nie znać umiaru w czymś, przesadzać z czymś. **3.** *ubezp. zwł. Br.* udział własny. – *a.* ['ekses] *attr.* nadmierny; dodatkowy; nadmiarowy.

excess baggage [ˌekses 'bægɪdʒ] *n. U* (*także* **excess luggage**) *lotn.* dodatkowy bagaż.

excess demand *n. U ekon.* przewaga popytu nad podażą.

excesses [ɪk'sesɪz] *n. pl.* **1.** ekscesy, wybryki; nadużycia. **2.** okrucieństwa.

excessive [ɪk'sesɪv] *a.* nadmierny, zbytni; przesadny.

excessively [ɪk'sesɪvlɪ] *adv.* nadmiernie, zbytnio; przesadnie.

excess pressure *n. fiz.* nadciśnienie.

excess reserves *n. pl. fin.* rezerwy bankowe ponad prawnie ustalone normy.

excess supply *n. U ekon.* nadwyżka podaży.

exchange [ɪks'tʃeɪndʒ] *v.* **1.** wymieniać; zamieniać (*sth for sth* coś na coś); **~ addresses/phone numbers** wymieniać adresy/numery telefonów; **~ gifts** wymieniać się prezentami. **2.** prowadzić handel wymienny *l.* wymianę towarową. – *n.* **1.** *C/U t. przen.* wymiana (*t. ciosów, ognia, poglądów*); zamiana; **in ~** w zamian za to; **in ~ for sb/sth** w zamian za kogoś/coś. **2.** *form.* wymiana zdań; **heated ~** ożywiona wymiana zdań. **3.** *uniw., szkoln.* wymiana zagraniczna; **go on an ~** pojechać na wymianę. **4.** (*także* **telephone ~**) centrala telefoniczna. **5.** giełda; **commodity ~** giełda towarowa. **6.** *fin.* wymiana; kurs wymienny; różnica kursowa; **bill of ~** *zob.* **bill¹** *n.* 6; **daily ~** kurs dnia; **difference in ~** różnica kursów; **foreign ~** obca waluta, dewizy; **par ~** parytet walutowy; **rate of ~ = exchange rate.**

exchangeable [ɪks'tʃeɪndʒəbl] *a.* wymienny; **be ~ for sth** wymieniać się na coś.

exchange broker *n.* makler giełdowy.

exchange control *n. U fin.* kontrola rynku dewizowego.

exchange market *n. fin.* rynek dewizowy *l.* walutowy.

exchange office *n.* kantor wymiany walut.

exchange operations *n. pl.* transakcje giełdowe.

exchange price *n.* cena giełdowa.

exchanger [ɪks'tʃeɪndʒər] *n.* **1.** *techn.* wymiennik. **2.** *chem.* wymieniacz jonowy, jonit.

exchange rate *n. fin.* **1.** kurs przeliczeniowy *l.* dewizowy. **2. E~ R~ Mechanism** *zob.* **ERM.**

exchange student *n. uniw., szkoln.* osoba biorąca udział w międzynarodowej wymianie studentów *l.* uczniów.

exchequer ['ekstʃekər] *n. U* **1.** *Br.* **the E~** ministerstwo skarbu; **Chancellor of the E~** minister skarbu. **2.** skarb państwa. **3.** *arch. l. żart.* fundusze.

excipient [ɪk'sɪpɪənt] *n. med.* rozczynnik, zaróbka (*leku*).

excisable [ɪk'saɪzəbl] *a.* podlegający akcyzie.

excise¹ ['eksaɪz] *n. C/U* (*także* **~ tax/duty**) akcyza (*on sth* na coś). – *v.* nakładać akcyzę na, obłożyć akcyzą.

excise² [ɪk'saɪz] *v. form.* wycinać (*np. ustęp z książki; t. chir. - narząd*).

excise officer, *Br., hist.* **exciseman** *pl.* **-men** *n.* poborca akcyzy.

excision [ek'sɪʒən] *n. C/U t. chir.* wycięcie.

excitability [ɪkˌsaɪtə'bɪlətɪ] *n. U* pobudliwość.

excitable [ɪk'saɪtəbl] *a.* pobudliwy.

excitably [ɪk'saɪtəblɪ] *adv.* pobudliwie.

excitant [ɪk'saɪtənt] *n. i a.* (środek) podniecający.

excitation [ˌeksaɪ'teɪʃən] *n. U* **1.** wzbudzenie. **2.** pobudzenie.

excitation energy *n. fiz.* energia wzbudzenia.

excitation level *n. fiz.* poziom wzbudzenia.

excitation winding *n. el.* uzwojenie wzbudzające.

excitative [ɪk'saɪtətɪv], **excitatory** [ɪk'saɪtəˌtɔːrɪ] *a.* podniecający; pobudzający.

excite [ɪk'saɪt] *v.* **1.** ekscytować. **2.** podniecać. **3.** pobudzać. **4.** *t. fiz., el.* wzbudzać; **~ jealousy/interest/suspicion** wzbudzać zazdrość/ zainteresowanie/podejrzenia. **5.** wzniecać (*bunt, powstanie*).

excited [ɪk'saɪtɪd] *a.* podniecony; podekscytowany; wzburzony (*about/by/at sth* czymś); **get ~** podniecać się; denerwować się; **(it's) nothing to get ~ about** *pot.* nie ma się czym podniecać.

excited atom *n. fiz.* atom wzbudzony.

excitedly [ɪk'saɪtɪdlɪ] *adv.* w podnieceniu.

excited state *n. fiz.* stan wzbudzony.

excitement [ɪk'saɪtmənt] *n.* **1.** *U* podniecenie, podekscytowanie, ekscytacja. **2.** powód podniecenia.

exciter [ɪk'saɪtər], **excitor** *n. el.* wzbudnica, prądnica wzbudzająca.

exciting [ɪk'saɪtɪŋ] *a.* ekscytujący; podniecający.

exciting coil *n. el.* cewka wzbudzająca.

exciting current *n. el.* prąd wzbudzający.

excitingly [ɪk'saɪtɪŋlɪ] *adv.* ekscytująco; podniecająco.

exciton [ek'saɪtɑ:n] *n. fiz.* ekscyton.

excitor [ɪk'saɪtər] *n.* **1.** *fizj.* nerw pobudzający. **2.** *el.* = **exciter**.

excl. *abbr.* **1.** = **exclamation**. **2.** **excluding** (*także* **exclusive of**) wył. (= *wyłączając*), z wył. (= *z wyłączeniem*). **3.** **exclusive** wył. (= *wyłącznie; wyłączny*).

exclaim [ɪk'skleɪm] *v.* zawołać, wykrzyknąć.

exclamation [ˌeksklə'meɪʃən] *n.* okrzyk.

exclamation point, *Br.* **exclamation mark** *n. interpunkcja* wykrzyknik.

exclamatory [ɪk'sklæməˌtɔ:rɪ] *a.* wykrzyknikowy.

exclave ['ekskleɪv] *n. polit.* eksklawa.

exclude [ɪk'sklu:d] *v.* **1.** wykluczać, wyłączać; **~ sb/sth from sth** wyłączać kogoś/coś z czegoś; **~ the possibility of sth/that...** wykluczać możliwość czegoś/że...; **principle of ~d middle** *log.* zasada wyłączonego środka. **2.** **~ sb from (doing) sth** zabraniać komuś (robienia) czegoś. **3.** usunąć, wydalić (*sb from sth* kogoś skądś) (*np. ze szkoły*).

excluding [ɪk'sklu:dɪŋ] *adv.* wyłączając; nie licząc (*czegoś*); **~ VAT** wyłączając VAT.

exclusion [ɪk'sklu:ʒən] *n. U* **1.** wykluczenie, wyłączenie; **to the ~ of sth** z wyłączeniem czegoś. **2.** usunięcie, wydalenie.

exclusionism [ɪk'sklu:ʒəˌnɪzəm] *n. U US polit.* ekskluzywizm (= *ograniczanie imigracji, importu itp.*).

exclusionist [ɪk'sklu:ʒənɪst] *n.* zwolenni-k/czka ekskluzywizmu.

exclusion zone *n.* strefa zamknięta.

exclusive [ɪk'sklu:sɪv] *a.* **1.** ekskluzywny (*o klubie, sklepie*). **2.** wyłączny; **~ use/rights** wyłączny użytek/prawa; **be ~ to sb** być przeznaczonym wyłącznie dla kogoś; być adresowanym wyłącznie do kogoś (*np. o ofercie*). **3.** jedyny (*np. o hobby, przyjemności*). **4.** *dzienn.* zastrzeżony (*np. o wywiadzie prasowym*). **5.** **~ of sth** nie licząc czegoś, z wyłączeniem czegoś. **6.** **be mutually ~** wzajemnie się wykluczać. – *n. dzienn.* reportaż *l.* wywiad opublikowany wyłącznie w jednej gazecie *l.* czasopiśmie.

exclusively [ɪk'sklu:sɪvlɪ] *adv.* wyłącznie.

exclusiveness [ɪk'sklu:sɪvnəs] *n. U* **1.** ekskluzywność (*klubu, sklepu*). **2.** wyłączność (*prawa, własności*).

exclusivism [ɪk'sklu:səˌvɪzəm] *n. U* ekskluzywność.

exclusivity [ˌeksklu'sɪvətɪ] *n.* = **exclusiveness**.

excogitate [eks'kɑ:dʒɪˌteɪt] *v. form.* **1.** wymyślić. **2.** przemyśleć, rozważyć.

excommunicable [ˌekskə'mju:nəkəbl] *kośc. a.* podlegający ekskomunice.

excommunicate *v. kośc.* [ˌekskə'mju:nəˌkeɪt] ekskomunikować. – *a.* [ˌekskə'mju:nəkət] ekskomunikowany. – *n.* [ˌekskə'mju:nəkət] osoba ekskomunikowana.

excommunication [ˌekskəˌmju:nə'keɪʃən] *n. kośc. C/U* ekskomunika, klątwa kościelna.

excommunicative [ˌekskə'mju:nəˌkeɪtɪv], **excommunicatory** [ˌekskə'mju:nəkəˌtɔ:rɪ] *a. kośc.* ekskomunikacyjny.

excoriate [ɪk'skɔ:rɪˌeɪt] *v.* **1.** *form.* odzierać ze skóry (*osobę, zwierzę*). **2.** *pat., med.* zedrzeć (*naskórek*). **3.** *przen.* ostro krytykować.

excoriation [ɪkˌskɔ:rɪ'eɪʃən] *n. C/U* **1.** *form.* odarcie ze skóry. **2.** *pat., med.* zdarcie naskórka. **3.** *przen.* ostra krytyka.

excrement ['ekskrəmənt] *n. U form.* wydaliny; ekskrementy, odchody, kał.

excremental [ˌekskrə'mentl], **excrementitious** [ˌekskrəmen'tɪʃəs] *a.* dotyczący wydalin.

excrescence [ɪk'skresəns] *n.* **1.** *pat.* narośl. **2.** **be an ~ on the landscape/city** *przen.* szpecić krajobraz/miasto (*zw. o brzydkim budynku*).

excrescent [ɪk'skresənt] *a.* **1.** *pat.* rosnący nienormalnie. **2.** *form.* zbędny, zbyteczny. **3.** *jęz.* epentetyczny, wtrącony (*o głosce l. literze*).

excreta [ɪk'skri:tə] *n. pl. fizj. form.* wydaliny.

excrete [ɪk'skri:t] *v.* wydalać.

excretion [ɪk'skri:ʃən] *n. U* wydalanie.

excretive [ɪk'skri:tɪv], **excretory** ['ekskrəˌtɔ:rɪ] *a.* wydalniczy.

excruciate [ɪk'skru:ʃɪˌeɪt] *v.* **1.** *form.* dręczyć (*psychicznie*). **2.** *arch.* torturować.

excruciating [ɪk'skru:ʃɪˌeɪtɪŋ] *a.* nie do zniesienia, nieznośny (*zwł. o bólu*); **in ~ detail** *przen.* szczegółowo aż do bólu (*np. opisać coś*).

excruciatingly [ɪk'skru:ʃɪˌeɪtɪŋlɪ] *adv.* nie do zniesienia, nieznośnie (*np. bolesny, nudny*).

exculpable [ɪk'skʌlpəbl] *form. a.* dający się usprawiedliwić.

exculpate ['eksklˌpeɪt] *v.* usprawiedliwić; uniewinnić.

exculpation [ˌekskl'peɪʃən] *n. U* usprawiedliwienie; uniewinnienie.

exculpatory [ɪk'skʌlpəˌtɔ:rɪ] *a.* usprawiedliwiający; uniewinniający.

excurrent [ɪk'skɝ:ənt] *a.* **1.** ujściowy. **2.** *bot.* wystający poza brzeg liścia (*o żyłkach*). **3.** *bot.* o niepodzielonym pniu.

excursion [ɪk'skɝ:ʒən] *n.* **1.** wycieczka; **~ train/ticket** pociąg/bilet wycieczkowy; **go on an ~** jechać na wycieczkę. **2.** *przen. form.* dygresja. **3.** **make an ~ into (doing) sth** *form.* spróbować czegoś; popróbować swoich sił w czymś. **4.** *przest. wojsk.* wycieczka, wypad. **5.** *fiz.* wychylenie; droga wychylenia; skok *l.* nagły wzrost mocy (*reaktora*).

excursionist [ɪk'skɝ:ʒənɪst] *n. przest.* wycieczkowicz/ka.

excursive [ɪk'skɝ:sɪv] *a.* **1.** dygresyjny; mający skłonność do dygresji. **2.** bezładny.

excursus [ek'skɝ:səs] *n. pl.* **excursuses** *l.* **excursus** *form.* ekskurs (= *obszerna dygresja l. wyjaśniający dodatek do dzieła*).

excusable [ek'skɝ:səbl] *a.* wybaczalny.

excusably [ek'skɝ:səblɪ] *adv.* wybaczalnie.

excusatory [ɪk'skju:zəˌtɔ:rɪ] *a. form.* usprawiedliwiający.

excuse *v.* [ɪk'skju:z] **1.** wybaczać; **~ me!** przepraszam!; *gł. US* słucham?; **~ my language** przepraszam za wyrażenie; **~ sb for (doing) sth** wybaczyć coś komuś. **2.** usprawiedliwiać, tłumaczyć (*czyjeś postępowanie*); ~ **o.s.** tłumaczyć się (*for sth* z czegoś) przepraszać (*for sth* za coś). **3.** ~ **sb** zwolnić kogoś, pozwolić komuś odejść; ~ **sb from (doing) sth** zwalniać kogoś z (robienia) czegoś; **be ~d from the table** wstać od stołu; **if you will ~ me** jeśli Pan/i pozwoli; **may I be ~d?** *euf.* czy mogę na chwilę wyjść? (*używane zwł. przez dzieci chcące skorzystać z toalety*). – *n.* [ɪk'skju:s] **1.** *C / U* usprawiedliwienie, wytłumaczenie; **by way of ~** tytułem usprawiedliwienia; **make sb's ~s** usprawiedliwić kogoś; **this is no ~** to nie jest (żadne) usprawiedliwienie; **there's no ~ for sth** nie ma usprawiedliwienia dla czegoś. **2.** wymówka, wykręt; **make ~s** wymawiać *l.* wykręcać się. **3.** pretekst; **give sb/have/find an ~ to do sth** dać komuś/mieć/znaleźć pretekst do zrobienia czegoś. **4.** *US szkoln.* zwolnienie, usprawiedliwienie (*napisane przez lekarza l. rodziców*). **5. poor/lame/rotten/miserable ~ for a cook/teacher** *przen. pot.* kiepski kucharz/nauczyciel.

excuse-me [ɪk'skju:zˌmi:] *n.* (*także* ~ **dance**) odbijany (*taniec*).

ex-directory [ˌeksdɪ'rektərɪ] *a. Br. tel.* zastrzeżony (*o numerze*); **go ~** zastrzec swój numer telefonu.

exec [ɪg'zek] *n. pot.* **1.** szef/owa; szefostwo. **2.** szycha.

exec. *abbr.* **1.** = **executive**. **2.** = **executor**.

execrable ['eksəkrəbl] *a. form.* okropny; ohydny, obrzydliwy.

execrably ['eksəkrəblɪ] *adv.* okropnie; ohydnie, obrzydliwie.

execrate ['eksəˌkreɪt] *v. lit.* **1.** czuć wstręt do (*kogoś l. czegoś*); dawać wyraz obrzydzeniu do (*kogoś l. czegoś*). **2.** złorzeczyć (*komuś l. czemuś*).

execration [ˌeksə'kreɪʃən] *n. U lit.* **1.** odraza, obrzydzenie, wstręt. **2.** złorzeczenie.

execrative ['eksəˌkreɪtɪv], **execratory** ['eksəkrəˌtɔ:rɪ] *a.* złorzeczący.

executable [ɪg'zekjətəbl] *a.* wykonalny.

executable file *n. komp.* program.

executant [ɪg'zekjətənt] *n. form. zwł. muz.* wykonaw-ca/czyni.

execute ['eksəˌkju:t] *v.* **1.** *zw. pass.* stracić (*skazańca*); **be ~d** zostać straconym (*for sth* za coś). **2.** *form.* wykonywać (*prawo, rozkaz, wyrok, czynność*). **3.** *komp.* uruchamiać (*program*). **4.** *prawn.* uprawomocnić (*dokument*).

execution [ˌeksə'kju:ʃən] *n.* **1.** *C / U prawn.* egzekucja. **2.** *U form.* wykonanie (*rozkazu, wyroku*). **3.** *komp.* uruchomienie (*programu*). **4.** *U muz.* technika (gry). **5.** *U arch.* potęga (*broni, argumentu*).

executioner [ˌeksə'kju:ʃənər] *n.* kat.

executive [ɪg'zekjətɪv] *n.* **1.** pracowni-k/ca szczebla kierowniczego; dyrektor/ka; kierownik/czka. **2. the ~** *polit.* władza wykonawcza; komitet wykonawczy, egzekutywa. – *a. attr.* **1.** *admin.* kierowniczy; ~ **skills/position** umiejętności/stanowisko kierownicze. **2.** *prawn.* wykonawczy. **3.** (typowy dla) dla pracowników szczebla kierowniczego; dyrektorski (*np. o meblach, pomieszczeniach, samochodach*).

executive agreement *n. US polit.* porozumienie na stopniu przywódców (*między prezydentem USA a obcą głową państwa, nie zatwierdzone przez Senat*).

Executive Council *n. polit.* **1.** *Can.* rząd prowincji. **2.** *Austr., NZ* rada wykonawcza (*przy gubernatorze*).

executive director *n.* dyrektor wykonawczy.

executive jet *n.* prywatny odrzutowiec *l.* samolot.

executive officer *n.* **1.** członek zarządu. **2.** *wojsk.* zastępca dowódcy.

executive order *n. US polit.* dekret prezydencki.

executive privilege *n. US polit.* przywilej tajności (*przysługujący prezydentowi i innym członkom rządu*).

executive producer *n. kino, telew.* główny producent.

executive secretary *n.* **1.** zarządzający (*firmą*). **2.** sekretarka dyrektora wysokiego szczebla.

executive session *n. US parl.* posiedzenie zamknięte Senatu.

executor [ɪg'zekjətər] *n.* **1.** *form.* wykonawca/czyni. **2.** *prawn.* wykonawca testamentu.

executory [ɪg'zekjətɔ:rɪ] *a. prawn.* **1.** wykonawczy. **2.** obowiązujący. **3.** do wykonania (w przyszłości).

executrix [ɪg'zekjətrɪks] *n. pl.* **-rices** [ɪg'zekjətrɪsɪz] *prawn.* wykonawczyni testamentu.

exegesis [ˌeksɪ'dʒi:sɪs] *n. pl.* **exegeses** [ˌeksɪ'dʒi:si:s] *form.* egzegeza (*zwł. biblijna*).

exegete ['eksɪˌdʒi:t] *n. form.* egzeget-a/ka.

exegetic [ˌeksɪ'dʒetɪk], **exegetical** [ˌeksɪ'dʒetɪkl] *a.* egzegetyczny.

exegetics [ˌeksɪ'dʒetɪks] *n. U* egzegetyka.

exemplar [ɪg'zemplər] *n. form.* wzór, model; doskonały przykład (*of sth* czegoś).

exemplary [ɪg'zemplərɪ] *a.* **1.** wzorowy, przykładny (*np. o zachowaniu*). **2.** *attr.* przykładny (*o karze*).

exemplary damages *n. pl. prawn.* odszkodowanie z nawiązką.

exemplification [ɪgˌzempləfə'keɪʃən] *n. form.* **1.** *C / U* egzemplifikacja, ilustracja. **2.** przykład. **3.** *prawn.* poświadczona kopia.

exemplify [ɪg'zempləˌfaɪ] *v.* **-ied, -ying 1.** egzemplifikować, ilustrować. **2.** stanowić przykład (*czegoś*). **3.** *prawn.* sporządzić poświadczoną kopię (*dokumentu*).

exempli gratia [egˌzempli: 'grɑ:tɪɑ:] *n. Lat. form. zob.* **e.g.**

exempt [ɪg'zempt] *a. form. zwł. fin.* zwolniony, wolny (*from sth* od czegoś); **income ~ from taxation** dochód wolny od opodatkowania. – *n.* osoba zwolniona (*od podatku, obowiązku*). – *v.* zwalniać (*from sth* od czegoś).

exemption [ɪg'zempʃən] *n.* **1.** *US* suma dochodu wolna od opodatkowania. **2.** *C / U* zwolnienie (*od podatku, obowiązku*).

exequies ['eksɪkwɪz] *n. pl. kośc.* egzekwie.

exercise ['eksərˌsaɪz] *n.* **1.** ćwiczenie (*np. pisemne, gimnastyczne, pianistyczne*); **do ~s** wykonywać ćwiczenia. **2.** *U* ruch, ćwiczenia fizyczne; **do/take** ~ ćwiczyć; **get** ~ zażywać ruchu; **lack of** ~ brak ruchu. **3.** *U form.* wykonywanie (*np. funkcji*); praktykowanie, uprawianie (*np. zawodu*); ~ **of duty** wykonywanie obowiązków. **4.** ~ **of power/authority** korzystanie z władzy. **5.** przedsięwzięcie; próba; ~ **in compromise** próba kompromisu; **the object of the ~ was to make a lot of money fast** przedsięwzięcie to miało na celu szybkie wzbogacenie się. **6.** *t. pl. wojsk.* ćwiczenia, manewry. **7.** *zw. pl. US i Can. szkoln., uniw.* uroczystość, ceremonia. – *v.* **1.** ćwiczyć, gimnastykować się; uprawiać sport; zażywać ruchu. **2.** ćwiczyć (*część ciała, grupę mięśni*). **3.** ~ **a dog/horse** dać się wybiegać psu/koniowi. **4.** *form.* używać (*czegoś*), posługiwać się (*czymś*); korzystać z (*praw, przywilejów*). **5.** *form.* wykonywać (*funkcje, zawód, obowiązki*); sprawować (*władzę, kontrolę*); wywierać (*wpływ*); praktykować, zachowywać (*np. wstrzemięźliwość*); ~ **caution** zachowywać ostrożność; ~ **patience/tact** wykazywać cierpliwość/takt; ~ **self-control/self-restraint** panować nad sobą. **6.** *zw. pass. form.* wystawiać na próbę; troskać; ~ **sb/sb's mind** zaprzątać czyjś umysł; **greatly ~d about sb/sth** wielce zatroskany kimś/czymś.

exercise bike *n.* rower treningowy.

exercise book *n. szkoln.* zeszyt (ćwiczeń).

exerciser ['eksər,saızər] *n.* **1.** urządzenie *l.* maszyna do ćwiczeń; atlas. **2.** ćwicząc-y/a. **3.** trener/ka (*zwł. koni*).

exergue [ıg'zɜ:g] *n.* egzerga (= *miejsce na napis u dołu monety l. medalu*).

exert [ıg'zɜ:t] *v.* **1.** wywierać; ~ **pressure/influence on sb/sth** wywierać nacisk/wpływ na kogoś/coś. **2.** ~ **o.s.** wysilać *l.* wytężać się.

exertion [ıg'zɜ:ʃən] *n.* **1.** *C/U* wysiłek; **physical/mental** ~ wysiłek fizyczny/umysłowy. **2.** *pl.* męczące zajęcia; starania, zabiegi. **3.** *U form.* wywieranie (*np. wpływu*).

exeunt ['eksıənt] *v. Lat. didaskalia* wychodzą; ~ **omnes** wszyscy wychodzą.

exfoliate [eks'foulı,eıt] *v. form.* łuszczyć się (*np. o kości, skórze, minerałach*); łuszczyć, złuszczać.

exfoliation [eks,foulı'eıʃən] *n. U* łuszczenie (się), złuszczanie (się).

ex gratia [,eks 'greıʃə] *a. Lat.* dobrowolny (*zw. o płatności, wypłaconym odszkodowaniu itp.*).

exhalation [,ekshə'leıʃən] *n.* **1.** wydech; *U* wydychanie (powietrza). **2.** *U* opary; wyziewy.

exhale [eks'heıl] *v.* **1.** robić wydech, wydychać (powietrze), wypuszczać powietrze. **2.** zionąć (*czymś*), wyziewać (*dym, opary*); ~ **one's life/soul** *przen.* wyzionąć ducha.

exhaust [ıg'zɔ:st] *v.* **1.** *t. przen.* wyczerpywać (*t. zasoby, temat, siły*); ~ **o.s.** przemęczać się; **it ~ed her to listen to their complaints** słuchanie ich skarg wyczerpywało ją. **2.** *form.* opróżniać (*naczynie, zbiornik*). **3.** odprowadzać (*gazy*). **4.** uchodzić (*o gazie, parze*). – *n.* **1.** *U* spaliny. **2.** *mot.* = **exhaust pipe**. **3.** *mot.* = **exhaust system**. – *a. attr. techn.* wydechowy, wylotowy.

exhausted [ıg'zɔ:stıd] *a.* wyczerpany (*by sth* czymś).

exhauster [ıg'zɔ:stər] *n. techn.* wentylator wyciągowy, ekshaustor.

exhaust fan *n. techn.* wentylator wyciągowy.

exhaustible [ıg'zɔ:stəbl] *a.* ograniczony (*o zasobach*).

exhausting [ıg'zɔ:stıŋ] *a.* wyczerpujący (= *męczący*).

exhaustion [ıg'zɔ:stʃən] *n. U* **1.** wyczerpanie, przemęczenie; **ill with/from** ~ chory z przemęczenia; **nervous** ~ wyczerpanie nerwowe. **2.** wyczerpanie (się), zużycie. **3.** wydech (*gazów*).

exhaustive [ıg'zɔ:stıv] *a.* wyczerpujący (= *pełen, szczegółowy*).

exhaustively [ıg'zɔ:stıvlı] *adv.* wyczerpująco.

exhaustiveness [ıg'zɔ:stıvnəs] *n. U* wyczerpujący charakter (*np. odpowiedzi, opracowania*).

exhaust manifold *n. techn.* kolektor wydechowy.

exhaust pipe *n. zwł. Br. mot.* rura wydechowa.

exhaust system *n. mot.* układ wydechowy.

exhaust valve *n. gł. mot.* zawór wydechowy *l.* wylotowy.

exhibit [ıg'zıbıt] *v.* **1.** wystawiać, eksponować (*np. obrazy*). **2.** pokazywać, przedkładać (*dowody*). **3.** *form.* wykazywać, przejawiać (*oznaki czegoś*); okazywać (*np. niepokój*). **4.** *form.* prezentować (*np. umiejętności*). – *n.* **1.** eksponat. **2.** *prawn.* dowód rzeczowy. **3.** wystawa, ekspozycja; pokaz.

exhibition [,eksə'bıʃən] *n.* **1.** *C/U* wystawa, ekspozycja (*about sb/sth* poświęcona komuś/czemuś); **on** ~ wystawiony, prezentowany na wystawie. **2.** *t. przen.* pokaz (*np. umiejętności, zazdrości, złego smaku*); **make an ~ of o.s.** robić z siebie widowisko. **3.** *Br. uniw.* stypendium-nagroda.

exhibitioner [,eksə'bıʃənər] *n. Br. uniw.* stypendyst-a/ka.

exhibition game *n.* = **exhibition match**.

exhibitionism [,eksə'bıʃə,nızəm] *n. U pat. l. przen.* ekshibicjonizm.

exhibitionist [,eksə'bıʃənıst] *n. pat. l. przen.* ekshibicjonist-a/ka.

exhibition match *n.* (*także* **exhibition game**) *sport* mecz pokazowy.

exhibitor [ıg'zıbıtər], **exhibiter** *n.* wystawca.

exhilarant [ıg'zılərənt] *n. i a. med.* (czynnik) rozweselający *l.* pobudzający.

exhilarate [ıg'zılə,reıt] *v.* radować; rozweselać; wprawiać w doskonały nastrój.

exhilarated [ıg'zılə,reıtıd] *a.* radosny, w doskonałym nastroju.

exhilarating [ıg'zılə,reıtıŋ] *a.* radosny (*o przeżyciu*).

exhilaration [ıg,zılə'reıʃən] *n. U* radość; ożywienie; doskonały nastrój.

exhilarative [ıg'zılə,reıtıv] *a. form.* radosny (*o przeżyciu*).

exhort [ıg'zɔ:rt] *form. v.* nawoływać, wzywać, namawiać (usilnie) (*sb to do sth* kogoś do (zrobienia) czegoś).

exhortation [,egzɔ:r'teıʃən] *n.* wezwanie; *U* nawoływanie, wzywanie (*to sth* do czegoś).

exhortative [ıg'zɔ:rtətıv], **exhortatory** [ıg'zɔ:rtə,tɔ:rı] *a.* nawołujący (*o tonie*).

exhumation [ˌeksˌhju'meɪʃən] *n. C/U* **1.** ekshumacja. **2.** *przen.* odgrzebanie (*np. starego pomysłu*).

exhume [ɪg'zu:m] *v. zw. pass.* **1.** ekshumować, dokonywać ekshumacji (*zwłok*). **2.** *przen.* odgrzebywać (*stare pomysły, argumenty*).

exigency ['eksɪdʒənsɪ], **exigence** ['eksɪdʒəns] *n. pl.* **-ies** *form.* pilna *l.* nagła *l.* nagląca potrzeba; **the exigencies of the situation** wymogi chwili.

exigent ['eksɪdʒənt] *a. form.* **1.** pilny, naglący. **2.** zbyt wymagający, stawiający wygórowane wymagania.

exigible ['eksɪdʒəbl] *a. form.* **1.** wymagalny. **2.** *fin.* ściągalny (*o długu*) (*against/from sb* od kogoś).

exiguity [ˌeksə'gju:ətɪ] *form. n. U* skąpość, szczupłość (*dochodów*).

exiguous [ɪg'zɪgju:əs] *a.* skąpy, znikomy (*o dochodach*).

exile ['egzaɪl] *n.* **1.** *U l. sing.* wygnanie, zesłanie, przymusowa emigracja; **in** ~ na emigracji *l.* wygnaniu *l.* uchodźstwie; **go into** ~ wyemigrować; **government in** ~ rząd emigracyjny; **send sb into** ~ skazywać kogoś na wygnanie, zsyłać kogoś. **2.** wygnaniec, zesłaniec, emigrant/ka. **3.** **the E~** *Bibl.* niewola babilońska. – *v. zw. pass.* skazywać na wygnanie, zsyłać; **~d to Siberia** zesłany na Sybir.

exilian [ɪg'zɪlɪən], **exilic** *a. form.* dotyczący niewoli (*zwł. babilońskiej*).

exist [ɪg'zɪst] *v.* istnieć; egzystować; żyć, utrzymywać się *l.* pozostawać przy życiu; ~ **on bread and water** żyć o chlebie i wodzie.

existence [ɪg'zɪstəns] *n.* **1.** *C/U* istnienie (*t. lit. = pojedyncza żywa istota l. zbiorowo: wszystko, co żyje*); *fil.* byt; **in** ~ istniejący; obecny; **be in** ~ istnieć; **come into** ~ zaistnieć; powstać. **2.** *zw. sing.* egzystencja, życie; **eke out an** ~ *zob.* **eke**[1] *v.*; **lead a lonely** ~ wieść samotny żywot.

existent [ɪg'zɪstənt] *a. form.* istniejący; obecny.

existential [ˌegzɪ'stenʃl] *fil. a.* egzystencjalny.

existentialism [ˌegzɪ'stenʃəˌlɪzəm] *n. U* egzystencjalizm.

existentialist [ˌegzɪ'stenʃəlɪst] *n.* egzystencjalist-a/ka.

existentially [ˌegzɪ'stenʃəlɪ] *adv.* egzystencjalnie.

existing [ɪg'zɪstɪŋ] *a. attr.* istniejący; obecny.

exit ['egzɪt; 'egsɪt] *n.* **1.** wyjście (*= drzwi wyjściowe; t. w napisach, zwł. US*); **emergency/fire** ~ wyjście awaryjne *l.* ewakuacyjne. **2.** *zw. sing.* wyjście (*czynność*); *teatr* wyjście, zejście ze sceny; *euf.* zejście (ze świata); **make an/one's** ~ wyjść. **3.** *mot.* zjazd, wylot (*z autostrady*). **4.** ujście; wylot. – *v.* **1.** wychodzić (*by/through sth* przez coś); ~ **a room** wyjść z pokoju. **2.** *komp.* zakończyć (*korzystanie z programu*). **3.** *didaskalia* wychodzi; ~ **Ophelia** wychodzi Ofelia.

exit poll *n. polit.* sondaż przed lokalami wyborczymi.

exit ramp *n. mot.* zjazd (*z autostrady*).

exit visa *n.* wiza wyjazdowa.

ex libris [ˌeks 'li:brɪs] *n. pl.* **ex libris** ekslibris, ex libris.

exobiology [ˌeksoubaɪ'ɑ:lədʒɪ] *n. U* egzobiologia.

exocentric [ˌeksou'sentrɪk] *a. gram.* egzocentryczny (*o konstrukcji*).

exocrine ['eksəkrɪn] *a. fizj. anat.* zewnątrzwydzielniczy.

exocytosis [ˌeksousaɪ'tousɪs] *n. U biol.* egzocytoza.

Exod. *abbr. Bibl.* = **Exodus.**

exodontics [ˌeksə'dɑ:ntɪks], **exodontia** [ˌeksə'dɑ:nʃə] *n. U dent.* ekstrakcja, wyrywanie zębów (*dziedzina stomatologii*).

exodus ['eksədəs] *n. sing.* **1.** *form. l. żart.* exodus; **mass** ~ masowy exodus. **2. E~** *Bibl.* Księga Wyjścia.

ex officio [ˌeks ə'fɪʃɪˌou] *adv. i a. form.* ex officio, z urzędu.

exogamous [ek'sɑ:gəməs] *a. antrop., biol.* egzogamiczny.

exogamy [ek'sɑ:gəmɪ] *n. U* egzogamia.

exogenous [ek'sɑ:dʒənəs] *a. biol., pat.* egzogeniczny, egzogenny.

exon ['eksɑ:n] *n. genetyka* ekson.

exonerate [ɪg'zɑ:nəˌreɪt] *v. form.* **1.** uniewinniać, usprawiedliwiać. **2.** ~ **sb from/of sth** oczyszczać kogoś z czegoś, uwalniać kogoś od czegoś (*np. od zarzutów*); zwalniać kogoś z czegoś (*zw. z obowiązku*).

exoneration [ɪgˌzɑ:nə'reɪʃən] *n. U form.* **1.** uniewinnienie, usprawiedliwienie. **2.** oczyszczenie, uwolnienie.

exonerative [ɪg'zɑ:nəˌreɪtɪv] *a. form.* **1.** uniewinniający; oczyszczający. **2.** zwalniający.

exophthalmic [ˌeɪksɑ:f'θælmɪk] *a.* o wytrzeszczonych oczach; dotyczący wytrzeszczu.

exophthalmos [ˌeɪksɑ:f'θælməs], **exophthalmus, exophthalmia** [ˌeɪksɑ:f'θælmɪə] *n. U pat.* wytrzeszcz, egzoftalmia.

exorable ['eksərəbl] *a. form.* dający się ubłagać, litościwy.

exorbitance [ɪg'zɔ:rbɪtəns] *n. U form.* wygórowanie, nadmierność; przesada.

exorbitant [ɪg'zɔ:rbɪtənt] *a.* wygórowany (*o cenie*), nadmierny (*o żądaniach*); przesadny.

exorbitantly [ɪg'zɔ:rbɪtəntlɪ] *adv.* nadmiernie; przesadnie.

exorcism ['eksɔ:rˌsɪzəm] *n. kośc. l. przen.* egzorcyzm; *U* egzorcyzmy.

exorcist ['eksɔ:rsɪst] *n.* egzorcyst-a/ka.

exorcize ['eksɔ:rˌsaɪz], *Br. i Austr. zw.* **exorcise** *v. rel. l. przen.* **1.** egzorcyzmować (*osobę*); ~ **sb of sth** *przen.* uwolnić kogoś od czegoś. **2.** wypędzać (*diabły, złe duchy*) (*out of/from sb/sth* z kogoś/czegoś).

exordial [eg'zɔ:rdɪəl] *a. ret.* wstępny.

exordium [eg'zɔ:rdɪəm], **exordum** [eg'zɔ:rdəm] *n. pl. t.* **exordia** [eg'zɔ:rdɪə] *ret.* wstęp (*zwł. do przemówienia l. rozprawy*).

exoskeleton [ˌeksou'skelɪtən] *n. zool.* szkielet zewnętrzny.

exosmosis [ˌeksɑ:s'mousɪs] *n. U fiz.* egzosmoza.

exosphere ['eksouˌsfi:r] *n. geol., ekol.* egzosfera.

exospore ['eksəˌspɔ:r] *n. bot.* egzospora.

exoteric [ˌeksəˈterɪk] *a. form.* egzoteryczny (= *przystępny, popularny*).

exothermic [ˌeksoʊˈθɜːmɪk], **exothermal** [ˌeksoʊˈθɜːməl] *a. chem., fiz.* egzotermiczny.

exotic [ɪgˈzɑːtɪk] *a.* egzotyczny. – *n.* egzotyk (= *coś egzotycznego*); egzotyczna osoba.

exotica [ɪgˈzɑːtɪkə] *n. pl.* egzotyki.

exotically [ɪgˈzɑːtɪklɪ] *adv.* egzotycznie.

exotic dancer *n.* tance-rz/rka egzotyczn-y/a (= *striptizer/ka*).

exoticism [ɪgˈzɑːtɪˌsɪzəm] *n.* **1.** *U* egzotyczność, egzotyzm. **2.** *jęz.* egzotyzm (= *zapożyczenie*).

exp *abbr. mat.* = **exponential**.

exp. *abbr.* **1.** = **experiment**; = **experimental**. **2.** = **expiration/expiry (date)**; = **expires**. **3.** = **export**; = **exported**; = **exporter**. **4.** = **express**.

expand [ɪkˈspænd] *v.* **1.** rozwijać (się); rozrastać się (*t. o firmie*); wzrastać; powiększać (się); rozszerzać (się) (*t. o metalu*); rozprężać się (*o gazie*); rozpościerać (się) (*t. o skrzydłach*). **2.** *mat., ret.* rozwijać (*wzór, wypowiedź*). **3.** *form.* rozluźnić się, zachowywać się swobodniej; nabrać pewności siebie; rozgadać się. **4.** ~ **on/upon sth** omówić coś szerzej.

expandability [ɪkˌspændəˈbɪlətɪ], **expandibility** *n. U* rozszerzalność.

expandable [ɪkˈspændəbl], **expandible** *a.* **1.** rozszerzalny. **2.** rozkładany.

expander [ɪkˈspændər] *n. tel.* ekspandor.

expanding [ɪkˈspændɪŋ] *a. mech.* rozprężny; rozsuwny.

expanding universe theory *n. astron.* teoria rozszerzającego się wszechświata.

expanse [ɪkˈspæns] *n.* przestrzeń, obszar; bezmiar (*of sth* czegoś).

expansibility [ɪkˌspænsəˈbɪlətɪ] *n. U techn.* rozszerzalność; rozprężalność.

expansible [ɪkˈspænsəbl] *a. techn.* rozszerzalny; rozprężalny.

expansile [ɪkˈspænsɪl] *a. techn.* **1.** rozszerzalny; rozprężalny (*o gazie, ciele*). **2.** rozszerzający, rozprężny (*o ruchach*).

expansion [ɪkˈspænʃən] *n. U* **1.** *ekon.* rozwój; wzrost (*gospodarki, sprzedaży*); ~ **of the currency** zwiększenie obiegu pieniężnego. **2.** *fiz., techn.* rozszerzanie (się) (*ciała*); rozprężanie (się) (*gazu*). **3.** *polit.* ekspansja. **4.** rozpościeranie się (*terenu*). **5.** *C* rozwinięcie (*tematu, skrótu, wzoru matematycznego*). **6.** *C* przedłużenie (*drabiny*).

expansionary [ɪkˈspænʃəˌnerɪ] *a. polit., ekon.* ekspansyjny.

expansion bolt *n. mech.* śruba rozporowa.

expansion card *n.* (*także* **expansion board**) *komp.* karta.

expansion chamber *n. fiz.* komora Wilsona *l.* rozprężeniowa.

expansion coefficient *n. fiz.* współczynnik rozszerzalności (cieplnej).

expansionism [ɪkˈspænʃəˌnɪzəm] *n. U polit., ekon.* ekspansjonizm.

expansionist [ɪkˈspænʃənɪst] *a.* ekspansjonistyczny. – *n.* **1.** *polit.* ekspansjonist-a/ka. **2.** *ekon.* zwolenni-k/czka wzrostu obiegu pieniężnego.

expansion joint *n. bud.* szczelina dylatacyjna, łączenie *l.* połączenie kompensacyjne.

expansion slot *n. komp.* gniazdo na kartę.

expansion tank *n. techn.* zbiornik wyrównawczy.

expansive [ɪkˈspænsɪv] *a.* **1.** wylewny, ekspansywny (*o osobie*). **2.** rozległy (*o terenie*). **3.** *fiz., techn.* rozszerzalny (*o ciele*), rozprężalny (*o gazie*); rozszerzający, rozprężający (*o działaniu*).

expansiveness [ɪkˈspænsɪvnəs] *n. U* **1.** wylewność. **2.** rozległość. **3.** *fiz., techn.* rozszerzalność; rozprężalność.

ex parte [ˌeks ˈpɑːrtɪ] *adv. U prawn.* jednostronnie, w interesie jednej strony. – *a.* jednostronny.

expat [ˌeksˈpæt] *n. pot.* = **expatriate**.

expatiate [ɪkˈspeɪʃɪˌeɪt] *v.* ~ **on/upon sth** *form.* rozwodzić się nad czymś.

expatiation [ɪkˌspeɪʃɪˈeɪʃən] *n. U* rozwodzenie się (*on/upon sth* nad czymś); wywody (*on/upon sth* na temat czegoś).

expatiatory [ɪkˈspeɪʃɪəˌtɔːrɪ] *a. form.* obszerny, rozwlekły (*o stylu, wypowiedzi*).

expatriate *n.* [eksˈpeɪtrɪət] emigrant/ka, wygnaniec. – *a.* [ekˈspeɪtrɪət] *attr.* (przebywający) na wygnaniu *l.* emigracji. – *v.* [ekˈspeɪtrɪˌeɪt] skazać na wygnanie, wygnać; *prawn.* pozbawić obywatelstwa; ~ **o.s.** wyemigrować; *prawn.* zrzec się obywatelstwa.

expatriation [ekˌspeɪtrɪˈeɪʃən] *n. U* **1.** ekspatriacja; emigracja; wygnanie. **2.** *prawn.* pozbawienie obywatelstwa; zrzeczenie się obywatelstwa.

expect [ɪkˈspekt] *v.* **1.** spodziewać się, oczekiwać (*kogoś l. czegoś*); ~ **sb to do sth** (*także* ~ **(that) sb will do sth**) spodziewać się, że ktoś coś zrobi; oczekiwać od kogoś zrobienia czegoś; ~ **too much of sb** zbyt wiele od kogoś oczekiwać; **as ~ed** zgodnie z oczekiwaniami; **be ~ing (a baby)** *euf.* spodziewać się dziecka; **fully ~ sth** być pewnym czegoś; **half ~ sth** brać pod uwagę możliwość czegoś; **I did not ~ that of him** nie spodziewałam się tego po nim; **it was (only) to be ~ed** należało się tego spodziewać; **just as we ~ed** dokładnie tak, jak oczekiwaliśmy; **we ~ to win** spodziewamy się wygrać; **what (else) can/do you ~?** czego (innego) można się (było) spodziewać?. **2.** ~ **(that)...** przypuszczać *l.* sądzić, że...; **I ~** *zwł. Br. pot.* pewnie; chyba; **I ~ so** chyba tak, tak sądzę; **I ~ you're busy/tired** pewnie jesteś zajęta/zmęczona.

expectancy [ɪkˈspektənsɪ] *n. U* **1.** wyczekiwanie, oczekiwanie. **2.** widoki, perspektywy, nadzieja (*of sth* na coś). **3.** **life ~** *stat., ubezp., med.* przewidywana *l.* oczekiwana *l.* średnia długość życia.

expectant [ɪkˈspektənt] *a.* **1.** ~ **of sth** wyczekujący na coś; oczekujący czegoś. **2.** *attr.* wyczekujący (*np. o tłumie*); pełen wyczekiwania (*np. o ciszy*); ~ **mother** *euf.* przyszła matka (= *kobieta w ciąży*). – *n. arch.* kandydat/ka (*zwł. na urząd kościelny*).

expectantly [ɪk'spektəntlɪ] *adv.* wyczekująco (*np. patrzeć*); z nadzieją.

expectation [ˌekspek'teɪʃən] *n.* **1.** *C / U* oczekiwanie; przewidywanie; **in ~ of sth** w oczekiwaniu na coś; **be beyond (all) ~ / be beyond all (of) sb's ~s** przejść wszelkie *l.* najśmielsze oczekiwania; **against/contrary to (all) ~(s)** wbrew (wszelkim) oczekiwaniom; **confirm sb's worst ~s** potwierdzić czyjeś najgorsze przewidywania; **fall short of sb's ~s / not come/live up to sb's ~s** nie spełnić czyichś oczekiwań; **my ~ is that...** spodziewam się *l.* sądzę, że... **2.** *zw. pl.* nadzieje, widoki, perspektywy (*of sth* na coś); **arouse ~s** budzić nadzieje; **have high ~s for sb/sth** wiązać z kimś/czymś wielkie nadzieje, wiele sobie po kimś/czymś obiecywać. **3.** *U* nadzieja; **with ~** z nadzieją. **4.** *stat.* wartość oczekiwana; **~ of life** (*także* **life ~**) *zob.* **expectancy** 3.

expected [ɪk'spektɪd] *a. attr.* oczekiwany.

expected frequency *n. stat.* częstotliwość oczekiwana.

expectorant [ɪk'spektərənt] *a. i n. med.* (środek) wykrztuśny.

expectorate [ɪk'spektəˌreɪt] *v. fizj., med. l. form.* odkrztuszać; odpluwać, wypluwać.

expectoration [ɪkˌspektə'reɪʃən] *n. U fizj.* **1.** odkrztuszanie; odpluwanie. **2.** plwocina.

expediency [ɪk'spi:dɪənsɪ], **expedience** [ɪk'spi:dɪəns] *n. pl.* **-ies 1.** *C / U* potrzeba chwili; doraźne cele; względy praktyczne. **2.** *U zwł. polit.* oportunizm.

expedient [ɪk'spi:dɪənt] *a.* **1.** celowy, wskazany; stosowny, właściwy (do okoliczności); korzystny. **2.** *uj.* wygodny, oportunistyczny. – *n.* środek doraźny.

expediential [ɪkˌspi:dɪ'enʃl] *a. form.* **1.** przystający, właściwy. **2.** *uj.* oportunistyczny.

expediently [ɪk'spi:dɪəntlɪ] *adv.* **1.** celowo; stosownie, właściwie (do okoliczności); korzystnie. **2.** *uj.* wygodnie, oportunistycznie.

expedite ['ekspəˌdaɪt] *v. form.* **1.** przyspieszać (*zabieg, dostawę*); usprawniać (*procedurę*). **2.** sprawnie *l.* szybko załatwiać (*sprawy*). **3.** *rzad.* wystosować (*pismo, dokument*). – *a. arch.* szybki, sprawny.

expediter ['ekspəˌdaɪtər], **expeditor** *n.* koordynator/ka (*zwł. odpowiedzialn-y / a za sprawny przebieg procesu produkcji*).

expedition [ˌekspə'dɪʃən] *n.* **1.** *t. przen.* ekspedycja, wyprawa (*t. = uczestnicy wyprawy*); wycieczka, wypad; **shopping ~** *żart.* wyprawa po zakupy. **2.** *U form.* szybkość, sprawność; **with ~** szybko, sprawnie.

expeditionary [ˌekspə'dɪʃəˌnerɪ] *a.* ekspedycyjny.

expeditionary force *n. wojsk.* ekspedycja zbrojna.

expeditious [ˌekspə'dɪʃəs] *a. form.* szybki, sprawny (*o osobie, działaniu*).

expeditiously [ˌekspə'dɪʃəslɪ] *adv.* szybko, sprawnie.

expeditiousness [ˌekspə'dɪʃəsnəs] *n. U* szybkość, sprawność.

expel [ɪk'spel] *v.* **-ll- 1.** wydalać, usuwać (*np. uczniów, członków organizacji, zagranicznych dyplomatów*); **he was/got ~led from school** został wydalony ze szkoły (*for sth* za coś). **2.** *techn.* wyrzucać, wydalać (*gazy, odpady*).

expend [ɪk'spend] *v. form.* poświęcać, zużywać (*czas, energię*) (*in / on doing sth* na robienie czegoś); wydatkować, wydawać (*pieniądze*).

expendability [ɪkˌspendə'bɪlətɪ] *n. U* zbędność, zbyteczność.

expendable [ɪk'spendəbl] *a.* **1.** zbędny, zbyteczny, niepotrzebny. **2.** *fin.* dostępny (*o funduszach*). **3.** dający się zastąpić. – *n. zw. pl.* zbędna rzecz.

expenditure [ɪk'spendɪtʃər] *n.* **1.** *C / U gł. fin.* wydatki (*on sth* na coś); **public ~** wydatki publiczne. **2.** *U* nakład, wydatkowanie, zużycie (*t. energii, sił*).

expense [ɪk'spens] *n. C / U fin. l. przen.* wydatek, koszt; *pl. zob.* **expenses**; **at great/little ~** za duże/niewielkie pieniądze; *przen.* wielkim/małym kosztem; **at one's own ~** na własny koszt; **at the ~ of sth** *przen.* kosztem czegoś; **at the ~ of sb** (*także* **at sb's ~**) na koszt kogoś; *przen.* czyimś kosztem; **go to the ~ of buying sth** wykosztować się na coś; **living/household ~s** wydatki na życie/dom; **medical ~s** koszty leczenia, wydatki na leczenie; **operating ~s** wydatki eksploatacyjne *l.* operacyjne; **put sb to the ~ of doing sth** *przen.* narazić kogoś na konieczność zrobienia czegoś; **spare no ~** nie szczędzić wydatków; **think of the ~!** pomyśl, ile to będzie kosztowało!.

expense account *n. fin.* fundusz kosztów *l.* wydatków; rachunek kosztów *l.* wydatków; **put sth on one's ~** wliczyć coś (sobie) w koszty.

expense allowance *n.* fundusz *l.* dodatek reprezentacyjny.

expenses [ɪk'spensɪz] *n. pl.* fundusz reprezentacyjny; **it's on ~** firma (za to) płaci.

expensive [ɪk'spensɪv] *a. t. przen.* kosztowny, drogi; **~ to run/maintain** drogi w eksploatacji/utrzymaniu.

expensively [ɪk'spensɪvlɪ] *adv.* kosztownie, drogo.

expensiveness [ɪk'spensɪvnəs] *n. U* kosztowność.

experience [ɪk'spi:rɪəns] *n.* **1.** *U t. fil.* doświadczenie (*in sth* w czymś *l.* w zakresie czegoś); praktyka; **~ shows that...** doświadczenie pokazuje, że...; **get/gain ~** zdobywać doświadczenie; **no ~ necessary/needed** praktyka nie wymagana (*w ogłoszeniach*); **know sth by/from ~** znać coś z (własnego) doświadczenia *l.* z praktyki; **in sb's ~** według czyichś doświadczeń; **teaching ~** doświadczenie *l.* praktyka w nauczaniu; **work ~** praktyka zawodowa (*zwł. studentów*). **2.** przeżycie; doznanie; doświadczenie; **memorable/unforgettable ~** niezapomniane przeżycie; **religious/spiritual ~** przeżycie religijne/duchowe. – *v.* doświadczać, doznawać (*czegoś*); odczuwać; przechodzić, przeżywać; przekonać się o (*czymś*); zasmakować, popróbować (*czegoś*); **~ sth at first hand** doświadczyć czegoś samemu *l.* na sobie; przekonać się o czymś na własnej skórze.

experienced [ɪk'spi:rɪənst] *a.* doświadczony (*in sth* w czymś).

experiential [ɪkˌspi:rɪ'enʃl] *a. fil.* oparty na doświadczeniu (zmysłowym), doświadczalny.

experientially [ɪkˌspi:rɪ'enʃəlɪ] *adv.* doświadczalnie.

experiment *n.* [ɪk'sperəmənt] *C/U* doświadczenie, eksperyment (*in sth* w zakresie czegoś); próba; **as an ~** na próbę, tytułem próby; **by ~** doświadczalnie, na drodze eksperymentu; **carry out/conduct/do/perform an ~** przeprowadzić *l.* wykonać eksperyment. – *v.* [ɪk'sperəˌment] eksperymentować, przeprowadzać doświadczenia (*on sb/sth* na kimś/czymś, *with sth* z czymś).

experimental [ɪkˌsperə'mentl] *a.* **1.** eksperymentalny (= *nowatorski, próbny*). **2.** doświadczalny, oparty na doświadczeniu; empiryczny.

experimentalism [ɪkˌsperə'mentəˌlɪzəm] *n. U sztuka* eksperymentalizm.

experimentalist [ɪkˌsperə'mentəlɪst] *n.* eksperymentalist-a/ka.

experimentally [ɪkˌsperə'mentlɪ] *adv.* **1.** eksperymentalnie. **2.** doświadczalnie, na drodze eksperymentu, empirycznie.

experimentation [ɪkˌsperəmen'teɪʃən] *n. U* doświadczenia, eksperymenty, eksperymentowanie.

experimenter [ɪk'sperəˌmentər] *n.* eksperymentator/ka.

experiment station *n.* stacja badawcza *l.* doświadczalna.

expert ['ekspɝ:t] *n.* **1.** ekspert (*on/in/at sth* od czegoś); znawca (*on/in/at sth* czegoś); biegły, rzeczoznawca; **~ evidence/opinion** *prawn.* orzeczenie biegłego *l.* biegłych, ekspertyza. **2.** *US wojsk.* strzelec wyborowy pierwszej klasy. – *a.* doświadczony, biegły (*at/in sth* w czymś).

expertise [ˌekspər'ti:z] *n. U* wiedza (fachowa *l.* specjalistyczna); umiejętności (specjalistyczne).

expertly ['ekspɝ:tlɪ] *adv.* ze znawstwem, fachowo.

expertness ['ekspɝ:tnəs] *n. U* znawstwo.

expert system *n. komp.* system ekspertowy.

expert witness *n. prawn.* biegły (sądowy), rzeczoznawca.

expiable ['ekspɪəbl] *rel. l. przen. a.* do odpokutowania, dający się odpokutować.

expiate ['ekspɪˌeɪt] *v.* odpokutować (*grzech, winę*).

expiation [ˌekspɪ'eɪʃən] *n. U* pokuta, ekspiacja (*for/of sth* za coś).

expiator ['ekspɪˌeɪtər] *n.* pokutni-k/czka.

expiatory ['ekspɪəˌtɔ:rɪ] *a.* pokutniczy, ekspiacyjny.

expiration [ˌekspə'reɪʃən] *n. U* **1.** wygaśnięcie, utrata ważności; upłynięcie, upływ (*terminu*). **2.** = **expiration date**. **3.** *fizj.* wydech. **4.** *arch.* zgon.

expiration date *n.* (*także Br.* **expiry date**) data ważności (*produktu*); ważny do: (*o dokumencie*).

expiratory [ɪk'spaɪrəˌtɔ:rɪ] *a. fizj.* wydechowy.

expire [ɪk'spaɪr] *v.* **1.** wygasać, tracić ważność (*np. o licencji*); upływać (*o terminie*). **2.** *fizj.* wydychać. **3.** *lit.* wydać ostatnie tchnienie (= *umrzeć*).

expiry [ɪk'spaɪrɪ] *n. Br.* = **expiration**.

explain [ɪk'spleɪn] *v.* **1.** wyjaśniać, tłumaczyć (*sth to sb* coś komuś). **2. ~ o.s.** usprawiedliwiać się, tłumaczyć się; **he can't ~ himself very well** nie potrafi jasno powiedzieć, o co mu chodzi. **3. ~ sth away** znaleźć wytłumaczenie *l.* usprawiedliwienie dla czegoś.

explanation [ˌeksplə'neɪʃən] *n.* **1.** wyjaśnienie, wytłumaczenie (*of/for sth* czegoś/dla czegoś); **come up with/give/provide an ~** dostarczyć wyjaśnienia. **2.** *U* wyjaśnianie, tłumaczenie. **3.** objaśnienie.

explanatory [ɪk'splænəˌtɔ:rɪ] *a.* wyjaśniający, tłumaczący; objaśniający.

explant *v.* [eks'plænt] *biol., chir.* eksplantować (= *przeszczepiać (żywą tkankę) do sztucznego środowiska*). – *n.* ['eksˌplænt] eksplant.

explantation [eksˌplæn'teɪʃən] *n. C/U* eksplantacja.

expletive ['eksplətɪv] *n.* **1.** *form.* przekleństwo. **2.** *gram., ret.* wypełniacz (= *słowo l. wyrażenie puste znaczeniowo*). – *a.* (*także* **expletory**) *gram., ret.* wypełniający (*o słowie, wyrażeniu*).

explicable ['eksplɪkəbl] *a.* wytłumaczalny, dający się wyjaśnić; **for no ~ reason** z niewyjaśnionych przyczyn *l.* powodów.

explicably ['eksplɪkəblɪ] *adv.* wytłumaczalnie, w sposób wytłumaczalny.

explicate ['eksplɪˌkeɪt] *v. form.* **1.** wyłuszczać, wyjaśniać. **2.** rozwijać (*zasadę, pojęcie*).

explication [ˌeksplɪ'keɪʃən] *n. C/U form.* **1.** wyjaśnienie. **2.** rozwinięcie.

explicative ['eksplɪˌkeɪtɪv], **explicatory** ['eksplɪkəˌtɔ:rɪ] *a. form.* wyjaśniający.

explicit [ɪk'splɪsɪt] *a.* **1.** dobitny, wyraźny, bez niedomówień (*np. o sformułowaniu, ostrzeżeniu*); (*wyrażający się w sposób*) bezpośredni (*o osobie*); **be ~ (about sth)** mówić (*coś*) otwarcie *l.* bez ogródek. **2.** odważny, śmiały (*np. o scenach erotycznych*); drastyczny (*np. o scenach przemocy*).

explicit function *n. mat.* funkcja jawna.

explicitly [ɪk'splɪsɪtlɪ] *adv.* **1.** dobitnie, wyraźnie, bez ogródek (*mówić*). **2.** odważnie, śmiało (*przedstawiać*).

explicitness [ɪk'splɪsɪtnəs] *n. U* **1.** bezpośredniość, dobitność (*sformułowania*). **2.** śmiałość; drastyczność (*filmu, sceny, opisu*).

explode [ɪk'sploʊd] *v.* **1.** *t. przen.* eksplodować, wybuchać; **~ with/in anger** wybuchnąć gniewem. **2.** spowodować wybuch *l.* eksplozję (*bomby*), zdetonować. **3.** *przen.* zdemaskować (*oszustwo*); zdyskredytować, obalić (*fałszywą teorię, mit*). **4.** *przen.* gwałtownie wzrosnąć (*zwł. o liczbie ludności*).

exploded view [ɪk'sploʊdɪd ˌvju:] *n. techn.* rysunek złożeniowy.

exploit *v.* [ɪk'splɔɪt] **1.** wyzyskiwać, eksploatować (*osobę*); wykorzystywać (*czyjąś naiwność*). **2.** użytkować, wykorzystywać, eksploatować (*zasoby*). – *n.* ['eksplɔɪt] *zw. pl.* wyczyn.

exploitation [ˌeksplɔɪ'teɪʃən] *n. U* **1.** wyzysk. **2.** użytkowanie, wykorzystywanie, eksploatacja.

exploiter [ɪk'splɔɪtər] *n.* **1.** wyzyskiwacz/ka. **2.** eksploatator/ka.

exploration [ˌekspləˈreɪʃən] *n.* *C/U* badanie, eksploracja (*np. przestrzeni kosmicznej*); zgłębianie (*zagadnienia*).

exploratory [ɪkˈsplɔːrəˌtɔːrɪ] *a.* (*także* **explorative**) **1.** badawczy. **2.** wstępny, rozpoznawczy.

exploratory surgery *n.* *C/U pl.* **-ies** *chir.* eksploracja chirurgiczna; operacja podglądowa *l.* zwiadowcza.

explore [ɪkˈsplɔːr] *v.* **1.** badać, eksplorować. **2.** zgłębiać.

explorer [ɪkˈsplɔːrər] *n.* **1.** badacz/ka; odkrywca/czyni (*nieznanych l. słabo znanych terenów*). **2.** *astron., med.* sonda.

explosion [ɪkˈsploʊʒən] *n.* *t. przen.* wybuch, eksplozja; **population ~** eksplozja demograficzna.

explosive [ɪkˈsploʊsɪv] *a.* **1.** *t. przen.* wybuchowy (*o materiale, temperamencie*); napięty, zapalny (*o sytuacji*). **2.** *fon.* wybuchowy (*o spółgłosce*). – *n.* **1.** *C/U* materiał wybuchowy; **high ~** silny materiał wybuchowy. **2.** *fon.* spółgłoska wybuchowa.

explosively [ɪkˈsploʊsɪvlɪ] *adv.* wybuchowo.

explosiveness [ɪkˈsploʊsɪvnəs] *n.* *U* wybuchowość; skłonność do eksplozji.

expo [ˈekspoʊ] *n.* *pl.* **-s** *pot.* wystawa.

exponent [ɪkˈspoʊnənt] *form.* *n.* **1.** rzeczni-k/czka, propagator/ka (*idei*); wyraziciel/ka (*opinii*). **2.** interpretator/ka (*poglądów, teorii*). **3.** *mat.* wykładnik (potęgi). – *a.* tłumaczący, interpretujący.

exponential [ˌekspoʊˈnenʃl] *a.* wykładniczy, gwałtowny (*o wzroście*); *mat.* wykładniczy (*o funkcji, równaniu*).

exponentially [ˌekspoʊˈnenʃlɪ] *adv.* wykładniczo, gwałtownie (*rosnąć*); *mat.* wykładniczo (*rosnąć, zależeć*).

export *handl.* *v.* [ɪkˈspɔːrt] eksportować. – *n.* [ˈekspɔːrt] **1.** *U* eksport, wywóz. **2.** *zw. pl.* towar eksportowy.

exportation [ˌekspɔːrˈteɪʃən] *n.* **1.** *U* wywóz, eksport. **2.** *gł. US* towar eksportowy.

export duty *n.* cło wywozowe.

exporter [ɪkˈspɔːrtər] *n.* eksporter.

export reject *n.* odrzut z eksportu.

expose [ɪkˈspoʊz] *v.* **1.** odsłaniać (*tajemnicę, zamiar*); ujawniać (*szczegóły*); zdemaskować (*kogoś, czyjeś oszustwo*). **2.** wystawiać (*to sth* na coś *l.* działanie czegoś); **be ~d to sth** mieć kontakt z czymś (*np. z językiem obcym, kulturą*). **3.** narażać (*sb/o.s. to sth* kogoś/się na coś) (*np. na krytykę*). **4.** obnażać (*część ciała*); **~ o.s. (in public)** obnażyć się (publicznie). **5.** porzucać (*noworodka, psa*). **6.** *fot.* naświetlać (*kliszę, klatkę*).

exposé [ˌekspoʊˈzeɪ] *n.* **1.** *dzienn.* ujawnienie (*of sth* czegoś) (*zwł. skandalu*). **2.** *polit.* exposé.

exposed [ɪkˈspoʊzd] *a.* nieosłonięty, odkryty.

exposition [ˌekspəˈzɪʃən] *n.* **1.** ekspozycja, wystawa. **2.** *muz., teor. lit.* ekspozycja. **3.** *C/U form.* wykład; przedstawienie; wyjaśnienie (*of sth* czegoś). **4.** *C/U* porzucenie (*noworodka, psa*). **5.** *C/U rz.-kat.* wystawienie (*Najśw. Sakramentu*).

expository [ɪkˈspɑːzəˌtɔːrɪ], **expositive** [ɪkˈspɑːzɪtɪv] *a.* *ret.* informacyjny, opisowy (*o stylu, pisarstwie*).

expostulate [ɪkˈspɑːstʃəˌleɪt] *v.* **~ with sb on/about sth** *form.* spierać się z kimś o coś; próbować odwieść kogoś od czegoś.

expostulation [ɪkˌspɑːstʃəˈleɪʃən] *n.* *U l. pl. form.* dyskusje, protesty.

expostulatory [ɪkˈspɑːstʃələˌtɔːrɪ] *a.* *form.* protestujący (*np. o tonie*); zawierający protesty (*np. o liście*).

exposure [ɪkˈspoʊʒər] *n.* *C/U* **1.** wystawienie (*to sth* na coś *l.* działanie czegoś); *med.* wystawienie na warunki atmosferyczne; **die of ~** umrzeć z zimna. **2.** narażenie (*to sth* na coś). **3.** obnażenie (się); **indecent ~** *prawn.* obnażenie się w miejscu publicznym. **4.** odsłonięcie; zdemaskowanie. **5.** *fot.* ekspozycja, naświetlanie; *C* klatka, zdjęcie. **6.** porzucenie (*noworodka, psa*). **7.** *alpinizm* ekspozycja. **8.** *bud.* położenie, orientacja (*budynku, pokoju*); **southern ~** widok na południe.

exposure meter *n.* *fot.* światłomierz.

expound [ɪkˈspaʊnd] *v.* *form.* **1.** wykładać (*teorię*). **2.** deliberować (*on sth* na jakiś temat).

express [ɪkˈspres] *v.* **1.** wyrażać (*pojęcia, uczucia, zależności*); **his face ~ed joy** jego twarz wyrażała radość. **2. ~ o.s.** wyrażać *l.* wysławiać *l.* wypowiadać się; realizować się (*by/through sth* w czymś/przez coś) (*o osobie*). **3.** *Br.* posyłać ekspresem *l.* przesyłką ekspresową. **4.** *form.* wyciskać (*sok, powietrze*). **5.** *genetyka* wykazywać (*cechę genetyczną*); (*także* **~ itself**) podlegać ekspresji (*o genie*). – *a. attr.* **1.** wyraźny, jednoznaczny (*o poleceniu, zamiarze, życzeniu*). **2.** ekspresowy (*o pociągu, przesyłce*). – *n.* ekspres (*pociąg l. przesyłka*). – *adv.* ekspresem; **send sth ~** wysyłać coś ekspresem.

express delivery *n.* przesyłka ekspresowa.

expressible [ɪkˈspresəbl] *a.* *form.* wyrażalny.

expression [ɪkˈspreʃən] *n.* **1.** *t. jęz., mat.* wyrażenie. **2.** *U* wyrażanie, wyraz (*uczuć*); **give ~ to sth** dawać wyraz czemuś. **3.** (*także* **facial ~**) wyraz twarzy. **4.** *U sztuka, genetyka* ekspresja.

expressionism [ɪkˈspreʃəˌnɪzəm] *n.* *U sztuka* ekspresjonizm.

expressionist [ɪkˈspreʃəˌnɪst] *n.* ekspresjonista/ka.

expressionistic [ɪkˈspreʃəˌnɪstɪk] *a.* *sztuka* ekspresjonistyczny.

expressionless [ɪkˈspreʃənləs] *a.* bez wyrazu, pozbawiony wyrazu.

expression mark *a.* *muz.* oznaczenie interpretacyjne.

expressive [ɪkˈspresɪv] *a.* **1.** ekspresyjny, pełen wyrazu. **2. be ~ of sth** wyrażać coś.

expressively [ɪkˈspresɪvlɪ] *adv.* **1.** z wyrazem. **2.** ekspresyjnie.

expressiveness [ɪkˈspresɪvnəs] *n.* *U* wyraz, siła wyrazu.

express lane *n.* *zwł. US mot.* pasmo szybkiego ruchu (*na autostradzie*).

expressly [ɪkˈspreslɪ] *adv.* **1.** wyraźnie, jednoznacznie (*np. polecić, zabronić*). **2.** celowo, umyślnie.

express mail, *Br.* **express post** *n. U* poczta ekspresowa (*usługa*); przesyłki ekspresowe.

express train *adv. kol.* pociąg ekspresowy, ekspres.

expressway [ɪk'spres͵weɪ] *n. US* autostrada.

expropriate [eks'proupri͵eɪt] *v. prawn.* **1.** przejmować, konfiskować (*mienie*); zagarniać, przywłaszczać (*cudzą własność*). **2.** wywłaszczać.

expropriation [eks͵proupri'eɪʃən] *n. C/U* **1.** konfiskata, przejęcie; zagarnięcie, przywłaszczenie. **2.** wywłaszczenie.

expulsion [ɪk'spʌlʃən] *n. C/U* **1.** wydalenie, usunięcie (*np. ze szkoły, z kraju*). **2.** wyrzucanie, wydalanie (*np. gazów, odpadów*).

expulsive [ɪk'spʌlsɪv] *a. i n. med.* (środek) wypierający.

expunction [ɪk'spʌŋkʃən] *form. n.* skreślenie; wykreślenie.

expunge [ɪk'spʌndʒ] *v.* skreślać; *t. przen.* wykreślać (*np. z pamięci*).

expurgate ['ekspər͵geɪt] *v. zw. pass. form.* **1.** cenzurować (*np. książkę z niepożądanych treści*); **~ed version** wersja okrojona *l.* ocenzurowana. **2.** wycinać, usuwać (*niepożądane treści*).

expurgation [͵ekspər'geɪʃən] *n. C/U* **1.** ocenzurowanie, oczyszczenie, okrojenie. **2.** usunięcie (*niepożądanych treści*).

exquisite ['ekskwɪzɪt] *a.* **1.** kunsztowny (*o zdobieniach, przedmiocie*). **2.** wyborny, wyśmienity, wykwintny (*o smaku, potrawie, guście*). **3.** *lit.* przejmujący, dotkliwy (*o bólu*). – *n. arch.* wykwintni-ś/sia.

exquisitely ['ekskwɪzɪtlɪ] *adv.* **1.** kunsztownie (*zdobić*). **2.** wybornie, wyśmienicie, wykwintnie (*gotować, smakować, ubierać się*). **3.** *lit.* dotkliwie (*odczuwać*).

exquisiteness ['ekskwɪzɪtnəs] *n. U* **1.** kunsztowność. **2.** wyborność. **3.** *lit.* dotkliwość.

exsanguine [eks'sæŋgwɪn] *a. form.* bezkrwisty, anemiczny.

exscind [ek'sɪnd] *v. form.* wycinać, usuwać.

exsect [ek'sekt] *v. chir.* wycinać.

exsert [eks'sɜ˞:t] *v. gł. zool., bot.* wysuwać (*np. żądło*); wypuszczać (*np. pęd*). – *a.* (*także* **~ed**) wystający (*np. o pręciku*).

ex-serviceman [͵eks'sɜ˞:vɪs͵mæn] *n. pl.* **-men** *zwł. Br.* były żołnierz *l.* wojskowy.

exsiccate ['eksə͵keɪt] *v. form.* wysuszać.

exsiccator ['eksə͵keɪtər] *n. chem.* eksykator.

ext. *abbr.* **extension** *tel.* wewn., wew., w. (= *wewnętrzny*).

extant ['ekstənt] *a.* (jeszcze) istniejący, pozostały, przetrwały (*o zapisach, osobnikach*).

extemporaneous [ɪk͵stempə'reɪnɪəs] *a.* (*także* **extemporary**) improwizowany.

extemporaneously [ɪk͵stempə'reɪnɪəslɪ] *adv.* bez przygotowania (*występować*), z głowy (*mówić*).

extemporaneousness [ɪk͵stempə'reɪnɪəsnəs] *n. U* improwizowany charakter (*wystąpienia, przemówienia*).

extempore [ɪk'stempərɪ] *adv.* bez przygotowania (*występować*), z głowy (*mówić*). – *a.* improwizowany (*o występie*), z głowy (*o przemówieniu*).

extemporization [ɪk͵stempərə'zeɪʃən], *Br. i Austr. zw.* **extemporisation** *n. C/U* improwizacja.

extemporize [ɪk'stempə͵raɪz], *Br. i Austr. zw.* **extemporise** *v.* improwizować.

extend [ɪk'stend] *v.* **1.** *t. przen.* przedłużać (*drogę, termin, wizę*); rozbudowywać (*np. dom*); powiększać (*zakres, zasięg*); rozwijać (*działalność*); rozszerzać (*uprawnienia, władzę*) (*into/over sth* na coś); **~ a debt** *fin.* przedłużyć *l.* prolongować spłatę długu. **2.** *t. przen.* rozciągać się (*o obszarze, rzece*); ciągnąć się, przeciągać się, trwać (*o okresie, imprezie*); sięgać (*as far as sth* czegoś). **3.** rozkładać się, wysuwać się (*o antenie, drabinie, stole*). **4.** wyciągać; rozprostowywać (*rękę, nogę*); **~ a helping hand** *przen.* wyciągnąć pomocną dłoń. **5.** udzielać (*czegoś*) (*to sb* komuś); **~ aid** udzielić pomocy; **~ a greeting/welcome to sb** pozdrowić/powitać kogoś; **~ an invitation** wystosować zaproszenie (*to sb* do kogoś); **~ an offer** złożyć ofertę; **~ condolences/sympathies** składać kondolencje/wyrazy współczucia; **~ credit** *fin.* udzielić kredytu; **~ hospitality** użyczyć gościny; **~ thanks** wyrazić podziękowanie. **6.** forsować, zmuszać do maksymalnego wysiłku (*np. zawodnika*); **~ o.s.** wysilać się, dawać z siebie wszystko. **7.** *prawn.* zajmować (*mienie*). **8.** *gł. Br. prawn.* wyceniać.

extended family [ɪk͵stendɪd 'fæməlɪ] *n.* rodzina wielopokoleniowa.

extender [ɪk'stendər] *n.* wypełniacz, substancja wypełniająca.

extendibility [ɪk͵stendə'bɪlətɪ] *n. U* rozciągliwość.

extendible [ɪk'stendəbl] *a.* **1.** przedłużalny; rozszerzalny. **2.** wysuwany, rozciągany.

extensibility [ɪk͵stensə'bɪlətɪ] *n.* = **extendibility**.

extensible [ɪk'stensəbl], **extensile** [ɪk'stensl] *a.* = **extendible.**

extension [ɪk'stenʃən] *n.* **1.** *bud.* dobudówka, przybudówka; pawilon. **2.** (*także* **~ number**) *tel.* (numer) wewnętrzny. **3.** *tel.* drugi *l.* dodatkowy aparat. **4.** *el.* = **extension cord/lead**. **5.** *U l. sing.* przedłużenie (*drogi, okresu, wizy*); rozciągnięcie, rozszerzenie (*zakresu, prawa*); *fin., prawn.* prolongata. **6.** *U l. sing.* zasięg, rozmiary (*np. wpływów*). **7.** *U fiz.* rozciągłość (*ciała*). **8.** *U l. sing.* rozciągnięcie, wyprostowanie; **at full ~** całkowicie wyprostowany (*np. o nodze w trakcie gimnastyki*). **9.** *med.* wyciąg. **10.** *fil., log., jęz.* ekstensja (*wyrażenia*). **11. by ~** tym samym.

extension cord *n. US, Can. i Austr. el.* przedłużacz.

extension course *n. Br. uniw.* studia zaoczne.

extension ladder *n.* drabina rozkładana *l.* teleskopowa.

extension lead *n. Br.* = **extension cord**.

extension number *n. zob.* **extension** 2.

extension table *n.* stół rozkładany.

extensive [ɪk'stensɪv] *a.* **1.** rozległy (*o obszarze, zniszczeniach, zawale serca*). **2.** obszerny (*o *opracowaniu*); szczegółowy (*o badaniach*). **3.** *ekon.* ekstensywny.

extensively [ɪk'stensɪvlɪ] *adv.* **1.** szczegółowo (*traktować*); obszernie (*opisywać*). **2.** rozlegle (*występować*). **3.** *ekon.* ekstensywnie.

extensor [ɪk'stensər] *n.* (*także* ~ **muscle**) *anat.* prostownik.

extent [ɪk'stent] *n. U l. sing.* **1.** rozciągłość; rozległość; rozmiary, zasięg; stopień (*np. zniszczeń*); **to a great/large ~** w dużym stopniu, w znacznej mierze; **to some/a certain ~** do pewnego stopnia; **to such an ~ that...** (*także* **to the ~ that...**) do tego stopnia, że...; **to the ~ of doing sth** do tego stopnia *l.* tak dalece, że się coś robi; **to what ~** jak dalece, w jakim stopniu; **we're in debt to the ~ of ...** mamy długi wynoszące *l.* sięgające... **2.** połać (= *duży obszar*). **3.** *prawn.* nakaz zajęcia majątku; zajęcie majątku. **4.** *Br. hist.* oszacowanie (*wartości ziemi*).

extenuate [ɪk'stenjʊˌeɪt] *v.* **1.** *zwł. prawn.* łagodzić; zmniejszać, pomniejszać (*winę, zakres odpowiedzialności*); **~ing circumstances** okoliczności łagodzące. **2.** *arch.* wycieńczać. **3.** *arch.* rozcieńczać.

extenuation [ɪkˌstenjʊ'eɪʃən] *n. U zwł. prawn.* złagodzenie; zmniejszenie, umniejszenie; **in ~ of sth** w usprawiedliwieniu czegoś; **plead ignorance in ~ of the/one's crime** powoływać się na niewiedzę jako na okoliczność łagodzącą, usprawiedliwiać (swoje) przestępstwo niewiedzą.

extenuatory [ɪk'stenjʊəˌtɔːrɪ] *a. zwł. prawn.* łagodzący; zmniejszający.

exterior [ɪk'stiːrɪər] *a.* zewnętrzny (*o ścianie, powierzchni, wyglądzie*); **~ to sth** znajdujący się na zewnątrz czegoś. – *n. zw. sing.* **1.** zewnętrze, zewnętrzna strona *l.* powierzchnia. **2.** wygląd zewnętrzny, powierzchowność. **3.** *sztuka, film* scena na zewnątrz (*obraz l. ujęcie*). **4. on the ~** na *l.* z zewnątrz (*np. wyglądać, sprawiać wrażenie*).

exterminate [ɪk'stɜːməˌneɪt] *v.* tępić (*szkodniki, poglądy*); eksterminować (*ludzi*).

extermination [ɪkˌstɜːmə'neɪʃən] *n. U* tępienie; eksterminacja.

exterminator [ɪk'stɜːməˌneɪtər] *n.* **1.** tępiciel/ka, truciciel/ka; pracowni-k/ca zakładu dezynsekcji; *pl.* zakład dezynsekcji. **2.** środek do tępienia, trucizna.

exterminatory [ɪk'stɜːmənəˌtɔːrɪ] *a.* tępicielski.

extern ['ekstɜːn], **externe** *n. US* lekarz dochodzący (= *związany z danym szpitalem, ale nie urzędujący w nim w stałych godzinach*).

external [ɪk'stɜːnl] *a.* zewnętrzny (*o świecie, obrażeniach, wyglądzie, wpływach*); z zewnątrz; **~ examination/examiner** *Br. uniw., szkoln.* egzamin/egzaminator zewnętrzny; **for ~ use (only)** *med.* (tylko) do użytku zewnętrznego. – *n.* **1.** *Austr. i NZ uniw.* student/ka zaoczn-y/a. **2.** *pl. zob.* **externals.**

external affairs *n. pl. polit.* sprawy zagraniczne.

external ear *n. anat.* ucho zewnętrzne.

externalism [ɪk'stɜːnəˌlɪzəm] *n. U* **1.** *teol.* eksternalizm, zewnętrzność (*uczynków*). **2.** *fil.* eksternalizm, fenomenalizm.

externality [ˌekstɜː'nælətɪ] *n.* **1.** *U* zewnętrzność. **2.** *pl.* **-ies** rzecz zewnętrzna; kwestia zewnętrzna.

externalize [ɪk'stɜːnəˌlaɪz], *Br. i Austr. zw.* **externalise** *v.* uzewnętrzniać (*uczucia*).

externally [ɪk'stɜːnlɪ] *adv.* zewnętrznie; na *l.* z zewnątrz.

externals [ɪk'stɜːnlz] *n. pl.* czynniki *l.* okoliczności zewnętrzne *l.* uboczne; pozory; **judge by ~** sądzić z pozorów.

exterritorial [ˌeksterɪ'tɔːrɪəl] *a. polit.* eksterytorialny.

exterritoriality [ekˌsterɪtɔːrɪ'ælətɪ] *n. U* eksterytorialność.

extinct [ɪk'stɪŋkt] *a.* **1.** *gł. ekol., jęz.* wymarły (*o gatunku, języku, cywilizacji*). **2.** *t. geol., prawn.* wygasły (*o wulkanie, roszczeniach; t. o ogniu l. przen. o uczuciach*).

extinction [ɪk'stɪŋkʃən] *n. U* **1.** *gł. ekol., jęz.* wymarcie, wyginięcie; zanik; **(species) in danger of/threatened with/facing ~** *ekol.* (gatunki) zagrożone wymarciem. **2.** zagłada, unicestwienie (*np. cywilizacji, gatunku*). **3.** *gł. geol., prawn.* wygaśnięcie. **4.** ugaszenie, zgaszenie (*ognia*). **5.** *prawn.* umorzenie (*długu*).

extinctive [ɪk'stɪŋktɪv] *a. form.* **1.** gaszący. **2.** niszczący.

extinguish [ɪk'stɪŋgwɪʃ] *v. form.* **1.** ugasić (*pożar*); zgasić (*papierosa, światło*). **2.** *lit.* unicestwić, skazać na zagładę (*gatunek, cywilizację*). **3.** *przen.* zniweczyć (*nadzieje*); zdusić, stłumić, stłamsić (*uczucia*); wymazać (*wspomnienia*); przyćmić, zaćmić (*np. czyjąś urodę*). **4.** *fin.* uregulować (*dług*); umorzyć (*dług*).

extinguishable [ɪk'stɪŋgwɪʃəbl] *a.* dający się ugasić, unicestwić *l.* stłumić.

extinguisher [ɪk'stɪŋgwɪʃər] *n.* **1.** (*także* **fire ~**) gaśnica; **fluid/foam/dry-powder ~** gaśnica płynowa/pianowa/proszkowa. **2.** gasidło (*do świec*).

extinguishment [ɪk'stɪŋgwɪʃmənt] *n. U* **1.** ugaszenie. **2.** unicestwienie. **3.** zniweczenie. **4.** *fin.* uregulowanie; umorzenie.

extirpate ['ekstərˌpeɪt] *v.* **1.** *form.* wykorzenić, wytępić, wytrzebić (*np. zło*); wyeliminować (*wroga, opozycję*). **2.** *chir.* usunąć całkowicie, wyciąć. **3.** *ogr., roln.* wyrywać z korzeniami.

extirpation [ˌekstər'peɪʃən] *n. U* **1.** *form.* wytępienie; eliminacja. **2.** *chir.* ekstyrpacja, całkowite usunięcie *l.* wycięcie.

extirpator ['ekstərˌpeɪtər] *n. roln.* ekstyrpator.

extol [ɪk'stoul], *US zw.* **extoll** *v.* **-ll-** *form.* wychwalać, sławić; **~ the merits/virtues of sth** wychwalać zalety czegoś.

extort [ɪk'stɔːrt] *v.* **1.** wymuszać (*obietnicę, zeznania*) (*from sb* na kimś). **2.** wyłudzać (*pieniądze*) (*from sb* od kogoś). **3.** stosować paskarskie ceny *l.* stawki.

extorter [ɪk'stɔːrtər] *n.* = **extortioner.**

extortion [ɪk'stɔːrʃən] *n. U* **1.** przymus, wymuszenie; szantaż; wyłudzenie; **by ~** pod przymusem (*np. uzyskać czyjeś zeznania*); przez szantaż *l.* wyłudzenie. **2.** zdzierstwo.

extortionate [ɪk'stɔ:rʃənɪt] *a.* **1.** paskarski (*o cenach, stawkach*). **2.** z użyciem przymusu.

extortioner [ɪk'stɔ:rʃənər], **extortionist** [ɪk'stɔ:rʃənɪst], **extorter** [ɪk'stɔ:rtər] *n.* **1.** szantażyst-a/ka. **2.** zdzierca.

extra ['ekstrə] *a.* **1.** *attr.* dodatkowy, podwójny; **with ~ cheese** z dodatkowym *l.* podwójnym serem (*o pizzy*). **2.** *attr.* więcej; **(we need) ~ time/money** (potrzebujemy) więcej czasu/pieniędzy. **3.** *pred.* płatny oddzielnie *l.* dodatkowo; **drinks are ~** za napoje płaci się dodatkowo *l.* oddzielnie. – *adv.* **1.** dodatkowo, ekstra (*płacić, robić coś*). **2.** szczególnie, specjalnie; bardzo; **~ good quality** szczególnie dobra jakość; **~ strong** bardzo mocny (*np. o kawie*); **~ thin** bardzo cienki. – *n.* **1.** dodatek. **2.** dodatkowa opłata, dopłata; **(with) no ~s** bez dodatkowych opłat. **3.** *handl., mot.* dodatek, element wyposażenia dodatkowego (*samochodu*); *pl.* wyposażenie dodatkowe. **4.** rzecz szczególnie dobrej jakości. **5.** *dzienn.* wydanie specjalne; dodatek. **6.** pracowni-k/ca sezonow-y/a *l.* niepełnoetatow-y/a. **7.** *film* statyst-a/ka. **8.** *krykiet* punkt dodatkowy.

extracanonical [ˌekstrəkə'nɑ:nɪkl] *a. zwł. kośc.* nie objęty kanonem (*o pismach*).

extracondensed [ˌekstrəkən'deɪnst] *a. druk.* silnie zagęszczony (*o czcionce*).

extract *n.* ['ekstrækt] **1.** urywek, fragment (*from sth* z czegoś). **2.** *U* ekstrakt, wyciąg (*roślinny*). – *v.* [ɪk'strækt] **1.** wyciągać (*pieniądze, obietnicę, zeznania, pozwolenie*) (*from sb* od kogoś). **2.** wyprowadzać (*zasadę*). **3.** *chem.* ekstrahować (*związek*). **4.** *górn.* wydobywać (*węgiel, rudę*). **5.** *dent.* usuwać, wyrywać. **6.** wypisywać (*ustępy z książki*); robić wypisy z (*książki*).

extraction [ɪk'strækʃən] *n. C/U* **1.** wyciąganie. **2.** ekstrakt, wyciąg. **3.** *chem.* ekstrakcja. **4.** *górn.* wydobycie. **5.** *dent.* ekstrakcja, usunięcie. **6.** pochodzenie, rodowód; **of Polish ~** polskiego pochodzenia.

extractive [ɪk'stræktɪv] *a. chem.* ekstrakcyjny, wyciągowy. – *n. chem.* pozostałość poekstrakcyjna.

extractive industry *n.* przemysł wydobywczy.

extractor [ɪk'stræktər] *n.* **1.** (*także* **~ fan**) wyciąg, wentylator (wyciągowy). **2.** *chem., med.* ekstraktor.

extracurricular [ˌekstrəkə'rɪkjələr] *a. szkoln.* pozalekcyjny, ponadprogramowy, nadobowiązkowy, fakultatywny.

extracurricular activities *n. pl.* **1.** *szkoln.* zajęcia pozalekcyjne *l.* dodatkowe. **2.** *pot. żart.* seks (*zwł. pozamałżeński*).

extraditable ['ekstrəˌdaɪtəbl] *prawn. a.* podlegający ekstradycji (*o przestępcy*); objęty umową o ekstradycji (*o przestępstwie*).

extradite ['ekstrəˌdaɪt] *v.* wydawać, ekstradować (*przestępcę*).

extradition [ˌekstrə'dɪʃən] *n. C/U* ekstradycja, wydanie.

extrados ['ekstrəˌdɑ:s] *n. pl.* **-es** *l.* **extrados** *bud.* grzbiet łuku.

extragalactic [ˌekstrəgə'læktɪk] *a. astron.* pozagalaktyczny.

extrajudicial [ˌekstrədʒʊ'dɪʃl] *a. prawn.* nie podlegający jurysdykcji sądu; pozasądowy.

extramarital [ˌekstrə'merɪtl] *a.* pozamałżeński; **~ affair** romans; **~ relations/sex** stosunki pozamałżeńskie.

extramundane [ˌekstrəˌmʌn'deɪn] *a. form.* **1.** nadprzyrodzony; nie z tego świata. **2.** pozaziemski.

extramural [ˌekstrə'mjʊrəl] *a.* **1.** *uniw.* pozauniwersytecki, publiczny (*o wykładach*); *US* międzyuczelniany (*o rozgrywkach*); *zwł. Br.* eksternistyczny, zaoczny (*o studiach, studentach*). **2.** znajdujący się poza murami miasta, zamku itp.

extraneous [ɪk'streɪnɪəs] *a.* **1.** uboczny, peryferyjny, nieistotny (*to sth* dla czegoś) (*np. o kwestii*). **2.** zewnętrzny, z zewnątrz (*o hałasie*). **3.** obcy (*o substancji, ciele*).

extraneously [ɪk'streɪnɪəslɪ] *adv.* z zewnątrz.

extraordinarily [ɪkˌstrɔ:rdən'erəlɪ] *adv.* nadzwyczaj, niezwykle; nadzwyczajnie.

extraordinariness [ɪkˌstrɔ:rdən'erənəs] *n. U* nadzwyczajność, niezwykłość.

extraordinary [ɪk'strɔ:rdənˌerɪ] *a.* nadzwyczajny (*t. = specjalny*); niezwykły; **~ meeting/session** nadzwyczajne zebranie/posiedzenie; **envoy/ambassador ~** *polit.* nadzwyczajny *l.* specjalny wysłannik/ambasador; **how ~!** *Br.* coś podobnego!

extrapolate [ɪk'stræpəˌleɪt] *v. t. mat.* ekstrapolować; szacować.

extrapolation [ɪkˌstræpə'leɪʃən] *n. C/U t. mat.* ekstrapolacja.

extrasensory [ˌekstrə'sensərɪ], **extra-sensory** *a.* pozazmysłowy.

extrasensory perception *n. U* postrzeganie pozazmysłowe.

extrasystole [ˌekstrə'sɪstəlɪ] *n. pat.* skurcz dodatkowy (*serca*).

extraterrestrial [ˌekstrətə'restrɪəl] *a.* pozaziemski (*o cywilizacji, minerale, pochodzeniu*).

extraterritorial [ˌekstrəˌterɪ'tɔ:rɪəl] *a.* = **exterritorial**.

extra time *n. zwł. Br. sport* dogrywka.

extrauterine [ˌekstrə'ju:tərɪn] *a. pat.* pozamaciczny (*o ciąży*).

extravagance [ɪk'strævəgəns], **extravagancy** [ɪk'strævəgənsɪ] *n.* **1.** *U* rozrzutność. **2.** *U* brak umiaru, przesada. **3.** ekstrawagancja, wybryk.

extravagant [ɪk'strævəgənt] *a.* **1.** rozrzutny. **2.** przesadny; przesadzony. **3.** ekstrawagancki. **4.** kosztowny.

extravagantly [ɪk'strævəgəntlɪ] *adv.* **1.** rozrzutnie; przesadnie. **2.** ekstrawagancko. **3.** kosztownie.

extravaganza [ɪkˌstrævə'gænzə] *n.* feta, huczna impreza; **film/dance ~** święto filmu/tańca.

extravagate [ɪk'strævəˌgeɪt] *v. arch.* **1.** przekraczać dopuszczalne granice. **2.** błądzić, błąkać się.

extravasate [ɪk'strævəˌseɪt] *v. pat.* wynaczyniać (*krew*); wynaczyniać się (*o krwi*).

extravasation [ɪkˌstrævə'seɪʃən] *n. U pat.* wynaczynienie.

extravert ['ekstrəˌvɜːt] *n.* = **extrovert**.

extreme [ɪk'striːm] *a.* ekstremalny, skrajny, krańcowy; ~ **example/case of sth** rażący przykład/przypadek czegoś; ~ **right/left** skrajna prawica/lewica; **in the** ~ **north/south** na najdalszej północy/południu; **(live) in** ~ **poverty** (żyć) w skrajnej nędzy; **the** ~ **end/tip of sth** sam koniec/czubek czegoś. – *n.* **1.** najwyższy stopień, szczyt; **an/the** ~ **of bad taste** szczyt złego smaku; **in the** ~ (*także* **to an** ~) w najwyższym stopniu. **2.** skrajność; ostateczność; ~**s of temperature** ekstremalne *l.* skrajne temperatury; **driven to** ~**s** doprowadzony do ostateczności; **go from one** ~ **to the other** popadać z jednej skrajności w drugą; **take/carry sth to** ~**s** doprowadzać *l.* posuwać coś do skrajności. **3.** *mat.* ekstremum (*funkcji*).

extremely [ɪk'striːmlɪ] *adv.* **1.** niezwykle, niezmiernie (*np. zadowolony, udany*). **2.** skrajnie, ekstremalnie, w najwyższym stopniu, krańcowo (*np. wyczerpany*).

extremely high frequency *n. zob.* **EHT**.

extreme unction *n. U rz.-kat. przest.* ostatnie namaszczenie.

extremism [ɪk'striːmɪzəm] *zwł. polit. n. U* ekstremizm.

extremist [ɪk'striːmɪst] *n.* ekstremist-a/ka. – *a.* ekstremistyczny.

extremity [ɪk'streməti] *n. pl.* **-ies 1.** skraj, kraniec, koniec. **2.** *zw. pl. form.* kończyna; **lower/upper** ~ kończyna dolna/górna. **3.** *U* ekstremalność, krańcowość, skrajność (*czyjejś pozycji, poglądów*); szczyt (*np. rozpaczy*). **4.** środek ostateczny. **5.** krytyczna chwila.

extricable ['ekstrəkəbl] *a.* dający się uwolnić *l.* wydobyć; do uratowania.

extricate ['ekstrəˌkeɪt] *v.* **1.** ~ **(o.s.) from sth** *gł. przen.* wyplątać *l.* wyzwolić (się) z czegoś. **2.** uwalniać, wydobywać (*kogoś l. coś uwięzionego*).

extrication [ˌekstrə'keɪʃən] *n. U* **1.** wydobycie, wybawienie (*np. z kłopotów*). **2.** uwolnienie, wydobycie.

extrinsic [ɪk'strɪnsɪk] *a.* **1.** zewnętrzny. **2.** peryferyjny, uboczny (*to sth* dla czegoś).

extrorse [ek'strɔːrs] *a. bot.* zwrócony na zewnątrz (*o pylniku*).

extroversion [ˌekstrə'vɜːʒən] *n. U psych.* ekstrawersja.

extrovert ['ekstrəˌvɜːt] *psych. n.* (*także* **extravert**) ekstrawerty-k/czka. – *a.* (*także* **extroverted**) ekstrawertyczny.

extrude [ɪk'struːd] *v.* **1.** wypierać, wytłaczać. **2.** *techn.* wytłaczać (*tworzywo sztuczne*). **3.** *metal.* wyciskać. **4.** wystawać.

extrusion [ɪk'struːʒən] *n. U* **1.** wypieranie, wytłaczanie. **2.** *metal.* wyciskanie.

extrusive [ɪk'struːsɪv] *a.* wytłaczający.

exuberance [ɪg'zuːbərəns] *n. U* **1.** entuzjazm. **2.** bujność, wybujałość. **3.** wylewność.

exuberant [ɪg'zuːbərənt] *a.* **1.** tryskający energią *l.* entuzjazmem, energiczny, pełen życia (*o osobie*). **2.** bujny, wybujały (*o roślinności, wyobraźni*). **3.** kwitnący (*o zdrowiu*). **4.** wylewny (*o życzeniach, nastroju*).

exuberantly [ɪg'zuːbərəntlɪ] *adv.* **1.** energicznie, entuzjastycznie (*zachowywać się*). **2.** bujnie (*rosnąć*). **3.** kwitnąco (*wyglądać*). **4.** wylewnie (*witać, pozdrawiać*).

exuberate [ɪg'zuːbəˌreɪt] *v. rzad.* **1.** być pełnym entuzjazmu. **2.** być w obfitości.

exudation [ˌeksʊ'deɪʃən] *n. U form.* **1.** wybuch (*radości, entuzjazmu*). **2.** wydzielanie. **3.** wydzielina.

exude [ɪg'zuːd] *v.* **1.** promieniować, tryskać (*np. pewnością siebie, radością*). **2.** wydzielać (*ciecz, gaz*). **3.** wydzielać się.

exult [ɪg'zʌlt] *form. v.* **1.** radować się (*at/in sth* z czegoś); ~ **to see sb/sth** radować się na widok kogoś/czegoś. **2.** triumfować (*over sb* nad kimś).

exultancy [ɪg'zʌltənsɪ], **exultation** [ˌegzl'teɪʃən] *n. U* **1.** radość. **2.** triumf.

exultant [ɪg'zʌltənt] *a.* **1.** rozradowany, radosny. **2.** triumfujący.

exurb ['eksɜːb] *gł. US n.* osiedle za miastem (*zamieszkałe przez osoby zamożne*).

exurban [ek'sɜːbən] *a.* podmiejski.

exurbia [eks'ɜːbɪə] *n. pl. U* tereny podmiejskie (*zwł. zamożne*).

exuviae [ɪg'zuːvɪˌiː] *n. pl. zool.* wylinka (= *zrzucona skóra, łuska l. skorupa*).

exuviate [ɪg'zuːvɪˌeɪt] *v. zool.* zrzucać (*skórę*).

eyas ['aɪəs] *n. orn., myśl.* sokolę.

eye [aɪ] *n.* **1.** *anat. l. przen.* oko (*t. cyklonu, w rosole*); oczko (*t. w ziemniaku, na pawim piórze*). **2.** *w złoż.* **green-~d** zielonooki; **one-~d** jednooki. **3.** *pl.* wzrok; **weak ~s** słaby wzrok. **4.** pętla, pętelka, uszko; (*także* ~ **of the needle**) ucho (igielne); **hook and** ~ *krawiectwo* haftka. **5.** *przen.* ~**s right/left!** *wojsk.* w prawo/lewo patrz!; **an** ~ **for an** ~ **(a tooth for a tooth)** oko za oko (ząb za ząb); **a sight for sore ~s** rozkosz dla oka; **be all ~s** patrzeć z zapartym tchem; **be in the public** ~ być osobą publiczną *l.* powszechnie znaną; pokazywać się publicznie; **catch sb's** ~ przyciągnąć *l.* przykuć czyjś wzrok; zwrócić czyjąś uwagę; **cry one's ~s out** wypłakiwać (sobie) oczy; **feast one's** ~ **on sb/sth** sycić wzrok kimś/czymś; **give sb a black** ~ *zob.* **black eye**; **half an** ~ odrobina rozsądku; **have ~s bigger than one's stomach** przecenić swój apetyt (= *nałożyć sobie za dużo jedzenia*); mieć wygórowane apetyty *l.* ambicje; **have an ~/a good** ~ **for sth** mieć wyczucie czegoś; **have an/one's** ~ **on sb/sth** mieć oko *l.* chętkę na kogoś/coś; **have/keep an** ~ **on sb/sth** mieć kogoś/coś na oku (= *pilnować l. doglądać*); **here's mud in your** ~! *przest. żart.* no to siup (w ten głupi dziób)! (*toast*); **I couldn't believe my ~s** nie wierzyłam własnym oczom; **in a pig's** ~! *US przest. pot.* już to widzę!, akurat!; **in front of/before sb's (very) ~s** na czyichś oczach; **in the** ~ **of the law** w świetle prawa; **in one's/the mind's** ~ (przed) oczyma duszy; **in the twinkling of an** ~ w mgnieniu oka, w okamgnieniu; **invisible to the naked** ~ niewidoczny gołym *l.* nieuzbrojonym okiem; **keep one's ~s open/peeled** mieć oczy szeroko otwarte; **lay/clap/set ~s on sb/sth** zobaczyć *l.* ujrzeć kogoś/coś (*zwł. niespodziewanie l. po raz pierwszy*); **look sb in the ~** spojrzeć komuś (prosto) w oczy; **(make) ~ contact (with sb)** (nawiązać)(z kimś) kontakt wzrokowy; **make (sheep's) ~s at sb** *przest.* robić do kogoś słodkie oczy; **my ~!** *pot.* akurat! (*wyrażając niedowierzanie*); a to dopiero! (*wyrażając zdumienie*); **not bat an ~** *zob.* **bat³** *v.*; **one in the ~ for sb** *Br.* cios dla kogoś (*zwł. nielubianego*); **only have ~s for sb** nie widzieć świata poza kimś; **open sb's ~s to sth** otworzyć komuś oczy na coś; **private ~** *US pot.* prywatny detektyw; **run/cast one's ~s over sth** rzucić na coś okiem; **see ~ to ~ with sb** zgadzać się z kimś całkowicie; **see with half an ~** od razu widzieć *l.* zobaczyć; **shut one's ~s to sth** (*także* **turn a blind ~ to sth**) przymykać oko na coś, patrzeć na coś przez palce; **she couldn't take her ~s off him** nie mogła oderwać od niego oczu *l.* wzroku; **the ~ of the wind** *żegl.* kierunek wiatru; **the evil ~** *zob.* **evil**; **there's more to this than meets the ~** kryje się za tym coś więcej; **to my ~** *pot.* na moje oko; **up to the/one's ~s in work/debt** zapracowany/zadłużony po uszy; **what the ~ sees not, the heart craves not** *przest.* czego oczy nie widzą, tego sercu nie żal; **with an ~ to doing sth** z zamiarem zrobienia czegoś; **with one's ~s closed/shut** z zamkniętymi oczami (= *z łatwością*); **with one's ~s open** w pełni świadomie. – *v.* **ey(e)ing** **1.** przyglądać *l.* przypatrywać się (*komuś l. czemuś*). **2. ~ up** *pot.* taksować wzrokiem (*zwł. osobę jako potencjalny obiekt seksualny*).

eyebath [ˈaɪbɑ:θ] *n. zwł. Br.* = **eyecup**.

eyebolt [ˈaɪˌboʊlt] *n.* zasuwa *l.* sztaba z uszkiem.

eyebright [ˈaɪˌbraɪt] *n. bot.* świetlik (*Euphrasia*).

eyebrow [ˈaɪˌbraʊ] *n.* brew; **pluck one's ~s** wyskubywać sobie brwi; **raise one's ~s** podnosić brwi (*ze zdziwienia*); **raise (a few) ~s** *przen.* budzić zdziwienie.

eyebrow pencil *n. C / U* ołówek do brwi.

eyecatcher [ˈaɪˌkætʃər] *n.* atrakcyjna osoba *l.* rzecz; **be an ~** przyciągać wzrok.

eye-catching [ˈaɪˌkætʃɪŋ] *a.* przyciągający wzrok.

eye chart *n.* tablica do badania wzroku.

eyecup [ˈaɪˌkʌp], **eyeglass** [ˈaɪˌglæs] *n.* (*także Br.* **eyebath**) kieliszek do płukania oczu.

eye-dropper [ˈaɪˌdrɑ:pər], **eyedropper** *n.* zakraplacz (do oczu).

eyeful [ˈaɪfʊl] *n.* **1.** widok (*zwł. imponujący l. rozległy*); *pot.* osoba *l.* rzecz warta obejrzenia (*zwł. kobieta*). **2. get an ~ of sth** dobrze się czemuś przyjrzeć *l.* przypatrzyć.

eyeglass [ˈaɪˌglæs] *n.* **1.** *opt.* soczewka, szkiełko; okular; (*także* **single ~**) monokl. **2.** = **eyecup**.

eyeglasses [ˈaɪˌglæsɪz] *n. pl. Br. przest. l. US* okulary.

eyehole [ˈaɪˌhoʊl] *n. anat.* **1.** oczodół. **2.** oczko (*na sznur*). **3.** *zwł. US* judasz, wizjer.

eyelash [ˈaɪˌlæʃ] *n.* rzęsa.

eyelens [ˈaɪˌlenz] *n.* **1.** *anat.* soczewka. **2.** *opt.* okular.

eyeless [ˈaɪləs] *a.* bezoki.

eyelet [ˈaɪlət] *n.* **1.** oczko (*np. na sznurowadło; t. = małe oko*); uszko. **2.** judasz, wizjer.

eye level *n.* **at ~** na wysokości wzroku.

eyelid [ˈaɪˌlɪd] *n.* powieka; **hang on by the ~s** *przen.* wisieć na włosku; **not bat an ~** *przen. zob.* **bat³** *v.*

eyelift [ˈaɪˌlɪft] *n. chir.* usunięcie zmarszczek wokół oczu.

eyeliner [ˈaɪˌlaɪnər] *n. C / U* kredka *l.* ołówek do oczu, eyeliner.

eyeopener [ˈaɪˌoʊpənər] *n. pot.* **1.** odkrycie, objawienie; szok. **2.** *US i Can.* poranny drink.

eyeopening [ˈaɪˌoʊpənɪŋ] *a.* pouczający (*o przeżyciu, książce*).

eyepiece [ˈaɪˌpi:s] *n. opt.* okular.

eyerhyme [ˈaɪˌraɪm] *n. wers.* rym wzrokowy *l.* optyczny.

eyescrew [ˈaɪˌskru:] *n. mech.* śruba z uszkiem.

eye shade *n.* daszek przeciwsłoneczny (*na czoło*).

eye shadow *n. C / U* cień do powiek.

eyeshield [ˈaɪˌʃi:ld] *n.* osłona oczu, okulary ochronne.

eyeshot [ˈaɪˌʃɑ:t] *n. U* zasięg wzroku, pole widzenia; **within ~** w polu widzenia, w zasięgu wzroku.

eyesight [ˈaɪˌsaɪt] *n. U* wzrok.

eye socket *n. anat.* oczodół.

eyesore [ˈaɪˌsɔ:r] *n.* straszydło, szkaradzieństwo, monstrum (*zwł. budynek szpecący okolicę*).

eye-splice [ˈaɪˌsplaɪs] *n. żegl.* oko *l.* ucho (liny).

eyespot [ˈaɪˌspɑ:t] *n.* **1.** *zool.* plamka oczna (= *oko o prymitywnej budowie*). **2.** plamka, oczko.

eyestalk [ˈaɪˌstɔ:k] *n. zool.* słupek oka (*u skorupiaków*).

eyestrain [ˈaɪˌstreɪn] *n. U* przemęczenie wzroku *l.* oczu.

eye tooth, eyetooth *n. pl.* **eye teeth** *anat.* górny kieł; **he'd give his eye teeth for...** *przen. pot.* wiele by dał za...

eyewash [ˈaɪˌwɑ:ʃ] *n. U* **1.** płyn do przemywania oczu. **2.** *Br. przest. pot.* banialuki, bzdury.

eyewear [ˈaɪˌwer] *n. U handl.* artykuły optyczne (= *okulary, szkła kontaktowe itp.*); okulary.

eyewitness [ˈaɪˌwɪtnəs], **eye witness** *n. prawn.* naoczny świadek.

eyot [ˈaɪət] *n.* = **ait**.

eyre [er] *n. Br. hist.* **1.** okręg. **2.** sąd okręgowy.

eyrie [ˈerɪ] *n.* = **aerie**.

F [ef], **f** *n. pl.* **-'s** *l.* **-s** [efs] F, f (*litera l. głoska*).

F¹ [ef] *n. pl.* **-'s** *l.* **-s** *gł. US szkoln.* niedostateczny, ocena niedostateczna; **an ~ in sth** ocena niedostateczna z czegoś.

F² *n. muz.* F, f (*dźwięk l. stopień skali*); **F sharp** fis.

F., F *abbr.* **1.** *fiz., meteor.* = **(degree) Fahrenheit**. **2.** = **Friday**. **3.** = **February**. **4.** (*zwł. w ogłoszeniach*) = **female**. **5.** *fin.* = **franc**.

f., f *abbr.* **1.** = **foot**; = **feet**. **2.** *euf.* = **fuck**.

fa [fɑː] *n.* = **fah**.

FAA [ˌef ˌeɪ ˈeɪ] *abbr.* = **Federal Aviation Administration**.

fable [ˈfeɪbl] *n.* **1.** *t. teor. lit.* bajka (*t. uj.* = *zmyślenie*); *U* bajki. **2.** *arch.* fabuła. – *v.* **1.** *zw. pass.* przedstawiać w bajce *l.* bajkach. **2.** *arch. l. poet.* bajać, opowiadać bajki (*t. uj.* = *zmyślać*).

fabled [ˈfeɪbld] *a.* legendarny, osławiony; **~ for sth** *lit.* słynący z czegoś.

fabler [ˈfeɪblər] *n.* blagier/ka.

fabric [ˈfæbrɪk] *n.* **1.** *C/U* tkanina, materiał. **2.** *sing. t. przen.* struktura, szkielet (*np. budynku, organizacji*); **the social ~** (*także* **the ~ of society**) struktura społeczeństwa.

fabricate [ˈfæbrəˌkeɪt] *v.* **1.** *uj.* fabrykować (*zwł. dowody*). **2.** wyrabiać, produkować.

fabrication [ˌfæbrəˈkeɪʃən] *n.* **1.** wymysł. **2.** *U* produkcja, fabrykowanie.

fabricator [ˈfæbrəˌkeɪtər] *n.* **1.** oszust/ka. **2.** fałsze-rz/rka.

fabric softener, *Br.* **fabric conditioner** *n.* *C/U* płyn zmiękczający, środek do zmiękczania tkanin.

fabulist [ˈfæbjəlɪst] *n.* **1.** bajkopisa-rz/rka; baja-rz/rka. **2.** blagier/ka.

fabulous [ˈfæbjələs] *a.* **1.** bajeczny, fantastyczny. **2.** bajkowy, baśniowy.

fabulously [ˈfæbjələslɪ] *adv.* bajecznie (*np. bogaty*).

facade [fəˈsɑːd], **façade** *n.* **1.** *bud.* elewacja, fasada. **2.** *zw. sing. przen.* fasada, maska.

face [feɪs] *n.* **1.** *t. przen.* twarz; oblicze; **~ down/downward** twarzą w dół *l.* do ziemi; na brzuchu; **~ up/upward** twarzą do góry; na plecach; **familiar/new ~** *przen.* znana/nowa twarz (*osoba*). **2.** mina; **you should have seen her/his ~** trzeba było widzieć jego/jej minę. **3.** front; przód; przednia *l.* prawa strona; **~ down/downward** zakryty (*o karcie*); **~ up/upward** odkryty (*jw.*). **4.** tarcza (*zegara*). **5.** powierzchnia; lico (*skóry*). **6.** *pat.* = **facies** 3. **7.** *mech.* czoło, powierzchnia czołowa. **8.** *górn.* przodek. **9.** *przen.* **be in sb's ~** *US pot.* czepiać się kogoś; **(come) ~ to ~ (with sb/sth)** (stanąć) twarzą w twarz (z kimś/czymś); **disappear/vanish/be wiped off the ~ of the earth** zniknąć z powierzchni Ziemi; **fly in the ~ of sth/reason** *zob.* **fly¹** *v.*; **get out of my ~!** *pot.* daj mi spokój!; **his ~ fell/dropped** mina mu zrzedła; **I couldn't/wouldn't show my ~ there** nie mógłbym się tam pokazać (= *wstydziłbym się*); **in the ~ of sth** w obliczu czegoś; **in your ~** (*także* **in-your-~**) *sl.* bezkompromisowy, bezpardonowy; wyzywający; **keep a straight ~** powstrzymywać się od śmiechu, zachowywać powagę; **long ~** smętna mina; **look sb in the ~** patrzeć komuś (prosto) w oczy; **lose ~** stracić twarz; **make/pull a ~** zrobić minę, wykrzywić się; **make/pull ~s** stroić miny; **on the ~ of it** na pozór, na pierwszy rzut oka; **put a new ~ on sth** nadać czemuś nowe oblicze; **put on a brave ~** (*także* **put a brave ~ on it**) nadrabiać miną; **say sth to sb's ~** powiedzieć coś komuś w twarz *l.* (prosto) w oczy; **save ~** zachować twarz; **set one's ~ against sth** *Br.* zdecydowanie przeciwstawić się czemuś; **shut the door in sb's ~** zamknąć komuś drzwi przed nosem; **shut your ~!** *pot.* zamknij się!. – *v.* **1.** być zwróconym *l.* stać twarzą do (*kogoś l. czegoś*); być zwróconym ku (*czemuś; o budynku*); wychodzić na (*o oknie*); **~ north/east** wychodzić na północ/wschód; **left/about ~!** *zwł. US wojsk.* w lewo/w tył zwrot!; **turn to ~ sb** zwrócić się twarzą do kogoś. **2.** stawać przed (*komisją, wyborem*); **be ~d with sth** stanąć w obliczu czegoś; **the problems that ~ us** problemy, wobec których *l.* przed którymi stoimy. **3.** stawiać czoło (*komuś l. czemuś*). **4.** okładać,wykładać (*powierzchnię*); **~d in/with brick** wyłożony cegłą (*o budynku*). **5.** odwracać (*kartę*). **6.** *krawiectwo* usztywniać (*przez podszycie warstwą usztywniającą*). **7.** *mech.* obrabiać, wykańczać. **8.** *przen.* **~ (the) facts** liczyć się z faktami; **~ the truth** spojrzeć prawdzie w oczy; **~ the fact that...** przyjąć do wiadomości, że...; **~ the music** *pot.* ponieść konsekwencje; **can't ~ doing sth** nie czuć się na siłach, żeby coś zrobić; **let's ~ it** spójrzmy prawdzie w oczy. **9.** **~ sb down** stawić komuś czoło; **~ up to sth** stawić czemuś czoło; pogodzić się z czymś; **~ sb with sth** postawić kogoś w obliczu czegoś (*zwł. w obliczu dowodów winy*).

face card *n. US i Can. karty* figura.

facecloth [ˈfeɪsˌklɔːθ] *n.* (*także* **face flannel**) *Br.* myjka do twarzy.

face cream *n.* *C/U* krem do twarzy.

face flannel *n.* = **facecloth**.

faceguard [ˈfeɪsˌgɑːrd] *n. sport* osłona, maska (*twarzy*).

facehammer [ˈfeɪsˌhæmər] *n. mech.* równiak (*rodzaj młotka*).

face-harden [ˌfeɪsˈhɑːrdən] *v. metal.* utwardzać powierzchnię (*żelaza l. stali*).

faceless [ˈfeɪsləs] *a.* anonimowy.

facelessness [ˈfeɪsləsnəs] *n. U* anonimowość.

face-lift [ˈfeɪsˌlɪft], **facelift** *n.* **1.** *chir.* lifting (twarzy). **2.** *przen.* odnowienie, modernizacja; **give sth a ~** odnowić coś.

face-off [ˈfeɪsˌɔːf] *n.* **1.** *US pot.* starcie, konfrontacja. **2.** *hokej* wznowienie (gry).

face pack *n.* maseczka oczyszczająco-ściągająca.

face powder *n. U* puder (*kosmetyczny*).

facer [ˈfeɪsər] *n.* **1.** *Br. pot.* niespodziewana trudność. **2.** *mech.* nóż czołowy.

face-saving [ˈfæsˌseɪvɪŋ] *a. attr.* pozwalający zachować twarz.

facet [ˈfæsɪt] *n.* **1.** strona, aspekt. **2.** *jubilerstwo* faseta, fasetka. **3.** *bud.* gładź. **4.** *ent.* pólko (*oka owada*).

faceted [ˈfæsɪtɪd] *a.* **1.** wielościenny. **2.** *jubilerstwo* fasetowany. **3.** **multi-~** (*także* **many ~**) wieloaspektowy.

facetiae [fəˈsiːʃɪˌiː] *n. pl. form.* facecje.

facetious [fəˈsiːʃəs] *a.* **1.** żartobliwy (*o uwadze*); strojący sobie żarty (*zwł. niestosowne, w nieodpowiednim momencie*). **2.** krotochwilny.

facetiously [fəˈsiːʃəslɪ] *n.* żartobliwie; dla żartu.

facetiousness [fəˈsiːʃəsnəs] *n. U* żartobliwość.

face-to-face [ˌfeɪstəˈfeɪs] *a. attr.* osobisty (*o kontakcie, rozmowie*). – *adv.* twarzą w twarz.

face value *n. C / U* **1.** *fin.* wartość nominalna. **2.** **take sth at ~** *przen.* brać *l.* przyjmować coś za dobrą monetę.

facia [ˈfeɪʃə] *n.* = **fascia** 2, 3.

facial [ˈfeɪʃəl] *a.* twarzowy (= *dotyczący twarzy*); **~ expression** wyraz twarzy; **~ hair** zarost; **~ resemblance** podobieństwo na twarzy. – *n.* oczyszczanie cery (*zabieg kosmetyczny*).

facially [ˈfeɪʃəlɪ] *adv.* z twarzy (*np. być podobnym do kogoś*).

facial nerve *n. anat.* nerw twarzowy.

facial scrub *n.* peeling do twarzy.

facial tissue *n. US* chusteczka higieniczna.

facies [ˈfeɪʃɪˌiːz] *n. pl.* **facies** **1.** *biol.* postać (*rośliny lub zwierzęcia*). **2.** *geol.* facja (= *twór skalny*). **3.** (*także* **face**) *pat.* twarz (= *wygląd l. wyraz twarzy charakterystyczny dla określonego schorzenia*); **Parkinson's ~** twarz w chorobie Parkinsona, twarz maskowata.

facile [ˈfæsaɪl] *a.* **1.** *uj.* płytki, powierzchowny. **2.** *attr. form.* łatwy (*np. o zwycięstwie*). **3.** *form.* zręczny.

facilitate [fəˈsɪləˌteɪt] *v. form.* **1.** ułatwiać. **2.** umożliwiać.

facilitation [fəˌsɪləˈteɪʃən] *n. U* **1.** ułatwienie. **2.** umożliwienie. **3.** *psych.* facylitacja.

facilitator [fəˈsɪləˌteɪtər] *n.* **1.** mediator/ka (*ułatwiający porozumienie w grupie*). **2.** czynnik sprzyjający.

facility [fəˈsɪlətɪ] *n. pl.* **-ies** **1.** *zw. sing.* funkcja; **memory ~** funkcja pamięci (*w aparacie telefonicznym*); **search ~** *komp.* funkcja przeszukiwania. **2.** obiekt, budynek (użyteczności publicznej); *pl.* udogodnienia, urządzenia, obiekty, zaplecze; *euf.* toaleta; **conference facilities** zaplecze konferencyjne; **sports facilities** obiekty sportowe. **3.** *sing.* talent, dar, zdolności; **have a ~ for sth** mieć (naturalny) talent do czegoś. **4.** *U* łatwość; **with great ~** *form.* z wielką łatwością.

facing [ˈfeɪsɪŋ] *n. U* **1.** *bud.* oblicówka, pokrycie (zewnętrzne). **2.** *krawiectwo* fliselina, materiał usztywniający.

facing brick *n. U bud.* cegła licówka.

facings [ˈfeɪsɪŋz] *n. pl. krawiectwo* wyłogi.

facing stone *n. U bud.* kamień okładzinowy.

facsimile [fækˈsɪməliː] *n.* **1.** faksymile. **2.** (*także* **~ transmission**) *tel. form.* faks. – *v.* **1.** *tel. form.* faksować. **2.** robić faksymile (*czegoś*).

fact [fækt] *n. C / U* fakt; **after the ~** po fakcie; **as a matter of ~** (*także* **in (actual) ~**) (*także* **in point of ~**) w rzeczywistości; właściwie; prawdę mówiąc, jeśli chodzi o ścisłość; co więcej; **be based on ~** być opartym *l.* opierać się na faktach; **given the ~ that...** (*także* **in view of the ~ that...**) w świetle tego, że..., zważywszy (na to), że...; **it's a ~ that...** faktem jest, że...; **I know for a ~ that...** *pot.* wiem na pewno, że...; **stick/keep to the ~s** trzymać się faktów; **tell/give sb the ~s of life** *euf.* uświadomić kogoś (*w sprawach seksu*); **the ~ (of the matter) is (that)...** prawda jest taka, że...; **the ~s speak for themselves** fakty mówią same za siebie.

fact-finding [ˈfæktˌfaɪndɪŋ] *a. attr.* dla zebrania informacji (*o misji, wyprawie, wizycie*).

factice [ˈfæktɪs] *n. U chem.* faktysa (*kauczuk roślinny*).

faction[1] [ˈfækʃən] *n. gł. polit.* **1.** odłam, frakcja. **2.** *U form.* rozłam.

faction[2] *n. film, telew.* scenariusz *l.* program oparty na faktach autentycznych.

factional [ˈfækʃənl] *a.* (*także* **factious**) *polit.* podzielony, rozbity (*o partii*); partykularny (*o interesach*); prowadzący do rozłamu (*o działaniach*).

factionalism [ˈfækʃənəˌlɪzəm] *n. U polit.* rozbicie (na frakcje).

factionalize[1] [ˈfækʃənəˌlaɪz], *Br. i Austr. zw.* **factionalise** *v. polit.* rozbijać (na frakcje); rozpadać się (na frakcje).

factionalize[2] *v. film, telew.* dramatyzować (*wydarzenia autentyczne*), przedstawiać w formie fabularnej.

factious [ˈfækʃəs] *a.* = **factional**.

factitious [fækˈtɪʃəs] *a. form.* **1.** sztuczny, sztucznie wywołany (*np. o popycie*). **2.** udawany, fałszywy (*np. o entuzjazmie*).

factor [ˈfæktər] *n.* **1.** czynnik; **key/crucial ~** kluczowy czynnik; **deciding/decisive ~** decydujący czynnik; **the human ~** czynnik ludzki. **2.** *t. mat.* współczynnik; czynnik, dzielnik; **by a ~ of ten/five** dziesięciokrotnie/pięciokrotnie (*np. wzrosnąć*); **prime ~** *mat.* czynnik pierwszy; **safety ~** (*także* **~ of safety**) współczynnik bezpieczeństwa. **3.** *Br. handl.* ajent/ka (komisow-y/a). **4.**

Scot. rządca (majątku). – *v.* **1.** *mat.* rozkładać na czynniki. **2.** ~ **sth in** wkalkulować coś.

factorage ['fæktərɪdʒ] *n. U handl.* **1.** handel komisowy. **2.** prowizja.

factorial [fæk'tɔːrɪəl] *a. mat.* **1.** współczynnikowy. **2.** czynnikowy. – *n. mat.* silnia (*wyrażana symbolem: !*).

factorial analysis *n. stat.* analiza czynnikowa.

factorize ['fæktəˌraɪz], *Br. i Austr. zw.* **factorise** *v. mat.* rozkładać na czynniki.

factory ['fæktərɪ] *n. pl.* **-ies 1.** fabryka, wytwórnia. **2. on the ~ floor** *przen.* wśród zwykłych robotników.

factory farming *n. U Br.* chów przemysłowy; tucz przemysłowy.

factory ship *n.* statek przetwórnia.

factotum [fæk'toutəm] *n. form. l. żart.* przynieś, wynieś, pozamiataj (= *pracownik do wszystkiego*).

factsheet ['fæktˌʃiːt] *n.* broszura *l.* ulotka informacyjna (*on sth* na temat czegoś).

factual ['fæktʃuəl] *a.* rzeczowy; oparty na faktach.

factually ['fæktʃuəlɪ] *adv.* **1.** rzeczowo. **2.** ~ **correct/accurate** zgodny z faktami *l.* prawdą.

facula ['fækjələ] *n. pl.* **-ae** ['fækjəliː] *astron.* pochodnia (słoneczna).

facultative ['fæklˌteɪtɪv] *a.* fakultatywny, dobrowolny.

faculty ['fækltɪ] *n. pl.* **-ies 1.** *gł. pl.* władza (*fizyczna l. umysłowa*); zmysł (*t. krytyczny*); **in (full) possession/command of all one's (mental) faculties** w pełni władz umysłowych. **2.** zdolność, dar (*for sth* do czegoś). **3.** *uniw.* wydział; **the Arts/Law F~** (*także* **the F~ of Arts/Law**) Wydział Nauk Humanistycznych/Prawa. **4. the ~** *gł. US i Can. uniw.* pracownicy naukowi; wykładowcy; *szkoln.* ciało pedagogiczne, grono nauczycielskie. **5.** *arch.* zawód, profesja.

fad [fæd] *n.* **1.** przelotna moda. **2.** kaprys.

faddish ['fædɪʃ] *a.* kapryśny, o zmiennych upodobaniach (*zwł. jeśli chodzi o jedzenie*).

faddism ['fædˌɪzəm] *n. U pot.* uleganie przelotnym modom; nowinkarstwo.

faddist ['fædɪst] *n. pot.* osoba ulegająca przelotnym modom; nowinkarz.

faddy ['fædɪ] *a.* **-ier, -iest** *zwł. Br. pot.* = **faddish.**

fade [feɪd] *v.* **1.** blednąć, blaknąć, płowieć (*o barwach*); powodować płowienie (*o słońcu*). **2.** ~ **(away/out)** *t. przen.* znikać, zanikać; więdnąć; zamierać (*o głosie*); gasnąć (*o nadziei, uśmiechu*); ~ **from view/sight** zniknąć z pola widzenia; **be fading (away)** (*także* **be fading fast**) *lit.* niknąć w oczach (*o osobie ciężko chorej l. umierającej*). **3.** ~ **away!** *US sl.* spadaj!; ~ **in** *kino, telew., radio* płynnie wmiksować (*obraz, dźwięk*); ~ **into sth** przechodzić w coś (*płynnie l. niezauważalnie*), zlewać się z czymś; ~ **out** *kino, telew.* płynnie wyciemniać (*obraz*); *radio* płynnie wyciszać (*dźwięk*).

fade-in ['feɪdˌɪn] *n. kino, telew., radio* (płynne) wmiksowanie.

fadeless ['feɪdləs] *a.* niepłowiejący, odporny na płowienie.

fade-out ['feɪdˌaut] *n. kino, telew.* wyciemnienie; *radio* wyciszenie.

faecal ['fiːkl] *a. Br.* = **fecal.**

faeces ['fiːsiːz] *n. Br.* = **feces.**

fag[1] [fæg] *n.* **1.** *US i Can. obelż. sl.* = **faggot. 2.** *Br. i Austr. sl.* fajka, szlug (= *papieros*).

fag[2] **1.** *Br. i Austr. pot.* mordęga. **2.** *Br. przest. sl. szkoln.* kot (= *uczeń prywatnej szkoły dla chłopców zmuszany do usługiwania starszemu koledze*). – *v.* **-gg- 1.** *Br. przest. sl. szkoln.* usługiwać (*for sb* komuś). **2.** *Br. i Austr. pot.* męczyć (się); **be ~ged (out)** być wykończonym *l.* skonanym.

fag end *n. Br. i Austr. pot.* pet (= *niedopałek*); **the ~ of sth** *przen.* (nędzna) resztka *l.* końcówka czegoś.

faggot[1] ['fægət] *n.* (*także* **fag**) *gł. US i Can. obelż. sl.* pedał.

faggot[2] *n.* (*także US* **fagot**) **1.** wiązka (*zwł. gałęzi l. chrustu*), pęk. **2.** *metal.* pakiet prętów (*gotowych do zgrzewania*). **3.** *zw. pl. Br. kulin.* klopsik (*zwł. z wątroby wieprzowej*). – *v.* wiązać (w pęki).

fag hag *n. gł. US i Can. obelż. sl.* kobieta lubiąca towarzystwo homoseksualnych mężczyzn.

fah [fɑː], **fa** *n. muz.* fa.

Fahrenheit ['ferənˌhaɪt] *n. U fiz., meteor.* skala Fahrenheita; **90 degrees ~** 90 stopni (w skali) Fahrenheita.

faience ['faɪɑːns] *n. U* fajans.

fail [feɪl] *v.* **1.** zawodzić; opuszczać; **he has never ~ed me** nigdy mnie nie zawiódł, nigdy się na nim nie zawiodłam; **her health was ~ing her** zdrowie ją opuszczało; **his courage/nerve ~ed him** zabrakło mu odwagi, opuściła go odwaga; **if all else ~s** gdy wszystko inne zawiedzie; **words ~ me** brak mi słów. **2.** nie udać się, nie powieść się, nie wyjść; *roln.* nie obrodzić; *ekon.* zbankrutować, upaść; **doomed to ~** skazany na niepowodzenie. **3.** zepsuć się, odmówić posłuszeństwa (*o urządzeniu, maszynie*). **4.** ~ **to do sth** nie zrobić czegoś (*zwł. potrzebnego l. oczekiwanego*); nie zdołać czegoś zrobić; **don't ~ to remind me** nie omieszkaj mi przypomnieć; **he ~ed to secure/in securing the position** nie udało mu się zdobyć tej posady; **I ~ to see/understand why/how...** *form.* nie pojmuję *l.* nie mogę pojąć, dlaczego/jak...; **I ~ed to turn off the light** nie zgasiłem światła, zapomniałem zgasić światło; **she ~ed to show up at the party** nie pokazała się na przyjęciu. **5.** *gł. szkoln., uniw.* nie zdać (*egzaminu, sprawdzianu*); oblać (*t. kandydata*); ~ **(in) sth** oblać coś, nie zdać czegoś; **half the class ~ed** połowa klasy oblała *l.* nie zdała; **he ~ed half the class** oblał połowę klasy; **I passed the essay but ~ed (on) the oral** zdałem pisemny, ale oblałem *l.* przepadłem na ustnym. – *n.* **1.** *gł. szkoln., uniw.* ocena niedostateczna (*z egzaminu*); **get a ~ in sth** dostać ocenę niedostateczną z czegoś, nie zdać *l.* nie zaliczyć czegoś. **2. without ~** niezawodnie; na pewno; obowiązkowo.

failed [feɪld] *a. attr.* nieudany (*np. o małżeństwie*); **he's a ~ actor/writer** nie powiodło mu się jako aktorowi/pisarzowi.

failing [ˈfeɪlɪŋ] *n.* słabość, słabostka; brak, wada. – *a.* pogarszający się (*np. o wzroku, słuchu*), podupadający (*np. o firmie*). – *prep.* przy braku (*czegoś*), jeżeli nie będzie (*czegoś*); **~ that...** jeśli to się nie uda,...; **~ whom ...** (*także* **whom ~...**) *prawn.* w razie nieobecności którego...

faille [faɪl] *n. U tk.* tafta (*lekko prążkowana poziomo*).

fail-safe [ˈfeɪlˌseɪf], **failsafe** *a.* **1.** w pełni bezpieczny (*w razie awarii*). **2.** niezawodny (*o planie*).

failure [ˈfeɪljər] *n. C/U* **1.** niepowodzenie, porażka; **be doomed to ~** być skazanym na niepowodzenie; **complete/total/utter ~** (kompletna/totalna/całkowita) klęska; **end/result in ~** zakończyć się niepowodzeniem; **he was always a bit of a ~ at school** w szkole nigdy nie wiodło mu się najlepiej. **2.** nieudaczni-k/ca, ofiara (życiowa). **3.** zaniedbanie; **~ to do sth** niezrobienie czegoś; **~ to appear/attend** niestawiennictwo/nieobecność; **~ to pay** nieuregulowanie należności. **4.** *pat.* niewydolność; **heart/respiratory ~** niewydolność serca/oddechowa. **5.** *mech., el., komp.* awaria; uszkodzenie (*in sth* czegoś); **power/engine ~** awaria elektryczności/silnika. **6.** *ekon.* upadłość, bankructwo. **7. crop ~** *roln.* nieurodzaj.

fain [feɪn] *arch. a.* **1.** chętny, gotów, rad. **2.** skazany (*to sth* na coś). – *adv.* chętnie; **I would ~ help you** chętnie *l.* rad bym ci pomógł.

faint [feɪnt] *a.* **1.** nikły (*np. o głosie, nadziei, prawdopodobieństwie*); słabo *l.* ledwo widoczny, niewyraźny, blady (*np. o linii, zarysie*); lekki (*np. o powiewie, zapachu*); **not have the ~est (idea)** *pot.* nie mieć najmniejszego *l.* bladego *l.* zielonego pojęcia. **2.** *pred.* słaby, osłabiony; mdlejący; **I felt ~ (with hunger/from lack of air)** zrobiło mi się *l.* było mi słabo (z głodu/z braku powietrza). – *v.* zemdleć; **I nearly/almost ~ed** *t. przen.* o mało nie zemdlałam. – *n.* omdlenie; **fall into a (dead) ~** (całkowicie) stracić przytomność.

faint-hearted [ˌfeɪntˈhɑːrtɪd], **fainthearted** *a.* **1.** bojaźliwy, lękliwy (*o osobie*). **2.** bez przekonania *l.* entuzjazmu (*o próbie, działaniu*).

faintly [ˈfeɪntlɪ] *adv.* **1.** z lekka, trochę; **it sounds ~ familiar** to brzmi z lekka znajomo. **2.** słabo; **she was breathing ~** ledwie oddychała.

faintness [ˈfeɪntnəs] *n. U* **1.** słabość; nikłość. **2.** uczucie słabości *l.* omdlenia.

faints [feɪnts] *n. pl. chem.* fuzel (*spirytusowy*).

fair¹ [fer] *a.* **1.** sprawiedliwy (*np. o procesie, podziale*); uczciwy (*np. o traktowaniu, układzie*); usprawiedliwiony, uzasadniony (*np. o zapytaniu, krytyce*); *sport l. przen.* czysty, fair; przepisowy, dozwolony; **~'s fair** (*także* **~ do's**) *pot.* bądźmy sprawiedliwi; **all's ~ in love and war** w miłości i na wojnie wszystkie chwyty są dozwolone; **by ~ means or foul** nie przebierając w środkach; **it's/that's not ~ (on her)** to (jest) nie fair (w stosunku do niej); **it's only ~ (that)...** sprawiedliwość wymaga, żeby... **2.** jasny (*o włosach, cerze*). **3.** ładny (*o pogodzie*). **4.** *przest.* urodziwy, piękny. **5.** *form.* nieposzlakowany (*o reputacji*). **6.** zadowalający, dostateczny (*t. jako ocena*); przyzwoity, nie najgorszy; **~ to middling** *pot.* tak(i) sobie. **7.** spory; pokaźny; **~ number/amount** spora liczba/ilość; **~-sized** pokaźnych rozmiarów. **8.** obiecujący; **in a ~ way to sth** na najlepszej drodze do czegoś. **9. ~ enough** *gł. Br.* w porządku, niech będzie (= *zgoda*). – *adv.* **1.** uczciwie, czysto, fair; **~ and square** uczciwie (*np. pokonać przeciwnika*); **fight ~** walczyć uczciwie; **play ~** *sport* grać fair; *przen.* postępować uczciwie *l.* fair. **2.** prosto; **hit sb ~ (and square) on the nose** *Br. i Austr. pot.* walnąć kogoś prosto w nos. **3. bid ~** *zob.* **bid¹** *v.* 3. **4.** *dial.* naprawdę, bardzo (*np. zmęczony*). – *n. arch.* białogłowa, niewiasta. – *v. techn.* oprofilować (*statek, samolot*).

fair² *n.* **1.** (*także* **fun~**) *Br. i Austr.* wesołe miasteczko, lunapark. **2.** targi; **trade ~** targi handlowe. **3.** *gł. Br.* jarmark, targ; **charity ~** wenta dobroczynna.

fair copy *n.* czystopis.

fair dinkum *a.* = **dinkum**.

fair game *n. U* obiekt (uzasadnionej) krytyki *l.* ataków.

fairground [ˈferˌgraʊnd] *n.* teren rekreacyjny na jarmark, lunapark itp.

fair-haired [ˌferˈherd] *a.* jasnowłosy.

fair-haired boy *a. US pot.* pupilek, ulubieniec (*zwł. szefa*).

fairing¹ [ˈferɪŋ] *n. techn.* oprofilowanie (*statku, samolotu*).

fairing² *n. arch.* gościniec, podarek z jarmarku.

fair-lead [ˈferˌliːd] *n. mech.* prowadnica liny.

fairly [ˈferlɪ] *adv.* **1.** dość, dosyć; **~ good/well** dość dobry/dobrze. **2.** sprawiedliwie; uczciwie. **3.** *zwł. Br. lit.* nieomalże. **4.** *arch.* wyraźnie. **5. ~ and squarely** *Br. i Austr.* całkowicie.

fair-minded [ˌferˈmaɪndɪd] *a.* bezstronny.

fairness [ˈfernəs] *n. U* **1.** sprawiedliwość; **in ~ to sb** oddając komuś sprawiedliwość; **in (all) ~** gwoli sprawiedliwości. **2.** *przest.* uroda, piękno.

fair play *n. sport l. przen.* gra fair.

fair sex *n.* **the ~** *przest.* płeć piękna *l.* nadobna.

fair shake *n. sing. US pot.* równe szanse *l.* traktowanie; **give sb/get a ~** dać komuś/mieć równe szanse.

fair-skinned [ˌferˈskɪnd] *a.* o jasnej cerze.

fair-spoken [ˌferˈspoʊkən] *a. form.* uprzejmy, układny.

fairway [ˈferˌweɪ] *n.* **1.** *żegl.* tor wodny. **2.** *golf* bieżnia.

fair-weather friend [ˌferˌweðər ˈfrend] *n.* fałszywy przyjaciel.

fairy [ˈferɪ] *n. pl.* **-ies** **1.** duszek; wróżka; *przen.* duch opiekuńczy; **good/wicked ~** zła/dobra wróżka. **2.** *pot. obelż.* pedał.

fairy cake *n. Br.* = **cupcake**.

fairy godmother *n.* dobra wróżka.

fairyland [ˈferɪˌlænd] *n.* bajkowa kraina, kraina bajek *l.* baśni.

fairy lights *n. pl. Br. i Austr.* lampki na choinkę.
fairy ring *n.* pas ciemniejszej trawy.
fairy tale *n.* (*także* **fairy story**) bajka, baśń.
fairy-tale [ˈferɪˌteɪl] *a. attr.* bajkowy, baśniowy, jak z bajki.
faith [feɪθ] *n. U* **1.** *t. rel.* wiara; zaufanie; **act of ~** wyraz zaufania; **have/break ~ with sb/sth** wierzyć/przestać wierzyć w kogoś/coś; **in good/bad ~** w dobrej/złej wierze; **keep ~ with sb/sth** dochować komuś/czemuś wiary; **lose ~ in sb/sth** stracić zaufanie do kogoś/czegoś; **lose one's ~** stracić wiarę, przestać wierzyć w Boga; **restore sb's ~ (in sth)** przywrócić komuś wiarę (w coś). **2.** *C* wyznanie, religia; **the Jewish/Christian ~** religia żydowska/chrześcijańska. **3. in ~** (*także* **by my ~**) *arch.* zaiste.
faithful [ˈfeɪθful] *a.* wierny (*to sb/sth* komuś/czemuś); **~ copy/account** wierna kopia/relacja. — *n.* **the ~** *rel. l. przen.* wierni, wyznawcy.
faithfully [ˈfeɪθfulɪ] *adv.* **1.** wiernie. **2. yours ~** *zwł. Br.* z poważaniem (*w podpisie listu*). **3. promise ~** *form.* przyrzekać uroczyście.
faithfulness [ˈfeɪθfulnəs] *n. U* wierność.
faith healer *n.* uzdrowiciel/ka, uzdrawiacz/ka.
faith healing *n. U* uzdrawianie modłami.
faithless [ˈfeɪθləs] *a. form.* niewierny, wiarołomny.
faithlessly [ˈfeɪθləslɪ] *adv. form.* wiarołomnie.
faithlessness [ˈfeɪθləsnəs] *n. U form.* niewierność, wiarołomstwo.
fake[1] [feɪk] *v.* **1.** udawać; **~ interest/surprise** udawać zainteresowanie/zdziwienie; **she's just faking (it)** ona tylko udaje. **2.** podrabiać, fałszować. **3. ~ sb out** *US pot.* wykiwać kogoś. — *n.* **1.** falsyfikat, podróbka, fałszywka. **2.** oszustwo, trik. **3.** udawacz/ka; **he was a ~** nie był tym, za kogo się podawał. — *a. zw. attr.* **1.** fałszywy; podrabiany; sztuczny (*np. o futrze, klejnotach*). **2.** udawany.
fake[2] *żegl. n.* zwój liny. — *v.* **~ (down)** zwijać (*linę*).
faker [ˈfeɪkər] *n.* fałsze-rz/rka.
fakir [fəˈkiːr] *n.* fakir.
falbala [ˈfælbələ] *n.* falbana.
falcate [ˈfælkeɪt] *a. anat., biol.* sierpowaty.
falchion [ˈfɔːltʃən] *n. broń, hist.* bułat.
falciform [ˈfælsəˌfɔːrm] *a. anat.* sierpowaty.
falcon [ˈfɔːlkən] *n. orn.* sokół (*Falco*); sokół wędrowny (*Falco peregrinus*).
falconer [ˈfɔːlkənər] *n.* sokolnik (*trener l. myśliwy*).
falconet[1] [ˈfɔːlkəˌnet] *n. orn.* sokolik (*rodzaj Microhierax*).
falconet[2] *n. hist., wojsk.* falkonet (*armatka*).
falconry [ˈfɔːlkənrɪ] *n. U* sokolnictwo.
falderal [ˈfældəˌrɑːl], **folderol** *n.* **1.** błyskotka. **2.** *U przest.* klituś-bajduś. **3.** *arch.* bezsensowny refren (*piosenki*).
faldstool [ˈfɔːldˌstuːl] *n. kośc.* faldistorium (= *przenośne krzesło biskupie*).
Falkland Islands [ˌfɔːklənd ˈaɪləndz] *n. pl.* **the ~** *geogr.* Wyspy Falklandzkie.
fall [fɔːl] *v.* **fell, fallen 1.** padać (*t. o deszczu, cieniu, akcencie*); spadać (*t. o cenach, temperaturze*); upadać (*t. o rządach*); paść (*o mieście, twierdzy; t. lit. = polec*); opadać (*np. o włosach*); *lit.* zapadać (*o zmierzchu, nocy, ciszy*); przypadać (*on* w) (*jakiś dzień; np. o święcie*); **~ at sb's feet** paść komuś do nóg; **~ down the stairs** spaść ze schodów; **~ steeply/sharply** spaść gwałtownie (*np. o cenach, kursie waluty*); **~ to one's knees** paść na kolana; **she slipped and fell** pośliznęła się i upadła. **2.** *przen.* **~ asleep/ill/silent** zasnąć/zachorować/zamilknąć; **~ flat** spalić na panewce, nie powieść się; nie wypalić (*o żarcie*); **~ foul of a rule/law** *Br.* złamać przepis (*zwł. niechcący*); **~ foul of sb** *Br.* narazić się komuś; **~ from grace/favor** (*także* **~ out of favor**) popaść w niełaskę; **~ from sb's lips** *lit.* paść z czyichś ust (*o słowach*); **~ on deaf ears** *zob.* **deaf** *a.*; **~ short of expectations/hopes** nie spełnić oczekiwań/nadziei; **~ victim/prey to sth** paść ofiarą czegoś; **sb's face fell** *zob.* **face** *n.* 9; **sb's eyes/gaze fell on sth** czyjś wzrok padł na coś. **3. ~ among** *arch.* znaleźć się wśród (*kogoś l. czegoś*); **~ apart** *t. przen.* rozpaść *l.* rozlecieć się (*np. o małżeństwie*); **~ away** odpaść, odlecieć (*o części*); obniżać się (*o drodze*); opadać, słabnąć (*o uczuciu*); **~ back** cofnąć się (*np. ze strachu*); *wojsk.* wycofywać się; **~ back on/upon sb** zdawać się na kogoś *l.* na czyjąś pomoc; **~ back on/upon sth** uciekać się do czegoś, zdawać się na coś; **~ behind** zostawać w tyle; zalegać (*with / in sth* z czymś); mieć zaległości (*with / in sth* w czymś); **~ down** upaść, przewrócić się; spadać; opadać (*np. o spodniach, skarpetkach*); **be ~ing down** walić się (*o budynku*); **~ for sb** *pot.* stracić głowę dla kogoś, zakochać się w kimś; **~ for sth** *pot.* dać się nabrać na coś, uwierzyć w coś; **~ in** zawalić *l.* zapaść się (*o dachu*); *wojsk.* sformować szereg; **~ in love (with sb)** zakochać się (w kimś); **~ in with sb** *pot.* wpaść w czyjeś towarzystwo; **~ in with sth** *pot.* przystać na coś, zaakceptować coś (*np. sugestię, plan*); **~ in with sth** zbiegać się z czymś (*w czasie*); **~ into** wpadać do (*morza; o rzece*); dzielić się na (*kategorie, rozdziały*); **~ into a habit** popaść w nałóg; **~ into a rage** wpaść we wściekłość; **~ into conversation/argument** wdać się w rozmowę/kłótnię (*with sb* z kimś); **~ into decay/disrepair** popaść w ruinę; **~ into disuse** wyjść z użycia; **~ into line** *wojsk.* sformować szereg; *przen.* dostosować się (*with sth* do czegoś); **~ into oblivion** popaść w zapomnienie; **~ into the hands/clutches of sb** dostać się *l.* wpaść w czyjeś ręce; **~ into the group/category of...** należeć do grupy/kategorii...; **~ off** odpadać (*o częściach, farbie*); spadać (*o popycie, frekwencji*); pogarszać się (*o jakości*); **~ on/upon sb/sth** *lit.* rzucić się na kogoś/coś (*np. na ofiarę, jedzenie*); **~ on/upon sb** spaść na kogoś (*o obowiązku, odpowiedzialności*); **~ out** wypadać (*o zębach, włosach*); *wojsk.* rozejść się; *pot.* pokłócić się (*with sb* z kimś, *over sth* o coś); **~ out of love (with sb)** odkochać się (w kimś); **~ over** przewrócić się; **be ~ing over o.s. (to do sth)** *przen.* stawać na głowie (żeby coś zrobić); **~ through** nie dojść do skutku; nie udać się; **~ to (doing sth)** *lit.* zacząć (coś robić); **~ to sb** *form.* spaść na kogoś

(*o obowiązku, zadaniu*); ~ **to sb's lot** *lit.* przypaść komuś w udziale; ~ **to the enemy** dostać się *l.* wpaść w ręce nieprzyjaciela; **be ~ing to pieces/bits** rozpadać się (na kawałki); ~ **under sb's influence** dostać się pod czyjś wpływ; ~ **within sth** mieścić się w czymś *l.* granicach czegoś. – *n.* **1.** *t. przen.* upadek; **the F~ (of Man)** *Bibl.* upadek człowieka (= *grzech pierworodny*). **2.** opad (*deszczu, śniegu*). **3.** opadanie (*liści*). **4.** *U l. sing. US i Can.* jesień. **5.** spadek, obniżka; ~ **in prices** spadek cen. **6.** *pl.* wodospad; **Niagara F~s** wodospad Niagara. **7.** pomiot. **8.** *zapasy* runda. **9.** *sport* powalenie (*przeciwnika*); **take a** ~ *boks* wylądować na ringu; *zapasy* wylądować na macie. **10.** *leśn.* wyrąb. **11.** zwisający koniec (*liny, tasiemki*). **12.** *żegl.* fał. **13.** *przen.* **be heading/headed/riding for a** ~ szukać guza; **take a/the ~ for sb** *US pot.* wziąć na siebie czyjąś winę.

fallacious [fəˈleɪʃəs] *a. form.* **1.** błędny (*o rozumowaniu*). **2.** złudny, zwodniczy. **3.** nieprawdziwy (*o zeznaniach*).

fallaciously [fəˈleɪʃəslɪ] *adv.* **1.** błędnie. **2.** zwodniczo. **3.** nieprawdziwie.

fallaciousness [fəˈleɪʃəsnəs] *n. U* **1.** błędność. **2.** zwodniczość. **3.** nieprawdziwość.

fallacy [ˈfæləsɪ] *n. pl.* **-ies** *form.* **1.** mit; błędne przekonanie. **2.** *U* zwodniczość (*argumentów, zmysłów*). **3.** zwodniczy argument; *log.* błąd (w rozumowaniu).

fallback [ˈfɔːlˌbæk] *n.* **1.** *wojsk.* odwrót. **2.** rezerwa; **as a/the** ~ w rezerwie *l.* odwodzie. – *a. attr.* awaryjny (*o planie*); rezerwowy, zapasowy; ~ **position** (z góry) upatrzone pozycje.

fallen [ˈfɔːlən] *a.* **1.** *gł. przen.* upadły (*o aniele, kobiecie*). **2.** ~ **in battle** poległy w boju *l.* walce; **the** ~ *form.* polegli. **3.** zdobyty (*o mieście*).

fall guy *a. gł. US pot.* kozioł ofiarny.

fallibility [ˌfæləˈbɪlətɪ] *n. U* **1.** omylność. **2.** zawodność.

fallible [ˈfæləbl] *a.* **1.** omylny. **2.** zawodny (*np. o pamięci*).

fallibly [ˈfæləblɪ] *adv.* **1.** omylnie. **2.** zawodnie.

falling-out [ˌfɔːlɪŋˈaʊt] *n. pot.* kłótnia, sprzeczka; **have a** ~ pokłócić się (*with sb* z kimś).

falling sickness *n. arch. pat.* padaczka.

falling star *n.* spadająca gwiazda.

fall line *n. geogr.* granica płaskowyżu.

fallopian tube [fəˌloʊpɪən ˈtuːb] *n. anat.* jajowód.

fallout [ˈfɔːlˌaʊt], **fall-out** *n. U* **1.** opad promieniotwórczy *l.* radioaktywny. **2.** *przen.* skutki (*of/from sth* czegoś) (*zw. nieprzewidziane i nieprzyjemne*).

fallout shelter *n.* schron przeciwatomowy.

fallow[1] [ˈfæloʊ] *n.* ugór, odłóg. – *a.* ~ **land/field** ugór, odłóg; **lie** ~ *t. przen.* leżeć odłogiem. – *v.* zostawiać *ziemię* odłogiem.

fallow[2] *a.* płowy.

fallow deer *n. zob.* **deer**.

falls [fɔːlz] *n. pl. zob.* **fall** *n.* 6.

false [fɔːls] *a.* **1.** fałszywy (*t. o przyjacielu, paszporcie*); nieprawdziwy (*np. o informacjach*); nieszczery (*np. o uśmiechu*); błędny (*np. o odpowiedzi*); sztuczny (*np. o rzęsach, wąsach*); ~ **identity/modesty** fałszywa tożsamość/skromność; ~ **note** *muz. l. przen.* fałszywa nuta; ~ **premise** błędna *l.* fałszywa przesłanka; **give ~ evidence** *prawn.* składać fałszywe zeznania. **2.** *przen.* **put on a ~ front** udawać; **under ~ pretenses** podstępem; (*także* **under ~ colors**) pod fałszywym nazwiskiem. – *adv. lit.* nieuczciwie; **play** ~ grać nieuczciwie; **play sb** ~ oszukiwać *l.* zdradzać kogoś.

false alarm *n.* fałszywy alarm.

false bottom *n.* podwójne dno (*np. walizki*).

false dawn *n.* **1.** przedświt. **2.** *przen.* złudna nadzieja; przedwczesna radość.

false economy *n. pl.* **-ies** pozorna oszczędność.

false friend *n. jęz.* wyraz podobny (*do wyrazu języka obcego, ale różniący się od niego znaczeniem*).

falsehood [ˈfɔːlsˌhʊd] *n.* **1.** *U* fałszywość; fałsz. **2.** *form.* kłamstwo; **blatant/malicious ~** wierutne/złośliwe kłamstwo; **utter a ~** skłamać.

false imprisonment *n. U prawn.* bezprawne pozbawienie wolności.

falsely [ˈfɔːlslɪ] *adv.* **1.** fałszywie. **2.** ~ **accused** niesłusznie *l.* bezpodstawnie oskarżony.

false move *n.* (*także* **false step**) fałszywy krok.

falseness [ˈfɔːlsnəs] *n. U* fałszywość.

false pregnancy *n. C/U pl.* **-ies** *zwł. US pat.* ciąża urojona *l.* rzekoma.

false rib *n. anat.* żebro wolne *l.* rzekome.

false start *n. sport* falstart.

false step *n.* **1.** = **false move**. **2.** potknięcie.

false teeth *n. pl. zwł. Br.* sztuczna szczęka.

falsetto [fɔːlˈsetoʊ] *muz. n.* falset. – *a.* falsetowy. – *adv.* **sing ~** śpiewać falsetem.

falsies [ˈfɑːlsɪz] *n. pl. pot.* sztuczny biust.

falsification [ˌfɔːlsəfəˈkeɪʃən] *n.* **1.** *C/U* zafałszowanie. **2.** fałszerstwo.

falsifier [ˈfɔːlsəfaɪər] *n.* fałsze-rz/rka.

falsify [ˈfɔːlsəfaɪ] *v.* **-ied, -ying 1.** fałszować (*dokumenty*). **2.** wypaczać (*fakty*).

falsity [ˈfɔːlsətɪ] *n. U form.* fałszywość; fałsz.

faltboat [ˈfɔːltˌboʊt] *n.* składak (*kajak*).

falter [ˈfɔːltər] *v.* **1.** opadać, słabnąć (*np. o zainteresowaniu*). **2.** chwiać się; zataczać się (*idąc*); potykać się. **3.** wahać się. **4.** jąkać się; dukać. **5.** załamywać się (*o głosie*). **6.** zacinać się (*o mechanizmie*); przerywać (*o silniku*). – *n.* **1.** zachwianie. **2.** zająknięcie.

faltering [ˈfɔːltərɪŋ] *a.* **1.** chwiejny, niepewny (*o krokach*). **2.** załamujący się, drżący (*o głosie*).

fame [feɪm] *n.* **1.** *U* sława, rozgłos; ~ **and fortune** pieniądze i sława; **at the height of one's ~** u szczytu sławy; **rise to/win ~** zdobyć sławę. **2.** *arch.* fama, pogłoska. **3.** *arch.* reputacja; **house of ill ~** *arch.* dom schadzek. **4. claim to ~** powód do dumy.

famed [feɪmd] *a. zwł. lit.* osławiony, słynny; ~ **for sth** słynący z czegoś.

familial [fəˈmɪljəl] *a. attr. form.* rodzinny.

familiar [fəˈmɪljər] *a.* **1.** (dobrze) znany (*to sb* komuś); znajomy; swojski; **look/sound ~** wyglądać/brzmieć znajomo *l.* swojsko. **2.** ~ **with sth** zaznajomiony *l.* obeznany z czymś; **be ~ with sth**

znać się na czymś. **3.** zażyły; **be on ~ terms with sb** być z kimś w zażyłych stosunkach. **4.** *uj.* poufały. **5.** *arch.* = **familial**. – *n.* **1.** (*także* **~ spirit**) *arch.* pomocnik czarownicy *l.* czarownika (*zw. przybierający postać kota l. ptaka*). **2.** *zw. pl. arch.* (dobry) znajomy.

familiarity [fəˌmɪl'jerətɪ] *n. U* **1.** **~ (with sth)** dobra znajomość (czegoś); obeznanie (z czymś). **2.** **~ (with sb)** zażyłość (z kimś); *uj.* poufałość (w stosunku do kogoś). **3.** *pl.* **-ies** poufałości. **4.** **~ breeds contempt** przyzwyczajenie rodzi lekceważenie (= *gdy się coś dobrze zna, przestaje się to doceniać*).

familiarization [fəˌmɪljərə'zeɪʃən], *Br. i Austr. zw.* **familiarisation** *n. U* zaznajomienie (się) (*with sth* z czymś).

familiarize [fə'mɪljəˌraɪz], *Br. i Austr. zw.* **familiarise** *v.* **~ o.s./sb with sth** zaznajamiać się/kogoś z czymś.

familiarly [fə'mɪljərlɪ] *adv.* **1.** zażyle; *uj.* poufale. **2.** **~ known as ...** wśród przyjaciół znany jako ...

familiar spirit *n.* = **familiar** *n.* 1.

family ['fæmlɪ] *n. pl.* **-ies** **1.** *C/U* (*Br. t. z czasownikiem w liczbie mnogiej*) *t. zool., bot., jęz.* rodzina; **be in sb's ~** należeć do czyjejś rodziny (*zwł. przez długi czas; np. o dziele sztuki, firmie*); **Holy F~** *rel.* Święta *l.* Najświętsza Rodzina; **nuclear/extended ~** rodzina jednopokoleniowa/wielopokoleniowa; **run in the ~** być cechą rodzinną; **she's (one of the) ~** *pot.* ona jest członkiem rodziny. **2.** (czyjeś) dzieci *l.* potomstwo; **bring up/raise a ~** wychowywać dzieci; **couples with large/young families** rodziny z licznym potomstwem/z małymi dziećmi; **(they want to) start a ~** (chcą) mieć dzieci (*zw. o młodym małżeństwie*). – *a. attr.* **1.** rodzinny (*o domu, życiu, firmie, podobieństwie*). **2.** dla całej rodziny (= *odpowiedni dla dzieci, np. o filmach, rozrywkach*). **3.** **in the ~ way** *przest. pot.* przy nadziei (= *w ciąży*).

family circle *n.* **1.** krąg rodzinny. **2.** *gł. US teatr* (najwyższa) galeria, jaskółka.

family court *n. US prawn.* sąd rodzinny.

family doctor *n.* lekarz rodzinny *l.* domowy.

family man *n. pl.* **family men** **1.** domator. **2.** mężczyzna mający żonę i dzieci.

family name *n.* nazwisko.

family pack *n.* (*także* **family size**) duże opakowanie.

family planning *n. U* planowanie rodziny.

family practice *n. U US med.* medycyna rodzinna.

family room *n.* **1.** *US* pokój, w którym toczy się życie rodzinne. **2.** *Br.* część pubu, w której mogą przebywać dzieci.

family tree *n.* drzewo genealogiczne.

famine ['fæmɪn] *n. C/U* klęska głodu, głód.

famish ['fæmɪʃ] *v. arch.* głodzić.

famished ['fæmɪʃt] *a. pot.* głodny jak wilk; **I'm ~!** umieram z głodu!.

famous ['feɪməs] *a.* **1.** słynny, sławny, znany; **~ for sth** słynący z czegoś; **the rich and ~** elita (*towarzyska*); **world-~** sławny na cały świat. **2.** *przest.* wyśmienity.

famously ['feɪməslɪ] *adv.* **get along/on ~** *przest.* świetnie się dogadywać.

fan[1] [fæn] *n.* **1.** fan/ka, wielbiciel/ka. **2.** miłośni-k/czka, entuzjast-a/ka (*np. sportu*).

fan[2] *n.* **1.** wentylator. **2.** wachlarz. **3.** *roln.* wialnia. **4.** *lotn. sl.* śmigło. **5.** *żegl.* śruba; skrzydełko śruby. **6.** **the shit will hit the ~** *zob.* **shit** *n.* – *v.* **-nn-** **1.** wachlować; chłodzić; **~ o.s.** wachlować się; **~ the air** młócić powietrze. **2.** podsycać, rozdmuchiwać; **~ a fire/blaze** podsycać ogień; **~ the flames** *przen.* dolewać oliwy do ognia, podsycać emocje. **3.** ostrzeliwać (*z broni palnej*). **4.** *roln.* wiać (*zboże*); **~ (away)** wydmuchiwać (*plewy*). **5.** **~ out** rozkładać (*na kształt wachlarza*); rozbiegać *l.* rozchodzić się półkolem (*np. o ekipie poszukiwawczej*).

fanatic [fə'nætɪk] *n.* **1.** *rel., polit.* fanaty-k/czka. **2.** entuzjast-a/ka; **health food ~** entuzjast-a/ka zdrowego żywienia. – *a.* fanatyczny.

fanatical [fə'nætɪkl] *a.* fanatyczny.

fanatically [fə'nætɪklɪ] *adv.* fanatycznie.

fanaticism [fə'nætɪˌsɪzəm] *n. U* fanatyzm.

fanaticize [fə'nætɪˌsaɪz], *Br. i Austr. zw.* **fanaticise** *v.* rozfanatyzować (się).

fan belt *n. mot.* pasek klinowy.

fanciable ['fænsɪəbl] *a. Br.* pociągający, atrakcyjny (*seksualnie*).

fancier ['fænsɪər] *n.* **1.** miłośni-k/czka (*of sth* czegoś). **2.** *gł Br.* hodow-ca/czyni; **horse/pigeon ~** hodowca koni/gołębi.

fanciful ['fænsɪful] *a.* **1.** fantastyczny, wyssany z palca. **2.** fantazyjny, wymyślny; *pot.* dziwaczny, udziwniony. **3.** kapryśny.

fancifully ['fænsɪfulɪ] *adv.* **1.** fantastycznie. **2.** wymyślnie; dziwacznie. **3.** kapryśnie.

fancifulness ['fænsɪfulnəs] *n. U* **1.** fantazyjność. **2.** wymyślność; dziwaczność. **3.** kapryśność.

fan club *n.* fan klub.

fancy ['fænsɪ] *a. zw. attr.* **-ier**, **-iest** **1.** luksusowy (*o hotelu, restauracji*). **2.** fantazyjny; kunsztowny; wymyślny. **3.** wyimaginowany. **4.** skomplikowany. **5.** wygórowany (*o cenie*). **6.** hodowany dla uzyskania specjalnych cech (*o zwierzętach domowych*). – *n. pl.* **-ies** **1.** *sing. zwł. Br.* upodobanie, zamiłowanie; ochota, chętka; kaprys, zachcianka; **passing ~** przelotna zachcianka; **sb took a ~ to sb/sth** ktoś wpadł/coś wpadło komuś w oko; **take/catch/tickle sb's ~** przypaść komuś do gustu; wpaść komuś w oko. **2.** *U lit.* fantazja, wyobraźnia; **a flight of ~** mrzonka. **3.** *przest.* pomysł. – *v.* **-ied**, **-ying** *gł. Br.* **1.** mieć ochotę na; **~ a drink?** masz ochotę na drinka?; **~ o.s.** być zakochanym w (samym) sobie; **he fancies you** podobasz mu się. **2.** wyobrażać sobie; **~ (that)!** *pot.* coś podobnego!, a to dopiero!; **~ meeting you!** co za spotkanie!; **I fancied (that) ...** *lit.* wydawało mi się, że...; **she fancies herself as an artist** wyobraża sobie, że jest artystką, uważa się za artystkę. **3.** hodować dla uzyskania specjalnych cech (*zwierzęta*).

fancy dress *n. Br. i Austr.* kostium, przebranie.

fancy-dress party *n.* (*także* **fancy-dress ball**) *Br. i Austr.* bal przebierańców.

fancy-free [ˌfænsɪˈfriː] *a. zob.* **footloose.**

fancy man *n. pl.* **fancy men** *przest.* **1.** kochanek. **2.** alfons.

fancy woman *n. pl.* **fancy women** *przest.* **1.** kochanka. **2.** *uj.* ladacznica.

fancywork [ˈfænsɪˌwɜːk] *n. U* haft.

fandango [fænˈdæŋgoʊ] *n. pl.* **-s** fandango (*taniec l. muzyka*).

fane [feɪn] *n. arch. l. poet.* świątynia.

fanfare [ˈfænfer] *n.* fanfara.

fanfaronade [ˌfænferəˈneɪd] *n. U rzad.* fanfaronada.

fang [fæŋ] *n.* **1.** *zool.* kieł (*psa, wilka*); ząb jadowy (*węża*). **2.** *anat.* korzeń (*zęba*).

fan heater *n.* termowentylator.

fanlight [ˈfænˌlaɪt] *n. bud.* okienko półkoliste; *gł. Br.* naświetle (drzwiowe).

fan mail *n. U* listy *l.* poczta od wielbiciel-i/ek.

fanny [ˈfænɪ] *n. pl.* **-ies** **1.** *US, Can. i Austr. przest. pot.* pupa, tyłek. **2.** *Br. i Austr. sl.* cipka.

fanny pack *n. US pot.* saszetka przy pasie (*na pieniądze, dokumenty itp.*).

fanon [ˈfænən] *n. kośc.* manipularz (= *dawna szarfa papieska*); fanon (= *przepaska liturgiczna na rękę*).

fantail [ˈfænˌteɪl] *n.* **1.** ogon wachlarzowaty; wachlarz (= *wachlarzowate zakończenie*). **2.** *US żegl.* skraj rufy. **3.** *orn.* gołąb garłacz.

fantasia [fænˈteɪʒə] *n.* (*także* **fantasy**) *muz.* fantazja.

fantasize [ˈfæntəˌsaɪz], *Br. i Austr. zw.* **fantasise** *v.* wyobrażać sobie (*that* że); ~ **(about sth)** snuć marzenia *l.* fantazje (o czymś).

fantast [ˈfæntæst] *n.* fantast-a/ka.

fantastic [fænˈtæstɪk] *a.* fantastyczny (= *świetny, niewiarygodny*); niesamowity (*zwł. o sumie, kwocie*); nierealny (*np. o planach*); *zw. attr.* niezwykły (*np. o stworach, opowieściach*).

fantasticality [fænˌtæstɪˈkælətɪ] *n. U* fantastyczność.

fantastically [fænˈtæstɪklɪ] *adv.* fantastycznie.

fantasy [ˈfæntəsɪ] *n. pl.* **-ies** **1.** *C/U* fantazja, marzenie; fikcja. **2.** *U teor. lit.* fantastyka (baśniowa). **3.** *muz.* = **fantasia.**

fan vaulting *n. bud.* sklepienie wachlarzowe.

fanzine [ˈfænziːn] *n.* fanzin.

far [fɑːr] *adv.* **farther/further, farthest/furthest** **1.** daleko; ~ **away/off** daleko (stąd); **as ~ as Seattle** aż do Seattle; **from ~ and near** z bliska i z daleka, zewsząd; **how ~ is it to...?** jak daleko jest do...?. **2.** o wiele; ~ **nicer/more beautiful** o wiele milszy/piękniejszy; ~ **too much/often** o wiele za dużo/często. **3.** *przen.* ~ **and away** zdecydowanie, niewątpliwie; ~ **be it from me to criticize, but** ... jestem daleki *l.* jak najdalszy od tego, by krytykować, ale...; ~ **from it!** bynajmniej!; ~ **from pleased/poor** bynajmniej nie zadowolony/biedny; ~ **from helping us, you/he...** zamiast nam pomóc,..., nie tylko (że) nam nie pomogłeś/nie pomógł, ale...; ~ **into the night** długo w noc(y); **as ~ as** *zob.* **as** 3; **as ~ as the eye can see** jak okiem sięgnąć; **as/so ~ as possible** w miarę możliwości; **by ~** zdecydowanie, znacznie; **few and ~ between** *zob.* **few; go ~** wystarczać na długo (*o pieniądzach, zapasach*); **go ~ toward (doing) sth** w istotny sposób przyczyniać się do (zrobienia) czegoś; **go as ~ as to do sth** posunąć się do zrobienia czegoś; **go too ~** posunąć się za daleko; **sb will/should go ~** ktoś daleko zajdzie; **how ~** na ile (= *w jakim stopniu*); **in so/as ~ as** *form.* o ile; **not be ~ off/out/wrong** *pot.* niewiele się pomylić; **search/hunt ~ and wide for sth** szukać czegoś wszędzie; **so ~ so good** *pot.* oby tak dalej; **so/thus ~** (jak) do tej pory, jak dotąd *l.* dotychczas. – *a.* **farther/further, farthest/furthest** **1.** daleki; odległy; **the F~ East** Daleki Wschód. **2.** *attr.* drugi; **the ~ end of the room** drugi koniec pokoju; **the ~ side of the lake** druga strona jeziora. **3. the ~ left/right** *polit.* skrajna lewica/prawica. **4. be a ~ cry from sth** *zob.* **cry** *n.*

farad [ˈferəd] *n. el.* farad.

faraway [ˌfɑːrəˈweɪ] *a. attr.* **1.** odległy, daleki. **2.** ~ **look/expression** *przen.* nieobecne spojrzenie/wyraz twarzy.

farce [fɑːrs] *n.* **1.** *t. przen.* farsa. **2.** (*także* **farcemeat**) = **forcemeat.** – *v. arch.* ubarwić humorem (*mowę, tekst*).

farceur [ˌfɑːrˈsɜːr] *n.* **1.** pisarz farsowy; aktor farsowy. **2.** wesołek.

farcical [ˈfɑːrsɪkl] *a.* **1.** absurdalny, niedorzeczny. **2.** farsowy.

farcy [ˈfɑːrsɪ] *n. U wet.* nosacizna.

fardel [ˈfɑːrdl] *n. arch.* tłumoczek.

fare [fer] *n.* **1.** opłata za przejazd, cena biletu; **half/full ~** bilet normalny/ulgowy. **2.** pasażer/ka, klient/ka (*taksówki*). **3.** *U* wikt, strawa; **bill of ~** *zob.* **bill[1]** *n.* – *v.* **1. sb ~s well/badly/better** *form.* komuś dobrze/źle/lepiej się powodzi *l.* wiedzie. **2.** *przest.* podróżować; ~ **forth** wyruszać w drogę.

farewell [ˌferˈwel] *n. C/U* pożegnanie; **bid sb ~** (*także* **bid ~ to sb**) *przest.* pożegnać się z kimś. – *a. attr.* pożegnalny. – *int. form.* żegnaj; żegnajcie.

far-fetched [ˌfɑːrˈfetʃt], **farfetched** *a.* naciągany, przesadny (*o twierdzeniu*); nieprzekonujący; zbyt daleko idący (*o wnioskach*).

far-flung [ˌfɑːrˈflʌŋ] *a.* **1.** odległy, daleki. **2.** rozległy. **3.** szeroko zakrojony, zakrojony na szeroką skalę.

far gone *a. pred. pot.* **1.** daleko posunięty. **2.** bardzo chory. **3.** nieźle wstawiony (= *pijany*).

farina [fəˈriːnə] *n. C/U* **1.** mączka, mąka. **2.** *gł. Br.* mączka ziemniaczana.

farinaceous [ˌferəˈneɪʃəs] *a.* mączny; mączasty; skrobiowy.

farinose [ˈferəˌnoʊs] *a.* **1.** mączasty. **2.** *bot.* pokryty pyłkiem.

farl [fɑːrl], **farle** *n. Scot. kulin.* placek owsiany.

farm [fɑːrm] *n.* **1.** farma; gospodarstwo (rolne). **2.** ferma. **3.** hodowla, kolonia hodowlana (*np. ostryg*). – *v.* **1.** uprawiać (*ziemię*). **2.** pracować na roli. **3.** *arch.* dzierżawić (*podatki, urząd*). **4.** ~ **out** zlecać, podzlecać (*pracę, kontrakt*); oddawać na wychowanie (*dziecko, psa*).

farm belt *n.* okręg rolniczy.

farmer [ˈfɑ:rmər] *n.* **1.** rolni-k/czka; farmer/ka; gospod-arz/yni. **2.** hodow-ca/czyni. **3.** dzierżawca.

farmhand [ˈfɑ:rmˌhænd] *n.* **1.** (*także* **farm laborer**) robotnik rolny. **2.** *hist.* parobek.

farmhouse [ˈfɑ:rmˌhaʊs] *n.* dom w gospodarstwie; zagroda.

farming [ˈfɑ:rmɪŋ] *n. U* **1.** rolnictwo, gospodarka rolna. **2.** hodowla. **3.** uprawa.

farm laborer *n.* = **farmhand** 1.

farmland [ˈfɑ:rmˌlænd] *n. U* pola (uprawne), ziemia (uprawna).

farmstead [ˈfɑ:rmˌsted] *n. gł. US* zagroda, farma (z zabudowaniami).

farmyard [ˈfɑ:rmˌjɑ:rd] *n.* podwórze (*w gospodarstwie wiejskim*), dziedziniec.

faro [ˈferoʊ] *n. karty* faraon (*gra*).

Faroe Islands [ˌferoʊ ˈaɪləndz] *n. pl.* **the** ~ *geogr.* Wyspy Owcze.

Faroese [ˌferoʊˈi:z] *n.* **1.** *U jęz.* język farerski. **2.** mieszkan-iec/ka Wysp Owczych.

far-off [ˌfɑ:rˈɔ:f] *a.* daleki, odległy.

farouche [fəˈru:ʃ] *a. form.* nieprzystępny.

far-out [ˌfɑ:rˈaʊt] *a.* **1.** awangardowy; ekstrawagancki; niekonwencjonalny. **2.** dziwaczny; przedziwny. **3.** *przest.* świetny.

farraginous [fəˈrædʒɪnəs] *a. form.* mieszany.

farrago [fəˈrɑ:goʊ] *n. pl.* **-s** *l.* **-os** mieszanina, groch z kapustą.

far-reaching [ˌfɑ:rˈri:tʃɪŋ] *a.* daleko idący, dalekosiężny; brzemienny w następstwa *l.* konsekwencje.

farrier [ˈferɪər] *n. Br.* **1.** kowal. **2.** *rzad.* weterynarz. **3.** *hist., wojsk.* podoficer mający pieczę nad końmi.

farrow [ˈferoʊ] *n.* pomiot (maciory). – *v.* rodzić (*prosięta*); prosić się (*o maciorze*).

far-sighted [ˌfɑ:rˈsaɪtɪd] *a.* **1.** (*także* **far-seeing**) *przen.* dalekowzroczny (= *przewidujący, zapobiegliwy*). **2.** *gł. US dosł.* dalekowzroczny, nadwzroczny.

far-sightedness [ˌfɑ:rˈsaɪtɪdnəs] *n. U* **1.** dalekowzroczność. **2.** *gł. US* dalekowzroczność, nadwzroczność.

fart [fɑ:rt] *v. wulg.* **1.** *sl.* pierdzieć. **2.** ~ **about/around** *gł. Br. pot.* zbijać bąki. – *n. wulg. sl.* **1.** pierdnięcie. **2.** pierdoła (*osoba*).

farther [ˈfɑ:rðər] *adv. comp. od* **far** **1.** dalej; ~ **south/east** dalej na południe/wschód. **2.** ponadto, poza tym. – *a. comp. od* **far** **1.** dalszy. **2.** *attr.* drugi (*o brzegu rzeki, stronie ulicy*).

farthermost [ˈfɑ:rðərˌmoʊst] *a.* najdalszy.

farthest [ˈfɑ:rðɪst] *adv. sup. od* **far** najdalej. – *a. sup. od* **far** najdalszy.

farthing [ˈfɑ:rðɪŋ] *n. Br. hist.* ćwierć pensa (*moneta*); *przen.* grosz; **not have a brass** ~ *zob.* **brass** *a.*

farthingale [ˈfɑ:rðɪŋˌgeɪl] *n. hist.* krynolina.

fascia [ˈfæʃɪə] *n. pl.* **-ae** [ˈfæʃɪi:] **1.** *bud.* pas architrawu. **2.** (*także* **facia**) szyld (*nad wystawą sklepową, zw. zawierający nazwę sklepu*). **3.** (*także* **facia**) *Br. przest. mot.* deska rozdzielcza. **4.** *biol.* prążek, pasek (*w innym kolorze; np. u rośliny l. owada*). **5.** [ˈfeɪʃɪə] *anat.* powięź.

fasciate [ˈfæʃɪˌeɪt], **fasciated** *a.* **1.** *bot., pat.* staśmiony (*o pędach l. gałęziach*). **2.** *zool.* prążkowany (*o ptakach, owadach*).

fascicle [ˈfæsɪkl] *n.* **1.** (*także* **fascicule**) fascykuł, zeszyt (*większego dzieła książkowego*). **2.** *bot.* wiązka, pęk (*pędów, liści, gałęzi*). **3.** *anat.* wiązka, pęczek (*włókien, np. nerwowych l. mięśniowych*).

fascicled [ˈfæsɪkld], **fascicular** [fəˈsɪkjələr], **fasciculated** [fəˈsɪkjəˌleɪtɪd] *a. bot.* w pękach *l.* wiązkach.

fasciculation [fəˌsɪkjəˈleɪʃən] *n. U bot.* układ pękowy *l.* wiązkowy.

fascinate [ˈfæsəˌneɪt] *v.* **1.** fascynować. **2.** obezwładniać. **3.** *arch.* rzucić czar *l.* urok na (*kogoś*).

fascinated [ˈfæsəˌneɪtɪd] *a. pred.* zafascynowany (*by sth* czymś).

fascinating [ˈfæsəˌneɪtɪŋ] *a.* fascynujący.

fascination [ˌfæsəˈneɪʃən] *n.* **1.** *U i sing.* fascynacja, zafascynowanie; **have a** ~ **for/with sth** fascynować się *l.* być zafascynowanym czymś. **2.** *C/U* fascynacja (= *coś fascynującego dla kogoś*); urok, czar (*of sth* czegoś); **have/hold a** ~ **for sb** być przedmiotem czyjejś fascynacji.

fascine [fæˈsi:n] *n.* faszyna.

fascism [ˈfæʃˌɪzəm] *n. U polit.* faszyzm.

fascist [ˈfæʃɪst] *n.* faszyst-a/ka. – *a.* faszystowski.

fash [fæʃ] *gł. Scot. v.* kłopotać (się). – *n.* kłopot, zmartwienie.

fashion [ˈfæʃən] *n.* **1.** *C/U* moda (*for sth* na coś, *for doing sth* na robienie czegoś); **be (all) the** ~ być w modzie, być szczytem mody; **come into** ~ stać się modnym; **in** ~ modny; **out of** ~ niemodny; **go out of** ~ wychodzić z mody; **like it's going out of** ~ *pot.* na gwałt, na potęgę (*np. jeść, pić, wydawać pieniądze*). **2.** fason, model; **the latest ~s** najnowsze fasony *l.* modele. **3.** sposób; wzór; **after/in a** ~ jako tako, o tyle, o ile; w pewnym sensie, poniekąd; **after the** ~ **of sb/sth** na wzór *l.* na modłę kogoś/czegoś; **(do sth) American/French** ~ (robić coś) na sposób amerykański/francuski; **in a brutal/an orderly** ~ w brutalny/zdyscyplinowany sposób; **parrot** ~ *Br.* jak papuga (*powtarzać, recytować*). – *v. form.* **1.** formować, modelować (*sth out of/from sth* coś z czegoś); nadawać kształt (*czemuś*). **2.** *zw. pass. przen.* formować, kształtować, urabiać (*poglądy, opinie*).

fashionable [ˈfæʃənəbl] *a.* modny.

fashionably [ˈfæʃənəblɪ] *adv.* modnie.

fashion-conscious [ˌfæʃənˈkɑ:nʃəs] *a. zob.* **conscious** *a.* 5.

fashion designer *n.* projektant/ka mody.

fashion house *n.* dom mody.

fashion magazine *n.* magazyn mody, żurnal.

fashion model *n.* model/ka.

fashion plate *n. US pot.* osoba (zawsze) modnie ubrana.

fashion show *n.* pokaz mody.

fashion victim *n. Br. pot.* niewolni-k/ca mody.

fast¹ [fæst] *a.* **1.** szybki; prędki; pospieszny (*t.*

o pociągu); rączy (*o koniu*); wartki (*o nurcie*); chyży, bystry. **2. be (five minutes) ~** spieszyć się (pięć minut) (*o zegarku*). **3.** mocny (*o zamocowaniu, uchwycie*); dobrze zamknięty (*o drzwiach, oknie*); **make ~** przytwierdzić, przymocować; **take ~ hold of sth** mocno chwycić za coś. **4.** trwały (*o kolorze, przyjaźni*). **5.** wierny (*o przyjacielu*). **6.** twardy (*o śnie*). **7.** *fot.* czuły (*o filmie*). **8.** *przest.* rozwiązły; hulaszczy. **9.** *przen.* **~ and furious** żywiołowy, energiczny; gorączkowy; **be a ~ talker** *pot.* mieć gadane; **make a ~ buck** *zob.* **buck2** *n.*; **pull a ~ one (on sb)** *pot.* zrobić *l.* wywinąć (komuś) numer. – *adv.* **1.** szybko; prędko; pospiesznie; wartko; **as ~ as his/her legs could carry him/her** *zob.* **carry** *v.*; **not so ~!** nie tak prędko!, powoli!. **2.** mocno; **hold on/stand ~** trzymać się/stać mocno. **3.** pewnie. **4.** trwale. **5. ~ by** *lit.* tuż obok (*czegoś*). **6.** *przen.* **be ~ asleep** spać twardo *l.* głęboko *l.* smacznie; **hold ~ to sth** twardo obstawać przy czymś *l.* trzymać się czegoś; **play ~ and loose with sb/sth** *przest.* igrać z kimś/czymś (*zw. z partnerem l. jego emocjami*); **stick/be stuck ~** ugrzęznąć.

fast2 *v.* pościć. – *n.* post; **break a/one's ~** przerywać post.

fastback [ˈfæstˌbæk] *n. mot.* **1.** opływowy tył (karoserii). **2.** samochód z opływowym tyłem.

fastbreak [ˈfæstˌbreɪk] *n. sport* szybka *l.* błyskawiczna kontra.

fast-breeder reactor [ˌfæstˌbriːdər riːˈæktər] *n.* reaktor szybko powielający.

fast day *n.* postny dzień.

fasten [ˈfæsən] *v.* **1.** umocowywać, przymocowywać, przytwierdzać (*to sth* do czegoś); **~ (together/up/in)** spinać; sczepiać; łączyć; wiązać; **~ one's arms/legs around sth** zaciskać ramiona/nogi wokół czegoś. **2.** zamykać (się) (*np. o drzwiach, torebce*); zapinać (się) (*np. o płaszczu*); **~ your seatbelts** proszę zapiąć pasy. **3.** *przen.* **~ blame on sb/sth** zrzucać winę na kogoś/coś; **~ one's eyes upon sb/sth** zatrzymać wzrok na kimś/czymś. **4. ~ on/upon sth** nagle zainteresować się czymś; **~ onto sb** uczepić się kogoś, przyczepić się do kogoś.

fastener [ˈfæsənər] *n. zwł. Br.* zapięcie (*zwł. w ubraniu*); klamra; zamek.

fastening [ˈfæsənɪŋ] *n.* **1.** zamknięcie (*drzwi, okna*). **2.** zasuwka. **3.** zapięcie (*zwł. w ubraniu*); klamra; zamek.

fast food *n. U* (jedzenie typu) fast food.

fast food chain *n.* sieć restauracji fast food.

fast food restaurant *n.* (*także* **fast food place**) restauracja (typu) fast food.

fast forward *n. U* przewijanie do przodu (*taśmy, kasety*).

fast-forward [ˌfæstˈfɔːrwərd] *v.* przewijać (się) do przodu.

fastidious [fæˈstɪdɪəs] *a.* **1.** drobiazgowy, skrupulatny. **2.** wybredny, wymagający (*about sth* jeśli chodzi o coś).

fastidiously [fæˈstɪdɪəslɪ] *adv.* **1.** drobiazgowo. **2.** wybrednie.

fastidiousness [fæˈstɪdɪəsnəs] *n. U* **1.** drobiazgowość. **2.** wybredność.

fastigiate [fæˈstɪdʒɪɪt] *a. bot.* stożkowaty, zwężający się.

fast lane *n.* **1.** *Br. mot.* szybki pas, pas szybkiego ruchu. **2. life in the ~** *przen. pot.* życie na pełnych obrotach.

fastness [ˈfæstnəs] *n.* **1.** *lit.* twierdza; schronienie. **2.** *U* solidność, trwałość. **3.** *U* szybkość.

fast-talk [ˌfæstˈtɔːk] *v. gł. US pot.* **~ sb into sth** wmanewrować *l.* wrobić kogoś w coś (*za pomocą sprytnej perswazji*); **~ o.s. into sth** wkręcić się gdzieś (*jw.*).

fast-track [ˌfæstˈtræk] *a. attr. pot.* prowadzący do szybkiego awansu; dający szanse na szybką karierę (*o stanowisku*).

fat [fæt] *a.* **-tt- 1.** gruby (*o osobie, portfelu, tomie, cygarze*); **get ~** tyć. **2.** tłusty (*o mięsie, zwierzęciu*). **3.** *hodowla* tuczny, opasowy. **4.** żyzny, urodzajny (*o ziemi*). **5.** *attr. pot.* dobrze płatny (*o posadzie*); pokaźny (*o zysku*); przynoszący duże zyski (*o interesie*); na dużą sumę (*o czeku*). **6.** *attr. gł. teatr* popisowy, dający duże możliwości (*o roli*). **7.** *pot.* tępy (*o osobie*). **8.** *przen.* **~ chance!** *zob.* **chance** *n.*; **~/lean years** lata tłuste/chude; **a ~ lot of good/use (that will do/be)** *iron. pot.* strasznie dużo (to da); **be in ~ city** *US pot.* mieć kupę forsy; **grow ~ on sth** dorobić się na czymś. – *n.* **1.** *C/U t. chem., kulin.* tłuszcz. **2.** *przen.* **chew the ~** *zob.* **chew** *v.* 4; **live off the ~ of the land** opływać w dostatki; **run to ~** obrastać w tłuszczyk (= *tyć*); **the ~ is in the fire** *pot.* stało się (= *już za późno, żeby zapobiec nieszczęściu, awanturze itp.*). – *v.* **-tt- 1. = fatten**. **2. kill the ~ted calf** *zob.* **calf1** *n.*

fatal [ˈfeɪtl] *a.* **1.** śmiertelny (*o chorobie, wypadku, ranie*). **2.** fatalny, zgubny w skutkach; feralny, pechowy; **~ mistake/error** fatalny błąd; **it is ~ to do sth** robienie czegoś przynosi pecha. **3.** decydujący, rozstrzygający; **~ blow** *gł. przen.* decydujący cios.

fatalism [ˈfeɪtəˌlɪzəm] *n. U t. fil.* fatalizm.

fatalist [ˈfeɪtəlɪst] *n.* fatalist-a/ka.

fatalistic [ˌfeɪtəˈlɪstɪk] *a.* fatalistyczny.

fatality [feɪˈtælətɪ] *n. pl.* **-ies 1.** ofiara śmiertelna; wypadek śmiertelny. **2.** *U* śmiertelność. **3.** *U* fatalność. **4.** *U* fatalizm. **5.** zrządzenie losu.

fatality rate *n. stat.* śmiertelność.

fatally [ˈfeɪtlɪ] *adv.* **1.** śmiertelnie (*ranny, chory*). **2.** fatalnie; pechowo.

Fata Morgana [ˌfɑːtə mɔːrˈgɑːnə], **fata morgana** *n. lit.* fatamorgana.

fatback [ˈfætˌbæk] *n. U US kulin.* boczek; słonina.

fat body *n. zool.* ciało tłuszczowe.

fat cat *n. sl.* bogacz; szycha.

fat cell *n. biol.* komórka tłuszczowa.

fate [feɪt] *n. C/U* los; dola; fatum; przeznaczenie; **a ~ worse than death** *często żart.* zguba, największe nieszczęście; **by a (strange) twist of ~** (dziwnym) zrządzeniem losu; **decide sb's ~** zadecydować o czyimś losie; **leave sb to their ~** zostawić kogoś na łasce losu; **seal sb's ~** przypieczętować czyjś los; **sb/sth will suffer a terrible/the same ~** kogoś/coś spotka straszny/taki sam los; **tempt ~** kusić los.

fated [ˈfeɪtɪd] *a. pred.* **1.** przeznaczony, dany, sądzony; **he was not ~ to be an artist** nie było mu dane *l.* sądzone *l.* przeznaczone zostać artystą; **it was ~ that we should meet / we were ~ to meet** los chciał, żebyśmy się spotkali, było nam przeznaczone spotkać się. **2.** skazany na zgubę *l.* zagładę.

fateful [ˈfeɪtfʊl] *a.* **1.** brzemienny w skutki; doniosły. **2.** fatalny; zgubny. **3.** nieuchronny. **4.** proroczy, wieszczy.

fatefully [ˈfeɪtfʊlɪ] *adv.* **1.** fatalnie. **2.** nieuchronnie. **3.** proroczo.

Fates [feɪts] *n. pl.* **the ~** *mit.* Parki.

fat farm *n. US pot.* wczasy odchudzające.

fat-free [ˌfætˈfriː] *a.* beztłuszczowy, nie zawierający tłuszczu.

fath. *abbr.* = **fathom.**

fathead [ˈfætˌhed] *n. pot.* tępak, głupek.

fat hen *n. U bot. zwł. Br.* komosa biała, lebioda (*Chenopodium album*).

father [ˈfɑːðər] *n. t. przen.* ojciec (*t. rel.* = *ksiądz*); **Church/city ~s** *przen.* ojcowie Kościoła/miasta; **Founding F~s** *zob.* **founding; God the F~** *rel.* Bóg Ojciec; **Holy F~** *rz.-kat.* Ojciec Święty; **like ~, like son** jaki ojciec, taki syn, niedaleko pada jabłko od jabłoni; **the child is ~ to the man** *przest.* czym skorupka za młodu nasiąknie (tym na starość trąci). – *v.* **1.** *t. przen.* spłodzić; zrodzić; być ojcem (*kogoś l. czegoś*). **2.** wychować (*jak(o) ojciec*). **3.** odnosić się po ojcowsku do (*kogoś*), ojcować (*komuś*). **4.** przyznawać się do autorstwa (*czegoś*); przyznawać się do ojcostwa wobec (*kogoś l. czegoś*). **5. ~ sth on/upon sb** *zwł. Br.* przypisywać coś komuś (*zwł. wynalazek, autorstwo czegoś*).

Father Christmas *n. sing. zwł. Br.* Święty Mikołaj.

father confessor *n.* **1.** *rz.-kat.* spowiednik. **2.** *lit.* powiernik; (ceniony) doradca.

fatherhood [ˈfɑːðərˌhʊd] *n. U* ojcostwo.

father-in-law [ˈfɑːðərɪnˌlɔː] *n. pl.* **fathers-in-law** *l.* **father-in-laws** teść.

fatherland [ˈfɑːðərˌlænd] *n. sing.* ojczyzna.

fatherless [ˈfɑːðərləs] *a.* bez ojca.

fatherly [ˈfɑːðərlɪ] *a.* ojcowski.

Father's Day *n. zwł. Br.* Dzień Ojca.

Father Time *n. sing.* Chronos (= *personifikacja czasu*).

fathom [ˈfæðəm] *n. pl.* **fathom** *l.* **-s** *miern.* sążeń (= *1,83 m; przy pomiarach głębokości*). – *v.* **1.** *miern.* sondować. **2.** *przen.* zgłębić (*wiedzę*); **~ (out)** pojąć (*znaczenie, przyczynę*).

fathomless [ˈfæðəmləs] *a. lit.* bezdenny; niezgłębiony.

fatidic [feɪˈtɪdɪk], **fatidical** [fəˈtɪdɪkl] *a. rzad.* proroczy, wieszczy.

fatigue [fəˈtiːg] *n. U* **1.** zmęczenie; wycieńczenie; **chronic ~ syndrome** *zob.* **chronic. 2.** *mech.* zmęczenie (materiału). – *v. form.* **1.** zmęczyć (się). **2.** *mech.* zmęczyć (*np. metal*); ulegać zmęczeniu (*np. o metalu*).

fatigues [fəˈtiːgz] *n. pl. wojsk.* **1.** (*także* **fatigue clothes**) mundur roboczy. **2.** (*także* **fatigue duties**) prace cywilne (*np. sprzątanie, zwł. za karę*).

fatling [ˈfætlɪŋ] *n. hodowla* młode zwierzę tuczne.

fatness [ˈfætnəs] *n. U* **1.** grubość. **2.** tłustość.

fatso [ˈfætsoʊ] *n. pl.* **-s** *l.* **-es** *pot.* grubas/ka, tłuścioch.

fat stock *n. U hodowla* bydło tuczne.

fatten [ˈfætən] *v.* **1.** tuczyć. **2.** tyć. **3.** *roln.* użyźniać. **4. ~ up** *często żart.* podtuczyć.

fattening [ˈfætənɪŋ] *v.* tuczący.

fattiness [ˈfætɪnəs] *n. U* tłustość.

fattish [ˈfætɪʃ] *a.* tłustawy.

fatty [ˈfætɪ] *a.* **1. -ier, -iest** tłusty. **2.** tłuszczowy. **3.** *chem.* tłuszczowy, alifatyczny; **saturated/(poly-/mono-)unsaturated ~ acids** nasycone/(wielo-/jedno-)nienasycone kwasy tłuszczowe. **4.** *pat.* otłuszczony. – *n. pl.* **-ies** *pot.* grubas/ka, tłuścioch.

fatty degeneration *n. U pat.* zwyrodnienie tłuszczowe.

fatty tumor *n. pat.* tłuszczak.

fatuity [fəˈtuːɪtɪ] *n. form.* **1.** *U* bezmyślność, głupota. **2.** *pl.* **-ies** niedorzeczność (*uwaga l. działanie*).

fatuous [ˈfætʃʊəs] *a.* bezmyślny, głupi.

fatuously [ˈfætʃʊəslɪ] *adv.* bezmyślnie, głupio.

fatuousness [ˈfætʃʊəsnəs] *n. U* bezmyślność, głupota.

fatwa [ˈfætwɑː], **fatwah** *n. islam* fatwa.

fatwitted [ˌfætˈwɪtɪd] *a. przest.* ciężko myślący, tępy.

faucal [ˈfɔːkl], **faucial** [ˈfɔːʃl] *a. i n. anat., fon.* (dźwięk) gardłowy.

fauces [ˈfɔːsiːz] *n. pl.* **fauces** *anat.* gardziel.

faucet [ˈfɔːsɪt] *n. US i Can.* kran, kurek.

faucial [ˈfɔːʃl] *n.* = **faucal.**

faugh [fɔː] *int.* fuj, fe (*wyraża obrzydzenie*).

fault [fɔːlt] *n.* **1.** *C / U* wina; **be at ~** ponosić winę; **it's (all) my ~** to (wszystko) moja wina; **it is/was your own ~** sam sobie jesteś/byłeś winien; **through no ~ of my/their own** nie z mojej/ich winy; **whose ~ is it (that...)?** czyja to wina (że...)?. **2.** wada; **find ~ with sb/sth** czepiać się kogoś/czegoś (= *szukać wad*); **for all his/her ~s** pomimo wszystkich swoich wad. **3.** błąd (*in sth* w czymś). **4.** *el.* usterka, uszkodzenie. **5.** *tenis itp.* błąd serwisowy. **6.** *geol.* uskok (*tektoniczny*). **7.** *myśl.* utrata śladu. **8. (lenient/kind) to a ~** (pobłażliwy/uprzejmy) (aż) do przesady. – *v.* **1.** krytykować; **sb/sth is hard/difficult to ~** trudno komuś/czemuś cokolwiek zarzucić. **2.** *geol.* tworzyć uskok. **3.** popełnić błąd (*on sth* w czymś) (*zwł. w serwowaniu*).

faultfinder [ˈfɔːltˌfaɪndər] *n.* krytyk (*szukający dziury w całym*).

faultfinding [ˈfɔːltˌfaɪndɪŋ] *a.* krytykancki. – *n. U* **1.** krytykanctwo, szukanie dziury w całym. **2.** *el.* wykrywanie usterek.

faultily [ˈfɔːltɪlɪ] *adv.* wadliwie; błędnie.

faultiness [ˈfɔːltɪnəs] *n. U* wadliwość; błędność.

faultless [ˈfɔːltləs] *a.* bezbłędny; nienaganny.

faultlessly [ˈfɔːltləslɪ] *adv.* bezbłędnie; nienagannie.

faulty [ˈfɔːltɪ] *a.* **-ier, -iest 1.** wadliwy, wybrakowany. **2.** błędny (*o rozumowaniu, ocenie sytuacji*).

faun [fɔ:n] *n. mit.* faun.

fauna ['fɔ:nə] *n. C/U pl.* **-as** *l.* **-ae** ['fɔ:ni:] fauna.

fauteuil ['foʊtɪl] *n. Fr.* fotel.

Fauvism ['foʊvˌɪzəm] *n. U hist. sztuki* fowizm.

Fauvist ['foʊvɪst] *n.* (*także* **Fauve**) fowist-a/ka.

faux pas [ˌfoʊ 'pɑ:] *n. pl.* **faux pas** [ˌfoʊ 'pɑ:z] *Fr.* faux pas; **commit/make a ~** popełnić faux pas.

fava bean ['fɑ:və ˌbi:n] *n. US* bób.

fave [feɪv] *a. i n. przest. sl.* = **favorite**.

favor ['feɪvər], *Br.* **favour** *n.* **1.** uprzejmość, przysługa; **ask sb a ~** (*także* **ask a ~ of sb**) prosić kogoś o przysługę; **do sb a ~** wyświadczyć komuś przysługę; **do me/us a ~!** *Br. pot.* daj spokój!; nie bądź śmieszny!; **do sth as a ~** zrobić coś przez grzeczność; **return a ~** odwzajemnić *l.* zrewanżować się. **2.** *C/U* przychylność, życzliwość; poparcie; łaska, względy; łaskawość, uprzejmość; **be in (sb's) ~** być w łaskach (u kogoś); **be out of ~** być w niełasce; **be out of ~ with sb** nie cieszyć się czyimiś względami *l.* czyimś poparciem; **bestow one's ~s on sb** obdarzać kogoś względami (*t. przest. o kobiecie = wyrażać zgodę na współżycie*); **curry ~ with sb** zabiegać o czyjeś względy, podlizywać się *l.* nadskakiwać komuś; **find/gain/win ~ with sb** zyskać czyjeś poparcie; zaskarbić sobie czyjeś względy; przypaść komuś do gustu. **3.** *U* korzyść; **in sb's ~** (*także* **in ~ of sb**) na rzecz kogoś; na czyjąś korzyść; *fin.* w dobro czyjegoś rachunku; **be in ~ of sb/sth** być za kimś/czymś, być zwolennikiem kogoś/czegoś; **come down/vote in ~ of sb/sth** opowiedzieć się/głosować za kimś/czymś; **find in sb's ~** (*także* **find in ~ of sb**) *prawn. zob.* **find** *v.*; **the score is 5 to 3 in our ~** wynik wynosi 5 do 3 dla nas. **4.** *U* faworyzowanie, protekcja; **show ~ to sb** faworyzować kogoś; **without fear or ~** *zob.* **fear** *n.* **5.** upominek, podarek, prezent; **party ~s** *zob.* **party**; **receive sth as a ~** otrzymać coś w prezencie. **6.** plakietka, odznaka itp. przypinana do ubrania dla zamanifestowania poparcia dla danej partii politycznej *l.* drużyny sportowej. – *v.* **1.** preferować; popierać. **2.** faworyzować, obdarzać względami; upodobać sobie. **3.** sprzyjać (*czemuś*). **4.** *zwł. US* być podobnym do (*np. ojca, babci*). **5. ~ sb with sth** *form. l. żart.* zaszczycić kogoś czymś (*np. spojrzeniem*).

favorable ['feɪvərəbl] *a.* **1.** przychylny (*np. o odpowiedzi, reakcji, recenzji*). **2.** sprzyjający (*t. o wietrze*) (*to/for sth* czemuś); pomyślny. **3.** korzystny (*o warunkach, wrażeniu*).

favorably ['feɪvərəblɪ] *adv.* **1.** korzystnie (*wypaść*). **2.** przychylnie, życzliwie. **3.** pomyślnie.

favored ['feɪvərd], *Br.* **favoured** *a.* **1.** preferowany; ulubiony. **2.** uprzywilejowany; **most ~ nation** *polit.* państwo (najbardziej) uprzywilejowane (*w handlu zagranicznym*). **3.** korzystny. **4. ~ with sth** obdarzony czymś (*np. urodą, talentem*).

favorite ['feɪvrɪt], *Br.* **favourite** *a. attr.* ulubiony. – *n.* **1.** ulubiona rzecz, zajęcie itp.; **this book is my ~** to moja ulubiona książka. **2.** ulubien-iec/ica (*np. nauczyciela*). **3.** *t. sport* faworyt/ka.

favoritism ['feɪvrəˌtɪzəm], *Br.* **favouritism** *n. U* **1.** faworyzowanie, protekcja; **show ~ toward sb/sth** faworyzować kogoś/coś. **2.** protekcjonizm.

fawn[1] [fɔ:n] *n.* **1.** jelonek; sarenka; **in ~** cielna (*o łani*). **2.** *U* kolor płowy. – *a.* płowy. – *v.* ocielić się (*o łani*); urodzić (*jelonka l. sarenkę*).

fawn[2] *v.* **~ on/upon sb** łasić się do kogoś (*zwł. o psie*); **~ over sb** piać z zachwytu nad kimś; nadskakiwać komuś.

fax [fæks] *n.* **1.** faks (*przesyłka*). **2.** (*także* **~ machine**) faks (*urządzenie*). **3.** *U* faks (*metoda*); **by ~** faksem. – *v.* faksować, przesyłać faksem; **~ sth (through) to sb** przefaksować coś komuś.

fay[1] [feɪ] *n. poet.* wróżka; duszek.

fay[2] *v.* **1.** dopasowywać. **2.** przylegać (do siebie); być dopasowanym.

fay[3] *n. arch.* wiara.

faze [feɪz] *v. gł. US pot.* zmieszać, zbić z tropu.

FBI [ˌef ˌbi: 'aɪ] *abbr.* = **Federal Bureau of Investigation.**

FCC [ˌef ˌsi: 'si:] *abbr.* = **Federal Communications Commission.**

F.D. [ˌef 'di:] *abbr.* **1.** *US* = **Fire Department.** **2. Focal Distance** *opt.* f, (odległość) ogniskowa.

FDA [ˌef ˌdi: 'eɪ] *abbr. US* **Food and Drug Administration** urząd kontroli leków i żywności.

fealty ['fi:ltɪ] *n. pl.* **-ies** **1.** *hist.* stosunek lenny. **2.** *hist.* hołd lenniczy. **3.** *U arch.* wierność.

fear [fi:r] *n. C/U* strach (*of sb/sth* przed kimś/czymś); lęk; obawa (*for sb/sth* o kogoś/coś); **~ of the unknown** strach przed nieznanym; **for ~ of waking/offending her** (w obawie) żeby jej nie obudzić/nie urazić; **for ~ that sth will/might happen** w obawie, że coś się stanie/może się stać; **have a ~ of doing sth** bać się coś robić; **in ~ of one's life** w obawie o własne życie; **live in ~ of sth** żyć w (ciągłym) strachu przed czymś; **no ~!** *Br. i Austr. pot.* bez obawy! (= *na pewno nie*); **put the ~ of God in/into sb** *pot.* napędzić komuś stracha; postraszyć kogoś; **there is no ~ of sb doing sth** nie ma obawy, że ktoś coś zrobi; **without ~ or favor** *form.* całkiem bezstronnie. – *v.* **1.** bać się (*kogoś l. czegoś*); **~ that...** bać *l.* obawiać się, że...; **~ for sb/sb's life** bać *l.* obawiać się o kogoś/o czyjeś życie; **I ~ so/not** *form.* obawiam się, że tak/nie; **never ~!** (*także* **~ not!**) *przest. form.* proszę się nie obawiać!. **2.** *arch.* przestraszyć.

fearful ['fi:rfʊl] *a.* **1.** przestraszony, wystraszony; **be ~ of sth** *form.* bać *l.* obawiać się czegoś. **2.** bojaźliwy. **3.** *attr. przest.* przerażający, straszny. **4.** *Br.* okropny, straszny, przeraźliwy (*np. o bałaganie*).

fearfully ['fi:rfʊlɪ] *adv.* **1.** ze strachem; bojaźliwie. **2.** *przest. emf.* strasznie (*np. mądry*).

fearless ['fi:rləs] *a.* nieustraszony; **be ~ of sth** nie bać się czegoś.

fearlessly ['fi:rləslɪ] *adv.* nieustraszenie, bez strachu.

fearlessness ['fi:rləsnəs] *n. U* nieustraszoność.

fearnought [ˈfiːrˌnɔːt] *n.* **1.** *U tk.* kastor. **2.** płaszcz *l.* marynarka z kastoru.

fearsome [ˈfiːrsəm] *a.* **1.** przerażający, straszny (*zwł. z wyglądu*). **2.** bojaźliwy.

feasibility [ˌfiːzəˈbɪlətɪ] *n. U* **1.** wykonalność. **2.** prawdopodobieństwo.

feasibility study *n. ekon.* analiza celowości.

feasible [ˈfiːzəbl] *a.* **1.** wykonalny; możliwy. **2.** prawdopodobny.

feast [fiːst] *n.* **1.** *t. przen.* uczta; biesiada; **~ for the eyes** (*także* **visual ~**) *przen.* uczta dla oka, uczta wzrokowa; **hold a ~** wydać ucztę. **2.** *rel.* święto; uroczystość; **movable ~** ruchome święto; **the F~ of the Passover** Święto Paschy. – *v.* **1.** ucztować, biesiadować. **2.** gościć, podejmować (*kogoś*). **3. ~ on/upon/off sth** zajadać się czymś; **~ one's eyes on sth** *przen.* napawać *l.* sycić wzrok czymś.

feast day *n. rel.* dzień świąteczny, święto.

feaster [ˈfiːstər] *n.* biesiadni-k/czka.

feat[1] [fiːt] *n.* wyczyn; dokonanie, osiągnięcie; **no mean ~** nie lada wyczyn.

feat[2] *a. Br. arch.* zręczny.

feather [ˈfeðər] *n.* **1.** *t. orn.* pióro (*t. strzały*); piórko; **ruffle its ~s** nastroszyć pióra *l.* piórka (*o ptaku*). **2.** kępka (*sierści*); sterczący kosmyk (*włosów*). **3.** *stol.* wpust. **4.** *krystal.* skaza. **5.** *wioślarstwo* powrót wiosła na płask (*dla zmniejszenia oporu*). **6.** *przen.* **a ~ in one's cap** *zob.* **cap**[1] *n.*; **(as) light as a ~** *emf.* lekki jak piórko; **birds of a ~ (flock together)** *zob.* **bird** *n.*; **in fine/full/good/high ~** w doskonałej formie; **ruffle sb's ~s** rozdrażnić kogoś; **you could've knocked me down with a ~** *pot.* myślałem, że padnę. – *v.* **1.** pierzyć się. **2.** pokrywać piórami. **3. ~ the oars** *wioślarstwo* cofać wiosła na płask. **4.** *lotn.* ustawiać (śmigło) w chorągiewkę. **5.** *lotn.* wyłączać silnik (*w locie*). **6.** *stol.* łączyć na (pióro i) wpust. **7. ~ one's (own) nest** *przen.* nabijać (sobie) kabzę.

feather bed *n.* piernat.

featherbedding [ˈfeðərˌbedɪŋ] *n. U ekon. uj.* utrzymywanie nadmiaru pracowników (*ze względów socjalnych l. bezpieczeństwa pracy*).

feather boa *n.* boa z piór.

featherbone [ˈfeðərˌboʊn] *n.* fiszbin (*z dutek piór*).

featherbrain [ˈfeðərˌbreɪn] *n. pot.* trzpiot/ka.

featherbrained [ˈfeðərˌbreɪnd] *a. pot.* trzpiotowaty.

feathered [ˈfeðərd] *a.* **1.** upierzony; pierzasty; **our ~ friends** *żart.* nasi pierzaści przyjaciele (= *ptaki*). **2.** ozdobiony piórami.

featheredge [ˈfeðərˌedʒ] *n. stol.* ostra krawędź (*deski*); deska zakończona ostro z jednej strony.

feather grass *n. U US bot.* ostnica (pierzasta) (*trawa Stipa pennata*).

feathering [ˈfeðərɪŋ] *n. U* **1.** upierzenie. **2.** *łucznictwo* pióra (*strzały*).

feather star *n. bot.* liliowiec pierzasty (*Comatulida*).

featherstitch [ˈfeðərˌstɪtʃ] *n. haft* ścieg w jodełkę.

featherweight [ˈfeðərˌweɪt] *n.* **1.** *sport* bokser *l.* zapaśnik wagi piórkowej. **2.** bardzo lekka rzecz; bardzo lekka osoba. **3.** *przen.* coś mało ważnego; ktoś mało ważny.

feathery [ˈfeðərɪ] *a.* **1.** pierzasty. **2.** (miękki i lekki) jak puch.

feature [ˈfiːtʃər] *n.* **1.** cecha. **2.** *pl. zob.* **features**. **3.** *techn.* cecha (użytkowa), możliwość (*urządzenia*). **4.** *dzienn.* artykuł (*zw. na ważny temat, nie dotyczący bezpośrednio bieżących wydarzeń*). **5.** *radio, telew.* program (*jw.*). **6.** (*także* **main ~**) *kino* film pełnometrażowy *l.* fabularny (*w odróżnieniu od kroniki, dodatku itp.*). – *v.* **1.** pokazywać, przedstawiać. **2.** *kino, telew., teatr* wyświetlać (*film*); nadawać (*program*); wystawiać (*sztukę*). **3. ~ in sth** cechować *l.* znamionować coś, stanowić cechę czegoś; odgrywać rolę w czymś. **4. ~ sth** wyróżniać się czymś; **the movie ~s X (as...)** w filmie występuje X (w roli *l.* jako...). **5.** *US pot.* wyobrażać sobie.

feature film *n.* film fabularny.

feature-length [ˈfiːtʃərˌleŋkθ] *a. gł. telew.* pełnometrażowy (*o programie niebędącym filmem fabularnym*).

featureless [ˈfiːtʃərləs] *a.* pozbawiony cech charakterystycznych, bez charakteru (= *nudny, monotonny; zwł. o krajobrazie*).

features [ˈfiːtʃərz] *n. pl.* **1. (facial) ~** rysy (twarzy); **delicate/regular ~** delikatne/regularne rysy. **2.** rzeźba terenu, krajobraz.

feaze [fiːz] *v.* = **feeze**.

Feb, Feb. *abbr.* = **February**.

febrifugal [fəˈbrɪfəgl] *a. med.* przeciwgorączkowy.

febrifuge [ˈfebrəˌfjuːdʒ] *a. i n. med.* (środek) przeciwgorączkowy.

febrile [ˈfiːbrəl] *a. t. przen.* gorączkowy, rozgorączkowany.

February [ˈfebjuːˌerɪ] *n. C/U pl.* **-ies** luty; **in/during ~** w lutym; **last/next ~** w lutym zeszłego/przyszłego roku; **on ~ (the) twelfth** (*także* **on (the) twelfth (of) ~**) dwunastego lutego.

fecal [ˈfiːkl], *Br.* **faecal** *a. fizj.* kałowy.

feces [ˈfiːsiːz], *Br.* **faeces** *n. pl. fizj.* kał, odchody.

feckless [ˈfekləs] *a.* **1.** niezaradny (*o osobie*); nieporadny, nieudolny (*o próbie*). **2.** nieodpowiedzialny.

feculent [ˈfekjələnt] *a. form.* **1.** zanieczyszczony. **2.** cuchnący.

fecund [ˈfiːkənd] *a. form.* **1.** płodny (*t. przen. o pisarzu, umyśle*). **2.** żyzny, urodzajny.

fecundate [ˈfekənˌdeɪt] *v. form.* **1.** zapładniać. **2.** użyźniać.

fecundation [ˌfekənˈdeɪʃən] *n. C/U form.* **1.** zapłodnienie. **2.** użyźnianie.

fecundity [fɪˈkʌndɪtɪ] *n. U form.* **1.** płodność. **2.** żyzność, urodzajność.

fed[1] [fed] *v.* **1.** *zob.* **feed** *v.*; *zob.* **fed up**. **2.** *w złoż.* **under-~** niedożywiony; **well/poorly-~** dobrze/źle odżywiony.

fed[2] *n.* **1.** (*także* **F~**) *US pot.* agent/ka FBI (*l. innego urzędu federalnego*). **2. the F~** *US pot.* = **Federal Reserve Board**.

fed. *abbr.* **1.** = **federal**. **2.** = **federation**.

federacy [ˈfedərəsɪ] *n. pl.* **-ies** *arch.* federacja, związek.

federal [ˈfedərəl] *a. polit.* **1.** federalny, związkowy. **2.** *US hist.* federalny; federalistyczny. – *n.* **1.** federalist-a/ka. **2. F~** *US hist.* unionist-a/ka; = **Federalist**.

Federal Aviation Administration *n.* (*także* **FAA**) *US* Federalna Agencja Nadzoru Transportu Lotniczego.

Federal Bureau of Investigation *n.* (*także* **FBI**) *US* Federalne Biuro Śledcze.

Federal Communications Commission *n.* (*także* **FCC**) *US* Federalny Urząd Łączności.

federal government *n. polit.* rząd federalny.

Federal Housing Administration *n.* (*także* **FHA**) *US* Federalny Urząd do spraw Gospodarki Mieszkaniowej.

Federal Insurance Contributions Act *n.* (*także* **FICA**) (*także* **F.I.C.A.**) *US* ustawa o odprowadzaniu zaliczek na rzecz podatku federalnego; system odprowadzania zaliczek jw.; zaliczka jw.

federalism [ˈfedərəˌlɪzəm] *n. U polit.* federalizm.

federalist [ˈfedərəlɪst] *n. polit.* **1.** federalist-a/ka. **2. F~** *US hist.* członek Partii Federalnej.

Federalist Party *n.* (*także* **Federal Party**) *US hist.* Partia Federalna.

federalize [ˈfedərəˌlaɪz], *Br. i Austr. zw.* **federalise** *v.* **1.** federalizować. **2.** poddawać kontroli rządu federalnego.

federally [ˈfedərəlɪ] *adv.* federalnie; federacyjnie.

Federal Maritime Board *n.* (*także* **FMB**) *US* Federalny Zarząd Morski (*instytucja rządowa sprawująca kontrolę nad marynarką handlową*).

Federal Mediation and Conciliation Services *n.* (*także* **FMCS**) *US* Federalna Komisja Mediacyjna i Pojednawcza.

Federal Reserve Board *n. US* Zarząd Rezerw Federalnych.

Federal Trade Commission *n. US* Federalna Komisja do Spraw Handlu.

federate *v.* [ˈfedəˌreɪt] **1.** federalizować (się). **2.** konfederować (się). – *a.* [ˈfedərət] federacyjny.

federation [ˌfedəˈreɪʃən] *n.* **1.** federacja, związek. **2.** konfederacja. **3.** *U* federacja, zjednoczenie.

federative [ˈfedəˌreɪtɪv] *a.* federacyjny.

fedora [fɪˈdɔːrə] *n.* kapelusz filcowy (*płytki, z rowkiem i wywijanym rondem*).

fed up *a. pred. pot.* **be ~** mieć dość *l.* dosyć; **be ~ with sth** mieć czegoś dość *l.* po dziurki w nosie *l.* powyżej uszu.

fee [fiː] *n.* **1.** opłata; **entrance ~** *zob.* **entrance**; **license/registration ~** opłata licencyjna/rejestracyjna. **2.** honorarium, wynagrodzenie; **doctors'/lawyers' ~s** honoraria lekarzy/prawników. **3.** składka; **membership ~** składka członkowska. **4.** (*także* **school/college/tuition ~/~s**) czesne. **5.** *arch.* napiwek. **6.** *prawn.* majątek dziedziczony. **7.** *hist.* = **feoff**. – *v.* **1.** *rzad.* płacić honorarium (*komuś*). **2.** *Scot.* najmować.

feeble [ˈfiːbl] *a.* **1.** słaby; słabiutki. **2.** kiepski (*o argumencie, dowcipie, wymówce*).

feeble-minded [ˌfiːblˈmaɪndəd] *a.* **1.** głupawy. **2.** *przest.* słaby na umyśle.

feebleness [ˈfiːblnəs] *n. U* słabość.

feebly [ˈfiːblɪ] *adv.* **1.** słabo. **2.** kiepsko.

feed [fiːd] *v.* **fed, fed 1.** *t. przen.* karmić (się); żywić (się); jeść; **~ bread to the swans** (*także* **~ the swans with bread**) karmić łabędzie chlebem; **even very small children can ~ themselves** nawet bardzo małe dzieci umieją same jeść; **the baby ~s twice during the night** niemowlę je *l.* jest karmione dwa razy w ciągu nocy; **will our country be able to ~ itself?** czy nasz kraj będzie w stanie sam się wyżywić?. **2.** służyć za pokarm (*komuś l. czemuś*). **3.** paść (się). **4.** dorzucać do (*paleniska, ognia*); zasilać (*zbiornik*). **5.** wprowadzać; **~ data/information into the computer** wprowadzać dane/informacje do komputera. **6.** *piłka nożna* nagrywać, podawać (*piłkę*). **7.** *przen.* **~ a cold and starve a fever** jedz dużo przy przeziębieniu, pość przy gorączce (*zalecenie medycyny ludowej*); **~ lines to sb** podrzucać komuś kwestie (*zwł. komikowi*); **~ sb a line** *pot.* opowiedzieć komuś bajeczkę (*w celu uzyskania jakichś korzyści*); **~ one's face** *US sl.* napychać się, obżerać się; **~ sb to the lions** rzucić kogoś na pożarcie lwom; **~ sb's pride/vanity** zaspokajać czyjąś dumę/próżność. **8. ~ on sth** żywić się (wyłącznie) czymś; *przen.* karmić się czymś; stanowić pożywkę dla czegoś; **~ up** tuczyć; **be fed up (with sth)** *zob.* **fed up**. – *n.* **1.** karmienie (*zwł. niemowlęcia*). **2.** *U* pokarm (*dla niemowlęcia*). **3.** *U* pasza; karma. **4.** *przest. pot.* wyżerka (= *obfity posiłek*). **5.** *U* zasilanie. **6.** zasilacz. **7.** *mech.* posuw. **8. put sb off their ~** *US pot.* odbierać komuś apetyt.

feedback [ˈfiːdˌbæk] *n. U* **1.** reakcje, opinie. **2.** *automatyka, tel.* sprzężenie zwrotne. **3.** *akustyka* sprzężenie (= *nieprzyjemny pisk*).

feedbag [ˈfiːdˌbæg] *n. US i Can.* worek z obrokiem (*do karmienia konia*).

feeder [ˈfiːdər] *a.* **1.** karmiciel/ka. **2.** *el.* zasilacz; przewód zasilający; linia (energetyczna) średniego napięcia. **3.** dozownik. **4.** lej. **5.** paśnik; karmnik. **6.** *geogr.* dopływ (*rzeki*). **7.** *kol., lotn.* linia dowozowa. **8.** *ogr.* roślina wymagająca nawożenia. **9.** *przest.* śliniak, śliniaczek. **10. slow/fussy ~** niejadek (*o niemowlęciu*).

feeding [ˈfiːdɪŋ] *n. C/U* karmienie.

feeding bottle *n.* butelka dla niemowląt.

feeding ground *n.* żerowisko.

feel [fiːl] *v.* **felt, felt 1.** czuć się; **~ well/better/awkward** czuć się dobrze/lepiej/niezręcznie; **~ like a fool** czuć się jak głupiec; **~ sure/certain** być pewnym; **how do you ~?** (*także* **how are you ~ing?**) jak się czujesz?; **I ~ as if/as though...** czuję (się), jakby(m)...; **I ~ sad/cold/hot** jest mi smutno/zimno/gorąco; **I know (just) how you ~** wiem (dokładnie), jak się czujesz; **he felt sick/sorry** było mu niedobrze/przykro; **not ~ (quite) o.s.** czuć się (trochę) nieswojo *l.* nie w sosie. **2.** czuć; wyczuwać; odczuwać; **~ sth in one's bones** *gł. przen.* czuć coś w kościach; **~ the cold** odczuwać chłód, marznąć; ~ **the effects of sth** odczuwać skutki czegoś; ~ **the need to do sth** odczuwać potrzebę zrobienia czegoś; **he felt something brush his leg** poczuł, że coś otarło mu się o nogę; **I felt myself blushing** poczułam, że się czerwienię; **she felt her teacher's death more than the others** bardziej niż inni odczuła śmierć nauczycielki; **you won't ~ a thing** nic nie poczujesz. **3.** wydawać się, sprawiać wrażenie; przypominać; **how does it ~ to win a marathon?** jakie to uczucie zostać zwycięzcą maratonu?; **it ~s great to be with you all again** to wspaniałe uczucie być znowu z wami; **(I've only been here for a week but) it ~s like a year** (jestem tu dopiero od tygodnia, a) wydaje się, jakby od roku; **the suitcase felt very heavy** walizka wydawała się bardzo ciężka, walizka sprawiała wrażenie bardzo ciężkiej; **this fabric ~s like satin** ta tkanina przypomina w dotyku atłas. **4.** uważać, sądzić, mieć wrażenie (*that* że); **how do you ~ about...?** co sądzisz na temat...?, jaki jest twój stosunek do...?. **5.** dotykać (*czegoś*); macać. **6.** badać (*t. teren*); ~ **sb's pulse** badać *l.* mierzyć komuś tętno; *przen.* sondować kogoś. **7.** ~ **free (to do sth)** nie krępować się (czegoś zrobić); ~ **like sth/doing sth** mieć ochotę na coś/na zrobienie czegoś; ~ **one's age** czuć swoje lata, czuć się staro; ~ **one's way** poruszać się po omacku; *przen.* postępować ostrożnie; **sb ~s (very) strongly about sth** *zob.* **strongly**. **8.** ~ **about/around for sth** szukać czegoś (*po omacku*); ~ **for sb** współczuć komuś; ~ **out** *US pot.* sondować (*osobę, zamiary*); ~ **up** *pot.* obmacywać (*osobę*); ~ **up to sth** czuć się na siłach coś zrobić. – *n. sing.* **1.** atmosfera (*miejsca, miasta*). **2.** dotyk; **sth is soft to the ~** (*także* **sth has a soft ~**) coś jest miękkie w dotyku. **3.** wyczucie; **get the ~ of sth** *pot.* otrzaskać się z czymś (= *zapoznać, zorientować l. przyzwyczaić się*); **have a ~ for sth** *pot.* czuć coś (= *mieć naturalny talent do czegoś*).

feeler ['fi:lər] *n.* **1.** *zool.* czułek. **2. put out ~s** *przen.* badać grunt.

feel-good ['fi:lˌgʊd] *a. attr.* **1.** podnoszący na duchu (*programowo, z założenia*), wprawiający w dobry nastrój (*np. o filmie, muzyce*). **2. the ~ factor** nieuzasadniony optymizm, przekonanie, że jakoś to będzie (*w społeczeństwie*).

feeling ['fi:lɪŋ] *n.* **1.** *C/U* uczucie; **have (no) ~s for sb** (nie) darzyć kogoś uczuciem; **hurt sb's ~s** zranić czyjeś uczucia, urazić kogoś; **I know the ~** znam to uczucie; **mixed ~s** mieszane uczucia; **no hard ~s!** nie gniewam się!; **with ~** z uczuciem. **2.** poczucie (*of sth* czegoś) (*np. bezpieczeństwa*). **3.** odczucie; opinia; wrażenie; przeczucie, podejrzenie; **have/get the ~ (that)...** mieć/odnosić wrażenie, że...; przeczuwać *l.* podejrzewać, że...; **my (own) ~ is...** w moim odczuciu...; **what are your ~s on/about...?** co sądzisz na temat...?. **4.** *U* czucie (*np. w palcach*). **5.** *U* stosunek, nastawienie; **bad/ill ~** animozje (*between* pomiędzy); **(public) ~ in favor of/against sth** poparcie/sprzeciw (opinii publicznej) dla czegoś/przeciwko czemuś. **6.** *sing.* nastrój, atmosfera (*książki, filmu, miejsca*). – *a.* **1.** wrażliwy, czuły. **2.** pełen uczucia, uczuciowy, czuły. **3.** współczujący.

feelingly ['fi:lɪŋlɪ] *adv.* z uczuciem.

fee simple *n. pl.* **-s simple** *prawn.* majątek dziedziczony bez ograniczeń.

feet [fi:t] *n. pl.* **1.** *zob.* **foot** *n.* **2.** *przen.* **be/get under one's ~** plątać się pod nogami; **be rushed off one's ~** (*także Br.* **be run off one's ~**) być (bardzo) zaganianym, nie wiedzieć, za co się złapać; **be six ~ under** *żart.* wąchać kwiatki od spodu (= *nie żyć*); **drag one's ~** *zob.* **drag** *v.*; **get back on one's ~** stanąć (z powrotem) na nogi; **get one's ~ wet** stawiać pierwsze kroki (*in sth* w czymś); **get/have cold ~** *zob.* **cold** *a.*; **~ of clay** *zob.* **clay**; **have/keep one's/both ~ (firmly) on the ground** stać mocno *l.* twardo na ziemi; **land on one's ~** (*także Br.* **fall on one's ~**) spaść na cztery łapy; **leave ~ first** *żart.* wyjść *l.* wyjechać nogami do przodu (= *umrzeć*); **stand on one's own (two) ~** stać na własnych nogach (= *być samowystarczalnym*); **sweep/carry sb off their ~** zwalić kogoś z nóg; **think on one's ~** błyskawicznie podejmować decyzje; **vote with one's ~** głosować nogami (*np. odmawiając w czymś udziału*).

feeze [fi:z] *v.* (*także* **feaze**) *US dial.* troskać, martwić.

feign [feɪn] *v. form.* udawać (*zdziwienie, zainteresowanie*); symulować (*chorobę*).

feint[1] [feɪnt] *n. wojsk., boks, piłka nożna* pozorowany atak. – *v.* przeprowadzać pozorowany atak (*at/upon sb/sth* na kogoś/coś).

feint[2] *n. U* papier w linie.

feisty ['faɪstɪ] *a.* **-ier, -iest** przebojowy (*o osobie*).

feldspar ['feldˌspɑ:r], **felspar** *n. U min.* skaleń, szpat polny.

feldspathic ['feldspæθɪk] *a. min.* skaleniowy.

felicific [ˌfi:lɪ'sɪfɪk] *a. form.* uszczęśliwiający.

felicitate [fə'lɪsɪˌteɪt] *v.* **1.** *form.* gratulować (*sb on sth* komuś czegoś). **2.** *arch.* uszczęśliwiać.

felicitations [fəˌlɪsɪ'teɪʃənz] *n. pl. form.* gratulacje.

felicitous [fə'lɪsɪtəs] *a. form.* **1.** trafny (*o wyborze, uwadze*), dobrze dobrany (*o zwrocie, cytacie*), szczęśliwy (*o połączeniu*). **2.** szczęśliwy, błogi (*o życiu*).

felicity [fə'lɪsətɪ] *n. pl.* **-ies** *form.* **1.** *U* szczęśliwość. **2.** trafny zwrot, trafne wyrażenie. **3.** *U* trafność. **4.** *U arch.* szczęście.

felid ['fi:lɪd] *n.* = **feline** *n.*

feline ['fi:laɪn] *a. t. przen.* koci; ~ **grace** kocia zwinność. – *n.* (*także* **felid**) *zool.* kot (*zwierzę z rodziny Felidae*).

felinity [fə'lɪnətɪ] *n. U* kocia natura.

fell[1] [fel] *v. zob.* **fall** *v.*

fell[2] *v.* **1.** *leśn.* ściąć (*drzewo*). **2.** *przen.* powalić (*przeciwnika*). **3.** *krawiectwo* zakończyć na zakładkę. – *n.* **1.** *US i Can. leśn.* wyrąb. **2.** *krawiectwo* szew na zakładkę.

fell[3] *n. często pl. płn. Br.* wzgórze (*zwł. pokryte wrzosowiskiem*).

fell[4] *a. poet.* **1.** dziki; okrutny, srogi. **2. at/in one ~ swoop** za jednym zamachem.

fell[5] *n.* skóra (surowa); *przen.* skóra (*ludzka*); futro; runo, sierść.

fella ['felə] *n. pot.* = **fellow** *n.* 1, 2.

fellatio [fə'leɪʃɪoʊ] *n.* *U* oralna stymulacja męskich narządów płciowych.

feller¹ ['felər] *n.* drwal.

feller² *n. pot.* = **fellow** *n.* 1, 2.

felloe ['feloʊ] *n. pl.* **-s** (*także* **felly**) dzwono (*koła*); wieniec (*koła*).

fellow ['feloʊ] *n.* **1.** *gł. Br. przest. pot.* facet, gość; człowiek, chłop; **my dear/good/old ~!** mój drogi!; **one's ~s** koledzy (*z pracy l. szkoły*); **poor ~!** biedaczysko!; **sb's ~** *pot.* czyjś facet (= *chłopak, przyjaciel*); **they won't let a ~ be!** nie dadzą człowiekowi spokoju!. **2.** *Br. uniw.* doktorant/ka *l.* magistrant/ka (*zatrudniony na uczelni na określony czas*). **3. F~** *Br.* człon-ek/kini (*akademii, towarzystwa naukowego*); *uniw.* człon-ek/kini zarządu (*zwł. uniwersytetu w Oksfordzie l. Cambridge*). **4.** para (*np. but l. rękawiczka do pary*). – *a. attr.* **~ citizens/countrymen** współobywatele/rodacy; **~ passenger** współpasażer/ka, towarzysz/ka podróży; **~ soldier/worker** towarzysz/ka broni/pracy; **our ~ man/men** (nasi) bliźni.

fellow feeling *n.* poczucie solidarności (*for sb* z kimś).

fellowship ['feloʊˌʃɪp] *n.* **1.** *U* koleżeństwo; przyjaźń; braterstwo. **2.** towarzystwo, stowarzyszenie; związek; *zwł. rel.* wspólnota. **3.** cech. **4.** korporacja. **5.** *US uniw.* stypendium (*doktoranckie l. magisterskie*); komisja do spraw stypendiów (*jw.*). **6.** *Br. uniw.* etat dla doktoranta/ki l. magistrant-a/ki. **7. F~** *Br. uniw.* członkowie zarządu uniwersytetu (*zwł. w Oksfordzie l. Cambridge*).

fellow traveler, *Br.* **fellow traveller** *n.* **1.** towarzysz/ka podróży. **2.** *uj.* sympaty-k/czka Partii Komunistycznej.

felly ['felɪ] *n. pl.* **-ies** = **felloe.**

felon¹ ['felən] *n.* **1.** *prawn.* przestęp-ca/czyni; zbrodnia-rz/rka. **2.** *arch.* złoczyńca. – *a. arch. l. poet.* okrutny, zły.

felon² *n.* *U pat.* zastrzał, zanokcica.

felonious [fə'loʊnɪəs] *a. prawn.* przestępczy; zbrodniczy.

felonry ['felənrɪ] *n.* *U* przestępcy (*zbiorowo*).

felony ['felənɪ] *n.* *C / U pl.* **-ies** *prawn.* (ciężkie) przestępstwo; zbrodnia.

felspar ['felˌspɑːr] *n.* = **feldspar.**

felt¹ [felt] *v. zob.* **feel** *v.*

felt² *n.* *U* **1.** filc; wojłok. **2.** papa. – *v.* **1.** filcować (się). **2.** pokrywać filcem. **3.** pokrywać papą.

felt tip, felt-tip *n.* (*także* **felt-tip pen**) pisak, mazak.

felucca [fə'luːkə] *n. żegl.* feluka (= *dwumasztowy żaglowiec śródziemnomorski*).

fem. *abbr.* **1.** = **female. 2.** = **feminine.**

female ['fiːmeɪl] *a.* **1.** *gł. biol.* żeński (*o organie, płci*); płci żeńskiej (*o osobniku, osobie*); samiczy (*np. o instynkcie*); **~ elephant** słonica; **~ whale** samica wieloryba; **~ workers/students** robotnice/studentki. **2.** kobiecy (*np. o uroku*). **3.** *mech., el.* żeński; obejmujący; **~ plug** gniazdo, złącze żeńskie; **~ thread** gwint wewnętrzny. – *n.* **1.** *biol.* samica, samiczka; osobnik płci żeńskiej. **2.** *cz. pog.* kobieta.

female impersonator *n. teatr* odtwórca ról kobiecych.

femaleness ['fiːmeɪlnəs] *n.* *U* kobiecość.

feme covert [ˌfem 'kʌvərt] *n. pl.* **femes covert** *prawn.* kobieta zamężna, mężatka.

feme sole [ˌfem 'soʊl] *n. pl.* **femes sole** *prawn.* kobieta niezamężna (= *panna, wdowa l. rozwódka*).

femidom ['femɪdɑːm], **Femidom** *n. Br.* prezerwatywa dla kobiet.

femineity [ˌfemə'naɪtɪ] *n.* *U form.* kobieca natura; kobiecość.

feminine ['femənɪn] *a.* **1.** kobiecy. **2.** żeński (*t. wers. o rymie*). **3.** *gram.* żeński, rodzaju żeńskiego (*o rzeczowniku, zaimku, końcówce*). **4.** *uj.* zniewieściały. – *n. gram.* rzeczownik rodzaju żeńskiego; forma żeńska *l.* rodzaju żeńskiego; *U* rodzaj żeński.

femininity [ˌfemə'nɪnətɪ] *n.* *U* kobiecość.

feminism ['feməˌnɪzəm] *n.* *U* feminizm.

feminist ['femənɪst] *n.* feminist-a/ka.

feminize ['feməˌnaɪz], *Br. i Austr. zw.* **feminise** *v.* **1.** nadawać cechy żeńskie *l.* kobiece (*komuś*), feminizować. **2.** feminizować się, nabierać cech żeńskich *l.* kobiecych.

femme fatale [ˌfeɪm fə'tɑːl] *n. pl.* **femmes fatales** *Fr.* femme fatale, kobieta fatalna.

femoral ['femərəl] *a. anat.* udowy.

femur ['fiːmər] *n. pl. t.* **femora** ['femərə] **1.** kość udowa. **2.** *ent.* udo (*owada*).

fen [fen] *n.* *C / U Br.* moczary, żuławy; **the F~s** *geogr.* podmokłe obszary wschodniej Anglii.

fence [fens] *n.* **1.** ogrodzenie; płot; **sunk ~** ogrodzenie wzdłuż rowu. **2.** *jeźdz.* przeszkoda. **3.** *przest. sl.* paser; melina paserska. **4.** *arch.* bastion. **5. ~ month/season/time** *Br. myśl.* okres ochronny. **6.** *przen.* **mend (one's) ~s** *zob.* **mend** *v.*; **rush one's ~s** *zob.* **rush¹** *v.*; **sit on the ~** przyglądać się *l.* stać z boku; zachowywać neutralność (*w sporze*); nie angażować się, nie zajmować stanowiska. – *v.* **1. ~ (in)** ogradzać; *t. przen.* odseparowywać, izolować (*from / against sth* od czegoś/przed czymś). **2.** *sport* uprawiać szermierkę. **3.** *przen.* odparowywać (*pytania, zarzuty*) (*with sth* czymś). **4.** *przest. sl.* sprzedawać paserom; uprawiać paserstwo. **5. ~ off** odgradzać.

fenceless ['fensləs] *a.* **1.** nieogrodzony. **2.** *poet.* bezbronny. **3.** *przest.* niewarowny.

fencer ['fensər] *n. sport* szermierz.

fencing ['fensɪŋ] *n.* *U* **1.** szermierka. **2.** ogrodzenie; materiał ogrodzeniowy.

fend [fend] *v.* **1. ~ off** odpierać (*napastnika, ciosy, zarzuty*); bronić się przed (*trudnymi pytaniami, zwł. unikając odpowiedzi*). **2. ~ for o.s.** radzić sobie samemu, dawać sobie (samemu) radę.

fender ['fendər] *n.* **1.** *US i Can. mot.* błotnik (*t. w rowerze*). **2.** *kol., mot.* zderzak. **3.** *żegl.* odbijacz. **4.** osłona kominka.

fender-bender ['fendərˌbendər], **fender bender** *n. US mot. pot.* stłuczka.

fenestrate [fə'nestreɪt] *a.* **1.** *bud.* wyposażony w okna. **2.** *bot., zool.* okienkowaty.

fenestration [ˌfenə'streɪʃən] *n.* **1.** *U bud.* układ okien. **2.** *bot., zool.* otworek okienkowaty. **3.** *chir.* fenestracja (= *wytworzenie otworu*).

Fenians ['fiːnɪənz] *n. pl.* **the ~** *hist., polit.* fenianie (*Irlandzkie Bractwo Republikańskie, które w XIX w. walczyło o niepodległą Irlandię*).

fennec ['fenek] *n. zool.* fenek (*Vulpes zerda*).

fennel ['fenl] *n. U bot., kulin.* fenkuł, koper włoski (*Foeniculum vulgare*).

fenny ['fenɪ] *a.* **-ier, -ies** podmokły; bagnisty.

fenugreek ['fenjəˌgriːk] *n. U bot., kulin.* kozieradka (*Trigonella foenum-graecum*).

feod [fjuːd] *n.* = **feud**[2].

feoff [fiːf], **fief, fee** [fiː] *n. hist.* lenno.

feoffee [fe'fiː] *n. hist.* wasal, lennik.

feoffment ['fiːfmənt] *n. C/U* lenno; nadanie majątku (w lenno).

feoffor ['fiːfər], **feoffer** *n.* feudał, senior.

ferae naturae [ˌferaɪ nə'tʊriː] *a. Lat. form.* żyjący dziko.

feral ['fiːrəl] *a.* **1.** (*także* **ferine**) dziki; zdziczały. **2.** zwierzęcy, brutalny.

fer-de-lance [ˌfɝːdl'æns] *n. zool.* **1.** trwożnica (*wąż Trimeresurus atrox*). **2.** żaraka (*wąż Bothops atrox*).

feretory ['ferɪtɔːrɪ] *n. pl.* **-ies** *kośc.* **1.** relikwiarz. **2.** kaplica z relikwiarzami.

ferial ['fiːrɪəl] *a. rz.-kat.* powszedni.

ferine ['fiːraɪn] *a.* = **feral**.

ferment *n.* ['fɝːment] *C/U* **1.** *polit.* wrzenie, ferment; **be in (a state of) ~** wrzeć. **2.** *biochem.* ferment, zaczyn. **3.** fermentacja. – *v.* [fər'ment] **1.** fermentować; poddawać fermentacji. **2.** *form. gł. polit.* wrzeć, burzyć się; podsycać (*nastroje*).

fermentation [ˌfɝːmen'teɪʃən] *n. U* **1.** fermentacja. **2.** *przen.* ferment.

fermentative [fər'mentətɪv] *a.* fermentacyjny.

fern [fɝːn] *n. pl.* **-s** *l.* **fern** *bot.* paproć (*rząd Filicales*).

fernery ['fɝːnərɪ] *n. pl.* **-ies** paprociarnia.

ferny ['fɝːnɪ] *a.* porosły paprociami.

ferocious [fə'roʊʃəs] *a.* **1.** zajadły, dziki, zawzięty; okrutny, srogi; ostry (*np. o psie, krytyce*). **2.** nieznośny (*np. o bólu głowy, upale*).

ferociously [fə'roʊʃəslɪ] *adv.* zajadle, dziko; okrutnie, srogo.

ferociousness [fə'roʊʃəsnəs] *n.* = **ferocity**.

ferocity [fə'rɑːsətɪ] *n. U* zajadłość, dzikość; okrucieństwo, srogość.

ferrate ['fereɪt] *n. chem.* żelazian.

ferret[1] ['ferət] *n. zool.* tchórz, fretka (*Mustela putorius*); (*także* **black-footed ~**) tchórz czarnołapy (*Mustela nigripes*). – *v.* **1.** *myśl.* polować z fretką. **2.** *pot.* **~ about/around** myszkować, szperać (*for sth* w poszukiwaniu czegoś); **~ out** wyszperać (*informację*), wywęszyć (*przestępcę*).

ferret[2] *n. U krawiectwo* taśma do obszyć.

ferriage ['ferɪɪdʒ] *n.* **1.** przewóz promem. **2.** opłata za przewóz jw.

ferric ['ferɪk] *a. chem.* żelazowy.

ferriferous [fə'rɪfərəs] *a. geol.* żelazonośny.

Ferris wheel ['ferɪs ˌwiːl], **ferris wheel** *n. zwł. US* diabelski młyn.

ferrite ['feraɪt] *n. chem.* ferryt.

ferroconcrete [ˌferoʊ'kɑːnkriːt] *n. U bud.* żelazobeton.

ferromagnetic [ˌferoʊmæg'netɪk] *a. fiz.* ferromagnetyczny. – *n. fiz.* ferromagnetyk.

ferrotype ['ferəˌtaɪp] *n. fot.* **1.** ferrotyp, żelazotyp. **2.** *U* ferrotypia, żelazotypia.

ferrous ['ferəs] *a.* **1.** *chem.* żelazawy. **2.** *geol.* żelazonośny.

ferrous alloy *n.* stop żelaza.

ferruginous [fə'ruːdʒɪnəs] *a.* **1.** *chem.* żelazisty. **2.** rdzawy, czerwonobrązowy.

ferrule ['ferəl] *n.* **1.** okucie, skuwka. **2.** *mech.* króciec, tuleja. – *v.* okuwać, zakańczać okuciem.

ferry ['ferɪ] *n. pl.* **-ies** **1.** prom. **2.** licencja na przewóz promem. – *v.* **-ied, -ying** **1.** przewozić *l.* przeprawiać promem. **2.** przewozić (*dowolnym środkiem transportu*). **3.** przeprawiać się (promem). **4.** kursować, krążyć (*o łodzi*). **5.** dowozić, dostarczać (*nowy środek transportu, zwł. samolot, do użytkownika*).

ferryboat ['ferɪˌboʊt] *n.* prom.

ferryman ['ferɪmən] *n. pl.* **-men** przewoźnik.

fertile ['fɝːtl] *a.* **1.** *roln.* żyzny, urodzajny (*o ziemi*); **~ ground** *przen.* podatny grunt (*for sth* dla czegoś). **2.** *biol.* płodny (*o osobniku*); zapłodniony (*o komórce jajowej*). **3.** *przen.* płodny (*o pisarzu, wyobraźni*).

fertility [fər'tɪlətɪ] *n. U* **1.** *roln.* żyzność, urodzajność. **2.** *biol. l. przen.* płodność.

fertility clinic *n. med.* klinika leczenia bezpłodności.

fertility drug *n. med.* lek na bezpłodność.

fertilization [ˌfɝːtlə'zeɪʃən], *Br. i Austr. zw.* **fertilisation** *n. U* **1.** *biol.* zapładnianie. **2.** *roln.* użyźnianie; nawożenie.

fertilize ['fɝːtəˌlaɪz] *v.* **1.** *biol.* zapładniać. **2.** *roln.* użyźniać; nawozić.

fertilizer ['fɝːtəˌlaɪzər] *n.* **1.** *C/U roln.* nawóz. **2.** *bot.* czynnik zapylający (*np. owad*).

ferula ['ferələ] *n. pl. t.* **-ae** ['ferəleɪ] *bot.* koper olbrzymi (*Ferula*).

ferule ['ferəl] *n.* trzcinka (*do bicia*). – *v.* bić trzcinką.

fervency ['fɝːvənsɪ] *n. U rzad.* żarliwość; zagorzałość.

fervent ['fɝːvənt] *a.* (*także* **fervid**) **1.** żarliwy; zagorzały. **2.** *poet.* gorejący; gorący.

fervently ['fɝːvəntlɪ] *adv.* żarliwie; zagorzale.

fervor ['fɝːvər], *Br.* **fervour** *n. U* **1.** ferwor; zapał; gorliwość. **2.** *rzad.* żar.

fescue ['feskjuː] *n.* (*także* **~ grass**) *bot.* kostrzewa (*Festuca*).

fess [fes], **fesse** *n. her.* poziomy pas przez środek pola.

fess up *v. US pot.* przyznać się.

fest [fest] *n. zwł. US pot.* święto, festyn; impreza; **beer ~** święto piwa; **music/song ~** impreza muzyczna/śpiewana.

festal ['festl] *a. form.* świąteczny; odświętny.

fester ['festər] *v.* **1.** *pat.* ropieć, jątrzyć się. **2.**

t. przen. jątrzyć. **3.** zaogniać się (*o sytuacji, konflikcie*). **4.** gnić, rozkładać się. – *n. pat.* ropiejąca rana; ropiejący wrzód.

festival ['festəvl] *n.* **1.** *t. rel.* święto; uroczystość. **2.** festiwal; **jazz/film/drama ~** festiwal filmowy/jazzowy/teatralny. – *a.* świąteczny; odświętny.

festive ['festɪv] *a.* **1.** radosny (*t. o nastroju, okazji*); skory do zabawy; weselny, biesiadny. **2.** świąteczny; odświętny, uroczysty; **the ~ season** *zwł. Br.* okres Świąt Bożego Narodzenia.

festively ['festɪvlɪ] *adv.* **1.** radośnie. **2.** uroczyście, odświętnie.

festivity [fe'stɪvətɪ] *n. pl.* **-ies 1.** uroczystość; *pl.* uroczystości, obchody. **2.** *U* wesołość; świętowanie; **an air of ~** atmosfera *l.* nastrój zabawy.

festoon [fe'stu:n] *n.* **1.** girlanda. **2.** *bud.* feston. – *v.* **1.** dekorować girlandami. **2.** dekorować, przyozdabiać (*with sth* czymś).

festoonery [fe'stu:nərɪ] *n. U bud.* festony.

feta ['fetə] *n. U* (*także* **~ cheese**) (ser) feta.

fetal ['fi:tl], *Br.* **foetal** *a. attr. fizj.* płodowy.

fetation [fi:'teɪʃən] *n. U fizj.* ciąża.

fetch¹ [fetʃ] *v.* **1.** *zwł. Br.* iść po; przynosić; przyprowadzać, sprowadzać; **(go and) ~ a doctor!** sprowadź lekarza! **2.** aportować (*o psie*). **3.** przynieść, pójść za (*dużą sumę; o sprzedawanym towarze*). **4.** wywoływać (*np. łzy, uśmiech, aplauz*). **5.** *przen.* **~ a sigh/groan** westchnąć/jęknąć; **~ and carry for sb** usługiwać komuś; **~ port** *żegl.* dotrzeć do portu; **~ sb a blow/clip** *Br. przest. pot.* przyłożyć komuś, zdzielić kogoś; **sb is ~ed by sth** coś robi na kimś wrażenie, coś przemawia do kogoś. **6. ~ up** *pot.* wylądować, znaleźć się (*at / in sth* gdzieś); zwymiotować; *Br. dial.* chować (*dzieci, zwierzęta*). – *n.* **1.** *żegl.* rozciągłość (*akwenu*). **2.** wybieg, sztuczka.

fetch² *n. gł. Br.* widmo, duch (*osoby żyjącej*).

fetching ['fetʃɪŋ] *a.* czarujący, uroczy (*o osobie, wyglądzie*); twarzowy (*o stroju*).

fetchingly ['fetʃɪŋlɪ] *adv.* czarująco, uroczo; twarzowo.

fete [feɪt], **fête** *n.* **1.** *US* święto; uroczystość. **2.** *Br. i Austr.* kiermasz na cele dobroczynne, wenta. – *v. zw. pass.* fetować.

feticide ['fi:tɪˌsaɪd], *Br.* **foeticide** *n. C / U prawn.* zabicie płodu.

fetid ['fetɪd] *a. form.* cuchnący.

fetish ['fetɪʃ] *n.* **1.** *t. rel.* fetysz. **2.** *t. psych.* fiksacja, mania; **have a ~ about/for sth** (*także* **make a ~ of sth**) mieć manię na punkcie czegoś, fetyszyzować coś.

fetishism ['fetɪˌʃɪzəm] *n. U* fetyszyzm.

fetishist ['fetɪʃɪst] *n.* fetyszyst-a/ka.

fetlock ['fetˌlɑ:k] *n. zool.* **1.** pęcina. **2.** włosy pęcinowe (*u konia*).

fetor ['fi:tər], *Br.* **foetor** *n. C / U* fetor.

fetter ['fetər] *n. zw. pl. lit.* okowy, pęta. – *v. lit.* pętać.

fettle ['fetl] *n.* **in good/fine ~** w dobrej formie. – *v. metal.* oczyszczać (*odlew*).

fettuccine [ˌfetə'tʃi:nɪ], **fettuccini** *n. U kulin.* (makaron) tasiemki, łazanki.

fetus ['fi:təs], *Br.* **foetus** *n. anat.* płód.

feud¹ [fju:d] *n.* waśń, spór (*over sth* o coś); **family ~** waśń rodzinna, vendetta rodowa.

feud² *n.* (*także* **feod**) *hist.* lenno.

feudal ['fju:dl] *a. attr.* feudalny; lenny.

feudalism ['fju:dəˌlɪzəm] *n. U hist., polit.* feudalizm.

feudalistic [ˌfju:də'lɪstɪk] *a.* feudalny.

feudality [fju:'dælətɪ] *n. U* **1.** feudalność. **2.** feudalizm.

feudalization [ˌfju:dəlaɪ'zeɪʃən], *Br. i Austr. zw.* **feudalisation** *n. U* feudalizacja.

feudalize ['fju:dəˌlaɪz], *Br. i Austr. zw.* **feudalise** *v.* feudalizować.

feudatory ['fju:dəˌtɔ:rɪ] *hist. a.* feudalny, lenniczy. – *n.* wasal, lennik.

feuilleton [ˌfʌjə'tɑ:ŋ] *n. Fr. dzienn.* felieton.

fever ['fi:vər] *n.* **1.** *C / U pat.* gorączka; **run a ~** mieć gorączkę. **2.** *U pat.* = **scarlet fever**; = **typhoid fever**; = **yellow fever**. **3.** *sing. przen.* gorączka, podniecenie. – *v. zw. pass.* wywoływać gorączkę.

fever blister *n. US pat.* opryszczka.

feverfew ['fi:vərˌfju:] *n. bot.* (złocień) maruna (*Chrysanthemum parthenium*).

feverish ['fi:vərɪʃ] *a.* **1.** gorączkujący; rozpalony. **2.** *przen.* gorączkowy; rozgorączkowany.

feverishly ['fi:vərɪʃlɪ] *adv.* **1.** w gorączce. **2.** gorączkowo.

few [fju:] *a. i pron.* **1.** niewiele, mało; niewielu; **a ~** kilka, parę; kilku; **a good ~** (*także* **quite a ~**) (*także* **not a ~**) (całkiem) sporo, niemało; **as ~ as** zaledwie; **for the last/next ~ days** przez ostatnich/następnych parę dni. **2.** *przen.* **be ~ and far between** rzadko się trafiać; **such people are ~ and far between** takich ludzi ze świecą szukać; **have a ~ (too many)** *pot.* za dużo wypić; **precious ~** bardzo niewiele; **the chosen ~** garstka wybrańców.

fewer ['fju:ər] *a. comp.* mniej; **no ~ than** *form.* nie mniej niż; aż.

fey [feɪ] *a.* **1.** (jak) nie z tego świata (*o osobie*). **2.** jasnowidzący. **3.** *gł. Scot.* u progu śmierci.

fez [fez] *n.* fez (*nakrycie głowy*).

FHA [ˌef ˌeɪtʃ 'eɪ] *abbr.* = **Federal Housing Administration**.

fiacre [fi:'ɑ:krə] *n. hist.* fiakier (*powóz*).

fiancé [ˌfi:ɑ:n'seɪ] *n.* narzeczony.

fiancée [ˌfi:ɑ:n'seɪ] *n.* narzeczona.

fiasco [fɪ'æskoʊ] *n. C / U pl.* **-s** *l.* **-es** fiasko.

fiat ['fi:æt] *n. prawn.* **1.** dekret, zarządzenie. **2.** pełnomocnictwo.

fiat money *n. U fin.* pieniądz papierowy bez pokrycia.

fib [fɪb] *n. pot.* bujda, bajka; kłamstewko; **tell ~s** bujać. – *v.* **-bb-** bujać, zmyślać.

fibber ['fɪbər] *n. pot.* kłamczuch/a, kłamczuszek/ka.

fiber ['faɪbər], *Br. i Austr.* **fibre** *n.* **1.** *C / U t. anat., bot., tk.* włókno; **muscle/nerve ~s** *anat.* włókna mięśniowe/nerwowe; **natural/man-made ~s** *tk.* włókna naturalne/sztuczne. **2.** *U* (*także* **dietary ~**) błonnik (*jako składnik pożywienia*). **3.** *C / U przen.* natura, struktura, charakter; **moral ~** siła charakteru; **with every ~ of one's be-**

ing *lit.* całym sobą, całym swoim jestestwem (*np. pragnąć czegoś*).

fiberboard [ˈfaɪbərˌbɔːrd] *n. U* płyta pilśniowa.

fiberglass [ˈfaɪbərˌglæs], **fiber glass** *n. U* włókno szklane.

fiberoptic [ˌfaɪbərˈɑːptɪk] *a. tel.* światłowodowy (*o przesyle, łączach*).

fiberoptics [ˌfaɪbərˈɑːptɪks], **fiber optics** *n. U tel.* światłowód; światłowody; technika światłowodowa.

fibre [ˈfaɪbər] *n. Br. i Austr.* = **fiber**.

fibriform [ˈfaɪbrəˌfɔːrm] *a. form.* włóknisty.

fibril [ˈfaɪbrɪl] *n.* **1.** *anat.* włókienko. **2.** *bot.* korzeń włoskowaty.

fibrillar [ˈfaɪbrɪlər] *a. anat., bot.* włókienkowy.

fibrillate [ˈfɪbrɪˌleɪt] *v. pat.* migotać (*zwł. o mięśniu sercowym*).

fibrillation [ˌfɪbrɪˈleɪʃən] *n. U pat.* migotanie (*zwł. komór serca*); drżenie włókienkowe.

fibrilliform [faɪˈbrɪləˌfɔːrm] *a.* (*także* **fibrillose**) *anat., bot.* włókienkowaty.

fibrin [ˈfaɪbrɪn] *n. U biochem.* włóknik, fibryna.

fibrinous [ˈfaɪbrənəs] *a. biochem.* fibrynowy, włóknikowy.

fibroid [ˈfaɪbrɔɪd] *a.* **1.** włóknisty. **2.** włóknopodobny. – *n. pat.* włókniakomięśniak (gładki).

fibroin [ˈfaɪbrɔɪn] *n. U biochem.* fibroina.

fibroma [faɪˈbroʊmə] *n. pl.* **-s** *l.* **-ta** [faɪˈbroʊmətə] *pat.* włókniak.

fibrositis [ˌfaɪbrəˈsaɪtɪs] *n. U pat.* gościec mięśniowo-ścięgnisty.

fibrous [ˈfaɪbrəs] *a.* włóknisty.

fibula [ˈfɪbjələ] *n. pl. t.* **-ae** [ˈfɪbjəliː] **1.** *anat.* strzałka, kość strzałkowa. **2.** *bud.* fibuła (= *klamra elewacji*).

fibular [ˈfɪbjələr] *a. anat.* strzałkowy.

FICA [ˌef ˌaɪ ˌsiː ˈeɪ], **F.I.C.A.** *abbr.* = **Federal Insurance Contributions Act**.

fiche [fiːʃ] *n.* = **microfiche**.

fichu [ˈfiːʃuː] *n. hist.* chusta na ramiona (*zw. z muślinu l. koronki*).

fickle [ˈfɪkl] *a.* kapryśny, zmienny, niestały (*t. o pogodzie*).

fickleness [ˈfɪklnəs] *n. U* kapryśność, zmienność, niestałość.

fictile [ˈfɪktl] *a.* **1.** plastyczny (= *dający się modelować*). **2.** garncarski. **3.** ceramiczny.

fiction [ˈfɪkʃən] *n.* **1.** *U* literatura piękna, beletrystyka; **children's** ~ literatura dla dzieci; **work of** ~ utwór literacki. **2.** *C/U* fikcja; wymysł, zmyślenie. **3. legal** ~ fikcja prawna, pozór prawa.

fictional [ˈfɪkʃənl] *a.* fikcyjny, książkowy.

fictionalization [ˌfɪkʃənəlaɪˈzeɪʃən], *Br. i Austr. zw.* **fictionalisation** *n.* fabularyzacja.

fictionalize [ˈfɪkʃənəˌlaɪz], *Br. i Austr. zw.* **fictionalise** *v.* fabularyzować.

fictitious [fɪkˈtɪʃəs] *a.* fikcyjny, zmyślony.

fictitiously [fɪkˈtɪʃəslɪ] *adv.* fikcyjnie.

fictive [ˈfɪktɪv] *a. rzad.* **1.** dotyczący wyobraźni twórczej; obdarzony wyobraźnią twórczą. **2.** fikcyjny.

fid [fɪd] *n. żegl.* **1.** klucz masztowy (= *zatyczka pięty masztu*). **2.** rożek takielarski.

fiddle [ˈfɪdl] *n.* **1.** *muz.* skrzypki, skrzypce. **2.** *zwł. Br. pot.* przekręt, szwindel; **be on the** ~ robić przekręty; **tax** ~ oszustwo podatkowe. **3.** *US przest. pot.* bzdury. **4.** *żegl.* skrzypce, krata stołowa (*do zabezpieczania naczyń w czasie kołysania*). **5.** *przen.* **(as) fit as a** ~ = **zob. fit**; **be a** ~ *Br. pot.* wymagać dużej zręczności (*o czynności*); **play first/second** ~ grać pierwsze/drugie skrzypce. – *v.* **1.** grać na skrzypcach. **2.** *pot.* fałszować (*np. rachunki, dochody*). **3.** ~ **while Rome burns** *przen.* bawić się w najlepsze (*podczas gdy dzieje się coś złego*). **4.** ~ **about/around** obijać się; marnować czas; ~ **(about/around) with sth** przestawiać *l.* przekładać coś (*np. papiery*); bawić się czymś; majstrować przy czymś.

fiddleback [ˈfɪdlˌbæk] *n.* krzesło w stylu królowej Anny (*z łukowato wygiętym oparciem*).

fiddle-de-dee [ˌfɪdldɪˈdiː], **fiddlededee** *int. przest. pot.* trele-morele.

fiddle-faddle [ˈfɪdlˌfædl] *n. przest. pot. U* bzdury; zawracanie głowy. – *int. przest. pot.* trele-morele. – *v. przest. pot.* zbijać bąki; tracić czas na głupoty.

fiddlehead [ˈfɪdlˌhed] *n.* (*także* **fiddle neck**) **1.** *żegl.* ozdoba dziobu. **2.** *US i Can. kulin.* jadalny pęd paproci.

fiddler [ˈfɪdlər] *n.* **1.** *muz.* skrzyp-ek/aczka. **2.** (*także* ~ **crab**) *zool.* skrzypek, mrugacz, nawigator (*krab z rodzaju Uca*).

fiddlestick [ˈfɪdlˌstɪk] *n. pot.* smyczek.

fiddlesticks [ˈfɪdlˌstɪks] *int. przest. pot.* trele-morele.

fiddling [ˈfɪdlɪŋ] *a. attr.* **1.** drobny, błahy. **2.** małostkowy.

fiddly [ˈfɪdlɪ] *a.* **-ier, -iest** *pot.* **1.** wymagający zręczności (*o czynności, zadaniu*). **2.** fikuśny (*np. o urządzeniu*).

fidelity [fɪˈdelətɪ] *n. U* **1.** wierność, lojalność (*to sb* w stosunku do kogoś). **2.** wierność (*to sth* w stosunku do czegoś) (*zwł. przekładu w stosunku do oryginału*). **3.** *techn.* wierność (odtwarzania).

fidget [ˈfɪdʒɪt] *v.* **1.** ~ **(about)** wiercić się. **2.** ~ **with sth** bawić się czymś (*nerwowo l. z nudów*). – *n. pot.* **1.** wiercipięta. **2. get/have the ~s** *Br.* nie móc usiedzieć na miejscu.

fidgety [ˈfɪdʒɪtɪ] *a. pot.* niespokojny, wiercący *l.* kręcący się.

fiducial [fɪˈduːʃl] *a.* **1.** *form.* oparty na zaufaniu *l.* wierze. **2.** *miern.* podstawowy; ~ **points** punkty podstawowe (*skali pomiarowej*). **3.** *rzad. prawn.* = **fiduciary**.

fiduciary [fɪˈduːʃɪˌerɪ] *a. prawn.* powierniczy. – *n. pl.* **-ies** *prawn.* powierni-k/czka.

fie [faɪ] *int. arch.* wstyd!, wstydź się!.

fief [fiːf] *n.* = **feoff**.

field [fiːld] *n.* **1.** *t. fiz., mat., komp.* pole; ~ **of barley/wheat** pole jęczmienia/pszenicy; ~ **of force** (*także* **force** ~) *fiz.* pole siły; ~ **of vision/view** pole widzenia. **2.** dziedzina, pole, zakres; **expert in his/her** ~ specjalist-a/ka w swojej dziedzinie. **3.** *geol.* złoże (*ropy, węgla*). **4.** *sport* boisko. **5. the**

~ *sport* obsada, uczestnicy (*zawodów*); *t. przen.* stawka; **lead the ~** *sport* prowadzić stawkę; *przen.* przodować, wieść prym. **6.** *wojsk.* **~ of fire** teren pod obstrzałem; **the ~ (of battle)** pole bitwy. **7. in the ~** *t. przen.* na placu boju; w warunkach rzeczywistych (= *nie w laboratorium*), w terenie (*o badaniach*); **leave the ~ clear for sb** *przen.* ustąpić komuś pola; **play the ~** *przen. pot.* działać na kilka frontów (*zwł. = mieć kilku partnerów naraz*); **take the ~** *wojsk.* ruszyć do boju; *sport* wyjść na boisko; *przen.* przystąpić do dzieła. – *v.* **1.** *sport, polit.* wystawiać (*reprezentację, zawodnika, kandydata*). **2.** (*także* **be ~ing**) *baseball, krykiet* rzucać (piłkę), wprowadzać (piłkę) do gry (*o drużynie lub zawodniku*); łapać (piłkę) (*jw.*). **3. ~ a question** poradzić sobie z pytaniem.

field artillery *n. U wojsk.* artyleria polowa.

field corn *n. US roln.* kukurydza pastewna.

field cricket *n. ent.* świerszcz polny (*Gryllus campestris*).

field day *n.* **1.** *US i Austr. szkoln.* dzień sportu. **2. have a ~** *pot.* mieć używanie, szaleć.

fielder [ˈfiːldər] *n. baseball, krykiet* fielder, łapacz.

field events *n. pl. sport* rzuty i skoki (= *konkurencje lekkoatletyczne z wyjątkiem biegów*).

fieldfare [ˈfiːldˌfer] *n. orn.* kwiczoł (*Turdus pilaris*).

field glasses *n. pl.* lornetka (polowa).

field goal *n.* **1.** *piłka nożna* bramka (strzelona) z gry. **2.** *koszykówka* kosz (wrzucony) z gry (*nie ze stałego fragmentu gry*). **3.** *futbol amerykański* bramka za trzy punkty.

field gun *n. wojsk.* armata polowa, działo polowe.

field hockey *n. U US i Can.* hokej na trawie.

field hospital *n. wojsk.* szpital polowy.

field marshal *n. wojsk.* marszałek polny, feldmarszałek.

field mouse *n. pl.* **field mice** *zool.* mysz polna (*Apodemus*).

field officer *n. wojsk.* oficer sztabowy.

field piece *n. arch.* = **field gun.**

fieldsman [ˈfiːldzmən] *n. pl.* **-men** *Br.* = **fielder.**

field sports *n. pl.* sporty terenowe, sporty na wolnym powietrzu.

field test *n.* (*także* **test trial**) test *l.* próba w warunkach rzeczywistych *l.* naturalnych.

field-test [ˈfiːldˌtest] *v.* testować w warunkach rzeczywistych *l.* naturalnych (*urządzenie, produkt*).

field trip *n. gł. szkoln.* wycieczka *l.* wyjście w teren.

fieldwork [ˈfiːldˌwɜːk], **field work** *n. U* badania w terenie *l.* terenowe.

fiend [fiːnd] *n.* **1.** szatan; zły duch, demon. **2.** *przen.* potwór (*o osobie*). **3.** mania-k/czka; **be a health/chocolate ~** (*także* **be a ~ for health/chocolate**) mieć obsesję na punkcie zdrowego stylu życia/czekolady; **dope ~** *zob.* **dope.**

fiendish [ˈfiːndɪʃ] *a.* **1.** szatański (*np. o planie, spisku*). **2.** okrutny (*o osobie*). **3.** diabelnie *l.* piekielnie trudny (*o pytaniu, egzaminie*). **4.** *Br. przest.* potworny (*np. o ulewie, kosztach*).

fiendishly [ˈfiːndɪʃlɪ] *adv.* **1.** szatańsko. **2.** okrutnie. **3.** piekielnie, diabelnie.

fierce [fiːrs] *a.* **1.** dziki (*o gniewie, bestii*). **2.** zażarty, zawzięty (*o bojowniku, oporze*); zaciekły (*o konkurencji*); niezłomny (*o lojalności*). **3.** gwałtowny (*o deszczu, wietrze, emocjach*). **4.** *US pot.* diabelnie *l.* piekielnie trudny. **5. (it was raining) something ~** *US pot.* (lało) jak diabli.

fiercely [ˈfiːrslɪ] *adv.* **1.** dziko. **2.** zażarcie; zaciekle. **3.** wściekle.

fierceness [ˈfiːrsnəs] *n. U* **1.** dzikość. **2.** zaciekłość.

fiery [ˈfaɪrɪ] *a.* **-ier, -iest 1.** ognisty; płomienny; rozpłomieniony. **2.** palący, piekący (*o smaku*). **3.** *wojsk.* zapalny (*o minie*). **4.** *chem.* burzliwy (*o fermentacji*).

fiery cross *a.* ognisty krzyż (*zwł. jako symbol wojny dawnych klanów szkockich i Ku Klux Klanu*).

fiesta [fiːˈestə] *n.* **1.** fiesta, święto (*zwł. w Hiszpanii i Ameryce Południowej*). **2.** przyjęcie, impreza.

fife [faɪf] *n. muz.* piszczałka (*zwł. w orkiestrze wojskowej*). – *v.* grać na piszczałce.

fifer [ˈfaɪfər] *n.* grając-y/a na piszczałce.

fife rail *n. żegl.* kołkownica przymasztowa (*do zaczepiania lin*).

FIFO [ˈfaɪfoʊ] *abbr.* = **first-in, first-out.**

fifteen [ˌfɪfˈtiːn] *num.* piętnaście; piętnaścioro; piętnastu. – *n.* piętnastka.

fifteenth [ˌfɪfˈtiːnθ] *num.* piętnasty. – *n.* jedna piętnasta.

fifth [fɪfθ] *num.* piąty. – *n.* **1.** jedna piąta. **2.** *muz.* kwinta.

Fifth Amendment *n.* **the ~** *US parl.* piąta poprawka (*do Konstytucji Stanów Zjednoczonych*).

fifth column *n. polit.* piąta kolumna.

fifthly [ˈfɪfθlɪ] *adv.* po piąte.

fifth wheel *n.* **1.** *mot.* obrotnica siodłowa; koło zapasowe. **2.** *US przen.* piąte koło u wozu.

fiftieth [ˈfɪftɪɪθ] *num.* pięćdziesiąty. – *n.* jedna pięćdziesiąta.

fifty [ˈfɪftɪ] *num.* pięćdziesiąt; pięćdziesięcioro; pięćdziesięciu. – *n. pl.* **-ies** pięćdziesiątka; **be in one's fifties** być po pięćdziesiątce, mieć pięćdziesiąt parę lat; **the (nineteen) fifties** lata pięćdziesiąte (dwudziestego wieku).

fifty-fifty [ˌfɪftɪˈfɪftɪ] *adv.* pół na pół, po połowie; **go ~ (on sth)** podzielić się (czymś) po połowie. – *a.* pięćdziesięcioprocentowy (*o szansie, prawdopodobieństwie*).

fiftyfold [ˈfɪftɪˌfoʊld] *a.* pięćdziesięciokrotny. – *adv.* pięćdziesięciokrotnie.

fig[1] [fɪg] *n.* **1.** figa (*owoc*). **2.** (*także* **~ tree**) *bot.* figowiec, drzewo figowe (*Ficus*). **3.** *przen. przest.* **I don't care/give a ~ (for it)** *Br.* nic mnie to nie obchodzi; **sth is not worth a ~** coś jest nic niewarte.

fig[2] *n. U przest.* **in full ~** w pełnym stroju *l.* rynsztunku; **in good ~** w dobrej formie. – *v.* **-gg- ~ out/up** *przest. sl.* wystroić.

fig. *abbr.* **1. figurative(ly)** przen. (= *przenośnie*). **2. figure** rys. (= *rysunek*).

fight [faɪt] *v.* **fought, fought 1.** walczyć, bić się (*about / over / for sth* o coś, *against sth* z czymś, *against / with sb* z kimś, *for sb* po czyjejś stronie). **2.** walczyć z (*kimś l. czymś*); zwalczać (*np. choroby, przesądy, przestępczość*). **3.** toczyć, prowadzić (*wojnę, proces, spór*); ~ **a good fight** stoczyć zaciętą walkę; ~ **an election** stanąć do wyborów; ~ **a seat** *parl.* wywalczyć mandat poselski. **4.** kłócić się, sprzeczać się (*about / over sth* o coś). **5.** ~ **(back/down)** pokonać, przezwyciężyć, zwalczyć (w sobie) (*strach, pragnienie, pokusę*); powstrzymywać (*łzy*). **6.** *przen.* ~ **a losing battle** *zob.* **battle** *n.*; ~ **fire with fire** walczyć z kimś jego własną bronią; odpłacać pięknym za nadobne; ~ **like cats and dogs** walczyć *l.* kłócić się zawzięcie; ~ **one's way (through sth)** przedzierać *l.* przebijać się (przez coś); torować sobie drogę (przez coś); ~ **shy of (doing) sth** starać się unikać (robienia) czegoś; ~ **to the bitter end** (*także* ~ **to the death**) walczyć do upadłego; ~ **tooth and nail** *zob.* **tooth**. **7.** ~ **back** bronić się; odeprzeć (*atak*); ~ **off** zwalczyć, przezwyciężyć; oprzeć się (*czemuś*); walczyć *l.* zmagać się z (*chorobą, pokusą*); **(you'll have to)** ~ **it out (between you)** (będziecie musieli) rozstrzygnąć to między sobą. – *n.* **1.** bójka; **get into a** ~ wdać się w bójkę. **2.** *t. sport* walka; **put up a (good)** ~ *t. przen.* bronić się *l.* walczyć (dzielnie), stawiać opór. **3.** bitwa, bój (*for sth* o coś). **4.** kłótnia, sprzeczka; **have a** ~ **with sb** pokłócić *l.* posprzeczać się z kimś. **5.** *U* duch *l.* wola walki, bojowość; **knock/take (all) the** ~ **out of sb** odebrać komuś wolę walki; **show** ~ rwać się do walki.

fighter [ˈfaɪtər] *n.* **1.** walcząc-y/a; wojownik/czka. **2.** *t. przen.* bojowni-k/czka. **3.** *sport* zapaśni-k/czka. **4.** (*także* ~ **plane/aircraft**) *wojsk.* samolot myśliwski, myśliwiec.

fighting [ˈfaɪtɪŋ] *n. U* **1.** walka. **2.** bijatyka. – *a. attr.* **1.** bojowy (*np. o okręcie*); ~ **spirit** duch walki. **2.** *przen.* ~ **fit** *Br.* w doskonałej kondycji *l.* formie; **have a** ~ **chance (to do sth)** mieć pewne szanse (na zrobienie czegoś).

fighting cock *n.* **1.** kogut hodowany do walki. **2.** *przen.* kogut (= *zadziorna osoba*).

fig leaf *n. t. przen.* listek figowy.

figment [ˈfɪgmənt] *n.* **a** ~ **of the/sb's imagination** wytwór (czyjejś) wyobraźni.

fig tree *n.* = **fig**[1] *n.* 2.

figurant [ˈfɪgjəˌrænt] *n. balet* statysta.

figurante [ˌfɪgjəˈræntɪ] *n. balet* statystka.

figuration [ˌfɪgjəˈreɪʃən] *n. U* **1.** ukształtowanie. **2.** ornamentacja. **3.** przedstawienie, reprezentacja. **4.** *muz.* figuracja.

figurative [ˈfɪgjərətɪv] *a.* **1.** przenośny, metaforyczny. **2.** *sztuka* figuratywny; figuralny.

figuratively [ˈfɪgjərətɪvlɪ] *adv.* przenośnie.

figure [ˈfɪgjər] *n.* **1.** *t. mat.* cyfra; liczba; *pl.* dane liczbowe; **double** ~**s** liczby dwucyfrowe; **four/five** ~ **number** liczba cztero/pięciocyfrowa; **have a good head for** ~**s** mieć głowę do liczb *l.* do matematyki; **I can't put a** ~ **on it** nie potrafię podać dokładnej liczby. **2.** suma, kwota; cena; **put a high/large** ~ **on sth** wyznaczyć wysoką cenę za coś. **3.** *t. geom., łyżwiarstwo* figura (*t.* = *budowa ciała, kształt, zarys*); **fine** ~ **of a man/woman** *przest. l. żart.* postawny mężczyzna/postawna kobieta; **get one's** ~ **back** odzyskać linię (*o kobiecie*); **keep one's** ~ trzymać figurę *l.* linię; **make/cut a dashing/poor** ~ wyglądać *l.* prezentować się wspaniale/marnie. **4.** postać; ~ **of fun** obiekt drwin (*o osobie*); **central/key/leading** ~ kluczowa postać; **mother/cult** ~ matczyna/kultowa postać; **public** ~ osoba publiczna. **5.** rycina, rysunek, ilustracja. **6.** wizerunek. **7.** ornament, wzór. – *v.* **1.** figurować, pojawiać się (*in sth* w czymś). **2.** ~ **(that)...** *US i Can.* dojść do wniosku, że... **3.** *US i Can.* liczyć, rachować, obliczać. **4.** wyobrażać, przedstawiać. **5.** ozdabiać wzorami. **6.** *muz.* oznaczać (*nuty basowe*). **7.** *US i Can. pot.* **go** ~! i bądź tu mądry!; **it/that** ~**s** można się było tego spodziewać; to się trzyma kupy, to ma sens. **8.** *US i Can. pot.* ~ **on sth** liczyć na coś; brać coś pod uwagę; ~ **on doing sth** liczyć (na to), że się coś zrobi; ~ **out** wyliczyć; wykombinować, wymyślić; zrozumieć; ~ **sb/sth out** rozgryźć *l.* rozszyfrować kogoś/coś; ~ **out at** dawać (w wyniku), wynosić; ~ **up** zliczać.

figured [ˈfɪgjərd] *a. attr.* **1.** wzorzysty, we wzorek (*zwł. o tkaninie*). **2.** *muz.* figuralny.

figured bass *n. muz.* bas figuralny.

figure eight, *Br. i Austr.* **figure of eight** *n.* *lotn., łyżwiarstwo* ósemka.

figurehead [ˈfɪgjərˌhed] *n.* **1.** figurant/ka; *polit.* marionetkowy przywódca. **2.** *żegl.* figura dziobowa.

figure of speech *n.* figura retoryczna, zwrot retoryczny.

figure skating *n. U sport* łyżwiarstwo figurowe.

figurine [ˌfɪgjəˈriːn] *n.* figurynka, statuetka, figurka.

figwort [ˈfɪgˌwɜːt] *n. bot.* trędownik (*Scrophularia*).

Fiji [ˈfiːdʒiː] *n. geogr.* Fidżi.

Fijian [ˈfiːdʒiːən] *n.* **1.** Fidżyj-czyk/ka. **2.** *U jęz.* (język) fidżyjski. – *a.* fidżyjski.

filament [ˈfɪləmənt] *n.* **1.** *tk., el., bot.* włókno (*t. żarówki, bakterii*). **2.** *bot.* nitka (*pręcika*). **3.** *anat.* witka (*plemnika*). **4.** *orn.* haczyk. **5.** strumień, struga (*powietrza, światła, cieczy*).

filamentary [ˌfɪləˈmentərɪ] *a.* (*także* **filamentous**) włókienkowy, nitkowaty.

filariasis [ˌfɪləˈraɪəsɪs] *n. U pat.* filarioza.

filature [ˈfɪlətʃər] *n.* **1.** *U* przędzenie (jedwabiu). **2.** przędzalnia (jedwabiu).

filbert [ˈfɪlbərt] *n. bot.* **1.** (*także* ~ **nut**) *zwł. US* orzech laskowy. **2.** leszczyna (*Corylus*).

filch [fɪltʃ] *v. pot.* zwędzić (= *ukraść*).

file[1] [faɪl] *n.* **1.** akta, dossier (*on sb / sth* na temat kogoś/czegoś); rejestr, kartoteka; **keep a** ~ **on sth** ewidencjonować *l.* rejestrować coś; **(keep sth) on** ~ (mieć coś) w ewidencji; **open a** ~ **on sth** założyć rejestr czegoś; **secret/confidential** ~ tajne akta. **2.** teczka; skoroszyt; segregator. **3.** *komp.* plik. – *v.* **1.** ~ **(away)** wciągać do akt *l.* ewidencji *l.* rejestru, ewidencjonować. **2.** *gł. prawn.* wnosić, składać; wnioskować, występować (z wnioskiem), wnosić sprawę (*for sth* o coś); ~ **charges** wnosić oskarżenie (*against sb* przeciwko komuś); ~ **a tax return** składać zeznanie podatkowe; ~ **for divorce** wystąpić o rozwód, wnieść *l.* złożyć pozew o rozwód. **3.** *polit.* ubiegać się; ~ **for Congress** ubiegać się o stanowisko w Kongresie.

file² *n. t. wojsk.* rząd (*osób, jedna za drugą*); **in (single/Indian) ~** gęsiego, jeden za drugim; **the rank and ~** *zob.* **rank and file**. – *v.* maszerować gęsiego; ~ **away** *wojsk.* odmaszerować w szeregach; ~ **in/out** wchodzić/wychodzić jeden za drugim *l.* gęsiego.

file³ *n. techn.* pilnik; (*także* **nail ~**) pilniczek *l.* pilnik do paznokci. – *v.* ~ **(down)** piłować, wygładzać.

file cabinet *n.* (*także Br.* **filing cabinet**) segregator (*mebel*), szafa na akta.

file clerk *n. US* registrator/ka.

file dust *n. U* opiłki.

file extension *n. komp.* rozszerzenie pliku.

file manager *n. komp.* menadżer plików.

filename [ˈfaɪlneɪm], **file name** *n. komp.* nazwa pliku.

filet [fɪˈleɪ] *n. US kulin.* filet.

filet mignon [fɪˌleɪ mɪnˈjɔːn] *n. kulin.* filet wołowy (*zwł. z polędwicy*).

filial [ˈfɪlɪəl] *a. form.* (dotyczący) dziecka; synowski; córczyny (*o obowiązkach, uczuciach*).

filiate [ˈfɪlɪˌeɪt] *v.* = **affiliate**.

filiation [ˌfɪlɪˈeɪʃən] *n. U* **1.** pochodzenie, rodowód. **2.** synostwo. **3.** *prawn.* ustalenie rodzicielstwa; ustalenie ojcostwa. **4.** *hodowla* filiacja. **5.** odgałęzienie (*instytucji, języka*).

filibeg [ˈfɪləˌbeg], **fillibeg, philibeg** *n. Scot. lit.* kilt (= *spódnica męska*).

filibuster [ˈfɪləˌbʌstər] *n.* **1.** *gł. US parl. C/U* obstrukcja (parlamentarna); (*także* **filibusterer**) obstrukcjonist-a/ka. **2.** osoba prowadząca prywatną wojnę. – *v.* **1.** *gł. US parl.* uprawiać obstrukcję (parlamentarną) (*zwł. przez wygłaszanie długich mów*). **2.** prowadzić prywatną wojnę.

filigree [ˈfɪləˌgriː] *n. U* **1.** filigran, robota filigranowa (= *ornamentacja metalowa*). **2.** kunsztowne zdobienie. – *v.* ozdabiać filigranem.

filing cabinet *n. Br.* = **file cabinet**.

filings [ˈfaɪlɪŋz] *n. pl.* opiłki.

Filipino [ˌfɪləˈpiːnoʊ] *n. pl.* **-s** **1.** Filipińczyk/nka. **2.** *U* (język) filipiński. – *a.* filipiński.

fill [fɪl] *v.* **1.** ~ **(up)** napełniać (się); wypełniać (się); zapełniać (się); **~ed with sth** *t. przen.* pełen czegoś. **2.** *dent.* plombować, wypełniać (*ubytek*). **3.** *przen.* ~ **a job/position/post/vacancy** obsadzić stanowisko; ~ **a need/demand (for sth)** zaspokajać potrzebę (czegoś)/popyt (na coś); ~ **a receipt/an order** *zwł. US* realizować receptę/zamówienie; ~ **a role** odgrywać *l.* pełnić rolę; ~ **o.s.** *pot.* opychać *l.* obżerać się (*with sth* czymś); ~ **the bill** *US* nadawać się idealnie; czynić zadość wymaganiom. **4.** ~ **away** *żegl.* wybierać (żagiel); odpadać (od wiatru); ~ **in** wypełniać (*formularz, szczelinę, lukę, czas*); ~ **in for sb** zastępować kogoś (*w pracy*); ~ **sb in (on sth)** przedstawić komuś (jakąś) sprawę, wprowadzić kogoś (w coś); ~ **out** wypełniać (*formularz*); wypełniać się (*o twarzy, rysach*); przybierać na wadze; ~ **'er/her/it up!** *mot.* do pełna!. – *n.* **1.** wypełnienie. **2.** *bud.* nasyp. **3. drink/eat one's ~** napić/najeść się do syta; **have one's ~ of sth** mieć czegoś dość *l.* powyżej uszu.

filled gold [ˌfɪld ˈgoʊld] *n. U gł. US* metal (grubo) pozłacany; pozłacanie.

filler [ˈfɪlər] *n. C/U* **1.** wypełnienie; wypełniacz; materiał wypełniający. **2.** wkład. **3.** tytoń (*w cygarze*). **4.** wlew.

fillet [ˈfɪlɪt] *n.* **1.** *Br. kulin.* = **filet**. **2.** przepaska, opaska; wstążka (*do włosów*). **3.** pasek. **4.** taśma. **5.** *introl.* linia ozdobna, filet. **6.** *bud.* żebro; listwa. **7.** *her.* poziomy podział (*tarczy*). – *v.* **1.** *kulin.* filetować. **2.** przepasywać; opasywać (wstęgą).

fill-in [ˈfɪlˌɪn] *n. zw. sing.* **1.** zastęp-ca/czyni; zastępstwo. **2.** (krótki) raport, streszczenie. **3.** wypełnienie. – *a. attr.* **1.** zastępczy. **2.** tymczasowy; doraźny. **3.** wypełniający.

filling [ˈfɪlɪŋ] *n.* **1.** wypełnienie; *U* materiał wypełniający. **2.** *C/U kulin.* nadzienie. **3.** *dent.* wypełnienie, plomba. **4.** *U US tk.* wątek.

filling station *n. mot.* stacja benzynowa, stacja paliw.

fillip [ˈfɪləp] *n.* **1.** przytyczek; przytyknięcie palcami. **2.** *przen.* bodziec; **give a ~ to sth** (*także* **give sth a ~**) ożywić *l.* pobudzić coś. – *v.* **1.** przytykać. **2.** *przen.* pobudzić, ożywić.

fillister [ˈfɪlɪstər] *n.* **1.** *bud.* wręg (okienny) (= *rowek na szybę*). **2.** *mech.* strug wręgowy.

filly [ˈfɪlɪ] *n. pl.* **-ies** **1.** *zool.* klaczka, źrebica. **2.** *przen.* dzierlatka.

film [fɪlm] *n.* **1.** *C/U gł. Br.* film; **career in ~(s)** kariera w filmie *l.* filmowa. **2.** *C/U fot., kino, telew.* klisza, film, błona; taśma filmowa; **on ~** na taśmie filmowej (*zarejestrowany*); **roll of ~** rolka filmu. **3.** *U* folia (spożywcza). **4.** *U i sing.* powłoka; warstwa, warstewka; film; ~ **of dust/grease** warstwa kurzu/tłuszczu. **5.** *U i sing.* błonka; mgiełka; *pat.* bielmo. – *v.* **1.** filmować, kręcić. **2.** ~ **(over)** pokrywać (się) błonką *l.* powłoką; zachodzić mgłą (*o oczach*).

film critic *n.* krytyk filmowy.

film director *n.* reżyser/ka filmow-y/a.

film festival *n.* festiwal filmowy.

filmgoer [ˈfɪlmˌgoʊər], **film-goer** *n. Br.* kinoman/ka; widz (kinowy).

filmmaker [ˈfɪlmˌmeɪkər] *n.* filmowiec.

filmography [fɪlˈmɑːgrəfɪ] *n. pl.* **-ies** filmografia.

film pack *n.* rolka filmu.

film set *n.* plan filmowy *l.* zdjęciowy.

filmsetting [ˈfɪlmˌsetɪŋ] *n. U Br. druk.* fotoskład.

film star *n. Br.* gwiazda filmowa.

film strip *n.* przezrocza na kliszy (*np. z bajkami dla dzieci*).

filmy [ˈfɪlmɪ] *a.* **-ier, -iest** **1.** błoniasty. **2.** cieniutki, zwiewny; przejrzysty (*o tkaninie*). **3.** zamglony.

filter [ˈfɪltər] *n.* **1.** *mech., el., fiz., opt.* filtr; *chem., fiz.* filtr, sączek; **band ~** *el.* filtr pasmowy; **low/high-pass ~** *el.* filtr dolno/górnoprzepustowy. **2.** (*także* **traffic ~**) *Br. mot.* zielona strzałka dla skręcających; pas dla skręcających (*w prawo l. w lewo*). – *v.* **1.** filtrować; przesączać. **2.** ~ **(out)** odfiltrowywać (*niepożądane składniki*). **3.** otrzymywać w drodze filtracji. **4.** *przen.* ~ **in** sączyć się, przenikać, wnikać (*do wnętrza pomieszczenia, np. o świetle, dźwiękach*); docierać (*o informacjach*); ~ **in/out** wlewać/wylewać się (powoli) (*np. o tłumie widzów wchodzących do l. wychodzących z kina*); ~ **through/out** przeciekać, przedostawać się, rozchodzić się (*o informacjach*).

filterability [ˌfɪltərəˈbɪlətɪ], **filtrability** *n. U fiz.* przesączalność.

filterable [ˈfɪltərəbl], **filtrable** *a. fiz.* przesączalny.

filter bed *n. ekol.* złoże filtracyjne.

filter cake *n.* placek filtracyjny.

filter coffee *n. U* kawa z ekspresu.

filter paper *n. U* bibuła filtracyjna.

filter press *n.* prasa filtracyjna.

filter tip *n.* **1.** filtr (*papierosa*). **2.** papieros z filtrem.

filter tipped, filter-tipped *a.* z filtrem (*o papierosach*).

filth [fɪlθ] *n. U* **1.** brud. **2.** *przen.* brudy, plugastwo; świństwa, sprośności. **3.** **the ~** *Br. obelż. sl.* gliny (= *policja*).

filthiness [ˈfɪlθɪnəs] *n. U* **1.** brud. **2.** plugawość; sprośność.

filthy [ˈfɪlθɪ] *a.* **-ier, -iest** **1.** bardzo brudny, zarośnięty brudem. **2.** plugawy, sprośny (*o języku, dowcipie*); obsceniczny (*np. o filmie, scenie*). **3.** obrzydliwy, ohydny (*o czyimś postępowaniu*). **4.** *gł. Br. pot.* paskudny (*np. o pogodzie, nastroju*). – *adv. pot.* ~ **dirty** obrzydliwie brudny; ~ **rich** nieprzyzwoicie bogaty.

filthy lucre *n. U Bibl. l. żart.* pieniądze; bogactwo.

filtrable [ˈfɪltrəbl] *a.* = **filterable**.

filtrate [ˈfɪltreɪt] *n. fiz.* filtrat (*ciecz przesączona*). – *v.* = **filter** *v.*

filtration [fɪlˈtreɪʃən] *n. U fiz.* **1.** filtracja, przesączanie. **2.** przeciekanie, przenikanie.

filtration plant *n.* stacja filtrów.

fimbriate [ˈfɪmbrɪˌeɪt], **fimbriated** [ˈfɪmbrɪˌeɪtɪd] *a. bot., zool.* strzępiasty.

fin [fɪn] *n.* **1.** płetwa (*zwł. ryby; Br. t. używana przez płetwonurka*). **2.** *lotn.* statecznik pionowy *l.* kierunku, brzechwa. **3.** *stol.* pióro. **4.** *mech.* żebro. **5.** *US przest. sl.* piątak (= *pięć dolarów*). – *v.* **1.** wynurzać płetwy (z wody); trzepotać płetwami (*zwł. o wielorybie*). **2.** obcinać płetwy (*rybie*).

fin. *abbr.* **1.** = **finance**; = **financial**. **2.** = **finish**.

finable [ˈfaɪnəbl] *a.* podlegający grzywnie, karalny (grzywną).

finagle [fɪˈneɪgl] *v. US pot.* **1.** wyłudzić; wykombinować (= *zdobyć nieuczciwymi metodami*). **2.** ~ **sb out of sth** naciągnąć kogoś na coś.

finagler [fɪˈneɪglər] *n. US pot.* naciągacz/ka.

final [ˈfaɪnl] *a.* **1.** *attr.* końcowy (*np. o efekcie, produkcie*); ostatni (*np. o rozdziale książki, odcinku serialu, ostrzeżeniu*); ~ **stages/moments** ostatnie *l.* końcowe stadia/chwile; **have the ~ say** mieć ostatnie słowo (*in sth* w czymś). **2.** ostateczny; **in the ~ analysis** w ostatecznym rozrachunku; **and that's ~!** *pot.* i koniec!, i nie ma dyskusji! (= *to moja ostateczna decyzja*). **3.** *fil.* celowy. – *n.* **1.** *zw. pl. sport* finał, finały. **2.** (*także* ~ **exam**) *US uniw., szkoln.* egzamin końcowy (*z danego przedmiotu*). **3.** *pl. Br. uniw.* egzaminy końcowe (*kończące studia*).

final demand *n.* ostatnie ponaglenie.

finale [fɪˈnælɪ] *n. zw. sing. muz. l. przen.* finał; **grand ~** wielki finał.

finalist [ˈfaɪnəlɪst] *n. t. sport* finalist-a/ka.

finality [faɪˈnælətɪ] *n. U* **1.** ostateczność, nieodwołalność. **2.** stanowczość, determinacja; **with (an air of) ~** stanowczo, zdecydowanie. **3.** *fil.* celowość.

finalization [ˌfaɪnələˈzeɪʃən], *Br. i Austr. zw.* **finalisation** *n. U* sfinalizowanie, finalizacja.

finalize [ˈfaɪnəˌlaɪz] *v.* finalizować.

finally [ˈfaɪnəlɪ] *adv.* **1.** w końcu, wreszcie. **2.** ostatecznie. **3.** ~, **(I'd like to say...)** na koniec (chciałbym powiedzieć...).

final solution, Final Solution *n.* **the ~** *hist. euf.* ostateczne rozwiązanie (*w retoryce nazistowskiej = plan zagłady Żydów*).

finance *n.* [ˈfaɪnæns] **1.** *U* gospodarka finansowa, zarządzanie finansami, finanse; **minister of ~** (*także* ~ **minister**) minister finansów; **high ~** wielki kapitał; operacje finansowe na wielką skalę; **public ~** finanse publiczne. **2.** (*także* **~s**) środki (finansowe); fundusze; **raise ~ for sth** gromadzić *l.* zbierać fundusze na coś. – *v.* [fəˈnæns] **1.** finansować. **2.** prowadzić operacje finansowe.

finance bill *n. parl.* projekt ustawy budżetowej.

finance company *n.* (*także* **finance house**) *US* spółka finansowa.

financial [fəˈnænʃl] *a.* **1.** finansowy, pieniężny. **2.** *pred. Austr. i NZ pot.* w dobrej sytuacji finansowej (*o osobie*).

financially [fəˈnænʃlɪ] *adv.* finansowo; pod względem finansowym.

financial year *n. ekon.* rok budżetowy *l.* finansowy *l.* obrachunkowy.

financier [ˌfɪnənˈsiːr] *n.* finansist-a/ka.

finback [ˈfɪnˌbæk] *n.* = **finner**.

finch [fɪntʃ] *n. orn.* ziarnojad (*rodzina Fringillidae; np. zięba l. trznadel*).

find [faɪnd] *v.* **found, found** **1.** znajdować; odnajdywać; ~ **a job** znaleźć pracę; ~ **pleasure/satisfaction in doing sth** znajdować przyjemność/zadowolenie w robieniu czegoś; ~ **o.s. in/at sth** znaleźć się gdzieś *l.* w czymś (*zwł. niespodziewanie*). **2.** zastać; odkryć; **I found them gossiping in the kitchen** zastałam ich plotkujących w kuchni; **I woke up to ~ that ...** obudziwszy się, odkryłem że ... **3.** spotykać, napotykać; natknąć się *l.* natrafić na; **be found somewhere** występować *l.* być spotykanym gdzieś (*zwł. o gatunkach zwierząt i roślin*). **4.** uznać za; uważać za; ~ **it necessary to do sth** uważać *l.* uznać za konieczne zrobienie czegoś; ~ **sb guilty/not guilty (of sth)**

prawn. uznać kogoś za winnego/niewinnego (czegoś); ~ **sth impossible** uważać *l.* uznać coś za niemożliwe; **I ~ him hard to talk to** ciężko mi się z nim rozmawia; **sb ~s it easy/difficult to do sth** robienie czegoś przychodzi komuś z łatwością/trudnością. **5.** ~ **(that)...** stwierdzić, że..., przekonać się, że...; dowiedzieć się, że...; ~ **o.s. doing sth** zorientować się, że się coś robi; **a large sum of money was found missing** stwierdzono brak dużej kwoty; **be found wanting** *form.* okazać się niezadowalającym. **6.** widzieć, zobaczyć; **you don't/won't ~ many people walking in this area** w tej okolicy nie widzi *l.* nie widuje się *l.* nie zobaczysz wielu spacerowiczów. **7.** ~ **fault with sb/sth** *zob.* **fault** *n.*; ~ **favor with sb** *zob.* **favor** *n.*; ~ **in favor of sb** (*także* ~ **in sb's favor**) *prawn.* wydać wyrok na czyjąś korzyść; uznać czyjeś roszczenia; ~ **its mark/target** trafić w cel (*o kuli, strzale*); ~ **its way** trafić (*np. na rynek, do sklepów; o towarze*); ~ **one's feet** *przen.* rozwinąć swoje możliwości; ~ **one's tongue** *przen.* odnaleźć język w gębie; ~ **one's way (to sth)** znaleźć drogę (do czegoś), trafić (gdzieś); ~ **o.s.** odnaleźć się, odnaleźć swoje powołanie; **(can't) ~ it in one's heart/in o.s. to do sth** (nie móc) zdobyć się na zrobienie czegoś; **all found** *Br.* z pełnym utrzymaniem (*o wynagrodzeniu, np. dla pomocy domowej*). **8.** ~ **for/against sb** *prawn.* wydać werdykt na czyjąś korzyść/niekorzyść; ~ **out** odkryć; wykryć; wynaleźć; ~ **out about sth** dowiedzieć się o czymś; ~ **out the hard way** uczyć się na błędach; ~ **sb out** *pot.* nakryć kogoś (= *zdemaskować*). – *n.* odkrycie; znalezisko; **sb is a real** ~ *przen.* ktoś jest prawdziwym odkryciem (= *jest bardzo utalentowany*).

finder [ˈfaɪndər] *n.* **1.** znalaz-ca/czyni; **~s keepers (, losers weepers)** *zwł. dziec.* kto znalazł, to jego (, a kto zgubił, to przepadło). **2.** odkryw-ca/czyni; wynalaz-ca/czyni. **3.** *opt., fot.* wizjer, celownik. **4.** wykrywacz; **direction** ~ *zob.* **direction.**

fin de siècle [ˌfæŋ də ˈsjeklə] *n. gł. sztuka* fin de siècle, koniec wieku (*XIX*).

fin-de-siècle [ˌfæŋ də ˈsjeklə] *a. zw. attr.* **1.** findesieclowy. **2.** schyłkowy, dekadencki.

finding [ˈfaɪndɪŋ] *n. zw. pl.* **1.** odkrycie. **2.** wniosek (*na podstawie dociekań*). **3.** *prawn.* orzeczenie, werdykt; uznanie. **4.** *pl.* wyniki; wnioski.

fine¹ [faɪn] *a.* **1.** *pred.* dobry; zdrowy; w porządku, w sam raz; **be/feel** ~ dobrze się czuć; **(I'm)** ~ (czuję się *l.* mam się) dobrze (*odpowiadając na pytanie o samopoczucie*); **(no,) I'm ~, thanks** (nie,) dziękuję (*odmawiając dokładki, kolejnego drinka itp.*); **(that's)** ~ dobrze, w porządku; **that's ~ with/by me** *pot.* nie mam nic przeciwko temu; **the car is** ~ samochód jest w porządku; samochód nie ucierpiał. **2.** ładny, piękny (*o pogodzie, dniu, rysach twarzy*); znakomity, świetny (*np. o występie, wykonaniu*); ~ **figure of a man/woman** *zob.* **figure** *n.*; ~ **feathers make ~ birds** *przest.* jak cię widzą, tak cię piszą. **3.** subtelny (*np. o rozróżnieniu*); drobny (*np. o szczególe, druku*); **there's a ~ line between X and Y** granica pomiędzy X a Y jest bardzo subtelna. **4.** dokładny, precyzyjny; szczegółowy; **not to put too ~ a point on it** *często żart.* szczerze mówiąc, prawdę powiedziawszy. **5.** misterny, finezyjny (*o robocie, wykończeniu*); wytworny, elegancki (*np. o damie*); ekskluzywny (*np. o bieliźnie*). **6.** czysty (*np. o srebrze*). **7.** wzniosły (*o uczuciach*). **8.** wybredny; wyszukany (*np. o gustach*). **9.** gęsty (*o siatce, sicie*). **10.** cienki, delikatny (*o niciach, włosach*). **11.** drobny, miałki (*o piasku*). **12.** *pot. iron.* niezły (*np. o bałaganie, kłopotach*); **now is a ~ time (to tell me)!** dobry *l.* świetny moment sobie wybrałeś (, żeby mi powiedzieć)!; **you are a ~ one to talk!** *iron.* przyganiał kocioł garnkowi!. – *adv.* **1.** *pot.* świetnie; **do** ~ świetnie się nadawać; wystarczać; **she's doing (just)** ~ świetnie jej idzie; świetnie się trzyma. **2.** = **finely. 3. cut sth** ~ pokroić coś cienko *l.* drobno; **cut it/things (too)** ~ *przen. zob.* **cut** *v.* – *v.* **1.** ~ **(down/away)** zmniejszać (się); wygładzać (się); wysubtelnieć. **2.** ~ **(down)** klarować (*napój*); klarować się. **3.** *bilard* uderzać z muśnięciem (*bilę*). **4.** ~ **up** *Austr. i NZ pot.* rozpogadzać *l.* wypogadzać się; poprawiać się (*o pogodzie*).

fine² *n.* **1.** grzywna, kara pieniężna; mandat; **heavy** ~ wysoka grzywna; **parking** ~ mandat za złe parkowanie. **2.** *gł. Br.* zaliczka czynszu. **3.** *arch.* kara (*dowolnego rodzaju*). **4. in** ~ *przest.* krótko mówiąc. – *v.* karać grzywną *l.* mandatem; ~ **sb $100 (for sth)** ukarać kogoś (za coś) grzywną *l.* mandatem w wysokości 100 dolarów.

fineable [ˈfaɪnəbl] *a.* = **finable.**

fine art *n.* **1.** *U* sztuka. **2. the ~s** sztuki piękne. **3. have sth down/off to a** ~ *przen.* robić z czegoś sztukę, być mistrzem w czymś.

fine-cut [ˌfaɪnˈkʌt] *a.* drobno krojony (*o tytoniu*).

fine-drawn [ˌfaɪnˈdrɔːn] *a.* **1.** subtelny, delikatny (*o rysach*). **2.** precyzyjny (*o rozumowaniu, teorii*). **3.** cieniutki (*o drucie*).

fine-grained [ˌfaɪnˈgreɪnd] *a.* drobnoziarnisty (*np. o drewnie*).

finely [ˈfaɪnlɪ] *adv.* **1.** drobno (*mielony*); cienko (*krojony*). **2.** precyzyjnie (*dobrany, nastrojony*). **3.** znakomicie, świetnie (*np. zaprojektowany*); misternie, finezyjnie (*wykończony, zdobiony*).

fineness [ˈfaɪnnəs] *n. U* **1.** miałkość (*np. piasku*). **2.** świetność; finezja, misterność. **3.** subtelność; delikatność. **4.** *fiz.* czystość (*metalu*); próba (*złota, srebra*).

fine print *n. zob.* **print** *n.*

finery¹ [ˈfaɪnərɪ] *n. U* **1.** wytworny *l.* wyszukany strój; **in all one's** ~ (cały) wystrojony. **2.** kosztowności.

finery² *n. pl.* **-ies** *metal.* piec pudlarski.

fines herbes [fiːnˈzerb] *n. pl. Fr. kulin.* mieszanka drobno siekanych ziół (*do sałatek, omletów itp.; zw. na bazie pietruszki, estragonu i trybuli*).

fine-spun [ˌfaɪnˈspʌn] *a.* **1.** cieniutki, delikatny (*o nici, przędzy*). **2.** *przen.* zbyt wysublimowany *l.* skomplikowany (*np. o teorii*).

finesse [fɪˈnes] *n. U* **1.** finezja. **2.** takt, delikatność. **3.** *karty* impas. – *v.* **1.** *US* zrobić z finezją. **2.** umiejętnie załatwić (*zwł. niezupełnie uczciwie*). **3.** *karty* impasować.

fine-tooth [ˌfaɪnˈtu:θ] *a. attr.* **1.** gęsty (*o grzebieniu, pile*). **2. go over/through sth with a ~ comb** *przen.* wziąć coś pod lupę, zbadać coś skrupulatnie.

fine tune, fine-tune *v.* dostrajać precyzyjnie.

fine tuning *n. U* dostrajanie precyzyjne.

finger [ˈfɪŋgər] *n.* **1.** *anat. l. przen.* palec (*t. rękawiczki; t. miara = długość l. szerokość palca*); **index/first ~** palec wskazujący; **little ~** mały palec; **middle ~** środkowy palec; **ring/fourth ~** palec serdeczny. **2.** *przen.* **be all ~s and thumbs** *Br. i Austr.* mieć dwie lewe ręce; **be caught with one's ~s in the till** zostać przyłapanym na kradzieży w miejscu pracy; **burn one's ~s** (*także* **get one's ~s burned**) *zob.* **burn**[1] *v.*; **cross one's ~s** (*także* **keep one's ~s crossed**) *zob.* **cross** *v.*; **give sb the ~** *US pot.* pokazać komuś (środkowy) palec (*w obraźliwym geście*); **give sb two ~s** (*także* **put/stick two ~s up/in the air**) *Br.* pokazać komuś dwa palce (*w obraźliwym geście*); **have a ~ in every pie** angażować się we wszystko naraz; **have/put a/one's ~ in the pie** *US* wtrącać się; **have/keep a/one's ~ on the pulse** trzymać rękę na pulsie; **let it/sth slip through one's ~s** zaprzepaścić okazję; **not lay a ~ on sb** nie tknąć kogoś (palcem); **not lift/raise a ~** nie kiwnąć palcem; **point the ~ (of blame) at sb** (*także* **point an/the accusing ~ at sb**) obwiniać kogoś; **pull/get/take one's ~ out** *Br. i Austr. pot.* wziąć się do roboty; **put one's ~ on sth** określić coś dokładnie, sprecyzować coś; przypomnieć coś sobie; **twist/wrap/wind sb around one's (little) ~** okręcić *l.* owinąć sobie kogoś wokół (małego) palca; **work one's ~s to the bone** urobić się po łokcie. – *v.* **1.** macać; dotykać palcami; obracać w palcach. **2.** *muz.* palcować; grać palcami na (*instrumencie*). **3.** *zw. pass. muz.* znaczyć palcowanie *l.* układ palców (*w nutach*). **4.** *zwł. US pot.* zakapować (= *wskazać policji; zwł. innego przestępcę*).

finger board, fingerboard *n. muz.* gryf.

finger bowl *n.* miseczka do płukania rąk (*przy stole*).

fingerfern [ˈfɪŋgərˌfɜ:n] *n. bot.* zanokcica (*paproć z rodzaju Asplenium*).

fingerfuck [ˈfɪŋgərˌfʌk] *v. obsc. sl.* robić palcówkę (*komuś*).

finger hole *n. muz.* otwór, otworek (*np. we flecie, zamykany palcem podczas gry*).

fingering [ˈfɪŋgərɪŋ] *n. U muz.* palcowanie; układ palców.

fingerling [ˈfɪŋgərlɪŋ] *n.* **1.** młody łosoś *l.* pstrąg. **2.** maleństwo.

fingermark [ˈfɪŋgərˌmɑ:rk] *n.* ślad *l.* odcisk palca.

fingernail [ˈfɪŋgərˌneɪl] *n.* paznokieć (*u ręki*).

fingerpaints [ˈfɪŋgərˌpeɪnts] *n. pl.* farby do malowania palcami (*dla dzieci*).

finger pick *n. muz.* pazurek.

fingerplate [ˈfɪŋgərˌpleɪt] *n. bud.* osłonka, płytka ochronna (*przy klamce, wyłączniku*).

fingerpost [ˈfɪŋgərˌpoʊst] *n.* drogowskaz (*w kształcie dłoni*).

fingerprint [ˈfɪŋgərˌprɪnt] *n.* **1.** odcisk palca; **leave (one's) ~s** zostawić odciski palców; **take sb's ~s** zdejmować czyjeś odciski palców. **2.** *przen.* cecha identyfikująca. **3.** *genetyka* = **genetic fingerprint**. – *v.* zdejmować odciski palców (*komuś*).

finger roll *n.* paluszek (*rodzaj podłużnej bułki*).

fingerspelling [ˈfɪŋgərˌspelɪŋ] *n. U* alfabet palcowy.

fingerstall [ˈfɪŋgərˌstɔ:l] *n. med. Br.* ochraniacz na palec.

fingertip [ˈfɪŋgərˌtɪp] *n.* **1.** czubek *l.* koniuszek palca. **2.** *przen.* **have sth at one's ~s** mieć coś w małym palcu; **to one's ~s** *Br. i Austr.* w każdym calu.

finger wave *n.* lok włosów podkręcany na palcu.

finial [ˈfɪnɪəl] *n. bud.* zwieńczenie.

finical [ˈfɪnɪkl] *a.* = **finicky**.

finicality [ˌfɪnɪˈkæləti] *a. U* drobiazgowość; wybredność.

finicky [ˈfɪnəkɪ] *a.* (*także* **finical**) **1.** wybredny. **2.** drobiazgowy. **3.** przesadny.

fining [ˈfaɪnɪŋ] *n. U* klarowanie (*cieczy, zastygającego szkła*).

finish [ˈfɪnɪʃ] *v.* **1.** kończyć (się); ukończyć (się); zakończyć (się); **~ doing sth** skończyć coś robić; **~ in sth** skończyć się czymś (*np. łzami, nieszczęściem*). **2.** wykańczać; **put/add/give the ~ing touches to/on sth** wykończyć coś (ostatecznie). **3. ~ (off/up)** dokończyć (*potrawę*); zjeść *l.* wypić do końca. **4. ~ (off)** *US sl.* wykończyć (= *zabić*). **5.** *sport* finiszować; **~ second/third** zająć drugie/trzecie miejsce; **~ the race in fifth place** ukończyć wyścig z piątą lokatą. **6.** uczyć ogłady *l.* dobrych manier (*zwł. dziewczęta w prywatnej szkole*). **7. ~ off** dokończyć; wykończyć (= *zmęczyć*); dobić; **~ up** dokończyć; *zwł. Br.* skończyć (= *znaleźć się gdzieś l. w jakiejś sytuacji*); **~ with sb/sth** skończyć z kimś/czymś (= *zabić, pozbyć się, pokonać, załatwić*); **are/have you ~ed with this?** nie potrzebujesz już tego?. – *n.* **1.** koniec; zakończenie; **fight to the ~** walczyć do końca *l.* do upadłego; **from start to ~** od początku do końca. **2.** *sport* finisz; końcówka; **close ~** wyrównana końcówka. **3.** *C/U* wykończenie (*mebla, płaszcza*); materiał do wykończenia; *stol.* politura. **4.** *U* ogłada.

finished [ˈfɪnɪʃt] *a.* **1.** *attr.* gotowy, końcowy (*o produkcie*). **2.** *pred.* **I'm ~** (już) skończyłem; *pot.* jestem skończony.

finisher [ˈfɪnɪʃər] *n.* **1.** pracowni-k/ca wykańczając-y/a (*dany wyrób*). **2.** wykańczarka, maszyna do wykańczania. **3.** *boks* cios nokautujący; *przen.* ostateczny cios. **4.** *sport* zawodnik/czka, któr-y/a ukończył/a bieg.

finishing [ˈfɪnɪʃɪŋ] *n. U* **1.** apretura. **2.** obróbka wykańczająca (*tkaniny, odzieży*). **3.** *piłka nożna* wykończenie (akcji).

finishing line *n. Br.* = **finish line**.

finishing school *n.* szkoła prywatna dla

dziewcząt (*kładąca nacisk na naukę dobrych manier*).

finish line *n. US sport* linia mety.

finite [ˈfaɪnaɪt] *a.* 1. *mat., fiz., fil., astron.* skończony; ~ **automaton/state** *automatyka, cybernetyka* automat/stan skończony. 2. *gram.* odmienny (*o czasowniku*); osobowy (*o formie czasownika*).

finitely [ˈfaɪnaɪtlɪ] *adv.* skończenie.

finitude [ˈfɪnɪˌtuːd] *n. U form.* skończoność.

fink [fɪŋk] *US i Can. przest. sl. n.* 1. kapuś, donosiciel. 2. łamistrajk. 3. sukinsyn. – *v.* donosić (*on sb* na kogoś).

Finland [ˈfɪnlənd] *n. geogr.* Finlandia.

Finlandization [ˌfɪnləndəˈzeɪʃən], *Br. i Austr. zw.* **Finlandisation** *n. U polit.* finlandyzacja.

Finn [fɪn] *n.* Fin/ka.

finnan haddock [ˌfɪnən ˈhædək] *n.* (*także* **finnan haddie**) *kulin.* wędzony łupacz (*ryba*).

finned [fɪnd] *a.* 1. z płetwami; płetwowy. 2. *techn.* żebrowany, żebrowy.

finner [ˈfɪnər] *n.* (*także* **finback**) (*także* **fin whale**) *zool.* płetwal, finwal (*t. inne wieloryby z podrzędu Balaenoptera*).

Finnic [ˈfɪnɪk] *a. jęz.* fiński (= *dotyczący fińskiej grupy językowej*).

Finnish [ˈfɪnɪʃ] *a.* fiński. – *n. U* język fiński.

Finno-Ugric [ˌfɪnoʊˈuːgrɪk], **Finno-Ugrian** *jęz. n. U* rodzina języków ugrofińskich. – *a.* ugrofiński.

finny [ˈfɪnɪ] *a.* **-ier, -iest** 1. *poet.* rybny (= *obfitujący w ryby*); rybi. 2. płetwowy, płetwowaty.

fiord [fjɔːrd] *n.* = **fjord**.

fiorin [ˈfaɪərɪn] *n. U bot.* mietlica rozłogowa (*trawa Agrostis stolonifera*).

fipple [ˈfɪpl] *n. muz.* ustnik (*zwł. instrumentów dętych drewnianych*).

fir [fɜːr] *n.* (*także* ~ **tree**) *bot.* jodła (*Abies*).

fire [faɪr] *n. C/U* 1. *t. przen.* ogień; pożar (*t. uczuć*); ognisko; ~! pali się!; **be on** ~ palić się, płonąć; *lit.* palić (*o ranie*); **catch (on)** ~ zająć się (ogniem), zapalić się; **make/build/light a** ~ rozpalić ognisko; **on** ~ w płomieniach; *przen.* rozpalony, rozogniony; **put out a** ~ ugasić ogień *l.* pożar; **set sth on** ~ (*także* **set** ~ **to sth**) *t. przen.* podpalić *l.* zapalić coś; **start a** ~ wzniecić pożar; **strike** ~ krzesać ogień. 2. *wojsk.* ogień, strzały, strzelanina; **cease** ~ przerwać ogień (*przestać strzelać*); **come/be under** ~ znaleźć się/być pod obstrzałem (*t. przen.* = *w ogniu krytyki*); **in the line of** ~ na linii ognia; **open** ~ otworzyć ogień (*zacząć strzelać*) (*on sb* do kogoś); **running** ~ ogień tyralierski. 3. *Br.* grzejnik, piecyk; **electric/gas** ~ grzejnik elektryczny/gazowy. 4. *przen.* ~ **and brimstone** *zob.* **brimstone**; **a burnt child dreads the** ~ kto się na gorącym sparzy, ten na zimne dmucha; **add fuel to the** ~ *zob.* **fuel** *n.*; **between two ~s** wzięty w dwa ognie; **fight** ~ **with** ~ *zob.* **fight** *v.*; **go through** ~ **(and water) (for sb)** *przest.* poruszyć ziemię i niebo (dla kogoś); **get on like a house on** ~ *pot.* świetnie się dogadywać; **hang** ~ wstrzymywać się; być wstrzymywanym; **light a** ~ **under sb** *US pot.* rozniecić w kimś zapał; **out of the frying pan into the** ~ z deszczu pod rynnę; **play with** ~ igrać z ogniem; **there's no smoke without** ~ (*także* **where there's smoke, there's** ~) nie ma dymu bez ognia; **trial by** ~ próba ognia *l.* ogniowa. – *v.* 1. *t. wojsk.* strzelać z; wystrzelić z (*broni*); odpalić (*pocisk*); ~ **a shot** oddać strzał. 2. strzelać (*at sb / sth* do kogoś/czegoś). 3. wypalić (*o broni*); odpalić (*o pocisku*). 4. *zwł. US* wyrzucić (z pracy), zwolnić. 5. ~ **(up)** rozpalać (*uczucia, wyobraźnię*). 6. *t. przen.* rozpalić się, rozognić się. 7. wypalać (*cegły, naczynia*). 8. prażyć (*herbatę, tytoń*). 9. ~ **questions at sb** zarzucać *l.* zasypywać kogoś pytaniami. 10. ~ **away/ahead!** *pot.* strzelaj!, wal! (= *mów; pytaj*); ~ **off** wystrzelić (*o pocisku*); wystrzelić z (*działa*); ~ **off a letter (to sb)** *pot.* wysmażyć list (do kogoś) (*zwł. w gniewie*); ~ **up** rozpalić w piecu; *przen.* podniecić się, zapalić się.

fire alarm *n.* alarm pożarowy *l.* przeciwpożarowy.

firearm [ˈfaɪrˌɑːrm] *n.* broń palna; *pl.* broń palna (*zbiorowo*).

fireball [ˈfaɪrˌbɔːl] *n.* 1. kula ognista *l.* ognia (*towarzysząca wybuchowi*). 2. *meteor.* piorun kulisty. 3. *astron.* bolid. 4. *sl.* żywe srebro (= *energiczna osoba*).

firebar [ˈfaɪrˌbɑːr] *n.* pręt rusztowy.

firebed [ˈfaɪrˌbed] *n. techn.* palenisko.

fireblight [ˈfaɪrˌblaɪt] *n. U bot., pat.* zaraza ogniowa (*choroba jabłoni i grusz*).

fireboat [ˈfaɪrˌboʊt] *n.* statek pożarniczy.

firebomb [ˈfaɪrˌbɑːm] *n. wojsk.* bomba zapalająca.

firebox [ˈfaɪrˌbɑːks] *n. techn.* skrzynia paleniskowa.

firebrand [ˈfaɪrˌbrænd] *n.* 1. żagiew, pochodnia. 2. *przen.* agitator/ka; podżegacz/ka.

firebreak [ˈfaɪrˌbreɪk] *n.* (*także* **fireguard**) rów *l.* pas przeciwpożarowy (*zaorany*).

firebrick [ˈfaɪrˌbrɪk] *n.* cegła ogniotrwała.

fire brigade *n.* 1. *Br. i Austr.* straż pożarna. 2. *US* ochotnicza straż pożarna.

firebug [ˈfaɪrˌbʌg] *n. pot.* podpalacz/ka.

fire chief *n.* komendant/ka straży pożarnej.

fire clay *n. U* glinka ogniotrwała.

fire company *n.* 1. *US* brygada straży pożarnej. 2. *ubezp.* towarzystwo ubezpieczeń od pożaru.

fire control *n. U wojsk.* kierowanie ogniem.

firecracker [ˈfaɪrˌkrækər] *n.* petarda.

fire-cure [ˈfaɪrˌkjʊr] *v.* prażyć (nad ogniem) (*tytoń*).

fire curtain *n. wojsk.* zasłona *l.* zapora ogniowa.

firedamp [ˈfaɪrˌdæmp] *n. U górn.* gaz kopalniany.

fire department *n. US* straż pożarna.

firedog [ˈfaɪrˌdɔːg] *n. Br. i płd. US* = **andiron**.

firedoor [ˈfaɪrˌdɔːr] *n. bud.* drzwi pożarowe.

firedrake [ˈfaɪrˌdreɪk] *n.* (*także* **firedragon**) *mit.* smok ognisty.

fire drill *n. C/U* ćwiczenia przeciwpożarowe.

fire-eater [ˈfaɪrˌiːtər] *n.* 1. połykacz/ka ognia. 2. *pot.* zawadiaka.

fire engine *n.* wóz strażacki *l.* gaśniczy.

fire escape *n. bud.* schody pożarowe; wyjście ewakuacyjne.
fire extinguisher *n.* gaśnica.
firefight [ˈfaɪrˌfaɪt] *n. wojsk.* wymiana ognia.
firefighter [ˈfaɪrˌfaɪtər], **fire fighter** *n.* strażak/czka.
firefighting [ˈfaɪrˌfaɪtɪŋ] *n. U* pożarnictwo.
firefly [ˈfaɪrˌflaɪ] *n. pl.* **-ies** *ent.* świetlik, robaczek świętojański (*rodzina Lampyridae*).
firegrate [ˈfaɪrˌgreɪt] *n. techn.* ruszt (paleniska).
fireguard [ˈfaɪrˌgɑːrd] *n.* **1.** *Br.* = **firescreen. 2.** = **firebreak.**
firehouse [ˈfaɪrˌhaʊs] *n. US* remiza (strażacka).
fire hydrant *n.* hydrant przeciwpożarowy.
fire insurance *n. C/U* ubezpieczenie na wypadek pożaru.
fire irons *n. pl.* akcesoria *l.* przybory do kominka (= *szczypce, pogrzebacz i szufelka*).
firelight [ˈfaɪrˌlaɪt] *n. U* światło kominka.
firelighter [ˈfaɪrˌlaɪtər] *n. Br.* = **fire starter.**
firelock [ˈfaɪrˌlɑːk] *n. hist., wojsk.* **1.** zamek skałkowy (*w karabinie*). **2.** karabin skałkowy.
fireman [ˈfaɪrmən] *n. pl.* **-men** strażak.
fire opal *n. C/U min.* opal ognisty.
fireplace [ˈfaɪrˌpleɪs] *n.* kominek.
fireplug [ˈfaɪrˌplʌg] *n. US* hydrant przeciwpożarowy.
fire power, firepower *n. wojsk.* siła rażenia *l.* ognia.
fire practice *n.* = **fire drill.**
fireproof [ˈfaɪrˌpruːf] *a.* ognioodporny, ogniotrwały. – *v.* zapewnić ogniotrwałość (*pomieszczenia, drzwi*).
fire-raiser [ˈfaɪrˌreɪzər] *n. Br.* podpalacz/ka.
fire-raising [ˈfaɪrˌreɪzɪŋ] *n. U Br.* podpalenie.
fire sale *n.* wyprzedaż po pożarze.
firescreen [ˈfaɪrˌskriːn] *n. US* osłona kominka.
fire service *n. Br.* = **fire department.**
fire ship *n. hist., wojsk.* brander (= *statek-bomba bez załogi*).
fireside [ˈfaɪrˌsaɪd] *n. zw. sing.* **at/by the ~** przy kominku.
fire starter *n. US* podpałka.
fire station *n.* posterunek straży pożarnej.
firestone [ˈfaɪrˌstoʊn] *n. U* kamień ogniotrwały.
firestorm [ˈfaɪrˌstɔːrm] *n.* **1.** pożar na wielką skalę, gigantyczny pożar (*powodujący wiatr i deszcz*). **2.** **~ of protest** *US przen.* burza protestów.
fire tongs *n. pl.* szczypce do węgla (*część wyposażenia kominka*).
fire tower *n.* wieża obserwacyjna (*ochrony przeciwpożarowej*).
firetrap [ˈfaɪrˌtræp] *n.* budynek nie mający należytego zabezpieczenia na wypadek pożaru.
fire-tube boiler [ˈfaɪrˌtuːbˌbɔɪlər] *n. techn.* kocioł płomieniówkowy.
firewalking [ˈfaɪrˌwɔːkɪŋ] *n. U* chodzenie po rozżarzonym węglu, rozpalonym popiele itp. (*zwł. jako rytuał religijny*).
firewall [ˈfaɪrˌwɔːl] *n.* przegroda ogniotrwała; ściana przeciwpożarowa.
firewarden [ˈfaɪrˌwɔːrdən] *n. US i Can.* inspektor straży pożarnej (*zwł. na obszarze leśnym*).
firewatcher [ˈfaɪrˌwɑːtʃər] *n. Br. hist.* strażnik odpowiedzialny za wykrywanie pożarów (*spowodowanych bombardowaniem, zwł. w czasie II wojny światowej*).
firewater [ˈfaɪrˌwɔːtər] *n. U pot. żart.* woda ognista (= *mocny alkohol, zwł. whisky*).
fireweed [ˈfaɪrˌwiːd] *n. bot.* roślina rosnąca na miejscach niedawno wypalonych (*np. wierzbówka Epilobium angustifolium*).
firewood [ˈfaɪrˌwʊd] *n. U* drewno opałowe.
fireworks [ˈfaɪrˌwɜːks] *n. pl.* sztuczne ognie, fajerwerki.
fire-worship [ˈfaɪrˌwɜːˌʃɪp] *n. U rel.* kult ognia.
firing [ˈfaɪrɪŋ] *n. U* **1.** *ceramika* wypalanie. **2.** opalanie (*paleniska*), zasilanie (*ognia*). **3.** opał. **4.** *wojsk.* strzelanie, strzelanina. **5.** *górn.* odstrzał, odpalenie.
firing line *n. wojsk.* linia ognia; **be on the ~** (*także Br.* **be in the ~**) *przen.* być obiektem ataków (*zwł. niesprawiedliwych*).
firing order *n. techn.* kolejność zapłonu (*w silniku spalinowym*).
firing party *n. wojsk.* **1.** oddział oddający salwę honorową na pogrzebie wojskowym. **2.** = **firing squad.**
firing pin *n. techn.* iglica (*w broni palnej*).
firing squad *n.* pluton egzekucyjny.
firkin [ˈfɜːkɪn] *n.* **1.** *Br.* miara objętości stosowana zwł. w browarnictwie (= *9 galonów; = 40,914 l*). **2.** *arch.* baryłka; beczułka; faska.
firm[1] [fɜːm] *a.* **1.** twardy (*o materacu*); ubity (*o ziemi*). **2.** gruntowny, solidny (*o wiedzy, znajomości tematu*). **3.** mocny, pewny (*o uchwycie, uścisku, głosie*); niewzruszony, niezachwiany (*o wierze, przekonaniach*); stanowczy (*with sb* wobec kogoś); nieugięty (*about sth* jeśli chodzi o coś); **be a ~ believer in sth** mocno w coś wierzyć; **take a ~ stand/line** przyjąć stanowczą postawę. **4.** wiążący (*o ofercie, decyzji, dacie*); niezbity (*o dowodzie*). – *adv. t. przen.* mocno; **hold ~ to sth** mocno trzymać się czegoś; **stand ~ over sth** *przen.* stać mocno przy czymś. – *v.* **1.** ubijać (się); utwardzać (się). **2.** ustabilizować się (*np. o cenach*). **3.** **~ (up)** ustalać (*np. szczegóły kontraktu*).
firm[2] *n.* firma, przedsiębiorstwo.
firmament [ˈfɜːməmənt] *n. sing. lit.* firmament, sklepienie niebieskie.
firmer chisel [ˈfɜːmər ˌtʃɪzl] *n.* dłuto ciesielskie płaskie.
firmly [ˈfɜːmlɪ] *adv.* **1.** twardo. **2.** mocno, pewnie. **3.** solidnie, gruntownie. **4.** stanowczo.
firmness [ˈfɜːmnəs] *n. U* **1.** twardość. **2.** pewność. **3.** solidność, gruntowność. **4.** stanowczość.
firmware [ˈfɜːmwer] *n. U komp.* oprogramowanie firmowe *l.* układowe (*zapisane na stałe w pamięci*).
firn [fɪrn] *n. U meteor.* firn, lód ziarnisty.
firry [ˈfɜːɪ] *a.* jodłowy.

first [fɜːst] *a.* pierwszy; ~ **among equals** pierwszy pomiędzy równymi, primus inter pares; ~ **things** ~ po kolei, wszystko w swoim czasie; **at ~ glance/sight** na pierwszy rzut oka; **at ~ hand** z pierwszej ręki; **at ~ light** skoro świt; **(for) the ~ time** po raz pierwszy; **(I'll do it) ~ thing (tomorrow)** (zrobię to jutro) z samego rana; **in the ~ place** po pierwsze, przede wszystkim; **(why didn't you say so) in the ~ place?** (trzeba było) od razu (tak mówić)!; **in the ~ instance** *zwł. Br.* w pierwszej kolejności; **love at ~ sight** miłość od pierwszego spojrzenia; **murder in the ~ degree = first-degree murder**; **not know the ~ thing about sth** (*także* **not have the ~ idea about sth**) nie mieć o czymś najmniejszego *l.* zielonego pojęcia; **of the ~ water** *przest.* najczystszej wody *l.* próby (*o klejnocie; t. przen. o osobie*); **she was the ~ to notice this** ona pierwsza to zauważyła. – *adv.* **1.** (jako) pierwszy; ~ **come, ~ served** kto pierwszy, ten lepszy; **come ~ with sb** być dla kogoś najważniejszym; **come/finish ~** zająć pierwsze miejsce; **head ~** głową naprzód; **put sb/sth ~** stawiać kogoś/coś na pierwszym miejscu. **2.** najpierw, wpierw; ~ **off** *pot.* najpierw; **I'll kill myself/die ~** *emf.* prędzej się zabiję/umrę. **3.** po pierwsze; ~ **of all** (*także* ~ **and foremost**) przede wszystkim. **4.** po raz pierwszy. – *n.* **1.** pierwsz-y/a; **the ~ of June** pierwszy czerwca. **2.** *sing.* bezprecedensowe wydarzenie *l.* osiągnięcie. **3.** *t. sport* pierwsze miejsce. **4.** *mot.* = **first gear**. **5.** (*także* **~-class honours degree**) *Br. uniw.* dyplom ukończenia studiów z najwyższą oceną. **6.** *balet* = **first position**. **7.** *U* **at ~** z *l.* na początku; **from ~ to last** od początku do końca; całkowicie; **from the (very) ~** od (samego) początku; **it's the ~ I've heard of it** pierwsze słyszę.

first aid *n. U med.* pierwsza pomoc; **give ~** udzielać pierwszej pomocy.

first-aider [ˌfɜːstˈeɪdər] *n. Br.* osoba przeszkolona w udzielaniu pierwszej pomocy.

first-aid kit *n.* zestaw *l.* apteczka pierwszej pomocy.

First Amendment *n.* **the ~** *US parl.* pierwsza poprawka (*do Konstytucji Stanów Zjednoczonych*).

first base *n.* **1.** *baseball* pierwsze stanowisko, do którego gracz musi dotrzeć przed piłką. **2. get to ~** *gł. US i Can. pot.* zrobić pierwszy krok (*zwł. = pocałować dziewczynę*).

first-born [ˈfɜːstˌbɔːrn] *lit. a.* pierworodny. – *n. sing.* pierwsze *l.* najstarsze dziecko.

first class *n. U kol., lotn., żegl., poczta* pierwsza klasa. – *adv.* pierwszą klasą (*podróżować, wysyłać*).

first-class [ˌfɜːstˈklæs] *a.* **1.** pierwszorzędny, wspaniały; najwyższej jakości (*o towarze*). **2.** *attr.* pierwszej klasy (*o bilecie, wagonie, kajucie*). **3.** *poczta* pierwszej klasy (*Br. = dostarczany jak najszybciej; US i Can. = dotyczący zamkniętych przesyłek, np. listów*).

first cousin *a.* kuzyn/ka (= *syn l. córka ciotki l. wuja*); brat cioteczny *l.* stryjeczny; siostra cioteczna *l.* stryjeczna.

first-day cover [ˌfɜːstˌdeɪ ˈkʌvər] *n. filatelistyka* koperta pierwszego dnia obiegu.

first-degree [ˌfɜːstdɪˈgriː] *n. attr.* pierwszego stopnia.

first-degree burn *n. pat.* oparzenie pierwszego stopnia.

first-degree murder *n.* (*także* **murder in the first degree**) *US prawn.* zabójstwo pierwszego stopnia.

first-ever [ˌfɜːstˈevər] *a. attr.* pierwszy w historii.

first family *n. US* pierwsza rodzina (= *rodzina prezydenta USA*).

first finger *n. anat.* palec wskazujący.

first floor *n. US i Can.* parter; *Br.* pierwsze piętro.

first-footing [ˌfɜːstˈfʊtɪŋ] *n. U Scot.* zwyczaj odwiedzania znajomych tuż po północy w pierwszym dniu Nowego Roku.

first fruits *n. pl.* **1.** *roln.* pierwsze zbiory, pierwociny. **2.** *przen.* pierwsze rezultaty (*działalności*).

first gear *n. mot.* pierwszy bieg, jedynka.

first-generation [ˌfɜːstˌdʒenəˈreɪʃən] *a. attr.* **1.** *socjol.* w pierwszym pokoleniu. **2.** *komp.* pierwszej generacji.

first-hand [ˌfɜːstˈhænd] *a.* z pierwszej ręki (*o informacjach*); bezpośredni (*o doświadczeniu*). – *adv.* z pierwszej ręki; bezpośrednio.

first-in, first-out [ˌfɜːstˈɪn ˌfɜːstˈaʊt] *n. U* (*także* **FIFO**) *komp., księgowość* pierwszy na wejściu – pierwszy na wyjściu.

first lady *n.* **1.** *gł. US* pierwsza dama (= *żona prezydenta l. gubernatora stanu*). **2. the ~ of jazz/rock** pierwsza dama jazzu/rocka.

first language *n.* **1.** język ojczysty. **2.** pierwszy *l.* główny język (*danego kraju, prowincji*).

first lieutenant *a. US wojsk.* porucznik.

firstling [ˈfɜːstlɪŋ] *n. arch. l. lit.* pierwsze dziecko; pierwszy przychówek; pierwszy rezultat *l.* owoc.

firstly [ˈfɜːstlɪ] *adv.* po pierwsze.

first mate *n. żegl.* pierwszy oficer.

first name *n.* imię; **be on a ~ basis** (*także Br.* **be on ~ terms**) być po imieniu (*with sb* z kimś).

first night *n. zwł. Br. teatr* premiera.

first nighter *n.* bywal-ec/czyni premier.

first offender *n. prawn.* przestępca poprzednio nie karany.

first-past-the-post system [ˌfɜːstˌpæstðəˈpoʊst ˌsɪstəm] *n. Br. i Can. parl.* większościowa ordynacja wyborcza.

first person *n. sing. gram.* pierwsza osoba; **in the ~ singular/plural** w pierwszej osobie liczby pojedynczej/mnogiej.

first position *n. balet* pozycja podstawowa.

first-rate [ˌfɜːstˈreɪt] *a.* pierwszorzędny. – *adv. pot.* pierwszorzędnie.

firsts [fɜːsts] *n. pl. handl.* towary najwyższej jakości.

first school *n. Br. szkoln.* szkoła dla dzieci w wieku od 5 do 8-9 lat.

first-string [ˌfɜːstˈstrɪŋ] *a. attr.* **1.** *sport* pierwszego składu (*o graczu*); ~ **team** pierwszy skład (*drużyny, zespołu*). **2.** *przen.* pierwszorzędny.

first-stringer [ˌfɜːstˈstrɪŋər] *n.* *sport* gracz pierwszego składu.

First World War *n.* **the** ~ *hist.* pierwsza wojna światowa.

firth [fɜːθ] *n. zwł. Scot. geogr.* odnoga morska; (*w nazwach*) zatoka.

fir tree [ˈfɜː ˌtriː] *n. bot.* jodła (*Abies*).

fisc [fɪsk] *n. rzad.* skarb państwa, fiskus.

fiscal [ˈfɪskl] *a.* **1.** *fin.* fiskalny; skarbowy; podatkowy; ~ **charges/law** opłaty/prawo skarbowe. **2.** finansowy. – *n.* **1.** *Scot. prawn.* = **procurator fiscal**. **2.** znaczek opłaty skarbowej.

fiscally [ˈfɪsklɪ] *adv.* **1.** podatkowo. **2.** finansowo; z finansowego punktu widzenia.

fiscal year *n. US i Can.* rok budżetowy.

fish[1] [fɪʃ] *n.* **1.** *pl.* **fish** *l.* **-es** ryba. **2.** *U kulin.* ryba, ryby. **3. F~es** *astron., astrol.* Ryby. **4.** *przen.* **a fine/pretty kettle of** ~ *zob.* **kettle; cold** ~ *zob.* **cold; drink like a** ~ *zob.* **drink** *v.* 2; **(feel/be) like a** ~ **out of water** (czuć się/być) jak ryba bez wody; **have other/bigger** ~ **to fry** *pot.* mieć inne/ważniejsze sprawy na głowie, mieć większe zmartwienia; **neither** ~ **nor fowl** ni pies, ni wydra; **odd/queer/strange** ~ *Br. form.* dziwa-k/czka; **that's another/a different kettle of** ~ *zob.* **kettle; there are plenty more** ~ **in the sea** nie on/a jeden/na jest na świecie (= *znajdziesz sobie kogoś innego*). – *v.* **1.** poławiać ryby (*zawodowo*); łowić ryby, wędkować; ~ **in troubled waters** *przen.* łowić ryby w mętnej wodzie; ~ **or cut bait** *zob.* **bait**[1] *n.* 4. **2.** łowić w (*strumieniu itp.*). **3.** *Br. el.* przeciągać przez rurkowanie (*przewód*). **4.** ~ **for** łowić (*ryby*); poławiać (*perły*); *przen.* poszukiwać (*czegoś*); ~ **for compliments** dopominać się o komplementy; ~ **out** *t. przen.* wyłowić (*rybę z wody, klucze z kieszeni*); ogołocić z ryb (*jezioro itp.*); ~ **up** *t. przen.* wyłowić; *pot.* odgrzebać (= *znaleźć*).

fish[2] *n. techn.* = **fishplate**.

fish and chips *n. U Br. kulin.* ryba z frytkami.

fish bolt *n. techn.* śruba łubkowa.

fishbone [ˈfɪʃˌbəʊn] *n.* ość.

fishbowl [ˈfɪʃˌbəʊl] *n.* (*także* **goldfish bowl**) **1.** kuliste akwarium (*zw. na złotą rybkę*). **2.** *przen.* sytuacja, w której jest się ciągle na widoku.

fish cake *n. kulin.* kotlet rybny.

fish dealer *n. US* handla-rz/rka ryb.

fish eggs *n. pl. zool.* ikra.

fisher [ˈfɪʃər] *n.* **1.** *ryb.* = **fisherman** 1, 2. **2.** *zool.* kuna (*Martes pennanti*). **3.** *U* futro z kuny.

fisherman [ˈfɪʃərmən] *n. pl.* **-men** **1.** rybak. **2.** wędkarz. **3.** łódź rybacka.

fishery [ˈfɪʃərɪ] *n. pl.* **-ies** *ryb.* **1.** *U* rybołówstwo. **2.** łowisko. **3.** *U* prawo połowu. **4.** hodowla ryb.

fish farm *n. ryb.* gospodarstwo rybne.

fish finger *n. Br. i Austr.* = **fish stick**.

fish flour *n. U* mączka rybna.

fishgig [ˈfɪʃˌgɪg] *n.* (*także* **fizgig**) *ryb.* oścień.

fish glue *n. U* klej rybi.

fish hawk *n. orn.* rybołów (*Pandion haliaetus*).

fishhook [ˈfɪʃˌhʊk] *n. ryb.* haczyk.

fishily [ˈfɪʃɪlɪ] *adv. pot.* podejrzanie.

fishiness [ˈfɪʃɪnəs] *n. U pot.* podejrzany charakter.

fishing[1] [ˈfɪʃɪŋ] *n. U ryb.* **1.** rybołówstwo, połów ryb. **2.** wędkarstwo; **go** ~ iść na ryby.

fishing[2] *n. U techn.* łączenie łubkami.

fishing boat *ryb. n.* łódź rybacka; statek rybacki.

fishing fleet *n.* flota rybacka.

fishing ground *n.* łowisko, miejsce połowu ryb.

fishing line *n.* żyłka do wędki.

fishing net *n.* sieć rybacka.

fishing rod *n.* wędzisko; wędka.

fishing tackle *n. U* sprzęt wędkarski.

fish joint *n. techn.* połączenie łubkowe.

fish ladder *n.* stopnie dla ryb (*umożliwiające im posuwanie się w górę rzeki*).

fish market *n.* targ rybny.

fish meal *n. U* mączka rybna.

fishmonger [ˈfɪʃˌmɑːŋgər] *n. gł. Br.* handla-rz/rka ryb.

fish oil *n. U* olej rybi, tran.

fish pass *n.* przepławka dla ryb (*w zaporze*).

fishplate [ˈfɪʃˌpleɪt] *n. techn.* łubek, nakładka stykowa.

fish pole *n. ryb.* wędka.

fishpond [ˈfɪʃˌpɑːnd] *n.* staw rybny.

fishskin disease [ˈfɪʃˌskɪn dɪˌziːz] *n. U pot.* = **ichthyosis**.

fish spatula, *Br.* **fish slice** *n. kulin.* łopatka do ryb.

fish stick *n. US kulin.* paluszek rybny.

fishtail [ˈfɪʃˌteɪl] *v.* **1.** *lotn.* zwalniać przez wężykowanie (= *poruszanie ogonem samolotu w lewo i w prawo*). **2.** *US* ślizgać się (*po wodzie l. lodzie; o pojeździe l. samolocie*).

fish warden *n.* strażnik terenów rybackich.

fish well *n. ryb.* sadz.

fishwife [ˈfɪʃˌwaɪf] *n. pl.* **-wives** **1.** handlarka ryb. **2.** *przest. uj.* przekupka (= *głośna, kłótliwa i wulgarna kobieta*).

fishworm [ˈfɪʃˌwɜːm] *n.* dżdżownica (*jako przynęta wędkarska*).

fishy [ˈfɪʃɪ] *a.* **-ier, -iest** **1.** rybi; o rybim smaku *l.* zapachu. **2.** obfitujący w ryby. **3.** *pot.* podejrzany, niejasny.

fissile [ˈfɪsl] *a.* **1.** łupliwy. **2.** *fiz.* rozszczepialny.

fissility [fɪˈsɪlətɪ] *n. U* **1.** łupliwość. **2.** *fiz.* rozszczepialność.

fission [ˈfɪʃən] *n. U* **1.** *biol.* podział (*komórki*). **2.** *fiz.* rozszczepienie (*jądra atomu*).

fissionable [ˈfɪʃənəbl] *a. fiz.* rozszczepialny.

fissiparous [fɪˈsɪpərəs] *a. biol.* rozmnażający się przez podział.

fissure [ˈfɪʃər] *n.* **1.** szczelina, szpara. **2.** *t. przen.* pęknięcie. **3.** *anat.* bruzda. – *v.* rozszczepiać (się); pękać.

fist [fɪst] *n.* **1.** pięść; **clench one's ~s** zaciskać pięści. **2.** *pot.* łapa (= *ręka*). – *v.* **1.** uderzać pięścią. **2.** *żegl.* operować (*żaglem, wiosłem*); chwytać.

fistfight [ˈfɪstˌfaɪt] *n.* walka na pięści.

fistful [ˈfɪstfʊl] *n.* garść (*of sth* czegoś).

fistic ['fɪstɪk] *a. pot.* pięściarski; bokserski.

fisticuffs ['fɪstɪˌkʌfs] *n. pl. przest. l. żart.* walka na pięści.

fistula ['fɪstʃʊlə] *n. pl. t.* **-ae** ['fɪstʃʊliː] *pat.* fistuła, przetoka.

fistular ['fɪstʃʊlər], **fistulous** ['fɪstʃʊləs] *a.* 1. *pat.* fistułowy, przetokowy. 2. rurkowy.

fit[1] [fɪt] *v. pret.* **fitted** *US t.* **fit** *pp.* **fit** 1. pasować; pasować do (*otoczenia, pojemnika*); pasować *l.* dobrze leżeć na (*kimś; o ubraniu, sukience*); **it ~s (him) like a glove** leży (na nim) jak ulany. 2. odpowiadać (*komuś l. czemuś*); **~ the bill** *przen.* nadawać się idealnie; czynić zadość wymaganiom. 3. dopasowywać (*to sth* do czegoś). 4. *krawiectwo* mierzyć (*klienta przed uszyciem ubrania*). 5. zaopatrywać, wyposażać (*with sth* w coś). 6. zmieścić się (*in/into sth* w czymś/do czegoś). 7. włożyć, wcisnąć (*in/into sth* do czegoś); umieścić (*in/into sth* w czymś); **~ a key in a lock** włożyć klucz do zamka. 8. czynić odpowiednim (*for sth* do czegoś, *to do sth* do robienia czegoś). 9. zakładać, montować. 10. **if the ~ fits (, wear it)** *zob.* **shoe** *n.* 11. **~ in** pasować; dopasować się; **~ sb/sth in** znaleźć czas dla kogoś/na coś (*np. dla pacjenta, interesanta*); **~ in with sth** pasować do czegoś; **~ sth in with sth** dopasować coś do czegoś; **~ on** nałożyć; przymierzać (*ubranie*); **~ out** wyposażyć; **~ up** *zwł. Br.* wyposażyć; zainstalować; **~ sb up** *Br. sl.* wrobić kogoś (*for sth* w coś) (*zwł. w przestępstwo*). – *a.* **-tt-** 1. odpowiedni, właściwy, stosowny (*for sb/sth* dla kogoś/do czegoś); **see/think ~ to do sth** uznać za stosowne coś zrobić. 2. zdatny, nadający się (*for sth* do czegoś); godny (*for sb/sth* kogoś/czegoś); **~ to eat/drink** nadający się do jedzenia/picia; **~ for human consumption** nadający się *l.* zdatny do spożycia; **~ for a King** *emf.* godny (samego) króla (*zwł. o posiłku*); **he is ~ to be our boss** nadaje się na naszego szefa *l.* do tego, by być naszym szefem. 3. *zwł. Br.* sprawny (fizycznie), w (dobrej) formie; zdrowy; **(as) ~ as a fiddle/flea** *pot.* zdrów jak ryba; **feel ~ enough to do sth** czuć się na siłach, żeby coś zrobić; **keep/stay ~** utrzymywać dobrą formę. 4. *zwł. Br. sl.* pociągający (*seksualnie*). 5. gotów (*for sth* do czegoś, *to do sth* zrobić coś); skłonny (*to do sth* zrobić coś); **~ for dispatch** gotowy do wysyłki; **~ to be tied** *US pot.* maksymalnie wkurzony; **he was screaming ~ to wake the dead** *pot.* wrzeszczał tak, że umarłego by obudził; **I was ~ to drop** padałem na twarz (*ze zmęczenia*); **we were laughing ~ to burst** *pot.* pękaliśmy ze śmiechu. – *n. sing.* dopasowanie; dostosowanie, przystosowanie; **be a good/perfect ~** dobrze/doskonale leżeć (*o ubraniu, sukience*); **there should be a ~ between X and Y** *form.* X i Y powinny do siebie pasować *l.* odpowiadać sobie wzajemnie.

fit[2] *n. t. pat.* napad, atak; przypływ (*energii, lenistwa, dumy*), wybuch (*śmiechu, gniewu*); zryw; **coughing/epileptic ~** atak kaszlu/padaczki; **give sb a ~** przestraszyć kogoś śmiertelnie; **have sb in ~s (of laughter)** rozśmieszyć kogoś do łez; **have/throw a ~** *pot.* dostać szału; **in/by ~s and starts** zrywami.

fit[3] *n. Ir.* strofa poematu.

fitch [fɪtʃ], **fitchet** ['fɪtʃət], **fitchew** ['fɪtʃuː] *n.* 1. *zool.* tchórz (*Mustela putorius*). 2. *U* futro z tchórza.

fitful ['fɪtfʊl] *a.* 1. niespokojny (*o śnie*). 2. nieregularny (*o opadach*).

fitfully ['fɪtfʊlɪ] *adv.* 1. niespokojnie. 2. nieregularnie.

fitly ['fɪtlɪ] *adv. arch.* we właściwy sposób; we właściwym miejscu; we właściwym czasie.

fitment ['fɪtmənt] *n.* 1. urządzenie; uzbrojenie (*część składowa wyposażenia maszyny*). 2. *zwł. Br.* mebel (*np. szafka kuchenna l. łazienkowa*).

fitness ['fɪtnəs] *n. U* 1. (*także* **physical ~**) sprawność fizyczna, kondycja. 2. nadawanie się (*for sth* do czegoś, *to do sth* do zrobienia czegoś).

fit-out ['fɪtˌaʊt] *n. U* wyposażenie, ekwipunek.

fitted ['fɪtɪd] *a.* 1. dopasowany (*o ubraniu*). 2. *attr. Br.* na wymiar (*np. o szafkach kuchennych, kuchni*). 3. **be ~ for sth/to do sth** nadawać się do czegoś/do robienia czegoś (*o osobie*). 4. **be ~ with sth** być wyposażonym w coś, mieć coś zamontowane.

fitted carpet *n. U zwł. Br.* wykładzina dywanowa.

fitted sheet *n.* prześcieradło z gumką (*naciągane na materac*).

fitter ['fɪtər] *n.* 1. *zwł. Br.* monter. 2. krawiec/cowa (*zwł. dopasowujący gotowe ubrania na konkretnego klienta*).

fitting ['fɪtɪŋ] *a. form.* stosowny, odpowiedni, właściwy. – *n.* 1. okucie; obsada; *el.* oprawa (*oświetleniowa*). 2. (*zw. pl.*) osprzęt; armatura; *bud.* wyposażenie, obudowa wewnętrzna; **fixtures and ~s** *zob.* **fixture**. 3. *U* montaż. 4. przymiarka (*u krawca*). 5. *Br.* rozmiar (*odzieży, obuwia*).

fittingly ['fɪtɪŋlɪ] *adv. form.* odpowiednio, stosownie, właściwie.

fitting room *n.* przymierzalnia, kabina.

fitting shop *n.* montownia, hala montażowa.

fit-up ['fɪtˌʌp] *n. Br. sl.* 1. *teatr* scena prowizoryczna *l.* przenośna. 2. wrobienie (*w przestępstwo*).

five [faɪv] *num.* pięć; pięcioro; pięciu. – *n.* 1. piątka (*t. US pot. = banknot pięciodolarowy*). 2. *U* **~ (o'clock)** (godzina) piąta; **at ~** o piątej. 3. *przen. pot.* **give me ~!** (*także* **gimme ~!**) *zwł. US* przybij piątkę!; **take/have ~** zrobić (sobie) kilka minut przerwy.

five-and-dime [ˌfaɪvən'daɪm], **five-and-ten** *n. US przest.* tani sklep z artykułami gospodarstwa domowego, zabawkami, słodyczami itp. (*w którym wiele artykułów kosztowało dawniej pięć l. dziesięć centów*).

five-finger [ˌfaɪv'fɪŋgər] *n. bot.* pięciornik (*Potentilla*).

fivefold ['faɪvˌfoʊld] *a.* pięciokrotny; pięcioraki, pięcioczęściowy, złożony z pięciu części. – *adv.* pięciokrotnie.

five-o'clock shadow [ˌfaɪvəˌklɑːk 'ʃædoʊ] *n. sing.* popołudniowy zarost.

fiver ['faɪvər] *n. zwł. Br. pot.* piątka (= *banknot pięciofuntowy*).

fives [faɪvz] *n. sing. Br.* rodzaj gry w piłkę podobnej do squasha, ale rozgrywanej rękami *l.* kijami.

five-spot [ˈfaɪvˌspɑːt] *n. US przest.* banknot pięciodolarowy.

five-star [ˌfaɪvˈstɑːr] *a. attr.* pięciogwiazdkowy (*o hotelu*).

fix [fɪks] *v.* **1.** umocowywać, przymocowywać, przytwierdzać (*sth to / on / in sth* coś do czegoś). **2.** ustalać, wyznaczać (*datę, miejsce, cenę*). **3.** załatwiać, aranżować (*np. spotkanie*). **4.** naprawiać. **5.** *zwł. US i Can. pot.* poprawiać, doprowadzać do porządku (*włosy, makijaż*). **6.** *zwł. US i Can. pot.* wyleczyć. **7.** *pot.* ustawiać (*mecz*); przekupywać (*sędziego*); fałszować (*wyniki, wybory*); fingować (*proces*). **8.** *zwł. US i Can. pot.* przygotowywać (*posiłek, drinka*). **9.** *zwł. US i Can. pot.* sterylizować; kastrować (*zwł. psa l. kota*). **10.** *sl.* urządzić, załatwić (= *ukarać*); **that'll ~ him!** to go nauczy rozumu!. **11.** *sl.* dawać sobie w żyłę (= *wstrzykiwać narkotyk*). **12.** *fot.* utrwalać. **13.** *chem.* wiązać; redukować do postaci stałej *l.* skondensowanej *l.* nielotnej. **14.** ~ **one's eyes/gaze on sb/sth** utkwić oczy/wzrok w kimś/czymś; ~ **one's attention/mind on sth** skupić na czymś uwagę/myśli, skoncentrować się na czymś; ~ **sb with a glance/look/stare** utkwić w kimś wzrok, przeszyć kogoś wzrokiem; ~ **sth in one's mind** utrwalić coś w pamięci; dobrze coś zapamiętać; ~ **the blame on sb** obwiniać kogoś; **be ~ing to do sth** *US dial. l. pot.* przygotowywać się do (zrobienia) czegoś. **15.** ~ **on/upon sth** zdecydować się na coś; ~ **up** naprawiać (*samochód*); odnawiać (*mieszkanie*); organizować, załatwiać (*spotkanie, wakacje*); ustalać (*datę, szczegóły*); ~ **sb up with sth** dostarczyć komuś czegoś; załatwić komuś coś. – *n. sing.* **1.** trudne położenie; **be in a ~** *pot.* być w tarapatach; mieć dylemat. **2.** **quick ~** *pot.* prowizorka, prowizoryczne rozwiązanie. **3.** *sl.* strzał (= *wstrzyknięcie narkotyku*). **4.** *pot.* przekupstwo; ustawiony mecz *l.* walka; sfałszowane wybory. **5.** ustalenie pozycji (*np. statku, samolotu*); **get a ~ on sb/sth** zlokalizować kogoś/coś; *przen.* zrozumieć kogoś/coś.

fixate [ˈfɪkseɪt] *v.* **1.** skupiać wzrok na (*kimś l. czymś*). **2.** ~ **on** (*także* **be ~d on/with**) mieć obsesję na punkcie (*kogoś l. czegoś*).

fixation [fɪkˈseɪʃən] *n.* **1.** *t. psych.* fiksacja, obsesja, mania (*about / with sth* na punkcie czegoś). **2.** *U t. fot.* utrwalanie (*t. barwnika, garbnika*); *chem.* wiązanie (*pierwiastka*). **3.** *U* krzepnięcie, tężenie (*substancji*).

fixative [ˈfɪksətɪv] *a.* utrwalający. – *n.* środek utrwalający, utrwalacz (*do barw, rysunków*).

fixed [fɪkst] *a.* **1.** *pred.* przymocowany, przytwierdzony (*to / on / in sth* do czegoś). **2.** stały (*np. o cenach, odstępach, godzinach*); **of no ~ abode/address** *Br. prawn.* bez stałego miejsca zamieszkania. **3.** nieruchomy, niezmienny (*o wyrazie twarzy*); ~ **smile** przylepiony do twarzy uśmiech. **4.** głęboko zakorzeniony (*o pragnieniach, przekonaniach*); niewzruszony (*o postanowieniu, zamiarze*). **5.** *chem.* związany (*o pierwiastku*); nielotny (*o substancji*). **6.** *pot.* ustawiony (*o meczu*); sfałszowany (*o wynikach wyborów*); sfingowany (*o procesie*). **7.** *pot.* ustawiony (= *dobrze sytuowany*). **8.** *pred. pot.* **how are you ~ for money?** jak u ciebie *l.* jak wyglądasz z pieniędzmi?; **how are you ~ for Friday night?** czy masz coś zaplanowane na piątkowy wieczór?.

fixed assets *n. pl. ekon.* środki trwałe.

fixed capacitor *n.* (*także* **fixed condenser**) *el.* kondensator stały.

fixed charge *n. ekon.* stała opłata; koszt stały.

fixed costs *n. pl. ekon.* koszty stałe.

fixed focus *n. fot.* stała ogniskowa (*obiektywu*).

fixed idea *n.* = **idée fixe**.

fixedly [ˈfɪksɪdlɪ] *adv.* **1.** uporczywie (*zwł. wpatrywać się*). **2.** niewzruszenie. **3.** stale, niezmiennie.

fixedness [ˈfɪksɪdnəs] *n. U* **1.** uporczywość. **2.** stałość, niezmienność.

fixed oil *n.* olej nielotny.

fixed point *n. fiz.* punkt stały.

fixed-point arithmetic [ˌfɪkstˌpɔɪnt əˈrɪθməˌtɪk] *n. mat.* arytmetyka stałopozycyjna *l.* stałoprzecinkowa.

fixed property *n. U prawn.* majątek nieruchomy.

fixed star *n. astron.* gwiazda stała.

fixer [ˈfɪksər] *n.* **1.** *fot.* utrwalacz. **2.** *pot.* kombinator/ka.

fixings [ˈfɪksɪŋz] *n. pl. zwł. US i Can.* **1.** urządzenia; wyposażenie. **2.** *kulin.* dodatki (= *warzywa, pieczywo itp.*).

fixity [ˈfɪksɪtɪ] *n. U form.* stałość (*zwł. celów, przekonań*).

fixture [ˈfɪkstʃər] *n.* **1.** *zw. pl.* rzecz przymocowana na stałe; element instalacji (*np. wanna l. zlew*); **~s and fittings** *Br.* instalacje i armatura. **2.** stał-y/a pracowni-k/ca; stał-y/a mieszkaniec/ka; osoba *l.* rzecz przywiązana do miejsca; **be a (permanent) ~ in sb's life** być nieodłączną częścią *l.* stałym elementem czyjegoś życia (*zwł. o osobie*). **3.** *prawn.* przynależność; przedmiot przywiązany do majątku. **4.** *techn.* uchwyt specjalny (*mocujący przedmiot obrabiany*). **5.** *gł. Br. i Austr.* impreza (*zwł. sportowa*); data imprezy (*jw.*).

fizgig[1] [ˈfɪzˌɡɪɡ] *n.* **1.** *pirotechnika* raca. **2.** *przest.* flirciara.

fizgig[2] *n.* (*także* **fishgig**) *ryb.* oścień.

fizz [fɪz] *v.* **1.** syczeć; (cicho) bulgotać. **2.** musować. – *n. U i sing.* **1.** syk, syczenie; bulgot, bulgotanie. **2.** *Br. pot.* napój musujący (*zwł. szampan*).

fizzle [ˈfɪzl] *v.* **1.** = **fizz** *v.* 1. **2.** ~ **(out)** *pot.* spalić na panewce, skończyć się fiaskiem; wygasać (*o zainteresowaniu, ciekawości*). – *n.* **1.** = **fizz** *n.* 1. **2.** *pot.* fiasko, klapa.

fizzy [ˈfɪzɪ] *a.* **-ier, -iest** **1.** syczący, (cicho) bulgocący. **2.** *Br.* musujący, gazowany (*o napoju*).

fjord [fjɔːrd], **fiord** *n.* fiord.

FL [ˌef ˈel] *abbr.* = **Florida**.

fl. *abbr.* **1.** **floor** p. (= *piętro*). **2.** = **fluid**. **3.** = **floruit**.

Fla. *abbr.* = **Florida**.

flab [flæb] *n. U pot.* zwiotczałe *l.* obwisłe ciało; tłuszczyk.

flabbergasted ['flæbər,gæstɪd] *a. zw. pred. pot.* osłupiały; zdumiony (*at sth* czymś).

flabbiness ['flæbɪnəs] *n. U pot.* **1.** zwiotczałość. **2.** *przen.* słabość.

flabby ['flæbɪ] *a.* **-ier, -iest** *pot.* **1.** zwiotczały, sflaczały (*o mięśniach, ciele*). **2.** *przen.* słaby; ślamazarny.

flabellate [flə'belɪt] *a.* (*także* **flabelliform**) *bot., zool.* wachlarzowaty.

flaccid ['flæksɪd] *a.* **1.** wiotki, zwiotczały; zwisający, obwisły. **2.** *przen.* słaby, kiepski.

flaccidity [flæk'sɪdətɪ] *n. U* **1.** wiotkość, zwiotczałość. **2.** *przen.* słabość.

flack[1] [flæk] *n. US i Can.* agent prasowy.

flack[2] *n.* = **flak.**

flag[1] [flæg] *n.* **1.** flaga; sztandar, chorągiew; chorągiewka; bandera; **dip the ~** pochylić *l.* opuścić flagę (*jako salut*); **raise the ~** (*także Br.* **hoist the ~**) wciągać flagę; **wave a ~** machać *l.* powiewać chorągiewką. **2.** *dzienn.* tytuł (*na pierwszej stronie gazety l. czasopisma*). **3.** *myśl.* ogon (*jelenia, setera i niektórych psów myśliwskich*). **4.** znacznik (*doczepiany do strony i wystający poza nią*), zakładka. **5.** *komp.* znacznik *l.* wskaźnik stanu, flaga. **6.** *muz.* chorągiewka (*nuty*). **7.** *Austr. i NZ* chorągiewka (*taksometru*). **8.** *pl. orn.* pióra na nodze (*sokoła, jastrzębia*). **9.** *pot.* = **flag officer. 10.** *pot.* = **flagship. 11.** *przen.* **be like waving/holding a red ~ in front of a bull** *US* działać jak (czerwona) płachta na byka; **keep the ~ flying** nie poddawać się; kontynuować działalność; *Br.* godnie reprezentować swój kraj, drużynę itp. (*zwł. w sporcie*); **red ~** *US* sygnał ostrzegawczy, ostrzeżenie; **show the ~** wysuwać żądanie do terytorium *l.* akwenu poprzez obecność wojskową; *pot.* być obecnym, pojawić się; **strike/lower the ~** oddać dowództwo (*zwł. statku*); poddać się; **under the ~ of** pod sztandarem *l.* banderą (*kraju, organizacji*); **wave/show the white ~** poddawać się. – *v.* **-gg- 1.** wywieszać flagę *l.* flagi na *l.* nad (*czymś*); ozdabiać flagami. **2.** oznaczać *l.* wytyczać flagami. **3.** sygnalizować flagami. **4.** oznaczać znacznikami (*zwł. stronę*). **5. ~ (down)** zatrzymać (*taksówkę, machając*).

flag[2] *n.* = **flagstone.** – *v.* **-gg-** wykładać płytami chodnikowymi; brukować.

flag[3] *n. bot.* **1.** kosaciec, irys (*Iris*). **2.** tatarak (*Acorus calamus*). **3.** liść o kształcie mieczowatym.

flag[4] *v.* **-gg- 1.** zwisać, opadać. **2.** *przen.* słabnąć (*o energii, zainteresowaniu*); opadać z sił (*o osobie*).

Flag Day *n. US* Święto Flagi (= *14 czerwca, rocznica przyjęcia sztandaru narodowego w 1777 r.*).

flag day *n. Br.* dzień zbiórki na cele charytatywne.

flagellant ['flædʒələnt] *n.* (*także* **flagellator**) **1.** *hist., rel.* biczowni-k/czka. **2.** *psych.* osoba doznająca satysfakcji seksualnej w wyniku biczowania *l.* bycia biczowaną.

flagellate ['flædʒə,leɪt] *v.* biczować. – *a.* (*także* **flagelliform**) **1.** *biol.* biczykowaty. **2.** *bot.* rozłogowy.

flagellation [,flædʒə'leɪʃən] *n. U* biczowanie (się).

flagellator ['flædʒə,leɪtər] *n.* = **flagellant.**

flagellatory ['flædʒələ,tɔ:rɪ] *a.* biczowniczy.

flagelliform [flə'dʒelə,fɔ:rm] *a.* = **flagellate.**

flagellum [flə'dʒeləm] *pl. t.* **flagella** [flə'dʒelə] *n.* **1.** *biol.* biczyk. **2.** *bot.* rozłoga (= *pełzająca odrośl*).

flageolet [flædʒə'let] *n. muz.* flażolet.

flagging[1] ['flægɪŋ] *n. U* płyty chodnikowe; chodnik z płyt.

flagging[2] *a.* słabnący (*np. o zainteresowaniu*).

flaggy[1] ['flægɪ] *a.* **-ier, -iest** obwisły, zwisający.

flaggy[2] *a.* zrobiony z kamiennych płyt.

flagitious [flə'dʒɪʃəs] *a. form.* zbrodniczy; ohydny.

flagman ['flægmən] *n. pl.* **-men** sygnalista.

flag of convenience *n. żegl.* tania bandera.

flag officer *n. wojsk.* oficer ze stopniem kontradmirała lub wyższym (*uprawniony do wywieszania flagi wskazującej jego stopień*).

flag of truce *n.* biała flaga (*znak pokojowych zamiarów l. zaproszenia do rokowań*).

flagon ['flægən] *n.* **1.** butla, duża butelka (*zwł. wina l. jabłecznika*). **2.** dzban (*zwł. na wino*).

flagpole ['flæg,poʊl] *n.* **1.** maszt flagowy. **2. run sth up the ~** *pot.* wystąpić z czymś na próbę.

flagrancy ['fleɪgrənsɪ] *n. U* jaskrawość (*np. naruszenia prawa*).

flagrant ['fleɪgrənt] *a.* jaskrawy (*o naruszeniu prawa*); rażący (*o niesprawiedliwości*).

flagrante delicto [flə,græntɪ dɪ'lɪktoʊ] *adv.* = **in flagrante delicto.**

flagrantly ['fleɪgrəntlɪ] *adv.* jaskrawo; rażąco.

flagship ['flæg,ʃɪp] *n.* **1.** *wojsk.* okręt admiralski. **2.** *żegl.* okręt flagowy (*t. przen.* = *sztandarowy produkt*).

flagstaff ['flæg,stæf] *n.* maszt flagowy.

flagstone ['flæg,stoʊn] *n.* **1.** *U* skała, którą można rozbić na kamienie brukowe (*np. piaskowiec l. łupek*). **2.** płyta chodnikowa; *C/U* kamień brukowy.

flag stop *n. US* przystanek na żądanie (*autobusowy*).

flag-waving ['flæg,weɪvɪŋ] *n. U pot.* tani patriotyzm.

flail [fleɪl] *n.* cep. – *v.* **1.** młócić (*cepem l. cepami*). **2.** bić (*kogoś, zwł. kijem*). **3.** młócić powietrze (*o ramionach l. nogach*); **~ one's arms** młócić powietrze *l.* wymachiwać ramionami.

flair [fler] *n.* **1.** *sing.* talent, smykałka; zmysł; **have a ~ for sth** mieć smykałkę do czegoś. **2.** *U* styl, szyk; polot.

flak [flæk], **flack** *n. U* **1.** *wojsk.* ogień przeciwlotniczy. **2.** *przen.* ogień krytyki; **get/catch/take a lot of ~** (*także* **run/come into a lot of ~**) zostać ostro skrytykowanym.

flake[1] [fleɪk] *n.* **1.** płatek (*śniegu, mydlany, złuszczonej skóry*); **corn ~s** płatki kukurydziane. **2.** łuska. **3.** warstwa. **4.** *gł. US pot.* dziwak/czka. **5.** czubek. – *v.* **1. ~ (away/off)** łuszczyć (się), odrywać (się) płatami. **2.** okrywać (się) płatkami. **3.** tworzyć płatki. **4.** ~ **out** *pot.* padać ze zmęczenia.

flake² *n.* półka *l.* rusztowanie do suszenia ryb.

flake white *n. U* biały pigment z zasadowego węglanu ołowiu.

flak jacket *n.* kamizelka kuloodporna.

flaky ['fleɪkɪ] *a.* **-ier, -iest 1.** płatkowy; złożony z płatków *l.* warstw. **2.** łuszczący się. **3.** *US pot.* ekscentryczny; stuknięty.

flaky pastry *n. U* ciasto francuskie.

flam [flæm] *n. dial.* **1.** blaga. **2.** nonsens. – *v.* **-mm-** blagować.

flambé [ˌflɑːm'beɪ] *kulin. a. tylko po n.* (*także* **flambée**) flambirowany (*np. o omlecie*). – *v.* flambiryzować.

flambeau ['flæmboʊ] *n. pl. t.* **flambeaux** ['flæmboʊz] **1.** pochodnia. **2.** duży lichtarz ozdobny.

flamboyance [flæm'bɔɪəns], **flamboyancy** [flæm'bɔɪənsɪ] *n. U* **1.** ekstrawagancja. **2.** *uj.* krzykliwość.

flamboyant [flæm'bɔɪənt] *a.* **1.** ekstrawagancki. **2.** *uj.* krzykliwy. **3.** *bud.* w stylu francuskiego gotyku płomienistego.

flamboyantly [flæm'bɔɪəntlɪ] *adv.* **1.** ekstrawagancko. **2.** *uj.* krzykliwie.

flame [fleɪm] *n.* **1.** *t. przen.* płomień (*t. uczucia*); **be in ~s** płonąć; **burst into ~s** (*także* **go up in ~s**) stanąć w płomieniach; **naked ~** otwarty płomień. **2.** blask. **3.** *komp. pot.* obraźliwy list (*wysłany pocztą elektroniczną*). **4.** *przen.* **add fuel to the ~s** *zob.* **fuel** *n.*; **fan the ~s** *zob.* **fan²** *v.*; **go up in ~s/smoke** *zob.* **smoke** *n.*; **old ~** *pot. żart.* stara miłość. – *v.* **1.** *zwł. lit.* płonąć (*np. o policzkach*). **2.** opalać (*płomieniem*). **3.** *komp. pot.* wysyłać obraźliwe listy (*pocztą elektroniczną*). **4.** ~ **out/up** rozgorzeć na nowo (*o ogniu*); *przen.* zapłonąć (gniewem); ~ **out** płonąć (*np. o sygnale*); ~ **up** spłonąć rumieńcem; ~ **with sth** płonąć czymś (*np. gniewem*).

flame-arc lamp ['fleɪmˌɑːrk ˌlæmp] *n. el.* lampa łukowa (*o węglach nasyconych*).

flame-cutting ['fleɪmˌkʌtɪŋ] *n. U techn.* cięcie gazowe.

flame gun *n. ogr.* urządzenie do wypalania chwastów.

flame lamp *n. el.* żarówka z bańką w kształcie płomienia.

flameless ['fleɪmləs] *a.* bezpłomieniowy (*np. o spalaniu*).

flamenco [flə'meŋkoʊ] *n. C/U pl.* **-s** flamenco (*taniec l. muzyka*).

flameout ['fleɪmˌaʊt] *n. lotn.* zerwanie płomienia (*powodujące zgaśnięcie silnika odrzutowego podczas lotu*).

flame priming *n. U* oczyszczanie płomieniowe (*przed malowaniem*).

flameproof ['fleɪmˌpruːf] *a.* (*także* **flame resistant**) **1.** żaroodporny (*np. o szkle*). **2.** niepalny.

flame-retardant [ˌfleɪmrɪ'tɑːrdənt] *a. chem.* zmniejszający palność, opóźniający palenie się.

flame test *n. chem.* próba na barwienie płomienia.

flamethrower ['fleɪmˌθroʊər] *n. wojsk.* miotacz ognia.

flame trap *n. mot.* tłumik płomieni.

flame war *n. komp.* wymiana obraźliwych listów (*za pośrednictwem poczty elektronicznej*).

flaming ['fleɪmɪŋ] *a. attr.* **1.** płonący; płomienisty. **2.** płomienny, jaskrawy (*o kolorze*); ~ **red** płomiennie rudy (*o włosach*). **3.** gwałtowny (*np. o kłótni*). **4.** *Br. pot.* cholerny.

flamingo [flə'mɪŋgoʊ] *n.* **1.** *pl.* **-s** *l.* **-es** *l.* **flamingo** *orn.* flaming (*rodzina Phoenicopteridae*). **2.** *U* kolor pomarańczoworóżowy.

flammability [ˌflæmə'bɪlətɪ] *n. U* łatwopalność; palność, zapalność.

flammable ['flæməbl] *a.* łatwopalny; palny, zapalny.

flan [flæn] *n.* **1.** *US kulin.* krem budyniowy polewany karmelem. **2.** *Br. kulin.* tarta (*np. z owocami l. serem*). **3.** krążek monety przed wybiciem, półwyrób monety.

Flanders ['flændərz] *n. geogr., hist.* Flandria.

Flanders poppy *n. Br.* = **corn poppy**.

flange [flændʒ] *n. mech.* **1.** kołnierz; kryza. **2.** stopka; ramię (*kształtownika*). – *v.* **1.** zaopatrywać w kołnierz. **2.** wywijać (*kołnierz*). **3.** zaginać (*obrzeże blachy*).

flange coupling *n. mech.* **1.** sprzęgło kołnierzowe. **2.** połączenie (rurowe) kołnierzowe.

flanged nut [ˌflændʒd 'nʌt], **flange nut** *n. mech.* nakrętka wieńcowa.

flanged pipe, flange pipe *n. mech.* rura kołnierzowa.

flanged wheel *n. mech.* koło z wieńcem.

flank [flæŋk] *n.* **1.** bok (*ciała, budynku*). **2.** zewnętrzna strona uda. **3.** *wojsk.* skrzydło, flanka. **4.** stok, zbocze (*wzgórza, góry*). **5.** *kulin.* kawałek wołowiny z boku. – *v.* **1.** ~ **(on/upon)** znajdować się z boku (*przedmiotu, budynku*). **2.** *wojsk.* strzec skrzydła *l.* flanki (*czegoś*); atakować skrzydło *l.* flankę (*czegoś*); obejść skrzydło *l.* flankę (*czegoś*). **3. be ~ed by sb/sth** mieć kogoś/coś po obu stronach.

flanker ['flæŋkər] *n.* **1.** fortyfikacja flankująca *l.* zagrażająca flance. **2.** *wojsk.* żołnierz broniący skrzydła *l.* flanki. **3.** *rugby* skrzydłowy ataku.

flannel ['flænl] *n.* **1.** *U tk.* flanela. **2.** *Br.* myjka (*do twarzy i rąk*). **3.** *pl.* spodnie flanelowe; gruba bielizna. **4.** *U Br. pot.* kręcenie, nawijanie. – *a.* flanelowy. – *v. Br.* **-ll- 1.** ubierać we flanelę; przykrywać flanelą. **2.** wycierać flanelą. **3.** *Br. pot.* kręcić, nawijać (= *wymigiwać się od odpowiedzi*).

flannelet [ˌflænə'let], **flannelette** *n. U tk.* flaneleta.

flannelly ['flænlɪ] *a.* flanelowy.

flap [flæp] *n.* **1.** klapa (*t. samolotu*); klapka. **2.** łopotanie, trzepotanie. **3.** klepnięcie, pacnięcie; klaps. **4.** *sing. pot.* panika; podniecenie; **be in a ~** panikować; **get in/into a ~** wpaść w panikę (*about sth* z powodu czegoś). **5.** *chir.* płat (*skóry, tkanki*). – *v.* **-pp- 1.** machać (*skrzydłami, ramionami*). **2.** łopotać (*np. o żaglach*). **3.** pacnąć; dać klapsa (*komuś*). **4.** ~ **(down)** rzucić, trzasnąć. **5.** zwisać (jako klapa *l.* klapka). **6.** *pot.* podniecać się; panikować.

flapdoodle [ˈflæpˌduːdl] *n. U przest. sl.* brednie.

flapjack [ˈflæpˌdʒæk] *n.* **1.** *zwł. US i Can.* naleśnik. **2.** *Br.* herbatnik z płatków owsianych.

flapper [ˈflæpər] *n.* **1.** klapa. **2.** szeroka płetwa. **3.** ptak uczący się latać. **4.** *hist.* odważna i niekonwencjonalna młoda kobieta w latach 20. XX w. (*mocno się malująca, tańcząca charlestona itp.*).

flare [fler] *v.* **1.** migotać; rozbłyskiwać. **2.** wybuchać (*gniewem*). **3.** rozszerzać się. **4.** popisywać się; chwalić się. **5.** *metal.* podnosić temperaturę *kąpieli metalowej* aż do zapalenia się gazów nad powierzchnią kąpieli. **6.** wystrzelić racę *l.* rakietę świetlną. **7.** ~ **out** rozszerzać się (*np. o spodniach*); *przen.* wybuchać (*np. gniewem*); ~ **out at sb** *US* napaść na kogoś (= *nakrzyczeć*); ~ **up** rozbłyskiwać (*o ogniu, płomieniu*); *przen.* wybuchać (*o gniewie, zamieszkach*); zaostrzać się (*o chorobie, dolegliwościach*). – *n.* **1.** *t. astron.* rozbłysk. **2.** migotliwy płomień. **3.** sygnał świetlny; raca, rakieta świetlna. **4.** wybuch (*gniewu*). **5.** rozszerzenie. **6.** *fot.* odbicie międzysoczewkowe.

flareback [ˈflerˌbæk] *n.* wyrzucanie płomienia (*z pieca l. armaty, do tyłu l. w innym nieoczekiwanym kierunku*).

flared [flerd] *a.* kloszowy, rozszerzany ku dołowi (*np. o spodniach*).

flare path *n. lotn.* światła drogi startowej.

flares [flerz] *n. pl. pot.* dzwony (*spodnie*).

flare-up [ˈflerˌʌp] *n.* **1.** rozbłysk (*światła, płomienia*). **2.** *przen.* wybuch (*gniewu, konfliktu*); zaostrzenie się (*choroby, dolegliwości*).

flash [flæʃ] *v.* **1.** rozbłyskiwać; błyskać; **his eyes ~ed with anger** jego oczy rozbłysły gniewem. **2.** mknąć, przemykać (*by/through sth* obok czegoś/przez coś); **the thought ~ed through her mind** przemknęło jej to przez myśl. **3.** chwalić się, obnosić się z (*czymś*). **4.** ~ **(up)** *pot.* mignąć (*czymś; = pokazać przez moment*). **5.** *pot.* obnażyć się (*w miejscu publicznym*). **6.** przekazywać szybko, przesyłać (*wiadomości*). **7.** posyłać (*spojrzenie, uśmiech*). **8.** *mot.* migać (*światłami*); ~ **one's headlights** dawać znak światłami drogowymi. **9.** ~ **(out/up)** wybuchać (*o gniewie*). **10.** uszczelnić blachą (*dach*). **11.** spuścić wodę do (*rzeki*); przenieść na fali spiętrzonej wody (*barkę, statek*). **12.** powlekać (*szkło*). **13.** ~ **sth about/around** chwalić się czymś dookoła; ~ **back** powracać (*o filmie, myślach*); ~ **out** powiedzieć gniewnie; ~ **on/upon sb** olśnić kogoś (*np. o wytłumaczeniu*). – *n.* **1.** błysk; rozbłysk; *t. przen.* przebłysk (*np. zrozumienia*); ~ **of inspiration/anger** przypływ natchnienia/gniewu. **2.** chwila, ułamek sekundy; **in/like a** ~ w jednej chwili, w okamgnieniu. **3. hot ~(es)** *zwł. US pat.* uderzenia gorąca (*zwł. jako objaw menopauzy*). **4.** pokaz; parada. **5.** *dzienn.* wiadomość z ostatniej chwili. **6.** *gł. Br. wojsk.* numer jednostki (*na mundurze, pojeździe*). **7.** plama (*jasnego koloru na ciemnym tle, np. na sierści zwierzęcia*). **8.** nagły wypływ (*wody*); śluza. **9.** *US i Can.* latarka. **10.** *fot. pot.* = **flashlight**; = **flash photography**. **11.** wypływ, zalewka (*tworzywa sztucznego l. metalu na formowanym przedmiocie, w miejscu zetknięcia części formy*). **12.** *przen.* **a ~ in the pan** krótkotrwały sukces; gwiazda jednego sezonu (*o osobie, zespole, drużynie*); **quick as a ~** szybki jak błyskawica. – *a. attr.* **1.** *pot.* wystrzałowy. **2.** fałszywy. **3.** złodziejski. **4.** szybki, błyskawiczny. **5.** błyskotliwy.

flashback [ˈflæʃˌbæk] *n. teor. lit., kino* retrospekcja.

flash barrier *n. el.* osłona przeciwłukowa.

flashboard [ˈflæʃˌbɔːrd] *n. techn.* belka zakładana, szandor.

flashbulb [ˈflæʃˌbʌlb] *n. fot.* żarówka błyskowa.

flashcard [ˈflæʃˌkɑːrd], **flash card** *n. szkoln.* karta tekturowa używana jako pomoc dydaktyczna.

flashcube [ˈflæʃˌkjuːb] *n. fot.* kostka zawierająca cztery żarówki błyskowe.

flashed glass [ˌflæʃt ˈglæs] *n. U* szkło powlekane.

flasher [ˈflæʃər] *n.* **1.** światło przerywane. **2.** nadajnik błysków. **3.** *mot.* migacz. **4.** *pot.* ekshibicjonista.

flash flood *n.* nagła powódź.

flash gun *n. fot.* lampa błyskowa, flesz.

flashing [ˈflæʃɪŋ] *n. U* taśma metalowa uszczelniająca konstrukcję dachu itp.

flashing point *n.* = **flash point**.

flashlight [ˈflæʃˌlaɪt] *n.* **1.** *zwł. US i Can.* latarka. **2.** *zwł. US i Can.* światło sygnalizacyjne (*migające*). **3.** *fot.* lampa błyskowa, flesz.

flashover [ˈflæʃˌoʊvər] *n. el.* przeskok iskry; ognienie (*na komutatorze*).

flash photography *n. U fot.* fotografia w świetle błyskowym.

flash point, flashing point *n.* **1.** *chem.* temperatura zapłonu. **2.** *przen.* punkt krytyczny (*moment*); punkt zapalny (*miejsce*).

flash set *n. U bud.* wiązanie błyskawiczne (*cementu*).

flash welding *n. U techn.* zgrzewanie iskrowe.

flashy [ˈflæʃɪ] *a.* **-ier, -iest 1.** olśniewający. **2.** *uj.* krzykliwy.

flask [flæsk] *n.* **1.** (*także* **hip** ~) płaska butelka, piersiówka. **2.** (*także* **thermos/vacuum** ~) termos. **3.** *chem.* kolba. **4.** *techn.* skrzynka formierska.

flasket [ˈflæskɪt] *n.* **1.** mała piersiówka. **2.** długi płytki koszyk.

flat[1] [flæt] *a.* **-tt- 1.** płaski (*np. o powierzchni, naczyniu*); na płaskim obcasie (*o butach*); **(as) ~ as a pancake** *emf.* płaski jak stół *l.* deska; **the map was ~ on the table** mapa była rozłożona na stole; **(with one's back) ~ against the wall** przyciśnięty (plecami) do ściany. **2.** ryczałtowy, jednolity, stały (*o opłacie, stawce*). **3.** stanowczy (*o odmowie, zaprzeczeniu*); **and that's ~!** *pot.* i już!, i nie ma dyskusji!. **4.** bez powietrza (*o oponie, balonie*). **5.** zwietrzały (*o piwie, winie musującym*); **go ~** wietrzeć. **6.** mdły, bez smaku. **7.** *Br. i Austr.* rozładowany (*o akumulatorze*). **8.** kiepski (*o dowcipie*); pusty (*o uwadze*). **9.** monotonny; bezbarwny (*o głosie*); bez wyrazu (*o dźwięku, kolorze*); bez kontrastu (*o fotografii*); płaski, bez perspektywy (*o obrazie*). **10.** *pred.* nudny (*np. o sztuce, książce*). **11.** matowy (*o farbie, wykończeniu*). **12.** rozproszony (*o świetle*). **13.** *muz.* obniżony o pół tonu; zbyt niski (*o śpiewie, stroju instrumentu*); **A/D** ~ As/Des. **14.** *ekon.* w zastoju; **business/trade is** ~ w interesach/handlu panuje zastój. **15. in a ~ twenty seconds** dokładnie w dwadzieścia sekund. – *adv.* **1.** płasko (*kłaść, leżeć*). **2.** dokładnie (*z określeniami czasu*); **in five minutes** ~ dokładnie w pięć minut. **3.** *muz.* zbyt nisko. **4.** *US fin.* bez oprocentowania. **5.** ~ **(out) against** wbrew (*np. przepisom*); ~ **broke** *Br.* bez grosza; ~ **out** *pot.* z maksymalną prędkością (*jechać*); na wysokich obrotach (*pracować*); **ask/tell sb ~ out** *US* spytać kogoś/powiedzieć komuś wprost; **fall** ~ *zob.* **fall** *v.*; **go ~ against** *Br.* wyraźnie sprzeciwiać się (*komuś, czyimś radom*); **tell sb** ~ *Br.* powiedzieć komuś wprost. – *n.* **1.** płaszczyzna; powierzchnia płaska; **walk on the** ~ *Br.* chodzić po płaskim. **2.** *zw. pl.* równina; nizina; bagno; mielizna. **3.** *techn.* płaskownik; płytka płaska. **4.** *zwł. US i Austr. mot.* guma. **5.** *muz.* bemol. **6.** *teatr* kulisa (= *dekoracja na płaskiej ramie*). **7.** płaz (*broni siecznej*); **the ~ of one's hand** otwarta dłoń. **8.** *US i Can. ogr.* płaskie pudełko do sadzonek itp. **9.** *żegl.* = **flatboat**. **10.** *US kol.* = **flatcar**. – *v.* **-tt- 1.** spłaszczać (się). **2.** *US muz.* obniżać o pół tonu.

flat² *n. Br.* mieszkanie; **block of** ~ budynek mieszkalny, blok.

flatbed [ˈflætˌbed] *n. mot.* platforma.

flatbed scanner *n. komp.* skaner płaski.

flatboat [ˈflætˌbout] *n. żegl.* łódź płaskodenna.

flat cap *n.* = **cloth cap** *n.*

flatcar [ˈflætˌkɑːr] *n. US kol.* platforma (*rodzaj wagonu*).

flat-chested [ˌflætˈtʃestɪd] *a.* bez biustu.

flat chisel *n. techn.* **1.** dłuto płaskie. **2.** przecinak ślusarski.

flat file *n. techn.* pilnik płaski.

flatfish [ˈflætˌfɪʃ] *n. pl.* **-es** *l.* **flatfish** *icht.* płastuga (*rząd Pleuronectiformes*).

flatfoot [ˈflætˌfut] *n.* **1.** *U pat.* płaskostopie. **2.** *pl.* **-feet** *pat.* płaska stopa. **3.** *pl.* **-foots** *l.* **-feet** *sl. pog.* gliniarz (= *policjant*).

flat-footed [ˌflætˈfutɪd] *a.* **1.** *pat.* z płaskostopiem, cierpiący na płaskostopie. **2.** *Br. pot.* niezdarny. **3. catch sb** ~ *US przest. pot.* przyłapać kogoś na obijaniu się (*w czasie pracy*). – *adv. pot.* stanowczo; wprost.

flatiron [ˈflætˌaɪərn] *n. hist.* żelazko (*starego typu, na duszę*).

flat knot *n.* = **reef knot**.

flatlet [ˈflætlət] *n. Br. i Austr.* mieszkanko.

flatling [ˈflætlɪŋ] *adv. arch.* **1.** płasko, na płask; jak długi. **2.** płazem. – *a. arch.* zadany płazem (*o ciosie*).

flatly [ˈflætlɪ] *adv.* **1.** stanowczo (*odmówić, odrzucić*). **2.** bezbarwnym głosem (*powiedzieć*).

flatmate [ˈflætˌmeɪt] *n. Br. i Austr.* współlokator/ka.

flatness [ˈflætnəs] *n. U* **1.** płaskość (*powierzchni*). **2.** stanowczość (*odmowy*). **3.** bezbarwność (*głosu*); brak kontrastu (*fotografii*); brak perspektywy (*obrazu*).

flat-out [ˌflætˈaut] *a. attr. pot.* **1.** maksymalny (*o wysiłku, prędkości*). **2.** czysty; zupełny (*np. o fałszerstwie*).

flat racing *n. U jeźdz.* wyścigi *l.* gonitwy płaskie.

flats [flæts] *pot.* **flatties** [ˈflætɪz] *n.* buty na płaskim *l.* niskim obcasie.

flat spin *n.* **1.** *lotn.* korkociąg płaski. **2.** *przen.* kołowrót, zamęt.

flatten [ˈflætən] *v.* **1.** ~ **(out)** spłaszczać (się); wyrównywać (się) (*o terenie*). **2.** zrównać z ziemią (*budynek, miasto*). **3.** *t. przen. pot.* rozłożyć na łopatki. **4.** *Br. muz.* obniżać o pół tonu. **5.** ~ **o.s. against a wall/door** przywrzeć (ciałem) do ściany/drzwi. **6.** ~ **out** *lotn.* wyrównywać (*lot*).

flatter¹ [ˈflætər] *v.* **1.** schlebiać, pochlebiać (*komuś*); **sb is/feels ~ed that...** komuś pochlebia, że...; **she was ~ed to be invited** pochlebiało jej, że ją zaproszono. **2.** ~ **o.s.** pochlebiać sobie; łudzić się; ~ **o.s. on sth** szczycić się czymś. **3.** dodawać uroku (*komuś*); być korzystnym dla (*czyjejś figury; o stroju, kroju*); **the photo ~s him** na tym zdjęciu wygląda lepiej niż w rzeczywistości; **that dress ~s her** w tej sukience jest jej do twarzy.

flatter² *n. metal.* **1.** gładzik kowalski. **2.** ciągadło o otworze prostokątnym.

flatterer [ˈflætərər] *n.* pochleb-ca/czyni.

flattering [ˈflætərɪŋ] *a.* **1.** pochlebny (*o komentarzu*). **2.** twarzowy (*np. o sukience*); udany (*o fotografii, portrecie*).

flatteringly [ˈflætərɪŋlɪ] *adv.* pochlebnie.

flattery [ˈflætərɪ] *n.* **1.** *U* schlebianie, pochlebstwa. **2.** *pl.* **-ies** pochlebstwo.

flatties [ˈflætɪz] *n. pl. pot.* = **flats**.

flattop [ˈflætˌtɑːp] *n. US wojsk. pot.* lotniskowiec.

flatulence [ˈflætʃələns], **flatulency** [ˈflætʃələnsɪ] *n. U* **1.** *pat.* wzdęcie. **2.** *przen.* nadętość, nadęcie.

flatulent [ˈflætʃələnt] *a.* **1.** *pat.* cierpiący na wzdęcie; wywołujący wzdęcia. **2.** *przen.* nadęty, napuszony.

flatus [ˈfleɪtəs] *n. pl.* **flatus** *l.* **-es** *fizj.* gaz w przewodzie pokarmowym.

flatware [ˈflætˌwer] *n. U US i Can.* **1.** sztućce. **2.** naczynia stołowe (*płaskie, np. talerze, spodki*).

flatways [ˈflætˌweɪz], *US t.* **flatwise** [ˈflætˌwaɪz] *adv.* płasko, na płask.

flatworm [ˈflætˌwɝːm] *n. zool.* płaziniec (*typ Platyhelminthes*).

flaunt [flɔːnt] *v.* **1.** obnosić się z, afiszować się z (*czymś*). **2.** powiewać (*czymś; zwł. dumnie*). – *n.* obnoszenie się, afiszowanie się.

flauntingly [ˈflɔːntɪŋlɪ] *adv.* ostentacyjnie.

flautist [ˈflɔːtɪst] *n. Br. muz.* flecist-a/ka.

flavescent [fləˈvesənt] *a. form.* żółknący; żółtawy.

flavin [ˈfleɪvɪn] *n. U biochem.* flawina.

flavor [ˈfleɪvər], *Br.* **flavour** *n.* **1.** *C/U* smak.

2. dodatek smakowy. **3.** *sing. t. przen.* posmak; zabarwienie; atmosfera, nastrój. **4. be the ~ of the month** *Br. i Austr. pot.* być chwilowo bardzo popularnym. – *v.* **1.** nadawać smak (*czemuś*). **2.** przyprawiać, doprawiać (*jedzenie*); aromatyzować (*napój*).

flavored ['fleɪvərd], *Br.* **flavoured** *a.* **1.** *w złoż.* **vanilla/strawberry-~** o smaku waniliowym/truskawkowym. **2.** zawierający dodatki smakowe.

flavorful ['fleɪvərfʊl], *Br.* **flavourful** *a.* (*także* **flavorous**) (*także* **flavorsome**) (*także* **flavory**) **1.** o bogatym smaku. **2.** smaczny. **3.** aromatyczny.

flavoring ['fleɪvərɪŋ], *Br.* **flavouring** *n. C / U* dodatek smakowy.

flavoring extract *n.* wyciąg aromatyczny.

flavorless ['fleɪvərləs], *Br.* **flavourless** *a.* bez smaku.

flavorous ['fleɪvərəs] *a.* = **flavorful.**

flavorsome ['fleɪvərsəm] *a.* = **flavorful.**

flavory ['fleɪvərɪ] *a.* = **flavorful.**

flaw[1] [flɔ:] *n.* **1.** *t. przen.* skaza, wada; usterka. **2.** pęknięcie, rysa. **3.** błąd, słaby punkt (*np. w rozumowaniu*). **4.** *prawn.* powód nieważności. – *v.* **1.** psuć; skazić. **2.** powodować pęknięcie. **3.** pękać, rysować się.

flaw[2] *n. meteor.* **1.** podmuch wiatru. **2.** okres złej pogody.

flawed [flɔ:d] *a.* **1.** niedoskonały; wadliwy. **2.** błędny. **3.** pęknięty.

flawless ['flɔ:ləs] *a. t. przen.* bez skazy, nieskazitelny; bezbłędny; bez zarzutu.

flawlessly ['flɔ:ləslɪ] *adv.* bezbłędnie.

flax [flæks] *n. U* len (*roślina l. przędza*).

flaxboard ['flæksˌbɔ:rd] *n. C / U bud.* płyta paździerzowa (*z paździerzy lnianych*).

flaxen ['flæksən], **flaxy** ['flæksɪ] *a.* lniany, płowy (*t. o kolorze włosów*).

flax linen *n. U tk.* płótno lniane.

flaxseed ['flæksˌsi:d] *n. U* nasienie lnu, siemię lniane.

flay [fleɪ] *v.* **1.** obdzierać ze skóry, zdzierać skórę z (*kogoś l. czegoś*); skórować, zdejmować skórę z (*tuszy zwierzęcia*). **2.** *przen.* ostro skrytykować, nie zostawić suchej nitki na (*kimś*). **3.** *lit.* wygarbować skórę (*komuś*). **4.** *przest. przen.* zedrzeć skórę z (*kogoś*), obłupić (ze skóry) (= *wyciągnąć pieniądze*).

flea [fli:] *n.* **1.** *zool.* pchła (*rząd Siphonaptera*). **2. send sb off with a ~ in their ear** *przen. pot.* nagadać komuś do słuchu.

fleabag ['fli:ˌbæg] *n.* **1.** *US pot.* tani hotel. **2.** *Br. pot. pog.* wszarz (*o osobie l. zwierzęciu*).

fleabane ['fli:ˌbeɪn] *n. bot.* przymiotno (*Erigeron*); płesznik (*Pulicaria; t. inne rośliny rzekomo płoszące pchły*).

flea beetle *n. zool.* skaczący chrząszcz (*rodzina Chrysomelidae*).

fleabite ['fli:ˌbaɪt] *n.* **1.** ukąszenie pchły; ślad po ukąszeniu pchły. **2.** *przen. pot.* błahostka, bagatela.

flea-bitten ['fli:ˌbɪtən] *a.* **1.** ukąszony przez pchłę; pokąsany przez pchły. **2.** *pot.* zapchlony, parszywy. **3.** cętkowany (*o koniu*).

flea collar *n.* obroża przeciw pchłom (*dla psa l. kota*).

fleadock ['fli:ˌdɑ:k] *n. bot.* lepiężnik pospolity (*Petasites vulgaris*).

fleam [fli:m] *n. hist., med.* lancet (*do puszczania krwi*).

flea market *n.* pchli targ.

fleapit ['fli:ˌpɪt] *n. pot.* podrzędny teatr; podrzędne kino.

fleawort ['fli:ˌwɜ:t] *n. bot.* **1.** oman zwyczajny (*Inula Conyza*). **2.** babka płesznik (*Plantago psyllium*).

flèche [fleɪʃ] *n. bud.* wysmukła iglica (*zw. w miejscu przecięcia się nawy i transeptu*).

fleck [flek] *n.* **1.** plamka (*np. na sierści, upierzeniu*). **2.** drobinka, pyłek (*zwł. kurzu*). – *v.* **1.** poplamić (*with sth* czymś). **2.** usiać plamkami; **red ~ed with white** czerwony w białe plamki.

flection ['flekʃən] *n.* **1.** *U gram.* fleksja, odmiana. **2.** *C / U* zgięcie; zagięcie (*miejsce l. czynność*).

flectional ['flekʃənl] *a. gram.* fleksyjny, odmienny.

flectionless ['flekʃənləs] *a. gram.* nieodmienny.

fled [fled] *v. zob.* **flee.**

fledge [fledʒ] *v.* **1.** chować (*pisklę, aż nauczy się latać*). **2.** opierzać się (*o pisklęciu*). **3.** pokrywać *l.* ozdabiać piórami. **4.** (*także* **fletch**) mocować pierzysko do (*strzały*). **5. full(y)-~d** *zob.* **full-fledged.**

fledgeless ['fledʒləs] *a.* nieopierzony.

fledgling ['fledʒlɪŋ], **fledgeling** *n.* **1.** świeżo opierzone pisklę. **2.** *przen.* nowicjusz/ka. – *a. attr. przen.* niedoświadczony (*np. o pilocie*); nowy (*o przemyśle, przedsiębiorstwie*); młody (*o państwie, republice*).

flee [fli:] *v.* **fled, fled 1.** uciekać (*from / to* z/do). **2.** uciekać przed (*niebezpieczeństwem, głodem*); uciekać z (*kraju*). **3.** spieszyć, biec. **4.** *lit.* umykać (*o czasie, marzeniach*).

fleece [fli:s] *n. U* **1.** runo, wełna; *C* wełna z jednej owcy; **golden ~** *mit.* złote runo. **2.** *tk.* miękka tkanina podszewkowa z meszkiem. **3.** *przen.* puch. – *v.* **1.** strzyc (*owce, wełnę*). **2.** *przen.* pokrywać (jak gdyby) puchem. **3.** *przen. pot.* oskubać (*sb of sth* kogoś z czegoś).

fleecy ['fli:sɪ] *a.* **-ier, -iest 1.** wełnisty. **2.** puszysty (*t. o śniegu*).

fleer [fli:r] *v. arch.* śmiać się drwiąco, drwić (*at sb / sth* z kogoś/czegoś). – *n.* drwiące spojrzenie; drwiący uśmiech.

fleet[1] [fli:t] *n.* **1.** *żegl., wojsk.* flota; flotylla. **2.** *mot.* park (*pojazdów*).

fleet[2] *a.* **1.** *lit.* chyży; rączy (*o koniu*); **~ of foot** (*także* **~-footed**) szybkonogi. **2.** *poet.* ulotny, przemijający. – *v.* **1.** mknąć. **2.** *arch.* przemknąć; zniknąć. **3.** *żegl.* zmieniać pozycję (*liny itp.*).

fleet[3] *n. Br.* zatoczka.

fleeting ['fli:tɪŋ] *a.* przelotny; krótkotrwały.

fleetingly ['fli:tɪŋlɪ] *adv.* przelotnie.

fleetness ['fli:tnəs] *n. U poet.* szybkość, chyżość.

Fleet Street *n. U Br.* **1.** *hist.* ulica w Londynie, przy której mieściły się redakcje i drukarnie gazet. **2.** *przen.* prasa brytyjska.

Fleming ['flemıŋ] *n.* Flamand, Flamandczyk; Flamandka.

Flemish ['flemıʃ] *a. i n. U* **1.** (język) flamandzki. **2. the ~** Flamandczycy.

flench [flentʃ], **flense** [flens], **flinch** [flıntʃ] *v. ryb.* **1.** odzierać ze skóry (*fokę, wieloryba*). **2.** pozyskiwać tłuszcz z (*foki, wieloryba*).

flesh [fleʃ] *n. U* **1.** ciało (= *tkanki miękkie ludzkie l. zwierzęce*); **the ~** ciało (ludzkie) (*w odróżnieniu od ducha*). **2.** (*także* **animal ~**) mięso (*zw. z wyjątkiem ryb i drobiu*). **3.** miąższ (*owocu*). **4.** *lit.* ludzkość; istoty żywe. **5.** kolor cielisty. **6.** *pot.* ciało, tłuszczyk, zbędne kilogramy; **lose some ~** zrzucić parę (zbędnych) kilogramów. **7. bare ~** (goła) skóra; *przen.* nagie ciało *l.* ciała (*np. na plaży*). **8.** *przen.* **desires/pleasures of the ~** żądze/uciechy cielesne; **demand/get one's pound of ~ (from sb)** *zob.* **pound**[1] *n.*; **go the way of all ~** *lit.* dokonać żywota; **in the ~** we własnej osobie; **make sb's ~/skin creep/crawl** *zob.* **creep** *v.*; **press the ~** *żart.* ściskać dłonie (*zwł. o polityku w czasie kampanii wyborczej*); **put ~ on sth** rozwinąć coś (*np. plan, pomysł, argumentację*); **the spirit is willing but the ~ is weak** *zob.* **willing.** – *v.* **1.** *myśl.* dać zasmakować krwi (*psu, sokołowi*). **2.** zranić (*bronią*). **3.** *garbarstwo* mizdrować (*skórę*). **4.** tuczyć. **5. ~ (out/up)** tyć. **6. ~ out** *przen.* rozwinąć (*pomysł, argument*).

flesh and blood *n. U* (zwykły) człowiek; natura ludzka; **be more than ~ can bear/stand** przechodzić ludzką wytrzymałość, być ponad ludzkie siły; **I'm only ~!** jestem tylko człowiekiem!; **one's own ~** (własna) rodzina, członek (własnej) rodziny.

flesh-and-blood [ˌfleıʃənd'blʌd] *a. attr.* z krwi i kości (*zwł. o realistycznie przedstawionej postaci*).

flesh-colored [ˌfleʃ'kʌlərd], *Br.* **flesh-coloured** *a.* cielisty.

flesh-eater ['fleʃˌi:tər] *n. zool.* mięsożerca.

flesher ['fleʃər] *n.* **1.** *Scot.* rzeźnik (*przest. z wyj. szyldów sklepowych*). **2.** *garbarstwo* mizdrownica; mizdrownik (= *nóż do mizdrowania*).

flesh-feeding ['fleıʃˌfi:dıŋ] *a. zool.* mięsożerny.

flesh fly *n. pl.* **-ies** *zool.* ścierwica (*rodzina Sarcophagidae*).

fleshings ['fleʃıŋz] *n. pl.* **1.** *garbarstwo* mięso zeskrobane ze skóry. **2.** cieliste trykoty (*noszone np. przez akrobatów*).

fleshless ['fleʃləs] *a.* bezcielesny.

fleshly ['fleʃlı] *a.* **1.** *attr. lit.* cielesny; zmysłowy. **2.** *arch.* = **fleshy** 2.

fleshpots ['fleʃˌpɑ:ts] *n. pl. cz. żart.* miejsca uciech.

flesh wound *n. pat.* rana powierzchniowa.

fleshy ['fleʃı] *a.* **-ier, -iest 1.** mięsisty (*t. o owocu, liściu*). **2.** otyły.

fletch [fletʃ] *v.* = **fledge** *v.* 4.

fletcher ['fletʃər] *n.* wytwórca strzał.

fleur-de-lis [ˌflɝ:də'li:], **fleur-de-lys** *n. pl.* **fleurs-de-lis** *l.* **fleurs-de-lys** [ˌflɝ:də'li:z] **1.** *her.* lilia. **2.** *bot.* irys, kosaciec (*Iris*).

fleuret [flɝ:'et], **fleurette** *n.* kwiatek (*motyw zdobniczy*).

fleuron ['flɝ:ɑ:n] *n.* (*także* **flower**) *bud.* kwiaton.

fleury ['flɝ:ı] *a. Br. her.* ozdobiony liliami.

flew[1] [flu:] *v. zob.* **fly.**

flew[2] *n.* = **flue.**

flews [flu:z] *n. pl.* obwisłe wargi (*np. buldoga*).

flex [fleks] *v.* **1.** zginać (się) (*np. o kolanie*); wyginać (się) (*np. o palcach*). **2.** napinać (się) (*o mięśniach, stopie*); **~ one's muscles** *przen.* pokazać swoją siłę. – *n. C/U Br. el.* sznur (*sieciowy*); przewód giętki izolowany.

flexibility [ˌfleksə'bılətı] *a. U* giętkość; elastyczność.

flexible ['fleksəbl] *a.* giętki; elastyczny; **~ working hours** ruchomy czas pracy.

flexile ['fleksıl] *a. rzad.* = **flexible.**

flexion ['flekʃən] *n. C/U* **1.** *fizj.* zgięcie, zginanie (*kończyny l. stawu*). **2.** *gram.* = **flection** 1.

flexitime ['fleksıˌtaım] *n. Br.* = **flextime.**

flexographic [ˌfleksə'græfık] *a. druk.* fleksograficzny.

flexographically [ˌfleksə'græfıklı] *adv. druk.* fleksograficznie.

flexography [flek'sɑ:grəfı], **flexographic printing** *n. U druk.* druk anilinowy *l.* fleksograficzny.

flexor ['fleksər] *n. anat.* zginacz (*mięsień*).

flextime ['fleksˌtaım], *Br.* **flexitime** ['fleksıˌtaım] *n. U* ruchomy czas pracy.

flexuosity [ˌflekʃʊ'ɑ:sətı] *n. form.* **1.** *U* krętość. **2.** *pl.* **-ies** zakręt; kręty odcinek; kręta część.

flexuous ['flekʃʊəs], **flexuose** ['flekʃʊˌoʊs] *a. form.* **1.** wijący się, kręty. **2.** zmienny.

flexural ['flekʃərəl] *a. techn.* giętny; **~ axis** oś zgięcia *l.* zakrzywienia; **~ strength** wytrzymałość na zginanie.

flexure ['flekʃər] *n.* **1.** wygięcie; ugięcie. **2.** zgięcie; zagięcie. **3.** fałd. **4. ~ test** *techn.* próba giętkości (*materiału plastycznego*).

flibbertigibbet ['flıbərtıˌdʒıbıt] *n. przest. pot.* trzpiot/ka; papla.

flick[1] [flık] *v.* **1.** strzelać z (*bata*); trzaskać, smagać (*batem, ręcznikiem, ogonem*). **2.** pstrykać (*palcami*); **~ a piece of paper at sb** pstryknąć w kogoś kawałkiem papieru. **3. ~ channels** *telew.* skakać po kanałach (*pilotem*). **4. ~ (away/off)** strzepywać, strząsać (*pyłek, popiół*) (*from sth* z czegoś). **5. ~ (out)** wysuwać (*język*); wyrzucać (*rękę*). **6. ~ on/off** włączyć/wyłączyć (*lampę, telewizor*); **~ over** przerzucać, kartkować (*strony*); **~ through** kartkować (*książkę, czasopismo*). – *n.* **1.** trzaśnięcie, smagnięcie (*batem, ręcznikiem*). **2.** prztyczek, pstryknięcie. **3.** wyrzut (*ręki*). **4.** plamka; drobina; smuga. **5. have a (quick) ~ through sth** *pot.* przejrzeć *l.* przekartkować coś (szybko).

flick[2] *n. przest. pot. gł. US* film (*kinowy*); **the ~s** *Br.* kino.

flicker[1] ['flıkər] *v.* **1.** *t. przen.* migotać (*o świecy, płomieniu, nadziei*). **2.** trzepotać (*skrzydłami*). **3.** drgać, mrugać (*o powiekach*); **he didn't ~ an eyelid** nawet nie mrugnął (okiem). **4. a smile ~ed across/through her face** uśmiech przemknął jej po twarzy; **a thought ~ed into my head** przyszła mi do głowy pewna myśl. – *n.* 1. migotanie (*ognia, światła*); miganie (*telewizora*). 2. *przen.* iskierka (*nadziei*); cień (*bólu, strachu, uśmiechu*). 3. trzepot (*skrzydeł*); drganie (*powiek*).

flicker[2] *n. orn.* dzięcioł północnoamerykański (*Colaptes*).

flick knife *n. Br.* nóż sprężynowy.

flier ['flaıər] *n. Br.* = **flyer**.

flies [flaız] *n. pl.* 1. *Br.* rozporek. 2. *teatr* nadscenie.

flight[1] [flaıt] *n.* 1. *C/U* lot (*t. lotn.* = *rejs*); odlot; przelot; **in ~** w locie. 2. *U* umiejętność latania. 3. stado (*ptaków w locie*); rój (*np. strzał*). 4. *wojsk.* formacja lotnicza; eskadra. 5. (*także* **~ of stairs/steps**) kondygnacja, piętro. 6. *sport* płotki. 7. *orn.* lotka (*pióro*). 8. pierzysko (*strzały*). 9. *sport* podkręcenie (*piłki, lotki*). 10. *przen.* **~ of fancy/imagination** wzlot wyobraźni; wybryk fantazji; **~ of time** (szybki) upływ czasu; **in the top ~** *Br.* pierwszej *l.* najwyższej klasy (*np. o specjalistach*). – *v.* 1. przelatywać (*o stadzie dzikiego ptactwa*). 2. *myśl.* strzelać do (*ptaka w locie*). 3. mocować pierzysko do (*strzały*). 4. *sport* podkręcać (*piłkę, lotkę*).

flight[2] *n. U* ucieczka (*from sth* skądś); **be in full ~** uciekać; **put sb to ~** *przest.* zmusić kogoś do ucieczki; **take (to) ~** uciec.

flight attendant *n. lotn.* steward/essa.

flight bag *n.* lekka torba podróżna.

flight control *n. U lotn.* kontrola lotów.

flight crew *n. lotn.* załoga statku powietrznego.

flight deck *n.* 1. *wojsk.* pokład startowy (*lotniskowca*). 2. *lotn.* kabina pilota.

flight engineer *n. lotn.* mechanik *l.* inżynier pokładowy.

flight feather *n. orn.* lotka (*pióro*).

flight formation *n. lotn.* formacja lotnicza.

flightily ['flaıtılı] *adv.* kapryśnie.

flightiness ['flaıtınəs] *n. U* kapryśność, zmienność.

flight jacket *n.* kurtka lotnicza.

flightless ['flaıtləs] *a. orn., ent.* nielotny.

flight lieutenant *n. Br. wojsk.* kapitan lotnictwa.

flight path *n.* tor lotu.

flight recorder *n. lotn.* czarna skrzynka, rejestrator parametrów lotu.

flight simulator *n. lotn.* symulator lotu.

flighty ['flaıtı] *a.* **-ier, -iest** kapryśny, zmienny, niestały (*zwł. o kobiecie*).

flimflam ['flım,flæm] *pot. n.* 1. *U* bzdury, brednie. 2. oszustwo. – *a. attr.* bzdurny. – *v.* **-mm-** oszukiwać.

flimsily ['flımzılı] *adv.* 1. cienko. 2. licho. 3. marnie, słabo.

flimsiness ['flımzınəs] *n. U* 1. cienkość. 2. lichość. 3. marność, słabość.

flimsy ['flımzı] *a.* **-ier, -iest** 1. cieniuteńki (*o tkaninie*). 2. lichy (*o budynku*). 3. marny, słaby, kiepski (*o wymówce, dowodzie*). – *n.* 1. *U* cienki papier. 2. kopia (*zwł. wykonana przez kalkę na papierze jw.*).

flinch[1] [flıntʃ] *v.* 1. wzdrygać się (*np. na widok czegoś*); **she didn't (even) ~** nawet nie drgnęła. 2. **~ from sth** cofać się przed czymś (*np. przed powiedzeniem nieprzyjemnej prawdy*); wzdragać się przed czymś. – *n.* wzdrygnięcie (się); drgnięcie.

flinch[2] *v.* = **flench**.

flinders ['flındərz] *n. pl. rzad.* kawałki, odłamki; **break/fly in/into ~** połamać/rozlecieć się na kawałki.

fling [flıŋ] *v.* **flung, flung** 1. rzucać, ciskać (*sth at sb/sth* czymś w kogoś/coś); miotać (*czymś*); **~ a door/window open** gwałtownie *l.* z impetem otworzyć drzwi/okno; **~ one's arms around sb** objąć kogoś (ramionami), wziąć kogoś w ramiona; **~ o.s. at sb** *pot.* narzucać się komuś; **~ o.s. in front of a train** rzucić się pod pociąg; **~ o.s. into sb's arms** rzucić się komuś *l.* w czyjeś ramiona; **~ o.s. into sth** rzucić się w wir czegoś (*pracy, pisania książki*); rzucić się na coś (*zadanie, przedsięwzięcie*); **~ sb in prison/jail** wtrącić kogoś do więzienia. 2. rzucić (= *powiedzieć, zwł. gniewnie*); wyrzucić z siebie (*np. oskarżenie*). 3. *poet.* wydawać z siebie, wydzielać (*np. zapach*). 4. **~ away** odrzucać (*np. skrupuły*); **~ back** odrzucać do tyłu (*np. głowę, włosy*); **~ off** wybiec; **~ on/off** narzucać/zrzucać (*ubranie*); **~ out** *pot.* wyrzucić; **~ out of the room** wypaść *l.* wybiec z pokoju. – *n. zw. sing.* 1. rzut. 2. *pot.* krótki romans; **have a ~ (with sb)** mieć (z kimś) romans. 3. próba; **have a ~** at sth popróbować czegoś. 4. wyskok (= *zabawa*); **have one's ~** zabawić *l.* wyszumieć się. 5. żywy taniec szkocki.

flint [flınt] *n.* 1. *C/U min.* krzemień. 2. kamień (*do zapalniczki*). 3. **be as hard as a ~** (*także* **have a heart like ~**) *przen.* mieć serce z kamienia.

flintglass ['flınt,glæs] *n. U* flint, szkło optyczne ołowiane.

flintlock ['flınt,lɑ:k] *n. broń, hist.* 1. zamek rusznicy skałkowej. 2. rusznica skałkowa.

flint paper *n. U* papier ścierny krzemienny.

flinty ['flıntı] *a.* **-ier, -iest** 1. krzemienny. 2. *przen.* twardy; okrutny; nieustępliwy.

flinty earth *n. U min.* ziemia krzemionkowa.

flip [flıp] *v.* **-pp-** 1. pstryknąć (*np. przełącznik*). 2. pstryknąć palcami. 3. rzucać; **~ a coin** rzucać monetę *l.* monetą. 4. przerzucać (*kartki*); przewracać (*naleśnik*). 5. **~ (out)** (*także* **~ one's lid/top**) *sl. t. przen.* sfiksować (= *oszaleć*); wkurzyć się. 6. **~ open** otworzyć (*np. notatnik*). 7. **~ on/off** włączać/wyłączać (*silnik, światło*); **~ over** przerzucać (*kartki*); **~ through** kartkować (*książkę, czasopismo*). – *n.* 1. pstryk, pstryknięcie. 2. rzut, rzucenie; **~ of a coin** rzut monetą. 3. *gimnastyka* salto, koziołek (*w powietrzu*). 4. *C/U* napój alkoholowy z dodatkiem ubitego jajka. – *a. pot.* = **flippant**.

flip-flop ['flıp,flɑ:p] *n.* 1. *gimnastyka* salto do tyłu. 2. *zwł. US pot.* zwrot o 180 stopni, wolta (= *całkowita zmiana opinii, polityki itp.*). 3. *zwł. Br.* japonka (*rodzaj klapka*). 4. *el.* przerzutnik, multiwibrator bistabilny. – *v. zwł. US pot.* dokonać zwrotu o 180 stopni (*np. w polityce*).

flippancy ['flıpənsı] *n.* 1. *U* nonszalancja. 2.

niepoważna uwaga; niepoważny postępek. **3.** *C / U* impertynencja.

flippant ['flɪpənt] *a.* **1.** niepoważny (*np. o uwadze, stosunku*). **2.** nonszalancki; lekceważący. **3.** impertynencki, bezczelny.

flippantly ['flɪpəntlɪ] *adv.* **1.** nonszalancko. **2.** niepoważnie. **3.** bezczelnie.

flipper ['flɪpər] *n.* płetwa (*foki, pingwina, płetwonurka*).

flipping ['flɪpɪŋ] *Br. sl. a.* cholerny. – *adv.* cholernie.

flip side *n. sing.* **1.** strona B (*płyty*). **2.** *przen.* złe strony; niepożądane skutki (*of sth* czegoś).

flirt [flɜːt] *v.* **1.** *t. przen.* flirtować (*with sb* z kimś). **2.** pstryknąć; popchnąć. **3.** machać (*wachlarzem, ogonem*). **4.** rzucać się (*do przodu*). **5.** *przen.* ~ **with danger/death** igrać z niebezpieczeństwem/ze śmiercią; ~ **with the idea of sth/doing sth** rozważać coś/zrobienie czegoś nie całkiem serio. – *n.* flircia-rz/rka.

flirtation [flɜː'teɪʃən] *n. C / U t. przen.* flirt.

flirtatious [flɜː'teɪʃəs] *a.* (*także* **flirty**) flirciarski; zalotny; kokieteryjny.

flirtatiously [flɜː'teɪʃəslɪ] *adv.* flirciarsko; zalotnie; kokieteryjnie.

flirtatiousness [flɜː'teɪʃəsnəs] *n. U* zalotność; kokieteria.

flirty ['flɜːtɪ] *a.* **-ier, -iest** = **flirtatious.**

flit [flɪt] *v.* **-tt- 1.** przefruwać, przelatywać; przebiegać. **2.** migać, ukazywać się w przelocie. **3.** przemknąć (*t. o uśmiechu, wyrazie twarzy*); ~ **across/into/through sb's mind** przemknąć komuś przez myśl. **4.** *Br. pot.* wynosić się cichaczem. **5.** *gł. Scot.* przeprowadzać się. – *n.* **1.** przelot. **2.** przemknięcie. **3.** *gł. Scot.* przeprowadzka. **4.** *gł. US sl.* pedał (*= homoseksualista*). **5. do a (moonlight)** ~ *Br. pot.* wynieść się cichaczem.

flitch [flɪtʃ] *n.* **1.** *kulin.* połeć wieprzowiny. **2.** *kulin.* stek z ryby (*np. z boku halibuta*). **3.** kawałek budulca z pnia drzewnego (*zwł. z jego części zewnętrznej*). **4.** *bud.* belka złożona (*z przekładką stalową*). – *v.* pociąć na kawałki (*pień*).

flite [flaɪt], **flyte** *płn. Br. dial. v.* **1.** łajać. **2.** narzekać na. **3.** kłócić się z (*kimś*). – *n.* **1.** kłótnia. **2.** połajanka.

flitter ['flɪtər] *v.* = **flutter.**

flivver ['flɪvər] *n. przest. sl.* gruchot (*samochód*).

float [floʊt] *v.* **1.** unosić się na wodzie, dryfować, pływać; *t. przen.* unosić się, płynąć (*t. o dźwiękach, zapachach, osobie poruszającej się z gracją*); *t. przen.* przepływać (*t. o myślach*); ~ **to the surface** wypłynąć na powierzchnię. **2.** unosić się w powietrzu, szybować; ~ **up into the sky** wznieść *l.* unieść się w powietrze (*np. o balonie*); **be ~ing on air** *przen. pot.* nie posiadać się ze szczęścia. **3.** spławiać (*drewno*); puszczać (*np. łódki*). **4.** puszczać w obieg (*pomysł w celu przetestowania go*). **5.** *fin.* upłynniać kurs (*waluty*). **6.** *ekon.* zakładać (*spółkę, firmę*). **7.** *giełda* rozprowadzać (*akcje*). **8.** *ekon.* być w obiegu (*o wekslu*). **9.** ~ **a check** *US* wystawić czek bez pokrycia. **10.** *hydrol.* zalewać; nawadniać (*ziemię*). **11.** *bud.* gładzić; rozprowadzać, wyrównywać (*np. tynk*). **12.** ~ **(around/about)** krążyć (*np. o plotkach*); snuć się bez celu (*o osobie*). – *n.* **1.** pływak (*do unoszenia się na wodzie, w zbiorniku, u wodnosamolotu*). **2.** *ryb.* spławik. **3.** *zool.* pęcherz pławny. **4.** tratwa. **5.** *lotn.* pływak (*hydroplanu*). **6.** drobne (*pieniądze*). **7.** *rel.* figura niesiona w czasie procesji. **8.** ruchoma platforma (*używana w karnawale, paradach*). **9.** *gł. US i Can. kulin.* napój gazowany z pływającą kulką lodów. **10.** *pl. teatr zob.* **floats. 11.** *bud.* packa tynkarska; zacieraczka. **12.** pilnik gruboząbny o pojedynczym nacięciu. **13.** *tk.* nić doprowadzona do powierzchni tkaniny (*zwł. tworząca wzór*). **14.** *gł. US fin.* wartość niezrealizowanych czeków, weksli itp. **15.** mały pojazd dostawczy (*zwł. akumulatorowy*).

floatable ['floʊtəbl] *a.* spławny (*np. dla tratw*).

floatage ['floʊtɪdʒ] *n. Br.* = **flotage.**

floatation [floʊ'teɪʃən] *n. Br.* = **flotation.**

floater ['floʊtər] *n.* **1.** pływa-k/czka. **2.** *anat.* plamka (*w polu widzenia*). **3.** *US* osoba często zmieniająca miejsce pobytu *l.* pracy. **4.** *US i Can.* wyborca nie związany z żadną partią polityczną; wyborca głosujący bezprawnie w kilku okręgach wyborczych; przekupny wyborca.

float-feed ['floʊtˌfiːd] *a. attr. mech.* zasilany paliwem przy pomocy pływaka.

floating ['floʊtɪŋ] *a.* **1.** pływający. **2.** płynny, zmienny. **3.** *techn.* mający swobodę ruchu posuwistego i obrotowego; ruchomy, nie umocowany.

floating anchor *n.* = **drag anchor.**

floating assets *n. pl. fin.* środki obrotowe.

floating axle *n. techn.* oś odciążona.

floating bridge *n.* **1.** most pontonowy. **2.** część mostu oparta na pontonach. **3.** prom (*łańcuchowy*).

floating capital *n. U fin.* kapitał obrotowy.

floating debt *n. fin.* dług krótkoterminowy.

floating dock *n.* dok pływający.

floating factory *n. żegl.* statek-przetwórnia.

floating kidney *n. pat.* wędrująca nerka.

floating light *n. żegl.* **1.** latarniowiec. **2.** pława *l.* boja świetlna.

floating-point calculation [ˌfloʊtɪŋˌpɔɪnt ˌkælkjə'leɪʃən] *n. U komp.* liczenie zmiennoprzecinkowe *l.* zmiennopozycyjne.

floating population *n.* ludność niestała.

floating rate *n. fin.* kurs płynny.

floating rib *n. anat.* żebro wolne.

floating supply *n. U ekon.* dostawy bieżące.

floating vote *n. C / U* wyborca *l.* wyborcy nie popierający regularnie jednej partii politycznej.

floatplane ['floʊtˌpleɪn] *n. lotn.* = **hydroplane.**

floats [floʊts] *n. teatr* rampa.

float switch *n.* wyłącznik pływakowy.

float valve *n.* zawór pływakowy.

floc [flɑːk] *n.* = **floccule.**

floccose ['flɑːkoʊs] *a. t. chem.* kłaczkowaty.

flocculant ['flɑːkjələnt] *n. chem.* (*także* **flocculating agent**) flokulant, czynnik kłaczkujący.

flocculate ['flɑːkjəˌleɪt] *v. chem.* zbijać (się) w kłaczki; strącać w postaci kłaczków.

floccule ['flɑ:kju:l] *n.* (*także* **floc, flock**) *chem.* kłaczek; kłaczki (*np. zawiesiny*).

flocculent ['flɑ:kjələnt] *a. chem.* kłaczkowaty.

flocculus ['flɑ:kjələs] *n. pl.* **flocculi** ['flɑ:kjəlaɪ] **1.** *t. chem.* kłaczek. **2.** *anat.* kłaczek móżdżkowy. **3.** *astron.* = **plage.**

floccus ['flɑ:kəs] *n. pl.* **flocci** ['flɑ:ksaɪ] **1.** kłak; kłaczek. **2.** kiść (*na końcu ogona*). **3.** *zool.* puch (*na pisklęciu*).

flock[1] [flɑ:k] *n. cz. t. pl.* **1.** stado (*owiec, kóz, ptaków*). **2.** tłum, gromada (*np. turystów*); *zw. sing.* stadko, gromadka (*dzieci w rodzinie*); **come in ~s** nadchodzić tłumnie. **3.** *rel. form. l. żart.* owczarnia. – *v.* **1.** przybywać tłumnie; podążać tłumnie; gromadzić się tłumnie (*around sb/sth* wokół kogoś/czegoś) (**to sb/sth** przy kimś/czymś). **2.** tłoczyć się; **~ out** wychodzić tłumnie.

flock[2] *n.* **1.** = **floccule. 2.** *U* odpady wełny, bawełny itp. używane do wypełniania materaców oraz w tapicerce. – *v.* **1.** wypełniać (*materac, tapicerkę, materiałem jw.*). **2.** podklejać kłaczkami (*tapetę l. tkaninę w celu uzyskania wypukłego wzoru*).

flock paper *n. U* tapeta welurowa.

flocky ['flɑ:kɪ] *a.* **-ier, -iest** kłaczkowaty.

floe [floʊ] *n.* (*także* **ice ~**) kra (*na morzu*).

flog [flɑ:g] *v.* **-gg- 1.** chłostać, smagać, bić. **2.** *zwł. Br. pot.* opchnąć (= *sprzedać*). **3.** łopotać (głośno) (*o żaglu*). **4.** *przen.* **~ o.s. to death/into the ground** zamęczyć się na śmierć; **~ sth to death** *zwł. Br.* powtarzać coś do znudzenia *l.* w kółko; **be ~ing a dead horse** *zob.* **horse** *n.*

flogging ['flɑ:gɪŋ] *n. C/U* chłosta, kara chłosty.

flong [flɑ:ŋ] *n. druk.* **1.** *U* materiał na matryce (*karton l. masa papiernicza*). **2.** matryca (*z materiału jw.*).

flood [flʌd] *n.* **1.** *C/U* powódź; wylew (*rzeki*); **be in ~** wylać (*o rzece*); **the F~** *Bibl.* potop; **from before the F~** *żart.* przedpotopowy. **2.** *przen.* potok, potoki (*słów, łez*); zalew (*np. towarów z importu*); **in ~s/a ~ of tears** zalewając się łzami (*np. wybiec z pokoju*). **3.** *arch. l. poet.* toń. **4.** *pot.* = **floodlight.** – *v.* **1.** zalewać, zatapiać (*o rzece, wodzie*); zostać zalanym (*o gruntach, piwnicy*). **2.** *przen.* zalewać (*rynek towarami*); zasypywać (*kogoś prezentami, listami*); być zalewanym *l.* zasypywanym (*with sth* czymś). **3.** wylewać (*o rzece, strumieniu*). **4.** napływać (masowo) (*np. o uchodźcach, ofertach, datkach*); **colour ~ed (into) his cheeks** krew napłynęła mu do twarzy (= *zaczerwienił się*). **5.** *mot.* zalewać (*silnik, gaźnik*); być zalanym (*o silniku, gaźniku*). **6.** *pat.* mieć krwotok z macicy; mieć nienaturalnie obfite krwawienie miesiączkowe.

flood control *n. U hydrol.* ochrona przeciwpowodziowa.

floodgate ['flʌdˌgeɪt] *n.* **1.** *hydrol.* śluza; wrota śluzy. **2.** *przen.* tama, bariera; **open the ~s** znosić *l.* usuwać bariery.

flooding ['flʌdɪŋ] *n. U* **1.** zalanie. **2.** wylanie, wylew (*rzeki, jeziora*).

floodlight ['flʌdˌlaɪt] *n.* **1.** reflektor (*szerokostrumieniowy l. iluminacyjny*). **2.** *U* oświetlenie, iluminacja. – *v. pret. i pp.* **-lit** oświetlać reflektorami.

flood mark *n.* najwyższy stan wód powodziowych.

flood plain *n.* teren zalewowy (*rzeki*).

flood tide *n.* przypływ.

floor [flɔ:r] *n.* **1.** podłoga. **2.** piętro (*budynku*); **first ~** *US* parter; *Br.* pierwsze piętro; **ground ~** *Br.* parter; **second ~** *US* pierwsze piętro; **top ~** ostatnie *l.* najwyższe piętro. **3. the ~** dno (*rzeki, jaskini, doliny*); **the ocean ~** (*także* **the ~ of the ocean**) dno oceanu. **4.** *sing. parl.* sala posiedzeń; **on the Senate ~** w sali posiedzeń Senatu, w Senacie. **5. the ~** prawo głosu (*w zgromadzeniu, na posiedzeniu*); **ask for/have the ~** prosić o/mieć głos; **give sb the ~** udzielać komuś głosu; **questions from the ~** pytania z sali; **take the ~** zabierać głos; **the ~ is yours** oddaję Pan-u/i głos. **6.** *giełda* parkiet. **7.** (*także* **dance ~**) parkiet (taneczny); **take the ~** wyjść na parkiet (= *zacząć tańczyć*). **8.** *Br. mot.* = **floorboard** 2. **9.** *żegl.* dennik. **10.** *górn.* spąg. **11.** *sing.* minimum (*zarobków, cenowe*), najniższy poziom. **12.** *przen. pot.* **go through the ~** spaść na łeb na szyję (*zwł. o cenach, akcjach*); **mop/wipe the ~ with sb** dołożyć komuś, rozłożyć kogoś na łopatki (= *pokonać*). – *v.* **1.** pokrywać podłogą; układać podłogę w (*pomieszczeniu*). **2.** powalić (na ziemię). **3.** *pot.* zbić z tropu. **4. ~ it** *US pot.* dodać gazu.

floorage ['flɔ:rɪdʒ] *n.* powierzchnia podłogi.

floorboard ['flɔ:rˌboʊrd] *n.* **1.** *zw. pl.* deska podłogowa. **2.** *mot.* podłoga (*samochodu*).

floorcloth ['flɔ:rˌklɔ:θ] *n.* szmata do podłogi.

flooring ['flɔ:rɪŋ] *n. U* materiał podłogowy, podłoga.

floor lamp *n. US* lampa stojąca.

floor leader *n. US polit.* przywódca grupy parlamentarnej (*danej partii*).

floor-length [ˌflɔ:r'leŋkθ] *a.* do ziemi (*np. o sukni*).

floor manager *n. handl.* kierownik piętra (*w domu towarowym*).

floorplan ['flɔ:rˌplæn] *n. bud.* plan piętra.

floor show, floorshow *n.* występy artystyczne w nocnym klubie.

floorthrough ['flɔ:rˌθru:] *n.* mieszkanie zajmujące całe piętro domu.

floorwalker ['flɔ:rˌwɔ:kər] *n. US* = **floor manager.**

floozy ['flu:zɪ], **floozie, floosy, floosie** *n. obelż. sl.* lafirynda.

flop [flɑ:p] *v.* **-pp- 1. ~ (down)** klapnąć, paść (*na łóżko, fotel*). **2.** trzasnąć, rzucić (*gazetę, książkę*). **3.** *pot.* zrobić klapę (*np. o przedstawieniu*). **4.** *sl.* kimać (= *spać*); **~ (out)** uderzyć w kimono (= *zasnąć; pójść spać*). **5. ~ into/over sb's eyes** wpadać komuś do oczu (*o włosach*). **6. ~ about/around** obijać się (*dosł.*). – *n.* **1.** *sing.* klapnięcie; plusk. **2.** *pot.* klapa (*np. o przedstawieniu*). **3.** (*także* **~house**) *US i Can. pot.* noclegownia; tani hotel.

floppily ['flɑ:pɪlɪ] *adv.* opadając miękko.

floppiness ['flɑ:pɪnəs] *n. U* miękkość.

floppy ['flɑːpɪ] *a.* **-ier, -iest** miękko opadający (*np. o uszach*). – *n. pl.* **-ies** (*także* ~ **disk**) *komp.* dyskietka.

flora ['flɔːrə] *n. C / U pl. t.* **florae** ['flɔːriː] **1.** flora, roślinność. **2.** = **intestinal flora**.

floral ['flɔːrəl] *a.* **1.** kwiatowy (*np. o zapachu*). **2.** w kwiaty *l.* kwiatki (*o wzorze, sukience, tapecie*).

floral envelope *n. bot.* = **perianth**.

floral tribute *n.* wiązanka kwiatów, wieniec, kwiaty (*na grobie*).

floreated ['flɔːrɪˌeɪtɪd] *a.* = **floriated**.

Florence ['flɔːrəns] *n. geogr.* Florencja.

Florentine ['flɔːrənˌtiːn] *a.* florencki. – *n.* florenty-ńczyk/nka.

florescence [flou'resəns] *n. U form.* **1.** *bot.* kwitnięcie; okres kwitnienia. **2.** *przen.* rozkwit.

florescent [flou'resənt] *a. form.* kwitnący; *przen.* w rozkwicie.

floret ['flɔːrɪt] *n.* (*także* **floweret**) **1.** *bot.* kwiatek (*część kwiatostanu złożonego*). **2.** *kulin.* różyczka (*kalafiora, brokuła*).

floriated ['flɔːrɪˌeɪtɪd], **floreated** *a. bud.* zdobiony motywami kwiatowymi.

floriculture ['flɔːrɪˌkʌltʃər] *n. U form.* hodowla kwiatów, kwiaciarstwo.

floriculturist [ˌflɔːrɪ'kʌltʃərɪst] *n. form.* hodowca kwiatów, kwiacia-rz/rka.

florid ['flɔːrɪd] *a. lit.* **1.** rumiany (*zwł. w niezdrowy sposób*). **2.** kwiecisty, ozdobny (*o stylu architektonicznym, języku*).

Florida ['flɔːrɪdə] *n. geogr.* Floryda.

floridity [flɔː'rɪdətɪ] *n. U lit.* **1.** zarumienienie. **2.** kwiecistość, ozdobność (*stylu*).

floridly ['flɔːrɪdlɪ] *adv. lit.* kwieciście, ozdobnie.

florin ['flɔːrɪn] *n. fin.* **1.** floren (*Br. hist. = moneta o wartości dwóch szylingów; t. = złota l. srebrna moneta z Florencji, Wielkiej Brytanii, Austrii l. Afryki Płd.*). **2.** floren, gulden (*holenderski*).

florist ['flɔːrɪst] *n.* **1.** kwiacia-rz/rka. **2.** (*także* **~'s (shop)**) kwiaciarnia.

floruit ['flɔːruːɪt] *v.* (*także* **fl.**) *Lat.* okres najintensywniejszej działalności przypadał na lata... (*zw. w biogramie postaci historycznej, której daty urodzin i śmierci nie są znane*).

flory ['flɔːrɪ] *a. her.* zawierający (andegaweńskie) lilie heraldyczne.

floss [flɔːs] *n. U* **1.** odpadki jedwabne; włókno jedwabne. **2.** oprzęd kokonu. **3.** (*także* **dental ~**) nić dentystyczna. – *v.* czyścić (zęby) nicią dentystyczną.

floss silk *n. U* filozela (= *przędza jedwabna używana do haftowania*).

flossy ['flɔːsɪ] *a.* **-ier, -iest** **1.** jedwabisty; puszysty. **2.** oprzędowy. **3.** *US i Can.* krzykliwy, przeładowany wulgarnymi ozdobami (*o stroju*).

flotage ['floutɪdʒ], *Br.* **floatage** *n. U* **1.** unoszenie się na wodzie, pływanie. **2.** pływalność. **3.** przedmioty unoszące się na wodzie; szczątki wraku; pływające śmieci.

flotation [flou'teɪʃən] *n. U* **1.** pływanie, unoszenie się na powierzchni (*cieczy*). **2.** *fin.* emisja (*akcji*). **3.** uruchomienie (*przedsiębiorstwa*). **4.** *górn.* flotacja.

flotilla [flou'tɪlə] *n.* flotylla.

flotsam ['flɑːtsəm] *n. U* **1.** szczątki (wraku). **2.** (*także* ~ **and jetsam**) rupiecie; *przen.* włóczędzy, włóczęgi; życiowi rozbitkowie.

flounce[1] [flaʊns] *v.* ~ **(about)** miotać się; ~ **out of the room** wymaszerować z pokoju (*celowo akcentując ruchy dla okazania wzburzenia*). – *n. sing.* żachnięcie się.

flounce[2] *n.* falbana. – *v.* ozdabiać falbaną *l.* falbanami.

flouncy ['flaʊnsɪ] *a.* **-ier, -iest** (*także* **flounced**) falbaniasty, z falbanami *l.* falbankami (*o sukience, kotarze*).

flounder[1] ['flaʊndər] *v.* **1.** miotać się, rzucać się (*o pływaku*). **2.** brnąć, grzęznąć (*w błocie, śniegu*). **3.** plątać się (*o mówcy*). **4.** kuleć (*o gospodarce*).

flounder[2] *n. pl.* **flounder** *pl.* **-s** *icht.* **1.** (*także* **fluke**) flądra (*Platichthys flesus*). **2.** *US i Can.* płastuga (*rodzina Pleuronectidae l. Bothidae*).

flour [flaʊr] *n. U* mąka; mączka. – *v.* **1.** posypywać mąką. **2.** przemielać na mąkę.

flourish ['flɝːɪʃ] *v.* **1.** *przen.* kwitnąć, być w rozkwicie, prosperować; **he's ~ing** świetnie mu się powodzi. **2.** wymachiwać, wywijać (*przedmiotem trzymanym w ręce*). **3.** popisywać się (*czymś*). **4.** grać fanfary. **5.** pisać artystycznie, kaligrafować. **6.** dodawać elementy ozdobne do (*pisma, liter*); *przen.* ozdabiać figurami retorycznymi (*mowę, wypowiedź*). – *n.* **1.** zawijas (*w piśmie*). **2.** popis (*zwł. oratorski l. muzyczny*). **3.** *muz.* fanfara. **4. with a** ~ zamaszyście; z rozmachem.

flourishing ['flɝːɪʃɪŋ] *a. przen.* kwitnący, prosperujący, w rozkwicie.

flour mill *n.* młyn zbożowy.

floury ['flaʊrɪ] *a.* **-ier, -iest** **1.** mączny. **2.** posypany mąką, omączony. **3.** mączysty (*np. o ziemniakach*).

flout [flaʊt] *v.* **1.** lekceważyć, świadomie łamać (*prawo, zasady, tradycję*). **2.** ~ **(at)** szydzić *l.* drwić z (*czegoś*).

flow [flou] *v.* **1.** *t. przen.* płynąć (*o rzece, gazie, prądzie, lawie, tłumie*); krążyć (*o krwi*). **2.** ~ **(freely)** lać się (strumieniami) (*np. o winie*). **3.** wpływać (*in / into sth* do czegoś) (*t. przen. o pieniądzach*); wypływać (*from sth* z czegoś); przepływać (*through sth* przez coś). **4.** spływać (*o włosach, szatach*). **5.** toczyć się (*o rozmowie*); ~ **freely/easily** toczyć się swobodnie. **6.** *form.* płynąć (*o wnioskach*), wynikać (*from sth* z czegoś). **7.** wznosić się (*o przypływie*). **8.** ~ **in** *t. przen.* wpływać, napływać (*o pieniądzach, zgłoszeniach, informacjach*); ~ **out** *t. przen.* wypływać (*o płynach, pieniądzach*); ~ **over sb** *przen.* spływać po kimś (*o zarzutach, krytyce*); ~ **with sth** być zalanym czymś; *przen.* opływać w coś. – *n. zw. sing.* **1.** *t. przen.* przepływ (*wody, krwi, rzeki, idei*); dopływ (*np. krwi do mózgu*); wypływ (*np. ropy*); napływ (*np. informacji, zgłoszeń*); upływ (*np. krwi*); **stem/staunch the ~ of blood** zatamować upływ krwi. **2.** przypływ (*morza*). **3.** *t.*

przen. prąd (*rzeki*); strumień (*ruchu drogowego*); **go/move against/with the ~** *przen.* iść pod prąd/z prądem. **4.** *U* potok (*słów, myśli*); **interrupt/break sb's ~** przerwać potok czyichś słów. **5. ebb and ~** *zob.* **ebb** *n.* 2.

flowage ['floʊɪdʒ] *n. U* **1.** płynięcie. **2.** zalewanie. **3.** spływanie; **ice/soil ~** spływanie lodu/gleby.

flow chart *n.* (*także* **flow diagram/sheet**) blokowy schemat działania, organigram.

flower ['flaʊər] *n.* **1.** kwiat; kwiatek. **2.** *U t. przen.* rozkwit; **be in ~** kwitnąć; **come into ~** zakwitać, rozkwitać. **3.** *lit.* **the ~ of sth** kwiat czegoś (= *najlepsza część; elita*); **in the ~ of one's youth** w kwiecie wieku; **the ~ of the nation's youth** kwiat młodzieży kraju. **4.** *bud.* = **fleuron. 5.** *Br. przest.* kwiatuszku (*sposób zwracania się do kogoś*). – *v.* **1.** kwitnąć. **2.** *przen.* rozkwitać (*np. o talencie*). **3.** ozdabiać kwiatami *l.* wzorami kwiatowymi.

flowerage ['flaʊərɪdʒ] *n. U form.* kwiaty.

flower arranging *n. U* układanie kwiatów.

flowerbed ['flaʊərbed] *n.* klomb; grządka kwiatowa, rabatka.

flower children *n. pl. hist.* dzieci-kwiaty (= *hipisi*).

flower-de-luce [ˌflaʊərdəˈluːs] *n. pl.* **flowers-deluce** *arch.* = **fleur-de-lis.**

flowered ['flaʊərd] *a.* **1.** w kwiaty *l.* kwiatki, kwiecisty (*o wzorze, tkaninie, tapecie*). **2.** *w złoż.* **large/red-~ (plant)** (roślina) o dużych/czerwonych kwiatach.

flowerer ['flaʊərər] *n.* **early/late ~** roślina wcześnie/późno kwitnąca.

floweret ['flaʊərət] *n.* **1.** = **floret. 2.** *poet.* kwiatek, kwiatuszek.

flower girl *n.* **1.** *US i Scot.* dziewczynka niosąca kwiaty w orszaku weselnym. **2.** *Br.* kwiaciarka.

flower head *n. bot.* główka (*typ kwiatostanu*).

flowering ['flaʊərɪŋ] *a.* kwitnący. – *n. U lit.* rozkwit.

flower-of-an-hour [ˌflaʊərəvənˈaʊər] *n. bot.* ketmia południowa (*Hibiscus trionum*).

flower people *n. pl. Br.* = **flower children.**

flowerpot ['flaʊərˌpɑːt] *n.* doniczka.

flower power *n. U hist.* ideologia dzieci-kwiatów.

flower show *n.* wystawa kwiatów.

flowers of sulfur *n. pl. chem.* kwiat siarczany.

flowery ['flaʊərɪ] *a.* **-ier, -iest 1.** = **flowered** 1. **2.** kwiatowy (*o zapachu*). **3.** *uj.* kwiecisty (*o mowie, stylu*).

flowing ['floʊɪŋ] *a.* płynny (*o stylu, linii, konturze*); potoczysty (*o mowie*).

flowing tide *n.* prąd przypływu; *przen.* rosnąca fala.

flowmeter ['floʊˌmiːtər] *n. hydrol.* przepływomierz.

flown [floʊn] *pp. zob.* **fly**[2] *v.*

flow sheet *n.* = **flow chart.**

fl. oz. *abbr.* = **fluid ounce.**

flu [fluː] *n. U pot.* **(the) ~** grypa.

flub [flʌb] *v.* **-bb-** *US pot.* **1.** pokpić sprawę. **2.** zawalić (*egzamin*); położyć (*rolę*).

fluctuate ['flʌktʃʊˌeɪt] *v.* zmieniać się (*nieregularnie*); wahać się, oscylować (*between A and B* pomiędzy A i B).

fluctuation [ˌflʌktʃʊˈeɪʃən] *n. C/U* wahania, fluktuacje.

flue[1] [fluː] *n.* **1.** *techn.* kanał spalinowy *l.* dymowy. **2.** *techn.* płomienica. **3.** (*także* **~ pipe**) *muz.* piszczałka wargowa.

flue[2] *n. U* puch; puszek.

flue[3] *n. ryb.* rodzaj sieci rybackiej.

flue[4] *n.* = **fluke**[2] *n.* 1.

flue gases *n. pl.* spaliny, gazy spalinowe.

fluency ['fluːənsɪ] *n. U* biegłość, płynność; **~ in Spanish** biegła znajomość hiszpańskiego.

fluent ['fluːənt] *a.* płynny (*o ruchach, stylu, mowie*); biegły (*o osobie, znajomości języka*); **she speaks ~ Japanese** (*także* **she's ~ in Japanese**) biegle mówi po japońsku.

fluently ['fluːəntlɪ] *adv.* płynnie (*np. czytać*); biegle (*posługiwać się obcym językiem, grać na instrumencie*).

fluff [flʌf] *n. U* **1.** puch; puszek (*t. na młodym zwierzęciu*). **2.** meszek, kłaczki (*na tkaninie, dywanie*). **3.** *przen.* błahostki; bzdury. **4. a bit of ~** *pot.* niezła cizia. – *v.* **1. ~ (out/up)** wzburzać (*włosy*); napuszać (*pióra*); poprawiać (*poduszki*). **2.** *pot.* zawalić (*egzamin*); położyć (*rolę*); **~ one's lines** pomylić *l.* potknąć się w tekście (*o aktorze*).

fluffiness ['flʌfɪnəs] *n. U* puszystość.

fluffy ['flʌfɪ] *a.* **-ier, -iest** puszysty (*t. kulin., np. o omlecie*); puchaty.

flugelhorn ['fluːglˌhɔːrn] *n. muz.* sakshorn.

fluid ['fluːɪd] *n. C/U* płyn; ciecz; **bodily ~s** *fizj.* płyny ustrojowe. – *a.* **1.** płynny, ciekły (*o substancji*). **2.** płynny (*np. o ruchach*). **3.** *pred.* płynny, zmienny (*np. o planach*).

fluidity [fluːˈɪdətɪ] *n. U* płynność.

fluidly ['fluːɪdlɪ] *adv.* płynnie.

fluid ounce *n.* uncja objętości płynu (*US = ok. 0,030 l; Br. = ok. 0,028 l*).

fluke[1] [fluːk] *n. pot.* fuks; **by a ~** fuksem (*zdobyć, wygrać*). – *v.* zdobyć, trafić *l.* wygrać fuksem.

fluke[2] *n.* **1.** (*także* **flue**) łapa (*kotwicy*); grot (*włóczni, harpuna*). **2.** *pl.* ogon wieloryba (*l. podobnego zwierzęcia*).

fluke[3] *n.* **1.** (*także* **flounder**) *icht.* flądra (*Platichthys flesus*). **2.** *zool.* motylica (*pasożyt*).

fluky ['fluːkɪ], **flukey** *a.* **-ier, -iest** *pot.* **1.** szczęśliwy (*o zdarzeniu, rezultacie, przypadku*). **2.** niepewny, zmienny (*o pogodzie*).

flume [fluːm] *n.* **1.** koryto (*strumienia*). **2.** kanał sztuczny; rynna spławiakowa. **3.** rynna zjeżdżalni (*w wesołym miasteczku*). – *v.* spławiać kanałem (*pnie*).

flummery ['flʌmərɪ] *n. U* **1.** *lit.* puste komplementy; bzdury. **2.** *gł. Br. kulin.* legumina (*zwł. owsiana*).

flummox ['flʌməks] *v. pot.* speszyć, zmieszać.

flung [flʌŋ] *v. zob.* **fling** *v.*

flunk [flʌŋk] *v. zwł. US, Can. i NZ szkoln., uniw. pot.* **1.** oblać (*egzamin, przedmiot, stu-*

denta). **2.** ~ **out of school/college** wylecieć *l.* zostać wylanym ze szkoły/koledżu.

flunkey [ˈflʌŋkɪ] *n.* (*także* **flunky**) **1.** *gł. hist.* służący w liberii. **2.** *pog.* lokaj, fagas, służalec.

flunkeyism [ˈflʌŋkɪˌɪzəm] *n. U* służalczość, lokajstwo.

flunky [ˈflʌŋkɪ] *n. pl.* **-ies** = **flunkey**.

fluor [ˈfluːɔːr] *n. min.* = **fluorite**.

fluoresce [ˌfluːəˈres] *v.* fluoryzować.

fluorescence [ˌfluːəˈresəns] *n. U* fluorescencja.

fluorescent [ˌfluːəˈresənt] *a.* **1.** fluorescencyjny (*o tarczy, farbie, barwniku*); jarzeniowy, fluorescencyjny (*o świetle*). **2.** odblaskowy (*o kolorze*).

fluorescent lamp *n. el.* świetlówka, lampa fluorescencyjna.

fluorescent screen *n.* ekran fluoryzujący.

fluoric [fluːˈɔːrɪk] *a. chem.* fluorowy.

fluoridate [ˈflʊrɪˌdeɪt] *n.* fluorować (*wodę pitną*).

fluoridation [ˌflʊrɪˈdeɪʃən] *n. U* fluorowanie.

fluoride [ˈfluːəˌraɪd] *n. U chem.* fluorek.

fluorine [ˈfluːəˌriːn] *n. U chem.* fluor.

fluorite [ˈfluːəˌraɪt] *n. U* (*także* **fluor**) (*także* **fluorspar**) *min.* fluoryt.

fluorocarbons [ˌflʊroʊˈkɑːrbənz] *n. pl. chem.* fluoropochodne węglowodorów.

fluoroscope [ˈflʊrəˌskoʊp] *n. radiologia* rentgenoskop, fluoroskop.

fluoroscopic [ˌflʊrəˈskɑːpɪk] *a.* fluoroskopowy.

fluoroscopy [flʊˈrɑːskəpɪ] *n. U* fluoroskopia, rentgenoskopia.

fluorspar [ˈfluːɔːrˌspɑːr] *n. min.* = **fluorite**.

flurried [ˈflɝːɪd] *a.* **1.** chaotyczny (*np. o imprezie*). **2.** zdezorientowany (*o osobie*).

flurry [ˈflɝːɪ] *n. pl.* **-ies** **1.** *sing.* poruszenie, podniecenie; *giełda* ożywienie; **a ~ of activity/excitement** przypływ ożywienia/podniecenia; **a ~ of objections/speculation** fala sprzeciwu/spekulacji. **2.** *meteor.* śnieżyca (*krótkotrwała, z wiatrem wiejącym w różnych kierunkach*); ulewa (*jw.*); podmuch (*wiatru*). **3.** ostatnie podrygi (*zwł. upolowanego wieloryba*). – *v.* **-ying, -ied** **1.** dezorientować. **2.** wprawiać w podniecenie. **3. it flurried all night** śnieżyło całą noc.

flush[1] [flʌʃ] *v.* **1.** zarumienić (się), zaczerwienić (się) (*with sth* z czegoś) (*np. ze wstydu*). **2.** rumienić się, błyszczeć (*różowym kolorem*). **3.** spłukiwać (się); ~ **the toilet** spuszczać wodę (w toalecie), spłukiwać (*after o.s.* po sobie); ~ **sth down the toilet** spuścić coś (w toalecie). **4.** ~ **(out)** przepłukiwać (*rurę, dren*); wypłukiwać (*np. toksyny z organizmu*). **5.** zalewać (*łąkę*). – *n.* **1.** rumieniec, wypieki; **hot ~(es)** *zwł. Br. pat.* uderzenia gorąca (*zwł. jako objaw menopauzy*). **2.** *sing. przen.* przypływ; poryw; upojenie (*zwycięstwem, sukcesem*); **a ~ of excitement/pride** przypływ podniecenia/dumy; **in the first ~ of youth** *lit.* w pierwszych porywach młodości. **3.** strumień (*wody*). **4.** spłuczka (*w toalecie*). **5.** (*także* ~ **out**) przepłukanie. – *a.* rumiany, zarumieniony, zaczerwieniony.

flush[2] *a. zw. pred.* **1.** równy (*with sth* z czymś). **2.** przylegający (*against sth* do czegoś). **3.** *druk., komp.* bez wcięć (*o układzie strony*). **4.** *pot.* przy forsie (*zwł. niespodziewanie i na krótko*). **5.** pełny (po brzegi) (*o naczyniu, pojemniku*); wezbrany (*o rzece*); ~ **with sth** *t. przen.* obfitujący w coś. **6.** celny (*o ciosie*). – *adv.* **1.** równo (*with sth* z czymś); ~ **against sth** tuż przy czymś. **2.** *pot.* prosto; bezpośrednio; **a hit/blow ~ on the jaw** *boks* uderzenie/cios prosto w szczękę. – *v.* wyrównywać. – *n. ogr.* okres gwałtownego wzrostu (*młodych liści, pędów*).

flush[3] *n. poker* kolor.

flush[4] *v.* **1.** płoszyć; zmuszać do ucieczki (*dzikie ptactwo, przestępców*). **2.** ~ **out** wypłoszyć (*z kryjówki*).

flushable [ˈflʌʃəbl] *a.* spłukiwalny, nadający się do spłukania (*np. o środkach higieny*).

flush deck vessel *n. żegl.* gładkopokładowiec.

flushed [flʌʃt] *a.* zarumieniony, zaczerwieniony; ~ **with success** *przen.* promieniejący sukcesem.

flush-head rivet [ˌflʌʃˌhed ˈrɪvɪt] *n.* nit wpuszczany z łbem płaskim.

flush switch *n. el.* wyłącznik podtynkowy.

fluster [ˈflʌstər] *v.* zdenerwować (się); zmieszać (się). – *n. sing. Br.* podenerwowanie; **in a ~** podenerwowany.

flustered [ˈflʌstərd] *a.* podenerwowany; wzburzony.

flute [fluːt] *n.* **1.** *muz.* flet. **2.** *muz.* piszczałka wargowa (*w organach*); flet (*rejestr organowy*). **3.** żłobek, rowek (*t. bud.: pionowy kolumny*). – *v.* **1.** wydawać dźwięki podobne do fletu (*np. gwiżdżąc l. śpiewając*). **2.** żłobić, rowkować; *bud.* żłobkować, kanelować (*kolumnę*).

fluted [ˈfluːtɪd] *a.* **1.** fletowy (*o dźwięku*). **2.** żłobiony; *bud.* żłobkowany, kanelowany (*o kolumnie*).

fluting [ˈfluːtɪŋ] *n. U* żłobkowanie, żłobki, rowki; *bud.* kanelowanie, kanele (*kolumny*).

flutist [ˈfluːtɪst] *n. gł. US i Can. muz.* flecista/ka.

flutter [ˈflʌtər] *v.* **1.** trzepotać (się) (*zwł. o skrzydłach; t. pat., zwł. o sercu*); łopotać (*o fladze, żaglu*); (*także* ~ **its wings**) trzepotać skrzydłami (*o ptaku, motylu*). **2.** ~ **(about)** fruwać; ~ **(down)** sfruwać (*t. np. o liściach*). **3.** drżeć; niepokoić się; ~ **(about)** miotać się. **4.** ~ **one's eyelashes at sb** *zw. żart.* rzucać komuś zalotne spojrzenia (*o kobiecie*). – *n. C/U* **1.** trzepotanie (*t. pat.*), trzepot; łopotanie, łopot; **atrial/ventricular ~** *pat.* migotanie przedsionków/komór. **2.** *sing. przen.* podniecenie; zamieszanie; **all of a ~** cały drżący (*z podniecenia*); **cause a ~** wywołać podniecenie; **in a ~ (of excitement)** podniecony. **3.** *pływanie* = **flutter kick**. **4.** *lotn.* flatter, trzepotanie (= *drgania samowzbudne skrzydła*). **5.** *Br. pot.* drobny zakład (*zwł. na wyścigach*); **have a ~** postawić małą sumę (*zwł. na konia*).

flutter kick *n. pływanie* nożyce (*ruch nóg w stylu dowolnym*).

fluttery [ˈflʌtərɪ] *a.* **1.** trzepoczący; łopoczący. **2.** drżący.

fluty [ˈfluːtɪ] *a.* **-ier, -iest** fletowy (*o dźwięku*).

fluvial [ˈfluːvɪəl] *a.* (*także* **fluviatile**) rzeczny.

fluvial outwash *n. U geol.* osad rzeczny.

flux [flʌks] *n. U* **1.** wypływ; upływ; przepływ. **2.** *przen.* ciągłe zmiany *l.* wahania; **be in (a state of) ~** nieustannie się zmieniać. **3.** *t. fiz. l. przen.* strumień; **electric/luminous ~** *fiz.* strumień elektryczny/świetlny. **4.** *metal.* topnik; stapianie. **5.** *pat. przest.* biegunka. – *v.* **1.** *t. metal.* topić (się); stapiać (się). **2.** *metal.* pokrywać topnikiem. **3.** *arch.* płynąć; wypływać.

flux density *n. U fiz.* gęstość strumienia.

fluxion [ˈflʌkʃən] *n.* **1.** *mat. przest.* pochodna. **2.** = **flux** *n.* 1, 2.

fluxional [ˈflʌkʃənl], **fluxionary** [ˈflʌkʃəˌnerɪ] *a.* **1.** płynny; zmienny. **2.** *mat.* dotyczący pochodnych.

fluxmeter [ˈflʌksˌmi:tər] *n. el.* strumieniomierz, fluksometr.

fly[1] [flaɪ] *v.* **flew, flown, -ied, -ying 1.** latać; lecieć (*o pasażerach, samolocie*); przelecieć (*dystans*); **~ at (a height of) 10,000 m** lecieć na wysokości 10 000 m; **~ (across) the Atlantic** przelecieć Atlantyk; **we'll ~ economy class** polecimy klasą turystyczną. **2.** latać, fruwać (*o ptakach, owadach*). **3.** pilotować (*samolot*); **~ a mission** *wojsk.* odbyć lot bojowy. **4.** przewozić samolotem (*pasażerów, ładunek*). **5.** powiewać (*o fladze, włosach na wietrze*); powiewać (*flagą*). **6. ~ a kite** puszczać latawiec; *przen.* badać, skąd wieje wiatr (*sondując opinię publiczną*); **go ~ a kite!** *US i Can. pot.* idź i zostaw mnie w spokoju!. **7.** pędzić (*t. o pojeździe*), gnać, lecieć; **go ~ing across the room** przelecieć przez pokój (*np. po popchnięciu, ciosie, potknąwszy się*); **(I'm late,) I must ~** *pot.* (jestem spóźniony,) muszę lecieć *l.* pędzić *l.* uciekać; **she came ~ing into the room** wpadła do pokoju. **8.** wykonać gwałtowny ruch; **~ open/shut** otworzyć/zamknąć się gwałtownie *l.* z impetem (*np. o drzwiach*); **let ~** rzucić (*np. kamień*); wypuścić, wystrzelić (*strzałę*). **9.** *t. przen.* uciekać; **~ the country** uciec z kraju; **the bird has flown** *przen.* ptaszek uciekł (*zwł. o więźniu*); **time flies** czas ucieka. **10.** *przen.* **~ by the seat of one's pants** *pot.* działać na wyczucie; **~ high** *US* być w doskonałym nastroju; **~ in the face of sth** stać w (jawnej) sprzeczności z czymś (*np. z dowodami, faktami*); **~ in the face of reason/common sense** urągać zdrowemu rozsądkowi; **~ the coop** *pot. zob.* **coop** *n.*; **as the crow flies** *zob.* **crow**[1] *n.*; **keep the flag ~ing** *zob.* **flag**[1] *n.*; **let ~** zaatakować (*with sth* czymś); **let ~ at sb** *pot.* naskoczyć na kogoś (*wyładowując gniew*); **sparks were ~ing** *zob.* **spark**[1] *n.* **11. ~ about/around** być szeroko omawianym (*o pomysłach, pogłoskach*); **~ apart** rozlecieć się; **~ at sb** (*także US* **~ into sb**) rzucić się na kogoś (= *zaatakować*); **~ away/off** odlecieć (*o ptaku*); **~ by/past** przelecieć; przelecieć obok (*czegoś*); przelatywać (*o samolotach na defiladzie, pokazie*); przelecieć szybko (*o czasie, wakacjach*); **~ down** sfrunąć; **~ in** przylatywać (*samolotem l. o samolocie*); wlecieć; przywozić *l.* sprowadzać samolotem; **~ in/into** przylatywać na (*określone lotnisko*) (*from sth* skądś); **~ into a rage** wpadać we wściekłość; **~ off** odlecieć (*o ptaku*); odlecieć, odpaść (*o klamce*); **~ off the handle** *pot.* wściec się; **~ out** wylatywać, odlatywać (*samolotem l. o samolocie*); **~ out of** *US* wylatywać *l.* odlatywać z (*określonego lotniska*); **~ up** unieść się *l.* wzlecieć *l.* poszybować (w górę) (*np. o balonie*). – *n. pl.* **-ies 1.** *US, Can., Austr.* rozporek. **2.** (*także Br.* **~sheet**) tropik; klapa (*u wejścia do namiotu*). **3.** = **flywheel**. **4.** *techn.* dźwignia napędowa prasy śrubowej ręcznej. **5.** *druk.* urządzenie *l.* osoba do odbierania zadrukowanych arkuszy. **6.** zewnętrzna krawędź flagi; szerokość flagi. **7.** *pl. teatr* = **flies** *n.* 2. **8.** *Br. hist.* dorożka jednokonna. **9.** *U* **on the ~** w pośpiechu; w locie; *komp. pot.* w trakcie działania programu. – *a.* **-ier, -iest** *przest. pot.* cwany.

fly[2] *n. pl.* **-ies 1.** *ent., ryb.* mucha. **2.** *przen. pot.* **a/the ~ in the ointment** *zob.* **ointment; be a ~ on the wall** obserwować, samemu będąc niewidzialnym; **be going down/dropping like flies** padać jak muchy; **drink with the flies** *zob.* **drink** *v.*; **sb wouldn't harm/hurt a ~** ktoś (nawet) muchy by nie skrzywdził; **there are no flies on him** *Br. pot.* on nie jest głupi (= *nie da się łatwo oszukać*).

fly agaric *n. bot.* muchomor (*Amanita muscaria*).

fly ash *n. U* popiół lotny, koksik.

flyaway [ˈflaɪəˌweɪ] *a. attr.* **1. ~ hair** włosy cienkie i trudne do układania (*rozwiewające się na wszystkie strony*). **2.** *przen.* trzpiotowaty; frywolny (*o osobie*).

flyblow [ˈflaɪˌbloʊ] *n. zw. pl.* jajeczko *l.* larwa muchy. – *v.* **-blew, -blown 1.** składać jajeczka w (*mięsie itp.*). **2.** kazić, zanieczyszczać.

flyblown [ˈflaɪˌbloʊn] *a. zwł. Br.* **1.** pełen jajeczek *l.* larw much, robaczywy. **2.** skażony, zanieczyszczony. **3.** *przest. pot.* zapuszczony.

flyboat [ˈflaɪˌboʊt] *n. żegl.* **1.** szybka łódź holenderska o płaskim dnie. **2.** szybki żaglowiec.

fly book *n. ryb.* pudełko na muchy.

flyboy [ˈflaɪˌbɔɪ] *n. US pot.* lotnik.

fly bridge *n.* = **bridge**.

flyby [ˈflaɪˌbaɪ], **fly-by** *n. pl.* **-s 1.** przelot (*zwł. pojazdu kosmicznego obok wyznaczonego miejsca w celach obserwacyjnych*). **2.** *US lotn.* = **flyover** 1.

fly-by-night [ˈflaɪbaɪˌnaɪt] *a. attr.* **1.** niepewny (*zwł. finansowo*); nastawiony na szybki zysk. **2.** krótkotrwały. – *n.* (*także* **~er**) **1.** dłużni-k/czka uciekając-y/a przed wierzycielami. **2.** podejrzana *l.* niepewna firma. **3.** nocny ptak (*o osobie*).

flycatcher [ˈflaɪˌkætʃər] *n. orn.* muchołówka (*rodziny Muscicapidae i Tyrannidae*).

fly-drive [ˈflaɪˌdraɪv] *a. attr.* z opłatą obejmującą przelot i wynajęcie samochodu na miejscu (*o wczasach*).

flyer [ˈflaɪr] *n.* (*także* **flier**) **1.** ulotka reklamowa. **2.** *pot.* lotnik. **3.** *pot.* długi skok. **4.** *US pot.* ryzykowne przedsięwzięcie; ryzykowna transakcja. **5.** stopień (*prostych schodów*). **6.** *techn.* skrzydełko (*przędzarki*). **7.** *sport pot.* = **flying start** 2. **8. high-~** *zob.* **high**.

flyfishing [ˈflaɪˌfɪʃɪŋ] *n. U ryb.* łowienie ryb na muchę.

fly-half [ˈflaɪˌhæf] *n. rugby* skrzydłowy młyna.

flying ['flaɪɪŋ] *a. attr.* **1.** latający. **2.** lotniczy (*np. o okularach*). **3.** krótki, krótkotrwały (*o wizycie, podróży*). **4.** rozwiany (*o włosach*). **5. with ~ colors** celująco (*np. zdać egzamin*). – *n. U* latanie.

flying boat *n. lotn.* wodnopłatowiec (łodziowy), łódź latająca.

flying bridge *n.* (*także* **fly bridge**) *żegl.* **1.** pomost nawigacyjny. **2.** pomost komunikacyjny (*na zbiornikowcu*).

flying buttress *n. bud.* łuk przyporowy.

flying club *n. lotn.* aeroklub.

flying crane *n. lotn.* dźwig latający (= *śmigłowiec przenoszący ciężary*).

flying dragon *n.* (*także* **flying lizard**) smok latający (*Draco volans; t. inne jaszczurki z rodzaju Draco*).

Flying Dutchman *n. zob.* **Dutchman.**

flying field *n. lotn.* małe lotnisko.

flying fish *n. icht.* ryba latająca (*rodzina Exocoetidae*).

flying fortress *n. lotn.* latająca forteca.

flying fox *n. zool.* duży nietoperz tropikalny z rodzaju *Pteropus*; **common/large ~** kalong, pies latający (*Pteropus vampyrus*); **Indian ~** rudawka wielka (*Pteropus giganteus*).

flying instruments *n. pl. lotn.* przyrządy pokładowe.

flying jib *n. żegl.* latacz, jeger.

flying jump *n.* (*także* **flying leap**) skok z rozbiegu.

flying lizard *n.* = **flying dragon.**

flying sail *n. żegl.* żagiel luźny.

flying saucer *n.* latający talerz.

flying squad *n. Br.* lotna brygada (*policji*).

flying squirrel *n.* wiewiórka latająca, polatucha (*Glaucomys volans*).

flying start *n.* **1.** *sport* lotny start. **2.** (*także* **flyer**) *sport* falstart. **3. get off to a ~** *przen.* brawurowo zacząć.

flying suit *n. lotn.* kombinezon lotniczy.

flying wing *n. lotn.* latające skrzydło (*typ samolotu*).

flyleaf ['flaɪˌliːf] *n. pl.* **-leaves** strona przedtytułowa.

flyman ['flaɪmən] *n. pl.* **-men** *teatr* pomocnik teatralny.

fly-on-the-wall [ˌflaɪɑːnðə'wɔːl] *a. attr. telew.* pokazujący ludzi w zwykłych sytuacjach życiowych (*o programie*).

flyover ['flaɪˌoʊvər] *n.* **1.** (*także* **flyby**) *US lotn.* przelot samolotów (*w defiladzie*). **2.** *Br.* wiadukt, estakada.

flypaper ['flaɪˌpeɪpər] *n. U* lep na muchy.

fly-past ['flaɪˌpæst] *n. Br.* = **flyover** 1.

flyscreen ['flaɪˌskriːn] *n.* siatka przeciw owadom (*na okno*).

flysheet ['flaɪˌʃiːt] *n.* **1.** ulotka. **2.** *Br.* = **fly**[1] *n.* 2.

flyspecked ['flaɪˌspekt] *a.* upstrzony przez muchy.

flyswatter ['flaɪˌswɑːtər] *n.* packa na muchy.

flytrap ['flaɪˌtræp] *n.* **1.** *orn.* muchołówka (*Muscicapidae*). **2.** *bot.* muchołówka (*Dionaea muscipula*). **3.** muchołapka.

flyweight ['flaɪˌweɪt] *n. sport* **1.** bokser wagi muszej. **2.** zapaśnik wagi muszej.

flywheel ['flaɪˌwiːl] *n. mech.* **1.** koło zamachowe. **2.** balans zegarka. **3. fluid ~** sprzęgło hydrauliczne.

FM [ˌef 'em] *abbr.* **frequency modulation** modulacja częstotliwości, FM.

fm. *abbr.* **1.** = **fathom. 2.** = **from.**

FMB [ˌef ˌem 'biː] *abbr.* = **Federal Maritime Board.**

FMCS [ˌef ˌem ˌsiː 'es] *abbr.* = **Federal Mediation and Conciliation Services.**

f-number ['efˌnʌmbər] *n.* (*także* **focal ratio**) *opt., fot.* otwór względny obiektywu.

F.O. [ˌef 'oʊ] *abbr.* = **Foreign Office.**

foal [foʊl] *n.* źrebię, źrebak; **in/with ~** źrebna (*o klaczy*). – *v.* oźrebić się; urodzić (*źrebię*).

foam [foʊm] *n. U* **1.** piana; pianka (*na powierzchni napoju, do golenia, z tworzywa sztucznego*). **2.** *poet.* morze. – *v. t. przen.* pienić się; **~ at the mouth** toczyć pianę z ust.

foamed concrete [ˌfoʊmd 'kɑːnkriːt] *n. U* pianobeton.

foamed plastic *n. U* tworzywo (sztuczne) piankowe.

foam extinguisher *n.* gaśnica pianowa.

foam rubber *n. U* guma piankowa.

foamy ['foʊmɪ] *a.* **-ier, -iest** spieniony; pienisty.

fob[1] [fɑːb] *n.* **1.** tasiemka *l.* dewizka u zegarka. **2.** kieszonka (*na zegarek*). **3.** breloczek (*u zegarka l. na kółku do kluczy*).

fob[2] *v.* **-bb- ~ sb off with sth** zbyć kogoś czymś; **~ sth off on/upon sb** wcisnąć coś komuś (*zwł. towar gorszej jakości*).

f.o.b. [ˌef ˌoʊ 'biː], **FOB** *abbr.* **free on board** *handl.* franco statek.

foc [ˌef ˌoʊ 'siː] *abbr.* **free of charge** *Br. handl.* bezpłatnie, bez ponoszenia kosztów.

focal ['foʊkl] *a. t. opt., pat.* ogniskowy.

focal distance *n.* = **focal length.**

focal infection *n. pat.* zapalenie ogniskowe.

focalize ['foʊkəˌlaɪz] *v.* = **focus** *v.*

focal length *n.* (*także* **focal distance**) (*także* **focus**) *opt.* (odległość) ogniskowa.

focally ['foʊklɪ] *adv.* ogniskowo.

focal plane shutter *n. fot.* migawka szczelinowa.

focal point *n.* **1.** punkt centralny. **2.** (*także* **focus**) *opt.* ognisko.

focal ratio *n.* = **f-number.**

focus ['foʊkəs] *n. pl.* **-es** *l.* **foci** ['foʊsaɪ] **1.** *mat. fiz., opt., pat.* ognisko. **2.** *U* ostrość; **bring sth into ~** nastawiać ostrość czegoś (*np. kamery*); **depth of ~** *opt., fot.* głębia ostrości; **in/out of ~** ostry/nieostry (*o obrazie*); nastawiony/nienastawiony na ostrość (*np. o teleskopie*). **3.** *przen.* centrum; **be the ~ of attention/interest** znajdować się w centrum uwagi/zainteresowania. **4.** *U przen.* skupienie uwagi (*on sth* na czymś); nacisk (*on sth* na coś); **bring/throw sth into ~** skupić uwagę (opinii publicznej) na czymś. **5.** = **focal length. 6.** = **focal point** 2. – *v. Br.* **-ss-** (*także*

focalize) **1.** ustawiać ostrość (*teleskopu, obiektywu*). **2.** skupiać (się).

focus group *n. socjol.* wywiad zogniskowany.

focusing ['foukəsɪŋ], *Br.* **focussing** *a. attr.* **1.** *opt., el.* ogniskujący (*o śrubie, cewce, układzie*). **2.** *opt.* skupiający (*o soczewce*).

focusing screen *n. fot.* matówka.

fodder ['fɑːdər] *n. C/U* **1.** pasza. **2.** *przen.* pożywka; ~ **for the imagination** pożywka dla wyobraźni. **3. cannon** ~ *zob.* **cannon**. – *v.* karmić paszą.

FOE [ˌef ˌoʊ 'iː], **FoE** *abbr.* **Friends of the Earth** Przyjaciele Ziemi (*organizacja propagująca ochronę środowiska*).

foe [foʊ] *n. lit.* wróg, nieprzyjaciel.

foehn [feɪn] *n. meteor.* fen.

foeman ['foʊmən] *n. pl.* **-men** *arch. l. poet.* nieprzyjaciel, wróg (*na wojnie*).

foetal ['fiːtl] *a. Br.* = **fetal**.

foeticide ['fiːtɪˌsaɪd] *n. Br.* = **feticide**.

foetid ['fetɪd] *a. Br.* = **fetid**.

foetor ['fiːtər] *n. Br.* = **fetor**.

foetus ['fiːtəs] *n. Br.* = **fetus**.

fog¹ [fɑːg] *n. C/U* **1.** mgła; **ground** ~ *meteor.* mgła przyziemna; **thick/heavy** ~ gęsta mgła. **2.** *fot.* zadymienie (*na negatywie*). **3. in a** ~ *pot.* skołowany. – *v.* **-gg- 1.** zamglić; ~ **(up)** zamglić się, zajść mgłą. **2.** *fot.* zadymić (*negatyw*). **3.** ~ **the issue** zaciemniać sprawę.

fog² *n. U roln.* **1.** druga trawa, potraw. **2.** druga trawa zostawiona na zimę.

fog bank *n. meteor.* ławica mgły.

fogbound ['fɑːgˌbaʊnd] *a.* **1.** unieruchomiony przez mgłę (*zwł. o lotnisku*). **2.** zakryty mgłą.

fogbow ['fɑːgˌboʊ] *n. meteor.* łuk słoneczny (*we mgle*), biała tęcza.

fogey ['foʊgɪ] *n.* = **fogy**.

fogged ['fɑːgd] *a.* (*także* **foggy**) *fot.* zadymiony.

foggy ['fɑːgɪ] **-ier, -iest** *a.* **1.** zamglony, mglisty. **2.** mglisty, niejasny (*np. o wspomnieniu*). **3.** zagubiony, skołowany. **4.** = **fogged**. **5. not have the foggiest (idea/notion)** *pot.* nie mieć najmniejszego *l.* bladego *l.* zielonego pojęcia.

foghorn ['fɑːgˌhɔːrn] *n.* **1.** *żegl.* róg mgłowy. **2.** *pot.* tubalny głos.

fog light, *Br.* **fog lamp** *n. mot.* reflektor przeciwmgłowy *l.* przeciwmgielny.

fogy ['foʊgɪ], **fogey** *n. pl.* **-ies** (*także* **old** ~) *pot.* stary piernik.

fogyish ['foʊgɪɪʃ] *a.* staroświecki.

fogyism ['foʊgɪˌɪzəm] *n. U* staroświeckość.

foible ['fɔɪbl] *n.* **1.** *zw. pl.* słabostka. **2.** *szerm.* część klingi od środka do końca.

foie gras [ˌfwɑː 'grɑː] *n. U kulin.* pasztet z gęsich wątróbek.

foil¹ [fɔɪl] *n.* **1.** *U* folia (*aluminiowa*). **2.** *U* posrebrzenie (*lustra*). **3.** *bud.* przyłucze. **4. be a** ~ **to/for sth** uwydatniać *l.* podkreślać coś (*zwł. pozytywne cechy przez kontrast*). – *v.* **1.** (*także* **foliate**) *bud.* ozdabiać rozetami *l.* blaszkami. **2.** umieszczać folię pod (*drogim kamieniem*).

foil² *n.* **1.** *myśl.* ślad, trop (*zwł. przysłaniający ślad tropionej zwierzyny*). **2.** *arch.* niepowodzenie; porażka. – *v.* **1.** udaremnić (*próbę*); pokrzyżować (*plany*); *arch.* odpierać (*atak, napastnika*); **he was ~ed in his plans** pokrzyżowano mu plany. **2.** *myśl.* zacierać (*ślad, trop*).

foil³ *n. szerm.* floret.

foison ['fɔɪzən] *n. arch. l. poet.* **1.** obfitość. **2.** obfite żniwo.

foist [fɔɪst] *v.* **1.** ~ **sth (off) on/upon sb** wpychać *l.* wciskać coś komuś (*np. towar gorszej jakości*); narzucać coś komuś (*np. poglądy, kierownictwo*). **2.** ~ **sth in/into sth** wprowadzać coś do czegoś (*podstępnie, chyłkiem*).

fol. *abbr.* **1.** = **folio**. **2.** = **following**.

fold¹ [foʊld] *v.* **1.** ~ **(up)** składać (się) (*np. parasol, łóżko, ubranie*); składać (się), zaginać (się) (*np. papier*); ~ **sth in two/half** złożyć coś na pół. **2.** ~ **one's arms/legs** skrzyżować ramiona/nogi. **3.** składać (*skrzydła*). **4.** ~ **(up)** owijać (*np. jabłko*) (*in sth* w coś). **5.** *poet.* spowijać (*o nocy, mgle*). **6.** oplatać (*np. ramiona*) (*about/around sth* wokół czegoś); ~ **sb in one's arms** *lit.* objąć kogoś ramionami. **7.** ~ **away/down/up** składać (się) (*np. łóżko, stół*); ~ **in** *kulin.* dodawać, delikatnie mieszając (*np. pianę z białek*); ~ **out** rozkładać (się) (*np. łóżko, stół*); ~ **up** upaść (*o firmie, organizacji*); zamknąć (*firmę, organizację*). – *n.* **1.** zagięcie (*na papierze*). **2.** fałda (*sukni, materiału*). **3.** *t. geol.* fałd. **4.** zagłębienie (*w pofałdowanym terenie*). **5.** zwój (*np. liny*).

fold² *n.* **1.** owczarnia, koszara; stado owiec. **2. the** ~ *przen.* owczarnia (= *kościół l. jego członkowie*); wspólnota; **come back/return to the** ~ wrócić na łono wspólnoty; **stray from/leave the** ~ opuścić *l.* porzucić wspólnotę. – *v.* zamykać w owczarni.

foldaway ['foʊldəˌweɪ] *a. attr.* składany (*o meblu*).

folded dipole [ˌfoʊldɪd 'daɪˌpoʊl] *n. radio, telew.* dipol pętlowy.

folder ['foʊldər] *n.* **1.** teczka (*papierowa*). **2.** *komp.* folder. **3.** folder, broszurka. **4.** (złożony) okólnik. **5.** składacz/ka. **6.** *druk.* falcówka (= *maszyna do składania arkuszy drukarskich*).

folding ['foʊldɪŋ] *a. attr.* składany (*o rowerze, meblu*).

folding door *n.* drzwi składane (*w harmonijkę*).

folding money *n. U pot.* banknoty.

foldout ['foʊldˌaʊt], **fold-out** *n.* = **gatefold**.

foldup ['foʊldˌʌp] *a. attr.* składany.

foliaceous [ˌfoʊlɪ'eɪʃəs] *a. bot.* **1.** liściowy; liściowaty. **2.** liściasty. **3.** *t. geol.* listkowy, blaszkowy.

foliage ['foʊlɪɪdʒ] *n. U* listowie (*t. jako motyw zdobniczy*).

foliar ['foʊlɪər] *a.* liściowy.

foliate *a.* ['foʊlɪət] *bot.* **1.** = **foliaceous**. **2.** ulistniony. – *v.* ['foʊlɪeɪt] **1.** rozwarstwiać (się). **2.** *bot.* wypuszczać liście. **3.** zdobić listowiem. **4.** foliować (= *numerować kartki tomu*). **5.** pokrywać folią (*metalową*). **6.** kuć *l.* ciąć na folię (*metal*).

foliation [ˌfoʊlɪ'eɪʃən] *n. U* **1.** *bot.* tworzenie liści; pokrycie listowiem; wernacja, ułożenie liści w pąku. **2.** *t. bud.* listowie (*jako motyw zdobni-*

czy). **3.** foliacja, foliowanie (= *numeracja kart tomu*). **4.** *geol.* foliacja. **5.** pokrywanie folią (*metalową*).

folio [ˈfoulɪˌou] *n. pl.* **-s 1.** *druk., księgowość* folio. **2.** karta (*numerowana na jednej stronie*). **3.** numer strony. **4.** *prawn.* strona (*dokumentu: 100 słów; Br. 72 l. 90 słów*). – *v.* foliować (= *numerować kartki*).

folk [fouk] *n.* **1.** (*także* **~s**) ludzie. **2.** *socjol.* lud. **3.** *U* = **folk music**. **4.** *pl. zob.* **folks**. – *a. attr.* **1.** ludowy. **2.** *muz.* folkowy.

folk art *n. U* sztuka ludowa.

folk dance *n.* taniec ludowy.

folk etymology *n. U jęz.* etymologia ludowa.

folk hero *n.* bohater ludowy.

folklore [ˈfoukˌlɔːr] *n. U* **1.** folklor. **2.** folklorystyka.

folkloric [ˈfoukˌlɔːrɪk], **folkloristic** [ˌfouklɔːˈrɪstɪk] *a.* folklorystyczny.

folklorist [ˌfouklɔːˈrɪst] *a.* folkloryst-a/ka.

folk medicine *n. U* medycyna ludowa.

folk music *n. U muz.* **1.** muzyka ludowa. **2.** (muzyka) folk.

folks [fouks] *n. zwł. US pot.* **1.** rodzina, krewni; rodzice, starzy. **2.** wiara (*zwracając się do grupy osób*). **3.** = **folk** 1.

folksiness [ˈfouksɪnəs] *n. U* **1.** prostota. **2.** *gł. US i Can. pot.* przyjacielskość; towarzyskość. **3.** ludowość (*sztuki*).

folk singer *n. muz.* **1.** śpiewa-k/czka ludowy/a. **2.** piosenka-rz/rka stylu folk.

folk song *n. muz.* **1.** piosenka ludowa. **2.** piosenka w stylu folk.

folksy [ˈfouksɪ] *a.* **-ier, -iest 1.** prosty. **2.** *gł. US i Can. pot.* przyjacielski, towarzyski. **3.** ludowy (*o sztuce*).

folkways [ˈfoukˌweɪz] *n. pl. socjol.* tradycyjne sposoby życia.

foll. *abbr.* = **following**.

follicle [ˈfɑːləkl] *n.* **1.** *anat.* pęcherzyk; mieszek; grudka chłonna; **hair/dental ~** mieszek włosowy/zębowy; **ovarian ~** pęcherzyk jajnikowy *l.* Graafa. **2.** *bot.* mieszek.

follicular [fəˈlɪkjələr], **folliculated** [fəˈlɪkjuˌleɪtɪd] *a. anat.* pęcherzykowy; mieszkowy; grudkowy.

follies [ˈfɑːlɪz] *n. pl. teatr* rewia.

follow [ˈfɑːlou] *v.* **1.** iść *l.* podążać za (*kimś l. czymś*); jechać za (*kimś l. czymś*); towarzyszyć (*komuś l. czemuś*); **you lead and I'll ~** prowadź, a ja pójdę za tobą. **2.** śledzić (*podejrzanego, wydarzenia, opowiadanie*); **~ sb with one's eyes** wodzić za kimś wzrokiem. **3.** *przen.* podążać za (*autorytetem, ideałem*), iść za (*przywódcą*), naśladować (*kogoś*); **~ (in) sb's footsteps** *zob.* **footstep**; **~ sb's example/lead** iść za czyimś przykładem, brać przykład z kogoś; **she ~ed her mother into medicine** została lekarką, tak jak jej matka. **4.** iść (*trasą, ścieżką*); jechać (*jw.*). **5.** nadążać za (*wyjaśnieniami, czyimś rozumowaniem*), rozumieć; **do you ~ me?** rozumiesz (mnie)?; **easy/hard to ~** łatwy/trudny do zrozumienia. **6.** stosować się do (*czegoś*); postępować zgodnie z (*czymś*); **~ one's instincts/feelings** robić to, co dyktują instynkty/uczucia; **~ sb's orders/wishes/advice** stosować się do czyichś poleceń/życzeń/rad. **7.** następować (potem) (*o okresie czasu, wydarzeniu, wyjaśnieniu*); **as ~s** jak następuje; **the results are as ~s:...** wyniki są następujące:...; **to ~** na deser; na następne danie. **8.** następować *l.* przychodzić po (*okresie czasu, wydarzeniu*); być następcą (*np. przywódcy*). **9.** interesować się (*np. bieżącymi wydarzeniami, sportem*); być na bieżąco z (*czymś*), śledzić (*t. = regularnie oglądać, np. serial telewizyjny*). **10.** wynikać (*from sth* z czegoś); **it ~s (that)...** wynika z tego, że... **11.** *form.* uprawiać (*określony zawód l. rzemiosło*); prowadzić (*określony styl życia*); **he wants to ~ a career in law** chce zostać prawnikiem. **12.** *przen.* **~ one's nose** *pot.* iść prosto przed siebie; iść na nosa *l.* czuja; **~ suit** postąpić podobnie, zrobić to samo (*co ktoś*); *karty* dokładać do koloru; **sb/sth is a hard/tough act to ~** *zob.* **act** *n.* **13.** **~ sb around** (*także Br.* **~ sb about**) chodzić za kimś krok w krok, nie odstępować kogoś (ani) na krok; **~ on/upon sth** wynikać z czegoś, być skutkiem czegoś; **~ out/through** zrealizować, doprowadzić do końca (*pomysł, plan*); zastosować się do (*poleceń, rozkazu*); zbadać (*trop, ślad*); kontynuować (*wysiłek*); **~ through** *golf, tenis* wykończyć uderzenie; **~ up** sprawdzić (*ofertę*); zbadać (*pomysł, sugestię*); kontynuować (*działanie*); wykorzystać (*przewagę*).

follower [ˈfɑːlouər] *n.* **1.** zwolenni-k/czka; stronni-k/czka; ucze-ń/nnica (*of sb* kogoś). **2.** naśladow-ca/czyni. **3.** kibic; fan/ka. **4.** służący/a (*zwł. = członek świty*). **5.** *dial.* żałobni-k/czka. **6.** *przest.* adorator (*kobiety*). **7.** *mech.* człon bierny *l.* napędzany; popychacz (*w mechanizmie krzywkowym*).

following [ˈfɑːlouɪŋ] *a. attr.* **1.** następny; **on the ~ page** na następnej stronie; **(on) the ~ day** następnego dnia. **2.** następujący; **in the ~ way** w następujący sposób. – *n.* **1.** *zw. sing.* grupa zwolenników *l.* fanów; **have a large ~** mieć wielu zwolenników *l.* fanów. **2.** **the ~** (to,) co następuje; następujące osoby *l.* rzeczy. – *prep.* **1.** (bezpośrednio) po (*czymś*). **2.** w rezultacie (*czegoś*).

following wind *n. żegl.* wiatr z rufy.

follow-the-leader [ˌfɑːlouðəˈliːdər], *Br. i Austr.* **follow-my-leader** *n. U* Ojciec Wirgiliusz (*zabawa dziecięca*).

follow-through [ˌfɑːlouˈθruː] *n.* **1.** *sport* wykończenie uderzenia (*piłki*). **2.** dokończenie, wykończenie (*procedury, czynności*).

follow-up [ˈfɑːlouˌʌp] *n. C/U* **1.** ciąg dalszy, kontynuacja. **2.** *med.* badanie kontrolne. – *a. attr.* dalszy, następny; uzupełniający (*o pytaniu*), kontrolny (*o wizycie u lekarza*).

folly [ˈfɑːlɪ] *n. pl.* **-ies 1.** *U form.* szaleństwo; **it would be (sheer) ~ to...** byłoby (czystym) szaleństwem... **2.** *form.* szaleństwo, kaprys, fantazja. **3.** *zwł. Br. bud., hist.* imitacja zamku, świątyni itp. wzniesiona w celach dekoracyjnych (*zw. w wielkim parku l. ogrodzie*). **4.** *U arch.* zło; lubieżność.

foment [fouˈment] *v.* **1.** *form.* wzniecać, wywoływać (*niepokoje społeczne, rewolucję*); podsycać (*niezgodę, nienawiść*); podżegać do (*buntu*). **2.**

med. rozgrzewać, nagrzewać (*zwł. za pomocą okładów*).

fomentation [ˌfoumen'teɪʃən] *n. U* **1.** wzniecanie; podsycanie. **2.** *med.* okład rozgrzewający.

fomenter [foʊ'mentər] *n.* podżegacz/ka.

fond [fɑ:nd] *a.* **1.** *pred.* **be/grow ~ of sb/sth** lubić/polubić kogoś/coś; **be ~ of doing sth** lubić coś robić. **2.** *attr.* czuły (*o uśmiechu, spojrzeniu, pożegnaniu*); kochający (*zwł. o rodzicach*); miły (*o wspomnieniach*); nierealny, naiwny (*o nadziejach, marzeniach*); **have ~ memories/recollections of sth** mile coś wspominać. **3.** *arch. l. dial.* niemądry; łatwowierny, naiwny.

fondant ['fɑ:ndənt] *n. kulin.* **1.** *U* masa pomadkowa. **2.** pomadka (*rodzaj cukierka*).

fondle ['fɑ:ndl] *v.* pieścić.

fondly ['fɑ:ndlɪ] *adv.* **1.** czule, z czułością. **2.** naiwnie; **~ imagine/believe (that)...** naiwnie wyobrażać sobie/wierzyć, że...

fondness ['fɑ:ndnəs] *n. U* **1.** czułość. **2.** *C/U* zamiłowanie, upodobanie (*for sth* do czegoś).

fondue [fɑ:n'du:] *n. C/U kulin.* fondue.

font[1] [fɑ:nt] *n.* **1.** *kośc.* chrzcielnica. **2.** *kośc.* kropielnica. **3.** zbiornik na oliwę (*u lampy*). **4.** *poet.* źródło.

font[2] *n.* (*także* **fount**) *druk., komp.* czcionka.

fontal ['fɑ:ntl] *a. lit.* **1.** pierwotny, źródłowy. **2.** źródlany. **3.** chrzcielny.

fontanel [ˌfɑ:ntə'nel], *Br.* **fontanelle** *n. anat.* ciemiączko.

food [fu:d] *n. C/U* **1.** żywność; pokarm; jedzenie; **~ and drink** jedzenie i picie; **be allergic to certain ~s** być uczulonym na niektóre pokarmy; **be off one's ~** nie mieć apetytu; **baby ~** odżywki dla niemowląt; **dog ~** karma dla psów; **health ~** zdrowa żywność. **2. ~ for thought** *przen.* materiał do rozmyślań *l.* przemyśleń; strawa duchowa.

food additive *n.* dodatek do żywności (*np. środek konserwujący, barwnik*).

food chain *n. ekol.* łańcuch pokarmowy.

food coupon *n.* = **food stamp**.

foodie ['fu:dɪ] *n. pot.* smakosz/ka; osoba pasjonująca się kuchnią i gotowaniem.

food industry *n. U* przemysł spożywczy.

food mixer *n.* mikser.

food poisoning *n. U pat.* zatrucie pokarmowe.

food preservative *n.* konserwant, środek konserwujący żywność.

food processing *n. U* przetwórstwo żywności.

food processor *n.* robot kuchenny.

food stamp *n.* (*także* **food coupon**) *US* kartka żywnościowa (*wydawana l. sprzedawana w ramach federalnego programu pomocy społecznej*).

foodstuff ['fu:dˌstʌf] *n. zw. pl.* artykuł żywnościowy.

fool[1] [fu:l] *n.* **1.** głupiec, idiot-a/ka; **a ~'s errand** *zob.* **errand**; **act/play the ~** wygłupiać się; **April/All F~s' day** prima aprilis; **any ~ (can see/tell)** każdy głupi (widzi); **be no/nobody's ~** nie być głupim, (= *nie dawać się łatwo oszukać*) **make a ~ of o.s.** zbłaźnić się; **make a ~ (out) of sb** zrobić z kogoś idiotę; wystrychnąć kogoś na dudka; **my ~ of a boss** mój głupi szef, ten idiota mój szef; **you're a ~ to think (that...** głupi jesteś, jeśli myślisz, że... **2.** *hist.* błazen (*dworski*). – *v.* **1.** oszukiwać, nabierać; **~ sb into believing sth** nabrać kogoś na coś; **~ sb into doing sth** namówić kogoś na zrobienie czegoś; **you could have ~ed me!** *pot.* akurat! (= *mnie nie nabierzesz*). **2.** wygłupiać się, błaznować; żartować. **3. ~ around** (*także Br.* **about**) obijać się; wygłupiać się, błaznować; **~ around with sb** mieć romans z kimś; **~ (around) with sth** bawić się czymś (*zwł. niebezpiecznym*); majstrować przy czymś; **~ away** roztrwonić (*fortunę*). – *a. attr. zwł. US pot.* = **foolish**.

fool[2] *n. C/U zwł. Br. kulin.* mus owocowy ze śmietaną.

foolery ['fu:lərɪ] *n. C/U pl.* **-ies** *Br. przest.* głupota; błazeństwo.

foolhardy ['fu:lˌhɑ:rdɪ] *a.* lekkomyślny; wariacki; ryzykancki.

foolish ['fu:lɪʃ] *a.* **1.** głupi, niemądry. **2.** śmieszny, absurdalny.

foolishly ['fu:lɪʃlɪ] *adv.* **1.** głupio, niemądrze. **2.** śmiesznie, absurdalnie.

foolishness ['fu:lɪʃnəs] *n. U* **1.** głupota. **2.** absurdalność.

foolproof ['fu:lˌpru:f] *a.* niezawodny.

fool's cap *n. hist.* **1.** czapka błazeńska. **2.** ośla czapka.

foolscap ['fu:lzˌkæp] *n.* **1.** *U t. druk.* papier formatu ok. 13,5 × 17,5 cala. **2.** *zwł. US* = **fool's cap**.

fool's gold *n. U min.* piryt miedziany *l.* żelazny.

fool's paradise *n.* świat złudzeń.

fool's-parsley ['fu:lzˌpɑ:rslɪ] *n. bot.* blekot (*Aethusa cynapium*).

foot [fʊt] *n. pl.* **feet** **1.** *t. anat., muz., wers.* stopa. **2.** *pl.* **feet** *l.* **foot** (*także* **ft**) stopa (= *ok. 30 cm*). **3.** łapa (*zwierzęcia*). **4.** *sing.* chód; **heavy/light ~** ciężki/lekki chód *l.* krok. **5. on ~** pieszo, piechotą, na piechotę. **6. the ~ of** podnóże (*góry*); dół (*strony, schodów*); koniec (*spisu, listy*); **at the ~ of the bed** w nogach łóżka. **7.** *U zwł. Br. wojsk.* piechota. **8.** *techn.* stopka, nóżka (*np. maszyny do szycia*). **9.** *przen.* **fleet of ~** *poet. zob.* **fleet**[2] *a.*; **from head to ~** od stóp do głów; **get a/one's ~ in the door** zapewnić sobie dobrą pozycję wyjściową (*zwł. na drodze do kariery*); **get off on the right/wrong ~** dobrze/źle zacząć (*znajomość*); **have a ~ in both camps** działać na dwa fronty; **have a lead ~** *US pot.* jeździć bardzo szybko (*samochodem*); **have one ~ in the grave** *żart.* być jedną nogą w grobie; **my ~!** *Br. przest.* akurat!; **not put/set a ~ wrong** *zwł. Br.* nie popełnić najmniejszego błędu; **put one's ~ in one's mouth** (*także Br.* **put one's ~ in it**) *pot.* palnąć gafę; **put one's ~ down** *pot.* postawić się, uprzeć się; *mot.* dodać gazu; **put one's best ~ forward** pokazać się z (jak) najlepszej strony; **set ~ in** wchodzić do (*czegoś*); **I'll never set ~ in this house again** moja stopa nigdy więcej tu nie postanie; *zob. t.* **feet**. – *v.* **1.** *pot.* **~ the bill** zapłacić rachunek; **~ the cost of sth** pokryć koszt czegoś. **2. ~ it** iść piechotą; *przest.*

zatańczyć. **3.** ~ **(up)** *arch. l. dial.* sumować, dodawać.

footage [ˈfʊtɪdʒ] *n. U* **1.** *zwł. telew.* materiał filmowy. **2.** stopaż (= *długość w stopach*). **3.** zapłata za pracę mierzoną w stopach. **4.** *górn.* opłata według wyrobionych stóp materiału.

foot-and-mouth disease [ˌfʊtənd'maʊθ dɪˌzi:z] *n. U wet.* pryszczyca.

football [ˈfʊtˌbɔ:l] *n.* **1.** piłka futbolowa. **2.** *US sport* futbol (*amerykański*). **3.** *Br. sport* piłka nożna, futbol; rugby.

footballer [ˈfʊtˌbɔ:lər] *n.* (*także* **football player**) *sport* **1.** *US* piłka-rz/rka. **2.** *Br.* piłka-rz/rka; rugbista.

footboard [ˈfʊtˌbɔ:rd] *n.* **1.** *mot.* skośna część podłogi w kabinie pojazdu. **2.** *techn.* pedał napędowy (*maszyny*). **3.** deska (*w nogach łóżka*). **4.** oparcie na nogi.

footboy [ˈfʊtˌbɔɪ] *n.* **1.** służący (*chłopiec*). **2.** posłaniec, goniec.

foot brake *n. mot.* hamulec nożny.

footbridge [ˈfʊtˌbrɪdʒ] *n.* kładka, most dla pieszych.

foot-candle [ˈfʊtˌkændl] *n. fiz.* stopoświeca (= *dawna jednostka miary*).

footcloth [ˈfʊtˌklɔ:θ] *n. arch.* **1.** chodnik; dywan. **2.** czaprak.

footer[1] [ˈfʊtər] *n.* **1.** *arch.* piechur. **2.** *Br. pot.* piłka nożna (*gra*). **3.** *w złoż.* **six-~** osoba mająca sześć stóp wzrostu; **fourteen-~** *żegl.* łódź o długości czternastu stóp.

footer[2] *v. Scot. pot.* ~ **(about)** pałętać się bez celu.

footfall [ˈfʊtˌfɔ:l] *n. C/U lit.* krok, odgłos stąpania.

foot fault *n. tenis* przekroczenie linii (*przy serwowaniu*).

footgear [ˈfʊtˌgi:r] *n. U* obuwie.

foothills [ˈfʊtˌhɪlz] *n. pl. geogr., geol.* pogórze.

foothold [ˈfʊtˌhoʊld] *n.* **1.** oparcie dla stopy (*przy wspinaczce*). **2. get/gain/establish a ~** *przen.* znaleźć punkt zaczepienia.

footie [ˈfʊtɪ] *n.* = **footy**.

footing [ˈfʊtɪŋ] *n. C/U* **1.** *t. przen.* oparcie; podstawa; **lose/miss one's ~** stracić równowagę; **solid/sound/firm ~** *przen.* solidna podstawa. **2.** *przen.* stopa; **on an equal/a friendly ~** na równej/przyjacielskiej stopie (*with sb* z kimś); **on a war ~** na wojennej stopie. **3.** oparcie (*dla nóg*). **4.** *bud.* podstawa fundamentowa (*muru*). **5.** *zwł. US* dodawanie (*kolumny liczb*); suma (*dodawania jw.*). **6.** *rzad.* wpisowe.

footle [ˈfʊtl] *pot. v.* **1.** ~ **(around/about)** obijać się. **2.** pleść bzdury. – *n. U rzad.* bzdury.

footless [ˈfʊtləs] *a.* **1.** beznogi. **2.** bez podstawy (= *pozbawiony cokołu itp.*).

footlights [ˈfʊtˌlaɪts] *n. pl. teatr* **1.** rampa. **2. the ~** *przen. pot.* aktorstwo, zawód aktora.

footling [ˈfʊtlɪŋ] *a. attr. przest.* głupi; błahy.

foot locker *n. US wojsk.* kuferek żołnierski (*stojący w nogach łóżka*).

footloose [ˈfʊtˌlu:s] *a.* **1.** (*także* ~ **and fancy-free**) wolny od zobowiązań; wolny (= *niezwiązany z nikim uczuciowo*). **2. feel ~** rwać się do podróży *l.* wyjazdu.

footman [ˈfʊtmən] *pl.* **-men** *n.* **1.** lokaj. **2.** stojak na przybory do kominka. **3.** *arch., t. wojsk.* piechur.

footmark [ˈfʊtˌmɑ:rk] *n.* ślad stopy.

footnote [ˈfʊtˌnoʊt] *n.* **1.** przypis (*zwł. u dołu strony*). **2.** *przen.* dodatkowa uwaga, komentarz (*to sth* do czegoś). **3.** *przen.* fakt *l.* sprawa bez znaczenia (*to sth* dla czegoś). – *v.* zaopatrywać w przypisy.

footpace [ˈfʊtˌpeɪs] *n.* krok spacerowy.

footpad [ˈfʊtˌpæd] *n. arch.* pieszy rozbójnik.

foot passenger *n.* niezmotoryzowany pasażer promu.

footpath [ˈfʊtˌpæθ] *n.* **1.** *zwł. Br.* ścieżka. **2.** *gł. Austr. i NZ* chodnik.

footpatrol [ˈfʊtpəˌtroʊl] *n.* patrol pieszy.

footplate [ˈfʊtˌpleɪt] *n. kol.* podłoga budki maszynisty.

foot-pound [ˈfʊtˌpaʊnd] *n. fiz.* stopofunt (*jednostka pracy i energii l. jednostka momentu siły*).

footprint [ˈfʊtˌprɪnt] *n.* **1.** odcisk *l.* ślad stopy; ślad łapy, kopyta itp. **2.** zajmowana przestrzeń (*przez urządzenie*). **3.** *radio, telew.* zasięg (*nadajnika satelitarnego*).

footrest [ˈfʊtˌrest] *n.* podnóżek.

footrope [ˈfʊtˌroʊp] *n. żegl.* perta (= *lina, na której pracujący przy żaglu opierają nogi*).

foot rot *n. U wet.* zakaźne zapalenie racic.

foot rule *n.* linijka długości jednej stopy, przymiar kreskowy 12-calowy.

foots [fʊts] *n. pl.* osad (*w płynie*).

Footsie [ˈfʊtsɪ] *n. pot.* = **Financial Times Stock Exchange 100 Index**; *zob.* **FTSE**.

footsie [ˈfʊtsɪ] *n. U pot.* **play ~ with sb** flirtować z kimś (*zwł. stopami pod stołem*); *zwł. US* kumać się z kimś (*np. o politykach*).

footslog [ˈfʊtˌslɑ:g] **-gg-** *v. pot.* uchodzić *l.* nachodzić się, schodzić (sobie) nogi.

foot soldier *n. wojsk.* żołnierz piechoty, piechur.

footsore [ˈfʊtˌsɔ:r] *a.* (*także* **footworn**) z bolącymi *l.* otartymi stopami; **be ~** mieć obolałe *l.* otarte stopy.

footstalk [ˈfʊtˌstɔ:k] *n. bot.* ogonek (*liścia*); szypułka.

footstep [ˈfʊtˌstep] *n.* **1.** krok (*t. = długość kroku*); *zw. pl.* odgłos kroków. **2.** ślad stopy. **3.** stopień (*schodów*). **4. follow (in) sb's ~s** *przen.* iść w czyjeś ślady.

footstone [ˈfʊtˌstoʊn] *n.* kamień w nogach grobu.

footstool [ˈfʊtˌstu:l] *n.* podnóżek.

foot-ton [ˈfʊtˌtʌn] *n. fiz.* stopotona (= *jednostka energii równa 2240 stopofuntom*).

footwall [ˈfʊtˌwɔ:l] *n. geol.* spąg, spód (pokładu).

footway [ˈfʊtˌweɪ] *n.* droga *l.* ścieżka dla pieszych (*np. wzdłuż torów kolejowych l. na moście*).

footwear [ˈfʊtˌwer] *n. U* obuwie.

footwork [ˈfʊtˌwɜ:k] *n. U* **1.** praca nóg (*w tańcu, sporcie; zwł. efektowna*). **2.** *przen. pot.* manipulacje, manewry.

footworn ['fʊtˌwɔːrn] *a.* **1.** wydeptany. **2.** = **footsore.**

footy ['fʊtɪ] *n.* (*także* **footie**) *U gł. Austr. i NZ pot.* futbol.

foozle ['fuːzl] *gł. golf v.* popsuć (*uderzenie*). – *n.* popsute uderzenie.

fop [fɑːp] *n. przest.* fircyk.

foppery ['fɑːpərɪ] *n. U* fircykowatość.

foppish ['fɑːpɪʃ] *a.* fircykowaty.

foppishness ['fɑːpɪʃnəs] *n. U* fircykowatość.

for [fɔːr; fər] *prep.* **1.** dla (*wskazując odbiorcę, przeznaczenie*); ~ **me** dla mnie; ~ **protection/fun** dla ochrony/zabawy; ~ **your own good** dla twego (własnego) dobra. **2.** do (*wskazując cel, przeznaczenie, zastosowanie, kierunek*); ~ **rent** do wynajęcia; **a gift** ~ **music** talent do muzyki; **fit** ~ **nothing** nie nadający się do niczego; **he's the man** ~ **the job** to jest człowiek odpowiedni do tej roboty; **I'm** ~ **home/bed** *Br. przest.* idę do domu/łóżka; **planes** ~ **New York** samoloty do Nowego Jorku; **rooms** ~ **sleeping** pokoje do spania; **she left** ~ **Canada** wyjechała do Kanady; **what's it** ~? do czego to jest *l.* służy?. **3.** po (*wskazując cenę, zamiar, cel, czas*); ~ **five dollars a piece** po pięć dolarów za sztukę; ~ **one thing... (and** ~ **another)** po pierwsze..., (a po drugie); ~ **the first/last time** po raz pierwszy/ostatni; **she went** ~ **the paper** wyszła po gazetę; **what** ~? po co?. **4.** za (*wskazując cenę, wymianę, powód, proporcję, poparcie*); ~ **free** za darmo; ~ **ten dollars** za dziesięć dolarów; **are you** ~ **the project?** czy jesteś za tym projektem?; **I wouldn't do it** ~ **the world/the life of me** nie zrobiłbym tego za nic w świecie; **not** ~ **love or/nor money** za żadne skarby, za nic w świecie; **she was fined** ~ **speeding** dostała mandat za zbyt szybką jazdę; **we took him** ~ **the owner** wzięliśmy go za właściciela. **5.** na (*wskazując przeznaczenie, cenę, czas, wymianę, poparcie, wzgląd*); ~ **God's/heaven's sake!** na miłość *l.* litość boską!; ~ **life** na całe życie; ~ **sale** na sprzedaż; ~ **now** (*także* ~ **the moment/present**) na razie, na teraz; **bill** ~ **$100** rachunek na sto dolarów; **exchange A** ~ **B** wymienić A na B; **go** ~ **a walk** iść na spacer; **it's time** ~ **supper** czas na kolację; **I have an appointment** ~ **4 o'clock** jestem umówiony na czwartą; **one** ~ **the road** jeden na drogę (= *strzemienne*); **prepare it** ~ **tomorrow** przygotuj to na jutro; **take my word** ~ **it** wierz mi na słowo; **vote** ~ **us!** głosujcie na nas!. **6.** przez (*wskazując rozciągłość w czasie l. przestrzeni*); ~ **a long time** przez długi czas, długo; ~ **a while** przez jakiś czas; **we waited** ~ **three years** czekaliśmy (przez) trzy lata; **he walked** ~ **five miles** szedł (przez) pięć mil. **7.** o (*wskazując cel, życzenie, powód*); **ask** ~ **help** prosić o pomoc; **fight** ~ **freedom** walczyć o wolność; **play** ~ **money** grać o pieniądze; **she was angry at me** ~ **coming** była (na mnie) zła (o to), że przyszedłem. **8.** od (*wskazując czas trwania*); **she's been here** ~ **two weeks** jest tutaj od dwóch tygodni. **9.** z (*wskazując powód, pochodzenie, miejsce reprezentowane*); ~ **fear of punishment** z obawy przed karą; ~ **this reason** z tego powodu, z tej przyczyny; **cry** ~ **pain** krzyczeć z bólu; **I couldn't utter a word** ~ **laughing** ze śmiechu nie mogłam wydusić z siebie słowa; **MP** ~ **Northampton** poseł/posłanka z Northampton; **the area is famous** ~ **its lakes** ta okolica słynie ze swoich jezior. **10.** u (*wskazując pracodawcę*); **he works** ~ **his father-in-law** pracuje u swojego teścia. **11.** w (*wskazując miejsce pracy*); **she works** ~ **Microsoft** pracuje w Microsofcie. **12.** w imieniu; **act** ~ **sb** działać w imieniu kogoś *l.* w czyimś imieniu; **agent** ~ **sb/sth** przedstawiciel/ka kogoś/czegoś; **I'll ask him** ~ **you** zapytam go w twoim imieniu. **13.** (jak) na (*uwzględniając zwykłe cechy*); **he looks young** ~ **his age** wygląda młodo (jak) na swój wiek; **(it's) warm** ~ **December** (jest) ciepło jak na grudzień. **14.** co do, jeśli chodzi o; ~ **my part** co do mnie, jeśli o mnie chodzi; ~ **the rest** co do reszty; **I** ~ **one believe (that)...** jeśli o mnie chodzi, to sądzę, że...; **(he can go do hell)** ~ **all I care** jeśli o mnie chodzi (, może iść do diabła); **so much** ~ **that** to tyle, jeśli o to chodzi. **15.** jak, wskazując porównanie; **M** ~ **Mike** M jak Maria. **16.** w (*wskazując odpowiedniość*) **word** ~ **word** słowo w słowo. **17.** jako (= *w charakterze*); **use coal** ~ **fuel** używać węgla jako opału. **18.** mimo, pomimo; ~ **all his faults, he was a good husband** pomimo wszystkich swoich wad, był dobrym mężem. **19.** (*ze zdaniem bezokolicznikowym*) ~ **this to be possible** aby to było możliwe; **he whistled** ~ **them to stop** zagwizdał (na nich), żeby się zatrzymali; **it's bad** ~ **him to spend hours in front of the computer** przesiadywanie przy komputerze jest dla niego niezdrowe; **it's not** ~ **me to decide** ja tu nie mogę decydować; **it's usual** ~ **the customers to tip the waiters** jest przyjęte, że goście dają kelnerom napiwki. **20.** (*ze zdaniem warunkowym*) **if it hadn't been/weren't** ~ **her** gdyby nie ona; **but** ~ **their help** *form.* gdyby nie ich pomoc. **21. there's nothing** ~ **it but (to agree)** nie ma innej rady *l.* nie pozostaje nic innego, jak tylko (się zgodzić); **(well) that's/there's justice/manners** ~ **you!** *pot. iron.* oto jak wygląda sprawiedliwość/dobre wychowanie!; **you'll be (in)** ~ **it if they catch you** *przest. pot.* dostanie ci się, jeśli cię złapią. – *conj. form.* ponieważ, gdyż; **I couldn't stay** ~ **it was late** nie mogłem zostać, gdyż było późno.

for. *abbr.* **1. foreign** zagr. (= *zagraniczny*). **2. forestry** leśn. (= *leśnictwo*).

f.o.r. [ˌef ˌoʊ 'ɑːr] *abbr. handl.* **free on rail** franco wagon.

fora ['fɔːrə] *n. pl. zob.* **forum.**

forage ['fɔːrɪdʒ] *n.* **1.** *U* pasza; obrok. **2.** *sing.* poszukiwanie żywności (*zwł. przez plądrujących okolicę żołnierzy*); poszukiwanie pożywienia (*przez zwierzęta*). **3.** *wojsk.* atak, najazd. – *v.* **1.** przetrząsać w poszukiwaniu żywności *l.* zaopatrzenia (*okolicę, miasto*). **2.** *wojsk.* przeprowadzić atak *l.* najazd. **3.** dawać żywność *l.* zaopatrzenie (*komuś*). **4.** karmić paszą (*bydło l. konie*). **5.** ~ **for sth** szukać czegoś, szperać w poszukiwaniu czegoś.

forage cap *n. wojsk.* furażerka.

forage crops *n. pl. roln.* rośliny pastewne.

forager ['fɔːrɪdʒər] *n. hist., wojsk.* **1.** furażer. **2.** *przen.* poszukiwacz/ka.

foramen [fə'reɪmən] *n. pl.* **-s** *l.* **foramina** [fə'ræmɪnə] *anat., zool.* otwór.

foraminifer [ˌfɔːrə'mɪnəfər] *n. zool.* otwornica (*rząd Foraminifera*).

forasmuch as [ˌfɔːrəz'mʌtʃ æz] *conj. arch. l. prawn.* biorąc pod uwagę to, że; wobec tego, że.

foray ['fɔːreɪ] *n.* **1.** *t. wojsk.* najazd; wypad, wyprawa; ~ **into enemy territory** wypad na teren wroga; ~ **to the shops** wyprawa do sklepów *l.* po zakupy. **2.** *przen.* wycieczka; ~ **into politics** wycieczka w dziedzinę polityki. – *v.* **1.** *wojsk.* urządzać najazd na. **2.** przetrząsać, plądrować (*zwł. w poszukiwaniu żywności*).

forayer ['fɔːreɪər] *n.* maruder (*żołnierz*).

forbade [fər'bæd], **forbad** [fər'bæd] *v. pt. zob.* **forbid.**

forbear[1] [fɔːr'ber] *v.* **forbore, forborne** *form.* **1.** ~ **from doing sth** (*także* ~ **to do sth**) powstrzymać się od (zrobienia) czegoś; zaniechać czegoś. **2.** *arch. l. dial.* znosić cierpliwie.

forbear[2] *n.* = **forebear.**

forbearance [fɔːr'berəns] *n. U* **1.** wyrozumiałość, cierpliwość; samokontrola; ~ **is no acquittance** wyrozumiałość nie oznacza zwolnienia od obowiązku. **2.** powstrzymywanie się; *prawn.* powstrzymywanie się z egzekwowaniem prawa, odłożenie egzekwowania prawa; zwłoka (*udzielona dłużnikowi*).

forbearing [fɔːr'berɪŋ] *a.* wyrozumiały, cierpliwy.

forbid [fər'bɪd] **forbad(e), forbid(den)** *v.* **1.** zakazywać, zabraniać (*czegoś*); ~ **sb to do sth** zabronić komuś coś robić. **2.** *form.* nie pozwalać na, uniemożliwiać. **3.** nie dopuszczać do (*czegoś*); zabraniać dostępu do (*czegoś*). **4. God/heaven ~!** broń Boże!, uchowaj Boże!

forbidden [fər'bɪdən] *a.* **1. it is ~ to do sth** *form.* zabrania się robienia czegoś. **2.** zakazany, tabu; ~ **fruit** *lit.* zakazany owoc.

forbidding [fər'bɪdɪŋ] *a.* odpychający; posępny; groźny (*zwł. z wyglądu*).

forbiddingly [fər'bɪdɪŋlɪ] *adv.* odpychająco; posępnie; groźnie.

forbore [fɔːr'bɔːr] *v. zob.* **forbear**[1].

forby [fɔːr'baɪ], **forbye** *prep. i adv. Scot. l. arch.* **1.** blisko, obok (*czegoś*). **2.** poza (tym), oprócz (tego). **3.** w dodatku (do tego).

force[1] [fɔːrs] *n. C/U* **1.** *t. fiz. l. przen.* siła; moc; ~ **of character** siła charakteru; ~ **of gravity/inertia** *fiz.* siła ciężkości/bezwładności; ~ **five wind** *meteor.* wiatr o sile pięciu stopni; **by** ~ siłą, przemocą; **by/from ~ of habit** siłą przyzwyczajenia; **by sheer ~ of numbers** samą liczebnością (*np. pokonać kogoś*); **driving** ~ siła napędowa; **in ~** *t. wojsk.* w dużej sile *l.* liczbie; **join/combine ~s** łączyć siły; **resort to** ~ uciekać się do użycia siły; **the ~s of evil** siły zła; **the ~s of nature** żywioły; **use** ~ używać siły. **2.** *zwł. polit.* potęga; **a ~ to be reckoned with** potęga *l.* siła, z którą należy się liczyć (*zwł. wpływowa organizacja l. instytucja*). **3.** *t. wojsk.* jednostka, oddział; **the (armed) ~s** siły zbrojne; **the (police)** ~ policja; **sales** ~ *handl.* agenci handlowi. **4. be in** ~ obowiązywać, być w mocy (*o prawie, przepisie*); **come into** ~ wchodzić w życie (*jw.*); **put in/into** ~ wprowadzać w życie (*prawo, przepis*); przeprowadzać (*zmiany, reformy*); **remain in** ~ obowiązywać (*o prawie, przepisie*). – *v.* **1.** zmuszać (*sb/o.s. to do sth* kogoś/się do zrobienia czegoś). **2.** wymuszać (*wyznanie, zeznania*). **3.** wpychać (*do pomieszczenia, pudełka*). **4.** wyłamywać (*zamek, drzwi*). **5.** wdzierać się do (*pomieszczenia, twierdzy*). **6.** wbijać (*gwóźdź*). **7.** wysilać, forsować, nadwerężać (*głos, nogi*). **8.** *przest.* zgwałcić. **9.** *roln.* pędzić (= *przyśpieszać dojrzewanie*). **10.** *karty* zmuszać do atutowania *l.* określonej licytacji; zmuszać do zagrania (*określonej karty*), wyciągać (*kartę od kogoś*). **11.** ~ **a smile** zmusić się do uśmiechu; ~ **one's way** przedzierać się, torować sobie drogę; ~ **sb's hand** *przen.* zmuszać kogoś do odsłonięcia kart; zmuszać kogoś (*do czegoś, na co nie ma ochoty*); ~ **tears from sb's eyes** wyciskać komuś łzy z oczu; ~ **the bidding** podbijać ceny (*na licytacji*); ~ **the issue** forsować sprawę; ~ **the pace** narzucać tempo. **12.** ~ **back** powstrzymywać (*łzy, pragnienie*); ~ **down** zmuszać do lądowania (*samolot*); przełykać z trudem (*jedzenie*); ~ **sth down sb's throat** wpychać coś komuś do gardła; ~ **sth on/upon sb** wmuszać coś komuś (*np. jedzenie*); ~ **sth/o.s. on/upon sb** narzucać coś/się komuś; ~ **out** wydusić (z siebie) (*słowa*); ~ **sth out of sb** wydobyć coś z kogoś (na siłę) (*np. prawdę, wyznanie*); ~ **sth out of sb's hands** wyrwać komuś coś z rąk.

force[2] *n. płn. Br.* wodospad.

forced [fɔːrst] *a.* **1.** wymuszony (*o uśmiechu, drganiach*). **2.** przymusowy (*o pracy, lądowaniu*). **3.** z użyciem siły (*np. o wtargnięciu*). **4.** forsowny (*o marszu*).

forcedly ['fɔːrsɪdlɪ] *adv.* przymusowo, z konieczności.

force feed *n. C/U mech.* smarowanie ciśnieniowe *l.* wymuszone.

force-feed ['fɔːrsˌfiːd] *v.* **-fed, -fed** karmić przymusowo *l.* siłą (*t. przen., np. propagandą*).

forceful ['fɔːrsful] *a.* **1.** potężny, silny (*o ataku, uderzeniu*). **2.** przekonujący (*o argumencie, osobie*).

forcefully ['fɔːrsfulɪ] *adv.* **1.** silnie, mocno (*atakować, uderzać*). **2.** przekonująco (*argumentować*).

forcefulness ['fɔːrsfulnəs] *n. U* moc, siła (*zwł. argumentów*).

force gauge *n.* siłomierz.

forceless ['fɔːrsləs] *a.* bezsilny.

force majeure [ˌfɔːrs mɑː'ʒɝː] *n. U gł. prawn.* siła wyższa.

forcemeat ['fɔːrsˌmiːt] *n. U* (*także* **farce**) (*także* **farcemeat**) *kulin.* farsz, nadzienie.

forceps ['fɔːrsəps] *n. pl.* **forceps** *l.* **forcipes** *chir., zool.* kleszcze, szczypce.

force pump *n. mech.* pompa tłocząca.

forcible ['fɔːrsəbl] *a. form.* **1.** bezprawny, dokonany przemocą (*o wejściu, wtargnięciu*). **2.** przekonujący, mocny (*o argumencie*). **3.** ostry (*o upomnieniu*). **4.** dobitny, dosadny, mocny (*o wyrażeniu, języku*). **5.** porządny (*o nauczce, lekcji*).

forcibly ['fɔːrsəblɪ] *adv.* **1.** siłą (*usuwać*). **2.**

dobitnie, dosadnie (*wyrażać*). **3.** ostro (*upominać*). **4.** przekonująco (*argumentować*).

ford [fɔ:rd] *n.* bród. – *v.* przebyć w bród (*rzekę, strumień*).

fordo [fɔ:r'du:], **foredo** *v.* **fordid, fordone** *arch.* zniszczyć; zabić; zrujnować.

fordone [fɔ:r'dʌn] *a. arch.* wyczerpany, u kresu sił.

fore [fɔ:r] *a. attr.* przedni; *żegl., lotn.* dziobowy. – *n.* **1.** przód (*zwł. statku*); czoło; **come to the ~** wysuwać się na czoło *l.* na pierwszy plan. **2.** = **foremast**. – *adv.* **1.** *żegl.* na dziobie; ku dziobowi (*statku*). **2.** *przest.* poprzednio. – *prep. i conj. przest.* = **before**. – *int. golf* uwaga!.

fore-and-aft [ˌfɔ:rənd'æft] *a. żegl.* (idący) od dziobu do rufy; na dziobie i rufie; wzdłuż (osi symetrii) statku.

fore and aft cap *n.* czapka z daszkiem z przodu i z tyłu.

fore and aft sail *n. US żegl.* żagiel skośny.

forearm[1] ['fɔ:rˌɑ:rm] *n.* przedramię.

forearm[2] [ˌfɔ:r'ɑ:rm] *v.* uzbrajać z góry *l.* zawczasu; przygotowywać z góry *l.* zawczasu; **forewarned is ~ed** *zob.* **forewarn**.

forebear ['fɔ:rˌber], **forbear** *n. zw. pl. form.* przodek, antenat.

forebode [fɔ:r'boud] *v. form.* **1.** zapowiadać, wróżyć. **2.** przeczuwać (*zwł. coś złego*).

foreboding [fɔ:r'boudɪŋ] *n. C/U* **1.** (*także* **sense of ~**) złe przeczucie. **2.** zapowiedź, wróżba. – *a.* zapowiadający, wróżący.

forebody ['fɔ:rˌbɑ:dɪ] *n. pl.* **-ies** *żegl.* dziobowa część kadłuba.

forecast ['fɔ:rˌkæst] *v. pret. i pp.* **forecast** *l.* **forecasted** **1.** przewidywać, prognozować (*pogodę, rozwój wypadków*). **2.** planować (z góry). **3.** zapowiadać. – *n.* **1.** (*także* **weather ~**) prognoza (pogody). **2.** przewidywanie, prognoza. **3.** *U* przewidywanie; zdolność przewidywania.

forecaster ['fɔ:rˌkæstər] *n.* **1.** *radio, telew.* dziennika-rz/rka zapowiadając-y/a pogodę. **2.** *ekon., polit.* analityk (trendów).

forecastle ['fouksl] *n. żegl.* kabina dziobowa, kubryk.

foreclose [fɔ:r'klouz] *v. form.* **1.** ~ **(on)** *prawn.* orzekać przepadek (*mienia poprzez pozbawienie prawa wykupu hipoteki*); przejmować mienie (*czyjeś jw.*). **2.** wykluczać, uniemożliwiać; nie dopuszczać do (*czegoś*). **3.** spełnić (z góry) (*obowiązek, obietnicę*). **4.** rościć sobie wyłączne prawo do (*czegoś*).

foreclosure [fɔ:r'klouʒər] *n. U prawn.* egzekucja (mienia) (*poprzez pozbawienie prawa wykupu hipoteki*).

forecourt ['fɔ:rˌkourt] *n.* dziedziniec.

foredo [fɔ:r'du:] *v.* = **fordo**.

foredoom [fɔ:r'du:m] *v. form.* skazywać z góry; potępiać z góry; **~ed (to failure)** skazany na niepowodzenie.

fore-edge ['fɔ:rˌedʒ] *n.* zewnętrzny brzeg (*kartek książki*).

forefather ['fɔ:rˌfɑ:ðər] *n.* **1.** *lit.* przodek. **2.** *przen.* prekursor.

forefend [fɔ:r'fend] *v.* = **forfend**.

forefinger ['fɔ:rˌfɪŋgər] *n.* palec wskazujący.

forefoot ['fɔ:rˌfut] *n. pl.* **-feet** **1.** przednia łapa. **2.** *żegl.* zaoblenie dziobu.

forefront ['fɔ:rˌfrʌnt] *n.* czoło; **be in/at the ~ (of sth)** stać na czele (czegoś); przodować w czymś.

foregather [fɔ:r'gæðər] *v.* = **forgather**.

forego[1] [fɔ:r'gou] *v.* **forwent, forgone** *form.* poprzedzać.

forego[2] *v.* = **forgo**.

foregoer [fɔ:r'gouər] *n. form.* poprzednik/czka.

foregoing [fɔ:r'gouɪŋ] *a. attr. form.* powyższy. – *n. U* **the ~** *form.* powyższe.

foregone [fɔ:r'gɔ:n] *a.* **1.** miniony; przeszły; poprzedni. **2.** przesądzony; **it's a ~ conclusion** to sprawa przesądzona.

foreground ['fɔ:rˌgraund] *n. mal., fot. l. przen.* pierwszy plan; **in the ~** na pierwszym planie. – *a. attr. komp.* pierwszoplanowy (*o programie, przetwarzaniu, obszarze pamięci*). – *v.* traktować priorytetowo (*sprawę, pomysł*); podkreślać (*słowo*).

forehand ['fɔ:rˌhænd] *n.* **1.** *tenis* forhend. **2.** przód konia (*przed jeźdźcem*). **3.** *arch.* pozycja na przedzie. – *a. attr.* **1.** *tenis* forhendowy. **2.** czołowy. **3.** *przest.* uprzedni. – *adv. tenis* forhendem, z forhendu. – *v. tenis* zagrać forhendem.

forehanded [ˌfɔ:r'hændɪd] *a.* **1.** *US* zamożny. **2.** *US* oszczędny; zapobiegliwy. **3.** *tenis* = **forehand** *a.* – *adv. tenis* = **forehand** *adv.*

forehead ['fɔ:rˌhed] *n.* czoło.

foreign ['fɔ:rən] *a.* **1.** zagraniczny; cudzoziemski, obcokrajowy. **2.** obcy (*o kraju, języku, sprawie*) (*to sb / sth* komuś/czemuś); **on ~ soil** *lit.* na obcej ziemi.

foreign affairs *n. pl. polit.* sprawy zagraniczne.

foreign bill *n.* (*także* **foreign draft**) *fin.* weksel zagraniczny.

foreign body *n. pl.* **-ies** ciało obce.

foreign correspondent *n. dzienn.* korespondent/ka zagraniczn-y/a.

foreign currency *n. C / U pl.* **-ies** *fin.* waluta obca.

foreign draft *n.* = **foreign bill**.

foreigner ['fɔ:rənər] *n.* **1.** cudzoziem-iec/ka, obcokrajowiec. **2.** obc-y/a.

foreign exchange *n. U fin.* **1.** wymiana walut. **2.** waluty obce.

foreign exchange market *n. fin.* rynek dewizowy *l.* walutowy.

foreign exchange rate *n. fin.* kurs walutowy.

foreignism ['fɔ:rəˌnɪzəm] *n. form.* zapożyczenie (*np. zwyczaj, sposób zachowania, idiom*).

foreign legion *n. wojsk.* legia cudzoziemska.

Foreign Minister *n. polit.* Minister Spraw Zagranicznych.

Foreign Office *n. Br. polit.* Ministerstwo Spraw Zagranicznych.

Foreign Secretary *n. Br. polit.* Minister Spraw Zagranicznych.

foreign trade *n. U ekon.* handel zagraniczny.

forejudge [fɔːrˈdʒʌdʒ], **forjudge** *v. form.* przesądzać (z góry).
foreknow [fɔːrˈnoʊ] *v.* **foreknew, foreknown** *form.* wiedzieć z góry.
foreknowledge [ˈfɔːrˌnɑːlɪdʒ] *n. U form.* wcześniejsza *l.* uprzednia wiedza (*of sth* o czymś).
foreland [ˈfɔːrˌlænd] *n.* **1.** *geogr.* cypel; przylądek. **2.** przedpole.
foreleg [ˈfɔːrˌleg] *n. zool.* przednia noga.
forelimb [ˈfɔːrˌlɪm] *n. zool.* kończyna przednia (*noga, płetwa, ramię l. skrzydło*).
forelock¹ [ˈfɔːrˌlɑːk] *n.* **1.** lok nad czołem. **2.** przód końskiej grzywy. **3. tug (at)/touch one's ~** *Br. przen.* kłaniać się nisko, bić pokłony (*władzy, zwierzchnikowi*).
forelock² *n. techn.* zawleczka. – *v.* wkładać zawleczkę do (*sworznia*).
foreman [ˈfɔːrmən] *pl.* **-men** *n.* **1.** brygadzista (*w fabryce*); kierownik robót (*na budowie*). **2.** *prawn.* przewodniczący ławy przysięgłych.
foremast [ˈfɔːrˌmæst] *n. żegl.* fokmaszt, maszt przedni.
foremost [ˈfɔːrˌmoʊst] *a.* **1.** *attr.* czołowy, główny (*np. o specjaliście*); wiodący, najważniejszy. **2.** pierwszy (*t. w czasie*). **3.** najbardziej wysunięty do przodu. – *adv.* **1.** na pierwszym miejscu; (*także* **first and ~**) przede wszystkim. **2.** na przedzie; do przodu; **head/feet ~** głową/nogami do przodu.
forename [ˈfɔːrˌneɪm] *n. form.* imię.
forenamed [ˈfɔːrˌneɪmd] *a. attr. form.* wyżej wymieniony.
forenoon [ˈfɔːrˌnuːn] *n. form.* przedpołudnie.
forensic [fəˈrensɪk] *a.* **1.** sądowy (*o analizie, chemii*). **2.** *form.* dotyczący sztuki dyskutowania; krasomówczy.
forensically [fəˈrensɪklɪ] *adv.* sądowo.
forensic medicine *n. U* medycyna sądowa.
forensics [fəˈrensɪks] *n. U* (*z czasownikiem w liczbie pojedynczej l. mnogiej*) **1.** medycyna sądowa. **2.** *form.* sztuka dyskutowania.
foreordain [ˌfɔːrɔːrˈdeɪn] *v. form.* przeznaczać z góry, predestynować.
foreordination [ˌfɔːrɔːrdəˈneɪʃən] *n. U form.* predestynacja.
forepart [ˈfɔːrˌpɑːrt] *n. form.* **1.** przednia część, przód, front. **2.** pierwsza część; początek.
forepeak [ˈfɔːrˌpiːk] *n. żegl.* skrajnik dziobowy, forpik.
foreplay [ˈfɔːrˌpleɪ] *n. U* gra wstępna.
fore-reach [fɔːrˈriːtʃ] *v. zwł. żegl.* **1.** wysuwać się szybko naprzód. **2.** wyprzedzać. **3.** doganiać. **4.** płynąć rozpędem.
forerun [fɔːrˈrʌn] *v.* **foreran, forerun, -nn-** *form.* **1.** poprzedzać. **2.** być prekursorem (*czegoś*). **3.** zapowiadać, zwiastować. **4.** uprzedzać.
forerunner [ˈfɔːrˌrʌnər] *n.* **1.** prekursor/ka. **2.** zapowiedź, zwiastun.
foresaid [ˈfɔːrˌsed] *a. rzad.* = **aforesaid**.
foresail [ˈfɔːrˌseɪl] *n. żegl.* fok.
foresee [fɔːrˈsiː] *v.* **foresaw, foreseen** przewidywać.
foreseeable [fɔːrˈsiːəbl] *a.* dający się przewidzieć, przewidywalny; **for the ~ future** w dającej się przewidzieć przyszłości; **in the ~ future** w niedalekiej przyszłości.
foreshadow [fɔːrˈʃædoʊ] *v. zwł. lit.* zapowiadać, zwiastować.
foreshore [ˈfɔːrˌʃoʊr] *n. sing.* podwodzie (= *część brzegu pomiędzy granicą przypływu i odpływu*); *w złoż.* **coral ~** osuch koralowy; **rock/mud ~** przybrzeże skaliste/pokryte mułem.
foreshorten [fɔːrˈʃɔːrtən] *v.* **1.** *sztuka* przedstawiać w skrócie perspektywicznym. **2.** *form.* skracać (*np. tekst*).
foreshow [fɔːrˈʃoʊ] *v.* **foreshowed, foreshown** *arch.* = **foreshadow**.
foreside [ˈfɔːrˌsaɪd] *n.* **1.** przednia część; górna część. **2.** *US* teren nadmorski.
foresight [ˈfɔːrˌsaɪt] *n.* **1.** *U* zdolność przewidywania. **2.** *U* przezorność, zapobiegliwość; **have the ~ to do sth** być wystarczająco *l.* na tyle przezornym, żeby coś zrobić. **3.** *broń* muszka (*celownika*). **4.** *miern.* odczyt w przód.
foresighted [ˈfɔːrˌsaɪtɪd] *a.* przezorny, zapobiegliwy.
foreskin [ˈfɔːrˌskɪn] *n. anat.* napletek.
forest [ˈfɔːrəst] *n. C/U* **1.** *t. przen.* las; **in the ~** w lesie. **2.** *Br. prawn.* obszar łowiecki (*zwł. królewski*). **3. can't see the ~ for the trees** *US przen.* gubić się w szczegółach (*nie zauważając rzeczy ważnych*). – *a. attr.* leśny. – *v.* zalesiać.
forestal [ˈfɔːrəstl], **forestial** [fəˈrestɪəl] *a. form.* leśny.
forestall [fɔːrˈstɔːl] *v.* **1.** zapobiegać (*czemuś*), zabezpieczać się przed (*czymś*). **2.** uprzedzać (*coś*). **3.** wykupywać (*towar w celu sprzedania z zyskiem*).
forestation [ˌfɔːrəˈsteɪʃən] *n. U* zalesianie.
forestay [ˈfɔːrˌsteɪ] *n. żegl.* sztag foka, forsztag.
forestay sail *n. żegl.* foksztaksel.
forester [ˈfɔːrəstər] *n.* **1.** leśniczy, leśnik. **2.** *arch.* mieszkan-iec/ka lasu (*t. zwierzę l. roślina*). **3.** *ent.* gatunek ćmy dziennej (*rodzina Zyglaenidae*).
forest fire *n.* pożar lasu.
forest floor *n. U* poszycie leśne.
forest fly *n. pl.* **-ies** *ent.* mucha końska (*Hippobosca equina*).
forestland [ˈfɔːrəstˌlænd] *n.* obszar leśny.
forest park *n. NZ* rezerwat przyrody (*na terenie którego można wypoczywać*).
forest ranger *n. gł. US i Can.* strażnik leśny.
forestry [ˈfɔːrəstrɪ] *n.* **1.** *U* leśnictwo. **2.** *U* gospodarka leśna. **3.** *pl.* **-ies** *rzad.* obszar zalesiony, las.
foretaste *n.* [ˈfɔːrˌteɪst] *przen.* przedsmak; próbka (*of sth* czegoś). – *v.* [fɔːrˈteɪst] mieć przedsmak (*czegoś*).
foretell [fɔːrˈtel] *v. pret. i pp.* **foretold** **1.** przepowiadać. **2.** *lit.* zapowiadać.
forethought [ˈfɔːrˌθɔːt] *n. U* przezorność, zapobiegliwość.
forethoughtful [fɔːrˈθɔːtfʊl] *a.* przezorny, zapobiegliwy.
foretime [ˈfɔːrˌtaɪm] *n. U arch.* przeszłość, dawne czasy.

foretoken *lit. n.* ['fɔːrˌtoukən] zapowiedź, znak, omen. – *v.* [fɔːr'toukən] zapowiadać.

foretop ['fɔːrˌtɑːp] *n.* **1.** *żegl.* kosz, bocianie gniazdo (*na szczycie fokmasztu*). **2.** czub (*zwł. koński*).

forever [fɔːr'evər], **for ever** *adv.* **1.** (na) zawsze, wiecznie; ~ **and a day** *pot.* cała wieczność; ~ **and ever** *form.* po wieczne czasy; na wieki wieków; **last** ~ trwać wiecznie; **this is going to take** ~ *pot.* to zajmie (całe) wieki. **2.** *pot.* ciągle; **you're** ~ **finding difficulties** ty ciągle wynajdujesz trudności.

forevermore [fɔːrˌevər'mɔːr] *adv. emf.* = **forever.**

forewarn [fɔːr'wɔːrn] *v.* **1.** przestrzegać, ostrzegać (z góry) (*of/about/against sth* przed czymś); uprzedzać (*of/about sth* o czymś). **2.** **~ed is forearmed** strzeżonego Pan Bóg strzeże.

forewent [fɔːr'went] *v. zob.* **forgo.**

forewing ['fɔːrˌwɪŋ] *n. ent.* przednie skrzydło.

forewoman ['fɔːrˌwumən] *pl.* **-women** *n.* **1.** brygadzistka (*w fabryce*); kierowniczka robót (*na budowie*). **2.** *prawn.* przewodnicząca ławy przysięgłych.

foreword ['fɔːrˌwɜːd] *n.* przedmowa, słowo wstępne.

foreyard ['fɔːrˌjɑːrd] *n. żegl.* fokreja.

forfeit ['fɔːrfɪt] *n.* **1.** grzywna. **2.** mienie ulegające konfiskacie *l.* przepadkowi. **3.** *U* konfiskata; przepadek (*mienia*); utrata (*życia*). **4.** fant (*w grze*); *pl.* gra w fanty; **pay a** ~ dawać fanta. **5.** **lose by** ~ *sport* przegrać z powodu nieobecności. – *a. pred. form.* **1.** ulegający przepadkowi; **be** ~ ulec przepadkowi (*to sb* na rzecz kogoś). **2.** **his life was** ~ utracił życie. – *v.* **1.** tracić (*prawo, szansę*). **2.** poświęcać (*zdrowie, szczęście*); zrzekać się (*np. dochodu*). **3.** konfiskować (*mienie*).

forfeitable ['fɔːrfɪtəbl] *a.* ulegający konfiskacie *l.* przepadkowi.

forfeiture ['fɔːrfətʃər] *n.* = **forfeit** *n.* 1, 2, 3.

forfend [fɔːr'fend], **forefend** *v. przest.* **1.** zakazywać (*czegoś*). **2.** uniemożliwiać. **3.** **God ~!** uchowaj Boże!.

forficate ['fɔːrfəkɪt] *a. zool.* nożycowaty.

forgather [fɔːr'gæðər], **foregather** *v. form.* **1.** spotykać się (*większą grupą*); gromadzić się. **2.** *rzad.* spotkać (*zwł. przypadkowo*). **3.** ~ **with sb** obracać się *l.* bywać w czyimś towarzystwie.

forgave [fər'geɪv] *v. zob.* **forgive.**

forge[1] [fɔːrdʒ] *v.* **1.** fałszować, podrabiać (*dokumenty, podpis*). **2.** kształtować, formować; produkować (*artykuły, przedmioty*). **3.** zawierać (*przymierze, umowę*); nawiązywać (*stosunki*); wypracowywać (*porozumienie*). **4.** *metal.* kuć. – *n.* **1.** kuźnia. **2.** ognisko kowalskie.

forge[2] *v.* przeć do przodu; ~ **ahead** wyrwać się *l.* ruszyć do przodu; ~ **into the lead** wysunąć się na prowadzenie.

forge furnace *n. metal.* piec (grzewczy) kuźniczy.

forge hearth *n. metal.* palenisko kowalskie.

forge iron *n. U metal.* stal kowalna *l.* zgrzewna.

forger ['fɔːrdʒər] *n.* **1.** fałsze-rz/rka. **2.** kłamca. **3.** *metal.* kowal.

forge rolls *n. pl. metal.* walce kuźnicze.

forgery ['fɔːrdʒərɪ] *n.* **1.** *U* fałszerstwo, fałszowanie, podrabianie. **2.** *pl.* **-ies** falsyfikat.

forge scale *n. U metal.* zgorzelina kuźnicza, młotowina.

forget [fər'get] *v.* **forgot, forgotten, -tt-** zapominać; zapominać o (*kimś l. czymś*); ~ **about sb/sth** zapomnieć o kimś/czymś; ~ **it!** nie ma mowy! (= *nie zgadzam się*); nieważne! (*kiedy nie mamy ochoty powtarzać tego, co przed chwilą powiedzieliśmy*); nie przejmuj się (tym)!, nie ma sprawy!; ~ **o.s.** zapominać się; zapominać o sobie; zamyślać się; **(and) don't you ~ it!** (i) zapamiętaj to sobie! (*często jako groźba*); **aren't you ~ting something?** (*także* **haven't you forgotten something?**) czy przypadkiem o czymś nie zapomniałeś? (*wymówka*); **don't ~ to water the plants** nie zapomnij podlać kwiatków; **don't ~ (that)...** nie zapominaj, że...; **his first or second book, I ~ which** jego pierwsza lub druga książka, nie pamiętam; **let's forgive and ~** *zob.* **forgive; not forgetting...** nie zapominając o...

forgetful [fər'getful] *a.* **1.** zapominalski; **be ~** mieć słabą pamięć. **2.** **be ~ of sth** *form.* nie zważać na coś; zaniedbywać coś (*np. obowiązki*). **3.** *poet.* przynoszący zapomnienie.

forgetfulness [fər'getfulnəs] *n.* *U* słaba pamięć.

forget-me-not [fər'getmiːˌnɑːt] *n. bot.* niezapominajka (*Myosotis scorpioides*).

forgettable [fər'getəbl] *a.* niewart zapamiętania.

forgetter [fər'getər] *n.* zapominalsk-i/a.

forgivable [fər'gɪvəbl] *a.* wybaczalny, do wybaczenia.

forgive [fər'gɪv] *v.* **forgave, forgiven** przebaczać, wybaczać; odpuszczać (*grzechy*); darować (*t. dług, winę*); ~ **sb (for) sth** wybaczyć komuś coś; ~ **sb for doing sth** wybaczyć komuś, że coś zrobił; ~ **me, but...** wybacz (mi), ale...; proszę mi wybaczyć, ale...; **I'd never ~ myself if...** nigdy bym sobie nie wybaczyła, gdyby...; **let's ~ and forget** puśćmy to w niepamięć; **she could be forgiven for thinking/doubting...** można jej wybaczyć, że myślała/wątpiła...

forgiveness [fər'gɪvnəs] *n.* *U* wybaczenie, przebaczenie; odpuszczenie; darowanie; **ask/beg for ~** prosić/błagać o wybaczenie.

forgiving [fər'gɪvɪŋ] *a.* wyrozumiały.

forgo [fɔːr'gou], **forego** *v.* **forwent, forgone** *form.* **1.** zrzekać się, rezygnować z (*czegoś*). **2.** obywać się bez (*czegoś*).

forgot [fər'gɑːt] *v. zob.* **forget.**

forgotten [fər'gɑːtən] *v. zob.* **forget.** – *a. zw. attr.* zapomniany.

forjudge [fɔːr'dʒʌdʒ] *v.* = **forejudge.**

fork [fɔːrk] *n.* **1.** widelec. **2.** *roln.* widły. **3.** rozwidlenie. **4.** *t. bot.* rozgałęzienie. **5.** *gł. US* główny dopływ (*rzeki*). **6.** (*także* **tuning ~**) *muz.* widełki stroikowe, kamerton. – *v.* **1.** rozwidlać się; ~ **right/left** skręcać w prawo/lewo (*zwł. na rozwidleniu dróg*). **2.** nabierać na widelec. **3.**

roln. nabierać na widły; przewracać widłami (*np. siano*); spulchniać widłami (*ziemię*). **4.** *szachy* atakować równocześnie (*dwie figury*). **5.** ~ **out/over/up** *pot.* wybulić (*on / for sth* na/za coś).

forked [fɔ:rkt] *a.* **1.** widlasty. **2.** rozwidlony; *w złoż.* **three -~** trójzębny. **3.** *bot.* rosochaty. **4.** **speak with ~ tongue** *żart.* kłamać, mówić nieprawdę.

forked lever *n. techn.* **1.** dźwignia rozwidlona. **2.** widełki ślizgowe (*sprzęgła*).

forked lightning *n. U meteor.* piorun liniowy.

forkful [ˈfɔ:rkful] *n.* **1.** widelec (*np. makaronu*). **2.** widły (*np. siana*).

forklift [ˈfɔ:rkˌlɪft] *n.* (*także* ~ **truck**) *mech.* podnośnik widłowy.

fork wrench *n. techn.* klucz czołowy (*z dwoma czopami*).

forlorn [fɔ:rˈlɔ:rn] *a. zwł. lit.* **1.** żałosny (*o wyglądzie, spojrzeniu, głosie*). **2.** opuszczony (*o osobie, domu*). **3.** wymarły (*o miejscu*). **4.** rozpaczliwy (*o próbie*). **5.** ~ **of sth** pozbawiony czegoś.

forlorn hope *n. sing.* **1.** bezpodstawna nadzieja. **2.** rozpaczliwe *l.* beznadziejne przedsięwzięcie. **3.** *przest. wojsk.* oddział straceńców.

form [fɔ:rm] *n.* **1.** *C / U t. fil., jęz.* forma; postać; **in the ~ of sth** w formie *l.* postaci czegoś; **take the ~ of sth** mieć formę *l.* postać czegoś; przybierać postać czegoś. **2.** *U* forma (= *kondycja*); **be in/***Br.* **on (bad/good/top/great) ~** być w (złej/dobrej/szczytowej/świetnej) formie; **be off ~** być nie w formie. **3.** *gł. Br. szkoln.* klasa; **third/sixth ~** trzecia/szósta klasa. **4.** formularz; **fill in/out a ~** wypełnić formularz. **5.** formuła; formułka. **6.** *U* zwyczaj; procedura; formalność; **it's purely a matter of ~** to tylko formalność. **7.** *Br.* ławka (*zwł. długa, niska i bez oparcia*). **8.** legowisko; nora (*np. zająca*). **9. bad ~** *Br. przest.* złe maniery. **10. have ~** *Br. sl.* być poprzednio karanym. – *v.* **1.** tworzyć (się), formować (się); ~ **sth into sth** nadawać czemuś kształt czegoś. **2.** stanowić; ~ **part of sth** stanowić część czegoś. **3.** wyrabiać sobie; ~ **an idea/opinion/impression** wyrobić sobie pojęcie/zdanie/wrażenie. **4.** nabierać (*zwyczaju*). **5.** zawierać (*sojusz, porozumienie*). **6.** *wojsk.* ustawiać (*żołnierzy*).

formal [ˈfɔ:rml] *a.* **1.** formalny (*o wykształceniu, stylu*); formalny, oficjalny (*o oświadczeniu, zachowaniu*); uroczysty (*o przyjęciu, obiedzie*). **2.** tradycyjny, typowy (*o ogrodzie*). – *n. US* **1.** zabawa *l.* przyjęcie w strojach wieczorowych. **2.** suknia wieczorowa.

formaldehyde [fɔ:rˈmældəˌhaɪd] *n. U chem.* formaldehyd, aldehyd mrówkowy.

formal dress *n. U* strój oficjalny *l.* wizytowy.

formalin [ˈfɔ:rmlɪn] *n. U chem.* formalina.

formalism [ˈfɔ:rməˌlɪzəm] *n. U* formalizm.

formalist [ˈfɔ:rməlɪst] *n.* formalist-a/ka.

formalistic [ˌfɔ:rməˈlɪstɪk] *a.* formalistyczny.

formality [fɔ:rˈmælətɪ] *n. pl.* **-ies** **1.** *zw. pl.* formalność; **it's just a ~** to tylko formalność; **legal formalities** formalności prawne. **2.** *U* oficjalność, formalność, oficjalny *l.* formalny charakter; *uj.* sztywność (*zachowania*).

formalize [ˈfɔ:rməˌlaɪz], *Br. i Austr. zw.* **formalise** *v.* **1.** nadawać oficjalną formę (*czemuś*). **2.** nadawać kształt (*czemuś*); nadawać formalny wyraz (*czemuś*). **3.** *log.* formalizować.

formal logic *n. U log.* logika formalna.

formally [ˈfɔ:rmlɪ] *adv.* formalnie; oficjalnie (*np. zaręczeni*).

format [ˈfɔ:rmæt] *n.* forma; format. – *v.* **-tt-** *komp.* formatować (*dysk, akapit*).

formate [ˈfɔ:rmeɪt] *n. chem.* mrówczan.

formation [fɔ:rˈmeɪʃən] *n. C / U* **1.** powstawanie, tworzenie się, kształtowanie się. **2.** tworzenie, formowanie (*t. rządu*). **3.** twór; *t. ekol., geol., rugby* formacja. **4.** *wojsk.* szyk, formacja; **(fly) in ~** (lecieć) w szyku.

formative [ˈfɔ:rmətɪv] *a. attr.* **1.** kształtujący, formujący; ~ **years/period** *psych.* okres kształtujący osobowość. **2.** *gram.* słowotwórczy. – *n.* **1.** czynnik kształtujący. **2.** *gram.* formant.

form class *n. jęz.* część mowy.

form drag *n. U mech.* opór kształtu.

former[1] [ˈfɔ:rmər] *a. attr.* **1.** były; ~ **president/director** były prezydent/dyrektor; **in the ~ Yugoslavia** w byłej Jugosławii. **2.** poprzedni; **in a ~ existence/life** w poprzednim życiu. **3.** dawny; **be a shadow of one's ~ self** *przen.* być cieniem dawnego siebie (*z powodu choroby, starości, ciężkich przeżyć*); **in ~ times** w dawnych czasach; **return sth to its ~ glory** przywrócić czemuś dawną świetność. **4. the ~** (ten) pierwszy (*z dwóch wymienionych*). – *n.* **the ~** (ten/ta/to) pierwszy/a/e (*z dwóch wymienionych*).

former[2] *n.* **1.** *techn.* wzornik, matryca; formierz. **2. third/sixth ~** *gł. Br. szkoln.* trzecio/szóstoklasist-a/ka.

formerly [ˈfɔ:rmərlɪ] *adv.* dawniej, w przeszłości; uprzednio, poprzednio.

formfitting [ˈfɔ:rmˌfɪtɪŋ] *a.* obcisły (*o stroju*).

formic [ˈfɔ:rmɪk] *a. chem., zool.* mrówkowy.

Formica [fɔ:rˈmaɪkə], **formica** *n. U* laminat.

formic acid *a. U chem.* kwas mrówkowy.

formicarium [ˌfɔ:rməˈkerɪəm] *n. pl.* **-a** *form.* mrowisko.

formicary [ˈfɔ:rməˌkerɪ] *n. pl.* **-ies** = **formicarium.**

formicate [ˈfɔ:rməˌkeɪt] *v. rzad.* mrowić się.

formidable [ˈfɔ:rmɪdəbl] *a.* **1.** budzący grozę; budzący respekt. **2.** ogromny (*o przedsięwzięciu, zadaniu*).

formidably [ˈfɔ:rmɪdəblɪ] *adv.* **1.** groźnie (*wyglądać*). **2.** ogromnie (*skomplikowany*).

formless [ˈfɔ:rmləs] *a.* bezkształtny.

formlessness [ˈfɔ:rmləsnəs] *n. U* bezkształtność.

form letter *n.* okólnik.

formula [ˈfɔ:rmjələ] *n. pl. t.* **formulae** [ˈfɔ:rmjəli:] **1.** *handl.* receptura, skład, formuła; **new improved ~** nowa, ulepszona receptura. **2.** *sing.* recepta, przepis (= *sposób*) (*for sth* na coś). **3.** formuła, formułka (*grzecznościowa, oklepana*). **4.** *mat. chem.* wzór. **5.** *C / U* (*także* **infant ~**) *US, Can. i Austr.* odżywka (dla niemowląt). **6. F~ One** *mot.* Formuła I.

formulaic [ˌfɔːrmjəˈleɪɪk] *a. form.* **1.** utarty (*o zwrocie*). **2.** schematyczny (*o stylu, pisarstwie*).

formularize [ˈfɔːrmjələˌraɪz], *Br. i Austr. zw.* **formularise** *v. rzad.* = **formulate** 2.

formulary [ˈfɔːrmjəˌlerɪ] *n. pl.* **-ies** **1.** *med.* spis *l.* wykaz leków (*z podaniem ich składu i działania*); receptariusz. **2.** *zwł. rel.* zbiór formuł obrzędowych; obrządek. **3.** formuła, formułka. – *a.* w postaci formułek, formułkowy.

formulate [ˈfɔːrmjəˌleɪt] *v.* **1.** opracowywać, tworzyć (*plany, strategię*). **2.** formułować (*odpowiedź, pytanie*). **3.** *mat., chem.* wyrażać za pomocą wzoru.

formulation [ˌfɔːrmjəˈleɪʃən] *n. C/U* **1.** opracowanie (*planu*). **2.** sformułowanie.

formulator [ˈfɔːrmjəˌleɪtər] *n.* autor/ka (*planu, programu*).

formulism [ˈfɔːrmjəˌlɪzəm] *n. form. U* przywiązanie do formułek.

formulize [ˈfɔːrmjəˌlaɪz], *Br. i Austr. zw.* **formulise** *v. rzad.* = **formulate** 3.

fornicate [ˈfɔːrnəˌkeɪt] *v. kośc.* cudzołożyć; *prawn.* utrzymywać stosunki pozamałżeńskie.

fornication [ˌfɔːrnəˈkeɪʃən] *n. U kośc.* cudzołóstwo; *prawn.* stosunki pozamałżeńskie.

fornicator [ˈfɔːrnəˌkeɪtər] *n. kośc.* cudzołożnik/ca; *prawn.* osoba utrzymująca stosunki pozamałżeńskie.

forsake [fɔːrˈseɪk] *v.* **forsook**, **forsaken** *lit.* porzucać, opuszczać (*osobę, miejsce*).

forsooth [fɔːrˈsuːθ] *adv. arch.* zaiste, zaprawdę.

forspent [fɔːrˈspent] *a. arch.* utrudzony.

forswear [fɔːrˈswer] *v.* **forswore**, **forsworn** **1.** *lit. l. żart.* wyrzekać się (*kogoś l. czegoś*). **2.** wypierać się (*kogoś l. czegoś*); *prawn.* zaprzeczać pod przysięgą (*czemuś*); ~ **o.s.** krzywoprzysięgać.

forsythia [fɔːrˈsɪθɪə] *n. bot.* forsycja (*Forsythia*).

fort [fɔːrt] *n.* **1.** *wojsk.* fort. **2.** *US i Can. hist.* faktoria (*przyczółek handlowy*). **3. hold (down) the** ~ *przen.* sprawować pieczę nad wszystkim (*pod czyjąś nieobecność*).

fortalice [ˈfɔːrtələs] *n. arch. hist.* warownia, fortalicja.

forte[1] [fɔːrt] *n.* **1. sb's** ~ czyjaś mocna strona. **2.** *szerm.* dolna część klingi.

forte[2] [ˈfɔːrteɪ] *a. i adv. muz.* forte.

fortepiano [ˌfɔːrtɪpɪˈænoʊ] *n. hist., muz.* fortepian (*wczesny, zwł. XVII-wieczny*).

forth [fɔːrθ] *adv. form.* **1. and so** ~ i tak dalej; **and so on, and so** ~ itd., itp.; i tak dalej bez końca; **back and** ~ tam i z powrotem, w tę i nazad; **from that day/time** ~ *lit.* od tego dnia/czasu. **2.** (*z czasownikami*) **sail** ~ *lit.* wypływać; **set** ~ *lit.* wyruszać (w drogę); **set sth** ~ *form.* przedstawiać *l.* wyłuszczać *l.* wysuwać coś (*np. argumenty, teorię*). – *prep. arch.* z (*czegoś*).

forthcoming [ˌfɔːrθˈkʌmɪŋ] *a.* **1.** *attr.* nadchodzący, najbliższy, zbliżający się (*o wyborach, tygodniu*); mający się ukazać (*o książce, artykule*). **2.** otwarty, rozmowny; **be** ~ chętnie udzielać informacji *l.* rozmawiać (*about sth* na jakiś temat). **3.** *pred.* dostępny, oferowany (*zwł. o funduszach, wsparciu finansowym*); **no answer/explanation was** ~ nie było odpowiedzi/wyjaśnienia.

forthright [ˈfɔːrθˌraɪt] *a.* **1.** szczery, otwarty, prostolinijny. **2.** *arch.* prosty (*o drodze*). – *adv.* (*także* **~ly**) **1.** szczerze, otwarcie, prostolinijnie. **2.** *arch.* natychmiast.

forthrightness [ˈfɔːrθˌraɪtnəs] *n. U* szczerość, otwartość, prostolinijność.

forthwith [ˌfɔːrθˈwɪθ] *adv. form.* bezzwłocznie, niezwłocznie.

forties [ˈfɔːrtɪz] *n. pl. zob.* **forty** *n.*

fortieth [ˈfɔːrtɪɪθ] *num.* czterdziesty. – *n.* jedna czterdziesta.

fortification [ˌfɔːrtəfəˈkeɪʃən] *n. C/U* **1.** *wojsk.* fortyfikacja; *pl.* fortyfikacje, umocnienia. **2.** wzmocnienie. **3.** wzbogacenie, uzupełnienie (*pożywienia witaminami*).

fortified wine [ˌfɔːrtəˌfaɪd ˈwaɪn] *n. C/U* wino wzmocnione *l.* wzbogacone (*alkoholem, np. porto l. sherry*).

fortify [ˈfɔːrtəˌfaɪ] *v.* **-ied**, **-ying** **1.** *wojsk.* fortyfikować, umacniać, obwarowywać. **2.** *często pass.* wzmacniać; ~ **o.s.** pokrzepić się (*with sth* czymś) (*zw. jedzeniem, piciem*). **3.** *zw. pass.* wzbogacać, uzupełniać (*pożywienie*). **4.** popierać (*twierdzenie*).

fortissimo [fɔːrˈtɪsəˌmoʊ] *a. i adv. muz.* fortissimo.

fortitude [ˈfɔːrtəˌtuːd] *n. C/U form.* hart (ducha).

fortnight [ˈfɔːrtˌnaɪt] *n. zw. sing. gł. Br.* dwa tygodnie.

fortnightly [ˈfɔːrtˌnaɪtlɪ] *gł. Br. a.* (co)dwutygodniowy, odbywający się co dwa tygodnie (*o zebraniu*), ukazujący się co dwa tygodnie (*o publikacji*), nadawany co dwa tygodnie (*o audycji*). – *adv. gł. Br.* co dwa tygodnie. – *n. pl.* **-ies** *dzienn.* dwutygodnik.

fortress [ˈfɔːrtrəs] *n. wojsk. l. przen.* twierdza, forteca. – *v.* fortyfikować.

fortuitism [fɔːrˈtuːəˌtɪzəm] *n. U fil.* wiara w przypadkowość.

fortuitous [fɔːrˈtuːətəs] *a. form.* przypadkowy.

fortuitously [fɔːrˈtuːətəslɪ] *adv. form.* przypadkowo, przypadkiem.

fortuitousness [fɔːrˈtuːətəsnəs] *n. U form.* przypadkowość.

fortuity [fɔːrˈtuːətɪ] *n.* **1.** *U* przypadkowość. **2.** *pl.* **-ies** przypadek.

fortunate [ˈfɔːrtʃənət] *a.* **1.** mający szczęście; **be** ~ **in sth** mieć szczęście w czymś; **it is/was** ~ **(that)...** całe szczęście, że...; **sb was** ~ **(enough) to do sth** komuś udało się coś zrobić; **you're** ~ **to have/in having...** masz szczęście, że masz... **2.** szczęśliwy, pomyślny; **by a** ~ **coincidence** szczęśliwym zbiegiem okoliczności, szczęśliwym trafem.

fortunately [ˈfɔːrtʃənətlɪ] *adv.* na szczęście, szczęśliwie.

fortune [ˈfɔːrtʃən] *n.* **1.** majątek, fortuna; **cost/spend/be worth a** ~ kosztować/wydać/być wartym majątek; **fame and** ~ *zob.* **fame**; **make a/one's** ~ zbić majątek *l.* fortunę; **small** ~ mnóstwo pieniędzy. **2.** *U* fortuna, los; (*także* **good** ~) szczęście; powodzenie; ~ **smiles on sb/sth** *lit.* szczęście sprzyja komuś/czemuś; **ill** ~ *form.* pech; **tell/read sb's** ~ wróżyć komuś, przepowiadać komuś przyszłość; **seek/try one's** ~ *lit.* szukać/próbować szczęścia. **3.** *pl. zob.* **fortunes**. – *v. arch.* **1.** obdarzyć fortuną. **2.** zdarzyć się.

fortune cookie *n. US* ciasteczko z wróżbą *l.* przysłowiem (*podawane po posiłku w restauracjach chińskich*).

fortune hunter *n.* łowca posagów.

fortunes [ˈfɔːrtʃənz] *n. pl.* (zmienne) koleje losu; **sb's** ~ czyjś los.

fortune-teller [ˈfɔːrtʃənˌtelər] *n.* wróżka; wróżbit-a/ka.

fortune-telling [ˈfɔːrtʃənˌtelɪŋ] *n. U* wróżenie, przepowiadanie przyszłości.

forty [ˈfɔːrtɪ] *num.* czterdzieści; czterdzieścioro; czterdziestu. – *n. pl.* **-ies** czterdziestka; **be in one's forties** być po czterdziestce, mieć czterdzieści parę lat; **the (nineteen) forties** lata czterdzieste (dwudziestego wieku); **Roaring Forties** *zob.* **Roaring**.

forty-five [ˌfɔːrtɪˈfaɪv] *n.* **1.** (*także* **.45**) pistolet kalibru 45. **2.** (*także* **45**) *muz.* singiel (= *mała płyta winylowa*).

forty-niner [ˌfɔːrtɪˈnaɪnər] *n. US hist.* poszukiwacz złota w Kalifornii w 1849 r.

forty-ninth parallel [ˌfɔːrtɪˌnaɪnθ ˈperəˌlel] *n. Can.* 49. równoleżnik (= *granica z USA*).

forty winks *n. U pot.* krótka drzemka.

forum [ˈfɔːrəm] *n. pl. t.* **fora** [ˈfɔːrə] **1.** forum (*dyskusyjne*). **2.** *hist.* forum (*rzymskie*).

forward [ˈfɔːrwərd] *adv.* (*także* **~s**) **1.** do przodu, naprzód; ~! *wojsk.* naprzód!; **from that day/time** ~ od tego dnia/czasu; **from that moment** ~ od tej chwili; **backward(s) and ~(s)** tam i z powrotem; **brought/carried** ~ *fin.* z/do przeniesienia. **2.** *żegl.* w kierunku dziobu; na dziobie. **3.** **bring/come etc** ~ *zob.* **bring/come itd.**; **look** ~ patrzeć w przyszłość; **look ~ to sth** *zob.* **look** *v.* – *a.* **1.** *attr.* przedni (*o części czegoś*); położony *l.* leżący z przodu. **2.** *attr.* do przodu, w przód, naprzód; ~ **movement** ruch do przodu, posuwanie się naprzód; *przen.* rozwój; ~ **planning/thinking** planowanie/myślenie perspektywiczne. **3.** postępowy (*o poglądach*). **4.** zaawansowany, daleko posunięty (*o gospodarce, plonach*). **5.** wczesny, przedwcześnie rozwinięty. **6.** *form.* pewny siebie, arogancki. **7.** *attr. fin., handl.* terminowy; ~ **contract/delivery** *fin.* transakcja/dostawa terminowa. **8.** *arch.* gotów, chętny. – *n. sport* napastni-k/czka. – *v.* **1.** przesyłać (dalej) (*pocztę*); **please ~ to...** proszę przesłać na adres... **2.** przesyłać, wysyłać (*towary*). **3.** popierać, wspierać (*działania*).

forward bias *n. el.* polaryzacja dodatnia *l.* przewodzenia (*półprzewodnika*).

forward buying *n. U* **1.** *handl.* zakup na zapas. **2.** *fin.* zakup na termin.

forwarder [ˈfɔːrwərdər] *n.* **1.** spedytor. **2.** nadawca.

forwarding address [ˈfɔːrwərdɪŋ əˌdres] *a.* adres przesyłkowy, nowy adres (*na który skierowuje się przesyłki po przeprowadzce adresata*).

forward-looking [ˈfɔːrwərdˌlʊkɪŋ] *a.* przewidujący (*o osobie*), dalekowzroczny (*o polityce*).

forwardly [ˈfɔːrwərdlɪ] *adv. form.* arogancko.

forward market *n. giełda* rynek terminowy, rynek transakcji terminowych.

forwardness [ˈfɔːrwərdnəs] *n. U* **1.** *form.* pewność siebie, arogancja. **2.** zaawansowanie. **3.** *arch.* gotowość, ochota.

forward pass *n. piłka nożna* podanie do przodu.

forward roll *n. gimnastyka* przewrót w przód.

forwards [ˈfɔːrwərdz] *adv.* = **forward**.

forwent [fɔːrˈwent] *v. zob.* **forgo**.

forworn [fɔːrˈwɔːrn] *a. arch.* utrudzony.

fossa [ˈfɑːsə] *n. pl.* **fossae** [ˈfɑːsiː] *anat.* dół, bruzda.

fosse [fɑːs], **foss** *n. bud.* fosa.

fossick [ˈfɑːsɪk] *v. Austr. i NZ pot.* **1.** szukać złota *l.* kamieni szlachetnych (*zwł. w rzece l. w wyeksploatowanej kopalni*). **2.** ~ **for sth** szperać w poszukiwaniu czegoś.

fossil [ˈfɑːsl] *n.* **1.** *geol.* skamielina, skamieniałość. **2.** **(old)** ~ *pog. pot.* stary zgred. – *a. attr.* **1.** kopalny; skamieniały. **2.** *przen. uj.* przedpotopowy; skostniały (*w swoich poglądach*), zaskorupiały; zacofany.

fossil fuel *n. C / U* paliwo kopalne.

fossiliferous [ˌfɑːsəˈlɪfərəs] *a. geol.* zawierający skamieliny (*o skale*).

fossilization [ˌfɑːsələˈzeɪʃən], *Br. i Austr. zw.* **fossilisation** *n. U* **1.** *geol.* skamienienie. **2.** *przen.* skostnienie (*zwł. zwyczajów*).

fossilize [ˈfɑːsəˌlaɪz], *Br. i Austr. zw.* **fossilise** *v.* **1.** *geol.* tworzyć skamielinę, skamienieć; zamieniać (się) w kamień. **2.** *zw. pass. przen.* skostnieć, ulec skostnieniu.

fossil meal *n. U geol.* ziemia okrzemkowa.

fossorial [fɑːˈsɔːrɪəl] *a. zool.* grzebiący.

foster [ˈfɔːstər] *v.* **1.** *gł. Br.* brać na wychowanie, wychowywać (*dziecko*) (*zw. przez określony czas, nie dokonując adopcji*). **2.** propagować, rozwijać, wspierać (*pokój, współpracę*). **3.** podsycać (*uczucia*). **4.** pielęgnować, piastować (*młode*). **5.** sprzyjać (*czemuś; o okolicznościach*). – *a. attr.* ~ **child** wychowan-ek/ica; ~ **family/home** rodzina zastępcza; ~ **parents** rodzice zastępczy.

fosterage [ˈfɔːstərɪdʒ] *n. U* **1.** wychowywanie (*przybranego dziecka*). **2.** wspieranie, promowanie.

fosterer [ˈfɔːstərər] *n.* opiekun/ka (*przybranego dziecka*).

fosterling [ˈfɔːstərlɪŋ] *n. przest. l. lit.* wychowan-ek/ica, przybrane dziecko.

fought [fɔːt] *v. zob.* **fight**.

foul [faʊl] *a.* **1.** paskudny, wstrętny (*o smaku, zapachu*). **2.** *zwł. Br.* okropny, fatalny (*np. o pogodzie, dniu*); **in a ~ mood/temper** w fatalnym nastroju. **3.** obrzydliwy, odrażający. **4.** cuchnący. **5.** nieprzyzwoity, wulgarny (*o języku*). **6.** *t. przen.* brudny. **7.** zgniły (*o jedzeniu, wodzie*). **8.** *zwł. lit.* podły, haniebny (*o uczynkach*). **9.** nieuczciwy, niehonorowy (*o postępowaniu*). **10.**

sport nieczysty (*o zagraniu*). **11.** zapchany, zatkany, zanieczyszczony (*o przewodzie*). **12.** pokreślony; pełen błędów (*o kopii*). **13.** *zwł. żegl.* splątany (*o linie*). **14.** *żegl.* obrośnięty (*o kadłubie statku*). **15.** *żegl.* przeciwny (*o wietrze*). **16. by fair means or ~** *zob.* **fair**[1] *a.*; **fall ~ of sb/sth** *zob.* **fall** *v.* – *n.* **1.** *sport* faul. **2.** paskudztwo, ohyda. **3.** przeszkoda, zawada. – *v.* **1.** *sport* faulować. **2.** *form.* zanieczyszczać (*zwł. odchodami*). **3.** *przen.* kalać (*dobre imię*). **4. ~ (up)** zatykać (się), zanieczyszczać (się) (*o części urządzenia*); zaplątać się (*o łańcuchu, linie*); *żegl.* zaczepiać, zaplątać (*kotwicę, linę*). **5. ~ up** *pot.* zawalić, spartaczyć (*robotę*); zepsuć (*czyjeś plany, np. o pogodzie*). – *adv. tylko po v.* nieładnie; złośliwie; **play sb ~** zrobić komuś świństwo.

foulard [fʊˈlɑːrd] *n. C / U* fular (*tkanina l. chustka*).

foul brood *n. U pat.* rozpadnica (*choroba pszczół*).

foul line *n. baseball* **1.** linia główna *l.* karna. **2.** *koszykówka* linia rzutów wolnych.

foully [ˈfaʊlɪ] *adv.* **1.** paskudnie. **2.** odrażająco. **3.** *lit.* plugawie; haniebnie.

foul-mouthed [ˌfaʊlˈmaʊðd] *a.* (*także* **~-spoken**) (*także* **~-tongued**) wulgarny (*o osobie*).

foulness [ˈfaʊlnəs] *n. U* **1.** brud. **2.** smród. **3.** ohyda. **4.** *lit.* plugawość.

foul play *n. U* **1.** *sport l. przen.* nieczysta gra. **2.** *prawn.* działanie przestępcze (*zwł. użycie przemocy prowadzące do śmierci ofiary*); **~ has been ruled out** wyklucza się morderstwo (*jako przyczynę zgonu*); **~ is not suspected** nie podejrzewa się morderstwa; **meet with ~** paść ofiarą przemocy.

foul-up [ˈfaʊlˌʌp] *n. pot.* fuszerka.

foumart [ˈfuːmərt] *n.* **1.** *US zool. pot.* skunks (*Mephitis mephitis*). **2.** *Br. zool. przest.* tchórz (*Mustela putorius*).

found[1] [faʊnd] *v. zob.* **find** *v.*

found[2] *v.* **1.** zakładać; tworzyć. **2.** ufundować. **3.** *zw. pl.* zasadzać, opierać (*teorię*); **be ~ed on/upon sth** zasadzać *l.* opierać się na czymś; **well/ill ~ed** uzasadniony/nieuzasadniony.

found[3] *v. metal.* odlewać.

foundation [faʊnˈdeɪʃən] *n.* **1.** (*także* **~s**) *t. przen.* fundament, fundamenty, podwaliny; **lay the ~s** położyć fundamenty (*budynku*); **lay the ~(s) of/for sth** *przen.* położyć podwaliny czegoś/pod coś; **shake/rock sth to its ~s** *przen.* zachwiać *l.* zatrząść czymś w posadach, ruszyć coś z posad. **2.** *C / U* zasada, podstawa (*of sth* czegoś); **be without ~** (*także* **have no ~**) nie mieć podstaw, być bezpodstawnym (*o oskarżeniach, plotkach*); **firm/solid ~** solidna podstawa (*for sth* do czegoś). **3.** *U* założenie, utworzenie (*organizacji*). **4.** fundacja (*np. dobroczynna*). **5.** *U* podkład (pod makijaż). **6. = foundation garment**.

foundation course *n. Br. uniw.* **= introductory course**.

foundation garment *n. gł. hist.* gorset.

foundation stone *n. bud. l. przen.* kamień węgielny.

founder[1] [ˈfaʊndər] *n.* założyciel/ka; fundator/ka; **~s' shares** *gł. Br.* akcje założycielskie.

founder[2] *n. metal.* odlewnik.

founder[3] *v.* **1.** zatonąć (*o statku*). **2.** *t. przen.* lec w gruzach, zawalić się (*o budynku, planie, małżeństwie*). **3.** *jeźdz.* okulawieć, ochwacić się (*o koniu*). **4.** zatopić (*statek*). **5.** *jeźdz.* ochwacić (*konia*). – *n. U wet.* ochwat.

founder member *n. Br.* człon-ek/kini założyciel/ka.

founding father *n. przen.* **1.** ojciec (*organizacji*). **2. Founding Fathers** *US hist.* Ojcowie Założyciele (= *twórcy konstytucji USA*).

foundling [ˈfaʊndlɪŋ] *n. przest.* podrzutek, znajda.

foundry [ˈfaʊndrɪ] *n. metal.* **1.** *pl.* **-ies** odlewnia. **2.** *U* odlewnictwo.

foundry iron *n. U metal.* surówka.

fount[1] [faʊnt] *n. lit.* **1.** źródło, źródełko, krynica; fontanna. **2.** *przen. cz. żart.* źródło; **the ~ of all wisdom/knowledge** źródło wszelakiej mądrości/wiedzy.

fount[2] [fɑːnt] *n.* **= font**.

fountain [ˈfaʊntən] *n.* **1.** fontanna. **2.** *t. przen.* źródło (*strumienia, wiedzy*); źródełko. **3.** *techn.* zbiorniczek. **4. drinking/water ~** *zob.* **water; soda ~** *zob.* **soda**.

fountainhead [ˈfaʊntənˌhed] *n. sing. t. przen.* źródło (*strumienia, wiedzy*).

fountain pen *n.* wieczne pióro.

four [fɔːr] *num.* **1.** cztery; czworo; czterech. **2.** *przen.* **the ~ corners of the earth/world** (wszystkie) cztery strony świata; **the ~ freedoms** *US* cztery (podstawowe) wolności (*słowa, wyznania, od biedy, od strachu*). – *n.* **1.** czwórka (*t.* = *łódź l. osada łodzi czteroosobowej*); *pl. sport* wyścigi czwórek. **2.** *U* **~ (o'clock)** (godzina) czwarta; **at ~** o czwartej. **3.** *przen.* **~ on the floor** *US mot.* ręczna przekładnia (w podłodze); **coach and ~** *zob.* **coach**[1] *n.* 2; **make up a ~** tworzyć czwórkę (*np. do brydża*); **on all ~s** na czworakach.

fourchette [fʊrˈʃet] *n.* **1.** *anat.* spoidełko tylne warg sromowych. **2.** *orn.* kość widełkowa. **3.** wstawka, klin (*między palcami skórzanej rękawiczki*).

four-cycle [ˌfɔːrˈsaɪkl] *a. US i Can. mot.* czterosuwowy. – *n. mot.* czterosuw.

four-dimensional [ˌfɔːrdɪˈmenʃənl] *a.* (*także* **four-D**) (*także* **4-D**) czterowymiarowy.

four-eyes [ˈfɔːrˌaɪz] *n. pog. pot.* okularni-k/ca.

four-F [ˌfɔːrˈef], **4-F** *n. US wojsk.* kategoria E (= *niezdolny do służby wojskowej*).

four-flush [ˈfɔːrˌflʌʃ] *v. US i Can. karty l. pot.* blefować (*zwł. przy niepełnym kolorze*).

four-flusher [ˈfɔːrˌflʌʃər] *n. US i Can. pot.* bajerant/ka.

fourfold [ˈfɔːrˌfoʊld] *a.* poczwórny; czterokrotny; czworodzielny, złożony z czterech części. – *adv.* poczwórnie; czterokrotnie.

fourgon [fʊrˈgɔːŋ] *n. Fr.* furgon.

four-handed [ˌfɔːrˈhændɪd] *a.* **1.** *karty* dla czterech osób (*o grze*). **2.** *muz.* na cztery ręce (*o utworze*). **3.** *zool.* czwororęczny (*o małpie*).

four-horse [ˌfɔːrˈhɔːrs], **four-horsed** *a. attr.* czworokonny, czterokonny (*o powozie, zaprzęgu*).

Fourier analysis [ˌfʊrɪˌeɪ əˈnælɪsɪs] *n. mat., fiz.* analiza Fouriera *l.* harmoniczna.

Fourier series *n. mat., fiz.* szereg Fouriera *l.* harmoniczny.

Fourier transform *n. mat., fiz.* transformata Fouriera.

four-in-hand [ˌfɔːrənˈhænd] *n.* zaprzęg czterokonny.

four-leaf clover [ˌfɔːrˌliːf ˈkloʊvər], **four-leaved clover** *n.* czterolistna koniczyna.

four-letter word [ˌfɔːrˌletər ˈwɝːd] *n.* brzydkie słowo, przekleństwo; wyraz na cztery litery.

four-oar [ˌfɔːrˈɔːr] *a. attr.* czterowiosłowy. – *n.* łódź czterowiosłowa.

four-o'clock [ˈfɔːrəˌklɔːk] *n. bot.* dziwaczek jalapa (*Mirabilis jalapa*).

four-part [ˌfɔːrˈpɑːrt] *a. attr. muz.* na cztery głosy, czterogłosowy.

fourpence [ˈfɔːrpəns] *n. Br. hist.* czteropensówka (*dawna moneta*).

fourpenny one [ˌfɔːrˌpenɪ ˈwʌn] *n. Br. przest. pot.* cios pięścią.

four-poster [ˌfɔːrˈpoʊstər] *n.* (*także* ~ **bed**) łoże z baldachimem.

fourragere [ˈfʊrəˌʒer] *n. US wojsk.* sznur (naramienny).

fourscore [ˌfɔːrˈskɔːr] *num. arch.* osiemdziesiąt.

foursome [ˈfɔːrsəm] *n.* czwórka; dwie pary; *sport* gra podwójna, debel; **make up a** ~ tworzyć czwórkę (*np. do brydża*).

foursquare [ˌfɔːrˈskwer] *a.* **1.** mocny, solidny (*o budynku*). **2.** *zwł. Br.* stanowczy, zdecydowany; bezpośredni, szczery (*o osobie, odpowiedzi*). **3.** *rzad.* kwadratowy. – *adv.* **1.** mocno, solidnie. **2.** stanowczo.

four-star [ˌfɔːrˈstɑːr] *a. zw. attr.* czterogwiazdkowy (*o hotelu, restauracji*); luksusowy. – *n. U* (*także* ~ **petrol**) *Br. mot.* benzyna super.

four-star general *n. wojsk.* generał najwyższej rangi.

four-stroke [ˌfɔːrˈstroʊk] *a. i n. Br.* = **four-cycle**.

fourteen [ˌfɔːrˈtiːn] *num.* czternaście; czternaścioro; czternastu. – *n.* czternastka.

fourteenth [ˌfɔːrˈtiːnθ] *num.* czternasty. – *n.* jedna czternasta.

fourth [fɔːrθ] *num.* czwarty; **the F~ (of July)** *US* Święto Niepodległości. – *n.* **1.** jedna czwarta, ćwierć, ćwiartka. **2.** *mot.* czwórka, czwarty bieg. **3.** *muz.* kwarta. – *adv.* po czwarte.

fourth class (mail) *n. US* przesyłka czwartej klasy (*dla niezapieczętowanych druków i pakietów o wadze ponad pół funta*).

fourth dimension *n.* **the** ~ *fiz.* czwarty wymiar (*zwł. = czas w teorii względności*).

fourth estate, Fourth Estate *n. sing.* czwarta władza (= *prasa, media*).

fourth-generation language [ˌfɔːrθˌdʒenəˌreɪʃən ˈlæŋgwɪdʒ] *n. sing. komp.* język czwartej generacji.

fourthly [ˈfɔːrθlɪ] *adv.* po czwarte.

four-way [ˌfɔːrˈweɪ] *a. zw. attr. el., akustyka* czwórdrożny (*o kolumnie*); *mech.* czterokierunkowy, czterodrogowy (*o zaworze*).

four-wheel drive [ˌfɔːrˌwiːl ˈdraɪv] *a. i n.* (*także* **FWD**) (*także* **4WD**) *mot.* (samochód) z napędem na cztery koła.

four-wheeled [ˌfɔːrˈwiːld] *a. mot.* czterokołowy (*o pojeździe*).

four-wheeler [ˌfɔːrˈwiːlər] *n. mot.* samochód z napędem na cztery koła; samochód terenowy.

fovea [ˈfoʊvɪə] *n. pl.* **foveae** [ˈfoʊvɪiː] *anat.* dołek.

foveate [ˈfoʊvɪɪt] *a. anat.* pokryty dołkami.

foveola [foʊˈviːələ] *n. pl.* **foveolae** [foʊˈviːəleɪ] *anat.* dołeczek.

foveolate [ˈfoʊvɪəlɪt] *a. anat.* pokryty dołeczkami.

fowl [faʊl] *n. pl.* **fowl** *l. arch.* **-s** **1.** ptak (*zwł. kura, kaczka, gęś, indyk l. kuropatwa*); *U* drób; **wild/water~** dzikie/wodne ptactwo. **2. neither fish nor** ~ *zob.* **fish**[1] *n.* – *v. myśl.* polować na ptactwo.

fowler [ˈfaʊlər] *n. myśl.* myśliwy polujący na ptactwo.

fowling [ˈfaʊlɪŋ] *n. U myśl.* polowanie na ptactwo.

fowling piece *n. myśl.* flower (*mała strzelba*).

fowl pox *n. U wet.* ospa drobiu.

fox [fɑːks] *n.* **1.** *pl.* **foxes** *l.* **fox** *zool.* lis (*rodzaj Vulpes*). **2.** *U* futro z lisa, lis, lisy. **3. (sly)** ~ *przen. pot.* (szczwany) lis. **4.** *US pot.* towar (= *seksowna osoba*). – *v.* **1.** *często pass. Br. pot.* zażyć, zbić z tropu. **2.** ~ **sb into sth** *gł. Br. pot.* wkopać *l.* wrobić kogoś w coś. **3.** przebarwiać (się) (*np. pod wpływem pleśni*).

fox brush *n.* lisia kita.

foxglove [ˈfɑːksˌglʌv] *n. bot.* naparstnica (purpurowa) (*Digitalis (purpurea)*).

fox grape *n. bot.* winorośl lisia (*Vitis labrusca; t. inne gatunki dzikiego wina*).

foxhole [ˈfɑːksˌhoʊl] *n.* **1.** lisia nora. **2.** *wojsk.* okop indywidualny strzelca.

foxhound [ˈfɑːksˌhaʊnd] *n. kynol.* wyżeł.

fox-hunt [ˈfɑːksˌhʌnt] *v.* polować na lisa. – *n. C/U* polowanie na lisa.

fox-hunting [ˈfɑːksˌhʌntɪŋ] *n. U* polowanie na lisa.

fox squirrel *n. zool.* wiewiórka czarna (*Sciurus niger*).

foxtail [ˈfɑːksˌteɪl] *n.* **1.** lisia kita. **2.** *bot.* wyczyniec (łąkowy) (*Alopecurus pratensis*). **3.** *bot.* włośnica (*Setaria*).

fox terrier *n. kynol.* foksterier.

foxtrot [ˈfɑːksˌtrɑːt] *n.* fokstrot. – *v.* tańczyć fokstrota.

foxy [ˈfɑːksɪ] *a.* **-ier, -iest** **1.** lisi. **2.** *przen.* szczwany, przebiegły. **3.** *US pot.* seksowny (*o osobie*). **4.** rudy, rdzawy. **5.** przebarwiony (*o papierze, drewnie*). **6.** mający ostry aromat (*o winie*).

foyer [ˈfɔɪər] *n.* **1.** *teatr* foyer. **2.** *US* przedpokój.

fps. [ˌef ˌpiː ˈes] *abbr.* **1. frame per second** *film* klatek na sekundę. **2. feet per second** *fiz., miern.* stopy *l.* stóp na sekundę.

fr *abbr.* **1.** = **fragment**. **2.** = **franc**. **3.** = **from**.

Fr. *abbr.* **1. Father** *rel.* ks. (= *ksiądz*). **2. Friar** *rel.* o. (= *ojciec*). **3.** = **Friday**. **4.** = **France**. **5.** = **French**.

Fra [frɑː] *n. rel.* brat (*przed imieniem zakonnika*).

fracas ['freɪkəs] *n. pl.* **fracas** *US t.* **-es** przepychanka, burda.

fractal ['fræktl] *mat. n.* fraktal. – *a. attr.* fraktalny.

fraction ['frækʃən] *n.* **1.** *mat.* ułamek; **common/vulgar ~** ułamek zwyczajny; **decimal ~** ułamek dziesiętny; **proper/improper ~** ułamek właściwy/niewłaściwy. **2.** cząstka, drobna część; ułamek; odrobina; **for a ~ of a second** przez ułamek sekundy; **only a (tiny/small) ~ of sth** zaledwie drobna *l.* znikoma część czegoś; **open the window a ~** odrobinę uchylić okno. **3.** część. **4.** *chem.* frakcja. **5.** *rz.-kat.* łamanie chleba (*w czasie mszy*).

fractional ['frækʃənl] *a.* **1.** *mat.* ułamkowy. **2.** znikomy (*np. o wpływie*); nieznaczny, minimalny (*np. o zmianie, przewadze, wzroście*). **3.** (*także* **fractionary**) podzielony. **4.** *chem.* frakcyjny, frakcjonowany. **5.** *fin.* niskonominałowy, zdawkowy (*o pieniądzu*).

fractional distillation *n. U chem.* destylacja frakcyjna *l.* frakcjonowana.

fractionally ['frækʃənlɪ] *adv.* nieznacznie, minimalnie, odrobinę (*np. większy*); o ułamek (*np. wzrosnąć*).

fractionary ['frækʃəˌnerɪ] *a.* = **fractional** 3.

fractionate ['frækʃəˌneɪt] *v. chem.* frakcjonować.

fractionation [ˌfrækʃə'neɪʃən] *n. C/U chem.* frakcjonowanie.

fractionize ['frækʃəˌnaɪz], *Br. i Austr. zw.* **fractionise** *v.* **1.** *mat.* dzielić *l.* rozbijać na ułamki. **2.** dzielić (na części).

fractious ['frækʃəs] *a.* marudny (*zwł. o dziecku*); krnąbrny (*jw.*).

fractiously ['frækʃəslɪ] *adv.* marudnie; krnąbrnie.

fractiousness ['frækʃəsnəs] *n. U* marudność; krnąbrność.

fracture ['fræktʃər] *n.* **1.** *zwł. pat.* złamanie. **2.** pęknięcie. **3.** *metal.* przełom. **4.** *min.* przełam. – *v.* **1.** *zwł. pat.* złamać się, ulec złamaniu; złamać (*nogę, kość*). **2.** pękać; powodować pękanie (*np. skały*).

frae [freɪ] *adv. i prep. Scot.* = **from**.

fraenum ['friːnəm] *n.* = **frenum**.

fragile ['frædʒl] *a.* **1.** kruchy; łamliwy; łatwo tłukący się (*np. o zawartości przesyłki*). **2.** słabowity, wątły, delikatny (*o osobie*). **3.** *przen.* kruchy (*np. o równowadze*); łatwo mogący ulec załamaniu (*np. o gospodarce, rozmowach pokojowych*).

fragility [frə'dʒɪlətɪ] *n. U* **1.** kruchość. **2.** wątłość, delikatność.

fragment ['frægmənt] *n.* **1.** część, kawałek; odłamek, odprysk (*kości, talerza*); skrawek (*papieru, tkaniny*). **2.** fragment, urywek (*tekstu, rozmowy*). – *v.* **1.** *często pass.* rozbijać (*społeczeństwo, opozycję*). **2.** rozpadać się (na kawałki).

fragmental [fræg'mentl] *a.* **1.** = **fragmentary**. **2.** *geol.* klastyczny.

fragmentary ['frægmənˌterɪ] *a.* fragmentaryczny; częściowy.

fragmentation [ˌfrægmən'teɪʃən] *n. U* rozbicie, podział (*w społeczeństwie, partii, na rynku*).

fragmentation bomb *n. wojsk.* pocisk odłamkowy.

fragmentation grenade *n. wojsk.* granat odłamkowy.

fragmented ['frægməntɪd] *a.* podzielony (*o społeczeństwie, partii*).

fragmentize ['frægmənˌtaɪz] *v. US* = **fragment** *v.*

fragrance ['freɪgrəns] *n.* **1.** *C/U* zapach, woń, aromat. **2.** perfumy.

fragranced ['freɪgrənst] *a.* perfumowany (*np. o proszku, płynie do naczyń*).

fragrance-free [ˌfreɪgrəns'friː] *a.* bezzapachowy, nieperfumowany (*np. o mydle, dezodorancie*).

fragrant ['freɪgrənt] *a.* pachnący, wonny, aromatyczny.

fragrantly ['freɪgrəntlɪ] *adv.* pachnąco.

fraidy-cat ['freɪdɪˌkæt] *n. US pot. zwł. dziec.* bojąca dusza, strachajło.

frail[1] [freɪl] *a.* **1.** słaby, słabowity, wątły (*zwł. wskutek podeszłego wieku*). **2.** *przen.* słaby (*o dowodach, demokracji, nadziei*). **3.** kruchy (*np. o naczyniu*).

frail[2] *n.* koszyk pleciony (*zwł. na figi l. rodzynki*).

frailty ['freɪltɪ] *n.* **1.** *U* słabość (*t. moralna*); słabowitość. **2.** *pl.* **-ies** słabostka, słabość.

fraise [freɪz] *n.* **1.** *bud.* kolec, ostrokół. **2.** *strój, hist.* kreza (*noszona w XVI w.*). **3.** *Br. mech.* frez.

frambesia [fræm'biːʒə] *zwł., Br.* **framboesia** *n. U pat.* frambezja, malinica (*tropikalna choroba zakaźna*).

frame [freɪm] *n.* **1.** rama (*roweru, obrazu, okna*); ramka (*zdjęcia*); framuga (*drzwi*). **2. ~(s)** oprawka, oprawki (*okularów*). **3.** szkielet (*budynku, samolotu*). **4.** *mech.* wręg. **5.** budowa (*ciała*), postura. **6.** *film, fot.* klatka; *kino* kadr. **7.** *ogr.* inspekt. **8.** *sl.* = **frame-up**. – *v.* **1.** oprawiać (w ramy *l.* ramki) (*obraz, zdjęcie*). **2.** składać, zestawiać (*konstrukcję*). **3.** formułować (*teorię, pytanie*). **4.** ubierać w słowa (*treści, myśli*). **5.** układać, obmyślać (*plan, list*). **6. ~ (up)** *sl.* wrobić (*kogoś*) (*for sth* w coś); sfałszować (*wyścigi, losowanie*).

framed [freɪmd] *a.* **1.** oprawiony, w ramce (*np. o fotografii*). **2.** *w złoż.* **silver/wood-~** w srebrnych/drewnianych ramach; w srebrnej/drewnianej oprawie. **3. ~ by sth** otoczony czymś (*np. dziedziniec trawnikiem, twarz lokami*).

frame house *n. US i Can.* dom na konstrukcji szkieletowej, dom typu kanadyjskiego.

frame of mind *n.* nastrój.

frame of reference *n. mat., fiz. l. przen.* układ odniesienia.

framer ['freɪmər] *n.* **1.** oprawiacz (*obrazów, lu-*

ster). **2.** *US* twór-ca/czyni, autor/ka (*aktu prawnego*); **~s of the constitution** twórcy konstytucji.

frame saw *n. mech.* piła *l.* pilarka ramowa.

frame-up [ˈfreɪmˌʌp] *n. sl.* prowokacja, pułapka.

framework [ˈfreɪmˌwɜːk] *n.* **1.** *mech.* szkielet, struktura (*maszyny, budynku, pojazdu*); kratownica. **2.** szkielet, ramy, zarys (*umowy, porozumienia, planu*); program ramowy; zrąb, podstawa (*for sth* czegoś). **3.** *nauka* model (*teoretyczny*). **4.** kontekst (*polityczny, społeczny, prawny*).

framing [ˈfreɪmɪŋ] *n. U* **1.** oprawa, oprawianie (*obrazów, luster*). **2.** obramowanie. **3.** *mech.*, *bud.* szkielet. **4.** *bud.* montaż. **5.** *film* kadrowanie.

franc [fræŋk] *n. fin.* frank.

France [fræns] *n. geogr.* Francja.

franchise [ˈfræntʃaɪz] *n.* **1.** *handl. gł. US i Can.* koncesja; umowa koncesyjna. **2.** *handl. gł. US i Can.* ajencja, agencja. **3.** *ubezp.* franszyza. **4.** *U polit.* czynne prawo wyborcze. **5.** prawo, przywilej. **6.** *U* prawa obywatelskie. – *v.* **1.** *handl. gł. US i Can.* udzielić koncesji (*komuś*). **2.** *handl. gł. US i Can.* oddać w ajencję *l.* agencję (*sth to sb* coś komuś). **3.** *polit.* nadawać (czynne) prawo wyborcze (*komuś*). **4.** nadawać prawo *l.* przywilej (*komuś*). **5.** nadawać prawa obywatelskie (*komuś*).

franchisee [ˌfræntʃaɪˈziː] *n. handl., prawn. gł. US i Can.* **1.** koncesjobior-ca/czyni. **2.** ajent/ka, agent/ka.

franchiser [ˈfræntʃaɪzər], **franchisor** *n. handl., prawn. gł. US i Can.* koncesjodawca.

Franciscan [frænˈsɪskən] *kośc. a.* franciszkański. – *n.* franciszkanin.

francolin [ˈfræŋkələn] *n. orn.* frankolin (*Francolinus*).

Franconian [fræŋˈkoʊnɪən] *jęz., hist. a.* frankoński. – *n. U* grupa dialektów frankońskich.

Francophile [ˈfræŋkəˌfaɪl], **francophile** *n.* frankofil/ka. – *a.* frankofilski.

Francophobe [ˈfræŋkəˌfoʊb], **francophobe** *n.* frankofob.

Francophone [ˈfræŋkəˌfoʊn], **francophone** *a.* francuskojęzyczny (*o ludności, obszarze, literaturze*). – *n.* osoba mówiąca po francusku.

frangible [ˈfrændʒəbl] *a. form.* łamliwy, kruchy.

frangipane [ˈfrændʒəˌpeɪn] *n.* **1.** *kulin.* ciastko z kremem migdałowym. **2.** = **frangipani** 2.

frangipani [ˌfrændʒəˈpænɪ] *n. pl.* **-s** *l.* **frangipani** **1.** *bot.* uroczyn (czerwony) (*Plumeria (rubra)*). **2.** *U* perfumy z olejkiem rośliny jw.

franglais [ˌfrɑːnˈgleɪ], **Franglais** *n. U jęz.* potoczna francuszczyzna zawierająca liczne zapożyczenia z angielskiego.

Frank [frɑːnk] *n. hist.* Frank (= *członek ludu Franków*).

frank[1] [fræŋk] *a.* **1.** szczery, otwarty; **to be ~** szczerze mówiąc. **2.** jawny (*o buncie*); nieukrywany (*o zainteresowaniu*). – *v.* **1.** *gł. Br. poczta* frankować (*przesyłkę*). **2.** *poczta* zwalniać od opłaty (*przesyłkę*). **3.** umożliwiać swobodne przejście *l.* przejazd (*komuś*). – *n.* **1.** *poczta* przesyłka wolna od opłaty. **2.** zwolnienie od opłaty.

frank[2] *n. US kulin. pot.* = **frankfurter.**

frankfurter [ˈfræŋkfərtər] *rzad.* **frankforter** *n. kulin.* cienka parówka.

frankincense [ˈfræŋkɪnˌsens] *n. U* **1.** żywica olibanowa (*używana w kadzidłach*). **2.** kadzidło.

franking machine [ˈfræŋkɪŋ məˌʃiːn] *n. poczta* maszyna do frankowania (listów).

Frankish [ˈfræŋkɪʃ] *a. hist.* frankoński (*o języku, plemionach, kulturze*). – *n. U jęz., hist.* język frankoński.

franklin [ˈfræŋklɪn] *n. Br. hist.* właściciel ziemski bez szlachectwa.

frankly [ˈfræŋklɪ] *adv.* **1.** szczerze. **2.** ~,... szczerze mówiąc *l.* powiedziawszy,...

frankness [ˈfræŋknəs] *n. U* szczerość.

frankpledge [ˈfræŋkˌpledʒ] *n. Br. hist.* umowa wzajemnej poręki pomiędzy dziesiątką dzierżawców; grupa związana umową jw.; osoba związana umową jw.

frantic [ˈfræntɪk] *a. zw. przen.* oszalały (*o osobie*); szalony, szaleńczy (*o tempie*); gorączkowy (*o poszukiwaniach, wysiłkach*); rozszalały (*o wietrze, burzy*); **I was ~ with worry** myślałem, że oszaleję ze zmartwienia; **we are ~ (at the office) right now** mamy teraz (w pracy) urwanie głowy.

frantically [ˈfræntɪklɪ], **franticly** *adv.* szaleńczo; zapamiętale; gorączkowo.

frap [fræp] *v.* **-pp-** *żegl.* umocowywać, ściągać liną (*żagiel*).

frappé [fræˈpeɪ] *n. C/U* **1.** napój *l.* sok mrożony. **2.** likier mrożony; drink z lodem (*kruszonym*). **3.** *płn.-wsch. US* gęsty koktajl mleczny. – *a. tylko po n.* mrożony, z (kruszonym) lodem (*o napoju*); **peppermint ~** mrożony peppermint.

frass [fræs] *n. U ent.* odchody (*larw l. owadów*).

frat [fræt] *n. US pot.* = **fraternity** 1.

frater[1] [ˈfreɪtər] *n. rel.* brat (zakonny).

frater[2] *n. arch. kośc.* refektarz.

fraternal [frəˈtɜːnl] *a.* **1.** braterski (*o uczuciach*); bratni (*o pomocy*). **2.** *US i Can. uniw.* dotyczący stowarzyszenia studentów.

fraternally [frəˈtɜːnlɪ] *adv.* po bratersku; bratnio.

fraternal order *n. kośc.* zakon męski.

fraternal twins *n. pl. fizj.* bliźnięta dwujajowe.

fraternity [frəˈtɜːnətɪ] *n. pl.* **-ies** **1.** *US i Can. uniw.* stowarzyszenie studentów (*zw. elitarne i zrytualizowane, oznaczane trzema greckimi literami*). **2.** brać; *t. kośc.* bractwo; **teaching ~** brać nauczycielska. **3.** *U* braterstwo.

fraternization [frəˌtɜːnəˈzeɪʃən], *Br. i Austr. zw.* **fraternisation** *n. U* zbratanie.

fraternize [ˈfrætərˌnaɪz], *Br. i Austr. zw.* **fraternise** *v.* bratać się (*with sb* z kimś).

fraternizer [ˈfrætərˌnaɪzər], *Br. i Austr. zw.* **fraterniser** *n. rzad.* **1.** osoba towarzyska. **2.** *uj.* kolaborant/ka.

fratricidal [ˌfrætrɪˈsaɪdl] *a.* bratobójczy.

fratricide [ˈfrætrɪˌsaɪd] *n. C/U* **1.** bratobójstwo; *rzad.* siostrobójstwo. **2.** bratobój-ca/czyni; *rzad.* siostrobój-ca/czyni.

fraud [frɔ:d] *n. C/U* **1.** *t. prawn.* oszustwo; **by ~** poprzez oszustwo; **tax ~** oszustwo podatkowe; **this whole thing is a ~** to jedno wielkie oszustwo. **2.** oszust/ka, naciągacz/ka.

Fraud Squad *n. sing. Br. policja* wydział ds. przestępstw gospodarczych.

fraudster ['frɔ:dstər] *n.* oszust/ka.

fraudulence ['frɔ:dʒələns] *n. U t. prawn.* nieuczciwość, oszukańcze praktyki.

fraudulent ['frɔ:dʒələnt] *a. t. prawn.* oszukańczy; nieuczciwy; fałszywy (*np. o oświadczeniu*).

fraudulently ['frɔ:dʒələntlı] *adv.* nieuczciwie; fałszywie.

fraught [frɔ:t] *a.* **1. ~ with sth** obfitujący w coś, pełen czegoś (*zwł. problemów, przeszkód*); **~ with danger/difficulties** najeżony niebezpieczeństwami/trudnościami; **~ with meaning** znaczący (*np. o spojrzeniu*). **2.** spięty (*o osobie*); napięty (*o stosunkach, atmosferze*); pełen napięcia (*o sytuacji, dniu*).

fraxinella [ˌfræksə'nelə] *n. bot.* dyptam jesionolistny (*krzew Dictamnus albus*).

fray[1] [freı] *v.* **1.** strzępić (się), wycierać (się) (*o tkaninie, rękawie*). **2.** *przen.* rozpadać się, ulegać dezintegracji; **~ at the edges** rozpadać się na kawałki (*np. o państwie*). **3.** zawodzić (*np. o cierpliwości*); **tempers were beginning to ~** nerwy zaczynały zawodzić *l.* puszczać. **4. ~ its head** *zool.* czochrać się (*o jeleniu*).

fray[2] *n. sing.* zwada, kłótnia, awantura; *gł. przen.* walka (= *intensywna, pasjonująca l. stresująca działalność l. praca*); **eager for the ~** skory do zwady; **join/enter the ~** *t. przen.* przyłączyć się do walki, włączyć się w konflikt; **return to the ~** *gł. przen.* wrócić w ogień walki (= *wziąć się z powrotem do pracy*).

frayed [freıd] *a.* **1.** wytarty (*np. o rękawie*); wystrzępiony, postrzępiony (*np. o krawędzi dywanu*). **2.** *przen.* na wyczerpaniu (*o cierpliwości, nerwach*).

frazil ['freızl] *n. U żegl.* śryż (= *drobny lód w wodzie*).

frazzle ['fræzl] *v.* **1.** *pot.* wymęczyć, wyczerpać (*kogoś*); umęczyć *l.* umordować się. **2.** *rzad.* = **fray[1]** *n.* 1. – *n. sing.* **1.** *pot.* zmęczenie, wyczerpanie; **work o.s. into a ~** umęczyć *l.* umordować się; **worn to a ~** wykończony, skonany. **2.** strzęp; **a ~ of nerves** *pot.* kłębek nerwów. **3. burnt to a ~** *Br. pot.* spalony do cna *l.* na popiół.

frazzled ['fræzld] *a. pot.* **1.** umęczony, zmordowany. **2.** *Br.* spalony, spieczony (*t. wskutek opalania*).

FRB [ˌef ˌɑ:r 'bi:] *abbr. US* = **Federal Reserve Board**.

freak[1] [fri:k] *n.* **1.** dziwoląg; fenomen; (*także* **~ of nature**) wybryk *l.* kaprys *l.* fenomen natury. **2.** *pot. zw. uj.* mania-k/czka, fanaty-k/czka; **health/jazz ~** mania-k/czka na punkcie zdrowia/jazzu; **control ~** *zob.* **control**. **3.** *pot.* dziwa-k/czka; *uj.* podejrzany *l.* dziwny typ; zboczeniec. **4.** *sl.* narkoman/ka; **be an acid ~** brać kwas. – *a. attr.* niezwykły, nietypowy, niespotykany (*zwł. o zjawiskach atmosferycznych*); przedziwny, nieprawdopodobny (*np. o wypadku*); **~ snowstorm** niespotykana (o tej porze roku) śnieżyca. – *v.* **~ (out)** *pot.* panikować, świrować (*zwł. z nerwów*); szaleć (*z zachwytu*); mieć wizje (*narkotyczne*); **~ sb (out)** napędzić komuś stracha; **he was (all) ~ed out** był (totalnie) spanikowany.

freak[2] *v. poet.* upstrzyć. – *n. poet.* cętka.

freakish ['fri:kıʃ] *a.* niezwykły, nietypowy, niespotykany (*zwł. o zjawiskach atmosferycznych*); kapryśny (*o pogodzie*); dziwaczny, cudaczny (*o osobie, przedmiocie, zwyczajach*).

freak show *n. hist.* pokaz osobliwości (*np. zwierząt z dwoma głowami, karłów, olbrzymów*).

freaky ['fri:kı] *a.* **-ier, -iest** *pot.* **1.** = **freakish**. **2.** trochę straszny *l.* niesamowity (*np. o filmie*).

freckle ['frekl] *n. zw. pl.* pieg; **have ~s** mieć piegi, być piegowatym. – *v.* pokrywać się piegami (*o twarzy, skórze*).

freckled ['frekld], **freckly** *a.* **-ier, -iest** piegowaty.

free [fri:] *a.* **1.** *t. chem.* wolny (*of/from sth* od czegoś); swobodny; **~ as a bird** wolny jak ptak; **~ day/evening/time** wolny dzień/wieczór/czas; **~ from blame/care** wolny od winy/trosk, niewinny/beztroski; **are you ~ (on) Saturday?** czy jesteś wolny w sobotę?, czy masz czas w sobotę?; **is this seat ~?** czy to miejsce jest wolne?; **it's a ~ country** jesteśmy w wolnym kraju; **set sb ~** uwolnić *l.* zwolnić kogoś, wypuścić kogoś na wolność. **2.** *w złoż.* bez-, nie zawierający (*czegoś*); wolny od (*czegoś*); **lead-~** bezołowiowy; **tax/duty-~** bezcłowy; **trouble-~** wolny od kłopotów. **3.** bezpłatny, darmowy; **~ of charge** nieodpłatny, bezpłatny; **admission ~** wstęp wolny *l.* bezpłatny. **4.** *przen.* **~ of the house** *form.* zawsze mile widziany; **be ~ with sth** nie skąpić czegoś, szafować czymś (*zwł. pieniędzmi*); nie szczędzić czegoś (*np. rad, uwag krytycznych*); **feel ~ to do sth** nie krępować się robić coś; **feel ~ to ask questions!** proszę śmiało zadawać pytania!; **he's ~ to do whatever he likes** wolno mu *l.* może robić, co mu się żywnie podoba; **make ~ with sb** pozwalać sobie na zbyt wiele z kimś; zachowywać się zbyt swobodnie wobec kogoś; **make ~ with sth** swobodnie korzystać z czegoś (*zwł. z cudzej własności bez pozwolenia*); **make sb ~ of sth** *przest.* dopuszczać kogoś do czegoś; **make (so) ~ (as) to do sth** pozwalać sobie na coś. – *adv.* **1.** za darmo, bezpłatnie, nieodpłatnie; **~ of charge** nieodpłatnie, bezpłatnie; **buy one, get one ~** *handl.* przy zakupie jednego, drugi za darmo (*reklama produktu*); **for ~** za darmo. **2.** swobodnie, wolno; luźno (*np. opadać*); **break ~** wyrwać się, uciec; **run ~** biegać wolno *l.* swobodnie (*o zwierzętach*); **struggle/pull ~** wyrwać się, wyswobodzić się; **walk ~** wyjść na wolność; zostać uniewinnionym; uniknąć kary (*więzienia*). **3.** *żegl.* z pomyślnym wiatrem. **4. ~ and clear** całkowicie, co do grosza (*spłacić dług*). – *v.* **1.** uwalniać, zwalniać (*from/of sth* z/od czegoś); *polit.* wyzwalać. **2.** obluzować (*zaciętą część*). **3. ~ up** wygospodarować (*czas, środki*); zwolnić (*miejsce w pociągu, na dysku*); obluzować (*zaciętą część*).

free agent *n.* **be a ~** mieć pełną swobodę działania, działać na własną rękę; pracować na własny rozrachunek (*zwł. o sportowcu*).

free alongside ship *n. a. i adv. żegl., handl.* franco wzdłuż burty, franco pod burtą.

free and easy *a.* swobodny, na luzie (*o atmosferze, dyskusji, osobie*).

free association *n. psych.* swobodne skojarzenie; *U* technika swobodnych skojarzeń.

freebase ['fri:beɪs], **free-base** *v.* **1.** oczyszczać (*kokainę*). **2.** *sl.* brać kokę.

freebie ['fri:bɪ], **freebee** *n. pot.* towar *l.* rzecz za friko (= *coś darmowego*); upominek (*od firmy*).

freeboard ['fri:ˌbɔ:rd] *n. żegl.* wolna burta.

freeboot ['fri:ˌbu:t] *v.* rabować, grabić (*na wojnie*); żyć z rabunku *l.* grabieży.

freebooter ['fri:ˌbu:tər] *n.* rabuś, grabieżca (*zwł. = ktoś idący na wojnę w celach rabunkowych*); *hist.* pirat, korsarz.

freebooting ['fri:ˌbu:tɪŋ] *n. U* rabunek, grabież; *hist.* korsarstwo.

freeborn ['fri:ˌbɔ:rn] *a. zw. attr.* wolno urodzony.

Free Church *n. gł. Br. protestantyzm* wolny kościół (= *nieanglikański*).

free city *n. polit.* wolne miasto.

free delivery *n. C/U handl.* bezpłatna dostawa.

freedman ['fri:dmən] *n. pl.* **-men** wyzwoleniec (*spod niewolnictwa*).

freedom ['fri:dəm] *n. C/U* **1.** wolność (*from sth* od czegoś); swoboda (*to do sth* robienia czegoś); ~ **of movement/action** swoboda poruszania się/działania; ~ **of speech/worship** wolność słowa/wyznania; ~ **of the press** wolność prasy *l.* druku; ~ **of (the) will** wolna wola; ~ **to choose** wolność wyboru, wolny wybór; **take ~s with sb** *form.* pozwalać sobie (na poufałość) z kimś; **the four ~s** *zob.* **four** *num.* **2.** zwolnienie; przywilej. **3.** członkostwo; obywatelstwo; ~ **of the city** *Br.* honorowe obywatelstwo miasta. **4.** ~ **of sth** (swobodny) dostęp do czegoś; prawo do (swobodnego) korzystania z czegoś; ~ **of the seas/air** *polit.* wolność mórz/przestrzeni powietrznej.

freedom fighter *n. polit.* bojowni-k/czka o wolność.

freedom march *n. US hist., polit.* marsz wolności (*w latach 60. XX w.*).

freedwoman ['fri:dˌwʊmən] *n. pl.* **-women** wyzwolenica (*spod niewolnictwa*).

free enterprise *n. U ekon.* wolna inicjatywa.

free fall *n. U fiz.* spadek swobodny.

free fire zone *n. wojsk.* strefa wolnego ognia.

free flight *n. U fiz., lotn.* lot swobodny.

free-floating [ˌfri:'floʊtɪŋ] *a.* **1.** niezaangażowany (*np. w działalność partyjną*). **2.** nieokreślony (*zwł. o lęku*).

free-for-all ['fri:fərˌɔ:l] *n. sing. pot.* ogólna bijatyka; **it's a ~** *t. przen.* nie obowiązują żadne reguły, wszystkie chwyty dozwolone.

free gift *n.* bezpłatny upominek *l.* podarunek (*zwł. od firmy*).

free gold *n. U* **1.** *US fin.* wolna rezerwa złota. **2.** *metal.* czyste złoto.

free hand *n. przen.* wolna ręka; **give sb a ~** dawać komuś wolną rękę; **with a ~** szczodrze, hojnie.

free-hand ['fri:ˌhænd], **freehand** *a. zw. attr.* odręczny (*o rysunku, szkicu*). – *adv.* odręcznie.

free-hearted [ˌfri:'hɑ:rtɪd] *a.* **1.** szczery, otwarty. **2.** hojny.

freehold ['fri:ˌhoʊld] *n. C/U prawn.* **1.** tytuł nieograniczonej własności. **2.** własność nieograniczona; majątek posiadany z tytułu jw. **3.** urząd dożywotni; urząd dziedziczony. – *a. zw. attr. prawn.* **1.** nieograniczony (*o własności*). **2.** dziedziczony; dożywotni (*o urzędzie*).

freeholder ['fri:ˌhoʊldər] *n.* właściciel/ka (majątku).

free kick *n. sport* rzut wolny.

free labor, *Br.* **free labour** *n. U* **1.** bezpłatna robocizna. **2.** pracownicy niezrzeszeni.

freelance ['fri:ˌlæns], **free-lance** *a. zw. attr.* niezależny (*np. o dziennikarzu*). – *v.* pracować na własny rozrachunek *l.* na zlecenia. – *n.* (*także* **~r**) wolny strzelec (= *osoba pracująca na własny rozrachunek l. na zlecenia*). – *adv.* na własny rozrachunek, na zlecenia (*pracować*).

free list *n. US handl.* lista towarów wolnocłowych.

free-liver [ˌfri:'lɪvər] *n.* sybaryt-a/ka, hedonist-a/ka.

free-living [ˌfri:'lɪvɪŋ] *a.* **1.** *zool.* samożywny; samodzielny (*o organizmie żywym*). **2.** cieszący się życiem, żyjący pełnią życia (*o osobie*); hedonistyczny (*o trybie życia*).

freeload [ˌfri:'loʊd] *v. gł. US i Austr. pot.* doić innych (= *żyć cudzym kosztem*).

freeloader ['fri:ˌloʊdər] *n. gł. US i Austr. pot.* darmozjad, pasożyt.

freeloading ['fri:ˌloʊdɪŋ] *n. U gł. US i Austr. pot.* życie cudzym kosztem, wykorzystywanie innych.

free love *n. U* wolna miłość (*zwł. jako ideologia lat 60. i 70. XX w.*).

free lunch *n. przen. pot.* coś darmowego; **there's no such thing as a ~** nie ma nic za darmo.

freely ['fri:lɪ] *adv.* **1.** swobodnie (*mówić, oddychać*); bez ograniczeń (*podróżować*); ~ **available** łatwo *l.* powszechnie dostępny. **2.** obficie (*np. pocić się*); szczodrze (*obdarowywać, chwalić*); lekką ręką (*wydawać pieniądze*); **flow ~** lać się strumieniami (*np. o winie*). **3.** dobrowolnie, z własnej woli (*np. dawać*); **I ~ admit/acknowledge (that)...** uczciwie przyznaję, że...

freeman ['fri:mən] *n. pl.* **-men** **1.** *gł. hist.* wolny człowiek (= *nie niewolnik*). **2.** *Br.* honorowy obywatel (*miasta*).

free market *n. ekon.* wolny rynek.

free market economy *n. ekon.* gospodarka wolnorynkowa.

free marketeer *n. ekon.* zwolenni-k/czka wolnego rynku.

freemartin ['fri:ˌmɑ:rtən] *n. wet.* zmaskulinizowany płód samiczy w ciąży bliźniaczej (*u krowy*).

freemason ['fri:ˌmeɪsən], **Freemason** *n.* mason, wolnomularz.

freemasonry [ˈfriːˌmeɪsənrɪ] *n.* *U* masoneria, wolnomularstwo.

free offer *n. handl.* bezpłatna oferta, promocja.

free on board *adv. handl.* z dostawą (*na pokład statku, samolotu, do ciężarówki, pociągu*); *żegl.* franco statek.

Freephone [ˈfriːˌfoʊn], **freephone** *Br. tel. n.* *U* połączenie bezpłatne, darmofon. – *adv.* bezpłatnie, bez opłaty (*telefonować*). – *a. attr.* bezpłatny (*o połączeniu*).

free port *n. prawn., handl.* wolny port; port wolnocłowy; strefa wolnocłowa.

Freepost [ˈfriːˌpoʊst], **freepost** *Br. n.* *U* przesyłka na koszt adresata; (*napis na przesyłce*) „opłatę pocztową uiści adresat". – *adv. i a.* na koszt adresata.

free radical *n. chem.* wolny rodnik.

free-range [ˌfriːˈreɪndʒ] *a. handl.* wiejski (*o jajkach, kurczakach*).

free rein *n.* *U* wolna ręka; **give sb ~** dawać komuś wolną rękę.

free ride *n. sing. pot. t. przen.* okazja (*np. podwiezienie, nieoczekiwana korzyść*).

free sample *n. handl.* bezpłatna próbka (*towaru*).

freesheet [ˈfriːˌʃiːt] *n. Br.* bezpłatna gazeta reklamowa.

freesia [ˈfriːʒɪə] *n. bot.* frezja (*Freesia*).

free silver *n.* *U fin., hist.* emisja srebrnych monet bez ograniczeń (*zwł. na podstawie stałego parytetu złota*).

free skating *n.* *U łyżwiarstwo figurowe* jazda dowolna.

free soil *n. US hist.* stan bez niewolnictwa.

free-soil [ˈfriːˌsɔɪl] *a. attr. US hist.* bez niewolnictwa (*o stanie*).

free space *n.* *U astron.* przestrzeń swobodna.

free speech *n.* *U* wolność słowa.

free spender *n. euf.* rozrzutni-k/ca.

free spirit *n.* buntowniczy duch (*o osobie*).

freestanding [ˌfriːˈstændɪŋ] *n.* wolno stojący (*o meblu, lampie*).

Free State *n. hist.* **1.** *US* stan bez niewolnictwa. **2.** = **Irish Free State**.

freestone [ˈfriːˌstoʊn] *n.* *U* **1.** kamień dający się łatwo obrabiać (*np. piaskowiec l. wapień*). **2.** owoc o luźnej pestce (*zwł. brzoskwinia l. śliwka*).

freestyle [ˈfriːˌstaɪl] *sport a. i n.* *U* (zawody) w stylu wolnym *l.* dowolnym.

freethinker [ˌfriːˈθɪŋkər] *n. zwł. rel.* wolnomyśliciel/ka.

freethinking [ˌfriːˈθɪŋkɪŋ] *zwł. rel. a.* wolnomyślicielski. – *n.* *U* wolnomyślicielstwo.

free throw *n. koszykówka* rzut wolny.

free trade *n.* *U ekon.* wolny handel.

freetrader [ˈfriːˌtreɪdər] *n. ekon.* zwolennik/czka wolnego handlu.

free translation *n.* *C* / *U* wolny przekład, wolne tłumaczenie.

free verse *n.* *U wers.* wiersz wolny.

freeway [ˈfriːˌweɪ] *n. US mot.* autostrada (*bezpłatna*).

free weights *n. pl.* ciężarki, hantle; ciężary, sztangi (*w siłowni*).

freewheel [ˌfriːˈwiːl] *n.* **1.** *mot.* wolny bieg. **2.** *mech.* wolne koło, wolnobieżka (*zwł. w rowerze*). – *v. zwł. Br. i Austr.* **1.** *mot.* jechać na wolnym biegu. **2.** jechać rozpędem *l.* z górki (*na rowerze*).

freewheeling [friːˈwiːlɪŋ] *a. US i Can. pot.* **1.** beztroski (*zwł. o stylu życia*). **2.** swobodny (*np. o dyskusji*).

free will *n.* *U t. fil.* wolna wola; **(do sth) of one's own ~** (zrobić coś) dobrowolnie *l.* z własnej woli.

freewill [ˌfriːˈwɪl] *a. attr.* dobrowolny.

free wind *n. żegl.* pomyślny wiatr.

free world *n.* **the ~** *polit.* wolny świat (= *kraje demokratyczne*).

freeze [friːz] *v.* **froze, frozen** **1.** zamarzać (*o jeziorze, wodzie, rurach, mechanizmie*); marznąć (*t. = odczuwać zimno*); **~ to death** zamarznąć (na śmierć); **~ to sth** przymarzać do czegoś; **~ together** przymarzać do siebie; **it'll ~ tonight** dziś w nocy będzie mróz. **2.** powodować zamarzanie (*czegoś*); skuć lodem (*np. jezioro*). **3.** *fiz.* krzepnąć (*o cieczy*). **4.** zamrażać (*t. przen.: ceny, płace, zbrojenia*), mrozić (*mięso, owoce*). **5.** zamierać, zastygać, nieruchomieć; **~!** nie ruszać się!, nie ruszaj się!; **he froze in his tracks** stanął jak wryty; **she froze with terror** zastygła z przerażenia. **6.** *med. pot.* zamrażać (= *znieczulać przy użyciu zimna*). **7.** *film* zatrzymywać (*np. taśmę wideo*). **8.** *pat.* odmrozić (sobie) (*palce, uszy*). **9.** *przen.* **~ sb's blood** mrozić komuś krew w żyłach; **~ (on) to sb/sth** *gł US pot.* przyczepić się do *l.* uczepić się kogoś/czegoś. **10.** **~ out** *pot.* wyrugować (*rywala*), pozbyć się (*konkurencji*); **~ sb out** *pot.* wyłączyć *l.* wykluczyć kogoś (*z rozmowy, towarzystwa*); **~ over/up** zamarzać (*np. o jeziorze*). – *n.* **1.** *przen.* zamrożenie (*on sth* czegoś) (*np. zbrojeń*); **price/wage ~** zamrożenie cen/płac. **2.** *sing.* mróz, przymrozek.

freeze-dried [ˌfriːzˈdraɪd] *a.* liofilizowany.

freeze-dry [ˌfriːzˈdraɪ] *v.* **-ied, -ying** liofilizować.

freeze-drying [ˌfriːzˈdraɪɪŋ] *n.* *U* liofilizacja.

freeze-frame [ˌfriːzˈfreɪm] *n. film* stop-klatka.

freezer [ˈfriːzər] *n.* **1.** zamrażarka. **2.** = **freezer compartment**.

freezer bag *n.* woreczek do zamrażania (*żywności*).

freezer compartment *n.* zamrażalnik.

freezing [ˈfriːzɪŋ] *a.* **1.** (*także* **~ cold**) *emf.* bardzo *l.* strasznie zimny, lodowaty; **it's ~ (outside)** (na dworze) jest bardzo zimno; **it's ~ in here!** strasznie tu zimno!; **I'm ~ (cold)** jest mi strasznie zimno. **2.** *przen.* chłodny, lodowaty (*np. o spojrzeniu*). **3.** *t. techn.* mrożący. – *n.* *U* zamarzanie; marznięcie; **above/below ~** powyżej/poniżej zera (*o temperaturze*).

freezing point *n. sing. fiz.* temperatura krzepnięcia (*cieczy*).

free zone *n. prawn., handl.* strefa wolnocłowa.

freight [freɪt] *n.* **1.** *U handl.* fracht (= *koszt przewozu l. ładunek*); **send sth by air/sea ~** przesyłać coś drogą powietrzną/morską. **2.** *US* pociąg towarowy. **3.** *lit.* ciężar, obciążenie. – *v.*

handl. **1.** przewozić, frachtować. **2.** ładować; obciążać. – *adv. handl.* frachtem (*wysyłać*).

freightage ['freɪtɪdʒ] *n. U handl.* **1.** fracht, przewoźne, opłata za przewóz *l.* transport. **2.** przestrzeń ładunkowa.

freight car *n. US kol.* wagon towarowy.

freighter ['freɪtər] *n.* **1.** *żegl.* frachtowiec, towarowiec. **2.** *lotn.* samolot towarowy. **3.** *handl.* frachtujący, nadawca (ładunku). **4.** *handl.* spedytor, przewoźnik.

freight ton *n. żegl.* tona frachtowa.

freight train *n. kol.* pociąg towarowy.

frena ['freɪnə] *n. pl. zob.* **frenum.**

French [frentʃ] *a.* francuski. – *n.* **1.** *U* (język) francuski. **2. the ~** Francuzi (*zbiorowo*). **3. pardon/excuse my ~** *przen. pot.* przepraszam za wyrażenie. – *v.* **1.** *kulin.* pokrajać w paski (*fasolkę*). **2. ~ sb** *obsc. sl.* obciągnąć komuś laskę.

French bean *n. U Br. bot., kulin.* fasolka, fasola (zwykła) (*Phaseolus vulgaris*).

French bread *n. C/U* bagietka, bułka paryska.

French Canadian *a.* francusko-kanadyjski. – *n.* Kanadyj-czyk/ka francuskojęzyczn-y/a.

French chalk *n. U* kreda krawiecka *l.* traserska, mydło krawieckie.

French doors *n. pl.* (*także Br.* **French windows**) oszklone drzwi (*zwł. na balkon l. do ogrodu*).

French dressing *n. U kulin.* sos winegret *l.* vinaigrette.

French fries *n. pl.* (*także* **French-fried potatoes**) *gł. US i Can.* frytki.

French horn *n. muz.* waltornia.

French kiss *n.* głęboki pocałunek.

French leave *n. U przest. l. żart.* bumelka (= *nieuzasadniona nieobecność w pracy*); **take ~** bumelować.

French letter *n. Br. i Austr. przest. pot.* prezerwatywa.

French loaf *n. gł. Br.* bagietka, bułka paryska.

Frenchman ['frentʃmən] *n. pl.* **-men** Francuz.

French pastry *n. U kulin.* ciasto francuskie.

French pleat *n.* warkocz francuski.

French polish *n. U Br. i Austr.* politura.

French seam *n. U krawiectwo* szew kryty.

French stick *n.* bagietka, bułka paryska.

French toast *n. U kulin.* chleb tostowy obtaczany w jajku z mlekiem i lekko obsmażany *l.* grilowany.

French windows *n. pl. gł. Br.* = **French doors.**

Frenchwoman ['frentʃˌwʊmən] *n. pl.* **-women** Francuzka.

Frenchy ['frentʃɪ] *n. pl.* **-ies** *pot. czas. pog.* Francuzik; Francuzeczka. – *a. pot.* francuski.

frenetic [frə'netɪk] *a.* gorączkowy (*o pośpiechu, poszukiwaniach*).

frenetically [frə'netɪklɪ] *adv.* gorączkowo.

frenum ['fri:nəm], **fraenum** *n. pl.* **frena** ['freɪnə] *anat.* wędzidełko.

frenzied ['frenzɪd] *a.* szalony (*o pośpiechu, tempie*); rozszalały (*o tłumie*).

frenzy ['frenzɪ] *n. U l. sing. t. przen.* szał (*obłąkańczy, radości, podniecenia*); szaleństwo; **drive sb into a ~** doprowadzać kogoś do szału; **in a ~ (of passion/preparation)** w szale (namiętności/przygotowań). – *v.* **-ied, -ying** doprowadzać do szału.

freq. *abbr.* = **frequency;** = **frequently;** = **frequent.**

frequency ['fri:kwənsɪ] *n. C/U pl.* **-ies** *t. fiz., el.* częstotliwość, częstość (*of sth* czegoś); *radio* częstotliwość; *stat.* częstość; **relative ~** *stat.* częstość względna; **with increasing ~** z coraz większą częstotliwością (*występować, zdarzać się*).

frequency dictionary *n. jęz.* słownik frekwencyjny.

frequency distribution *n. stat.* rozkład częstości.

frequency modulation *n. U* (*także* **FM**) *radio* modulacja częstotliwościowa.

frequency range *n. el. fiz., radio* zakres częstotliwości.

frequency response *n. el.* charakterystyka częstotliwościowa.

frequent *a.* ['fri:kwənt] częsty; **rains are ~ around here** w tych okolicach często pada. – *v.* [frɪ'kwent] *form.* bywać w (*barze, restauracji*), odwiedzać (*jw.*); bywać na (*wystawach, pokazach*), uczęszczać na (*zebrania*).

frequentative [frɪ'kwentətɪv] *gram. a.* częstotliwy. – *n.* **1.** forma częstotliwa (*czasownika*). **2.** czasownik częstotliwy.

frequenter [frɪ'kwentər] *n.* bywal-ec/czyni (*of sth* czegoś), częsty gość.

frequent flier *n. lotn.* uczestni-k/czka systemu premiowanego darmowym biletem na przelot; **~ program** system premiowany darmowym biletem na przelot; **~ miles** punkty-mile w systemie jw.

frequently ['fri:kwəntlɪ] *adv.* często.

fresco ['freskoʊ] *n. pl.* **-es** *l.* **-s** *sztuka* fresk (*malowidło*); *U* fresk (*technika*); **in ~** techniką freskową. – *v.* pokrywać freskami.

fresh [freʃ] *a.* **1.** świeży (*o powietrzu, chlebie, warzywach, cerze, wietrze*); "**~ paint**" „świeżo malowane". **2.** czysty (*o kartce papieru, ręczniku*); nowy (*o faktach, publikacji, dowodach*). **3.** rześki, wypoczęty; **(as) ~ as a daisy** *pot.* rześki *l.* świeżutki jak skowronek. **4.** *gł. US pot.* pyskaty, bezczelny; nieprzyjemny; **don't (you) get ~ with me** nie pyskuj (mi tutaj); **he started getting ~** zrobił się nieprzyjemny (= *czynił awanse seksualne*). **5.** *roln. zwł. US* świeżo ocielona (*o krowie*). **6.** *płn. Br. dial. pot.* zawiany (= *pijany*). **7.** *w złoż. zwł. US* świeżo; **~-ground coffee** świeżo mielona kawa. **8.** *przen.* **break ~ ground** *zob.* **break**[1] *v.*; **make a ~ start** zaczynać (wszystko) od nowa *l.* od początku; **sth is ~ in sb's mind** ktoś ma coś na świeżo w pamięci. – *adv.* świeżo; prosto; **~ from Paris/the garden/the oven** prosto z Paryża/ogrodu/piekarnika; **~ from/out of college** świeżo po studiach; **I'm ~ out of salt** *US* właśnie skończyła mi się sól. – *n.* **1. the ~ of the day** *lit.* poranek (*zwł. chłodny*). **2.** = **freshet.**

freshen ['freʃən] *v.* **1. ~ (up)** odświeżyć się; odświeżać (*t. mieszkanie*). **2.** tonizować (*cerę*), ochładzać (*skórę, np. balsamem*). **3.** przybierać na sile, wzmagać się (*o wietrze*). **4.** usuwać sól z (*wody*); tracić słoność (*o wodzie*). **5.** *roln. gł. US* ocielić się; zacząć dawać mleko (*o krowie*). **6.** *żegl.* przesuwać (*linę, żeby się nie przetarła*).

freshener [ˈfreʃənər] *n.* odświeżacz; **air ~** odświeżacz powietrza.

fresher [ˈfreʃər] *n. Br. uniw. pot.* student/ka pierwszego roku.

freshet [ˈfreʃɪt] *n.* **1.** przybór (*potoku po opadach*). **2.** strumień (*wpadający do morza*).

freshly [ˈfreʃlɪ] *adv.* świeżo; dopiero co; od niedawna; **~ baked/ground/made** świeżo pieczony/mielony/przyrządzony; **~ retired** od niedawna na emeryturze.

freshman [ˈfreʃmən] *n. pl.* **-men** *gł. US i Can.* **1.** *uniw.* student/ka pierwszego roku. **2.** *szkoln.* pierwszoklasist-a/ka (*w szkole średniej*). **3.** nowicjusz, nowy.

freshness [ˈfreʃnəs] *n. U* **1.** świeżość. **2.** *gł. US pot.* bezczelność.

fresh water *n. U* słodka woda (*nie morska*); świeża *l.* czysta woda.

freshwater [ˈfreʃˌwɔːtər], **fresh-water** *a. attr.* **1.** słodkowodny (*o rybie, zbiorniku*). **2.** *US* niepozorny; mało znany. **3.** *przest.* niedoświadczony.

fret¹ [fret] *v.* **-tt- 1.** gryźć się, trapić się (*about / at / over sth* czymś); **~ and fume** *pot.* pokazywać fochy; wściekać się (*at sth* na coś). **2.** martwić, dręczyć (*o kłopotach*). **3.** zżerać (*o rdzy, kwasie*); wygryzać (*przejście, dziurę*); **~ into sth** wżerać się w coś (*np. w brzeg; o rzece*). **4.** ścierać się, wycierać się (*o materiale*). **5.** *lit.* marszczyć (*powierzchnię wody*); marszczyć się (*np. o tafli jeziora*). – *n.* **1.** *sing. Br. pot.* troska, zmartwienie; **be/get in a ~** zamartwiać się. **2.** przetarcie, wytarty placek.

fret² *n. sztuka* meander; *bud.* ornament geometryczny (*zwł. przestrzenny na suficie*). – *v.* **-tt-** *bud.* ozdabiać ornamentem geometrycznym (*sufit*).

fret³ *n. muz.* próg (*gitary*).

fretboard [ˈfretˌbɔːrd] *n. muz.* gryf (*gitary*).

fretful [ˈfretfʊl] *a.* rozdrażniony; marudny, płaczliwy (*zwł. o dziecku*).

fretfully [ˈfretfʊlɪ] *adv.* z irytacją; marudnie, płaczliwie.

fretfulness [ˈfretfʊlnəs] *n. U* marudność, płaczliwość.

fret saw *n. techn.* wyrzynarka.

fretwork [ˈfretˌwɜːk] *n. U* mozaika geometryczna (*w drewnie, metalu, haftowana*).

Freudian [ˈfrɔɪdɪən] *a.* freudowski.

Freudian slip *n.* freudowskie przejęzyczenie.

FRG [ˌef ˌɑːr ˈdʒiː] *abbr.* **Federal Republic of Germany** RFN.

Fri. *abbr.* = **Friday**.

friability [ˌfraɪəˈbɪlətɪ] *n. U* kruchość (*skały*).

friable [ˈfraɪəbl] *a.* kruchy (*o skale*).

friar [ˈfraɪr] *n. kość.* zakonnik, brat zakonny; **Austin F~** augustianin; **Black/Gray/White F~** dominikanin/franciszkanin/karmelita.

friar's lantern *n.* błędny ognik.

friary [ˈfraɪərɪ] *n. pl.* **-ies** *kość.* klasztor (*męski*).

fribble [ˈfrɪbl] *lit. v.* **1.** hulać, hasać. **2.** **~ (away)** trwonić (*czas*). – *n.* **1.** hulajdusza. **2.** fraszka, igraszka.

fricassee [ˌfrɪkəˈsiː] *kulin. n. C / U* potrawka. – *v.* przyrządzać potrawkę z (*kurczaka, cielęciny*).

fricative [ˈfrɪkətɪv] *fon. a.* szczelinowy, trący. – *n.* spółgłoska szczelinowa *l.* trąca.

friction [ˈfrɪkʃən] *n. U* **1.** *fiz., mech.* tarcie; ocieranie. **2.** *przen.* tarcia, konflikty; **cause/create ~** powodować tarcia; **there was some ~ between them** były między nimi pewne tarcia.

frictional [ˈfrɪkʃənl] *a. fiz., mech.* cierny.

friction clutch *n. mech.* sprzęgło cierne.

friction disk *n. mech.* tarcza cierna.

friction gear *n. mech.* przekładnia cierna.

friction tape *n. U US el.* taśma izolacyjna.

friction wheel *n. mech.* koło cierne.

Friday [ˈfraɪdeɪ] *n. C / U* piątek; **~ morning/afternoon/evening** w piątek rano/po południu/wieczorem; **a week from ~** (*także Br.* **a week on ~**) (*także Br.* **~ week**) od piątku za tydzień; **every ~** w każdy piątek, co piątek; **Good ~** *rel.* Wielki Piątek; **I'll see you ~** do zobaczenia w piątek; **last ~** w ubiegły *l.* zeszły piątek; **next ~** w przyszły piątek; **on ~** w piątek; **on ~s** w piątki; **the ~ before last/after next** w piątek dwa tygodnie temu/za dwa tygodnie.

fridge [frɪdʒ] *n.* lodówka.

fridge-freezer [ˌfrɪdʒˈfriːzər] *n. Br.* lodówko-zamrażarka.

fried [fraɪd] *a.* **1.** *kulin.* smażony. **2.** *US sl.* nawalony (= *pijany*); naćpany (= *pod wpływem narkotyków*).

friend [frend] *n.* **1.** przyjaci-el/ółka; kolega/żanka; znajom-y/a; **~ of mine/hers** pewien mój/jej znajomy; pewna moja/jej znajoma; **be/make ~s (with sb)** przyjaźnić/zaprzyjaźnić się (z kimś); **best/closest ~** najlepsz-y/a przyjaciel/ółka; **close/intimate ~** blisk-i/a przyjaci-el/ółka, przyjaci-el/ółka od serca; **family ~** (*także* **~ of the family**) przyjaci-el/ółka rodziny; **my honourable ~** *Br. parl.* mój czcigodny kolega/moja czcigodna koleżanka (*o innym pośle l. posłance*); **my learned ~** *Br. prawn.* mój uczony kolega/moja uczona koleżanka (*o innym adwokacie*). **2.** **F~** *rel.* kwakier/ka. **3.** *przen.* **~s may meet, but mountains never greet** *przest.* góra z górą się nie zejdzie, (ale) człowiek z człowiekiem tak; **~ at court** wpływowy znajomy; **a ~ in need is a ~ indeed** prawdziwych przyjaciół poznaje się w biedzie; **be a ~ of/to sb/sth** popierać kogoś/coś; **fair-weather ~** *zob.* **fair-weather**; **have ~s in high places** mieć wpływowych znajomych; **man's best ~** najlepszy przyjaciel człowieka (= *pies*). – *v. arch.* zawrzeć przyjaźń z (*kimś*).

friendless [ˈfrendləs] *a. lit.* pozbawiony przyjaciół.

friendlily [ˈfrendlɪlɪ] *adv.* przyjaźnie, życzliwie.

friendliness [ˈfrendlɪnəs] *n. U* przyjazne nastawienie, życzliwość.

friendly [ˈfrendlɪ] *a.* **-ier, -iest 1.** przyjazny, przyjacielski; życzliwy (*to / toward sb* w stosunku do kogoś); **in a ~ manner** przyjaźnie, życzliwie. **2.** *pred.* zaprzyjaźniony, w przyjaźni (*with sb* z kimś); **be on ~ terms with sb** (*także* **be ~ with sb**) być z kimś na stopie przyjacielskiej. **3.** przyjemny (*o otoczeniu, miejscu*); sprzyjający (*to sth* czemuś); **~ environment** sprzyjające warunki; **environmentally ~** (*także* **environment-~**) *zob.* **environmentally.** **4.** *polit.* zaprzyjaźniony, sojuszniczy; **~ power** mocarstwo sojusznicze, sojusznik. **5.** *Br. sport* towarzyski (*o meczu*). – *n. pl.* **-ies** (*także* **~ match**) *Br. sport* spotkanie towarzyskie, mecz towarzyski. – *adv. rzad.* = **friendlily.**

friendly fire *n. U wojsk.* ostrzał własny.

friendly society *n. Br. ubezp.* towarzystwo wzajemnej asekuracji.

friendship [ˈfrendˌʃɪp] *n. C/U* przyjaźń.

frier [ˈfraɪər] *n.* = **fryer.**

Friesian[1] [ˈfriːʒən] *a. i n.* = **Frisian.**

Friesian[2] *n. gł. Br. i Austr. hodowla* krowa rasy fryzyjskiej (= *nizinnej czarno-białej*).

Friesland [ˈfriːzlənd] *n. geogr.* Fryzja.

frieze[1] [friːz] *bud. n.* fryz.

frieze[2] *n. U tk.* ratyna (*gruba tkanina wełniana*).

frig [frɪg] *v. wulg. sl.* **1.** walić, rżnąć (*kogoś*). **2.** walić konia (= *onanizować się*). **3. ~ about/around** opieprzać się; **~ sb about/around** dopieprzać się do kogoś (= *dokuczać, traktować niesprawiedliwie*).

frigate [ˈfrɪgɪt] *n. żegl.* fregata.

frigate bird *n. orn.* fregata (*rodzina Fregatidae*).

frigging [ˈfrɪgɪŋ] *a. attr. wulg. sl.* pieprzony.

fright [fraɪt] *n.* **1.** *U i sing.* strach, przestrach; przerażenie; **give sb a ~** nastraszyć *l.* przestraszyć kogoś; **he was shaking with ~** trząsł się ze strachu; **take ~ (at sth)** przestraszyć się (czegoś). **2.** *sing.* straszydło; **look a ~** *przest.* wyglądać jak strach na wróble *l.* straszydło. – *v. poet.* przestraszyć.

frighten [ˈfraɪtən] *v.* **1.** przestraszyć; przerazić; **~ sb into doing sth** strachem nakłonić kogoś do (zrobienia) czegoś; **~ sb to death** (*także* **~ sb out of their wits**) śmiertelnie kogoś przestraszyć. **2. ~ away/off** odstraszać; **~ out** wystraszyć.

frightened [ˈfraɪtənd] *a.* przestraszony; przerażony; **be ~ of sth/doing sth** bać się czegoś/zrobić coś; **be ~ that...** bać się, że...

frightening [ˈfraɪtənɪŋ] *a.* przerażający (*o widoku, perspektywach*); **it's ~ to do sth** (aż) strach coś robić.

frighteningly [ˈfraɪtənɪŋlɪ] *adv.* przerażająco.

frightful [ˈfraɪtfʊl] *a. gł. Br.* straszny, okropny (*np. o wypadku; t. emf. np. o bałaganie*).

frightfully [ˈfraɪtfʊlɪ] *adv. Br. przest. emf.* strasznie, okropnie (= *bardzo*).

frigid [ˈfrɪdʒɪd] *a.* **1.** oziębły (*zw. o kobiecie*). **2.** chłodny, nieprzyjazny (*o spojrzeniu, reakcji*). **3.** zimny (*o klimacie, regionie*).

frigidity [frɪˈdʒɪdətɪ] *n. U* **1.** *pat.* oziębłość. **2.** chłód, zimno.

frigidly [ˈfrɪdʒɪdlɪ] *adv.* ozięble; chłodno, nieprzyjaźnie.

frigorific [ˌfrɪgəˈrɪfɪk] *a. techn.* chłodzący, oziębiający.

frill [frɪl] *n.* **1.** falbanka. **2.** *zw. pl. pot.* bajer (= *niepotrzebny dodatek, zbędny luksus*); **with no/without ~s** bez (żadnych) bajerów (*np. o sprzęcie stereo, aucie*). **3.** *zool.* kreza, kołnierz. – *v.* ozdabiać falbanką *l.* falbankami.

frilling [ˈfrɪlɪŋ] *n. U* falbanki.

frilly [ˈfrɪlɪ] *a.* **-ier, -iest** z falbankami, falbaniasty (*o sukni*); marszczony (*zwł. o tkaninie*).

fringe [frɪndʒ] *n.* **1.** frędzle. **2.** obwódka, obramowanie; obrzeże, krawędź, skraj; **on the ~(s) of sth** na skraju czegoś; na pograniczu czegoś. **3.** *gł. polit.* (skrajne) skrzydło, (skrajny) odłam; **the lunatic ~** *zob.* **lunatic.** **4.** *Br.* grzywka. **5. the ~** = **fringe theater.** – *v.* **1.** ozdabiać frędzlami. **2.** tworzyć frędzle na (*czymś*); obramowywać, obwodzić (= *ozdabiać, wykańczać*). – *a. attr.* marginesowy, marginalny (*o kwestii*).

fringe benefits *n. pl.* dodatkowe świadczenia (*pracownicze*).

fringe theater, *Br.* **fringe theatre** *n.* (*także* **the fringe**) *U* teatr awangardowy.

fringy [ˈfrɪndʒɪ] *a.* z frędzlami.

frippery [ˈfrɪpərɪ] *n. pl.* **-ies** **1.** *zw. pl.* cacuszko; świecidełko; fatałaszek. **2.** *przen.* błahostka. **3.** *U* pretensjonalność.

Frisbee [ˈfrɪzbɪ], **frisbee** *n. sport* latający talerz.

Frisco [ˈfrɪskoʊ] *n. US pot.* = **San Francisco.**

frisée [frɪˈzeɪ] *n. kulin.* endywia.

frisette [frɪˈzet], **frizette** *n.* sztuczne loki (*przypinane nad czołem*), sztuczna grzywka.

friseur [friːˈzɝː] *n. Fr.* fryzjer.

Frisian [ˈfrɪʒən] *a.* fryzyjski. – *n.* **1.** *U* (język) fryzyjski. **2.** Fryzyj-czyk/ka.

Frisian Islands *n. pl. geogr.* Wyspy Fryzyjskie.

frisk [frɪsk] *v.* **1.** przeszukiwać, rewidować (*dłońmi po ciele*). **2.** brykać, hasać. **3. the dog ~ed its tail** pies zamerdał ogonem. – *n.* **1.** kontrola *l.* rewizja osobista. **2.** sus; podryg.

frisket [ˈfrɪskɪt] *n. techn.* szablon; maska.

friskiness [ˈfrɪskɪnəs] *n. U* rozbrykanie.

frisky [ˈfrɪskɪ] *a.* **-ier, -iest** **1.** *pot.* rozbrykany (*o młodym zwierzęciu, dziecku*). **2.** *US sl.* śmiały (= *dążący do kontaktu fizycznego*); **get ~ with sb** kleić się do kogoś.

frit[1] [frɪt] *ceramika n. U* fryta (*masa szklana*). – *v.* **-tt-** spiekać.

frit[2] *a. Br. dial.* = **frightened.**

frit fly *n. pl.* **-ies** *ent.* ploniarka zbożówka, mucha szwedzka (*Oscinella frit*).

frith [frɪθ] *n. Scot.* = **firth.**

fritillary [ˈfrɪtəˌlerɪ] *n. pl.* **-ies** **1.** *bot.* szachownica (*Fritillaria*). **2.** *ent.* motyl z rodziny rusałkowatych (*jeden z wielu gatunków*).

fritter[1] [ˈfrɪtər] *v.* **1. ~ (away)** trwonić, marnować (*czas, pieniądze, energię*) (*on sth* na coś). **2.** *przest.* porwać; postrzępić; pociąć. – *n.* skrawek, strzępek.

fritter[2] *n. kulin.* kawałek warzywa, owocu, mięsa itp. obtaczany w cieście naleśnikowym i smażony na głębokim tłuszczu; **apple/banana ~** jabłko/banan w cieście.

fritz [frɪts] *n.* **be on the ~** *US sl.* nawalać (*np. o telewizorze, komputerze*).

frivol ['frɪvl] *v. Br.* **-ll-** *pot.* **1.** zabawiać się; baraszkować. **2.** ~ **away** trwonić, marnować (*czas, pieniądze*).

frivolity [frɪ'vɑːlətɪ] *n. pl.* **-ies** **1.** *U* frywolność; brak powagi. **2.** *pl.* głupstwa.

frivolous ['frɪvələs] *a.* **1.** frywolny; niepoważny. **2.** błahy.

frivolously ['frɪvələslɪ] *adv.* frywolnie; niepoważnie.

frizz [frɪz] *pot. v.* mocno (się) kręcić (*o włosach*). – *n. U* mocno skręcone, matowe włosy.

frizzle[1] ['frɪzl] *pot. v.* **1.** skwierczeć. **2.** ~ **(up)** zesmażyć (się), zbyt mocno (się) przysmażyć (*np. o boczku*).

frizzle[2] *pot. v.* = **frizz** *v.* – *n.* mocno skręcony lok.

frizzy ['frɪzɪ], **frizzly** ['frɪzlɪ] *a.* **-ier, -iest** mocno kręcony i matowy (*o włosach*).

fro [froʊ] *adv.* **to and** ~ tam i z powrotem, w tę i z powrotem, wte i wewte.

frock [frɑːk] *n.* **1.** *przest.* sukienka. **2.** sukmana (*chłopska*); fartuch, kitel (*np. artysty malarza*). **3.** *kośc.* habit. – *v. kośc. przen.* odziewać w habit (= *udzielać święceń kapłańskich*).

frock coat *n. hist.* surdut.

frog[1] [frɑːg] *n.* **1.** *zool.* żaba (*rodzina Ranidae*). **2. F~** *Br. i Austr. pot. pog.* żabojad (= *Francuz / ka*). **3.** podpórka *l.* uchwyt do kwiatów (*w wazonie*). **4.** *muz.* żabka (*na smyczku skrzypiec*). **5. have a ~ in one's throat** *przen. pot.* mieć chrypkę. – *v.* **-gg-** łowić żaby.

frog[2] *n. wojsk.* **1.** *zw. pl.* sutasz (= *ozdobne zapięcie, zwł. przy dawnym mundurze wojskowym*). **2.** pętelka, uchwyt (*u pasa na szablę, bagnet*).

frog[3] *n. zool.* strzałka (*na kopycie konia*).

frog[4] *n. kol.* krzyżownica.

frogbit ['frɑːgˌbɪt] *n. Br.* = **frog's bit**.

frogeye ['frɑːgˌaɪ] *n. bot.* **1.** *U* zaraza powodująca białe plamy na liściach (*m.in. tytoniu*). **2.** plama zarazy jw.

frogfish ['frɑːgˌfɪʃ] *n. icht.* **1.** żabnica, nawęd (*Lophius piscatorius*). **2.** rybka sargassowa, histrion (*Histrio histrio*).

frogkick ['frɑːgˌkɪk], **frog kick** *n. pływanie* ruch nóg (jak) przy żabce.

frogman ['frɑːgmən] *n. pl.* **-men** płetwonurek.

frogmarch ['frɑːgˌmɑːrtʃ] *v. Br.* prowadzić pod ręce (*aresztowanego*); prowadzić siłą; **he was ~ed out of the room** wyprowadzono go z sali.

frog's bit ['frɔːgzˌbiːt] *n. US bot.* żabiściek (pływający) (*Hydrocharis (morsus-ranae)*).

frogskin ['frɔːgˌskɪn] *n. US sl.* zielony (= *dolar*).

frogspawn ['frɑːgˌspɔːn] *n. U zool.* żabi skrzek.

frog spit *n. U* glony, zakwit (*na powierzchni stawu*).

frolic ['frɑːlɪk] *v.* **-ck-** figlować, dokazywać, baraszkować, hasać. – *n. często pl.* igraszki, figle, harce. – *a. arch.* figlarny.

frolicsome ['frɑːlɪksəm] *a. przest. l. żart.* figlarny; rozbrykany; swawolny.

from [frʌm; frəm] *prep.* **1.** od (*wskazując pochodzenie, źródło, początek, dolną granicę, odległość, zakres, częstotliwość, różnicę*); ~ **a child** od dziecka; ~ **A to Z** od A do Z; ~ **beginning to end** od początku do końca; ~ **five dollars (up)** od pięciu dolarów (wzwyż); ~ **head to foot/toe** (*także* ~ **tip to toe**) od stóp do głów; ~ **long ago** od dawna; ~ **Monday to Friday** od poniedziałku do piątku; ~ **morning till night** od rana do nocy; ~ **now on** (począwszy) od dzisiaj *l.* od teraz; ~ **time to time** od czasu do czasu; ~ **way back** *US* od bardzo dawna; **away ~ sth** z dala od czegoś; *zob. t.* **away** *adv.* 3; **far ~ sth** daleko *l.* z dala od czegoś; *zob. t.* **far** *adv.* 3; **fifty miles ~ here/Paris** pięćdziesiąt mil stąd/od Paryża; **letters ~ a friend** listy od przyjaciela; **mine is different ~ yours** mój jest inny od twojego; **tell X ~ Y** odróżniać X od Y. **2.** z (*wskazując źródło, pochodzenie, przyczynę, częstotliwość, wcześniejszy stan l. lokalizację*); ~ **Australia** z Australii; ~ **day to day** z dnia na dzień; ~ **experience/memory** z doświadczenia/pamięci; ~ **my point of view** z mojego punktu widzenia; ~ **what I can see** z tego, co widzę; ~ **what I've heard** z tego, co słyszałam; **die ~ hunger** umrzeć z głodu; **draw conclusions ~ sth** wyciągać wnioski z czegoś; **he was dismissed ~ his post** zwolniono go ze stanowiska; **made ~ eggs, sugar and flour** zrobiony z jajek, cukru i mąki; **judging ~ his attitude** sądząc z jego postawy; **learn ~ books** uczyć się z książek; **paint ~ life** malować z natury; **take one's hands ~ one's pockets** wyjąć ręce z kieszeni; **tell him that ~ me** powiedz mu to ode mnie (*zwł. z pretensją*); **the fine was raised ~ $50 to $75** podniesiono karę z 50 na 75 dolarów. **3.** (*z innymi przyimkami*) ~ **above** z góry; ~ **above the clouds** sponad chmur; ~ **amidst the crowd** spośród tłumu; ~ **behind the fence** zza płotu; ~ **below the tree** spod drzewa; ~ **between the branches** spomiędzy gałęzi; ~ **on high** *lit.* z góry; ~ **under the bush** spod krzaka; ~ **within** ze środka, od wewnątrz; ~ **without** z zewnątrz, od zewnątrz.

fromage frais [frəˌmɑːʒ 'freɪ] *n. U Fr. kulin.* biały serek, twarożek (*o gładkiej konsystencji*).

fromenty ['froʊməntɪ] *n.* = **frumenty**.

frond [frɑːnd] *n. bot.* liść (*paproci l. palmy*); listek (*w porostach i wodorostach*).

frondescence [frɑːn'desəns] *n. U bot.* **1.** pokrywanie się liśćmi. **2.** listowie.

front [frʌnt] *n.* **1.** przód; **in ~ of sb/sth** przed kimś/czymś; **in/at the ~** z przodu, na przedzie; **out (the) ~** z przodu, na zewnątrz (*budynku*); **sit in/up ~** (*także Br.* **sit up the ~**) siedzieć z przodu (*obok kierowcy*). **2.** *bud.* front, fasada. **3.** *wojsk. l. przen.* front; **change ~** *przen.* zmieniać front; **on all ~s** *przen.* na wszystkich frontach; **on the employment ~** w dziedzinie zatrudnienia. **4.** *meteor.* front (atmosferyczny). **5.** *polit.* front (*organizacja, partia; zwł. w nazwach*). **6.** *przen.* przykrywka, fasada, szyld; pozory; **act as/be a ~ for sth** być przykrywką dla czegoś (*organizacji, działalności przestępczej*). **7.** *polit.* marionetka. **8.** *telew.* prowadząc-y/a (*program informacyjny*). **9.** promenada, deptak (*nad wodą*). **10.** *arch.* twarz; czoło. **11.** *przen.* **eyes ~!** *wojsk.* wprost patrz!; **have the ~ to do sth** *Br.* mieć czelność coś zrobić; **put on a brave/bold ~** nadrabiać miną; robić dobrą minę do złej gry; **out ~** *pot. teatr* na widowni; **up ~** *pot.* z góry, od razu (*podać cenę, zapłacić*); szczerze, otwarcie (*powiedzieć*). – *a. attr.* przedni (*o zębach, samogłosce, siedzeniu, rzędzie*); frontowy; **be in the ~ row** *przen.* stać na świeczniku, zajmować wysokie stanowisko. – *v.* **1.** wychodzić na (*ulicę, jezioro; o budynku*). **2.** być zwróconym twarzą *l.* frontem do (*kogoś l. czegoś*). **3.** *telew.* prowadzić (*program informacyjny*). **4.** stawić czoło (*komuś*). **5.** **~ for sth** *pot.* stanowić przykrywkę *l.* fasadę dla czegoś (*organizacji, działalności przestępczej*).

frontage [ˈfrʌntɪdʒ] *n. bud.* **1.** front, część frontowa (*działki budowlanej, posesji*). **2.** szerokość (*posesji z przodu*). **3.** widok; orientacja. **4.** *C / U* teren przyległy (*do budynku, ulicy, rzeki*); **with river ~** z dostępem do rzeki (*o domu*).

frontal [ˈfrʌntl] *a. attr.* **1.** *anat.* czołowy. **2.** *wojsk.* frontalny (*o ataku*). **3.** *meteor.* dotyczący frontów atmosferycznych. **4.** *form.* przedni, frontowy (*o części*); od przodu (*o widoku*); **full ~ nudity** *film* ujęcie pokazujące aktora *l.* aktorkę nago od przodu. – *n.* **1.** *kość.* antepedium, frontale (= *nakrycie przodu ołtarza*). **2.** *bud.* fronton, fasada. **3.** *anat.* = **frontal bone** *n.*

frontal bone *n. anat.* kość czołowa.

frontal lobe *n. anat.* płat czołowy.

frontal lobotomy *n. przest.* = **prefrontal lobotomy.**

frontally [ˈfrʌntlɪ] *adv.* **1.** od przodu. **2.** frontalnie.

frontal system *n. meteor.* front atmosferyczny.

front-and-center [ˌfrʌntəndˈsentər] *a. attr. US* priorytetowy (*o kwestii*).

front bench, frontbench *n. Br. parl.* przednia ława poselska (*po obu stronach w Izbie Gmin*); posłowie zajmujący stanowiska w rządzie lub w gabinecie cieni (*siedzący w ławach jw.*).

front bencher, frontbencher *n. Br. parl.* poseł/łanka zajmując-y/a stanowisko w rządzie lub w gabinecie cieni (*siedzący w ławach jw.*).

front burner *n.* przedni palnik (*kuchenki*); **on the ~** *przen.* na czołowym *l.* pierwszym miejscu (*wśród rzeczy do zrobienia l. załatwienia*).

front door *n.* drzwi frontowe *l.* wejściowe.

front end *n. komp.* interfejs użytkownika.

front-end [ˈfrʌntˌend] *a. attr.* **1.** początkowy (*o inwestycji*). **2.** *mot.* przedni (*np. o zawieszeniu, kołach*); przednich kół (*o zbieżności, osi*).

front-end processor *n. komp.* procesor wysunięty *l.* czołowy (= *wstępnie przetwarzający dane*).

frontier [frʌnˈtiːr] *n.* **1.** *t. przen.* granica (*between / with* pomiędzy/z); **on/at the ~** na granicy; **the ~s of knowledge/science** granice wiedzy/nauki. **2.** **the ~** *zwł. US t. przen.* pogranicze (*hist.* = *granica zasiedlenia Ameryki Płn.*); kresy. – *a. attr.* **1.** graniczny. **2.** *zwł. US i Can.* przygraniczny, kresowy; pionierski. **3.** przygraniczny; **~ trade/traffic** handel/ruch przygraniczny.

frontiersman [frʌnˈtiːrzmən] *n. pl.* **-men** *zwł. US i Can.* mieszkaniec pogranicza (*zwł. amerykańskiego*); pionier.

frontierswoman [frʌnˈtiːrzˌwʊmən] *n. pl.* **-women** *zwł. US i Can.* mieszkanka pogranicza (*zwł. amerykańskiego*); pionierka.

frontispiece [ˈfrʌntɪsˌpiːs] *n.* **1.** *druk.* frontyspis. **2.** *bud.* fronton, fasada (*zwł. ozdobna*); ozdobne nadproże.

frontlet [ˈfrʌntlət] *n.* **1.** *orn., zool.* czoło (*zwierzęcia, ptaka, zwł. różniące się barwą od reszty ciała*). **2.** *judaizm* tefilin, filakterie (*noszone na czole*). **3.** *hist.* czółko (*kobieca ozdoba noszona na czole*).

front line *n. wojsk. l. przen.* linia frontu, front; **be in the ~** *wojsk.* być na froncie; *przen.* zajmować kluczową pozycję.

front loader *n.* pralka ładowana z przodu.

front man *n. pl.* **front men** *pot.* **1.** przykrywka (= *osoba o dobrej reputacji maskująca działalność przestępczą*); nieoficjalny rzecznik (*zwł. organizacji terrorystycznej l. przestępczej*). **2.** *muz.* wokalista, solista, lider. **3.** figurant, marionetka.

front matter *n. U druk.* materiał poprzedzający właściwy tekst (*książki*).

front money *n. fin. U* zaliczka, zadatek.

front office *n.* **1.** recepcja. **2.** *admin. przen.* dyrekcja.

front of house *n. teatr* widownia.

fronton [ˈfrɑːntɑːn] *n. Br. bud.* fronton.

front page *n. dzienn.* strona tytułowa.

front-page [ˌfrʌntˈpeɪdʒ] *a. attr. dzienn. pot.* z pierwszych stron (gazet) (*o wiadomościach*).

front room *n.* pokój od ulicy.

front-runner [ˌfrəntˈrʌnər], **frontrunner** *n. gł. polit.* faworyt/ka.

front-wheel drive [ˌfrʌntˌwiːl ˈdraɪv] *n. U mot.* napęd przedni.

front woman *n. pl.* **front women** *pot.* **1.** przykrywka (= *kobieta o dobrej reputacji maskująca działalność przestępczą*); nieoficjalna rzeczniczka (*zwł. organizacji terrorystycznej l. przestępczej*). **2.** *muz.* wokalistka, solistka, liderka. **3.** figurantka, marionetka.

frore [frɔːr] *a. arch.* luty (= *mroźny*).

frosh [frɑːʃ] *n. US i Can. pot.* = **freshman.**

frost [frɔːst] *n.* **1.** *C / U* mróz; **black ~** mróz bez śniegu i szronu; **early/late ~** jesienny/wiosenny przymrozek; **hard/heavy ~** siarczysty *l.* trzaskający mróz; **light ~** przymrozek; **5 degrees of ~** *meteor.* 5 stopni (Celsjusza) poniżej zera; (*także* **white ~**) szron. **2.** *U pot.* oziębłość (= *brak serdeczności*). **3.** *pot.* fiasko, klapa. – *v.* **1.** oszronić, pokrywać szronem (*gałęzie, ziemię*). **2.** przyprószyć siwizną (*włosy*); **get/have one's hair ~ed** zrobić sobie pasemka. **3.** *US i Can. kulin.* lukrować (*ciasto*). **4.** matować (*szkło*). **5.** *roln.* zmrozić (*rośliny*). **6.** *US sl.* wkurzać. **7.** **~ over/up** pokrywać się szronem; matowieć.

frostbite [ˈfrɔːstˌbaɪt] *n. U pat.* odmrożenie.

frostbitten [ˈfrɔːstˌbɪtən] *a. pat.* odmrożony (*o palcach, nosie*).

frosted [ˈfrɔːstɪd] *a.* **1.** matowy; **~ glass/pane** matowe szkło/szyba. **2.** *US i Can. kulin.* z lukrem, lukrowany (*o cieście*).

frost-free [ˌfrɔːstˈfriː] *n. techn.* bezszronowy, samoodszraniający (*o lodówce, zamrażarce*).

frostily ['frɔ:stɪ] *adv.* 1. chłodno (*patrzeć, uśmiechać się*). 2. mroźno.

frostiness ['frɔ:stɪnəs] *n. U* 1. mróz. 2. szron. 3. siwizna (*we włosach*). 4. chłód (= *chłodna reakcja*).

frosting ['frɔ:stɪŋ] *n. U* 1. *US i Can. kulin.* lukier, polewa z lukru. 2. zmatowienie, mat; matowa powłoka.

frostwork ['frɔ:st,wɜ:k] *n. U* mróz na szybie; wzorki w kształcie mrozu na szybie.

frosty ['frɔ:stɪ] *a.* **-ier, -iest** 1. mroźny. 2. oszroniony. 3. przyprószony siwizną (*o włosach*). 4. *przen.* chłodny (*o reakcji*); lodowaty (*o spojrzeniu*).

froth [frɔ:θ] *n. U i sing.* 1. piana. 2. *uj.* lanie wody. – *v.* 1. ~ **(up)** pienić się; ~ **at the mouth** *pat. l. przen.* toczyć pianę (z ust) (*pot.* = *być wściekłym*). 2. spieniać.

frother ['frɔ:θər] *n. C/U techn.* spieniacz, środek pianotwórczy.

frothy ['frɔ:θɪ] *a.* **-ier, -iest** 1. pieniący się. 2. *przen.* bez większych ambicji (*o serialu, książce*).

frottage [frɔ:'tɑ:ʒ] *n. U* 1. *pat.* froteryzm, ocieractwo. 2. *sztuka* frotaż.

froufrou ['fru:,fru:], **frou-frou** *n. U* 1. szelest (*jedwabiu, zwł. podczas poruszania się w długiej sukni*). 2. *krawiectwo* przybranie, aplikacje (*na sukni*).

frousy ['fraʊzɪ], **frouzy** *a.* **-ier, -iest** *US pot.* 1. duszny, zatęchły (*o powietrzu, pomieszczeniu*). 2. zapuszczony (*o osobie*).

froward ['froʊwərd] *a. arch.* krnąbrny.

frown [fraʊn] *v.* 1. marszczyć brwi *l.* czoło. 2. *przen.* patrzeć niechętnie, patrzeć krzywym okiem, krzywić się (*at/on/upon sb/sth* na kogoś/coś); **sth is ~ed upon** coś nie ma (pełnej) akceptacji. 3. okazywać *l.* wyrażać zmarszczeniem brwi; **he ~ed his disapproval** zmarszczył brwi z dezaprobatą. 4. ~ **(down)** karcić wzrokiem (*kogoś*). – *n. zw. sing.* zmarszczenie brwi.

frowsty ['fraʊstɪ] *a.* **-ier, -iest** *Br.* = **frousy**.

frowzy ['fraʊzɪ] *a.* **-ier, -iest** *US* = **frousy**.

froze [froʊz] *v. zob.* **freeze**.

frozen ['froʊzən] *a.* 1. mrożony; ~ **foods** mrożonki. 2. *mech.* zatarty (*o łożysku*). 3. przemarznięty; ~ **stiff** *emf.* zmarznięty na kość.

frt. *abbr.* = **freight**.

fructiferous [frʌk'tɪfərəs] *a. bot.* owoconośny.

fructification [,frʌktəfə'keɪʃən] *n. U bot.* owocowanie.

fructify ['frʌktə,faɪ] *v.* **-ied, -ying** 1. *bot.* owocować, rodzić (owoce). 2. *lit.* użyźniać; zapładniać.

fructose ['frʌktoʊs] *n. U chem.* fruktoza.

fructuous ['frʌktʃʊəs] *a. lit.* owocny.

frugal ['fru:gl] *a. form.* oszczędny (*o osobie, gospodarowaniu*); skromny, skąpy (*o posiłku*).

frugality [fru:'gæləti] *n. U form.* oszczędność; skromność, skąpość (*posiłku*).

frugally ['fru:glɪ] *adv. form.* oszczędnie; skromnie.

fruit [fru:t] *n.* 1. *t. przen.* owoc; *U* owoce; ~ **and vegetable stall** kiosk owocowo-warzywny; **bear** ~ *przen.* przynosić owoce, owocować (*o wysiłkach*); *ogr.* rodzić, owocować (*o drzewie*); **be in** ~ *bot., ogr.* owocować; **canned** ~ *US* owoce w puszce; **fresh/dried** ~ świeże/suszone owoce; **tinned** ~ *Br.* owoce w puszce; **forbidden** ~ *przen.* zakazany owoc; **the ~s of nature** *lit.* dary natury; **the ~s of the earth** *lit.* płody ziemi. 2. *gł. Br. sl.* czubek, narwaniec. 3. *gł. US i Can. przest. obelż. sl.* pedzio. 4. **old ~!** *Br. przest. żart. sl.* staruszku!. 5. *U arch.* potomstwo. – *v. bot., ogr.* owocować.

fruitage ['fru:tɪdʒ] *n. U* 1. *form.* owocowanie; owoce. 2. *przen.* owoce, owoc (= *rezultat*).

fruitarian [fru:'terɪən] *n.* frutarian-in/ka (= *osoba żywiąca się wyłącznie owocami*). – *a.* owocowy (*o diecie*).

fruit bat *n. zool.* nietoperz owocożerny (*Megachiroptera*).

fruit cake, fruitcake *n.* 1. *C/U kulin.* keks. 2. *pot.* czubek, narwaniec.

fruit cocktail *n. C/U kulin.* sałatka owocowa (*zw. z puszki*).

fruit cup *n. kulin.* deser owocowy.

fruiter ['fru:tər] *n. ogr.* 1. sadowni-k/czka. 2. drzewo owocowe.

fruiterer ['fru:tərər] *n. Br. przest.* handlarz/rka owocami.

fruit fly *n. pl.* **-ies** *zool.* muszka owocowa (*Drosophila melanogaster*).

fruitful ['fru:tful] *a.* 1. owocny (*o rozmowach, staraniach*). 2. *ogr.* płodny.

fruitfully ['fru:tfulɪ] *adv.* 1. owocnie (*rozmawiać, spędzać czas*). 2. *ogr.* obficie (*rodzić*).

fruitfulness ['fru:tfulnəs] *n. U* 1. owocność (*rozmów*). 2. *ogr.* płodność.

fruitiness ['fru:tɪnəs] *n. U* 1. (naturalny) owocowy smak *l.* zapach. 2. soczystość.

fruition [fru:'ɪʃən] *n. U form.* 1. owoce, owoc (= *rezultaty, efekty*); **bring sth to** ~ zrealizować coś (*pomysł, plan*); **come to** ~ zaowocować, przynieść rezultaty *l.* efekty; ziścić się. 2. *lit.* radość (*of sth* z czegoś) (*zw. z realizacji zamierzeń*). 3. *bot., ogr.* owocowanie.

fruit juice *n. C/U* sok owocowy.

fruit knife *n.* nożyk do owoców.

fruitless ['fru:tləs] *a.* 1. bezowocny (*o próbach, rozmowach*). 2. *bot., ogr.* bezpłodny, nie przynoszący owoców.

fruitlessly ['fru:tləslɪ] *adv.* bezowocnie (*próbować, negocjować*).

fruitlessness ['fru:tləsnəs] *n. U* bezowocność.

fruit machine *n. Br.* automat do gry, jednoręki bandyta.

fruit salad *n. C/U kulin.* sałatka owocowa.

fruit sugar *n. U chem.* cukier owocowy, fruktoza.

fruit tree *n. bot., ogr.* drzewo owocowe.

fruity ['fru:tɪ] *a.* **-ier, -iest** 1. owocowy (*o smaku, zapachu*). 2. pełny, soczysty (*o głosie, śmiechu*). 3. *gł. Br. pot.* pikantny (= *nieprzyzwoity*).

frumentaceous [,fru:mən'teɪʃəs] *a. techn.* pszeniczny; zbożowy.

frumenty ['fru:məntɪ] *n. U* (*także* **fromenty, furmenty, furmety**) *gł. Br. kulin.* pszeniczna kaszka na mleku (*podawana na słodko z cynamonem*).

frump [frʌmp] *n. pot. pog.* straszydło (*o niemodnie ubranej i nieatrakcyjnej kobiecie*).

frumpish ['frʌmpɪʃ] *a.* = **frumpy.**

frumpy ['frʌmpɪ] *a.* **-ier, -iest** *pot. pog.* niemodnie *l.* źle ubrana; zaniedbana (*o kobiecie*).

frusta ['frʌstə] *n. zob.* **frustum.**

frustrate ['frʌstreɪt] *v.* **1.** frustrować (*kogoś*). **2.** udaremnić (*plan, spisek, próbę*); pokrzyżować plany (*wrogowi*). – *a. arch.* sfrustrowany.

frustrated ['frʌstreɪtɪd] *a.* sfrustrowany.

frustrating ['frʌstreɪtɪŋ] *a.* frustrujący.

frustration [frə'streɪʃən] *n. U* **1.** frustracja; *C* źródło frustracji. **2.** niezaspokojenie (*pragnień*); udaremnienie (*próby*); niepowodzenie, fiasko (*przedsięwzięcia, planu*).

frustule ['frʌstʃu:l] *n. bot.* skorupka okrzemka.

frustum ['frʌstəm] *n. pl.* **-s** *l.* **frusta** ['frʌstə] *geom.* bryła ścięta; ~ **of a cone/pyramid** stożek/ostrosłup ścięty.

frutescent [fru:'tesənt] *a. bot.* krzewowaty.

fruticose ['fru:təˌkoʊs] *a. t. bot.* krzewiasty, krzaczasty (*o minerale, koralu*).

fry[1] [fraɪ] *v.* **-ied, -ying 1.** *kulin.* smażyć (się); **deep** ~ smażyć na głębokim tłuszczu, frytować. **2.** *pot.* smażyć się (*z powodu gorąca*). **3.** *el. sl.* sfajczyć (*obwód, płytkę*). **4.** *US sl.* pójść na krzesło elektryczne; posłać na krzesło elektryczne. **5. let him ~ in his own juice** *przen.* niech sam wypije piwo, którego nawarzył. – *n. pl.* **-ies** *kulin.* **1.** (*także* **French** ~) *US i Can.* frytka. **2.** *US i Can.* przyjęcie w plenerze ze smażonym poczęstunkiem, grill. **3.** *Br.* = **fry-up.**

fry[2] *n. U* **1.** *ryb.* narybek, młódź, drobiazg. **2.** *zool.* młode (*np. żab*). **3.** *żart.* dzieciarnia, drobiazg. **4. small** ~ *zob.* **small.**

fryer ['fraɪər], **frier** *n. kulin.* **1.** garnek do frytek; frytownica. **2.** *US* brojler (*kurczak*).

frying pan ['fraɪɪŋ ˌpæn] *n.* **1.** patelnia. **2. out of the ~ (and) into the fire** *przen.* z deszczu pod rynnę.

fry pan *n. płn.-wsch. US* = **frying pan** 1.

fry-up ['fraɪˌʌp] *n. Br. pot.* smażona potrawa (*np. jajka, boczek, kiełbaski, pomidory i ziemniaki podawane razem na śniadanie*).

f-stop ['efˌstɑ:p] *n. fot.* przysłona, nastawa przysłony.

FT [ˌef 'ti:] *n. dzienn.* = **Financial Times**; ~ **index** *fin.* = **FTSE.**

ft. *abbr.* **1.** = **feet**; = **foot. 2.** = **fort.**

FTC [ˌef ˌti: 'si:] *abbr. US* = **Federal Trade Commission.**

FTSE ['fʊtsi:], **FTSE (100) index** *abbr. fin.* **Financial Times Stock Exchange (100) index** indeks *l.* wskaźnik FT (100) (= *indeks giełdy londyńskiej publikowany w Financial Times*).

fubsy ['fʌbzɪ] *a. dial.* przysadzisty.

fuchsia ['fju:ʃə] *n.* **1.** *C/U bot.* fuksja (*Fuchsia*). **2.** *U* kolor cyklamenowy.

fuci ['fju:saɪ] *n. pl. zob.* **fucus.**

fuck [fʌk] *int. wulg. sl.* ~ **(it)!** kurwa!. – *v. wulg. sl.* **1.** pierdolić (się); ~ **me!** o kurwa!; ~ **you!** pierdol się!, chuj ci w oko!; ~ **him/the money!** chuj z nim/forsą!; ~ **with sb** grać z kimś w chuja (= *wchodzić komuś w drogę*); **don't (you) ~ with me!** odpierdol się ode mnie!; **I'll be ~ed!** niech mnie chuj strzeli!. **2.** ~ **around** (*także Br.* ~ **about**) opierdalać się; pierdolić się z kim popadnie; ~ **sb around** (*także Br.* ~ **sb about**) grać *l.* zagrywać z kimś w chuja (= *wchodzić komuś w drogę*); ~ **off!** odpierdol się!; ~ **sb off** wkurwiać kogoś; ~ **sb over** *US* dopierdolić komuś (= *źle potraktować*); ~ **up** spierdolić (sprawę); **sb is (all) ~ed up** ktoś ma (totalnie) przejebane; ktoś jest (totalnie) pojebany. – *n. zw. sing. wulg. sl.* **1.** jebanko, numerek (= *stosunek płciowy*). **2.** *pog.* dupa (*kobieta jako obiekt seksualny*); jebaka, jebak (*mężczyzna jako obiekt seksualny*); **be a good ~** dobrze się rżnąć. **3.** *Br. obelż.* chuj, skurwiel; **you stupid ~!** ty głupi chuju! **4. I don't care/give a ~** pierdolę to, mam to (głęboko) w dupie; **the/like ~ I will!** takiego wała! (= *akurat!*); **what/how the ~...?** co/jak do kurwy (nędzy)...?; **why the ~...?** po (kiego) chuja...?

fuck all, fuck-all *n. wulg. sl. U* gówno (= *(prawie) nic*).

fucker ['fʌkər] *n.* (*także US* **fuckhead**) *wulg. sl. obelż.* chuj, skurwiel.

fucking ['fʌkɪŋ] *wulg. sl. a. attr.* pierdolony, pieprzony. – *adv. emf.* zajebiście (= *bardzo*).

fucking A *int. US wulg. sl.* o kurwa! (*wyrażając zdziwienie*).

fuck-up ['fʌkˌʌp], **fuckup** *n. wulg. sl.* nawalanka (= *partactwo*); rozpierdol, burdel (= *bałagan*).

fucus ['fju:kəs] *n. pl.* **-es** *l.* **fuci** ['fju:saɪ] *bot.* morszczyn (*Fucus*).

fuddle ['fʌdl] *v. pot.* **1.** *często pass.* zamroczyć; pomieszać w głowie (*komuś*); uderzyć do głowy (*komuś; o alkoholu*); spić, spoić (*kogoś*). **2.** *arch.* popijać *l.* pociągać sobie (= *nadużywać alkoholu*). – *n. sing. pot.* zamroczenie (*t. alkoholowe*); **be in a ~** nie kojarzyć, nie kontaktować; mieć w czubie.

fuddy-duddy ['fʌdɪˌdʌdɪ] *n. pl.* **-ies** (stary) ramol.

fudge[1] [fʌdʒ] *n.* **1.** *U kulin.* masa karmelowa, karmel; krówka. **2.** *U pot.* bzdury. **3.** *zw. sing. zwł. Br. pot.* prowizorka; mydlenie oczu; przekręt. – *v. pot.* **1.** omijać (*problem*); rozmydlić (*sprawę*); manipulować (*informacjami*); fałszować (*dane*); ~ **the issue** *zob.* **issue** *n.* 1. **2.** ~ **on sth** wykazywać brak zdecydowania w czymś; rozmydlać coś; naginać coś (*zwł. przepisy*).

fudge[2] *int. pot.* **(oh) ~!** *euf.* (o) kurde!.

fuel ['fju:əl] *n.* **1.** *C/U* paliwo; opał; **unleaded ~** benzyna bezołowiowa. **2.** *U przen.* pożywka (*for sth* dla czegoś) (*uczuć, ciekawości*); **add ~ to the flames/fire** dolewać oliwy do ognia. – *v. Br.* **-ll- 1.** zasilać *l.* zaopatrywać w paliwo (*kocioł, silnik, pojazd*). **2.** tankować (*samolot, statek, pojazd*). **3.** *przen.* podsycać (*ogień, emocje*); napędzać (*inflację*).

fuel cell *n. techn.* ogniwo paliwowe.

fuel efficiency *n.* (*także* **fuel economy**) *U mot.* ekonomiczność (*samochodu, silnika*).

fuel-efficient ['fju:əlɪˌfɪʃənt] *a. mot.* ekonomiczny.

fuel gauge *n. mot.* wskaźnik poziomu paliwa, paliwomierz.

fuel injection *n. U mot.* wtrysk paliwa.

fuel oil *n. C / U mot.* olej napędowy; *techn.* olej opałowy.

fuel rod *n. techn.* pręt paliwowy (*reaktora jądrowego*).

fuel tank *n. techn.* zbiornik paliwa; *mot.* bak.

fug [fʌg] *n. sing. Br. pot.* zaduch.

fugacious [fjuːˈgeɪʃəs] *a.* **1.** *form.* efemeryczny. **2.** *bot.* nietrwały, krótko żyjący.

fugacity [fjuːˈgæsətɪ] *n. U* **1.** *chem.* lotność (*gazu*). **2.** *form.* efemeryczność. **3.** *bot.* nietrwałość.

fugal [ˈfjuːgl] *a. muz.* fugowy.

fuggy [ˈfʌgɪ] *a.* **-ier, -iest** *Br. pot.* duszny (*o pomieszczeniu*).

fugitive [ˈfjuːdʒətɪv] *n.* **1.** zbieg; uciekinier/ka; dezerter/ka; ~ **from justice** uciekający przed wymiarem sprawiedliwości; ~ **from prison** zbiegły więzień. **2.** uchodźca, wygnaniec. – *a. attr.* **1.** zbiegły (*o więźniu*). **2.** *lit.* nieuchwytny, wymykający się, ulotny; przelotny, przemijający. **3.** *teor. lit.* okolicznościowy, ulotny (*np. o poezji*). **4.** wędrowny (*o trupie teatralnej*).

fugleman [ˈfjuːglmən] *n. pl.* **-men** *form.* przywódca.

fugue [fjuːg] *n. muz.* fuga.

fulcrum [ˈfʊlkrəm] *n. pl.* **-s** *l.* **fulcra** [ˈfʊlkrə] **1.** *mech.* punkt podparcia (*dźwigni*); *t. anat., zool.* punkt zawieszenia. **2.** *przen.* punkt wyjścia (*rozumowania, dyskusji*).

fulfill [fʊlˈfɪl], *Br.* **fulfil** *v.* **-ll- 1.** spełniać (*warunek, obietnicę, życzenie, przepowiednię*); wypełniać (*obowiązek, zadanie*); pełnić (*rolę*); wykonywać (*rozkaz*); zaspokajać (*potrzebę*); realizować (*marzenia, ambicje*); odpowiadać (*celowi, warunkom*). **2.** ~ **o.s.** realizować się (*o osobie*), realizować swoje ambicje.

fulfillment [fʊlˈfɪlmənt], *Br.* **fulfilment** *n. U* **1.** spełnienie; wypełnienie; zaspokojenie; realizacja; wykonanie (*of sth* czegoś); uczynienie zadość (*of sth* czemuś). **2.** satysfakcja; **feeling/ sense of** ~ poczucie satysfakcji.

fulgent [ˈfʌldʒənt] *a. poet.* świetlisty, jaśniejący.

fulgurate [ˈfʌlgjəˌreɪt] *v.* **1.** *form.* błyskać, przemykać jak błyskawica. **2.** *chir.* wypalać (*iskrą elektryczną*).

fulguration [ˌfʌlgjəˈreɪʃən] *n. U chir.* fulguracja, wypalanie (*iskrą elektryczną*).

fulgurite [ˈfʌlgjəˌraɪt] *n. geol.* fulguryt, piorunowiec, strzałka piorunowa (= *formacja z kwarcu stopionego uderzeniem pioruna*).

fuliginous [fjuːˈlɪdʒənəs] *a. form.* **1.** okopcony. **2.** w kolorze sadzy, ciemny.

full1 [fʊl] *a.* **1.** pełny, pełen; cały; ~ **of sth** *t. przen.* pełen czegoś; wypełniony czymś; przepełniony czymś; ~ **to the brim** (*także* ~ **to overflowing**) *t. przen.* wypełniony *l.* pełny po brzegi; ~ **(up)** wypełniony (*o sali*); pełen (*o tramwaju, pociągu*); **don't talk with your mouth** ~ nie mów z pełnymi ustami; **for a** ~ **week** przez pełny *l.* cały *l.* okrągły tydzień. **2.** pełny (*o figurze, twarzy*). **3.** obszerny, szeroki (*o odzieży*); marszczony (*o spódnicy*); bufiasty (*o rękawach*). **4.** (*także Br.* ~ **up**) najedzony, syty; **no, thanks, I'm** ~ dziękuję, już nie mogę. **5.** nasycony (*o barwach*). **6.** *attr.* pełny, pełnoprawny (*np. o członkostwie*). **7.** *attr.* rodzony (*o bracie, siostrze*). **8.** **(in)** ~ **sail** *żegl.* pod pełnymi żaglami (*płynąć*); *przen.* pełną parą (*przeć do przodu*). **9.** ~ **(speed) ahead** (*także* ~ **steam (ahead)**) *żegl.* cała naprzód; *przen.* pełną parą (*przeć do przodu*). **10.** *przen.* ~ **of o.s.** zapatrzony w siebie; **at** ~ **belt** *zob.* **belt** *n.*; **at** ~ **blast** *zob.* **blast** *n.*; **at** ~ **speed** z maksymalną prędkością; **be** ~ **of beans** *zob.* **bean** *n.*; **be** ~ **of it** *pot.* głupio gadać; **be** ~ **of crap/shit** *sl.* pieprzyć od rzeczy; **be** ~ **to bursting** *Br.* pękać w szwach; **come/turn** ~ **circle** *zob.* **circle** *n.*; **do sth on a** ~ **full stomach** robić coś na pełny żołądek; **in** ~ **bloom** *zob.* **bloom** *n.*; **in** ~ **cry** *zob.* **cry** *n.*; **in** ~ **swing** *zob.* **swing** *n.*; **in** ~ **view of sb** na czyichś oczach; **have one's hands** ~ mieć ręce pełne roboty; **lead a** ~ **life** żyć pełnią życia; **lie/fall** ~ **length** leżeć/upaść jak długi; **turn sth to a** ~ **account** w pełni coś wykorzystać. – *adv.* **1.** bardzo, zupełnie, całkiem; **know** ~ **well** wiedzieć doskonale *l.* bardzo dobrze. **2.** prosto; **it struck him** ~ **in the face** dostał prosto w twarz. **3.** ~ **out** na pełnym gazie, z maksymalną prędkością (*jechać*). – *n.* **1. the** ~ **of it** wszystko (bez wyjątku). **2. in** ~ w całości; **pay in** ~ zapłacić w całości; **write one's name in** ~ podpisać się pełnym imieniem i nazwiskiem. **3. to the** ~ w (całej) pełni; zupełnie; **live life to the** ~ żyć pełnią życia. – *v. krawiectwo* marszczyć; fałdować; plisować.

full2 *v. tk.* folować, foluszować, spilśniać (*tkaninę wełnianą*).

full age *n. U* pełnoletność; **reach** ~ osiągnąć pełnoletność.

fullback [ˈfʊlˌbæk] *n. sport* cofnięty obrońca.

full blood *n. U* czysta krew.

full-blooded [ˌfʊlˈblʌdɪd] *a. attr.* **1.** pełen zaangażowania (*o działaniu*). **2.** czystej krwi (*o rasie, człowieku, zwierzęciu*). **3.** z krwi i kości (*o mężczyźnie*); gorącej krwi, gorącokrwisty, gorący (= *żywy, zmysłowy*).

full-blown [ˌfʊlˈbloʊn] *a.* **1.** *pat.* pełnoobjawowy; ~ **AIDS** pełnoobjawowe AIDS. **2.** *lit.* w pełni rozwinięty *l.* rozkwitły (*o kwiecie, osobowości*).

full board *n. U* pełne wyżywienie (*na wczasach*).

full-bodied [ˌfʊlˈbɑːdɪd] *a. attr.* pełny, bogaty (w smaku) (*o winie*).

full-court press [ˌfʊlˌkɔːrt ˈpres] *n. U koszykówka* krótkie krycie, pressing.

full-cream milk *n. U Br.* mleko pełnotłuste.

full dress *n. U* strój galowy *l.* wieczorowy.

full-dress [ˌfʊlˈdres] *a. attr.* **1.** galowy, wieczorowy (*o stroju*). **2.** *przen.* z pełną pompą; z całym rynsztunkiem; ~ **debate** *parl.* debata w trybie normalnym; ~ **investigation** śledztwo (zakrojone) na szeroką skalę; ~ **meeting** zebranie plenarne; ~ **rehearsal** *teatr* próba kostiumowa.

full employment *n. U ekon.* pełne zatrudnienie.

fuller1 [ˈfʊlər] *n. tk.* **1.** folusznik. **2.** folusz, pilśniarka.

fuller2 *n. metal.* wydłużacz *l.* odciągacz kowalski (*rodzaj młota*).

fullerene [ˌfʊləˈriːn] *n. chem.* fuleren.

fuller's earth *n. U techn.* ziemia fulerska.

full-faced [ˌfʊlˈfeɪst] *a. zw. attr.* **1.** o pełnej twarzy. **2.** (*także* **full-face**) en face (*o portrecie, zdjęciu*). **3.** *druk.* pogrubiony, wytłuszczony (*o kroju czcionki*).

full-fashioned [ˌfʊlˈfæʃənd] *a. US* dopasowany (*o kroju, ubraniu*).

full-fat milk [ˌfʊlˌfæt ˈmɪlk] *n. U Br.* mleko pełnotłuste.

full-fledged [ˌfʊlˈfledʒd] *a. zw. attr. gł. US* **1.** pełnoprawny; stuprocentowy. **2.** wykwalifikowany. **3.** dojrzały (*np. o polityku, artyście*); w pełni rozwinięty. **4.** *orn.* w pełni upierzony.

full-frontal [ˌfʊlˈfrʌntl] *a.* **1.** *film* pokazujący aktora *l.* aktorkę nago od przodu (*o ujęciu*). **2.** *pot.* frontalny, bezpardonowy (*o ataku*).

full general *n. US wojsk.* generał najwyższej rangi; generał armii.

full-grown [ˌfʊlˈgroʊn] *a. zw. attr. gł. biol.* dorosły, dojrzały, w pełni rozwinięty.

full hand *n. karty* ful.

full house *n.* **1.** *kino, teatr* pełna widownia *l.* sala, komplet. **2.** *karty* ful.

full-length [ˌfʊlˈleŋkθ] *a.* pełnej długości; *film* pełnometrażowy; ~ **dress/skirt** suknia/spódnica do ziemi; ~ **mirror** wysokie lustro, lustro obejmujące całą postać; ~ **portrait** portret całej postaci, portret od stóp do głów.

full marks *n. pl. gł. Br.* maksymalna liczba punktów, najwyższa ocena.

full member *n.* członek zwyczajny.

full monty *n. U sl.* cały interes; **go** ~ iść na całego *l.* na całość.

full moon *n. astron.* pełnia (księżyca).

full-mouthed [ˌfʊlˈmaʊðd] *a. attr.* **1.** głośny, wyraźny (*o wymowie, wypowiedzi*). **2.** *wet.* z pełnym uzębieniem (*o zwierzętach hodowlanych*).

full nelson *n. zapasy* podwójny nelson.

fullness [ˈfʊlnəs], *Br. t.* **fulness** *n. U* **1.** pełnia (*koloru, dźwięku, doznań*). **2. the** ~ **of time** *lit.* godzina przeznaczenia; **in the** ~ **of time** w swoim *l.* we właściwym czasie.

full-out [ˌfʊlˈaʊt] *a. attr. t. wojsk.* totalny, na wszystkich frontach (*o ataku, wojnie*).

full professor *n. US uniw.* profesor zwyczajny.

full-scale [ˌfʊlˈskeɪl] *a. attr.* **1.** wielkości naturalnej, w skali naturalnej, w skali 1:1 (*o rysunku, modelu*). **2.** gruntowny, zakrojony na szeroką skalę (*np. o dochodzeniu*); *t. wojsk.* totalny, na wszystkich frontach (*o ataku, wojnie*).

full-service [ˌfʊlˈsɜːvɪs] *a. attr.* oferujący pełen zakres usług, oferujący kompleksową obsługę (*np. o banku, stacji diagnostycznej*).

full-size [ˌfʊlˈsaɪz], **full-sized** *a. attr.* **1.** naturalnej wielkości. **2.** normalnej wielkości, duży (*np. o śrubokręcie*).

full stop *n.* **1.** *Br. i Austr. interpunkcja* kropka. **2. come to a** ~ *przen.* stanąć w miejscu (*np. o produkcji, negocjacjach*). – *int. Br.* koniec, kropka!.

full-time [ˌfʊlˈtaɪm] *a. attr.* pełnoetatowy (*o pracowniku*), w pełnym wymiarze godzin (*o zatrudnieniu*); ~ **employment/job** zatrudnienie/praca w pełnym wymiarze godzin *l.* na pełnym etacie *l.* na pełen etat; ~ **job** *przen.* kupa roboty; ~ **study** *uniw.* studia dzienne *l.* stacjonarne, studia w pełnym wymiarze (godzin); ~ **student** *uniw.* student/ka dzienn-y/a *l.* stacjonarn-y/a, studiując-y/a w pełnym wymiarze (godzin).

fully [ˈfʊlɪ] *adv.* **1.** w pełni; zupełnie, całkowicie. **2.** dokładnie, wyczerpująco, gruntownie. **3.** co najmniej, aż; **there were** ~ **50 people there** było tam co najmniej 50 osób.

fully-fashioned [ˌfʊlɪˈfæshənd] *a. Br.* = **full-fashioned**.

fully-fledged [ˌfʊlɪˈfledʒd] *a. Br.* = **full-fledged**.

fully-grown [ˌfʊlɪˈgroʊn] *a. gł. Br.* = **full-grown**.

fulmar [ˈfʊlmər] *n. orn.* fulmar (lodowy) (*Fulmarus (glacialis)*).

fulminant [ˈfʌlmənənt] *a. pat.* piorunujący (*o chorobie*).

fulminate [ˈfʌlməˌneɪt] *v. form.* **1.** ciskać gromy, miotać obelgi (*against / at / about sb / sth* na kogoś/coś). **2.** eksplodować, wybuchać; detonować. **3. fulminating mercury** *chem.* piorunian rtęci. – *n. chem.* piorunian; *med.* fulminian; **mercury** ~ (*także* ~ **of mercury**) piorunian rtęci.

fulmination [ˌfʌlməˈneɪʃən] *n. C/U form.* **1.** *przen.* gromy, obelgi. **2.** eksplozja, detonacja, wybuch.

fulminatory [ˈfʌlmənəˌtɔːrɪ] *a. form.* miotający gromy (*o mówcy, mowie, artykule*).

fulminic acid [fʌlˌmɪnɪk ˈæsɪd] *n. U chem.* kwas piorunowy.

fulness [ˈfʊlnəs] *n. Br.* = **fullness**.

fulsome [ˈfʊlsəm] *a. form.* **1.** wylewny (*o podziękowaniach*); przesadny (*zw. t. nieszczery; np. o pochwałach*); **the movie received** ~ **praise** filmowi nie szczędzono pochwał; **he was** ~ **in his praise/thanks** rozpływał się w pochwałach/podziękowaniach. **2.** *przest.* obrzydliwy.

fulvous [ˈfʌlvəs] *a. form.* płowy, żółtobrązowy.

fumaric acid [fjuːˌmerɪk ˈæsɪd] *n. U chem.* kwas fumarowy.

fumarole [ˈfjuːməˌroʊl] *n. geol.* fumarola.

fumble [ˈfʌmbl] *v.* **1.** gmerać, dłubać (*with / at sth* przy czymś *l.* koło czegoś); ~ **for/after sth** szperać *l.* grzebać w poszukiwaniu czegoś (*np. w torebce, kieszeni*); szukać czegoś po omacku (*np. wyłącznika w ciemności*); ~ **for the right word** *przen.* nie móc znaleźć właściwego słowa. **2.** bawić się (*with sth* czymś). **3.** ~ **through sth** z trudem przebrnąć przez coś (*np. przez uroczystość, przemówienie*). **4.** zmarnować, zepsuć (*okazję*). **5.** *sport* zepsuć *l.* upuścić (piłkę); nieczysto zatrzymać (piłkę). – *n.* **1.** niepowodzenie, kompromitacja. **2.** zmarnowana okazja. **3.** *sport* zepsuta *l.* upuszczona piłka; nieczyste zatrzymanie (*piłki*).

fumbler [ˈfʌmblər] *n. pot.* fajtłapa; partacz.

fumbling [ˈfʌmblɪŋ] *a.* nieudolny; niezgrabny.

fumblingly [ˈfʌmblɪŋlɪ] *adv.* nieudolnie; niezgrabnie.

fume [fjuːm] *v.* **1.** wściekać się (*at sb / sth* na kogoś/coś); **he was (simply) fuming** kipiał *l.* pienił się *l.* gotował się ze złości; **fret and ~** *zob.* **fret**[1] *v.* **2.** dymić; parować. **3.** okadzać. – *n.* **1.** *pl.* opary; wyziewy; dymy; **~s of wine** opary wina; **car/exhaust ~s** spaliny (samochodowe); **give off ~s** wydzielać opary; **poisonous ~s** trujące wyziewy. **2. in a ~** *przen.* w ataku *l.* napadzie złości.

fumigate ['fju:məˌgeɪt] *v. techn.* fumigować, odymiać (*zwł. dla zabicia szkodników, bakterii*).

fumigation [ˌfju:mə'geɪʃən] *n. C/U techn.* fumigacja, odymianie.

fumigator ['fju:məˌgeɪtər] *n. techn.* fumigator.

fumitory ['fju:mɪˌtɔ:rɪ] *n. bot.* dymnica (*Fumaria*); dymnica pospolita, polna rutka (*Fumaria officinalis*).

fumy ['fju:mɪ] *a.* pełen oparów; zadymiony; dymiący, parujący.

fun [fʌn] *n. U* **1.** zabawa; uciecha, frajda; heca; **~ and games** *zw. iron.* czysta *l.* sama zabawa; **figure of ~** *zob.* **figure** *n.*; **for ~** (*także* **for the ~ of it**) dla zabawy *l.* przyjemności; **get a lot of ~ from/out of sth** czerpać z czegoś *l.* znajdować w czymś dużo przyjemności; **have ~** dobrze się bawić; **in ~** dla żartu, w żartach; **it's no ~** to nic przyjemnego; **it's not my idea of ~** mnie to nie bawi; **make ~ of sb/sth** (*także* **poke ~ at sb/sth**) wyśmiewać się *l.* kpić sobie *l.* stroić sobie żarty z kogoś/czegoś; **sb is ~ (to be with)** fajnie się z kimś spędza czas; **take all the ~ out of sth** całkowicie coś zepsuć (*zwł. przyjemne zajęcie*); **(this is such) good/great ~** (to taka) świetna zabawa; **what ~!** ale zabawa!. **2.** *przen. pot.* **like ~** migiem, błyskawicznie; **like ~!** *US* akurat!; **sounds like ~** brzmi nieźle. – *a. pot.* fajny; przyjemny; wesoły, zabawny; **~ time** fajna zabawa; **~ place** fajne miejsce; **~ people** fajni ludzie; **(this was) a ~ thing to do** (to była) dobra zabawa. – *v.* **-nn-** *pot.* brykać, bawić się.

funambulist [fju:'næmbjəlɪst] *n. form.* linoskoczek.

function ['fʌŋkʃən] *n.* **1.** funkcja; rola; **in his ~ as judge** w roli *l.* charakterze sędziego; **fulfill/serve the ~ of sth** pełnić funkcję czegoś, służyć jako coś; **perform a ~** spełniać funkcję *l.* rolę; **vital ~** istotna rola. **2.** (*także* **social ~**) uroczystość, ceremonia. **3.** *mat., techn.* funkcja; **exponential ~** funkcja wykładnicza; **x is a ~ of y** x jest funkcją y. **4.** *U* działanie, czynność; **kidney ~** *fizj.* czynność nerek. – *v.* funkcjonować (*t. o osobie*); działać; **~ as sb/sth** funkcjonować jako ktoś/coś, służyć jako ktoś/za coś.

functional ['fʌŋkʃənl] *a.* **1.** sprawny, działający (*o urządzeniu*). **2.** funkcjonalny (*o meblu, podejściu teoretycznym*). **3.** *mat.* funkcyjny (*o zależności*).

functional illiteracy *n. U socjol.* faktyczny analfabetyzm; wtórny analfabetyzm.

functionalism ['fʌŋkʃənəˌlɪzəm] *n. U fil., nauka* funkcjonalizm.

functionalist ['fʌŋkʃənəlɪst] *n. fil. nauka* funkcjonalist-a/ka.

functionality [ˌfʌŋkʃə'nælətɪ] *n. U* **1.** sprawność. **2.** funkcjonalność.

functionally ['fʌŋkʃənlɪ] *adv.* funkcjonalnie.

functionary ['fʌŋkʃəˌnerɪ] *n. pl.* **-ies** *form.* funkcjonariusz/ka (*partii, rządu*).

function key *n. komp.* klawisz funkcyjny.

fund [fʌnd] *n.* **1.** *fin.* fundusz; **investment/trust ~** fundusz inwestycyjny/powierniczy; **pension/retirement ~** fundusz emerytalny. **2.** zasób; zapas; **a ~ of sth** (pokaźny) zasób czegoś. **3.** *pl. fin.* fundusze, środki; kapitał; **assign/raise ~s for sth** asygnować/gromadzić fundusze na coś; **in ~s** w posiadaniu (wystarczających) środków; **"insufficient ~s"** (*także* **"no ~s"**) „brak pokrycia" (*adnotacja na czeku*); **out of ~s** bez środków; **(paid for) out of public ~s** (płatny) ze środków publicznych; **the ~s** *Br.* państwowe papiery wartościowe. – *v. fin.* **1.** finansować (*przedsięwzięcie*). **2.** konwertować; konsolidować (*dług*). **3.** *Br.* lokować w papierach wartościowych (*kapitał*).

fundament ['fʌndəmənt] *n.* **1.** *często pl. form.* podstawa, fundament (*teorii*). **2.** warunki naturalne (*danego obszaru*). **3.** *euf. żart.* cztery litery (= *pupa*). **4.** *przest. bud.* fundament.

fundamental [ˌfʌndə'mentl] *a.* podstawowy, zasadniczy, fundamentalny (*to sth* dla czegoś). – *n.* **1.** *pl.* podstawy, podwaliny; (podstawowe) zasady; **the ~s of physics** podstawy fizyki. **2.** *akustyka* składowa podstawowa; *muz.* ton podstawowy.

fundamentalism [ˌfʌndə'mentəˌlɪzəm] *n. U fil., teol.* fundamentalizm.

fundamentalist [ˌfʌndə'mentəlɪst] *n. fil., teol.* fundamentalist-a/ka.

fundamentality [ˌfʌndəmen'tælətɪ] *n. U* fundamentalność, zasadniczość; zasadniczy *l.* podstawowy charakter.

fundamentally [ˌfʌndə'mentlɪ] *adv.* **1.** zasadniczo, fundamentalnie (*odmienny, różny*); u podstaw (*wadliwy, błędny*). **2.** w zasadzie.

funding ['fʌndɪŋ] *n. U* środki finansowe (*na sfinansowanie konkretnego przedsięwzięcia*).

fundraiser ['fʌndˌreɪzər] *n. gł. US* **1.** impreza, z której dochód przeznaczony jest na konkretny cel, zwł. dobroczynny *l.* polityczny; bal dobroczynny; kwesta. **2.** osoba *l.* instytucja zajmująca się zbieraniem funduszy jw.

fundraising ['fʌndˌreɪzɪŋ] *n. U* gromadzenie funduszy (*zwł. na konkretny cel dobroczynny l. polityczny*), zbiórka pieniędzy, kwestowanie.

funeral ['fju:nərəl] *n.* **1.** pogrzeb. **2.** *przen. pot.* **go on with the ~** *US* (dalej) robić swoje; **that's/it's your/his ~** *przest.* to twój/jego problem, to twoje/jego zmartwienie.

funeral director *n. US i Austr.* przedsiębiorca pogrzebowy.

funeral home *n. zwł. US* dom pogrzebowy.

funeral parlor, *Br.* **funeral parlour** *n.* = **funeral home**.

funeral procession *n.* orszak *l.* kondukt żałobny.

funeral service *n.* uroczystości żałobne; *rel.* nabożeństwo żałobne; *rz.-kat.* msza żałobna.

funerary ['fju:nəˌrerɪ] *a. attr.* pogrzebowy.

funereal [fju:'nɪ:rɪəl] *a. przen.* pogrzebowy, posępny (*o nastroju*); ślimaczy (*o tempie*).

funereally [fjuːˈniːrɪəlɪ] *adv.* posępnie; w ślimaczym tempie.

funfair [ˈfʌnfer] *n. Br.* wesołe miasteczko.

funfest [ˈfʌnˌfest] *n. US pot.* balanga (= *przyjęcie, impreza*).

fungal [ˈfʌŋgl] *a.* **1.** *pat.* grzybiczy (*o infekcji, chorobie*). **2.** *bot.* grzybowy; grzybiasty. – *n.* grzyb.

fungi [ˈfʌŋgiː] *n. pl. zob.* **fungus**.

fungible [ˈfʌndʒəbl] *a. prawn., handl.* zamienialny, zamienny (*o towarze, ładunku*).

fungibles [ˈfʌndʒəbl] *n. pl. prawn., handl.* artykuły spożywcze masowe (*np. wino, zboże*).

fungicidal [ˌfʌŋgɪˈsaɪdl] *a. chem.* grzybobójczy.

fungicide [ˈfʌŋgɪˌsaɪd] *n. C / U chem.* fungicyd, środek grzybobójczy.

fungiform [ˈfʌŋgɪˌfɔːrm] *a. bot.* grzybiasty, grzybowaty.

fungoid [ˈfʌŋgɔɪd] *a.* grzybiasty, grzybowaty, grzybopodobny.

fungous [ˈfʌŋgəs] *a.* = **fungal** *a.*

fungus [ˈfʌŋgəs] *n. pl. t.* **fungi** [ˈfʌŋgiː] **1.** *bot., pat.* grzyb. **2.** *pat.* narośl.

funicle [ˈfjuːnəkl] *n.* (*także* **funiculus**) **1.** *anat.* powrózek. **2.** *bot.* sznureczek (*zalążka*).

funicular [fjuːˈnɪkjələr] *a.* **1.** *mech.* linowy. **2.** *anat.* powrózkowy. – *n.* (*także* ~ **railway**) kolej *l.* kolejka linowa (naziemna).

funiculus [fjuːˈnɪkjələs] *pl.* **funiculi** *n.* = **funicle.**

funk¹ [fʌŋk] *n. U muz.* (muzyka) funk.

funk² *n. sing. przest. pot.* **be in a (blue)** ~ *US i Austr.* być w (strasznym) dołku (= *w depresji*); *gł. Br.* mieć (strasznego) cykora (= *bać się*). – *v. gł. Br. przest. pot.* mieć *l.* dostać cykora przed (*czymś*).

funk³ *n. sing. US sl.* smród (*zwł. ciała*).

funk hole *n.* **1.** *pot.* kryjówka. **2.** *wojsk., arch. sl.* okop.

funky¹ [ˈfʌŋkɪ] *a.* **-ier, -iest 1.** *muz.* funkowy. **2.** *pot.* wystrzałowy.

funky² *a.* **-ier, -iest** *gł. Br. przest. pot.* spanikowany.

funky³ *a.* **-ier, -iest** *US sl.* cuchnący (*zwł. o ciele*).

funnel [ˈfʌnl] *n.* **1.** *kulin.* lejek; *techn.* lejek, lej. **2.** *techn.* komin (*metalowy*); szyb. – *v. Br.* **-ll- 1.** kierować, przekazywać (*fundusze, broń*). **2.** koncentrować, skupiać (*energię, wysiłki*). **3.** przelewać (*ciecz*); *t. przen.* przelewać się (*o cieczy, tłumie*).

funnel cloud *n. meteor.* trąba powietrzna.

funnies [ˈfʌnɪz] *n. pl. US pot.* **the** ~ dowcipy rysunkowe; historyjki obrazkowe (*w gazecie, czasopiśmie*).

funnily [ˈfʌnɪlɪ] *adv.* **1.** dziwnie; ~ **(enough)** dziwna rzecz, co ciekawe; dziwnym trafem. **2.** śmiesznie; zabawnie.

funniness [ˈfʌnɪnəs] *n. U* **1.** śmieszność. **2.** dziwność.

funny [ˈfʌnɪ] *a.* **-ier, -iest 1.** śmieszny; zabawny; dziwny; ~ **ha-ha or** ~ **peculiar?** *zwł. Br.* śmieszny czy dziwny?; **it's not** ~ nie ma się z czego śmiać; **see the** ~ **side of sth** dostrzegać zabawną stronę czegoś; **that's/it's** ~ to dziwne; **the** ~ **thing is...** najzabawniejsze, że...; najdziwniejsze, że...; **very** ~! *iron.* bardzo śmieszne!; **what's so** ~? co cię tak śmieszy?. **2.** podejrzany; ~ **business** podejrzana *l.* dziwna sprawa; **don't try anything** ~ *pot.* tylko bez numerów. **3.** *Br. pot.* (lekko) szurnięty. **4. feel** ~ źle *l.* słabo się czuć; **go** ~ *Br. pot.* źle się poczuć; zacząć wariować (*t. o obrazie telewizyjnym, urządzeniu*).

funny bone *n. sing.* **1.** *zwł. Br. pot.* tkliwe miejsce w łokciu (*wyrostek kości ramiennej*). **2.** *przen.* poczucie humoru.

funny book *n. zwł. dziec.* komiks.

funny farm *n. pot. żart.* wariatkowo (= *zakład dla umysłowo chorych*).

funny money *n. U pot.* fałszywki (= *podrabiane banknoty*).

funny papers *n. US* = **funnies.**

fun park *n.* park rozrywki.

fun run *n.* bieg dla celów rekreacyjnych *l.* połączony z kwestą na cele dobroczynne.

fur [fɝː] *n.* **1.** *C / U* futro (*na zwierzęciu l. wyprawione*); sierść, futerko. **2.** (*także* ~ **coat**) futro (*część garderoby*). **3.** *U Br.* kamień, osad (*w rurach, czajniku*). **4.** *U pat.* nalot na języku; **have** ~ **on one's tongue** mieć obłożony język. **5.** *myśl.* ~ **and feather** zwierzyna i ptactwo; **hunt** ~ polować na zające. **6.** *przen. pot.* **make the** ~ **fly** (*także Br.* **set the** ~ **flying**) rozpętać piekło; **the** ~ **began/started to fly** rozpętało się (prawdziwe) piekło. – *v.* **-rr- 1.** podszywać *l.* obszywać futrem. **2.** ~ **(up)** *Br.* pokrywać się kamieniem *l.* osadem (*o rurach, czajniku*). **3.** *pat.* pokrywać się nalotem; ~**red tongue** obłożony język.

fur. *abbr.* = **furlong.**

furbelow [ˈfɝːbəˌlou] *krawiectwo n.* falbana, falbanka; przymarszczenie. – *v.* ozdabiać falbaną *l.* falbanką; marszczyć (*materiał, rękaw*).

furbish [ˈfɝːbɪʃ] *v.* **1.** ~ **(up)** odświeżać; odnawiać. **2.** polerować. **3.** oczyszczać z rdzy.

furcate *form. a.* [ˈfɝːkeɪt] rozwidlony, widlasty, rosochaty. – *v.* [ˈfɝːkeɪt] rozwidlać się, rozgałęziać się.

furcation [fərˈkeɪʃən] *n. form.* rozwidlenie, rozgałęzienie.

furious [ˈfjʊrɪəs] *a.* **1.** *zwł. pred.* wściekły (*with sth* na kogoś, *at / about sth* o coś). **2.** *zwł. attr.* zaciekły, zażarty (*o debacie, kłótni*); wściekły (*np. o ataku, ujadaniu*); szaleńczy, szalony (*o tempie, wysiłku*). **3. fast and** ~ *zob.* **fast¹** *a.*

furiously [ˈfjʊrɪəslɪ] *adv.* **1.** wściekle; z wściekłością. **2.** zaciekle.

furl [fɝːl] *v.* zwijać (się) (*o żaglu, skrzydłach*); składać (się) (*o wachlarzu, parasolu*). – *n.* **1.** zwój. **2.** *U* zwinięcie, zwijanie.

furlong [ˈfɝːlɔːŋ] *n. gł. wyścigi konne* 1/8 mili (*= 201,168 m*).

furlough [ˈfɝːlou] *n. C / U* **1.** *wojsk.* przepustka, urlop (*zwł. dla żołnierza stacjonującego za granicą*); **on** ~ na przepustce *l.* urlopie. **2.** *US i Can.* tymczasowy urlop; **on** ~ tymczasowo urlopowany. – *v.* **1.** *wojsk.* wysyłać na przepustkę; dawać przepustkę *l.* urlop (*komuś*). **2.** *US i*

Can. (tymczasowo) urlopować, wysyłać na tymczasowy urlop.

furmenty [ˈfɜːməntɪ], **furmety** [ˈfɜːmətɪ] *n.* = **frumenty.**

furn. *abbr.* (*w ogłoszeniach*) **furnished** umeblowany.

furnace [ˈfɜːnəs] *n. gł. techn.* piec; **blast ~** *metal.* wielki piec; **gas/oil ~** piec gazowy/olejowy; **hearth ~** *metal.* piec trzonowy; **open hearth ~** *metal.* piec martenowski.

furnish [ˈfɜːnɪʃ] *v.* **1.** urządzać, meblować (*mieszkanie, dom*); **~ed apartment** *US i Can.* mieszkanie umeblowane. **2.** zaopatrywać, wyposażać (*sb / sth with sth* kogoś/coś w coś). **3.** dostarczać (*czegoś*).

furnishings [ˈfɜːnɪʃɪŋz] *n. pl.* wyposażenie wnętrza.

furniture [ˈfɜːnətʃər] *n. U* **1.** meble; **garden/office ~** meble ogrodowe/biurowe; **piece/item of ~** mebel. **2.** wyposażenie (*fabryki, statku*).

furor [ˈfjʊrər], *Br.* **furore** *n. sing.* **1.** wrzawa, zamieszanie; **cause/create a ~** wzniecić zamieszanie. **2.** furora. **3.** *arch.* wybuch gniewu.

furrier [ˈfɜːɪər] *n.* kuśnierz.

furriery [ˈfɜːɪərɪ] *n. U* **1.** wyroby futrzane. **2.** futrzarstwo; kuśnierstwo.

furriness [ˈfɜːɪnəs] *n. U* puszystość (*futerka*).

furring [ˈfɜːɪŋ] *n. U* **1.** obszycie futrzane; aplikacje z futra. **2.** *Br.* tworzenie się osadu. **3.** *pat.* nalot na języku. **4.** *bud.* stelaż (*pod płyty gipsowo-kartonowe l. podłogę*).

furrow [ˈfɜːoʊ] *n.* **1.** bruzda (*na skórze, wodzie, w glebie*); głęboka zmarszczka; **~ slice** *roln.* skiba (*ziemi przy oraniu*). **2.** koleina (*w jezdni*). **3.** *techn.* rowek, żłobek, wyżłobienie. – *v.* **1.** *żegl.* pruć (*wodę*). **2.** *roln.* orać (*pole*). **3.** *techn. l. przen.* żłobić (*t. twarz zmarszczkami*); **~ one's brow** marszczyć czoło.

furrowy [ˈfɜːoʊɪ] *a.* pełen bruzd, pobrużdżony.

furry [ˈfɜːɪ] *a.* **-ier, -iest 1.** futerkowy. **2.** futrzany. **3.** puszysty; kudłaty. **4.** *pat.* obłożony (*o języku*).

fur seal *n. zool.* kotik zwyczajny (= *foka Callorhinus ursinus, Arctocephalus ursinus*).

further [ˈfɜːðər] *adv.* **1.** *zwł. przen.* dalej; **~ down the road** *przen.* w przyszłości; **go one step ~** pójść o krok dalej; **no ~ (than...)** co najwyżej (do...); **take sth/the matter ~** pójść *l.* posunąć się dalej. **2.** więcej, (jeszcze) bardziej; **she won't bother him any ~** już go więcej nie będzie niepokoiła. **3.** *form.* **~,...** co więcej,..., ponadto,...; **~ to your letter (of...)** *form.* w nawiązaniu do Pana/Pani listu (z dnia...). – *a. zw. attr.* dalszy; przyszły; **I have nothing ~ to say/add** nie mam już nic (więcej) do powiedzenia/dodania; **no ~ questions** *prawn.* nie mam więcej pytań; **nothing could/can be ~ from the truth** to jest całkowicie niezgodne z prawdą; **nothing could have been ~ from my mind/thoughts!** nie miałem nic podobnego na myśli!; **until ~ notice** (aż) do odwołania. – *v.* popierać, wspierać (*przedsięwzięcie, ruch, sprawę*); propagować (*wiedzę*); **~ sb's interests/career** troszczyć się o czyjeś interesy/czyjąś karierę.

furtherance [ˈfɜːðərəns] *n. U form.* propagowanie; popieranie, wspieranie.

further education *n. U Br. szkoln.* kształcenie pomaturalne.

furthermore [ˈfɜːðərˌmɔːr] *adv. form.* co więcej, ponadto.

furthest [ˈfɜːðɪst] *adv.* najdalej. – *a.* **1.** najdalszy. **2. at (the) ~** najdalej; najpóźniej; najwyżej.

furtive [ˈfɜːtɪv] *a.* ukradkowy (*o spojrzeniu*); potajemny, tajemny (*o spotkaniu, rozmowie*).

furtively [ˈfɜːtɪvlɪ] *adv.* ukradkiem; potajemnie, tajemnie.

furtiveness [ˈfɜːtɪvnəs] *n. U* ukradkowość; potajemność.

furuncle [ˈfjʊrəŋkl] *n. pat.* czyrak.

fury [ˈfjʊrɪ] *n. pl.* **-ies 1.** *C / U* wściekłość, szał, furia; **fly into a ~** wpaść w szał *l.* we wściekłość; **in a ~** w furii; **shake with ~** trząść się z wściekłości. **2. the Furies** *mit.* furie. **3. like ~** *przest. pot.* jak diabli.

furze [fɜːz] *n. bot.* kolcolist (zachodni) (*Ulex (Europaeus)*).

fuscous [ˈfʌskəs] *a.* brunatny.

fuse[1] [fjuːz] *n.* **1.** *el.* bezpiecznik (topikowy); korek (= *bezpiecznik w instalacji mieszkalnej*); **blow (out) a ~** przepalić bezpiecznik; **the short circuit blew (out) a ~** od zwarcia przepalił się bezpiecznik; **cartridge ~** wkładka bezpiecznikowa. **2.** *przen. pot.* **blow a ~** wściec się; **have a short ~** łatwo wpadać w złość. – *v.* **1.** łączyć (*koncepcje, nurty*); łączyć się (*o koncepcjach*); stapiać się, zlewać się (*w jedną całość*); *ekon.* dokonywać fuzji, łączyć się (*o przedsiębiorstwach*); *techn.* stapiać (*różne metale ze sobą*). **2.** *techn.* topić się (*np. o metalu*). **3.** *Br. el.* przepalić *l.* spalić bezpiecznik w (*lampie, żelazku*); wywalić bezpiecznik (*o lampie, żelazku*). **4.** *el.* zabezpieczać (bezpiecznikiem) (*obwód*).

fuse[2] *gł. wojsk. n.* zapalnik (*pocisku, ładunku wybuchowego*); lont; spłonka (*bomby*). – *v.* uzbrajać, zaopatrywać w zapalnik *l.* lont *l.* spłonkę (*pocisk, bombę*).

fuse box *n. el.* skrzynka bezpiecznikowa.

fused [fjuːzd] *a. el.* zabezpieczony *l.* chroniony bezpiecznikiem (*o obwodzie*).

fused quartz *n. U* (*także* **fused silica**) *chem.* szkło kwarcowe.

fusee [fjuːˈziː], *US t.* **fuzee** *n.* **1.** zapałka sztormowa (= *nie gasnąca na wietrze*). **2.** *wojsk.* zapalnik (*ładunku wybuchowego*). **3.** *mech.* bęben wyrównawczy, ślimak (*w dawnych zegarach*).

fuselage [ˈfjuːsəlɪdʒ] *n. lotn.* kadłub.

fuse oil *n. U chem.* fuzle.

fuse wire *n. U el.* drut bezpiecznikowy *l.* topikowy.

fusibility [ˌfjuːzəˈbɪlətɪ] *n. U fiz.* topliwość.

fusible [ˈfjuːzəbl] *a. fiz.* niskotopliwy.

fusiform [ˈfjuːzəˌfɔːrm] *a. form.* wrzecionowaty.

fusil [ˈfjuːzl] *n. broń* fuzja.

fusilier [ˌfjuːzəˈliːr] *n. wojsk., hist.* fizylier (*strzelec wyborowy*).

fusillade [ˈfjuːsəˌleɪd] *n. sing.* **1.** strzelanina.

2. *przen.* potok; ~ **of insults/questions** potok wyzwisk/pytań. – *v.* ostrzeliwać.

fusion ['fju:ʒən] *n.* *U* **1.** *t. przen.* zlewanie się; *ekon.* fuzja, połączenie (*przedsiębiorstw*). **2.** (*także* **nuclear** ~) *chem.*, *fiz.* synteza (jądrowa), reakcja termojądrowa. **3.** *fiz.* stapianie (się). **4.** topienie (się); masa stopiona.

fusion bomb *n.* *wojsk.* bomba termojądrowa.

fusion reactor *n.* *chem.*, *fiz.* reaktor termojądrowy.

fuss [fʌs] *n.* *sing.* *l.* *U* zamieszanie; awantura; afera; **kick up/make a** ~ **(about sth)** robić awanturę (o coś), robić aferę (z czegoś *l.* o coś); **make a** ~ **over/of sb** robić dużo hałasu wokół kogoś; trząść się nad kimś. – *v.* *pot.* **1.** panikować; zamartwiać się. **2.** awanturować się (*zwł. bez powodu*). **3.** *US* marudzić (*zwł. o niemowlęciu*). **4.** zawracać głowę (*komuś*); suszyć głowę (*komuś*). **5.** ~ **about** (*także* ~ **up and down**) kręcić się jak głupi; ~ **over sb** trząść się nad kimś.

fussbudget ['fʌsˌbʌdʒɪt] *n.* *US pot.* maruda, zrzęda.

fussily ['fʌsɪlɪ] *adv.* *zwł. pot.* wybrednie, grymaśnie; marudnie.

fussiness ['fʌsɪnəs] *n.* *U zwł. pot.* wybredność, grymaszenie; marudzenie.

fusspot ['fʌsˌpɑ:t] *n.* *Br.* = **fussbudget**.

fussy ['fʌsɪ] *a.* **-ier, -iest** *zwł. pot.* **1.** wybredny, grymaśny; humorzasty; czepialski. **2.** marudny. **3.** przeładowany ozdobami. **4. I'm not** ~ *pot.* wszystko mi jedno.

fustian ['fʌstʃən] *n.* *U* **1.** *tk.* barchan. **2.** *lit.* pustosłowie. – *a.* *zw. attr.* **1.** *tk.* barchanowy. **2.** *lit.* bombastyczny, napuszony.

fustic ['fʌstɪk] *n.* **1.** *bot.* drzewo tropikalne z rodziny morwowatych dostarczające żółtego barwnika (*Chlorophora tinctoria*). **2.** *U* barwnik z drzewa jw.

fustigate ['fʌstəˌgeɪt] *v.* **1.** *arch.* okładać (*kijem*). **2.** *lit.* *l.* *żart.* rugać.

fusty ['fʌstɪ] *a.* **-ier, -iest** **1.** zatęchły. **2.** *przen.* skostniały (*np. o poglądach*).

fut. *abbr.* = **future**.

futhark ['fu:θɑ:rk], **futharc** *n.* *U* (*także* **futhork, futhorc**) *pismo, hist.* alfabet runiczny.

futile ['fju:tl] *a.* **1.** daremny, próżny; bezskuteczny, jałowy; **it is** ~ **to do sth** nie ma sensu czegoś robić; **prove** ~ nie powieść się. **2.** głupi, bezsensowny (*o pytaniu, uwadze*).

futilely ['fju:tlɪ] *adv.* **1.** na darmo, na próżno; bez skutku, bezskutecznie. **2.** głupio, bez sensu (*pytać, mówić*).

futilitarian [fju:ˌtɪlə'terɪən] *żart.* *n.* nihilist-a/ka (życiow-y/a). – *a.* nihilistyczny.

futility [fju:'tɪlətɪ] *n.* *U* **1.** daremność, próżność; bezskuteczność, jałowość. **2.** głupota, bezsens (*pytania, uwagi*).

futon ['fju:tɑ:n] *n.* **1.** *gł. US i Can.* kanapa (*na lekkim stelażu, składana do siedzenia*). **2.** materac (*do spania*).

futtock ['fʌtək] *n.* *żegl.* segment wręgu.

futtock shrouds *n. pl.* *żegl.* podwantki (marsa), petingi.

future ['fju:tʃər] *a.* *attr.* przyszły; **for** ~ **reference** na przyszłość; **my** ~ **husband** mój przyszły mąż; **the** ~ **tense** *gram.* czas przyszły. – *n.* **1.** *U i sing.* **the** ~ przyszłość; **in (the)** ~ w przyszłości; na przyszłość; **in the near/immediate** ~ w najbliższej przyszłości, w najbliższym czasie; **in the distant** ~ *zob.* **distant**; **in the not too distant** ~ *zob.* **distant**; **in/for the foreseeable** ~ *zob.* **foreseeable**; **look to the** ~ wybiegać (myślą) w przyszłość; **sb's** ~ **is uncertain** czyjaś przyszłość jest niepewna; **there's no** ~ **in sth** coś nie ma (przed sobą) przyszłości; **with no** ~ bez przyszłości; **you've got a great** ~ **ahead of you** masz przed sobą wspaniałą przyszłość. **2.** *U gram.* **the** ~ czas przyszły; **the** ~ **perfect** czas przyszły dokonany. **3. my** ~ *pot.* mój przyszły (= *narzeczony*); moja przyszła (= *narzeczona*).

futures ['fju:tʃərz] *n. pl.* *fin.*, *giełda* kontrakty terminowe; ~ **market** rynek kontraktów terminowych.

futurism ['fju:tʃəˌrɪzəm] *n.* *U sztuka* futuryzm.

futurist ['fju:tʃərɪst] *n.* *sztuka* futuryst-a/ka.

futuristic [ˌfju:tʃə'rɪstɪk] *a.* futurystyczny (*o literaturze, budynku, projekcie*).

futurity [fju:'tʊrətɪ] *n.* *form.* **1.** *U* przyszłość. **2.** *pl.* **-ies** przyszłe wydarzenie.

futurological [ˌfju:tʃʊrə'lɑ:dʒəkl] *n.* futurologiczny.

futurologist [ˌfju:tʃə'rɑ:lədʒɪst] *n.* futurolog.

futurology [ˌfju:tʃə'rɑ:lədʒɪ] *n.* *U* futurologia.

futz [fʌts] *v.* ~ **(around)** *US sl.* pałętać się bez celu.

fuze [fju:z] *n.* *US* = **fuse²**.

fuzee [fju:'zi:] *n.* *US* = **fusee**.

fuzz [fʌz] *n.* **1.** *U* meszek. **2. the** ~ *przest. sl.* gliny (= *policja*). **3.** (*także* ~ **box**) *muz.* (przystawka *l.* efekt) fuzz (*do gitary*). – *v.* **1.** pokrywać (się) meszkiem. **2.** *US* mechacić (się) (*o tkaninie, swetrze*). **3.** rozmywać (się), zamazywać (się) (*np. o obrazie*).

fuzziness ['fʌzɪnəs] *n.* *U* nieostrość, rozmycie.

fuzzy ['fʌzɪ] *a.* **-ier, -iest** **1.** zamazany, nieostry (*o obrazie, granicy*). **2.** mętny (*o wyobrażeniu, umyśle, rozumowaniu*). **3.** kędzierzawy. **4.** *attr.* *mat.* rozmyty; ~ **logic** logika rozmyta; ~ **set** zbiór rozmyty.

FWD [ˌef ˌdʌblju: 'di:] *abbr.* *mot.* **1.** = **front-wheel drive**. **2.** = **four-wheel drive**.

fwd. *abbr.* **1.** = **forward**. **2.** = **foreword**.

f-word ['efˌwɜ:d] *n.* **the** ~ *euf.* słowo na k; słowo na p; *zob.* **fuck** *n.*, *v.*

fwy *abbr.* *US mot.* = **freeway**.

FY [ˌef 'waɪ] *abbr.* *fin.* = **fiscal year**.

FYI [ˌef ˌwaɪ 'aɪ] *abbr.* = **for your information**.

fyke [faɪk] *n.* *ryb.* mieroża (*rodzaj sieci*).

fylfot ['fɪlfɑ:t] *n.* *rzad.* swastyka.

G [dʒiː], **g** *n. pl.* **-'s** *l.* **-s** [dʒiːz] G, g (*litera l. głoska*).

G1 [dʒiː] *abbr.* **general (audience)** *US kino* b.o. (*bez ograniczeń*).

G2 *n. muz.* G, g (*dźwięk l. stopień skali*); **G sharp** gis.

G3 *n. US pot.* = **gee2**.

G4 *n. i abbr. szkoln.* db (= *ocena dobra*).

g, gm *abbr.* = **gram**.

G7 [ˌdʒiː ˈsevən] *abbr.* **Group of Seven** *polit.* Grupa Siedmiu.

GA, Ga. *abbr. US* = **Georgia**.

gab [gæb] *v.* **-bb-** *pot.* gadać, klepać. – *n. U pot.* gadanie, gadanina; **have the gift of (the)** ~ być wygadanym, mieć gadane.

gabardine [ˈgæbərˌdiːn], **gaberdine** *n.* **1.** *U tk.* gabardyna. **2.** długi płaszcz z gabardyny, opończa.

gabble [ˈgæbl] *v.* **1.** trajkotać; bełkotać. **2.** gęgać (*o gęsi*). – *n. U l. sing.* **1.** trajkotanie; bełkot. **2.** gęganie.

gabbro [ˈgæbroʊ] *n. pl.* **-s** *min.* gabro (*magmowa skała głębinowa*).

gabby [ˈgæbɪ] *a.* **-ier, -iest** *pot.* gadatliwy.

gabelle [gəˈbel] *n. gł. hist.* akcyza (*zwł. od soli przed rewolucją francuską*).

gaberdine [ˈgæbərˌdiːn] *n.* = **gabardine**.

gabfest [ˈgæbˌfest] *n. gł. US i Can. pot.* ploty (*czynność l. spotkanie*).

gabion [ˈgeɪbɪən] *n. bud., wojsk., hist.* kosz szańcowy (= *cylinder z ziemią i kamieniami, służący np. do budowy fortyfikacji*).

gable [ˈgeɪbl] *n. bud.* ściana szczytowa; szczyt (*t. nad oknem lub drzwiami*); wimperga.

gabled [ˈgeɪbld] *a. bud.* zakończony szczytami (*o budynku l. ścianach*); ze szczytami (*o dachu*).

gable-end [ˈgeɪblˌend] *n. bud.* szczyt.

Gabon [gəˈboʊn] *n. geogr.* Gabon.

gaby [ˈgeɪbɪ] *n. pl.* **-ies** *arch. l. dial.* prostak.

Gad [gæd], **gad** *int. arch.* na Boga!

gad1 [gæd] *v.* **-dd- 1.** rozrastać się; płożyć się (*o roślinie*). **2.** *przest. l. żart.* ~ **about/around** włóczyć się, szwendać się; poszukiwać przygód. – *n.* **be on/upon the** ~ *przest.* włóczyć *l.* wałęsać się.

gad2 *n.* **1.** *gł. hist.* szpikulec (*zwł. jako część zbroi l. broni*). **2.** *górn.* klin; dłuto. – *v.* **-dd-** *górn.* rozbijać klinem *l.* dłutem.

gadabout [ˈgædəˌbaʊt] *n. przest. l. żart.* **1.** włóczęga. **2.** osoba często zmieniająca zajęcie.

gadfly [ˈgædˌflaɪ] *n. pl.* **-ies 1.** *zool.* giez. **2.** *przest. przen.* uprzykrzony natręt.

gadget [ˈgædʒɪt] *n.* gadget, gadżet.

gadgetry [ˈgædʒɪtrɪ] *n. U* gadżety; **computer** ~ gadżety komputerowe.

Gadhelic [gəˈdelɪk] *n.* = **Gaelic**.

gadoid [ˈgeɪdɔɪd] *n. icht.* ryba z rzędu wątłuszowatych (*Anacanthini*).

gadroon [gəˈdruːn], **godroon** *n. zw. pl. bud.* fryz godronowy (*żłobkowany l. arkadkowy*).

gadwall [ˈgædˌwɔːl] *n. zool.* dzika kaczka (*Anas strepera*).

Gael [geɪl] *n.* osoba mówiąca językiem gaelickim (*zw. Irlandczyk l. mieszkaniec górzystych rejonów północnej Szkocji*).

Gaelic [ˈgeɪlɪk], **Gadhelic** [gəˈdelɪk], **Goidelic** [gɔɪˈdelɪk] *a. i n. jęz. U* (język) gaelicki.

gaff1 [gæf] *n. żegl.* **1.** żagiel gaflowy. **2.** gafel (= *drzewce do podnoszenia żagla gaflowego*).

gaff2 *n. ryb.* oszczep, harpun. – *v. ryb.* łowić za pomocą oszczepu.

gaff3 *n. Br. arch. sl.* **1.** chata (= *dom*). **2.** (*także* **penny** ~) podrzędny lokal rozrywkowy (*zwł. teatr muzyczno-rewiowy w wiktoriańskiej Anglii*).

gaff4 *n. U sl.* **1.** bzdury, bzdety; **blow the** ~ *Br.* wygadać się (= *zdradzić sekret*). **2. give sb the** ~ *gł. US i Can.* zjechać *l.* opieprzyć kogoś.

gaffe [gæf] *n.* gafa; **make a** ~ popełnić gafę.

gaffer [ˈgæfər] *n.* **1.** *kino* główny elektryk (*w załodze filmowców*). **2.** *pot. żart.* dziadek, staruszek. **3.** *Br. pot.* szef, kierownik (*grupy robotników*).

gag1 [gæg] *n.* **1.** knebel. **2.** *przen.* zamknięcie dyskusji wbrew woli mniejszości (*np. w parlamencie*). – *v.* **-gg- 1.** kneblować (*t. przen.* = *pozbawiać głosu*); zatykać. **2.** krztusić się (*on sth* czymś); **I ~ged** zbierało mi się na wymioty. **3.** *t. przen.* przyprawiać o mdłości.

gag2 *n.* **1.** *kino, teatr* gag. **2.** *US i Austr. pot.* dowcip, kawał. – *v.* **-gg-** *pot.* opowiadać dowcipy (*zwł. na scenie*).

gaga [ˈgɑːgɑː], **ga-ga** *a. pred. pot.* **1.** zramolały; **go** ~ zramoleć. **2.** głupkowaty, stuknięty; **go/be** ~ **over sb/sth** dostać/mieć fioła na punkcie kogoś/czegoś.

gage1 [geɪdʒ] *n.* **1.** rękawica (*jako symbol wyzwania*). **2.** zastaw. – *v. arch.* zastawiać, dawać w zastaw.

gage2 *n. U US przest. sl.* marihuana.

gage3 *n. i v. US* = **gauge**.

gage4 *n.* = **greengage**.

gager [ˈgeɪdʒər] *n. mech.* dźwignia.

gaggle [ˈgægl] *v.* gęgać. – *n. zw. sing.* **1.** gęganie. **2.** ~ **of geese** stado gęsi. **3.** *przen. uj.* grupa, stado (*hałaśliwie zachowujących się osób*).

gagman ['gæg,mæn], **gag man** *n. pl.* **-men** gagman.

gag order, gag rule *n. US prawn.* zakaz dyskutowania w mediach o sprawie sądowej w toku jej trwania.

gaiety ['geɪətɪ], **gayety** *n. U przest.* **1.** (*także* **gayness**) wesołość, radość. **2.** zabawa, uciecha. **3.** przepych (*np. ubioru*), wystawność.

gaily ['geɪlɪ], **gayly** *adv. przest.* **1.** wesoło, radośnie. **2.** paradnie, wystawnie. **3.** *gł. Scot.* całkiem; nieźle.

gain[1] [geɪn] *v.* **1.** odnosić korzyści (*from sth* z czegoś); zyskiwać; zarabiać; ~ **by comparison** zyskać przez porównanie; ~ **in importance** zyskać na znaczeniu. **2.** zyskiwać; uzyskiwać; osiągać; nabierać (*czegoś*); ~ **access to sth** uzyskać dostęp do czegoś; ~ **(in) confidence** nabrać pewności siebie; ~ **control of sth** *zob.* **control** *n.*; ~ **entrance** *zob.* **entrance**[1] *n.*; ~ **entry** *zob.* **entry** *n.*; ~ **ground** zyskiwać popularność *l.* akceptację; ~ **ground on/upon sb/sth** postępować naprzód kosztem kogoś/czegoś; ~ **a reputation** wyrobić sobie reputację; ~ **speed/height** nabierać prędkości/wysokości; ~ **time** zyskiwać na czasie; ~ **the victory** odnieść zwycięstwo; ~ **weight** przybierać na wadze, tyć; **nothing ventured, nothing ~ed** *zob.* **venture** *v.*; **stand to ~ sth** mieć szansę coś zyskać. **3.** śpieszyć się (*o zegarku*); **my watch ~s five minutes a day** mój zegarek śpieszy się pięć minut na dobę. **4.** *lit.* dotrzeć do (*brzegu itp.*). **5.** ~ **on/upon sb/sth** doganiać kogoś/coś; zwiększać przewagę nad kimś/czymś. – *n. C/U* **1.** zysk (*zwł. materialny*), zarobek; korzyść; **do sth for ~** robić coś dla zysku; **net ~** zysk netto; **personal ~** osobista korzyść. **2.** wzrost (*in sth* czegoś) przyrost; **weight ~** przyrost wagi. **3.** *el.* wzmocnienie. **4.** udoskonalenie; postęp. **5. no pain, no ~** *zob.* **pain** *n.*

gain[2] *n. stol.* nacięcie, wrąb. – *v.* łączyć, osadzając w nacięciach.

gainer ['geɪnər] *n.* wygrywający-y/a; zyskujący-y/a.

gainful ['geɪnfʊl] *a. attr.* **1.** korzystny; zyskowny, przynoszący zyski. **2.** ~ **employment/work** *form.* praca zarobkowa.

gainfully ['geɪnfʊlɪ] *adv.* **1.** korzystnie, z zyskiem; z pożytkiem. **2.** ~ **employed** pracujący zarobkowo.

gainings ['geɪnɪŋz] *n. pl. form.* zyski, korzyści.

gainly ['geɪnlɪ] *a. Scot.* **1.** odpowiedni, pasujący. **2.** zgrabny, miły.

gainsay ['geɪn,seɪ] *v. zw. z neg. pret. i pp.* **gainsaid** ['geɪn,sed] *form.* przeczyć (*czemuś*), kwestionować; polemizować z (*kimś l. czymś*).

gainsayer ['geɪn,seɪər] *n.* oponent/ka.

gainst ['geɪnst], **'gainst** *prep. poet.* = **against**.

gait [geɪt] *n. sing.* **1.** *form. l. żart.* sposób chodzenia, krok, chód; **walk with an unsteady ~** iść niepewnym *l.* chwiejnym krokiem. **2.** *jeźdz.* chód (*konia*). – *v. techn. l. dial.* uruchomić; naprawić.

gaiters ['geɪtərz] *n. pl.* getry (*noszone np. przez alpinistów*).

gal [gæl] *n. US pot.* babka (= *dziewczyna, kobieta*).

Gal. *abbr. Bibl.* = **Galatians**.

gal., gal *Br. t.* **gall** *abbr.* = **gallon**.

gala ['geɪlə] *n.* **1.** gala; uroczysta okazja. **2.** *gł. Br. sport* pokaz; **swimming ~** pokaz pływacki.

galactagogue [gə'læktə,gɔ:g] *a. i n. biol., med.* (środek) mlekopędny.

galactic [gə'læktɪk] *a. astron.* galaktyczny.

galactometer [,gælək'tɑ:mətər] *n. techn.* galaktometr.

galactopoietic [gə,læktəpɔɪ'etɪk] *a. i n. biol., med.* (środek) mlekopędny.

galactose [gə'læktoʊs] *n. U chem.* galaktoza.

galangal [gə'læŋgl] *n.* = **galingale**.

galantine ['gælən,ti:n] *n. U kulin.* galantyna.

galanty show [gə'læntɪ ,ʃoʊ] *n. hist.* teatr cieni.

Galapagos [gə'lɑ:pə,goʊs] *n.* **the ~ (Islands)** *geogr.* Galapagos, Wyspy Żołwie.

galatea [,gælə'ti:ə] *n. U tk.* rodzaj drelichu.

Galatians [gə'leɪʃənz] *n. sing. Bibl.* List (św. Pawła Apostoła) do Galatów.

galavant ['gælə,vænt] *v.* = **gallivant**.

galaxy ['gæləksɪ] *n.* **1.** *astron.* galaktyka; **the G~** Droga Mleczna. **2.** *przen.* zebranie gwiazd.

galbanum ['gælbənəm] *n. U chem.* galban (*gumożywica*).

gale[1] [geɪl] *n.* **1.** *t. meteor.* wichura; *żegl.* sztorm. **2.** *arch. l. poet.* wietrzyk. **3.** **~(s) of laughter** *przen.* huragan śmiechu.

gale[2] *n.* (*także* **sweet ~**) *bot.* woskownica europejska (*Myrica gale*).

gale-force [,geɪl'fɔ:rs] *meteor. a. attr.* o sile 8-9 stopni w skali Beauforta (*o wietrze*). – *adv.* z siłą 8-9 stopni w skali Beauforta (*wiać*).

galena [gə'li:nə] *n. U min.* galena, galenit, błyszcz ołowiu.

galenic [gə'li:nɪk], **galenical** [gə'li:nɪkl] *a. min., med.* galenowy.

galenicals [gə'li:nɪklz] *n. pl. med.* leki galenowe.

galeon ['gælɪən], **galoon** [gə'lu:n] *n. przest.* = **galleon**.

Galicia [gə'lɪʃɪə] *n. geogr., hist.* **1.** Galicia (*hiszpańska*). **2.** Galicja (*polska*).

Galician [gə'lɪʃɪən] *a.* **1.** galisyjski (= *z Galicii*). **2.** galicyjski (= *z Galicji*). – *n.* **1.** Galisyjczyk/ka. **2.** Galicjan-in/ka.

Galilean[1] [,gælə'lɪən] *a. geogr., hist., Bibl.* galilejski. – *n.* **1.** Galilej-czyk/ka; **the ~** *arch. l. lit.* Galilejczyk (= *Jezus Chrystus*). **2.** *zw. pl. arch. l. lit.* chrześcijanin.

Galilean[2] *a.* galileuszowy.

Galilee ['gælə,li:] *n. geogr., hist., Bibl.* Galilea.

galilee ['gælə,li:] *n. kość.* **1.** kruchta. **2.** kaplica.

galingale ['gælɪŋ,geɪl], **galangal** [gə'læŋgl] *n. bot., kulin.* **1.** alpinia, kempferia (*Alpinia, Kaempferia*). **2.** (*także* **English/sweet ~**) cibora (*Cyperus*).

galiot ['gælɪət] *n.* = **galliot**.

galipot ['gælə,pa:t], **gallipot** *n. U* galipot (*biała żywica sosnowa*).

galivant ['gælə,vænt] *v.* = **gallivant.**

gall[1] [gɔ:l] *n. U* **1.** tupet, czelność; **have the ~ to do sth** mieć czelność coś zrobić. **2.** *przest.* gorycz, żółć; **dip one's pen in ~** *przen.* maczać pióro w żółci (= *pisać ze zjadliwością, nienawiścią*). **3.** *przest. fizj.* żółć. **4.** *C przest. anat.* = **gall bladder.**

gall[2] *n.* **1.** pęcherz, otarcie, odparzenie (*u zwierzęcia*). **2.** *przen.* przyczyna rozdrażnienia (*t. o osobie*); *U* rozdrażnienie. – *v.* **1.** otrzeć, odparzyć. **2.** *przen.* drażnić, irytować; dręczyć, nękać.

gall[3] (*także* **gallnut, gall-nut**) *n. bot.* galas (*narośl na roślinie*).

gallant ['gælənt] *a.* **1.** *form.* dzielny, waleczny, mężny. **2.** *form.* szlachetny. **3.** *rzad.* okazały, wspaniały. **4.** *arch.* strojny, wytworny. **5.** [gə'lænt] *przest.* szarmancki, nadskakujący (*kobietom*). **6.** *rzad.* miłosny. **7.** *Br. parl.* konwencjonalny epitet posła wojskowego *l.* z floty. – *n. arch.* **1.** dandys, elegant; galant, bawidamek. **2.** gach, kochanek. **3.** dzielny młodzieniec. – *v. arch.* **1.** zalecać się do (*kobiety*). **2. ~ with sb** flirtować z kimś.

gallantly ['gæləntlı] *adv. form.* **1.** dzielnie. **2.** szlachetnie. **3.** z galanterią.

gallantry ['gæləntrı] *n. pl.* **-ies** *form.* **1.** *U* dzielność, waleczność, męstwo. **2.** *U* galanteria, kurtuazja (*zwł. wobec kobiet*). **3.** uprzejmość (= *przysługa*).

gallbladder ['gɔ:l,blædər], **gall bladder** *n. anat.* woreczek *l.* pęcherzyk żółciowy.

galleass ['gæli:,æs], **galliass** *n. żegl., hist.* galeas.

galleon ['gælıən] *przest.* **galeon** *n. żegl., hist.* galeon.

gallery ['gælərı] *n. pl.* **-ies 1.** galeria (*sztuki*). **2.** *bud.* galeria; krużganek, arkady. **3.** *teatr, kośc., żegl.* balkon. **4.** *US* weranda, ganek. **5.** korytarz, pasaż. **6.** *wojsk.* przejście (*między szeregami żołnierzy*). **7.** *górn.* sztolnia, chodnik. **8.** *teatr, sport* **the ~** publiczność; *uj.* publika, publiczka; **~(-)hit/shot/stroke** uderzenie *l.* pociągnięcie obliczone na pokaz (*zwł. w grze w krykieta*); **play to the ~** *zwł. Br. gł. przen.* grać pod publiczkę.

galley ['gælı] *n.* **1.** *żegl., hist.* galera; *pl. hist.* galery (*t. przen.* = *ciężkie roboty*). **2.** *żegl., lotn.* kuchnia pokładowa, kambuz. **3.** (*także* **~ proof**) *druk.* korekta (*zwł. szpaltowa*). **4.** *hist., druk.* organek, szufelka.

galley slave *n. hist. l. przen.* galernik.

galley west, galley-west *adv.* **knock ~** *US przest. pot.* pogmatwać; przekrzywić; pozbyć się całkowicie (*kogoś l. czegoś*).

galleyworm ['gælı,wɜ:m] *n. zool. Br.* krocionóg (*Iulus*).

gall-fly ['gɔ:l,flaı] *n. pl.* **-ies** (*także* **gall-gnat, gall-midge**) *ent.* galasówka (*Cynipidae*).

galliass ['gæli:,æs] *n.* = **galleass.**

Gallic ['gælık] *a.* galijski (*t. żart.* = *francuski*). – *n. rzad.* Francuz/ka.

gallic acid [,gælık 'æsıd] *n. U chem.* kwas galusowy.

Gallican ['gælıkən] *a.* **1.** *archeol.* galijski. **2.** *rz.-kat.* gallikański. – *n.* **1.** *rzad.* frankofil/ka. **2.** *rz.-kat.* gallikanin.

Gallicanism ['gælıkə,nızəm] *n. U rz.-kat.* gallikanizm.

Gallicism ['gælı,sızəm] *n. jęz.* galicyzm.

Gallicize ['gælı,saız], *Br. i Austr. zw.* **Gallicise** *v.* galicyzować (się).

galligaskins [,gælə'gæskınz] *n. pl.* **1.** szarawary. **2.** *dial.* getry (*skórzane*).

gallimaufry [,gælə'mɔ:frı] *n. U* bezładna *l.* przypadkowa mieszanina (*przedmiotów l. osób*), groch z kapustą.

gallinacean [,gælə'neıʃən] *a. orn.* kurowaty. – *n.* kurak (*Galliformes*).

gallinaceous [,gælə'neıʃəs] *a. orn. l. żart.* kurowaty.

gallinazo [ga:i:'na:soʊ] *n. orn.* sęp amerykański (*Cathartes aura l. Catharista atrata*).

galling ['gɔ:lıŋ] *a.* drażniący, irytujący.

gallinipper ['gælə,nıpər] *n. gł. US* wielki moskit amerykański (*Psorophora ciliata*).

galliot ['gælıət], **galiot** *n. żegl., hist.* **1.** galeota. **2.** holenderska łódź transportowa *l.* statek rybacki.

gallipot[1] ['gælə,pa:t] *n.* słoik (*zwł. na maść*).

gallipot[2] *n.* = **galipot.**

gallium ['gælıəm] *n. U chem.* gal.

gallivant ['gælə,vænt], **galivant, galavant** *v. pot. l. żart.* **~ (about/around)** włóczyć się; szukać przygód *l.* rozrywki; flirtować.

gall-midge ['gɔ:l,mıdʒ] *n.* = **gall-fly.**

gallnut ['gɔ:l,nʌt], **gall-nut** *n.* = **gall**[3].

galloglass ['gæloʊ,glæs], **gallowglass** *n. hist.* uzbrojony członek drużyny wodza celtyckiego (*zwł. irlandzkiego*).

gallon ['gælən] *n.* **1.** galon (= *3,78 l*). **2.** (*także* **imperial ~**) galon angielski (= *4,54 l*). **3. ten ~ hat** *US pot.* wysoki kapelusz kowbojski.

gallonage ['gælənıdʒ] *n. C / U* objętość w galonach.

galloon [gə'lu:n] *n.* galon (*ozdoba*).

galloot [gə'lu:t] *n.* = **galoot.**

gallop ['gæləp] *n. sing. jeźdz.* galop, cwał; *przen.* galop (= *pośpiech*); **at a ~** *t. przen.* galopem; **break into a ~** puścić się *l.* ruszyć galopem. – *v.* **1.** *jeźdz.* galopować, cwałować, jechać galopem. **2.** *przen.* galopować, pędzić (= *śpieszyć się*); **~ through sth** *pot.* odbębnić coś (= *zrobić bardzo szybko*).

gallopade [,gælə'peıd] *n. muz.* = **galop.**

galloper ['gæləpər] *n.* **1.** *jeźdz.* koń umiejący galopować. **2.** *jeźdz.* jeździec. **3.** drewniany koń na karuzeli; karuzela z końmi jw. **4.** *gł. Br. wojsk.* adiutant polowy. **5.** *hist., wojsk.* lekkie działo polowe.

galloping ['gæləpıŋ] *a. attr.* galopujący (*np. o inflacji*).

galloping consumption *n. U pat., gł. hist.* galopujące suchoty.

gallowglass ['gæloʊ,glæs] *n.* = **galloglass.**

gallows ['gæloʊz] *n. pl.* **gallows** szubienica (*t.*

przen. = *kara śmierci przez powieszenie*); **send sb to the ~** posłać kogoś na szubienicę.

gallows bird *n. przest. pot.* szubienicznik, obwieś.

gallows humor, *Br.* **gallows humour** *n. U* wisielczy humor.

gallows-ripe [ˌgæloʊz'raɪp] *a. przest. pot.* kwalifikujący się na szubienicę.

gallows tree, gallows-tree *a.* szubienica, drzewo szubieniczne.

gallstone ['gɔːlˌstoʊn] *n. pat.* kamień żółciowy.

Gallup poll ['gæləp ˌpoʊl], **Gallup-poll** *n.* ankieta (systemem) Instytutu Gallupa.

gallus ['gæləs] *a. Scot.* śmiały; zuchwały; lekkomyślny.

galluses ['gæləsɪz] *n. pl. dial. US i Scot.* szelki.

galoot [gə'luːt], **galloot** *n. pot.* **1.** *US* gamoń, fujara. **2.** *żegl.* niedoświadczony marynarz.

galop ['gæləp] *n.* (*także* **gallopade**) *muz.* galop (*taniec l. muzyka do niego*).

galore [gə'lɔːr] *a. tylko po n. pot.* w bród, pod dostatkiem; **there's food ~** jedzenia jest pod dostatkiem.

galoshes [gə'lɑːʃɪz], **goloshes** *n. pl.* kalosze (*zakładane na buty*).

galumphing [gə'lʌmfɪŋ] *a. Br. pot.* niezdarny, niezgrabny (*zwł. o sposobie poruszania się*).

galvanic [gæl'vænɪk] *a. el., chem.* **1.** galwaniczny. **2.** *przen.* gwałtowny; konwulsyjny.

galvanic skin response *n. psych.* reakcja skórno-galwaniczna (*mierzona np. przez wykrywacz kłamstw*).

galvanism ['gælvəˌnɪzəm] *n. U el., chem., med.* galwanizm.

galvanization [ˌgælvənə'zeɪʃən], *Br. i Austr. zw.* **galvanisation** *n. med.* **1.** galwanizacja. **2.** *przen.* paroksyzm.

galvanize ['gælvəˌnaɪz], *Br. i Austr. zw.* **galvanise** *v. el., chem., med.* **1.** galwanizować, cynkować. **2.** *przen.* elektryzować; pobudzać; **~ sb into action** zdopingować kogoś do działania.

galvanizer ['gælvəˌnaɪzər] *n. el., chem., med.* **1.** elektrolizer. **2.** galwanizator (*osoba*).

galvanometer [ˌgælvə'nɑːmətər] *n. el.* galwanometr; **mirror ~** galwanometr zwierciadłowy.

galvanoplastic [ˌgælvənə'plæstɪk] *a. el., chem.* galwanoplastyczny.

galvanoplastics [ˌgælvənə'plæstɪks], **galvanoplasty** [ˌgælvənə'plæstɪ] *n. U el., chem.* galwanoplastyka.

galvanoscope ['gælvənəˌskoʊp] *n. el.* galwanoskop.

gam[1] [gæm] *n.* **1.** stado wielorybów. **2.** *żegl. pot.* spotkanie towarzyskie załóg statków (*zwł. wielorybniczych*). **3.** *NZ* stado morskich ptaków. – *v.* **-mm- 1.** zbierać się w stada (*o wielorybach*). **2.** *żegl. pot.* spotykać się towarzysko (*o załogach statków, zwł. wielorybniczych*). **3.** *US pot.* odwiedzać (się).

gam[2] *n. przest. sl.* noga (*zwł. zgrabna kobieca*).

gama grass ['gæmə ˌgræs] *n. U bot. US* odmiana trawy (*Tripsacum dactyloides*).

gamb [gæmb], **gambe** *n. her.* noga zwierzęca.

gambado[1] [gæm'beɪdoʊ] *n. pl.* **-s** *l.* **-es 1.** *jeźdz.* rodzaj strzemienia. **2.** *jeźdz.* sztylpa. **3.** getr.

gambado[2] (*także* **gambade**) *n.* **1.** *jeźdz.* skok. **2.** *przen.* wyskok, wygłup.

gambe [gæmb] *n.* = **gamb.**

gambeer ['gæmbiːr] *n.* = **gambier.**

gambeson ['gæmbɪsən] *n. hist.* kubrak noszony pod zbroją *l.* służący jako zbroja.

gambetta [gæm'betə] *n. orn.* brodziec krwawodzioby (*Totanus caladris*).

Gambia ['gæmbɪə] *n. geogr.* Gambia.

gambier ['gæmbiːr], **gambir, gambeer** *n. U chem.* ekstrakt ściągający z gambiru (*Uncaria gambir*).

gambit ['gæmbɪt] *n. szachy* **1.** gambit. **2.** *przen.* chwyt, manewr; **opening ~** zagrywka; zagajenie (*rozmowy*).

gamble ['gæmbl] *v.* **1.** uprawiać hazard; grać o pieniądze; zakładać się (*o pieniądze*); **~ at cards** grać w karty (*na pieniądze*); **~ on the horses** grywać na wyścigach, obstawiać konie; **~ on the stock exchange** grać *l.* spekulować na giełdzie. **2.** stawiać (*określoną sumę*); zakładać się *l.* grać o (*określoną stawkę*). **3.** *przen.* ryzykować, zdawać się na los szczęścia; **~ on sth** liczyć na coś; **~ on sb doing sth** liczyć, że ktoś coś zrobi; **~ that...** liczyć na to, że...; **~ with sth** ryzykować coś *l.* czymś. **4. ~ away** przepuścić, roztrwonić (*zwł. uprawiając hazard*). – *n. sing.* **1.** ryzykowne przedsięwzięcie; **be a ~** być ryzykownym; **take a ~** zaryzykować; **the ~ paid off** opłaciło się zaryzykować. **2.** zakład (*o pieniądze*).

gambler ['gæmblər] *n.* **1.** hazardzist-a/ka; gracz/ka; spekulant/ka. **2.** ryzykant/ka.

gambling ['gæmblɪŋ] *n. U* hazard; spekulacja.

gamboge [gæm'boʊdʒ] *n.* **1.** *U chem., med.* gumiguta (= *jaskrawożółty barwnik l. środek przeczyszczający*). **2.** (*także* **~ tree**) *bot.* mangostan właściwy, żółciecz smakowita (*Garcinia mangostana*).

gambol ['gæmbl] *v. Br.* **-ll-** hasać, fikać, baraszkować. – *n.* skok, podskok; *pl.* igraszki, figle, harce.

gambrel ['gæmbrəl] *n.* **1.** *zool.* staw skokowy; pęcina. **2.** drąg do wieszania ubitych zwierząt. **3.** (*także* **~ roof**) *bud.* dach dwuspadowy.

game[1] [geɪm] *n.* **1.** *sport, karty, komp. l. przen.* gra. **2.** *baseball, piłka nożna itp.* mecz; *golf, szachy* partia. **3.** część gry; *tenis itp.* gem. **4.** zabawa (*zwł. dziecięca*); **play a ~ of hide-and-seek** bawić się w chowanego. **5.** *pl. sport* zawody; igrzyska; *Br. szkoln.* wychowanie fizyczne; **Olympic G~s** igrzyska olimpijskie, olimpiada. **6.** *zw. pl.* sprzęt do gry (*np. plansza, kostka*). **7.** liczba punktów potrzebna do wygrania gry; stan gry w określonym momencie (*w punktach*). **8.** *C/U* **(sb's) ~** (czyjś) styl *l.* sposób gry; **improve one's ~** poprawić swój styl gry; **she plays a fierce ~** ona gra ostro. **9.** sztuczka; strategia (*zwł. zastosowana dla własnych korzyści*). **10.** *U pot.* biznes, branża; **be in the advertising ~** pracować w reklamie. **11.** zabawa; żarty; **this is not a ~** to nie są żarty. **12.** *U myśl.* zwierzyna (łowna); **big ~** gruba zwierzyna. **13.** *U kulin.* dziczyzna. **14.** *przen.* ofiara; *zob. t.* **fair game. 15.** *U przest.* = **gameness. 16.** *przen.* **a whole new ball ~** *zob.* **ball game; be/stay ahead of the ~** wychodzić naprzeciw zmianom (*w swojej dziedzinie l. branży*); **be on the ~** *US pot.* prowadzić nielegalną działalność; *Br. sl.* uprawiać prostytucję; **beat/play sb at their own ~** pokonać kogoś jego własną bronią; **give the ~ away** zdradzić sekret; zepsuć niespodziankę; **I'm new to this ~** nie mam doświadczenia w tej dziedzinie; **make ~ of sb** *przest.* naśmiewać się z kogoś; **play ~s** zachowywać się niepoważnie; kręcić (= *oszukiwać*); **play ~s with sb** mydlić komuś oczy; **play a waiting ~** grać na czas; **play the ~** przestrzegać reguł gry; **the ~ is not worth the candle** *Br.* gra nie warta świeczki; **the ~ is up!** *pot.* gra skończona! (*demaskując kogoś*); **the name of the ~** *zob.* **name** *n.*; **what's his ~?** *Br. pot.* co on knuje?. – *v.* grać o pieniądze; uprawiać hazard. – *a.* **1.** *pred.* chętny; gotowy; **be ~ for sth** mieć ochotę na coś; **be ~ to do sth** mieć ochotę coś zrobić; **he's ~ for anything** jest gotów na wszystko. **2.** (*także* **gamey, gamy**) *pot.* dzielny.

game2 *a.* kulawy, okaleczony (*o kończynie*).

game act *n.* (*także* **game law**) *myśl.* ustawa łowiecka.

gamebag ['geɪmˌbæg] *n. myśl.* torba myśliwska.

gameball ['geɪmˌbɔːl], **game ball** *n. sport* remis przed decydującą piłką; decydująca piłka.

gamebird ['geɪmˌbɝːd], **game-bird** *n. myśl.* ptak łowny (*np. bażant l. pardwa*).

gamecock ['geɪmˌkaːk] *n. US* kogut hodowany do walki.

game fish *n.* jadalna ryba słodkowodna łowiona na wędkę (*np. pstrąg l. łosoś*).

gamefowl ['geɪmˌfaul] *n.* ptak hodowany do walki.

gamekeeper ['geɪmˌkiːpər] *n.* łowczy; gajowy.

game law *n.* = **game act**.

game license, *Br.* **game licence** *n.* **1.** karta myśliwska. **2.** koncesja na handel zwierzyną.

gamely ['geɪmlɪ] *adv.* dzielnie, odważnie.

gameness ['geɪmnəs] *n. U* dzielność, odwaga.

game of chance *n.* gra losowa.

game park *n.* = **game reserve**.

game plan *n. gł. sport, biznes* plan gry, strategia.

game point *n. tenis, badminton itp.* remis przed zdobyciem decydującego punktu; decydujący punkt.

game reserve *n.* (*także* **game preserve, game park**) łowisko, teren łowiecki.

game show *n. telew.* teleturniej.

gamesmanship ['geɪmzmənˌʃɪp] *n. U* nieczysta gra.

gamesome ['geɪmsəm] *a. arch.* wesoły; figlarny.

gamester ['geɪmstər] *n. arch.* hazardzist-a/ka, gracz/ka.

gamete ['gæmiːt] *n. biol.* gameta.

game tenant, game-tenant *n.* dzierżawca rewiru łowieckiego *l.* rybackiego.

game theory *n. U* (*także* **theory of games**) *mat.* teoria gier.

game warden, game-warden *n.* strażnik leśny.

gamey ['geɪmɪ], **gamy** *a.* **-ier, -iest 1.** o zapachu *l.* smaku dziczyzny. **2.** o zapachu *l.* smaku psującego się mięsa. **3.** *myśl.* obfitujący w zwierzynę. **4.** *gł. US* pikantny; zmysłowy; seksowny. **5.** = **game1** *a.* 2.

gamic ['gæmɪk] *a. biol.* płciowy.

gamin ['gæmɪn] *n. arch.* urwis, ulicznik.

gamine ['gæmiːn] *n.* **1.** dziewczyna *l.* dziewczynka o chłopięcym wyglądzie. **2.** *arch.* dziewczynka wałęsająca się po ulicach. – *a.* chłopięcy, na chłopaka (*zwł. o fryzurze, strzyżeniu*).

gaminess ['geɪmɪnəs] *n. U* **1.** zapach *l.* smak dziczyzny. **2.** zapach *l.* smak psującego się mięsa. **3.** *pot.* dzielność, śmiałość; *uj.* bezczelność. **4.** pikantny *l.* ryzykowny charakter (*np. dowcipu*).

gaming ['geɪmɪŋ] *n. U przest.* hazard.

gaming house *n. przest.* dom gry.

gaming table *n. przest.* stół *l.* stolik do gry.

gamma ['gæmə] *n. alfabet grecki* gamma.

gammadion [gə'meɪdɪən] *n.* wzór z dużych liter gamma (*np. swastyka l. pusty krzyż grecki*).

gamma globulin *n. C/U fizj., med.* gammaglobulina.

gamma moth *n. zool.* błyszczka jarzynówka (*Plusia gamma*).

gamma radiation *n. U fiz.* promieniowanie gamma.

gamma ray *n. fiz.* cząsteczka promieniowania gamma; strumień promieniowania gamma.

gammer ['gæmər] *n. Br. dial.* babcia, staruszka.

gammon1 ['gæmən] *n. U zwł. Br. kulin.* szynka; bekon; udziec wieprzowy.

gammon2 *Br. przest. pot. n. U* bujdy, blaga. – *v.* nabrać, oszukać.

gammon3 *n.* **1.** wygrana w grze w tryktraka. **2.** *arch.* = **backgammon**. – *v.* pobić (*przeciwnika w grze w tryktraka*).

gammon4 *v. żegl.* umocować do dziobnicy (*bukszpryt*).

gammy ['gæmɪ] *n.* **-ier, -iest** *Br. pot.* chory; obolały; sztywny (*o nodze l. kolanie*).

gamp [gæmp] *n. gł. Br. żart.* parasol (*zwł. duży i zniszczony*).

gamut ['gæmət] *n. muz.* **1.** gama, skala (*zwł. diatoniczna*). **2.** *przen.* gama; **the whole ~ of sth** cała gama czegoś; wszystkie odcienie czegoś; **run the (whole) ~ of sth** przejść przez wszystkie stadia *l.* etapy czegoś; doświadczyć wszystkich rodzajów czegoś.

gamy ['geɪmɪ] *a.* **-ier, -iest** = **gamey**.

gander ['gændər] *n.* **1.** gąsior (= *samiec gęsi*). **2.** *pot.* prostak. **3.** *przen.* **have/take a ~ at sth** *pot.* rzucić na coś okiem; **(what's) sauce for the goose is sauce for the ~** *zob.* **sauce** *n.*

gang1 [gæŋ] *n.* **1.** gang; szajka (*złodziei, przemytników*); banda, zgraja (*chuliganów*). **2.** brygada, ekipa (*robotników, zwł. przymusowych*).

3. paczka (*przyjaciół*). **4.** komplet, zestaw (*narzędzi*). – *v.* **1.** tworzyć bandę, gang itp. **2.** grupować (*przedmioty o podobnym przeznaczeniu*). **3.** *el.* zgrupować (*elementy obwodu*). **4.** ~ **up** działać wspólnie *l.* jako grupa; jednoczyć siły; ~ **up on/against sb** sprzysiąc się przeciwko komuś.

gang2 *n.* = **gangue.**

gang3 *v. Scot.* iść; chodzić.

gang-bang [ˈgæŋˌbæŋ], **gangbang** *wulg. sl. n.* **1.** gwałt zbiorowy. **2.** seks grupowy. – *v.* **1.** dopuścić się gwałtu zbiorowego na (*kimś*). **2.** uprawiać seks grupowy.

gang cultivator *n. roln.* kultywator zespołowy.

ganger1 [ˈgæŋər] *n. Br.* kierownik, nadzorca (*ekipy robotników*).

ganger2 *n. Scot.* **1.** pieszy. **2.** szybki koń.

Ganges [ˈgændʒiːz] *n.* **the** ~ *geogr.* Ganges.

gang hook *n. ryb.* wędka z dwoma *l.* trzema haczykami.

gangland [ˈgæŋˌlænd] *n. US* świat zorganizowanej przestępczości.

gangling [ˈgæŋglɪŋ] *a.* (*także* **gangly**) tyczkowaty, patykowaty (*zwł. o chłopcu l. młodym mężczyźnie*).

ganglion [ˈgæŋglɪən] *n. pl.* **ganglia** [ˈgæŋglɪə] *l.* **-s 1.** *anat.* zwój nerwowy. **2.** *pat.* torbiel galaretowata pochewki ścięgna.

gangly [ˈgæŋlɪ] *a.* **-ier, -iest** = **gangling.**

gangplank [ˈgæŋˌplæŋk] *n.* (*także* **gangway**) *żegl.* trap, schodnia.

gangplow [ˈgæŋˌplaʊ], *Br.* **gang plough** *n. roln.* pług wieloskibowy.

gang rape *n.* gwałt zbiorowy.

gangrene [ˈgæŋgriːn] *n. U pat.* **1.** gangrena, zgorzel. **2.** *przen.* gangrena, zgnilizna (*moralna*). – *v.* dotknąć gangreną; ulec gangrenie.

gangrenous [ˈgæŋgrənəs] *a. pat.* zgorzelinowy, gangrenowaty.

gang saw *n.* piła wielotarczowa; *US* trak (*piła ramowa*).

gangster [ˈgæŋstər] *n.* gangster, bandyta; chuligan.

gangue [gæŋ], **gang** *n. U górn.* skała płonna.

gang warfare *n. U* wojna gangów; porachunki między gangami.

gangway [ˈgæŋˌweɪ] *n.* **1.** = **gangplank. 2.** *bud.* pomost roboczy, kładka. **3.** *Br.* przejście (*między rzędami siedzeń, np. w kinie, samolocie*); *parl.* przejście w Izbie Gmin oddzielające bardziej i mniej wpływowych członków stronnictwa. **4.** *górn.* chodnik (*transportowy*). – *int. gł. żegl.* z drogi!.

gangway ladder *n. żegl.* trap burtowy.

ganister [ˈgænɪstər], **gannister** *n. U min.* rodzaj piaskowca używany jako materiał ogniotrwały.

ganja [ˈgɑːndʒə] *n. U sl.* marihuana.

gannet [ˈgænɪt] *n. orn.* głuptak (*Sulidae*).

ganoid [ˈgænɔɪd] *icht. a.* **1.** ganoidalny (*o łusce*). **2.** kostołuski (*o rybie*). – *n.* ryba kostołuska (*Holostei*).

gantlet [ˈgɔːntlət] *n.* = **gauntlet.**

gantline [ˈgæntˌlaɪn] *n. żegl.* jola, fał roboczy.

gantry [ˈgæntrɪ], **gauntry** [ˈgɔːntrɪ] *n. pl.* **-ies 1.** stojak o czterech nogach (*na beczki*). **2.** *mech.* brama, suwnica bramowa. **3.** *kol.* bramka, portal. **4.** *lotn.* wielki dźwig do unoszenia i obsługi rakiet nośnych.

gaol [dʒeɪl] *n. Br. przest.* = **jail.**

gaoler [ˈdʒeɪlər] *n. Br. przest.* = **jailer.**

gap [gæp] *n.* **1.** szpara; otwór; dziura; luka; przerwa; wyrwa; wyłom. **2.** *gł. US* przełęcz; przesmyk; wąwóz. **3.** (*także* **spark** ~) *el.* długość przerwy iskrowej; odstęp iskiernika. **4.** *lotn.* rozstaw płatów wielopłata. **5.** *lotn.* odległość pionowa (*między samolotami w szyku*). **6.** *przen.* przerwa, odstęp (*w czasie*). **7.** *przen.* różnica, rozbieżność (*poglądów*); przepaść (*zwł. między poglądami, stanowiskami*); **bridge the** ~ zmniejszyć *l.* zredukować różnicę; *zob. t.* **generation gap.** – *v.* **-pp- 1.** robić dziurę, szparę *l.* lukę w (*czymś*). **2.** mieć przerwy, luki *l.* dziury.

gape [geɪp] *v.* **1.** otwierać szeroko usta; ziewać. **2.** gapić się (*at sb / sth* na kogoś/coś) (*zwł. z otwartymi ustami*). **3.** być szeroko otwartym (*o ustach*); być szeroko rozchylonym (*np. o koszuli*); zionąć, ziać (*np. o jamie, przepaści, ranie*); ~ **at the seams** rozchodzić *l.* rozłazić się w szwach (*o ubraniu*). – *n.* **1.** ziewnięcie. **2.** gapienie się (*zwł. z otwartymi ustami*). **3.** szpara; otwór.

gaper [ˈgeɪpər] *n.* gap.

gaping [ˈgeɪpɪŋ] *a. attr.* szeroko otwarty, rozdziawiony (*o ustach*); ziejący (*o przepaści, ranie*); rozchylony (*o koszuli*).

gapless [ˈgeɪpləs] *n. techn.* bezszczelinowy.

gap-toothed [ˈgæpˌtuːθt] *a.* z przerwami między zębami.

gar [gɑːr] *n.* = **garfish.**

garage [gəˈrɑːʒ] *n.* **1.** garaż. **2.** warsztat (*samochodowy*). **3.** *Br. i Austr.* stacja benzynowa. **4.** *Br.* salon sprzedaży samochodów. – *v.* **1.** garażować, wprowadzać do garażu. **2.** oddawać do warsztatu (*samochód*).

garage sale *n. US, Austr., NZ* wyprzedaż używanej odzieży, mebli i artykułów gospodarstwa domowego (*odbywająca się zwykle w garażu l. na podjeździe przed domem*).

Garamond [ˈgerəˌmɑːnd] *n. U druk.* garamond (*krój pisma*).

garb [gɑːrb] *form. l. lit. n. U* odzienie, ubiór, strój (*zwł. określonego rodzaju, np. narodowy l. typowy dla danej profesji*). – *v.* przyodziewać, ubierać.

garbage [ˈgɑːrbɪdʒ] *n. U* **1.** *US, Can. i Austr.* śmieci, odpadki. **2.** bzdury. **3.** szmira. **4.** *komp.* błędne *l.* bezużyteczne dane. **5.** wnętrzności, podroby.

garbage bag *n. US, Can. i Austr.* worek do kosza na śmieci.

garbage can *n. US, Can. i Austr.* kosz *l.* kubeł na śmieci (*zwł. przed domem*).

garbage collector *n.* (*także* **garbage man**) *US, Can. i Austr.* śmieciarz.

garbage disposal *n. US, Can. i Austr.* **1.** *U* wywóz śmieci; usuwanie odpadków. **2.** (*także* **garbage disposal unit**) młynek zlewozmywakowy, kuchenny rozdrabniacz odpadków.

garbage man *n. pl.* **garbage men** = **garbage collector.**

garbage truck *n. US, Can. i Austr.* śmieciarka.

garbanzo [gɑːrˈbænzoʊ] *n. pl.* **-s** (*także* ~ **bean**) *zwł. zach. US kulin.* ciecierzyca.

garble [ˈgɑːrbl] *v.* **1.** przekręcić, przeinaczyć (*zwł. nieświadomie*); wypaczyć (*fakty*); dobrać *l.* zestawić tendencyjnie (*cytaty*). **2.** *arch.* wybrać to, co najlepsze z (*czegoś*).

garbled [ˈgɑːrbld] *a.* przekręcony, przeinaczony, zniekształcony (*np. o informacji, wiadomości*); ~ **English** kulawa angielszczyzna.

garboard [ˈgɑːrˌbɔːrd] *n.* (*także* ~ **strake**) *żegl.* pas przystępkowy.

garçon [gɑːrˈsoʊn] *n.* kelner (*zwł. we francuskiej restauracji*).

garda [ˈgɑːrdə] *n.* **1.** *pl.* **gardaí** [gɑːrˈdiː] (*także* **guard**) policjant/ka irlandzk-i/a. **2. G~** policja w Republice Irlandii.

garden [ˈgɑːrdən] *n.* **1.** ogród; ogródek; **back/front** ~ *Br.* ogród *l.* ogródek za/przed domem. **2.** *pl.* park, planty; **G~s** (*w nazwach*) *Br.* ulica; **botanic(al) ~s** ogród botaniczny. **3. the G~ of Eden** *Bibl.* rajski ogród, Raj. **4. lead sb down/***Br.* **up the ~ path** *przen. pot.* wywieść kogoś w pole. – *v.* pracować w ogrodzie; uprawiać ogród. – *a. attr.* **1.** ogrodowy. **2.** (*także US* **~-variety**) (*także Br.* **common-or-~**) *pot.* zwykły, pospolity.

garden apartment *n. US* **1.** mieszkanie z wyjściem do ogródka. **2.** blok mieszkalny otoczony ogródkiem *l.* trawnikiem.

garden center, *Br.* **garden centre** *n.* centrum ogrodnicze.

garden city *n. pl.* **-ies** *Br.* miasto-ogród.

gardener [ˈgɑːrdənər] *n.* ogrodni-k/czka.

garden flat *n. Br.* = **garden apartment** 1.

garden gnome *n.* krasnal ogrodowy.

gardenia [gɑːrˈdiːnjə] *n. bot.* gardenia (*Gardenia*).

gardening [ˈgɑːrdənɪŋ] *n. U* ogrodnictwo.

garden party *n. pl.* **-ies** *zwł. Br.* przyjęcie na świeżym powietrzu (*często w ogrodzie*).

garden-variety [ˈgɑːrdən vəˌraɪətɪ] *a. US* = **garden** *a.* 2.

garden warbler *n. orn.* pokrzewka ogrodowa (*Sylvia borin; pot. t. inne gatunki z rodzaju Sylvia*).

garderobe [ˈgɑːrdˌroʊb] *n. arch.* **1.** szafa. **2.** garderoba (*pomieszczenie l. odzież w nim przechowywana*). **3.** sypialnia. **4.** wychodek (*na dworze*).

garefowl [ˈgerˌfaʊl] *n. orn.* alka olbrzymia (*Alca impennis*).

garfish [ˈgɑːrˌfɪʃ], **garpike** *n. icht.* **1.** (*także* **gar**) niszczuka, łuskot (*Lepisosteus*). **2.** belona (*Belone belone*).

garganey [ˈgɑːrgənɪ] *n. orn.* cyranka (*Anas querquedula*).

gargantuan [gɑːrˈgæntʃʊən] *a. form. l. lit.* ogromny, olbrzymi.

garget [ˈgɑːrgɪt] *n. U wet.* zapalenie wymienia (*u bydła l. owiec*).

gargle [ˈgɑːrgl] *v.* **1.** płukać gardło. **2.** gulgotać (= *wydawać gardłowe dźwięki*). – *n.* **1.** *C / U* płyn do płukania gardła. **2.** *sing.* płukanie gardła; **have a ~** przepłukać gardło. **3.** *sing.* gulgot.

gargoyle [ˈgɑːrgɔɪl] *n. bud.* rzygacz, gargulec.

garish [ˈgerɪʃ] *a.* **1.** jaskrawy, krzykliwy (*o kolorach, odzieży*). **2.** oślepiający (*o światłach*).

garishly [ˈgerɪʃlɪ] *adv.* **1.** jaskrawo, krzykliwie. **2.** oślepiająco.

garishness [ˈgerɪʃnəs] *n. U* **1.** jaskrawość, krzykliwość. **2.** oślepiająca jasność.

garland [ˈgɑːrlənd] *n.* **1.** girlanda (*t. z papieru l. jako motyw zdobniczy*). **2.** wianek; wieniec. **3.** *teor. lit.* antologia, wybór tekstów (*zwł. ballad i krótkich wierszy*). **4.** *żegl.* obręcz na maszcie do mocowania stałego takielunku. **5.** *górn.* pierścień odwadniający szybu. **6.** *górn.* nadstawka zwiększająca pojemność wozu. – *v. lit.* przystrajać *l.* dekorować girlandami.

garlic [ˈgɑːrlɪk] *n. U bot., kulin.* czosnek (*Allium*); **clove of ~** ząbek czosnku.

garlic bread *n. U kulin.* chlebek czosnkowy (*podawany zwł. we włoskich restauracjach*).

garlicky [ˈgɑːrlɪkɪ] *a.* czosnkowy (*o zapachu l. smaku*).

garlic press *n.* wyciskacz do czosnku.

garlic salt *n. U kulin.* sól czosnkowa.

garment [ˈgɑːrmənt] *n. form.* część garderoby; *pl.* odzież, ubiór. – *v. gł. poet.* przystroić.

garment bag *n. US* torba (podróżna) na garnitur.

garner [ˈgɑːrnər] *v. form.* gromadzić, zbierać (*zwł. informacje*). – *n. arch.* spichlerz.

garnet[1] [ˈgɑːrnɪt] *n.* **1.** *C / U min.* granat. **2.** *U* (kolor) granatowy, granat (*z odcieniem czerwieni*).

garnet[2] *n. żegl.* gejtawa zdwojona.

garnish [ˈgɑːrnɪʃ] *v.* **1.** *kulin.* garnirować, przybierać. **2.** dekorować. **3.** *prawn.* = **garnishee**. – *n. U* **1.** *kulin.* garnirunek, przybranie. **2.** dekoracja, ozdoba.

garnishee [ˌgɑːrnɪˈʃiː] *prawn. v.* (*także* **garnish**) **1.** zajmować (*pieniądze dłużnika, zwł. część jego poborów*). **2.** *prawn.* doręczać zawiadomienie o zajęciu pieniędzy (*dłużnikowi*). – *n.* dłużni-k/czka otrzymując-y/a zawiadomienie o zajęciu pieniędzy.

garnishment [ˈgɑːrnɪʃmənt] *n.* **1.** dekoracja, ozdoba. **2.** *prawn.* zawiadomienie o zajęciu pieniędzy dłużnika.

garniture [ˈgɑːrnɪtʃər] *n. form.* dekoracja, ozdoba.

garotte [gəˈrɑːt] *n.* = **garrotte**.

garpike [ˈgɑːrˌpaɪk] *n.* = **garfish**.

garret [ˈgerɪt] *n.* strych, poddasze, mansarda; pokój na poddaszu (*mały, ciasny*).

garrison [ˈgerɪsən] *n. wojsk.* **1.** garnizon. **2.** placówka, posterunek. – *v. wojsk.* **1.** obsadzać garnizonem. **2.** zajmować jako garnizon.

garrot [ˈgerət] *n. orn.* = **goldeneye**.

garrote [gəˈroʊt], **garote, garotte** *Br.* **garrotte** *hist. n.* **1.** stracenie przez uduszenie. **2.** garota (= *żelazny kołnierz do wykonywania egzekucji*). – *v.* stracić przez uduszenie.

garroter [gəˈroʊtər] *n. hist.* kat wykonujący egzekucję przez uduszenie.

garrulity [gəˈruːlətɪ] *n.* = **garrulousness.**

garrulous [ˈgerələs] *a.* gadatliwy (*o osobie*); świergotliwy (*o ptaku*); szemrzący (*o potoku*).

garrulously [ˈgerələslɪ] *adv.* gadatliwie.

garrulousness [ˈgerələsnəs] *n. U* (*także* **garrulity**) gadatliwość.

garter [ˈgɑːrtər] *n.* **1.** podwiązka. **2. (Order of) the G~** *Br. hist.* Order Podwiązki. – *v.* umocować podwiązką.

garter belt *n. US i Can.* pas do pończoch.

garter snake *n. zool.* niejadowity wąż amerykański (*Thamnophis*).

garter stitch *n.* ścieg pończochowy (*w robieniu na drutach*).

garth [gɑːrθ] *n. arch. l. dial.* dziedziniec; wirydarz; ogród.

gas [gæs] *n. pl.* **-es** *l.* **-ses 1.** *C / U t. chem., fiz., wojsk.* gaz; **laughing/tear ~** gaz rozweselający/łzawiący. **2.** *U gł. US fizj. pot.* gazy (*jelitowe*). **3.** *U US, Can. i NZ mot.* (*także* **gasoline, gasolene**) paliwo, benzyna; **the ~** pedał przyspieszenia *l.* gazu; **step on the ~** *pot.* dodać gazu, przyśpieszyć (*t. przen.*). **4.** *sing. gł. US pot.* frajda; ktoś *l.* coś super. **5.** *U pot.* gadanie bez sensu, pustosłowie. **6. run out of ~** *gł. US przen. pot.* opaść z sił; stracić energię *l.* zapał; stracić na tempie (*o pracach*). – *v.* **-ss- 1.** zagazować, otruć gazem. **2.** zaopatrywać w gaz. **3. ~ (away)** *pot.* gadać bez sensu, przynudzać. **4. ~ up** *US mot. pot.* napełnić bak.

gasbag [ˈgæsˌbæg], **gas-bag** *n. lotn.* **1.** komora gazowa (*sterowca*). **2.** (*także* **gasser**) *pot.* gaduła; chwalipięta.

gas black *n. U* sadza gazowa (*używana np. jako pigment*).

gas burner, gas-burner *n.* palnik gazowy.

gas chamber *n.* (*także* **gas oven**) *hist.* komora gazowa.

gas coal, gas-coal *n. U* węgiel gazowy.

Gascon [ˈgæskən] *n.* **1.** Gasko-ńczyk/nka. **2.** *U jęz.* dialekt gaskoński.

gascon [ˈgæskən] *n. rzad.* chwalipięta, zarozumialec.

Gascony [ˈgæskənɪ] *n. geogr.* Gaskonia.

gas cooker, gas-cooker *n.* kuchenka gazowa.

gas cylinder, gas-cylinder *n.* **1.** butla gazowa. **2.** *wojsk.* cylinder gazowy (*przy karabinie maszynowym*).

gaseous [ˈgæsɪəs] *a.* **1.** gazowy, lotny. **2.** zawierający gaz.

gas fire *n. Br.* = **gas heater.**

gas fitter *n.* instalator gazowy, gazownik.

gas fittings *n. pl.* instalacja gazowa.

gas gangrene *n. U pat.* zgorzel gazowa.

gas-guzzler [ˈgæsˌgʌzlər] *n. US mot. pot.* samochód, który dużo pali.

gash [gæʃ] *n.* długie, głębokie cięcie; *pat.* rana cięta. – *v.* **1.** przeciąć, rozciąć. **2.** zranić (się).

gas heater *n.* (*także Br.* **gas fire**) piecyk gazowy.

gasholder [ˈgæsˌhoʊldər] *n.* (*także* **gasometer**) zbiornik gazowy.

gasification [ˌgæsəfəˈkeɪʃən] *n. U* zgazowywanie, gazyfikacja.

gasiform [ˈgæsəˌfɔːrm] *a.* gazowy, lotny.

gasify [ˈgæsəˌfaɪ] *v.* **-ied, -ying 1.** zgazowywać; gazyfikować. **2.** przechodzić w stan lotny.

gasket [ˈgæskɪt] *n.* **1.** *t. mech.* uszczelka. **2.** *żegl.* sejzing.

gaslight [ˈgæsˌlaɪt], **gas-light** *n.* **1.** *U* światło gazowe. **2.** lampa gazowa. **3.** zapalniczka. **4.** *zw. pl.* palnik gazowy.

gas-light paper *n. U fot.* papier fotograficzny do wywoływania przy słabym sztucznym świetle.

gas main *n.* gazociąg.

gasman [ˈgæsˌmæn] *n. pl.* **-men 1.** *Br. pot.* inkasent gazowni; instalator gazowy. **2.** *US górn.* metaniarz.

gas mask, gas-mask *n.* maska gazowa.

gasmeter [ˈgæsˌmiːtər], **gas-meter** *n.* gazomierz, licznik gazu.

gasogene [ˈgæsəˌdʒiːn] *n.* = **gazogene.**

gasohol [ˈgæsəˌhɑːl] *n. U US mot.* gazohol (*mieszanka benzyny i alkoholu etylowego*).

gasoline [ˌgæsəˈliːn], **gasolene** *n. U* = **gas** *n.* 3.

gasometer [gæsˈɑːmətər] *n.* = **gasholder.**

gas oven *n.* **1.** piekarnik gazowy. **2.** *hist.* = **gas chamber.**

gasp [gæsp] *v.* **1.** ciężko oddychać, sapać; (*także* **~ for breath/air**) z trudem łapać oddech/powietrze. **2.** zachłysnąć się (*np. ze zdziwienia l. złości*). **3. be ~ing (for a drink)** *Br. pot.* umierać z pragnienia. **4. ~ out** wykrztusić, wysapać. – *n.* próba złapania powietrza; zachłyśnięcie się, chwilowa utrata oddechu (*np. ze zdziwienia l. złości*); **at one's last ~** tuż przed śmiercią; *przen.* w ostatniej chwili; **breathe in ~s** mieć przerywany oddech; **give a ~ of amazement/horror** zachłysnąć się ze zdumienia/z przerażenia.

gas pedal *n. US i Can. mot.* pedał gazu *l.* przyśpieszenia.

gasper [ˈgæspər] *n. Br. przest. sl.* tani papieros.

gas pipe, gas-pipe *n.* rura gazowa.

gas plant *n.* = **gasworks.**

gas range *n. US* piecyk gazowy, kuchenka gazowa.

gas ring *n.* palnik (*kuchenki gazowej*).

gasser [ˈgæsər] *n.* **1.** odwiert gazowy. **2.** = **gasbag** 2.

gas shell *n. wojsk.* pocisk gazowy.

gas station *n. US i Can.* stacja benzynowa, stacja paliw.

gassy [ˈgæsɪ] *a.* **-ier, -iest 1.** gazowany (*o wodzie, napojach*); *Br.* zbyt mocno gazowany. **2.** wypełniony gazami (*o jelitach*). **3.** *pot.* gadatliwy.

gastarbeiter [ˈgæstɑːrˌbaɪtər] *n. pl.* **-s** *l.* **gastarbeiter** gastarbeiter.

gasteropod [ˈgæstərəˌpɑːd], **gastropod** *n. zool.* brzuchonóg (*mięczak należący do gromady Gasteropoda*). – *a.* (*także* **gasteropodous, gastropodous**) *zool.* brzuchonogi.

gastight [ˈgæsˌtaɪt] *a.* gazoszczelny.

gastrectomy [gæˈstrektəmɪ] *n. pl.* **-ies** *C / U chir.* wycięcie żołądka; **partial/subtotal ~** resekcja żołądka.

gastric [ˈgæstrɪk] *a. fizj., pat.* żołądkowy, gastryczny.

gastric juice *n. U fizj.* sok żołądkowy.

gastric ulcer *n. pat.* wrzód żołądka.

gastritis [gæˈstraɪtɪs] *n. U pat.* nieżyt żołądka.

gastroenteric [ˌgæstroʊenˈterɪk], **gastro-enteric** *a. fizj., pat.* żołądkowo-jelitowy.

gastroenteritis [ˌgæstroʊˌentəˈraɪtɪs] *n. U pat.* nieżyt żołądka i jelit.

gastroenterology [ˌgæstroʊˌentəˈrɑ:lədʒɪ] *n. U med.* gastroenterologia.

gastrointestinal [ˌgæstroʊɪnˈtestənl], **gastro-intestinal** *a.* = **gastroenteric.**

gastronome [ˈgæstrəˌnoʊm] *n.* (*także* **gastronomer, gastronomist**) *form.* smakosz/ka.

gastronomic [ˌgæstrəˈnɑ:mɪk], **gastronomical** *a.* gastronomiczny.

gastronomist [gæˈstrɑ:nəmɪst] *n.* = **gastronome.**

gastronomy [gæˈstrɑ:nəmɪ] *n. U* **1.** gastronomia (*jako sztuka kulinarna*). **2.** kuchnia (*określonego regionu*).

gastropod [ˈgæstrəˌpɑ:d] *n.* = **gasteropod.**

gastropodous [gæˈstrɑ:pədəs] *a.* = **gasteropod.**

gasworks [ˈgæsˌwɜ:ks] *n. pl.* **gasworks** gazownia.

gat [gæt], **gatt** *n. gł. US sl.* spluwa.

gate[1] [geɪt] *n.* **1.** brama, furtka; wejście (*np. do budynku*); wrota (*np. w porcie*). **2.** wyjście (*na lotnisku*). **3.** bariera, szlaban. **4.** *sport* bramka (*np. w krykiecie, slalomie narciarskim, na jeździeckim torze przeszkód*). **5.** *żegl.* bramka (= *ruchomy uchwyt na wiosło*). **6.** *gł. bud.* wieża, wieżyczka (*przy bramie*). **7.** *mech.* zawór; zastawka; stawidło. **8.** przełęcz (*zwł. stanowiąca granicę między państwami l. regionami*). **9.** *el., komp.* bramka. **10.** (*także* **the ~**) *Br. i Austr. sport* liczba widzów, publiczność (*np. na meczu*); (*także* **~ money**) wpływy ze sprzedaży biletów. **11.** *górn.* = **gateway** 4. **12. the pearly ~s** *żart.* wrota *l.* bramy niebios.

gate[2] *n. U metal.* wlew.

gate[3] *n. płn. Br. dial.* **1.** droga; (*często w nazwach*) ulica. **2.** sposób (*robienia czegoś*); nawyk.

gateau [gæˈtoʊ] *n. pl.* **gateaux** [gæˈtoʊ] *C/U Br.* tort; torcik.

gate-crash [ˈgeɪtˌkræʃ] *v. pot.* wchodzić bez zaproszenia *l.* biletu (na) (*przyjęcie, imprezę sportową*).

gate-crasher [ˈgeɪtˌkræʃər] *n. pot.* nieproszony gość; widz bez biletu.

gatehouse [ˈgeɪtˌhaʊs] *n.* stróżówka, portiernia (*przy wejściu, bramie wjazdowej*).

gatekeeper [ˈgeɪtˌki:pər], **gate-keeper** *n.* stróż, portier.

gateleg table, gate-legged table *n.* stół z rozkładanym blatem.

gate money, gate-money *n. zob.* **gate**[1] *n.* 9.

gatepost [ˈgeɪtˌpoʊst], **gate-post** *n.* słupek (*bramy*); **between you and me and the ~** *Br. pot.* mówiąc między nami.

gateway [ˈgeɪtˌweɪ], **gate-way** *n.* **1.** brama; wejście; wyjście. **2. the ~ to sth** *przen.* wrota do czegoś; droga do czegoś (*np. do sukcesu*). **3.** *komp.* furtka (= *złącze umożliwiające współpracę sieci o różnych organizacjach*). **4.** (*także* **gate**) *górn.* chodnik.

gather [ˈgæðər] *v.* **1.** zbierać *l.* gromadzić się (*t. o chmurach, kurzu*) (*around sb / sth* wokół kogoś/czegoś). **2.** zbierać (*plony, informacje, jagody*); zrywać (*kwiaty*); kolekcjonować. **3.** nabierać (*czegoś*), zwiększać; **~ momentum** *zob.* **momentum; ~ courage** zebrać się na odwagę; **~ speed/force** nabierać prędkości/siły; **~ (one's) strength** zbierać siły; **~ way** *żegl.* nabierać prędkości. **4.** wnioskować (*from sth* z czegoś); **from what I can ~** o ile się orientuję; **I ~ (that...** rozumiem, że... **5.** marszczyć (*materiał, brwi*). **6.** poprawiać (*np. spódnicę*); **she ~ed the shawl/blanket about/around her (shoulders)** otuliła się (mocniej) szalem/kocem. **7. ~ sb in/into one's arms** wziąć kogoś w ramiona; **~ sb to one** (*także* **~ sb up**) *przest.* przygarnąć *l.* przytulić kogoś (do siebie). **8. ~ dust** *zob.* **dust** *n.*; **a rolling stone ~s no moss** *zob.* **rolling stone; be ~ed to one's fathers** *euf.* umrzeć. **9. ~ in** zbierać (*plony*); gromadzić (*pieniądze*); marszczyć (*np. spódnicę*); **~ together/up** pozbierać (*np. zabawki z podłogi*); połączyć ze sobą (*fakty*). – *n.* **1.** *krawiectwo* fałda, plisa, zakładka. **2.** (*także* **gathering**) *roln.* zbiór, plony.

gatherer [ˈgæðərər] *n.* **1.** zbierając-y/a (*plony, kwiaty*). **2.** zbieracz/ka, kolekcjoner/ka.

gathering [ˈgæðərɪŋ] *n.* **1.** zgromadzenie, zebranie. **2.** nagromadzenie; gromada. **3.** zbiórka (*pieniędzy na cele dobroczynne*). **4.** *krawiectwo* fałdy, plisy. **5.** *pat.* ropień, czyrak; *U* zbieranie się ropy. **6.** = **gather** *n.* **2.**

GATT [gæt] *abbr.* **General Agreement on Tariffs and Trade** *hist.* Układ Ogólny w Sprawie Taryf Celnych i Handlu.

gauche [goʊʃ] *a.* niezręczny, nietaktowny.

gauchely [ˈgoʊʃlɪ] *adv.* niezręcznie, nietaktownie.

gaucheness [ˈgoʊʃnəs] *n. U* niezręczność, nietaktowność, brak ogłady.

gaucherie [ˌgoʊʃəˈri:] *n.* **1.** *U* = **gaucheness. 2.** nietakt, niezręczność.

gaucho [ˈgaʊtʃoʊ] *n. pl.* **-s** gaucho, gauczo.

gaud [gɔ:d] *n. poet.* **1.** błyskotka, świecidełko. **2.** *pl.* widowisko, zabawa.

gaudery [ˈgɔ:dərɪ] *n. pl.* **-ies** krzykliwy strój *l.* biżuteria.

gaudily [ˈgɔ:dɪlɪ] *adv.* bez gustu; krzykliwie; jaskrawo.

gaudy [ˈgɔ:dɪ] *a.* **-ier, -iest** bez gustu, krzykliwy, jaskrawy (*o stroju, dekoracji, stylu*).

gauffer [ˈgɑ:fər] *n. i v.* = **goffer.**

gauge [geɪdʒ], *US t.* **gage** *n.* **1.** przyrząd pomiarowy, miernik; wskaźnik; **fuel/petrol/gas ~** wskaźnik poziomu paliwa. **2.** wzorzec, miara (*np. pojemności beczki, grubości drutu*). **3.** skala, podziałka. **4.** *przen.* miernik, wyznacznik, probierz. **5.** *kol.* szerokość *l.* rozstaw toru. **6.** *broń* kaliber. **7.** *żegl.* położenie (*statku względem innego i względem wiatru*). – *v.* **1.** oceniać, szacować; przewidywać. **2.** *t. meteor.* mierzyć (*opady, siłę wiatru, głębokość cieczy*). **3.** obliczać pojemność *l.* zawartość (*beczki*). **4.** ~ **(up)** kalibrować, nadawać wzorcowy rozmiar (*czemuś*); ujednolicać.

gauger [ˈgeɪdʒər] *n.* **1.** mierniczy; taksator. **2.** miernik, wskaźnik.

Gaul [gɔːl] *n.* **1.** *hist.* Galia. **2.** *hist.* Gal/ijka. **3.** *poet. l. żart.* Francuz/ka.

Gaulish [ˈgɔːlɪʃ] *n. U jęz., hist.* język galijski. – *a.* galijski.

gault [gɔːlt] *n. U geol.* złoża glin i margli między warstwami piasku glaukonitowego.

gaunt [gɔːnt] *a.* **1.** wychudzony, wymizerowany, zabiedzony. **2.** nagi; ponury, posępny (*np. o krajobrazie*).

gauntlet[1] [ˈgɔːntlɪt] *n.* **1.** rękawica (*ochronna*); *hist., wojsk.* rękawica (*część zbroi*). **2.** *przen.* **pick/take up the ~** podjąć wyzwanie; **throw/fling/lay down the ~** rzucić wyzwanie.

gauntlet[2] *n.* (*także* **gantlet**) **1.** *hist., wojsk.* rózgi (*rodzaj kary*). **2. run the ~** *przen.* być narażonym na krytykę *l.* zniewagi (*ze wszystkich stron*).

gauntness [ˈgɔːntnəs] *n. U* **1.** wychudzenie, wymizerowanie. **2.** *przen.* ponuractwo (*osoby*); posępność (*np. krajobrazu*).

gauntry [ˈgɔːntrɪ] *n.* = **gantry**.

gauss [gaʊs] *n. pl.* **gauss** *fiz.* gaus.

Gaussian [ˈgaʊsɪən] *a. attr.* ~ **curve/distribution** *stat.* krzywa/rozkład Gaussa.

gauze [gɔːz] *n. U* **1.** *tk.* gaza. **2.** (*także US* ~ **bandage**) gaza opatrunkowa. **3.** (*także* **wire** ~) siatka z cienkiego drutu. **4.** mgiełka.

gauzy [ˈgɔːzɪ] *a.* **-ier, -iest** jak gaza, cienki, lekki i przezroczysty (*zwł. o tkaninie*).

gave [geɪv] *v. zob.* **give**.

gavel [ˈgævl] *n. US* młotek (*np. licytatora, sędziego*); młotek murarski. – *v.* zakończyć przez uderzenie młotkiem (*dyskusję, licytację*).

gavial [ˈgeɪvɪəl] *n.* = **gharial** *n.*

gavotte [gəˈvɑːt], **gavot** *n. muz.* gawot (*taniec l. utwór muzyczny*).

gawd [gɔːd], **Gawd** *int. euf. pot.* Boże.

gawk [gɔːk] *v. pot.* gapić się, wytrzeszczać gały (*at sb / sth* na kogoś/coś). – *n. pot.* głupek, gamoń.

gawkily [ˈgɔːkɪlɪ] *adv. pot.* niezdarnie, niezgrabnie; gamoniowato.

gawkiness [ˈgɔːkɪnəs] *n. U pot.* niezdarność, niezgrabność; gamoniowatość.

gawky [ˈgɔːkɪ] *a.* **-ier, -iest** (*także* **gawkish**) *pot.* niezdarny, niezgrabny; gamoniowaty.

gawp [gɔːp] *v. Br. pot.* gapić się (*głupio l. bezczelnie*).

gay [geɪ] *a.* **1.** *attr.* gejowski; ~ **bar/pub** bar/pub dla gejów; **~-bashing** *zob.* **bashing**; ~ **community** społeczność gejowska; ~ **rights** prawa gejów; **be** ~ być gejem. **2.** *przest.* radosny, wesoły; żywy (*o muzyce*). **3.** *przest.* barwny, pstry; jaskrawy. **4.** *przest.* beztroski (*o trybie życia*); *uj.* rozwiązły. **5. with ~ abandon** *zob.* **abandon** *n.* – *n.* gej, homoseksualista.

gayly [ˈgeɪlɪ] *adv.* = **gaily**.

gayness [ˈgeɪnəs] *n.* = **gaiety** 1.

Gaza Strip [ˌgɑːzə ˈstrɪp] *n.* **the** ~ *geogr., admin.* Strefa Gazy.

gaze [geɪz] *v.* wpatrywać się (*at sb / sth* w kogoś/coś). – *n. sing.* spojrzenie (*zwł. uporczywe*); **lower one's** ~ spuścić wzrok.

gazebo [gəˈzeɪboʊ] *n. pl.* **-s** *l.* **-es** punkt obserwacyjny (*np. wieżyczka, balkon l. altana*).

gazehound [ˈgeɪzˌhaʊnd] *n. myśl.* pies myśliwski kierujący się raczej wzrokiem niż tropem.

gazelle [gəˈzel] *n. zool.* gazela (*Gazella, Procapra*).

gazette [gəˈzet] *n.* **1.** *dzienn., gł. hist.* gazeta, dziennik (*t. współcześnie w tytułach*). **2.** *Br.* dziennik urzędowy. – *v. Br.* ogłaszać w dzienniku urzędowym.

gazetteer [ˌgæzəˈtiːr] *n.* **1.** indeks *l.* słownik geograficzny. **2.** *hist., dzienn.* dziennikarz (*zwł. rządowy*).

gazpacho [gəˈspɑːtʃoʊ] *n. U kulin.* gazpacho (*hiszpański chłodnik pomidorowy*).

gazump [gəˈzʌmp] *n. często pass. Br. i Austr.* odmówić *komuś* sprzedaży domu, mimo wcześniejszej umowy (*zw. po otrzymaniu korzystniejszej oferty*).

gazunder [gəˈzʌndər] *n. Br.* żądać *od sprzedającego* obniżenia ceny domu, mimo wcześniejszej umowy.

GB [ˌdʒiː ˈbiː] *abbr.* **Great Britain** Wielka Brytania.

Gb *abbr.* (*także* **Gbyte**) *komp.* = **gigabyte**.

GBH [ˌdʒiː ˌbiː ˈeɪtʃ] *abbr.* = **grievous bodily harm**.

GCE [ˌdʒiː ˌsiː ˈiː] *abbr. i n.* **General Certificate of Education** *Br. szkoln.* egzamin dla uczniów w wieku 18 lat.

GCSE [ˌdʒiː ˌsiː ˌes ˈiː] *abbr. i n.* **General Certificate of Secondary Education** *Br. szkoln.* egzamin dla uczniów w wieku 16 lat.

g'day [gəˈdeɪ] *int. Austr. i NZ pot.* dzień dobry.

Gdns *abbr.* **Gardens** *Br.* ul. (= *ulica; w adresach*).

GDP [ˌdʒiː ˌdiː ˈpiː] *abbr.* **gross domestic product** *ekon.* PKB (= *produkt krajowy brutto*).

GDR [ˌdʒiː ˌdiː ˈɑːr] *abbr. i n.* **German Democratic Republic** *hist.* NRD.

gear [giːr] *n. U* **1.** *mech.* mechanizm, urządzenie. **2.** *C / U mot.* bieg; **low** *US*/**first** *Br.* ~ pierwszy bieg; **in** ~ na biegu, włączony; **in high** *US*/**top** *Br.* ~ na najwyższym biegu; *przen.* na najwyższych obrotach; **out of** ~ wyłączony; *przen.* nie działający, niesprawny, rozstrojony; **reverse** ~ bieg wsteczny; **shift** *US*/**change** *Br.* ~ zmieniać biegi; **throw in** ~ włączać bieg; **throw sth out of** ~ *przen.* zakłócić przebieg *l.* funkcjonowanie czegoś. **3.** *C mech.* koło zębate; przekładnia zębata; **worm** ~ przekładnia ślimakowa. **4.** sprzęt, wyposażenie; **fishing/camping** ~ sprzęt wędkarski/turystyczny. **5.** *pot.* strój, ubiór. **6.** rzeczy, dobytek. **7.** *żegl.* osprzęt. **8.** (*także* **landing** ~) *lotn.* podwozie. **9.** *rzad.* uprząż (*zwierząt pociągowych*). **10.** *arch.* uzbrojenie, zbroja. **11.** *sl.* narkotyki. – *v.* **1.** *zw. pass.* dostosowywać, przystosowywać; dopasowywać; **be ~ed to/towards doing sth** (*także* **be ~ed to do sth**) być nastawionym na coś, mieć coś na celu; **be ~ed to sb's needs** być dostosowanym do czyichś potrzeb. **2.** *mot.* włączać bieg. **3.** *mech.* zazębiać się, pasować (*o kole zębatym*). **4.** ~ **(up)** *przest.* zaprzęgać (*zwierzę*). **5.** ~ **up to/towards/for sth** *pot.* szykować się na coś *l.* do czegoś.

gearbox ['gi:rˌba:ks], **gear-box** *n. mot.* skrzynia biegów.

gearing ['gi:rɪŋ] *n. U* **1.** *mech.* przekładnia zębata. **2.** *mech.* zazębienie kół zębatych. **3.** *Br. fin.* = **leverage**.

gearshift ['gi:rˌʃɪft] *n.* (*także Br. i Austr.* **gear lever/stick**) dźwignia zmiany biegów.

gecko ['gekoʊ] *n. pl.* **-s** *l.* **-es** *zool.* gekon (*Gekkonidae*).

gee[1] [dʒi:] *int. US, Can. i Austr. pot.* jejku.

gee[2] *n.* (*także* **G**) *US pot.* tysiąc dolarów.

gee[3] *int.* wio!. – *v.* ~ **(up)** *pot.* popędzać; zachęcać.

gee[4] *n.* (*także* **G~**) *lotn.* system radionawigacyjny dużego zasięgu.

gee[5] *n.* = **gee-gee**.

geegaw ['dʒi:gɔ:] *n.* = **gewgaw**.

gee-gee ['dʒi:ˌdʒi:] *n.* (*także* **gee**) *Br. i Austr. pot. zwł. dziec.* konik.

geek [gi:k] *n. US sl.* głupek, przygłup.

geese [gi:s] *n. pl. zob.* **goose**.

gee-whiz ['dʒi:ˌwɪz], **gee-whizz** *n. przest. pot.* = **gee**[1].

geezer ['gi:zər] *n. przest. pot.* facet, gość (*zw. stary i zdziwaczały*).

Gehenna [gɪ'henə], **gehenna** *n. Bibl. l. przen.* gehenna.

Geiger counter ['gaɪgər ˌkaʊntər] *n.* (*także* **Geiger-Müller counter**) *fiz.* licznik Geigera-Müllera.

geisha ['geɪʃə] *n. pl.* **-s** *l.* **geisha** gejsza.

Geissler tube ['gaɪslər ˌtu:b] *n. el.* lampa Geisslera.

gel [dʒel] *n. C/U t. chem.* żel. – *v.* **-ll-** (*także* **jell**) **1.** zamieniać się w żel, tężeć. **2.** *przen.* krystalizować się (*o myśli, pomyśle*).

gelatin ['gelətən], *Br. t.* **gelatine** *n. U* **1.** żelatyna. **2.** galareta; galaretka.

gelatinize [dʒə'lætəˌnaɪz], *Br. i Austr. zw.* **gelatinise** *v.* galaretowacieć, przechodzić w żel.

gelatinoid [dʒə'lætəˌnɔɪd] *a.* żelatynowaty, galaretowaty. – *n.* substancja żelatynowata *l.* galaretowata.

gelatinous [dʒə'lætənəs] *a.* **1.** żelatynowy. **2.** galaretowaty.

gelation [dʒə'leɪʃən] *n. U* **1.** żelowanie. **2.** zestalanie przez wymrażanie.

geld[1] [geld] *v. pret. i pp.* **gelt** *wet.* trzebić, kastrować (*zwł. konie*).

geld[2] *n.* (*także* **gelt**) *Br. hist.* podatek płacony koronie przez właścicieli ziemskich (*za królów saskich i normandzkich*).

gelding ['geldɪŋ] *n.* wałach, trzebieniec.

gelid ['dʒelɪd] *a. lit.* lodowaty.

gelignite ['dʒelɪgˌnaɪt] *n. U* silny materiał wybuchowy.

gelt[1] [gelt] *v. zob.* **geld**[1].

gelt[2] *n.* **1.** = **geld**[2]. **2.** *U gł. US sl.* forsa.

GEM [ˌdʒi: ˌi: 'em] *abbr.* = **ground effect machine**.

gem [dʒem] *n.* **1.** kamień szlachetny, klejnot (*zwł. cięty i szlifowany*). **2.** *przen.* klejnot, perła, skarb. – *v.* **-mm-** *lit.* wysadzać drogimi kamieniami; ozdabiać (jak) klejnotami.

geminate ['dʒeməˌneɪt] *n. fon.* geminata, spółgłoska podwójna *l.* zdwojona. – *a. fon., bot.* podwójny (*o spółgłosce, liściu*). – *v.* podwajać *l.* powtarzać (się); układać parami; występować parami.

gemination [ˌdʒemə'neɪʃən] *n. U* **1.** *fon.* geminacja, podwojenie spółgłosek. **2.** *ret.* powtórzenie (*wyrazu l. zwrotu dla uzyskania efektu retorycznego*).

Gemini ['dʒemɪnaɪ] *n. astron., astrol.* Bliźnięta; **be** ~ być spod znaku Bliźniąt. – *n. i a. astrol.* (*także* **Geminian**) (osoba) spod znaku Bliźniąt.

gemma ['dʒemə] *n. pl.* **gemmae** ['dʒemi:] **1.** *bot.* spora, zarodnik. **2.** *zool.* = **gemmule**.

gemmate ['dʒemeɪt] *biol. a.* pączkujący; rozmnażający się przez pączkowanie. – *v.* pączkować; rozmnażać się przez pączkowanie.

gemmation [dʒə'meɪʃən] *n. U biol.* pączkowanie; rozmnażanie się przez pączkowanie.

gemmiparous [dʒə'mɪpərəs] *a. biol.* rozmnażający się przez pączkowanie; należący do *l.* charakterystyczny dla procesu paczkowania.

gemmule ['dʒemju:l] *n. zool.* pączek, gemma.

gemmy ['dʒemɪ] *a.* **1.** wysadzany drogimi kamieniami. **2.** błyszczący jak klejnot.

gemot [gə'moʊt], **gemote** *n. Br. hist.* posiedzenie sądowe (*przed 1066 r.*).

gemsbok ['gemzˌba:k] *n. zool.* oryks (*Oryx gazella*).

gemstone ['dʒemˌstoʊn] *n.* kamień szlachetny (*zwł. przed oszlifowaniem*).

gen [dʒen], *Br. pot. n. U* informacje (*on sth* na jakiś temat); **give sb the ~ on sth** wprowadzać kogoś w szczegóły czegoś. – *v.* ~ **up** zdobywać jak najwięcej informacji, wgryzać się w temat.

Gen. *abbr. wojsk.* = **General**.

gendarme ['ʒa:nda:rm] *n.* **1.** żandarm, policjant (*we Francji i krajach francuskojęzycznych*). **2.** *sl.* glina.

gendarmerie [ʒa:n'da:rməri:], **gendarmery** *n. U t. hist.* żandarmeria.

gender[1] ['dʒendər] *n. C/U* **1.** *gram.* rodzaj. **2.** *socjol. l. form.* płeć.

gender[2] *v. arch. l. poet.* = **engender**.

gender bender *n. sl.* osoba zamazująca podziały płciowe (*np. piosenkarz ubierający się i zachowujący jak kobieta*).

gender studies *n. U uniw.* studia nad kulturową tożsamością płci.

gene [dʒi:n] *n. biol.* gen.

genealogical [ˌdʒi:nɪə'la:dʒɪkl], **genealogic** *a.* genealogiczny; ~ **tree** drzewo genealogiczne.

genealogist [ˌdʒi:nɪ'a:lədʒɪst] *n.* genealog.

genealogy [ˌdʒi:nɪ'a:lədʒɪ] *n. pl.* **-ies** *t. zool., bot.* **1.** rodowód, historia rodu. **2.** *U* genealogia (*nauka*).

gene amplification *n. biol., med.* amplifikacja genu.

gene flow *n. biol.* przepływ genów (*między krzyżującymi się ze sobą populacjami*).

gene pool *n. biol.* pula genów (*w danej populacji l. gatunku*).

gene probe *n. med.* sonda genowa.

genera ['dʒenərə] *n. pl. zob.* **genus.**

general ['dʒenərəl] *a.* **1.** ogólny, powszechny; generalny; **as a ~ rule** z reguły, zasadniczo; **be in the ~ interest** być *l.* leżeć w interesie ogółu; **the ~ public** ogół społeczeństwa. **2.** ogólny, ogólnikowy; **in ~ terms** ogólnie, ogólnikowo (*np. omawiać coś*). **3.** generalny, naczelny, główny (*np. o dowódcy*). – *n.* **1. G~** *wojsk.* generał. **2.** *kośc.* generał (*zakonu*). **3.** wódz, przywódca. **4.** *zw. pl. arch.* ogólna zasada, ogólnik. **5. the ~** *arch.* ogół; pospólstwo. **6.** *U* **in ~** na ogół, przeważnie; ogólnie rzecz biorąc; **people in ~** ogół ludzi.

general anesthetic, *Br.* **general anaesthetic** *n. C / U med.* znieczulenie ogólne.

General Assembly, general assembly *n.* **1.** *parl.* zgromadzenie narodowe; zgromadzenie ogólne. **2.** *kośc. zwł. Scot.* najwyższy sąd kościelny.

general confession *n. rel.* spowiedź powszechna.

generalcy ['dʒenərəlsɪ] *n. U wojsk.* stopień *l.* stanowisko generała.

general dealer *n. Br.* kupiec towarów mieszanych.

general delivery *n. U US* poste restante.

general election *n. polit.* wybory powszechne.

general headquarters *n. pl. t. wojsk.* kwatera główna.

general hospital *n.* szpital ogólny.

generalissimo [ˌdʒenərə'lɪsəˌmoʊ] *n. pl.* **-s** *wojsk.* generalissimus.

generality [ˌdʒenə'rælətɪ] *n. pl.* **-ies 1.** *zw. pl.* ogólna zasada; ogólnik, truizm; **speak in generalities** mówić ogólnikami. **2.** *U form.* ogół, większość (*of sb / sth* kogoś/czegoś). **3.** *U* ogólnikowość; ogólność, powszechność; generalność. **4.** *hist.* jednostka podziału administracyjno-fiskalnego Francji w okresie monarchii.

generalization [ˌdʒenərələ'zeɪʃən], *Br. i Austr. zw.* **generalisation** *n.* **1.** uogólnienie, generalizacja; *U* uogólnianie. **2.** *U* upowszechnienie, upowszechnianie.

generalize ['dʒenərəˌlaɪz], *Br. i Austr. zw.* **generalise** *v.* **1.** uogólniać, generalizować; robić uogólnienia *l.* generalizacje. **2.** mówić ogólnikami; przedstawiać ogólnikowo. **3.** *fil., mat.* formułować (wniosek *l.* prawo) przez uogólnienie. **4.** upowszechniać. **5.** *pat.* uogólniać się (*o chorobie, zakażeniu*).

general knowledge *n. U* wiedza ogólna.

generally ['dʒenərəlɪ] *adv.* **1.** na ogół, przeważnie. **2.** powszechnie. **3.** (*także* **~ speaking**) ogólnie rzecz biorąc, mówiąc ogólnie.

general manager *n.* dyrektor naczelny *l.* generalny.

generalness ['dʒenərəlnəs] *n. U* ogólność, powszechność; generalność.

general officer *n. wojsk.* oficer w stopniu wyższym od porucznika.

General Post Office *n.* **1.** główny urząd pocztowy. **2.** *Br. hist.* Urząd Poczt i Telegrafów (*przed 1969 r.*).

general practice *n. U med., prawn.* poradnictwo ogólne.

general practitioner *n.* (*także* **GP**) *Br. i Austr.* lekarz rodzinny *l.* ogólny, lekarz pierwszego kontaktu.

general-purpose [ˌdʒenərəl'pɜːpəs] *a. attr.* ogólnego zastosowania, uniwersalny.

generalship ['dʒenərəlˌʃɪp] *n. U* **1.** *wojsk.* strategia, zręczność wojskowa. **2.** *wojsk.* stanowisko generała. **3.** *przen.* zdolności taktyczne *l.* administracyjne.

general staff *n. wojsk.* sztab generalny.

general store *n.* sklep wielobranżowy (*zwł. w małej miejscowości*).

general strike *n.* strajk generalny.

general theory of relativity *n. U fiz.* ogólna teoria względności.

generate ['dʒenəˌreɪt] *v.* **1.** *fiz., el.* wytwarzać, produkować (*np. energię, elektryczność*). **2.** wywoływać (*np. entuzjazm*), wzbudzać (*np. zainteresowanie, kontrowersje*). **3.** stwarzać (*np. miejsca pracy*); **~ revenue/income/profits** przynosić dochody *l.* zyski. **4.** *mat., komp., jęz.* generować. **5.** *geom.* tworzyć, zakreślać.

generation [ˌdʒenə'reɪʃən] *n.* **1.** pokolenie, generacja (*ludzie*); pokolenie (*okres*); **from one ~ to the next** (*także* **down the ~s**) z pokolenia na pokolenie; **future ~s** przyszłe pokolenia; **the younger ~** młode pokolenie; **third-~ American** Amerykan-in/ka w trzecim pokoleniu. **2.** *techn.* generacja (*sprzętu, np. komputerowego*). **3.** *U* wytwarzanie; *t. mat., komp., jęz.* generowanie, generacja. **4.** *U biol.* płodzenie; rozród; **sexual ~** rozród płciowy; **spontaneous ~** samorództwo; **virgin ~** dzieworództwo, partenogeneza.

generational [ˌdʒenə'reɪʃənl] *a.* pokoleniowy.

generation gap *n.* konflikt pokoleń.

generation X, Generation X *n. sing. gł. US* pokolenie ludzi urodzonych w latach 1965-1980 (*uchodzące za rozczarowane do świata, cyniczne i bierne*).

generation Y, Generation Y *n. sing. gł. US* pokolenie ludzi urodzonych po roku 1980.

generative ['dʒenərətɪv] *a.* **1.** produkujący, wytwarzający; generujący. **2.** *biol.* rozrodczy. **3.** *jęz.* generatywny.

generative cell *n. biol.* komórka rozrodcza.

generative grammar *n. U jęz.* gramatyka generatywna.

generator ['dʒenəˌreɪtər] *n.* **1.** *fiz., el.* generator; prądnica; **gas ~** gazogenerator, generator gazu; **motor ~** (*także* **motor-~ set**) *el.* przetwornica dwumaszynowa, zespół silnikowo-prądnicowy; **steam ~** wytwornica pary. **2.** *form.* twórca/czyni (*pomysłu, planu, strategii*).

generatrix [ˌdʒenə'reɪtrɪks] *n. pl.* **-ices** [ˌdʒenə'reɪtrɪsiːz] *geom.* tworząca (*powierzchni*).

generic [dʒə'nerɪk] *a.* (*także* **generical**) **1.** ogólny. **2.** *biol.* rodzajowy. **3.** generyczny (*zwł. o leku*). **4.** *przen.* zwyczajny, niczym się niewyróżniający. – *n.* lek generyczny.

generically [dʒəˈnerɪklɪ] *adv.* **1.** ogólnie. **2.** *biol.* gatunkowo. **3.** zwyczajnie.

generic name *n. biol.* nazwa gatunkowa.

generosity [ˌdʒenəˈrɑːsətɪ] *n. U* **1.** hojność, szczodrość. **2.** wielkoduszność, wspaniałomyślność.

generous [ˈdʒenərəs] *a.* **1.** wielkoduszny, wspaniałomyślny; **it was very ~ of you** to było bardzo wspaniałomyślne z twojej strony. **2.** hojny, szczodry; **be ~ with sth** nie żałować *l.* nie szczędzić czegoś (*np. czasu, pieniędzy*). **3.** suty, obfity (*o posiłku*); pokaźny, spory (*np. o kawałku ciasta, podwyżce*).

generously [ˈdʒenərəslɪ] *adv.* **1.** wielkodusznie, wspaniałomyślnie. **2.** hojnie, szczodrze.

genesis [ˈdʒenəsɪs] *n. U* **1.** *form.* geneza. **2.** (*także* **G~**) *Bibl.* Księga Rodzaju.

gene-splicing [ˈdʒiːnˌsplaɪsɪŋ] *n. med.* składanie genów.

genet [ˈdʒenɪt] *n. zool.* żeneta (*Genetta*).

gene therapy *n. U med.* terapia genowa.

genetic [dʒəˈnetɪk] *a.* genetyczny.

genetically [dʒəˈnetɪklɪ] *adv.* genetycznie.

genetically modified *a.* (*także* **GM**) genetycznie modyfikowany (*o żywności*).

genetic code *n. biochem.* kod genetyczny.

genetic engineering *n. U* inżynieria genetyczna.

genetic fingerprint *n.* genetyczny odcisk palca (= *charakterystyczny dla danego osobnika kod genetyczny*).

genetic fingerprinting *n. U* identyfikacja za pomocą badania DNA (*zwł. w kryminalistyce*).

geneticist [dʒəˈnetɪsɪst] *n.* genety-k/czka.

genetics [dʒəˈnetɪks] *n. U* **1.** genetyka. **2.** *t. z czasownikiem w l. mn. biol.* struktura genetyczna (*organizmu l. grupy organizmów*).

Geneva [dʒəˈniːvə] *n. geogr.* Genewa.

genever [dʒəˈniːvər], **geneva** *n. U* holenderski gin.

genial[1] [ˈdʒiːnjəl] *a.* **1.** miły, przyjazny, towarzyski. **2.** zdrowy, łagodny (*o klimacie*).

genial[2] [dʒəˈniːəl] *a. anat.* dotyczący brody.

geniality [ˌdʒiːnɪˈælətɪ] *n. U* miłe usposobienie.

genially [ˈdʒiːnjəlɪ] *adv.* miło, przyjaźnie.

genic [ˈdʒenɪk] *n. biol.* genowy.

genie [ˈdʒiːnɪ] *n. pl.* **-s** *l.* **genii** [ˈdʒiːnɪˌaɪ] baśniowy duch *l.* duszek (*zwł. spełniający życzenia*); (*także* **jinni**) dżinn (*duch z wierzeń staroarabskich*).

genista [dʒəˈnɪstə] *n. bot.* janowiec (*Genista*).

genital [ˈdʒenɪtl] *a.* rodny, rozrodczy, płciowy.

genital herpes *n. U pat.* opryszczka narządów płciowych.

genitals [ˈdʒenɪtlz], **genitalia** [ˌdʒenɪˈteɪlɪːə] *n. pl. anat.* genitalia, narządy płciowe (*zewnętrzne*).

genitive [ˈdʒenɪtɪv] *gram. n.* dopełniacz. – *a. attr.* (*także* **genitival**) dopełniaczowy, w dopełniaczu.

genitor [ˈdʒenɪtər] *n. lit. l. form.* biologiczny ojciec.

genitourinary [ˌdʒenətoʊˈjʊrəˌnerɪ] *a. anat.* moczowo-płciowy.

genius [ˈdʒiːnɪəs] *n. pl.* **-es** **1.** geniusz (*osoba*); **be a ~** być genialnym (*at sth* w czymś). **2.** *C/U* geniusz (*talent*); **a stroke of ~** olśnienie, przebłysk geniuszu, genialny pomysł; **have a ~ for (doing) sth** mieć wybitny talent do (robienia) czegoś; **people of ~** genialni ludzie; **works of ~** genialne dzieła.

genius loci *n. sing. Lat.* genius loci, duch miejsca.

Genoa [ˈdʒenoʊə] *n. geogr.* Genua.

genocide [ˈdʒenəˌsaɪd] *n. U* ludobójstwo.

genome [ˈdʒiːnoʊm] *n. genetyka* genom.

genotype [ˈdʒenəˌtaɪp] *n. genetyka* genotyp.

genre [ˈʒɑːnrə] *n. sztuka* **1.** gatunek, rodzaj (*np. filmu, muzyki*); (*także* **literary ~**) gatunek literacki. **2.** *U* (*także* **~ painting**) malarstwo rodzajowe.

gens [dʒenz] *n. pl.* **gentes** [ˈdʒentiːz] *hist.* ród (*arystokratyczny w starożytnym Rzymie*); *antrop.* ród, klan.

gent [dʒent] *n.* **1.** *zwł. Br. pot. l. żart.* dżentelmen. **2.** *z czasownikiem w l. poj.* **the ~s** *Br. i Austr.* męska toaleta.

gentamicin [ˌdʒentəˈmaɪsən] *n. U med.* gentamycyna.

genteel [dʒenˈtiːl] *a. gł. iron.* dystyngowany, pański; z wyższych sfer, należący do dobrego towarzystwa; afektowany, z pretensjami.

genteelism [dʒenˈtiːlɪzəm] *n.* dystyngowany eufemizm (*wyraz l. zwrot*).

genteelly [dʒenˈtiːlɪ] *adv.* dystyngowanie, z pańska; afektowanie, pretensjonalnie.

genteelness [dʒenˈtiːlnəs] *n. U* = **gentility** 1.

gentian [ˈdʒenʃən] *n. bot.* goryczka, gencjana (*Gentiana*).

gentian blue *n. U* kolor purpurowoniebieski.

gentian violet *n. U med.* fiolet gencjany.

gentile [ˈdʒentaɪl] *n.* (*także* **G~**) **1.** goj, osoba wyznania niemojżeszowego (*zwł. chrześcijan-in/ka*). **2.** *US* osoba nie należąca do wspólnoty mormonów. **3.** pogan-in/ka. – *a.* **1.** innego wyznania (*zwł. niemojżeszowego*); nieżydowski. **2.** pogański. **3.** *jęz.* będący nazwą narodowości *l.* miejsca pochodzenia (*o rzeczowniku l. przymiotniku; np. "Pole", "Polish"*).

gentility [dʒenˈtɪlətɪ] *n. U* **1.** (*także* **genteelness**) *form. l. iron.* dobre maniery, uprzejmość (*zwł. afektowana, mająca świadczyć o przynależności do wyższych sfer*). **2.** *przest.* szlacheckie urodzenie *l.* pochodzenie. **3.** *przest.* wyższe sfery; szlachta.

gentle [ˈdʒentl] *a.* **1.** łagodny (*o osobie, zwierzęciu, zboczu, wietrzyku, wymówce*); delikatny, subtelny; **~ hint** subtelna aluzja; **~ persuasion** łagodna perswazja. **2.** *arch.* szlachecki, szlachetny, dobrze urodzony. **3.** *arch.* rycerski, szarmancki. **4.** **~ reader** *arch. l. żart.* miły *l.* drogi czytelniku (*zwrot stosowany zwł. przez autorów powieści*); **the ~ art/craft** *przest.* wędkarstwo (*l. inne zajęcie wymagające cierpliwości*); **the ~(r) sex** *przest. l. żart.* płeć piękna. – *v.* **1.** poskromić (*dzikie zwierzę*); ujeździć (*konia*). **2.** *lit.* ułagodzić, udobruchać. **3.** *przest.* nadać szlachectwo (*komuś*). – *n.* **1.** *arch.* szlachci-c/anka; osoba dobrze urodzona. **2.** *ryb.* larwa muchy plujki (*używana jako przynęta*).

gentlefolk [ˈdʒentlˌfoʊk], **gentlefolks** *n. pl. przest.* szlachta; wyższe sfery.

gentleman [ˈdʒentlmən] *n. pl.* **-men** **1.** dżentelmen. **2.** (*grzecznościowo*) pan; **(ladies and) gentlemen** (panie i) panowie (*sposób zwracania się*); **good evening, ladies and gentlemen** dobry wieczór państwu. **3.** *przest.* szlachcic, mężczyzna szlachetnie urodzony (*zwł. posiadający osobiste źródła dochodu*).

gentleman-at-arms [ˌdʒentlmənətˈɑːrmz] *n. pl.* **gentlemen-at-arms** *Br.* członek królewskiej gwardii przybocznej.

gentlemanly [ˈdʒentlmənlɪ] *a.* dżentelmeński (*o zachowaniu*); kulturalny, dobrze wychowany (*o osobie*).

gentleman's agreement, gentlemen's agreement *n.* dżentelmeńska umowa.

gentleman's gentleman *n. gł. hist.* kamerdyner, lokaj.

gentleness [ˈdʒentlnəs] *n. U* łagodność.

gentlewoman [ˈdʒentlˌwʊmən] *n. pl.* **-women** *przest.* szlachetnie urodzona kobieta.

gently [ˈdʒentlɪ] *adv.* łagodnie, delikatnie; powoli, ostrożnie; ~ **does it** *Br. pot.* nie tak szybko, (zrób to) spokojnie.

gentrification [ˌdʒentrɪfɪˈkeɪʃən] *n. U* podniesienie statusu (*biednej dzielnicy l. ulicy poprzez osiedlenie się tam bogatszej ludności*).

gentrify [ˈdʒentrɪfaɪ] *v.* **-ied, -ying** podnosić status (*jw.*).

gentry [ˈdʒentrɪ] *n. z czasownikiem w l. mn. l. poj.* **1. the** ~ szlachta; **the landed** ~ ziemiaństwo. **2.** *pot. zw. pog.* ludzie (*określonego rodzaju*).

gents [dʒents] *n. zob.* **gent** 2.

genuflect [ˈdʒenjʊˌflekt] *v. zwł. rz.-kat.* przyklękać, zginać kolano.

genuflection [ˌdʒenjʊˈflekʃən], **genuflexion** *n. C/U zwł. rz.-kat.* przyklęknięcie.

genuine [ˈdʒenjuːɪn] *a.* **1.** prawdziwy (*np. o futrze, diamentach*); autentyczny, oryginalny (*np. o obrazie znanego mistrza*); **the** ~ **article** *pot.* autentyczny okaz *l.* egzemplarz (= *osoba l. rzecz stanowiąca doskonały przykład czegoś*). **2.** szczery, otwarty (*o osobie*); szczery, niekłamany (*np. o podziwie*).

genuinely [ˈdʒenjuːɪnlɪ] *adv.* **1.** prawdziwie; autentycznie, oryginalnie. **2.** szczerze.

genuineness [ˈdʒenjuːɪnnəs] *n. U* **1.** prawdziwość; autentyczność, oryginalność. **2.** szczerość.

genus [ˈdʒiːnəs] *n. pl.* **genera** **1.** *bot., zool.* rodzaj (*w systematyce*). **2.** *mat.* genus.

geobotany [ˌdʒiːoʊˈbɑːtənɪ] *n. U* geobotanika.

geocentric [ˌdʒiːoʊˈsentrɪk] *a. astron., fil.* geocentryczny.

geochemistry [ˌdʒiːoʊˈkemɪstrɪ] *n. U* geochemia.

geochronology [ˌdʒiːoʊkrəˈnɑːlədʒɪ] *n. U* geochronologia.

geocorona [ˌdʒiːoʊkəˈroʊnə] *n. geogr.* zewnętrzna warstwa magnetosfery.

geod. *abbr.* = **geodesy**; = **geodetic**.

geode [ˈdʒiːoʊd] *n. geol.* geoda.

geodesic [ˌdʒiːəˈdesɪk] *a. geol.* = **geodetic**. – *n.* (*także* ~ **line**) *geom.* krzywa geodezyjna, geodetyka.

geodesic dome *n. bud.* kopuła geodezyjna.

geodesist [dʒiːˈɑːdəsɪst] *n.* geodet-a/ka.

geodesy [dʒiːˈɑːdəsɪ] *n. U* geodezja.

geodetic [ˌdʒiːəˈdetɪk] *a.* (*także* **geodetical, geodesic**) *geol.* geodezyjny.

geog. *abbr.* = **geographic**; = **geographical**; = **geography**.

geognosy [dʒiːˈɑːgnəsɪ] *n. hist. nauki* geognozja (*dawna nazwa geologii*).

geographer [dʒiːˈɑːgrəfər] *n.* geograf.

geographical [ˌdʒiːəˈgræfɪkl], **geographic** [ˌdʒiːəˈgræfɪk] *a.* geograficzny.

geographically [ˌdʒiːəˈgræfɪklɪ] *adv.* geograficznie.

geographical mile *n.* = **nautical mile**.

geography [dʒiːˈɑːgrəfɪ] *n. U* **1.** geografia. **2. the** ~ **of sth** ukształtowanie (przestrzenne) czegoś (*np. danego terenu, kraju*); rozkład czegoś (*np. budynku*).

geoid [ˈdʒiːɔɪd] *n.* geoida.

geol. *abbr.* = **geologic**; = **geological**; = **geology**.

geologic [ˌdʒiːəˈlɑːdʒɪk], **geological** [ˌdʒiːəˈlɑːdʒɪkl] *a.* geologiczny.

geologically [ˌdʒiːəˈlɑːdʒɪklɪ] *adv.* geologicznie.

geologist [dʒiːˈɑːlədʒɪst] *n.* geolog.

geology [dʒiːˈɑːlədʒɪ] *n. U* **1.** geologia. **2. the** ~ **of sth** budowa geologiczna czegoś.

geom. *abbr.* geometric; geometrical; geometry.

geometric [ˌdʒiːəˈmetrɪk], **geometrical** [ˌdʒiːəˈmetrɪkl] *a.* geometryczny.

geometrically [ˌdʒiːəˈmetrɪklɪ] *adv.* geometrycznie.

geometric figure *n.* figura geometryczna.

geometric mean *n. mat.* średnia geometryczna.

geometric progression *n. U mat.* postęp geometryczny.

geometrics [ˌdʒiːəˈmetrɪks] *n. pl.* geometryczny deseń *l.* wzór (*w zdobnictwie*).

geometry [dʒiːˈɑːmɪtrɪ] *n. U* **1.** geometria. **2. the** ~ **of sth** budowa *l.* struktura czegoś (*np. cząsteczki DNA, kręgosłupa*).

geomorphology [ˌdʒiːəmɔːrˈfɑːlədʒɪ] *n. U geol.* geomorfologia.

geophysical [ˌdʒiːəˈfɪzɪkl] *a.* geofizyczny.

geophysicist [ˌdʒiːəˈfɪzɪsɪst] *n.* geofizy-k/czka.

geophysics [ˌdʒiːəˈfɪzɪks] *n. U* geofizyka.

geophyte [ˈdʒiːəˌfaɪt] *n. bot.* geofit.

geopolitical [ˌdʒiːəpəˈlɪtəkl] *a.* geopolityczny.

geopolitics [ˌdʒiːəˈpɑːlɪtɪks] *n. U* geopolityka.

Geordie [ˈdʒɔːrdɪ], *Br. pot. n.* **1.** mieszkaniec/ka (okolic) Newcastle. **2.** *U* dialekt z (okolic) Newcastle. – *a.* charakterystyczny dla (okolic) Newcastle (*np. o akcencie*).

George [dʒɔːrdʒ] *n. Br.* **1.** *lotn. sl.* pilot automatyczny. **2. by** ~**!** *przest.* na Jowisza! (*wyraża przyjemne zaskoczenie*).

georgette [ˌdʒɔːrˈdʒet] *n. U tk.* żorżeta.

Georgia ['dʒɔ:rdʒə] *n. geogr.* **1.** *US* Georgia. **2.** Gruzja.

Georgian[1] ['dʒɔ:rdʒən] *a.* **1.** *US* dotyczący Georgii. **2.** gruziński. – *n.* **1.** *US* mieszkaniec/ka Georgii. **2.** Gruzin/ka. **3.** *U* (język) gruziński.

Georgian[2] *Br. hist. a.* georgiański (= *z czasów Jerzego I, II, III i IV (1714-1830), zwł. o architekturze i meblach; z czasów Jerzego V (1910-1936), zwł. o poezji*). – *n.* osoba żyjąca w czasach georgiańskich.

georgic ['dʒɔ:rdʒɪk] *a. lit.* wiejski; rolniczy. – *n. teor. lit.* georgika.

geoscience [ˌdʒi:ə'saɪəns] *n.* nauka o ziemi (*np. geologia l. geochemia*); *U* nauki o ziemi (*zbiorowo*).

geosphere [ˌdʒi:ə'sfi:r] *n. geol.* geosfera.

geostationary [ˌdʒi:ə'steɪʃəˌnerɪ] *a.* (*także* **geosynchronous**) geostacjonarny (*o satelicie*).

geosyncline [ˌdʒi:ə'sɪnklaɪn] *n. geol.* geosynklina.

geotectonic [ˌdʒi:ətek'tɑ:nɪk] *a. geol.* geotektoniczny.

geothermal [ˌdʒi:ə'θɝ:ml], **geothermic** [ˌdʒi:ə'θɝ:mɪk] *a. geol.* geotermiczny.

geotropic [ˌdʒi:ə'trɑ:pɪk] *a. bot.* geotropiczny.

geotropism [dʒi:'ɑ:trəˌpɪzəm] *n. U bot.* geotropizm.

Ger. *abbr.* German; Germany.

geranium [dʒɪ'reɪnɪəm] *n. bot.* **1.** geranium (*Geranium*). **2.** *pot.* pelargonia (*Pelargonium*).

gerbera ['dʒɝ:bərə] *n. bot.* gerbera (*Gerbera*).

gerbil ['dʒɝ:bɪl] *n.* (*także* **jerbil**) *zool.* gryzoń z podrodziny myszoskoczków (*Gerbillinae*).

gerent ['dʒi:rənt] *n. lit.* **1.** przywód-ca/czyni. **2.** kierowni-k/czka.

gerfalcon ['dʒɝ:ˌfɔ:lkən] *n.* = **gyrfalcon**.

geriatric [ˌdʒerɪ'ætrɪk] *a. attr.* **1.** *med.* geriatryczny. **2.** *pot. pog.* stary i zniedołężniały. – *n.* **1.** *med.* osoba w podeszłym wieku. **2.** *pot. pog.* stara i zniedołężniała osoba.

geriatrics [ˌdʒerɪ'ætrɪks] *n. U med.* geriatria.

germ [dʒɝ:m] *n.* **1.** *pat.* zarazek, drobnoustrój chorobotwórczy. **2.** *zool.* zarodek. **3.** *bot.* zalążek; kiełek. **4.** *przen.* zalążek (*np. pomysłu*).

German ['dʒɝ:mən] *a.* niemiecki. – *n.* **1.** Niem-iec/ka. **2.** *U* (język) niemiecki.

german ['dʒɝ:mən] *a. form. w złoż.* **brother-~** rodzony brat; **cousin-~** brat cioteczny *l.* stryjeczny; siostra cioteczna *l.* stryjeczna.

German cockroach *n. ent.* prusak (*Blattella germanica*).

German Democratic Republic *n. hist.* Niemiecka Republika Demokratyczna.

germander [dʒər'mændər] *n. biol.* ożanka właściwa (*Teucrium chamaedrys*).

germane [dʒər'meɪn] *a. pred. form.* istotny, mający znaczenie (*to sth* dla czegoś) (*zwł. dla danej kwestii*); związany z tematem, należący do tematu.

Germanic [dʒər'mænɪk] *a.* **1.** germański. **2.** *gł. hist.* niemiecki. – *n. U jęz.* **1.** języki germańskie, grupa języków germańskich. **2.** język protogermański.

Germanism ['dʒɝ:məˌnɪzəm] *n.* **1.** *gł. jęz.* germanizm. **2.** *U* germanofilstwo.

Germanist ['dʒɝ:mənɪst] *n.* germanist-a/ka.

germanium [dʒər'meɪnɪəm] *n. U chem.* german.

Germanization [ˌdʒɝ:mənaɪ'zeɪʃən], *Br. i Austr. zw.* **Germanisation** *n. U* germanizacja, zniemczenie.

Germanize ['dʒɝ:məˌnaɪz] *v.* germanizować (się), zniemczyć (się).

Germanizer ['dʒɝ:məˌnaɪzər] *n.* germanizator.

German measles *n. U pat.* różyczka.

Germanophile [dʒər'mænəˌfaɪl], **Germanophil** *n.* germanofil/ka. – *a.* germanofilski.

Germanophilia [dʒərˌmænə'fi:lɪə] *n. U* germanofilia.

Germanophobe [dʒər'mænəˌfoʊb] *n.* germanofob. – *a.* nie lubiący tego, co germańskie.

Germanophobia [dʒərˌmænə'foʊbɪə] *n. U* germanofobia.

German shepherd *n. kynol.* owczarek niemiecki.

Germany ['dʒɝ:mənɪ] *n. geogr.* Niemcy.

germicidal [ˌdʒɝ:mə'saɪdl] *a.* bakteriobójczy.

germicide ['dʒɝ:məˌsaɪd] *n.* środek bakteriobójczy.

germinal ['dʒɝ:mənl] *a.* **1.** *biol.* zarodkowy; zalążkowy. **2.** *przen. form.* kiełkujący, w zarodku.

germinal disk *a. biol.* tarczka zarodkowa (*jaja*).

germinate ['dʒɝ:məˌneɪt] *v.* **1.** *bot. l. przen.* kiełkować. **2.** doprowadzać do kiełkowania (*czegoś*).

germination [ˌdʒɝ:mə'neɪʃən] *n. bot. l. przen.* kiełkowanie.

germ warfare *n. U* wojna bakteriologiczna.

gerontological [dʒəˌrɑ:ntə'lɑ:dʒɪkl] *a. med.* gerontologiczny.

gerontologist [ˌdʒerən'tɑ:lədʒɪst] *n. med.* gerontolog.

gerontology [ˌdʒerən'tɑ:lədʒɪ] *n. U med.* gerontologia.

gerrymander ['dʒerɪˌmændər], **jerrymander** *v.* **1.** *polit.* dzielić nieuczciwie okręg wyborczy (*celem uzyskania większości*). **2.** *przen.* manipulować (*czymś*). – *n.* (*także* **~ing**) *polit.* nieuczciwy podział okręgu wyborczego (*jw.*).

gerund ['dʒerənd] *n. gram.* gerundium, rzeczownik odczasownikowy *l.* odsłowny.

gerundive [dʒə'rʌndɪv] *n. gram.* gerundivum, przymiotnik odczasownikowy *l.* odsłowny (*w łacinie*).

gesso ['dʒesoʊ] *n. C/U pl.* **-es** *mal., rzeźba* gips.

gest [dʒest], **geste** [dʒest] *n. arch.* **1.** *teor. lit.* poemat (*zwł. średniowieczny*). **2.** bohaterski czyn.

Gestalt [gə'ʃtɑ:lt], **gestalt** *n. pl.* **-s** *l.* **-en** *gł. psych.* zorganizowany zespół wyobrażeń.

Gestalt psychology *n. U psych.* psychologia postaci, gestaltyzm.

Gestapo [gə'stɑ:poʊ] *n. z czasownikiem w liczbie pojedynczej l. mnogiej hist.* gestapo.

gestate ['dʒesteɪt] *v.* **1.** *fizj.* nosić (*płód*). **2.** *przen.* formować (*pomysł, ideę*); formować się (*o pomyśle, idei*).

gestation [dʒe'steɪʃən] *n. U fizj.* ciąża; (*także* ~ **period**) okres ciąży; *przen.* faza formowania się *l.* rozwoju (*pomysłu, idei*).

gestational [dʒe'steɪʃənl] *a.* **1.** *fizj.* ciążowy. **2.** *przen.* należący do fazy rozwoju.

gestatorial chair [ˌdʒestəˌtɔːrɪəl 'tʃer] *n. kośc.* przenośny tron papieski.

geste [dʒest] *n.* = **gest**.

gesticulate [dʒe'stɪkjəˌleɪt] *v.* gestykulować.

gesticulation [dʒeˌstɪkjə'leɪʃən] *n. C/U* gestykulacja.

gesticulative [dʒe'stɪkjəˌleɪtɪv], **gesticulatory** [dʒe'stɪkjələˌtɔːrɪ] *a.* gestykulacyjny.

gesture ['dʒestʃər] *n. t. przen.* gest; **as a ~ of goodwill/support** w geście dobrej woli/poparcia. – *v.* wskazywać (ręką) (*at/to/towards sb/sth* na kogoś/coś); ~ **for sb to do sth** dać komuś znak, żeby coś zrobił.

get [get] *v. pret. i pp.* **got** *pp. US i Austr. pot.* **gotten 1.** otrzymywać, dostawać (*sth from/off sb* coś od kogoś); zdobywać, uzyskiwać (*np. informacje, wiedzę*); zarabiać; ~ **a promotion** dostać awans; ~ **two years** *pot.* dostać dwa lata (*więzienia*); **he ~s $45,000 a year** zarabia 45 000 dolarów rocznie; **how much did she ~ for the design?** ile dostała za ten projekt?; **what did you ~ for your birthday?** co dostałeś na urodziny? **2.** kupować; **I got it cheap/free/for half the price** kupiłem to tanio/za darmo/za pół ceny. **3.** przynosić; dostarczać; sprowadzać; ~ **sb sth** (*także* ~ **sth for sb**) przynieść *l.* dostarczyć coś komuś; ~ **the doctor!** sprowadź *l.* wezwij lekarza!. **4.** dostać się, dotrzeć; ~ **somewhere/to sth** *t. przen.* dojść gdzieś *l.* do czegoś; ~ **home/to work** dotrzeć do domu/do pracy; **be ~ing nowhere** *przen.* nie robić żadnych postępów; **we'll ~ there in the end** *przen.* w końcu nam się uda; **you won't ~ very far with this attitude** *przen.* z takim nastawieniem daleko nie zajdziesz *l.* nie zajedziesz. **5.** trafić (*gdzieś*); podziać *l.* zapodziać się; **where has it got to?** gdzie to się podziało?. **6.** brać, wziąć; ~ **a train/bus** pojechać pociągiem/autobusem; ~ **a taxi** wziąć taksówkę. **7.** stawać się, robić się; ~ **better** (*także* ~ **well**) wyzdrowieć; ~ **drunk** upić się; ~ **lost** zgubić się; ~ **married** ożenić się; wyjść za mąż; ~ **ready** przygotowywać (się); ~ **tired** męczyć się; **it's ~ing cold** robi się zimno; **you're ~ting to be just like your father** robisz się zupełnie taki, jak twój ojciec. **8.** zostać; ~ **elected** zostać wybranym; **he got shouted at** nakrzyczano na niego; **her purse got stolen** skradziono jej torebkę; **we got caught in a storm** złapała nas burza. **9.** zaczynać; zabierać się za (*coś*); ~ **to know sb** poznać kogoś (bliżej); **I'm ~ting to like it** zaczynam to lubić; zaczyna mi się to podobać; **let's ~ started** zaczynajmy; **they got talking** zaczęli rozmawiać; **we must ~ going/moving** musimy ruszać; musimy się pośpieszyć. **10.** zachorować na (*grypę, odrę*), zarazić się (*sth off/from sb* czymś od kogoś); *pot.* złapać (*infekcję, wirusa*); ~ **a cold** przeziębić się, dostać kataru. **11.** *pot.* usłyszeć (*dokładnie l. wyraźnie*); **I didn't ~ the name** nie dosłyszałam nazwiska. **12.** łapać (*t. = odbierać, np. stację radiową*); przyłapać (*na błędzie*); ~ **him!** łapać go!; ~ **sb** połączyć się z kimś (*telefonicznie*). **13.** *pot.* rozumieć; ~ **the hint/message** zrozumieć aluzję; **don't ~ me wrong** nie zrozum mnie źle; **he didn't ~ the joke** nie zrozumiał żartu; **I ~ the picture** (wszystko) rozumiem; **I don't ~ it** nie rozumiem. **14.** trafić (*t. = uderzyć, zranić*); **the bullet got him in the leg** kula trafiła go w nogę. **15.** *pot.* dopaść (= *zemścić się, dać nauczkę*); zabić; **I'll ~ you yet!** jeszcze cię dopadnę!, jeszcze ci pokażę!. **16.** przygotowywać, szykować, robić; **who's ~ing dinner tonight?** kto dziś robi kolację?. **17.** *pot.* ~ **sb** brać kogoś (= *oddziaływać na emocje*); wkurzać kogoś; **it ~s me when...** wkurza mnie, kiedy...; **this music really ~s me** ta muzyka naprawdę mnie bierze; **what has got him?** co go ugryzło?. **18.** ~ **(to)** dotykać, ranić (*np. o złośliwych uwagach*). **19.** ~ **to do sth** *pot.* mieć okazję coś zrobić, móc coś zrobić; **you'll ~ to meet a lot of interesting people** będziesz miał okazję poznać wielu interesujących ludzi; **when do we ~ to see her?** kiedy będziemy mogli ją zobaczyć?. **20.** ~ **sb to do sth** kazać komuś coś zrobić; nakłonić kogoś do zrobienia czegoś, przekonać kogoś, żeby coś zrobił. **21.** ~ **sth done** kazać coś zrobić, dać coś do zrobienia; zrobić coś; ~ **the car repaired** oddać samochód do naprawy; ~ **the washing done** zrobić pranie; **he couldn't ~ the car started** nie mógł uruchomić samochodu; **I must ~ my hair washed/cut** muszę umyć/obciąć włosy. **22. have got** *zwł. Br.* mieć; **how many cars have you got?** ile macie samochodów?; **she's got a doctorate in physics** ma doktorat z fizyki. **23. have got to** *zwł. Br.* musieć; **I've got to go** muszę iść. **24.** *przen.* ~ **the bill** zapłacić (*np. w restauracji*); ~ **the door** otworzyć drzwi (*na dzwonek l. pukanie*); ~ **the phone** odebrać telefon; **I'll ~ it!** ja otworzę!; ja odbiorę!; ja zapłacę!. **25.** *przen.* ~ **even (with sb)** *zob.* **even**[1] *a.*; ~ **him/her!** *US pot.* spójrz (no tylko) na niego/na nią! (= *zobacz, jak śmiesznie wygląda*); ~ **it** dostać za swoje; *US wojsk. sl.* zginąć, zostać zabitym; ~ **on sb's nerves** działać komuś na nerwy; ~ **real!** *sl.* obudź *l.* opamiętaj się! (= *spójrz na sprawę trzeźwo*); ~ **rid of sb/sth** *zob.* **rid** *a.*; ~ **sb to o.s.** mieć kogoś tylko dla siebie, być z kimś sam na sam; ~ **sb with child** *arch.* zapłodnić kogoś; ~ **sth on sb** *pot.* mieć coś na kogoś (= *mieć obciążające informacje na czyjś temat*); ~ **the sack** *zob.* **sack** *n.*; ~ **the upper hand** *zob.* **hand** *n.*; ~ **this!** *pot.* posłuchaj (tylko)!, wyobraź sobie!; ~ **what's coming to you** (*także Br.* ~ **yours**) *pot.* dostać za swoje; ~ **wind of sth** *zob.* **wind** *n.*; **you (don't) ~ sth somewhere** *pot.* coś gdzieś (nie) występuje; **you got it!** *pot. emf.* to jest to!, świetnie!; załatwione!, masz to jak w banku!; **you got me there** *pot.* poddaję się (= *nie wiem*); **(you've) got it in one** *Br. pot.* zgadłeś. **26.** ~ **about** *Br.* wstawać z łóżka, (móc) chodzić (*po chorobie*); *pot.* sypiać z wszystkimi dookoła; *zob. t.* **get around**; ~ **across** dotrzeć (= *zostać zrozumianym; o wiadomości, znaczeniu*); przekazać, wyrazić (*określone treści*); ~ **sth across to sb**

wytłumaczyć coś komuś; ~ **along** być w dobrych stosunkach, żyć w zgodzie (*with sb* z kimś); radzić sobie, dawać sobie radę; iść sobie; kontynuować (*with sth* coś); ~ **around** (*także Br.* ~ **about**) podróżować, przenosić się z miejsca na miejsce; rozchodzić się (*o informacjach, plotkach*); udzielać się towarzysko; (*także Br.* ~ **round**) omijać, obchodzić (*przepisy*); przekonać; przechytrzyć; ~ **around to (doing) sth** wreszcie zabrać się za coś *l.* do czegoś; wreszcie coś zrobić; ~ **at** sięgnąć, dosięgnąć (*czegoś*); *przen.* dotrzeć do (*prawdy, faktów*); insynuować, sugerować; *pot.* czepiać się (*kogoś*); zastraszyć (*np. sędziego*); **what are you ~ting at?** do czego zmierzasz?, co chcesz zasugerować?; ~ **away** uciec, wyrwać się; *pot.* wyjechać na wakacje; ~ **away!** *pot.* zabieraj się stąd!; *Br. pot.* nie opowiadaj! (*wyrażając zdziwienie l. niedowierzanie*); ~ **away from** odejść od (*t. tematu*); ~ **away with sth** zrobić coś bezkarnie; **he got away with it** uszło mu to na sucho; ~ **back** wracać; ~ **sth back** odzyskać coś (*np. pieniądze*); ~ **back at sb** odegrać się na kimś, odpłacić komuś (*for sth* za coś); ~ **back to sb** *pot.* skontaktować się z kimś ponownie (*zwł. telefonicznie*); **I'll ~ back to you (later)** zadzwonię jeszcze raz (później); ~ **back to sth** wrócić do czegoś (*np. do pracy po przerwie*); powracać do czegoś (*np. do tematu, sprawy*); **I couldn't ~ back to sleep** nie mogłem z powrotem zasnąć; ~ **behind with sth** mieć zaległości w czymś (*zwł. w pracy*); zalegać z czymś (*np. z czynszem*); ~ **by** jakoś sobie radzić (*zwł. finansowo*); **I can ~ by in Spanish** potrafię się dogadać po hiszpańsku; ~ **down** zejść; usiąść; zsiąść (*np. z konia*); *Br. zwł. dziec.* odejść od stołu (*po skończonym posiłku*); ~ **sb down** przygnębiać kogoś; ~ **sth down** znieść coś (*z góry na dół*); zanotować *l.* zapisać coś; połknąć coś (*zwł. z trudem*); ~ **down on one's knees** paść na kolana; ~ **down to sth** zabrać się za coś *l.* do czegoś; ~ **down to business** przejść do rzeczy; ~ **in** wejść (*t. przen., np. do parlamentu*); dostać się do środka; wjechać (na stację) (*o pociągu*); przyjechać (na miejsce); wrócić do domu (*zwł. wieczorem l. w nocy*); zbierać (*plony*), gromadzić (*zapasy*); ~ **a plumber/electrician in** wezwać hydraulika/elektryka; ~ **sb/sth in** *pot.* znajdować czas dla kogoś/na coś; ~ **sth in** wnieść coś (*np. do pokoju*); wtrącić coś (*uwagę, komentarz*); ~ **in on sth** *pot.* włączyć się w coś; ~ **in with sb** *pot.* zakolegować się z kimś (*zwł. w oczekiwaniu korzyści*); ~ **into** wsiąść do (*samochodu*); dostać się do (*t. przen., np. do szkoły, organizacji*); dostać się na (*uniwersytet, studia*); wdać się w (*konwersację, bójkę*); *pot.* zaangażować się w; zainteresować się (*czymś*); ~ **into a state/temper** zdenerwować *l.* zezłościć się; ~ **into the habit of doing sth** nabrać zwyczaju robienia czegoś; ~ **into trouble** wpaść w tarapaty; ~ **sb into trouble** wpędzić kogoś w tarapaty; **I can't ~ into these trousers** *pot.* nie wchodzę w te spodnie, nie mieszczę się w tych spodniach; **what's got(ten) into him?** *pot.* co w niego wstąpiło?; ~ **off** zdejmować (*ubranie, buty*); wysiadać (z) (*pociągu, autobusu, samolotu*); zsiadać (z) (*konia, roweru*); wyruszać (*w podróż, drogę*); urwać się (*wcześniej z pracy*); uniknąć kary (*o winowajcy*); ujść bezkarnie (*o przewinieniu*); wykpić się (*with sth* czymś) (*np. symboliczną grzywną*); *US pot.* mieć orgazm; ~ **off!** *pot.* odwal się!; ~ **sb off** pomóc komuś uniknąć kary; ~ **off (to sleep)** zasnąć; ~ **sb off (to sleep)** uśpić kogoś (*zwł. dziecko*); ~ **off sb's back/case** *pot.* zejść z kogoś (= *odczepić się*); ~ **off to a good/bad start** *zob.* **start** *n.*; ~ **off with sb** *zwł. Br. pot.* nawiązać z kimś stosunki (*seksualne*); **I ~ off at 4:30** kończę (pracę) o wpół do piątej; **sb ~s off on sth** *pot.* coś kogoś rajcuje; **tell sb where to ~ off** *przen. pot.* powiedzieć komuś, żeby się odwalił; ~ **on** zakładać, ubierać; wsiadać (do), pociągu, autobusu, samolotu; być w dobrych stosunkach, żyć w zgodzie (*with sb* z kimś); ~ **on to sth** *Br.* przechodzić do czegoś (*zwł. do nowego tematu*); ~ **on with it!** dalej!, pospiesz się!; ~ **on with sth** kontynuować coś; robić postępy w czymś; ~ **it on** *US pot.* sypiać ze sobą; ~ **on in years** posuwać się w latach; **be ~ting on** starzeć się; **time is ~ing on** czas nagli; **be ~ting on for 60** *Br.* zbliżać się do sześćdziesiątki; **it's ~ting on for 8 o'clock** *Br.* dochodzi (godzina) ósma; ~ **on to sb** (*także* ~ **onto sb**) skontaktować się z kimś, zwrócić się do kogoś (*z prośbą o pomoc l. informacje*); ~ **onto** zostać członkiem (*komisji, organizacji*); przejść do (*kolejnego tematu*); ~ **out** wyjść; wydostać się (*of sth* skądś); wysiąść (*np. z taksówki*); wydać się, wyjść na jaw; wyjąć; wywabić (*plamę*); wyprodukować, wydać (*gazetę, katalog*); ~ **out!** wynoś się!; ~ **sb out** pomóc komuś uciec; ~ **sth out** *przen.* wydusić coś z siebie (= *z trudem powiedzieć*); ~ **out of (doing) sth** wymigać się od czegoś; wycofać się z czegoś; ~ **sth out of sb** wyciągnąć coś od kogoś (*np. pieniądze*); wydobyć coś z kogoś (*np. wyznanie*); ~ **out of hand** wymykać się spod kontroli; ~ **out of sight** zniknąć z oczu; ~ **money out of the bank** podejmować pieniądze z banku; ~ **over** przekazywać (*określone treści*); dojść do siebie po (*chorobie, ciężkich przejściach*); poradzić sobie z (*trudnościami, problemami*), pokonać, przezwyciężyć (*opory, zahamowania*); **I want to ~ it over with** chcę jak najszybciej mieć to za sobą; **she couldn't ~ over it** *pot.* nie dawało jej to spokoju; nie mogła się temu nadziwić; ~ **round** *Br. zob.* **get around**; ~ **through** przeżyć, przetrwać, przejść przez (*trudny okres*); uporać się z (*czymś*); przeprowadzić, zrealizować (*plan*); przebrnąć przez (*książkę*); zdać, zaliczyć (*egzamin, sprawdzian*); wydać, przepuścić (*dużą sumę*); ~ **through to sb** skontaktować się z kimś; dodzwonić się do kogoś; zrobić na kimś wrażenie; dotrzeć *l.* trafić do kogoś (= *zostać właściwie zrozumianym*); **they couldn't ~ the piano through the door** nie mogli przenieść pianina przez drzwi; ~ **together** spotykać się; zejść się (ze sobą) (*zwł. o partnerach seksualnych*); zgodzić się, dojść do porozumienia (*on sth* w jakiejś sprawie); sporządzić (*np. plan*); ~ **it/o.s. together** pozbierać się, zebrać się do kupy; ~ **up** wstawać (*z łóżka l. z pozycji siedzącej*); nasilać się (*o wietrze, burzy*); burzyć się (*o morzu*); rozbudzać (*odwagę, entuzjazm*); ~ **up speed** nabierać prędkości; ~ **it up** *pot.* mieć wzwód; ~ **sb**

up obudzić kogoś (*zwł. rano*); ~ **sb up as sb/sth** *Br.* przebrać kogoś za kogoś/coś; ~ **sth up** zorganizować *l.* przygotować coś; ~ **up to sb/sth** podejść do kogoś/czegoś; **what are they ~ting up to in there?** co oni tam wyprawiają *l.* wyrabiają?. – *n.* **1.** *płn. Br. pog.* bachor. **2.** potomstwo (*zwł. konia wyścigowego*). **3.** *przest. l. dial.* łup, zdobycz, zysk. **4.** *tenis itp.* odbicie trudnej piłki.

get-at-able [get'ætəbl] *a. pot.* osiągalny, dostępny.

getaway ['getəˌweɪ], **get-away** *n.* **1.** ucieczka; **make a/one's ~** uciec, zbiec. **2.** krótki urlop, krótkie wakacje; miejsce wyjazdu (*wakacyjnego*). **3.** początek wyścigu.

getaway speed *n. lotn.* prędkość oderwania się (*od ziemi podczas startu*).

get-go [ˌget'goʊ] *n.* **from the ~** *US pot.* od samego początku.

get-out ['getˌaʊt] *n. pot.* **1.** ucieczka (*z trudnej sytuacji*). **2.** *teatr* wynoszenie dekoracji, kostiumów i rekwizytów z teatru (*po zdjęciu sztuki z afisza*).

get-rich-quick scheme [ˌgetˌrɪtʃ'kwɪk ˌski:m] *n. pot.* plan szybkiego wzbogacenia się.

get-together ['gettəˌgeðər] *n. pot.* spotkanie (*towarzyskie*).

getup ['getˌʌp], **get-up** *n. pot.* strój (*zwł. dziwaczny l. nieodpowiedni na daną okazję*).

get-up-and-go [ˌgetʌpənd'goʊ] *n. U pot.* energia, determinacja; zapał.

get-well card [get'wel ˌkɑ:rd] *n.* kartka z życzeniami powrotu do zdrowia.

gewgaw ['gju:gɔ:], **geegaw** *n.* świecidełko, błyskotka.

geyser ['gaɪzər] *n.* **1.** *geol.* gejzer. **2.** *Br.* bojler, piecyk gazowy (*w łazience*).

G-force ['dʒi:ˌfɔ:rs] *n. fiz.* siła ciężkości.

Ghana ['gɑ:nə] *n. geogr.* Ghana.

Ghanaian [gɑ:'neɪən], **Ghanian** *a.* ghański. – *n.* Ghańczyk/Ghanka.

gharial ['gerɪəl] *n.* (*także* **gavial**) *zool.* wielki krokodyl indyjski (*Gavialis gangeticus*).

ghastliness ['gæstlɪnəs] *n. U* **1.** koszmarność. **2.** upiorność.

ghastly ['gæstlɪ] *a.* **-ier, -iest** **1.** koszmarny, straszny. **2.** upiorny, trupio blady (*o cerze*). – *adv.* **1.** koszmarnie, strasznie. **2.** upiornie.

gherkin ['gɝ:kɪn] *n. kulin.* korniszon.

ghetto ['getoʊ] *n. pl.* **-s** *pl.* **-es** getto.

ghetto blaster *n. pot.* przenośny radiomagnetofon o dużej mocy.

ghettoize ['getoʊˌaɪz], *Br. i Austr. zw.* **ghettoise** *v. t. przen.* **1.** zamykać w getcie. **2.** zamieniać w getto.

ghost [goʊst] *n.* **1.** duch, zjawa, upiór; **believe in ~s** wierzyć w duchy; **the Holy G~** *rel.* Duch Święty. **2.** *rel. arch.* dusza. **3.** *opt.* widmo. **4.** = **ghostwriter**. **5.** *przen.* ~ **of a smile** cień uśmiechu; **give up the ~** zrezygnować, zniechęcić się; *żart.* wysiąść (*np. o komputerze, samochodzie*); *przest.* wyzionąć ducha; **lay/exorcise the ~ of sth** *Br.* wyzwolić się od czegoś (*zwł. od bolesnego wspomnienia*); **not have/stand a ~ of a chance** *pot.* nie mieć najmniejszej szansy. – *v.* = **ghostwrite**.

ghostbuster ['goʊstˌbʌstər] *n. pot.* **1.** egzorcyst-a/ka. **2.** *fin.* pracowni-k/ca urzędu skarbowego zajmując-y/a się ściganiem oszustów podatkowych.

ghost dance *n. US* indiański taniec religijny z duchami przodków (*wymordowanych przez przybyszów z Europy*).

ghostlike ['goʊstlaɪk] *a.* = **ghostly** 1.

ghostliness ['goʊstlɪnəs] *n. U* upiorność; niesamowitość.

ghostly ['goʊstlɪ] *a.* **-ier, -iest** **1.** widmowy; upiorny; niesamowity. **2.** *arch. rel.* duchowy.

ghost story *n. pl.* **-ies** opowieść *l.* historia o duchach.

ghost town *n.* wymarłe miasto.

ghost train *n.* kolejka strachu (*w lunaparku*).

ghost word *n.* wyraz powstały wskutek błędu i spopularyzowany np. przez pomyłkowe umieszczenie w słowniku.

ghostwrite ['goʊstˌraɪt] *v.* pisać za kogoś (*zwł. autobiografię*).

ghostwriter ['goʊstˌraɪtər], **ghost writer** *n.* autor/ka piszący-y/a za kogoś.

ghoul [gu:l] *n.* **1.** *t. przen.* upiór, zły duch (*zwł. w baśniach*). **2.** złodziej rabujący grobowce.

ghoulish ['gu:lɪʃ] *a.* upiorny, makabryczny.

GHQ [ˌdʒi: ˌeɪtʃ 'kju:] *abbr.* **General Headquaters** *wojsk.* KG (= *Kwatera Główna*).

GI [ˌdʒi: 'aɪ] *n. pot.* żołnierz armii amerykańskiej (*zwł. w czasie II wojny światowej*).

giant ['dʒaɪənt] *n.* olbrzym, wielkolud; *mit. grecka* gigant; *przen.* gigant, potentat (*osoba l. firma*). – *a. attr.* gigantyczny, olbrzymi; największy (*np. o opakowaniu proszku do prania*).

giant anteater *n. zool.* mrówkojad wielki *l.* grzywiasty (*Myrmecophaga tridactyla*).

giantess ['dʒaɪəntəs] *n.* olbrzymka.

giantism ['dʒaɪənˌtɪzəm] *n. U* = **gigantism**.

giant panda *n.* = **panda**.

giant sequoia *n.* (*także* **giant redwood**) *bot.* drzewo mamutowe (*Sequoiadendron giganteum*).

giant star *n. astron.* czerwony olbrzym.

giant tortoise *n. zool.* żółw lądowy z rodzaju *Geochelone* (*np. żółw olbrzymi Geochelene gigantea*).

gib[1] [gɪb] *n. mech.* **1.** przykładka liniowa, przeciwklin. **2.** prowadnica.

gib[2] *n.* kocur (*zwł. wykastrowany*).

gibber ['dʒɪbər] *v.* bełkotać; mówić od rzeczy.

gibberish ['dʒɪbərɪʃ] *n. U* bełkot (= *bezsensowna gadanina l. pisanina*); **talk ~** gadać bez sensu, mówić od rzeczy.

gibbet ['dʒɪbɪt] *n.* **1.** szubienica. **2.** *mech.* wysięgnik żurawia. – *v. arch.* **1.** powiesić (*na szubienicy*). **2.** wystawić na widok publiczny (*ciało wisielca na szubienicy*). **3.** *przen.* publicznie ośmieszyć (*zwł. w publikacji o szerokim zasięgu*).

gibbon ['gɪbən] *n. zool.* gibon (*Hylobates*).

gibbose ['gɪboʊs], **gibbous** *a.* **1.** garbaty; wypukły. **2.** ~ **moon** *astron.* Księżyc między pierwszą kwadrą a pełnią.

gibbosity [gɪ'bɑ:sətɪ] *n.* garb; *C* / *U* wypukłość.

gibe [dʒaɪb], **jibe** *n.* kpina, przycinek. – *v.* kpić (*at sb* z kogoś).

giblets ['dʒɪbləts] *n. pl. kulin.* podroby drobiowe.

Gibraltar [dʒɪ'brɔ:ltər] *n. geogr.* Gibraltar.

gid [gɪd] *n. U wet.* cenuroza, kołowacizna (*u owiec*).

giddap [gɪ'dæp] *int.* = **giddyup**.

giddiness ['gɪdɪnəs] *n. U* zawroty głowy; oszołomienie.

giddy ['gɪdɪ] *a.* **-ier, -iest 1. be/feel** ~ mieć zawroty głowy. **2.** ~ **with sth** *przen.* oszołomiony *l.* upojony czymś (*np. sukcesem*). **3.** *attr. t. przen.* przyprawiający o zawroty *l.* zawrót głowy, oszałamiający (*np. o wysokości*); wirujący z zawrotną prędkością. **4.** *przest.* frywolny, niepoważny. **5. act/play the** ~ **goat** *zob.* **goat**.

giddyup ['gɪdɪˌʌp], **giddy-up** *int.* (*także* **giddap**) wio!.

gift [gɪft] *n.* **1.** prezent, upominek, podarunek, podarek; **make sb a** ~ **of sth** podarować komuś coś. **2.** *zw. sing.* dar, talent (*for sth* do czegoś); ~ **of tongues** *Bibl.* dar języków. **3.** *przen. pot.* **a** ~ *Br.* darmocha (= *coś kupionego bardzo tanio*); łatwizna (*np. sprawdzian, zadanie*); **don't/never look a** ~ **horse in the mouth** *zob.* **horse** *n.*; **have the** ~ **of (the) gab** *zob.* **gab** *n.*; **sth is in sb's** ~ *Br.* ktoś może rozdawać coś (*np. stanowiska, intratne posady*); coś leży w czyjejś gestii. – *v.* ~ **sth to sb** (*także* ~ **sb with sth**) *form.* podarować coś komuś, obdarować kogoś czymś.

gift certificate *n. US* talon *l.* bon towarowy.

gifted ['gɪftɪd] *a.* utalentowany (*zwł. o artyście*); bardzo zdolny (*o dziecku, uczniu*).

gift shop *n.* sklep z upominkami.

gift token, gift voucher ['vaʊtʃər] *n. Br.* = **gift certificate**.

gift-wrap ['gɪftˌræp] *v.* **-pp-** pakować w kolorowy papier, ładnie pakować (*towar przeznaczony na prezent*).

gig¹ [gɪg] *n. pot.* koncert, występ (*zwł. zespołu pop l. jazzowego*). – *v.* dawać koncert *l.* koncerty, występować (*jw.*).

gig² *n.* **1.** *hist.* gig (= *lekki jednokonny wóz dwukołowy*). **2.** *żegl.* gig. **3.** *górn.* klatka wyciągu, skip. – *v.* **1.** *hist.* jechać gigiem. **2.** *żegl.* płynąć gigiem.

gig³ *n. ryb.* = **fishgig** *n.*

gigabyte ['gɪgəbaɪt] *n. komp.* gigabajt.

gigahertz ['dʒɪgəˌhɜ:ts] *n. pl.* **gigahertz** *fiz.* gigaherc.

gigantic [dʒaɪ'gæntɪk] *a.* gigantyczny, ogromny.

gigantically [dʒaɪ'gæntɪklɪ] *adv.* gigantycznie.

gigantism [dʒaɪ'gæntɪzəm] *n. U pat., biol., bot.* gigantyzm.

gigantomachy [ˌdʒaɪgən'tɑ:məkɪ] *n. U pl.* **-ies** (*także* **gigantomachia**) *mit. l. przen.* gigantomachia, walka gigantów.

gig barrel *n.* (*także* **gig mill**) *mech., tk.* draparka bębnowa.

giggle ['gɪgl] *v.* chichotać. – *n.* chichot; **(a fit of) the ~s** atak wesołości; **for a** ~ *Br. i Austr. pot.* dla śmiechu *l.* żartu.

giggler ['gɪglər] *n.* chichotka, śmieszka.

giggly ['gɪglɪ] *a.* **-ier, -iest** chichotliwy, chichoczący.

gig mill *n.* = **gig barrel**.

gigolo ['dʒɪgəˌloʊ] *n. pl.* **-s** żigolo, gigolo.

gigot ['dʒɪgət] *n. kulin.* udziec barani.

Gila monster ['hi:lə ˌmɑ:nstər] *n. zool.* heloderma arizońska (*Heloderma suspectum*).

gild¹ [gɪld] *v.* **1.** złocić, pozłacać. **2.** ~ **the lily** *zwł. Br. pot.* przedobrzyć.

gild² *n.* = **guild** *n.*

gilded ['gɪldɪd] *a.* **1.** (*także* **gilt**) złocony, pozłacany. **2.** *przen.* uprzywilejowany, bogaty; ~ **youth** złota młodzież.

gilding ['gɪldɪŋ] *n. U* **1.** (*także* **gilt**) złocenie, pozłota. **2.** złocenie, pozłacanie.

gill¹ [gɪl] *n. zw. pl.* **1.** *icht.* skrzele. **2.** *biol.* blaszka (*grzyba*). **3.** *pl. zool.* korale (*u indyka*); dzwonki (*u drobiu*). **4.** *przen.* **green/pale around the ~s** *żart.* niezdrowo blady; **to the ~s** *pot.* po brzegi, do granic możliwości. – *v.* **1.** patroszyć (*rybę*). **2.** czyścić (*grzyby*).

gill² [dʒɪl] *n.* ćwierć kwarty (*US = 0,118 l; Br. = 0,142 l*).

gill³ [gɪl] (*także* **ghyll**) *n. dial.* **1.** strumyk, potok. **2.** zalesiony wąwóz.

gill⁴ [dʒɪl] (*także* **jill**) *n.* **1.** *dial.* fretka (*samica*). **2.** *arch. l. pog.* = **girl**.

gillie ['gɪlɪ], **ghillie, gilly** *n. Scot.* **1.** pomocnik myśliwego lub rybaka. **2.** *hist.* służący naczelnika (*u górali szkockich*).

gill net ['gɪl ˌnet] *n. ryb.* siatka do chwytania ryb za skrzela.

gilt¹ [gɪlt] *a. attr.* = **gilded** 1. – *n.* **1.** = **gilding** 1. **2.** *pl.* = **gilt-edged securities**. **3. take the** ~ **off the gingerbread** *Br. pot.* popsuć całą zabawę.

gilt² *n. zwł. US* młoda świnka.

gilt cup *n. bot.* jaskier bulwkowy (*Ranunculus bulbosus*).

gilt-edged [ˌgɪlt'edʒd], **gilt-edge** *a.* **1.** ze złoconymi brzegami (*np. o książce*). **2.** *fin., giełda* bezpieczny. **3.** *pot.* pierwszorzędny.

gilt-edged securities, gilt-edged stocks *n. Br. fin.* obligacje państwowe.

gimbals ['dʒɪmblz] *n. pl. techn.* zawieszenie kardanowe (*np. żyroskopu*).

gimcrack ['dʒɪmˌkræk] *a. attr.* tandetny. – *n.* tandeta, błyskotka.

gimcrackery ['dʒɪmˌkrækərɪ] *n. U* tandeta.

gimlet ['gɪmlɪt] *n.* **1.** *stol.* świder ręczny (*z uchwytem*). **2.** *US* koktajl z dżinu *l.* wódki i soku z limonki. – *v.* **1.** *stol.* wiercić otwory w (*drewnie*). **2.** *przen.* świdrować (*wzrokiem*). – *a. attr.* przenikliwy, świdrujący (*o oczach, wzroku*).

gimmick ['gɪmɪk] *n. pot. uj.* **1.** sztuczka, chwyt (*zw. nieuczciwy*). **2.** gadżet. **3.** *US* kruczek, haczyk.

gimmickry ['gɪmɪkrɪ] *n. U pot. uj.* sztuczki, chwyty.

gimmicky ['gɪmɪkɪ] *a. pot. uj.* wymyślny.

gimp[1] [dʒɪmp] (*także* **guimpe**) *n. C/U* **1.** *tk.* gruby wełniany *l.* jedwabny sznur z wplecioną drucianą nitką (*używany jako ozdobne wykończenie*). **2.** *ryb.* jedwabna żyłka wzmocniona drutem.

gimp[2] *n. US obelż. sl.* **1.** kulawiec, kulas. **2.** łamaga.

gimpy [ˈgɪmpɪ] *a.* **-ier, -iest** *US obelż. sl.* kulawy.

gin[1] [dʒɪn] *n. C/U* dżin, jałowcówka; ~ **and tonic** dżin z tonikiem; ~ **and it** *pot.* dżin z (włoskim) wermutem.

gin[2] [dʒɪn] *n. U* (*także* ~ **rummy**) *karty* rodzaj remika.

gin[3] *n.* **1.** (*także* ~ **trap**) sidła, pułapka. **2.** (*także* **cotton** ~) *mech.* odziarniarka bawełny. **3.** *mech.* wciągnik na trójnogu. **4.** *mech.* kołowrót. – *v.* **-nn- 1.** łapać w sidła. **2.** *mech.* odziarniać (*bawełnę*).

gin[4] *n. Austr. obelż. sl.* aborygenka.

gin[5] [gɪn] *v.* (*także* **'gin**) *poet. l. arch.* = **begin.**

gingelly [ˈdʒɪndʒlɪ] *n.* = **gingili.**

ginger [ˈdʒɪndʒər] *n. U* **1.** *bot.* imbir lekarski (*Zingiber officinale*); *kulin.* imbir. **2.** *Br.* rudy kolor (*włosów, sierści, futra*). **3.** *przen.* werwa, żywotność. – *v.* **1.** *kulin.* przyprawiać imbirem. **2.** ~ **up** rozruszać; ożywić; uatrakcyjnić. – *a. attr.* **1.** imbirowy. **2.** rudy.

ginger ale *n. C/U* napój imbirowy (*gazowany, często mieszany z alkoholem*).

ginger beer *n. C/U* napój imbirowy (*gazowany, bezalkoholowy*).

gingerbread [ˈdʒɪndʒərˌbred] *n. U* **1.** piernik; *C* pierniczek. **2.** *US przest. sl.* forsa. **3.** *bud. pot.* niepotrzebne zdobienia. **4. take the gilt off the** ~ *zob.* **gilt** *n.* 3.

ginger group *n. Br., Austr. i Can.* grupa nacisku.

gingerly [ˈdʒɪndʒərlɪ] *adv.* ostrożnie, nieufnie. – *a.* ostrożny, nieufny.

ginger snap *n.* (*także Br. i Austr.* **ginger nut/biscuit**) twardy pierniczek.

ginger wine *n. U* wino imbirowe.

gingery [ˈdʒɪndʒərɪ] *a.* imbirowy.

gingham [ˈgɪŋəm] *n. U tk.* tkanina bawełniana *l.* lniana w drobną kratkę (*zawsze na białym tle*).

gingili [ˈdʒɪndʒlɪ], **gingelly** *n. U* **1.** *bot.* sezam indyjski (*Sesamum Indicum*). **2.** *kulin.* olej sezamowy.

gingival [dʒɪnˈdʒaɪvl] *a. anat.* dziąsłowy.

gingivitis [ˌdʒɪndʒəˈvaɪtɪs] *n. U pat.* zapalenie dziąseł.

gink [gɪŋk] *n. sl.* facet, gość.

ginkgo [ˈgɪŋkgoʊ], **gingko** *n. bot.* miłorząb japoński (*Gingko biloba*).

ginormous [dʒaɪˈnɔːrməs] *a. Br. i Austr. pot. żart.* ogromniasty.

gin rummy *n.* = **gin**[2].

ginseng [ˈdʒɪnseŋ] *n. U bot.* żeń-szeń (*Panax ginseng*); *med.* korzeń żeń-szenia.

gin sling *n.* gin z wodą, cukrem i sokiem z cytryny *l.* z limonki.

gin trap *n.* = **gin**[3] *n.***1.**

gip [dʒɪp] *n. i v.* = **gyp**[1].

gippo [ˈdʒɪpoʊ] *n. pl.* **-s** *dial. pog.* Cygan/ka.

gippy tummy [ˌdʒɪpɪ ˈtʌmɪ] *n.* = **gyppy tummy.**

gipsy [ˈdʒɪpsɪ], **Gipsy** *n. Br.* = **gypsy.**

giraffe [dʒəˈræf] *n. zool.* żyrafa (*Giraffa camelopardalis*).

girandole [ˈdʒɪrənˌdoʊl] *n.* **1.** kandelabr, świecznik (*mocowany do ściany*). **2.** kolczyk *l.* wisiorek z kamieniem szlachetnym otoczonym przez mniejsze kamienie. **3.** rodzaj wirującego ognia sztucznego. **4.** pająk wodny (*wodotrysk*).

girasol [ˈdʒɪrəˌsɔːl], **girosol, girasole** [ˈdʒɪrəˌsoʊl] *n. C/U min.* opal ognisty.

gird[1] [gɜːd] *v. pret. t.* **girt** *lit. l. żart.* **1.** przepasać (się), opasać (się) (*with sth* czymś) (*np. sznurem, pasem*). **2.** przypasać (*with sth* coś) (*np. miecz*). **3.** otoczyć (*np. miasto; o wojskach nieprzyjaciela*). **4.** (*także* **girth**) otaczać, opasywać (*o płocie, pasie*). **5.** ~ **o.s.** (*także* ~ **(up) one's loins**) *żart.* przygotowywać się (*for sth* na coś). **6.** ~ **on** przypasać, przywiązać; ~ **up** przewiązać (się) (*np. sznurem, paskiem*).

gird[2] *v. płn. Br. dial.* śmiać się, kpić (*at sb/sth* z kogoś/czegoś).

girder [ˈgɜːdər] *n.* **1.** *bud., lotn.* dźwigar, belka nośna; **diagonal** ~ *bud.* zastrzał, belka ukośna, pręt przekątny; **T** ~ *bud.* dźwigar teowy. **2.** *budowa okrętów* wzdłużnik.

girdle[1] [ˈgɜːdl] *n.* **1.** pas elastyczny (*optycznie wyszczuplający kobietę w talii i w biodrach*). **2.** pas; szarfa; sznur. **3.** *jubilerstwo* rondysta (= *brzeg kamienia oddzielający koronę od podstawy*). **4.** *anat.* obręcz; **shoulder/pelvic** ~ obręcz kończyny górnej/dolnej. **5.** *leśn.* obręcz (*na drzewie, po usunięciu kory*). – *v.* **1.** *lit.* opasać; otoczyć. **2.** *leśn.* obrączkować (*drzewo*).

girdle[2] *n. Scot.* = **griddle.**

girl [gɜːl] *n.* **1.** dziewczynka; dziewczyna. **2.** córka; **my little** ~ moja córeczka. **3.** = **girlfriend. 4.** *przest.* panna. **5.** *przest.* służąca. **6. my** ~ *przest.* moje dziecko (*protekcjonalnie do młodej kobiety*); **old** ~ *pot.* stara (*o starej kobiecie; t. przest. zwracając się do koleżanki*).

girl Friday *n.* pomoc biurowa.

girlfriend [ˈgɜːlˌfrend] *n.* **1.** sympatia, dziewczyna, przyjaciółka. **2.** *zwł. US* koleżanka, przyjaciółka (*innej dziewczyny, kobiety*).

Girl Guide *n. zwł. Br. przest.* = **Girl Scout.**

girlhood [ˈgɜːlhʊd] *n. U przest.* **1.** wiek dziewczęcy; panieństwo. **2.** dziewczyny; panny.

girlie [ˈgɜːlɪ] *n. pl.* **-ies 1.** *pot. pog.* panienka (*o młodej kobiecie, zwł. pozującej do zdjęć pornograficznych*). **2.** *przest. pot.* dziewczynka, dziewuszka. – *a. attr.* **-ier, -iest** (*także* **girly**) *pot.* **1.** (odpowiedni) dla dziewczynek (*np. o kolorze*). **2.** przesadnie dziewczęcy (*zwł. o zachowaniu l. ubiorze dorosłej kobiety*). **3.** ~ **calendar/magazine** kalendarz/pismo ze zdjęciami rozebranych panienek.

girlish [ˈgɜːlɪʃ] *a.* dziewczęcy; *przest.* panieński.

Girl Scout *n. US* skautka, harcerka.

girly [ˈgɜːlɪ] *a.* = **girlie** *a.*

giro [ˈdʒaɪroʊ] *n. Br. ekon.* **1.** *pl.* **-s** żyro. **2.** *U*

bank ~ bankowy system przelewowy; **post office giro** pocztowy system przelewowy.

girt1 [gɜːt] *v. zob.* **gird1** *v.*

girt2 *n.* = **girth** *n.*

girth [gɜːθ] *n.* (*także* **girt**) **1.** miara w obwodzie, obwód. **2.** *U* masa (*ciała*); **of ample ~** korpulentny, przy tuszy. **3.** *jeźdz.* popręg. **4.** *bud.* gurt (*łuk przyporowy*). – *v.* **1.** *lit.* = **gird1** *v.* 4. **2. ~ (up)** *jeźdz.* podciągnąć popręg (*koniowi*).

gismo [ˈgɪzmoʊ] *n.* = **gizmo**.

gist [dʒɪst] *n.* **the ~** sedno (*sprawy*), esencja, istota; **give sb/get the ~ of sth** streścić komuś/zrozumieć najważniejsze punkty czegoś.

git [gɪt] *n. Br. sl.* palant (= *nieprzyjemna, denerwująca osoba*).

give [gɪv] *v. pret.* **gave** *pp.* **given** **1.** *t. przen.* dawać (*t. czas, prawo, szansę, pozwolenie, rady, koncert*); podawać (*np. lekarstwo, przyczynę, odpowiedź, czas, szczegóły*); wydawać (*np. przyjęcie, rozkazy, okrzyki*); nadawać (*np. imię, tytuł, formę, kształt*); przekazywać (*np. wiadomości*); przynosić (*np. efekty, zyski*). **2.** oddawać (*sth for sb / sth* coś za kogoś/coś) (*np. życie*); poświęcać (*sth to sb* coś komuś) (*np. uwagę, czas*). **3.** powodować; sprawiać (*kłopoty, wrażenie*); wzbudzać (*np. nadzieję*). **4.** zarażać; **she gave me her measles** zaraziła mnie odrą, zaraziłem się od niej odrą. **5.** (*z rzeczownikiem dla wyrażenia czynności*) **~ a sigh/moan** westchnąć/jęknąć; **~ sb a call/ring** zadzwonić do kogoś; **~ sb a fright/kiss/lift/push** przestraszyć/pocałować/podwieźć/popchnąć kogoś. **6. ~ o.s. to sb** *przest.* oddać się komuś (*o kobiecie*). **7.** zginać się; rozciągać się; *t. przen.* ustępować, uginać się (*np. pod wpływem ciężaru, nacisku*). **8.** złamać się; rozpaść się (*np. o meblu*). **9.** *przen.* **~ a speech** wygłosić przemówienie; **~ as good as one gets** *zwł. Br.* nie pozostawać dłużnym, odpłacać pięknym za nadobne; **~ birth** *zob.* **birth**; **~ credit where credit's due** *zob.* **credit** *n.*; **~ evidence** *zob.* **evidence** *n.*; **~ it to me straight** *pot.* powiedz mi wprost; **~ me X (any day/every time)** *pot.* ja tam wolę X, nie ma to jak X; **~ of o.s.** *form.* poświęcać się; **~ of one's time** *form.* poświęcać swój czas; **~ o.s. airs** *zob.* **air** *n.*; **~ one's best** (*także Br.* **~ one's all**) *przest.* dawać z siebie wszystko; **~ place to sth** *zob.* **place** *n.*; **~ rise to sth** *zob.* **rise** *n.*; **~ sb one's promise/word** dać komuś obietnicę/słowo; **~ sb to know/understand/believe (that)...** *form.* dać komuś do zrozumienia, że...; **~ sb what for** *pot.* porachować się z kimś (= *ukarać kogoś*); **~ sth a go/shot/try/whirl** *pot.* spróbować czegoś, przymierzyć się do czegoś; **~ the lie to sth** *zob.* **lie2** *n.*; **~ way** *zob.* **way**; **don't ~ me that!** *pot.* nie wciskaj mi tego! (= *nie próbuj mnie w ten sposób oszukiwać*); **I ~ you the groom/the prime minister!** *Br.* a oto i pan młody/pan premier! (*zachęta do oklasków l. wzniesienia toastu*); **I don't ~ a damn/hoot/shit** *pot.* mam to gdzieś; **I'd ~ anything/the world/my right arm/my eye teeth** (*także* **what I wouldn't ~**) oddałbym *l.* dałbym wszystko (*for sth* za coś, *to do sth* żeby móc coś zrobić); **not ~ sth another/a second thought** zupełnie się czymś nie przejmować; **(she's very clever,) I'll ~ you that** *pot.* (jest bardzo bystra,) przyznaję; **two thousand people turned up, ~ or take a few hundred** *pot.* przyszło ze dwa tysiące ludzi, przyszło plus minus dwa tysiące ludzi; **what ~s?** *pot.* co się dzieje?, co jest grane?. **10. ~ away** dawać *l.* rozdawać za darmo (*np. w ramach promocji*); rozdawać, wręczać (*np. nagrody*); oddawać, wydawać (*np. niepotrzebną odzież potrzebującym*); *form.* doprowadzić do ołtarza, oddać panu młodemu (*pannę młodą*); zmarnować (*szansę, okazję*); zdradzić, wydać (*sekret, nazwiska wspólników*); **~ the game away** *zob.* **game1** *n.*; **~ back** oddawać, zwracać; **~ sb sth back** (*także* **~ sth back to sb**) zwrócić *l.* oddać komuś coś; przywrócić komuś coś (*np. wzrok, wiarę w siebie*); **~ forth** *form. l. żart.* wydać (*dźwięk, okrzyk*); **~ in** dać za wygraną, ustąpić (*to sth* pod wpływem czegoś); *t. wojsk., sport* poddać się (*to sb* komuś); **~ sth in** *Br.* wręczyć *l.* oddać coś (*np. wypracowanie nauczycielowi, dokument urzędnikowi*); **~ in one's notice** *zob.* **notice** *n.*; **~ off** wydzielać (*np. zapach, promieniowanie*); **~ on to** (*także* **~ onto**) wychodzić na (*ulicę itp.; o oknie*); prowadzić do (*pokoju, ogrodu; o drzwiach, korytarzu*); **~ out** odmówić posłuszeństwa (*o części ciała l. urządzeniu*); wyczerpać się (*o baterii, zapasach, cierpliwości*); *Br. form.* ogłaszać, podawać do wiadomości (*that* że); **~ sth out** rozdawać coś (*np. ulotki*); wydzielać coś (*zapach, ciepło*); wydać coś (*dźwięk, okrzyk*); **~ out to sb** *Ir. pot.* nagadać komuś do słuchu; **~ over!** *Br.* przestań!; **~ over doing sth** *gł. Br. pot.* przestać coś robić; **~ o.s. over to sth** poddawać się czemuś (*uczuciu, nastrojowi*); **~ sth over to sb** powierzyć coś komuś; przekazać coś komuś; **be ~n over to sth** być przeznaczonym na coś; być poświęconym czemuś; być nastawionym *l.* nakierowanym na coś; **~ up** poddać się; zrezygnować; stracić nadzieję; **~ up doing sth** przestać coś robić; **~ o.s. up to sth** oddać *l.* poświęcić się czemuś (*np. pracy, idei*); **~ sb up** zerwać z kimś, rzucić kogoś; (*także* **~ up on sb**) spisać kogoś na straty, postawić na kimś krzyżyk; **~ sb up for dead/lost** uznać kogoś za zmarłego/zaginionego; **~ sb/o.s. up to the police** oddać kogoś/się w ręce policji; **~ sth up** rzucić coś (*np. pracę, palenie*), zerwać *l.* skończyć z czymś (*zwł. z nałogiem*); porzucić coś (*zwł. nadzieję*); zrezygnować z czegoś (*np. z kariery*); wyrzec się czegoś (*np. wiary, przekonań*); zrzec się czegoś (*np. opieki nad dziećmi*); zaniechać czegoś (*np. prób, wysiłków*); wydać *l.* wyjawić coś; **~ sth up to sb** odstąpić coś komuś; **~ up one's seat to sb** ustąpić komuś miejsca (*np. w tramwaju*); **~ a child up for adoption** oddać dziecko do adopcji; **~ up the ghost** *zob.* **ghost** *n.* – *n. U* **1.** uginanie się. **2.** giętkość; sprężystość. **3.** luz.

give-and-take [ˌgɪvənˈteɪk], **give and take** *n. U* **1.** wzajemne ustępstwa, kompromis; współpraca. **2.** (obustronnie korzystna) wymiana myśli *l.* informacji.

giveaway [ˈgɪvəˌweɪ], **give-away** *n.* **1.** *handl.* upominek (*dodawany do zakupu w ramach promocji*). **2.** *US i Can. radio, telew. pot.* program z nagrodami (*zwł. pieniężnymi*). **3. his expres-**

sion/accent was a (dead) ~ zdradzał go wyraz twarzy/akcent. – *a. attr. pot.* **1.** śmiesznie niski (*o cenach*). **2.** darmowy, gratisowy (*np. o próbkach towaru*).

giveback [ˈgɪvˌbæk] *n. US handl. pot.* zwrot (*zw. = suma pieniędzy zwracanych klientowi w zamian za kupno towaru od określonej firmy*).

given [ˈgɪvən] *v. zob.* **give** *v.* – *a.* **1.** *attr.* dany, ustalony (*np. o dacie, faktach, okolicznościach*); **a/any ~** dowolny, dany; **at a/any ~ moment** w danym *l.* dowolnym momencie. **2. be ~ to (doing) sth mieć coś w zwyczaju** mieć skłonności do (robienia) czegoś (*zwł. nagannego*). – *n. zw. sing. form.* ustalony *l.* ogólnie znany fakt; przyjęte założenie; **it was a ~ that he wouldn't come** z góry było wiadomo, że nie przyjdzie; **take sth as (a) ~** przyjąć coś za pewnik. – *conj.* zważywszy na, biorąc *l.* wziąwszy pod uwagę; **~ that...** zważywszy (na to), że...; **~ the circumstances, this is the only solution** biorąc pod uwagę okoliczności, jest to jedyne rozwiązanie.

given name *n. gł. US* imię.

giver [ˈgɪvər] *n.* daw-ca/czyni, dający-y/a.

gizmo [ˈgɪzmoʊ], **gismo** *n. pl.* **-s** *pot.* dinks, dynks; gadżet.

gizzard [ˈgɪzərd] *n.* **1.** *zool.* mielec (= *żołądek mięśniowy u ptaków, ryb i niektórych bezkręgowców*). **2.** *pot.* wnętrzności; **stick in sb's ~** *przen. pot.* być dla kogoś nie do strawienia.

glabrous [ˈgleɪbrəs], **glabrate** [ˈgleɪbreɪt] *a. biol.* bez włosów *l.* włosków, gładki.

glacé [glæˈseɪ], *US t.* **glacéed** [glæˈseɪd] *a. attr.* **1.** *kulin.* kandyzowany, w cukrze (*o owocach*); lukrowany, w polewie lukrowej (*o torcie, cieście*). **2.** *gł. US kulin.* mrożony. **3.** glansowany (*o tkaninie, skórze*); satynowany (*o papierze*).

glacial [ˈgleɪʃl] *a. zw. attr.* **1.** *geol.* lodowcowy, glacjalny; polodowcowy. **2.** *t. chem. l. przen.* lodowaty (*np. o wietrze, spojrzeniu*). **3.** *przen.* ślimaczy (*o tempie*).

glacial acetic acid *n. U chem., med.* kwas octowy lodowaty.

glacial epoch *n.* = **glacial period**.

glacially [ˈgleɪʃlɪ] *adv.* **1.** *geol.* na skutek działania lodowca. **2.** *gł. przen.* lodowato.

glacial period *n.* (*także* **glacial epoch**) *geol.* glacjał, okres lodowcowy.

glaciated [ˈgleɪʃɪˌeɪtɪd] *a.* **1.** *geol.* starty *l.* wygładzony na skutek działania lodowca (*o terenie, dolinie*). **2.** *przest.* oblodzony.

glaciation [ˌgleɪʃɪˈeɪʃən] *n. U geol.* zlodowacenie.

glacier [ˈgleɪʃər] *n. geol.* lodowiec.

glaciologist [ˌgleɪʃɪˈɑːlədʒɪst] *n.* glacjolog.

glaciology [ˌgleɪʃɪˈɑːlədʒɪ] *n. U* glacjologia.

glacis [ˈglæsɪ] *n. pl.* **-es** *l.* **glacis** *wojsk.* sztuczny stok (*stosowany przy budowie fortyfikacji*).

glad[1] [glæd] *a.* **-dd- 1.** *pred.* zadowolony; **be ~** być zadowolonym, cieszyć się (*about sth* z czegoś, *that* że); **I'm ~ to hear/say it** miło mi to słyszeć/powiedzieć; **I'd be (only too) ~ to help** z (wielką) chęcią *l.* przyjemnością pomogę; **we were ~ of her help** byliśmy jej wdzięczni za pomoc. **2.** *przen.* **~ tidings** *przest. l. żart.* dobra nowina; **give sb the ~ eye** *Br. przest. sl.* pożerać kogoś wzrokiem; **sb's ~ rags** *pot. żart.* czyjeś najlepsze ubranie. – *v.* **-dd-** *arch.* = **gladden**[1].

glad[2] *n. pot.* = **gladiolus** *n.*

gladden [ˈglædən] *v. przest.* radować (się), cieszyć (się); **~ sb's heart** radować czyjeś serce.

gladdon [ˈglædən] *n. bot.* kosaciec, irys (*Iris foetidissima*).

glade [gleɪd] *n.* polana; polanka.

glad hand *n. pot.* **give sb the ~** uścisnąć komuś serdecznie dłoń, przywitać się z kimś serdecznie; *przen.* zabiegać o czyjeś względy (*np. o polityku*).

gladhand [ˌglædˈhænd] *v. pot.* ściskać dłonie; *przen.* podlizywać się.

gladiate [ˈglædɪɪt] *a. bot.* mieczykowaty.

gladiator [ˈglædɪˌeɪtər] *n.* gladiator.

gladiatorial [ˌglædɪəˈtɔːrɪəl] *a.* gladiatorski.

gladiolus [ˌglædɪˈoʊləs] *n. pl. t.* **gladioli** [ˌglædɪˈoʊlaɪ] *bot.* mieczyk (*Gladiolus*).

gladly [ˈglædlɪ] *adv.* **1.** chętnie, z chęcią. **2.** z zadowoleniem; wesoło, radośnie.

gladness [ˈglædnəs] *n. U* zadowolenie; radość.

gladsome [ˈglædsəm] *a. arch. l. lit.* zadowolony.

Gladstone [ˈglædˌstoʊn] *n. hist.* lekki powóz czterokołowy ze składanym dachem.

Gladstone bag *n.* nieduża walizka.

Glagolitic [ˌglægəˈlɪtɪk] *a.* **~ alphabet** *jęz.* głagolica.

glair [gler] *n. U gł. introl.* **1.** białko (*jaja*). **2.** klej (*l. inna substancja przypominająca białko*). – *v.* smarować białkiem *l.* klejem.

glaive [gleɪv] *n. arch.* miecz.

glam [glæm] *a. Br. pot.* = **glamorous**.

glamor [ˈglæmər], *Br.* **glamour** *n.* **1.** *U* czar, urok, powab; atrakcyjność; świetność, blask, splendor; przepych. **2.** *arch.* czar, zaklęcie.

glamor girl, *Br.* **glamour girl** *n. pot.* piękna, ale kiepska aktorka.

glamorize [ˈglæməˌraɪz], *Br. i Austr. zw.* **glamorise** *v.* upiększać, idealizować; przedstawiać w romantycznym świetle (*coś nieprzyjemnego l. wzbudzającego kontrowersje*).

glamorous [ˈglæmərəs] *a.* olśniewający, czarujący; pełen przepychu.

glamorously [ˈglæmərəslɪ] *adv.* olśniewająco, czarująco; z przepychem.

glamorpuss [ˈglæmərˌpʊs] *n. przest.* kokietka, strojnisia.

glamour [ˈglæmər] *n. Br.* = **glamor**.

glance[1] [glæns] *v.* **1.** zerkać, rzucać okiem (*at sb/sth* na kogoś/coś). **2.** połyskiwać, błyszczeć; odbijać światło. **3. ~ (off)** ześliznąć się z (*czegoś*); odbić się od (*czegoś, np. o strzale*). **4. ~ around** (*także Br.* **about**) rozejrzeć się po (*pokoju itp.*); **off/from the subject** *przen.* odejść *l.* odbiec od tematu; **over the subject** *przen.* prześlizgiwać się po temacie; **~ through/over sth** zerknąć na coś, przejrzeć coś (*pobieżnie*); **~ up** podnieść wzrok (*from sth* znad czegoś). – *n.* **1.** zerknięcie, rzut oka; **at a ~** od razu, z miejsca (*np. zorientować się, rozpoznać kogoś*); **at first ~** na pierwszy rzut oka; **cast/take a ~ at sb/sth** rzucić okiem na kogość/coś; **exchange ~s** wymienić spojrzenia. **2.** błysk, błyśnięcie. **3.** ześlizgnięcie się; odbicie (się), rykoszet. **4.** *przest.* uwaga, aluzja (*at/upon sth* do czegoś).

glance2 *n. min.* błyszcz.

glancing ['glænsɪŋ] *a.* z ukosa, z boku (*zwł. o ciosie*).

gland1 [glænd] *n.* **1.** *anat.* gruczoł. **2.** (*także* **lymph ~**) *anat.* węzeł chłonny. **3.** *bot.* utwór gruczołowy.

gland2 *n. mech.* **1.** dławik, dławica. **2.** dławnica (*uszczelnienie dławieniowe*).

glanders ['glændərz] *n. U wet.* nosacizna.

glandes ['glændi:z] *n. pl. zob.* **glans**.

glandular ['glændʒələr], **glandulous** ['glændʒələs] *a.* gruczołowy.

glandular fever *n. U Br. pat.* mononukleoza zakaźna.

glandule ['glændʒu:l] *n. anat.* mały gruczoł.

glans [glænz] *n. pl.* **glandes** ['glændi:z] *anat.* żołądź (*prącia l. łechtaczki*).

glare1 [gler] *v.* **1.** świecić jaskrawo; błyszczeć oślepiającym blaskiem; razić. **2.** patrzeć piorunującym wzrokiem (*at sb/sth* na kogoś/coś). **3.** razić, rzucać się w oczy (*o błędach, niesprawiedliwości*). – *n.* **1.** *U l. sing.* rażące światło; oślepiający blask. **2.** piorunujący wzrok; uporczywe spojrzenie. **3.** jaskrawość, krzykliwość (*np. stroju*). **4. in the (full) ~ of publicity** *przen.* w świetle reflektorów (= *wzbudzając zainteresowanie mediów*).

glare2 *a. gł. US i Can.* gładki i błyszczący; szklisty.

glaring ['glerɪŋ] *a.* **1.** jaskrawy, oślepiający, rażący (*o blasku, świetle*). **2.** *przen.* rażący (*o błędzie, niesprawiedliwości*).

glaringly ['glerɪŋlɪ] *adv. t. przen.* jaskrawo, rażąco.

glary ['glerɪ] *a.* **-ier, -iest** jaskrawy, rażący.

glasnost ['glæs,noust] *n. U hist., polit.* głasnost (= *polityka otwartości deklarowana przez władze byłego ZSRR od 1985 r.*).

glass [glæs] *n.* **1.** *U* szkło; **armored ~** szkło zbrojone; **cast ~** szkło lane *l.* odlewane; **cut ~** szkło rżnięte *l.* rzeźbione; **ground~** *fot.* matówka (*szkło matowe*); **under ~** pod szkłem (= *w szklarni*). **2.** (*także* **~ware**) wyroby szklane, szkło. **3.** szklanka; (*także* **wine ~**) kieliszek; (*także* **beer ~**) kufel. **4.** (*także* **~ful**) szklanka (*of sth* czegoś); kieliszek (*jw.*); kufel (*jw.*); **have had a ~ too many** *przen.* wypić o jeden kieliszek za dużo (= *upić się*). **5.** (*także* **looking ~**) *przest.* lustro. **6.** soczewka, szkło (*np. w okularach, lornetce*); szkiełko (*w zegarku*); **burning ~** soczewka wypukła, szkło powiększające; **magnifying ~** szkło powiększające. **7. the ~** *przest. l. żegl.* barometr. **8.** *pl. zob.* **glasses**. – *a. attr.* **1.** szklany, ze szkła. **2. people who live in ~ houses shouldn't throw stones** *przen.* kto sam nie jest bez wad, nie powinien krytykować innych. – *v.* **1.** szklić; **~ in** oszklić (*np. werandę*). **2.** *przest.* wkładać do słoja *l.* słojów. **3.** *sl.* pociąć (= *poranić szkłem, zwł. czyjąś twarz w czasie bójki*).

glass-blower ['glæs,blouər] *n.* dmuchacz szkła.

glass-blowing ['glæs,blouɪŋ] *n. U* dmuchanie szkła.

glass case *n.* witryna; gablotka; serwantka.

glass ceiling *n. przen.* nieprzekraczalny pułap kariery zawodowej (*wynikający z dyskryminacji i przesądów dotyczących zwł. kobiet i mniejszości narodowych*).

glasses ['glæsɪz] *n. pl.* **1.** (*także* **eye~**) okulary; **dark ~** ciemne okulary; **look at sth through rose-colored ~** (*także Br.* **look at sth through rose-tinted ~**) *przen.* patrzeć na coś przez różowe okulary. **2.** lornetka; **field/opera ~** lornetka polowa/teatralna.

glass fibre *n. U* włókno szklane.

glassful ['glæsful] *n.* = **glass** *n.* 4.

glass harmonica *n.* (*także* **harmonica**) *hist., muz.* harmonika (szklana).

glasshouse ['glæs,haus] *n.* **1.** *US* = **glassworks**. **2.** *gł. Br.* = **greenhouse**. **3. the ~** *Br. wojsk. sl.* areszt wojskowy.

glassine [glæ'si:n] *n. U* rodzaj przezroczystego papieru.

glassman ['glæsmən] *n. pl.* **-men** szklarz.

glass snake *n. zool.* żółtopuzik (*Ophisaurus ventralis*).

glassware ['glæs,wer] *n. U* = **glass** *n.* 2.

glasswool ['glæs,wul] *n. Br.* = **glass fibre**.

glassworks ['glæs,wɜ:ks] *n. pl.* **glassworks** huta szkła.

glasswort ['glæs,wɜ:t] *n. bot.* **1.** soliród (*Salicornia*). **2.** solanka kolczysta (*Salsola kali*).

glassy ['glæsɪ] *a.* **-ier, -iest** *t. przen.* szklisty; szklany (*np. o tafli wody*); **~ stare/eyes/look** szklany wzrok, szklane spojrzenie.

Glaswegian [glæs'wi:dʒən] *a.* pochodzący z Glasgow; dotyczący Glasgow. – *n.* mieszkaniec/ka Glasgow.

Glauber salt ['glaubər ,sɔ:lt], **Glauber's salt** *n. U chem.* sól glauberska.

glaucoma [glɔ:'koumə] *n. U pat.* jaskra.

glaucomatous [glɔ:'koumətəs] *a. pat.* **1.** jaskrowy. **2.** dotknięty jaskrą.

glauconite ['glɔ:kə,naɪt] *n. U min.* glaukonit.

glaucous ['glɔ:kəs] *a.* **1.** niebieskawozielony. **2.** *bot.* pokryty szarym *l.* białawym nalotem (*np. o winogronach*).

glaze [gleɪz] *v.* **1.** szklić; **~ in** oszklić. **2.** *ceramika, kulin.* glazurować. **3.** *mal.* werniksować. **4.** polerować, wygładzać, glansować; satynować (*papier*). **5. ~ (over)** przybierać szklany wygląd (*o oczach*). – *n. U* **1.** *ceramika* glazura, szkliwo. **2.** *mal.* werniks. **3.** *kulin.* glazura. **4.** *meteor. zwł. US* = **glaze ice**.

glazed [gleɪzd] *a.* **1.** oszklony; przeszklony. **2.** *ceramika, kulin.* glazurowany. **3. ~ eyes/look/expression** szklany wzrok, szklane spojrzenie.

glaze ice *n. U* (*także* **glazed frost**) *meteor.* gołoledź.

glazer ['gleɪʒər] *n.* **1.** polerowacz/ka (*osoba*). **2.** przyrząd *l.* tarcza do polerowania.

glazier ['gleɪʒər] *n.* szklarz.

glaziery ['gleɪʒərɪ] *n. U* szklenie (*okien*).

glazing ['gleɪzɪŋ] *n. U* **1.** szklenie (*okien*); szyby; **double** ~ podwójne szyby. **2.** *ceramika* glazurowanie, szkliwienie; glazura, szkliwo. **3.** *kulin.* lukrowanie, glazurowanie; lukier, glazura. **4.** *mal.* werniksowanie; werniks. **5.** satynowanie (*papieru*). **6.** nabłyszczanie (*np. skóry*).

glazing drum *n. mech.* nabłyszczarka bębnowa.

glazing machine *n. mech.* **1.** gładziarka; kalander. **2.** nabłyszczarka.

glazy ['gleɪzɪ] *a.* **-ier, -iest** szklisty.

gleam [gli:m] *n. zw. sing. l. U* blask, świecenie; *t. przen.* błysk, przebłysk, promyk, iskierka; ~ **of humor/interest** przebłysk humoru/zainteresowania; ~ **of hope** iskierka nadziei. – *v. t. przen.* świecić (się); błyszczeć, pobłyskiwać; **her eyes ~ed with amusement** *przen.* w jej oczach pobłyskiwało rozbawienie.

gleaming ['gli:mɪŋ] *a.* świecący; błyszczący, lśniący (*t. czystością*).

glean [gli:n] *v.* **1.** gromadzić *l.* zbierać z trudem (*informacje, szczegóły*); ~ **sth from sb** wydobyć coś z kogoś (= *dowiedzieć się*). **2.** *roln.* zbierać (kłosy *l.* pokłosie).

gleanings ['gli:nɪŋz] *n. pl.* **1.** zgromadzone informacje *l.* szczegóły. **2.** *roln.* zebrane pokłosie.

glebe [gli:b] *n. U* **1.** *poet.* gleba, ziemia. **2.** *Br. kośc.* ziemia przyznana duchownemu jako część beneficjum.

glee [gli:] *n.* **1.** *U* radość, radosne podniecenie. **2.** *muz.* pieśń a capella na trzy *l.* więcej głosów (*zw. męskich*).

glee club *n. US* towarzystwo śpiewacze.

gleeful ['gli:fʊl] *a.* radosny, wesoły.

gleefully ['gli:fʊlɪ] *adv.* radośnie, wesoło.

gleeman ['gli:mən] *n. pl.* **-men** *hist.* minstrel.

gleet [gli:t] *n. U pat.* **1.** zapalenie cewki moczowej towarzyszące zaawansowanej rzeżączce. **2.** śluzowo-ropny wyciek z cewki moczowej (*jw.*).

glen [glen] *n.* wąska dolina górska (*w Szkocji l. Irlandii*).

glengarry [glen'gerɪ] *n. pl.* **-ies** *Scot.* męskie nakrycie głowy ze wstążkami z tyłu (*część szkockiego stroju ludowego*).

glenoid ['gli:nɔɪd] *a. anat.* panewkowy; ~ **cavity** (*także* **~al cavity**) panewka stawowa łopatki.

glib [glɪb] *a.* **-bb-** *zw. uj.* **1.** wygadany (*zw. t. nieszczery l. bezmyślny; np. o polityku*). **2.** łatwy, nieprzemyślany (*o obietnicy, uogólnieniu*); gładki, bez zająknienia (*o odpowiedzi, usprawiedliwieniu*).

glibly ['glɪblɪ] *adv.* gładko, bez zająknienia.

glibness ['glɪbnəs] *n. U* wygadanie, łatwość wysławiania się (*połączona z brakiem szczerości*).

glide [glaɪd] *v.* **1.** ślizgać się (*np. o wężu, łyżwiarzu, spojrzeniu*); sunąć (*along / over sth* po czymś) (*np. o tancerzu, statku*). **2.** *t. lotn.* szybować (*o ptaku, samolocie, pilocie szybowca*). **3.** ~ **into sth** *gł. przen.* stopniowo przechodzić w coś. **4.** *muz.* stosować portamento. – *n.* **1.** ślizganie się; posuwisty ruch. **2.** *lotn.* lot ślizgowy, ślizg. **3.** *fon.* głoska przejściowa. **4.** *fon.* półsamogłoska. **5.** kółko (*fotela l. innego przesuwanego mebla*). **6.** prowadnica (*szuflady*). **7.** *muz.* portamento. **8.** *muz.* suwak (*przy puzonie*).

glider ['glaɪdər] *n.* **1.** *lotn.* szybowiec. **2.** wózek przy karniszu.

gliding ['glaɪdɪŋ] *n. U sport* szybownictwo.

glim [glɪm] *n. przest. sl.* światło (*zw. słabe*); świeca; lampa.

glimmer ['glɪmər] *v.* migać, migotać (*o słabym świetle*); tlić się (*o płomieniu świecy*); pobłyskiwać; *t. przen.* przebłyskiwać (*o świetle, myśli*). – *n. zw. sing.* miganie, migotanie; *t. przen.* błysk, przebłysk, promyk; **not a ~ of hope/interest** ani cienia nadziei/zainteresowania.

glimmering ['glɪmərɪŋ] *n. t. przen.* przebłysk.

glimpse [glɪmps] *n.* **1.** zerknięcie, przelotne spojrzenie; **I caught a (fleeting) ~ of sb/sth** ktoś/coś mignął/mignęło mi przed oczami, ujrzałem kogoś/coś w przelocie. **2.** *przen.* niejasne wyobrażenie (*of sth* o czymś). **3.** *arch.* migotanie. – *v.* **1.** (ledwie) dostrzec (*t. przen.* = *zrozumieć*), ujrzeć przelotnie. **2.** *gł. US* rzucić okiem (*at sb / sth* na kogoś/coś). **3.** *arch. l. poet.* migotać.

glint [glɪnt] *v.* błyskać, lśnić, skrzyć się. – *n.* błysk, iskra (*t. w oku*).

glissade [glɪ'sɑ:d] *n.* **1.** *balet* łącznik, krok przejściowy, podejście (*np. przed wykonaniem piruetu*). **2.** *t. sport* ześlizgiwanie się (*po stromym stoku, zwł. oblodzonym l. zaśnieżonym*). – *v.* ześlizgiwać się (*jw.*).

glissando [glɪ'sɑ:ndoʊ] *a., adv. i n. pl. t.* **glissandi** *muz.* glissando.

glisten ['glɪsən] *v.* błyszczeć, połyskiwać, świecić się (*o mokrej l. tłustej powierzchni*); lśnić (*zwł. o włosach, sierści*); szklić się (*np. o cebuli na patelni*); **her eyes ~ed with tears** w jej oczach lśniły łzy; **his face was ~ing with sweat** twarz mu się świeciła od potu. – *n. rzad.* blask, połysk.

glister ['glɪstər] *v. i n. arch. l. dial.* = **glitter**.

glitch [glɪtʃ] *n. pot.* **1.** *t. komp.* drobna usterka, feler. **2.** *el.* spięcie.

glitter ['glɪtər] *v.* skrzyć się, lśnić, błyszczeć (*with sth* czymś) (*np. klejnotami*); **all that ~s is not gold** nie wszystko złoto, co się świeci. – *n. U* **1.** blask, lśnienie, ognie (*np. brylantów*). **2.** brokat (*w środkach do makijażu*); cekiny. **3.** *przen.* blask, świetność, splendor; przepych. **4.** *Can. meteor.* marznąca mżawka.

glitterati [ˌglɪtə'rɑ:tɪ] *n. pl.* śmietanka towarzyska (*zwł.* = *osoby często goszczące na stronach ilustrowanych magazynów*).

glittering ['glɪtərɪŋ] *a.* **1.** skrzący się, lśniący, błyszczący. **2.** *przen.* wspaniały, imponujący (*np. o widoku*); błyskotliwy (*np. o karierze*).

glittery ['glɪtərɪ] *a.* **1.** błyszczący; migoczący. **2.** brokatowy (*np. o cieniu do powiek*).

glitz [glɪts] *n. U* blichtr.

glitzy ['glɪtsɪ] *a.* **-ier, -iest** ostentacyjny, na pokaz.

gloaming ['gloʊmɪŋ] *n. U* **the** ~ *Scot. l. poet.* zmierzch, szara godzina.

gloat [gloʊt] *v.* napawać się (*over / about / at sth* czymś); tryumfować. – *n. sing.* uczucie satysfakcji (*wywołane własnym sukcesem l. czyimś niepowodzeniem*).

gloatingly [ˈgloʊtɪŋlɪ] *adv.* tryumfalnie, tryumfująco.

glob [glɑ:b] *n. pot.* duża kropla; gałka (*lodów*), kulka (*np. bitej śmietany*).

global [ˈgloʊbl] *a.* **1.** globalny, ogólnoświatowy. **2.** globalny, ogólny. **3.** kulisty.

globalism [ˈgloʊbəˌlɪzəm] *n. U polit.* globalizm.

globalist [ˈgloʊbəlɪst] *n. polit.* zwolenni-k/czka globalizmu.

globalization [ˌgloʊbələˈzeɪʃən], *Br. i Austr. zw.* **globalisation** *n. U polit.* globalizacja.

globalize [ˈgloʊbəˌlaɪz], *Br. i Austr. zw.* **globalise** *v.* **1.** nadawać ogólnoświatowy zasięg (*czemuś*). **2.** nabierać ogólnoświatowego zasięgu.

globally [ˈgloʊblɪ] *adv.* **1.** na całym świecie. **2.** ogólnie, globalnie.

global village *n.* **the ~** globalna wioska (= *świat jako jedna społeczność dzięki rozwojowi komunikacji i wzajemnym powiązaniom między państwami*).

global warming *n. ekol.* globalne ocieplenie.

globate [ˈgloʊbeɪt], **globated** [ˈgloʊbeɪtɪd] *a.* kulisty.

globe [gloʊb] *n.* **1.** globus. **2. the ~** kula ziemska, Ziemia, świat. **3.** *astron.* ciało niebieskie. **4.** kula; kulisty klosz; kuliste akwarium. **5.** *Scot., Can., Austr. i NZ* żarówka. **6.** *gł. hist.* jabłko monarsze. **7. the ~ of the eye** *anat.* gałka oczna. – *v.* **1.** przybierać kształt kuli. **2.** nadawać kształt kuli (*czemuś*).

globe artichoke *n. zob.* **artichoke**.

globefish [ˈgloʊbˌfɪʃ] *n. icht.* **1.** najeżka, diodon (*Diodon hystrix; t. inne z rodziny najeżkowatych*). **2.** kolcobrzuch (*rodzina Tetraodontidae*).

globeflower [ˈgloʊbˌflaʊər] *n. bot.* pełnik europejski (*Trollius Europaeus*).

globe lightning *n. meteor.* piorun kulisty.

globetrotter [ˈgloʊbˌtrɑ:tər] *n.* globtroter/ka, obieżyświat.

globetrotting [ˈgloʊbˌtrɑ:tɪŋ] *n. U* globtroterstwo.

globin [ˈgloʊbɪn] *n. U biochem.* globina.

globoid [ˈgloʊbɔɪd] *a.* kulisty. – *n.* (*także* **~ body**) *zwł. bot.* ciałko kuliste.

globose [ˈgloʊbous] *a. rzad.* kulisty.

globosity [gloʊˈbɑ:sətɪ] *n. U* kulistość.

globular [ˈglɑ:bjələr] *a.* **1.** kulisty, sferyczny. **2.** ziarnisty; kulkowy (*o konsystencji*).

globularity [ˌglɑ:bjəˈlerətɪ] *n. U* **1.** kulistość, sferyczność. **2.** ziarnistość; konsystencja kulkowa.

globule [ˈglɑ:bju:l] *n.* **1.** kulka, kuleczka. **2.** kropelka. **3.** globulka (*leku*). **4.** *anat.* ciałko kuliste. **5.** *anat.* krwinka czerwona. **6.** *astron.* globula.

globulin [ˈglɑ:bjəlɪn] *n. C/U biochem.* globulina.

glockenspiel [ˈglɑ:kənˌspi:l] *n. muz.* dzwonki, glockenspiel.

glogg [glɑ:g] *n. U US kulin.* grzane czerwone wino z brandy, migdałami i rodzynkami.

glom [glɑ:m] *n. gł. US pot.* podkraść (*zwł. pomysł*).

glomerate [ˈglɑ:mərɪt] *a. bot., anat.* gęsto skupiony.

glomeration [ˌglɑ:məˈreɪʃən] *n. U bot., anat.* gęste skupienie.

glomerule [ˈglɑ:məˌru:l] *n.* **1.** *anat.* kłębuszek (*np. nerkowy, włośniczkowy*). **2.** *bot.* skupiona główka kwiatowa.

gloom [glu:m] *n. U i sing.* **1.** *gł. lit.* mrok. **2.** posępność, ponurość; przygnębienie; **~ and doom** poczucie beznadziei; złe przeczucia. – *v.* **1.** wyglądać posępnie *l.* ponuro. **2.** *t. przen.* chmurzyć się (*o niebie, o osobie*).

gloomily [ˈglu:mɪlɪ] *adv.* **1.** ponuro, posępnie. **2.** *t. przen.* mrocznie.

gloominess [ˈglu:mɪnəs] *n. U* **1.** posępność, ponurość; ponury nastrój, przygnębienie. **2.** mrok.

gloomy [ˈglu:mɪ] *a.* **-ier, -iest 1.** *t. przen.* mroczny. **2.** posępny, ponury. **3.** beznadziejny, pesymistyczny; wywołujący przygnębienie.

glop [glɑ:p] *n. U US pot.* **1.** breja. **2.** *przen.* wyciskacz łez (*film l. książka*); kicz.

gloppy [ˈglɑ:pɪ] *a.* **-ier, -iest** *US pot.* **1.** brejowaty. **2.** *przen.* wyciskający łzy; kiczowaty.

glorification [ˌglɔ:rəfəˈkeɪʃən] *n.* **1.** *U t. rel.* gloryfikacja, wysławianie, wychwalanie. **2.** *Br. pot. żart.* uroczystość.

glorified [ˈglɔ:rəˌfaɪd] *a. attr.* lekko ulepszony.

glorify [ˈglɔ:rəˌfaɪ] *v.* **-ied, -ying 1.** *t. rel.* wysławiać, wychwalać. **2.** gloryfikować, upiększać, przedstawiać w (niezasłużenie) korzystnym świetle.

gloriole [ˈglɔ:rɪˌoʊl] *n.* aureola, gloria.

glorious [ˈglɔ:rɪəs] *a. t. iron.* **1.** wspaniały, cudowny. **2.** chlubny, chwalebny, zaszczytny (*np. o zwycięstwie*). **3.** sławny, znamienity. **4.** *arch. pot.* podchmielony.

gloriously [ˈglɔ:rɪəslɪ] *adv. t. iron.* **1.** wspaniale. **2.** chwalebnie.

glory [ˈglɔ:rɪ] *n. pl.* **-ies 1.** *U* chwała, sława, gloria; **~ be to God!** *rel. l. pot.* Bogu niech będą dzięki!; **bask/bathe in sb's reflected ~** grzać się w blasku czyjejś sławy; **covered in/with ~** okryty chwałą; **in a blaze of ~** w blasku sławy; **to the ~ of God** *rel.* na chwałę Pana; **to the greater ~ of God** *rel.* ku większej chwale Bożej. **2.** *U* wspaniałość, okazałość, piękno; **in all its ~** w całej swojej okazałości *l.* wspaniałości. **3.** chluba, powód do dumy; **crowning ~** *zob.* **crowning**. **4.** aureola, gloria, nimb. **5.** *przen.* **go to ~** *przest.* przenieść się na tamten świat (= *umrzeć*); **Old G~** *US* flaga amerykańska. – *v.* **~ in sth** chlubić *l.* szczycić się czymś; rozkoszować się czymś. – *int.* **~ (be)!** *przest.* a niech to! (*wyrażając zdziwienie lub zadowolenie*).

glory box *n. Austr. i NZ* **1.** kufer, w którym panna młoda gromadzi wiano. **2.** dolna szuflada.

glory hole *n.* **1.** *pot.* rupieciarnia. **2.** *żegl.* magazynek.

gloss[1] [glɑ:s] *n. U i sing.* **1.** połysk. **2.** *przen.* blichtr. **3.** (*także* **lip ~**) błyszczyk (do ust). **4.** = **gloss paint**. – *v.* **1.** nadawać połysk (*czemuś*), nabłyszczać. **2. ~ over sth** *przen.* zatuszować coś; przejść do porządku dziennego nad czymś.

gloss[2] *n.* **1.** glosa, przypis, komentarz, objaśnienie (*w tekście*). **2.** = **glossary**. **3.** interpretacja, komentarz. – *v.* **1.** zaopatrywać w glosy *l.* przypisy; komentować (*tekst*). **2.** objaśniać, tłumaczyć (*znaczenie*). **3.** celowo zmieniać *l.* zacierać znaczenie (*czegoś*).

glossal [ˈglɑ:sl] *a. anat.* językowy.

glossary [ˈglɑ:sərɪ] *n. pl.* **-ies 1.** słowniczek (*na końcu książki, zwł. zawierający wyrazy trudne l. terminy specjalistyczne*). **2.** *komp.* słownik. **3.** *hist.* glosariusz.

glossator [glɑ:ˈseɪtər] *n.* **1.** (*także* **glossarist**) glosator/ka (*zwł. średniowiecznego prawa cywilnego i kanonicznego*). **2.** autor/ka glosariusza.

glossitis [glɑ:ˈsaɪtɪs] *n. U pat.* zapalenie języka.

glossography [glɑ:ˈsɑ:grəfɪ] *n. U* glosografia.

glossolalia [ˌglɑ:soʊˈleɪlɪə] *n. U rel., pat.* glosolalia.

glossopharyngeal [ˌglɑ:soʊfəˈrɪndʒɪəl] *n. U anat.* językowo-gardłowy.

gloss paint *n. C / U* emalia.

glossy [ˈglɑ:sɪ] *a.* **-ier, -iest 1.** błyszczący, lśniący. **2.** *zwł. US przen.* atrakcyjny *l.* efektowny z pozoru *l.* na pokaz. – *n. pl.* **-ies 1.** *Br.* = **glossy magazine**. **2.** *fot.* zdjęcie (na papierze) z połyskiem.

glossy magazine *n. zwł. Br.* czasopismo ilustrowane (*drukowane na lśniącym papierze*).

glost [glɑ:st] *n. U* ołowiana glazura (*garncarska*).

glottal [ˈglɑ:tl] *a. anat., fon.* głośniowy.

glottal stop *n. fon.* zwarcie krtaniowe.

glottic [ˈglɑ:tɪk] *a. anat.* głośniowy, dotyczący głośni; językowy, dotyczący języka.

glottis [ˈglɑ:tɪs] *n. pl.* **-es** *l.* **glottides** [ˈglɑ:tɪdi:z] *anat.* głośnia.

glove [glʌv] *n.* **1.** rękawiczka. **2.** *t. boks, chir.* rękawica. **3.** *przen. pot.* **fit (sb) like a ~** leżeć (na kimś) jak ulał; **hand in ~ with sb** w bliskich stosunkach z kimś; **handle/treat sb with kid ~s** obchodzić się z kimś bardzo delikatnie; **with the ~s off** bez (żadnych) ceregieli (*dyskutować, walczyć*). – *v.* zakładać rękawiczki *l.* rękawice (*komuś*); zakładać rękawiczki *l.* rękawice na (*ręce*).

glove compartment *n.* (*także* **glove box**) *mot.* schowek na drobne przedmioty (*w samochodzie*).

gloved [glʌvd] *a.* w rękawiczkach *l.* rękawiczce.

glove puppet *n. Br. i Austr.* pacynka.

glover [ˈglʌvər] *n.* rękawicznik.

glow [gloʊ] *v.* **1.** żarzyć się, jarzyć się. **2.** błyszczeć. **3.** rumienić się, różowieć (*o twarzy*). **4.** *przen.* promienieć, płonąć; **~ with pride/joy** promienieć dumą/radością. – *n.* **1.** żar. **2.** łuna, poświata. **3.** ciepło (*t. koloru*). **4.** rumieniec. **5.** *przen.* **a ~ of satisfaction/pride** przypływ *l.* poczucie zadowolenia/dumy; **in a ~** (*także* **all of a ~**) (cały) rozpalony.

glow discharge *n. C / U* **1.** *el.* świetlenie (*w gazach*). **2.** *fiz.* wyładowanie jarzeniowe, jarzenie.

glower [ˈglaʊər] *v.* patrzeć wilkiem *l.* spode łba (*at sb / sth* na kogoś/coś).

glowing [ˈgloʊɪŋ] *a.* **1.** żarzący się. **2.** zarumieniony, zaróżowiony; rozpalony. **3.** *przen.* bardzo pochlebny (*o recenzji, opinii*); **speak in ~ terms about sb/sth** mówić o kimś/czymś w samych superlatywach.

glow lamp *n.* lampa jarzeniowa.

glowworm [ˈgloʊˌwɜ:m] *n. ent.* świetlik, robaczek świętojański (*Lampyris noctiluca*).

gloxinia [glɑ:kˈsɪnɪə] *n. bot.* syningia (*Synningia*); gloksynia (*Gloxinia*).

gloze [gloʊz] *v. arch.* **1.** pochlebiać, schlebiać (*komuś*). **2. ~ over** = **gloss over**; *zob.* **gloss[1]** *v.*

glucinum [glu:ˈsaɪnəm], **glucinium** [glu:ˈsaɪnɪəm] *n. U chem. przest.* beryl.

glucose [ˈglu:koʊs] *n. U chem.* glukoza, cukier gronowy.

glucosic [glu:ˈkoʊsɪk] *a. chem.* glukozowy.

glucoside [ˈglu:kəˌsaɪd] *n. chem.* glukozyd.

glue [glu:] *n. U* klej. – *v.* **1.** kleić, lepić; przyklejać, przylepiać; **~ sth on/upon/onto sth** naklejać coś na coś; **~ up/together** sklejać. **2.** *przen.* łączyć, wiązać. **3.** *przen.* **be ~d to sth** *pot.* wlepiać oczy w coś, nie móc się oderwać od czegoś; **be ~d to the spot** nie móc ruszyć się z miejsca (*np. ze strachu*).

glue ear *n. U pat. pot.* zapalenie ucha środkowego.

glue-sniffing [ˈglu:ˌsnɪfɪŋ] *n. U* wąchanie kleju.

gluey [ˈglu:ɪ] *a.* **-ier, -iest** kleisty, lepki.

glum [glʌm] *a.* **-mm-** ponury, przybity.

glume [glu:m] *n. bot.* plewka.

glumly [ˈglʌmlɪ] *adv.* ponuro.

glumness [ˈglʌmnəs] *n. U* przygnębienie.

glut [glʌt] *v.* **-tt- 1.** *gł. przen.* zalewać (*with sth* czymś) (*np. rynek towarami*); nasycać, przesycać. **2.** objadać się (*on sth* czymś). – *n.* nasycenie; przesyt, przesycenie; **~ on/in the market** *ekon.* zalanie rynku (*określonym towarem*).

glutamate [ˈglu:təˌmeɪt] *n. chem.* glutaminian.

gluteal [ˈglu:tɪəl] *a. anat.* pośladkowy.

gluten [ˈglu:tən] *n. U biochem.* gluten.

gluten-free [ˌglu:tənˈfri:] *a.* bezglutenowy (*o pokarmach, diecie*).

glutenin [ˈglu:tənɪn] *n. U biochem.* glutenina.

gluteus [ˈglu:tɪəs] *n. pl.* **glutei** [ˈglu:tɪaɪ] *anat.* mięsień pośladkowy.

glutinous [ˈglu:tənəs] *a.* kleisty, lepki.

glutton [ˈglʌtən] *n.* **1.** żarłok, obżartuch. **2.** *przen.* **~ for punishment** masochista; **~ for work** tytan pracy, pracoholik; **~ of books** pożeracz książek, mól książkowy. **3.** *zool.* rosomak (*Gulo gulo*).

gluttonous [ˈglʌtənəs] *a.* żarłoczny.

gluttonously [ˈglʌtənəslɪ] *adv.* żarłocznie.

gluttony [ˈglʌtənɪ] *n. U* żarłoczność, obżarstwo.

glyceric [glɪˈserɪk] *a.* glicerynowy.

glyceride [ˈglɪsəˌraɪd] *n. chem.* gliceryd.

glycerin [ˈglɪsərɪn], **glycerine** *n. U* gliceryna.

glyceryl [ˈglɪsərɪl] *n.* gliceryl.

glycogen [ˈglaɪkədʒən] *n. U chem.* glikogen.

glycol [ˈglaɪkoʊl] *n. U chem.* glikol.

glycolic [glaɪˈkɑːlɪk] *a.* glikolowy.

glycosuria [ˌglaɪkoʊˈʃuːrɪə] *n. U pat.* cukromocz.

glyph [glɪf] *n.* **1.** *bud.* glif. **2.** *rzad.* = **hieroglyph.**

glyptic [ˈglɪptɪk] *a.* gliptyczny.

glyptics [ˈglɪptɪks] *n. U* gliptyka.

glyptography [glɪpˈtɑːgrəfɪ] *n. U* gliptografia.

GM [ˌdʒiː ˈem] *abbr.* **1.** = **general manager. 2.** *biol.* = **genetically modified. 3.** *wojsk.* = **guided missile.**

gm *abbr.* = **gram.**

G-man [ˈdʒiːˌmæn] *n. pl.* **-men 1.** *US pot.* federalny urzędnik śledczy. **2.** *Ir.* wywiadowca polityczny.

GMT [ˌdʒiː ˌem ˈtiː] *abbr. i n. U* = **Greenwich Mean Time.**

gn *abbr.* = **guinea.**

gnarl[1] [nɑːrl] *n.* sęk. – *v.* **1.** tworzyć sęki. **2.** skręcać, wykręcać.

gnarl[2] *v. arch.* warczeć.

gnarled [nɑːrld] *a.* **1.** sękaty. **2.** poskręcany, powykręcany, zdeformowany (*np. na skutek reumatyzmu*).

gnash [næʃ] *v.* zgrzytać (*o zębach*); ~ **one's teeth** *t. przen.* zgrzytać zębami (*at sth* na coś); **weeping and ~ing of teeth** *Bibl. l. przen.* płacz i zgrzytanie zębów.

gnashers [ˈnæʃərz] *n. pl. Br. pot.* zęby.

gnat [næt] *n. ent.* komar (*Culex, zwł. Culex pipiens*).

gnathic [ˈnæθɪk] *a. anat.* szczękowy.

gnaw [nɔː] *v. pp.* **-ed** *l. arch.* **-n 1.** gryźć, obgryzać; ~ **a hole in sth** wygryźć w czymś dziurę; ~ **(at) one's fingernails** obgryzać paznokcie. **2.** *przen.* gryźć, zżerać; szarpać, targać; ~ **at sb** gryźć kogoś (*o zmartwieniu*); targać kimś (*o wątpliwościach*); ~ **(away) at sth** stopniowo zżerać coś (*np. oszczędności, zapasy*); podkopywać coś (*np. czyjąś wiarę w siebie*).

gnawing [ˈnɔːɪŋ] *a. attr.* dojmujący (*o bólu, głodzie*); dręczący (*o wątpliwościach*).

gnawn [nɔːn] *v. pp. arch. zob.* **gnaw.**

gneiss [naɪs] *n. U min.* gnejs.

gneissic [ˈnaɪsɪk] *a.* gnejsowy.

gnome[1] [noʊm] *n.* **1.** *mit.* gnom; krasnal, krasnoludek; karzełek. **2.** = **garden gnome. 3.** *obelż.* karzeł, kurdupel.

gnome[2] *n.* gnoma, sentencja.

gnomic [ˈnoʊmɪk] *a.* gnomiczny.

gnomish [ˈnoʊmɪʃ] *a. rzad.* karzełkowaty.

gnomon [ˈnoʊmɑːn] *n.* **1.** *astron.* gnomon. **2.** *geom.* część równoległoboku pozostała po wycięciu mniejszego równoległoboku z jednego z rogów.

gnosis [ˈnoʊsɪs] *n. U fil.* **1.** gnoza. **2.** gnostycyzm.

Gnostic [ˈnɑːstɪk] *a.* **1.** *fil.* poznawczy; gnostyczny. **2. g~** wtajemniczony. – *n. fil.* gnostyk.

Gnosticism [ˈnɑːstəˌsɪzəm] *n. U fil.* gnostycyzm.

GNP [ˌdʒiː ˌen ˈpiː], **G.N.P.** *abbr.* **Gross National Product** *ekon.* PNB (= *Produkt Narodowy Brutto*).

gnr. *abbr. zob.* **gunner.**

gnu [nuː] *n. pl.* **gnus** *l.* **gnu** *zool.* gnu (*Connochaetes gnu l. Connochaetes taurinus*).

go [goʊ] *v. pret.* **went** [went] *pp.* **gone** [gɔːn] **1.** iść; chodzić; pójść; jechać; jeździć; pojechać; udać się (*dokądś*); odchodzić (*t. o pociągu*); ~ **fishing/shopping** iść na ryby/po zakupy; ~ **hungry/in rags** chodzić głodnym/obdartym; ~ **places** podróżować; bywać tu i tam; ~ **skiing** jechać na narty; ~ **to church/school/work** chodzić do kościoła/szkoły/pracy; ~ **to prison** pójść do więzienia; **who ~es there?** *wojsk.* kto idzie?. **2.** ~ **and do sth** iść coś zrobić; ~ **and play in your room** idźcie się bawić do swojego pokoju; **I must ~ and get my things** muszę iść po swoje rzeczy; **have gone and done it** *pot.* palnąć wielkie głupstwo, wpakować się w tarapaty; **he's gone and failed the exam again** *pot.* znowu oblał egzamin. **3. be ~ing to do sth** konstrukcja wyrażająca czas przyszły, zamiar *l.* przypuszczenie; **he's not ~ing to help us** on nam nie pomoże; **it's ~ing to rain** będzie padać; **what are you ~ing to do?** co zamierzasz zrobić?. **4.** stawać się, robić się; ~ **bad/moldy/sour** popsuć się/spleśnieć/skwaśnieć (*o żywności*); ~ **blind/deaf/mad** oślepnąć/ogłuchnąć/zwariować; ~ **broke** zbankrutować; ~ **dry** wyschnąć; ~ **grey** posiwieć (*o włosach*); ~ **red/white** zaczerwienić się/zblednąć (*with sth* od *l.* z czegoś) (*np. ze wstydu*); ~ **Republican** *US* głosować za republikanami (*o okręgu*). **5.** prowadzić (*o drodze, ścieżce*). **6.** sięgać (*from/to/up to sth* od/do/aż do czegoś). **7.** działać, funkcjonować, chodzić (*np. o urządzeniu, mechanizmie*). **8.** przebiegać, odbywać się; **how is it ~ing?** *pot.* jak leci?; **it went smoothly** poszło gładko; **the way things are ~ing...** wszystko wskazuje na to, że... **9.** zaczynać *l.* rozpoczynać (się); **~!** *film* kamera!; *sport* start!; **get ~ing (on sth)** *pot.* zacząć (coś); **here ~es!** (*także* **here we ~!**) (no to) zaczynamy!; **there it ~es again** znowu się zaczyna. **10.** *gł. przen.* posuwać się; ~ **as high as $1000** zaoferować aż tysiąc dolarów; ~ **one better** pójść *l.* posunąć się o krok dalej; **he went as far as to resign** posunął się aż do rezygnacji; **how far can we ~ in our claims?** jak daleko możemy się posunąć w naszych żądaniach?; **I wouldn't ~ that far** tak daleko bym się nie posuwał. **11.** mieć swoje (stałe) miejsce, być przechowywanym *l.* trzymanym (*in/on/under sth* w/na/pod czymś); **the eggs ~ in the fridge** jajka trzymamy w lodówce; **where does the piano ~?** gdzie (mamy) postawić pianino?. **12.** znikać;ustępować, przechodzić (*t. o dolegliwościach*); odchodzić (*t. w przeszłość*); przepaść, zmarnować się; **he has (got) to ~** on musi odejść (*np. ze stanowiska*); **it has (got) to ~** trzeba się tego pozbyć; **it's all gone** wszystko przepadło; **the pain has gone** ból ustąpił; **there ~es our chance!** *pot.* i już po naszej szansie!. **13.** psuć się, zawodzić, funkcjonować coraz gorzej; **far gone** *zob.*

far; my **hearing/sight is ~ing** słuch/wzrok mi się psuje; **the battery/engine is ~ing** *pot.* akumulator/silnik nawala. **14.** zawalić się (*nagle*). **15.** umierać; **~ the way of all the earth** (*także* **~ the way of all flesh**) *przen.* przenieść się na tamten świat; **he's (dead and) gone** nie żyje; **she's ~ing** ona umiera; **that's the way to ~** tak chciałbym umrzeć; **~ west** *wojsk. sl.* zginąć, umrzeć. **16.** pozostawać, zostawać; **~ unnoticed** pozostać niezauważonym; **her theory went unchallenged** jej teoria nie została (przez nikogo) zakwestionowana; **six days/miles to ~** zostało (jeszcze) sześć dni/mil. **17.** obowiązywać; **anything ~** wszystko wolno; **what(ever) I say ~s** zrobicie, co każę. **18.** pasować (*o kolorach, odzieży, winie do potrawy*); **I need shoes to ~ with this dress** muszę dobrać buty do tej sukienki. **19.** wystąpić; **~ on television/the air** wystąpić w telewizji/radiu. **20.** robić (= *wykonywać ruch*); **she went like this/so** zrobiła tak (*demonstrując czyjś ruch*); **try ~ing like this (with your foot)** spróbuj poruszać (stopą) w ten sposób. **21.** wydawać dźwięk (*charakterystyczny*); **ducks ~ "quack"** kaczki robią „kwa"; **I think I heard the doorbell ~** chyba słyszałam dzwonek do drzwi; **the computer ~es "ping" when you make a mistake** komputer robi „ping", kiedy popełnisz błąd. **22.** brzmieć (*przy cytowaniu*); *pot.* iść, lecieć; **how does the tune/song ~?** jak idzie *l.* leci ta melodia/piosenka?; **it ~es something like this:...** to brzmi jakoś tak:...; **the story ~es (that)...** mówi się, że..., podobno... **23.** *pot.* mówić; powiedzieć; **and then she ~es "what?!"** a ona na to: „co?!". **24.** iść, pójść (= *zostać sprzedanym*) (*for* za) (*to sb* komuś); **~ing!, ~ing!, gone!** *licytacja* po raz pierwszy, po raz drugi, po raz trzeci!; **be ~ing cheap** być sprzedawanym tanio *l.* po niższej cenie; **they're ~ing like hot cakes** *pot.* idą jak świeże bułeczki. **25.** *karty* zalicytować, zgłosić; **~ three hearts** zalicytować trzy kiery. **26. ~ doing sth** upierać się przy robieniu czegoś; **don't ~ bothering everyone** *pot.* nie łaź i nie zawracaj wszystkim głowy. **27.** *przen.* **~ all out for sth** stanąć na głowie, żeby coś dostać *l.* zdobyć; **~ ape over sb/sth** *zob.* **ape** *n.*; **~ bail (for sb)** *zob.* **bail[1]** *n.*; **~ Dutch** *zob.* **Dutch**; **~ halves** *zob.* **half** *n.*; **~ it alone** *zob.* **alone**; **~ overboard** *zob.* **overboard**; **~ slow** *Br. i Austr.* zastosować strajk włoski; **~ the whole hog** *zob.* **hog**; **as far as sb/sth ~es** jeśli chodzi o kogoś/coś; **from the word "~"** od samego początku; **it's not a bad school as schools ~** w porównaniu z innymi, to nie jest zła szkoła; **let ~ (of sth)** *zob.* **let** *v.*; **let o.s. ~** *zob.* **let** *v.*; **there you ~** (no więc) sam widzisz; **to ~** *US i Can.* na wynos (*o daniach*); **she will ~ far/a long way** (*także* **she's ~ing places**) ona daleko zajdzie; **where do we ~ from here?** i co dalej?, i co teraz?. **28. ~ about** *żegl.* zrobić zwrot przez sztag; **~ about sth** zabrać się do czegoś *l.* za coś; zajmować się czymś (dalej); **how do I ~ about this?** jak mam się za to zabrać?; **~ after sb** ruszyć w pogoń za kimś; **~ after sth** chodzić za czymś (= *starać się o coś, szukać, np. pracy*); **~ after a record** usiłować pobić rekord; **~ against sb** być na czyjąś niekorzyść (*o werdykcie*); nie iść po czyjejś myśli (*o sprawach*); **~ against sth** być sprzecznym z czymś; postąpić wbrew czemuś; **~ against the grain** *zob.* **grain** *n.*; **~ ahead** odbyć się, dojść do skutku (*np. o strajku, transakcji*); **~ ahead!** proszę bardzo!, nie krępuj się! (*w odpowiedzi na pytanie o pozwolenie*); **~ ahead with sth** przystępować do czegoś; **~ along** poruszać się, posuwać się (*at* z prędkością); postępować (*np. o procesie*); **~ along with sb** zgodzić się z kimś; **~ along with sth** podporządkować się czemuś, zastosować się do czegoś; **as one ~es along** z czasem, w miarę nabywania praktyki; **~ around** (*także Br.* **~ round**) krążyć; obracać się; szerzyć się (*o plotkach, chorobie*); **~ around in circles** (*także* **~ around and around**) *t. przen.* kręcić się w kółko; **~ around doing sth** stale coś robić; **~ around with sb** trzymać się z kimś; **is there enough to ~ around?** czy wystarczy dla wszystkich?; **~ at sb/sth** *t. przen.* rzucić się na kogoś/coś, zaatakować kogoś/coś; **~ at sth** *pot.* zabrać się energicznie do czegoś; **~ away** wyjechać (*t. na wakacje*); zniknąć, ustąpić (*np. o dolegliwościach*); **~ away!** idź sobie!; **~ back** cofnąć się; wrócić (*for sth* po coś); **~ back on** wycofać się z, nie dotrzymać (*obietnicy, umowy*); **~ back on one's word/promise** złamać dane słowo *l.* przyrzeczenie; **~ back to** datować się od, sięgać (*jakiegoś czasu*); **~ beyond sth** przekraczać coś; **~ by** upływać, mijać; **~ by sth** kierować się czymś (*przepisami, rozsądkiem, zasadami*); **in days/years gone by** niegdyś; **~ down** schodzić (na dół); zjeżdżać (na dół); pojechać (*zwł. na południe*); spadać (*o cenach*); pójść na dno (*o statku*); zachodzić (*o słońcu*); *przen.* obniżać się, pogarszać się (*o poziomie, jakości*); *przen.* zostać pokonanym, ponieść klęskę; *komp. pot.* siąść (*o sieci*); *brydż pot.* leżeć; *sl.* pójść do więzienia; **~ down (from university)** *Br. przest.* skończyć studia (*zwł. w Oksfordzie l. Cambridge*); wyjechać na wakacje (*o studentach*); **~ down in history** przejść do historii, zapisać się w historii (*jako* as); **~ down on one's knees** paść na kolana; uklęknąć; **~ down the drain/plughole/toilet/tube(s)** *zob.* **down** *prep.*; **~ down the stairs/ladder** zejść po schodach/drabinie; **~ down with sth** *zob.* **down** *adv.*; **~ down well** zostać dobrze przyjętym (*np. o przedstawieniu, przemówieniu*); *pot.* smakować (*o jedzeniu, piciu*); **~ for sb/sth** iść po kogoś/coś; *t. przen.* rzucić się na kogoś/coś, zaatakować kogoś/coś; woleć kogoś/coś; *pot.* przepadać za kimś/czymś; stosować się do *l.* dotyczyć kogoś/czegoś; **the same ~es for X** to samo dotyczy X; **~ for it!** *pot.* dalej!, nie wahaj się!, nie popuszczaj!; **~ for little** mało się liczyć, mieć małe znaczenie (*o doświadczeniach, osiągnięciach*); **~ for nothing** nie liczyć się, nie mieć żadnego znaczenia; pójść na marne; **sb/sth has a lot ~ing for them/it** wiele przemawia na korzyść kogoś/czegoś; ktoś/coś ma wiele atutów; **~ in** wchodzić (do środka); chować się (za chmurami) (*o słońcu*); *zwł. Br. pot.* wchodzić do głowy (*o wiedzy*); *krykiet* rozpoczynać „innings"; **~ in for sth** zgłosić się do czegoś, wystartować w czymś (*konkursie, teleturnieju*); uprawiać coś (*sport l. hobby*); **~ in with sb** przyłączyć się do kogoś (*on sth* w czymś);

~ into sth wchodzić do czegoś; uderzyć w coś (*np. o samochodzie*); *przen.* zająć się czymś, obrać coś jako zawód; zagłębiać się w coś; wdawać się w coś (*np. w szczegóły, obszerne wyjaśnienia*); *mat. pot.* być podzielnikiem czegoś; **3 ~es into 15 five times** 3 mieści się w 15 pięć razy; **~ into hysterics/convulsions** wpaść w histerię/konwulsje; **~ into mourning** przywdziać żałobę; **~ off** udać się (*somewhere to do sth* gdzieś, żeby coś zrobić); zgasnąć (*o świetle*); przestać lecieć (*o wodzie*); zostać odciętym (*o prądzie*); wybuchnąć, eksplodować (*o ładunku*); wystrzelić, wypalić (*o broni*); włączyć się (*o alarmie*), zadzwonić (*o budziku*); *Br. i Austr.* psuć się (*o żywności*); przebiec, pójść (*np. o imprezie*); **~ off well** udać się, dobrze wypaść; **~ off sb/sth** *pot.* stracić do kogoś/czegoś serce, przestać lubić kogoś/coś; **I have gone off the idea** przestał mi się podobać ten pomysł; **~ off the air** *radio, telew.* zejść z anteny; **~ off (to sleep)** *pot.* zasnąć; **~ off with sb** *pot.* odejść z kimś (*od męża l. żony*); **~ on** iść dalej; jechać dalej; mijać, upływać; włączyć się (*o świetle, urządzeniu*); *teatr* wyjść na scenę; **~ on!** *pot.* no dalej!; (*także* **~ on with you!**) *Br. i Austr. pot.* nie opowiadaj! (*głupstw*); **~ on sth** kierować się czymś (*informacją, wiadomościami*); zacząć brać *l.* stosować coś (*zwł. określony lek*); **~ on an errand** pójść coś kupić *l.* załatwić; **~ on a trip** wyjechać w podróż; pojechać na wycieczkę; **~ on and on** *pot.* gadać bez końca (*about sth* o czymś); **~ on the air** *radio, telew.* wejść na antenę; **~ on ahead (of sb)** iść *l.* jechać przodem (przed kimś); **~ on at sb** czepiać się kogoś; **~ on doing sth** robić coś dalej; **~ on with sth** kontynuować coś; **as time ~es on** w miarę upływu czasu; **be ~ing on (for)** zbliżać się do (*wieku, sumy*); **we went on to discuss the remaining issues** następnie omówiliśmy pozostałe sprawy; **what's ~ing on here?** co się tutaj dzieje?; **~ out** wychodzić (*t. do kina, restauracji*); zgasnąć (*o światłach*); wyjść z mody *l.* użycia; *Br.* wyjechać (*zwł. za granicę na wakacje*); *radio, telew.* być nadawanym *l.* emitowanym (*o programie*); **~ out of business** wycofać się z interesu; **~ out of one's way to do sth** zadać sobie wiele trudu, żeby coś zrobić; **~ out with sb** chodzić z kimś (*z dziewczyną, chłopakiem*); **our thoughts/hearts ~ out to you** *form.* myślami/sercem jesteśmy przy tobie; **~ over sth** przeszukać coś; dokładnie coś przejrzeć, omówić *l.* rozważyć; powtórzyć coś (*rolę, lekcje*); **~ over to sb** podejść do kogoś; **~ over to sth** przejść na coś (*np. na inny system*); przerzucić się na coś (*np. na inną markę*); przejść do czegoś (*np. do innej partii l. grupy*); **~ over to the other side** przejść na drugą stronę; **~ over well/badly** *przen.* zostać dobrze/źle przyjętym; **~ over the top** *wojsk.* wyjść z okopów (*do ataku*); *pot.* przesadzać; **~ round** *Br.* **= go around**; *Br.* pójść z wizytą (*to sb* do kogoś); **~ through** przejść, zostać uchwalonym (*np. o ustawie*); **~ through sth** przeszukać coś; przejść przez coś (*t. przen. = doświadczyć czegoś*); dokładnie coś przejrzeć, omówić l. rozważyć; powtórzyć coś (*rolę, lekcje*); przejeść *l.* wyczerpać coś (*np. zapasy*); **~ through the motions of doing sth** *zob.* **motion** *n.*; **~ through with sth** przeprowadzić coś; doprowadzić coś do końca; **I couldn't ~ through with it** nie mogłam się na to zdobyć; **~ to a lot of trouble** (*także* **~ to great lengths**) zadać sobie wiele trudu (*to do sth* żeby coś zrobić); **~ to the Bar** *zob.* **bar[1]** *n.*; **~ to the country** *zob.* **country**; **~ to court** *zob.* **court** *n.*; **~ to great expense** ponieść duże wydatki; **~ to it** *pot.* wziąć się (ostro) do roboty; **~ to pieces** *zob.* **piece** *n.*; **~ to pot** *zob.* **pot** *n.*; **~ to war** *zob.* **war** *n.*; **this/it just/only ~es to show/prove (that) ...** to tylko potwierdza, że...; **~ together** pasować do siebie, harmonizować ze sobą; *pot.* chodzić ze sobą; **~ towards sth** być przeznaczonym na coś (*o pieniądzach*); **~ under** zatonąć (*o statku*); utonąć (*o osobie*); *przen.* upaść, paść (*o projekcie, przedsiębiorstwie*); **~ under the name of X** być znanym jako X; **~ up** iść na *l.* pod górę; wjeżdżać na górę; rosnąć (*o cenach*); iść w górę (*np. w rankingu*); wznieść się (*o okrzyku*); wyrastać (*o budowlach*); podnosić się (*o kurtynie*); wylecieć w powietrze; *Br. uniw.* pojechać na studia (*zwł. do Oksfordu l. Cambridge*); wrócić na uczelnię (*po wakacjach*), rozpocząć nowy semestr (*o studentach*); **~ up in flames/smoke** *zob.* **smoke** *n.*; **~ up to town** *Br.* pojechać do miasta (*z mniejszej miejscowości, np. po zakupy*); **~ with sb** *pot.* pójść z kimś do łóżka; **~ with sth** łączyć się z czymś, towarzyszyć czemuś; być częścią czegoś; **a car ~es with the job** w tej pracy przysługuje samochód; **~ without sth** nie mieć czegoś; obywać się bez czegoś; **it ~es without saying** to się rozumie samo przez się. – *n. pl.* **-es** [goʊz] **1.** próba, podejście; **all in one ~** za jednym razem *l.* zamachem; **at one ~** od jednego razu (*np. zdmuchnąć świeczki*); **(on one's) first ~** za pierwszym razem *l.* podejściem (*np. zdać egzamin*); **give sth a ~** spróbować czegoś, przymierzyć się do czegoś; **have a ~ (at doing sth)** spróbować (coś zrobić); **have a ~ at sb** *Br.* zaatakować kogoś (*werbalnie*); **it's no ~** *pot.* nie da rady, nic z tego nie będzie; **make a ~ of sth** *pot.* znakomicie sobie z czymś poradzić. **2.** ruch, kolej (*w grze*); **it's your ~** teraz twoja kolej. **3.** *U* ruch, aktywność; **be on the ~** być (stale) w ruchu; **it's all ~** *Br. pot.* (mam) huk roboty. **4.** *U Br. pot.* energia; **full of ~** pełen energii. **5.** *pot.* atak (*choroby*); **have a bad ~ of 'flu** mieć paskudną grypę. **6.** *pot.* dobry interes, okazja; **it's a ~!** interes stoi!, zgoda!. **7. all the ~** *przest. pot.* ostatni krzyk mody.

goad [goʊd] *n.* **1.** zaostrzony kij (*do popędzania bydła*). **2.** *przen.* bodziec. – *v.* **1.** popędzać (*dźgając*). **2. ~ sb into doing sth** *przen.* popychać kogoś do zrobienia czegoś. **3. ~ sb on** *przen.* pchać kogoś do przodu, napędzać kogoś (*o żądzy, pragnieniu, nienawiści*).

goaf [goʊf] *n. pl.* **goaves** [goʊvz] *górn.* **1.** wyrobisko. **2.** podsadzka.

go-ahead [ˈgoʊəˌhed] *pot. n. sing.* **the ~** aprobata, zgoda, zielone światło (*przen.*); **give sb the ~** dać komuś zielone światło. – *a. attr. Br. i Austr.* **1.** rzutki, obrotny. **2.** postępowy (*np. o szkole, organizacji*).

goal [goʊl] *n.* **1.** cel; **achieve a ~** osiągnąć cel. **2.** *sport* bramka; **keep ~** (*także Br.* **play in ~**) stać na bramce. **3.** *sport* gol, bramka; punkt; **score a** ~ zdobyć bramkę, strzelić gola; zdobyć punkt. **4.** *sport* meta.

goal area *n. sport* pole bramkowe.

goalie ['goʊlı] *n. pot.* bramkarz.

goalkeeper ['goʊlˌki:pər] *n. sport* bramkarz.

goal kick *n. sport* rzut od bramki.

goalless ['goʊlləs] *a. sport* bezbramkowy.

goal-line ['goʊlˌlaın], **goal line** *n. sport* linia bramkowa.

goalmouth ['goʊlˌmaʊθ] *n. sport* wlot bramki.

goalpost ['goʊlˌpoʊst] *n. sport* słupek (*bramki*).

goaltender ['goʊlˌtendər] *n. US sport* bramkarz.

goat [goʊt] *n.* **1.** kozioł; koza (*zool.* = *Capra*). **2. the G~** *astron.* Koziorożec. **3.** = **scapegoat**. **4.** *przen.* **act/play the (giddy) ~** *Br. pot.* wygłupiać się; **get sb's ~** *pot.* wkurzać kogoś; **old ~** *pot.* stary cap, satyr; **separate the sheep from the ~s** *zob.* **separate** *v.*

goat cheese, goat's cheese *n. U* ser kozi.

goatee [goʊ'ti:] *n.* hiszpańska bródka.

goatfish ['goʊtˌfıʃ] *n. pl.* **goatfish** *l.* **goatfishes** *US icht.* barwena (*Mullus surmuletus*).

goatherd ['goʊtˌhɝ:d] *n.* pasterz kóz.

goatish ['goʊtıʃ] *a.* **1.** kozi, koźli. **2.** *arch. l. lit.* lubieżny.

goatishly ['goʊtıʃlı] *adv. arch. l. lit.* lubieżnie.

goat moth, goat-moth *n. ent.* trociniarka czerwica (*Cossus cossus*).

goatsbeard ['goʊtsˌbi:rd], **goat's-beard** *n. bot.* **1.** kozibród (*Tragopogon pratensis*). **2.** (*także* **sylvan ~**) parzydło leśne (*Aruncus silvester*).

goatskin ['goʊtˌskın] *n.* **1.** *C/U* koźla skóra. **2.** ubranie koźlej skóry; bukłak z koźlej skóry.

goat's milk *n. U* mleko kozie.

goat's-rue ['goʊtsˌru:] *n. bot.* rutwica lekarska (*Galega officinalis*).

goatsucker ['goʊtˌsʌkər] *n. US i Can. orn.* lelek (*Caprimulgus*).

gob[1] [gɑ:b] *n.* **1.** bryłka, grudka (*półpłynnej substancji*); **~ of spit** *pot.* plwocina. **2. ~s of sth** *US pot.* kupa czegoś (*np. pieniędzy*). **3.** *górn.* podsadzka; wyrobisko wypełnione podsadzką. – *v.* **-bb-** *Br. i Austr. sl.* charknąć.

gob[2] *n. Br. i Austr. sl.* gęba; **shut your ~!** zamknij gębę!.

gob[3] *n. US wojsk. sl.* marynarz, majtek (*w marynarce wojennej*).

gobbet ['gɑ:bıt] *n.* **1.** *rzad.* grudka, bryłka. **2.** *arch.* kawałek (*zwł. surowego mięsa*).

gobble[1] ['gɑ:bl] *v.* **~ (down/up)** *t. przen.* pożerać, pochłaniać (*t. np. oszczędności*).

gobble[2] *v.* gulgotać (*o indyku*). – *n.* gulgot (*indyczy*).

gobbledygook [ˌgɑ:bldı'gu:k], **gobbledegook** *n. U pot.* urzędowy żargon, urzędnicza nowomowa.

gobbler ['gɑ:blər] *n. US pot.* indor.

Gobelin ['gɑ:blın] *n.* (*także* **~ tapestry**) gobelin.

go-between ['goʊbıˌtwi:n] *n.* pośredni-k/czka; posłan-iec/niczka.

Gobi Desert [ˌgoʊbı 'dezərt] *n.* **the ~** *geogr.* Pustynia Gobi.

goblet ['gɑ:blət] *n.* kielich; czara; puchar.

goblin ['gɑ:blın] *n.* chochlik.

gobo ['goʊboʊ] *n. pl.* **-s** *l.* **-es** *film* **1.** ekran wygłuszający. **2.** murzyn (*na statywie*).

gobsmacked ['gɑ:bsmækt] *a.* (*także* **gobstruck**) *Br. pot.* zszokowany.

goby ['goʊbı] *n. pl.* **-ies** *icht.* babka (*Gobius*).

go-by ['goʊbaı] *n. U sl.* afront; **give sb the ~** zlekceważyć *l.* zignorować kogoś.

go-cart ['goʊˌkɑ:rt] *n.* **1.** *gł. US i Can.* wózek-zabawka (*do ciągnięcia*). **2.** *gł. US i Can.* chodzik (*dla dziecka*). **3.** dwukołowy wózek (*do towarów*). **4.** *sport* = **go-kart**.

God [gɑ:d] *n. sing. rel. l. emf.* Bóg; **~ Almighty!** Boże Wszechmogący!; **~ bless (you)!** niech cię *l.* was Bóg błogosławi!; z Bogiem!; **~ forbid** broń Boże, niech Bóg broni; **~ (only) knows** Bóg (jeden) wie, Bóg raczy wiedzieć; **~ rest his/her soul** *przest.* świeć Panie nad jego/jej duszą; **~ save the King/Queen!** *Br.* Boże, chroń króla/królową!; **~'s acre** *lit.* Boża rola (= *cmentarz*); **~'s Word** Słowo Boże (= *Biblia*); **~ willing** jeśli Bóg pozwoli; **by ~** na Boga; Bóg mi świadkiem; **for ~'s sake** na miłość boską; **good ~!** dobry Boże!; **honest to ~** jak Boga kocham; **(oh) my ~!** (o) mój Boże!; **so help me ~ !** tak mi dopomóż Bóg!; **thank ~** Bogu dzięki; **what/why in God's name...** cóż/dlaczegóż na Boga...; **would to ~** daj Boże.

god [gɑ:d] *n.* **1.** *rel.* bóg, bożek, bóstwo. **2.** *przen.* bożyszcze, bóstwo. **3.** *pl.* **the ~s** bogowie (= *los, przeznaczenie*); *Br. i Austr. teatr pot.* jaskółka (= *galeria*).

god-awful [ˌgɑ:d'ɔ:fʊl], **God-awful** *a. attr. pot.* straszny (*np. o bałaganie*).

godchild ['gɑ:dˌtʃaıld] *n. pl.* **godchildren** chrześnia-k/czka.

goddamn [ˌgɑ:d'dæm], **goddamned** *a. attr. pot.* cholerny.

goddaughter ['gɑ:dˌdɔ:tər] *n.* chrześniaczka.

goddess ['gɑ:dəs] *n.* bogini.

godet [goʊ'det] *n. krawiectwo* klin (*np. w spódnicy*).

godetia [gə'di:ʃə] *n. bot.* godecja (*Godetia*).

go-devil ['goʊˌdevl] *n.* **1.** żmijka (*do przetykania rur*). **2.** *sl. kol.* ręczna drezyna. **3.** *górn.* bieśnik, uderzak. **4.** *roln.* zgrabiarka.

godfather ['gɑ:dˌfɑ:ðər] *n.* **1.** ojciec chrzestny. **2.** *pot.* mafijny boss.

god-fearing ['gɑ:dˌfi:rıŋ], **God-fearing** *a.* bogobojny.

godforsaken [ˌgɑ:dfər'seıkən], **god-forsaken** *a.* zapomniany, opuszczony; *uj.* zakazany; **~ place** zapadła dziura (*np. o mieście*).

God-given ['gɑ:dˌgıvən] *a.* dany przez *l.* od Boga (*np. o talencie, prawach*).

godhead ['gɑ:dˌhed] *n. U form.* **1.** (*także* **godhood**) boskość, bóstwo. **2. the G~** Bóg (*zwł. w Trójcy Świętej*).

godless ['gɑ:dləs] *a.* bezbożny.

godlessly ['gɑ:dləslı] *adv.* bezbożnie.

godlessness ['gɑ:dləsnəs] *n. U* bezbożność.

godlike ['gɑ:dˌlaık] *a.* boski (= *posiadający cechy boskie*).

godliness ['gɑ:dlınəs] *n. U form.* pobożność.

godly ['gɑ:dlɪ] *a.* **-ier, -iest** **1.** *form.* pobożny. **2.** *arch.* boski; Boży.

godmother ['gɑ:dˌmʌðər] *n.* matka chrzestna.

godown [goʊ'daʊn] *n. Anglo-Ind.* dom towarowy (*zwł. w Indiach l. Malezji*).

godparents ['gɑ:dˌperənts] *n. pl.* rodzice chrzestni.

godroon [goʊ'dru:n] *n.* = **gadroon**.

godsend ['gɑ:dˌsend] *n. sing.* dar niebios, błogosławieństwo.

godson ['gɑ:dˌsʌn] *n.* chrześniak.

Godspeed [ˌgɑ:d'spi:d], **godspeed** *int. i n. U arch.* powodzenia!; szczęśliwej podróży!; **bid sb ~** życzyć komuś powodzenia.

godwit ['gɑ:dˌwɪt] *n. orn.* szlamik (*Limosa*).

goer ['goʊər] *n.* **1.** *w złoż.* **church-~** osoba regularnie chodząca do kościoła; **movie-~** (*także Br.* **cinema/film-~**) kinoman/ka; **theater-~** (*także Br.* **theatre-~**) teatroman/ka. **2.** *Br. pot.* osoba swobodnych obyczajów (*zwł. kobieta*).

GOES [ˌdʒi: ˌoʊ ˌi: 'es] *abbr.* **geostationary operational environmental satellite** geostacjonarny operacyjny satelita środowiskowy.

gofer ['goʊfər] *n. US, Can. i Austr. pot.* goniec.

goffer ['gɑ:fər] *v. introl.* karbować, marszczyć.

go-getter ['goʊˌgetər] *n. pot.* osoba przebojowa.

goggle ['gɑ:gl] *v. pot.* **1.** wytrzeszczać *l.* wybałuszać oczy *l.* gały, gapić się (*at sth* na coś); (*także* **~ the eyes**) przewracać oczami. **2.** być wytrzeszczonym *l.* wybałuszonym (*o oczach*). *– a. attr.* wytrzeszczony, wybałuszony (*o oczach*). *– n.* **1.** *sing.* wytrzeszcz, gapienie się. **2.** *pl. zob.* **goggles**.

goggle box, gogglebox *n. zw. sing. Br. pot.* telewizor.

goggle-eyed [ˌgɑ:gl'aɪd] *a. i adv.* z wybałuszonymi oczami.

goggles ['gɑ:glz] *n. pl.* okulary ochronne; gogle.

go-go dancer ['goʊgoʊ ˌdænsər] *n. przest.* tancerka wykonująca taniec erotyczny (*w nocnym klubie*).

Goidel ['gɔɪdl] *n.* Celt mówiący językiem gaelickim.

Goidelic [gɔɪ'delɪk] *n. i a.* = **Gaelic**.

going ['goʊɪŋ] *n. U* **1.** odejście; odjazd. **2.** stan gruntu *l.* nawierzchni. **3.** *bud.* szerokość stopnia (*schodów*). **4.** *pot.* tempo; **we're working on it, but it's hard/tough/slow ~** pracujemy nad tym, ale idzie ciężko *l.* opornie. **5.** *pot.* **the ~** warunki, sytuacja; **(get out) while the ~ is good** *zwł. Br.* (wycofać się,) dopóki jeszcze można; **when the ~ gets tough...** kiedy robi się gorąco,..., kiedy sytuacja staje się trudna,... **6. heavy ~** *zob.* **heavy** *a.* *– a.* **1.** *pred.* wolny, do wzięcia; **be ~ spare** *zob.* **spare** *a.*; **there aren't any jobs ~ at the moment** nie ma w tej chwili żadnych wakatów. **2.** *attr.* aktualny, aktualnie obowiązujący; **the ~ rate is...** aktualna stawka wynosi... **3.** *attr.* działający; prosperujący; **~ concern** prosperujące przedsiębiorstwo. **4. the best/largest... ~** najlepszy/największy z istniejących...

going barrel *n. mech.* bęben napędowy (*w zegarze*).

going-over [ˌgoʊɪŋ'oʊvər] *n. pl.* **goings-over** **1.** przegląd. **2. give sb a ~** *Br. pot.* spuścić komuś lanie.

goings-on [ˌgoʊɪŋz'ɑ:n] *n. pl. pot.* wydarzenia (*zwł. dziwne, podejrzane l. zabawne*); poczynania (*jw.*).

going train *n. mech.* przekładnia chodu (*w zegarze*).

goiter ['gɔɪtər], *Br.* **goitre** *n. C/U pat.* wole.

goitrous ['gɔɪtrəs] *a. pat.* **1.** mający wole. **2.** powodujący wole.

go-kart ['goʊˌkɑ:rt], **go-cart** *n. sport* gokart.

gold [goʊld] *n.* **1.** *U min., jubilerstwo* złoto (*t. = wyroby ze złota*). **2.** *U* kolor złoty, złoto; **old ~** stare złoto. **3.** *sport pot.* złoto (*= złoty medal*). **4.** *łucznictwo* środkowe pole tarczy (*za 9 punktów*). **5.** *przen.* **all that glitters is not ~** nie wszystko złoto, co się świeci; **(as) good as ~** bardzo grzeczny (*o dziecku*); **be dripping with ~** ociekać złotem; **heart of ~** złote serce; **worth its weight in ~** bezcenny. *– a.* złoty (*= ze złota l. w kolorze złota*).

gold-bearing ['goʊldˌberɪŋ] *a.* złotonośny, złotodajny.

goldbeater ['goʊldˌbi:tər] *n.* złotnik (*wyklepujący złoto na listki*).

goldbeater's skin *n.* błona do rozdzielania listków złota (*przy wyklepywaniu*).

gold brick *n.* **1.** *gł. hist.* pozłacana sztabka (*sprzedawana jako złota*). **2.** (*także* **gold bricker**) *US pot.* leser.

goldcrest ['goʊldˌkrest] *n. orn.* mysikrólik (*Regulus regulus*).

gold digger *n.* **1.** poszukiwacz złota. **2.** *pot.* kobieta naciągająca mężczyzn na pieniądze.

gold disc *n. muz.* złota płyta.

gold dust *n. U* **1.** złoty piasek. **2. like ~** *zwł. Br. przen.* rozchwytywany, trudny do zdobycia.

golden ['goʊldən] *a.* **1.** złoty (*= w kolorze złota; t. przen. = najlepszy, szczęśliwy*), złocisty. **2.** złoty (*= ze złota; np. o koronie*). **3.** *attr. przen.* znakomity, świetny; **~ opportunity** znakomita okazja. **4.** *attr. przen.* ukochany, ulubiony; **~ boy/girl** ulubieni-ec/ica. **5. kill the goose that lays the ~ egg(s)** *zob.* **goose** *n.*

golden age *n. zw. sing.* złoty wiek.

golden ager *n. US* osoba w wieku emerytalnym.

golden anniversary *n. pl.* **-ies** *US* złote wesele.

golden brown *a. i n. U* (kolor) złotobrązowy.

golden calf *n. Bibl. l. przen.* złoty cielec.

golden chain *n. bot.* złotokap (*Laburnum*).

golden eagle *n. orn.* orzeł przedni (*Aquila chrysaetos*).

goldeneye ['goʊldənaɪ] *n. pl.* **-s** *l.* **goldeneye** *orn.* gągoł (*Bucephala clangula*).

Golden Fleece *n. U mit.* Złote Runo.

golden handcuffs *n. pl. pot.* zachęta finansowa (*mająca odwieść pracownika od zamiaru odejścia z firmy*).

golden handshake *n. pot.* wysoka odprawa (*zwł. wypłacana pracownikowi zwalnianemu l. odchodzącemu na wcześniejszą emeryturę*).

Golden Horde *n. hist.* Złota Orda.

golden jubilee *n. Br.* złoty jubileusz (*zwł. = 50. rocznica koronacji monarchy*).

golden mean *n.* **1.** złoty środek (= *umiar*). **2.** *geom.* = **golden section**.

golden oldie *n.* złoty przebój.

golden oriole *n. orn.* wilga (*Oriolus oriolus*).

golden plover *n. orn.* siewka złota (*Pluvialis apricaria*).

golden retriever *n. kynol.* golden retriever.

golden rod *n. bot.* nawłoć (*Solidago*).

golden rule *n. zw. sing.* **1.** najważniejsze przykazanie (*zwł. = „nie czyń drugiemu, co tobie niemiło"*). **2.** ważna zasada. **3.** *mat.* reguła trzech.

goldenseal [ˈgoʊldənˌsiːl] *n. bot.* gorzknik kanadyjski (*Hydrastis canadensis*).

golden section *n.* (*także* **golden mean**) *geom.* złoty podział.

Golden State *n.* **the ~** *przen.* Kalifornia.

golden syrup *n. U Br. kulin.* melasa z cukru trzcinowego (*dodawana do ciast*).

golden wedding *n. Br.* = **golden anniversary**.

goldfield [ˈgoʊldˌfiːld] *n.* pole złotonośne.

goldfinch [ˈgoʊldˌfɪntʃ] *n. orn.* szczygieł (*Carduelis carduelis*).

goldfish [ˈgoʊldˌfɪʃ] *n. pl.* **-es** *l.* **goldfish** *icht.* złota rybka (*Carassius auratus*).

goldfish bowl *n.* = **fishbowl**.

gold foil *n. U* złota blaszka.

goldilocks [ˈgoʊldɪˌlɑːks] *n.* **1.** *bot.* jaskier różnolistny (*Ranunculus auricomus*). **2.** (*także* **G~**) osoba złotowłosa.

gold leaf *n. U* listek złota.

gold medal *n.* złoty medal.

gold medalist, *Br.* **gold medallist** *n.* złot-y/a medalist-a/ka.

gold mine *n.* **1.** kopalnia złota. **2.** *przen.* żyła złota.

gold plate *n. U* **1.** *el.* pozłota. **2.** zastawa stołowa ze złota.

gold plated *a.* pozłacany, złocony.

gold record *n. US muz.* złota płyta.

gold reserve *n. ekon.* rezerwa złota (*w banku centralnym*).

gold rush *n. t. hist.* gorączka złota.

goldsmith [ˈgoʊldˌsmɪθ] *n.* złotnik.

goldsmith beetle *n. ent.* kruszczyca złotawka (*Cetonia aurata*).

gold standard *n.* **the ~** *ekon.* parytet oparty na złocie.

goldstone [ˈgoʊldˌstoʊn] *n. U min.* awenturyn.

golf [gɑːlf] *sport n. U* golf; **round of ~** partia golfa. – *v.* grać w golfa.

golf ball *n.* **1.** piłka golfowa. **2.** głowica kulista (*w maszynie do pisania*).

golf club *n.* **1.** kij golfowy. **2.** klub golfowy.

golf course *n.* pole golfowe.

golfer [ˈgɑːlfər] *n.* gracz w golfa.

golfing [ˈgɑːlfɪŋ] *n.* gra w golfa. – *attr.* golfowy, do gry w golfa; **~ shoes** buty do (gry w) golfa.

golf links *n. pl.* pole golfowe (*zwł. nad brzegiem morza*).

Golgotha [ˈgɑːlgəθə] *n. Bibl.* Golgota.

goliard [ˈgoʊljərd] *n. hist.* goliard, wagant.

goliardic [goʊlˈjɑːrdɪk] *a.* wagancki.

Goliath [gəˈlaɪəθ] *n. Bibl. l. przen.* Goliat.

Goliath beetle, goliath beetle *n. ent.* goliat (*chrząszcz afrykański Goliathus giganteus*).

golliwog [ˈgɑːlɪˌwɑːg], **golliwogg** *n. Br. i Austr.* szmaciany pajacyk o czarnej buzi.

gollop [ˈgɑːləp] *v.* połykać łapczywie.

golly[1] [ˈgɑːlɪ] *int.* **(by) ~!** *przest. pot.* ojej!, jejku!.

golly[2] *n. pl.* **-ies** *pot.* = **golliwog**.

goloshes [gəˈlɑːʃɪz] *n. pl.* = **galoshes**.

GOM [ˌdʒiː ˌoʊ ˈem] *abbr.* = **Grand Old Man**.

gombeenism [gɑːmˈbiːnˌɪzəm] *n. U* (*także* **gombeen**) *Ir.* lichwa.

gombeen-man [gɑːmˈbiːnˌmæn] *n. pl.* **-men** *Ir.* lichwiarz.

gombo [ˈgʌmboʊ] *n.* = **gumbo**.

gomeril [ˈgɑːmərəl] *n. Scot.* dureń.

Gomorrah [gəˈmɔːrə] *n. Bibl. l. przen.* Gomora.

gonad [ˈgoʊnæd] *n. biol.* gonada.

gonadal [goʊˈneɪdl], **gonadic** [goʊˈnædɪk] *a. biol.* gonadowy.

gonadotrophic [goʊˌnædəˈtrɑːfɪk], **gonadotropic** [goʊˌnædəˈtrɑːpɪk] *a. biochem.* gonadotropowy.

gonadotrophin [goʊˌnædəˈtroʊfɪn], **gonadotropin** [goʊˌnædəˈtroʊpɪn] *n. biochem.* gonadotropina.

gondola [ˈgɑːndələ] *n.* **1.** gondola (*t. balonu*). **2.** (*także* **~ car**) *US i Can. kol.* lora.

gondolier [ˌgɑːndəˈliːr] *n.* gondolier.

gone [gɔːn] *v. pp. zob.* **go** *v.* – *a. pred. pot.* **1.** na haju (= *pod wpływem narkotyków*); wstawiony (= *pijany*). **2.** zakochany (*on sb* w kimś). **3.** **three/seven months ~** w trzecim/siódmym miesiącu (*ciąży*). **4. far ~** *zob.* **far**. – *prep. Br. pot.* po (*w odniesieniu do pory l. wieku*); **it's ~ midnight/two o'clock** jest po północy/po drugiej; **he's ~ sixty** jest po sześćdziesiątce.

goner [ˈgɔːnər] *n.* **be a ~** *pot.* być straconym, być nie do uratowania (*o osobie l. rzeczy*).

gonfalon [ˈgɑːnfələn], **gonfanon** *n.* chorągiew kościelna; *hist.* sztandar na poprzecznym drzewcu (*zwł. w średniowiecznych republikach włoskich*).

gong [gɔːŋ] *n.* **1.** gong. **2.** *Br. sl.* medal, odznaczenie (*zwł. wojskowe*). – *v.* **1.** uderzyć w gong. **2.** *Br.* zatrzymać gongiem (*kierowcę*).

goniometer [ˌgoʊnɪˈɑːmətər] *n. krystal.* goniometr.

goniometric [ˌgoʊnɪəˈmetrɪk], **goniometrical** [ˌgoʊnɪəˈmetrɪkl] *a. krystal.* goniometryczny.

goniometry [ˌgoʊnɪˈɑːmətrɪ] *n. U krystal.* goniometria.

gonna [ˈgɔːnə] *v. pot.* = **going to**; *zob.* **go** *v.*

gonococcus [ˌgɑːnəˈkɑːkəs] *n. pl.* **-ci** [ˌgɑːnəˈkɑːksaɪ] *biol.* gonokok.

gonorrhea [ˌgɑːnəˈriːə], **gonorrhoea** *n. pat.* rzeżączka.

gonorrheal [ˌgɑːnəˈriːəl] *a. pat.* rzeżączkowy.

goo [guː] *n. U pot.* **1.** maź. **2.** *przen.* cukierkowatość, sentymentalność.

goober [ˈguːbər] *n.* (*także* **~ pea**) *bot.* = **peanut**.

good [gʊd] *a.* **better, best** **1.** dobry (= *dobrej* *jakości, pozytywny, odpowiedni, sprawny, zdolny*); **be ~ at (doing) sth** być dobrym w czymś *l.* w robieniu czegoś; **be ~ with sb/sth** dobrze sobie radzić z kimś/czymś; **(not) ~ enough** (nie) dość dobry; **very/pretty ~** bardzo/dość dobry. **2.** dobry, zacny, poczciwy; uprzejmy, miły; łaskawy (*to sb* dla kogoś); wyrozumiały (*about sth* jeśli chodzi o coś); **be so ~ as to come** (*także* **be ~ enough to come**) *form.* bądź tak miły *l.* dobry i przyjdź, bądź łaskaw przyjść; **that's very ~ of you** to bardzo miło *l.* uprzejmie z twojej strony; **would you be so ~ as to close the door?** (*także* **would you be ~ enough to close the door?**) *form.* czy byłby/aby Pan/i uprzejm-y/a zamknąć drzwi?. **3.** grzeczny (*o dziecku*); **(as) ~ as gold** *przen.* bardzo grzeczny. **4.** *attr.* dobry, porządny; spory; **a ~ deal** (bardzo) dużo, sporo (*of sth* czegoś); **a ~ deal larger** (*także Br.* **a ~ bit larger**) o wiele większy; **a ~ many/few** *pot.* całkiem sporo; **a ~ two miles/hours** dobre dwie mile/godziny, dwie mile/godziny z okładem; **a ~ while** *pot.* dobrą chwilę, sporo czasu; **give sb a ~ beating** spuścić komuś porządne lanie; **make ~ money** dobrze zarabiać. **5.** zdrowy, dobry (*t. o części ciała = sprawny*); **be ~ for sb** być zdrowym dla kogoś, służyć komuś; **feel ~** czuć się dobrze; **he looked at me with his ~ eye** spojrzał na mnie (swoim) zdrowym okiem. **6.** ważny; obowiązujący, w mocy; **be ~ for** być ważnym *l.* zachowywać ważność przez (*określony czas; np. o paszporcie*); opiewać na (*określoną sumę; np. o wekslu*); **hold ~** być ważnym, obowiązywać (*o regule, zasadzie*). **7.** (*w utartych zwrotach*) **~ for you!** brawo!, pogratulować!; **~ God/Lord!** (*także euf.* **~ grief/gracious!**) dobry Boże!; **~ heavens!** wielkie nieba!; **~ luck!** powodzenia!; **~ show!** *Br. przest. pot.* dobra robota!; **have a ~ one!** *US pot.* miłego dnia!; **(it's) ~ to see you** miło cię widzieć. **8.** *przen.* **~ and ready** *pot.* całkiem gotowy; **all in ~ time** wszystko w swoim czasie; **and a ~ thing (it is) too** *Br.* i bardzo dobrze; **as ~ as finished/deaf/useless** praktycznie skończony/głuchy/bezużyteczny; **(as) ~ as new** jak nowy; **as ~ (a ...) as any** równie dobry (...), jak każdy inny; **be as ~ as one's word** *przen.* być słownym; dotrzymać słowa (*about sth* jeśli chodzi o coś); **be in sb's ~ books** *zob.* **book** *n.*; **be in sb's ~ graces** *zob.* **grace** *n.*; **be of ~ cheer** *zob.* **cheer** *n.* 2; **come ~** pozbierać się, dojść do siebie; **do sb a ~ turn** wyświadczyć komuś przysługę; **for ~ measure** na dokładkę; **give as ~ as one gets** *zob.* **give** *v.*; **have a ~ mind to do sth** mieć wielką ochotę coś zrobić; **have a ~ time** dobrze się bawić; **have ~ reasons to do sth** mieć ważne powody, żeby coś robić; **have sth on ~ authority** *zob.* **authority**; **he's always ~ for a drink/a few bucks** *pot.* zawsze można go naciągnąć na drinka/na parę dolarów; **in ~ faith** *form.* w dobrej wierze; **in ~ time** *zwł. Br.* odpowiednio *l.* wystarczająco wcześnie (*to do sth* żeby coś zrobić); **it's a ~ thing (that)...** (*także Br.* **it's a ~ job (that)...**) dobrze, że...; **make ~** (*także* **make it ~**) dorobić się; zrobić karierę; **make ~ a debt** spłacić dług; **make ~ a loss** wyrównać *l.* zrekompensować stratę; **make ~ a promise/threat** spełnić obietnicę/groźbę; **put in a ~ word for sb** wstawić się za kimś; **so far so ~** *pot.* oby tak dalej; **through sb' ~ offices** *form.* dzięki czyjemuś poparciu; **that's a ~ one!** dobry kawał!; *iron.* a to dobre!, dobre sobie!; **too ~ to last/to be true** zbyt dobry, aby mógł trwać/być prawdziwy; **too much of a ~ thing** za dużo dobrego; **while the going is ~** *zob.* **going** *n.* – *n.* **1.** *U* dobro; korzyść, pożytek; **~ and evil** dobro i zło; **a fat lot of ~ that would be!** *pot. iron.* dużo by to dało!; **be no ~** (*także* **not be any/much ~**) być do niczego; **be/do no ~** (*także* **not do/be any/much ~**) na nic się nie zdać; **be up to no ~** *pot.* knuć *l.* kombinować coś; **come to no ~** źle (się) skończyć; **do sb (a world/power of) ~** (bardzo) dobrze komuś zrobić; **for ~** (*także pot.* **for ~ and all**) na dobre; **for sb's (own) ~** dla czyjegoś (własnego) dobra; **for the ~ of sb/sth** dla dobra kogoś/czegoś; **it is all to the ~** to wyjdzie tylko na dobre; **it's no ~ crying/complaining** nie ma co *l.* nie warto płakać/narzekać; **it will do more harm than ~** będzie z tego więcej szkody niż pożytku; **to the ~** na korzyść, z pożytkiem; na plusie; *rachunkowość* na dobro; **what ~ will it do?** co to da?; **what's the ~ of it?** jaki z tego pożytek?. **2.** **the ~** dobrzy (ludzie). **3.** *pl. zob.* **goods.** – *int.* **1.** dobrze, zgoda. **2.** **very ~, sir/madam** *Br. przest.* tak jest, proszę pana/pani. – *adv. gł. US pot.* dobrze; **(I want you to) listen ~** słuchaj *l.* uważaj dobrze.

good afternoon *int.* **1.** dzień dobry! (*po południu*). **2.** *rzad.* do widzenia! (*jw.*).

Good Book, good book *n.* **the ~** *przest. l. żart.* Biblia.

goodbye [ˌgʊd'baɪ] *int.* do widzenia. – *n. C/U* pożegnanie; **kiss sb ~** pocałować kogoś na pożegnanie; **say ~ to sb/sth** *t. przen.* pożegnać się z kimś/czymś; **they said their ~s and left** pożegnali się i wyszli.

good day *int.* **1.** *zwł. Austr. i NZ* dzień dobry. **2.** *zwł. Br. przest.* dzień dobry; do widzenia.

good evening *int.* **1.** dobry wieczór. **2.** *rzad.* do widzenia (*wieczorem*); dobranoc.

good-for-nothing [ˌgʊdfər'nʌθɪŋ] *n.* nicpoń. – *a. attr.* nic nie wart.

Good Friday *n. kośc.* Wielki Piątek.

good guy *n. US* pozytywny bohater (*zwł. westernu l. kryminału*).

goodhearted [ˌgʊd'hɑːrtɪd], **good-hearted** *a.* dobrego serca, poczciwy, zacny.

goodheartedly [ˌgʊd'hɑːrtɪdlɪ] *adv.* poczciwie.

goodheartedness [ˌgʊd'hɑːrtɪdnəs] *n. U* dobre serce, poczciwość, zacność.

good-humored [ˌgʊd'hjuːmərd], *Br.* **good-humoured** *a.* pogodny; dobroduszny.

good-humoredly [ˌgʊd'hjuːmərdlɪ] *adv.* pogodnie; dobrodusznie.

good-humoredness [ˌgʊd'hjuːmərdnəs] *n. U* pogoda ducha; dobroduszność.

goodies ['gʊdɪz] *n. pl. pot.* pyszności.

goodish ['gʊdɪʃ] *a. attr. Br. pot.* **1.** nie najgorszy. **2.** dość duży, spory.

goodliness ['gʊdlɪnəs] *n. U* **1.** *przest.* pokaźność. **2.** *arch.* atrakcyjność.

good-looker [ˌgʊd'lʊkər] *n.* atrakcyjna osoba.

good-looking [ˌgʊdˈlʊkɪŋ] *a.* atrakcyjny, urodziwy; przystojny.

good looks *n. pl.* uroda.

goodly [ˈgʊdlɪ] *a. attr.* **-ier, -iest 1.** *przest.* znaczny, spory, pokaźny (*zwł. o kwocie, ilości*). **2.** *arch.* = **good-looking.**

goodman [ˈgʊdmən] *n. pl.* **-men** *arch.* **1.** głowa rodziny, gospodarz. **2.** mąż, małżonek. **3.** (*przed nazwiskiem*) pan.

good morning *int.* **1.** dzień dobry (*przed południem*). **2.** *rzad.* do widzenia (*jw.*).

good-natured [ˌgʊdˈneɪtʃərd] *a.* dobroduszny, dobrotliwy, łagodnego usposobienia; życzliwy.

good-naturedly [ˌgʊdˈneɪtʃərdlɪ] *adv.* dobrodusznie, dobrotliwie; życzliwie.

good-naturedness [ˌgʊdˈneɪtʃərdnəs] *n. U* dobroduszność, dobrotliwość; życzliwość.

goodness [ˈgʊdnəs] *n. U* **1.** dobroć; poczciwość, zacność, cnota. **2.** grzeczność, uprzejmość; **have the ~ to do sth** *form.* zechcieć coś zrobić. **3.** *euf.* **(my) ~!** (*także* **~ gracious (me)!**) (mój) Boże!; **~ knows** Bóg (jeden) wie, Bóg raczy wiedzieć; **for ~' sake!** na miłość *l.* litość boską!; **thank ~!** Bogu dzięki!, chwała Bogu!.

goodness of fit *n. U stat.* zgodność rozkładów.

goodnight [ˌgʊdˈnaɪt] *int.* (*także* **good night**) **1.** dobranoc. **2.** *rzad.* dobry wieczór. – *n. i a. attr.* **~ kiss** pocałunek na dobranoc; **kiss sb ~** pocałować kogoś na dobranoc.

good-o [ˌgʊdˈoʊ], **good-oh** *int. zwł. Austr. pot.* dobrze!.

good oil *n. U Austr. pot.* pewne *l.* sprawdzone informacje.

goods [gʊdz] *n. pl.* **1.** *handl.* towary. **2.** *ekon.* dobra; środki; **capital/producer ~** środki produkcji, dobra inwestycyjne; **consumer ~** dobra konsumpcyjne. **3. ~ and chattels** *zob.* **chattel. 4.** *przen.* **deliver the ~** *zob.* **deliver; piece of ~** *żart. sl.* sztuka, towar (*o kobiecie*); **the ~** *sl.* autentyk; **have the ~ on sb** *US i Can. sl.* mieć na kogoś haka (= *mieć dowody winy*).

Good Samaritan *n. Bibl. l. przen.* dobry Samarytanin.

good-sized [ˌgʊdˈsaɪzd] *a.* dość duży, spory.

goods train *n. zwł. Br.* pociąg towarowy.

good-tempered [ˌgʊdˈtempərd] *a.* pogodny; zrównoważony, spokojny.

good-time [ˈgʊdˌtaɪm] *attr. pot.* rozrywkowy (*o osobie*).

goodwife [ˈgʊdˌwaɪf] *n. pl.* **-wives** *arch.* **1.** gospodyni. **2.** (*przed nazwiskiem*) pani.

goodwill [ˌgʊdˈwɪl], **good will** *n. U* **1.** *t. polit.* dobra wola; **~ gesture** (*także* **gesture of ~**) gest dobrej woli. **2.** gotowość, ochota, gorliwość. **3.** *ekon.* dobre imię, reputacja (*firmy*).

goody[1] [ˈgʊdɪ] *n. pl.* **-ies** (*także* **goodie**) *pot.* **1.** nagroda; materialna zachęta. **2.** pozytywny bohater (*zwł. westernu l. kryminału*). **3.** *pl. zob.* **goodies. 4.** = **goody-goody.** – *int. gł. dziec.* świetnie!.

goody[2] *n. pl.* **-ies** *arch. l. lit.* **1.** gospodyni. **2.** (*przed nazwiskiem*) pani.

goody-goody [ˈgʊdɪˌgʊdɪ] *n. pl.* **-ies** (*także US* **goody-two-shoes**) świętosz-ek/ka. – *a. zw. attr.* świętoszkowaty.

gooey [ˈguːɪ] *a.* **-ier, -iest** *pot.* **1.** lepki (*zw. t. słodki*). **2.** *przen.* cukierkowy, sentymentalny.

goof [guːf] *zwł. US i Can. n. pot.* **1.** głupi błąd, głupstwo. **2.** głupek. – *v. pot.* **1.** palnąć głupstwo, wygłupić się. **2.** spartaczyć (*robotę*); położyć (*rolę, przemówienie*). **3. ~ about/around** wygłupiać się; **~ off** obijać się.

goofball [ˈguːfˌbɔːl] *n. US i Can. sl.* **1.** pigułka nasenna. **2.** głupek.

goofily [ˈguːfɪlɪ] *adv. zwł. US i Can. pot.* głupkowato, głupawo.

goofiness [ˈguːfɪnəs] *n. U zwł. US i Can. pot.* głupkowatość, głupawość.

goofy [ˈguːfɪ] *a.* **-ier, -iest** *zwł. US i Can. pot.* głupkowaty, głupawy.

goog [guːg] *n. Austr. pot.* **1.** jajko. **2. full as a ~** *przen.* pijany jak bela.

goo-goo [ˈguːˌguː] *a. attr.* **make ~ eyes at sb** *US pot.* robić do kogoś słodkie oczy.

gook [gʊk] *n. US obelż. sl.* żółtek (= *osoba pochodząca z Dalekiego Wschodu*).

goolies [ˈguːlɪz] *n. pl. Br. wulg. sl.* jaja (= *jądra*).

goon [guːn] *n. pot.* **1.** *US* bandzior do wynajęcia (*np. jako łamistrajk*); bojówkarz, pałkarz. **2.** *Br.* dureń; łamaga; ktoś, kto udaje głupiego.

gooney bird [ˈguːnɪˌbɜːd] *n. pot.* albatros.

goop [guːp] *n. US i Can. pot.* cham, gbur.

goopy [ˈguːpɪ] *a.* **-ier, -iest** *pot.* chamski, gburowaty.

goosander [guːˈsændər] *n. orn.* tracz nurogęś (*Mergus merganser*).

goose [guːs] *n. pl.* **geese** [giːs] **1.** gęś (*zool.* = *podrodzina Anserinae; t.* = *samica gęsi*). **2.** *U kulin.* gęsina, gęś. **3.** *przest. pot.* gąska, gęś (= *głupiutka osoba*). **4.** *przen.* **all his geese are swans** *przest.* on zawsze przesadza; **cook sb's ~** *pot.* załatwić kogoś (= *zniszczyć, pokrzyżować plany*); **kill the ~ that lays the golden egg(s)** zabić kurę, która znosi złote jajka; **sb wouldn't say boo to a ~** *zob.* **boo** *int.*; **(what's) sauce for the ~ is sauce for the gander** *zob.* **sauce** *n.* **5.** *pl.* **-s** żelazko krawieckie. **6.** *pl.* **-s** *pot.* dźgnięcie (palcem) w pośladek. – *v. pot.* **1.** dźgnąć *l.* dziabnąć palcem w pośladek. **2.** *US przen.* zmobilizować do działania.

gooseberry [ˈguːsˌberɪ] *n. pl.* **-ies 1.** *bot.* agrest (*Ribes grossularia*). **2. play ~** *Br. pot.* robić za przyzwoitkę.

goose bumps *n. pl. zwł. US* = **goose pimples.**

gooseflesh [ˈguːsˌflesh] *n. U zwł. Br.* = **goose pimples.**

goosefoot [ˈguːsˌfʊt] *n. pl.* **-s** *bot.* komosa (*Chenopodium*).

goosegog [ˈgʊzgɑːg], **goosegob** [ˈgʊzgɑːb] *n. U Br. dial. l. pot.* agrest.

goosegrass [ˈguːsgræs], **goose grass** *n. U bot.* lepczyca (*Galium aparine*).

gooseherd [ˈguːsˌhɜːd] *n.* gęsiar-ek/ka.

gooseneck [ˈguːsˌnek] *n.* **1.** uchwyt *l.* przewód wygięty w S. **2.** *metal.* przeciwkolano. **3.** *el.* fajka (*instalacyjna*).

goose pimples *n. pl.* gęsia skórka.

goose quill *n.* gęsie pióro (*zwł. do pisania*).

goose step, goosestep *n.* *U wojsk.* krok defiladowy.

goose-step ['gu:sˌstep] *v. wojsk.* maszerować krokiem defiladowym.

goosey ['gu:sɪ], **goosy** *a.* **-ier, -iest 1.** gęsi. **2.** *pot.* głupi jak gąska. **3.** (*także* **goose-pimply**) *pot.* pokryty gęsią skórką; **get/go ~** dostać gęsiej skórki.

GOP [ˌdʒi: ˌoʊ 'pi:], **G.O.P.** *abbr. i n. U* **the ~** *US polit.* Partia Republikańska; = **Grand Old Party**.

gopher ['goʊfər] *n. zool.* **1.** (*także* **pocket ~**) goffer (*Geomys*). **2.** suseł (*Citellus*). **3.** żółw norowy (*Gopherus polyphemus*). **4.** = **ground squirrel**. **5.** (*także* **~ snake**) = **bull snake**. – *v.* grzebać w ziemi.

gopher hole *n. górn.* otwór strzałowy.

gophering ['goʊfərɪŋ] *n. U górn.* eksploatacja rabunkowa.

gopherwood ['goʊfərˌwʊd] *n. U US bot.* strączyn żółty (*Cladrastis lutea*).

gorb [gɔ:rb] *n. Ir.* żarłok.

gorcock ['gɔ:rˌkɑ:k] *n. orn.* samiec pardwy szkockiej (*Lagopus Scoticus*).

Gordian knot [ˌgɔ:rdɪən 'nɑ:t] *n. hist. l. przen.* węzeł gordyjski; **cut/untie the ~** przeciąć węzeł gordyjski.

gore[1] [gɔ:r] *n. U* **1.** rozlana krew (*zwł. zakrzepła*). **2.** *przen. pot.* rozlew krwi.

gore[2] *v.* zranić rogiem *l.* kłem; ubóść; wziąć na rogi.

gore[3] *n.* klin (*w spódnicy, kopule balonu itp.*). – *v.* wstawiać klin *l.* kliny do (*czegoś*).

gored [gɔ:rd] *a.* z klinów (*np. o spódnicy*).

gorge [gɔ:rdʒ] *n.* **1.** wąwóz. **2.** *U* treść żołądka; **sb's ~ rises** komuś zbiera się na wymioty; *przen.* gniew w kimś wzbiera (*at sth* na widok czegoś). **3.** masa blokująca (*zwł. lodu na rzece*). **4.** *bud., wojsk.* szyja. **5.** *bud.* łzawnik, kapinos. **6.** *techn.* torus wierzchołków. **7.** *wiertnictwo* szyjka płuczkowa. **8.** *arch. anat.* gardło, gardziel. – *v.* (*także* **~ o.s.**) objadać się (*on / with sth* czymś).

gorgeous ['gɔ:rdʒəs] *a.* **1.** przepyszny, bogaty, mieniący się kolorami (*np. o tkaninie, stroju*); przepiękny (*o osobie*). **2.** *pot.* wspaniały, cudowny, śliczny (*np. o poranku, pogodzie*).

gorgeously ['gɔ:rdʒəslɪ] *adv.* **1.** przepięknie. **2.** *pot.* wspaniale, cudownie.

gorgeousness ['gɔ:rdʒəsnəs] *n. U* **1.** przepych; piękno. **2.** *pot.* wspaniałość.

gorget ['gɔ:rdʒɪt] *n.* **1.** *zbroja, hist.* obojczyk. **2.** *hist., wojsk.* ryngraf. **3.** *strój* podwika, zawicie (*rodzaj kołnierza z chusty noszonego przez zakonnice i średniowieczne kobiety*). **4.** *zool.* barwne pasmo na szyi (*zwł. ptaka*).

gorge tool *n. mech.* nóż strugarski odgięty.

Gorgon ['gɔ:rgən] *n.* **1.** *mit.* gorgona. **2.** **g~** *przen. pot.* hetera, wiedźma.

Gorgonzola [ˌgɔ:rgən'zoʊlə], **gorgonzola** *n. U* (ser) gorgonzola.

gorhen ['gɔ:rˌhen] *n. orn.* samica pardwy szkockiej (*Lagopus Scoticus*).

gorilla [gə'rɪlə] *n.* goryl (*zool.* = *Gorilla gorilla; pot.* = *potężnie zbudowany brzydal, zwł. ochroniarz*).

gorily ['gɔ:rɪlɪ] *adv.* krwawo.

goriness ['gɔ:rɪnəs] *n. U* krwawość.

gormand ['gɔ:rmənd] *n. rzad.* = **gourmand**.

gormandize ['gɔ:rmənˌdaɪz], *Br. i Austr. zw.* **gormandise** *v.* **1.** obżerać się. **2.** pożerać. – *n. U rzad.* = **gourmandise**.

gormandizer ['gɔ:rmənˌdaɪzər], *Br. i Austr. zw.* **gormandiser** *n.* żarłok, obżartuch.

gormless ['gɔ:rmləs] *a. Br. pot.* tępy, ciężko myślący.

gorse [gɔ:rs] *n.* (*także* **common ~**) *bot.* kolcolist zachodni (*Ulex europaeus*).

gory ['gɔ:rɪ] *a.* **-ier, -iest 1.** *gł. przen.* krwawy, ociekający krwią (*o scenie, operacji*). **2.** *lit.* zakrwawiony. **3. (all) the ~ details** *zw. żart.* (wszystkie) intymne szczegóły.

gosh [gɑ:ʃ] *int. euf.* ojej!.

goshawk ['gɑ:sˌhɔ:k] *n. orn.* jastrząb gołębiarz (*Accipiter gentilis*).

gosling ['gɑ:zlɪŋ] *n.* gąska, gąsiątko.

go-slow [goʊ'sloʊ] *n. Br.* strajk włoski.

gospel ['gɑ:spl] *n.* **1. G~** *rel.* ewangelia; **preach/spread the ~** głosić ewangelię; **the G~ according to St Matthew** (*także* **St Matthew's G~**) ewangelia wg św. Mateusza. **2.** *zw. sing. przen.* doktryna; **spread the ~ of feminism** (*także* **spread the feminist ~**) głosić doktrynę feminizmu. **3.** *U* (*także* **~ music**) *muz.* (muzyka) gospel. **4.** *U* (*także* **~ truth**) święta prawda; **take sth as ~** wierzyć w coś bez zastrzeżeń.

gospeler ['gɑ:splər], *Br.* **gospeller** *n.* **1.** *kośc.* lektor/ka ewangelii. **2.** *przen. zw. uj.* głosiciel/ka, propagator/ka (*określonej doktryny l. ideologii*).

gossamer ['gɑ:səmər] *n. U* **1.** babie lato; **~ threads** nitki babiego lata. **2.** *tk.* cieniutka gaza. **3.** *przen.* pajęczynka, koronka (= *coś delikatnego i cieniutkiego*). – *a. attr.* (*także* **gossamery**) cieniuteńki (*o tkaninie*); pajęczy (*np. o koronce*); ażurowy (*np. o firance*).

gossan ['gɑ:sən], **gozzan** ['gɑ:zən] *n. geol.* czapa żelaza.

gossip ['gɑ:səp] *n.* **1.** *C / U* plotki (*t. czynność*); **have a ~** poplotkować sobie; **idle ~** bezpodstawne plotki; **the latest (piece of) ~** najnowsza plotka. **2.** plotka-rz/rka. **3.** *arch.* kuma, kumoszka (= *przyjaciółka*). – *v.* plotkować.

gossip column *n. dzienn.* kronika towarzyska.

gossipmonger ['gɑ:səpˌmɑ:ŋgər] *n.* (*także* **gossiper**) plotka-rz/rka.

gossipy ['gɑ:səpɪ] *a. pot.* plotkarski.

gossoon [gɑ:'su:n] *n. Ir.* chłopak.

got [gɑ:t] *v. zob.* **get** *v.*

gotcha ['gɑ:tʃə] *int. pot.* **1.** mam cię!. **2.** rozumiem!.

Goth [gɑ:θ] *n.* **1.** *hist.* Got. **2.** (*także* **g~**) barbarzyńca.

Gotham ['gɑ:θəm] *n. lit.* Nowy Jork.

Gothenburg ['gɑ:θənˌbɜ:g] *n. geogr.* Göteborg.

Gothic ['gɑ:θɪk] *a.* **1.** *bud., druk., lit.* gotycki.

2. *jęz.*, *hist.* gocki. 3. (*także* **g~**) barbarzyński. – *n. U* 1. *bud.*, *druk.*, *lit.* gotyk. 2. *jęz.* (język) gocki.

Gothicism ['gɑ:θɪˌsɪzəm] *n. U* gotyckość.

Gothic Revival *n. U sztuka* neogotyk (*zwł. w architekturze*).

gotta ['gɑ:tə] *v. pot.* = **(have/has) got to**; *zob.* **get** *v.*

gotten ['gɑ:tən] *v. pp. zob.* **get** *v.*

gouache [gu:'ɑ:ʃ] *n. mal.* gwasz (*obraz*); *U* gwasz (*technika*).

Gouda ['gaʊdə] *n. U* (ser) gouda.

gouge [gaʊdʒ] *v.* 1. żłobić; dłubać. 2. **~ out** wyżłobić; wydłubać; **~ sb's eyes out** wyłupić komuś oczy. 3. *US i Can. pot.* kantować. – *n.* 1. *techn.* żłobak, dłuto wklęsłe; *chir.*, *dent.* dłuto. 2. wyżłobienie. 3. *US i Can. pot.* kant.

gouger ['gaʊdʒər] *n. US i Can. pot.* kanciarz/ra.

goulash ['gu:lɑ:ʃ] *n. C/U kulin.* gulasz.

gourd [gɔ:rd] *n.* 1. (*także* **bottle/calabash ~**) *bot.* kalebasa, tykwa pospolita (*Lagenaria siceraria*). 2. (*także* **bitter ~**) *bot.* przepękla *l.* balsamka ogórkowata (*Momordica charantia*). 3. tykwa (*naczynie*).

gourmand ['gʊrmɑ:nd], **gormand** *n.* łakomczuch.

gourmandise ['gʊrmɑ:nˌdi:z], **gormandise** *n. U Br.* smakoszostwo.

gourmet ['gʊrmeɪ] *n.* smakosz/ka. – *a. attr.* dla smakoszy *l.* znawców (*o jedzeniu, trunkach, restauracji*).

gout [gaʊt] *n.* 1. *U pat.* dna (*zwł. stawów palucha*), skaza moczanowa, podagra. 2. *arch.* kropla, plama (*zwł. krwi*).

gouty ['gaʊtɪ] *a. pat.* dnawy, podagryczny.

gov., Gov. *abbr.* 1. = **government**. 2. = **governor**.

govern ['gʌvərn] *v.* 1. *t. polit.*, *gram.* rządzić (*krajem, przypadkiem*); zarządzać (*instytucją*). 2. regulować (*o przepisach*); kierować (*działaniami, polityką*); sterować (*opinią publiczną*). 3. *wojsk.* dowodzić (*twierdzą*). 4. *mech.* sterować, regulować. 5. *przest. przen.* trzymać na wodzy (*namiętności, emocje*); **~ one's temper** panować nad sobą.

governable ['gʌvərnəbl] *a.* sterowny.

governance ['gʌvərnəns] *n. U* 1. rządzenie; zarządzanie, zarząd. 2. kierowanie, kierownictwo; kontrola. 3. dowodzenie.

governess ['gʌvərnəs] *n.* guwernantka.

governing ['gʌvərnɪŋ] *a. attr. t. polit.* rządzący (*o partii, zasadzie*).

governing body *n. pl.* **-ies** zarząd.

government ['gʌvərnmənt] *n.* 1. *U polit.* rząd; rada ministrów; **central ~** rząd centralny; **local ~** samorząd lokalny *l.* terytorialny; **under the last ~** za czasów ostatniego rządu. 2. *U polit.* rządy, rządzenie; system rządzenia; **be in ~** *Br. i Austr.* rządzić (*np. o partii*); **democratic ~** rządy demokratyczne. 3. *gł. hist.*, *polit.* gubernia; gubernatorstwo. 4. *gram.* rząd, składnia rządu, rekcja.

government agency *n. pl.* **-ies** *polit.* agenda rządowa.

governmental [ˌgʌvərn'mentl] *a.* 1. rządowy; państwowy. 2. *hist.* gubernialny.

government department *n. polit.* resort (rządowy).

government issue *a. US* przydziałowy (*gł. o wyposażeniu wojskowym*).

government papers *n. pl.* (*także* **government securities**) *fin.* obligacje skarbowe, obligacje skarbu państwa.

governor ['gʌvərnər] *n.* 1. gubernator. 2. *hist.* rządca; wojewoda; namiestnik. 3. *wojsk.* dowódca twierdzy *l.* garnizonu. 4. człon-ek/kini zarządu; **board of ~s** zarząd. 5. *Br.* zarządca, kierownik, dyrektor (*instytucji*). 6. *Br.* naczelnik więzienia. 7. *mech.* regulator. 8. *Br. przest. sl.* = **guvnor**.

governor-general [ˌgʌvərnər'dʒenərəl] *n. pl.* **governors-general** *l.* **governor-generals** *polit.* gubernator generalny.

governorship ['gʌvərnərˌʃɪp] *n. U* urząd gubernatora.

Govt., govt. *abbr.* = **government**.

gowan ['gaʊən] *n. Scot.* stokrotka.

gowk [gaʊk] *n. płn. Br. dial.* 1. głupek. 2. *orn.* kukułka.

gown [gaʊn] *n.* 1. suknia; **ball/evening ~** suknia balowa/wieczorowa; **dressing ~** szlafrok. 2. *hist.*, *prawn.*, *uniw.* toga. 3. *med.* (*także* **surgical ~**) strój *l.* fartuch operacyjny (*chirurga l. instrumentariuszki*); (*także* **hospital ~**) koszula szpitalna (*operowanego*). 4. *U* społeczność uniwersytecka *l.* akademicka; **town and ~** społeczność akademicka i nieakademicka (*danego miasta*). – *v.* 1. przyodziewać w togę. 2. wkładać togę.

gownsman ['gaʊnzmən] *n. pl.* **-men** osoba nosząca togę (*z racji zawodu; np. członek uniwersytetu*).

goy [gɔɪ] *n. pl. t.* **goyim** ['gɔɪɪm] goj (= *nie-Żyd*).

GP [ˌdʒi: 'pi:], **G.P.** *abbr.* 1. *med. zwł. Br.* = **general practitioner**. 2. = **Gallup Poll**. 3. *mot.* = **Grand Prix**. 4. *Br.* = **graduated pension**.

GPA [ˌdʒi: ˌpi: 'eɪ] *abbr.* = **grade point average**.

GPI [ˌdʒi: ˌpi: 'aɪ] *abbr.* 1. **general paralysis of the insane** *pat.* porażenie postępujące. 2. **ground position indicator** *wojsk.* wskaźnik położenia (*względem ziemi*).

GPO [ˌdʒi: ˌpi: 'oʊ], **G.P.O.** *abbr.* 1. = **General Post Office**. 2. **Gun Position Officer** *wojsk.* oficer ogniowy.

GPS [ˌdʒi: ˌpi: 'es], **G.P.S.** *abbr.* 1. **Global Positioning System** *radio* globalny system nawigacji satelitarnej. 2. **Great Public Schools** *Austr.* grupa prywatnych szkół o starych tradycjach.

Gr. *abbr.* = **Greece**; = **Greek**; = **Grecian**.

gr. *abbr.* 1. = **grade**. 2. = **grain** 11. 3. = **gross**. 4. = **gram**.

Graafian follicle [ˌgrɑ:fɪən 'fɑ:ləkl] *n. anat.* pęcherzyk Graafa.

grab [græb] *v.* **-bb-** 1. chwytać, łapać, porywać; **~ sth from sb** wyrwać coś komuś. 2. *pot.* przymknąć (= *aresztować*). 3. *przen. pot.* **~ a chance/an opportunity** (skwapliwie *l.* ochoczo) skorzystać z okazji; ~ **a few hours' sleep** przespać się parę godzin; ~ **a (quick) bite (to eat)** przekąsić coś; **how does that (idea) ~ you?** jak ci się podoba ten pomysł?. **4.** ~ **at sth** chwytać za coś, próbować chwycić *l.* złapać (za) coś; *t. przen.* rzucać się na coś. – *n.* **1. make a ~ at/for sth** próbować chwycić *l.* złapać (za) coś. **2. be up for ~s** *pot.* być do wzięcia (*np. o nagrodzie, posadzie*). **3.** *mech.* chwytak.

grab bag *n. sing.* **1.** *US* beczka szczęścia (*z której wyławia się fanty*). **2.** *zwł. Austr.* miszmasz.

grab bar *n.* (*także* **grab rail**) poręcz, uchwyt (*przy ścianie, np. ułatwiający wychodzenie z wanny*).

grabbiness ['græbɪnəs] *n. U pot.* zachłanność.

grabble ['græbl] *v.* **1.** szukać po omacku (*for sth* czegoś). **2.** opaść na czworaki.

grabby ['græbɪ] *a.* **-ier, -iest** *pot.* zachłanny.

grab rail *n.* = **grab bar**.

grace [greɪs] *n.* **1.** *U* wdzięk, gracja. **2.** *C/U* takt; przyzwoitość, poczucie przyzwoitości; **sb's saving ~** czyjaś (jedyna) dobra cecha; **have the (good) ~ to do sth** mieć na tyle przyzwoitości, żeby coś zrobić; **with (a) bad ~** z łaski, niechętnie; **with (a) good ~** chętnie. **3.** *pl.* **airs and ~s** poza, afektacja, maniera; **social ~s** ogłada (towarzyska), dobre maniery. **4.** *C/U* łaska; **act of ~** akt łaski (= *amnestia*); **be in sb's bad/good ~s** być u kogoś w niełasce/w łaskach; **coup de ~** *zob.* **coup; fall from ~** wypaść z łask. **5.** *U teol.* łaska (uświęcająca); **divine ~** łaska Boża; **by the ~ of God** z Bożej łaski (*zwł. przy tytule królewskim*); (*także* **through the ~ of God**) dzięki Bogu; **fall from ~** stracić stan łaski (*przez grzech*); **state of ~** stan łaski uświęcającej. **6.** *C/U* modlitwa przed jedzeniem; **say ~** odmawiać modlitwę przed jedzeniem. **7.** *U* dodatkowy czas (*na wykonanie określonego zadania*); *handl.* prolongata, respiro; **a day's/week's ~** dodatkowy dzień/tydzień; **days of ~** *handl.* dni respektowe, respiro wekslowe. **8.** (*w tytułach*) **Her G~** Jaśnie Oświecona Księżna; **His G~** Jaśnie Oświecony Książę; Najprzewielebniejszy Ksiądz Arcybiskup; **Your G~** Jaśnie Oświecon-a/-y ... (*jako forma zwracania się*); Najprzewielebniejszy Księże Biskupie ... (*jw.*). **9.** *muz.* = **grace note**. **10.** *Br. uniw.* uchwała władz uczelni. **11.** *pl.* serso (*gra dziecięca*). – *v.* **1.** przydawać wdzięku (*czemuś*); ozdabiać (*with sth* czymś). **2.** uczcić; zaszczycić (*with sth* czymś). **3.** przynosić zaszczyt (*komuś l. czemuś*). **4.** *muz.* dodawać ozdobnik *l.* ozdobniki do (*czegoś*).

grace cup *n.* kielich pity za zdrowie pod koniec obiadu, ostatni toast.

graceful ['greɪsful] *a.* **1.** pełen wdzięku, wdzięczny (*o ruchu, geście*); elegancki (*o kształcie, piśmie*). **2.** taktowny.

gracefully ['greɪsfulɪ] *adv.* **1.** z wdziękiem, wdzięcznie; elegancko. **2.** taktownie.

gracefulness ['greɪsfulnəs] *n. U* **1.** wdzięk (*ruchów*); elegancja (*formy*). **2.** taktowność.

graceless ['greɪsləs] *a.* **1.** pozbawiony poczucia przyzwoitości, bezwzględny. **2.** niezgrabny, bez wdzięku.

gracelessly ['greɪsləslɪ] *adv.* **1.** bezwzględnie. **2.** niezgrabnie, bez wdzięku.

gracelessness ['greɪsləsnəs] *n. U* **1.** brak poczucia przyzwoitości. **2.** brak wdzięku.

grace note *n. muz.* ozdobnik.

grace period *n. handl.* okres prolongaty.

Graces ['greɪsɪz] *n. pl. mit.* Gracje.

gracile ['græsɪl] *a.* **1.** *lit.* smukły. **2.** *rzad.* = **graceful**.

gracility [græ'sɪlətɪ], **gracileness** ['græsɪlnəs] *n. U* **1.** *lit.* smukłość. **2.** *rzad.* = **gracefulness** *n.*

gracious ['greɪʃəs] *a.* **1.** łaskawy, uprzejmy (*o osobie, zachowaniu*); miły (*o uśmiechu*). **2.** miłosierny, miłościwy (*zwł. o Bogu*); **good ~!** (*także* **goodness ~ (me)!**) *emf.* dobry Boże!. **3.** wytworny (*np. o stylu życia*).

graciously ['greɪʃəslɪ] *adv.* **1.** łaskawie, uprzejmie. **2.** miłosiernie, miłościwie.

graciousness ['greɪʃəsnəs] *n. U* **1.** łaskawość, uprzejmość. **2.** miłosierność.

grackle ['grækl] *n. orn.* gwarek (*Gracula*).

grad [græd] *n. US pot.* = **graduate**.

gradability [ˌgreɪdə'bɪlətɪ] *n. U gram.* stopniowalność (*przymiotnika*).

gradable ['greɪdəbl] *a. gram.* stopniowalny (*o przymiotniku*).

gradate ['greɪdeɪt] *v.* **1.** cieniować; stopniować. **2.** przechodzić (niezauważalnie) w inny odcień (*o barwach*).

gradation [grə'deɪʃən] *n.* **1.** skala (*np. natężenia, zasług*). **2.** *często pl. form.* stopień (*na skali jw.*). **3.** *U* stopniowanie, gradacja. **4.** *U sztuka, geol.* gradacja. **5.** *U jęz.* apofonia, ablaut.

grade [greɪd] *n.* **1.** klasa, jakość, gatunek; **high/low-~** wysokiej/niskiej jakości. **2.** stopień (*w hierarchii*), ranga. **3.** *geom.* stopień. **4.** *szkoln.* stopień, ocena. **5.** *US, Can. i Austr. szkoln.* klasa. **6.** *zwł. US i Can.* nachylenie, pochyłość; stopień nachylenia (*drogi, l. torów kolejowych*). **7.** *przen.* **be on the up/down ~** *Br.* polepszać/pogarszać się; **make the ~** osiągnąć wymagany poziom *l.* standard, dawać sobie radę; zrobić karierę. – *v.* **1.** *szkoln.* oceniać. **2.** sortować; klasyfikować. **3.** równać, profilować (*zwł. drogę*). **4.** przechodzić jeden w drugi (*o kolorach*). **5.** *zool.* uszlachetniać.

gradeability [ˌgreɪdə'bɪlətɪ] *n. U mot.* zdolność pokonywania wzniesień.

grade crossing *n. US i Can.* przejazd kolejowy.

graded ['greɪdɪd] *a.* **1.** nachylony. **2.** stopniowy, stopniowany. **3.** sortowany. **4.** *mat.* z gradacją.

gradely ['greɪdlɪ] *a.* **-ier, -iest** *Br. dial.* wspaniały, doskonały.

grade point average *n.* (*także* **GPA**) *zwł. US uniw., szkoln.* średnia ocen.

grader ['greɪdər] *n.* **1.** klasyfikator/ka. **2.** *w złoż.* **fourth/sixth-~** *szkoln.* czwarto/szóstoklasist-a/ka. **3.** *mech.* równiarka (*używana w drogownictwie*).

grade school *n. US i Can. szkoln.* szkoła podstawowa.

grade separation *n. US i Can. mot.* skrzyżowanie bezkolizyjne.

gradient ['greɪdɪənt] *n.* **1.** *Br.* = **grade** *n.* 6. **2.** *mat., fiz.* gradient. – *a.* stopniowo opadający *l.* wznoszący się.

gradient post *n. kol.* wskaźnik pochylenia.

gradin ['greɪdɪn], **gradine** [grə'di:n] *n.* **1.** *kośc.* występ nad *l.* za ołtarzem. **2.** stopień schodów (*np. w amfiteatrze*); rząd siedzeń (*jw.*).

grad school *n. pot.* = **graduate school**.

gradual ['grædʒu:əl] *a.* **1.** stopniowy. **2.** łagodny (*o zboczu*). – *n.* (*także* **G~**) *kośc.* graduał.

gradually ['grædʒu:əlɪ] *adv.* **1.** stopniowo. **2.** łagodnie (*wznosić się l. opadać; o zboczu*).

gradualness ['grædʒu:ənəs] *n. U* **1.** stopniowość. **2.** łagodność.

graduate *n.* ['grædʒʊət] **1.** *uniw., szkoln.* absolwent/ka (*uczelni; US i Can. t. szkoły średniej*); **biology ~** (*także* **~ in biology**) absolwent/ka biologii; **Harvard ~** (*także* **~ of Harvard**) absolwent/ka Harvardu. **2.** *US chem., fiz.* menzurka. – *v.* ['grædʒʊeɪt] **1.** *uniw.* skończyć studia (*in sth* w zakresie *l.* z czegoś); **~ from Princeton/Cambridge** skończyć (studia w) Princeton/Cambridge. **2.** (*także* **~ high school**) *US i Can. szkoln.* skończyć szkołę średnią. **3.** *US i Can. szkoln.* promować. **4.** skalować, kalibrować (*naczynie*). **5.** stopniować, układać według skali. **6.** stosować podatek w skali progresyjnej. **7. ~ (from sth) to sth** *przen.* awansować (z czegoś) na coś. – *a.* ['grædʒʊət] = **postgraduate** *a.*

graduated ['grædʒʊˌeɪtɪd] *a. zw. attr.* **1.** stopniowany. **2.** *techn.* wyskalowany, miarowy. **3.** progresywny.

graduated cylinder *n.* (*także* **graduated glass**) menzurka.

graduated flask *n.* kolba miernicza szklana.

graduated hardening *n. U metal.* hartowanie stopniowe.

graduated pension *n. Br.* emerytura krocząca *l.* progresywna.

graduated response *n. U wojsk.* reagowanie stopniowe.

graduate school *n. US i Can. uniw.* studium podyplomowe (*magisterskie l. doktoranckie*).

graduate student *n. US i Can. uniw.* słuchacz/ka studium podyplomowego; magistrant/ka; doktorant/ka.

graduation [ˌgrædʒʊ'eɪʃən] *n. U* **1.** *uniw.* ukończenie studiów; *US i Can. szkoln.* ukończenie szkoły średniej. **2.** *uniw.* absolutorium, promocja; *US i Can. szkoln.* uroczystość wręczania świadectw ukończenia szkoły średniej. **3.** stopniowanie. **4.** *C techn.* podziałka, skala.

graduator ['grædʒʊˌeɪtər] *n. techn.* urządzenie do skalowania.

gradus ['greɪdəs] *n.* **1.** *muz.* stopniowane ćwiczenia na instrument. **2.** słownik prozodii greckiej *l.* łacińskiej (*do pomocy w pisaniu wierszy*).

Graeco- [gri:koʊ], *Br.* = **Greco-**.

graffiti [grə'fi:ti:] *n. U* (*z czasownikiem w liczbie pojedynczej l. mnogiej*) graffiti.

graffito [grə'fi:toʊ] *n. pl.* **graffiti** [grə'fi:ti:] **1.** *archeol.* inskrypcja. **2.** *form.* rysunek *l.* napis graffiti.

graft[1] [græft] *n.* **1.** *chir.* przeszczep, przeszczepiona tkanka; **bone/skin ~** przeszczep kostny/skórny. **2.** *ogr.* zraz, szczep. – *v.* **1.** *chir.* przeszczepiać (*onto sth* na coś). **2.** *ogr.* szczepić (*onto sth* na czymś). **3.** *przen.* przeszczepiać (*idee, pomysły; zwł. na siłę*).

graft[2] *n. U pot.* **1.** *US zwł. polit.* nieuczciwe zyski; wykorzystywanie stanowiska dla osobistych korzyści; łapownictwo; *C* łapówka. **2.** **(hard) ~** *Br.* (ciężka) harówka. – *v. pot.* **1.** *US zwł. polit.* uzyskiwać w nieuczciwy sposób; być sprzedajnym, brać łapówki. **2. ~ (away)** *Br.* harować.

grafter ['græftər] *n.* łapówka-rz/rka.

grafting knife ['græftɪŋ ˌnaɪf] *n. ogr.* nóż ogrodniczy.

grafting wax *n. U ogr.* maść sadownicza.

graham cracker [ˌgreɪəm 'krækər] *n.* herbatnik z grubo mielonej (razowej) mąki pszennej.

graham flour *n. U* grubo mielona (razowa) mąka pszenna.

Grail [greɪl] *n.* **the (Holy) ~** *rel., mit., lit.* (święty) Graal.

grain [greɪn] *n.* **1.** *U roln.* ziarno, zboże. **2.** *t. bot.* ziarenko, ziarnko (*ryżu, pszenicy, piasku, soli*). **3.** *przen.* szczypta, krzta, odrobina; **a ~ of (common) sense** szczypta rozumu; **with a ~ of salt** cum grano salis; **without a ~ of vanity** bez krzty *l.* cienia próżności. **4. the ~** *bot., stol.* słoje, żyłkowanie; **across the ~** w poprzek słojów; **go against the ~ (for sb)** *przen.* kłócić się z (czyimiś) zasadami; być wbrew (czyjejś) naturze. **5.** *U tk.* włókna; włóknistość; faktura; **dye in ~** farbować trwale. **6.** *U garbarstwo* lico; faktura, groszkowanie. **7.** *metal.* krystalit. **8.** *fot., telew.* ziarno. **9.** *U* groszki (*wzór*). **10.** gran (= *0,0648 g*). – *v.* **1.** tworzyć ziarna. **2.** granulować. **3.** nadawać ziarnistą powierzchnię (*czemuś*), groszkować. **4.** malować żyłki na (*czymś*), żyłkować (*na wzór drewna lub marmuru*). **5.** *garbarstwo* usuwać włosy ze (*skóry*).

grain alcohol *n. U* alkohol ze sfermentowanego zboża.

grained [greɪnd] *a. zw. w złoż.* ziarnisty; **coarse-~** gruboziarnisty; **finely ~** drobnoziarnisty.

graininess ['greɪnɪnəs] *n. U* ziarnistość.

graining ['greɪnɪŋ] *n. U* **1.** *stol.* słojowanie. **2.** *garbarstwo* groszkowanie. **3.** *krystal.* zawiązywanie kryształów.

grain mill *n. mech., roln.* śrutownik.

grains [greɪnz] *n. sing. ryb.* rozwidlony oścień, harpun.

grain weevil *n. ent.* wołek zbożowy (*Sitophilus granarius*).

grain whiskey *n. C / U* whisky zbożowa (= *z innego zboża niż jęczmień*).

grainy ['greɪnɪ] *a.* **-ier, -iest** ziarnisty (*t. fot.*); włóknisty; fakturowany (*o powierzchni*).

grallatorial [ˌgrælə'tɔ:rɪəl] *a. orn.* podkasały.

gram[1] [græm] *n.* (*także* **gramme**) gram.

gram2 *n. U kulin.* jadalna roślina strączkowa (*np. soczewica l. ciecierzyca*).

grama ['græmə], **gramma** *n. U* (*także* ~ **grass**) *bot.* niska trawa pastewna (*Bouteloua*).

gramary ['græmərɪ], **gramarye** *n. U arch.* czarna magia.

gram atom *n.* (*także* **gram-atomic weight**) *chem.* gramoatom, masa molowa.

gram equivalent *n. chem.* gramorównoważnik, wal.

gramercy [grə'mɜ:sɪ] *int. arch.* **1.** wielkie dzięki!. **2.** przebóg!.

gramicidin [ˌgræmə'saɪdən] *n. C/U* (*także* ~ **D**) *med.* gramicydyna.

graminaceous [ˌgræmə'neɪʃəs], **gramineous** [grə'mɪnɪəs] *a. bot.* trawiasty.

graminivorous [ˌgræmə'nɪvərəs] *a. zool.* trawożerny.

grammalogue ['græməˌlɔ:g] *n. stenografia* znacznik.

grammar ['græmər] *n. C/U* gramatyka.

grammarian [grə'merɪən] *n.* gramatyk.

grammar school *n. szkoln., gł. hist.* **1.** *Br.* liceum ogólnokształcące (*starego typu*). **2.** *US* szkoła podstawowa.

grammatical [grə'mætɪkl] *a. jęz.* gramatyczny.

grammaticality [grəˌmætə'kælətɪ] *n. U* gramatyczność.

grammatically [grə'mætɪklɪ] *adv.* gramatycznie.

gramme [græm] *n.* = **gram**1.

Gram-negative [ˌgræm'negətɪv] *a. med.* Gram-ujemny.

gramophone ['græməˌfoʊn] *n.* gramofon.

Gram-positive [ˌgræm'pɑ:zɪtɪv] *a. med.* Gram-dodatni.

gramps [græmps] *n. pot. zwł. dziec.* dziadek, dziadzio, dziadziuś.

grampus ['græmpəs] *n. zool.* **1.** delfin Risso (*Grampus griseus*). **2.** *przest.* orka (*Orcinus orca*).

gran [græn] *n. Br. pot. zwł. dziec.* babcia.

granadilla [ˌgrænə'dɪlə] *n. bot.* pasiflora, męczennica jadalna *l.* olbrzymia (*Passiflora edulis l. quandrangularis*).

granary ['greɪnərɪ] *n. pl.* **-ies** spichlerz.

granary weevil *n. ent.* wołek zbożowy (*Calandra granaria*).

grand [grænd] *a.* **1.** *t. przen.* wielki. **2.** uroczysty, wspaniały (*o okazji*). **3.** świetny, okazały (*o budowli*). **4.** dostojny, wielkopański (*o wyglądzie, manierach, geście*). **5.** podniosły (*o stylu*). **6.** główny (*o klatce schodowej, wejściu*). **7.** kapitalny (*o błędzie, kwestii*). **8.** ogólny, całkowity (*o wyniku, okresie*). **9.** *pot.* zarozumiały. **10.** *pot. l. dial.* znakomity, kapitalny (*o samopoczuciu, zabawie, pogodzie*); **have a ~ time** znakomicie się bawić. – *n.* **1.** *muz. pot.* fortepian; **baby/boudoir/concert ~** fortepian gabinetowy/półkoncertowy/koncertowy. **2.** *pl.* **grand** *pot.* tysiąc (*dolarów l. funtów*).

grandad ['grændæd] *n. Br.* = **granddad**.

grandam ['grændəm], **grandame** ['grændeɪm] *n.* **1.** *arch.* = **grandmother**. **2.** *zool.* babka (*zwierzęcia*).

grandaunt ['grændˌænt] *n.* = **great-aunt**.

Grand Canyon *n. geogr.* Wielki Kanion Kolorado.

grandchild ['grænˌtʃaɪld] *n.* wnu-k/czka.

granddad ['grænˌdæd], **granddaddy** ['grænˌdædɪ] *n. zwł. US pot.* dziadek, dziadzio.

granddaughter ['grænˌdɔ:tər], **grand-daughter** *n.* wnuczka.

grandducal [ˌgræn'dju:kl] *a.* wielkoksiążęcy.

grand duchess *n.* wielka księżna.

grand duchy *n. pl.* **-ies** wielkie księstwo; **G~ D~ of Muscovy** *hist.* Wielkie Księstwo Moskiewskie.

grand duke *n.* wielki książę.

grande dame [ˌgrɑ:n 'dɑ:m] *n. Fr.* wielka dama (*mody, literatury*).

grandee [græn'di:] *n.* grand (*hiszpański l. portugalski*).

grandeur ['grændʒər] *n. U* **1.** *form.* wielkość, dostojeństwo (*osoby*); okazałość, wspaniałość (*np. architektury*); wystawność, blask, pompa (*dworu*). **2. delusions of ~** *zob.* **delusion**.

grandfather ['grænˌfɑ:ðər] *n.* dziadek.

grandfather clause *n. US hist.* konstytucyjna klauzula w niektórych stanach Południa dyskryminująca czarnoskórych analfabetów (*poprzez zniesienie wymogu umiejętności czytania i pisania dla wyborców, których przodkowie głosowali w wyborach przed 1867 r.*).

grandfather clock *n.* wysoki zegar stojący.

grandfatherly ['grænˌfɑ:ðərlɪ] *a.* dobrotliwy, pobłażliwy.

grand final *n. sport Austr.* wielki finał (*np. rozgrywek piłkarskich*).

grand finale *n.* wielki finał (*np. przedstawienia*).

grand fir *n. bot.* jodła olbrzymia (*Abies grandis*).

grandiloquence [græn'dɪləkwəns] *n. U form.* górnolotność, napuszoność.

grandiloquent [græn'dɪləkwənt] *a. form.* górnolotny, napuszony.

grandiose ['grændɪˌoʊs] *a.* **1.** *uj.* pretensjonalny; napuszony, pompatyczny. **2.** *uj.* wielce ambitny, nierealistyczny (*o planach, marzeniach*). **3.** imponujący, okazały.

grandiosity [ˌgrændɪ'ɑ:sətɪ] *n. U* **1.** *uj.* pretensjonalność; pompa. **2.** okazałość.

grand jury *n. US i Can. prawn.* wielka ława przysięgłych.

grand larceny *n. C/U US prawn.* zabór mienia powyżej określonej wartości (*zw. $25-$60*).

grandly ['grændlɪ] *adv.* **1.** uroczyście (*np. rozpocząć*). **2.** świetnie, okazale (*wystawić*). **3.** dostojnie (*kroczyć, skinąć*). **4.** z pańska.

grandma ['grænˌmɑ:] *n. pot. zwł. dziec.* babcia, babunia.

grand mal *n. U pat.* ciężka forma epilepsji.

grandmaster ['grændˌmæstər], **grand master** *n.* **1.** *szachy* arcymistrz. **2. G~ Master** *t. rel.* wielki mistrz.

grandmother ['grænˌmʌðər] *n.* **1.** babka, babcia. **2. don't teach your ~ to suck eggs** *Br. pot.* nie ucz księdza pacierza.

grandmother clock *n.* typ zegara szafkowego.

grandmotherly ['græn,mʌðərlɪ] *a.* nadopiekuńczy.

Grand National *n. Br. jeźdz.* coroczna gonitwa płotowa w Aintree pod Liverpoolem.

grandnephew ['græn,nefju:] *n.* = **great-nephew**.

grandness ['grændnəs] *n. U* **1.** *t. przen.* wielkość. **2.** wspaniałość (*widoku, utworu*); świetność, okazałość (*architektury, wystroju*). **3.** dostojność (*manier, gestów*).

grandniece ['græn,ni:s] *n.* = **great-niece**.

grand old man, Grand Old Man *n.* nestor (*of sth* czegoś).

Grand Old Party *n.* (*także* **GOP, G.O.P.**) *US polit.* Partia Republikańska.

grand opera *n. C / U muz.* grand opéra.

grandpa ['græn,pɑ:] *przest. t.* **grandpapa** ['grændpə,pɑ:] *n. pot. zwł. dziec.* dziadzio, dziadunio.

grandparent ['græn,perənt] *n.* dziadek; babka; *pl.* dziadkowie.

grand passion, *t. Fr.* **grande passion** *n.* wielka miłość.

grand piano *n. muz.* fortepian.

Grand Prix *n. pl.* **Grand Prix** *l.* **Grands Prix** *mot., sport* Grand Prix.

grandsire ['grænd,saɪr] *n.* **1.** *arch.* = **grandfather**. **2.** *często pl. arch. l. lit.* przodek. **3.** *zool.* dziadek (*zwierzęcia*).

grand slam *n. brydż, tenis, golf* wielki szlem.

grandson ['græn,sʌn] *n.* wnuk, wnuczek.

grandstand ['græn,stænd] *n. sport* główna trybuna. – *v. US i Can. pot.* popisywać się.

grand total *n.* **1.** *mat.* suma całkowita. **2. I earned a ~ of $5** *żart.* zarobiłem całe 5 dolarów.

grand tour *n.* **1.** *żart.* obchód, oprowadzanie (*of sth* po czymś) (*np. gości po nowym domu*). **2. the ~** *hist.* objazd Europy (*w celu uzupełnienia edukacji młodego arystokraty*).

granduncle ['grænd,ʌŋkl] *n.* = **great-uncle**.

grange [greɪndʒ] *n.* **1.** *gł. Br.* gospodarstwo; folwark. **2.** *arch.* stodoła; spichlerz.

granger ['greɪndʒər] *n. gł. hist.* **1.** farmer, rolnik. **2.** ekonom.

grangerize ['greɪndʒə,raɪz], *Br. i Austr. zw.* **grangerise** *v. hist.* **1.** ilustrować *książkę* przy pomocy materiałów wyciętych z innych książek. **2.** wycinać ilustracje (*z książki*) dla zilustrowania innej.

graniferous [grə'nɪfərəs] *a. bot.* wydający ziarno *l.* ziarnopodobne nasienie.

granite ['grænɪt] *n.* **1.** *U* granit. **2.** *sport* kamień (*w curlingu*).

graniteware ['grænɪt,wer] *n. U* ceramika i naczynia żelazne wykończone glazurą *l.* emalią imitującą granit.

granitic [grə'nɪtɪk] *a.* granitowy.

granivorous [grə'nɪvərəs] *a. zool.* ziarnożerny.

granny ['grænɪ], **grannie** *n. pl.* **-ies** **1.** *pot. zwł. dziec.* babcia (*t. lekceważąco o kobiecie w podeszłym wieku*); babunia. **2.** *pot.* zrzęda. **3.** *płd. US* babka (= *akuszerka*). **4.** (*także* **~('s) knot**) *żegl.* węzeł babski.

Granny Smith *n. ogr.* odmiana zielonego jabłka.

granola [grə'noulə] *n. U US kulin.* rodzaj chrupiącego muesli.

grant [grænt] *v.* **1.** *form.* nadawać (*prawo, tytuł, obywatelstwo*); przyznawać (*zapomogę, dotację, alimenty*); udzielać (*zezwolenia, urlopu, wywiadu, kredytu*); *prawn.* cedować; **~ sb's request** przychylić się do czyjejś prośby. **2.** przyznawać, uznawać; **I ~ you** (*także* **~ed**) przyznaję, to prawda; **it wasn't wise, I ~ you** (*także* **~ed, it wasn't wise**) nie było to mądre, przyznaję; **take it for ~ed (that)...** przyjmować za pewnik *l.* zakładać z góry, że...; **take sb for ~ed** zaniedbywać kogoś, nie doceniać kogoś; **take sth for ~ed** uważać, że coś nam się należy, nie doceniać czegoś. – *n.* **1.** darowizna, dar; zapomoga, zasiłek; (*także* **~-in-aid**) dotacja, subwencja; (*także* **student ~**) *uniw.* stypendium; (*także* **research ~**) grant (naukowy *l.* badawczy); **maternity ~** zasiłek macierzyński. **2.** przekazanie; *prawn.* przeniesienie tytułu własności, cesja. **3.** *US* jednostka terytorialna w stanach Maine, New Hampshire i Vermont.

granted ['græntɪd] *conj.* (*także* **~ that...**) zakładając, że...

grantee [græn'ti:] *n. prawn.* obdarzon-y/a nadaniem.

grant-in-aid [,græntɪn'eɪd] *n. pl.* **grants-in-aid** *zob.* **grant** *n.* 1.

grantor ['græntər] *n. prawn.* przekaziciel/ka tytułu własności.

granular ['grænjələr] *a.* ziarnisty.

granularity [,grænjə'lerətɪ] *n. U* ziarnistość.

granulate ['grænjə,leɪt] *v.* **1.** *techn.* granulować. **2.** *fizj.* ziarninować (*o ranie*).

granulated ['grænjə,leɪtɪd] *a.* **1.** granulowany. **2.** o utwardzonej powierzchni.

granulated sugar *n. U* cukier kryształ.

granulation [,grænjə'leɪʃən] *n. U* **1.** *techn., astron.* granulacja. **2.** *fizj.* ziarninowanie. **3.** krystalizacja (*miodu*).

granulation tissue *n. U fizj.* ziarnina.

granule ['grænju:l] *n.* ziarenko, granulka.

granulite ['grænjə,laɪt] *n. U geol.* granulit.

granulocyte ['grænjəlou,saɪt] *n. anat.* granulocyt.

granuloma [,grænjə'loumə] *n. pl.* **-s** *l.* **-ta** [,grænjə'loumətə] *pat.* ziarniniak.

grape [greɪp] *n.* **1.** winogrono; grono; **bunch of ~s** kiść winogron. **2.** *bot.* = **grapevine** 1. **3.** *hist., wojsk.* = **grapeshot**. **4.** *przen.* **sour ~s** kwaśne winogrona (= *udawanie, że nie zależy nam na czymś, czego bardzo pragniemy, ale nie możemy mieć*); **the ~** *pot. zw. żart.* wino.

grape disease *n. U wet.* gruźlica bydła.

grape fern *n. U bot.* podejźrzon (*Botrychium*).

grapefruit ['greɪp,fru:t] *n. pl.* **grapefruit** *l.* **-s** **1.** grejpfrut. **2.** (*także* **~ tree**) *bot.* drzewo grejpfrutowe (*Citrus paradisi*).

grape hyacinth *n. bot.* szafirek drobnokwiatowy *l.* miękkolistny (*Muscari botryoides l. comosum*).

grape ivy *n. U bot.* winobluszcz (*Vitaceae*).

grapes [greɪps] *n. U wet.* brodawczaki.
grapeshot ['greɪpˌʃɑ:t] *n. U hist., wojsk.* kartacz.
grape sugar *n. U* cukier gronowy.
grapevine ['greɪpˌvaɪn] *n. U* **1.** *bot.* winorośl, winna latorośl (*Vitis*). **2. sb heard (about) sth on/through the ~** *przen.* coś doszło do kogoś pocztą pantoflową.
grapey ['greɪpɪ], **grapy** *a.* **-ier, -iest 1.** winogronowy (*o smaku*). **2.** przypominający winogrona.
graph [græf] *n.* **1.** wykres, diagram; **bar ~** wykres słupkowy *l.* kolumnowy, histogram; **linear ~** wykres liniowy. **2.** *mat.* krzywa. **3.** *jęz.* graf. – *v.* wykreślić (= *przedstawić w postaci wykresu l. krzywej*).
grapheme ['græfi:m] *n. jęz.* grafem.
graphemic [grə'fi:mɪk] *a. jęz.* grafemiczny.
graphemics [græ'fi:mɪks] *n. U jęz.* grafemika.
graphic ['græfɪk] *a.* **1.** (*także mat.* **graphical**) graficzny. **2.** plastyczny, obrazowy (*o opisie, przedstawieniu czegoś*); drastyczny (*jw.*). **3.** *min.* pokryty wzorem przypominającym pismo.
graphical ['græfɪkl] *a. mat.* **1.** = **graphic** 1. **2.** wykreślny.
graphically ['græfɪklɪ] *adv.* **1.** graficznie. **2.** plastycznie, obrazowo; drastycznie.
graphic arts *n. pl. sztuka* grafika.
graphic design *n. U* grafika użytkowa.
graphic designer *n.* grafi-k/czka.
graphic equalizer *n. el.* korektor graficzny.
graphic granite *n. U min.* runit, granit napisowy.
graphic novel *n.* powieść w formie komiksu.
graphics ['græfɪks] *n.* **1.** *U* grafika. **2.** *U* kreślarstwo; wykreślanie wykresów. **3.** *pl. film, telew., druk.* warstwa ilustracyjna *l.* graficzna. **4.** *pl. komp.* grafika.
graphite ['græfaɪt] *n. U* grafit. – *a. attr.* grafitowy.
graphitic [grə'fɪtɪk] *a. techn.* grafitowany, grafityzowany.
graphologic [ˌgræfə'lɑ:dʒɪk], **graphological** [ˌgræfə'lɑ:dʒɪkl] *a.* grafologiczny.
graphologist [græ'fɑ:lədʒɪst] *n.* grafolog.
graphology [græ'fɑ:lədʒɪ] *n. U* grafologia.
graph paper *n. U* papier milimetrowy.
graph plotter *n. komp.* ploter, pisak x-y.
grapnel ['græpnl] *n.* **1.** (*także* **grappling (iron/hook)**) chwytak, hak. **2.** *żegl.* drapacz (= *kotwiczka o kilku pazurach*).
grappa ['grɑ:pə] *n. U* grappa (*włoska brandy*).
grapple ['græpl] *v.* **1.** brać się za bary, mocować się (*with sb* z kimś). **2. ~ with sth** *przen.* borykać *l.* zmagać się z czymś. **3.** *żegl.* zakotwiczyć, umocować (*kotwiczką*). – *n.* **1.** hak, bosak; *techn.* chwytak wieloszczękowy. **2.** *t. zapasy* chwyt. **3.** walka wręcz; *sport* walka zapaśnicza.
grapple fork *n. techn.* chwytak widłowy.
grapple plant *n. bot.* roślina południowoafrykańska z owocami pokrytymi haczykami (*Harpagophytum procumbens*).
grappling ['græplɪŋ] *n.* (*także* **~ iron/hook**) = **grapnel** 1.
grapy ['greɪpɪ] *a.* = **grapey**.
grasp [græsp] *v.* **1.** chwytać, łapać; **~ sb by the arm** złapać kogoś za ramię. **2.** *przen.* pojmować (= *rozumieć*). **3. ~ the nettle** *Br. i Austr. przen.* brać byka za rogi. **4. ~ at** chwytać za, próbować chwycić *l.* złapać (za); *przen.* chwytać się (*np. pretekstu*); nie przepuścić (*okazji*). – *n. sing. i U* **1.** chwyt, uścisk; **slip from sb's ~** wyślizgnąć się komuś z ręki; **within/beyond sb's ~** *przen.* w zasięgu/poza zasięgiem czyjejś ręki (= *osiągalny / nieosiągalny*). **2.** *przen.* pojęcie, rozeznanie, orientacja; **beyond sb's ~** niepojęty *l.* niezrozumiały dla kogoś; **have a good/poor ~ of sth** mieć dobre/marne pojęcie o czymś, dobrze/słabo się w czymś orientować; **lose one's ~ on reality** tracić kontakt z rzeczywistością. **3.** *lit.* władza; **have sb within one's ~** mieć władzę nad kimś, trzymać kogoś w ręku *l.* w szachu.
graspable ['græspəbl] *a.* do pojęcia.
grasping ['græspɪŋ] *a.* pazerny, zachłanny.
grass [græs] *n.* **1.** *C / U* **blade/tuft of ~** źdźbło/kępka trawy; **sea/mountain ~es** trawy morskie/górskie. **2.** (*także* **the ~**) trawnik, trawa; **keep off the ~** nie deptać trawy *l.* trawnika. **3.** *U* pastwisko; **put the cows out to ~** wypędzać krowy na pastwisko. **4.** *U pot.* trawka, trawa (= *marihuana*). **5.** *Br. sl.* kapuś (= *informator policyjny*). **6.** *przen.* **not let the ~ grow under one's feet** nie zasypiać gruszek w popiele; **put sb out to grass** *pot.* wysłać kogoś na zieloną trawkę (= *zwolnić l. zmusić do przejścia na emeryturę*); **the ~ is (always) greener on the other side (of the fence)** cudze chwalicie, swego nie znacie. – *v.* **1. ~ (over)** obsiewać trawą. **2.** wypasać, paść (*bydło*). **3.** rozkładać na trawie (*bieliznę do suszenia l. bielenia*). **4.** *t. sport* powalić (*przeciwnika*). **5.** wyciągnąć na brzeg (*rybę*). **6.** zestrzelić (*ptaka*). **7.** *Br. sl.* kapować, donosić (*on sb* na kogoś); **~ sb up** zakapować kogoś, donieść na kogoś.
grass court *n. tenis* kort trawiasty.
grasscutter ['græsˌkʌtər] *n.* **1.** kosiarka do trawy. **2.** *baseball pot.* szczur (= *piłka sunąca po ziemi*).
grass-green [ˌgræs'gri:n] *a.* trawiastozielony.
grass hockey *n. U Can. sport* hokej na trawie.
grasshook ['græsˌhʊk] *n. hist., roln.* sierp.
grasshopper ['græsˌhɑ:pər] *n.* **1.** *ent.* (*także* **short-horned ~**) szarańcza (*Acrididae*); (*także* **long-horned ~**) pasikonik, konik polny (*Tettigonidae*). **2.** *C / U* mrożony koktajl z likieru miętowego, kakaowego i śmietanki. **3.** *przen. pot.* **have a ~ mind** nie umieć się skoncentrować, być roztrzepanym; **knee-high to a ~** *zob.* **knee-high**.
grassland ['græsˌlænd] *n. C/U* (*także* **grasslands**) step.
grasslike ['græsˌlaɪk] *a.* trawiasty (= *podobny do trawy*).
grass roots, grassroots *n. pl.* **the ~** *przen.* szeregowi członkowie (*zwł. partii*). – *a. attr.* (*także* **grass-roots**) *pot.* oddolny (*np. o inicjatywie*); masowy, popularny (*np. o poparciu*); działający wśród szeregowych członków (*np. o aktywiście*).
grass snake *n. zool.* zaskroniec (*Natrix*).
grass widow *n.* słomiana wdowa.

grass widower *n.* słomiany wdowiec.

grassy ['græsɪ] *a.* **-ier, -iest** trawiasty, porosły trawą.

grate1 [greɪt] *v.* **1.** trzeć, ucierać (*na tarce*). **2.** skrzypieć (*np. o zawiasach*); skrobać, zgrzytać (*against/on/upon sth* po czymś); ~ **one's teeth** zgrzytać zębami. **3.** ~ **on sb** (*także* ~ **on sb's nerves**) *przen.* działać komuś na nerwy. – *n.* zgrzyt, zgrzytanie.

grate2 *n.* **1.** ruszt (*w piecu*); palenisko. **2.** (*także* **grating**) krata (*np. w oknie*), kratka (*np. w chodniku*), okratowanie. **3.** *rzad.* kominek. – *v.* okratować.

grateful ['greɪtfʊl] *a.* **1.** wdzięczny (*to sb* komuś, *for sth* za coś); **be ~ that...** być wdzięcznym za to, że...; **I would be ~ if you would...** *form.* byłbym wdzięczny, gdyby Pan/i zechciał/a...; **you should be ~ to be alive** powinieneś dziękować Bogu (za to), że żyjesz. **2.** pełen wdzięczności (*np. o liście*). **3.** *arch. l. lit.* przyjemny, miły (*np. dla ucha*); krzepiący (*np. o wypoczynku*).

gratefully ['greɪtfʊlɪ] *adv.* z wdzięcznością.

gratefulness ['greɪtfʊlnəs] *n. U* wdzięczność.

grater ['greɪtər] *n.* **1.** tarka (*do warzyw, sera*). **2.** *stol.* tarnik (*do drzewa*).

graticule ['grætəˌkjuːl] *n.* **1.** *kartogr.* siatka kartograficzna. **2.** *opt.* siatka nitek.

gratification [ˌgrætəfə'keɪʃən] *n.* **1.** *U* zadowolenie, satysfakcja; **to my ~** ku mojej satysfakcji. **2.** *U* spełnienie (*życzenia, pragnienia*), zaspokojenie (*apetytu, pożądania*); **instant ~** natychmiastowe spełnienie życzeń; **sexual ~** zaspokojenie seksualne. **3.** *arch.* gratyfikacja; napiwek.

gratify ['grætəˌfaɪ] *v.* **-ied, -ying 1.** *często pass.* sprawiać satysfakcję (*komuś*), zadowalać, cieszyć; **be gratified at/by sth** czerpać satysfakcję *l.* przyjemność z czegoś; **I was gratified to discover (that)...** ucieszyło mnie odkrycie, że... **2.** zaspokajać (*apetyt, ciekawość*), spełniać (*życzenia, pragnienia*). **3.** *arch.* dawać gratyfikację (*komuś*), wynagradzać.

gratifying ['grætəˌfaɪɪŋ] *a.* satysfakcjonujący, przyjemny; **it is ~ that...** cieszy, że...

gratin ['grætən] *n. U Fr. kulin.* panier (*t. serowy*); *zob. t.* **au gratin**.

grating1 ['greɪtɪŋ] *a.* skrzekliwy, zgrzytliwy (*o głosie, śmiechu*); drażniący.

grating2 *n.* **1.** = **grate2** *n.* 2. **2.** (*także* **diffraction ~**) *fiz.* siatka dyfrakcyjna.

gratis ['grætɪs] *adv. tylko po v.* bezpłatnie, gratis. – *a. pred.* bezpłatny, gratisowy.

gratitude ['grætɪˌtuːd] *n. U* wdzięczność.

gratuitous [grə'tuːətəs] *a.* **1.** bezsensowny, niepotrzebny, niczym nieuzasadniony (*o przemocy, okrucieństwie*). **2.** nieodpłatny (*o usłudze*).

gratuitously [grə'tuːətəslɪ] *adv.* **1.** bez potrzeby *l.* powodu, niepotrzebnie (*np. brutalny*). **2.** nieodpłatnie.

gratuity [grə'tuːətɪ] *n. pl.* **-ies 1.** gratyfikacja; napiwek. **2.** *Br. wojsk.* odprawa (*przy odejściu do cywila*).

gratulate ['grætʃəˌleɪt] *v. arch.* = **congratulate**.

gratulation [ˌgrætʃə'leɪʃən] *n. arch.* = **congratulation**.

gratulatory ['grætʃələˌtɔːrɪ] *a. form.* gratulacyjny.

graupel ['graʊpl] *n. U meteor.* krupa (*śnieżna l. lodowa*).

gravamen [grə'veɪmən] *n. pl.* **gravamina** [grə'væmənə] *prawn.* **1.** istota oskarżenia. **2.** podstawa zażalenia.

grave1 [greɪv] *n. t. przen.* grób, mogiła; **be (as) silent as the ~** *zob.* **silent** *a.*; **from beyond the ~** zza grobu; **from the cradle to the ~** *zob.* **cradle** *n.*; **have one foot in the ~** *zob.* **foot** *n.*; **sb would turn in their ~** ktoś przewróciłby się w grobie.

grave2 *a.* **1.** poważny (*o osobie, błędzie, sytuacji*). **2.** *fon.* niski (*o akcencie melodycznym*); z akcentem niskim (*o samogłosce, sylabie*). – *n.* (*także* **~ accent**) *fon., pisownia* (akcent) gravis (= *oznaczenie akcentu niskiego l. znak diakrytyczny, np. w è*).

grave3 *v. pp. t.* **graven** *arch. l. lit.* **1.** ryć; **~n on the mind** *przen.* wyryty w pamięci. **2.** rzeźbić.

grave4 *v.* czyścić i smołować (*dno statku*).

graveclothes ['greɪvˌkloʊz] *n. pl.* całun.

gravedigger ['greɪvˌdɪgər] *n.* **1.** grabarz. **2.** *zool.* (chrząszcz) grabarz (*Necrophorus*).

gravel ['grævl] *n. U* **1.** żwir. **2.** *pat.* piasek (*w nerkach l. pęcherzu*). – *v. Br.* **-ll- 1.** żwirować. **2.** *przen.* wprawiać w zakłopotanie.

gravel-blind ['grævlˌblaɪnd] *a.* prawie zupełnie ślepy.

gravelly ['grævlɪ] *a.* **1.** żwirowaty. **2.** chropowaty (*o głosie*).

gravel mine *n.* (*także* **gravel pit**) żwirownia.

gravel-voiced ['grævlˌvɔɪst] *a.* o chropowatym głosie.

gravely ['greɪvlɪ] *adv.* poważnie.

graven ['greɪvən] *v. zob.* **grave3**.

graveness ['greɪvnəs] *n. U* powaga (*sytuacji*).

graven image *n. Bibl. l. lit.* bożek, bałwan.

graveolent [grə'viːəlent] *a. form.* cuchnący (*zwł. o roślinie*).

graver ['greɪvər] *n. techn.* rylec.

grave robber *n.* hiena cmentarna.

Graves' disease ['greɪvz dɪˌziːz] *n. U pat.* choroba Basedowa, nadczynność tarczycy.

graveside ['greɪvˌsaɪd] *n.* **at the ~** nad grobem (*np. o mowie*).

gravestone ['greɪvˌstoʊn] *n.* kamień nagrobny, nagrobek.

graveyard ['greɪvˌjɑːrd] *n.* cmentarz (*zwł. nieduży l. parafialny*); *przen.* cmentarzysko (*np. statków, odpadów radioaktywnych*).

graveyard orbit *n. tel.* orbita dla nieczynnych satelitów.

graveyard shift *n.* (*także* **graveyard watch**) *pot.* nocka, nocna zmiana.

gravid ['grævɪd] *a. med., biol.* ciężarna.

gravimetric [ˌgrævə'metrɪk] *a. fiz., chem.* wagowy, grawimetryczny (*np. o analizie*).

gravimetry [grə'vɪmɪtrɪ] *n. U* grawimetria, wyznaczanie ciężaru właściwego.

graving dock *n.* suchy dok.

gravitas ['grævɪˌtæs] *n. U form.* powaga, stateczność (*zachowania*).

gravitate ['grævɪˌteɪt] *v.* **1.** *fiz.* grawitować. **2.** ~ **to/towards sth** ciążyć ku czemuś; *przen.* ciągnąć do czegoś, skłaniać się ku czemuś. **3.** opadać, osiadać, osadzać się.

gravitation [ˌgrævɪ'teɪʃən] *n. U* (*także* **gravity**) *fiz.* grawitacja, ciążenie.

gravitational [ˌgrævɪ'teɪʃənl] *a. fiz.* grawitacyjny.

gravitational constant *n. fiz.* stała powszechnego ciążenia.

gravitational field *n. fiz.* pole grawitacyjne.

gravitational pull *n. fiz.* siła przyciągania.

gravitative ['grævɪˌteɪtɪv] *a.* = **gravitational.**

gravity ['grævətɪ] *n. U fiz.* **1.** ciężkość; **center of** ~ środek ciężkości; **specific** ~ ciężar właściwy. **2.** powaga (*sytuacji, zachowania*). **3.** = **gravitation.**

gravity conveyor *n. techn.* przenośnik grawitacyjny.

gravity feed *n. U techn.* zasilanie grawitacyjne *l.* opadowe.

gravity heating *n. U bud.* ogrzewanie grawitacyjne.

gravity load *n. lotn.* przeciążenie.

gravity tank *n.* zbiornik opadowy.

gravity waves *n. pl. hydrol.* fale grawitacyjne.

gravity yard *n.* stacja rozrządowa (*z górką*).

gravure [grə'vjʊr] *n. U* **1.** *sztuka* grawiura. **2.** *fot.* fotograwiura.

gravure printing *n. U druk.* druk wklęsły.

gravure rotary *n. pl.* **-ies** *druk.* maszyna rotograwiurowa.

gravy ['greɪvɪ] *n. U* **1.** *kulin.* sos (pieczeniowy). **2.** *US sl.* łatwy zarobek.

gravy boat *n.* sosjerka.

gravy ring *n. Ir. kulin.* pączek.

gravy train *n.* **the** ~ *pot.* synekura.

gray [greɪ], *Br.* **grey** *a.* **1.** szary (*t. przen.* = *ponury, smętny, nieciekawy*), popielaty; poszarzały (*o twarzy*). **2.** siwy (*o włosach, osobie*); **go/turn** ~ siwieć. **3.** *przen.* sędziwy, czcigodny. **4.** (*także* **~-state**) *tk.* surowy, w kolorze naturalnym (*o tekstyliach*). – *n.* **1.** *C/U* szarość, popiel, (kolor) szary *l.* popielaty. **2.** siwek (*koń*). **3.** *US hist. pot.* żołnierz Konfederacji. – *v.* **1.** szarzeć; nadawać szarą barwę (*czemuś*). **2.** siwieć.

gray area *n.* **1.** szara sfera (= *zjawiska o mieszanej charakterystyce, trudno definiowalne i rodzące wiele wątpliwości; zwł. w nauce i prawie*). **2.** niejasna sytuacja. **3.** *Br. ekon.* rejon wysokiego bezrobocia.

grayback ['greɪˌbæk] *n.* **1.** *zool.* wal szary, pływacz (*Eschrichtius glaucus*). **2.** *orn.* biegus rdzawy (*Calidris canutus*). **3.** *orn. Br.* wrona siwa (*Corvus cornix*).

graybeard ['greɪˌbiːrd] *n.* **1.** sędziwy starzec. **2.** siwak (*dzban*).

Gray code *n. mat.* kod Graya.

gray eminence *n.* (*także* **éminence grise**) szara eminencja.

Gray Friar *n. kość.* franciszkanin.

gray-headed [ˌgreɪ'hedɪd] *a.* **1.** (*także* **gray-haired**) siwowłosy, siwy. **2.** *przen.* sędziwy.

grayhen ['greɪˌhen] *n. orn.* samica cietrzewia (*Lyrurus tetrix*).

gray heron *n. orn.* czapla siwa (*Ardea cinerea*).

grayish ['greɪɪʃ] *a.* szarawy; siwawy.

Gray Lady *n. pl.* **-ies** *US* ochotniczka Amerykańskiego Czerwonego Krzyża.

graylag ['greɪˌlæg] *n.* (*także* ~ **goose**) *orn.* (gęś) gęgawa (*Anser anser*).

grayling ['greɪlɪŋ] *n. icht.* lipień (*Thymallus thymallus*).

gray matter *n. U* **1.** *anat.* istota *l.* substancja szara (*mózgu*). **2.** *pot.* inteligencja.

gray mullet *n. icht.* = **mullet.**

grayness ['greɪnəs] *n. U* szarość; szarzyzna.

gray squirrel *n. zool.* wiewiórka szara (*Scirus carolinensis*).

graywacke ['greɪˌwæk] *n. U min.* szarogłaz.

gray whale *n. zool.* wal szary, pływacz (*Eschrichtius gibbosus*).

gray wolf *n. zool.* wilk (*Canis lupus*).

graze[1] [greɪz] *v.* **1.** obetrzeć (*skórę, kolano*), zadrasnąć się w (*palec*). **2.** muskać, ocierać się o. – *n.* obtarcie (naskórka), zadraśnięcie.

graze[2] *v.* **1.** paść się. **2.** paść, wypasać. **3.** *pot.* pojadać (= *jeść często i w małych ilościach*). **4.** *pot.* jeść słodycze itp. z półek w supermarkecie (*nie płacąc przy kasie*). **5.** *pot.* skakać po kanałach (*telewizyjnych*).

grazer ['greɪzər] *n.* pasące się *l.* wypasane zwierzę.

grazier ['greɪʒər] *n. gł. Br.* hodowca bydła *l.* owiec.

grazing ['greɪzɪŋ] *n. U* **1.** (*także* ~ **land**) pastwisko. **2.** trawa na pastwisku.

GRE [ˌdʒiː ˌɑːr 'iː] *abbr. i n.* **Graduate Record Examination** *US* egzamin kwalifikujący na studia podyplomowe.

grease [griːs] *n. C/U* **1.** tłuszcz (*zwł. zwierzęcy, stopiony*). **2.** smar. **3.** brylantyna. **4.** (*także* ~ **wool**) wełna potna (*nieczyszczona*). – *v.* **1.** smarować tłuszczem, tłuścić, natłuszczać. **2.** smarować (*smarem*). **3.** *przen. pot.* ~ **sb's palm/hand** dać komuś w łapę (= *przekupić*); ~ **sb's path to sth** ułatwić komuś drogę do czegoś; **like ~d lightning** (szybko) jak błyskawica.

greaseball ['griːsˌbɔːl] *n. pog. sl.* osoba pochodzenia greckiego, włoskiego, hiszpańskiego *l.* portugalskiego.

grease cup *n.* smarownica kapturowa.

grease gun *n.* smarownica tłokowa *l.* ciśnieniowa (*ręczna*).

grease monkey *n. przest. sl.* mechanik (*samochodowy l. samolotowy*).

greasepaint ['griːsˌpeɪnt] *n. U* szminka teatralna.

greaseproof ['griːspruːf] *a.* (*także* **greaseresistant**) tłuszczoodporny.

greaseproof paper *n. U Br. i Austr.* papier woskowany.

greaser ['griːsər] *n. Br. sl.* **1.** mechanik samochodowy. **2.** pomocnik maszynisty (*na statku*).

3. lizus. 4. *przest.* długowłosy członek gangu motocyklowego. 5. *US pog. sl.* Meksykanin; Latynos.

greasiness ['gri:sɪnəs] *n. U* 1. tłustość (*powierzchni*). 2. *techn.* smarowność, smarność.

greasy ['gri:sɪ] *a.* **-ier, -iest** 1. tłusty (*np. o jedzeniu, powierzchni, włosach*); zatłuszczony (*np. o szmacie*); przetłuszczający się (*o włosach*). 2. *zwł. Br.* śliski (*np. o drodze*). 3. *uj.* oślizgły (*o osobie*). 4. nieoczyszczony (*o wełnie*).

greasy spoon *n. pot.* podrzędna restauracja (*zwł. serwująca potrawy smażone*).

great [greɪt] *a.* 1. *t. przen.* wielki; ~ **big** *pot.* wielgachny, ogromniasty; ~ **God!** (*także euf.* ~ **Scott/Heavens!**) *przest.* wielki Boże!; **Alexander/Peter the G~** Aleksander/Piotr Wielki; **with ~ pleasure** z wielką przyjemnością. 2. *pot.* świetny, fajny, wspaniały; **be ~ at sth** być świetnym w czymś; **be ~ for sth** świetnie nadawać się do czegoś; **be a ~ one for (doing) sth** *Br.* być mistrzem w czymś; być entuzjastą czegoś; **feel ~** czuć się świetnie; **have a ~ time** świetnie się bawić; **oh ~** *iron.* no to fajnie; **the ~ thing is (that)...** najlepsze (jest to), że...; **wouldn't it be ~ if...?** czy nie byłoby wspaniale, gdyby...?. 3. *attr.* **a ~ deal** (bardzo) dużo (*of sth* czegoś); **a ~ many (people)** mnóstwo (ludzi); **a ~ number/quantity** (bardzo) duża liczba/ilość (*of sth* czegoś); **(I like her) a ~ deal** bardzo (ją lubię); **the ~ majority** znakomita większość. 4. *przen.* **be ~ with child** *zob.* **child; be no ~ shakes** *zob.* **shake** *n.*; **go ~ guns** *zob.* **gun** *n.* – *adv. pot.* świetnie. – *n. pl.* **the ~s** wielcy, gwiazdy; **tennis ~s** gwiazdy tenisa, tenisowe sławy.

great-aunt [ˌgreɪt'ænt] *n.* (*także* **grandaunt**) babka cioteczna *l.* stryjeczna.

Great Barrier Reef *n.* **the ~** *geogr.* Wielka Rafa Koralowa.

Great Bear *n.* **the ~** *astron.* Wielka Niedźwiedzica.

Great Britain *n. geogr.* Wielka Brytania.

great circle *n. geom.* wielkie koło.

great-circle sailing [ˌgreɪtˌsɜ:kl 'seɪlɪŋ] *n. U żegl.* żegluga po ortodromie.

greatcoat ['greɪtˌkoʊt] *n. wojsk.* płaszcz mundurowy (*zimowy*).

Great Dane *n. kynol.* dog.

Great Depression *n.* **the ~** *hist.* Wielki Kryzys (*1929-1939*).

Great Divide *n.* 1. **the ~** *geogr.* wielki dział wodny (*uformowany przez Góry Skaliste*). 2. **g~ d~** *przen.* granica między życiem i śmiercią; punkt krytyczny.

greaten ['greɪtən] *v. arch.* powiększać (się).

greater ['greɪtər] *a.* 1. większy. 2. (*przed nazwami miast*) wielki; **G~ London/New York** Wielki Londyn/Nowy Jork.

greatest common divisor [ˌgreɪtɪst ˌkɑ:mən dɪ'vaɪzər] *n. mat.* największy wspólny dzielnik *l.* podzielnik.

greatest lower bound *n. mat.* kres dolny (*zbioru*).

great-grandchild [ˌgreɪt'grænˌtʃaɪld] *n.* prawnuk/czka.

great-granddaughter [ˌgreɪt'grænˌdɔ:tər] *n.* prawnuczka.

great-grandfather [ˌgreɪt'grænˌfɑ:ðər] *n.* pradziadek, pradziad.

great-grandmother [ˌgreɪt'grænˌmʌðər] *n.* prababka.

great-grandparents [ˌgreɪt'grænˌperənts] *n. pl.* pradziadkowie.

great-grandson [ˌgreɪt'grænˌsʌn] *n.* prawnuk.

great gross *n.* tuzin grosów (= *1728*).

great-hearted [ˌgreɪt'hɑ:rtɪd] *a.* 1. wspaniałomyślny, wielkoduszny. 2. dzielny.

greatly ['greɪtlɪ] *adv. form.* wielce, znacznie.

great-nephew [ˌgreɪt'nefju:] *n.* (*także* **grandnephew**) 1. syn bratanicy, bratanka, siostrzenicy *l.* siostrzeńca. 2. wnuk brata *l.* siostry.

greatness ['greɪtnəs] *n. U* wielkość.

great-niece [ˌgreɪt'ni:s] *n.* (*także* **grandniece**) 1. córka bratanicy, bratanka, siostrzenicy *l.* siostrzeńca. 2. wnuczka brata *l.* siostry.

Great Russian *a.* wielkoruski.

great tit *n. orn.* bogatka (*Parus major*).

great-uncle [ˌgreɪt'ʌŋkl] *n.* (*także* **granduncle**) dziadek cioteczny *l.* stryjeczny.

greave [gri:v] *n. często pl. zbroja* nagolennik.

grebe [gri:b] *n. orn.* perkoz (*Podiceps*).

Grecian ['gri:ʃən] *a.* grecki (*zwł. o sztuce klasycznej, pięknie, rysach twarzy*). – *n.* 1. grecysta/ka. 2. Gre-k/czynka.

Grecism ['gri:sˌɪzəm], *Br.* **Graecism** *n.* 1. *U* greckość. 2. *jęz.* grecyzm.

Greco-Roman [ˌgri:koʊ'roʊmən], *Br.* **Graeco-Roman** *a.* grecko-rzymski.

Greece [gri:s] *n. geogr.* Grecja.

greed [gri:d] *n. U* (*także* **greediness**) 1. łakomstwo, żarłoczność. 2. chciwość.

greedily ['gri:dɪlɪ] *a.* 1. łakomie, żarłocznie. 2. chciwie.

greediness ['gri:dɪnəs] *n. U* = **greed**.

greedy ['gri:dɪ] *a.* **-ier, -iest** 1. łakomy, żarłoczny. 2. chciwy, łapczywy, zachłanny; ~ **for sth** żądny czegoś (*władzy, sukcesu, zysku*).

greedy guts *n. sing. pot.* łakomczuch, obżartuch.

Greek [gri:k] *n.* 1. Gre-k/czynka. 2. *U jęz.* język grecki, greka; **ancient/modern ~** greka starożytna/współczesna; **it's (all) ~ to me** *przen.* to dla mnie chińszczyzna. 3. *rel.* = **Greek Catholic**. 4. *US uniw. pot.* człon-ek/kini korporacji oznaczonej literami greckimi. – *a.* 1. grecki. 2. *rel.* greckokatolicki. 3. *rel.* prawosławny.

Greek Catholic *a.* greckokatolicki. – *n.* katoli-k/czka obrządku wschodniego, unit-a/ka.

Greek Church *n.* = **Greek Orthodox Church** 1.

Greek fire *n. U hist., wojsk.* ogień grecki.

Greek-letter fraternity *n. pl.* **-ies** *US uniw.* korporacja studencka oznaczona literami greckimi.

Greek Orthodox Church *n. U rel.* 1. (*także* **Greek Church**) kościół greckokatolicki. 2. kościół prawosławny.

Greek salad *n. kulin.* sałatka grecka.

green [gri:n] *a.* 1. *t. przen.* zielony (*t. = niedojrzały, niedoświadczony, naiwny, wyglądający niezdrowo*); ~ **with envy** zielony z zazdrości;

go/turn ~ zzielenieć (*zwł. na twarzy*). **2.** ekologiczny. **3.** (*także* **G~**) należący do Partii Zielonych. **4.** *przen.* **~ around the gills** *zob.* **gill**[1] *n.* 4; **~ old age** czerstwa starość; **do you see any ~ in my eye?** *pot.* czy ja wyglądam na głupiego?; **have a ~ thumb** (*także Br. i Austr.* **have ~ fingers**) mieć (dobrą) rękę do roślin. – *n.* **1.** *C/U* zieleń (*t.* = *trawa*), (kolor) zielony. **2.** zieleniec, trawnik; błonie; **bowling/putting ~** *sport* trawnik do gry w kule/minigolfa; **village ~** błonia wiejskie, wiejski plac zgromadzeń. **3. G~** *polit.* zielony (= *członek l. sympatyk partii zielonych*). **4.** *U zwł. US sl.* szmal, kasa. **5.** *pl. kulin.* zielone warzywa, zielenina. **6.** *pl.* (*także* **greenery**) *US* zielone gałązki *l.* liście (*zwł. jako dekoracja bożonarodzeniowa*). – *v.* **1.** zazielenić (się). **2.** *przen.* uwrażliwiać na kwestie ochrony środowiska.

greenback [ˈgriːnˌbæk] *n. US pot.* zielony (= *banknot dolarowy*).

green bean *n. bot., kulin.* fasolka, fasola (zwykła) (*Phaseolus vulgaris*).

green belt *n. C/U bud.* pas zieleni.

Green Beret *n. pot.* komandos.

greenbrier [ˈgriːnˌbraɪər] *n. bot.* kolcorośl, kolcowój (*Smilax*).

green card *n.* zielona karta (*US = karta stałego pobytu; Br. mot. = międzynarodowe ubezpieczenie komunikacyjne; Br. = dokument tożsamości osoby niepełnosprawnej*).

greenery [ˈgriːnərɪ] *n.* **1.** *U* zieleń, roślinność. **2.** *U* = **greens**; *zob.* **green** *n.* 6. **3.** *pl.* **-ies** *rzad.* cieplarnia.

green-eyed [ˌgriːnˈaɪd] *a.* **1.** zielonooki. **2. the ~ monster** *lit. l. żart.* zielonooki potwór (= *zazdrość*).

greenfinch [ˈgriːnˌfɪntʃ] *n. orn.* dzwoniec (*Chloris chloris*).

greengage [ˈgriːnˌgeɪdʒ] *n. bot.* renkloda (*Prunus domestica*).

greengrocer [ˈgriːnˌgroʊsər] *n. gł. Br.* **1.** właściciel/ka sklepu owocowo-warzywnego; sprzedaw-ca/czyni warzyw i owoców. **2.** (*także* **greengrocer's, greengrocery**) sklep owocowo-warzywny, warzywniak.

greengrocery [ˈgriːnˌgroʊsərɪ] *gł. Br. n. pl.* **-ies** **1.** = **greengrocer** 2. **2.** *U* handel warzywami i owocami. **3.** *pl.* warzywa i owoce.

greenhorn [ˈgriːnˌhɔːrn] *n. pot.* **1.** żółtodziób. **2.** *gł. US* świeżo przybyły imigrant.

greenhouse [ˈgriːnˌhaʊs] *n.* szklarnia, cieplarnia.

greenhouse effect *n. sing. ekol.* efekt cieplarniany.

greenhouse gas *n. ekol.* gaz wywołujący efekt cieplarniany (*np. dwutlenek węgla l. metan*).

greening [ˈgriːnɪŋ] *n.* **1.** *U* zwiększanie (się) świadomości ekologicznej. **2.** *ogr.* rodzaj jabłka o zielonej skórce.

greenish [ˈgriːnɪʃ] *a.* zielonkawy.

Greenland [ˈgriːnlənd] *n. geogr.* Grenlandia.

Greenlander [ˈgriːnləndər] *n.* Grenland-czyk/ka.

green light *n. mot. l. przen.* zielone światło; **give sb/get the ~** dać komuś/dostać zielone światło (= *pozwolenie*).

greenlight [ˈgriːnˌlaɪt], **green-light** *v. pot.* dać pozwolenie na, wyrazić oficjalną zgodę na.

greenmail [ˈgriːnˌmeɪl] *n. U zwł. US ekon.* szantażowanie przejęciem firmy, jeśli ta nie odkupi swoich akcji po zawyżonej cenie.

greenness [ˈgriːnnəs] *n. U* zieloność.

green onion *n. US kulin.* zielona cebulka.

green paper *n. Br. i Can. polit.* wytyczne rządowe (*dokument do przedyskutowania w parlamencie*).

green pepper *n. bot.* zielona papryka (*Capsicum frutescens*).

green pound *n. Br. ekon.* funt rozliczeniowy *l.* transferowy (*w handlu produktami rolnymi w ramach Unii Europejskiej*).

greenroom [ˈgriːnˌruːm] *n. teatr* pokój dla artystów (*do odpoczynku l. przyjmowania gości*).

green salad *n. kulin.* sałatka na bazie zielonej sałaty.

greensand [ˈgriːnˌsænd] *n. U min.* piasek glaukonitowy.

greenshank [ˈgriːnˌʃæŋk] *n. orn.* kwokacz (*Tringa nebularia*).

greensickness [ˈgriːnˌsɪknəs] *n. U pat.* blednica.

green soap *n. U med.* szare mydło (*potasowe maziste*).

greenstone [ˈgriːnˌstoʊn] *n. C/U min.* zieleniec, łupek zielony.

greensward [ˈgriːnˌswɔːrd] *n. C/U arch. l. lit.* darnina, murawa.

green tea *n. U* zielona herbata.

greenweed [ˈgriːnˌwiːd] *n.* (*także* **dyer's ~**) *bot.* janowiec barwierski, żółcidło (*Genista tinctoria*).

Greenwich Mean Time [ˌgrenɪtʃ ˈmiːn ˌtaɪm] *n. U* (*także* **Greenwich Time, GMT**) czas Greenwich, czas uniwersalny.

greenwood [ˈgriːnˌwʊd] *n. lit.* las w zieleni.

green woodpecker *n. orn.* dzięcioł zielony (*Picus viridis*).

greet[1] [griːt] *v.* **1.** witać; pozdrawiać. **2.** *często pass. przen.* powitać; przyjąć; **she was ~ed with sounds of quarreling** powitały ją odgłosy kłótni; **the proposal was ~ed with enthusiasm** propozycję powitano *l.* przyjęto entuzjastycznie.

greet[2] *Scot. l. arch. v.* płakać. – *n. U* płacz.

greeting [ˈgriːtɪŋ] *n.* powitanie; pozdrowienie; **exchange ~s** przywitać się.

greetings [ˈgriːtɪŋz] *n. pl.* życzenia; **birthday/Christmas ~s** życzenia urodzinowe/świąteczne. – *int. form. l. żart.* witam!.

greetings card *n.* kartka z życzeniami.

gregarious [grɪˈgerɪəs] *a.* **1.** towarzyski, lubiący towarzystwo. **2.** *zool.* stadny, gromadny. **3.** *bot.* rosnący w skupiskach.

gregariously [grɪˈgerɪəslɪ] *adv.* **1.** towarzysko. **2.** stadnie, gromadnie.

gregariousness [grɪˈgerɪəsnəs] *n. U* **1.** towarzyskość. **2.** instynkt stadny.

Gregorian [grɪˈgɔːrɪən] *a.* gregoriański.

Gregorian calendar *n.* kalendarz gregoriański.

Gregorian chant *n. muz., kośc.* chorał gregoriański.

gremlin ['gremlın] *n.* chochlik (*zwł. rzekomo odpowiedzialny za usterki techniczne*).

grenade [grı'neıd] *n. wojsk.* granat; **drill/hand** ~ granat ćwiczebny/ręczny; **stun** ~ granat ogłuszający.

grenade launcher *n. wojsk.* granatnik.

grenade rifle *n. wojsk.* karabin z nasadką granatnikową.

grenadier [ˌgrenə'di:r] *n.* **1.** *wojsk., t. hist.* grenadier. **2.** *icht.* ryba z rodzaju buławikowatych (*Macrouridae*).

grenadine[1] [ˌgrenə'di:n] *n. U* grenadyna (= *syrop z soku z granatów*).

grenadine[2] *n. U tk.* grenadyna.

gressorial [gre'sɔ:rıəl] *a.* (*także* **gressorious**) *zool.* kroczny.

grew [gru:] *v. zob.* **grow** *v.*

grey [greı] *a. Br.* = **gray**.

greyhound ['greıˌhaund] *n. kynol.* chart.

greyhound racing *n. U* wyścigi chartów (*za mechanicznym zającem*).

GRF [ˌdʒi: ˌɑ:r 'ef] *abbr.* **growth hormone-releasing factor** *biochem.* czynnik wyzwalający hormon wzrostu.

grid [grıd] *n.* **1.** = **gridiron**. **2.** *kartogr., bud.* siatka współrzędnych. **3.** (*także* **the** ~) *Br.* sieć (*energetyczna, gazowa l. wodociągowa*). **4.** (*także* **control** ~) *el.* siatka lampy katodowej.

grid bias *n. el.* napięcie początkowe siatki.

grid current *n. el.* prąd siatki.

gridder ['grıdər] *n. US sport pot.* piłkarz w futbolu amerykańskim.

griddle ['grıdl] *n.* blacha do pieczenia. – *v.* piec na blasze.

griddlebread ['grıdlˌbred] *n.* (*także* **griddlecake**) *kulin.* placuszek pieczony na blasze.

gride [graıd] *v. lit.* zgrzytać. – *n.* zgrzyt.

gridiron ['grıdˌaıərn] *n.* (*także* **grid**) **1.** ruszt (*np. do pieczenia*); *techn.* ruszt dokowy. **2.** *teatr* konstrukcja nad sceną do podtrzymywania dekoracji. **3.** *US sport* boisko do futbolu amerykańskiego; *U pot.* futbol amerykański.

gridlock ['grıdˌlɑ:k] *n. U* **1.** *gł. US* korek (*komunikacyjny*). **2.** *przen.* impas.

grid reference *n. kartogr.* współrzędne (na mapie).

grief [gri:f] *n.* **1.** *U* ból, żal (*zwł. po stracie bliskiej osoby*), głęboki smutek (*at / over sth* z jakiegoś powodu). **2.** zmartwienie, zgryzota. **3.** *przen. pot.* **cause sb** ~ irytować kogoś; **come to** ~ źle się skończyć; spełznąć na niczym; **sb will come to** ~ coś źle się dla kogoś skończy; **give sb** ~ suszyć komuś głowę; **good G~!** Boże drogi!

grief-stricken [ˌgri:f'strıkən] *a.* pogrążony w bólu *l.* żalu.

grievance ['gri:vəns] *n.* **1.** *C / U* krzywda, powód do skargi; skarga; **sense of** ~ poczucie krzywdy. **2.** pretensja, uraza, żal (*against sb* do kogoś); **air one's ~s** dawać wyraz swemu niezadowoleniu, wylewać żale; **nurse/harbor/have a** ~ żywić urazę, mieć pretensje.

grieve [gri:v] *v.* **1.** być pogrążonym w żalu *l.* smutku; ~ **for sb** opłakiwać kogoś. **2.** *form.* martwić, smucić, boleć; **it ~s me (to see/hear...)** przykro mi (kiedy widzę/słyszę...).

grieved [gri:vd] *a. lit.* zbolały (*at sth* z jakiegoś powodu).

grievous ['gri:vəs] *a. form.* dotkliwy (*o bólu, stracie*); poważny (*o błędzie, uszkodzeniu*); ciężki (*o ranie, szoku, zbrodni*).

grievous bodily harm *n. U* (*także* **GBH**) *Br. prawn.* ciężkie uszkodzenie ciała.

grievously ['gri:vəslı] *adv. form.* **1.** dotkliwie (*zaboleć*); poważnie (*uszkodzić*); ciężko (*ranić, zawinić*). **2. be** ~ **mistaken** być w wielkim błędzie.

grievousness ['gri:vəsnəs] *n. U form.* dotkliwość (*bólu*); powaga (*wykroczenia*).

griffe [grıf] *n. bud.* ornament u spodu kolumny (*często w formie pazura*).

griffin[1] ['grıfın] *n.* (*także* **griffon, gryphon**) *mit., her.* gryf.

griffin[2] *n. Anglo-Ind.* nowo przybył-y/a Europej-czyk/ka.

griffon[1] ['grıfən] *n.* **1.** *kynol.* gryfon (*rodzaj wyżła*). **2.** (*także* ~ **vulture**) *orn.* sęp płowy (*Gyps fulvus*).

griffon[2] *n.* = **griffin** 1.

grig [grıg] *n. dial.* **1.** żywe srebro (*przen. o osobie*). **2.** mały węgorz.

grill[1] [grıl] *n.* **1.** *zwł. Br.* ruszt, grill. **2.** *kulin.* danie z rusztu *l.* grilla. **3.** (*także* **~room**) restauracja serwująca dania z grilla. – *v.* **1.** piec na ruszcie. **2.** *pot.* maglować (= *ostro wypytywać*). **3. be ~ed** *pot.* przypiec się (*na słońcu*).

grill[2] *n.* = **grille**.

grillage ['grılıdʒ] *n. bud.* ruszt (*belkowy*).

grillage foundation *n. bud.* ruszt fundamentowy.

grille [grıl], **grill** *n.* **1.** krata, okratowanie. **2.** *mot.* osłona (*chłodnicy*).

grilled [grıld] *a.* **1.** zakratowany. **2.** *kulin.* z grilla *l.* rusztu, pieczony na ruszcie.

grillwork ['grılˌwɝ:k] *n. U* okratowanie, krata.

grilse [grıls] *n. pl.* **-es** *l.* **grilse** *icht.* młody łosoś, który był tylko raz w morzu.

grim [grım] *a.* **-mm- 1.** posępny, ponury. **2.** zawzięty. **3.** srogi, groźny. **4.** *pot.* chory. **5.** *Br. pot.* kiepski. **6. hold/hang on (to sb/sth) like grim** ~ *Br. pot.* trzymać się (kogoś/czegoś) rozpaczliwie *l.* kurczowo.

grimace ['grıməs] *n.* grymas. – *v.* wykrzywiać twarz *l.* usta, robić grymasy.

grimalkin [grı'mælkın] *n.* **1.** stara kocica. **2.** *przen.* przebiegła starucha.

grime [graım] *n. U* brud (*zwł. wrośnięty, tworzący czarną warstwę*). – *v.* usmarować, ubrudzić.

grimly ['grımlı] *adv.* **1.** posępnie, ponuro. **2.** zawzięcie. **3.** srogo, groźnie.

grimness ['grımnəs] *n. U* **1.** posępność, ponurość. **2.** zawziętość. **3.** *arch.* srogość.

grimoire [grım'wa:r] *n.* księga czarów.

Grim Reaper *n.* **the ~** *gł. lit.* kostucha, śmierć z kosą.

grimy [ˈgraɪmɪ] *a.* **-ier, -iest** brudny, usmarowany.

grin [grɪn] *v.* **-nn- 1.** szczerzyć zęby, uśmiechać się szeroko (*at sb* do kogoś); **~ from ear to ear** uśmiechać się od ucha do ucha. **2. ~ and bear it** *przen.* robić dobrą minę do złej gry. – *n.* **1.** (szeroki) uśmiech. **2.** grymas z wyszczerzeniem zębów.

grind [graɪnd] *v.* **ground, ground 1.** mleć, mielić (*sth (into sth)* coś (na coś)) (*np. ziarno na mąkę*); miażdżyć, rozgniatać, kruszyć; **~ up** zemleć na proszek. **2.** szlifować, ostrzyć; **~ sth down** zeszlifować coś. **3.** trzeć, ocierać się, zgrzytać (*against / on sth* o coś); **~ one's teeth** zgrzytać zębami. **4. ~ (away)** *pot.* harować. **5.** *szkoln. pot.* kuć, zakuwać. **6.** *przen.* **~ to a halt** zatrzymać się powoli (*o pojeździe*), stanąć (*o ruchu ulicznym*); ustać (*o procesie*); **~ to a standstill** stopniowo przestać funkcjonować (*np. o gospodarce*); powoli dobiec końca (*np. o wojnie*); **bump and ~** *US pot.* kręcić biodrami (*w tańcu*); **have an ax to ~** *zob.* **ax** *n.* **7. ~ sb down** gnębić kogoś; **~ sth into sb** wbijać coś komuś do głowy; **~ one's finger into sth** wwiercać palec w coś; **~ on** wlec się (*o czasie, zimie*); nudzić (*o przemawiającym*); przeć mozolnie naprzód (*np. o wojsku*); **~ out** wygrywać (*zwł. na lirze korbowej l. katarynce*); produkować rutynowo i w dużych ilościach (*zwł. informacje; np. o komputerze*). – *n.* **1.** *U* proszek (*po zmieleniu*); **coarse ~** grubo zmielona postać (*np. kawy*). **2.** *pot.* harówka, orka; **the daily ~** codzienna harówka. **3.** *US pot.* kujon. **4.** *U US pot.* kręcenie biodrami, w tańcu. **5.** *Br. sl.* numerek (= *stosunek*).

grinder [ˈgraɪndər] *n.* **1.** młynek (*np. do kawy*). **2.** młynek zlewozmywakowy, kuchenny rozdrabniacz odpadków. **3.** *techn.* szlifierka. **4.** szlifierz. **5.** *anat.* ząb trzonowy.

grindery [ˈgraɪndərɪ] *n.* **1.** *pl.* **-ies** *techn.* szlifiernia. **2.** *U Br.* przybory szewskie.

grinding [ˈgraɪndɪŋ] *a. attr.* **1.** nieustający, nieubłagany (*np. o hałasie*). **2. ~ poverty** *lit.* skrajna nędza. – *n.* *U* **1.** mielenie; kruszenie. **2.** szlifowanie.

grinding machine *n.* *techn.* kruszarka, rozdrabniacz, gniotownik.

grinding mill *n.* *techn.* kruszarka, młyn (*walcowy*).

grinding wheel *n.* *techn.* ściernica, tarcza ścierna.

grindstone [ˈgraɪndˌstoʊn] *n.* **1.** kamień szlifierski. **2. keep/have one's nose to the ~** *przen.* harować bez wytchnienia.

gringo [ˈgrɪŋgoʊ] *n. pl.* **-s** *pog.* obcy, cudzoziemiec (*zwł. przybyły do Ameryki Południowej i mówiący tylko po angielsku*).

grip[1] [grɪp] *n.* **1.** uchwyt, uścisk; chwyt, sposób trzymania (*np. rakiety*); (*także* **handgrip**) chwyt (*t. w walce*); **be at ~s** wodzić się za łby; **come to ~s** wziąć się za łby *l.* bary; **get a (firm) ~ on sth** (mocno) chwycić za coś; **loosen one's ~** rozluźnić uścisk. **2.** (*także* **handgrip**) uchwyt, rękojeść, trzonek, rączka; **pistol ~** kolba pistoletu. **3.** *sing. techn.* przyczepność (*np. opon*). **4.** nagły ostry ból. **5.** (*także* **handgrip**) *przest.* niewielka torba podróżna. **6.** *film* dyżurny (*na planie*). **7.** *Br.* = **hairgrip**. **8.** *przen.* **get a ~ on sth** opanować coś; **get/come to ~s with sth** zmierzyć się z czymś; **get/take a ~ on o.s.** wziąć się w garść, pozbierać się; **have a ~ on sth** panować nad czymś; **lose one's ~** tracić pewność siebie, tracić panowanie nad sytuacją; **in the ~ of sth** owładnięty *l.* ogarnięty czymś (*np. smutkiem, recesją*); **tighten one's ~ on sth** zacieśnić kontrolę nad czymś. – *v.* **-pp- 1.** ściskać (*w ręce*); mocno chwycić *l.* złapać (za). **2.** owładnąć (*kimś l. czymś; np. o strachu, recesji*), ogarnąć. **3.** wciągać, pasjonować. **4. ~ the road** trzymać się szosy (*o pojeździe, oponach*).

grip[2] *n.* = **grippe**.

gripe [graɪp] *v.* **1.** *pot.* biadolić. **2.** zaboleć, dźgnąć (*w brzuchu*); poczuć dźgnięcie (*jw.*). **3.** *arch.* chwycić, złapać. **4.** *arch.* doskwierać, dolegać (*komuś*). **5.** *żegl.* iść pod wiatr pomimo steru. – *n.* **1. the ~s** *pat.* kolka (*jelitowa*). **2.** *pot.* bolączka. **3.** *rzad.* chwyt, uścisk. **4.** *pl. żegl.* liny do przytrzymywania łodzi.

gripe water *n.* *U Br. med.* środek przeciw kolce (*dla niemowląt*).

griping [ˈgraɪpɪŋ] *a.* ostry, dźgający (*o bólu brzucha*).

grippe [grɪp], **grip** *n.* *U arch. pat.* grypa.

gripper [ˈgrɪpər] *n.* *mech.* imak, zacisk; *druk.* chwytak, łapka.

gripping [ˈgrɪpɪŋ] *a.* pasjonujący, wciągający (*o książce, filmie*).

grisaille [grɪˈzaɪ] *n.* *mal.* **1.** *U* technika malarska naśladująca płaskorzeźbę. **2.** obraz, witraż itp. wykonany techniką jw.

griseous [ˈgrɪsɪəs] *a.* szarawy; niebieskawoszary; perłowoszary.

grisette [grɪˈzet] *n.* **1.** gryzetka. **2.** *bot.* mglejarka (*Amanita*).

griskin [ˈgrɪzkɪn] *n.* *U Br. kulin.* chuda część polędwicy wieprzowej.

grisly[1] [ˈgrɪsliː] *a.* **-ier, -iest** potworny, makabryczny.

grisly[2] *n.* = **grizzly**.

grist [grɪst] *n.* *U* **1.** *młynarstwo* mlewo. **2.** *Br. browarnictwo* śrut słodowy. **3.** *przen.* **~ to sb's mill** (*także Br. i Austr.* **~ to the mill**) woda na czyjś młyn; **it's all ~ to the mill** to się opłaca.

grist fineness *n.* *U młynarstwo* stopień przemiału.

gristle [ˈgrɪsl] *n.* *U* chrząstka (*zwł. w mięsie*).

gristly [ˈgrɪstlɪ] *a.* **-ier, -iest** chrząstkowaty, pełen chrząstek.

gristmill [ˈgrɪstˌmɪl] *n.* młyn zbożowy.

grit [grɪt] *n.* *U* **1.** żwirek, grys. **2.** (*także* **~stone**) gruby piaskowiec. **3.** *min.* ziarno (*kamienia*). **4.** *przen.* zacięcie, determinacja; siła charakteru. **5.** *pl. zob.* **grits**. **6. G~** *Can. polit. pot.* liberał. – *v.* **-tt- 1.** piaskować, posypywać piaskiem. **2.** skrzypieć, zgrzytać; **~ into sth** wrzynać się ze zgrzytem w coś; **~ one's teeth** zgrzytać zębami; *przen.* zacisnąć zęby.

grits [grɪts] *n. pl.* **1.** owies łuszczony; gruba mąka owsiana. **2.** (*także* **hominy** ~) *płd. US kulin.* mamałyga.

gritter [ˈgrɪtər] *n. Br.* piaskarka.

gritty [ˈgrɪtɪ] *a.* **-ier, -iest 1.** żwirowaty (*o drodze*). **2.** ziarnisty (*o chlebie*). **3.** *przen.* z charakterem (*o osobie*). **4.** *przen.* realistyczny, nie upiększony (*o opisie*).

grizzle [ˈgrɪzl] *v. Br. pot.* **1.** popłakiwać, marudzić (*o dziecku*). **2.** marudzić, zrzędzić.

grizzled [ˈgrɪzld] *a.* siwy, posiwiały.

grizzly [ˈgrɪzlɪ] *n. pl.* **-ies** (*także* ~ **bear**) *zool.* niedźwiedź siwy (*Ursus arctos horribilis*). – *a.* **-ier, -iest** = **grizzled**.

gro. *abbr. zob.* **gross** *n.* 1.

groan [groʊn] *v.* **1.** jęczeć; stękać; ~ **(out)** jęknąć; stęknąć; ~ **in pain** jęczeć z bólu. **2.** *przen.* ~ **beneath/under/with sth** *przen.* uginać się *l.* trzeszczeć pod czymś *l.* pod ciężarem czegoś (*np. o zastawionym stole, deskach podłogi*); ~ **inwardly** jęczeć w duchu; **moan and** ~ *pot.* stękać, marudzić, zrzędzić. – *n.* **1.** jęk; stęknięcie. **2.** pomruk (*niezadowolenia*).

groat [groʊt] *n. hist.* srebrna moneta czteropensowa; grosz, szeląg.

groats [groʊts] *n. pl. kulin.* kasza, krupy (*zwł. owsiane*).

grocer [ˈgroʊsər] *n.* **1.** właściciel/ka sklepu spożywczego; sprzedaw-ca/czyni w sklepie spożywczym. **2. the ~('s)** *Br.* sklep spożywczy.

grocery [ˈgroʊsərɪ] *n. pl.* **-ies 1.** (*także US* ~ **store**) (*także Br.* ~ **shop**) sklep spożywczy. **2.** *U* handel artykułami spożywczymi. **3.** *pl.* artykuły spożywcze.

grog [grɑːg] *n. U* **1.** grog (= *rum z wodą*). **2.** *zwł. Austr. pot.* alkohol (*dowolny*).

groggily [ˈgrɑːgɪlɪ] *adv. pot.* słaniając się.

grogginess [ˈgrɑːgɪnəs] *n. U pot.* osłabienie; oszołomienie.

groggy [ˈgrɑːgɪ] *a.* **-ier, -iest** *pot.* słaniający się, osłabiony; oszołomiony, zamroczony.

grogram [ˈgrɑːgrəm] *n. U przest.* **1.** *tk.* mieszanina jedwabiu, moheru i wełny (*często podgumowana*). **2.** odzież z tkaniny jw.

grogshop [ˈgrɑːgˌʃɑːp] *n.* **1.** *Br. rzad.* knajpa. **2.** *Austr. i NZ pot.* sklep monopolowy.

groin [grɔɪn] *n.* **1.** *anat.* pachwina. **2.** *euf.* genitalia. **3.** (*także Br.* **groyne**) ostroga, falochron. **4.** *bud.* żebrowanie (*sklepienia*); ~ **rib** żebro. – *v. bud.* żebrować (*sklepienie*); ~**ed vaulting** sklepienie krzyżowe.

grommet [ˈgrɑːmɪt], **grummet** *n.* **1.** metalowe *l.* plastikowe oczko (*w płótnie l. skórze*). **2.** *żegl.* wianek (*pierścień linowy l. metalowy*).

gromwell [ˈgrɑːmwəl] *n. bot.* nawrot (*Lithospermum*).

groom [gruːm] *n.* **1.** (*także* **bridegroom**) pan młody. **2.** stajenny, masztalerz; *jeźdz.* luzak. **3.** *arch. l. poet.* młodzian. **4.** *arch.* sługa, giermek. **5.** *Br.* dworzanin. – *v.* **1.** oporządzać (*zwł. konie*). **2.** dbać o (*siebie, wygląd*); **well-~ed** zadbany. **3.** iskać; ~ **itself** iskać się (*np. o małpie*); lizać sobie futerko (*np. o kocie*). **4.** szkolić, przygotowywać, sposobić (*sb for sth* kogoś do czegoś) (*np. do objęcia ważnego stanowiska*).

groomsman [ˈgruːmzmən] *n. pl.* **-men** drużba.

groove [gruːv] *n.* **1.** rowek (*t. płyty gramofonowej*), wyżłobienie; bruzda (*t. gwintu, lufy*), koleina. **2.** *anat.* rowek, bruzda. **3.** *przen. pot.* **be/get (stuck) in a** ~ popaść w rutynę; **be in the** ~ *przest. US* być modnym; *jazz* dobrze grać. – *v.* **1.** rowkować, żłobkować. **2.** *przest. sl.* fajnie się bawić. **3.** *jazz* dobrze grać.

groover [ˈgruːvər] *n. techn.* rowkarka, żłobiarka.

groovy [ˈgruːvɪ] *a.* **-ier, -iest** *przest. sl.* świetny, super.

grope [groʊp] *v.* **1.** szukać po omacku (*for sth* czegoś); *przen.* szukać (*after / for sth* czegoś) (*np. rozwiązania, właściwych słów*); (*także* ~ **one's way**) iść *l.* posuwać się po omacku. **2.** *pot.* obmacywać.

groper [ˈgroʊpər] *n.* **1.** *pot.* obmacywacz. **2.** (*także* **grouper**) *icht.* granik (*Epinephelus*).

gropingly [ˈgroʊpɪŋlɪ] *adv.* po omacku, na ślepo.

grosbeak [ˈgroʊsˌbiːk] *n. orn.* grubodziób (*np. Coccothraustes coccothraustes*).

groschen [ˈgroʊʃən] *n. pl.* **groschen 1.** grosz (*austriacki*). **2.** dziesięciofenigówka. **3.** *hist.* srebrny grosz niemiecki.

grosgrain [ˈgroʊˌgreɪn] *n. U tk.* gruba prążkowana tkanina jedwabna (*np. do aplikacji*).

gross [groʊs] *a.* **1.** otyły, opasły. **2.** ordynarny, grubiański (*o języku, żartach*); prostacki (*np. o opiniach, gustach*); wulgarny, toporny (*np. o ozdobach*). **3.** rażący, jaskrawy (*o niesprawiedliwości*), karygodny (*o zaniedbaniu*); poważny, brzemienny w skutki (*np. o błędzie*). **4.** *US pot.* ohydny, obleśny. **5.** *attr.* brutto, całkowity; ~ **income** dochód całkowity *l.* brutto; ~ **sales** dochód ze sprzedaży brutto. **6.** *fiz.* całkowity (*np. o energii, sile nośnej, wyporności*). **7.** wybujały, gęsty (*o roślinności*). – *adv.* brutto; **earn $100,000** ~ zarabiać 100 tysięcy dolarów brutto; **weigh 10 kg** ~ ważyć brutto 10 kg. – *v.* **1.** zarabiać brutto. **2.** ~ **sb out** *US pot.* napawać kogoś obrzydzeniem. – *int.* (co za) ohyda!. – *n.* **1.** *pl.* **t. gross** *przest.* gros (= *12 tuzinów*); **by the** ~ na grosy; **great** ~ 12 grosów. **2.** całość; zdecydowana większość.

gross domestic product, GDP *n. ekon.* produkt krajowy brutto (*PKB*).

grossly [ˈgroʊslɪ] *adv.* **1.** wielce (*niesprawiedliwy*), mocno (*przesadzony*); karygodnie, rażąco (*zaniedbywać obowiązki*). **2.** *US pot.* ohydnie, obleśnie.

gross national product, GNP *n. ekon.* produkt narodowy brutto (*PNB*).

grossness [ˈgroʊsnəs] *n. U* **1.** ordynarność, grubiańskość; prostactwo, toporność. **2.** *US pot.* ohyda, obleśność.

gross-out [ˈgroʊsˌaʊt] *n. US sl.* ohyda, obrzydlistwo.

gross profit *n. ekon.* zysk brutto.

gross ton *n.* **1.** tona rejestrowa. **2.** (*także* **long ton**) tona brytyjska (= *1016,05 kg*).

grossular ['grɑːsjələr] *a. bot.* agrestowaty. – *n.* = **grossularite**.

grossularite ['grɑːsjələˌraɪt] *n. C/U* (*także* **grossular**) *min., jubilerstwo* zielony granat.

gross weight *n.* ciężar brutto.

grot[1] [grɑːt] *n. poet.* grota.

grot[2] *n. U pot.* brud; śmieci.

grotesque [groʊ'tesk] *a.* groteskowy. – *n.* **1.** **the ~** groteska (*styl w sztuce*). **2.** *pot.* groteskowa postać; groteskowy rysunek.

grotesquely [groʊ'tesklɪ] *adv.* groteskowo.

grotesqueness [groʊ'tesknəs] *n. U* groteskowość.

grotesquerie [groʊ'teskərɪ], **grotesquery** *n. pl.* **-ies** **1.** groteska (= *rzecz groteskowa*). **2.** *U* groteskowość.

grotto ['grɑːtoʊ] *n. pl.* **-es** grota (*t. sztuczna*).

grotty ['grɑːtɪ] *a.* **-ier, -iest** *Br. pot.* nędzny; zapuszczony (*np. o mieszkaniu, pokoju*); tandetny, byle jaki.

grouch [graʊtʃ] *pot. v.* zrzędzić, marudzić (*about sth* na coś). – *n.* **1.** zrzęda, maruda. **2.** bolączka.

grouchily ['graʊtʃɪlɪ] *adv. pot.* marudnie, gderliwie.

grouchiness ['graʊtʃɪnəs] *n. U pot.* marudność, gderliwość.

grouchy ['graʊtʃɪ] **-ier, -iest** *a. pot.* **1.** marudny, gderliwy. **2.** skwaszony.

ground[1] [graʊnd] *n.* **1.** *U* ziemia; powierzchnia ziemi; grunt, gleba; **above ~** nad ziemią; na (powierzchni) ziemi; **below (the) ~** pod ziemią, pod powierzchnią ziemi. **2.** *U* dno morza; **run into the ~** wpaść na mieliznę; **take ~** osiąść na mieliźnie. **3.** *t. przen.* teren, terytorium; **hospital ~** teren szpitala; **hunting ~s** tereny łowieckie; **on one's own ~** (*także* **on home ~**) *gł. przen.* na (swoim) własnym terenie *l.* terytorium; **recreation ~** teren wypoczynkowy. **4.** *pl.* teren; **private ~s** teren prywatny; **school ~s** teren szkoły. **5.** *Br. sport* boisko; **cricket/football ~** boisko do krykieta/piłki nożnej. **6.** podstawa; przyczyna, powód (*for (doing) sth* do (zrobienia) czegoś) wzgląd; **have ~s to believe (that)** ... mieć powody sądzić, że ...; **on ethical/moral ~s** ze względów etycznych/moralnych; **on ~s of sth** powołując się na coś, podając coś jako przyczynę; **on the ~ of sth** na podstawie czegoś; **on the ~s that...** z powodu tego, że... **7.** podłoże; tło (*haftu, malowidła*). **8.** *pl.* fusy (*zwł. z kawy*). **9.** *sing. US i Can. el.* uziemienie. **10.** *muz.* = **ground bass**. **11.** = **groundage**. **12.** *przen.* **be burned/razed to the ~** spłonąć doszczętnie; **be on firm/delicate ~** czuć się pewnie/niepewnie (*w dyskusji*); **be thin on the ~** *Br.* występować rzadko *l.* w niedużych ilościach; **break fresh/new ~** *zob.* **break**[1] *v.*; **cover a lot of ~** pokonać dużą odległość, przebyć spory kawał drogi; przedyskutować wiele spraw; *szkoln.* omówić *l.* przerobić duży zakres materiału; **cut the ~ from under sb's feet** *Br.* usunąć komuś grunt spod nóg (= *zaskoczyć, pozbawić argumentów, odebrać pewność siebie*); **drive/run/work o.s. into the ~** zaharowywać się na śmierć; **fall on stony ~** *Br.* trafiać w próżnię (*o argumentach, propozycjach*); **fertile/breeding ~ for sth** pożywka dla czegoś; **(find some) common ~** (znaleźć) punkty wspólne; **gain/lose ~** zyskiwać/tracić poparcie *l.* popularność; **get off the ~** zacząć funkcjonować (*np. o firmie*); **get sth off the ~** zainicjować *l.* uruchomić coś; **give/yield ~** ustąpić pola, wycofać się; **go over the same ~** omawiać te same zagadnienia, być poświęconym temu samemu tematowi (*np. o artykule, książce*); **go to ~** *Br.* przyczaić się, ukryć się; **hold/stand one's ~** nie ustępować, trzymać się mocno; **meet sb on their own ~** wyjść naprzeciw czyimś żądaniom; **on the ~** *wojsk.* na polu walki; **have support on the ~** mieć poparcie społeczne; **prepare the ~ for sth** przygotowywać grunt pod coś; **run (a fox/badger) to ~** zapędzić (lisa/borsuka) do nory; **run sb to ~** nakryć *l.* przydybać kogoś; **shift/change one's ~** zmienić zdanie; zacząć z innej beczki; **suit sb (right) down to the ~** *Br. pot.* idealnie komuś pasować *l.* odpowiadać; **touch ~** dotknąć dna (*o statku*); *przen.* dojść do czegoś konkretnego (*po dłuższej dyskusji*). – *v. zw. pass.* **1.** opierać (*zwł. argument*); **be ~ed in/on sth** zasadzać *l.* opierać się na czymś; **ill/well-~ed** nieuzasadniony/uzasadniony. **2.** gruntować (*farbą*). **3.** *żegl.* osiadać na mieliźnie (*o statku*); osadzać na mieliźnie (*statek*). **4.** *lotn.* odmawiać zgody na start (*samolotowi, pilotowi*); zakazywać lotów (*pilotowi*). **5.** kłaść na ziemi (*np. broń*). **6.** *US i Can. el.* uziemiać. **7.** *zwł. US, Can. i Austr. pot.* zabronić wychodzenia z domu (*dziecku za karę*). **8.** **~ sb in sth** uczyć kogoś podstaw czegoś.

ground[2] *v. zob.* **grind** *v.*

groundage ['graʊndɪdʒ] *n. U Br. żegl.* kotwiczne.

ground-air [ˌgraʊnd'er] *a.* = **ground-to-air**.

ground angling *n. U ryb.* łowienie gruntowe.

groundbait ['graʊndˌbeɪt], **ground bait** *n. U ryb.* zanęta.

ground ball *n.* (*także Br.* **grounder**) *baseball, krykiet* szczur (= *piłka sunąca po ziemi*).

ground bass *n. C/U muz.* bas zasadniczy.

ground beam *n. bud.* podwalina, podkład, legar.

ground beef *n. US i Can. kulin.* mielona wołowina.

ground beetle *n. ent.* **1.** chrząszcz z rodziny biegaczy (*Caribidae*). **2.** mącznik, chrząszcz z rodziny czarnuchowatych (*Tenebrionidae*).

groundbreaking ['graʊndˌbreɪkɪŋ] *a.* przełomowy.

ground bug *n. ent.* pluskwiak z rodziny zwińcowatych (*Lygaeidae*).

ground cherry *n. pl.* **-ies** *bot.* miechunka (*Physalis*).

ground cloth *n. US* rodzaj karimaty (*używanej w namiocie dla ochrony przed wilgocią*).

ground color *n. mal.* kolor tła, kolor zasadniczy.

ground control *n. U lotn.* kontrola naziemna, kierowanie z ziemi.

ground-controlled ['graʊndkənˌtroʊld] *a.* sterowany z ziemi; **~ approach** (*także* **GCA**) *lotn.* sterowany z ziemi system lądowania bez widoczności; ~ **interception** *wojsk.* naprowadzanie z ziemi przechwytywania celów powietrznych.

ground cover *n. bot.* poszycie leśne.

ground crew *n.* (*także Br.* **ground staff**) *lotn.* personel naziemny.

ground effect machine *n.* (*także* **GEM**) *wojsk.* poduszkowiec.

grounder [ˈgraʊndər] *n. zob.* **ground ball**.

ground floor *n.* **1.** *Br.* parter. **2. get in on the ~** (*także* **start from the ~**) *przen. pot.* zacząć od najniższego stanowiska; być w firmie od początku.

ground forces *n. pl. wojsk.* siły lądowe.

ground frost *n. U meteor.* przygruntowe przymrozki.

ground game *n. U Br. myśl.* zwierzyna łowna (*w odróżnieniu od ptactwa*).

ground-ground [ˌgraʊndˈgraʊnd] *a.* = **ground-to-ground**.

ground gudgeon *n. icht.* śliz (*Noemacheilus / Cobitis barbatulus*).

groundhog [ˈgraʊndˌhɑːg] *n. zool.* świszcz (*Marmota monax*).

Groundhog Day *n. US i Can. folklor* Dzień Świstaka (*2 lutego, kiedy budzi się on ze snu zimowego*).

grounding [ˈgraʊndɪŋ] *n.* **1. a ~ (in sth)** przygotowanie (w zakresie czegoś), znajomość podstaw (czegoś). **2.** *zwł. US, Can. i Austr.* areszt domowy (*zastosowany za karę wobec dziecka*).

ground ivy *n. U bot.* bluszczyk ziemny kurdybanek (*Glechoma / Nepeta hederacea*).

groundless [ˈgraʊndləs] *a.* bezpodstawny, nieuzasadniony (*np. o podejrzeniach, obawach*).

groundlessly [ˈgraʊndləslɪ] *n. U* bez (żadnych) podstaw *l.* powodów.

groundlessness [ˈgraʊndləsnəs] *n. U* bezpodstawność.

ground level *n. sing.* **1.** poziom ziemi. **2.** *fiz.* poziom podstawowy.

groundling [ˈgraʊndlɪŋ] *n.* **1.** *zool.* zwierzę żyjące na ziemi; *icht.* ryba denna; *bot.* roślina płożąca się. **2.** *teatr* widz zajmujący najtańsze miejsce.

ground loop *n. lotn.* zarzucenie przy rolowaniu.

groundmass [ˈgraʊndˌmæs] *n. U geol.* ciasto skalne, skała macierzysta z kryształami górskimi.

ground moraine *n. geol.* morena denna.

ground noise *n. U el.* szum nośnika.

ground note *n. muz.* ton zasadniczy.

groundnut [ˈgraʊndˌnʌt] *n. bot.* **1.** chobot bulwiasty (*Apios tuberosa*). **2.** *Br.* = **peanut**.

ground pine *n. bot.* **1.** dąbrówka żółtokwiatowa (*Ajuga chamaepitys*). **2.** gatunek widłaka (*Lycopodium obscurum*).

ground plan *n.* **1.** *bud.* rzut poziomy (*budynku*). **2.** *przen.* ogólny plan *l.* zarys.

ground plate *n.* **1.** *US el.* płytka uziemiająca. **2.** (*także* **groundsill**) *bud.* podwalina.

ground rent *n. C / U prawn.* czynsz gruntowy od dzierżawy długoterminowej *l.* wieczystej.

ground rule *n. często pl.* naczelna zasada.

ground run *n. lotn.* droga rozbiegu *l.* kołowania (*samolotu*).

ground-sea [ˌgraʊndˈsiː] *a.* = **ground-to-sea**.

groundsel [ˈgraʊndsl] *n. bot.* starzec pospolity, krzyżownik (*Senecio vulgaris*).

groundsheet [ˈgraʊndˌʃiːt] *n. Br.* = **ground cloth**.

groundsill [ˈgraʊndˌsɪl] *n.* = **ground plate** 2.

groundskeeper [ˈgraʊndzˌkiːpər] *n. US i Can.* dozorca (*np. parku, kortów, lodowiska*).

groundsman [ˈgraʊndzmən] *n. pl.* **-men** *Br. i Austr.* = **groundskeeper**.

groundspeed [ˈgraʊndˌspiːd], **ground speed** *n. lotn.* prędkość podróżna *l.* względem ziemi.

ground squirrel *n. zool.* wiewiórka ziemna (*Citellus*).

ground staff *n. Br.* **1.** *lotn.* = **ground crew**. **2.** *sport* obsługa techniczna (*urządzeń sportowych*).

ground state *n. fiz.* stan podstawowy.

groundswell [ˈgraʊndˌswel], **ground swell** *n. sing. l. U* **1.** *oceanografia* fala denna. **2.** *przen.* narastająca fala (*protestów, oburzenia*).

ground-to-air [ˌgraʊndtəˈer], **ground-air** *a. attr. wojsk.* ziemia-powietrze (*o rakiecie, pocisku*).

ground-to-ground [ˌgraʊndtəˈgraʊnd], **ground-ground** *a. attr. wojsk.* ziemia-ziemia (*o rakiecie, pocisku*).

ground-to-sea [ˌgraʊndtəˈsiː], **ground-sea** *a. attr. wojsk.* ziemia-woda (*o rakiecie, pocisku*).

ground water *n. U* wody gruntowe.

ground wire *n. US i Can. el.* przewód uziemiający.

groundwork [ˈgraʊndˌwɜːk] *n. U* **1.** *przen.* podwaliny, fundamenty; **lay/provide the ~ for sth** położyć podwaliny pod coś. **2.** *sztuka* grunt; tło (*np. pod haftem, ornamentem*).

group [gruːp] *n.* **1.** *t. biol., mat., chem., wojsk.* grupa (*of sb / sth* kogoś/czegoś); **age/ethnic ~** grupa wiekowa/etniczna; **battle ~** *Br. wojsk.* grupa operacyjna; **blood ~** grupa krwi. **2.** (*także* **pop ~**) *muz.* zespół. **3.** *lotn. US* grupa dwu lub więcej eskadr samolotów tego samego typu; *Br.* pułk. – *v.* **~ (together)** grupować (się), łączyć (się) w grupy.

group captain *n. Br. wojsk.* pułkownik lotnictwa.

grouper [ˈgruːpər] *n.* = **groper** 2.

groupie [ˈgruːpɪ] *n. pot.* fanka podróżująca za swoim idolem (*zwł. zespołem l. wokalistą w trasie koncertowej*).

grouping [ˈgruːpɪŋ] *n.* ugrupowanie (*t. polit.*); grupa.

group insurance *n. C / U ubezp.* ubezpieczenie grupowe.

group practice *n. C / U med.* spółdzielnia lekarska.

group therapy *n. U psych.* terapia grupowa.

group velocity *n. C / U fiz.* prędkość grupowa.

grouse[1] [graʊs] *n. pl.* **grouse 1.** *orn.* **black ~** cietrzew (*Lyrurus tetrix*); **ruffed ~** jarząbek cieciornik (*Bonasa umbellus*); **wood ~** głuszec (*Te-*

trao urogallus). **2.** (*także* **red ~**) *Br. pot.* pardwa szkocka (*Lagopus scoticus*).

grouse[2] *pot. v.* gderać (*about sth* na coś). – *n.* gderanie.

grouser ['graʊsər] *n. pot.* zrzęda, maruda.

grout [graʊt] *n. U* **1.** *bud.* zaprawa do fugowania; (*także* **grouting**) fugi. **2.** *bud.* tynk (*na ściany i sufity*). **3.** (*także* **grouts**) *przest. kulin.* krupy, kasza. – *v. bud.* fugować.

grove [groʊv] *n.* **1.** gaj; **orange/lemon ~** gaj pomarańczowy/cytrynowy. **2.** *lit.* zagajnik, lasek.

grovel ['grʌvl] *v. Br.* **-ll-** **1.** płaszczyć się (= *poniżać się*). **2.** czołgać się, pełzać. **3. ~ in sth** *lit.* tarzać się w czymś (*np. w rozpuście*).

grow [groʊ] *v.* **grew, grown** **1.** *t. przen.* rosnąć; wzrastać; wyrastać; rozrastać się; **~ 3 inches** urosnąć 3 cale. **2.** rozwijać się. **3.** hodować (*warzywa, owoce*), uprawiać (*zboże*). **4.** zapuszczać (*włosy, brodę, wąsy*). **5.** zarastać (*with sth* czymś). **6.** stawać się (*stopniowo*); **~ impatient** tracić cierpliwość; **~ old/rich** starzeć/bogacić się; **we grew tired of waiting** zmęczyło nas czekanie. **7.** zaczynać (*stopniowo*); **~ to like/hate sb/sth** zacząć kogoś/coś lubić/nienawidzić. **8.** *przen. pot.* **he has ~n too big for his boots/breeches** przewróciło mu się w głowie, woda sodowa uderzyła mu do głowy; **money/it doesn't ~ on trees** pieniądze nie rosną na drzewach. **9. ~ apart** *przen.* oddalać się od siebie (*o małżonkach, przyjaciołach*); **~ away from sb** *przen.* oddalać się od kogoś; **~ in** wrastać (*o paznokciach*); **~ into sb/sth** wyrosnąć na kogoś/coś; **~ into sth** dorosnąć do czegoś (*np. do ubrania po starszym bracie; t. przen. - do sytuacji*); *przen.* zaaklimatyzować się gdzieś (*zwł. w nowym miejscu pracy*); **~ on sb** *przen.* coraz bardziej się komuś podobać; **~ out of sth** wyrosnąć z czegoś (*np. z ubrań; t. przen. - z pewnego typu zachowań*); (*także* **~ from sth**) *przen.* brać się skądś *l.* z czegoś; **~ up** dorastać, dojrzewać; wyrastać (*np. o mieście, zabudowaniach*).

growable ['groʊəbl] *a.* nadający się do uprawy *l.* hodowli (*o roślinie*).

grower ['groʊər] *n.* **1.** hodowca (*roślin użytkowych*); **vegetable ~** hodowca warzyw. **2. fast/slow ~** roślina szybko/wolno rosnąca.

growing pains *n. pl.* **1.** *fizj.* bóle wzrostowe. **2.** *przen.* początkowe trudności.

growing season *n. roln.* okres wzrostu.

growl [graʊl] *v.* warczeć (*at sb* na kogoś) (*o psie; t. przen. o osobie*); warczeć, mruczeć (*o silniku*); dudnić (*o gromie*); **~ (out)** warknąć (*o osobie*). – *n.* warczenie, warknięcie (*psa*); warkot, mruczenie (*silnika*); pomruk (*burzy*).

growler ['graʊlər] *n.* **1.** *US sl.* naczynie na piwo. **2.** *Br. arch.* dorożka.

grown [groʊn] *v. zob.* **grow**.

grown-up ['groʊnˌʌp] *a.* **1.** dorosły. **2.** *attr.* dla dorosłych (*np. o filmie, magazynie*). – *n.* (*także* **grownup**) osoba dorosła, dorosły.

growth [groʊθ] *n.* **1.** *U* wzrost; rozrost; przyrost (*in sth* czegoś). **2.** *U i sing.* rozwój (*of sth* czegoś); **emotional/intellectual ~** rozwój emocjonalny/intelektualny. **3.** *U* uprawa; hodowla, chów. **4.** *biol.* forma wzrostu; **full ~** forma dojrzała. **5.** *U i sing.* zarost; **a week's ~** tygodniowy zarost. **6.** *U i sing.* porost; **thick ~ of grass** gęsty porost trawy; **second ~** *leśn.* drugi las (*po wycięciu dziewiczego*). **7.** *pat.* narośl.

growth factor *n. biol.* czynnik wzrostowy.

growth hormone *n. U biol.* hormon wzrostu.

growth rate *n. ekon., biol.* tempo wzrostu.

growth ring *n. leśn.* słój (*roczny*).

groyne [grɔɪn] *n. Br.* = **groin** *n.* 3.

GRP [ˌdʒi: ˌɑ:r 'pi:] *abbr.* **glass-reinforced plastic** *techn.* tworzywo wzmocnione włóknem szklanym.

grub [grʌb] *n.* **1.** *U pot.* żarcie. **2.** *zool.* pędrak, czerw. **3.** wół roboczy (*osoba*). – *v.* **1.** karczować (*teren, korzenie, pniaki*). **2.** *pot.* **~ (around/about) for sth** *pot.* grzebać (w ziemi) w poszukiwaniu czegoś; **~ (out/up)** wygrzebać (*z ziemi*); *przen.* wyszperać (*np. informacje w książce*). **3. ~ (along/away/on)** harować. **4.** *sl.* żreć. **5. ~ sth (off/from sb)** *US sl.* wycyganić coś (od kogoś) (*np. papierosa*).

grubber ['grʌbər] *n.* (*także* **grub hoe, grubbing hoe**) *leśn.* gruber (*przyrząd do karczowania*).

grubbiness ['grʌbɪnəs] *n. U t. przen.* brud; niechlujstwo.

grubby ['grʌbɪ] *a.* **-ier, -iest** **1.** brudny; niechlujny. **2.** robaczywy. **3.** *przen.* nieuczciwy, podejrzany; parszywy.

grub hoe *n.* = **grubber**.

grubstake ['grʌbˌsteɪk] *n. US i Can. pot.* sprzęt itp. dostarczony reflektującemu na działkę górniczą w zamian za udział w zyskach. – *v. US i Can. pot.* **1.** zaopatrywać w sprzęt w zamian za udział w zyskach. **2.** *hazard* dawać *(komuś)* pieniądze na grę w zamian za udział w zyskach.

Grub Street *n. U przen.* drugorzędna literatura.

grudge [grʌdʒ] *n.* uraza, żal, niechęć; **have/hold a ~ against sb** (*także* **bear sb a ~**) żywić urazę do kogoś, mieć żal do kogoś. – *v.* **~ sb sth** (*także* **~ sth to sb**) żałować komuś czegoś; **not ~ doing sth** zrobić coś bez żalu.

grudging ['grʌdʒɪŋ] *a. attr.* niechętny (*o zgodzie, pomocy*), wymuszony.

grudgingly ['grʌdʒɪŋlɪ] *adv.* niechętnie (*np. przyznać, zgodzić się*).

gruel ['gru:əl] *n. U kulin.* kaszka, kleik (*zwł. owsiany*).

grueling ['gru:əlɪŋ], *Br.* **gruelling** *a.* męczący, wyczerpujący. – *n. pot.* katusze.

gruesome ['gru:səm] *a.* makabryczny.

gruesomely ['gru:səmlɪ] *adv.* makabrycznie.

gruesomeness ['gru:səmnəs] *n. U* makabryczność.

gruff [grʌf] *a.* **1.** gburowaty, burkliwy (*o odpowiedzi, zachowaniu*). **2.** szorstki (*o głosie*).

gruffly ['grʌflɪ] *adv.* **1.** gburowato. **2.** szorstko.

gruffness ['grʌfnəs] *n. U* **1.** gburowatość. **2.** szorstkość.

grumble ['grʌmbl] *v.* **1.** narzekać, utyskiwać (*about/at/over sth* na coś) gderać, zrzędzić; **mustn't ~** *Br. pot.* nie narzekam (*w odpowiedzi na pytanie, co słychać*). **2.** burczeć (*o brzuchu*);

dudnić (*o pociągu, gromie*). – *n. często pl.* **1.** skarga, narzekanie. **2.** pomruk; dudnienie.

grumbler ['grʌmblər] *n.* zrzęda.

grumbling ['grʌmblɪŋ] *n.* **1.** *U* narzekanie, utyskiwanie, gderanie, zrzędzenie. **2.** pomruk; dudnienie. – *a.* **1.** zrzędzący. **2.** burczący (*o brzuchu, kiszkach*). **3. have a ~ appendix** *Br. pot.* mieć kłopoty z wyrostkiem.

grumbly ['grʌmblɪ] *a.* **-ier, -iest** gderliwy, zrzędliwy.

grummet ['grʌmɪt] *n.* = **grommet**.

grumous ['gru:məs] *a.* grudkowaty (*zwł. o częściach roślin*).

grumpily ['grʌmpɪlɪ] *adv.* opryskliwie.

grumpiness ['grʌmpɪnəs] *n. U* opryskliwość.

grumpy ['grʌmpɪ] *a.* **-ier, -iest** opryskliwy; naburmuszony.

Grundyism ['grʌndɪˌɪzəm] *n. U* dulszczyzna.

grunge [grʌndʒ] *n. U* **1.** *muz., moda* grunge. **2.** *US sl.* syf (= *brud*).

grungy ['grʌndʒɪ] *a.* **-ier, -iest 1.** *muz., moda* dotyczący stylu grunge. **2.** *sl.* zasyfiały (= *bardzo brudny*); syficzny (= *nędzny*).

grunion ['grʌnjən] *n. icht.* księżycówka, lunark (*Leuresthes tenuis*).

grunt [grʌnt] *v.* **1.** chrząkać (*zwł. o świni*). **2.** burknąć; mruknąć. – *n.* **1.** chrząknięcie. **2.** burknięcie; pomruk (*zwł. rozczarowania, zniecierpliwienia*). **3.** (*także* **grunter**) *icht.* ryba z rodziny luszczowatych (*Pomadasyidae / Haemulidae*). **4.** *US wojsk. sl.* żołnierz piechoty (*t. morskiej; zwł. w czasie wojny w Wietnamie*).

grunter ['grʌntər] *n.* **1.** świnia, wieprz. **2.** = **grunt** *n.* 3.

gruntled ['grʌntld] *a. pot.* zadowolony.

Gruyère [grʊ'jer] *n. U* (ser) grujer.

gryphon ['grɪfən] *n. zob.* **griffin**[1].

GS [ˌdʒi: 'es] *abbr.* **1.** *wojsk.* = **general staff**. **2. General Secretary** sekretarz generalny.

G-string ['dʒi:ˌstrɪŋ] *n.* stringi (*typ majtek*).

G-suit ['dʒi:ˌsu:t] *n.* (*także* **anti-G-suit**) *lotn.* kombinezon przeciwprzeciążeniowy.

guacamole [ˌgwɑ:kə'moʊlɪ], **guachamole** *n. kulin.* gęsty meksykański sos z awokado (*podawany na zimno jako dip l. w sałatkach*).

guacharo ['gwɑ:tʃəˌroʊ] *n. pl.* **-s** *orn.* tłuszczak (*Steatornis caripensis*).

Guadeloupe [ˌgwɑ:də'lu:p] *n. geogr.* Gwadelupa.

guaiacol ['gwaɪəˌkoʊl] *n. U chem., med.* gwajakol.

guaiacum ['gwaɪəkəm], **guaiocum** *n.* **1.** (*także* **guaiacum-tree**) *bot.* gwajak właściwy, gwajakowiec lekarski (*Guajacum officinale*). **2.** *U* (*także* **guaiac resin**) *med.* żywica gwajakowa.

guan [gwɑ:n] *n. orn.* ptak z rodziny czubaczy (*Cracidae*).

guano ['gwɑ:noʊ] *n. pl.* **-s** guano (*ptasie l. sztuczne*).

Guarani [ˌgwɑ:rə'ni:] *n.* **1.** *pl.* **-s** *pl.* **Guarani** (człon-ek/kini plemienia) Guarani (*zamieszkującego Paragwaj, płd. Brazylię i Boliwię*). **2.** *U jęz.* guarani.

guarantee [ˌgerən'ti:] *n.* **1.** gwarancja (*of sth* czegoś); **there is no ~ (that)...** nie ma gwarancji, że... **2.** *C / U handl.* gwarancja; **be under ~** być na gwarancji; **come with/have a 12-month ~** mieć roczną gwarancję; **money-back ~** gwarancja zwrotu pieniędzy. **3.** (*także* **~ certificate**) *handl.* karta gwarancyjna. **4.** (*także* **guaranty**) *prawn.* poręczenie, poręka; rękojmia. **5.** (*także* **guaranty**) *prawn., handl.* zabezpieczenie, kaucja, zastaw; (*także* **~ deposit**) kaucja gwarancyjna. **6.** *prawn.* osoba otrzymująca poręką. – *v.* **1.** (*także prawn.* **guaranty**) gwarantować; ręczyć; **~ sb sth** gwarantować komuś coś; **~ to do sth** zobowiązywać się coś zrobić; **this movie is ~d to make you feel better** po obejrzeniu tego filmu na pewno poczujesz się lepiej. **2.** *handl.* dawać gwarancję na (*towar*); **this product is ~d for 5 years** ten produkt ma pięcioletnią gwarancję. **3.** *US* zabezpieczać (*against / from sth* przed czymś) (*np. przed ryzykiem*).

guarantor ['gerənˌtɔ:r] *n. handl., prawn.* gwarant; żyrant/ka, poręczyciel/ka.

guaranty ['gerənˌtɪ] *n. pl.* **-ies 1.** = **guarantee** *n.* 4, 5. **2.** = **guarantor**. – *v. zob.* **guarantee** *v.* 1.

guard [gɑ:rd] *n.* **1.** strażni-k/czka, wartowni-k/czka; **prison ~** strażni-k/czka więzienn-y/a. **2.** *sing. l. U* straż; warta; **advance/rear ~** straż przednia/tylna; **armed ~** zbrojna straż; **keep/stand ~** stać na warcie; *t. przen.* stać na straży (*over sth* czegoś); **mount/relieve ~** zaciągać/zmieniać wartę; **under ~** pod strażą. **3.** *C / U* ochrona, zabezpieczenie (*against sth* przed czymś) (*np. przed chorobą*). **4.** *często w złoż. techn., sport* osłona, zabezpieczenie; **chin ~** ochrona podbródka (*część kasku*); **mud~** błotnik. **5.** *C / U koszykówka* obrona (*gracz l. pozycja*). **6.** *C / U boks, szerm.* garda. **7.** *Br. i Austr. kol.* kierowni-k/czka pociągu. **8. the G~s** *Br. wojsk.* gwardia królewska. **9.** *Ir.* = **garda**. **10.** *przen.* **be off (one's) ~** być nieprzygotowanym; **be on (one's) ~ (against sb/sth)** mieć się na baczności (przed kimś/czymś), strzec się (kogoś/czegoś); **catch/throw sb off ~** zaskoczyć kogoś; **drop/lower one's ~** stracić czujność (*chwilowo*); **put sb on their ~** kazać komuś mieć się na baczności; **the old ~** stara gwardia. – *v.* **1.** pilnować, stać na straży (*kogoś l. czegoś*); chronić (*against / from sb / sth* przed kimś/czymś). **2.** osłaniać, ochraniać. **3. ~ against sth** zabezpieczać się przed czymś; mieć się na baczności przed czymś.

guardant ['gɑ:rdənt] *a. zw. po n. her.* zwrócony pyskiem do oglądającego (*o zwierzęciu*).

guard dog *n.* pies obronny.

guarded ['gɑ:rdɪd] *a.* ostrożny (*w słowach*); oględny (*o mowie, stwierdzeniach*).

guardedly ['gɑ:rdɪdlɪ] *adv.* ostrożnie; oględnie.

guardedness ['gɑ:rdɪdnəs] *n. U* ostrożność; oględność.

guardhouse ['gɑ:rdˌhaʊs] *n.* wartownia, odwach.

guardian ['gɑ:rdɪən] *n.* **1.** (*także* **legal ~**) *prawn.* opiekun/ka, kurator/ka. **2.** *form.* stróż, strażni-k/czka; **~ of morality/democracy** stróż moralności/demokracji. **3.** *Br. kośc.* ojciec gwardian (*u franciszkanów*).

guardian angel *n. rel. l. przen.* anioł stróż.

guardianship [ˈgɑːrdɪən͵ʃɪp] *n.* *U* **1.** *prawn.* opieka (*prawna*), kuratela; urząd opiekuna *l.* kuratora. **2.** *form.* opieka, straż.

guard of honor, *Br.* **guard of honour** *n.* *C/U* straż honorowa.

guardrail [ˈgɑːrd͵reɪl], **guard rail** *n.* **1.** poręcz, balustrada. **2.** *zwł. US* bariera ochronna (*przy drodze*). **3.** *kol.* szyna oporowa, odbojnica.

guard ring *n.* = **keeper ring.**

guardroom [ˈgɑːrd͵ruːm] *n.* pokój wartowników, wartownia.

guardsman [ˈgɑːrdzmən] *n. pl.* **-men** **1.** *wojsk.* gwardzista. **2.** *US* członek Gwardii Narodowej. **3.** strażnik.

guard's van *n. Br. i Austr. kol.* wagon służbowy.

Guatemala [͵gwɑːtəˈmɑːlə] *n. geogr.* Gwatemala.

Guatemalan [͵gwɑːtəˈmɑːlən] *a.* gwatemalski. – *n.* Gwatemal-czyk/ka.

guava [ˈgwɑːvə] *n. bot.* gruszla właściwa, gujawa pospolita (*Psidium guajava*).

gubernatorial [͵guːbərnəˈtɔːrɪəl] *a.* gubernatorski.

gudgeon[1] [ˈgʌdʒən] *n.* **1.** *icht.* kiełb (*Gobio gobio; t. inne z rodziny Gobiidae*). **2.** *sl.* jeleń, frajer. – *v. sl.* zrobić w konia.

gudgeon[2] *n. techn.* czop (*zawiasowy*).

gudgeon pin *n. Br. mech.* sworzeń tłokowy.

guelder-rose [ˈgeldə͵rouz] *n. bot.* kalina koralowa, buldeneż (*Viburnum opulus*).

guerdon [ˈgɝːdən] *poet. n.* nagroda, zapłata. – *v.* nagradzać.

guerilla [gəˈrɪlə] *n. zob.* **guerrilla.**

guernsey [ˈgɝːnzɪ] *n.* **1. G~** *geogr.* wyspa Guernsey. **2.** (*także* **G~**) *hodowla* krowa z wyspy Guernsey. **3.** grubo dziany wełniany sweter marynarski. **4.** *Austr. sport* wełniana koszulka futbolisty. **5. be given/get a ~** *Austr.* otrzymać pochwałę *l.* gratulacje.

guerrilla [gəˈrɪlə], **guerilla** *n.* partyzant.

guerrilla warfare *n.* *U* partyzantka, wojna partyzancka.

guess [ges] *v.* **1.** zgadywać; odgadywać. **2. ~ (at) sth** domyślać się czegoś; **I have ~ed as much** sam się (tego) domyśliłem. **3. I ~ ...** *zwł. US i Can. pot.* chyba..., pewnie...; **I ~ so/not** chyba tak/nie. **4.** *przen.* **~ what!** (*także* **you'll never ~**) *pot.* nie uwierzysz! (*przed podaniem zaskakującej wiadomości*); **be ~ing o.s. dizzy** *pot.* gubić się w domysłach *l.* przypuszczeniach; **keep sb ~ing** utrzymywać kogoś w niepewności. – *n.* **1.** próba odgadnięcia; **take a ~** (*także Br.* **make/have a ~**) *pot.* zgadywać, próbować zgadnąć (*at sth* coś); **give sb one more ~** pozwolić komuś zgadywać jeszcze raz. **2.** domysł, przypuszczenie; **at a ~** *pot.* na oko; **it's anybody's ~** Bóg raczy wiedzieć; **my ~ is (that)...** sądzę, że...; **your ~ is as good as mine** *pot.* wiem tyle, co ty.

guesstimate *n.* [ˈgestəmɪt] *pot.* określenie na oko (*zwł. ilości*). – *v.* [ˈgestəmeɪt] *pot.* określać na oko (*jw.*).

guesswork [ˈges͵wɝːk] *n.* *U* domysły, spekulacje.

guest [gest] *n.* **1.** gość (*na przyjęciu, w hotelu, restauracji*); (*także US, Can. i Austr.* **houseguest**) gość (*nocujący u kogoś w domu*); **be sb's ~** być czyimś gościem, być zaproszonym przez kogoś (= *nie płacić za siebie*); **be my ~** *przen. pot.* ależ oczywiście, nie krepuj się (*odpowiadając na pytanie o pozwolenie*); **paying ~** mieszkan-iec/ka pensjonatu; **wedding ~** gość weselny. **2.** *biol.* pasożyt.

guest appearance *n.* występ gościnny; **make a ~** wystąpić gościnnie.

guest book *n.* księga gości.

guesthouse [ˈgest͵haus], **guest-house** *n.* pensjonat.

guest list *n.* lista gości.

guest night *n.* wieczór otwarty (*dla osób niebędących członkami klubu, organizacji itp.*).

guestroom [ˈgest͵ruːm], **guest room** *n.* pokój gościnny.

guest rope, guest-rope *n.* *żegl.* faleń przytrapowy.

guest speaker *n.* zaproszon-y/a prelegent/ka.

guest worker *n.* gastarbeiter.

guff [gʌff] *n.* *U sl.* bzdury.

guffaw [gəˈfɔː] *n.* głośny śmiech. – *v.* ryczeć ze śmiechu.

Guiana [gɪˈænə] *n. geogr.* Gujana.

Guianan [gɪˈænən], **Guianese** [͵giːəˈniːz] *a.* gujański. – *n.* Guja-ńczyk/nka.

guidance [ˈgaɪdəns] *n.* *U* **1.** przewodnictwo, kierownictwo; prowadzenie (*np. studenta przez profesora*); doradztwo, poradnictwo; rady, porady (*on/about sth* w zakresie czegoś); **marriage/vocational ~** poradnictwo małżeńskie/zawodowe. **2.** *techn., wojsk.* naprowadzanie.

guide [gaɪd] *n.* **1.** *t. przen.* przewodni-k/czka; **spiritual ~** przewodni-k/czka duchow-y/a; **tour ~** przewodni-k/czka wycieczki. **2.** (*także* **~book**) przewodnik (*to sth* po czymś); poradnik; informator; **tourist ~** przewodnik turystyczny. **3.** *t. przen.* wskazówka, drogowskaz. **4.** *wojsk.* skrzydłowy (*w kolumnie*). **5.** *mech.* prowadnica. **6.** *żegl.* statek prowadzący. **7. G~** = **Girl Guide.** – *v.* **1.** oprowadzać (*zwł. turystów*). **2.** kierować (*kimś*), prowadzić; **be ~d by sth** kierować się czymś. **3.** sterować (*czymś*).

guide bar *n. mech.* prowadnica, wodzidło, szyna prowadząca.

guidebook [ˈgaɪd͵buk] *n.* = **guide** *n.* 2.

guided missile [͵gaɪdɪd ˈmɪsl] *n. wojsk.* pocisk kierowany.

guide dog *n. Br.* pies przewodnik.

guided tour *n.* zwiedzanie z przewodnikiem; **give sb a ~ of sth** oprowadzić kogoś po czymś.

guided wave *n. el.* fala elektromagnetyczna przewodowa.

guideline [ˈgaɪd͵laɪn] *n. zw. pl.* wytyczna, wskazówka (*on/for sth* dotycząca czegoś).

guidepost [ˈgaɪd͵poust] *n.* drogowskaz.

guide pulley *n. mech.* koło pasowe prowadzące.

guide rope *n.* **1.** *lotn.* balonowa lina cumownicza. **2.** linka przymocowana do podnoszonego ładunku.

guide vanes *n. pl. mech.* łopatki kierujące.

guideway [ˈgaɪdˌweɪ] *n.* prowadnica.

guiding [ˈgaɪdɪŋ] *a. attr.* przewodni (*np. o zasadzie*); ~ **spirit/star/light** *przen.* gwiazda przewodnia.

guidon [ˈgaɪdən] *n.* **1.** *wojsk.* proporzec, proporczyk (*pododdziału, zwł. kawalerii*). **2.** (*także* ~ **bearer**) proporcowy. **3.** pojazd z proporczykiem.

guild [gɪld], **gild** *n.* **1.** *hist.* gildia, cech. **2.** stowarzyszenie, bractwo.

guilder [ˈgɪldər] *n.* (*także* **gulden**) gulden (*holenderski; t. hist. austro-węgierski l. niemiecki*).

guildhall [ˈgɪldˌhɔːl] *n. Br.* **1.** *hist.* dom cechowy. **2.** ratusz.

guildsman [ˈgɪldzmən] *n. pl.* **-men** **1.** członek cechu. **2.** członek bractwa.

guile [gaɪl] *n. U form.* przebiegłość, podstępność.

guileful [ˈgaɪlfʊl] *a. form.* przebiegły, podstępny.

guileless [ˈgaɪlləs] *a. form.* prostoduszny, szczery.

guilelessness [ˈgaɪlləsnəs] *n. U form.* prostoduszność, szczerość.

guillemot [ˈgɪləˌmɑːt] *n. orn.* nurzyk (*Uria, Cepphus*).

guilloche [gɪˈloʊʃ] *n. bud.* gilosz, ornament bordiurowy.

guillotine [ˈgɪləˌtiːn] *n.* **1.** *hist.* gilotyna; **the** ~ egzekucja przez zgilotynowanie. **2.** gilotynka (*do papieru*). **3.** *Br. i Austr. parl.* wyznaczenie limitu czasu na dyskusję nad poszczególnymi elementami ustawy (*uniemożliwiające obstrukcję*). – *v.* zgilotynować.

guilt [gɪlt] *n. U* wina; **sense of** ~ poczucie winy.

guiltily [ˈgɪltɪlɪ] *adv.* z poczuciem winy.

guiltiness [ˈgɪltɪnəs] *n. U* poczucie winy.

guiltless [ˈgɪltləs] *a.* niewinny (*of sth* czegoś) bez winy.

guilt-ridden [ˈgɪltˌrɪdən] *a.* nękany poczuciem winy *l.* wyrzutami sumienia.

guilt trip *n. pot.* poczucie winy, wyrzuty sumienia (*zwł. nadmierne*); **lay/put a ~ on sb** wywoływać u kogoś poczucie winy.

guilty [ˈgɪltɪ] *a.* **-ier, -iest** **1.** winny (*of sth* czegoś, *of doing sth* zrobienia czegoś); ~ **conscience** nieczyste sumienie; ~ **look** wzrok winowajcy; **feel** ~ czuć się winnym, odczuwać wyrzuty sumienia (*about (doing) sth* z jakiegoś powodu); **find sb** ~ uznać kogoś za winnego; **plead (not)** ~ *prawn.* (nie) przyznawać się do winy. **2.** *lit.* grzeszny; ~ **pleasures** grzeszne przyjemności.

guimpe [gɪmp] *n.* **1.** bluzka noszona pod bezrękawnikiem. **2.** wstawka pod wydekoltowaną suknię. **3.** szkaplerz (*część stroju zakonnicy*). **4.** = **gimp**[1].

Guinea [ˈgɪnɪ] *n. geogr.* Gwinea.

guinea [ˈgɪnɪ] *n.* **1.** *Br.* gwinea (*hist. = złota moneta wartości £1,05; obecnie jako jednostka rozliczeniowa, zwł. przy honorariach*). **2.** *orn.* = **guinea fowl**. **3.** *US sl. pog.* makaroniarz (= *osoba pochodzenia włoskiego*).

guinea fowl *n.* (*także* **guinea hen**) *orn.* perlica domowa, pantarka (*Numida meleagaris*).

guinea grass *n. U bot.* proso olbrzymie (*Panicum maximum*).

Guinean [ˈgɪnɪən] *a.* gwinejski. – *n.* Gwinejczyk/ka.

guinea pig *n.* **1.** *zool.* świnka morska (*Cavia porcellus*). **2.** *przen.* królik doświadczalny.

Guinea worm *n. zool.* riszta, robak medyński (*Dracunculus medinensis*).

guipure [gɪˈpjʊr] *n.* (*także* ~ **lace**) gipiura (*koronka*).

guise [gaɪz] *n.* **1.** *form.* pozór; maska; **in/under the ~ of sth** pod pozorem *l.* płaszczykiem czegoś; **in the ~ of sb** przebrany za kogoś. **2.** wygląd; forma, postać; **(old ideas) in a new/different** ~ (stare pomysły) w nowej/innej formie. **3.** *arch.* styl stroju.

guitar [gɪˈtɑːr] *n. muz.* gitara.

guitarfish [gɪˈtɑːrˌfɪʃ] *n. icht.* **1.** rocha (*Rhinobatos rhinobatos*). **2.** roszak (*Rhinobatos albomaculatus*).

guitarist [gɪˈtɑːrɪst] *n.* gitarzyst-a/ka.

gulag [ˈguːlɑːg] *n. hist.* gułag; **the** ~ sieć gułagów.

gulch [gʌltʃ] *n. US i Can.* parów.

gulden [ˈgʊldən] *n. pl.* **-s** *pl.* **gulden** = **guilder**.

gules [gjuːlz] *her. a. zw. po n.* czerwony. – *n. C/U* czerwień.

gulf [gʌlf] *n.* **1.** *geogr.* zatoka; **the G~ of Mexico** Zatoka Meksykańska; **the (Persian) G~** Zatoka Perska. **2.** otchłań; topiel, odmęty. **3.** *przen.* przepaść (*between* pomiędzy) (*np. warstwami społecznymi, kulturami*). – *v.* pochłaniać (*np. o odmętach*).

Gulf States *n. pl. geogr.* **the** ~ kraje Zatoki Perskiej; *US* stany nad Zatoką Meksykańską.

Gulf Stream *n.* **the** ~ *geogr.* Prąd Zatokowy, Golfsztrom.

Gulf War *n.* **the** ~ *hist.* wojna w Zatoce (Perskiej).

gulfweed [ˈgʌlfˌwiːd] *n. U bot.* glon z rodzaju gronorostów (*Sargassum bacciferum*).

gull[1] [gʌl] *n.* (*także* **sea~**) *orn.* mewa (*Larus*).

gull[2] *arch. n.* głupek, dudek. – *v.* wystrychnąć na dudka.

Gullah [ˈgʌlə] *n. U jęz.* gulla (= *język kreolski używany przez ludność pochodzenia afrykańskiego zamieszkującą wybrzeża Południowej Karoliny, Georgii i płn.-wsch. Florydy*).

gullet [ˈgʌlɪt] *n.* **1.** *anat. pot.* przełyk; gardziel. **2.** *górn.* wstępny wrąb.

gullibility [ˌgʌləˈbɪlətɪ] *n. U* łatwowierność.

gullible [ˈgʌləbl] *a.* łatwowierny.

gullibly [ˈgʌləblɪ] *a.* łatwowiernie.

gully [ˈgʌlɪ] *n. pl.* **-ies** **1.** parów. **2.** *płn. Br. dial.* wąska ścieżka pomiędzy płotami *l.* budynkami. **3.** *kręgle* rowek z boku toru. – *v.* drążyć kanały w (*ziemi, piasku*), żłobić.

gulp [gʌlp] *v.* **1.** ~ **(down)** połykać (*pospiesznie l. z trudem*). **2.** przełykać (ślinę). **3.** łapać powietrze. **4.** ~ **back** tłumić (*przełykając*); ~ **back sobs** tłumić szloch; ~ **back the/one's tears** połykać łzy. – *n.* **1.** haust, łyk; **at a** ~ (*także* **in one** ~) duszkiem, jednym haustem; **take a** ~ łyknąć. **2.** przełknięcie (*zwł. z trudem*).

gulper eel ['gʌlpər ˌi:l] *n.* (*także* **gulper fish**) *icht.* węgorz głębinowy z rodziny połykaczowatych *l.* gardzielcowatych (*Eurypharyngidae l. Saccopharyngidae*).

gum[1] [gʌm] *n. zw. pl. anat.* dziąsło.

gum[2] *n. U* **1.** żywica naturalna. **2.** (*także* ~ **elastic**) guma, kauczuk. **3.** klej (*np. na znaczkach pocztowych*). **4.** (*także* **chewing** ~) guma do żucia. **5.** *C Br.* = **gumdrop**. **6.** *C* = **gumtree**. **7.** *górn.* miał węglowy. – *v.* **-mm- 1.** ~ **(up)** gumować (= *usztywniać l. smarować gumą*); ~ **down** przyklejać; ~ **in** wklejać; ~ **together** sklejać; ~ **up** zaklejać. **2.** wydzielać gumę (*o drzewach owocowych*). **3.** ~ **up (the works)** *pot.* zawalić (sprawę).

gum[3] *n.* **by ~!** *Br. przest. euf.* jak babcię kocham!.

gum arabic *n. U* guma arabska.

gumbo ['gʌmboʊ], **gombo** *n. U US i Can.* **1.** *bot.* ketmia (*Hibiscus esculentus*); strączki ketmii. **2.** *kulin.* gęsta zupa ze strączkami ketmii. **3.** lepka gleba w środkowych Stanach. **4.** (*także* **G~**) *jęz.* żargon francuski używany przez kreolską ludność Luizjany i Indii Zachodnich.

gumboil ['gʌmˌbɔɪl] *n. pat. pot.* ropień dziąsła.

gum boot, gumboot *n. Br. i Austr.* gumiak, gumowiec.

gumdrop ['gʌmˌdrɑ:p] *n. US* żelka (= *cukierek-galaretka*).

gum elastic *n.* = **gum**[2] *n.* 2.

gumma ['gʌmə] *n. pl.* **-s** *l.* **-ta** ['gʌmətə] *pat.* kilak.

gummosis [gə'moʊsɪs] *n. U bot., pat.* gumoza.

gummous ['gʌməs] *a. rzad.* gumowaty.

gummy[1] ['gʌmɪ] *a.* **-ier, -iest 1.** lepki; poklejony. **2.** obfitujący w gumę; wydzielający gumę.

gummy[2] *a.* **-ier, -iest** bezzębny.

gumption ['gʌmpʃən] *n. U pot.* **1.** *Br.* olej w głowie (= *zdrowy rozsądek, przytomność umysłu*); **have the ~ to do sth** mieć na tyle oleju w głowie, żeby coś zrobić. **2.** odwaga, inicjatywa; **have the ~ to do sth** mieć odwagę coś zrobić.

gum resin *n. U* kalafonia.

gumshield ['gʌmˌʃi:ld] *n. boks* wkładka ochronna na zęby.

gumshoe ['gʌmˌʃu:] *n.* **1.** gumiak, gumowiec. **2.** *US i Can. sl.* szpicel, tajniak.

gumtree ['gʌmˌtri:], **gum tree** *n.* **1.** *bot.* drzewo dające żywicę gumową (*np. eukaliptus*). **2.** **be up a ~** *Br. przest. pot.* być w kropce.

gun [gʌn] *n.* **1.** rewolwer, pistolet. **2.** *często w złoż.* strzelba, karabin; **air~** wiatrówka; **machine-~** karabin maszynowy; **shot~** dubeltówka, fuzja; **sub-machine ~** karabinek samoczynny. **3.** *wojsk.* działo, armata; **anti-tank ~** armata przeciwpancerna; **assault ~** (*także* **AG**) samobieżne działo szturmowe; **field ~** działo polowe. **4.** *techn.* urządzenie przypominające armatkę *l.* pistolet; (*także* **spray ~**) rozpylacz (*np. przeciwko owadom*); **cement ~** natryskownica do betonu; **grease/lubricating ~** smarownica tłokowa *l.* ciśnieniowa (*ręczna*); **paint spray ~** pistolet lakierniczy; **sand ~** piasecznica. **5.** strzał armatni (*np. w salucie*). **6.** *Br. myśl.* strzelec. **7.** *Austr. i NZ sl.* spec. **8.** (*także* **hired ~**) *US pot.* płatny morderca; uzbrojony ochroniarz. **9.** *przen.* **give it the ~** *US pot.* dodać gazu; **go great ~s** *pot.* przeć z impetem naprzód; **jump/beat the ~** *sport* zrobić falstart; *pot.* pośpieszyć się zanadto, wybiec przed orkiestrę; **son of a ~** *euf. pot.* skurczybyk; **spike sb's ~s** *Br.* pokrzyżować komuś plany; **stick to one's ~s** obstawać przy swoim; **with (all) ~s blazing** na całego. – *v.* **-nn- 1.** ~ **(down)** zastrzelić; ciężko postrzelić. **2.** polować z bronią. **3.** *przen. pot.* ~ **for sb/sth** popierać kogoś/coś, kibicować komuś/czemuś; ~ **for sth** starać się o coś (*np. o posadę*); **be ~ning for sb** *Br.* szukać na kogoś haka; ~ **it** *US* dodać gazu.

gunboat ['gʌnˌboʊt] *n.* kanonierka.

gunboat diplomacy *n. U polit.* dyplomacja kanonierek (= *wymuszanie ustępstw pod groźbą użycia siły militarnej*).

gun carriage *n. wojsk.* laweta.

guncotton ['gʌnˌkɑ:tən] *n. U* bawełna strzelnicza.

gun dog *n.* (*także US i Can.* **bird dog**) *myśl.* pies aportujący.

gunfight ['gʌnˌfaɪt] *n.* strzelanina.

gunfire ['gʌnˌfaɪr] *n. U* ogień armatni.

gun flint *n. wojsk.* krzemień w broni skałkowej.

gunge [gʌndʒ] *n. Br.* = **gunk**.

gung-ho [ˌgʌŋ'hoʊ] *a. pot.* napalony, nadgorliwy.

gunk [gʌŋk] *n. U pot.* maź, gluty.

gunlock ['gʌnˌlɑ:k] *n.* zamek karabinowy, armatni itp.

gunman ['gʌnmən] *n. pl.* **-men** uzbrojony bandyta *l.* terrorysta.

gunmetal ['gʌnˌmetl] *n. U* stop miedzi, cyny i cynku.

gunnel[1] ['gʌnl] *n. icht.* ostropłetwiec (*Centronotus gunellus*).

gunnel[2] *n.* = **gunwale**.

gunner ['gʌnər] *n.* **1.** *wojsk.* działonowy; kanonier; cekaemista. **2.** (*także* **gnr.**) *Br. wojsk.* kanonier (*stopień*); **master ~** *Br. wojsk.* zbrojmistrz.

gunnery ['gʌnərɪ] *n. U* **1.** sztuka *l.* technika artyleryjska; ćwiczenia artyleryjskie. **2.** artyleria. **3. G~ Sergeant** (*także* **GSgt.**) *US* sierżant zbrojmistrz.

gunny ['gʌnɪ] *n. pl.* **-ies** *gł. US* **1.** *U* jutowa tkanina na worki. **2.** (*także* ~ **sack**) worek z juty.

gunplay ['gʌnˌpleɪ] *n. US* strzelanina (*zwł. między przestępcami*).

gunpoint ['gʌnˌpɔɪnt] *n.* **at ~** pod groźbą rewolweru; **hold sb at ~** mieć kogoś na muszce.

gunpowder ['gʌnˌpaʊdər] *n. U* proch strzelniczy (*czarny*).

Gunpowder Plot *n. Br. hist.* Spisek Prochowy (*wykryty 5.11.1605 r.*).

gunpowder tea *n. U* gatunek zielonej herbaty granulowanej.

gun room *n. wojsk.* **1.** zbrojownia. **2.** *Br.* mesa dla młodszych oficerów.

gun-runner ['gʌnˌrʌnər] *n.* przemytni-k/czka broni.

gun-running ['gʌnˌrʌnɪŋ] *n. U* przemyt broni.

gunshot ['gʌnˌʃɑːt] *n.* **1.** strzał, wystrzał (*z broni palnej*). **2.** *U* zasięg strzału; **out of/within ~** poza zasięgiem/w zasięgu strzału. – *a. attr.* ~ **wound** rana postrzałowa, postrzał.

gun-shy ['gʌnˌʃaɪ] *a.* **1.** bojący się huku wystrzałów (*zwł. o psie*). **2.** *zwł. US* bojaźliwy, przesadnie ostrożny (*zwł. w wyniku wcześniejszych niepowodzeń*).

gunsight ['gʌnˌsaɪt] *n.* celownik (*broni*).

gunslinger ['gʌnˌslɪŋər] *n. US pot.* rewolwerowiec (*zwł. hist. na Dzikim Zachodzie*).

gunsmith ['gʌnˌsmɪθ] *n.* rusznikarz.

gunsmithing ['gʌnˌsmɪθɪŋ] *n.* *U* rusznikarstwo.

gunstock ['gʌnˌstɑːk] *n.* łoże lufy.

gun turret *n. wojsk.* wieża działowa; wieżyczka strzelecka.

gunwale ['gʌnl], **gunnel** *n.* **1.** *żegl.* okrężnica, górna krawędź nadburcia. **2. full to the ~s** *przen.* wypełniony po brzegi.

guppy ['gʌpɪ] *n. pl.* **-ies** *icht.* gupik (*Lebistes reticulatus*).

gurgitation [ˌgɜːdʒɪ'teɪʃən] *n.* *U* bulgotanie.

gurgle ['gɜːgl] *v.* **1.** bulgotać (*np. o strumieniu*). **2.** gruchać (*o niemowlęciu*). – *n.* **1.** bulgot. **2.** gruchanie.

gurgler ['gɜːglər] *n. Austr. pot.* otwór odpływowy, odpływ; **go down the ~** *przen.* przepaść jak kamień w wodę.

Gurkha ['gɜːkə] *n. pl.* **-s** *l.* **Gurkha** Gurkha, Gurka.

gurnard ['gɜːnərd], **gurnet** ['gɜːnɪt] *n. icht.* kurek (*rodzina Triglidae*).

gurney ['gɜːnɪ] *n. US med.* nosze na kółkach.

guru ['guːruː] *n. rel. l. przen.* guru.

gush [gʌʃ] *v.* **1.** tryskać, wytryskiwać (*out of/from sth* z czegoś) lać się strugą *l.* strumieniem (*o wodzie, krwi*); bić (*o źródle*); ~ **(with) blood** tryskać krwią; ~ **(with) tears** wylewać potoki łez. **2.** *przen.* rozpływać się (z zachwytu) (*over sth* nad czymś). – *n.* **1.** wytrysk; struga, strumień; potok (*np. łez*). **2.** *przen.* przypływ (*ulgi, niepokoju, entuzjazmu*).

gusher ['gʌʃər] *n.* **1.** wylewna osoba. **2.** tryskający szyb naftowy.

gushing ['gʌʃɪŋ] *a.* (*także* **gushy**) *pot.* wylewny, entuzjastyczny.

gushingly ['gʌʃɪŋlɪ] *adv. pot.* wylewnie, entuzjastycznie.

gushy ['gʌʃɪ] *a.* **-ier, -iest = gushing.**

gusset ['gʌsɪt] *n.* **1.** klin, wstawka (*np. w rajstopach, torbie*). **2.** *techn.* trójkątny wspornik; *bud.* klamra (*dla wzmocnienia narożnika budowli*).

gussy ['gʌsɪ] *v.* **-ied, -ying ~ up** *US pot.* odpicować (się).

gust [gʌst] *n.* **1.** poryw, silny podmuch *l.* powiew (*wiatru*); buchnięcie (*ognia, dymu*); eksplozja (*hałasu, dźwięków*). **2.** *przen.* poryw, wybuch (*np. namiętności*). – *v.* wiać porywiście.

gustation [gə'steɪʃən] *n. U form.* smakowanie, kosztowanie.

gustatory ['gʌstəˌtɔːrɪ], **gustatorial** ['gʌstəˌtɔːrɪəl] *a. form.* smakowy.

gusto ['gʌstoʊ] *n.* *U* upodobanie, entuzjazm, zapał; **with ~** z upodobaniem.

gusty ['gʌstɪ] *a.* **-ier, -iest 1.** porywisty (*o wietrze*). **2.** *przen.* porywczy, wybuchowy.

gut [gʌt] *n.* **1.** *anat.* jelito. **2.** *pl.* trzewia, wnętrzności, flaki. **3.** *sl.* brzuch, bebech. **4.** *U* (*także* **catgut**) *chir.* katgut; *muz.* struna. **5.** *pot.* mechanizm, wnętrze (*np. komputera*). **6.** *pl. przen. pot.* odwaga, siła charakteru; fantazja, animusz, werwa; **have the ~s to do sth** mieć odwagę coś zrobić. **7.** *przen.* ~ **feeling** *pot.* przeczucie; ~ **reaction** *pot.* instynktowna reakcja; **at ~ level** *pot.* intuicyjnie, instynktownie; **hate sb's ~s** *pot.* nie cierpieć kogoś; **spill one's ~s** *US pot.* wywnętrzać się; **sweat/work one's ~s out** *sl.* wypruwać sobie flaki *l.* żyły. – *v. zw. pass.* **-tt- 1.** *kulin.* patroszyć. **2.** wypalić, strawić (*wnętrze budynku; o pożarze*). **3.** ogołocić (*dom, mieszkanie*). **4.** wydobyć najważniejsze punkty z (*artykułu itp.; np. w streszczeniu*).

gutbucket ['gʌtˌbʌkɪt] *n.* *U* *muz.* prosty, pełen emocji styl jazzowy.

gutless ['gʌtləs] *a. pot.* tchórzliwy.

gutsy ['gʌtsɪ] *a.* **-ier, -iest** *pot.* **1.** odważny. **2.** pełen werwy. **3.** łakomy; chciwy.

gutta ['gʌtə] *n. pl.* **guttae** ['gʌtiː] *bud.* ornament w kształcie kropli (*zwł. w stylu doryckim*).

gutta-percha [ˌgʌtə'pɜːtʃə] *n. U el., dent.* gutaperka.

guttate ['gʌteɪt], **guttated** ['gʌteɪtɪd] *a. biol.* nakrapiany.

gutted ['gʌtɪd] *a. pred. Br. pot.* **1.** załamany, zdruzgotany. **2.** wypluty (= *bardzo zmęczony*).

gutter ['gʌtər] *n.* **1.** ściek, rynsztok; kanał (*odkryty*). **2.** rynna (*t. w kręgielni*). **3.** rowek; wyżłobienie, bruzda (*wyżłobiona przez wodę*). **4. the ~** *przen.* rynsztok, niziny społeczne. – *v.* **1.** żłobić. **2.** płynąć strugą. **3.** zaopatrywać w rynny *l.* kanały (*t. ściekowe*). **4.** ~ **(out)** kapać (*o świecy*); *lit.* dopalać się (*o świecy, płomieniu*).

gutter press *n. U* **the ~** *Br.* prasa brukowa.

guttersnipe ['gʌtərˌsnaɪp] *n. przest. uj.* dziecko ulicy, ulicznik.

guttural ['gʌtərəl] *a.* gardłowy (*o dźwięku, głosie*). – *n. fon.* spółgłoska gardłowa.

guv [gʌv] *n. Br. przest. sl. voc.* szefie.

guvnor ['gʌvnər] *n. Br. przest. sl.* szef; *voc.* szefie!.

guy[1] [gaɪ] *n.* **1.** *pot.* gość, facet; **fall ~** *zob.* **fall. 2.** *pl. zwł. US, Can. i Austr. pot.* ludzie, wiara. **3.** *arch. Br.* straszydło, dziwoląg (= *osoba dziwnie ubrana*). **4.** (*także* **G~**) *Br.* kukła Guya Fawkesa (*palona 5 listopada*). **5. no more Mr Nice G~** *zob.* **Mr.** – *v. dial. pot.* naśmiewać się z (*kogoś*), przedrzeźniać.

guy[2] *n.* (*także* ~ **rope/line**) *żegl.* gaja; *techn.* odciąg (*lina przytrzymująca*). – *v. gł. żegl.* przymocowywać, podtrzymywać (*linami*).

Guyanese [gaɪə'niːz] *a.* gujański. – *n.* Gujańczyk/nka.

Guy Fawkes' Night *n. sing. Br.* wieczór 5 listopada, kiedy pali się kukłę Guy Fawkesa na pamiątkę wykrycia Spisku Prochowego z 1605 r.

guzzle ['gʌzl] *v. pot.* **1.** żłopać, chlać. **2.** *rzad.* żreć.

guzzler ['gʌzlər] *n.* pija-k/czka.

gybe [dʒaɪb], **jibe** *żegl. n.* zwrot przez rufę, zwrot z wiatrem. – *v.* wykonywać zwrot przez rufę.

gym [dʒɪm] *n. pot.* **1.** = **gymnasium** 1. **2.** *U* gimnastyka; *szkoln.* w-f.

gymkhana [dʒɪm'kɑ:nə] *n. gł. Br. jeźdz.* gymkhana, = widowisko sportowe obejmujące m.in. wyścigi konne i skoki przez przeszkody.

gymnasium [dʒɪm'neɪzɪəm] *n. pl.* **-s** *l.* **gymnasia** *szkoln.* **1.** (*także* **gym**) sala gimnastyczna. **2.** gimnazjum (*w krajach europejskich*).

gymnast ['dʒɪmnæst] *n. sport* gimnasty-k/czka.

gymnastic [dʒɪm'næstɪk] *a.* gimnastyczny.

gymnastics [dʒɪm'næstɪks] *n. U t. przen.* gimnastyka; **mental ~** *przen.* gimnastyka umysłowa.

gymnospermous [ˌdʒɪmnə'spɜ:məs] *a. bot.* nagozalążkowy, nagonasienny.

gym shoes *n. pl.* tenisówki.

gymslip ['dʒɪmˌslɪp] *n. Br.* bezrękawnik (*zwł. jako mundurek szkolny*).

gynaeceum [ˌdʒɪnə'si:əm] *n. pl.* **gynaecea** *przest.* = **gynoecium** *n.*

gynaeco- *Br.* = **gyneco-**.

gynandrous [dʒɪ'nændrəs] *a. bot.* prętosłupowy.

gynecocracy [ˌdʒɪnə'kɑ:krəsɪ] *n. U* ginekokracja, rządy kobiet.

gynecological [ˌgaɪnəkə'lɑ:dʒɪkl], **gynecologic** [ˌgaɪnəkə'lɑ:dʒɪk] *a. med.* ginekologiczny.

gynecologist [ˌgaɪnə'kɑ:lədʒɪst] *n. med.* ginekolog.

gynecology [ˌgaɪnə'kɑ:lədʒɪ] *n. U* ginekologia.

gynoecium [dʒɪ'ni:sɪəm] *n. pl.* **gynoecia** *bot.* zalążnia.

gynophore ['dʒɪnəˌfɔ:r] *n. bot.* szypułka podtrzymująca zalążnię.

gyp[1] [dʒɪp] (*także* **gip**) *v.* **-pp-** *US sl.* okantować, ocyganić; wycyganić. – *n. sing. US sl.* **1.** oszustwo, kant. **2.** oszust/ka, kancia-rz/ra.

gyp[2] *n. U* **give sb ~** *Br. i Austr. sl.* dokuczać komuś (*np. o bolącej nodze*); przysparzać komuś kłopotów; zrugać kogoś.

gyppy tummy [ˌdʒɪpɪ 'tʌmɪ] *n. pl.* **-ies** *pot.* biegunka (*zwł. u turystów podróżujących po krajach o gorącym klimacie*).

gypseous ['dʒɪpsɪəs] *a.* gipsowy.

gypsiferous [dʒɪp'sɪfərəs] *a.* gipsowy (= *zawierający gips l. dostarczający gipsu*).

gypsophila [dʒɪp'sɑ:fələ] *n. U bot.* łyszczec (*Gypsophila*).

gypsum ['dʒɪpsəm] *n. U min., roln.* gips.

gypsy ['dʒɪpsɪ], *Br. t.* **gipsy** *n.* **1.** Cygan/ka. **2.** *przen.* cygan/ka.

gypsy moth *n. ent.* brudnica nieparka (*Lymantria dispar*).

gypsy rose *n. bot.* driakiew (*Scabiosa*).

gyrate ['dʒaɪˌreɪt] *v.* wirować, kręcić *l.* obracać się. – *a. bot.* rosnący pierścieniowo.

gyration [dʒaɪ'reɪʃən] *n. C/U* **1.** ruch wirowy, wirowanie. **2.** *przen.* zawirowania.

gyratory ['dʒaɪrəˌtɔ:rɪ] *a. mech.* wirowy, obrotowy.

gyre [dʒaɪr] *n. gł. lit.* **1.** ruch wirowy *l.* cyrkulacyjny. **2.** koło; obrót; spirala. – *v. rzad.* = **gyrate**.

gyrfalcon ['dʒɜ:ˌfɔ:lkən], **gerfalcon** *n. orn.* sokół białozór (*Falco rusticolus*).

gyro[1] ['dʒaɪroʊ] *n. pl.* **-s** *US kulin.* pita wypełniona mięsem jagnięcym i warzywami.

gyro[2] *n.* **1.** = **gyroscope**. **2.** = **gyrocompass**.

gyrocompass ['dʒaɪroʊˌkʌmpəs] *n.* (*także* **gyro**) *lotn.* busola żyroskopowa, żyrokompas, żyrobusola.

gyropilot ['dʒaɪroʊˌpaɪlət] *n. lotn.* pilot automatyczny żyroskopowy.

gyroplane ['dʒaɪrəˌpleɪn] *n. lotn.* wiatrakowiec, autożyro.

gyroscope ['dʒaɪrəˌskoʊp] *n.* (*także* **gyro**) żyroskop.

gyrostabilizer [ˌdʒaɪrə'steɪbəˌlaɪzər] *n. mech.* stabilizator żyroskopowy.

gyrostat ['dʒaɪrəˌstæt] *n. mech.* żyrostat.

gyrostatic [ˌdʒaɪrə'stætɪk] *a.* żyrostatyczny.

gyrostatics [ˌdʒaɪrə'stætɪks] *n. U* żyrostatyka.

gyrus ['dʒaɪrəs] *n. pl.* **gyri** ['dʒaɪraɪ] *anat.* zakręt (*kory mózgowej*).

gyve [dʒaɪv] *arch. n. zw. pl.* pęta, okowy. – *v.* zakuwać w pęta.

H

H [eɪtʃ], **h** *n. pl.* **-'s** *l.* **-s** ['eɪtʃɪz] **1.** H, h (*litera l. głoska*). **2. drop one's h's** nie wymawiać h; *przen.* mówić nieelegancką *l.* potoczną angielszczyzną.

H [eɪtʃ] *abbr.* **1.** *Br.* = **hard. 2.** *mot.* = **Hungary. 3.** *sl.* = **heroin.**

h *abbr.* **1.** = **harbor. 2.** = **height. 3.** = **hour. 4.** *fiz.* **Planck's constant** stała Plancka.

ha[1] [hɑ:] (*także* **hah**) *int.* **1.** ha (*wyraża zaskoczenie, tryumf, podejrzenie*). **2.** ~ ~ ~! cha, cha, cha! (*śmiech*).

ha[2] *abbr.* = **hectare(s).**

habeas corpus [ˌheɪbɪəs 'kɔ:rpəs] *n. U prawn.* ustawa zabraniająca aresztowania obywatela bez zgody sądu.

haberdasher ['hæbərˌdæʃər] *n. przest.* **1.** kupiec galanterii męskiej. **2.** *gł. Br.* handlarz suknem i materiałami pasmanteryjnymi.

haberdashery ['hæbərˌdæʃərɪ] *n. U* **1.** galanteria męska. **2.** *gł. Br.* pasmanteria. **3.** *pl.* **-ies** *gł. Br.* sklep pasmanteryjny, pasmanteria.

habergeon ['hæbərdʒən], **haubergeon** *n. zbroja, hist.* koszulka pancerna (*noszona pod kolczugą*).

habile ['hæbɪl] *a. rzad.* zręczny.

habilitate [hə'bɪlɪˌteɪt] *v.* **1.** *form.* zdobyć uprawnienia (*do zajmowania określonego urzędu l. stanowiska*); *uniw.* habilitować się. **2.** *zach. US górn.* wyposażać (*kopalnię*). **3.** *lit.* ubierać, przyodziewać.

habilitation [həˌbɪlɪ'teɪʃən] *n. U* **1.** *uniw.* habilitacja. **2.** *zach. US górn.* wyposażanie kopalni.

habit ['hæbɪt] *n.* **1.** zwyczaj, przyzwyczajenie; nawyk; ~ **of thought/mind** sposób myślenia; **be in the ~ of doing sth** mieć zwyczaj coś robić; **by force of ~** siłą przyzwyczajenia, z rozpędu; **creature of ~** osoba o niezmiennych przyzwyczajeniach; **do sth out of ~** robić coś z przyzwyczajenia; **get/fall into the ~ of doing sth** przyzwyczaić się do robienia czegoś; **get out of the ~ of doing sth** odzwyczaić się od robienia czegoś; **have a ~ of doing sth** mieć nawyk robienia czegoś, mieć w zwyczaju coś robić; **make a ~ of** nabrać zwyczaju robienia czegoś; **old ~s die hard** stare nawyki trudno wykorzenić. **2.** nałóg; **heroin/cocaine ~** uzależnienie od heroiny/kokainy; **kick/break the ~** *pot.* zerwać z nałogiem. **3.** *kośc.* habit. **4.** (*także* **riding ~**) strój do jazdy konnej (*damski*). **5.** *U arch.* strój, ubiór. **6.** *bot., zool.* wzrost (= *sposób rośnięcia*). **7.** (*także* **crystal ~**) *min.* pokrój kryształu, habitus. **8.** *arch.* budowa ciała. – *v. arch.* **1.** odziewać. **2.** zamieszkiwać.

habitable ['hæbɪtəbl] *a.* nadający się do zamieszkania.

habitancy ['hæbɪtənsɪ] *n. U rzad.* mieszkańcy; ludność.

habitant ['hæbɪtənt] *n.* **1.** *rzad.* mieszkaniec/ka. **2.** *US* potomek osadników francuskich w Luizjanie (*zwł. farmer*); *Can.* potomek osadników francuskich w Quebecu (*jw.*).

habitat ['hæbɪˌtæt] *n.* **1.** środowisko (*rośliny l. zwierzęcia*); **natural ~** naturalne środowisko (*danego organizmu*). **2.** zwykłe miejsce pobytu, siedlisko.

habitation [ˌhæbɪ'teɪʃən] *n. form.* **1.** *U* zamieszkiwanie; **fit/unfit for human ~** nadający/nienadający się do zamieszkania przez ludzi. **2.** miejsce zamieszkania; mieszkanie; **human ~** domostwo.

habit-forming ['hæbətˌfɔ:rmɪŋ] *a.* prowadzący do nałogu *l.* uzależnienia, uzależniający.

habitual [hə'bɪtʃuəl] *a.* **1.** *attr.* zwykły, zwyczajowy; charakterystyczny. **2.** *uj.* nałogowy; notoryczny.

habitually [hə'bɪtʃuəlɪ] *adv.* **1.** stale. **2.** *uj.* nałogowo; notorycznie.

habituate [hə'bɪtʃuˌeɪt] *v.* **1.** *form.* ~ **sb to sth** przyzwyczajać kogoś do czegoś, oswajać kogoś z czymś; **become ~ed to (doing) sth** przyzwyczaić się do (robienia) czegoś. **2.** *US i Can. arch.* bywać w (*czymś*), być stałym bywalcem (*czegoś*).

habituation [həˌbɪtʃu'eɪʃən] *n. U* **1.** przyzwyczajanie się; bycie przyzwyczajonym. **2.** *psych.* habituacja.

habitude ['hæbɪˌtu:d] *n. rzad.* **1.** zwyczaj. **2.** skłonność.

habitué [hə'bɪtʃueɪ] *n. form.* stały gość, bywalec/czyni (*of sth* czegoś).

habitus ['hæbɪtəs] *n. pl.* **habitus** *gł. med.* budowa i wygląd ciała (*zwł. z punktu widzenia podatności na choroby*).

hachure [hæ'ʃur] *kartogr. n. zw. pl.* (*także* **~ lines**) kreski (*rzeźby terenu na mapie*). – *v.* kreskować (*obszar na mapie*).

hacienda [ˌhɑ:sɪ'endə] *n.* hacjenda (*posiadłość l. dom; zwł. w krajach hiszpańskojęzycznych*).

hack[1] [hæk] *v.* **1.** rąbać, siekać; ~ **(away) at sth** rąbać coś; ~ **down/off** zrąbać/odrąbać; ~ **sb to death** zarąbać kogoś na śmierć; ~ **to bits** porąbać na kawałki; *przen.* zrujnować, zszargać (*zwł. czyjąś reputację*). **2.** wycinać (*ścieżkę, przejście; np. w buszu*); ~ **(one's way) through sth** *t. przen.* przedzierać się przez coś. **3.** *sport* faulować (*w koszykówce przez uderzenie w ramię, w rugby* *itp. przez kopnięcie w nogę).* **4.** pokasływać. **5.** *US, Can. i Austr. pot.* znosić, tolerować; **can't ~ sth** nie móc czegoś znieść *l.* ścierpieć. **6. ~ into** *komp.* włamywać się do (*czegoś*); **be ~ed off (with sth)** *Br. pot.* mieć dosyć (czegoś). – *n.* **1.** siekiera; tasak. **2.** motyka, graca. **3.** kilof (*górniczy*); oskard. **4.** nacięcie. **5.** szrama, rana cięta (*zwł. od kopnięcia butem*). **6.** krótki urywany kaszel, pokasływanie. **7.** *komp.* włamanie.

hack2 *n.* **1.** koń spacerowy. **2.** koń do wynajęcia. **3.** szkapa, chabeta. **4.** *Br.* przejażdżka konna. **5.** *uj.* pismak. **6.** najemnik, wół roboczy (= *ciężko pracująca osoba*). **7.** (*także* **hackie**) *US pot.* taryfa (= *taksówka*). **8.** *polit. uj.* bezkrytycznie lojalny członek partii. – *v.* **1.** wynajmować (*konie*). **2.** *Br.* jeździć konno (*dla przyjemności*). **3.** *US pot.* jeździć na taryfie. – *a. attr.* banalny, wyświechtany.

hack3 *n.* **1.** żłób. **2.** *myśl.* karmnik sokoła (*do polowań*). **3.** rama do suszenia niewypalonych cegieł.

hackamore [ˈhækəˌmɔːr] *n. jeźdz.* uzda bez kiełzna.

hackberry [ˈhækˌberɪ] *n. pl.* **-ies** *bot.* wiązowiec, obrostnica (*Celtis*); **North American ~** wiązowiec zachodni (*Celtis occidentalis*).

hackbut [ˈhækbʌt] *n.* = **harquebus.**

hacker [ˈhækər] *n.* **1.** (*także* **computer ~**) haker **2.** (*także* **computer ~**) maniak komputerowy. **3.** *US sport* niezbyt utalentowany amator.

hackery [ˈhækərɪ] *n. U* **1.** *komp.* piractwo komputerowe. **2.** *iron.* kiepskie dziennikarstwo.

hack hammer *n.* topór ciesielski (*do obróbki kamienia*).

hackie [ˈhækɪ] *n.* = **hack2** *n.* 8.

hacking cough [ˈhækɪŋ ˌkɔːf] *n.* suchy męczący kaszel.

hacking jacket *n. Br.* marynarka do jazdy konnej.

hackle1 [ˈhækl] *n.* **1.** *pl. zool.* kołnierz (*np. koguci*); pióra szyjne *l.* grzbietowe (*ptactwa domowego*); najeżone włosy na psim karku. **2.** *ryb.* (*także* **~ fly**) sztuczna mucha (*z piór*); *pl.* nóżki sztucznej muchy. **3.** = **heckle** *n.* **4. make sb's ~s raise** (*także* **raise sb's ~s**) (*także* **get sb's ~s up**) *przen.* rozsierdzić *l.* rozjuszyć kogoś. – *v.* **1.** *ryb.* przybierać piórami (*sztuczną muchę*). **2.** = **heckle** *v.* 2.

hackle2 *v.* = **hack1** *v.* 1.

hackly [ˈhæklɪ] *a.* **-ier, -iest 1.** postrzępiony; wyszczerbiony. **2.** *t. min.* szorstki, chropowaty; ostry.

hackmatack [ˈhækməˌtæk] *n. bot.* modrzew amerykański (*Larix laricina l. americana*).

hackney [ˈhæknɪ] *n.* **1.** *jeźdz.* hackney, koń zaprzęgowy. **2.** koń do wynajęcia. **3.** = **hackney coach.** – *v. zw. pass.* czynić powszednim *l.* banalnym.

hackney cab *n. form.* taksówka (*zwł. tradycyjna londyńska*).

hackney coach *n.* (*także Br.* **hackney carriage**) dorożka.

hackneyed [ˈhæknɪd] *a.* wyświechtany, wytarty (*o powiedzeniu, sloganie*).

hacksaw [ˈhækˌsɔː] *n.* piłka do metalu. – *v.* ciąć piłką do metalu.

had [hæd; həd] *v.* **1.** *pret. i pp. zob.* **have. 2. be ~** *pot.* dać się nabrać. **3. you/we ~ better do it** (*także* **you/we'd better do it**) lepiej zrób/my to.

haddock [ˈhædək] *n. pl.* **-s** *l.* **haddock** *icht.* plamiak, łupacz (*Melanogrammus aeglefinus*).

hade [heɪd] *n. geol.* **1.** kąt rozstępu uskoku. **2.** nachylenie płaszczyzny uskoku. – *v.* odchylać się od pionu (*np. o uskoku*).

Hades [ˈheɪdiːz] *n. U mit.* Hades.

Hadith [ˈhædɪθ], **hadith** *n. U islam* hadisy (= *zbiór wypowiedzi Mahometa i dotyczących go przekazów*).

hadj [hædʒ] *n.* = **hajj.**

hadji [ˈhædʒɪ] *n.* = **hajji.**

hadn't [ˈhædənt] *v.* = **had not**; *zob.* **have.**

hadron [ˈhædrɑːn] *n. fiz.* hadron (*cząstka elementarna*).

hadst [hædst] *v. arch.* 2 osoba l. poj. czasu teraźniejszego od **have.**

hae [heɪ] *v. Scot.* = **have.**

haem [hiːm] *n. Br.* = **heme.**

haem- *pref. Br.* = **hem-.**

hafnium [ˈhæfnɪəm] *n. U chem.* hafn.

haft [hæft] *n.* rękojeść (*np. miecza*); trzonek (*np. sierpu*). – *v.* zaopatrywać w rękojeść *l.* trzonek.

hag1 [hæg] *n.* **1.** wiedźma (*zwł. o brzydkiej starej kobiecie*). **2.** = **hagfish.**

hag2 *n. Scot. dial.* **1.** trzęsawisko, grzęzawisko. **2.** wysepka na bagnie. **3.** nawis z torfu.

hagberry [ˈhægˌberɪ] *n.* = **hackberry.**

hagfish [ˈhægˌfɪʃ] *n. pl.* **-es** *l.* **hagfish** śluza, bezoczek (*Myxine glultinosa*).

haggard [ˈhægərd] *a.* **1.** wymizerowany, zabiedzony; z podkrążonymi oczami. **2.** dziki, błędny (*o wzroku*). – *n. myśl.* sokół złapany do niewoli jako dorosły osobnik.

haggardly [ˈhægərdlɪ] *adv.* mizernie.

haggardness [ˈhægərdnəs] *n. U* **1.** wymizerowanie, zabiedzenie. **2.** dzikość.

haggis [ˈhægɪs] *n. U Scot. kulin.* przypominająca kaszankę potrawa z podrobów baranich, łoju i owsa.

haggish [ˈhægɪʃ] *a.* wiedźmowaty.

haggle [ˈhægl] *v.* **1.** targować się (*over / about sth* o coś). **2.** spierać się (*over / about sth* o coś). **3.** *dial.* wystrzępić (*ucinając*). – *n.* **1.** targowanie się. **2.** spór.

hagiarchy [ˈhægɪˌɑːrkɪ] *n.* **1.** *U* rządy kapłanów *l.* świętych. **2.** *pl.* **-ies** hierarchia świętych.

hagiocracy [ˌhægɪˈɑːkrəsɪ] *n.* **1.** *U* rządy świętych. **2.** *pl.* **-ies** państwo rządzone przez świętych.

hagiographer [ˌhægɪˈɑːgrəfər] *n. t. przen.* hagiograf.

hagiographic [ˌhægɪəˈgræfɪk], **hagiographical** *a. t. przen.* hagiograficzny.

hagiography [ˌhægɪˈɑːgrəfɪ] *n.* **1.** *U* hagiografia, żywoty świętych. **2.** *pl.* **-ies** hagiografia (=

żywot świętego; t. przen. = bezkrytyczna biografia).

hagiolatry [ˌhægɪˈɑːlətrɪ] *n. U* kult świętych.

hagiology [ˌhægɪˈɑːlədʒɪ] *n. pl.* **-ies** *C / U lit.* hagiologia.

hagioscope [ˈhægɪəˌskoup] *n. bud., kośc.* otwór w bocznej nawie kościoła *(dający widok na ołtarz główny).*

hag-ridden [ˈhægˌrɪdən] *a.* **1.** *lit.* nękany przez zmory *l.* koszmary. **2.** *pog.* zdominowany przez kobiety *(o mężczyźnie).*

Hague [heɪg] *n.* **The ~** Haga.

hah [hɑː] *int.* = **ha**[1].

ha-ha[1], **haw-haw** [ˌhɑːˈhɑː] *int.* *(także* **ha ha**) *t. iron.* cha, cha, cha.

ha-ha[2] [ˈhɑːˌhɑː] *n.* niskie ogrodzenie *(dzielące park bez zasłaniania widoku).*

Haiduk [ˈhaɪduk] *n.* = **Heyduck.**

haiku [ˈhaɪkuː] *n. pl.* **haiku** *teor. lit.* haiku.

hail[1] [heɪl] *n.* **1.** *U meteor.* grad. **2.** *sing. przen.* grad, potok; **a ~ of bullets/stones** grad kul/kamieni. **3. a ~ of insults/abuse** potok wyzwisk. – *v.* **1. it's ~ing** pada grad. **2.** *przen.* sypać (się) gradem; **~ curses on sb** zasypywać kogoś gradem przekleństw.

hail[2] *v.* **1.** witać, pozdrawiać. **2.** okrzykiwać, obwoływać; **he was ~ed a hero** okrzyknięto go bohaterem. **3.** przywoływać; **~ a cab/taxi** przywołać *l.* zatrzymać taksówkę. **4. ~ from** *form. l. żart.* pochodzić z *(danego kraju).* – *n. form.* **1.** powitanie, pozdrowienie. **2. out of/within ~** *przest.* poza zasięgiem/w zasięgu głosu. – *int. arch. l. poet.* witaj!, bądź pozdrowiony!

hail-fellow-well-met [ˌheɪlˌfelouˌwelˈmet] *przest. l. żart. a. zw. attr.* poufały; wylewny. – *adv.* poufale, za pan brat; wylewnie.

Hail Mary [ˌheɪl ˈmerɪ] *n. pl.* **-s** *rel.* Zdrowaś Mario, zdrowaśka *(pot.).*

hailstone [ˈheɪlˌstoun] *n.* kulka gradu.

hailstorm [ˈheɪlˌstɔːrm] *n. meteor.* burza gradowa, gradobicie.

hair [her] *n.* **1.** *U* włosy; włosie; sierść; **against the ~** pod włos; **do one's ~** układać sobie włosy; **have a good/fine head of ~** mieć bujną *l.* gęstą czuprynę; **short/long/shoulder-length ~** włosy krótkie/długie/do ramion; **straight/curly/wavy ~** włosy proste/kręcone/falowane. **2.** *t. bot.* włos, włosek. **3.** *przen.* odrobina. **4.** *przen.* **a/the ~ of the dog (that bit you)** *żart.* klin *(na kaca);* **bad ~ day** *pot.* pechowy dzień; **by a ~'s breath** o (mały) włos; **get in sb's ~** *pot.* naprzykrzać się komuś, nie dawać komuś spokoju; **have (got) sb by the short ~s** *zob.* **short** *a.*; **keep your ~ on!** *Br. i Austr. pot.* spokojnie!, nie gorączkuj się!; **let one's ~ down** *pot.* zrelaksować się, zabawić się *(zwł. po ciężkiej pracy);* **make sb's ~ curl** *(także Br.* **make sb's ~ stand on end)** *pot.* sprawiać, że włosy stają komuś dęba, sprawiać, że włos się komuś jeży na głowie; **not harm/touch a ~ of sb's head** nie pozwolić, żeby komuś włos spadł z głowy; **not have a ~ out of place** wyglądać bardzo schludnie; **not turn a ~** nawet nie mrugnąć (= *nie okazać zdziwienia);* **pull/tear one's ~ out** rwać włosy z głowy (= *rozpaczać);* **split ~s** dzielić włos na czworo; **this'll put ~(s) on your chest** *pot.* to ci dobrze zrobi *(o jedzeniu l. napoju, zwł. alkoholowym);* **to a ~** co do milimetra.

hairball [ˈherˌbɔːl] *n.* garść włosów *(w żołądku zwierzęcia liżącego swoją sierść).*

hairband [ˈherˌbænd] *n.* przepaska do włosów.

hairbreadth [ˈherˌbredθ] *n.* *(także* **hair's-breadth, hair's breadth) by a ~** minimalnie; o mały włos. – *a. attr.* **1.** bardzo wąski. **2.** minimalny *(o różnicy).* **3.** prawie nieunikniony; **~ escape (from sth)** uniknięcie (czegoś) o włos.

hairbrush [ˈherˌbrʌʃ] *n.* szczotka do włosów.

hair-bulb [ˈherˌbʌlb] *n. anat.* cebulka włosowa.

hair-clasp [ˈherˌklæsp] *n.* klamra do włosów.

hair-clip [ˈherˌklɪp] *n.* klips do włosów.

haircloth [ˈherˌklɔːθ] *n. U tk.* włosianka *(stosowana w tapicerstwie).*

hair-color [ˈherˌkʌlər], *Br.* **hair-colour** *n.* kolor włosów.

hair-conditioner [ˈherkənˌdɪʃənər] *n. C / U* odżywka do włosów.

hair-curler [ˈherˌkɜːlər] *n.* lokówka do włosów.

haircut [ˈherˌkʌt] *n. zw. sing.* **1.** strzyżenie (włosów); **get/have a ~** ostrzyc się, ściąć włosy. **2.** fryzura.

hairdo [ˈherˌduː] *n. pl.* **-s** *pot.* fryzura, uczesanie *(zwł. kobiety).*

hairdresser [ˈherˌdresər] *n.* **1.** fryzjer/ka. **2. the ~'s** zakład fryzjerski, fryzjer.

hairdressing [ˈherˌdresɪŋ] *n. U* fryzjerstwo.

hairdryer [ˈherˌdraɪər], **hairdrier** *n.* suszarka do włosów.

hair-dye [ˈherˌdaɪ] *n. C / U* farba do włosów.

haired [herd] *a. w złoż.* **black-/long-~** czarno/długowłosy.

hair follicle *n. anat.* mieszek włosa.

hairgrip [ˈherˌgrɪp] *n. Br.* spinka *l.* wsuwka do włosów.

hairiness [ˈherɪnəs] *n. U* obfite owłosienie.

hairless [ˈherləs] *a.* nieowłosiony; bezwłosy.

hairlike [ˈherlaɪk] *a.* włoskowaty, podobny do włosa.

hairline [ˈherˌlaɪn] *n.* **1.** linia włosów *(zwł. nad czołem);* **receding ~** zakola. **2.** *t. przen.* cienka linia. **3.** lina z włosia.

hairnet [ˈherˌnet] *n.* siatka na włosy.

hair pencil *n.* pędzel z włosia.

hairpiece [ˈherˌpiːs] *n.* peruka.

hairpin [ˈherˌpɪn] *n.* spinka *l.* wsuwka do włosów; szpilka do włosów.

hairpin turn, *Br. i Austr.* **hairpin bend** *n.* zakręt o 180 stopni *(zwł. w terenie górskim).*

hair-pyrite [ˈherˌpaɪraɪt] *n. U min.* piryt włóknisty, mileryt.

hair-raising [ˈherˌreɪzɪŋ] *a.* jeżący włos na głowie.

hair remover *n. C / U* depilator.

hair restorer *n. C / U* środek na porost włosów.

hair salon *n.* salon fryzjerski.

hair's-breadth [ˈherzˌbredθ], **hair's breadth** *n.* = **hairbreadth.**

hair shirt *n.* **1.** włosiennica. **2.** *przen.* pokuta.

hairslide [ˈherˌslaɪd] *n. Br. i Austr.* klamra do włosów.

hair space *n. druk.* bardzo cienka interlinia.

hair-splitting ['herˌsplɪtɪŋ] *a. attr.* dzielący włos na czworo. – *n. U* dzielenie włosa na czworo.

hair spray *n. C / U* lakier do włosów.

hairspring ['herˌsprɪŋ] *n.* sprężyna włosowa, włos (*zegarka*).

hairstreak ['herˌstri:k] *n. ent.* motyl z rodziny modraszkowatych (*Lycaenide*).

hair stroke *n.* cienka linia (*w piśmie*).

hairstyle ['herˌstaɪl], **hair style, hair-style** *n.* fryzura, uczesanie.

hairstylist ['herˌstaɪlɪst] *n.* fryzjer/ka, stylist-a/ka.

hairtrigger ['herˌtrɪgər], **hair-trigger** *n. broń* spust zwalniany lekkim dotknięciem.

hairworm ['herˌwɝ:m] *n. zool.* włosień (*rodzina Trichostrongylidae*).

hairy ['herɪ] *a.* **-ier, -iest 1.** owłosiony. **2.** włochaty, kosmaty. **3.** *pot.* niebezpieczny.

Haitian ['heɪʃən] *a.* haitański. – *n.* **1.** Haitańczyk/nka. **2.** *U jęz.* (język) haitański.

haje ['hɑ:dʒi:] *n. zool.* kobra egipska, okularnik egipski (*Naja haje*).

haji ['hædʒɪ] *n.* = **hajji**.

hajj [hædʒ], **hadj** *n. islam* hadż (= *pielgrzymka do Mekki*).

hajji ['hædʒɪ], **hadji, haji** *n. islam* hadżi (= *muzułmanin, który odbył pielgrzymkę do Mekki*).

hake [heɪk] *n. pl.* **-s** *l.* **hake** *icht.* morszczuk (*Merluccius*).

hakim, hakeem *n.* **1.** ['hɑ:kɪm] sędzia; rządca (*w krajach muzułmańskich*). **2.** [hɑ:'ki:m] lekarz; znachor (*jw.*).

halal [hə'lɑ:l], **hallal** *n. U rel., kulin.* mięso zwierząt zabitych zgodnie z zasadami islamu.

halation [hə'leɪʃən] *n. fot.* halacja, odblask, poświata.

halberd ['hælbərd], **halbert** *n. hist.* halabarda.

halberdier [ˌhælbər'di:r] *n. hist.* halabardnik.

halcyon ['hælsɪən] *n. orn.* **1.** alcjon (*Halcyon*). **2.** *poet., mit.* zimorodek (*Alcedo atthis*). – *a. attr.* błogi, spokojny; beztroski.

halcyon days *n. pl.* **1.** *lit.* dni pogodne i szczęśliwe. **2.** *meteor.* dni alkionowe (= *dwa tygodnie ładnej pogody w czasie przesilenia zimowego*).

hale[1] [heɪl] *a.* (*także* **~ and hearty**) **1.** krzepki, zażywny (*zwł. o osobie starszej*). **2.** *płn. Br. dial.* = **whole** *a.*

hale[2] *v.* **1.** *arch.* wlec, ciągnąć (*siłą*). **2.** **~ sb into court** *form.* zmusić kogoś do stawienia się przed sądem.

half [hæf] *n. pl.* **halves** [hævz] **1.** połowa (*t. meczu*); pół; połówka (*t. Br.* = *bilet ulgowy*); **cut sth in ~/into halves** przeciąć coś na pół; **one/three and a ~** jeden/trzy i pół; **reduce/cut sth by ~** zredukować/obciąć coś o połowę. **2.** jedna druga (*ułamek*). **3.** = **half-pint**. **4.** *piłka nożna, hokej* = **halfback**. **5.** = **halfpenny**. **6.** = **half-year**. **7.** *przen.* **~ past one/two** *zwł. Br.* wpół do drugiej/trzeciej; **go halves** dzielić się po połowie (*on sth* czymś, *with sb* z kimś); **how the other ~ lives** *żart.* jak żyje druga połowa ludzkości; **it isn't ~ cold** nie jest specjalnie zimno; **not/never do things/anything by halves** nigdy nic nie robić połowicznie; **sb's other/better ~** *żart.* czyjaś druga/lepsza połowa (= *żona l. mąż.*); **too clever/quick by ~** *Br. pot.* o wiele za sprytny/szybki; **you don't know/haven't heard the ~ of it** *pot.* jest dużo gorzej niż myślisz. – *pron. i a. attr.* **1.** pół; połowa (*of sth* czegoś); **~ a dollar/hour/mile** pół dolara/godziny/mili; **~ a dozen** pół tuzina; **~ bottle** pół butelki. **2.** *przen.* **~ a dozen times** *emf.* wiele *l.* setki razy; **~ a minute/moment/second** sekundka, momencik, chwileczka; **~ one/two** *Br. pot.* wpół do drugiej/trzeciej; **~ the fun/trouble** największy ubaw/kłopot; **given ~ a chance** *pot.* gdyby tylko było można; **go off at ~ cock** (*także* **go off ~-cocked**) nie udać się (*z powodu niedostatecznego przygotowania*); zanadto się pospieszyć (*np. powiedzieć coś, nie zastanowiwszy się uprzednio*); **have ~ a mind to do sth** mieć wielką ochotę coś zrobić; być prawie zdecydowanym coś zrobić; **it's ~ the battle** to już połowa sukcesu; **it's only ~ the story** to tylko połowa historii. – *adv.* **1.** do połowy; w połowie; o połowę; na pół. **2.** **~ as much again** (*także US* **~ again as much**) o połowę więcej; **~ and ~** pół na pół; **~-dressed/finished** na pół ubrany/skończony; **I ~ expected that** po części *l.* poniekąd się tego spodziewałam; **not ~ as good/interesting as...** nawet w połowie nie tak dobry/interesujący jak...; **not ~** *Br. pot.* strasznie, jeszcze jak; **not ~ handsome/loud** *Br. pot.* niesamowicie przystojny/głośny.

half-and-half [ˌhæfən'hæf] *a. i adv.* po połowie, pół na pół. – *n. pl.* **half-and-halfs** *zwł. US* mieszanina pół na pół (*zwł. mleka ze śmietanką do zabielania kawy*).

halfback ['hæfˌbæk] *n.* (*także* **half**) *piłka nożna, hokej* pomocnik obrońcy.

half-baked [ˌhæf'beɪkt] *a.* **1.** niedopieczony. **2.** *attr. przen.* nie do końca przemyślany, niedopracowany; *uj.* niedowarzony.

halfbinding ['hæfˌbaɪndɪŋ] *n. U introl.* półskórek.

half-blood ['hæfˌblʌd] *n.* **1.** *U* posiadanie wspólnej matki a innego ojca *l.* wspólnego ojca a innej matki; częściowe pokrewieństwo. **2.** przyrodni brat; przyrodnia siostra. **3.** mieszaniec (*t. pog. o osobie*).

half-blooded [ˌhæf'blʌdɪd] *a.* półkrwi, mieszany.

half board *n. U zwł. Br.* zakwaterowanie z niepełnym wyżywieniem (*śniadanie plus jeden główny posiłek*).

half-boot ['hæfˌbu:t] *n.* but sięgający za kostkę *l.* do połowy łydki.

half-bound [ˌhæf'baʊnd] *a. introl.* oprawiony w półskórek.

half-bred [ˌhæf'bred] *a.* półkrwi, mieszany.

half-breed ['hæfˌbri:d] *n.* mieszaniec (*t. pog. o osobie*).

half-brother ['hæfˌbrʌðər] *n.* brat przyrodni.

half-caste ['hæfˌkæst] *n. pog.* mieszaniec (*zwł.* = *potomek Europejczyka i Azjatki*). – *a.* mieszany (*rasowo*).

half-century [ˌhæf'sentʃərɪ] *n.* półwiecze.

half-close [ˌhæf'kloʊs] *a. t. fon.* półprzymknięty.

half cock *n.* *U* **1.** pozycja kurka wzwiedzionego do połowy. **2. go off at ~** *zob.* **half** *a.* 2.

half-cocked [ˌhæfˈkɑːkt] *a.* nie do końca przygotowany; nie do końca przemyślany.

half-cooked [ˌhæfˈkʊkt] *a.* niedogotowany.

half crown, half-crown *n.* *U Br. hist.* pół korony, półkoronówka (= *2 szylingi i 6 pensów*).

half-cup [ˌhæfˈkʌp] *n.* *U kulin.* pół filiżanki (*jednostka objętości*).

half-day [ˈhæfˌdeɪ] *n.* **1.** dzień pracy skrócony o połowę. **2.** pół dnia wolnego (*w pracy l. szkole*).

half-dead [ˌhæfˈded] *a.* *pot.* półżywy.

half-deck [ˈhæfˌdek] *n.* *żegl.* półpokład.

half dollar *n.* *US i Can.* pół dolara, półdolarówka.

half eagle *n.* *U US hist.* złota pięciodolarówka.

half gainer *n.* skok na główkę tyłem.

half-hardy [ˌhæfˈhɑːrdɪ] *a.* *bot.* nieodporny na mrozy (*o roślinie*).

half-hearted [ˌhæfˈhɑːrtɪd] *a.* wymuszony, bez entuzjazmu *l.* przekonania.

half-heartedly [ˌhæfˈhɑːrtɪdlɪ] *adv.* bez entuzjazmu *l.* przekonania.

half-heartedness [ˌhæfˈhɑːrtɪdnəs] *n.* *U* brak entuzjazmu *l.* przekonania.

half hitch *n.* *żegl.* chwyt (*węzeł*).

half-holiday [ˌhæfˈhɑːlɪˌdeɪ] *n.* *Br. zwł. szkoln.* pół dnia wolnego.

half-hour [ˌhæfˈaʊr] *n.* pół godziny. – *a. attr.* półgodzinny.

half-hourly [ˌhæfˈaʊrlɪ] *a. i adv.* co pół godziny.

half leather *n.* *U introl.* półskórek.

half-length [ˈhæfˌleŋkθ] *a.* **1.** do kolan (*np. o spódnicy*). **2.** *mal.* do pasa (*o portrecie*). – *n.* *mal.* portret do pasa.

half life, half-life *n.* *fiz.* okres połowicznego zaniku, okres półrozpadu (*substancji radioaktywnej*).

half-light [ˈhæfˌlaɪt] *n.* *U* półmrok.

half-loop [ˈhæfˌluːp] *n.* *lotn.* półpętla.

half-mast [ˌhæfˈmæst], *US t.* **half-staff** *adv.* (*także* **(fly) at ~**) (być opuszczonym) do połowy masztu (*o fladze*). – *v.* opuszczać do połowy masztu (*flagę*).

half measure *n.* półśrodek.

half moon, half-moon *n.* *astron.* półksiężyc.

half nelson *n.* *zapasy* półnelson.

half note *n.* *US i Can. muz.* półnuta.

half-open [ˌhæfˈoʊpən] *a.* *t. fon.* półotwarty.

halfpenny [ˈheɪpənɪ], **ha'penny** [ˈheɪpənɪ] *n.* *Br.* **1.** *pl.* **-ies** *hist.* moneta półpensowa, półpensówka. **2.** *pl.* **halfpence** pół pensa. **3. not have two halfpennies to rub together** *żart.* nie mieć grosza przy duszy.

halfpennyworth [ˈheɪpənɪwɜːθ], **ha'p'orth** [ˈheɪpərθ] *n. sing. Br.* **1. (buy) a ~ of sth** (kupić) czegoś za pół pensa. **2.** *przen.* odrobina, troszeczkę (*of sth* czegoś).

half-period [ˈhæfˌpiːrɪəd] *n.* *fiz.* okres połowicznego zaniku, okres półrozpadu.

half-pint [ˌhæfˈpaɪnt] *n.* (*także* **half**) *Br.* pół kufla.

half-plane [ˈhæfˌpleɪn] *n.* *geom.* półpłaszczyzna.

half price, half-price *a.* o połowę tańszy. – *adv.* za pół ceny.

half rhyme *n.* *wers.* konsonans.

half-roll [ˌhæfˈroʊl] *n.* *lotn.* półbeczka.

half-round [ˌhæfˈraʊnd] *a.* półokrągły.

half-section [ˈhæfˌsekʃən] *n.* półprzekrój (*w rysunku technicznym*).

half-sister [ˈhæfˌsɪstər] *n.* siostra przyrodnia.

half sole *n.* półzelówka.

half-staff [ˌhæfˈstæf] *a.* = **half-mast**.

half step *n.* **1.** *US i Can. muz.* półton. **2.** *US wojsk.* krok długi (*15 cali w tempie marszowym, 18 cali w marszu biegiem*).

half term *n.* *Br. szkoln.* krótkie ferie w połowie semestru.

half tide *n.* półamplituda pływu.

half-timbered [ˌhæfˈtɪmbərd] *a.* *bud.* z muru pruskiego.

half-time [ˈhæfˌtaɪm], **half time** *n.* *U sport* koniec pierwszej połowy (*meczu*).

half title, half-title *n.* *druk.* przedtytuł, tytuł wstępny.

halftone [ˈhæfˌtoʊn] *n.* **1.** *mal., fot.* półton. **2.** *U* (*także* **half process**) *druk.* chemigrafia, technika siatkowa. **3.** (*także* **half block**) *druk.* klisza siatkowa. **4.** *druk.* odbitka z kliszy siatkowej.

half-track [ˈhæfˌtræk] *n.* *wojsk.* pojazd półgąsienicowy.

half-truth [ˈhæfˌtruːθ] *n.* półprawda.

half-turn [ˈhæfˌtɜːn] *n.* półobrót.

half-volley [ˌhæfˈvɑːlɪ] *n.* *gł. tenis* półwolej.

halfway [ˌhæfˈweɪ] *a. attr.* **1.** (znajdujący się) w połowie drogi. **2.** połowiczny. **3. ~ decent/civil** *pot.* względnie przyzwoity/cywilizowany. – *adv.* **1.** w połowie drogi (*between X and Y* pomiędzy X i Y). **2.** w połowie; **~ down page 14** w połowie strony 14; **~ through dinner** w połowie obiadu. **3.** połowicznie, częściowo; do połowy; **fill sth ~** napełnić coś do połowy. **4.** *przen.* **it goes only ~ toward solving the problem** *Br.* to tylko w połowie rozwiązuje problem; **meet sb ~** wychodzić komuś naprzeciw.

halfway house *n.* **1.** *sing. przen.* **~ between X and Y** coś pomiędzy X i Y; połączenie X i Y. **2.** ośrodek przejściowy (*dla osób opuszczających więzienie l. szpital psychiatryczny*). **3.** *hist.* zajazd w połowie drogi między dwiema miejscowościami.

halfway line *n.* *sport* linia środkowa (*boiska*).

half-wit [ˈhæfˌwɪt] *n.* *pot.* półgłówek, przygłup.

half-witted [ˌhæfˈwɪtɪd] *a.* *pot.* półgłówkowaty, głupkowaty.

half-yearly [ˌhæfˈjiːrlɪ] *a.* *zw. attr.* **1.** odbywający się co pół roku. **2.** półroczny (*np. o odstępach*). – *adv.* co pół roku.

halibut [ˈhæləbət] *n.* *pl.* **-s** *l.* **halibut** *icht.* halibut atlantycki (*Hippoglossus hippoglossus*).

Halicarnassus [ˌhælɪkɑːrˈnæsəs] *n.* *geogr. hist.* Halikarnas.

halide [ˈheɪlaɪd], **halid** [ˈhælɪd] *n.* *chem.* halogenek.

halidom [ˈhælɪdəm] *n.* *arch.* **1.** świętość, rzecz święta. **2.** święte miejsce.

halite [ˈhælaɪt] *n.* *U chem.* halit.

halitosis [ˌhælɪˈtoʊsɪs] *n. U pat.* cuchnący oddech.

hall [hɔːl] *n.* **1.** przedpokój; hol; westybul; korytarz. **2.** sala, aula; **concert/lecture ~** sala koncertowa/wykładowa. **3.** (*także* **city/town ~**) ratusz. **4.** (*także US* **residence ~**) (*także Br.* **~ of residence**) *uniw.* dom akademicki, akademik; **live in ~** mieszkać w akademiku. **5.** *Br. uniw.* refektorium (*w którym studenci spożywają posiłki wspólnie z wykładowcami*). **6.** *hist.* dwór (*ziemiański*); pałac; zamek (*średniowiecznego wielmoży*); główna sala zamkowa.

hallal [ˈhæləl] *a.* = **halal**.

hallelujah [ˌhæləˈluːjə], **halleluiah** *int. i n.* alleluja.

halliard [ˈhæljərd] *n.* = **halyard**.

hallmark [ˈhɔːlˌmɑːrk] *n.* **1.** *Br.* znak stempla probierczego, próba (*zwł. złota, srebra l. platyny*). **2.** znak autentyczności *l.* jakości. **3.** cecha charakterystyczna (*np. stylu danego pisarza l. artysty*); **bear/have all the ~s of sth** nosić wszelkie znamiona czegoś. – *v. t. przen.* cechować, znaczyć.

hallo [həˈloʊ] *int. i n. zwł. Br.* = **hello**.

hall of fame, Hall of Fame *n. gł. US i Can.* panteon (= *grupa wybitnych osobistości l. budowla im poświęcona*).

hall of residence *n. Br. uniw.* = **hall** 4.

halloo [həˈluː], **hallo, halloa** [həˈloʊ] *int. i n. pl.* **-s** **1.** *myśl.* huzia!, poszły!, bierz! (*do psów*). **2.** halo!, hola!, hej! (*dla zwrócenia uwagi*). – *v.* **1.** *myśl.* szczuć (*psy*). **2.** wołać; nawoływać się. **3.** **do not ~ until you are out of the wood** *przest.* nie mów hop, dopóki nie przeskoczysz.

hallow [ˈhæloʊ] *v. form.* **1.** święcić; **~ed be thy name** *rel.* święć się Imię Twoje. **2.** czcić.

hallowed [ˈhæloʊd] *a. form.* **1.** święcony, poświęcony (*np. o ziemi*); święty. **2.** czczony, otaczany czcią.

Halloween [ˌhæləˈwiːn], **Hallowe'en** *n. C / U* wigilia Wszystkich Świętych.

Hallowmas [ˈhæloʊməs] *n. arch.* Wszystkich Świętych.

hall tree *n.* (*także Br.* **hall stand**) wieszak stojący.

hallucinate [həˈluːsəˌneɪt] *v.* mieć halucynacje.

hallucination [həˌluːsəˈneɪʃən] *n.* halucynacja; *U* halucynacje.

hallucinatory [həˈluːsənəˌtɔːrɪ] *a.* halucynacyjny.

hallucinogen [həˈluːsənəˌdʒen] *n.* halucynogen, środek halucynogenny.

hallucinogenic [həˌluːsənoʊˈdʒenɪk] *a.* halucynogenny.

hallux [ˈhæləks] *n. pl.* **halluces** [ˈhæljəˌsiːz] *anat.* paluch.

hallway [ˈhɔːlˌweɪ] *n.* korytarz; hol.

halm [hɔːm] *n.* = **haulm**.

halma [ˈhælmə] *n. U* halma (*planszowa gra towarzyska*).

halo [ˈheɪloʊ] *n. pl.* **-s** *l.* **-es** **1.** *rel. l. przen.* aureola, nimb. **2.** *astron., meteor.* halo. – *v. t. przen.* otaczać aureolą.

halogen [ˈhælədʒen] *n. chem.* **1.** halogen. **2.** chlorowiec.

halogen bulb *n.* żarówka halogenowa.

halogen lamp *n.* lampa halogenowa.

haloid [ˈhælɔɪd] *n. chem.* halogenek, haloidek. – *a.* haloidowy.

halt[1] [hɔːlt] *n.* **1.** postój, przystanek; zatrzymanie się; wstrzymanie; przestój (*in sth* w czymś); **bring sth to a ~** wstrzymać *l.* zatrzymać coś; **call a ~ to sth** *przen.* zarzucić coś, zaniechać czegoś; **come to a ~** zatrzymać się; **grind to a ~** *zob.* **grind** *v.* **2.** *gł. Br. kol.* przystanek (*bez zabudowań stacji*). – *v.* **1.** zatrzymać się, zrobić postój. **2.** powstrzymywać, wstrzymywać. **3.** **~!** *wojsk.* stój!

halt[2] *v.* **1.** *arch.* kuleć (*t. przen. o argumencie, logice, wierszu*), chromać. **2.** iść z wahaniem. **3.** wahać się. – *a. arch.* chromy. – *n. arch.* chromanie.

halter [ˈhɔːltər] *n.* **1.** uździenica; postronek. **2.** *lit.* stryczek (*t. przen.* = *śmierć przez powieszenie*). **3.** = **halter top**. – *v.* **1.** **~ (up)** zakładać uździenicę (*koniowi*); zakładać postronek (*krowie*). **2.** *lit.* wieszać (*na stryczku*).

haltere [ˈhɔːltiːr], **halter** [ˈhɔːltər] *n. często pl. ent.* przezmianka.

halter top *a.* (*także Br. i Austr.* **halterneck**) bluzka bez pleców i rękawów (*wiązana na szyi*).

halting [ˈhɔːltɪŋ] *a.* urywany, przerywany (*np. o rozmowie*).

haltingly [ˈhɔːltɪŋlɪ] *adv.* w sposób urywany, z wahaniem.

halva [hɑːlˈvɑː], **halvah** *n. U* chałwa.

halve [hæv] *v.* **1.** zmniejszać o połowę. **2.** dzielić (się) na pół, przepoławiać. **3.** *golf* **~ a hole** zrobić dołek przy tej samej liczbie uderzeń (*co przeciwnik*); **~ a match** zrobić tę samą liczbę dołków (*jw.*).

halves [hævz] *n. pl. zob.* **half**.

halyard [ˈhæljərd], **halliard** *n. żegl.* fał.

ham [hæm] *n.* **1.** *C / U kulin.* szynka. **2.** wgłębienie z tyłu kolana. **3.** *pl. pot.* uda i pośladki, zadek. **4.** (*także* **radio ~**) radioamator/ka. **5.** *teatr pot.* szmirus/ka, aktorzyna. – *v.* **-mm-** **~ it up** *teatr* zgrywać się, szarżować.

hamadryad [ˌhæməˈdraɪəd] *n.* **1.** *mit.* hamadriada. **2.** *zool.* kobra królewska (*Ophiophagus hannah*).

hamadryas [ˌhæməˈdraɪəs] *n. zool.* pawian płaszczowy (*Papio hamadryas*).

hamartia [ˌhɑːmɑːrˈtiːə] *n. teor. lit.* skaza tragiczna (*w charakterze bohatera*).

hamate [ˈheɪmeɪt] *a. anat.* **1.** haczykowaty. **2.** z haczykowatym wyrostkiem. – *n.* (*także* **~ bone**) *anat.* kość haczykowata.

Hamburg [ˈhæmbɜːg] *n. geogr.* Hamburg.

hamburger [ˈhæmˌbɜːgər] *n. kulin.* **1.** hamburger. **2.** *U US* mielona wołowina.

hame [heɪm] *n.* jedna z dwóch części chomąta, do których przymocowane są postronki.

ham-handed [ˌhæmˈhændɪd] *a.* (*także Br. i Austr.* **ham-fisted**) *pot.* niezręczny, niezgrabny.

Hamite [ˈhæmaɪt] *n.* Chamit-a/ka.

Hamitic [hæˈmɪtɪk] *a.* chamicki.

Hamito-Semitic [ˌhæmɪtousəˈmɪtɪk] *jęz. przest. n. U* grupa języków chamicko-semickich. – *a.* chamicko-semicki.

hamlet [ˈhæmlɪt] *n.* mała wioska, sioło, osada (*zw. bez kościoła*).

hammer [ˈhæmər] *n.* **1.** młotek; młot; **ball-peen ~** młotek z noskiem kolistym; **bricklayer's/carpenter's/shoemaker's ~** młotek murarski/stolarski/szewski; **claw ~** młotek do gwoździ; **rawhide-faced ~** młotek blacharski (*skórzany*); **pneumatic ~** młot pneumatyczny; **riveting ~** młotek nitowniczy; **sledge~** młot kowalski (*dwuręczny*); **upholsterer's/tack ~** młotek tapicerski. **2.** *muz.* młoteczek (*w fortepianie*). **3.** *sport* młot; **the ~** (*także* **throwing the ~**) rzut młotem. **4.** *broń* kurek. **5.** *med.* młotek (*neurologiczny*). **6.** *anat.* młoteczek (*w uchu środkowym*). **7.** *przen.* **bring/put sth up to the ~** wystawiać coś na licytacji; **come/go under the ~** iść pod młotek; **go/be at it ~ and tongs** *pot.* walczyć *l.* kłócić się zawzięcie; **on sb's ~** *Austr. i NZ sl.* w pogoni za kimś. – *v.* **1.** wbijać (*sth into sth* coś w coś). **2.** kuć. **3.** walić (*on / at sth* w coś, *against sth* o coś) (*t. np. o deszczu*); walić, łomotać (*o sercu*). **4.** *pot.* gromić (= *krytykować*). **5.** *sport pot.* rozgromić. **6.** *giełda* ogłaszać niewypłacalność (*członka*); zbijać cenę (*akcji*). **7. ~ sth home** *przen. pot.* tłumaczyć coś łopatologicznie. **8. ~ (away) at sth** walić w coś; *przen.* pracować nad czymś bez wytchnienia; powtarzać coś do znudzenia; **~ sth in** wbijać coś; (*także* **~ sth into sb**) *przen.* wbijać coś komuś do głowy; **~ sth out** wykuwać coś; wyklepywać coś; *przen.* dopracować się czegoś (*np. porozumienia*), wynegocjować coś (*np. kompromis*).

hammer and sickle *n.* sierp i młot.

hammer-beam [ˈhæmərˌbiːm] *n. bud.* belka wspornikowa podparta (*w dachu*).

hammercloth [ˈhæmərˌklɔːθ] *n. U* pokrycie kozła (*woźnicy*).

hammer drill *n.* wiertarka udarowa.

hammerer [ˈhæmərər] *n.* młotkowy.

hammer-harden [ˌhæmərˈhɑːrdən], **hammerharden** *v.* kuć na zimno.

hammerhead [ˈhæmərˌhed] *n.* **1.** młotek bez trzonka. **2.** *icht.* rekin młot (*Sphyrna zygaena*). **3.** (*także* **hammerkop**) *orn.* waruga kasztanowata (*Scopus umbretta*).

hammering [ˈhæmərɪŋ] *n. sing. t. przen.* lanie, cięgi; **give sb a ~** zmiażdżyć *l.* rozgromić kogoś; **take a ~** zostać zmiażdżonym (*np. o siłach nieprzyjaciela*).

hammerkop [ˈhæmərˌkɑːp], **hamerkop** *n.* = **hammerhead** 3.

hammer lock *n.* wykręcenie ramienia (*do tyłu*).

hammer-mill [ˈhæmərˌmɪl] *n.* młyn bijakowy *l.* młotkowy.

hammer throw *n. sport* rzut młotem.

hammertoe [ˈhæmərˌtou] *n. pat.* młotowaty palec u nogi.

hammock¹ [ˈhæmək] *n.* hamak.

hammock² *n.* (*także* **hummock**) *US* gęsto zalesiony pas żyznej ziemi (*na południu US*).

Hammond organ [ˌhæmənd ˈɔːrgən] *n. muz.* organy Hammonda.

hammy [ˈhæmɪ] *a.* **-ier, -iest** *pot.* szmirowaty (*o grze aktorskiej*).

hamper¹ [ˈhæmpər] *v.* przeszkadzać (*komuś*), ograniczać; utrudniać (*ruch, próby, postęp*). – *n. U żegl.* potrzebne, ale nieporęczne wyposażenie.

hamper² *n.* **1.** kosz (*z przykrywką*); koszyk (*jw.*); **picnic ~** kosz piknikowy. **2.** *US* kosz na brudną bieliznę.

hamshackle [ˈhæmˌʃækl] *v.* pętać nogi (*koniowi, krowie*).

hamster [ˈhæmstər] *n. zool.* chomik (*Cricetus cricetus*).

hamstring [ˈhæmˌstrɪŋ] *n. anat.* ścięgno podkolanowe. – *v. zw. pass. pret. i pp.* **-strung 1.** okaleczyć (*przecinając ścięgno jw.*). **2.** *przen.* ograniczać; paraliżować.

hamulus [ˈhæmjələs] *n. pl.* **hamuli** [ˈhæmjəlaɪ] *anat.* wyrostek haczykowaty.

hand [hænd] *n.* **1.** ręka; **~ in ~** trzymając się za ręce; **~s off!** *pot.* ręce przy sobie!, precz z łapami!; **~s up!** ręce do góry!; **hold ~s** trzymać się za ręce; **hold sb's ~** trzymać kogoś za rękę; **shake ~s with sb** (*także* **shake sb's ~**) uścisnąć komuś rękę *l.* dłoń; **take sb by the ~** (*także* **take sb's ~**) wziąć kogoś za rękę; **with one's bare ~s** gołymi rękami. **2.** przednia łapa; przednia kończyna. **3.** wskazówka; **hour/little ~** wskazówka godzinowa, mała wskazówka; **minute/big ~** wskazówka minutowa, duża wskazówka. **4.** *zw. pl.* robotni-k/ca. **5.** pismo, charakter pisma. **6.** *karty* rozdanie; ręka, karty (*trzymane w ręku*); **first/second ~** pierwsza/druga ręka. **7.** *sing. pot.* oklaski; **give sb/sth a (big) ~** oklaskiwać kogoś/coś (gorąco). **8.** *jeźdz.* piędź (= *jednostka miary wzrostu konia*). **9.** pęk, kiść (*zwł. bananów l. liści tytoniu*). **10.** *piłka nożna* ręka, dotknięcie piłki ręką. **11.** *w złoż.* **right-/left-~ed** prawo/leworęczny; **right/left ~er** osoba prawo/leworęczna; **right-/left-~ side** prawa/lewa strona. **12.** *sing. przen.* pomoc; **give/lend sb a (helping) ~** wyciągnąć do kogoś pomocną dłoń, pomóc komuś; **I could use a ~** *zwł. US pot.* przydałaby mi się pomoc (*with sth* przy czymś); **need a ~** potrzebować pomocy *l.* pomocnika. **13.** *przen.* **~ on heart** z ręką na sercu; **~ to ~** wręcz, twarzą w twarz (*w walce*); **all ~s on deck!** cała załoga na pokład!; (*także* **all ~s to the pumps!**) wszyscy do pracy *l.* roboty!; **ask for sb's ~ (in marriage)** *przest.* prosić o czyjąś rękę; **at ~** *form.* tuż obok, w pobliżu; **at the ~s of sb** z czyjejś ręki *l.* rąk (*np. doznawać cierpień*); **at first/second ~** z pierwszej/drugiej ręki; **be a good ~ at sth** (*także* **be good with one's ~s**) być zręcznym w czymś; **be a great ~ at sth** (*także Br.* **be a dab ~ at sth**) *pot.* być specem w czymś; **be in good/safe ~s** być w dobrych/bezpiecznych rękach; **bite the ~ that feeds one** okazać się niewdzięcznikiem; **by ~** ręcznie (*wykonać*); osobiście (*doręczyć*); **change ~s** zmieniać właściciela; przechodzić z rąk do rąk; **eat out of sb's ~** jeść komuś z ręki; **fall into the wrong ~s** dostać się w niepowołane ręce; **force sb's ~** zmuszać kogoś do ujawnienia zamiarów;

from ~ to ~ z ręki do ręki, z rąk do rąk; **get one's ~ on sb/sth** *pot.* dorwać *l.* dostać kogoś/coś w swoje ręce; **get one's ~ on sth** *pot.* położyć rękę na czymś (*zw. na pieniądzach*); **get out of ~** wymykać się spod kontroli; **get the upper ~** wziąć górę (*over sb* nad kimś); **give sb a free ~** dawać komuś wolną rękę; **go ~ in ~** iść w parze (*with sth* z czymś); **(go to sb) cap/hat in ~** (prosić kogoś) pokornie; **have a ~ in sth** przyłożyć rękę do czegoś, mieć swój udział w czymś; **have/keep sth to ~** mieć/trzymać coś pod ręką *l.* na podorędziu; **have one's ~s full** mieć pełne ręce roboty; **have one's ~s tied** mieć związane ręce; **have sth in ~** zajmować się czymś; rozpatrywać coś; **have the situation in ~** panować nad sytuacją; **have the upper ~ over sb** mieć nad kimś przewagę; **have time (hanging) on one's ~s** *zwł. Br.* mieć dużo wolnego czasu; **in ~** w rękach, pod kontrolą; gotowy, przygotowany; rozpatrywany, omawiany; **in the ~s of** (*także* **in sb's ~s**) w czyichś rękach; w czyjejś gestii; **in the turn/turning of a ~** natychmiast, w okamgnieniu; **join ~ s** *zob.* **join** *v.*; **keep one's ~ in sth** nie wychodzić z wprawy w czymś; **lay (one's) ~s on sb** *kośc.* kłaść ręce na kimś (*przy udzielaniu sakramentu*); **lay (one's) ~s on sb/sth** dostać *l.* dorwać kogoś/coś w swoje ręce; **live from ~ to mouth** żyć z dnia na dzień; **(make/lose/spend) ~ over fist** *pot.* błyskawicznie (zarobić/stracić/wydać); **near/close at ~** w zasięgu ręki, pod nosem; **not lift a ~** (*także Br.* **not do a ~'s turn**) *pot.* nie kiwnąć palcem; **off ~** od ręki, bez przygotowania, na poczekaniu; **old ~** stary wyga, weteran; **on ~** do dyspozycji; obecny; **on one's ~s** na czyjejś głowie (*o odpowiedzialności*); **on the one ~..., on the other ~...** z jednej strony..., z drugiej strony...; **out of ~** od ręki, od razu, na poczekaniu, z miejsca; usunięty; skończony; **play into sb's ~s** działać na czyjąś korzyść; **put one's ~ on one's heart** bić się w piersi; przysięgać; **raise one's ~ against/to sb** podnieść rękę na kogoś; **rule with a heavy/firm ~** rządzić żelazną ręką, sprawować rządy twardej ręki; **show of ~s** głosowanie przez podniesienie ręki; **show/declare one's ~** odkrywać karty (= *ujawniać zamiary*); **sit on one's ~s** siedzieć z założonymi rękami; **take sb in ~** wziąć się za kogoś; **take sth in ~** wziąć coś w swoje ręce, zająć się czymś; **take sth off sb's ~s** uwolnić kogoś od czegoś; **the ~ of God** *Br.* ręka *l.* pomoc boska (= *dużo szczęścia l. nieuczciwe zagranie, zwł. w piłce nożnej*); **the job in/at ~** *zob.* **job** *n.*; **throw up one's ~s** rozkładać bezradnie ręce; **tie/bind sb ~ and foot** związać komuś ręce; **tip one' ~** *US* uchylać rąbka tajemnicy; **to ~** pod ręką, w zasięgu ręki; **try one's ~ at sth** próbować swoich sił w czymś; **turn/put one's ~ to sth** zabrać się za coś (*nowego*), spróbować czegoś (*zwł. z powodzeniem*); **wait on sb ~ and foot** być na czyjeś każde skinienie; **wash one's ~s of sth** umywać ręce od czegoś; **(win) ~s down** (wygrać) z łatwością *l.* bez trudu; **with a heavy ~** żelazną *l.* twardą ręką; **with a high ~** despotycznie, bezwzględnie; **with both ~s** obiema rękami, z całych sił; **(with) heart and ~** *zob.* **heart** *n.*; **work ~ in/and glove with sb** ściśle z kimś współpracować. – *v.* **1.** podawać, przekazywać, wręczać. **2.** *żegl.* zwijać (*żagiel*). **3. ~ sth around** (*także Br.* **~ sth round**) rozdawać coś; częstować czymś; **~ down** przekazywać (*z pokolenia na pokolenie; t. ubrania młodszemu rodzeństwu*); *zwł. prawn.* ogłosić (*wyrok*), wydać (*decyzję, orzeczenie*); **~ in** oddawać (*zwł. pracę pisemną nauczycielowi*); wręczać, składać; **~ in a resignation** złożyć rezygnację; **~ sb off** *rugby* odepchnąć kogoś ręką. **4. ~ sth on** przekazywać coś dalej (*to sb* komuś); **~ out** rozdawać, wydawać; wypłacać; udzielać (*np. informacji*); wymierzać (*kary*); **~ out advice** dawać rady (*zwł. nieproszone*); **~ over** przekazywać, oddawać (*t. władzę, uprawnienia*); **~ sb over to justice** oddać kogoś w ręce sprawiedliwości; **~ round** *Br.* = **hand around**; **you have to ~ it to him/her** trzeba mu/jej to oddać, trzeba mu/jej oddać sprawiedliwość.

handbag [ˈhændˌbæg] *n. gł. Br.* torebka (*damska*).

handball [ˈhændˌbɔːl] *n.* **1.** piłka ręczna (*przedmiot*); *U* piłka ręczna (*gra*). **2.** *piłka nożna* dotknięcie piłki ręką.

handbarrow [ˈhændˌberoʊ] *n.* nosidło.

handbell [ˈhændˌbel] *n.* dzwonek ręczny.

handbill [ˈhændˌbɪl] *n.* ulotka.

handbook [ˈhændˌbʊk] *n.* **1.** podręcznik. **2.** poradnik. **3.** przewodnik (*turystyczny*).

handbrake [ˈhændˌbreɪk] *n. Br. mot.* hamulec ręczny.

handbreadth [ˈhændˌbredθ], **hand's-breadth** *n.* szerokość dłoni (*jako miara*).

h & c *abbr. Br.* = **hot and cold (water)**.

handcar [ˈhændˌkɑːr] *n. US kol.* drezyna.

handcart [ˈhændˌkɑːrt] *n.* wózek ręczny.

handclap [ˈhændˌklæp] *n.* klaśnięcie w dłonie.

handclasp [ˈhændˌklæsp] *n. US* uścisk dłoni.

handcraft [ˈhændˌkræft] *n.* = **handicraft** 2.

handcrafted [ˌhændˈkræftɪd] *a.* wykonany ręcznie, ręcznie robiony.

hand cream *n. C/U* krem do rąk.

handcuff [ˈhændˌkʌf] *n. zw. pl.* kajdanki. – *v.* zakładać kajdanki (*komuś*).

handfast [ˈhændˌfæst] *v. arch.* **1.** zaręczyć się z (*kimś*); zaręczyć (*dwie osoby ze sobą*). **2.** poślubić (*kogoś*); zaślubić (*narzeczonych; np. o księdzu*).

handfasting [ˈhændˌfæstɪŋ] *n.* **1.** *arch.* zaręczyny. **2.** *hist.* małżeństwo na próbę (*którego zawarcie symbolizowane było przez złączenie rąk*).

handful [ˈhændˌfʊl] *n.* **1.** garść; garstka (*of sth* czegoś) (*t. przen. n – osób*). **2.** *sing. pot.* trudna osoba; trudna sprawa.

hand gallop *n. sing. jeźdz.* galop „równy".

hand glass *n.* **1.** lusterko z rączką. **2.** lupa, szkło powiększające.

hand grenade *n. wojsk.* granat ręczny.

handgrip [ˈhændˌgrɪp] *n.* **1.** chwyt. **2.** uścisk. **3.** rączka, uchwyt. **4.** mała torba podróżna.

handgun [ˈhændˌgʌn] *n.* pistolet; rewolwer.

hand-held [ˈhændˌheld] *a. attr.* ręczny (*np. o kamerze*).

handhold [ˈhændˌhoʊld] *n.* **1.** uchwyt (*przy wspinaniu się*). **2.** chwyt (*zwł. mocny l. pewny*).

handicap [ˈhændɪˌkæp] *n.* **1.** upośledzenie, ułomność; **mental/physical** ~ upośledzenie umysłowe/fizyczne. **2.** utrudnienie, przeszkoda; niedogodność. **3.** dodatkowe obciążenie. **4.** *golf, jeźdz.* handicap, wyrównanie. – *v.* **-pp- 1.** utrudniać. **2.** stawiać w gorszym położeniu. **3.** wyrównywać szanse (*czyjeś*).

handicapped [ˈhændɪˌkæpt] *a.* niepełnosprawny, upośledzony; **mentally/physically** ~ umysłowo/fizycznie niepełnosprawny; **the** ~ niepełnosprawni, inwalidzi.

handicapper [ˈhændɪˌkæpər] *n.* **1.** *golf* osoba przyznająca dodatkowe strzały (*zgodnie z systemem handicap*). **2.** *jeźdz.* osoba przewidująca wyniki wyścigów.

handicraft [ˈhændɪˌkræft] *n. U* **1.** zręczność. **2.** (*także* **handcraft**) rękodzielnictwo, rękodzieło; wyroby rękodzielnicze.

handicraftsman [ˈhændɪˌkræftsmən] *n. pl.* **-men** rzemieślnik, rękodzielnik.

handily [ˈhændɪlɪ] *adv.* **1.** zręcznie. **2.** poręcznie, dogodnie, wygodnie. **3.** *US i Can.* z łatwością (*np. wygrać*).

handiness [ˈhændɪnəs] *n. U* **1.** zręczność. **2.** poręczność, dogodność, wygoda.

handiwork [ˈhændɪˌwɜːk] *n. U* **1.** ręczna robota. **2. be the ~ of sb/sth** (*także* **be sb/sth's ~**) *przen.* być dziełem kogoś/czegoś.

hand job *n. wulg. sl.* walenie konia (= *ręczna stymulacja członka*).

handkerchief [ˈhæŋkərtʃɪf] *n.* **1.** chusteczka do nosa. **2.** *US* = **kerchief**.

handle [ˈhændl] *n.* **1.** rączka; trzonek; rękojeść. **2.** klamka; uchwyt (*np. szuflady*). **3.** ucho (*filiżanki*); pałąk (*wiadra*); rączka (*np. czajnika*). **4.** *pot.* pseudo, ksywa (*zwł. użytkownika CB radio*). **5.** *sl.* nazwisko (*zwł. dwuczłonowe, wyglądające na arystokratyczne*); tytuł przed nazwiskiem. **6.** *przen.* punkt wyjścia, pretekst (*for sth* do czegoś) powód (*for sth* czegoś). **7.** *US pot.* ogólna suma zakładów (*w określonym czasie l. na dane wydarzenie sportowe*). **8.** *przen.* **fly off the** ~ *pot.* wściec się; **get a ~ on sth** zorientować *l.* połapać się w czymś. – *v.* **1.** zajmować się (*czymś*); zawiadować (*czymś*); załatwiać. **2.** obchodzić się z (*kimś l. czymś*); radzić sobie z (*kimś l. czymś*); traktować; ~ **o.s.** zachowywać się; ~ **sb with kid gloves** *przen. zob.* **glove** *n.*; ~ **with care** ostrożnie! (*napis na pakunku ze szkłem itp.*). **3.** dotykać (*czegoś*); manipulować (*czymś*). **4.** handlować (*czymś*).

handlebar moustache [ˈhændlˌbɑːr ˌmʌstæʃ] *n.* podkręcone wąsy.

handlebars [ˈhændlˌbɑːrz] *n. pl.* kierownica (*roweru, motocykla*).

handler [ˈhændlər] *n.* **1.** *boks* trener; pomocnik. **2.** trener, treser; opiekun (*zwł. psa*). **3.** przełożony, zwierzchnik (*agenta, szpiega*). **4.** *gł. US* doradca (*np. prezydenta*). **5.** *Br.* handlarz, paser.

handling charges *n. pl.* koszty *l.* opłaty manipulacyjne.

hand luggage *n. U gł. lotn.* bagaż podręczny.

handmade [ˌhændˈmeɪd] *a.* ręcznej roboty, robiony ręcznie; **it's** ~ to ręczna robota.

handmaiden [ˈhændˌmeɪdən], **handmaid** *n.* **1.** *arch. l. lit.* służąca. **2.** *przen., form.* nieodłączny składnik (*of sth* czegoś).

hand-me-down [ˈhændmiːˌdaʊn] *pot. n. zw. pl.* rzeczy, z których się wyrosło; rzeczy używane. – *a. attr.* **1.** używany. **2.** *przen.* nieoryginalny (*np. o pomysłach*).

hand-off [ˈhændˌɔːf] *n.* **1.** *rugby* odepchnięcie ręką. **2.** *futbol amerykański* podanie (ręką) do partnera.

handorgan [ˈhændˌɔːrgən] *n.* katarynka.

handout [ˈhændˌaʊt] *n.* **1.** zapomoga, jałmużna. **2.** ulotka reklamowa. **3.** konspekt (*wykładu, spotkania*). **4. press** ~ oświadczenie prasowe.

handover [ˈhændˌoʊvər] *n. gł. Br.* przekazanie (*of sb / sth* kogoś/czegoś).

handpick [ˌhændˈpɪk] *v.* **1.** zrywać *l.* zbierać ręcznie. **2.** *przen.* starannie dobierać *l.* selekcjonować.

handprint [ˈhændˌprɪnt] *n.* odcisk dłoni.

hand puppet *n. US* pacynka.

handrail [ˈhændˌreɪl] *n.* poręcz.

handsaw [ˈhændˌsɔː] *n.* **1.** piła ręczna (*jednochwytowa*). **2. know a hawk from a** ~ *przen. zob.* **hawk**[1] *n.* 3.

hand's-breadth [ˈhændzˌbredθ] *n.* = **handbreadth**.

handsel [ˈhænsl], **hansel** *arch. l. dial. n.* **1.** podarek na szczęście (*zwł. na Nowy Rok*). **2.** zadatek. – *v. Br.* **-ll-** dać podarek na szczęście (*komuś*).

handset [ˈhændˌset] *n. tel.* słuchawka.

handshake [ˈhændˌʃeɪk] *n.* uścisk dłoni.

hand-shooting [ˈhændˌʃuːtɪŋ] *n. U film* zdjęcia z ręki.

hands-off [ˌhændzˈɔːf] *a. attr.* nie wtrącający się, nie ingerujący (*np. o stylu zarządzania*).

handsome [ˈhænsəm] *a.* **1.** przystojny. **2.** piękny, imponujący (*o budynku, ogrodzie*). **3.** pokaźny, spory, znaczny, niezły (*np. o dochodzie, zysku*). **4.** szczodry, hojny (*np. o podarunku, ofercie*).

handsomely [ˈhænsəmlɪ] *a.* **1.** nieźle, ładnie (*np. zarobić*). **2.** szczodrze, hojnie (*np. nagrodzić*).

hands-on [ˌhændzˈɑːn] *a. attr.* **1.** interaktywny. **2.** praktyczny.

handspike [ˈhændˌspaɪk] *n.* **1.** metalowy drąg *l.* kawałek rury używany jako dźwignia. **2.** *żegl.* drąg kabestanu.

handspring [ˈhændˌsprɪŋ] *n. gimnastyka* przerzut.

handstand [ˈhændˌstænd] *n. gimnastyka* stanie na rękach.

hand-to-hand [ˌhændtəˈhænd] *adv. i a. attr.* wręcz (*o walce*).

hand-to-mouth [ˌhændtəˈmaʊθ] *a. attr.* nędzny (*zwł. o egzystencji*). – *adv.* z dnia na dzień.

hand towel *n.* ręcznik do rąk.

handwork [ˈhændˌwɜːk] *n. U* praca ręczna, ręczna robota.

handwriting ['hænd,raɪtɪŋ] *n. U* **1.** pismo, charakter pisma. **2. the ~ on the wall** *US przen.* wyraźna wskazówka; zapowiedź, zwiastun.

handwritten [,hænd'rɪtən] *a.* napisany ręcznie.

handy ['hændɪ] *a.* **-ier, -iest 1.** poręczny, wygodny; łatwy w obsłudze. **2.** przydatny; **come in ~** przydawać się. **3.** dogodnie położony; **~ for sth** położony blisko czegoś (*np. sklepów*). **4.** *pred. pot.* pod ręką. **5.** zręczny (*with sth* w posługiwaniu się czymś).

handyman ['hændɪ,mæn] *n. pl.* **-men** majster do wszystkiego, złota rączka.

hang [hæŋ] *v. pret. i pp.* **hung 1.** wieszać; zawieszać; rozwieszać; **~ sth with sth** obwieszać coś czymś. **2.** wisieć (*on sth* na czymś); zwisać (*from / out of sth* z czegoś); opadać (*np. o włosach*). **3.** *pret. i pp.* **hanged** wieszać; powiesić (*na szubienicy*). **4.** kłaść (*tapety*). **5.** osadzać (*drzwi*). **6.** *komp.* zawieszać się. **7.** *US prawn.* utknąć w martwym punkcie (*o ławie przysięgłych*). **8.** *przen.* **~ it (all)!** *Br. przest. pot.* niech to licho *l.* wszyscy diabli!, do licha *l.* diabła z tym!; **~ a right/left** *US pot.* dawać w prawo/lewo (= *skręcać*); **~ by a hair/thread** wisieć na włosku; **~ fire** *zob.* **fire** *n.*; **~ heavy/heavily** wlec się (*o czasie*); **~ in the air** unosić się w powietrzu (*np. o zapachu*); **(leave sth) ~ing in the air** (pozostawiać coś) w zawieszeniu; **~ in the balance/wind** ważyć się; **~ loose** *US pot.* zachować spokój; **~ one's hat** *zob.* **hat** *n.*; **~ one's hat on sth** *zob.* **hat** *n.*; **~ (down) one's head** zwiesić *l.* spuścić głowę (*ze wstydu, zakłopotania*); **~ the cost/expense!** *pot.* pal licho koszty!, mniejsza o koszty!; **~ tough** (*także* **~ in there**) *zwł. US pot.* trzymać się, nie dawać się; **go ~!** *pot.* idź się powieś *l.* utop!; **I'll be/I'm ~ed if ...** *Br. przest. pot.* niech mnie diabli, jeżeli ... **9. ~ about!** *Br. pot.* zaczekaj!; **~ around** (*także Br.* **~ about/round**) *pot.* pałętać się, kręcić się; grzebać się, marudzić; zadawać się (*with sb* z kimś); **~ back** ociągać się, zwlekać (*zwł. z powodu nieśmiałości, obaw*); **~ behind** wlec się z tyłu, pozostawać w tyle; **~ down** zwisać, opadać; **~ on** trzymać się (*to sb / sth* kogoś/czegoś); wytrzymać, wytrwać; **~ on!** *pot.* zaczekaj!; **~ on tight!** trzymaj się mocno!; **~ on/upon sb/sth** zależeć od kogoś/czegoś; **~ on/upon sb's words/lips/every word** słuchać uważnie każdego czyjegoś słowa; **~ on to** (*także* **~ onto**) kurczowo ściskać; *przen.* zatrzymać, zachować; nie rozstawać się z (*czymś*), przechowywać; **~ out** wywieszać (*tabliczkę, flagę*); rozwieszać (*pranie*); **~ out somewhere** *pot.* przesiadywać gdzieś, spędzać gdzieś czas; **~ out with sb** *pot.* zadawać się z kimś; **~ sb out to dry** *pot.* zostawić kogoś na lodzie; **let it all ~ out** *pot.* dać sobie luz, wyluzować się; **~ over** zwisać; sterczeć, wystawać; **be ~ing over sb's head** *przen.* wisieć nad czyjąś głową; **be hung over** *przen.* mieć kaca; **~ round** *Br.* **= hang around**; **~ round sb's neck** *Br. pot.* wisieć komuś na karku (= *nie odstępować, nie dawać spokoju*); **~ together** wisieć jeden obok drugiego; *przen. pot.* trzymać się razem; trzymać się kupy (*t.* = *mieć sens*); **~ up** powiesić (*np. obraz*); *tel.* odłożyć słuchawkę, rozłączyć się; **~ up on sb** *tel.* rzucić komuś słuchawką; **~ up (one's boxing gloves/ballet shoes etc)** *pot.* powiesić na kołku (rękawice bokserskie/baletki itp.) (= *zakończyć karierę (boksera / baletnicy itp.)*); **~ up one's hat** *zob.* **hat** *n.*; **be hung up on/about sb/sth** *pot.* mieć obsesję na punkcie kogoś/czegoś; **~ upon** *zob.* **hang on**. – *n. U* **1.** rozmieszczenie (*obrazów na ścianie*). **2.** *sport* zawieszenie, przerwa w ruchu. **3.** *US żegl.* odchylenie (*masztu*) od pionu. **4.** *przen. pot.* **get the ~ of sth** połapać się w czymś; **I don't give/care a ~** mam to gdzieś, guzik mnie to obchodzi.

hangar ['hæŋər] *n.* **1.** hangar. **2.** wozownia.

hangdog ['hæŋ,dɔ:g] *a. attr.* przybity; pełen winy; zakłopotany (*o wyrazie twarzy*); **with a ~ look/expression** z miną winowajcy.

hanger ['hæŋər] *n.* **1.** (*także* **coat ~**) wieszak (*na ubrania*). **2.** *t. mech.* wieszak; wieszadło; **spring ~** *mot.* wieszak resoru. **3.** lina; łańcuch; haczyk (*do wieszania*). **4.** *mech.* łożysko wiszące. **5.** *hist.* krótki miecz. **6.** *Br.* lasek na stromym stoku wzgórza (*zwł. bukowy, na kredowym podłożu w płd. Anglii*).

hanger-on [,hæŋər'ɑ:n] *n. pl.* **hangers-on** pieczeniarz.

hang glide *v. sport* latać na lotni.

hang glider *n. sport* **1.** lotnia. **2.** lotniarz.

hang gliding *n. U sport* lotniarstwo.

hanging ['hæŋɪŋ] *n.* **1.** powieszenie (*egzekucja*); *U* wieszanie. **2.** *zw. pl.* draperia. – *a. attr.* **1.** zawieszony, wiszący. **2.** *hist.* karany karą śmierci przez powieszenie; **it's/that's no ~ matter** *przen. pot.* nie taki diabeł straszny; to jeszcze nie koniec świata.

hanging basket *n.* wisząca doniczka (*półkolista*).

hanging gardens *n. pl.* wiszące ogrody.

hangman ['hæŋmən] *n. pl.* **-men** kat.

hangnail ['hæŋ,neɪl] *n. pat.* strzępek naskórka obok paznokcia.

hangout ['hæŋ,aʊt] *n. pot.* **sb's ~** (*także* **~ for sb**) czyjaś (ulubiona) knajpa *l.* kafejka; czyjeś mieszkanie.

hangover ['hæŋ,oʊvər] *n.* **1.** kac. **2.** *sing. Br. przen.* przeżytek (*from sth* czegoś) pozostałość (*from sth* po czymś).

hang-up ['hæŋ,ʌp], **hangup** *n.* **1.** zahamowanie; **have a ~ about sth** mieć kompleksy na punkcie czegoś. **2.** problem, trudność.

hank [hæŋk] *n.* **1.** *tk.* motek, kłębek, zwój (*t. jako miara przędzy bawełnianej (= 840 jardów) l. wełnianej (= 560 jardów)*). **2.** *żegl.* ślizgacz, raksa.

hanker ['hæŋkər] *v.* **~ for/after sth** tęsknić za czymś, wzdychać do czegoś.

hankering ['hæŋkərɪŋ] *n. sing.* pragnienie, tęsknota; **have a ~ for sth** tęsknić za czymś, wzdychać do czegoś.

hanky ['hæŋkɪ], **hankie** *n. pl.* **-ies** *pot.* chusteczka do nosa.

hanky-panky [,hæŋkɪ'pæŋkɪ], **hankey-pankey** *n. U przest. pot., często żart.* **1.** matactwa, szachrajstwa. **2.** bara-bara (= *seks*).

Hanover ['hænoʊvər] *n.* **1.** *geogr.* Hanower. **2.**

the House of ~ *Br. hist.* dynastia hanowerska (*1714–1901*).

Hanoverian [ˌhænoʊˈviːrɪən] *a.* hanowerski. – *n.* **1.** mieszkan-iec/ka Hanoweru. **2.** *Br. hist.* człon-ek/kini dynastii hanowerskiej; zwolennik/czka dynastii hanowerskiej.

Hansard [ˈhænsərd] *n. Br. i Can. parl.* oficjalne sprawozdanie parlamentarne.

hanse [ˈhɑːnzə] *n. hist.* **1.** hanza, cech kupiecki. **2.** wpisowe (*zwł. do cechu*). **3. H~** Hanza.

Hanseatic [ˌhænzɪˈætɪk] *a. hist.* hanzeatycki; ~ **League** Liga Hanzeatycka.

hansel [ˈhænsl] *n.* = **handsel**.

hansom [ˈhænsəm] *n.* (*także* ~ **cab**) *hist.* dorożka dwukołowa (*z woźnicą w tyle*).

Hanukkah [ˈhɑːnəkə], **Hanukah**, **Chanukah**, **Chanukkah** *n. judaizm* Chanuka, Święto Świateł *l.* Świec.

hanuman [ˈhʌnʊˌmɑːn] *n.* (*także* ~ **langur**) *zool.* hulman (*Presbytis entellus*).

hap [hæp] *arch. n.* przypadek, traf. – *v.* **-pp-** *arch.* zdarzyć się, przytrafić się.

hapax legomenon [ˌhæpæks lɪˈgɑːməˌnɑːn] *n. pl.* **hapax legomena** *jęz.* hapaks legomenon (= *forma zaświadczona tylko jeden raz, w utworze literackim, dokumencie, słowniku itp.*).

ha'penny [ˈheɪpnɪ] *n.* = **halfpenny**.

haphazard [hæpˈhæzərd] *a.* przypadkowy, niesystematyczny; **in a ~ way/fashion/manner** na chybił trafił, w sposób przypadkowy *l.* niesystematyczny.

haphazardly [hæpˈhæzərdlɪ] *adv.* na chybił trafił.

haphazardness [hæpˈhæzərdnəs] *n. U* przypadkowość, niesystematyczność.

hapless [ˈhæpləs] *a. attr. lit.* nieszczęsny.

haplography [hæpˈlɑːgrəfɪ] *n. pl.* **-ies** *pisownia* haplografia (= *błąd polegający na opuszczeniu jednej z dwóch identycznych liter l. sylab*).

haploid [ˈhæplɔɪd] *n. biol.* haploid. – *a. biol.* haploidalny, monoploidalny.

haplology [hæpˈlɑːlədʒɪ] *n. fon.* haplologia (= *opuszczenie jednej z dwóch podobnych sylab wyrazu*).

haplont [ˈhæplɑːnt] *n. biol.* haplont.

haply [ˈhæplɪ] *adv. arch.* być może.

ha'p'orth [ˈheɪpərθ] *n. Br.* = **halfpennyworth**.

happen [ˈhæpən] *v.* **1.** zdarzać się, wydarzać się; dziać się; ~ **to sb** przytrafiać się komuś; ~ **to do sth** przypadkiem coś zrobić; **accidents will** ~ wypadki chodzą po ludziach; **anything can** ~ wszystko może się zdarzyć; **as it ~s,...** (*także* **it (just) so ~s,...**) tak się (akurat) składa, że...; **he ~ed to be free** akurat był wolny; **if anything should ~ to me/her** gdyby coś mi/jej się stało; **sth is bound to** ~ coś się na pewno wydarzy *l.* stanie; **these things** ~ takie rzeczy się zdarzają; **what ~s if...?** co będzie, jeżeli...?; **whatever ~s** cokolwiek się stanie; **what's ~ing?** co się dzieje?. **2.** ~ **along/by/past sth** *zwł. US* przypadkiem znaleźć się gdzieś *l.* w pobliżu czegoś; ~ **on/upon sb/sth** *lit.* natknąć się na kogoś/coś.

happening [ˈhæpənɪŋ] *n. często pl.* **1.** wydarzenie (*zwł. niezwykłe*). **2.** *t. sztuka* happening. – *a. sl.* odlotowy, odjazdowy (*np. o lokalu*).

happenstance [ˈhæpənˌstæns] *n. U US i Can.* zbieg okoliczności; **pure/extraordinary** ~ czysty/nadzwyczajny zbieg okoliczności.

happily [ˈhæpɪlɪ] *adv.* **1.** szczęśliwie (*np. żonaty*). **2.** z przyjemnością, chętnie (*robić coś*). **3.** ~,... na szczęście,...

happiness [ˈhæpɪnəs] *n. U* szczęście; szczęśliwość.

happy [ˈhæpɪ] *a.* **-ier, -iest 1.** szczęśliwy; zadowolony (*about / with sth* z czegoś); ~ **as a lark** radosny jak skowronek; **be ~ to do sth** robić coś z przyjemnością; **be/feel ~ for sb** cieszyć się z czyjegoś szczęścia; **H~ Birthday!** wszystkiego najlepszego (z okazji urodzin)!; **H~ Christmas!** Wesołych Świąt (Bożego Narodzenia)!; **H~ New Year!** Szczęśliwego Nowego Roku!; **many ~ returns (of the day)!** wszystkiego najlepszego (w dniu urodzin)!, sto lat!; **not a ~ camper** (*także Br.* **not a ~ bunny**) *żart.* strasznie nieszczęśliwy; **the ~ event** *euf.* radosne *l.* szczęśliwe wydarzenie (= *narodziny dziecka*); **(try) to keep sb ~** (starać się,) żeby ktoś był zadowolony. **2.** *attr. form.* trafny (*o doborze słów*), udany. **3.** *pred. pot.* na rauszu, wstawiony.

happy ending *n.* szczęśliwe zakończenie.

happy-go-lucky [ˌhæpɪgoʊˈlʌkɪ] *a.* niefrasobliwy, beztroski.

happy hour *n. sing.* czas, w którym napoje sprzedawane są po obniżonych cenach (*w barze l. pubie, zw. wczesnym wieczorem*).

happy medium *n. sing.* złoty środek, szczęśliwy kompromis; **strike a ~**, osiągnąć szczęśliwy kompromis.

hapten [ˈhæpten], **haptene** [ˈhæptiːn] *n. fizj.* hapten, antygen resztkowy.

haptic [ˈhæptɪk] *a. form.* dotykowy.

hara-kiri [ˌhɑːrəˈkɪrɪ] *n. U t. przen.* harakiri; **commit ~** popełnić harakiri.

harangue [həˈræŋ] *n.* kazanie, tyrada, perora. – *v.* prawić kazanie (*komuś*).

harass [həˈræs] *v.* **1.** nękać, dręczyć. **2.** napastować, molestować.

harassingly [həˈræsɪŋlɪ] *adv.* napastliwie.

harassment [həˈræsmənt] *n. U* **1.** nękanie, dręczenie. **2.** napastowanie, molestowanie; **sexual ~** napastowanie *l.* molestowanie seksualne.

harbinger [ˈhɑːrbɪndʒər] *lit. n.* zwiastun; prekursor (*of sth* czegoś). – *v.* zwiastować nadejście (*czegoś*); być prekursorem (*czegoś*).

harbor [ˈhɑːrbər], *Br.* **harbour** *n.* **1.** port. **2.** *przen.* schronienie, przystań, azyl. – *v.* **1.** żywić; ~ **a grudge against sb** żywić do kogoś urazę; ~ **doubts/suspicions** żywić *l.* mieć wątpliwości/podejrzenia. **2.** dawać schronienie (*zwł. przestępcy poszukiwanemu przez policję*), ukrywać. **3.** *żegl.* zawijać do przystani *l.* portu.

harborage [ˈhɑːrbərɪdʒ] *n. rzad.* = **harbor** *n.*

harbor dues *n. pl.* opłaty portowe.

harborer [ˈhɑːrbərər] *n.* **1.** kwatermistrz. **2.** gospodarz.

harbor master *n.* komendant portu.

harbor seal *n. zool. US* foka pospolita (*Phoca vitulina*).

harbor town *n.* miasto portowe.

harbor watch *n. zw. sing.* wachta portowa.

hard [hɑːrd] *a.* **1.** *t. przen.* twardy (*t. o wodzie; t. fon. o dźwięku*); **a ~ nut to crack** *zob.* **nut** *n.*; **(as) ~ as iron/stone/a rock** twardy jak kamień *l.* skała; **(as) ~ as nails** *zob.* **nail** *n.* **2.** trudny; **~ to take/swallow** trudny do przyjęcia *l.* zaakceptowania; trudny do zniesienia; **be ~ to come by** być trudno dostępnym; **I find it ~ to believe that...** trudno mi uwierzyć, że...; **it's ~ (for sb) to do sth** trudno (komuś) coś zrobić; **it's ~ to say/tell** trudno powiedzieć; **sb is ~ to please** trudno kogoś zadowolić. **3.** ciężki; **have a ~ life** mieć ciężkie życie; **times are ~** ciężkie czasy. **4.** surowy, srogi (*t. o zimie, klimacie*); stanowczy, nieugięty; **be ~ on sb** być surowym dla kogoś; uwziąć się na kogoś; **take a ~ line on/over sth** podjąć stanowcze kroki wobec czegoś, zająć zdecydowane stanowisko wobec czegoś. **5.** *attr.* niepodważalny, niezbity; **~ evidence** niezbite *l.* niepodważalne dowody; **~ facts** niepodważalne fakty. **6.** *attr.* mocny (*o alkoholu*). **7.** *przen.* **be ~ going** iść jak po grudzie; **be ~ on sth** szybko zdzierać coś (*ubrania, buty*); **drive a ~ bargain** *zob.* **bargain** *n.*; **find out/learn (sth) the ~ way** uczyć się (czegoś) na błędach; **give sb a ~ time** *pot.* dokuczać komuś, dawać się komuś we znaki; **it's ~ on him/her** ma pecha, źle się dla niego/niej składa; **make ~ work of sth** udawać, że coś jest trudniejsze niż w rzeczywistości, komplikować coś; **no ~ feelings** już się nie gniewam; **no ~ feelings!** bez urazy!; **take a ~ look at sth** dokładnie się czemuś przyjrzeć. – *adv.* **1.** ciężko; mocno; intensywnie; z całych sił, usilnie; bardzo; **be ~ at it** *Br.* pracować pilnie; działać intensywnie; **cry/laugh ~** bardzo płakać/śmiać się; **I tried as ~ as I could** starałam się, jak (tylko) mogłam; **it's raining ~** leje jak z cebra; **drink ~** pić bez umiaru *l.* na umór; **work ~** ciężko pracować. **2.** *przen.* **be ~ hit** (*także* **be hit ~**) zostać ciężko dotkniętym (*np. kryzysem gospodarczym*); **be ~ on sb's heels** deptać komuś po piętach; **be ~ pressed/put to do sth** (*także Br.* **be ~ pushed to do sth**) mieć trudności ze zrobieniem czegoś; nie wiedzieć, jak coś zrobić; **die ~** *zob.* **die**[1] *v.*; **feel ~ done by** *Br. i Austr.* czuć się pokrzywdzonym, oszukanym *l.* wykorzystanym; **it will go ~ with you/him** nie wyjdzie ci/mu to na dobre; **play ~ to get** udawać niedostępnego; **take sth ~** przejąć się czymś, przeżywać coś. – *n.* **1.** *Br.* droga wzdłuż podwodzia. **2.** *U sl.* = **hard labour**.

hard and fast, hard-and-fast *a. zw. attr.* **1.** żelazny (*o regule*). **2.** pewny (*o informacjach*). **3.** *żegl.* mocno osiadły na mieliźnie (*o statku*).

hardback [ˈhɑːdbæk] *a. i n.* = **hardcover**.

hardball [ˈhɑːrdˌbɔːl] *n. U US* **1.** baseball. **2.** **play ~** *pot.* używać wszelkich chwytów, walczyć bezpardonowo (*zwł. w polityce*).

hard-bitten [ˌhɑːrdˈbɪtən] *a.* twardy, zaprawiony w bojach (*np. o polityku, dziennikarzu*).

hardboard [ˈhɑːrdˌbɔːrd] *n. U bud.* płyta pilśniowa twarda.

hard-boiled [ˌhɑːrdˈbɔɪld] *a.* **1.** *kulin.* na twardo (*o jajku*). **2.** *pot.* twardy, nieulegający sentymentom; cyniczny.

hardbound [ˈhɑːrdˌbaʊnd] *a.* = **hardcover** *a.*

hard by *adv. i prep. lit.* tuż obok, w pobliżu (*czegoś*).

hard case *n. pot.* ciężki przypadek (*o osobie*).

hard cash *n. U* gotówka.

hard cheese *int. i n. U Br. pot. iron.* (a to) pech.

hard coal *n. U* węgiel kamienny; antracyt.

hard copy *n. U komp.* kopia dokumentacyjna; wydruk.

hard core *n. zwł. Br.* **1.** aktyw, trzon (*organizacji, partii*). **2.** *U bud.* podłoże gruzowe.

hard-core [ˌhɑːrdˈkɔːr] *a. attr.* **1.** zatwardziały (*o przeciwniku, opozycji*); najzagorzalszy (*o zwolenniku*). **2.** twardy (*o pornografii*). **3.** *muz.* hard-core'owy.

hard court *n. tenis* twardy kort.

hardcover [ˈhɑːrdˌkʌvər] *a. i n. C/U* (*także* **hardback**) (książka *l.* wydanie) w twardej *l.* sztywnej oprawie; **(be published/come out) in ~** (zostać wydanym/wyjść) w twardej *l.* sztywnej oprawie.

hard currency *n. C/U* waluta wymienialna, twarda waluta.

hard disk *n. komp.* dysk twardy *l.* stały.

hard disk bus *n. komp.* magistrala twardego dysku.

hard drinker *n.* nałogow-y/a pija-k/czka, alkoholi-k/czka.

hard drugs *n. pl.* narkotyki twarde.

hard-earned [ˌhɑːrdˈɝːnd] *a.* ciężko zarobiony (*o pieniądzach*); *przen.* ciężko zdobyty (*np. o szacunku*).

hard-edged [ˌhɑːrdˈedʒd] *a.* napastliwy (*np. o artykule*).

harden [ˈhɑːrdən] *v.* **1.** utwardzać; hartować. **2.** utwardzać się; twardnieć. **3.** *przen.* czynić zatwardziałym; znieczulać. **4.** hartować się, uodparniać się. **5.** *handl.* stabilizować się (*o rynku*); wzrastać (*o cenach*). **6.** **~ off** uodparniać (*rośliny na zimno*).

hardened [ˈhɑːrdənd] *a.* **1.** zatwardziały. **2.** **get/become ~ to/towards sth** uodparniać się na coś, przestawać reagować na coś (*np. na przemoc, niesprawiedliwość*).

hardener [ˈhɑːrdənər] *n. C/U* **1.** utwardzacz (*żywic*). **2.** *metal., fot.* pierwiastek utwardzający.

hardening [ˈhɑːrdənɪŋ] *n. U* **1.** usztywnienie (*stanowiska*); nasilenie (*protestów*). **2.** **~ of the arteries** *pat. przest.* stwardnienie tętnic.

hard error *n. komp.* nieodwracalny błąd, błąd nie do naprawienia (*powodujący zawieszenie systemu*).

hard-fisted [ˌhɑːrdˈfɪstɪd] *a.* mający węża w kieszeni (= *skąpy*).

hard-handed [ˌhɑːrdˈhændɪd] *a.* mający twardą rękę, surowy.

hard hat, hardhat *n.* **1.** kask ochronny. **2.** *gł. US i Can. pot.* budowlaniec. **3.** *gł. US polit. pot.* twardogłowy.

hardheaded [ˌhɑ:rd'hedɪd] *a.* praktyczny, trzeźwy; wyrachowany.

hardheadedness [ˌhɑ:rd'hedɪdnəs] *n. U* trzeźwość; wyrachowanie.

hard-hearted [ˌhɑ:rd'hɑ:rtɪd] *a.* bezwzględny, nieczuły.

hardheartedly [ˌhɑ:rd'hɑ:rtɪdlɪ] *adv.* bezwzględnie.

hardheartedness [ˌhɑ:rd'hɑ:rtɪdnəs] *n. U* bezwzględność.

hard-hitting [ˌhɑ:rd'hɪtɪŋ] *a.* bezpośredni, bezkompromisowy (*zwł. o krytyce, ataku*).

hardihood ['hɑ:rdɪˌhʊd] *n. U przest.* śmiałość, odwaga; *uj.* zuchwałość, bezczelność.

hardily ['hɑ:rdɪlɪ] *adv.* śmiało, odważnie.

hardiness ['hɑ:rdɪnəs] *n. U* **1.** wytrzymałość, siła fizyczna. **2.** *rzad.* śmiałość, odwaga.

hard labor, *Br.* **hard labour** *n. U* ciężkie roboty, katorga.

hard landing *n. astronautyka* lądowanie twarde (*bez zmniejszania prędkości lądującego obiektu*).

hard left *n. sing. polit.* skrajna lewica (*w danej partii*).

hard-line [ˌhɑ:rd'laɪn], **hardline** *a. attr. polit.* **1.** bezkompromisowy. **2.** dogmatyczny.

hard-liner [ˌhɑ:rd'laɪnər] *n. polit.* dogmatyk/czka.

hard liquor *n. U zwł. US* alkohol wysokoprocentowy (*np. whiskey*).

hard loan *n. fin.* pożyczka udzielona innemu państwu pod warunkiem spłaty w walucie pożyczkodawcy.

hard luck, *Br.* **hard lines** *int. i n. U* (a to) pech.

hard-luck story [ˌhɑ:rdˌlʌk 'stɔ:rɪ] *n. pl.* **-ies** *pot.* historyjka obliczona na wywołanie współczucia (*zwł. jako wymówka*).

hardly ['hɑ:rdlɪ] *adv.* ledwie, zaledwie; z trudem; dopiero co; prawie nie *l.* wcale; **~ a day goes by when I don't think of you** nie ma dnia, żebym o tobie nie myślał; **~ anyone/anything** prawie nikt/nic; **~ ever** prawie nigdy; **I can ~ believe it** ledwie *l.* z trudem mogę w to uwierzyć; **I can ~ hear you** prawie cię nie słyszę; **it's ~ likely** to mało prawdopodobne; **it's ~ my fault** (przecież) to nie moja wina; **it's ~ surprising** nic dziwnego; **the lesson had ~ begun when...** (*także form.* **~ had the lesson begun when...**) lekcja dopiero co się zaczęła, kiedy..., lekcja jeszcze się na dobre nie zaczęła, kiedy...; **this is ~ the time/place (to do sth)** to nie jest odpowiedni moment/odpowiednie miejsce (na robienie czegoś); **we could ~ wait** nie mogliśmy się doczekać.

hard maple *n.* (*także* **sugar maple**) *bot.* klon srebrzysty (*Acer saccharinum*).

hard margin *n. Ir.* = **hard shoulder**.

hard-mouthed [ˌhɑ:rd'maʊðd] *a. jeźdz.* **1.** o twardym pysku, nieczuły (*na pociągnięcia wędzidłem*). **2.** *przen.* uparty.

hardness ['hɑ:rdnəs] *n. U* **1.** twardość; **red ~** *metal.* twardość w temperaturze czerwonego żaru. **2.** surowość. **3.** trudność. **4.** *el.* dobroć próżni (*lampy*).

hard-nosed [ˌhɑ:rd'noʊzd] *a. attr. pot.* trzeźwo myślący; wyrachowany.

hard nut *n.* **1.** *pot.* twardziel. **2. a ~ to crack** *zob.* **hard** *a.* 1.

hard of hearing *a. pred.* niedosłyszący; **be ~** niedosłyszeć, słabo słyszeć, mieć przytępiony *l.* słaby słuch. – *n. pl.* **the ~** niedosłyszący, osoby niedosłyszące.

hard on, hard upon *prep. lit.* **1.** tuż za (*czymś*). **2.** wkrótce *l.* niedługo *l.* tuż po (*czymś*).

hard-on ['hɑ:rdˌɑ:n] *n. wulg. sl.* erekcja.

hard palate *n. anat.* podniebienie twarde.

hardpan ['hɑ:rdˌpæn], **hard-pan** *n. U* **1.** orsztyn, rudawiec (*twarde podłoże gleby*). **2.** *bud.* twardy grunt.

hard porn *n. U pot.* twarda *l.* ostra pornografia.

hard-pressed [ˌhɑ:rd'prest] *a.* przyparty do muru, w położeniu bez wyjścia; w opałach; **be ~ to do sth** *zob.* **hard** *adv.*

hard right *n. sing. polit.* skrajna prawica (*w danej partii*).

hard rock *n. U muz.* hard rock.

hard roe *n. U* ikra (*rybia*).

hard rubber *n. U* guma twarda, ebonit.

hards [hɑ:rdz] *n. pl.* pakuły.

hard sauce *n. U US kulin.* gęsty sos z masła, cukru i brandy (*spożywany jako dodatek do świątecznego puddingu*).

hard science *n. C/U* nauka ścisła.

hardscrabble ['hɑ:rdˌskræbl], **hard-scrabble** *a. US pot.* jałowy, nieurodzajny (*o ziemi*).

hard sell *n. U* nachalna reklama.

hard-shell ['hɑ:rdˌʃel] *a. attr.* **1.** (*także* **hard-shelled**) *zool.* o twardej skorupie. **2.** *US pot.* dogmatyczny, ściśle ortodoksyjny (*zwł. w sprawach religii*).

hardship ['hɑ:rdˌʃɪp] *n.* **1.** trudności, ciężar (*losu*). **2.** *U* cierpienia; trudy.

hard shoulder *n. sing. Br.* (*także Ir.* **hard margin**) utwardzone pobocze.

hard-spun [ˌhɑ:rd'spʌn] *a.* mocno skręcony (*o przędzy*).

hardstand ['hɑ:rdˌstænd], *Br.* **hard standing** *n. U lotn.* teren utwardzony przeznaczony na parking (*dla samolotów l. pojazdów*).

hard stuff *n. U* **the ~** *pot.* coś mocniejszego (= *mocny alkohol*).

hardtack ['hɑ:rdˌtæk] *n.* suchar (*wojskowy*).

hardtop ['hɑ:rdˌtɑ:p] *n. i a. attr. mot.* (samochód) z metalowym dachem (*zwł. nie dającym się opuszczać*).

hard up *a. pred. pot.* **1.** spłukany (= *bez pieniędzy*). **2. be ~ for sth** cierpieć na brak czegoś.

hard upon *prep.* = **hard on.**

hardware ['hɑ:rdˌwer] *n. U* **1.** towary żelazne. **2.** narzędzia (*do domu l. ogrodu*). **3.** *komp.* hardware, sprzęt komputerowy, oprzyrządowanie. **4.** *wojsk.* ciężkie uzbrojenie. **5.** *pot.* broń (*palna*).

hardware store *n. US, Can. i Austr.* sklep żelazny, sklep z towarami żelaznymi.

hard-wearing [ˌhɑ:rd'werɪŋ] *a. Br.* nie do zdarcia, wytrzymały (*o odzieży, butach*).

hard wheat *n. U bot., roln.* pszenica szklista *l.* twarda (*Tricitum durum*).

hard-wired [ˌhɑːrd'waɪrd] *a. el.* z wbudowanym konstrukcyjnie układem sterowania *l.* programowania.

hardwood ['hɑːrdˌwʊd] *n.* **1.** *U* twarde drewno (*np. dębowe, jesionowe l. brzozowe*). **2.** drzewo, z którego uzyskuje się twarde drewno.

hard-working [ˌhɑːrd'wɝːkɪŋ] *a.* pracowity; pilny.

hardy[1] ['hɑːrdɪ] *a.* **-ier, -iest** **1.** wytrzymały, odporny. **2.** śmiały, odważny. **3.** *uj.* ryzykancki. **4.** *zwł. sport* wytrzymałościowy; siłowy. **5.** *bot.* zimnotrwały, mrozoodporny; **half ~** wymagający ochrony tylko w zimie.

hardy[2] *n. pl.* **-ies** przecinak (*osadzany w kowadle*).

hardy annual *n.* **1.** *bot.* ogrodowa roślina jednoroczna. **2.** *bot.* samosiejka. **3.** *przen.* temat powracający co roku (*zwł. w debatach parlamentarnych l. na łamach prasy*).

hardy perennial *n.* **1.** *bot.* roślina wieloletnia. **2.** *przen.* dyżurny temat.

hare [her] *n.* **1.** *pl.* **hare** *l.* **-s** *zool.* zając (*Lepus*). **2.** *przen.* **(as) mad as a March ~** *zob.* **mad** *a.*; **make a ~ of sb** *Ir. pot.* rozłożyć kogoś na łopatki (= *pokonać*); **run with the ~ and hunt with the hounds** *Br. przest.* (świecić) Panu Bogu świeczkę, a diabłu ogarek; **start a ~** *Br. przest.* poruszyć nowy temat. – *v.* **~ off/away** *Br. pot.* biec co sił w nogach.

hare and hounds *n. U* podchody (*zabawa*).

harebell ['herˌbel] *n. bot.* dzwonek okrągłolistny (*Campanula rotundifolia*).

hare-brained ['herˌbreɪnd], **harebrained** *a.* **1.** narwany, postrzelony. **2.** niedorzeczny.

hare coursing *n. U Br. sport* wyścigi (chartów) za zającem.

harelip ['herˌlɪp] *n. U i sing. pat.* zajęcza warga.

harelipped ['herˌlɪpt] *a. pat.* z zajęczą wargą.

harem ['herəm], **hareem** [hɑː'riːm] *n. t. przen.* harem.

harem pants *n. pl.* szarawary (*damskie*).

hare's-ear [ˌherz'iːr] *n. U bot.* **1.** przewiercień (*Bupleurum*). **2.** pszonak (*Erysimum*).

hare's-foot [ˌherz'fʊt] *n. U Br. bot.* koniczyna polna (*Trifolium arvense*).

harewood ['herˌwʊd] *n. U* drewno z jaworu (*do wyrobu mebli l. klepki podłogowej*).

haricot ['herəˌkoʊ] *n.* **1.** (*także* **~ bean**) *kulin.* fasola zwykła (*suszona; bot. = Phaseolus vulgaris*). **2.** *C / U gł. US kulin.* potrawka (*zwł. barania*).

hark [hɑːrk] *v.* **1.** *zw. imp.* (*także* **hearken, harken**) *arch. l. lit.* słuchać uważnie (*to sb* kogoś); **~!** słuchaj!; **~ at him/her!** *Br. żart.* posłuchajcie go/jej tylko! (*sugerując, że ktoś mówi głupstwa*). **2.** **~ back to sth** *form.* nawiązywać *l.* nawracać do czegoś.

harken ['hɑːrkən] *v. US* = **hearken**.

harl [hɑːrl] *n. gł. Scot. U* paździerze (*lnu, konopi*).

harlequin ['hɑːrləkwɪn] *n.* **1.** (*także* **H~**) *teatr* arlekin. **2.** *przen.* błazen, pajac.

harlequinade [ˌhɑːrləkwɪ'neɪd] *n.* **1.** *hist.* arlekinada. **2.** *przen.* błazeństwa, błaznowanie.

harlequin duck *n. zool.* kaczka kamieniuszka (*Histrionicus histrionicus*).

Harley Street ['hɑːrlɪ ˌstriːt] *n. U Br.* londyńska ulica, przy której mieszczą się gabinety wziętych lekarzy.

harlot ['hɑːrlət] *n. arch. l. lit.* nierządnica, ladacznica.

harlotry ['hɑːrlətrɪ] *n. U arch. l. lit.* nierząd.

harm [hɑːrm] *n. U* **1.** szkoda, krzywda; **come to no ~** (*także* **not come to any ~**) ujść cało; **do sb/sth ~** (*także* **do ~ to sb/sth**) szkodzić komuś/czemuś; **do more ~ than good** przynosić więcej szkody niż pożytku; **mean no ~** (*także* **not mean any ~**) nie mieć złych zamiarów; **out of ~'s way** w bezpiecznym miejscu; **there's no ~ in doing sth** (*także* **it does no ~ to do sth**) nie zaszkodzi coś zrobić; **where's the ~ in that?** *pot.* co w tym złego?. **2.** *gł. prawn.* uszkodzenie ciała, krzywda cielesna; *zob. t* **grievous bodily harm**. – *v.* **1.** szkodzić (*komuś l. czemuś*); **~ sb's reputation/image** zaszkodzić czyjejś reputacji/czyjemuś wizerunkowi; **it wouldn't ~ sb to do sth** *przen.* nic by się komuś nie stało, gdyby coś zrobił (= *ktoś powinien coś zrobić*). **2.** robić krzywdę (*komuś*), krzywdzić; **~ a hair of/on sb's head** *przen.* pozwolić, żeby komuś włos spadł z głowy. **3.** uszkadzać.

harmful ['hɑːrmfʊl] *a.* szkodliwy (*to sb / sth* dla kogoś/czegoś).

harmfully ['hɑːrmfʊlɪ] *adv.* szkodliwie.

harmfulness ['hɑːrmfʊlnəs] *n. U* szkodliwość.

harmless ['hɑːrmləs] *a.* **1.** nieszkodliwy. **2.** niewinny (*o żarcie, zabawie*).

harmlessly ['hɑːrmləslɪ] *adv.* **1.** nieszkodliwie. **2.** niewinnie (*żartować, bawić się*).

harmlessness ['hɑːrmləsnəs] *n. U* **1.** nieszkodliwość. **2.** niewinność.

harmonic [hɑːr'mɑːnɪk] *a.* **1.** *t. fiz., mat.* harmoniczny. **2.** harmonijny. – *n.* **1.** *muz.* ton harmoniczny, alikwot. **2.** *fiz.* składowa harmoniczna.

harmonica [hɑːr'mɑːnəkə] *n. muz.* **1.** harmonijka ustna, organki. **2.** = **glass harmonica**.

harmonically [hɑːr'mɑːnəklɪ] *adv.* **1.** harmonicznie. **2.** harmonijnie.

harmonic analysis *n. U fiz., mat.* analiza harmoniczna.

harmonic average *n.* = **harmonic mean**.

harmonic current *n. U el.* prąd sinusoidalny.

harmonic function *n. mat.* funkcja harmoniczna.

harmonic mean *n.* (*także* **harmonic average**) *mat.* średnia harmoniczna.

harmonic motion *n. U mech.* ruch harmoniczny.

harmonic progression *n. mat.* postęp harmoniczny.

harmonic ratio *n. mat.* stosunek harmoniczny.

harmonics [hɑːr'mɑːnɪks] *n. U muz.* **1.** *z czasownikiem w liczbie pojedynczej* harmonia (*na-

uka). **2.** *z czasownikiem w liczbie mnogiej* harmonika (= *zespół cech harmonicznych*).

harmonious [hɑːr'mounɪəs] *a. muz. l. przen.* harmonijny, zgodny.

harmoniously [hɑːr'mounɪəslɪ] *adv.* harmonijnie, zgodnie.

harmoniousness [hɑːr'mounɪəsnəs] *n. U* harmonijność, zgodność.

harmonist ['hɑːrmənɪst] *n.* **1.** (*także* **harmonizer**) *muz.* znaw-ca/czyni harmonii. **2.** badacz/ka równoległych tekstów (*zwł. ewangelii*).

harmonium [hɑːr'mounɪəm] *n. muz.* fisharmonia.

harmonization [ˌhɑːrmənə'zeɪʃən], *Br. i Austr. zw.* **harmonisation** *n. U* **1.** *t. muz.* harmonizacja. **2.** ujednolicenie.

harmonize ['hɑːrməˌnaɪz], *Br. i Austr. zw.* **harmonise** *v.* **1.** *t. muz.* harmonizować (*with sth* z czymś). **2.** *muz.* śpiewać harmonijnie; grać harmonijnie. **3.** ujednolicać.

harmonizer ['hɑːrməˌnaɪzər], *Br. i Austr. zw.* **harmoniser** *n.* **1.** *muz.* harmonizator. **2.** = **harmonist** 1.

harmony ['hɑːrmənɪ] *n.* **1.** *C/U muz.* harmonia; **sing in** ~ śpiewać na głosy. **2.** *U* zgoda, harmonia; **be in** ~ **with sth** *form.* harmonizować z czymś; **in** ~ w zgodzie, zgodnie; **work/live in perfect** ~ pracować/żyć w idealnej harmonii *l.* zgodzie. **3.** *pl.* **-ies** zestawienie równoległych tekstów (*zwł. ewangelii*).

harness ['hɑːrnɪs] *n.* **1.** uprząż; **single/double** ~ uprząż pojedyncza/podwójna. **2.** szelki (*dla dziecka*). **3.** (*także* **safety** ~) pas bezpieczeństwa (*np. do pracy na wysokościach*). **4.** *tk.* nicielnica. **5.** *el.* zespół przewodów. **6.** *hist.* zbroja. **7.** *przen.* **be back in** ~ *pot.* wrócić do pracy (*np. po urlopie*); **in** ~ wspólnie, razem, grupowo (*pracować*). – *v.* **1.** zaprzęgać (*to sth* do czegoś). **2.** *t. przen.* wykorzystywać (*np. siły przyrody*). **3.** *arch.* naładać zbroję (*komuś*); uzbrajać.

harness race *n. jeźdz.* wyścig sulek.

harp [hɑːrp] *n. muz.* harfa. – *v.* **1.** *muz.* grać na harfie. **2.** ~ **on** *pot.* przynudzać, truć (*about sth* o czymś).

harper ['hɑːrpər], **harpist** ['hɑːrpɪst] *n. muz.* harfist-a/ka (*w orkiestrze*); harfia-rz/rka (*zwł. wędrown-y/a*).

harpins ['hɑːrpɪnz], **harpings** ['hɑːrpɪŋz] *n. pl. żegl.* mocne poszycie dzioba.

harpist ['hɑːrpɪst] *n.* = **harper**.

harpoon [hɑːr'puːn] *n.* harpun. – *v.* ugodzić harpunem.

harpooner [hɑːr'puːnər], **harpooneer** *n.* harpunnik.

harpoon gun *n.* działo harpunnicze.

harpsichord ['hɑːrpsɪˌkɔːrd] *n. muz.* klawesyn.

harpsichordist ['hɑːrpsɪˌkɔːrdɪst] *n. muz.* klawesynist-a/ka.

harpy ['hɑːrpɪ] *n. pl.* **-ies** *mit. l. przen.* harpia.

harpy eagle *n. orn.* harpia amerykańska (*Harpia harpyja*).

harquebus ['hɑːrkwɪbəs], **arquebus** ['ɑːrkwɪbəs] *n. broń, hist.* hakownica, arkebuz.

harridan ['herɪdən] *n. przest.* wiedźma, jędza, czarownica.

harrier[1] ['herɪər] *n.* **1.** łupieżca, rabuś. **2.** *orn.* błotniak (*Circus*).

harrier[2] *n.* **1.** *myśl.* pies do polowania na zające. **2.** *sport* biegacz uprawiający biegi przełajowe.

harrier hawk *n. orn.* gadożer, krótkoszpon (*Circaetus gallicus*).

harrow[1] ['herou] *n. roln.* brona. – *v.* **1.** *roln.* bronować. **2.** *przen.* dręczyć, gnębić.

harrow[2] *v. arch.* = **harry** 2.

harrowed ['heroud] *a.* udręczony, przerażony (*o spojrzeniu, wyrazie twarzy*).

harrowing ['herouɪŋ] *a.* przerażający, wstrząsający, koszmarny.

harry ['herɪ] *v.* **-ied, -ying 1.** gnębić, dręczyć, nękać. **2.** (*także arch. t.* **harrow**) pustoszyć, łupić (*zwł. miasto w czasie wojny*).

harsh [hɑːrʃ] *a.* **1.** surowy, srogi (*o karze, krytyce, klimacie*). **2.** ostry, przenikliwy (*o dźwięku, kolorze, świetle*). **3.** żrący (*o środkach chemicznych*).

harshly ['hɑːrʃlɪ] *adv.* **1.** surowo. **2.** ostro.

harshness ['hɑːrʃnəs] *n. U* **1.** surowość. **2.** ostrość.

harslet ['hɑːrslət] *n.* = **haslet**.

hart [hɑːrt] *n. pl.* **-s** *l.* **hart** *zwł. Br.* samiec jelenia (*zwł. pięcioletni i starszy*).

hartebeest ['hɑːrtəˌbiːst], **hartbeest** ['hɑːrtˌbiːst] *n. pl.* **-beest** *l.* **-beests** *zool.* bawolec (*rodzaj Alcelaphus*).

hartshorn ['hɑːrtsˌhɔːrn] *n. U* **1.** róg jeleni (*substancja*). **2.** *arch.* woda amoniakalna.

hart's-tongue ['hɑːrtsˌtʌŋ] *n. U bot.* języcznik zwyczajny (*Phyllitis scolopendrium*).

harum-scarum [ˌherəm'skerəm] *przest. adv. tylko po v.* jak szalony; na łeb na szyję. – *a.* postrzelony, narwany. – *n.* postrzeleniec, narwaniec.

harvest ['hɑːrvɪst] *n. C/U* **1.** *roln.* żniwa; zbiory, plony; **bumper** ~ rekordowe zbiory *l.* plony. **2.** *przen.* żniwo, plon; **reap a** ~ zbierać żniwo. – *v. t. przen.* zbierać (plony).

harvester ['hɑːrvɪstər] *n.* **1.** żniwia-rz/rka. **2.** *mech.* kombajn.

harvest festival *n. zwł. Br. kośc.* dziękczynienie za dobre zbiory.

harvest home *n. U* dożynki, święto plonów.

harvestman ['hɑːrvɪstmən] *n. pl.* **-men 1.** *US i Can. ent.* kosarz (*Opilio*). **2.** *hist.* żniwiarz (*zwł. wynajmujący się sezonowo do pracy*).

harvest moon *n. sing. astron.* pełnia księżyca najbliższa równonocy jesiennej.

harvest mouse *n. pl.* **harvest mice** *zool.* badylarka (*Micromys minutus*).

has [hæz; həz] *v. zob.* **have**.

has-been ['hæzˌbɪn] *n. pl.* **-s** *pot.* osoba należąca do przeszłości; **he's a** ~ jego czas już minął, on należy już do przeszłości.

hash[1] [hæʃ] *n.* **1.** *C/U gł. US kulin.* mięso siekane zasmażane *l.* zapiekane z cebulą, ziemniakami itp. **2.** *przen.* bigos, mieszanina, bałagan; **make a** ~ **of sth** *pot.* spartaczyć coś; zawalić coś;

settle sb's ~ *pot.* rozprawić się z kimś, załatwić kogoś; uciszyć kogoś. **3.** (*także* ~ **mark**) symbol #. **4.** *komp.* hasz, tablica asocjacyjna. – *v.* **1.** *kulin.* siekać. **2.** *komp.* haszować, wyszukiwać za pomocą klucza. **3.** ~ **out/over** *zwł. US pot.* rozpracować (*problem; zw. na drodze burzliwej dyskusji*); ~ **up** *pot.* spartaczyć; zawalić.

hash² *n. U sl.* hasz (= *haszysz*).

hash browns *n. gł. US kulin.* smażone ziemniaki w plasterkach.

hash house *n. gł. US pot.* tania knajpa.

hashish [ˈhæʃiːʃ], **hasheesh, hasheesh** *n. U* haszysz.

hash mark *n.* = **hash** *n.* 3.

Hasid [ˈhæsɪd] *n.* = **Chassid**.

haslet [ˈheɪzlət], **harslet** *n. U kulin.* wędlina z podrobów wieprzowych.

hasn't [ˈhæzənt] *v.* = **has not**; *zob.* **have**.

hasp [hæsp] *n.* wrzeciądz. – *v. arch.* zamykać na wrzeciądz.

Hassid [ˈhæsɪd] *n.* = **Chassid**.

hassle [ˈhæsl] *n. pot.* **1.** *C/U* kłopot, zawracanie głowy, zamieszanie. **2.** *US* kłótnia, awantura. – *v. pot.* **1.** zawracać głowę (*komuś*). **2.** *US* kłócić się.

hassock [ˈhæsək] *n.* **1.** *kośc.* poduszka do klęczenia. **2.** *US* puf (*do siedzenia l. jako podnóżek*). **3.** kępa trawy.

hast [hæst] *v. poet. l. arch.* 2 osoba liczby pojedynczej czasu teraźniejszego od „have".

hastate [ˈhæsteɪt] *a. bot.* strzałkowaty (*o kształcie liścia*).

haste [heɪst] *n. U* pośpiech; **in ~** w pośpiechu; **in her ~, she forgot her keys** tak się spieszyła, że zapomniała kluczy; **make ~** *przest.* spieszyć się; **more ~ less speed** *Br.* co nagle, to po diable; **with ~** pospiesznie. – *v. poet.* = **hasten**.

hasten [ˈheɪsən] *v. form.* **1.** przyspieszać. **2.** ponaglać, popędzać. **3.** spieszyć (się) (*somewhere* dokądś); **~ to do sth** pospieszyć ze zrobieniem czegoś; **I ~ to add** spieszę dodać, od razu dodam.

hastily [ˈheɪstɪlɪ] *adv.* pospiesznie; pochopnie.

hastiness [ˈheɪstɪnəs] *n. U* pospieszność; pochopność.

hasty [ˈheɪstɪ] *a.* **-ier, -iest 1.** pospieszny; szybki, prędki. **2.** pochopny, nagły. **3.** porywczy, popędliwy.

hasty pudding *n. U kulin.* zacierka.

hat [hæt] *n.* **1.** kapelusz; nakrycie głowy; czapka; **derby ~** (*także Br.* **bowler ~**) melonik; **felt/straw ~** kapelusz filcowy/słomkowy; **opera ~** szapoklak; **top/high/chimney-pot ~** cylinder. **2.** *przen.* **~ in hand** pokornie; **~s off!** czapki z głów!; **at the drop of a ~** *zob.* **drop** *n.*; **be talking through one's ~** *pot.* pleść głupstwa; **hang one's ~** zadomowić się; **hang one's ~ on sth** uzależniać swoją decyzję od czegoś; **hang up one's ~** *pot.* przejść na emeryturę; **I'll eat my ~ if...** *pot. zob.* **eat** *v.*; **keep sth under one's ~** *pot.* trzymać coś w tajemnicy *l.* sekrecie; **knock/beat sb/sth into a cocked ~** *zob.* **cocked hat**; **my ~!** *Br. przest.* a to (ci) dopiero!; **old ~** *pot.* stary i niemodny; **out of a ~** z kapelusza (= *jak w czarnej magii; t. = przypadkowo*); **pass/send the ~ (around)** urządzić zbiórkę, zrzucić się (*zwł. na prezent dla kogoś*); **take one's ~ off to sb** *pot.* chylić czoło przed kimś; **throw/toss one's ~ in** zgłosić swoją kandydaturę (*np. w wyborach*); **wear more than one ~** pełnić jednocześnie kilka funkcji; **wearing one's parent's/teacher's/manager's ~** jako rodzic/nauczyciel/dyrektor. – *v.* **-tt-** *rzad.* zakładać kapelusz (*komuś*).

hatable [ˈheɪtəbl], **hateable** *a.* nienawistny; nieznośny, wstrętny.

hatband [ˈhætˌbænd] *n.* wstążka *l.* opaska u kapelusza.

hatbox [ˈhætˌbɑːks] *n.* pudło na kapelusze.

hatch¹ [hætʃ] *v.* **1.** ~ **(out)** wylęgać *l.* wykluwać się. **2.** wysiadywać (*pisklęta*); siedzieć na (*jajkach*). **3.** pękać (*o jajku, z którego wykluwa się pisklę*). **4.** ~ **(up)** *przen.* obmyślić, wykoncypować (*plan*); uknuć (*spisek*). – *n.* **1.** wylęganie, wykluwanie. **2.** wysiadywanie. **3.** wykłute pisklęta, wyląg.

hatch² *n.* **1.** (*także* **hatchway**) *t. żegl. lotn.* luk, właz; **booby ~** pokrywa luku. **2.** *wojsk.* właz (*czołgowy, okrętowy*); **escape ~** właz ewakuacyjny *l.* ratunkowy. **3.** (*także* **serving ~**) okienko (*do wydawania posiłków*). **4.** dolna część podzielonych drzwi. **5.** śluza. **6. batten down the ~es** *zob.* **batten** *v.*; **down the ~!** *pot.* no to siup! (*przed wypiciem drinka*); **under (the) ~es** pod pokładem; *przen.* schowany, niewidoczny.

hatch³ *v.* (*także* **crosshatch**) *rysunek* kreskować *l.* cieniować w kratkę.

hatchback [ˈhætʃbæk] *n. mot.* hatchback.

hatchel [ˈhætʃl] *n.* = **heckle** *n.* – *v.* = **heckle** *v.* 2.

hatchery [ˈhætʃərɪ] *n. pl.* **-ies** wylęgarnia (*drobiu, ryb*).

hatchet [ˈhætʃɪt] *n.* **1.** toporek, siekierka. **2.** *przen.* **bury the ~** zakopać topór wojenny; **do a ~ job on sb/sth** *pot.* nie zostawić na kimś/czymś suchej nitki (= *skrytykować, zwł. niesłusznie, w prasie, telewizji itp.*).

hatchet-faced [ˈhætʃɪtˌfeɪst] *a.* o ostrych rysach.

hatchet man *n. pl.* **hatchet men** *pot.* facet od czarnej roboty (*zwł. przeprowadzający niepopularne zmiany w organizacji*).

hatching [ˈhætʃɪŋ] *n.* (*także* **crosshatching**) *U* kreskowanie, cieniowanie.

hatchment [ˈhætʃmənt] *n. her.* tablica herbowa zmarłego (*zawieszana na jego domu, a później w kościele*).

hatchway [ˈhætʃˌweɪ] *n. żegl.* = **hatch²** *n.* 1.

hate [heɪt] *v.* nienawidzić; nie cierpieć, nie znosić (*kogoś l. czegoś*); **~ doing sth** (*także* **~ to do sth**) bardzo niechętnie coś robić; **~ sb's guts** *zob.* **gut** *n.*; **I ~ people telling me what to do** nienawidzę, jak mi się mówi, co mam robić; **I ~ to ask/interrupt** proszę wybaczyć, że pytam/przeszkadzam; **I ~ to say this, but...** przykro mi to mówić, ale...; **I ~ to think what/how...** boję się myśleć, co/jak...; **I'd ~ you to think (that)...** bardzo bym nie chciała, żebyś myślał, że... – *n.* **1.** *U* nienawiść. **2. (pet) ~** *pot.* (najbardziej) znienawidzona osoba; (najbardziej) znienawidzona rzecz.

hateable [ˈheɪtəbl] *a.* = **hatable.**

hated [ˈheɪtɪd] *a.* znienawidzony.

hateful [ˈheɪtful] *a. przest.* **1.** nienawistny; pełen nienawiści. **2.** okropny.

hatefully [ˈheɪtfulɪ] *adv.* nienawistnie; z nienawiścią.

hatefulness [ˈheɪtfulnəs] *n. U* nienawiść.

hate mail *n. U* listy z pogróżkami.

hath [hæθ] *v. arch. l. dial.* = **has.**

hatless [ˈhætləs] *a.* bez kapelusza, z gołą *l.* odkrytą głową.

hatpin [ˈhætˌpɪn] *n.* szpilka do kapelusza.

hatred [ˈheɪtrɪd] *n. U* nienawiść (*of/towards sb* w stosunku do kogoś).

hatter [ˈhætər] *n.* **1.** kapelusznik; modystka. **2. (as) mad as a ~** *zob.* **mad** *a.*

hat tree, *Br.* **hat stand** *n.* wieszak stojący.

hat trick *n. zwł. piłka nożna* trzy punkty zdobyte podczas meczu przez jednego zawodnika.

haubergeon [ˈhɔːbərdʒən] *n.* = **habergeon.**

hauberk [ˈhɔːbɝːk] *n. zbroja, hist.* kolczuga.

haugh [hɑː] *n. płn. Br. dial.* żuława.

haughtily [ˈhɔːtɪlɪ] *adv.* wyniośle.

haughtiness [ˈhɔːtɪnəs] *n. U* wyniosłość.

haughty [ˈhɔːtɪ] *a.* **-ier, -iest** wyniosły, pyszny; hardy.

haul [hɔːl] *v.* **1.** ciągnąć, wlec. **2.** holować. **3.** przewozić, transportować (*zwł. ciężarówką*). **4.** *żegl.* zmieniać kurs; wyostrzać; **~ on/onto the wind** wyostrzać na wiatr. **5.** zmieniać się (*o wietrze*). **6.** *przen.* **~ ass** *US pot.* spieprzać (*out of somewhere* skądś); **~ sb over the coals** *pot.* zjechać kogoś (= *zbesztać*). **7. ~ down** opuszczać (*flagę, żagiel*); **~ down the flag/colors** *przen. pot.* przyznać się do porażki; **~ in** wciągać; **~ in one's horns** *przen. pot.* przystopować, spuścić z tonu; **~ off** *US i Can. żegl.* zmieniać kurs, lawirować; *pot.* zamierzyć się (*do ciosu*); **~ off and hit/punch sb** *US i Can. pot.* przywalić komuś; **~ out** wyciągać; **~ up** wyciągać (*z wysiłkiem*); *żegl.* iść ostro na wiatr; *żegl.* zatrzymać się; **~ o.s. up (from sth)** (*także* **~ o.s. out (of sth)**) wygramolić się (z czegoś); *przen.* podnieść się (z czegoś) (*np. z upodlenia, nędzy*); **be ~ed up** *przen. pot.* zostać zmuszonym do stawienia się (*in front of/before sb* przed kimś) (*zwł. przed sądem*). – *n. zw. sing.* **1.** wleczenie, ciągnięcie; **give a ~ (on the rope)** pociągnąć (za sznur). **2.** holowanie. **3.** *ryb.* połów (*jednorazowy*). **4.** zdobycz; łup (*z kradzieży*); przechwycona kontrabanda (*broni, narkotyków*). **5.** odległość, na którą się coś przewozi; przebyta droga; **five-mile ~** przewóz *l.* transport na odległość pięciu mil; **long/short ~** długa/krótka droga *l.* podróż (*zwł. samolotem*); **it was a long/slow ~** to się ciągnęło *l.* wlekło w nieskończoność.

haulage [ˈhɔːlɪdʒ] *n. U* **1.** przewóz, transport. **2.** opłata za przewóz.

haulage contractor *n. Br.* przedsiębiorca transportowy, przewoźnik.

hauler [ˈhɔːlər], *Br.* **haulier** [ˈhɔːljər] *n.* **1.** przewoźnik. **2.** *górn.* górnik odpowiedzialny za transport węgla (*wewnątrz kopalni*). **3.** kołowrót linowy (*np. do wyciągania połowu ryb*).

haulm [hɔːm], **halm** *n.* **1.** *U* łodygi (*np. fasoli, ziemniaków*); nać, łęty. **2.** łodyga.

haunch [hɔːntʃ] *n.* **1.** *zw. pl. anat.* pośladek i górna część uda; **sit/squat on one's ~es** siedzieć w kucki. **2.** *kulin.* udziec, comber (*sarni itp.*). **3.** *bud.* pacha sklepienia.

haunt [hɔːnt] *v.* **1.** nawiedzać (*o duchach*), straszyć w (*domu itp.*). **2.** nie dawać spokoju (*komuś*), prześladować, nękać. **3.** bywać w (*np. lokalu, nocnym klubie*), odwiedzać. **4.** przestawać z (*kimś*). – *n.* **1.** często odwiedzane miejsce; **sb's favorite ~** (*także* **favorite ~ of sb**) czyjeś ulubione miejsce, ulubione miejsce czyichś spotkań. **2.** żerowisko (*dzikich zwierząt*).

haunted [ˈhɔːntɪd] *a.* **1. ~ house/place** dom/miejsce, w którym straszy. **2.** udręczony, znękany (*o wyrazie twarzy, spojrzeniu*).

haunting [ˈhɔːntɪŋ] *a.* zapadający w pamięć (*np. o melodii, widoku*), niedający spokoju (*np. o wspomnieniu*).

hauntingly [ˈhɔːntɪŋlɪ] *adv.* w sposób niedający spokoju, natrętnie.

hautboy [ˈhoubɔɪ] *n. muz. arch.* obój.

haute couture [ˌout kuˈtuər] *n. U moda* haute couture.

haute cuisine [ˌout kwɪˈziːn] *n. U* wykwintna kuchnia (*zwł. francuska*).

hauteur [houˈtɝː] *n. U form.* wyniosłość.

Havana [həˈvænə] *n.* **1.** *geogr.* Hawana. **2.** (*także* **~ cigar**) hawana (*cygaro*).

have [hæv; həv] *v. 3 os. sing.* **has** [hæz] *pret. i pp.* **had** [hæd] *neg.* **have not = haven't** [ˈhævənt], **has not = hasn't** [ˈhæzənt], **had not = hadn't** [ˈhædənt] **1.** *czasownik posiłkowy* **~ come/gone** przybyć/odejść; **by the time we arrived they had already gone** zanim przyszliśmy, oni już poszli; **having seen him, she left** (*także* **when she had seen him, she left**) zobaczywszy go *l.* kiedy go zobaczyła, wyszła; **you might ~ forgotten about this** mogłeś o tym zapomnieć; (*z przeczeniem*) **I ~n't been feeling well for a long time** nie czuję się dobrze już od dłuższego czasu; (*w pytaniach*) **~ you finished?** skończyłeś?; **~n't you noticed?** nie zauważyłaś?; (*w pytaniach dodanych*) **you've done it, ~n't you?** zrobiłeś to, prawda?; (*w trybie warunkowym*) **if I had known** (*także form.* **had I known**) gdybym (był) wiedział; **I would ~ called her if it hadn't been so late** zadzwoniłabym do niej, gdyby nie było tak późno; (*w zastępstwie poprzedzającego czasownika*) **"H~ you (got) enough money?" "Yes, I ~."/"No, I ~n't."** *zwł. Br.* „Czy masz dosyć pieniędzy?" „Owszem, mam."/„Nie, nie mam."; **"I've been here before." "H~ you?"** „Już tu kiedyś byłam." „Naprawdę?"; **"We ~n't seen this movie." "Yes we ~!"** „Nie widzieliśmy tego filmu." „Ależ tak!"; **"You've made a mistake." "No I ~n't."/"So I ~."** „Pomyliłeś się." „Wcale nie."/„Rzeczywiście.". **2.** (*także Br. i Austr.* **~ got**) mieć; **do you ~ a computer?** (*także Br. i Austr.* **~ you (got) a computer?**) czy masz komputer? **she has (got) blue eyes** ona ma niebieskie oczy. **3.** mieć, dostać; **~ a cold** być przeziębionym; ~ **a good time** dobrze się bawić, miło spędzać czas; ~ **a flu** mieć grypę; **he has had it** *pot.* dostało mu się; **let sb ~ it** *pot.* dać komuś nauczkę, pokazać komuś; **you can ~ it for 5 dollars** możesz to mieć *l.* dostać za 5 dolarów. **4.** ~ **(got) to (do sth)** musieć (coś zrobić); **I ~ to say/admit/confess (that)...** muszę powiedzieć/przyznać/wyznać, że...; **you don't ~ to (do this)** nie musisz (tego robić). **5.** kazać; ~ **sth done** kazać coś zrobić, dać coś do zrobienia; ~ **him come here at two** każ mu tutaj przyjść o drugiej; ~ **one's hair cut** (dać sobie) obciąć włosy; **I must ~ this letter translated** muszę dać ten list do przetłumaczenia. **6.** sprawiać; ~ **sb doing sth** sprawić, że ktoś coś robi; **she had them laughing** sprawiła, że się śmiali, rozśmieszyła ich. **7. he had his arm broken** złamał (sobie) rękę; **she had her purse stolen** skradziono jej torebkę. **8.** pozwalać na, godzić się na; przyjmować do wiadomości; **I won't ~ it!** nie pozwolę na to!; **I won't ~ you disturbing us all the time** nie pozwolę, żebyś nam ciągle przeszkadzał; **they weren't having any (of it)** *pot.* zdecydowanie odmówili; **we kept telling her, but she wouldn't ~ it** powtarzaliśmy jej, ale nie przyjmowała tego do wiadomości. **9.** jeść; pić; ~ **a drink** napić się; ~ **breakfast/supper/a sandwich** zjeść śniadanie/kolację/kanapkę. **10.** mieć, rodzić; ~ **twins** mieć *l.* urodzić bliźniaki; **she had two children by her second husband** miała dwoje dzieci z drugim mężem; **we're going to ~ a baby** będziemy mieli dziecko. **11.** *zw. pass. pot.* nabrać, wykiwać; **we've been had** *pot.* daliśmy się nabrać *l.* wykiwać. **12.** zapraszać, podejmować (*gości*); **we had friends over/round for dinner** mieliśmy przyjaciół na obiedzie. **13.** *form.* utrzymywać, twierdzić; **as the author has it** jak twierdzi autor, według autora; **rumour has it (that)...** plotka głosi *l.* wieść niesie, że... **14.** *form.* znać (*język*); ~ **no French** nie znać francuskiego. **15.** wziąć, zamówić (*w restauracji*); **I'll ~ fish** wezmę rybę. **16.** przyjmować, akceptować; **he wants to marry her, if she will ~ him** chce się z nią ożenić, jeśli ona go zechce. **17.** mieć, posiąść (*kogoś*). **18. you'd better go** lepiej już idź; **you'd better not phone her** lepiej do niej nie dzwoń. **19. sb had rather/ sooner do sth/not do sth** ktoś wolałby coś zrobić/czegoś nie robić. **20.** ~ **an accident/operation** mieć wypadek/operację; ~ **a bath/shower** brać kąpiel/prysznic; ~ **a bearing/an effect** mieć wpływ (*on sb / sth* na kogoś/coś); ~ **a flair/gift for sth** mieć talent *l.* smykałkę do czegoś; ~ **a go/shot/try at sth** *pot.* spróbować czegoś; ~ **a liking for sth** lubić coś, gustować w czymś; ~ **a look** spojrzeć, popatrzeć (*at sb / sth* na kogoś/coś); ~ **a nice day!** *pot.* miłego dnia!; ~ **a rest** odpocząć; ~ **a right to sth** mieć prawo do czegoś; ~ **a say/voice in sth** mieć coś do powiedzenia w jakiejś sprawie; ~ **a shock** doznać szoku; ~ **a sleep** przespać się; ~ **a smoke** zapalić sobie; ~ **a soft/weak spot for sb** *pot.* mieć słabość do kogoś; ~ **a swim** popływać (sobie); ~ **a walk** przespacerować *l.* przejść się; ~ **a weakness for sth** mieć słabość do czegoś. **21.** ~ **done with sth** skończyć z czymś; ~ **faith in sb/sth** *zob.* **faith**; ~ **had it** *pot.* być bez szans; być skończonym; wyjść z mody; mieć dosyć (*with sth* czegoś); ~ **(got) it in one** mieć talent; ~ **pity on sb** *zob.* **pity** *n.*; ~ **sb/sth to o.s.** mieć kogoś/coś (wyłącznie) dla siebie; ~ **sth against sb** mieć coś przeciwko komuś; ~ **sth in mind** mieć coś na myśli, zamierzać coś; ~ **sth on good authority** *zob.* **authority**; ~ **the chance/ opportunity/honor to do/of doing sth** mieć szansę/okazję/zaszczyt coś zrobić/zrobienia czegoś; ~ **the patience/good sense to do sth** mieć dość cierpliwości/zdrowego rozsądku, żeby coś zrobić; ~ **what it takes** mieć warunki *l.* predyspozycje; **(and) what ~ you** *Br. pot.* (i) co tylko, (i) Bóg wie co jeszcze; **he had it coming (to him)** *zob.* **come** *v.*; **I ~ it!** mam! (= *już wiem; zgadłem*); **I ~ you there** *pot.* i tu cię mam; **I'll ~ nothing to do with it** nie chcę mieć z tym nic wspólnego; **we've never had it so good** nigdy nie mieliśmy tak dobrze. **22.** ~ **at** *arch.* rzucić się na (*przeciwnika, zwł. w szermierce*); ~ **it away with sb** *Br. sl.* = **have it off with sb**; ~ **sb back** przyjąć kogoś z powrotem; ~ **(sb) by (the throat)** trzymać (kogoś) za (gardło); ~ **sb down** zapraszać kogoś do domu; ~ **sth down cold/pat** *zob.* **down1** *adv.*; ~ **sb in** wzywać kogoś (*np. hydraulika*); zapraszać kogoś do domu; ~ **sth in** mieć zapas czegoś, być (dobrze) zaopatrzonym w coś; ~ **it in for sb** *pot.* uwziąć się na kogoś, mieć coś do kogoś; ~ **sth off** nie mieć czegoś na sobie; ~ **a day off** mieć wolny dzień; ~ **it off with sb** *Br. i Austr. sl.* pieprzyć się z kimś; ~ **sth on** mieć coś na sobie; mieć coś włączone (*np. radio*); ~ **sth on one** mieć coś przy sobie; ~ **sth on sb** mieć coś na kogoś (*zwł. obciążające dowody*); ~ **nothing on sb/sth** *pot.* nie umywać się do kogoś/czegoś, nie dorastać komuś/czemuś do pięt; ~ **you anything on tomorrow?** czy masz coś jutro w planie?; **I ~ too much on already** i tak mam już za dużo na głowie; **be having sb on** *zwł. Br. pot.* nabierać kogoś; ~ **sth out** wyciągać coś; ~ **a tooth/one's tonsils out** dać sobie wyrwać ząb/usunąć migdałki; ~ **it out with sb** *pot.* rozmówić się z kimś; ~ **sb up** *Br. pot.* zaciągnąć kogoś do sądu. – *n. zw. pl.* **the ~s and the ~-nots** bogaci i biedni (*w danym społeczeństwie*).

havelock [ˈhævlɑːk] *n.* kawałek jasnej tkaniny spadający z czapki wojskowej na kark (*dla ochrony przed słońcem*).

haven [ˈheɪvən] *n.* **1.** *żegl. l. przen.* przystań, schronienie, azyl. **2.** *żegl.* wejście (*do portu l. przystani*). – *v.* wprowadzać do przystani (*statek*).

have-not [ˈhævˌnɑːt] *n. zw. pl. zob.* **have** *n.*

haven't [ˈhævənt] *v.* = **have not**; *zob.* **have**.

haversack [ˈhævərˌsæk] *n.* chlebak.

havoc [ˈhævək] *n. U* spustoszenie, zniszczenie; chaos, zamęt; **cause/create ~** czynić spustoszenia; **cry ~** *arch.* dawać hasło do plądrowania; **play ~ with sth** (*także* **wreak ~ on sth**) siać spustoszenie w czymś *l.* wśród czegoś; wprowadzać zamęt w czymś. – *v.* **-ck-** *arch.* pustoszyć, dewastować.

haw1 [hɔː] *n. bot.* jagoda głogu.

haw2 *n. zool.* migotka (= *trzecia powieka u konia, psa itp.*); błona mrużna.

haw3 *v. zob.* **hum.**
haw4 *int.* wio! wiśta! (*do konia*). – *v.* skręcać w lewo (*o koniu itp.*).
Haw. *abbr.* = **Hawaii.**
Hawaii [hə'wɑːiː] *n. pl. geogr.* Hawaje.
Hawaiian [hə'waɪən] *n.* **1.** Hawaj-czyk/ka. **2.** *U* (język) hawajski. – *a.* hawajski.
hawfinch ['hɔːˌfɪntʃ] *n. orn.* grubodziób (*Coccothraustes coccothraustes*).
haw-haw1 ['hɔːˌhɔː] *int.* = **ha-ha1.**
haw-haw2 *n.* = **ha-ha2.**
hawk1 [hɔːk] *n.* **1.** *orn. t. przen.* jastrząb (*Accipiter*). **2.** *polit.* zwolenni-k/czka rozwiązań siłowych. **3.** *przen.* **have eyes like a ~** mieć sokoli wzrok; **know a ~ from a handsaw** znać się na rzeczy; **watch sb like a ~** obserwować kogoś bardzo uważnie. – *v.* **1.** *myśl.* polować z jastrzębiami *l.* sokołami. **2. ~ at sb/sth** rzucać się na kogoś/coś (*o ptaku drapieżnym; t. przen. o osobie*).
hawk2 *v.* **~ goods** prowadzić handel domokrążny.
hawk3 *v.* **1.** chrząkać (*głośno*), odchrząkiwać. **2.** odchrząkiwać, odkrztuszać (*flegmę*). – *n.* głośne chrząknięcie.
hawk4 *n.* packa murarska.
hawkbill ['hɔːkˌbɪl] *n.* = **hawksbill.**
hawkbit ['hɔːkˌbɪt] *n. bot.* brodawnik (*Leontodon*).
hawker1 ['hɔːkər] *n.* domokrążca.
hawker2 *n. myśl.* myśliwy polujący z jastrzębiami; sokolnik.
hawk-eyed ['hɔːkˌaɪd] *a.* mający sokoli wzrok.
hawking ['hɔːkɪŋ] *n. U myśl.* polowanie z jastrzębiami *l.* sokołami.
Hawking radiation *n. U fiz.* promieniowanie Hawkinga (*emitowane przez czarną dziurę*).
hawkish ['hɔːkɪʃ] *a.* **1.** jastrzębi. **2.** *polit.* preferujący rozwiązania siłowe.
hawk moth, hawkmoth *n. ent.* zawisak (*Sphinx*).
hawk owl *n. orn.* sowa jarzębata (*Surnia ulula*).
hawk's-beard ['hɔːksˌbiːrd] *n. bot.* pępawa (*Crepis*).
hawksbill ['hɔːksˌbɪl], **hawk'sbill, hawk's-bill** *n. zool.* żółw szylkretowy (*Eretmochelys imbricata*).
hawkweed ['hɔːkˌwiːd] *n. U bot.* jastrzębiec (*Hieracium*).
hawse [hɔːz] *n. żegl.* **1.** część dziobu, w której znajdują się kluzy kotwiczne. **2.** (*także* **~ hole**) kluza kotwiczna. **3.** przestrzeń pomiędzy dziobem statku a miejscem rzuconej kotwicy. **4.** położenie lin cumowniczych przy rzuconych obu przednich kotwicach.
hawser ['hɔːzər] *n. żegl.* lina okrętowa (*cumownicza l. holownicza*).
hawthorn ['hɔːˌθɔːrn] *n. C/U bot.* głóg (*Crataegus*).
hay [heɪ] *n. U* **1.** siano. **2.** *przen.* **a roll in the ~** *pot.* numerek (= *stosunek*); **hit the ~** *sl.* uderzyć w kimono, iść do wyra; **make ~ of sth** narobić bałaganu w czymś; **make ~ while the sun shines** kuć żelazo póki gorące; **that ain't ~** *US sl.* to kupa siana *l.* forsy. – *v.* **1.** suszyć na siano (*trawę, koniczynę*). **2.** kosić siano. **3.** karmić sianem (*zwierzęta*).
hay baler *n. roln.* prasa do siana.
haycock ['heɪˌkɑːk] *n.* kopa siana.
hay fever *n. U pat.* katar sienny.
hayfork ['heɪˌfɔːrk] *n. roln.* widły do siana.
hay loft *n.* stryszek na siano (*w stodole*).
haymaker ['heɪˌmeɪkər] *n.* **1.** osoba grabiąca i susząca siano. **2.** (*także* **hay conditioner**) *roln.* suszarka do siana. **3.** *boks sl.* cios zwalający z nóg.
haymaking ['heɪˌmeɪkɪŋ] *n. U roln.* koszenie i suszenie traw na siano.
haymow ['heɪˌmaʊ] *n.* **1.** stóg siana. **2.** miejsce na siano w stodole.
hayrack ['heɪˌræk] *n.* **1.** krata na siano. **2.** *US* wóz drabiniasty.
hayrick ['heɪˌrɪk] *n.* stóg siana.
hayseed ['heɪˌsiːd] *n.* **1.** *U* nasiona trawy (*zwł. wytrzepane z siana*); plewy z siana. **2.** *US i Can. pot. pog.* wieśniak, prostak.
haystack ['heɪˌstæk] *n.* stóg siana; **like looking for a needle in a ~** *przen.* jak szukanie igły w stogu siana.
haywire ['heɪˌwaɪr] *a. pred. pot.* zwariowany; poplątany, pomieszany; **go ~** fiksować (*np. o komputerze*); brać w łeb (*o planach*).
hazard ['hæzərd] *n.* **1.** zagrożenie, niebezpieczeństwo; ryzyko; **be a ~ to sth** stanowić zagrożenie dla czegoś; **fire/health ~** zagrożenie pożarowe/dla zdrowia; **occupational ~** ryzyko zawodowe. **2.** *U poet.* przypadek, traf; **laws of ~** prawa przypadku. **3.** *golf* przeszkoda na polu (*np. bunkier l. strumyk*). **4.** *U* rodzaj gry w kości ze skomplikowanymi zasadami. **5.** *tenis* wygrywające otwarcie. **6. losing/winning ~** *bilard* punkt stracony/zdobyty. – *v.* **1.** ryzykować; **~ a guess that...** zaryzykować twierdzenie, że...; **~ that...** *form.* liczyć na to, że... **2.** narażać na niebezpieczeństwo.
hazard lights *n. pl.* (*także* **hazard warning lights**) *mot.* światła awaryjne.
hazardous ['hæzərdəs] *a.* **1.** niebezpieczny (*np. o rejonie, substancji*); ryzykowny (*np. o przedsięwzięciu, operacji*). **2.** przypadkowy, zależny od szczęścia.
hazardously ['hæzərdəslɪ] *adv.* niebezpiecznie; ryzykownie.
hazardousness ['hæzərdəsnəs] *n. U* niebezpieczeństwo, zagrożenie; ryzyko.
hazardous waste *n. U* niebezpieczne odpady.
hazard pay *n. U US* dodatek za pracę w niebezpiecznych warunkach.
haze1 [heɪz] *n. U l. sing.* **1.** *meteor.* mgiełka, zamglenie. **2.** opary (*of sth* czegoś) (*np. dymu*). **3.** *przen.* otumanienie, zaćmienie (*umysłu*). – *v.* **~ (over)** zajść mgiełką, zamglić się; okryć mgiełką.
haze2 *v.* **1.** *US i Can. gł. uniw., szkoln.* dokuczać (*młodszym studentom, nowym uczniom; zwł. w ceremonii inicjacji, przyjmowania do klubu itp.*). **2.** *żegl.* zamęczać pracą.
hazel ['heɪzl] *n.* **1.** *bot.* leszczyna (*Corylus avellana*); *U* leszczyna (*drewno*). **2.** = **hazelnut.**

3. witka leszczynowa. 4. *U* kolor orzechowy *l.* piwny (*zwł. oczu*). – *a.* orzechowy, piwny (*o kolorze, zwł. oczu*).

hazel grouse *n. orn.* jarząbek (*Bonasia bonasia*).

hazelnut [ˈheɪzlˌnʌt] *n.* orzech laskowy.

hazer [ˈheɪzər] *n. US i Can. gł. uniw., szkoln.* osoba dokuczająca młodszemu *l.* nowemu koledze.

hazily [ˈheɪzɪlɪ] *adv. t. przen.* mgliście.

haziness [ˈheɪzɪnəs] *n. U t. przen.* mglistość.

hazy [ˈheɪzɪ] *a.* **-ier, -iest** 1. mglisty, zamglony. 2. *przen.* mglisty, niejasny; **be ~ about sth** mieć mgliste pojęcie o czymś.

HB [ˌeɪtʃ ˈbiː] *abbr. zwł. Br.* 1. = **hard black.** 2. *hotelarstwo* = **half board.**

Hb. *abbr. med.* = **hemoglobin.**

HBM [ˌeɪtʃ ˌbiː ˈem] *abbr. Br.* = **His/Her Britannic Majesty.**

H-bomb [ˈeɪtʃˌbɑːm] *n.* bomba wodorowa.

HC *abbr.* 1. *Br. parl.* = **House of Commons.** 2. *rel.* = **Holy Communion.** 3. *chem.* = **hydrocarbon.**

h.c. *abbr. uniw.* = **honoris causa.**

hd. *abbr.* 1. = **hand.** 2. = **head.**

HDD [ˌeɪtʃ ˌdiː ˈdiː] *abbr. komp.* = **hard disk drive.**

hdqrs. *abbr. t. wojsk.* = **headquarters.**

HDTV [ˌeɪtʃ ˌdiː ˌtiː ˈviː] *abbr.* = **high definition television.**

hdw., hdwe. *abbr.* = **hardware.**

HE *abbr.* 1. = **His/Her Excellency.** 2. = **His Eminence.** 3. = **high explosive.**

he[1] [hiː] *pron.* on; **~ who...** *form.* ten, kto...; **here ~ is** oto (i) on. – *n.* mężczyzna; *zw. w złoż.* samiec; **~-goat** kozioł; **~-man** *żart.* muskularny mężczyzna; **is it a ~ or a she?** czy to mężczyzna czy kobieta?; czy to chłopiec czy dziewczynka?; czy to samiec czy samica?.

he[2] *int.* **~ ~** (*także* **hee hee**) *t. iron.* chi, chi.

head [hed] *n.* 1. głowa (*t. przen.* = *umysł*); łeb; **~s up!** *US pot.* uwaga na głowy! (*zwł. kiedy coś spada z góry*); **crowned ~s** koronowane głowy; **hang one's ~** *zob.* **hang** *v.*; **nod one's ~** skinąć *l.* kiwnąć głową; **shake one's ~** kręcić *l.* potrząsać głową; **taller by a ~** wyższy o głowę; **win by a ~** wygrać o długość głowy *l.* o głowę. 2. szef/owa; dyrektor/ka; przewodniczący/a; przywódca/czyni (*of sth* czegoś). 3. górna część, górny koniec; góra; szczyt (*masztu, schodów*); **at the ~ of the page** u góry strony; **sit at the ~ of a table** siedzieć u szczytu stołu. 4. wierzchołek (*drzewa, pędu*); korona (*drzewa*). 5. czoło, przód (*np. pochodu, kolejki, armii*); **at the ~** na czele (*of sth* czegoś). 6. łepek (*gwoździa, szpilki*); główka (*narzędzia, kapusty, nuty*); *muz.* główka (*smyczka, gitary*). 7. *gł. pl.* reszka; **~s or tails?** orzeł czy reszka?. 8. piana (*na piwie*). 9. *mech.* głowica. 10. przykrycie, buda, dach (*powozu*). 11. pokrywa (*np. beczki*). 12. sztuka, głowa; **ten ~ of cattle** dziesięć sztuk bydła; **5 dollars a/per ~** (po) 5 dolarów na głowę. 13. pogłowie (*zwł. dzikich zwierząt*). 14. nagłówek, tytuł (*książki, rozdziału*). 15. ciśnienie; **~ of water/steam** ciśnienie wody/pary (*zwł. w zamkniętym naczyniu*); **pressure ~** ciśnienie słupa cieczy. 16. spad; różnica poziomów. 17. przylądek. 18. przyczółek. 19. źródło (*rzeki*). 20. ujście (*np. rzeki do jeziora*). 21. *sl.* ćpun/ka (*zwł. zażywający LSD l. marihuanę*). 22. *anat.* głowa mięśnia. 23. skóra, membrana (*bębna*). 24. *żegl.* przód statku, dziób; **(down) by the ~** przegłębiony na dziób. 25. *żegl.* róg fałowy, lik górny (*przy żaglu gaflowym*). 26. *górn.* czoło wyrobiska, przodek. 27. *Br. myśl.* rogi jelenia. 28. *żegl. sl.* ustęp (*dla marynarzy na przedzie statku*). 29. = **headline.** 30. = **printhead.** 31. *przen.* **~s will roll!** potoczą się *l.* polecą głowy!; **bad/sore ~** *Br. pot.* ból głowy; **bang one's ~ against a brick wall** *zob.* **bang**[1] *v.*; **be ~ and shoulders above the rest/others** bić innych na głowę (*np. inteligencją*); **be ~ over heels (in love)** być zakochanym po uszy (*with sb* w kimś); **bear/keep ~ against sth** opierać *l.* przeciwstawiać się czemuś; **beat sb by a ~** bić kogoś na głowę (= *przewyższać*); **be hanging over sb's ~** wisieć nad czyjąś głową; **be out of one's ~** *pot.* nie wiedzieć, co się dzieje (*zwł. pod wpływem alkoholu l. narkotyków*); (*także* **be off one's ~**) *Br. pot.* mieć nie po kolei w głowie; **be over one's ~ in debt** *US* tkwić po uszy w długach; **be promoted over the ~ of sb** dostać awans z pominięciem kogoś; **bite/snap sb's ~ off** warczeć na kogoś; **bring sth to a ~** doprowadzić coś do momentu rozstrzygającego; **bury one's ~ in the sand** *zob.* **bury**; **by the ~ and ears** gwałtownie, brutalnie (*np. rzucić, szarpnąć*); **can't get sth out of one's ~** nie móc przestać o czymś myśleć; **can't make ~ or/nor tail of sth** nie móc się w czymś połapać; **clear/cool ~** trzeźwy umysł; **come into sb's ~** przyjść komuś do głowy; **come to a ~** osiągnąć punkt krytyczny; dojrzeć (*np. o spisku*); **dragged in by the ~ and ears/shoulders** wyciągnięty ni stąd, ni zowąd (*o argumencie w dyskusji*); **from ~ to foot/toe** od stóp do głów; **get one's ~ down** *Br. pot.* przyłożyć głowę do poduszki (= *przespać się*); skupić się na pracy; **get one's ~ together** skupić się, zebrać myśli; **get sth into one's/sb ~** uświadomić coś sobie/komuś; **give a horse its ~** puścić konia luzem; **give sb ~** *wulg. sl.* obciągać komuś laskę; **give sb their ~** dać komuś wolną rękę; **go ~ to ~** *US* rozmówić się twarzą w twarz *l.* na osobności; **go over sb's ~** pomijać kogoś (*np. przy awansie*); (*także* **be above sb's ~**) być zbyt trudnym dla kogoś; **go to sb's ~** iść *l.* uderzać komuś do głowy (*o alkoholu, sukcesie*); **have a ~ for figures/business** mieć głowę do liczb/interesów; **have a big/swollen ~** *pot.* zadzierać nosa; **have a good/fine ~ of hair** *zob.* **hair**; **have a strong ~** mieć mocną głowę; **have no ~ for heights** mieć lęk wysokości; **have one's ~ in the clouds** *zob.* **cloud** *n.*; **have one's ~ screwed on (straight)** (*także* **have a good ~ on one's shoulders**) *pot.* mieć głowę na karku; **hold one's ~ high** (*także* **hold up one's ~**) nosić głowę wysoko, trzymać głowę wysoko podniesioną; **hold/put a gun/pistol to sb's ~** przystawić komuś pistolet do głowy; **I could do it (standing) on my ~** *pot.* zrobiłbym to z palcem w nosie (= *z łatwością*); **keep one's ~** nie tracić głowy; **keep**

one's ~ above water ledwo utrzymywać się na powierzchni *l.* wiązać koniec z końcem; **knock sth on the ~** *pot.* położyć czemuś kres; zniweczyć coś; **laugh one's ~ off** *pot.* śmiać się do rozpuku; **let's put our ~s together** zastanówmy się wspólnie; **lose one's ~** tracić głowę; **make ~ against sb/sth** skutecznie stawiać czoło komuś/czemuś; **need one's ~ examined** *pot.* mieć nie po kolei w głowie; **never enter sb's ~** nigdy nie przyjść komuś do głowy; **not be right in the ~** nie być przy zdrowych zmysłach; **not bother/trouble sb's ~ about sth** nie zawracać komuś czymś głowy; **off the top of one's ~** *pot.* z głowy, bez namysłu, na poczekaniu; **on your own ~ be it!** *pot.* na twoją odpowiedzialność!; **over ~ and ears** *Br.* po uszy (*zakochany, w długach*); **over sb's ~** bez czyjejś wiedzy; **put one's ~ on the block** kusić los; **put sth into sb's ~** wbijać *l.* kłaść coś komuś do głowy; **put sth out of one's/sb's ~** wybić sobie/komuś coś z głowy; **put/stick one's ~ above the parapet** *Br. pot.* wychylić się (= *zrobić l. powiedzieć coś ryzykownego*); **shout/scream one's ~ off** *pot.* wydzierać się wniebogłosy; **take it into one's ~ to do sth** ubzdurać sobie, że się coś zrobi; **talk sb's ~ off** *żart.* zanudzać kogoś gadaniem; **turn (people's) ~s** zwracać *l.* przyciągać uwagę; **turn sb's ~** zawrócić komuś w głowie (*o osobie*); przewrócić komuś w głowie, uderzyć komuś do głowy (*o sukcesie*); **turn/stand sth on its ~** stawiać coś na głowie; **two ~s are better than one** co dwie głowy, to nie jedna; **use your ~!** rusz głową! – *a. attr.* główny; czołowy. – *v.* **1.** kierować się, zmierzać, zdążać (*for / toward sth* do/w kierunku czegoś); **~ back/home** zmierzać z powrotem/do domu; **~ north/south** zmierzać na północ/południe; **be ~ed for sth** (*także gł. Br.* **be ~ing for sth**) być na prostej drodze do czegoś (*np. do katastrofy*). **2.** *t. przen.* stać na czele (*pochodu, organizacji*); otwierać (*np. listę*); kierować (*firmą, szkołą*), prowadzić. **3.** *zw. pass.* opatrywać nagłówkiem, tytułować. **4. ~ (down)** *ogr.* ścinać (*główki roślin, czubki drzew*). **5.** zwijać się w główkę (*o roślinie*). **6.** *piłka nożna* odbijać głową. **7.** wypływać, brać swój początek (*in sth* z czegoś) (*o rzece*). **8. ~ off** udawać się w innym kierunku; **~ sb off** przeciąć komuś drogę; **~ sth off** zapobiec czemuś, zażegnać coś.

headache [ˈhedˌeɪk] *n.* **1.** ból głowy. **2.** *pot.* utrapienie, kłopot.

headachy [ˈhedˌeɪkɪ] *a.* **1.** cierpiący na ból głowy. **2.** przyprawiający o ból głowy.

headage [ˈhedɪdʒ] *n. U* pogłowie (*zwierząt*).

headband [ˈhedˌbænd] *n.* **1.** opaska na głowę. **2.** *druk.* pasek ozdobny (*u góry stronicy l. na początku rozdziału*). **3.** *introl.* kapitałka (= *pasek płócienny u góry i u dołu okładki*).

headbanger [ˈhedˌbæŋər] *n. muz. pot.* heavymetalowiec.

headbanging [ˈhedˌbæŋɪŋ] *n. U* **1.** gwałtowne potrząsanie głową (*zwł. w rytm muzyki heavymetalowej*). **2.** *pat.* uderzanie głową (*np. przez chorych umysłowo*).

headboard [ˈhedˌbɔːrd] *n.* **1.** deska *l.* rama szczytowa (*zwł. łóżka*). **2.** *żegl.* głowa żagla.

head boy *n. Br. szkoln.* przewodniczący samorządu szkolnego.

headbutt [ˈhedˌbʌt], **head-butt** *n.* cios głową. – *v.* zadać cios głową (*komuś*).

headcase [ˈhedˌkeɪs] *n. pot.* świrus/ka.

headcheese [ˈhedˌtʃiːz] *n. U US i Can. kulin.* salceson.

head cold *n. C / U* katar.

head count *n.* **do a ~** liczyć obecnych.

headdress [ˈhedˌdres] *n.* przybranie głowy (*np. pióropusz*); stroik.

headed [ˈhedɪd] *a.* **1.** *w złoż.* **red/gray-~** rudo/siwowłosy; **two-~** dwugłowy. **2.** *bot.* zwinięty w główkę (*o roślinie*). **3.** z nagłówkiem (*np. o papierze listowym*).

header [ˈhedər] *n.* **1.** *piłka nożna* główka. **2.** *pływanie* skok na główkę; **take a ~** skoczyć na główkę. **3.** *gł. komp.* nagłówek (*strony*). **4.** *bud.* cegła wiążąca, główka. **5.** maszyna do nakładania łepków (*np. na gwoździe*); osoba obsługująca maszynę jw. **6.** *roln.* część żniwna kombajnu zbożowego. **7.** rura rozgałęźna.

headfast [ˈhedfɑːst] *n. żegl.* lina *l.* łańcuch na dziobie statku (*do cumowania*).

headfirst [ˌhedˈfɜːst] *a. i adv.* **1.** głową naprzód *l.* do przodu. **2.** na główkę (*skakać*). **3.** *przen.* na łeb na szyję.

headgear [ˈhedˌgiːr] *n. U* **1.** nakrycie głowy. **2.** *jeźdz.* ogłów (*uprzęży*).

head girl *n. Br. szkoln.* przewodnicząca samorządu szkolnego.

headguard [ˈhedˌgɑːrd] *n. sport* kask ochronny.

head-hunter [ˈhedˌhʌntər] *n.* **1.** łowca głów. **2.** *przen.* łowca talentów.

headhunting [ˈhedˌhʌntɪŋ] *n. U* **1.** ścinanie i przechowywanie głów wrogów (*jako praktyka plemienna*). **2.** *przen.* wyszukiwanie i rekrutacja pracowników szczebla kierowniczego.

heading [ˈhedɪŋ] *n.* **1.** tytuł, nagłówek; **under the heading...** pod tytułem... **2.** ustęp, fragment (*przemówienia, eseju*). **3.** *lotn.* kurs. **4.** *górn.* przekop; chodnik. **5.** wylot (*tunelu*).

headlamp [ˈhedˌlæmp] *n. Br.* = **headlight**.

headland [ˈhedlənd] *n. geogr.* **1.** przylądek, cypel. **2.** *roln.* poprzeczniak, uwrocie (= *niezaorany skraj pola*).

headless [ˈhedləs] *a. t. przen.* bez głowy.

headlight [ˈhedˌlaɪt], *Br.* **headlamp** *n.* **1.** *mot.* reflektor, światło główne. **2.** *kol.* latarnia przednia.

headline [ˈhedˌlaɪn] *n.* **1.** nagłówek, tytuł. **2.** *druk.* pagina. **3.** *żegl.* cuma dziobowa. **4.** *pl.* **the ~s** *telew.* skrót (najważniejszych) wiadomości; **hit/make the ~s** *pot.* dostać się *l.* trafić na pierwsze strony gazet. – *v.* **1.** zaopatrywać w nagłówek. **2.** *US* być gwiazdą *l.* główną atrakcją (*wieczoru, przedstawienia*).

headliner [ˈhedˌlaɪnər] *n.* **1.** *US* gwiazda, główna atrakcja (*wieczoru, przedstawienia*). **2.** *dzienn.* autor/ka nagłówków.

headlock [ˈhedˌlɑːk] *n. gł. zapasy* ujęcie głowy pod ramię.

headlong [ˈhedˌlɔːŋ] *adv.* **1.** głową naprzód *l.*

do przodu. **2.** na łeb, na szyję. **3.** na oślep, bez namysłu. – *a. attr.* pośpieszny, gwałtowny.

head-louse ['hed,laʊs] *n. pl.* **-lice** *ent.* wesz głowowa (*Pediculus capitis*).

headman ['hedmən] *n. pl.* **-men** przywódca, lider; naczelnik; przodownik.

headmaster [,hed'mæstər] *n. gł. Br. szkoln.* dyrektor.

headmistress [,hed'mɪstrɪs] *n. gł. Br. szkoln.* dyrektorka.

headmoney ['hed,mʌnɪ] *n. U* **1.** pogłówne. **2.** nagroda za dostarczenie głowy *l.* osoby.

headmost ['hed,moʊst] *a. arch.* najbardziej wysunięty do przodu.

head office *n.* centrala, siedziba główna (*firmy*).

head of state *n. pl.* **-s of state** *polit.* głowa państwa.

head-on [,hed'ɑːn] *a. attr.* **1.** czołowy (*np. o zderzeniu*). **2.** wprost, zdecydowany (*o podejściu, konfrontacji*). – *adv.* **1.** czołowo. **2.** wprost, zdecydowanie; nie stosując uników.

headphones ['hed,foʊnz] *n. pl.* słuchawki.

headpiece ['hed,piːs] *n.* **1.** ochronne nakrycie głowy (*zwł. hełm, kask*). **2.** *druk.* winieta tytułowa. **3.** *arch.* głowa, rozum.

headquarter ['hed,kwɔːrtər] *v. zw. pass. gł. US pot.* ustanawiać punkt dowodzenia w (*czymś*), uczynić siedzibę główną *l.* centralę z (*czegoś*).

headquarters ['hed,kwɔːrtərz] *n. pl.* **headquarters 1.** (*także* **HQ**) *wojsk.* kwatera główna, punkt dowodzenia. **2.** centrala, siedziba główna.

headrace ['hed,reɪs] *n.* kanał transportujący wodę do koła młyńskiego *l.* turbiny.

headrail ['hed,reɪl] *n.* **1.** *żegl.* poręcz. **2.** *bilard* banda (*po stronie linii końcowej*).

headreach ['hed,riːtʃ] *n. U żegl.* zysk w kierunku na wiatr (*przy zwrocie przez dziób*).

head register *n. muz.* = **head voice.**

head resistance *n. U lotn.* opór czołowy.

headrest ['hed,rest] *n.* zagłówek; podgłówek.

headroom ['hed,ruːm] *n. U* (*także* **headway**) wysokość prześwitu; wolna przestrzeń nad głową (*zwł. w samochodzie*).

headsail ['hed,seɪl] *n. żegl.* żagiel dziobowy.

headscarf ['hed,skɑːrf] *n. pl.* **-scarves** chustka na głowę.

headset ['hed,set] *n.* słuchawki (*często z dołączonym mikrofonem*).

headship ['hed,ʃɪp] *n. U* **1.** stanowisko przywódcy *l.* naczelnika. **2.** *gł. Br.* stanowisko dyrektora szkoły.

headshrinker ['hed,ʃrɪŋkər] *n.* **1.** *gł. US przest. pot. pog.* psychiatra, psychoanalityk. **2.** *hist.* łowca głów (*suszący głowy*).

headsman ['hedzmən] *n. pl.* **-men 1.** kat. **2.** *Br.* kapitan statku wielorybniczego.

head-splitting ['hed,splɪtɪŋ] *a.* rozdzierający uszy (*o hałasie*).

headspring ['hed,sprɪŋ] *n. t. przen.* źródło.

headsquare ['hed,skwer] *n.* = **headscarf.**

headstall ['hed,stɔːl] *n. jeźdz.* kantar (*uzdy*).

headstand ['hed,stænd] *n. gimnastyka* stanie na głowie.

head start *n.* **1.** *sport* przewaga na starcie. **2.** *przen.* przewaga; **give sb a ~** dawać komuś fory, zapewniać komuś przewagę.

headstay ['hed,steɪ] *n. żegl.* topforsztag, topsztag.

headstock ['hed,stɑːk] *n. mech.* łożysko części obracających się; część podtrzymująca.

headstone ['hed,stoʊn], **head stone** *n.* **1.** kamień nagrobny, płyta nagrobna, nagrobek. **2.** *bud.* = **keystone** 1.

headstream ['hed,striːm] *n.* rzeka dająca początek większej rzece.

headstrong ['hed,strɔːŋ] *a.* uparty.

headstrongly ['hed,strɔːŋlɪ] *adv.* uparcie.

headstrongness ['hed,strɔːŋnəs] *n. U* upór.

heads-up [,hedz'ʌp] *n. US pot.* ostrzeżenie (*zwł. przed piłką l. spadającym z góry przedmiotem*).

heads-up display, *t. Br.* **head-up display** *n. lotn.* wskaźnik wyświetlany na wiatrochronie, wskaźnik refleksyjny.

head table *n. US* główny stół (*na przyjęciu, weselu*).

head teacher *n. Br. szkoln.* dyrektor/ka.

head voice, head register *n. sing. muz.* rejestr głowowy; falset.

headwaiter [,hed'weɪtər] *n.* kierowni-k/czka sali (*w restauracji*).

head wall *n. geol.* stroma ściana doliny.

headwaters ['hed,wɔːtərz] *n. pl.* górne dopływy (*rzeki, strumienia*).

headway ['hed,weɪ] *n. U* **1.** postęp; **make ~** robić postępy, posuwać się naprzód (*in / with sth* w czymś). **2.** ruch naprzód *l.* do przodu. **3.** różnica w czasie *l.* odległości (*np. pomiędzy dwoma pociągami jadącymi w tym samym kierunku*). **4.** = **headroom.**

headwind ['hed,wɪnd] *n. żegl., lotn.* wiatr przeciwny.

headword ['hed,wɝːd] *n.* wyraz hasłowy (*w słowniku, encyklopedii*).

headwork ['hed,wɝːk] *n. U* **1.** praca umysłowa. **2.** *bud.* ornament na zworniku łuku.

heady ['hedɪ] *a. zw. attr.* **-ier, -iest 1.** idący *l.* uderzający do głowy, odurzający (*o alkoholu, zapachu*). **2.** ekscytujący, podniecający; oszałamiający. **3.** gwałtowny, porywczy.

heal [hiːl] *v.* **1.** *t. przen.* uzdrawiać. **2.** ~ **(over/up)** goić się (*o ranie, oparzeniu*). **3.** wyzdrowieć. **4.** leczyć; **~ sb of sth** wyleczyć kogoś z czegoś.

healable ['hiːləbl] *a. rzad.* uleczalny.

heal-all ['hiːl,ɔːl] *n.* **1.** uniwersalne lekarstwo, panaceum. **2.** (*także* **selfheal**) *bot.* głowienka pospolita (*Prunella vulgaris*).

healer ['hiːlər] *n.* uzdrowiciel/ka, uzdrawiacz.

health [helθ] *n. U* **1.** *t. przen.* zdrowie; **be a picture of ~** być okazem zdrowia; **drink (to) sb's ~** pić (za) czyjeś zdrowie; **he didn't come here for his ~** nie przyszedł tu bez powodu; **in bad ~** niezdrów; **in good ~** cieszący się dobrym zdrowiem; **lose one's ~** stracić zdrowie; **officer of ~** = **health officer; your (good) ~!** pańskie *l.* twoje zdrowie! **2.** *ekon.* kondycja; **financial ~ of a company** kondycja finansowa przedsiębiorstwa. – *a. attr.* **1.** zdrowy. **2.** zdrowotny.

health and safety *n. U* bezpieczeństwo i higiena pracy.

health camp *n. NZ* kolonie zdrowotne (*dla dzieci*).

health care *n. U* opieka zdrowotna.

health care assistant *n. Br.* pomoc medyczna (*osoba*).

health centre *Br. n.* ośrodek zdrowia.

health certificate *n.* świadectwo zdrowia.

health club *n.* siłownia.

health education *n. U* oświata zdrowotna.

health farm *n. Br.* = **health spa.**

health food *n. U* zdrowa żywność.

healthful ['helθful] *a. gł. US* zdrowy, dobroczynny (*np. o klimacie*).

health hazard *n.* zagrożenie dla zdrowia.

healthily ['helθɪlɪ] *adv.* zdrowo.

healthiness ['helθɪnəs] *n. U* **1.** *t. przen.* zdrowie. **2.** zdrowotność, kondycja zdrowotna.

health insurance *n. U* ubezpieczenie zdrowotne.

health officer *n.* lekarz urzędowy.

health protection *n. U* ochrona zdrowia.

health resort *n.* uzdrowisko, kurort.

health salt *n. zw. pl.* sól lecznicza.

health screening *n. U med.* badania przesiewowe.

health service *n. U* służba zdrowia; **the (National) H~ Service** *Br.* (państwowa) służba zdrowia.

health spa, *Br.* **health farm** *n.* dom uzdrowiskowy, sanatorium (*zwł. na wsi*).

health visitor *n.* pielęgniarka środowiskowa.

healthy ['helθɪ] *a.* **-ier, -iest 1.** *t. przen.* zdrowy (*t. o apetycie, gospodarce*). **2.** dobry *l.* wskazany dla zdrowia. **3.** zdroworozsądkowy. **4.** *pot.* znaczący, pokaźny (*np. o zysku, sumie*).

heap [hi:p] *n.* **1.** stos, sterta. **2.** *pl. pot. zob.* **heaps** *n.* **3.** *żart. pot.* gruchot, kupa złomu (*zw. o samochodzie*). **4.** *przen.* **at the top/bottom of the ~** u szczytu/dołu drabiny społecznej; **fall/collapse in a ~** osunąć się na ziemię (*i leżeć bez ruchu*); **strike/knock sb all of a ~** *Br. przest. pot.* spaść na kogoś jak grom z jasnego nieba. – *v.* **1. ~ (up/together)** układać w stos; usypać stos z (*czegoś*). **2.** *zw. pass.* ładować na (*talerz*); **my plate was ~ed with food** miałem na talerzu górę jedzenia. **3.** obładowywać (*sb with sth* kogoś czymś). **4.** gromadzić (*w dużych ilościach*). **5. ~ praises/insults on sb** *przen.* obsypywać kogoś pochwałami/obelgami.

heaping ['hi:pɪŋ], *Br.* **heaped** *a. attr.* kopiasty (*o łyżce*).

heaps ['hi:ps] *n. pot.* (cała) masa, kupa; **~ of time/room/money** kupa czasu/miejsca/pieniędzy. – *adv. pot.* o wiele, dużo; **~ bigger** o wiele większy; **I'm ~ better** mam się dużo lepiej.

hear [hi:r] *v. pret. i pp.* **heard 1.** słyszeć; **~ sb doing sth** słyszeć, jak ktoś coś robi; **can you ~ me?** słyszysz mnie?; **I can't ~ you** nie słyszę cię; **I ~d her leave** słyszałem, jak wychodziła; **I ~d/could ~ sb knocking** usłyszałem, że ktoś puka. **2.** słuchać (*t. rozprawy, powoda*); wysłuchać (*prośby, modlitwy*); **~ a case** *prawn.* rozpoznać sprawę; **~ mass** wysłuchać mszy; **you should at least ~ what I have to say** powinieneś przynajmniej wysłuchać, co mam do powiedzenia. **3.** dowiedzieć się, usłyszeć (*about / of sth* o czymś); **have you ~d what's happened?** słyszeliście, co się stało?; **I've ~d it said (that)...** (*także przest.* **I've ~d tell (that)...**) *przest.* mówiono mi *l.* słyszałem, że...; **I am glad/pleased to ~ (that)...** miło mi słyszeć, że... **4. sb ~d (about) sth on/through the grapevine** *zob.* **grapevine; so I've ~d** *pot.* słyszałem (o tym) (= *już wiem*); **where did you ~ about the job?** skąd się dowiedziałeś o tej pracy?. **5.** usłyszeć, otrzymać (*reprymendę, ostrzeżenie*). **6.** *przen.* **I ~ what you're saying, but...** rozumiem cię, ale...; **I can barely/hardly ~ myself think** nie słyszę własnych myśli; **I must be ~ing things** chyba się przesłyszałam; **I'll never ~ the end of it** będę tego wysłuchiwać do końca życia; **I've ~d that one before** *pot.* już to (kiedyś) słyszałem (*kiedy nie wierzymy w czyjąś wymówkę*); **I won't ~ of it** nie chcę (nawet) o tym słyszeć; **we haven't ~d the last of him** jeszcze o nim usłyszymy; **(do) you ~ me?** zrozumiano?; **you could ~ a pin drop** *Br.* cisza *l.* cicho, jak makiem zasiał; **~ from sb** mieć wiadomości od kogoś (*zwł. listowne l. telefoniczne*); *radio, telew.* posłuchać, co ktoś ma do powiedzenia, wysłuchać czyjejś opinii (*w programie dyskusyjnym*); **you'll be ~ing from my lawyer** skontaktuje się z Pan-em/ią mój prawnik; **~ of sb/sth** wiedzieć o kimś/czymś; **no one has ~d of him** nikt o nim nie słyszał, nikt o nim nic nie wie; **~ sb out** wysłuchać kogoś (*do końca*); **~ sth through** wysłuchać *l.* obejrzeć coś do końca (*np. koncert, przedstawienie*).

hearable ['hi:rəbl] *a.* słyszalny.

hearer ['hi:rər] *n.* słuchacz/ka.

hear, hear! ['hi:r 'hi:r] *int. zwł. Br. parl.* racja!, dobrze mówi!

hearing ['hi:rɪŋ] *n.* **1.** *U* słuch; **hard of ~** niedosłyszący; **out of ~** niesłyszalny; **say sth in/within sb's ~** powiedzieć coś przy kimś *l.* w czyjejś obecności. **2.** *prawn.* rozprawa. **3. give sb a (fair) ~** wysłuchać kogoś (bezstronnie).

hearing aid *n. med.* aparat słuchowy.

hearing dog, hearing-ear dog *n.* pies przewodnik dla osób głuchych.

hearing-impaired [ˌhi:rɪŋ ɪm'perd] *a. pat.* niedosłyszący; niesłyszący.

hearing loss *n. U pat.* utrata słuchu (*zw. częściowa*).

hearken ['hɑ:rkən], **harken** *v. arch. l. lit.* słuchać (*to sb / sth* kogoś/czegoś).

hearsay ['hi:rˌseɪ] *n. U* pogłoski.

hearsay evidence *n. U prawn.* dowody oparte na pogłoskach.

hearse [hɜ:s] *n.* karawan.

heart [hɑ:rt] *n.* **1.** *t. anat.* serce; **artificial ~** *med.* sztuczne serce; **bad/weak ~** słabe serce; **fatty ~** *pat.* otłuszczenie serca; **have a ~ condition** (*także* **have ~ trouble**) mieć zaburzenia sercowe *l.* problemy z sercem; **smoker's ~** *pat.* zaburzenia sercowe spowodowane paleniem. **2.** środkowa część (*np. sałaty, kapusty, karczocha*); rdzeń (*drzewa*). **3.** *voc.* kochanie, serduszko. **4.** *zw. pl. karty* kiery; **queen/jack of ~s** dama/walet kier. **5.** *zw. pl. karty* kierki. **6.** *C / U przen.* **~ and soul** *lit.* sercem i duszą, z całego serca (*np. kochać kogoś*); **~ to ~** szczerze; **affairs of the ~** sprawy sercowe; **a man/woman after my own ~** mężczyzna/kobieta o poglądach takich (samych), jak moje; **at ~** w głębi serca *l.* duszy (*być kimś*); **be all ~** być ucieleśnieniem dobroci; **be in good ~** *form.* być dobrej myśli; **break sb's ~** złamać komuś serce; **close/near/dear to sb's ~** bliski *l.* drogi czyjemuś sercu; **cross my ~ (and hope to die)!** *zob.* **cross** *v.*; **cry one's ~ out** *zob.* **cry** *v.*; **(deep) in one's ~** w głębi serca (*czuć coś*); **eat one's ~ out** *zob.* **eat**; **(can't) find it in one's ~ to do sth** *zob.* **find** *v.*; **from the bottom of one's ~** (*także* **straight from the ~**) prosto z serca, z głębi serca, od serca (*np. o życzeniach*); **get to the ~ of sth** dotrzeć do sedna czegoś; **give one's ~ to sb** oddać komuś swoje serce; **have a ~!** *pot.* miej serce!, zlituj *l.* zmiłuj się!; **have a ~ of gold/stone** mieć złote serce/serce z kamienia; **have everything one's ~ could desire** mieć wszystko, czego dusza zapragnie; **have no ~** nie mieć serca, być bez serca; **have sb's welfare/(best) interests at ~** mieć na względzie czyjeś dobro; **he's had a change of ~** *zob.* **change** *n.*; **in good ~** *roln.* w dobrym stanie, urodzajny (*o ziemi*); **in one's ~ of ~s** w głębi serca *l.* duszy (*myśleć, uważać*); **in the ~ of sth** w środku *l.* sercu czegoś; **it does my ~ good** *przest.* to cieszy moje serce; **(know/learn sth) by ~** (umieć coś/nauczyć się czegoś) na pamięć; **know the way to sb's ~** *żart.* znać drogę do czyjegoś serca; **lose ~** tracić odwagę *l.* ducha *l.* nadzieję; **lose one's ~ to sb** oddać komuś swoje serce; **my ~ bleeds for him/her** *iron.* strasznie mi go/jej żal; **my ~ goes out to you** sercem jestem z tobą; **my ~ sank** opuściła mnie odwaga; **my ~ was in my mouth** (*także Br. przest.* **my ~ was in my boots**) miałem duszę na ramieniu; **not have the ~ to do sth** nie mieć serca czegoś zrobić; **one's ~'s desire** czyjeś największe pragnienie; **open one's ~ to sb** (*także* **pour out one's ~ to sb**) otworzyć przed kimś swoje serce; **put one's ~ in sth** wkładać w coś (całe swoje) serce; **put one's hand on one's ~** *zob.* **hand** *n.*; **sb has a heavy ~** komuś jest ciężko na sercu; **sb's ~ is in the right place** *pot.* ktoś ma dobre intencje; **sb's ~ isn't in it** ktoś nie ma do czegoś serca; ktoś robi coś bez przekonania *l.* entuzjazmu; **sb's ~ leapt** *lit.* serce komuś mocniej zabiło (*ze szczęścia*); **sb's ~ skipped/missed a bit** serce komuś stanęło (*z podniecenia, strachu*); **set one's ~ on sth** (*także* **have one's ~ set on sth**) zapragnąć czegoś z całej duszy; **sick at ~** *lit.* nieszczęśliwy, przygnębiony; **steal sb's ~** *lit.* skraść czyjeś serce; **strike at the very ~ of sth** uderzyć w najczulszy punkt czegoś; **take ~** nabrać odwagi *l.* otuchy *l.* pewności siebie; **take sth to ~** wziąć sobie coś do serca; **take the ~ out of sb** pozbawić kogoś ducha; **the ~ of the matter** sedno sprawy, istota rzeczy; **to one's ~'s content** do woli; **wear one's ~ on/upon one's sleeve** nosić serce na dłoni; **win sb's ~** zdobyć *l.* podbić czyjeś serce; **(with) ~ and hand** całym sercem (= *entuzjastycznie*); **with a heavy ~** *lit.* z ciężkim sercem; **with all one's ~** całym sercem, z całego serca; **with half a ~** bez przekonania; **young at ~** młody duchem. – *v.* **1.** *ogr.* wiązać się w główki (*o warzywach*). **2.** *arch.* = **hearten**.

heartache [ˈhɑːrtˌeɪk] *n. C / U* rozpacz.

heart attack *n. pat.* atak serca, zawał; **have a ~** dostać zawału.

heartbeat [ˈhɑːrtˌbiːt] *n.* **1.** *fizj. U* bicie serca, tętno, puls; *sing.* uderzenie serca. **2.** *przen.* siła napędowa (*czegoś*). **3. in a ~** błyskawicznie, w okamgnieniu.

heart block *n. U pat.* zespół Adams-Stokesa.

heartbreak [ˈhɑːrtˌbreɪk] *n. U* rozpacz, zgryzota.

heartbreaker [ˈhɑːrtˌbreɪkər] *n.* osoba łamiąca serca.

heartbreaking [ˈhɑːrtˌbreɪkɪŋ] *a.* rozdzierający serce, bolesny.

heartbroken [ˈhɑːrtˌbroʊkən] *a.* załamany, zrozpaczony.

heartburn [ˈhɑːrtˌbɜːn] *n. U pat.* zgaga.

heartcherry [ˈhɑːrtˌtʃerɪ] *n. pl.* **-ies** *ogr.* czereśnia sercowata.

heart disease *n. C / U pat.* choroba serca.

hearted [ˈhɑːrtɪd] *a. w złoż. zob.* **cold-hearted**; *zob.* **good-hearted**; *zob.* **hard-hearted**; *zob.* **kind-hearted**; *zob.* **light-hearted**.

hearten [ˈhɑːrtən] *v. zw. pass.* dodawać otuchy (*komuś*); pokrzepiać, pocieszać; podnosić na duchu; rozweselać.

heartening [ˈhɑːrtənɪŋ] *a.* podnoszący na duchu, pocieszający.

heart failure *n. U pat.* **1.** zatrzymanie akcji serca. **2.** niewydolność serca.

heart-felt [ˈhɑːrtˌfelt] *a.* płynący z głębi serca, szczery (*np. o podziękowaniach*).

hearth [hɑːrθ] *n.* **1.** palenisko (*w kominku itp.*). **2.** *metal.* trzon, topnisko, dno (*pieca hutniczego*). **3. ~ (and home)** *lit.* ognisko domowe; życie rodzinne.

hearth rug *n.* dywanik przed kominkiem.

hearthside [ˈhɑːrθˌsaɪd] *n.* = **fireside**.

hearthstone [ˈhɑːrθˌstoʊn] *n.* **1.** płaski kamień tworzący palenisko. **2.** miękki kamień do czyszczenia. **3.** *rzad.* = **hearth** *n.* 1.

heartily [ˈhɑːrtɪlɪ] *adv.* **1.** serdecznie, szczerze (*np. śmiać się, gratulować*); **I'm ~ fed up with it** (*także* **I'm ~ sick of it**) *przest.* mam tego serdecznie *l.* szczerze dość. **2.** z całego serca, całym sercem (*np. popierać, zgadzać się*). **3.** z apetytem (*jeść*); ochoczo, z zapałem.

heartiness [ˈhɑːrtɪnəs] *n. U* **1.** serdeczność. **2.** zapał, entuzjazm. **3.** wigor.

heartland [ˈhɑːrtˌlænd] *n.* centrum (*kraju, regionu*).

heartless [ˈhɑːrtləs] *a.* bez serca, nieczuły.

heartlessly [ˈhɑːrtləslɪ] *adv.* bez serca, nieczule.

heartlessness [ˈhɑːrtləsnəs] *n. U* brak serca, nieczułość.

heart line *n.* linia serca (*na dłoni*).

heart-lung machine [ˌhɑːrtˈlʌŋ məˌʃiːn] *n. med.* (sztuczne) płucoserce.

heart murmur *n. pat.* szmer w sercu.

heart-piercing [ˈhɑːrtˌpiːrsɪŋ] *a.* przeszywający serce.

heart rate *n. fizj.* częstotliwość akcji serca, tętno.

heartrending [ˈhɑːrtˌrendɪŋ] *a.* rozdzierający serce.

heartrendingly [ˈhɑːrtˌrendɪŋlɪ] *adv.* w sposób rozdzierający serce.

heart sac, heart-sac *n. anat.* osierdzie.

heart-searching [ˈhɑːrtˌsɝːtʃɪŋ] *n. U* głębokie zastanowienie; drobiazgowe rozważanie. – *a.* sięgający w głąb duszy.

heartsease [ˈhɑːrtsˌiːz], **heart's-ease** *n. bot.* fiołek trójbarwny (*Viola tricolor*).

heart-shaped [ˈhɑːrtˌʃeɪpt] *a.* sercowaty, w kształcie serca.

heartsick [ˈhɑːrtˌsɪk] *a. lit.* zrozpaczony, bardzo nieszczęśliwy.

heartsickness [ˈhɑːrtˌsɪknəs] *n. U* rozpacz.

heart-smart [ˈhɑːrtˌsmɑːrt] *a. pot.* korzystny dla układu krążenia (*ze względu na niską zawartość tłuszczu; o jedzeniu, diecie*).

heartsome [ˈhɑːrtsəm] *a. gł. Scot.* **1.** podnoszący na duchu, krzepiący. **2.** wesoły, żywy.

heartsore [ˈhɑːrtˌsɔːr] *a. arch. l. lit.* strapiony.

heartstrings [ˈhɑːrtˌstrɪŋz] *n. pl. przen., często żart.* głębokie uczucia; **pluck/pull/tug/tear at sb's ~** brać kogoś za serce.

heartthrob [ˈhɑːrtˌθrɑːb] *n. pot.* idol (*zwł. piosenkarz l. aktor, w którym kochają się kobiety*).

heart-to-heart [ˌhɑːrttəˈhɑːrt] *a. zw. attr.* szczery. – *n.* szczera rozmowa; rozmowa w cztery oczy.

heart transplant *n. chir.* przeszczep serca.

heartwarming [ˈhɑːrtˌwɔːrmɪŋ] *a.* radujący serce, budujący (*np. o widoku, historii*).

heart-whole [ˈhɑːrtˌhoʊl] *a. rzad.* **1.** nie zakochany. **2.** szczery. **3.** nieustraszony, nie zrażony.

heartwood [ˈhɑːrtˌwʊd] *n. U bot.* twardziel.

hearty [ˈhɑːrtɪ] *a.* **-ier, -iest 1.** serdeczny, szczery. **2.** zdrowy (*t. o apetycie*). **3.** pełen wigoru, krzepki; **hale and ~** *zob.* **hale**¹ *a.* 1. **4.** obfity, suty, pożywny (*o posiłku*). **5.** *przest.* silny, gwałtowny (*np. o odrazie, niechęci*). **6.** *zwł. Br.* hałaśliwy, głośny; wylewny, jowialny (*zwł. w nieszczery sposób*). – *n. pl.* **-ies** *pot.* **1.** kumpel, kompan (*zwł. marynarz*); **my hearties** *Br. arch.* wiara, towarzysze (*zwracając się do innych marynarzy*). **2.** hałaśliwy entuzjasta sportu.

heat [hiːt] *n.* **1.** *U* gorąco; *t. fiz.* ciepło. **2.** temperatura; **on a high/low ~** w wysokiej/niskiej temperaturze (*np. piec coś*); **turn up/down the ~** podwyższać/obniżać temperaturę (*np. w piekarniku*). **3. the ~** upał; **the ~ of the day** najgorętsza część dnia. **4. the ~** *US* ogrzewanie (*domu, mieszkania*). **5.** *U fiz.* żar, temperatura żaru; **red/white ~** temperatura rozgrzewająca metale do czerwoności/białości. **6.** *U zool.* ruja; **in ~** (*także Br.* **on ~**) w okresie rui. **7.** (*także* **qualifying ~**) *sport* bieg eliminacyjny, eliminacje. **8.** *U US sl.* obława (*policyjna*); nagonka (*t. przen.*); ostra krytyka. **9. the ~** *US sl.* gliny (= *policja*). **10.** *U metal.* rozgrzanie; wytop (*metalu, rudy*). **11.** *przen.* gorączka, podniecenie; ferwor; **in the ~ of argument/battle** w ferworze dyskusji/bitwy; **in the ~ of the moment** pod wpływem chwili; **take the ~ out of the dispute/situation** uspokoić dyskusję/sytuację; **the ~ is on** *pot.* robi się gorąco, sytuacja robi się gorąca; **turn up/on the ~ on sb** (*także* **put the ~ on sb**) *pot.* naciskać na kogoś (= *wywierać presję*). – *v.* **1.** ogrzewać; podgrzewać; rozgrzewać. **2.** *przen.* rozpalać (się) (*np. o namiętnościach*). **3. ~ up** *t. przen.* podgrzewać; zagrzewać; ogrzewać się.

heat balance *n. U* równowaga cieplna, bilans cieplny.

heat barrier *n. lotn.* bariera cieplna.

heat capacity *n. U fiz.* pojemność cieplna.

heated [ˈhiːtɪd] *a.* **1.** ogrzewany (*o pomieszczeniu*); podgrzewany (*np. o basenie*). **2.** gorący, gorączkowy, zacięty; **~ debate/discussion** gorąca debata/dyskusja.

heatedly [ˈhiːtɪdlɪ] *adv.* gorąco, gorączkowo, zacięcie.

heat engine *n.* silnik cieplny.

heater [ˈhiːtər] *n.* **1.** grzejnik; podgrzewacz. **2.** *mot.* ogrzewanie (*w samochodzie*). **3.** *el.* element grzejny; grzałka. **4.** dusza (*do żelazka*). **5.** *US przest. sl.* spluwa.

heat exchanger *n.* wymiennik ciepła.

heat exhaustion *n. U pat.* udar cieplny *l.* słoneczny.

heath [hiːθ] *n.* **1.** *gł. Br.* wrzosowisko; pustkowie (*zwł. porosłe krzakami*). **2.** *U bot.* wrzos (*Calluna*); wrzosiec (*Erica*). **3.** *ent.* strzępotek ruczajnik (*Coenonympha pamphilus*).

heathberry [ˈhiːθˌberɪ] *n. pl.* **-ies** *bot.* bażyna czarnojagodowa (*Empetrum nigrum*).

heathcock [ˈhiːθˌkɑːk] *n. arch. orn.* samiec cietrzewia.

heathen [ˈhiːðən] *n.* **1.** pogan-in/ka; **the ~** *przest. uj.* poganie (*zbiorowo*). **2.** barbarzyńca. – *a. zw. attr.* **1.** pogański. **2.** niecywilizowany; barbarzyński.

heathendom [ˈhiːðəndəm] *n. U* **1.** pogaństwo. **2.** kraje pogańskie.

heathenish [ˈhiːðənɪʃ] *a.* **1.** pogański. **2.** barbarzyński.

heathenism [ˈhiːðəˌnɪzəm] *n. U* **1.** pogaństwo. **2.** barbarzyństwo.

heathenize [ˈhiːðəˌnaɪz], *Br. i Austr. zw.* **heathenise** *v.* **1.** uczynić poganinem; stać się poganinem. **2.** oddawać się pogańskim praktykom.

heathenry [ˈhiːðənrɪ] *n. U* **1.** pogaństwo. **2.** poganie.

heather [ˈheðər] *n. U* **1.** *bot.* wrzos zwyczajny (*Calluna vulgaris*). **2.** kolor fioletoworóżowy. – *a.* fioletoworóżowy.

heather-bell [ˈheðərˌbel] *n. U bot.* **1.** wrzosiec bagienny (*Erica tetralix*). **2.** wrzosiec szary (*Erica cinerea*).

heather grass *n. U bot.* izgrzyca przyziemna (*Sieglingia decumbens*).

heathery ['heðərı] *a.* **1.** wrzosowaty. **2.** pokryty wrzosem.

heath fowl *n. arch. orn.* cietrzew.

heath hen *n. arch. orn.* samica cietrzewia.

heating ['hi:tıŋ] *n. U Br.* ogrzewanie; **central ~** centralne ogrzewanie.

heating element *n.* element grzejny; grzałka.

heating pad *n.* poduszka elektryczna.

heat island *n. meteor.* wyspa ciepła (*konwekcja powietrza nad miastem*).

heat lighting *n.* wyładowanie elektryczne (*bez grzmotów*), błyskanie się „na pogodę".

heat of combustion *n. U* ciepło spalania.

heat-proof ['hi:tpru:f] *a.* = **heat-resistant**.

heat pump *n. mech.* pompa ciepła.

heat rash *n. U pat.* potówka czerwona.

heat-resistant ['hi:trı͵zıstənt] *a.* (*także* **heat-proof**) żaroodporny, termoodporny.

heat-seal ['hi:t͵si:l] *v.* zgrzewać (*opakowania z tworzyw sztucznych*).

heat-seeking ['hi:t͵si:kıŋ] *a. attr.* termolokacyjny (*o pocisku*).

heat shield *n. astronautyka* osłona ciepłochronna (*chroniąca kabinę przy wejściu w atmosferę*).

heat sink *n. el.* rozpraszacz ciepła, radiator.

heatstroke ['hi:t͵strouk] *n. U pat.* udar cieplny *l.* słoneczny.

heat treatment *n. U metal.* obróbka cieplna.

heat wave *n.* fala upałów.

heave [hi:v] *v.* **1.** dźwigać; pchać; przeciągać; przesuwać; próbować podnieść. **2.** *pot.* rzucać (*coś ciężkiego*). **3.** falować (*o piersi*); *żegl.* kołysać się pionowo (*o statku*). **4.** wydać (*jęk, westchnienie*); **~ a sigh** westchnąć ciężko; **~ a sigh of relief** odetchnąć z ulgą. **5.** *pot.* mieć torsje. **6.** *pret. i pp.* **hove** wyłaniać *l.* wynurzać się; **~ in sight/view** ukazać się na horyzoncie (*zwł. o statku*). **7.** *pret. i pp.* **hove** *żegl.* podnosić, wyciągać (*statek za pomocą lin*). **8.** *geol.* przesuwać *l.* przemieszczać w poziomie (*warstwy, żyły*). **9. ~ at/on** ciągnąć mocno za; wybierać (*linę*). **10.** *pret. i pp.* **hove** *żegl.* **~ down** przechylać (*statek celem czyszczenia*); **~ to** stanąć w dryfie (*o statku*); **~ up sails/the anchor** wybierać żagle/kotwicę. – *n.* **1.** dźwignięcie. **2.** pchnięcie. **3.** *U* falowanie. **4.** *geol.* rozstęp poziomy uskoku. **5.** *pl. zob.* **heaves**.

heave-ho [͵hi:v'hou] *int. przest. żegl.* hej ho! (*okrzyk np. przy podnoszeniu kotwicy*). – *n. pl.* **-s give sb the (old) ~** *pot.* wylać kogoś (*z pracy*); rzucić kogoś.

heaven ['hevən] *n.* **1.** *sing.* (*także* **H~**) *rel.* raj, niebo. **2.** *C/U przen.* **~ forbid!** *pot.* broń *l.* uchowaj Boże!; nie daj Boże!; **~ help him if...** niech go Bóg ma w swojej opiece, jeśli...; **~ of ~s** siódme niebo; **~ on earth** raj na ziemi; **~ (only) knows** Bóg raczy wiedzieć, Bóg jeden wie; **be in seventh ~** być w siódmym niebie; **for ~'s sake!** na miłość Boską!; **good ~s!** wielkie nieba!; **move ~ and earth** poruszyć niebo i ziemię; **stink/smell to high ~** *pot.* cuchnąć/śmierdzieć jak diabli; **thank ~(s)** Bogu dzięki; **the ~s** *lit.* niebiosa; **the ~s opened** *lit.* niebiosa otworzyły się (= *zaczęło padać*).

heavenly ['hevənlı] *a.* **1.** *attr. Bibl.* niebiański, niebieski, boski; **~ Father** Ojciec Niebieski (= *Bóg*); **H~ City** Królestwo Niebieskie; **the H~ Host** zastępy niebieskie *l.* anielskie. **2.** *przest.* boski, cudowny.

heavenly body *n. pl.* **-ies** *astron.* ciało niebieskie.

heaven-sent ['hevən͵sent] *a.* zesłany przez los, opatrznościowy.

heavenward ['hevənwərd], **heavenwards** *a. i adv. lit.* ku niebu, w stronę nieba.

heaver ['hi:vər] *n.* drąg, dźwignia.

heaves ['hi:vz] *n. pl.* **1. the ~s** *pot.* torsje. **2.** *wet.* rozedma płuc (*u koni*).

heavier-than-air [͵hevıərðən'er] *a. attr. lotn.* cięższy od powietrza; **~ aircraft** aerodyna.

heavily ['hevılı] *adv.* **1.** dużo; **drink/smoke ~** dużo *l.* nałogowo pić/palić. **2.** ciężko (*np. stąpać*); z trudem (*np. oddychać*). **3.** mocno (*np. spać*); **~ built** potężnie zbudowany; **it was raining ~** mocno *l.* intensywnie *l.* obficie padało. **4.** w dużym stopniu; **be ~ dependent/reliant on sth** w dużym stopniu zależeć od czegoś/polegać na czymś. **5. be ~ into sth** *pot.* pasjonować się czymś.

heaviness ['hevınəs] *n. U* **1.** ciężkość, ciężar. **2.** ociężałość.

heavy ['hevı] *a.* **-ier, -iest 1.** *t. przen.* ciężki (*with sth* od czegoś); **how ~ are you** ile ważysz?. **2.** ociężały. **3.** poważny (*np. o przeziębieniu*); surowy, srogi (*o karze, zimie*); **~ casualties** duże straty w ludziach; **~ responsibility** wielka odpowiedzialność; **suffer ~ losses** ponieść duże *l.* poważne straty (*np. o przedsiębiorstwie*). **4.** *attr.* nałogowy (*o palaczu, pijaku, hazardziście*). **5.** obciążony, przeciążony (*o rozkładzie zajęć*). **6.** forsowny, wyczerpujący (*o pracy, dniu*). **7.** trudny, wymagający (*np. o lekturze, stylu*). **8.** dosadny, dotkliwy (*o krytyce*). **9.** gruby (*o rysach twarzy*). **10.** ciężko strawny (*o jedzeniu*). **11.** mocny, intensywny (*o zapachu*); duży, intensywny (*o ruchu drogowym*); intensywny, obfity (*o opadach*); głęboki, twardy (*o śnie*); głęboki, ciężki (*o ciszy*). **12.** gęsty (*np. o mgle*). **13.** ciemny, zachmurzony (*o niebie*). **14.** błotnisty, rozmokły (*o podłożu*). **15.** *attr. wojsk.* ciężki. **16.** *przen.* **~ going** trudny (*np. o lekturze*); **sth is ~ going** coś idzie ciężko *l.* opornie *l.* jak po grudzie; **the conversation was ~ going** rozmowa się nie kleiła; **be ~ on sb** traktować kogoś surowo; **be ~ on sth** *pot.* używać *l.* zużywać czegoś za dużo (*np. benzyny*); **be ~ with child** *przest.* być w zaawansowanej ciąży; **be ~ with fruit** *lit.* uginać się pod ciężarem *l.* od nadmiaru owoców; **be a ~ sleeper** mieć mocny sen; **have a ~ foot** *US pot.* zbyt mocno przyciskać gaz (= *jeździć za szybko*); **make ~ weather of sth** *Br.* niepotrzebnie coś komplikować; **with a ~ heart** *zob.* **heart** *n.* – *n. pl.* **-ies 1.** *kino, teatr* czarny charakter. **2.** *zw. pl. sl.* goryl (*osoba*). **3.** *US pot.* gruba ryba, ważniak. **4.** *US boks pot.* zawodnik wagi ciężkiej. **5. the heavies** *Br. pot.* poważne gazety. – *adv.* **1.** *zw. w złoż.* ciężko; mocno; **~-armed** ciężko uzbrojony. **2. time**

hangs/lies ~ on sb's hands *przen.* czas się komuś dłuży.

heavy breather *n.* **1.** *Br. i Austr.* osoba sapiąca do słuchawki (*i czerpiąca z tego satysfakcję seksualną*). **2.** osoba mająca kłopoty z oddychaniem.

heavy chemicals *n. pl.* chemikalia przemysłowe.

heavy cream *n. U US kulin.* kremówka (*śmietana*).

heavy current *n. U el.* silny prąd, prąd o dużym natężeniu.

heavy-duty [ˌhevɪˈduːtɪ] *a. zw. attr.* **1.** trwały, wytrzymały (*o butach, odzieży, tkaninie*). **2.** *zwł. US pot.* poważny, skomplikowany.

heavy earth *n. U* glinka barytowa.

heavy-footed [ˌhevɪˈfʊtɪd] *a.* o ciężkim kroku *l.* chodzie.

heavy goods vehicle *n.* (*także* **HGV**) *Br.* samochód ciężarowy.

heavy-handed [ˌhevɪˈhændɪd] *a.* **1.** niezdarny, niezręczny (*t. towarzysko*); nietaktowny; toporny, grubo ciosany. **2.** charakteryzujący się rządami twardej ręki.

heavy-handedly [ˌhevɪˈhændɪdlɪ] *adv.* twardą ręką.

heavy-handedness [ˌhevɪˈhændɪdnəs] *n. U* rządy twardej ręki.

heavy-hearted [ˌhevɪˈhɑːrtɪd] *a. lit.* przygnębiony, przybity.

heavy hydrogen *n. U chem.* ciężki wodór, deuter.

heavy industry *n. U* przemysł ciężki.

heavy-laden [ˌhevɪˈleɪdən] *a. lit.* **1.** ciężko obładowany. **2.** obarczony kłopotami.

heavy lifting *n. U* podnoszenie ciężkich przedmiotów.

heavy metal *n.* **1.** *U muz.* heavy metal. **2.** *zw. pl.* metal ciężki.

heavy-metal [ˌhevɪˈmetl] *a. attr. muz.* heavymetalowy.

heavy oil *n.* olej ciężki.

heavy particle *n. fiz.* cząstka ciężka.

heavy petting *n. U* ostry petting.

heavyset [ˌhevɪˈset], **heavy-set** *a.* przysadzisty, krępy; tęgi.

heavy spar *n. U chem.* baryt, szpat ciężki.

heavy water *n. U chem.* ciężka woda, tlenek deuteru.

heavy-water reactor [ˌhevɪˌwɔːtər riːˈæktər] *n.* reaktor z ciężką wodą.

heavyweight [ˈhevɪˌweɪt] *n.* **1.** *boks, zapasy* zawodnik wagi ciężkiej; *U* waga ciężka. **2.** *pot.* gruba ryba, ważniak. **3.** *pot.* grubas.

Heb. *abbr.* **1.** = **Hebrew**. **2.** *Bibl.* = **Hebrews**.

hebdomad [ˈhebdəˌmæd] *n.* **1.** *gł. Bibl.* tydzień (*zwł. w odniesieniu do proroctwa Daniela*). **2.** *arch.* grupa siedmiu osób *l.* rzeczy.

hebdomadal [hebˈdɑːmədl], **hebdomadary** [hebˈdɑːməˌderɪ] *a. rzad.* tygodniowy.

hebetate [ˈhebɪˌteɪt] *a. bot.* o tępym końcu (*o liściu*). – *v. rzad.* stępiać (się).

hebetic [hɪˈbetɪk] *a. form.* dotyczący okresu dojrzewania.

hebetude [ˈhebɪˌtuːd] *n. U lit.* otępienie, letarg.

Hebr. *abbr.* **1.** = **Hebrew**. **2.** *Bibl.* = **Hebrews**.

Hebraic [hɪˈbreɪɪk] *a.* hebrajski.

Hebraism [ˈhiːbreɪˌɪzəm] *n.* **1.** *jęz.* hebraizm (*wyraz l. zwrot*). **2.** *U* hebrajszczyzna.

Hebraist [ˈhiːbreɪɪst] *n.* hebraist-a/ka.

Hebraistic [ˌhiːbreɪˈɪstɪk] *a.* hebraistyczny.

Hebraize [ˈhiːbreɪˌaɪz], *Br. i Austr. zw.* **Hebraise** *v.* hebraizować (się).

Hebrew [ˈhiːbruː] *n.* **1.** Hebraj-czyk/ka. **2.** *arch. l. pog.* Żyd/ówka. **3.** *U jęz.* (język) hebrajski; *pot.* hebrajszczyzna (= *język niezrozumiały*).

Hebridean [ˌhebrɪˈdɪən] *a.* dotyczący Hebrydów. – *n.* mieszkan-iec/ka Hebrydów.

Hebrides [ˈhebrɪdiːz] *n. pl.* **the ~** *geogr.* Hebrydy.

hecatomb [ˈhekəˌtoʊm] *n. t. przen.* hekatomba.

heck[1] [hek] *int. i n. pot. euf.* **a/one ~ of a lot (of money/to do)** cała masa (pieniędzy/do zrobienia); **oh ~!** o kurczę!; **what the ~!** co tam!, (a) niech tam!; **where the ~ are we?** gdzie u licha jesteśmy?.

heck[2] *n. Br.* zapora, jaz (*do zatrzymywania ryb*).

heckelphone [ˈheklˌfoʊn] *n. muz.* hekelfon (*rodzaj oboju*).

heckle [ˈhekl] *v.* **1.** przeszkadzać (*mówcy na zebraniu*). **2.** (*także* **hackle, hatchel**) czochrać (*len, konopie*). – *n.* (*także* **hackle, hatchel**) czochra, dzierlica (*do czesania lnu*).

heckler [ˈheklər] *n.* krzykacz, awanturnik, warchoł (*przerywający komuś wystąpienie*).

hectare [ˈhekter], **hektare** *n.* hektar.

hectic [ˈhektɪk] *a.* **1.** gorączkowy, gorący, zwariowany; **~ days/moments** gorące dni/chwile. **2.** *pat.* hektyczny; *t. przen.* z wypiekami na twarzy, rozgorączkowany.

hectically [ˈhektɪklɪ] *adv.* gorączkowo.

hectic fever *n. U pat.* gorączka hektyczna.

hectic flush *n. pat.* gorączkowe wypieki.

hectocotylus [ˌhektəˈkɑːtləs] *n. pl.* **-i** [ˌhektəˈkɑːtlaɪ] *zool.* ramię głowonoga (*spełniające funkcje rozrodcze*).

hectogram [ˈhektəˌgræm], *Br.* **hectogramme** *n.* hektogram.

hectograph [ˈhektəˌgræf] *n.* hektograf. – *v.* hektografować.

hectographic [ˌhektəˈgræfɪk] *a.* hektograficzny.

hectography [hekˈtɑːgrəfɪ] *n. U* hektografia.

hectoliter [ˈhektəˌliːtər], *Br.* **hectolitre** *n.* hektolitr.

hectometer [ˈhektəˌmiːtər], *Br.* **hectometre** *n.* hektometr.

hector [ˈhektər] *v.* usiłować zastraszyć (*werbalnie*). – *n. arch. l. lit.* tyran, despota.

hectoring [ˈhektərɪŋ] *a.* napastliwy (*o tonie, osobie*).

he'd [hiːd] *abbr.* **1.** = **he had**. **2.** = **he would**.

heddle [ˈhedl] *n. tk.* nicielnica, struna nicielnicowa. – *v.* nawlekać (*nić osnowy*).

hedge [hedʒ] *n.* **1.** żywopłot. **2.** *t. przen.* zapora; zabezpieczenie (*against sth* przed czymś) np. przed inflacją. – *v.* **1.** otaczać *l.* ogradzać żywopłotem. **2.** pielęgnować żywopłot. **3.** *przen.*

ograniczać. **4.** *przen.* kręcić, wykręcać się. **5.** *przen.* zabezpieczać się (*against sth* przed czymś) (*np. przed stratami, wzrostem cen*); ~ **one's bets** zabezpieczać się na obie strony. **6. be ~d around** (*także Br.* **be ~d about/round**) być ograniczonym (*by sth* przez coś) (*with sth* czymś); **be ~d in** *Br.* być ogrodzonym *l.* zamkniętym; być otoczonym (*by sth* czymś); *przen.* być ograniczanym *l.* paraliżowanym (*by sth* przez coś).

hedge-clause ['hedʒˌklɔ:z] *n. US* klauzula zabezpieczająca (*w umowie*).

hedgehog ['hedʒˌhɑ:g] *n.* **1.** *zool.* jeż (*Erinaceus Europaeus*). **2.** *US zool.* jeżozwierz (*rodzina Erethizontidae*). **3.** *wojsk.* zasiek z drutu kolczastego.

hedgehop ['hedʒˌhɑ:p] *v. lotn.* latać bardzo nisko nad ziemią.

hedgehopping ['hedʒˌhɑ:pɪŋ] *n. U lotn.* lot koszący.

hedgerow ['hedʒˌroʊ] *n. zwł. Br.* rząd krzewów *l.* drzew (*zwł. wzdłuż brzegu alei l. pola*).

hedge-school ['hedʒˌsku:l] *n. Ir. hist.* szkoła na wolnym powietrzu (*dla dzieci katolickich w XVII i XVIII w.*).

hedge sparrow *n. orn.* płochacz pokrzywnica (*Prunella modularis*).

hedge trimmer *n.* maszyna do przycinania żywopłotów.

hedonic [hi:'dɑ:nɪk] *a.* hedonistyczny.

hedonism ['hi:dˌənɪzəm] *n. U t. fil.* hedonizm.

hedonist ['hi:dənɪst] *n.* hedonist-a/ka.

hedonistic [ˌhi:də'nɪstɪk] *a.* hedonistyczny.

hedonistically [ˌhi:də'nɪstɪklɪ] *adv.* hedonistycznie.

heebie-jeebies [ˌhi:bɪ'dʒi:bɪz] *n. pl. pot.* **the ~** silne zdenerwowanie; przerażenie; **give sb the ~** przerażać kogoś.

heed [hi:d] *form. v.* brać pod uwagę, mieć wzgląd *l.* zważać na (*coś*); dbać o (*coś*). – *n. U* dbałość, uwaga; **pay/give ~ to sth** (*także* **take ~ of sth**) brać coś pod uwagę; **pay no ~ to sth** (*także* **take no ~ of sth**) nie zważać na coś.

heedful ['hi:dfʊl] *a. form.* **1.** dbały; baczny; uważny; **be ~ of sth** zwracać uwagę *l.* zważać na coś. **2.** ostrożny.

heedless ['hi:dləs] *a. form.* **1.** niedbały; niebaczny; **be ~ of sth** nie zważać *l.* nie baczyć na coś, nie dbać o coś. **2.** nieostrożny.

hee-haw ['hi:ˌhɔ:], **heehaw** *n.* ryk osła; *przen.* rżenie, ryk (= *głośny śmiech*). – *v.* ryczeć (*o ośle*); *przen.* rżeć, ryczeć (*ze śmiechu*).

heel[1] [hi:l] *n.* **1.** *anat.* pięta (*t. np. skarpety*); **Achilles(') ~** *mit. l. przen.* pięta Achillesa. **2.** obcas; **click one's ~s** strzelać obcasami; **high ~s** szpilki, buty na wysokim obcasie. **3.** *zool.* tylna część kopyta. **4.** wypukła część dłoni tuż przy nadgarstku; część rękawiczki zakrywająca część dłoni jw. **5.** piętka (*chleba, sera*). **6.** *muz.* część smyczka przy żabce. **7.** *golf* piętka (= *zagięcie główki kija*). **8.** *żegl.* koniec stępki (*na rufie*). **9.** *żegl.* pięta (*masztu*). **10.** *roln.* pięta (*pługa*). **11.** *ogr.* część łodygi pozostała w ziemi po obcięciu części naziemnej. **12.** *przest. pot.* łajdak. **13.** *przen.* **be at/on sb's ~s** (*także* **be close/hard/hot on sb's ~s**) deptać komuś po piętach; **be head over ~s (in love)** *zob.* **head** *n.*; **bring/call sb to ~** przywoływać kogoś do porządku; zmuszać kogoś do posłuszeństwa; **call a dog to ~** wołać psa do nogi; **come/follow (hard/hot) on the ~s of sth** następować tuż po czymś; **cool one's ~s** (*także Br.* **kick one's ~s**) *pot.* czekać w nieskończoność; **dig one's ~s in** *zob.* **dig[1]** *v.*; **down-at-(the)-~** *zob.* **down**; **drag one's ~s** *zob.* **drag** *v.*; **kick up one's ~s** *przest.* dobrze się bawić; **rock/set sb back on their ~s** *Br.* odebrać komuś pewność siebie; **take to one's ~s** (*także* **show a clean pair of ~s**) *przest.* wziąć nogi za pas, dać nogę; **to ~** przy nodze (*o psie*); **turn/spin on one's ~** odwrócić się na pięcie; **under the ~ of sb/sth** pod całkowitą kontrolą kogoś/czegoś (*np. obcego mocarstwa*). – *v.* **1.** dorabiać obcas *l.* obcasy do (*butów*); naprawiać obcas *l.* obcasy w (*butach*). **2.** deptać po piętach (*komuś*). **3.** uderzać piętami (*np. konia, o jeźdźcu*). **4.** poruszać piętami w rytm muzyki (*w tańcu*); dotykać piętą ziemi (*jw.*). **5.** *golf* dotknąć piłki piętką kija. **6. ~ (back)** *zwł. rugby* kopnąć piętą (*piłkę, posyłając ją w odwrotnym kierunku*). **7.** iść przy nodze (*o psie*); **~!** do nogi! **8.** zakładać metalowe ostrogi (*kogutowi*).

heel[2] *gł. żegl. v.* **~ (over)** przechylać (się) na bok. – *n. U* przechył.

heel-and-toe [ˌhi:lən'toʊ] *a. sport* dotyczący chodu. – *v. wyścigi samochodowe* naciskać tą samą nogą pedał gazu i hamulec.

heelball ['hi:lbɔ:l] *n. U Br.* smoła szewska.

heel-bar ['hi:lˌbɑ:r] *n. Br.* punkt szewski (*wykonujący usługi na poczekaniu*).

heel bone *n. anat.* kość piętowa.

heeled [hi:ld] *a. zw. w złoż.* **1. high-/low-~** na wysokim/niskim obcasie. **2.** (*także* **well-~**) *pot.* przy forsie, nadziany.

heeler ['hi:lər] *n.* **1.** osoba przybijająca obcasy; maszyna przybijająca obcasy. **2.** *Austr. i NZ* pies pasterski (*zaganiający bydło*).

heeling error *n. żegl.* dewiacja przechyłowa.

heelless ['hi:lləs] *a.* **1.** bez pięty. **2.** bez obcasa.

heelpiece ['hi:lˌpi:s] *n.* **1.** napiętek, pięta (*rajstop, skarpety*). **2.** flek.

heelplate ['hi:lˌpleɪt] *n.* płytka, blaszka (*na obcas*).

heelpost ['hi:lˌpoʊst] *n.* słup zawiasowy.

heeltap ['hi:lˌtæp], **heel-tap** *n.* **1.** flek. **2.** resztki, niedopitki (*na dnie kieliszka*).

heft [heft] *v. US pot. i Br. dial.* **1.** ważyć (*w ręce*), określać wagę przez podniesienie (*czegoś*). **2.** podnosić. – *n.* **1.** *U US pot. i Br. dial.* waga, ciężar. **2.** *US pot.* główna część.

heftiness ['heftɪnəs] *n. U* **1.** ciężar. **2.** siła. **3.** masywność.

hefty ['heftɪ] *a.* **-ier, -iest 1.** masywny, zwalisty (*o osobie*); opasły (*o książce*); ciężki (*o paczce*). **2.** potężny (*o ciosie, kopniaku*). **3.** ogromny (*o ilości, zysku*).

hegemonic [ˌhegə'mɑ:nɪk] *a. polit.* hegemoniczny.

hegemony [hə'dʒemənɪ] *n. C/U pl.* **-ies** *polit.* hegemonia.

Hegira ['hedʒɪrə], **Hejira** *n. sing.* **1.** *islam* hidżra (= *ucieczka Mahometa z Mekki do Medyny*). **2.** era muzułmańska (*liczona od 622 r. kalendarza gregoriańskiego*). **3. h~** *przen.* ucieczka (*zwł. przed niebezpieczeństwem*).

hegumen [hɪ'gju:men] *n. rel.* igumen (= *przełożony klasztoru w Kościele wschodnim*).

heifer ['hefər] *n.* jałówka.

heigh [hi:] *int.* nuże!, no już!, dalej!

heigh-ho [ˌheɪ'hoʊ] *int. przest.* no cóż! (*mając przed sobą perspektywę czegoś nudnego l. nieprzyjemnego*).

height [haɪt] *n.* **1.** *U* wzrost; **be the same ~ (as sb)** być tego samego wzrostu (co ktoś); **of average ~** średniego wzrostu; **what ~ are you?** ile masz wzrostu?, ile mierzysz?. **2.** *C/U* wysokość; **at a ~ of 1000 feet** na wysokości 1000 stóp; **be afraid of ~s** mieć lęk wysokości; **be ... in ~** mieć ... wysokości; **gain/lose ~** *lotn.* nabierać wysokości/tracić wysokość; **have a head for ~s** *zob.* **head** *n.* **3.** wzniesienie; *pl.* wzgórza; **the Golan H~s** *geogr.* Wzgórza Golan. **4.** *C/U gł. przen.* szczyt; wyżyny; **at the ~ of the tourist season** w szczycie sezonu turystycznego; **be at the ~ of one's fame/success** być u szczytu sławy/powodzenia; **rise to/reach/attain new ~s** wznieść się na wyżyny; **scale new ~s** osiągnąć niespotykany dotychczas poziom (*np. o cenach*); **take sth to new ~s** wznieść coś na wyżyny; **the ~ of fashion/luxury/stupidity** szczyt mody/głupoty/luksusu; **the dizzy ~(s)** *zob.* **dizzy** *a.*

heighten ['haɪtən] *v.* **1.** wzmagać (się), potęgować (się) (*zwł. o emocjach, świadomości*). **2.** podwyższać (się), podnosić (się). **3.** rozjaśniać (się) (*zwł. o barwach*).

height finder *n.* wysokościomierz.

height indicator *n. lotn.* wskaźnik wysokości.

height of barometer *n.* stan barometru.

height of land *n. US i Can.* dział wodny.

height-to-paper [ˌhaɪttə'peɪpər] *n. druk.* standardowa wysokość czcionki (*US = 0,9186 cala; Br. = 0,9175 cala*).

Heimlich maneuver ['haɪmlɪk məˌnu:vər] *n.* (*także* **Heimlich procedure**) *med.* zabieg Heimlicha (= *uderzenie tuż pod mostkiem stosowane w przypadku dławienia się*).

heinous ['heɪnəs] *a. form.* ohydny, potworny, haniebny (*zwł. o zbrodni*).

heinously ['heɪnəslɪ] *adv.* ohydnie, potwornie.

heinousness ['heɪnəsnəs] *n. U* ohyda, potworność.

heir [er] *n.* **1.** *prawn. l. przen.* spadkobierca, dziedzic (*to sth* czegoś). **2.** następca; **~ to the throne** następca tronu.

heir apparent *n. pl.* **heirs apparent** **1.** *prawn.* prawowity *l.* legalny spadkobierca. **2.** domniemany następca.

heir-at-law ['erətˌlɔ:] *n. pl.* **heirs-at-law** *prawn.* spadkobierca z tytułu pokrewieństwa.

heir collateral *n. pl.* **heirs collateral** *prawn.* spadkobierca w linii bocznej.

heirdom ['erdəm] *n. U* dziedzictwo.

heiress ['erəs] *n.* **1.** *prawn. l. przen.* spadkobierczyni, dziedziczka. **2.** następczyni.

heirloom ['erˌlu:m] *n.* **1.** klejnot rodzinny, pamiątka rodowa. **2.** *prawn.* ruchomość przejmowana *l.* dziedziczona wraz z nieruchomościami.

heir presumptive *n. pl.* **heirs presumptive** *prawn.* spadkobierca domniemany.

heirship ['erˌʃɪp] *n. U* dziedzictwo.

heist [haɪst] *US i Can. pot. n.* skok, napad. – *v.* zrobić skok na (*bank itp.*).

Hejira ['hedʒərə] *n.* = **Hegira**.

held [held] *v. pp., pret. zob.* **hold**.

helenium [hə'li:nɪəm] *n. pl.* **-s** *l.* **helenium** *bot.* helenka (*Helenium*).

heli ['helɪ] *n. pl.* **-s** *pot.* = **helicopter**.

heliacal [hɪ'laɪəkl] *a. astron.* heliakalny.

helianthus [ˌhi:lɪ'ænθəs] *n. pl.* **-es** *l.* **helianthus** *bot.* słonecznik (*Helianthus*).

heliborne [ˌhelɪˌbɔ:rn] *a.* transportowany helikopterem.

helical ['helɪkl] *a.* ślimakowaty, spiralny, śrubowy.

helical gear *n. mech.* koło (zębate) śrubowe; koło (zębate) walcowe skośne.

helical rack *n. mech.* zębatka o zębach skośnych.

helical spring *n. mech.* sprężyna śrubowa *l.* zwojowa.

helices ['helɪˌsi:z] *n. pl. zob.* **helix**.

helicoid ['heləˌkɔɪd], **helicoidal** *a. biol.* ślimakowaty, spiralny. – *n. geom.* helikoida, powierzchnia śrubowa.

helicon ['heləˌkɑ:n] *n. muz.* helikon.

helicopter ['heləˌkɑ:ptər] *n.* helikopter, śmigłowiec. – *v.* **1.** lecieć helikopterem. **2.** przewozić helikopterem.

helicopter gunship *n. wojsk.* śmigłowiec nasycony bronią maszynową (*do zwalczania siły żywej*).

helicopter pad *n.* lądowisko dla helikopterów.

heliculture ['heləˌkʌltʃər] *n. U* hodowla ślimaków (*w celach spożywczych*).

helideck ['heləˌdek] *n.* lądowisko dla helikopterów (*np. na statku l. platformie wiertniczej*).

heliocentric [ˌhi:lɪoʊ'sentrɪk] *a.* heliocentryczny.

heliocentric orbit *n. astron.* orbita okołosłoneczna.

heliochromy ['hi:lɪəˌkroʊmɪ] *n. U fot.* fotografia w barwach naturalnych.

heliodor ['hi:lɪəˌdɔ:r] *n. U min.* heliodor (*odmiana berylu*).

heliograph ['hi:lɪəˌgræf] *n.* **1.** heliograf (= *przyrząd do pomiaru nasłonecznienia*). **2.** heliotrop, telegraf słoneczny (*urządzenie sygnalizacyjne*).

heliogravure [ˌhi:lɪəgrə'vjʊr] *n. druk.* heliograwiura.

heliolatry [ˌhi:lɪ'ɑ:lətrɪ] *n. U rel.* heliolatria, kult Słońca.

heliolithic [ˌhi:lɪə'lɪθɪk] *a. archeol.* heliotyczny (*o cywilizacji z megalitami i kultem słońca*).

heliometer [ˌhi:lɪ'ɑ:mətər] *n. astron.* heliometr.

heliophyte ['hiːlɪəˌfaɪt] *n. bot.* heliofit, roślina światłolubna *l.* światłożądna.

helioscope ['hiːlɪəˌskoʊp] *n. astron.* helioskop.

heliosphere ['hiːlɪəˌsfiːr] *n. astron.* heliosfera.

heliostat ['hiːlɪəˌstæt] *n. astron.* heliostat.

heliotherapy [ˌhiːlɪə'θerəpiː] *n. U med.* helioterapia, leczenie słońcem.

heliotrope ['hiːlɪəˌtroʊp] *n.* **1.** *pl.* **-s** *l.* **heliotrope** *bot.* tomiłek, heliotrop (*Heliotropium*). **2.** *bot.* roślina światłożądna. **3.** *U min.* heliotrop (*odmiana chalcedonu*). **4.** *U* kolor niebieskawofioletowy. **5.** *miern.* heliotrop (*przyrząd sygnalizacyjny*).

heliotropic [ˌhiːlɪə'trɑːpɪk] *a. bot.* heliotropijny, światłożądny, fototropijny.

heliotropism [ˌhiːlɪ'ɑːtrəˌpɪzəm] *n. U bot.* heliotropizm, fototropizm.

heliotype ['hiːlɪəˌtaɪp] *n. druk.* **1.** *U* (*także* **heliotypy**) sporządzanie odbitek na papierze dziennym. **2.** odbitka na papierze dziennym.

helipad ['heləˌpæd] *n.* lądowisko dla helikopterów.

heliport ['heləˌpɔːrt] *n.* lotnisko śmigłowcowe, heliport.

heli-skiing ['heləˌskiːɪŋ] *n. U sport* narciarstwo odbywające się po przetransportowaniu narciarzy w góry helikopterem.

helium ['hiːlɪəm] *n. U chem.* hel.

helix ['hiːlɪks] *n. pl.* **-es** *l.* **helices** ['helɪˌsiːz] **1.** *geom.* helisa, linia śrubowa. **2.** *t. bud.* spirala, ślimacznica. **3.** *anat.* obrąbek ucha. **4.** *biochem.* helisa. **5.** *zool.* ślimak (*Helix hortensis*).

hell [hel] *n.* **1.** *sing.* (*także* **H~**) *Bibl.* piekło; **go to ~** iść do piekła. **2.** *U i sing. przen.* piekło; **~!** *pot.* do diabła!, niech to wszyscy diabli!; **~ on earth** piekło na ziemi; **~ on wheels** *US pot.* istny szatan (*np. o nie dającym się okiełznać dziecku*); **~ for leather** *pot.* na złamanie karku, co sił w nogach (*biec, uciekać*); **~'s bells!** (*także Br.* **~'s teeth**) *pot.* do stu diabłów!; **a ~ of a mess/noise** *pot.* piekielny *l.* potworny bałagan/hałas; **a ~ of a player/writer** *pot.* niesamowity gracz/pisarz; **all ~ broke lose** (*także* **all ~ was let loose**) *pot.* rozpętało się piekło; **as ~** *zwł. US pot.* jak diabli, jak cholera (*np. brzydki, wściekły*); **beat/knock the ~ out of sb** *pot.* stłuc kogoś na kwaśne jabłko; **catch ~** *US pot.* mieć piekło (*nieprzyjemności, awantury*); **come ~ or high water** *pot.* bez względu na to, co się stanie; **feel/look like ~** *pot.* czuć się/wyglądać potwornie; **for the ~ of it** *pot.* dla zabawy, tak sobie (= *bez szczególnego powodu*); **frighten/scare the ~ out of sb** *pot.* śmiertelnie kogoś przestraszyć; **from ~** *pot.* z piekła rodem; **get the ~ out (of somewhere)** *pot.* wynosić się *l.* zwiewać (skądś); **give sb ~** *pot.* urządzić komuś piekło; **go through ~** *pot.* przechodzić piekło; **go to ~!** *pot.* idź do diabła!, idź w cholerę!; **go to ~ in a handbasket** *US pot.* zejść na psy; **how/what/where the ~ ...?** *pot.* jak/co/gdzie u diabła...?; **(if you do that), there'll be ~ to pay** *pot.* (jeśli to zrobisz), dostaniesz za swoje; **like ~** *pot.* jak diabli, jak cholera (*np. boleć, bać się, denerwować się*); **like ~!** *sl.* akurat!, już to widzę!; **make sb's life (a living) ~** zamieniać czyjeś życie w piekło; **not have a chance/hope in ~** *pot.* nie mieć cienia szansy; **play (merry) ~ with sth** *pot.* narobić zamieszania w czymś; narażać coś na szwank; **raise ~** *pot.* podnieść raban; **sheer ~** *pot.* istne piekło; **the ~ you do/are!** *US pot.* akurat!; **the road to ~ is paved with good intentions** *przest.* dobrymi chęciami piekło jest wybrukowane; **to ~ with him/it!** *pot.* do diabła z nim/tym!; **until/till ~ freezes over** *przest. pot.* do usranej śmierci (*np. czekać*); **when ~ freezes over** *przest. pot.* na święty nigdy.

he'll [hiːl] *abbr.* **1.** = **he will**. **2.** = **he shall**.

Helladic [he'lædɪk] *a.* helladzki.

hellbender ['helˌbendər] *n. zool.* diabeł błotny (*Cryptobranchus alleganiensis*).

hellbent [ˌhel'bent] *a. pred.* zdeterminowany; **be ~ on doing sth** za wszelką cenę chcieć coś zrobić.

hellbox ['helˌbɑːks] *n. druk.* piekło (= *skrzynka na zużyte pismo*).

hellcat ['helˌkæt] *n. obelż.* jędza, sekutnica (*o kobiecie*).

hellebore ['helɪˌbɔːr] *n. bot.* **1.** ciemiernik (*Helleborus*). **2.** ciemiężyca (*Veratrum*).

Hellene ['heliːn] *n. form.* Grek (*zwł. starożytny*); Greczynka (*jw.*).

Hellenic [he'lenɪk] *a.* **1.** helleński. **2.** grecki. – *n. U jęz.* rodzina języków greckich.

Hellenism ['heləˌnɪzəm] *n. U* hellenizm.

Hellenist ['helənɪst] *n.* hellenist-a/ka.

Hellenistic [ˌhelə'nɪstɪk] *a.* hellenistyczny.

Hellenization [ˌhelənə'zeɪʃən], *Br. i Austr. zw.* **Hellenisation** *n. U* hellenizacja.

Hellenize ['heləˌnaɪz], *Br. i Austr. zw.* **Hellenise** *v.* hellenizować (się).

heller ['helər] *n.* **1.** halerz. **2.** *US pot.* = **hellion**.

hellfire ['helˌfaɪr] *n. U* ogień piekielny.

hellhole ['helˌhoʊl] *n.* napawające grozą miejsce.

hellhound ['helˌhaʊnd] *n.* **1.** *mit.* pies piekielny. **2.** demon; diabeł wcielony.

hellion ['heljən] *n.* (*także* **heller**) *US pot.* diabeł wcielony, nicpoń (*zwł. o dziecku*).

hellish ['helɪʃ] *a.* piekielny, diabelski, potworny.

hellishly ['helɪʃlɪ] *adv.* piekielnie, diabelnie.

hello [he'loʊ], *Br. t.* **hallo**, **hullo** *int. i n. pl.* **-s** **1.** cześć, witam, dzień dobry; **say ~ to sb** powiedzieć komuś „dzień dobry"; zamienić z kimś słówko. **2.** *tel.* halo. **3.** *Br.* no no (*wyrażając zdziwienie*).

hell-raiser ['helˌreɪzər] *n. pot.* awanturni-k/ca, zawadiaka.

helluva ['heləvə] *abbr. pot.* = **hell of a**; *zob.* **hell**.

helm¹ [helm] *n. żegl.* koło sterowe, ster; rumpel; **at the ~** *t. przen.* u steru; **down/up ~** (*także* **down/up with the ~**) ster na nawietrzną/zawietrzną. – *v. żegl. l. przen.* sterować (*czymś*).

helm² *n. arch.* hełm.

helmet ['helmɪt] *n.* **1.** kask; hełm; **crash ~** kask ochronny; **pith ~** hełm tropikalny. **2.** *biol.* część organizmu w kształcie hełmu (*np. korona kwiatu*).

helmeted ['helmɪtɪd] *a.* w hełmie *l.* kasku.

helminth ['helmɪnθ] *n.* robak pasożytujący w jelicie.

helminthiasis [ˌhelmɪn'θaɪəsɪs] *n. U pat.* robaczyca, zakażenie robakami jelitowymi.

helminthic [hel'mɪnθɪk] *a.* **1.** robakowy. **2.** *med.* robakobójczy, czerwiogubny.

helminthology [ˌhelmɪn'θɑːlədʒɪ] *n. U* helmintologia, nauka o robakach jelitowych.

helmsman ['helmzmən] *n. pl.* **-men** *t. przen.* sternik.

helot ['helət] *n.* **1.** *hist.* helota (*spartański*). **2.** niewolnik; poddany.

helotism ['heləˌtɪzəm] *n. U* **1.** (*także* **helotage**) *polit.* helotyzm, niewolnictwo. **2.** *biol.* helotyzm (*rodzaj symbiozy*).

helotry ['helətrɪ] *n. U* **1.** niewolnictwo; poddaństwo. **2.** heloci, niewolnicy (*jako klasa społeczna*).

help [help] *v.* **1.** pomagać, udzielać wsparcia (*komuś*); wspomagać; **~!** na pomoc!, pomocy!, ratunku!; **~ sb (to) do sth** pomóc komuś coś zrobić; **~ sb with sth** pomóc komuś w czymś; **~ sth** pomagać na coś (*np. na ból głowy*); **God ~ you/him** niech ci/mu Bóg dopomoże, niech Bóg ma cię/go w swej opiece; **so ~ me (God)!** tak mi dopomóż Bóg!; **that won't ~** to nie pomoże, to się na nic nie zda. **2.** *zw. neg.* zapobiegać, radzić (*czemuś*); **I can't ~ it** nic (na to) nie poradzę; **I couldn't ~ but notice (that)...** nie mogłam nie zauważyć, że...; **it can't be ~ed** na to nie ma rady, nic się na to nie poradzi. **3.** *zw. neg.* powstrzymywać się; **can't/couldn't ~ doing sth** nie móc się powstrzymać od zrobienia czegoś; **can't ~ o.s.** nie móc się powstrzymać; **he couldn't ~ laughing** nie mógł się powstrzymać od śmiechu; **I can't ~ thinking (that)...** coś mi się zdaje, że... **4.** obsługiwać (*kogoś; zwł. w sklepie*); służyć (*komuś*); doradzać (*komuś*); **(how) can I ~ you?** czym mogę służyć?, w czym mogę pomóc?. **5. ~ o.s. (to sth)** częstować się (czymś), nakładać *l.* nalewać sobie (coś); **~ sb to sth** podać komuś coś, poczęstować kogoś czymś; **~ yourself** poczęstuj się. **6. ~ sth along/forward** posuwać coś naprzód, pomagać w rozwoju czegoś; **~ sb in** pomagać komuś wejść (*do budynku, samochodu*); **~ sb off with sth** pomagać komuś coś zdjąć (*z siebie*); **~ sb on with sth** pomagać komuś coś założyć (*na siebie*); **~ sb out** pomagać komuś (*w potrzebie, trudnościach*); **~ sb out of sth** pomóc komuś wydobyć *l.* wydostać się z czegoś; **~ sb over sth** pomagać komuś przetrwać coś *l.* przejść przez coś; **~ sb up** pomóc komuś wejść na górę; pomóc komuś podnieść się *l.* wstać. – *n.* **1.** *U t. komp.* pomoc (*with sth* w czymś); **be a lot of ~** (*także* **be a real/big ~**) być bardzo pomocnym; bardzo się przydać; **be of little ~** nie na wiele się zdać; **be of no ~** na nic się nie zdać; **go get ~!** sprowadźcie pomoc!; **sb is beyond ~** komuś nie można (już) pomóc; **there is no ~ for it** *zwł. Br.* nie ma na to rady; **with the ~ of sth** za pomocą czegoś. **2.** pomocni-k/ca. **3.** (*także US* **hired ~**) pomoc domowa. **4. the ~** *US* służba, służący (*zbiorowo*). **5.** *US dial.* = **helping** 1.

helper ['helpər] *n.* **1.** pomocni-k/ca. **2.** *US* pomoc domowa.

helpful ['helpful] *a.* **1.** pomocny (*in (doing) sth* w czymś); przydatny. **2.** uczynny. **3.** zbawienny.

helpfully ['helpfulɪ] *adv.* pomocnie.

helpfulness ['helpfulnəs] *n. U* pomocność, przydatność.

helping ['helpɪŋ] *n.* **1.** porcja (*jedzenia*). **2.** *techn.* wysięgnik. – *a.* **give/lend sb a ~ hand** *zob.* **hand** *n.*

helpless ['helpləs] *a.* **1.** bezradny. **2.** bezbronny. **3.** niepohamowany (*np. o śmiechu, gniewie*).

helplessly ['helpləslɪ] *adv.* **1.** bezradnie. **2.** bezbronnie.

helplessness ['helpləsnəs] *n. U* bezradność.

helpline ['helpˌlaɪn] *n.* infolinia; porady przez telefon.

helpmate ['helpˌmeɪt], **helpmeet** *n. t. Bibl.* towarzysz/ka, partner/ka (*zwł. żona*).

Helsinki ['helsɪŋkɪ] *n. geogr.* Helsinki.

helter-skelter [ˌheltər'skeltər] *adv. i a.* na łeb na szyję; na łapu capu. – *n.* **1.** *Br. i Austr.* spiralna zjeżdżalnia (*w wesołym miasteczku*). **2.** bezładny pośpiech; zamęt, zamieszanie.

helve [helv] *n.* rękojeść, trzonek (*młotka, siekiery*).

Helvetia [hel'viːʃə] *n. t. hist.* Helwecja.

Helvetian [hel'viːʃən] *a.* **1.** *hist.* helwecki. **2.** szwajcarski. – *n.* **1.** *hist.* Helwet-a/ka. **2.** Szwajcar/ka.

Helvetic [hel'vetɪk] *a.* helwecki. – *n.* **1.** *rel.* helweta (= *członek kościoła ewangelicko-reformowanego*). **2.** Szwajcar/ka.

hem[1] [hem] *n.* rąbek, brzeg. – *v.* **-mm- 1.** obrębiać, obszywać. **2.** *zw. pass.* **~ around/in** (*także Br.* **~ about/round**) otaczać; zamykać, ograniczać; **feel ~med in** *przen.* czuć się osaczonym.

hem[2] *int.* hm (*dla zwrócenia uwagi l. wyrażając wahanie*). – *n.* chrząkanie. – *v.* **-mm- 1.** chrząkać, pochrząkiwać. **2. ~ and haw** *US* kluczyć, wahać się (*unikając odpowiedzi*).

hemagglutination [ˌhiːməˌgluːtə'neɪʃən], *Br.* **haemagglutination** *n. U biol., med.* hemaglutynacja.

hemal ['hiːml], *Br.* **haemal** *a.* **1.** *fizj.* dotyczący krwi i naczyń krwionośnych. **2.** *zool.* położony po tej samej stronie, co serce.

he-man ['hiːˌmæn] *n. pl.* **-men** *zob.* **he** *pron.*

hematal ['hemətl], *Br.* **haematal** *a.* dotyczący krwi *l.* naczyń krwionośnych.

hematein [ˌhiːmə'tiːɪn] *n. U chem.* hemateina.

hematemesis [ˌhiːmə'teməsɪs] *n. U pat.* krwawe wymioty.

hematic [hə'mætɪk] *a.* dotyczący krwi; zawarty we krwi; wywołujący zmiany we krwi. – *n.* (*także* **hematinic**) *med.* środek działający na krew.

hematin ['hiːmətɪn] *n. U biochem.* hematyna.

hematite ['hiːməˌtaɪt], *Br.* **haematite** *n. C/U min.* hematyt.

hematoblast ['hiːmətoʊˌblæst], *Br.* **haematoblast** *n. anat.* hematoblast.

hematocele [ˈhi:mətoʊˌsi:l] *n. pat.* krwiak, krwistek.

hematocrit [ˈhi:mətoʊkrɪt] *n. U fizj.* hematokryt.

hematoid [ˈhi:məˌtɔɪd] *a.* krwiopodobny.

hematologic [ˌhi:mətəˈlɑ:dʒɪk], **hematological** *a. med.* hematologiczny.

hematologist [ˌhi:məˈtɑ:lədʒɪst] *n. med.* hematolog.

hematology [ˌhi:məˈtɑ:lədʒɪ] *n. U med.* hematologia.

hematoma [ˌhi:məˈtoʊmə] *n. pl.* **-s** *l.* **-ta** *pat.* krwiak.

hematophagous [ˌhi:məˈtɑ:fəgəs] *a. zool.* krwinkożerny, odżywiający się krwią (*zwł. o owadach*).

hematopoiesis [hi:ˌmætəpɔɪˈi:səs] *n. U* (*także* **hemopoiesis, hematosis**) *fizj.* hemopoeza, tworzenie się krwi.

hematosis [ˌhi:məˈtoʊsɪs] *n. U fizj.* **1.** = **hematopoiesis**. **2.** utlenianie krwi w płucach.

hematoxylin [ˌhi:məˈtɑ:ksəlɪn] *n. U chem.* hematoksylina.

hematozoon [ˌhi:mətəˈzoʊɑ:n] *n. pl.* **hematozoa** [ˌhi:mətəˈzoʊə] *biol.* pasożyt zwierzęcy krwi.

hematuria [ˌhi:məˈtʊrɪə], *Br.* **haematuria** *n. U pat.* krwiomocz.

heme [hi:m], *Br.* **haem** *n. U biochem.* hem (*składnik hemoglobiny*).

hemianopia [ˌhemɪəˈnoʊpɪə] *n. U* (*także* **hemianopsia**) *pat.* niedowidzenie połowiczne, hemianopsja.

hemicellulose [ˌhemɪˈseljəˌloʊs] *n. U biochem.* hemiceluloza.

hemicycle [ˈhemɪˌsaɪkl] *n. rzad.* półkole, półokrąg.

hemiola [ˌhemɪˈoʊlə] *n. muz.* hemiola (*figura rytmiczna*).

hemiparasite [ˌhemɪˈperəsaɪt] *n. bot.* półpasożyt.

hemiplegia [ˌhemɪˈpli:dʒɪə] *n. U pat.* hemiplegia, porażenie połowiczne.

hemisphere [ˈhemɪˌsfi:r] *n. anat., astron., geogr., geom.* półkula; hemisfera.

hemispheric [ˌhemɪˈsferɪk], **hemispherical** *a.* w formie półkuli.

hemistich [ˈhemɪˌstɪk] *n. wers.* półwiersz, hemistych.

hemitrope [ˈhemɪˌtroʊp] *a. min., chem.* hemitropowy, bliźniaczy. – *n. min.* kryształ bliźniaczy.

hemizygous [ˌhemɪˈzaɪgəs] *a. biol.* hemizygotyczny.

hemline [ˈhemˌlaɪn] *n.* rąbek (*spódnicy l. sukni*); **short/long** ~ długa/krótka spódniczka.

hemlock [ˈhemˌlɑ:k] *n. U* **1.** (*także* **poison** ~) *bot.* szczwół plamisty, pietrasznik (*Conium maculatum*). **2.** *bot.* szalej (*Cicuta*). **3.** cykuta (*trucizna*). **4.** *C* (*także* ~ **fir/spruce**) *bot.* choina (*Tsuga*). **5.** drewno choiny.

hemmer [ˈhemər] *n. mech.* obrębiarka.

hemocyte [ˈhi:məˌsaɪt], *Br.* **haemocyte** *n. fizj.* krwinka.

hemodialysis [ˌhi:mədaɪˈælɪsɪs] *n. pl.* **-ses** *med.* hemodializa.

hemodynamics [ˌhi:mədaɪˈnæmɪks] *n. U med.* hemodynamika, badanie dynamiki krążenia.

hemoflagellates [ˌhi:məˈflædʒələts] *n. pl. zool.* wiciowce pasożytujące we krwi.

hemoglobin [ˌhi:məˈgloʊbɪn] *n. U biochem.* hemoglobina.

hemoglobinuria [ˌhi:məˌgloʊbɪˈnʊrɪə] *n. U pat.* hemoglobinuria.

hemolymph [ˈhi:məˌlɪmf] *n. U biochem.* hemolimfa.

hemolysin [hɪˈmɑ:lɪsɪn] *n. U biochem.* hemolizyna.

hemolysis [hɪˈmɑ:lɪsɪs] *n. U pat.* hemoliza.

hemolytic [ˌhi:məˈlɪtɪk] *a.* hemolityczny.

hemophilia [ˌhi:məˈfɪlɪə], *Br.* **haemophilia** *n. U pat.* hemofilia.

hemophiliac [ˌhi:məˈfɪlɪˌæk] *n. pat.* hemofilik.

hemophilic [ˌhi:məˈfɪlɪk] *a.* **1.** *pat.* dotknięty hemofilią. **2.** rozwijający się najlepiej we krwi (*o bakteriach*).

hemopoiesis [ˌhi:məpɔɪˈi:səs] *n.* = **hematopoiesis**.

hemoptysis [hɪˈmɑ:ptɪsɪs], *Br.* **haemoptysis** *n. U pat.* krwioplucie.

hemorrhage [ˈhemərɪdʒ], *Br.* **haemorrhage** *n.* **1.** *pat.* krwotok. **2.** *Br. przen.* odpływ (*ludzi, gotówki; zwł. z firmy*). – *v. pat.* **1.** krwawić, mieć krwotok. **2.** *Br. przen.* gwałtownie tracić (*zwł. pieniądze*).

hemorrhagic [ˌheməˈrædʒɪk], *Br.* **haemorrhagic** *a. pat.* krwotoczny.

hemorrhagic fever *n. U pat.* krwotoczny.

hemorrhoids [ˈhemrɔɪdz], *Br.* **haemorrhoids** *n. pl. pat.* hemoroidy, guzy krwawicowe.

hemostasia [ˌhi:məˈsteɪʒə], *Br.* **haemostasia** *n. U* (*także* **hemostasis**) **1.** *chir.* zatrzymanie krwawienia, hemostaza. **2.** *pat.* zastój krwi.

hemostat [ˈhi:məˌstæt] *n.* **1.** *chir.* kleszczyki hemostatyczne. **2.** *med.* środek zatrzymujący krwawienie.

hemostatic [ˌhi:məˈstætɪk] *a.* hemostatyczny, zatrzymujący krwawienie.

hemotherapy [ˌhi:məˈθerəpɪ] *n. U med.* hemoterapia, leczenie krwią.

hemothorax [ˌhi:məˈθɔ:ræks] *n. pl.* **-thoraxes** *l.* **-thoraces** [ˌhi:məˈθɔ:ræsi:z] *pat.* krwiak opłucnej.

hemp [hemp] *n. U* **1.** *bot.* konopie siewne (*Cannabis sativa*). **2.** *tk.* konopie, włókna konopi. **3.** narkotyki otrzymywane z konopi (*zwł. marihuana*).

hemp agrimony *n. U bot.* sadziec konopiasty (*Eupatorium cannabinum*).

hempen [ˈhempən] *a.* konopny.

hemp nettle, hemp-nettle *n. U bot.* poziewnik (*Galeopsis*).

hempseed [ˈhempˌsi:d] *n. U* nasiona konopi.

hemstitch [ˈhemˌstɪtʃ] *n.* ścieg obrąbkowy; mereżka. – *v.* obrębiać; mereżkować.

hen [hen] *n.* **1.** kura; kwoka. **2.** samica (*ptaka, kraba, homara*). **3.** *przest. pog.* baba, kwoka (*o głupiej l. lubiącej plotkować kobiecie*). **4.** *voc. Scot.* kochanie, skarbie (*do dziewczyny l. kobie-*

ty). **5. scarce/rare as ~'s teeth** *Br. przest.* niezmiernie rzadki *l.* cenny.

henbane ['henˌbeɪn] *n. U* **1.** *bot.* lulek czarny (*Hyoscyamus niger*). **2.** narkotyk z rośliny jw. (*w postaci napoju*).

hence [hens] *conj. form.* stąd; w związku z tym, dlatego też. – *adv.* **1.** *arch.* od teraz, od dzisiaj; **three years ~** za trzy lata. **2.** *arch.* stąd; **go ~** odejść z tego świata. – *int. arch.* precz!

henceforth [ˌhens'fɔːrθ], **henceforward** *adv. form.* odtąd.

henchman ['hentʃmən] *n. pl.* **-men 1.** poplecznik, stronnik; wierny towarzysz; *uj.* sługus, fagas. **2.** *hist.* giermek.

hencoop ['henˌkuːp] *n.* klatka dla ptactwa domowego.

hendecagon [hen'dekəˌgɑːn] *n. geom.* jedenastokąt.

hendecagonal [ˌhendə'kægənl] *a. geom.* jedenastokątny.

hendecasyllabic [henˌdekəsɪ'læbɪk] *a. wers.* jedenastozgłoskowy.

hendecasyllable [hen'dekəˌsɪləbl] *n. wers.* jedenastozgłoskowiec.

henequen ['henəkɪn], **henequin** *n.* **1.** *bot.* agawa henekwen (*Agave fourcroydes*). **2.** *U* sizal meksykański *l.* jukatański, heneken (= *włókna agawy*).

hen harrier *n. orn. Br.* błotniak zbożowy (*Cirus cyaneus*).

hen house *n.* kurnik.

henna ['henə] *n. U* **1.** henna (*farba*). **2.** *bot.* lawsonia bezbronna (*Lawsonia inermis*). **3.** kolor rudawobrązowy. – *v.* **-naed, -naying** farbować henną.

hennery ['henərɪ] *n. pl.* **-ies** kurnik.

hen night *n. zwł. Br. pot.* wieczór panieński.

hen party *n. pot.* babski wieczór.

henpeck ['henˌpek] *v.* trzymać pod pantoflem (*zwł. męża*); **~ed husband** pantoflarz.

henroost ['henˌruːst] *n.* wylęgarnia drobiu.

hen run *n.* zagroda dla ptactwa domowego.

henry ['henrɪ] *n. pl.* **-s** *l.* **-ies** *fiz.* henr.

hep [hep] *a. US przest. sl.* = **hip⁵** *a.*

heparin ['hepərɪn] *n. U biochem.* heparyna.

hepatectomy [ˌhepə'tektəmɪ] *n. C/U pl.* **-ies** *chir.* wycięcie wątroby.

hepatic [hɪ'pætɪk] *a.* wątrobowy (*t. o kolorze*). – *n. med.* lek wątrobowy.

hepatica [hɪ'pætɪkə] *n. bot.* przylaszczka (*Hepatica*).

hepatitis [ˌhepə'taɪtɪs] *n. U pat.* zapalenie wątroby; **~ A/B** zapalenie wątroby typu A/B.

hepatocyte [hɪ'pætəˌsaɪt] *n. anat.* hepatocyt, komórka wątrobowa.

hepatogenous [ˌhepə'tɑːdʒənəs] *a. fizj., pat.* wątrobopochodny.

hepatologist [ˌhepə'tɑːlədʒɪst] *n. med.* hepatolog.

hepatology [ˌhepə'tɑːlədʒɪ] *n. U med.* hepatologia.

hepatoma [ˌhepə'toʊmə] *n. pl.* **-s** *l.* **-ta** *pat.* rak wątroby.

hepatotoxin [ˌhepətoʊ'tɑːksɪn] *n. pat.* czynnik uszkadzający wątrobę.

hepcat ['hepˌkæt] *n. przest. sl.* miłośnik jazzu (*zwł. w latach 40. XX w.*).

Hephaestus [hɪ'festəs], **Hephaistos** [hɪ'faɪstəs] *n. mit.* Hefajstos.

heptachord ['heptəˌkɔːrd] *n. muz.* heptachord (*instrument l. skala*).

heptad ['heptæd] *n.* **1.** *form.* siódemka, grupa *l.* seria siedmiu. **2.** *chem.* pierwiastek siedmiowartościowy.

heptagon ['heptəˌgɑːn] *n. geom.* siedmiokąt.

heptagonal [hep'tægənl] *a. geom.* siedmiokątny.

heptahedral [ˌheptə'hiːdrəl] *a. geom.* siedmiościenny.

heptahedron [ˌheptə'hiːdrən] *n. pl.* **-s** *l.* **heptahedra** [ˌheptə'hiːdrə] *geom.* siedmiościan.

heptameter [hep'tæmɪtər] *n. wers.* heptametr.

heptane ['hepteɪn] *n. chem.* heptan.

heptarchy ['heptɑːrkɪ] *n. pl.* **-ies** *polit., hist.* heptarchia (*np. staroangielska*).

heptastich ['heptəˌstɪk] *n. wers.* strofa składająca się z siedmiu wersów; wiersz składający się z siedmiu wersów.

Heptateuch ['heptəˌtuːk] *n. sing. Bibl.* Heptateuch, Siedmioksiąg.

heptathlon [hep'tæθlən] *n. sing. sport* heptatlon, siedmiobój.

heptavalent ['heptəˌveɪlənt] *a. chem.* siedmiowartościowy.

heptose ['heptoʊs] *n. C/U chem.* heptoza (*cukier prosty*).

her [hɜː] *pron.* jej; niej; ją; nią; **about/to ~** o/do niej; **after/with ~** za/z nią; **give ~ a book** daj jej książkę; **I saw ~** widziałem ją; **not ~ again!** tylko nie ona!; **that's ~** to ona. – *n. pot.* ona; dziewczynka; **is it a him or a ~?** czy to chłopiec, czy dziewczynka?.

her. *abbr.* **1.** = **heraldic**. **2.** = **heraldry**.

Hera ['hiːrə] *n. mit.* Hera.

Heracles ['herəˌkliːz] *n. mit.* Herakles.

Heraclitus [ˌherə'klaɪtəs] *n.* Heraklit.

herald ['herəld] *n.* **1.** *hist.* herold. **2.** zwiastun, zapowiedź; prekursor (*of sth* czegoś). **3.** *Br.* urzędnik heraldyczny. – *v.* **1.** zwiastować, zapowiadać. **2.** ogłaszać.

heraldic [hə'rældɪk] *a.* heraldyczny.

heraldically [hə'rældɪklɪ] *adv.* heraldycznie.

heraldry ['herəldrɪ] *n. U* **1.** heraldyka. **2.** herby; znaki herbowe. **3.** pompa, ceremonia.

heralds' college *n.* kolegium heraldyczne.

herb [ɜːb] *n.* **1.** ziele, zioło; **dried/fresh ~s** suszone/świeże zioła. **2.** *U Br. sl.* = **marijuana**.

herbaceous [hɜː'beɪʃəs] *a.* zielny.

herbaceous border *n. ogr.* rabata z bylin *l.* trwała.

herbaceous perennial *n. bot.* bylina.

herbage ['ɜːbɪdʒ] *n. U* **1.** rośliny zielne. **2.** jadalne części ziół.

herbal ['hɜːbl] *a.* ziołowy. – *n.* zielnik (*książka*).

herbalism ['hɜːbəˌlɪzəm] *n. U* zielarstwo.

herbalist ['hɜːbəlɪst] *n.* ziela-rz/rka.

herbal medicine *n.* 1. *U* ziołolecznictwo. 2. *C / U* lek ziołowy.

herbal tea *n. U* herbatka ziołowa.

herbarium [hɜː'berɪəm] *n. pl.* **-s** *l.* **herbaria** [hɜː'berɪə] 1. herbarium, zielnik. 2. zielarnia.

herb bennet *n. U bot.* kuklik pospolity, benedykt (*Geum urbanum*).

herbed [ɜːbd] *a. kulin.* przyprawiony ziołami, z dodatkiem ziół.

herbicidal [ˌhɜːbɪ'saɪdl] *a.* herbicydowy, chwastobójczy.

herbicide ['hɜːbɪˌsaɪd] *n.* herbicyd, środek chwastobójczy.

herbivore ['hɜːbɪˌvɔːr] *n. zool.* zwierzę roślinożerne.

herbivorous [hɜː'bɪvərəs] *a. zool.* roślinożerny.

herb Paris [ˌɜːb 'perɪs] *n. U bot.* czworolist pospolity (*Paris quadrifolia*).

herb Robert [ˌɜːb 'rɑːbərt] *n. U bot.* bodziszek cuchnący, pychowiec (*Geranium robertianum*).

herb tea *n. U* herbatka ziołowa.

herby ['ɜːbɪ] *a.* **-ier, -iest** 1. obfitujący w zioła, pełen ziół. 2. ziołowy.

Herculean [ˌhɜːkjə'lɪən], **herculean** *a. t. przen.* herkulesowy.

Hercules ['hɜːkjəˌliːz] *n.* 1. *sing. mit., astron.* Herkules; **Pillars of ~** *geogr.* Słupy Herkulesa. 2. *pl.* **Hercules** *l.* **-es** herkules, mocarz.

hercules beetle, Hercules beetle *n. ent.* herkules (*Dynastes hercules*).

herd[1] [hɜːd] *n.* 1. stado; **~ of cattle/elephants** stado bydła/słoni. 2. *t. rel.* trzoda. 3. *przen. zw. pog.* tłum, stado; **the ~** motłoch; **the ~ instinct** instynkt stadny. – *v.* 1. tłoczyć (się); gromadzić (się). 2. iść stadem *l.* gromadą. 3. zaganiać, spędzać (*bydło itp.*); paść, wypasać (*jw.*).

herd[2] *n. arch. dial. l. w złoż.* pastuch, pasterz; **goat~** pasterz kóz.

herder ['hɜːdər] *n. US* pasterz, pastuch.

herdic ['hɜːdɪk] *n. US* wóz o niskim podwoziu, z wejściem z tyłu i siedzeniami po bokach.

herdsman ['hɜːdzmən] *n. pl.* **-men** *gł. Br.* = **herder.**

here [hiːr] *adv.* tu, tutaj; w tym miejscu; w tym momencie; **~!** obecny!, jestem!; **~ and now** tu i teraz; **the ~ and now** *lit. l. form.* chwila obecna; życie doczesne; **~ and there** tu i tam, gdzieniegdzie; **~ goes!** no to do dzieła!; **~ he/she is** oto i on/a; **~ is the news** oto wiadomości; **~'s to...** za (zdrowie)... (*wznosząc toast*); **~, there and everywhere** *pot.* wszędzie dookoła; **~ the speaker paused** w tym miejscu mówca przerwał; **~ they come** oto *l.* właśnie nadchodzą; **~ today and gone tomorrow** nietrwały; chwilowy; **~ we are** o, tutaj (jest), znalazłem; jesteśmy na miejscu; **~ we go again** *pot.* (no i) znowu się zaczyna; **~'s a pencil** masz tu ołówek; **~ you are** proszę bardzo (*podając komuś coś*); **come ~!** chodź tutaj!; **east/west of ~** na wschód/zachód stąd; **from ~** stąd; **get out of ~!** *pot.* wynoś się stąd!; **I'm out of ~** *US sl.* zmywam się, spływam (= *idę sobie*); **look ~!** słuchaj no!; **near ~** niedaleko stąd; **over ~** tutaj; **that's neither ~ nor there** *pot.* to nie ma nic do rzeczy; **X is ~ to stay** X stało się częścią naszego życia (*np. o idei, instytucji*).

hereabout ['hiːrəˌbaʊt], **hereabouts** *adv.* gdzieś tutaj, w okolicy *l.* pobliżu.

hereafter [hiːr'æftər] *adv. form.* 1. w przyszłości, później, potem; odtąd. 2. w przyszłym życiu. 3. *prawn.* w dalszej części, od tego miejsca (*dokumentu*). – *n.* **the ~** *form.* życie po śmierci, przyszłe życie.

hereat [hiːr'æt] *adv. arch.* skutkiem tego.

hereby [hiːr'baɪ] *adv.* 1. *gł. prawn.* niniejszym; tą drogą. 2. *arch.* w pobliżu.

hereditability [həˌredɪtə'bɪlətɪ] *n. U* dziedziczność.

hereditable [hə'redɪtəbl] *a.* dziedziczny.

hereditament [ˌherɪ'dɪtəmənt] *n.* 1. *prawn.* własność dziedziczona *l.* podlegająca dziedziczeniu; **corporeal/incorporeal ~** dobra materialne/niematerialne podlegające dziedziczeniu. 2. dziedzictwo, spadek.

hereditarian [həˌredə'terɪən] *n.* zwolennik/czka teorii dziedziczności. – *a.* dotyczący teorii dziedziczności.

hereditarianism [həˌredə'terɪənˌɪzəm] *n. U* teoria dziedziczności.

hereditarily [həˌredə'terəlɪ] *adv.* dziedzicznie.

hereditariness [həˌredə'terənəs] *n. U* dziedziczność.

hereditary [hə'redəˌterɪ] *a. prawn., pat., mat., log.* dziedziczny.

heredity [hə'redɪtiː] *n. U* 1. dziedziczność. 2. cechy dziedziczne.

herein [hiːr'ɪn] *adv.* 1. *form. l. prawn.* tutaj, w tym miejscu. 2. *rzad.* w tych warunkach; wobec tego.

hereinafter [ˌhiːrɪn'æftər] *adv. form. l. prawn.* poniżej, dalej; odtąd, od tego miejsca (*np. w dokumencie, książce*).

hereinbefore [ˌhiːrɪnbɪ'fɔːr] *adv. form. l. prawn.* powyżej.

hereinto [hiːr'ɪntuː] *adv. form. l. prawn.* do tego (*miejsca, zagadnienia*).

hereof [hiːr'ʌv] *adv. form. l. prawn.* 1. tego, niniejszego; **upon the receipt ~** po otrzymaniu tego. 2. o tym.

heresiarch [hə'riːzɪˌɑːrk] *n.* herezjarcha, przywódca herezji.

heresy ['herɪsɪ] *n. C / U pl.* **-ies** herezja.

heretic ['herətɪk] *n. rel. l. przen.* herety-k/czka.

heretical [hə'retɪkl] *a.* 1. *rel.* heretycki. 2. nieprawomyślny.

hereto [hiːr'tuː], **hereunto** [hiːr'ʌntuː] *adv. form. l. prawn.* do tego, do niniejszego.

heretofore [ˌhiːrtə'fɔːr] *adv. form. l. prawn.* poprzednio; dotychczas.

hereunder [hiːr'ʌndər] *adv. form. l. prawn.* 1. poniżej; następnie. 2. zgodnie z tym.

hereupon [ˌhiːrə'pɑːn] *adv.* 1. po czym; skutkiem czego. 2. *form. l. prawn.* co do tego *l.* niniejszego, w tej kwestii.

herewith [hiːr'wɪð] *adv. form.* w załączeniu (*przesyłać*), niniejszym (*t. ogłaszać*).

heriot ['herɪət] *n. Br. hist.* dar składany panu

feudalnemu przez rodzinę zmarłego dzierżawcy (*zw. najcenniejszy inwentarz żywy l. martwy*).

heritable ['herɪtəbl] *a.* **1.** *t. biol.* dziedziczny. **2.** *prawn.* mający prawo dziedziczenia.

heritage ['herɪtɪdʒ] *n. U l. sing.* **1.** dziedzictwo, spuścizna; **cultural/national** ~ dziedzictwo kulturalne/narodowe. **2.** *prawn.* spadek. **3.** (*także* **God's** ~) *Bibl.* naród wybrany.

heritage trail *n.* szlak historyczny.

heritor ['herɪtər] *n. arch. l. prawn.* dziedzic, spadkobierca.

heritress ['herəˌtres], **heritrix** ['herəˌtrɪks] *n. arch. l. prawn.* dziedziczka, spadkobierczyni.

herl [hɝːl] *n.* **1.** *orn.* chorągiewka (*pióra ptaka*). **2.** *ryb.* sztuczna muszka z chorągiewką jw.

hermaphrodite [hɝːˈmæfrəˌdaɪt] *biol. n.* hermafrodyta, obojnak. – *a.* (*także* **hermaphroditic**) obojnacki, obojnaczy, obupłciowy, hermafrodytyczny.

hermaphroditism [hɝːˈmæfrədaɪˌtɪzəm] *n. U* hermafrodytyzm, obojnactwo.

hermeneutic [ˌhɝːməˈnuːtɪk], **hermeneutical** *a. fil., teol., teor. lit.* hermeneutyczny.

hermeneutics [ˌhɝːməˈnuːtɪks] *n. U* hermeneutyka.

Hermes ['hɝːmiːz] *n. mit.* Hermes.

hermetic [hɝːˈmetɪk], **hermetical** *a. t. przen.* hermetyczny.

hermetically [hɝːˈmetɪklɪ] *adv.* hermetycznie.

hermetic art *n. U* sztuka tajemna, alchemia.

hermit ['hɝːmɪt] *n.* **1.** eremit-a/ka, pustelnik/ca. **2.** *przen.* odludek.

hermitage ['hɝːmɪtɪdʒ] *n. t. przen.* pustelnia.

hermit crab *n. zool.* pustelnik (*Paguridae*).

hermitic [hɝːˈmɪtɪk], **hermitical** *a.* pustelniczy.

hermit thrush *n. orn.* drozd północnoamerykański (*Catharus guttatus*).

hern [hɝːn] *n. arch. l. dial.* = **heron**.

hernia ['hɝːnɪə] *n. pl.* **-s** *l.* **herniae** ['hɝːnɪaɪ] *pat.* przepuklina; **abdominal/hiatus** ~ przepuklina brzuszna/rozworu przełykowego.

hernial ['hɝːnɪəl] *a. pat.* przepuklinowy.

herniotomy [ˌhɝːnɪˈɑːtəmɪ] *n. C/U pl.* **-ies** *chir.* operacja przepukliny.

hero ['hiːroʊ] *n. pl.* **-es** **1.** bohater (*t. utworu literackiego*); **war** ~ bohater wojenny. **2.** idol. **3.** *mit.* heros.

Herod ['herəd] *n. Bibl.* Herod.

heroic [hɪˈroʊɪk] *a.* **1.** heroiczny (*t. o poemacie*), bohaterski; ~ **efforts** heroiczne wysiłki; ~ **measures** rozpaczliwe środki; **mock-**~ *teor. lit.* heroikomiczny. **2.** olbrzymi, niesamowity; **on a** ~ **scale** na olbrzymią *l.* niespotykaną skalę; **of** ~ **proportions** olbrzymi, niesamowitych rozmiarów.

heroic age *n. mit.* wiek *l.* czasy herosów (*przed wojną trojańską i tuż po niej*).

heroically [hɪˈroʊɪklɪ] *adv.* heroicznie, bohatersko.

heroic couplet *n. wers.* kuplet bohaterski (= *pentametr jambiczny o rymach parzystych*).

heroic drama *n. U hist. lit.* tragedia bohaterska (*gatunek popularny w epoce restauracji Stuartów*).

heroic metre *n.* = **heroic verse**.

heroics [hɪˈroʊɪks] *n. pl.* **1.** brawura. **2.** *wers.* = **heroics verse**.

heroic stanza *n. wers.* zwrotka z rymami krzyżowymi (*abab*).

heroic tenor *n. muz.* tenor bohaterski.

heroic verse *n. U* (*także* **heroic metre, heroics**) *wers.* wiersz epicki.

heroin ['heroʊɪn] *n. U* heroina.

heroine ['heroʊɪn] *n.* **1.** heroina, bohaterka (*powieści, filmu*). **2.** bohaterka. **3.** idolka. **4.** *mit.* półbogini.

heroism ['heroʊˌɪzəm] *n. U* heroizm, bohaterstwo.

heron ['herən] *n. orn.* czapla (*Ardeidae*).

heronry ['herənrɪ] *n. pl.* **-ies** miejsce lęgowe czapli.

hero sandwich *n. US* podłużna bułka *l.* kanapka (*z wędliną, serem i sałatą*).

hero worship *n. U* **1.** kult bohatera *l.* idola. **2.** *hist.* kult herosów (*w starożytnej Grecji i Rzymie*).

herpes ['hɝːpiːz] *n. U pat.* opryszczka; ~ **simplex** opryszczka zwykła.

herpesvirus [ˌhɝːpiːzˈvaɪrəs] *n. U pat.* wirus opryszczki.

herpes zoster *n. U pat.* półpasiec.

herpetic [hɝːˈpetɪk] *a. pat.* **1.** opryszczkowy. **2.** chory na opryszczkę.

herpetology [ˌhɝːpəˈtɑːlədʒɪ] *n. U zool.* herpetologia (= *nauka o gadach i płazach*).

herring ['herɪŋ] *n.* **1.** *C/U pl.* **-s** *l.* **herring** *icht.* śledź (*Clupea harengus*). **2. red** ~ *zob.* **red**.

herringbone ['herɪŋˌboʊn] *n. U* **1.** ścieg jodełkowy. **2.** *bud.* układ na jodełkę (*cegieł, parkietu*). **3.** *narty* jodełka (*sposób wchodzenia pod górę*). – *v.* szyć ściegiem jodełkowym.

herringbone gear *n. mech.* koło zębate daszkowe *l.* strzałkowe.

herringbone stitch *n.* ścieg jodełkowy *l.* zakopiański.

herring gull *n. orn.* mewa srebrzysta (*Larus argentatus*).

hers [hɝːz] *pron.* jej; **a friend of** ~ (pewien) jej znajomy; **this is** ~ to jest jej.

herself [hərˈself] *pron.* **1.** się; **she hurt** ~ skaleczyła się. **2.** siebie; sobie; sobą; **(all) to** ~ (tylko) dla siebie; **she is not** ~ **today** ona nie jest dziś sobą; **she made** ~ **some tea** zrobiła sobie herbaty. **3.** *emf.* sama; **(all) by** ~ (zupełnie *l.* całkiem) sama; **the First Lady** ~ sama Pierwsza Dama, Pierwsza Dama we własnej osobie. **4.** ona; **only me, John and** ~ tylko ja, John i ona. – *n. Ir. i Scot.* gospodyni, pani domu.

herstory ['hɝːstərɪ] *n. U* historia w ujęciu feministycznym.

hertz [hɝːts] *n. pl.* **hertz** *fiz.* herc.

Herzegovina [ˌhertsəˈgoʊvɪnə] *n. geogr.* Hercegowina.

he's [hiːz] *abbr.* **1.** = **he is**. **2.** = **he has**.

hesitance ['hezɪtəns], **hesitancy** ['hezɪtənsɪ] *n. U form.* wahanie, niezdecydowanie.

hesitant ['hezɪtənt] *a.* **1.** wahający się, niezdecydowany; niepewny; **be** ~ **about doing sth** (*także*

be ~ to do sth) nie móc się zdecydować na zrobienie czegoś. **2.** *attr.* niepewny (*np. o uśmiechu*).

hesitantly [ˈhezɪtəntlɪ] *adv.* z wahaniem, niezdecydowanie; niepewnie.

hesitate [ˈhezɪˌteɪt] *v.* wahać się; **don't ~ to ask** nie wahaj się pytać.

hesitation [ˌhezɪˈteɪʃən] *n.* *C / U* wahanie; **after a slight ~** po chwili wahania; **have no ~ in doing sth** *form.* robić coś bez wahania; **without (a moment's) ~** bez (chwili) wahania.

hesitative [ˈhezɪˌteɪtɪv] *a.* *form.* wahający się, niezdecydowany.

Hesperian [heˈspiːrɪən] *a.* *poet.* hesperyjski (= *zachodni*).

Hesperides [heˈsperɪˌdiːz] *n.* *pl.* *mit.* Hesperydy.

Hesperus [ˈhespərəs] *n.* *poet.* gwiazda wieczorna (= *Wenus*).

Hesse [ˈhesə] *n.* *geogr.* Hesja.

Hessian [ˈheʃən] *a.* heski. – *n.* **1.** mieszkaniec/ka Hesji. **2.** *hist.*, *wojsk.* najemnik heski (*w służbie brytyjskiej podczas Rewolucji Amerykańskiej l. wojen napoleońskich*).

hessian [ˈheʃən] *n.* *U Br.* *tk.* juta.

Hessian fly *n.* *pl.* **-ies** *ent.* mucha heska (*Mayetiola destructor*).

hest [hest] *n.* *arch.* = **behest**.

het [het] *v.* **1.** *pp. i pret.* *US dial.* *zob.* **heat** *v.* **2.** *zob. t.* **het up**.

hetaera [hɪˈtiːrə] *n.* *pl.* **-s** *l.* **hetaerae** [hɪˈtiːriː] *hist.* hetera, kurtyzana (*w starożytnej Grecji*).

hetaerism [hɪˈtiːrˌɪzəm] *n.* *U antrop.*, *socjol.* heteryzm (= *jawny konkubinat l. małżeństwo zbiorowe*).

hetaira [hɪˈtaɪrə] *n.* *pl.* **-s** *l.* **hetairai** [hɪˈtaɪriː] = **hetaera**.

hetero [ˈhetəroʊ] *pot.* *n.* *pl.* **-s** osoba heteroseksualna. – *a.* heteroseksualny.

heteroatom [ˌhetəroʊˈætəm] *n.* *chem.* heteroatom.

heterochromatin [ˌhetəroʊˈkroʊmətɪn] *n.* *U biol.* heterochromatyna.

heterochromosome [ˌhetəroʊˈkroʊməˌsoʊm] *n.* *biol.* heterochromosom, chromosom płciowy, alosom.

heterochromous [ˌhetəroʊˈkroʊməs] *a.* *form.* różnobarwny (*zwł. o częściach roślin*).

heteroclite [ˈhetəroʊˌklaɪt] *n. i a.* *gram.* (rzeczownik) nieregularny (*zwł. w łacinie l. grece*).

heterocyclic [ˌhetəroʊˈsaɪklɪk] *a.* *chem.* heterocykliczny (*o związku*).

heterodont [ˈhetəroʊˌdɑːnt] *a.* *zool.* mający różne rodzaje zębów (*o ssakach*).

heterodox [ˈhetəroʊˌdɑːks] *a.* *form.* heterodoksyjny, nieprawowierny.

heterodoxy [ˈhetəroʊˌdɑːksɪ] *n.* *U rel.* heterodoksja, nieprawowierność.

heterodyne [ˈhetəroʊˌdaɪn] *el.* *n.* heterodyna. – *a.* heterodynowy.

heterogamete [ˌhetəroʊˈgæmiːt] *n.* *biol.* heterogameta, anizogameta.

heterogametic [ˌhetəroʊgəˈmetɪk] *a.* *biol.* heterogametyczny, produkujący dwa rodzaje gamet.

heterogamous [ˌhetəˈrɑːgəməs] *a.* **1.** *bot.* nieregularny pod względem rozmieszczenia pręcików i słupków. **2.** = **heterogametic**.

heterogamy [ˌhetəˈrɑːgəmɪ] *n.* *U biol.* heterogamia, anizogamia.

heterogeneity [ˌhetəroʊdʒəˈniːɪtiː], **heterogeneousness** [ˌhetərəˈdʒiːnɪəsnəs] *n.* *U* heterogeniczność, niejednorodność.

heterogeneous [ˌhetərəˈdʒiːnɪəs] *a.* heterogeniczny, niejednorodny, niejednolity.

heterogeneously [ˌhetərəˈdʒiːnɪəslɪ] *adv.* heterogenicznie, niejednorodnie.

heterogenesis [ˌhetərəˈdʒenəsɪs] *n.* *U biol.* heterogeneza; mutacja.

heterogenous [ˌhetəˈrɑːdʒənəs] *a.* = **heterogeneous**.

heterogonia [ˌhetərəˈgɑːnɪə] *n.* *U biol.* heterogonia (*typ przemiany pokoleń*).

heterograft [ˈhetərəˌgræft] *n.* *chir.* heteroprzeszczep, przeszczep obcopochodny *l.* różnogatunkowy.

heterography [ˌhetəˈrɑːgrəfɪ] *n.* *pl.* **-ies** **1.** używanie różnych liter do zapisania tego samego dźwięku. **2.** nieregularny system pisowni.

heterokaryon [ˌhetərəˈkerɪən] *n.* *biol.* heterokarion (= *komórka mająca jądra o odmiennych genotypach*).

heterolysis [ˌhetəˈrɑːlɪsɪs] *n.* *U biochem.* heteroliza, rozpad heterolityczny.

heteromorphic [ˌhetərəˈmɔːrfɪk] *a.* *biol.* heteromorficzny, różnopostaciowy.

heteromorphism [ˌhetəroʊˈmɔːrˌfɪzəm] *n.* *U biol.* heteromorfizm, wielopostaciowość.

heteronomous [ˌhetəˈrɑːnəməs] *a.* heteronomiczny.

heteronomy [ˌhetəˈrɑːnəmɪ] *n.* *U prawn.* heteronomia, niesamodzielność.

heteronym [ˈhetərəˌnɪm] *n.* *jęz.* heteronim (= *jedno ze słów pisanych identycznie, ale inaczej wymawianych i mających inne znaczenie, np. „lead"*).

heteroousian [ˌhetərəˈuːsɪən] *n. i a.* *teol.* (człowiek) wierzący, że Bóg Ojciec i Syn Boży posiadają odmienną substancję.

heterophyllous [ˌhetərəˈfɪləs] *a.* *bot.* heterofilny, różnolistny.

heteroploid [ˈhetərəˌplɔɪd] *a.* *biol.* heteroploidalny. – *n.* *biol.* komórka z nieprawidłową liczbą chromosomów.

heteropolar [ˌhetərəˈpoʊlər] *a.* *fiz.* różnobiegunowy.

heterosexism [ˌhetərəˈsekˌsɪzəm] *n.* *U* dyskryminacja osób homoseksualnych przez heteroseksualne.

heterosexual [ˌhetərəˈsekʃuəl] *a.* heteroseksualny.

heterosexuality [ˌhetərəˌsekʃuːˈælətɪ] *n.* *U* heteroseksualność.

heterosporous [ˌhetəˈrɑːspərəs] *a.* *bot.* różnozarodnikowy.

heterospory [ˌhetəˈrɑːspərɪ] *n.* *U bot.* heterosporia, różnozarodnikowość.

heterostyly [ˈhetərəˌstaɪlɪ] *n.* *U bot.* heterostylia, różnosłupkowość.

heterotaxy [ˈhetəroʊˌtæksɪ], **heterotaxis** [ˌhetərə-

ˈtæksɪs], **heterotaxia** [ˌhetərəˈtæksɪə] *n. U pat.* heterotaksja, nieprawidłowe *l.* niesymetryczne usytuowanie narządów.

heterotroph [ˈhetərəˌtrɑːf] *n. biol.* heterotrof, organizm cudzożywny.

heterotrophic [ˌhetərəˈtroʊfɪk] *a. biol.* cudzożywny.

heterotrophy [ˈhetərəˌtroʊfɪ] *n. U biol.* heterotrofia, cudzożywność.

heterozygote [ˌhetərəˈzaɪgoʊt] *n. genetyka* heterozygota (= *osobnik, którego genotyp zawiera różne allele danego genu*).

hetman [ˈhetmən] *n. pl.* **-s** *hist., wojsk.* hetman (*polski*); ataman (*kozacki*).

het up [ˌhet ˈʌp] *a. pred.* podniecony, rozgorączkowany; **be/get ~** przejmować się (*about sth* czymś).

heulandite [ˈhjuːlənˌdaɪt] *n. U min.* heulandyt.

heuristic [hjʊˈrɪstɪk] *t. log., komp. a.* heurystyczny. – *n.* procedura heurystyczna.

heuristically [hjʊˈrɪstɪklɪ] *adv.* heurystycznie.

heuristics [hjʊˈrɪstɪks] *n. U* **1.** *t. mat., log.* heurystyka. **2.** *pedagogika* heureza.

hevea [ˈhiːvɪə] *n. bot.* kauczukowiec, spręża, hewea (*Hevea*).

HEW [ˌeɪtʃ ˌiː ˈdʌbljuː] *abbr.* **Department of Health, Education and Welfare** *US admin.* Ministerstwo Zdrowia, Edukacji i Opieki Społecznej.

hew [hjuː] *v. pp.* **hewed** *l.* **hewn 1.** rąbać; **~ a path** wyrąbać ścieżkę *l.* przejście (*through sth* przez coś). **2.** ciosać. **3.** kuć, wykuwać. **4. ~ away/off** odrąbać; **~ down** zrąbać; **~ out** wyciosać (*of sth* z czegoś); *przen.* wypracować (*plan, metodę*); **~ to** *US, Can. form.* stosować się do (*zasad, procedury*).

hewer [ˈhjuːər] *n.* **1.** *górn.* rębacz. **2.** *leśn.* drwal.

hex [heks] *gł. US i Can. n.* **1.** zły urok *l.* czar. **2.** czarownica. **3.** osoba przynosząca pecha. – *v.* **1.** rzucać urok na (*kogoś l. coś*). **2.** przynosić pecha (*komuś l. czemuś*).

hex. *abbr.* **1.** = **hexagon**. **2.** = **hexagonal**.

hexachord [ˈheksəˌkɔːrd] *n. muz.* akord składający się z sześciu nut (*z półtonem pomiędzy trzecią a czwartą nutą*).

hexad [ˈheksæd] *n. form.* szóstka, grupa *l.* seria sześciu.

hexadecimal [ˌheksəˈdesɪml] *a. komp.* szesnastkowy.

hexagon [ˈheksəˌgɑːn] *n. geom.* sześciokąt.

hexagonal [hekˈsægənl] *a. geom.* sześciokątny.

hexagram [ˈheksəˌgræm] *n.* **1.** gwiazda sześcioramienna. **2.** *geom.* heksagram.

hexahedral [ˌheksəˈhiːdrəl] *a. geom.* sześciościenny.

hexahedron [ˌheksəˈhiːdrən] *n. pl.* **-s** *l.* **hexahedra** [ˌheksəˈhiːdrə] *geom.* sześcian.

hexahydrate [ˌheksəˈhaɪdreɪt] *n. chem.* sześciowodzian.

hexameter [hekˈsæmɪtər] *n. wers.* heksametr.

hexametric [ˌheksəˈmetrɪk] *a. wers.* heksametryczny.

hexamine [ˈheksəˌmiːn] *n. U* urotropina (*używana jako paliwo turystyczne*).

hexane [ˈheksеɪn] *n. chem.* heksan.

hexangular [hekˈsæŋgjələr] *a. geom.* sześciokątny.

hexapod [ˈheksəˌpɑːd] *zool. n.* sześcionóg. – *a.* sześcionogi.

hexastich [ˈheksəˌstɪk] *n. wers.* strofa składająca się z sześciu wersów; wiersz składający się z sześciu wersów.

hexastyle [ˈheksəˌstaɪl] *n. i a. bud.* (portyk) sześciokolumnowy.

Hexateuch [ˈheksəˌtuːk] *n. Bibl.* Heksateuch, Sześcioksiąg.

hexavalent [ˈheksəˌveɪlənt] *a. chem.* sześciowartościowy.

hexose [ˈheksoʊs] *n. chem.* heksoza.

hey [heɪ] *int.* **1.** hej (*dla zwrócenia uwagi; wyrażając zdziwienie l. zainteresowanie*). **2.** *US* hej!, cześć!

heyday [ˈheɪdeɪ] *n. zw. sing.* dni świetności (*of sth* czegoś); pełnia, szczyt (*np. sławy, popularności*).

Heyduck [ˈhaɪdʊk], **Haiduk** *n. hist.* hajduk.

HF [ˌeɪtʃ ˈef] *abbr.* **1.** = **hard firm**. **2.** *radio* = **high frequency**.

hf *abbr.* = **half**.

HFC [ˌeɪtʃ ˌef ˈsiː] *abbr. chem.* = **hydrofluorocarbon**.

HG *abbr. Br.* **1.** = **His/Her Grace**. **2.** *hist.* = **Home Guard**.

hg *abbr.* **1.** *biochem.* = **hemoglobin**. **2.** = **hectogram**.

hgt. *abbr.* = **height**.

HGV [ˌeɪtʃ ˌdʒiː ˈviː] *abbr. Br.* = **heavy goods vehicle**.

Hgwy., **hgwy** *abbr.* = **highway**.

H.H., HH *abbr.* **1.** = **His/Her Higness**. **2.** *kośc.* = **His Holiness**. **3.** *prawn.* = **His Honor**. **4.** = **double hard**.

H-hour [ˈeɪtʃˌaʊr] *n. wojsk.* godzina W.

HI *abbr.* = **Hawaii**.

hi [haɪ] *int. pot.* hej, cześć, witam.

hiatus [haɪˈeɪtəs] *n. zw. sing. pl.* **-es** *l.* **hiatus 1.** *form.* przerwa. **2.** *druk.* luka. **3.** *fon.* rozziew, hiatus. **4.** *anat.* rozwór, otwór.

hibachi [hɪˈbɑːtʃɪ] *n.* grill w stylu japońskim.

hibernaculum [ˌhaɪbərˈnækjələm] *n. pl.* **-a 1.** *zool.* miejsce zimowania. **2.** *bot.* osłona pączka.

hibernal [haɪˈbɝːnl] *a. ekol.* zimowy.

hibernant [haɪˈbɝːnənt] *a.* zimujący.

hibernate [ˈhɪbərˌneɪt] *v. zool. l. żart.* zapadać w sen zimowy.

hibernation [ˌhɪbərˈneɪʃən] *n. U* hibernacja, sen zimowy.

hibernator [ˈhɪbərˌneɪtər] *n. zool.* zwierzę zapadające w sen zimowy.

Hibernia [haɪˈbɝːnɪə] *n. arch. l. lit.* Irlandia.

Hibernian [haɪˈbɝːnɪən] *a.* irlandzki. – *n.* Irland-czyk/ka.

Hibernicism [haɪˈbɝːnɪˌsɪzəm], **Hibernianism** [haɪˈbɝːnɪəˌnɪzəm] *n. jęz.* irlandzki wyraz, zwrot *l.* idiom (*w języku angielskim*).

Hiberno-English [haɪˌbɝːnɪoʊˈɪŋglɪʃ] *jęz. n.* irlandzka odmiana języka angielskiego. – *a.* dotyczący irlandzkiej angielszczyzny.

hibiscus [haɪˈbɪskəs] *n. bot.* ketmia, poświrnik (*Hibiscus*).

HIB vaccine [ˌeɪtʃ ˌaɪ ˈbiː vækˌsiːn] *n. med.* szczepionka przeciwko zapaleniu opon mózgowych.

hiccup [ˈhɪkˌʌp], **hiccough** *n.* **1.** *zw. pl.* czkawka, napad czkawki; **get (the) ~s** dostać czkawki; **have (the) ~s** mieć czkawkę. **2.** *pot.* drobna przeszkoda; drobny problem. – *v.* mieć czkawkę, czkać.

hick [hɪk] *n. US, Can. i Austr. pot. pog.* wieśniak, prostak. – *a. attr.* wsiowy.

hickey [ˈhɪkɪ] *n. pl. t.* **-ies** *gł. US i Can.* **1.** *pot.* wichajster. **2.** *pot.* pryszcz. **3.** *pot.* malinka (= *ukąszenie miłosne*). **4.** *druk.* błąd w druku.

hickory [ˈhɪkərɪ] *n. pl.* **-ies** **1.** *bot.* orzesznik, karia, hikora (*Carya*). **2.** *U* drewno orzesznika.

hick town *n. US, Can. i Austr. pot.* dziura, grajdoł.

hid [hɪd] *v. pret. zob.* **hide**.

hidden [ˈhɪdən] *v. pp. zob.* **hide**. – *a.* ukryty, schowany; ~ **agenda/extras** ukryte motywy/koszty dodatkowe.

hide[1] [haɪd] *v.* **hid, hidden** **1.** kryć (się), chować (się), ukrywać (się) (*from sb/sth* przed kimś/czymś) (*in/under/behind sth* w/pod/za czymś); **have nothing to ~** nie mieć nic do ukrycia. **2.** odwracać (*oczy, głowę*). **3.** ~ **one's light under a bushel** *zob.* **bushel**[1]. – *n. Br. myśl.* = **blind** *n.* 4.

hide[2] *n.* **1.** skóra (*zwierzęca zwł. wyprawiona, t. żart. ludzka*). **2.** *Austr. i NZ pot.* czelność, tupet. **3.** *przen.* **neither ~ nor hair of sb/sth** ani widu ani słychu o kimś/czymś, ani śladu kogoś/czegoś; **save one's ~** ratować własną skórę; **tan sb's ~** *pot.* złoić *l.* wygarbować *l.* przetrzepać komuś skórę. – *v. pot.* złoić *l.* wygarbować *l.* przetrzepać skórę (*komuś*).

hide[3] *n. Br. hist.* obszar wystarczający na utrzymanie jednej wolnej rodziny wraz ze służbą (*80-120 akrów*).

hide-and-seek [ˌhaɪdənˈsiːk], *US t.* **hide-and-go-seek** [ˌhaɪdənˌgoʊˈsiːk] *n. U* zabawa w chowanego.

hideaway [ˈhaɪdəˌweɪ] *n.* kryjówka.

hidebound [ˈhaɪdˌbaʊnd] *a.* **1.** o ciasnych poglądach, ograniczony; ~ **by rules** ograniczony *l.* skrępowany przepisami. **2.** wychudły (*o bydle*). **3.** o uciskającej korze (*o drzewie*).

hideous [ˈhɪdɪəs] *a.* ohydny, szkaradny; okropny, paskudny, wstrętny; odrażający.

hideously [ˈhɪdɪəslɪ] *adv.* ohydnie; okropnie.

hideousness [ˈhɪdɪəsnəs] *n. U* ohyda; okropność, okropieństwo.

hideout [ˈhaɪdˌaʊt], **hide-out** *n.* kryjówka.

hiding[1] [ˈhaɪdɪŋ] *n.* **1.** *U* **be in ~** (*także* **have gone into ~**) ukrywać się, pozostawać w ukryciu. **2.** kryjówka.

hiding[2] *n.* **1.** lanie, bicie, cięgi; **give sb/get a good ~** *przen.* dać komuś/dostać lanie. **2. be on a ~ to nothing** *Br. pot.* być *l.* stać na straconej pozycji.

hiding place *n.* **1.** kryjówka. **2.** schowek.

hie [haɪ] *v. part.* **hieying** *l.* **hying** *arch.* spieszyć, pospieszać (*gdzieś*).

hierarch [ˈhaɪəˌrɑːrk] *n. t. kośc.* hierarcha.

hierarchic [ˌhaɪəˈrɑːrkɪk], **hierarchical** [ˌhaɪəˈrɑːrkɪkl] *a.* hierarchiczny.

hierarchically [ˌhaɪəˈrɑːrkɪklɪ] *adv.* hierarchicznie.

hierarchism [ˈhaɪəˌrɑːrkɪzəm] *n. U* hierarchiczność.

hierarchize [ˈhaɪərɑːrˌkaɪz], *Br. i Austr. zw.* **hierarchise** *v.* hierarchizować.

hierarchy [ˈhaɪəˌrɑːrkɪ] *n. C/U pl.* **-ies** **1.** *t. kośc.* hierarchia. **2.** władza, władze.

hieratic [ˌhaɪəˈrætɪk], **hieratical** [ˌhaɪəˈrætɪkl] *a.* **1.** kapłański. **2.** hieratyczny (*t. o piśmie egipskim*). – *n. U jęz.* hieratyka (*odmiana pisma hieroglificznego*).

hierocracy [ˌhaɪəˈrɑːkrəsɪ] *n. C/U pl.* **-ies** *polit.* hierokracja, rządy *l.* władza kapłanów.

hierodule [ˈhaɪərəˌduːl] *n. hist.* hierodul (= *niewolni-k/ca w starożytnej Grecji do służby w świątyni*).

hieroglyph [ˈhaɪərəglɪf] *n. t. przen.* hieroglif.

hieroglyphic [ˌhaɪərəˈglɪfɪk], **hieroglyphical** [ˌhaɪərəˈglɪfɪkl] *a.* **1.** hieroglificzny. **2.** *przen.* trudny do odcyfrowania *l.* odczytania.

hieroglyphics [ˌhaɪərəˈglɪfɪks] *n. pl. t. przen.* hieroglify.

hieroglyphic script *n. C/U jęz.* pismo hieroglificzne.

hierophant [ˈhaɪərəˌfænt] *n. hist.* **1.** hierofant (*w starożytnej Grecji*). **2.** *przen.* osoba wprowadzająca w tajniki wiedzy tajemnej.

hifalutin [ˌhaɪfəˈluːtən] *a.* = **highfalutin**.

hi-fi [ˌhaɪˈfaɪ] *n. pl.* **hi-fis** **1.** zestaw hi-fi. **2.** *U* = **high-fidelity**. – *a. attr.* ~ **equipment/system** sprzęt/system hi-fi.

higgle [ˈhɪgl] *v. rzad.* = **haggle** *v.*

higgledy-piggledy [ˌhɪgldɪˈpɪgldɪ] *pot. a. i adv.* w nieładzie. – *n.* rozgardiasz, groch z kapustą.

high [haɪ] *a.* **1.** *t. przen.* wysoki (*t. fon. o samogłosce; nigdy o wzroście czy osobie*); ~ **building** wysoki budynek; ~ **cost of living** wysokie koszty utrzymania; ~ **proportion/percentage** wysoki odsetek/procent (*of sth* czegoś); ~ **rent/tax** wysoki czynsz/podatek; ~ **temperatures** wysokie temperatury; **five-foot-~ wall** mur wysoki na pięć stóp; **have a ~ opinion of sb/sth** mieć wysokie mniemanie o kimś/czymś; **hold ~ office** sprawować *l.* piastować wysoki urząd; **hold sb/sth in ~ esteem** wysoko sobie cenić kogoś/coś; **how ~ is the Empire State Building?** jak wysoki jest Empire State Building?; **it is ten meters ~** to ma dziesięć metrów wysokości; **knee/waist ~** do kolan/pasa, po kolana/pas; **pay a ~ price for sth** *przen.* zapłacić za coś wysoką cenę. **2.** duży, wielki; ~ **in fat/sugar** (*także* **with a ~ fat/sugar content**) o dużej zawartości tłuszczu/cukru, bogaty w tłuszcze/cukier; **at ~ speed** z dużą prędkością; **have ~ hopes/expectations** mieć wielkie nadzieje/oczekiwania. **3.** wysoko postawiony; ważny (*np. o stanowisku*); **be ~ on the list/agenda** mieć priorytet, kwalifikować się do natychmiastowego załatwienia; **have friends in ~ places** mieć wysoko postawionych znajomych *l.* przyjaciół. **4.** *pred. pot.* na haju; pod gazem, wstawiony; podekscytowany; **~ as a kite** naćpany; zalany; nadmiernie podekscytowany; **get ~ on sth** naćpać się czymś. **5.** *attr.* silny (*o wietrze*). **6.** *attr. jęz.* górny; **H~ German** górnoniemiecki. **7.** *zw. attr.* wzniosły, szlachetny, szczytny (*o zasadach, ideałach*). **8.** pełny, zupełny; **~ summer/season** pełnia lata/sezonu, lato/sezon w pełni; **H~ Renaissance** pełnia renesansu; **at ~ noon** w samo południe. **9.** *pred.* dojrzały (*np. o serze*); skruszały (*np. o dziczyźnie*); *uj.* nadpsuty (*zwł. o mięsie*). **10.** *przen.* **~ and mighty** *pot.* zarozumiały; arogancki; **be/get on one's ~ horse** zadzierać nosa; **have a ~ old time** *przest.* świetnie się bawić; **in ~ dudgeon** *zob.* **dudgeon**; **in ~ spirits** w wyśmienitym nastroju *l.* humorze; **it's ~ time (sb did sth)** najwyższy czas (żeby ktoś coś zrobił). – *adv. t. przen.* wysoko; w górę; **~ in the sky** wysoko na niebie; **aim ~** *przen.* mierzyć wysoko, postawić sobie wysoko poprzeczkę; **be left ~ and dry** *pot.* być pozostawionym samemu sobie; **be riding ~** *zob.* **ride** *v.*; **be running ~** *zob.* **run** *v.*; **fly ~** latać wysoko; **hold one's head ~** *zob.* **head** *n.*; **live ~ on the hog** *zob.* **hog** *n.*; **look/search ~ and low** szukać wszędzie, przeszukiwać wszystkie kąty; **play ~** *t. przen.* grać wysoko, zagrać wysoką kartą; **stay ~** stać wysoko (*np. o walucie*). – *n.* **1.** maksimum, najwyższy *l.* rekordowo wysoki poziom; **all-time ~** *zob.* **all-time**; **reach a new ~** osiągnąć nienotowany dotychczas poziom. **2.** *meteor.* wyż baryczny. **3.** *pot.* euforia, podniecenie (*t. wywołane alkoholem l. narkotykami*); **be on a ~** być w euforii. **4.** wysokie miejsce; **on ~** *Bibl.* na wysokości (= *w niebie*); **from on ~** *zw. żart.* z wysoka, z góry (*np. o poleceniach*). **5.** (*zwł. w nazwach*) *l. pot.* = **high school.**

high altar *n. kośc.* ołtarz główny.

high-angle [ˌhaɪˈæŋgl] *a. wojsk.* wysokokątowy, zenitowy (*o ogniu z działa*).

highball [ˈhaɪˌbɔːl] *n. zwł. US* **1.** whisky z wodą sodową (*podawana w wysokiej szklance*). **2.** *kol.* sygnał „droga wolna". – *v. sl.* pędzić, mknąć.

high beam *n. U US mot.* światła drogowe.

highbinder [ˈhaɪˌbaɪndər] *n. US pot.* **1.** gangster. **2.** skorumpowany polityk.

highborn [ˈhaɪˌbɔːrn] *a. lit.* wysoko *l.* szlachetnie urodzony.

highboy [ˈhaɪˌbɔɪ] *n. US* wysoka komoda (*na nóżkach*).

high brass *n. U* mosiądz wysokogatunkowy.

highbred [ˈhaɪˌbred] *a.* **1.** *roln.* wyższej rasy. **2.** *arch.* wytworny; dobrze wychowany.

highbrow [ˈhaɪˌbraʊ] *n.* intelektualist-a/ka. – *a.* intelektualny; *uj.* przeintelektualizowany, uczony.

highchair [ˈhaɪˌtʃer] *n.* wysokie krzesełko (*do sadzania dziecka podczas posiłków*).

High Church *n. U kośc.* odłam kościoła anglikańskiego zbliżony do kościoła rzymsko-katolickiego.

high-class [ˌhaɪˈklæs] *a. zw. attr. pot.* ekskluzywny, wysokiej klasy.

high-colored [ˌhaɪˈkʌlərd], *Br.* **high-coloured** *a.* rumiany (*o cerze*).

high comedy *n. C/U pl.* **-ies** *teatr* komedia, której humor opiera się na dowcipnych dialogach i inteligentnej fabule.

high command *n. sing. wojsk.* naczelne dowództwo.

high commission *n.* **1.** wysoka komisja (*międzynarodowa*). **2. H~ C~** *Br.* ambasada państwa-członka Wspólnoty Narodów w innym państwie członkowskim.

high commissioner *n.* **1.** wysoki komisarz; **United Nations H~ C~ for Refugees** Wysoki Komisarz ONZ ds. Uchodźców. **2. H~ C~** *Br.* ambasador państwa jw.

high country *n.* (*także* **the ~**) tereny górskie (*zwł. jako pastwiska dla owiec, np. w południowych Alpach l. Nowej Zelandii*).

high court, High Court *n. zw. sing. prawn.* **1.** sąd najwyższy. **2.** *Br.* Wysoki Trybunał (*rozpatrujący apelacje od wyroków w sprawach cywilnych*).

high day *n. arch.* święto (*religijne*).

high-definition [ˌhaɪˌdefəˈnɪʃən] *a. attr. telew., komp.* o dużej rozdzielczości.

high-end [ˈhaɪˌend] *a. attr.* ekskluzywny, dla znawców *l.* koneserów.

high-energy [ˌhaɪˈenərdʒɪ] *a. attr. t. fiz.* wysokoenergetyczny.

higher [ˈhaɪər] *a. comp. zob.* **high** *a., adv.* – *n. Scot. szkoln.* egzamin z danego przedmiotu na zakończenie szkoły średniej.

higher animals *n. pl. zool.* naczelne.

higher court *n. prawn.* sąd wyższej instancji.

higher criticism *n. U* wyższa krytyka (*gł. w odniesieniu do tekstów biblijnych*).

higher education *n. U* **1.** wyższe wykształcenie. **2.** szkolnictwo wyższe.

higher learning *n. U lit.* wyższe wykształcenie *l.* studia.

higher mathematics *n. U* matematyka wyższa.

higher-up [ˌhaɪərˈʌp] *n. pot.* szycha, ważniak.

highest common factor *n. mat.* największy wspólny dzielnik *l.* podzielnik.

high explosive *n. C/U* materiał wybuchowy kruszący.

high explosive bomb *n.* bomba burząca.

high explosive shell *n.* pocisk burzący.

high-falutin [ˌhaɪfəˈluːtən], **high-faluting, hifalutin** *a. pot.* bombastyczny, napuszony.

high fashion *n. U moda* haute couture.

high-fidelity [ˌhaɪfɪˈdelətɪ] *n. U radio* wysoka wierność odtwarzania, hi-fi. – *a. attr.* o wysokiej wierności odtwarzania.

high finance *n. U* wielka finansjera.

high-five [ˌhaɪˈfaɪv] *n. sing. gł. US pot.* piątka (= *uderzenie wysoko uniesioną otwartą dłonią w czyjąś dłoń*). – *v.* przybić piątkę.

high-flier [ˌhaɪˈflaɪər] *n. Br.* = **high-flyer.**

high-flown [ˌhaɪˈfloʊn] *a.* **1.** pompatyczny, szumny, górnolotny (*o języku, frazesach*). **2.** wydumany (*np. o pomysłach*).

high-flyer [ˌhaɪˈflaɪər] *n.* **1.** osoba bardzo ambitna. **2.** osoba wybitnie zdolna.

high-flying [ˌhaɪˈflaɪɪŋ] *a.* **1.** bardzo ambitny. **2.** wybitnie zdolny.

high frequency *n. U fiz.* wysoka częstotliwość.

high-frequency current [ˌhaɪˈfriːkwənsɪ ˌkɜːənt] *n. el.* prąd o wysokiej częstotliwości.

high gear *n. US mot.* przekładnia biegu szybkiego.

High German *n. i a. jęz.* (dialekt) górnoniemiecki.

high-grade [ˌhaɪˈgreɪd] *a. attr.* wysokiej jakości.

high ground *n.* **1.** teren wysoko położony. **2.** *przen.* pozycja wyższości; uprzywilejowana pozycja.

high-handed [ˌhaɪˈhændɪd] *a.* władczy, wyniosły.

high-handedly [ˌhaɪˈhændɪdlɪ] *adv.* władczo, wyniośle.

high-handedness [ˌhaɪˈhændɪdnəs] *n. U* władczość, wyniosłość.

high hat *n.* = **top hat.**

high-hat [ˈhaɪˌhæt] *n. arch. pot.* snob/ka. – *a. arch. pot.* snobistyczny. – *v. US i Can. przest. pot.* traktować z góry.

high-heeled [ˌhaɪˈhiːld] *a.* na wysokim obcasie.

high heels *n. pl.* buty na wysokim obcasie, szpilki.

High Holidays, High Holy Days *n. pl. judaizm* święta Jom Kippur i Rosz Haszana (*oraz dni pomiędzy nimi*).

highjack [ˈhaɪˌdʒæk] *v.* = **hijack.**

high jinks, hijinks *n. U US przest.* świetna zabawa, ubaw.

high jump *n.* **1. the ~** *sport* skok wzwyż. **2. sb is (in) for the ~** *Br. pot.* ktoś dostanie za swoje, komuś się oberwie.

high jumper *n. sport* skoczek wzwyż.

high-keyed [ˌhaɪˈkiːd] *a. muz. l. przen.* w wysokiej tonacji.

highland [ˈhaɪlənd] *n.* **1.** *pl.* góry; pogórze. **2. the H~s** *geogr.* pogórze w północnej Szkocji. – *a. attr.* **1.** górzysty. **2.** dotyczący pogórza szkockiego.

Highland dress *n. U* tradycyjny strój szkocki.

highlander [ˈhaɪləndər] *n.* **1.** góral/ka; mieszkan-iec/ka pogórza. **2. H~** mieszkan-iec/ka pogórza szkockiego.

Highland fling *n.* taniec górali szkockich (*tańczony solo*).

high latitudes *n. pl.* duże szerokości geograficzne.

high-level [ˌhaɪˈlevl] *a. attr.* na wysokim szczeblu; wysokiego szczebla.

high-level language [ˌhaɪˌlevl ˈlæŋgwɪdʒ] *n. komp.* język wysokiego poziomu.

high life *n. U* **(live) the ~** *często iron.* (prowadzić) światowe życie.

highlight [ˈhaɪˌlaɪt] *v.* **1.** zwracać uwagę na, podkreślać, uwypuklać, uwydatniać. **2.** zakreślać (*zakreślaczem*); *komp.* zaznaczać innym kolorem. **3.** robić (sobie) pasemka we (*włosach*). – *n.* **1.** główna atrakcja; najciekawszy fragment (*of sth* czegoś). **2.** *pl.* główne *l.* najważniejsze punkty (*np. przemówienia*). **3.** *pl.* pasemka (*we włosach*). **4.** *mal., fot.* najjaśniejszy szczegół (*obrazu l. fotografii*).

highlighter [ˈhaɪˌlaɪtər] *n.* zakreślacz, marker.

highly [ˈhaɪlɪ] *adv.* **1.** wysoko; **~ placed** wysoko postawiony. **2.** wysoce, wielce, w wysokim stopniu; **~ improbable/complex** wysoce *l.* wielce nieprawdopodobny/złożony. **3.** bardzo dobrze; **~ paid** bardzo dobrze płatny *l.* opłacany. **4.** bardzo; **~ educated/skilled** bardzo wykształcony/wykwalifikowany. **5.** ściśle; **~ confidential** ściśle tajny. **6.** zaszczytnie, pochlebnie; **speak ~ of sb/sth** wyrażać się pochlebnie o kimś/czymś; **think ~ of sb/sth** mieć wysokie mniemanie o kimś/czymś.

highly strung, highly-strung *a. Br. i Austr.* = **high-strung.**

high-maintenance [ˌhaɪˈmeɪntənəns] *a. US pot.* kosztowny w utrzymaniu; wymagający.

High Mass *n. C/U rz.-kat.* suma.

high-minded [ˌhaɪˈmaɪndɪd] *a.* **1.** o wzniosłych zasadach. **2.** *arch.* arogancki.

high-mindedly [ˌhaɪˈmaɪndɪdlɪ] *adv.* wzniośle.

high-mindedness [ˌhaɪˈmaɪndɪdnəs] *n. U* wzniosłość.

highmost [ˈhaɪmoʊst] *a. lit.* = **highest.**

highness [ˈhaɪnəs] *n.* **1.** wysokość; **His/Her/Your H~** Jego/Jej/Wasza Wysokość. **2.** *U* wzniosłość.

high-octane [ˌhaɪˈɑːkteɪn] *a.* **1.** wysokooktanowy (*o paliwie*). **2.** *Br. pot.* dynamiczny.

high-pass [ˌhaɪˈpæs] *a. techn.* górnoprzepustowy (*o filtrze*).

high-pitched [ˌhaɪˈpɪtʃt] *a.* **1.** wysoki (*o dźwięku*); cienki (*o głosie*). **2.** stromy (*o dachu, skale*); ze stromym dachem (*o budynku*). **3.** zagorzały, zażarty (*np. o dyskusji*). **4.** wzniosły; wyszukany (*o stylu*).

high place *n.* **1.** świątynia, miejsce kultu (*zwł. na wzgórzu*). **2.** *pl.* wysokie stanowiska.

high point *n.* = **high spot.**

high-powered [ˌhaɪˈpaʊərd], **high-power** *a. zw. attr.* **1.** *t. opt.* o dużej mocy. **2.** *wojsk.* dużej mocy. **3.** *przen.* wpływowy. **4.** *przen.* dynamiczny.

high-pressure [ˌhaɪˈpreʃər] *a. attr.* **1.** pod wysokim ciśnieniem; wysokociśnieniowy; wysokoprężny. **2.** *przen.* stresujący (*o pracy, sytuacji*). **3.** *przen. pot.* agresywny (*zwł. o technikach sprzedaży*).

high priest *n.* **1.** *rel.* arcykapłan (*zwł. w judaizmie*). **2. the ~ of sth** *przen.* główny głosiciel *l.* propagator czegoś.

high priestess *n.* **1.** *rel.* arcykapłanka. **2. the ~ of sth** *przen.* główna głosicielka *l.* propagatorka czegoś.

high-principled [ˌhaɪˈprɪnsəpld] *a.* o wzniosłych zasadach (*moralnych*).

high profile *n. sing.* **have a ~** *zob.* **profile** *n.*

high-profile [ˌhaɪˈproʊfaɪl] *a. attr.* przyciągający uwagę publiczną (*zw. celowo; o osobie*); zajmujący eksponowane stanowisko.

high-ranking [ˌhaɪˈræŋkɪŋ] *a. attr.* wysokiego szczebla (*np. o urzędniku*).

high relief *n.* *U* **1.** *sztuka* relief wypukły, wypukłorzeźba. **2. throw sth into ~** *przen.* czynić coś bardzo widocznym.

high resolution *n.* *U opt., telew., komp.* wysoka rozdzielczość.

high-rise [ˈhaɪˌraɪz] *n.* (*także* **high rise**) wieżowiec, wysokościowiec. – *a. attr.* wielopiętrowy.

high-risk [ˌhaɪˈrɪsk] *a. attr.* wysokiego ryzyka (*zwł. o grupie*).

high road, highroad *n.* **1.** *Br. przest.* główna droga. **2. the ~ to success/fame** *przen.* najprostsza droga do sukcesu/sławy.

high roller *n. US i Can. pot.* utracjusz/ka; hazardzist-a/ka.

high school *n. C/U szkoln.* szkoła średnia; **go to ~** chodzić do szkoły średniej; **finish/graduate ~** skończyć szkołę średnią.

high seas *n. pl.* **the ~** otwarte *l.* pełne morze; *lit.* morze, ocean.

high season *n. U l. sing. zwł. Br.* szczyt *l.* pełnia sezonu; **in/during/at ~** w szczycie sezonu.

high sign *n. US pot.* tajny znak *l.* sygnał.

high society *n. U* socjeta, śmietanka towarzyska.

high-sounding [ˌhaɪˈsaʊndɪŋ] *a. attr.* pompatyczny, szumny, górnolotny (*o twierdzeniu, sformułowaniu*).

high-speed [ˌhaɪˈspiːd] *a. attr.* szybkobieżny; wysokoobrotowy; szybkościowy.

high-speed emulsion [ˌhaɪˌspiːd ɪˈmʌlʃən] *n. C/U fot.* emulsja wysokoczuła.

high-speed engine *n.* silnik szybkobieżny.

high-speed steel *n. U metal.* stal szybkotnąca.

high-spirited [ˌhaɪˈspɪrɪtɪd] *a.* **1.** tryskający życiem *l.* energią. **2.** dzielny. **3.** *jeźdz.* narowisty (*o koniu*).

high spirits *n. pl.* świetny *l.* doskonały humor *l.* nastrój; **be in ~** być w świetnym *l.* doskonałym humorze.

high spot *n.* (*także* **high point**) główna atrakcja, najważniejszy punkt (*of sth* czegoś).

high-stepper [ˌhaɪˈstepər] *n. jeźdz.* koń wyrzucający nogi przy stępie i kłusie.

high-sticking [ˌhaɪˈstɪkɪŋ] *n. hokej* trzymanie kijka na niedozwolonej wysokości.

high street *n. Br.* **1.** (*także* **H~ S~**) główna ulica (*t. w nazwach*). **2.** *U ekon. pot.* handel detaliczny (*jako sektor gospodarki narodowej*); ogół konsumentów. **3. ~ banks/shops** najbardziej uczęszczane banki/sklepy.

high-strung [ˌhaɪˈstrʌŋ] *a. US i Can.* **1.** nerwowy; niezwykle wrażliwy. **2.** spięty.

high style *n.* ostatni krzyk mody.

hight [haɪt] *v. pp. arch. l. poet.* zwany.

high table *n. U Br. szkoln., uniw.* stół dla grona nauczycielskiego, wykładowców itp. (*w refektarzu tradycyjnej szkoły l. uniwersytetu*).

hightail [ˈhaɪˌteɪl] *v.* (*także* **~ it**) *pot.* zwiewać (= *uciekać*).

high tea *n. C/U Br.* obfity posiłek łączący elementy podwieczorku i kolacji (*spożywany późnym popołudniem l. wczesnym wieczorem*).

high-tech [ˌhaɪˈtek] *n. U* (*także* **high tech**) **1.** = **high technology**. **2.** styl modernistyczny *l.* nowoczesny (*w architekturze i dekoracji wnętrz*). – *a. attr.* **1.** supernowoczesny, najnowocześniejszy. **2.** modernistyczny.

high technology *n. U* wysoka *l.* zaawansowana technologia.

high-tension [ˌhaɪˈtenʃən] *a. attr. el.* wysokiego napięcia (*np. o przewodzie, sieci*).

high-test [ˌhaɪˈtest] *a.* wysokogatunkowy, wysokooktanowy (*o paliwie*).

high tide *n.* **1.** przypływ (*morza*). **2.** *przen.* punkt kulminacyjny.

high-toned [ˌhaɪˈtoʊnd] *a. przest.* dający odczuć swoją wyższość (*moralną, intelektualną itp.*).

high treason *n. U prawn.* zdrada stanu.

high-up [ˈhaɪˌʌp] *n. Br.* = **higher-up**.

high voltage *n. U el.* wysokie napięcie.

high-voltage [ˌhaɪˈvoʊltɪdʒ] *a. attr. el.* wysokiego napięcia.

high water *n. U* przypływ (*rzeki l. morza*); pora największego przypływu.

high-water mark [ˌhaɪˈwɔːtər ˌmɑːrk] *n.* **1.** najwyższy poziom wody (*w czasie przypływu l. powodzi*). **2.** znak wody wysokiej. **3.** *przen.* punkt szczytowy *l.* kulminacyjny (*np. czyjejś kariery, prezydentury*).

highway [ˈhaɪˌweɪ] *n.* **1.** *US, Can. i Austr. t. Br. form.* autostrada (*zwł. łącząca miasta*); szosa. **2.** *Br. przest.* gościniec, droga; **the public ~** droga publiczna. **3.** główny szlak (*t. wodny*). **4. the ~ to success/fame** *przen.* najprostsza droga do sukcesu/sławy.

Highway Code *n.* **the ~** *Br.* kodeks drogowy.

highwayman [ˈhaɪˌweɪmən] *n. pl.* **-men** *hist.* rozbójnik (*zw. na koniu; napadający na podróżujących gościńcem*).

highway patrol *n. sing. US* policja drogowa, drogówka.

highway robbery *n. pl.* **-ies** *US pot.* rozbój w biały dzień, zdzierstwo.

highway tax *n.* podatek drogowy.

high wire *n. cyrk* lina do balansowania.

high-wire [ˌhaɪˈwaɪr] *a. attr. przen.* wielce ryzykowny.

hijack [ˈhaɪˌdʒæk], **highjack** *v.* **1.** porywać, uprowadzać (*np. samolot, statek, autobus*). **2.** rabować, grabić (*ładunek po zatrzymaniu pojazdu*). **3.** *przen.* przywłaszczać sobie (*cudze pomysły*); zawłaszczać (*partię, organizację*). – *n. Br.* = **hijacking** 1.

hijacker [ˈhaɪˌdʒækər] *n.* porywacz/ka (*np. samolotu*).

hijacking [ˈhaɪˌdʒækɪŋ] *n.* **1.** *C/U* porwanie, uprowadzenie (*np. samolotu*). **2.** *U* grabież (*ładunku z zatrzymanego pojazdu*).

hijinks [ˈhaɪˌdʒɪŋks] *n.* = **highjinks**.

hike [haɪk] *v.* **1.** wędrować (*pieszo*); włóczyć się; **~ sth** *US* wędrować po czymś (*np. po górach*); **go hiking** chodzić na piesze wędrówki. **2.** *t. wojsk.* maszerować. **3. ~ (up)** *zwł. US* podnosić, podwyższać (*ceny, podatki*). **4. ~ up** *zwł. US pot.* podciągać, podkasywać (*spodnie, spódnicę*). – *n.* **1.** wędrówka, piesza wycieczka, włóczęga. **2.** *zwł. US pot.* wysoka podwyżka (*zwł. cen*). **3. take a ~!** *US pot.* spadaj!

hiker ['haɪkər] *n.* turyst-a/ka piesz-y/a, wędrowiec.

hiking boots ['haɪkɪŋ ˌbu:ts] *n. pl. US, Can. i Austr.* buty turystyczne.

hilarious [hɪ'lerɪəs] *a.* **1.** przekomiczny, szalenie zabawny. **2.** hałaśliwie wesoły.

hilariously [hɪ'lerɪəslɪ] *adv.* przekomicznie.

hilarity [hɪ'lerətɪ] *n. U* wesołość, rozbawienie.

Hilary term ['hɪlərɪ ˌtɜ:m] *n. Br. uniw.* trymestr wiosenny (*zwł. w Oksfordzie*); *prawn.* wiosenna kadencja sądu (*od stycznia*).

hill [hɪl] *n.* **1.** wzgórze; pagórek, wzniesienie. **2.** kopiec. **3.** *przen.* **as old as the ~s** stary jak świat; **be over the ~** *pot.* mieć najlepsze lata za sobą; **on the H~** *US* na Kapitolu (= *w rządzie*); **sth does not amount to a ~ of beans** *US pot.* coś nie ma żadnego znaczenia; **up ~ and down dale** *Br. przest.* tu i tam, wszędzie; wytrwale, z uporem. – *v.* **1.** usypywać kopiec z (*czegoś*). **2.** ~ **(up)** *ogr.* obsypywać ziemią, okopywać.

hillbilly ['hɪlˌbɪlɪ] *n. pl.* **-ies** *US pog.* prostak, wieśniak (*zwł. = niewykształcony mieszkaniec górzystych regionów USA*).

hill climb *n. sport* zawody w podjeżdżaniu pod górę (*samochodem l. motocyklem*).

hill country *n. NZ* położone w górach pastwiska.

hillock ['hɪlək] *n.* **1.** wzgórek, górka. **2.** kopczyk.

hillside ['hɪlˌsaɪd] *n.* stok, zbocze.

hill station *n.* miejscowość położona wysoko w górach, w której ludzie chronią się przed upałami (*zwł. w Indiach*).

hilltop ['hɪlˌtɑ:p] *n.* szczyt wzgórza.

hilly ['hɪlɪ] *a.* **-ier, -iest** pagórkowaty; górzysty.

hilt [hɪlt] *n.* **1.** rękojeść (*miecza, szabli, sztyletu*). **2. (up) to the ~** *przen.* po uszy (*np. być zadłużonym*); w pełni, całkowicie (*np. popierać*); do upadłego (*np. bronić*). – *v.* zaopatrywać w rękojeść.

hilum ['haɪləm] *n. pl.* **hila** ['haɪlə] **1.** *bot.* znaczek. **2.** *anat.* wnęka (*np. nerki, płuca*).

hilus ['haɪləs] *n. pl.* **-i** ['haɪlaɪ], *Br.* = **hilum** 2.

him [hɪm] *pron.* **1.** jego; go; jemu; mu; niego; nim; **I gave it to ~** dałam mu to; **we saw ~** widzieliśmy go; **with ~** z nim; **without ~** bez niego. **2.** on; **not ~!** tylko nie on!; **that's ~** to on. – *n. pot.* on; chłopiec; **is it a ~ or a her?** czy to chłopiec, czy dziewczynka?.

Himalayan [ˌhɪmə'leɪən] *a.* himalajski.

Himalayas [ˌhɪmə'leɪəz] *n. pl.* **the ~** *geogr.* Himalaje.

himation [hɪ'mætɪˌɑ:n] *n. pl.* **himatia** [hɪ'mætɪə] *strój, hist.* tunika (*starożytnych Greków*).

himself [hɪm'self] *pron.* **1.** się; **he hurt ~** skaleczył się. **2.** siebie; sobie; sobą; **(all) to ~** (tylko) dla siebie; **he's not ~** nie jest sobą; **he made ~ a cup of coffee** zrobił sobie filiżankę kawy. **3.** *emf.* sam; **(all) by ~** (zupełnie *l.* całkiem) sam; **he said so ~** sam tak powiedział; **the President ~** sam prezydent, prezydent we własnej osobie. **4.** on; **his wife and ~** jego żona i on.

hind¹ [haɪnd] *a. attr.* **1.** tylny, zadni; **~ legs/feet** tylne kończyny/łapy (*zwierzęcia*). **2. talk the ~ leg(s) off a donkey** *pot.* gadać jak najęty.

hind² *n.* łania (*jelenia, zwł. trzyletnia l. starsza*).

hind³ *n. zwł. Br. hist.* **1.** prosty chłop. **2.** parobek. **3.** ekonom.

hinder¹ ['hɪndər] *v.* **1.** przeszkadzać (*komuś*); powstrzymywać; **~ sb from doing sth** przeszkodzić komuś w zrobieniu czegoś. **2.** przeszkadzać w (*czymś*); utrudniać; wstrzymywać (*np. wzrost, postęp*).

hinder² ['haɪndər] *a. attr.* tylny.

Hindi ['hɪndɪ] *a.* hinduski. – *n. U jęz.* (język) hindi.

hindmost ['haɪndˌmoʊst] *a.* **1.** położony najbardziej w tyle, ostatni, najdalszy. **2. (let) the devil take the ~** *zob.* **devil** *n.*

Hindoo ['hɪndu:] *n. i a.* = **Hindu**.

hindquarter ['haɪndˌkwɔ:rtər] *n.* **1.** *rzeźnictwo* ćwierćtusza tylna. **2.** *pl.* zad.

hindrance ['hɪndrəns] *n. C/U* przeszkoda, zawada, utrudnienie; **be a ~ to sth** stanowić przeszkodę w czymś; **be more of a ~ than a help** narobić więcej szkody niż pożytku; **without (let or) ~** *form.* bez (ograniczeń i) przeszkód.

hindsight ['haɪndˌsaɪt] *n. U* przewidywanie po fakcie, spóźniony refleks; **with (the benefit of) ~** po fakcie.

Hindu ['hɪndu:] *n. pl.* **-s** **1.** *rel.* hinduist-a/ka, hindus/ka. **2.** Hindus/ka. – *a.* **1.** *rel.* hinduistyczny. **2.** hinduski.

Hinduism ['hɪndʊˌɪzəm] *n. U rel.* hinduizm.

Hindustan [ˌhɪndʊ'stæn] *n. geogr.* Hindustan.

Hindustani [ˌhɪndʊ'stɑ:nɪ] *a.* **1.** hindustański. **2.** *jęz.* indyjski. – *n.* **1.** *U jęz.* grupa języków indyjskich. **2.** mieszkan-iec/ka Hindustanu.

hinge [hɪndʒ] *n.* **1.** zawias. **2.** *anat.* = **hinge joint**. **3.** *zool.* zawora (*muszli*). **4.** *filatelistyka* papier klejący (*do umocowania znaczka w klaserze*). – *v.* **1.** mocować zawiasy do (*czegoś*). **2.** obracać się *l.* wisieć (jak) na zawiasie. **3.** ~ **on/upon sth** *przen.* całkowicie zależeć od czegoś.

hinged [hɪndʒd] *n.* na zawiasach.

hinge joint *n. anat.* staw zawiasowy.

hinny¹ ['hɪnɪ] *n. pl.* **-ies** muł (*potomek konia i oślicy*).

hinny² *n.* (*także* **hinnie**) *voc. zwł. Scot.* kochanie, skarbie (*do kobiety l. dziecka*).

hinny³ *v.* = **whinny**.

hint [hɪnt] *n.* **1.** aluzja, napomknienie; wskazówka (*on/about sth* na temat czegoś); **drop a ~** napomknąć, zrobić aluzję; **give me a ~** naprowadź mnie; **give no ~ of sth** *lit.* nie zapowiadać czegoś; **take a/the ~** zrozumieć aluzję. **2.** *zw. sing.* odrobina, ślad, cień, odcień; **~ of garlic/brandy** odrobina czosnku/brandy; **white with a ~ of blue** biały z niebieskawym odcieniem; **without the slightest ~ of irony** bez (najmniejszego) śladu *l.* cienia ironii. – *v.* sugerować; robić aluzję; **~ at sth** dawać coś do zrozumienia, sugerować coś; **she ~ed that...** napomknęła, że...

hinterland ['hɪntərˌlænd] *n.* **1.** głąb kraju, odległe rejony (*zwł. położone z dala od wybrzeża i* *słabo rozwinięte*). **2.** zaplecze (*dużego miasta, zwł. portowego*).

hip[1] [hɪp] *n.* **1.** *t. anat.* biodro; **with one's hands on one's ~s** z rękami na biodrach. **2.** *anat.* staw biodrowy. **3.** *anat.* miednica. **4.** *bud.* naroże, krawędź (*dachu*). **5.** *przen.* **joined at the ~** *żart.* nierozłączni (*o przyjaciołach*); **shoot from the ~** *pot.* walić prosto z mostu (= *mówić wprost*); mówić, zanim się pomyśli.

hip[2] *n. zw. pl.* = **rosehip.**

hip[3] *a. pot.* **1.** supermodny; **look ~** wyglądać modnie. **2.** będący na bieżąco; **be ~ to music** znać się na muzyce; **get ~ to sth** połapać się w czymś.

hip bath, hipbath *n.* nasiadówka (= *wanna do kąpieli leczniczych*).

hip bone, hipbone *n. anat.* kość biodrowa.

hip boots *n. pl.* nieprzemakalne buty do bioder (*dla wędkarzy*).

hip flask *n.* piersiówka.

hip hip hurrah, hip hip hooray *int.* hip hip hura!

hip-hop [ˈhɪpˌhɑːp], **hip hop** *n.* *U* muzyka hip hop *l.* hip hopowa.

hiphuggers [ˈhɪpˌhʌɡərz] *n. pl.* *US* biodrówki (*spodnie*).

hip joint *n. anat.* staw biodrowy.

hipness [ˈhɪpnəs] *n.* *U pot.* **1.** bycie modnym. **2.** bycie na bieżąco.

hippeastrum [ˌhɪpɪˈæstrəm] *n. bot.* zwartnica (*Hippeastrum*).

hipped[1] [hɪpt] *a.* **1.** *w złoż.* **thin/narrow-~** o szczupłych/wąskich biodrach. **2.** *gł. wet.* z wykręconym biodrem (*np. o krowie*). **3.** *bud.* z narożem (*o dachu*).

hipped[2] *a. pred. US i Can. pot.* zbzikowany; **be ~ on sth** mieć bzika na punkcie czegoś.

hippie [ˈhɪpɪ], **hippy** *n. pl.* **-ies** hipis/ka.

hippo [ˈhɪpoʊ] *n. pl.* **-s** *pot.* hipcio.

hippocampus [ˌhɪpəˈkæmpəs] *n. pl.* **-pi** [ˌhɪpəˈkæmpaɪ] **1.** *mit.* hipokamp. **2.** *anat.* hipokamp, róg Ammona. **3.** *zool.* pławikonik, konik morski (*Hippocampus*).

hip pocket *n.* **1.** tylna kieszeń (*zwł. spodni*). **2. in one's ~ pocket** *US pot.* w kieszeni (= *pod kontrolą*).

hippocras [ˈhɪpəˌkræs] *n.* *U hist.* wino z miodem i korzeniami (*pijane w średniowieczu*).

Hippocratic oath [ˌhɪpəˌkrætɪk ˈoʊθ] *n.* **the ~** *med.* przysięga Hipokratesa.

hippodrome [ˈhɪpəˌdroʊm] *n.* **1.** *hist.* hipodrom (*w starożytnej Grecji i Rzymie*). **2.** (*często w nazwach*) teatr; cyrk; rewia.

hippogriff [ˈhɪpəˌɡrɪf], **hippogryph** *n. mit.* hipogryf, pegaz.

hippopotamus [ˌhɪpəˈpɑːtəməs] *n. pl.* **-es** *l.* **hippopotami** [ˌhɪpəˈpɑːtəmaɪ] hipopotam (*Hippopotamus amphibius*).

hip replacement *n. chir.* endoproteza stawu biodrowego.

hip roof *n. bud.* dach czterospadkowy *l.* czterospadowy.

hipster [ˈhɪpstər] *n. pot.* osoba będąca na bieżąco.

hipsters [ˈhɪpstərz] *n. pl. Br. i Austr.* = **hiphuggers.**

hircine [ˈhɝːsaɪn] *a.* **1.** *arch.* kozi. **2.** *lit.* satyrowaty, lubieżny.

hire [haɪr] *v.* **1.** *zwł. Br. i Austr.* wynajmować (*np. samochód, salę*), wypożyczać (*np. suknię balową, smoking*). **2.** *zwł. US i Can.* najmować (*do pracy*), zatrudniać. **3. ~ out** *zwł. Br. i Austr.* wynajmować, wypożyczać (*sth to sb* coś komuś); **~ o.s. out** najmować się (*do pracy*), zatrudniać się (*as* jako). – *n.* *U* **1.** *zwł. Br. i Austr.* wynajem, wynajęcie; **for ~** do wynajęcia (*np. o łodzi*); wolny (*o taksówce*); **on ~** wynajęty (*from* od). **2.** opłata za wynajęcie.

hire car, hired car *n. Br. i Austr.* wynajęty samochód.

hired hand *n. US* robotnik sezonowy (*zwł. na farmie*).

hired help *n. US* pomoc domowa.

hireling [ˈhaɪrlɪŋ] *n. zw. pog.* najemnik.

hire purchase *n. U Br. i Austr.* sprzedaż ratalna; **buy sth on ~** kupować coś na raty.

hi-res [ˌhaɪˈrez] *a. pot.* = **high-resolution.**

hiring [ˈhaɪrɪŋ] *n. zw. pl.* przyjęcie (*do pracy*); **~s and firings** przyjęcia i zwolnienia.

hirsute [ˈhɝːsuːt] *a.* **1.** włochaty, kosmaty, kudłaty. **2.** *fizj.* silnie owłosiony. **3.** *bot.* włochaty, pokryty włoskami.

hirsuteness [ˈhɝːsuːtnəs] *n.* *U* włochatość.

hirsutism [ˈhɝːsuˌtɪzəm] *n.* *U pat.* nadmierne owłosienie.

his [hɪz] *pron.* jego; swój; **a friend of ~** (pewien) jego znajomy; **he sold ~ car** sprzedał swój samochód.

Hispanic [hɪˈspænɪk] *a.* iberyjski; latynoamerykański. – *n.* **1.** mieszkan-iec/ka Ameryki Łacińskiej. **2.** *US* Amerykan-in/ka pochodzenia iberyjskiego *l.* latynoamerykańskiego.

hispid [ˈhɪspɪd] *a. bot., zool.* kosmaty; szczeciniasty.

hiss [hɪs] *v.* syczeć (*t. o osobie*). – *n.* syk, syczenie, syknięcie.

hist [hɪst] *int. arch.* pst!

hist. *abbr.* **1.** = **histology. 2.** = **history**; = **historian**; = **historical**; = **historic.**

histamine [ˈhɪstəˌmiːn] *n.* *U biochem.* histamina.

histaminic [ˌhɪstəˈmɪnɪk] *a.* histaminowy.

histidine [ˈhɪstɪˌdiːn] *n.* *U biochem.* histydyna.

histiocyte [ˈhɪstɪəˌsaɪt] *n. biol.* histiocyt, makrofag.

histochemistry [ˌhɪstəˈkemɪstrɪ] *n.* *U* histochemia.

histocompatibility [ˌhɪstoʊkəmˌpættəˈbɪlətɪ] *n.* *U med.* zgodność tkankowa.

histogenesis [ˌhɪstəˈdʒenəsɪs] *n.* *U biol.* histogeneza, tworzenie tkanek.

histogram [ˈhɪstəˌɡræm] *n. stat.* histogram, wykres *l.* diagram kolumnowy *l.* słupkowy.

histological [ˌhɪstəˈlɑːdʒɪkl] *a. med.* histologiczny.

histologist [hɪˈstɑːlədʒɪst] *n. med.* histolog.

histology [hɪˈstɑːlədʒɪ] *n.* *U med.* histologia.

histolysis [hɪ'stɑ:lɪsɪs] *n. U biol.* histoliza, rozpad tkanki.

histopathology [ˌhɪstoʊpə'θɑ:lədʒɪ] *n. U med.* histopatologia, patologia tkankowa.

historian [hɪ'stɔ:rɪən] *n.* history-k/czka.

historiated [hɪ'stɔ:rɪˌeɪtɪd] *a. hist.* zdobiony motywami kwiatowymi i zwierzęcymi (*o inicjałach w manuskryptach średniowiecznych*).

historic [hɪ'stɔ:rɪk] *a.* **1.** historyczny, wiekopomny (*np. o chwili*). **2.** historyczny (*w odróżnieniu od prehistorycznego*).

historical [hɪ'stɔ:rɪkl] *a.* historyczny.

historical linguistics *n. U* językoznawstwo historyczne.

historically [hɪ'stɔ:rɪklɪ] *adv.* historycznie.

historical materialism *n. U fil.* materializm historyczny.

historicalness [hɪ'stɔ:rɪklnəs] *n. U* historyczność.

historical novel *n. teor. lit.* powieść historyczna.

historicism [hɪ'stɔ:rɪˌsɪzəm] *n. U* historyzm.

historicity [ˌhɪstə'rɪsətɪ] *n. U* historyczność (= *historyczne istnienie*).

historic present *n. sing. gram.* praesens historicum.

historiographer [hɪˌstɔ:rɪ'ɑ:grəfər] *n.* **1.** historiograf. **2.** dziejopis.

historiographic [hɪˌstɔ:rɪə'græfɪk], **historiographical** *a.* historiograficzny.

historiography [hɪˌstɔ:rɪ'ɑ:grəfɪ] *n. U* **1.** historiografia. **2.** dziejopisarstwo.

history ['hɪstərɪ] *n. zw. U l. sing. pl.* **-ies** *t. szkoln., uniw.* historia (*of sth* czegoś); ~ **repeats itself** historia lubi się powtarzać; **ancient** ~ *zob.* **ancient**; **be** ~ *pot.* być skończonym, należeć do przeszłości; **case** ~ *zob.* **case**; **change the course of** ~ zmienić bieg historii; **go down in** ~ przejść do historii, zapisać się w historii (*as* jako); **have a** ~ **of** od dawna cierpieć na (*określoną chorobę*); być w przeszłości karanym za (*określone wykroczenie*); **make** ~ tworzyć historię; **natural** ~ historia naturalna; **sb's life** ~ historia czyjegoś życia; **(and) the rest is** ~ (a) dalszy ciąg wszyscy znają.

histrionic [ˌhɪstrɪ'ɑ:nɪk] *a.* **1.** teatralny, melodramatyczny (*o sposobie zachowania*). **2.** *rzad.* teatralny, aktorski, sceniczny.

histrionically [ˌhɪstrɪ'ɑ:nɪklɪ] *adv. gł. przen.* teatralnie.

histrionics [ˌhɪstrɪ'ɑ:nɪks] *n.* **1.** *U* teatralne gesty, teatralność, melodramatyzm. **2.** *pl. form.* widowiska *l.* przedstawienia teatralne.

hit [hɪt] *v.* **hit, hit 1.** uderzać (*with sth* czymś, *against / on / upon sth* w *l.* o coś); ~ **one's head on sth** uderzyć (się) głową w coś; ~ **sb on the nose/ over the head** uderzyć kogoś w nos/głowę; **the car** ~ **the tree** samochód uderzył w drzewo. **2.** *często pass.* trafić (*zwł. z broni*); ugodzić; **he was** ~ **in the arm** trafili go w ramię. **3.** *t. sport* zdobyć (*punkty*); ~ **three goals** zdobyć *l.* strzelić trzy bramki. **4.** *zw. pass. t. przen.* atakować. **5.** *zw. pass. przen.* dotykać; **be hard** ~ **by the war/flood** zostać ciężko dotkniętym przez wojnę/powódź, ucierpieć wskutek wojny/powodzi; **the hardest/worst** ~ najbardziej *l.* najciężej dotknięty. **6.** *t. przen.* docierać do (*kogoś l. czegoś*); ~ **town** *zwł. US pot.* dotrzeć do miasta; **it suddenly** ~ **her (that)** ... nagle dotarło do niej, że...; ~ **sb between the eyes** *przen.* dotrzeć do kogoś z całą siłą *l.* mocą. **7.** osiągać (*określony poziom*); ~ **rock-bottom** *pot.* sięgnąć dna; **unemployment has** ~ **9%** bezrobocie osiągnęło poziom 9%. **8.** naciskać na (*np. pedał, hamulce*). **9.** napotykać, natrafiać na (*przeszkody, utrudnienia, problemy*). **10.** *gł. US pot.* rozwalić, kropnąć (= *zabić*). **11.** *pot.* zaliczyć; ~ **a few bars** zaliczyć kilka knajp. **12.** zacząć działać (*zwł. o leku*); **wait for the medicine to** ~ czekać, aż lekarstwo zacznie działać. **13.** *komp. pot.* odwiedzać, przeglądać (*stronę internetową*). **14.** *przen.* ~ **a bad patch** przechodzić trudny *l.* gorszy okres (*zw. krótkotrwały*); ~ **home** *zob.* **home** *adv.*; ~ **sb when they are down** *pot.* kopać leżącego; ~ **sb where it hurts** *pot.* trafić w czyjś czuły punkt; ~ **sb's fancy** przypaść komuś do gustu; ~ **the big time** *pot.* odnieść oszałamiający sukces; zdobyć fortunę; ~ **the books** *US pot.* wkuwać; ~ **the bottle** *zob.* **bottle** *n.*; ~ **the deck/dirt** *pot.* paść na ziemię (*zwł. w obliczu niebezpieczeństwa*); ~ **the hay/sack** *sl.* uderzyć w kimono (= *pójść spać*); ~ **the headlines** *zob.* **headline** *n.*; ~ **the jackpot** *zob.* **jackpot**; ~ **the nail on the head** *zob.* **nail** *n.*; ~ **the road/trail** *gł. US pot.* ruszać *l.* wyruszać w drogę; ~ **the roof/ceiling** *pot.* wściec się; **not know what has** ~ **one** być kompletnie zaskoczonym. **15.** ~ **at** zamierzyć się na; *przen.* zaatakować (*słownie*); ~ **back** oddać (cios) (*at sb* komuś); *przen.* nie pozostać dłużnym, odwzajemnić się (*with sth* czymś); ~ **off** *Br. pot.* doskonale naśladować; ~ **it off** *pot.* przypaść sobie do gustu (*with sb* z kimś); ~ **on sb** *US pot.* przystawiać się do kogoś; ~ **on/upon sth** *pot.* wpaść na coś (*np. na pomysł*), znaleźć coś (*np. rozwiązanie, właściwą odpowiedź*); ~ **out** walić na oślep; *pot.* silnie kopnąć (*piłkę*); *przen.* atakować (*słownie*) (*against / at sb / sth* kogoś/coś); ~ **up** *Austr. i NZ np. tenis* rozgrzewać się (*odbijając piłkę*); ~ **it up** *zwł. US pot.* dawać czadu (= *głośno grać*); ~ **sb up for sth** *US pot.* prosić kogoś o coś (*zwł. o pieniądze, pożyczkę*). – *n.* **1.** uderzenie, cios; **give sb a** ~ **on the head** uderzyć kogoś w głowę. **2.** *t. wojsk., sport* trafienie, celny strzał; **take a direct** ~ zostać trafionym strzałem bezpośrednim (*np. przez bombę, pocisk*). **3.** krytyczna uwaga; przytyk, docinek (*at sb / sth* wymierzony w kogoś/coś). **4.** szczęśliwy traf; udana próba; sukces. **5.** *t. muz.* hit, przebój; **be a** ~ **with sb** być bardzo lubianym przez kogoś (*t. o osobie*); **make/score a** ~ **with sb** zrobić furorę wśród kogoś. **6.** *sl.* sztag, mach (= *zaciągnięcie się papierosem*). **7.** *sl.* kop (= *efekt działania narkotyku*). **8.** *sl.* ścieżka (*zwł. heroiny*). **9.** *gł. US sl.* morderstwo, zabójstwo (*zwł. na zlecenie*).

hit-and-miss [ˌhɪtən'mɪs] *a. Br.* = **hit-or-miss**.

hit-and-run [ˌhɪtən'rʌn] *a. attr.* **1.** zbiegły z miejsca wypadku (*o kierowcy*). **2.** z zaskoczenia (*o ataku*); prowadzący walkę podjazdową. – *n.* wypadek drogowy, którego sprawca zbiegł.

hitch[1] [hɪtʃ] *v.* **1.** uwiązywać; przymocowywać, przyczepiać (*to sth* do czegoś). **2.** *gł.* *US* kuśtykać. **3.** zaplątać (się) (*np. o nici*). **4. get ~ed** *pot.* pobierać się. **5. ~ (up)** zaprzęgać (*konia, wóz*); podciągać, podkasywać (*spodnie, spódnicę*). – *n.* **1.** uwiązanie; umocowanie, zaczepienie. **2.** problem, komplikacja (*drobna, przejściowa*); **technical ~** problem natury technicznej; **without a ~** bezproblemowo, gładko. **3.** *żegl.* węzeł; **clove/trimber ~** węzeł wyblinkowy/zaciskowy; **half ~** chwyt; **rolling ~** stoper. **4.** pociągnięcie, szarpnięcie; pchnięcie. **5.** podciągnięcie (*np. spodni*). **6.** kuśtykanie, utykanie. **7.** *gł.* *US techn.* zaczep. **8.** *US pot.* służba (*zwł. wojskowa*).

hitch² *v.* = **hitchhike**; **~ a lift/ride** *pot.* złapać okazję.

hitchhike [ˈhɪtʃˌhaɪk] *v.* jechać *l.* podróżować autostopem. – *n.* autostop, jazda *l.* podróż autostopem.

hitchhiker [ˈhɪtʃˌhaɪkər] *n.* autostopowicz/ka.

hitching post *n.* słupek do przywiązywania koni.

hi-tech [ˌhaɪˈtek], **hi-tec** *a.* supernowoczesny.

hither [ˈhɪðər] *adv. arch. l. lit.* **1.** tutaj, tu; do tego miejsca; **~ hither** chodź tutaj. **2. ~ and thither** we wszystkie strony, w tę i z powrotem. – *a. arch. l. dial.* bliższy (*zwł. o zboczu wzgórza, doliny*).

hitherto [ˈhɪðərˌtuː] *adv. form.* dotychczas, dotąd, do tej pory.

hitherward [ˈhɪðərwərd], **hitherwards** *adv. arch.* w tę stronę, w tym kierunku.

hit list *n. pot.* czarna lista, lista osób do wyeliminowania.

hit man, hitman *n. pl.* **-men** *pot.* płatny morderca.

hit-or-miss [ˌhɪtərˈmɪs], **hit-and-miss** *a.* przypadkowy, nie dający się przewidzieć; na oślep, na chybił trafił.

hit parade *n. przest.* lista przebojów.

hit-run [ˌhɪtˈrʌn], **hit-skip** *a.* = **hit-and-run**.

hit squad *n. sl.* szwadron śmierci.

hitter [ˈhɪtər] *n. t. sport* uderzając-y/a; napastnik.

Hittite [ˈhɪtaɪt] *n. hist.* **1.** Hetyt-a/ka. **2.** *U* (język) hetycki. – *a.* hetycki.

HIV [ˌeɪtʃ ˌaɪ ˈviː] *abbr. i n. U* **human immunodeficiency virus** (wirus) HIV; **be ~-positive/negative** być/nie być nosiciel-em/ką wirusa HIV.

hive [haɪv] *n.* **1.** (*także* **beehive**) ul. **2.** rój. **3.** *przen.* dynamiczny *l.* prężny ośrodek; **a ~ of activity/industry** miejsce tętniące życiem/pracą. – *v.* **1.** zbierać (się) w ulu (*o pszczołach*). **2.** gromadzić w ulu (*miód itp.*). **3.** współżyć, mieszkać razem. **4. ~ (up/away)** gromadzić, odkładać na potem. **5. ~ off** *pot.* odrywać (się), uniezależniać (się); *Br. i Austr. ekon.* przesuwać do sektora prywatnego.

hives [haɪvz] *n. U pat. pot.* pokrzywka.

hiya [ˈhaɪjə] *int. pot.* cześć!, siemasz!

HL [ˌeɪtʃ ˈel] *abbr. Br. parl.* = **House of Lords**.

hl *abbr.* = **hectoliter**.

HLL [ˌeɪtʃ ˌel ˈel] *abbr. komp.* = **high-level language**.

HM *abbr.* **1. His/Her Majesty** JKM (= *Jego/Jej Królewska Mość*). **2.** *muz.* = **heavy metal**. **3.** *Br. szkoln.* = **headmaster**; = **headmistress**.

hm *abbr.* = **hectometer**.

h'm [hm], **hmm** *int.* hm (*wyrażając wątpliwości, niepewność*).

HMS [ˌeɪtʃ ˌem ˈes], **H.M.S.** *abbr. Br.* **1.** = **His/Her Majesty's Service**. **2.** = **His/Her Majesty's Ship**.

HNC [ˌeɪtʃ ˌen ˈsiː] *abbr. Br.* **Higher National Certificate** rodzaj uprawnień zawodowych (*z dyscypliny technicznej*).

HND [ˌeɪtʃ ˌen ˈdiː] *abbr. Br.* **Higher National Diploma** rodzaj uprawnień zawodowych (*z dyscypliny technicznej; traktowany najczęściej jako ekwiwalent studiów wyższych*).

HO, H.O. *abbr.* **1.** = **head office**. **2.** *Br. polit.* = **Home Office**.

ho¹ [hoʊ] *int.* **1.** (*także* **~ ~**) ho, ho! (*zdziwienie, podziw*); ha, ha! (*triumf, kpina*). **2.** hej! (*dla zwrócenia uwagi*); **westward ~!** *gł. żegl.* na zachód!

ho² *n. pl.* **-s** *l.* **-es** *Br. pog. sl.* dziwka.

ho. *abbr.* = **house**.

h.o. [ˌeɪtʃ ˈoʊ] *abbr. handl.* = **hold over**.

hoagy [ˈhoʊgɪ], **hoagie** *n. pl.* **-ies** *US* = **hero sandwich**.

hoar [hɔːr] *a. arch. l. lit.* **1.** przyprószony siwizną. **2.** oszroniony. **3.** sędziwy. – *n. U* = **hoar frost**.

hoard [hɔːrd] *n.* **1.** zapasy, zasoby; skarby. **2.** kolekcja, zbiory. **3.** zasób, zbiór (*faktów, informacji*). – *v.* **~ (up)** gromadzić, zbierać (*zwł. w schowku*); robić zapasy (*czegoś*).

hoarder [ˈhɔːrdər] *n.* osoba nie lubiąca niczego wyrzucać.

hoarding [ˈhɔːrdɪŋ] *n. Br.* **1.** billboard, plansza reklamowa (*zewnętrzna*). **2.** tymczasowe ogrodzenie (*podczas budowy l. rozbiórki budynku*).

hoar frost, hoarfrost *n. U* szron.

hoarhound [ˈhɔːrˌhaʊnd] *n.* = **horehound**.

hoariness [ˈhɔːrɪnəs] *n. U* sędziwy wiek.

hoarse [hɔːrs] *a.* ochrypły, zachrypnięty, chrapliwy (*o głosie, szepcie*); zachrypnięty (*o osobie*); **make o.s. ~** zachrypnąć, ochrypnąć; **shout o.s. ~** zachrypnąć od krzyku; **sound ~** chrypieć (*o osobie*), brzmieć chrapliwie (*o głosie*).

hoarsely [ˈhɔːrslɪ] *adv.* ochryple.

hoarsen [ˈhɔːrsən] *v.* **1.** ochrypnąć, zachrypnąć. **2.** przyprawić o chrypkę.

hoarseness [ˈhɔːrsnəs] *n. U* ochrypłość; chrypka.

hoary [ˈhɔːrɪ] *a.* **-ier, -iest** **1.** siwy (*t. o osobie*), przyprószony siwizną (*o włosach*). **2.** oszroniony. **3.** sędziwy. **4.** *bot.* pokryty srebrzystym włoskiem.

hoax [hoʊks] *v.* nabierać, oszukiwać (*dla żartu*). – *n.* **1.** żart, kawał (*zw. mający na celu wywołanie fałszywego alarmu*). **2.** bujda, wymysł.

hoaxer [ˈhoʊksər] *n.* żartowni-ś/sia.

hob¹ [hɑːb] *n.* **1.** *Br.* płyta grzejna (*kuchenki*). **2.** *Br. hist.* występ z boku kominka (*do przechowywania potraw w cieple*). **3.** kołek (*do gry*).

4. *Br.* okucie płozy (*u sań*). **5.** piasta (*koła*). **6.** frez (*do nacinania gwintów*). **7.** = **hobnail**.

hob2 *n.* **1.** *arch.* = **hobgoblin**. **2.** *Br.* samiec fretki. **3. play/raise** ~ *US pot.* płatać figle.

hobble ['hɑ:bl] *v.* **1.** kuśtykać, utykać; *t. przen.* kuleć (*np. o wierszu*). **2.** powodować utykanie. **3.** pętać (*nogi zwierzęcia*); *przen.* krępować. – *n.* **1.** utykający *l.* nierówny krok. **2.** pęta (*np. końskie*). **3.** *Br. dial. pot.* głupie położenie.

hobble-bush ['hɑ:blˌbʊʃ] *n. bot.* kalina (*Viburnum alnifolium*).

hobbledehoy ['hɑ:bldɪˌhɔɪ] *n. arch. l. dial. pot.* **1.** młokos, chłystek. **2.** ciamajda, niezdara.

hobbler ['hɑ:blər] *n.* osoba kuśtykająca *l.* utykająca.

hobble skirt *n. strój, hist.* bardzo wąska spódnica do kostek (*często krępująca ruchy, popularna tuż przed I wojną światową*).

hobby1 ['hɑ:bɪ] *n. pl.* **-ies 1.** hobby. **2.** *arch. l. dial.* konik, kucyk. **3.** = **hobbyhorse** 2.

hobby2 *n. orn.* kobuz (*Falco subbuteo*).

hobbyhorse ['hɑ:bɪˌhɔ:rs] *n.* **1.** konik, ulubiony temat; **be on one's** ~ rozwodzić się na swój ulubiony temat. **2.** konik na kiju (*zabawka dziecięca*).

hobbyist ['hɑ:bɪɪst] *n.* hobbyst-a/ka.

hobgoblin ['hɑ:bˌgɑ:blɪn] *n.* **1.** *mit., folklor* chochlik, skrzat (*złośliwy*); czart, licho. **2.** *przen.* zmora, postrach.

hobnail ['hɑ:bˌneɪl] *n.* ćwiek, sztyft. – *v.* ćwiekować (*buty*).

hobnob ['hɑ:bˌnɑ:b] *v.* **-bb-** zadawać się, przestawać (*with sb* z kimś) (*zwł. wyżej postawionym*).

hobo ['hoʊboʊ] *n. pl.* **-s** *l.* **-es** *US, Can. i Austr.* **1.** włóczęga. **2.** robotnik wędrowny (*zwł. niewykwalifikowany*).

Hobson's choice ['hɑ:bsənz ˌtʃɔɪs] *n. U* brak wyboru.

hock1 [hɑ:k] *n. zool.* **1.** staw skokowy (*np. u konia*). **2.** *zwł. US kulin.* golonka. – *v.* okaleczyć (*przecinając ścięgna w stawie jw.*).

hock2 *n. U gł. Br.* białe wino reńskie.

hock3 *gł. US i Can. pot. v.* zastawiać, oddawać w zastaw. – *n. U* **in** ~ zastawiony, oddany w zastaw; zadłużony; w kryminale *l.* pudle.

hockey ['hɑ:kɪ] *n. U sport* hokej; (*także US* **field** ~) hokej na trawie; (*także Br.* **ice** ~) hokej na lodzie.

hockey stick *n.* kij hokejowy.

Hocktide ['hɑ:ktaɪd] *n. Br. hist.* święto obchodzone w drugi poniedziałek i wtorek po Wielkanocy (*oryginalnie w celu zbiórki pieniędzy*).

hocus ['hoʊkəs] *v. Br.* **-ss-** *rzad.* **1.** nabierać, oszukiwać. **2.** odurzać (*narkotykiem*). **3.** dodawać narkotyku do (*drinka*).

hocus-pocus [ˌhoʊkəs'poʊkəs] *n. U* **1.** hokus pokus, czary-mary. **2.** sztuczki (*t. pog. o jakiejś dziedzinie wiedzy*). **3.** tajemniczo brzmiący żargon. – *v. Br.* **-ss-** nabierać, oszukiwać.

hod [hɑ:d] *n.* **1.** *bud.* kozioł (*do noszenia cegieł*). **2.** wiaderko na węgiel.

hod-carrier ['hɑ:dˌkerɪər] *n.* (*także* **hodman**) *bud.* koźlarz (= *robotnik noszący cegły na koźle*); pomocnik murarski.

hodden ['hɑ:dən] *n. U gł. Scot. tk.* grube sukno, samodział wełniany.

hodgepodge ['hɑ:dʒˌpɑ:dʒ] *n. sing. US pot.* mieszanina, miszmasz.

Hodgkin's disease ['hɑ:dʒkɪnz dɪˌzi:z] *n. U pat.* ziarnica złośliwa.

hodman ['hɑ:dmən] *n. pl.* **-men** = **hod carrier**.

hoe [hoʊ] *n. roln., ogr.* motyka; graca. – *v.* **1.** okopywać. **2.** ~ **(down)** motykować. **3.** ~ **up** wykopywać motyką.

hoecake ['hoʊˌkeɪk] *n. płd. US kulin.* placek kukurydziany.

hoedown ['hoʊˌdaʊn] *n. US i Can.* żywy taniec ludowy; zabawa, na której tańczy się tańce jw.

hog [hɔ:g] *n.* **1.** wieprz; tucznik; *US i Can. zool.* świnia (*rodzina Suidae*). **2.** *przen. pot.* świnia, wieprz (= *osoba żarłoczna, niechlujna l. samolubna*). **3.** (*także* **hogg, hogget**) *Br. dial., Austr. i NZ* młoda owca przed pierwszym strzyżeniem; *U kulin.* mięso z owcy jw. **4.** *żegl.* szczotka do szorowania dna statku (*pod wodą*). **5.** *przen.* **go the whole** ~ *pot.* iść na całość *l.* na całego; **live high on the** ~ *US pot.* dobrze sobie żyć; **road** ~ *zob.* **road**. – *v.* **-gg- 1.** *pot.* okupować (*np. jezdnię; t. żart. np. łazienkę*); zagarnąć (dla siebie) (*np. całe jedzenie*). **2.** wyginać środkowo w łuk (*grzbiet*). **3.** przycinać krótko (*grzywę koniowi*). **4.** *żegl.* przeginać (się) na fali (*o statku*). **5.** *żegl.* szorować dno (*statku znajdującego się na wodzie*).

hogan ['hoʊgən] *n. US* lepianka Indian Navajo.

hogback ['hɔ:gˌbæk], **hog's-back** *n. geogr.* wąski i stromy grzbiet górski (*powstały na skutek erozji okolicznych miękkich skał*).

hogg [hɔ:g], **hogget** *n.* = **hog** *n.* 3.

hoggin ['hɔ:gɪn], **hogging** *n. U Br.* przesiany żwir.

hoggish ['hɔ:gɪʃ] *a.* wieprzowaty (= *żarłoczny l. niechlujny*).

hogmanay ['hɑ:gməˌneɪ], **Hogmanay** *n. U Scot.* Sylwester.

hog pen *n. US* chlew.

hog plum *n. bot.* śliwiec mombin (*Spondias mombin*).

hog's-back ['hɑ:gzˌbæk] *n.* = **hogback**.

hogshead ['hɔ:gzˌhed] *n.* **1.** okseft (*US = 63 galony; Br. = 54 galony*). **2.** duża beczka (*do transportu wina itp., zw. o objętości jw.*).

hogtie ['hɔ:gˌtaɪ], **hog-tie** *v.* **-ied, -ying** *US* **1.** związać ręce i nogi (*komuś*). **2.** *przen.* przeszkadzać (*komuś*).

hogwash ['hɔ:gˌwɑ:ʃ] *n. U* **1.** pomyje, odpadki kuchenne (*jako pokarm dla świń*). **2.** *przen. pot.* nonsens, bzdury.

hogweed ['hɔ:gˌwi:d] *n. U bot.* barszcz (*Heracleum*).

hog-wild [ˌhɔ:g'waɪld] *a.* bardzo podekscytowany, rozentuzjazmowany.

ho-hum [ˌhoʊ'hʌm] *int. pot.* no cóż, no trudno.

hoick1 [hɔɪk] *v. Br. pot.* szarpnąć, gwałtownie

pociągnąć (*w górę*). – *n.* szarpnięcie, gwałtowne pociągnięcie (*jw.*).

hoick2 *int.* (*także* **hoicks!**) *myśl.* huzia!, poszły! (*do psów*).

hoiden ['hɔɪdən] *n. i v.* = **hoyden.**

hoi polloi [ˌhɔɪ pə'lɔɪ] *n.* **the** ~ *żart.* zwykli ludzie; *pog.* masy, motłoch.

hoist [hɔɪst] *v.* **1.** *t. żegl.* wciągać (na maszt), podnosić; ~ **the flag** zatknąć flagę (*na znak zajęcia jakiegoś terytorium*). **2.** *przen.* ~ **a few** *US pot.* wypić parę głębszych; **be ~(ed) with/by one's own petard** wpaść we własne sidła. – *n.* **1.** wyciąg, dźwig, podnośnik. **2.** podnoszenie, wciąganie. **3.** *żegl.* pionowa długość żagla. **4.** *żegl.* sygnał flagowy.

hoity-toity [ˌhɔɪtɪ'tɔɪtɪ] *a. przest. pot.* nadęty, napuszony.

hokey ['hoʊkɪ] *a.* **-ier, -iest** *gł. US i Can. pot.* ckliwy.

hokey-pokey [ˌhoʊkɪ'poʊkɪ] *n. U* hokus pokus.

hokku ['hɔːkuː] *n.* = **haiku.**

hokum ['hoʊkəm] *n. U US i Can. pot.* **1.** banialuki, bzdury. **2.** szmira.

hold1 [hoʊld] *v.* **held, held 1.** trzymać; ~ **firm/fast** trzymać się mocno *l.* kurczowo; ~ **hands** trzymać się za ręce; ~ **one's head high** (*także* ~ **up one's head**) *zob.* **head** *n.*; ~ **sb's hand** trzymać kogoś za rękę; ~ **sth in place** przytrzymywać coś (na miejscu); ~ **the road** *mot.* dobrze trzymać się drogi *l.* nawierzchni. **2.** obejmować, trzymać w ramionach; ~ **sb close/tight** mocno kogoś obejmować. **3.** wytrzymywać (*np. o linie, zaporze*). **4.** utrzymywać się (*np. o szczęśliwej passie*); **if the weather ~s** jeżeli pogoda się utrzyma. **5.** przetrzymywać, trzymać; zatrzymywać; ~ **sb prisoner/hostage** przetrzymywać kogoś jako więźnia/zakładnika. **6.** mieć, posiadać; ~ **shares in sth** posiadać udziały w czymś; ~ **the copyright to sth** posiadać prawa autorskie do czegoś; ~ **the world record** być w posiadaniu rekordu świata. **7.** zajmować; ~ **a place/seat** zajmować *l.* trzymać miejsce (*for sb* komuś *l.* dla kogoś); ~ **a position/post** zajmować pozycję/posadę. **8.** mieścić, zawierać; mieć w zanadrzu, nieść (ze sobą); **the movie theater can ~ up to 700 people** kino może pomieścić aż 700 osób; **who knows what the future ~s** kto wie, co przyniesie przyszłość. **9.** zatrzymywać, powstrzymywać; ~ **fire!** *wojsk.* wstrzymać ogień!; ~ **it!** (*także* ~ **your horses!**) zaczekaj!, stój!, wstrzymaj się!; ~ **one's hand** powstrzymywać się (*np. od ukarania kogoś*); **there's no ~ing sb** nie można kogoś powstrzymać; **what held you so long?** co cię tak długo zatrzymało?. **10.** *zw. pass.* odbywać, prowadzić; ~ **a conversation/interview** prowadzić rozmowę/wywiad; **an election was held** odbyły się wybory. **11.** *form.* utrzymywać, twierdzić (*that* że); uważać (*sb / sth to be sth* kogoś/coś za coś); ~ **an opinion/belief/view** być zdania, wyznawać pogląd; ~ **sb/sth in esteem/contempt** mieć kogoś/coś w poważaniu/pogardzie; ~ **sb responsible/accountable** obarczać kogoś odpowiedzialnością, czynić kogoś odpowiedzialnym (*for sth* za coś); ~ **sth cheap** lekceważyć coś, niewiele sobie robić z czegoś; ~ **sth dear** uważać coś za bardzo ważne *l.* cenne (*zwł. określone zasady l. wartości*). **12.** zachowywać ważność, być aktualnym; mieć zastosowanie; ~ **good/true** być prawdziwym *l.* aktualnym, obowiązywać. **13.** *prawn.* postanawiać, uznawać (*o sądzie*). **14.** przestrzegać (*zwł. warunków umowy*); zobowiązywać. **15.** utrzymywać (*na określonym poziomie*); ~ **sb's interest/attention** utrzymywać czyjeś zainteresowanie/uwagę. **16.** kontrolować; **the army held the town for two days** wojsko kontrolowało miasto przez dwa dni. **17.** czekać (*zwł. przy telefonie*); ~ **it!** zaczekaj!; **please ~ the line!** proszę nie odkładać słuchawki! **18.** trzymać się, nie poddawać się; ~ **one's ground** (*także* ~ **one's own**) nie poddawać się, nie dawać się. **19.** przechowywać (*dane*). **20.** *muz.* przeciągać (*nutę, ton*). **21.** dzierżawić. **22.** *US* celować, mierzyć (*on sb* do kogoś). **23.** *przen.* ~ **all the cards** *zob.* **card1** *n.*; ~ **o.s. aloof** *zob.* **aloof** *a.*; ~ **court** *zob.* **court** *n.*; ~ **one's breath** *zob.* **breath**; ~ **one's drink/liquor** mieć mocną głowę; ~ **one's tongue/peace** zachowywać milczenie; ~ **sb/sth at bay** *zob.* **bay3** *n.*; ~ **still/steady!** nie ruszaj się!; ~ **the fort** *zob.* **fort**; ~ **the stage** (*także Br. i Austr.* ~ **the floor**) zdominować *l.* zmonopolizować dyskusję, nie dopuszczać innych do głosu; **leave sb ~ing the bag** (*także Br.* **leave sb ~ing the baby**) *pot.* zrobić z kogoś kozła ofiarnego; **not ~ water** nie mieć sensu, nie trzymać się kupy. **24.** ~ **sth against sb** winić kogoś za coś; mieć coś komuś za złe; ~ **back** *t. przen.* powstrzymywać (*powódź, tłum, gniew*); wstrzymywać, opóźniać; zatajać; ~ **by** popierać; trzymać się (*np. zasad*); ~ **by one's choice** pozostać przy swoim wyborze; ~ **down** przytrzymywać; powstrzymywać; utrzymywać na niskim poziomie (*zwł. ceny*); uciskać, ciemiężyć; ~ **down a job** *pot.* utrzymać *l.* zachować posadę; ~ **forth** rozwodzić się (*na jakiś temat*); *form.* proponować, ofiarowywać; ~ **in** powstrzymywać, hamować; panować nad (*uczuciami*); ~ **o.s. in readiness** być stale w pogotowiu, być zawsze gotowym; ~ **sth in one's head** pamiętać coś, mieć coś w głowie; ~ **sth in reserve** mieć *l.* trzymać coś w rezerwie; ~ **off** trzymać z dala, powstrzymywać; wstrzymywać się, zwlekać; **if the rain ~s off** jeśli nie zacznie padać; ~ **on** trzymać (się) mocno; przytrzymywać (się); utrzymywać się, trwać; posuwać się naprzód (*o samochodzie, statku*); *pot.* wytrzymywać, nie przestawać; *pot.* zaczekać (*zwł. przy telefonie*); ~ **on one's way** iść dalej swoją drogą; ~ **onto** przytrzymywać się (*czegoś*); nie puszczać (*czegoś*); przywierać *l.* przylegać do (*czegoś*); nie oddawać (*czegoś*), zatrzymać (sobie); *t. przen.* chwytać się (*czegoś*); ~ **out** wyciągać (*rękę, broń*); dawać, ofiarowywać; wytrzymać, przetrzymać; wystarczać; **not ~ out much hope** nie dawać wiele nadziei; ~ **out for** domagać się, żądać (*czegoś*); ~ **over** odkładać, odraczać; zatrzymywać; pozostać na urzędzie (*po upływie kadencji*); ~ **sth over sb** *przen.* mieć coś na kogoś (*zwł. obciążające informacje*), grozić komuś czymś (*wykorzystaniem informacji jw.*); ~ **one's way over sb/sth** władać *l.* rządzić kimś/czymś;

mieć wpływ na kogoś/coś; **be held over** *US kino, teatr* być dłużej wyświetlanym *l.* granym (*niż pierwotnie zakładano*); ~ **to** *przen.* trzymać się (*czegoś*); obstawać przy (*czymś*); ~ **to a course** *żegl.* utrzymywać kurs; ~ **sb to sth** egzekwować coś od kogoś (*zwł. wypełnienie obietnicy*); ~ **sb to bail** *prawn.* wyznaczyć komuś kaucję; ~ **sb to their word** trzymać kogoś za słowo; **not ~ a candle to sb/sth** *przen.* nie umywać się do kogoś/czegoś; ~ **together** wiązać, łączyć; trzymać się razem; ~ **up** unosić; podtrzymywać, podpierać; *gł. pass.* zatrzymywać, opóźniać; napadać na, rabować (*zwł. z bronią w ręku*); przedstawiać *l.* pokazywać jako przykład; wytrzymać, wytrwać; wystarczać; ~ **sb up** *US przen. pot.* zedrzeć z kogoś skórę (= *policzyć za dużo*); ~ **sb/sth up to ransom** trzymać kogoś/coś w charakterze zakładnika; ~ **sb/sth up to ridicule** wystawiać kogoś/coś na pośmiewisko; ~ **with** podzielać, popierać (*poglądy, pomysły*); ~ **one's own with sb** wytrzymywać konkurencję z kimś. – *n.* **1.** chwyt; **catch/get/lay/take ~ of sth** chwycić (za) coś. **2.** oparcie, punkt oparcia; uchwyt. **3.** *judo, zapasy* przytrzymanie. **4.** kontrola, panowanie; **get a ~ of o.s.** (*także* **keep a ~ on o.s.**) panować nad sobą; **have a ~ over/on sb** mieć wpływ na kogoś; trzymać kogoś w garści; **lose ~ of o.s.** tracić panowanie nad sobą; **tighten one's ~ on sth** zaostrzyć kontrolę nad czymś. **5.** *muz.* pauza. **6.** areszt, więzienie. **7.** *arch.* twierdza. **8.** zdobyć coś; **get ~ of o.s.** wziąć się w garść; **get ~ of sb** złapać kogoś, znaleźć kogoś; **get ~ of sth** zdobyć coś; **keep ~ of sth** utrzymać coś; zatrzymać coś; **no ~s barred** bez żadnych ograniczeń, wszystkie chwyty dozwolone; **put sb on ~** kazać komuś zaczekać (*przy telefonie*); **put sth on ~** odłożyć coś na później; **take ~** zaczynać działać, dawać o sobie znać.

hold2 *n.* ładownia (*statku*).

holdall [ˈhoʊldˌɔːl] *n. gł. Br.* duża torba podróżna.

holdback [ˈhoʊldˌbæk] *n.* **1.** postronek (*uprzęży*). **2.** przeszkoda, utrudnienie. **3.** wstrzymana wypłata.

holder [ˈhoʊldər] *n.* **1.** uchwyt; obsadka; oprawka. **2.** naczynie, zbiornik. **3.** posiadacz/ka, właściciel/ka. **4.** okaziciel/ka.

holdfast [ˈhoʊldˌfæst] *n.* **1.** klamra; hak. **2.** mocny chwyt; uścisk. **3.** *biol.* chwytnik, ryzoid.

holding [ˈhoʊldɪŋ] *n.* **1.** dzierżawa (*gruntu*). **2.** *zw. pl.* udziały (*zwł. akcje l. obligacje*). **3.** *pl. Bibl.* zasoby, zbiory. **4.** *sport* nieprzepisowe przytrzymywanie przeciwnika (*ręką l. ramieniem*).

holding company *n. ekon.* spółka holdingowa, holding.

holding pattern *n.* **1.** *lotn.* krążenie (*przed pozwoleniem na lądowanie*). **2.** *przen.* zawieszenie, sytuacja zawieszenia.

holdout [ˈhoʊldˌaʊt] *n. gł. US* **1.** odmowa. **2.** osoba odmawiająca.

holdover [ˈhoʊldˌoʊvər] *n. gł. US* **1.** relikt, pozostałość (*from sth* czegoś). **2.** osoba pozostająca na stanowisku (*mimo upływu kadencji*). **3.** areszt.

holdup [ˈhoʊldˌʌp], **hold-up** *n.* **1.** napad rabunkowy. **2.** zatrzymanie; opóźnienie; komplikacje. **3.** *US* zdzierstwo. **4.** *Br.* zator, korek (*uliczny*). **5.** *brydż* przetrzymanie (*karty*).

hole [hoʊl] *n.* **1.** *t. fiz.* dziura; **black ~** *astron.* czarna dziura; **full of ~s** dziurawy (*t. przen.* = *pełen niedociągnięć*); **in ~s** dziurawy, znoszony. **2.** nora, jama (*zwierzęcia*). **3.** *med.* otwór, perforacja; ~ **in the heart** otwór w przegrodzie międzykomorowej. **4.** *pot.* zapadła dziura. **5.** *pot.* cela. **6.** *golf* dołek (*t. zrobiony*); ~ **high** na odległość dołka, na równi z dołkiem; ~ **in one** wbicie piłki do dołka za pierwszym uderzeniem. **7.** *przen.* **a square peg in a round ~** niewłaściwa osoba na danym miejscu; **be in a ~** być w dołku; **in the ~** *US pot.* w długach; **make a ~ in sth** *pot.* zrobić wyłom w czymś, uszczuplić coś; **money burns a ~ in sb's pocket** pieniądze się kogoś nie trzymają; **pick ~s** szukać dziury w całym; **pick ~s in sth** czepiać się czegoś (= *wyszukiwać słabe punkty*); **sb needs sth like a ~ in the head** *pot.* coś jest komuś potrzebne jak dziura w moście. – *v.* **1.** dziurawić; przedziurawiać. **2.** wsadzać do dziury. **3.** wchodzić do nory. **4.** wiercić, drążyć (*szyb, tunel*). **5.** *górn.* przebijać się. **6.** ~ **out** *golf* umieścić piłkę w dołku; ~ **up** *pot.* zaszyć się (*t. o zwierzętach zapadających w sen zimowy*).

hole-and-corner [ˌhoʊlənˈkɔːrnər] *a. zw. attr. pot.* pokątny.

hole card *n. poker* zakryta karta.

hole-high [ˌhoʊlˈhaɪ] *a. i adv. golf* **1.** na odległość dołka. **2.** na równi z dołkiem.

hole-in-the-wall [ˌhoʊlɪnðəˈwɔːl], **hole in the wall** *n. pot.* **1.** *US* knajpka. **2.** *Br.* bankomat.

hole-proof [ˈhoʊlˌpruːf] *a.* odporny na wycieranie (*o materiale*).

holey [ˈhoʊlɪ] *a.* **-ier, -iest** podziurawiony, dziurawy.

holiday [ˈhɑːləˌdeɪ] *n.* **1.** *t. kośc.* święto; **national/public ~** święto narodowe/państwowe; **High H~s** *zob.* **High**. **2.** *C/U* (*także* **~s**) *Br. i Austr.* wakacje; urlop; ferie; wolne; **be on ~** być na wakacjach; **go on ~** wyjeżdżać na wakacje; **school ~** ferie szkolne; **summer ~** wakacje letnie; **take a ~** brać wolne *l.* urlop; **tax ~** *fin.* wakacje podatkowe. – *v.* spędzać wakacje, być na wakacjach (*gdzieś*). – *a. attr.* **1.** wakacyjny; wczasowy; urlopowy; ~ **pay** wynagrodzenie w czasie urlopu; ~ **resort** miejscowość wypoczynkowa *l.* wczasowa; ~ **season** sezon wakacyjny *l.* urlopowy. **2.** świąteczny, odświętny (*np. o stroju, nastroju*).

holiday camp *n.* ośrodek wypoczynkowy *l.* wczasowy.

holiday home *n. Br.* domek letni.

holidaymaker *n. Br. i Austr.* wczasowicz/ka.

holier-than-thou [ˌhoʊlɪərðənˈðaʊ] *a. i n. pot.* bardziej święty od papieża.

holily [ˈhoʊlɪlɪ] *adv.* **1.** nabożnie. **2.** w święty sposób.

holiness [ˈhoʊlɪnəs] *n.* **1.** *U* świętość. **2.** **His/Your H~** Jego/Wasza Świątobliwość (*tytuł papieski*).

holism [ˈhoʊlˌɪzəm] *n. U t. fil., psych., med.* holizm.

holistic [hoʊˈlɪstɪk] *a.* holistyczny.

holistically [hoʊˈlɪstɪklɪ] *adv.* holistycznie.

Holland [ˈhɑːlənd] *n. geogr.* Holandia.

hollandaise [ˌhɑːlənˈdeɪz] *n.* (*także* ~ **sauce**) *U kulin.* sos holenderski.

Hollander [ˈhɑːləndər] *n. przest.* Holender/ka.

Hollands [ˈhɑːləndz] *n. U arch.* holenderski gin.

holler [ˈhɑːlər] *v. zwł. US pot.* krzyczeć, wrzeszczeć (*at sb* na kogoś). – *n.* krzyk, wrzask.

hollo [ˈhɑːloʊ], **holloa** *int. i n. arch.* hola!, hej! – *v.* hukać, wołać (*t. na psy*).

hollow [ˈhɑːloʊ] *a.* **1.** wydrążony; pusty (*t. o żołądku; t. przen. o śmiechu, obietnicach*). **2.** zagłębiony, wgłębiony. **3.** zapadnięty (*np. o oczach, policzkach*). **4.** głuchy, przytłumiony (*o dźwięku, głosie*). **5.** płytki (*np. o teorii*). – *n.* **1.** zagłębienie, wgłębienie; dziura. **2.** dolina, kotlina. – *v.* **1.** ~ **(out)** wydrążyć. **2.** zapadać się (*np. o policzkach*). – *adv. pot.* **all** ~ całkowicie, absolutnie; **beat sb (all)** ~ *Br. przen.* pobić kogoś na głowę.

hollow-eyed [ˌhɑːloʊˈaɪd] *a.* z zapadniętymi *l.* podkrążonymi oczami.

hollowly [ˈhɑːloʊlɪ] *adv.* **1.** głucho. **2.** pusto, czczo.

hollowness [ˈhɑːloʊnəs] *n. U* **1.** pustota. **2.** nieszczerość.

hollowware [ˈhɑːloʊˌwer] *n. U zwł. US* naczynia kuchenne (*zwł. garnki, dzbanki, czajniki w odróżnieniu od talerzy itp.*).

holly [ˈhɑːlɪ] *n. pl.* **-ies** *bot.* ostrokrzew kolczasty (*Ilex aquifolium*).

hollyhock [ˈhɑːlɪˌhɑːk] *n. bot.* prawoślaz różowy, malwa ogrodowa (*Alcea rosea*).

holly oak *n. bot.* = **holm**[2].

holm[1] [hoʊm] *n.* (*także* **holme**) **1.** wysepka (*zwł. na rzece l. w pobliżu lądu*), ostrów. **2.** *Br.* żuława, obszar zalewowy nadrzeczny.

holm[2] *n.* (*także* **holm oak, holly oak**) *bot.* dąb ostrolistny (*Quercus ilex*).

holmium [ˈhoʊlmɪəm] *n. U chem.* holm.

holocaust [ˈhɑːləˌkɔːst] *n.* **1.** zagłada; **the H~** *hist.* holokaust. **2.** *rzad.* ofiara całopalna, całopalenie.

Holocene [ˈhɑːləˌsiːn] *geol. n.* **the** ~ holocen. – *a.* holoceński.

holoenzyme [ˌhɑːloʊˈenzaɪm] *n. biochem.* holoenzym.

hologram [ˈhoʊləˌgræm] *n. fiz.* hologram.

holograph [ˈhɑːləˌgræf] *n. C/U* **1.** holograf, własnoręcznie pisany dokument; **in** ~ odręcznie, własnoręcznie. **2.** *fiz.* hologram. – *a. attr.* własnoręczny, odręczny.

holographic [ˌhɑːləˈgræfɪk] *a.* **1.** własnoręczny. **2.** *fiz.* holograficzny; dotyczący holografii.

holographical [ˌhɑːləˈgræfɪkl], **holographically** *adv.* holograficznie, przy użyciu holografii.

holography [həˈlɑːgrəfɪ] *n. U fiz.* holografia.

holohedral [ˌhɑːləˈhiːdrəl] *a. krystal.* pełnościenny, holoedryczny.

holophrastic [ˌhɑːləˈfræstɪk] *a. jęz.* wyrażający cały zwrot jednym słowem (*np. "howdy" zamiast "how do you do"*).

holothurian [ˌhɑːləˈθʊrɪən] *n. zool.* strzykwa (*Holothuroidea*).

holozoic [ˌhɑːləˈzoʊɪk] *a. zool.* holozoiczny.

holpen [ˈhoʊlpən] *v. arch.* imiesłów bierny od "help".

Holstein [ˈhoʊlstaɪn] *n.* **1.** *geogr.* Holsztyn. **2.** *gł. US i Can. zool., roln.* krowa rasy fryzyjskiej (*= nizinnej czarno-białej*).

holster [ˈhoʊlstər] *n.* kabura, pochwa (*pistoletu*). – *v.* chować do kabury.

holstered [ˈhoʊlstərd] *a.* w kaburze (*o pistolecie*).

holt[1] [hoʊlt] *n. arch.* **1.** gaj. **2.** lesiste wzgórze.

holt[2] *n. Br.* legowisko wydry.

holt[3] *n. US* chwyt, uścisk.

holus-bolus [ˌhoʊləsˈboʊləs] *adv. przest. pot.* (wszystko) naraz.

holy [ˈhoʊlɪ] *a.* **-ier, -iest** **1.** *t. iron.* święty. **2.** świątobliwy. **3.** święcony. **4.** ~ **cow/mackerel/shit!** *zwł. US pot.* o kurde! (*wyrażając zdziwienie, podziw, strach*). – *n. pl.* **-ies** **1.** świętość, rzecz święta. **2.** święt-y/a (*= bardzo pobożna osoba*).

Holy Alliance *n. sing. hist.* Święte Przymierze.

Holy Bible *n. sing. rel.* Biblia, Pismo święte.

Holy City *n. sing. rel.* Święte Miasto (*= Jerozolima*).

Holy Communion *n. U kośc.* Komunia Święta.

Holy Cross Day *n. sing. kośc.* Podwyższenie Krzyża Świętego (*święto kościelne*).

holy day *n.* święto religijne *l.* kościelne.

Holy Family *n. sing. rel.* Święta Rodzina.

Holy Father *n. sing. rz.-kat.* Ojciec Święty.

Holy Ghost, Holy Spirit *n. sing. rel.* Duch Święty.

Holy Grail *n.* = **Grail**.

Holy Innocents' Day *n. kośc.* święto upamiętniające rzeź niewiniątek (*28 grudnia*).

Holy Joe *n. przest. pot.* **1.** klecha. **2.** nabożni-ś/sia.

Holy Land *n. sing.* Ziemia Święta.

Holy Office *n. sing. rz.-kat.* Święte Oficjum.

holy of holies *n. sing.* **1.** *judaizm* najświętsze miejsce w świątyni żydowskiej. **2.** *żart.* specjalne *l.* reprezentacyjne miejsce.

holy orders *n. pl.* święcenia (*kapłańskie*); **in** ~ wyświęcony; **take** ~ przyjmować święcenia kapłańskie.

holy place *n.* święte miejsce; sanktuarium.

Holy Roman Empire *n. sing. hist.* Święte Cesarstwo Rzymskie.

holy rood *n.* **1.** krucyfiks (*zwł. wiszący w kościele*). **2.** (*także* **H~ R~**) Krzyż Chrystusa.

Holy Saturday *n. rel.* Wielka Sobota.

Holy Scripture *n. U* Pismo Święte.

Holy See *n. sing. rz.-kat.* Stolica Apostolska.

Holy Sepulcher, *Br.* **Holy Sepulchre** *n. sing.* Grób Święty *l.* Pański.

Holy Spirit *n.* = **Holy Ghost**.

holystone [ˈhoʊlɪˌstoʊn] *n. gł. hist.* miękki piaskowiec (*do szorowania pokładu*). – *v.* szorować piaskowcem.

holy terror *n. pot.* postrach, diabeł wcielony (*o dziecku*).

Holy Thursday *n. rel.* **1.** *rz.-kat.* Wielki Czwartek. **2.** *rzad.* Wniebowstąpienie (*w kościele anglikańskim*).

Holy Trinity *n. sing.* Trójca Święta.

holy war *n.* święta wojna.

holy water *n. U kość.* woda święcona.

Holy Week *n. rel.* Wielki Tydzień.

Holy Writ *n. U* Pismo święte.

Holy Year *n. rz.-kat.* Rok Święty.

homage ['hɑːmɪdʒ] *n. U t. hist.* hołd (*t. feudalny*), cześć; **pay/do ~ to sb** składać komuś hołd, oddawać komuś cześć.

hombre ['hɑːmbər] *n. gł. zach. US pot.* facet, gość.

homburg ['hɑːmbɜːg] *n.* kapelusz filcowy (*z szerokim, lekko uniesionym rondem*).

home [hoʊm] *n. C/U* **1.** *t. przen.* dom; **at ~** w domu; **be/feel at ~** czuć się jak (u siebie) w domu; **leave ~** opuszczać dom, wyjeżdżać z domu (*rodzinnego*); **work from ~** *Br.* pracować w domu *l.* chałupniczo. **2.** ojczyzna, kraj; **at ~** w kraju. **3.** *często w złoż.* dom, zakład; **convalescent ~** sanatorium; **mental ~** zakład dla umysłowo chorych; **nursing ~** dom opieki; **old people's ~** dom starców. **4.** kolebka, ojczyzna (*of sth* czegoś). **5.** *Br.* miejsce; **find a ~ for sth** znaleźć miejsce dla czegoś. **6.** siedziba (*np. przedsiębiorstwa*). **7.** *sport* bramka. **8.** *sport* meta. **9.** *przen.* **~ away from ~** (*także Br.* **~ from ~**) drugi dom; **~ sweet ~** nie ma (to) jak w domu; **at ~** *sport* na własnym boisku; przyjmuje (*na zaproszeniu*); **come from a broken ~** pochodzić z rozbitej rodziny; **eat sb out of house and ~** *zob.* **eat**; **last ~** miejsce wiecznego *l.* ostatecznego spoczynku (= *grób*); **make one's ~ somewhere** zamieszkać gdzieś; **make yourself at home** czuj się jak u siebie (w domu), rozgość się; **not at ~** nieobecny; nie przyjmuje; **there's no place like ~** wszędzie dobrze, ale w domu najlepiej. – *a. attr.* **1.** domowy. **2.** chałupniczy. **3.** wewnętrzny, krajowy. **4.** rodzinny, ojczysty. **5.** główny (*o siedzibie firmy*). **6.** *sport* miejscowy (*o drużynie*); na własnym boisku, u siebie (*o meczu*). – *adv.* **1.** w domu; **back ~** z powrotem w domu; (tam) w kraju; **be ~** być w domu. **2.** do domu; **go/get/return ~** iść/dotrzeć/wrócić do domu. **3.** do środka, na swoje miejsce; **drive the nail ~** wbijać gwóźdź na swoje miejsce. **4. bring sth ~ to sb** *zob.* **bring**; **bring o.s. ~** powetować sobie straty, pozbierać się (*zwł. finansowo*); **close to ~** *zob.* **close[1]** *a.*; **come ~ to sb** dotknąć kogoś do żywego, spaść na kogoś; **drive sth ~** *zob.* **drive** *v.*; **hit ~** zostać w pełni zrozumianym *l.* uświadomionym; **I'm ~ free** (*także Br.* **I'm ~ and dry**) udało (mi) się; **nothing to write ~ about** *pot.* nic nadzwyczajnego *l.* szczególnego; **take ~** zarabiać na czysto. – *v.* **1.** wracać do domu (*zwł. z odległego miejsca; gł. o ptakach i innych zwierzętach*). **2.** *przest.* odsyłać *l.* prowadzić do domu. **3.** dawać dom (*komuś l. czemuś*). **4. ~ in on** namierzyć; *przen.* skupić się na (*czymś*).

home address *n.* adres domowy.

home base *n. baseball* = **home plate**.

home body *n. pl.* **-ies** *pot.* domator/ka.

homeboy ['hoʊmˌbɔɪ] *n. US sl.* chłopak z ferajny, kumpel z gangu.

homebred [ˌhoʊm'bred] *a.* **1.** domowy; rodzimy. **2.** *uj.* domorosły.

home-brew [ˌhoʊm'bruː], **home brew** *n. U* piwo własnej *l.* domowej roboty.

homebuyer ['hoʊmˌbaɪər] *n.* osoba kupująca dom *l.* mieszkanie.

home-coming ['hoʊmˌkʌmɪŋ], **homecoming** *n.* **1.** powrót do domu. **2.** *US szkoln., uniw.* zjazd byłych uczniów *l.* studentów.

Home Counties *n. pl. Br.* hrabstwa położone w pobliżu Londynu.

home economics *n. U szkoln.* zajęcia z gospodarstwa domowego.

home farm *n. Br. roln.* gospodarstwo produkujące wyłącznie na potrzeby własne.

Home Fleet *n. Br. wojsk.* Flota Ojczyźniana.

home fries *n. pl. US kulin.* smażone ziemniaki w plasterkach.

homegrown [ˌhoʊm'groʊn] *a.* **1.** z własnego ogródka (*o warzywach, owocach*). **2.** *t. przen.* krajowy; rodzimy (*np. o talentach*).

home guard *n. wojsk.* **1.** *U* służba ochotnicza. **2.** członek służby ochotniczej. **3. H~ G~** *Br. hist.* Gwardia Krajowa (*w czasie II wojny światowej*).

home help *n. zwł. Br. i NZ* **1.** pomoc domowa (*pomagająca osobie starszej l. chorej*). **2.** *U* pomoc w pracach domowych (*oferowana np. przez opiekę społeczną*).

home key *n. komp.* klawisz „home".

homeland ['hoʊmˌlænd] *n.* **1.** ojczyzna, ziemia ojczysta *l.* rodzinna. **2.** *S.Afr. hist.* obszar zamieszkały wyłącznie przez ludność czarną (*w okresie apartheidu*).

homeless ['hoʊmləs] *a.* **1.** bezdomny; **make sb ~** pozbawić kogoś dachu nad głową. **2. the ~** bezdomni (*zbiorowo*).

homeless shelter *n.* schronisko *l.* przytułek dla bezdomnych.

homelike ['hoʊmˌlaɪk] *a.* domowy.

home loan *n. fin.* kredyt mieszkaniowy.

homely ['hoʊmlɪ] *a.* **-ier, -iest** **1.** domowy, prosty, skromny, bezpretensjonalny. **2.** *US* pospolity, niezbyt ładny (*o osobie, rysach*).

homemade [ˌhoʊm'meɪd] *a.* **1.** domowy, domowej roboty. **2.** wykonany domowym sposobem; prosty.

homemaker ['hoʊmˌmeɪkər] *n. zwł. US i Can.* gospodyni domowa (= *kobieta niepracująca zawodowo*).

home-making ['hoʊmˌmeɪkɪŋ] *n. U* prowadzenie domu *l.* gospodarstwa.

home market *n. ekon.* rynek krajowy *l.* wewnętrzny.

home movie *n.* amatorski film wideo (*najczęściej z uroczystości rodzinnych*).

Home Office *n. sing. Br. polit.* Ministerstwo Spraw Wewnętrznych.

homeopath ['hoʊmɪəˌpæθ], *Br.* **homoeopath** *n.* homeopat-a/ka.

homeopathic [ˌhoumɪəˈpæθɪk] *a.* homeopatyczny.

homeopathically [ˌhoumɪəˈpæθɪklɪ] *adv.* homeopatycznie.

homeopathist [ˌhoumɪˈɑːpəθɪst] *n.* homeopata/ka.

homeopathy [ˌhoumɪˈɑːpəθɪ] *n. U* homeopatia.

homeosis [ˌhoumɪˈousɪs], *Br.* **homoeosis** *n. U biol.* homeoza, heteromorfoza.

homeostasis [ˌhoumɪəˈsteɪsɪs], *Br.* **homoeostasis** *n. U biol.* homeostaza.

homeostatic [ˌhoumɪəˈstætɪk] *a.* homeostatyczny.

homeowner [ˈhoumˌounər] *n.* właściciel/ka domu.

home page *n. komp.* strona WWW *l.* internetowa (*danej osoby l. instytucji*).

home plate, home base *n. baseball* ostatnia baza.

home port *n. żegl.* port macierzysty.

homer [ˈhoumər] *n. pot.* **1.** *baseball* = **home run**. **2.** *pot.* = **homing pigeon**. **3.** *el.* urządzenie naprowadzające (*np. pociski na cel*).

Homeric [houˈmerɪk] *a.* homerowy; *gł. teor. lit.* homerycki (*np. o porównaniu*).

home room *n. US szkoln.* sala szkolna, w której uczniowie danej klasy spotykają się na początku każdego dnia.

home rule *n. U polit.* **1.** samorządność. **2.** *US* częściowa autonomia (*miast i niektórych hrabstw*). **3. H~ R~** *hist.* samorząd dla Irlandii (*postulat irlandzkich nacjonalistów w latach 1870-1920*).

home run *n.* (*także* **homer**) *baseball* uderzenie piłki umożliwiające graczowi obiegnięcie wszystkich baz.

home sales *n. pl. handl.* sprzedaż krajowa *l.* na kraj.

Home Secretary *n. pl.* **-ies** *Br. polit.* Minister Spraw Wewnętrznych.

homesick [ˈhoumˌsɪk] *a.* stęskniony za domem; stęskniony za ojczyzną; **be/feel ~** tęsknić za domem.

homesickness [ˈhoumˌsɪknəs] *n. U* **1.** tęsknota za domem. **2.** nostalgia.

homespun [ˈhoumˌspʌn] *a.* **1.** *tk.* przędzony w domu. **2.** *przen.* prosty, skromny, domowy. – *n. U tk.* samodział.

homestead [ˈhoumsted] *n.* **1.** gospodarstwo rolne; obejście. **2.** *US prawn.* gospodarstwo niepodlegające zajęciu za długi. **3.** *US i Can. hist.* obszar nadawany osadnikowi przez rząd.

homesteader [ˈhoumˌstedər] *n.* **1.** właściciel/ka gospodarstwa. **2.** *US i Can. hist.* osadnik/czka.

homestead law *n.* (*także* **homestead exemption law**) *US prawn.* prawo zwalniające gospodarstwo od zajęcia za długi.

home stretch, *Br.* **home straight** *n.* **1.** *sport* ostatnia prosta (*przed metą*). **2.** *przen.* ostatni etap (*pracy, podróży*); **be on the ~** zbliżać się do końca; mieć się ku końcowi.

home town *n.* miasto rodzinne.

home truth *n. zw. pl.* gorzka prawda.

home video *n.* amatorski film wideo (*gł. z uroczystości rodzinnych*).

homeward [ˈhoumwərd] *adv.* (*także* **homewards**) do domu, w kierunku domu. – *a.* **1.** wiodący do domu (*o drodze*). **2.** powrotny (*o podróży*).

homeward bound *a. lit.* **1.** zdążający do domu. **2.** płynący do portu macierzystego.

homewards [ˈhoumwərdz] *adv.* = **homeward** *adv.*

homework [ˈhoumˌwɝːk] *n. U gł. szkoln.* zadanie domowe, praca domowa; **do one's ~** odrobić zadanie domowe; *przen.* dobrze się przygotować.

homeworker [ˌhoumˈwɝːkər] *n.* chałupnik/czka.

homeworking [ˌhoumˈwɝːkɪŋ] *n. U* chałupnictwo.

homey[1] [ˈhoumɪ], **homy** *a.* **-ier, -iest** domowy; przytulny.

homey[2] *n. US sl.* = **homeboy**.

homeyness [ˈhoumɪnəs] *n. U* domowa atmosfera; przytulność.

homicidal [ˌhɑːmɪˈsaɪdl] *a.* **1.** *prawn.* dotyczący zabójstwa. **2.** morderczy. **3.** niebezpieczny dla otoczenia (*np. o maniaku*).

homicide [ˈhɑːmɪˌsaɪd] *n. zwł. US* **1.** zabójstwo. **2.** zabój-ca/czyni. **3.** *U US policja* wydział zabójstw.

homiletic [ˌhɑːməˈletɪk] *a.* homiletyczny.

homiletics [ˌhɑːməˈletɪks] *n. U* homiletyka.

homiliary [hɑːˈmɪlɪˌerɪ] *n. pl.* **-ies** *hist.* zbiór homilii.

homilist [ˈhɑːməlɪst] *n.* **1.** osoba pisząca homilie. **2.** kaznodzieja.

homily [ˈhɑːməlɪ] *n. pl.* **-ies** **1.** *rel.* homilia. **2.** *żart.* kazanie.

hominal [ˈhɑːmənl] *a. form.* człowieczy, ludzki.

homing device [ˈhoumɪŋ dɪˌvaɪs] *n. wojsk.* urządzenie naprowadzające (*np. pocisk*).

homing guidance *n. U lotn., wojsk.* system naprowadzający (*samolot, pocisk*).

homing pigeon *n.* gołąb pocztowy.

hominid [ˈhɑːmənɪd] *n. zw. pl. zool.* hominidy, człowiekowate. – *a.* człowiekowaty.

hominy [ˈhɑːmənɪ] *n. U US kulin.* mamałyga.

homo [ˈhoumou] *n. pl.* **-s** *przest. sl.* pedał, ciota.

homocentric [ˌhouməˈsentrɪk] *a.* homocentryczny, współśrodkowy.

homochromous [ˌhouməˈkrouməs] *a.* jednokolorowy.

homoeopathy [ˌhɑːmɪˈɑːpəθɪ] *n. Br.* = **homeopathy**.

homogametic [ˌhoumougəˈmiːtɪk] *a. biol.* homogametyczny (*o płci*).

homogamous [houˈmɑːgəməs] *a. antrop., bot.* homogamiczny.

homogamy [houˈmɑːgəmɪ] *n. U antrop., bot.* homogamia.

homogeneity [ˌhouməd3əˈniːɪtɪ] *n. U* homogeniczność, jednorodność.

homogeneous [ˌhouməˈd3iːnɪəs], **homogenous** *a.* homogeniczny, jednorodny; należący do tego samego rodzaju.

homogeneously [ˌhoʊmə'dʒiːnɪəslɪ] *adv.* homogenicznie, jednorodnie.

homogenization [həˌmɑːgənə'zeɪʃən], *Br. i Austr. zw.* **homogenisation** *n. U chem.* homogenizacja.

homogenize [hə'mɑːdʒəˌnaɪz], *Br. i Austr. zw.* **homogenise** *v.* **1.** *chem.* homogenizować. **2.** ujednolicać.

homogenous [hə'mɑːdʒənəs] *a.* = **homogeneous.**

homogeny [hə'mɑːdʒənɪ] *n. U biol.* homogenia, jednorodność.

homograft ['hoʊməˌgræft] *n. chir.* przeszczep wewnątrzgatunkowy.

homograph ['hɑːməˌgræf] *n. jęz.* homogram.

Homoiousian [ˌhoʊmɔɪ'uːsɪən] *n. teol.* wyznawca doktryny, że Bóg Ojciec i Syn Boży są podobnej, ale nie tej samej substancji.

homologate [hə'mɑːləˌgeɪt] *v.* **1.** *prawn.* uznawać; zatwierdzać. **2.** homologować.

homologation [həˌmɑːlə'geɪʃən] *n. U* **1.** *prawn.* uznanie; zatwierdzenie. **2.** homologacja.

homological [ˌhoʊmə'lɑːdʒɪkl] *a.* = **homologous.**

homologize [hə'mɑːləˌdʒaɪz], *Br. i Austr. zw.* **homologise** *v.* ujednolicać, czynić homologicznym.

homologous [hə'mɑːləgəs] *a. biol., bot., chem.* homologiczny, wykazujący zgodność *l.* odpowiedniość.

homologue ['hɑːməˌlɔːg], **homolog** *n. biol., chem.* homolog.

homology [hə'mɑːlədʒɪ] *n. U t. biol., chem.* homologia, zgodność, odpowiedniość.

homomorphic [ˌhoʊmə'mɔːrfɪk], **homomorphous** *a.* równopostaciowy, jednopostaciowy; *t. mat.* homomorficzny.

homonym ['hɑːmənɪm] *n.* **1.** *jęz., biol.* homonim. **2.** zamiennik.

homonymic [ˌhɑːmə'nɪmɪk], **homonymous** [hə'mɑːnəməs] *a. jęz.* homonimiczny.

homonymy [hə'mɑːnəmɪ] *n. U jęz.* homonimia.

Homoousian [ˌhoʊmoʊ'uːsɪən] *n. teol.* konsubstancjalist-a/ka.

homophobia [ˌhoʊmə'foʊbɪə] *n. U* homofobia.

homophone ['hɑːməˌfoʊn] *n. jęz.* homofon.

homophonic [ˌhɑːmə'fɑːnɪk], **homophonous** *a. fon., muz.* homofoniczny.

homophony [hə'mɑːfənɪ] *n. U jęz., muz.* homofonia.

homopolar [ˌhoʊmə'poʊlər] *a. el.* jednakobiegunowy.

homopteran [hə'mɑːptərən] *n. i a. ent.* (pluskwiak) równoskrzydły.

Homo sapiens [ˌhoʊmoʊ 'seɪpɪənz] *n. U* homo sapiens, człowiek rozumny.

homosexual [ˌhoʊmə'sekʃʊəl] *a.* homoseksualny. – *n.* homoseksualist-a/ka (*zwł. mężczyzna*).

homosexuality [ˌhoʊməˌsekʃʊ'ælətɪ] *n. U* homoseksualizm.

homosporous [hə'mɑːspərəs] *a. bot.* jednakozarodnikowy.

homothallic [ˌhoʊmə'θælɪk] *a. bot.* jednakoplechowy.

homozygote [ˌhoʊmə'zaɪgoʊt] *n. biol.* homozygota.

homozygotic [ˌhoʊmə'zaɪgoʊtɪk], **homozygous** *a. biol.* homozygotyczny (*o genotypie*).

homunculus [hoʊ'mʌŋkjələs], **homuncule** [hoʊ'mʌŋkjʊl] *n. pl.* **homunculi** [hoʊ'mʌŋkjəlaɪ] **1.** człowieczek. **2.** *hist., biol.* homunkulus.

homy ['hoʊmɪ] *a.* = **homey.**

hon [hʌn] *n. pot.* = **honey** 2.

hon. *abbr.* **1.** = **honorary. 2.** = **honorable.**

honcho ['hɑːntʃoʊ] *n. pl.* **-s** *gł. US pot.* boss, szef.

Honduran [hɑːn'dʊrən] *a.* honduraski. – *n.* mieszkan-iec/ka Hondurasu.

Honduras [hɑːn'dʊrəs] *n. geogr.* Honduras.

hone [hoʊn] *n.* **1.** osełka. **2.** *U* kamień do wyrobu osełek. – *v.* **1.** ostrzyć na osełce. **2.** *przen.* doskonalić (*zwł. umiejętności*).

honer ['hoʊnər] *n.* = **hone** *n.* 1.

honest ['ɑːnəst] *a.* **1.** uczciwy; rzetelny. **2.** szczery; **be ~ about sth** mówić prawdę na jakiś temat; **let's be ~** bądźmy szczerzy; **to be ~** jeśli mam być szczery; **to be quite ~ with you** jeśli mam być z tobą zupełnie szczery. **3.** zacny, prawy. **4.** prosty, niewyszukany. **5. ~!** (*także* **~ (to God)**) naprawdę!, jak Boga kocham!; **earn an ~ living** uczciwie zarabiać na życie; **earn/turn an ~ penny** zarobić uczciwie trochę grosza; **make an ~ woman (out) of sb** *przest. l. żart.* uczynić z kogoś uczciwą kobietę (*żeniąc się z nią*).

honest broker *n.* bezstronny mediator (*osoba, organizacja l. państwo*).

honestly ['ɑːnəstlɪ] *adv.* **1.** uczciwie. **2.** szczerze. **3.** prawdziwie, naprawdę; **I ~ don't know** naprawdę nie wiem.

honest-to-God [ˌɑːnəsttə'gɑːd], **honest-to-goodness** *a. attr.* prawdziwy, autentyczny; prosty, naturalny.

honesty ['ɑːnɪstɪ] *n. U* **1.** uczciwość; rzetelność. **2.** szczerość; **in all ~** jeśli mam być zupełnie szczery. **3.** zacność, prawość. **4.** *bot.* miesiącznica roczna (*Lunaria annua*).

honey ['hʌnɪ] *n.* **1.** *U t. przen.* miód. **2.** *voc. gł. US i Can.* kochanie, skarbie. **3.** *gł. US i Can. pot.* cud miód, cudo; **a ~ of a boat!** cudo nie łódka! **4.** *U* kolor miodowy. **5. land of milk and ~** *zob.* **land** *n.* – *v. US i Can. pot.* przemawiać słodko do (*kogoś*), przypochlebiać się (*komuś*).

honeybee ['hʌnɪˌbiː], **honey bee** *n. ent.* pszczoła miodna (*Apis mellifera*).

honey buzzard *n. orn.* pszczołojad (*Pernis apivorus*).

honeycomb ['hʌnɪˌkoʊm] *n.* **1.** plaster miodu. **2.** struktura przypominająca plaster miodu. **3.** siatka (*np. jako ornament*). – *v. zw. pass.* **1.** dziurawić; **~ed with holes** podziurawiony, pełen dziur. **2.** przenikać; **the agency was ~ed with spies** w agencji roiło się od szpiegów.

honeycomb wall *n. bud.* ściana ażurowa *l.* prześwitowa.

honeydew ['hʌnɪˌduː] *n.* **1.** *U* spadź. **2.** *U* idealnie słodka substancja, miód. **3.** (*także* **~ melon**) *bot., kulin.* melon (*Cucumis melo*).

honeyed ['hʌnəd], **honied** *a.* **1.** *kulin.* miodowy, z miodem. **2.** *lit.* fałszywie słodki (*o głosie, słowach*).

honey fungus *n. pl. t.* **honey fungi** (*także* **honey mushroom**) *bot.* opieńka miodowa (*Armillaria mellea*).

honey guide *n. bot.* znamię na płatku kwiatowym naprowadzające owady na nektar.

honeymoon ['hʌnɪˌmu:n] *n.* **1.** miesiąc miodowy. **2.** podróż poślubna. – *v.* spędzać miesiąc miodowy (*gdzieś*).

honeymooners ['hʌnɪˌmu:nərz] *n. pl.* nowożeńcy w podróży poślubnej.

honey mushroom *n.* = **honey fungus.**

honey pot *n.* **1.** naczynie na miód. **2.** *przen.* przedmiot ogólnego pożądania.

honeysuckle ['hʌnɪˌsʌkl] *n. U bot.* **1.** wiciokrzew (*Lonicera*). **2.** *Ir.* ułanka, fuksja (*Fuchsia*).

honey-sweet ['hʌnɪˌswi:t] *a.* słodki jak miód.

honied ['hʌnɪd] *a.* = **honeyed.**

honk [hɑ:ŋk] *n.* **1.** krzyk dzikiej gęsi. **2.** dźwięk klaksonu. – *v.* **1.** trąbić; ~ **the horn** trąbić, dawać znak klaksonem. **2.** ~ **up** *Br. sl.* rzygać.

honker ['hɑ:ŋkər] *n.* **1.** *gł. US pot.* dzika gęś. **2.** klakson. **3.** osoba używająca klaksonu. **4.** *pot.* nochal.

honky ['hɑ:ŋkɪ], **honkie, honkey** *n. US pog. sl.* białas.

honky-tonk ['hɑ:ŋkɪˌtɑ:ŋk], **honky-tonky** *n. US pot.* speluna, buda. – *a. attr.* **1.** spelunkowaty. **2.** odnoszący się do ragtime'u.

honor ['ɑ:nər], *Br.* **honour** *n. U* **1.** honor, cześć, godność; poważanie; **be/feel ~ bound** czuć się w obowiązku, czuć się (moralnie) zobowiązanym (*to do sth* zrobić coś); **code/law of ~** kodeks honorowy; **man of ~** *przest.* człowiek honoru; **matter/point/question of ~** sprawa/punkt/kwestia honoru; **my ~ is at stake here** tutaj chodzi o mój honor; **on/upon my ~** na honor, słowo honoru; **put sb on their ~** odwoływać się do czyjegoś honoru. **2.** *form.* honor, zaszczyt; **be an ~ to sb/sth** przynosić komuś/czemuś zaszczyt, być chlubą kogoś/czegoś; **do ~ to sb/sth** przynosić komuś/czemuś zaszczyt; **do sb the ~ (of doing sth)** *często żart.* zaszczycić kogoś (zrobieniem czegoś), uczynić komuś zaszczyt (i zrobić coś); **do the ~s** czynić honory domu; **guest of ~** gość honorowy; **have the ~ of doing sth** mieć zaszczyt coś zrobić; **I have the ~ to inform you** mam zaszczyt powiadomić Pana/Panią; **in ~ of sb** (*także* **in sb's ~**) na czyjąś cześć; **it is an ~** to dla mnie zaszczyt; **place/seat of ~** honorowe miejsce. **3.** *C* wyróżnienie; odznaczenie; **~s of war** honory wojenne (*przyznane kapitulującej załodze*); **graduate with ~s** *uniw.* ukończyć studia z wyróżnieniem; **highest ~** najwyższe odznaczenie *l.* wyróżnienie; **last/funeral ~s** honory pośmiertne; **with full military ~s** z honorami wojskowymi (*o pogrzebie*). **4.** *przest.* cnota, honor (*kobiecy*). **5. Your H~** Wysoki Sądzie. **6.** *pl. karty* honory; korona (*figury l. asy*); **~s even** *przen.* równe szanse. **7.** *golf* prawo rozpoczęcia gry (*po zrobieniu ostatniego dołka*). – *v.* **1.** *form.* honorować; **~ sb with sth** uhonorować kogoś czymś. **2.** zaszczycać; **~ sb with one's presence** *zw. żart.* zaszczycić kogoś swoją obecnością; **be/feel ~ed** być/czuć się zaszczyconym. **3.** honorować; przestrzegać (*czegoś*); **~ a check** (*także Br.* **honour a cheque**) honorować czek; **~ a contract/agreement** przestrzegać kontraktu/umowy.

Honorable ['ɑ:nərəbl], *Br.* **Honourable** *a.* czcigodny (*US - tytuł przysługujący członkom Kongresu i sędziom; Br. - tytuł przysługujący potomkom parów (poniżej markiza), sędziom Sądu Najwyższego, członkom rządu i rad wykonawczych w dominiach i koloniach*); **~ Member** *Br. parl.* szanown-y/a pan/i pos-eł/łanka; **Most ~** *Br.* wielce czcigodny (*tytuł przysługujący markizom, członkom Orderu Łaźni i rady dworskiej*); **Right ~** *Br.* wielce szanowny (*tytuł przysługujący parom (poniżej markiza), radcom dworu, ministrom i niektórym innym urzędnikom państwowym*).

honorable ['ɑ:nərəbl], *Br.* **honourable** *a.* **1.** uczciwy; prawy, rzetelny; **sb's intentions are ~** ktoś ma uczciwe zamiary. **2.** honorowy. **3.** szlachetny, czcigodny. **4.** zaszczytny.

honorable burial, *Br.* **honourable burial** *n.* pogrzeb z honorami.

honorable discharge *n. wojsk.* zwolnienie ze służby wojskowej z jednoczesnym uznaniem wszystkich zasług zwalnianego.

honorable mention *n.* wyróżnienie (*w konkursie*).

honorably ['ɑ:nərəblɪ] *adv.* honorowo, z honorem.

honorarium [ˌɑ:nə'rerɪəm] *n. pl.* **-s** *l.* **honoraria** [ˌɑ:nə'rerɪə] honorarium.

honorary ['ɑ:nəˌrerɪ] *a.* **1.** honorowy (*o tytule, urzędzie, zobowiązaniu, długu*). **2.** *Br.* pełniony nieodpłatnie (*o funkcji*).

honorific [ˌɑ:nə'rɪfɪk] *a.* zaszczytny. – *n.* **1.** tytuł grzecznościowy. **2.** *gram.* forma grzecznościowa (*podkreślająca wyższy status osoby, do której się zwracamy*).

honor point, *Br.* **honour point** *n. her.* punkt pomiędzy środkiem a wierzchołkiem tarczy.

honor roll *n. US szkoln.* lista najlepszych uczniów.

honors degree, *Br.* **honours degree** *n. uniw.* dyplom z wyróżnieniem.

honor system *n. US szkoln.* kodeks honorowy, ogólnie przyjęte zasady postępowania.

honour ['ɑ:nər] *n. Br.* = **honor.**

honourable ['ɑ:nərəbl] *a. Br.* = **honorable.**

honours list *n. Br.* lista osób, które otrzymały *l.* otrzymają tytuły szlacheckie *l.* odznaczenia.

hooch [hu:tʃ], **hootch** *n. U gł. US i Can. sl.* bimber, samogon.

hood1 [hʊd] *n.* **1.** kaptur. **2.** pokrywa (*np. kuchenki*). **3.** *US mot.* maska. **4.** *Br.* dach składany; buda (*t. wózka dziecięcego*). **5.** *uniw.* rodzaj kaptura przy todze (*oznaczającego stopień*). **6.** *zool.* czubek (*na głowie zwierzęcia*). – *v.* **1.** zakładać kaptur (*komuś*). **2.** przykrywać; zasłaniać.

hood2 *n. US pot.* = **neighborhood.**

hood[3] *n. pot.* = **hoodlum**.

hooded [ˈhʊdɪd] *a.* **1.** zakapturzony, w kapturze. **2.** z kapturem. **3.** przysłonięty.

hooded crow *n. orn.* wrona (*Corvus corone cornix*).

hooded seal *n. zool.* kapturnik (*Cystophora cristata*).

hoodie [ˈhʊdɪ], **hoody** *n. Scot.* = **hooded crow**.

hoodlum [ˈhu:dləm] *n. pot.* oprych, bandzior.

hoodman [ˈhʊdmən] *n. pl.* **-men** ciuciubabka (*osoba*).

hoodman-blind [ˌhʊdmənˈblaɪnd] *n. U Br. arch.* ciuciubabka (*zabawa*).

hoodoo [ˈhu:du:] *n. U* **1.** = **voodoo**. **2.** *C* osoba *l.* rzecz przynosząca pecha. **3.** pech. – *v.* przynosić pecha (*komuś*).

hoodwink [ˈhʊdˌwɪŋk] *v.* **1.** nabierać, oszukiwać. **2.** *arch.* zakładać przepaskę na oczy (*komuś*). **3.** *arch.* chować, ukrywać.

hoody [ˈhʊdɪ] *n.* = **hoodie**.

hooey [ˈhu:ɪ] *n. U pot.* bzdury, głupoty.

hoof [hu:f] *n. pl.* **hooves** [hu:vz] *l.* **-s** **1.** kopyto. **2.** racica. **3.** zwierzę kopytne. **4.** *żart. pot.* kopyto (= *stopa*). **5.** **on the ~** żywy (= *przed ubojem*); *przen.* w drodze, w podróży; *Br. przen.* bez namysłu, spontanicznie. – *v.* **1.** kopać. **2.** **~ it** *sl.* zasuwać piechotą; przebierać nogami (= *tańczyć*).

hoofbound [ˈhu:fˌbaʊnd] *a. wet.* cierpiący na skurcz kopyta (*o koniu*).

hoofed [hu:ft], **hooved** *a. zool.* kopytny.

hoofer [ˈhu:fər] *n. US sl.* tance-rz/rka zawodow-y/a (*zwł. stepujący*).

hoofprint [ˈhu:fˌprɪnt] *n.* ślad kopyta.

hook [hʊk] *n.* **1.** hak, haczyk; **coat/fish/picture ~** haczyk na ubrania/ryby/obrazy. **2.** haczykowata część haftki. **3.** *tel.* widełki; **leave the phone off the ~** źle odłożyć słuchawkę; **take the phone off the ~** zdjąć słuchawkę z widełek. **4.** *roln.* sierp. **5.** ostry zakręt (*rzeki, drogi*). **6.** cypel. **7.** *boks* sierpowy; **left/right ~** lewy/prawy sierpowy. **8.** *baseball* mocno skręcająca piłka. **9.** *golf, krykiet* uderzenie, po którym piłka skręca mocno w lewo. **10.** *hokej* przytrzymywanie przeciwnika kijkiem. **11.** pułapka; sidła. **12.** *gł. US pot.* wabik (*zwł. na klientów*). **13.** *muz.* chorągiewka (*przy nucie*). **14.** wpadająca w ucho melodia. **15.** *przen.* **~, line, and sinker** *pot.* całkowicie, bez reszty; **by ~ or by crook** za wszelką cenę; **drop off the ~s** *sl.* wykitować (= *umrzeć*); **get one's ~s into/on sb** *pot.* usidlić kogoś; **give sb/get the ~** *US i Can. pot.* wylać kogoś/zostać wylanym z pracy; **let/get sb off the ~** *pot.* uwolnić kogoś od kłopotów; **on one's own ~** *gł. US przest. pot.* z własnej inicjatywy; **on the ~** w sidłach; uzależniony; **take one's ~** (*także Br.* **sling one's ~**) *pot.* wynosić się. – *v.* **1.** przyczepiać; zahaczać; **get ~ed on/onto sth** zahaczyć się o coś. **2.** *ryb.* łowić, łapać (*na haczyk*). **3.** uczepić się (*over / around / onto sth* czegoś). **4.** przyciągać uwagę (*czyjąś*), wciągać. **5.** *pot.* zwędzić, buchnąć (= *ukraść*). **6.** ostro zakręcać (*np. o drodze*). **7.** zaginać; zginać. **8.** łapać w pułapkę *l.* sidła. **9.** *boks* uderzyć sierpowym. **10.** *golf* wybijać piłkę w lewo. **11.** *rugby* wybijać piłkę do tyłu. **12.** *hokej* przytrzymywać przeciwnika kijkiem. **13.** *Br. sl.* pracować jako prostytutka. **14.** bóść. **15.** *roln.* ciąć sierpem. **16.** tkać (*przeciągając przędzę haczykiem przez osnowę*). **17.** **~ it** *przest. pot.* dawać nogę, zwiewać. **18.** **~ on** zaczepiać (się) o; **be ~ed on sth** *pot.* być uzależnionym od czegoś; przepadać za czymś; **~ onto** *zwł. US pot.* polubić; uczepić się (*np. pomysłu*); **~ up** zapinać (*na haftkę l. haftki*); podłączać (*np. telefon, magnetowid*); **~ up with** *US pot.* trzymać z, kumplować się z (*kimś*).

hookah [ˈhʊkə], **hooka** *n.* nargile, fajka wodna.

hook and eye *n.* haftka.

hook-and-ladder truck [ˌhʊkəndˈlædər ˌtrʌk] *n. US* wóz straży pożarnej.

hooked [hʊkt] *a.* **1.** haczykowaty (*o nosie*). **2.** z haczykiem *l.* haczykami. **3.** *pred.* uzależniony (*on sth* od czegoś). **4.** *pred. pot.* zbzikowany (*on sb / sth* na punkcie kogoś/czegoś).

hooker[1] [ˈhʊkər] *n. pot.* **1.** prostytutka, dziwka. **2.** *US i Can. pot.* wysokoprocentowy drink.

hooker[2] *n. rugby* młynarz.

hooker[3] *n. żegl.* **1.** statek rybacki, na którym używa się haków i lin (*zamiast sieci*). **2.** *Ir. hist.* kilkużaglowa łódź do przewożenia dużych ładunków. **3.** *pot.* krypa, stara łajba.

hookey [ˈhʊkɪ] *n.* = **hooky**.

hooknose [ˈhʊkˌnoʊz], **hook-nose** *n.* haczykowaty *l.* zakrzywiony nos.

hook-nosed [ˈhʊkˌnoʊzd] *a.* z haczykowatym *l.* zakrzywionym nosem.

hook-up [ˈhʊkˌʌp], **hookup** *n.* **1.** podłączenie (*np. telefonu, kuchenki*). **2.** *el.* zestaw elektroniczny; aparatura nadawcza (*radiowa l. telewizyjna*). **3.** *przen. pot.* sojusz.

hookworm [ˈhʊkˌwɜ:m] *n.* **1.** *zool.* tęgoryjec dwunastnicy (*Ancylostoma*). **2.** *U pat.* choroba wywołana przez tęgoryjca dwunastnicy.

hooky [ˈhʊkɪ], **hookey** *n. U US, Can. i Austr. pot.* wagary; **play ~** chodzić na wagary, wagarować.

hooligan [ˈhu:ləgən] *n.* chuligan.

hooliganism [ˈhu:ləgənˌɪzəm] *n. U* chuligaństwo, chuliganeria.

hoop[1] [hu:p] *n.* **1.** obręcz (*beczki, cyrkowa, sukni*). **2.** *gł. Br. krokiet* metalowy łuk, przez który przeprowadza się piłkę. **3.** obrączka (*na palec*). **4.** *zw. pl.* kolczyk w kształcie koła. **5.** tamborek. **6.** **make sb go/jump through (the) ~s** (*także* **put sb through (the) ~s**) *przen.* kazać się komuś nieźle gimnastykować (= *stawiać wygórowane, nierealistyczne wymagania l. warunki*). – *v.* **1.** obijać obręczami. **2.** otaczać (jak) obręczą.

hoop[2] *n.* = **whoop**.

hooper [ˈhu:pər] *n. rzad.* bednarz.

hoop iron *n. U* stal obręczowa, bednarka.

hoop-la [ˈhu:plɑ:], **hoopla** *n. U* **1.** *US pot.* zamieszanie. **2.** *Br. i Austr.* rzucanie obręczami do celu (*zabawa jarmarczna*).

hoop net *n. ryb.* **1.** więcierz. **2.** siatka na motyle.

hoopoe [ˈhu:pu:] *n. orn.* dudek (*Upupa epops*).

hoop petticoat *n.* krynolina.

hoop snake *n. zool.* wąż niejadowity *Abastor erythrogrammus.*

hoop stick *n.* pałąk.

hooray [hʊˈreɪ], **hoorah** *int., v., n.* = **hurray.**

hoosgow [ˈhuːsgaʊ], **hoosegow** *n. US sl.* ciupa (= *więzienie*).

hoot [huːt] *v.* **1.** trąbić (*at sb/sth* na kogoś/coś). **2.** wyć (*np. o syrenie*). **3.** hukać (*o sowie*). **4.** huczeć (*zwł. na znak niezadowolenia*); ~ **down/off** wygwizdać; ~ **with laughter** zanosić się od śmiechu. – *n.* **1.** hukanie (*sowy*). **2.** trąbienie, klakson. **3.** wycie (*syreny*). **4.** hukanie (*na znak niezadowolenia*); ~**s of laughter** salwy śmiechu; **give a** ~ **of laughter** parsknąć śmiechem; **I don't give a** ~ **for sth** (*także* **I don't care two ~s**) *pot.* mam to w nosie, guzik mnie to obchodzi; **not worth a** ~ *pot.* nie wart funta kłaków.

hootenanny [ˈhuːtəˌnænɪ] *n. US i Can. pot.* **1.** improwizowany występ wykonawców muzyki ludowej (*zw. z udziałem publiczności*). **2.** dinks, wihajster.

hooter [ˈhuːtər] *n.* **1.** *Br.* syrena; gwizdek parowy. **2.** klakson. **3.** *Br. pot.* nochal. **4.** *US wulg. sl.* bufory (= *piersi*).

hoot owl *n.* sowa hukająca.

hoots [huːts] *int. Scot. pot.* huu! (*wyrażając niezadowolenie l. zniecierpliwienie*).

hooved [huːvd] *a.* = **hoofed.**

hoover [ˈhuːvər] *n. Br. i Austr.* odkurzacz.

hooves [huːvz] *n. pl. zob.* **hoof.**

hop[1] [hɑːp] *v.* **-pp- 1.** skakać na jednej nodze; podskakiwać. **2.** skakać (*np. o żabie, ptaku*); kicać (*np. o króliku*). **3.** skakać przez, przeskakiwać. **4.** utykać. **5.** *US i Can. pot.* wskakiwać do (*czegoś*); ~ **a bus/train** wskoczyć do autobusu/pociągu. **6.** *pot.* przeskoczyć (= *przelecieć samolotem, zwł. ocean*). **7.** *US i Can. pot.* jechać na gapę w (*pociągu*). **8.** tańczyć, pląsać. **9.** *Br. pot.* ~ **it** zwiewać; ~ **it!** spadaj! **10.** ~ **in** *pot.* wskakiwać (*do samochodu*); ~ **off** *pot.* wyskakiwać (*z samochodu, autobusu*); ~ **off!** *gł. Br. pot.* spadaj!; ~ **on** wskakiwać do (*autobusu itp.*). – *n.* **1.** skok; podskok. **2.** (*także* **short** ~) *przen. pot.* żabi skok (= *krótka podróż, zwł. samolotem*). **3.** *pot.* potańcówka. **4.** *sport* odbicie (*piłki*). **5.** *przen. pot.* **be on the** ~ uwijać się w podskokach; **catch sb on the** ~ *Br.* zaskoczyć kogoś; **keep sb on the** ~ nie dawać komuś chwili wytchnienia *l.* spokoju.

hop[2] *n.* **1.** *zw. pl. bot.* chmiel (*Humulus lupulus*); szyszki chmielowe. **2.** *U przest. sl.* opium (*l. inny podobny narkotyk*). – *v.* **-pp- 1.** zaprawiać chmielem. **2.** *US i Can. sl.* ~ **up** odurzać (*narkotykami*); *mot.* podrasowywać (*silnik samochodu*).

hope [hoʊp] *n. C/U* nadzieja (*for sth* na coś); ~**s of sth** nadzieje na coś; **be beyond/past** ~ nie rokować żadnych nadziei; **be sb's only** ~ być czyjąś jedyną nadzieją; **dash sb's ~s** zniweczyć czyjeś nadzieje; **give/offer** ~ **to sb** dawać komuś nadzieję; **give up/lose** ~ tracić nadzieję; **glimmer/ray of** ~ iskierka nadziei; **have ~s of doing sth** mieć nadzieję coś zrobić; **have high ~s for sb/sth** wiele sobie po kimś/czymś obiecywać; **have no** ~ **of sth/doing sth** nie liczyć na coś/zrobienie czegoś; **in the** ~ **that/of** w nadziei, że/na; **last** ~ ostatnia nadzieja *l.* szansa; **live in** ~ nie tracić nadziei; **not have a** ~ **in hell** *zob.* **hell; not hold out any** ~ nie dawać *l.* nie pozostawiać żadnej nadziei; **pin (all) one's ~s on sb/sth** wiązać (wszystkie) swoje nadzieje z kimś/czymś; **raise sb's ~s** robić komuś nadzieję. – *v.* mieć nadzieję (*that* że, *for sth* na coś); ~ **against** ~ uczepić się nadziei; ~ **for the best** nie tracić nadziei, być dobrej myśli; ~ **to do sth** mieć nadzieję coś zrobić, mieć nadzieję, że się coś zrobi; **I** ~ **so/not** mam nadzieję, że tak/nie; **I should** ~ **so (too)** *Br.* no myślę; **let's** ~ **(that)...** miejmy nadzieję, że...

hopeful [ˈhoʊpfʊl] *a.* **1.** pełen nadziei, ufny (*about sth* co do czegoś); **be** ~ **that...** żywić nadzieję, że... **2.** napawający nadzieją; rokujący nadzieje, obiecujący. – *n.* **(young)** ~ obiecująca *l.* dobrze zapowiadająca się (młoda) osoba.

hopefully [ˈhoʊpfʊlɪ] *adv.* **1.** z nadzieją (*zwł. spytać, powiedzieć*). **2.** o ile szczęście dopisze; ~ **we'll get there on time** miejmy nadzieję, że dotrzemy tam na czas.

hopefulness [ˈhoʊpfʊlnəs] *n. U* uczucie nadziei, nadzieja; wiara w przyszłość, optymizm.

hopeless [ˈhoʊpləs] *a.* **1.** beznadziejny; rozpaczliwy (*o sytuacji, stanie*). **2.** beznadziejny, do niczego (*o osobie*); ~ **case** *zw. żart.* beznadziejny przypadek (*o osobie*); **be** ~ **at sth** być beznadziejnym w czymś. **3.** zrozpaczony. **4.** nierozwiązywalny (*o problemie*).

hopelessly [ˈhoʊpləslɪ] *adv.* **1.** beznadziejnie, rozpaczliwie. **2. be** ~ **in love with sb** kochać się w kimś bez pamięci.

hopelessness [ˈhoʊpləsnəs] *n. U* beznadziejność, beznadzieja.

hophead [ˈhɑːpˌhed] *n. gł. US sl.* ćpun/ka.

Hopi [ˈhoʊpɪ] *n.* **1.** *pl.* **-s** *l.* **Hopi** Indian-in/ka z plemienia Hopi. **2.** *U* (język) hopi.

hoplite [ˈhɑːplaɪt] *n. hist.* hoplita (*w starożytnej Grecji*).

hopped-up [ˌhɑːptˈʌp] *a. US i Can. sl.* **1.** podniecony; na haju. **2.** *mot.* podrasowany (*o samochodzie*).

hopper[1] [ˈhɑːpər] *n.* **1.** skoczek. **2.** skaczący owad; *zwł. US* konik polny. **3.** *zwł. roln.* lej samowyładowczy; zsypnia. **4.** (*także* ~ **car**) wagon zsypny. **5.** barka (*z otworem w dnie do wyładowywania ładunku*).

hopper[2] *n.* maszyna do zbierania chmielu.

hop-picker [ˈhɑːpˌpɪkər] *n.* **1.** osoba zbierająca chmiel. **2.** = **hopper**[2].

hopping mad [ˌhɑːpɪŋ ˈmæd] *a. pot.* wściekły jak diabli.

hopple [ˈhɑːpl] *v.* pętać nogi (*zwierzęciu*). – *n.* pęta.

hopsack [ˈhɑːpˌsæk] *n. U tk.* **1.** samodział. **2.** tkanina workowa (*zw. jutowa l. konopna*).

hopscotch [ˈhɑːpˌskɑːtʃ] *n. U* gra w klasy.

hop, step, and jump *n. sing.* (*także* **hop, skip, and jump**) *sport pot.* trójskok.

hop tree *n. bot.* parczelina trójlistkowa (*Ptelea trifoliata*).

horal [ˈhɔːrəl] *a. form.* godzinny.

horary [ˈhɔːrərɪ] *a. form.* **1.** godzinny. **2.** cogodzinny.

Horatian [həˈreɪʃən] *a. teor. lit.* horacjański.

Horatian ode *n. wers.* oda horacjańska.

horde [hɔːrd] *n.* **1.** *zw. pog.* horda, zgraja. **2.** *antrop.* horda. **3.** *zool.* gromada, stado. **4.** *ent.* rój. – *v.* żyć gromadnie *l.* w gromadzie.

horehound [ˈhɔːrˌhaʊnd], **hoarhound** *n. bot.* szanta zwyczajna (*Marrubium vulgare*).

horizon [həˈraɪzən] *n.* **1. the ~** *t. geogr., astron. l. przen.* horyzont, widnokrąg; **apparent/sensible/visible ~** *gł. żegl.* horyzont pozorny *l.* nawigacyjny; **rational/true/celestial ~** horyzont astronomiczny *l.* prawdziwy; **sth is on the ~** *przen.* coś pojawia się na horyzoncie (= *zanosi się na coś*). **2.** *pl.* horyzonty; **broaden/expand sb's ~s** poszerzać czyjeś horyzonty. **3.** *geol.* warstwa geologiczna (*datowana dzięki skamielinom*).

horizon glass *n. żegl.* nieruchome lusterko (*sekstansu*).

horizontal [ˌhɔːrəˈzɑːntl] *a.* **1.** *t. geom.* poziomy, horyzontalny. **2.** *pot.* płaski. **3.** w płaszczyźnie poziomej; w pozycji poziomej *l.* horyzontalnej. **4.** dotyczący horyzontu. **5.** *ekon.* poziomy, jednakowy (*dla danej grupy*). – *n.* płaszczyzna pozioma; linia pozioma; **the ~** pozycja pozioma *l.* horyzontalna.

horizontal bar *n. sport* drążek.

horizontal bonus *n. ekon.* jednakowa premia dla wszystkich pracowników.

horizontal integration *n. U ekon.* integracja pozioma (*przedsiębiorstw danej branży*).

horizontality [ˌhɔːrəzɑːnˈtælətɪ], **horizontalness** [ˌhɔːrəˈzɑːntlnəs] *n. U* poziomość, horyzontalność.

horizontally [ˌhɔːrəˈzɑːntlɪ] *adv.* **1.** poziomo, horyzontalnie. **2.** płasko.

horizontal union *n. zwł. US* związek branżowy.

hormonal [ˈhɔːrˌmoʊnl] *a. fizj.* hormonalny.

hormonally [ˈhɔːrˌmoʊnlɪ] *adv.* hormonalnie.

hormone [ˈhɔːrmoʊn] *n. fizj.* hormon.

hormone replacement therapy *n. U med.* hormonalna terapia zastępcza.

horn [hɔːrn] *n.* **1.** róg (*t. zool., np. jelenia, ślimaka; t. myśliwski, do picia, na proch; U – jako substancja; t. przen. – księżyca, zatoki*); rożek. **2.** *muz.* (*także Br.* **French ~**) waltornia; **English ~** *zwł. US* rożek angielski. **3.** *jazz pot.* instrument dęty (*dowolny*). **4.** *mot.* klakson; **blow/sound one's ~** trąbić, naciskać na klakson. **5.** syrena (*np. fabryczna*). **6.** tuba. **7.** *jeźdz.* wieniec (*przy siodle*). **8.** *geogr.* ostry szczyt górski (*w kształcie piramidy*). **9.** *Br. wulg. sl.* wzwód. **10.** *przen.* **be on the ~** *US pot.* wisieć na drucie (= *rozmawiać przez telefon*); **blow one's (own) ~** *zob.* **blow**[2] *v.*; **draw/pull in one's ~s** spuścić z tonu, spokornieć; **lock ~s with sb** zetrzeć się z kimś (*over sth* o coś); **on the ~s of a dilemma** *zob.* **dilemma**; **pull in one's ~s** *fin.* ograniczać się (*w inwestowaniu, wydawaniu*); **take the bull by the ~s** *zob.* **bull**[1] *n.* – *v.* **1.** bóść. **2.** zaopatrywać w rogi. **3. ~ in** *US sl.* wtrącać się, wścibiać nos (*on sth* do czegoś).

hornbeam [ˈhɔːrnˌbiːm] *n. bot.* grab (*Carpinus*).

hornbill [ˈhɔːrnˌbɪl] *n. orn.* dzioborożec (*Buceros*).

hornblende [ˈhɔːrnˌblend] *n. U min.* hornblenda.

hornbook [ˈhɔːrnˌbʊk] *n. hist., szkoln.* kartka papieru w drewnianej ramce zabezpieczona cienką płytką rogową (*zawierająca alfabet, tekst modlitwy itp.*); *przen.* elementarz.

horned [hɔːrnd] *a.* rogaty, z rogami.

horned cattle *n. pl.* bydło rogate.

horned lark *Br. n.* (*także* **shorelark**) *orn.* górniczka (*Eremophila alpestris*).

horned lizard *n. zool.* = **horned toad**.

horned owl *n. orn.* puchacz (*Bubo virginianus*).

horned poppy *n. bot.* siwiec (*Glaucium*).

horned toad *n.* (*także* **horned lizard**) *zool.* frynosoma rogata (*Phrynosoma cornutum*).

hornet [ˈhɔːrnɪt] *n.* **1.** *ent.* szerszeń (*Vespa crabro*). **2. stir up a ~s' nest** *przen.* wsadzić kij w mrowisko.

hornist [ˈhɔːrnɪst] *n. muz.* waltornist-a/ka.

horn-mad [ˌhɔːrnˈmæd] *a. arch.* rozjuszony.

horn of plenty *n.* róg obfitości.

hornpipe [ˈhɔːrnˌpaɪp] *n. Br. muz.* **1.** *hist.* instrument muzyczny przypominający klarnet. **2.** tradycyjny taniec marynarzy; muzyka do tańca jw.

horn-rimmed glasses [ˌhɔːrnˌrɪmd ˈglæsɪz] *n.* okulary w rogowej oprawie.

hornstone [ˈhɔːrnˌstoʊn] *n. U min.* rogowiec.

hornswoggle [ˈhɔːrnˌswɑːgl] *v. zwł. US pot.* ocyganić, nabić w butelkę.

horntail [ˈhɔːrnˌteɪl] *n. ent.* trzpiennik (*Sirex*).

hornworm [ˈhɔːrnˌwɜːm] *n. ent. US* larwa zawisaka (*l. innego owada z rodziny Sphingidae*).

hornwort [ˈhɔːrnˌwɜːt] *n. bot.* rogatek sztywny (*Ceratophyllum demersum*).

horny [ˈhɔːrnɪ] *a.* **-ier, -iest 1.** zrogowaciały. **2.** rogowy; rogowaty. **3.** rogaty. **4.** *pot.* napalony, nagrzany. **5.** *pot.* seksowny (*o osobie*).

horologe [ˈhɔːrəˌloʊdʒ] *n.* **1.** *form.* zegar. **2.** *US* wieża zegarowa.

horologer [ˈhɔːrəˌloʊdʒər], **horologist** *n.* **1.** zegarmistrz. **2.** badacz/ka czasu i sposobów jego pomiaru.

horologic [ˌhɔːrəˈlɑːdʒɪk], **horological** [ˌhɔːrəˈlɑːdʒɪkl] *a.* **1.** zegarmistrzowski. **2.** *bot.* zamykający *l.* otwierający się o określonej godzinie (*o kwiatach*).

horology [həˈrɑːlədʒɪ] *n. U* sztuka zegarmistrzowska; sztuka mierzenia czasu.

horoscope [ˈhɔːrəˌskoʊp] *n.* horoskop; **cast a ~** układać horoskop.

horoscopy [həˈrɑːskəpɪ] *n.* **1.** *U* sztuka układania horoskopów. **2.** *pl.* **-ies** układ gwiazd (*zwł. przy urodzeniu*).

horrendous [hɔːˈrendəs] *a.* **1.** straszliwy, przerażający. **2.** *pot.* horrendalny (*o cenach, kosztach*).

horrendously [hɔːˈrendəslɪ] *adv.* **1.** straszliwie. **2.** *pot.* horrendalnie (*drogi*).

horrent [ˈhɔːrənt] *a. arch. l. poet.* najeżony.

horrible ['hɔ:rəbl] *a.* **1.** straszny. **2.** okropny, wstrętny.

horribleness ['hɔ:rəblnəs] *n.* *U* ohyda, okropność.

horribly ['hɔ:rəblɪ] *adv.* **1.** strasznie. **2.** okropnie.

horrid ['hɔ:rɪd] *a.* **1.** obrzydliwy, wstrętny. **2.** straszny, okropny. **3.** *pot.* paskudny, nieznośny (*t. o osobie*).

horridly ['hɔ:rɪdlɪ] *adv.* **1.** obrzydliwie, wstrętnie. **2.** okropnie, strasznie.

horrific [hɔ:'rɪfɪk] *a.* przerażający, straszny.

horrify ['hɔ:rəˌfaɪ] *v.* *często pass.* **-ied, -ying 1.** przerażać; **be horrified to see/hear sth** z przerażeniem patrzeć na coś/słuchać czegoś. **2.** bulwersować, szokować, oburzać; **be horrified at/by sth** być zbulwersowanym czymś.

horrifying ['hɔ:rəˌfaɪɪŋ] *a.* **1.** przerażający. **2.** bulwersujący, szokujący.

horripilation [hɔ:ˌrɪpə'leɪʃən] *n.* *U form.* gęsia skórka.

horror ['hɔ:rər] *n.* **1.** *U* przerażenie; zgroza; **to sb's ~** ku czyjemuś przerażeniu. **2.** obrzydzenie, wstręt; **have a ~ of sth** mieć wstręt do czegoś. **3.** okropność; **~s of war** okropności wojny; **chamber of ~s** gabinet okropności. **4.** szkaradzieństwo, brzydactwo. **5.** *pot.* **give sb the ~s** przerażać kogoś; **little ~** *zwł. Br.* mały potworek *l.* diabełek (*o dziecku*).

horror movie, *Br.* **horror film** *n.* film grozy, horror.

horror story *n. pl.* **-ies 1.** horror. **2.** przerażająca opowieść.

horror-struck ['hɔ:rərˌstrʌk], **horror-stricken** *a.* struchlały z przerażenia, zdjęty grozą.

hors d'oeuvre [ˌɔ:r 'dɜ:v] *n. pl.* **-s** *kulin.* przystawka.

horse [hɔ:rs] *n.* **1.** koń (*zool. = Equus caballus*); ogier; wałach; **carriage-~** koń zaprzęgowy; **cart-~** stępak; **race-~** koń wyścigowy; **saddle-~** koń wierzchowy; **take ~** dosiadać konia *l.* koni; **to ~!** *hist., wojsk.* na koń! **2.** *zool.* samiec osła, zebry itp. **3.** *U wojsk.* kawaleria, jazda, konnica; **light ~** lekka kawaleria. **4.** (*także* **vaulting ~**) *gimnastyka* kozioł. **5.** *bud.* kozioł. **6.** stojak; wieszak. **7.** *geol.* warstwa skały w żyle rudnej. **8.** *zw. pl. mot.* koń mechaniczny. **9.** *żegl.* prowadnica szotowa. **10.** *US szachy pot.* skoczek. **11.** *U przest. sl.* heroina. **12.** *U US pot.* = **horseplay**. **13. the ~s** *zwł. Br. pot.* wyścigi konne (*zwł. jako hazard*). **14.** *przen.* **~s for courses** *zwł. Br.* wybór właściwych osób na właściwe miejsca; **a ~ of another/a different color** inna para kaloszy; **back the wrong ~** *zob.* **back**[1] *v.*; **be beating a dead ~** (*także Br.* **be flogging a dead ~**) trudzić się na próżno; strzępić sobie język; **change ~s (in midstream)** zawracać w połowie drogi (= *zmieniać zdanie*); **dark ~** *zob.* **dark**; **eat like a ~** *zob.* **eat; get on one's high ~** (*także* **mount/ride the high ~**) zadzierać nosa; **get off one's high ~** spuścić z tonu; **hold your ~s!** *zob.* **hold**[1] *v.*; **don't/never look a gift ~ in the mouth** darowanemu koniowi w zęby się nie zagląda; **put the cart before the ~** *zob.* **cart** *n.*; **straight from the ~'s mouth** z pierwszej ręki, z pewnego źródła (*o informacjach*); **strong as a ~** silny jak koń *l.* wół; **wild ~s could/would not drag me/him there** końmi byś mnie/go tam nie zaciągnął; **you can lead/take a ~ to water, (but you can't make it drink)** można kogoś do czegoś zachęcić, ale nie można go zmusić. – *v.* **1.** dostarczać konia *l.* koni (*komuś*). **2.** dosiadać konia, wsiadać na konia. **3.** wsadzać na konia. **4.** *zool.* być gotową do pokrycia (*o klaczy*). **5.** *żegl.* popędzać, poganiać (*do pracy*). **6. ~ around/about** *pot.* dokazywać, brykać.

horse artillery *n.* *U wojsk.* artyleria konna.

horseback ['hɔ:rsˌbæk] *n.* *U* grzbiet koński; **on ~** konno, wierzchem. – *a. attr. gł. US i Can.* konny; **~ riding** jazda konna.

horsebox ['hɔ:rsˌbɑ:ks] *n. Br.* = **horsecar** 2.

horse-breaker ['hɔ:rsˌbreɪkər] *n.* ujeżdżacz koni.

horsecar ['hɔ:rsˌkɑ:r] *n. US* **1.** *hist.* tramwaj konny. **2.** wóz *l.* przyczepa do przewozu koni.

horsechestnut [ˌhɔ:rs'tʃesˌnʌt] *n.* **1.** *bot.* kasztanowiec biały *l.* zwyczajny (*Aesculus hippocastanum*). **2.** kasztan. **3.** *U* drewno kasztanowca.

horsecloth ['hɔ:rsˌklɔ:θ] *n.* **1.** derka na konia. **2.** czaprak.

horsecollar ['hɔ:rsˌkɑ:lər] *n.* chomąto.

horse-drawn [ˌhɔ:rs'drɔ:n] *a. attr.* konny (*o pojeździe*).

horse feathers *int. i n. pl. US pot. zw. żart.* bzdury.

horse flesh *n.* *U* **1.** konie (*zbiorowo*). **2.** *kulin.* konina.

horse fly, horsefly *n. pl.* **-ies** *ent.* **1.** jusznica deszczowa (*Haematopota pluvialis*). **2.** bąk bydlęcy (*Tabanus bovinus*). **3.** *pot.* mucha końska.

horsehair ['hɔ:rsˌher] *n.* *U* włosie końskie.

horsehide ['hɔ:rsˌhaɪd] *n.* skóra końska (*t. wyprawiona*).

horse latitudes *n. pl. żegl.* pas ciszy morskiej w okolicach 30 stopnia długości geogr. płn. i płd.

horselaugh ['hɔ:rsˌlæf] *n.* koński śmiech.

horseleech ['hɔ:rsˌli:tʃ] *n.* **1.** *zool.* pijawka końska (*Haemopsis*). **2.** *arch.* weterynarz.

horse mackerel *n. icht.* **1.** ostrobok pospolity (*Trachurus trachurus*). **2.** *US* tuńczyk (*Thunnus thynnus*).

horseman ['hɔ:rsmən] *n. pl.* **-men 1.** jeździec. **2.** masztalerz. **3.** kawalerzysta.

horsemanship ['hɔ:rsmənˌʃɪp] *n.* *U* umiejętności jeździeckie.

horsemint ['hɔ:rsˌmɪnt] *n.* *U bot.* **1.** mięta długolistna (*Mentha longifolia*). **2.** *US* pysznogłówka (*Monarda*).

horse mushroom *n. bot.* pieczarka polowa (*Agaricus arvensis*).

horse opera *n. US film pot.* western.

horsepistol ['hɔ:rsˌpɪstl] *n. hist.* duży pistolet kawaleryjski.

horseplay ['hɔ:rsˌpleɪ] *n.* *U przest.* dzikie harce, brewerie.

horsepower ['hɔ:rsˌpaʊər] *n.* *U* **1.** *mech.* koń mechaniczny. **2.** *hist.* napęd konny; kierat.

horserace ['hɔːrsˌreɪs] *n.* wyścig konny.

horse racing, horseracing *n. U sport* wyścigi konne.

horseradish ['hɔːrsˌrædɪʃ] *n. U* **1.** *bot.* chrzan pospolity (*Amoracia lapathifolia*). **2.** *kulin.* chrzan.

horse-riding ['hɔːrsˌraɪdɪŋ] *n. U* jazda konna, jeździectwo.

horse sense *n. U pot.* chłopski rozum.

horseshit ['hɔːrsˌʃɪt] *n. U gł. US wulg. sl.* **1.** gówno prawda, bzdury. **2.** końskie gówno.

horseshoe ['hɔːrsˌʃuː] *n.* **1.** *t. przen.* podkowa. **2.** *pl. US* rzucanie podkowami do celu. – *v.* podkuwać.

horseshoe arch *n. bud.* łuk mauretański.

horseshoe crab *n.* (*także* **king crab**) *zool.* skrzypłocz (*Limulus polyphemus*).

horse show *n. sport* zawody jeździeckie *l.* hipiczne.

horsetail ['hɔːrsˌteɪl] *n.* **1.** ogon koński. **2.** *hist.* buńczuk. **3.** *U bot.* skrzyp (*Equisetum*).

horsethief ['hɔːrsˌθiːf] *n.* koniokrad.

horse trading *n. U* **1.** targ koni. **2.** *przen.* przetargi (*t. polityczne*).

horse trailer *n. US* wóz do przewożenia koni.

horsewhip ['hɔːrsˌwɪp] *n.* pejcz, szpicruta. – *v.* bić szpicrutą.

horsewoman ['hɔːrsˌwʊmən] *n. pl.* **-women** amazonka.

horst [hɔːrst] *n. geol.* zrąb, horst.

horsy ['hɔːrsɪ], **horsey** *a.* **1.** koński; przypominający konia. **2.** kochający konie *l.* wyścigi.

hort. *abbr.* = **horticultural**; = **horticulture**.

hortative ['hɔːrtətɪv], **hortatory** *a. form.* **1.** zachęcający. **2.** napominający.

horticultural [ˌhɔːrtə'kʌltʃərəl] *a. form.* ogrodniczy.

horticulture ['hɔːrtəˌkʌltʃər] *n. U form.* ogrodnictwo.

horticulturist [ˌhɔːrtə'kʌltʃərəlɪst] *n. form.* ogrodni-k/czka.

hosanna [hoʊ'zænə], **hosannah** *int. i n. rel.* hosanna.

hose¹ [hoʊz] *n.* (*także* **~pipe**) *Br.* wąż; (*także* **garden ~**) wąż ogrodowy. – *v.* **1.** zaopatrywać w wąż. **2.** **~ (down)** skrapiać *l.* polewać wężem. **3.** *US sl.* wykiwać, okantować.

hose² *n. zw. pl. pl.* **hose** *l. arch.* **hosen** **1.** pończochy; rajstopy; wyroby pończosznicze. **2.** *strój, hist.* obcisłe spodnie.

hose nozzle *n.* końcówka wylotowa węża.

hosepipe ['hoʊzˌpaɪp] *n.* = **hose** 1.

hose reel *n.* bęben do nawijania węża.

hosier ['hoʊʒər] *n. arch.* producent wyrobów pończoszniczych; sprzedawca wyrobów pończoszniczych.

hosiery ['hoʊʒərɪ] *n.* **1.** *U* wyroby pończosznicze. **2.** *pl.* **-ies** sklep z wyrobami pończoszniczymi.

hosp. *abbr.* = **hospital**.

hospice ['hɑːspɪs] *n. t. hist.* hospicjum.

hospitable ['hɑːspɪtəbl] *a.* **1.** gościnny. **2.** serdeczny (*np. o powitaniu*). **3.** przyjazny (*np. o klimacie*).

hospitably ['hɑːspɪtəblɪ] *adv.* **1.** gościnnie. **2.** serdecznie.

hospital ['hɑːspɪtl] *n.* **1.** szpital, lecznica; **in the ~** (*także Br. i Austr.* **in ~**) w szpitalu (*przebywać jako pacjent*). **2.** *arch.* zakład dobroczynny (*przytułek, szkoła l. hospicjum*).

hospitaler ['hɑːspɪtlər], *Br.* **hospitaller** *n. kośc.* szpitalnik (*zakonnik*); **Knights H~s** *hist.* Kawalerowie Szpitalni.

hospitality [ˌhɑːspə'tælətɪ] *n. U* **1.** gościnność. **2.** serdeczność.

hospitalization [ˌhɑːspɪtlə'zeɪʃən], *Br. i Austr. zw.* **hospitalisation** *n. U* hospitalizacja.

hospitalize ['hɑːspɪtəˌlaɪz], *Br. i Austr. zw.* **hospitalise** *v.* hospitalizować.

hospitaller ['hɑːspɪtlər] *n. Br.* = **hospitaler**.

hospodar ['hɑːspəˌdɑːr] *n. hist.* hospodar.

host¹ [hoʊst] *n.* **1.** gospodarz (*np. przyjęcia, programu TV*); organizator; **play ~ to** być gospodarzem (*imprezy*), gościć (*np. zawody, igrzyska*). **2.** *przest.* właściciel (*gospody, hotelu*). **3.** *biol.* żywiciel. **4.** (*także* **~ computer**) *komp.* host, komputer główny. **5.** *US* kelner witający i usadzający gości (*w restauracji itp.*). – *v.* **1.** gościć. **2.** *telew., radio* prowadzić, być gospodarzem (*programu*). – *a. attr.* **our/their ~ country** goszczący nas/ich kraj.

host² *n.* **H~** *rel.* hostia.

host³ *n.* **1.** cały zastęp (= *duża liczba*); **a (whole) ~ of sth** (całe) mnóstwo czegoś. **2.** *arch. l. rel.* zastępy (= *armia*); **~(s) of heaven** zastępy niebieskie *l.* anielskie; **Lord of H~s** Pan Zastępów.

hostage ['hɑːstɪdʒ] *n.* **1.** zakładni-k/czka; **hold/take sb ~** przetrzymywać/brać kogoś jako zakładnika. **2.** zastaw. **3.** **give ~s to fortune** *przen.* podejmować ryzyko (*zwł. składając obietnice bez pokrycia*).

hostel ['hɑːstl] *n.* **1.** (*także* **youth ~**) schronisko młodzieżowe. **2.** schronisko, przytułek (*dla bezdomnych*). **3.** (*także* **hostelry**) *arch.* zajazd, gospoda.

hosteler ['hɑːstlər], *Br.* **hosteller** *n.* **1.** podróżny zatrzymujący się w schroniskach (*młodzieżowych*). **2.** *arch.* gospodarz, właściciel (*zajazdu, gospody*).

hostelry ['hɑːstlrɪ], **hostlery** *n. pl.* **-ies** *arch.* = **hostel** 3.

hostess ['hoʊstəs] *n.* **1.** gospodyni (*przyjęcia, programu TV*). **2.** *US* kelnerka witająca i usadzająca gości (*w restauracji itp.*). **3.** (*także Br.* **air ~**) stewardessa. **4.** fordanserka.

hostile ['hɑːstl] *a.* **1.** wrogi, wrogo usposobiony; nieprzyjazny. **2.** *pred.* przeciwny (*to / toward sb* komuś); wrogo nastawiony (*to / toward sb* do/w stosunku do kogoś). **3.** nieprzyjacielski (*np. o samolocie*). **4.** niesprzyjający (*np. o warunkach, środowisku*). – *n. form.* wróg.

hostilely ['hɑːstllɪ] *adv.* wrogo; nieprzyjaźnie.

hostilities [hɑː'stɪlɪtɪz] *n. pl. form.* działania wojenne.

hostility [hɑː'stɪlətɪ] *n. U* **1.** wrogość. **2.** wrogie nastawienie. **3.** *pl.* **-ies** akt wrogości.

hostler [ˈhɑ:slər] *n.* (*także* **ostler**) *arch.* stajenny (*w gospodzie*).

hot [hɑ:t] *a.* **-tt- 1.** gorący; **boiling ~** bardzo gorący (*o cieczy*); **burning ~** bardzo gorący (*o powierzchni*); **get ~** nagrzewać się; **I'm ~** jest mi gorąco; **(it was) boiling/baking/scorching ~** (było) potwornie *l.* piekielnie gorąco; **piping ~** dymiący, mocno *l.* dobrze gorący (*o potrawie*); wrzący (*o herbacie*); **red/white ~** rozgrzany do czerwoności/białości. **2.** ostry, pikantny (*o potrawach*). **3.** gorący, kontrowersyjny (*o temacie, kwestii*). **4.** zapalczywy, porywczy. **5.** rozgorączkowany; gorączkowy. **6.** niemiły; niebezpieczny, ryzykowny; **too ~ to handle** *pot.* zbyt ryzykowny *l.* niebezpieczny. **7.** zawzięty (*np. o rywalizacji*). **8.** najświeższy (*gł. o wiadomościach*); **~ off the press** prosto spod prasy, jeszcze ciepły (= *dopiero co wydany, napisany itp.*). **9.** *pot.* świetny, fantastyczny; **be ~ at sth** być świetnym w czymś; **not so ~** nieszczególny. **10.** *pot.* popularny, na topie; **be a ~ ticket** *US* być gwiazdą *l.* atrakcją; dobrze się sprzedawać. **11.** zapalony, entuzjastyczny; **be ~ on sth** *pot.* pasjonować się czymś. **12.** zasadniczy; **be ~ on sth** *pot.* mieć bzika na punkcie czegoś (= *rygorystycznie czegoś przestrzegać*). **13.** *pot.* napalony, podniecony; **be ~ on sb** podniecać się na czyjś widok. **14.** *pot.* podniecający, seksowny. **15.** *sl.* trefny (= *kradziony, nielegalny*). **16.** *pot.* gorączkowo *l.* usilnie poszukiwany (*gł. przez policję*). **17.** intensywny, żywy; **~ pink/yellow** intensywnie różowy/żółty. **18.** *muz. pot.* skoczny, gorący. **19.** *US pot.* bzdurny. **20.** *US pot.* wściekły. **21.** *pot.* podrasowany (*o samochodzie*). **22.** *el.* pod napięciem (*o przewodach*). **23.** *fiz.* wzbudzony (*o atomie*). **24.** *pot.* radioaktywny. **25.** *biol.* bardzo zakaźny; śmiertelny. **26.** *myśl.* silny, wyraźny (*o tropie*). **27.** *przen.* **~ and ~** prosto z pieca; **~ and heavy** *US pot.* pełen emocji; zawzięty; napalony, namiętny; **~ and strong** gwałtowny; intensywny; **be ~ on the heels/trail/track of sb** deptać komuś po piętach; **be (all) ~ and bothered** *pot.* tracić głowę; **blow ~ and cold (about sth)** *pot.* *zob.* **blow**[2] *v.*; **drop sb/sth like a ~ brick/potato** *pot.* pozbyć się kogoś/czegoś, porzucić kogoś/coś (*zwł. nagle*); **get ~** *pot.* zapalać się (*do czegoś*); **get ~ under the collar** *pot.* rozzłościć się, najeżyć się; **get into ~ water** wpakować się w tarapaty, napytać sobie biedy; **go ~ and cold (all over)** *Br. pot.* oblać się zimnym potem (*ze strachu*); **go/sell like ~ cakes** *pot.* rozchodzić/sprzedawać się jak ciepłe bułeczki; **in ~ pursuit of sb/sth** w gorączkowym pościgu za kimś/czymś; **in case things get ~** (na wypadek) gdyby zrobiło się gorąco; **make it ~ for sb** uprzykrzać *l.* utrudniać komuś życie; **press sb's ~ button** *gł. US pot.* wywołać u kogoś gwałtowną reakcję (*np. celowo poruszając kontrowersyjny temat*). – *adv.* gorąco (*zwł. przen.* = *zawzięcie*). – *v.* **-tt- ~ up** *zwł. Br. pot.* rozkręcać (się); podkręcać; podrasowywać (*silnik*); **the situation was ~ting up** robiło się gorąco.

hot air *n. U pot.* puste słowa, czcza gadanina.

hot-air balloon [ˌhɑ:tˌer bəˈlu:n] *n.* balon napędzany gorącym powietrzem.

hotbed [ˈhɑ:tˌbed] *n.* **1.** *ogr.* inspekt. **2.** *przen.* wylęgarnia, siedlisko (*of sth* czegoś).

hot-blooded [ˌhɑ:tˈblʌdɪd] *a.* **1.** porywczy, pobudliwy, w gorącej wodzie kąpany. **2.** namiętny.

hot cathode *n. el.* katoda żarzona, termokatoda.

hot chair *n. US pot.* = **hot seat** 2.

hot check *n. US pot.* czek bez pokrycia.

hot chocolate *n. C / U* czekolada na gorąco.

hotchpot [ˈhɑ:tʃˌpɑ:t] *n. U prawn.* scalenie własności celem równego podziału (*zwł. w przypadku braku testamentu*).

hotchpotch [ˈhɑ:tʃˌpɑ:tʃ] *n.* **1.** *sing. Br.* = **hodgepodge**. **2.** *U kulin.* gulasz (*zwł. z baraniny*).

hot cross bun *n. Br. kulin.* słodka bułeczka z bakaliami nacięta na krzyż (*spożywana na gorąco w Wielki Piątek*).

hot dog *n. kulin.* **1.** hotdog. **2.** (*także* **hot-dogger**) *US i Austr. pot.* osoba popisująca się (*np. na nartach l. desce surfingowej*). **3.** *US żart. pot.* jamnik. – *int. US pot.* świetnie!, super! – *v.* (*także* **hot-dog**) *US i Austr. pot.* popisywać się.

hotel [hoʊˈtel] *n.* **1.** hotel. **2.** hasło dla litery „H" (*w międzynarodowym alfabecie fonetycznym NATO*). **3.** *Austr.* pub.

hotelier [hoʊˈtelɪər] *n.* hotela-rz/rka.

hotel industry *n. U* hotelarstwo.

hot favorite, *Br.* **hot favourite** *n. gł. sport* zdecydowany faworyt/ka.

hot flash, *Br.* **hot flush** *n.* uderzenia gorąca (*zwł. w okresie menopauzy*).

hotfoot [ˈhɑ:tˌfʊt] *pot. adv.* gorączkowo, co tchu. – *v.* **~ it** wyciągać nogi, gnać co tchu. – *n. US* dowcip polegający na wsadzeniu komuś do buta zapalonej zapałki.

hothead [ˈhɑ:tˌhed] *n.* raptus, narwaniec.

hotheaded [ˌhɑ:tˈhedɪd], **hot-headed** *a.* **1.** w gorącej wodzie kąpany, zapalczywy, porywczy. **2.** pochopny.

hotheadedly [ˌhɑ:tˈhedɪdlɪ] *adv.* **1.** zapalczywie, porywczo. **2.** pochopnie.

hotheadedness [ˌhɑ:tˈhedɪdnəs] *n. U* **1.** zapalczywość, porywczość. **2.** pochopność.

hothouse [ˈhɑ:tˌhaʊs] *n.* **1.** cieplarnia. **2.** *przen.* wylęgarnia (*np. pomysłów*). – *a. attr.* **1.** cieplarniany, szklarniowy. **2.** *zw. pog.* chowany pod kloszem, wychuchany; delikatny, wrażliwy.

hot key *n. komp.* skrót (*klawisz l. kombinacja klawiszy*).

hot line, hotline *n.* gorąca linia.

hotly [ˈhɑ:tlɪ] *adv.* **1.** gorąco, ostro, zawzięcie. **2.** stanowczo, kategorycznie.

hot-melt [ˈhɑ:tˌmelt] *n.* (*także* **~ glue**) *U* klej topliwy.

hot money *n. U fin.* gorący pieniądz (= *często przekazywany z konta na konto dla uzyskania wyższego oprocentowania l. zamieniany na walutę o korzystniejszym kursie*).

hotness [ˈhɑ:tnəs] *n. U* gorąco; ciepło, ciepłota.

hot pants *n. pl.* **1.** krótkie obcisłe szorty damskie. **2. have/get ~** *US sl.* napalać się, podniecać się.

hot plate *n.* **1.** płyta grzejna (*kuchenki elektrycznej*). **2.** przenośna kuchenka (*elektryczna l. gazowa*).

hotpot ['hɑ:tˌpɑ:t] *n. C / U gł. Br. kulin.* potrawka z jarzynami.

hot potato *n. pot.* drażliwy temat; trudny problem (*którym nikt nie chce się zająć*).

hot-press ['hɑ:tˌpres] *mech. n.* prasa do gładzenia na gorąco (*papieru l. tkaniny*). – *v.* gładzić na gorąco.

hot rod *n. gł. US sl.* podrasowany samochód.

hot-rod ['hɑ:tˌrɑ:d] *v. gł. US sl.* **1.** podrasować (*silnik, samochód*). **2.** jeździć podrasowanym samochodem.

hot-rodder ['hɑ:tˌrɑ:dər] *n. gł. US sl.* kierowca podrasowanego samochodu.

hot-rolling ['hɑ:tˌroʊlɪŋ] *n. U metal.* walcowanie na gorąco.

hot seat *n. pot.* **1. in the ~** na cenzurowanym. **2.** (*także* **hot chair**) *gł. US* krzesło elektryczne.

hot shoe *n.* gniazdko w aparacie fotograficznym do podłączenia flesza.

hotshot ['hɑ:tˌʃɑ:t] *n. pot.* wybraniec losu, dziecko szczęścia. – *a. attr.* wzięty (*np. o prawniku*).

hot spot, hotspot *n.* **1.** *polit., wojsk.* punkt zapalny. **2.** *pot.* modny klub, pub itp. **3.** *geol.* obszar aktywności geotermicznej.

hot spring *n.* terma, źródło termalne, cieplica.

hotspur ['hɑ:tˌspɜ:] *n.* raptus, narwaniec.

hot stuff *n. U pot.* **1.** bomba, rewelacja (= *atrakcyjna rzecz, zdolna osoba*). **2.** niezły towar (= *osoba atrakcyjna seksualnie*). **3.** pismo, książka itp. o treści erotycznej *l.* pornograficznej.

hot-tempered [ˌhɑ:t'tempərd] *a.* porywczy.

Hottentot ['hɑ:tənˌtɑ:t] *przest. pog. n.* **1.** Hotentot/ka. **2.** *U* język hotentocki.

hot tub *n.* okrągła wanna do gorącej kąpieli (*zw. drewniana, mieszcząca kilka osób, niekiedy z hydromasażem*).

hot-water bottle [ˌhɑ:tˌwɔ:tər 'bɑ:tl] *n.* termofor.

hot-wire [ˌhɑ:t'waɪr] *v. mot. sl.* uruchamiać *samochód* poprzez zetknięcie odpowiednich przewodów.

hough [hɑ:k] *n. Br.* = **hock**[1] *n.* 2.

houmous ['hʊmʊs], **houmus, hoummos** *n.* = **hummus.**

hound[1] [haʊnd] *n.* **1.** pies gończy, ogar; **the ~s** sfora; **ride to ~s** (*także* **follow the ~s**) *Br. przest.* polować z psami (*na lisa*). **2.** *pot. zw. uj.* pies. **3.** *przest. pot. pog.* łajdak. **4.** *zw. w złoż. gł. US i Can. pot.* kolekcjoner/ka, łow-ca/czyni; entuzjast-a/ka; **autograph/news-~** łowca autografów/sensacji. – *v.* **1.** *myśl.* polować z psami na (*lisa*). **2.** *przen.* napastować, prześladować. **3. ~ down** *pot.* tropić; **~ on** popędzać, poganiać; **~ sb out of somewhere** *przen.* zmusić kogoś do odejścia skądś.

hound[2] *n. zw. pl. żegl.* zaczep na maszcie (*jeden z dwóch*).

houndish ['haʊndɪʃ] *a.* psi.

hound's-tongue ['haʊndzˌtʌŋ] *n. bot.* ostrzeń pospolity, psi język (*Cynoglossum officinale*).

hour [aʊr] *n.* **1.** *t. astron.* godzina; **~ after ~** co godzinę; godzinami; **an ~ and a half** półtorej godziny; **an ~ from somewhere** o godzinę drogi skądś; **business/office ~s** godziny urzędowania; **by the ~** od godziny (*np. płacić*); (*także* **from ~ to ~**) z godziny na godzinę; (**every ~**) **on the ~** (co godzinę) o pełnej godzinie (*np. podawać wiadomości*); **for ~s (and ~s)** (całymi) godzinami; **in an ~** (*także* **in an ~'s time**) za godzinę; **opening/closing ~s** godziny otwarcia/zamknięcia (*np. sklepów*); **per ~** na godzinę; **rush ~** godzina szczytu; **strike the ~** wybijać godzinę; **visiting ~s** godziny odwiedzin (*np. w szpitalu*); **within the ~** w ciągu godziny; **$10 an ~** 10 dolarów na godzinę. **2.** *przen.* **after ~s** po godzinach (= *po pracy*); (*także Br.* **out of ~s**) w niedozwolonych godzinach (*pić alkohol w barze l. pubie*); **at all ~s (of the day and night)** *pot.* o każdej porze (dnia i nocy); **at the eleventh ~** za pięć dwunasta, w ostatniej chwili; **at this/any ~** o tej/każdej porze; **hero/question of the ~** bohater/zagadnienie chwili; **in a good ~** w dobrą godzinę; **help sb in their ~ of need** *lit.* pomagać komuś w potrzebie; **keep late/regular ~s** chodzić spać późno/o tej samej porze; **lunch ~** pora obiadowa; **small ~s** wczesne godziny ranne; **till all ~s** do późna w nocy (*np. uczyć się*); **unearthly/ungodly ~** nieludzka pora *l.* godzina. **3.** *pl. rz.-kat.* godzinki; **book of ~s** modlitewnik. **4.** *pl.* **H~s** *mit.* Hory.

hour angle *n. astron.* kąt godzinny.

hour circle *n. astron.* koło godzinowe.

hourglass ['aʊrˌglæs] *n.* klepsydra.

hourglass figure *n.* talia osy.

hour hand *n.* wskazówka godzinowa.

houri ['hʊrɪ] *n. t. przen.* hurysa.

hour-long [ˌaʊr'lɔ:ŋ] *a. zw. attr.* godzinny, trwający godzinę.

hourly ['aʊrlɪ] *a.* **1.** cogodzinny. **2.** godzinny; od godziny (*liczony l. opłacany*). **3.** częsty; ciągły (*np. o zmianach*). – *adv.* **1.** co godzinę, raz na godzinę. **2.** na godzinę, godzinowo. **3.** w ciągu godziny.

house *n.* [haʊs] *pl.* **-es** ['haʊzɪz] **1.** dom (*t.* = *rodzina, domownicy, gospodarstwo domowe*); **~ and home** *emf.* dom, ognisko domowe; **at sb's ~** u kogoś w domu; **clean ~** robić porządki; **keep ~** prowadzić dom; **keep open ~** prowadzić dom otwarty; **keep (to) the ~** siedzieć w domu; **move ~** *Br.* przeprowadzać się; **set up ~** założyć dom, zamieszkać (*zwł. z kimś*). **2.** *często w złoż.* dom; budynek; pomieszczenie; **council ~** budynek komunalny; **court/opera ~** budynek sądu/opery; **fashion ~** dom mody; **hen ~** kurnik. **3.** (*także* **H~**) *parl.* izba; **lower/upper ~** izba niższa/wyższa; **make a ~** zapewnić quorum; **the H~** *US* Izba Reprezentantów; *Br.* Izba Gmin; Izba Lordów. **4.** parkiet, giełda. **5.** dynastia; rodzina panująca; **~ of Windsor** dynastia windsorska; **royal ~** rodzina królewska. **6.** firma; **in ~** w siedzibie firmy (*pracować; w odróżnieniu od pracy w domu*); **publishing ~** wydawnictwo, oficyna wydawnicza. **7.** restauracja; zakład (*gastronomiczny*); **~ wine** wino nie butelkowane (*podawane w danej restauracji*); **on the ~** na koszt firmy; **speciality of the ~** specjalność zakładu. **8.** *gł. teatr* sala, widownia; publiczność; **bring the ~ down** *zob.* **bring; empty ~** pusta widownia; **full/packed ~** pełna widownia *l.* sala. **9.** przedstawienie; seans (*któryś z kolei*). **10.** *Br. i Austr. szkoln.* drużyna (*zwł. sportowa, jedna z wielu w szkole*). **11.** *Br. uniw.* college. **12.** zakon; siedziba zakonu. **13.** *pot.* dom publiczny. **14.** *curling* dom. **15.** *astrol.* 1/12 część nieba. **16.** *U muz.* = **house music**. **17.** *przen.* **(as) safe as ~es** *Br.* całkowicie bezpieczny; **eat sb out of ~ and home** *zob.* **eat; get on like a ~ on fire** *zob.* **fire** *n.*; **go all round the ~es** *Br.* niepotrzebnie komplikować sprawę; **open ~** *US* drzwi otwarte; **play ~** *zwł. US* bawić się w dom; **set/put one's (own) ~ in order** porządkować swoje sprawy, robić porządki na własnym podwórku. – *v.* [haʊz] **1.** zapewniać mieszkanie; dawać schronienie (*komuś*). **2.** umieszczać, lokować. **3.** mieścić. **4.** składować, gromadzić. **5.** *żegl.* dociągać (*linę, kotwicę*).

house agent *n.* pośredni-k/czka w handlu nieruchomościami.

house arrest *n. U* areszt domowy; **be under ~** mieć areszt domowy.

houseboat [ˈhaʊsˌboʊt] *n.* łódź *l.* barka mieszkalna.

housebound [ˈhaʊsˌbaʊnd] *a.* **be ~** nie móc wychodzić z domu (*zwł. z powodu choroby*).

houseboy [ˈhaʊsˌbɔɪ] *n. pog.* służący, chłopiec do prac domowych (*zwł. w Afryce l. w Indiach*).

housebreak [ˈhaʊsˌbreɪk] *v. US* uczyć załatwiania się w odpowiednim miejscu (*np. psa*).

housebreaker [ˈhaʊsˌbreɪkər] *n.* włamywacz/ka.

housebreaking [ˈhaʊsˌbreɪkɪŋ] *n.* włamanie.

housebroken [ˈhaʊsˌbroʊkən] *a. US* przyuczony do załatwiania się w odpowiednim miejscu (*np. o psie*).

house-builder [ˈhaʊsˌbɪldər] *n.* **1.** robotnik budowlany. **2.** firma budowlana.

house call *n. US* wizyta domowa (*zwł. lekarska*).

housecarl [ˈhaʊsˌkɑːrl] *n. hist.* członek straży przybocznej (*króla l. wielmoży duńskiego l. angielskiego*).

housecleaning [ˈhaʊsˌkliːnɪŋ], **house-cleaning** *n. U* sprzątanie, porządki.

housecoat [ˈhaʊsˌkoʊt] *n.* podomka.

house cricket *n. orn.* świerszczyk domowy (*Acheta domestica*).

house dress *n.* sukienka (do chodzenia) po domu.

housefather [ˈhaʊsˌfɑːðər] *n.* kierownik internatu, akademika, domu dziecka itp.

houseflag [ˈhaʊsˌflæg] *n. żegl.* flaga armatora.

housefly [ˈhaʊsˌflaɪ], **house fly** *n. pl.* **-ies** mucha domowa (*Musca domestica*).

houseful [ˈhaʊsfʊl] *n.* pełny dom (*of sb/sth* kogoś/czegoś).

houseguest [ˈhaʊsˌgest] *n. US, Can. i Austr.* gość (*nocujący u kogoś w domu*).

household [ˈhaʊsˌhoʊld] *n.* **1.** domownicy. **2.** gospodarstwo domowe. – *a. attr.* **1.** domowy. **2.** powszechnie znany (*np. o nazwisku, słowie*).

householder [ˈhaʊsˌhoʊldər] *n.* **1.** właściciel/ka domu. **2.** głowa rodziny.

household gods *n. pl. hist. rel.* bóstwa opiekujące się domem (*w starożytnym Rzymie*).

household goods *n.* (*także* **household products**) *pl. Br.* = **housewares** 1.

household troops *n. hist., wojsk.* straż *l.* wojska przyboczne (*władcy*).

househusband [ˈhaʊsˌhʌzbənd] *n.* mężczyzna zajmujący się domem.

house journal *n.* = **house organ.**

housekeeper [ˈhaʊsˌkiːpər] *n.* **1.** gospodyni. **2.** gosposia.

housekeeping [ˈhaʊsˌkiːpɪŋ] *n. U* **1.** prowadzenie gospodarstwa domowego. **2.** (*także* **~ money**) pieniądze na życie. **3.** *komp.* operacje porządkowe.

housel [ˈhaʊzl] *n. rel. arch.* Eucharystia.

house-leek [ˈhaʊsˌliːk] *n. bot.* rojnik murowy (*Sempervivum tectorum*).

houseless [ˈhaʊsləs] *a.* bezdomny.

house lights *n. pl. gł. teatr* światła na widowni.

houseline [ˈhaʊsˌlaɪn] *n. żegl.* juzing, trójlinka.

housemaid [ˈhaʊsˌmeɪd] *n. przest.* pokojówka.

housemaid's knee *n. pat. pot.* zapalenie rzepki (*spowodowane długotrwałym klęczeniem*).

houseman [ˈhaʊsmən] *n. pl.* **-men** *Br. med.* stażyst-a/ka (*w szpitalu*).

house martin *n. orn.* oknówka (*Delichon urbica*).

housemaster [ˈhaʊsˌmæstər] *n. Br. szkoln.* kierownik internatu.

housemate [ˈhaʊsˌmeɪt] *n.* współlokator/ka.

housemistress [ˈhaʊsˌmɪstrəs] *n. Br. szkoln.* kierowniczka internatu.

housemother [ˈhaʊsˌmʌðər] *n.* kierowniczka akademika, internatu, domu dziecka itp.

house mouse *n. pl.* **house mice** *zool.* mysz domowa (*Mus musculus*).

house music *n. U* (muzyka) house.

house of cards *n. zw. przen.* domek z kart.

House of Commons *n. sing. Br. parl.* Izba Gmin.

house of correction *n. hist.* dom poprawczy.

house of God *n. lit.* dom Boży (= *kościół*).

house of ill fame, house of ill repute *n. przest. l. żart.* dom rozpusty.

House of Keys *n. parl.* niższa izba parlamentu na wyspie Man.

House of Lords *n. Br. parl.* Izba Lordów.

House of Representatives *n. US parl.* Izba Reprezentatów.

house of worship *n. zwł. US* dom Boży (= *kościół*).

house organ *n.* (*także* **house journal**) biuletyn zakładowy.

house painter *n. US* malarz pokojowy.

houseparent [ˈhaʊsˌperənt] *n.* kierowni-k/czka domu dziecka.

houseparty [ˈhaʊsˌpɑːrtɪ] *n. pl.* **-ies** **1.** kilkudniowe goszczenie przyjaciół (*zwł. w domu na wsi*). **2.** goście (*na imprezie jw.*).

house phone *n. Br.* telefon wewnętrzny (*np. w hotelu*).

house physician *n.* leka-rz/rka mieszkając-y/a w placówce, w której jest zatrudnion-y/a.

houseplant ['haʊsˌplænt] *n.* roślina doniczkowa.

house-proud ['haʊsˌpraʊd] *a. zwł. Br. i Austr.* **be ~** szczycić się wyglądem własnego domu; pedantycznie dbać o wygląd domu.

house-raising ['haʊsˌreɪzɪŋ] *n. US* zebranie mieszkańców wsi mające na celu pomoc sąsiadowi w zbudowaniu zrębu domu.

houseroom ['haʊsˌruːm] *n. U* **1.** miejsce (*na coś l. dla kogoś*). **2. I wouldn't give it ~** *zwł. Br. pot.* nie chciałbym tego nawet za darmo.

housesit ['haʊsˌsɪt], **house-sit** *v.* opiekować się domem (*podczas nieobecności właściciela*).

house sitter, house-sitter *n.* osoba opiekująca się domem (*podczas nieobecności właściciela*).

house snake *n. gł. US zool.* wąż królewski (*Lampropeltis triangulum*).

Houses of Parliament *n. pl. Br.* **1.** budynki Parlamentu. **2.** Parlament.

house sparrow *n. orn.* wróbel (*Passer domesticus*).

house surgeon *n.* chirurg mieszkający w szpitalu.

house-to-house ['haʊstəˌhaʊs] *a. attr.* **1.** po domach. **2.** obwoźny, domokrążny.

housetop ['haʊsˌtɑːp] *n. zw. pl.* **1.** szczyt dachu; dach. **2. proclaim/shout/broadcast sth from the ~s** *przen.* ogłaszać coś wszem i wobec.

house-train ['haʊsˌtreɪn] *v. gł. Br.* = **housebreak.**

housewares ['haʊsˌwerz] *n. pl. US* **1.** drobne artykuły gospodarstwa domowego (*np. talerze, garnki, lampy*). **2.** dział gospodarstwa domowego (*w domu towarowym*).

housewarming ['haʊsˌwɔːrmɪŋ] *n.* (*także* **~ party**) oblewanie nowego domu *l.* mieszkania, parapetówa (*pot.*).

housewife ['haʊsˌwaɪf] *n. pl.* **-wives 1.** gospodyni domowa. **2.** (*także* **hussy**) *gł. Br. wojsk.* przybornik do szycia.

housewifely ['haʊsˌwaɪflɪ] *a.* dotyczący gospodyni domowej; właściwy gospodyni domowej.

housewifery ['haʊsˌwaɪfərɪ] *n. U* prowadzenie domu.

housework ['haʊsˌwɜːk] *n. U* prace domowe.

housing[1] ['haʊzɪŋ] *n.* **1.** *U* zakwaterowanie; mieszkania; domy; schronienie. **2.** nisza (*np. na rzeźbę*). **3.** *mech.* pokrywa, osłona. **4.** *zwł. mot.* skrzynka. **5.** *bud.* połączenie wpustowe.

housing[2] *n.* czaprak (*na konia*).

housing association *n.* spółdzielnia mieszkaniowa.

housing boom *n.* boom mieszkaniowy.

housing conditions *n. pl.* warunki mieszkaniowe.

housing development *n. US* osiedle mieszkaniowe.

housing estate *n. Br.* = **housing development.**

housing market *n.* rynek mieszkaniowy.

housing policy *n. U* polityka mieszkaniowa.

housing problem *n.* problem mieszkaniowy.

housing project *n. zwł. US* grupa domów *l.* mieszkań dla najuboższych (*budowana z funduszy państwowych*).

housing question *n.* kwestia mieszkaniowa.

housing shortage *n. U* brak mieszkań.

hove [hoʊv] *v. pp. zob.* **heave.**

hovel ['hʌvl] *n.* **1.** nora, buda; nędzna chałupa. **2.** *arch.* szopa. – *v. Br.* **-ll-** umieszczać w szopie.

hover ['hʌvər] *v.* **1.** unosić się, wisieć (w powietrzu) (*over sb / sth* nad kimś/czymś) (*np. o ptaku, helikopterze*). **2. ~ (around/about)** wystawać, stać (*np. pod drzwiami*); krążyć, kręcić się (*near / around / about sb / sth* koło kogoś/czegoś). **3.** pozostawać *l.* w zawieszeniu *l.* w stanie niepewności; wahać się (*o osobie, kursach akcji l. walut*); **inflation is ~ing at 3%** inflacja waha się w okolicach 3%. – *n. U* unoszenie się.

hovercraft ['hɑːvəˌkræft] *pl.* **hovercrafts** *l.* **hovercraft** *n.* poduszkowiec.

how [haʊ] *adv. i conj.* **1.** (*w zdaniach pytających*) jak; **~ about...** co powiesz na..., co byś powiedział/a na...; co sądzisz o...; **~ about you?** a ty/wy?; **~ are you?** jak się masz?; **~ are things?** co słychać?; **"H~ are you doing?" "(I'm doing) fine/good, ~ about yourself?"** *US pot.* „Jak (ci) leci?" „Nieźle, a tobie?"; **~ come?** *pot.* (a to) czemu?; **~ come you never call?** czemu nie dzwonisz?; **~ do you do?** miło mi (Pana/Panią/Państwa poznać); witam (Pana/Panią/Państwa) serdecznie; **~ do you mean?** jak to?; **~ else?** nie inaczej!, jakżeby inaczej!; **~ is it that he does not come?** dlaczego nie przychodzi?; **~ many** (*z rzeczownikiem policzalnym w liczbie mnogiej*) ilu; ile; **~ many times** ile razy; **~ much** (*z rzeczownikiem niepoliczalnym*) ile; **~ much time** ile czasu; **~ are (these) apples?** po ile są (te) jabłka?; **~ now?** *przest.* co to ma znaczyć?; **~ old/tall are you?** ile masz lat/wzrostu?; **~'s life (treating you)?** *pot.* jak żyjesz?; **~ so?** jak to?; **~ then?** co to ma znaczyć?; no to jak?; **~'s everyone?** jak tam rodzina?; **~'s everything?** co słychać?; **~'s it going?** jak leci?; **~'s that?** jak to?; słucham?, proszę? (= *proszę powtórzyć*); a teraz (dobrze)?; **~'s that for an offer?** (no i) co powiesz na taką propozycję?; **and ~!** *pot.* jeszcze jak!; **here's ~!** *pot.* zdrówko! **2.** (*w zdaniach wykrzyknikowych*) ale; **~ (very) stupid of me!** ale jestem głupi/a!; **~ kind of you!** to bardzo uprzejmie z twojej/Pana/Pani strony! – *n.* **the ~ (of sth)** sposób (robienia czegoś); **the ~(s) and the why(s)** jak i po co.

howbeit [haʊ'biːɪt] *adv. i conj. arch.* atoli.

howdah ['haʊdə] *n.* lektyka do jazdy na słoniu.

howdy ['haʊdɪ] *int. US pot.* siemasz!

how-d'ye-do [ˌhaʊdjə'duː] *int. US pot.* = **how do you do** *zob.* **how.** – *n. sing. pot.* ładna historia, klops (= *kłopot*).

however [haʊ'evər] *adv.* **1.** jednak, jednakże; **he was, ~, quite certain** (*także* **~, he was quite certain**) był jednak zupełnie pewien. **2.** jakkolwiek, bez względu na to, jak; **~ (hard) you try, you won't guess** bez względu na to, jak (bardzo) byś się starał, nie zgadniesz. **3.** *w pytaniach* jak też, jakże, jakżeż; **~ did you manage to convince her?** jak też udało ci się ją przekonać?. – *conj.* jakkolwiek, jak (tylko), tak jak; **do it ~ you like** zrób to, jakkolwiek chcesz.

howitzer ['haʊɪtsər] *n. wojsk.* haubica.

howl [haʊl] *v.* **1.** wyć; wrzeszczeć, ryczeć; zawodzić; **it's my night to ~** muszę sobie użyć *l.* zabawić się; **~ down** zagłuszyć wrzaskiem *l.* rykiem. **2.** *pot.* pękać ze śmiechu. **3.** *sl.* pójść w tango (= *ostro się zabawić*). **4.** *akustyka* sprzęgać się, gwizdać. – *n.* **1.** wycie. **2.** wrzask, ryk. **3.** *akustyka* sprzężenie, gwizd.

howl back *n. akustyka* sprzężenie, gwizd.

howler ['haʊlər] *n.* **1.** (*także* **~ monkey**) *zool.* wyjec (*Alouatta*). **2.** *akustyka* buczek. **3.** *pot.* wsypa, gafa; *szkoln.* byk.

howling ['haʊlɪŋ] *a. pot.* wspaniały; wielki, ogromny (*np. o sukcesie*).

howlround ['haʊlraʊnd] *n. akustyka* sprzężenie, gwizd.

howsoever [ˌhaʊsoʊ'evər] *adv. form.* jakkolwiek.

how-to [ˌhaʊ'tu:] *n. czas. pl.* (*także* **~ book**) abc, poradnik (praktyczny); **the ~s of gardening** abc ogrodnictwa.

hoyden ['hɔɪdən], **hoiden** *n.* łobuzica.

hoydenish ['hɔɪdənɪʃ] *a.* łobuzerski.

H.P. [ˌeɪtʃ 'pi:], **h.p., HP, hp** *abbr.* **1.** *techn.* = **high pressure. 2.** *fiz., mot.* **horsepower** KM.

H.Q. [ˌeɪtʃ 'kju:], **h.q., HQ** *abbr. admin., wojsk.* = **headquarters.**

hr. *abbr.* **hour** godz.

HRH *abbr. Br., Can. i Austr.* **His/Her Royal Highness** JKM (= *Jego / Jej Królewska Mość*).

HRT [ˌeɪtʃ ˌɑ:r 'ti:] *abbr. med.* = **hormone replacement therapy.**

HS, H.S. *abbr. US i Can.* = **High School.**

HST [ˌeɪtʃ ˌes 'ti:] *abbr.* = **Hawaiian Standard Time.**

ht. *abbr.* **height** wys.

Hts. *abbr.* (*w nazwach geogr.*) = **Heights.**

huarache [wə'rɑ:tʃɪ] *n. płd. US* sandał ze skórzanej plecionki.

hub¹ [hʌb] *n.* **1.** *mech.* piasta (*koła*). **2.** *przen.* centrum; ośrodek; **the ~ of the Universe** pępek świata. **3.** *lotn.* węzeł (komunikacyjny) (*danego przewoźnika*).

hub² *n. pot. żart.* mężulek, mężuś.

hubble-bubble ['hʌblˌbʌbl] *n.* **1.** bulgot. **2.** gwar, zgiełk, wrzawa. **3.** nargile, fajka wodna.

hubbub ['hʌbʌb] *n. U l. sing.* **1.** gwar, zgiełk, wrzawa. **2.** zamieszanie, awantura.

hubby ['hʌbɪ] *n. pl.* **-ies** *pot.* mężulek, mężuś.

hubcap ['hʌbˌkæp] *n. mot.* kołpak.

hubris ['hju:brɪs] *n. U lit.* buta, pycha.

huckaback ['hʌkəˌbæk], **huck** [hʌk] *n. U tk.* płótno samodziałowe *l.* zgrzebne (*zwł. na ręczniki kuchenne*).

huckleberry ['hʌklˌberɪ] *n. pl.* **-ies** *bot.* borówka amerykańska, czarna jagoda amerykańska, czernica (*Gaylussacia*).

huckster ['hʌkstər] *n.* **1.** *US uj.* natarczyw-y/a pracowni-k/ca reklamy *l.* promocji. **2.** *US pot.* autor/ka reklam. **3.** *przest.* przekup-ień/ka. – *v.* **1.** *US uj.* reklamować agresywnie *l.* na siłę; wciskać, wmuszać (= *nakłaniać do kupna*). **2.** *przest.* kramarzyć (*czymś*).

hucksterish ['hʌkstərɪʃ] *a. US uj.* agresywny, natarczywy (*o sprzedawcy, reklamie*).

hucksterism ['hʌkstəˌrɪzəm] *n. U* **1.** wmuszanie, wciskanie (*produktów*). **2.** agresywna reklama *l.* promocja.

HUD [hʌd] *abbr. US* **(Department of) Housing and Urban Development** Ministerstwo Gospodarki Mieszkaniowej i Rozwoju Miast.

huddle ['hʌdl] *v.* **1. ~ (together/up)** tulić się (do siebie); skupiać się, ścieśniać się; **~ up against sb/sth** przytulić się do kogoś/czegoś. **2. ~ (up)** kulić się. **3.** zwalać na kupę; stłaczać (*przedmioty*). **4.** *t. sport pot.* zbierać się, robić naradę (*zwł. dotyczącą dalszej gry*). – *n.* **1.** masa (*osób*); kupa (*rzeczy*). **2.** *t. sport pot.* narada; **get/go into a ~** zbierać się (na naradę), naradzać się.

Hudibrastic [ˌhju:də'bræstɪk] *a. teor. lit.* heroikomiczny.

hue [hju:] *n.* **1.** *t. opt.* odcień (*barwy*); barwa, kolor. **2.** *przen.* rodzaj; **all ~s of... ...** wszelkiego rodzaju *l.* autoramentu.

hue and cry *n. sing.* krzyk, wrzawa; **raise a ~ (against sb/sth)** podnieść krzyk *l.* wrzawę (przeciw komuś/czemuś).

huff [hʌf] *v.* **1.** *pot.* **~ and puff** sapać, ciężko dyszeć; *przen.* narzekać (*about sth* na coś). **2.** obrażać (się). **3.** fukać. **4.** *warcaby* zdjąć pionka przeciwnika (i chuchnąć na niego) (*za niewykorzystanie bicia, według zwyczaju sprzecznego z oficjalnymi regułami gry*). – *n.* **1.** *sing.* fukanie; złość; **in a ~** zły, poirytowany; obrażony; w złości; **get/go into a ~** zezłościć się; **go off/walk off/leave in a ~** wyjść obrażonym. **2.** *warcaby* zdjęcie pionka za niewykorzystanie bicia.

huffily ['hʌfɪlɪ] *adv.* obrażonym tonem (*powiedzieć*); z obrażoną miną (*stać, odejść*).

huffish ['hʌfɪʃ] *a.* **1.** drażliwy. **2.** obrażalski.

huffy ['hʌfɪ] *a.* **-ier, -iest 1.** drażliwy. **2.** urażony, obrażony. **3.** obrażalski.

hug [hʌg] *v.* **-gg- 1.** ściskać, tulić, przytulać, obejmować (ramionami); tulić się do (*kogoś l. czegoś*). **2.** trzymać się (*brzegu rzeki, drogi*); *przen.* trzymać się kurczowo (*poglądów, przekonań*). **3. ~ o.s. with joy/delight** *przen.* być z siebie dumnym. – *n.* **1.** uścisk; **give sb a ~** przytulić kogoś; wyściskać kogoś. **2.** *zapasy* chwyt.

huge [hju:dʒ] *a. t. przen.* ogromny, olbrzymi (*o sumie, popularności, sukcesie*).

hugely ['hju:dʒlɪ] *adv.* ogromnie, wielce (*np. popularny*).

hugeness ['hju:dʒnəs] *n. U* ogrom, wielkość.

huggable ['hʌgəbl] *a. pot.* przytulany, do przytulania (*o zabawce, zwierzątku*).

huggermugger ['hʌgərˌmʌgər] *n.* **1.** zamieszanie, bałagan. **2.** *arch.* tajemnica. – *a.* **1.** potajemny. **2.** bezładny. – *adv.* **1.** potajemnie. **2.** bezładnie. – *v. arch.* **1.** ukrywać. **2.** działać w tajemnicy.

Huguenot ['hju:gəˌnɑ:t] *n. Fr. hist.* hugenot.

huh [hə] *int. pot.* **1.** *gł. US* (*na końcu zdania*) co?, nie?; **pretty good, huh?** nieźle, co?. **2.** (*pro-*

sząc o powtórzenie) co?. **3.** (*wyrażając pogardę*) phi! **4.** *żart.* (*wyrażając zdziwienie, wątpliwość*) hę?.

hula [ˈhuːlə], **hula-hula** [ˌhuːləˈhuːlə] *n. sing.* hula-hula (*taniec polinezyjski*).

hula hoop *n. sport* hula-hoop.

hulk [hʌlk] *n.* **1.** *żegl.* kadłub wraku, hulk. **2.** *żegl. uj.* łajba. **3.** *wojsk.* okręt koszarowy. **4.** drągal (= *wysoka osoba*). **5.** skorupa, szkielet (*spalonego budynku; t. przen. systemu*). – *v.* **1.** ~ **(up)** wznosić się, górować. **2.** *gł. Br. pot.* toczyć się (= *niezgrabnie się poruszać*).

hulking [ˈhʌlkɪŋ], **hulky** [ˈhʌlkɪ] **-ier, -iest** *a.* **1.** przytłaczający, ogromny. **2.** ociężały, klocowaty.

hull [hʌl] *n.* **1.** *gł. żegl.* kadłub (*statku*). **2.** pancerz, powłoka (*czołgu, pocisku*). **3.** *bot.* łupina (*orzecha*), łuska (*fasoli*), szypułka, ogonek (*truskawki*). – *v.* **1.** *kulin.* obierać, skubać (*truskawki*), łupać (*orzechy*), łuskać (*groch*). **2.** *żegl.* dryfować bez żagli.

hullabaloo [ˈhʌləbəˌluː] *n. zw. sing. przest.* wrzawa.

hullo [həˈloʊ] *int. i n. zwł. Br.* = **hello**.

hum [hʌm] *v.* **-mm- 1.** nucić; ~ **a tune** nucić melodię. **2.** mruczeć; pomrukiwać. **3.** buczeć (*o świetlówce*). **4.** bzykać (*o pszczole, komarze*). **5.** brzęczeć (*o dzwonku*). **6.** szumieć (*o twardym dysku, ruchu ulicznym*). **7.** ~ **with life/activity** tętnić życiem; **things are ~ming** wszystko gra; robota idzie. **8.** ~ **and haw** jąkać się (= *nie móc się wypowiedzieć*); wahać się (długo) (= *nie móc się zdecydować*). **9.** *Br. i Ir. sl.* syfieć (= *śmierdzieć*). – *n. sing.* **1.** szum (*dysku, ruchu ulicznego*). **2.** szmer (*głosów, rozmów*). **3.** pomruk; mruczenie. **4.** nucenie. **5.** buczenie (*świetlówki*). **6.** bzyczenie (*pszczoły*). **7.** brzęczenie. **8.** *pl.* **~s and haws** jąkanie; wahanie, niezdecydowanie. **9.** *Br. i Ir. sl.* syf, smród. – *int.* hm! (*wyraża wahanie, niezadowolenie l. zaskoczenie*).

human [ˈhjuːmən] *n.* (*także* ~ **being**) człowiek, istota ludzka; *pl.* ludzie, ludzkość; **early ~s** przodkowie człowieka (współczesnego). – *a.* ludzki; ~ **affairs/relations** stosunki międzyludzkie; sprawy socjalne; ~ **error** błąd człowieka (*jako powód wypadku*); ~ **factor** czynnik ludzki; ~ **shield** *wojsk.* żywa tarcza; ~ **testing** doświadczenia *l.* badania na ludziach; ~ **treatment** ludzkie traktowanie; **I'm only** ~ jestem tylko człowiekiem; **(not) fit for** ~ **consumption** (nie) nadający się do spożycia; **the** ~ **touch** ludzkie podejście.

humane [hjuːˈmeɪn] *a.* **1.** humanitarny, ludzki (*w postępowaniu, traktowaniu ludzi i zwierząt*); ~ **society** towarzystwo opieki nad zwierzętami. **2.** *rzad.* humanistyczny (*o studiach*).

humanely [hjuːˈmeɪnlɪ] *adv.* humanitarnie, po ludzku (*traktować*).

humaneness [hjuːˈmeɪnnəs] *n. U* humanitarność, ludzkość (*traktowania*).

human immunodeficiency virus [ˌhjuːmən ˌɪmjənoʊdəˈfɪʃənsɪ ˌvaɪrəs] *n. pat.* wirus HIV.

human interest, human-interest *a. attr.* o (prawdziwych) ludziach (*o artykułach, programach*).

humanism [ˈhjuːməˌnɪzəm] *n. U* **1.** *fil.* humanizm. **2.** humanistyka.

humanist [ˈhjuːmənɪst] *n.* humanist-a/ka. – *a.* humanistyczny.

humanistic [ˌhjuːməˈnɪstɪk] *a.* humanistyczny.

humanitarian [hjʊˌmænɪˈterɪən] *n.* filantrop/ka.

humanitarianism [hjʊˌmænɪˈterɪəˌnɪzəm] *n. U* humanitaryzm.

humanities [hjuːˈmænɪtɪz] *n. pl.* nauki humanistyczne; *uniw.* studia humanistyczne; *szkoln.* przedmioty humanistyczne; humanistyka.

humanity [hjuːˈmænətɪ] *n. U* ludzkość (= *natura ludzka; rasa ludzka; humanitarność*).

humanization [ˌhjuːmənəˈzeɪʃən], *Br. i Austr. zw.* **humanisation** *n. U* humanizacja; uczłowieczenie.

humanize [ˈhjuːməˌnaɪz], *Br. i Austr. zw.* **humanise** *v.* **1.** humanizować; czynić (bardziej) ludzkim; uczłowieczać. **2.** uczłowieczać się; stawać się (bardziej) ludzkim.

humankind [ˈhjuːmənˌkaɪnd] *n. U* ludzkość, rodzaj ludzki, rasa ludzka.

humanly [ˈhjuːmənlɪ] *adv.* **1.** ~ **possible** w ludzkiej mocy; **they did everything** ~ **possible** zrobili wszystko, co w ludzkiej mocy. **2.** po ludzku, w *l.* na ludzki sposób (*myśleć*). **3.** z ludzkiego punktu widzenia (*mówić*).

human nature *n. U* natura ludzka.

humanness [ˈhjuːmənnəs] *n. U* ludzkość (*traktowania, podejścia*).

humanoid [ˈhjuːmənɔɪd] *n.* humanoid. – *a.* człekokształtny, humanoidalny.

human race *n.* **the** ~ rasa ludzka, ludzkość.

human resources *n. pl.* **1.** zasoby ludzkie. **2.** kadry, personel.

human rights *n. pl. polit.* prawa człowieka.

humble [ˈhʌmbl] *a.* **1.** skromny (*o osobie, uśmiechu*); pokorny; uniżony; **in my** ~ **opinion** moim skromnym zdaniem; **my** ~ **apologies** *gł. żart.* przepraszam pokornie; **your** ~ **servant** *przest.* Pański uniżony sługa (*w zakończeniu listu*). **2.** niski (*o urodzeniu*); niskiego stanu. **3.** **eat** ~ **pie** *zob.* **eat**. – *v.* upokarzać; poniżać; zawstydzać; ~ **o.s.** zniżyć się.

humblebee [ˈhʌmblˌbɪ] *n.* = **bumblebee**.

humbleness [ˈhʌmblnəs] *n. U* pokora; skromność.

humbling [ˈhʌmblɪŋ] *adv.* **1.** pouczający (*o doświadczeniu*). **2.** *uj.* upokarzający, poniżający.

humbly [ˈhʌmblɪ] *adv.* pokornie; skromnie; uniżenie.

humbug [ˈhʌmˌbʌg] *n.* **1.** *U* oszustwo; pozerstwo; blaga, bujda, humbug. **2.** *U* brednie, bzdury. **3.** *przest.* pozer, oszust (*podający się za kogoś*). **4.** *Br.* miętówka. – *int. przest.* brednie! – *v.* **-gg-** blagować; oszukiwać; ~ **sb into sth** nabrać kogoś na coś; ~ **sth out of sb** wyłudzić coś od kogoś.

humbuggery [ˈhʌmˌbʌgərɪ] *n. U* blaga, bujda; *przest.* pozerstwo, oszustwo.

humdinger [ˌhʌmˈdɪŋər] *n. pot.* majstersztyk (= *doskonały przykład l. egzemplarz czegoś*).

humdrum [ˈhʌmˌdrʌm] *a.* monotonny; szary; zwykły; banalny; ~ **existence** monotonna egzystencja; ~ **life** szare życie. – *n.* *U* **1.** szarzyzna; jednostajność. **2.** banały; banalność. **3.** *C* nudzia-rz/ra, piła.

humeral [ˈhju:mərəl] *a.* *anat.* ramienny, ramieniowy. – *n.* (*także* ~ **veil**) *kośc.* *rz.-kat.* humerał.

humerus [ˈhju:mərəs] *n.* *pl.* **-ri** [ˈhju:məraɪ] *anat.* kość ramienna.

humic [ˈhju:mɪk] *a.* *chem.* humusowy, huminowy; ~ **acid** kwas humusowy *l.* huminowy.

humid [ˈhju:mɪd] *a.* wilgotny, mokry.

humidification [hjʊˌmɪdəfɪˈkeɪʃən] *n.* *U* *techn.* nawilżanie, zwilżanie.

humidifier [hjʊˈmɪdəˌfaɪər] *n.* *techn.* nawilżacz (powietrza).

humidify [hjʊˈmɪdəˌfaɪ] *v.* **-ied, -ying** *techn.* nawilżać; zwilżać.

humidistat [hjʊˈmɪdɪˌstæt] *n.* *miern.* higrostat, humidostat.

humidity [hjʊˈmɪdətɪ] *n.* *U* wilgoć; *fiz.* wilgotność; *meteor.* wilgotność (powietrza); **absolute/relative** ~ wilgotność bezwzględna/względna.

humidly [ˈhju:mɪdlɪ] *adv.* wilgotno, mokro.

humidor [ˈhju:mɪˌdɔ:r] *n.* kasetka na cygara (*utrzymująca wilgoć*).

humiliate [hjʊˈmɪlɪˌeɪt] *v.* poniżać; upokarzać.

humiliating [hjʊˈmɪlɪˌeɪtɪŋ] *a.* poniżający; upokarzający.

humiliatingly [hjʊˈmɪlɪˌeɪtɪŋlɪ] *adv.* poniżająco; upokarzająco.

humiliation [hjʊˌmɪlɪˈeɪʃən] *n.* *C*/*U* upokorzenie; poniżenie.

humility [hjʊˈmɪlətɪ] *n.* *U* pokora; skromność.

hummer [ˈhʌmər] *n.* **1.** osoba mrucząca *l.* nucąca. **2.** brzęczyk. **3.** *orn.* koliber (*Trochilus*). **4.** = **humdinger**.

humming [ˈhʌmɪŋ] *a.* **1.** szumiący; bzyczący; brzęczący. **2.** tętniący życiem.

hummingbird [ˈhʌmɪŋˌbɜ:d], **humming bird** *n.* *orn.* koliber (*Trochilus*).

hummingtop [ˈhʌmɪŋˌtɑ:p] *n.* bąk grający (*zabawka*).

hummock [ˈhʌmək] *n.* *geogr.* **1.** pagórek. **2.** *gł.* *płd.* *US* wzniesienie (*na moczarach*). **3.** wzdęcie, grzbiet (*pola lodowego*).

hummocky [ˈhʌməkɪ] *a.* *geogr.* pagórkowaty (*o terenie*).

hummus [ˈhʊmʊs], **humus, houmous, houmus, hoummos** *n.* *U* *kulin.* humus.

humongous [hjʊˈmʌŋgəs], **humungous** *a.* *US* *żart.* *pot.* ogromniasty (*np. o obiedzie, domu*).

humor [ˈhju:mər], *Br.* **humour** *n.* *US* **1.** *U* *l.* *sing.* humor; nastrój, usposobienie; **good** ~ (dobry) humor; optymizm; **in (a) bad/good** ~ w dobrym/złym humorze; **out of** ~ *przest.* bez humoru; **sense of** ~ poczucie humoru. **2.** *U* *anat.* ciecz (*pozakomórkowa*), płyn (ustrojowy); **aqueous** ~ ciecz wodnista (*oka*); **vitreous** ~ ciało szkliste, ciecz szklista (*oka*). **3.** *C* *przest.* humor (*w dawnej medycynie = hipotetyczny płyn sterujący nastrojem*). – *v.* **1.** ustępować (*komuś; zwł. dla świętego spokoju*). **2.** dogadzać (*komuś l. czemuś*); spełniać zachcianki (*czyjeś*); zadowalać, zaspokajać.

humoral [ˈhju:mərəl] *a.* *fizj., med.* humoralny (= *dotyczący płynów ustrojowych*); ~ **immunity** odporność humoralna.

humoresque [ˌhju:məˈresk] *n.* *muz.* humoreska.

humorist [ˈhju:mərɪst] *n.* **1.** osoba z poczuciem humoru. **2.** humoryst-a/ka.

humoristic [ˌhju:məˈrɪstɪk] *a.* humorystyczny.

humorless [ˈhju:mərləs] *a.* ponury, pozbawiony poczucia humoru.

humorlessly [ˈhju:mərləslɪ] *adv.* ponuro, bez poczucia humoru.

humorlessness [ˈhju:mərləsnəs] *n.* *U* ponuractwo, brak poczucia humoru.

humorous [ˈhju:mərəs] *a.* **1.** dowcipny; śmieszny, zabawny. **2.** żartobliwy. **3.** pełen humoru. **4.** humorystyczny.

humorously [ˈhju:mərəslɪ] *adv.* **1.** żartobliwie. **2.** dowcipnie; śmiesznie, zabawnie. **3.** z humorem. **4.** humorystycznie.

humorousness [ˈhju:mərəsnəs] *n.* *U* **1.** dowcip; humor. **2.** żartobliwość.

humour [ˈhju:mər] *n.* *Br.* = **humor**.

hump [hʌmp] *n.* **1.** garb (*u człowieka, wielbłąda, w jezdni*). **2. the** ~ *przen.* *Br.* *pot.* dołek (= *przygnębienie*); **sb has (got) the** ~ ktoś jest zdołowany; **give sb the** ~ zdołować *l.* dobić kogoś. **3. be over the** ~ *przen.* mieć najgorsze za sobą. – *v.* **1.** garbić, zginać (*plecy*). **2.** *sl.* tachać, targać; (*także* ~ **o.s.**) wysilać się. **3.** *wulg.* *sl.* posuwać, bzykać (*kobietę, samicę*); pieprzyć się, bzykać się (*o ludziach l. zwierzętach*).

humpback [ˈhʌmpˌbæk] *n.* **1.** *obelż.* garbus/ka. **2.** *pot.* garb. **3.** (*także* ~ **whale**) *zool.* długopłetwiec, humbak (*Megaptera novaeangliae*).

humpbacked [ˈhʌmpˌbækt] *a.* garbaty.

humpbacked bridge *n.* *bud.* most łukowy.

humph [hʌmf] *int.* *zwł.* *żart.* hm (*wyrażając powątpiewanie l. dezaprobatę*). – *v.* pomrukiwać.

humpty-dumpty [ˌhʌmptɪˈdʌmptɪ] *n.* *gł.* *Br.* *żart.* **1.** klocuszek (= *przysadzista osoba*). **2.** delikatny *l.* łatwo tłukący się przedmiot.

humpy [ˈhʌmpɪ] *a.* **-ier, -iest** **1.** garbaty. **2.** *Br.* *pot.* rozdrażniony; ponury.

humungous [hjʊˈmʌŋgəs] *a.* = **humongous**.

humus [ˈhju:məs] *n.* **1.** *ogr., roln.* humus. **2.** *kulin.* = **hummus**.

Hun [hʌn] *n.* *hist.* *l.* *przen.* Hun.

hunch [hʌntʃ] *n.* **1.** *pot.* przeczucie; wyczucie; **have a** ~ mieć przeczucie; **on a** ~ na wyczucie, na czuja. **2.** garb. **3.** kawał (= *duży kawałek*). – *v.* **1.** ~ **(out/up)** garbić; kulić; ~ **one's shoulders** kulić ramiona. **2.** garbić się (*over sth* nad czymś).

hunchback [ˈhʌntʃˌbæk] *n.* *pot.* garbus/ka.

hunchbacked [ˈhʌntʃˌbækt] *a.* garbaty.

hundred [ˈhʌndrɪd] *num.* *i* *n.* *pl.* **-s** *l.* **hundred** **1. (a/one)** ~ sto; setka; stówa, stówka (*banknot*); **at fifteen** ~ **hours** *US* *wojsk.* *i rozkłady jazdy* o godzinie 15:00; **five** ~ **dollars** pięćset dolarów; **fourteen** ~ tysiąc czterysta; **H~ Years' War** *hist.* wojna stuletnia. **2.** *pl.* setki; **~s showed up at the**

meeting setki ludzi przyszły na spotkanie. **3.** *gł. Br. hist.* secina. **4.** *przen.* **a ~ and one (things to do)** mnóstwo (rzeczy do zrobienia); **a ~/not a ~ percent** w świetnej/nie najlepszej formie; **I am/agree with you a ~ percent** zgadzam się z tobą w stu procentach; **great/long ~** 120 (*t. nieco więcej l. mniej*); **not a ~ miles from sb/sth** całkiem niedaleko kogoś/czegoś.

hundredfold ['hʌndrɪd,foʊld] *adv.* stokrotnie, po stokroć. – *a. attr.* stokrotny. – *n. U* stokrotność.

hundred-percenter [,hʌndrɪdpər'sentər] *n. US polit.* skrajn-y/a nacjonalist-a/ka.

hundredth ['hʌndrɪdθ] *num.* setny. – *n.* jedna setna.

hundredweight ['hʌndrɪd,weɪt] *n. miern.* **1.** (*także* **short ~**) *US i Can.* cetnar (= *100 funtów = 45,359 kg*). **2.** (*także* **long ~**) *Br.* cetnar (angielski) (= *112 funtów = 50,8 kg*). **3.** (*także* **metric ~**) cetnar (metryczny) (= *50 kg*).

hung [hʌŋ] *v. zob.* **hang.**

Hungarian [hʌŋ'gerɪən] *a.* węgierski; **she is ~** ona jest Węgierką, to Węgierka. – *n.* **1.** Węgier/ka. **2.** *U* język węgierski.

Hungary ['hʌŋgərɪ] *n. geogr.* Węgry; **in ~** na Węgrzech.

hunger ['hʌŋgər] *n.* **1.** głód; apetyt, łaknienie; **satisfy one's/sb's ~** zaspokoić *l.* nasycić (swój)/czyjś głód. **2.** *przen.* głód, pragnienie, potrzeba (*for sth* czegoś); pęd (*for sth* do czegoś); **~ for adventure** potrzeba przygody; **~ for knowledge** głód wiedzy, pęd do wiedzy. **3. ~ is the best sauce** *przen.* apetyt najlepszą przyprawą. – *v.* **1.** głodować. **2. ~ after/for sth** *lit.* odczuwać głód *l.* brak czegoś; pragnąć *l.* łaknąć czegoś. **3.** morzyć głodem, głodzić.

hunger march *n. polit.* marsz głodowy.

hunger marcher *n. polit.* uczestni-k/czka marszu głodowego.

hunger strike *n. polit.* strajk głodowy, głodówka.

hunger striker *n. polit.* głodując-y/a.

hung jury *n. sing. US prawn.* brak jednomyślności wśród przysięgłych *l.* ławników.

hung-over [,hʌŋ'oʊvər], **hung over, hungover** *a. gł. pred.* przepity, na kacu.

hungrily ['hʌŋgrɪlɪ] *adv.* **1.** głodno, bez jedzenia (*chodzić*). **2.** chciwie, łapczywie (*jeść*). **3.** pożądliwie (*patrzeć*).

hungry ['hʌŋgrɪ] *a.* **-ier, -iest 1.** głodny; wygłodniały, zgłodniały; **~ as a hunter/wolf** głodny jak wilk; **get ~** zgłodnieć; **go ~** głodować. **2.** zgłodniały, łapczywy; **be ~ for sth** pragnąć *l.* łaknąć czegoś. **3.** jałowy (*o ziemi*). **4. H~ Forties** *hist. Ir.* wielki głód (*ok. 1845-1849*).

hung-up [,hʌŋ'ʌp], **hung up, hungup** *a. gł. pred. pot.* przeczulony (*about/on sb/sth* na punkcie kogoś/czegoś).

hunk [hʌŋk] *n.* **1.** kawał (*np. chleba, sera*). **2.** (*także* **~ of a man**) *pot.* przystojniak.

hunker ['hʌŋkər] *v. US* **1. ~ (down)** kucać. **2. ~ down** *przen.* rozłożyć się, zainstalować się (*gdzieś*); *polit.* usztywnić stanowisko, zająć twarde stanowisko.

hunkers ['hʌŋkərz] *n. pl. Br.* pośladki; **on one's ~** przykucnięty.

hunks [hʌŋks] *n. pl.* **hunks** *rzad.* sekutni-k/ca; sknera, kutwa.

hunky[1] ['hʌŋkɪ] *a.* **-ier, -iest** *pot.* dobrze zbudowany, napakowany (*o mężczyźnie*).

hunky[2] *n. pl.* **-ies** *US sl. pog.* gastarbeiter (*zwł. ze wsch. Europy*).

hunky-dory [,hʌŋkɪ'dɔːrɪ] *a. pred. przest. pot.* w porząsiu, prima (*zwł. o sytuacji*).

hunt [hʌnt] *v.* **1.** polować na (*kogoś l. coś*); polować w *l.* na (*danym obszarze l. terenie*); polować na (*koniu*); polować z (*psami*); **go ~ing** jechać *l.* wyruszać na polowanie; polować. **2.** prześladować. **3.** przetrząsać (*miejsce*). **4.** *techn.* oscylować (*o wskaźniku*). **5.** *lotn.* wahać się (*względem toru lotu*). **6. ~ after/for sb/sth** *przen.* polować na kogoś/coś; **~ around for sth** *pot.* szukać czegoś wszędzie; **~ away** odpędzać; **~ down** upolować; ścigać; złapać (*przestępcę*); **~ for** tropić; poszukiwać (*np. przestępcy*); szukać (*np. okazji, właściwego słowa*); **~ for food** polować (*zwł. o zwierzętach drapieżnych*); **~ out** odnaleźć, odszukać; wypędzić; wybić (*zwierzynę*); **~ up** *przen.* upolować (*zwł. książkę*). – *n. gł. sing.* **1.** *t. przen.* polowanie, łowy. **2.** poszukiwanie (*for sb/sth* kogoś/czegoś). **3.** nagonka (*for sb/sth* na kogoś/coś). **4.** prześladowanie (*for sb/sth* kogoś/czegoś). **5.** *Br.* grupa myśliwych (*regularnie polujących razem na lisa*). **6.** *lotn.* niesterowane wahania samolotu względem toru lotu.

hunt and peck *v. komp.* pisać jednym palcem.

hunt-and-peck [,hʌntənd'pek] *n. U komp.* pisanie jednym palcem. – *a. gł. attr. komp.* (piszący/a) jednym palcem.

hunted ['hʌntɪd] *a.* zastraszony; **the ~** ofiara.

hunter ['hʌntər] *n.* **1.** myśliwy; łow-ca/czyni. **2.** drapieżnik, zwierzę drapieżne. **3.** *w złoż.* poszukiwacz/ka, łow-ca/czyni; **adventure/treasure ~** poszukiwacz/ka przygód/skarbów. **4.** *myśl.* koń do polowań; pies myśliwski. **5.** zegarek z kopertą.

hunter-gatherer [,hʌntər'gæðərər] *antrop. n.* zbieracz-łowca. – *a. gł. attr.* zbieraczo-łowiecki (*o kulturze, ludach, trybie życia*).

hunter's moon *n. astron. pot.* druga pełnia jesieni.

hunting ['hʌntɪŋ] *n. U* **1.** myślistwo; polowanie, łowy. **2.** *Br. sport* polowanie na lisa. **3.** *gł. w złoż.* szukanie, poszukiwanie; **job-~** szukanie pracy; **the ~ is on** rozpoczęły się poszukiwania (*for sb/sth* kogoś/czegoś). **4.** *techn.* niestabilność (*napięcia, obrazu, szybkości, kursu*). – *a. attr.* myśliwski; **~ boots** buty myśliwskie; **~ box/lodge** domek myśliwski.

hunting ground *n.* **1.** teren myśliwski. **2. good/happy ~ for sth** *przen.* dobre miejsce na coś (*np. na zakupy*).

hunting horn *n.* róg myśliwski.

Huntington's chorea [,hʌntɪŋtənz kə'riːə] *n. U pat.* pląsawica Huntingtona.

huntress ['hʌntrəs] *n.* **1.** *lit.* łowczyni. **2.** *myśl.* klacz do polowań.

huntsman ['hʌntsmən] *n. pl.* **-men** *myśl.* **1.** *gł.*

Br. myśliwy. **2.** *Br.* nadzorca sfory (*w polowaniu na lisa*).

hunt's-up [ˌhʌntsˈʌp] *n. przest.* pobudka myśliwska.

hurdle [ˈhɜːdl] *n.* **1.** *jeźdz. l. przen.* przeszkoda; bariera; płotek. **2.** *pl. zob.* **hurdles**. – *v.* **1.** pokonywać, skakać przez (*przeszkodę*). **2.** *przen.* uporać się z (*przeszkodą*). **3.** *sport* biegać przez płotki, startować w biegu przez płotki.

hurdler [ˈhɜːdlər] *n.* **1.** *sport* płotka-rz/rka. **2.** (*także* **champion ~**) *jeźdz.* koń do jazdy z przeszkodami.

hurdles [ˈhɜːdlz] *n. pl.* (*także* **hurdle race**) *sport* bieg przez płotki.

hurds [hɜːdz] *n. pl.* pakuły.

hurdy-gurdy [ˌhɜːdɪˈgɜːdɪ] *n. pl.* **-ies** *muz.* katarynka; lira korbowa.

hurl [hɜːl] *v. przen.* ciskać, rzucać, miotać (*kamienie, przekleństwa, obelgi, oskarżenia*); wyrzucać z siebie (*słowa*); **~ o.s. at/against sb/sth** rzucić się na kogoś/coś (= *zaatakować*); **~ o.s. at sb** narzucać się komuś (= *nachalnie podrywać*); **~ o.s. into work** rzucić się w wir pracy *l.* zajęć. – *n.* rzut, ciśnięcie.

hurler [ˈhɜːlər] *n.* miotacz/ka (*osoba*).

hurling [ˈhɜːlɪŋ], **hurley** [ˈhɜːlɪ] *n. U gł. Ir. sport* hurling (*odmiana hokeja na trawie*).

hurly-burly [ˈhɜːlɪˌbɜːlɪ] *n. U* tumult, zgiełk.

hurray [həˈreɪ], **hurrah, hooray** [hʊˈreɪ] *int. i n.* **1.** hura, hurra; **hip, hip, ~!** hip, hip, hura! **2.** **last/final ~** *przen.* ostatni moment świetności. – *v.* krzyczeć „hura".

hurricane [ˈhɜːəˌkeɪn] *n. meteor.* huragan.

hurricane deck *n. żegl.* pokład spacerowy.

hurricane lamp *n.* latarnia sztormowa, nietoperz.

hurried [ˈhɜːɪd] *a.* pośpieszny.

hurriedly [ˈhɜːɪdlɪ] *adv.* pośpiesznie, w pośpiechu.

hurry [ˈhɜːɪ] *n. U l. sing.* pośpiech; **be in a/no ~ (to do sth)** spieszyć/nie spieszyć się (z czymś); **(do sth) in a ~** (robić coś) w pośpiechu *l.* pośpiesznie; **I won't be doing this again in a ~** nieprędko znowu to zrobię; **in his ~, he left behind his keys** tak się spieszył, że zapomniał kluczy; **there's no (great) ~** nie pali *l.* nie spieszy się, nie ma pośpiechu; **what's/why (all) the ~?** po co ten pośpiech?; **you won't beat him in a ~** tak łatwo go nie pokonasz; **young man in a ~** *uj.* karierowicz. – *v.* **-ied, -ying 1.** spieszyć się (*to do sth* żeby zdążyć coś zrobić); **~ over a difficult point** przejść szybko do porządku dziennego nad trudną sprawą. **2.** popędzać, ponaglać, poganiać (*sb into doing sth* kogoś, żeby coś zrobił). **3.** **~ along** pędzić; **~ away/off** odchodzić pośpiesznie *l.* w pośpiechu; **~ back** wrócić pośpiesznie *l.* w pośpiechu; **~ (things) forward** przyśpieszać *l.* poganiać (sprawę); **~ in/out** wchodzić/wychodzić pośpiesznie *l.* w pośpiechu; **~ on** wkładać pośpiesznie na siebie; **~ up** pospieszyć się (*with sth* z czymś); **~ up!** pospiesz się!; **~ sb up** poganiać *l.* popędzać kogoś; **~ sth up** (*także* **~ up sth**) przyśpieszać coś.

hurry-scurry [ˌhɜːɪˈskɜːɪ] *v.* **-ied, -ying** miotać się (na lewo i prawo); pędzić na łeb na szyję. – *adv. i a.* na łapu capu, na łeb na szyję. – *n. U* bezładny pośpiech.

hurt [hɜːt] *v.* **hurt, hurt 1.** boleć; **it ~s like hell** *pot.* boli jak cholera; **it won't ~** nie będzie bolało; **my arm ~s/is ~ing (me)** boli mnie ramię; **where does it ~?** gdzie *l.* w którym miejscu (Pana/Panią) boli?. **2.** *t. przen.* sprawiać ból (*komuś*); ranić, kaleczyć; urażać; dotykać; dokuczać (*komuś*). **3.** zaszkodzić (*komuś l. czemuś*); uszkodzić. **4.** **~ o.s** skaleczyć *l.* zranić się. **5.** *przen.* **be ~ing** *US pot.* cierpieć (*psychicznie*); **be ~ing for sth** odczuwać dotkliwy brak czegoś (*np. pieniędzy; zw. o grupie, organizacji*); **be ~ing o.s.** szkodzić sobie; **it never ~s** *pot.* nigdy nie zaszkodzi (*to do sth* coś zrobić); **it won't/doesn't/wouldn't ~** *pot.* nie zaszkodzi (*to do sth* coś zrobić); **it won't ~ sb to do sth** *pot.* nic się komuś nie stanie, jeżeli coś zrobi. – *a.* **1.** *gł. pred.* ranny; **is anybody ~?** czy ktoś jest ranny?; **badly/seriously ~** ciężko ranny; **slightly ~** lekko ranny. **2.** skaleczony. **3.** *gł. przen.* urażony, zraniony; **~ pride** urażona duma; **deeply/extremely ~** głęboko zraniony *l.* urażony. – *n. C/U* **1.** uraz (*psychiczny*); ból. **2.** krzywda. **3.** skaleczenie, zranienie.

hurtful [ˈhɜːtfʊl] *a.* bolesny, dotkliwy.

hurtle [ˈhɜːtl] *v.* **1.** pędzić. **2.** zwalić się, spaść (z łoskotem). **3.** (*także* **~ together**) zderzyć się. **4.** ciskać, miotać (*czymś l. coś*).

husband [ˈhʌzbənd] *n.* **1.** mąż; *form.* małżonek; **~ and wife** małżeństwo, mąż i żona. **2.** *arch.* gospodarz; **good/bad ~** dobry/zły gospodarz. – *v. form.* oszczędnie gospodarzyć *l.* gospodarować (*czymś*).

husbandman [ˈhʌzbəndmən] *n. pl.* **-men** *arch.* gospodarz.

husbandry [ˈhʌzbəndrɪ] *n. U* **1.** *roln.* gospodarka (rolna); uprawa roli; rolnictwo; **animal ~** gospodarka hodowlana. **2.** *przest.* dobre gospodarowanie, oszczędna gospodarka.

hush [hʌʃ] *int.* ćśś!, sza! – *v.* **1.** uciszać. **2.** uciszyć się, zamilknąć. **3.** **~ up** wyciszyć (*sprawę*), zatuszować (*skandal*). – *n. sing.* cisza; milczenie; **a ~ fell/descended upon them** zapadła wśród nich cisza, zapanowało wśród nich milczenie.

hushaby [ˈhʌʃəˌbaɪ] *int. dziec.* luli luli. – *n. pl.* **-ies** kołysanka.

hushed [hʌʃt] *a.* przyciszony (*o głosach, rozmowach*); cichy (*o pomieszczeniu, tłumie*).

hush-hush [ˌhʌʃˈhʌʃ] *a. pot.* otoczony *l.* owiany tajemnicą; poufny, tajny.

hush money *n. U* zapłata za milczenie, łapówka.

hush puppy *n. pl.* **-ies** *gł. płd. US kulin.* placek kukurydziany smażony w głębokim tłuszczu.

husk [hʌsk] *n.* łuska, plewa; łupina; *pl.* plewy. – *v.* łuskać.

huskily [ˈhʌskɪlɪ] *adv.* chrapliwie, chrypiąco (*mówić*).

huskiness [ˈhʌskɪnəs] *n. U* chrypka; chrapliwość.

husky [ˈhʌskɪ] *a.* **-ier, -iest 1.** chrapliwy, ochrypły, zachrypnięty. **2.** *pot.* brysiowaty (= *dobrze zbudowany*). **3.** łuskowaty. – *n. pl.* **-ies**

1. *kynol.* (pies) husky. **2.** *pot.* byczek, kawał chłopa.

hussar [hʊˈzɑːr] *n. hist.* huzar.

Hussite [ˈhʌsaɪt] *hist., rel. n.* husyt-a/ka. – *a.* husycki.

hussy [ˈhʌsɪ] *n. pl.* **-ies 1.** *przest. pog.* lafirynda. **2.** *dial.* = **housewife** 2.

hustings [ˈhʌstɪŋz] *n. pl. gł. Br.* **1. the ~** kampania wyborcza; procedura wyborcza; **be at/on the ~** prowadzić kampanię wyborczą. **2.** *hist.* trybuna wyborcza. **3.** *gł. hist.* sąd miejski.

hustle [ˈhʌsl] *v.* **1.** spieszyć się; krzątać się. **2.** pchać się. **3.** szturchać; *t. przen.* popychać, pchać (*sb into sth* kogoś do czegoś); wypychać (*kogoś w drogę*); popędzać. **4.** *gł. US* wciskać (*towar*); naciągać na (*coś*). **5.** wyłudzać (*sth from sb* coś od kogoś). **6.** *US i Can. sl.* kombinować (= *zarabiać nieuczciwie*); prowadzić nielegalny handel (*np. kradzionym towarem, narkotykami*). **7.** *US i Can. sl.* pracować jako prostytutka; stręczyć. **8. ~ up** *US i Can. pot.* sklecić (naprędce). – *n. U* **1.** pośpiech; krzątanina; **~ and bustle** zgiełk, harmider. **2.** *US* kanty, przewałki.

hustler [ˈhʌslər] *n. gł. US pot.* **1.** hochsztapler/ka. **2.** dziewczynka, panienka (= *prostytutka*).

hut [hʌt] *n.* **1.** chata; szałas; szopa. **2.** małe schronisko górskie. **3.** *wojsk.* barak.

hutch [hʌtʃ] *n.* **1.** klatka, skrzynka (*zwł. na króliki*). **2.** *US* kredens. **3.** *pot. uj.* chatka, chałupina. **4.** dzieża. – *v. US* wkładać do kredensu; trzymać w kredensie.

hutment [ˈhʌtmənt] *n. t. wojsk.* obozowisko, obóz.

hutzpah [ˈhuːtspɑː], **hutzpa** *n.* = **chutzpah**.

huzzah [həˈzɑː], **huzza** *int., n. i v. arch.* = **hurray**.

hwy, hwy. *abbr. US mot.* = **highway**.

hyacinth [ˈhaɪəsɪnθ] *n.* **1.** *bot.* hiacynt (*Hyacinthus orientalis*). **2.** *bot.* = **grape hyacinth**. **3.** *C/U* (*także* **jacinth**) *min.* hiacynt. **4.** *U* kolor hiacyntowy.

hyacinthine [ˌhaɪəˈsɪnθaɪn] *a.* hiacyntowy.

Hyades [ˈhaɪəˌdiːz] *n. pl.* **1.** (*także* **Hyads**) *astron.* Hiady. **2.** *mit.* Hiady, płaczki.

hyaena [haɪˈiːnə] *n.* = **hyena**.

hyalin [ˈhaɪəlɪn], **hyaline** *n. U biol.* hialina.

hyaline [ˈhaɪəlɪn] *a. anat.* szklisty, hialinowy; **~ cartilage** chrząstka szklista. – *n.* **1.** (*także* **~ membrane**) *anat.* błona szklista. **2.** *biol.* = **hyalin**.

hyalite [ˈhaɪəˌlaɪt] *n. U min.* opal szklisty, hialit.

hyaloid [ˈhaɪəˌlɔɪd] *a. anat.* szklisty; **~ membrane** błona szklista.

hybrid [ˈhaɪbrɪd] *n.* **1.** *biol.* krzyżówka, mieszaniec. **2.** skrzyżowanie; *t. techn.* hybryd. **3.** *jęz.* hybryda. – *a.* **1.** *t. techn.* hybrydowy. **2.** mieszany, skrzyżowany.

hybridism [ˈhaɪbrɪˌdɪzəm] *n. U biol.* hybrydyzm; krzyżowanie gatunków.

hybridize [ˈhaɪbrɪˌdaɪz], *Br. i Austr. zw.* **hybridise** *v.* **1.** *t. biol.* krzyżować (się). **2.** *chem., fiz.* hybrydyzować.

hydra [ˈhaɪdrə] *n. pl.* **-s** *l.* **hydrae** [ˈhaɪdriː] **1.** *astron., mit.* hydra (*t. przen.* = *potwór, trudny problem*). **2.** *zool.* stułbia, hydra (*rodzaj Hydra*).

hydrangea [haɪˈdreɪndʒə] *n. bot.* hortensja (*Hydrangea*).

hydrant [ˈhaɪdrənt] *n.* hydrant.

hydrate [ˈhaɪdreɪt] *chem. n.* wodzian, hydrat, związek uwodniony. – *v.* uwadniać, łączyć z wodą.

hydraulic [haɪˈdrɔːlɪk] *a. zw. attr. techn.* hydrauliczny; **~ brake/fluid/lift/ram** hamulec/płyn/podnośnik/taran hydrauliczny; **~ liquid/pump/press** ciecz/pompa/prasa hydrauliczna.

hydraulics [haɪˈdrɔːlɪks] *n. U techn.* hydromechanika (*techniczna l. stosowana*), mechanika płynów (*stosowana*).

hydric [ˈhaɪdrɪk] *a.* **1.** *techn.* wodny, wilgotny (*o środowisku*). **2.** *chem.* wodorowy.

hydride [ˈhaɪdraɪd] *n. chem.* wodorek.

hydro [ˈhaɪdroʊ] *n. gł. Can. techn., el.* **1.** elektrownia wodna, hydroelektrownia. **2.** *U* energia wodna *l.* hydroelektryczna. – *a.* hydroelektryczny.

hydrobiology [ˌhaɪdrəbaɪˈɑːlədʒɪ] *n. U biol.* hydrobiologia.

hydrocarbon [ˌhaɪdrəˈkɑːrbən] *n. chem.* węglowodór; **(polycyclic) aromatic ~s** węglowodory aromatyczne (wielopierścieniowe).

hydrocephalic [ˌhaɪdrəsəˈfælɪk], **hydrocephalous** [ˌhaɪdrəˈsefələs] *a. pat.* cierpiący na wodogłowie.

hydrocephalus [ˌhaɪdrəˈsefələs] *n. U pat.* wodogłowie.

hydrochloric [ˌhaɪdrəˈklɔːrɪk] *a. chem.* chlorowodorowy; **~ acid** kwas chlorowodorowy *l.* solny.

hydrocyanic [ˌhaɪdrəsaɪˈænɪk] *a. chem.* cyjanowodorowy; **~ acid** kwas cyjanowodorowy *l.* pruski.

hydrodynamic [ˌhaɪdrədaɪˈnæmɪk] *a. techn.* hydrodynamiczny.

hydroelectric [ˌhaɪdrəɪˈlektrɪk] *a. techn., el.* hydroelektryczny; **~ power** energia wodna *l.* hydroelektryczna; **~ (power) plant/station** elektrownia wodna, hydroelektrownia.

hydroelectricity [ˌhaɪdrəɪlekˈtrɪsətɪ] *n. U techn., el.* energia wodna; energetyka wodna, hydroenergetyka.

hydrofluoric [ˌhaɪdrəflʊˈɔːrɪk] *a. chem.* fluorowodorowy.

hydrofoil [ˈhaɪdrəˌfɔɪl] *n. żegl.* **1.** wodolot. **2.** hydropłat, płat wodny.

hydrogen [ˈhaɪdrədʒən] *n. U chem.* wodór; **~ bond/bridge** wiązanie wodorowe, mostek wodorowy; **~ ion** jon wodorowy *l.* wodoru.

hydrogenate [ˈhaɪdrədʒəˌneɪt] *v. chem.* poddawać hydrogenacji *l.* uwodornieniu, utwardzać (*tłuszcze*).

hydrogenated [ˈhaɪdrədʒəˌneɪtɪd] *a. chem.* uwodorniony, utwardzony (*o tłuszczu*).

hydrogen bomb *a. wojsk.* bomba wodorowa.

hydrogen cyanide *n. U chem.* cyjanowodór.

hydrogenize [ˈhaɪdrədʒəˌnaɪz], *Br. i Austr. zw.* **hydrogenise** *v.* = **hydrogenate**.

hydrogenous [haɪˈdrɑːdʒənəs] *a.* wodorowy.

hydrogen peroxide *n. U* nadtlenek wodoru, woda utleniona.

hydrogen sulfide *n. U chem.* siarkowodór.

hydrography [haɪˈdrɑːgrəfɪ] *n. U techn.* hydrografia.

hydroid [ˈhaɪdrɔɪd] *n. zool.* **1.** stułbiopław (*rząd Hydroida*). **2.** polip (*postać pokoleniowa niektórych stułbiopławów*).

hydrology [haɪˈdrɑːlədʒɪ] *n. U* hydrologia.

hydrolysis [haɪˈdrɑːlɪsɪs] *n. U chem.* hydroliza.

hydrolyze [ˈhaɪdrəˌlaɪz], *Br. i Austr. zw.* **hydrolyse** *n. chem.* hydrolizować.

hydromechanics [ˌhaɪdrəməˈkænɪks] *n. U* hydromechanika.

hydrometer [haɪˈdrɑːmətər] *n.* gęstościomierz, areometr.

hydropathic [ˌhaɪdrəˈpæθɪk] *a. i n. med.* (zakład) wodoleczniczy.

hydropathy [haɪˈdrɑːpəθɪ] *n. U med.* wodolecznictwo.

hydrophilic [ˌhaɪdrəˈfɪlɪk] *a. chem.* hydrofilowy, wodochłonny.

hydrophobia [ˌhaɪdrəˈfoʊbɪə] *n. U pat.* wodowstręt; wścieklizna.

hydroplane [ˈhaɪdrəˌpleɪn] *n.* **1.** (*także* **floatplane**) *lotn.* hydroplan, wodnopłatowiec. **2.** *żegl.* ślizgacz. **3.** *żegl.* ster głębokości (*okrętu podwodnego*). – *v. żegl.* ślizgać się (po wodzie).

hydroponic [ˌhaɪdrəˈpɑːnɪk] *n. roln.* hydroponiczny, wodny (*o uprawie*).

hydroponics [ˌhaɪdrəˈpɑːnɪks] *n. U roln.* uprawa hydroponiczna *l.* wodna, kultura wodna, hydroponika.

hydropower [ˈhaɪdrəˌpaʊər] *n. U techn., el.* energia wodna *l.* hydroelektryczna.

hydrosphere [ˈhaɪdrəˌsfiːr] *n. geol.* hydrosfera.

hydrostat [ˈhaɪdrəˌstæt] *n.* higrostat, humidostat.

hydrostatic [ˌhaɪdrəˈstætɪk] *a. techn.* hydrostatyczny; ~ **pressure** ciśnienie hydrostatyczne.

hydrostatics [ˌhaɪdrəˈstætɪks] *n. U fiz.* hydrostatyka, statyka cieczy.

hydrotherapeutic [ˌhaɪdrəˌθerəˈpjuːtɪk] *a. med.* wodoleczniczy.

hydrotherapy [ˌhaɪdrəˈθerəpɪ], **hydrotherapeutics** [ˌhaɪdrəˌθerəˈpjuːtɪks] *n. U* wodolecznictwo, hydroterapia.

hydrothermal [ˌhaɪdrəˈθɝːml] *n. geol., min.* hydrotermalny.

hydrotropism [haɪˈdrɑːtrəˌpɪzəm] *n. U bot.* hydrotropizm.

hydrous [ˈhaɪdrəs] *a. chem., min.* wodny, zawierający wodę.

hydroxide [haɪˈdrɑːksaɪd] *n. chem.* wodorotlenek.

hydroxyl [haɪˈdrɑːksɪl] *n.* (*także* ~ **group**) *chem.* grupa hydroksylowa *l.* wodorotlenowa, hydroksyl.

hydrozoan [ˌhaɪdrəˈzoʊən] *n. zool.* stułbiopław (*gromada Hydrozoa*).

hyena [haɪˈiːnə], **hyaena** *n. zool. l. przen.* hiena (*Hyaena*); **laughing/spotted** ~ hiena cętkowana (*Crocuta crocuta*); **striped** ~ hiena pręgowana (*Hyaena hyaena*).

hygiene [ˈhaɪdʒiːn] *n. U* higiena; **industrial** ~ bezpieczeństwo i higiena pracy; **occupational** ~ higiena miejsca pracy; **oral/personal** ~ higiena jamy ustnej/osobista.

hygienic [ˌhaɪˈdʒenɪk] *a.* higieniczny.

hygienically [ˌhaɪˈdʒenɪklɪ] *adv.* higienicznie.

hygienics [ˌhaɪˈdʒenɪks] *n. U* higiena.

hygienist [haɪˈdʒiːnəst] *n.* higienist-a/ka; **dental** ~ higienist-a/ka stomatologiczn-y/a.

hygrometer [haɪˈgrɑːmətər] *n.* higrometr, wilgotnościomierz.

hygroscope [ˈhaɪgrəˌskoʊp] *n.* higroskop.

hygroscopic [ˌhaɪgrəˈskɑːpɪk] *a.* higroskopijny, chłonący wilgoć.

hylozoism [ˌhaɪləˈzoʊɪzəm] *n. U fil.* hylozoizm.

hymen [ˈhaɪmən] *n.* **1.** *anat.* błona dziewicza. **2. H~** *mit.* Hymen.

hymeneal [ˌhaɪməˈnɪəl] *a. lit.* weselny; małżeński. – *n.* pieśń weselna.

hymenoptera [ˌhaɪməˈnɑːptərə] *n. pl. ent.* błonkówki.

hymenopteral [ˌhaɪməˈnɑːptərəl], **hymenopterous** [ˌhaɪməˈnɑːptərəs] *a. ent.* błonkoskrzydły.

hymn [hɪm] *n. muz., rel., teor. lit.* hymn. – *v.* **1.** sławić hymnami; wyrażać hymnami (*czyjąś chwałę*). **2.** śpiewać hymny.

hymnal [ˈhɪmnl] *n.* (*także* **hymnary, hymnbook**) *kośc.* zbiór hymnów. – *a.* hymniczny.

hymnic [ˈhɪmnɪk] *a.* hymniczny.

hymnody [ˈhɪmnədɪ] *n. U kośc.* **1.** śpiewanie hymnów. **2.** komponowanie hymnów. **3.** hymny (*danego okresu*).

hymnology [hɪmˈnɑːlədʒɪ] *n. U* **1.** hymnologia. **2.** = **hymnody**.

hyoid [ˈhaɪɔɪd] *anat. a.* gnykowy. – *n.* (*także* ~ **bone**) kość gnykowa.

hyp. *abbr.* **1.** *geom.* = **hypotenuse**. **2.** = **hypothesis**; = **hypothetical**.

hype [haɪp] *n.* **1.** *U l. sing. pot.* szum, zamieszanie (= *rozgłos*); **media** ~ szum w mediach. **2.** *pot.* bajer; **it's just a big** ~ to jeden wielki bajer. **3.** *sl.* szpryca (= *zastrzyk l. strzykawka*). **4.** *sl.* szprycer/ka, ćpun/ka (= *narkoman/ka*). – *v.* **1.** robić szum wokół (*czegoś*); ~ **up** przereklamować (*film, produkt*). **2.** *sl.* szprycować się, dawać sobie w żyłę (= *wstrzykiwać narkotyki*).

hyped up [ˌhaɪpt ˈʌp] *a. gł. pred.* **1.** *pot.* podekscytowany, podniecony; **be/get ~ up about sth** podniecać się czymś. **2.** *sl.* naszprycowany, nabuzowany (= *odurzony*).

hyper [ˈhaɪpər] *a. gł. pred. pot.* **1.** podekscytowany; na wysokich obrotach. **2.** nadpobudliwy; nadwrażliwy (*about sth* na coś).

hyperacidity [ˌhaɪpərəˈsɪdətɪ] *n. U pat.* nadkwaśność, nadkwasota.

hyperactive [ˌhaɪpərˈæktɪv] *a. t. pat.* nadpobudliwy; nadmiernie ruchliwy; nadczynny.

hyperactivity [ˌhaɪpəræk'tɪvɪtɪ] *n. U t. pat.* nadpobudliwość; nadmierna ruchliwość; nadczynność.

hyperaesthesia [ˌhaɪpərɪs'θiːʒə] *n. Br.* = **hyperesthesia.**

hyperbola [haɪ'pɜːbələ] *n. geom.* hiperbola.

hyperbole [haɪ'pɜːbəlɪ] *n. U ret.* hiperbola, przesadnia.

hyperbolic [ˌhaɪpər'bɑːlɪk], **hyperbolical** [ˌhaɪpər'bɑːlɪkl] *a.* **1.** *ret.* hiperboliczny; przesadny. **2.** *geom.* hiperboliczny.

Hyperborean [ˌhaɪpər'bɔːrɪən] *mit. a.* hiperborejski. – *n.* Hiperborej-czyk/ka.

hypercorrection [ˌhaɪpərkə'rekʃən] *n. C/U jęz.* hiperpoprawność.

hypercritical [ˌhaɪpər'krɪtɪkl] *a.* przesadnie *l.* nadmiernie krytyczny, krytykancki.

hypercritically [ˌhaɪpər'krɪtɪklɪ] *a.* zbyt krytycznie, krytykancko.

hypercriticism [ˌhaɪpər'krɪtəˌsɪzəm] *n. U* przesadny *l.* nadmierny krytycyzm, krytykanctwo.

hyperesthesia [ˌhaɪpərɪs'θiːʒə], *Br.* **hyperaesthesia** *n. U pat.* nadwrażliwość na dotyk, przeczulica dotykowa, hiperestezja.

hyperglycemia [ˌhaɪpərglaɪ'siːmɪə] *n. U pat.* hiperglikemia.

hyperinflation [ˌhaɪpərɪn'fleɪʃən] *n. U ekon.* hiperinflacja.

hypermarket ['haɪpərˌmʌrkɪt] *n. handl.* hipermarket.

hypermedia ['haɪpərˌmiːdɪə] *n. pl. komp.* hipermedia.

hyperon ['haɪpəˌrɑːn] *n. fiz.* hiperon.

hypersensitive [ˌhaɪpər'sensɪtɪv] *a.* **1.** przeczulony (*about sth* na punkcie czegoś). **2.** *t. pat.* nadwrażliwy (*to sth* na coś).

hypersensitivity [ˌhaɪpərˌsensə'tɪvətɪ], **hypersensitiveness** [ˌhaɪpər'sensɪtɪvnəs] *n. U* **1.** przeczulenie. **2.** *t. pat.* nadwrażliwość.

hyperspace ['haɪpərˌspeɪs] *n. U* hiperprzestrzeń; ~ **travel** podróż w hiperprzestrzeni. – *a. attr.* hiperprzestrzenny.

hypertension [ˌhaɪpər'tenʃən] *n. U pat.* nadciśnienie (tętnicze).

hypertensive [ˌhaɪpər'tensɪv] *a. pat.* nadciśnieniowy; **be** ~ mieć nadciśnienie.

hypertext ['haɪpərˌtekst] *komp. n. C/U* hipertekst. – *a. attr.* hipertekstowy.

hypertextual [ˌhaɪpər'tekstʃʊəl] *a. teor. lit.* hipertekstualny.

hypertextuality [ˌhaɪpərˌtekstʃʊ'ælətɪ] *n. U teor. lit.* hipertekstualność.

hypertonia [ˌhaɪpər'toʊnɪə] *n. U pat.* wzmożone napięcie (*zwł. mięśniowe*), hipertonia.

hypertrophy [haɪ'pɜːtrəfɪ] *n. U pat.* przerost, hipertrofia; **compensatory** ~ przerost wyrównawczy.

hyperventilate [ˌhaɪpər'ventəleɪt] *v. pat.* hiperwentylować (= *wydalać zbyt dużo dwutlenku węgla wskutek zbyt szybkiego l. głębokiego oddychania*).

hyperventilation [ˌhaɪpərˌventə'leɪʃən] *n. C/U pat.* hiperwentylacja.

hyphen ['haɪfən] *interpunkcja n.* łącznik, kreseczka. – *v. rzad.* = **hyphenate.**

hyphenate ['haɪfəˌneɪt] *v.* **1.** pisać z łącznikiem *l.* kreseczką (*wyraz, nazwisko*). **2.** ~**d Americans** *przen.* Amerykanie obcego pochodzenia.

hyphenation [ˌhaɪfə'neɪʃən] *n. U t. druk., komp.* dzielenie *l.* przenoszenie wyrazów; użycie łącznika.

hypnosis [hɪp'noʊsɪs] *n. U* hipnoza; **under** ~ w hipnozie, w stanie hipnozy.

hypnotherapy [ˌhɪpnoʊ'θerəpɪ] *n. U med.* hipnoterapia, leczenie hipnozą; leczenie snem.

hypnotic [hɪp'nɑːtɪk] *a.* **1.** *med.* nasenny. **2.** hipnotyczny; w stanie hipnozy, w hipnozie; podatny na hipnozę. – *n.* **1.** *t. med.* środek nasenny. **2.** osoba podatna na hipnozę.

hypnotically [hɪp'nɑːtɪklɪ] *adv.* z wykorzystaniem hipnozy.

hypnotism ['hɪpnəˌtɪzəm] *n. U* **1.** hipnotyzm. **2.** hipnoza; **major/minor** ~ hipnoza głęboka/płytka.

hypnotist ['hɪpnətɪst] *n.* hipnotyzer/ka.

hypnotize ['hɪpnəˌtaɪz], *Br. i Austr. zw.* **hypnotise** *v. t. przen.* hipnotyzować.

hypo ['haɪpoʊ] *n. pl.* **-s** **1.** *pot.* strzykawa; zastrzyk. **2.** *pot.* hipochondry-k/czka. **3.** *U pot.* hipochondria. **4.** *U fot.* utrwalacz (= *podsiarczek sody*). – *n. pot.* kłuć (= *dawać zastrzyk*).

hypoallergenic [ˌhaɪpoʊˌælər'dʒenɪk] *a.* hipoalergiczny, niealergizujący, niepowodujący uczulenia.

hypochondria [ˌhaɪpə'kɑːndrɪə] *n. U pat.* hipochondria.

hypochondriac [ˌhaɪpə'kɑːndrɪˌæk] *n. pat.* hipochondry-k/czka. – *a.* hipochondryczny.

hypocoristic [ˌhaɪpəkoʊ'rɪstɪk] *gram. n.* zdrobnienie, spieszczenie, hipokorystyk. – *a.* pieszczotliwy, zdrobniały, hipokorystyczny.

hypocrisy [hɪ'pɑːkrəsɪ] *n. U* hipokryzja, zakłamanie.

hypocrite ['hɪpəkrɪt] *n.* hipokryt-a/ka.

hypocritical [ˌhɪpə'krɪtɪkl] *a.* pełen hipokryzji, zakłamany.

hypocritically [ˌhɪpə'krɪtɪklɪ] *adv.* z hipokryzją.

hypodermic [ˌhaɪpə'dɜːmɪk] *gł. med. a.* podskórny. – *n.* **1.** (*także* ~ **injection**) zastrzyk (*podskórny, domięśniowy l. dożylny*). **2.** (*także* ~ **needle**) igła (*do zastrzyków*). **3.** (*także* ~ **syringe**) strzykawka.

hypogastrium [ˌhaɪpə'gæstrɪəm] *n. pl.* **hypogastria** [ˌhaɪpə'gæstrɪə] *anat.* podbrzusze.

hypogeal [ˌhaɪpə'dʒɪəl] *a. biol. form.* podziemny.

hypogene ['haɪpəˌdʒiːn] *a. geol.* utworzony pod powierzchnią ziemi (*o skale*).

hypogeum [ˌhaɪpə'dʒɪəm] *n. pl.* **hypogea** [ˌhaɪpə'dʒɪə] *hist., bud.* komora podziemna.

hypoglossal [ˌhaɪpə'glɑːsl] *anat. a.* podjęzykowy. – *n.* (*także* ~ **nerve**) nerw podjęzykowy.

hypoglycemia [ˌhaɪpoʊglaɪ'siːmɪə], *Br.* **hypoglycaemia** *n. U pat.* hipoglikemia.

hypophysis [haɪ'pɑːfɪsɪs] *n. pl.* **hypophyses** [haɪ'pɑːfɪsiːs] *anat.* przysadka mózgowa.

hypostasis [haɪ'pɑːstəsɪs] *n. pl.* **hypostases** [haɪ'pɑːstəsiːs] **1.** *fil., teol.* hipostaza. **2.** *U fizj.* opad, opadanie (*krwinek*); *pat.* przekrwienie opadowe.

hypostyle [ˈhaɪpəˌstaɪl] *n. i a. bud.* (budynek) hipostylowy (= *z dachem wspartym na kolumnach*).

hyposulfite [ˌhaɪpəˈsʌlfaɪt], **hyposulphite** *n. chem.* **1.** tiosiarczan. **2.** podsiarczyn.

hypotenuse [haɪˈpɑːtəˌnuːs], **hypothenuse** *n. geom.* przeciwprostokątna.

hypothec [haɪˈpɑːθɪk] *n. prawn.* hipoteka (*w prawie rzymskim i szkockim*).

hypothecary [haɪˈpɑːθəˌkerɪ] *a. prawn.* hipoteczny.

hypothecate [haɪˈpɑːθəˌkeɪt] *v.* obejmować *l.* obciążać hipoteką, zastawiać hipotecznie.

hypothermia [ˌhaɪpəˈθɝːmɪə] *n. U pat.* hipotermia, obniżona ciepłota ciała; wychłodzenie, przechłodzenie (*ciała*).

hypothesis [haɪˈpɑːθɪsɪs] *n. pl.* **hypotheses** [haɪˈpɑːθɪsiːs] **1.** hipoteza; **put forward a** ~ wysunąć hipotezę; **working** ~ hipoteza robocza. **2.** *U* spekulacje, przypuszczenia.

hypothesize [haɪˈpɑːθɪˌsaɪz], *Br. i Austr. zw.* **hypothesise** *v.* **1.** wysuwać hipotezę; przyjmować, zakładać (*hipotetycznie*) (*that* że). **2.** snuć spekulacje, spekulować.

hypothetical [ˌhaɪpəˈθetɪkl], **hypothetic** [ˌhaɪpəˈθetɪk] *a.* hipotetyczny; **purely** ~ czysto hipotetyczny.

hypothetically [ˌhaɪpəˈθetɪklɪ] *adv.* hipotetycznie.

hypsometer [hɪpˈsɑːmətər] *n.* hipsotermometr, termobarometr.

hypsometric map [ˌhɪpsəˌmetrɪk ˈmæp] *n. kartogr.* mapa hipsometryczna.

hypsometry [hɪpˈsɑːmɪtrɪ] *n. U miern.* hipsometria (= *pomiary wysokości*).

hyson [ˈhaɪsən] *n. U* chińska herbata zielona.

hyssop [ˈhɪsəp] *n. U bot.* hyzop (lekarski) (*Hysopus (officinalis)*).

hysterectomy [ˌhɪstəˈrektəmɪ] *n. pl.* **-ies** *C/U chir.* usunięcie macicy, histerektomia.

hysteresis [ˌhɪstəˈriːsɪs] *n. pl.* **hystereses** [ˌhɪstəˈriːsiːs] *C/U fiz.* histereza; ~ **loop** pętla histerezy.

hysteria [hɪˈstiːrɪə] *n. C/U t. przen.* histeria; *pat.* nerwica histeryczna.

hysteric [hɪˈsterɪk] *n. t. pat.* histery-k/czka. – *a.* histeryczny.

hysterical [hɪˈsterɪkl] *a.* **1.** *t. pat.* histeryczny. **2.** rozhisteryzowany. **3.** *pot.* bardzo śmieszny, komiczny.

hysterically [hɪˈsterɪklɪ] *adv.* **1.** *t. pat.* histerycznie. **2.** *pot.* do rozpuku, do łez (*śmiać się*); ~ **funny** prześmieszny, przekomiczny.

hysterics [hɪsˈterɪks] *n. U* **1.** *pat.* napad *l.* atak histerii; **be in/have** ~ dostać ataku histerii. **2.** *pot.* atak śmiechu; **be in** ~ pokładać się ze śmiechu; **have sb in** ~ rozśmieszyć kogoś do łez.

Hz [hɝːts] *abbr. fiz.* = **hertz**.

I

I [aɪ], **i** *n. pl.* **-'s** *l.* **-s** [aɪz] **1.** I, i (*litera l. głoska*). **2. dot one's i's and cross one's t's** *przen.* być pedantycznie starannym; zwracać uwagę na szczegóły.

I¹ [aɪ] *pron.* ja. – *n.* **1.** *metafiz.* ego. **2.** *poet.* podmiot liryczny.

I² *abbr. US* **interstate** stanowy; **I-95** autostrada stanowa numer 95.

IA, Ia, Ia. *abbr. US* = **Iowa**.

iamb [ˈaɪæm], **iambus** [aɪˈæmbəs] *n. pl.* **iambi** [aɪˈæmbaɪ] *l.* **iambuses** *wers., prozodia* jamb.

iambic [aɪˈæmbɪk] *n. i a. wers., prozodia* **1.** (stopa) jambiczna. **2.** (wiersz) jambiczny.

Iberia [aɪˈbiːrɪə] *n.* Iberia (*lit. = Półwysep Iberyjski; t. hist. = wschodnia Gruzja*).

Iberian [aɪˈbiːrɪən] *a.* iberyjski. – *n.* **1.** mieszkan-iec/ka Półwyspu Iberyjskiego. **2.** *hist.* Iber/yjka.

Iberian Peninsula *n. geogr.* **the** ~ Półwysep Iberyjski.

ibex [ˈaɪbeks] *n. zool.* koziorożec (*Capra ibex*).

ibid. [ˈɪbɪd] *abbr.* = **ibidem**.

ibidem [ɪˈbiːdem] *adv. form.* **ibidem** tamże (*zw. w przypisach*).

ibis [ˈaɪbɪs] *n. orn.* ibis (*rodzina Threskiornithidae*).

IBS [ˌaɪ ˌbiː ˈes] *abbr.* = **irritable bowel syndrome**.

ibuprofen [ˌaɪbjuˈproʊfən] *n. U med.* ibuprofen.

Icarus [ˈɪkərəs] *n. mit.* Ikar.

ice [aɪs] *n. U* **1.** lód. **2.** *C Br. przest.* = **ice-cream** 2. **3.** *US* sorbet. **4.** *US przest. sl.* diamenty. **5. black** ~ *zob.* **black**. **6. dry** ~ *zob.* **dry** *a.* **7.** *przen.* **be (skating/walking/treading) on thin** ~ stąpać po cienkim lodzie, stać na niepewnym gruncie; **break the** ~ przełamywać (pierwsze) lody; **cut no** ~ **(with sb)** nic nie wskórać (u kogoś); nie zrobić (na kimś) wrażenia; **put/keep sth on** ~ odkładać coś na później (*np. plany*). – *v.* **1.** zamrażać. **2.** chłodzić. **3.** pokrywać (jak) lodem. **4.** *Br. i Austr. kulin.* lukrować. **5.** *US sl.* wykończyć, załatwić (= *zabić*). **6.** ~ **down** *US* przykładać okład z lodu na (*chorą część ciała*); ~ **over/up** zamarzać, pokrywać się lodem (*np. o jeziorze*).

Ice Age *n. geol.* epoka lodowcowa *l.* lodowa.

ice ax, *Br.* **ice axe** *n.* czekan.

ice bag *n.* worek z lodem, okład z lodu.

iceberg [ˈaɪsˌbɝːg] *n.* **1.** góra lodowa; **the tip of the** ~ *przen.* wierzchołek góry lodowej. **2.** *US pot.* osoba bardzo chłodna *l.* powściągliwa.

iceberg lettuce *n. C/U ogr., kulin.* sałata lodowa.

iceblink [ˈaɪsˌblɪŋk] *n. meteor.* odblask lodu (*na chmurach*).

ice block *n. Austr.* = **ice lolly**.

iceboat [ˈaɪsˌboʊt] *n.* bojer, ślizg lodowy.

icebound [ˈaɪsˌbaʊnd] *a.* uwięziony w lodach (*o statku*); skuty lodem (*np. o porcie*).

icebox [ˈaɪsˌbaːks], **ice-box** *n.* **1.** lodówka turystyczna. **2.** *US i Can. przest.* lodówka. **3.** *Br.* zamrażalnik.

icebreaker [ˈaɪsˌbreɪkər] *n.* **1.** lodołamacz. **2.** *techn.* izbica, lodołam. **3.** kruszarka do lodu. **4.** *zwł. US, Can. i Austr. przen.* żart, gra itp. mające na celu przełamanie lodów.

ice bucket *n.* wiaderko z lodem.

icecap [ˈaɪsˌkæp], **ice cap** *n.* (*także* **ice sheet**) *geol.* pokrywa *l.* czapa lodowa.

ice-cold [ˌaɪsˈkoʊld] *a.* lodowato zimny, lodowaty.

ice cream *n.* **1.** *U* lody. **2.** (*także Br. przest.* **ice**) porcja lodów.

ice-cream cone [ˈaɪsˌkriːm ˌkoʊn] *n.* wafelek do lodów.

ice cream soda *n.* lody z wodą sodową i syropem owocowym (*podawane w wysokiej szklance*).

ice cube *n.* kostka lodu.

iced [aɪst] *a.* **1.** schłodzony (*np. o piwie*). **2.** mrożony (*o herbacie, kawie*). **3.** lukrowany (*o cieście*).

ice dancing *n. U łyżwiarstwo figurowe* tańce na lodzie.

ice fall *n.* lawina lodowa.

icefall [ˈaɪsˌfɔːl] *n.* **1.** lodospad. **2.** wodospad lodowcowy.

ice field *n.* pole lodowe.

ice floe *n.* tafla lodowa.

ice foot *n.* pas lodu wzdłuż wybrzeża (*w okolicach podbiegunowych*).

ice hockey *n. U Br. sport* hokej (na lodzie).

icehouse [ˈaɪsˌhaʊs] *n.* lodownia, chłodnia.

Iceland [ˈaɪslənd] *n. geogr.* Islandia.

Icelander [ˈaɪsˌlændər] *n.* Island-czyk/ka.

Icelandic [aɪsˈlændɪk] *a.* islandzki. – *n. U* język islandzki.

ice lolly *n. pl.* **-ies** *Br.* lizak z mrożonej wody z sokiem owocowym.

ice machine *n.* maszyna do (produkcji) lodu.

iceman [ˈaɪsˌmæn] *n. pl.* **-men** *gł. US hist.* dostawca lodu (*do domów*).

ice milk *n. C/U* lody z odtłuszczonego mleka.

ice pack *n.* **1.** *med.* worek z lodem, okład z lodu. **2.** *U hydrol.* = **pack ice.**

ice pick *n.* szpikulec do lodu.

ice plant *n. bot.* przypołudnik (*Mesembryanthemum*).

ice rink *n.* lodowisko.

ice sheet *n.* = **ice cap.**

ice shelf *n. U* (*także* **shelf ice**) gruba warstwa lodu pokrywająca wybrzeże i rozciągająca się na morze (*w postaci kry*).

ice skate *n.* łyżwa.

ice-skate [ˈaɪsˌskeɪt] *v.* jeździć na łyżwach, ślizgać się (*na lodzie*).

ice-skater [ˈaɪsˌskeɪtər] *n.* łyżwia-rz/rka.

ice-skating [ˈaɪsˌskeɪtɪŋ] *n. U* łyżwiarstwo.

ichneumon [ɪkˈnuːmən] *n.* **1.** *zool.* ichneumon, mangusta egipska (*Herpestes ichneumon*). **2.** (*także* ~ **fly**) *ent.* owad z rodziny gąsieniczników (*Ichneumonidae*).

ichor [ˈaɪkɔːr] *n. U* **1.** *mit.* ichor (= *krew bogów greckich*). **2.** *pat.* wysięk z ropiejącej rany.

ichthyoid [ˈɪkθɪˌɔɪd] *n. zool.* zwierzę rybokształtne (*np. śluzice, minogi, lancetniki*).

ichthyologic [ˌɪkθɪəˈlɑːdʒɪk], **ichthyological** *a.* ichtiologiczny.

ichthyologist [ˌɪkθɪˈɑːlədʒɪst] *n.* ichtiolog.

ichthyology [ˌɪkθɪˈɑːlədʒɪ] *n. U* ichtiologia.

ichthyophagous [ˌɪkθɪˈɑːfəgəs] *a. zool.* rybożerny.

ichthyosaurus [ˌɪkθɪəˈsɔːrəs] *n. pl.* **-i** [ˌɪkθɪəˈsɔːraɪ] *paleont.* ichtiozaur, rybojaszczur.

ichthyosis [ˌɪkθɪˈoʊsɪs] *n. U pat.* rybia łuska.

icicle [ˈaɪsɪkl] *n.* sopel lodu.

icily [ˈaɪsɪlɪ] *adv. t. przen.* lodowato.

iciness [ˈaɪsɪnəs] *n. U t. przen.* lodowatość.

icing [ˈaɪsɪŋ] *n. U* **1.** *t. lotn.* oblodzenie. **2.** *Br. i Austr. kulin.* lukier. **3. the ~ on the cake** *przen.* ukoronowanie wszystkiego; *uj.* zbędne dodatki *l.* upiększenia.

icing sugar *n. U Br. i Austr. kulin.* cukier puder.

icky [ˈɪkɪ] *a.* **-ier, -iest** *pot.* **1.** nieprzyjemny. **2.** lepki. **3.** cukierkowaty, przesłodzony.

icon [ˈaɪkɑːn] *n.* **1.** *komp.* ikona, ikonka. **2.** (*także* **ikon**) *kość.* ikona. **3.** idol/ka (*ucieleśniający dążenia, poglądy i gusty charakterystyczne dla danej epoki, generacji itp.*). **4.** wizerunek; symbol.

iconic [aɪˈkɑːnɪk] *a.* **1.** ikoniczny (*t. o pamięci*). **2.** dotyczący ikon. **3.** *rzeźba* konwencjonalny (*zwł. o stylu l. pozach greckich posągów przedstawiających sportowców*).

iconicity [ˌaɪkəˈnɪsətɪ] *n. U* ikoniczność, ikoniczny charakter.

iconoclasm [aɪˈkɑːnəˌklæzəm] *n. U rel. l. przen.* ikonoklazm, obrazoburstwo.

iconoclast [aɪˈkɑːnəˌklæst] *n. t. przen.* ikonoklast-a/ka, obrazobur-ca/czyni.

iconoclastic [aɪˌkɑːnəˈklæstɪk] *a. t. przen.* ikonoklastyczny, obrazoburczy.

iconographer [ˌaɪkəˈnɑːgrəfər] *n.* ikonograf.

iconographic [aɪˌkɑːnəˈgræfɪk] *a.* ikonograficzny.

iconography [ˌaɪkəˈnɑːgrəfɪ] *n. U* ikonografia.

iconolatry [ˌaɪkəˈnɑːlətrɪ] *n. U* ikonolatria (= *kult świętych obrazów*).

iconomachy [aɪˈkɑːnəˌmækɪ] *n. U* ikonomachia (= *walka z obrazami kultowymi*).

iconostasis [ˌaɪkəˈnɑːstəsɪs], **iconostas** [aɪˈkɑːnəˌstæs] *n. pl.* **iconostases** [ˌaɪkəˈnɑːstəsiːs] *sztuka kośc.* ikonostas.

icosahedron [aɪˌkoʊsəˈhiːdrən] *n. pl.* **-s** *l.* **icosahedra** [aɪˌkoʊsəˈhiːdrə] *geom.* dwudziestościan.

ICU [ˌaɪ ˌsiː ˈjuː] *abbr.* **intensive care unit** OIOM (= *oddział intensywnej opieki medycznej*).

icy [ˈaɪsɪ] *a.* **-ier, -iest 1.** oblodzony (*np. o drodze*). **2.** *t. przen.* lodowaty (*np. o wietrze, spojrzeniu*).

ID [ˌaɪ ˈdiː], **I.D.** *n. C/U pot.* dowód tożsamości.

ID, Id, Id. *abbr. US* = **Idaho.**

id [ɪd] *n. psych.* id.

I'd [aɪd] *abbr.* **1.** = **I had. 2.** = **I would;** = **I should.**

ide [aɪd] *n. icht.* jaź (*Leuciscus idus*).

idea [aɪˈdɪə] *n.* **1.** myśl, pomysł (*to do sth* żeby coś zrobić); **entertain an ~ (of sth)** nosić się z (jakąś) myślą, rozważać (coś); **good/great ~** świetna myśl, świetny pomysł; **have an ~** mieć pomysł (*for sth* na coś); **man of ~s** pomysłowy człowiek. **2.** pogląd (*of/about sth* na coś *l.* dotyczący czegoś). **3.** *C/U* idea. **4.** *C/U* cel; **the ~ of the game is to score 21 points** celem gry jest zdobycie 21 punktów; **the whole ~** jedyny cel. **5.** *C/U* plan, zamiar; **have other ~s** mieć inne plany; **have the ~ of doing sth** mieć zamiar coś zrobić. **6.** *C/U* pojęcie, wyobrażenie; **general/rough ~** ogólne pojęcie; **give sb an ~ of sth** dać komuś pojęcie *l.* wyobrażenie o czymś; **have no ~** nie mieć pojęcia; **not have the slightest/faintest ~** *pot.* nie mieć zielonego *l.* bladego pojęcia; **you have no ~ how...** *pot.* nie masz pojęcia, jak... **7. don't get the wrong ~** nie zrozum mnie źle; **get the idea that...** uwierzyć, że... (*zw. błędnie*); **I get the ~** *pot.* rozumiem, zaczynam rozumieć; **I have an ~ (that)...** wydaje mi się, że..., jestem prawie pewien, że...; **is this your ~ of a joke?** to miał być żart?; **put ~s into sb's head** mącić komuś w głowie (*zwł. podsuwając mało realne pomysły*); **she has a very clear ~ about what she wants** ona dobrze wie, czego chce; **that's the ~!** *pot.* o to (właśnie) chodzi! (*chwaląc kogoś*); **this isn't my ~ of fun** to nie dla mnie, to mnie nie bawi; **what an ~!** (*także przest.* **the ~ (of it)!**) też pomysł!, też coś!; **where did you get that ~?** skąd ci to przyszło do głowy?

ideal [aɪˈdiːəl] *a.* **1.** idealny (*t. fil.*), doskonały. **2.** pojęciowy. **3.** wyobrażony, wymyślony; teoretyczny. – *n.* **1.** ideał. **2.** wyidealizowane wyobrażenie.

idealism [aɪˈdiːəˌlɪzəm] *n. U t. fil.* idealizm.

idealist [aɪˈdiːəlɪst] *n.* idealist-a/ka.

idealistic [aɪˌdiːəˈlɪstɪk] *a.* idealistyczny.

ideality [ˌaɪdɪˈælətɪ] *n. U* **1.** idealność, doskonałość. **2.** pojęciowy *l.* teoretyczny charakter.

idealization [aɪˌdiːələˈzeɪʃən], *Br. i Austr. zw.* **idealisation** *n.* **1.** *U* idealizowanie. **2.** wyidealizowane wyobrażenie.

idealize [aɪˈdiːəˌlaɪz], *Br. i Austr. zw.* **idealise** *v.* idealizować.

ideally [aɪˈdiːəlɪ] *adv.* **1.** gdyby to było możliwe, teoretycznie. **2.** idealnie, doskonale (*np. dopasowany*).

ideate [ˈaɪdɪˌeɪt] *v. form.* **1.** wyobrażać sobie. **2.** tworzyć pojęcia.

idée fixe [ˈiːdeɪ fɪks] *n. pl.* **idées fixes** *Fr.* idée fixe, obsesja.

idem [ˈaɪdem] *pron. i a. form.* idem, tenże (*zw. w przypisach*).

identical [aɪˈdentɪkl] *a.* **1.** identyczny (*with sb/sth* z kimś/czymś) taki sam (*with sb/sth* jak ktoś/coś); ten sam. **2.** *mat., log.* tożsamościowy.

identically [aɪˈdentɪklɪ] *adv.* identycznie.

identical twins *n. pl.* bliźnięta jednojajowe.

identic note *a. polit.* nota wystosowana równocześnie przez rządy kilku państw (*w celu wywarcia wpływu na politykę innego państwa*).

identifiable [aɪˌdentəˈfaɪəbl] *a.* dający się zidentyfikować.

identification [aɪˌdentəfəˈkeɪʃən] *n. U* **1.** identyfikacja, utożsamianie (się). **2.** (*także* **means of ~**) dokument stwierdzający tożsamość, dowód tożsamości.

identification card *n. US* dowód tożsamości.

identification light *n. zw. pl. lotn., żegl.* światło rozpoznawcze.

identification parade *n. Br. policja* okazanie, konfrontacja.

identify [aɪˈdentəˌfaɪ] *v.* **-ied, -ying 1.** identyfikować, rozpoznawać. **2.** umożliwiać identyfikację (*kogoś l. czegoś*). **3.** utożsamiać (*sb/sth with sb/sth* kogoś/coś z kimś/czymś); utożsamiać się (*with sb/sth* z kimś/czymś). **4. ~ o.s.** wylegitymować się, przedstawić dowód tożsamości; przedstawić się, podać swoje imię i nazwisko.

identikit [aɪˈdentəˌkɪt] *n.* (*także* **~ picture**) *Br. i Austr. kryminologia* portret pamięciowy. – *a. attr. uj.* kubek w kubek taki sam, niczym się nie różniący (jeden od drugiego) (*np. o budynkach, lokalach, piosenkarzach*).

identity [aɪˈdentɪtɪ] *n.* **1.** *C/U* tożsamość; **it was a case of mistaken ~** wzięto go/ją za kogo innego (*zw. za podejrzanego o przestępstwo*); **sense/loss of ~** poczucie/utrata tożsamości. **2.** *U* identyczność. **3.** *mat.* tożsamość, równanie tożsamościowe. **4.** *Austr. i NZ pot.* znana postać (*w danej okolicy l. środowisku*).

identity card *n.* (*także* **identity papers**) *Br.* dowód tożsamości, dokumenty.

identity crisis *n. t. psych.* kryzys tożsamości.

identity element *n. mat.* element jednostkowy.

identity matrix *n. mat.* macierz jednostkowa.

identity papers *n. pl.* = **identity card**.

identity parade *n.* = **identification parade**.

ideogram [ˈɪdɪəˌgræm], **ideograph** [ˈɪdɪəˌgræf] *n. jęz., pismo* ideogram.

ideographic [ˌɪdɪəˈgræfɪk], **ideographical** [ˌɪdɪəˈgræfɪkl] *a.* ideograficzny.

ideography [ˌɪdɪˈɑːgrəfɪ] *n. U* ideografia.

ideological [ˌɪdɪəˈlɑːdʒəkl] *a.* ideologiczny; ideowy.

ideologically [ˌɪdɪəˈlɑːdʒəklɪ] *adv.* ideologicznie; ideowo.

ideologist [ˌaɪdɪˈɑːlədʒɪst] *n.* ideolog.

ideologue [ˈaɪdɪəˌlɔːg] *n.* ideolog, doktryner.

ideology [ˌaɪdɪˈɑːlədʒɪ] *n. U* ideologia.

Ides [aɪdz] *n. pl. hist.* Idy (*rzymskie*).

idiocy [ˈɪdɪəsɪ], **idiotism** [ˈɪdɪəˌtɪzəm] *n.* **1.** *C/U* idiotyzm. **2.** *U pat.* ciężki niedorozwój umysłowy, idiotyzm.

idiolect [ˈɪdɪəˌlekt] *n. jęz.* idiolekt.

idiom [ˈɪdɪəm] *n.* **1.** *jęz.* idiom, idiomatyzm. **2.** *C/U lit.* styl (*w mowie, piśmie, muzyce itp. właściwy danej osobie l. grupie*).

idiomatic [ˌɪdɪəˈmætɪk] *a.* idiomatyczny; **~ expression/phrase** wyrażenie idiomatyczne.

idiomatically [ˌɪdɪəˈmætɪklɪ] *adv.* idiomatycznie.

idiopathic [ˌɪdɪəˈpæθɪk] *a. pat.* samoistny, idiopatyczny.

idiopathy [ˌɪdɪˈɑːpəθɪ] *n. U* samoistność.

idiosyncrasy [ˌɪdɪəˈsɪŋkrəsɪ] *n. C/U pl.* **-ies 1.** idiosynkrazja; ekscentryzm, dziwactwo. **2.** *pat.* idiosynkrazja (= *nadmierna wrażliwość na lek l. produkt żywnościowy*).

idiosyncratic [ˌɪdɪəsɪŋˈkrætɪk] *a.* idiosynkratyczny, specyficzny; ekscentryczny.

idiot [ˈɪdɪət] *n.* **1.** idiot-a/ka. **2.** *pat.* osoba dotknięta ciężkim niedorozwojem umysłowym.

idiot board *n. sl.* murzyn (= *tablica z tekstem dla aktora, prezentera itp.*).

idiotic [ˌɪdɪˈɑːtɪk] *a.* idiotyczny.

idiotically [ˌɪdɪˈɑːtɪklɪ] *adv.* idiotycznie.

idiotism [ˈɪdɪəˌtɪzəm] *n. U* = **idiocy**.

idle [ˈaɪdl] *a.* **1.** niezajęty, bez zajęcia, bezczynny; **~ hours** godziny bezczynności; **lie/stand ~** leżeć/stać bezczynnie. **2.** leniwy, próżnujący; **be ~** próżnować, nic nie robić. **3.** *mech.* jałowy, nieobciążony, nieczynny; **lie/stand ~** być nieczynnym. **4.** jałowy, bezcelowy (*np. o spekulacjach*); płonny, próżny (*np. o nadziejach*); czczy, bez pokrycia (*np. o obietnicach, pogróżkach*); bezpodstawny (*o pogłoskach, plotkach*). – *v.* **1.** próżnować, nic nie robić. **2.** *mech.* pracować powoli *l.* na jałowym biegu (*o maszynie*). **3.** unieruchamiać (*np. maszynę*); zmuszać do bezczynności, pozbawiać pracy. **4. ~ away** marnować, trwonić (*czas*).

idle component *n. el.* składowa bierna (*prądu*).

idleness [ˈaɪdlnəs] *n. U* **1.** lenistwo, próżniactwo; bezczynność. **2.** czczość; próżność; jałowość; bezpodstawność.

idle pulley *n.* (*także* **idler pulley**) *mech.* koło pasowe luźne *l.* jałowe.

idler [ˈaɪdlər] *n.* **1.** *przest.* leń, próżniak. **2.** (*także* **idle wheel**) *mech.* koło pasowe luźne *l.* jałowe; koło zębate pośredniczące.

idle running *n. U mech.* bieg jałowy.

idlesse [ˈaɪdləs] *n. U poet.* = **idleness**.

idle wheel *n. mech.* = **idler** *n.* 2.

idling [ˈaɪdlɪŋ] *a. attr. mech.* jałowy.

idly [ˈaɪdlɪ] *adv.* **1.** leniwie. **2.** na próżno, bezskutecznie; niepotrzebnie.

idol [ˈaɪdl] *n.* **1.** *rel.* idol, bożek. **2.** idol/ka, bożyszcze.

idolater [aɪˈdɑːlətər] *n. form.* **1.** *t. rel.* bałwochwalca. **2.** wielbiciel.

idolatress [aɪˈdɑːlətrəs] *n. form.* **1.** *t. rel.* bałwochwalczyni. **2.** wielbicielka.

idolatrous [aɪˈdɑːlətrəs] *a.* **1.** *t. rel.* bałwochwalczy. **2.** wyrażający przesadne uwielbienie.

idolatry [aɪˈdɑːlətrɪ] *n. U* **1.** *rel.* bałwochwalstwo, kult posągów. **2.** ubóstwienie, uwielbienie.

idolize [ˈaɪdəˌlaɪz], *Br. i Austr. zw.* **idolise** *v.* **1.** ubóstwiać; robić bożyszcze z (*kogoś l. czegoś*). **2.** uprawiać bałwochwalstwo.

idyll [ˈaɪdl] *n. t. teor. lit.* idylla, sielanka.

idyllic [aɪˈdɪlɪk] *a. t. teor. lit.* idylliczny, sielankowy.

idyllically [aɪˈdɪlɪklɪ] *adv.* sielankowo.

i.e. [ˌaɪ ˈiː] *abbr. Lat. form.* **id est** tj. (= *to jest*), tzn. (= *to znaczy*).

if [ɪf] *conj.* **1.** jeżeli, jeśli; ~ **it rains, we'll stay inside** jeśli będzie padać, nie będziemy wychodzić; ~ **so/not** jeśli tak/nie; ~ **you ask me** moim zdaniem; **I'm sorry ~ I've disappointed you** przykro mi, jeśli cię rozczarowałam. **2.** gdyby; ~ **I were you** (ja) na twoim miejscu; ~ **only I could** gdybym tylko mógł; ~ **she had known** gdyby wiedziała; **as** ~ jak gdyby, jakby; **as ~ he knew** jakby wiedział; **it's not as ~ he's stupid/poor** przecież nie jest głupi/biedny. **3.** (*także* **even** ~) choćby (nawet), mimo (że); aczkolwiek; ~ **only to try** choćby (tylko) po to, żeby spróbować; **beautiful, ~ insincere, words** piękne, choć nieszczere, słowa; **he was a nice, ~ rather silent, man** był to miły, aczkolwiek raczej małomówny, człowiek. **4.** czy; **ask them ~ they have been there** zapytaj ich, czy tam byli. **5.** zawsze gdy, kiedykolwiek; ~ **I stay up late, I always feel awful the next morning** zawsze gdy idę późno spać, następnego ranka czuję się okropnie. – *n.* **a big** ~ wielki znak zapytania; **no ~s, ands, or buts!** (*także Br. i Austr.* **no ~s and buts!**) żadnych ale!, bez żadnego ale!

iff [ɪf] *conj. mat., log.* wtedy i tylko wtedy, gdy.

iffiness [ˈɪfɪnəs] *n. U pot.* niepewność; nieokreślony charakter.

iffy [ˈɪfɪ] *a. zw. pred.* **-ier, -iest** *pot.* **1.** wątpliwy, niepewny, stojący pod znakiem zapytania. **2.** mający wątpliwości, niezdecydowany.

igloo [ˈɪgluː] *n. pl.* **-s 1.** igloo. **2.** zagłębienie w śniegu nad otworem służącym foce do oddychania.

igneous [ˈɪgnɪəs] *a. geol.* ogniowy, wulkaniczny, magmowy.

ignis fatuus [ˌɪgnɪs ˈfætʃʊəs] *pl.* **ignes fatui** [ˌɪgniːz ˈfætʃʊˌaɪ] *t. przen.* błędny ognik.

ignite [ɪgˈnaɪt] *v.* **1.** *form.* rozniecać, wzbudzać (*np. kontrowersje, niechęć*). **2.** *form.* rozpalać (się), zapalać (się). **3.** *chem.* prażyć.

igniter [ɪgˈnaɪtər] *n.* **1.** urządzenie zapłonowe; zapłonnik. **2.** *el.* zapalnik, ignitor.

ignition [ɪgˈnɪʃən] *n.* **1.** *U form.* rozpalanie (się), zapalanie (się). **2.** *sing. mot.* zapłon; ~ **key** *mot.* kluczyk zapłonu.

ignoble [ɪgˈnoʊbl] *a. lit.* **1.** podły, niegodziwy. **2.** nędzny, marny, kiepskiej jakości. **3.** niskiego urodzenia.

ignobly [ɪgˈnoʊblɪ] *adv. lit.* **1.** podle, niegodziwie. **2.** nędznie, marnie.

ignominious [ˌɪgnəˈmɪnɪəs] *a. lit.* haniebny, sromotny.

ignominiously [ˌɪgnəˈmɪnɪəslɪ] *adv. lit.* haniebnie, sromotnie.

ignominy [ˈɪgnəˌmɪnɪ] *n. lit.* **1.** *U* hańba. **2.** *pl.* **-ies** haniebny postępek.

ignoramus [ˌɪgnəˈreɪməs] *n. pl.* **-es** *form. l. żart.* ignorant/ka, nieuk.

ignorance [ˈɪgnərəns] *n. U* **1.** nieświadomość; **keep sb in ~ of sth** utrzymywać kogoś w nieświadomości czegoś. **2.** niewiedza (*about sth* na temat czegoś); *uj.* ignorancja, nieuctwo, ciemnota.

ignorant [ˈɪgnərənt] *a.* **1.** nieświadomy; **be ~ of sth** nie zdawać sobie sprawy z czegoś; nie wiedzieć o czymś; nie znać się na czymś. **2.** *uj.* ignorancki, ciemny, niedouczony.

ignorantly [ˈɪgnərəntlɪ] *adv.* **1.** nieświadomie. **2.** ignorancko.

ignore [ɪgˈnɔːr] *v.* ignorować, nie zwracać uwagi na; nie brać pod uwagę (*czegoś*), pomijać.

iguana [ɪˈgwɑːnə] *n. zool.* **1.** legwan (*rodzina Iguanidae*). **2.** waran nilowy (*Varanus niloticus*).

ikon [ˈaɪkɑːn] *n.* = **icon** 2.

IL, Ill. *abbr. US* = **Illinois**.

ileum [ˈɪlɪəm] *n. anat.* krętnica, jelito kręte *l.* biodrowe.

ileus [ˈɪlɪəs] *n. U pat.* niedrożność jelita.

ilex [ˈaɪleks] *n. bot.* **1.** dąb ostrolistny (*Quercus ilex*). **2.** ostrokrzew (*Ilex*).

iliac [ˈɪlɪˌæk] *a. anat.* biodrowy.

Iliad [ˈɪlɪəd] *n. hist. lit.* Iliada.

ilium [ˈɪlɪəm] *n. pl.* **ilia** [ˈɪlɪə] *anat.* kość biodrowa.

ilk [ɪlk] *n. U lit.* typ, rodzaj; **of that ~** (*także* **of the same ~**) tego samego rodzaju; **(and others) of his/their ~** *uj.* (i inni) jego/ich pokroju.

ill [ɪl] *a.* **worse, worst 1.** *zw. pred.* chory (*with sth* na coś); **be taken ~** (*także* **fall ~**) zachorować; **critically ~** w stanie krytycznym; **feel ~** źle się czuć; **seriously/terminally ~** ciężko/śmiertelnie chory. **2.** szkodliwy (*np. o skutkach*). **3.** wrogi, nieżyczliwy (*np. o stosunku*). **4.** nie do przyjęcia. **5.** zły, podły (*np. o zachowaniu*). **6.** niesprzyjający, nieprzychylny (*np. o pogodzie, okolicznościach*). **7.** niezręczny, nieskuteczny. **8.** słaby, marny, lichy. **9.** *arch.* trudny, problematyczny. **10.** *przen.* ~ **blood** niechęć, uraza, zła krew; **it's an ~ wind that blows nobody good** nie ma tego złego, co by na dobre nie wyszło; **take sth in ~ part** (*także* **take sth ~**) *przest.* źle coś rozumieć; poczuć się czymś urażonym. – *adv.* **worse, worst 1.** *form.* źle; **bode/augur ~** źle wróżyć; **speak/think ~ of sb** źle o kimś mówić/myśleć. **2.** *często w złoż.* źle, słabo, niedostatecznie; ~ **nourished** źle odżywiony. **3.** ledwo, z trudnością; raczej nie; **can ~ afford to do sth** raczej nie móc sobie pozwolić na zrobienie czegoś. – *n.* **1.** *U* zło; szkoda; **wish sb ~** źle komuś życzyć. **2.** *arch.* dolegliwość. **3.** *zw. pl. arch.* nieszczęście; problem.

I'll [aɪl] *abbr.* = **I will**; = **I shall**.

Ill. *abbr. US* = **Illinois**.
ill. *abbr.* rys. (= *rysunek, rysował itp.*).
ill-advised [ˌɪləd'vaɪzd] *a.* nierozważny, nierozsądny; **you would be ~ to invest any money in this project** postąpiłbyś nierozważnie, inwestując w to przedsięwzięcie.
ill-advisedly [ˌɪləd'vaɪzɪdlɪ] *adv.* nierozważnie, nierozsądnie.
ill-affected [ˌɪlə'fektɪd] *a. form.* wrogo usposobiony, nieprzyjazny.
ill-assorted [ˌɪlə'sɔːrtɪd] *a. zwł. Br. i Austr.* źle dobrany (*o grupie osób l. rzeczy*).
ill at ease, ill-at-ease *a. pred.* zakłopotany, skrępowany, nieswój.
illation [ɪ'leɪʃən] *n. form.* **1.** *U* wnioskowanie. **2.** wniosek.
illative ['ɪlətɪv] *a.* **1.** *form.* wnioskujący; wyrażający wniosek, mający charakter wniosku. **2.** *gram.* wyrażający ruch do wewnątrz (*o przypadku gramatycznym, np. w języku fińskim*). **3.** *gram.* wprowadzający zdanie skutkowe (*o spójniku, takim jak np. therefore*). – *n. gram.* illativus (*przypadek*).
ill-bred [ˌɪl'bred] *a.* (*także* **ill-mannered**) źle wychowany.
ill-conceived [ˌɪlkən'siːvd] *a.* źle pomyślany.
ill-considered [ˌɪlkən'sɪdərd] *a.* nieprzemyślany.
ill-defined [ˌɪldə'faɪnd] *a.* **1.** niedookreślony. **2.** niewyraźny.
ill-disguised [ˌɪldɪs'gaɪzd] *a. form.* źle *l.* nieumiejętnie skrywany (*np. o pogardzie, wrogości*).
ill-disposed [ˌɪldɪ'spoʊzd] *a. form.* źle *l.* nieprzychylnie nastawiony (*toward sb/sth* do kogoś/czegoś).
illegal [ɪ'liːgl] *a.* nielegalny, sprzeczny z prawem, bezprawny; nieprzepisowy, niezgodny z przepisami; niedozwolony. – *n.* (*także* ~ **immigrant/alien**) nielegaln-y/a imigrant/ka.
illegality [ˌɪlɪ'gælətɪ] *n. U* **1.** nielegalność, bezprawność. **2.** bezprawie; bezprawne działanie.
illegalize [ɪ'liːgəˌlaɪz], *Br. i Austr. zw.* **illegalise** *v.* uznawać za akt bezprawny, wyjmować spod prawa.
illegally [ɪ'liːglɪ] *adv.* **1.** nielegalnie, niezgodnie z prawem, bezprawnie. **2.** nieprzepisowo.
illegibility [ɪˌledʒə'bɪlətɪ] *n. U* nieczytelność.
illegible [ɪ'ledʒəbl] *a.* nieczytelny.
illegibly [ɪ'ledʒəblɪ] *adv.* nieczytelnie.
illegitimacy [ˌɪlɪ'dʒɪtəməsɪ] *n. U* **1.** nieślubność, nieprawość. **2.** niezgodność z prawem, bezprawność. **3.** niewłaściwość, błędność (*np. wniosku*).
illegitimate [ˌɪlɪ'dʒɪtəmət] *a.* **1.** nieślubny, z nieprawego łoża, nieprawowity. **2.** nieprawny, bezprawny. **3.** niewłaściwy; niesłuszny, nieuzasadniony.
illegitimately [ˌɪlɪ'dʒɪtəmətlɪ] *adv.* **1.** nieprawnie, bezprawnie. **2.** niewłaściwie; niesłusznie, w nieuzasadniony sposób.
ill-equipped [ˌɪlɪ'kwɪpt] *a.* słabo *l.* niedostatecznie przygotowany (*for sth* do czegoś, *to do sth* do robienia czegoś).
ill-famed [ˌɪl'feɪmd] *a. form.* osławiony, okryty złą sławą.
ill-fated [ˌɪl'feɪtɪd] *a. form.* pechowy (*o przedmiocie*); fatalny (*o wydarzeniu*); nieszczęsny (*o osobie*).
ill-favored [ˌɪl'feɪvərd], *Br.* **ill-favoured** *a. lit.* **1.** niezbyt urodziwy *l.* atrakcyjny. **2.** niemiły, nieprzyjemny; nie do przyjęcia.
ill feeling *n. U* wrogość, niechęć (*zw. wzajemna*).
ill-founded [ˌɪl'faʊndɪd] *a. form.* nieuzasadniony, bezzasadny.
ill-gotten [ˌɪl'gɑːtən] *a. zw. żart.* nieuczciwie zdobyty; ~ **gains** nieuczciwe zyski *l.* zarobki.
ill health *n. U* zły stan zdrowia, słabe zdrowie.
ill-humored [ˌɪl'hjuːmərd], *Br.* **ill-humoured** *a.* (*także* **ill-tempered**) w złym humorze *l.* nastroju.
illiberal [ɪ'lɪbərəl] *a. form.* **1.** ograniczony, ciasny (*o poglądach, horyzontach*); małostkowy; nietolerancyjny. **2.** skąpy. **3.** bez ogłady; pospolity, wulgarny.
illicit [ɪ'lɪsɪt] *a.* niedozwolony, zakazany (*np. o handlu, narkotykach*); nielegalny.
illicitly [ɪ'lɪsɪtlɪ] *adv.* w niedozwolony sposób; nielegalnie.
illimitability [ɪˌlɪmɪtə'bɪlətɪ] *n. U form.* nieograniczoność.
illimitable [ɪ'lɪmɪtəbl] *a. form.* nieograniczony.
ill-informed [ˌɪlɪn'fɔːrmd] *a.* **1.** niedoinformowany, niedouczony. **2.** mylny, błędny (*o ocenie sytuacji*).
Illinois [ˌɪlə'nɔɪ] *n. US* stan Illinois.
illiteracy [ɪ'lɪtərəsɪ] *n. U* **1.** analfabetyzm. **2.** brak wykształcenia, nieuctwo.
illiterate [ɪ'lɪtərɪt] *a.* **1.** niepiśmienny, nieumiejący pisać ani czytać. **2.** niedouczony, mający braki w wykształceniu (*o osobie*); świadczący o nieuctwie autora (*np. o liście*). **3.** *zw. w złoż.* niewykształcony, nieuczony (*w danej dziedzinie*); **musically/politically** ~ zupełnie nieznający się na muzyce/polityce. – *n.* analfabet-a/ka.
illiterateness [ɪ'lɪtərɪtnəs] *n. U* = **illiteracy**.
ill-judged [ˌɪl'dʒʌdʒd] *a. form.* nieprzemyślany.
ill-mannered [ˌɪl'mænərd] *a.* = **ill-bred**.
ill-natured [ˌɪl'neɪtʃərd] *a.* opryskliwy, nieprzyjemny (*o osobie*).
illness ['ɪlnəs] *n. C/U* choroba.
illocution [ˌɪlə'kjuːʃən] *n. fil., jęz.* illokucja.
illocutionary [ˌɪlə'kjuːʃəˌnerɪ] *a. fil., jęz.* illokucyjny.
illogical [ɪ'lɑːdʒɪkl] *a.* nielogiczny; niedorzeczny.
illogicality [ɪˌlɑːdʒɪ'kælətɪ] *n. U* nielogiczność, brak logiki; niedorzeczność.
illogically [ɪ'lɑːdʒɪklɪ] *adv.* nielogicznie; niedorzecznie.
ill-omened [ˌɪl'oʊmənd] *a. lit.* złowróżbny.
ill-starred [ˌɪl'stɑːrd] *a. lit.* **1.** urodzony pod złą gwiazdą. **2.** skazany na porażkę *l.* niepowodzenie.
ill-tempered [ˌɪl'tempərd] *a. form.* **1.** o przykrym usposobieniu, kłótliwy. **2.** = **ill-humored**.

ill-timed [ˌɪlˈtaɪmd] *a.* nie w porę (*np. o uwadze*).

ill-treat [ˌɪlˈtriːt] *v.* (*także* **ill-use**) **1.** znęcać się nad (*kimś l. czymś*), maltretować. **2.** źle się obchodzić z (*kimś l. czymś*).

illume [ɪˈluːm] *v. poet.* = **illuminate**.

illuminant [ɪˈluːmənənt] *n.* gaz oświetleniowy. – *a.* = **illuminating**.

illuminate [ɪˈluːməˌneɪt] *v.* **1.** oświetlać; rozświetlać, rozjaśniać; ozdabiać światłami. **2.** *form.* rzucać światło na (*dany problem l. zjawisko*); wyjaśniać (*wątpliwości*). **3.** informować; kształcić. **4.** być źródłem natchnienia dla (*kogoś*). **5.** *hist.* iluminować (*manuskrypty*).

illuminati [ɪˌluːməˈnɑːtiː] *n. pl.* **1.** *zw. iron.* oświeceni, wtajemniczeni. **2.** *hist.* iluminaci (*nazwa kilku tajnych związków i sekt religijnych, zwł. w XVIII w.*).

illuminating [ɪˈluːməˌneɪtɪŋ] *a.* **1.** dający wytłumaczenie, rozjaśniający wątpliwości; pouczający, kształcący. **2.** oświetlający; świetlny; oświetleniowy; ~ **gas** gaz świetlny *l.* miejski.

illumination [ɪˌluːməˈneɪʃən] *n.* **1.** *U* oświetlenie. **2.** *U form.* wyjaśnianie, informowanie; kształcenie; wiedza, uczoność, oświecenie. **3.** *C/U hist.* iluminacja (*w manuskryptach*). **4.** *pl. zwł. Br.* kolorowe światła uliczne.

illuminative [ɪˈluːməˌneɪtɪv] *a.* **1.** oświetlający, dający światło. **2.** oświecający, wyjaśniający; będący źródłem natchnienia.

illuminator [ɪˈluːməˌneɪtər] *n.* **1.** technik oświetleniowy (*np. w teatrze*). **2.** urządzenie oświetlające; źródło światła. **3.** *opt.* oświetlacz (*mikroskopu*). **4.** *hist.* iluminator (*manuskryptów*).

illumine [ɪˈluːmɪn] *v. lit.* = **illuminate**.

illuminism [ɪˈluːməˌnɪzəm] *n. U fil., rel.* iluminizm.

illus. *abbr.* = **ill.**

ill-use [ˌɪlˈjuːs] *v.* = **ill-treat**.

illusion [ɪˈluːʒən] *n. C/U* iluzja, złudzenie; **be under no** ~ (*także* **have no ~s**) nie mieć (żadnych) złudzeń (*as to / about sb / sth* co do kogoś/czegoś); **be/labor under the ~ that...** łudzić/się, że...; **optical** ~ złudzenie optyczne.

illusionary [ɪˈluːʒəˌnerɪ], **illusional** [ɪˈluːʒənl] *a.* nierzeczywisty, wymyślony; iluzoryczny; złudny.

illusionism [ɪˈluːʒəˌnɪzəm] *n. U fil., sztuka* iluzjonizm.

illusionist [ɪˈluːʒənɪst] *n.* **1.** iluzjonista, sztukmistrz, prestidigitator. **2.** *fil., sztuka* przedstawiciel/ka iluzjonizmu.

illusive [ɪˈluːsɪv] *a.* = **illusory**.

illusorily [ɪˈluːsərɪlɪ] *adv.* iluzorycznie, złudnie.

illusoriness [ɪˈluːsərɪnəs] *n. U* iluzoryczność, złudność.

illusory [ɪˈluːsərɪ] *a.* (*także* **illusive**) iluzoryczny; złudny, zwodniczy.

illustrate [ˈɪləˌstreɪt] *v. t. przen.* ilustrować.

illustration [ˌɪləˈstreɪʃən] *n.* **1.** *C/U t. przen.* ilustracja; **by way of** ~ dla ilustracji (*np. przytoczyć przykład*). **2.** *U* ilustrowanie.

illustrative [ɪˈlʌstrətɪv] *a.* objaśniający, ilustrujący (*of sth* coś).

illustratively [ɪˈlʌstrətɪvlɪ] *adv.* z użyciem przykładów; wyjaśniająco.

illustrator [ˈɪləˌstreɪtər] *n.* **1.** ilustrator/ka. **2.** osoba objaśniająca *l.* wyjaśniająca.

illustrious [ɪˈlʌstrɪəs] *a. form.* znakomity, znamienity, wybitny.

ill will *n. U* zła wola; wrogość, niechęć; **bear sb no** ~ (*także* **feel no ~ for sb**) nie odczuwać do kogoś niechęci, nie żywić do kogoś wrogich uczuć.

ill-willed [ˌɪlˈwɪld] *a.* wrogi, niechętny.

Illyrian [ɪˈliːrɪən] *hist. a.* iliryjski. – *n.* **1.** Ilir/yjka. **2.** *U* język iliryjski.

ilmenite [ˈɪlməˌnaɪt] *n. U min.* ilmenit, żelaziak tytanowy.

I'm [aɪm] *abbr.* = **I am**.

image [ˈɪmɪdʒ] *n.* **1.** wizerunek (*t. przen.*); wyobrażenie. **2.** ucieleśnienie, wcielenie (*of sth* czegoś). **3.** *t. przen.* symbol. **4.** *opt. l. przen.* obraz, odbicie, kopia. **5.** *przen.* **be the (living/spitting) ~ of sb** wyglądać kropka w kropkę jak ktoś, być łudząco podobnym do kogoś; **in the ~ of sb/sth** *lit.* na podobieństwo kogoś/czegoś. – *v.* **1.** *rzad.* tworzyć wizerunek w wyobraźni (*kogoś l. czegoś*); planować, obmyślać. **2.** przedstawiać (*obrazowo l. graficznie*). **3.** odzwierciedlać; przypominać. **4.** ucieleśniać; symbolizować, wyobrażać. **5.** wyobrażać (*np. w formie dzieła sztuki; o artyście*). **6.** *opt.* odwzorowywać, odbijać.

image frequency *n. pl.* **-ies** *radiotechnika, radiolokacja* częstotliwość lustrzana.

image phase constant *n. el.* stała fazowa urojona.

imagery [ˈɪmɪdʒrɪ] *n. U* **1.** *t. przen.* obrazy; wizerunki. **2.** *ret., poet., sztuka* obrazowanie; symbolika.

imaginable [ɪˈmædʒənəbl] *a.* wyobrażalny; **every ~ ...** każdy możliwy...; **the priettiest child ~** najładniejsze dziecko pod słońcem.

imaginably [ɪˈmædʒənəblɪ] *adv.* wyobrażalnie.

imaginary [ɪˈmædʒəˌnerɪ] *a.* wyimaginowany, zmyślony; *t. mat.* urojony.

imagination [ɪˌmædʒəˈneɪʃən] *n.* **1.** *U* wyobraźnia; fantazja; **capture sb's ~** zawładnąć czyjąś wyobraźnią; **is it my ~ or...?** czy mi się wydaje, czy (też)...?; **it was all in the/her ~** wszystko to (tylko) jej się wydawało; **leave sth to the ~** pozostawiać coś wyobraźni; **not by any stretch of the ~** *zob.* **stretch** *n.*; **use your ~!** wysil wyobraźnię!; **with a little ~** przy odrobinie wyobraźni. **2.** *U* pomysłowość, twórcze myślenie. **3.** urojenie, wytwór wyobraźni.

imaginative [ɪˈmædʒənətɪv] *a.* **1.** obdarzony wyobraźnią; pomysłowy; twórczy; ~ **faculty** dar wyobraźni. **2.** fantazyjny; oryginalny. **3.** dotyczący wyobraźni.

imaginatively [ɪˈmædʒənətɪvlɪ] *adv.* **1.** z wyobraźnią; pomysłowo. **2.** fantazyjnie; oryginalnie.

imagine [ɪˈmædʒɪn] *v.* **1.** wyobrażać sobie (*that* że); ~ **(o.s.) doing sth** wyobrażać sobie, że się coś robi; **you cannot ~ how/what ...** *zwł. Br.* nie wyobrażasz sobie, jak/co...; **you're imagining things** wydaje ci się, masz przywidzenia. **2.** uważać, sądzić; zakładać, domyślać się, zgadywać; **I ~ (so)** tak sądzę. – *int.* (*także* **~ that!**) coś takiego!

imaging [ˈɪmɪdʒɪŋ] *n. U t. med.* obrazowanie (*np. za pomocą ultradźwięków l. rezonansu magnetycznego*).

imaginings [ɪˈmædʒɪnɪŋz] *n. pl. lit.* urojenia.

imagism [ˈɪməˌdʒɪzəm] *n. U poet.* imagizm.

imago [ɪˈmeɪgoʊ] *n. pl.* **-es** *l.* **imagines** [ˈɪmeɪdʒəˌniːz] **1.** *ent.* imago (= *postać dojrzała owada*). **2.** *psych.* wyidealizowany obraz osoby ważnej w dzieciństwie (*zwł. rodzica*).

imam [ɪˈmɑːm] *n. islam* imam.

imbalance [ɪmˈbæləns] *n. C/U* brak równowagi, nierównowaga; zachwianie równowagi.

imbecile [ˈɪmbəsl] *n.* **1.** *pot. obelż.* imbecyl. **2.** *przest. pat.* osobnik z umiarkowanym niedorozwojem umysłowym. – *a.* (*także* **imbecilic**) **1.** *pot. obelż.* słaby na umyśle, głupi. **2.** *przest. pat.* niedorozwinięty umysłowo.

imbecility [ˌɪmbəˈsɪlətɪ] *n.* **1.** *U pot. obelż.* imbecylizm. **2.** *U przest. pat.* umiarkowany niedorozwój umysłowy.

imbed [ɪmˈbed] *v. rzad.* = **embed**.

imbibe [ɪmˈbaɪb] *v.* **1.** *form. l. żart.* pić (*zwł. alkohol*). **2.** *lit.* nasiąkać (*czymś*); chłonąć (*ciecz, wilgoć; t. przen.: wiedzę, informacje*).

imbiber [ɪmˈbaɪbər] *n.* **1.** osoba pijąca (*zwł. alkohol*). **2.** substancja wchłaniająca.

imbibition [ˌɪmbɪˈbɪʃən] *n. U chem.* chłonięcie, wchłanianie.

imbricate *a.* [ˈɪmbrɪkət] *bud., bot., zool.* zachodzący na siebie (*o dachówkach, liściach, łuskach*). – *v.* [ˈɪmbrɪkeɪt] **1.** *bud.* układać (*dachówki l. listwy*) tak, by zachodziły na siebie. **2.** *bot., zool.* zachodzić na siebie (*np. o liściach, łuskach*).

imbrication [ˌɪmbrəˈkeɪʃən] *n.* wzór, w którym poszczególne elementy zachodzą na siebie; *U* nakładanie się na siebie.

imbroglio [ɪmˈbroʊljoʊ] *n. pl.* **-s** *lit.* skomplikowana *l.* zagmatwana sytuacja (*zwł. polityczna*); zamieszanie, ambaras.

imbrue [ɪmˈbrʊ] *v. arch. l. lit.* zbroczyć, zbrukać (*in/with blood* krwią).

imbue [ɪmˈbjuː] *v. zw. pass. gł. przen.* nasycać, przepajać, przepełniać; **be ~d with sth** być przepojonym czymś.

IMF [ˌaɪ ˌem ˈef], **I.M.F.** *abbr.* **International Monetary Fund** MFW (= *Międzynarodowy Fundusz Walutowy*).

imitate [ˈɪmɪˌteɪt] *v.* imitować, naśladować; powielać.

imitation [ˌɪmɪˈteɪʃən] *n. C/U* naśladowanie, naśladownictwo; *t. muz.* imitacja; **a pale ~ of sth** nędzna imitacja czegoś; **in ~ of sb/sth** naśladując kogoś/coś. – *a. attr.* sztuczny; **~ grass/leather** sztuczna trawa/skóra.

imitative [ˈɪmɪˌteɪtɪv] *a. zw. uj.* naśladowczy, imitacyjny; wtórny, odtwórczy; **be ~ of sth** naśladować *l.* powielać coś.

imitatively [ˈɪmɪˌteɪtɪvlɪ] *adv.* wtórnie.

imitativeness [ˈɪmɪˌteɪtɪvnəs] *n. U* imitacyjny *l.* naśladowczy charakter, wtórność.

imitator [ˈɪmɪˌteɪtər] *n. często pl.* naśladowca/czyni, imitator/ka.

immaculacy [ɪˈmækjələsɪ] *n.* = **immaculateness**.

immaculate [ɪˈmækjəlɪt] *a.* **1.** *rel.* nieskalany, niepokalany; **I~ Conception** Niepokalane Poczęcie. **2.** nieskazitelny; nieskazitelnie czysty. **3.** bezbłędny. **4.** *zool., bot.* jednolicie ubarwiony (= *bez plam l. cętek*).

immaculately [ɪˈmækjəlɪtlɪ] *adv.* **1.** niepokalanie. **2.** nieskazitelnie. **3.** bezbłędnie.

immaculateness [ɪˈmækjəlɪtnəs] *n. U* (*także* **immaculacy**) **1.** *rel.* nieskalaność, niepokalaność. **2.** nieskazitelność.

immanence [ˈɪmənəns], **immanency** [ˈɪmənənsɪ] *n. U fil.* immanentyzm.

immanent [ˈɪmənənt] *a. fil.* immanentny.

immaterial [ˌɪməˈtiːrɪəl] *a.* **1.** nieistotny. **2.** *form.* niematerialny; bezcielesny.

immaterialism [ˌɪməˈtiːrɪəˌlɪzəm] *n. U fil.* immaterializm.

immaterialist [ˌɪməˈtiːrɪəlɪst] *n. fil.* immaterialist-a/ka.

immateriality [ˌɪməˌtiːrɪˈælətɪ] *n. U* (*także* **immaterialness**) **1.** nieistotność. **2.** niematerialność; bezcielesność.

immaterialize [ˌɪməˈtiːrɪəˌlaɪz], *Br. i Austr. zw.* **immaterialise** *v.* czynić niematerialnym *l.* bezcielesnym.

immaterially [ˌɪməˈtiːrɪəlɪ] *adv.* niematerialnie; bezcieleśnie.

immaterialness [ˌɪməˈtiːrɪəlnəs] *n.* = **immateriality**.

immature [ˌɪməˈtʊr] *a. t. przen.* niedojrzały.

immaturely [ˌɪməˈtʊrlɪ] *adv.* niedojrzale.

immaturity [ˌɪməˈtʊrətɪ] *n. U t. przen.* niedojrzałość.

immeasurability [ɪˌmeʒərəˈbɪlətɪ] *n. U* bezmiar, ogrom.

immeasurable [ɪˈmeʒərəbl] *a.* niezmierzony, bezmierny.

immeasurably [ɪˈmeʒərəblɪ] *adv.* bezmiernie, ogromnie.

immediacy [ɪˈmiːdɪəsɪ] *n. U* **1.** bezpośredniość; natychmiastowość. **2.** pilność, nagłość.

immediate [ɪˈmiːdɪət] *a.* **1.** natychmiastowy (*np. o reakcji, działaniu*). **2.** *attr. t. przen.* najbliższy; bezpośredni (*np. o przyczynie, poprzedniku, sąsiedztwie*); **~ area** najbliższa okolica; **~ family/kin** najbliższa rodzina; **~ future** najbliższa przyszłość. **3.** *attr.* pilny, naglący (*o potrzebie*).

immediately [ɪˈmiːdɪətlɪ] *adv.* **1.** natychmiast; bezzwłocznie. **2.** bezpośrednio (*before/after/above sth* przed/po/nad czymś); tuż (*next to/behind sth* przy/za czymś); **~ affected/involved** bezpośrednio dotknięty/zaangażowany. – *conj. Br. form.* skoro tylko, gdy tylko.

immemorial [ˌɪməˈmɔːrɪəl] *a. lit.* **1.** niepamiętny; **from/since time ~** od niepamiętnych czasów. **2.** odwieczny (*zwł. o zwyczajach*).

immemorially [ˌɪməˈmɔːrɪəlɪ] *adv. lit.* od niepamiętnych czasów.

immense [ɪ'mens] *a.* **1.** ogromny, olbrzymi. **2.** niezmierzony, bezmierny. **3.** *pot.* świetny.
immensely [ɪ'mensli] *adv.* ogromnie, niezmiernie.
immensity [ɪ'mensɪtɪ] *n. U* ogrom, bezmiar.
immerse [ɪ'mɜ:s] *v. zw. pass.* **1.** *t. przen.* zanurzać; pogrążać, zatapiać, zagłębiać; **~ o.s. in sth** zanurzać się w czymś; **be ~d in thought/work** być zatopionym w myślach/pochłoniętym pracą. **2.** *rel.* chrzcić przez zanurzenie (*zwł. w Kościele baptystów*).
immersible [ɪ'mɜ:səbl] *a. zw. z neg.* nadający się do zanurzania w wodzie (*np. o urządzeniu elektrycznym*).
immersion [ɪ'mɜ:ʒən] *n. C/U* **1.** *t. przen.* zanurzenie. **2.** *rel.* chrzest przez zanurzenie. **3.** *astron.* wejście ciała niebieskiego w cień innego.
immersion heater *n. el.* element grzejny nurkowy, grzejnik nurkowy, grzałka nurkowa.
immesh [ɪ'meʃ] *v.* = **enmesh**.
immigrant ['ɪməgrənt] *n.* imigrant/ka, imigrując-y/a. – *a.* **1.** imigrujący. **2.** dotyczący imigracji *l.* imigrantów.
immigrate ['ɪmə͵greɪt] *v.* imigrować.
immigration [͵ɪmə'greɪʃən] *n. U* **1.** imigracja. **2.** (*także* **~ control**) kontrola paszportowa *l.* graniczna.
immigration laws *n. pl.* prawo przesiedleńcze.
immigration officer *n.* przedstawiciel/ka urzędu imigracyjnego.
imminence ['ɪmənəns] *n. U* nieuchronność; bliskość (*np. wojny, katastrofy*).
imminent ['ɪmənənt] *a.* nieuchronny; bliski, nadciągający (*np. o nieszczęściu, niebezpieczeństwie*).
imminently ['ɪmənəntli] *adv.* nieuchronnie.
immiscible [ɪ'mɪsəbl] *a. fiz.* niedający się zmieszać, niemieszalny, wzajemnie nierozpuszczalny (*o cieczach*).
immitigable [ɪ'mɪtəgəbl] *a. form.* niedający się złagodzić.
immixture [ɪ'mɪkstʃər] *n. arch.* **1.** zmieszanie. **2.** *przen.* udział (*in sth* w czymś).
immobile [ɪ'moʊbɪl] *a.* nieruchomy.
immobility [͵ɪmoʊ'bɪlətɪ] *n. U* bezruch, nieruchomość, brak ruchu.
immobilization [ɪ͵moʊbələ'zeɪʃən], *Br. i Austr. zw.* **immobilisation** *n. U* unieruchomienie.
immobilize [ɪ'moʊbə͵laɪz], *Br. i Austr. zw.* **immobilise** *v.* **1.** unieruchamiać (*t. med.: kończynę*). **2.** *ekon.* wycofywać z obiegu (*pieniądz*).
immoderate [ɪ'mɑ:dərɪt] *a. form.* nieumiarkowany.
immoderately [ɪ'mɑ:dərɪtli] *adv.* nieumiarkowanie, w sposób nieumiarkowany.
immoderation [ɪ͵mɑ:də'reɪʃən] *n. U* nieumiarkowanie, brak umiarkowania.
immodest [ɪ'mɑ:dɪst] *a.* **1.** nieskromny (= *zarozumiały l. bezwstydny*). **2.** zuchwały, bezczelny.
immodestly [ɪ'mɑ:dɪstli] *adv.* **1.** nieskromnie. **2.** zuchwale, bezczelnie.
immodesty [ɪ'mɑ:dɪstɪ] *n. U* **1.** nieskromność. **2.** zuchwałość, bezczelność.
immolate ['ɪmə͵leɪt] *v.* **1.** *rel.* zabijać na ofiarę; składać w ofierze (*zwł. całopalnej*). **2.** *lit.* ofiarowywać, poświęcać (*coś bardzo cennego*).
immolation [͵ɪmə'leɪʃən] *n. U* **1.** *t. rel.* zabicie na ofiarę; ofiara (*zwł. całopalna*). **2.** *lit.* ofiarowanie, poświęcenie.
immolator ['ɪmoʊleɪtər] *n. rel.* ofiarni-k/czka.
immoral [ɪ'mɔ:rəl] *a.* niemoralny.
immorality [͵ɪmə'rælətɪ] *n.* **1.** *U* niemoralność. **2.** *pl.* **-ies** niemoralny postępek.
immorally [ɪ'mɔ:rəli] *adv.* niemoralnie.
immortal [ɪ'mɔ:rtl] *a.* **1.** *t. przen.* nieśmiertelny; wieczny. **2.** wiekopomny. – *n. t. przen.* nieśmierteln-y/a.
immortality [͵ɪmɔ:r'tælətɪ] *n. U* nieśmiertelność; wieczność.
immortalize [ɪ'mɔ:rtə͵laɪz], *Br. i Austr. zw.* **immortalise** *v. t. przen.* unieśmiertelniać, czynić nieśmiertelnym; uwieczniać.
immortally [ɪ'mɔ:rtli] *adv.* nieśmiertelnie; wiecznie.
immortelle [͵ɪmɔ:r'tel] *n. bot.* suchokwiat roczny, nieśmiertelnik (*Xeranthemum annuum*).
immovability [ɪ͵mu:və'bɪlətɪ], **immovableness** *n. U* **1.** nieruchomość, bezruch. **2.** niezmienność. **3.** nieugiętość.
immovable [ɪ'mu:vəbl], **immoveable** *a.* **1.** nieruchomy (*t. o majątku*). **2.** niezmienny. **3.** nieugięty. – *n. pl. prawn.* nieruchomości.
immune [ɪ'mju:n] *a.* **1.** *fizj., med.* odporny, uodporniony (*to sth* na coś). **2.** *attr. fizj.* odpornościowy, immunologiczny. **3.** chroniony (*from sth* przed czymś). **4.** *prawn.* posiadający immunitet; wyjęty spod jurysdykcji.
immune body *n. pl.* **-ies** *przest. fizj.* przeciwciało.
immune complex *n.* (*także* **immunocomplex**) *fizj.* kompleks immunologiczny.
immune response *n. fizj.* reakcja *l.* odpowiedź immunologiczna.
immune system *n. fizj.* układ odpornościowy *l.* immunologiczny.
immunity [ɪ'mju:nətɪ] *n. U* **1.** *biol., med., fizj.* odporność (*to sth* na coś). **2.** *prawn.* immunitet, nietykalność. **3.** zwolnienie (*from sth* od czegoś) (*np. od obowiązku płacenia podatku*), wyjęcie (*from sth* spod czegoś) (*np. spod jurysdykcji*).
immunization [͵ɪmjənə'zeɪʃən], *Br. i Austr. zw.* **immunisation** *n. C/U fizj., med.* uodpornienie, immunizacja (*to sth* na coś); szczepienie (*against sth* przeciwko czemuś).
immunize ['ɪmjə͵naɪz], *Br. i Austr. zw.* **immunise** *v. fizj., med.* immunizować, uodporniać (*sb against sth* kogoś na coś); szczepić (*sb against sth* kogoś przeciwko czemuś).
immunocomplex [͵ɪmjənoʊ'kɑ:mpleks] *n.* = **immune complex**.
immunodeficiency [͵ɪmjənoʊdɪ'fɪʃənsɪ] *n. U pat.* brak *l.* zanik odporności, niedobór odpornościowy.
immunodepression [͵ɪmjənoʊdɪ'preʃən] *n.* = **immunosuppression**.
immunogenetics [͵ɪmjənoʊdʒə'netɪks] *n. U med.* immunogenetyka.

immunogenic [ˌɪmjənoʊ'dʒenɪk] *a. fizj., med.* immunogenny.

immunoglobulin [ˌɪmjənoʊ'glɑːbjʊlɪn] *n. C/U biochem.* immunoglobulina.

immunologist [ˌɪmjə'nɑːlədʒɪst] *n. med.* immunolog.

immunology [ˌɪmjə'nɑːlədʒɪ] *n. U med.* immunologia.

immunopathology [ˌɪmjənoʊpə'θɑːlədʒɪ] *n. U med.* immunopatologia.

immunoreaction [ˌɪmjənoʊrɪ'ækʃən] *n. U fizj., med.* odczyn odpornościowy.

immunosupression [ˌɪmjənoʊsə'preʃən] *n. U* (*także* **immunodepression**) *med.* immunosupresja.

immunotherapy [ˌɪmjənoʊ'θerəpɪ] *n. U med.* immunoterapia.

immure [ɪ'mjʊr] *v. zw. pass. lit.* uwięzić; ~ **o.s.** zamknąć się.

immurement [ɪ'mjʊrmənt] *n. U lit.* uwięzienie.

immutability [ɪˌmjuːtə'bɪlətɪ] *n. U* niezmienność.

immutable [ɪ'mjuːtəbl] *a.* niezmienny.

immutably [ɪ'mjuːtəblɪ] *adv.* niezmiennie.

imp [ɪmp] *n. gł. przen. l. żart.* diablik, diabełek, chochlik (*t. o dziecku*).

imp. *abbr.* **1.** = **imperative**. **2.** = **imperfect**. **3.** = **imperial**. **4.** = **import**. **5.** = **imprint**.

impact *n.* ['ɪmpækt] *C/U* **1.** uderzenie (*on/against sb/sth* o/w kogoś/coś); siła uderzenia, wstrząs; zderzenie; **on** ~ przy uderzeniu, w momencie zderzenia. **2.** *przen.* wpływ; **have/make an** ~ **on sb/sth** mieć/wywrzeć wpływ na kogoś/coś. – *v.* [ɪm'pækt] **1.** wgniatać, wciskać, wpychać (*sth in/into sth* coś w coś *l.* do czegoś). **2.** zderzać się z (*kimś l. czymś*). **3.** ~ **(on)** *zwł. US i Austr.* mieć wpływ na (*kogoś l. coś*).

impacted [ɪm'pæktɪd] *a.* **1.** *pat.* zaklinowany (*np. o zębie*). **2.** wypełniony, ciasno zapakowany. **3.** przeludniony.

impaction [ɪm'pækʃən] *n.* **1.** *pat.* zaklinowanie. **2.** wgniecenie, wtłoczenie; wbicie. **3.** = **impact** *n.* 1.

impair [ɪm'per] *v.* **1.** uszkadzać. **2.** pogarszać, osłabiać; nadwerężać (*np. zdrowie*). **3.** *pat.* upośledzać.

impaired [ɪm'perd] *a.* **1.** uszkodzony. **2.** upośledzony, słaby (*np. o wzroku, słuchu*). **3.** *w złoż.* **hearing-**~ niedosłyszący.

impairment [ɪm'permənt] *n. U* **1.** uszkodzenie. **2.** pogorszenie, osłabienie; nadwerężenie. **3.** *pat.* upośledzenie.

impala [ɪm'pælə] *n. zool.* impala (*Aepyceros melampus*).

impale [ɪm'peɪl] *v. często pass.* **1.** wbijać (*on/upon sth* na coś) (*np. na pal*); przebijać (*with sth* czymś) (*np. palem, włócznią*). **2.** *przen.* przygważdżać (*wzrokiem*). **3.** *her.* łączyć na jednej tarczy, przedzielając w środku linią pionową (*dwa herby*). **4.** *rzad.* otaczać palisadą.

impalement [ɪm'peɪlmənt] *n. U* **1.** wbicie (*np. na pal*); przebicie (*np. włócznią*). **2.** *her.* łączenie dwu herbów (*jw.*). **3.** *rzad.* otoczenie palisadą.

impalpability [ɪmˌpælpə'bɪlətɪ] *n. U lit.* **1.** niewyczuwalność. **2.** *przen.* nieuchwytność; nieokreśloność.

impalpable [ɪm'pælpəbl] *a. lit.* **1.** niewyczuwalny (*dotykiem*). **2.** *przen.* nieuchwytny; trudno uchwytny (*rozumem*); nieokreślony.

impalpably [ɪm'pælpəblɪ] *adv. lit.* **1.** niewyczuwalnie. **2.** *przen.* nieuchwytnie.

impanation [ˌɪmpə'neɪʃən] *n. U teol.* obecność ciała Chrystusa w konsekrowanym chlebie.

impanel [ɪm'pænl], *Br.* **empanel** *v. Br.* **-ll- 1.** umieszczać na liście kandydatów do ławy przysięgłych. **2.** powoływać w skład ławy przysięgłych (*z listy jw.*).

imparisyllabic [ɪmˌperəsɪ'læbɪk] *n. i a. gram.* (rzeczownik) nierównosylabowy (= *mający różną liczbę sylab w różnych formach fleksyjnych*).

imparity [ɪm'perətɪ] *n. U form.* nierówność.

impart [ɪm'pɑːrt] *v. form.* **1.** udzielać (*np. informacji*); przekazywać (*np. mądrość, energię*); użyczać (*sth to sb* czegoś komuś). **2.** nadawać (*określone właściwości, np. smak*) (*to sth* czemuś).

impartation [ˌɪmpɑːr'teɪʃən] *n.* = **impartment**.

impartial [ɪm'pɑːrʃl] *a.* bezstronny, obiektywny.

impartiality [ɪmˌpɑːrʃɪ'ælətɪ] *n. U* bezstronność, obiektywność.

impartially [ɪm'pɑːrʃlɪ] *adv.* bezstronnie, obiektywnie.

impartible [ɪm'pɑːrtəbl] *a. prawn.* niepodzielny (*zw. o majątku*).

impartment [ɪm'pɑːrtmənt] *n. U form.* (*także* **impartation**) udzielanie (*np. informacji*); przekazywanie (*np. wiedzy*).

impassability [ɪmˌpæsə'bɪlətɪ] *n. U* nieprzejezdność; brak możliwości przedostania się *l.* przejścia.

impassable [ɪm'pæsəbl] *a.* **1.** nieprzejezdny (*o drodze*); nieżeglowny (*np. o rzece*); nie do przebycia (*o terenie*). **2.** *przen.* nie do pokonania (*o przeszkodach*).

impasse ['ɪmpæs] *n. sing.* impas; **be at/reach an** ~ znaleźć się w impasie, utknąć w martwym punkcie (*np. o negocjacjach*).

impassible [ɪm'pæsəbl] *a. rzad.* **1.** niewrażliwy na ból. **2.** beznamiętny, niewzruszony, nieczuły.

impassion [ɪm'pæʃən] *v. zw. pass.* roznamiętniać, podniecać.

impassioned [ɪm'pæʃənd] *a.* płomienny, żarliwy (*np. o przemowie, apelu*); namiętny.

impassionedly [ɪm'pæʃəndlɪ] *adv.* płomiennie, żarliwie; namiętnie.

impassive [ɪm'pæsɪv] *a.* beznamiętny, kamienny (*o wzroku, wyrazie twarzy*); nieokazujący emocji; niewzruszony (*o osobie*).

impassively [ɪm'pæsɪvlɪ] *adv.* beznamiętnie (*zwł. spoglądać*); niewzruszenie.

impassivity [ˌɪmpæ'sɪvɪtɪ] *n. U* beznamiętność; niewzruszoność.

impaste [ɪm'peɪst] *v. mal.* impastować.

impasto [ɪm'pæstoʊ] *n. mal.* impast.

impatience [ɪm'peɪʃəns] *n. U* niecierpliwość; zniecierpliwienie.

impatiens [ɪm'peɪʃənz] *n. bot.* niecierpek (*Impatiens*).

impatient [ɪm'peɪʃənt] *a.* **1.** niecierpliwy; zniecierpliwiony; **get/grow/become ~** niecierpliwić się. **2. be ~ for sth/to do sth** nie móc się doczekać czegoś/kiedy się coś zrobi. **3. be ~ of sth** nie znosić *l.* nie tolerować czegoś.

impatiently [ɪm'peɪʃəntlɪ] *adv.* niecierpliwie, z niecierpliwością (*np. czekać*); niespokojnie (*np. wiercić się*); nie mogąc się doczekać.

impeach [ɪm'pi:tʃ] *v. prawn.* **1.** *US* stawiać w stan oskarżenia (*zwł. urzędnika państwowego*). **2.** *US* usuwać z urzędu (*zwł. prezydenta*). **3.** kwestionować wiarygodność (*np. świadka podczas procesu*).

impeachable [ɪm'pi:tʃəbl] *a.* **1.** podlegający karze (*o czynie*). **2. be ~ (of sth)** *zwł. US* móc być postawionym przed sądem *l.* pociągniętym do odpowiedzialności (za coś).

impeacher [ɪm'pi:tʃər] *n.* oskarżyciel/ka, oskarżając-y/a.

impeachment [ɪm'pi:tʃmənt] *n. C/U prawn.* **1.** *US* postawienie w stan oskarżenia (*zwł. urzędnika państwowego*). **2.** *US* usunięcie z urzędu (*zwł. prezydenta*). **3.** zakwestionowanie wiarygodności (*np. świadka*).

impeccability [ɪmˌpekə'bɪlətɪ] *n. U* **1.** nienaganność. **2.** *rel.* bezgrzeszność.

impeccable [ɪm'pekəbl] *a.* **1.** nienaganny. **2.** *rel.* bezgrzeszny.

impeccably [ɪm'pekəblɪ] *adv.* **1.** nienagannie. **2.** *rel.* bezgrzesznie.

impecuniosity [ˌɪmpəˌkju:nɪ'ɑ:sətɪ] *n.* = **impecuniousness**.

impecunious [ˌɪmpə'kju:nɪəs] *a. form. l. żart.* biedny, bez grosza.

impecuniously [ˌɪmpə'kju:nɪəslɪ] *adv.* biednie.

impecuniousness [ˌɪmpə'kju:nɪəsnəs] *n.* (*także* **impecuniosity**) brak pieniędzy, bieda.

impedance [ɪm'pi:dəns] *n. U i sing. el., mech.* **1.** impedancja, opór zespolony *l.* pozorny. **2.** *form.* przeszkoda, bariera (*zwł. na drodze do postępu*).

impede [ɪm'pi:d] *v.* opóźniać, hamować; przeszkadzać w (*czymś*).

impeder [ɪm'pi:dər] *n. el.* cewka o dużej impedancji, dławik elektryczny.

impediment [ɪm'pedəmənt] *n.* **1.** wada, kalectwo; **speech ~** wada wymowy. **2.** przeszkoda (*to sth* w czymś).

impel [ɪm'pel] *v.* **-ll- 1.** *zw. pass.* zmuszać, pobudzać, motywować (*sb to do sth* kogoś do czegoś). **2.** *form.* wprawiać w ruch, napędzać.

impeller [ɪm'pelər] *n. mech.* wirnik napędzany (*pompy l. sprężarki odśrodkowej*).

impend [ɪm'pend] *v. lit.* **1.** zbliżać się nieuchronnie, nadciągać (*o czymś nieprzyjemnym l. niebezpiecznym*). **2.** *rzad.* wisieć (*over sb/sth* nad kimś/czymś).

impendence [ɪm'pendəns], **impendency** *n. U* nieuchronność; groźba (*nadejścia czegoś nieprzyjemnego*).

impending [ɪm'pendɪŋ], **impendent** [ɪm'pendənt] *a.* **1.** zbliżający się nieuchronnie, nadciągający; nieuchronny, nieunikniony. **2.** *t. przen.* wiszący (*over sb/sth* nad kimś/czymś).

impenetrability [ɪmˌpenɪtrə'bɪlətɪ] *n. U* **1.** niedostępność (*miejsca*). **2.** *t. przen.* nieprzenikniość (*np. mroku, czyjejś miny*). **3.** nieprzystępność, niezrozumiałość. **4.** odporność (*na wpływy*). **5.** *fiz.* nieprzenikalność, nieprzepuszczalność (*materii*).

impenetrable [ɪm'penɪtrəbl] *a.* **1.** niedostępny, nie do przebycia (*np. o dżungli*); nie do zdobycia (*np. o twierdzy*). **2.** *t. przen.* nieprzenikniony (*np. o mroku, wzroku*). **3.** nieprzystępny, niezrozumiały (*o tekście, stylu*); niezgłębiony (*o tajemnicy*). **4.** odporny (*na wpływy*). **5.** *fiz.* nieprzenikalny; nieprzepuszczalny.

impenetrably [ɪm'penɪtrəblɪ] *adv.* **1.** niedostępnie. **2.** nieprzystępnie. **3.** *fiz.* nieprzenikalnie.

impenitence [ɪm'penɪtəns], **impenitency** [ɪm'penɪtənsɪ] *n. U form.* brak skruchy *l.* wstydu; zatwardziałość.

impenitent [ɪm'penɪtənt] *a. form.* nieokazujący skruchy *l.* wstydu; zatwardziały.

imper. *abbr.* = **imperative**.

imperative [ɪm'perətɪv] *a.* **1.** *form.* konieczny; **it is ~ that sth be done/to do sth** konieczne jest zrobienie czegoś. **2.** rozkazujący, władczy (*np. o tonie głosu*). **3.** (*także* **imperatival**) *gram.* rozkazujący (*o trybie*); w trybie rozkazującym (*o czasowniku*). – *n.* **1.** konieczność. **2.** *form.* nakaz; *t. fil.* imperatyw (*np. moralny*). **3.** *gram.* (*także* **~ mood**) tryb rozkazujący; **in the ~** w trybie rozkazującym.

imperatively [ɪm'perətɪvlɪ] *adv.* **1.** koniecznie. **2.** rozkazująco.

imperator [ˌɪmpə'reɪtər] *n. gł. hist.* imperator; cesarz.

imperatorial [ɪmˌperə'tɔ:rɪəl] *a.* (*także* **imperial**) imperatorski; cesarski.

imperceptibility [ˌɪmpərˌseptə'bɪlətɪ] *n. U* niezauważalność, niedostrzegalność.

imperceptible [ˌɪmpər'septəbl] *a.* niezauważalny, niedostrzegalny.

imperceptibly [ˌɪmpər'septəblɪ] *adv.* niezauważalnie, niedostrzegalnie.

imperceptive [ˌɪmpər'septɪv] *a.* (*także* **impercipient**) *form.* mało spostrzegawczy.

imperf. *abbr.* = **imperfect**.

imperfect [ɪm'pɜ:fekt] *a.* **1.** niedoskonały. **2.** niewykończony, niedokończony, niezupełny; niepełny. **3.** *gram.* niedokonany (*o czasie*). – *n. sing. gram.* **1.** (*także* **~ tense**) czas przeszły o aspekcie niedokonanym. **2.** forma niedokonana (*czasownika*).

imperfection [ˌɪmpər'fekʃən] *n.* **1.** niedoskonałość; wada; skaza. **2.** *U* (*także* **imperfectness**) niedoskonałość; niekompletność, niepełność.

imperfective [ˌɪmpər'fektɪv] *gram. a.* niedokonany (*o aspekcie*). – *n.* **1.** aspekt niedokonany. **2.** czasownik w aspekcie niedokonanym.

imperfectly [ɪm'pɜ:fektlɪ] *adv.* **1.** niedoskonale. **2.** niezupełnie, niekompletnie.

imperfectness [ɪm'pɜ:fektnəs] *n. U* = **imperfection** *n.* 2.

imperforate [ɪm'pɜ:fərət] *a.* **1.** nieprzedziurawiony, nieprzebity. **2.** niedziurkowany, nieperforowany (*o znaczku pocztowym l. arkuszu znaczków*). **3.** *pat.* bez normalnego otworu.

imperforation [ɪmˌpɜ:fə'reɪʃən] *n. U pat.* brak normalnego otworu, atrezja.

imperial [ɪm'pi:rɪəl] *a.* **1.** imperialny; zaborczy. **2.** dostojny; wspaniały. **3.** = **imperatorial**. – *n.* **1.** *druk. US* papier formatu 787x584 mm (33x23 cale); *Br.* papier formatu 762x559 mm (30x22 cale) (*przed przycięciem*). **2.** *form.* członek/kini rodziny cesarskiej. **3.** *gł. Br. hist.* niewielka bródka modna w czasach Napoleona III. **4.** *hist.* imperiał (*złota moneta rosyjska*). **5.** *US hist.* imperiał (= *wierzch dyliżansu*); kufer do przewożenia na imperiale.

imperial gallon *n.* = **gallon** 2.

imperialism [ɪm'pi:rɪəˌlɪzəm] *n. U* **1.** imperializm. **2.** *gł. hist.* rządy cesarskie.

imperialist [ɪm'pi:rɪəlɪst] *n.* **1.** imperialist-a/ka. **2.** *gł. hist.* zwolenni-k/czka cesarza.

imperialistic [ɪmˌpi:rɪə'lɪstɪk] *a.* imperialistyczny.

imperialistically [ɪmˌpi:rɪə'lɪstɪklɪ] *adv.* imperialistycznie.

imperially [ɪm'pi:rɪəlɪ] *adv.* **1.** w cesarskim stylu. **2.** dostojnie.

imperial system *n. hist.* system miar i wag oparty na calach, milach, uncjach, galonach itp.

imperil [ɪm'perəl] *v. Br.* **-ll-** *form.* narażać na niebezpieczeństwo.

imperilment [ɪm'perəlmənt] *n. U* narażenie na niebezpieczeństwo.

imperious [ɪm'pi:rɪəs] *a.* **1.** władczy, apodyktyczny (*o osobie, zachowaniu*); nie znoszący sprzeciwu (*o tonie głosu*). **2.** *rzad.* naglący, nie cierpiący zwłoki.

imperiously [ɪm'pi:rɪəslɪ] *adv.* władczo, apodyktycznie (*zachowywać się*); tonem nieznoszącym sprzeciwu (*powiedzieć*).

imperiousness [ɪm'pi:rɪəsnəs] *n. U* władczość, apodyktyczność.

imperishability [ɪmˌperɪʃə'bɪlətɪ] *n. U* (*także* **imperishableness**) **1.** długi okres przydatności do spożycia. **2.** *lit.* niezniszczalność.

imperishable [ɪm'perɪʃəbl] *a.* **1.** o długim okresie przydatności do spożycia (*o produktach spożywczych*). **2.** *lit.* niezniszczalny.

imperium [ɪm'pi:rɪəm] *n. pl.* **imperia** [ɪm'pi:rɪə] **1.** *form.* najwyższa władza; władza absolutna. **2.** (*także* **empire**) imperium.

impermanence [ɪm'pɜ:mənəns], **impermanency** [ɪm'pɜ:mənənsɪ] *n. U form.* niestałość; nietrwałość; przemijalność.

impermanent [ɪm'pɜ:mənənt] *a. form.* niestały; nietrwały; przemijający.

impermanently [ɪm'pɜ:mənəntlɪ] *adv. form.* nietrwale.

impermeability [ɪmˌpɜ:mɪə'bɪlətɪ] *n. U* **1.** *fiz.* nieprzepuszczalność. **2.** *form.* niedostępność.

impermeable [ɪm'pɜ:mɪəbl] *a.* **1.** *fiz.* nieprzepuszczalny. **2.** *form.* niedostępny (*to sth* dla czegoś); nieprzenikniony.

impermeably [ɪm'pɜ:mɪəblɪ] *adv.* **1.** *fiz.* nieprzepuszczalnie. **2.** nieprzeniknienie.

impermissible [ˌɪmpər'mɪsəbl] *a. form.* niedopuszczalny.

imperscriptible [ˌɪmpər'skrɪptəbl] *a. form.* niepoparty dowodami pisemnymi.

impersonal [ɪm'pɜ:sənl] *a. t. gram.* bezosobowy.

impersonality [ɪmˌpɜ:sə'nælətɪ] *n. U* bezosobowy charakter.

impersonally [ɪm'pɜ:sənlɪ] *adv.* bezosobowo.

impersonate [ɪm'pɜ:səˌneɪt] *v.* **1.** udawać, parodiować (*zwł. w celach komediowych*); udawać, podawać się za (*kogoś; o oszuście*); *t. teatr* wcielać się w, grać rolę (*kogoś*). **2.** uosabiać.

impersonation [ɪmˌpɜ:sə'neɪʃən] *n.* **1.** *C/U* udawanie, parodiowanie (*kogoś*). **2.** uosobienie (*of sth* czegoś).

impersonator [ɪm'pɜ:səˌneɪtər] *n.* **1.** odtwórca/czyni roli. **2.** parodyst-a/ka.

impertinence [ɪm'pɜ:tənəns] *n. U* **1.** impertynencja, bezczelność, zuchwałość. **2.** *rzad.* brak związku; niewłaściwość.

impertinent [ɪm'pɜ:tənənt] *a.* **1.** impertynencki, bezczelny, zuchwały. **2.** *rzad.* nienależący do rzeczy; nie na miejscu, niewłaściwy.

impertinently [ɪm'pɜ:tənəntlɪ] *adv.* **1.** impertynencko, bezczelnie, zuchwale. **2.** *rzad.* od rzeczy; niewłaściwie, nie na miejscu.

imperturbability [ˌɪmpərˌtɜ:bə'bɪlətɪ] *n. U form.* niewzruszony spokój.

imperturbable [ˌɪmpər'tɜ:bəbl] *a. form.* niewzruszony, spokojny.

imperturbably [ˌɪmpər'tɜ:bəblɪ] *adv. form.* niewzruszenie, spokojnie.

impervious [ɪm'pɜ:vɪəs] *a.* **1.** nieprzepuszczalny, nieprzenikliwy; ~ **to moisture** nieprzepuszczający wilgoci. **2.** *zw. pred. przen.* odporny; nieczuły, głuchy; ~ **to criticism/rational argument** głuchy na krytykę/racjonalne argumenty; ~ **to public opinion** nieliczący się z opinią publiczną.

imperviously [ɪm'pɜ:vɪəslɪ] *adv.* **1.** nieprzepuszczalnie. **2.** odpornie.

impetiginous [ˌɪmpə'tɪdʒənəs] *a. pat.* liszajcowaty.

impetigo [ˌɪmpə'ti:goʊ] *n. U pat.* liszajec.

impetrate ['ɪmpɪˌtreɪt] *v. arch. l. form.* błagać, usilnie prosić.

impetration [ˌɪmpɪ'treɪʃən] *n. U arch. l. form.* błaganie, usilne prośby.

impetuosity [ɪmˌpetʃʊ'ɑ:sətɪ] *n. U* (*także* **impetuousness**) porywczość, gwałtowność.

impetuous [ɪm'petʃʊəs] *a.* porywczy, gwałtowny.

impetuously [ɪm'petʃʊəslɪ] *adv.* porywczo, gwałtownie.

impetus ['ɪmpɪtəs] *n.* **1.** *U* impet; pęd, rozpęd; **gain** ~ nabierać impetu *l.* rozpędu. **2.** *przen.* bodziec, impuls.

impiety [ɪm'paɪɪtɪ] *n. pl.* **-ies** **1.** *U* bezbożność.

2. *U arch. l. form.* brak szacunku. 3. *zw. pl.* bezbożny *l.* niecny postępek.

impinge [ɪm'pɪndʒ] *v.* 1. uderzać (*on / upon / against sth* o coś). 2. *form.* oddziaływać, rzutować (*on / upon sth* na coś); naruszać (*on / upon sth* coś) (*np. czyjeś prawa*).

impingement [ɪm'pɪndʒmənt] *n. U* 1. uderzanie. 2. *form.* oddziaływanie; naruszanie.

impious ['ɪmpɪəs] *a.* 1. bezbożny; niecny. 2. pozbawiony szacunku.

impiously ['ɪmpɪəslɪ] *adv.* 1. bezbożnie; niecnie. 2. bez szacunku.

impish ['ɪmpɪʃ] *a.* psotny, figlarny; łobuzerski, szelmowski (*np. o uśmiechu*).

impishly ['ɪmpɪʃlɪ] *adv.* psotnie, figlarnie; łobuzersko, szelmowsko.

impishness ['ɪmpɪʃnəs] *n. U* psotność, figlarność.

implacability [ɪmˌplækə'bɪlətɪ] *n. U form.* zaciekłość, nieprzejednanie.

implacable [ɪm'plækəbl] *a. form.* zaciekły (*np. o nienawiści*), nieprzejednany, nieugięty (*np. o sprzeciwie*), nieubłagany.

implacably [ɪm'plækəblɪ] *adv. form.* zaciekle, nieprzejednanie.

implant *v.* [ɪm'plænt] 1. wpajać, zaszczepiać (*in sth / in sb's mind* w czymś/w czyimś umyśle) (*np. zasadę*). 2. *chir.* wszczepiać, implantować. 3. *fizj.* zagnieżdżać się (*o jajeczku*). 4. *roln.* sadzić, obsadzać (*with sth* czymś). 5. osadzać, zatykać (*in sth* w czymś). – *n.* ['ɪmplænt] *chir.* wszczep, implant.

implantable [ɪm'plæntəbl] *a. chir.* wszczepialny.

implantation [ˌɪmplæn'teɪʃən] *n. U* 1. wpajanie (*np. zasad*). 2. *chir.* wszczepienie, implantacja. 3. *fizj.* zagnieżdżenie się (*jajeczka*).

implausibility [ɪmˌplɔːzə'bɪlətɪ] *n. U* brak prawdopodobieństwa, nieprawdopodobieństwo.

implausible [ɪm'plɔːzəbl] *a.* mało prawdopodobny, nieprawdopodobny; mało wiarygodny, nieprzekonujący.

implausibly [ɪm'plɔːzəblɪ] *adv.* mało prawdopodobnie; mało wiarygodnie, nieprzekonująco.

implead [ɪm'pliːd] *v. prawn. rzad.* podawać do sądu, zaskarżać.

implement ['ɪmpləmənt] *n.* narzędzie; *pl.* przybory; sprzęt; **farming ~s** sprzęt rolniczy; **writing ~s** przybory do pisania. – *v.* 1. wprowadzać w życie (*np. plan, politykę*); wdrażać, stosować; urzeczywistniać. 2. *arch.* dopełniać (*umowy*); wypełniać (*zobowiązanie*); czynić zadość (*wymaganiom, warunkom*). 3. *rzad.* zaopatrywać w narzędzia.

implementation [ˌɪmplɪmen'teɪʃən] *n. U* wprowadzanie w życie; wdrażanie.

implicate ['ɪmpləˌkeɪt] *v.* 1. *często pass.* wplątywać, mieszać; **be ~d in sth** być zamieszanym w coś. 2. pociągać za sobą, zawierać w sobie (*jako wniosek l. naturalną konsekwencję*). 3. *rzad.* wikłać, plątać.

implication [ˌɪmplə'keɪʃən] *n.* 1. *C / U t. log.* implikacja; *pl.* konsekwencje (*for sth* dla czegoś); **by ~** tym samym. 2. *C / U* sugestia (*that* że). 3. *U* wplątanie, zamieszanie (*in sth* w coś).

implicature ['ɪmpləkətʃər] *n. C / U fil., jęz.* implikatura.

implicit [ɪm'plɪsɪt] *a.* 1. ukryty (*np. o groźbie, znaczeniu*); domyślny; nie wprost; **~ in sth** zawarty implicite w czymś. 2. absolutny, bezwarunkowy (*np. o zaufaniu, wierze*).

implicitly [ɪm'plɪsɪtlɪ] *adv.* 1. implicite; domyślnie. 2. bez zastrzeżeń, bezgranicznie (*ufać, wierzyć*).

implied [ɪm'plaɪd] *a.* domyślny, dający się wywnioskować; sugerowany.

impliedly [ɪm'plaɪədlɪ] *adv.* domyślnie, implicite; pośrednio.

implode [ɪm'ploʊd] *v. fiz., fon.* implodować.

implore [ɪm'plɔːr] *v. form.* błagać (*sb to do sth* kogoś, żeby coś zrobił, *sth from sb* kogoś o coś).

imploring [ɪm'plɔːrɪŋ] *a.* błagalny.

imploringly [ɪm'plɔːrɪŋlɪ] *adv.* błagalnie.

implosion [ɪm'ploʊʒən] *n. C / U fiz., fon.* implozja.

implosive [ɪm'ploʊsɪv] *a. fiz., fon.* implozyjny; dotyczący implozji.

imply [ɪm'plaɪ] *v.* **-ied, -ying** 1. sugerować, dawać do zrozumienia (*that* że). 2. implikować, znaczyć, oznaczać. 3. pociągać za sobą; wymagać koniecznie (*czegoś*).

impolicy [ɪm'pɑːlɪsɪ] *n. pl.* **-ies** *form.* nierozsądne posunięcie, niezręczność.

impolite [ˌɪmpə'laɪt] *a.* niegrzeczny, nieuprzejmy.

impolitely [ˌɪmpə'laɪtlɪ] *adv.* niegrzecznie, nieuprzejmie.

impoliteness [ˌɪmpə'laɪtnəs] *n. U* niegrzeczność, nieuprzejmość.

impolitic [ɪm'pɑːlɪtɪk] *a. form.* nierozsądny, niezręczny, niepolityczny.

imponderable [ɪm'pɑːndərəbl] *a.* 1. *gł. fiz.* nieważki; o minimalnej wadze *l.* rozmiarach. 2. *przen.* nieuchwytny; nieogarniony; niedający się oszacować *l.* obliczyć (*zwł. o skutkach*). – *n. zw. pl.* imponderabilia.

import *v.* [ɪm'pɔːrt] 1. *handl.* importować, przywozić, wwozić, sprowadzać. 2. *komp.* importować, ściągać (*dane, plik*). 3. *form.* oznaczać, znaczyć. – *n.* ['ɪmpɔːrt] 1. *handl. U* import, przywóz; *zw. pl.* towar importowany *l.* z importu. 2. *U form.* = **importance**.

importance [ɪm'pɔːrtəns] *n. U* znaczenie; waga, doniosłość; **attach ~ to sth** przywiązywać wagę do czegoś; **of great ~** wielkiej wagi; **of no ~** bez znaczenia; **people of ~** ważne osoby.

important [ɪm'pɔːrtənt] *a.* 1. ważny (*to sb / sth* dla kogoś/czegoś); znaczący, doniosły; **it is ~ to do sth/that sb does sth** ważne (jest), żeby coś zrobić/żeby ktoś coś zrobił. 2. ważny, wpływowy (*o osobie, pozycji*).

importantly [ɪm'pɔːrtəntlɪ] *adv.* 1. **more/equally ~, ...** co ważniejsze/równie ważne, ... 2. z ważną miną; poważnie.

importation [ˌɪmpɔːr'teɪʃən] *n. C / U* = **import** *n.* 1.

import duty *n. C / U handl.* cło przywozowe.

importer [ɪm'pɔːrtər] *n. handl.* importer.

import license, *Br.* **import licence** *n. handl.* licencja importowa.

importunate [ɪm'pɔːrtʃənɪt] *a. form.* natrętny.

importunately [ɪm'pɔːrtʃənɪtlɪ] *adv. form.* natrętnie.

importunateness [ɪm'pɔːrtʃənɪtnəs] *n. U form.* natrętność, natręctwo.

importune [ˌɪmpɔːr'tuːn] *v. form.* **1.** narzucać się, naprzykrzać się (*komuś*); **~ sb for sth** molestować kogoś o coś (*zwł. o pieniądze*). **2.** czynić nieprzyzwoite propozycje (*komuś*).

importunity [ˌɪmpɔːr'tuːnətɪ] *n. form.* **1.** *U* natrętność. **2.** *pl.* **-ies** natrętnie powtarzana prośba.

impose [ɪm'poʊz] *v.* **1.** nakładać (*sth on sb* coś na kogoś) (*np. podatki, sankcje, restrykcje*). **2. ~ sth on sb** narzucać coś komuś (*np. dyscyplinę, własny system wartości*). **3. ~ on/upon sb** nadużywać czyjejś uprzejmości; narzucać się komuś; wykorzystywać kogoś. **4.** *kość.* nakładać ręce na (*czyjąś głowę; np. podczas bierzmowania l. udzielania święceń kapłańskich*). **5.** *druk.* łamać (*szpalty, strony*).

imposing [ɪm'poʊzɪŋ] *a.* imponujący, okazały, robiący wrażenie.

imposingly [ɪm'poʊzɪŋlɪ] *adv.* imponująco, okazale.

imposition [ˌɪmpə'zɪʃən] *n.* **1.** *zw. sing.* nadużycie uprzejmości. **2.** *U* nakładanie (*np. podatków*). **3.** podatek, danina; narzucony ciężar. **4.** *U druk.* łamanie. **5.** *U kość.* nałożenie rąk.

impossibility [ɪmˌpɑːsə'bɪlətɪ] *n.* **1.** *U* niemożliwość. **2.** *pl.* **-ies** rzecz niemożliwa *l.* niewykonalna, niemożliwość.

impossible [ɪm'pɑːsəbl] *a.* **1.** niemożliwy; **it is ~ for sb to do sth** ktoś nie może *l.* nie jest w stanie czegoś zrobić; **make it ~ for sb to do sth** uniemożliwić komuś zrobienie czegoś. **2.** niewykonalny, niemożliwy do zrealizowania (*o żądaniach, prośbach*). **3.** nie do zniesienia, nieznośny. – *n.* **the ~** niemożliwość, rzecz niemożliwa; **ask/do the ~** żądać/dokonać niemożliwego.

impossibly [ɪm'pɑːsəblɪ] *adv.* **1.** niemożliwie; niesamowicie (*np. trudny*). **2.** *pot.* nieznośnie, nie do zniesienia. **3.** w żaden sposób.

impost[1] ['ɪmpoʊst] *n.* **1.** podatek; cło. **2.** *jeźdz.* ciężar dźwigany przez konia przy handicapie.

impost[2] *n. bud.* impost.

impostor [ɪm'pɑːstər], **imposter** *n.* uzurpator/ka, oszust/ka.

impostume [ɪm'pɑːstʃuːm], **imposthume** [ɪm'pɑːsθuːm] *n. arch. pat.* ropień.

imposture [ɪm'pɑːstʃər] *n. C/U form.* oszustwo, szalbierstwo.

impotence ['ɪmpətəns], **impotency** ['ɪmpətənsɪ] *n. U* **1.** impotencja, niemoc płciowa. **2.** bezsilność, niemoc. **3.** brak sił; zniedołężnienie.

impotent ['ɪmpətənt] *a.* **1.** cierpiący na impotencję. **2.** bezsilny. **3.** zniedołężniały. – *n.* impotent.

impotently ['ɪmpətəntlɪ] *adv.* bezsilnie.

impound [ɪm'paʊnd] *v.* **1.** *prawn.* sekwestrować, konfiskować. **2.** zamykać w ogrodzeniu (*np. bydło*).

impoverish [ɪm'pɑːvərɪʃ] *v. zw. pass. t. przen.* zubażać.

impoverished [ɪm'pɑːvərɪʃt] *a.* zubożały.

impoverishment [ɪm'pɑːvərɪʃmənt] *n. U* zubożenie.

impracticability [ɪmˌpræktəkə'bɪlətɪ] *n. U* niewykonalność.

impracticable [ɪm'præktəkəbl] *a.* **1.** niewykonalny, niemożliwy (*w praktyce*). **2.** nienadający się do użytku. **3.** *arch.* nie do opanowania *l.* rozwiązania.

impracticably [ɪm'præktəkəblɪ] *adv.* niewykonalnie.

impractical [ɪm'præktɪkl] *a.* **1.** niepraktyczny (*o osobie*). **2.** nierealny (*o planach, propozycjach*).

impracticality [ɪmˌpræktɪ'kælətɪ] *n. U* **1.** niepraktyczność. **2.** nierealność.

imprecate ['ɪmprəˌkeɪt] *v. form.* **1.** złorzeczyć, przeklinać, bluźnić. **2.** sprowadzać (*sth on sb* coś na kogoś) (*zwł. nieszczęścia*). **3.** rzucić klątwę na (*kogoś l. coś*).

imprecation [ˌɪmprə'keɪʃən] *n. form.* złorzeczenie, przekleństwo.

imprecatory ['ɪmprəkəˌtɔːrɪ] *a. form.* złorzeczący.

imprecise [ˌɪmprɪ'saɪs] *a.* nieprecyzyjny, niedokładny, nieścisły.

imprecisely [ˌɪmprɪ'saɪslɪ] *adv.* nieprecyzyjnie, niedokładnie, nieściśle.

imprecision [ˌɪmprɪ'sɪʒən] *n. U* (*także* **impreciseness**) nieprecyzyjność, niedokładność, nieścisłość.

impregnability [ɪmˌpregnə'bɪlətɪ] *n. U* niepodważalność (*argumentu, twierdzenia*).

impregnable[1] [ɪm'pregnəbl] *a.* **1.** nie do zdobycia, niezdobyty (*np. o twierdzy*). **2.** niepodważalny, nie do obalenia *l.* podważenia (*o dowodzie*), nie do odparcia (*o argumencie*). **3.** niezachwiany (*np. o wierze*). **4.** *zwł. Br. i Austr.* nie do pokonania, niepokonany (*o drużynie, przeciwniku*).

impregnable[2] *a. zwł. US* dający się zapłodnić.

impregnably [ɪm'pregnəblɪ] *adv.* **1.** nie do zdobycia. **2.** w niepodważalny sposób.

impregnate *v.* [ɪm'pregˌneɪt] **1.** *zw. pass.* impregnować, nasączać (*with sth* czymś). **2.** *biol.* zapładniać. **3.** *lit.* przepajać (*with sth* czymś). – *a.* [ɪm'pregnət] **1.** impregnowany, nasączony. **2.** *biol.* zapłodniony. **3.** *lit.* przepojony, brzemienny (*with sth* czymś).

impregnation [ˌɪmpreg'neɪʃən] *n. C/U* **1.** impregnowanie, nasączanie. **2.** *biol.* zapłodnienie.

impresario [ˌɪmprɪ'sɑːrɪˌoʊ] *n. pl.* **-s** impresario.

imprescriptible [ˌɪmprɪ'skrɪptəbl] *a. prawn.* nie ulegający przedawnieniu.

impress[1] *v.* [ɪm'pres] **1.** *często pass.* wywierać *l.* robić wrażenie na (*kimś*); imponować (*komuś*); **be ~ed with/by sth** być *l.* pozostawać pod wrażeniem czegoś; **be favorably ~ed** odnieść pozytywne wrażenie; **fail to ~** nie robić wrażenia. **2.** wytłaczać, odciskać (*sth on sth* coś na czymś); opatrywać znakiem *l.* odciskiem (*with sth* czegoś) (*np. pieczęci*); *przen.* cechować, piętnować. **3.** ~ **sth on/upon sb** uzmysłowić coś komuś; wpoić *l.* zaszczepić coś komuś. – *n.* ['ɪmpres] *lit.* odcisk; *przen.* piętno.

impress2 *v. gł. hist.* **1.** rekwirować. **2.** brać przemocą do wojska.

impressible [ɪm'presəbl] *a.* = **impressionable**.

impression [ɪm'preʃən] *n.* **1.** wrażenie; odczucie; **be under the ~ that...** mieć wrażenie, że...; **first ~s** pierwsze wrażenia; **have/get the ~ that...** mieć/odnosić wrażenie, że...; **make a good ~ on sb** zrobić na kimś dobre wrażenie. **2.** parodia; **do an ~ of sb** parodiować kogoś. **3.** wgniecenie; odciśnięty znak. **4.** *druk.* nakład; przedruk (*z tego samego składu*); odbitka (*np. z czcionek l. sztychu*). **5.** *dent.* wycisk. **6.** wytłoczenie, wyciśnięcie (*znaku*).

impressionability [ɪmˌpreʃənə'bɪlətɪ] *n. U* podatność na wpływy.

impressionable [ɪm'preʃənəbl] *a.* (*także* **impressible**) podatny na wpływy, łatwo ulegający wpływom.

impressionism [ɪm'preʃəˌnɪzəm] *n. U sztuka* impresjonizm.

impressionist [ɪm'preʃənɪst] *n.* **1.** *sztuka* impresjonist-a/ka. **2.** parodyst-a/ka. – *a.* (*także* **impressionistic**) **1.** impresyjny. **2.** *sztuka* impresjonistyczny; dotyczący impresjonizmu.

impressive [ɪm'presɪv] *a.* robiący wrażenie, imponujący.

impressively [ɪm'presɪvlɪ] *adv.* imponująco.

impressiveness [ɪm'presɪvnəs] *n. U* imponujący charakter.

impressment [ɪm'presmənt] *n. U gł. hist.* **1.** rekwizycja. **2.** przymusowy pobór (*do wojska*).

imprest [ɪm'prest] *n. fin.* pożyczka; *gł. Br.* zaliczka (*zwł. na prowadzenie prac w interesie państwa*).

imprimatur [ˌɪmprɪ'mɑːtʊr] *n. sing.* **1.** *kość.* imprimatur. **2.** *form. l. żart.* zgoda, zezwolenie.

imprimis [ɪm'praɪmɪs] *adv. form.* przede wszystkim, nade wszystko.

imprint *n.* ['ɪmprɪnt] *zw. sing.* **1.** odcisk (*of sth* czegoś). **2.** metryczka (*książki*). **3.** *przen.* znamię, piętno. – *v.* [ɪm'prɪnt] *zw. pass.* **1.** zaopatrywać w znak (*with sth* czegoś). **2.** *przen.* odciskać piętno; ~ **itself (indelibly) on sb's mind** odcisnąć na kimś niezatarte piętno; **be ~ed on sb's mind** wryć się komuś głęboko w pamięć.

imprison [ɪm'prɪzən] *v. t. przen.* zamykać w więzieniu, wtrącać do więzienia.

imprisonment [ɪm'prɪzənmənt] *n. C/U t. przen.* uwięzienie; kara więzienia; **life ~** kara dożywotniego więzienia, dożywocie.

improbability [ɪmˌprɑːbə'bɪlətɪ] *n. U* nieprawdopodobieństwo.

improbable [ɪm'prɑːbəbl] *a.* nieprawdopodobny; **highly ~** wysoce *l.* wielce nieprawdopodobny; **it is ~ that...** jest nieprawdopodobne, żeby...

improbably [ɪm'prɑːbəblɪ] *adv.* nieprawdopodobnie.

improbity [ɪm'proʊbətɪ] *n. U form.* niegodziwość; nieuczciwość.

impromptu [ɪm'prɑːmptuː] *a. zw. attr.* improwizowany, zaimprowizowany. – *adv.* w sposób zaimprowizowany, bez przygotowania. – *n.* **1.** *muz.* impromptu. **2.** improwizacja.

improper [ɪm'prɑːpər] *a.* **1.** niewłaściwy (*t. mat., prawn.*), niestosowny, nieodpowiedni. **2.** nieprzyzwoity, zdrożny.

improper fraction *n. mat.* ułamek niewłaściwy.

improperly [ɪm'prɑːpərlɪ] *adv.* **1.** niewłaściwie, niestosownie, nieodpowiednio. **2.** nieprzyzwoicie.

improperness [ɪm'prɑːpərnəs] *n. U* niewłaściwość, niestosowność.

impropriate *v.* [ɪm'proʊprɪˌeɪt] *kośc.* sekularyzować (*dziesięciny, własność kościelną*). – *a.* [ɪm'proʊprɪət] sekularyzowany.

impropriation [ɪmˌproʊprɪ'eɪʃən] *n. C/U kośc.* sekularyzacja.

impropriety [ˌɪmprə'praɪətɪ] *n. pl.* **-ies** *form.* **1.** niestosowny postępek; rzecz nie na miejscu. **2.** *U* niestosowność, niestosowne zachowanie; nieprzyzwoitość.

improvability [ɪmˌpruːvə'bɪlətɪ], **improvableness** [ɪm'pruːvəblnəs] *n. U* możliwość ulepszenia.

improvable [ɪm'pruːvəbl] *a.* dający się ulepszyć.

improve [ɪm'pruːv] *v.* **1.** ulepszać, udoskonalać; polepszać (się); poprawiać (się); **his health has ~d** stan jego zdrowia poprawił się. **2.** podnosić wartość (*budynków l. gruntu przez dokonanie ulepszeń*). **3.** *rzad.* robić użytek z (*czegoś*), wykorzystywać. **4.** ~ **on/upon sth** przewyższyć coś (*zwł. czyjeś dokonania*); poprawić coś (*np. rekord*).

improvement [ɪm'pruːvmənt] *n. C/U* ulepszenie, udoskonalenie; polepszenie (się); poprawa, postęp (*in sth* w czymś); **be an ~ on sth** być lepszym od czegoś; **make ~s** dokonywać ulepszeń (*to sth* w czymś); **show an ~** wykazywać poprawę; **there's (still) room for ~** (jeszcze) dużo można poprawić.

improver [ɪm'pruːvər] *n. strój, hist.* tiurniura.

improvidence [ɪm'prɑːvɪdəns] *n. U form.* nieprzezorność, nieopatrzność; niegospodarność.

improvident [ɪm'prɑːvɪdənt] *a. form.* nieprzezorny, nieopatrzny; niegospodarny.

improvidently [ɪm'prɑːvɪdəntlɪ] *adv. form.* nieprzezornie, nieopatrznie; niegospodarnie.

improvisation [ɪmˌprɑːvə'zeɪʃən] *n. C/U* **1.** improwizacja. **2.** *pot.* prowizorka.

improvisational [ɪmˌprɑːvə'zeɪʃənl], **improvisatorial** [ɪmˌprɑːvəzə'tɔːrɪəl], **improvisatory** [ˌɪmprə'vaɪzəˌtɔːrɪ] *a.* **1.** improwizacyjny. **2.** *pot.* prowizoryczny.

improvisator [ɪm'prɑːvəˌzeɪtər] *n.* = **improviser**.

improvise ['ɪmprəˌvaɪz] *v.* improwizować.

improviser ['ɪmprəˌvaɪzər], **improvisor**, **improvisator** [ɪm'prɑːvɪˌzeɪtər] *n.* improwizator/ka.

imprudence [ɪm'pruːdəns] *n. U form.* nierozwaga, brak rozwagi; nieroztropność.

imprudent [ɪm'pru:dənt] *a. form.* nierozważny; nieroztropny.

impudence ['ɪmpjədəns] *n. U* bezwstyd; zuchwalstwo, bezczelność.

impudent ['ɪmpjədənt] *a.* bezwstydny; zuchwały, bezczelny.

impudently ['ɪmpjədəntlɪ] *adv.* bezwstydnie; zuchwale, bezczelnie.

impudicity [ˌɪmpjə'dɪsətɪ] *n. U rzad.* bezwstyd.

impugn [ɪm'pju:n] *v. form.* kwestionować, podawać w wątpliwość (*czyjąś reputację, kwalifikacje*); atakować (*czyjś punkt widzenia, argumenty*).

impugnable [ɪm'pju:nəbl] *a. form.* dający się zakwestionować, wątpliwy.

impugnment [ɪm'pju:nmənt] *n. U* kwestionowanie, podawanie w wątpliwość.

impuissance [ɪm'pju:əsənt] *n. U lit.* bezsilność.

impuissant [ɪm'pju:əsənt] *a. lit.* bezsilny.

impulse ['ɪmpʌls] *n. C/U* **1.** impuls (*t. mech., fizj., psych.*); bodziec. **2.** impuls, poryw, odruch; ochota, chęć (*to do sth* żeby coś zrobić); ~ **buying** kupowanie pod wpływem impulsu; **act on (an)** ~ działać pod wpływem impulsu. **3.** *tel.* odstęp jednostkowy. **4.** *el.* ~ **starter** iskrownik rozruchowy; ~ **strength** wytrzymałość udarowa; ~ **voltage** napięcie udarowe.

impulsion [ɪm'pʌlʃən] *n. U* **1.** popędzanie. **2.** namawianie; motywowanie. **3.** wewnętrzna potrzeba, wewnętrzny przymus (*zrobienia czegoś*).

impulsive [ɪm'pʌlsɪv] *a.* **1.** impulsywny, porywczy, popędliwy. **2.** popędzający; motywujący. **3.** *mech.* działający pod wpływem impulsu.

impulsively [ɪm'pʌlsɪvlɪ] *adv.* impulsywnie, porywczo.

impulsiveness [ɪm'pʌlsɪvnəs] *n. U* impulsywność, porywczość, popędliwość.

impunity [ɪm'pju:nətɪ] *n. U* bezkarność; **with** ~ bezkarnie.

impure [ɪm'pjʊr] *a.* **1.** *t. przen.* nieczysty (*np. o powietrzu, dźwięku; t. przest. l. żart. o myślach*). **2.** zanieczyszczony. **3.** mieszany (*np. o barwie, stylu*).

impurely [ɪm'pjʊrlɪ] *adv.* **1.** *t. przen.* nieczysto. **2.** z domieszką zanieczyszczenia. **3.** z domieszką innego koloru.

impurity [ɪm'pjʊrətɪ] *n. C/U t. przen.* **1.** nieczystość. **2.** zanieczyszczenie.

imputable [ɪm'pju:təbl] *a. form.* dający się przypisać *l.* imputować (*zw. o cechach negatywnych*).

imputation [ˌɪmpjʊ'teɪʃən] *n. U form.* **1.** przypisywanie (*of sth* czegoś) (*zwł. cech negatywnych*). **2.** posądzanie; obwinianie; pomawianie (*of sth* o coś).

impute [ɪm'pju:t] *v.* ~ **sth to sb** przypisywać coś komuś; posądzać *l.* obwiniać *l.* pomawiać kogoś coś.

IN *abbr. US* = **Indiana.**

in [ɪn] *prep.* **1.** w; ~ **Australia/Boston** w Australii/Bostonie; ~ **December** w grudniu; ~ **2003** w roku 2003; ~ **groups/rows** w grupach/rzędach; ~ **haste/despair** w pośpiechu/rozpaczy; ~ **(the) summer/winter** w lecie/zimie; ~ **that case** w takim razie; ~ **the fridge/kitchen/hospital** w lodówce/kuchni/szpitalu; ~ **the paper/book** w gazecie/książce; ~ **the Middle Ages** w średniowieczu; ~ **the rain** w deszczu; ~ **the 60s** w latach sześćdziesiątych; **believe** ~ **sth** wierzyć w coś; **carved** ~ **stone** wyryty w kamieniu; **do sth** ~ **three hours/days** zrobić coś w trzy godziny/dni; **rich** ~ **vitamins and minerals** bogaty w witaminy i sole mineralne; **women** ~ **hats** kobiety w kapeluszach; **you've got a friend** ~ **her** masz w niej przyjaciela. **2.** na; ~ **Alaska/Crete** na Alasce/Krecie; ~ **the street** *Br.* na ulicy; ~ **this painting** na tym obrazie; **blind** ~ **one eye** ślepy na jedno oko; **cut sth** ~ **half** przeciąć coś na pół; **dressed** ~ **black** ubrany na czarno; **it is five inches** ~ **width** jest szeroki na pięć cali; **I want to have it** ~ **writing** chcę to mieć na piśmie; **one** ~ **(every) ten women** jedna kobieta na dziesięć. **3.** do; **put it** ~ **the drawer/bag** włóż to do szuflady/torby. **4.** za; ~ **a few minutes** za parę minut; ~ **two weeks' time** za dwa tygodnie. **5.** od; **I haven't heard from her** ~ **six months** od pół roku nie miałem od niej wiadomości. **6.** podczas, w czasie *l.* ciągu *l.* trakcie; **in World War II** w czasie II wojny światowej. **7.** u; ~ **Shakespeare** u Szekspira; **the disease is common** ~ **older men** choroba ta często występuje u starszych mężczyzn. **8.** po; **be** ~ **one's fifties** być po pięćdziesiątce; **written** ~ **Polish** pisany po polsku. **9.** tłumaczy się za pomocą przysłówka *l.* narzędnika; ~ **a whisper/loud voice** szeptem/głośno; ~ **my opinion** moim zdaniem; ~ **pencil** ołówkiem; ~ **prose/verse** prozą/wierszem; ~ **the morning/evening** rano/wieczorem; **be interested** ~ **art** interesować się sztuką; **pay** ~ **cash** płacić gotówką; **pay large sums** ~ **taxes** płacić duże sumy tytułem podatku; **sunbathe** ~ **the nude** opalać się nago. **10.** *z imiesłowem czynnym* ~ **crossing the street** podczas przechodzenia przez jezdnię; ~ **saying this** mówiąc to. **11.** *z określeniami zawodu, dyscypliny naukowej, dziedziny zainteresowań* **be** ~ **publishing/politics** zajmować się działalnością wydawniczą/polityką; **PhD** ~ **philosophy** doktorat w zakresie *l.* z filozofii. – *adv.* **1.** do środka, do wewnątrz; **ask her** ~ poproś ją do środka; **how did you get** ~**?** jak się dostałeś do środka?; **the right side** ~ prawą stroną do wewnątrz. **2.** w środku; **lock sb** ~ zamknąć kogoś w środku (*na klucz*). **3. be** ~ być w domu; być (obecnym) w pracy; być w modzie; przyjechać (na stację) (*o pociągu*); przyjechać (do portu) (*o statku*); przylecieć (*o samolocie*); *krykiet itp.* mieć właśnie swoją kolej *l.* prawo do gry; **strawberries are** ~ jest teraz sezon na truskawki; **the Democrats are** ~ Demokraci są przy *l.* u władzy; **winter is** ~ nadeszła zima. **4. be** ~ **at sth** być obecnym przy czymś; **be** ~ **on sth** brać udział w czymś (*np. w dyskusji*); być wtajemniczonym w coś; **be** ~ **with sb** *pot.* obracać się w czyimś towarzystwie, kolegować się z kimś; **have it** ~ **for sb** *zob.* **have** *v.*; **he's** ~ **for a surprise** czeka go niespodzianka; **you're** ~ **for it** *pot.* dostanie ci się, dostaniesz za swoje. **5.** ~ **for a penny,** ~ **for a pound** *zob.* **penny; day** ~**, day out** *zob.* **day; (know sb/sth)** ~ **and out** (znać kogoś/coś) na wylot. – *a. zw. attr.*

1. *pot.* modny. **2.** zrozumiały tylko dla wtajemniczonych (*o żarcie, aluzji*). **3.** wewnętrzny; przebywający wewnątrz; ~ **patient** pacjent leżący w szpitalu. **4.** prowadzący do wewnątrz, wejściowy (*np. o drzwiach*). **5.** przychodzący (*np. o pociągu*). **6.** uprzywilejowany; mający władzę (*np. o partii*). – *n. pl.* **the ~s and outs** arkana, tajniki; zawiłości (*of sth* czegoś).

in. *abbr.* = **inch.**

inability [ˌɪnəˈbɪlətɪ] *n. U l. sing.* niemożność (*to do sth* zrobienia czegoś); niezdolność.

in absentia [ˌɪn əbˈsenʃə] *adv. Lat. form.* w nieobecności, pod nieobecność.

inaccessibility [ˌɪnəkˌsesəˈbɪlətɪ] *n. U* **1.** niedostępność. **2.** *przen.* nieprzystępność.

inaccessible [ˌɪnəkˈsesəbl] *a.* **1.** niedostępny. **2.** *przen.* nieprzystępny.

inaccessibly [ˌɪnəkˈsesəblɪ] *adv.* **1.** niedostępnie. **2.** *przen.* nieprzystępnie.

inaccuracy [ɪnˈækjərəsɪ] *n. C/U pl.* **-ies** niedokładność, nieścisłość.

inaccurate [ɪnˈækjərɪt] *a.* niedokładny, nieścisły.

inaccurately [ɪnˈækjərɪtlɪ] *adv.* niedokładnie, nieściśle.

inaccurateness [ɪnˈækjərɪtnəs] *n. U* niedokładność, nieścisłość.

inaction [ɪnˈækʃən] *n. U* (*także* **inactivity**) bezczynność; bierność; bezwład.

inactivate [ɪnˈæktəˌveɪt] *v. t. biol.* inaktywować; unieruchamiać.

inactivation [ɪnˌæktəˈveɪʃən] *n. U t. biol.* inaktywacja; unieruchomienie.

inactive [ɪnˈæktɪv] *a.* **1.** bezczynny; bierny; nieaktywny; *t. geol.* nieczynny (*o urządzeniu, wulkanie*). **2.** *chem.* obojętny. **3.** *wojsk.* w stanie spoczynku (*o oficerze*).

inactivity [ˌɪnəkˈtɪvətɪ] *n. U* = **inaction.**

inadequacy [ɪnˈædəkwəsɪ] *n. pl.* **-ies** **1.** *U* nieodpowiedniość, niezdatność; niedostateczność, niedoskonałość; wadliwość. **2.** *U* brak kompetencji, nieudolność; niedowartościowanie. **3.** wada, defekt; niedociągnięcie.

inadequate [ɪnˈædəkwɪt] *a.* **1.** nieodpowiedni, nie nadający się, niezdatny (*for sth* do czegoś); niewystarczający, niedostateczny, niezadowalający. **2.** nieudolny, niekompetentny. **3.** wadliwy.

inadequately [ɪnˈædəkwɪtlɪ] *adv.* **1.** nieodpowiednio; niewystarczająco, niedostatecznie, niezadowalająco; nieudolnie. **2.** wadliwie.

inadmissibility [ˌɪnədˌmɪsəˈbɪlətɪ] *n. U* niedopuszczalność.

inadmissible [ˌɪnədˈmɪsəbl] *a. gł. prawn.* niedopuszczalny (*zwł. jako dowód w sądzie*); nie do przyjęcia.

inadmissibly [ˌɪnədˈmɪsəblɪ] *adv.* niedopuszczalnie.

inadvertence [ˌɪnədˈvɜːtəns], **inadvertency** [ˌɪnədˈvɜːtənsɪ] *n.* **1.** *U* nieuwaga; niedbalstwo. **2.** przeoczenie.

inadvertent [ˌɪnədˈvɜːtənt] *a.* **1.** nieumyślny, mimowolny; wynikający z nieuwagi *l.* przeoczenia (*np. o błędzie*). **2.** nieuważny; niedbały.

inadvertently [ˌɪnədˈvɜːtəntlɪ] *adv.* **1.** niechcący, nieumyślnie, mimowolnie. **2.** nieuważnie; niedbale.

inadvisable [ˌɪnədˈvaɪzəbl] *a.* niewskazany, nie zalecany; **it is ~ to do sth** robienie czegoś nie jest wskazane.

inalienability [ɪnˌeɪljənəˈbɪlətɪ] *n. U* niezbywalność (*zwł. praw*).

inalienable [ɪnˈeɪljənəbl] *a. form.* niezbywalny (*o prawie*), nieprzenośny (*o własności*).

inalienably [ɪnˈeɪljənəblɪ] *adv.* niezbywalnie.

inalterability [ɪnˌɔːltərəˈbɪlətɪ] *n. U form.* niezmienność.

inalterable [ɪnˈɔːltərəbl] *a. form.* niezmienny.

inamorata [ɪnˌæməˈrɑːtə] *n. pl.* **-s** *lit. l. żart.* ukochana; kochanka.

inamorato [ɪnˌæməˈrɑːtoʊ] *n. pl.* **-s** *lit. l. żart.* ukochany; kochanek.

in-and-in breeding [ˌɪnəndˌɪn ˈbriːdɪŋ] *n. U hodowla* rozmnażanie w ograniczonej grupie.

inane [ɪˈneɪn] *a.* **1.** czczy; *t. przen.* próżny, pusty. **2.** głupi, durny (*np. o uwadze, żarcie*). – *n. arch. U* próżnia, pustka.

inanely [ɪˈneɪnlɪ] *adv.* **1.** *t. przen.* pusto. **2.** bezmyślnie, głupio.

inanimate [ɪnˈænəmɪt] *a.* **1.** nieożywiony, martwy. **2.** *gram.* nieżywotny. **3.** apatyczny, bierny; nudny, bez życia.

inanimately [ɪnˈænəmɪtlɪ] *adv. t. przen.* bez życia, martwo.

inanimateness [ɪnˈænəmɪtnəs] *n. U t. przen.* brak życia, martwota.

inanition [ˌɪnəˈnɪʃən] *n. U* **1.** *pat.* wycieńczenie (*zwł. z głodu*). **2.** *lit.* apatia, letarg. **3.** *t. przen.* próżność, pustota.

inanity [ɪˈnænətɪ] *n. pl.* **-ies** **1.** *U* pustka myślowa; czczość, próżność. **2.** *U* bezmyślność. **3.** bezmyślna uwaga.

inappellable [ˌɪnəˈpeləbl] *a. form.* nieodwołalny, bezapelacyjny.

inappetence [ɪnˈæpɪtəns], **inappetency** [ɪnˈæpɪtənsɪ] *n. U rzad.* brak apetytu.

inappetent [ɪnˈæpɪtənt] *a. rzad.* nie mający apetytu.

inapplicability [ɪnˌæpləkəˈbɪlətɪ] *n. U* nieodpowiedniość.

inapplicable [ɪnˈæpləkəbl] *a.* niedający się zastosować, niestosujący się, niemający zastosowania (*to sb/sth* do kogoś/czegoś); nieodpowiedni.

inapposite [ɪnˈæpəzɪt] *a. form.* nieodpowiedni, niestosowny, nie na miejscu.

inappreciable [ˌɪnəˈpriːʃɪəbl] *a. form.* **1.** niedostrzegalny, niedostrzegalny; nieuchwytny, nieznaczny. **2.** nie dający się ocenić; nieoceniony.

inappreciation [ˌɪnəˌpriːʃɪˈeɪʃən] *n. U* **1.** niedocenianie. **2.** brak oceny.

inappreciative [ˌɪnəˈpriːʃətɪv] *a. form.* nieumiejący docenić (*of sth* czegoś).

inapprehensive [ˌɪnæprɪˈhensɪv] *a. form.* **1.** niezdający sobie sprawy (*of sth* z czegoś). **2.** niepojętny, mało pojętny.

inapproachable [ˌɪnəˈproʊtʃəbl] *a.* niedostępny.

inappropriate [ˌɪnəˈproʊprɪət] *a.* nieodpowiedni, niewłaściwy, niestosowny.

inappropriately [ˌɪnəˈproʊprɪətlɪ] *adv.* nieodpowiednio, niewłaściwie, niestosownie.

inappropriateness [ˌɪnəˈproʊprɪətnəs] *n. U* nieodpowiedniość, niewłaściwość, niestosowność.

inapt [ɪnˈæpt] *a. form.* **1.** niewłaściwy, niestosowny. **2.** nieudolny.

inaptitude [ɪnˈæptɪˌtuːd], **inaptness** [ɪnˈæptnəs] *n. U form.* **1.** niewłaściwość, niestosowność. **2.** nieudolność.

inaptly [ɪnˈæptlɪ] *adv. form.* **1.** niewłaściwie, niestosownie. **2.** nieudolnie.

inarch [ɪnˈɑːrtʃ] *v. ogr.* wszczepiać.

inarticulate [ˌɪnɑːrˈtɪkjələt] *a.* **1.** nieumiejący się wysłowić. **2.** niewyraźny, nieartykułowany (*o mowie*). **3.** niewymowny, niedający się wyrazić *l.* sformułować. **4.** niemy, niemogący mówić (*np. z gniewu*). **5.** *zool.* nie rozczłonkowany, bez stawów.

inarticulately [ˌɪnɑːrˈtɪkjələtlɪ] *adv.* **1.** niewyraźnie, w sposób nieartykułowany. **2.** niewymownie.

inarticulateness [ˌɪnɑːrˈtɪkjələtnəs] *n. U* **1.** brak umiejętności wysłowienia się. **2.** nieartykułowany charakter.

inartificial [ɪnˌɑːrtəˈfɪʃl] *a. arch.* **1.** wolny od sztuczności, naturalny. **2.** nieartystyczny.

inartistic [ˌɪnɑːrˈtɪstɪk] *a.* pozbawiony zmysłu artystycznego.

inasmuch as [ˌɪnəzˈmʌtʃ əz] *conj. form.* **1.** przez to, że... **2.** o tyle, o ile..., w (takim) stopniu, w jakim...

inattention [ˌɪnəˈtenʃən] *n. U* **1.** nieuwaga; niezwracanie uwagi (*to sth* na coś). **2.** lekceważenie; brak uprzejmości.

inattentive [ˌɪnəˈtentɪv] *a.* **1.** nieuważny. **2.** lekceważący; nieuprzejmy.

inaudibility [ɪnˌɔːdəˈbɪlətɪ] *n. U* niesłyszalność.

inaudible [ɪnˈɔːdəbl] *a.* niesłyszalny.

inaudibly [ɪnˈɔːdəblɪ] *adv.* niesłyszalnie.

inaugural [ɪnˈɔːgjərəl] *a.* inauguracyjny. – *n. US polit.* przemówienie inauguracyjne (*prezydenta*).

inaugurate [ɪnˈɔːgjəˌreɪt] *v.* **1.** inaugurować, uroczyście otwierać *l.* rozpoczynać. **2.** *gł. US polit.* wprowadzać na urząd (*zwł. prezydenta*). **3.** oddawać do użytku publicznego (*np. budynek*).

inauguration [ɪnˌɔːgjəˈreɪʃən] *n. C/U* **1.** inauguracja, uroczyste otwarcie *l.* rozpoczęcie. **2.** *polit.* uroczyste wprowadzenie na urząd; **I~ Day** *US* dzień wprowadzenia prezydenta na urząd (*20 stycznia*).

inauspicious [ˌɪnɔːˈspɪʃəs] *a. form.* niewróżący sukcesu, niezbyt obiecujący; pechowy, nieszczęśliwy.

inauspiciously [ˌɪnɔːˈspɪʃəslɪ] *adv. form.* niezbyt obiecująco; pechowo, nieszczęśliwie.

inauspiciousness [ˌɪnɔːˈspɪʃəsnəs] *n. U form.* niezbyt obiecujący początek; pech, brak szczęścia.

inbeing [ˈɪnˌbiːɪŋ] *n. U fil.* **1.** immanencja. **2.** istota.

in-between [ˌɪnbɪˈtwiːn] *a. pot.* pośredni.

inboard [ˈɪnˌbɔːrd] *żegl., lotn. a.* znajdujący się wewnątrz (*statku l. samolotu; zwł. o silniku*). – *adv.* w kierunku linii środkowej (*statku l. samolotu*).

inborn [ˌɪnˈbɔːrn] *a.* wrodzony.

inbound [ˌɪnˈbaʊnd] *a. kol.* przyjeżdżający (*na daną stację*); *żegl.* przypływający (*do danego portu*); *lotn.* przylatujący (*na dane lotnisko*); znajdujący się na podejściu do lądowania.

inbreathe [ˈɪnˌbriːð] *v.* **1.** *rzad.* wdychać. **2.** *lit.* przepoić; natchnąć.

inbred [ˌɪnˈbred] *a.* **1.** wrodzony, przyrodzony. **2.** *antrop.* endogamiczny, będący wynikiem wewnętrznego skoligacenia. **3.** *hodowla* będący wynikiem chowu wsobnego.

inbreed [ˈɪnˌbriːd] *v. pp. i pret.* **-bred** **1.** *antrop.* praktykować endogamię. **2.** *hodowla* stosować chów wsobny.

inbreeding [ˈɪnˌbriːdɪŋ] *n. U* **1.** *antrop.* endogamia. **2.** *hodowla* chów wsobny.

inc. *abbr.* **1.** = **incomplete**. **2.** = **incorporated**. **3.** = **increase**.

Inca [ˈɪŋkə] *n. pl.* **-s** *l.* **Inca** **1.** Inka, Inkas/ka. **2.** król *l.* władca Inków. – *a.* (*także* **Incan, Incaic**) inkaski.

incalculability [ɪnˌkælkjələˈbɪlətɪ] *n. U* nieobliczalność.

incalculable [ɪnˈkælkjələbl] *a.* **1.** nieobliczalny, nieoszacowany. **2.** nieprzewidywalny.

incalculably [ɪnˈkælkjələblɪ] *adv.* **1.** nieobliczalnie. **2.** nieprzewidywalnie.

Incan [ˈɪŋkən] *a.* = **Inca** *a.*

incandesce [ˌɪnkənˈdes] *v.* żarzyć się.

incandescence [ˌɪnkənˈdesəns] *n. U* **1.** żarzenie się. **2.** *przen.* żarliwość, płomienność.

incandescent [ˌɪnkənˈdesənt] *a.* **1.** żarzący się, rozżarzony. **2.** *przen.* żarliwy, płomienny. **3.** (*także* **~ with rage**) *Br. przen.* rozsierdzony.

incandescent lamp *n. el.* lampa żarowa.

incantation [ˌɪnkænˈteɪʃən] *n.* **1.** *U* zaklinanie. **2.** zaklęcie.

incapability [ɪnˌkeɪpəˈbɪlətɪ] *n. U* **1.** niezdolność. **2.** nieporadność. **3.** brak kompetencji.

incapable [ɪnˈkeɪpəbl] *a.* **1.** **~ of sth** niezdolny do czegoś; nie nadający się do czegoś. **2.** nieporadny; nieumiejący zadbać o siebie. **3.** niekompetentny; nieposiadający odpowiednich kwalifikacji; *prawn.* niezdolny do czynności *l.* działań prawnych.

incapably [ɪnˈkeɪpəblɪ] *adv.* **1.** nieporadnie. **2.** niekompetentnie.

incapacitate [ˌɪnkəˈpæsɪˌteɪt] *v. często pass.* **1.** czynić niesprawnym *l.* kaleką. **2.** *prawn.* ubezwłasnowolniać; dyskwalifikować.

incapacitation [ˌɪnkəˌpæsɪˈteɪʃən] *n. U* **1.** spowodowanie kalectwa. **2.** *prawn.* ubezwłasnowolnienie; dyskwalifikacja.

incapacity [ˌɪnkəˈpæsətɪ] *n. U l. sing.* **1.** niesprawność, kalectwo. **2.** nieumiejętność (*to do sth* zrobienia czegoś). **3.** *prawn.* niezdolność do czynności prawnych.

incarcerate *v.* [ɪnˈkɑːrsəˌreɪt] *zw. pass. form.* więzić. – *a.* [ɪnˈkɑːrsərət] *rzad.* uwięziony.

incarceration [ɪnˌkɑːrsəˈreɪʃən] *n. U form.* uwięzienie.

incarnadine [ɪnˈkɑːrnəˌdaɪn] *arch. l. lit. a.* karmazynowy. – *v.* nadawać karmazynowy odcień (*czemuś*).

incarnate *a.* [ɪnˈkɑːrnət] **1.** *tylko po n.* wcielony; **discretion ~** wcielenie dyskrecji; **the devil ~** diabeł wcielony. **2.** *bot.* różowy (*o częściach roślin*). – *v.* [ɪnˈkɑːrneɪt] *form.* **1.** być wcieleniem *l.* ucieleśnieniem (*czegoś*), ucieleśniać. **2.** wcielać (*np. idee*).

incarnation [ˌɪnkɑːrˈneɪʃən] *n.* **1.** *C/U* wcielenie, ucieleśnienie (*of sth* czegoś). **2.** *t. rel.* wcielenie; **in a previous ~** w poprzednim wcieleniu. **3. the I~** *rel.* wcielenie Chrystusa.

incase [ɪnˈkeɪs] *v.* = **encase.**

incasement [ɪnˈkeɪsmənt] *n.* = **encasement.**

incautious [ɪnˈkɔːʃəs] *a.* nierozważny.

incautiously [ɪnˈkɔːʃəslɪ] *adv.* nierozważnie.

incendiary [ɪnˈsendɪˌerɪ] *a.* **1.** *attr.* zapalający (*np. o bombie*). **2.** dotyczący podpalenia. **3.** *przen.* podżegający, podburzający. – *n. pl.* **-ies** **1.** (*także* **~ bomb**) bomba zapalająca, pocisk zapalający. **2.** *form.* podpalacz/ka. **3.** *form.* podżegacz/ka.

incense[1] [ˈɪnsens] *n. U* **1.** kadzidło. **2.** zapach kadzidła. **3.** zapach, woń (*przyjemna*). **4.** *rzad.* cześć, uwielbienie. – *v.* **1.** palić kadzidło (*np. bóstwu*). **2.** okadzać.

incense[2] [ɪnˈsens] *v.* rozwścieczać.

incense burner *n.* kadzielnica.

incense cedar *n. bot.* cedrzyniec kalifornijski (*Calocedrus decurrens*).

incensement [ɪnˈsensmənt] *n. U rzad.* wściekłość.

incentive [ɪnˈsentɪv] *n. C/U* bodziec, zachęta (*to do sth* do robienia czegoś). – *a.* motywacyjny, zachęcający, pobudzający; **~ scheme** system bodźców; **~ wage system** *US ekon.* progresywny system płac.

incept [ɪnˈsept] *v.* **1.** *biol.* pobierać (*pożywienie; o komórce l. organizmie*). **2.** *Br. uniw. przest.* rozpoczynać studia (*zwł. magisterskie l. doktoranckie*).

inception [ɪnˈsepʃən] *n. sing. form.* zapoczątkowanie, rozpoczęcie; początek, powstanie.

inceptive [ɪnˈseptɪv] *a.* **1.** *form.* początkowy. **2.** (*także* **inchoative, ingressive**) *gram.* wyrażający początek czynności (*o aspekcie l. czasowniku*).

incertitude [ɪnˈsɜːtəˌtuːd] *n. U* niepewność; wątpliwość.

incessancy [ɪnˈsesənsɪ] *n. U* ustawiczność.

incessant [ɪnˈsesənt] *a.* bezustanny, nieustanny, ustawiczny.

incessantly [ɪnˈsesəntlɪ] *adv.* bezustannie, nieustannie, ustawicznie.

incest [ˈɪnsest] *n. U* kazirodztwo.

incestuous [ɪnˈsestʃʊəs] *a.* **1.** kazirodczy. **2.** *przen.* zbyt bliski (*o stosunkach, związkach*).

inch[1] [ɪntʃ] *n.* **1.** cal (= *2,54 cm*). **2.** *przen.* piędź; **~ by ~** stopniowo, krok po kroku; **avoid sth by ~es** o mały włos uniknąć czegoś; **beat sb within an ~ of their life** pobić kogoś do nieprzytomności; **every ~** każdy centymetr; każda piędź (*of sth* czegoś); w każdym calu, pod każdym względem; **give sb an ~ and they'll take a mile/yard** daj komuś palec, a weźmie całą rękę; **not budge/give/move an ~** nie ustąpić ani o krok. – *v. przen.* posuwać (się) bardzo powoli; **~ forward** posuwać (się) stopniowo naprzód.

inch[2] *n. Ir. i Scot.* wysepka.

inchmeal [ˈɪntʃmiːl] *adv.* stopniowo, krok po kroku.

inchoate *form. a.* [ɪnˈkoʊət] **1.** budzący *l.* rodzący się (*np. o pomysłach*); świeżo rozpoczęty; początkowy (*np. o stadiach*). **2.** nie w pełni rozwinięty; prymitywny, niedoskonały. – *v.* [ˈɪnkəweɪt] rozpoczynać.

inchoation [ˌɪnkəˈweɪʃən] *n. U* rozpoczęcie, zapoczątkowanie; początek.

inchoative [ɪnˈkoʊətɪv] *a. gram.* = **inceptive** 2.

inchworm [ˈɪntʃˌwɜːm] *n. ent.* gąsienica miernikowca.

incidence [ˈɪnsɪdəns] *n. U* **1.** *pat.* zapadalność, zachorowalność (*of sth* na coś); częstość występowania (*np. choroby, epidemii*). **2.** *form.* zasięg, zakres (*np. wpływów*). **3.** *fiz.* padanie (*promieni*); **angle of ~** (*także* **~ angle**) kąt padania (*promienia*). **4.** *geom.* incydencja.

incident [ˈɪnsɪdənt] *n.* wydarzenie; incydent, zajście; epizod. – *a. pred.* **1. ~ to sth** *form.* towarzyszący czemuś. **2. ~ on/upon sth** *t. fiz.* padający na coś (*np. o promieniach*); stykający się z czymś.

incidental [ˌɪnsɪˈdentl] *a.* **1.** uboczny (*np. o wydatkach, kosztach*); przypadkowy; nieistotny, marginalny. **2. ~ to sth** towarzyszący czemuś, nieodłącznie związany z czymś. – *n.* **1.** skutek *l.* produkt uboczny; okoliczność towarzysząca. **2.** *pl.* nieprzewidziane wydatki.

incidentally [ˌɪnsɪˈdentlɪ] *adv.* **1.** nawiasem mówiąc, à propos. **2.** przypadkowo.

incidental music *n. U* podkład muzyczny (*np. do filmu, przedstawienia*).

incinerate [ɪnˈsɪnəˌreɪt] *v. zw. pass.* spalać (*np. odpadki*); poddawać kremacji, spopielać (*zwłoki ludzkie*).

incineration [ɪnˌsɪnəˈreɪʃən] *n. U* spalanie; spopielanie.

incinerator [ɪnˈsɪnəˌreɪtər] *n.* piec do spalania *l.* spopielania.

incipience [ɪnˈsɪpɪəns], **incipiency** [ɪnˈsɪpɪənsɪ] *n. U form.* początki, początkowe stadium.

incipient [ɪnˈsɪpɪənt] *a. form.* rozpoczynający się; znajdujący się w stadium początkowym; rodzący się (*np. o zniecierpliwieniu, rozczarowaniu*).

incipiently [ɪnˈsɪpɪəntlɪ] *adv. form.* początkowo; w stadium początkowym.

incise [ɪnˈsaɪz] *v.* nacinać.

incision [ɪnˈsɪʒən] *n. C/U* **1.** *t. chir.* cięcie; nacięcie. **2.** *bot.* wcięcie (*liścia*). **3.** *rzad.* = **incisiveness.**

incisive [ɪnˈsaɪsɪv] *a.* **1.** bystry, przenikliwy (*o umyśle, uwagach*). **2.** cięty, ostry (*np. o żarcie*). **3.** *anat.* sieczny, siekaczowy, tnący.

incisively [ɪnˈsaɪsɪvlɪ] *adv.* **1.** przenikliwie. **2.** ostro.

incisiveness [ɪn'saɪsɪvnəs] *n. U* **1.** przenikliwość, bystrość. **2.** cietość, ostrość.
incisor [ɪn'saɪzər] *n. anat.* siekacz, ząb sieczny.
incitation [ˌɪnsaɪ'teɪʃən] *n.* = **incitement**.
incite [ɪn'saɪt] *v.* podburzać, podżegać; pobudzać, zachęcać (*sb to do sth* kogoś do zrobienia czegoś) (*zwł. gwałtownego*); ~ **sb to sth** rozniecać w kimś coś (*np. nienawiść*).
incitement [ɪn'saɪtmənt] *n. C/U* podburzanie; zachęta.
incivility [ˌɪnsə'vɪlətɪ] *n. pl.* **-ies** *U form.* nieuprzejmość, niegrzeczność.
incl. *abbr.* = **including**.
inclemency [ɪn'klemənsɪ] *n. U form.* surowość (*klimatu*).
inclement [ɪn'klemənt] *a.* **1.** surowy (*o klimacie*); ~ **weather** niepogoda, słota. **2.** *form.* bezlitosny, niemiłosierny.
inclemently [ɪn'kleməntlɪ] *adv.* **1.** surowo. **2.** *form.* bezlitośnie.
inclinable [ɪn'klaɪnəbl] *a. form.* **1.** *pred.* skłonny (*to sth* do czegoś). **2.** przychylnie nastawiony, życzliwy.
inclinable press *n. mech.* prasa przechylna.
inclinable table *n. mech.* stół pochylny.
inclinable vice *n. mech.* imadło przechylne (*maszynowe*).
inclination [ˌɪnklə'neɪʃən] *n. C/U* **1.** skłonność (*to do sth* do robienia czegoś); upodobanie, inklinacja, pociąg (*for/to/toward sth* do czegoś). **2.** pochylenie; *t. fiz.* nachylenie; *astron.* inklinacja; *geom.* kąt nachylenia; *mech.* kąt pochylenia.
inclinatory [ɪn'klaɪnəˌtɔːrɪ] *a. fiz.* inklinacyjny.
incline [ɪn'klaɪn] *v.* **1.** ~ **to/toward sth** mieć skłonność *l.* skłonności do czegoś (*np. do leniuchowania*); skłaniać się ku czemuś (*ku jakiemuś poglądowi, stanowisku*). **2.** nakłaniać (*sb to do sth* kogoś do zrobienia czegoś). **3.** pochylać *l.* nachylać *l.* schylać (się); ~ **one's head** pochylać głowę. **4.** być pochylonym, opadać (*np. o zboczu*). – *n.* **1.** pochyłość, nachylenie, spadek (*terenu*); zbocze, stok (*wzgórza*). **2.** *kol.* = **inclined railway**.
inclined [ɪn'klaɪnd] *a.* **1.** pochylony, nachylony, pochyły. **2.** *pred.* **be ~ to do sth** mieć skłonność do robienia czegoś; **be ~ to believe/disagree (that)...** być skłonnym uwierzyć/zgodzić się, że...; **be/feel ~ to do sth** mieć ochotę coś zrobić. **3. artistically/musically ~** uzdolniony artystycznie/muzycznie.
inclined plane *n.* **1.** *mech.* równia pochyła. **2.** *górn.* pochylnia.
inclinometer [ˌɪnklə'nɑːmətər] *n.* **1.** *miern.* pochyłomierz, pochylnik. **2.** *lotn.* chyłomierz. **3.** *fiz.* inklinometr.
inclose [ɪn'klouz] *v.* = **enclose**.
inclosure [ɪn'klouʒər] *v.* = **enclosure**.
include [ɪn'kluːd] *v.* **1.** zawierać, obejmować. **2.** włączać (*in sth* do czegoś); wliczać (*in sth* w coś); uwzględniać (*in sth* w czymś).
included [ɪn'kluːdɪd] *a.* **1.** ~ **in sth** zawarty w czymś; wliczony w coś (*np. w cenę*). **2. insurance/postage ~** łącznie z ubezpieczeniem/kosztami przesyłki, wliczając ubezpieczenie/koszty przesyłki.
including [ɪn'kluːdɪŋ] *prep.* wliczając (w to), łącznie z; **ten people, ~ two children, were killed** zginęło dziesięć osób, w tym dwoje dzieci.
inclusion [ɪn'kluːʒən] *n. U* **1.** włączenie; wliczenie. **2.** *C* dodatek (= *dołączona osoba l. rzecz*). **3.** *min.* inkluzja, wtrącenie. **4. cell ~** *biol.* metaplazma; substancje gromadzone w komórce (*np. glikogen*); materiał wchłonięty.
inclusion body *n. pl.* **-ies** *pat.* wtręt, ciało wtrętowe.
inclusive [ɪn'kluːsɪv] *a.* globalny, łączny (*np. o kosztach*); ~ **of sth** wliczając coś, z wliczeniem *l.* włączeniem czegoś; **Monday to Friday/May to September ~** od poniedziałku do piątku/od maja do września włącznie.
inclusiveness [ɪn'kluːsɪvnəs] *n. U* globalność, łączność.
incoercible [ˌɪnkoʊ'ɝːsəbl] *a. form.* niedający się przymusić.
incog ['ɪnˌkɑːg] *abbr. pot.* = **incognito**.
incognita [ɪn'kɑːgnɪtə] *a., adv. i n. pl.* **-s** incognito (*o kobiecie*).
incognito [ˌɪnkɑː'g'niːtoʊ] *a., adv. i n. pl.* **-s** incognito.
incognizance [ˌɪn'kɑːgnɪzəns] *n. U form.* nieświadomość (*of sth* czegoś); brak wiedzy (*of sth* o czymś).
incognizant [ɪn'kɑːgnɪzənt] *a. pred. form.* nieświadomy (*of sth* czegoś).
incoherence [ˌɪnkoʊ'hiːrəns] *n. U* **1.** brak związku *l.* spójności. **2.** *fiz.* niespójność, brak spójności; brak koordynacji.
incoherent [ˌɪnkoʊ'hiːrənt] *a.* **1.** bez związku, niespójny; nieskładny, nie trzymający się kupy. **2.** mówiący bez ładu i składu. **3.** *fiz.* niespójny; nieskoordynowany, niezharmonizowany.
incoherently [ˌɪnkoʊ'hiːrəntlɪ] *adv.* **1.** niespójnie, bez związku. **2.** bez ładu i składu.
incombustibility [ˌɪnkəmˌbʌstə'bɪlətɪ] *n. U* niepalność.
incombustible [ˌɪnkəm'bʌstəbl] *a.* niepalny. – *n.* substancja niepalna.
income ['ɪnkəm] *n. C/U ekon.* dochód, dochody, wpływy; **be on a high ~** mieć duże dochody; **cash ~** wpływy gotówkowe; **gross/nett ~** dochód brutto/netto; **live within one's ~** żyć stosownie do swoich dochodów.
incomer ['ɪnˌkʌmər] *n.* przybysz/ka; imigrant/ka.
income support *n. U Br.* zasiłek (*dla bezrobotnych i mało zarabiających*).
income tax *n. U ekon.* podatek dochodowy.
incoming ['ɪnˌkʌmɪŋ] *a. attr.* **1.** przychodzący, przybywający, napływający; nadciągający, nadchodzący; z zewnątrz; ~ **flights** przyloty; ~ **letters/mail** korespondencja przychodząca; ~ **tide** przypływ. **2.** obejmujący urząd *l.* funkcję (*np. o prezydencie*); nowy, nowo wybrany *l.* sformowany (*np. o rządzie*). **3.** *ekon.* przyrastający (*o zysku*). – *n.* **1.** przybycie; nadejście. **2.** *zw. pl. ekon.* dochód; przychód; wpływy; **~s and outcom-**

ings przychody i rozchody, wpływy i wydatki; **nominal ~s** dochód nominalny.

incommensurability [ˌɪnkəˌmenʃərə'bɪlətɪ] *n. U form.* niewspółmierność.

incommensurable [ˌɪnkə'menʃərəbl] *a. form. t. mat.* niewspółmierny (*with sth* do czegoś). – *n.* rzecz niewspółmierna; *t. mat.* wartość niewspółmierna.

incommensurate [ˌɪnkə'menʃərət] *a.* **1.** nieproporcjonalny (*with / to sth* do czegoś). **2.** niewspółmierny (*with sth* do czegoś). **3.** nieodpowiedni; niewystarczający.

incommensurately [ˌɪnkə'menʃərətlɪ] *adv.* nieproporcjonalnie; nieporównywalnie.

incommode [ˌɪnkə'moʊd] *v. form.* przeszkadzać, sprawiać kłopot (*komuś*), krępować; niepokoić, trapić.

incommodious [ˌɪnkə'moʊdɪəs] *a. form.* **1.** niewygodny; ciasny (*o pomieszczeniu*). **2.** *przen.* niewygodny, kłopotliwy.

incommunicable [ˌɪnkə'mju:nəkəbl] *a.* **1.** niewypowiedziany; nie dający się przekazać. **2.** *arch.* nierozmowny.

incommunicado [ˌɪnkəˌmju:nə'kɑ:doʊ] *adv. i a. pred. form. l. żart.* w odosobnieniu *l.* izolacji, izolowany; **hold sb ~** izolować kogoś, trzymać kogoś w odosobnieniu.

incommunicative [ˌɪnkə'mju:nəˌkeɪtɪv] *a.* nierozmowny, mało rozmowny.

incommutability [ˌɪnkəˌmju:tə'bɪlətɪ] *n. U form.* niemożliwość wymiany *l.* zamiany.

incommutable [ˌɪnkə'mju:təbl] *a. form.* niewymienny, niezamienny; niemogący ulec zmianie *l.* zmniejszeniu (*np. o wyroku*).

incomparable [ɪn'kɑ:mpərəbl] *a.* **1.** niezrównany. **2.** nieporównywalny, niedający się porównać (*with / to sb / sth* z kimś/czymś).

incomparably [ɪn'kɑ:mpərəblɪ] *adv.* nieporównywalnie, bez porównania (*np. lepszy*).

incompatibility [ˌɪnkəmˌpætə'bɪlətɪ] *n. U t. biol., med., chem.* niezgodność (*np. grup krwi l. leków*); *t. komp.* niekompatybilność (*np. programów, grup krwi l. leków*).

incompatible [ˌɪnkəm'pætəbl] *a.* **1.** niedający się pogodzić (*with sb / sth* z kimś/czymś). **2.** *t. biol., med., chem.* niezgodny; *t. komp.* niekompatybilny. – *n. pl.* inkompatibilia.

incompatibly [ˌɪnkəm'pætəblɪ] *adv.* niezgodnie; niekompatybilnie.

incompetence [ɪn'kɑ:mpətəns], **incompetency** *n.* **1.** *t. prawn.* niekompetencja, brak kompetencji. **2.** nieudolność.

incompetent [ɪn'kɑ:mpətənt] *a.* **1.** *t. prawn.* niekompetentny. **2.** nieudolny. – *n.* osoba niekompetentna *l.* nieudolna.

incompetently [ɪn'kɑ:mpətəntlɪ] *adv.* **1.** niekompetentnie. **2.** nieudolnie.

incomplete [ˌɪnkəm'pli:t] *a.* niekompletny, niepełny; niezupełny; nieukończony.

incompletely [ˌɪnkəm'pli:tlɪ] *adv.* niekompletnie; niezupełnie.

incompleteness [ˌɪnkəm'pli:tnəs] *n. U* niekompletność, niepełność; niezupełność.

incomprehensibility [ɪnˌkɑ:mprɪˌhensə'bɪlətɪ] *n. U* niezrozumiałość, niepojętość.

incomprehensible [ɪnˌkɑ:mprɪ'hensəbl] *a.* **1.** niezrozumiały, niepojęty. **2.** *arch. gł. teol.* nieogarniony, nieobjęty.

incomprehensibly [ɪnˌkɑ:mprɪ'hensəblɪ] *adv.* niezrozumiale, w niepojęty sposób.

incomprehension [ɪnˌkɑ:mprɪ'henʃən] *n. U* niezrozumienie, brak zrozumienia.

incomprehensive [ˌɪnkɑ:mprɪ'hensɪv] *a. form.* o ograniczonym zasięgu.

incompressibility [ˌɪnkəmˌpresə'bɪlətɪ] *n. U* nieściśliwość.

incompressible [ˌɪnkəm'presəbl] *n.* nieściśliwy.

incomputable [ˌɪnkəm'pju:təbl] *a. form.* nieobliczalny; niezliczony.

inconceivability [ˌɪnkənˌsi:və'bɪlətɪ] *n. U* **1.** niepojętość; niewyobrażalność. **2.** niewiarygodność.

inconceivable [ˌɪnkən'si:vəbl] *a.* niepojęty; niewyobrażalny, niewiarygodny; **it is ~ that...** jest nie do pomyślenia, żeby ...

inconceivably [ˌɪnkən'si:vəblɪ] *adv.* w niepojęty sposób; niewyobrażalnie, niewiarygodnie.

inconclusive [ˌɪnkən'klu:sɪv] *a.* **1.** nieprzekonujący (*np. o argumencie, dowodzie*). **2.** nieprzynoszący rozstrzygnięcia, nie prowadzący do niczego (*np. o dyskusji*); *polit.* niedający zdecydowanej większości (*o wyniku wyborów*).

inconclusively [ˌɪnkən'klu:sɪvlɪ] *adv.* **1.** nieprzekonująco. **2.** bez rozstrzygnięcia.

inconclusiveness [ˌɪnkən'klu:sɪvnəs] *n. U* **1.** nieprzekonujący charakter. **2.** brak rozstrzygnięcia.

incondensability [ˌɪnkənˌdensə'bɪlətɪ] *n. U* niezgęszczalność.

incondensable [ˌɪnkən'densəbl] *a.* niezgęszczalny, niedający się zgęścić *l.* skroplić.

incondite [ɪn'kɑ:ndɪt] *a. rzad.* **1.** źle zbudowany (*np. o utworze literackim*). **2.** *t. przen.* szorstki, nie wygładzony, niedelikatny.

inconformity [ˌɪnkən'fɔ:rmɪtɪ] *n. U form.* niezgodność (*with / to sth* z czymś) (*np. z zasadą, standardem l. modą*).

incongruity [ˌɪnkɑ:ŋ'gru:ɪtɪ] *n. C / U pl.* **-ies** **1.** niestosowność, niewłaściwość. **2.** osobliwość; niedorzeczność, absurdalność. **3.** niespójność; nacechowanie sprzecznościami.

incongruous [ɪn'kɑ:ŋgruəs] *a.* **1.** niestosowny, niewłaściwy, nie na miejscu. **2.** osobliwy; niedorzeczny, absurdalny. **3.** niespójny; zawierający sprzeczności; wewnętrznie sprzeczny. **4.** *pred.* niezgodny (*with / to sth* z czymś).

incongruously [ɪn'kɑ:ŋgruəslɪ] *adv.* **1.** niestosownie, niewłaściwie. **2.** osobliwie; niedorzecznie, absurdalnie. **3.** niespójnie; sprzecznie. **4.** niezgodnie (*with / to sth* z czymś).

inconsecutive [ˌɪnkən'sekjətɪv] *a.* nienastępujący jeden po drugim; odbywający się nie po kolei.

inconsecutively [ˌɪnkən'sekjətɪvlɪ] *adv.* nie po kolei.

inconsequence [ɪn'kɑ:nsəˌkwens] *n. U* nielogiczność, brak związku; brak znaczenia.

inconsequent [ɪn'kɑːnsəˌkwent] *a.* nielogiczny, bez związku.

inconsequential [ˌɪnkɑːnsə'kwenʃl] *a.* **1.** bez znaczenia, błahy. **2.** nielogiczny.

inconsequentially [ˌɪnkɑːnsə'kwenʃlɪ] *adv.* **1.** bez znaczenia. **2.** nielogicznie.

inconsiderable [ˌɪnkən'sɪdərəbl] *a. form.* nieznaczny, niepokaźny; **not ~** niemały, pokaźny.

inconsiderate [ˌɪnkən'sɪdərɪt] *a.* **1.** nie liczący się z innymi; bezduszny, nieludzki (*to / towards sb* wobec kogoś). **2.** nierozważny, nieprzemyślany (*o osobie l. czynie*).

inconsiderately [ˌɪnkən'sɪdərɪtlɪ] *adv.* **1.** nie licząc się z innymi; bezdusznie, nieludzko. **2.** nierozważnie, bez przemyślenia.

inconsiderateness [ˌɪnkən'sɪdərɪtnəs], **inconsideration** *n. U* **1.** nieliczenie się z innymi; bezwzględność. **2.** nierozwaga.

inconsistency [ˌɪnkən'sɪstənsɪ] *n. pl.* **-ies 1.** niekonsekwencja, niezgodność, sprzeczność. **2.** *U* brak konsekwencji, niekonsekwencja.

inconsistent [ˌɪnkən'sɪstənt] *a.* **1.** niekonsekwentny (*o osobie, zachowaniu*); nierówny (*np. o wykonywanej pracy*). **2.** sprzeczny; pełen sprzeczności. **3.** niezgodny, nie dający się pogodzić (*with sth* z czymś).

inconsistently [ˌɪnkən'sɪstəntlɪ] *adv.* **1.** niekonsekwentnie. **2.** sprzecznie. **3.** niezgodnie (*with sth* z czymś).

inconsolable [ˌɪnkən'soʊləbl] *a.* niepocieszony.

inconsonance [ɪn'kɑːnsənəns] *n. U form.* **1.** niezgodność. **2.** brak harmonii.

inconsonant [ɪn'kɑːnsənənt] *a. form.* **1.** niezgodny. **2.** niezharmonizowany, wykazujący brak harmonii (*with sth* z czymś).

inconspicuous [ˌɪnkən'spɪkjʊəs] *a.* niepozorny; **be ~** nie rzucać się w oczy; **make o.s. ~** starać się nie zwracać na siebie uwagi.

inconspicuously [ˌɪnkən'spɪkjʊəslɪ] *adv.* niepozornie, nie rzucając się w oczy.

inconspicuousness [ˌɪnkən'spɪkjʊəsnəs] *n. U* niepozorność.

inconstancy [ɪn'kɑːnstənsɪ] *n. U* niestałość, zmienność.

inconstant [ɪn'kɑːnstənt] *a.* niestały, zmienny (*t. o osobie*).

inconstantly [ɪn'kɑːnstəntlɪ] *adv.* zmiennie.

inconsumable [ˌɪnkən'suːməbl] *a.* **1.** *lit.* niezniszczalny, odporny na zniszczenie (*zwł. przez ogień*). **2.** *ekon.* nie podlegający zużyciu.

incontestability [ˌɪnkənˌtestə'bɪlətɪ] *n. U* niezaprzeczalność, bezsporność.

incontestable [ˌɪnkən'testəbl] *a.* niezaprzeczalny, bezsporny, bezdyskusyjny.

incontestably [ˌɪnkən'testəblɪ] *adv.* niezaprzeczalnie, bezspornie, bezdyskusyjnie.

incontinence [ɪn'kɑːntənəns] *n.* **1.** *pat.* nietrzymanie *l.* mimowolne oddawanie moczu *l.* stolca. **2.** rozwiązłość. **3.** *lit.* niepohamowanie; nieumiarkowanie, brak umiarkowania.

incontinent *a.* **1.** *pat.* nietrzymający moczu *l.* stolca. **2.** rozwiązły. **3.** *lit.* niekontrolowany, niepohamowany (*np. o wybuchu uczuć*); charakteryzujący się brakiem umiaru.

incontinently [ɪn'kɑːntənəntlɪ] *adv.* **1.** rozwiąźle. **2.** *lit.* bez umiaru.

incontrovertibility [ˌɪnkɑːntrəˌvɜːtə'bɪlətɪ] *n. U form.* niezaprzeczalność, bezsporność.

incontrovertible [ˌɪnkɑːntrə'vɜːtəbl] *a. form.* niezaprzeczalny, bezsporny.

incontrovertibly [ˌɪnkɑːntrə'vɜːtəblɪ] *adv. form.* niezaprzeczalnie, bezspornie.

inconvenience [ˌɪnkən'viːnɪəns] *n.* **1.** kłopot, niedogodność; niewygoda. **2.** *U* uciążliwość, kłopotliwość. – *v.* narażać na niewygody; sprawiać kłopot (*komuś*), fatygować.

inconvenient [ˌɪnkən'viːnɪənt] *a.* niedogodny, kłopotliwy; niewygodny.

inconveniently [ˌɪnkən'viːnɪəntlɪ] *adv.* niedogodnie; niewygodnie.

inconvertibility [ˌɪnkənˌvɜːtə'bɪlətɪ] *n. U* niewymienność; niewymienialność.

inconvertible [ˌɪnkən'vɜːtəbl] *a.* niewymienny; *gł. fin.* niewymienialny (*o walucie*).

inconvincible [ˌɪnkən'vɪnsəbl] *a. form.* niedający się przekonać.

incoordination [ˌɪnkoʊˌɔːrdə'neɪʃən] *n. U pat.* bezład, ataksja, brak koordynacji (*ruchów*).

incorporate *v.* [ɪn'kɔːrpəreɪt] **1.** *gł. prawn., ekon.* zrzeszać się; łączyć się; tworzyć korporację. **2.** włączać, wcielać; przyjmować (*np. do zrzeszenia l. korporacji*). **3.** jednoczyć (*np. przedsiębiorstwa*); łączyć (*np. składniki*). **4.** zawierać; uwzględniać. – *a.* [ɪn'kɔːrpərət] = **incorporated**.

incorporated [ɪn'kɔːrpəˌreɪtɪd] *a. gł. prawn., handl.* **1.** włączony; inkorporowany. **2.** zarejestrowany (*np. o towarzystwie*); posiadający osobowość prawną (*np. o firmie, spółce*). **3.** zrzeszony.

incorporated accountant *n. fin.* przysięgły rewident księgowy.

incorporated bank *n. US fin.* bank akcyjny.

incorporated company *n. US ekon.* spółka posiadająca osobowość prawną.

incorporated town *n.* (*także* **incorporated municipality**) *US, Can. admin.* miasto posiadające samorząd.

incorporation [ɪnˌkɔːrpə'reɪʃən] *n. U* **1.** zjednoczenie. **2.** zrzeszenie. **3.** wcielenie; włączenie; *t. jęz., prawn.* inkorporacja. **4.** uzyskanie osobowości prawnej; nadanie osobowości prawnej.

incorporator [ɪn'kɔːrpəˌreɪtər] *n. US* członek założyciel (*np. towarzystwa l. spółki*).

incorporeal [ˌɪnkɔːr'pɔːrɪəl] *a.* **1.** *form.* bezcielesny. **2.** *t. prawn.* niematerialny (*np. o prawach autorskich l. patentowych*).

incorporeality [ˌɪnkɔːrˌpɔːrɪ'ælətɪ], **incorporeity** [ˌɪnkɔːrpə'rɪətɪ] *n. U* **1.** *form.* bezcielesność. **2.** *t. prawn.* niematerialność.

incorporeally [ˌɪnkɔːr'pɔːrɪəlɪ] *adv.* **1.** *form.* bezcieleśnie. **2.** *t. prawn.* niematerialnie.

incorrect [ˌɪnkə'rekt] *a.* **1.** błędny; nieprawidłowy. **2.** niewłaściwy, niestosowny (*o stylu l. zachowaniu*).

incorrectly [ˌɪnkə'rektlɪ] *adv.* **1.** błędnie; nieprawidłowo. **2.** niewłaściwie, niestosownie.

incorrectness [ˌɪnkə'rektnəs] *n. U* **1.** błędność;

nieprawidłowość. **2.** niewłaściwość, niestosowność.

incorrigibility [ɪnˌkɔːrɪdʒəˈbɪlətɪ] *n. U* niepoprawność (*czyjaś l. czyjegoś zachowania*).

incorrigible [ɪnˈkɔːrɪdʒəbl] *a.* **1.** *zwł. żart.* niepoprawny (*np. o kłamcy, cyniku*). **2.** nieopanowany, wymykający się spod kontroli.

incorrigibly [ɪnˈkɔːrɪdʒəblɪ] *adv.* niepoprawnie.

incorruptibility [ˌɪnkəˌrʌptəˈbɪlətɪ] *n. U* **1.** nieprzekupność. **2.** *form.* niezniszczalność.

incorruptible [ˌɪnkəˈrʌptəbl] *a.* **1.** nieprzekupny. **2.** *form.* niezniszczalny (*o materiale*).

incrassate [ɪnˈkræseɪt] *a. biol.* zgrubiały (*np. o ścianach komórki*); nabrzmiały. – *v. przest.* zgęszczać (się).

increase *v.* [ɪnˈkriːs] wzrastać; zwiększać (się), wzmagać (się), podwyższać (się); pomnażać (się). – *n.* [ˈɪnkriːs] **1.** *C / U* wzrost; przyrost; **~ in sales** *ekon.* wzrost obrotów; **be on the ~** wzrastać; **pay/price ~** wzrost płac/cen. **2.** *U* zwiększanie; pomnażanie.

increased [ɪnˈkriːst] *a.* zwiększony; wzmożony.

increasing [ɪnˈkriːsɪŋ] *a.* rosnący; wzmagający się.

increasingly [ɪnˈkriːsɪŋlɪ] *adv.* **1.** coraz częściej; coraz bardziej. **2. ~ difficult/strong** coraz (to) trudniejszy/mocniejszy.

incredibility [ɪnˌkredəˈbɪlətɪ] *n. U* **1.** niewiarygodność. **2.** niesamowitość.

incredible [ɪnˈkredəbl] *a.* **1.** niewiarygodny, nie do wiary. **2.** niesamowity.

incredibly [ɪnˈkredəblɪ] *adv.* **1.** niewiarygodnie. **2.** niesamowicie.

incredulity [ˌɪnkrəˈduːlətɪ] *n. U* niedowierzanie, sceptycyzm.

incredulous [ɪnˈkredʒələs] *a.* niedowierzający, sceptyczny (*o osobie*); wyrażający niedowierzanie, pełen niedowierzania (*o spojrzeniu, wyrazie twarzy*).

incredulously [ɪnˈkredʒələslɪ] *adv.* niedowierzająco, sceptycznie.

increment [ˈɪnkrəmənt] *n. C / U* **1.** wzrost; *t. mat.* przyrost. **2.** *t. ekon.* podwyżka.

incremental [ˌɪnkrəˈmentl] *a.* **1.** *t. komp.* przyrostowy. **2.** *el.* narastający (*np. o impulsie*).

incriminate [ɪnˈkrɪməˌneɪt] *v.* obwiniać, oskarżać; obciążać.

incriminating [ɪnˈkrɪməˌneɪtɪŋ] *a.* obciążający (*np. o dowodach*); oskarżający.

incrimination [ɪnˌkrɪməˈneɪʃən] *n. U* obwinianie, oskarżanie.

incriminator [ɪnˈkrɪməˌneɪtər] *n. form.* oskarżyciel/ka.

incriminatory [ɪnˈkrɪmənəˌtɔːrɪ] *a.* obwiniający, oskarżający; obciążający.

in-crowd [ˈɪnˌkraʊd] *n.* **the ~** *pot.* elita, śmietanka.

incrust [ɪnˈkrʌst] *v.* = **encrust**.

incrustation [ˌɪnkrəˈsteɪʃən] *n.* = **encrustation**.

incubate [ˈɪŋkjəˌbeɪt] *v.* **1.** wysiadywać (*jaja*). **2.** *t. pat.* wylęgać się; przechodzić okres inkubacji.

incubation [ˌɪŋkjəˈbeɪʃən] *n. U* **1.** wysiadywanie. **2.** wylęg, wylęganie się; inkubacja; (*także* **~ period**) *pat.* okres inkubacyjny.

incubative [ˈɪŋkjəˌbeɪtɪv] *a.* inkubacyjny; wylęgowy.

incubator [ˈɪŋkjəˌbeɪtər] *n.* inkubator (*t. med.*); wylęgarka, aparat wylęgowy.

incubus [ˈɪŋkjəbəs] *n. pl.* **-es** *l.* **incubi** [ˈɪŋkjəbaɪ] *mit.* inkub; *przen.* zmora; koszmar.

inculcate [ɪnˈkʌlkeɪt] *v.* **~ sth in/into sb** (*także* **~ sb with sth**) *form.* wpajać komuś coś.

inculcation [ˌɪnkʌlˈkeɪʃən] *n. U form.* wpajanie.

inculpable [ɪnˈkʌlpəbl] *a. form.* niewinny.

inculpate [ɪnˈkʌlpeɪt] *v. form.* oskarżać, obwiniać.

inculpation [ˌɪnkʌlˈpeɪʃən] *n. U form.* oskarżanie, obwinianie.

inculpatory [ɪnˈkʌlpəˌtɔːrɪ] *a. form.* oskarżający, obwiniający.

incult [ɪnˈkʌlt] *a. arch.* **1.** dziki (*np. o terenie*). **2.** nieokrzesany.

incumbency [ɪnˈkʌmbənsɪ] *n. pl.* **-ies** **1.** *U* spoczywanie. **2.** spoczywający ciężar. **3.** *C / U* okres urzędowania, kadencja; urzędowanie.

incumbent [ɪnˈkʌmbənt] *a. form.* **1.** *gł. przen.* spoczywający, ciążący (*on / upon sb* na kimś) (*zw. o obowiązku*); **it is ~ on her to do it** jej obowiązkiem jest to zrobić. **2.** sprawujący urząd. – *n.* **1.** osoba sprawująca urząd. **2.** *Br. kość.* posiadacz beneficjum.

incunabula [ˌɪnkjʊˈnæbjələ] *n. pl.* **1.** *hist.* inkunabuły. **2.** *przen.* zaczątki.

incur [ɪnˈkɜːː] *v.* **-rr-** **1.** narażać się na; **~ costs/expenses/losses** ponosić koszty/wydatki/straty; **~ debts** zaciągać długi, popadać w długi. **2. ~ sb's wrath/anger** (*także* **~ the wrath/anger of sb**) wywoływać czyjś gniew.

incurability [ɪnˌkjʊrəˈbɪlətɪ] *n. U t. przen.* nieuleczalność.

incurable [ɪnˈkjʊrəbl] *a. t. przen.* nieuleczalny.

incurably [ɪnˈkjʊrəblɪ] *adv. t. przen.* nieuleczalnie.

incurious [ɪnˈkjʊrɪəs] *a. form.* niezainteresowany (*about sth* czymś), obojętny.

incurrent [ɪnˈkɜːənt] *a.* wpływający; wnikający; *t. anat.* wlotowy (*np. o kanalikach*).

incursion [ɪnˈkɜːʒən] *n. wojsk. l. przen.* wtargnięcie, najazd.

incursive [ɪnˈkɜːsɪv] *a.* **1.** najeźdźczy, inwazyjny. **2.** agresywny.

incurvation [ˌɪnkɜːˈveɪʃən] *n. form.* **1.** (*także* **incurvature**) wygięcie; zagięcie. **2.** *U* wyginanie; zaginanie.

incurve [ɪnˈkɜːv] *v. form.* wyginać *l.* zaginać (się) do środka.

incus [ˈɪŋkəs] *n. pl.* **incudes** [ɪnˈkjuːdiːz] *anat.* kowadełko (*w uchu*).

incuse [ɪnˈkjuːz] *n. i a.* wybity *l.* odciśnięty (znak) (*gł. na monecie*).

Ind. *abbr. US* = **Indiana**.

ind. *abbr.* **1.** = **independent**. **2.** = **index**. **3.** = **industry**.

indebted [ɪnˈdetɪd] *a. pred.* **1.** zobowiązany, wdzięczny; **be ~ to sb** zawdzięczać coś komuś, mieć dług wdzięczności wobec kogoś; być komuś wdzięcznym (*for sth* za coś); **greatly** ~ wielce zobowiązany. **2.** dłużny (*to sb* komuś); **deeply/heavily** ~ bardzo zadłużony.

indebtedness [ɪn'detɪdnəs] *n. U* **1.** zadłużenie. **2.** wdzięczność.

indecency [ɪn'di:sənsɪ] *n. pl.* **-ies** **1.** nieprzyzwoity czyn. **2.** *U* nieprzyzwoitość, nieskromność, obraza moralności.

indecent [ɪn'di:sənt] *a.* nieprzyzwoity, nieskromny, gorszący; w złym guście.

indecent assault *n. C/U prawn.* czyn lubieżny.

indecent exposure *n. U prawn.* obnażanie się w miejscu publicznym.

indecently [ɪn'di:səntlɪ] *adv.* nieprzyzwoicie, nieskromnie, gorsząco.

indeciduous [ˌɪndɪ'sɪdʒuəs] *a. bot.* niezrzucający liści.

indecipherable [ˌɪndɪ'saɪfərəbl] *a.* **1.** nieczytelny, nie do odcyfrowania. **2.** *przen.* niezrozumiały; nieodgadniony (*np. o wyrazie twarzy*).

indecision [ˌɪndɪ'sɪʒən] *n.* (*także* **indecisiveness**) *U* niezdecydowanie.

indecisive [ˌɪndɪ'saɪsɪv] *a.* **1.** niezdecydowany. **2.** nieprzynoszący rozstrzygnięcia.

indecisively [ˌɪndɪ'saɪsɪvlɪ] *adv.* **1.** niezdecydowanie. **2.** bez rozstrzygnięcia.

indecisiveness [ˌɪndɪ'saɪsɪvnəs] *n.* = **indecision**.

indeclinable [ˌɪndɪ'klaɪnəbl] *a. gram.* nieodmienny (*o rzeczowniku l. zaimku*).

indecorous [ɪn'dekərəs] *a. form.* **1.** nieodpowiedni, niewłaściwy; niegrzeczny, nieuprzejmy; niesmaczny, w złym guście. **2.** *rzad.* nieprzyzwoity, nieskromny.

indecorously [ɪn'dekərəslɪ] *adv. form.* **1.** nieodpowiednio, niewłaściwie; niegrzecznie, nieuprzejmie. **2.** *rzad.* nieprzyzwoicie, nieskromnie.

indecorum [ˌɪndɪ'kɔ:rəm] *n.* **1.** *U* niestosowne zachowanie. **2.** niestosowny czyn.

indeed [ɪn'di:d] *adv. emf.* **1.** naprawdę; *arch.* zaprawdę, zaiste; **thanks very much** ~ *zwł. Br.* serdecznie *l.* bardzo dziękuję; **we have very little time** ~ mamy naprawdę bardzo mało czasu. **2.** istotnie, w istocie, rzeczywiście; **oh, yes,** ~ o tak, istotnie; **"Is this your briefcase?" "I~ it is./It is ~."** „Czy to Pan-a/i teczka? " „Tak jest.". **3.** *form.* wręcz, (a) nawet, co więcej; **it was no problem; ~, it was a pleasure** to nie był żaden problem; mało tego, to była przyjemność. – *int. zwł. Br.* (no) właśnie; **~?** *zw. iron.* czyżby?, naprawdę?; **"When is it finally going to stop?" "When, ~?"** „Kiedy to się wreszcie skończy?" „No właśnie, kiedy?".

indefatigable [ˌɪndɪ'fætəgəbl] *a. form.* niestrudzony.

indefatigably [ˌɪndɪ'fætəgəblɪ] *adv. form.* niestrudzenie.

indefeasible [ˌɪndɪ'fi:zəbl] *a. prawn.* nienaruszalny; niezbywalny.

indefectible [ˌɪndɪ'fektəbl] *a. form.* **1.** niezawodny. **2.** bezbłędny.

indefensible [ˌɪndɪ'fensəbl] *a.* **1.** niewybaczalny. **2.** *wojsk. l. przen.* nie do obrony (*np. o fortyfikacji l. argumencie*).

indefensibly [ˌɪndɪ'fensəblɪ] *adv.* niewybaczalnie.

indefinable [ˌɪndɪ'faɪnəbl] *a.* niedefiniowalny; nieuchwytny, nieokreślony.

indefinably [ˌɪndɪ'faɪnəblɪ] *adv.* w sposób niedający się określić *l.* zdefiniować; nieuchwytnie.

indefinite [ɪn'defənɪt] *a.* niejasny; *t. gram.* nieokreślony.

indefinite article *n. gram.* przedimek nieokreślony.

indefinitely [ɪn'defɪnɪtlɪ] *adv.* **1.** na czas nieokreślony (*odłożyć, zawiesić*). **2.** niejasno, w nieokreślony sposób.

indehiscent [ˌɪndɪ'hɪsənt] *a. bot.* niepękający (*o owocu*).

indelibility [ɪnˌdelə'bɪlətɪ] *n. U* **1.** *t. przen.* niezniszczalność. **2.** niemożność usunięcia *l.* zmazania.

indelible [ɪn'deləbl] *a.* **1.** *przen.* niezatarty (*np. o wrażeniu, wspomnieniach*); niezapomniany. **2.** trwały (*np. o ołówku, atramencie*); nieusuwalny, niedający się wymazać *l.* usunąć (*np. o plamach, atramencie*).

indelicacy [ɪn'deləkəsɪ] *n. C/U pl.* **-ies** niedelikatność; niegrzeczność, nieuprzejmość.

indelicate [ɪn'deləkɪt] *a.* niedelikatny; niegrzeczny, nieuprzejmy.

indelicately [ɪn'deləkɪtlɪ] *adv.* niedelikatnie; niegrzecznie, nieuprzejmie.

indemnification [ɪnˌdemnəfə'keɪʃən] *n. U prawn., ekon.* **1.** zabezpieczenie przed szkodą *l.* stratą. **2.** odszkodowanie.

indemnify [ɪn'demnəˌfaɪ] *v.* **-ied, -ying** *gł. prawn., ekon.* **1.** dawać odszkodowanie (*komuś*); *t. przen.* rekompensować (*sb for sth* komuś coś). **2.** ~ **sb against/from sth** zabezpieczać kogoś przed czymś (*np. przed szkodą, stratą*); ~ **sb for sth** zabezpieczać kogoś przed odpowiedzialnością prawną za coś.

indemnity [ɪn'demnɪtɪ] *n. C/U pl.* **-ies** *gł. prawn., ekon.* **1.** gwarancja rekompensaty (*za szkodę l. stratę*). **2.** odszkodowanie; rekompensata. **3.** zwolnienie od kary *l.* odpowiedzialności.

indemonstrable [ˌɪndɪ'mɑ:nstrəbl] *a.* niedający się udowodnić, nie do udowodnienia.

indent¹ *v.* [ɪn'dent] **1.** zaczynać od nowego akapitu, wcinać (*wiersz*). **2.** nacinać; strzępić; szczerbić; wrębiać, karbować. **3.** odrywać wzdłuż perforacji (*dokument*). **4.** ząbkować, perforować (*np. brzeg dokumentu*). **5.** *gł. Br. handl.* składać zamówienie na (*towar sprowadzany z zagranicy*). – *n.* ['ɪndent] **1.** = **indentation¹** *n.* 1, 2. **2.** *gł. Br. handl.* zamówienie (*zwł. na towary sprowadzane z zagranicy*).

indent² *v.* [ɪn'dent] odciskać, tłoczyć (*znaki*); wgniatać; robić wgięcie w (*czymś*). – *n.* ['ɪndent] wgłębienie; wgniecenie; odcisk.

indentation¹ [ˌɪnden'teɪʃən] *n.* **1.** (*także* **indention, indent**) wcięcie (*akapitu*). **2.** (*także* **indent**) wrębienie, karb; wcięcie; nacięcie. **3.** zygzak, linia ząbkowana; krawędź z nacięciami.

indentation² *n.* wgłębienie; wgniecenie; odcisk.

indentation hardness *n. U techn.* twardość mierzona wgłębnikiem.

indentation test *n. techn.* próba twardości metodą wciskania wgłębnika.

indention [ɪnˈdenʃən] *n.* = **indentation¹** *n.* 1.

indenture [ɪnˈdentʃər] *n.* **1.** wcięcie; nacięcie. **2.** nacinanie; ząbkowanie (*krawędzi*). **3.** dokument ząbkowany w miejscu złączenia z duplikatem. **4.** umowa, kontrakt.

independence [ˌɪndɪˈpendəns] *n. U* **1.** niezależność (*from sb / sth* od kogoś/czegoś); samodzielność. **2.** *polit.* niepodległość; **I~ Day** *US* Święto Niepodległości (*4 lipca*).

independency [ˌɪndɪˈpendənsɪ] *n. U* **1.** *pl.* **-ies** *polit.* niezależne państwo. **2.** *arch.* = **independence**. **3. I~** *admin., kośc.* kongregacjonalizm.

independent [ˌɪndɪˈpendənt] *a.* **1.** niezależny (*of sb / sth* od kogoś/czegoś); samodzielny. **2.** *polit.* niepodległy. **3.** zapewniający niezależność materialną, zwalniający z konieczności pracy zarobkowej (*o majątku l. środkach finansowych*). – *n.* **1.** osoba niezależna (*np. politycznie l. materialnie*). **2.** niewielka prywatna firma. **3. I~** *admin., kośc.* kongregacjonalist-a/ka.

independent clause *n. gram.* zdanie niezależne.

independent events *n. pl. stat.* zdarzenia niezależne.

independently [ˌɪndɪˈpendəntlɪ] *adv.* niezależnie; samodzielnie.

independent particle *n. fiz.* cząstka niezależna.

independent variable *n. pl. mat., stat.* zmienna niezależna.

in-depth [ˌɪnˈdepθ] *a.* dogłębny (*np. o analizie*).

indescribable [ˌɪndɪˈskraɪbəbl] *a.* nieopisany; niedający się opisać, nie do opisania.

indescribably [ˌɪndɪˈskraɪbəblɪ] *adv.* nieopisanie.

indestructibility [ˌɪndɪˌstrʌktəˈbɪlətɪ], **indestructibleness** [ˌɪndɪˈstrʌktəblnəs] *n. U* niezniszczalność.

indestructible [ˌɪndɪˈstrʌktəbl] *a.* niezniszczalny.

indestructibly [ˌɪndɪˈstrʌktəblɪ] *adv.* niezniszczalnie.

indeterminable [ˌɪndɪˈtɜːmənəbl] *a. form.* **1.** nie dający się ustalić, nie do ustalenia; *mat.* niewyznaczalny. **2.** nie do rozstrzygnięcia (*o konflikcie, sporze*).

indeterminacy [ˌɪndɪˈtɜːmənəsɪ] *n. U mat.* nieokreśloność, nieoznaczoność.

indeterminacy principle *n. sing. fiz.* zasada nieoznaczoności.

indeterminate [ˌɪndɪˈtɜːmənɪt] *a. t. mat.* nieokreślony, nieoznaczony.

indeterminately [ˌɪndɪˈtɜːmənɪtlɪ] *adv.* w nieokreślony sposób.

indeterminateness [ˌɪndɪˈtɜːmənɪtnəs] *n. U* (*także* **indetermination**) nieokreśloność.

indeterminate sentence *n. prawn.* wyrok bez dokładnego podania długości kary (*gdyż zależy ona od sprawowania się więźnia*).

indeterminate vowel *n. fon.* samogłoska nieokreślona (= *szwa*).

indetermination [ˌɪndɪˌtɜːməˈneɪʃən] *n. U* = **indeterminateness**.

indeterminism [ˌɪndɪˈtɜːməˌnɪzəm] *n. U fil.* indeterminizm.

indeterminist [ˌɪndɪˈtɜːmənɪst] *n. fil.* indeterminist-a/ka.

index [ˈɪndeks] *n. pl.* **-es** *l.* **indices** [ˈɪndɪˌsiːz] **1.** indeks, skorowidz (*w książce*); **subject ~** skorowidz rzeczowy. **2.** *bibl.* katalog; **card ~** kartoteka. **3.** wskaźnik (*charakteru, pogody*). **4.** *komp.* indeks. **5.** *ekon., fin., stat.* wskaźnik, indeks (*kursów, cen, płac*); **~ number** wskaźnik liczbowy; **consumer price ~** wskaźnik cen artykułów konsumpcyjnych; **consumption/composite ~** wskaźnik spożycia/zbiorowy; **share price ~** wskaźnik cen akcji; **retail price ~** wskaźnik cen detalicznych; **stock exchange ~** wskaźnik giełdowy. **6.** *miern., techn.* wskaźnik. **7.** *mat.* indeks (*zmiennej*); wykładnik (*potęgi*); stopień (*pierwiastka*); **lower/upper ~** *t. druk.* indeks dolny/górny. **8.** *anat.* = **index finger**. **9. refractive ~** (*także* **~ of refraction**) *opt.* współczynnik załamania światła. **10. the I~** *kośc.* indeks ksiąg zakazanych. – *v.* **1.** *ekon., fin.* indeksować (*płace, koszty*). **2.** być wskaźnikiem (*czegoś*). **3.** *t. komp.* indeksować (*strony internetowe*); wprowadzać *l.* wciągać do indeksu (*słowa*). **4.** zaopatrywać w indeks (*książkę*).

indexation [ˌɪndekˈseɪʃən] *n. U ekon., fin.* indeksacja (*płac, cen*).

indexed [ˈɪndekst], *Br.* **index-linked** [ˌɪndeksˈlɪŋkt] *a. US ekon., fin.* indeksowany (*o płacach, cenach*).

index finger *n. anat.* palec wskazujący.

index-linked [ˌɪndeksˈlɪŋkt] *a. Br.* = **indexed**.

India [ˈɪndɪə] *n. geogr.* Indie.

India ink, *Br.* **Indian ink** *n. U* tusz.

Indian [ˈɪndɪən] *n.* **1.** Hindus/ka. **2.** (*także* **American ~**) *czas. obelż.* Indian-in/ka; **Red ~** czerwonoskór-y/a. – *a.* **1.** *t. geogr.* indyjski; hinduski. **2.** *czas. obelż.* indiański.

Indiana [ˌɪndɪˈænə] *n. US* stan Indiana.

Indian club *n.* maczuga (*do żonglowania l. gimnastyki*).

Indian corn *n. U bot., roln. przest. gł. US* kukurydza.

Indian file *n.* = **single file**.

Indian giver *n. US obelż.* ktoś, kto daje i odbiera.

Indian hemp *n. U bot.* konopie indyjskie, marihuana (*Cannabis sativa, odmiana indica*).

Indian ink *n. Br.* = **India ink**.

Indian meal *n. U* mąka kukurydziana.

Indian Ocean *n.* **the ~** *geogr.* Ocean Indyjski.

Indian paintbrush *n. US* kwiat *Castilleja linariaefolia* (*symbol stanu Wyoming*).

Indian pudding *n. U płn. wsch. US* słodki deser z mleka, jaj i mąki kukurydzianej.

Indian summer *n. C / U* babie lato; *t. przen.* złota jesień (*t. życia*).

India paper *n. U* papier biblijny.

India rubber, india rubber *n. przest.* **1.** *U* guma. **2.** gumka (*do wycierania*).

Indic [ˈɪndɪk] *jęz. n. U* grupa języków indyjskich. – *n.* indyjski.

indicant [ˈɪndəkənt] *n. form.* wskaźnik.

indicate [ˈɪndəˌkeɪt] *v.* **1.** wskazywać (*ręką*). **2.** wskazywać na (= *zwracać uwagę, być oznaką*); sugerować (*np. spadek zainteresowania, możliwość opadów*); być wyrazem (*czegoś*); dawać wyraz (*czemuś*); zasugerować (= *napomknąć*). **3.** *zw. pass. t. med.* zalecać (*lek, postępowanie*); **caution is ~d** wskazana *l.* zalecana jest ostrożność. **4.** sygnalizować. **5.** oznaczać (*na mapie*); zaznaczać (*w instrukcji*). **6.** *Br. mot.* sygnalizować skręt, włączać kierunkowskaz; **~ left/right** sygnalizować skręt w lewo/prawo, włączać lewy/prawy kierunkowskaz.

indicating [ˈɪndəˌkeɪtɪŋ] *a. attr.* wskazujący; wskazówkowy; wskaźnikowy; **~ devices/instruments** wskaźniki, urządzenia wskaźnikowe.

indication [ˌɪndəˈkeɪʃən] *n.* **1.** znak, oznaka; *U* oznaki; **every ~ of sth** wszelkie oznaki czegoś; **from every ~, ...** wszystko wskazuje na to, że...; **there is no ~ of/that ...** nic nie wskazuje na/na to, by ... **2.** wskazówka. **3.** wskazanie (*przyrządu*).

indicative [ɪnˈdɪkətɪv] *a.* **1.** wskazujący (*of sth* na coś); **be ~ of sth** być przejawem czegoś. **2.** *gram.* oznajmujący. – *n. gram.* **1.** *U* tryb oznajmujący; **in the ~** w trybie oznajmującym. **2.** czasownik w trybie oznajmującym.

indicator [ˈɪndəˌkeɪtər] *n.* **1.** *Br. mot.* kierunkowskaz. **2.** *techn.* wskaźnik; miernik (wskazówkowy); czujnik. **3.** wskazówka (*przyrządu*). **4.** *chem.* wskaźnik, indykator.

indict [ɪnˈdaɪt] *v. gł. prawn.* oskarżać (*sb for sth* kogoś o coś); **~ sb on murder/drug-smuggling charges** postawić kogoś w stan oskarżenia pod zarzutem morderstwa/handlu narkotykami.

indictable [ɪnˈdaɪtəbl] *a. prawn.* **1.** podlegający zaskarżeniu, karalny (*o przestępstwie*). **2.** odpowiedzialny (*o przestępcy*).

indiction [ɪnˈdɪkʃən] *n. hist.* indykcja (= *okres 15 lat; podatek rolny ustalany na 15 lat*).

indictment [ɪnˈdaɪtmənt] *n.* **1.** *C / U prawn.* postawienie w stan oskarżenia; akt oskarżenia. **2.** **be an ~ of sth** *przen.* bardzo źle świadczyć o czymś, wystawiać czemuś bardzo złe świadectwo.

indie [ˈɪndɪ] *muz. pot. n.* niezależna wytwórnia płytowa. – *a. attr.* niezależny.

Indies [ˈɪndɪz] *n. pl. geogr.* **1.** (*także* **West ~**) Indie Zachodnie, Karaiby (= *Antyle i Bahamy*). **2.** (*także* **East ~**) *gł. hist.* Indie Wschodnie *l.* Holenderskie (= *Indonezja, Archipelag Malajski i część Nowej Gwinei*). **3.** *przest.* Indie.

indifference [ɪnˈdɪfərəns] *n. U* obojętność (*to / towards sb / sth* wobec kogoś/czegoś); **be a matter of ~ to sb** być bez znaczenia dla kogoś, być komuś obojętnym.

indifferent [ɪnˈdɪfərənt] *a.* **1.** obojętny (*to / towards sb* wobec kogoś, *to sth* na coś). **2.** nieistotny, bez znaczenia. **3.** bezstronny. **4.** mierny. **5.** *biol.* niewyspecjalizowany, niezróżnicowany (*o komórkach, tkankach*).

indifferentism [ɪnˈdɪfərənˌtɪzəm] *n. U t. fil., rel.* indyferentyzm.

indifferently [ɪnˈdɪfərəntlɪ] *adv.* **1.** obojętnie. **2.** w sposób nieistotny.

indigen [ˈɪndɪdʒən], **indigene** [ˈɪndɪˌdʒiːn] *n. form.* tubylec, krajowiec.

indigence [ˈɪndɪdʒəns] *n. U form.* ubóstwo, bieda, niedostatek.

indigene [ˈɪndɪˌdʒiːn] *n.* = **indigen**.

indigenous [ɪnˈdɪdʒənəs] *a.* **1.** rdzenny, tubylczy (*o ludności*). **2.** *biol.* występujący naturalnie (*na danym obszarze*); **~ to Asia** występujący naturalnie w Azji (*o florze, faunie*).

indigent [ˈɪndɪdʒent] *a. form.* ubogi, biedny, cierpiący niedostatek; **the ~** ubodzy.

indigently [ˈɪndɪdʒentlɪ] *adv. form.* ubogo, biednie.

indigestible [ˌɪndɪˈdʒestəbl] *a. pat. l. przen.* niestrawny.

indigestion [ˌɪndɪˈdʒestʃən] *n. U pat.* niestrawność; **suffer from ~** cierpieć na niestrawność.

indigestive [ˌɪndɪˈdʒestɪv] *a. pat.* cierpiący na niestrawność.

indign [ɪnˈdaɪn] *a. arch.* niegodny.

indignant [ɪnˈdɪgnənt] *a.* oburzony, obruszony (*about / at sth* na coś); pełen oburzenia (*np. o liście, wyrazie twarzy*).

indignantly [ɪnˈdɪgnəntlɪ] *adv.* z oburzeniem.

indignation [ˌɪndɪgˈneɪʃən] *n. U* oburzenie.

indignity [ɪnˈdɪgnɪtɪ] *n. pl.* **-ies** *C / U* upokorzenie; zniewaga.

indigo [ˈɪndəˌgoʊ] *n. pl.* **-s** *l.* **-es** **1.** *U* (*także* **indigotin**) *chem.* indygo, indygotyna, błękit indygowy. **2.** *U* (*także* **~ blue**) (kolor) indygo. **3.** (*także* **~ plant**) *bot.* indygo (*Indigofera tinctoria*). – *a. gł. attr.* w kolorze indygo.

indigo bunting *n. orn. US i Can.* łuszcz *l.* łuszczak (indygo) (*Passerina cyanea*).

indirect [ˌɪndəˈrekt] *a.* **1.** pośredni; **~ costs/charges** *ekon.* koszty pośrednie. **2.** wymijający, zawoalowany (*o wypowiedzi*). **3.** niebezpośredni; pełen rezerwy (*o osobie*). **4.** okrężny, naokoło (*o trasie, drodze*); z przesiadką (*o podróży, locie*).

indirect discourse *n.* = **indirect speech**.

indirection [ˌɪndəˈrekʃən] *n.* **1.** *U* niebezpośredniość. **2.** aluzja; wymijająca odpowiedź. **3.** *U* bezcelowość, brak celu.

indirect lighting *n. U opt.* światło rozproszone; oświetlenie pośrednie.

indirectly [ˌɪndəˈrektlɪ] *adv.* **1.** pośrednio. **2.** wymijająco, niebezpośrednio (*mówić*). **3.** z rezerwą (*traktować*). **4.** naokoło, okrężną drogą, z przesiadką (*jechać*).

indirectness [ˌɪndəˈrektnəs] *n. U* **1.** pośredniość (*rozwiązania*). **2.** rezerwa (*w zachowaniu*).

indirect object *n. gram.* dopełnienie dalsze.

indirect proof *n. log., mat.* dowód „nie wprost".

indirect speech *n. U* (*także* **indirect discourse**) (*także* **reported speech**) *gram.* mowa zależna.

indirect tax *n.* *C / U fin.* podatek pośredni.

indiscernible [ˌɪndɪˈsɜːnəbl] *a.* **1.** nie do odróżnienia (*from sb / sth* od kogoś/czegoś). **2.** niezauważalny, niedostrzegalny.

indiscipline [ɪnˈdɪsəplɪn] *n.* *U* brak dyscypliny, niezdyscyplinowanie.

indiscreet [ˌɪndɪˈskriːt] *a.* niedyskretny; nietaktowny; nierozważny.

indiscreetly [ˌɪndɪˈskriːtlɪ] *adv.* niedyskretnie; nietaktownie; nierozważnie.

indiscrete [ˌɪndɪˈskriːt] *a.* niepodzielny, jednolity.

indiscretely [ˌɪndɪˈskriːtlɪ] *adv.* niepodzielnie.

indiscreteness [ˌɪndɪˈskriːtnəs] *n.* *U* niepodzielność.

indiscretion [ˌɪndɪˈskreʃən] *n.* **1.** *U* niedyskrecja, brak dyskrecji; nietaktowność; nierozwaga, brak rozwagi. **2.** wybryk (*zwł. seksualny*), występek; **youthful ~s** wybryki *l.* błędy młodości.

indiscriminate [ˌɪndɪˈskrɪmənət] *a.* **1.** pozbawiony skrupułów, bezlitosny; masowy (*o uśmiercaniu, bombardowaniu*). **2.** niewybredny (*o guście, publice*); bezkrytyczny; bezmyślny.

indiscriminately [ˌɪndɪˈskrɪmənətlɪ] *adv.* *uj.* **1.** bez skrupułów, bezlitośnie (*zabijać*); na oślep (*strzelać*). **2.** niewybrednie; bezkrytycznie (*oceniać*).

indiscriminateness [ˌɪndɪˈskrɪmənətnəs], **indiscrimination** [ˌɪndɪˌskrɪməˈneɪʃən] *n.* *U* **1.** brak skrupułów. **2.** bezkrytyczność.

indispensability [ˌɪndɪˌspensəˈbɪlətɪ] *n.* *U* niezbędność, nieodzowność; niezastąpioność; konieczność.

indispensable [ˌɪndɪˈspensəbl] *a.* niezbędny, nieodzowny; niezastąpiony; konieczny (*o obowiązku, zabiegu*). – *n.* niezbędna *l.* niezastąpiona rzecz.

indispensably [ˌɪndɪˈspensəblɪ] *adv.* niezbędnie, nieodzownie; koniecznie.

indispose [ˌɪndɪˈspoʊz] *v.* *form.* **1.** czynić niezdolnym (*for sth* do czegoś, *to do sth* do zrobienia czegoś). **2.** usposabiać niechętnie, zniechęcać, uprzedzać, zrażać (*to / towards sb / sth* do kogoś/czegoś); odstręczać (*from sth* od czegoś).

indisposed [ˌɪndɪˈspoʊzd] *a.* *form.* **1.** niedysponowany. **2.** usposobiony niechętnie, uprzedzony (*to sb / sth* do kogoś/czegoś).

indisposition [ɪnˌdɪspəˈzɪʃən] *n.* **1.** niedyspozycja. **2.** *U* niechęć (*to sb / sth* do kogoś/czegoś).

indisputability [ˌɪndɪˌspjuːtəˈbɪlətɪ] *n.* *U* bezsporność, bezsprzeczność.

indisputable [ˌɪndɪˈspjuːtəbl] *a.* bezsporny, bezsprzeczny, niezaprzeczalny (*np. o dowodach*); nieulegający wątpliwości (*o faktach*); **it is ~ that ...** nie ulega wątpliwości, że...

indisputably [ˌɪndɪˈspjuːtəblɪ] *adv.* bezspornie, bezsprzecznie, niezaprzeczalnie; bez wątpienia.

indissolubility [ˌɪndɪˌsɑːljəˈbɪlətɪ] *n.* *U* **1.** *form.* nierozerwalność. **2.** *chem.* nierozpuszczalność.

indissoluble [ˌɪndɪˈsɑːljəbl] *a.* **1.** *form.* nierozerwalny (*o związku, więzi*). **2.** *chem.* nierozpuszczalny.

indistinct [ˌɪndɪˈstɪŋkt] *a.* niewyraźny (*o dźwięku, obrazie, wspomnieniu*).

indistinctive [ˌɪndɪˈstɪŋktɪv] *a.* niecharakterystyczny, niewyróżniający się.

indistinctly [ˌɪndɪˈstɪŋktlɪ] *adv.* niewyraźnie (*mówić, pamiętać, rysować się*).

indistinguishable [ˌɪndɪˈstɪŋgwɪʃəbl] *a.* **1.** nie do odróżnienia; **be ~ from sb/sth** nie dawać się odróżnić od kogoś/czegoś. **2.** niezauważalny; nie do uchwycenia (*o szczegółach*); niesłyszalny (*o dźwięku*). **3.** niezrozumiały (*o słowach, mowie*).

indite [ɪnˈdaɪt] *v.* *arch. l. lit.* układać, komponować (*poemat, mowę, list*).

indium [ˈɪndɪəm] *n.* *U chem.* ind (*pierwiastek metaliczny*).

indivertible [ˌɪndəˈvɜːtəbl] *a.* *form.* niezmienny; nieugięty.

individual [ˌɪndəˈvɪdʒʊəl] *a.* **1.** indywidualny; osobisty. **2.** *attr.* jednostkowy, pojedynczy, poszczególny. **3.** odrębny. – *n.* **1.** *gł. form.* osoba; jednostka. **2.** *biol.* osobnik. **3.** *czas. pog.* osobnik; indywiduum.

individualism [ˌɪndəˈvɪdʒʊəˌlɪzəm] *n.* *U* indywidualizm.

individualist [ˌɪndəˈvɪdʒʊəlɪst] *n.* indywidualist-a/ka.

individualistic [ˌɪndəˌvɪdʒʊəˈlɪstɪk] *a.* indywidualistyczny.

individuality [ˌɪndəˌvɪdʒʊˈælətɪ] *n.* *pl.* **-ies** **1.** *C / U* indywidualność; odrębność. **2.** cecha charakterystyczna *l.* wyróżniająca.

individualization [ˌɪndəˌvɪdʒʊələˈzeɪʃən], *Br. i Austr. zw.* **individualisation** *n.* *U* **1.** indywidualizacja. **2.** wyodrębnienie.

individualize [ˌɪndəˈvɪdʒʊəˌlaɪz], *Br. i Austr. zw.* **individualise** *v.* **1.** indywidualizować. **2.** wyodrębniać.

individually [ˌɪndəˈvɪdʒʊəlɪ] *adv.* indywidualnie (*np. spotykać się*); pojedynczo (*np. wchodzić*); z osobna (*np. dziękować każdemu*); osobno (*np. pakować*).

individuate [ˌɪndəˈvɪdʒʊˌeɪt] *v.* **1.** *form.* indywidualizować; wyodrębniać. **2.** *psych.* przechodzić proces indywiduacji.

individuation [ˌɪndəˌvɪdʒʊˈeɪʃən] *n.* *U* **1.** *psych.* indywiduacja. **2.** *t. zool.* indywidualizacja; wyodrębnienie.

indivisibility [ˌɪndəˌvɪzəˈbɪlətɪ] *n.* *U* niepodzielność.

indivisible [ˌɪndəˈvɪzəbl] *a.* niepodzielny.

indivisibly [ˌɪndəˈvɪzəblɪ] *adv.* niepodzielnie.

Indo-Aryan [ˌɪndoʊˈerɪən] *n. i a.* = **Indic.**

Indo-China [ˌɪndoʊˈtʃaɪnə] *n.* *geogr.* **1.** Półwysep Indochiński. **2.** *hist.* Indochiny (Francuskie).

indocile [ɪnˈdɑːsɪl] *a.* *form.* niepokorny, nieposłuszny.

indocility [ˌɪndoʊˈsɪlətɪ] *n.* *U form.* nieposłuszeństwo.

indoctrinate [ɪnˈdɑːktrəˌneɪt] *v.* indoktrynować.

indoctrination [ɪnˌdɑːktrəˈneɪʃən] *n.* *U* indoktrynacja.

Indo-European [ˌɪndoʊˌjʊrəˈpiːən] *arch.* **Indo-Germanic** [ˌɪndoʊdʒɜrˈmænɪk] *jęz.* *n.* rodzina języków indoeuropejskich. – *a.* indoeuropejski.

indolence [ˈɪndələns] *n. U form.* lenistwo, opieszałość; indolencja, bierność.

indolent [ˈɪndələnt] *a.* 1. *form.* leniwy, opieszały; bierny. 2. *pat.* niebolesny (*o nowotworze*); obojętny (= *bez zauważalnych objawów*).

indomethacin [ˌɪndoʊˈmeθəsən] *n. U med.* indometacyna.

indomitable [ɪnˈdɑːmɪtəbl] *a.* niezwyciężony, nieposkromiony; nieugięty.

indomitably [ɪnˈdɑːmɪtəblɪ] *adv.* nieugięcie (*np. walczyć*).

Indonesia [ˌɪndəˈniːʒə] *n. geogr.* Indonezja.

Indonesian [ˌɪndəˈniːʒən] *a.* indonezyjski. – *n.* Indonezyj-czyk/ka.

indoor [ˈɪnˌdɔːr] *a. attr.* 1. pokojowy (*o roślinie*); domowy, po domu (*o obuwiu, ubraniu*); wewnętrzny, do wnętrz (*o farbie*); wewnętrzny, wnętrzowy (*o antenie*); we wnętrzu (*o przyjęciu*). 2. *sport* halowy.

indoor-outdoor [ˌɪnˌdɔːrˈaʊtˌdɔːr] *a. attr.* (nadający się) do wnętrz i na zewnątrz; odporny na działanie warunków atmosferycznych (*o farbie, tynku, meblach*).

indoor pool *n. bud., sport* kryty basen, kryta pływalnia.

indoors [ɪnˈdɔːrz] *adv.* w domu (*pozostawać*); do domu (*wejść*); pod dachem (*odbywać się*); **stay ~** nie ruszać się *l.* nie wychodzić z domu; **the rain kept us ~** przez ten deszcz nie mogliśmy wyjść z domu.

indorse [ɪnˈdɔːrs] *v.* = **endorse**.

indorsee [ˌɪndɔːrˈsiː] *n.* = **endorsee**.

indraft [ˈɪnˌdræft], *Br.* **indraught** *n.* 1. wciąganie; wsysanie. 2. prąd dośrodkowy (*powietrza, wody*).

indrawn [ˌɪnˈdrɔːn] *a. psych.* zamknięty w sobie, skryty.

indubitable [ɪnˈduːbɪtəbl] *a. form.* niewątpliwy.

indubitably [ɪnˈduːbɪtəblɪ] *adv. form.* niewątpliwie.

induce [ɪnˈduːs] *v.* 1. nakłaniać (*sb to do sth* kogoś do zrobienia czegoś). 2. wywoływać, powodować, wzbudzać; **~ labor/vomiting** wywoływać poród/wymioty. 3. *med.* wywoływać poród u (*ciężarnej*); wywoływać poród (*płodu*). 4. wywnioskować; *log. t.* indukować. 5. *el., fiz.* indukować, wzbudzać.

inducement [ɪnˈduːsmənt] *n. C/U* 1. bodziec; zachęta (*to (do) sth* do (zrobienia) czegoś). 2. *euf.* zachęta, łapówka.

inducer [ɪnˈduːsər] *n. biochem.* induktor.

induct [ɪnˈdʌkt] *v.* 1. *form. t. rel., polit., admin.* **~ sb into sth** powierzać komuś coś (*urząd, stanowisko*); przyjmować kogoś do czegoś *l.* w poczet członków czegoś. 2. **~ sb into sth** wprowadzać kogoś w coś (*środowisko, arkana wiedzy*). 3. *US wojsk.* wcielać, powoływać (*do wojska*). 4. *el., fiz.* indukować, wzbudzać.

inductance [ɪnˈdʌktəns] *n. el. U l. sing.* indukcyjność; *C* element indukcyjny.

inductee [ˌɪndʌkˈtiː] *n. US wojsk.* rekrut.

inductile [ɪnˈdʌktɪl] *a.* 1. *metal.* nieplastyczny, nieciągliwy. 2. *form. przen.* nieelastyczny.

induction [ɪnˈdʌkʃən] *n.* 1. *U el., fiz., log., mat., biochem.* indukcja. 2. *t. szkoln., uniw. U* wprowadzenie, orientacja (*dla nowych pracowników, uczniów, studentów*); *C* spotkanie *l.* zajęcia wprowadzające. 3. *polit., admin.* wprowadzenie (*na urząd, stanowisko*). 4. *C/U med.* wywołanie (*wymiotów, porodu*). 5. *techn.* ssanie, zasysanie; wlot. 6. *U US wojsk.* wcielenie, pobór. 7. *ret., teor. lit. przest.* introdukcja, wprowadzenie (*do wypowiedzi, dzieła*).

induction coil *n. el.* cewka indukcyjna.

induction course *n. szkoln., uniw.* kurs przygotowawczy *l.* wprowadzający.

induction heating *n. U techn.* nagrzewanie indukcyjne.

induction loop *n.* 1. *el.* pętla indukcyjna. 2. (*także* **~ system**) *akustyka, teatr* nagłośnienie w pętli indukcyjnej (= *system dla niedosłyszących, dzięki któremu sygnał dźwiękowy przesyłany jest bezprzewodowo do aparatu słuchowego widza*).

induction period *n.* okres wprowadzający.

induction stroke *n. mot.* suw ssania.

inductive [ɪnˈdʌktɪv] *a. el., log., mat.* indukcyjny (*o napięciu, rozumowaniu, dowodzie*); *mat.* induktywny (*o granicy, zbiorze*).

inductor [ɪnˈdʌktər] *n.* 1. *el.* element indukcyjny; cewka indukcyjna. 2. *chem.* induktor.

indue [ɪnˈduː] *v. form. przest.* = **endue**.

indulge [ɪnˈdʌldʒ] *v.* 1. **~ in sth** oddawać się czemuś (*np. obżarstwu*); pozwalać sobie na coś (*np. na papierosa*). 2. dogadzać (*sb in sth* komuś w czymś); rozpieszczać; **~ o.s. (in everything)** dogadzać sobie (we wszystkim), folgować *l.* używać sobie; **~ sb's every whim** spełniać (wszystkie) czyjeś zachcianki. 3. *fin.* udzielać zwłoki *l.* prolongaty (*dłużnikowi*). 4. *pot.* popijać sobie, zaglądać do kieliszka.

indulgence [ɪnˈdʌldʒəns] *n.* 1. (*także* **self-~**) słabość, słabostka; nałóg; *C/U* ekstrawagancja. 2. *U* dogadzanie sobie. 3. przywilej. 4. *rz.-kat.* odpuszczenie. 5. *fin.* prolongata, odroczenie (*płatności*). 6. *U* pobłażliwość.

indulgent [ɪnˈdʌldʒənt] *a.* pobłażliwy (*to/towards sb* dla kogoś).

indulgently [ɪnˈdʌldʒəntlɪ] *adv.* pobłażliwie (*traktować*).

indult [ɪnˈdʌlt] *n. rz.-kat.* indult, dyspensa.

indurate *form. v.* [ˈɪndjʊəˌreɪt] 1. utwardzać; *przen.* hartować. 2. czynić nieczułym. 3. twardnieć. – *a.* [ˈɪndjʊərət] stwardniały.

induration [ˌɪndʊˈreɪʃən] *n. U t. pat.* stwardnienie.

indusium [ɪnˈduːzɪəm] *n. pl. t.* **-ia** [ɪnˈduːzɪə] 1. *bot.* zawijka (*zarodni paproci*). 2. *anat.* owodnia (*embrionu*).

industrial [ɪnˈdʌstrɪəl] *a.* przemysłowy. – *n.* 1. zakład przemysłowy. 2. zatrudniony w przemyśle.

industrial accident *n.* wypadek przy pracy *l.* w miejscu pracy.

industrial action *n. U* akcja protestacyjna *l.* strajkowa.

industrial arts *n. U US szkoln.* technika (*przedmiot w szkole*).

industrial center, *Br.* **industrial centre** *n.* ośrodek przemysłowy.

industrial design *n.* *U* wzornictwo przemysłowe.

industrial disease *n.* *med.* choroba zawodowa.

industrial dispute *n.* *prawn.* spór zbiorowy (z pracodawcą).

industrial espionage *n.* *U* wywiad przemysłowy, szpiegostwo przemysłowe.

industrial estate *n.* *Br.* = **industrial park**.

industrialism [ɪn'dʌstrɪəˌlɪzəm] *n.* *U* industrializm.

industrialist [ɪn'dʌstrɪəlɪst] *n.* **1.** przemysłowiec. **2.** industrialista.

industrialization [ɪnˌdʌstrɪələ'zeɪʃən], *Br. i Austr. zw.* **industrialisation** *n.* *U* uprzemysłowienie, industrializacja.

industrialize [ɪn'dʌstrɪəˌlaɪz], *Br. i Austr. zw.* **industrialise** *v.* uprzemysławiać, industrializować.

industrialized [ɪn'dʌstrɪəˌlaɪzd], *Br. i Austr. zw.* **industrialised** *n.* uprzemysłowiony; ~ **nations** *polit.* państwa uprzemysłowione.

industrially [ɪn'dʌstrɪəlɪ] *adv.* na skalę przemysłową (*produkować*); przemysłowo, pod względem przemysłu.

industrial medicine *n.* *U* medycyna pracy.

industrial park *n.* (*także Br.* **industrial estate**) teren fabryczny *l.* przemysłowy.

industrial relations *n. pl.* *socjol.* stosunki między pracodawcą a pracownikami.

industrial revolution *n. sing.* (*także* **I~ R~**) *hist.* rewolucja przemysłowa.

industrials [ɪn'dʌstrɪəlz] *n. pl.* *giełda* akcje przemysłowe.

industrial-strength [ɪnˌdʌstrɪəl'streŋkθ] *a.* *gł. attr.* *handl.* profesjonalny, o podwójnej mocy (*w nazwach produktów, zwł. środków czyszczących i piorących*).

industrial tribunal *n.* *prawn.* sąd pracy.

industrial union *n.* związek (zawodowy) branżowy.

industrial waste *n.* *U* *ekol.* odpady przemysłowe.

industrious [ɪn'dʌstrɪəs] *a.* pracowity; skrzętny.

industriously [ɪn'dʌstrɪəslɪ] *adv.* pracowicie; skrzętnie.

industriousness [ɪn'dʌstrɪəsnəs] *n.* *U* pracowitość; skrzętność.

industry ['ɪndəstrɪ] *n.* **1.** *C/U* przemysł; **energy** ~ energetyka, przemysł energetyczny. **2.** *U* pracowitość; pilność.

indwell [ɪn'dwel] *v.* *pret. i pp.* **indwelt** *lit.* **1.** drzemać, gościć, zamieszkiwać (*gdzieś*). **2.** napełniać, penetrować (*o duchu, sile wewnętrznej*).

inebriant [ɪn'i:brɪənt] *a. i n.* *form. l. żart.* (napój) wyskokowy *l.* odurzający.

inebriate *form.* *a.* [ɪn'i:brɪət] nietrzeźwy, pod wpływem alkoholu. – *n.* [ɪn'i:brɪət] osoba nietrzeźwa; osoba nadużywająca alkoholu. – *v.* [ɪn'i:brɪˌeɪt] **1.** odurzać alkoholem. **2.** *przen.* upajać.

inebriated [ɪn'i:brɪˌeɪtɪd] *a.* *form.* nietrzeźwy, (znajdujący się) pod wpływem alkoholu.

inebriation [ɪnˌi:brɪ'eɪʃən] *n.* *U* *form.* **1.** nietrzeźwość, stan nietrzeźwości, upojenie alkoholowe. **2.** *przen.* upojenie.

inedibility [ɪnˌedə'bɪlətɪ] *n.* *U* niejadalność.

inedible [ɪn'edəbl] *a.* niejadalny.

inedited [ɪn'edɪtɪd] *a.* **1.** wydany bez zmian; nieopracowany. **2.** niepublikowany, niewydany.

ineducable [ɪn'edʒəkəbl] *a.* *form.* niewyuczalny, nieedukowalny (*o osobie*).

ineffable [ɪn'efəbl] *a.* *form.* **1.** niewymowny. **2.** zakazany (*o słowie l. imieniu, zwł. świętym*).

ineffably [ɪn'efəblɪ] *adv.* *form.* niewymownie.

ineffaceable [ˌɪnɪ'feɪsəbl] *a.* niezatarty (*o wrażeniu, śladzie*).

ineffective [ˌɪnɪ'fektɪv] *a.* **1.** nieskuteczny, bezskuteczny (*o leku, wysiłku, środkach*); ~ **against cancer** nieskuteczny w leczeniu raka. **2.** nieefektowny (*o występie, dekoracji*).

ineffectiveness [ˌɪnɪ'fektɪvnəs] *n.* *U* nieskuteczność, brak skuteczności.

ineffectual [ˌɪnɪ'fektʃuəl] *a.* *form.* nieefektywny, nieskuteczny (w działaniu) (*o osobie, wysiłku, środkach*).

inefficacious [ˌɪnefə'keɪʃəs] *a.* *form.* nieskuteczny, bezskuteczny.

inefficacy [ɪn'efəkəsɪ] *n.* *U* *form.* nieskuteczność, bezskuteczność.

inefficiency [ˌɪnɪ'fɪʃənsɪ] *n.* *C/U* *pl.* **-ies** **1.** nieudolność (*osoby, organizacji*); nieskuteczność, brak skuteczności (*działania*). **2.** niewydajność (*maszyny*). **3.** nieefektywność; niewydolność (*systemu*).

inefficient [ˌɪnɪ'fɪʃənt] *a.* **1.** nieudolny (*o osobie, organizacji*). **2.** niewydajny (*o maszynie*). **3.** nieefektywny; niewydolny (*o systemie*).

inefficiently [ˌɪnɪ'fɪʃəntlɪ] *adv.* **1.** nieudolnie. **2.** mało wydajnie. **3.** niewydolnie.

inelastic [ˌɪnɪ'læstɪk] *a.* **1.** nieelastyczny (*o polityce, osobie*). **2.** *fiz., techn.* niesprężysty (*o zderzeniu cząstek, konstrukcji*).

inelasticity [ˌɪnɪlæ'stɪsətɪ] *n.* *U* **1.** brak elastyczności. **2.** *fiz., techn.* niesprężystość.

inelegance [ɪn'eləgəns] *n.* *U* brak elegancji.

inelegant [ɪn'eləgənt] *a.* nieelegancki; mało elegancki; pozbawiony wdzięku.

inelegantly [ɪn'eləgəntlɪ] *adv.* nieelegancko; bez wdzięku.

ineligibility [ɪnˌelɪdʒə'bɪlətɪ] *n.* *U* ~ **for sth** nieprzysługiwanie (prawa do) czegoś, brak prawa do czegoś.

ineligible [ɪn'elɪdʒəbl] *a.* niespełniający wymogów *l.* wymagań *l.* warunków; **become ~ for sth** stracić prawo do czegoś; **sb is ~ for sth/to do sth** komuś nie przysługuje prawo do czegoś/robienia czegoś (*np. do emerytury, głosowania, zasiłku*), ktoś nie kwalifikuje się do czegoś (*np. do służby wojskowej*).

ineluctability [ˌɪnɪˌlʌktə'bɪlətɪ] *n.* *U* *lit.* nieuchronność.

ineluctable [ˌɪnɪ'lʌktəbl] *a.* *lit.* nieunikniony, nieuchronny.

ineluctably [ˌɪnɪˈlʌktəblɪ] *adv. lit.* nieuchronnie.

inept [ɪnˈept] *a.* **1.** niekompetentny (*o osobie*); nieumiejętny (*o postępowaniu*). **2.** niestosowny, nie na miejscu (*o uwadze, zachowaniu*).

ineptitude [ɪnˈeptɪˌtu:d], **ineptness** [ɪnˈeptnəs] *n. U* **1.** brak kompetencji; brak umiejętności. **2.** niestosowność.

ineptly [ɪnˈeptlɪ] *adv.* **1.** niekompetentnie; nieumiejętnie. **2.** niestosownie, nie na miejscu.

ineptness [ɪnˈeptnəs] *n.* = **ineptitude**.

inequality [ˌɪnɪˈkwɑ:lətɪ] *n. pl.* **-ies 1.** *C/U* nierówność; nierównouprawnienie (*płci, ras*). **2.** *mat.* nierówność.

inequilateral [ɪnˌi:kwəˈlætərəl] *a. geom.* nierównoboczny (*o trójkącie*).

inequitable [ɪnˈekwɪtəbl] *a. form.* niesprawiedliwy, niesłuszny, krzywdzący (*o decyzji, podziale, traktowaniu*).

inequitably [ɪnˈekwɪtəblɪ] *adv. form.* niesprawiedliwie, niesłusznie, krzywdząco.

inequity [ɪnˈekwɪtɪ] *n. pl.* **-ies** *C/U form.* niesłuszność, niesprawiedliwość.

ineradicable [ˌɪnɪˈrædəkəbl] *a. form.* nieusuwalny, nie do usunięcia; *med.* nie do zwalczenia (*o chorobie, infekcji*).

inerrability [ɪnˌerəˈbɪlətɪ] *n. U form.* nieomylność.

inerrable [ɪnˈerəbl] *a. form.* nieomylny.

inerrancy [ɪnˈerənsɪ] *n. U form.* nieomylność, bezbłędność.

inerrant [ɪnˈerənt] *a. form.* nieomylny, bezbłędny.

inert [ɪnˈɝ:t] *a.* **1.** *t. fiz.* bezwładny (*o ciele*). **2.** *gł. przen.* opieszały, ociężały. **3.** *chem.* obojętny, inertny (*zwł. o gazie*).

inertia [ɪnˈɝ:ʃə] *n. U* **1.** bezwład, inercja (*systemu*); **through ~** na zasadzie bezwładu *l.* inercji. **2.** *fiz.* bezwładność, inercja.

inertial [ɪnˈɝ:ʃl] *a. fiz.* inercyjny, bezwładnościowy.

inertia-reel seat belt [ɪnˌɝ:ʃəˌri:l ˈsi:t ˌbelt], **inertia-reel safety belt** *n. gł. pl. mot.* pas bezwładnościowy.

inertly [ɪnˈɝ:tlɪ] *adv.* **1.** *t. fiz.* bezwładnie (*poruszać się, leżeć*). **2.** opieszale (*funkcjonować*).

inertness [ɪnˈɝ:tnəs] *n. U* **1.** bezwład, bezwładność, inercja (*systemu*); opieszałość (*działania*). **2.** *chem.* obojętność.

inescapable [ˌɪnɪˈskeɪpəbl] *a.* niezaprzeczalny (*np. o fakcie, prawdzie*), nieodparty, nieunikniony (*np. o wniosku*).

inescapably [ˌɪnɪˈskeɪpəblɪ] *adv.* niezaprzeczalnie, nieodparcie.

inessential [ˌɪnɪˈsenʃl] *a.* mało użyteczny, niepotrzebny (*o przedmiocie*); nieistotny (*o szczególe*).

inessentials [ˌɪnɪˈsenʃlz] *n. pl.* niepotrzebne *l.* mało użyteczne przedmioty; nieważne rzeczy; nieistotne szczegóły.

inestimable [ɪnˈestəməbl] *a.* **1.** nieobliczalny, trudny do oszacowania (*o szkodach*). **2.** nieoceniony (*o pomocy*).

inestimably [ɪnˈestəməblɪ] *adv.* ogromnie.

inevitability [ɪnˌevɪtəˈbɪlətɪ] *n. U* nieuchronność; *sing.* nieuchronna konsekwencja (*of sth* czegoś).

inevitable [ɪnˈevɪtəbl] *a.* nieuchronny, nieunikniony (*o wydarzeniu, następstwach*); nie do uniknięcia (*o błędzie*); łatwy do przewidzenia; nieodłączny. – *n.* **the ~** konieczność, to, co być musi.

inevitably [ɪnˈevɪtəblɪ] *adv.* **1.** nieuchronnie; nieodłącznie. **2.** ~, ... jak to zwykle bywa,..., jak można było przewidzieć,...

inexact [ˌɪnɪgˈzækt] *a.* niedokładny, nieprecyzyjny, nieścisły.

inexactitude [ˌɪnɪgˈzæktɪˌtu:d] *n. form.* **1.** nieścisłość, uchybienie. **2.** *U* = **inexactness**.

inexactly [ˌɪnɪgˈzæktlɪ] *adv.* niedokładnie, nieprecyzyjnie, nieściśle.

inexactness [ˌɪnɪgˈzæktnəs] *n. U* niedokładność, nieścisłość, brak precyzji.

inexcusable [ˌɪnɪkˈskju:zəbl] *a.* niewybaczalny (*o zachowaniu, błędzie*).

inexcusably [ˌɪnɪkˈskju:zəblɪ] *adv.* niewybaczalnie.

inexhaustible [ˌɪnɪgˈzɔ:stəbl] *a.* **1.** niewyczerpany, nieprzebrany (*o zasobach*). **2.** niestrudzony (*o osobie*).

inexhaustibly [ˌɪnɪgˈzɔ:stəblɪ] *adv.* **1.** niewyczerpanie (*np. wielki*). **2.** niestrudzenie (*pracować, działać*).

inexistent [ˌɪnɪgˈzɪstənt] *a. form.* nieistniejący.

inexorability [ɪnˌeksərəˈbɪlətɪ] *n. U form.* nieuchronność.

inexorable [ɪnˈeksərəbl] *a. form.* nieuchronny, nieubłagany.

inexorably [ɪnˈeksərəblɪ] *adv. form.* nieuchronnie, nieubłaganie.

inexpedience [ˌɪnɪkˈspi:dɪəns], **inexpediency** [ˌɪnɪkˈspi:dɪənsɪ] *n. form. U* niecelowość; niestosowność.

inexpedient [ˌɪnɪkˈspi:dɪənt] *a. form.* niekorzystny, niecelowy, niepożądany; niestosowny.

inexpensive [ˌɪnɪkˈspensɪv] *a.* niedrogi.

inexpensively [ˌɪnɪkˈspensɪvlɪ] *adv.* niedrogo.

inexperience [ˌɪnɪkˈspi:rɪəns] *n. U* brak doświadczenia, niedoświadczenie.

inexperienced [ˌɪnɪkˈspi:rɪənst] *a.* niedoświadczony, bez doświadczenia.

inexpert [ɪnˈekspɝ:t] *a.* nieumiejętny, niewprawny (*o ruchach*).

inexpertly [ɪnˈekspɝ:tlɪ] *adv.* nieumiejętnie, niewprawnie.

inexpiable [ɪnˈekspɪəbl] *a. form.* niewybaczalny (*o przewinieniu*).

inexplicability [ɪnˌeksplәkəˈbɪlətɪ] *n. U* niewytłumaczalność; zagadkowość.

inexplicable [ɪnˈeksplәkəbl] *a.* niewytłumaczalny; niewyjaśniony, zagadkowy.

inexplicably [ɪnˈeksplәkəblɪ] *adv.* tajemniczo; z niewyjaśnionych przyczyn, w niewyjaśniony sposób.

inexplicit [ˌɪnɪkˈsplɪsɪt] *a. form.* niewyraźny, niejasny, nieokreślony *l.* sformułowany niewyraźnie.

inexplicitly [ˌɪnɪk'splɪsɪtlɪ] *adv. form.* niewyraźnie, niejasno (*sformułowany, powiedziany*).

inexpressible [ˌɪnɪk'spresəbl] *a.* niewypowiedziany, niewymowny (*zwł. o żalu*).

inexpressibles [ˌɪnɪk'spresəblz] *n. pl. przest. żart.* inekspryymable, niewymowne (= *kalesony*).

inexpressibly [ˌɪnɪk'spresəblɪ] *adv.* niewymownie (*smutny*).

inexpressive [ˌɪnɪk'spresɪv] *a.* **1.** bez wyrazu (*o twarzy, spojrzeniu*). **2.** *arch.* niewyrażalny.

inexpugnable [ˌɪnɪk'spʌgnəbl] *a. form.* niepokonany, niezwyciężony.

inextensible [ˌɪnɪk'stensəbl] *a.* nierozkładany (*o antenie*); nierozciągliwy (*o pręcie*).

in extenso [ˌɪn ɪks'tensoʊ] *adv. i a. Lat. form.* in extenso, w całości, bez skrótów (*drukować, cytować*).

inextinguishable [ˌɪnɪk'stɪŋgwɪʃəbl] *a.* nie dający się ugasić (*o ogniu*); *przen.* niegasnący (*o wierze, uczuciu*).

in extremis [ˌɪn ɪks'tri:mɪs] *adv. i a. Lat. form.* in extremis (= *w ostateczności l. w chwili śmierci*).

inextricable [ɪn'ekstrəkəbl] *a. form.* **1.** nierozerwalnie związany (*from sth* z czymś); ~ **part of sth** nieodłączna część czegoś. **2.** nie do rozwikłania *l.* rozwiązania (*o zagadce*). **3.** bez wyjścia (*o sytuacji*).

inextricably [ɪn'ekstrəkəblɪ] *adv. form.* nierozerwalnie, nieodłącznie (*związany*).

inf. *abbr.* **1.** = **information**. **2.** *gram.* = **infinitive**. **3.** = **inferior**. **4.** (*także* **Inf.**) *wojsk.* = **infantry**. **5.** *mat.* = **infinity**. **6.** = **infirmary**.

infallibility [ˌɪnfælə'bɪlətɪ] *n. U* **1.** *t. rel.* nieomylność. **2.** niezawodność.

infallible [ɪn'fæləbl] *a.* **1.** *t. rel.* nieomylny (*o osobie, opinii*); bezbłędny (*o wykonaniu*). **2.** niezawodny (*o metodzie*). **3.** niechybny (*o następstwie*).

infallibly [ɪn'fæləblɪ] *adv.* **1.** *t. rel.* nieomylnie; bezbłędnie. **2.** niezawodnie (*działać*). **3.** niechybnie.

infamous ['ɪnfəməs] *a.* **1.** niesławny, cieszący się złą sławą; notoryczny. **2.** haniebny, hańbiący. **3.** *hist., prawn.* pozbawiony praw publicznych.

infamy ['ɪnfəmɪ] *n. pl.* **-ies** **1.** *U* niesława; hańba. **2.** haniebny *l.* hańbiący czyn, infamia. **3.** *U hist., prawn.* infamia, utrata praw obywatelskich.

infancy ['ɪnfənsɪ] *n. U l. sing.* **1.** (wczesne) dzieciństwo; niemowlęctwo. **2.** *przen.* wczesne stadium (*projektu, rozwoju*); **in its** ~ w powijakach. **3.** *prawn.* niepełnoletność.

infant ['ɪnfənt] *n.* **1.** niemowlę; małe dziecko. **2.** *prawn.* osoba niepełnoletnia. – *a. attr.* **1.** niemowlęcy; dziecięcy. **2.** *przen.* powstający (*o organizacji*); początkowy (*o stadium, fazie rozwoju*).

infanta [ɪn'fæntə] *n. hist.* infantka.

infant class *n. Br. szkoln.* klasa niższa (*szkoły podstawowej, dla dzieci w wieku 5-7 lat*).

infante [ɪn'fæntɪ] *n. hist.* infant.

infant formula *n. zob.* **formula** 5.

infanticidal [ɪnˌfæntɪ'saɪdl] *a. t. prawn.* dzieciobójczy.

infanticide [ɪn'fæntɪˌsaɪd] *n. t. prawn.* **1.** *C/U* dzieciobójstwo. **2.** dzieciobój-ca/czyni.

infantile ['ɪnfənˌtaɪl] *a.* infantylny, dziecinny.

infantile autism *n. U pat.* autyzm dziecięcy.

infantile paralysis *n. U pat. przest.* choroba Heinego-Medina, porażenie dziecięce (nagminne).

infantilism ['ɪnfəntəˌlɪzəm] *n. U* infantylizm (*t. pat.*); infantylność.

infant mortality rate *n.* śmiertelność niemowląt.

infantry ['ɪnfəntrɪ] *n. U wojsk.* piechota.

infantryman ['ɪnfəntrɪmən] *n. pl.* **-men** *wojsk.* żołnierz piechoty, piechur.

infant school *n. C/U Br. szkoln.* szkoła dla dzieci w wieku 5-7 lat.

infant teaching *n. U Br. szkoln.* nauczanie początkowe.

infarct [ɪn'fɑ:rkt] *n. C/U* (*także* ~**ion**) *pat. form.* obszar martwicy niedokrwiennej, zawał.

infatuate [ɪn'fætʃʊˌeɪt] *v. lit.* wzbudzać namiętność w (*kimś*).

infatuated [ɪn'fætʃʊˌeɪtɪd] *a.* zadurzony (*with sb* w kimś); zapatrzony (*with sb/sth* w kogoś/coś); **become** ~ **with sb** zadurzyć się w kimś.

infatuation [ɪnˌfætʃʊ'eɪʃən] *n. C/U* zadurzenie.

infect [ɪn'fekt] *v.* **1.** *t. przen.* zarażać (*with sth* czymś) (*np. wirusem, zapałem*); zakażać (*powietrze, wodę, żywność*); **become** ~**ed** ulegać zakażeniu (*o ranie, żywności, osobie*). **2.** *przen.* udzielać się (*komuś; np. o entuzjazmie, pesymizmie*).

infection [ɪn'fekʃən] *n. t. pat.* **1.** infekcja, zakażenie. **2.** *U* zakażenie, zainfekowanie; zarażenie. **3.** *C/U* zaraza (*moralna*).

infectious [ɪn'fekʃəs] *a. pat.* zakaźny; *t. przen.* zaraźliwy (*o chorobie, śmiechu, zapale*); ~ **hepatitis** wirusowe zapalenie wątroby; **be** ~ roznosić *l.* rozsiewać zarazki (*o chorym*).

infectiously [ɪn'fekʃəslɪ] *adv. gł. przen.* zaraźliwie (*np. śmiać się*).

infectiousness [ɪn'fekʃəsnəs] *n. U t. przen.* zaraźliwość.

infective [ɪn'fektɪv] *a. rzad. form.* = **infectious**.

infectivity [ˌɪnfek'tɪvətɪ] *n. U rzad. form.* = **infectiousness**.

infecund [ɪn'fi:kənd] *a. form.* nieurodzajny; bezpłodny.

infecundity [ˌɪnfɪ'kʌndɪtɪ] *n. U form.* nieurodzajność; bezpłodność.

infelicitous [ˌɪnfə'lɪsɪtəs] *a. form.* niefortunny, nieszczęśliwy (*zwł. o sformułowaniu, uwadze*).

infelicity [ˌɪnfə'lɪsətɪ] *n.* **1.** *U* niefortunność (*sformułowania*). **2.** *pl.* **-ies** niefortunne sformułowanie; niefortunna uwaga.

infer [ɪn'fɜ:] *v.* **-rr-** **1.** *t. log.* wnioskować; wnosić (*from sth* z czegoś, *that* że). **2.** sugerować; implikować.

inferable [ɪn'fɜ:əbl], **inferrable** *a.* dający się wywnioskować (*from sth* z czegoś).

inference ['ɪnfərəns] *n. t. log.* **1.** wniosek, konkluzja; **draw** ~**s** wyciągać wnioski. **2.** wywód. **3.**

U wnioskowanie. **4. by ~** w konsekwencji *l.* rezultacie.

inferential [ˌɪnfə'renʃl] *a. log. form.* dotyczący wnioskowania; opierający się na wnioskowaniu; *t. prawn.* dedukcyjny (*o dowodach*).

inferentially [ˌɪnfə'renʃlɪ] *adv. form.* przez wnioskowanie, w drodze wnioskowania.

inferior [ɪn'fi:rɪər] *a.* **1.** gorszy (*to sb / sth* od kogoś/czegoś *l.* niż ktoś/coś); pośledni, gorszej jakości (*o towarze*); **feel ~ to sb** czuć się gorszym od kogoś. **2.** *form.* niższy (*to sb / sth* od kogoś/czegoś) (*w hierarchii*). **3.** *t. techn.* dolny. **4.** *anat.* niższy. – *n.* podwładn-y/a; osoba niższa *l.* młodsza rangą; **be sb's ~** być czyimś podwładnym, podlegać komuś.

inferiority [ɪnˌfi:rɪ'ɔ:rətɪ] *n. U* **1.** niższość; **sense of ~** poczucie niższości. **2.** gorsza jakość (*usług, towarów*); pośledniość.

inferiority complex *n. psych.* kompleks niższości.

infernal [ɪn'fɝ:nl] *a. attr. lit. l. przest. pot.* piekielny (*o machinie, upale, hałasie*).

infernally [ɪn'fɝ:nlɪ] *adv. przest.* piekielnie.

inferno [ɪn'fɝ:noʊ] *n. pl.* **-s** *lit.* **1.** pożoga, (wielki) pożar; **raging ~** szalejący pożar. **2.** *t. przen.* piekło.

infertile [ɪn'fɝ:tl] *a.* **1.** *pat.* bezpłodny (*o osobie, osobniku, parze*). **2.** *roln.* nieurodzajny, jałowy (*o ziemi*). **3.** *biol.* niezapłodniony (*o komórce rozrodczej, osobniku*).

infertility [ˌɪnfər'tɪlətɪ] *n. U* **1.** *pat.* bezpłodność, niepłodność; **female/male ~** bezpłodność kobieca/męska, bezpłodność (u) kobiet/mężczyzn. **2.** *roln.* nieurodzajność.

infest [ɪn'fest] *v.* atakować, opanowywać, nawiedzać (*gł. o szkodnikach*).

infestation [ˌɪnfe'steɪʃən] *n. C / U* inwazja (*pasożytów, robactwa*), plaga; *pat.* infestacja ektoparazytami.

infested [ɪn'festɪd] *a.* zaatakowany (*with sth* przez coś) (*zwł. przez szkodniki*); **~ with lice** zawszony; **the city is ~ with rats** w mieście roi się od szczurów.

infeudation [ˌɪnfjʊ'deɪʃən] *n. hist.* **1.** infeudacja, nadanie lenna. **2.** *U* stosunek lenny.

infibulation [ɪnˌfɪbjə'leɪʃən] *n. U* infibulacja (= *zaszycie warg sromowych*).

infidel ['ɪnfɪdl] *n. i a. przest. pog.* niewiern-y/a (*zwł. odrzucający chrześcijaństwo l. islam*); **the ~** niewierni.

infidelity [ˌɪnfɪ'delətɪ] *n. pl.* **-ies 1.** *U* niewierność (*to sb / sth* komuś/czemuś) (*partner-owi / ce, tradycji*); *C* zdrada; **marital/conjugal ~** niewierność *l.* zdrada małżeńska. **2.** *U rel.* niewiara.

infield ['ɪnˌfi:ld] *n.* **1.** *baseball* pole wewnętrzne; gracze w polu wewnętrznym. **2.** *sport* wnętrze boiska *l.* stadionu; pole (gry). **3.** *C / U roln.* grunt przyzagrodowy *l.* przydomowy (= *ziemia w pobliżu zabudowań gospodarskich*); ziemia orna, grunt użytkowy.

infielder ['ɪnˌfi:ldər] *n. baseball* gracz w polu wewnętrznym.

infighting ['ɪnˌfaɪtɪŋ] *n. U* **1.** *gł. polit.* konflikty *l.* walki wewnętrzne, utarczki (*w łonie partii*). **2.** *boks* walka w zwarciu, zwarcie.

infill ['ɪnˌfɪl] *n. bud.* **1.** plomba; *U* (*także* **infilling**) zabudowa typu plomba. **2.** *U* (*także* **infilling**) gruz wypełniający.

infiltrate [ɪn'fɪltreɪt] *v.* **1.** *wojsk., polit.* infiltrować; penetrować; przenikać (*into sth* do czegoś *l.* na coś) (*np. na terytorium wroga*). **2.** wnikać; przesiąkać, wsiąkać (*o cieczy*). **3.** nasączać (*sth with sth* coś czymś).

infiltration [ˌɪnfɪl'treɪʃən] *n. U* **1.** *wojsk., polit.* infiltracja. **2.** przenikanie; wnikanie; penetracja. **3.** przesączanie, przesiąkanie, wsiąkanie. **4.** nasączanie.

infiltrator [ˌɪn'fɪltreɪtər] *n. polit.* infiltrator; *wojsk.* dywersant/ka.

infin. *abbr.* = **infinitive**.

infinite ['ɪnfənɪt] *a.* **1.** *t. mat., astron.* nieskończony (*o ciągu, wszechświecie*). **2.** *przen.* ogromny (*o cierpliwości, dbałości*); nieograniczony (*o swobodzie*); niezliczony (*o korzyściach*). – *n. U* nieskończoność.

infinitely ['ɪnfənɪtlɪ] *adv.* nieskończenie, ogromnie (*wielki*); o niebo (*lepszy*).

infinitesimal [ˌɪnfɪnɪ'tesəml] *a.* **1.** *form.* znikomy, minimalny. **2.** *mat.* nieskończenie mały. – *n. mat.* wielkość nieskończenie mała; wielkość *l.* funkcja zdążająca do zera.

infinitesimal calculus *n. U mat.* rachunek różniczkowy (i całkowy).

infinitesimally [ˌɪnfɪnɪ'tesəmlɪ] *adv. form.* minimalnie; **~ small** nieskończenie mały.

infinitival [ˌɪnfɪnɪ'taɪvl] *a. gram.* bezokolicznikowy.

infinitive [ɪn'fɪnɪtɪv] *n. gram.* bezokolicznik.

infinitude [ɪn'fɪnɪˌtu:d] *n. U form.* nieskończoność, bezmiar.

infinity [ɪn'fɪnətɪ] *n. pl.* **-ies 1.** *U t. mat., opt.* nieskończoność; **to ~** do nieskończoności, w nieskończoność. **2.** *mat.* liczba nieskończona.

infirm [ɪn'fɝ:m] *a.* **1.** niedołężny; zniedołężniały; schorowany; **the ~** chorzy; (starzy i) słabi. **2.** słaby (*o przekonaniu, budowli*); chwiejny (*o charakterze*); **~ of purpose** *form.* mało zdecydowany.

infirmary [ɪn'fɝ:mərɪ] *n. pl.* **-ies 1.** *US* gabinet lekarski *l.* higienistki (*w szkole l. zakładzie pracy*). **2.** punkt apteczny, apteka (*przy szpitalu, zakładzie pracy*). **3.** *gł. Br. przest.* (*l. w nazwach*) szpital.

infirmity [ɪn'fɝ:mətɪ] *n. pl.* **-ies 1.** choroba. **2.** słabość (*t. moralna*). **3.** *U* niedołęstwo; zniedołężnienie.

infix *v.* [ˌɪn'fɪks] **1.** wryć (w pamięć); **~ sth in sb's mind** wbijać coś komuś do głowy. **2.** umocowywać; osadzać (*sth in sth* coś na *l.* w czymś). **3.** *gram.* wstawiać (*w środek wyrazu*). – *n.* ['ɪnˌfɪks] *gram.* infiks, wrostek.

in flagrante delicto [ˌɪn fləˌgræntɪ dɪ'lɪktoʊ] *adv. Lat. form. l. żart.* in flagranti.

inflame [ɪn'fleɪm] *v. lit.* **1.** rozpalać (*uczucia, emocje, ogień*); zaognić (*konflikt*); wzburzyć (*osobę*). **2.** rozgorzeć (*o emocjach, ogniu*). **3.** rozświetlać (*niebo*). **4.** *pat.* powodować zapalenie *l.*

stan zapalny, prowadzić do stanu zapalnego (*organu, skóry*); ulegać zaczerwienieniu (*o skórze*).

inflamed [ɪnˈfleɪmd] *a.* **1.** rozpalony (*o uczuciach, emocjach*). **2.** *pat.* objęty zapaleniem *l.* stanem zapalnym, w stanie zapalnym (*o organie*); zaczerwieniony (*o skórze*).

inflammability [ɪnˌflæməˈbɪlətɪ] *n. U Br.* = **flammability**.

inflammable [ɪnˈflæməbl] *a.* **1.** *Br.* = **flammable**. **2.** wybuchowy (*o charakterze, osobie*). – *n.* materiał łatwopalny *l.* palny.

inflammation [ˌɪnfləˈmeɪʃən] *n. C/U* **1.** *pat.* zapalenie, stan zapalny. **2.** *przen.* zaognienie (*konfliktu*).

inflammatory [ɪnˈflæməˌtɔːrɪ] *a.* **1.** *pat.* zapalny. **2.** *przen.* prowokacyjny; konfrontacyjny; podburzający (*o artykule, przemówieniu*).

inflatable [ɪnˈfleɪtəbl] *a.* nadmuchiwany, dmuchany (*o materacu, łodzi*). – *n.* ponton, łódź nadmuchiwana.

inflate [ɪnˈfleɪt] *v.* **1.** pompować (*oponę*); nadmuchiwać (*balon, materac*). **2.** wydymać się, nadymać się. **3.** *przen.* zawyżać (*ceny, koszty*); karmić (*dumę, ego*); rozdymać, rozdmuchiwać (*aferę, sprawę*).

inflated [ɪnˈfleɪtɪd] *a.* **1.** napompowany, nadmuchany. **2.** zawyżony (*o cenach*). **3.** wygórowany (*o opinii, zwł. o sobie*). **4.** nadęty, napuszony (*o stylu*).

inflation [ɪnˈfleɪʃən] *n. U* **1.** *ekon.* inflacja; ~ **rate** stopa inflacji; **creeping/hidden/runaway/single-digit** ~ inflacja pełzająca/ukryta/galopująca/jednocyfrowa. **2.** nadmuchiwanie. **3.** zawyżanie, rozdymanie.

inflationary [ɪnˈfleɪʃəˌnerɪ] *a. ekon.* inflacyjny; ~ **gap/spiral** luka/spirala inflacyjna.

inflationism [ɪnˈfleɪʃəˌnɪzəm] *n. U ekon.* inflacjonizm.

inflect [ɪnˈflekt] *v.* **1.** modulować (*głos*); wznosić się i opadać (*o głosie*). **2.** *gram.* odmieniać (się). **3.** odginać, zakrzywiać.

inflection [ɪnˈflekʃən], *Br. t.* **inflexion** *n. U* **1.** modulacja (*głosu*). **2.** *gram.* odmiana, fleksja; *C* forma fleksyjna. **3.** odgięcie.

inflectional [ɪnˈflekʃənl], *Br. t.* **inflexional**, **inflective** [ɪnˈflektɪv] *a. gram.* fleksyjny.

inflexibility [ɪnˌfleksəˈbɪlətɪ] *n. U* **1.** brak elastyczności, nieelastyczność, sztywność (*polityki, stanowiska, materiału*). **2.** nieugiętość.

inflexible [ɪnˈfleksəbl] *a.* **1.** nieelastyczny, sztywny. **2.** nieugięty.

inflexibly [ɪnˈfleksəblɪ] *adv.* **1.** nieelastycznie, sztywno. **2.** nieugięcie.

inflexion [ɪnˈflekʃən] *n. gł. Br.* = **inflection**.

inflict [ɪnˈflɪkt] *v.* wymierzać, nakładać (*kary*); czynić, wyrządzać (*szkody, zniszczenia*); ~ **heavy casualties** spowodować duże straty w ludziach; ~ **pain/wounds/suffering on/upon sb** zadawać komuś ból/rany/cierpienia; ~ **one's views on sb** narzucać komuś swoje poglądy; ~ **o.s. on sb** *żart.* siedzieć komuś na głowie; zwalać się komuś na głowę (= *narzucać swoje towarzystwo*).

infliction [ɪnˈflɪkʃən] *n. U* zadawanie (*bólu*); wymierzanie (*kary*).

in-flight [ˌɪnˈflaɪt], **inflight** *a. attr. lotn.* w locie, w powietrzu (*np. o tankowaniu*); ~ **entertainment/movie** program rozrywkowy/film dla pasażerów; ~ **meal** posiłek w trakcie lotu.

inflorescence [ˌɪnfləˈresəns] *n.* **1.** *bot.* kwiatostan. **2.** *U form.* ukwiecenie; kwitnięcie; rozkwit.

inflorescent [ˌɪnfləˈresənt] *a. bot. l. form.* kwitnący.

inflow [ˈɪnˌfloʊ] *n. U l. sing. t. przen.* napływ (*np. wody, gotówki, imigrantów*).

influence [ˈɪnfluəns] *n.* wpływ (*on/over/upon sb/sth* na kogoś/coś); **be a bad/good ~ on sb** mieć na kogoś zły/dobry wpływ; **have/hold** ~ mieć wpływ (*with sb* na kogoś); **outside ~s** wpływy zewnętrzne; **under the ~ of sb/sth** pod wpływem kogoś/czegoś; **under the** ~ *żart. pot.* pod wpływem (*alkoholu*). – *v.* wywierać wpływ na, wpływać na (*kogoś l. coś*); ~ **sb to do sth** skłonić kogoś do zrobienia czegoś.

influent [ˈɪnfluənt] *n.* **1.** *geogr.* potok *l.* strumień wpływający; dopływ (*rzeki*). **2.** *C/U ekol.* wciek, ścieki dopływające. **3.** *ekol.* influent (= *organizm o istotnym znaczeniu dla środowiska*). – *a.* wpływający; napływający.

influential [ˌɪnfluˈenʃl] *a.* wpływowy; **be ~ in doing sth** walnie przyczynić się do (zrobienia) czegoś.

influenza [ˌɪnfluˈenzə] *n. U pat. form.* grypa.

influx [ˈɪnˌflʌks] *n. zw. sing.* napływ (*np. kapitału, towarów, turystów*); dopływ (*np. funduszy*); ~ **of refugees into the country** napływ uchodźców do kraju.

info [ˈɪnfoʊ] *n. U pot.* = **information**.

infold [ɪnˈfoʊld] *v.* = **enfold**.

infomercial [ˌɪnfoʊˈmɜːʃl] *n. telew.* program reklamowy utrzymany w konwencji programu informacyjnego.

inform [ɪnˈfɔːrm] *v.* **1.** informować, powiadamiać (*sb about/of sth* kogoś o czymś). **2.** donosić, składać doniesienie (*on/against sb* na kogoś) denuncjować (*on/against sb* kogoś). **3.** *form.* leżeć u podłoża (*twórczości, dzieła*), przenikać (*twórczość, dzieło*); napełniać (*with sth* czymś) (*np. uczuciem, duchem*).

informal [ɪnˈfɔːrml] *a.* **1.** swobodny (*o stylu, stroju*); bezpośredni (*o podejściu, zachowaniu*); nieformalny, nieoficjalny (*o spotkaniu, zaproszeniu*). **2.** *jęz.* potoczny.

informality [ˌɪnfɔːrˈmælətɪ] *n. U* **1.** swoboda; bezpośredniość; nieformalność, nieoficjalność, nieformalny *l.* nieoficjalny charakter. **2.** *jęz.* potoczność.

informally [ɪnˈfɔːrmlɪ] *adv.* **1.** swobodnie; nieformalnie, nieoficjalnie. **2.** *jęz.* potocznie.

informant [ɪnˈfɔːrmənt] *n. t. prawn., jęz.* informator/ka (*policji, mafii, językoznawcy*).

informatics [ˌɪnfərˈmætɪks] *n. rzad.* = **information science**.

information [ˌɪnfərˈmeɪʃən] *n. U* **1.** informacja (*tylko zbiorowo*); informacje, wiadomości (*on/about sb/sth* o kimś/czymś *l.* na temat kogoś/czegoś); **bit/piece of** ~ wiadomość, informacja (*pojedyncza*); **collect/get** ~ zbierać/otrzymywać informacje; **for ~ only** do wiadomości (*adnotacja na dokumencie*); **for further/additional ~ call...** więcej informacji pod numerem telefonu...; **our ~ is that...** według posiadanych przez nas informacji,...; **provide ~** udzielać informacji. **2.** wiedza (*on / about sth* na temat czegoś). **3.** pouczenie, objaśnienie. **4.** *US tel.* informacja (telefoniczna), biuro numerów. **5.** *prawn.* powiadomienie, doniesienie. **6.** *pot.* **for your ~,...** jeśli chcesz wiedzieć,... (*sugerując, że rozmówca się myli*); **for your ~ only** mówiąc między nami.

informational [ˌɪnfər'meɪʃənl] *a.* informacyjny (*o programie, ulotce*).

information bureau *n.* = **information office**.

information center, *Br.* **centre** *n.* informacja (*okienko, stoisko itp.*); centrum informacji (*np. turystycznej, handlowej, kulturalnej*).

information office *n.* (*także* **information bureau**) biuro informacyjne *l.* informacji.

information officer *n. wojsk.* oficer informacyjny.

information processing *n. U komp.* przetwarzanie informacji.

information retrieval *n. U komp.* wyszukiwanie informacji.

information science *n. U* informatyka.

information superhighway *n. sing.* infostrada (= *Internet*).

information technology *n. U* (*także* **IT**) informatyka; technika informacyjna.

information theory *n. U* teoria informacji.

informative [ɪn'fɔːrmətɪv] *a.* **1.** pouczający. **2.** bogaty w informacje, zawierający dużo informacji.

informativeness [ɪn'fɔːrmətɪvnəs] *n. U* zawartość informacyjna, walory informacyjne.

informed [ɪn'fɔːrmd] *a.* **1.** (dobrze) poinformowany (*o źródle*); **keep sb ~** informować kogoś na bieżąco. **2.** zorientowany (*o osobie*); **be well/badly/ill-~ about sth** dobrze/słabo/kiepsko orientować się w czymś. **3.** *gł. attr.* świadomy, oparty na posiadanej wiedzy (*o decyzji, wyborze, ocenie*). **4.** *form.* wykształcony; kulturalny.

informed consent *n. U prawn.* świadomie wyrażona zgoda (*zwł. na leczenie określonego typu*).

informer [ɪn'fɔːrmər] *n.* **1.** informator/ka (*policji, przestępcy*); (*także* **common ~**) donosiciel/ka; konfident/ka; **turn ~ on sb** donosić na kogoś; zeznawać przeciwko komuś. **2.** dorad-ca/czyni (*np. prezydenta*).

infotainment [ˌɪnfoʊ'teɪnmənt] *n. U gł. US telew.* programy łączące informację z rozrywką.

infra ['ɪnfrə] *adv. form.* poniżej (*zwł. w przypisach*).

infracostal [ˌɪnfrə'kɑːstl] *a. anat.* podżebrowy.

infract [ɪn'frækt] *v. prawn. l. form.* łamać, gwałcić, naruszać (*prawa, reguły*).

infraction [ɪn'frækʃən] *n. C / U prawn. l. form.* złamanie, pogwałcenie, naruszenie.

infra dig *a. pred. Br. przest. pot.* poniżej (mojej/twojej itd.) godności.

infrangibility [ɪnˌfrændʒə'bɪlətɪ] *n. U form.* **1.** nienaruszalność. **2.** niełamliwość.

infrangible [ɪn'frændʒəbl] *a. form.* **1.** nienaruszalny. **2.** niełamliwy; nie dający się złamać, nie do złamania.

infrared [ˌɪnfrə'red] *opt., fiz. a.* podczerwony. – *n. U* podczerwień; **in the ~** w podczerwieni.

infrasonic [ˌɪnfrə'sɑːnɪk] *a. akustyka* poddźwiękowy, infradźwiękowy.

infrasound ['ɪnfrəˌsaʊnd] *akustyka n. C / U* poddźwięki, infradźwięki; poddźwięk, infradźwięk. – *a.* poddźwiękowy, infradźwiękowy.

infrastructure ['ɪnfrəˌstrʌktʃər] *n. zw. sing.* infrastruktura.

infrequency [ɪn'friːkwənsɪ], **infrequence** [ɪn'friːkwəns] *n. U* rzadkość.

infrequent [ɪn'friːkwənt] *a.* rzadki, nieczęsty.

infrequently [ɪn'friːkwəntlɪ] *adv.* rzadko, z rzadka; **not ~** nierzadko.

infringe [ɪn'frɪndʒ] *v.* **1.** *form.* naruszać, łamać (*prawo, umowę*). **2. ~ on/upon sth** ograniczać coś (*np. czyjąś wolność*), wpływać niekorzystnie na coś (*np. czyjeś życie osobiste*); naruszać coś (*np. przywileje*).

infringement [ɪn'frɪndʒmənt] *n. U* naruszenie (*on / of sth* czegoś) (*np. praw, umowy, przywilejów*).

infundibular [ˌɪnfən'dɪbjʊlər] *a. biol.* lejkowaty.

infuriate [ɪn'fjʊrɪˌeɪt] *v.* rozwścieczać.

infuriated [ɪn'fjʊrɪˌeɪtɪd] *a.* wściekły, rozwścieczony.

infuriating [ɪn'fjʊrɪˌeɪtɪŋ] *a.* irytujący, denerwujący.

infuriatingly [ɪn'fjʊrɪˌeɪtɪŋlɪ] *adv.* irytująco, denerwująco.

infuse [ɪn'fjuːz] *v.* **1.** *form.* **~ sb with sth** natchnąć kogoś czymś (*np. zamiłowaniem, uczuciem, odwagą*); **~ sth with sth** napełniać coś czymś (*np. pięknem, charakterem*), przydawać czemuś czegoś; **~ sth into sth** tchnąć coś w coś (*np. nowe życie w związek*). **2.** zaparzać (*herbatę, zioła*); naciągać, parzyć się (*o herbacie*). **3.** *med.* podawać we wlewie *l.* w kroplówce (*lek*).

infuser [ɪn'fjuːzər] *n.* zaparzacz.

infusibility [ɪnˌfjuːzə'bɪlətɪ] *n. U fiz.* nietopliwość.

infusible [ɪn'fjuːzəbl] *a. fiz.* nietopliwy.

infusion [ɪn'fjuːʒən] *n.* **1.** *przen.* zastrzyk (*np. gotówki, nowych sił*). **2.** *C / U* napar; wyciąg (*of sth* z czegoś). **3.** *med.* kroplówka, wlew (dożylny).

infusorial earth [ˌɪnfjʊˌzɔːrɪəl 'ɝːθ] *n. U min.* ziemia okrzemkowa.

ingenerate [ɪn'dʒenəˌreɪt] *a. rzad.* **1.** wrodzony. **2.** samoistny.

ingenious [ɪn'dʒiːnɪəs] *a.* pomysłowy, zmyślny; genialny (*o wynalazku, urządzeniu, osobie*).

ingeniously [ɪn'dʒiːnɪəslɪ] *adv.* pomysłowo, zmyślnie; genialnie.

ingeniousness [ɪn'dʒiːnɪəsnəs] *n.* = **ingenuity**.

ingénue ['ændʒənuː], **ingenue** *n. gł. film, teatr* młoda naiwna (*rola, postać*).

ingenuity [ˌɪndʒə'nuːɪtɪ] *n. U* (*także* **ingeniousness**) pomysłowość.

ingenuous [ɪn'dʒenjʊəs] *a.* prostoduszny.

ingenuously [ɪn'dʒenjʊəslɪ] *adv.* prostodusznie.

ingenuousness [ɪn'dʒenjʊəsnəs] *n. U* prostoduszność.

ingest [ɪn'dʒest] *v. form.* przyjmować (*pokarmy, płyny*), spożywać, połykać (*np. truciznę*).

ingestion [ɪn'dʒestʃən] *n. U* przyjęcie, spożycie, połknięcie.

ingle ['ɪŋgl] *n. arch. l. dial.* kominek; ogień w kominku.

inglenook ['ɪŋglˌnʊk] *n. gł. Br.* kącik przy kominku.

inglorious [ɪn'glɔːrɪəs] *a.* **1.** *form.* niesławny; sromotny, haniebny. **2.** *arch. l. lit.* nieznany.

ingloriously [ɪn'glɔːrɪəslɪ] *adv. form.* niesławnie; sromotnie, haniebnie.

ingoing ['ɪnˌgoʊɪŋ] *a.* **1.** wejściowy; wchodzący. **2.** obejmujący władzę (*np. o rządzie, prezydencie*). **3.** początkowy (*np. o stanie*). – *n. często pl. prawn.* opłata za zastane sprzęty (*uiszczana przez nowego najemcę*).

ingot ['ɪŋgət] *n.* sztaba (*złota, srebra*); *metal.* blok, wlewek.

ingot iron *n. U* żelazo technicznie czyste.

ingraft [ɪn'græft] *v.* = **engraft**.

ingrain, engrain *v.* [ɪn'greɪn] **1.** zakorzenić, wpajać (*zasady*). **2.** *tk. arch.* farbować, barwić (*włókna tkaniny*). – *a.* ['ɪnˌgreɪn] **1.** = **ingrained** 1. **2.** *tk.* z barwionego włókna (*o tkaninie, dywanie*).

ingrained [ɪn'greɪnd] *a.* **1.** głęboko zakorzeniony (*np. o zwyczajach, obawach*). **2.** głęboki, wżarty (*np. o plamie, zabrudzeniu*). **3.** *attr.* niepoprawny (*np. o pesymiście, głupcu*).

ingrate ['ɪnˌgreɪt] *n. form.* niewdzięczni-k/ca. – *a. arch.* niewdzięczny.

ingratiate [ɪn'greɪʃɪˌeɪt] *v.* ~ **o.s. with sb** przypochlebiać się komuś, nadskakiwać komuś; wkradać się w czyjeś łaski.

ingratiating [ɪn'greɪʃɪˌeɪtɪŋ] *a.* przymilny, przypochlebny (*np. o uśmiechu*).

ingratiatingly [ɪn'greɪʃɪˌeɪtɪŋlɪ] *a.* przymilnie, przypochlebnie.

ingratiation [ɪnˌgreɪʃɪ'eɪʃən] *n. U* pochlebstwa, nadskakiwanie.

ingratitude [ɪn'grætɪˌtuːd] *n. U* niewdzięczność.

ingredient [ɪn'griːdɪənt] *n. gł. kulin.* **1.** składnik (*produktu, potrawy*). **2.** *przen.* (niezbędny) element *l.* składnik; **essential/vital** ~ podstawowy składnik; **~s of/for success/a good marriage** przepis *l.* recepta na sukces/dobre małżeństwo.

ingress ['ɪnˌgres] *n. U* **1.** *form.* wejście, wstęp. **2.** *techn.* wlot.

ingression [ɪn'greʃən] *n. U* **1.** *form.* wejście. **2.** *techn.* wlot.

ingressive [ɪn'gresɪv] *a.* **1.** *form.* wejściowy. **2.** *fon.* ingresywny, wdechowy (*o artykulacji, dźwięku*). **3.** *gram.* = **inceptive**.

in-group ['ɪnˌgruːp] *n. t. socjol.* zamknięta grupa, klika.

ingrown ['ɪnˌgroʊn] *a.* **1.** (*także Br.* **ingrowing**) *pat.* wrastający; ~ **toenail** wrastający paznokieć (*u nogi*). **2.** wyniesiony z domu; zakorzeniony (*o obyczaju*). **3.** *psych.* zamknięty (w sobie) (*o osobie*).

ingrowth ['ɪnˌgroʊθ] *n.* **1.** *U* wrastanie. **2.** *pat.* wrośnięcie.

inguinal ['ɪŋgwənl] *a. anat.* pachwinowy.

ingulf [ɪn'gʌlf] *v.* = **engulf**.

ingurgitate [ɪn'gɜːdʒɪˌteɪt] *v. form.* pochłaniać (*zwł. jedzenie*).

Ingush ['ɪŋgʊʃ] *n. pl.* **-es** *l.* **Ingush** Ingusz/ka.

inhabit [ɪn'hæbɪt] *v.* zamieszkiwać (*daną okolicę; gł. o zwierzętach*).

inhabitable [ɪn'hæbɪtəbl] *a.* nadający się do zamieszkania *l.* zasiedlenia; mieszkalny.

inhabitancy [ɪn'hæbɪtənsɪ] *n. pl.* **-ies** *C / U form. prawn.* zamieszkanie, zamieszkiwanie; okres zamieszkiwania.

inhabitant [ɪn'hæbɪtənt] *n.* mieszkan-iec/ka.

inhabitation [ɪnˌhæbɪ'teɪʃən] *n. U form.* zamieszkiwanie.

inhabited [ɪn'hæbɪtɪd] *a.* zamieszkały (*np. o terenie, wyspie, planecie*).

inhalant [ɪn'heɪlənt] *n. C / U med.* środek do inhalacji.

inhalation [ˌɪnhə'leɪʃən] *n.* **1.** *fizj.* wdech. **2.** *U* wdychanie. **3.** *C / U med.* inhalacja, wziew.

inhalator ['ɪnhəˌleɪtər] *n. med.* **1.** respirator. **2.** inhalator.

inhale [ɪn'heɪl] *v.* **1.** *fizj.* wdychać; ~ **deeply** robić głęboki wdech. **2.** zaciągać się (*czymś*); ~ **smoke** zaciągać się dymem. **3.** *med.* inhalować, wziewać.

inhaler [ɪn'heɪlər] *n. med.* inhalator.

inharmonious [ˌɪnhɑːr'moʊnɪəs] *a. form.* nieharmonijny.

inhere [ɪn'hiːr] *v. form.* ~ **in sth** tkwić w czymś, stanowić nieodłączną część czegoś, być nierozerwalnie z czymś związanym.

inherence [ɪn'hiːrəns] *n. U form.* nieodłączność.

inherent [ɪn'hiːrənt] *a.* **1.** nieodłączny (*np. o cesze*); ~ **to sth** właściwy dla czegoś; **be ~ in sth** być nieodłączną częścią czegoś, być właściwym dla czegoś, tkwić w naturze czegoś. **2.** wrodzony (*np. o wdzięku, inteligencji*); *biol.* dziedziczny (*o cesze*).

inherently [ɪn'hiːrəntlɪ] *adv.* nieodłącznie; z natury.

inherit [ɪn'herɪt] *v. biol.* dziedziczyć (*cechy, charakter*); *prawn. l. przen.* dziedziczyć, dostawać w spadku (*sth from sb* coś po kimś).

inheritable [ɪn'herɪtəbl] *a.* **1.** *biol.* dziedziczny. **2.** *prawn.* dziedziczony, spadkowy, dziedziczny, podlegający dziedziczeniu.

inheritance [ɪn'herɪtəns] *n.* **1.** *U* dziedzictwo, spuścizna. **2.** *U prawn.* dziedziczenie. **3.** *prawn.* spadek; **come into an** ~ odziedziczyć *l.* dostać spadek.

inheritance tax *n. U fin.* podatek spadkowy *l.* od spadku.

inheritor [ɪn'herɪtər] *n. prawn.* spadkobierca/czyni.

inheritress [ɪn'herɪtrɪs], **inheritrix** [ɪn'herɪtrɪks] *n. prawn. przest.* spadkobierczyni.

inhibit [ɪn'hɪbɪt] *v.* **1.** *t. psych., fizj., biochem.,*

chem. hamować (*np. ruchy, rozwój*); wstrzymywać (*np. działanie*); powstrzymywać (*np. uczucia, reakcję*). **2.** powodować zahamowania u (*kogoś*); ~ **sb from sth/doing sth** powstrzymywać kogoś przed czymś/zrobieniem czegoś.

inhibited [ɪn'hɪbɪtɪd] *a.* spięty, skrępowany; *psych.* cierpiący na zahamowania; **be/feel** ~ mieć zahamowania.

inhibition [ˌɪnɪ'bɪʃən] *n.* **1.** *t. psych.* zahamowanie; **lose one's ~s** pozbywać się (swoich) zahamowań. **2.** *U psych., chem., biochem., fizj.* hamowanie, inhibicja. **3.** *C/U* hamowanie, zahamowanie, powstrzymywanie; przeszkoda.

inhibitor [ɪn'hɪbɪtər], **inhibiter** *n. psych., chem., biochem., fizj.* inhibitor, czynnik hamujący.

inhibitory [ɪn'hɪbɪˌtɔːrɪ] *a. psych., chem., biochem., fizj.* hamujący, wstrzymujący.

in-home [ˌɪn'houm] *a. attr.* w domu (klienta *l.* pacjenta) (*o usługach, opiece*).

inhospitability [ɪnˌhɑːspɪtə'bɪlətɪ] *n. U* **1.** niegościnność. **2.** nieprzyjazność.

inhospitable [ɪn'hɑːspɪtəbl] *a.* **1.** niegościnny (*o osobie*). **2.** nieprzyjazny (*np. o środowisku, okolicy*).

in-house [ˌɪn'hæʊs] *a. attr.* wewnętrzny, własny (*np. o szkoleniu, drukarni*). – *adv.* we własnym zakresie, własnymi siłami, w ramach zakładu *l.* firmy.

inhuman [ɪn'hjuːmən] *a.* nieludzki; obcy człowiekowi.

inhumane [ˌɪnhjʊ'meɪn] *a.* niehumanitarny, nieludzki.

inhumanely [ˌɪnhjʊ'meɪnlɪ] *adv.* niehumanitarnie, nieludzko.

inhumanity [ˌɪnhjʊ'mænətɪ] *n. pl.* **-ies** **1.** *C/U* okrucieństwo, bestialstwo. **2.** *U* nieludzkość.

inhumation [ˌɪnhjʊ'meɪʃən] *n. U form.* grzebanie (*zwłok*), inhumacja.

inhume [ɪn'hjuːm] *v. form.* grzebać (*zwłoki*).

inimical [ɪ'nɪmɪkl] *a. form.* wrogi; niesprzyjający (*to sb/sth* komuś/czemuś *l.* dla czegoś) (*np. o klimacie, warunkach*); szkodliwy (*to sb/sth* dla kogoś/czegoś).

inimically [ɪ'nɪmɪklɪ] *adv.* wrogo, nieprzyjaźnie; szkodliwie.

inimitable [ɪ'nɪmɪtəbl] *a.* niezrównany, niedościgniony; niepowtarzalny.

inimitably [ɪ'nɪmɪtəblɪ] *adv.* niezrównanie, niedoścignienie; niepowtarzalnie.

iniquitous [ɪ'nɪkwɪtəs] *a. form.* **1.** niegodziwy. **2.** niesprawiedliwy, krzywdzący.

iniquity [ɪ'nɪkwɪtɪ] *n. C/U pl.* **-ies** **1.** niegodziwość. **2.** niesprawiedliwość; krzywda.

initial [ɪ'nɪʃl] *a. attr.* początkowy. – *n.* pierwsza litera (*zwł. imienia*); **middle** ~ pierwsza litera drugiego imienia; *pl.* inicjały. – *v. Br.* **-ll-** *polit.* parafować (*porozumienie*).

initialize [ɪ'nɪʃəlaɪz], *Br. i Austr. zw.* **initialise** *v. komp.* inicjować (*zmienną*).

initially [ɪ'nɪʃlɪ] *adv.* początkowo, pierwotnie.

initial rhyme *n. wers.* rym inicjalny.

initiate *v.* [ɪ'nɪshɪˌeɪt] **1.** *form.* zapoczątkowywać; inicjować; ~ **proceedings against sb** *prawn.* wszczynać postępowanie przeciwko komuś. **2.** ~ **sb in/into sth** wtajemniczać kogoś w coś; dokonywać czyjejś inicjacji w coś; wprowadzać kogoś w coś, zapoznawać kogoś z czymś. – *a.* [ɪn'ɪshɪət] wtajemniczony. – *n.* [ɪ'nɪʃɪət] wtajemniczony/a, osoba wtajemniczona.

initiation [ɪˌnɪʃɪ'eɪʃən] *n. C/U* **1.** zapoczątkowanie (*procesu*). **2.** wtajemniczenie; (*także* ~ **ceremony**) inicjacja.

initiation fee *n. US* wpisowe (*do organizacji*).

initiative [ɪ'nɪʃɪətɪv] *n. C/U t. prawn.* inicjatywa; **diplomatic/peace** ~ *polit.* inicjatywa dyplomatyczna/pokojowa; **on/of one's own** ~ z własnej inicjatywy; **seize/lose the** ~ przejmować/tracić inicjatywę; **show** ~ wykazywać inicjatywę; **take the** ~ podejmować inicjatywę, występować z inicjatywą; **use one's own** ~ wykazywać inicjatywę. – *a. form.* inicjatywny.

initiator [ɪ'nɪshɪˌeɪtər] *n. chem., techn.* inicjator.

initiatory [ɪ'nɪʃɪəˌtɔːrɪ] *a.* **1.** wstępny; początkowy, wprowadzający. **2.** inicjacyjny.

inject [ɪn'dʒekt] *v.* **1.** wstrzykiwać, wtryskiwać (*sth into sth* coś do czegoś). **2.** *med.* wstrzykiwać (*sb with sth* komuś coś, *sth into sth* coś w coś) (*np. lekarstwo, szczepionkę; w ramię, żyłę*); ~ **sb** dawać *l.* robić komuś zastrzyk; szczepić kogoś (*against sth* przeciwko czemuś). **3.** *przen.* wprowadzać (*np. urozmaicenie*); wtrącać (*uwagę, komentarz*); ~ **a little humor into the discussion** wprowadzić odrobinę humoru do dyskusji; ~ **money into sth** pompować pieniądze w coś. **4.** ~ **sth into orbit** *astron.* wprowadzać coś na orbitę, umieszczać coś na orbicie.

injection [ɪn'dʒekʃən] *n. C/U* **1.** *med.* zastrzyk, iniekcja; **by** ~ w (formie) zastrzyku; **give sb an** ~ dać *l.* zrobić komuś zastrzyk. **2.** wstrzykiwanie; wtryskiwanie; wtrysk; **fuel** ~ *mot.* wtrysk paliwa. **3.** *astron.* wprowadzenie na orbitę, umieszczenie na orbicie.

injection molding, *Br.* **injection moulding** *n. U techn.* formowanie wtryskowe.

injection valve *n. techn.* zawór wtryskowy.

injector [ɪn'dʒektər] *n. techn.* iniektor, wtryskiwacz.

in-joke ['ɪnˌdʒoʊk] *n.* prywatny dowcip, dowcip dla wtajemniczonych.

injudicious [ˌɪndʒʊ'dɪʃəs] *a. form.* nierozważny, nieroztropny.

Injun ['ɪndʒən] *n. US pot. czas. obelż.* **1.** Indian-in/ka. **2. honest** ~ *pot. zwł. dziec.* słowo harcerza.

injunction [ɪn'dʒʌŋkʃən] *n.* **1.** *prawn.* (*także* **court** ~) nakaz sądowy; zakaz sądowy; **preliminary** ~ nakaz tymczasowy. **2.** *form.* upomnienie; nakaz.

injure ['ɪndʒər] *v.* **1.** *t. przen.* zranić (*t. uczucia, dumę*); skaleczyć (się w); ~ **o.s** zranić *l.* skaleczyć się; ~ **one's leg** skaleczyć się w nogę; *sport* doznać kontuzji nogi. **2.** *przen.* narażać na szwank (*zwł. reputację*).

injured ['ɪndʒərd] *a.* **1.** zraniony; ranny (*o osobie, zwierzęciu*); **badly/seriously** ~ ciężko ranny; **critically** ~ (ranny) w stanie krytycznym; **no-one was** ~ nie było rannych; **the** ~ ranni. **2.** *przen.* zraniony, urażony (*np. o dumie, tonie, uczu-*

ciach); ~ **party** *prawn.* poszkodowan-y/a; **in an ~ voice** urażonym głosem.

injurious [ɪnˈdʒʊrɪəs] *a. form.* **1.** szkodliwy (*to sth* dla czegoś) (*np. dla zdrowia, czyjejś reputacji*). **2.** krzywdzący, obraźliwy (*o zarzucie, stwierdzeniu*).

injury [ˈɪndʒərɪ] *n. pl.* **-ies 1.** *pat.* uraz; rana; *sport* kontuzja; *pl.* obrażenia; **bodily/internal injuries** obrażenia cielesne/wewnętrzne; **receive/suffer/sustain injuries** doznać obrażeń; **severe injuries** ciężkie obrażenia. **2.** *U* obrażenia, rany; **escape (without) ~** wyjść cało *l.* bez szwanku; **head ~** obrażenia *l.* rany głowy; **serious ~** poważne obrażenia. **3.** *prawn.* szkoda. **4.** *przen.* **add insult to ~** *zob.* **insult** *n.*; **do o.s. an ~** *Br. i Austr. żart.* zrobić sobie krzywdę.

injury time *n. U Br. sport* doliczony *l.* dodatkowy czas (*dla odrobienia przerw w grze spowodowanych kontuzjami*).

injustice [ɪnˈdʒʌstɪs] *n. C/U* niesprawiedliwość, krzywda; **do sb an ~** być dla kogoś niesprawiedliwym, krzywdzić kogoś (*np. niesłusznymi podejrzeniami, krytyczną oceną*).

ink [ɪŋk] *n. U* **1.** atrament (*do drukarki, w długopisie*), tusz (*do drukarki, pieczątek, rysowania*). **2.** *druk.* farba (drukarska). **3.** *zool.* atrament, czernidło (*mątwy*). – *v.* **1.** napełniać (tuszem) (*pojemnik drukarki, pieczątki*). **2.** plamić atramentem (*ubranie*). **3.** pisać *l.* znaczyć atramentem; *pot.* podpisywać. **4.** zaczerniać. **5.** (*także* ~ **in**) *druk.* powlekać farbą. **6.** ~ **in** poprawiać tuszem (*rysunek, szkic w ołówku*).

inkblot [ˈɪnkˌblɑːt] *n.* plama, kleks.

inkblot test *n. psych.* test Rorschacha.

inkhorn [ˈɪŋkˌhɔːrn] *a. attr.* napuszony, górnolotny; ~ **terms** *uj.* uczone słowa *l.* wyrażenia (*zw. zapożyczone z łaciny l. greki*). – *n. hist.* rożek na atrament.

in-kind [ɪnˈkaɪnd] *a. attr.* **1.** w naturze (*o zapłacie*). **2.** wzajemny (*o udziale*).

inkiness [ˈɪŋkɪnəs] *n. U* czerń.

ink-jet printer [ˈɪŋkˌdʒet ˌprɪntər] *n. komp.* drukarka atramentowa.

inkling [ˈɪŋklɪŋ] *n.* niejasne *l.* słabe *l.* blade pojęcie; podejrzenie, przeczucie (*that* że); **have an ~ of sth** mieć jakie takie pojęcie o czymś; **have no ~ of sth** nie mieć bladego *l.* najmniejszego pojęcia o czymś.

ink pad *n.* poduszka do pieczątek.

inky [ˈɪŋkɪ] *a.* **-ier, -iest 1.** pokryty *l.* poznaczony *l.* poplamiony atramentem. **2.** *poet.* atramentowy; czarny jak atrament.

inlaid [ˈɪnˌleɪd] *a.* **1.** inkrustowany, wysadzany (*np. o szkatułce, meblu*) (*with sth* czymś); intarsjowany (*np. o meblu*); ~ **floor** *bud.* posadzka mozaikowa. **2.** osadzony (*in/into sth* w czymś) (*np. o kamieniu*).

inland *a.* [ˈɪnlənd] *attr.* **1.** *geogr.* śródlądowy (*o mieście, wodach*). **2.** *gł. Br. ekon.* krajowy, wewnętrzny. – *n.* [ˈɪnlənd] *U geogr.* wnętrze *l.* głąb kraju. – *adv.* [ˌɪnˈlænd] *geogr.* w głąb lądu; **5 miles ~** 5 mil od wybrzeża.

inlander [ˈɪnləndər] *n.* mieszkan-iec/ka wnętrza *l.* głębi kraju (*w odróżnieniu od mieszkańców wybrzeża*).

Inland Revenue *n. sing. Br.* urząd skarbowy.

in-laws [ˈɪnlɔːz], **inlaws** *n. pl.* teściowie; powinowaci.

inlay *n.* [ˈɪnˌleɪ] **1.** *C/U* inkrustacja; intarsja. **2.** *dent.* plomba, wypełnienie. – *v.* [ˌɪnˈleɪ] *pret. i pp.* **inlaid 1.** inkrustować; ozdabiać *l.* zdobić intarsją. **2.** osadzać (*np. kamienie, metal*). **3.** *druk. przest.* wstawiać (*rycinę*).

inlet [ˈɪnlət] *n.* **1.** *geogr.* zatoczka; przesmyk. **2.** *gł. techn. gł. Br.* wlot, otwór wlotowy; ~ **pipe** rura wlotowa.

inlier [ˈɪnˌlaɪər] *n. geol.* ostaniec.

inline engine [ˈɪnlaɪn ˌendʒɪn] *n. lotn.* silnik rzędowy.

in loc. cit. [ˌɪn ˌlouk ˈsɪt] *adv. Lat.* = **loc. cit.**

in loco parentis [ˌɪn ˌloukou pəˈrentɪs] *adv. Lat. prawn. form.* in loco parentis, w zastępstwie rodziców.

inly [ˈɪnlɪ] *adv. lit.* w głębi duszy *l.* serca.

inlying [ˈɪnlaɪɪŋ] *a.* wewnętrzny, położony w głębi (*kraju, regionu*).

inmate [ˈɪnˌmeɪt] *n. zwł. pl.* wię-zień/źniarka (*zakładu karnego*); pacjent/ka (*szpitala psychiatrycznego*); mieszkan-iec/ka (*domu starców*); podopieczn-y/a (*zakładu opiekuńczego*).

in medias res [ˌɪn ˌmiːdɪæs ˈreɪz] *adv. Lat., teor. lit.* in medias res, w środku/środek wydarzeń (*gł. w odniesieniu do narracji literackiej*).

in memoriam [ˌɪn məˈmɔːrɪəm] *adv. form.* in memoriam, ku pamięci.

inmost [ˈɪnˌmoust] *a. attr.* = **innermost**.

inn [ɪn] *n.* **1.** *zwł. Br.* gospoda; zajazd; oberża. **2.** *gł. w nazwach* hotel; motel. **3.** *Br. hist.* dom studencki (*zwł. dla studentów prawa*).

innards [ˈɪnərdz] *n. pl. pot.* **1.** wnętrzności. **2.** *przen.* mechanizm (*maszyny*).

innate [ɪˈneɪt] *a.* wrodzony (*np. o wiedzy, zdolnościach, wadach*).

innately [ɪˈneɪtlɪ] *adv.* naturalnie, z natury; od urodzenia.

innateness [ɪˈneɪtnəs] *n. U* wrodzoność.

inner [ˈɪnər] *a. attr.* **1.** wewnętrzny. **2.** *geogr.* środkowy. **3.** *przen.* ukryty (*np. o znaczeniu*). **4.** *przen.* **the ~ circle** ścisłe grono (*zaufanych osób*); **the ~ man/woman** dusza; *żart.* żołądek; apetyt.

inner child *n.* **the ~** *psych.* dziecko w każdym z nas.

inner city *n. pl.* **-ies** uboga część śródmieścia (*borykająca się z problemami socjalnymi i przestępczością*).

inner-city [ˌɪnərˈsɪtɪ] *a. attr.* śródmiejski (*o rejonie*); położony w ubogiej części śródmieścia (*np. o szkole*); mieszkający w *l.* pochodzący z ubogiej części śródmieścia (*np. o dzieciach*).

inner ear *n. anat.* ucho wewnętrzne.

innermost [ˈɪnərˌmoust] *a. attr.* (*także* **inmost**) **1.** najskrytszy (*np. o pragnieniach, uczuciach*). **2.** *form.* najbardziej wewnętrzny, położony w samym wnętrzu.

inner planet *n. astron.* planeta wewnętrzna (*Merkury, Wenus, Ziemia l. Mars*).

inner product *n. mat.* iloczyn skalarny.

innersole [ˌınər'soʊl] *n.* = **insole.**

inner tube *n.* dętka.

inner-tube ['ınərˌtu:b] *v. US sport* (*także* **go inner-tubing**) pływać na dmuchanym kole (*za motorówką*); zjeżdżać na dętce (*po śniegu*).

innervate [ı'nɜ:veıt] *v. fizj., anat.* unerwiać.

innervation [ˌınər'veıʃən] *n. U fizj., anat.* unerwienie, inerwacja; pobudzenie (*bodźcem nerwowym*).

innerve [ı'nɜ:v] *v. lit.* ożywiać, stymulować.

innerwear ['ınərˌwer] *n. U handl.* bielizna.

inning ['ınıŋ] *n.* **1.** *baseball* rozgrywka, runda (*do trzech wykluczeń*). **2.** *U arch.* pozyskiwanie gruntu (*przez osuszanie*).

innings ['ınıŋz] *n. pl.* **innings** **1.** *krykiet* rozgrywka, runda; **sb had a good ~** *Br. przen. pot.* ktoś osiągnął dobry wynik (= *dożył sędziwego wieku; długo sprawował urząd; dobrze przeżył życie itp.*). **2.** *U* ziemia wydarta morzu.

innit ['ınıt] *int. Br. pot.* co nie?, no nie?.

innkeeper ['ınˌki:pər] *n. gł. Br. przest.* oberżyst-a/ka, karczma-rz/rka.

innocence ['ınəsəns] *n. U* **1.** *t. prawn., rel.* niewinność; **plead one's ~** twierdzić, że jest się niewinnym; **protest one's ~** obstawać przy swojej niewinności. **2.** prostoduszność, naiwność; **in all ~** naiwnie, w dobrej *l.* najlepszej wierze (*np. powiedzieć, spytać*). **3.** nieszkodliwość.

innocency ['ınəsənsı] *n. pl.* **-ies** *arch.* **1.** niewinny czyn. **2.** *U* niewinność.

innocent ['ınəsənt] *a.* **1.** *t. prawn., rel.* niewinny. **2.** prostoduszny, naiwny. **3.** nieszkodliwy. **4. be ~ of sth** nie być winnym czegoś; *form.* być nieświadomym czegoś; nie znać się na czymś; być pozbawionym czegoś, nie posiadać czegoś. – *n.* osoba niewinna, niewinn-y/a; *zw. iron.* niewiniątko; **massacre of the ~s** *Bibl.* rzeź niewiniątek; **play the ~** udawać niewiniątko.

innocently ['ınəsəntlı] *adv.* **1.** niewinnie. **2.** prostodusznie, naiwnie. **3.** nieszkodliwie.

innocuous [ı'nɑ:kjʊəs] *a.* nieszkodliwy (*np. o substancji, figlu*).

innocuously [ı'nɑ:kjʊəslı] *adv.* nieszkodliwie.

innocuousness [ı'nɑ:kjʊəsnəs] *n. U* nieszkodliwość.

innominate [ı'nɑ:mənıt] *a.* **1.** *form.* bezimienny. **2.** *lit.* anonimowy.

innominate bone *n. anat.* kość miedniczna.

innovate ['ınəˌveıt] *v.* wprowadzać innowacje *l.* unowocześnienia (*(in / on) sth* w czymś).

innovation [ˌınə'veıʃən] *n.* innowacja; nowość; *U* innowacje.

innovative ['ınəˌveıtıv] *a.* nowatorski.

innovator ['ınəˌveıtər] *n.* innowator/ka; nowator/ka.

innoxious [ı'nɑ:kʃəs] *a. form.* nieszkodliwy.

Inns of Court [ˌınz əv 'kɔ:rt] *n. pl. Br. prawn.* londyńskie towarzystwa prawnicze wydające licencje na prowadzenie praktyki adwokackiej (= *Inner Temple, Middle Temple, Lincoln's Inn i Gray's Inn*).

innuendo [ˌınju'endoʊ] *n. pl.* **-s** *l.* **-es** **1.** insynuacja; aluzja (*zwł. seksualna*); *U* insynuacje; aluzje. **2.** *prawn.* uzasadnienie obraźliwości słów (*przez powoda w procesie o zniesławienie*).

Innuit ['ınu:ıt] *n. i a.* = **Inuit.**

innumerable [ı'nu:mərəbl] *a.* niezliczony.

innumeracy [ı'nu:mərəsı] *n. U socjol.* analfabetyzm matematyczny, brak umiejętności liczenia.

innumerate [ı'nju:mərət] *a.* nieumiejący liczyć. – *n.* analfabet-a/ka matematyczn-y/a, osoba nieumiejąca liczyć.

innumerous [ı'nju:mərəs] *a. form.* niezliczony.

innutrition [ˌınnʊ'trıʃən] *n. U form.* niedożywienie.

innutritious [ˌınnʊ'trıʃəs] *a. form.* niepożywny.

inobservance [ˌınəb'zɜ:vəns] *n. U form.* **1.** nieuwaga. **2.** nieprzestrzeganie (*prawa, przepisów, zwyczajów*).

inobtrusive [ˌınəb'tru:sıv] *a.* = **unobtrusive.**

inoculate [ı'nɑ:kjəˌleıt] *v.* **1.** *med.* szczepić (*sb against sth* kogoś przeciwko czemuś); **~ sb with sth** wszczepić komuś coś (*chorobę, wirusa*); *przen.* zaszczepić komuś coś (*np. pomysł, ideę*). **2.** *przen.* zabezpieczać (*sb / sth against sth* kogoś/coś przed czymś). **3.** *biochem.* posiewać (*bakterie*).

inoculation [ıˌnɑ:kjə'leıʃən] *n. C / U* **1.** *med.* szczepienie. **2.** *przen.* zabezpieczenie; uprzedzenie krytyki. **3.** *biochem.* posiew.

inoculative [ı'nɑ:kjəˌleıtıv] *a. med.* szczepienny.

inodorous [ın'oʊdərəs] *a. form.* bezwonny.

inoffensive [ˌınə'fensıv] *a.* nieszkodliwy, niewinny (*np. o wyglądzie, uwadze*); obojętny, niedrażniący (*o zapachu*).

inoffensively [ˌınə'fensıvlı] *adv.* nieszkodliwie, niewinnie (*np. wyglądać*); obojętnie (*pachnieć*).

inofficious [ˌınə'fıʃəs] *a. prawn.* krzywdzący (dla zstępnego) (*o testamencie*).

inoperable [ın'ɑ:pərəbl] *a.* **1.** *chir.* niedający się zoperować, nieoperacyjny (*zwł. o nowotworze*). **2.** nie do wykonania *l.* przeprowadzenia (*o planie*). **3.** *techn.* nieczynny, niesprawny (*o mechanizmie*).

inoperative [ın'ɑ:pərətıv] *a.* **1.** *techn.* niesprawny, nieczynny (*o mechanizmie*). **2.** *form.* nieważny (*np. o przepisie, poleceniu*).

inopportune [ınˌɑ:pər'tu:n] *a. form.* nie w porę, niewczesny, niefortunny (*o decyzji, działaniu*); nieodpowiedni (*o porze*).

inordinacy [ın'ɔ:rdənəsı] *n. U form.* **1.** nadmiar, nieumiarkowanie. **2.** nieład.

inordinate [ın'ɔ:rdənıt] *a.* **1.** nadmierny; nieproporcjonalny; **spend an ~ amount of time on sth** poświęcać czemuś nieproporcjonalnie dużo czasu. **2.** przesadny, wygórowany (*np. o cenie*). **3.** nieregularny; niesystematyczny.

inordinately [ın'ɔ:rdənıtlı] *adv.* **1.** nadmiernie, bez umiaru; nieproporcjonalnie. **2.** przesadnie.

inorganic [ˌınɔ:r'gænık] *a.* **1.** *chem.* nieorganiczny. **2.** sztuczny (*np. o nawozach*).

inorganic chemistry *n. U* chemia nieorganiczna.

inosculate [ın'ɑ:skjəˌleıt] *v. fizj.* tworzyć połączenia, łączyć się (*o naczyniach, włóknach*).

inosculation [ɪnˌɑːskjəˈleɪʃən] *n. U fizj.* anastomoza, połączenie; łączenie się.

inpatient [ˈɪnˌpeɪʃənt] *med. n.* pacjent/ka *l.* chor-y/a hospitalizowan-y/a. – *a. attr.* szpitalny (*o leczeniu*).

input [ˈɪnˌpʊt] *n. U l. sing.* **1.** wkład, kontrybucja (*into sth* do czegoś) (*np. do dyskusji, koncepcji*). **2.** *komp., el.* wejście; ~ **circuit/current** obwód/prąd wejściowy; ~ **device/peripheral** urządzenie wejścia; ~ **power** moc pobierana, pobór mocy; ~ **signal** sygnał wejściowy; ~ **voltage** napięcie wejściowe. – *v.* **input, -tt-** *komp.* wprowadzać (*dane*).

input/output [ˌɪnˌpʊt ˈaʊtˌpʊt] *n.* (*także* **I/O**) *komp.* wejście/wyjście.

input-output analysis *n. U ekon.* analiza *l.* metoda przepływów międzygałęziowych.

inq. *abbr.* = **inquiry**.

inquest [ˈɪnkwest] *n.* **1.** (*także* **coroner's** ~) *prawn.* badanie *l.* dochodzenie przyczyny zgonu; **hold an** ~ prowadzić dochodzenie *l.* śledztwo. **2.** *przen.* badanie przyczyn (*zwł. porażki, niepowodzenia*); **hold an** ~ **into sth** badać przyczyny czegoś.

inquietude [ɪnˈkwaɪəˌtuːd] *n. U lit.* niepokój.

inquire [ɪnˈkwaɪr], *Br. zw.* **enquire** *v.* **1.** pytać (się), dowiadywać się, dopytywać się (*about sb/sth* o kogoś/coś). **2.** "~ **within**" „wiadomość w sklepie/restauracji *itp.*" (*na ogłoszeniu w oknie wystawowym*). **3.** ~ **after sb** pytać (się) o kogoś, pytać, co u kogoś słychać; ~ **into sth** badać coś; ~ **sth of sb** *form.* zagadnąć kogoś o coś.

inquiries [ɪnˈkwaɪrɪz], *Br. zw.* **enquiries** *n. pl.* informacja (*usługa l. biuro*).

inquiring [ɪnˈkwaɪrɪŋ] *a. attr.* pytający, badawczy (*o spojrzeniu, wyrazie twarzy*); dociekliwy (*o umyśle*).

inquiringly [ɪnˈkwaɪrɪŋlɪ] *adv.* pytająco, badawczo.

inquiry [ɪnˈkwaɪrɪ], *Br. zw.* **enquiry** *n. pl.* **-ies** **1.** zapytanie, pytanie; **make ~ies** zasięgnąć informacji, popytać się. **2.** *C/U* dochodzenie, śledztwo; **court of** ~ *zob.* **court**; **hold/conduct an (official)** ~ **into sth** prowadzić (oficjalne) dochodzenie w sprawie czegoś; **line of** ~ kierunek *l.* wątek śledztwa. **3.** *C/U* badanie, dociekanie; **scientific** ~ badania naukowe. **4.** *pl. zob.* **inquiries**.

inquisition [ˌɪnkwɪˈzɪʃən] *n.* **1.** *sing. form.* przesłuchanie (*zwł. natarczywe*), przepytywanie; **subject sb to an** ~ poddawać kogoś przesłuchaniu. **2.** *hist., kośc.* **the I~** inkwizycja; **the Spanish I~** hiszpańska inkwizycja. **3.** *prawn.* dochodzenie, śledztwo.

inquisitional [ˌɪnkwɪˈzɪʃənl] *a. form.* inkwizycyjny.

inquisitive [ɪnˈkwɪzɪtɪv] *a.* **1.** dociekliwy. **2.** *uj.* wścibski.

inquisitively [ɪnˈkwɪzɪtɪvlɪ] *adv.* **1.** dociekliwie. **2.** *uj.* wścibsko.

inquisitiveness [ɪnˈkwɪzɪtɪvnəs] *n. U* **1.** dociekliwość. **2.** *uj.* wścibskość.

inquisitor [ɪnˈkwɪzɪtər] *n.* **1.** natręt/ka; osoba natarczywie się dopytująca. **2.** *hist., kośc.* inkwizytor. **3.** *prawn.* urzędni-k/czka dochodzeniow-y/a.

inquisitorial [ɪnˌkwɪzɪˈtɔːrɪəl] *a.* **1.** *form. uj.* inkwizytorski. **2.** *prawn.* utajniony (*o postępowaniu*). **3.** *prawn.* inkwizycyjny (*o systemie prawnym l. procesie łączącym funkcje sędziego i oskarżyciela*).

inquorate [ɪnˈkwɔːreɪt] *n.* **be** ~ *Br. form.* nie mieć quorum.

in re [ˌɪn ˈriː] *adv. form.* (*gł. w korespondencji służbowej*) w sprawie; dot.

inroad [ˈɪnˌroʊd] *n.* **1.** inwazja, najazd, wtargnięcie. **2.** *przen.* **make ~s into/on sth** naruszyć coś (*np. zapasy, oszczędności*); odbić się (niekorzystnie) na czymś; wkraść się w coś, zawładnąć czymś; mieć istotny wpływ na coś.

inrush [ˈɪnˌrʌʃ] *n. U form.* napór.

INS [ˌaɪ ˌen ˈes] *abbr. US* **Immigration and Naturalization Service** urząd imigracyjny.

ins, ins. *abbr.* **1.** = **inches**. **2.** *gł. komp.* = **insert**.

insalivate [ɪnˈsæləˌveɪt] *v. fizj.* mieszać ze śliną (*pokarm*).

insalubrious [ˌɪnsəˈluːbrɪəs] *a. form.* niezdrowy (*o klimacie, warunkach*); obskurny (*o wyglądzie miejsca, okolicy*).

insalubrity [ˌɪnsəˈluːbrɪtɪ] *n. U form.* szkodliwość dla zdrowia (*klimatu*).

ins and outs [ˌɪnz ənd ˈaʊts] *n. pl.* szczegóły.

insane [ɪnˈseɪn] *a.* **1.** *pot.* szalony (*o pomyśle, osobie*), szaleńczy (*o ryzyku, planie*); **drive sb** ~ doprowadzać kogoś do szału; **he must be** ~ on chyba oszalał. **2.** *przest.* obłąkany; *pat.* chory umysłowo; *prawn.* niepoczytalny.

insane asylum *n. przest.* zakład dla umysłowo chorych.

insanely [ɪnˈseɪnlɪ] *adv.* obłąkańczo, obsesyjnie (*np. pragnąć czegoś*); chorobliwie (*np. zazdrosny*).

insaneness [ɪnˈseɪnnəs] *n. U* szaleństwo, obłąkanie.

insanitary [ɪnˈsænɪˌterɪ] *a.* niehigieniczny, szkodliwy dla zdrowia (*o trybie życia, warunkach*); niezdrowy (*o miejscu*).

insanity [ɪnˈsænətɪ] *n. U* **1.** szaleństwo; **sheer** ~ czyste szaleństwo (= *skrajnie lekkomyślne zachowanie*). **2.** *przest.* obłęd; *pat.* choroba umysłowa; *prawn.* niepoczytalność.

insatiability [ɪnˌseɪʃəˈbɪlətɪ] *n. U* nienasycenie.

insatiable [ɪnˈseɪʃəbl] *a.* nienasycony; ~ **appetite/hunger/demand** nienasycony apetyt/głód/popyt; ~ **curiosity/lust** nienasycona ciekawość/żądza; ~ **desire/thirst** nienasycone pożądanie/pragnienie.

insatiableness [ɪnˈseɪʃəblnəs] *n.* = **insatiability**.

insatiably [ɪnˈseɪʃəblɪ] *adv.* nienasycenie.

insatiate [ɪnˈseɪʃɪɪt] *a. form.* nienasycony.

inscribe [ɪnˈskraɪb] *v.* **1.** wyryć, wygrawerować (*sth on/in sth* coś na/w czymś) (*np. na medalu, w kamieniu*); ~ **a wall/stone with sth** wyryć coś na murze/kamieniu. **2.** napisać; ~ **a book (for sb)** wpisać (komuś) dedykację do książki; **~d copy** egzemplarz z dedykacją. **3.** *geom.* wpisywać; ~ **a circle in a square** wpisać okrąg w kwadrat. **4.** ~**d share/stock** *fin.* akcja imienna.

inscription [ɪn'skrɪpʃən] *n.* **1.** inskrypcja; napis. **2.** dedykacja; wpis.

inscriptional [ɪn'skrɪpʃənl], **inscriptive** [ɪn'skrɪptɪv] *a.* inskrypcyjny.

inscrutability [ɪnˌskru:tə'bɪlətɪ] *n. U* zagadkowość.

inscrutable [ɪn'skru:təbl] *a.* zagadkowy (*np. o uśmiechu, wyrazie twarzy*); nieodgadniony.

inscrutably [ɪn'skru:təblɪ] *adv.* zagadkowo.

inseam ['ɪnˌsi:m] *n.* (*także Br.* **inside leg**) *handl.* wewnętrzna długość nogawki, długość nogawki w kroku.

insect ['ɪnsekt] *n.* **1.** *ent.* owad, insekt. **2.** *przen. pog.* gnida (*o osobie*).

insectarium [ˌɪnsek'terɪəm] *n. pl.* **-s** *l.* **-ia** [ˌɪnsek'terɪə] insektarium.

insectary ['ɪnsekˌterɪ] *n. pl.* **-ies** = **insectarium**.

insect bite *n. pat.* ukąszenie owada.

insecticidal [ɪnˌsektɪ'saɪdl] *a.* owadobójczy.

insecticide [ɪn'sektɪˌsaɪd] *n. chem.* środek owadobójczy.

insectivore [ɪn'sektəˌvɔ:r] *n. zool.* zwierzę owadożerne; *bot.* roślina owadożerna.

insectivorous [ˌɪnsek'tɪvərəs] *a. biol.* owadożerny.

insect repellent *n.* środek na owady *l.* przeciw owadom.

insecure [ˌɪnsɪ'kjʊr] *a.* **1.** niepewny (*np. o gruncie, pozycji, inwestycji*); **feel** ~ nie czuć się pewnie; **sb is** ~ komuś brak pewności siebie. **2.** niebezpieczny (*np. o konstrukcji, budynku*); niezabezpieczony, niedostatecznie zabezpieczony *l.* chroniony (*np. o terenie*). **3.** niestabilny (*np. o drabinie*).

insecurely [ˌɪnsɪ'kjʊrlɪ] *adv.* **1.** niepewnie. **2.** niebezpiecznie; bez właściwego zabezpieczenia. **3.** niestabilnie.

insecurity [ˌɪnsɪ'kjʊrətɪ] *n.* **1.** *U* niepewność; brak pewności siebie; **job** ~ zagrożenie utratą pracy *l.* bezrobociem, niebezpieczeństwo utraty pracy; **sense of** ~ brak poczucia bezpieczeństwa; poczucie niepewności *l.* zagrożenia. **2.** *pl.* **-ies** lęk, obawa.

inseminate [ɪn'seməˌneɪt] *v.* **1.** *zool.* zapładniać, inseminować. **2.** *przen.* zapładniać (*sth with sth* coś czymś) (*np. umysł ideami*).

insemination [ɪnˌsemə'neɪʃən] *n. U zool.* zapłodnienie, inseminacja, unasiennianie; **artificial** ~ sztuczne zapłodnienie.

insensate [ɪn'senseɪt] *a. form.* **1.** martwy, bez czucia. **2.** nieczuły, bezduszny (*o osobie*). **3.** bezsensowny (*np. o gniewie*).

insensibility [ɪnˌsensə'bɪlətɪ] *n. U form.* **1.** nieczułość, niewrażliwość, obojętność (*to sth* na coś). **2.** nieprzytomność (= *omdlenie*).

insensible [ɪn'sensəbl] *a. form.* **1.** nieświadomy (*of / to sth* czegoś). **2.** nieczuły, niewrażliwy, obojętny (*of / to sth* na coś). **3.** niedostrzegalny. **4.** nieprzytomny.

insensibly [ɪn'sensəblɪ] *adv. form.* **1.** nieświadomie. **2.** nieczule, obojętnie. **3.** niedostrzegalnie.

insensitive [ɪn'sensətɪv] *a.* **1.** nieczuły, niewrażliwy (*to sth* na coś). **2.** nietaktowny.

insensitively [ɪn'sensətɪvlɪ] *adv.* **1.** nieczule, niewrażliwie. **2.** nietaktownie.

insensitivity [ɪnˌsensə'tɪvətɪ] *n. U* **1.** nieczułość, niewrażliwość (*to sth* na coś). **2.** nietaktowność, brak taktu.

insentient [ɪn'senʃɪənt] *a. form.* bez czucia, bez życia; nieprzytomny.

inseparable [ɪn'sepərəbl] *a.* **1.** nieodłączny, nierozłączny (*o przyjaciołach, atrybutach*); nierozerwalnie związany (*from sth* z czymś). **2.** nieoddzielny, nierozdzielny.

inseparably [ɪn'sepərəblɪ] *adv.* nieodłącznie, nierozłącznie.

insert *v.* [ɪn'sɝ:t] **1.** wkładać (*np. klucz do zamka, kartę do bankomatu, wtyczkę do kontaktu*); wrzucać (*np. monetę do automatu*); wprowadzać (*np. igłę, cewnik*); wsuwać (*np. zakładkę do książki*); umieszczać (*np. satelitę na orbicie*). **2.** wtrącać (*komentarz, uwagę*); dodawać (*np. klauzulę do dokumentu*); *t. komp.* wstawiać (*np. grafikę, fragment tekstu*). – *n.* ['ɪnsɝ:t] wkładka (*w gazecie, książce, do butów*).

insertion [ɪn'sɝ:ʃən] *n.* **1.** *U* włożenie; wsunięcie; wprowadzenie; wstawienie. **2.** *film, dzienn.* wstawka. **3.** *anat.* przyczep (*ścięgna*).

insert key ['ɪnsɝ:t ˌki:] *n. komp.* klawisz wstawiania, klawisz „insert".

insert mode ['ɪnsɝ:t ˌmoʊd] *n. sing. komp.* tryb wstawiania.

in-service [ˌɪn'sɝ:vɪs] *a. gł. attr.* w trakcie zatrudnienia; ~ **course** kurs doskonalenia zawodowego; ~ **training** doskonalenie zawodowe.

inset *n.* ['ɪnˌset] **1.** wkładka, wklejka (*w książce, albumie*). **2.** wstawka (*w ubraniu*). – *v.* [ˌɪn'set] **-set, -tt-** wstawiać.

inshore [ˌɪn'ʃɔ:r] *adv. żegl.* przy brzegu; w stronę brzegu. – *a. attr.* przybrzeżny.

inside *prep.* [ˌɪn'saɪd] **1.** w (*czymś*); wewnątrz, w środku (*czegoś*); ~ **the car** w samochodzie, wewnątrz samochodu. **2.** do, do środka, do wnętrza, do wewnątrz (*czegoś*); **get** ~ **the car** wsiadać do samochodu. **3.** ~ **(of) an hour/a week** w przeciągu godziny/tygodnia, w niecałą godzinę/niecały tydzień. – *adv.* [ˌɪn'saɪd] **1.** wewnątrz, w środku. **2.** do środka, do wnętrza, do wewnątrz. **3.** *pot.* w pace (= *w więzieniu*). – *n.* ['ɪnˌsaɪd] **1. the** ~ wnętrze; środek; strona wewnętrzna; **on the** ~ od środka, od wewnątrz; **be on the** ~ *pot.* mieć wejścia *l.* wtyki. **2. sb's** ~**(s)** *pot.* czyjeś wnętrzności *l.* bebechy. **3.** *mot., sport gł. Br.* = **inside lane**. – *a.* ['ɪnˌsaɪd] *gł. attr.* **1.** wewnętrzny. **2.** ~ **information/story** informacja/relacja z pierwszej ręki.

inside forward *n. piłka nożna* środkow-y/a napastni-k/czka.

inside job *n. pot.* robota kogoś stąd (= *przestępstwo popełnione przez osobę związaną z ofiarą*).

inside lane *n.* **1.** *mot. US* wewnętrzny pas (ruchu); *Br. i Austr.* lewy pas (ruchu). **2.** *sport* tor wewnętrzny (*bieżni*).

inside leg *n. Br.* = **inseam**.

inside out *adv. i a.* **1.** na lewą stronę; **turn sth**

~ przewrócić coś na lewą stronę. **2.** *przen.* **know sth ~** znać coś od podszewki *l.* jak własną kieszeń *l.* na wylot; **turn the house/room ~** przewrócić dom/pokój do góry nogami (*w poszukiwaniu czegoś*).

insider [ˌɪn'saɪdər] *n.* wtajemniczon-y/a, osoba wtajemniczona *l.* dobrze poinformowana; *pot.* wtyka, wtyczka.

insider trading, insider dealing *n.* *U giełda* spekulacja (*z wykorzystaniem poufnych informacji*).

inside track *n.* **1.** *sport* tor wewnętrzny (*bieżni*). **2.** *przen.* uprzywilejowana pozycja, przewaga; **be on/have the ~** stać na uprzywilejowanej pozycji, mieć przewagę.

insidious [ɪn'sɪdɪəs] *a.* podstępny, zdradliwy (*np. o planach, chorobie*).

insidiously [ɪn'sɪdɪəslɪ] *a.* podstępnie, zdradliwie.

insight ['ɪnˌsaɪt] *n.* **1.** *C/U* (dogłębne) zrozumienie (*into sth* czegoś); wgląd (*into sth* w coś); **flash of ~** (nagłe) olśnienie; **gain an ~ into sth** uzyskać wgląd w coś; **give sb ~s/an ~ into sth** (*także* **provide sb with ~s/an ~ into sth**) pozwolić komuś zrozumieć coś, wyjaśnić komuś coś. **2.** spostrzeżenie. **3.** *U* wnikliwość; intuicja.

insightful ['ɪnˌsaɪtful] *a.* odkrywczy (*o pomyśle, pracy*), przenikliwy (*o analizie, artykule*).

insignia [ɪn'sɪgnɪə] *n. pl.* **insignia** *form.* insygnia, oznaki; **military/royal ~** insygnia wojskowe/królewskie.

insignificance [ˌɪnsɪg'nɪfəkəns] *n.* *U* **1.** nieistotność, brak znaczenia; błahość. **2.** znikomość.

insignificancy [ˌɪnsɪg'nɪfəkənsɪ] *n.* *form.* = **insignificance**.

insignificant [ˌɪnsɪg'nɪfəkənt] *a.* **1.** nieistotny, mało znaczący; błahy. **2.** niepokaźny; znikomy, nieznaczny.

insincere [ˌɪnsɪn'si:r] *a.* nieszczery.

insincerely [ˌɪnsɪn'si:rlɪ] *adv.* nieszczerze.

insincerity [ˌɪnsɪn'serətɪ] *n.* *U* nieszczerość.

insinuate [ɪn'sɪnjʊˌeɪt] *v.* **1.** insynuować, sugerować, dawać do zrozumienia (*that* że). **2. ~ o.s. into sth** *form.* wślizgnąć *l.* wkraść *l.* wkręcić się w coś *l.* do czegoś (*np. w czyjeś łaski*).

insinuating [ɪn'sɪnjʊˌeɪtɪŋ] *a.* *gł. attr.* insynuujący, insynuatorski; aluzyjny (*np. o tekście piosenki*).

insinuation [ɪnˌsɪnjʊ'eɪʃən] *n.* insynuacja; *U* insynuacje.

insinuative [ɪn'sɪnjʊˌeɪtɪv] *a.* *form.* insynuatorski, insynuacyjny.

insinuator [ɪn'sɪnjʊˌeɪtər] *n.* *form.* insynuator/ka.

insipid [ɪn'sɪpɪd] *a.* **1.** mdły, bez smaku (*o potrawie*). **2.** bezbarwny; nudny, nieciekawy (*o postaci, charakterze, programie*).

insipidity [ˌɪnsɪ'pɪdətɪ] *n.* *U* **1.** mdłość, brak smaku (*potrawy*). **2.** bezbarwność, nuda.

insipience [ɪn'sɪpɪəns] *n.* *U arch.* głupota.

insipient [ɪn'sɪpɪənt] *a.* *arch.* niemądry.

insist [ɪn'sɪst] *v.* **~ on/upon (doing) sth** upierać się *l.* obstawać przy czymś; nalegać na coś; kłaść nacisk na coś; **~ (that)...** upierać się, że *l.* żeby...; uparcie twierdzić, że..., utrzymywać, że...; **he ~ed on his innocence** obstawał przy swojej niewinności; **if you ~** skoro nalegasz; **I ~** bardzo proszę, nalegam; **I ~ on their presence** domagam się ich obecności.

insistence [ɪn'sɪstəns], **insistency** [ɪn'sɪstənsɪ] *n.* *U* **1.** nalegania; **~ on (doing) sth** upieranie się *l.* obstawanie przy czymś. **2.** nieustępliwość; uporczywość; natarczywość.

insistent [ɪn'sɪstənt] *a.* nieustępliwy, stanowczy; natarczywy; uporczywy (*o deszczu*).

insistently [ɪn'sɪstəntlɪ] *adv.* nieustępliwie, stanowczo; natarczywie; uporczywie.

in situ [ɪn 'saɪtu:] *adv.* *Lat. form. t. pat.* in situ, w miejscu.

insobriety [ˌɪnsə'braɪətɪ] *n.* *U* **1.** nietrzeźwość. **2.** nieumiarkowanie, brak umiaru.

insofar as [ˌɪnsə'fɑ:rəz], **in so far as** *adv.* *form.* (o tyle,) o ile.

insolation [ˌɪnsoʊ'leɪʃən] *n.* *C/U form.* **1.** nasłonecznienie, insolacja; naświetlenie; wystawienie na światło słoneczne; *gł. med.* kąpiel słoneczna. **2.** *pat.* udar słoneczny.

insole ['ɪnˌsoʊl] *n.* wkładka (do butów); *szewstwo* brandzel.

insolence ['ɪnsələns] *n.* *U* bezczelność, zuchwałość, zuchwalstwo.

insolent ['ɪnsələnt] *a.* bezczelny, zuchwały.

insolently ['ɪnsələntlɪ] *adv.* bezczelnie, zuchwale.

insolubility [ɪnˌsɑ:ljə'bɪlətɪ] *n.* **1.** *fiz.* nierozpuszczalność. **2.** nierozwiązalność.

insoluble [ɪn'sɑ:ljəbl] *a.* **1.** *fiz.* nierozpuszczalny. **2.** (*także US, Can. i Austr.* **insolvable**) nierozwiązalny, nierozwiązywalny, nie do rozwiązania (*o problemie, zagadce*).

insolvency [ɪn'sɑ:lvənsɪ] *n.* *ekon.* *U* niewypłacalność.

insolvent [ɪn'sɑ:lvənt] *ekon.* *a.* niewypłacalny. – *n.* niewypłacalny dłużnik; bankrut.

insomnia [ɪn'sɑ:mnɪə] *n.* *U pat.* bezsenność.

insomniac [ɪn'sɑ:mnɪˌæk] *n.* *i* *a.* *pat.* (pacjent/osoba) cierpiąc-y/a na bezsenność.

insomuch [ˌɪnsə'mʌtʃ] *adv.* *form.* **1. ~ that...** *gł. US* do tego stopnia, że... **2. ~ as** = **inasmuch as**.

insouciance [ɪn'su:sɪəns] *n.* *U form.* beztroska.

insouciant [ɪn'su:sɪənt] *a.* *form.* beztroski.

insoul [ɪn'soʊl] *v.* = **ensoul**.

inspect [ɪn'spekt] *v.* oglądać; badać; sprawdzać; kontrolować; wizytować; poddawać kontroli *l.* inspekcji; odbywać inspekcję *l.* przegląd (*czegoś*); **~ a car for damage** sprawdzać, czy samochód nie został uszkodzony; określać zakres uszkodzeń samochodu.

inspection [ɪn'spekʃən] *n.* **1.** inspekcja; kontrola; oględziny; *t. wojsk.* przegląd; **carry out/make an ~** przeprowadzić inspekcję *l.* kontrolę *l.* oględziny. **2.** *U* oglądanie; badanie; **on closer ~** po *l.* przy bliższym zbadaniu.

inspection chamber *n.* *bud.* studzienka rewizyjna.

inspector [ɪn'spektər] *n.* **1.** *policja, admin.* inspektor; kontroler; ~ **general** główny inspektor. **2.** *szkoln.* wizytator/ka. **3.** (*także* **ticket ~**) *Br.* kontroler/ka biletów (*na kolei, w autobusie l. metrze*).

inspectorate [ɪn'spektərət] *n. admin.* inspektorat (*urząd l. obwód*).

inspectorship [ɪn'spektərˌʃɪp] *n. U l. sing.* stanowisko inspektora; obowiązki inspektora.

inspiration [ˌɪnspə'reɪʃən] *n. C/U* **1.** inspiracja; natchnienie; źródło inspiracji; **divine ~** *teol.* natchnienie boskie. **2.** *fizj.* wdech.

inspirational [ˌɪnspə'reɪʃənl] *a.* **1.** inspirujący, będący źródłem natchnienia. **2.** zainspirowany, natchniony.

inspirator ['ɪnspəˌreɪtər] *n. med.* **1.** inhalator. **2.** respirator.

inspiratory [ɪn'spaɪrəˌtɔːrɪ] *a. fizj.* wdechowy.

inspire [ɪn'spaɪr] *v.* **1.** inspirować; natchnąć; zachęcać (*sb to sth* kogoś do czegoś). **2.** napełniać (*sb with sth* kogoś czymś) (*np. uczuciem, strachem*). **3.** wzbudzać, budzić (*zaufanie, strach*); pobudzać (*wyobraźnię*); ożywiać (*wspomnienia*); **sth does not ~ confidence** coś nie nastraja optymistycznie; coś nie budzi *l.* wzbudza zaufania. **4.** *fizj.* wdychać.

inspired [ɪn'spaɪrd] *a.* **1.** natchniony; błyskotliwy; genialny (*o dziele, przedstawieniu*); **~ guess** (niezwykle) trafne przypuszczenie. **2. be ~ by sth** czerpać natchnienie z czegoś, znajdować natchnienie w czymś. **3. politically ~** na tle *l.* o charakterze politycznym.

inspiring [ɪn'spaɪrɪŋ] *a.* inspirujący, będący źródłem natchnienia; porywający.

inspirit [ɪn'spɪrɪt] *v. form.* ożywiać.

inspissate [ɪn'spɪseɪt] *v. techn.* zagęszczać (*przez odparowanie*).

inspissation [ˌɪnspə'seɪʃən] *n. U techn.* zagęszczanie.

inst. *abbr.* **1. = institute** *n.* **2. = institution**. **3. = instructor**. **4. = instrument**. **5. = instrumental**. **6.** *form.* **of the 14th inst.** 14 bm. (= *bieżącego miesiąca*); *zob.* **instant** *a.* 4.

instability [ˌɪnstə'bɪlətɪ] *n. U* **1.** niestabilność, nierównowaga; brak stabilizacji (*np. na rynku, w polityce*). **2.** niestałość (*t. uczuć*); chwiejność.

install [ɪn'stɔːl], **instal** *v.* **1.** instalować (*np. ogrzewanie, program*); montować (*np. kran*); zakładać (*np. oświetlenie*); *US* kłaść (*wykładzinę*). **2. ~ sb as...** *polit.* powoływać *l.* wprowadzać kogoś na stanowisko... **3. ~ o.s. in/at...** zadomowić się w...

installation [ˌɪnstə'leɪʃən] *n.* **1.** *U* instalacja; montaż; założenie; położenie; **free ~** *handl.* montaż bezpłatny *l.* gratis. **2.** obiekt (*wojskowy, przemysłowy*); **military ~** baza wojskowa. **3.** *U polit.* powołanie (na stanowisko). **4.** *sztuka* instalacja.

installer [ɪn'stɔːlər] *n.* instalator/ka.

installment[1] [ɪn'stɔːlmənt], **instalment** *n.* **1.** *handl.* rata; **in/by ~s** na raty (*kupować*); w ratach (*spłacać*). **2.** *handl.* partia (*towaru*). **3.** odcinek (*serialu, powieści*); zeszyt (*publikacji*).

installment[2] *n.* **= installation** *n.* 1.

installment plan *n. C/U US handl.* sprzedaż ratalna *l.* na raty; system sprzedaży ratalnej, system ratalny, raty; **(buy sth) on the ~** (kupować coś) na raty.

instance ['ɪnstəns] *n.* **1.** przykład; **for ~** na przykład; **give/cite an ~** podać/zacytować przykład. **2.** przypadek, wypadek; **in many/several ~s** w wielu/kilku przypadkach; **in rare/isolated ~s** w rzadkich wypadkach; **in this/your ~** w tym/twoim przypadku; **in the first ~** w pierwszym rzędzie, w pierwszej kolejności, po pierwsze. **3.** *form.* wniosek; **at the ~ of sb** na wniosek *l.* prośbę kogoś. **4.** *prawn.* instancja; **court of first ~** sąd pierwszej instancji. – *v. form.* **1.** przytaczać. **2.** uwidaczniać na przykładzie; wykazywać.

instancy ['ɪnstənsɪ] *n. U form.* nagłość, pilność.

instant ['ɪnstənt] *a.* **1.** natychmiastowy, momentalny (*o reakcji*). **2.** *attr. kulin.* gotowy (*o potrawie*); **~ coffee/tea** kawa/herbata rozpuszczalna *l.* instant; **~ milk** mleko w proszku; **~ rice** ryż błyskawiczny; **~ soup** zupa z torebki. **3.** pilny, naglący (*o potrzebie*). **4.** (*także* **inst.**) *form.* bieżącego miesiąca; **your letter of the 10th instant** Pańskie/Pani pismo z 10 bieżącego miesiąca. – *n.* chwila, moment; **(come here) this ~!** (chodź tu) w tej chwili! (*zwł. do dziecka*); **in an ~** momentalnie; **not for an ~** ani przez chwilę; **on the ~** natychmiast, bezzwłocznie; **the ~ (that) he heard about it** gdy tylko o tym usłyszał.

instantaneous [ˌɪnstən'teɪnɪəs] *a.* **1.** natychmiastowy, momentalny (*o odpowiedzi, reakcji*). **2.** *fiz.* chwilowy (*o wartości, prędkości*).

instantaneously [ˌɪnstən'teɪnɪəslɪ] *adv.* natychmiastowo, natychmiast, momentalnie.

instanter [ɪn'stæntər] *adv. prawn.* bezzwłocznie.

instantly ['ɪnstəntlɪ] *adv.* natychmiast; **she was killed ~** zginęła na miejscu.

instant replay *n. telew.* powtórka.

instate [ɪn'steɪt] *v. gł. polit.* wprowadzać na stanowisko.

instauration [ˌɪnstɔː'reɪʃən] *n. U rzad.* restauracja, odnowienie.

instead [ɪn'sted] *adv.* **1.** zamiast tego/niego/niej/nich itp., w zamian; **~ of sb/sth** zamiast czegoś/kogoś; **~ of doing sth** zamiast coś robić; **I'd like rice ~** zamiast tego poproszę ryż; **if she doesn't want to go, take me ~** jeśli ona nie chce iść, to weź mnie (zamiast niej). **2.** natomiast; **~, he'd like to go into acting** odpowiada mu natomiast kariera aktorska.

instep ['ɪnˌstep] *n.* podbicie (*stopy, buta*).

instigate ['ɪnstəˌgeɪt] *v. form.* **1.** wzniecać, wywoływać, prowokować (*np. bunt, demonstracje*); **~ sb to (do) sth** *gł. Br.* poduszczać *l.* podżegać kogoś do (zrobienia) czegoś. **2.** *prawn.* wprowadzać (*prawo*); wszczynać (*dochodzenie*).

instigation [ˌɪnstə'geɪʃən] *n. U form.* **1.** prowokacja, podburzanie; namowa; **at sb's ~** (*także* **at the ~ of sb**) za czyjąś namową, z czyjegoś poduszczenia. **2.** *prawn.* wprowadzenie (*prawa*); wszczęcie (*dochodzenia*).

instigator ['ɪnstəˌgeɪtər] *n. form.* prowokator/ka, podżegacz/ka.

instill [ɪn'stɪl], *gł. Br.* **instil** *v.* **-ll- 1. ~ sth into sb** wpajać coś komuś (*np. wiedzę, idee*); wzbudzać coś w kimś (*np. przerażenie*); **~ sth into sb's mind** wpajać coś komuś, wbijać coś komuś do głowy. **2.** *med.* zakraplać, wpuszczać (*krople do oczu*).

instillation [ˌɪnstə'leɪʃən], **instillment** [ɪn'stɪlmənt] *n. U* wpajanie (*idei*).

instinct ['ɪnstɪŋkt] *n. C/U zool., psych.* instynkt; odruch; **~ for self-preservation** instynkt samozachowawczy; **~ to hunt** instynkt polowania; **have an ~ for sth** mieć (instynktowne) wyczucie czegoś; **my first ~ was to run** w pierwszym odruchu chciałam uciekać. – *a.* **~ with sth** *form.* przepełniony czymś, pełen czegoś (*np. współczucia*).

instinctive [ɪn'stɪŋktɪv] *a.* instynktowny; odruchowy.

instinctual [ɪn'stɪŋktʃʊəl] *a. form.* instynktowny; odruchowy; wiedziony instynktem.

institute ['ɪnstɪˌtu:t] *n.* **1.** instytut (= *organizacja, komórka uczelni, seminarium*); **research ~** instytut naukowo-badawczy. **2.** *gł. pl. prawn.* instytucja prawna; (obowiązująca) zasada; **I~ of Justinian** *hist.* kodeks Justyniana. – *v.* **1.** *prawn.* wszczynać (*sprawę, dochodzenie, proces*); ustanawiać, wyznaczać (*spadkobiercę*). **2.** *gł. polit.* desygnować (*ministra*). **3.** *form.* zapoczątkować (*praktykę*). **4.** *kośc.* nadawać probostwo (*duchownemu*).

institution [ˌɪnstɪ'tu:ʃən] *n.* **1.** instytucja (= *organizacja, zwyczaj; t. przen. pot. = osoba od dawna związana z danym miejscem, firmą itp.*). **2.** zakład (*dla umysłowo chorych, karny l. opiekuńczy*). **3.** *U* założenie, ustanowienie. **4.** *U prawn.* wszczęcie (*postępowania*). **5.** *U kośc.* nadanie probostwa.

institutional [ˌɪnstɪ'tu:ʃənl] *a.* **1.** instytucjonalny (*o sposobie administrowania, zorganizowania*); formalny (*o nauce*); zorganizowany, zinstytucjonalizowany (*o kulcie religijnym*). **2.** surowy (*o wystroju, umeblowaniu*). **3. (be) in ~ care** (przebywać) w zakładzie (*o pacjencie, przestępcy, sierocie*).

institutionalization [ˌɪnstɪtu:ʃənlə'zeɪʃən], *Br. i Austr. zw.* **institutionalisation** *n. U* instytucjonalizacja.

institutionalize [ˌɪnstɪ'tu:ʃənəˌlaɪz], *Br. i Austr. zw.* **institutionalise** *v.* **1.** instytucjonalizować; sankcjonować (*dyskryminację*). **2.** umieszczać w zakładzie (*np. sierotę, przestępcę*).

institutionalized [ˌɪnstɪ'tu:ʃənəˌlaɪzd], *Br. i Austr. zw.* **institutionalised** *a. zw. uj.* zinstytucjonalizowany, społecznie akceptowany *l.* usankcjonowany (*o dyskryminacji, korupcji, wyzysku, przemocy*).

in-store [ˌɪn'stɔ:r] *a. gł. attr. handl.* na miejscu (= *w obrębie supermarketu l. domu towarowego*); w sklepie (*o banku, usługach*); **~ key cutting (service)** dorabianie kluczy na miejscu.

instr. *abbr.* **1.** = **instructor**. **2.** = **instrument**. **3.** = **instrumental**.

instruct [ɪn'strʌkt] *v.* **1.** *form.* polecić (*sb to do sth* komuś coś zrobić); instruować (*sb to do sth* kogoś, żeby coś zrobił); pouczać (*t. przysięgłych*); informować (*sb that...* kogoś, że...); **as ~ed** zgodnie z zaleceniem *l.* instrukcją. **2.** szkolić (*sb in sth* kogoś w czymś); uczyć, nauczać (*sb in sth* kogoś czegoś). **3.** *Br. i Austr. prawn.* wynajmować (*adwokata*).

instruction [ɪn'strʌkʃən] *n. U* **1.** kształcenie, nauka; szkolenie, instruktaż. **2.** *uniw., szkoln.* zajęcia; **during the second week of ~** w czasie drugiego tygodnia zajęć; **under sb's ~** pod czyimś kierunkiem. **3.** *C t. komp.* instrukcja. **4.** *pl.* wskazówki, instrukcje; polecenia, zalecenia (*that...* aby..., *to do sth* aby coś zrobić). **5. ~s for use** instrukcja (obsługi); **(acting) on sb's ~s** (postępując) zgodnie z czyimiś zaleceniami; **follow the ~s (to the letter)** (ściśle) przestrzegać zaleceń *l.* instrukcji; **my ~s are...** polecono *l.* kazano mi...

instructional [ɪn'strʌkʃənl] *a. gł. attr.* instruktażowy, szkoleniowy; **~ materials** materiały do nauczania; pomoce naukowe.

instruction leaflet *n.* instrukcja (obsługi).

instruction manual *n. t. techn.* instrukcja (obsługi).

instructive [ɪn'strʌktɪv] *a.* pouczający (*np. o doświadczeniu, książce*).

instructor [ɪn'strʌktər] *n.* **1.** instruktor/ka (*narciarstwa, prawa jazdy*); nauczyciel/ka. **2.** *US i Can. uniw.* prowadząc-y/a (zajęcia); nauczyciel (akademicki); wykładow-ca/czyni; lektor/ka.

instrument ['ɪnstrəmənt] *n.* narzędzie (*t. przen. o osobie*); *t. muz., prawn.* instrument; *techn.* przyrząd (*pomiarowy*); **~ of fate/God** *lit.* narzędzie w ręku przeznaczenia/Boga; **~ of torture** narzędzie tortur. – *v. muz.* instrumentować (*utwór*).

instrumental [ˌɪnstrə'mentl] *a.* **1. be ~ in (doing) sth** *form.* odegrać znaczącą rolę w czymś, walnie przyczynić się do czegoś. **2.** *muz.* instrumentalny. **3.** *techn.* narzędziowy, przyrządowy; instrumentalny (*o pomiarze*); **~ error** *miern.* błąd przyrządu. **4.** *gram.* narzędnikowy, w narzędniku. – *n.* **1.** *muz.* utwór instrumentalny. **2.** (*także* **~ case**) *gram.* narzędnik.

instrumentalism [ˌɪnstrə'mentəˌlɪzəm] *n. U fil.* instrumentalizm.

instrumentalist [ˌɪnstrə'mentəlɪst] *n. muz., fil.* instrumentalist-a/ka.

instrumentality [ˌɪnstrəmen'tæləti] *n. U form.* narzędzie, narzędzia (*władzy, działania*).

instrumentation [ˌɪnstrəmen'teɪʃən] *n. U* **1.** *muz., chir.* instrumentacja. **2.** *form.* narzędzia, środki, narzędzie.

instrument board *n.* = **instrument panel**.

instrument flying *n. U lotn.* pilotaż *l.* latanie według przyrządów, lot ślepy (*bez kontroli wzrokowej ziemi*).

instrument landing *n. U lotn.* lądowanie według przyrządów.

instrument panel *n.* (*także* **instrument board**) *techn., lotn.* tablica przyrządów (*pomiarowo-kontrolnych*).

insubordinate [ˌɪnsə'bɔ:rdənɪt] *a.* niesubordynowany, nieposłuszny.

insubordination [ˌɪnsəˌbɔːrdəˈneɪʃən] *n. U* niesubordynacja, nieposłuszeństwo.

insubstantial [ˌɪnsəbˈstænʃl] *a.* **1.** delikatny (*np. o konstrukcji, meblu*); wątły, słaby (*o fabule*); lekki (*o przekąsce*). **2.** nieznaczny; nieistotny. **3.** *lit.* niematerialny.

insufferable [ɪnˈsʌfərəbl] *a.* nieznośny, nie do zniesienia.

insufferably [ɪnˈsʌfərəblɪ] *adv.* nieznośnie.

insufficiency [ˌɪnsəˈfɪʃənsɪ] *n. pl.* **-ies 1.** *U* niewystarczalność, niedostateczność (*środków*). **2.** *U pat.* niewydolność; **cardiac/circulatory/respiratory ~** niewydolność serca/krążenia/oddechowa; **valvular ~** niedomykalność zastawki. **3.** usterka; nieścisłość (*np. w artykule, sprawozdaniu*).

insufficient [ˌɪnsəˈfɪʃənt] *a.* **1.** niewystarczający, niedostateczny (*for sth* do czegoś, *to do sth* do zrobienia czegoś *l.* żeby coś zrobić); "**~ funds**" *fin.* „brak pokrycia" (*adnotacja na czeku*). **2.** *pat.* niewydolny.

insufficiently [ˌɪnsəˈfɪʃəntlɪ] *adv.* **1.** niewystarczająco, niedostatecznie. **2.** *pat.* niewydolnie.

insufflate [ɪnˈsʌfleɪt] *v. med.* wdmuchiwać; przedmuchiwać.

insufflation [ˌɪnsəˈfleɪʃən] *n. U med.* wdmuchiwanie; przedmuchiwanie.

insulant [ˈɪnsələnt] *n. U techn.* materiał izolacyjny.

insular [ˈɪnsələr] *a.* **1.** *uj.* zaściankowy; ciasny (*o światopoglądzie*); zasklepiony w sobie, izolowany (*o grupie*). **2.** *form.* wyspiarski. **3.** *anat.* wysepkowy.

insularity [ˌɪnsəˈlerətɪ] *n. U* (*także* **insularism**) **1.** *uj.* zaściankowość; ciasnota (*światopoglądu*). **2.** *form.* wyspiarskość.

insulate [ˈɪnsəˌleɪt] *v. t. el., techn., polit.* izolować (*sth / sb from sth* coś/kogoś od czegoś).

insulation [ˌɪnsəˈleɪʃən] *n. U t. el., techn., polit.* izolacja.

insulator [ˈɪnsəˌleɪtər] *n. el.* izolator.

insulin [ˈɪnsʊlɪn] *n. U fizj., biochem.* insulina; **~-dependent/~-independent diabetes** *pat.* cukrzyca insulinozależna/insulinoniezależna.

insulin shock *n. C / U* (*także* **insulin reaction**) *pat.* wstrząs insulinowy *l.* hipoglikemiczny.

insult *n.* [ˈɪnsʌlt] obelga, zniewaga; obraza; **add ~ to injury** przebrać miarkę; **be an ~ to sb's intelligence** traktować kogoś jak idiotę, zakładać, że ktoś jest idiotą (*np. o instrukcji, programie telewizyjnym*); **sth is an ~ to sb** coś kogoś obraża; **take sth as an ~** poczuć się czymś urażonym. – *v.* [ɪnˈsʌlt] obrażać; znieważać, lżyć.

insulting [ɪnˈsʌltɪŋ] *a.* obraźliwy (*to sb* dla kogoś), obelżywy.

insultingly [ɪnˈsʌltɪŋlɪ] *adv.* obraźliwie, obelżywie.

insuperable [ɪnˈsuːpərəbl] *a. form.* nie do pokonania *l.* przezwyciężenia (*o przeszkodach, trudnościach*).

insupportable [ˌɪnsəˈpɔːrtəbl] *a. form.* nieznośny, nie do zniesienia.

insurable [ɪnˈʃʊrəbl] *a. ubezp.* podlegający ubezpieczeniu.

insurance [ɪnˈʃʊrəns] *n. U ubezp.* **1.** ubezpieczenie (*against sth* od (następstw) czegoś); **claim for sth on the/one's ~** występować o odszkodowanie za coś (w ramach ubezpieczenia); **covered by ~** objęty ubezpieczeniem; **have ~ on sth** mieć coś ubezpieczone (*np. mieszkanie, samochód*); **health/life ~** ubezpieczenie zdrowotne/na życie; **take out ~** ubezpieczyć się. **2.** ubezpieczenia; **work in ~** pracować w ubezpieczeniach. **3.** *t. sing.* zabezpieczenie (*against sth* przeciwko czemuś *l.* przed czymś).

insurance adjuster *n. US ubezp.* rzeczoznawca (ubezpieczeniowy) (*wyceniający szkody*).

insurance agent *n. ubezp.* agent/ka ubezpieczeniow-y/a.

insurance broker *n. ubezp.* akwizytor *l.* makler ubezpieczeniowy.

insurance claim *n. ubezp.* roszczenie (ubezpieczeniowe).

insurance policy *n. pl.* **-ies** *ubezp.* polisa (ubezpieczeniowa).

insurance premium *n. ubezp.* składka ubezpieczeniowa.

insurant [ɪnˈʃʊrənt] *n. ubezp.* ubezpieczon-y/a.

insure[1] [ˌɪnˈʃʊr] *v.* **1.** *ubezp.* ubezpieczać (*sb / sth against sth* kogoś/coś od czegoś *l.* na wypadek czegoś) (*sth for...* coś na...) (*określoną kwotę*); ubezpieczać (= *oferować l. sprzedawać ubezpieczenia*); *ubezp.* ubezpieczać się (*with...* w...) (*danej firmie ubezpieczeniowej*). **2. ~ against sth** zabezpieczać się przed czymś.

insure[2] *US* = **ensure**.

insured [ɪnˈʃʊrd] *a.* ubezpieczony; **the ~** ubezpieczon-y/a; **~ value** wartość ubezpieczenia.

insurer [ɪnˈʃʊrər] *n. ubezp.* ubezpieczyciel (*firma*).

insurgence [ɪnˈsɝːdʒəns], **insurgency** [ɪnˈsɝːdʒənsɪ] *pl.* **-ies** [ɪnˈsɝːdʒənsɪz] *n. polit.* powstanie, insurekcja; rebelia.

insurgent [ɪnˈsɝːdʒənt] *polit. n.* powstaniec; rebeliant/ka. – *a.* powstańczy (*o siłach*); rebeliancki.

insurmountable [ˌɪnsərˈmaʊntəbl] *a.* nie do przezwyciężenia *l.* pokonania, nieprzezwyciężony (*np. o trudnościach, strachu*); niepokonany.

insurrection [ˌɪnsəˈrekʃən] *n. C / U* powstanie, insurekcja.

insurrectional [ˌɪnsəˈrekʃənl] *a.* powstańczy.

insurrectionary [ˌɪnsəˈrekʃəˌnerɪ] *a.* powstańczy. – *n. pl.* **-ies** powstaniec.

insurrectionist [ˌɪnsəˈrekʃənɪst] *n.* powstaniec.

insusceptible [ˌɪnsəˈseptəbl] *a.* niepoddający się (*to sth* czemuś); *med., pat.* niepodatny, niewrażliwy (*to sth* na coś) (*o chorobie - na lek, o pacjencie - na chorobę*).

int. *abbr.* **1.** *fin.* = **interest**. **2.** = **interior**. **3.** *gram.* = **interjection** 2. **4.** *gram.* = **intransitive**. **5.** = **international**. **6.** = **interim**.

intact [ɪnˈtækt] *a.* nietknięty, nienaruszony; **remain ~** pozostać w nietkniętym *l.* nienaruszonym stanie.

intaglio [ɪnˈtæljoʊ] *n. pl.* **-s 1.** *C / U sztuka* intaglio (= *kamień ozdobny, technika*), wklęsłoryt. **2.** *U druk.* druk wklęsły, wklęsłodruk, intaglio.

intake [ˈɪnˌteɪk] *n.* **1.** *sing.* spożycie; **alcohol/fat**

~ spożycie alkoholu/tłuszczów; **(daily) calorie ~** (dobowa) podaż *l.* dawka kalorii. **2.** nabór (= *liczba studentów, kandydatów itp.*). **3.** *techn.* wlot (*wody, powietrza*). **4.** zużycie (*tlenu*). **5.** *sing.* pobór (*energii*). **6.** zwężenie (*rury, rękawa*). **7.** *górn.* szyb wentylacyjny.

intangibility [ɪnˌtændʒəˈbɪlətɪ] *n.* *U* nienamacalność; nieuchwytność.

intangible [ɪnˈtændʒəbl] *a.* nienamacalny; nieuchwytny.

intarsia [ɪnˈtɑːrsɪə] *n.* *C/U sztuka* intarsja.

integer [ˈɪntɪdʒər] *n.* **1.** *mat.* liczba całkowita. **2.** *form.* całość.

integral [ˈɪntəgrəl] *a.* **1.** integralny, nieodłączny; **be an ~ part of sth** (*także* **be ~ to sth**) stanowić integralną *l.* nieodłączną część czegoś. **2.** *techn.* zintegrowany (*o systemie kanalizacji, zasilania itp.*). **3.** *mat.* całkowy. – *n.* **1.** integralna całość. **2.** *mat.* całka; **definite/indefinite ~** całka oznaczona/nieoznaczona.

integral calculus *n.* *U mat.* rachunek całkowy.

integrality [ˌɪntəˈgrælətɪ] *n.* *U form.* integralność.

integrally [ˈɪntəgrəlɪ] *adv.* integralnie, nieodłącznie.

integrand [ˈɪntəˌgrænd] *n.* *mat.* funkcja podcałkowa.

integrant [ˈɪntəgrənt] *form.* *a.* składowy. – *n.* składnik.

integrate [ˈɪntəˌgreɪt] *v.* **1.** integrować (się). **2.** scalać, łączyć w (jedną) całość. **3.** *mat.* całkować.

integrated [ˈɪntəˌgreɪtɪd] *a.* *socjol.* zintegrowany (*o społeczeństwie*); integracyjny (*o szkole, przedszkolu*).

integrated circuit *n.* *el.* układ scalony.

integrating [ˈɪntəˌgreɪtɪŋ] *a.* **1.** *t. socjol.* integrujący, scalający (*o czynniku*). **2.** *t. automatyka, mat., el.* całkujący (*o członie, przyrządzie, czynniku, wzmacniaczu*).

integration [ˌɪntəˈgreɪʃən] *n.* *U* **1.** *t. socjol.* integracja. **2.** *mat.* całkowanie.

integrative [ˈɪntəˌgreɪtɪv] *a.* *form.* integrujący, scalający (*o działaniu*).

integrator [ˈɪntəˌgreɪtər] *n.* *automatyka, el.* integrator, przyrząd całkujący.

integrity [ɪnˈtegrɪtɪ] *n.* *U* **1.** prawość (*osoby*); etyka (= *zasady moralne*); **professional ~** etyka zawodowa. **2.** *form.* integralność (*grupy, kompozycji, konstrukcji*). **3.** *mat.* całkowitość.

integument [ɪnˈtegjəmənt] *n.* *zwł. zool., bot.* powłoka, otoczka, osłona.

intellect [ˈɪntəˌlekt] *n.* **1.** *C/U* intelekt, rozum; inteligencja. **2.** intelekt (*o osobie*), intelektualist-a/ka.

intellection [ˌɪntəˈlekʃən] *n.* *form.* **1.** *U* rozumowanie; pojmowanie. **2.** myśl; zamysł.

intellective [ˌɪntəˈlektɪv] *a.* *form.* rozumowy.

intellectual [ˌɪntəˈlektʃʊəl] *a.* **1.** intelektualny; rozumowy; umysłowy (*o pracy*). **2.** intelektualistyczny. – *n.* intelektualist-a/ka; inteligent/ka.

intellectualism [ˌɪntəˈlektʃʊəˌlɪzəm] *n.* *U t. fil., psych.* intelektualizm.

intellectualist [ˌɪntəˈlektʃʊəlɪst] *n.* *t. fil., psych.* intelektualist-a/ka.

intellectuality [ˌɪntəˌlektʃʊˈælətɪ] *n.* *U* intelektualność.

intellectualize [ˌɪntəˈlektʃʊəˌlaɪz], *Br. i Austr. zw.* **intellectualise** *v.* *psych.* intelektualizować.

intellectually [ˌɪntəˈlektʃʊəlɪ] *adv.* **1.** intelektualnie; rozumowo; umysłowo. **2.** intelektualistycznie.

intellectual property *n.* *U prawn.* własność intelektualna.

intelligence [ɪnˈtelɪdʒəns] *n.* *U* **1.** inteligencja (= *intelekt, bystrość, życie rozumne*); **emotional ~** *psych.* inteligencja emocjonalna. **2.** *polit., wojsk.* wywiad; **~ service** służba wywiadowcza. **3.** *przest.* informacja, informacje, wiadomość; **receive ~ that...** otrzymać informacje, że...

intelligence quotient *n.* (*także* **IQ**) *psych.* iloraz inteligencji.

intelligencer [ɪnˈtelɪdʒənsər] *n.* *arch.* informator/ka; wywiadowca.

intelligence test *n.* test na inteligencję.

intelligent [ɪnˈtelɪdʒənt] *a.* **1.** *t. komp.* inteligentny. **2.** *pred. arch.* świadom (*of sth* czegoś).

intelligently [ɪnˈtelɪdʒəntlɪ] *adv.* inteligentnie.

intelligentsia [ɪnˌtelɪˈdʒentsɪə] *n.* *U* **the ~** *socjol.* inteligencja (*grupa społeczna*).

intelligibility [ɪnˌtelɪdʒəˈbɪlətɪ] *n.* *U* zrozumiałość.

intelligible [ɪnˈtelɪdʒəbl] *a.* **1.** zrozumiały (*to sb* dla kogoś); **mutually ~** wzajemnie zrozumiały (*zwł. o dwóch językach*). **2.** *fil.* (czysto) rozumowy, dostępny rozumowi *l.* rozumem, poznawalny rozumowo.

intelligibly [ɪnˈtelɪdʒəblɪ] *adv.* zrozumiale (*mówić, pisać*).

intemperance [ɪnˈtempərəns] *n.* *U form.* **1.** nieumiarkowanie, brak umiaru; niepowściągliwość, brak powściągliwości *l.* kontroli. **2.** niewstrzemięźliwość.

intemperate [ɪnˈtempərət] *a.* **1.** niepowściągliwy (*o zachowaniu*); nieumiarkowany (*o klimacie*); niepohamowany (*o wściekłości*). **2.** niewstrzemięźliwy. **3.** porywisty (*o wietrze*).

intend [ɪnˈtend] *v.* **1.** zamierzać; planować; **~ to do sth** (*także* **~ doing sth**) mieć zamiar *l.* zamierzać coś zrobić; **fully ~ to do sth** mieć szczery zamiar coś zrobić; **it is ~ed that...** planuje się, że ...; **I ~ed it as a joke** to miał być dowcip. **2.** chcieć (*czegoś*); **~ sb to do sth** chcieć, żeby ktoś coś zrobił; **he ~ed no harm/offence** nie chciał nikogo skrzywdzić/urazić; **we didn't ~ her to see it** nie chcieliśmy, żeby to widziała. **3.** **~ sth for sb/sth** przeznaczać coś dla kogoś/na coś; **this money is ~ed for his education** te pieniądze są przeznaczone na jego wykształcenie; **is this remark ~ed for me?** czy to uwaga pod moim adresem?.

intendancy [ɪnˈtendənsɪ] *n.* *U* **1.** *polit., hist.* gubernatura, intendentura. **2.** *admin.* intendentura.

intendant [ɪnˈtendənt] *n.* **1.** *polit., hist.* gubernator, intendent. **2.** *admin.* intendent/ka.

intended [ɪnˈtendɪd] *a. attr.* zamierzony (*np. o aluzji*); planowany (*np. o podróży*). – *n. sing.*

przest. l. żart. **sb's ~** czyjś/czyjaś lub-y/a, czyjś/czyjaś wybran-ek/ka.

intendment [ɪn'tendmənt] *n.* **1.** *prawn.* intencja (*prawodawcy*); znaczenie prawne; rozumienie prawa, interpretacja. **2.** *arch.* intencja.

intense [ɪn'tens] *a.* **1.** intensywny (*o wysiłku, barwie*); wytężony (*o pracy*); silny (*o emocjach, przeżyciach, wietrze*); głęboki (*np. o antypatii*); dotkliwy (*o bólu*); wielki (*o upale*); przenikliwy (*o wzroku*); pełen napięcia (*o oczekiwaniu*). **2.** poważny (*o osobie*); emocjonalny, uczuciowy (*jw.*).

intensely [ɪn'tensɪ] *adv.* **1.** intensywnie (*odczuwać*); głęboko (*np. nienawidzić*); przenikliwie (*patrzeć*); w napięciu (*oczekiwać*). **2.** wielce (*np. ekscytujący*).

intensification [ɪnˌtensəfə'keɪʃən] *n. U* **1.** *form.* intensyfikacja, nasilenie (*wysiłków, działań wojennych*). **2.** *fot.* wzmocnienie (negatywu).

intensifier [ɪn'tensəˌfaɪər] *n.* **1.** *jęz.* wyrażenie wzmacniające, wzmocnienie. **2.** *C/U gł. fot.* wzmacniacz.

intensify [ɪn'tensəˌfaɪ] *v.* **-ied, -ying 1.** intensyfikować (się), nasilać (się), wzmagać (się). **2.** wzmacniać.

intension [ɪn'tenʃən] *n. U* **1.** *log., jęz.* intensja. **2.** *form.* intensywność.

intensity [ɪn'tensɪtɪ] *n. U* **1.** intensywność, nasilenie; napięcie (*w spojrzeniu*); *t. fiz., el.* natężenie. **2.** powaga (*czyjaś, czyjegoś zachowania*); zaangażowanie (*zwł. emocjonalne*), przejęcie; siła (*perswazji*).

intensive [ɪn'tensɪv] *a.* **1.** *t. szkoln., roln.* intensywny (*np. o kursie, uprawie*); *wojsk.* skoncentrowany, intensywny (*o ogniu, bombardowaniach*). **2.** *jęz.* wzmacniający (*o wyrazie*).

intensive care *n. U med.* intensywna opieka medyczna; **be in ~** przebywać na oddziale intensywnej opieki (medycznej).

intensive care unit *n.* (*także* **ICU**) *med.* oddział intensywnej opieki (medycznej), OIOM.

intensively [ɪn'tensɪvlɪ] *adv.* intensywnie.

intensiveness [ɪn'tensɪvnəs] *n. U* intensywność.

intent [ɪn'tent] *n.* **1.** *U form. gł. prawn.* intencja, zamiar; **criminal ~** zamiary przestępcze; **(arrest sb for) loitering with ~** (aresztować kogoś za) włóczęgostwo (*świadczące o zamiarach przestępczych*); **with ~** z rozmysłem, rozmyślnie; **with ~ to do sth** z zamiarem zrobienia czegoś (*np. pozbawienia życia, zniszczenia*); **with good/malicious ~** w dobrych/złych zamiarach. **2. to/for all ~s (and purposes)** praktycznie rzecz biorąc. – *a.* **1.** skupiony (*on/upon sth* na czymś); baczny, uważny. **2.** pochłonięty (*on/upon sth* czymś) (*zwł. pracą*). **3. ~ on sth/doing sth** zdecydowany na coś/zrobić coś.

intention [ɪn'tenʃən] *n.* **1.** *C/U* zamiar; chęć; *t. kośc.* intencja; *pl.* zamiary (*t. matrymonialne*), zamierzenia; **good/the best ~s** dobre/najlepsze intencje *l.* chęci; **have no ~ of doing sth** nie mieć (najmniejszego) zamiaru robić czegoś; **it is sb's ~ to do sth** ktoś zamierza *l.* ma zamiar coś zrobić; **the road to hell is paved with good ~s** *zob.* **hell**; **with the ~ of doing sth** z zamiarem zrobienia czegoś. **2.** *log.* kategoria pojęciowa. **3.** *med.* **(healing by) first/second ~** (gojenie się przez) rychłozrost/ziarninowanie; **(healing by) third ~** zabliźnienie (rany).

intentional [ɪn'tenʃənl] *a.* zamierzony, rozmyślny, celowy; umyślny.

intentionally [ɪn'tenʃənlɪ] *adv.* rozmyślnie, specjalnie, celowo; umyślnie.

intently [ɪn'tentlɪ] *adv.* w skupieniu, uważnie (*słuchać, przyglądać się*); z przejęciem.

intentness [ɪn'tentnəs] *n. U* skupienie; przejęcie.

inter [ɪn'tɜː] *v.* **-rr-** *form.* chować, grzebać (*zmarłych, zwłoki*).

inter. *abbr.* = **intermediate.**

interact [ˌɪntər'ækt] *v.* **1.** obcować (ze sobą), współżyć (*o ludziach*); **~ with sb** obcować z kimś. **2.** współdziałać (*with sb* z kimś). **3.** oddziaływać na siebie (wzajemnie) (*np. o czynnikach, gazach*). **4.** *stat.* wykazywać interakcję.

interaction [ˌɪntər'ækʃən] *n. C/U* **1.** obcowanie. **2.** współdziałanie. **3.** wzajemne oddziaływanie. **4.** *fiz., chem.* oddziaływanie; **strong/weak ~** oddziaływanie silne *l.* jądrowe/słabe. **5.** *stat., med.* interakcja; **drug ~** interakcje leku *l.* leków.

interactive [ˌɪntər'æktɪv] *a. t. komp.* interaktywny (*o rozrywce, programie*); interakcyjny (*o zależności, nauczaniu*).

inter alia [ˌɪntər 'eɪlɪə] *adv. form. Lat.* między innymi.

inter alios [ˌɪntər 'eɪlɪˌoʊs] *adv. form. Lat.* między innymi (*w odniesieniu do osób*).

interallied [ˌɪntərə'laɪd] *a. attr. polit., wojsk.* międzysojuszniczy (*o współpracy*).

interatomic [ˌɪntərə'tɑːmɪk] *a. attr. fiz.* międzyatomowy (*o siłach, odległości*).

interbank ['ɪntərˌbæŋk] *a. attr. fin.* międzybankowy (*o operacjach*).

interblend [ˌɪntər'blend] *v.* mieszać się (*with sth* z czymś); wtapiać się (*with sth* w coś).

interbreed [ˌɪntər'briːd] *v.* **-bred, -bred** *biol.* **1.** krzyżować (się) (*między gatunkami*). **2.** krzyżować (się) w obrębie gatunku.

interbreeding [ˌɪntər'briːdɪŋ] *n. U biol.* **1.** krzyżowanie (się) (*gatunków*). **2.** endogamia.

intercalary [ɪn'tɜːkəˌlerɪ] *a. form.* **1.** wstawiony; dodany, dodatkowy (*o dniu l. miesiącu w kalendarzu*). **2.** przestępny (*o roku*).

intercalate [ɪn'tɜːkəˌleɪt] *v. form.* wstawiać; dodawać (*dzień do kalendarza*).

intercede [ˌɪntər'siːd] *v. form.* **1.** wstawiać się; *t. rel.* orędować; **~ with sb for sb** (*także* **~ with sb on behalf of sb**) wstawiać się u kogoś za kimś. **2.** *t. polit.* interweniować; pośredniczyć.

intercellular [ˌɪntər'seljələr] *a. biol.* międzykomórkowy; **~ fluid** płyn wewnątrzkomórkowy.

intercept [ˌɪntər'sept] *v.* **1.** przechwytywać (*korespondencję, przemyt, samolot wroga*); zatrzymywać (*samochód, przemytników*); *t. sport* przejmować (*piłkę, podanie*). **2.** przerywać (*nadawanie audycji*). **3.** *mat.* wyznaczać (*odcinek, płaszczyznę*). **4.** *arch.* udaremniać. – *n.* **1.**

przechwycenie; zatrzymanie. **2.** *US i Can. sport* przejęcie (*piłki, podania*). **3.** *mat.* punkt przecięcia na osi.

interception [ˌɪntərˈsepʃən] *n. C/U* **1.** przechwycenie (*informacji, przesyłki*); przejęcie (*podania*); zatrzymanie (*samochodu*). **2.** *mat.* wyznaczenie.

interceptor [ˌɪntərˈseptər] *n.* **1.** *lotn., wojsk.* myśliwiec przechwytujący. **2.** *lotn.* przerywacz.

intercession [ˌɪntərˈseʃən] *n. C/U form.* **1.** wstawienie się, wstawiennictwo; *t. rel.* orędowanie, orędownictwo. **2.** *rel.* prośba, błaganie. **3.** interwencja; pośrednictwo.

intercessor [ˌɪntərˈsesər] *n. polit.* pośrednik/czka; *form.* orędowni-k/czka.

intercessory [ˌɪntərˈsesərɪ] *a. form.* pośredniczący; wstawienniczy; orędowniczy.

interchange *n.* [ˈɪntərˌtʃeɪndʒ] **1.** *U l. sing.* wymiana (*zwł. pomysłów, informacji*). **2.** zamiana. **3.** (*także* **traffic ~**) *mot.* rozjazd (*autostrad*). – *v.* [ˌɪntərˈtʃeɪndʒ] **1.** wymieniać (*myśli*). **2.** zamieniać (się) miejscami.

interchangeability [ˌɪntərˌtʃeɪndʒəˈbɪlətɪ] *n. U jęz.* zamienność (*określeń*); *techn.* wymienność (*elementu*).

interchangeable [ˌɪntərˈtʃeɪndʒəbl] *a. jęz.* zamienny (*o określeniach*); *techn.* wymienny (*o elementach*).

intercity [ˌɪntərˈsɪtɪ], *Br. kol. a. attr.* intercity (*o pociągu, połączeniu*); międzymiastowy; dalekobieżny. – *n.* (*także* ~ **train**) pociąg intercity.

intercollegiate [ˌɪntərkəˈliːdʒɪt] *a. US sport, uniw.* międzyuczelniany (*o rozgrywkach*).

intercolonial [ˌɪntərkəˈloʊnɪəl] *a.* międzykolonialny (*o handlu*).

intercolumniation [ˌɪntərkəˌlʌmnɪˈeɪʃən] *n. U bud.* interkolumnium.

intercom [ˈɪntərˌkɑːm] *n. tel.* domofon; interkom; **(speak) over/through/via the ~** (mówić) przez domofon *l.* interkom.

intercommunicate [ˌɪntərkəˈmjuːnəˌkeɪt] *v.* **1.** komunikować *l.* porozumiewać się (wzajemnie). **2.** łączyć się (ze sobą) (*o pokojach, przejściach*).

intercommunication [ˌɪntərkəˌmjuːnəˈkeɪʃən] *n. U* **1.** wzajemna komunikacja; wzajemne porozumienie. **2.** połączenie (*między pokojami*).

intercommunication system *n. form. tel.* telefon komunikacji wewnętrznej.

intercommunion [ˌɪntərkəˈmjuːnjən] *n. U* **1.** łączność duchowa. **2.** *kośc.* udzielanie (sakramentu) komunii w kościele innego wyznania.

interconnect [ˌɪntərkəˈnekt] *v. t. el., tel., bud.* łączyć (się).

interconnection [ˌɪntərkəˈnekʃən], *Br. t.* **interconnexion** *n.* (wzajemne) połączenie.

intercontinental [ˌɪntərˌkɑːntəˈnentl] *a.* międzykontynentalny (*np. o lotach, pociskach*).

intercostal [ˌɪntərˈkɑːstl] *a. i n. zw. pl. anat.* (mięsień) międzyżebrowy.

intercourse [ˈɪntərˌkɔːrs] *n. U form.* **1.** *fizj., prawn.* (*także* **sexual ~**) stosunek (płciowy); **have ~ with sb** mieć *l.* odbyć stosunek z kimś. **2.** stosunki, kontakty (*międzyludzkie, służbowe*).

intercrop *ogr., roln. v.* [ˌɪntərˈkrɑːp] **-pp-** uprawiać współrzędnie (*ziemię, rośliny*); stosować śródplon *l.* międzyplon. – *n.* [ˈɪntərˌkrɑːp] śródplon, międzyplon.

intercross [ˌɪntərˈkrɑːs] *n. i v. biol.* = **crossbreed**.

intercultural [ˌɪntərˈkʌltʃərəl] *a.* międzykulturowy; ponadkulturowy.

intercurrent [ˌɪntərˈkɝːənt] *a. pat.* współistniejący (*o chorobie*).

intercut [ˌɪntərˈkʌt] *v. film* = **crosscut**.

interdental [ˌɪntərˈdentl] *a. anat., dent., fon.* międzyzębowy.

interdepartmental [ˌɪntərˌdiːpɑːrtˈmentl] *a. attr. admin., uniw.* międzywydziałowy.

interdepend [ˌɪntərdɪˈpend] *v.* współzależeć; zależeć od siebie.

interdependence [ˌɪntərdɪˈpendəns], **interdependency** [ˌɪntərdɪˈpendənsɪ] *n. U* współzależność, wzajemna zależność.

interdependent [ˌɪntərdɪˈpendənt] *a.* współzależny, wzajemnie zależny.

interdict *n.* [ˈɪntərˌdɪkt] **1.** *prawn.* zakaz. **2.** *hist., kośc.* interdykt. **3.** *Scot. prawn.* nakaz. – *v.* [ˌɪntərˈdɪkt] **1.** *t. prawn.* zabraniać, zakazywać (*czegoś*). **2.** *kośc.* obkładać interdyktem.

interdiction [ˌɪntərˈdɪkʃən] *n. U* **1.** zakaz. **2.** *kośc.* nałożenie interdyktu.

interdisciplinary [ˌɪntərˈdɪsəpləˌnerɪ] *a.* interdyscyplinarny (*o badaniach*).

interest [ˈɪntərəst] *n. U l. sing.* **1.** zainteresowanie (*in sb/sth* kimś/czymś); przedmiot zainteresowania; **be of ~ to sb** interesować kogoś; **express (an) ~ in sth** wyrażać zainteresowanie czymś; **lose ~ in sth** stracić zainteresowanie czymś; **nothing of ~** nic ciekawego; **out of ~** z ciekawości; **show (an) ~ in sth** okazywać zainteresowanie czymś; **take an ~ in sth** interesować się czymś; **take no ~ in sth** nie interesować się czymś; **this has/holds no ~ for me** to mnie zupełnie nie interesuje. **2.** *t. pl.* interes (= *korzyść*); **be in sb's (best) ~(s)** być w czyimś (najlepszym *l.* dobrze pojętym) interesie; **conflict of ~(s)** sprzeczność *l.* konflikt interesów; **have sb's (best) ~(s) at heart** jak najlepiej komuś życzyć; **I did it in his ~(s)** zrobiłem to dla niego; **in the public/national ~** w interesie publicznym/państwa; **in the ~(s) of truth** w interesie *l.* w imię prawdy; **in the ~(s) of safety** ze względów bezpieczeństwa; **protect/look after one's ~s** bronić/pilnować swoich interesów. **3.** *fin.* udział (*in sth* w czymś); **controlling ~** pakiet kontrolny (akcji). **4.** wkład. **5.** *fin.* odsetki; procent; **with ~** z procentem; *przen.* z nadwyżką, z okładem; **at 5 percent ~** na pięć procent; **back ~** zaległe odsetki; **bear ~ at 5%** być oprocentowanym w skali 5% *l.* na 5%; **simple/compound ~** procent zwykły/składany; **pay sb back with ~** zwrócić komuś dług/pieniądze z odsetkami; *przen.* odpłacić komuś pięknym za nadobne. **6.** *pl.* grupa (wpływów); **the oil ~s** potentaci naftowi, koncerny naftowe. – *v.* interesować (*kogoś*); zainteresować (*sb (in sth)* kogoś (czymś)); **could I ~ you in...?** co byś powiedział/a na...?; **it may ~ you to know that...** może cię zainteresuje, że...

interest-bearing [ˈɪntərəstˌberɪŋ] *a. attr. fin.*

oprocentowany (*o koncie*); procentujący, przynoszący odsetki (*o kapitale, inwestycji*).

interested ['ɪntərəstɪd] *a.* **1.** zainteresowany (*t. materialnie*) (*in sth / sb* czymś/kimś, *in doing sth* robieniem czegoś); **I'd be interested to hear/see...** chciałbym usłyszeć/zobaczyć... **2.** interesowny, egoistyczny; ~ **motives** interesowne *l.* egoistyczne pobudki.

interest-free [ˌɪntərəst'fri:], **zero-interest** *a. attr. fin., handl.* nieoprocentowany; ~ **credit** nieoprocentowana pożyczka, nieoprocentowany kredyt; ~ **financing** nieoprocentowane raty, raty bez odsetek.

interest group *n.* **1.** *polit.* grupa interesu. **2.** grupa o wspólnych zainteresowaniach.

interesting ['ɪntərəstɪŋ] *a.* ciekawy, interesujący; **how ~!** to (bardzo) ciekawe!; **it is ~ that...** ciekawe, że..., co ciekawe,...; **it would be ~ to see/hear...** ciekawie byłoby zobaczyć/usłyszeć...

interestingly ['ɪntərəstɪŋlɪ] *adv.* **1.** co ciekawe. **2.** w ciekawy *l.* interesujący sposób.

interest rate *n. fin.* stopa procentowa, wysokość oprocentowania, oprocentowanie.

interface ['ɪntərˌfeɪs] *n.* **1.** obszar wzajemnego oddziaływania; granica. **2.** *komp.* interfejs. **3.** *mech.* powierzchnia styku *l.* przylegania. **4.** *chem., fiz.* granica faz. – *v.* **1.** kontaktować się (*with sb / sth* z kimś/czymś). **2.** *komp.* łączyć (*urządzenia*).

interfacing ['ɪntərˌfeɪsɪŋ] *n.* *U krawiectwo* wzmocnienie; karczek.

interfaith [ˌɪntər'feɪθ] *a. attr.* międzywyznaniowy; wielowyznaniowy.

interfere [ˌɪntər'fi:r] *v.* **1.** ~ **with sth** kolidować z czymś, kłócić się z czymś; przeszkadzać w czymś, utrudniać coś; *radio, telew.* zakłócać coś (*odbiór*). **2.** wtrącać się, mieszać się (*in / with sth* w coś *l.* do czegoś); ingerować (*in sth* w coś); interweniować. **3.** ~ **with sb** *Br. euf.* napastować *l.* molestować kogoś (*seksualnie, zwł. dzieci*). **4.** *fiz.* interferować (*o falach*). **5.** *sport* zasłonić piłkę *l.* zawodnika (*zgodnie l. niezgodnie z przepisami*). **6.** *jeźdz.* uderzać kopytem o kopyto (*o koniu*).

interference [ˌɪntər'fi:rəns] *n.* *U* **1.** wtrącanie się, mieszanie się; ingerencja; interwencja. **2.** *radio, telew.* zakłócenie (*sygnału, odbioru*); zakłócenia. **3.** *fiz.* interferencja. **4.** *sport* zablokowanie piłki *l.* przeciwnika.

interference condenser *n.* *el.* kondensator przeciwzakłóceniowy.

interferential [ˌɪntərfə'renʃl] *a. form.* **1.** ingerujący. **2.** zakłóceniowy. **3.** interferencyjny.

interfering [ˌɪntər'fi:rɪŋ] *a.* wścibski.

interferometer [ˌɪntərfə'rɑ:mətər] *n. fiz.* interferometr.

interferon [ˌɪntər'fi:rɑ:n] *n.* *C / U biochem.* interferon.

interfluent [ˌɪntər'flu:ənt] *a.* *form.* zlewający się; przenikający się (nawzajem).

interfuse [ˌɪntər'fju:z] *v. form.* **1.** zlewać się. **2.** przenikać.

interfusion [ˌɪntər'fju:ʒən] *n.* *U form.* **1.** zlewanie się. **2.** przenikanie.

intergalactic [ˌɪntərgə'læktɪk] *a.* *astron.* międzygalaktyczny.

intergenerational [ˌɪntərˌdʒenə'reɪʃənl] *a.* *socjol.* międzypokoleniowy.

interglacial [ˌɪntər'gleɪʃl] *a. geol.* międzylodowcowy (*o okresie*).

intergovernmental [ˌɪntərˌgʌvərn'mentl] *a.* *polit.* międzyrządowy.

intergradation [ˌɪntərgrə'deɪʃən] *n.* *U form.* (stopniowe) przechodzenie.

intergrade *form. zwł. biol. n.* ['ɪntərˌgreɪd] stadium pośrednie. – *v.* [ˌɪntər'greɪd] przeobrażać się.

intergroup [ˌɪntər'gru:p] *a. attr.* międzygrupowy.

intergrowth ['ɪntərˌgroʊθ] *n. U* wspólny wzrost.

interim ['ɪntərɪm] *a. attr. form.* tymczasowy; ~ **government** *polit.* rząd tymczasowy; ~ **measure** środek doraźny *l.* tymczasowy, rozwiązanie doraźne; ~ **report** wstępne sprawozdanie. – *n.* **in the ~** w międzyczasie, tymczasem. – *adv. arch.* tymczasem.

interior [ɪn'ti:rɪər] *n.* **1.** wnętrze (*pomieszczenia, kraju, kontynentu*); **(in)to/in the ~ of sth** w głąb/w głębi czegoś. **2.** *film, sztuka* scena we wnętrzu (*ujęcie l. obraz*). **3.** wystrój wnętrza. **4.** *mot.* wystrój kabiny; tapicerka (*samochodu*). **5.** **Department/Minister of the I~** *polit.* departament/minister spraw wewnętrznych. – *a. attr.* **1.** wewnętrzny; ~ **affairs** *polit.* sprawy wewnętrzne. **2.** *bud.* wnętrzowy, do wnętrz (*o farbie*).

interior angle *n. geom.* kąt wewnętrzny.

interior decoration *n.* *U bud.* dekoracja wnętrz.

interior decorator *n.* dekorator/ka wnętrz.

interior design *n.* *U bud.* projektowanie wnętrz.

interior designer *n.* projektant/ka wnętrz.

interiority [ɪnˌti:rɪ'ɔ:rətɪ] *n. U form.* wewnętrzność, charakter wewnętrzny.

interior monologue *n. U teor. lit.* monolog wewnętrzny.

interior-sprung mattress [ɪnˌti:rɪərˌsprʌŋ 'mætrɪs] *n.* materac sprężynowy *l.* na sprężynach.

interj. *abbr. gram.* = **interjection** 2.

interject [ˌɪntər'dʒekt] *v. form.* wtrącać (*uwagę*); wtrącać (się), przerywać.

interjection [ˌɪntər'dʒekʃən] *n.* **1.** *C / U* wtrącenie; wykrzyknienie; *C* okrzyk. **2.** *gram.* wykrzyknik (*słowo*).

interjectional [ˌɪntər'dʒekʃənl], **interjectory** [ˌɪntər'dʒektərɪ] *a.* **1.** wtrącony. **2.** *gram.* wykrzyknikowy.

interlace [ˌɪntər'leɪs] *v.* **1.** przeplatać (się). **2.** splatać (się). – *n. U komp., telew.* przeplot (*w monitorze*).

interlaced [ˌɪntər'leɪst] *a.* **1.** przeplatany (*with sth* czymś). **2.** *attr. komp., telew.* z przeplotem (*o monitorze*).

interlacement [ˌɪntər'leɪsmənt] *n.* *U* splatanie (się), przeplatanie (się); splot.

interlacing [ˌɪntər'leɪsɪŋ] *n. U* przeplot.

interlanguage [ˈɪntərˌlæŋgwɪdʒ] *n. C/U jęz.* interjęzyk.

interlard [ˌɪntərˈlɑ:rd] *v. lit.* **1.** szpikować (*sth with sth* coś czymś) (*np. tekst obcymi zwrotami*). **2.** wypełniać (*tekst - o słowach*).

interleaf [ˈɪntərˌli:f] *n. druk.* przekładka; pusta kartka; wkładka.

interleave [ˌɪntərˈli:v] *v. druk.* oddzielać *l.* przekładać (pustą kartką).

interleukin [ˌɪntərˈlu:kɪn] *n. gł. pl. biochem.* interleukina.

interlibrary loan [ˌɪntərˈlaɪˌbrerɪ ˌloʊn] *n. bibl. C/U* wypożyczanie międzybiblioteczne (*system*); wypożyczenie międzybiblioteczne (*czynność l. książka*).

interline[1] [ˈɪntərˌlaɪn] *v. krawiectwo* lekko ocieplać (*kurtkę*).

interline[2] *v.* wstawiać *l.* wpisywać pomiędzy wiersze (*tekst*).

interlinear [ˌɪntərˈlɪnɪər] *a. druk.* **1.** drukowany między wierszami (*o komentarzach*). **2.** naprzemienny (*o tekście, w którym przeplatają się np. języki*).

interlineation [ˌɪntərˌlɪnɪˈeɪʃən] *n. U druk.* materiał między wierszami (*np. komentarz, poprawki*).

interlined [ˈɪntərˌlaɪnd] *a. krawiectwo* lekko ocieplany (*o kurtce*).

interlining [ˌɪntərˈlaɪnɪŋ] *n. U krawiectwo* lekkie ocieplenie (*w kurtce*).

interlink [ˌɪntərˈlɪŋk] *v.* łączyć (się). – *n.* połączenie.

interlinked [ˌɪntərˈlɪŋkt] *a.* połączony, powiązany.

interlock *v.* [ˌɪntərˈlɑ:k] **1.** *t. przen.* zazębiać (się); łączyć (się); sprzęgać (się); sczepiać (się); splatać (*palce*). **2.** *techn.* blokować. – *n.* [ˈɪntərˌlɑ:k] **1.** *techn.* sprzężenie; urządzenie sprzęgające. **2.** *mech.* blokada; rygiel.

interlocking directorates [ˌɪntərˌlɑ:kɪŋ dəˈrektərɪts] *n. pl. US ekon.* wspólna dyrekcja, unia personalna (*kilku przedsiębiorstw*).

interlocution [ˌɪntərləˈkju:ʃən] *n. U form.* rozmowa, interlokucja.

interlocutor [ˌɪntərˈlɑ:kjətər] *n. form.* **1.** interlokutor/ka, rozmów-ca/czyni. **2.** *US hist.* konferansjer (*grupy komików*).

interlocutory [ˌɪntərˈlɑ:kjəˌtɔ:rɪ] *a.* **1.** *prawn.* tymczasowy, wstępny (*o decyzji, orzeczeniu*). **2.** *form.* wtrącony. **3.** *form.* dotyczący rozmowy.

interlope [ˌɪntərˈloʊp] *v.* wkręcić się (*o osobie niepowołanej*).

interloper [ˈɪntərˌloʊpər] *n.* **1.** intruz; osoba niepowołana. **2.** natręt. **3.** *arch.* przemytnik/czka. **4.** *arch. żegl.* statek przemytniczy.

interlude [ˈɪntərˌlu:d] *n.* **1.** okres (*np. pokoju*); **brief** ~ (krótki) epizod; *film* scena. **2.** przerywnik; *muz.* interludium. **3.** przerwa. **4.** *teatr* przerwa, antrakt; intermedium, interludium.

interlunar [ˌɪntərˈlu:nər] *a. astron.* bezksiężycowy (*o nocy*); międzyksiężycowy (*o okresie*); okres nowiu, nów.

intermarriage [ˌɪntərˈmerɪdʒ] *n. U* **1.** małżeństwo mieszane. **2.** małżeństwo w ramach *l.* wewnątrz rodziny *l.* klanu *l.* plemienia.

intermarry [ˌɪntərˈmerɪ] *v.* **-ied, -ying 1.** zawierać małżeństwo mieszane; łączyć się poprzez małżeństwo (*o szczepach, rodzinach itp.*). **2.** zawierać małżeństwo w ramach rodziny *l.* klanu *l.* plemienia.

intermeddle [ˌɪntərˈmedl] *v. rzad.* = **meddle**.

intermediary [ˌɪntərˈmi:dɪˌerɪ] *n. pl.* **-ies 1.** pośredni-k/czka; mediator/ka (*w negocjacjach, sporze*). **2.** faza pośrednia; forma pośrednia. **3.** *U* pośrednictwo. – *a. gł. attr.* **1.** pośredni. **2.** pośredniczący; *polit.* mediacyjny (*o roli*).

intermediate *a.* [ˌɪntərˈmi:dɪət] **1.** *szkoln.* średnio zaawansowany (*o uczniu, poziomie*); dla średnio zaawansowanych (*o kursie, podręczniku*). **2.** pośredni (*between sth and sth* pomiędzy czymś a czymś); leżący pośrodku; środkowy. – *n.* [ˌɪntərˈmi:dɪət] **1.** stadium pośrednie. **2.** *chem.* produkt pośredni, półprodukt. **3.** *mot.* samochód średniej wielkości. **4.** *szkoln.* ucze-ń/nnica średnio zaawansowan-y/a. – *v.* [ˌɪntərˈmi:dɪˌeɪt] pośredniczyć, pełnić rolę pośrednika.

intermediate frequency *n. radio, el.* częstotliwość pośrednia.

intermediate host *n. biol.* żywiciel pośredni (*pasożyta*).

intermediate range ballistic missile *n. gł. pl. wojsk., polit.* pocisk balistyczny średniego zasięgu.

intermediate school *n. US szkoln.* gimnazjum.

intermediation [ˌɪntərˌmi:dɪˈeɪʃən] *n. U* pośrednictwo, mediacja.

interment [ɪnˈtɜ:mənt] *n. form.* pochówek, pogrzeb.

intermezzo [ˌɪntərˈmetsoʊ] *n. pl.* **-s** *l.* **intermezzi** [ˌɪntərˈmetsi:] *teatr, muz.* intermezzo.

intermigration [ˌɪntərmaɪˈgreɪʃən] *n. U socjol.* wzajemna migracja *l.* wędrówka.

interminable [ɪnˈtɜ:mənəbl] *a.* niekończący się, wieczny (*np. o narzekaniach, dyskusjach*); bez końca, niemający końca (*np. o opowieści*); przedłużający się w nieskończoność (*np. o oczekiwaniu, opóźnieniu*).

interminably [ɪnˈtɜ:mənəblɪ] *adv.* wiecznie; bez końca.

intermingle [ˌɪntərˈmɪŋgl] *v.* mieszać (się); przeplatać (się); **~d with sth** przemieszany z czymś; przeplatający się z czymś.

intermission [ˌɪntərˈmɪʃən] *n. C/U* przerwa (*np. podczas koncertu; US – t. w meczu; Br. i Austr. – gł. pomiędzy dwiema częściami seansu filmowego*); *teatr* antrakt; **without** ~ bez przerwy.

intermit [ˌɪntərˈmɪt] *v.* **-tt-** *form.* **1.** przerywać, zawieszać. **2.** ustawać na chwilę (*np. o gorączce, bólu, tętnie*).

intermittence [ˌɪntərˈmɪtəns] *n. U form.* **1.** nieciągłość. **2.** okresowość; przerywany charakter.

intermittent [ˌɪntərˈmɪtənt] *a. t. techn.* przerywany (*np. o świetle, zwarciu, tętnie, oddechu, pracy*); okresowy; nieciągły.

intermittently [ˌɪntərˈmɪtəntlɪ] *adv. form.* z

przerwami; co pewien czas; okresowo; w sposób nieciągły.

intermix [ˌɪntər'mɪks] *v.* mieszać (się).

intermixture [ˌɪntər'mɪkstʃər] *n.* **1.** *U* mieszanie (się). **2.** mieszanina. **3.** domieszka.

intern[1] *n.* ['ɪntɝːn] **1.** (*także* **interne**) *US i Can. i Austr. med.* lekarz stażysta (*w szpitalu*). **2.** *gł. US* praktykant/ka, stażyst-a/ka (*np. w szkole*). – *v.* ['ɪntɝːn] *gł. med.* odbywać praktykę *l.* staż.

intern[2] [ɪn'tɝːn] *v. polit.* internować.

internal [ɪn'tɝːnl] *a.* **1.** *t. anat., med., psych.* wewnętrzny; ~ **bleeding** *pat.* krwotok wewnętrzny; ~ **injuries** *pat.* obrażenia wewnętrzne; ~ **measurements** wymiary wewnętrzne; ~ **organs** *anat.* organy wewnętrzne; **for ~ use (only)** *med.* (tylko) do użytku wewnętrznego. **2.** *polit.* wewnętrzny, krajowy; ~ **affairs** sprawy wewnętrzne; ~ **trade** handel wewnętrzny. – *n.* **1.** = **internal examination** 1. **2.** cecha wewnętrzna. **3.** *pl.* wnętrzności.

internal-combustion engine [ɪnˌtɝːnlkəm'bʌstʃən ˌendʒən] *n. techn.* silnik spalinowy (wewnętrznego spalania).

internal ear *n. anat.* ucho wewnętrzne.

internal energy *n. U fiz.* energia wewnętrzna.

internal evidence *n. U prawn.* dowód wewnętrzny (*wynikający z treści dokumentu*).

internal examination, internal exam *n.* **1.** *med.* badanie wewnętrzne. **2.** *szkoln., uniw.* egzamin wewnętrzny.

internalize [ɪn'tɝːnəˌlaɪz], *Br. i Austr. zw.* **internalise** *v. t. psych.* przyswajać sobie (*wartości, ideologię*); nie uzewnętrzniać (*np. gniewu*), tłumić w sobie; internalizować.

internally [ɪn'tɝːnlɪ] *adv.* wewnętrznie; **"not to be taken ~"** *med.* „(tylko) do użytku zewnętrznego".

internal medicine *n. U US med.* medycyna wewnętrzna, interna.

internal revenue *n. U US fin.* dochody wewnętrzne.

Internal Revenue Service, Internal Revenue *n.* (*także* **IRS**) *sing. US* urząd skarbowy.

internal rhyme *n. C / U teor. lit.* rym wewnętrzny.

internal secretion *n. fizj.* wydzielina wewnętrzna (*zwł. hormon*); *U* wydzielanie wewnętrzne.

internal wall *n. bud.* ścianka działowa.

international [ˌɪntər'næʃənl] *a. t. polit., ekon.* międzynarodowy (*np. o społeczności, handlu*). – *n.* **1.** *sport* spotkanie międzypaństwowe, mecz międzypaństwowy (*zwł. piłki nożnej l. rugby*). **2.** *gł. Br. sport* internacjonał. **3. I~** *polit.* Międzynarodówka (*organizacja*).

International Atomic Energy Agency *n. sing. polit.* Międzynarodowa Agencja Energii Atomowej.

International Chamber of Commerce *n. sing. polit.* Międzynarodowa Izba Handlowa.

International Court of Justice *n. sing. polit.* Międzynarodowy Trybunał Sprawiedliwości.

International Date Line *n. sing. geogr.* linia zmiany daty.

Internationale [ˌɪntərˌnæʃə'nɑːl] *n.* **the ~** Międzynarodówka (*hymn*).

internationalism [ˌɪntər'næʃənəˌlɪzəm] *n. U* **1.** internacjonalizm. **2.** międzynarodowość, międzynarodowy charakter.

internationalist [ˌɪntər'næʃənəlɪst] *n.* internacjonalist-a/ka.

internationality [ˌɪntərˌnæʃə'næləti] *n. U* międzynarodowy charakter.

internationalization [ˌɪntərˌnæʃənələ'zeɪʃən], *Br. i Austr. zw.* **internationalisation** *n. U* umiędzynarodowienie, internacjonalizacja.

internationalize [ˌɪntər'næʃənəˌlaɪz], *Br. i Austr. zw.* **internationalise** *v.* nadawać (bardziej) międzynarodowy charakter (*czemuś*), internacjonalizować.

International Labour Organization *n. sing. polit.* Międzynarodowa Organizacja Pracy.

international law *n. U prawn.* prawo międzynarodowe.

internationally [ˌɪntər'næʃənlɪ] *adv.* na całym świecie (*np. działać, obchodzić święto*); na cały świat, w całym świecie (*np. sławny*); na arenie międzynarodowej (*np. dyskutować*); **compete ~** *ekon.* konkurować na rynkach światowych.

International Monetary Fund *n. sing. polit.* Międzynarodowy Fundusz Walutowy.

International Phonetic Alphabet *n. sing. jęz.* międzynarodowy alfabet fonetyczny, międzynarodowa transkrypcja fonetyczna.

international relations *n. pl. polit.* stosunki międzynarodowe.

International System (of Units) *n. sing. miern.* układ SI.

International Unit *n. gł. med.* = **IU**.

interne ['ɪntɝːn] *n.* = **intern**[1] *n.* 1.

internecine [ˌɪntər'niːsən] *a. form.* **1.** wyniszczający dla obu stron. **2.** bratobójczy. **3.** krwawy (*o wojnie, walkach, konflikcie*); morderczy, na śmierć i życie.

internee [ˌɪntɝː'niː] *n. polit.* internowan-y/a, osoba internowana.

Internet ['ɪntərˌnet], **internet** *n. sing. komp.* **the ~** Internet; ~ **access** dostęp do Internetu; **download sth from the ~** ściągnąć *l.* pobrać coś z Internetu; **(place/put sth) on the ~** (umieścić coś) w Internecie; **search the ~ for sth** szukać czegoś w Internecie. – *a. attr.* internetowy.

Internet-based ['ɪntərˌnetˌbeɪst] *a.* internetowy (*o sklepie, usłudze*).

Internet cafe *n.* kafejka *l.* kawiarenka internetowa.

Internet page *n.* strona w Internecie, strona internetowa.

Internet Relay Chat *n. komp. form.* = **IRC**.

Internet Service Provider *n.* (*także* **ISP**) *komp.* dostawca usług internetowych.

internist ['ɪntɝːnɪst] *n. US med.* internist-a/ka.

internment [ɪn'tɝːnmənt] *n. U* internowanie; ~ **camp** obóz dla internowanych.

internode ['ɪntərˌnoʊd] *n. anat., bot.* międzywęźle.

internship ['ɪntɝːnˌʃɪp] *n. gł. US zwł. med.* staż; praktyka.

internuncial [ˌɪntər'nʌnʃl] *a. anat.* pośredniczący, wstawkowy (*o połączeniu nerwowym*).

internuncio [ˌɪntərˈnʌnʃɪˌoʊ] *n.* *rz.-kat.* internuncjusz.

interoceanic [ˌɪntərˌoʊʃɪˈænɪk] *a.* międzyoceaniczny.

interoffice [ˌɪntərˈɔːfɪs] *a.* *attr.* wewnętrzny (*w ramach firmy*).

interoffice memo *n.* okólnik.

interosculate [ˌɪntərˈɑːskjəˌleɪt] *v.* *zwł.* *fizj.* łączyć się, tworzyć połączenie.

interpellant [ˌɪntərˈpelənt] *n.* (*także* **interpellator**) *parl.* interpelant/ka, interpelator/ka.

interpellate [ˌɪntərˈpeleɪt] *v.* *parl.* interpelować, wnosić *l.* zgłaszać interpelację.

interpellation [ˌɪntərpəˈleɪʃən] *n.* *parl.* interpelacja.

interpellator [ˈɪntərpəˌleɪtər] *v.* = **interpellant.**

interpenetrate [ˌɪntərˈpenəˌtreɪt] *v.* *form.* przenikać (się) wzajemnie.

interpenetration [ˌɪntərˌpenəˈtreɪʃən] *n.* *C/U* *form.* wzajemne przenikanie się.

interpersonal [ˌɪntərˈpɜːsənl] *a.* *socjol.* interpersonalny, międzyludzki (*o stosunkach*).

interplanetary [ˌɪntərˈplænəˌterɪ] *a.* *astron.*, *astronautyka* międzyplanetarny.

interplay *n.* [ˈɪntərˌpleɪ] *U* wzajemne oddziaływanie (*of sth* czegoś, *between* pomiędzy). – *v.* [ˌɪntərˈpleɪ] wzajemnie oddziaływać na siebie; przenikać się (wzajemnie).

Interpol [ˈɪntərˌpoʊl] *n.* *sing.* Interpol.

interpolate [ɪnˈtɜːpəˌleɪt] *v.* **1.** *form.* wtrącać (*słowa*); wstawiać (*tekst, komentarz*). **2.** *form.* wprowadzać interpolacje do (*tekstu*), interpolować. **3.** *mat.* interpolować.

interpolation [ɪnˌtɜːpəˈleɪʃən] *n.* *C/U* **1.** *form.* wstawienie, wstawka; *t.* *mat.* interpolacja. **2.** wtrącenie.

interposal [ˌɪntərˈpoʊzl] *n.* = **interposition.**

interpose [ˌɪntərˈpoʊz] *v.* *form.* **1.** ~ **between sb** stawać pomiędzy kimś (*stronami w sporze, konflikcie*); rozdzielać kogoś (*zwł. skłóconych*). **2.** wstawiać, umieszczać (*between sb/sth* pomiędzy kimś/czymś); ~ **sth between sb** rozdzielać kogoś z użyciem *l.* pomocą czegoś. **3.** wtrącać (*słowa, uwagi*). **4.** przerywać. **5.** zakładać (*protest, weto*); wysuwać (*zarzut*). **6.** wykorzystywać (*autorytet, powagę*), używać (*autorytetu*).

interposition [ˌɪntərpəˈzɪʃən] *n.* *C/U* *form.* **1.** interwencja; rozdzielenie (*walczących*). **2.** wtrącenie; wstawienie. **3.** przerwanie. **4.** założenie (*protestu*); wysunięcie (*zarzutu*).

interpret [ɪnˈtɜːprət] *v.* **1.** *t.* *muz., teor. lit., teatr* interpretować (*sth as...* coś jako...); objaśniać. **2.** tłumaczyć (*ustnie*).

interpretable [ɪnˈtɜːprətəbl] *a.* dający się zinterpretować (*as sth* jako coś).

interpretation [ɪnˌtɜːprəˈteɪʃən] *n.* **1.** *C/U* interpretacja; **put a certain ~ on sth** nadawać czemuś określoną interpretację, interpretować coś w określony sposób; **sth is open to ~** coś można różnie interpretować. **2.** *U* tłumaczenie (ustne).

interpretative [ɪnˈtɜːprəˌteɪtɪv] *a.* interpretacyjny.

interpreter [ɪnˈtɜːprətər] *n.* **1.** tłumacz/ka (*języka mówionego*). **2.** interpretator/ka. **3.** *komp.* interpreter.

interpretive [ɪnˈtɜːprətɪv] *a.* objaśniający; edukacyjny.

interpretive center *n.* *US* centrum informacyjno-wystawowe (*przy zabytku, parku*).

interpretive walk *n.* *US* ścieżka edukacyjna *l.* krajoznawcza, szlak krajoznawczy *l.* z objaśnieniami.

interquartile range [ˌɪntərˈkwɔːrtaɪl ˌreɪndʒ] *n.* *stat.* przedział międzykwartylowy.

interracial [ˌɪntərˈreɪʃl] *a.* *socjol.* **1.** międzyrasowy (*np. o małżeństwie, konfliktach*). **2.** wielorasowy (*o społeczności*).

interregnum [ˌɪntərˈregnəm] *n.* *pl.* **-s** *l.* **interregna** [ˌɪntərˈregnə] **1.** interregnum; bezkrólewie. **2.** *przen.* okres bez przywódcy (*w państwie, organizacji*).

interrelate [ˌɪntərrɪˈleɪt] *v.* wiązać się (*o czynnikach, przyczynach, rezultatach*); wiązać (*czynniki, przyczyny*).

interrelated [ˌɪntərrɪˈleɪtɪd] *a.* powiązany ze sobą, (wzajemnie) powiązany, współzależny.

interrelation [ˌɪntərrɪˈleɪʃən] *n.* *C/U* (*także* **~ship**) współzależność, (wzajemna) zależność, (wzajemny) związek, powiązanie.

interrobang [ɪnˈterəbæŋ], **interrabang** *n.* *druk.* *sl.* wykrzyknik ze znakiem zapytania.

interrog. *abbr.* = **interrogative.**

interrogate [ɪnˈterəˌgeɪt] *v.* **1.** przesłuchiwać. **2.** wypytywać. **3.** *komp.* formułować zapytanie do (*bazy danych*).

interrogation [ɪnˌterəˈgeɪʃən] *n.* **1.** przesłuchanie; *U* przesłuchiwanie, wypytywanie. **2.** *komp.* zapytanie.

interrogation mark *n.* *form.* pytajnik, znak zapytania.

interrogation room *n.* sala przesłuchań.

interrogative [ˌɪntəˈrɑːgətɪv] *a.* **1.** pytający. **2.** *gram.* pytajny, pytający. – *n.* *gram.* **1.** zaimek pytajny *l.* pytający. **2. the ~** forma pytajna *l.* pytająca.

interrogator [ɪnˈterəˌgeɪtər] *n.* przesłuchujący/a, śledcz-y/a.

interrogatory [ˌɪntəˈrɑːgəˌtɔːrɪ] *a.* pytający (*o tonie*). – *n.* *pl.* **-ies** *zwł.* *prawn.* *form.* **1.** zapytanie (*na piśmie*). **2.** *pl.* przesłuchanie.

interrupt [ˌɪntəˈrʌpt] *v.* **1.** przerywać (*czynność, ciągłość, rozmowę*); ~ **sb** przerywać komuś. **2.** zasłaniać (*widok*). – *n.* *komp.* przerwanie; **hardware/software ~** przerwanie sprzętowe/programowe.

interrupter [ˌɪntəˈrʌptər] *n.* *el.* **1.** przerywacz. **2.** *wojsk.* **~er gear** synchronizator (*broni strzelającej przez krąg śmigła*).

interruption [ˌɪntəˈrʌpʃən] *n.* *C/U* **1.** zakłócenie (*porządku*); **(work/talk) without ~** (pracować/porozmawiać) w spokoju. **2.** przerwanie; przerwa; **we apologize for the ~ in transmission** *telew.* przepraszamy za przerwę w nadawaniu.

interscapular [ˌɪntərˈskæpjələr] *a.* *anat.* międzyłopatkowy.

interscholastic [ˌɪntərskəˈlæstɪk] *a.* *US* *sport*, *szkoln.* międzyszkolny (*o rozgrywkach*).

intersect [ˌɪntər'sekt] *v.* **1.** *t. geom.* przecinać (się). **2.** *mat.* mieć *l.* tworzyć część wspólną (*o zbiorach*).

intersection [ˌɪntər'sekʃən] *n.* **1.** skrzyżowanie (*dróg, ulic*); **at the ~ of 2nd and Mason** na rogu *l.* skrzyżowaniu Drugiej (ulicy) i Mason. **2.** przecięcie; *t. geom.* punkt przecięcia. **3.** *U t. geom.* przecinanie (się). **4.** *t. geom., geol.* przekrój. **5.** *mat.* iloczyn (zbiorów), część wspólna (zbiorów).

intersession ['ɪntərˌseʃən] *n. C/U US uniw.* przerwa (międzysemestralna).

intersex ['ɪntərˌseks] *n. biol.* interseks, osobnik interseksualny.

intersexual [ˌɪntər'sekʃuəl] *a.* **1.** międzypłciowy, między płciami (*o stosunkach*). **2.** *biol.* interseksualny.

interspace *n.* ['ɪntərˌspeɪs] odstęp (*w czasie l. przestrzeni*). – *v.* [ˌɪntər'speɪs] oddzielać.

interspecific [ˌɪntərspə'sɪfɪk] *a. biol.* międzygatunkowy.

intersperse [ˌɪntər'spɜ:s] *v.* **1.** przeplatać, ubarwiać, urozmaicać (*np. rozmowę*); **~d with sth** przeplatany *l.* przerywany czymś (*np. dowcipami*). **2.** rozsypywać; rozsiewać; rozrzucać (*sth between/among...* coś pomiędzy...).

interstate *a.* [ˌɪntər'steɪt] *US i Austr.* międzystanowy (*o autostradzie, wymianie*). – *n.* ['ɪntərˌsteɪt] (*także* **I~**) *US i Austr.* autostrada międzystanowa. – *adv.* [ˌɪntər'steɪt] *Austr.* między stanami, poza granicę stanu (*podróżować*).

interstellar [ˌɪntər'stelər] *a. astron.* międzygwiezdny (*o pyle, podróżach, materii*).

interstice [ɪn'tɜ:stɪs] *n. form.* odstęp; szczelina, szpara.

interstitial [ˌɪntər'stɪʃl] *a.* **1.** *anat.* śródmiąższowy. **2.** *krystal.* międzywęzłowy.

intertexture [ˌɪntər'tekstʃər] *n. U tk.* splot, przeplatanie (*różnych nici*).

intertribal [ˌɪntər'traɪbl] *a. antrop.* międzyszczepowy.

intertropical [ˌɪntər'trɑ:pɪkl] *a. geogr.* międzyzwrotnikowy.

intertwine [ˌɪntər'twaɪn] *v.* splatać (się), wiązać (się); **be (closely/inextricably) ~d** być (ściśle/nierozerwalnie) powiązanym *l.* związanym (*with sth* z czymś).

intertwist [ˌɪntər'twɪst] *v.* skręcać (się), splatać (się).

interurban [ˌɪntər'ɜ:bən] *a. gł. attr.* międzymiastowy (*o komunikacji*).

interval ['ɪntərvl] *n.* **1.** odstęp (*w czasie l. przestrzeni*); **at ~s** co pewien czas, okresowo; **at frequent ~s** w krótkich odstępach czasu; **at monthly ~s** w miesięcznych odstępach; **at regular ~s** w regularnych *l.* równych odstępach (*występować*); co pewien czas. **2.** okres; **bright/sunny ~s** *meteor.* przejaśnienia; **rainy ~s** przejściowe opady. **3.** *Br. i Austr.* przerwa (*np. w meczu*); *teatr* antrakt. **4.** *muz.* interwał. **5.** *mat., stat.* przedział; **closed/open ~** *mat.* przedział otwarty/zamknięty; **confidence ~** *stat.* przedział ufności; **~ scale** *stat.* skala interwałowa.

intervene [ˌɪntər'vi:n] *v.* **1.** *t. polit., wojsk., ekon.* interweniować (*in sth* w jakiejś sprawie) ingerować. **2.** wtrącać się (*in sth* do czegoś) (*np. do rozmowy, sprzeczki*). **3.** przeszkadzać (*o osobie, okolicznościach*). **4.** zajść, zdarzyć się (*o wydarzeniu*); upłynąć (*o okresie czasu*). **5.** *prawn.* przystąpić *l.* przyłączyć się do procesu. **6.** **~ between/in...** być położonym *l.* leżeć pomiędzy/w...

intervenient [ˌɪntər'vi:njənt] *a. form.* **1.** interweniujący. **2.** położony *l.* leżący pomiędzy (*czymś*). **3.** zachodzący tymczasem (*o zmianach, wydarzeniach*).

intervening [ˌɪntər'vi:nɪŋ] *a. attr.* **in the ~ months/period/years** w międzyczasie; od tamtego czasu.

intervention [ˌɪntər'venʃən] *n. C/U* interwencja.

interventionism [ˌɪntər'venʃəˌnɪzəm] *n. U polit.* interwencjonizm.

interventionist [ˌɪntər'venʃənɪst] *n. polit.* interwencjonist-a/ka.

interview ['ɪntərˌvju:] *n.* **1.** *dzienn.* wywiad (*with sb* z kimś); **give an ~** udzielać wywiadu. **2.** rozmowa; przesłuchanie (*for sth* kandydatów do czegoś *l.* na coś); (*także* **job ~**) rozmowa kwalifikacyjna, rozmowa o pracę. – *v.* **1.** *dzienn.* przeprowadzać wywiad z (*gwiazdą, politykiem*). **2.** przeprowadzać rozmowę (kwalifikacyjną) z (*kandydatem*); przesłuchiwać (*kandydata; Br. t. podejrzanego*).

interviewee ['ɪntərvjuˌi:] *n.* **1.** osoba udzielająca wywiadu. **2.** kandydat/ka (*odbywając-y/a rozmowę kwalifikacyjną*); przesłuchiwan-y/a.

interviewer ['ɪntərˌvju:ər] *n.* **1.** (dziennikarz/rka) przeprowadzając-y/a wywiad. **2.** przeprowadzając-y/a rozmowę (kwalifikacyjną); człon-ek/kini komisji (kwalifikacyjnej); przesłuchując-y/a.

intervocalic [ˌɪntərvoʊ'kælɪk] *a. fon.* interwokaliczny, międzysamogłoskowy.

interwar [ˌɪntər'wɔ:r] *a. gł. attr.* międzywojenny.

interweave [ˌɪntər'wi:v] *v.* **-wove, -woven** *tk. l. przen.* splatać (się), przeplatać (się); **interwoven with sth** przeplatany czymś (*np. o opowieści*).

intestacy [ɪn'testəsɪ] *n. U prawn.* brak testamentu; zgon bez testamentu.

intestate [ɪn'testeɪt] *a. prawn.* (zmarły) bez testamentu (*o osobie*); beztestamentowy (*o majątku*); **die ~** umrzeć nie pozostawiwszy testamentu.

intestinal [ɪn'testənl] *a. anat., fizj.* jelitowy.

intestinal flora *n. U fizj.* flora bakteryjna (jelit).

intestine [ɪn'testɪn] *n. zw. pl. anat.* **1.** jelito; **large/small ~** jelito grube/cienkie. **2.** *pl.* wnętrzności.

intimacy ['ɪntəməsɪ] *n. pl.* **-ies** **1.** *U* bliskość; zażyłość, poufałość; intymność. **2.** *U euf.* stosunki intymne (= *seks*). **3.** *pl.* poufałości.

intimate *a.* ['ɪntəmɪt] **1.** bliski (*o przyjacielu*); zażyły, poufały (*o stosunkach*); intymny (*o szczegółach, stosunkach*); **be ~ with sb** *form.* utrzymywać z kimś intymne stosunki; **be on ~ terms with sb** pozostawać z kimś w bliskich *l.* zażyłych stosunkach. **2.** kameralny (*o atmosferze, lokalu*). **3.** gruntowny (*o wiedzy*). **4.** prawdziwy (*o natu-*

rze czegoś l. kogoś). – *n.* ['ɪntəmɪt] blisk-i/a przyjaci-el/ółka. – *v.* ['ɪntəmeɪt] *form.* dawać do zrozumienia; napomykać (*that* że).

intimately ['ɪntəmɪtlɪ] *adv.* blisko, dobrze (*znać kogoś*); gruntownie (*znać się na czymś*); poufale (*zachowywać się*); **talk ~ to sb** zwierzać się komuś (*about sth* z czegoś).

intimation [ˌɪntə'meɪʃən] *n. C/U form.* **1.** oznaka (*of sth* czegoś). **2.** napomknienie (*that* że). **3.** *t. pl.* poczucie; przeczucie.

intimidate [ɪn'tɪmɪˌdeɪt] *v.* zastraszać.

intimidated [ɪn'tɪmɪˌdeɪtɪd] *a. pred.* zastraszony (*o osobie*); przerażony (*o spojrzeniu*).

intimidating [ɪn'tɪmɪˌdeɪtɪŋ] *a.* groźny, onieśmielający (*np. o spojrzeniu*); przytłaczający (*o budynku*); przerażający (*o perspektywie*).

intimidatingly [ɪn'tɪmɪˌdeɪtɪŋlɪ] *adv.* groźnie; przytłaczająco; przerażająco.

intimidation [ɪnˌtɪmɪ'deɪʃən] *n. U* zastraszenie; szantaż (*against sb* wobec kogoś).

intinction [ɪn'tɪŋkʃən] *n. U kośc.* umoczenie opłatka *l.* hostii w winie (*w czasie komunii*).

intitule [ɪn'tɪtjuːl] *v. Br. parl.* zatytułować (*ustawę*).

intl. *abbr.* = **international** *a.*

into ['ɪntuː; ɪntə] *prep.* **1.** do (*wskazując ruch, kierunek, przemieszczenie*); **come ~ the house** wejść do domu; **get ~ bed** wejść do łóżka; **go ~ town** jechać *l.* iść do miasta. **2.** w (*wskazując zmianę stanu, kontakt fizyczny, rezultat*); **go ~ details** wdawać się w szczegóły; **get ~ trouble** popaść w tarapaty; **he ran ~ a wall** stuknął w ścianę; **I can't get ~ these pants anymore** nie wchodzę *l.* nie mieszczę się już w te spodnie; **insight ~ sth** wgląd w coś; **turn sth ~ hell** obrócić *l.* zamienić coś w piekło. **3.** na (*wskazując podział, przemianę, kontakt fizyczny, przeznaczenie*); **cut sth ~ pieces** kroić coś na kawałki; **divide ~ groups** dzielić (się) na grupy; **he grew ~ a handsome young man** wyrósł na przystojnego młodzieńca; **her book has been translated ~ twenty six languages** jej książkę przetłumaczono na dwadzieścia sześć języków; **I bumped ~ her in the cinema** wpadłem na nią w kinie; **put money ~ an account** wpłacać pieniądze na konto. **4.** do (*wskazując zakres, kierunek*); **far/well ~ the night** do późnej nocy; **throw it ~ the fire** wrzuć to do ognia. **5.** nad (*wskazując tematykę*); **research ~ cancer** badania nad rakiem. **6.** (*w obliczeniach*) *pot.* **two ~ six is three** sześć (dzielone) przez dwa daje trzy; **three ~ seven won't go** siedem nie dzieli się przez trzy. **7.** *pot.* **be ~ sth** pasjonować się czymś; **be ~ sb** szaleć za kimś.

intolerable [ɪn'tɑːlərəbl] *a.* nieznośny, nie do zniesienia (*o hałasie, bólu*); nie do przyjęcia (*o warunkach*).

intolerably [ɪn'tɑːlərəblɪ] *adv.* nieznośnie.

intolerance [ɪn'tɑːlərəns] *n. t. med.* nietolerancja, brak tolerancji (*of sb / sth* względem *l.* w stosunku do kogoś/czegoś); nietolerowanie (*of sb / sth* kogoś/czegoś).

intolerant [ɪn'tɑːlərənt] *a.* **1.** nietolerancyjny (*of sb / sth* względem *l.* w stosunku do kogoś/czegoś); **be ~ of sth** nie cierpieć czegoś. **2.** *med.* nie tolerujący (*of sth* czegoś); **lactose ~** nie tolerujący laktozy, uczulony na laktozę.

intonate ['ɪntəˌneɪt] *v.* = **intone**.

intonation [ˌɪntə'neɪʃən] *n. C/U* **1.** *t. muz.* zaśpiew; intonacja; zaintonowanie. **2.** recytacja. **3.** *fon.* intonacja.

intone [ɪn'toʊn] *v.* **1.** zaintonować; intonować. **2.** wyrecytować; recytować.

in toto [ˌɪn 'toʊtoʊ] *adv. Lat. form.* w całości, in toto.

intoxicant [ɪn'tɑːksəkənt] *n. i a. form.* **1.** (środek) odurzający. **2.** (napój) alkoholowy.

intoxicate [ɪn'tɑːksəˌkeɪt] *v.* odurzać; *t. przen.* upajać.

intoxicated [ɪn'tɑːksəˌkeɪtɪd] *a.* **1.** *form.* nietrzeźwy; **(for) driving while ~** *prawn.* (za) prowadzenie pojazdu w stanie nietrzeźwym. **2.** *t. przen.* odurzony; upojony; pijany (*np. radością*).

intoxicating [ɪn'tɑːksəˌkeɪtɪŋ] *a.* **1.** *t. przen.* odurzający. **2.** upajający, upojny.

intoxicatingly [ɪn'tɑːksəˌkeɪtɪŋlɪ] *adv.* upajająco, upojnie.

intoxication [ɪnˌtɑːksə'keɪʃən] *n. U* **1.** upojenie (alkoholowe), odurzenie (alkoholem). **2.** *przen.* upojenie. **3.** *med.* zatrucie.

intr. *abbr. gram.* = **intransitive**.

intra-atomic [ˌɪntrəə'tɑːmɪk], **intraatomic** *a. fiz.* wewnątrzatomowy.

intracardiac [ˌɪntrə'kɑːrdɪˌæk] *a.* **1.** *anat.* wewnątrzsercowy. **2.** *med.* dosercowy (*o zastrzyku*).

intracellular [ˌɪntrə'seljələr] *a. anat.* wewnątrzkomórkowy; **~ fluid** płyn wewnątrzkomórkowy.

intractability [ɪnˌtræktə'bɪlətɪ] *n. U* **1.** trudność, nierozwiązalność. **2.** nieustępliwość; upór. **3.** *pat.* nieuleczalność.

intractable [ɪn'træktəbl] *a. form.* **1.** trudny do rozwiązania, nierozwiązywalny, nierozwiązalny (*o problemie*). **2.** nieustępliwy (*o osobie*); uparty, krnąbrny (*zwł. o dziecku*). **3.** *pat.* nieuleczalny (*o chorobie*).

intradermal test [ˌɪntrə'dɝːml ˌtest] *n. med.* test śródskórny.

intrados ['ɪntrəˌdɑːs] *n. bud.* podniebienie sklepienia *l.* łuku.

intramolecular [ˌɪntrəmə'lekjələr] *n. fiz.* wewnątrzcząsteczkowy.

intramural [ˌɪntrə'mjʊrəl] *a.* **1.** *gł. US uniw.* wewnątrzuczelniany (*o zawodach, eliminacjach sportowych*); na terenie uczelni, w ramach uczelni (*o zajęciach*). **2.** *anat.* śródścienny.

intramuscular [ˌɪntrə'mʌskjələr] *a. med.* domięśniowy; **~ injection** zastrzyk domięśniowy.

intranet ['ɪntrəˌnet] *n. komp.* sieć lokalna *l.* wewnętrzna, intranet.

intransigence [ɪn'trænsdʒəns], **intransigency** [ɪn'trænsdʒənsɪ] *n. U form.* nieprzejednanie.

intransigent [ɪn'trænsɪdʒənt] *a. form.* nieprzejednany.

intransitive [ɪn'trænsətɪv] *a. gram., mat., log.* nieprzechodni (*o czasowniku, relacji*).

intransitivity [ɪnˌtrænsə'tɪvətɪ], **intransitivness** [ɪn'trænsɪtɪvnəs] *n. U gram., mat., log.* nieprzechodniość.

intraocular [ˌɪntrəˈɑːkjələr] *n. anat.* wewnątrzgałkowy, śródoczny; ~ **pressure** *fizj.* ciśnienie śródgałkowe *l.* wewnątrzgałkowe.

intrapreneur [ˈɪntrəprənər] *n. US* samodzielny specjalista ds. wdrożeń (*o dużym zakresie uprawnień*).

intraspecific [ˌɪntrəspəˈsɪfɪk] *a. biol.* wewnątrzgatunkowy.

intrastate [ˌɪntrəˈsteɪt] *a. attr. gł. US i Austr.* wewnątrzstanowy (*o handlu, komunikacji*).

intrauterine device [ˌɪntrəˌjuːtərən dɪˈvaɪs] *n.* (*także* **IUD**) *med.* wkładka wewnątrzmaciczna.

intravenous [ˌɪntrəˈviːnəs] *a. med.* dożylny; ~ **drip** wlew dożylny, kroplówka; ~ **injection** zastrzyk dożylny; ~ **feeding** kroplówka.

intravenously [ˌɪntrəˈviːnəslɪ] *adv. med.* dożylnie (*podawać lek*); przez kroplówkę (*karmić*).

in tray [ˈɪntreɪ], **in-tray** *n.* tacka na korespondencję przychodzącą; tacka na sprawy do załatwienia (*w biurze*).

intrench [ɪnˈtrentʃ] *v.* = **entrench**.

intrepid [ɪnˈtrepɪd] *a. gł. lit. l. żart.* nieustraszony.

intrepidity [ˌɪntrəˈpɪdətɪ] *n. U* nieustraszoność.

intrepidly [ɪnˈtrepɪdlɪ] *adv.* nieustraszenie.

intricacy [ˈɪntrəkəsɪ] *n. pl.* **-ies** **1.** *U* zawiłość, skomplikowanie (*np. akcji filmu*); kunsztowność (*zdobienia*). **2. the ~ies of sth** zawiłości czegoś.

intricate [ˈɪntrəkət] *a.* zawiły, skomplikowany (*o kwestii*); kunsztowny (*o zdobieniu*).

intrigant [ˈɪntrəgənt], **intriguant** *n. arch.* intrygant.

intrigante [ˌɪntrəˈgænt] *n. arch.* intrygantka.

intrigue [ɪnˈtriːg] *n.* intryga; *U* intrygi. – *v.* **1.** *zw. pass.* intrygować; **sb is ~d by sth** coś kogoś intryguje, ktoś jest czymś zaintrygowany. **2.** *lit.* snuć intrygi, knuć (*against sb* przeciw komuś).

intriguer [ɪnˈtriːgər] *n.* intrygant/ka.

intriguing [ɪnˈtriːgɪŋ] *a.* intrygujący.

intriguingly [ɪnˈtriːgɪŋlɪ] *adv.* intrygująco.

intrinsic [ɪnˈtrɪnsɪk] *a.* **1.** naturalny (*to sth* dla czegoś); nieodłączny; samoistny; wrodzony; **of ~ interest** sam w sobie interesujący. **2.** istotny; rzeczywisty; faktyczny; **of no ~ value** praktycznie bez (żadnej) wartości. **3.** *fiz.* wewnętrzny; własny; samoistny; ~ **energy** energia wewnętrzna; ~ **semiconductor** półprzewodnik samoistny. **4.** *anat.* wewnętrzny (*o mięśniu*).

intrinsically [ɪnˈtrɪnsɪklɪ] *adv.* **1.** z natury; nieodłącznie; samoistnie; ~ **good** z natury dobry. **2.** istotnie, faktycznie, w istocie.

intro [ˈɪntroʊ] *n. pot.* = **introduction** 2, 4.

introduce [ˌɪntrəˈduːs] *v.* **1.** wprowadzać (*zwyczaj, prawo, osobę*); ~ **sb to sth** wprowadzać kogoś w coś; zaznajamiać *l.* zapoznawać kogoś z czymś. **2.** przedstawiać kogoś (*sb to sb* kogoś komuś); ~ **o.s.** przedstawiać się. **3.** wprowadzać do towarzystwa (*osobę*). **4.** *t. techn.* umieszczać, wsuwać, wkładać. **5.** rozpoczynać, poprzedzać (*sth with sth* coś czymś) (*np. wystąpienie anegdotą*); wygłaszać słowo wstępne przed (*filmem, spektaklem*); *radio, telew.* robić wprowadzenie do (*programu*).

introduction [ˌɪntrəˈdʌkʃən] *n.* **1.** *C/U* wprowadzenie (*np. przepisu, religii, zanieczyszczeń*). **2.** *często pl.* prezentacja, przedstawienie (sobie) (*nieznających się osób*); **make the ~s** dokonywać prezentacji. **3.** *t. muz.* wstęp (*to sth* do czegoś) (*np. utworu, książki*). **4.** *U t. techn.* umieszczenie, włożenie, wsunięcie. **5.** (*także* **letter of ~**) list polecający.

introductory [ˌɪntrəˈdʌktərɪ] *a. zw. attr.* **1.** wstępny; wprowadzający; ~ **chapter/paragraph** wstępny rozdział/akapit; ~ **remarks** *ret.* słowo wstępne. **2.** *handl.* promocyjny; ~ **offer/price** oferta/cena promocyjna. **3.** *t. uniw.* dla początkujących; ~ **course/lecture** kurs/wykład dla początkujących.

introit [ˈɪntroʊɪt] *n. kośc.* introit.

introjection [ˌɪntrəˈdʒekʃən] *n. psych. U* introjekcja.

intromission [ˌɪntrəˈmɪʃən] *n. U form.* intromisja, wprowadzenie; wpuszczenie.

intromit [ˌɪntrəˈmɪt] *v.* **-tt-** *form.* dokonywać intromisji (*czegoś*), wprowadzać; wpuszczać.

introrse [ɪnˈtrɔːrs] *a. bot.* zwrócony ku środkowi, dośrodkowy (*zwł. o pylnikach*).

introspect [ˌɪntrəˈspekt] *v. psych.* uprawiać *l.* stosować introspekcję, dokonywać introspekcji; wglądać w siebie.

introspection [ˌɪntrəˈspekʃən] *n. U psych.* introspekcja, samoobserwacja.

introspective [ˌɪntrəˈspektɪv] *a. psych.* introspekcyjny.

introversion [ˌɪntrəˈvɜːʒən] *n. U* **1.** *psych.* introwertyzm; introwersja. **2.** *pat.* wgłobienie.

introversive [ˌɪntrəˈvɜːsɪv] *a. psych.* introwertyczny (*o osobie, typie osobowości*); introwersyjny (*o zachowaniu*).

introvert *n.* [ˈɪntrəˌvɜːt] *psych.* introwertyk/czka. – *a.* [ˈɪntrəˌvɜːt] (*także* **~ed**) zamknięty w sobie; *psych.* introwertyczny (*o osobie, typie osobowości*). – *v.* [ˌɪntrəˈvɜːt] *pat.* wgłabiać.

intrude [ɪnˈtruːd] *v.* **1.** przeszkadzać; narzucać się (*on/upon sb* komuś); **I hope I'm not intruding** mam nadzieję, że nie przeszkadzam. **2.** wtargnąć; wdzierać się (*into/on/upon sth* w coś); ~ **on/upon sth** naruszać coś (*zwł. prawa*); ~ **upon sb's privacy** naruszać czyjąś prywatność, zakłócać komuś spokój. **3.** *geol.* intrudować, wdzierać się (*o materiale skalnym*).

intruded rock [ɪnˌtruːdɪd ˈrɑːk] *n. U geol.* skała intrudowana.

intruder [ɪnˈtruːdər] *n.* intruz; natręt.

intrusion [ɪnˈtruːʒən] *n. C/U* **1.** najście; kłopot, uciążliwość; **sorry for the ~** przepraszam za najście *l.* kłopot. **2.** wtargnięcie; wdarcie się. **3.** narzucanie się. **4.** wepchnięcie, wciśnięcie. **5.** *geol.* intruzja.

intrusive [ɪnˈtruːsɪv] *a.* **1.** natarczywy, wścibski; niepożądany, nieproszony. **2.** nietaktowny, niedelikatny, niewłaściwy, nie na miejscu (*o pytaniu*). **3.** irytujący, denerwujący (*np. o zdobieniu, podkładzie muzycznym*). **4.** *geol.* intruzywny, głębinowy (*o skałach*). **5.** *fon.* wtrącony, pasożytniczy (*o dźwięku ułatwiającym wymowę; zwł. o r między samogłoskami w angielskim*).

intrusively [ɪn'tru:sɪvlɪ] *adv.* **1.** natarczywie. **2.** nietaktownie.

intrusiveness [ɪn'tru:sɪvnəs] *n. U* **1.** natarczywość. **2.** nietaktowność.

intrust [ɪn'trʌst] *v.* = **entrust**.

intubate ['ɪntʊˌbeɪt] *v. med.* intubować (*pacjenta, tchawicę*).

intubation [ˌɪntʊ'beɪʃən] *n. U med.* intubacja.

intuit [ɪn'tu:ɪt] *v. form.* wyczuwać (intuicyjnie).

intuition [ˌɪntʊ'ɪʃən] *n.* **1.** *U* intuicja. **2.** przeczucie.

intuitional [ˌɪntʊ'ɪʃənl] *a.* intuicyjny.

intuitionism [ˌɪntʊ'ɪʃəˌnɪzəm] *n. U* (*także* **intuitionalism**) *fil.* intuicjonizm.

intuitionist [ˌɪntʊ'ɪʃənɪst] *n. fil.* intuicjonista/ka.

intuitive [ɪn'tu:ətɪv] *a.* **1.** intuicyjny (*o wiedzy, wyczuciu*). **2.** obdarzony intuicją; kierujący się intuicją (*o osobie*).

intuitively [ɪn'tu:ətɪvlɪ] *adv.* intuicyjnie.

intuitiveness [ɪn'tu:ətɪvnəs] *n. U* intuicyjność.

intumesce [ˌɪntʊ'mes] *v. pat.* obrzmiewać, puchnąć.

intumescence [ˌɪntʊ'mesəns] *n. C/U pat.* obrzmienie, puchlina.

intumescent [ˌɪntʊ'mesənt] *a. pat.* obrzmiewający, puchnący.

intussusception [ˌɪntəsə'sepʃən] *n. pat.* wgłobienie (*jelita*).

intwine [ɪn'twaɪn] *v.* = **entwine**.

Inuit ['ɪnʊɪt], **Innuit** *n. pl. t.* **Inuit, Innuit** **1.** Eskimos/ka; **the ~** Eskimosi. **2.** *U* język eskimoski. – *a. attr.* eskimoski.

inulin ['ɪnjəlɪn] *n. U biochem.* inulina.

inunction [ɪn'ʌŋkʃən] *n. U form. t. rel.* namaszczenie.

inundate ['ɪnənˌdeɪt] *v.* **1.** zasypywać; **~d with letters/requests** zasypywany listami/prośbami. **2.** *form.* zalewać (*teren*).

inundation [ˌɪnən'deɪʃən] *n. C/U* **1.** lawina, zalew (*listów, próśb*). **2.** *form.* zalanie; powódź.

inurbane [ˌɪnɜ:'beɪn] *a. form.* nieuprzejmy.

inure [ɪn'jʊr] *v. gł. form.* **1.** *często pass.* **~ o.s. to sth** (*także* **become ~d to sth**) przyzwyczajać się do czegoś (*np. do niewygód*); uodparniać się na coś (*np. na zimno*); obojętnieć na coś (*np. na widok cierpień*). **2.** *prawn.* uzyskać moc prawną, wchodzić w życie (*o regulacji prawnej*).

inurement [ɪn'jʊrmənt] *n. U form.* przyzwyczajenie, odporność.

inurn [ɪn'ɜ:n] *v. form.* **1.** składać do urny (*popioły*). **2.** chować (*zmarłego*).

in utero [ɪn 'ju:təˌroʊ] *adv. Lat. med.* w macicy, in utero.

inutile [ɪn'ju:tɪl] *a. form.* bezużyteczny; bezcelowy.

inutility [ˌɪnjʊ'tɪlətɪ] *n. U form.* bezużyteczność; bezcelowość.

invade [ɪn'veɪd] *v.* **1.** najeżdżać (na), dokonywać inwazji na (*kraj*), dokonywać inwazji (*kraju*); wtargnąć na (*terytorium*); wtargnąć na terytorium (*kraju*). **2.** dokonywać zamachu na (*swobody*); naruszać (*prawa, spokój*); **~ sb's privacy** naruszać czyjąś prywatność, zakłócać komuś spokój. **3.** atakować (*o szkodnikach*). **4.** owładnąć (*o chorobie, uczuciach*).

invader [ɪn'veɪdər] *n.* najeźdźca.

invaginate [ɪn'vædʒəˌneɪt] *v.* **1.** *pat.* wgłabiać. **2.** *zool.* wpochwiać.

invagination [ɪnˌvædʒə'neɪʃən] *n.* **1.** *C/U pat.* wgłobienie. **2.** *U zool.* wpochwienie.

invalid[1] [ɪn'vælɪd] *a.* **1.** nieważny (*o umowie, bilecie*); *prawn.* nieprawomocny, pozbawiony mocy prawnej; **declare ~** unieważniać, uznawać za nieważny. **2.** *t. log.* błędny (*o rozumowaniu*); nieuprawniony, o wniosku.

invalid[2] ['ɪnvələd] *przest. czas. obelż. n.* inwalid-a/ka. – *a.* **1.** niepełnosprawny, kaleki. **2.** *attr.* inwalidzki (*o wózku*); **~ home** dom opieki. – *v.* **1.** spowodować inwalidztwo (*osoby*); doprowadzić do inwalidztwa. **2.** **~ (out)** *gł. Br. wojsk.* zwalniać z czynnej służby na rentę.

invalidate [ɪn'væləˌdeɪt] *v.* **1.** *t. prawn.* unieważniać, uznawać za nieważny (*np. kontrakt*). **2.** obalać (*twierdzenie*).

invalidation [ɪnˌvælə'deɪʃən] *n. U* **1.** unieważnienie. **2.** obalenie.

invalidism ['ɪnvələˌdɪzəm] *n. U US przest. czas. obelż.* inwalidztwo.

invalidity[1] [ˌɪnvə'lɪdətɪ] *n. U t. prawn.* nieważność.

invalidity[2] *n. U przest. czas. obelż.* inwalidztwo.

invalidity benefit *n. C/U Br.* renta inwalidzka.

invaluable [ɪn'vælju:əbl] *a.* nieoceniony, bezcenny (*o radzie, pomocy*).

invaluably [ɪn'vælju:əblɪ] *adv.* bezcennie.

invar [ɪn'vɑ:r] *techn. n. U* inwar. – *a. attr. techn.* inwarowy; **~ mask** maska inwarowa (*w monitorze, telewizorze*).

invariable [ɪn'verɪəbl] *a.* niezmienny.

invariably [ɪn'verɪəblɪ] *adv.* niezmiennie, zawsze.

invariance [ɪn'verɪəns] *a. U* **1.** *mat., fiz.* niezmienniczość, inwariantność. **2.** *form.* niezmienność.

invariant [ɪn'verɪənt] *a.* **1.** *mat., fiz.* niezmienniczy, inwariantny. **2.** *form.* niezmienny. – *n. mat., fiz.* inwariant, niezmiennik.

invasion [ɪn'veɪʒən] *n. C/U* **1.** inwazja (*wojsk, kosmitów, szkodników, turystów*); najazd. **2.** **~ of sth** naruszenie czegoś (*np. praw, prywatności*).

invasive [ɪn'veɪsɪv] *a.* **1.** *med.* inwazyjny (*o metodzie diagnostycznej, leczeniu*). **2.** *wojsk.* najeźdźczy, inwazyjny (*o siłach*).

invective [ɪn'vektɪv] *n. U form.* inwektywy, obelgi; **hurl ~ at sb** obrzucać kogoś inwektywami *l.* obelgami; **stream/torrent of ~** potok inwektyw *l.* obelg.

inveigh [ɪn'veɪ] *v.* **~ against sb/sth** *form.* pomstować na kogoś/coś.

inveigle [ɪn'vi:gl] *v. form.* **1.** **~ sb into (doing) sth** podstępem nakłonić kogoś do (zrobienia) czegoś. **2.** wyłudzić; wyprosić.

inveiglement [ɪn'vi:glmənt] *n. U form.* **1.** nakłonienie podstępem. **2.** wyłudzenie; wyproszenie.

inveigler [ɪn'vi:glər] *n. form.* naciągacz/ka.

invent [ɪn'vent] *v.* **1.** wynaleźć (*maszynę, koło, metodę*). **2.** wymyślać (*historie*); zmyślać (*preteksty, wymówki*).

invention [ɪn'venʃən] *n.* **1.** wynalazek. **2.** *U* wynalezienie (*of sth* czegoś). **3.** *C/U* wymysł; **pure ~** czysty wymysł. **4.** *U* (*także* **power/powers of ~**) inwencja, pomysłowość. **5.** *muz.* inwencja.

inventive [ɪn'ventɪv] *a.* pomysłowy (*o człowieku*); wynalazczy (*o zdolnościach*).

inventiveness [ɪn'ventɪvnəs] *n.* *U* pomysłowość.

inventor [ɪn'ventər] *n.* wynalaz-ca/czyni.

inventory ['ɪnvən,tɔ:rɪ] *n. pl.* **-ies** **1.** *gł. handl.* wykaz, spis; inwentarz, spis inwentarza. **2.** *handl.* zapas towaru; stan (magazynu *l.* inwentarza). **3.** *gł. US handl.* inwentaryzacja, inwentura, remanent. **4.** *psych.* inwentarz; **personality ~** inwentarz osobowości. – *v.* **1.** *handl.* inwentaryzować; wciągać do inwentarza. **2.** spisywać.

inveracity [,ɪnvə'ræsətɪ] *n. pl.* **-ies** *form. l. euf.* **1.** *U* nieprawdomówność. **2.** nieprawda, kłamstwo.

inverse ['ɪnvɝ:s] *a. attr.* **1.** *t. mat.* odwrotny. **2.** *mat.* odwrotnie proporcjonalny (*o zależności*). **3.** *mat.* przeciwny (*o liczbie*). – *n.* **1.** *t. mat.* odwrotność. **2.** *mat.* liczba przeciwna.

inverse function *n. mat.* funkcja odwrotna.

inversely [ɪn'vɝ:slɪ] *adv.* **1.** *t. mat.* odwrotnie; **~ proportional** *mat.* odwrotnie proporcjonalny (*to sth* do czegoś). **2.** *mat.* odwrotnie proporcjonalnie; **vary ~ with sth** zmieniać się odwrotnie proporcjonalnie do czegoś.

inversion [ɪn'vɝ:ʒən] *n.* *C/U* **1.** *techn.* inwersja. **2.** *form.* odwrócenie.

invert *v.* [ɪn'vɝ:t] odwracać; *techn.* inwertować. – *n.* ['ɪnvɝ:t] *psych.* homoseksualist-a/ka.

invertase [ɪn'vɝteɪs] *n.* *U* *biochem.* inwertaza, sacharaza.

invertebrate [ɪn'vɝ:təbrət] *a. zool.* **1.** bezkręgowy. **2.** *przen.* pozbawiony kręgosłupa moralnego (*o osobie*). – *n. zw. pl. zool.* bezkręgowiec.

inverted [ɪn'vɝ:tɪd] *a. attr. gł. techn.* odwrócony; inwertowany.

inverted commas *n. pl. Br.* cudzysłów; **in ~** *t. przen.* w cudzysłowie.

inverted snobbery *n.* *U* *Br.* odwrotny *l.* odwrócony snobizm (= *manifestowanie niechęci do rzeczy ekskluzywnych i klas wyższych oraz aprobata wszystkiego, co kojarzy się z niską ceną, pozycją społeczną itp.*).

inverter [ɪn'vɝ:tər], **invertor** *n.* **1.** *el.* falownik, przekształtnik (*prądu stałego w zmienny*); odwracacz (*fazy*). **2.** *elektronika* inwertor, inwerter, bramka NIE *l.* NOT.

invert sugar *n.* *U* *biochem.* cukier inwertowany.

invest [ɪn'vest] *v.* **1.** inwestować (*sth in sth* coś w coś) (*np. pieniądze w ekologię, czas w naukę*); lokować (*sth in sth* coś w czymś) (*np. pieniądze w akcjach*); **~ heavily** dużo inwestować. **2.** poświęcać (*czas, energię*) (*in sth* czemuś *l.* na coś); **~ o.s. in sth** (*także* **become ~ed in sth**) poświęcać się czemuś, angażować się w coś. **3. ~ sb/sth with sth** wyposażać kogoś/coś w coś (*np. w cechy, władzę*); **~ sb with sth** nadawać komuś coś (*np. odznaki urzędu, rangę*); obdarzać kogoś czymś (*np. zdolnościami*); dodawać komuś czegoś (*np. powagi*); **~ed with great talent** obdarzony wielkim talentem. **4. ~ sb in sth** osadzać kogoś na czymś (*na urzędzie, stanowisku*). **5.** *arch.* odziewać; okrywać.

investigate [ɪn'vestə,geɪt] *v.* **1.** badać (*problem, zagadnienie, sprawę, tajemnicę*). **2.** prowadzić śledztwo *l.* dochodzenie w sprawie (*morderstwa, włamania*).

investigation [ɪn,vestə'geɪʃən] *n.* **1.** *C/U* śledztwo, dochodzenie (*into sth* w sprawie czegoś); **be under ~** być przedmiotem dochodzenia. **2.** *U* badanie; **the issue/problem under ~** (*także* **the issue/problem subject to ~**) badane zagadnienie/problem.

investigative [ɪn'vestɪgətɪv] *a.* **1.** (*także* **investigatory**) badawczy. **2.** dochodzeniowy, śledczy; **~ journalism/reporting** *dzienn.* dziennikarstwo śledcze *l.* dochodzeniowe.

investigator [ɪn'vestə,geɪtər] *n.* **1.** badacz/ka. **2.** oficer śledczy; detektyw; **private ~** prywatny detektyw.

investigatory [ɪn'vestəgə,tɔ:rɪ] *a.* = **investigative** 1.

investiture [ɪn'vestɪtʃər] *n. form.* **1.** ceremonia nadania (tytułu); *C/U* nadanie tytułu (*księcia*); nadanie (*urzędu, władzy*); mianowanie. **2.** *hist.* inwestytura.

investment [ɪn'vestmənt] *n.* *C/U* **1.** *fin., ekon.* inwestycja; lokata; *U* inwestycje; inwestowanie; **~ analysis/strategy** analiza/strategia inwestycyjna; **a good/sound ~** dobra inwestycja. **2.** poświęcenie (*czasu, wysiłku*). **3.** *przest.* oblężenie, blokada. **4.** *arch.* odzienie; okrycie.

investment analyst *n. ekon.* doradca inwestycyjny.

investment income *n.* *U* *ekon.* dochód z inwestycji kapitałowych.

investment trust *n. ekon.* spółka inwestycyjna.

investor [ɪn'vestər] *n. ekon.* inwestor/ka.

inveteracy [ɪn'vetərəsɪ] *n.* *U* *form.* **1.** niepoprawność. **2.** zakorzenienie.

inveterate [ɪn'vetərət] *a. attr.* **1.** niepoprawny (*np. o kłamcy*); nałogowy (*np. o palaczu*); zagorzały (*np. o gadule*). **2.** zakorzeniony (*np. o przyzwyczajeniach*); zastarzały, zadawniony (*np. o urazie*); zatwardziały (*np. o wrogu*).

inviable [ɪn'vaɪəbl] *a.* **1.** *ekon.* nierentowny, nieopłacalny (*o przedsiębiorstwie, inwestycji*); skazany na niepowodzenie (*o planie*). **2.** *form.* niezdolny do (samodzielnego) życia (*o istocie*).

invidious [ɪn'vɪdɪəs] *a.* **1.** niewdzięczny, nie do pozazdroszczenia (*o obowiązku, zadaniu*). **2.** krzywdzący (*o decyzji*). **3.** budzący zawiść. **4.** zawistny.

invidiously [ɪn'vɪdɪəslɪ] *adv.* **1.** nie do pozazdroszczenia, niewdzięcznie. **2.** krzywdząco. **3.** zawistnie, z zawiścią.

invigilate [ɪn'vɪdʒə,leɪt] *v. Br. i Austr. szkoln.* pilnować (*na egzaminie pisemnym*).

invigilation [ɪnˌvɪdʒəˈleɪʃən] *n. U Br. i Austr. szkoln.* pilnowanie (*na egzaminie*).

invigilator [ɪnˈvɪdʒəˌleɪtər] *n. Br. i Austr. szkoln.* pilnując-y/a (*na egzaminie*).

invigorate [ɪnˈvɪgəˌreɪt] *v.* ożywiać (*osobę, gospodarkę*); dodawać energii (*komuś*); pokrzepiać (*t. duchowo*).

invigorated [ɪnˈvɪgəˌreɪtɪd] *a.* pełen energii; pokrzepiony (*o osobie*); ożywiony.

invigorating [ɪnˈvɪgəˌreɪtɪŋ] *a.* orzeźwiający; ożywczy.

invigoratingly [ɪnˈvɪgəˌreɪtɪŋlɪ] *adv.* orzeźwiająco; ożywczo.

invigoration [ɪnˌvɪgəˈreɪʃən] *n. U* ożywienie; pokrzepienie.

invigorative [ɪnˈvɪgərətɪv] *a. form.* ożywczy.

invincibility [ɪnˌvɪnsəˈbɪlətɪ] *n. U* niezwyciężoność (*wojownika, armii*).

invincible [ɪnˌvɪnsəbl] *a.* niezwyciężony, niepokonany (*o wojowniku, armii*); nieprzezwyciężony (*o uprzedzeniach*); niezachwiany (*o wierze*).

inviolability [ɪnˈvaɪələˈbɪlətɪ] *n. U form.* niepogwałcalność, nienaruszalność (*prawa, przywileju*).

inviolable [ɪnˈvaɪələbl] *a. form.* niepogwałcalny, nienaruszalny.

inviolacy [ɪnˈvaɪələsɪ] *n. U form.* nietykalność; nienaruszalność.

inviolate [ɪnˈvaɪələt] *a. form.* **1.** nietknięty. **2.** = **inviolable.**

invisibility [ɪnˌvɪzəˈbɪlətɪ] *n. U* **1.** niewidoczność. **2.** niewidzialność.

invisible [ɪnˈvɪzəbl] *a.* **1.** niewidoczny; ~ **to the (naked) eye** niewidoczny gołym okiem; ~ **exports/imports** *ekon.* eksport/import niewidoczny. **2.** niewidzialny. **3.** ukryty.

invisible ink *n. U* atrament sympatyczny.

invisible mending *n. U* cerowanie artystyczne.

invisibly [ɪnˈvɪzəblɪ] *adv.* niewidocznie.

invitation [ˌɪnvɪˈteɪʃən] *n. C/U* zaproszenie (*to sth* do czegoś, *to do sth* do zrobienia czegoś); **accept an** ~ przyjąć zaproszenie; **(admission is) by ~ (only)** (wstęp wyłącznie) za okazaniem zaproszenia; **at sb's** ~ (*także* **at the ~ of sb**) na czyjeś zaproszenie; **decline an** ~ (*także pot.* **turn down an** ~) odrzucić zaproszenie; **extend an ~ to sb** wystosować zaproszenie do kogoś; **open/standing** ~ stałe zaproszenie; **you have an open/standing ~ to visit us** jesteś u nas zawsze mile widziany; **without** ~ bez zaproszenia.

invitational [ˌɪnvɪˈteɪʃənl] *n. sport* impreza zamknięta (*ze wstępem tylko dla zaproszonych*). – *a.* dla zaproszonych.

invitatory [ɪnˈvaɪtəˌtɔːrɪ] *a.* zapraszający.

invite *v.* [ɪnˈvaɪt] **1.** zapraszać (*sb to sth* kogoś do czegoś *l.* na coś, *sb to do sth* kogoś do zrobienia czegoś); ~ **sb for a drink/meal** zaprosić kogoś na drinka/obiad; ~ **sb to dinner** zaprosić kogoś na obiad; **be ~d** zostać zaproszonym, dostać zaproszenie. **2.** prosić o (*radę, zdanie*); ~ **questions** prosić o zadawanie pytań (*o przewodniczącym, prelegencie*); prowokować pytania (*o decyzji, wydarzeniu*). **3.** prowokować, wywoływać (*nieszczęścia, kłopoty*). **4.** zachęcać, nęcić. **5.** ~ **sb along** zabrać kogoś (ze sobą); ~ **sb back** zaprosić kogoś do domu *l.* hotelu (*np. na drinka po wspólnym wyjściu na kolację*); ~ **sb in** zaprosić kogoś do środka; ~ **sb over** (*także Br.* ~ **sb round**) zaprosić kogoś do siebie *l.* do domu. – *n.* [ˈɪnvaɪt] *pot.* zaproszenie.

invitee [ˌɪnvaɪˈtiː] *n.* zaproszon-y/a.

inviter [ɪnˈvaɪtər] *n.* zapraszając-y/a.

inviting [ɪnˈvaɪtɪŋ] *a.* kuszący, nęcący (*np. o zapachu*); zachęcający (*np. o wyglądzie*).

in vitro [ɪn ˈviːtroʊ] *a. i adv. Lat. gł. med.* in vitro (= *pozaustrojowy l. poza (żywym) ustrojem, zw. w probówce*).

in vitro fertilization, *Br. i Austr. zw.* **in vitro fertilisation** *n. U* (*także* **IVF**) *med.* zapłodnienie in vitro.

in vivo [ɪn ˈviːvoʊ] *a. i adv. Lat. gł. med.* in vivo (*w organizmie*).

invocation [ˌɪnvəˈkeɪʃən] *n. C/U* **1.** *lit.* inwokacja (*to sb* do kogoś). **2.** *form.* powoływanie się (*of sth* na coś) (*np. na przepisy*). **3.** wywoływanie (*duchów*).

invocatory [ɪnˈvɑːkəˌtɔːrɪ] *a. form.* inwokacyjny.

invoice [ˈɪnvɔɪs] *handl. n.* faktura; ~ **amount** suma fakturowa; ~/~**d price** cena fakturowa; **final** ~ faktura ostateczna; **make out/issue an** ~ wystawiać fakturę; **original/duplicate** ~ oryginał/duplikat faktury. – *v.* fakturować; wystawiać fakturę na (*coś*); ~ **sb for (the amount of)...** wystawić komuś fakturę na (kwotę *l.* sumę)...

invoke [ɪnˈvoʊk] *v. form.* **1.** powoływać się na (*przepis, precedens*). **2.** wywoływać (*skojarzenia, obrazy*); budzić (*wspomnienia*). **3.** wzywać; zaklinać (*Boga*). **4.** wywoływać (*duchy*).

involucre [ˈɪnvəˌluːkər] *n.* **1.** *bot.* okwiat. **2.** *anat.* pochewka, torebka.

involuntarily [ɪnˌvɑːlənˈterəlɪ] *adv.* mimowolnie, bezwiednie.

involuntariness [ɪnˈvɑːlənˌterɪnəs] *n. U* mimowolność.

involuntary [ɪnˈvɑːlənˌterɪ] *a.* mimowolny, bezwiedny.

involute [ˈɪnvəˌluːt] *a. form.* **1.** zawiły. **2.** spiralny, zwinięty (spiralnie). **3.** *bot.* zwinięty, zawinięty. – *n. geom.* ewolwenta, rozwijająca (*krzywej*).

involuted [ˈɪnvəˌluːtɪd] *a.* = **involute.**

involution [ˌɪnvəˈluːʃən] *n. U* **1.** zawinięcie, zwinięcie. **2.** zawiłość. **3.** *mat.* potęgowanie, inwolucja. **4.** *biol., med.* inwolucja. **5.** *med., pat.* regres; zanik.

involve [ɪnˈvɑːlv] *n.* **1.** wymagać (*umiejętności, wysiłku; np. o zadaniu*); pociągać za sobą (*jakiś skutek*); wiązać się z (*określonymi konsekwencjami*); ~ **doing sth** wymagać zrobienia czegoś, wiązać się z koniecznością zrobienia czegoś. **2.** dotyczyć (*kogoś l. czegoś*); obejmować. **3.** *często pass.* angażować; mieszać, wciągać; wikłać (*sb in sth* kogoś w coś); ~ **o.s.** angażować się (*in sth* w coś); **be ~d in sth** być zaangażowanym *l.* wmieszanym w coś; **get ~d in sth** zaangażować się w coś (*w działalność, politykę*); wdać się w coś (*w dyskusję, spór*); **get ~d with sb** związać się z kimś, zaangażować się w związek z kimś; (zacząć) zadawać się z kimś. **4.** *arch.* spowijać; zwijać.

involved [ɪn'vɑ:lvd] *a.* zawiły, skomplikowany.

involvement [ɪn'vɑ:lvmənt] *n.* **1.** *U* zaangażowanie (*in sth* w coś) (*np. w politykę, związek*). **2.** obowiązek. **3.** *U* wplątanie, wmieszanie; uwikłanie (*in sth* w coś). **4.** *U* zawiłość, skomplikowanie.

invulnerability [ɪnˌvʌlnərə'bɪlətɪ] *n.* *U* **1.** niewrażliwość, odporność (*to sth* na coś). **2.** niezniszczalność.

invulnerable [ɪn'vʌlnərəbl] *a.* **1.** niewrażliwy, odporny (*to sth* na coś) (*np. na zniszczenie, zimno, stres, krytykę*). **2.** niezniszczalny (*np. o statku kosmicznym*); nie do zdobycia (*np. o twierdzy*).

inward ['ɪnwərd] *a. attr.* **1.** wewnętrzny (= *położony wewnątrz*); wewnętrzny, duchowy (*o satysfakcji, przekonaniu*); skryty (*o uczuciu, wątpliwościach*). **2.** (skierowany) do wewnątrz (*o kierunku ruchu, przepływu*). – *adv.* (*także* **inwards**) **1.** do wewnątrz, do środka, ku środkowi. **2.** w duchu, w duszy. **3.** wewnątrz.

inward-looking ['ɪnwərdˌlʊkɪŋ] *a.* zamknięty, hermetyczny (*o społeczności, organizacji*); zamknięty w sobie, skryty (*o osobie*).

inwardly ['ɪnwərdlɪ] *adv.* **1.** w duchu, w duszy (*śmiać się*); wewnętrznie (*rozdarty*); wewnątrz. **2.** do wewnątrz, do środka, ku środkowi.

inwardness ['ɪnwərdnəs] *n.* *U* **1.** refleksyjność (*osoby*). **2.** natura, istota. **3.** głębia (*myśli, uczucia*).

inwards ['ɪnwərdz] *adv.* = **inward**. – *n. pl. pot.* wnętrzności.

inweave [ɪn'wi:v] *v. pret. t.* **-wove** *pp. t.* **-woven** *tk. l. przen.* wplatać; splatać.

inwrap [ɪn'ræp] *v.* **-pp-** = **enwrap**.

inwrought [ɪn'rɔ:t] *a.* **1.** *t. tk.* zdobiony, zdobny (*with sth* czymś). **2.** wpleciony (*in / on sth* w coś) (*o wzorze*). **3.** *przen.* wpleciony, wtopiony (*with sth* w coś).

in-your-face [ˌɪnjʊr'feɪs] *a. zwł. polit. pot.* bezpardonowy, drapieżny.

Io. *abbr. US* = **Iowa**.

I/O [ˌaɪ 'oʊ], **IO** *abbr. komp., el.* **input/output** we/wy (= *wejście / wyjście*).

IOC [ˌaɪ ˌoʊ 'si:] *abbr.* **International Olympic Committee** *sport* MKOl (= *Międzynarodowy Komitet Olimpijski*).

iodate ['aɪəˌdeɪt] *chem. n. U* jodan. – *v.* jodować.

iodic [aɪ'ɑ:dɪk] *a. chem.* jodowy.

iodide ['aɪəˌdaɪd] *n. U chem.* jodek.

iodine ['aɪəˌdaɪn] *n. U chem.* **1.** jod. **2.** jodyna.

iodism ['aɪəˌdɪzəm] *n.* *U pat.* zatrucie jodem, jodzica.

iodize ['aɪəˌdaɪz], *Br. i Austr. zw.* **iodise** *v. chem.* jodować; **~d salt** *kulin.* sól jodowana.

iodoform [aɪ'oʊdəˌfɔ:rm] *n. U chem.* jodoform.

iodous [aɪ'oʊdəs] *a. chem.* jodawy.

ion ['aɪən] *n. chem., fiz.* jon; **negative ~** anion, jon ujemny; **positive ~** kation, jon dodatni; **~ cloud/trap** chmura/pułapka jonowa.

ion engine *n. astronautyka* silnik jonowy.

ion exchange *n. C / U chem., fiz.* wymiana jonowa; jonowymienność.

ion exchanger *n. chem., fiz.* wymieniacz jonowy, jonit.

Ionia [aɪ'oʊnɪə] *n. hist.* Jonia, Ionia.

Ionian [aɪ'oʊnɪən] *a. t. muz., geogr.* joński. – *n. hist.* Jo-ńczyk/nka.

Ionian mode *n. hist., muz.* skala jońska.

Ionic [aɪ'ɑ:nɪk] *a.* **1.** *bud., jęz.* joński (*np. o stylu, kolumnie, dialekcie starogreckim*). **2.** *wers.* joniczny. – *n.* *U* **1.** *wers.* jonik; **greater/lesser ~** duży/mały jonik. **2.** *jęz., hist.* dialekt joński (*języka starogreckiego*).

ionic [aɪ'ɑ:nɪk] *a. chem., fiz.* jonowy.

ionic bond *n. chem., fiz.* wiązanie jonowe.

ionic lattice *n. U krystal.* sieć jonowa.

ionic microscope *n.* mikroskop polowo-jonowy.

Ionic order *n. bud.* porządek joński.

ionic propulsion *n. U* (*także* **ion propulsion**) *astronautyka* napęd jonowy.

ion implantation *n. U techn.* implantacja jonów.

ionization [ˌaɪənaɪ'zeɪʃən], *Br. i Austr. zw.* **ionisation** *n. U fiz. chem.* jonizacja; **~ energy/temperature** energia/temperatura jonizacji; **~ potential** potencjał jonizacyjny; **flame ~** jonizacja płomieniowa.

ionization chamber *n. chem., fiz.* komora jonizacyjna.

ionization current *n. fiz., chem.* prąd jonowy (*w gazie zjonizowanym*).

ionize ['aɪəˌnaɪz], *Br. i Austr. zw.* **ionise** *v. fiz., chem.* jonizować.

ionized ['aɪəˌnaɪzd] *a.* zjonizowany.

ionizer ['aɪəˌnaɪzər] *n.* jonizator (powietrza).

ionizing ['aɪəˌnaɪzɪŋ], *Br. i Austr. zw.* **ionising** *n. fiz., chem.* jonizujący.

ionizing particle *n. fiz., chem.* cząstka jonizująca.

ionizing radiation *n. U fiz., chem.* promieniowanie jonizujące.

ionosphere [aɪ'ɑ:nəˌsfi:r] *n.* *U astron.* jonosfera.

ion propulsion *n.* = **ionic propulsion**.

iota [aɪ'oʊtə] *n. sing.* **1.** *alfabet grecki* jota. **2.** *zw. z neg. przen.* jota, odrobina, krztyna; **not by one ~** ani na *l.* o jotę.

IOU [ˌaɪ ˌoʊ 'ju:], **I.O.U.** *n. fin.* rewers, skrypt dłużny.

Iowa ['aɪəwə] *n. US* stan Iowa.

IPA [ˌaɪ ˌpi: 'eɪ] *abbr. jęz., fon.* **International Phonetic Alphabet** międzynarodowy alfabet fonetyczny, alfabet IPA; **~ transcription** transkrypcja IPA *l.* międzynarodowa.

ipecac ['ɪpəˌkæk], **ipecacuanha** [ˌɪpəˌkækjʊ'ænə] *n. U bot., med.* wymiotnica lekarska, ipekakuana (*Cephaelis ipecacuanha*).

ipm [ˌaɪ ˌpi: 'em], **i.p.m.** *abbr.* **inches per minute** cale/cali na minutę (*miara prędkości*).

ips [ˌaɪ ˌpi: 'es], **i.p.s.** *abbr.* **inches per second** cale/cali na sekundę (*miara prędkości*).

ipso facto [ˌɪpsoʊ 'fæktoʊ] *adv. Lat. form.* tym samym, ipso facto.

ipso iure [ˌɪpsoʊ ˈjuːrɪ] *adv. Lat. prawn. form.* na *l.* z mocy prawa, ipso iure.

IQ [ˌaɪ ˈkjuː] *abbr.* **intelligence quotient** *psych.* iloraz inteligencji.

IR [ˌaɪ ˈɑːr] *abbr.* **1.** *techn., fiz.* = **infrared**; ~ **port** *komp.* port *l.* złącze podczerwieni. **2.** *Br.* = **Inland Revenue**.

Ir. *abbr.* = **Irish**.

IRA[1] [ˌaɪ ˌɑːr ˈeɪ] (*także* **I.R.A.**) *abbr.* **Irish Republican Army** *polit.* IRA (= *Irlandzka Armia Republikańska*).

IRA[2] *abbr.* **Individual Retirement Account/Annuity/Arrangement** *US ubezp.* indywidualne ubezpieczenie emerytalne.

Iran [ɪˈræn] *n. geogr.* Iran.

Iranian [ɪˈreɪnɪən] *a.* irański. – *n.* **1.** Irańczyk/nka. **2.** *U* grupa języków irańskich.

Iraq [ɪˈræk] *n. geogr.* Irak.

Iraqi [ɪˈrækɪ] *a.* iracki. – *n.* **1.** Irakij-czyk/ka. **2.** *U* iracka odmiana języka arabskiego.

irascibility [ɪˌræsəˈbɪlətɪ] *n. U form.* wybuchowość, drażliwość.

irascible [ɪˈræsəbl] *a. form.* wybuchowy, drażliwy.

irate [ˈaɪreɪt] *a. form.* rozsierdzony, rozgniewany; wzburzony.

irately [ˈaɪreɪtlɪ] *adv. form.* gniewnie; ze wzburzeniem.

irateness [ˈaɪreɪtnəs] *n. U* gniew; wzburzenie.

IRBM [ˌaɪ ˌɑːr ˌbiː ˈem] *abbr.* = **intermediate range ballistic missile**.

IRC [ˌaɪ ˌɑːr ˈsiː], **irc** *abbr.* **Internet Relay Chat** *komp.* czat, irc.

ire [ˈaɪr] *n. poet.* gniew.

ireful [ˈaɪrfʊl] *a. poet.* gniewny, zagniewany.

Ireland [ˈaɪrlənd] *n. geogr., polit.* Irlandia.

irenic [aɪˈriːnɪk], **irenical** *a. form. lit.* koncyliacyjny, pojednawczy.

iridaceous [ˌɪrɪˈdeɪʃəs] *a. bot.* kosaćcowy, kosaćcowaty.

iridectomy [ˌɪrɪˈdektəmɪ] *n. U chir.* usunięcie tęczówki, irydektomia.

irides [ˈɪrɪˌdiːz] *n. pl. zob.* **iris**.

iridescence [ˌɪrɪˈdesəns] *n. U* opalizacja.

iridescent [ˌɪrɪˈdesənt] *a.* opalizujący, mieniący się (barwami tęczy).

iridic [ɪˈrɪdɪk] *a.* **1.** *anat.* tęczówkowy. **2.** *techn.* irydowy; *chem.* irydu (*o związku*).

iridium [ɪˈrɪdɪəm] *n. U chem.* iryd.

iris [ˈaɪrɪs] *n. pl.* **-es** *l.* **irides** [ˈɪrɪˌdiːz] **1.** *anat.* tęczówka. **2.** *bot.* irys, kosaciec (*Iris*). **3.** *lit.* tęcza.

iris diaphragm *n. fot.* przesłona irysowa *l.* tęczówkowa.

Irish [ˈaɪrɪʃ] *a.* irlandzki. – *n. U* **1.** **the** ~ Irlandczycy. **2.** (*także* ~ **Gaelic**) *jęz.* język irlandzki. **3.** **get sb's ~ up** *pot.* wkurzać kogoś.

Irish American, Irish-American *n.* Amerykanin/ka irlandzkiego pochodzenia. – *a.* irlandzkiego pochodzenia (*o obywatelach USA*).

Irish bull *n. pot. pog.* bzdura, nonsens.

Irish coffee *n. C/U kulin.* kawa po irlandzku (*z dodatkiem whisky i bitej śmietany*).

Irish elk *n. paleont.* jeleń olbrzymi (*Megaloceros giganteus*).

Irish English *n. U* irlandzka odmiana języka angielskiego.

Irish Gaelic *n.* = **Irish** *n.* 2.

Irishism [ˈaɪrɪˌʃɪzəm] *n.* **1.** *jęz.* irlandzkie wyrażenie. **2.** irlandzki zwyczaj.

Irishman [ˈaɪrɪʃmən] *n. pl.* **-men** Irlandczyk.

Irish moss *n. U bot.* chrząstnica (*Chondrus crispus*).

Irish potato *n. bot., kulin.* ziemniak *l.* kartofel jadalny.

Irish Sea *n.* **the** ~ *geogr.* Morze Irlandzkie.

Irish setter *n. kynol.* seter irlandzki.

Irish stew *n. C/U kulin.* baranina duszona z ziemniakami i cebulą.

Irish terrier *n. kynol.* terier irlandzki.

Irishwoman [ˈaɪrɪʃˌwʊmən] *n. pl.* **-women** Irlandka.

iritis [aɪˈraɪtɪs] *n. U pat.* zapalenie tęczówki.

irk [ɝːk] *v.* drażnić.

irksome [ˈɝːksəm] *a. form.* drażniący; nużący; kłopotliwy.

iron [ˈaɪərn] *n.* **1.** *U techn., metal., chem.* żelazo; ~ **ore/oxide** ruda/tlenek żelaza; **bar** ~ stal prętowa, pręty stalowe; **cast** ~ żeliwo, żelazo lane; **crude** ~ surówka; **wrought** ~ żelazo zgrzewne *l.* kute. **2.** żelazko (*l. inne podgrzewane metalowe narzędzie trzymane w ręce*); **cordless/steam** ~ żelazko bezprzewodowe/na parę; **curling** ~ lokówka elektryczna; **soldering** ~ lutownica. **3.** *pl. gł. hist.* łańcuchy, kajdany; **clap sb in ~s** zakuć kogoś w łańcuchy *l.* kajdany. **4.** *golf* kij z metalową główką. **5.** harpun. **6.** (*także* **shooting** ~) *pot.* gnat, spluwa (= *broń palna*). **7.** *przen.* **a will of** ~ (*także* **an** ~ **will**) żelazna wola *l.* determinacja; **have/keep several/many ~s in the fire** trzymać kilka srok *l.* dwie sroki za ogon; **man of** ~ człowiek z żelaza; **pump** ~ *pot.* pakować (= *ćwiczyć w siłowni*); **strike while the ~ is hot** kuć żelazo, póki gorące. – *a. gł. attr. t. przen.* żelazny (*t. np. o dyscyplinie*); z żelaza; **an ~ will** = **a will of iron**; *zob.* **iron** *n.* 7; **with an ~ hand/fist** żelazną ręką (*rządzić, trzymać kogoś l. coś*). – *v.* **1.** prasować. **2.** pokrywać żelazem. **3.** *rzad.* zakuwać w łańcuchy *l.* kajdany. **4.** ~ **out** rozprasowywać (*załamania*); *przen.* rozwiązywać (*drobne problemy*), usuwać (*drobne przeszkody*); ~ **out the wrinkles in sth** *przen.* wygładzić coś (*np. plan, projekt*).

Iron Age *n.* **the** ~ epoka żelaza.

Iron-Age [ˈaɪərnˌeɪdʒ] *a. attr.* z epoki żelaza (*o osadnictwie, kulturze*).

ironbark [ˈaɪərnˌbɑːrk] *n.* eukaliptus (*jeden z wielu gatunków o twardej korze*).

iron blue *n. U chem.* błękit żelazowy (*barwnik*).

ironbound [ˌaɪərnˈbaʊnd] *a.* **1.** oprawny w żelazo. **2.** *przen.* żelazny (= *surowy*). **3.** *lit.* skalisty (*o wybrzeżu*).

ironclad [aɪrənˈklæd] *a.* **1.** bezkompromisowy; restrykcyjny (*o przepisach*); nie do podważenia (*o dowodach, teorii*). **2.** opancerzony, pancerny.

Iron Curtain *n. hist., polit.* **the ~** żelazna kurtyna; **behind the ~** za żelazną kurtyną.

iron foundry *n. pl.* **-ies** *metal.* odlewnia żeliwa.

iron-gray [ˌaɪərnˈgreɪ], *Br.* **iron-grey** *a.* stalowoszary.

iron-handed [ˌaɪərnˈhændɪd] *a. przen.* o żelaznej ręce; rządzący żelazną ręką.

iron horse *n. przest. l. żart.* stalowy koń (= *lokomotywa, rower*).

ironic [aɪˈrɑːnɪk], **ironical** [aɪˈrɑːnɪkl] *a.* **1.** ironiczny (*o uwadze, uśmiechu*). **2.** paradoksalny (*o sytuacji, zbiegu okoliczności*); **how ~!** co za ironia!; **it is/was ~ that...** to złośliwość *l.* ironia losu, że..., jak na ironię, ...

ironically [aɪˈrɑːnɪklɪ] *adv.* ironicznie (*mówić, pisać*); paradoksalnie; **~,...** jak na ironię,...; jak na złość,...

ironing [ˈaɪərnɪŋ] *n. U* prasowanie (*czynność l. rzeczy*); **do the ~** prasować, robić prasowanie.

ironing board *n.* deska do prasowania.

Iron Lady *n.* **the ~** *hist., polit. Br.* żelazna dama (= *Margaret Thatcher*).

iron lung *n. med.* żelazne płuco, respirator Drinkera.

iron maiden *n. hist.* żelazna dziewica (*średniowieczne narzędzie tortur*).

iron man *n. pl.* **iron men** *przen.* człowiek z żelaza.

iron meteorite *n. astron.* meteoryt żelazisty.

ironmonger [ˈaɪərnˌmɑːŋgər] *n. Br. handl.* właściciel/ka sklepu z towarami żelaznymi.

ironmonger's [ˈaɪərnˌmɑːŋgərz] *n. Br. handl.* sklep z towarami żelaznymi.

ironmongery [ˈaɪərnˌmɑːŋgərɪ] *n. pl.* **-ies** *Br. handl.* **1.** *U* towary żelazne; artykuły metalowe. **2.** *U* handel towarami żelaznymi. **3.** = **ironmonger's**.

iron-on [ˌaɪərnˈɑːn] *n.* prasowanka (*na koszulkę*).

iron rations *n. pl. przest.* żelazna racja (*żywności*).

ironside [ˈaɪərnˌsaɪd] *n.* **1.** człowiek żelaznej odwagi. **2.** *Br. hist.* żołnierz z armii Cromwella.

ironstone [ˈaɪərnˌstoʊn] *n. U min.* syderyt.

ironware [ˈaɪərnˌwer] *n. U handl.* towary żelazne; artykuły metalowe.

ironwood [ˈaɪərnˌwʊd] *n.* **1.** żelazne drzewo (*jedno z wielu z rzędu bukowców, charakteryzujące się twardym drewnem*). **2.** *U* drewno któregoś z drzew jw.

ironwork [ˈaɪərnˌwɝːk] *n. U sztuka* metaloplastyka; *bud.* wyroby ozdobne ze stali *l.* metali.

ironworker [ˈaɪərnˌwɝːkər] *n.* **1.** *metal.* hutnik. **2.** metaloplasty-k/czka. **3.** *bud.* budowniczy konstrukcji stalowych.

ironworks [ˈaɪərnˌwɝːks] *n. pl.* **ironworks** *metal.* huta stali.

irony[1] [ˈaɪrənɪ] *n. U* **1.** ironia; **with a hint of ~** z nutką ironii. **2.** paradoks; **the ~ (of it) is that...** najśmieszniejsze *l.* paradoksalne (w tym wszystkim) jest to, że...

irony[2] [ˈaɪərnɪ] *a.* żelazny; żelazisty (*o smaku wody*).

Iroquoian [ˌɪrəˈkwɔɪən] *n. U* rodzina języków irokeskich. – *a.* irokeski.

Iroquois [ˈɪrəˌkwɔɪ] *n. pl.* **Iroquois** Irokez/ka. – *a.* irokeski.

irradiance [ɪˈreɪdɪəns] *n. form.* promienność.

irradiant [ɪˈreɪdɪənt] *a. form.* promienny, promieniejący.

irradiate [ɪˈreɪdɪˌeɪt] *v.* **1.** *fiz., med.* napromieniać, napromieniowywać (*cząsteczki, mleko, nowotwór, tkankę*); naświetlać (*with sth* czymś) (*promieniami UV, X, gamma*). **2.** *form.* promieniować (*dobrocią, pewnością siebie*). **3.** *form.* naświetlać (*zagadnienie*). **4.** *lit.* opromieniać, oświetlać, rozjaśniać.

irradiation [ɪˌreɪdɪˈeɪʃən] *n. U* **1.** *fiz., med.* napromienianie, napromieniowanie; naświetlanie. **2.** *opt.* irradiacja (*złudzenie*). **3.** *C/U* poświata, promień.

irrational [ɪˈræʃənl] *a.* **1.** irracjonalny, nieracjonalny (*o strachu, zachowaniu, osobie*). **2.** nierozumny (*o istocie*). **3.** *mat.* niewymierny. **4.** *wers.* nieregularny. – *n. mat.* = **irrational number**.

irrationality [ɪˌræʃəˈnælətɪ] *n. U* irracjonalność, nieracjonalność.

irrationally [ɪˌræʃəˈnælətɪ] *adv.* irracjonalnie, nieracjonalnie.

irrational number *n. mat.* liczba niewymierna.

irreclaimable [ˌɪrɪˈkleɪməbl] *a.* **1.** *t. roln., bud.* nienadający się do zagospodarowania *l.* wykorzystania (*o terenach, gruntach*). **2.** niepoprawny, niereformowalny (*o osobie*); nie do naprawienia *l.* usunięcia (*o szkodach*).

irreconcilability [ɪˌrekənˌsaɪləˈbɪlətɪ] *n. U* niemożność pogodzenia; nieprzejednanie.

irreconcilable [ɪˈrekənˌsaɪləbl] *a.* **1.** nie do pogodzenia, niedający się pogodzić (*with sth* z czymś) (*o sprzecznych interesach, różnicy zdań*). **2.** nie do rozwiązania, nierozwiązywalny (*o konflikcie*). **3.** nieprzejednany (*o wrogach*). – *n.* **1.** *zw. pl.* osoba nieugięta. **2.** *pl.* przeciwności (nie do pogodzenia).

irrecoverable [ˌɪrɪˈkʌvərəbl] *a.* **1.** nie do odzyskania (*o kosztach, rzeczy skradzionej l. zgubionej*). **2.** nie do naprawienia (*o szkodach*); **~ losses** niepowetowane straty, straty nie do odrobienia.

irrecoverably [ˌɪrɪˈkʌvərəblɪ] *adv.* **1.** bezpowrotnie (*stracić, stracony*). **2.** nie do naprawienia (*uszkodzony*).

irrecusable [ˌɪrɪˈkjuːzəbl] *a. form.* **1.** niepodważalny, bezsporny (*o dowodach, faktach*). **2.** nie do odrzucenia (*o propozycji*).

irredeemable [ˌɪrɪˈdiːməbl] *a.* **1.** niepoprawny, nieuleczalny (*o optymizmie, głupocie*). **2.** niedający się naprawić, nie do naprawy; beznadziejny. **3.** *fin.* bez terminu wykupu; niepodlegający wykupowi (*o obligacjach, akcjach*). **4.** *fin.* niewymienialny (*o walucie*).

irredentism [ˌɪrɪˈdenˌtɪzəm] *n. U polit.* irredentyzm, irredenta.

irredentist [ˌɪrɪˈdentɪst] *n. polit.* irredentyst-a/ka.

irreducibility [ˌɪrɪˌduːsəˈbɪlətɪ] *n. U form.* nieredukowalność, niemożność zredukowania *l.* sprowadzenia *l.* uproszczenia (*of sth to sth* czegoś do czegoś).

irreducible [ˌɪrɪˈduːsəbl] *a. form.* nieredukowalny, niedający się zredukować *l.* sprowadzić (*to sth* do czegoś); niedający się uprościć.

irreflexive [ˌɪrɪˈfleɪksɪv] *a. mat., log.* nieprzechodni (*o relacji*).

irreformability [ˌɪrɪˌfɔːrməˈbɪlətɪ] *n. U* niereformowalność.

irreformable [ˌɪrɪˈfɔːrməbl] *a.* niereformowalny.

irrefragable [ɪˈrefrəgəbl] *a. form.* nieodparty, niezbity, niezaprzeczalny.

irrefrangible [ˌɪrɪˈfrændʒəbl] *a. form.* **1.** nietłukący (*o naczyniach*). **2.** niezniszczalny. **3.** *opt., fiz.* nieulegający załamaniu (*o świetle, promieniowaniu*).

irrefutable [ɪˈrefjətəbl] *a.* niepodważalny (*o teorii, dowodach, argumentach*); niezbity (*o dowodach*); nieodparty (*o argumentach*).

irreg. *abbr.* = **irregular**; = **irregularly**.

irregardless [ˌɪrɪˈgɑːrdləs] *a. gł. US pot.* = **regardless**.

irregular [ɪˈregjələr] *a.* **1.** nieregularny (*o kształtach, zdarzeniach, trybie życia, czasowniku*); nieproporcjonalny. **2.** *pat.* niemiarowy (*o akcji serca, oddechu*); nieprawidłowy (*o budowie l. pracy narządu*). **3.** *gł. US euf.* mający kłopoty z wypróżnianiem, cierpiący na zaparcia. **4.** nierówny (*o powierzchni*). **5.** *euf.* nieodpowiedni, niestosowny; dziwny (*o zachowaniu, uwadze*); nieprzepisowy (*o postępowaniu*). **6.** *gł. US handl.* poza wyborem (*o egzemplarzu wyrobu, np. bluzce*). – *n.* **1.** *gł. US handl.* egzemplarz poza wyborem; brak, egzemplarz wybrakowany; **slight ~s** wyroby *l.* egzemplarze z drobnymi wadami. **2.** *wojsk.* partyzant; *pl.* oddziały nieregularne *l.* partyzanckie.

irregularity [ɪˌregjəˈlerətɪ] *n. pl.* **-ies** **1.** *C/U* nieregularność; nietypowość; nieproporcjonalność. **2.** *C/U pat.* niemiarowość, zaburzenie rytmu (*akcji serca, oddechu*); nieprawidłowość (*budowy l. funkcji narządu*). **3.** *U gł. US euf.* kłopoty z wypróżnianiem, zaparcia. **4.** *C/U* nierówność (*powierzchni*). **5.** *C/U euf.* niestosowność (*zachowania*); nieprawidłowość, uchybienie (*procedury*). **6.** *gł. US handl.* wada, brak.

irregularly [ɪˈregjələrlɪ] *adv.* **1.** nieregularnie; nietypowo; nieproporcjonalnie (*zbudowany*). **2.** *pat.* niemiarowo (*oddychać, bić*); nieprawidłowo (*zbudowany, funkcjonować*). **3.** *euf.* nieodpowiednio, niestosownie; dziwnie (*zachować się*); nieprzepisowo (*postąpić*).

irrelative [ɪˈrelətɪv] *a. form.* bez związku (*to sth* z czymś); nieistotny.

irrelevance [ɪˈreləvəns] *n.* **1.** *U* brak związku (*of sth to sth* czegoś z czymś). **2.** *U* nieistotność. **3.** (*także* **irrelevancy**) rzecz nieistotna, nieistotny szczegół.

irrelevant [ɪˈreləvənt] *a.* nieistotny (*to sth* dla czegoś) (*np. dla kwestii, tematu*); nie na temat; niezwiązany, niepowiązany, bez związku (*to sth* z czymś); obojętny (*to sth* dla czegoś); bez wpływu (*to sth* na coś).

irrelevantly [ɪˈreləvəntlɪ] *adv.* bez związku; nie na temat.

irreligion [ˌɪrɪˈlɪdʒən] *n. U form.* **1.** niereligijność. **2.** antyreligijność.

irreligionist [ˌɪrɪˈlɪdʒənɪst] *n. form.* przeciwnik/czka religii.

irreligious [ˌɪrɪˈlɪdʒəs] *a. form.* **1.** niereligijny. **2.** antyreligijny.

irremediable [ˌɪrɪˈmiːdɪəbl] *a.* nie do naprawienia (*o błędach, wadach*).

irremediably [ˌɪrɪˈmiːdɪəblɪ] *adv.* nie do naprawienia, bez możliwości naprawy.

irremissible [ˌɪrɪˈmɪsəbl] *a. form.* niewybaczalny (*o błędach*); nie do odpuszczenia (*o grzechach*).

irremovable [ˌɪrɪˈmuːvəbl] *a.* nieusuwalny, nie do usunięcia (*o przeszkodach*).

irreparable [ɪˈrepərəbl] *a.* nieodwracalny (*o uszkodzeniu, zniszczeniach, stracie*); niepowetowany (*o krzywdzie, szkodzie*); nie do odrobienia *l.* odzyskania (*o stratach*); **~ damage to sb's reputation** trwała utrata dobrego imienia przez kogoś.

irreplaceable [ˌɪrɪˈpleɪsəbl] *a.* niezastąpiony (*o osobie, cennym przedmiocie*).

irrepressible [ˌɪrɪˈpresəbl] *a.* niepohamowany (*o śmiechu*); wieczny, niepoprawny (*o optymiście, optymizmie*); **be ~** być niepoprawnym optymistą; nigdy się nie zrażać.

irrepressibly [ˌɪrɪˈpresəblɪ] *adv.* niepohamowanie (*śmiać się*).

irreproachability [ˌɪrɪˌproʊtʃəˈbɪlətɪ] *n. form. U* nienaganność.

irreproachable [ˌɪrɪˈproʊtʃəbl] *a. form.* nienaganny, bez zarzutu.

irresistibility [ˌɪrɪˌzɪstəˈbɪlətɪ] *n. U* urok; nieodpartość.

irresistible [ˌɪrɪˈzɪstəbl] *a.* **1. sb/sth is ~** komuś/czemuś nie można się oprzeć; **find sb/sth ~** nie móc się komuś/czemuś oprzeć; **~** offer (*propozycja nie do odrzucenia*). **2.** obezwładniający (*o spojrzeniu, uśmiechu*). **3.** nieodparty (*o chęci*).

irresistibly [ˌɪrɪˈzɪstəblɪ] *adv.* **1.** obezwładniająco (*piękny, wyglądać, uśmiechać się*). **2.** nieodparcie (*pragnąć*).

irresolute [ɪˈrezəˌluːt] *a. form.* niezdecydowany.

irresolutely [ɪˈrezəˌluːtlɪ] *adv. form.* niezdecydowanie.

irresoluteness [ɪˈrezəˌluːtnəs], **irresolution** [ɪˌrezəˈluːʃən] *n. U form.* niezdecydowanie, brak zdecydowania.

irresolvable [ˌɪrɪˈzɑːlvəbl] *a. form.* **1.** nie do pogodzenia (*o sprzecznościach, interesach*); nierozwiązalny (*o problemie*). **2.** nierozkładalny (*na czynniki*).

irrespective [ˌɪrɪˈspektɪv] *adv.* **1. ~ of sth** nie zważając na coś, bez względu na coś, niezależnie od czegoś. **2.** *pot.* mimo to.

irresponsibility [ˌɪrɪˌspɑːnsəˈbɪlətɪ] *n. U* brak

poczucia odpowiedzialności, nieodpowiedzialność.

irresponsible [ˌɪrɪˈspɑːnsəbl] *a.* nieodpowiedzialny.

irresponsibly [ˌɪrɪˈspɑːnsəblɪ] *adv.* nieodpowiedzialnie.

irresponsive [ˌɪrɪˈspɑːnsɪv] *a.* **1.** pasywny. **2.** *t. psych., med.* niewrażliwy, niereagujący (*to sth* na coś) (*np. na leczenie, bodźce*).

irretentive [ˌɪrɪˈtentɪv] *a. psych.* niezapamiętujący, nierejestrujący (*o pamięci*).

irretrievable [ˌɪrɪˈtriːvəbl] *a.* nieodwracalny, ostateczny; nie do odzyskania; niepowetowany (*o stracie*).

irretrievably [ˌɪrɪˈtriːvəblɪ] *a.* nieodwracalnie, ostatecznie; bezpowrotnie, np. stracony.

irreverence [ɪˈrevərəns] *n. U* lekceważenie, brak szacunku.

irreverent [ɪˈrevərənt] *a.* lekceważący, pozbawiony szacunku (*o tonie, uwadze*).

irreverently [ɪˈrevərəntlɪ] *adv.* lekceważąco.

irreversibility [ˌɪrɪˌvɝːsəˈbɪlətɪ] *n. U* nieodwracalność.

irreversible [ˌɪrɪˈvɝːsəbl] *a.* nieodwracalny (*o zmianie, uszkodzeniu*).

irreversibly [ˌɪrɪˈvɝːsəblɪ] *adv.* nieodwracalnie.

irrevocability [ɪˌrevəkəˈbɪlətɪ] *n. U* nieodwołalność.

irrevocable [ɪˈrevəkəbl] *a.* nieodwołalny.

irrevocably [ɪˈrevəkəblɪ] *adv.* nieodwołalnie.

irrigate [ˈɪrəˌgeɪt] *v.* **1.** *roln.* nawadniać, irygować. **2.** *med.* dokonywać irygacji (*np. pochwy*); przepłukiwać (*ranę*).

irrigation [ˌɪrəˈgeɪʃən] *n. U* **1.** *roln.* irygacja, nawadnianie. **2.** *med.* irygacja; przepłukiwanie, płukanie.

irrigator [ˈɪrəˌgeɪtər] *n.* **1.** *roln.* urządzenie nawadniające. **2.** *med.* irygator.

irritability [ˌɪrɪtəˈbɪlətɪ] *n. U* **1.** *t. psych.* drażliwość; nadpobudliwość, nadmierna pobudliwość. **2.** *pat.* nadwrażliwość, nadmierna wrażliwość (*np. na dotyk, ciepło*). **3.** *psych., fizj.* wrażliwość (na bodźce zewnętrzne).

irritable [ˈɪrɪtəbl] *a.* **1.** *t. psych.* drażliwy; nadpobudliwy; *t. pat.* nadwrażliwy. **2.** *psych., fizj.* wrażliwy (na bodźce zewnętrzne).

irritable bowel syndrome *n. U* (*także* **IBS**) *pat.* zespół wrażliwego jelita.

irritably [ˈɪrɪtəblɪ] *adv.* **1.** *t. psych.* nadpobudliwie. **2.** *t. pat.* nadwrażliwie (*reagować*).

irritant [ˈɪrɪtənt] *n.* **1.** *C/U pat., chem.* czynnik *l.* środek drażniący; **smoke is an eye** ~ dym drażni oczy *l.* jest drażniący dla oczu. **2.** *przen.* czynnik zapalny; przyczyna rozdrażnienia. – *a.* drażniący.

irritate [ˈɪrɪˌteɪt] *v.* **1.** drażnić, irytować (*kogoś*). **2.** *t. pat.* powodować podrażnienie (*skóry*). **3.** *fizj.* pobudzać, stymulować (*organ*).

irritated [ˈɪrɪˌteɪtɪd] *a.* **1.** rozdrażniony, zirytowany (*about/at/with/by sth* z powodu czegoś). **2.** *pat.* podrażniony (*zw. o skórze*).

irritating [ˈɪrɪˌteɪtɪŋ] *a.* drażniący, irytujący.

irritation [ˌɪrɪˈteɪʃən] *n.* **1.** *U* irytacja, rozdrażnienie. **2.** *C/U pat.* podrażnienie.

irritative [ˈɪrɪˌteɪtɪv] *a. t. pat.* drażniący, wywołujący podrażnienia.

irrupt [ɪˈrʌpt] *v.* **1.** *ekol.* eksplodować, gwałtownie wzrastać (*o populacji*). **2.** *form.* wtargnąć, wedrzeć się.

irruption [ɪˈrʌpʃən] *n. C/U* **1.** *ekol.* eksplozja *l.* gwałtowny wzrost populacji. **2.** *form.* wtargnięcie, wdarcie się; najazd.

irruptive [ɪˈrʌptɪv] *a.* gwałtowny; *ekol.* wykładniczy (*o wzroście populacji*).

IRS [ˌaɪ ˌɑːr ˈes] *abbr.* **Internal Revenue Service** *US* izba skarbowa, urząd skarbowy.

is [ɪz] *v. 3. os. sing. zob.* **be.**

Isaac [ˈaɪzək] *n. t. Bibl.* Izaak.

Isaiah [aɪˈzeɪə] *n. Bibl.* Izajasz.

ISBN [ˌaɪ ˌes ˌbiː ˈen] *abbr.* **International Standard Book Number** (numer) ISBN, międzynarodowy znormalizowany numer wydawnictw zwartych.

Iscariot [ɪˈskerɪət] *n. Bibl.* Iskariota.

ischemia [ɪˈskiːmɪə] *n. U pat.* niedokrwienie.

ischemic [ɪˈskiːmɪk] *a. pat.* niedokrwiony.

ischial [ˈɪskɪəl] *a. anat.* kulszowy.

ischias [ˈɪskɪəs] *n. U pat.* rwa kulszowa, ischias.

ISDN [ˌaɪ ˌes ˌdiː ˈen] *n. U* **Integrated Services Digital Network** *tel.* (usługa) ISDN, sieć cyfrowa z integracją usług.

Ishmael [ˈɪʃmɪəl] *n. Bibl.* Ismael, Ismaelita (*t. przen. = wyrzutek*).

Ishtar [ˈɪʃtɑːr] *n. mit.* Isztar (*bogini*).

isinglass [ˈaɪzɪnˌglæs] *n. U* **1.** karuk (*klej z pęcherzy pławnych ryb*). **2.** *min.* mika.

Isis [ˈaɪsɪs] *n. sing.* **1.** *mit.* Izyda. **2.** *Br. lokalnie w Oksfordzie geogr.* Tamiza.

isl. *abbr. geogr.* **1.** = **island. 2.** = **isle.**

Islam [ˈɪslɑːm] *n. U rel.* islam.

Islamic [ɪzˈlæmɪk] *a. rel., polit.* islamski; islamiczny.

Islamism [ˈɪsləˌmɪzəm] *n. U rel. czas. obelż.* islamizm.

Islamist [ˈɪsləmɪst] *polit., rel. n. zw. pl.* islamist-a/ka. – *a.* islamistyczny; islamski.

Islamite [ˈɪsləˌmaɪt] *n. rel.* wyznaw-ca/czyni islamu, muzułman-in/ka.

Islamization [ˌɪsləməˈzeɪʃən], *Br. i Austr. zw.* **Islamisation** *n. U rel., polit.* islamizacja.

Islamize [ˈɪsləˌmaɪz], *Br. i Austr. zw.* **Islamise** *v. rel., polit.* islamizować.

island [ˈaɪlənd] *n.* **1.** *gł. geogr.* wyspa. **2.** *przen.* wysepka, oaza (*np. spokoju*). **3.** (*także* **traffic** ~) *mot.* wysepka; *US* pas oddzielający (*dwa pasma ruchu*), pas zieleni. **4.** *anat.* wysepka, wyspa. **5.** *projektowanie wnętrz* = **kitchen island.**

islanded [ˈaɪləndɪd] *a.* **1.** oddzielony; wydzielony. **2.** *geogr.* usiany wyspami (*o akwenie*).

islander [ˈaɪləndər] *n.* wyspia-rz/rka, mieszkan-iec/ka wyspy.

isle [aɪl] *n. geogr.* (*zwł. w nazwach*) *l. poet.* wyspa, ostrów, wysepka.

islet [ˈaɪlət] *n. geogr.* wysepka, ostrów.

ism [ˈɪzəm] *n. zw. pl. pot. zw. uj.* izm (= *doktryna, teoria*).

isn't [ˈɪzənt] *v.* **1.** = **is not.** **2.** *zob.* **be.**

ISO [ˌaɪ ˌes ˈoʊ] *n.* **International Standards Organization** Międzynarodowa Organizacja Normalizacyjna; ~ **9002** norma ISO 9002; ~ **compliant** zgodny z normą/normami ISO; ~ **rating** *fot.* czułość filmu (*w skali ISO*); ~ **standard** norma ISO.

isobar [ˈaɪsəˌbɑːr] *n. kartogr., meteor., fiz.* izobara.

isobaric [ˌaɪsəˈberɪk] *a. kartogr., meteor., fiz.* izobaryczny.

isobath [ˈaɪsəˌbæθ] *n. kartogr.* izobata, warstwica głębinowa.

isocheim [ˈaɪsəˌkaɪm] *n. kartogr., meteor.* izochimena (= *linia łącząca punkty o jednakowej temperaturze zimowej*).

isocheimal [ˈaɪsəˌkaɪml], **isocheimenal** [ˌaɪsəˈkaɪmənl] *a. kartogr., meteor.* izochimeniczny.

isochore [ˈaɪsəkɔːr] *n. fiz.* izochora.

isochoric [ˌaɪsəˈkɔːrɪk] *a. fiz.* izochoryczny; ~ **process** przemiana izochoryczna, proces izochoryczny.

isochromatic [ˌaɪsəkrəˈmætɪk] *a.* **1.** *opt.* izochromatyczny. **2.** *fot.* ortochromatyczny.

isochronal [aɪˈsɑːkrənl], **isochronous** [aɪˈsɑːkrənəs] *a. form. t. fiz.* izochroniczny, równookresowy.

isochronism [aɪˈsɑːkrəˌnɪzəm], **isochrony** [aɪˈsɑːkrənɪ] *n. U form. t. fiz.* izochronizm, równookresowość.

isocline [ˈaɪsəˌklaɪn] *n.* (*także* **isoclinic line**) *geol.* izoklina.

isoclinic [ˌaɪsəˈklɪnɪk], **isoclinal** [ˌaɪsəˈklaɪnl] *a. geol.* izokliniczny; ~ **line** = **isocline.**

isodynamic [ˌaɪsədaɪˈnæmɪk] *a. fiz.* izodynamiczny; ~ **line** *geol.* izodynama.

isogeotherm [ˌaɪsəˈdʒɪəˌθɝːm] *n. geol.* izogeoterma.

isogloss [ˈaɪsəˌglɔːs] *n. jęz.* izoglosa.

isogon [ˈaɪsəˌgɑːn] *n. geom.* równokąt.

isogonal [aɪˈsɑːgənl] *a. geom.* równokątny.

isogonic [ˌaɪsəˈgɑːnɪk] *a.* **1.** *geom.* równokątny. **2.** *geol.* izogoniczny; ~ **line** izogona.

isolate *v.* [ˈaɪsəˌleɪt] **1.** *t. med., polit.* izolować, odizolowywać. **2.** *chem., biol.* izolować, wyizolowywać, wyodrębniać (*np. substancję, bakterię*). – *n.* [ˈaɪsələt] *chem., biol.* izolat.

isolated [ˈaɪsəˌleɪtɪd] *a.* **1.** odosobniony; **in a few ~ cases/instances** w kilku odosobnionych przypadkach. **2.** izolowany. **3.** wyobcowany.

isolation [ˌaɪsəˈleɪʃən] *n. U* **1.** *t. med., polit.* izolacja; odosobnienie; **in ~ (from sth)** w izolacji (od czegoś); oddzielnie (od czegoś). **2.** *chem.* wyizolowanie, wyodrębnienie.

isolationism [ˌaɪsəˈleɪʃəˌnɪzəm] *n. U polit.* izolacjonizm.

isolationist [ˌaɪsəˈleɪʃənɪst] *polit. n.* izolacjonist-a/ka. – *a.* izolacjonistyczny.

isolator [ˈaɪsəˌleɪtər] *n. el.* odłącznik, izolator.

isoline [ˈaɪsəˌlaɪn] *n. kartogr.* izolinia.

isomer [ˈaɪsəmər] *n. chem.* izomer.

isomeric [ˌaɪsəˈmerɪk] *a.* izomeryczny.

isometric [ˌaɪsəˈmetrɪk], **isometrical** *a.* **1.** *geom., wers.* izometryczny. **2.** *krystal.* regularny, sześcienny.

isometrically [ˌaɪsəˈmetrɪklɪ] *adv.* izometrycznie.

isometrics [ˌaɪsəˈmetriːks] *n. U sport* ćwiczenia izometryczne.

isometry [aɪˈsɑːmɪtrɪ] *n. pl.* **-ies** *C/U geom.* przekształcenie izometryczne; izometria.

isomorphic [ˌaɪsəˈmɔːrfɪk] *a. mat. krystal.* izomorficzny.

isomorphism [ˌaɪsəˈmɔːrˌfɪzəm] *n. U biol., mat., krystal.* izomorfizm.

isomorphous [ˌaɪsəˈmɔːrfəs] *a. biol., krystal.* izomorficzny.

isooctane [ˌaɪsəˈɑːkteɪn] *n. U chem.* izooktan.

isopod [ˈaɪsəˌpɑːd] *n. zw. pl. zool.* równonóg.

isopropyl alcohol [ˌaɪsəˌproʊpl ˈælkəˌhɔːl] *n. U* alkohol izopropylowy.

isosceles [aɪˈsɑːsəˌliːz] *a. geom.* równoramienny (*o trójkącie*).

isothere [ˈaɪsəˌθiːr] *n. kartogr., meteor.* izotera (= *linia łącząca punkty o jednakowej temperaturze w lecie*).

isotherm [ˈaɪsəˌθɝːm] *n.* (*także* **isothermal**) *kartogr., meteor.* izoterma.

isothermal [ˌaɪsəˈθɝːml] *a. fiz., kartogr., meteor.* izotermiczny; ~ **process** *fiz.* przemiana izotermiczna. – *n.* = **isotherm.**

isotonic [ˌaɪsəˈtɑːnɪk] *n. chem., fizj.* izotoniczny; ~ **solution** roztwór izotoniczny *l.* izoosmotyczny; ~ **exercise** *sport* ćwiczenia izotoniczne.

isotope [ˈaɪsəˌtoʊp] *n. chem.* izotop, odmiana izotopowa.

isotopic [ˌaɪsəˈtɑːpɪk] *a. chem.* izotopowy; ~ **dating** datowanie izotopowe; ~ **element** pierwiastek izotopowy; ~ **mass/weight** masa atomowa izotopu; ~ **number** liczba izotopowa.

isotopy [aɪˈsɑːtəpɪ] *n. U chem.* izotopia.

isotropic [ˌaɪsəˈtrɑːpɪk] *a. fiz., techn.* izotropowy, równokierunkowy.

ISP [ˌaɪ ˌes ˈpiː] *abbr.* **Internet Service Provider** *komp.* dostawca usług internetowych.

Israel [ˈɪzrɪəl] *n. geogr.* Izrael.

Israeli [ɪzˈreɪlɪ] *a.* izraelski. – *n.* Izraelczyk/ka.

Israelite [ˈɪzrɪəˌlaɪt] *Bibl. n.* Izraelit-a/ka. – *a.* izraelicki.

Israelitic [ˌɪzrɪəˈlɪtɪk] *a. Bibl.* izraelicki.

issuable [ˈɪʃuːəbl] *a. form.* **1.** *fin.* podlegający emisji, do wyemitowania (*o akcjach, pieniądzach*). **2.** podlegający wydaniu (*o dokumencie*). **3.** *prawn.* podlegający postępowaniu sądowemu; dopuszczony na wokandę.

issuance [ˈɪʃuːəns] *n. U form.* **1.** *fin.* emitowanie, emisja (*obligacji*). **2.** wydanie, wystawienie (*dokumentu*).

issue [ˈɪʃuː] *n.* **1.** *C/U* sprawa; kwestia; problem; przedmiot dyskusji; ~ **of fact/law** kwestia merytoryczna/o charakterze prawnym; **address the ~ of...** zająć się sprawą/kwestią...; **at ~** sporny; będący przedmiotem dyskusji; **the point at ~ is (that)...** chodzi o to, że..., rzecz w tym, że...; **avoid/evade/dodge/fudge the ~** unikać tematu; **basic/side ~** kwestia podstawowa/uboczna; **bring up/raise the ~ of...** podnosić kwestię...; **burning/thorny ~** palący/trudny problem; **cloud/**

confuse the ~ zaciemniać sprawę; **make an** ~ **(out) of sth** robić z czegoś problem *l.* sprawę; **sensitive** ~ problem delikatnej natury; **sth is not an** ~ coś nie stanowi problemu, coś nie gra roli; **take** ~ **with sb** *form.* nie zgadzać się *l.* polemizować z kimś (*over sth* w jakiejś kwestii); **take** ~ **with sth** *form.* nie zgadzać się *l.* polemizować z czymś, kwestionować coś; **that's (just) not the** ~ (po prostu) nie o to chodzi *l.* nie w tym rzecz. **2.** numer, wydanie; nakład (*czasopisma*); **back/current ~s** egzemplarze bieżące/wsteczne; **special** ~ wydanie specjalne. **3.** *C / U fin.* emisja (*obligacji, waluty*); **bank of** ~ bank emisyjny; **price/rate of** ~ kurs emisyjny. **4.** *U* wydanie (*dokumentu*); **date/point of** ~ data/miejsce wydania. **5.** *t. wojsk.* wydawanie, przydział (*sprzętu*). **6.** *C / U* wyjście; wypływ. **7.** *geogr.* ujście (*rzeki*). **8.** *pat.* rana z wydzieliną; *U* wydzielina. **9.** *form. zwł. prawn.* potomstwo; **without** ~ bezpotomnie; bezpotomny; **die without** ~ umrzeć bezpotomnie *l.* nie pozostawiwszy potomstwa. **10.** *C / U przest.* koniec, zakończenie; wynik; **bring the matter to an** ~ doprowadzić sprawę do końca; **in the** ~ w ostatecznym rozrachunku, w końcu. – *v.* **issuing 1.** wydawać, wystosowywać (*oświadczenie*). **2.** wydawać (*publikację, sprzęt*); ~ **sb with sth** (*także* ~ **sth to sb**) wydawać komuś coś, zaopatrywać kogoś w coś (*np. w sprzęt, broń*); ~ **a reward** wyznaczać nagrodę. **3.** *fin.* emitować, wypuszczać, puszczać w obieg (*obligacje, banknot*). **4.** *fin.* wpływać (*o środkach*). **5.** ~ **forth** *lit.* wydobywać się (*np. o głosie, dymie*); ~ **from** *przest.* pochodzić z (*jakiegoś miejsca*); *form.* wydobywać się *l.* wypływać z (*czegoś; zwł. o dźwiękach, płynach*); wynikać z (*czegoś*); ~ **in** *przest.* kończyć się (*czymś*); dawać w wyniku (*coś*).

Istanbul [ˌɪstænˈbʊl] *n. geogr.* Stambuł, Istambuł.

isthmi [ˈɪsmɪ] *n. pl. zob.* **isthmus.**

isthmian [ˈɪsmɪən] *a. hist.* istmijski; **I~ games** igrzyska istmijskie.

isthmus [ˈɪsməs] *n. pl.* **-es** *l.* **isthmi** [ˈɪsmɪ] **1.** *geogr.* przesmyk (= *pas lądu*). **2.** *anat.* cieśń, węzina.

istle [ˈɪstlɪ] *n. U tk.* sizal.

IT [ˌaɪ ˈtiː] *abbr. komp.* = **information technology.**

it [ɪt] *pron.* **1.** to; **~'s me/them** to ja /oni; **~'s Martha** to Marta; *tel.* tu (mówi) Marta; **~'s very nice of you** to bardzo miło z twojej strony; **who is ~?** kto to (jest)?; kto tam?. **2.** on; ona; ono; **"Where is my pen/diskette/box?" "I put ~ on the desk."** „Gdzie jest mój długopis/moja dyskietka/moje pudełko?" „Położyłem go/ją/je na biurku.". **3.** (*w określeniach czasu, pogody, odległości*) **~'s three (o'clock)** jest (godzina) trzecia; **~'s Monday again (tomorrow)!** (jutro) znowu poniedziałek!; **~'s hot** jest gorąco; **~'s snowing** pada śnieg; **~'s summer again** znowu przyszło lato; **how far is ~ to X (from here)?** jak daleko jest (stąd) do X?; **is ~ five yet?** czy już jest piąta?; **is ~ raining yet/again?** (czy) już/znowu pada?; **what date is ~ (today)?** którego dzisiaj mamy?; **what day is ~(today)?** jaki dzisiaj (jest) dzień (tygodnia)?; **what time is ~ (now)?** która (jest teraz) godzina?. **4.** *z niektórymi czasownikami* ~ **seems/appears too big** wydaje się zbyt duży; ~ **looks like rain** zanosi się na deszcz, wygląda na to, że będzie padać; ~ **occurred to me that...** przyszło mi do głowy, że...; zdałem sobie sprawę, że...; ~ **sounds great** brzmi świetnie; **as ~ happens,...** (*także* ~ **(just) so happens,...**) tak się (akurat) składa, że... **5.** *z niektórymi przymiotnikami* **~'s important that/to...** ważne (jest), żeby...; **~'s not easy to forget** niełatwo jest zapomnieć; **~'s strange that...** (to) dziwne, że... **6.** *form.* (*wyrażając opinię*) ~ **is believed/thought that...** uważa się, że...; ~ **is said that...** mówią *l.* powiadają, że...; ~ **is to be hoped that...** należy mieć nadzieję, że...; ~ **is feared that...** istnieją obawy, że... **7.** *emf.* ~ **was John who stole the money** to John ukradł te pieniądze. **8.** *pot.* (to) coś (= *trudna do uchwycenia cecha, zaleta, coś magicznego*); **he thinks he's ~** uważa się za coś lepszego. **9.** *pot. euf.* to (= *seks*); **have you done ~ before?** robił-eś/aś to już? **10.** (*w utartych zwrotach*) **~'s too bad that...** (to) niedobrze, że...; **for cheating he really is ~** *pot.* do oszukiwania jest naprawdę jedyny; **how is ~ going?** *pot.* jak leci?; **if ~ hadn't been/weren't for X** gdyby nie X; **that's ~!** *emf.* właśnie tak!, bardzo dobrze!; dosyć tego!; **this is ~!** *emf.* no proszę!, a nie mówiłem/am!; **you got ~!** *pot. emf.* to jest to!, świetnie!; załatwione!, masz to jak w banku!

Italian [ɪˈtæljən] *a.* włoski. – *n.* **1.** Włoch/szka; *pl.* Włosi. **2.** *U* język włoski. – *a.* włoski.

Italian dressing *n. C / U kulin.* sos *l.* dressing włoski.

Italianize [ɪˈtæljəˌnaɪz], *Br. i Austr. zw.* **Italianise** *v.* italianizować (się).

Italian sonnet *n. wers.* sonet włoski.

Italic [ɪˈtælɪk] *hist., jęz. a.* italski. – *n. U* grupa języków italskich.

italicization [ɪˌtælɪsəˈzeɪʃən], *Br. i Austr. zw.* **italicisation** *n. U* kursywa, krój pochyły.

italicize [ɪˈtælɪˌsaɪz], *Br. i Austr. zw.* **italicise** *v.* **1.** *komp., druk.* pisać kursywą (*wyrazy, zwroty*). **2.** *przen.* podkreślać, akcentować.

italics [ɪˈtælɪks] *n. pl. komp., druk.* kursywa, italika, pismo pochyłe, krój pochyły, czcionka pochyła; **in** ~ kursywą.

italic type *n. U komp., druk.* = **italics.**

Italy [ˈɪtlɪ] *n. geogr.* Włochy, Italia.

ITC [ˌaɪ ˌtiː ˈsiː] *abbr.* **Independent Television Commision** *Br.* komisja sprawująca nadzór nad sektorem prywatnym telewizji brytyjskiej.

itch [ɪtʃ] *v.* **1.** swędzieć; **my nose is ~ing** swędzi mnie nos. **2.** odczuwać *l.* czuć swędzenie; **I'm ~ing all over** wszystko mnie swędzi. **3.** *gł. US* drapać, drażnić (*o przedmiocie*); **the label ~es me** drapie mnie metka. **4.** *gł. US pot.* drapać (się w) (*ugryzienie, ucho*); drapać się; **don't ~ (it)!** nie drap się! **5.** ~ **for sth/to do sth** (*także* **be ~ing for sth/to do sth**) *przen. pot.* mieć chętkę *l.* ochotę na coś/zrobić coś. – *n. U l. sing.* **1.** swędzenie, drapanie. **2.** *pat.* świąd; świerzb. **3.** *przen. pot.* chętka, ochota (*for sth / to do sth* na coś/zrobienie czegoś); **the seven-year** ~ ochota na skok w bok (*występująca rzekomo po siedmiu latach małżeństwa*).

itchiness [ˈɪtʃɪnəs] *n. U gł. pat.* swędzenie, świąd.

itching [ˈɪtʃɪŋ] *a.* **1.** swędzący; drapiący, drażniący. **2.** niespokojny. **3.** ~ **palm** *przen. pot.* chciwość; łapówkarstwo. – *n. U* swędzenie.

itch mite *n. pat., zool.* świerzbowiec (*Sarcoptes scabiei*).

itchy [ˈɪtʃɪ] *a.* **-ier, -iest 1.** swędzący (*np. o ręce, ukąszeniu*). **2.** drapiący (*np. o swetrze*). **3.** *przen. pot.* **have ~ feet** nie móc usiedzieć na miejscu; **have ~ fingers** mieć lepkie ręce (= *kraść*).

it'd [ˈɪtəd] *abbr.* **1.** = **it would. 2.** = **it had.**

item[1] [ˈaɪtəm] *n.* **1.** przedmiot; rzecz; artykuł; ~ **of clothing** część garderoby; ~ **of furniture** mebel; ~ **of value** wartościowy przedmiot; **luxury ~** artykuł luksusowy. **2.** punkt; pozycja (*w programie, na liście*); ~ **by ~** punkt po punkcie. **3.** (*także* **news ~**) *dzienn., telew.* wiadomość. **4.** *pot.* temat do rozmów *l.* plotek, przedmiot plotek; **be an ~** mieć romans, być parą (*o dwojgu ludzi*).

item[2] *adv. Lat. form.* (*przy wyszczególnieniach na piśmie*) również, także, item.

itemization [ˌaɪtəməˈzeɪʃən], *Br. i Austr. zw.* **itemisation** *n. U* wyszczególnienie.

itemize [ˈaɪtəˌmaɪz], *Br. i Austr. zw.* **itemise** *v.* wyszczególniać.

itemized [ˈaɪtəˌmaɪzd], *Br. i Austr. zw.* **itemised** *a.* szczegółowy, z wyszczególnieniem wszystkich pozycji (*o rachunku*); ~ **((tele)phone) bill** *tel.* billing, rachunek billingowy.

item veto [ˈaɪtəm ˌviːtoʊ] *n. U US polit.* weto selektywne, prawo do weta selektywnego.

iterate [ˈɪtəˌreɪt] *v.* **1.** *form.* powtarzać. **2.** *mat., komp.* iterować, dokonywać iteracji.

iteration [ˌɪtəˈreɪʃən] *n.* **1.** *C/U mat., komp.* iteracja. **2.** *form. U* powtarzanie; *C* powtórzenie.

iterative [ˈɪtəˌreɪtɪv] *a.* **1.** *mat., komp.* iteracyjny (*np. o metodach*). **2.** wielokrotny, powtarzający się. **3.** *gram.* częstotliwy.

Ithaca [ˈɪθəkə] *n. geogr., hist., mit.* Itaka.

ithyphallic [ˌɪθəˈfælɪk] *a. wers., sztuka* ityfaliczny. – *n. wers.* ityfalik, poemat ityfaliczny.

itineracy [aɪˈtɪnərəsɪ], **itinerancy** [aɪˈtɪnərənsɪ] *n. pl.* **-ies** *form.* **1.** *U* wędrówka, tułaczka. **2.** trasa; objazd; obchód; praca objazdowa. **3.** grupa wędrownych kaznodziejów *l.* sędziów.

itinerant [aɪˈtɪnərənt] *a.* **1.** sezonowy (*o sile roboczej, robotnikach*). **2.** *form.* wędrowny. **3.** objazdowy (*o sędzi*).

itinerary [aɪˌtɪnəˈrerɪ] *n. pl.* **-ies 1.** plan podróży; opis trasy; trasa; marszruta; szlak. **2.** przewodnik (*książka*). **3.** *teor. lit.* pamiętnik z podróży, itinerarium. – *a. gł. attr. form.* podróżny.

itinerate [aɪˈtɪnəˌreɪt] *v. form.* wędrować.

itineration [aɪˌtɪnəˈreɪʃən] *n. C/U form.* **1.** wędrówka. **2.** objazd.

it'll [ˈɪtl] *abbr.* **1.** = **it will. 2.** *arch.* = **it shall.**

its [ɪts] *pron.* **1.** (*w odniesieniu do podmiotu tego samego zdania l. do części ciała podmiotu*) swój (*często nie tłumaczy się*); sobie (*jw.*); **everything was in ~ proper place** wszystko było na swoim miejscu; **the dog wagged ~ tail** pies zamerdał ogonem; **the horse broke ~ paw** koń złamał (sobie) nogę. **2.** (*w odniesieniu do rzeczownika innego niż podmiot*) jego; jej; **here's the name of the club, and here's ~ address** to nazwa klubu, a oto jego adres; **he didn't even see the duck, not to mention ~ beak** nie widział nawet kaczki, a co dopiero jej dzioba.

it's [ɪts] *abbr.* **1.** = **it is. 2.** = **it has.**

itself [ɪtˈself] *pron.* **1.** (*jako dopełnienie czasownika zwrotnego*) się; **the boat righted ~** łódź się wyprostowała. **2.** (*jako dopełnienie czasownika przechodniego*) sobie; **the team has set ~ a hard task** drużyna postawiła sobie trudne zadanie. **3.** *emf.* (*także* **(all) by ~**) sam; sama; samo; **the dog came back home by ~** pies sam wrócił do domu; **the binding ~ is worth that money** sama oprawa jest tyle warta; **by ~** sam/sama/samo przez się; **this is obvious by ~** to się rozumie samo przez się; **in/of ~** sam/sama/samo (w sobie); **the plan wasn't illegal in ~, but...** sam plan nie był nielegalny, ale...; **the sculpture in ~ was worthless** rzeźba sama w sobie była bezwartościowa.

itty-bitty [ˌɪtɪˈbɪtɪ], *Br. t.* **itsy-bitsy** [ˌɪtsɪˈbɪtsɪ] *a. pot. dziec. l. żart.* tyci-tyci, tyciuteńki.

ITV [ˌaɪ ˌtiː ˈviː] *abbr. i n. U* **Independent Television** *Br.* telewizja niezależna.

IU [ˌaɪ ˈjuː] *abbr.* **international unit** *gł. med.* j.m. (=*jednostka międzynarodowa*).

IUD [ˌaɪ ˌjuː ˈdiː] *abbr. i n.* **intrauterine device** *med.* wkładka wewnątrzmaciczna, spirala.

IV [ˌaɪ ˈviː] *abbr.* = **intravenous.** – *n. US* kroplówka.

I've [aɪv] *abbr.* = **I have.**

IVF [ˌaɪ ˌviː ˈef] *abbr.* = **in vitro fertilization.**

ivied [ˈaɪvɪd] *a. lit.* porośnięty bluszczem (*o budynku, ścianie*).

ivory [ˈaɪvərɪ] *n. pl.* **-ies 1.** *U* kość słoniowa (*substancja l. kolor*). **2.** *sztuka* figurka z kości słoniowej. **3.** *pl. pot.* klawisze (*pianina*); **tickle/tinkle the ivories** *żart.* brzdąkać na pianinie. **4.** *pl. US pot.* zęby. **5.** *pl.* kości (*do gry*). – *a. attr.* z kości słoniowej.

ivory bill, ivory-billed woodpecker *n. orn.* dzięcioł wielkodzioby (*Campephilus principalis*).

ivory black *n. U chem.* czerń kostna (*barwnik*).

Ivory Coast *n.* **the ~** *geogr.* Wybrzeże Kości Słoniowej.

ivory nut *n.* (roślinna) kość słoniowa (= *owoc słoniorośli wielkoowocowej*).

ivory palm *n. bot.* słoniorośl wielkoowocowa (*Phytelephas macrocarpa*).

ivory tower *n. przen.* wieża z kości słoniowej.

ivy [ˈaɪvɪ] *n. U bot.* bluszcz (*Hedera*); **poison ~** *gł. US* sumak (*roślina o silnie drażniących liściach*).

Ivy League *n. US uniw.* **the ~** grupa elitarnych uniwersytetów w płn.-wsch. stanach (= *Brown, Columbia, Cornell, Dartmouth College, Harvard, Princeton, University of Pennsylvania i Yale*). – *a. attr.* dotyczący uniwersytetów jw.; ~ **education** elitarne wykształcenie.

iwis [ɪˈwɪs], **ywis** *adv. arch.* a juści.

izzard [ˈɪzərd] *n. arch. l. dial.* litera z, zet.

J

J [dʒeɪ], **j** *n. pl.* **-'s** *l.* **-s** [dʒeɪz] J, j (*litera l. głoska*).

J *abbr.* **1.** *fiz.* = **joule**. **2.** *karty* = **jack¹** *n.* 3.

J. *abbr.* **1.** = **journal**. **2.** = **judge**. **3.** = **justice**.

JA [ˌdʒeɪ ˈeɪ], **J.A.** *abbr.* **1.** (*także* **J/A**) = **joint account**. **2.** = **judge advocate**.

Ja. *abbr.* = **January**.

jab [dʒæb] *v.* **-bb- 1.** dźgać (*sb / sth with sth* kogoś/coś czymś). **2.** wpychać; wtykać; wbijać (*sth into sth* coś w coś). **3.** stukać, uderzać (*at sth* w coś) (*np. palcem, patykiem*). – *n.* **1.** dźgnięcie. **2. right/left** ~ *t. boks* uderzenie *l.* cios prawą/lewą ręką. **3.** *Br. i Austr. pot.* szczepienie; zastrzyk.

jabber [ˈdʒæbər] *v.* paplać, trajkotać; ~ **away** paplać jak najęty. – *n. U l. sing.* paplanina, trajkotanie.

jabberer [ˈdʒæbərər] *n.* papla, trajkotka.

jabot [ʒæˈbou] *n. strój* żabot.

jacaranda [ˌdʒækəˈrændə] *n. pl.* **-s** *l.* **jacaranda** *bot.* tropikalne drzewo z rodzaju *Jacaranda*.

jacinth [ˈdʒeɪsɪnθ] *n.* = **hyacinth** 3.

jack¹ [dʒæk] *n.* **1.** *mech.* podnośnik, lewarek. **2.** *el., tel.* gniazdko. **3.** *karty* walet. **4.** *gra w kule* biała kula, do której celują grający. **5.** flaga (*zwł. narodowa na dziobie statku*). **6.** *U US sl.* forsa. **7.** = **applejack**. **8.** = **bootjack**. **9.** = **jackass**. **10.** = **jackfish**. **11.** = **jack rabbit**. **12.** = **jackstone**. **13.** = **jack tar**. **14.** = **lumberjack**. **15. every man** ~ *Br. przest.* wszyscy razem i każdy z osobna (= *wszyscy bez wyjątku*). – *v.* **1.** ~ **(up)** podnosić (lewarkiem *l.* na podnośniku). **2.** ~ **around** *sl.* opieprzać się; ~ **sb around** *US sl.* marnować czyjś czas; ~ **in** *Br. pot.* rzucić w diabły (*zwł. pracę*); ~ **off** *US wulg. sl.* trzepać konia (= *onanizować się*); ~ **up** *pot.* windować, podkręcać (*np. ceny*); *sl.* dawać sobie w żyłę (= *wstrzykiwać narkotyk, zwł. heroinę*); *Austr. pot.* zbuntować się (*zwł. grupowo*); *NZ pot.* zorganizować (= *sprokurować, przygotować, zainicjować*).

jack² *n.* **1.** *hist.* kurtka piechura bez rękawów (*ze skóry l. płótna pokrytego metalowymi płytkami*). **2.** = **blackjack³**.

jackal [ˈdʒækl] *n.* **1.** *t. przen.* szakal. **2.** *przen.* sługus.

jackanapes [ˈdʒækəˌneɪps] *n.* **1.** pyszałek, zarozumialec. **2.** bachor. **3.** *arch.* małpa.

jackass [ˈdʒækˌæs] *n.* **1.** *t. przen.* osioł. **2. laughing** ~ = **kookaburra**.

jackboot [ˈdʒækˌbuːt] *n.* but wojskowy (*sięgający do kolana l. za kolano*).

jackdaw [ˈdʒækˌdɔː] *n. orn.* kawka (*Corvus monedula*).

jacket [ˈdʒækɪt] *n.* **1.** *strój* marynarka; żakiet; kurtka; **dinner** ~ *Br.* smoking; **life** ~ *Br. lotn., żegl.* kamizelka ratunkowa; **ski** ~ kurtka narciarska. **2.** (*także* **dust** ~) obwoluta. **3.** *US* okładka (*płyty gramofonowej*). **4.** *gł. US* teczka; koperta (*na dokumenty*). **5.** *techn.* płaszcz; osłona; otulina; **water** ~ *techn.* płaszcz wodny. **6. potatoes in their ~s** = **jacket potatoes**. – *v.* **1.** nakładać obwolutę *l.* okładkę na (*książkę*). **2.** wkładać do teczki *l.* koperty (*dokumenty*). **3.** *techn.* okrywać *l.* osłaniać płaszczem, osłoną *l.* otuliną; **water-~ed bearing** łożysko chłodzone wodą (*z płaszczem wodnym*).

jacket head *n. techn.* łeb kulisty zwykły (*wkrętu, nitu*).

jacket potatoes *n. pl. Br. i Austr. kulin.* ziemniaki w mundurkach.

jackfish [ˈdʒækˌfɪʃ] *n. pl.* **-fishes** *l.* **-fish** *icht.* szczupak (*zwł. mały l. młody*).

Jack Frost *n.* (*gł. w bajkach*) Mróz (*personifikacja*).

jackhammer [ˈdʒækˌhæmər] *n. zwł. US t. górn.* wiertarka udarowa pneumatyczna.

jack-in-office [ˈdʒækɪnˌɔːfɪs] *n. uj.* urzędas; służbist-a/ka.

jack-in-the-box [ˈdʒækɪnðəˌbɑːks], **jack-in-a-box** *n. pl.* **-es** *l.* **jacks-in-the-box** pajacyk wyskakujący na sprężynie z pudełka (*zabawka*).

jackknife [ˈdʒækˌnaɪf] *n. pl.* **-knives 1.** duży składany nóż. **2.** skok do wody z wyprostowanymi nogami i rękoma dotykającymi stóp, z wyprostowaniem ciała bezpośrednio przed zanurzeniem się. – *v.* **1.** składać się jak scyzoryk (*o ciężarówce z naczepą*). **2.** wykonywać skok (do wody) (*w pozycji jw.*).

jack ladder *n.* = **Jacob's ladder** 2.

jack-of-all-trades [ˌdʒækəvˈɔːlˌtreɪdz] *n. pl.* **jacks-of-all-trades** majster do wszystkiego.

jack-o'-lantern [ˈdʒækəˌlæntərn] *n.* **1.** *US* latarnia z dyni z wyciętymi otworami, przypominająca twarz. **2.** błędny ognik.

jack plug *n. Br. el.* wtyczka typu jack.

jackpot [ˈdʒækˌpɑːt] *n.* najwyższa wygrana; najwyższa stawka; (cała) pula; *poker* pula, którą mogą otworzyć co najmniej dwa walety; **hit the** ~ zgarnąć (całą) pulę; *przen.* wygrać los na loterii.

jack rabbit, jackrabbit *n. zool.* duży zając północnoamerykański (*Lepus*).

Jack Robinson *n.* **before you can/could say** ~ *Br. przest.* zanim się obejrzysz/obejrzałeś.

jacks [dʒæks] *n. U gł. US* gra polegająca na

rzucaniu i podnoszeniu kamyków *l.* żetonów, zwł. podczas odbijania małej piłki.

jackscrew [ˈdʒækˌskruː] *n. techn.* (*także* **screw-jack**) dźwignik śrubowy.

jackshaft [ˈdʒækˌʃæft] *n.* **1.** *mot.* wałek sprzęgłowy. **2.** *techn.* wałek napędowy pośredni.

jacksie [ˈdʒæksɪ], **jacksy, jaxie, jaxy** *n. Br. sl.* dupa.

jacksnipe [ˈdʒækˌsnaɪp] *n. orn.* bekasik (*Lymnocryptes minimus*).

jackstay [ˈdʒækˌsteɪ] *n. żegl.* **1.** jumpsztag. **2.** pręt rei.

jackstone [ˈdʒækˌstoʊn] *n.* **1.** kamyk, kawałek żelaza *l.* plastiku używany do gry w jacks. **2.** *pl.* = **jacks**.

jackstraw [ˈdʒækˌstrɔː] *n.* **1.** strach na wróble. **2.** patyczek (*używany w grze w bierki*).

jackstraws [ˈdʒækˌstrɔːz] *n. U* bierki (*gra*).

Jack Tar, jack tar *n. przest. pot.* marynarz.

jacktowel [ˈdʒækˌtaʊəl] *n.* = **roller towel**.

Jacobean [ˌdʒækəˈbɪən] *a. Br. hist., bud., teatr* z okresu Jakuba I (*1603–1625*).

Jacobin [ˈdʒækəbɪn] *n.* **1.** *hist.* jakobin. **2.** *polit.* radykał (*lewicowy*). **3.** *kośc.* dominikanin francuski. **4.** (*także* **j~**) *orn.* odmiana gołębia z kapturkiem.

Jacobinic [ˈdʒækəbɪnɪk], **Jacobinical** *a. hist.* jakobiński.

Jacobinism [ˈdʒækəbɪˌnɪzəm] *n. U hist.* jakobinizm.

Jacobite [ˈdʒækəˌbaɪt] *n. Br. hist.* jakobit-a/ka (= *zwolennik Jakuba II l. jego potomków*).

Jacob's ladder [ˌdʒeɪkəbz ˈlædər] *n.* **1.** *Bibl.* drabina Jakubowa. **2.** (*także* **jack ladder**) *żegl.* drabinka linowa, sztormtrap. **3.** *bot.* roślina z rodzaju *Polemonium*.

jacobus [dʒəˈkoʊbəs] *n. pl.* **-es** *Br. hist.* złota moneta angielska z czasów Jakuba I.

jaconet [ˈdʒækəˌnet] *n. U tk., med.* tkanina bawełniana nieco cięższa od muślinu (*używana t. do produkcji bandaży*).

Jacquard [ˈdʒækɑːrd] *n. tk.* **1.** (*także* ~ **loom**) żakard, maszyna Żakarda. **2.** *U* żakard (*tkanina*).

jactation [dʒækˈteɪʃən] *n. U rzad.* = **jactitation** 1, 3.

jactitation [ˌdʒæktɪˈteɪʃən] *n.* **1.** *U* przechwałki. **2.** *prawn.* fałszywe stwierdzenie, mogące przynieść szkodę innej osobie. **3.** *U pat.* rzucanie się.

Jacuzzi [dʒəˈkuːzɪ] *n.* wanna z masażem wodnym, jacuzzi.

jade[1] [dʒeɪd] *n. U min.* **1.** nefryt. **2.** jadeit. **3.** = **jade green**.

jade[2] *n.* **1.** szkapa. **2.** *przest. pog. l. żart.* babsztyl, sekutnica. – *v. przest.* zmordować (się), zgonić (się) (*pracą*); zjechać (się) (*w wyniku intensywnej eksploatacji*).

jaded [ˈdʒeɪdɪd] *a.* **1.** znudzony; zblazowany; przesycony. **2.** wyczerpany, zmęczony.

jadedly [ˈdʒeɪdɪdlɪ] *adv.* **1.** z oznakami znudzenia, zblazowania *l.* przesytu. **2.** z oznakami wyczerpania *l.* zmęczenia.

jadedness [ˈdʒeɪdɪdnəs] *n. U* **1.** znudzenie; zblazowanie; przesyt, przesycenie. **2.** wyczerpanie, zmęczenie.

jade green *a. i n. U* (kolor) jasnozielony (*mleczny, o odcieniu od niebiesko- do żółtozielonego*).

jadeite [ˈdʒeɪdaɪt] *n. U min.* jadeit.

jaeger [ˈjeɪgər] *n.* **1.** *US i Can. orn.* drapieżny ptak morski (*rodzaj Stercorarius*). **2.** *rzad.* = **jäger**.

Jaffa [ˈdʒæfə] *n.* (*także* ~ **orange**) *Br.* pomarańcza jafska (*duża, o grubej skórce*).

JAG [ˌdʒeɪ ˌeɪ ˈdʒiː], **J.A.G.** *abbr.* = **Judge Advocate General**.

jag[1] [dʒæg] *n.* **1.** występ (*zwł. skalny*). **2.** strzęp (*na brzegu rozdartego materiału, kartki itp.*). **3.** szczerba; wcięcie (*o ostrych krawędziach*). – *v.* **-gg- 1.** strzępić. **2.** szczerbić; wycinać (*nierówno*).

jag[2] *n.* **1.** *dial.* garstka, naręcze (*siana, chrustu*). **2.** *pot.* popijawa; podchmielenie. **3.** *pot.* napad (*np. śmiechu, płaczu*).

jäger [ˈjeɪgər] *n.* **1.** *myśl.* myśliwy; pomocnik myśliwego (*zwł. w Niemczech l. Szwajcarii*). **2.** *wojsk.* strzelec (*w dawnej armii niemieckiej i austriackiej*). **3.** *wojsk.* żołnierz piechoty lekkiej *l.* górskiej (*w niektórych armiach europejskich*). **4.** = **jaeger** 1.

jagged [ˈdʒægɪd] *a.* **1.** postrzępiony. **2.** wyszczerbiony (*o nożu, ostrzu*); ostry (*np. o skałach*).

jaggedly [ˈdʒægɪdlɪ] *adv.* nierówno (*np. powycinać*).

jaggedness [ˈdʒægɪdnəs] *n. U* **1.** postrzępienie. **2.** wyszczerbienie.

jaggy [ˈdʒægɪ] *a.* **-ier, -iest** = **jagged**.

jaguar [ˈdʒægwɑːr] *n. zool.* jaguar (*Panthera onca*).

Jahveh [ˈjɑːveɪ], **Jahweh** *n.* = **Yahweh**.

jai alai [ˈhaɪ ˌlaɪ] *n. U sport* gra polegająca na łapaniu i odbijaniu piłki od ściany z pomocą małego koszyka przymocowanego do nadgarstka.

jail [dʒeɪl], *Br. t.* **gaol** *n. C/U* więzienie; areszt; **be in** ~ być w więzieniu; **go to** ~ iść do więzienia. – *v.* wsadzać do więzienia; uwięzić.

jailbird [ˈdʒeɪlˌbɜːd] *n. pot.* kryminalist-a/ka; recydywist-a/ka.

jailbreak [ˈdʒeɪlˌbreɪk] *n.* ucieczka z więzienia; próba ucieczki z więzienia.

jail delivery *n. pl.* **-ies 1.** uwolnienie z więzienia (*zwł. przemocą*). **2.** opróżnienie więzienia *l.* aresztu przez osądzenie wszystkich więźniów.

jailer [ˈdʒeɪlər], **jailor** *n.* dozorca więzienny.

jail fever *n. U pat.* tyfus.

Jain [dʒaɪn], **Jaina** [ˈdʒaɪnə] *n. rel.* dżinista, dżajnista (*wyznawca religii indyjskiej*). – *a.* dżinistyczny, dżajnistyczny.

Jainism [ˈdʒaɪˌnɪzəm] *n. U rel.* dżinizm, dżajnizm.

jake [dʒeɪk] *a. Austr. i NZ sl.* w porządku; **she's** ~ wszystko gra, wszystko w porządku.

jakes [dʒeɪks] *n. pl.* **-es** *l.* **jakes** *arch. l. dial. pot.* wygódka, wychodek.

jalap [ˈdʒæləp], **jalop** *n. U bot., med.* jalapa (*Exogonium / Ipomoea purga l. proszek z tej rośliny stosowany jako środek przeczyszczający*).

jalapeño [ˌhɑːləˈpeɪnjoʊ], **jalapeño pepper** *n. C/U bot., kulin.* ostra papryka meksykańska (*Capsicum annum*).

jalopy [dʒəˈlɑːpɪ], **jaloppy** *n. mot., przest., pot.* gruchot, pudło.

jalousie [ˈdʒæləˌsɪ] *n.* żaluzja (*listwowa*).

jam[1] [dʒæm] *v.* **-mm- 1.** wciskać, wpychać (*sth into sth* coś do czegoś); ~ **on the brakes** wcisnąć hamulec. **2.** stłaczać; tłoczyć się. **3.** ściskać; miażdżyć. **4.** tarasować (*drogę, przejście*); zapychać (*rurę, odpływ*). **5.** zablokować (*mechanizm, przełącznik*); zaklinować (*np. okno*); **the door was ~med** drzwi zacięły *l.* zablokowały się. **6.** *radio, el.* zagłuszać. **7.** zacinać się, blokować się (*o mechanizmie, przełączniku*). **8.** *muz.* improwizować. – *n.* **1.** (*także* **traffic ~**) *mot.* korek. **2.** ścisk, tłok. **3.** zator (*np. na rzece*). **4.** zacięcie się, zablokowanie się (*mechanizmu, przełącznika*). **5. be in a ~** *pot.* być w tarapatach.

jam[2] *n. C/U kulin.* **1.** dżem; **strawberry ~** dżem truskawkowy. **2. ~ tomorrow** *Br. przen. pot.* gruszki na wierzbie (= *niezrealizowane obietnice*).

Jamaica [dʒəˈmeɪkə] *n. geogr.* Jamajka.

Jamaican [dʒəˈmeɪkən] *a.* jamajski. – *n.* Jamaj-czyk/ka.

Jamaica rum *n. U* (rum) jamajka.

jamb [dʒæm], **jambe** *n. bud.* węgar.

jambalaya [ˌdʒʌmbəˈlaɪə] *n. U płd. US kulin.* kreolska potrawa z ryżu, owoców morza i różnych rodzajów mięsa.

jamboree [ˌdʒæmbəˈriː] *n.* **1.** huczna zabawa. **2.** zlot harcerski, jamboree.

James [dʒeɪmz] *n. t. hist.* Jakub.

jammies [ˈdʒæmɪz] *n. pot.* = **pyjamas**.

jammy [ˈdʒæmɪ] *a. Br. sl.* **1.** mający więcej szczęścia niż rozumu. **2.** dziecinnie łatwy.

jam nut *n. techn.* przeciwnakrętka.

jam-packed [ˌdʒæmˈpækt] *a. pot.* zapchany (*with sb/sth* kimś/czymś) pełen (*with sb/sth* kogoś/czegoś).

jam session *n. muz.* jam session.

Jan, Jan. *abbr.* **January** stycz. (= *styczeń*).

Jane Doe [ˌdʒeɪn ˈdoʊ] *n. sing. US zwł. prawn.* N.N. (*odnoszące się do kobiety*).

jangle [ˈdʒæŋgl] *v.* **1.** brzęczeć; pobrzękiwać, dzwonić (*np. monetami, kluczami*). **2.** *zw. pass.* **~ (on) sb's nerves** grać komuś na nerwach; **~d nerves** zszargane nerwy. **3.** *arch.* kłócić się, sprzeczać się (*głośno*). – *n.* **1.** brzęczenie; pobrzękiwanie, dzwonienie. **2.** (głośna) kłótnia.

janissary [ˈdʒænɪˌserɪ], **janizary** [ˈdʒænɪzərɪ] *n. pl.* **-ies 1.** *hist.* janczar. **2.** żołnierz turecki. **3.** *przen.* sługus.

janitor [ˈdʒænɪtər] *n.* **1.** *zwł. US i Can.* dozorca; portier. **2.** *Scot., US i Can.* stróż; *szkoln.* woźny.

janitorial [ˌdʒænɪˈtɔːrɪəl] *a.* **1.** *zwł. US i Can.* dozorcowski; portierski. **2.** *Scot., US i Can.* stróżowski.

janitress [ˈdʒænɪtrəs] *n.* **1.** *zwł. US i Can.* dozorczyni; portierka. **2.** *Scot., US i Can. szkoln.* woźna.

Jansenism [ˈdʒænsəˌnɪzəm] *n. hist. rel.* jansenizm.

Jansenist [ˈdʒænsənɪst] *n.* jansenist-a/ka.

Jansenistic [ˌdʒænsəˈnɪstɪk] *a.* jansenistyczny.

January [ˈdʒænjʊˌerɪ] *n.* styczeń.

Janus [ˈdʒeɪnəs] *n. mit., astron.* Janus.

Janus-faced [ˈdʒeɪnəsˌfeɪst] *a. lit.* o dwóch obliczach (= *nieszczery, obłudny*).

Jap [dʒæp] *n. pot. obelż.* japoniec, żółtek.

Jap. *abbr.* = **Japan**; = **Japanese**.

Japan [dʒəˈpæn] *n. geogr.* Japonia; **Sea of ~** Morze Japońskie.

japan [dʒəˈpæn] *n.* **1.** *U* lakier asfaltowy. **2.** wyrób w stylu japońskim. – *v.* **-nn- 1.** powlekać lakierem asfaltowym. **2.** lakierować na czarno.

Japanese [ˌdʒæpəˈniːz] *a.* japoński. – *n.* **1.** *pl.* **Japanese** Japo-ńczyk/nka. **2.** *U* język japoński.

jape [dʒeɪp] *przest. n.* żart; kawał, dowcip (*zrobiony komuś*). – *v.* żartować (sobie) (*about sb/sth* z kogoś/czegoś).

jar[1] [dʒɑːr] *n.* słój; słoik; **Leyden ~** *el.* butelka lejdejska.

jar[2] *v.* **-rr- 1.** wstrząsać (*kimś l. czymś, t. dosł.*). **2.** stłuc (sobie) (*np. kolano*), poobijać (sobie) (*np. łokcie*). **3.** drżeć, wibrować; powodować drżenie *l.* wibracje (*przedmiotu*). **4.** zgrzytać (*agaist sth* o coś). **5.** brzmieć fałszywie (*o nucie*). **6. ~ (on)** drażnić (*kogoś, czyjeś ucho, np. o dźwięku*); razić (*np. o jaskrawych kolorach*); **~ on sb's nerves** działać komuś na nerwy. **7. ~ with sth** kłócić się z czymś, nie pasować do czegoś. – *n.* **1.** wstrząs. **2.** *t. przen.* zgrzyt.

jar[3] *n.* **on the/a ~** (*także* **ajar**) uchylony (*o drzwiach*).

jardinire [ˌdʒɑːrdənˈiːr] *n.* **1.** żardyniera (= *stojak na kwiaty*). **2.** *kulin.* garnirowanie z gotowanych oddzielnie warzyw (*do dań mięsnych*).

jargon[1] [ˈdʒɑːrgən] *n. U* **1.** żargon. **2.** bełkot. **3.** = **pidgin**. – *v.* **1.** mówić żargonem. **2.** bełkotać.

jargon[2] *n. U* (*także* **jargoon**) *min.* odmiana cyrkonu.

jargonize [ˈdʒɑːrgəˌnaɪz], *Br. i Austr. zw.* **jargonise** *v.* **1.** mówić żargonem. **2.** przełożyć na żargon.

jargony [ˈdʒɑːrgənɪ], **jargonistic** [ˌdʒɑːrgəˈnɪstɪk] *a.* **1.** żargonowy. **2.** bełkotliwy.

jarl [jɑːrl] *n. hist.* jarl (= *dawny wódz l. szlachcic skandynawski*).

jarovize [ˈjɑːrəˌvaɪz], *Br. i Austr. zw.* **jarovise** *v. roln.* jarowizować, wernalizować (*zboże*).

jarring [ˈjɑːrɪŋ] *a.* **1.** wstrząsający. **2.** drżący, wibrujący. **3.** zgrzytliwy, zgrzytający. **4.** drażniący; rażący. **5.** niezgodny.

jarringly [ˈjɑːrɪŋlɪ] *adv.* **1.** wstrząsająco. **2.** drżąco. **3.** zgrzytliwie. **4.** drażniąco; rażąco. **5.** niezgodnie.

jasmine [ˈdʒæzmɪn], **jasmin** *n. U* **1.** *bot.* jaśmin (*Jasminum*). **2.** kolor bladożółty.

jasper [ˈdʒæspər] *n. U min.* jaspis.

jaundice [ˈdʒɔːndɪs] *n. U* **1.** *pat.* żółtaczka. **2.** *przen.* negatywne nastawienie, uprzedzenie. – *v.* **1.** *pat.* powodować żółtaczkę u (*kogoś*). **2.** *przen.* nastawiać negatywnie, uprzedzać.

jaundiced [ˈdʒɔːndɪst] *a.* **1.** *pat.* zażółcony; cierpiący na żółtaczkę. **2.** nastawiony negatywnie, uprzedzony (*do czegoś*); cyniczny (*o zapatrywaniach, postawie*); **with a ~ eye** cynicznie.

jaunt [dʒɔːnt] *n.* wycieczka, wypad. – *v.* iść *l.* jechać na wycieczkę.

jauntily [ˈdʒɔːntɪlɪ] *adv.* raźno, żwawo, dziarsko; beztrosko.

jauntiness [ˈdʒɔːntɪnəs] *n. U* raźność, żwawość, dziarskość; beztroska.

jaunting car [ˈdʒɔːntɪŋ ˌkɑːr] *n. hist.* lekki jednokonny pojazd dwukołowy (*używany niegdyś w Irlandii*).

jaunty [ˈdʒɔːntɪ] *a.* **-ier, -iest 1.** raźny, żwawy, dziarski; beztroski. **2.** modny; elegancki.

Java[1] [ˈdʒɑːvə] *n.* **1.** *geogr.* Jawa. **2.** *U* kawa jawajska.

Java[2] *n. U język komp.* Java.

Java man *n. antrop.* człowiek z Jawy.

Javan [ˈdʒɑːvən] *a.* jawajski. – *n.* Jawaj-czyk/ka.

Javanese [ˌdʒævəˈniːz] *a.* jawajski. – *n.* **1.** *pl.* **Javanese** Jawaj-czyk/ka. **2.** *U* język jawajski.

javelin [ˈdʒævlɪn] *n.* oszczep; **the ~** *sport* rzut oszczepem.

jaw [dʒɔː] *n.* **1.** *t. anat., zool., techn.* szczęka; **lower/upper ~** dolna/górna szczęka; **punch in the ~** (*także Br. i Austr.* **a punch on the ~**) cios w szczękę; **sb's ~ dropped (open)** *przen.* szczęka komuś opadła (*ze zdziwienia*). **2.** *pl.* paszcza, szczęki; *przen.* gardziel (*np. wąwozu, tunelu*); **the ~s of death** *lit.* objęcia śmierci. **3. have a ~** *pot. uj.* uciąć sobie pogawędkę. – *v. pot. uj.* **1.** gadać, mleć jęzorem. **2.** prawić kazania (*komuś*).

jawbone [ˈdʒɔːˌboun] *n. anat., zool.* kość szczękowa dolna, żuchwa.

jawbreaker [ˈdʒɔːˌbreɪkər] *n.* **1.** *pot.* wyraz, na którym można sobie język połamać. **2.** *US pot.* twardy cukierek. **3.** *techn.* łamacz szczękowy.

jaws of life [ˌdʒɔːz əv ˈlaɪf] *n. z czasownikiem w l. poj.* kleszcze do rozcinania wraku samochodu po wypadku.

jay [dʒeɪ] *n.* **1.** *orn.* sójka (*Garrulus glandarius*). **2.** *przen.* dudek. **3.** *przen.* gaduła, pleciuga.

jaywalk [ˈdʒeɪˌwɔːk] *v.* nieprawidłowo przechodzić przez jezdnię; spacerować po jezdni (*między jadącymi samochodami*).

jaywalker [ˈdʒeɪˌwɔːkər] *n.* osoba nieprawidłowo przechodząca przez jezdnię *l.* spacerująca po jezdni.

jaywalking [ˈdʒeɪˌwɔːkɪŋ] *n. U* nieprawidłowe przechodzenie przez jezdnię; spacerowanie po jezdni.

jazz [dʒæz] *n. U* **1.** *muz.* jazz, dżez. **2.** *pot.* życie; ruch. **3.** *sl.* nudziarstwo. **4.** *pot.* różne takie (rzeczy); **and all that ~** i cała reszta. – *v.* **1.** grać jazz, dżezować. **2.** tańczyć przy akompaniamencie jazzu. **3. ~ up** *pot.* ożywiać; *muz.* dodać elementy jazzu do (*utworu muzycznego*).

jazz age *n.* **the ~** *US hist.* epoka jazzu (*od zakończenia I wojny światowej do czasów Wielkiego Kryzysu*).

jazz band *n. muz.* orkiestra jazzowa, jazzband.

jazzily [ˈdʒæzɪlɪ] *adv.* **1.** *muz.* jazzowo, dżezowo. **2.** *przen.* krzykliwie.

jazziness [ˈdʒæzɪnəs] *n. U* **1.** *muz.* jazzowość, jazzowy charakter. **2.** *przen.* krzykliwość.

jazzman [ˈdʒæzˌmæn] *n. pl.* **-men** *muz.* jazzman, dżezmen.

jazzy [ˈdʒæzɪ] *a.* **-ier, -iest 1.** *muz.* jazzowy, dżezowy. **2.** *przen.* krzykliwy (*np. o stroju*).

JC [ˌdʒeɪ ˈsiː] *abbr.* = **jurisconsult**.

J.C. [ˌdʒeɪ ˈsiː] *abbr.* **1.** = **Jesus Christ**. **2.** = **Julius Caesar**.

JCD [ˌdʒeɪ ˌsiː ˈdiː] *abbr. prawn.* **1. Doctor of Canon Law** doktor prawa kanonicznego. **2. Doctor of Civil Law** doktor prawa cywilnego.

JCS [ˌdʒeɪ ˌsiː ˈes] *abbr. US wojsk.* = **Joint Chiefs of Staff**.

jct., jctn. *abbr.* = **junction**.

JD [ˌdʒeɪ ˈdiː] *abbr. prawn.* **1. Doctor of Laws** doktor prawa. **2.** = **juvenile delinquency**; = **juvenile delinquent**.

Je. *abbr.* = **June**.

jealous [ˈdʒeləs] *a.* **1.** zazdrosny (*of sb/sth* o kogoś/coś); **he's ~ of my success** zazdrości mi sukcesu; **make sb ~** powodować *l.* wywoływać czyjąś zazdrość. **2.** zazdrosny, zawistny (*np. o spojrzeniu*); powodowany zazdrością (*np. o gniewie*). **3. be ~ of sth** zazdrośnie strzec czegoś.

jealously [ˈdʒeləslɪ] *adv.* zazdrośnie.

jealousy [ˈdʒeləsɪ] *n.* **1.** *U* zazdrość; zawiść. **2.** *pl.* **-ies** wybuch zazdrości.

jean [dʒiːn] *n. U tk.* dżins, jeans.

jeans [dʒiːnz] *n. pl.* dżinsy.

jeep [dʒiːp], **Jeep** *n. mot.* jeep, dżip.

jeepers [ˈdʒiːpərz] *int.* (*także* **~ creepers**) *US i Can. przest. pot.* jejku, ojej.

jeer [dʒiːr] *v.* szydzić, drwić, kpić (*(at) sb/sth* z kogoś/czegoś); **~ sb off the stage** wygwizdać kogoś (*np. aktora, piosenkarza*). – *n. zw. pl.* szyderstwo, drwina, kpina; gwizd.

jeerer [ˈdʒiːrər] *n.* szyder-ca/czyni.

jeeringly [ˈdʒiːrɪŋlɪ] *adv.* szyderczo, drwiąco, kpiąco.

jeez [dʒiːz] *int. US pot.* (o) Jezu!.

jehad [dʒəˈhɑːd] *n.* = **jihad**.

Jehovah [dʒɪˈhouvə] *n. Bibl.* Jehowa.

Jehovah's Witness *n. rel.* świadek Jehowy.

jehu [ˈdʒiːhuː] *n. pot. żart.* zwariowany kierowca.

jejune [dʒɪˈdʒuːn] *a. form.* **1.** niedojrzały, dziecinny (*o zachowaniu, opiniach*). **2.** nudny, mdły (*np. o powieści*). **3.** jałowy, nieurodzajny.

jejunostomy [dʒɪdʒuːˈnɑːstəmɪ] *n. C/U pl.* **-ies** *chir.* resekcja jelita czczego.

jejunum [dʒɪˈdʒuːnəm] *n. anat.* jelito czcze.

Jekyll and Hyde [ˌdʒekl ənd ˈhaɪd] *n. uj.* osoba o rozdwojonej jaźni (*demonstrująca na przemian skrajnie różne strony swego charakteru*).

jell [dʒel] *v.* **1.** twardnieć, zamieniać (się) w galaretę (*np. o deserze*). **2.** *przen.* krystalizować się, konkretyzować się. – *n. US dial.* = **jelly**.

jellied [ˈdʒelɪd] *a. attr. zwł. Br.* **1.** *kulin.* w galarecie (*np. o węgorzu*); z galaretką (*o cukierku*). **2.** galaretowaty; zastygnięty w galaretę.

jellify [ˈdʒeləˌfaɪ] *v.* **-ied, -ying** robić galaretę z (*czegoś*), galaretować; zamieniać się w galaretę, galaretowacieć.

Jell-O [ˈdʒeloʊ], **jello** *n. U US i Can. kulin.* galaretka (*deser*).

jelly [ˈdʒelɪ] *n.* **1.** *U US kulin.* dżem (*czysty, bez kawałków owoców*). **2.** *C/U Br. kulin.* galaretka (*owocowa*). **3.** *U gł. Br. kulin.* galareta (*mięsna, rybna*). **4. petroleum ~** *t. med., techn.* wazelina. **5.** *przen.* **beat sb to a ~** *zwł. Br.* zbić *l.* stłuc kogoś na kwaśne jabłko; **sb's legs have turned to ~** ktoś ma nogi (jak) z waty. – *v.* = **jellify**.

jelly baby *n. pl.* **-ies** *Br.* żelka (*żelatynowy cukierek w kształcie człowieczka*).

jellybean [ˈdʒelɪˌbiːn] *n.* żelka (*żelatynowy cukierek w kształcie fasolki*).

jellyfish [ˈdʒelɪˌfɪʃ] *n. pl.* **-fishes** *pl.* **-fish 1.** *zool.* meduza (*gromada Coelenterata*). **2.** *przen. pot.* osoba o słabej woli, galareta.

jelly-like [ˈdʒelɪˌlaɪk] *a.* galaretowaty.

jelly roll *n. C/U US kulin.* rolada (= *ciasto z dżemem, kremem itp.*).

jemmy [ˈdʒemɪ] *n. Br.* = **jimmy**.

je ne sais quoi [dʒə nə ˌseɪ ˈkwɑː] *n. Fr. zw. żart.* **(have a certain) ~** (mieć w sobie) to coś (= *trudną do zdefiniowania cechę, która dodaje atrakcyjności*).

jennet [ˈdʒenɪt], **genet, gennet** *n.* **1.** *jeźdz.* dzianet (*rasowy koń pochodzenia hiszpańskiego*). **2.** (*także* **jenny**) oślica.

jenny [ˈdʒenɪ] *n. pl.* **-ies 1.** *techn.* żłobiarka ręczna do blach. **2.** = **spinning jenny**. **3.** (*także* **~ ass**) oślica. **4.** *orn.* samiczka (*pewnych gatunków ptaków*); **~ wren** samiczka strzyżyka (*Troglodytes*).

jeopardize [ˈdʒepərˌdaɪz], *Br. i Austr. zw.* **jeopardise** *v.* zagrażać (*np. karierze, dobrym stosunkom*); wystawiać na niebezpieczeństwo, narażać na szwank (*kogoś*); ryzykować (*czymś l. coś*); **~ one's job** narażać się na utratę pracy.

jeopardy [ˈdʒepərdɪ] *n. U* niebezpieczeństwo, zagrożenie; **be in ~** być zagrożonym *l.* w niebezpieczeństwie; **put sth in ~** zagrażać czemuś (*np. procesowi pokojowemu*); **put one's future in ~** stawiać swoją przyszłość pod znakiem zapytania; **put one's life in ~** narażać (swoje) życie.

jerbil [ˈdʒɝːbl] *n.* = **gerbil**.

jerboa [dʒərˈboʊə] *n. zool.* skoczek (*Dipodidae*).

jereed [dʒəˈriːd] *n.* = **jerid**.

jeremiad [ˌdʒerəˈmaɪæd] *n. lit.* jeremiada.

Jeremiah [ˌdʒerəˈmaɪə] *n. Bibl.* Jeremiasz.

Jericho [ˈdʒerəˌkoʊ] *n. geogr., Bibl.* Jerycho.

jerid [dʒəˈriːd], **jereed, jerreed** *n.* dziryt (= *drewniana włócznia używana w krajach muzułmańskich w pokazach jazdy konnej*).

jerk[1] [dʒɝːk] *v.* **1.** szarpać, targać (*at/on sth* za coś); rwać. **2.** rzucać, ciskać (*czymś l. coś*). **3.** wykonać nagły *l.* gwałtowny ruch; zerwać się. **4. ~ to a halt/stop** zahamować gwałtownie (*o pojeździe*). **5. ~ sb around** *US pot.* marnować czyjś czas; utrudniać komuś życie; **~ off** *obsc. sl.* trzepać konia (= *onanizować się*); **~ out** wyrzucać z siebie (*słowa*); **~ sb out of sth** *przen.* wyrwać kogoś z czegoś (*np. z otępienia, letargu*). – *n.* **1.** szarpnięcie; **give sth a ~** szarpnąć za coś. **2.** rzut, ciśnięcie. **3.** wstrząs. **4.** skurcz (*mięśnia, zwł. bezwolny*). **5.** (*także US* **~-off**) *sl.* palant, dupek. **6.** *pl. US sl.* taniec św. Wita. **7.** (*także* **physical ~s**) *Br. pot.* ćwiczenia, gimnastyka.

jerk[2] *US v. kulin.* konserwować przez cięcie na długie skrawki i suszenie na słońcu (*wołowinę l. dziczyznę*). – *n. U* (*także* **~y**) mięso konserwowane w sposób jw.

jerkily [ˈdʒɝːkɪlɪ] *adv.* szarpiąc; rzucając; trzęsąc się.

jerkin [ˈdʒɝːkɪn] *n. t. hist.* kaftan; kamizelka.

jerkiness [ˈdʒɝːkɪnəs] *n. U* szarpanie; rzucanie (*np. pojazdu*).

jerkwater [ˈdʒɝːkˌwɔːtər] *a. attr. US i Can. sl.* zabity dechami; **~ town** dziura, zadupie.

jerky[1] [ˈdʒɝːkɪ] *a.* **-ier, -iest 1.** szarpany, urywany. **2.** *przen.* nierówny.

jerky[2] *n.* = **jerk**[2] *n.*

jeroboam [ˌdʒerəˈboʊəm] *n.* butla (*do wina l. szampana, o pojemności 4 l. 6 zwykłych butelek*).

jerreed [dʒəˈriːd] *n.* = **jerid**.

Jerry [ˈdʒerɪ] *n. pl.* **-ies** *Br. przest. sl.* Szwab (*zwł.* = *żołnierz niemiecki w czasie II wojny światowej*).

jerry [ˈdʒerɪ] *n. pl.* **-ies 1.** *Br. pot.* nocnik. **2.** *pot.* = **jeroboam**.

jerry-building [ˈdʒerɪˌbɪldɪŋ] *n. U* tandetne budownictwo.

jerry-built [ˈdʒerɪˌbɪlt] *a.* zbudowany byle jak, tandetnie zbudowany.

jerrycan [ˈdʒerɪˌkæn], **jerry can, jerrican** *n.* kanister.

jerrymander [ˈdʒerɪˌmændər] *v.* = **gerrymander**.

Jersey [ˈdʒɝːzɪ] *n.* **1.** *geogr.* (Wyspa) Jersey. **2.** *roln.* dżersej (*rasa krów*).

jersey [ˈdʒɝːzɪ] *n.* **1.** *U tk.* dżersej. **2.** pulower. **3.** *gł. piłka nożna, rugby* bluza, koszulka z długim rękawem.

Jerusalem [dʒəˈruːsələm] *n. geogr., hist.* Jerozolima; *Bibl.* Jeruzalem.

Jerusalem artichoke *n. bot., kulin.* topinambur, słonecznik bulwiasty (*Helianthus tuberosus*).

Jerusalem cross *n.* krzyż jerozolimski (*z równymi ramionami kończącymi się poprzeczkami*).

jessamine [ˈdʒesəmɪn] *n.* = **jasmine** 1.

jest [dʒest] *n.* **1.** *U form.* żart, dowcip; **(half) in ~** (pół)żartem. **2.** drwina, kpina. **3.** pośmiewisko, przedmiot żartów. – *v. form.* żartować; stroić sobie żarty (*about sb/sth* z kogoś/czegoś); **I ~!** (ja tylko) żartuję!.

jester [ˈdʒestər] *n.* **1.** *hist.* błazen (*nadworny*), trefniś. **2.** żartowniś, kpiarz.

jestingly [ˈdʒestɪŋlɪ] *adv.* w żartach; żartobliwie.

Jesuit [ˈdʒeʒʊət] *n. rz.-kat. l. przen.* jezuita.

Jesuitic [ˌdʒeʒʊˈɪtɪk], **Jesuitical** [ˌdʒeʒʊˈɪtɪkl] *a. rz.-kat. l. przen.* jezuicki.

Jesuitism [ˈdʒeʒuəˌtɪzəm], **Jesuitry** *n. U rz.-kat. l. przen.* jezuityzm.

Jesus [ˈdʒi:zəs] *n.* (*także* ~ **Christ**) *rel.* Jezus (Chrystus). – *int. sl.* Jezu (Chryste)!.

jet[1] [dʒet] *n.* **1.** strumień (*np. wody, pary, gazu*). **2.** dysza. **3.** *lotn.* strumień swobodny. **4.** *lotn.* samolot odrzutowy, odrzutowiec. **5.** *techn.* = **jet engine**. – *v.* **-tt- 1.** tryskać strumieniem; spryskiwać strumieniem. **2.** *pot.* latać odrzutowcem; transportować odrzutowcem.

jet[2] *n.* **1.** *C/U min.* gagat, dżet. **2.** *U* kolor kruczoczarny. – *a.* = **jet-black**.

jet-black [ˌdʒetˈblæk], **jet black** *a.* czarny jak węgiel *l.* smoła, kruczoczarny.

jet condenser *n. techn.* skraplacz bezprzeponowy.

jet engine *n. techn.* silnik odrzutowy.

jet flap *n. lotn.* klapa strumieniowa.

jet lag *n. U* złe samopoczucie po długiej podróży samolotem (*spowodowane rozregulowaniem zegara biologicznego*); **suffer from** ~ odczuwać skutki długiej podróży samolotem.

jet-lagged [ˈdʒetˌlægd] *a.* **be/feel** ~ źle się czuć po długiej podróży samolotem.

jetliner [ˈdʒetˌlaɪnər] *n. lotn.* odrzutowy samolot komunikacyjny.

jet plane *n. lotn.* (*także* **jet airplane**) samolot odrzutowy, odrzutowiec.

jet-propelled [ˈdʒetprəˌpeld] *a.* **1.** odrzutowy. **2.** ~ **aircraft** *lotn.* samolot odrzutowy, odrzutowiec; ~ **vessel** *żegl.* statek z napędem strugowodnym.

jet propulsion *n. U* **1.** napęd odrzutowy. **2.** *żegl.* napęd strugowodny.

jetsam [ˈdʒetsəm] *n. U* **1.** *żegl.* ładunek wyrzucany za burtę w razie niebezpieczeństwa. **2.** rzeczy wyrzucone przez morze na brzeg. **3. flotsam and** ~ *zob.* **flotsam**.

jet set *n.* **the** ~ *przest. pot.* modne towarzystwo (*zwł. podróżujące po świecie dla przyjemności*).

jet-setter [ˈdʒetˌsetər] *n. przest. pot.* osoba z towarzystwa (*jw.*).

jet stream *n.* **1.** *meteor.* nawałnica wysokościowa, prąd strumieniowy. **2.** *techn.* strumień gazów wylotowych za silnikiem odrzutowym.

jettison [ˈdʒetɪsən] *v.* **1.** *żegl., lotn.* wyrzucać za burtę (*towar, zapasy*). **2.** pozbywać się (*czegoś*), wyrzucać (*np. stare ubrania*). **3.** *przen.* odrzucać (*pomysł, teorię*). – *n. U* = **jetsam** 1.

jetton [ˈdʒetən] *n.* żeton (*np. w ruletce*).

jetty[1] [ˈdʒetɪ] *n. pl.* **-ies** pirs; molo (*portowe*).

jetty[2] *a.* **1.** gagatowy. **2.** = **jet-black**.

Jew [dʒu:] *n.* **1.** Żyd/ówka. **2.** *rel.* żyd/ówka. – *a. obelż.* żydowski. – *v. obelż.* targować się ostro z (*kimś*); ~ **down the price** zbić cenę.

Jew-baiting [ˈdʒu:ˌbeɪtɪŋ] *n. U* nagonka na Żydów, żydożerstwo.

jewel [ˈdʒu:əl] *n.* **1.** klejnot. **2.** *techn.* kamień; łożysko kamienne (*np. w zegarku*). **3.** *przen.* klejnot, skarb; **the** ~ **in the crown** klejnot *l.* perła w koronie. – *v.* **-ll-** *Br.* ozdabiać klejnotami.

jeweled [ˈdʒu:əld], *Br.* **jewelled** *a.* zdobiony klejnotami.

jeweler [ˈdʒu:ələr], *Br.* **jeweller** *n.* jubiler.

jewelry [ˈdʒu:əlrɪ], *Br.* **jewellery** *n. U* klejnoty, biżuteria.

Jewess [ˈdʒu:əs] *n.* **1.** *przest. obelż.* Żydówka. **2.** *rel.* żydówka.

Jewish [ˈdʒu:ɪʃ] *a.* żydowski. – *n. U pot.* = **Yiddish**.

Jewishness [ˈdʒu:ɪʃnəs] *n. U* żydostwo (= *bycie Żydem, żydowskie cechy l. pochodzenie*).

Jewry [ˈdʒu:rɪ] *n.* **1.** Żydzi, żydostwo (= *ogół Żydów, żydowska religia i kultura*). **2.** *uj.* żydostwo. **3.** *arch.* dzielnica żydowska. **4.** *arch.* Judea.

Jew's-ear [ˌdʒu:zˈi:r], **jew's-ear** *n. bot.* grzyb (*Auricularia auricula-judae*).

Jews'-harp [ˌdʒu:zˈhɑ:rp], **Jew's-harp** *n. muz.* drumla.

Jezebel [ˈdʒezəˌbel], **jezebel** *n. przest. obelż.* bezwstydnica.

JFK [ˌdʒeɪ ˌef ˈkeɪ] *abbr.* **John Fitzgerald Kennedy International Airport** lotnisko Johna F. Kennedy'ego (*w Nowym Jorku*).

jib[1] [dʒɪb], **jibb** *n.* **1.** *żegl.* kliwer. **2.** *techn.* wysięgnik (*żurawia*). **3. the cut of sb's** ~ *przen.* czyjś styl; czyjeś zachowanie.

jib[2] *v.* **-bb- 1.** wzdragać się; wzbraniać się (*at sth/doing sth* przed czymś/zrobieniem czegoś). **2.** zapierać się (*o zwierzęciu*).

jibber [ˈdʒɪbər] *n.* narowisty koń.

jib boom *n. żegl.* stenga dziobnika.

jibe[1] [dʒaɪb] *v. i n.* = **gibe**.

jibe[2] *n. i v. żegl.* = **gybe**.

jibe[3] *v. pot.* zgadzać się (*o pomiarach, wnioskach*).

jiffy [ˈdʒɪfɪ], **jiff** [dʒɪf] *n. sing. pot.* momencik, chwileczka; **in a** ~ za momencik *l.* chwileczkę; **I won't be a** ~ zaraz będę gotowy.

Jiffy bag [ˈdʒɪfɪ ˌbæg] *n. Br.* wyściełana koperta (*do przesyłania książek itp.*).

jig [dʒɪg] *n.* **1.** *muz.* jig (*skoczny taniec ludowy l. muzyka do niego*); *gł. hist.* gigue, giga. **2.** *techn.* przyrząd obróbkowy (*mocujący przedmiot obrabiany i ustalający wzajemne położenie narzędzia i przedmiotu*). **3.** *ryb.* błystka. **4.** (*także* **jigger**) *górn.* osadzarka wstrząsana. **5.** *przen.* **in** ~ **time** *US i Can. pot.* zaraz; **the** ~ **is up** *sl.* (no to) po zabawie. – *v.* **-gg- 1.** tańczyć jiga. **2.** podrzucać. **3.** podskakiwać. **4.** ~ **(up)** *techn.* mocować w przyrządzie obróbkowym. **5.** *techn.* obrabiać w przyrządzie obróbkowym. **6.** *górn.* wzbogacać w osadzarce. **7.** *Austr. sl.* wagarować, chodzić na wagary.

jigger[1] [ˈdʒɪgər] *n.* **1.** tance-rz/rka. **2.** miarka na alkohol o pojemności ok. 1,5 uncji; kieliszek o pojemności jw.; ilość alkoholu o objętości jw. **3.** *US i Can. pot.* dinks, dynks. **4.** *górn.* = **jig** *n.* 4. **5.** *żegl.* mała talia *l.* wielokrążek; mały żagiel; łódka z małym żaglem. **6.** *bilard* podpórka pod kij. **7.** *golf* rodzaj kija z żelazną główką, używanego niegdyś do uderzania piłki na duże odległości.

jigger[2] *n.* = **chigger** 2.

jiggered [ˈdʒɪgərd] *a. pred. Br. przest.* **1. I'm/I'll be** ~ **if...** *pot.* niech mnie licho, jeśli... **2.** ~ **up** *płn. Br. dial.* wykończony (= *zmęczony*).

jiggery-pokery [ˌdʒɪgərɪˈpoʊkərɪ] *n. U gł. Br. pot.* matactwa, machlojki.

jiggle [ˈdʒɪgl] *v.* **1.** przekręcać szarpiąc (*klucz*); naciskać szarpiąc (*klamkę*). **2.** kołysać (się). – *n.* **1.** przekręcenie; naciśnięcie; szarpnięcie. **2.** kołysanie.

jiggly [ˈdʒɪglɪ] *a.* **-ier, -iest 1.** lekko szarpiący. **2.** kołyszący.

jigsaw [ˈdʒɪgˌsɔː] *n.* **1.** (*także* **jig saw**) *mech.* wyrzynarka, laubzega. **2.** = **jigsaw puzzle**. – *v.* wycinać, wyrzynać (*wyrzynarką*).

jigsaw puzzle *n.* **1.** układanka. **2.** *przen.* łamigłówka.

jihad [dʒəˈhɑːd], **jehad** *n.* **1.** dżihad, święta wojna (*muzułmańska*). **2.** *przen.* krucjata.

jilt [dʒɪlt] *v.* rzucić, zostawić (*np. dziewczynę, narzeczonego*). – *n.* osoba porzucająca partnera/kę.

jim crow [ˌdʒɪm ˈkroʊ], **Jim Crow** *n. US* **1.** *U* dyskryminacja Murzynów; segregacja rasowa (*wymierzona przeciwko Murzynom*). **2.** *pog. sl.* czarnuch, bambo.

jim-crow [ˈdʒɪmˌkroʊ], **Jim-Crow** *a. attr.* **1.** dyskryminacyjny (*o prawach*). **2.** dla czarnych (*np. o wagonie*).

jim crowism [ˌdʒɪm ˈkroʊˌɪzəm], **Jim Crowism** *n. U* dyskryminacja Murzynów; segregacja rasowa (*wymierzona przeciwko Murzynom*).

jim-dandy [ˌdʒɪmˈdændɪ] *pot. a.* świetny. – *n.* świetna rzecz.

jimjams [ˈdʒɪmˌdʒæmz] *n. pl.* **1. the** ~ *sl.* delirka, białe myszki. **2.** *pot.* = **pyjamas**.

jimmy [ˈdʒɪmɪ], *Br.* **jemmy** *n. pl.* **-ies** krótki łom stalowy (*zwł. używany przez złodziei*). – *v.* podważać łomem.

jingle [ˈdʒɪŋgl] *v.* dzwonić (*o dzwonkach*); pobrzękiwać (*o monetach, kluczach l. monetami, kluczami*). – *n.* **1.** *sing.* dzwonienie (*dzwonków*); pobrzękiwanie, brzęk (*monet, kluczy*). **2.** dżingiel (*wierszyk l. piosenka*).

jingly [ˈdʒɪŋglɪ] *a.* **-ier, -iest** dzwoniący; pobrzękujący.

jingo [ˈdʒɪŋgoʊ] *n.* **1.** szowinist-a/ka. **2.** = **jingoism**. – *int.* **by** ~! *przest. pot.* psiakość!.

jingoish [ˈdʒɪŋgoʊɪʃ] *a.* szowinistyczny.

jingoism [ˈdʒɪŋgoʊˌɪzəm] *n. U* dżingoizm (= *skrajny szowinizm*).

jingoist [ˈdʒɪŋgoʊɪst] *n.* dżingoist-a/ka.

jingoistic [ˈdʒɪŋgoʊɪstɪk] *a.* dżingoistyczny.

jingoistically [ˈdʒɪŋgoʊɪstɪklɪ] *a.* dżingoistycznie.

jink [dʒɪŋk] *v. gł. Br.* robić zwód *l.* unik (*t. np. samolotem*). – *n.* **1.** *gł. Br.* zwód, unik. **2. high ~s** *zob.* **high**.

jinn [dʒɪn] *n. pl. zob.* **jinni**.

jinni [ˈdʒɪnɪ], **jinnee, djinni, djinny** *n. pl.* **jinn** *l.* **djinn** (*także* **genie**) dżinn (*duch z wierzeń staroarabskich*).

jinrikisha [dʒɪnˈrɪkʃɔː], **jinriksha** *n.* = **rickshaw**.

jinx [dʒɪŋks] *n. sing. U* pech, złe fatum; **there's a ~ on sth** ciąży na czymś *l.* wisi nad czymś fatum. – *v. zw. pass.* rzucać urok na (*kogoś l. coś*).

jinxed [dʒɪŋkst] *a.* pechowy; mający pecha.

jitney [ˈdʒɪtnɪ] *n. US* **1.** *rzad.* mały autobus przewożący pasażerów za niską opłatą (*oryginalnie 5 centów*). **2.** *przest. sl.* pięć centów.

jitter [ˈdʒɪtər] *pot. v.* trząść się (= *denerwować się*). – *n.* **the ~s** trzęsiączka (= *zdenerwowanie*); **get/have the ~s** dostawać trzęsiączki.

jitterbug [ˈdʒɪtərˌbʌg] *n.* **1.** *sing.* jitterbug (*szybki taniec amerykański popularny w latach 40. XX w.*). **2.** (*także* **~er**) amator/ka jitterbugu. **3.** *przen. pot.* nerwus/ka; panika-rz/ra. – *v.* tańczyć jitterbug.

jittery [ˈdʒɪtərɪ] *a. pot.* roztrzęsiony.

jiujitsu [dʒʊˈdʒɪtsuː] *n.* = **jujitsu**.

jive [dʒaɪv] *n. U* **1.** *muz.* jive (*szybki taniec, popularny zwł. w latach 40. i 50. XX w.*). **2.** (*także* ~ **talk**) *jęz.* slang muzyków jazzowych. **3.** *US sl.* głodne kawałki (= *gładka mowa mająca na celu oszukanie rozmówcy*). – *v.* **1.** tańczyć jive. **2.** *US sl.* opowiadać *komuś* głodne kawałki (= *próbować oszukać*).

JJ. *abbr.* **1.** = **judges**. **2.** = **justices**.

Jl. *abbr.* = **July**.

jnd *abbr.* **just noticeable difference** *psych.* ledwie zauważalna różnica.

Jnr *abbr. zwł. Br.* = **junior**.

Joan of Arc [ˌdʒoʊn əv ˈɑːrk] *n. hist.* Joanna d'Arc.

Job [dʒoʊb] *n. Bibl.* Hiob.

job [dʒɑːb] *n.* **1.** praca; posada; **apply for a ~** starać się o pracę; **be out of a ~** nie mieć pracy, być bezrobotnym; **change ~s** zmieniać pracę; **create ~s** tworzyć (nowe) miejsca pracy; **find/get a ~** znaleźć/dostać pracę (*as* jako); **full-time/part-time ~** praca na/pełen etat/pół etatu, praca w pełnym/niepełnym wymiarze godzin; **hold down a ~** *pot.* utrzymać *l.* zachować posadę; **holiday/summer ~** praca wakacyjna *l.* w czasie wakacji; **leave/quit one's ~** rzucić pracę; **lose one's ~** stracić pracę; **nine-to-five ~** praca biurowa; **offer sb a ~** zaoferować komuś pracę *l.* posadę; **permanent/steady ~** stała praca. **2.** zadanie, obowiązek; **it's his ~ to do this** robienie tego to jego obowiązek, robienie tego należy do niego; **the ~ in/at hand** zadanie do wykonania. **3.** *komp.* zadanie; **print ~** zadanie drukowania. **4.** *pot.* robota (= *kradzież, włamanie itp.*). **5.** *przen.* **~s for the boys** *Br. i Austr. pot. uj.* posadki dla kumpli; **blow ~** *zob.* **blow**; **do a hatchet ~ on sb/sth** *zob.* **hatchet**; **give sth up as a bad ~** *Br.* dać czemuś spokój, zrezygnować z czegoś; **good ~!** *zwł. US* dobra robota!, świetnie!; **hand ~** *zob.* **hand**; **I had a ~ finding/to find him** miałem trudności ze znalezieniem go; **it's a good ~ you came earlier** *Br. pot.* dobrze *l.* całe szczęście, że przyszłaś wcześniej; **it's more than my ~'s worth (to do this)** *Br. i Austr. pot.* mogę (za to) wylecieć z pracy; **just the ~** *Br.* dokładnie to, o co chodziło; **make a good/bad ~ of sth** *Br.* zrobić coś dobrze/kiepsko, dobrze/nie najlepiej sobie z czymś poradzić; **make the best of a bad ~** *Br.* zrobić to, co najlepsze w danej sytuacji; **nose ~** *zob.* **nose**; **on the ~** przy pracy (*t. Br. sl.* = *podczas stosunku*); w godzinach pracy (*np. szkolić*); **pull a ~** *pot.* wykonać robotę (*zwł. włamanie*); **she's only doing her ~** ona tylko robi, co do niej należy (= *to nie jej wi-*

na); **this should do the ~** *pot.* to powinno zadziałać; **their new stereo is a nice little ~** *pot.* ich nowe stereo to ładne cacko; **they really did a ~ on that car** *zwł. US pot.* nieźle urządzili ten samochód (= *zniszczyli*); **you did a good/great/an excellent ~ (with) organizing the conference** wspaniale zorganizowaliście tę konferencję. – *v.* **-bb- 1.** pracować dorywczo *l.* na zlecenie. **2.** *gł. Br.* ciągnąć korzyści z zajmowanego stanowiska. **3. ~ (in sth)** *handl.* prowadzić handel hurtowy (czymś); pośredniczyć w handlu (czymś); *Br. giełda, hist.* handlować (czymś). **4. ~ (out)** podzlecać (*pracę*), dzielić (*między kilku zleceniobiorców*).

job action *n. US* akcja strajkowa *l.* protestacyjna.

jobber [ˈdʒɑːbər] *n.* **1.** osoba pracująca dorywczo *l.* na zlecenie. **2.** *handl.* hurtowni-k/czka; pośredni-k/czka. **3.** (*także* **stock~**) *Br. giełda, hist.* makler (*sprzedający papiery wartościowe maklerom, a nie bezpośrednio inwestorom*).

jobbery [ˈdʒɑːbərɪ] *n. U gł. Br.* wykorzystywanie stanowiska dla celów prywatnych, prywata.

jobbing [ˈdʒɑːbɪŋ] *n. U* praca dorywcza. – *a. attr. zwł. Br.* pracujący dorywczo (*np. o ogrodniku, malarzu*).

jobbing machine *n. druk.* maszyna płaska do druku akcydensów.

jobbing printing *n. U* (*także* **jobbing work**) *druk.* akcydensy.

Jobcentre [ˈdʒɑːbˌseɪntər], **job centre** *n. Br.* biuro pośrednictwa pracy.

Job Corps [ˈdʒoʊb ˌkɔːr] *n. US* organizacja federalna umożliwiająca bezrobotnej młodzieży zdobycie wykształcenia zawodowego.

job description *n.* zakres *l.* wykaz obowiązków (*w formie oficjalnej listy*).

jobholder [ˈdʒɑːbˌhoʊldər] *n. US* **1.** pracowni-k/czka. **2.** urzędnik państwowy.

job-hunt [ˈdʒɑːbˌhʌnt] *v. pot.* szukać pracy.

jobless [ˈdʒɑːbləs] *a.* bez pracy, bezrobotny; **the ~** *zwł. Br.* bezrobotni.

joblessness [ˈdʒɑːbləsnəs] *n. U* bezrobocie.

job lot *n. sing.* **1.** partia (*taniego towaru, np. na aukcji*). **2.** mieszanka, miszmasz (*zwł. niskiej jakości*).

job-lot production *n. U* produkcja małoseryjna.

job order *n.* zlecenie wykonania pracy.

job printer *n.* drukarz akcydensowy.

job printing *n. U* druk akcydensowy.

job-related illness [ˌdʒɑːbrɪˌleɪtɪd ˈɪlnəs] *n. med.* choroba zawodowa.

job satisfaction *n. U* zadowolenie z pracy.

Job's comforter [ˌjoʊbz ˈkʌmfərtər] *n.* kiepski/a pocieszyciel/ka.

job security *n. U* gwarancja stałego zatrudnienia.

job seeker *n.* osoba (aktywnie) poszukująca pracy.

Jobseeker's Allowance [ˌdʒɑːbˌsiːkərz əˈlaʊəns] *n. C / U Br.* zasiłek dla bezrobotnych.

job-sharing [ˈdʒɑːbˌʃerɪŋ] *n. U* dzielenie się etatem.

Job's tears [ˌdʒoʊbzˈtiːrz] *n. U bot.* trawa *Coix Lacryma Jobi* (*z której twardych liści robi się koraliki l. paciorki różańca*).

Jock [dʒɑːk] *n. Br. pog. sl.* Szkot.

jock [dʒɑːk] *n. pot.* **1. = disk jockey. 2. = jockstrap.**

jockette [dʒɑːˈket] *n. jeźdz.* dżokejka, kobieta dżokej.

jockey [ˈdʒɑːkɪ] *n. jeźdz.* dżokej. – *v.* **1.** *jeźdz.* jeździć na (*koniu*). **2.** *jeźdz.* jeździć jako dżokej. **3.** *przen.* **~ for power/position** walczyć o władzę/(lepszą) pozycję *l.* pierwszeństwo; **~ sb into doing sth** (podstępem) nakłonić kogoś do zrobienia czegoś.

jockey box *n. US mot.* schowek na rękawiczki.

jockey cap *n. jeźdz.* czapka dżokejska, dżokejka.

jockey shorts *n. pl.* obcisłe szorty męskie.

jockstrap [ˈdʒɑːkˌstræp] *n.* **1.** *sport* ochraniacz (*na genitalia*). **2.** *gł. US sl.* mięśniak, paker (*zwł. = student college'u dobry wyłącznie w sportach*).

jocose [dʒoʊˈkoʊs] *a. lit.* **1.** żartobliwy; wesoły. **2.** skory do żartów; dowcipkujący.

jocosely [dʒoʊˈkoʊslɪ] *adv. lit.* żartobliwie; wesoło.

jocoseness [dʒoʊˈkoʊsnəs] *n. U lit.* **1.** żartobliwość; wesołość. **2.** dowcipkowanie, żarty.

jocosity [dʒoʊˈkɑːsətɪ] *n.* **1.** *U* = **jocoseness. 2.** *pl.* **-ies** żart, dowcip.

jocular [ˈdʒɑːkjələr] *a. form.* **1.** żartobliwy (*np. o uwadze*). **2.** skory do żartów, dowcipny; figlarny.

jocularity [ˌdʒɑːkjəˈlerətɪ] *n.* **1.** *U* żartobliwość. **2.** *U* dowcipność; skłonność do żartów. **3.** *pl.* **-ies** *form.* żart, dowcip.

jocularly [ˈdʒɑːkjəˌlerlɪ] *adv.* żartobliwie.

jocund [ˈdʒɑːkənd] *a. lit.* wesoły; pogodny.

jocundity [dʒoʊˈkʌndətɪ] *n. lit.* **1.** *U* wesołość; pogodne usposobienie. **2.** *pl.* **-ies** *arch.* żart, dowcip.

jocundly [ˈdʒɑːkəndlɪ] *adv.* wesoło.

jodhpurs [ˈdʒɑːdpərz] *n. pl. jeźdz.* bryczesy.

Joe [dʒoʊ], **joe** *n. sl.* **1.** *US i Can.* facet. **2.** *US* żołnierz.

Joe Bloggs *n. Br. sl.* = **Joe Blow.**

Joe Blow *n. sing. US, Can. i Austr.* Jan Kowalski (= *przeciętny człowiek*).

Joe College *n. US pot.* student.

Joe Public *n. Br.* = **John Q Public.**

Joe Six-Pack *n. US sl.* = **Joe Blow.**

joey [ˈdʒoʊɪ] *n. Austr. pot.* **1.** młody kangur. **2.** młode zwierzę, szczenię.

jog[1] [dʒɑːg] *v.* **-gg- 1.** uprawiać jogging, biegać (*w celach rekreacyjnych*). **2.** trącać, potrącać; **~ sb's elbow** trącić kogoś w łokieć. **3. ~ sb's memory** *przen.* odświeżyć komuś pamięć. **4. ~ (on/along)** *jeźdz.* wolno kłusować. **5.** trząść się (*o pojeździe*); *t. przen.* wlec się (*np. o życiu*). **6.** *druk.* równać (*arkusze*). – *n. sing.* **1.** (wolny) bieg (*zwł. jako forma ćwiczenia*); **go for a ~** iść pobiegać. **2.** *jeźdz.* wolny kłus. **3.** trącenie, potrącenie. **4. ~ to the memory** *przen.* przypomnienie.

jog2 *n. US i Can.* **1.** występ; nierówność. **2.** *t. przen.* zakręt (*drogi*); zwrot (*np. w działaniu*).

jogger [ˈdʒɑːgər] *n.* **1.** biegacz/ka, osoba uprawiająca jogging. **2.** (*także* **jogging machine**) *druk.* równiarka, utrząsarka.

jogging [ˈdʒɑːgɪŋ] *n. U* jogging.

joggle1 [ˈdʒɑːgl] *v.* **1.** potrząsać (lekko); trząść się (lekko). **2.** podrzucać. – *n.* **1.** (lekkie) potrząśnięcie. **2.** podrzucenie.

joggle2 *stol. n.* **1.** połączenie na wpust *l.* czop. **2.** połączenie na kołek. – *v.* **1.** łączyć na wpust *l.* czop. **2.** łączyć na kołek.

jog trot *n. sing.* **1.** *jeźdz.* wolny kłus. **2.** *przen.* powolność (*w robieniu czegoś*).

jog-trot [ˈdʒɑːgˌtrɑːt] *v. jeźdz.* jechać truchtem *l.* wolnym kłusem.

Johannine [dʒoʊˈhænaɪn] *a. Bibl.* Janowy (= *dotyczący św. Jana Apostoła l. przypisywanej mu ewangelii*).

john [dʒɑːn] *n. gł. US i Can.* **1.** *pot.* kibel, kibelek (= *ubikacja*). **2.** (*także* **J~**) *sl.* klient (*prostytutki*).

John Barleycorn [ˌdʒɑːn ˈbɑːrlɪˌkɔːrn] *n. zw. żart.* personifikacja alkoholu, zwł. whisky.

John Bull *n.* **1.** *U przest.* personifikacja Anglii *l.* Anglików. **2.** *obelż.* Angol (*zwł. nielubiący cudzoziemców*).

John Doe *n. sing. US* **1.** *pot.* Jan Kowalski. **2.** *prawn.* N.N.

John Dory *n.* = **dory2**.

John Hancock *n.* (*także* **John Henry**) *US i Can. pot.* podpis.

johnny [ˈdʒɑːnɪ] *n. pl.* **-ies** **1.** *US sl.* fiut (= *penis*). **2.** *Br. sl.* guma (= *prezerwatywa*). **3.** (*także* **J~**) *Br. przest. pot.* facet, gość.

johnny cake *n. kulin.* **1.** *US* rodzaj chleba z mąki kukurydzianej. **2.** *Austr.* cienki placek z mąki i wody pieczony w popiele *l.* na patelni.

Johnny Canuck [ˌdʒɑːnɪ kəˈnʌk] *n. Can.* **1.** *sing. pot.* Kanadyjczyk. **2.** *U* personifikacja Kanady.

Johnny-come-lately [ˌdʒɑːnɪˌkʌmˈleɪtlɪ] *n. pot. pog.* nowicjusz, nowy (*zwł. nadmiernie pewny siebie*).

Johnny on the spot, Johnny-on-the-spot *n. sing. US pot.* szybki Bill.

Johnny raw *n. Br. sl.* fryc, kot (= *nowicjusz*).

John Q Public *n. U US pot.* ludność, ludzie (*zwł. w odróżnieniu od władz*).

johns [dʒɑːnz] *n.* = **long johns**.

John the Baptist *n. Bibl.* Jan Chrzciciel.

John Thomas, john t~ *n. sl.* fiut (= *penis*).

joie de vivre [ˌʒwɑː də ˈviːvrə] *n. U Fr.* radość życia.

join [dʒɔɪn] *v.* **1. ~ (up)** łączyć (*punkty, ludzi*); łączyć się (*np. o rzekach, torach*). **2.** łączyć się z (*rzeką, torem*). **3.** wstępować do (*klubu, armii*); zaczynać *l.* podejmować pracę w (*danej firmie*). **4.** dołączać do (*osoby, kolejki, grupy*); **she'll ~ us later** dołączy do nas później; **will you ~ us for dinner?** czy zjesz z nami obiad?. **5.** *pot.* = **adjoin**. **6. ~ battle** *form.* przystąpić do walki (*o wojskach*); **~ forces** połączyć siły (*with sb* z kimś); **~ hands** chwytać *l.* brać się za ręce; *przen.* zjednoczyć siły; **~ the club** *zob.* **club2** *n.* **7. ~ in** włączać się (do) (*dyskusji, zabawy*); brać udział (w) (*imprezie*); **~ in with sb** przyłączyć się do kogoś; dzielić się kosztami z kimś; **~ sb in doing sth** przyłączyć się do kogoś w robieniu czegoś; wspólnie z kimś zrobić coś; **~ up** wstąpić do wojska, zaciągnąć się; **~ up (for a drink)** spotkać się (na drinka); **~ up with sb** *pot.* połączyć się z kimś (*np. tworząc jedną drużynę l. firmę*); **~ with sb in sth** łączyć się z kimś w czymś (*np. bólu, walce, modlitwie*). – *n.* **1.** złączenie; spojenie; szew. **2.** *mat.* suma (zbiorów).

joinder [ˈdʒɔɪndər] *n.* **1.** połączenie. **2.** *prawn.* wspólne wystąpienie w procesie; połączenie spraw (*w jednym procesie*).

joiner [ˈdʒɔɪnər] *n.* **1.** *gł. Br.* stolarz (*wykonujący drzwi, schody, framugi itp.*). **2.** *pot.* osoba należąca do wielu klubów, organizacji itp.

joinery [ˈdʒɔɪnərɪ] *n. U gł. Br.* **1.** stolarstwo. **2.** stolarka (= *wyroby stolarskie*).

joint [dʒɔɪnt] *n.* **1.** połączenie, złącze. **2.** *bud.* spoina, fuga (*w murze*). **3.** *geol.* cios. **4.** *anat.* staw. **5.** *bot.* węzeł (*liścia*). **6.** *Br. kulin.* sztuka mięsa. **7.** *sl.* skręt (*z marihuany*). **8.** *pot.* lokal (*gastronomiczny l. rozrywkowy; zwł. tani l. o podejrzanej reputacji*). **9.** *sl.* pudło (= *więzienie*). **10. out of ~** *med.* wywichnięty, zwichnięty; *przen.* zepsuty; wywrócony do góry nogami; **put sb's nose out of ~** *gł. Br. pot.* wejść komuś w paradę (*zwł. koncentrując uwagę na sobie*). – *a. attr.* wspólny; **it was a ~ effort** to było wspólne przedsięwzięcie. – *v.* **1.** spajać (*t. cegły zaprawą*). **2.** *bud.* spoinować, fugować (*mur*). **3.** kantować (*deski przed ich połączeniem*). **4.** *kulin.* rozbierać, ćwiartować; dzielić w stawach (*mięso*).

joint account *n. fin.* wspólny rachunek.

Joint Chiefs of Staff *n. pl.* (*także* **JCS**) *US wojsk.* (Połączone) Kolegium Szefów Sztabów.

jointed [ˈdʒɔɪntɪd] *a.* **1.** *geol.* uszczeliniony. **2.** *techn.* przegubowy; **~ shaft** wał przegubowy. **3. large-~** *anat.* o dużych stawach.

jointer [ˈdʒɔɪntər] *n.* **1.** *techn.* strug spustnik. **2.** *techn.* zwornik (= *dwa odcinki rur połączone złączką*). **3.** *bud.* żelazko do spoinowania. **4.** *roln.* przedpłużek.

joint honours degree *n. Br. uniw.* dyplom z wyróżnieniem w zakresie dwóch przedmiotów.

jointly [ˈdʒɔɪntlɪ] *adv.* wspólnie.

joint owners *n. pl.* współwłaściciele.

joint ownership *n. U* współwłasność.

joint resolution *n. US parl.* wspólna rezolucja (*obu izb parlamentu, podpisana przez głowę państwa*).

joint return *n. fin.* zeznanie małżonków o wysokości wspólnych dochodów.

joint stock *n. U ekon.* kapitał akcyjny.

joint-stock company [ˌdʒɔɪntˈstɑːk ˌkʌmpənɪ] *n. ekon.* spółka akcyjna.

jointure [ˈdʒɔɪntʃər] *n. prawn. U* dożywocie wdowie.

joint venture *n. ekon.* joint venture, przedsięwzięcie partycypacyjne.

joist [dʒɔɪst] *n. bud.* **1.** legar podłogowy. **2.** belka stropowa.

joke [dʒoʊk] *n. C/U* żart; dowcip; kawał; **crack ~s** sypać kawałami; **dirty ~** świński *l.* sprośny kawał; **for a ~** dla żartu *l.* kawału; **I don't see the ~** nie widzę w tym nic śmiesznego; **I was only having a ~** ja tylko (tak) (sobie) żartowałam; **it's gone/got beyond a ~** to już przestało być śmieszne; **it's no ~** to nie (są) żarty; **is this your idea of a ~?** to miał być żart?; **make a ~ of sth** stroić sobie żarty z czegoś; obrócić coś w żart; **not get the ~** nie zrozumieć dowcipu; **play a ~ on sb** zrobić komuś kawał; **practical ~** kawał, psikus; **sb can take a ~** ktoś potrafi śmiać się z samego siebie; **sb is a ~** *pot.* ktoś jest niepoważny; **this is a ~!** *pot.* to farsa!, to jest śmiechu warte!; **sick ~** niesmaczny dowcip; **tell a ~** opowiedzieć kawał *l.* dowcip; **the ~ fell flat** dowcip nie wypalił; **the ~'s on him/you** *pot.* sam się zbłaźnił/eś; **the ~ was lost on her** nie zrozumiała dowcipu, nie poznała się na dowcipie. – *v.* żartować (*about sth* z czegoś, *with sb* z kimś); dowcipkować; **joking apart/aside** *Br.* żarty na bok; **(I was) only joking** (ja tylko) żartowałem; **you're joking** (*także* **you must be joking, you've got to be joking**) chyba żartujesz.

joker [ˈdʒoʊkər] *n.* **1.** żartowni-ś/sia, dowcipni-ś/sia, kawalarz. **2.** *karty* joker, dżoker. **3.** *sl. często pog.* facet, gość. **4.** *gł. US parl.* klauzula osłabiająca znaczenie ustawy *l.* czyniąca wprowadzenie ustawy w życie niemożliwym.

jokey [ˈdʒoʊkɪ], **joky** *a.* **-ier, -iest** *Br. pot.* żartobliwy.

jokingly [ˈdʒoʊkɪŋlɪ] *adv.* żartem, w żartach.

jollification [ˌdʒɑːləfəˈkeɪʃən] *n. U form.* wesoła zabawa.

jollify [ˈdʒɑːləˌfaɪ] *v.* **-ied, -ying** *form.* **1.** bawić, rozweselać. **2.** bawić się; weselić się.

jolliness [ˈdʒɑːlənəs] *n. U* wesołość.

jollity [ˈdʒɑːlətɪ] *n.* **1.** *U* wesołość. **2.** *pl.* **-ies** *Br.* wesoła zabawa.

jolly[1] [ˈdʒɑːlɪ] *a.* **-ier, -iest** **1.** wesoły. **2.** *przest.* miły, przyjemny. – *adv. Br. pot.* **1.** szalenie, bardzo; **~ good** świetny. **2.** **~ well** *emf.* naprawdę; **you should ~ well tell him what you think of that** naprawdę powinnaś mu powiedzieć, co o tym myślisz. – *n. pl.* **-ies** **1.** *Br. przest. pot.* uroczystość. **2.** *Br. wojsk. sl.* żołnierz piechoty morskiej. **3.** **get one's jollies** *US sl.* rajcować się (*from sth* czymś). – *v.* **-ied, -ying** *Br. pot.* **1.** przekonywać (*sb into doing sth* kogoś do zrobienia czegoś). **2.** żartować z (*kogoś l. czegoś*). **3.** **~ sb along** podbudowywać kogoś; podbijać komuś bębenka; **~ sth up** *przest. pot.* rozjaśnić *l.* ożywić coś.

jolly[2] *n.* (*także* **~ boat**) *żegl.* jolka.

Jolly Roger *n.* wesoły Roger, flaga piracka (*z piszczelami i trupią główką*).

jolt [dʒoʊlt] *v.* **1.** szarpnąć, potrząsnąć; szturchnąć. **2.** **~ (along)** podskakiwać, trząść się, telepać się (*o pojeździe*). **3.** *przen.* wstrząsnąć (*kimś*); zachwiać (*czymś; np. związkiem*); **~ sb awake** wyrwać kogoś ze snu; **~ sb into action** poderwać kogoś do działania; **~ the public conscience** wstrząsnąć sumieniami. – *n.* **1.** szarpnięcie. **2.** *t. przen.* wstrząs; **give sb a ~** wstrząsnąć kimś, być dla kogoś wstrząsem; **with a ~** gwałtownie.

jolter [ˈdʒoʊltər] *n. metal.* formierka wstrząsająca, wstrząsarka.

jolty [ˈdʒoʊltɪ] *a.* **-ier, -iest** trzęsący (się).

Jonah [ˈdʒoʊnə], **Jonas** [ˈdʒoʊnəs] *n. Bibl.* Jonasz (*t. przen. = osoba przynosząca pecha*).

Jonathan [ˈdʒɑːnəθən] *n.* **1.** *ogr.* jonatan (*gatunek jabłka*). **2.** (*także* **Brother ~**) *arch.* Amerykanie, naród amerykański.

jongleur [ˈdʒɑːŋglər] *n. hist.* wędrowny minstrel.

jonquil [ˈdʒɑːŋkwɪl] *n. bot.* żonkil (*Narcissus jonquilla*).

Jordan [ˈdʒɔːrdən] *n. geogr.* **1.** Jordania (*państwo*). **2.** Jordan (*rzeka*).

Jordan almond *n. kulin.* **1.** duży hiszpański migdał (*używany w cukiernictwie*). **2.** migdał w cukrze.

Jordanian [dʒɔːrˈdeɪnɪən] *a.* jordański. – *n.* Jorda-ńczyk/nka.

jorum [ˈdʒɔːrəm], **joram** *n. arch.* czara; puchar.

Joseph [ˈjoʊzəf] *n. t. Bibl.* Józef.

joseph [ˈjoʊzəf] *n. strój, hist.* długi damski płaszcz do konnej jazdy.

josh [dʒɑːʃ] *US i Can. przest. pot. v.* **1.** żartować z (*kogoś*); dokuczać żartobliwie (*komuś*). **2.** przekomarzać się. – *n.* żart (*z kogoś*).

josher [ˈdʒɑːʃər] *n.* kpiarz; żartowniś.

joshingly [ˈdʒɑːʃɪŋlɪ] *adv.* żartobliwie.

Joshua [ˈdʒɑːʃʊə] *n. Bibl.* Jozue.

Joshua tree *n. bot.* drzewo (*Yucca brevifolia*) rosnące w pustynnych okolicach płd.-zach. Stanów.

joss [dʒɑːs] *n.* bożek chiński (*czczony w formie idola*).

josser [ˈdʒɑːsər] *n. Br. sl.* **1.** głupek, cymbał. **2.** facet, gość.

joss house *n.* świątynia chińska.

joss stick *n.* kadzidełko.

jostle [ˈdʒɑːsl] *v.* **1.** **~ (with/against)** potrącać, popychać. **2.** rozpychać się; przepychać się. **3.** **~ away** odtrącać, odpychać; **~ for sth** *gł. przen.* walczyć o coś (*with sb* z kimś). – *n.* **1.** popchnięcie. **2.** *t. przen.* przepychanka.

jot [dʒɑːt] *n. sing. Br. przest. z neg.* odrobina, jota; **I don't give a ~ (about it)** nic mnie to nie obchodzi; **there isn't a ~ of truth in it** nie ma w tym ani odrobiny prawdy. – *v.* **-tt-** **~ (down)** notować, zapisywać.

jotter [ˈdʒɑːtər] *n. Br.* notes.

jotting [ˈdʒɑːtɪŋ] *n. zw. pl.* notatka.

joule [dʒuːl] *n. fiz.* dżul.

jounce [dʒaʊns] *v.* **1.** trząść (*kimś l. kogoś*); podrzucać. **2.** trząść się; podskakiwać. – *n.* wstrząs.

jour. *abbr.* **1.** = **journal**; = **journalist**. **2.** = **journeyman**.

journal [ˈdʒɝːnl] *n.* **1.** czasopismo, pismo; dziennik, gazeta. **2.** dziennik, pamiętnik. **3.** protokół (*zwł. z posiedzenia parlamentu*). **4.** *handl.* rejestr; księga kasowa. **5.** *żegl.* dziennik okrętowy. **6.** *mech.* czop (*wału l. osi spoczywający w łożysku*).

journal bearing *n. mech.* **1.** łożysko poprzeczne. **2.** łożysko czopa łożyskowego wału.

journal box *n. kol.* maźnica.

journalese [ˌdʒɜːnəˈliːz] *n. U* żargon dziennikarski.

journalism [ˈdʒɜːnəˌlɪzəm] *n. U* dziennikarstwo.

journalist [ˈdʒɜːnəlɪst] *n.* **1.** dziennika-rz/rka. **2.** *rzad.* autor/ka dziennika *l.* pamiętnika.

journalistic [ˌdʒɜːnəˈlɪstɪk] *a.* dziennikarski.

journalize [ˈdʒɜːnəˌlaɪz], *Br. i Austr. zw.* **journalise** *v.* **1.** zapisywać w dzienniku. **2.** prowadzić dziennik.

journey [ˈdʒɜːnɪ] *n. C/U t. przen.* podróż (*zwł. lądowa*); droga; jazda; **a ~ into the unknown** *przen.* podróż w nieznane; **break one's ~** przerwać podróż, zrobić (sobie) przerwę w podróży; **five-mile/three-hour ~** pięciomilowa/trzygodzinna podróż; **go on a ~** wyruszyć w podróż; **have a safe ~!** szczęśliwej podróży!; **it's two days'/a two-day ~ from here** to dwa dni drogi stąd; **make a ~** odbyć podróż; **on one's ~** w podróży; **return ~** droga powrotna. – *v. lit.* podróżować, odbywać podróż; **as they ~ed east...** w miarę jak posuwali się na wschód,...

journeyer [ˈdʒɜːnɪər] *n.* podróżni-k/czka.

journeyman [ˈdʒɜːnɪmən] *n. pl.* **-men 1.** robotnik wykwalifikowany; **~ electrician** wykwalifikowany elektryk. **2.** *arch.* robotnik pracujący na dniówki. **3.** *przen.* solidny rzemieślnik (*zwł. o przeciętnie zdolnym artyście*).

journeywork [ˈdʒɜːnɪˌwɜːk] *n. U rzad.* **1.** praca robotnika wykwalifikowanego. **2.** *przen.* czarna robota.

journo [ˈdʒɜːnoʊ] *n. pl.* **-s** *pot.* = **journalist**.

joust [dʒaʊst] *v.* **1.** *hist.* walczyć na kopie (*against/with sb* z kimś). **2.** walczyć; współzawodniczyć (*against/with sb* z kimś, *for sth* o coś). – *n. hist.* **1.** walka na kopie (*zwł. jako część turnieju*). **2.** *pl.* turniej.

jouster [ˈdʒaʊstər] *n. hist.* rycerz (*biorący udział w walce jw.*); uczestnik turnieju.

Jove [dʒoʊv] *n.* **1.** *mit.* Jowisz. **2. by ~!** *Br. przest.* na Jowisza!.

jovial [ˈdʒoʊvɪəl] *a.* **1.** jowialny. **2.** przyjemny (*np. o pogawędce, wieczorze*).

joviality [ˌdʒoʊvɪˈælətɪ] *n. U* jowialność.

jovially [ˈdʒoʊvɪəlɪ] *adv.* **1.** jowialnie. **2.** przyjemnie.

Jovian [ˈdʒoʊvɪən] *a.* **1.** *mit.* Jowiszowy. **2.** *astron.* jowiszowy; **~ planet** planeta jowiszowa *l.* typu jowiszowego.

jowl [dʒaʊl] *n.* **1.** szczęka (*zwł. dolna*). **2.** policzek (*zwł. wydatny*); **heavy-~ed** z obwisłymi policzkami. **3. cheek by ~** *zob.* **cheek** *n.*

jowls [dʒaʊlz] *n. pl.* **1.** podbródek. **2.** podgardle (*u bydła*); korale (*np. u indyka*).

jowly [ˈdʒaʊlɪ] *a.* **-ier, -iest 1.** z obfitym podbródkiem (*o człowieku*). **2.** z dużym podgardlem (*o bydle*); z dużymi koralami (*o indyku*).

joy [dʒɔɪ] *n.* **1.** *U* radość; uciecha; **cry/weep for/with ~** płakać z radości; **jump for ~** skakać z radości; **to sb's ~** ku czyjejś radości *l.* uciesze. **2.** przyjemność; powód do radości; **she's a ~ to listen to** bardzo przyjemnie się jej słucha, słuchanie jej to (sama *l.* czysta) przyjemność; **this is one of my greatest ~s** to jeden z moich największych powodów do radości. **3.** *U, z pyt. l. neg. Br. pot.* powodzenie; **did you have any ~ in tracking her down?** czy udało ci się ją namierzyć?; **I tried to contact him, but got no ~** próbowałam się z nim skontaktować, ale bez powodzenia. – *v.* **~ in sth** *lit.* radować się czymś.

joyful [ˈdʒɔɪfʊl] *a.* **1.** radosny (*o nastroju, wyglądzie, nowinie*). **2.** uradowany (*o osobie*).

joyfully [ˈdʒɔɪfʊlɪ] *adv.* radośnie, z radością.

joyfulness [ˈdʒɔɪfʊlnəs] *n. U* radość, rozradowanie.

joyless [ˈdʒɔɪləs] *a.* smutny, pozbawiony radości; **~ marriage** nieszczęśliwe małżeństwo.

joylessness [ˈdʒɔɪləsnəs] *n. U* smutek.

joyous [ˈdʒɔɪəs] *a. lit.* = **joyful**.

joyously [ˈdʒɔɪəslɪ] *adv. lit.* = **joyfully**.

joyousness [ˈdʒɔɪəsnəs] *n. U lit.* = **joyfulness**.

joypop [ˈdʒɔɪpɑːp] *v.* **-pp-** *sl.* okazjonalnie używać narkotyków.

joyride [ˈdʒɔɪraɪd] *n. pot.* przejażdżka kradzionym samochodem (*zw. szybka i niebezpieczna*). – *v. pot.* jeździć kradzionym samochodem.

joyrider [ˈdʒɔɪraɪdər] *n. pot.* amator/ka przejażdżek kradzionymi samochodami.

joyriding [ˈdʒɔɪraɪdɪŋ] *n. U pot.* jazda kradzionym samochodem.

joystick [ˈdʒɔɪstɪk] *n.* **1.** *komp.* joystick, dżojstik. **2.** *lotn.* drążek sterowy.

JP [ˌdʒeɪ ˈpiː] *abbr.* **1.** (*także* **J.P.**) = **justice of the peace**. **2.** = **jet propulsion**.

Jpn. *abbr.* = **Japan**; = **Japanese**.

Jr., jr. *abbr.* = **junior**.

JSA [ˌdʒeɪ ˌes ˈeɪ] *abbr. Br.* = **Jobseeker's Allowance**.

JSD [ˌdʒeɪ ˌes ˈdiː] *abbr.* **Doctor of Juristic Science** doktor nauk prawnych.

Ju. *abbr.* = **June**.

jubilant [ˈdʒuːbələnt] *a.* rozradowany; pełen tryumfu, tryumfalny.

jubilantly [ˈdʒuːbələntlɪ] *adv.* radośnie; tryumfalnie.

jubilate [ˈdʒuːbəˌleɪt] *v.* **1.** radować się. **2.** obchodzić jubileusz.

jubilation [ˌdʒuːbəˈleɪʃən] *n. U* **1.** wielka radość, rozradowanie. **2.** radosne obchody (*np. zwycięstwa*).

jubilee [ˈdʒuːbəˌliː] *n.* **1.** jubileusz. **2.** *rz.-kat.* jubileusz, rok jubileuszowy. **3.** *judaizm* rok jubileuszowy. **4.** *arch.* pora *l.* okazja do uciech.

JUD [ˌdʒeɪ ˌjuː ˈdiː] *abbr.* **Doctor of Canon and Civil Law** doktor prawa kanonicznego i cywilnego.

Judaea [dʒʊˈdiːə] *n. zwł. Br.* = **Judea**.

Judah [ˈdʒuːdə] *n. Bibl.* Juda.

Judaic [dʒʊˈdeɪɪk], **Judaical** [dʒʊˈdeɪɪkl] *a.* **1.** żydowski; judaistyczny. **2.** judejski.

Judaism [ˈdʒuːdɪˌɪzəm] *n. U t. rel.* judaizm.

Judaist [ˈdʒuːdɪɪst] *n.* judaist-a/ka.

Judaize [ˈdʒuːdɪˌaɪz], *Br. i Austr. zw.* **Judaise** *v.* judaizować (się).

Judas [ˈdʒu:dəs] *n.* **1.** *Bibl.* Judasz. **2.** *przen.* judasz (= *zdrajca*).

judas [ˈdʒu:dəs] *n.* (*także* ~ **window/hole**) judasz (*w drzwiach*).

Judas tree *n. bot.* judaszowiec (*Cercis siliquastrum*).

judder [ˈdʒʌdər] *v.* trząść się gwałtownie, wibrować. – *n.* trzęsienie, wibracja.

Judea [dʒʊˈdi:ə], **Judaea** *n. geogr., hist.* Judea.

Judean [dʒʊˈdi:ən] *a.* judejski. – *n.* Judejczyk/ka.

judge [dʒʌdʒ] *n.* **1.** *prawn.* sędzia. **2.** sędzia, juror/ka (*w zawodach*). **3.** *przen.* ekspert, znawca/czyni (*np. antyków, koni*); **be a good/poor ~ of charakter** znać/nie znać się na ludziach; **be no ~ of sth** *pot.* nie znać się na czymś; **let me be the ~ of that** *pot.* (pozwól, że) ja (sam) to osądzę (*kiedy nie życzymy sobie czyichś rad*). – *v.* **1.** *t. prawn.* sądzić (*osobę, sprawę*); rozsądzać (*sprawę*). **2.** sędziować w (*meczu, zawodach*). **3.** sądzić (= *wnioskować*); **~ing by/from sth** (*także* **to ~ by/from sth**) sądząc po czymś/z czegoś. **4.** oceniać; **~ sb on sth** oceniać kogoś pod kątem *l.* na podstawie czegoś; **I ~d the distance to be about three miles** oceniłem, że odległość wynosiła około trzy mile. **5.** określać; **she ~d the film (to be) obscene** określiła ten film jako obsceniczny. **6.** **~ it necessary/wise to do sth** uznać za konieczne/mądre zrobienie czegoś; **as far as I can ~** o ile się orientuję; **don't ~ a book by its cover** *przen.* pozory mylą; **it's not for me to ~** nie mnie o tym rozstrzygać.

judge advocate *n. pl.* **judge advocates** *prawn.* **1.** *US* prokurator wojskowy. **2.** *Br.* asesor sądu.

judge advocate general *n. pl.* **judge advocates general** *l.* **judge advocate generals** *prawn., wojsk.* **1.** *US* zwierzchnik wojskowego wymiaru sprawiedliwości. **2.** *Br.* cywilny doradca monarchy w sprawach sądownictwa wojskowego.

judge-made law [ˌdʒʌdʒˌmeɪd ˈlɔ:] *n.* *C/U prawn.* prawo oparte na orzecznictwie sądowym.

judgement [ˈdʒʌdʒmənt] *n. Br.* = **judgment**.

judgeship [ˈdʒʌdʒˌʃɪp] *n.* urząd sędziego.

judgment [ˈdʒʌdʒmənt], *Br. t.* **judgement** *n.* **1.** *C/U* sąd, osąd, ocena (*t. sytuacji*); opinia, zdanie, pogląd; mniemanie, odczucie; decyzja; **come to/form/make a ~** wyrobić sobie opinię *l.* zdanie; **come to the ~ that...** podjąć decyzję, że...; **in sb's ~** w czyimś mniemaniu *l.* odczuciu; **pass ~ (on sb/sth)** wydawać opinię (na temat *l.* w sprawie kogoś/czegoś); **reserve ~** wstrzymywać się z wydaniem sądu *l.* opinii; **sit in ~ on/over sb/sth** oceniać kogoś/coś (*zwł. niesprawiedliwie l. zbyt krytycznie*); **value ~** sąd wartościujący. **2.** *U* rozum, rozsądek; **(I did it, but it was) against my better ~** (zrobiłam to, choć) rozsądek podpowiadał mi co innego; **they chose the right option, but more by luck than ~** wybrali właściwą opcję, ale mieli w tym więcej szczęścia niż rozumu; **use one's ~** kierować się własnym rozumem. **3.** *C/U prawn.* orzeczenie; wyrok. **4.** *sport* decyzja (*sędziego*). **5.** *sing. t. rel.* kara (*on sb* na kogoś, *for sth* za coś); **the last/final J~** (*także* **the day of J~**) = **Judgment day**.

judgmental [ˌdʒʌdʒˈmentl] *a.* łatwo ferujący wyroki, krytykancki.

judgment call *n.* **1.** *sport* decyzja sędziego. **2.** *US przen.* konieczność podjęcia samodzielnej decyzji.

Judgment day *n.* (*także* **the day of Judgment**) (*także* **the last/final Judgment**) *rel.* Sąd Ostateczny, Dzień Sądu (Ostatecznego).

judicable [ˈdʒu:dəkəbl] *a. prawn.* mogący być sądzonym (*zwł. w sądzie*); podlegający sądzeniu.

judicative [ˈdʒu:dəˌkeɪtɪv] *a. prawn.* **1.** sądowniczy. **2.** sędziowski.

judicatory [ˈdʒu:dəkəˌtɔ:rɪ] *prawn. a.* sądowniczy. – *n.* **1.** *pl.* **-ies** trybunał sprawiedliwości, sąd. **2.** *U* sądownictwo.

judicature [ˈdʒu:dəˌkeɪtʃər] *n. U prawn.* **1.** wymiar sprawiedliwości, sądownictwo. **2.** urząd sędziowski. **3.** jurysdykcja. **4.** ciało sędziowskie. **5.** trybunał sprawiedliwości, sąd; sądy, sądownictwo.

judicial [dʒʊˈdɪʃl] *a.* **1.** *prawn.* sądowy; sądowniczy; sędziowski. **2.** bezstronny; sprawiedliwy; rozsądny.

judicially [dʒʊˈdɪʃlɪ] *adv.* rozsądnie.

judicial review *n. prawn.* kontrola sądowa.

judicial separation *n. prawn.* separacja sądowa.

judiciary [dʒʊˈdɪʃɪˌerɪ] *prawn. n. C/U pl.* **-ies** *form.* **the ~** władza sądownicza, sądownictwo (*zwł. w danym kraju*); organy wymiaru sprawiedliwości (*jw.*); ciało sędziowskie (= *ogół sędziów*). – *a. gł. attr.* sądowniczy.

judicious [dʒʊˈdɪʃəs] *a. form.* rozsądny; wyważony.

judiciously [dʒʊˈdɪʃəslɪ] *adv. form.* rozsądnie; w sposób wyważony.

judiciousness [dʒʊˈdɪʃəsnəs] *n. U* rozsądek.

judo [ˈdʒu:doʊ] *n. U sport* judo, dżudo.

judoka [ˈdʒu:doʊˌkɑ:] *n. pl.* **-s** *l.* **judoka** *sport* dżudoka.

judy [ˈdʒu:dɪ] *n. pl.* **-ies** *Br. przest. sl.* babka (= *kobieta l. dziewczyna*).

jug [dʒʌg] *n.* **1.** dzban (*US - zw. z wąską szyjką zamykaną korkiem*); dzbanek; (*także* **~ful**) cały *l.* pełen dzban *l.* dzbanek (*of sth* czegoś). **2.** *Austr. i NZ* czajnik. **3.** *Br. pot.* kieliszek (*alkoholu*); kufel (*piwa*). **4.** *US przest. sl.* szkło (= *butelka whisky*). **5.** *przest. sl.* cycek (= *pierś*). **6.** **in (the) ~** *przest. sl.* w pudle (= *więzieniu*). – *v.* **-gg-** **1.** *Br. kulin.* dusić w naczyniu glinianym; gotować jw. (*zwł. królika l. zająca*). **2.** *sl.* wsadzić do pudła.

jugal [ˈdʒu:gl] *anat. a.* **1.** jarzmowy. **2.** łączący. – *n.* (*także* **~ bone**) kość jarzmowa.

jugate [ˈdʒu:geɪt] *a. biol.* połączony (w pary).

jugful [ˈdʒʌgfʊl] *n. zob.* **jug** *n.* 1.

jugged hare [ˌdʒʌgd ˈher] *n.* *U Br. kulin.* potrawka z zająca.

Juggernaut [ˈdʒʌgərˌnɔ:t] *n.* **1.** *hinduizm* wizerunek Kriszny; wcielenie Kriszny (*wg wierzeń przemienione przez Brahmę z wizerunku w ży-*

wego boga). **2. j~** *przen.* moloch. **3. j~** *Br.* duża ciężarówka, tir.

juggins ['dʒʌgɪnz] *n. Br. przest. pot.* głupek, naiwniak.

juggle ['dʒʌgl] *v.* **1. ~ (with)** żonglować (*np. piłeczkami*). **2.** *przen.* żonglować, manipulować (*np. faktami, cyframi*); zmieniać (*np. godziny, rachunki*). **3.** łączyć (*różne prace, zajęcia*). **4. ~ about/around** przesuwać, przestawiać (*np. meble*). – *n.* żonglerka, żonglowanie.

juggler ['dʒʌglər] *n.* **1.** żongler/ka. **2.** *przen.* oszust/ka.

jugglery ['dʒʌglərɪ] *n. C/U* **1.** żonglerka, żonglowanie. **2.** *przen.* oszustwa, matactwa.

juggling act ['dʒʌglɪŋ ˌækt] *n. przen.* ekwilibrystyka (= *próby godzenia wielu zajęć, obowiązków itp.*).

jughead ['dʒʌgˌhed] *n. US sl.* czubek, świr.

Jugoslavia [ˌju:goʊ'slɑ:vɪə] *n.* = **Yugoslavia**.

jugular ['dʒʌgjələr] *a.* **1.** *anat.* szyjny. **2.** *anat.* jarzmowy. **3.** *icht.* mający płetwy brzuszne przed piersiowymi. – *n.* **1.** *anat.* = **jugular vein**. **2. go for the ~** *przen. pot.* uderzać w najsłabszy punkt.

jugular vein *n. anat.* żyła szyjna.

jugulate ['dʒʌgjəˌleɪt] *v. rzad.* zdusić (*chorobę, zwł. radykalnymi środkami*).

juice [dʒu:s] *n.* **1.** *C/U t. fizj., kulin.* sok; **digestive ~s** soki trawienne; **orange/tomato ~** sok pomarańczowy/pomidorowy. **2.** *U pot.* paliwo (*zwł. benzyna*); prąd, elektryczność; alkohol. **3.** *U pot.* energia, wigor; *US sl.* wpływy, dominacja (*zwł. w danym środowisku*). **4.** *U przen.* istota, treść. – *v. US* **1.** wyciskać sok z (*owoców, warzyw*). **2. ~ up** *pot.* ożywiać (*np. przyjęcie*); ubarwiać (*np. opowieść*); **get ~d up** *sl.* zalać się (= *upić*).

juiceless ['dʒu:sləs] *a.* **1.** bez soku; suchy; wyschnięty. **2.** *przen.* suchy; nieciekawy (*np. o opisie*).

juicer ['dʒu:sər] *n.* **1.** (*także* **~ extractor**) sokowirówka. **2.** *sl.* pijus, moczymorda.

juicily ['dʒu:sɪlɪ] *adv.* soczyście.

juiciness ['dʒu:sɪnəs] *n. U* soczystość.

juicy ['dʒu:sɪ] *a.* **-ier, -iest 1.** soczysty. **2.** *przen.* pikantny (*np. o plotce*). **3.** *gł. US i Can.* korzystny, intratny (*np. o kontrakcie*).

jujitsu [dʒʊ'dʒɪtsu:], **jujutsu** [dʒʊ'dʒʌtsu:] *n. U* dżiu-dżitsu, jujitsu.

juju ['dʒu:dʒu:] *n.* **1.** amulet; fetysz. **2.** *C/U* moc magiczna (*amuletu l. fetyszu*). **3.** tabu (*związane z amuletem l. fetyszem*). **4.** *U przen.* czary-mary (= *posługiwanie się tajemnicą w celu zmylenia innych*).

jujube ['dʒu:dʒu:b] *n.* **1.** *bot.* jujuba (*Ziziphus jujuba*). **2.** żelka (*cukierek*).

ju-jutsu [dʒʊ'dʒʌtsu:] *n.* = **jujitsu**.

jukebox ['dʒu:kˌbɑ:ks], **juke box** *n.* szafa grająca.

Jul, Jul. *abbr.* = **July**.

julep ['dʒu:lɪp] *n.* **1.** *C/U t. med.* ulepek. **2.** *gł. US* = **mint julep**.

Julian calendar [ˌdʒu:ljən 'kæləndər] *n. rachuba czasu* kalendarz juliański.

julienne [ˌdʒu:lɪ'en] *a. attr.* (*także* **~d**) pocięty w paseczki (*o warzywach*). – *n. C/U kulin.* zupa jarzynowa z warzywami pociętymi w paseczki.

Juliet cap ['dʒu:ljət ˌkæp] *n. strój* ozdobna czapeczka, noszona zw. na tyle głowy (*zwł. jako część stroju panny młodej*).

July [dʒʊ'laɪ] *n. C/U pl.* **-ies** lipiec; *zob. t.* **February**.

jumbal ['dʒʌmbl] *n. kulin.* (*także* **jumble**) obwarzanek.

jumble[1] ['dʒʌmbl] *v. często pass.* **~ (up)** mieszać się; mieszać, plątać (*np. fakty*). – *n.* **1.** *sing.* mieszanina (*rzeczy, cech, wrażeń*). **2.** *U Br.* rzeczy używane wystawione na wyprzedaży.

jumble[2] *n.* = **jumbal**.

jumble sale *n. Br.* wyprzedaż rzeczy używanych (*zw. na cele dobroczynne*).

jumbly ['dʒʌmblɪ] *a.* **-ier, -iest** pomieszany.

jumbo ['dʒʌmboʊ] *n. pl.* **-s** *pot.* gigant, olbrzym (*osoba l. rzecz*). – *a. attr.* (*także* **~-sized**) *pot.* wielki, olbrzymi; maxi (*np. o opakowaniu, porcji*).

jumbo jet *n. pot.* wielki odrzutowiec, jumbo jet.

jump [dʒʌmp] *v.* **1.** skakać; **~ for joy** skakać z radości. **2.** podskakiwać (*up and down* w górę i w dół); podskoczyć, wzdrygnąć się. **3. ~ (over)** przeskakiwać (przez) (*przeszkodę, mur*); *przen.* przeskakiwać (= *opuszczać; np. strony, linijki, rozdziały*); **~ from one topic to another** przeskakiwać z tematu na temat. **4.** podskoczyć, skoczyć (w górę) (*from... to...* z... do...) (*np. o cenach, podatkach*); podnieść (nagle) (*ceny, podatki*). **5. ~ (on)** wskakiwać na (*statek, samolot*). **6.** *pot.* naskoczyć na (= *zaatakować nagle*). **7.** *US* awansować (*zwł. niespodziewanie l. omijając kilka stanowisk*); **~ from clerk to manager** awansować z urzędnika na kierownika; **~ sb to lieutenant** awansować kogoś na stopień porucznika. **8.** *dzienn.* przenosić (*dokończenie artykułu*). **9.** *warcaby* zbijać (*bierkę*). **10.** *US pot.* bzykać (się) (= *współżyć (z)*). **11.** *pot.* tętnić życiem (*o miejscu, lokalu*). **12.** *jeźdz.* zmusić do skoku (*konia*). **13.** *mot.* = **jump-start**. **14. ~ a claim** *zob.* **claim** *n.*; **~ a light** *mot.* przejechać na czerwonym świetle; **~ a train** *gł. US* podróżować na gapę (*zwł. pociągiem towarowym*); **~ bail** *zob.* **bail**[1] *n.*; **~ in line** *US* wepchnąć się do kolejki; wepchnąć się poza kolejką *l.* kolejnością; **~ rope** *US* skakać ze skakanką *l.* przez skakankę; **~ ship/town** uciec ze statku/z miasta; **~ the gun** *pot. zob.* **gun** *n.*; **~ the queue** *Br.* = **jump in line**; **~ the track/rails** wyskoczyć z szyn (*o pociągu*); **go (and) ~ in the lake!** *pot.* idź się utop! (= *zejdź mi z oczu*). **15. ~ ahead/back** *przen.* przeskakiwać do przodu/do tyłu (*np. w czytanej książce; t. o akcji filmu*); **~ at sth** *przen.* skwapliwie skorzystać z czegoś; **~ down** zeskoczyć (z) (*czegoś*); **~ down sb's throat** *przen. pot.* skoczyć komuś do gardła; **~ in** wskoczyć; *przen.* wtrącić się, przerwać; **~ off** skoczyć z (*czegoś*); *US wojsk. sl.* rozpocząć atak; **~ on sb** (*także* **~ all over sb**) *przen. pot.* naskoczyć na kogoś (*for sth* za coś); **~ out** wyskoczyć; **~ out of a window** wyskoczyć z okna; **~ out of one's skin** *przen.* podskoczyć, wzdrygnąć się; ~ **out at sb** *przen.* dawać komuś po oczach (= *być bardzo widocznym*); ~ **to conclusions** wyciągać pochopne wnioski; ~ **to it!** *pot.* pośpiesz się!; ~ **to one's feet** zerwać się na równe nogi; ~ **up** zerwać *l.* poderwać się; podskoczyć. – *n.* **1.** skok (*t. sport, t. na spadochronie*); podskok; **high/long** ~ skok wzwyż/w dal. **2.** (nagły) skok (w górę) (*in sth* czegoś) (*np. cen*). **3.** wzdrygnięcie (się). **4.** przeskoczenie, przeskok (*from sth to sth* z czegoś na coś) (*zwł. z tematu na temat*). **5.** *t. jeźdz.* przeszkoda (*do przeskoczenia*). **6.** *warcaby* bicie. **7.** *komp.* skok. **8.** *dzienn.* odsyłacz (*do strony z dalszym ciągiem*). **9.** *pl.* **the ~s** *pot.* niepokój; *sl.* trzęsawki, delirka (= *delirium tremens*); *sl.* pląsawica. **10.** *przen.* **be on the ~** *gł. US i Can. pot.* śpieszyć się; być zajętym; **get/have the/a ~ on sb** *zwł. US* uzyskać/mieć przewagę nad kimś (*zwł. rozpoczynając wcześniej*); **keep/stay/remain one/a ~ ahead of sb** wyprzedzać kogoś o krok (*zwł. przeciwnika, konkurencję*); **(go) take a running ~!** *pot.* spadaj!.

jump ball *n. koszykówka* rzut sędziowski.

jump bid *n. brydż* odzywka z przeskokiem.

jump cut *n. film, telew.* animacja (= *skok do późniejszego momentu w ramach jednej sceny*).

jumped-up [ˌdʒʌmpt'ʌp] *a. gł. Br.* nadęty, napuszony.

jumper[1] ['dʒʌmpər] *n.* **1.** skoczek (*osoba l. zwierzę*). **2.** *el.* przewód połączeniowy. **3.** *zwł. Can.* sanie. **4.** *górn.* udarowe urządzenie wiertnicze. **5.** *koszykówka* rzut w wyskoku.

jumper[2] *n.* **1.** *US i Can.* bezrękawnik. **2.** *gł. Br. i Austr.* pulower. **3.** kurtka (*robotnika l. żeglarza*).

jumper cables *n. pl. US i Can. mot.* przewody rozruchowe.

jumpiness ['dʒʌmpɪnəs] *n. U* **1.** nerwowość. **2.** zmienność, nierównomierność (*ruchu*).

jumping bean ['dʒʌmpɪŋ ˌbiːn] *n. bot.* nasienie roślin meksykańskich (rodzaj *Sebastiania* i *Sapium*), poruszające się wskutek ruchów obecnej w nim larwy ćmy *Carpocapsa saltitans*.

jumping jack *n.* **1.** pajacyk (*na sznurku l. patyczku*). **2.** *gł. US* pajacyk (*ćwiczenie na rozgrzewkę*).

jumping-off place [ˌdʒʌmpɪŋ'ɔːf ˌpleɪs], **jumping-off point** *n.* **1.** początek (*for sth* czegoś) (*np. przedsięwzięcia, podróży*); punkt wypadowy (*for sth* dla czegoś) (*np. dla ekspedycji, operacji wojskowej*). **2.** granica możliwości. **3.** *Can.* kraniec cywilizacji. **4.** *US emf.* koniec świata, tam, gdzie diabeł mówi dobranoc.

jump jet *n. lotn.* samolot odrzutowy pionowego startu i lądowania.

jump leads *n. pl. Br.* = **jumper cables**.

jump seat *n. lotn., mot.* składany fotel (*w samochodzie, samolocie*).

jump-start ['dʒʌmpˌstɑːrt] *v.* **1.** *mot.* uruchamiać z zewnętrznego akumulatora (*samochód, silnik*). **2.** *przen.* ożywiać (*np. gospodarkę*). – *n. mot.* uruchomienie (silnika) z zewnętrznego akumulatora (*przy wyczerpanym akumulatorze własnym*).

jump suit *n.* kombinezon.

jumpy ['dʒʌmpɪ] *a.* **-ier, -iest** **1.** skaczący; zmienny; nierównomierny (*o ruchu*). **2.** nerwowy, niespokojny (*o osobie*).

Jun. *abbr.* **1.** = **June**. **2.** (*także* **jun.**) = **junior**.

junc. *abbr.* = **junction**.

junction ['dʒʌŋkʃən] *n.* **1.** *mot.* skrzyżowanie (*dróg, autostrad*). **2.** *mot.* zjazd z autostrady; wjazd na autostradę. **3.** *kol.* węzeł (kolejowy). **4.** *el.* złącze. **5.** połączenie.

junction box *n. el.* skrzynka przyłączowa; puszka połączeniowa.

junction diode *n. el.* dioda złączowa.

junction transistor *n. el.* tranzystor złączowy.

juncture ['dʒʌŋktʃər] *n.* **1.** (krytyczna) chwila; **at this ~** *form.* w tym momencie *l.* punkcie. **2.** *C/U fon.* łączenie międzywyrazowe. **3.** = **junction**.

June [dʒuːn] *n. C/U* czerwiec; *zob. t.* **February**.

June bug, June beetle *n. US ent.* chrząszcz pojawiający się na północy USA w maju *l.* czerwcu (*rodzaj Phyllophaga*).

jungle ['dʒʌŋgl] *n.* **1.** *C/U t. przen.* dżungla; **concrete/urban ~** betonowy las (= *zabudowa miejska, zwł. wieżowce*); **the law of the ~** prawo dżungli *l.* buszu. **2.** *przen.* gąszcz (*np. przepisów*). **3.** *US hist. sl.* obóz włóczęgów (*zwł. w czasie Wielkiego Kryzysu*).

jungle fever *n. U pat.* malaria, zimnica (*zwł. w Indiach Wsch.*).

jungle gym *n. US, Can. i Austr.* drabinki (*na placu zabaw*).

junior ['dʒuːnjər] *a.* **1.** *zwł. US* junior, młodszy; **John Smith, J~** John Smith junior *l.* młodszy. **2.** niższy rangą (*to sb* od kogoś). **3.** *attr.* dziecięcy; młodzieńczy. – *n.* **1. be three years sb's ~** (*także* **be sb's ~ by three years**) być od kogoś młodszym o trzy lata. **2.** podwładn-y/a. **3.** *US uniw.* student/ka trzeciego roku; *szkoln.* ucze-ń/nnica trzeciej klasy (*szkoły średniej*). **4.** *Br. szkoln.* ucze-ń/nnica szkoły podstawowej (*w wieku 7-11 lat*). **5.** *Br. prawn.* adwokat nieposiadający tytułu Queen's Counsel. **6.** *sing. voc.* (*zwł. żart. do własnego syna l. pog. do młodego człowieka*) synu, chłopcze; **come here, ~** chodź tutaj, synu *l.* chłopcze. **7.** *cz. pl. US handl.* rozmiar odzieży dla kobiet o drobnej budowie.

junior college *n. C/U US i Can. szkoln.* dwuletnia szkoła policealna umożliwiająca naukę w zakresie dwóch pierwszych lat czteroletnich studiów wyższych *l.* nadająca associate's degree.

junior common room *n. uniw.* klub studencki (*na terenie uniwersytetu l. college'u*).

junior high school *n. C/U US i Can. szkoln.* gimnazjum (*dla młodzieży w wieku 12-14 lat*).

juniority [dʒuːn'jɔːrətɪ] *n. U* **1.** młodszy wiek. **2.** podległe stanowisko.

junior school *n. C/U Br. szkoln.* szkoła podstawowa dla dzieci w wieku 7-11 lat.

junior varsity *n. US i Can. szkoln., uniw., sport* druga reprezentacja (*biorąca udział w zawodach swojej kategorii*).

junior year *n. US i Can. uniw., szkoln.* trzeci rok (*studiów l. nauki w szkole średniej*).

juniper ['dʒu:nəpər] *n. C/U bot.* jałowiec (*Juniperus*).

junk[1] [dʒʌŋk] *n. U* **1.** rupiecie, śmieci, złom. **2.** *pot.* bzdury. **3.** *sl.* hera (= *heroina*). **4.** *żegl.* mięso solone. – *v. pot.* wyrzucać na złom *l.* śmietnik.

junk[2] *n. żegl.* dżonka (*chińska*).

junk bond *n. fin.* obligacja przemysłowa przynosząca wysokie zyski i zw. związana z wysokim ryzykiem.

junker ['jʊŋkər] *n. mot. pot.* gruchot, złom.

junket ['dʒʌŋkət] *n.* **1.** *U kulin.* słodki deser mleczny. **2.** *zwł. US i Can. pot. uj.* wycieczka na koszt podatnika. **3.** uczta; piknik. – *v.* **1.** urządzić sobie wycieczkę na koszt podatnika. **2.** ugaszczać, przyjmować ucztą.

junketeer [ˌdʒʌŋkə'ti:r], **junketer** *n.* **1.** wycieczkowicz/ka (*jw.*). **2.** ucztując-y/a; bawiąc-y/a się.

junk food *n. U* niezdrowe jedzenie.

junkie ['dʒʌŋkɪ], **junky** *n. pl.* **-ies** **1.** *sl.* ćpun/ka. **2. be a television/coffee ~** *żart.* być uzależnionym od telewizji/kawy.

junk mail *n. U* przesyłki reklamowe.

junkman ['dʒʌŋkˌmæn] *n. pl.* **-men** *US i Can.* handlarz złomu, makulatury *l.* szmat.

junk shop *n.* sklep ze starzyzną.

junky ['dʒʌŋkɪ] *n.* = **junkie**.

junkyard ['dʒʌnkˌjɑ:rd] *n. US* skład złomu, złomowisko.

Juno ['dʒu:noʊ] *n. mit.* **1.** Junona. **2.** *astron.* Juno.

Junoesque [ˌdʒu:noʊ'esk] *a. przen.* królewski (*o urodzie l. powadze kobiety*).

Junr, junr *abbr.* = **junior**.

junta ['hʊntə] *n.* **1.** *polit.* junta. **2.** (*także* **junto**) klika, koteria. **3.** *polit.* rada o uprawnieniach prawodawczych *l.* wykonawczych (*w Ameryce Łacińskiej*).

Jupiter ['dʒu:pətər] *n. mit., astron.* Jowisz.

jural ['dʒʊrəl] *a.* **1.** *prawn.* prawny. **2.** *form.* dotyczący praw i obowiązków.

Jurassic [dʒʊ'ræsɪk] *a.* jurajski. – *n.* **the ~** *geol.* jura (*okres l. formacja*).

jurat ['dʒʊræt] *n.* **1.** *prawn.* formuła zaprzysiężonego poświadczenia aktu prawnego. **2.** urzędnik miejski *l.* sędzia we Francji i na Wyspach Normandzkich.

juratory ['dʒʊrəˌtɔ:rɪ] *a. prawn.* dotyczący przysięgi; wyrażony w przysiędze.

juridical [dʒʊ'rɪdɪkl], **juridic** [dʒʊ'rɪdɪk] *a. prawn.* **1.** prawny. **2.** prawniczy. **3.** sądowy. **4.** sądowniczy.

jurisconsult [ˌdʒʊrɪs'kɑ:nˌsʌlt] *n. prawn.* **1.** radca prawny. **2.** prawnik.

jurisdiction [ˌdʒʊrɪs'dɪkʃən] *n. U* **1.** kompetencje; **it falls/comes within/outside my ~** to leży/nie leży w moich kompetencjach. **2.** *prawn.* jurysdykcja. **3.** *prawn.* władza sądownicza.

jurisdictional [ˌdʒʊrɪs'dɪkʃənl] *a. prawn.* jurysdykcyjny.

jurisprudence [ˌdʒʊrɪs'pru:dəns] *n. U prawn. form.* **1.** prawoznawstwo. **2.** prawo; system prawny.

jurisprudent [ˌdʒʊrɪs'pru:dənt] *a.* znający prawo. – *n. prawn.* znaw-ca/czyni prawa; prawnik/czka, juryst-a/ka.

jurisprudential [ˌdʒʊrɪspru:'denʃl] *a. prawn.* **1.** prawoznawczy. **2.** prawniczy.

jurist ['dʒʊrɪst] *n. prawn.* **1.** znaw-ca/czyni prawa. **2.** student/ka prawa; absolwent/ka prawa. **3.** prawni-k/czka, juryst-a/ka. **4.** sędzia.

juristic [dʒʊ'rɪstɪk], **juristical** *a.* **1.** prawniczy. **2.** prawny. **3.** prawoznawczy.

juror ['dʒʊrər] *n.* **1.** *prawn.* sędzia przysięgły. **2.** *prawn.* osoba składająca przysięgę. **3.** juror/ka (*w zawodach*).

jury[1] ['dʒʊrɪ] *n. pl.* **-ies** **1.** *prawn.* sąd *l.* ława przysięgłych; **grand ~** *zob.* **grand**; **sit/serve on a ~** zasiadać na ławie przysięgłych, być członkiem ławy przysięgłych; **trial/common/petty/petit ~** *US i Can.* sąd przysięgłych złożony z 12 członków, wydający jednogłośnie werdykt. **2.** jury, sąd konkursowy. **3. the ~ is out on sth** *przen.* coś nie zostało jeszcze rozstrzygnięte *l.* zdecydowane.

jury[2] *a. zw. w złoż. gł. żegl.* tymczasowy; improwizowany.

jury box *n.* ława przysięgłych (*część sali sądowej*).

jury duty *n. U* okres gotowości do pełnienia obowiązków sędziego przysięgłego.

juryman ['dʒʊrɪmən] *pl.* **-men** *n.* (sędzia) przysięgły.

jury mast *n. żegl.* maszt prowizoryczny *l.* awaryjny (*w miejsce złamanego l. zgubionego*).

jury-rig ['dʒʊrɪˌrɪg] *v. gł. żegl.* improwizować.

jury-rigged ['dʒʊrɪˌrɪgd] *a. gł. żegl.* prowizoryczny; awaryjny; tymczasowy.

jury service *n. U* pełnienie obowiązków sędziego przysięgłego.

jurywoman ['dʒʊrɪˌwʊmən] *n. pl.* **-women** (sędzia) przysięgła.

jussive ['dʒʌsɪv] *a. i n. gram.* (tryb) rozkazujący.

just [dʒʌst] *a.* **1.** sprawiedliwy (*o osobie, decyzji*); słuszny (*o żądaniu, sprawie*); uzasadniony (*o podejrzeniu, krytyce*); zasłużony (*o karze, nagrodzie*). **2.** dokładny (*o pomiarze, opisie*). **3.** prawowity (*o spadku*). **4.** właściwy (*o doborze*). **5. get one's ~ deserts** *zob.* **deserts**. – *adv.* **1.** właśnie, dokładnie. **2. ~ then** właśnie wtedy. **3. that's ~ it** o to właśnie chodzi. **4.** właśnie, dopiero co; **she's ~ left** dopiero co *l.* właśnie wyszła. **5.** tylko, jedynie; **~ this once** tylko ten jeden (jedyny) raz; **can I ~ say something?** czy mogę tylko coś powiedzieć?; **(I'm) ~ looking** (ja) tylko oglądam (*w sklepie*); **it's ~ me** to tylko ja; **~ because he has money, doesn't mean he can order us around** tylko dlatego, że ma pieniądze, nie znaczy, że może nas rozstawiać po kątach. **6.** po prostu; **~ go there and ask** po prostu idź tam i spytaj. **7.** (*także* **only ~**) (*także* **~ about**) ledwo, zaledwie; z trudem; **there was ~ enough room** ledwo starczyło miejsca. **8. ~ about** właśnie; prawie; z trudem; **we were ~ about to leave** właśnie mieliśmy wychodzić; **~ a moment/second/minute!** (jedną) chwileczkę!, momencik!; ~ **as** akurat jak; ~ **as she was closing the door** (dokładnie) w chwili, gdy zamykała drzwi; ~ **as beautiful/strong as...** równie piękny/silny co..., nie mniej piękny/silny niż...; ~ **before/after you left** (na) krótko przed tym/po tym, jak wyszłaś; ~ **enough** akurat *l.* dokładnie tyle, ile potrzeba; ~ **here** o, tutaj; ~ **in case** tak na wszelki wypadek; ~ **in time** w samą porę; ~ **like that** ot tak (sobie); ~ **my luck!** *zob.* **luck**; ~ **now** dopiero co; *Br.* w tej chwili; *S.Afr. pot.* za chwilę; ~ **over/under** niewiele ponad/poniżej; ~ **right** w sam raz; ~ **so** uporządkowany; zapięty na ostatni guzik; *Br. przest.* właśnie, dokładnie (*zgadzając się z kimś*); ~ **the same** *pot.* mimo wszystko; ~ **the thing** *pot.* dokładnie to, o co chodziło; ~ **think/listen** pomyśl/posłuchaj tylko; **it's ~ possible (that)...** istnieje niewielkie prawdopodobieństwo, że...; **it's ~ that...** tylko że...; **it's ~ as well you were around** całe szczęście, że byłeś w pobliżu; **it's/that's ~ as well** no i dobrze; **it was ~ on eight o'clock** *Br. i Austr. pot.* była dokładnie (godzina) szósta; **not ~ now** nie w tej chwili; **not ~ yet** jeszcze nie teraz; **she ~ missed** minimalnie chybiła; **this hat is ~ you** *pot.* w tym kapeluszu jest ci bardzo do twarzy; **"This is terribly unfair." "Isn't it ~?"** *pot.* „To bardzo niesprawiedliwe." „No właśnie."; **you might ~ as well stay the night** równie dobrze możesz zostać na noc.

justice [ˈdʒʌstɪs] *n.* **1.** *U* sprawiedliwość; ~ **has been done/served** sprawiedliwości stało się zadość; **poetic ~** *zob.* **poetic**; **rough ~** *zob.* **rough**. **2.** *U* słuszność (*sprawy*); zasadność (*zażalenia*). **3.** *U prawn.* wymiar sprawiedliwości; **bring sb to ~** oddać kogoś w ręce (wymiaru) sprawiedliwości. **4.** (*także* **J~**) *prawn.* sędzia (*zwł. sądu wyższej instancji, US - Sądu Najwyższego; Br. - Najwyższego Sądu Orzecznictwa*); **the judge, J~ Peter Clarke** sędzia, pan Peter Clarke. **5.** (*także* **J~**) *prawn.* = **justice of the peace.** **6.** *przen.* **do ~ to sth** dobrze oddawać coś (*np. czyjąś urodę*); dać sobie radę *l.* uporać się z czymś (*np. z posiłkiem*); **do ~ to sb/sth** (*także* **do sb/sth ~**) oddawać komuś/czemuś sprawiedliwość; **do o.s. ~** pokazać, na co nas stać; **with ~** *form.* słusznie.

justice of the peace *n.* (*także* **JP, J.P.**) *prawn.* sędzia pokoju.

justiciar [dʒəˈstɪʃɪər] *n. Br. hist.* najwyższy urzędnik administracyjny i sądowy za Normanów i pierwszych Plantagenetów.

justiciary [dʒəˈstɪʃɪˌerɪ] *n. pl.* **-ies** **1.** sędzia. **2.** = **justiciar.** – *a.* sądowniczy; sędziowski.

justifiable [ˌdʒʌstəˈfaɪəbl] *a.* uzasadniony, słuszny; usprawiedliwiony.

justifiable homicide *n. prawn.* zabójstwo usprawiedliwione (*w obronie własnej, koniecznej*).

justifiably [ˌdʒʌstəˈfaɪəblɪ] *adv.* słusznie, ze słusznych względów.

justification [ˌdʒʌstəfəˈkeɪʃən] *n.* **1.** *C/U* uzasadnienie; *t. teol.* usprawiedliwienie. **2.** *U komp., druk.* justowanie, wyrównywanie.

justificative [ˈdʒʌstəfəˌkeɪtɪv], **justificatory** [dʒəˈstɪfəkəˌtɔːrɪ] *a. form.* usprawiedliwiający.

justified [ˈdʒʌstəˌfaɪd] *a.* **1.** usprawiedliwiony; uzasadniony, słuszny (*np. o obawach, podejrzeniach*); **be ~ in doing sth** mieć podstawy *l.* powody, by coś zrobić. **2.** *komp., druk.* justowany, wyrównany; **right/left-~** *komp.* wyrównany do prawej/lewej (*o tekście*).

justify [ˈdʒʌstəˌfaɪ] *v.* **-ied, -ying** **1.** usprawiedliwiać; ~ **o.s.** usprawiedliwiać się (*to sb* przed kimś). **2.** uzasadniać. **3.** *komp., druk.* justować, wyrównywać.

justly [ˈdʒʌstlɪ] *adv.* **1.** sprawiedliwie; słusznie; zasłużenie. **2.** prawowicie. **3.** właściwie.

justness [ˈdʒʌstnəs] *n. U* **1.** sprawiedliwość; słuszność; zasadność. **2.** prawowitość.

jut [dʒʌt] *n.* występ. – *v.* **-tt-** ~ **(out)** wystawać, sterczeć.

Jute [dʒuːt] *Br. hist. n.* Jut, człon-ek/kini plemienia Jutów. – *n.* dotyczący Jutów; jutlandzki.

jute [dʒuːt] *n. U bot., tk.* juta (*rodzaj Corchorus*).

Jutland [ˈdʒʌtlənd] *n. geogr.* Jutlandia.

juvenescence [ˌdʒuːvəˈnesəns] *n. U form.* **1.** młodzieńczość. **2.** dorastanie; okres dorastania. **3.** odmłodzenie; odrodzenie.

juvenescent [ˌdʒuːvəˈnesənt] *a. form.* **1.** młodzieńczy. **2.** dorastający.

juvenile [ˈdʒuːvənaɪl] *a.* **1.** *attr. prawn.* nieletni, młodociany (*o przestępcy*); ~ **court** sąd dla nieletnich. **2.** *t. biol.* młodociany. **3.** młodzieńczy (*np. o latach, uczuciach*); ~ **books** książki dla młodzieży. **4.** dziecinny (*o żarcie, osobie*). – *n.* **1.** młodzieniec. **2.** *teatr* aktor grający młodzieńców. **3.** książka dla młodzieży.

juvenile delinquency *n. U prawn.* przestępczość nieletnich.

juvenile delinquent *n. prawn.* młodociany przestępca.

juvenile hormone *n. biochem.* hormon juwenalny.

juvenilely [ˈdʒuːvənaɪllɪ] *adv.* po młodzieńczemu.

juvenile water *n. U geol.* woda juwenilna (= *wydostająca się na powierzchnię po raz pierwszy*).

juvenilia [ˌdʒuːvəˈnɪlɪə] *n. pl. teor. lit.* utwory młodzieńcze.

juvenility [ˌdʒuːvəˈnɪlətɪ] *n. rzad.* **1.** *U* młodzieńczość. **2.** *cz. pl.* dziecinada. **3.** młodzież.

juxtapose [ˌdʒʌkstəˈpoʊz] *v. form.* **1.** zestawiać (ze sobą). **2.** układać obok siebie.

juxtaposition [ˌdʒʌkstəpəˈzɪʃən] *n. C/U* **1.** zestawienie. **2.** ułożenie obok siebie; **in ~** w bezpośrednim sąsiedztwie (*with sth* czegoś).

JV [ˌdʒeɪ ˈviː], **J.V.** *abbr.* = **joint venture.**

Jy. *abbr.* = **July.**

K [keɪ], **k** *n. pl.* **-'s** *l.* **-s** [keɪz] K, k (*litera l. głoska*).

K *abbr.* **1.** *fiz.* = **kelvin(s)**. **2.** *szachy* = **king**. **3.** *komp.* **kilobyte** kB. **4.** = **kindergarten**. **5.** = **kopeck**. **6.** **one thousand** tysiąc.

k *abbr.* = **kilo**.

K. [keɪ], **k.** *abbr.* **1.** = **karat**. **2.** = **kilo**. **3.** = **king**. **4.** = **knight**.

kabbala [kæ'bɑ:lə], **kabala** *n.* = **cabbala**.

kabob [kə'bɑ:b] *n.* = **kebab**.

kabuki [kə'bu:kɪ] *n.* *U teatr* kabuki.

kaffeeklatsch ['kæfeɪˌklætʃ], **kaffee klatsch**, **coffee klatsch** *n. gł. US* kawa, kawka (*spotkanie towarzyskie*).

Kaffir ['kæfər], **Kafir** *n. pl.* **-s** *l.* **Kaffir** *obelż.* **1.** *S.Afr.* czarnuch. **2.** Kafr. **3.** niewierny (= *niemuzułmanin*). **4.** *U jęz.* = **Xhosa**.

kafir ['kæfər], **kaffir** *n.* *U* (*także* ~ **corn**) *bot.*, *roln.* sorgo (*Andropogon sorghum*).

kaftan ['kɑ:ftən] *n.* = **caftan**.

kaiak ['kaɪæk] *n.* = **kayak**.

kail [keɪl] *n.* = **kale**.

kailyard ['keɪlˌjɑ:rd] *n.* = **kaleyard**.

kainit [kaɪ'ni:t], **kainite** ['kaɪnaɪt] *n.* *U min.* kainit.

kaiser ['kaɪzər] *n.* *hist.* cesarz (*zwł. niemiecki l. austro-węgierski*).

kaiserdom ['kaɪzərdəm] *n.* *hist.* cesarstwo (*jw.*).

kakemono [ˌkɑ:kə'moʊnoʊ] *n. pl.* **-s** kakemono (= *japońskie malowidło ścienne umocowane na drążku*).

Kalahari [ˌkælə'hɑ:rɪ] *n.* **the** ~ **(Desert)** *geogr.* (pustynia) Kalahari.

Kalashnikov [kə'lɑ:ʃnɪkɑ:f] *n.* *broń* kałasznikow.

kale [keɪl] *n.* *C/U* **1.** *bot.* jarmuż (*Brassica oleracea acephala*). **2.** *Scot.* kapusta. **3.** *Scot. kulin.* kapuśniak; zupa jarzynowa. **4.** *US sl.* forsa.

kaleidoscope [kə'laɪdəˌskoʊp] *n.* *t. przen.* kalejdoskop.

kaleidoscopic [kəˌlaɪdə'skɑ:pɪk], **kaleidoscopical** *a.* kalejdoskopowy.

kaleidoscopically [kəˌlaɪdə'skɑ:pɪklɪ] *adv.* kalejdoskopowo, jak w kalejdoskopie.

kalends ['kæləndz] *n. pl.* = **calends**.

kaleyard ['keɪlˌjɑ:rd] *n.* *Scot. arch.* ogród warzywny.

kalif ['keɪlɪf], **khalif** *n.* = **caliph**.

Kalmuk ['kælmʌk], **Kalmyck** ['kælmɪk] *n. pl.* **-s** *l.* **Kalmuk** **1.** Kałmu-k/czka. **2.** *U* język kałmucki. – *a.* kałmucki.

kalsomine ['kælsəˌmaɪn] *n. i v.* = **calcimine**.

kamikaze [ˌkɑ:mə'kɑ:zɪ] *n.* *hist. l. przen.* kamikadze, kamikaze. – *a. attr.* ~ **bomber** bombowiec kamikadze *l.* kamikaze.

Kampala [kɑ:m'pɑ:lə] *n.* *geogr.* Kampala.

Kampuchea [kæmpʊ'tʃi:ə] *n.* *przest.* Kampucza.

Kampuchean [kæmpʊ'tʃi:ən] *przest. a.* kampuczański. – *n.* Kampuczan-in/ka.

kana ['kɑ:nə] *n. jęz.* kana (*system pisma japońskiego*).

Kanaka [kə'nækə] *n.* **1.** Hawaj-czyk/ka. **2.** (*także* **k~**) *Austr.* tubylec z wysp południowego Pacyfiku.

kanga ['kæŋgə] *n.* kanga, khanga (*strój kobiet wschodnioafrykańskich*).

kangaroo [ˌkæŋgə'ru:] *n.* **1.** *pl.* **-s** *l.* **kangaroo** *zool.* kangu-r/rzyca (*rodzina Macropodidae*). **2.** *zw. pl. giełda* akcja australijska (*zwł. spółki górniczej l. tytoniowej*). – *v. pot.* szarpać (*o samochodzie*).

kangaroo closure *n.* *Br. parl.* ograniczenie debaty przez wybranie do dyskusji tylko pewnych poprawek.

kangaroo court *n.* *pot.* nieformalny sąd (*np. wśród więźniów l. strajkujących robotników*).

kangaroo rat *n.* *zool.* **1.** *US* gryzoń z rodziny *Heteromyidae* (*rodzaju Dipodomys*). **2.** *Austr.* gryzoń z rodzaju *Notomys*.

Kannada ['kɑ:nədə] *n.* *U jęz.* (język) kannada (*z rodziny języków drawidyjskich*).

Kans. *abbr.* *US* = **Kansas**.

Kansas ['kænzəs] *n.* *US geogr.* stan Kansas.

kaolin ['keɪəlɪn], **kaoline** *n.* *U min.* kaolin, glinka kaolinowa.

kapok ['keɪpɑ:k] *n.* *U tk.* kapok (*włókno nasienne*).

kaput [kə'pʊt] *a. pred. pot.* zepsuty, kaput; **go** ~ zepsuć się.

Karaite ['kerəˌaɪt] *hist., rel. n.* karaim/ka, karait-a/ka (*człon-ek/kini żydowskiej grupy wyznaniowej*). – *a.* karaimski.

Karakoram [ˌkɑ:rə'kɔ:rəm], **Karakorum** *n.* *geogr.* Karakorum.

karakul ['kerəkl] *n.* = **caracul**.

Kara Kum [ˌkɑ:rə 'ku:m] *n.* *geogr.* Kara-Kum.

karaoke [ˌkerɪ'oʊkɪ] *n.* *U* karaoke.

karat ['kerət], **carat** *n.* karat.

karate [kə'rɑ:tɪ] *n.* *U sport* karate.

Karelia [kə'ri:lɪə] *n.* *geogr.* Karelia.

Karelian [kə'ri:lɪən] *a.* karelski. – *n.* **1.** Karel/ka, mieszkan-iec/ka Karelii. **2.** *U* dialekt karelski (*języka fińskiego*).

karma ['kɑ:rmə] *n. U hinduizm, buddyzm l. pot.* karma.

karoo [kə'ru:], **karroo** *n. S.Afr.* suchy płaskowyż.

karst [kɑ:rst] *n. U geol.* kras.

kasha ['kɑ:ʃə] *n. U kulin.* kasza.

Kashmir ['kæʃmi:r] *n. geogr.* Kaszmir; **k~ = cashmere**.

Kashubian [kə'ʃu:bɪən] *a.* kaszubski. – *n.* **1.** Kaszub/ka. **2.** *U* dialekt kaszubski.

katabatic [ˌkætə'bætɪk] *a. meteor.* katabatyczny (*o wietrze*).

katabolism [kə'tæbəˌlɪzəm] *n. U biol.* katabolizm.

katydid ['keɪtɪdɪd] *n. ent.* duży zielony pasikonik amerykański (*rodzaj Microcentrum i pokrewne*).

kauri ['kaʊrɪ] *n. bot.* kauri (*nowozelandzkie drzewo szpilkowe Agathis australis*).

kava ['kɑ:və] *n.* **1.** *bot.* krzew polinezyjski (*Piper methysticum*). **2.** *U* odurzający napój z korzeni krzewu jw.

kayak ['kaɪæk], **kaiak** *sport n.* kajak (*t. eskimoski*). – *n.* pływać kajakiem.

kayo [ˌkeɪ'oʊ], **KO** *boks sl. v.* nokautować. – *n. pl.* **-s** nokaut.

kazoo [kə'zu:] *n. pl.* **-s** *muz.* kazoo (*prosty instrument dęty*).

KB [ˌkeɪ 'bi:] *abbr.* **1.** = **King's Bench**. **2.** = **knight bachelor**. **3.** = **kilobyte**.

kb, kbar *abbr.* = **kilobar**.

KBE [ˌkeɪ ˌbi: 'i:] *abbr. Br.* **Knight (Commander of the Order) of the British Empire** tytuł brytyjski.

KC [ˌkeɪ 'si:] *abbr. Br.* **1.** = **King's Counsel**. **2.** = **Knights of Columbus**.

kc *abbr.* = **kilocycle**.

kcal *abbr.* = **kilocalorie**.

KCB [ˌkeɪ ˌsi: 'bi:] *abbr. Br.* **Knight Commander of the Bath** tytuł brytyjski.

KD [ˌkeɪ 'di:], **k.d.** *abbr.* **knocked down** *handl.* zdemontowany.

kea ['keɪə] *n. orn.* duża zielona papuga nowozelandzka (*Nestor notabilis*).

kebab [kɪ'bɑ:b], **kabob** *n. kulin.* (*także* **shish ~**) kebab.

keddah ['kedə] *n.* = **kheda**.

kedge [kedʒ] *v. żegl.* **1.** przeciągać na kotwicy zawoźnej (*statek*). **2.** być przeciąganym jw. (*o statku*). – *n.* (*także* **~ anchor**) kotwica zawoźna.

kedgeree ['kedʒəˌrɪ] *n. U gł. Br. kulin.* potrawa z ryżu, kawałków ryby i jajek na twardo.

keek [ki:k] *v. Scot.* zerkać.

keel¹ [ki:l] *n.* **1.** *żegl., lotn.* stępka, kil; **false ~** *żegl.* płoza ochronna stępki. **2. on an even ~** *przen.* w stanie równowagi. – *v.* **1.** *żegl.* wywracać (się) do góry dnem. **2. ~ over** *żegl.* wywrócić (się) do góry dnem (*o statku, łodzi*); *pot.* paść (*zwł.* = *zemdleć*).

keel² *n. wsch. Br. dial.* **1.** statek płaskodenny (*zwł. barka do przewozu węgla*). **2.** barka węgla (*objętość odpowiadająca ok. 21 tonom*).

keelage ['ki:lɪdʒ] *n. U żegl.* opłata stępkowa (*za postój w porcie*).

keelboat ['ki:lˌboʊt] *n. żegl.* płaska towarowa łódź rzeczna.

keelhaul ['ki:lˌhɔ:l] *v.* **1.** *żegl.* przeciągać pod stępką (*za karę*). **2.** surowo besztać.

keelson ['kelsən], **kelson** *n. żegl.* nadstępka, kilson.

keen¹ [ki:n] *a.* **1.** zapalony, gorliwy (*np. o zwolenniku, studencie*); chętny; **be ~ to do/on doing sth** palić się do (zrobienia) czegoś; **I'm not ~ on leaving** nie chce mi się *l.* nie mam ochoty wychodzić; **be ~ for sb to do sth** pragnąć, by ktoś coś zrobił. **2. be ~ on sb** *zwł. Br. pot.* interesować się kimś; **be ~ on sth** interesować się czymś; lubić coś; **be mad ~ on sth** *zob.* **mad** *adv.* **3.** bystry (*np. o obserwatorze, umyśle*). **4.** bystry, przenikliwy (*o wzroku*); wyostrzony (*o słuchu, węchu*). **5.** uważny, skoncentrowany (*o twarzy*). **6.** żywy (*np. o pragnieniu, zainteresowaniu*). **7.** zawzięty (*o rywalizacji*). **8.** *lit.* ostry (*np. o krawędzi, nożu*). **9.** *przest.* ostry, przenikliwy, przejmujący (*o wietrze*). **10.** *zwł. Br.* niski (*o cenie*). **11.** *zwł. US i Can. przest. sl.* szałowy, wystrzałowy. **12. (as) ~ as mustard** *Br. przest.* chętny, gorliwy; bystry.

keen² *Ir. l. lit. n.* pieśń żałobna. – *v.* **1.** lamentować, zawodzić (*zwł. opłakując czyjąś śmierć*). **2.** opłakiwać.

keen-edged [ˌki:n'edʒd] *a.* ostry (*np. o nożu*).

keen-eyed [ˌki:n'aɪd] *a.* bystrooki.

keenly ['ki:nlɪ] *adv.* **1.** żywo (*interesować się, pragnąć*). **2.** uważnie (*obserwować*). **3.** zawzięcie (*rywalizować*).

keenness ['ki:nnəs] *n. U* **1.** gorliwość, zapał. **2.** bystrość, przenikliwość (*wzroku*); wyostrzenie (*słuchu, węchu*).

keep [ki:p] *v. pret. i pp.* **kept** **1.** zatrzymywać (*t. = opóźniać*); zachowywać, zostawiać sobie (*np. pokwitowania, rachunki*); **~ the change** proszę zatrzymać resztę; **I wonder what's ~ing her** zastanawiam się, co ją zatrzymało; **I won't ~ you** nie będę cię zatrzymywać; **you can ~ it** możesz to sobie zatrzymać. **2.** trzymać (*gdzieś l. w jakimś stanie; t. = przechowywać; t. = hodować*); trzymać się; **~ right/left** trzymać się prawej/lewej strony; **~ sb in suspense** trzymać kogoś w napięciu; **they ~ a cow and a couple of pigs** trzymają krowę i parę świń; **she was kept in hospital for over a month** trzymali ją w szpitalu ponad miesiąc; **we ~ the eggs in the fridge** jajka trzymamy w lodówce. **3.** utrzymywać (*np. rodzinę, posadę*). **4.** dotrzymywać (*czegoś*); dochowywać (*czegoś*); **~ one's word/promise** dotrzymać słowa/obietnicy; **can you ~ a secret?** czy potrafisz dochować tajemnicy?. **5.** prowadzić (*t. Br. przest. - sklep, interes*); **~ the accounts/a diary/a record** prowadzić rachunki/dziennik/spis. **6.** *handl.* mieć *l.* trzymać na składzie (*towar*). **7.** zachowywać świeżość (*o żywności*). **8.** zostawiać, pozostawiać (*w jakimś stanie*); **~ the door/window open** zostawiać drzwi/okno otwarte, nie zamykać drzwi/okna. **9.** pozostawać (*w jakimś stanie*); **~ calm** zachowywać spokój; ~

dry/warm nie zmoknąć/nie zmarznąć; ~ **quiet** siedzieć cicho; ~ **still** nie ruszać się, pozostawać w bezruchu. **10.** zatrudniać (*np. służących, kierowcę*). **11.** *form.* chronić, strzec, mieć w (swojej) opiece; **may the Lord ~ you (from harm)** niech Bóg ma cię w swej opiece. **12.** *przest.* obchodzić, świętować; **we don't ~ Easter** nie obchodzimy Wielkanocy. **13.** ~ **(on) doing sth** ciągle *l.* nadal coś robić, nie przestawać czegoś robić; ~ **talking/walking!** mów/idź dalej!. **14.** *przen.* ~ **an appointment** *zob.* **appointment**; ~ **an eye on sb/sth** *zob.* **eye** *n.*; ~ **company with sb** *zob.* **company**; ~ **fit** *zob.* **fit**[1] *a.*; ~ **guard/watch** stać na warcie *l.* straży, trzymać wartę; mieć się na baczności; ~ **in step** *zob.* **step** *n.*; ~ **in touch** *zob.* **touch** *n.*; ~ **one's hand in sth** *zob.* **hand** *n.*; ~ **one's hands/nose clean** *zob.* **clean** *a.*; ~ **one's head** *zob.* **head** *n.*; ~ **one's head above water** *zob.* **head** *n.*; ~ **pace with sb** *zob.* **pace** *n.*; ~ **sb company** *zob.* **company**; ~ **sb informed/posted** informować kogoś na bieżąco; ~ **sb quiet** sprawić *l.* dopilnować, żeby ktoś był cicho; ~ **sb waiting** kazać komuś czekać; ~ **sth to hand** *zob.* **hand** *n.*; ~ **tabs on sb/sth** *zob.* **tab**; ~ **time** wskazywać czas (*o zegarze*); ~ **track of sth** *zob.* **track** *n.*; ~ **your hair/shirt on!** *pot.* spokojnie!, nie gorączkuj się!; **how are you ~ing?** *zwł. Br. przest. pot.* jak ci leci?; **we try to ~ him happy** staramy się, żeby był zadowolony; **won't this ~ until later?** czy to nie może poczekać?. **15.** ~ **at it** nie ustawać w wysiłkach; ~ **at sth** siedzieć nad czymś (*np. nad pracą*); ~ **sb at sth** trzymać kogoś przy czymś (*np. przy pracy*); ~ **away** trzymać (się) z dala *l.* z daleka (*from sb / sth* od kogoś/czegoś); ~ **back** nie zbliżać się, trzymać się z dala *l.* z daleka (*from sb / sth* od kogoś/czegoś); nie wyjawiać (*czegoś*), zatajać; powstrzymywać (*tłum, wroga, łzy*); zostawiać sobie (*pieniądze*); ~ **down** ograniczać, utrzymywać na niskim poziomie (*koszty, ceny*); tłumić (*powstanie, gniew, płacz*); nie zwymiotować (*pokarmu*); nie podnosić się; być w ukryciu; ~ **it down!** mówcie *l.* bądźcie (trochę) ciszej!; ~ **(o.s.) from doing sth** powstrzymywać się przed zrobieniem czegoś; ~ **sb from doing sth** uniemożliwiać komuś zrobienie czegoś; powstrzymywać kogoś przed zrobieniem czegoś; ~ **sb from sth** odrywać kogoś od czegoś (*zwł. od pracy*); *form.* chronić kogoś od czegoś *l.* przed czymś; ~ **sth (back) from sb** ukrywać *l.* zatajać coś przed kimś; ~ **sth from happening** zapobiegać czemuś, nie dopuszczać do czegoś; ~ **in** zostawiać w domu (*zwł. = nie posyłać do szkoły*); *Br. szkoln.* zostawiać po lekcjach (*za karę*); dusić, powstrzymywać (*uczucie, emocje*); podtrzymywać (*ogień*); palić się (dalej) (*o ogniu*); ~ **sb in sth** wystarczać komuś na coś, zapewniać komuś coś (*o pieniądzach, bogactwie*); ~ **in with sb** *Br.* pozostawać w dobrych stosunkach z kimś; ~ **off** trzymać się z dala od (*miejsca, tematu, tłustych potraw, kofeiny*); nie zaczynać padać (*o deszczu, śniegu*); **"off the grass!"** „nie deptać trawników!"; ~ **sb off** zabraniać komuś wstępu, nie wpuszczać kogoś; ~ **sth off** chronić się przed czymś (*np. przed słońcem, komarami*); ~ **your hands off!** (trzymaj) ręce przy sobie!; ~ **on** nadal mieć; nadal zatrudniać; ~ **on about sth** *pot.* (ciągle) nudzić o czymś (*at sb* komuś); ~ **on at sb to do sth** *pot.* męczyć kogoś, żeby coś zrobił; ~ **out** nie wpuszczać; nie przepuszczać (*np. deszczu*); "~ **out!**" „wstęp wzbroniony"; „nie zbliżać się!"; ~ **out of sth** trzymać (się) z daleka od czegoś; nie wystawiać (się) na coś (*np. na słońce*); nie wtrącać się do czegoś; ~ **to one's bed/room** nie wychodzić z pokoju/łóżka (*z powodu złego samopoczucia l. zdenerwowania*); ~ **to the road** trzymać się drogi; ~ **to the subject/point** trzymać się tematu, nie odbiegać od tematu; ~ **(o.s.) to o.s.** *Br.* z nikim się nie zadawać; ~ **sth to o.s.** zachowywać coś dla siebie (= *nie wyjawiać*); ~ **up** utrzymywać (*poziom, standardy, dom*); podtrzymywać (*spodnie*); ciągnąć, kontynuować (*pracę*); ~ **it up!** rób tak dalej!; ~ **sb up** nie pozwalać komuś zasnąć *l.* iść spać; ~ **up appearances** zachowywać pozory; ~ **up with sb/sth** *t. przen.* nadążać za kimś/czymś; ~ **up with the Joneses** *przen.* nie być gorszym od sąsiadów. – *n.* **1.** *U* utrzymanie; **earn one's ~** zarabiać na utrzymanie. **2.** *pl. zob.* **keeps**. **3.** *bud., hist.* (główna) wieża (*wewnątrz murów średniowiecznego zamku*).

keeper [ˈkiːpər] *n.* **1.** dozorca (*w zoo, parku*). **2.** strażni-k/czka, dozorca (*w więzieniu*). **3.** kustosz (*w muzeum*). **4.** posiadacz/ka, właściciel/ka (*of sth* czegoś). **5.** kierownik, menedżer (*hotelu itp.*). **6.** *techn.* przytrzymywacz; ustalacz. **7.** *techn.* jarzmo magnesu; *el.* zwora elektromagnesu. **8.** = **gamekeeper**. **9.** = **goalkeeper**. **10.** = **wicketkeeper**. **11. good/poor ~** produkt przechowujący się dobrze/źle.

keeper ring *n.* (*także* **guard ring**) pierścionek przytrzymujący na palcu inny pierścionek.

keep fit *n. U Br.* zajęcia sportowe (*np. na siłowni l. aerobik*).

keeping [ˈkiːpɪŋ] *n. U* **1.** opieka; **in sb's ~** pod czyjąś opieką; **for safe ~** dla bezpieczeństwa. **2. in ~ with sth** zgodnie z czymś; **be in keeping/out of ~ with sth** pasować/nie pasować do czegoś.

keeps [kiːps] *n. pl. pot.* **for ~** na zawsze, na dobre; na własność.

keepsake [ˈkiːpˌseɪk] *n.* pamiątka (*czegoś, od kogoś l. po kimś*).

kef [keɪf], **kief** *n. U* **1.** marihuana. **2.** narkotyk o działaniu podobnym do marihuany. **3.** odurzenie narkotykowe (*zwł. marihuaną*).

kefir [kəˈfiːr] *n. U kulin.* kefir.

keg [keg] *n.* **1.** beczułka, baryłka (*zw. poniżej 10 galonów*). **2.** jednostka wagi gwoździ równa 100 funtom. **3.** *Br.* beczka, beczułka (*piwa*). **4.** *U* (*także ~* **beer**) *Br.* piwo beczkowe (*nalewane pod ciśnieniem*).

kegler [ˈkeglər], **kegeler** [ˈkegələr] *n. gł. US pot.* kręglarz.

keister [ˈkiːstər], **keester** *n. US przest. pot. zw. żart.* tyłek.

kelp [kelp] *n. U* **1.** duży brązowy wodorost (*zwł. wszystkie gatunki Laminaria*). **2.** *med., kulin.* popiół z wodorostów jw.

kelpie [ˈkelpɪ], **kelpy** *n. pl.* **-ies** **1.** *kynol.* kelpie. **2.** *Scot. mit.* duch wodny w postaci konia, który topi dosiadających go jeźdźców.

kelson ['kelsən] *n.* = **keelson.**

Kelt [kelt] *n.* = **Celt.**

kelt [kelt] *n. ryb.* łosoś po tarle.

kelvin ['kelvɪn] *n. C/U fiz.* kelwin, stopień Kelvina; **fifty degrees ~** pięćdziesiąt stopni (w skali) Kelvina.

kemp [kemp] *n.* kępka (*sierści, włosów*).

kempt [kempt] *a. arch.* uczesany, zadbany (*o włosach*).

ken [ken] *n. U przest.* **1.** wiedza. **2.** zdolność pojmowania; **it is beyond my ~** to przekracza moją zdolność pojmowania. – *v. pret. i pp.* **kenned** *l.* **kent** *gł. Scot.* **1.** wiedzieć. **2.** rozumieć; pojmować. **3.** *arch.* widzieć.

Ken. *abbr. US* = **Kentucky.**

kendo ['kendoʊ] *n. U sztuki walki* kendo.

kennel¹ ['kenl] *n.* **1.** *gł. Br.* psia buda. **2.** *myśl.* sfora. **3.** *t. przen.* nora. **4.** = **kennels.** – *v. Br.* **-ll-** trzymać w budzie.

kennel² *n. arch.* ściek, rynsztok.

kennels ['kenlz] *n. pl.* **kennels** *Br.* schronisko dla psów.

kenning ['kenɪŋ] *n. teor. lit.* konwencjonalna metafora (*w poezji starogermańskiej*).

keno ['ki:noʊ], **keeno, kino, quino** *n. U US i Can.* gra hazardowa podobna do bingo.

kenosis [ke'noʊsɪs] *n. teol.* dobrowolne wyrzeczenie się przez Chrystusa pewnych boskich atrybutów.

Kentish ['kentɪʃ] *a.* kentyjski, dotyczący hrabstwa Kent.

kentledge ['kentlɪdʒ] *n. U żegl.* balast stały.

Kentucky [kən'tʌkɪ] *n. US geogr.* stan Kentucky.

Kenya ['kenjə] *n. geogr.* Kenia.

Kenyan ['kenjən] *n.* Kenij-czyk/ka. – *a.* kenijski.

kepi ['keɪpɪ] *n. wojsk.* kepi.

kept [kept] *v. zob.* **keep** *v.*

kept woman *n. przest. l. żart.* utrzymanka.

keramic [kə'ræmɪk] *a.* = **ceramic.**

keratin ['kerətən] *n. U biochem.* keratyna.

keratose ['kerəˌtoʊs] *a. biol.* rogowy.

kerb [kɜ:b] *n. Br.* = **curb** *n.* 3.

kerchief ['kɜ:tʃɪf] *n.* **1.** chusta, chustka (*na głowę*). **2.** apaszka. **3.** *przest.* chusteczka do nosa.

kerf [kɜ:f] *n.* nacięcie (*zrobione siekierą, piłą itp.*).

kerfuffle [kər'fʌfl], **kurfuffle** *n. gł. Br. pot.* rozgardiasz, harmider.

kermes ['kɜ:mi:z] *n. U* kermes (*barwnik*).

kermis ['kɜ:mɪs], **kirmess** *n.* **1.** *hist.* doroczne święto ludowe połączone z jarmarkiem (*w Holandii, Belgii i płn. Niemczech*). **2.** *US i Can.* jarmark, kiermasz (*zwł. na cele dobroczynne*).

kern [kɜ:n], **kerne** *n.* **1.** *hist., wojsk.* lekko uzbrojony piechur irlandzki *l.* szkocki; oddział piechurów jw. **2.** *arch.* chłop; gbur.

kernel ['kɜ:nl] *n.* **1.** jądro (*orzecha, pestki*). **2.** ziarno (*zboża*). **3.** *t. przen.* sedno, istota (*sprawy*); **a ~ of truth** ziarno prawdy. – *v. Br.* **-ll-** wytwarzać ziarna.

kerning ['kɜ:nɪŋ] *n. U komp.* kerning (= *ustawianie odstępu międzyliterowego w tekście*).

kerosine ['kerəˌsi:n], **kerosene** *n. U US, Can. i Austr.* nafta.

kerplunk [kər'plʌŋk] *pot. int.* **1.** łups (*odgłos towarzyszący upadkowi czegoś ciężkiego*). **2. go ~** *przen.* paść (*np. z wrażenia*). – *adv.* z hukiem, z łupnięciem (*np. postawić coś*).

kerry ['kerɪ] *n. pl.* **-ies** *hodowla* **1.** *U* rasa czarnego bydła mlecznego (*od hrabstwa irlandzkiego tej nazwy*). **2.** krowa rasy jw.

kersey ['kɜ:zɪ] *n. U tk.* gładka tkanina wełniana (*używana na płaszcze itp.*).

kerseymere ['kɜ:zɪˌmi:r] *n. U tk.* delikatna tkanina wełniana o splocie skośnym.

kestrel ['kestrəl] *n. orn.* pustułka (*Falco tinnunculus*).

ketch [ketʃ] *n. żegl.* kecz.

ketchup ['ketʃəp] *n.* = **catsup.**

ketone ['ki:toʊn] *n. chem.* keton.

kettle ['ketl] *n.* **1.** czajnik; **put the ~ on** nastawić wodę (na herbatę). **2.** kocioł; kociołek. **3.** (*także* **~ hole**) *geol.* kocioł. **4.** *przen.* **a pretty/fine ~ of fish!** *iron.* ładna historia!, to ci heca!; **that's another/a different ~ of fish** *pot.* to całkiem inna sprawa; **the pot calling the ~ black** *zob.* **pot¹** *n.*

kettledrum ['ketlˌdrʌm] *n. muz.* kocioł.

kettle drummer *n. muz.* muzyk grający na kotłach.

kevel ['kevl] *n.* **1.** *żegl.* kołek (*do przymocowywania ciężkich lin*). **2.** *bud.* młot (*do rozbijania i zgrubnej obróbki kamienia*).

kewpie doll ['kju:pɪ ˌdɑ:l] *n. US i Can.* lalka o różowych policzkach i z lokiem na głowie.

key¹ [ki:] *n.* **1.** *t. przen.* klucz (*to sth* do czegoś). **2.** *muz.* tonacja (*t. fot., mal.*); tonika. **3.** ton, wysokość (*głosu*). **4.** nastrój, ton (*wypowiedzi, dzieła*); **in a cheerful ~** *przen.* wesołym tonem. **5.** klawisz (*pianina, komputera*). **6.** *sing. t. kartogr.* legenda (= *objaśnienie*). **7.** *techn.* klin wzdłużny; wpust. **8.** *el.* przełącznik, klucz. **9.** = **key fruit. 10.** *muz.* = **tuning key. 11.** *bud.* = **keystone** 1. – *a. attr.* kluczowy. – *v.* **1.** dołączać klucz do (*diagramu, szyfru*). **2.** = **keyboard** *v.* **3.** *muz.* stroić (*instrument*). **4.** zamykać kluczem. **5.** *bud.* zamykać zwornikiem (*łuk*). **6.** *techn.* klinować. **7.** *el.* impulsować *l.* modulować kluczem; kluczować. **8.** *Br.* umieszczać symbol umożliwiający identyfikację odpowiedzi w (*reklamie l. ogłoszeniu*). **9. ~ in** *komp.* wprowadzać (za pomocą klawiatury) (*dane, instrukcje*); **~ to** dopasowywać, dostosowywać *l.* adaptować do (*czegoś*); **~ up** wzmagać napięcie *l.* intensywność (*czegoś*); **get ~ed up** denerwować się, być spiętym.

key² *n.* (*także* **cay**) wysepka z piasku i koralu; rafa.

key block *n. bud.* zwornik.

keyboard ['ki:ˌbɔ:rd] *n.* **1.** klawiatura. **2.** *muz.* manuał (*u organów*). **3.** *cz. pl. muz.* instrument klawiszowy (*zwł. elektroniczny*), keyboard. **4.** *druk.* taster. – *v.* **1.** wpisywać *l.* wprowadzać (za pomocą klawiatury) (*dane l. tekst*). **2.** *druk.* tastrować.

keyboardist ['kiːˌbɔːrdɪst] *n. muz.* muzyk grający na instrumentach klawiszowych (*zwł. elektronicznych*), keyboardzist-a/ka.

key brick *n. bud.* cegła klinowa.

key card *n.* karta magnetyczna pełniąca funkcję klucza (*do drzwi*).

key diagram *n.* szkic całości (*przedmiotu na rysunku danej części*).

keyfruit ['kiːˌfruːt] *n. bot.* skrzydlak (*nasienie, np. klonu*).

keyhole ['kiːˌhoul] *n.* dziurka od klucza.

keynote ['kiːˌnout] *n.* **1.** myśl przewodnia (*np. dzieła literackiego, przemówienia*). **2.** *muz.* tonika. **3.** = **keynote address**. – *v.* **1.** wygłaszać przemówienie programowe na (*zjeździe, zebraniu*). **2.** przedstawiać w przemówieniu programowym (*politykę, plan działania*).

keynote address *n.* (*także* **keynote speech**) przemówienie programowe.

keynoter ['kiːˌnoutər] *n.* mówca wygłaszający przemówienie programowe.

keypad ['kiːˌpæd] *n.* **1.** *komp.* klawiatura pomocnicza. **2.** przyciski (*kalkulatora, pilota*).

key plan *n.* plan orientacyjny.

keypunch ['kiːˌpʌntʃ] *n. komp.* dziurkarka klawiaturowa (*kart l. taśmy papierowej*). – *v. komp.* **1.** dziurkować (*karty l. taśmę papierową*). **2.** przenosić na karty l. taśmę papierową (*dane*).

key ring *n.* kółko na klucze, breloczek.

keyseat ['kiːˌsiːt] *n. techn.* rowek klinowy.

key signature *n. muz.* znaki przykluczowe.

keystone ['kiːˌstoun] *n.* **1.** (*także* **headstone**) *bud.* zwornik, klucz (*łuku, sklepienia*). **2.** *przen.* podstawa, oś (*np. planu, systemu politycznego l. filozoficznego*).

key stroke *n.* uderzenie w klawisz.

keyway ['kiːˌweɪ] *n.* **1.** rowek klinowy. **2.** otwór na (płaski) klucz.

keyword ['kiːˌwɜːd] *n. t. komp.* słowo kluczowe.

kg *abbr.* **1.** = **kilogram**. **2.** = **keg(s)**.

KGB [ˌkeɪ ˌdʒiː 'biː] *abbr. i n.* **the ~** *hist.* KGB.

khaki ['kækɪ] *n. U* khaki (*kolor l. tkanina*). – *a. attr.* (w kolorze) khaki; (uszyty) z khaki; ~ **jacket** marynarka z khaki; ~ **election** *Br.* wybory w czasie wojny *l.* tuż po wojnie.

khakis ['kækiːz] *n. pl.* **1.** *wojsk.* mundur z khaki. **2.** *US* spodnie z khaki.

khalif ['keɪlɪf] *n.* = **caliph**.

khamsin ['kæmsɪn] *n.* chamsin (*wiatr egipski*).

khan1 [kɑːn] *n. hist.* chan (*tytuł*).

khan2 *n.* chan, karawanseraj (= *zajazd w Turcji i krajach arabskich*).

khanate ['kɑːneɪt] *n. hist.* chanat.

kheda ['kedə], **khedah, kheddah** *n. Ind.* ogrodzenie do chwytania słoni.

khedive [kə'diːv] *n. hist.* kedyw (= *tytuł tureckich władców Egiptu 1876-1914*).

Khmer [kmer] *n. pl.* **-s** *l.* **Khmer** **1.** Khmer/ka. **2.** *U* język khmerski. – *a.* khmerski.

Khmer Rouge [ˌkmer 'ruːʒ] *n.* **the ~** *hist.* partia Czerwonych Khmerów.

kHz *abbr.* = **kilohertz**.

KIA [ˌkeɪ ˌaɪ 'eɪ], **K.I.A.** *abbr.* **killed in action** poległy w boju.

kibble1 ['kɪbl] *n. Br. górn.* kubeł.

kibble2 *v. Br.* **1.** mleć grubo. **2.** *roln.* śrutować.

kibbutz [kɪ'buts] *n. pl.* **-im** [ˌkɪbut'siːm] kibuc.

kibe [kaɪb] *n. pat.* odmrożenie (*zwł. owrzodzone, na pięcie*).

kibitz ['kɪbɪts] *v. US i Can. pot.* narzucać się z radami, wtrącać się (*zwł. przy grze w karty*).

kibitzer ['kɪbɪtsər] *n. US i Can. pot.* osoba narzucająca się z radami (*jw.*).

kibosh ['kaɪbɑːʃ] *n. U* **put the ~ on sth** *przest. pot.* zrujnować coś (*np. czyjeś plany*); skończyć z czymś.

kick1 [kɪk] *v.* **1.** kopać (*t. o broni*); wierzgać, kopać (*o zwierzęciu*); ~ **sb in the leg/head** kopnąć kogoś w nogę/głowę; ~ **sth open** otworzyć coś kopnięciem. **2.** machać nogami (*np. podczas pływania*); wyrzucać nogi (*np. w tańcu*). **3.** *piłka nożna* strzelić (*bramkę*); *futbol amerykański* zdobyć (*punkt*); ~ **a goal** strzelić gola. **4.** *pot.* rzucić; ~ **a/the habit** rzucić nałóg, pozbyć się nałogu; ~ **heroin/nicotine** rzucić heroinę/palenie. **5.** *przen.* **be ~ing it** *US sl.* relaksować się; nic nie robić; **be ~ing o.s.** *pot.* pluć sobie w brodę; **be alive and ~ing** *zob.* **alive**; ~ **one's heels** *zob.* **heel** *n.*; ~ **sb in the teeth** *pot.* odebrać komuś cały zapał; ~ **sb upstairs** *pot.* awansować kogoś na mniej wpływowe stanowisko (*w ten sposób pozbywając się go*); ~ **sb when they are down** *pot.* kopać leżącego; ~ **sb's ass** *US sl.* dopieprzyć komuś (= *ukarać l. pokonać*); ~ **(some) ass** *US sl.* zabawić się; ~ **the bucket** *zob.* **bucket** *n.* **6.** ~ **about/around** *pot.* obgadywać (*pomysły*); ~ **sb about/around** poniewierać kimś; ~ **about/around (sth)** błąkać się (po czymś) (= *podróżować bez planu*); **be ~ing about/around (sth)** poniewierać się (gdzieś); ~ **(out) against sth** *Br. pot.* buntować się przeciwko czemuś; ~ **against the pricks** *zob.* **prick** *n.*; ~ **back** zareagować ostro; szarpnąć, odskoczyć (*o broni palnej*); *sl.* odpalić (*określoną sumę w zamian za pomoc, milczenie itp.*); ~ **down** *mot.* zmienić bieg na niższy; ~ **in** zacząć działać (*np. o leku, reformach*); *US, Austr. i NZ pot.* dorzucić (się) (= *dać pieniądze*); ~ **a door in/down** wyważyć drzwi kopaniem; ~ **into fourth** *mot. pot.* wrzucić czwarty bieg; ~ **into touch** *piłka nożna, rugby* wykopać piłkę z pola gry; ~ **sth into touch** *przen. pot.* odkładać coś (na później); ~ **off** *piłka nożna, futbol amerykański* rozpoczynać mecz; rozpoczynać się (*o meczu*); *pot.* rozpoczynać (się) (*with sth* czymś) (*np. o zebraniu*); ~ **on** *zwł. Austr. i NZ pot.* kontynuować; ~ **sb out** *pot.* wyrzucić kogoś (*of sth* skądś); ~ **over** *mot.* zapalić (*o silniku*); ~ **over the traces** *Br. przest.* stanąć dęba (= *zbuntować się*); ~ **up** wzbijać (*np. kurz*); ~ **up a fuss** *pot.* narobić hałasu *l.* zamieszania (*about sth* o coś); ~ **up one's heels** *pot.* bawić się na całego. – *n.* **1.** kopnięcie, kopniak; wierzgnięcie, kopnięcie (*zwierzęcia*); **give sb a ~** dać komuś kopniaka, kopnąć kogoś. **2.** *piłka nożna, rugby* rzut (*wolny, karny*); strzał. **3.** *broń* odrzut, kopnięcie. **4.** *pływanie* ruch nóg. **5.** *taniec* wyrzut nogi. **6.**

pot. uciecha, frajda; **do sth for ~s** robić coś dla frajdy; **get a ~ from/out of sth** rajcować się czymś. **7.** *pot.* kop (= *efekt alkoholu l. narkotyku*). **8.** *pot.* siła, moc (*zwł. napoju alkoholowego l. pikantnej potrawy*). **9.** *pot.* bzik (= *przejściowa fascynacja*); **he's on a vegetarian food ~ right now** aktualnie ma bzika na punkcie wegetarianizmu. **10.** *przen. pot.* **a ~ in the teeth** rozczarowanie; upokorzenie; **he needs a ~ in/up the pants/backside** potrzebuje porządnego kopa (*w ramach zachęty do działania l. przywołania do porządku*).

kick2 *n.* wypukłość *l.* wybrzuszenie na dnie butelki.

kickback [ˈkɪkˌbæk] *n.* **1.** ostra reakcja. **2.** *sl.* działka, procent (*od nieuczciwych zysków; w zamian za czyjąś pomoc l. milczenie*).

kickball [ˈkɪkˌbɔːl] *n. U US sport* kickball (= *gra dziecięca oparta na regułach baseballu, w której duża piłka jest kopana, a nie uderzana kijem*).

kickboxing [ˈkɪkˌbɑːksɪŋ] *n. U sport* kickboxing.

kickdown [ˈkɪkˌdaʊn] *n. mot.* zmiana biegu na niższy.

kicker [ˈkɪkər] *n.* **1.** *sport* strzelec (*rzutów karnych l. wolnych*). **2.** *US i Can. sl.* zagwozdka (= *niespodziewana trudność*). **3.** *żegl. pot.* silnik doczepiany.

kickoff [ˈkɪkˌɔːf], **kick-off** *n. U l. sing.* **1.** *piłka nożna, futbol amerykański* rozpoczęcie *l.* początek meczu. **2.** *pot.* początek; **for a ~** *pot.* na początek, po pierwsze.

kick pleat *n.* rozporek z tyłu (*wąskiej spódnicy*).

kickshaw [ˈkɪkˌʃɔː] *n. arch.* **1.** frykas, delikates. **2.** ozdóbka, świecidełko.

kickstand [ˈkɪkˌstænd] *n.* nóżka, podpórka (*roweru l. motocykla*).

kick-start [ˈkɪkˌstɑːrt] *v.* **1.** *mot.* uruchomić *l.* zapuścić silnik (*rozrusznikiem nożnym*). **2.** *pot.* uruchomić ponownie. – *n.* ponowne uruchomienie.

kick-starter [ˈkɪkˌstɑːrtər] *n. mot.* rozrusznik nożny (*motocykla*).

kick wheel *n.* koło garncarskie (*poruszane pedałem nożnym*).

kicky [ˈkɪkɪ] *a.* **-ier, -iest** *przest. sl.* podniecający.

kid1 [kɪd] *n.* **1.** *zwł. US, Can. i Austr. pot.* dzieciak, dziecko; mał-y/a. **2.** koźlę, kózka. **3.** *U* = **kidskin**. **4.** *pl.* rękawiczki *l.* buty ze skóry koźlęcej. – *a. attr.* **1.** *zwł. US, Can. i Austr. pot.* młodszy (*w odniesieniu do rodzeństwa*); **my ~ brother/sister** mój młodszy brat/moja młodsza siostra. **2.** z koźlęcej skóry; **~ gloves** rękawiczki z koźlęcej skóry; **handle/treat sb with ~ gloves** *przen.* cackać się z kimś (jak z jajkiem). – *v.* **1.** mieć młode (*o kozie*). **2.** urodzić (*koźlę*).

kid2 *v.* **-dd-** *pot.* żartować; bujać (= *kłamać dla żartu*); nabierać (= *oszukiwać*); **~ o.s.** oszukiwać się; **~ o.s. (into believing) that...** wmówić sobie, że...; **I was just/only ~ding (you)** tylko żartowałem, chciałem cię (tylko) nabrać; **no ~ding** (*także* **I ~ you not**) nie żartuję, mówię serio; **no ~ding!** co ty powiesz! (*z niedowierzaniem*); **you're ~ding!** (*także* **you must be ~ding (me)!**) (chyba) żartujesz!.

kid3 *n.* cebrzyk.

kidder [ˈkɪdər] *n. US* **1.** żartowniś. **2.** oszust/ka.

Kidderminster [ˈkɪdərˌmɪnstər] *n.* (*także* **~ carpet**) dywan dwustronny.

kiddie [ˈkɪdɪ], **kiddy** *n. pl.* **-ies** *zwł. Br. pot.* dzidziuś, maluch.

kiddo [ˈkɪdoʊ] *n. pl.* **-s** *l.* **-es** *zwł. US pot.* mały/a (*zwracając się do znajomej młodej osoby*).

kidglove [ˈkɪdˌglʌv] *a. attr.* **1.** taktowny; dyplomatyczny. **2.** zbyt delikatny *l.* wyrafinowany.

kidnap [ˈkɪdnæp] *v. Br.* **-pp-** porywać, uprowadzać (*zw. dla okupu*). – *n.* = **kidnapping**.

kidnapper [ˈkɪdnæpər], **kidnaper** *n.* porywacz/ka.

kidnapping [ˈkɪdnæpɪŋ], **kidnaping** *n. C/U* porwanie, uprowadzenie.

kidney [ˈkɪdnɪ] *n. pl.* **-s** **1.** *anat.* nerka. **2.** *C/U* (*także* **~s**) *kulin.* cynaderki, nerki. **3.** *przest. przen.* **a man of that ~** człowiek tego pokroju; **of the same/different ~** tego samego/innego rodzaju.

kidney bean *n.* **1.** *bot.* fasola zwyczajna (*Phaseolus vulgaris*). **2.** nasienie fasoli jw.

kidney machine *n.* = **artificial kidney**.

kidney ore *n. U min.* hematyt amerykański.

kidney-shaped [ˈkɪdnɪˌʃeɪpt] *a.* nerkowaty, w kształcie nerki.

kidney stone *n.* **1.** *pat.* kamień nerkowy. **2.** *U min.* nefryt.

kidskin [ˈkɪdˌskɪn] *n. U* skóra koźlęca.

kid stuff, *Br.* **kids' stuff** *n. U pot.* **1.** łatwizna. **2. it's ~** to dobre dla dzieci (*o nudnym l. mało ambitnym zajęciu*).

kief [kiːf] *n.* = **kef**.

kielbasa [kiːlˈbɑːsə] *n. pl.* **-s** *l.* **kielbasy** [kiːlˈbɑːsɪ] *C/U US i Can. kulin.* kiełbasa.

kier [kiːr] *n. tk., papiernictwo* warnik, kocioł warzelny.

kieselgur [ˈkiːzlgʊr], **kieselguhr** *n. U min.* ziemia okrzemkowa.

Kiev [ˈkiːef] *n. geogr.* Kijów.

kike [kaɪk] *n. US i Can. pog. sl.* żydek.

kilderkin [ˈkɪldərkɪn] *n.* **1.** jednostka miary równa 16-18 galonom. **2.** beczka o pojemności jw.

Kilimanjaro [ˌkɪlɪmənˈdʒɑːroʊ] *n. geogr.* Kilimandżaro.

kill [kɪl] *v.* **1.** zabijać; **~ o.s.** zabić się; **be/get ~ed** zostać zabitym, zginąć. **2.** *przen.* rozwiewać, niweczyć (*szanse, nadzieje*). **3.** tłumić, wyciszać (*dźwięk*). **4.** ucinać (*rozmowę*). **5.** *pot.* gasić (*światło, silnik*). **6.** *pot.* uśmierzać (*ból*). **7.** *pot.* wykańczać, dobijać (= *męczyć, martwić*). **8.** *pot.* dokuczać (= *boleć*); **my legs are ~ing me** nogi bardzo mi dokuczają, nie czuję nóg. **9.** psuć efekt (*innego koloru, mebla itp.*). **10.** *pot.* wyrzucać, usuwać (*tekst*). **11.** *dzienn.* uniemożliwić publikację (*tekstu, wywiadu*). **12.** *parl.*

utrącić (*projekt ustawy*). **13.** *tenis* skończyć; ściąć; *piłka nożna* zatrzymać, zastopować (*piłkę*). **14.** *US pot.* obalić (= *wypić w całości*). **15.** *przen.* ~ **o.s. laughing/with laughter** *pot.* umierać ze śmiechu; ~ **o.s. to do sth** *pot.* stawać na głowie, żeby coś zrobić; ~ **sb with kindness** zagłaskać kogoś na śmierć; ~ **the fatted calf** *zob.* **calf**[1] *n.*; ~ **the goose that lays the golden egg(s)** *zob.* **goose** *n.*; ~ **time** zabijać czas; ~ **two birds with one stone** *zob.* **bird** *n.*; **dressed to** ~ *zob.* **dressed**; **have time to** ~ mieć wolny czas; **it won't** ~ **him to do a bit more work** *pot.* nie zaszkodzi mu, jeśli popracuje trochę więcej; **not** ~ **o.s.** *pot.* nie przemęczać się; **this comedian just** ~**s me** ten komik jest po prostu zabójczy (= *bardzo śmieszny*). **16.** ~ **off** wytępić, wybić (*szkodniki*); uśmiercić (*postać w książce l. serialu; o autorze powieści l. scenariusza*). – *n. zw. sing.* **1.** zabicie (*zwł. zwierzęcia na polowaniu*); dobicie (*np. byka pod koniec corridy*). **2.** zdobycz (*drapieżnika*); *myśl.* upolowana zwierzyna. **3.** *wojsk. pot.* zatopienie (*okrętu*); strącenie (*samolotu*); zniszczenie (*czołgu*). **4.** *przen.* **be in at the** ~ być świadkiem zajścia; **close/go/move in for the** ~ szykować się do zadania ostatecznego ciosu.

killdeer [ˈkɪlˌdiːr] *n. pl.* **-deers** *l.* **-deer** *orn.* siewka amerykańska (*Charadrius vociferus*).

killer [ˈkɪlər] *n.* **1.** zabój-ca/czyni (*t. przen., np. o chorobie*). **2. weed** ~ środek chwastobójczy. **3.** *pot.* **be a (real)** ~ być piekielnie trudnym *l.* męczącym; **this race was a** ~ to był morderczy wyścig. **4.** *przen. pot.* gwóźdź programu; wielki sukces, bomba. **5.** = **killer whale**. – *a. attr.* zabójczy; śmiercionośny; ~ **disease** śmiertelna choroba.

killer instinct *n. sing.* instynkt zabijania; *przen.* dążenie po trupach do celu.

killer whale *n. icht.* orka, miecznik (*Orcinus orca*).

killick [ˈkɪlɪk], **killock** [ˈkɪlək] *n. żegl.* **1.** kotwiczka. **2.** ciężki kamień używany jako kotwica.

killing [ˈkɪlɪŋ] *n.* **1.** zabójstwo, mord. **2. make a** ~ *przen. pot.* obłowić się. – *a. gł. attr.* **1.** *pot.* zabójczy, morderczy (= *męczący*). **2.** zabójczy, śmiercionośny. **3.** *przest. pot.* zabójczy, zabójczo śmieszny.

kill-joy [ˈkɪlˌdʒɔɪ], **killjoy** *n.* psuj, osoba psująca innym zabawę.

killock [ˈkɪlək] *n.* = **killick**.

kill-time [ˈkɪlˌtaɪm] *a. attr.* ~ **pursuits** zajęcia dla zabicia czasu.

kiln [kɪln] *n.* piec (*do wypalania, prażenia l. suszenia*). – *v.* wypalać; prażyć; suszyć (*w piecu*).

kiln-dry [ˈkɪlnˌdraɪ] *v.* **-ied, -ying** suszyć w piecu.

kilo [ˈkiːloʊ] *abbr. i n.* **1.** kilo. **2.** = **kilometer**.

kilobyte [ˈkɪləˌbaɪt] *n. komp.* kilobajt.

kilocalorie [ˈkɪləˌkæləri] *n. fiz.* kilokaloria.

kilocycle [ˈkɪləˌsaɪkl] *n. hist., fiz.* kilocykl.

kilogram [ˈkɪləˌgræm], *Br.* **kilogramme** *n.* kilogram.

kilohertz [ˈkɪləˌhɜːtz] *n. fiz.* kiloherc.

kilometer [ˈkɪləˌmiːtər], *Br.* **kilometre** *n.* kilometr.

kilometric [ˌkɪləˈmetrɪk], **kilometrical** *a.* kilometrowy.

kiloton [ˈkɪləˌtʌn] *n.* kilotona.

kilovolt [ˈkɪləˌvoʊlt] *n. el.* kilowolt.

kilowatt [ˈkɪləˌwɑːt] *n. el.* kilowat.

kilowatt-hour [ˌkɪləˌwɑːtˈaʊr] *n. el.* kilowatogodzina.

kilt [kɪlt] *n.* kilt, spódnica szkocka. – *v.* **1.** podkasać (*spódnicę*). **2.** plisować pionowo.

kilter [ˈkɪltər] *n. U* **out of** ~ *pot.* nie w porządku.

kiltie [ˈkɪlti] *n. pl.* **-ies** *pot.* żołnierz szkocki w spódnicy.

kimono [kɪˈmoʊnə] *n. pl.* **-s** kimono.

kin [kɪn] *n. pl.* rodzina, krewni; **kith and** ~ *przest.* krewni i znajomi; **(near) of** ~ (blisko) spokrewniony; **next of** ~ najbliższ-y/a krewn-y/a, najbliższa rodzina. – *a. pred.* **1.** spokrewniony; **she is** ~ **to him** ona jest z nim spokrewniona. **2.** *rzad.* = **akin**.

kinase [ˈkaɪneɪs] *n. C/U biochem.* kinaza.

kincob [ˈkɪnkɑːb] *n. U tk.* złotogłów.

kind [kaɪnd] *n. C/U* **1.** rodzaj (*t. ludzki*); typ; klasa; gatunek; **a** ~ **of artist** swego rodzaju artysta; **a** ~ **of roof** coś w rodzaju dachu; **all** ~**s of things/places** wszelkiego rodzaju rzeczy/miejsca, najprzeróżniejsze rzeczy/miejsca; **he only socializes with his own** ~ obraca się wyłącznie wśród ludzi własnego pokroju; **how can people be so cruel to their own** ~**?** jak ludzie mogą być tak okrutni dla przedstawicieli własnego gatunku?; **nothing of the** ~ nic podobnego *l.* takiego; **of a** ~ swego rodzaju, jakiś tam (= *nie najlepszy*); tego samego rodzaju (*o kilku rzeczach l. osobach*); **they are two of a** ~ oboje są ulepieni z tej samej gliny, jedno jest warte drugiego; **one of a** ~ jedyny w swoim rodzaju; **of some** ~ jakiś; **of this** ~ tego rodzaju; **she's not the** ~ **to complain** ona nie jest z tych, co się skarżą; **something of the** ~ coś w tym rodzaju; **that** ~ **of thing** coś w tym rodzaju; **the best of its** ~ najlepszy w swojej klasie; **we don't have that** ~ **of money** nie mamy takich pieniędzy (= *aż tyle*); **what** ~ **of (a) job are you interested in?** jakiego rodzaju *l.* jaka praca Pan-a/nią interesuje?. **2.** *pot.* ~ **of** trochę; dosyć; poniekąd, do pewnego stopnia; **she was** ~ **of worried** trochę się martwiła; **"Do you like beer?" "Yes, kind of."** „Lubisz piwo?" „Tak, dosyć.". **3. in** ~ *handl.* w towarze (*o zapłacie*); *przen.* pięknym za nadobne (*odpłacić*), w ten sam sposób (*odpowiedzieć, zareagować*); **they differ in** ~ jest między nimi jakościowa różnica. **4.** *arch.* rodzaj, płeć. **5.** *arch.* natura; porządek natury; **after one's/its** ~ w zgodzie ze swoją naturą. – *a.* **1.** dobry, miły (*to sb/sth* dla kogoś/czegoś); uprzejmy, życzliwy; **it's very** ~ **of you to come** to bardzo miło z twojej strony, że przyszedłeś; **would you be** ~ **enough to open the door?** *form.* czy byłabyś uprzejma otworzyć drzwi?; **would you be so** ~ **as to let me in?** *form.* czy byłbyś tak miły i wpuścił mnie?. **2.** *attr.* serdeczny, najlepszy (*o życzeniach, pozdrowieniach*); **with** ~ **regards** z najlepszymi życzeniami. **3.** łagodny, przyjazny (*o klimacie*). **4.** łagodny (*to sth* dla czegoś) (*np. dla skóry; o mydle, proszku do prania*); **be** ~ **to sb/sth** łagodnie obejść się z kimś/czymś (*np. o mijającym czasie*). **5.** *arch.* kochający.

kinda ['kaɪndə] *adv. gł. US pot.* = **kind of.**

kindergarten ['kɪndər,gɑːrtən] *n. C / U* **1.** *US i Can.* klasa zerowa, zerówka (*dla dzieci w wieku 5 lat*). **2.** *Br. i Austr.* przedszkole.

kindergartner ['kɪndər,gɑːrtnər], **kindergartener** *n.* **1.** przedszkolanka. **2.** przedszkolak.

kind-hearted [,kaɪnd'hɑːrtɪd] *a.* życzliwy; dobrotliwy.

kind-heartedly [,kaɪnd'hɑːrtɪdlɪ] *adv.* życzliwie; dobrotliwie.

kind-heartedness [,kaɪnd'hɑːrtɪdnəs] *n. U* życzliwość; dobrotliwość.

kindle ['kɪndl] *v.* **1.** rozpalać, zapalać (*ogień*). **2.** zaczynać płonąć (*o ogniu*). **3.** *przen.* rozpalać, wzbudzać (*uczucie*); rozbudzać (*zainteresowanie*). **4.** rozjarzać się, roziskrzać się.

kindliness ['kaɪndlɪnəs] *n. U* **1.** dobroć; dobrotliwość. **2.** uprzejmość, życzliwość. **3.** łagodność. **4.** serdeczność. **5.** łaskawość.

kindling ['kɪndlɪŋ] *n. U* podpałka.

kindly ['kaɪndlɪ] *adv.* **1.** dobrotliwie; uprzejmie, życzliwie; serdecznie. **2.** *form.* uprzejmie; **passengers are ~ requested to proceed to the exit** uprzejmie prosimy pasażerów o przechodzenie do wyjścia. **3.** *cz. iron.* z łaski swojej, łaskawie (*często ze zniecierpliwieniem*); **will you ~ shut the door?** czy mógłbyś łaskawie zamknąć drzwi?. **4. look ~ on sth** przychylnie odnosić się do czegoś; **not take ~ to sth** nie być czymś zachwyconym. – *a. gł. attr.* **-ier, -iest** *przest.* **1.** dobry; dobrotliwy (*o osobie*). **2.** miły, uprzejmy, życzliwy (*o tonie głosu*). **3.** łagodny, przyjazny (*o klimacie*). **4.** *arch.* naturalny; rodowity; wrodzony.

kindness ['kaɪndnəs] *n. U* **1.** uprzejmość, życzliwość. **2.** dobroć. **3.** łagodność. **4.** *C* przysługa; **do sb a ~** wyświadczyć komuś przysługę. **5.** *przen.* **kill sb with ~** *zob.* **kill** *v.*; **the milk of human ~** *zob.* **milk** *n.*

kindred ['kɪndrɪd] *a. attr.* **1.** spokrewniony. **2.** *przen.* pokrewny; podobny. – *n. U* **1.** krewni, rodzina. **2.** *form.* pokrewieństwo, spokrewnienie (*with sb* z kimś). **3.** *form.* pokrewieństwo; podobieństwo.

kindred spirit *n.* bratnia *l.* pokrewna dusza.

kine [kaɪn] *n. pl. arch. l. Scot.* krowy; bydło.

kinematic [,kɪnɪ'mætɪk], **kinematical** *a. fiz.* kinematyczny.

kinematics [,kɪnɪ'mætɪks] *n. U fiz.* kinematyka.

kinescope ['kɪnɪ,skoʊp] *n. US el., telew.* kineskop.

kinesics [kaɪ'niːsɪks] *n. U* kinezyka.

kinesis [kaɪ'niːsɪs] *n. U biol.* kineza.

kinesthesia [,kɪnəs'θiːʒə], **kinaesthesia** *n. U fizj.* zmysł kinestetyczny.

kinetic [kə'netɪk] *a. fiz.* kinetyczny.

kinetic energy *n. U fiz.* energia kinetyczna.

kinetics [kə'netɪks] *n. U fiz.* kinetyka.

kinfolk ['kɪn,foʊk] *n. pl. gł. US i Can.* krewni, rodzina.

king [kɪŋ] *n.* **1.** *t. przen., karty, szachy* król; **be ~** *t. przen.* królować; **become ~** zostać królem; **K~ of England/France** król Anglii/Francji; **the ~ of hearts** *karty* król kier; **the ~ of rock/blues** król rocka/bluesa; **the ~ of the jungle/beasts** król dżungli/zwierząt (= *lew*). **2.** *warcaby* dama. **3.** *przen.* **a ~'s ransom** mnóstwo pieniędzy; **live like a ~** żyć (sobie) jak król *l.* po królewsku. – *v.* **1.** czynić królem. **2. ~ it** *przen.* zachowywać się wyniośle.

kingbird ['kɪŋ,bɜːd] *n. orn.* tyran (*Tyrannus*).

kingbolt ['kɪŋ,boʊlt] *n.* = **kingpin** 1.

king crab *n.* = **horseshoe crab.**

kingcraft ['kɪŋ,kræft] *n. U arch.* sztuka *l.* umiejętność panowania.

king cup *n. bot.* **1.** = **buttercup. 2.** *Br.* kaczeniec, knieć błotna (*Caltha palustris*).

kingdom ['kɪŋdəm] *n.* **1.** *t. przen.* królestwo; **the ~ of God** królestwo Boże; **the animal ~** królestwo zwierząt; **the United K~** Zjednoczone Królestwo. **2.** *przen.* **~ come** drugi *l.* tamten świat; życie po śmierci; **blow/blast sth to ~ come** *pot.* zniszczyć coś kompletnie; **wait till/until ~ come** czekać w nieskończoność.

kingfish ['kɪŋ,fɪʃ] *n.* nazwa nadawana różnym dużym rybom jadalnym poławianym u wybrzeży Atlantyku i Pacyfiku.

kingfisher ['kɪŋ,fɪʃər] *n. orn.* zimorodek (*rodzina Alcedinidae*).

kinglet ['kɪŋlət] *n.* **1.** królik, królewiątko. **2.** *orn.* mysikrólik (*Regulus*).

kingly ['kɪŋlɪ] *a.* **-ier, -iest** królewski. – *adv. arch. l. poet.* po królewsku.

kingmaker ['kɪŋ,meɪkər] *n.* **1.** *Br. hist.* królotwórca (*zwł. Earl of Warwick za Henryka VI*). **2.** osoba mająca wpływ na nominacje na ważne stanowiska.

kingpin ['kɪŋ,pɪn] *n.* **1.** *mot.* sworzeń zwrotnicy; *kol.* czop skrętny. **2.** *kręgle* król. **3.** *przen.* oś (*teorii, argumentu*). **4.** *przen.* król (= *najważniejsza osoba w instytucji l. organizacji*).

king post *n.* **1.** *bud.* wieszak (*w wieszarze jednowieszakowym*). **2.** *żegl.* kolumna bomu ładunkowego.

King's Bench *n. Br.* (*gdy na tronie zasiada mężczyzna*) = **Queen's Bench.**

King's Counsel *n. Br.* (*gdy na tronie zasiada mężczyzna*) = **Queen's Counsel.**

King's English *n. U Br. jęz.* standardowa odmiana języka angielskiego.

king's evidence *n. U Br. prawn.* zeznanie obciążające współoskarżonego (*w zamian za obietnicę ułaskawienia*).

king's evil *n. U pat. arch.* skrofuły.

king's highway *n. Br.* (*zwł. gdy na tronie zasiada mężczyzna*) droga publiczna.

kingship ['kɪŋ,ʃɪp] *n. U* **1.** władza królewska. **2.** stanowisko królewskie. **3.** = **kingcraft.**

king-size ['kɪŋ,saɪz], **king-sized** *a.* **1.** dużego formatu; olbrzymi. **2.** długi (*o papierosach*). **3.** duży (*o łóżku mierzącym ok. 193-198 cm na 203-213 cm*).

King's Scout *n. Br.* (*gdy na tronie zasiada mężczyzna*) = **Queen's Scout.**

King's speech *n. Br. parl.* mowa tronowa.

kingston ['kɪŋkstən] *n. wojsk.* zawór denny okrętu (*do zatapiania*).

kingwood [ˈkɪŋˌwʊd] *n.* **1.** *bot.* drzewo brazylijskie *Dalbergia cearensis.* **2.** *U* drewno drzewa jw. (*o fioletowym zabarwieniu, używane do wyrobu mebli*).

kink [kɪŋk] *n.* **1.** skręt (*in sth* czegoś) (*drutu, liny, włosa*). **2.** dziwactwo. **3.** *pot.* drobna trudność *l.* usterka. **4.** *Br. pot.* perwersja, zboczenie. **5.** *US, Can. i Austr. pat. pot.* strzyknięcie (= *bolesny skurcz, zwł. mięśni szyi l. pleców*). – *v.* **1.** tworzyć skręt. **2.** powodować powstawanie skrętów na (*linie, drucie*); skręcać (*linę, drut*).

kinkajou [ˈkɪŋkəˌdʒuː] *n. zool.* kinkażu, wikławiec (*Potos flavus*).

kinky [ˈkɪŋkɪ] *a.* **-ier, -iest 1.** *sl.* zboczony (*o osobie*); perwersyjny (*o strojach, upodobaniach*). **2.** *pot.* dziwny, dziwaczny. **3.** poskręcany (*o linie, drucie*); mocno kręcony (*o włosach*).

kinsfolk [ˈkɪnzˌfoʊk] *n. pl.* = **kinfolk**.

kinship [ˈkɪnˌʃɪp] *n. lit.* **1.** *U* pokrewieństwo (*with sb* z kimś); **system/ties of ~** system/więzy pokrewieństwa. **2.** *U l. sing.* więź; **sense of ~** poczucie więzi (*with sb* z kimś). **3.** *U l. sing.* podobieństwo (*between sth and sth* pomiędzy czymś a czymś).

kinsman [ˈkɪnzmən] *n. pl.* **-men** *arch. l. form.* krewny, krewniak.

kinswoman [ˈkɪnzˌwʊmən] *n. pl.* **-women** *arch. l. form.* krewna, krewniaczka.

kiosk [ˈkiːˌɑːsk] *n.* **1.** kiosk (*z prasą, słodyczami*). **2.** *gł. US* słup ogłoszeniowy. **3.** *gł. Br. przest.* budka telefoniczna.

kip[1] [kɪp] *Br. i Austr. sl. n.* **1.** *U l. sing.* kima, kimono (= *sen*); **have a ~** przekimać się. **2.** chata (= *kwatera*). **3.** wyro (= *łóżko*). **4.** *arch. l. Ir.* burdel (= *dom publiczny*). – *v.* **-pp-** kimać (= *spać*).

kip[2] *n.* (*także* **~skin**) skórka (*z młodego zwierzęcia, zwł. cielęca l. jagnięca*).

kip[3] *n.* jednostka miary równa 1000 funtów (= *ok. 453,6 kg*).

kipper [ˈkɪpər] *n.* **1.** *kulin.* kiper, śledź solony i wędzony (*cz. t. inna ryba*). **2.** samiec łososia w okresie tarła. – *v. zw. pass.* wędzić (*zwł. śledzie, po oczyszczeniu i natarciu solą*).

Kirghiz [kiːrˈgiːz], **Kirgiz** *a.* kirgiski. – *n.* **1.** *U* język kirgiski. **2.** Kirgiz/ka.

kirk [kɜːk] *n. Scot.* **1.** kościół. **2. the K~** prezbiteriański kościół szkocki.

kirkman [ˈkɜːkmən] *n. pl.* **-men** *Scot.* **1.** członek *l.* zwolennik kościoła prezbiteriańskiego. **2.** duchowny.

kirmess [ˈkɜːməs] *n.* = **kermis**.

kirsch [kɪrʃ] *n. U* (*także* **~wasser**) kirsz, wiśniak.

kirtle [ˈkɜːtl] *n. arch.* **1.** suknia; spódnica. **2.** płaszcz (*męski*).

kismet [ˈkɪzmɪt] *n. U* **1.** los, przeznaczenie. **2.** *islam* wola Allacha.

kiss [kɪs] *v.* **1.** całować (się); **~ sb (full) on the lips/mouth** pocałować kogoś w (same) usta; **~ sb goodbye/goodnight** pocałować kogoś na pożegnanie/dobranoc. **2.** dotykać (się) lekko. **3.** *przen.* **~ (sb's) ass** *US wulg. sl.* włazić (komuś) w dupę (= *podlizywać się*); **~ my ass!** *US wulg. sl.* pocałuj mnie w dupę!; **~ goodbye to sth** (*także* **~ sth goodbye**) *pot.* pożegnać się z czymś (= *stracić szansę na coś*); **mommy will ~ it better** *pot.* mamusia pocałuje, żeby nie bolało (*do dziecka, które się uderzyło, skaleczyło itp.*). **4. ~ away** scałowywać (*zwł. czyjeś łzy*); **~ off** *gł. US i Can. sl.* olać (= *zignorować*); spisać na straty (*jakieś przedsięwzięcie*); zrezygnować z (*np. planu*); spadać (= *wynosić się*); **~ up to sb** *US pot.* podlizywać się komuś. – *n.* **1.** pocałunek; całus; **blow sb a ~** (*także* **blow a ~ at sb**) posłać komuś pocałunek; **give sb a ~** pocałować kogoś; dać komuś całusa *l.* buzi; **steal a ~ (from sb)** ukraść komuś (całusa). **2.** lekkie dotknięcie. **3.** *kulin.* beza; mała czekoladka.

kissable [ˈkɪsəbl] *a.* zapraszający do pocałunku (*o ustach*).

kissagram [ˈkɪsəˌgræm], **kissogram** *n.* usługa polegająca na dostarczaniu życzeń wraz z pocałunkiem (*zwykle przez prowokacyjnie ubraną młodą kobietę*).

kiss-and-tell [ˌkɪsənˈtel] *a. pot.* ujawniający intymne szczegóły związku z osobą publiczną (*o książce, wywiadzie prasowym l. telewizyjnym*).

kiss-ass [ˈkɪsˌæs] *a. attr. wulg. sl.* włażący w dupę.

kiss curl *n. pot. Br.* przylizany loczek.

kissel [ˈkɪsl] *n. U kulin.* kisiel owocowy.

kisser [ˈkɪsər] *n.* **1.** osoba całująca; **be a good ~** umieć się całować. **2.** *sl.* japa (= *usta, twarz*).

kissing cousin [ˈkɪsɪŋ ˌkʌzən] *n. US przest.* dalek-i/a krewn-y/a.

kiss of death *n.* **the ~** *przen.* pocałunek śmierci (= *czyn mający fatalne konsekwencje*).

kiss-off [ˈkɪsˌɔːf] *n. gł. US i Can. sl.* olanie; spisanie na straty.

kiss of life *n.* **1. (give sb) the ~** *gł. Br.* (zrobić komuś) oddychanie metodą usta-usta. **2.** *przen.* tchnienie życia (= *czyn przywracający funkcjonowanie, umożliwiający kontynuację itp.*).

kissogram [ˈkɪsəˌgræm] *n.* = **kissagram**.

kit[1] [kɪt] *n.* **1.** komplet, zestaw (*np. przyborów, materiałów opatrunkowych*); **first-aid ~** zestaw *l.* apteczka pierwszej pomocy; **sewing ~** komplet przyborów do szycia; **tool ~** komplet narzędzi. **2.** zestaw (*do składania*); **model aircraft ~** model samolotu do sklejania. **3.** *U zwł. Br.* ekwipunek (*podróżnika, żołnierza*); wyposażenie (*np. wędkarza*); strój, kostium (*zwł. drużyny sportowej*). **4.** *U Br. żart. sl.* ciuchy; **get your ~ off** wyskakuj z ciuchów. **5. the whole ~ (and caboodle)** *zob.* **caboodle**. – *v.* **-tt- ~ out/up** *gł. Br.* wyposażyć, wyekwipować.

kit[2] *n.* **1.** = **kitten**. **2.** młode (*lisa, bobra i in. małych ssaków*).

kit[3] *n. hist., muz.* małe skrzypce (*używane w XVII i XVIII w.*).

kitbag [ˈkɪtˌbæg], **kit bag** *n. zwł. Br.* worek marynarski (*l. podobny*).

kitchen [ˈkɪtʃən] *n.* kuchnia (*pomieszczenie*); **fitted ~** kuchnia na wymiar.

kitchen cabinet *n.* **1.** szafka kuchenna. **2.** *przen. pot.* nieoficjalni doradcy (*przywódcy politycznego*).

kitchen Dutch *n. U S.Afr. pot.* zubożona forma

języka afrikaans (*ze znaczną domieszką zapożyczeń angielskich*).

kitchenette [ˌkɪtʃəˈnet] *n.* **1.** kuchenka (*pomieszczenie*). **2.** aneks kuchenny.

kitchen garden *n.* ogród warzywny (*przydomowy*).

kitchen island *n. projektowanie wnętrz* wyspa (kuchenna).

kitchen paper *n. Br.* = **kitchen roll.**

kitchen police *n. US wojsk.* **1.** *pl.* żołnierze przydzieleni do pracy w kuchni. **2.** *U* praca w kuchni.

kitchen roll *n. U* (*także Br.* **kitchen paper/towel**) ręcznik papierowy (*zwł. w postaci rolki zawieszonej w kuchni*).

kitchen sink *n.* **1.** zlewozmywak. **2. everything but the ~** *żart.* wszystko, co tylko można sobie wyobrazić (*zwł. zabrać ze sobą*).

kitchen-sink [ˈkɪtʃənˌsɪŋk] *a. attr. Br.* przedstawiający nieprzyjemne aspekty życia rodzinnego (*zwł. o teatrze, filmie i malarstwie lat 50. XX w.*).

kitchen towel *n. Br.* = **kitchen roll.**

kitchen unit *n. Br.* szafka kuchenna.

kitchenware [ˈkɪtʃənˌwer] *n. U* naczynia i przybory kuchenne.

kite [kaɪt] *n.* **1.** latawiec; **fly a ~** puszczać latawiec. **2.** *orn.* ptak drapieżny z rodziny *Accipitridae* (*np. kania*). **3.** *US i Can. pot.* czek bez pokrycia; weksel fikcyjny; **fly a ~** wystawić czek bez pokrycia. **4.** *Br. sl.* samolot. **5.** *gł. Br. arch.* osoba pazerna. **6.** *pl.* (*także* **flying-~s**) *żegl.* najwyższe żagle (*rozwijane w lekkim wietrze*). **7.** *przen.* **fly a ~** *zob.* **fly**[1] *v.*; **go fly a ~!** *zob.* **fly**[1] *v.*; **high as a ~** *zob.* **high** *a.* – *v.* **1.** szybować jak latawiec. **2.** *US i Can. pot.* wystawiać *czeki bez pokrycia l. fikcyjne weksle*. **3. ~ (up)** *US pot.* windować (= *zawyżać, np. koszty*).

kite-flying [ˈkaɪtˌflaɪɪŋ] *n. U* **1.** puszczanie latawców. **2.** *przen.* badanie nastrojów społecznych.

Kite mark *n. Br.* znak jakości (*w kształcie latawca*).

kith and kin [ˌkɪθənˈkɪn] *n. pl. przest.* krewni i znajomi.

kitsch [kɪtʃ] *n. U* kicz. – *a.* kiczowaty.

kitschy [ˈkɪtʃɪ] *a.* **-ier, -iest** kiczowaty.

kitten [ˈkɪtən] *n.* **1.** kotek, kociątko. **2. have ~s** *Br.* = **have a cow**; *zob.* **cow**[1]. – *v.* kocić się.

kittenish [ˈkɪtənɪʃ] *a. przest.* zalotny (*o kobiecie*).

kittenishly [ˈkɪtənɪʃlɪ] *adv. przest.* zalotnie.

kittenishness [ˈkɪtənɪʃnəs] *n. U przest.* zalotność.

kittiwake [ˈkɪtɪˌweɪk] *n. orn.* gawia trójpalczasta (*Rissa tridactyla*).

kittle [ˈkɪtl] *Scot. a.* kapryśny, nieprzewidywalny. – *v.* **1.** sprawiać kłopoty (*komuś*). **2.** łaskotać.

kitty[1] [ˈkɪtɪ] *n. zw. sing.* **1.** wspólna kasa, wspólny fundusz; składka, zrzutka. **2.** *poker* pula. **3.** *gra w kule* = **jack**[1] *n.* 4.

kitty[2] *n. pl.* **-ies** *zwł. dziec.* kiciuś, kicia.

kitty-corner [ˈkɪtɪˌkɔːrnər], **kitty-cornered** [ˈkɪtɪˌkɔːrnərd] *a. i adv. US pot.* na przeciwległym rogu ulicy (*from / to sth* od czegoś).

kiwi [ˈkiːwiː] *n. pl.* **-s** **1.** *orn.* kiwi (*Apteryx Australis*). **2.** (*także* **~ fruit**) *bot.* (owoc) kiwi. **3.** *pot.* Nowozeland-czyk/ka.

KKK [ˌkeɪ ˌkeɪ ˈkeɪ] *abbr. US* = **Ku Klux Klan.**

Klan [klæn] *n. US* **the ~** = **Ku Klux Klan.**

Klansman [ˈklænzmən] *n. pl.* **-men** członek Ku Klux Klanu.

klatch [klætʃ], **klatsch** *n. US pot.* spotkanie (towarzyskie), pogawędka.

klaxon [ˈklæksən] *n. mot.* klakson.

Kleenex [ˈkliːneks] *n. C / U* chusteczka higieniczna.

kleptomania [ˌkleptəˈmeɪnɪə] *n. U pat.* kleptomania.

kleptomaniac [ˌkleptəˈmeɪnɪˌæk] *n. pat.* kleptoman/ka.

klipspringer [ˈklɪpˌsprɪŋər] *n. zool.* mała antylopa afrykańska (*Oreotragus oreotragus*).

kloof [kluːf] *n. S.Afr.* **1.** parów. **2.** przełęcz.

kludge [kluːdʒ] *n. komp. sl.* prowizorka (= *słabe l. tymczasowe rozwiązanie problemu sprzętowego l. programistycznego*).

klutz [klʌts] *n. US i Can. sl.* oferma; niezdara, niezgrabiasz.

klutziness [ˈklʌtsɪnəs] *n. U US i Can. sl.* ofermowatość; niezdarność.

klutzy [ˈklʌtsɪ] *a.* **-ier, -iest** *US i Can. sl.* ofermowaty; niezdarny.

klystron [ˈklaɪstrən] *n. el.* klistron (*lampa elektronowa*).

km *abbr.* = **kilometer.**

kn *abbr.* = **knot.**

knack [næk] *n.* talent; smykałka, dryg; **have a ~ for/of (doing) sth** mieć smykałkę *l.* talent do (robienia) czegoś; **there'a a ~ to (doing) that** to trzeba umieć (robić).

knacker [ˈnækər] *n. Br.* **1.** rzeźnik koński. **2.** przedsiębiorca kupujący na rozbiórkę stare domy, statki itp. **3.** *pl. sl.* jaja (= *jądra*). – *v.* **~ (out)** *Br. i Austr. sl.* wykończyć (= *zmęczyć*).

knackered [ˈnækərd] *a. Br. i Austr. sl.* wykończony (= *zmęczony*).

knacker's yard *n. Br.* **1.** rzeźnia końska. **2. ready for the ~** *przen.* nadający się wyłącznie na złom.

knackwurst [ˈnɑːkˌwɝːst], **knockwurst** *n. C / U kulin.* tłusta, mocno przyprawiona kiełbasa.

knag [næg] *n.* **1.** sęk (*w drewnie*). **2.** kołek (*drewniany*).

knaggy [ˈnægɪ] *a.* **-ier, -iest** sękaty.

knap[1] [næp] *v.* **-pp-** *Br. dial.* **1.** stukać. **2.** tłuc (*kamienie*). **3.** gryźć mocno. – *n. Br. dial.* (nagłe) uderzenie.

knap[2] *n.* **1.** *dial.* grzbiet wzgórza. **2.** wzniesienie.

knapsack [ˈnæpˌsæk] *n. US l. przest. Br.* **1.** chlebak, plecaczek. **2.** *wojsk.* tornister.

knapweed [ˈnæpˌwiːd] *n. pl.* **-s** *l.* **knapweed** *bot.* chaber (*Centaurea*).

knar [nɑːr] *n.* sęk (*zwł. pokryty korą*).

knarred [nɑːrd] *a.* sękaty.

knave [neɪv] *n.* **1.** *przest.* łotr. **2.** *Br. karty* walet. **3.** *przest.* służący.

knavery ['neɪvərɪ] *n. C / U pl.* **-ies** łotrostwo.

knavish ['neɪvɪʃ] *a.* łotrowski.

knead [ni:d] *v.* **1.** wyrabiać, ciasto, glinę. **2.** masować ugniatając (*mięśnie*).

kneader ['ni:dər] *n. techn.* ugniatarka; zgniatarka.

knee [ni:] *n.* **1.** *t. anat.* kolano (*t. np. spodni*); **go/get down on one's ~** klękać; padać na kolana; **sit on sb's ~** siedzieć komuś na kolanach. **2.** *techn.* kolano, kolanko. **3.** *przen.* **bend/bow the ~ (to sb)** *lit.* zginać kolano (przed kimś) (*na znak szacunku l. poddania*); **be the bee's ~s** *Br. pot.* być najlepszym; **bring/force sb to their ~s** rzucić kogoś na kolana (= *pokonać*); **bring sth to its ~s** sparaliżować coś (*np. działalność firmy, ruch w mieście*); **learn sth at one's mother's ~** nauczyć się czegoś dziecięciem będąc; **on bended ~** *zob.* **bend**[1] *v.*; **put sb over one's ~** *przest.* przełożyć kogoś przez kolano (= *zbić, dać klapsa*); **weak at the ~s** *pot.* wstrząśnięty (*o osobie*). – *v.* kopnąć *l.* szturchnąć kolanem (*sb in sth* kogoś w coś).

knee breeches *n.* = **breeches**.

kneecap ['ni:ˌkæp] *n.* **1.** *anat.* rzepka. **2.** = **kneepad**. – *v.* **-pp-** przestrzelić kolano (*komuś*).

knee-deep [ˌni:'di:p] *a.* **1.** głęboki po kolana (*np. o błocie*). **2.** zanurzony po kolana (*np. w wodzie, śniegu*). **3.** *przen.* **~ in debt** po uszy *l.* po szyję w długach; **~ in work** zatopiony w pracy.

knee-high [ˌni:'haɪ] *a.* **1.** = **knee-deep** 1. **2.** sięgający *l.* wysoki do kolana.

knee jerk *n. fizj.* odruch kolanowy *l.* rzepkowy.

kneejerk ['ni:ˌdʒɜ:k], **knee-jerk** *a. attr. przen.* automatyczny (*np. o reakcji, poparciu*).

knee joint **1.** *anat.* staw kolanowy. **2.** *techn.* połączenie kolanowo-dźwigniowe.

kneel [ni:l] *v. pret. i pp.* **knelt** *l.* **kneeled** **1.** klęczeć. **2.** uklęknąć (*to sb / sth* przed kimś/czymś).

knee-length ['ni:ˌleŋkθ] *a.* (długi *l.* sięgający) do kolan (*o płaszczu, butach*).

kneeler ['ni:lər] *n. kośc.* klęcznik.

kneepad ['ni:ˌpæd] *n. zwł. sport* nakolannik (*ochronny*).

kneepan ['ni:ˌpæn] *n. anat.* rzepka.

knee sock *n.* podkolanówka.

knell [nel] *n. lit.* **1.** dźwięk dzwonu (*zwł. żałobnego*). **2. death ~** *zob.* **death**. – *v.* **1.** dzwonić *l.* dźwięczeć żałobnie (*o dzwonie*). **2.** dzwonić w dzwon żałobny. **3.** obwieszczać (jakby) dzwonieniem dzwonu.

knelt [nelt] *v. zob.* **kneel**.

knew [nu:] *v. zob.* **know**.

Knickerbocker ['nɪkərˌbɑ:kər] *n. US* **1.** potomek/kini holenderskich osadników w Nowym Jorku. **2.** *pot.* mieszkan-iec/ka Nowego Jorku.

knickerbockers ['nɪkərˌbɑ:kərz] *n. pl. gł. hist.* pludry.

knickers ['nɪkərz] *n. pl.* **1.** *Br. pot.* figi, majtki (*damskie*). **2.** *US* = **knickerbockers**.

knick-knack ['nɪkˌnæk], **nick-nack** *n.* bibelot.

knife [naɪf] *n. pl.* **knives** [naɪvz] **1.** nóż; **~ and fork** nóż i widelec; **bread/fish ~** nóż do chleba/ryby; **kitchen ~** nóż kuchenny; **pull/draw a ~** wyciągnąć (z kieszeni) nóż. **2.** *roln.* kosa (*maszyny żniwnej*). **3.** *przen.* **go under the ~** *żart.* iść pod nóż (= *na operację*); **have/get one's ~ in/into sb** *pot.* starać się komuś zaszkodzić; **the knives are out ~ for sb** *Br. i Austr. pot.* wszyscy są przeciwko komuś; **twist/turn the ~ (in the wound)** posypywać rany solą (= *powiększać czyjeś zdenerwowanie l. zmartwienie*); (tylko) pogarszać sytuację. – *v.* **1.** dźgnąć *l.* ranić nożem; wbić nóż (*komuś*) (*in sth* w coś); **~ sb to death** zadźgać kogoś (nożem). **2.** *przen.* **~ sb (in the back)** wbić komuś nóż w plecy (= *zdradzić*); **~ through the air** ciąć *l.* przecinać powietrze (*o ptaku, samolocie*).

knife edge *n.* **1.** ostrze noża. **2.** ostrze; krawędź. **3.** *mech.* nóż (*łożyska nożowego, np. wagi*). **4. be on a ~** *przen.* ważyć się, stać pod znakiem zapytania (*o losach, przyszłości*); niepokoić się (*about sth* o coś).

knife grinder *n.* szlifierz (*ostrzący noże, zwł. wędrowny*).

kniferest ['naɪfˌrest] *n.* podstawka pod nóż (*l. pod widelec do krojenia mięsa*).

knife switch *n. el.* łącznik nożowy.

knight [naɪt] *n.* **1.** *hist. l. przen.* rycerz. **2.** *Br.* posiadacz honorowego tytułu szlacheckiego uprawniającego do używania tytułu „Sir". **3.** kawaler (*orderu*). **4.** *szachy* skoczek. **5.** *przen.* **a ~ in shining armor**/*Br.* **armour** rycerz w błyszczącej zbroi (= *osoba ratująca kogoś z opresji*); **white ~** *zob.* **white**. – *v.* **1.** pasować na rycerza. **2.** nadawać tytuł szlachecki (*komuś*). **3.** odznaczać tytułem kawalera (orderu).

knight bachelor *n. pl.* **knights bachelors** *l.* **knights bachelor** *Br.* posiadacz najniższej klasy honorowego tytułu szlacheckiego „knight".

knight banneret [ˌnaɪt 'bænərɪt] *n. zob.* **banneret**.

knight errant [ˌnaɪt 'erənt] *n. pl.* **knights errant** błędny rycerz (*zwł. w romansach średniowiecznych*).

knight errantry [ˌnaɪt 'erəntrɪ] *n. U* **1.** czyny błędnego rycerza. **2.** donkiszoteria.

knighthead ['naɪtˌhed] *n. żegl.* pionowa belka podtrzymująca bukszpryt.

knighthood ['naɪtˌhʊd] *n.* **1.** *U hist.* rycerstwo, stan rycerski. **2.** *C / U* tytuł szlachecki; szlachectwo.

knightliness ['naɪtlɪnəs] *n. U* rycerskość.

knightly ['naɪtlɪ] *a. lit.* rycerski. – *adv. arch.* rycersko.

knight marshal *n. Br. hist.* urzędnik dworski odpowiedzialny za protokół.

knight of the road *n. pot. l. żart.* **1.** włóczęga. **2.** kierowca ciężarówki. **3.** osoba podróżująca w interesach. **4.** *arch.* rozbójnik.

knish [kə'nɪʃ] *n. gł. US kulin.* knysz (*rodzaj pieroga z ziemniakami, serem l. mięsem; potrawa kuchni żydowskiej*).

knit [nɪt] *v. pret. i pp.* **knitted** *l.* **knit** **1.** *tk.* robić na drutach; dziać (*na maszynie*); **~ sb sth** (*także* **~ sth for sb**) zrobić coś komuś na drutach. **2. ~ one's brows** marszczyć brwi. **3. ~ (together)** zrastać się (*o kościach*); *przen.* łączyć, jednoczyć. **4. closely-/tightly-~** (*także* **close-/tight-~**) *przen.*

zwarty, zżyty (*o grupie, społeczności*). – *n.* **1.** wyrób dziewiarski. **2.** splot (*w robocie na drutach*).

knitted [ˈnɪtɪd] *a.* dziany, robiony na drutach.

knitter [ˈnɪtər] *n. tk.* **1.** dziewia-rz/rka. **2.** dziewiarka, maszyna dziewiarska.

knitting [ˈnɪtɪŋ] *n. U* **1.** dziewiarstwo; robienie na drutach. **2.** wyrób dziewiarski; robótka (*na drutach*).

knitting frame *n.* (*także* **knitting machine**) *tk.* dziewiarka, maszyna dziewiarska.

knitting needle *n.* drut (*do robót dzianych*).

knitwear [ˈnɪtˌwer] *n. U* wyroby dziewiarskie.

knives [naɪvz] *n. pl. zob.* **knife.**

knob [nɑːb] *n.* **1.** gałka. **2.** guz, wybrzuszenie. **3.** okrągły pagórek. **4.** *kulin.* odrobina (*zwł. masła*). **5.** *Br. obsc. sl.* fiut (= *penis*). **6. (he's a fool) with (brass) ~s on** *Br. przest. pot.* (jest z niego bałwan) do kwadratu. – *v.* **-bb- 1.** wyposażać w gałki. **2.** wybrzuszać się.

knobble [ˈnɑːbl] *n.* gałeczka.

knobby [ˈnɑːbɪ], *Br.* **knobbly** [ˈnɑːblɪ] *a.* **-ier, -iest** guzowaty, guzkowaty.

knobkerrie [ˈnɑːbˌkerɪ] *n.* (*także* **knobstick**) *S.Afr. broń* krótki kij zakończony gałką.

knock [nɑːk] *v.* **1.** pukać (*at/on sth* do czegoś *l.* w coś); stukać (*at/on sth* w coś); **~ on wood** *US* pukać w niemalowane drewno. **2.** uderzać (*against sth* o coś); **~ sb on the head** ogłuszyć kogoś (*uderzeniem w głowę*); **~ sb to the ground** powalić kogoś na ziemię; **~ sb unconscious/senseless** pozbawić kogoś przytomności (*uderzeniem*). **3.** trącać; **he ~ed the glass out of my hand** wytrącił mi kieliszek z ręki; **she ~ed the vase off the table** strąciła wazon ze stołu. **4.** stukać (*o silniku*). **5.** wbijać; wybijać; **~ a hole in sth** wybić w czymś dziurę; **~ a nail into sth** wbić gwóźdź w coś. **6.** zderzyć się (*against sth* z czymś). **7.** *pot.* czepiać się (*kogoś l. czegoś; = krytykować*). **8.** *przen. pot.* **~ 'em dead!** rzuć ich na kolana! (*dodając komuś otuchy przed występem*); **~ sb sideways** (*także* **~ sb for six**) zaskoczyć kogoś zupełnie; **~ some sense into sb** przemówić komuś do rozsądku; **~ sth on the head** *Br.* udaremnić coś. **9. ~ around/about somewhere** *pot.* włóczyć się gdzieś; poniewierać się gdzieś (*o poszukiwanym przedmiocie*); **~ around/about with sb** spędzać dużo czasu w czyimś towarzystwie; *Br. pot.* sypiać z kimś; **~ sb around/about** poniewierać kimś; maltretować kogoś; **~ sth around/about** obgadywać coś (*pomysł, propozycję*); **~ back** *pot.* obalić, obciągnąć (*zwł. butelkę*); **~ sb back** *Br.* zaszokować kogoś; **it ~ed me back two grand** *Br. i Austr. pot.* kosztowało mnie to dwa tysiące; **~ down** przewrócić; *mot.* potrącić; *mot.* przejechać (*pieszego*); *bud.* zburzyć, rozebrać (*budynek*); wyburzyć (*ścianę*); *zw. pass.* sprzedać na aukcji (*to sb* komuś, *for...* za...); *przen.* obalić (*np. argument, tezę*); opuścić *l.* spuścić cenę (*czegoś*); **~ down the price to...** *pot.* opuścić *l.* spuścić cenę do...; **~ sb down to...** *pot.* wytargować z kimś opuszczenie ceny do...; **you could've ~ed me down with a feather** *zob.* **feather** *n.*; **~ sb into the middle of next week** *pot.* przywalić komuś; **~ sb/sth into shape** *zob.* **shape** *n.*; **~ two rooms into one/into each other** (*także* **~ two rooms through**) wyburzyć ścianę między dwoma pokojami, połączyć dwa pokoje; **~ off** *pot.* kończyć (pracę); opuścić cenę o (*daną kwotę*); **~ sb off** *sl.* rozwalić kogoś (= *zabić*); *sl.* obrobić kogoś (= *okraść*); *Br. przest. sl.* pieprzyć się z kimś (= *odbywać stosunek*); **~ sth off** *Br. sl.* sprzątnąć coś (= *ukraść*); (*także US* **~ sth out**) *pot.* trzaskać coś (= *produkować łatwo l. szybko*); **~ it off!** *pot.* przestań!, daj spokój!; **~ sb's socks off** *pot.* zrobić na kimś piorunujące wrażenie, zwalić kogoś z nóg; **~ spots off sb/sth** *Br. pot.* bić kogoś/coś na głowę; **I'll ~ your block off!** *pot.* rozwalę ci łeb!; **~ o.s. out** *pot.* wykończyć się (*z przepracowania*); **~ sb out** *boks* znokautować kogoś; pozbawić kogoś przytomności; *t. sport* wyeliminować kogoś (*w grze, zawodach*); zwalić z kogoś z nóg, powalić kogoś (*o narkotyku, leku, wysiłku; t. przen. o piosence, czyjejś urodzie itp.*); **~ sth out** wybić coś (*np. zęby, okno w ścianie*); opróżnić coś (*np. fajkę*); zniszczyć coś (*np. czołg nieprzyjaciela*); *Br. pot* wyprodukować coś z trudem; **~ the bottom out of sth** *zob.* **bottom** *n.*; **~ the hell out of sb** *zob.* **hell**; **~ the living daylights out of sb** *zob.* **daylight**; **~ the stuffing out of sb** *zob.* **stuffing**; **~ over** przewrócić, strącić (*np. wazon, szklankę*); *mot.* potrącić (*pieszego, rowerzystę*); *US sl.* obrobić (= *okraść, włamać się do*); **~ together** *pot.* sklecić, złożyć do kupy (*t. przen.* = *zaimprowizować*); **~ up** *tenis* rozegrać parę wolnych (*zwł. przed meczem*); *krykiet* zdobyć (*określoną ilość punktów*); **~ sb up** *Br. pot.* obudzić kogoś pukaniem do drzwi; *US wulg. sl.* zrobić komuś dziecko; *Br. pot.* wypompować kogoś (= *zmęczyć*). – *n.* **1.** uderzenie. **2.** pukanie; puknięcie. **3.** stukanie; stuknięcie (*t. w silniku*). **4.** *pot.* ostry zarzut, ostra krytyka. **5.** *pot.* nieszczęście, kłopot.

knock-about [ˈnɑːkəˌbaʊt] *a. attr.* **1.** slapstikowy (*o komedii, komiku*). **2.** hałaśliwy (*np. o przyjęciu*). **3.** roboczy (*o stroju*). – *n. żegl.* jednomasztowy jacht bez bukszprytu.

knock-back [ˈnɑːkˌbæk] *n. sl.* odmowa; odrzucenie.

knock-down [ˈnɑːkˌdaʊn] *a. attr.* **1.** druzgocący (*o ciosie*). **2.** *gł. Br.* śmiesznie niski (*o cenie*). **3.** rozbieralny (*np. o meblach*). – *n.* **1.** potężny cios. **2.** upust (*z ceny*). **3. give sb a ~ to sb** *Austr. i NZ sl.* przedstawić kogoś komuś.

knocker [ˈnɑːkər] *n.* **1.** kołatka (*u drzwi*). **2.** *pot.* malkontent/ka. **3.** *pl. sl.* zderzaki (= *piersi*). **4. on the ~** *Austr. i NZ pot.* natychmiast, od razu.

knock-knee [ˈnɑːkˌniː] *n. U pat.* kolano koślawe.

knock-kneed [ˈnɑːkˌniːd] *a.* z nogami w iks.

knock-knees [ˈnɑːkˌniːz] *n. pl.* koślawe kolana.

knock-on [ˌnɑːkˈɑːn] *n. rugby* rzut do przodu.

knock-on effect [ˌnɑːkˈɑːn ɪˌfekt] *n. zw. sing.* efekt domina.

knockout [ˈnɑːkˌaʊt] *n.* **1.** *boks* nokaut. **2.** *Br. sport* zawody rozgrywane systemem pucharowym. **3.** *sing. przen. pot.* marzenie, cudo (*osoba l. rzecz*). – *a. attr. pot.* **1.** *boks* nokautujący (*o ciosie*). **2.** *Br. sport* rozgrywany systemem pucharowym.

knock-up ['nɑ:kˌʌp] *n. Br. gł. tenis* rozgrzewka, wolne piłki; **have a ~** rozegrać parę wolnych piłek.

knockwurst ['nɑ:kˌwɜ:st] *n.* = **knackwurst.**

knoll[1] [noʊl] *n. lit.* pagórek.

knoll[2] *v. arch. l. dial.* = **knell.**

knop [nɑ:p] *n. arch.* gałka (*zwł. ozdobna*).

knot [nɑ:t] *n.* **1.** węzeł, supeł; **tie a ~** zawiązać węzeł. **2.** sęk (*w drewnie*). **3.** kokarda, kokardka. **4.** kok (*z tyłu głowy*). **5.** grupka (*osób l. rzeczy*). **6.** *przen.* trudny problem, trudność. **7.** *żegl.* węzeł (*jednostka prędkości*); mila morska. **8.** *bot.* zgrubienie (*pnia*); narośl (*na pniu*). **9.** **surgeon's/surgical ~** *med.* węzeł chirurgiczny. **10.** *przen.* **at a rate of ~s** *Br. pot.* piorunem (= *bardzo szybko*); **have a ~ in one's stomach/throat** mieć gulę w żołądku/gardle (*ze strachu l. zdenerwowania*); **the ~ of matrimony** (*także* **the marriage ~**) węzeł małżeński; **tie o.s. (up) in ~s** *Br. pot.* plątać się w wyjaśnieniach; **tie the ~** *pot.* wziąć ślub, pobrać się. – *v.* **-tt- 1.** związywać. **2.** robić *l.* wiązać węzeł (na) (*linie, sznurze*). **3.** splątać (się). **4.** wiązać (*frędzle*). **5.** ściskać (się) (*o żołądku*).

knotgrass ['nɑ:tˌgræs], **knotweed** ['nɑ:tˌwi:d] *n. bot.* rdest ptasi (*Polygonum aviculare*).

knothole ['nɑ:tˌhoʊl] *n.* dziura po sęku.

knottiness ['nɑ:tɪnəs] *n. U* **1.** splątanie. **2.** *przen.* zawiłość, skomplikowanie.

knotting ['nɑ:tɪŋ] *n. U gł. hist.* rodzaj makramy.

knotty ['nɑ:tɪ] *a.* **-ier, -iest 1.** pełen węzłów, węzłowaty (*o linie*). **2.** sękaty (*o drewnie*). **3.** *przen.* zawiły, skomplikowany.

knotweed ['nɑ:tˌwi:d] *n.* = **knotgrass.**

knout [naʊt] *hist. n.* knut. – *v.* bić knutem.

know [noʊ] *v.* **knew, known 1.** wiedzieć (*that* że, *if/whether* czy, *what/where/how* co/gdzie/jak, *about sb/sth* o kimś/czymś); **as far as I ~** o ile wiem; **(do) you ~ what?** (*także* **(do) you ~ something?**) *pot.* wiesz co?; **he doesn't ~ what he's talking about** (sam) nie wie, co mówi; **how do you ~?** skąd wiesz?; **how was I to ~?** skąd mogłam wiedzieć?; **I ~ him to be related to us** *form.* wiem, że jest z nami spokrewniony; **I don't ~ how to thank you** *form.* nie wiem, jak mam Pan-u/i dziękować; **I didn't ~ whether to laugh or cry** nie wiedziałam, czy (mam) się śmiać, czy płakać; **if (only) I had ~n** gdybym tylko wiedział; **if you must ~** jeśli (już) musisz wiedzieć; **she ~s all there is to ~ about computers** ona wie wszystko o komputerach; **you ~** (no) wiesz; musisz wiedzieć, trzeba ci wiedzieć; **you ~ what I mean** wiesz, co mam na myśli. **2.** znać, *t. Bibl.* = obcować z; znać się na (*czymś*); **be ~n** być znanym (*as* jako, *for sth* z czegoś); **~ sb by sight** znać kogoś z widzenia; **~ the way** znać drogę; **~ing her, I would't be so sure** znając ją, nie byłabym taka pewna; **he ~s San Francisco well** on dobrze zna San Francisco; **I don't ~ Finnish** nie znam fińskiego; **I'd like to get to ~ him (better)** chciałbym go (bliżej) poznać; **she ~s her job** ona zna się na swojej pracy. **3.** poznawać, rozpoznawać; potrafić rozpoznać (*sb by sth* kogoś po czymś); **I'd ~ her anywhere** wszędzie bym ją poznał. **4.** rozróżniać; odróżniać; **~ right from wrong** odróżniać dobro od zła. **5.** (*tylko w aspekcie dokonanym*) zaznać (*czegoś*); zetknąć *l.* spotkać się z (*czymś*); **he has ~n extreme poverty in his youth** zaznał w młodości skrajnej biedy; **I've never ~n a case like this** nigdy (wcześniej) nie zetknęłam się z takim przypadkiem; **she has been ~n to forget her address before** już wcześniej zdarzało jej się zapomnieć swojego adresu. **6.** **~ how to (do sth)** umieć *l.* potrafić (coś robić); **~ how to swim** umieć pływać. **7.** **get to ~ about/of sth** dowiedzieć się o czymś; **let sb ~** dać komuś znać, powiadomić *l.* zawiadomić kogoś; **make it ~n that...** (*także* **let it be ~n that...**) *form.* oznajmić, że...; **make o.s. ~n to sb** *form.* przedstawić się komuś; **you will be pleased to ~ (that)...** *form.* (na pewno) ucieszy Pan-a/ią wiadomość, że..., z przyjemnością zawiadamiamy, że... **8.** **~ better** wiedzieć lepiej (= *uważać się za mądrzejszego*); **~ better than to do sth** wiedzieć, że nie należy czegoś robić; **I will ~ better next time** następnym razem będę mądrzejszy; **sb doesn't ~ any better** ktoś inaczej nie potrafi *l.* nie umie; kogoś nie stać na nic lepszego; **you should have ~n better (than that)** powinieneś był być mądrzejszy. **9.** **~ of sb/sth** wiedzieć o istnieniu kogoś/czegoś, słyszeć o kimś/czymś. **10.** **~ a thing or two** wiedzieć to i owo (= *dużo*) (*about sth* na jakiś temat); **~ different/otherwise** *pot.* wiedzieć swoje; **~ for a fact that...** *pot.* wiedzieć na pewno, że...; **~ full well** wiedzieć doskonale *l.* bardzo dobrze; **~ no bounds** *zob.* **bound**[1] *n.*; **~ one's place** znać swoje miejsce; **~ one's own mind** wiedzieć, czego się chce; **~ sth inside out** (*także* **~ sth backwards (and forwards)**) znać coś na wylot; umieć coś na wyrywki; **~ sth like the back of one's hand** znać coś jak własną kieszeń; **~ sth (off) by heart** znać *l.* umieć coś na pamięć; **~ the ropes** *zob.* **rope** *n.*; **~ the score** *zob.* **score** *n.*; **~ what's what** wiedzieć, co i jak; **~ which side one's bread is buttered** *zob.* **buttered; (and) the next thing I/you ~...** a (już) w chwilę później...; **before I knew where I was** zanim się obejrzałem; **for all I ~** *zob.* **all** *n.*; **God/goodness/Heaven (only) ~s** Bóg (jeden) wie, Bóg raczy wiedzieć; **I ~ what** *pot.* już wiem (= *mam pomysł*); **I don't ~ about you, (but I'm going)** nie wiem, jak ty, (ale ja idę); **I don't ~ him from Adam** *zob.* **Adam; I ought to ~** już ja (to) wiem (najlepiej); **I wouldn't ~** *pot.* skąd miałbym wiedzieć?; **not ~ one's ass from one's elbow** *zob.* **elbow** *n.*; **not ~ the first thing about sth** *zob.* **first** *a.*; **not ~ what has hit one** *zob.* **hit** *v.*; **not ~ where to look** *pot.* nie wiedzieć, gdzie podziać oczy (*ze wstydu*); **not ~ where to put o.s.** *pot.* nie wiedzieć, gdzie się podziać (*jw.*); **not ~ whether one is coming or going** *pot.* być kompletnie skołowanym; **not that I ~ of** nic mi o tym nie wiadomo; o ile wiem, to nie; **there's no ~ing (what the result will be)** nie wiadomo, (jaki będzie rezultat); **without sb ~ing** bez czyjejś wiedzy; **(well) what do you ~!** *zwł. US pot.* (i) kto by pomyślał!, no (i) proszę!; **you don't want to ~** *pot.* nie chcesz wiedzieć (= *lepiej, żebyś nie wiedział*); **you never ~** (*także* **one never ~s**) nigdy (nic) nie wiadomo.

– *n.* *U* **be in the ~** *pot.* być wtajemniczonym *l.* dobrze poinformowanym.

knowable [ˈnoʊəbl] *a.* **1.** poznawalny. **2.** rozpoznawalny.

know-all [ˈnoʊˌɔːl] *n. Br. i Austr.* = **know-it-all.**

know-how [ˈnoʊˌhaʊ] *n. U pot.* **1.** wiedza (*specjalistyczna, zwł. technologiczna*). **2.** umiejętności.

knowing [ˈnoʊɪŋ] *a.* **1.** *attr.* porozumiewawczy (*o spojrzeniu, uśmiechu*). **2.** celowy; świadomy. **3.** sprytny; mądry.

knowingly [ˈnoʊɪŋlɪ] *adv.* **1.** porozumiewawczo. **2.** celowo; świadomie.

know-it-all [ˈnoʊɪtˌɔːl] *n. US pot.* mądrala.

knowledgable [ˈnɑːlɪdʒəbl] *a.* = **knowledgeable.**

knowledge [ˈnɑːlɪdʒ] *n. C/U* wiedza (*that* że, *about sth* o czymś *l.* na temat czegoś); znajomość (*of sth* czegoś) (*np. języków obcych*); **act in full ~ of sth** *form.* działać z pełną świadomością czegoś; **bring sth to sb's ~** *form.* poinformować kogoś o czymś; **carnal ~** *zob.* **carnal; deny all ~ of sth** zaprzeczać, że się cokolwiek wie na jakiś temat; **have a working ~ of...** potrafić się porozumieć w... (*danym języku*); **have no ~ of sth** nic nie wiedzieć o czymś *l.* na temat czegoś; **in the ~ that...** wiedząc, że...; **it came to my ~ that...** *form.* dotarło do mnie, że...; **it's common ~ that...** powszechnie wiadomo, że...; **not to my ~** o ile wiem, to nie; **to (the best of) my ~** o ile mi wiadomo, z tego, co wiem; **without sb's ~** bez czyjejś wiedzy.

knowledgeable [ˈnɑːlɪdʒəbl], **knowledgable** *a.* znający się na rzeczy; **be ~ about sth** dobrze znać się na czymś, mieć dużą wiedzę na jakiś temat.

known [noʊn] *v. zob.* **know.**

knuckle [ˈnʌkl] *n.* **1.** *anat.* kostka (*dłoni*); staw (*palca*). **2.** *kulin.* nóżka (*cielęca, wieprzowa*). **3.** *techn.* przegub; widełki przegubu. **4.** *przen. pot.* **be near the ~** *Br.* graniczyć z nieprzyzwoitością; **receive a rap on/over one's ~s** dostać po łapach. – *v.* **1.** **~ (down)** *pot.* dotknąć kostkami ziemi (*przy grze w kulki*). **2.** **~ down** *pot.* przysiąść, zabrać się solidnie (*to sth* za coś *l.* do czegoś); **~ under** ugiąć się (*to sth* przed czymś); podporządkowywać się (*to sth* czemuś).

knucklebone [ˈnʌklˌboʊn] *n.* **1.** *anat.* kostka (*ręki*). **2.** *pl.* = **jacks.**

knuckle-duster [ˈnʌklˌdʌstər] *n.* = **brass knuckles;** *zob.* **brass** *a.*

knucklehead [ˈnʌklˌhed] *n. US pot.* bałwan, idiot-a/ka.

knuckle joint *n.* **1.** *anat.* staw śródręczno-paliczkowy. **2.** *techn.* połączenie sworzniowe.

knuckle sandwich *n. sl.* cios pięścią w usta.

knur [nɝː], **knurr, knar** *n.* guz (*na pniu*); sęk (*na pniu, w drewnie*).

knurl [nɝːl] *n.* **1.** guz; gałka. **2.** guzek; wycięcie (*np. na krawędzi monety*). **3.** *techn.* radełko, molet (*do wytłaczania wgłębień w metalu*). – *v. techn.* radełkować, moletować.

KO [ˌkeɪ ˈoʊ], **K.O., k.o.** *n. C/U pl.* **Kos** *pl.* **KO's** *boks* nokaut. – *v.* **KO'd, KO'ing** nokautować.

koala [koʊˈɑːlə] *n. zool.* (niedźwiadek) koala (*Phascolarctus cinereus*).

kobold [ˈkoʊbɔːld] *n. mit. germańska* **1.** chochlik (*domowy*), kobold. **2.** duch kopalń (*i innych miejsc podziemnych*).

koel [ˈkoʊəl] *n. zool.* kukułka (*Eudynamys*).

kohl [koʊl] *n. U* substancja zawarta w ołówku do powiek.

kohlrabi [koʊlˈrɑːbɪ] *n. pl.* **kohlrabies** *bot.* kalarepa (*Brassica oleacera caulorapa l. gongylodes*).

koine [kɔɪˈneɪ] *n. jęz.* **1.** **the ~/K~** *hist.* koine (= *odmiana greki, którą posługiwano się w okresie hellenistycznym i rzymskim we wschodniej części basenu Morza Śródziemnego*). **2.** koine, lingua franca (= *język wspólny dla osób mówiących różnymi językami*).

kola [ˈkoʊlə] *n. zob.* **cola** 1.

kolinsky [kəˈlɪnskɪ] *n. pl.* **-ies** **1.** *zool.* norka syberyjska (*Mustela sibirica*). **2.** futerko norki jw.

kolkhoz [ˌkɑːlˈhɔːz], **kolkohs, kolkoz** *n. hist.* kołchoz.

koodoo [ˈkuːduː] *n.* = **kudu.**

kook [kuːk] *n. US i Can. sl.* świr.

kookaburra [ˌkʊkəˈbɝːə] *n. orn.* duży zimorodek australijski (*Dacelo gigas*).

kookiness [ˈkuːkɪnəs] *n. U US i Can. sl.* świrowatość.

kooky [ˈkuːkɪ] *a.* **-ier, -iest** świrnięty.

kop [kɑːp] *n. S.Afr.* **1.** góra. **2.** wzgórze.

kopeck [ˈkoʊpek], **kopek, copeck** *n.* kopiejka.

kopje [ˈkɑːpɪ], **koppie** *n. S.Afr.* mały pagórek, małe wzgórze.

Koran [kəˈrɑːn], **Qur'an** *n.* **the ~** *rel.* Koran.

Koranic [kəˈrænɪk] *a. rel.* **1.** koranowy. **2.** koraniczny.

Korea [kəˈrɪə] *n. geogr.* Korea; **North/South ~** Korea Północna/Południowa.

Korean [kəˈrɪən] *a.* koreański. – *n.* **1.** Koreańczyk/nka. **2.** *U* język koreański.

kosher [ˈkoʊʃər] *a.* **1.** *judaizm* koszerny. **2.** *pot.* autentyczny; uczciwy; właściwy. – *v.* robić koszernym.

koumiss [ˈkuːmɪs], **koumis, koumyss** *n.* = **kumiss.**

kowtow [ˌkaʊˈtaʊ] *v. t. przen.* bić czołem, płaszczyć się (*to sb* przed kimś). – *n. U* dotykanie czołem ziemi (*na znak wielkiego szacunku; oryginalnie zwyczaj chiński*).

kowtower [ˌkaʊˈtaʊər] *n.* lizus/ka; sługus.

KP [ˌkeɪ ˈpiː] *abbr.* = **kitchen police.** – *n. pl.* **KPs** *l.* **KP's** żołnierz przydzielony do pracy w kuchni.

kr. *abbr.* = **krone.**

kraal [krɑːl] *n. S.Afr.* **1.** wieś (*zwł. otoczona palisadą*). **2.** ogrodzenie (*dla bydła i owiec*). – *a. attr.* plemienny. – *v.* zamykać w ogrodzeniu (*bydło l. owce*).

kraft [kræft] *n. U* papier pakowy (*siarczanowy*).

krait [kraɪt] *n. zool.* nieagresywny wąż jadowity z rodzaju *Bungarus.*

kraken [ˈkrɑːkən] *n. mit.* legendarny potwór morski, zamieszkujący u wybrzeży norweskich.

Kraut [kraʊt] *pog. sl. n.* szkop (= *Niemiec*). – *a.* szkopski (= *niemiecki*).

Kremlin [ˈkremlɪn] *n.* **the ~** *polit.* Kreml.
Kremlinologist [ˌkremlɪˈnɑːlədʒɪst] *n.* sowietolog.
Kremlinology [ˌkremlɪˈnɑːlədʒɪ] *n. U* sowietologia.
kreutzer [ˈkrɔɪtsər] *n. hist.* krajcar, grajcar (*moneta niemiecka i austriacka*).
kriegspiel [ˈkriːgˌspiːl] *n.* gra wojenna (*na mapie*).
krill [krɪl] *n. pl.* **krill** *zool.* kryl (*Euphausia*).
kris [kriːs], **creese**, **crease** *n.* kris (*sztylet malajski*).
Krishna [ˈkrɪʃnə] *n. rel.* Kryszna, Kriszna.
Kriss Kringle [ˌkrɪs ˈkrɪŋgl] *n. US* = **Santa Claus**.
kromesky [kroʊˈmeskɪ] *n. pl.* **-ies** *kulin.* krokiet (*mięsny*).
krone [ˈkroʊnə] *n.* korona (*waluta skandynawska l. austriacka*).
kruller [ˈkrʌlər] *n.* = **cruller**.
krypton [ˈkrɪptɑːn] *n. U chem.* krypton.
KS [ˌkeɪ ˈes] *abbr.* = **Kansas**.
Kt. *abbr.* **1.** (*także* **Knt.**) *Br.* = **knight**. **2.** *szachy* = **knight**.
kt. *abbr.* **1.** = **karat**. **2.** = **kiloton**. **3.** = **knot**.
kudos [ˈkjuːdoʊz] *n. U* renoma, prestiż; chwała.
kudu [ˈkuːduː], **koodoo** *n. zool.* kudu (*Tragelaphus strepsiceros l. imberbis*).
Ku Klux Klan [ˌkuː ˌklʌks ˈklæn] *n.* **the ~** *US* Ku-Klux-Klan.
kulak [kʊˈlɑːk] *n. hist.* kułak.
kumiss [ˈkuːmɪs], **koumiss**, **koumis**, **koumyss** *n. U kulin.* kumys.
kümmel [ˈkɪml] *n. U* alasz, likier kminkowy.
kummerbund [ˈkʌmərˌbʌnd] *n.* = **cummerbund**.
kumquat [ˈkʌmkwɑːt] *n.* = **cumquat**.
kung fu [ˌkʌŋ ˈfuː] *n. U* kung-fu.
Kurd [kɝːd] *n.* Kurd/yjka.
Kurdish [ˈkɝːdɪʃ] *a. i n. U* (język) kurdyjski.
Kurdistan [ˈkɝːdɪˌstæn] *n. geogr.* Kurdystan.
kurfuffle [kərˈfʌfl] *n.* = **kerfuffle**.
Kuril Islands [ˈkʊrɪl], **Kurile Islands** *n. pl.* **the ~** Kuryle, Wyspy Kurylskie.
kursaal [ˈkʊrzɑːl] *n.* **1.** sala dzienna (*w domu zdrojowym*). **2.** wesołe miasteczko (*w miejscowości wypoczynkowej*).
kurtosis [kɝːˈtoʊsɪs] *n. C / U pl.* **kurtoses** [kɝːˈtoʊsiːs] *stat.* kurtoza.
Kuwait [kʊˈweɪt] *n. geogr.* Kuwejt.
Kuwaiti [kʊˈweɪtɪ] *a.* kuwejcki. – *n.* Kuwejtczyk/ka.
kV *abbr.* = **kilovolt**.
kvas [kvɑːs], **kvass** *n. U kulin.* kwas chlebowy (*napój*).
kvetch [kvetʃ] *US sl. v. US sl.* stękać (= *narzekać*) (*about sth* na coś). – *n.* stękacz (= *osoba, która narzeka*).
kW *abbr.* = **kilowatt**.
kWh *abbr.* = **kilowatt-hour**.
KWIC index [ˈkwɪk ˌɪndeks] *n.* **key word in context index** *komp.* indeks słów kluczowych w kontekście.
KWOC index [ˈkwɑːk ˌɪndeks] *n.* **key word out of context index** *komp.* indeks słów kluczowych poza kontekstem.
KY, Ky. *abbr. US* = **Kentucky**.
kyanite [ˈkaɪəˌnaɪt] *n.* = **cyanite**.
kyle [kaɪl] *n. Scot.* **1.** (wąska) cieśnina. **2.** kanał.
kymograph [ˈkaɪməˌgræf] *n.* kimograf (= *przyrząd do rejestrowania krzywych ciśnienia, tętna, fal dźwiękowych itp.*).

L

L [el], **l** *n. pl.* **-'s** *l.* **-s** [elz] L, l (*litera l. głoska*).

L [el] *abbr. i n. pl.* **L's** *l.* **Ls** **1.** *techn.* (*także* **~ bar**) kątownik; (*także* **~ pipe**) kolanko. **2. elevated line** *US pot.* kolejka nadziemna. **3. learner** *Br. mot.* L (*oznaczenie nauki jazdy*). **4. large** *handl.* L (*rozmiar odzieży*); (*w mowie*) elka; **is this an ~?** czy to jest elka?.

l *abbr.* = **liter.**

L. *abbr.* **1.** *geogr.* (*gł. w nazwach*) **Lake** jez. (= *jezioro*). **2.** = **Latin. 3.** = **Lady.**

l. *abbr.* **1.** *pl.* **ll. line** w. (= *wiersz*). **2.** = **length. 3.** = **left** *a.* **4.** *fin.* = **lira.**

LA *abbr. US geogr.* **1.** [ˌel 'eɪ] = **Los Angeles. 2.** = **Louisiana.**

la [lɑ:], **lah** *n. sing. muz.* la.

laager ['lɑ:gər] *n.* **1.** schronienie; *przen.* ucieczka; **retreat into a ~** szukać ucieczki *l.* schronienia. **2.** *S.Afr.* obozowisko, obóz. – *v.* **1.** rozbijać obóz, obozować. **2.** rozkładać obozem (*ludzi, wozy*).

laager mentality *n. U t. socjol. uj.* egoizm.

lab [læb] *abbr. i n.* **1.** *t. pot.* = **laboratory. 2.** *kynol. pot.* = **Labrador (retriever).**

labarum ['læbərəm] *n. Lat. kośc., hist.* labarum (= *sztandar*).

label ['leɪbl] *n.* **1.** etykieta; *t. przen.* etykietka; *handl.* metka; nalepka; przywieszka; **pin a ~ on sb** *przen.* przypiąć *l.* przylepić *l.* przyczepić komuś etykietkę, zaszufladkować kogoś. **2.** *komp.* etykieta (*dysku*). **3.** *muz.* wytwórnia płytowa; znak wytwórni płytowej; **record for/on/under a ~** nagrywać dla wytwórni. **4.** *handl.* znak firmowy. **5.** *bud.* gzyms okapnikowy, okap (*nad otworem okiennym l. drzwiowym*). **6.** *chem.* wskaźnik, pierwiastek wskaźnikowy. – *v. Br.* **-ll- 1.** oznakowywać; oznaczać. **2.** *handl.* metkować, etykietować (*towar*). **3.** *przen.* **~ sb (as)...** przypiąć *l.* przylepić *l.* przyczepić komuś etykietkę... (*np. rasisty, kłamcy*); **he was ~ed (as) a criminal for the rest of his life** przez resztę życia traktowano go jak przestępcę; **she was ~ed (as) dishonest** uznano ją za nieuczciwą.

labeling ['leɪblɪŋ] *n. U* oznakowanie, oznaczenie; znakowanie.

labellum [lə'beləm] *n. pl.* **labella** [lə'belə] *bot.* warga.

labia ['leɪbɪə] *n. pl.* **1.** *anat.* wargi sromowe; **~ majora/minora** (*także* **outer/inner ~**) wargi sromowe większe/mniejsze. **2.** *anat., bot. zob.* **labium.**

labial ['leɪbɪəl] *a.* **1.** *anat., fon.* wargowy. **2.** *anat.* sromowy. – *n. fon.* głoska *l.* spółgłoska wargowa.

labialization [ˌleɪbɪələ'zeɪʃən], *Br. i Austr. zw.* **labialisation** *n. U fon.* labializacja.

labialize ['leɪbɪəˌlaɪz], *Br. i Austr. zw.* **labialise** *v. fon.* labializować (*głoskę*).

labiate ['leɪbɪˌeɪt] *a.* **1.** *anat.* wargowy. **2.** *bot.* wargowy; jasnotowaty. – *n. bot.* roślina z rodziny wargowych *l.* jasnotowatych.

labile ['leɪbaɪl] *a. t. chem.* nietrwały, labilny.

labio-dental [ˌleɪbɪoʊ'dentl] *a. fon.* wargowo-zębowy.

labio-velar [ˌleɪbɪoʊ'vi:lər] *a. fon.* wargowo-tylnojęzykowy.

labium ['leɪbɪəm] *n. pl.* **labia** ['leɪbɪə] *anat., bot.* warga.

labor ['leɪbər], *Br.* **labour** *n. U* **1.** praca; **(sentence sb to) hard ~** *prawn.* (skazywać kogoś na) ciężkie roboty; **manual ~** praca fizyczna; **withdraw one's ~** *form.* zaprzestawać pracy (*w proteście*). **2.** *ekon.* robocizna; **~ costs** koszty robocizny, robocizna. **3.** *ekon.* siła robocza; **~ shortages** brak rąk do pracy; **skilled/unskilled ~** wykwalifikowana/niewykwalifikowana siła robocza, pracownicy wykwalifikowani/niewykwalifikowani. **4.** *polit.* ruch zawodowy, związki zawodowe. **5.** *fizj., med.* poród; **~ at (full) term** poród o czasie; **~ pains** bóle porodowe; **be in ~** rodzić; **go into ~** zaczynać rodzić; **induced ~** poród wywołany *l.* wzniecony; **woman in ~** rodząca. **6. L~** (*także* **the L~ Party**) *Br. i Austr. polit.* Partia Pracy; **I always vote L~** zawsze głosuję na Partię Pracy; **L~ has/have been in power for three years** Partia Pracy jest u władzy od trzech lat. **7.** *często pl. lit.* starania, zachody, wysiłki, trud; **a ~ of love** bezinteresowna praca, praca wykonana z potrzeby serca; pasja; **lost ~** daremny trud; **the fruit of sb's ~s** owoc czyichś wysiłków *l.* starań. – *v.* **1.** pracować ciężko; wysilać się, trudzić się, mozolić się; **~ over sth** ślęczeć nad czymś; **~ to do sth** czynić wysiłki, aby coś zrobić, usiłować coś zrobić. **2.** *fizj., med.* rodzić. **3.** *żegl.* pracować ciężko na fali (*o statku*). **4.** wypracować. **5.** *arch.* uprawiać (*ziemię*). **6.** *przen.* **~ the point** (niepotrzebnie) rozwodzić się; **~ under the delusion/illusion that...** łudzić się, że...; **~ under a misconception/misapprehension** tkwić w błędzie.

laboratory ['læbrəˌtɔ:rɪ] *n. pl.* **-ies** laboratorium; pracownia. – *a. attr.* laboratoryjny; doświadczalny; **~ animal** zwierzę doświadczalne; **~ equipment** sprzęt laboratoryjny, wyposażenie laboratorium; **~ tests** próby laboratoryjne; **in/under ~ conditions** w warunkach laboratoryjnych;

on a ~ scale na skalę laboratoryjną; **science/research ~** laboratorium naukowe/badawcze.

laboratory assistant *n.* laborant/ka.

labor camp, *Br.* **labour camp** *n.* obóz pracy.

labor-consuming ['leɪbərkən,su:mɪŋ], *Br.* **labour consuming** *a.* pracochłonny.

Labor Day *n. gł. US, Can. i Austr.* Święto Pracy (*US i Can. = pierwszy poniedziałek września, Austr. = pierwszy poniedziałek października*).

labored ['leɪbərd], *Br.* **laboured** *a.* wymęczony (*np. o stylu gry, dowcipie*); **his breathing was ~** oddychał z trudem.

laborer ['leɪbərər], *Br.* **labourer** *n.* robotni-k/ca; pracowni-k/ca fizyczn-y/a; **farm ~** robotnik rolny.

labor force, *Br.* **labour force** *n. C/U ekon.* siła robocza.

labor-intensive [,leɪbərɪn'tensɪv], *Br.* **labour-intensive** *a.* wymagający znacznej siły roboczej (*np. o gałęzi przemysłu, metodach uprawy roli*).

laborious [lə'bɔ:rɪəs] *a.* **1.** mozolny, żmudny. **2.** powolny, przychodzący z trudem. **3.** pracowity.

laboriously [lə'bɔ:rɪəslɪ] *adv.* **1.** mozolnie, żmudnie. **2.** z trudem. **3.** pracowicie.

labor leader, *Br.* **labour leader** *n.* działacz/ka związkow-y/a; przywód-ca/czyni związkow-y/a.

labor market *n. C/U ekon.* rynek pracy.

labor movement *n. C/U ekon.* ruch związkowy.

Labor Party, *Br.* **Labour Party** *n.* **the ~** *zob.* **labor** *n.* 6.

labor relations, *Br.* **labour relations** *n. pl. socjol.* stosunki między pracodawcą a pracownikami, stosunki pracy.

labor-saving ['leɪbər,seɪvɪŋ], **laborsaving** *a.* usprawniający *l.* ułatwiający pracę; **~ devices** usprawnienia (w pracy).

labor union *n. US* związek zawodowy.

labour ['leɪbər] *n. i v., t. w złoż. Br.* = **labor**.

Labrador ['læbrə,dɔ:r] *n.* (*także* **~ retriever**) *kynol.* labrador (retriever).

labradorite ['læbrə,dɔ:raɪt] *n. U min.* labradoryt.

labret ['leɪbrət] *n.* ozdoba wargi (*u niektórych ludów Afryki i Ameryki Płd., zw. z muszli l. kości*).

laburnum [lə'bɜ:nəm] *n. C/U bot.* złotokap (pospolity *l.* zwyczajny) (*Laburnum anagyroides*).

labyrinth ['læbərɪnθ] *n.* **1.** *t. przen.* labirynt. **2.** *anat.* błędnik.

labyrinthine [,læbə'rɪnθən] *a.* **1.** *form.* pokrętny, zawiły, pogmatwany. **2.** *anat.* błędnikowy.

lac[1] [lɑ:k] *n. U* gumilaka, szelak nieoczyszczony.

lac[2] *n.* (*także* **lakh**) *Ind. fin.* 100 000 rupii.

lace [leɪs] *n.* **1.** sznurowadło, sznurówka; **do up/tie (up) one's ~s** zawiązać sznurowadła; **your ~s are undone** rozwiązało ci się sznurowadło. **2.** *U* koronka; koronki; **~ curtains** firanki; **~ tablecloth/collar** koronkowy obrus/kołnierzyk, obrus/kołnierzyk z koronki. **3.** *U* lamówka (*przy mundurze*). – *v.* **1.** **~ (up)** sznurować (*buty, gorset*). **2.** *zw. pass.* **~ sth with alcohol/drugs** dodać do czegoś trochę alkoholu/narkotyku (*zwł. bez wiedzy pijącego*); **coffee ~d with brandy** kawa z dodatkiem brandy. **3.** **be ~d with sth** *przen.* być przesyconym *l.* przepełnionym czymś (*np. erotyzmem, aluzjami; o tekście*). **4.** przeplatać, przeciągać (*sth through sth* coś przez coś) (*np. sznurek przez otwór*). **5.** ozdabiać (*tasiemką, lamówką, koronką*). **6.** *pot.* zlać, sprać (= *zbić*). **7.** *przen.* pobić, pokonać. **8.** **~ one's fingers** *lit.* splatać palce. **9.** **~ into sb** *pot.* naskoczyć na kogoś (*t. słownie*).

lacerate *v.* ['læsə,reɪt] *form.* **1.** *t. przen.* poranić, poszarpać (*ciało*); pokaleczyć. **2.** *przen.* ranić (*czyjeś uczucia*); rozdzierać (*czyjeś serce*). – *a.* ['læsərət] *form.* **1.** *pat.* szarpany (*o ranie*). **2.** rozdarty. **3.** *anat., bot.* strzępiasty (*o liściu*).

laceration [,læsə'reɪʃən] *n. t. pat.* rana (szarpana); zranienie; *U* rany (szarpane); zranienia.

lacertilian [,læsər'tɪlɪən] *a. zool.* jaszczurkowaty.

lace-up ['leɪs,ʌp] *a. attr.* sznurowany.

lace-ups ['leɪs,ʌps] *n. pl.* buty sznurowane.

lacewing ['leɪs,wɪŋ] *n. pl. ent.* owad z rzędu sieciarek *l.* siatkoskrzydłych (*Neuroptera*); złotook (*Chrysopa*).

laches ['lætʃɪz] *n. U prawn.* zaniedbanie (*czynności prawnej*).

lachrymal ['lækrəml] *a.* **1.** (*także* **lacrimal**) *anat.* łzowy; **~ duct/gland** kanalik/gruczoł łzowy. **2.** *lit.* płaczący. – *n. zw. pl. anat.* gruczoł łzowy.

lachrymator ['lækrə,meɪtər] *n. C/U form.* środek łzawiący; gaz łzawiący.

lachrymatory ['lækrəmə,tɔ:rɪ] *a. form.* łzawiący.

lachrymose ['lækrə,moʊs] *a. form.* **1.** płaczliwy, zapłakany. **2.** rzewny, wyciskający łzy (z oczu).

lacing ['leɪsɪŋ] *n. zw. sing.* **1.** sznurowadło; sznurówka. **2.** lamówka. **3.** *bud.* przewiązka. **4.** *pot.* lanie; **give sb a ~** spuścić komuś lanie.

laciniate [lə'sɪnɪ,eɪt] *a. bot., zool.* strzępiasty.

lack [læk] *n. U l. sing.* brak; niedostatek; **complete/total ~ of sth** całkowity *l.* kompletny brak czegoś; **for/through ~ of sth** z braku czegoś; **there's no ~ of sth** nie brakuje czegoś. – *v.* cierpieć na brak, odczuwać brak (*czegoś*); nie mieć (*czegoś*); **he ~s money/confidence** brak *l.* brakuje mu pieniędzy/pewności siebie; **they ~ed for nothing** *form.* niczego im nie brakowało (= *żyli dostatnio*); **we are ~ing three people** brakuje nam trzech osób.

lackadaisical [,lækə'deɪzɪkl] *a.* **1.** apatyczny, bez życia. **2.** nienadzwyczajny, (co najwyżej) przeciętny; niedbały.

lackadaisically [,lækə'deɪzɪklɪ] *adv.* **1.** apatycznie, bez życia. **2.** nienadzwyczajnie; niedbale.

lackaday ['lækə,deɪ] *int. arch.* na kaduka!

lacker ['lækər] *n. i v.* = **lacquer**.

lackey ['lækɪ], **lacquey** *n.* **1.** *uj.* pachołek, sługus; lokaj. **2.** *gł. hist.* lokaj (*w liberii*). – *v.* wysługiwać się (*(for) sb* komuś).

lacking ['lækɪŋ] *a. pred.* **1.** niezadowalający,

niedostateczny, pozostawiający wiele do życzenia; **the standard of service is ~** poziom usług pozostawia wiele do życzenia; **he is ~ in firmness** brak *l.* brakuje mu stanowczości. **2.** *euf.* niezupełnie w porządku (= *trochę nienormalny*). – *prep.* wobec braku, z braku, nie mając; **~ any means of support...** wobec braku jakichkolwiek środków utrzymania...

lackluster [ˈlækˌlʌstər], *Br.* **lacklustre** *a.* bezbarwny, przeciętny (*np. o przedstawieniu, grze*); przygasły, matowy (*o oczach, wzroku*).

Laconia [ləˈkoʊnɪə] *n. hist.* Lakonia.

laconic [ləˈkɑːnɪk] *a. form.* lakoniczny.

laconically [ləˈkɑːnɪklɪ] *adv. form.* lakonicznie.

laconicism [ləˈkɑːnəˌsɪzəm], **laconism** *n. form.* **1.** *U* lakoniczność. **2.** lakoniczna uwaga.

lacquer [ˈlækər] *n. U* **1.** lakier; **hair ~** lakier do włosów. **2.** laka. **3.** wyroby z laki. – *v.* lakierować.

lacquey [ˈlækɪ] *n. i v.* = **lackey**.

lacrimal [ˈlækrəml] *a.* = **lachrymal** 1.

lacrosse [ləˈkrɔːs] *n. U sport* lacrosse (*gra pochodzenia indiańskiego podobna do hokeja na trawie*).

lactate *v.* [ˌlækˈteɪt] *fizj.* być w fazie laktacji, wydzielać *l.* produkować mleko. – *n.* [ˈlækteɪt] *U chem.* mleczan.

lactation [lækˈteɪʃən] *n. U fizj.* laktacja.

lacteal [ˈlæktɪəl] *a. biol.* mleczny. – *n. anat.* naczynie mleczowe.

lactescent [lækˈtesənt] *a. biol.* mleczny.

lactic [ˈlæktɪk] *a. chem.* mleczny.

lactic acid *a. U chem.* kwas mlekowy.

lactiferous [lækˈtɪfərəs] *a. anat., biol.* mleczny (*o gruczołach, kanalikach*).

lactometer [lækˈtɑːmətər] *n. techn.* laktometr, laktodensymetr.

lactose [ˈlæktoʊs] *n. U chem.* laktoza, cukier mlekowy.

lacuna [ləˈkjuːnə] *n. pl.* **-s** *l.* **lacunae** [ləˈkjuːniː] **1.** *form.* luka (*w tekście, wiedzy*). **2.** *anat.* jama, jamka; zatoka; rozstęp.

lacunal [ləˈkjuːnl], **lacunary** [ˈlækjəˌnerɪ] *a. form.* wykazujący lukę *l.* luki, niekompletny.

lacunar [ləˈkjuːnər] *n. pl.* **-s** *l.* **lacunaria** [ˌlækjəˈnerɪə] *bud.* kaseton; sufit kasetonowy.

lacustrine [ləˈkʌstrən] *a. techn., form.* jeziorny, jeziorowy; najeziorny, nawodny.

lacy [ˈleɪsɪ] *a.* **-ier, -iest** *t. przen.* koronkowy.

lad [læd] *n. Br. i Austr. l. dial.* **1.** chłopak, chłopiec; **~s and lasses** *przest.* chłopcy i dziewczęta; **the ~s** chłopaki, kumple. **2.** (chłopiec) stajenny. **3. a bit of a ~** *pot.* ananas, niezłe ziółko (*pobłażliwie o niepoprawnym młodym mężczyźnie*).

ladder [ˈlædər] *n.* **1.** drabina (*t. przen., np. społeczna, kariery*); drabinka; **extension ~** drabina rozsuwana; **rope ~** drabinka sznurowa; **sea ~** *żegl.* trap; **step ~** drabinka składana; **climb/move/go up the ~** *przen.* wspinać się po szczeblach kariery. **2.** *Br. i Austr.* oczko (*w rajstopach, pończosze*). **3.** *gł. Br. i Austr. sport* system drabinkowy (*rozgrywek*); (*także* **~ tournament**) turniej drabinkowy. – *v.* **my tights ~ed** (*także* **I ~ed my tights**) *Br.* poszło *l.* poleciało mi oczko w rajstopach.

ladder back *n.* **1.** oparcie z poprzeczkami. **2.** krzesło z oparciem jw.

ladder stitch *n. U* haft drabinkowy *l.* gałązkowy.

laddie [ˈlædɪ] *n. voc. gł. Scot. pot.* chłopcze!

lade [leɪd] *v. pp.* **laded** *l.* **laden** [ˈleɪdən] *arch.* **1.** ładować (*statek, towary*). **2.** obciążać.

laden [ˈleɪdən] *a. pred. lit.* **1.** załadowany, obładowany (*with sth* czymś); **be ~ with sth** uginać się pod ciężarem czegoś *l.* od czegoś; **fully/heavily ~** załadowany *l.* wyładowany po brzegi, obładowany. **2.** obarczony (*with sth* czymś) (*t. grzechem, winą*); pełen (*with sth* czegoś) (*np. wątpliwości, przeszkód*).

la-di-da [ˌlɑːdiːˈdɑː], **la-di-dah**, **lah-di-dah**, **la-de-da** *uj. pot. int.* wielkie mecyje!; wielka pani!; wielki pan! – *a.* wielkopański (*o sposobie mówienia, zachowaniu*). – *adv.* po wielkopańsku, z pańska.

ladies' man [ˈleɪdɪz ˌmɑːn] *n. pl.* **ladies' men** *zw. sing.* bawidamek, ulubieniec pań.

ladies' room [ˈleɪdɪz ˌruːm] *n.* (*także Br.* **the ladies**) damska toaleta.

ladify [ˈleɪdɪfaɪ] *v.* = **ladyfy**.

lading [ˈleɪdɪŋ] *n. C/U żegl., handl.* załadunek; ładunek; **bill of ~** konosament (= *list przewozowy*).

Ladino [ləˈdiːnoʊ] *n.* **1.** *U jęz.* język ladyński, ladino. **2.** metys/ka (*w Ameryce Łacińskiej*).

ladle [ˈleɪdl] *n.* **1.** *kulin.* łyżka wazowa, chochla, chochelka, nabierka. **2.** *techn., metal.* kadź; czerpak. – *v.* **1. ~ (out)** nalewać chochlą; nakładać chochlą. **2. ~ out** rozdawać (na lewo i prawo) (*pieniądze, upominki*); szafować (*np. antybiotykami*); sypać (*komplementami*).

lady [ˈleɪdɪ] *n. pl.* **-ies** **1.** (*grzecznościowo*) pani; **ladies and gentlemen!** *form.* Panie i Panowie!, Szanowni Państwo! **2.** (*także* **L~**) dama, lady; **First L~** Pierwsza Dama; **my ~!** *form. przest.* jaśnie pani!; **my dear ~!** *form.* proszę pani!, łaskawa pani!; **~ of the bedchamber** *Br. przest.* dama dworu; **~ of the manor** *przest.* (pani) dziedziczka; **Our L~** *rel.* Najświętsza Panna *l.* Panienka (= *Matka Boska*); **the ~ of the house** *przest.* pani domu. **3.** *lit.* = **ladylove**. **4.** *t. w złoż.* (*zwł. z nazwą zawodu*) **~ writer/doctor** *czas. pog.* pisarka/lekarka; **cleaning ~** sprzątaczka. **5. the ladies** *Br.* = **ladies room**. **6. (listen here,) young ~!** (słuchaj no,) młoda damo! (*zwł. do córki*); **(my/the) old ~** *US pot.* (moja) stara (= *żona l. matka*); **(what are you doing,) ~?** *zwł. US czas. obelż.* (*do obcej kobiety*) (co ty wyprawiasz,) kobieto?.

ladybird [ˈleɪdɪˌbɝːd] *n. Br. i Austr.* = **ladybug**.

lady bountiful *n. zw. iron.* dobrodziejka.

ladybug [ˈleɪdɪˌbʌg], **ladybeetle** [ˈleɪdɪˌbiːtl] *Br. i Austr.* **ladybird** [ˈleɪdɪˌbɝːd] *n. ent.* biedronka (*Anatis ocellata*).

lady-chair [ˈleɪdɪˌtʃer] *n.* siodełko (*ze splecionych dłoni dwóch osób*).

Lady Chapel *n. kośc.* kaplica NMP.

Lady Day *n. gł. Br. kośc.* Zwiastowanie (*święto kościelne; 25 marca*).

ladyfinger [ˈleɪdɪˌfɪŋgər], **lady's finger** *n. US kulin.* biszkopcik (*do ozdabiania tortów*).

ladyfriend [ˈleɪdɪˌfrend], **lady friend** *n. często żart.* przyjaciółka, dziewczyna; **John with his new ~** John ze swoją nową przyjaciółką.

ladyfy [ˈleɪdɪˌfaɪ], **ladify** *v.* **-ied, -ying** zrobić damę z (*kogoś*), uczynić damą.

lady-in-waiting [ˌleɪdɪɪnˈweɪtɪŋ] *n. pl.* **ladies-in-waiting** *form.* dama dworu.

lady-killer [ˈleɪdɪˌkɪlər], **ladykiller** *n. pot.* pogromca *l.* pożeracz serc (niewieścich), playboy.

ladylike [ˈleɪdɪˌlaɪk] *a. przest.* wytworny, dystyngowany (*o kobiecie*); **sth is not ~** coś nie przystoi (prawdziwej) damie.

ladylove [ˈleɪdɪˌlʌv] *n. lit.* dama *l.* wybranka serca.

Lady Muck *n. iron.* wielka pani *l.* paniusia.

Lady's finger *n. bot.* okra, ketmia jadalna (*Hibiscus esculentus*).

Ladyship [ˈleɪdɪˌʃɪp], **ladyship** *n.* **Her/Your ~** *form.* jaśnie Pani, Lady; **her ~** *żart.* jaśniepani.

lady's maid [ˈleɪdɪzˌ meɪd] *n. przest.* służąca; garderobiana.

Lady's mantle *n. bot.* przywrotnik (*Alchemilla*).

Lady's slipper *n. bot., ogr.* obuwik (*Cypripedium*).

Lady's-smock [ˈleɪdɪzˌsmɑːk], **Ladysmock** [ˈleɪdɪˌsmɑːk] *n. U bot.* rzeżucha łąkowa (*Cardamine pratensis*).

Lady's tresses *n. pl.* **Lady's tresses** *bot., ogr.* kręczynka (*Spiranthes, różne gatunki orchidei*).

laetrile [ˈleɪətrəl] *n. U med.* laetryl, letryl (*specyfik mający rzekomo leczyć raka*).

laevo [ˈliːvoʊ] *a. fiz. gł. Br.* = **levo**.

Laffer curve [ˈlæfər ˌkɝːv] *n. ekon.* krzywa Laffera (*wyrażająca zależność przychodów państwa od stopy podatkowej*).

lag¹ [læg] *v.* **-gg- 1. ~ (behind)** *t. przen.* pozostawać *l.* zostawać w tyle; wlec się z tyłu; **~ (way/well) behind sb/sth** pozostawać (daleko) w tyle za kimś/czymś *l.* w stosunku do kogoś/czegoś. **2.** podupadać (*o poziomie usług*). **3.** *bilard* ustalać kolejność, grać o kolejność (= *uderzać bilą o bandę celem ustalenia porządku gry*). – *n. t. el., fiz.* opóźnienie; przerwa; zwłoka; **phase ~** *el., fiz.* opóźnienie fazowe; **time ~** *t. fiz.* opóźnienie (czasowe); przedział czasu.

lag² *n.* **1.** *C/U* izolacja (cieplna), otulina. **2.** osłona (*kotła, rur*). **3.** klepka (*zwł. beczki*). – *v.* **-gg-** izolować (*kocioł, rury*).

lag³ *Br. i Austr. pot. v.* **-gg-** przymknąć (= *aresztować l. skazać*). – *n.* recydywa (= *recydywista/ka*).

lagan [ˈlægən] *n.* (*także* **ligan**) *żegl.* zatopiony ładunek *l.* statek oznaczony boją w celu późniejszego odzyskania.

lager¹ [ˈlɑːgər] *n. C/U* (*także* **~ beer**) *zwł. Br.* piwo jasne; *techn.* piwo dolnej fermentacji; **I'll have a ~** poproszę jasne.

lager² *n. i v.* = **laager**.

lager lout *n. zw. pl. Br.* pijany wyrostek.

laggard [ˈlægərd] *n. przest.* maruder; guzdrała. – *a. przest.* = **laggardly**.

laggardly [ˈlægərdlɪ] *a. przest.* marudzący, powolny.

lagging [ˈlægɪŋ] *n.* **1.** *U* izolacja (cieplna), otulina (*rur, kotła*). **2.** *C/U bud.* rusztowanie łuku (*tymczasowe*); *górn.* okładzina, opinka.

lagnappe [ˈlænjæp], **lagniappe** *n. US, gł. płd. Luizjana handl.* prezent, upominek (*przy zakupie*).

lagomorph [ˈlægəˌmɔːrf] *n. zw. pl. zool.* zajęczak (*rząd Lagomorphia*).

lagoon [ləˈguːn], **lagune** *n. geogr.* laguna.

lah [lɑː] *n. muz.* = **la**.

lah-di-da [ˌlɑːdiːˈdɑː] *int., a. i adv.* = **la-di-da**.

laic [ˈleɪɪk] *a. form.* **1.** *kośc.* świecki. **2.** *rzad.* laicki. – *n. form.* **1.** *kośc.* osoba świecka. **2.** *rzad.* lai-k/czka.

laical [ˈleɪɪkl] *a. form.* **1.** *kośc.* świecki. **2.** *rzad.* laicki.

laicize [ˈleɪɪˌsaɪz], *Br. i Austr. zw.* **laicise** *v. form. gł. kośc.* **1.** laicyzować. **2.** udostępniać osobom świeckim (*budynek*).

laid [leɪd] *a. pred.* **1. get ~** *pot.* zaliczyć numer (= *odbyć stosunek*). **2. ~ up** *pot.* unieruchomiony, złożony (*with sth* czymś) (*zw. chorobą*); *żegl.* uwiązany, na uwięzi (*o statku*); **I'm ~ up** *pot.* rozłożyło mnie.

laid-back [ˌleɪdˈbæk] *a. pot.* wyluzowany, na luzie, swobodny (*o osobie, stylu bycia*).

laid paper *n. U t. druk.* papier prążkowany *l.* żeberkowany.

lain [leɪn] *v. zob.* **lie¹** *v.*

lair [ler] *n.* **1.** *zool.* legowisko; matecznik. **2.** *przen.* kryjówka.

laird [lerd] *n. Scot.* właściciel ziemski.

laissez faire [ˌleɪseɪ ˈfer], **laisser-faire** *n. U ekon.* leseferyzm, polityka nieinterwencji *l.* wolnej ręki.

laity [ˈleɪɪtɪ] *n. U* **1.** *gł. kośc.* laikat; osoby świeckie. **2.** laicy.

lake¹ [leɪk] *n.* **1.** jezioro; **artificial/barrier ~** jezioro sztuczne/zaporowe; **freshwater/glacial/salt ~** jezioro słodkowodne/polodowcowe/słone. **2.** jeziorko, staw (*w parku*). **3.** kałuża (*np. krwi, herbaty*).

lake² *n. U* lak barwny.

lake bed, lake bottom *n.* dno jeziora.

Lake District, Lakeland [ˈleɪklənd] *n.* **the ~** *Br. geogr.* Kraina Jezior (*w płn. Anglii*).

lake dweller *n. antrop.* mieszkaniec budowli nawodnej (*zwł. w dawnych kulturach*).

lake dwelling *n. C/U archeol.* budowla nawodna.

lake effect *n. US meteor.* efekt jezior *l.* jeziora (= *zwiększenie wilgotności wskutek parowania tafli jeziora powodujące obfite opady śniegu, gł. koło Wielkich Jezior*); **~ snow** śnieg od jezior *l.* jeziora.

lakefront [ˈleɪkˌfrʌnt], **lakeshore** [ˈleɪkˌʃɔːr], **lakeside** [ˈleɪkˌsaɪd] *n. sing.* brzeg jeziora. – *a. attr.* (położony) nad jeziorem *l.* nad brzegiem jeziora; **~ house** dom nad (samym) jeziorem.

lake herring *n. C/U pl.* **lake herrings** *l.* **lake herring** *icht.* śledź jeziorny (*Coregonus artedi*).

Lake Poets *n.* **the ~** *hist. lit. Br.* Poeci Jezior (= *Wordsworth, Coleridge i Southey*).

laker [ˈleɪkər] *n.* **1.** *icht.* ryba słodkowodna. **2.** *żegl.* jednostka śródlądowa.

lakeshore [ˈleɪkˌʃɔ:r], **lakeside** [ˈleɪkˌsaɪd] *n.* = **lakefront**.

Lake Superior *n. sing. US i Can. geogr.* Jezioro Górne.

lake trout *n. C/U pl.* **lake trouts** *l.* **lake trout** *icht.* pstrąg jeziorny (*Salvelinus namaycush*).

lakh [lɑ:k] *n.* = **lac**[2].

lallation [læˈleɪʃən] *n. U fon., pat.* lelanie, lambdacyzm (= *wadliwa wymowa r jako l*).

lallygag [ˈlɑ:lɪˌgæg], **lollygag** *v. US pot.* snuć *l.* wałęsać się (*bez celu*); leserować, obijać się.

lam[1] [læm] *US i Can. sl. n.* **be on the ~** wiać, zwiewać; **take (it) on the ~** nawiać, zwiać. – *v.* **-mm-** nawiać, zwiać.

lam[2] *v.* **-mm-** *sl.* sprać, stłuc (= *zbić*); **~ out into sb** *gł. Br. t. przen.* rzucić się na kogoś.

lama [ˈlɑ:mə] *n. rel.* lama (*buddyjski*).

Lamaism [ˈlɑ:məˌɪzəm] *n. U rel.* lamaizm.

Lamaist [ˈlɑ:məɪst] *n. rel.* lamait-a/ka. – *a. rel.* lamaicki; lamaistyczny.

lamasery [ˈlɑ:məˌserɪ] *n. pl.* **-ies** klasztor lamów.

lamb [læm] *n.* **1.** owieczka; *zool.* jagnię; *t. rel. l. przen.* baranek. **2.** *U kulin.* jagnięcina, (młoda) baranina; **leg of ~** udziec jagnięcy *l.* barani. **3.** = **lambskin**. **4.** *US przen.* sierota (= *osoba łatwowierna l. potulna*). **5. (my little) ~** *przen.* (moja mała) rybka (*pieszczotliwie o dziecku*). **6.** *przen.* **a wolf/fox in ~'s skin** *przest.* wilk/lis w owczej skórze; **(as) meek/gentle as a ~** potulny/łagodny jak baranek; **like a ~** jak baranek (= *potulnie*); **go like ~s/a ~ to the slaughter** iść jak owce *l.* barany na rzeź; **mutton dressed (up) as ~** *zob.* **mutton**[1] *n.*; **(we/you might) as well be hanged for a sheep as for a ~** *przest.* jak szaleć, to na całego. – *v.* **~ (down)** jagnić się (*o owcy*); **be ~ed** urodzić się (*o jagnięciu*).

lambada [lɑ:mˈbɑ:də] *n. U* lambada (*taniec*).

lambaste [læmˈbeɪst], **lambast** *v. pot.* **1.** zjechać (*np. film, przedstawienie*); objechać (*osobę*). **2.** złoić, sprać (= *zbić*).

lamb chop *n. kulin.* kotlet jagnięcy *l.* barani.

lambda [ˈlæmdə] *n. alfabet* lambda.

lambda calculus *n. U komp., jęz.* rachunek lambda.

lambdacism [ˈlæmdəˌsɪzəm] *n. U fon., pat.* lambdacyzm (= *wadliwa wymowa r jako l*).

lambda hyperon [ˌlæmdə ˈhaɪpəˌrɑ:n] *n.* (*także* **lambda particle**) *fiz.* hiperon *l.* cząstka lambda.

lambdoid [ˈlæmdɔɪd], **lambdoidal** *a. form.* lambdoidalny; **~ suture** *anat.* szew węgłowy *l.* lambdoidalny (*zagłębienie w czaszce*).

lambency [ˈlæmbənsɪ] *n. lit.* **1.** blask, poblask, połysk. **2.** *przen.* błyskotliwość (*humoru*).

lambent [ˈlæmbənt] *a. lit.* **1.** jarzący się, pobłyskujący (*o płomieniu, świetle*). **2.** *przen.* błyskotliwy (*o dowcipie*).

Lambeth walk [ˌlæmbəθ ˈwɔ:k] *n. U gł. Br.* lambeth-walk (*taniec popularny pod koniec lat 30. XX w.*).

lambkin [ˈlæmkɪn] *n.* jagniątko.

lamblia [ˈlæmblɪə] *n. C/U pat., zool.* lamblia.

lambliasis [læmˈbli:əsəs] *n. U pat.* lamblioza.

Lamb of God *n.* **the ~** *rel.* Baranek Boży.

lambrequin [ˈlæmbrəkɪn] *n. hist., tk.* lambrekin.

lambskin [ˈlæmˌskɪn] *n. U* **1.** baranek (*futerko*). **2.** skóra jagnięca (*wyprawiona, t. jako pergamin*).

lamb's tails [ˈlæmz ˌteɪlz] *n. pl. Br.* kotki, bazie (*na leszczynie*).

lamb's wool [ˈlæmz ˌwʊl], **lambswool** *n. U* (czysta) wełna, wełna owcza *l.* naturalna; runo owcze. – *a. attr.* wełniany, z wełny.

lame[1] [leɪm] *a.* **1.** *t. pat.* kulawy (*zwł. o zwierzęciu*); kulejący; **go ~** okuleć. **2.** *t. pat.* chory, słaby; bolesny (*np. o kręgosłupie, ręce*); **I have a ~ back** boli mnie w plecach. **3.** *przen.* kiepski, słaby, wątpliwej jakości (*o wymówce, argumencie*). – *v. zw. pass.* okulawić; okaleczyć.

lame[2] *n. hist., wojsk.* płytka, krążek, łuska, blaszka (*zbroi*).

lamé [lɑ:ˈmeɪ] *n. U* brokat. – *a. attr.* brokatowy.

lamebrain [ˈleɪmˌbreɪn] *n. US obelż.* półgłówek.

lamebrained [ˈleɪmˌbreɪnd] *a. US obelż.* durny (*o pomyśle, osobie*).

lame duck *n.* **1.** *gł. US polit.* odchodzący przywódca; odchodząca władza. **2.** *t. polit.* nieudolny *l.* nieskuteczny *l.* bezradny przywódca. **3.** *ekon.* kulejąca firma, firma w tarapatach.

lame-duck [ˌleɪmˈdʌk] *a. attr.* **1.** *gł. US polit.* mniejszościowy; **~ president** prezydent rządzący przy większości opozycji w kongresie. **2.** *ekon.* kulejący, słabo prosperujący (*o firmie*). **3.** nieskuteczny, nieudolny (*o przywództwie*); bezradny, mający związane ręce.

lamella [ləˈmelə] *n. pl.* **-s** *l.* **lamellae** [ləˈmeli:] *anat., bot.* blaszka, płytka.

lamellar [ləˈmelər], **lamellate** [ˈlæməˌleɪt], **lamellated** [ˈlæməˌleɪtɪd], **lamellose** [ləˈmeloʊs] *a. anat., bot.* blaszkowy, blaszkowaty, płytkowy, płytkowaty.

lamely [ˈleɪmlɪ] *adv.* bez przekonania, niepewnie; mało przekonująco (*zwł. tłumaczyć się*).

lament [ləˈment] *v.* **1. ~ (over) sb/sth** opłakiwać kogoś/coś; **the late ~ed...** nieodżałowanej pamięci... (*o zmarłym*). **2.** żałować (*czegoś*), ubolewać nad (*czymś*). **3.** lamentować, zawodzić. – *n.* **1.** *muz.* elegia, pieśń żałobna. **2.** *teor. lit.* elegia; tren; lament. **3.** lament, skarga.

lamentable [ˈlæməntəbl] *a. form.* **1.** godny ubolewania *l.* pożałowania (*o pomyłce*); opłakany, żałosny (*o kondycji czegoś*). **2.** *arch.* bolesny (= *smutny*).

lamentably [ˈlæməntəblɪ] *adv. form.* opłakanie, żałośnie.

lamentation [ˌlæmənˈteɪʃən] *n. C/U form.* rozpacz, płacz; lamentacja, skarga, lament.

lamia [ˈleɪmɪə] *n. pl.* **-s** *l.* **lamiae** [ˈleɪmɪi:] **1.** *mit.* Lamia. **2.** strzyga, lamia (= *wampirzyca*).

lamina [ˈlæmənə] *n. pl.* **-s** *l.* **laminae** [ˈlæməni:]

1. *anat., bot.* blaszka (*tkanki, liścia*); ~ **propria** blaszka właściwa. 2. *geol.* lamina, warstewka (skały). 3. *form.* (cienka) warstwa, warstewka.

laminar ['læmənər] *a. techn.* blaszkowaty, warstwowy; ~ **flow** *mech.* przepływ laminarny *l.* uwarstwiony.

laminate ['læməneɪt] *v. techn.* 1. laminować (*bilet, kartę, blat*). 2. *metal.* prasować; walcować. – *n. C/U techn.* laminat. – *a. attr. techn.* laminowany.

laminated ['læməˌneɪtɪd] *a. attr. techn.* laminowany; ~ **paper** papier laminowany; ~ **spring** *mot.* resor piórowy.

lamination [ˌlæmə'neɪʃən] *n. U techn.* 1. laminacja. 2. uwarstwienie, struktura warstwowa. 3. rozwarstwienie.

laminectomy [ˌlæmə'nektəmɪ] *n. C/U pl.* **-ies** *chir.* laminektomia, wycięcie łuku kręgu.

laminose ['læməˌnous] *a.* = **laminar**.

Lammas ['læməs] *n. sing.* (*także* ~ **Day**) *Br. hist.* dożynki (*obchodzone 1 sierpnia*).

lammergeier ['læmərˌgaɪər], **lammergeyer** *n. orn.* orłosęp brodaty (*Gypaetus barbatus*).

lamp [læmp] *n.* 1. lampa; lampka; **Aladdin's** ~ *mit.* lampa Aladyna; **arc** ~ *el.* lampa łukowa; **desk/student** ~ lampa *l.* lampka na biurko; **electric/gas** ~ lampa elektryczna/gazowa; *US* **floor/** *Br.* **standard** ~ lampa stojąca; **reading** ~ lampka do czytania. 2. latarnia; **street** ~ latarnia uliczna. 3. *mot.* światło; **head** ~ *Br.* światło główne, reflektor; *US* **tail**/*Br.* **rear** ~ tylne światło. 4. *arch.* pochodnia; kaganek.

lampblack ['læmpˌblæk] *n. U* sadza (lampowa).

lamper eel ['læmpər ˌi:l] *n. icht.* = **lamprey**.

lampion ['læmpɪən] *n. gł. hist.* lampka oliwna (*zwł. jako oświetlenie powozu*).

lamplight ['læmpˌlaɪt] *n. U gł. lit.* światło lampy *l.* lamp; **by** ~ przy (zapalonej) lampie; **in the** ~ w świetle lampy *l.* lamp.

lamplighter ['læmpˌlaɪtər] *n. hist.* latarnik (uliczny), lampiarz.

lampoon [læm'pu:n] *n.* satyra; paszkwil; pamflet. – *v.* ośmieszać (*zwł. polityka l. organizację, za pomocą satyry prasowej*).

lampooner [læm'pu:nər], **lampoonist** [læm'pu:nɪst] *n.* satyryk; prześmiewca; pamflecista.

lamppost ['læmpˌpoust] *n.* 1. słup latarni; latarnia (uliczna). 2. **between you, me and the** ~ *Br. przen.* między nami (mówiąc).

lamprey ['læmprɪ] *n.* (*także* **lamper eel**) *icht.* minóg (*Petromyzon*).

lampshade ['læmpˌʃeɪd] *n.* abażur; klosz.

LAN [læn] *abbr.* **Local Area Network** *komp.* sieć lokalna.

lanai [lə'naɪ] *n. US* weranda (*na Hawajach*).

lanate ['leɪneɪt] *a. biol.* wełnisty.

Lancastrian [læŋ'kæstrɪən] *Br. n.* 1. *hist.* człon-ek/kini rodu Lancaster (*w Wojnie Dwóch Róż*); stronni-k/czka dynastii Lancaster (*zwł. w Wojnie Dwóch Róż*). 2. *geogr.* mieszkan-iec/ka Lancashire *l.* Lancaster. – *a.* 1. *hist.* (pochodzący) z rodu Lancaster; (stojący) po stronie dynastii Lancaster (*zwł. w Wojnie Dwóch Róż*). 2. *geogr.* z Lancashire *l.* Lancaster.

lance [læns] *n.* 1. *hist., wojsk.* kopia; lanca; pika (*torreadora*). 2. *ryb.* włócznia, harpun. 3. *hist., wojsk.* lansjer (= *żołnierz z lancą*); ułan. 4. *chir.* lancet. – *v.* 1. *chir.* nacinać (*ropień*). 2. przebić *l.* ugodzić lancą *l.* włócznią.

lance corporal *n. Br. i Austr. wojsk.* starszy szeregowy.

lancelet ['lænslət] *n. icht.* lancetnik (*Amphioxus lanceolatus*).

lanceolate ['lænsɪəˌleɪt] *a. bot.* lancetowaty (*o liściu*).

lancer ['lænsər] *n. hist., wojsk.* lansjer (= *żołnierz z lancą*); ułan.

lancers ['lænsərz] *n. U muz.* lansjer (*taniec l. muzyka do niego*).

lance sergeant *n. Br. wojsk.* sierżant; *hist.* kapral pełniący czasowo obowiązki sierżanta.

lancet ['lænsət] *n.* 1. *chir.* lancet. 2. *bud.* (*także* ~ **arch.**) łuk ostry *l.* lancetowaty, łuk gotycki (podwyższony); (*także* ~ **window**) okno ostrołukowe *l.* gotyckie.

lanceted ['lænsətɪd] *a. bud.* gotycki, ostrołukowy (*o stylu, kształcie okien*).

lancet fish *n. icht.* żaglon (*Alepisaurus ferox*).

lancewood ['lænsˌwud] *n. bot.* 1. jedno z wielu drzew z rodziny flaszowcowatych (*Annonaceae*). 2. *U* elastyczne drewno z drzew jw.

lancinate ['lænsəˌneɪt] *v.* przeszywać, rwać (*o bólu*). – *a.* (*także* **lancinating**) przeszywający, rwący (*o bólu*).

land [lænd] *n.* 1. *C/U* ląd; **by** ~ drogą lądową, lądem; **on** ~ na lądzie. 2. **the** ~ ziemia; grunt, grunty; rola; wieś; **developed** ~ *bud. ekon.* tereny zagospodarowane; **get back to the** ~ wrócić na wieś. 3. *gł. lit.* kraina, kraj, ziemia; ~ **of milk and honey** (*także* ~ **flowing with milk and honey**) *gł. Bibl.* kraina mlekiem i miodem płynąca; ~ **of promise** (*także* **promised** ~) *gł. Bibl.* ziemia obiecana; **sb's native** ~ czyjś kraj rodzinny *l.* ojczysty; **the Holy L~** *rel.* Ziemia Święta; **the L~ of the Rising Sun** kraj kwitnącej wiśni (= *Japonia*). 4. *przen.* **cloud-cuckoo** ~ *zob.* **cloudland**; **L~ o' Goshen!** *arch.* przebóg! (*wyrażając zdumienie*); **find out/see how the** ~ **lies** wybadać sytuację; **in the** ~ **of the living** *zw. żart.* wśród żywych (*t.* = *świeżo obudzony*); **in the** ~ **of nod** *przest. żart.* w objęciach Morfeusza; **law of the** ~ prawo lokalne; **live off the** ~ *zob.* **live**[1] *v.*; **live off the fat of the** ~ *zob.* **fat** *n.*; **make** ~ *żegl.* osiągnąć ląd, dotrzeć do lądu; **no man's** ~ *t. wojsk.* ziemia niczyja; **the lie/lay of the** ~ *zob.* **lie**[1] *n.* – *v.* 1. *gł. lotn.* lądować; ~ **a plane** sprowadzać samolot na ziemię; **has their flight ~ed yet?** czy ich samolot już wylądował?. 2. wysadzać (na ląd) (*pasażerów*); wyładowywać (*towar z samolotu l. statku*). 3. *przen.* wylądować, znaleźć się (*gdzieś*); ~ **on the street (level)** znaleźć się na bruku (= *stracić pracę*); ~ **on one's feet** spaść na cztery łapy; **the letter ~ed on my desk** list wylądował na moim biurku. 4. ~ **(o.s.) sth** *pot.* podłapać coś (*zwł. posadę, zlecenie*). 5. wymierzać (*cios*). 6. *ryb.* złowić; wyciągnąć (na brzeg) (*rybę*). 7. *jeźdz.* doprowadzać do mety (*konia*); ukończyć wyścig, dobiec do mety (*o koniu*). **8.** ~ **sb in sth** doprowadzić *l.* zaprowadzić kogoś do czegoś; ~ **o.s. in trouble** (*także* ~ **o.s. in deep/hot water**) wpaść w tarapaty; ~ **sb in it** *pot.* wkopać kogoś; **the quarrel ~ed them in court** kłótnia zaprowadziła ich do sądu. **9.** ~ **on sb** *US pot.* naskoczyć na kogoś (*z pretensjami*); ~ **up** *pot.* wylądować, znaleźć się (*w danym miejscu, danej sytuacji*); ~ **up penniless** zostać bez grosza; ~ **sb with sth** *pot.* zwalić coś komuś na głowę (*np. robotę, nieprzyjemny obowiązek*).

land agency *n. pl.* **-ies** *Br.* **1.** zarząd majątkiem. **2.** biuro pośrednictwa (*w handlu nieruchomościami*).

land agent *n. Br.* **1.** zarządca majątku. **2.** pośrednik kupna-sprzedaży nieruchomości.

land army *n. pl.* **-ies** *wojsk.* wojska lądowe, armia lądowa.

landau [ˈlændɔː] *n. hist.* lando, dwukonka (*lekki powóz*).

landaulet [ˌlændɔːˈlet], **landaulette** *n. hist.* landolet (*lekki powóz*).

land bank *n. fin.* bank rolny *l.* ziemski.

land breeze *n. meteor.* wiatr od lądu.

land bridge *n. geol., geogr.* pomost lądowy.

land carriage *n. U* transport *l.* przewóz lądowy.

landed [ˈlændɪd] *a.* ziemski; **the ~ interest** własność ziemska (= *właściciele i dzierżawcy ziemscy*).

landed estate *n.* majątek ziemski; *U* własność ziemska.

landed gentry *n. U* ziemianie, ziemiaństwo.

lander [ˈlændər] *n. astronautyka* lądownik.

landfall[1] [ˈlændˌfɔːl] *n. C/U* **1.** *gł. żegl., lotn.* lądowanie; **make ~** wylądować (*o statku, samolocie*); *meteor.* uderzyć (*o huraganie*). **2.** ląd. **3.** *lotn.* przekroczenie linii brzegowej od strony morza.

landfall[2] *n. US meteor.* = **landslide** 1.

landfill [ˈlændfɪl] *n.* **1.** (*także* ~ **site**) wysypisko (śmieci); *ekol.* składowisko odpadów; **municipal ~** wysypisko miejskie; *ekol.* składowisko odpadów komunalnych. **2.** *U* wysypiska (śmieci); składowanie odpadów (na wysypiskach).

landfilling [ˈlændfɪlɪŋ] *n. U ekol.* składowanie odpadów (na wysypiskach).

land force *n. t. pl. gł. Br. wojsk.* siły lądowe.

land form *n. geol., geogr.* element rzeźby naturalnej *l.* terenu; *U* rzeźba naturalna *l.* terenu.

land grant *n. C/U US i Can. prawn.* nadanie ziemi (*przez państwo; np. uczelni, kolei, na drogi*); ~ **university** *uniw.* uniwersytet dotowany centralnie.

landgrave [ˈlændˌgreɪv] *n. hist.* landgraf (= *naczelnik okręgu w dawnych Niemczech*).

landgraviate [lændˈgreɪvɪˌeɪt] *n. C/U hist.* landgrafstwo.

landgravine [ˈlændgrəˌviːn] *n. hist.* **1.** landgrafowa. **2.** landgrabina.

landholder [ˈlændˌhoʊldər] *n.* **1.** właściciel/ka ziemsk-i/a. **2.** dzierżawca.

land hunger *n. U* głód ziemi.

landing [ˈlændɪŋ] *n.* **1.** *bud.* półpiętro; podest (*na schodach*). **2.** *t. lotn.* lądowanie; (*także* ~ **place**) miejsce do lądowania, lądowisko; **three-point ~** wzorowe lądowanie.

landing craft *n. pl.* **landing craft** *wojsk.* łódź *l.* barka desantowa.

landing field *n. lotn.* lądowisko.

landing gear *n. lotn.* podwozie.

landing party *n. pl.* **-ies** *wojsk.* oddział desantowy.

landing stage *n. żegl.* pomost (cumowniczy); pomost wyładunkowy; przystań.

landing strip *n. lotn.* pas do lądowania, lądowisko.

land jobber *n. Br.* spekulant gruntami.

landlady [ˈlændˌleɪdɪ] *n. pl.* **-ies** właścicielka (*wynajmowanego domu, mieszkania*); gospodyni (*wynajmowanego pokoju*).

land law *n. zw. pl.* ustawa rolna; prawo ziemskie.

land legs *n. pl.* **get one's ~** przyzwyczaić się do chodzenia po lądzie (*po rejsie l. locie*).

landless [ˈlændləs] *a.* bezrolny, pozbawiony ziemi.

landline [ˈlændˌlaɪn], **land line** *n. tel.* linia (naziemna).

landlocked [ˈlændˌlɑːkt] *a. geogr.* **1.** bez dostępu do morza (*o kraju*). **2.** śródlądowy (*o jeziorze*); otoczony lądem.

landlord [ˈlændˌlɔːrd] *n.* **1.** właściciel (*wynajmowanego domu, mieszkania, pensjonatu, pubu*); gospodarz (*wynajmowanego pokoju*). **2.** kierownik (*pensjonatu, zajazdu*). **3.** *arch.* właściciel ziemski.

landlubber [ˈlændˌlʌbər] *n. żegl. pog.* szczur lądowy.

landman [ˈlændmən] *n.* = **landsman**.

landmark [ˈlændˌmɑːrk] *n.* **1.** punkt orientacyjny; charakterystyczny punkt (*terenu*). **2.** słup *l.* kamień graniczny. **3.** *gł. przen.* kamień milowy; punkt przełomowy (*w historii*). **4.** *żegl.* nabieżnik. – *a. attr.* przełomowy, o przełomowym znaczeniu.

landmarked building [ˌlændˌmɑːrkt ˈbɪldɪŋ] *n. US* budynek zabytkowy (*figurujący w rejestrze obiektów prawnie chronionych*).

landmass [ˈlændˌmæs] *n. geogr., geol.* obszar lądowy; ląd; kontynent.

land measure *n.* miara gruntowa.

land mine *n. wojsk.* mina (*ziemna*).

land office *n. US i Can.* urząd ziemski.

land-office business [ˈlændˌɔːfɪs ˌbɪznəs] *n. US i Can. pot.* żyła złota (= *doskonale prosperujący interes*).

landowner [ˈlændˌoʊnər] *n.* właściciel/ka ziemsk-i/a.

land patent *n. prawn.* dokument nadania ziemi.

land-poor [ˈlændˌpʊr] *a. US* posiadający dużo ziemi, ale bez środków finansowych.

land power *n.* **1.** *polit.* potęga lądowa. **2.** *U wojsk.* siły lądowe.

landrail [ˈlændreɪl] *n. orn.* chruściciel pospolity, derkacz (*Crex crex*).

land reform *n. C / U* reforma rolna; uwłaszczenie.

landscape [ˈlændˌskeɪp] *n.* **1.** krajobraz. **2.** *sztuka* pejzaż. **3.** *U przen.* klimat; **the political/intellectual ~** klimat polityczny/intelektualny. **4.** *U komp.* poziom (= *poziome położenie papieru przy wydruku*); **in ~ (mode)** w poziomie (*drukować, rozplanować*). **5. a blot on the ~** *zob.* **blot**[1] *n.* 4. – *a. komp.* w poziomie, poziomy (*o wydruku, układzie strony*). – *adv. komp.* w poziomie, poziomo (*drukować*). – *v.* kształtować; projektować (*teren, ogród*).

landscape architect, landscape gardener *US* **landscaper** *n.* architekt krajobrazu; projektant/ka terenów zielonych.

landscape architecture, landscape gardening, landscaping *n. U* projektowanie terenów zielonych; architektura krajobrazu.

landscape painter *n. sztuka* pejzażyst-a/ka.

landscape painting *n. sztuka* **1.** pejzaż (*obraz*). **2.** *U* malarstwo pejzażowe.

landscaper [ˈlændˌskeɪpər] *n. US* = **landscape architect**.

landscaping [ˈlændˌskeɪpɪŋ] *n. U* = **landscape architecture**.

landscapist [ˈlændˌskeɪpɪst] *n. sztuka* pejzażyst-a/ka.

Land's End [ˌlændz ˈend] *n. Br. geogr.* najbardziej wysunięty na zachód punkt Anglii (*w Kornwalii*).

landshark [ˈlændˌʃɑːrk] *n. fin.* spekulant gruntem.

landside [ˈlændˌsaɪd] *n.* **1.** *lotn.* użytkowa część portu lotniczego *l.* lotniska. **2.** *roln.* regulator szerokości skiby (*w pługu*).

landsknecht [ˈlɑːntskəˌneht] *n. hist., wojsk.* lancknecht (= *żołnierz piechoty niemieckiej*).

landsleit [ˈlændzˌlaɪt] *n. pl. zob.* **landsman**[2].

landslide [ˈlændˌslaɪd] *n.* **1.** (*także* **landfall,** *Br.* **landslip**) *meteor.* lawina błotna; osunięcie (się) ziemi. **2.** (*także* **~ victory**) *polit.* miażdżące *l.* przygniatające zwycięstwo (*w wyborach*); **(win) by a ~** (wygrać) miażdżącą przewagą głosów.

landslip [ˈlændˌslɪp] *n. Br.* = **landslide** 1.

landsman[1] [ˈlændzmən], **landman** [ˈlændmən] *n. pl.* **-men** *gł. żegl.* szczur lądowy (= *człowiek żyjący na lądzie*).

landsman[2] *n. pl.* **-men** *l.* **landsleit** [ˈlændzˌlaɪt] *US* pobratymiec (*zwł. Żyd z tego samego kraju l. miasta*).

land tax *n. prawn.* podatek gruntowy, podatek od nieruchomości.

landward [ˈlændwərd] *a.* w stronę lądu, do lądu (*o wietrze*); (położony) po stronie lądu. – *adv.* = **landwards**.

landwards [ˈlændwərdz], **landward** [ˈlændwərd] *adv.* po stronie lądu; w stronę lądu, do lądu (*wiać*).

land wind *n. meteor.* wiatr od lądu.

lane [leɪn] *n.* **1.** *mot.* pas (ruchu); **bus/cycle ~** pas dla autobusów/rowerów; **change ~s** zmieniać pas *l.* pasy; **fast ~** *zob.* **fast**; **inside ~** *zob.* **inside**; **two-~ highway** *US* szosa o dwóch pasach ruchu (*po jednym dla każdego kierunku*). **2.** szosa, droga; dróżka. **3.** uliczka; **L~** ulica, zaułek (*w nazwach*); **the L~** *Br.* Drury Lane (*w Londynie*); teatr przy Drury Lane. **4.** przejście. **5.** *żegl.* tor *l.* szlak wodny; *lotn.* korytarz powietrzny, trasa lotu. **6.** *sport* tor (*bieżni, basenu, kręgielni*). **7.** *radio* pasmo. **8.** *leśn.* przesieka, dukt (leśny).

lane arrow *n. mot.* strzałka (*na jezdni*).

lang [læŋ] *n. Scot.* = **long**.

lang. *abbr.* **language** jęz. (= *język*).

langlauf [ˈlɑːŋˌlaʊf] *n. sport* **1.** bieg narciarski. **2.** *U* narciarstwo biegowe.

langouste [ˌlɑːŋˈguːst] *n. C / U zool., kulin.* homar, langusta (*zool.* = *Palinurius*).

langoustine [ˌlɑːŋgʊˈstiːn] *n. C / U zool.* homarzec, nerczan (*Nephrops norvegicus*); *kulin.* homar, langusta.

langrage [ˈlæŋgrɪdʒ], **langridge** *n. hist., wojsk.* kartacz (*do niszczenia omasztowania statku*).

langsyne [ˌlæŋˈzaɪn], **lang syne** *Scot. lit. adv.* w dawnych czasach. – *n. U* (*także* **auld lang syne**) dawne czasy.

language [ˈlæŋgwɪdʒ] *n. C / U* **1.** język; mowa; **the English/Polish ~** język angielski/polski; **dead ~** język martwy; **first/native ~** język ojczysty; **foreign ~** język obcy; **modern ~** język nowożytny; **modern ~s** *uniw.* neofilologia; **programming ~** *komp.* język programowania; **sign ~** język migowy; **strong ~** mocne słowa; **speak/talk the same ~** *przen.* mówić tym samym językiem, znajdować wspólny język (= *dobrze się rozumieć*); **the ~ barrier** bariera językowa. **2.** *pot.* (*także* **bad ~**) *euf.* wulgarny *l.* niecenzuralny język, brzydkie słowa; **mind/watch your ~!** nie wyrażaj się!

language laboratory, language lab *n. pl.* **language laboratories/labs** *szkoln.* laboratorium językowe.

language master *n. przest. szkoln.* nauczyciel języków.

langue de chat [ˌlɑːŋ də ˈʃɑː] *n. pl.* **langues de chat** *Fr.* koci języczek (= *podłużna czekoladka l. biszkopcik w czekoladzie*).

languet [ˈlæŋgwət], **languette** *n. techn.* języczek.

languid [ˈlæŋgwɪd] *a.* powolny; leniwy; ospały (*o ruchu, nastroju, wietrze, dniu*).

languish [ˈlæŋgwɪʃ] *v.* **1.** cierpieć; **~ from the heat** cierpieć z gorąca; **~ in prison** gnić w więzieniu. **2.** wlec się (= *trwać zbyt długo*). **3.** marnować się; marnieć; słabnąć, opadać (*o zainteresowaniu*); spadać (*o produkcji*). **4. ~ for sb/sth** usychać z tęsknoty za kimś/czymś.

languor [ˈlæŋgər] *n. C / U lit.* **1.** leniwość; miła ociężałość; cisza (*w powietrzu*). **2.** tęsknota.

languorous [ˈlæŋgərəs] *a.* leniwy; ociężały; ospały.

languorously [ˈlæŋgərəslɪ] *adv.* leniwie; ociężale; ospale.

langur [læŋˈgʊr] *n. zool.* langur (*rodzaj Presbytis*).

laniard [ˈlænjərd] *n.* = **lanyard**.

laniary [ˈleɪnɪˌerɪ] *anat., kynol. a.* kłowy. – *n. pl.* **-ies** kieł.

laniferous [ləˈnɪfərəs], **lanigerous** [ləˈnɪdʒərəs] *a. biol.* wełnisty.

lank [læŋk] *a. czas. uj.* rzadki i prosty (*o włosach*).

lankiness [ˈlæŋkɪnəs] *n. U* chudość, patykowatość.

lanky [ˈlæŋkɪ] *a.* **-ier, -iest** chudy, patykowaty (*o osobie, nogach*).

lanner [ˈlænər] *n.* **1.** *orn.* raróg górski (*Falco biarmicus*). **2.** *myśl.* samica raroga (górskiego) (*używana do polowań*).

lanneret [ˈlænəˌret] *n. myśl.* samiec raroga (górskiego) (*używany do polowań*).

lanolin [ˈlænəlɪn] *n. U chem.* lanolina.

lanose [ˈleɪnoʊs] *n. techn.* wełnisty.

LAN server *n. komp.* serwer lokalny.

lansquenet [ˈlænskəˌnet] *n. hist.* lancknecht (*t. arch. - gra karciana*).

lantern [ˈlæntərn] *n.* **1.** lampion. **2.** *t. bud., żegl.* latarnia; **magic** ~ *przest. fot.* latarnia magiczna.

lantern fish *n. pl.* **lantern fish** *l.* **lantern fishes** *icht.* świetlik (*Myctophum punctatum; t. inne ryby z rodziny świetlikowatych*); aladynka (*Lampanyctus pusillus*).

lantern fly *n. pl.* **-ies** *ent.* latarnik (*rodzina Fulgoridae*).

lantern jaw *n.* wystająca szczęka.

lantern pinion, lantern wheel *n. mech.* koło palcowe.

lanthanum [ˈlænθənəm] *chem. n. U* lantan. – *a. attr. chem.* lantanowy.

lanyard [ˈlænjərd], **laniard** *n. żegl.* ściągacz wanty, talrep.

Laodicean [leɪˌɑːdəˈsiːən], **laodicean** *a. i n. lit.* (człowiek) obojętny (*zwł. w kwestiach religii l. polityki*).

Laos [ˈlɑːoʊs] *n. geogr.* Laos.

Laotian [leɪˈoʊʃən] *a.* laotański. – *n.* Laotańczyk/nka.

lap¹ [læp] *n.* **1.** kolana; łono; **in/on sb's** ~ u kogoś na kolanach, na czyichś kolanach; **sit in/on sb's** ~ usiąść komuś na kolanach. **2.** *sport* okrążenie (*na torze*); **do/run a few ~s** zrobić/przebiec kilka okrążeń; **the final/last** ~ ostatnie okrążenie; *przen.* ostatni etap (*zwł. podróży*); **victory** ~ (*także Br.* ~ **of honour**) runda honorowa. **3.** *pływanie* basen, długość (basenu); **do/swim 30 ~s** przepłynąć 30 basenów *l.* długości. **4.** poła (*odzieży*); zanadrze; zakładka; *t. bud.* nakładka, zakładka; występ (= *część zachodząca na drugą*). **5.** zwój (*bawełny, liny, nitki*). **6.** *geogr.* zagłębienie, dolinka. **7.** *mech.* docierak. **8.** *metal.* zawalcowanie; zakucie. **9.** *przen.* **drop/dump sth in sb's** ~ *pot.* zwalić coś na kogoś *l.* komuś na głowę; **he got all the work dumped in his** ~ *pot.* cała robota spadła na niego; **fall/drop into sb's** ~ trafić się komuś (*o niespodziewanej okazji*); **live in the** ~ **of luxury** pławić się w luksusie; **sth is in the** ~ **of the gods** *Br. lit.* coś jest w rękach opatrzności. – *v.* **-pp- 1.** owijać (*np. szalik wokół szyi*); spowijać (*o mgle*); otulać; ogarniać, otaczać; **~ped in luxury** *przen.* otoczony zbytkiem. **2.** *bud.* kłaść na nakładkę (*dachówki*). **3.** wystawać (*over sth* ponad coś). **4.** *sport* zdublować (*zawodnika*); ukończyć okrążenie. **5.** *mech.* docierać, dwie części.

lap² *v.* **-pp- 1.** ~ **(up)** chłeptać; zlizywać; żłopać. **2.** chlupotać, chlupać (*o wodzie w szklance*). **3.** ~ **(against/at)** lizać, omywać (*brzeg rzeki l. morza, kamienie*). **4.** ~ **the gutter** *US przest. sl.* urżnąć się (= *upić*). **5.** ~ **up** *przen.* chłonąć (*pochwały*); przyjmować za dobrą monetę; rozchwytywać, wykupywać (*chodliwy towar*). – *n. U* **1.** chłeptanie. **2.** chlupot, chlupotanie. **3.** karma w płynie *l.* do rozcieńczania; *kulin. uj.* lura; cienkusz.

laparoscope [ˈlæpərəˌskoʊp] *n. chir.* laparoskop, wziernik brzuszny.

laparoscopic [ˌlæpərəˈskɑːpɪk] *a. chir.* laparoskopowy; ~ **surgery** = **laparoscopy**.

laparoscopy [ˌlæpəˈrɑːskəpɪ] *n. C/U pl.* **-ies** *chir.* laparoskopia.

laparotomy [ˌlæpəˈrɑːtəmɪ] *n. C/U pl.* **-ies** *chir.* laparotomia, otwarcie jamy brzusznej; **exploratory** ~ laparotomia zwiadowcza.

lap belt *n. mot.* pas biodrowy (*bez części opasującej ramię*).

lapboard [ˈlæpˌbɔːrd] *n.* stoliczek podróżny *l.* przenośny (*do trzymania na kolanach*).

lap dancer *n.* tancerka erotyczna; tancerz erotyczny.

lap dancing *n. U* taniec erotyczny (*zwł. na kolanach gościa lokalu*).

lap dissolve *n. U film* płynne przejście; *grafika komp.* przenikanie.

lap dog, lapdog *n.* **1.** piesek pokojowy *l.* salonowy. **2.** *przen. pog.* pachołek, sługus/ka.

lapel [ləˈpel] *n.* klapa (*marynarki*).

lapheld [ˈlæpˌheld] *a. gł. attr. t. komp.* do trzymania na kolanach; na kolana.

lapidary [ˈlæpəˌderɪ] *n. pl.* **-ies** jubiler; szlifierz (*kamieni szlachetnych*); grawer. – *a.* **1.** jubilerski; grawerski. **2.** (*także* **lapidarian**) wyryty w kamieniu. **3.** *form.* lapidarny, aforystyczny.

lapidate [ˈlæpəˌdeɪt] *v. lit.* ukamienować; obrzucać kamieniami.

lapidation [ˌlæpəˈdeɪʃən] *n. U lit.* ukamienowanie.

lapidify [ləˈpɪdəˌfaɪ] *v.* **-ied, -ying** *lit.* obracać (się) w kamień.

lapis lazuli [ˌlæpɪs ˈlæzjʊlɪ], **lazuli** *n. U* **1.** *min.* lazuryt, lapis lazuli. **2.** (*także* **lapis**) lazur (*kolor*).

lap joint *n. bud., mech.* nakładka, zakładka, połączenie na nakładkę *l.* zakładkę.

Laplace operator [ləˈplɑːs ˌɑːpəreɪtər], **Laplacian** [ləˈplɑːsɪən] *n. mat.* operator Laplace'a, laplasjan.

Laplace transform *n. mat.* transformata Laplace'a.

Lapland [ˈlæpˌlænd] *n. geogr.* Laponia.

Laplander [ˈlæpˌlændər] *n.* Lapo-ńczyk/nka.

Lapp [læp] *czas. obelż. a.* lapoński. – *n.* **1.** Lapo-ńczyk/nka. **2.** *U* język lapoński.

lappet [ˈlæpɪt] *n.* **1.** *t. zool.* fałd (*odzieży, ciała, skóry, błony*). **2.** *anat.* płatek ucha. **3.** wyłóg, klapa (*w ubraniu*). **4.** wstążka (*zwisająca z nakrycia głowy*).

Lappish [ˈlæpɪʃ] *a.* lapoński. – *n.* *U* język lapoński.

lap robe *n.* *US i Can.* pled, kocyk (*do przykrycia nóg, zwł. w podróży*).

lapse [læps] *n.* *zw. sing.* **1.** uchybienie, potknięcie, lapsus; ~ **of attention/concentration** chwila nieuwagi; ~ **in security** zaniedbanie *l.* uchybienie w zakresie bezpieczeństwa; luka w systemie zabezpieczeń; **memory** ~ (chwilowe) zapomnienie. **2.** (*także* **time** ~) upływ, przeciąg (*czasu*); **after a** ~ **of several years** po upływie kilku lat. **3.** upadek (*moralny*). **4.** spadek, obniżenie (się). **5.** odejście, odstępstwo (*from sth* od czegoś) (*np. od wiary*); popadnięcie (*into sth* w coś) (*np. w apatię*). **6.** *techn.* gradient; ~ **rate** *meteor.* (pionowy) gradient temperatury (= *szybkość spadku temperatury z wysokością*). **7.** *prawn.* wygaśnięcie, utrata ważności (*prawa, kontraktu, polisy, patentu*). – *v.* **1.** podupadać; obniżać się (*o standardzie*). **2.** *prawn.* wygasnąć, utracić ważność (*o dokumencie*). **3.** upłynąć (*o terminie, czasie*). **4.** zanikać, znikać. **5.** ~ **away** upływać, mijać; ~ **into sth** popadać w coś (*ruinę, zapomnienie, złe nawyki, otępienie, zamyślenie*); wdawać się w coś, zapuszczać się w coś; ~ **into Polish/French** przejść na polski/francuski, zacząć mówić po polsku/francusku (*zwł. niezauważalnie dla samego mówiącego, np. ze zmęczenia, przejęcia*); ~ **into sleep** zapaść w sen; ~ **into unconsciousness** stracić przytomność.

lapsed [læpst] *a.* *attr.* **1.** były, niegdysiejszy (*np. o katoliku, członku partii*). **2.** *prawn.* wygasły (*np. o subskrypcji, członkostwie*).

lapstrake [ˈlæpˌstreɪk] *a. i n.* *żegl.* (łódź) budowana systemem zakładkowym.

lapsus [ˈlæpsəs] *n.* *pl.* **lapsus** *form.* lapsus.

lapsus linguae [ˌlɑːpsəs ˈlɪŋgwaɪ] *n.* *sing.* lapsus linguae, przejęzyczenie.

laptop [ˈlæpˌtɑːp] *n.* (*także* ~ **computer**) *komp.* laptop.

lapwing [ˈlæpˌwɪŋ] *n.* *orn.* czajka właściwa (*Vanellus vanellus*).

larboard [ˈlɑːrˌbɔːrd] *n.* *arch.* *żegl.* lewa burta.

larcener [ˈlɑːrsənər], **larcenist** [ˈlɑːrsənɪst] *n.* *prawn.* sprawca kradzieży.

larcenous [ˈlɑːrsənəs] *a.* *prawn.* **1.** mający charakter kradzieży, noszący znamiona kradzieży; **with** ~ **intent** z zamiarem dokonania kradzieży. **2.** winny kradzieży.

larceny [ˈlɑːrsənɪ] *n.* *C/U* *pl.* **-ies** *prawn.* kradzież, zabór *l.* zagarnięcie mienia; **grand** ~ kradzież w znacznym rozmiarze; **petty/petit** ~ drobna kradzież.

larch [lɑːrtʃ] *n.* **1.** *bot.* modrzew (*Larix*). **2.** *U* drewno modrzewiowe, modrzew.

lard [lɑːrd] *n.* *U* **1.** *kulin.* smalec (*wieprzowy*). **2.** *pot.* sadło (= *tłuszcz na ciele*). – *v.* **1.** *kulin.* szpikować boczkiem. **2.** *zw. pass.* *przen.* naszpikować; **~ed with sth** *Br.* naszpikowany *l.* nafaszerowany czymś (*np. cytatami, obcymi wyrazami*).

lardaceous [lɑːrˈdeɪʃəs] *a.* *pat.* słoninowaty.

lard-ass [ˈlɑːrdˌæs] *n.* *US pot. obelż.* tłuścioch, wieprz (= *osoba otyła*).

larder [ˈlɑːrdər] *n.* spiżarnia; **stock up one's** ~ *przen.* robić zapasy.

lardon [ˈlɑːrdən], **lardoon** [lɑːrˈduːn] *n.* *kulin.* połeć słoniny (*do szpikowania*).

lares [ˈleriːz] *n. pl.* *mit.* *rzymska* lary; ~ **and penates** *przen.* lary i penaty (= *domowe pielesze*).

large [lɑːrdʒ] *a.* **1.** duży; wielki; pokaźny; rozległy, szeroki (*o władzy, przywilejach*); liczny (*o populacji*); potężny (*o osobie*); **a** ~ **number of sth** dużo *l.* wiele czegoś; **a** ~ **majority** przeważająca większość. **2.** *przen.* **~er than life** imponujący (*o osobie*); **(as)** ~ **as life** jak żywy, naturalnej wielkości; **here he is as large as** ~ *pot.* oto on w całej okazałości, oto on we własnej osobie; **on a** ~ **scale** na dużą *l.* wielką skalę; **in** ~ **part/measure** *form.* w dużym *l.* znacznym stopniu *l.* zakresie; **loom** ~ *zob.* **loom**[2] *v.*; **writ** ~ *zob.* **writ** *a.* – *n.* *U* **(be) at** ~ przebywać na wolności (*o więźniu, dzikim zwierzęciu*); **run at** ~ być na wolności, biegać wolno; **ambassador at** ~ *zob.* **ambassador**; **the community/public/society at** ~ ogół społeczeństwa. – *adv.* **by and** ~ w zasadzie, ogólnie rzecz biorąc; na ogół.

large-hearted [ˌlɑːrdʒˈhɑːrtɪd] *a.* wielkoduszny.

large intestine *n.* *anat.* jelito grube.

largely [ˈlɑːrdʒlɪ] *adv.* **1.** w dużej mierze, w znacznym stopniu. **2.** na dużą *l.* wielką skalę.

large-minded [ˌlɑːrdʒˈmaɪndɪd] *a.* tolerancyjny.

large-mindedly [ˌlɑːrdʒˈmaɪndɪdlɪ] *adv.* tolerancyjnie.

large-mindedness [ˌlɑːrdʒˈmaɪndɪdnəs] *n.* *U* tolerancyjność.

largeness [ˈlɑːrdʒnəs] *n.* *U* wielkość; ogrom; duży rozmiar.

larger-than-average [ˌlɑːrdʒərðənˈævərɪdʒ] *a.* ponadprzeciętny.

larger-than-expected [ˌlɑːrdʒərðənɪkˈspektɪd] *a.* nieoczekiwanie wysoki, wyższy niż oczekiwano.

large-scale [ˌlɑːrdʒˈskeɪl] *a.* *attr.* **1.** na dużą skalę (*o działaniu*). **2.** *kartogr.* w dużej skali *l.* podziałce (*o mapie*).

largesse [lɑːrˈdʒes], **largess** *n.* *U* hojność, szczodrość.

largish [ˈlɑːrdʒɪʃ] *a.* *pot.* trochę (za) duży, przyduży; dość duży.

largo [ˈlɑːrgoʊ] *adv., a. i n.* *muz.* largo.

lariat [ˈlerɪət] *n.* *US* **1.** lasso, arkan. **2.** postronek (*do wiązania pasącego się konia*). – *v.* **1.** chwytać na lasso. **2.** pętać *l.* wiązać (postronkiem).

lark[1] [lɑːrk] *n.* **1.** *orn.* skowronek (*rodzina Alaudidae*). **2.** *przen.* **(as) happy as a** ~ wesół jak skowronek; **be up/rise with the** ~ wstawać z kurami *l.* o świcie.

lark[2] *n.* *pot.* zabawa, ubaw; kawał, psikus; **do sth for a** ~ zrobić coś dla kawału; **be on a** ~ bawić się wesoło; **this marriage/dieting** ~ *Br.* cała ta zabawa *l.* cały ten cyrk ze ślubem/odchudzaniem; **sod/bugger/blow this for a** ~! *Br. pot. wulg.* do chrzanu z taką robotą!; **what a** ~! *przest.* ale ubaw! – *v.* ~ **(about/around)** *Br. przest. pot.* figlować, dokazywać.

larkspur [ˈlɑːrkˌspɝː] *n.* *bot.* ostróżka (*Delphinium*).

larky [ˈlɑ:rkɪ] *a.* **-ier, -iest** 1. wesoły (*o osobie*). 2. zwariowany (*o pomyśle*).

larn [ˈlɑ:rn] *n. dial. l. żart.* uczyć (się); **that'll ~ you!** masz nauczkę!

larrigan [ˈlerəgən] *n. US i Can.* wysoki mokasyn.

larrikin [ˈlerəkɪn] *n. Austr. sl.* urwis.

larrup [ˈlerəp] *v. dial. pot.* młócić, prać (= *bić*).

larum [ˈlerəm] *n. arch.* larum.

larva [ˈlɑ:rvə] *n. pl.* **larvae** [ˈlɑ:rvi:] *ent.* larwa.

larval [ˈlɑ:rvl] *a. ent.* larwalny.

larvicide [ˈlɑ:rvəˌsaɪd] *n. C/U chem.* larwicyd (= *środek niszczący larwy*).

laryngeal [ləˈrɪndʒl], **laryngal** [ləˈrɪŋgl] *a. anat., fon.* krtaniowy.

laryngectomy [ˌlerənˈdʒektəmɪ] *n. C/U pl.* **-ies** *chir.* wycięcie krtani.

larynges [ləˈrɪndʒi:z] *n. pl. zob.* **larynx**.

laryngitis [ˌlerənˈdʒaɪtɪs] *n. U pat.* zapalenie krtani.

laryngologist [ˌlerənˈgɑ:lədʒɪst] *n. med.* laryngolog.

laryngology [ˌlerənˈgɑ:lədʒɪ] *n. U med.* laryngologia.

laryngoscope [ləˈrɪŋgəˌskoʊp] *n. med.* wziernik krtaniowy, laryngoskop.

laryngotomy [ˌlerənˈgɑ:təmɪ] *n. C/U pl.* **-ies** *chir.* nacięcie krtani, laryngotomia.

larynx [ˈlerɪŋks] *n. pl.* **larynges** [ləˈrɪndʒi:z] *anat.* krtań.

lasagna [ləˈzɑ:njə], *Br.* **lasagne** *n. C/U kulin.* lasagna, lazania.

lascar [ˈlæskər] *n. Anglo-Ind.* marynarz (indyjski).

lascivious [ləˈsɪvɪəs] *a.* lubieżny.

lasciviously [ləˈsɪvɪəslɪ] *adv.* lubieżnie.

lasciviousness [ləˈsɪvɪəsnəs] *n. U* lubieżność.

laser [ˈleɪzər] *n. fiz., techn., opt.* laser. – *a. attr. fiz., techn., opt.* laserowy.

laser beam *n. fiz., techn., opt.* wiązka laserowa.

laser disc *n.* płyta laserowa, dysk laserowy *l.* optyczny.

laser-guided [ˌleɪzərˈgaɪdɪd] *a. techn.* naprowadzany laserem; **~ missile** *wojsk.* pocisk naprowadzany laserem.

laser printer *n. komp.* drukarka laserowa.

laser printout *n. C/U komp.* wydruk laserowy.

laser surgery *n. U med.* chirurgia laserowa.

laser technology *n. U* technika laserowa.

lash¹ [læʃ] *n.* (*także* **eye~**) *anat.* rzęsa.

lash² *v.* 1. chłostać (*biczem*); smagać (*o falach, wietrze*); zacinać (*o deszczu*). 2. walić (*at sth* w coś). 3. wymachiwać, machać (*np. rękami, ogonem*). 4. atakować (*słownie*). 5. **~ out at sb** naskakiwać na kogoś (*słownie*); walić *l.* kopać kogoś na oślep; **~ out into anger** wybuchnąć gniewem; **~ out with an attack** przypuszczać gwałtowny atak. 6. **~ o.s. into a fury** dostać białej gorączki; **~ sb into a fury/rage/frenzy** podjudzać kogoś. 7. wiązać; **~ sth (down/on) to sth** przywiązać coś do czegoś; **~ together** związać, powiązać. – *n.* 1. bat, bicz; uderzenie, raz (*biczem*); **the ~** chłosta, kara chłosty; **20 ~es** 20 batów. 2. *przen.* policzek (= *obraza godności l. uczuć*). 3. **have a ~ at sth** *Austr. pot.* spróbować czegoś.

lasher [ˈlæʃər] *n.* 1. kat (*wymierzający chłostę*). 2. *gł. żegl.* mocowacz (= *pracownik mocujący ładunek*).

lashing [ˈlæʃɪŋ] *n. zw. sing.* 1. chłosta. 2. *przen.* bura. 3. **~s of sth** *gł. Br. przest.* mnóstwo czegoś (*zwł. jedzenia l. napojów*). 4. *żegl.* więź, przewiąz.

lass [læs], **lassie** [ˈlæsɪ] *n. płn. Br.* dziewczyna (*t. = ukochana*).

lassitude [ˈlæsɪˌtu:d] *n. U form.* 1. znużenie. 2. zobojętnienie.

lasso [ˈlæsoʊ] *n. pl.* **-s** *l.* **-es** lasso. – *v.* chwytać na lasso.

last¹ [læst] *a.* 1. ostatni; ubiegły; ostateczny; **~ but one** (*także* **second (to) ~, next to ~**) przedostatni; **~ night** dziś (w nocy); wczoraj wieczorem; **I didn't sleep well ~ night** nie najlepiej dziś spałem; **the night before ~** zeszłej *l.* poprzedniej nocy; przedwczoraj wieczorem; **~ summer** tego lata (*mówiąc przed końcem roku kalendarzowego*), zeszłego lata (*mówiąc w następnym roku kalendarzowym*); **~ time** ostatnim razem, ostatnio; **the ~ time I saw him...** kiedy go ostatnio widziałam,...; **~ week** w poprzednim *l.* ubiegłym *l.* zeszłym tygodniu (= *od niedzieli do minionej soboty l. od poniedziałku do minionej niedzieli*); **in/during the ~ week** w ciągu ostatniego *l.* minionego tygodnia (= *przez ostatnie 7 dni*); **it's our ~ hope** to nasza ostatnia nadzieja. 2. *przen.* **~ time I checked** *czas. iron.* o ile mi wiadomo; **as a ~ resort** w ostateczności; **at the ~ minute** na ostatnią chwilę; **be on one's ~ legs** padać z nóg, ledwie trzymać się na nogach; **be on its ~ legs** rozpadać się (na kawałki) (*o sprzęcie, urządzeniu*); **down to the ~ penny** do ostatniego grosza; **have the ~ laugh** śmiać się (jako) ostatni; **she'd be the ~ person you'd expect to find there** kogo jak kogo, ale jej nie spodziewałby się człowiek tam spotkać; **this would be the ~ thing she'd pick** wybrałaby cokolwiek, tylko nie to. – *adv.* ostatnio; ostatni raz; na końcu; (*także emf.* **~ of all, ~ but not least**) wreszcie, w końcu (*przy wyliczaniu*); **add the flour ~** mąkę dodać na końcu; **I ~ saw him...** (*także* **I saw him ~...**) ostatni raz *l.* ostatnio widziałem go...; **she spoke ~** przemówiła (jako) ostatnia. – *n.* 1. **the ~** ostatn-i/a; **he was the ~** on był ostatni. 2. *przen.* **at (long) ~** w końcu, wreszcie, nareszcie; **breathe one's ~** *lit.* wydać ostatnie tchnienie; **down to the ~ (detail)** w każdym szczególe; **eat the ~ of the food** zjeść resztki jedzenia; **look one's ~** *przest.* rzucać ostatnie spojrzenie; **that's the ~ I saw of him** widziałem go wtedy po raz ostatni (w życiu); **the ~ I heard** o ile mi wiadomo; **to/till the ~** *form.* do ostatniego tchu, (aż) do końca, do ostatka; **we/you haven't heard the ~ of it** to jeszcze nie koniec (*sprawy, problemów*).

last² *v.* 1. (*także Br.* **~ out**) trwać; przetrwać; **he won't ~ long** (*także* **he won't ~ five minutes**) on niedługo pociągnie (*na danym stanowisku, w danej roli*); **the play ~ed (for) two hours** sztuka trwała dwie godziny; **too good to ~** zbyt dobry, aby mógł trwać. 2. wystarczać; wytrzymywać;

how long will the milk ~? do kiedy wystarczy (tego) mleka?; do kiedy (to) mleko wytrzyma? (= *nie zepsuje się*); **this computer is built to ~** ten komputer długo podziała *l.* pochodzi; **this should ~ (us) until tomorrow** do jutra powinno (nam) wystarczyć.

last³ *n.* **1.** kopyto (*szewskie*). **2. stick to one's ~** *przen.* pilnować swojej działki *l.* swojego ogródka.

last⁴ *n. gł. Br. gł. hist.* łaszt (*miara masy l. objętości*); **~ of malt** 10 ćwierci słodu; **~ of wool** 12 worków wełny.

last-born [ˌlæst'bɔːrn] *a. i n. gł. hist.* najmłodszy (potomek) (*gł. w dynastii*).

last call *n. i int.* (*także Br.* **last orders**) ostatnie zamówienia (*zwł. drinków przed zamknięciem baru*).

last-ditch [ˌlæst'dɪtʃ] *a. attr.* ostatni, ostateczny; **~ battle** walka do upadłego; **~ stand** nieprzejednane *l.* nieugięte stanowisko; **as/in a ~ attempt/effort to do sth** w ramach ostatniej próby zrobienia czegoś.

last-gasp [ˌlæst'gæsp] *a.* = **last-ditch**.

last hurrah *n. zw. sing. US* ostatnie chwile, ostatni moment.

last-in, first-out [ˌlæstˌɪn ˌfɜːst'aʊt] *n.* (*także* **LIFO**) (*także księgowość*) ostatni na wejściu - pierwszy na wyjściu.

lasting ['læstɪŋ] *a.* trwały; **leave a ~ impression** pozostawić trwałe *l.* niezatarte wrażenie. – *n. U* płótno (*na wierzchy butów i torby*).

lastingly ['læstɪŋlɪ] *adv.* trwale.

Last Judgement *n.* **the ~** (*także* **Judgement Day**) *Bibl.* Sąd Ostateczny.

lastly ['læstlɪ] *adv.* wreszcie, w końcu (*przy wyliczaniu*).

last-minute [ˌlæst'mɪnɪt] *a. attr.* w ostatniej chwili; **~ changes/reprieve** zmiany/ułaskawienie w ostatniej chwili.

last-minute holidays *n. pl. turystyka* wczasy *l.* wyjazdy last-minute.

last name *n. gł. US* nazwisko.

last orders *n. pl. Br.* = **last call**.

last post *n. Br. wojsk.* capstrzyk (*sygnał do snu lub na pogrzebie*).

last rites *n. pl. rel.* **1.** *rz.-kat.* ostatnie namaszczenie. **2.** ostatnia posługa (= *chrześcijański pochówek*).

last straw *n. przen.* **the ~** kropla, która przepełnia kielich (goryczy); **that's the ~!** tego już za wiele!, miarka się przebrała!

Last Supper *n.* **the ~** *Bibl.* Ostatnia Wieczerza.

last will and testament *n. prawn.* testament.

last word *n. przen.* **it's the ~ in fashion** to ostatni krzyk mody; **say the ~ (on the matter)** powiedzieć ostatnie słowo (w tej sprawie); **sb has the ~** ostatnie słowo należy do kogoś.

lat [lɑːt] *n. pl.* **-s** *l.* **latu** ['lɑːtuː] *fin.* łat (= *jednostka monetarna Łotwy*).

Lat. *abbr.* **1.** = **Latin**. **2.** = **Latvia**; = **Latvian**.

lat. *abbr. geogr.* = **latitude**.

latch [lætʃ] *n.* **1.** zasuwa, zasuwka (*w bramie, drzwiach*). **2.** *gł. Br.* zamek samozatrzaskujący, zatrzask (*w drzwiach, zwł. w jednym mechanizmie z klamką*); **on the ~** zamknięty (tylko) na klamkę, niezatrzaśnięty (*o drzwiach*). **3.** zapadka, rygiel. **4.** (*także* **~ circuit**) *el.* przerzutnik. – *v.* **1.** zamykać na zasuwę *l.* zasuwkę (*bramę*). **2.** zatrzaskiwać (*drzwi*). **3. ~ on** *Br. pot.* załapać, zajarzyć (= *zrozumieć*); **~ on/onto sb** *pot.* uczepić się kogoś (= *narzucać się*); **~ on/onto sth** podchwycić coś; uczepić się czegoś (*tematu, zagadnienia*); *US i Can.* zdobyć coś (*zwł. fortunę*).

latchet ['lætʃɪt] *n. arch.* rzemyk (*przy sandale, bucie*).

latchkey ['lætʃˌkiː] *n.* klucz (od drzwi wejściowych). – *a. attr.* swobodny, nieograniczony.

latchkey child *n. pl.* **latchkey children** *przest.* dziecko z kluczem (na szyi) (= *przebywające długo samo w domu po powrocie ze szkoły*).

latchstring ['lætʃˌstrɪŋ] *n.* sznurek do otwierania zasuwy *l.* zatrzasku (*od zewnątrz*).

late [leɪt] *a.* **1.** *zw. pred.* spóźniony; **be (five minutes) ~** spóźnić się (pięć minut) (*for sth* na coś); **be running (a little) ~** być (trochę) spóźnionym, mieć (małe) spóźnienie *l.* opóźnienie (*w stosunku do planu*); **be ~ with sth** *fin.* spóźniać się *l.* zalegać z czymś; **the train was ~** pociąg się spóźnił. **2.** *attr. t. przen.* późny (*t.* = *końcowy, schyłkowy*); **~ breakfast** późne śniadanie; **a ~ Picasso** późny Picasso (*obraz*); **in ~ autumn** późną jesienią; **in ~ July** pod koniec lipca; **in the ~ afternoon** późnym popołudniem; **in the ~ 1970s/sixteenth century** pod koniec lat siedemdziesiątych/wieku szesnastego; **it's getting ~** robi się późno; **keep ~ hours** chodzić późno spać; **she's in her ~ forties** ma pod pięćdziesiątkę; **L~ Middle English** *hist. jęz.* (język) późnośrednioangielski. **3.** *attr.* świętej pamięci, nieżyjący (już), zmarły (*zwł. niedawno*); **my ~ father** mój nieżyjący ojciec. **4.** *attr.* były; **the company's ~ president** były prezes spółki. **5.** ostatni (= *niedawny*); **~ of...** *form.* do niedawna zamieszkały w...; do niedawna zatrudniony w... – *adv.* **1.** późno; **~ in summer** pod koniec *l.* u schyłku lata; **~ in September/1999** pod koniec września/1999 roku; **~ in life** w późnym *l.* podeszłym wieku; **~ in the afternoon** późnym popołudniem; **~ in the day** pod koniec dnia; *przen.* trochę (za) późno; **better ~ than never** lepiej późno niż wcale; **I got up ~** wstałem późno; **it's too ~ now** (teraz) już (jest) za późno; **too little (and) too ~** *zob.* **too**. **2.** do późna; **talk/work ~** rozmawiać/pracować do późna. **3.** z opóźnieniem; za późno; **the birthday card arrived a week ~** kartka urodzinowa przyszła o tydzień za późno; **the train came in ~** pociąg miał spóźnienie *l.* przyjechał z opóźnieniem *l.* spóźnił się. **4. as ~ as the 19th century** aż do XIX wieku, jeszcze w XIX wieku; **as ~ as yesterday** jeszcze wczoraj. **5. of ~** *form.* ostatnio. **6.** *arch.* niegdyś; **his house, ~ his father's** jego dom, niegdyś (należący do) jego ojca. **7.** *zob. t.* **later**; *zob. t.* **latest**.

late-breaking ['leɪt ˌbreɪkɪŋ] *a. attr.* z ostatniej chwili (*o wiadomościach*).

latecomer ['leɪtˌkʌmər] *n.* spóźnialsk-i/a.

lateen [læ'tiːn] *żegl. a.* łaciński; **~ rig** ożaglowanie łacińskie; ~ **sail** żagiel łaciński. – *n.* statek z ożaglowaniem łacińskim.

late fee *n. fin.* opłata za zwłokę.

lately [ˈleɪtlɪ] *adv.* ostatnio.

latency [ˈleɪtənsɪ] *n. U* **1.** *fiz., biol., pat.* utajenie; faza utajona; okres utajenia. **2.** *komp.* zwłoka.

latency period *n.* = **latent period.**

lateness [ˈleɪtnəs] *n. U* **1.** spóźnienie (*osoby*); opóźnienie (*np. pociągu*). **2. despite the ~ of the hour** mimo późnej pory.

late-night [ˌleɪtˈnaɪt] *a. attr.* nocny (*np. o seansie, programie telewizyjnym*).

latent [ˈleɪtənt] *a. fizj., biol., pat.* utajony, ukryty.

latent period *n.* **1.** *pat.* okres wylęgania *l.* inkubacji *l.* utajenia. **2.** (*także* **latent time**) *fizj.* okres utajenia.

later [ˈleɪtər] *a.* **1.** *comp. od* **late**. **2.** *attr.* późniejszy (*np. o dacie, okresie*); dalszy (*np. o rozdziale, części*); nowszy (*np. o modelu*); **in ~ life** w dalszym *l.* późniejszym życiu. – *adv. comp. od* **late**; **~ on** później; **a week/two days ~** w tydzień/dwa dni później; **not ~ than...** nie później niż...; **see you ~!** *pot.* do zobaczenia!, na razie!; **sooner or ~** prędzej czy później.

lateral [ˈlætərəl] *a.* boczny; poprzeczny; **~ movement** ruch w bok *l.* prostopadły *l.* poprzeczny. – *n.* **1.** *fon.* głoska boczna. **2.** *form.* odgałęzienie boczne. **3.** (*także* **~ pass**) *sport* podanie prostopadłe. – *v. sport* podawać prostopadle.

lateral area *n. U geom.* pole powierzchni bocznej.

lateral chain *n. chem.* łańcuch boczny.

lateralization [ˌlætərələˈzeɪʃən], *Br. i Austr. zw.* **lateralisation** *n. U fizj., psych.* lateralizacja (*mózgu*).

lateral line *n. icht.* linia boczna (*narząd czucia u ryb*).

laterally [ˈlætərəlɪ] *adv.* **1.** w bok; na bok; z boku. **2.** poprzecznie; prostopadle. **3.** z bocznej linii (*wywodzić się*).

lateral pass *n.* = **lateral** *n.* 3.

lateral thinking *n. U psych.* myślenie lateralne.

laterite [ˈlætəˌraɪt] *n. U geol.* lateryt.

latest [ˈleɪtɪst] *a.* **1.** *sup. od* **late**. **2.** *attr.* ostatni; najnowszy; **her ~ book** jej ostatnia *l.* najnowsza książka. – *n. U* **1. the ~** *pot.* nowinki, nowości; najnowsze osiągnięcia (*in sth* w jakiejś dziedzinie); **the ~ in fashion** nowości świata mody. **2. at the ~** najpóźniej; **Friday at the ~** najpóźniej w piątek, nie później niż w piątek.

latex [ˈleɪteks] *n. U* **1.** lateks. **2.** (*także* **milky ~**) *bot.* mleczko roślinne.

latex paint *n. U chem.* farba lateksowa.

lath [læθ] *n. pl.* **-s** [læðz] **1.** *bud.* listwa, łata. **2.** *U bud.* siatka Rabitza *l.* podtynkowa. **3. (as) thin as a ~** *przen.* chudy jak szczapa. – *v. bud.* mocować listwy do (*ściany, podłogi*).

lathe [leɪð] *mech.* tokarka. – *v.* toczyć.

lather [ˈlæðər] *n. U l. sing.* **1.** mydliny. **2.** piana (*t. na sierści konia*). **3.** *przen. pot.* **in a ~** jak na szpilkach, roztrzęsiony; zjeżony, rozdrażniony, oburzony; **work o.s. into a ~** zjeżyć się. – *v.* **1.** mydlić (*ciało*). **2.** pienić się (*t. o koniu*).

lathery [ˈlæðərɪ] *a.* pieniący (się); **this soap isn't very ~** to mydło słabo się pieni.

lathing [ˈlæθɪŋ] *n. U bud.* **1.** siatka Rabitza *l.* podtynkowa. **2.** listewki; łaty; olistwowanie.

latifundium [ˌlætəˈfʌndɪəm] *n. pl.* **latifundia** [ˌlætəˈfʌndɪə] *hist.* latyfundium.

Latin [ˈlætən] *a.* **1.** *t. hist.* łaciński (*np. o ludach, alfabecie*). **2.** *kośc.* rzymski, rzymskokatolicki. **3.** *hist.* latyński (= *dotyczący Lacji*). – *n.* **1.** *U jęz.* łacina; **pig ~** język kuku (= *szyfrowany język w zabawach dzieci*); **thieves' ~** gwara złodziejska. **2.** członek narodu romańskiego. **3.** *gł. US* Latynos/ka. **4.** *kośc.* rzymski katolik. **5.** *pl. hist.* Latynowie, Latyńczycy.

Latina [læˈtiːnə] *US n.* Latynoska.

Latin America *n. geogr.* Ameryka Łacińska.

Latin American *a.* latynoamerykański, latynoski.

Latinate [ˈlætəˌneɪt] *a. gł. jęz.* łaciński (*np. o słownictwie, zapożyczeniach*).

Latin Church *n. rel.* Kościół rzymskokatolicki.

Latin cross *n.* krzyż łaciński.

Latinism [ˈlætəˌnɪzəm] *n. jęz.* latynizm.

Latinist [ˈlætənɪst] *n. jęz.* łacinni-k/czka, latynist-a/ka.

Latinity [ləˈtɪnətɪ] *n. U* łacińskość.

Latinize [ˈlætəˌnaɪz], *Br. i Austr. zw.* **Latinise** *v.* latynizować.

Latino [læˈtiːnoʊ] *US n. pl.* **-s** Latynos/ka. – *a. attr.* latynoski.

Latin square *n. stat., mat.* kwadrat łaciński.

latish [ˈleɪtɪʃ] *a. pot.* późnawy, dość późny.

latitude [ˈlætəˌtjuːd] *n.* **1.** *C/U geogr.* szerokość (geograficzna); równoleżnik; **at these ~s** na tych szerokościach (geograficznych); **high ~s** duże *l.* wysokie szerokości (geograficzne); **low ~s** małe *l.* niskie szerokości (geograficzne); **south of ~ 50 degrees** na południe od 50. równoleżnika; **temperate ~s** umiarkowane szerokości (geograficzne). **2.** *U przen.* swoboda; tolerancja, liberalizm; **leave sb a great deal of ~** pozostawiać *l.* dawać komuś dużo swobody. **3.** *U fot.* tolerancja naświetleń. **4.** *astron.* = **celestial latitude.**

latitudinal [ˌlætəˈtuːdənl] *a. geogr.* dotyczący szerokości geograficznej; zmieniający się wraz z szerokością geograficzną.

latitudinarian [ˌlætəˌtuːdəˈnerɪən] *form. n.* osoba tolerancyjna. – *a.* tolerancyjny.

latitudinarianism [ˌlætəˌtuːdəˈnerɪənˌɪzəm] *n. U form.* tolerancyjność, liberalizm.

Latium [ˈleɪʃɪəm] *n. hist.* Lacjum.

latke [ˈlɑːtkə] *n. US kulin.* placek ziemniaczany.

latosol [ˈlætəˌsɑːl] *n. U roln.* gleba laterytowa.

latria [ləˈtraɪə] *n. U teol. rz.-kat.* latria (= *cześć należna Bogu*).

latrine [ləˈtriːn] *n. gł. wojsk.* latryna.

latte [ˈlɑːteɪ] *n. C/U* (*także* **café ~**) *kulin.* kawa z ekspresu z mlekiem (*podgrzanym, w postaci pianki*).

latten [ˈlætən] *metal. n. U* **1.** mosiądz. **2.** blacha mosiężna. – *a. attr.* mosiężny.

latter ['lætər] *a. attr.* **1. the ~** (ten) drugi *l.* ostatni (*z dwóch wymienionych*); **in the ~ case** w tym drugim przypadku. **2.** końcowy; schyłkowy; **in the ~ part of the week** w drugiej połowie tygodnia, pod koniec tygodnia; **in the ~ part of the century** pod koniec *l.* u schyłku stulecia; **in the ~ years of sb's life** pod koniec życia, na starość. **3.** późniejszy. – *n.* **the ~** (ten/ta/to) drug-i/a/ie *l.* ostatn-i/a/ie (*z dwóch wymienionych*).

latter-day [ˌlætər'deɪ] *a. attr.* współczesny, dzisiejszy (*o odpowiedniku kogoś l. czegoś z przeszłości*); **~ Caesar/pantheon** współczesny Cezar/panteon.

Latter-Day Saints *n. pl. rel.* Kościół Jezusa Chrystusa Świętych Dni Ostatnich (= *mormoni*).

latterly ['lætərlɪ] *adv. form.* **1.** ostatnio, w ostatnim czasie. **2.** pod koniec (*danego okresu; zwł. życia, kariery*).

lattermost ['lætərˌmoʊst] *a. rzad.* ostatni.

lattice ['lætɪs] *n.* **1.** kratka, krata (*ukośna*); *mech., bud.* kratownica; **~ bridge/girder** *bud.* most/dźwigar kratowy; **~ window** *bud.* okno segmentowe *l.* wielodzielne (*złożone z kwadratowych szybek*). **2.** *krystal.* sieć krystaliczna. – *v.* zdobić kratką; zaopatrywać w kratkę.

latticed ['lætɪst] *a.* kratowy, w kratę.

latticework ['lætɪsˌwɜ:k] *n. U* **1.** *bud.* kratownica, konstrukcja kratowa. **2.** *tk.* splot ukośny.

latticing ['lætɪsɪŋ] *n. U* okratowanie.

Latvia ['lætvɪə] *n. geogr.* Łotwa.

Latvian ['lætvɪən] *a.* łotewski. – *n.* **1.** Łotysz/ka. **2.** *U* język łotewski.

laud [lɔ:d] *lit. v.* chwalić; wielbić. – *n. C/U t. rel.* **1.** hymn pochwalny. **2. ~s** *rel.* laudes, modlitwa pochwalna. **3.** *form.* pochwała.

laudable ['lɔ:dəbl] *a. form.* chwalebny, godny pochwały.

laudably ['lɔ:dəblɪ] *adv. form.* chwalebnie.

laudanum ['lɔ:dənəm] *n. U hist., med.* laudanum.

laudation [lɔ:'deɪʃən] *n. U form.* pochwała, laudacja.

laudatory ['lɔ:dəˌtɔ:rɪ], **laudative** ['lɔ:dətɪv] *a. form.* pochwalny.

laugh [læf] *v.* **1.** śmiać się (*at sb/sth* z kogoś/czegoś); zaśmiać się; **~ out loud** (*także* **~ aloud**) roześmiać się; **~ in sb's face** śmiać się komuś prosto w twarz *l.* w oczy; **~ in/up one's sleeve** śmiać się w kułak; **~ like a drain** *Br. pot.* śmiać się do rozpuku; **~ one's head off** *pot.* pękać ze śmiechu; **~ o.s. silly** *przest.* uśmiać się jak głupi; **burst out ~ing** wybuchnąć *l.* parsknąć śmiechem; **die ~ing** *emf.* umierać ze śmiechu; **I don't know whether to ~ or to cry** nie wiadomo, czy śmiać się, czy płakać. **2.** *przen.* **be ~ed out of court** *zwł. Br.* zostać wyśmianym; **be ~ing all the way to the bank** *pot.* być w świetnej sytuacji finansowej; **don't make me ~** *pot.* nie rozśmieszaj mnie, nie bądź śmieszny; **he who ~s last, ~s longest/loudest/best** ten się śmieje, kto się śmieje ostatni; **he'll be ~ing on the other side of his face** (*także* **he'll be ~ing out of the other side of his mouth**) mina mu zrzednie; **sb is ~ing** *Br. pot.* ktoś ma się dobrze; **this is no ~ing matter** to nie żarty, to poważna sprawa; **you have to ~!** *pot.* głowa do góry! **3. ~ about/over sb/sth** śmiać się z kogoś/czegoś (*zw. dobrodusznie*); **~ at sb/sth** *przen.* nic sobie nie robić z kogoś/czegoś; **~ away** zbyć śmiechem; **~ down** wyśmiać; **~ off** obrócić w żart, zbyć śmiechem. – *n.* **1.** śmiech; **give a ~** zaśmiać się. **2.** *przen.* **be a ~ a minute** *pot.* być strasznie śmiesznym *l.* zabawnym; **be a (good) ~** *Br.* być (bardzo) zabawnym (*o osobie, rozrywce*); umieć rozbawić towarzystwo; **do sth for ~s/a ~** *Br. pot.* zrobić coś dla śmiechu *l.* dla hecy; **get/raise a ~/a few ~s** wywoływać uśmieszki; **have a (good) ~** *Br.* dobrze się bawić; **have the last ~** śmiać się ostatni; **that's a ~!** śmiechu warte!

laughable ['læfəbl] *a.* śmiechu wart, śmieszny (= *żałosny*).

laughably ['læfəblɪ] *adv.* śmiesznie (*np. niski*).

laugher ['læfər] *n.* **1.** kpiarz. **2. be a good ~** umieć się pośmiać.

laughing gas ['læfɪŋ ˌgæs] *n. U hist., med.* gaz rozweselający (*używany niegdyś do znieczuleń*).

laughing hyena, spotted hyena *n. zool.* hiena cętkowana (*Crocuta crocuta*).

laughing jackass *n. orn.* kukabura (*Dacelo novaeguineae*).

laughingly ['læfɪŋlɪ] *adv.* **1.** ze śmiechem (*powiedzieć*). **2.** absurdalnie (*np. nieadekwatny*).

laughing stock *n. sing.* pośmiewisko; **be/become the ~ of sb/sth** być/stać się pośmiewiskiem kogoś/czegoś; **make o.s. a ~** zrobić z siebie pośmiewisko.

laugh lines, *Br.* **laughter lines** *n. pl. US* kurze łapki (= *zmarszczki wokół oczu*).

laughter ['læftər] *n. U* śmiech; **roar with ~** ryczeć ze śmiechu.

laughter lines *n. pl. Br.* = **laugh lines**.

laugh track *n. U telew.* nagrany śmiech (*w tle programu komediowego*).

launce [lɔ:ns] *n. icht.* węzor tobijasz (*Ammodytes lanceolatus*).

launch [lɔ:ntʃ] *v.* **1.** uruchamiać (*system, reformę*); rozpoczynać (*np. dochodzenie*); zaczynać, zapoczątkowywać (*np. kampanię wyborczą*); **~ an attack/offensive** *t. wojsk.* przypuścić atak/ofensywę. **2.** *handl.* promować, wprowadzać *l.* wypuszczać na rynek (*nowy produkt*). **3.** *fin.* emitować, puszczać w obieg (*papiery wartościowe*). **4.** wprowadzić na orbitę (*satelitę*); *wojsk.* wystrzelić, odpalić (*pocisk, rakietę*). **5.** *żegl.* wodować (*statek*). **6.** odbić się, wyskoczyć. **7.** rzucać, miotać (*groźby*). **8. ~ out** *żegl.* wychodzić w morze (*o statku*); **~ (out) into sth** rozpocząć coś; zapoczątkować coś; zaangażować się w coś; **~ (out) into an attack** przypuścić atak; **~ (out) into strong language** wybuchnąć ostrymi słowami. – *n.* **1.** *handl.* promocja. **2.** *żegl.* łódź motorowa, barkas; szalupa. **3.** *żegl.* wodowanie.

launch complex *n. techn.* wyrzutnia (*rakiet kosmicznych*).

launcher ['lɔ:ntʃər] *n.* **1.** *techn.* wyrzutnia. **2.** *wojsk.* granatnik.

launch pad, launching pad *n.* wyrzutnia (*rakiet*).

launch party *n. handl.* promocja.
launch vehicle *n. techn.* rakieta nośna.
launch window *n. techn.* okno czasowe (*sprzyjające wystrzeleniu rakiety, satelity*).
launder ['lɔ:ndər] *v.* **1.** ~ **money/funds** *przen.* prać brudne pieniądze. **2.** *form.* prać (się); **this shirt ~s well** ta koszula dobrze się pierze. **3.** cenzurować (*np. raport*). – *n. górn.* płuczka.
launderer ['lɔ:ndərər] *n.* pracz.
launderette [ˌlɔ:ndə'ret], **laundrette** *n. Br.* pralnia samoobsługowa.
laundress ['lɔ:ndrəs] *n.* praczka.
Laundromat ['lɔ:ndrəˌmæt] *n. US, Can. i Austr.* pralnia samoobsługowa.
laundry ['lɔ:ndrɪ] *n.* **1.** *U* pranie; **do the** ~ robić pranie. **2.** *pl.* **-ies** pralnia. **3. air/do one's dirty ~ in public** *zob.* **dirty** *a.*
laundry basket *n. Br.* kosz na brudną bieliznę.
laundry list *n. US pot.* lista, spis (*rzeczy do kupienia, zrobienia itp.*).
laundryman ['lɔ:ndrɪˌmæn] *n. pl.* **-men** pracz, pracownik pralni.
laundrywoman ['lɔ:ndrɪˌwʊmən] *n. pl.* **-women** praczka, pracownica pralni.
laureate ['lɔ:rɪət] *n.* **1.** laureat/ka; **Nobel** ~ laureat/ka Nobla. **2.** (*także* **poet** ~) *Br.* poeta nadworny; *hist.* poeta laureatus. – *a. i n. zw. po n.* **1.** *lit.* uwieńczony wawrzynem; nagrodzony. **2.** *arch.* wawrzynowy.
laureateship ['lɔ:rɪətˌʃɪp] *n. U* **1.** nagrodzenie; nagroda. **2.** uwieńczenie wawrzynem.
laurel ['lɔ:rəl] *n.* **1.** *U bot.* laur, wawrzyn szlachetny (*Laurus nobilis*). **2.** *pl. przen.* laury (= *honory*); **look to one's ~s** strzec swoich laurów (= *bacznie uważać na konkurencję*); **reap/win ~s** zbierać laury; **rest/sit on one's ~s** spocząć na laurach. – *v. Br.* **-ll- 1.** uhonorować. **2.** wieńczyć wawrzynem.
lauryl alcohol *n. U chem.* alkohol laurylowy.
Lausanne [loʊ'zæn] *n. geogr.* Lozanna.
lav [læv] *n. gł. Br. pot.* kibelek, klop.
lava ['lɑ:və] *n. U geol.* lawa.
lavabo [lə'veɪboʊ] *n. pl.* **-s** *l.* **-es** *kość.* **1.** lavabo, obmywanie rąk (*przed eucharystią*). **2.** lawaterz (*misa do płukania rąk*).
lavage [lə'vɑ:ʒ] *n. U med.* płukanie; **gastric** ~ płukanie żołądka.
lavatera [ˌlɑ:və'ti:rə] *n. pl.* **-s** *l.* **lavatera** *bot.* ślazówka (*Lavatera arborea*).
lavation [læ'veɪʃən] *n. U form.* obmywanie, mycie, opłukiwanie.
lavatorial [ˌlævə'tɔ:rɪəl] *a. zwł. Br. uj.* skatologiczny (*o humorze, dowcipie*).
lavatory ['lævəˌtɔ:rɪ] *n. pl.* **-ies 1.** *form.* toaleta, sanitariat. **2.** *kość.* lawaterz (= *umywalnia*).
lavatory paper *n. U Br.* papier toaletowy.
lave [leɪv] *v. poet.* obmywać; *arch.* myć, kąpać.
lavement ['leɪvmənt] *n. C / U med.* lewatywa.
lavender ['lævəndər] *n.* **1.** *C / U bot., ogr.* lawenda (*Lavandula*). **2.** *U* (*także* ~ **water**) woda lawendowa. **3.** *U* kolor lawendowy. **4. lay sth (up) in** ~ *przest. przen.* chować *l.* odkładać coś na później. – *a.* lawendowy (*o kolorze*).
lavender bag *n.* saszetka lawendowa *l.* antymolowa *l.* zapachowa (*wkładana do szafy*).
laver[1] ['lɑ:vər] *n. U bot.* wodorosty (*jadalne*).
laver[2] ['leɪvər] *n. kość.* lawaterz (= *umywalnia*).
laver bread *n. U Br. kulin.* placek z (owsa i) wodorostów (*tradycyjna potrawa walijska*).
lavish ['lævɪʃ] *a.* **1.** hojny, szczodry; **be ~ with sth** nie szczędzić czegoś (*np. pochwał, uwagi*). **2.** suty; wystawny. **3.** urządzony z przepychem. – *v.* ~ **sth on/upon sb** obsypywać kogoś czymś (*np. prezentami*); poświęcać komuś dużo czegoś (*czasu, uwagi*).
lavishly ['lævɪʃlɪ] *adv.* **1.** hojnie, szczodrze. **2.** suto; wystawnie. **3.** z przepychem.
law [lɔ:] *n.* **1.** *U* prawo; ~ **of nations** *polit.* prawo narodów *l.* międzynarodowe; **against the** ~ wbrew prawu; sprzeczny *l.* niezgodny z prawem; **by** ~ w myśl *l.* według *l.* wedle prawa; **break the** ~ łamać prawo; **civil/criminal** ~ prawo cywilne/karne; **court of** ~ sąd; **equal before the** ~ równy w obliczu prawa; **go to** ~ dochodzić swoich praw sądownie; **keep/stay/remain/operate within the** ~ pozostawać/działać/poruszać się w granicach prawa; **obey/respect the** ~ przestrzegać prawa; **read** ~ *uniw.* studiować prawo. **2.** *prawn., parl.* ustawa, prawo (*on sth* dotyczące czegoś, *against sth* zabraniające czegoś). **3.** (*w nauce*) prawo; zasada; twierdzenie; ~ **of averages** prawo średnich; ~ **of conservation of energy/mass/matter** *fiz.* prawo zachowania energii/masy/materii; ~ **of contradiction** *log., mat.* prawo sprzeczności; ~ **of constant composition** *chem.* prawo stałości składu; ~ **of diminishing returns** *ekon.* prawo malejących dochodów; ~ **of nature** prawo natury; ~ **of sines/cosines** *geom.* twierdzenie sinusów/cosinusów; ~ **of small/large numbers** *mat., stat.* prawo małych/wielkich liczb; ~ **of supply and demand** *ekon.* prawo podaży i popytu; ~ **of (universal) gravitation** *fiz.* prawo powszechnego ciążenia; **first/second/third ~ of motion** *fiz.* pierwsza/druga/trzecia zasada dynamiki. **4. the** ~ wymiar sprawiedliwości; *pot.* władza (= *policja*); **the ~ is after him** poszukuje go policja. **5.** *przen.* **be a ~ unto o.s.** nie liczyć się z nikim ani z niczym; **give the ~ to sb** narzucać komuś swą wolę; **lay down the** ~ narzucać swoje zdanie *l.* swoją wolę; rządzić się; **take the ~ into one's own hands** samemu wymierzyć sprawiedliwość; **the ~ of the jungle** *zob.* **jungle**; **there's no ~ against it** *pot.* nie robię nic złego.
law-abiding [ˌlɔ:ə'baɪdɪŋ] *a.* praworządny, przestrzegający prawa (*o obywatelu*).
law and order *n. U* prawo i porządek; praworządność.
lawbreaker ['lɔ:ˌbreɪkər] *n.* osoba łamiąca prawo.
lawbreaking ['lɔ:ˌbreɪkɪŋ] *n. U* łamanie prawa.
law court *n.* sąd.
Lawd [lɔ:d], **Lawdy** ['lɔ:dɪ] *int. US* = **Lord**.
law enforcement *n. U prawn.* egzekwowanie *l.* egzekucja prawa.
law enforcement agent *n. US prawn.* stróż prawa (= *policjant / ka*).

law firm *n. gł. US* firma adwokacka, zespół adwokacki.

lawful [ˈlɔ:fʊl] *a.* 1. *prawn.* legalny, prawny. 2. ślubny (*o dziecku*).

lawfully [ˈlɔ:fʊlɪ] *adv.* legalnie; ~ **wedded** poślubiony w oczach prawa.

lawgiver [ˈlɔ:ˌgɪvər] *n. prawn.* prawodawca.

lawless [ˈlɔ:ləs] *a.* 1. łamiący prawo; samowolny. 2. bezprawny. 3. pozbawiony praw, niepraworządny (*o kraju*).

lawlessly [ˈlɔ:ləslɪ] *a.* 1. samowolnie. 2. bezprawnie. 3. niepraworządnie.

lawlessness [ˈlɔ:ləsnəs] *n. U* samowola; bezprawie; niepraworządność.

Law Lords *n. pl. Br. parl.* lordowie prawa (= *członkowie Izby Lordów specjalizujący się w prawie i reprezentujący najwyższy sąd apelacyjny*).

lawmaker [ˈlɔ:ˌmeɪkər] *n. prawn., parl.* ustawodawca.

lawman [ˈlɔ:ˌmæn] *n. pl.* **-men** *gł. US* przedstawiciel prawa (*policjant, szeryf*).

law merchant *n. pl.* **laws merchant** *prawn.* prawo handlowe.

lawn1 [lɔ:n] *n.* 1. trawnik. 2. *arch., geogr.* polanka.

lawn2 *n. U tk.* cienkie płótno lniane *l.* bawełniane.

lawn bowling *n. U US sport* gra w kule (*uprawiana na trawie, podobna do kręgli*).

lawn chair *n.* krzesełko składane *l.* ogrodowe.

lawn mower, lawnmower *n. ogr.* kosiarka (do trawy).

lawn party *n. pl.* **-ies** *US* garden party, przyjęcie w ogrodzie.

lawn rake *n. ogr.* grabie do liści.

lawn sign *n. US* tabliczka przed domem (*zwł. z nazwą popieranej partii l. nazwiskiem kandydata w okresie przedwyborczym*).

lawn sprinkler *n. ogr.* zraszacz.

lawn tennis *n. U sport* tenis ziemny (*zwł. na korcie trawiastym*).

law officer *n.* przedstawiciel prawa.

Law of Moses *n.* 1. *Bibl.* Księgi Mojżeszowe. 2. *judaizm* prawo Mojżeszowe.

lawrencium [lɔ:ˈrensɪəm] *n. U chem.* lorens (*nietrwały pierwiastek*).

law school *n. U US uniw.* wydział prawa.

law student *n. U US uniw.* student/ka prawa.

lawsuit [ˈlɔ:ˌsu:t] *n. prawn.* proces (sądowy); *zob.* **suit**.

law term *n.* 1. termin prawniczy (*językowy*). 2. *prawn.* kadencja sądowa.

lawyer [ˈlɔ:jər] *n. prawn.* 1. prawni-k/czka; adwokat. 2. radca prawny.

lax [læks] *a.* 1. rozluźniony (*o dyscyplinie*); ~ **security** zaniedbania *l.* uchybienia w zakresie bezpieczeństwa. 2. niedbały (*in sth* w czymś); zbyt swobodny (*o zachowaniu*); ~ **morals** nadmierna swoboda obyczajów, rozprzężenie moralne. 3. sflaczały (*np. o mięśniach, ramionach*). 4. niedokładny, nieścisły, nieprecyzyjny (*o definicji*). 5. luźny; nieszczelny.

laxative [ˈlæksətɪv] *a. i n. med.* (środek) przeczyszczający.

laxity [ˈlæksətɪ], **laxness** [ˈlæksnəs] *n. U* 1. rozprzężenie (*moralne*). 2. niedbalstwo. 3. nieścisłość, brak precyzji.

laxly [ˈlækslɪ] *adv.* 1. niedbale. 2. niedokładnie, nieściśle. 3. luźno.

lay1 [leɪ] *v. zob.* **lie1** *v.*

lay2 *v.* **laid, laid** 1. *t. przen.* kłaść, położyć (*rękę na ramieniu, książkę na stole, fundamenty*); układać (*wykładzinę, cegły, kabel, plan*); nakładać (*farbę, karę, grzywnę, podatek*). 2. ~ **sth with sth** pokrywać coś czymś (*np. ścianę emalią*); wykładać coś czymś (*np. ścianę kafelkami*). 3. zastawiać (*pułapkę, zasadzkę*). 4. stawiać (*sumę w zakładach*); ~ **$10 on sb/sth** postawić na kogoś/coś 10 dolarów. 5. *form.* przedkładać (*propozycję, plan, oskarżenie*); ~ **a charge against sb** oskarżyć kogoś. 6. *zw. pass. sl.* przespać się z (*kimś*), przelecieć (*kogoś*); **get laid** zaliczyć (numer) (= *odbyć stosunek*). 7. *żegl.* kierować się, płynąć. 8. *przen.* ~ **bare/open** odsłonić, obnażyć; wyjawić (*plany*); zdemaskować (*oszustwo*); ~ **the blame on sb/sth** *zob.* **blame** *n.*; ~ **breakfast** nakrywać do śniadania; ~ **claim to sth** *zob.* **claim** *n.*; ~ **a course (for...)** *żegl.* podążać kursem (na ...); *przen.* zaplanować działania (w celu...); ~ **an egg** znieść jajko; *US sl.* odstawić fuszerkę; **go ~ an egg!** *US sl.* spadaj!; ~ **emphasis/stress on sth** kłaść na coś nacisk; ~ **fallow** *roln.* zostawiać odłogiem (*ziemię*); ~ **fast** *przest.* uwięzić; ~ **flat** obalać (*drzewa, budynki*); ~ **the foundation(s) for sth** *zob.* **foundation** *n.*; ~ **great store upon sth** przywiązywać wielkie znaczenie do czegoś; ~ **(one's) hands on sb/sth** *zob.* **hand** *n.*; ~ **hold of sth** chwycić (za) coś; *przen.* wykorzystać coś (*np. czyjąś słabość*); ~ **one's bones in...** *lit.* złożyć (swoje) kości w...; ~ **one's cards on the table** *zob.* **card1** *n.*; ~ **one's hopes on sb/sth** pokładać nadzieje w kimś/czymś; ~ **o.s. open to sth** narażać się na coś; ~ **sb low** powalić kogoś (*o chorobie, ciosie*); poniżyć *l.* upokorzyć kogoś; ~ **sth on the line** ryzykować *l.* poświęcać coś (*np. karierę, życie*); przedstawić coś czarno na białym (*krytykę, żądanie*); ~ **sb open to criticism/ridicule** narazić kogoś na krytykę/kpiny; ~ **sb to rest** *euf.* składać kogoś na wieczny spoczynek; ~ **sth to rest** odłożyć coś, zostawić coś w spokoju (*zwł. jakąś kwestię*); ~ **rubber** *US mot. pot.* ruszać z piskiem opon; ~ **siege to** osaczać, oblegać (*t. przen.* = *nachodzić*); ~ **sb to sleep** układać kogoś do snu; ~ **sth to sleep** *przen.* odkładać coś na półkę (*np. pomysł*); ~ **a snare/trap** zastawiać pułapkę; ~ **the table** nakrywać do stołu; ~ **a table for six (people)** nakryć stół na sześć osób; ~ **sb under an obligation to do sth** zobowiązywać kogoś do czegoś; ~ **under water** zalać, zatopić; ~ **waste** zniszczyć, spustoszyć, zniweczyć; **not ~ a finger on sb** *zob.* **finger** *n.*; **the scene of the tale is laid in...** akcja opowiadania rozgrywa się w... 9. ~ **about** *przest.* walić na lewo i prawo; ~ **aside** odkładać (na bok), rezerwować sobie (*pieniądze, czas*) (*for sth* na coś); zarzucać, porzucać (*plan*); ~ **away** *t. handl.* odkładać (na potem), rezerwować sobie (*artykuł* *w sklepie*); ~ **back** *pot.* wyluzować się, odprężyć się; ~ **by** odkładać (*pieniądze*); *zw. pass.* ~ **down** składać (*broń, urząd*); magazynować, składować (*wino*); ustanawiać, wytyczać (*zasady, reguły*); zapoczątkowywać (*np. tradycję*); ~ **down one's life (for sb/sth)** *form.* oddać życie (za kogoś/coś); ~ **down the law** *zob.* **law; it is laid down that...** jest (wyraźnie) powiedziane, że...; ~ **for sb** zaczaić się na kogoś; ~ **in** odkładać, gromadzić (*zapasy*); robić zapasy (*czegoś*); ~ **into sb** napaść *l.* najechać na kogoś (*t. słownie*); ~ **off** zwalniać (z pracy) (*zwł. tymczasowo*); przesuwać na urlop tymczasowy *l.* bezpłatny; *pot.* przestać, dać sobie spokój; *pot.* zostawić w spokoju; zaprzestać (*czegoś*); odstawić (*alkohol, picie*); *pot.* skończyć robotę (= *wyjść z pracy*); *sport* wyłożyć (*piłkę*); ~ **off doing sth** *pot.* przestać coś robić; ~ **on** dostarczać (*czegoś*); zapewnić, zadbać *l.* zatroszczyć się o (*wyżywienie, transport*); nakładać (*farbę, podatek, grzywnę, obowiązek*); doprowadzać (*wodę, prąd*); ~ **sth on sb** obarczać kogoś czymś; ~ **it on (a bit) thick** (*także* ~ **it on (with a trowel)**) *pot.* przesadzać (z pochwałami); koloryzować; ~ **out** rozkładać (*mapę na stole, kwiaty w koszu*); wykładać, wystawiać (*na widok*); rozplanować (*ogród, dom*); przygotowywać (do pogrzebu) (*zwłoki*); ~ **out $500 on sth** *pot.* wyłożyć 500 dolarów na coś; ~ **sb out** *pot.* położyć *l.* rozłożyć kogoś (*ciosem*); ~ **o.s. out to do sth** *pot.* wychodzić ze skóry, żeby coś zrobić; ~ **over** *US i Can.* zatrzymywać się na postój (*o podróżnych, samolocie*); ~ **to** *żegl.* stanąć w dryfie (*o statku*); postawić w dryfie (*statek*); wprowadzić statek do portu; ~ **up** *żegl.* wycofać z eksploatacji (*statek*); *przest.* składać, odkładać (*pieniądze*); **laid up** unieruchomiony, złożony (*with sth* czymś) (*zwł. chorobą*); *żegl.* uwiązany, na uwięzi (*o statku*); **I'm laid up** *pot.* rozłożyło mnie; ~ **up problems/difficulties (for o.s.)** *pot.* stwarzać (sobie) problemy/trudności. – *n.* **1. be a good/great** ~ *sl.* być dobrym/rewelacyjnym w łóżku. **2.** położenie, układ (*zwł. terenu*); **the** ~ **of the land** (*także Br.* **the lie of the land**) *geogr.* rzeźba terenu; *przen.* stan spraw, sytuacja; **get the** ~ **of the land** sprawdzić, jak się sprawy mają, wybadać sytuację. **3.** *żegl.* skręt (*liny*).

lay[3] *a. attr.* **1.** laicki; niefachowy, popularny; ~ **opinion** powszechna opinia. **2.** *kośc.* świecki.

lay[4] *n. lit.* ballada; pieśń.

layabout [ˈleɪəˌbaʊt] *n. gł. Br. pot.* leser/ka, obibok.

layaway [ˈleɪəˌweɪ] *n. gł. US handl.* **1.** *U* odłożenie *l.* rezerwacja (towaru); **put sth on** ~ (kazać sobie) odłożyć *l.* zarezerwować coś; ~ **plan** usługa rezerwacji *l.* odkładania towaru. **2.** okienko *l.* dział rezerwacji towarów (*w sklepie*).

lay brother *n. kośc.* zwykły *l.* pracujący braciszek (*zakonny*).

lay-by [ˈleɪˌbaɪ] *n.* **1.** *Br. mot.* zatoka, zatoczka. **2.** *żegl.* mijanka. **3.** *kol.* bocznica. **4.** *Austr.* = **layaway**.

lay days *n. pl. żegl. handl.* czas postoju.

layer [ˈleɪər] *n.* **1.** *t. przen.* warstwa (*of sth* czegoś). **2.** *w złoż.* **brick~** murarz; **tile** ~ kafelkarz, płytkarz. **3.** *hodowla* nioska; **good/bad** ~ kura dobrze/źle niosąca. **4.** *ogr.* odkład. **5.** *geogr., bot.* piętro (roślinności). – *v.* **1.** uwarstwiać (się). **2.** rozwarstwiać (się). **3.** *kulin.* układać warstwami (*np. mięso i warzywa w zapiekance*). **4.** *fryzjerstwo* obcinać w schodki (*włosy*). **5.** *ogr.* odkładać (*pędy*); rozmnażać przez odkładanie (*roślinę*).

layer cake *n. kulin.* tort.

layered [ˈleɪərd] *n. zw. w złoż.* warstwowy, złożony z kilku warstw; **many-/multi-~** *t. przen.* wielowarstwowy.

layering [ˈleɪərɪŋ] *n. U* **1.** *ogr.* odkładanie (*pędów*). **2.** *geol.* warstwowanie.

layette [leɪˈet] *n.* wyprawka (niemowlęca).

lay figure *n.* **1.** *mal.* manekin, model. **2.** *przen.* figurant/ka.

layman [ˈleɪmən] *n. pl.* **-men** **1.** laik. **2.** *kośc.* osoba świecka.

layoff [ˈleɪˌɔːf] *n.* zwolnienie (z pracy) (*zwł. okresowe l. przy redukcji zatrudnienia*); urlop bezpłatny *l.* tymczasowy.

layout [ˈleɪˌaʊt] *n.* **1.** rozkład, układ, rozplanowanie (*domu, ogrodu, dzielnicy*). **2.** *druk., komp.* układ (graficzny) (*strony internetowej, okładki*). **3.** zarys, szkic. **4.** *US i Can. pot.* rezydencja. **5.** *karty* układ, rozdanie.

layover [ˈleɪˌoʊvər] *n. US i Can. zwł. lotn.* postój, przerwa (w podróży).

layperson [ˈleɪˌpɜːsən] *n. pl.* **-s** *l.* **laypeople** **1.** laik. **2.** *kośc.* osoba świecka.

lay reader *n. kośc.* osoba świecka mogąca odprawiać nabożeństwa (*zwł. w kościele anglikańskim*).

lay shaft *n. mech.* wał *l.* wałek pośredni (*przekładni zębatej*).

lay-up [ˈleɪˌʌp] *n. koszykówka* dwutakt, rzut z dwutaktu.

laywoman [ˈleɪˌwʊmən] *n. pl.* **-women** **1.** laik. **2.** *kośc.* osoba świecka.

lazar [ˈlæzər] *n. arch.* trędowat-y/a.

lazaret [ˌlæzəˈret], **lazaretto** [ˌlæzəˈretoʊ] *n.* **1.** (*także* ~ **house**) *arch.* lazaret (= *szpital dla trędowatych*). **2.** *żegl.* magazynek.

Lazarus [ˈlæzərəs] *n. Bibl.* Łazarz.

laze [leɪz] *v.* **1.** ~ **(about/around)** leniuchować (*w przyjemny sposób*); *pot.* lenić się, obijać się, próżnować. **2.** ~ **away** spędzać leniwie (*dzień, popołudnie*). – *n. sing.* leniuchowanie.

lazily [ˈleɪzɪlɪ] *adv.* leniwie.

laziness [ˈleɪzɪnəs] *n. U* lenistwo.

lazuli [ˈlæzjʊlɪ] *n.* = **lapis lazuli**.

lazulite [ˈlæʒəˌlaɪt] *n. U min.* lazulit.

lazurite [ˈlæʒəˌraɪt] *n. U min.* lazuryt.

lazy [ˈleɪzɪ] *a.* **-ier, -iest** leniwy (*o osobie, dniu, rzece*); rozleniwiający (*o pogodzie*).

lazybones [ˈleɪzɪˌboʊnz] *n. pl.* **lazybones** *pot.* leniuch.

lazy eye *n. U pat. pot.* niedowidzenie.

lazy Susan *n. kulin.* taca obrotowa (*stawiana na stole, do podawania serów, sosów itp.*).

lazy tongs *n. pl.* szczypce z wysięgnikiem.

lb. *abbr.* funt (*jednostka wagi*).

lbw [ˌelˌbiː ˈdʌbljuː] *abbr. krykiet* = **leg before wicket**; *zob.* **leg** *n.*

LC [ˌelˈsiː] *abbr.* **Library of Congress** *US* Biblioteka Kongresu.

l.c. *abbr. druk.* = **lower case**.

LCD [ˌelˌsiːˈdiː] *abbr.* = **liquid crystal display**.

l.c.d. [ˌelˌsiːˈdiː] *abbr.* **least/lowest common denominator** *mat.* NWM (= *najmniejszy wspólny mianownik*).

l'chaim [ləˈhaɪɪm] *int. i n.* = **lechaim**.

l.c.m. [ˌelˌsiːˈem] *abbr.* **least/lowest common multiplier** *mat.* NWW (= *najmniejsza wspólna wielokrotność*).

LD [ˌelˈdiː] *abbr.* **1.** *psych., szkoln.* = **learning disability**; = **learning-disabled**. **2.** *med.* = **lethal dose**.

Ld *abbr. Br.* (*w tytułach*) = **Lord**.

Ld. [ˌelˈdiː] *abbr.* **limited** *ekon.* z o.o. (= *z ograniczoną odpowiedzialnością*).

LDL [ˌelˌdiːˈel] *abbr.* **low-density lipoproteins** *biol., med.* lipoproteiny dużej gęstości, cholesterol LDL.

L-dopa [ˌelˈdoupə] *n. U* (*także* **levodopa**) *med.* lewodopa.

L-driver [ˈelˌdraɪvər] *n.* nauka jazdy (= *uczący się kierowca*).

LDS [ˌelˌdiːˈes] *abbr. rel.* = **Latter-Day Saints**.

LEA [ˌelˌiːˈeɪ] *abbr.* **Local Education Authority** *Br. admin. szkoln.* Kuratorium Oświaty i Wychowania.

lea1 [liː] *n. poet.* łąka; polana.

lea2 *n. tk.* pasemko (*miara przędzy: 80, 120, 200 l. 300 jardów*).

leach [liːtʃ] *v.* **1.** *techn., chem.* ługować (*korę, rudę*); ~ **away** wyługować (*frakcje rozpuszczalne*). **2.** *fiz.* przesączać (*ciecz*). **3.** ~ **(out)** *ekol.* odciekać (*do gruntu, rzeki*); ulegać wypłukaniu; wymywać, wypłukiwać (*zanieczyszczenia*). **4.** ~ **sb/sth of sth** *lit.* pozbawiać kogoś/coś czegoś. – *n.* **1.** *techn.* kadź do ługowania. **2.** *U* ług (macierzysty).

leachate [ˈliːtʃeɪt] *n. U ekol.* odciek, odpływ (*zanieczyszczeń z wysypiska*).

leachy [ˈliːtʃɪ] *a.* **-ier, -iest** porowaty (*o skale, substancji*).

lead1 [liːd] *v.* **led, led** **1.** *t. przen.* prowadzić (*along / through / to* wzdłuż/przez/do) (*o osobie, drodze, korytarzu, drzwiach, rozmowie, tancerzu*); ~ **a (normal/dull) life** prowadzić *l.* wieść (zwyczajne/nudne) życie. **2.** przewodzić (*np. partii*); kierować (*zespołem, komisją, orkiestrą*). **3.** *sport* prowadzić; ~ **by two points/goals** *sport* prowadzić dwoma punktami/dwiema bramkami; **England led Germany 1 - 0** Anglia prowadziła z Niemcami 1:0. **4.** ~ **sb to do sth** skłonić kogoś do zrobienia czegoś (*o okolicznościach, sytuacji*). **5.** *często pass. form.* ~ **sb (on)** wpływać na kogoś, manipulować kimś; ~ **sb (on) to believe/expect/understand/suppose that...** wywoływać w kimś przeświadczenie, że..., dawać komuś powody sądzić, że... (*zwł. niezgodnie z prawdą*); **be easily led (on)** łatwo ulegać (złym) wpływom, dawać sobą manipulować; **it's much worse than we had been led to believe** jest o wiele gorzej, niż nam wmawiano. **6.** *prawn.* sugerować *l.* podsuwać odpowiedzi (*świadkowi*). **7.** *karty* wychodzić (*z karty, kolorem*); ~ **an ace** wychodzić z asa. **8.** *boks* wychodzić; ~ **with one's left/right** wychodzić z lewej/prawej; ~ **with one's chin** wystawiać się na ciosy; *przen.* narażać się na nieprzyjemności. **9.** *myśl.* strzelać z wyprzedzeniem do (*ruchomego celu*). **10.** *przen.* ~ **sb astray** *zob.* **astray** *adv.*; ~ **sb by the nose** *pot.* wodzić kogoś za nos; ~ **sb a (merry) dance** *Br. pot.* dać komuś popalić; ~ **sb to the altar** poprowadzić kogoś do ołtarza; ~ **sb down/***Br.* **up the garden path** *zob.* **garden** *n.*; ~ **the field** *zob.* **field** *n.*; ~ **the way** prowadzić, wskazywać drogę; ~ **the way in auto sales** wieść prym *l.* być liderem w sprzedaży samochodów (*o kraju, firmie*); **all roads ~ to Rome** wszystkie drogi prowadzą do Rzymu. **11.** ~ **back (to sth)** prowadzić z powrotem (do czegoś); ~ **off** zaczynać, rozpoczynać (*with sth* od czegoś) (*w grze, rozmowie*); prowadzić (*(from) sth* od czegoś) (*o pokoju, korytarzu*); odchodzić (w bok) (*(from) sth* od czegoś) (*np. o ścieżce*); **this room ~s off the corridor** ten pokój łączy się (bezpośrednio) z korytarzem; ~ **sb on** zwodzić kogoś; podpuszczać kogoś (= *namawiać do złego*); zadawać komuś podchwytliwe pytania; ~ **the conversation round to sth** skierować rozmowę na coś; ~ **to sth** prowadzić do czegoś (*np. do aresztowania, poprawy sytuacji*); **information ~ing to the arrest of X** informacje mogące prowadzić do ujęcia X (*w listach gończych*); ~ **up to sth** poprzedzać coś (*o wydarzeniach*); prowadzić do czegoś (*o wydarzeniach, okolicznościach*); kierować rozmowę na coś (*w sposób zawoalowany*); *karty* zagrywać pod coś. – *n.* **1.** *t. polit.* przywództwo, przewodnictwo, kierownictwo; (dobry) przykład; **follow sb's ~** podążać *l.* iść w ślad za kimś *l.* czyimś śladem, iść za czyimś przykładem; **give (sb) a ~** służyć (komuś) przykładem. **2.** *t. sport, polit. l. przen.* prowadzenie; przewaga; **a ~ of 17 points** *sport* przewaga 17 punktów (*over sb* nad kimś); **a ~ of 10 percent** *polit.* dziesięcioprocentowa przewaga; **be in the ~** być na prowadzeniu, prowadzić; **hold a safe ~** prowadzić pewnie *l.* z dużą przewagą; **take the ~** objąć prowadzenie, wysunąć się na prowadzenie; *przen.* przejąć inicjatywę. **3.** trop; wskazówka (*zwł. w śledztwie*). **4.** *film, teatr* **the ~** odtwór-ca/czyni głównej roli; (*także* **~ing role**) główna rola; **play the (male) ~ in sth** grać główną rolę (męską) w czymś. **5.** *muz.* partia wiodąca (*np. skrzypiec*); ~ **singer/guitarist** lider (*np. zespołu rockowego*). **6.** *karty* wyjście; **it's my ~** ja wychodzę; **return one's partner's ~** odgrywać kolor partnera. **7.** *gł. Br. el.* przewód, kabel. **8.** *med.* odprowadzenie (*EKG*). **9.** *Br.* smycz. **10.** *US dzienn.* streszczenie (*wiadomości*). **11.** *boks* wypad. **12.** *mech.* prowadnica. **13.** *geol.* kanał, kanalik (*na polu lodowym*). **14.** *górn.* żyła. **15.** *myśl.* wyprzedzenie (*przy strzelaniu do ruchomego celu*); strzał z wyprzedzeniem. – *a. attr.* prowadzący, pierwszy.

lead2 [led] *n.* **1.** *U t. chem.* ołów (*t.* = *amunicja*). **2.** *C / U* grafit (*w ołówku*); wkład (*do ołówka automatycznego*). **3.** *ryb.* ciężarek, obciążnik. **4.** *żegl.* sonda. **5.** *druk.* interlinia. **6.** *pl. bud.* blacha ołowiana (*do pokryć dachowych*); dach z blachy ołowianej. **7.** *pl.* ramki ołowiane (*w witrażach, oknach, drzwiach*). **8.** *przen.* **get the ~ out** *US sl.* ruszyć tyłek *l.* tyłkiem (= *pospieszyć się*); **swing the ~** *Br. przest. pot.* dekować się (= *wymigiwać się od pracy, zwł. symulując chorobę*). – *a. attr.* **1.** ołowiany, z ołowiu; ołowiowy. **2. go down like a ~ balloon** *zob.* **balloon** *n.* – *v.* wypełniać *l.* obciążać ołowiem.

lead dioxide *n. U chem.* dwutlenek ołowiu, tlenek ołowiowy.

leaded fuel [ˌledɪd ˈfju:əl] *n. U mot.* paliwo ołowiowe.

leaded gas, leaded gasoline *n. U* (*także Br.* **leaded petrol**) *mot.* benzyna ołowiowa.

leaded lights *n. pl. Br.* = **leaded windows**.

leaded petrol *n. Br. mot.* = **leaded gas**.

leaded windows *n. pl. bud.* okno *l.* okna witrażowe.

leaden [ˈledən] *a.* **1.** *t. przen.* ołowiany (*o posążku, chmurach, kolorze*). **2.** ciężki jak ołów; jak z ołowiu (*o nogach*). **3.** przyciężki; bezbarwny (*o rozmowie*). **4.** przygnębiający. **5. God comes with ~ feet, but strikes with iron hands** *przest.* Pan Bóg nierychliwy, ale sprawiedliwy.

leader [ˈli:dər] *n.* **1.** *t. sport, polit.* lider (*partii, ligi*). **2.** *polit.* przywód-ca/czyni. **3.** *admin.* kierowni-k/czka, kierując-y/a; **project ~** kierownik zespołu *l.* tematu. **4.** *muz.* lider/ka (*zespołu*); *US* dyrygent (*orkiestry l. chóru*); *Br.* koncertmistrz, pierwszy skrzypek. **5.** *gł. US i Can. handl.* artykuł po cenie promocyjnej. **6.** *Br. dzienn.* = **leadering article**. **7.** *t. pl. druk.* linia punktowana *l.* kreskowana (*w spisie treści*). **8.** rozbiegówka (= *początkowy odcinek taśmy magnetycznej*). **9.** *bud.* rura spustowa. **10.** *ekon.* wskaźnik. **11.** *ryb.* przypon. **12.** *bot., ogr.* pęd główny. **13.** *mech.* prowadnica. **14.** koń *l.* pies prowadzący w zaprzęgu. **15.** *Br. parl.* lider (*Izby Gmin l. Lordów*).

leadership [ˈli:dərˌʃɪp] *n. U* **1.** przywództwo, przewodnictwo; **under sb's ~** pod czyimś przywództwem. **2.** cechy przywódcze; umiejętność kierowania. **3.** *Br. t. z czasownikiem w l. mn. polit.* kierownictwo, władze (*partii*).

lead-free [ˌledˈfri:] *a. techn., chem.* bezołowiowy, nie zawierający ołowiu.

lead glass *n. U techn.* szkło ołowiowe.

lead-in [ˈli:dˌɪn] *n. telew., radio* **1.** słowo wiążące; wprowadzenie. **2.** przewód antenowy; *el.* przewód wejściowy.

leading[1] [ˈli:dɪŋ] *a. attr.* **1.** czołowy (*np. o pozycji*); prowadzący; przodujący (*o firmie, specjaliście*). **2.** główny. – *n. U* **1.** *sport* prowadzenie (*w lidze*). **2.** kierownictwo.

leading[2] [ˈledɪŋ] *n. U* **1.** *druk.* interlinia. **2.** ramki ołowiane (*w witrażach, oknach, drzwiach*).

leading article *n. Br. dzienn.* artykuł wstępny.

leading current *n. el.* prąd wyprzedzający (*napięcie w fazie*).

leading edge *n.* **1.** *U* awangarda; (ścisła) czołówka; najnowsze osiągnięcie (*techniki*). **2.** *lotn.* krawędź natarcia. **3.** *el., fiz.* zbocze narastające (*przebiegu*).

leading-edge [ˌli:dɪŋ ˈedʒ] *a. attr.* najnowszy, najnowocześniejszy; czołowy.

leading lady *n. pl.* **-ies** *film, teatr* odtwórczyni głównej roli.

leading light *n.* **1.** światło przewodnie. **2.** *przen.* przywódca (duchowy).

leading load *n. el.* obciążenie pojemnościowe.

leading man *n. pl.* **leading men** *film, teatr* odtwórca głównej roli.

leading question *n. t. prawn.* pytanie sugerujące odpowiedź; pytanie naprowadzające.

leading reins, *US i Can. t.* **leading strings** *n. pl.* **1.** szelki, lejce (*dla dzieci do nauki chodzenia*). **2.** *przen.* gorset (= *ograniczenie swobody*).

leading tone *n. muz.* ton przechodzący; subtonika.

leading wheel *n. mot.* koło przednie.

lead line [ˈled ˌlaɪn] *n. żegl.* linka sondy.

lead-off [ˈli:dˌɔ:f] *n.* **1.** *U* początek, zapoczątkowanie; otwarcie. **2.** inicjator/ka. – *a. attr. gł. US* początkowy, otwierający.

lead-out [ˈli:dˌaʊt] *n. telew., radio* uzupełnienie (*głównego programu*); program następny.

lead pencil [ˌled ˈpensl] *n. C/U* ołówek.

lead-pipe cinch [ˈledˌpaɪpˌsɪntʃ] *n. US sl.* pewniak; łatwizna.

lead poisoning [ˌled ˈpɔɪzənɪŋ] *n. U* **1.** *pat.* ołowica, zatrucie ołowiem. **2.** *US sl.* kulka (= *śmiertelny postrzał*).

lead shot [ˈled ˌʃɑ:t] *n. U myśl.* śrut ołowiany.

lead singer [li:d ˈsɪŋər] *n. muz.* główn-y/a wokalist-a/ka.

leadsman [ˈledzmən] *n. pl.* **-men** *żegl.* marynarz sondujący.

lead time *n. C/U* czas realizacji (*przedsięwzięcia*); wyprzedzenie (*przy planowaniu*).

leadwort [ˈledwɜ:t] *n. bot.* ołowica (*Plumbago*).

leaf [li:f] *n. pl.* **leaves** [li:vz] **1.** *bot.* liść; listek; *U* listowie, liście; **in ~** pokryty liśćmi *l.* listowiem; **come into ~** pokryć się liśćmi *l.* listowiem, zazielenić się; **fall of the ~** *lit.* jesień. **2.** arkusz (*papieru*); kartka. **3.** *U metal.* folia. **4.** *meble* (rozkładany) blat (*stołu*); skrzydło (*drzwi, okna*). **5.** *mech., mot.* pióro (*resora*); resor (piórowy). **6.** *U sl.* marycha, trawka (= *marihuana*). **7.** *U* = **leaf fat**. **8.** *przen.* **take a ~ from/out of sb's book** brać z kogoś przykład, wzorować się na kimś; **turn over a new ~** zacząć (wszystko) od nowa, rozpocząć nowe życie. – *v.* **1. ~ (through)** wertować, przerzucać, kartkować (*książkę, czasopismo*). **2.** pokrywać się liśćmi *l.* listowiem, zielenić się (*o drzewie, krzewie*).

leafage [ˈli:fɪdʒ] *n. U form.* listowie, liście.

leafbud [ˈli:fˌbʌd] *n. bot.* pączek liścia *l.* liściowy.

leaf-eating [ˌli:fˈi:tɪŋ] *a. zool.* liściożerny.

leaf fat *n. U hodowla* sadło (*u świni*).

leaf insect *n. ent.* liściec (*rodzina Phyllidae*).

leaf lard *n. U kulin.* sadło.

leafless [ˈli:fləs] *a.* bezlistny.

leaflet [ˈli:flət] *n.* **1.** ulotka. **2.** listek. – *v.* rozdawać *l.* roznosić ulotki (w) (*jakimś miejscu*).

leaf mold, *Br.* **leaf mould** *n. U ogr.* kompost, humus (*z liści*).

leaf roller *n. ent.* zwójka (liściowa) (*Tortrix*).

leaf spring *n. mech., mot.* resor piórowy.

leafstalk [ˈli:fˌstɔ:k] *n. bot.* szypułka.

leafy [ˈli:fɪ] *a.* **-ier, -iest 1.** liściasty, silnie ulistniony, gęsty (*o drzewie, krzewie*). **2.** zielony, zadrzewiony (*o dzielnicy, okolicy*).

league[1] [li:g] *n.* **1.** *sport* liga; **baseball/basketball ~** liga baseballu/koszykówki. **2.** *polit.* liga, związek; **L~ of Nations** *hist.* Liga Narodów. **3.** *zw. sing. przen.* klasa; **be (way) out of sb's ~** być (zupełnie) nie dla kogoś (*np. z powodu wysokiej ceny, stopnia trudności*); **that's a (whole) different ~** to (zupełnie) inna klasa; **they were in a ~ of their own** byli klasą (sami) dla siebie. **4. be in ~ with sb** *przen.* być *l.* działać w zmowie z kimś. – *v. form.* organizować (się), jednoczyć siły (*zwł. do walki z czymś l. o coś*).

league[2] *n. przest.* mila (*nieangielska, = ok. 5 km*); **seven-~ boots** buty siedmiomilowe (*w bajce*).

leaguer[1] [ˈli:gər] *n. gł. US i Can.* członek ligi, ligowiec.

leaguer[2] *arch. n.* **1.** *U* oblężenie. **2.** obóz oblężniczy. – *v.* oblegać.

league table *n. Br.* **1.** *sport* tabela ligowa. **2.** zestawienie (porównawcze).

leak [li:k] *n.* **1.** *t. przen.* przeciek (*t. informacji*); wyciek; nieszczelność; **gas/water ~** wyciek gazu/wody, nieszczelność w instalacji gazowej/wodnej; **spring a ~** zacząć przeciekać. **2.** otwór, dziura. **3.** *el.* upływ (*prądu*). **4. take a ~** *wulg. sl.* odlać się. – *v.* **1.** cieknąć (*o naczyniu, płynie*); przeciekać (*o naczyniu, dachu, instalacji*); ulatniać się, uchodzić (*o gazie*); **~ like a sieve** *emf.* być dziurawym jak sito (= *mocno przeciekać*); **the pipe is ~ing water** z rury cieknie woda. **2. ~ (out)** przeciekać, wychodzić na jaw (*t. o tajemnicach*); wyjawić, ujawnić (*tajemnice, zwł. mediom*); wyciekać. **3.** przepuszczać (*ciecz*). **4.** przemakać (*np. o butach*). **5.** *sl.* lać (= *sikać*).

leakage [ˈli:kɪdʒ] *n. C/U* **1.** *t. przen.* przeciek (*t. informacji*); wyciekanie, wyciek; ulatnianie się (*gazu*). **2.** *fiz.* ucieczka (*neutronów*). **3.** *el.* upływ (*prądu*); **~ current** *el.* prąd upływowy.

leakance [ˈli:kəns] *n. U el.* upływność.

leaky [ˈli:kɪ] *a.* **-ier, -iest 1.** cieknący (*o naczyniu, kranie*); przeciekający; nieszczelny (*o instalacji, dachu*); dziurawy. **2.** *przen. pot.* niedyskretny.

leal [li:l] *a. arch. l. Scot. lit.* lojalny, wierny.

lean[1] [li:n] *a.* **1.** *t. przen.* szczupły (*o osobie, budżecie*); chudy (*o mięsie, roku*); **~ years** chude lata. **2.** *techn., metal., chem.* ubogi (= *zawierający mało substancji czynnej: o glebie, farbie, rudzie, cemencie*); **~ mixture** *mot.* uboga mieszanka (*paliwa z powietrzem*). **3.** *ekon.* efektywny, oszczędny (*o gospodarowaniu, przedsiębiorstwie*). – *n. U kulin.* chude mięso.

lean[2] *v. Br. pret. i pp. t.* **leant 1.** pochylać (się), przechylać (się), nachylać (się); być pochylonym *l.* przechylonym *l.* nachylonym (*back/forward* do tyłu/przodu, *over sb/sth* nad kimś/czymś, *towards sb/sth* ku komuś/czemuś *l.* w kierunku kogoś/czegoś). **2.** opierać (się) (*against/on/upon sth* o coś *l.* na czymś). **3.** skłaniać się, przychylać się (*to/towards sth* do czegoś). **4. ~ on sb** polegać na kimś; wspierać się na kimś; *pot.* naciskać na kogoś (= *wywierać presję*); **~ out** wychylać się; **~ over** przechylać się; **~ over backwards to do sth** *przen.* stawać na głowie, żeby coś zrobić. – *n.* przechył; pochylenie, przechylenie, nachylenie.

lean-burn [ˌli:nˈbɜ:n] *a. attr. mot., ekol.* na ubogą mieszankę (*o silniku, samochodzie*).

leaning [ˈli:nɪŋ] *n.* skłonność, tendencja; przychylność; **~ towards the left/right** *polit.* tendencja lewicowa/prawicowa, nachylenie *l.* sympatie lewicowe/prawicowe.

leaning tower *n.* **the L~ T~ of Piza** krzywa wieża w Pizie.

leanness [ˈli:nnəs] *n. U* szczupłość; chudość.

leant [lent] *v. gł. Br. zob.* **lean.**

lean-to [ˈli:nˌtu:] *n. pl.* **-s** *bud.* przybudówka; szopa; *US i Can.* szałas. – *a. attr. bud.* jednospadzisty, jednospadkowy; spadzisty, skośny, pochyły (*o dachu*).

leap [li:p] *v. Br. pret. i pp. t.* **leapt 1.** przeskakiwać (*across/over sth* przez coś) (*np. przez strumień, rów, płot*); **~ sth** *lit.* przeskoczyć (przez) coś. **2.** *t. przen.* skakać, podskakiwać; **his heart ~ed (with joy)** *lit.* serce mu skoczyło (z radości). **3.** *handl.* skoczyć, podskoczyć (*o cenie*). **4. look before you ~** (nie rób) nic pochopnie. **5. ~ at the chance/opportunity/offer** *przen.* skwapliwie skorzystać z okazji/propozycji; **~ (out) at sb** *przen.* rzucać się komuś w oczy; **~ forward** rzucić się *l.* skoczyć (do przodu); **~ into sth** wskakiwać do czegoś; **~ out of sth** wyskakiwać z czegoś; **~ to one's feet** zerwać się *l.* skoczyć na równe nogi; **~ to sb's defence** *przen.* pospieszyć komuś z pomocą; **~ to a conclusion** wyciągnąć pochopny wniosek; **~ up** podskoczyć (w górę); zerwać się. – *n.* **1.** skok (*t. przen. = gwałtowny wzrost*); sus; przeskok; **~ in gas prices** skok cen benzyny. **2.** *przen.* **a ~ in the dark** krok *l.* skok w nieznane; zgadywanie w ciemno; **a ~ of (the) imagination** spory wysiłek wyobraźni; **a ~ of faith** akt wiary (= *przyjęcie na wiarę, np. twierdzenia, założenia*); **by/in ~s and bounds** *zob.* **bound**[2] *n.*

leap day *n. rachuba czasu* dodatkowy dzień (= *29 lutego w roku przestępnym*).

leaper [ˈli:pər] *n.* skoczek.

leapfrog [ˈli:pˌfrɑ:g] *n. U* skakanie przez plecy drugiej osoby (*zabawa dziecięca*). – *v.* **1.** skakać (*over sb/sth* przez kogoś/coś). **2.** *przen.* przeskoczyć, pominąć (*jakieś stadium*); wysunąć się do przodu, skoczyć (*na jakąś pozycję*).

leapt [lept] *v. gł. Br. zob.* **leap.**

leap year *n. rachuba czasu* rok przestępny.

learn [lɜ:n] *v. Br. pret. i pp. t.* **learnt 1.** uczyć się (*from sb/sth* od kogoś/czegoś); **~ from one's mistakes** uczyć się na (własnych) błędach; **~ how to do sth** nauczyć się coś robić; **~ one's lesson** *zob.* **lesson** *n.* 2; **~ sth the hard way** nauczyć się czegoś na własnych błędach; być mądrym po szkodzie; ~ **the ropes** poznawać arkana (*jakiegoś fachu*); ~ **to live with sth** nauczyć się z czymś żyć; **you/we live and** ~ człowiek uczy się przez (całe) życie. **2.** *czas. form.* dowiadywać się (*of/about sth* o czymś, *that* że); **where did she ~ (of) this?** skąd *l.* gdzie się o tym dowiedziała?. **3.** *dial. l. żart.* uczyć.

learned *a.* **1.** [lɜ:nd] *t. psych.* wyuczony (*o zachowaniu*). **2.** [ˈlɜ:nɪd] *form.* uczony; naukowy; ~ **journal/society** czasopismo/towarzystwo naukowe; ~ **profession** wolny zawód; **my ~ colleague** *gł. Br.* mój uczony kolega (*zwrot grzecznościowy w sądzie*).

learnedly [ˈlɜ:nɪdlɪ] *adv. form.* uczenie.

learner [ˈlɜ:nər] *n.* **1.** ucząc-y/a się, ucze-ń/nnica; ~**s of English** osoby uczące się języka angielskiego; **slow** ~ *t. euf.* słab-y/a ucze-ń/nnica; **be a slow** ~ *t. euf.* słabo *l.* wolno się uczyć. **2.** (*także* ~ **driver**) *Br. mot.* nauka jazdy (= *uczący się kierowca*); zdając-y/a na prawo jazdy.

learning [ˈlɜ:nɪŋ] *n. U* **1.** wiedza. **2.** *t. psych.* uczenie się; nauczanie.

learning disability *n. U psych., szkoln.* upośledzenie *l.* zaburzenie zdolności uczenia się; trudności w nauce.

learning-disabled [ˌlɜ:nɪŋ dɪsˈeɪbld] *a. psych., szkoln.* cierpiący na upośledzenie zdolności uczenia się; mający trudności w nauce (*o uczniu*).

learnt [lɜ:nt] *v. gł. Br. zob.* **learn**.

leary [ˈli:rɪ] *a.* = **leery**.

lease [li:s] *n. C/U prawn.* **1.** wynajem, najem; dzierżawa; **on/under** ~ będący przedmiotem najmu *l.* wynajmu *l.* dzierżawy; wynajęty; wydzierżawiony (*to sb* komuś); **put out to** ~ odnajmować; oddawać w dzierżawę; **take out a ~ on sth** wynająć *l.* wydzierżawić coś (*np. mieszkanie, działkę*). **2.** umowa najmu *l.* wynajmu *l.* dzierżawy; **renew/sign a** ~ przedłużyć/podpisać umowę najmu; **terms of** ~ warunki umowy (najmu *l.* wynajmu *l.* dzierżawy). **3.** okres najmu *l.* wynajmu *l.* dzierżawy. **4.** *t. przen.* **a new ~ on/***Br.* **of life** (zupełnie) nowe życie (*po chorobie, kłopotach*); (zupełnie) nowy wygląd; **give sth a new ~ on life** przedłużyć życie czegoś (*np. mebla l. dywanu, odnawiając, czyszcząc, malując go itp.*). – *v. prawn.* **1.** ~ **(out)** najmować, wynajmować; odnajmować; dzierżawić. **2.** ~ **back** *prawn.* odsprzedać z (jednoczesną) dzierżawą, dzierżawić od nabywcy.

leaseback [ˈli:sˌbæk] *n. C/U prawn.* odsprzedaż z (jednoczesną) dzierżawą, dzierżawa od nabywcy.

leasehold [ˈli:sˌhoʊld] *prawn. n. C/U* dzierżawa; najem; majątek dzierżawiony *l.* wynajęty; **on** ~ na zasadach dzierżawy *l.* najmu. – *a. attr.* dzierżawiony; wynajęty. – *adv.* na zasadach dzierżawy *l.* najmu.

leaseholder [ˈli:sˌhoʊldər] *n. prawn.* dzierżawca; najemca.

leash [li:ʃ] *n.* **1.** *C/U gł. US* smycz; **on a** ~ na smyczy. **2.** *myśl.* sfora z trzech psów; trójka (*lisów, zajęcy, sokołów*). **3.** *przen.* **have sb on a** ~ *żart.* owinąć sobie kogoś wokół palca; **hold/keep sb/sth in** ~ trzymać kogoś/coś w ryzach; **strain at the** ~ rwać się, niecierpliwić się. – *v. US* **1.** brać na smycz; trzymać na smyczy (*psa*). **2.** *przen.* wziąć w ryzy; trzymać w ryzach (*osobę, podwładnych, instytucję*).

leash law *n. US* obowiązek prowadzenia psów na smyczy.

leasing [ˈli:zɪŋ] *n. U prawn., ekon.* leasing.

least [li:st] *a., adv. i pron. sup. od* **little 1. the** ~ najmniej; najmniejszy; **he turned up when we ~ expected it** pojawił się, kiedy najmniej się tego spodziewaliśmy; **I like the green one ~ (of all)** najmniej mi się podoba ten zielony; **the ~ expensive/difficult** najtańszy/najłatwiejszy; **that's the ~ of my worries** to najmniejsze z moich zmartwień; **which one costs (the) ~?** który najmniej kosztuje?; **it is/was the ~ I can/could do** chociaż *l.* przynajmniej tyle mogę/mogłem zrobić; **the ~ he could do was apologize** mógł przynajmniej *l.* chociaż przeprosić; **to say the** ~ delikatnie mówiąc. **2. at** ~ (*także* **at the very** ~) co najmniej; przynajmniej, chociaż; w każdym razie; **at ~ five/ten** co najmniej pięć/dziesięć; **at ~ that's what he says** w każdym razie tak mówi *l.* twierdzi; **she could at ~ have called** mogła przynajmniej zadzwonić. **3. not (in) the** ~ (*także* **not the ~ bit**) ani trochę; **I do not mind in the** ~ absolutnie mi to nie przeszkadza. **4. not** ~ *form.* (a) zwłaszcza, (a) szczególnie. **5.** ~ **of all...** a już na pewno nie ..., a zwłaszcza nie...; **no one should know about this, ~ of all the police** nikt nie powinien się o tym dowiedzieć, a już na pewno nie policja. **6.** ~ **said soonest mended** *Br. przest.* im mniej się o tym mówi, tym lepiej.

least common denominator, lowest common denominator *n. mat.* najmniejszy wspólny mianownik.

least common multiplier, lowest common multiplier *n. mat.* najmniejsza wspólna wielokrotność.

least significant bit *n. komp.* bit najmniej znaczący.

least significant digit *n. mat.* cyfra najmniej znacząca.

least squares, least-squares *a. attr. mat., komp., stat.* ~ **method** metoda najmniejszych kwadratów; ~ **estimation/estimator** estymacja/estymator (metodą) najmniejszych kwadratów.

leastways [ˈli:stˌweɪz], **leastwise** [ˈli:stˌwaɪz] *adv. US pot.* przynajmniej.

leather [ˈleðər] *n.* **1.** *U* skóra (*zwierzęca, wyprawiona*); skórka; **bound in** ~ oprawny w skórę; **patent** ~ skóra lakierowana. **2.** *U handl.* artykuły skórzane. **3.** rzemień. **4.** *pl.* skóra (= *kombinezon l. strój skórzany, zwł. do jazdy motocyklem*); buty skórzane (*zwł. wysokie*). **5.** *kynol.* ucho (*psa*). **6. go/ride hell for** ~ *zob.* **hell**. – *a. attr.* **1.** skórzany, ze skóry; ~ **jacket** kurtka skórzana, skóra; ~ **uppers** skórzane wierzchy (*butów*). **2.** *sl.* sado-maso, SM; ~ **bar** bar SM. – *v.* **1.** pokrywać *l.* obijać skórą. **2.** *pot.* bić rzemieniem.

leatherback ['leðəˌbæk] *n. zool.* żółw skórzasty (*Dermochelys coriacea*).

leather cloth *n. U* sztuczna skóra.

leatherette [ˌleðə'ret] *n. U* derma, imitacja skóry.

leatherhead ['leðərˌhed] *n. orn.* filemon (*Philaemon*).

leathern ['leðərn] *a. arch.* skórzany.

leatherneck ['leðərˌnek] *n. US wojsk. pot.* piechociarz (= *żołnierz amerykańskiej piechoty morskiej*).

leatherwear ['leðərˌwer] *n. U handl.* odzież skórzana.

leatherwood ['leðərˌwʊd] *n. bot.* rzemienica (*Dirca palustris*).

leathery ['leðərɪ] *a.* **-ier, -iest 1.** jak skóra (*zwł. w dotyku*). **2.** *kulin.* łykowaty, jak podeszwa (*o mięsie*).

leave[1] [li:v] *v.* **left, left 1.** wychodzić; odchodzić; wyjeżdżać; odjeżdżać; ~ **town** wyjeżdżać z miasta, opuszczać miasto; **we're leaving for Brussels tomorrow** jutro wyjeżdżamy do Brukseli. **2.** zostawiać (*majątek, wiadomość, zapalone światło*); ~ **sb sth** (*także* ~ **sth for sb**) zostawiać coś komuś *l.* dla kogoś; ~ **sth to sb** zostawiać coś komuś (*sprawę do załatwienia, decyzję*); **I ~ it (up) to you** zostawiam *l.* pozostawiam to tobie; to już jak chcesz, to już zależy od ciebie; **she left (me) a message** zostawiła (mi) wiadomość; **some food/money was left (over)** zostało trochę jedzenia/pieniędzy; **they have very little left** bardzo niewiele im pozostało. **3.** odejść (od) (*kogoś*); zostawić, rzucić (*partnera*); **his wife left him for another man** żona rzuciła go dla innego. **4.** opuszczać (*szkołę, zajęcia*). **5.** zostawiać (w spadku). **6.** zostawić; zapomnieć (*pieniędzy, książki*); **I left my purse on the train** zapomniałam torebki w pociągu, zostawiłam torebkę w pociągu. **7.** *mat.* dawać (*w odejmowaniu*); **three from eight/eight minus three ~s five** osiem odjąć trzy daje *l.* jest pięć. **8.** ~ **sb to do sth** *przest. l. dial.* zezwalać *l.* pozwalać komuś na coś. **9.** *przen.* ~ **a bad/sour/unpleasant taste (in sb's mouth)** pozostawić (po sobie) przykre uczucie *l.* wrażenie; ~ **feet first** *zob.* **feet**; ~ **me out of this** nie mieszaj mnie do tego; ~ **much/a lot to be desired** pozostawiać wiele do życzenia; ~ **no stone unturned** zrobić, co (tylko) w ludzkiej mocy; ~ **sb/sth alone** (*także* ~ **sb/sth be**) zostawić kogoś/coś w spokoju, dać komuś/czemuś spokój; ~ **sb holding the bag** (*także Br.* ~ **sb holding the baby**) *zob.* **hold**[1] *v.*; ~ **sb in the lurch** *zob.* **lurch**[2] *n.*; ~ **sb to themselves** zostawić kogoś w spokoju; ~ **sb to their own devices** *zob.* **device**; ~ **sb standing** (*także* ~ **sb on the sidelines**) pozostawić kogoś (daleko) w tyle, zdystansować kogoś; ~ **sb with no choice/option** nie pozostawiać komuś wyboru; **he ~s me with no option but to fire him** nie mam wyboru, muszę go zwolnić; ~ **stains/scars** zostawiać plamy/blizny; ~ **sth hanging in the air** *zob.* **hang** *v.*; ~ **the door open** *zob.* **door**; ~ **well (enough) alone** *zob.* **alone** *adv.*; ~ **word with sb** zostawić u kogoś wiadomość (*dla kogoś innego*); **be left high and dry** *zob.* **high** *adv.*; **get left** *pot.* zostać w tyle (= *doznać porażki l. zawodu*), zostać na lodzie; **it ~s me cold** *zob.* **cold** *a.*; **let's ~ it at that** skończmy na tym; **let's ~ for now** odłóżmy to (na razie); **nothing was left to chance/accident** nie pozostawiono niczego przypadkowi. **10.** ~ **behind** zostawiać; zostawiać po sobie; zapominać (*czegoś*); zostawiać za sobą; pozostawiać z tyłu (*kogoś*); **be/get left behind** pozostawać *l.* zostawać z tyłu; ~ **off** *pot.* przestać (*doing sth* coś robić); przerwać; ~ **the lights/engine off/on** nie włączać/nie gasić światła/silnika; ~ **the oven on** zostawić włączony piekarnik; ~ **out** pomijać, opuszczać; wypuszczać; zostawiać na dworze *l.* na zewnątrz; wykluczać, izolować (*kogoś*); **be/feel left out** czuć się jak obcy; ~ **it out!** *Br. pot.* dość tego!, przestań! – *n. bilard* ustawienie (*pozostawione przez poprzedniego gracza*).

leave[2] *n. U* **1.** (*także form.* ~ **of absence**) urlop; wolne; zwolnienie; *wojsk.* przepustka; **absence without** ~ nieusprawiedliwiona nieobecność; *wojsk.* samowolne oddalenie się; **(be) on** ~ (przebywać) na urlopie; **compassionate** ~ *zob.* **compassionate**; **maternity/parental** ~ urlop macierzyński/wychowawczy; **paternity** ~ urlop wychowawczy dla ojca; **paid/unpaid** ~ urlop płatny/bezpłatny; **sick** ~ zwolnienie (lekarskie); urlop zdrowotny. **2.** *form.* pożegnanie; **take (one's) ~ (of sb/sth)** pożegnać się (z kimś/czymś); **take ~ of one's senses** *przen.* postradać zmysły. **3.** *form.* zezwolenie, zgoda, pozwolenie (*to do sth* na coś); **ask/beg** ~ prosić o pozwolenie (*to do sth* na coś); **by/with your** ~ *przest.* za pozwoleniem; **without so much as a by your** ~ *przest.* nie pytając o pozwolenie, bez pytania.

leave[3] *v.* zielenić się, wypuszczać listki *l.* liście, pokrywać się liśćmi.

leaved [li:vd] *a. bot.* **1.** ulistniony. **2.** *w złoż.* **three/four-leaved** trójlistny/czterolistny.

leave entitlement *n. U Br. i Austr.* limit urlopowy.

leaven ['levən] *n. U* **1.** drożdże, zakwas, zaczyn; *t. przen.* ferment. **2.** *C / U lit.* element ożywienia; pikanteria. – *v.* **1.** zaprawiać; ubarwiać (*sth with sth* coś czymś) (*np. rozmowę dowcipem*). **2.** *kulin.* zaczyniać (*ciasto na chleb*).

leavening ['levənɪŋ] *n.* (*także* ~ **agent**) *U* zakwas, zaczyn.

leave of absence *n. form.* = **leave**[2] *n.***1**.

leaver ['li:vər] *n. zw. w złoż.* absolwent/ka; **school** ~ absolwent/ka (szkoły).

leaves [li:vz] *n. pl. zob.* **leaf**.

leave-taking ['li:vˌteɪkɪŋ] *n. lit.* pożegnanie.

leavings ['li:vɪŋz] *n. pl. przest.* resztki (*zwł. jedzenia*), pozostałości.

leavy ['li:vɪ] *a.* **-ier, -iest** *arch.* liściasty.

Lebanese [ˌlebə'ni:z] *a.* libański. – *n.* Libańczyk/nka.

Lebanon ['lebəˌnɑ:n] *n. geogr.* Liban.

Lebanon Mountains *n. pl. geogr.* (góry) Liban.

lech [letʃ], **letch** *gł. Br. pog. pot. n.* = **lecher**. – *v.* ~ **after/over sb** uganiać się za kimś (*zwł. o starszym mężczyźnie, szukającym towarzystwa młodych kobiet*).

lechaim [lə'haɪɪm] *int.* na zdrowie! (*toast żydowski*). – *n.* napój, którym spełnia się toast.

lecher ['letʃər] *n. pog.* lubieżnik, zbereźnik.

lecherous ['letʃərəs] *a.* lubieżny, zbereźny.

lecherously ['letʃərəslɪ] *adv.* lubieżnie, zbereźnie.

lechery ['letʃərɪ] *n.* **1.** *U* lubieżność. **2.** *pl.* **-ies** czyn *l.* akt lubieżny, zberezeństwo.

lecithin ['lesəθɪn] *n. U biochem.* lecytyna.

lectern ['lektərn] *n. uniw., kośc.* pulpit, mównica.

lectin ['lektən] *n. gł. pl. biochem.* lektyna, fitoaglutynina.

lection ['lekʃən] *n. kośc.* lekcja.

lectionary ['lekʃəˌnerɪ] *n. pl.* **-ies** *kośc.* lekcjonarz.

lector ['lektər] *n.* **1.** *uniw.* lektor/ka. **2.** *rz.-kat.* lektor.

lecture ['lektʃər] *n.* **1.** *gł. uniw.* wykład; **give /deliver a ~** wygłosić wykład (*on / about sth* na temat czegoś/o czymś). **2.** *przen.* kazanie, wykład (= *pouczanie*); **read sb a ~** prawić komuś kazanie. – *v.* **1.** *t. uniw.* wykładać, dawać *l.* mieć *l.* wygłaszać wykład *l.* wykłady (*on sth* na temat czegoś/o czymś). **2. ~ sb** pouczać kogoś, robić komuś uwagi, prawić komuś kazanie *l.* kazania (*on sth* na temat czegoś).

lecture hall *n. uniw.* sala wykładowa.

lecturer ['lektʃərər] *n.* **1.** *uniw.* wykładowca (= *osoba na stanowisku wykładowcy*); wykładowca/czyni (= *osoba wykładająca*). **2.** mów-ca/czyni.

lectureship ['lektʃərˌʃɪp] *n. uniw.* **1.** stanowisko wykładowcy. **2.** fundacja wspierająca wykłady; stypendium na wykłady.

LED [ˌel ˌiː 'diː] *abbr. el.* **light-emitting diode** dioda świecąca *l.* elektroluminescencyjna, (dioda) LED; **~ display/indicator** wyświetlacz/wskaźnik diodowy *l.* LED.

led [led] *v. zob.* **lead**[1] *v.*

lederhosen ['leɪdərˌhoʊzən] *n. pl.* skórzane szorty (*noszone w Bawarii*).

ledge [ledʒ] *n.* **1.** występ (skalny); półka (skalna). **2.** *bud.* gzyms; (*także* **window ~**) parapet. **3.** *geol.* rafa (*przybrzeżna*). **4.** *górn.* złoże rudy.

ledger ['ledʒər] *n.* **1.** *fin.* księga (rachunkowa *l.* główna); rejestr. **2.** *bud.* podłużnica (rusztowania), ryga. **3.** płyta nagrobkowa *l.* nagrobna. **4.** *ryb.* przypon gruntowy, grunt. **5.** *muz.* = **ledger line**. – *v. ryb.* łowić z gruntu.

ledger line *n.* **1.** (*także* **leger line**) *muz.* linia dodana. **2.** *ryb.* przypon gruntowy, grunt.

ledger tackle *n. ryb.* gruntówka (*rodzaj wędki*).

ledgy ['ledʒɪ] *a.* **-ier, -iest** pełen półek *l.* występów (*o skale*).

lee [liː] *n. sing.* **1.** osłona (od wiatru); **in the ~ of sth** pod osłoną czegoś, w cieniu czegoś (*np. ściany, żywopłotu, wzgórza*). **2.** *żegl.* (strona) zawietrzna; **under the ~** *żegl.* na zawietrznej. – *a. attr. żegl.* zawietrzny.

leeboard ['liːˌbɔːrd] *n. żegl.* miecz boczny.

leech[1] [liːtʃ] *n.* **1.** *zool. l. przen.* pijawka; **cling/stick to sb/sth like a ~** *przen.* przyssać się do kogoś/czegoś jak pijawka, uczepić się kogoś/czegoś jak rzep (psiego ogona). **2.** *arch.* medyk (= *lekarz*). – *v.* **1.** *hist., med.* stawiać *l.* przykładać pijawki (*komuś*); puszczać krew (*komuś*). **2.** *przen.* wysysać (*siły, natchnienie*). **3.** *arch.* kurować, leczyć.

leech[2] *n. żegl.* lik boczny (= *krawędź żagla rejowego*); lik przedni *l.* tylny (= *krawędź żagla trójkątnego l. gaflowego*).

leek [liːk] *n. bot., kulin.* por (*Allium porrum; t. jako godło narodowe Walii*).

leer[1] [liːr] *v.* przyglądać się pożądliwie (*at sb* komuś); łypać (*at sb* na kogoś) (*zwł. chytrze l. złośliwie*). – *n.* pożądliwe spojrzenie; łypnięcie.

leer[2] *n. techn.* odprężarka tunelowa (*do szkła*).

leeriness ['liːrɪnəs] *n. U* podejrzliwość, nieufność.

leering ['liːrɪŋ] *a. attr.* natarczywy, namolny (*zwł. seksualnie*).

leery ['liːrɪ], **leary** *a.* **-ier, -iest** *pot.* podejrzliwy, nieufny (*of sb / sth* w stosunku do *l.* względem kogoś/czegoś).

lees [liːz] *n. pl. t. przen.* osad, fusy, męty (*zwł. na dnie butelki wina*); **drink/drain sth to the ~** wypić/wysączyć coś do (samego) dna.

lee shore *n. żegl.* brzeg zawietrzny.

leeward ['liːwərd] *żegl. adv.* na *l.* po zawietrznej; na zawietrzną. – *a. attr.* zawietrzny. – *n. U* (strona) zawietrzna; **to ~** na zawietrzną.

leeway ['liːˌweɪ] *n. U* **1.** swoboda, luz. **2.** przedłużenie terminu; dodatkowy czas. **3.** *gł. Br.* zaległości; stracony czas; **there's a lot of ~ to make up** jest dużo zaległości do nadrobienia. **4.** *żegl.* dryf boczny.

left[1] [left] *v. zob.* **leave**[1] *v.*

left[2] *a. gł. attr.* lewy; **~, right, and center** *pot.* na prawo i lewo (*rozdawać coś*); **~ turn** *mot.* skręt w lewo; **no ~ turn** *mot.* zakaz skrętu w lewo; **the ~ hand doesn't know what the right hand is doing** nie wie lewica, co robi prawica. – *adv.* **1.** w lewo, na lewo; **bear ~** trzymać się lewej (strony); **turn ~** *mot.* skręcać w lewo. **2.** po lewej (stronie). – *n. U l. sing.* **1.** lewa (strona); **fifth from (the) ~** piąty od lewej; **from ~ to right** od lewej do prawej, z lewa na prawo; **hang a ~** *zob.* **hang** *v.*; **on/to the ~** po lewej (stronie); **to the ~ of sb/sth** na lewo od kogoś/czegoś; **turn to the ~** (*także* **make/take a ~**) *mot.* skręcić w lewo. **2.** *t. boks* lewa; **hit sb with a ~** uderzyć kogoś lewą *l.* z lewej; **straight ~** lewy prosty. **3. the ~/L~** *polit.* lewica; **parties on the ~** partie *l.* ugrupowania lewicowe. **4.** *wojsk.* lewe skrzydło.

left brain *n. anat., psych.* lewa półkula (mózgu).

left face *int. wojsk.* w lewo zwrot!

left field *n.* **1.** *baseball* lewe pole. **2.** *US przen. pot.* **come from out in ~** spaść jak grom z jasnego nieba; **(way) out in ~** (kompletnie) porąbany (= *ekscentryczny*).

left-footer ['leftˌfʊtər] *n. zwł. płn. Ir. pot. obelż.* katoli-k/czka.

left-hand [ˌleft'hænd] *a. attr.* **1.** lewy; po lewej

(stronie), z lewej (strony); w lewo (*o zakręcie*). **2.** *mot.* lewostronny (*o ruchu*). **3.** leworęczny (*o osobie, gitarze*). **4.** ~ **blow** cios lewą ręką; ~ **man** sąsiad z lewej strony; ~ **rope** lina lewoskrętna.

left-hand drive [ˌleftˌhænd ˈdraɪv] *mot. n. U* lewostronny układ kierowniczy. – *a. attr.* z lewostronnym układem kierowniczym, z kierownicą z lewej (strony) *l.* po lewej (stronie), (przystosowany) do ruchu prawostronnego.

left-handed [ˌleftˈhændɪd] *a.* **1.** leworęczny. **2.** dla (osób) leworęcznych (*np. o nożyczkach*). **3.** lewą ręką; od lewej (do prawej); bekhendowy (*o uderzeniu, zamachu, rzucie*). **4.** *mech.* lewoskrętny; ~ **screw** *mech.* śruba lewozwojna; *lotn.* śmigło lewoskrętne *l.* lewobieżne. **5.** *przen.* niezgrabny, nieudolny. **6.** ~ **compliment** *gł. US* wątpliwy *l.* dwuznaczny komplement. **7.** *hist.* morganatyczny (*o małżeństwie*). – *adv.* **1.** leworęcznie. **2.** lewą ręką; od lewej (do prawej); bekhendem (*rzucać, uderzać*). **3.** *przen.* niezgrabnie, nieudolnie.

left-handedness [ˌleftˈhændɪdnəs] *n. U* **1.** leworęczność. **2.** *przen.* niezgrabność, nieudolność.

left-hander [ˌleftˈhændər] *n.* **1.** osoba leworęczna, mańkut. **2.** *gł. sport* uderzenie *l.* rzut lewą (ręką); *t. boks* lewa (*cios*).

leftie [ˈleftɪ] *n. i a.* = **lefty**.

leftish [ˈleftɪʃ] *a. polit.* lewicujący.

leftism [ˈleftˌɪzəm] *n. U polit.* lewicowość, lewicowe poglądy.

leftist [ˈleftɪst] *polit. n.* lewicowiec. – *a.* lewicowy.

left-luggage office [ˌleftˈlʌgɪdʒ ˌɔːfɪs] *n.* (*także* **left-luggage**) *Br.* przechowalnia bagażu.

leftmost [ˈleftmoʊst] *a. gł. attr.* pierwszy z *l.* od lewej.

left-of-center [ˌleftəvˈsentər], *Br.* **left-of-centre** *a. polit.* centrolewicowy.

leftover [ˈleftˌoʊvər] *a. attr.* pozostały. – *n.* **1.** *sing.* pozostałość (*z dawnych czasów*). **2.** *pl.* resztki (*gł. z posiłku*), pozostałości.

leftward [ˈleftwərd], **leftwards** [ˈleftwərdz] *a. i adv.* w lewo; po lewej; na lewo.

left wing *n. sing.* **1.** *sport* lewe skrzydło. **2.** *polit.* lewica (*partii*).

left-wing [ˌleftˈwɪŋ] *a.* **1.** *sport* lewoskrzydłowy. **2.** *polit.* lewicowy.

left-winger [ˌleftˈwɪŋər] *n.* **1.** *sport* lewoskrzydłow-y/a. **2.** *polit.* lewicowiec.

lefty [ˈleftɪ], **leftie** *n. pl.* **-ies** *pot.* **1.** *gł. US* mańkut. **2.** *gł. Br. czas. pog.* lewicowiec.

leg [leg] *n.* **1.** *t. anat.* noga (*człowieka, zwierzęcia, stołu, maszyny*); nóżka (*owada, szafki*); odnóże (*owada*). **2.** nogawka (*spodni*). **3.** cholewka (*buta*). **4.** *kulin.* noga, nóżka, udko (*kurczaka*); udziec (*indyczy, barani*). **5.** odcinek, etap (*drogi, podróży, zwł. lotniczej*). **6.** odgałęzienie, odnoga, gałąź. **7.** *sport* runda, etap (*rozgrywek*); zmiana (*sztafety*). **8.** *geom.* ramię (*trójkąta równoramiennego*); przyprostokątna (*trójkąta prostokątnego*). **9.** *żegl.* hals (*zwł. w regatach między bojami*). **10.** ~ **before wicket** *krykiet* zasłonięcie bramki nogą (*nieprzepisowe zatrzymanie piłki przez zawodnika wybijającego*); **be all ~s** być słusznego wzrostu; **be on one's last ~s** padać z nóg, ledwie trzymać się na nogach; **be on its last ~s** rozpadać się (na kawałki) (*o sprzęcie, urządzeniu*); **break a ~!** połamania nóg! (*życzenia powodzenia*); połamania pióra! (*jw., na egzaminie*); **cost/spend an arm and a ~** *zob.* **arm**[1]; **feel/find one's ~s** odzyskać władzę w nogach; **get a ~ on** *sl.* zwijać się; **get one's ~ over** *Br. obsc. sl.* zamoczyć (sobie) (= *odbyć stosunek; o mężczyźnie*); **give sb a ~ up** *pot.* podsadzić kogoś; *przen. gł. Br.* pomóc komuś (*zwł. w awansie zawodowym*); **keep one's ~s** trzymać się na nogach; **pull sb's ~** *pot.* nabierać kogoś, nabijać kogoś w butelkę; **put one's best ~ forward** wyciągać nogi (= *maszerować szybko*); *przen.* pokazać się z dobrej *l.* najlepszej strony, popisać się; **set sb on their ~s** postawić kogoś na nogi; **shake a ~** *sl.* zwijać się; poruszać się, podskakiwać (= *tańczyć*); **show a ~** *pot.* wyskoczyć z łóżka; **stand on one's own ~s** *przen.* stać na własnych nogach; **not have a ~ to stand on** *pot.* nie mieć się czym podeprzeć, nie mieć (praktycznie) żadnych dowodów *l.* argumentów; **without a ~ to stand on** bez żadnych podstaw *l.* dowodów *l.* argumentów; **stretch one's ~s** rozprostować nogi (= *przejść się*); **take to one's ~s** brać nogi za pas; **talk a ~ off** *sl.* gadać jak najęty; **walk sb off their ~s** wykończyć kogoś chodzeniem (= *zmęczyć*). – *v.* **-gg- 1.** ~ **it** *pot.* drałować, zasuwać; zwiewać. **2.** *Br. żegl. przest.* popychać odbijając się nogami (*łódź przez tunel*).

legacy [ˈlegəsɪ] *n. pl.* **-ies 1.** spuścizna, dziedzictwo; ~ **of literature** spuścizna literacka. **2.** *prawn.* spadek (*from sb* po kimś); zapis, legat; ~ **hunter** łowca spadków.

legal [ˈliːgl] *a.* **1.** prawny; **make ~ history** zapisać się w annałach prawa; **take ~ action/proceedings against sb** wytoczyć komuś sprawę (w sądzie). **2.** legalny; usankcjonowany prawem; prawomocny; **make it ~** zalegalizować związek. **3.** *US komp., druk.* formatu 8,5 na 14 cali (*o papierze*); ~ **cap** papier formatu jw. – *n. pl. fin.* pupilarne papiery wartościowe.

legal adviser *n.* radca prawny.

legal age *n. U prawn.* pełnoletność.

legal aid *n. U US* pomoc prawna, adwokat z urzędu.

legal eagle *n. sl.* orzeł Temidy (= *zdolny prawnik*).

legalese [ˌliːgəˈliːz] *n. U jęz. uj.* żargon prawniczy.

legal holiday *n. US* święto państwowe.

legalism [ˈliːgəˌlɪzəm] *n.* **1.** *U* legalizm. **2.** *jęz.* termin prawniczy.

legalist [ˈliːgəlɪst] *n.* legalist-a/ka.

legalistic [ˌliːgəˈlɪstɪk] *a.* legalistyczny.

legality [lɪˈgælətɪ] *n. U prawn.* legalność; prawomocność.

legalization [ˌliːgələˈzeɪʃən], *Br. i Austr. zw.* **legalisation** *n. U prawn.* **1.** zalegalizowanie, legalizacja (*np. marihuany*). **2.** poświadczenie (*podpisu*). **3.** uprawomocnienie, nadanie mocy prawnej (*regulacji*).

legalize ['li:gəˌlaɪz], *Br. i Austr. zw.* **legalise** *v.* **1.** zalegalizować. **2.** poświadczyć. **3.** uprawomocnić.

legally ['li:glɪ] *adv.* **1.** prawnie; ustawowo; ~ **binding/valid** prawnie obowiązujący; ~ **bound** zobowiązany prawem *l.* z mocy prawa. **2.** legalnie.

legal pad *n. US* zeszyt formatu 8,5 na 14 cali (*o żółtych kartkach, w linie*).

legal reserve *n. US fin.* rezerwa ustawowa (*banku, funduszu, towarzystwa ubezpieczeń*).

legal separation *n. prawn.* separacja sądowa.

legal-size ['li:glˌsaɪz] *a. US komp., druk.* formatu 8,5 na 14 cali (*o papierze*).

legal tender *n. U fin.* prawny środek płatniczy.

legate ['legət] *n.* **1.** *rz.-kat.* legat (*papieski*). **2.** *polit.* emisariusz, wysłannik.

legatee [ˌlegə'ti:] *n. prawn.* legatariusz/ka, zapisobior-ca/czyni.

legation [lɪ'geɪʃən] *n. polit.* przedstawicielstwo (dyplomatyczne); legacja, misja (poselska *l.* przedstawicielska); przedstawiciel/ka.

legato [lɪ'gɑ:toʊ] *a., adv. i n. muz.* legato.

legator [lɪ'geɪtər] *n. prawn.* legator/ka, zapisodaw-ca/czyni.

legend ['ledʒənd] *n. C / U t. teor. lit., kartogr.* legenda.

legendary ['ledʒənˌderɪ] *a.* legendarny.

legendry ['ledʒəndrɪ] *n. pl.* **-ies** zbiór legend; *U* legendy.

legerdemain [ˌledʒərdə'meɪn] *n. U przest.* **1.** zręczność w palcach *l.* rękach. **2.** *przen.* sztuczki, szachrajstwa.

leger line *n.* = **ledger line** 1.

legged ['legɪd] *a.* **1.** posiadający nogi. **2.** *w złoż.* **two-~/four-~** dwunożny/czworonożny.

legging ['legɪŋ], **leggin** ['legɪn] *n. gł. pl. przest.* nogawica; sztylpa; getr.

leggings ['legɪŋz] *n. pl.* legginsy.

leg guard *n. t. sport* nagolennik.

leggy ['legɪ] *a.* **-ier, -iest** długonogi.

Leghorn ['legˌhɔ:rn] *n.* **1.** *hodowla* leghorn (*odmiana kury*). **2. l~** liworno (*rodzaj plecionki l. kapelusza słomkowego*).

legibility [ˌledʒə'bɪlətɪ] *n. U* czytelność.

legible ['ledʒəbl] *a.* czytelny.

legibly ['ledʒəblɪ] *adv.* czytelnie.

legion ['li:dʒən] *n.* **1.** *gł. hist., wojsk.* legion; legia; **foreign** ~ legia cudzoziemska. **2.** *lit.* rzesza, (wielka) masa. **3. L~** *wojsk.* związek kombatantów (wojennych); **American/British L~** związek kombatantów (wojennych) USA/Wielkiej Brytanii. – *a. pred. lit.* liczny, niezliczony; **the stories of them are** ~ krążą o nich niezliczone opowieści.

legionary ['li:dʒəˌnerɪ] *a.* legionowy. – *n. pl.* **-ies** legionista.

legionnaire [ˌli:dʒə'ner] *n.* **1. L~** *US wojsk.* członek związku kombatantów (wojennych) USA. **2.** legionista.

Legionnaire's disease [ˌli:dʒə'nerz dɪˌzi:z], **Legionnaires' disease** *n. U pat.* choroba legionistów.

Legion of Honor *n.* Legia Honorowa (*odznaczenie francuskie*).

Legion of Merit *n. US wojsk.* Legia Zasługi (*odznaczenie wojskowe*).

leg irons *n. pl.* kajdany (na nogi).

legislate ['ledʒɪsˌleɪt] *v. polit., parl.* uchwalać ustawę *l.* ustawy, ustanawiać prawo *l.* prawa (*against sth* zabaniające czegoś, *for sth* zezwalające na coś, *on sth* dotyczące czegoś); ustanawiać, uchwalać (*prawo, ustawę*).

legislation [ˌledʒɪs'leɪʃən] *n. U polit., parl.* **1.** legislacja, ustawodawstwo. **2.** ustanowienie, uchwalenie (*prawa*).

legislative ['ledʒɪsˌleɪtɪv] *polit., parl. a.* legislacyjny (*o procesie*); ustawodawczy (*o władzy*); prawodawczy (*o akcie*). – *n. U* legislatura; władza ustawodawcza.

legislative assembly, Legislative A~ *n. parl.* zgromadzenie ustawodawcze.

legislative council *n. gł. US parl.* komisja legislacyjna.

legislator ['ledʒɪsˌleɪtər] *n. polit., parl.* **1.** człon-ek/kini ciała ustawodawczego. **2.** ustawodawca; legislator, prawodawca.

legislatorial [ˌledʒɪslə'tɔ:rɪəl] *a. polit., parl.* ustawodawczy; prawodawczy.

legislature ['ledʒɪsˌleɪtʃər] *n. polit., parl.* ciało ustawodawcze; legislatura; władza ustawodawcza.

legist ['li:dʒɪst] *n. hist.* legista, prawnik.

legit [lɪ'dʒɪt] *a. pred. pot.* **1.** czysty (= *uczciwy*). **2.** = **legitimate**.

legitimacy [lɪ'dʒɪtəməsɪ] *n. U* **1.** zasadność, słuszność (*roszczenia*); właściwość, słuszność (*rozumowania, wniosku*). **2.** legalność (*przedsięwzięcia*). **3.** prawowitość (*dziecka*). **4.** autentyczność.

legitimate *a.* [lɪ'dʒɪtəmət] **1.** zasadny, słuszny; uzasadniony (*o pretensji*). **2.** właściwy, logiczny, słuszny (*o wniosku, rozwiązaniu*). **3.** prawowity (*o dziecku, rodzicu, pochodzeniu, tytule*); ślubny (*o dziecku*); legalny. **4.** autentyczny (*o teatrze*). – *v.* [lɪ'dʒɪtəˌmeɪt] *form. t. prawn.* **1.** sankcjonować (prawem *l.* prawnie), legitymizować (*przemoc, ideologię*); legalizować. **2.** uzasadniać (prawnie). **3.** uznawać (za pochodzące z małżeństwa) (*dziecko*).

legitimately [lɪ'dʒɪtəmətlɪ] *adv.* **1.** zasadnie, słusznie; właściwie, logicznie. **2.** legalnie; prawowicie. **3.** z małżeństwa (*urodzony; pochodzić*). **4.** autentycznie.

legitimatize [lɪ'dʒɪtəməˌtaɪz], *Br. i Austr. zw.* **legitimatise** *v.* = **legitimate** *v.*

legitimism [lɪ'dʒɪtəˌmɪzəm] *n. U hist.* legitymizm (= *monarchizm*).

legitimist [lɪ'dʒɪtəmɪst] *n. hist.* legitymist-a/ka.

legitimization [lɪˌdʒɪtəmə'zeɪʃən], *Br. i Austr. zw.* **legitimisation** *n. C / U form. t. prawn.* **1.** legitymizacja, usankcjonowanie (prawem *l.* prawnie) (*przemocy*). **2.** uzasadnienie (prawne). **3.** uznanie (za pochodzące z małżeństwa) (*dziecka*).

legitimize [lɪ'dʒɪtəˌmaɪz], *Br. i Austr. zw.* **legitimise** *v. gł. Br.* = **legitimate** *v.*

legless [ˈlegləs] *a.* **1.** beznogi. **2.** *Br. pot.* podcięty (= *pijany*).

legman [ˈlegˌmæn] *n. pl.* **-men** *US i Can.* **1.** *dzienn.* reporter pracujący w terenie, latający reporter. **2.** goniec (*w biurze*).

lego [ˈlegoʊ], **Lego** [ˈlegoʊ] *n. U* (klocki) lego.

leg of mutton *n. U kulin.* udziec barani.

leg-of-mutton [ˌlegəv ˈmʌtən] *a. attr.* **1.** bufiasty (*o rękawie*). **2.** *żegl.* bermudzki (*o żaglu*).

leg-pull [ˈlegˌpʊl] *n. zw. sing. Br. pot.* żart, dowcip (= *nabieranie kogoś*).

leg rest *n.* podnóżek (*w samolocie*).

legroom [ˈlegˌru:m], **leg room** *n. U* miejsce na nogi (*w samochodzie, samolocie, kinie*).

leguan [ləˈgwɑ:n] *n. S.Afr. zool.* waran (nilowy) (*Varanus (niloticus)*).

legume [ˈlegju:m] *n.* **1.** *bot., kulin.* roślina strączkowa. **2.** *bot.* strączek.

leguminous [lɪˈgju:mənəs] *a. bot., kulin.* strączkowy; ~ **plant** roślina strączkowa.

leg-up [ˈlegˌʌp] *n.* **give sb a** ~ *pot.* podsadzić kogoś, robiąc stopień ze splecionych rąk; *zwł. Br. przen.* pomóc komuś (*zwł. w awansie zawodowym*).

leg-warmer [ˈlegˌwɔ:rmər], **legwarmer** *n. zw. pl.* geter.

legwork [ˈlegˌwɜ:k] *n. U* czarna robota, harówka.

lei[1] [ˈleɪ] *n. US* lei (= *hawajska girlanda na szyję*).

lei[2] *n. pl. zob.* **leu.**

Leiden [ˈlaɪdən], **Leyden** *n. geogr.* Lejda.

Leipzig [ˈlaɪpsɪg] *n. geogr.* Lipsk. – *a. attr.* lipski.

leister [ˈli:stər] *ryb. n.* oścień, trójząb. – *v.* łowić ościeniem.

leisure [ˈli:ʒər] *n. U* **1.** wolny czas; rekreacja, wypoczynek, rozrywka; ~ **pursuits/activities** zajęcia rekreacyjne, rozrywki; ~ **time** wolny czas; **gentleman/lady of** ~ *często żart.* pan/i dysponujący/a dużą ilością wolnego czasu (= *ktoś, kto nie musi pracować zarobkowo*). **2. at** ~ bez pośpiechu, spokojnie, w spokoju; wolny (= *nie zajęty*); **at one's** ~ w wolnej *l.* dogodnej chwili; w wolnych chwilach, przy okazji.

leisure centre *n. Br.* kompleks rekreacyjny, centrum rekreacji (*obiekt z urządzeniami sportowymi, kawiarnią itp.*).

leisure class *n. socjol.* klasa *l.* warstwa niepracująca.

leisured [ˈli:ʒərd] *a.* **1.** *socjol.* niepracujący (*o warstwie społeczeństwa*). **2.** = **leisurely** *a.*

leisurely [ˈli:ʒərlɪ] *a.* spokojny, zrelaksowany; spacerowy (*o tempie, kroku*). – *adv.* bez pośpiechu, spokojnie, w spokoju.

leisure suit *n. US* garnitur sportowy (*z lejącego materiału, w tonacjach pastelowych, popularny w latach 70. XX w.*).

leisurewear [ˈli:ʒərˌwer] *n. U handl.* odzież sportowa.

leitmotif [ˈlaɪtmoʊˌti:f], **leitmotiv** *n. muz., teor. lit. l. przen.* motyw przewodni.

lek [lek] *n. fin.* lek (*waluta albańska*).

leman [ˈlemən] *n.* **1.** *poet.* ukochan-y/a, bogdanka. **2.** *arch.* faworyta, kochanica.

lemma [ˈlemə] *n. pl.* **-s** *l.* **lemmata** [ˈlemətə] **1.** *log., jęz., komp.* lemat. **2.** wyraz hasłowy (*w słowniku*). **3.** temat, motto (*w tytule dzieła*). **4.** *bot.* podsadka (zewnętrzna), przylistek (zewnętrzny) (*w kwiatach traw*).

lemming [ˈlemɪŋ] *n. zool.* leming (*Lemmus*).

lemon [ˈlemən] *n.* **1.** *C / U kulin.* cytryna; **slice of** ~ plasterek cytryny. **2.** *bot.* cytryna, drzewko cytrynowe (*Citrus limon*). **3.** *U Br. kulin.* napój z soku cytrynowego. **4.** *U* (*także* ~ **yellow**) kolor cytrynowy. **5.** *US pot.* felerny *l.* wadliwy egzemplarz (*zwł. samochód z wadą ukrytą*); złom, grat. **6.** *Br. i Austr. pot.* ofiara, sierota, gapa. – *a. attr. zwł. kulin.* cytrynowy.

lemonade [ˌleməˈneɪd] *n. C / U* lemoniada (*US - domowej roboty z wody, cytryny i cukru; Br. - napój gazowany*).

lemon balm *n. U bot., med.* melisa (*Melissa officinalis*).

lemon balm tea *n. C / U kulin., med.* herbatka z melisy.

lemon cheese, lemon curd *n. U zwł. Br.* (*także Austr.* **lemon butter**) *kulin.* krem cytrynowy.

lemon drop *n.* cukierek *l.* drops cytrynowy (*do ssania*).

lemon grass *n. U bot.* cytronela (*Cymbopogon citratus*).

lemon juice *n. U kulin.* sok z cytryny; sok cytrynowy.

lemon law *n. US mot., prawn. pot.* obowiązek naprawy *l.* wymiany wadliwego samochodu *l.* zwrotu pieniędzy (*ciążący na wytwórcy l. dealerze*).

lemon sole *n. C / U icht., kulin.* złocica (*Microstomus kitt*).

lemon squash *n. C / U Br. i Austr.* napój cytrynowy (*z koncentratu*).

lemon-squeezer [ˈlemənˌskwi:zər] *n. kulin.* wyciskacz do cytryn.

lemon verbena *n. bot.* lipia (*Lippia citriodora l. triphylla*).

lemony [ˈlemənɪ] *a.* cytrynowy (*o smaku*).

lemon-yellow [ˌlemənˈjeloʊ] *a.* cytrynowy (*o barwie*).

lemur [ˈli:mər] *n. zool.* lemur (*Lemur*).

lend [lend] *v.* **lent, lent 1.** pożyczać, wypożyczać; ~ **sb sth** (*także* ~ **sth to sb**) pożyczyć coś komuś. **2.** *form.* przydawać (*wdzięku, godności*); nadawać (*określonego charakteru*); ~ **assistance/support to sb** udzielić komuś pomocy/wsparcia, służyć komuś pomocą/wsparciem. **3.** *przen.* ~ **an ear to sb** *zob.* **ear**[1]; ~ **itself to sth** *form.* nadawać *l.* kwalifikować się do czegoś; poddawać się czemuś (*np. analizie, interpretacji*); ~ **one's name/voice to sth** publicznie udzielać poparcia czemuś; ~ **sb a (helping) hand** *zob.* **hand** *n.*; ~ **support/weight to sth** *form.* stanowić poparcie dla czegoś (*np. dla teorii, poglądu*); ~ **wings to sb/sth** dodać komuś/czemuś skrzydeł; ~ **your money and lose your friend** *przest.* dobry zwyczaj, nie pożyczaj.

lender [ˈlendər] *n. fin.* pożyczkodawca; kredytodawca.

lending library [ˈlendɪŋ ˌlaɪbrerɪ] *n. przest.* wypożyczalnia książek.

Lend-Lease Act [ˈlendˌliːs ˌækt] *n. hist.* akt pożyczki-dzierżawy (*ustawa z 1941 r. upoważniająca rząd USA do udzielania pomocy krajom będącym w stanie wojny z Niemcami i Włochami*).

length [leŋkθ] *n.* **1.** *C/U* długość (*of sth* czegoś) (*t. w czasie*); **200 meters/pages in ~** (o) długości dwustu metrów/stron; **swim two ~s** przepłynąć dwie długości (basenu) *l.* dwa baseny; **win by three ~s** wygrać o trzy długości (*kajaka, łodzi*). **2.** kawałek (*listwy, rury*). **3.** połać (*ziemi*). **4.** sztuka (*sukna*). **5.** *U wers.* iloczas. **6.** *w złoż.* o długości; **shoulder-~ hair** włosy (o długości) do ramion; *zob. t.* **full-length**. **7. at ~** szczegółowo, w szczegółach, obszernie; *lit.* wreszcie, w końcu; **at arm's ~** *zob.* **arm**[1]; **at great/some ~** bardzo/dość obszernie; **go the ~ of doing sth** nie cofnąć się przed czymś, posunąć się (aż) do zrobienia czegoś; **go to great/any ~s** zadawać sobie wiele trudu, dokładać wszelkich starań (*to do sth* aby coś osiągnąć *l.* zrobić); nie cofnąć się przed niczym, posuwać się do ostateczności, wyciągać daleko idące konsekwencje; **(he's incapable of being quiet) for any ~ of time** (nie potrafi) dłużej *l.* przez dłuższy czas (siedzieć cicho); **keep sb at arm's ~** *zob.* **arm**[1]; **lie/fall full ~** *zob.* **full**[1] *a.*; **(a stay) of considerable/some ~** dłuższy (pobyt); **the ~ and breadth of the land** jak kraj długi i szeroki; **walk the ~ of the island** przejść (wzdłuż) całą wyspę.

lengthen [ˈleŋkθən] *v.* wydłużać (się), przedłużać (się).

lengthily [ˈleŋkθɪlɪ] *adv.* zbyt długo; rozwlekle.

lengthiness [ˈleŋkθɪnəs] *n. U* nadmierna długość; rozwlekłość.

lengthways [ˈleŋkθˌweɪz], **lengthwise** [ˈleŋkθˌwaɪz] *adv.* wzdłuż, na długość. – *a.* podłużny.

lengthy [ˈleŋkθɪ] *a.* **-ier, -iest 1.** długotrwały (*np. o procesie*), przedłużający się. **2.** przydługi; rozwlekły.

leniency [ˈliːnɪənsɪ], **lenience** [ˈliːnɪəns] *n. U* łagodność; pobłażliwość.

lenient [ˈliːnɪənt] *a.* łagodny (*np. o karze, egzaminatorze*); pobłażliwy.

leniently [ˈliːnɪəntlɪ] *adv.* łagodnie; pobłażliwie.

Leninism [ˈlenɪˌnɪzəm] *n. U hist., polit., ekon.* leninizm.

lenis [ˈliːnɪs] *a. i n. pl.* **lenes** [ˈliːniːz] *fon.* (głoska) słaba *l.* słabo artykułowana.

lenition [lɪˈnɪʃən] *n. U fon.* lenicja.

lenitive [ˈlenɪtɪv] *a. i n. C/U med.* (środek) łagodzący *l.* uśmierzający.

lenity [ˈlenətɪ] *n. pl.* **-ies** *form.* **1.** *U* miłosierdzie, pobłażliwość. **2.** akt miłosierdzia.

leno [ˈliːnoʊ] *n. U tk.* **1.** splot gazejski. **2.** gaza (= *materiał tkany splotem gazejskim*).

lens [lenz] *n. pl.* **-s 1.** *opt., anat.* soczewka. **2.** *fot.* obiektyw. **3.** = **contact lens**. – *v. pot.* nakręcić (= *sfilmować*); pstryknąć (= *sfotografować*).

Lent [lent] *n. U rel.* wielki post.

lent [lent] *v. zob.* **lend**.

Lenten [ˈlentən], **lenten** *a.* **1.** *rel.* wielkopostny. **2.** *arch. l. lit.* postny (*o jedzeniu*).

lentic [ˈlentɪk] *n. ekol.* bytujący w wodzie stojącej.

lenticel [ˌlentəˈsel] *n. bot.* przetchlinka (*w łodydze*).

lenticular [lenˈtɪkjələr] *a. form.* soczewkowaty; soczewkowy.

lentiginous [lenˈtɪdʒənəs] *a. fizj. form.* piegowaty.

lentigo [lenˈtaɪgoʊ] *n. pl.* **lentigines** [lenˈtɪdʒəˌniːz] *fizj. form.* pieg.

lentil [ˈlentl] *n.* **1.** *bot.* soczewica (*Lens culinaris*). **2.** *kulin.* ziarno soczewicy; *pl.* soczewica; **~ soup** zupa z soczewicy; **with rice and ~s** z ryżem i soczewicą.

lentisk [ˈlentɪsk] *n. bot.* pistacja (*Pistacia lentiscus*).

lentisk gum *n. U* mastyks, mastyka (*żywica*).

lento [ˈlentoʊ] *a., adv. i n. muz.* lento.

lentoid [ˈlentɔɪd] *a. form.* soczewkowaty.

Leo [ˈliːoʊ] *n. astrol., astron.* Lew.

Leonine [ˈliːəˌnaɪn] *n. U* (*także* **~ verse**) *hist. wers.* wiersz leoniński, leoniny.

leonine [ˈliːəˌnaɪn] *a. zool. l. przen.* lwi.

leopard [ˈlepərd] *n.* **1.** *zool.* lampart, pantera (*Panthera pardus*); (*także* **hunting ~**) = **cheetah**; **snow ~** irbis, pantera śnieżna (*Uncia uncia*). **2.** *U* skóra lamparcia. **3.** *her.* kroczący lew. **4. a/the ~ can't/doesn't change its spots** *t. przen.* natura ciągnie wilka do lasu.

leopardess [ˈlepərdəs] *n.* lamparcica, samica lamparta *l.* pantery.

leopard moth *n. ent.* torzyśniad kasztanowiec, trociniarka kasztanówka (*Zeuzera pyrina*).

leopard's bane *n. bot.* omieg (*Doronicum*).

leotard [ˈliːəˌtɑːrd] *n.* trykot (*tancerki, akrobaty*).

leper [ˈlepər] *n. pat. l. przen.* trędowat-y/a.

lepidopterans [ˌlepɪˈdɑːptərəns] *n. pl. ent.* motyle, łuskoskrzydłe.

lepidopterous [ˌlepɪˈdɑːptərəs] *a. ent.* łuskoskrzydły, motylowaty.

leporine [ˈlepəˌraɪn] *a. zool.* zajęczy.

leprechaun [ˈleprəˌkɔːn] *n. mit. Ir.* kobold (*odkrywający skarby temu, kto go schwyta*).

leprosarium [ˌleprəˈserɪəm] *n. pl.* **leprosaria** [ˌleprəˈserɪə] leprozorium.

leprose [ˈleproʊs] *a.* = **leprous**.

leprosy [ˈleprəsɪ] *n. U pat. l. przen.* trąd.

leprous [ˈleprəs] *a.* (*także* **leprose**) *pat.* **1.** trądowy. **2.** trędowaty.

lepton [ˈleptɑːn] *n. fiz.* lepton (*cząstka elementarna*).

leptospirosis [ˌleptəspaɪˈroʊsɪs] *n. U pat., wet.* leptospiroza.

lesbian [ˈlezbɪən] *n.* lesbijka. – *a.* lesbijski.

lesbianism [ˈlezbɪəˌnɪzəm] *n. U psych.* homoseksualizm (kobiet), lesbianizm (*orientacja seksualna*); *fizj.* miłość lesbijska (*praktyka seksualna*).

lese majesty [ˌliːz ˈmædʒəstɪ], **lese-majesty** *n.*

U **1.** *hist. l. żart.* obraza majestatu. **2.** *prawn.* zdrada stanu.

lesion [ˈliːʒən] *n. pat.* lezja, uszkodzenie; zmiana (chorobowa).

Lesotho [ləˈsuːtuː] *n. geogr.* Lesoto.

less [les] *a., adv. i pron. comp. od* **little** mniej; mniejszy; ~ **and** ~ coraz mniej; ~ **and** ~ **frequent/enthusiastic** coraz rzadszy/mniej entuzjastyczny; ~ **noise/water** mniej hałasu/wody; ~ **of that noise, please!** (a) może by (tak) trochę ciszej?; ~ **than ever (before)** mniej niż kiedykolwiek (przedtem); ~ **than helpful/successful** *t. iron.* niezupełnie *l.* nie całkiem pomocny/udany; **in** ~ **than no time** natychmiast, błyskawicznie; **much/still** ~ ... a (już) szczególnie (nie)..., (a) co dopiero...; **no** ~ **a person than the manager** sam kierownik, kierownik we własnej osobie; **no** ~ **than** nie mniej niż; **none/not the** ~ nie mniej; **nothing** ~ **than...** ni mniej, ni więcej, tylko...; co najmniej...; **the** ~ **you see of him, the quicker you'll forget** im rzadziej będziesz go widywać, tym szybciej zapomnisz; **the** ~ **said, the better** lepiej nie mówić; **the President, no** ~! ni mniej, ni więcej, tylko prezydent!, (sam) prezydent we własnej osobie! – *prep.* minus, odjąć; bez; ~ **tax/10% discount** minus *l.* odjąć podatek/10% rabatu; **a month** ~ **two days** miesiąc bez dwóch dni.

lessee [leˈsiː] *n. prawn.* najemca; dzierżawca.

lessen [ˈlesən] *v.* **1.** zmniejszać (się); maleć. **2.** łagodzić (*cios, szok*). **3.** *arch.* umniejszać.

lesser [ˈlesər] *a. attr.* **1.** *form.* mniejszy; **a** ~ **man** człowiek mniejszego formatu; **plead guilty to a** ~ **charge** *prawn.* przyznać się do popełnienia mniej poważnego przestępstwa; **to a** ~ **degree/extent** w mniejszym stopniu; **the** ~ **of two evils** mniejsze zło. **2.** *biol., geogr.* (*gł. w nazwach*) mały; ~ **panda** *zool.* panda mała; **L~ Slave Lake** *geogr.* Małe Jezioro Niewolnicze. – *adv. form.* mniej, mało; ~ **known** mało znany (*np. o pisarzu, kompozytorze*).

lesson [ˈlesən] *n.* **1.** *t. szkoln., kośc.* lekcja; **give/take** ~**s** dawać/brać lekcje (*in/on sth* czegoś); **music/history** ~ lekcja muzyki/historii. **2.** *przen.* nauczka, nauka; **draw a** ~ **from sth** wyciągnąć z czegoś naukę; **learn one's** ~ dostać nauczkę; **let that be a** ~ **to you** niech to będzie dla ciebie nauczką; **teach sb a** ~ dać komuś nauczkę; **that taught me a** ~ to była dla mnie nauczka, to mnie nauczyło rozumu. – *v. arch.* **1.** dawać lekcje (*komuś*). **2.** *przen.* nauczyć rozumu (*kogoś*).

lessor [leˈsɔːr] *n. prawn.* wynajmujący; dzierżawiący.

lest [lest] *conj. form. przest.* **1.** żeby nie, aby nie; **don't move** ~ **anyone see us** nie ruszaj się, żeby nikt nas nie zauważył. **2.** (*po czasowniku wyrażającym obawę*) że; **she was afraid** ~ **they (should) find out** bała się, że się dowiedzą.

let[1] [let] *v.* **let, let, -tt- 1.** pozwalać; ~ **sb do sth** pozwolić komuś coś zrobić; ~ **me** pozwól (= *ja to zrobię*); **don't** ~ **yourself be imposed upon/intimidated** nie pozwól *l.* nie daj się wykorzystać/zastraszyć; **live and** ~ **live** *zob.* **live**[1] *v.* **2.** (*wyrażając życzenie, założenie*) ~ **x be/equal 6** *mat.* niech x równa się 6; ~**'s do sth** (*także form.* ~ **us do sth**) zróbmy coś; ~**'s assume that...** załóżmy, że...; ~**'s hope (that)...** miejmy nadzieję, że...; ~**'s not talk about it** nie mówmy o tym; ~**'s say (that)...** powiedzmy, że...; ~ **him suffer** niech cierpi; ~ **there be light** *lit.* niech się stanie światło; **(God,) don't** ~ **him be the one** (Boże,) żeby to tylko nie był on. **3.** wynajmować, odnajmować (*sth to sb* coś komuś) (*pokój, mieszkanie*); **for** ~ (*także Br.* **to** ~) do wynajęcia (*napis*). **4.** przyznawać (*kontrakt*); przydzielać (*pracę*). **5.** ~ **alone...** nie wspominając o..., że już nie wspomnę o..., pomijając...; ~ **sb/sth alone** (*także* ~ **sb/sth be**) zostawić kogoś/coś w spokoju, dać komuś/czemuś spokój; ~ **sth drop/rest** uznać coś za załatwione, dać sobie z czymś spokój; ~**'s face it** (*także* ~**'s be honest**) powiedzmy sobie szczerze, spójrzmy prawdzie (prosto) w oczy; ~ **fall** puszczać, upuszczać; *geom.* spuszczać, kreślić (*wysokość, środkową*); **he** ~ **fall a word** wymknęło mu się słowo; ~ **fly** *zob.* **fly**[1] *v.*; ~ **go of sth** wypuścić coś (z rąk); pozbyć się czegoś; ~ **go!** puszczaj!; ~ **me go** puść mnie; ~**'s make it Sunday/three o'clock** *zob.* **make** *v.*; ~ **o.s. go** rozluźnić się; poszaleć sobie; zaniedbać się; dać się ponieść; ~ **sb go** wypuścić kogoś (*na wolność*); *euf.* zrezygnować z kogoś (= *zwolnić z pracy*); ~ **sth go** porzucić coś (*zwł. pomysł*); zignorować *l.* przemilczeć coś (*nietakt, uwagę*); **I'll** ~ **it go for 10 bucks** *pot.* oddam *l.* puszczę to za 10 dolców (= *sprzedam*); ~ **it go at that** zakończyć na tym (sprawę), poprzestać na tym; ~ **sb have sth** dać *l.* podać *l.* pokazać komuś coś (*t. w sklepie*); ~ **sb have it** *zob.* **have** *v.*; ~ **it all hang out** *zob.* **hang** *v.*; ~ **it/things lie** przeczekać (sprawę), nic nie robić; ~ **sb know** dać komuś znać, zawiadomić kogoś; ~ **me know if you need anything** daj mi znać, gdybyś czegoś potrzebował; ~ **loose** spuszczać (*psa*); wypuszczać (na wolność) (*zbrodniarza*); rozpętać (*piekło*); ~ **loose with an attack** przypuszczać atak; ~ **sth pass** puścić coś mimo uszu (*np. złośliwą uwagę*), zignorować coś (*np. czyjś nietakt*); ~**'s just say (that)...** powiem tylko, że...; ~ **sth ride** odczekać (trochę); zignorować *l.* przemilczeć coś (*nietakt, uwagę*); ~ **rip** stracić panowanie nad sobą; ~ **(it) rip** *pot.* dać czadu, przyczadować (= *głośno grać, szybko jechać*); ~ **sleeping dogs lie** *zob.* **dog** *n.*; ~ **slip** wygadać (*sekret*); przepuścić (*okazję*); ~**'s see...** zaraz, zaraz ...; zobaczmy...; ~**'s see your new dress** pokaż tę nową sukienkę; ~ **me see/think...** zaraz, zaraz..., niech pomyślę; ~ **me tell you!** *emf.* słowo daję!; **never** ~ **a day/week go by without (doing) sth** robić coś dzień w dzień/tydzień w tydzień; **she never** ~**s a day go by without calling** nie ma dnia, żeby nie zadzwoniła; ~ **well (enough) alone** *zob.* **alone** *adv.* **6.** ~ **down** opuszczać, spuszczać, obniżać; popuszczać, przedłużać (*spodnie, sukienkę*); spuszczać powietrze z (*koła, balonu*); ~ **sb down** zawieść kogoś; rozczarować kogoś; opuszczać kogoś (*w potrzebie*); ~ **sb down badly** sromotnie kogoś zawieść; gorzko kogoś rozczarować; ~ **the side down** *Br. pot.* zawalić (= *zawieść drużynę, przyjaciół, rodzinę*); ~ **sb down gently/lightly** delikatnie coś komuś powiedzieć *l.* przekazać (*zw. złą wiadomość*); ~ **one's hair down** *zob.* **hair**; ~

sb/sth in wpuszczać kogoś/coś (do środka) (*gościa, światło, powietrze*); ~ **sth in** *bud., techn.* wpuszczać coś (*np. w ścianę, sufit*); przepuszczać coś (*np. wodę*); ~ **o.s. in for sth** *pot.* pakować się w coś; narażać się na coś; ~ **sb in on sth** zdradzić komuś coś, wtajemniczyć kogoś w coś; ~ **o.s. in** otworzyć sobie drzwi (*zwł. kluczem*); wejść sobie (*t. bez pozwolenia*); **how did you ~ yourself in?** w jaki sposób dostałaś się do środka?; ~ **sb into sth** wpuścić kogoś gdzieś (*do budynku, pomieszczenia*); *przen.* zdradzić komuś coś, wtajemniczyć kogoś w coś; ~ **off** wystrzelić z (*broni*); zdetonować (*bombę*); ~ **sb off** darować komuś karę, puścić kogoś wolno; ~ **sb off (sth)** zwalniać kogoś (z czegoś); ~ **sb off with sth** poprzestać na czymś (*np. na upomnieniu l. grzywnie, zamiast surowszej kary*); ~ **sb off lightly** wymierzyć komuś łagodną karę, potraktować kogoś łagodnie *l.* pobłażliwie; ~ **off steam** *zob.* **steam** *n.*; ~ **on** *pot.* udawać; puścić farbę (= *zdradzić*); ~ **out** wypuszczać (*osobę, wodę, ciepło*); popuszczać, poszerzać (*spodnie, suknię*); wydać (*okrzyk*); wybuchnąć (*ostrymi słowami*); *przen.* wygadać (*tajemnicę*); wygadać się; *gł. Br.* wynajmować (*np. mieszkanie l. pokój komuś*); *US* kończyć się (*o zajęciach, filmie, przedstawieniu*); ~ **through** przepuszczać (*kogoś w kolejce, przez bramkę; artykuł do druku*); ~ **up** zelżeć, popuścić, złagodnieć; ustać (*o wietrze, deszczu*); przestać, dać spokój (*o osobie*). – *n. Br.* **1.** wynajem; okres wynajmu. **2.** przedmiot wynajmu.

let[2] *n.* **1.** *tenis, badminton* let (*zwł. = net prowadzący do powtórzenia piłki*). **2.** *C/U arch.* przeszkoda; **without ~ or hindrance** *form.* bez ograniczeń (i przeszkód). – *v. pret. i pp.* **let** *l.* **letted, -tt** *arch.* powstrzymywać.

letch [letʃ] *n. i v.* = **lech.**

letdown [ˈletˌdaʊn] *n.* **1.** *form.* zawód, rozczarowanie. **2.** osłabnięcie; ustąpienie (*wiatru, deszczu*). **3.** *lotn.* schodzenie (do lądowania), wytracanie wysokości.

lethal [ˈliːθl] *a.* śmiertelny; śmiercionośny, zabójczy; *med., pat. t.* letalny; ~ **combination** zabójcza mieszanka *l.* kombinacja (*np. alkohol z narkotykami*).

lethal dose *n. med.* dawka śmiertelna.

lethal gene *n. med.* gen letalny.

lethal injection *n. prawn.* zastrzyk z trucizną (*metoda egzekucji*).

lethally [ˈliːθlɪ] *adv.* śmiertelnie.

lethargic [ləˈθɑːrdʒɪk], **lethargical** *a.* ospały; letargiczny.

lethargically [lɪˈθɑːrdʒɪklɪ] *adv.* ospale.

lethargy [ˈleθərdʒɪ] *n. U* **1.** ospałość. **2.** letarg; **in ~** w letargu.

Lethe [ˈliːθɪ] *n.* **1.** *mit.* Lete (= *rzeka zapomnienia*). **2.** *lit.* zapomnienie, niepamięć.

Lethean [lɪˈθɪən] *a. mit., lit.* letejski; ~ **water** woda letejska.

let's [lets] *v.* = **let us**; *zob.* **let**[1] *v.* 2.

Lett [let] *n. rzad.* Łotysz/ka.

letter [ˈletər] *n.* **1.** list; pismo; **mail/***Br.* **post a ~** wysłać list; **open ~** *polit.* list otwarty; **in reply to your ~ of...** *form.* w odpowiedzi na Pańskie/Pani/Państwa pismo z dn. ... **2.** *t. przen.* litera; **small/capital ~** mała/wielka litera; **in ~ and in spirit** w treści i w duchu; **the ~ of the law** litera prawa; **to the ~** dosłownie; co do joty. **3.** *pl. zob.* **letters. 4.** *US szkoln.* emblemat szkolny (*nadawany za wybitne osiągnięcia sportowe*). **5.** *U US komp., druk.* format amerykański, format 8,5 na 11 cali (= *21,59 na 27,94 cm*). **6. dead ~** *zob.* **dead.** – *v.* **1.** wykonywać napis *l.* nadruk na (*czymś*). **2.** napisać, nadrukować. – *a. attr. US komp., druk.* formatu amerykańskiego, formatu 8,5 na 11 cali (*o papierze; = 21,59 na 27,94 cm*).

letter balance *n.* waga do listów.

letter bomb *n.* przesyłka z materiałem wybuchowym.

letter-bound [ˈletərˌbaʊnd] *a.* trzymający się kurczowo litery prawa, formalistyczny.

letter box *n.* **1.** skrzynka (na listy) (*w domu*). **2.** *gł. Br.* skrzynka pocztowa (*na ulicy, na poczcie*).

letter-card [ˈletərˌkɑːrd] *n. Br.* list-pocztówka.

letter carrier *n. US przest.* doręczyciel/ka, listonosz/ka.

lettered [ˈletərd] *a. form.* **1.** piśmienny. **2.** wykształcony; oczytany. **3.** *gł. w złoż.* wypisany literami; opisany; **carefully ~** starannie wypisany.

letter file *n.* kartoteka korespondencji, segregator na listy.

letterhead [ˈletərˌhed] *n.* **1.** *U* papier firmowy, papeteria firmowa. **2.** nagłówek (firmowy).

lettering [ˈletərɪŋ] *n.* **1.** napis. **2.** *U* liternictwo, krój liter. **3.** układ liter.

letterman [ˈletərˌmæn] *n. pl.* **-men** *US szkoln.* wybitny sportowiec (*nagrodzony emblematem szkoły*).

letter of advice *n.* awizo, powiadomienie (*zwł. o nadejściu partii towaru*).

letter of attorney *n. prawn.* pisemne pełnomocnictwo.

letter of credit *n. fin.* akredytywa.

letter of intent *n. prawn.* list intencyjny.

letter of introduction *n.* list wprowadzający *l.* polecający.

letter opener *n.* nóż do (rozcinania) listów.

letter paper *n. U* papier listowy.

letter-perfect [ˌletərˈpɜːfekt] *a. gł. US* **1.** znający tekst na pamięć (*np. o aktorze, mówcy*); dokładnie zapamiętany (*np. o roli, przemówieniu*). **2.** poprawny w każdym szczególe.

letterpress [ˈletərˌpres] *n. druk.* **1.** *U* typografia, druk typograficzny. **2.** prasa drukarska. **3.** *U* tekst drukowany. **4.** *U gł. Br.* tekst (*w odróżnieniu od ilustracji*).

letter-quality [ˌletərˈkwɑːlɪtiː] *a. i adv. komp.* wysokiej jakości (*o wydruku, drukowaniu, zwł. na drukarce igłowej*); ~ **printer** *komp.* drukarka wysokiej jakości (druku).

letters [ˈletərz] *n. z czasownikiem w l. poj./l. mn. form. uniw.* literatura, piśmiennictwo; **American/Polish ~s** literatura amerykańska/polska; **man of ~s** *form.* luminarz, erudyta; pisarz, literat.

letter-size [ˈletərˌsaɪz] *a. US komp., druk.* w formacie *l.* formatu 8,5 na 11 cali, w formacie amerykańskim (*o papierze, teczce, ustawieniu strony; = 21,59 na 27,94 cm*).

letters of administration *n. pl. prawn.* ustanowienie sądowe zarządcy majątku zmarłego.

letters of credence *n. pl.* (*także* **letters credential**) *prawn.* listy uwierzytelniające.

letters of marque *n. pl. prawn.* **1.** (*także* **letters and reprisal**) prawo represalii. **2.** *hist.* list kaperski.

letters patent *n. pl. prawn.* patent, zaświadczenie patentowe.

letters testamentary *n. pl. prawn.* dokument (sądu spadkowego) zatwierdzający wykonawcę woli testamentarnej.

letter weight *n.* przycisk do papieru.

letting [ˈletɪŋ] *n. Br.* oferta wynajmu; mieszkanie *l.* dom do wynajęcia.

Lettish [ˈletɪʃ] *a. i n. U* (język) łotewski.

lettuce [ˈletəs] *n.* **1.** *C/U kulin., bot.* sałata (*rodzaj Lactuca*). **2.** *U US sl.* sałata, siano (= *pieniądze*).

letup [ˈletˌʌp] *n. U l. sing.* **1.** spadek, zmniejszenie, obniżenie (*np. popytu, zainteresowania*). **2.** osłabnięcie (*np. wiatru, walk*). **3.** przerwa, odpoczynek.

leu [ˈleʊ] *n. pl.* **lei** [ˈleɪi:] *fin.* lej (*waluta rumuńska*).

leucite [ˈlu:saɪt] *n. U min.* leucyt.

leuco- = **leuko-**.

leucoplast [ˈlu:kəˌplæst] *n. bot.* leukoplast.

leukemia [lu:ˈki:mɪə], *Br. t.* **leukaemia** *n. U pat.* białaczka, leukemia.

leukoblast [ˈlu:kəˌblæst] *n. anat.* leukoblast.

leukocyte [ˈlu:kəˌsaɪt] *n. anat.* leukocyt, białe ciałko krwi, krwinka biała.

leukocytosis [ˌlu:kəsaɪˈtoʊsɪs] *n. U pat.* leukocytoza.

leukorrhea [ˌlu:kəˈrɪə], **leukorrhoea** *n. U pat.* obfite upławy białe.

lev [lef] *n. pl.* **-a** [ˈlevə] *fin.* lew (*waluta bułgarska*).

Levant [ləˈvænt] *n.* **the** ~ *hist.* Lewant, kraje Lewantu.

levant [ləˈvænt] *n. U* safian lewantyński (*rodzaj skóry*). – *v. Br.* ulotnić się, uciec przed długami.

levanter[1] [ləˈvæntər] *n. meteor., żegl.* lewanter (*wschodni wiatr w rejonie Gibraltaru*).

levanter[2] *n. Br.* zbieg, uciekinier (*przed długami*).

Levantine [ˈlevənˌtaɪn] *a.* lewantyński. – *n. U* (*także* **l~**) *tk.* lewantyna (*rodzaj tkaniny*).

levator [ləˈveɪtər] *n.* (*także* ~ **muscle**) *anat.* dźwigacz.

levee[1] [ˈlevi:] *n.* **1.** wał przeciwpowodziowy. **2.** *roln.* obwałowanie (pola). **3.** *przest.* przystań rzeczna.

levee[2] *Br. hist.* audiencja poranna (*u monarchy*); popołudniowe przyjęcie dla mężczyzn (*na dworze królewskim*).

level [ˈlevl] *n.* **1.** *C/U t. przen.* poziom (*inflacji, wody, nauczania*); wysokość; kondygnacja; **at eye** ~ na wysokości oczu; **at ground** ~ na poziomie parteru, na parterze; **on a** ~ **with sth** na tym samym poziomie co coś, na równi z czymś. **2.** *C/U admin.* szczebel (*zarządzania*); **at (the) executive** ~ na szczeblu kierowniczym; **at (the) local/national** ~ na szczeblu lokalnym/centralnym; **at the (very) highest** ~ na najwyższym szczeblu. **3.** (*także* **spirit** ~) *bud., techn.* poziomnica, libella. **4.** *miern.* niwelator. **5.** *geogr.* równia, płaszczyzna; równina. **6.** *górn.* sztolnia pozioma. **7.** *przen.* **at gut** ~ *zob.* **gut** *n.*; **at/on one** ~..., **at/on another** ~... z jednej strony..., z drugiej strony...; **drag sb down to one's** ~ *zob.* **drag** *v.*; **find one's (own)** ~ *Br.* znaleźć odpowiednie miejsce dla siebie; **on a personal** ~ na stopie prywatnej; **on a practical** ~ z praktycznego punktu widzenia; **on the** ~ *pot.* uczciwy; legalny. – *a.* **1.** równy; poziomy; ~ **with sb/sth** na tym samym poziomie co ktoś/coś. **2.** spokojny, zrównoważony (*o głosie, spojrzeniu*). **3.** *kulin.* płaski; ~ **spoonful/cupful** płaska łyżka/płaski kubek (*of sth* czegoś). **4.** *t. przen.* **be on a** ~ **playing field** (*także Br. i Austr.* **be on** ~ **pegging**) mieć równe szanse; **do one's** ~ **best** dołożyć wszelkich starań, zrobić wszystko, co w ludzkiej mocy; **draw** ~ **with sb** *gł. Br. sport* zrównać się z kimś; **finish** ~ zremisować; **keep a** ~ **head** zachować przytomność umysłu. – *adv.* poziomo; równo (*with sth* z czymś). – *v. Br.* **-ll-** **1.** *t. przen.* wyrównywać (*ziemię, różnice*); ~ **the score** *Br. sport* wyrównać wynik; *przen.* wyrównać rachunki. **2.** *bud., techn.* wypoziomować (*fundament, mur*). **3.** *bud., miern.* niwelować (*teren*). **4.** powalić, zwalić (*kogoś na ziemię*). **5.** *t. przen.* wymierzyć; ~ **a gun at sb/sth** wymierzyć pistolet w kogoś/coś; mierzyć *l.* celować do kogoś/czegoś *l.* w kogoś/coś z pistoletu; ~ **a charge/an accusation against sb** wymierzyć przeciwko komuś oskarżenie; ~ **criticism at sb** skierować przeciwko komuś krytykę. **6.** (*także* ~ **to/with the ground**) zrównać z ziemią (*teren, miasto, budynki*). **7.** ~ **down** równać w dół; ~ **off/out** wyrównywać się; stabilizować się (*o cenach, kursach, inflacji*); stawać się łagodnym *l.* mniej stromym, przestawać się wspinać/opadać (*o drodze*); *lotn.* wyrównywać lot; ~ **sth off/out** wyrównywać coś (*np. lot, różnice*); ~ **up** równać w górę; ~ **with sb** *US przen. pot.* być z kimś szczerym; postępować z kimś uczciwie.

level crossing *n. Br. i Austr.* przejazd kolejowy.

leveler [ˈlevlər], *Br.* **leveller** *n.* **1.** *roln.* włóka. **2.** *techn.* niwelator; *mech.* wyrównywarka; prostownica. **3. death/poverty/suffering is a great** ~ w obliczu śmierci/biedy/cierpienia wszyscy jesteśmy równi. **4.** *polit.* obroń-ca/czyni sprawiedliwości społecznej; **L~** *zob.* **Levellers**.

levelheaded [ˌlevlˈhedɪd], **level-headed** *a.* trzeźwo myślący, zrównoważony.

levelheadedness [ˌlevlˈhedɪdnəs] *n. U* zrównoważenie.

leveling rod, *Br.* **levelling rod** *n. miern.* łata *l.* tyczka niwelacyjna.

leveling screw, *Br.* **levelling screw** *n. techn.* śruba regulacyjna *l.* poziomująca.

leveling staff, *Br.* **levelling staff** *n.* = **leveling rod**.

Levellers [ˈlevlərz] *n. pl. Br. hist.* lewellerzy (*radykalny ruch społeczny w XVII wieku*).

levelly [ˈlevlɪ] *adv.* **1.** równo; poziomo. **2.** spokojnie, bez emocji (*patrzeć*), spokojnym głosem (*powiedzieć*).

levelness [ˈlevlnəs] *n. U* poziomość (*terenu*).

level of significance *n. stat.* poziom istotności.

lever [ˈlevər] *n.* **1.** *mech.* dźwignia; drążek; **control** ~ drążek sterowniczy, dźwignia sterująca; **gear (shift)** ~ *mot.* dźwignia (zmiany) biegów. **2.** *mech.* podnośnik, lewar, lewarek. **3.** *zegarmistrzostwo* widełki; ~ **escapement/watch** wychwyt/zegarek kotwicowy. **4.** *przen.* środek nacisku. – *v.* **1.** podnosić (*za pomocą podnośnika*). **2.** ~ **out** wyważać; ~ **sb out of sth** *przen.* wykolegować kogoś skądś (*zwł. z posady*); ~ **up** podważać; ~ **o.s. up** podźwignąć się.

leverage [ˈlevərɪdʒ] *n. U* **1.** *mech.* układ *l.* zespół dźwigni; działanie dźwigni; przełożenie dźwigni. **2.** *przen.* wpływ; siła *l.* środki perswazji; nacisk. **3.** *US fin.* dźwignia, lewar; **financial/operating/total** ~ dźwignia finansowa/operacyjna/całkowita. – *v. US fin.* **1.** wykorzystywać dźwignię *l.* lewar. **2.** pozyskiwać (*fundusze*).

leveraged buyout [ˌlevərɪdʒd ˈbaɪˌaʊt] *n. C/U ekon.* wykup wspomagany (dźwignią finansową), wykup lewarowy, przejęcie wspomagane *l.* lewarowe.

leveret [ˈlevərɪt] *n.* młody zając, zajączek.

Levi [ˈliːvaɪ] *n. Bibl.* Lewi.

leviable [ˈlevɪəbl] *n. fin.* **1.** podlegający opodatkowaniu (*o dobrach*). **2.** ściągalny; nakładalny (*o podatku*).

leviathan [lɪˈvaɪəθən] *n. Bibl. l. przen.* lewiatan.

levin [ˈlevɪn] *n. arch.* błyskawica; grom.

levirate [ˈlevərɪt] *n. U antrop.* lewirat (= *zwyczaj poślubiania wdowy po zmarłym bracie*).

Levi's [ˈliːvaɪz] *n. pl. handl.* lewisy (*dżinsy*).

levitate [ˈlevɪˌteɪt] *v.* lewitować.

levitation [ˌlevɪˈteɪʃən] *n. U* lewitacja.

Levite [ˈliːvaɪt] *n. Bibl., hist.* lewita.

Levitical [lɪˈvɪtɪkl] *a. Bibl., hist.* lewicki.

levity [ˈlevɪtɪ] *n. U form.* brak powagi; beztroska.

levo [ˈliːvoʊ] *a. attr. fiz., chem.* lewoskrętny (*o roztworze*).

levodopa [ˌliːvəˈdoʊpə] *n.* = **L-dopa**.

levorotatory [ˌliːvəˈroʊtəˌtɔːrɪ] *a. fiz., chem.* lewoskrętny.

levulose [ˈlevjəˌloʊs] *n. U chem.* lewuloza, D-fruktoza.

levy [ˈlevɪ] *v.* **-ied, -ying 1.** *fin.* nakładać; ~ **a tax/charge/excise (on sth)** nakładać na coś podatek/opłatę/akcyzę. **2.** *fin.* ściągać, pobierać (*podatek, opłatę*); egzekwować (*kwotę*). **3.** *wojsk.* werbować, rekrutować (*żołnierzy, armię*). **4.** *prawn.* zajmować, konfiskować; zaaresztować (*własność na podstawie wyroku sądowego*). **5.** ~ **on sb (for sth)** czerpać (coś) z kogoś (*np. inspirację, natchnienie*); ~ **war on/upon/against sb** *polit.* podejmować działania wojenne przeciwko komuś. – *n. pl.* **-ies 1.** *fin.* podatek; należność; **capital** ~ podatek od kapitału; *hist.* danina majątkowa. **2.** *t. pl. fin.* wpływy. **3.** *U fin.* ściąganie, pobieranie (*podatków*); egzekwowanie (*płatności*). **4.** *C/U wojsk.* pobór, rekrutacja. **5.** *t. pl. wojsk.* kontyngent (*żołnierzy*).

levy en masse [ˌlevɪ ɑːn ˈmæs] *n.* (*także* **levée en masse**) *wojsk.* pospolite ruszenie.

lewd [luːd] *a.* lubieżny (*o osobie, treściach*); niewybredny, sprośny (*o języku, słowach*).

lewdly [ˈluːdlɪ] *adv.* lubieżnie; sprośnie.

lewdness [ˈluːdnəs] *n. U* lubieżność; sprośność.

lewisite [ˈluːɪˌsaɪt] *n. U wojsk., chem.* luizyt.

lexeme [ˈleksiːm] *n. jęz.* leksem.

lexical [ˈleksɪkl] *a. jęz.* leksykalny.

lexicalization [ˌleksɪkələˈzeɪʃən], *Br. i Austr. zw.* **lexicalisation** *n. C/U jęz.* leksykalizacja.

lexicalize [ˈleksɪkəˌlaɪz], *Br. i Austr. zw.* **lexicalise** *v. jęz.* leksykalizować (się).

lexicographer [ˌleksəˈkɑːgrəfər] *n.* leksykograf, słownikarz.

lexicographic [ˌleksəkəˈgræfɪk], **lexicographical** [ˌleksəkəˈgræfɪkl] *n.* leksykograficzny, słownikarski.

lexicography [ˌleksəˈkɑːgrəfɪ] *n. U* leksykografia, słownikarstwo.

lexicology [ˌleksəˈkɑːlədʒɪ] *n. U jęz.* leksykologia.

lexicon [ˈleksəˌkɑːn] *n.* **1.** *sing.* (*także* **the** ~) *jęz., psych.* leksykon; słownictwo, zasób słów (*danego języka, osoby, grupy osób l. dyscypliny*). **2.** leksykon (*typ słownika*).

lexis [ˈleksɪs] *n. U jęz.* lexis, leksykon (*danego języka*).

ley [leɪ] *n. roln.* odłóg, ugór; łąka; pastwisko (*zwł. okresowe na ziemi uprawnej*).

Leyden [ˈlaɪdən] *n.* = **Leiden**.

Leyden jar *n. hist., el.* butelka lejdejska.

ley farming *n. U roln.* gospodarka odłogowa *l.* przemienno-łąkowa.

ley line *n. Br.* linia geomantyczna (*rzekomo przedstawiająca pradawny trakt, określana na podstawie położenia wzgórz i starych budowli*).

LF [ˌel ˈef] *abbr.* **low frequency** *radio, el.* m.cz. (= *mała częstotliwość*).

lg. *abbr.* **1.** = **large**. **2.** = **long**.

lge. *abbr.* = **large**.

lgth *abbr.* = **length**.

LH [ˌel ˈeɪtʃ] *abbr.* = **luteinizing hormone**.

li [liː] *n. pl.* **li** li, mila chińska (= *500 m*).

liability [ˌlaɪəˈbɪlətɪ] *n. pl.* **-ies** *gł. form.* **1.** *U prawn., ubezp.* odpowiedzialność (*for sth* za coś); **limited** ~ **company** *Br.* spółka z ograniczoną odpowiedzialnością. **2.** zobowiązanie, obowiązek. **3.** *fin.* zobowiązanie; dług; *pl.* zobowiązania płatnicze *l.* finansowe; pasywa; płatności. **4.** *sing.* ciężar, kłopot (*o rzeczy l. osobie*). **5.** *U* ~ **to sth** *t. med.* podatność *l.* narażenie na coś (*np. na chorobę, zakażenie*).

liable [ˈlaɪəbl] *a. pred. gł. form.* **1.** ~ **to do sth** mający *l.* przejawiający skłonność do czegoś; **complications are** ~ **to occur** mogą wystąpić powikłania; **the engine is** ~ **to overheat** silnik często się przegrzewa. **2.** odpowiedzialny (*for sth* za coś). **3.** *Br. i Austr. t. prawn.* podlegający (*to / for sth* czemuś) (*np. karze, obowiązkowi*); ~ **for military service** podlegający służbie wojskowej; ~ **to civil/criminal charges** *prawn.* podlegający odpowiedzialności cywilnej/karnej. **4.** zobowiązany (*to sth* do czegoś). **5.** *t. med.* narażony, podatny (*to sth* na coś).

liaise [lɪˈeɪz] *v.* pośredniczyć we współpracy, wymieniać informacje (*with sb / sth* z kimś/czymś).

liaison [ˈliːəzɑːn] *n.* **1.** *U l. sing.* współpraca, współdziałanie; wymiana informacji (*between* pomiędzy *l.* między); **in ~ with sb/sth** we współpracy *l.* współdziałaniu z kimś/czymś. **2.** *wojsk.* łączność. **3.** *euf.* związek (= *romans*). **4.** *fon.* liaison. **5.** (*także* ~ **officer**) koordynator/ka (*współpracy z innymi komórkami organizacji l. organizacjami*); łączni-k/czka (*z biblioteką*); *wojsk.* oficer łącznikowy.

liana [lɪˈɑːnə], **liane** [lɪˈɑːn] *n. bot.* liana.

liar [ˈlaɪər] *n.* kłamca, łgarz; kłamczuch/a.

Lias [ˈlaɪəs] *n. U geol.* lias.

Liassic [laɪˈæsɪk] *a. geol.* liasowy.

lib [lɪb] *n. U polit.* ruch wyzwolenia; **women's** ~ ruch wyzwolenia kobiet.

libation [laɪˈbeɪʃən] *n.* **1.** *hist., rel.* uczta, libacja (*ku czci bogów*). **2.** *żart.* napitek, trunek.

libber [ˈlɪbər] *n. w złoż. polit.* **women** ~ działacz/ka ruchu wyzwolenia kobiet; **gay** ~ działacz/ka na rzecz równouprawnienia homoseksualistów.

Lib Dem [ˌlɪb ˈdem] *n. i a. Br. polit.* = **Liberal Democrat.**

libel [ˈlaɪbl] *gł. prawn. n.* **1.** zniesławienie (*na piśmie, drukiem*); oszczerstwo, potwarz; ~ **action** sprawa o zniesławienie; **sue sb for** ~ skarżyć kogoś o zniesławienie. **2.** *kość.* pozew (*do sądu kościelnego*). **3. the greater the truth, the greater the** ~ *przest.* prawda w oczy kole. – *v. Br.* **-ll- 1.** zniesławiać (*na piśmie, drukiem*); rzucać oszczerstwa *l.* potwarze na (*kogoś*). **2.** *kość.* wnosić pozew (do sądu kościelnego) przeciwko (*komuś*).

libelant [ˈlaɪblənt], *Br.* **libellant** *n. prawn.* **1.** oskarżon-y/a o zniesławienie; winn-y/a zniesławienia, skazan-y/a za zniesławienie. **2.** oszczerca. **3.** *kość.* powód/ka (*w sądzie kościelnym*).

libelee [ˌlaɪbəˈliː], *Br.* **libellee** *n. prawn., kośc.* pozwan-y/a (*w sądzie kościelnym*).

libeler [ˈlaɪblər], *Br.* **libeller, libelist** [ˈlaɪblɪst] *Br.* **libellist** *n. prawn.* **1.** oskarżon-y/a o zniesławienie; winn-y/a zniesławienia, skazan-y/a za zniesławienie. **2.** oszczerca.

libelous [ˈlaɪbləs], *Br.* **libellous** *a. prawn.* **1.** zniesławiający. **2.** oszczerczy.

liberal [ˈlɪbərəl] *a.* **1.** liberalny; wolnomyślny, postępowy. **2.** hojny, szczodry; **be ~ with sth** nie żałować *l.* nie skąpić czegoś. **3.** obfity, suty. **4.** swobodny, wolny (*o tłumaczeniu, interpretacji*). **5.** wszechstronny, o wychowaniu, wykształceniu. – *n.* **1.** liberał. **2.** *Br., Can. i Austr. polit.* człon-ek/kini partii liberalnej; zwolenni-k/czka partii liberalnej.

liberal arts *n. pl. zwł. US uniw.* nauki humanistyczne.

liberal democracy *n. C / U pl.* **-ies** *polit.* liberalna demokracja (*ustrój l. państwo*).

Liberal Democrat *Br. polit. n.* **1.** człon-ek/kini Partii Liberalnych Demokratów. **2.** *pl.* Partia Liberalnych Demokratów. – *a.* dotyczący Partii Liberalnych Demokratów.

liberalism [ˈlɪbərəˌlɪzəm] *n. U* liberalizm.

liberalist [ˈlɪbərəlɪst] *n. polit.* liberalist-a/ka. – *a.* = **liberalistic.**

liberalistic [ˈlɪbərəlɪstɪk] *a. polit.* liberalistyczny (*np. o dążeniach, poglądach*).

liberality [ˌlɪbəˈræləti] *n. U form.* **1.** liberalność; wolnomyślność, postępowość. **2.** hojność, szczodrość.

liberalization [ˌlɪbərələˈzeɪʃən], *Br. i Austr. zw.* **liberalisation** *n. U* liberalizacja.

liberalize [ˈlɪbərəˌlaɪz], *Br. i Austr. zw.* **liberalise** *v.* liberalizować (się).

liberally [ˈlɪbərəlɪ] *adv.* **1.** hojnie, szczodrze. **2.** suto. **3.** liberalnie.

Liberal Party *n. sing. Br. hist., Can. i Austr. polit.* Partia Liberalna.

liberal studies *n. pl. zwł. Br. uniw., szkoln.* kurs przedmiotów humanistycznych (*dla studentów nauk ścisłych l. uczniów szkół zawodowych*).

liberate [ˈlɪbəˌreɪt] *v.* **1.** uwalniać (*t. chem., zwł. gaz*); wyzwalać, oswobadzać (*from sth* od l. spod czegoś). **2.** *pot. l. żart.* zwędzić (= *ukraść*).

liberated [ˈlɪbəˌreɪtɪd] *a.* wyzwolony (*zwł. o kobiecie*).

liberation [ˌlɪbəˈreɪʃən] *n. U* uwolnienie; wyzwolenie, oswobodzenie.

liberation theology *n. U polit.* teologia wyzwolenia.

liberator [ˈlɪbəˌreɪtər] *n.* oswobodziciel/ka, wyzwoliciel/ka.

Liberia [laɪˈbiːrɪə] *n. geogr.* Liberia.

Liberian [laɪˈbiːrɪən] *a.* liberyjski. – *n.* Liberyj-czyk/ka.

libertarian [ˌlɪbərˈterɪən] *polit. n.* libertarianin. – *a.* libertariański.

libertarianism [ˌlɪbərˈterɪəˌnɪzəm] *n. U polit.* libertarianizm, libertalizm.

liberticidal [lɪˌbɝːtəˈsaɪdl] *a. form.* zabijający wolność.

liberticide [lɪˈbɝːtəˌsaɪd] *n. form.* **1.** morderca/czyni wolności. **2.** *U* zabijanie wolności.

libertinage [ˈlɪbərˌtiːnɪdʒ] *n.* = **libertinism.**

libertine [ˈlɪbərˌtiːn] *n.* libertyn. – *a.* libertyński.

libertinism [ˈlɪbərtɪˌnɪzəm] *n. U* libertynizm.

liberty [ˈlɪbərtɪ] *n. pl.* **-ies 1.** *C / U* wolność; swoboda; **civil liberties** *polit.* wolności *l.* swobody obywatelskie; **depravation/restriction of** ~ *prawn.* pozbawienie/ograniczenie wolności. **2.** *żegl.* przepustka uprawniająca do wyjścia na ląd; czas ważności przepustki jw. **3. at** ~ swobodny, wolny; na wolności (*np. o przestępcy*); **not be at ~ to do sth** nie mieć prawa czegoś robić; **take the ~ to do sth/of doing sth** pozwolić sobie coś zrobić/na zrobienie czegoś; **take liberties with sb** *przest.* pozwalać sobie na poufałość w stosunku do kogoś; **take liberties with sth** zbyt swobodnie sobie z czymś poczynać (*np. = zmieniać tekst, manipulować faktami*).

liberty bond *n. hist., fin.* obligacja wojenna (*emitowana podczas I wojny światowej*).

liberty cap *n.* **1.** *hist.* czapka frygijska, frygijka. **2.** *bot.* gatunek grzyba halucynogennego (*Psilocybe semilanceata*).

liberty hall, Liberty Hall *n. U pot.* pełen luz, pełna swoboda.

liberty horse *n. cyrk* koń do tresury „z ręki".

liberty loan *n. hist., fin.* pożyczka wojenna (*z czasów I wojny światowej*).

liberty ship *n. hist.* statek dostawczy z okresu II wojny światowej.

libidinal [lɪˈbɪdənl] *a. psych.* dotyczący libido.

libidinous [lɪˈbɪdənəs] *a. psych.* pobudliwy seksualnie.

libido [lɪˈbiːdoʊ] *n. C / U pl.* **-s** *psych.* libido, pożądanie płciowe.

libra [ˈliːbrə] *n.* **1.** *pl.* **librae** [ˈliːbriː] funt (*jednostka wagi l. monetarna*). **2.** *pl.* **-s L~** *astrol.* Waga.

librarian [laɪˈbrerɪən] *n.* biblioteka-rz/rka.

librarianship [laɪˈbrerɪənˌʃɪp] *n. U* bibliotekarstwo, zawód bibliotekarza.

library [ˈlaɪˌbrerɪ] *n. pl.* **-ies** biblioteka (*instytucja, budynek, seria wydawnicza*); księgozbiór; **~ book** książka z biblioteki; **circulating/lending ~** wypożyczalnia książek; **public/university ~** biblioteka publiczna/uniwersytecka; **record ~** płytoteka; **reference ~** biblioteka podręczna; **walking ~** *przen.* chodząca encyklopedia.

library edition *n.* wersja biblioteczna (*książki; = specjalnie wzmocniona*).

library science *n. U* bibliotekoznawstwo.

librate [ˈlaɪbreɪt] *v. t. astron.* **1.** wahać się, drgać. **2.** ważyć się, bujać.

libration [laɪˈbreɪʃən] *n. U* **1.** *form.* wahanie się, drganie. **2.** *astron.* libracja.

libratory [ˈlaɪbrəˌtɔːrɪ] *a.* **1.** *form.* wahający się, drgający. **2.** *astron.* libracyjny.

librettist [lɪˈbretɪst] *n. muz.* librecist-a/ka, autor/ka libretta.

libretto [lɪˈbretoʊ] *n. pl.* **-s** *l.* **libretti** [lɪˈbretiː] *muz.* libretto.

Libya [ˈlɪbɪə] *n. geogr.* Libia.

Libyan [ˈlɪbɪən] *a.* libijski. – *n.* **1.** Libijczyk/ka. **2.** *U hist.* język libijski.

lice [laɪs] *n. pl. zob.* **louse**.

licence [ˈlaɪsəns] *n.* = **license**.

license [ˈlaɪsəns], *Br., Austr. i Can.* **licence** *n.* **1.** *prawn.* pozwolenie (*zwł. urzędowe*); zezwolenie; uprawnienia, prawo; **~ to practise medicine** prawo do wykonywania zawodu lekarza; **driver's** *US*/**driving** *Br. i Austr.* **~** prawo jazdy; **gun ~** zezwolenie na posiadanie broni. **2.** *C / U handl.* licencja, patent, koncesja; **under ~** na licencji. **3.** *U* swoboda; *uj.* swawola; nadmierna swoboda (*zwł. obyczajów*); rozwiązłość; **allow sb much ~** *form.* dawać komuś dużo swobody, pozwalać komuś na wiele. **4.** *przen.* **a ~ to print money** *zob.* **print** *v.*; **poetic/artistic ~** licencja poetycka. – *v. zw. pass.* **1.** koncesjonować (*działalność, firmę, instytucję*); udzielać koncesji na (*lokal, handel*); udzielać pozwolenia na (*wykorzystanie utworu itp.*). **2.** udzielać zezwolenia *l.* licencji (*komuś*).

licensed [ˈlaɪsənst] *a.* **1.** licencjonowany (*np. o pilocie*). **2.** zarejestrowany (= *posiadany na podstawie pozwolenia; np. o zwierzęciu, broni*). **3.** *Br.* posiadający koncesję na sprzedaż alkoholu (*np. o restauracji, hotelu*). **4.** uprawniony (*to do sth* do robienia czegoś); **~ to carry firearms** uprawniony do noszenia broni, posiadający zezwolenie na broń.

licensee [ˌlaɪsənˈsiː] *n. prawn.* posiadacz/ka zezwolenia *l.* koncesji, koncesjonariusz/ka; licencjobior-ca/czyni.

license plate, *Can.* **licence plate** *n. US mot.* tablica rejestracyjna; *pot.* numer rejestracyjny.

licenser [ˈlaɪsənsər], **licensor** *n. prawn.* instytucja udzielająca zezwolenia, licencji *l.* koncesji.

licensing hours [ˈlaɪsənsɪŋ ˌaʊrz] *n. pl. Br.* urzędowe godziny sprzedaży alkoholu.

licensing laws *n. pl. Br.* prawodawstwo dotyczące sprzedaży alkoholu.

licentiate [laɪˈsenʃɪət] *n.* **1.** *uniw.* licencjat (*stopień poniżej doktoratu, nadawany przez niektóre uczelnie europejskie*); posiadacz/ka licencjatu. **2.** *gł. Scot. kośc.* licencjonowany kaznodzieja (*w kościele prezbiteriańskim*).

licentious [laɪˈsenʃəs] *a.* rozpustny, rozwiązły; wyuzdany.

licentiously [laɪˈsenʃəslɪ] *adv.* w sposób rozpustny *l.* wyuzdany.

licentiousness [laɪˈsenʃəsnəs] *n. U* rozwiązłość, rozpusta; wyuzdanie.

lichen [ˈlaɪkən] *n. pl.* **-s** *l.* **lichen** **1.** *bot.* porost (*np. płucnica islandzka Cetraria islandica l. chrobotek reniferowy Cladonia rangiferina*). **2.** *pat.* liszaj.

lichenology [ˌlaɪkəˈnɑːlədʒɪ] *n. U* lichenologia.

lichenous [ˈlaɪkənəs] *a. pat.* liszajowaty; pokryty liszajami.

lich gate [ˈlɪtʃˌgeɪt], **lych gate** *n. hist.* zadaszona brama cmentarna (*gdzie trumna oczekuje na przyjście duchownego*).

lichi [ˈliːtʃɪ] *n.* = **litchi**.

licit [ˈlɪsɪt] *a. rzad.* prawnie dozwolony.

licitly [ˈlɪsɪtlɪ] *adv. rzad.* w sposób prawnie dozwolony.

lick [lɪk] *v.* **1.** *t. przen.* lizać; **~ (at/against) sth** *lit.* lizać coś (*np. o falach, płomieniach*); **~ one's chops/lips** *pot.* oblizywać się (*zwł. w antycypacji l. na wspomnienie czegoś*); **~ one's wounds** *przen.* lizać rany; **~ sb's boots** *przen.* podlizywać się komuś. **2.** *gł. US pot.* lać (= *bić*); pobić (*t. w walce l. zawodach*); **~ the pants off sb** spuścić komuś lanie; **get ~ed** dostać cięgi. **3.** **~ sb/sth into shape** *zob.* **shape** *n.*; **~ off** zlizać; **~ up** wylizać (do czysta). – *n. zw. sing.* **1.** liźnięcie; **can I have a ~ of your ice cream?** dasz mi polizać *l.* liznąć swojego loda?. **2.** *pot.* odrobina, ociupina; **I gave the wall a ~ of paint** przejechałem ścianę farbą (= *pomalowałem jedną warstwą*). **3.** *pot.* cios; **give sb a few good ~s** nieźle komuś przyłożyć. **4.** (*także* **salt ~**) lizawka. **5.** *US jazz sl.* ozdóbka, ozdobna fraza. **6.** *przen. pot.* **at a great/tremendous ~** (*także* **at a hell of a ~**) *zwł. Br.* błyskawicznie; **he was going at quite a ~** nieźle zasuwał; **give sth a ~ and a promise** *US* zrobić coś na odczepnego; *Br. przest.* wyczyścić *l.* sprzątnąć coś po wierzchu.

lickerish [ˈlɪkərɪʃ], **liquorish** *a. przest.* **1.** chutliwy. **2.** łakomy.

lickety-split [ˌlɪkɪtɪˈsplɪt] *adv. US i Can. przest. pot.* błyskawicznie.

licking [ˈlɪkɪŋ] *n. sing. pot.* cięgi, baty (*t.* = *przegrana w zawodach*), manto; **get a ~** dostać cięgi.

lickspittle [ˈlɪkˌspɪtl] *n. Br.* lizus/ka.

licorice [ˈlɪkərɪs], *Br.* **liquorice** *n.* **1.** *bot.* lukrecja gładka, „słodkie drzewo" (*Glycyrrhiza glabra*). **2.** *U kulin.* lukrecja.

lictor [ˈlɪktər] *n. hist.* liktor.

lid [lɪd] *n.* **1.** przykrywka, pokrywka, wieczko; pokrywa, wieko. **2.** (*także* **eyelid**) powieka. **3.** *górn.* klin (*w obudowie*). **4.** *przen.* **blow/lift/take the ~ off sth** *pot.* ujawnić całą prawdę o czymś, zdemaskować coś; **dip one's ~** *Austr. pot.* uchylić kapelusza; **flip one's ~** *zob.* **flip¹** *v.*; **keep/put the ~ on sth** *pot.* trzymać coś w tajemnicy; **put a ~ on sth** *US pot.* skończyć z czymś; **this put the ~ on it** *Br. i Austr. przest. pot.* tego już było za wiele.

lidar [ˈlaɪdɑːr] *n. techn.* radar optyczny, lidar.

lidded [ˈlɪdɪd] *a.* **1.** zaopatrzony w pokrywkę (*np. o słoiku*). **2. heavy-~ eyes** oczy o ciężkich powiekach.

lidless [ˈlɪdləs] *a.* bez wieczka *l.* pokrywki.

lido [ˈliːdoʊ] *n. pl.* **-s** *gł. Br. przest.* kąpielisko.

lie¹ [laɪ] *v.* **lay, lain, lying 1.** *t. przen.* leżeć (*t.* = *być położonym*); **~ on a bed/on one's back/in the sun** leżeć w łóżku/na plecach/na słońcu; **Poznań ~s on the route from Berlin to Warsaw** Poznań leży na trasie z Berlina do Warszawy; **~ at the heart of sth** *przen.* leżeć u podłoża czegoś (*np. konfliktu*); **~ awake** nie móc zasnąć *l.* spać; **~ dormant** *zob.* **dormant**; **~ fallow** *zob.* **fallow¹** *a.*; **~ heavy on sb** (*także* **~ heavily on sb's mind**) *form.* ciążyć komuś (*np. o winie*), leżeć komuś na sercu; **~ idle** *zob.* **idle** *a.*; **~ in state** być wystawionym na widok publiczny (*o zwłokach*); **~ in store for sb** czekać kogoś (*w przyszłości*); **~ in wait** czaić się, czatować (*for sb* na kogoś); **~ low** *przen.* starać się nie rzucać w oczy; przyczaić się, przeczekać (*w ukryciu*); **be lying first/second** *Br. sport* zajmować pierwszą/drugą pozycję *l.* lokatę, plasować się na pierwszym/drugim miejscu (*zwł. w rozgrywkach*); **find out/see how the ~ lies** *zob.* **land** *n.*; **here ~s...** *form.* tu leży *l.* spoczywa... (*inskrypcja na nagrobku*); **let it/things ~** *zob.* **let** *v.*; **let sleeping dogs ~** *zob.* **dog** *n.*; **you ~ on the bed you have made** *przest.* jak sobie pościelesz, tak się wyśpisz. **2. ~ about** *Br.* = **lie around**; **~ ahead/before sb** czekać kogoś (*w przyszłości*); **who knows what ~s ahead?** kto wie, co nas czeka?; **~ around** *pot.* wylegiwać się (*np. na plaży*); byczyć się (= *próżnować*); **~ around somewhere** poniewierać się gdzieś (*o przedmiocie*); **~ back** położyć się na plecach; *pot.* wyluzować się; **~ behind sth** kryć się za czymś (*np. za czyimiś słowami*); przyświecać czemuś (*np. o idei*); **~ down** położyć się; **~ down on the job** *US i Austr. pot.* nie przemęczać się; **take sth lying down** *pot.* przyjąć coś biernie, łatwo się z czymś pogodzić; **~ in** *Br. pot.* poleżeć sobie dłużej (*rano*); *przest.* leżeć w połogu; **~ in sth** *przen.* leżeć w czymś (= *polegać l. zasadzać się na czymś*); **the appeal of the solution ~s in its simplicity** atrakcyjność tego rozwiązania leży w jego prostocie; **the future ~s in the Web** przyszłość należy do Internetu; **~ out** *żegl.* stać na redzie; **~ over** *żegl.* leżeć na burcie; **~ to** *żegl.* sztormować; **~ up** *pot.* być złożonym niemocą; być wycofanym ze służby (*np. o statku, samolocie*); stać bezczynnie (*np. o maszynie, pojeździe*); *Br. pot.* ukrywać się (*np. przed policją*); **~ with sb** spoczywać na kimś (*o obowiązku, odpowiedzialności*); *przest.* spędzić z kimś noc. – *n.* **1.** położenie. **2.** *sport* pozycja (*np. piłki*). **3.** legowisko (*zwierzęcia*). **4. the ~ of the land** *Br. zob.* **lay¹** *n.*

lie² *v.* **lying** kłamać (*to sb* komuś, *about sth* na jakiś temat); łgać; **~ through one's teeth** *pot.* kłamać jak z nut *l.* jak najęty, łgać w żywe oczy; **the camera never ~s** *przen.* aparat nigdy nie kłamie. – *n.* kłamstwo; łgarstwo; **a pack/tissue of ~s** stek kłamstw; **barefaced/white ~** bezczelne/niewinne kłamstwo; **give the ~ to sth** *form.* zadawać kłam czemuś; **live a ~** *zob.* **live¹** *v.*; **tell a ~** skłamać; **tell ~s** kłamać.

Liechtenstein [ˈlɪktənˌstaɪn] *n. geogr.* (Księstwo) Liechtenstein.

lied [liːd] *n. pl.* **-er** [ˈliːdər] *muz.* pieśń romantyczna.

lie detector *n.* wykrywacz kłamstw.

lie-down [ˈlaɪˌdaʊn] *n. sing. Br.* krótki odpoczynek (*na leżąco*); **have a ~** położyć się na chwilkę.

lief [liːf] *arch. adv.* chętnie. – *a.* **1.** gotów; chętny. **2.** ukochany.

liege [liːdʒ] *a.* **1.** *attr. hist.* lenny; **~ homage** hołd lenny. **2.** *arch.* wierny. – *n. hist.* **1.** (*także* **~ lord**) pan lenny. **2.** wasal, lennik.

liegeman [ˈliːdʒmən] *n. pl.* **-men 1.** *hist.* wasal, lennik. **2.** *przen.* wierny poplecznik.

lie-in [ˈlaɪˌɪn] *n. sing. Br.* poranne leniuchowanie w łóżku; **have a ~** poleżeć sobie dłużej w łóżku.

lien¹ [ˈlaɪən] *n. prawn.* zastaw; **slap a ~ on/upon sth** zająć coś w zastaw.

lien² *n. anat.* śledziona.

lierne [liːˈɜːn] *n. bud.* żeberko łączące występy i przecięcia głównych żeber sklepiennych; **~ vault** sklepienie gwiaździste.

lieu [luː] *n. U* **in ~ (of sth)** zamiast (czegoś).

Lieut *abbr.* = **lieutenant**.

lieutenancy [luːˈtenənsɪ] *n. C/U wojsk.* stopień porucznika.

lieutenant [luːˈtenənt] *n.* **1.** *wojsk.* **first ~** *US* porucznik; **second ~** *US* podporucznik; *Br.* porucznik; (*także* **Navy L~**) *US* porucznik marynarki (*odpowiednik kapitana*). **2.** zastępca, p.o.

lieutenant colonel *n. wojsk.* podpułkownik.

lieutenant commander *n. wojsk.* komandor porucznik (*odpowiednik komandora podporucznika*).

lieutenant general *n. wojsk.* generał-porucznik (*odpowiednik generała dywizji*).

lieutenant governor *n.* zastępca gubernatora,

wicegubernator; *Br.* gubernator (*podległy generał-gubernatorowi*).

lieutenant junior grade *n. US wojsk.* podporucznik marynarki wojennej.

life [laɪf] *n. pl.* **lives** [laɪvz] **1.** *C/U* życie (*t. przen. = energia, wigor*); ~ **after death** życie po śmierci *l.* pozagrobowe; **all one's** ~ przez całe życie; **animal/plant** ~ życie zwierząt/roślin; **country/city** ~ życie na wsi/w mieście; **daily/family** ~ życie codzienne/rodzinne; **full of** ~ pełen życia; **in later** ~ w dalszym *l.* późniejszym życiu; **late in** ~ w późnym *l.* podeszłym wieku; **lead a (normal/dull)** ~ prowadzić *l.* wieść (zwyczajne/nudne) życie; **lose one's** ~ stracić życie; **private/sex/social** ~ życie prywatne/seksualne/towarzyskie; **quality/way of** ~ jakość/styl życia; **save sb's** ~ uratować komuś życie. **2.** *zw. pl.* istnienie (ludzkie); **ten lives were saved** uratowano dziesięć osób. **3.** żywot (*t. = biografia*); **the** ~ **of X** życie *l.* żywot X (*zwł. w tytułach*). **4.** *U pot.* dożywocie; **give sb** ~ skazać kogoś na dożywocie. **5.** (*także* **service** ~) *techn.* żywotność (*urządzenia*). **6.** *sing.* kadencja (*np. parlamentu*), okres sprawowania władzy (*przez dany rząd*). **7.** *komp.* życie, istnienie (*w grach komputerowych*). **8.** (*także* **~time**) *fiz.* trwałość (*np. substancji radioaktywnej*); **half-~** okres połowicznego rozpadu. **9.** ~ **in the fast lane** *zob.* **fast lane**; **a matter of** ~ **and death** kwestia *l.* sprawa życia i śmierci; **be sb's (whole)** ~ *przen.* być (całym) czyimś życiem (= *najważniejszą osobą, pasją życiową itp.*); **bring sth to** ~ *przen.* ożywić coś; **bring sb back to** ~ wskrzesić kogoś; **come to** ~ *zob.* **come** *v.*; **escape with** ~ **and limb** wyjść cało i zdrowo; **expectation of life** = **life expectancy**; **for** ~ na całe życie; **for dear** ~ *zob.* **dear** *a.*; **from** ~ z życia, z natury (*np. malować*); **get a** ~! *pot.* przestań nudzić!; **have a** ~ **of its own** *przen.* żyć własnym życiem (*o przedmiocie, urządzeniu*); **have the time of one's** ~ bawić się jak nigdy w życiu; **he has seen** ~ niejedno w życiu widział, z niejednego pieca chleb jadał; **how's** ~? (*także* **how's** ~ **treating you?**) *pot.* jak (ci) leci?; **I cannot for the** ~ **of me...** *pot.* nie mogę za nic w świecie..., nijak nie mogę...; **in real** ~ w rzeczywistości; **(as) large as** ~ *zob.* **large** *a.*; **larger than** ~ *zob.* **large** *a.*; **lay down/give one's** ~ **for sb/sth** oddać za kogoś/coś życie; **lead/live the** ~ **of Riley** *przest. pot.* wieść życie łatwe i przyjemne; **live one's own** ~ żyć na własny rachunek; **loss of** ~ straty w ludziach; **make** ~ **easier/more difficult (for sb)** ułatwiać/utrudniać komuś życie; **make a new** ~ **for o.s.** (*także* **start a new** ~) zacząć nowe życie; **(I've) never (seen him) in my** ~ nigdy w życiu (go nie widziałam); **no sign(s) of** ~ żadnych oznak życia; **not on your** ~! *pot.* nigdy w życiu!, ani mi się śni!; **risk** ~ **and limb** ryzykować głową; **scare/frighten the** ~ **out of sb** śmiertelnie kogoś przestraszyć; **take sb's** ~ *form.* pozbawić kogoś życia; **take one's (own)** ~ odebrać sobie życie; **take one's** ~ **in one's hands** ryzykować życiem; **that's life!** takie jest życie!, tak to już w życiu bywa!; **the** ~ **(and soul) of the party** dusza towarzystwa; **(live) the high** ~ *zob.* **high life**; **the man/woman in sb's** ~ *często żart.* czyj-ś/aś aktualn-y/a partner/ka; **this is the** ~! to jest życie!, to rozumiem!; **(this is John) to the** ~! *przest.* (to John) jak żywy! (*na zdjęciu, portrecie, w opowiadaniu*); **true to** ~ realistyczny (*np. o obrazie, opowiadaniu*); **upon my** ~ *przest.* jako żywo; **what a** ~! i to ma być życie!; **while there's** ~ **there's hope** póki życia, póty nadziei; **(you) bet your** ~! *US pot.* (a) żebyś wiedział!, no pewnie!

life-and-death [ˌlaɪfən'deθ] *a. attr.* dotyczący przetrwania; na śmierć i życie; ~ **decisions** kluczowe decyzje; ~ **struggle** walka na śmierć i życie.

life annuity *n. pl.* **-ies** *ubezp.* dożywotnia renta.

life assurance *n. Br.* = **life insurance**.

lifebelt ['laɪfˌbelt], **life belt** *n.* pas ratunkowy.

lifeblood ['laɪfˌblʌd] *n. U* **1.** *przen.* soki żywotne. **2.** *lit.* krew.

lifeboat ['laɪfˌbout] *n.* łódź *l.* szalupa ratunkowa.

lifebuoy ['laɪfˌbɔɪ] *n.* koło ratunkowe.

life cycle *n. biol.* cykl życiowy.

life estate *n. prawn.* majątek w użytkowaniu dożywotnim.

life expectancy *n.* (*także* **expectation of life**) *gł. stat.* przeciętna *l.* średnia długość życia.

life form *n. biol.* forma życia.

life-giving ['laɪfˌgɪvɪŋ] *a.* życiodajny.

lifeguard ['laɪfˌgɑːrd] *n.* **1.** ratowni-k/czka (*na kąpielisku*). **2.** *wojsk.* straż przyboczna; **Life Guards** *Br.* przyboczna gwardia konna; **Life Guardsman** *Br.* gwardzista konny.

life imprisonment *n. U* kara dożywotniego więzienia, dożywocie.

life instinct *n. biol.* instynkt samozachowawczy.

life insurance *n. ubezp.* ubezpieczenie na życie.

life interest *n. prawn.* procent od majątku dożywotniego.

life jacket *n.* (*także US* **life vest**) kamizelka ratunkowa.

lifeless ['laɪfləs] *a.* bez życia; martwy.

lifelike ['laɪfˌlaɪk] *a.* realistyczny; jak żywy.

lifeline ['laɪfˌlaɪn] *n.* **1.** *żegl.* lina sztormowa. **2.** lina sygnałowa, lina bezpieczeństwa (*nurka*). **3.** *przen.* arteria życiowa.

lifelong ['laɪfˌlɔːŋ] *a. attr.* **1.** na całe życie (*np. o przyjacielu*). **2.** życiowy (*zwł. o ambicji*).

life net *n.* sieć ratunkowa (*do skakania*).

life peer *n. Br. parl.* par dożywotni (*w Izbie Lordów*).

life preserver *n.* **1.** *US i Can.* przyrząd ratowniczy (= *koło ratunkowe l. kamizelka ratunkowa*); urządzenie ratownicze. **2.** *Br.* pałka (*zwł. do samoobrony*).

lifer ['laɪfər] *n. pot.* skazan-y/a na dożywotnie więzienie; odsiadując-y/a wyrok dożywotniego więzienia.

life raft *n.* tratwa ratunkowa.

life-saver ['laɪfˌseɪvər] *n.* **1.** wybawienie, dar niebios (*t. o osobie*). **2.** = **lifeguard** 1.

life-saving ['laɪfˌseɪvɪŋ] *a.* ratowniczy; ~ **devices** urządzenia ratownicze. – *n. U* ratownictwo.

life sciences *n. pl.* nauki biologiczne.

life sentence *n.* wyrok dożywotniego więzienia.

life-size [ˈlaɪfˌsaɪz], **life-sized** *a.* naturalnej wielkości.

life span *n.* **1.** długość życia. **2.** *techn.* żywotność, trwałość (*urządzenia*).

life style, lifestyle *n.* styl życia.

life-support system [ˈlaɪfsəˌpɔːrt ˌsɪstəm] *n.* aparatura podtrzymująca funkcje życiowe (*chorego, astronauty*).

life's work [ˌlaɪfs ˈwɜːk] *n. Br.* = **lifework.**

life table *n. ubezp.* statystyka średniej długości życia.

life test *n. techn.* próbka trwałości.

life-threatening [ˈlaɪfˌθretənɪŋ] *a.* zagrażający życiu.

lifetime [ˈlaɪfˌtaɪm] *n.* **1.** życie; okres życia; okres istnienia; **during/in sb's ~** za czyjegoś życia. **2.** (*także* **life**) *fiz.* trwałość (*np. substancji radioaktywnej*). **3.** *emf.* **chance of a ~** życiowa okazja; **once-in-a-~ experience** niepowtarzalne doświadczenie; **holiday of a ~** wakacje życia, najlepsze wakacje w życiu. – *attr.* dożywotni (*np. o abonamencie, członkostwie*); na całe życie.

life vest *n. US* = **life jacket.**

lifework [ˌlaɪfˈwɜːk] *n.* (*także Br.* **life's work**) dzieło życia; dorobek całego życia.

LIFO [ˈlaɪfoʊ] *abbr.* = **last-in, first-out.**

lift [lɪft] *v.* **1.** podnosić (*t. przen., np. eksport*); unosić, wznosić; dźwigać; **~ one's gaze/eyes** podnieść wzrok; **~ one's head** podnieść *l.* unieść głowę; **~ (up) one's voice** *lit.* podnieść głos; **~ weights** podnosić ciężary. **2.** dawać się podnieść, podnosić się (*np. o oknie*). **3.** zdejmować (*sth from sth* coś z czegoś) (*np. z półki*). **4.** podnosić się (*o mgle*), rozchodzić *l.* rozwiewać się (*o chmurach*); podnosić się na fali (*o statku*). **5.** ustępować (*o depresji, złym nastroju*). **6.** transportować samolotem (*zwł. w sytuacji kryzysowej*). **7.** uchylać, znosić (*np. sankcje, przepisy*). **8.** wynosić, wywyższać (*osobę*). **9.** *roln., ogr.* wykopywać (*ziemniaki, sadzonki*). **10.** *pot.* ściągnąć, zwinąć (= *ukraść*). **11.** *pot.* zerżnąć, zwalić (= *dokonać plagiatu*). **12.** *pot.* przymknąć (= *aresztować*). **13.** *US i Can. fin.* spłacić (*hipotekę*). **14.** *krykiet, golf* podbijać wysoko (*piłkę*); *golf* podnosić (*piłkę ręką*). **15. ~ sb's face/breasts** *chir.* zrobić komuś lifting twarzy/piersi. **16.** *przen.* **~ sb's spirits** podnieść kogoś na duchu; **not ~ a finger** *zob.* **finger** *n.* **17. ~ down** zdejmować (*z wysokości*); **~ off** zdejmować się (*np. o wieku, części mebla*); startować (*o rakiecie*); **~ up** podnosić (w górę). – *n.* **1.** *Br. i Austr.* winda, dźwig (*osobowy l. towarowy*); **I'll take the ~** pojadę windą. **2.** wyciąg; **chair/ski ~** wyciąg krzesełkowy/narciarski. **3.** *sing.* podniesienie (*t. przen., np. cen*); podnoszenie (*np. partnerki w tańcu*); **give sth a ~** podnieść coś. **4.** *techn.* wysokość (*podniesienia czegoś*); wysokość spadku wody śluzy. **5.** *U lotn.* siła nośna, noszenie (*szybowca*); wypór. **6.** *U hydrol.* wypór. **7.** wzniesienie (*terenu*). **8.** *techn.* podnośnik. **9.** flek (*w obcasie*); wkładka w pięcie buta. **10.** *przen.* **give sb a ~** *Br. pot.* podwieźć *l.* podrzucić kogoś; *przen.* podnieść kogoś na duchu; **hitch/thumb a ~** *pot.* łapać okazję (= *autostop*).

liftboy [ˈlɪftˌbɔɪ] *n.* windziarz.

lifter [ˈlɪftər] *n.* **1.** *mech.* kołek; żabka; kciuk; zabierak; **valve ~** popychacz zaworu. **2.** *pot.* złodziej/ka.

lifting capacity [ˈlɪftɪŋ kəˌpæsətɪ] *n. C/U techn.* udźwig, nośność.

liftman [ˈlɪfˌmæn] *n. pl.* **-men** windziarz.

liftoff [ˈlɪfˌɔːf], **lift-off** *n. C/U* start (*rakiety*).

lift pump *n. techn.* pompa ssąca.

lift truck *n. techn.* podnośnik.

ligament [ˈlɪgəmənt] *n. anat.* wiązadło, więzadło.

ligamental [ˌlɪgəˈmentl], **ligamentary** [ˌlɪgəˈmentərɪ], **ligamentous** [ˌlɪgəˈmentəs] *a. anat.* więzadłowy.

ligan [ˈlaɪgən] *n.* = **lagan.**

ligate [ˈlaɪgeɪt] *v. chir.* podwiązywać (*np. żyłę*).

ligation [laɪˈgeɪʃən] *n. C/U chir.* podwiązanie.

ligature [ˈlɪgətʃər] *n.* **1.** węzeł; więź. **2.** *chir.* podwiązanie; podwiązka. **3.** *druk.* ligatura. **4.** *muz.* łuk, ligatura. – *v.* **1.** *chir.* podwiązywać. **2.** *muz., druk.* łączyć (ligaturą).

light[1] [laɪt] *n.* **1.** *U* światło; **by the ~ of a lamp** przy świetle lampy; **electric ~** światło elektryczne; **ray/beam of ~** promień/snop światła; **the ~** (*także* **day~**) światło dzienne; **turn/switch on/off the ~** zapalać/gasić światło. **2.** światło (*t. mot.*); światełko; **brake ~** światło stopu; **dimmed** *US i Can.*/**dipped** *Br.* **head~s** światła mijania; **parking ~** światło postojowe; **reversing ~** światło cofania; **tail ~** tylne światło (*pojazdu*); **traffic ~s** światła (sygnalizacyjne). **3.** *C/U* ogień; **Bengal ~** ognie bengalskie; **do you have a ~?** (*także Br.* **have you got a ~?**) *pot.* masz ogień? (= *zapałki l. zapalniczkę*); **set (a) ~ to sth** podpalić coś; **strike a ~** skrzesać ogień. **4.** *bud.* otwór świetlny; okno. **5.** *U przest. l. poet.* wzrok. **6.** *pl.* zdolności umysłowe. **7. according to one's own ~s** *form.* wedle własnego rozeznania; **ancient ~s** *prawn.* prawo do dostępu światła; **at first ~** *lit.* skoro świt; **be a leading ~ in/of sth** *pot.* być motorem czegoś (*jakiegoś przedsięwzięcia*); **be all sweetness and ~** *pot.* rozpływać się w uprzejmościach; **be brought to ~** wyjść na jaw; **bring sth to ~** *zob.* **bring; come to ~** wyjść na światło dzienne; **during the ~** za dnia; **give sb the green ~** *zob.* **green light; go/be out like a ~** *pot.* zasnąć w mgnieniu oka (*zwł. po alkoholu*); **hide one's ~ under a bushel** *zob.* **bushel[1]; in a bad/new/different ~** *przen.* w złym/nowym/innym świetle; **in ~ of sth** (*także Br.* **in the ~ of sth**) w świetle czegoś; **in the cold ~ of day** *zob.* **cold** *a.*; **jump a ~** *zob.* **jump** *v.*; **rise with the ~** wstawać skoro świt; **see the ~** przejrzeć na oczy, opamiętać się; doznać oświecenia (= *nawrócić się*); **see the ~ of day** ujrzeć światło dzienne (*np. o publikacji*); **shed/throw/cast ~ on sth** *przen.* rzucać światło na coś; **shining ~** znakomitość, luminarz; **stand/be in sb's ~** zasłaniać komuś; *przen.* osłabiać czyjeś szanse; **the ~ at the end of the tunnel** *przen.* światełko w tunelu; **(the) ~ dawned on him** *przen.* oświeciło go (= *pojął*);

the ~ of sb's life *żart.* czyjeś słoneczko (= *ukochana osoba*); **trick of the** ~ *zob.* **trick.** – *v. pret. i pp. t.* **lit** *pp. jako przydawka zw.* **lighted** **1.** zapalać (się). **2.** oświetlać; **brightly/poorly lit/lighted** jasno/słabo oświetlony. **3.** *przest.* ~ **sb** (*także* ~ **sb's way**) poświecić komuś; ~ **sb downstairs** poświecić komuś przy schodzeniu ze schodów. **4.** ~ **up** oświetlać jasno; *t. przen.* rozświetlać (*np. niebo, czyjąś twarz*); *pot.* zapalać papierosa *l.* fajkę; ~ **up with pride/joy** promienieć dumą/radością (*zwł. o twarzy, oczach*); **at the sight of the child her face lit up** na widok dziecka twarz jej się rozjaśniła *l.* rozpromieniła. – *a.* jasny (*t. fon. o głosce /l/*); ~ **blue/grey** jasnoniebieski/jasnoszary; **it gets/is** ~ robi się/jest jasno.

light² *a.* **1.** *t. przen.* lekki; **(as)** ~ **as air/a feather** leciuteńki, leciutki, lekki jak piórko. **2.** (*także* **lite**) niskokaloryczny (*o produktach żywnościowych*); o niskiej zawartości cukru (*zwł. o napojach gazowanych*); niskoprocentowy (*o alkoholu*). **3.** lekkomyślny. **4.** *arch.* lekkich obyczajów. **5.** *fon.* słabo akcentowany. **6.** *przen.* ~ **in the head** odurzony; mający pstro w głowie; ~ **traffic** mały ruch; **a** ~ **touch** lekki styl (*pisarski*); **be** ~ **on one's feet** poruszać się lekko; **be a** ~ **eater/smoker** mało jeść/palić; **be a** ~ **sleeper** mieć lekki sen; **make** ~ **of sth** lekceważyć *l.* bagatelizować coś; **sb is** ~ **on sth** *pot.* komuś brakuje czegoś; **with a** ~ **heart** *lit.* z lekkim sercem. – *adv.* lekko (*zwł. stąpać, spać*); **travel** ~ podróżować z małym bagażem.

light³ *v. pret i pp. t.* **lit** [lɪt] **1.** *lit.* siadać (*on/upon sth* na czymś) (*o ptakach*). **2.** spadać (*o ciosie*). **3.** *przest.* zsiadać, wysiadać; schodzić, zstępować. **4.** ~ **into sb** *US sl.* wpaść na kogoś; napaść na kogoś (*t. werbalnie*); ~ **on/upon sth** natrafić na coś; zauważyć coś przypadkiem; ~ **out** *US pot.* wyjechać *l.* wyjść cichcem.

light⁴ *n. pl. zob.* **lights.**

light air *n. meteor.* powiew (*o sile 1 stopnia w skali Beauforta*).

light-armed [ˌlaɪtˈɑːrmd] *a. wojsk.* lekko uzbrojony.

lightboat [ˈlaɪtˌboʊt] *n.* = **lightship.**

light box, lightbox *n. fot.* przeglądarka do przezroczy.

light breeze *n. meteor.* słaby wiatr (*o sile 2 stopni w skali Beauforta*).

light bulb *n.* żarówka.

light-emitting diode [ˈlaɪtɪˌmɪtɪŋ ˌdaɪoʊd] *n. el.* dioda LED.

lighten¹ [ˈlaɪtən] *v.* **1.** rozświetlać się; rozjaśniać się. **2.** przejaśniać się (*o niebie*). **3.** błyszczeć, jaśnieć. **4.** błyskać (się) (*o błyskawicy*). **5.** oświetlać. **6.** rozjaśniać (*włosy*). **7.** *arch.* = **enlighten.**

lighten² *v.* **1.** zmniejszać ciężar (*czegoś*); zmniejszać (*czyjeś obciążenia, obowiązki*); odciążać (*t. statek*); *przen.* łagodzić (*np. wyrok*). **2.** ulec odciążeniu (*t. o statku*); *przen.* zelżeć. **3.** przen. ~ **sb's mood** poprawić komuś humor *l.* nastrój; **her mood ~ed** humor jej się poprawił. **4.** ~ **up!** *US i Austr. pot.* rozchmurz się!

light engine *n. Br. kol.* parowóz bez pociągu (*w ruchu*).

lighter¹ [ˈlaɪtər] *n.* **1.** (*także* **cigarette** ~) zapalniczka. **2.** zapalacz.

lighter² *n.* lichtuga (*rodzaj berlinki*).

lighterage [ˈlaɪtərɪdʒ] *n. U* **1.** przewóz lichtugą. **2.** opłata za przewóz lichtugą.

lighter-than-air [ˌlaɪtərðənˈer] *lotn. a.* lżejszy od powietrza. – *n.* (*także* ~ **aircraft**) aerostat.

lightface [ˈlaɪtˌfeɪs] *druk. n.* druk jasny; pismo jasne; cienka czcionka. – *attr.* (*także* **lightfaced**) o cienkich liniach.

light filter *n. techn.* filtr świetlny.

light-fingered [ˌlaɪtˈfɪŋgərd] *a.* **1.** o lekkim dotknięciu (*np. o pianiście*), mający zręczne palce. **2. be** ~ *euf.* mieć długie *l.* lepkie palce (= *kraść*).

light flyweight *n. i a. attr. boks* (amator) wagi papierowej (*do 48 kg*).

light-footed [ˌlaɪtˈfʊtɪd] *a.* poruszający się lekko, lekki.

light globe *n. Austr. i NZ* żarówka.

light-headed [ˌlaɪtˈhedɪd] *a.* **1.** oszołomiony, zamroczony. **2.** płochy, lekkomyślny.

light-hearted [ˌlaɪtˈhɑːrtɪd] *a.* **1.** wesoły, radosny, beztroski. **2.** lekki (*np. o komedii*).

light-heartedly [ˌlaɪtˈhɑːrtɪdlɪ] *adv.* beztrosko.

light-heartedness [ˌlaɪtˈhɑːrtɪdnəs] *n. U* beztroska.

light heavyweight *n. i a. attr.* **1.** *boks* (zawodowiec) wagi średniej (*72,5-79,5 kg*); (amator) wagi półciężkiej (*75-81 kg*). **2.** *zapasy* (zawodnik) w kategorii 87-97 kg.

light horse *n. U hist., wojsk.* lekka kawaleria.

light horseman *n. pl.* **-men** *hist., wojsk.* szwoleżer, lekkokonny.

lighthouse [ˈlaɪtˌhaʊs] *n.* latarnia morska.

light industry *n. U* przemysł lekki.

lighting [ˈlaɪtɪŋ] *n. U* oświetlenie.

lighting cameraman *n. pl.* **-men** *film* operator obrazu.

lighting-up time [ˌlaɪtɪŋˈʌp ˌtaɪm] *n. U Br. mot.* okres jazdy z włączonymi światłami mijania.

lightless [ˈlaɪtləs] *a.* bez światła.

light load line *n. żegl.* wodnica bezładunkowa.

lightly [ˈlaɪtlɪ] *adv.* lekko (*t. przen.*); lekceważąco; **get off** ~ *przen. pot.* wykręcić się sianem; **say sth** ~ powiedzieć coś lekkim tonem (*bez zaangażowania*); **sleep** ~ mieć lekki sen; **take sth** ~ bagatelizować *l.* lekceważyć coś.

light meter *n. fot.* światłomierz.

light middleweight *n. i a. attr. boks* (amator) wagi lekkośredniej (*62-71 kg*).

light-minded [ˌlaɪtˈmaɪndɪd] *a.* niezdolny do poważnej refleksji; lekkoduchowski.

light-mindedness [ˌlaɪtˈmaɪndɪdnəs] *n. U* lekkoduchostwo.

lightness¹ [ˈlaɪtnəs] *n. U* jasność.

lightness² *n. U t. przen.* lekkość.

lightning [ˈlaɪtnɪŋ] *n. U* **1.** piorun; (*także* **flash of** ~) błyskawica; **chain/forked** ~ piorun liniowy; **heat** ~ błyskanie się „na pogodę"; **sheet** ~ poświata od niewidocznej błyskawicy; **struck by** ~ rażony piorunem. **2.** *przen.* ~ **never strikes/doesn't strike twice** nic dwa razy się nie zdarza; **like**

(greased) ~ jak błyskawica, piorunem. – *attr.* błyskawiczny; **with/at ~ speed** błyskawicznie. – *v.* błyskać się; **it started to ~** zaczęło się błyskać.
lightning arrester *n.* odgromnik.
lightning bug *n. US i Can.* robaczek świętojański.
lightning chess *n. U sport Br.* szachy błyskawiczne.
lightning conductor *n. Br.* = **lightning rod.**
lightning rod *n. US* piorunochron.
lightning strike *n. Br. i Austr.* dziki strajk (= *niezapowiedziany*).
light opera *n. C / U* operetka.
light pen *n.* (*także* **light stylus**) *komp.* pióro świetlne.
lightproof [ˈlaɪtpruːf] *a. techn.* światłoszczelny, nieprzepuszczający światła.
lights [laɪts] *n. pl. kulin.* płucka.
lightship [ˈlaɪtˌʃɪp] *n.* (*także* **lightboat**) *żegl.* latarniowiec.
light show *n.* **1.** pokaz świateł (*zwł. na koncercie muzyki rockowej*). **2.** pokaz typu „światło i dźwięk".
lightsome[1] [ˈlaɪtsəm] *a. arch. l. lit.* **1.** wdzięczny, pełen wdzięku. **2.** beztroski, niefrasobliwy. **3.** lekkomyślny.
lightsome[2] *a. arch. l. lit.* **1.** świetlisty, jasny. **2.** jasno oświetlony.
lights out [ˌlaɪts ˈaʊt], **lights-out** *n. U* **1.** cisza nocna. **2.** *wojsk.* capstrzyk.
light-struck [ˈlaɪtˌstrʌk] *a. fot.* prześwietlony.
light stylus *n.* = **light pen.**
lightweight [ˈlaɪtˌweɪt] *n.* **1.** zero (= *nic nieznacząca osoba*); **intellectual/literary ~** intelektualne/literackie zero. **2.** *boks* zawodowiec wagi lekkiej (*59-61 kg*); amator wagi lekkiej (*57-60 kg*). **3.** *zapasy* zawodnik w kategorii 52-57 kg. **4.** osoba z niedowagą. – *a. attr.* **1.** lekki (*np. o płaszczu, tkaninie; t. przen. np. o powieści*). **2.** *boks* wagi lekkiej, w wadze lekkiej.
light welterweight *n. i a. attr. boks* (amator) wagi lekkopółśredniej (*60-63,5 kg*).
lightwood [ˈlaɪtˌwʊd] *n. U* drewno na rozpałkę.
light year *n.* **1.** *astron.* rok świetlny. **2.** *pl. przen. pot.* całe wieki.
lignaloes [laɪˈnæloʊz] *n.* = **eaglewood.**
ligneous [ˈlɪgnɪəs] *a.* **1.** drzewiasty (*o roślinie*). **2.** *żart.* drewniany.
lignification [ˌlɪgnəfəˈkeɪʃən] *n. U bot.* lignifikacja, drewnienie.
ligniform [ˈlɪgnəˌfɔːrm] *a.* drewnopodobny.
lignify [ˈlɪgnəˌfaɪ] *v.* **-ied, -ying** *bot.* drewnieć.
lignin [ˈlɪgnɪn] *n. U bot.* lignina, drzewnik.
lignite [ˈlɪgnaɪt] *n. U min.* lignit.
ligula [ˈlɪgjələ] *n. pl.* **-s** *l.* **ligulae** [ˈlɪgjəliː] (*także* **ligule**) *bot.* języczek.
ligulate [ˈlɪgjəlɪt] *a. bot.* języczkowaty.
Ligurian Sea [lɪˌgjʊrɪən ˈsiː] *n.* **the ~** *geogr.* Morze Liguryjskie.
likable [ˈlaɪkəbl], **likeable** *a.* sympatyczny; przyjemny.
like[1] [laɪk] *prep.* (tak) jak; (*z określeniami ilości*) około, jakieś, coś koło; **~ crazy/mad** jak szalony; **~ father, ~ son** (*także* **~ mother, ~ daughter**) niedaleko pada jabłko od jabłoni; **~ hell/anything** *pot.* jak diabli; **~ new** jak nowy; **~ this/that** (*także pot.* **~ so**) w ten sposób (*demonstrując coś*); **be/look/sound ~ sb/sth** być/wyglądać/brzmieć jak ktoś/coś; **don't talk to me ~ that!** nie mów do mnie w ten sposób!; **it's not ~ her (to be late)** to do niej niepodobne, (żeby się spóźniać); **it's nothing ~...** to zupełnie nie to samo, co...; **I feel ~ a beer** mam ochotę na piwo, napiłbym się piwa; **I feel ~ sleeping** jestem śpiąca, chce mi się spać; **just ~...** dokładnie taki (sam), jak...; **just ~ that** ot tak (sobie); **that's just ~ him** to do niego pasuje, to (jest) do niego podobne; **she's very ~ her mother** jest bardzo podobna do matki; **something ~ that** coś w tym rodzaju; **something ~ five hundred dollars** jakieś pięćset dolarów; **that's more ~ it!** *pot.* to rozumiem!, to już lepiej!; **there's nothing ~...** nie ma (to) jak...; **"They need another week to finish this." "Another year more ~ (it)."** *iron.* „Potrzebują dodatkowego tygodnia, żeby to skończyć." „Chyba raczej dodatkowego roku."; **this is nothing ~ as/so good as the wine we had yesterday** to wino nie jest nawet w przybliżeniu takie dobre, jak to, które piliśmy wczoraj; **what does he look ~?** jak on wygląda?; **what is he ~?** jaki on jest?; **what's it ~ being an only child?** jak to jest być jedynakiem?. – *conj.* **1.** *pot.* jak; **~ I said/say** jak (już) mówiłem. **2.** *nonstandard* jak gdyby, jakby; **he acts ~ he's the boss here** zachowuje się, jakby to on był tutaj szefem. – *a. attr.* **1.** *form.* podobny; taki sam; **in ~ manner** w podobny *l.* taki sam sposób; **people of ~ mind** ludzie o zbliżonych poglądach. **2. be ~ to do sth** *arch. pot.* = **be likely to do sth**; *zob.* **likely** *a.* – *n.* **1.** coś podobnego; ktoś podobny; **~ cures ~** *przest.* klin klinem; **and the/such ~** *pot.* i tym podobne; **associate with one's ~s** *form.* przestawać z podobnymi sobie; **compare ~ with ~** porównywać porównywalne; **I never saw the ~ of it** *pot.* nigdy nie widziałem czegoś podobnego; **the ~s of you/us** *pot.* tacy jak ty/my. **2.** *golf* uderzenie wyrównujące ilość punktów po obu stronach. – *adv.* **1.** *pot.* **(as) ~ as not** (*także* **~ enough**) (*także* **most/very ~**) *przest.* ani chybi, pewnikiem; **(and then) I'm/he's ~...** *US* (a) ja mówię/on mówi... (*relacjonując rozmowę*); **he's weird ~** (*także* **he's, ~, weird**) jest (taki) jakiś dziwny. **2.** *dial.* = **likely** *adv.*
like[2] *v.* lubić; **~ doing/to do sth** lubić coś robić; **~ sth about sb/sth** lubić coś w kimś/czymś; **how do you ~ it?** jak ci się (to) podoba?; jak ci (to) smakuje?; **I ~ the idea** podoba mi się ten pomysł; **I don't ~ him prying about** nie lubię, jak wścibia nos w nie swoje sprawy; **if you ~** *zwł. Br.* jeśli sobie (tego) życzysz, jeśli chcesz; skoro nalegasz; **next year we'd ~ to go to Greece** w przyszłym roku chcielibyśmy pojechać do Grecji; **whether you ~ it or not** *pot.* (czy) chcesz, czy nie (chcesz), czy ci się to podoba, czy nie; **would you ~ a drink?** (czy) masz ochotę na drinka?; **would you ~ me to help you?** czy chciałabyś, żebym ci pomógł?. – *n. pl.* upodobania; **sb's ~s and dislikes** czyjeś sympatie i antypatie.
likeable [ˈlaɪkəbl] *a.* = **likable.**
likelihood [ˈlaɪklɪˌhʊd] *n. U l. sing.* prawdopo-

dobieństwo (*of sth* czegoś, *that* że); **in all ~** wedle wszelkiego prawdopodobieństwa, najprawdopodobniej.

likely ['laɪklɪ] *a.* **-ier, -iest** **1.** *pred.* **be ~** być prawdopodobnym; **it's hardly ~** to mało prawdopodobne; **it's more than ~ (that)...** jest wysoce *l.* więcej niż prawdopodobne, że...; **sb is ~ to do sth** ktoś prawdopodobnie *l.* zapewne coś zrobi; **sth was ~ to happen** coś mogło się zdarzyć. **2.** *attr.* prawdopodobny; możliwy; **I searched in every ~ place** szukałem w każdym możliwym miejscu; **the most ~ place to find him** tam, gdzie najprędzej można go zastać; **(that's) a ~ story!** *iron.* uważaj, bo ci uwierzę! **3.** *attr.* odpowiedni, nadający się (*np. o kandydacie*); (*także* **~-looking**) obiecujący, rokujący szanse na sukces (*np. o obranej taktyce*). **4.** *gł. US dial.* miły, przyjemny. – *adv.* prawdopodobnie, przypuszczalnie; **as ~ as not** najprawdopodobniej; **not ~!** *Br. pot.* na pewno nie!, jeszcze czego!

like-minded [ˌlaɪk'maɪndɪd] *a.* myślący podobnie, o podobnych poglądach *l.* upodobaniach.

like-mindedness [ˌlaɪk'maɪndɪdnəs] *n. U* podobieństwo poglądów *l.* upodobań.

liken ['laɪkən] *v. zw. pass.* **~ sb/sth to sb/sth** przyrównywać *l.* porównywać kogoś/coś do kogoś/czegoś.

likeness ['laɪknəs] *n.* **1.** *U l. sing.* podobieństwo (*between A and B* pomiędzy A i B); **bear a (strong) ~ to sb** być do kogoś (bardzo) podobnym; **in the ~ of sb/sth** na podobieństwo kogoś/czegoś. **2.** *zw. sing.* podobizna, wizerunek (*of sb* kogoś).

likewise ['laɪkˌwaɪz] *adv.* **1.** *form.* podobnie, tak samo; **do ~** postąpić podobnie, zrobić to samo. **2.** również, także. **3.** *pot.* wzajemnie, nawzajem (*w odpowiedzi na życzenia, pozdrowienie*); ja też (nie); **"I have no time for that." "Likewise."** „Nie mam na to czasu."„Ja też nie.".

liking ['laɪkɪŋ] *n.* sympatia (*for sb* do kogoś); upodobanie, zamiłowanie (*for sth* do czegoś); **be to sb's ~** *form.* odpowiadać komuś; **have/develop a ~ for sth** *form.* lubić/polubić coś; **take a ~ to sb** polubić kogoś, zapałać do kogoś sympatią; **(too hot/sentimental) for my ~** (zbyt gorący/sentymentalny) jak na mój gust.

lilac ['laɪlək] *n.* **1.** *C/U bot.* lilak, bez (*Syringa*); **French ~** rutwica lekarska (*Galega officinalis*). **2.** *U* kolor lila. – *a.* lila.

liliaceous [ˌlɪlɪ'eɪʃəs] *a. bot.* liliowaty.

lilliputian [ˌlɪlɪ'pjuːʃən], **Lilliputian** *a.* lilipuci. – *n.* liliput.

Lilo ['laɪloʊ], **lilo** *n. pl.* **-s** *Br.* materac nadmuchiwany.

lilt [lɪlt] *n. sing.* **1.** zaśpiew, melodyjna intonacja. **2.** *arch.* melodia *l.* piosenka o wdzięcznym rytmie. **3.** raźny krok. – *v.* **1.** grać rytmicznie; śpiewać rytmicznie. **2.** maszerować raźno; poruszać się rytmicznie.

lilting ['lɪltɪŋ] *a.* **1.** śpiewny, melodyjny (*o głosie*). **2.** raźny (*o kroku*).

lily ['lɪlɪ] *n. pl.* **-ies** **1.** *bot.* lilia (*Lilium*); **water ~** lilia wodna, nenufar (*rodzaj Nymphaea*). **2.** *her.* = **fleur-de-lis** 1. **3.** *przen.* **gild the ~** *zob.* **gild**[1] *v.*; **lilies and roses** *przest.* krew z mlekiem (*o cerze*). – *a.* liliowy.

lily iron *n. ryb.* harpun z ruchomym grotem.

lily-livered [ˌlɪlɪ'lɪvərd] *a. lit.* tchórzliwy.

lily of the valley *n. pl.* **-ies of the valley** *bot.* konwalia majowa (*Convallaria majalis*).

lily pad *n.* liść lilii wodnej.

lily-white [ˌlɪlɪ'waɪt] *a. lit.* **1.** śnieżnobiały, alabastrowy (*zwł. o cerze*). **2.** *pot. zw. iron.* czysty jak łza (= *moralnie bez zarzutu*). **3.** *US pot. uj.* tylko dla białych; zdominowany przez białych.

Lima bean ['laɪmə ˌbiːn], **lima bean** *n. bot., kulin.* fasola o szerokich i płaskich ziarnach (*Phaseolus limensis l. lunatus*).

limb[1] [lɪm] *n.* **1.** *anat., zool.* kończyna. **2.** konar. **3.** występ; odnoga; ramię (*np. krzyża*). **4.** *przen.* **~ of Satan/the devil** *Br. przest.* diabelskie nasienie (= *niegrzeczne dziecko*); **~ of the law** ramię prawa (*prawnik, policjant itp.*); **escape with life and ~** *zob.* **life**; **out on a ~** w niezręcznej sytuacji; *Br.* osamotniony (*w poglądach*); **go out on a ~** wychylać się, narażać się (*zwł. głosząc niepopularne poglądy*); **risk life and ~** *zob.* **life**; **tear sb ~ from ~** rozedrzeć *l.* rozerwać kogoś na strzępy. – *v. rzad.* **1.** *gł. kulin.* ćwiartować. **2.** *leśn.* okrzesywać (*drzewo*).

limb[2] *n.* **1.** *astron.* rąbek, brzeg tarczy (*planety*). **2.** *techn.* łuk podziałowy (*w instrumentach pomiarowych*). **3.** *bot.* rozszerzona część (*płatka, liścia*).

limbate ['lɪmbeɪt] *a. bot.* obrzeżony (*inną barwą, zwł. o kwiatach*).

limber[1] ['lɪmbər] *a.* **1.** gibki, zwinny. **2.** giętki. – *v.* **1.** rozciągać (się). **2.** **~ up** rozgrzewać się, przygotowywać się (*przed startem, meczem*).

limber[2] *n. wojsk.* przodek (*działowy*). – *v.* **~ (up)** *wojsk.* zaprzodkować.

limber[3] *n. żegl.* ściek zęzowy, zęza.

limberness ['lɪmbərnəs] *n. U* **1.** gibkość, zwinność. **2.** giętkość.

limbi ['lɪmbaɪ] *n. pl. zob.* **limbus**.

limbic system ['lɪmbɪk ˌsɪstəm] *n. anat.* układ limbiczny.

limbless ['lɪmləs] *a.* pozbawiony kończyn.

limbo[1] ['lɪmboʊ] *n. U* **1.** (*także* **L~**) *teol. rz.-kat.* otchłań (*dla sprawiedliwych z czasów przed Chrystusem i nieochrzczonych dzieci*). **2.** stan zawieszenia *l.* niepewności; **be in ~** znajdować się w stanie zawieszenia. **3.** *pl.* **-s** *arch.* więzienie.

limbo[2] *n. pl.* **-s** taniec karaibski (*w którym przechyleni do tyłu tancerze przechodzą pod opuszczanym coraz niżej kijem l. sznurem*).

limbus ['lɪmbəs] *n. pl.* **limbi** ['lɪmbaɪ] *anat.* rąbek (*np. rogówki*).

lime[1] [laɪm] *n. U* **1.** (*także* **quick~**) wapno; **cream of ~** czyste wapno; **lean/slaked ~** wapno chude/gaszone. **2.** (*także* **bird~**) lep na ptaki. – *v.* **1.** *roln.* nawapniać, wapnować (*glebę*). **2.** *garbarstwo* wapnować (*skórę*). **3.** smarować lepem (*gałęzie*). **4.** chwytać na lep (*ptaki*).

lime[2] *n. bot., kulin.* lima, limeta kwaśna, limona, limonka (*Citrus aurantifolia*).

lime[3] *n.* (*także* **~ tree**) *bot.* lipa (*Tilia*).

limeade [ˌlaɪm'eɪd] *n. U* napój o smaku limonki (*zw. gazowany*).

lime burner *n.* wypalacz wapna (*osoba*).

lime green, lime-green *a. i n. U* (kolor) żółtawozielony.

limekiln ['laɪmˌkɪln] *n.* wapiennik (*piec*).

limelight ['laɪmˌlaɪt] *n. U* **1.** *el.* światło wapienne, światło Drummonda. **2.** *hist., teatr* reflektor ze światłem wapiennym. **3.** *przen.* **in the ~** w centrum zainteresowania *l.* uwagi; na świeczniku; **steal the ~** *zob.* **steal** *v.*

limen ['laɪmən] *n. pl.* **-s** *l.* **limina** ['lɪmənə] *psych., anat.* próg.

lime pit *n. garbarstwo* dół z wapnem.

limerick ['lɪmərɪk] *n. teor. lit.* limeryk.

limes ['laɪmiːs] *n. pl.* **limites** ['lɪmɪˌtiːz] *hist.* limes (= *granica, zwł. umocniona, w starożytnym Rzymie*).

limescale ['laɪmˌskeɪl] *n. U zwł. Br.* kamień kotłowy.

limestone ['laɪmˌstoʊn] *n. U min.* wapień, kamień wapienny.

limewater ['laɪmˌwɔːtər] *n. U t. med.* woda wapienna.

limey ['laɪmɪ] *a.* **1.** *US, Can. i Austr. przest. pog. sl.* brytyjski. **2.** = **limy**. – *n. US, Can. i Austr. przest. pog. sl.* **1.** Brytyj-czyk/ka. **2.** statek brytyjski.

liminal ['lɪmənl] *a. psych.* graniczny.

limit ['lɪmɪt] *n. t. przen.* granica (*t. mat.*) (*to/on/of sth* czegoś); kraniec; kres; ograniczenie; limit; **city ~s** granice miasta; **lower/upper ~** dolna/górna granica; **know no ~s** nie znać granic; **know one's ~s** *pot.* być świadomym swoich ograniczeń, znać swoje możliwości; **off ~s** *zwł. US* objęty zakazem (*wstępu*), niedozwolony (*to sb* dla kogoś); **over the (legal) ~** *pot.* w stanie wskazującym na spożycie (*być, prowadzić samochód*); **overstep the ~s** *zob.* **overstep**; **set/impose ~s on sth** nałożyć na coś ograniczenia; **speed ~** *zob.* **speed**; **the sky's the ~** *zob.* **sky** *n.*; **that's the ~!** *przest. pot.* to przechodzi wszelkie granice!; **there are ~s!** są jakieś granice! (*dając wyraz oburzeniu*); **to the ~** do granic możliwości; **within a five-mile ~ of sth** w zasięgu pięciu mil od czegoś; **within ~s** w pewnych granicach; **you are the (absolute) ~!** *pot.* jesteś (absolutnie) nie do wytrzymania! – *v.* **1.** *często pass.* ograniczać; **~ o.s. to sth** ograniczać się do czegoś. **2.** stanowić granicę (*czegoś*).

limitary ['lɪmɪˌterɪ] *a. arch.* **1.** ograniczający. **2.** ograniczony.

limitation [ˌlɪmɪ'teɪʃən] *n.* **1.** *zw. pl.* ograniczenie (*of/on sth* czegoś); **have one's/its ~s** mieć swoje słabe strony *l.* punkty (*o osobie l. rzeczy*). **2.** *U* ograniczanie. **3.** *U prawn.* przedawnienie; **statute of ~** prawo *l.* przepisy o przedawnieniu.

limited ['lɪmɪtɪd] *a.* **1.** ograniczony (*np. przepisami, sytuacją*). **2.** *US i Can. kol.* przyspieszony. – *n. US i Can. kol.* pociąg przyspieszony; autobus pospieszny.

limited company *n. Br. handl.* (*także* **limited liability company**) spółka z ograniczoną odpowiedzialnością.

limited edition *n.* nakład ograniczony (*do pewnej ilości egzemplarzy*).

limited liability *n. U handl., prawn.* ograniczona odpowiedzialność.

limited liability company *n.* = **limited company**.

limited monarchy *n. C/U pl.* **-ies** monarchia konstytucyjna.

limiter ['lɪmɪtər] *n. el., radio* ogranicznik.

limiting ['lɪmɪtɪŋ] *a.* ograniczający, narzucający ograniczenia.

limitless ['lɪmɪtləs] *a.* nieograniczony (*np. o możliwościach*); bezgraniczny (*np. o zaufaniu*); bezkresny (*np. o niebie, horyzoncie*).

limitlessly ['lɪmɪtləslɪ] *adv.* bezgranicznie.

limitlessness ['lɪmɪtləsnəs] *n. U* bezgraniczność.

limit man *n. pl.* **-men** *sport* zawodnik z maksymalnym handicapem.

limit point *n. mat.* punkt skupienia (*zbioru*).

limitrophe ['lɪmɪˌtroʊf] *a. form.* pograniczny; **~ to sth** graniczący z czymś.

limn [lɪm] *v.* **1.** *lit.* namalować; narysować. **2.** *arch.* odmalować (*słowami*), opisać.

limnology [lɪm'nɑːlədʒɪ] *n. biol.* limnologia.

limo ['lɪmoʊ] *n. pl.* **-s** *pot.* limuzyna.

limonite ['laɪməˌnaɪt] *n. C/U min.* limonit.

limousine ['lɪməˌziːn] *n.* limuzyna.

limp[1] [lɪmp] *v.* **1.** kuleć (*t. przen., np. o wierszu, interesie*), utykać, kuśtykać. **2.** wlec się (*o uszkodzonym pojeździe l. statku*). – *n. sing.* utykanie; **have a ~** utykać.

limp[2] *a.* **1.** wiotki; miękki; bezwładny. **2.** *przen.* oklapnięty, sflaczały (= *bez energii*).

limpet ['lɪmpɪt] *n.* **1.** *zool.* jeden z wielu gatunków brzuchonogów (*np. czareczka (Patella), przewiertka (Fissurella) l. przytulik (Ancylus fluviatilis)*). **2.** (*także Br. i Austr.* **~ mine**) *wojsk.* mina dywersyjna.

limpid ['lɪmpɪd] *a. lit.* przezroczysty; *t. przen.* klarowny, przejrzysty.

limpidity [lɪm'pɪdətɪ], **limpidness** ['lɪmpɪdnəs] *n. U* przezroczystość; *t. przen.* klarowność, przejrzystość.

limpidly ['lɪmpɪdlɪ] *adv. t. przen.* klarownie, przejrzyście.

limpkin ['lɪmpkɪn] *n. orn.* bekaśnica (*Aramus guarauna*).

limply ['lɪmplɪ] *adv.* wiotko; bezwładnie.

limpness ['lɪmpnəs] *n. U* wiotkość; bezwład; miękkość (*w członkach*).

limulus ['lɪmjələs] *n. zool.* skrzypłocz, mieczogon (*Limulus polyphemus*).

limy ['laɪmɪ] *a.* **-ier, -iest** **1.** wapienny; wapnisty. **2.** lepki.

lin. *abbr.* = **linear**; = **lineal**.

linage ['laɪnɪdʒ], **lineage** *n.* **1.** *druk.* liczba wierszy (*np. na stronie*). **2.** wierszówka (*stawka*). **3.** = **alignment**.

linchhoop ['lɪntʃˌhuːp] *n. mech.* pierścień osiowy.

linchpin ['lɪntʃˌpɪn], **lynchpin** *n.* **1.** *mech.* zawleczka, przetyczka (*na osi koła*). **2.** *przen.* oś, filar.

linden ['lɪndən] *n. pl.* **-s** *l.* **linden** *US bot.* lipa (*Tilia*).

line[1] [laɪn] *n.* **1.** *t. geom., druk., kol., sport, genealogia* linia; **finish** *US*/**finishing** *Br.* ~ linia mety; **railway** ~ linia kolejowa; **straight** ~ linia prosta. **2.** szereg, rząd; szpaler; *wojsk.* dwuszereg; szyk; ~ **abreast/ahead** *żegl.* statki ustawione równolegle/jeden za drugim; **in a** ~ w rzędzie *l.* szeregu; **bring sb/sth into** ~ ustawiać kogoś/coś w szeregu. **3.** sznur (*np. do bielizny*); żyłka (*u wędki*); linka; drut, przewód (*telefoniczny, elektryczny*). **4.** *tel.* linia (telefoniczna); **hold the** ~ nie odkładać słuchawki; **on the** ~ na linii (*np. o zakłóceniach*); **Mary's on the** ~ **(for you)** dzwoni Mary (do ciebie); **party** ~ telefon towarzyski, wspólna linia telefoniczna. **5.** kreska. **6.** *zw. pl.* zarys, kontury (*of sth* czegoś). **7.** *często pl.* zmarszczka (*na twarzy*). **8.** wiersz (*pisma, druku*), linijka; **drop sb a** ~ *pot.* skrobnąć do kogoś parę słów *l.* linijek; **read between the ~s** *przen.* czytać między wierszami. **9.** *gł. US i Can.* kolejka, ogonek; **cut in** ~ wpychać się poza kolejką *l.* kolejnością; **first/next in** ~ *t. przen.* pierwszy/następny w kolejce (*to/for sth* do czegoś); **get/stand/wait in** ~ ustawiać się/stać/czekać w kolejce. **10.** *wojsk.* linia bojowa; *pl.* umocnienia, okopy; **behind the ~(s)** (*także* **inside enemy ~s**) za linią wroga; **hold the** ~ utrzymywać się (*na bronionej pozycji*), odpierać ataki. **11. the ~/L~** *geogr.* równik. **12.** metoda, sposób; kierunek; ~ **of action/argument** metoda działania/argumentacji; ~ **of inquiry/research/reasoning** kierunek dochodzenia/badań/rozumowania; **along similar/different ~s** w podobny/inny sposób. **13.** *zw. sing. gł. polit.* stanowisko (*zwł. oficjalnie głoszone*); wytyczne; linia, kurs; **take a firm/hard/strict ~ on sth** zająć zdecydowane stanowisko wobec czegoś; **the party** ~ linia partyjna. **14.** *zw. sing.* dziedzina, sfera zainteresowań *l.* działalności; **sth is (not) in sb's** ~ coś kogoś (nie) interesuje; coś (nie) jest w czyimś stylu; **what** ~ **of business/work are you in?** w jakiej branży pracujesz?. **15.** *handl.* asortyment; typ, model. **16.** seria, szereg (*następujących po sobie osób l. zdarzeń tego samego rodzaju*); **long** ~ **of disasters** długi szereg nieszczęść. **17.** *US* granica (*wewnątrzpaństwowa*); **state/county** ~ granica stanu/okręgu. **18.** *pl. teatr* tekst, kwestia (*aktora*); **forget one's ~s** zapomnieć (swojej) kwestii. **19.** *pl. Br. szkoln.* przepisywanie tekstu (*za karę*); **take fifty ~s!** przepiszesz to pięćdziesiąt razy! **20.** 1/12 cala. **21.** *pot.* ścieżka (= *porcja kokainy*). **22. above/below the** ~ *brydż* nad/pod kreską; *handl.* z użyciem mediów/poza mediami (*o sposobach promocji*); **all along the** ~ od samego początku; na całej linii; **be at/reach the end of the** ~ *przen.* być u/sięgnąć kresu; **be in** ~ **for sth/to do sth** mieć szanse na coś/zrobienie czegoś; **be in** ~ **with sth** zgadzać się z czymś, pozostawać w zgodzie z czymś; **be out of** ~ **with sth** nie zgadzać się z czymś, stać w sprzeczności z czymś; **bottom** ~ *zob.* **bottom**; **bring sb into** ~ przekonać kogoś do współpracy; **bring sth into** ~ **with sth** dopasować *l.* dostosować coś do czegoś; **bring sth on** ~ *techn., komp.* włączyć coś (*w system*); **come into** ~ podporządkować się; **come into** ~ **with sb** zacząć z kimś współpracować, pogodzić się z czyjąś polityką *l.* z czyimiś metodami; **come/go on** ~ *techn., komp.* zacząć działać (*o systemie*); **do sth along the right/wrong ~s** robić coś prawidłowo/nieprawidłowo; **don't give me that** ~! *pot.* poszukaj sobie innej wymówki!; **down the** ~ od początku do końca; u wszystkich (*zaangażowanych*); **draw the** ~ **at (doing) sth** *zob.* **draw** *v.*; **fall into** ~ *zob.* **fall** *v.*; **feed ~s to sb** *zob.* **feed** *v.*; **feed sb a** ~ *zob.* **feed** *v.*; **get a(n inside)** ~ **on sb/sth** *pot.* dowiedzieć się czegoś (bliższego) o kimś/czymś; **get out of** ~ *przen.* wyłamywać się; **hard ~s!** *zob.* **hard luck**; **hit the** ~ *futbol amerykański* rzucić się z piłką na linię obrony (*przeciwnika*); *przen.* wykonać śmiałe posunięcie; **hook,** ~ **and sinker** *zob.* **hook** *n.*; **in the** ~ **of duty/service** *t. wojsk.* w trakcie pełnienia służby; **keep sb in** ~ *przen.* trzymać kogoś w karbach *l.* ryzach; **lay sth on the** ~ *zob.* **lay[2]** *v.*; **off** ~ *techn., komp.* odłączony (*np. programowo*); **on** ~ *techn., komp.* podłączony (*jw.*); w trybie bezpośrednim; **on the right ~s** słuszny (*np. o propozycjach, zmianach*), odpowiedni (*np. o metodach*); **put one's career/reputation on the** ~ wystawić na szwank swoją karierę/reputację; **shoot/spin a** ~ przechwalać się; **sign on the dotted** ~ *zob.* **dotted line**; **somewhere along the** ~ *przen.* gdzieś po drodze (= *w trakcie, w miarę upływu czasu*); **step into** ~ podporządkować się; **step out of** ~ zachowywać się nieodpowiednio, pozwalać sobie na zbyt wiele; **the** ~ **of least resistance** linia najmniejszego oporu; **there is a fine** ~ **between X and Y** *zob.* **fine[1]** *a.*; **toe the** ~ *przen.* pilnować się, nie wychylać się. – *v.* **1.** ustawiać się *l.* stać wzdłuż (*czegoś*); tworzyć szpaler wzdłuż (*czegoś; np. o drzewach*); ~ **the road/street** stać wzdłuż drogi/ulicy (*np. o gapiach*). **2.** *zw. pass.* obsadzać (*kwiatami*), wysadzać (*drzewami*); **tree-lined avenue** aleja wysadzana drzewami. **3.** liniować; pokrywać kreskami. **4.** *zw. pass. przen.* pokrywać zmarszczkami; **face ~d with pain** twarz poorana cierpieniem. **5.** stać w kolejce. **6.** ~ **out** wykonać (*np. piosenkę*); *baseball* zdobyć punkt przez uderzenie mocnej płaskiej piłki; zostać wyeliminowanym za uderzenie płaskiej piłki przechwyconej przez przeciwnika; ~ **up** ustawiać (się) w szeregu *l.* rzędzie; tworzyć szpaler; *przen.* zebrać (*np. uczestników przedsięwzięcia*); zorganizować, przygotować (*np. zajęcia, zebranie*); załatwić (*np. pożyczkę*); **have sth ~d up** mieć coś zaplanowane *l.* przygotowane; ~ **up against sb** *przen.* zjednoczyć się przeciwko komuś; ~ **up alongside/behind/with sb** *przen.* zjednoczyć się w poparciu dla kogoś.

line[2] *v.* **1.** podszywać (*with sth* czymś) (*np. jedwabiem*); podbijać (*np. futrem*); wyściełać (*np. watą*); wykładać (*np. papierem*). **2.** *introl.* wzmacniać (*grzbiet książki*). **3.** stanowić podszewkę, wyściółkę *l.* podbicie (*czegoś*), wyściełać. **4.** ~ **one's pocket** *przen.* nabijać *l.* napychać sobie sakiewkę *l.* kabzę.

lineage[1] ['lɪnɪɪdʒ] *n. C/U form.* rodowód, linia genealogiczna.

lineage[2] ['laɪnɪdʒ] *n.* = **linage**.
lineal ['lɪnɪəl] *a.* **1.** *form.* w linii prostej (*o potomku, dziedziczeniu*). **2.** *rzad.* = **linear**.
lineally ['lɪnɪəlɪ] *adv. form.* w linii prostej (*pochodzić, być spokrewnionym*).
lineament ['lɪnɪəmənt] *n. form.* **1.** *pl.* rysy (*twarzy*). **2.** cecha charakterystyczna.
linear ['lɪnɪər] *a.* **1.** linearny. **2.** liniowy. **3.** wydłużony.
linear accelerator *n. fiz.* akcelerator liniowy.
linear equation *n. mat.* równanie pierwszego stopnia.
linearity [ˌlɪnɪ'erətɪ] *n. U* **1.** linearność. **2.** liniowość.
linearly ['lɪnɪərlɪ] *adv.* **1.** linearnie. **2.** liniowo.
linear measure *n.* miara długości.
linear motor *n. el.* silnik liniowy.
linear perspective *n. U sztuka* perspektywa geometryczna *l.* linearna *l.* zbieżna.
lineation [ˌlɪnɪ'eɪʃən] *n.* **1.** *U* liniowanie. **2.** zarys.
linebacker ['laɪnˌbækər] *n. futbol amerykański* zawodnik drugiej linii.
line block *n. druk.* klisza kreskowa.
line breeding *n. U hodowla* hodowanie wyspecjalizowanej linii (*selektywnym chowem wsobnym*).
lined [laɪnd] *a.* **1.** na podszewce, z podszewką (*np. o płaszczu*). **2.** w linie, liniowany (*o papierze, zeszycie*). **3.** pomarszczony, poorany zmarszczkami (*o twarzy*).
line drawing *n.* rysunek piórkiem *l.* ołówkiem.
line drive *n.* (*także* **liner**) *baseball* mocna płaska piłka.
line editing *n. U komp.* edycja wierszowa.
line engraving *n.* **1.** *U* rytowanie, grawerowanie. **2.** grawiura, sztych. **3.** rytowana płyta metalowa.
line feed *n. komp.* znak wysuwu wiersza.
line judge *n.* = **linesman** 1.
lineman ['laɪnmən] *n. pl.* **-men** **1.** *US i Can. tel.* monter pracujący na linii. **2.** *kol.* torowiec. **3.** pomocnik mierniczego. **4.** *futbol amerykański* gracz pierwszej linii.
line management *n. U* kierownictwo produkcji.
linen ['lɪnən] *n. U* **1.** *tk.* płótno; len. **2.** (*także* **bed ~**) bielizna pościelowa; (*także* **table ~**) bielizna stołowa. **3.** *przest.* bielizna (*osobista*); **wash one's dirty ~ in public** *zob.* **dirty** *a.* – *a. attr.* płócienny; lniany.
linen basket *n.* kosz na brudną bieliznę.
line of battle *n. wojsk.* szyk bojowy.
line of credit *n.* = **credit line**.
line of fire *n. wojsk. l. przen.* linia ognia.
lineolate ['lɪnɪəˌleɪt] *a. bot., zool.* kreskowany, liniowany (*równolegle*).
line printer *n.* (*także* **LPT**) *komp.* drukarka wierszowa.
liner[1] ['laɪnər] *n.* **1.** *żegl.* statek pasażerski, liniowiec. **2.** *lotn.* samolot rejsowy. **3.** *baseball* = **line drive**. **4.** = **eyeliner**.
liner[2] *n.* **1.** materiał na podszewkę *l.* wyściółkę. **2.** = **bin liner**.
liner notes *n. pl. US* tekst na okładce płyty.
linesman ['laɪnzmən] *n. pl.* **-men** **1.** (*także* **line judge**) *sport* sędzia liniowy. **2.** *Br. wojsk.* żołnierz formacji liniowej. **3.** *Br.* = **lineman**.
line squall *n. meteor.* burza wzdłuż frontu zimnego powietrza.
line-up ['laɪnˌʌp], **lineup** *n. zw. sing.* **1.** obsada, lista wykonawców (*np. koncertu*). **2.** *muz.* skład zespołu; *sport* skład drużyny. **3.** *US policja* okazanie, konfrontacja.
liney ['laɪnɪ] *n.* = **liny**.
ling[1] [lɪŋ] *n. icht.* **1.** molwa (*Molva molva*). **2.** miętus (*Lota lota*).
ling[2] *n. U bot.* wrzos (*Calluna vulgaris*).
lingam ['lɪŋgəm], **linga** ['lɪŋgə] *n. mit.* fallus (*zwł. jako symbol Sziwy*).
linger ['lɪŋgər] *v.* **1.** ociągać się, zwlekać (*z odejściem*); **~ over sth** zasiedzieć się przy czymś. **2.** iść z ociąganiem. **3.** zatrzymywać się, rozwodzić się (*over / on sth* nad czymś). **4.** **~ (on)** utrzymywać się, pokutować (*np. o zwyczajach*); wegetować (*np. o chorym*).
lingerer ['lɪŋgərər] *n.* guzdrała.
lingerie [ˌlɑ:nʒə'reɪ] *n. U* bielizna damska.
lingering ['lɪŋgərɪŋ] *a. attr.* uporczywy (*o wątpliwościach, obawach*); utrzymujący się, trwały (*o skutkach*); przeciągły (*o spojrzeniu, pocałunku*); przewlekły (*o chorobie, bólu*); powolny (*o śmierci*).
lingeringly ['lɪŋgərɪŋlɪ] *adv.* **1.** z ociąganiem. **2.** przeciągle, tęsknie (*np. spojrzeć*).
lingo ['lɪŋgoʊ] *n. pl.* **-es** *pot.* **1.** *często żart.* mowa (*zwł. obca*). **2.** żargon (*specjalistyczny*).
lingua franca [ˌlɪŋwə 'fræŋkə] *n. pl.* **lingua francas** *l.* **linguae francae** [ˌlɪŋgwi: 'frænsi:] *jęz.* **1.** wspólny obcy język (*jako środek komunikacji*). **2.** (*także* **L~ F~**) *hist.* lingua franca (= *mieszanina francuskiego, włoskiego, hiszpańskiego, greckiego i arabskiego używana do XVIII w. w portach Morza Śródziemnego*).
lingual ['lɪŋgwəl] *a. anat., fon.* językowy.
linguiform ['lɪŋgwəˌfɔ:rm] *a. anat., zool., bot.* językowaty, języczkowaty.
linguine [lɪŋ'gwi:nɪ], **linguini** *n. pl. kulin.* makaron (wąskie) wstążki.
linguist ['lɪŋgwɪst] *n.* **1.** osoba znająca obce języki; osoba mająca zdolności językowe. **2.** językoznawca, lingwist-a/ka.
linguistic [lɪŋ'gwɪstɪk] *a.* **1.** językowy (*np. o rozwoju, granicach*). **2.** językoznawczy, lingwistyczny.
linguistically [lɪŋ'gwɪstɪklɪ] *adv.* językowo, pod względem języka (*np. podobny*).
linguistic atlas *n.* atlas językowy.
linguistic borrowing *n.* zapożyczenie (językowe), pożyczka.
linguistics [lɪŋ'gwɪstɪks] *n. U* językoznawstwo, lingwistyka.
lingulate ['lɪŋgjəˌleɪt] *a.* (*także* **lingulated**) językowaty, języczkowaty, w kształcie języka (*np. o liściu*).
linguo-dental [ˌlɪŋwoʊ'dentl] *a. fon.* językowo-zębowy.

linhay ['lɪnɪ] *n.* (*także* **linny, linnay**) *Br. dial.* szopa.

liniment ['lɪnəmənt] *n. U med.* mazidło, płyn do nacierania.

lining ['laɪnɪŋ] *n. C/U* **1.** podszewka; podbicie. **2.** *t. anat.* wyściółka. **3.** *techn.* wykładzina; obmurowanie (*wewnętrzne*); *górn.* obudowa. **4. every cloud has a silver ~** *przen.* nie ma tego złego, co by na dobre nie wyszło.

link[1] [lɪŋk] *n.* **1.** związek (*with sth* z czymś, *between A and B* pomiędzy A i B); więź; **sever diplomatic ~s** zrywać stosunki dyplomatyczne (*with sb* z kimś). **2.** *t. przen.* ogniwo (*t. łańcucha*); **missing ~** *biol.* brakujące ogniwo. **3.** *t. kol.* połączenie; **rail ~** połączenie kolejowe. **4.** *t. tel.* łącze; **satellite/telephone ~** łącze satelitarne/telefoniczne. **5.** droga łącząca (*główne drogi*). **6.** = **cufflink**. **7.** *miern.* jednostka miary = 7,92 cala. **8.** *mech.* przegub. – *v.* **1.** *t. przen.* łączyć; **be ~ed to/with sth** być łączonym z czymś (= *przypisywanym czemuś*); *t. komp.* być połączonym z czymś *l.* podłączonym do czegoś. **2.** *chem.* wiązać. **3.** *el.* sprzęgać. **4. ~ arms** brać się pod ręce. **5. ~ up** łączyć (się) (*with sth* z czymś); podłączać (*to sth* do czegoś).

link[2] *n. hist.* pochodnia.

linkage ['lɪŋkɪdʒ] *n. U l. sing.* **1.** zespolenie, połączenie. **2.** *chem.* wiązanie. **3.** *mech.* zespół dźwigni, połączenie dźwigienkowe. **4.** *el.* sprzęganie.

linkboy ['lɪŋkˌbɔɪ] *n. hist.* (*także* **linkman**) człowiek do noszenia pochodni.

linker ['lɪŋkər] *n. komp.* konsolidator, program łączący.

linking verb ['lɪŋkɪŋ ˌvɜːb] *n. gram.* czasownik pełniący funkcję łącznika w orzeczeniu imiennym (*np. „be"*).

linkman ['lɪŋkmən] *n. pl.* **-men** **1.** *telew.* = **anchorman**. **2.** *hist.* = **linkboy**.

links [lɪŋks] *n. pl.* **1.** (*także* **golf ~**) pole golfowe (*zwł. nad brzegiem morza*). **2.** *Scot.* wydmy.

Link trainer *n. lotn.* trenażer.

linkup ['lɪŋkˌʌp] *n. handl., lotn., wojsk., komp.* połączenie.

linn [lɪn], **lin** *n. Scot.* **1.** wodospad; stawek poniżej wodospadu. **2.** przepaść; parów.

linnet ['lɪnɪt] *n. orn.* **1.** makolągwa (*Acanthis l. Carduelis cannabina*). **2.** dziwonia ogrodowa (*Carpodacus mexicanus*).

linny ['lɪnɪ], **linney** *n.* = **linhay**.

lino ['laɪnoʊ] *n. U Br. pot.* linoleum.

linocut ['laɪnəˌkʌt] *n. C/U Br.* linoryt.

linoleum [lɪ'noʊlɪəm] *n. U* linoleum.

lino tile *n.* płytka podłogowa z linoleum.

linotype ['laɪnəˌtaɪp], **Linotype** *druk. n.* linotyp. – *v.* składać na linotypie.

linseed ['lɪnˌsiːd] *n. U* siemię lniane.

linseed oil *n. U* olej lniany.

linseed oil varnish *n. U* pokost lniany.

linsey-woolsey [ˌlɪnzɪ'wʊlzɪ] *n. U* **1.** *tk.* materiał z grubej pośledniej wełny na osnowie lnianej, półsukno. **2.** *przen.* miszmasz.

linstock ['lɪnˌstɑːk] *n. hist., wojsk.* zapał (*do działa*).

lint [lɪnt] *n. U* **1.** *US tk.* surowe włókna bawełniane (*do produkcji przędzy*). **2.** *Br.* szarpie. **3.** strzępki przędzy.

lintel ['lɪntl] *n. bud.* nadproże, listwa przypodłogowa.

linter ['lɪntər] *n. tk.* **1.** draparka do nasion bawełny. **2.** *pl.* puch bawełniany, linters.

linty ['lɪntɪ] *a.* **-ier, -iest** puchaty.

liny ['laɪnɪ], **liney** *a.* **1.** cienki jak linia. **2.** liniowany. **3.** pomarszczony.

lion ['laɪən] *n.* **1.** *zool., her.* lew (*zool.* = *Panthera leo*). **2. the L~** (*także* **Leo**) *astrol.* Lew. **3.** *gł. lit.* gwiazda, znakomitość. **4.** *przen.* **be thrown/tossed to the ~s** zostać rzuconym lwom na pożarcie; **in the ~'s den** w jaskini lwa; **the ~'s share (of sth)** lwia część (czegoś).

lioness ['laɪənəs] *n.* lwica.

lionet ['laɪəˌnet] *n. rzad.* lwiątko, lewek.

lion-hearted ['laɪənˌhɑːrtɪd] *a. lit.* mężny, o mężnym sercu.

lionize ['laɪəˌnaɪz], *Br. i Austr. zw.* **lionise** *v.* traktować jak gwiazdę *l.* znakomitość.

Lions Club ['laɪənz ˌklʌb] *n.* Klub Lions.

lip [lɪp] *n.* **1.** *anat.* warga; *pl.* wargi, usta; **bite one's ~** przygryzać wargi; **kiss sb on the ~s** pocałować kogoś w usta; **thin-~ped** o wąskich wargach. **2.** *zw. sing.* brzeg (*of sth* czegoś) (*np. kubka, wydrążenia, rany*). **3.** *U pot.* pyskowanie; **give sb ~** pyskować komuś; **none of your ~!** nie pyskuj! **4.** *przen.* **be on everyone's ~s** być na ustach wszystkich; **button (up) one's ~** *sl.* zamknąć się (= *zamilknąć*); **hang on sb's ~s** spijać słowa z czyichś ust; **keep a stiff upper ~** nie okazywać emocji; **lick/smack one's ~s** oblizywać się (*na myśl o czymś*); **my ~s are sealed** będę milczeć jak grób, słowa nie pisnę; **read sb's ~s** czytać z ruchu czyichś warg. – *v.* **-pp-** **1.** przykładać wargi do (*czegoś*). **2.** lizać (*o wodzie, falach*). **3.** *golf* zapędzić (tylko) na brzeg dołka (*piłkę*). **4.** *rzad.* mruczeć.

Lipari Islands ['lɪpərɪ ˌaɪləndz] *n. pl. geogr.* Wyspy Liparyjskie.

liparite ['lɪpəraɪt] *n. U min.* liparyt.

lipase ['laɪpeɪs] *n. U biochem.* lipaza.

lip balm *n. C/U US* pomadka ochronna.

lip gloss *n. C/U* błyszczek (do ust).

lip liner *n. C/U* konturówka (do ust).

lipoid ['lɪpɔɪd] *n. pat.* lipid, tłuszczowiec.

lipoma [lɪ'poʊmə] *n. pl.* **-s** *l.* **lipomata** [lɪ'poʊmətə] *pat.* tłuszczak.

lipopolysaccharide [ˌlɪpəˌpɑːlɪ'sækəˌraɪd] *n. biochem.* lipopolisacharyd.

lipoprotein [ˌlɪpə'proʊtiːn] *n. biochem.* lipoproteina.

liposome ['lɪpəˌsoʊm] *n. med., kosmetologia* liposom.

liposuction ['lɪpəˌsʌkʃən] *n. U chir.* odsysanie tłuszczu, liposukcja.

lipper ['lɪpər], **leaper** *n. żegl.* marszczenie się morza.

lippy ['lɪpɪ] *a.* **-ier, -iest** *US i Can. pot.* pyskaty, bezczelny.

lip-read ['lɪpˌriːd], **lipread** *v.* czytać z (ruchu) warg.

lip-reader ['lɪpˌri:dər] *n.* osoba czytająca z ruchu warg.

lip-reading ['lɪpˌri:dɪŋ] *n.* *U* czytanie z ruchu warg.

lip salve *n. Br.* = **lip balm**.

lip service *n.* *U* deklaratywność, nieszczere poparcie; **pay/give ~ to sth** nieszczerze coś chwalić *l.* popierać.

lipstick ['lɪpˌstɪk] *n.* *C/U* szminka, pomadka, kredka do ust.

lip-sync ['lɪpˌsɪŋk], **lip-synch** *v.* śpiewać z playbacku.

liq. *abbr.* **1.** = **liquid**. **2.** = **liquor**.

liquate ['laɪkweɪt] *v. metal.* ~ **(out)** wytapiać (*składnik ze stopu l. rudy*).

liquation [laɪ'kweɪʃən] *n.* *U metal.* likwacja, wytapianie (*składnika ze stopu l. rudy*).

liquefacient [ˌlɪkwə'feɪʃənt] *a.* topiący; skraplający. – *n.* *C/U* topnik.

liquefaction [ˌlɪkwə'fækʃən] *n.* *U* topienie (się); skraplanie (się).

liquefactive [ˌlɪkwə'fæktɪv] *a.* topiący; skraplający.

liquefiable [ˌlɪkwə'faɪəbl] *a.* topliwy; skraplalny.

liquefier ['lɪkwəˌfaɪər] *n.* aparat do skraplania gazów.

liquefy ['lɪkwəˌfaɪ], **liquify** *v.* **-ied, -ying** topić (się); skraplać (się).

liquescent [lɪ'kwesənt] *a.* **1.** topiący się; skraplający się. **2.** topliwy.

liqueur [lɪ'kɜ:] *n.* *C/U* likier.

liquid ['lɪkwɪd] *a.* **1.** płynny (*t. przen., fin.*); ciekły; w płynie (*np. o mydle*). **2.** wodnisty. **3.** przezroczysty, przejrzysty. **4.** potoczysty. – *n.* **1.** *C/U* płyn, ciecz. **2.** *fon.* spółgłoska płynna (*r lub l*).

liquid air *n.* *U* skroplone powietrze.

liquidambar [ˌlɪkwɪd'æmbər] *n.* **1.** *bot.* ambrowiec (*Liquidambar orientalis*). **2.** *U* styraks (= *żywica wydzielana przez ambrowiec*).

liquid assets *n. pl. fin.* środki płynne.

liquidate ['lɪkwɪˌdeɪt] *v.* **1.** *ekon.* likwidować (się). **2.** *pot.* zlikwidować (= *zabić*).

liquidation [ˌlɪkwɪ'deɪʃən] *n.* *C/U ekon.* likwidacja; **go into ~** zlikwidować się.

liquidator ['lɪkwɪˌdeɪtər] *n. ekon.* likwidator.

liquid courage *n.* *U US* odwaga po pijanemu.

liquid crystal *n. el.* ciekły kryształ.

liquid crystal display *n.* (*także* **LCD**) *el., komp., techn.* wyświetlacz ciekłokrystaliczny.

liquidity [lɪ'kwɪdətɪ] *n.* *U* **1.** *ekon.* płynność (*finansowa*). **2.** stan płynny.

liquidize ['lɪkwɪˌdaɪz], *Br. i Austr. zw.* **liquidise** *v.* **1.** *kulin.* miksować (*owoce l. warzywa*). **2.** *techn.* zmieniać w stan płynny; przechodzić w stan płynny.

liquidizer ['lɪkwɪˌdaɪzər], *Br. i Austr. zw.* **liquidiser** *n. gł. Br. kulin.* mikser.

liquid lunch *n. żart.* suto zakrapiany lunch.

liquid measure *n.* *U* miara objętości płynów.

liquid paraffin *n.* *U zwł. Br. med.* parafina ciekła, olej parafinowy.

liquor ['lɪkər] *n.* *U* **1.** napój alkoholowy; **hard ~** *US i Can.* alkohol wysokoprocentowy; **in ~** *przest.* podchmielony. **2.** *browarnictwo* gorąca woda dodawana do słodu w celu uzyskania brzeczki. **3.** *kulin.* wywar. **4.** *med.* lek w roztworze. – *v. US i Can. pot.* ~ **up** spoić; wstawić się; **~ed up** wstawiony.

liquorice ['lɪkərɪs] *n. Br.* = **licorice**.

liquorish ['lɪkərɪʃ] *a. Br.* = **lickerish**.

liquor store *n. US i Can.* sklep monopolowy.

lira ['li:rə] *n. pl.* **-s** *l.* **lire** ['li:reɪ] *fin.* **1.** lir (*waluta włoska*). **2.** funt (*waluta turecka*).

Lisbon ['lɪzbən] *n. geogr.* Lizbona.

lisle [laɪl] *n.* *U tk.* fildekos, tkanina fildekosowa (*do produkcji pończoch i rękawiczek*).

lisp [lɪsp] *v.* seplenić; ~ **(out)** wyseplenić. – *n. sing.* seplenienie; **have a ~** seplenić.

lissom ['lɪsəm], **lissome** *a. lit.* **1.** giętki, gibki; zwinny. **2.** smukły.

list[1] [lɪst] *n.* **1.** lista, spis; **make a ~** zrobić *l.* sporządzić listę. **2.** *przen.* **at the top/bottom of the ~** najważniejszy/najmniej ważny; **on the danger ~** *zob.* **danger**. – *v.* **1.** wymieniać, wyliczać. **2.** robić listę (*kogoś l. czegoś*), spisywać, umieszczać na liście. **3.** *komp.* listować. **4.** *giełda* dopuścić do obrotu (*papiery wartościowe*). **5.** *arch.* = **enlist**.

list[2] *n. tk.* **1.** krajka, brzeg (*tkaniny*). **2.** listwa. **3.** *pl. hist. l. przen.* szranki; **enter the ~s** wstępować w szranki (*against sb* przeciwko komuś).

list[3] *v.* **1.** *żegl.* przechylać się na bok, mieć przechył (*o statku*). **2.** pochylać na bok. – *n.* **1.** *żegl.* przechył. **2.** pochylenie.

list[4] *v. arch. l. poet.* = **listen**.

listed building *n. Br.* = **landmarked building**.

listed company *n. pl.* **-ies** *giełda* przedsiębiorstwo notowane na giełdzie.

listed security *n. pl.* **-ies** *giełda* papier wartościowy dopuszczony do obrotu.

listen ['lɪsən] *v.* **1.** słuchać (*to sb/sth* kogoś/czegoś); ~ **here!** słuchaj no! **2.** usłuchać, posłuchać (*to sb* kogoś); dać posłuch (*to sb/sth* komuś/czemuś). **3.** ~ **for** nasłuchiwać (*czegoś*); ~ **in** podsłuchiwać (*to sb/sth* kogoś/coś) (*zwł. przez telefon*); *radio* słuchać (*to sth* czegoś) (*audycji*); ~ **out** *Br. pot.* nasłuchiwać (*for sth* czegoś); ~ **up!** *US pot.* słuchaj uważnie! – *n. sing.* **have a ~** *Br. pot.* posłuchać.

listenable ['lɪsənəbl] *a. pot.* przyjemny w słuchaniu.

listener ['lɪsənər] *n.* słuchacz/ka; radiosłuchacz/ka; **be a good ~** być wdzięcznym słuchaczem, umieć słuchać.

listening device ['lɪsənɪŋ dɪˌvaɪs] *n.* urządzenie podsłuchowe.

listening post *n.* **1.** *wojsk.* czujka. **2.** punkt obserwacyjny.

lister ['lɪstər] *n. roln.* pług z podwójną odkładnicą.

listeria [lɪ'sti:rɪə] *n.* *U pat.* listerie.

listing ['lɪstɪŋ] *n.* **1.** lista, spis, wykaz. **2.** pozycja, hasło (*w spisie*).

listless ['lɪstləs] *a.* apatyczny, zobojętniały.

listlessly ['lɪstləslɪ] *adv.* apatycznie, obojętnie.

listlessness [ˈlɪstlɪsnəs] *n. U* apatia, zobojętnienie.

list price *n. handl.* sugerowana cena detaliczna.

lit[1] [lɪt] *v. pret. i pp. zob.* **light**.

lit[2] *n. zob.* **litas**.

lit. *abbr.* **1.** = **literal**; = **literally**. **2.** = **literature**; = **literary**.

litany [ˈlɪtənɪ] *n. pl.* **-ies** *kośc. l. przen.* litania.

litas [ˈliːtɑːs], **lit** *n. pl.* **-tai** [ˈliːtaɪ], **-tu** [ˈliːtuː] *fin.* lit (*waluta litewska*).

litchi [ˈliːtʃiː], **lychee, lichee, lichi** *n. bot.* liczi chińskie, śliwa chińska (*Litchi chinensis*).

lite [laɪt] *a.* = **light**[2] *a.* 2.

liter [ˈliːtər] *n. US i Can.* litr.

literacy [ˈlɪtərəsɪ] *n. U* **1.** umiejętność czytania i pisania. **2.** elokwencja. **3. computer ~** umiejętność obsługi komputera.

literacy campaign *n.* akcja walki z analfabetyzmem.

literal [ˈlɪtərəl] *a.* **1.** dosłowny (*o znaczeniu, tłumaczeniu, interpretacji*). **2.** *zw. uj.* prozaiczny, rzeczowy (*np. o relacji*); przyziemny (*o osobie*). **3.** *attr. druk., mat.* literowy. **4.** *attr. pot emf.* autentyczny, formalny; **the ~ truth** najprawdziwsza prawda. – *n.* (*także* **~ error**) *druk.* błąd literowy, literówka.

literalism [ˈlɪtərəˌlɪzəm] *n. U* **1.** skłonność do dosłownej interpretacji. **2.** *sztuka* skrajny realizm.

literality [ˌlɪtəˈrælətɪ] *n. U* dosłowność.

literally [ˈlɪtərəlɪ] *adv.* dosłownie; **take sth ~** brać coś dosłownie.

literal-minded [ˈlɪtərəlˌmaɪndɪd] *a.* biorący wszystko dosłownie, pozbawiony wyobraźni (*o osobie*).

literalness [ˈlɪtərəlnəs] *n. U* = **literality**.

literariness [ˈlɪtəˌrerɪnəs] *n. U* literackość.

literary [ˈlɪtəˌrerɪ] *a. zw. attr.* **1.** literacki (*o języku, stylu, nagrodzie*). **2.** interesujący się literaturą; znający się na literaturze.

literary agent *n.* agent/ka (*reprezentujący autora*).

literary executor *n.* wykonaw-ca/czyni testamentu literackiego.

literate [ˈlɪtərɪt] *a.* **1.** umiejący czytać i pisać, piśmienny. **2.** wykształcony, oczytany. **3. be financially/computer ~** znać podstawy finansów/obsługi komputera. – *n.* osoba umiejąca czytać i pisać.

literately [ˈlɪtərɪtlɪ] *adv.* w sposób zdradzający wykształcenie i oczytanie.

literateness [ˈlɪtərɪtnəs] *n. U* **1.** piśmienność. **2.** oczytanie.

literati [ˌlɪtəˈrɑːtɪ] *n. pl.* **the ~** *form.* osoby biegłe w literaturze.

literatim [ˌlɪtəˈreɪtɪm] *adv. form.* dosłownie.

literature [ˈlɪtərətʃər] *n. U* **1.** literatura, piśmiennictwo. **2.** druki, broszurki (*na dany temat*). **3.** *arch.* kultura literacka.

litharge [ˈlɪθɑːrdʒ] *n. U chem.* glejta ołowiowa.

lithe [laɪð] *a.* gibki, giętki.

lithely [ˈlaɪðlɪ] *adv.* gibko, giętko.

lithesome [ˈlaɪðsəm] *a. arch. l. lit.* = **lithe**.

lithia [ˈlɪθɪə] *n. U chem.* tlenek litu.

lithiasis [lɪˈθaɪəsɪs] *n. U pat.* kamica.

lithic[1] [ˈlɪθɪk] *a.* **1.** *geol.* kamienny. **2.** *pat.* kamicowy.

lithic[2] *a. chem.* litowy.

lithium [ˈlɪθɪəm] *n. U chem.* lit.

lithograph [ˈlɪθəˌgræf] *druk., sztuka n.* litografia (*odbitka*). – *v.* litografować.

lithographer [lɪˈθɑːgrəfər] *n. druk., sztuka* litograf.

lithographic [ˌlɪθəˈgræfɪk] *a. druk., sztuka* litograficzny.

lithography [lɪˈθɑːgrəfɪ] *n. U* litografia (*sztuka l. technika*).

lithology [lɪˈθɑːlədʒɪ] *n. U* **1.** *geol.* skałoznawstwo, litologia. **2.** *med.* nauka o kamicy.

lithophyte [ˈlɪθəˌfaɪt] *n.* **1.** *bot.* roślina rosnąca na kamieniach. **2.** *zool.* polip wydzielający substancję wapienną.

lithotomy [lɪˈθɑːtəmɪ] *n. C/U pl.* **-ies** *chir.* litotomia, nacięcie pęcherza (*celem usunięcia kamienia*).

lithotrity [lɪˈθɑːtrɪtɪ] *n. U med.* kruszenie kamienia (*w pęcherzu*), litotrypsja.

Lithuania [ˌlɪθʊˈeɪnɪə] *n. geogr.* Litwa.

Lithuanian [ˌlɪθʊˈeɪnɪən] *a.* litewski. – *n.* **1.** Litwin/ka. **2.** *U* język litewski.

litigable [ˈlɪtəgəbl] *a. prawn.* **1.** sporny (*o punkcie prawnym*). **2.** nadający się do wstąpienia na drogę sądową.

litigant [ˈlɪtəgənt] *a. prawn.* strona w procesie.

litigate [ˈlɪtəˌgeɪt] *v. prawn.* **1.** procesować się. **2.** kwestionować (*np. roszczenie*).

litigation [ˌlɪtəˈgeɪʃən] *n. U prawn.* droga prawna, spór.

litigator [ˈlɪtəˌgeɪtər] *n. prawn.* strona wszczynająca spór sądowy.

litigious [lɪˈtɪdʒəs] *a.* **1.** *form.* lubiący się procesować, pieniacki. **2.** *prawn.* zaskarżalny, sporny.

litigiousness [lɪˈtɪdʒəsnəs] *n. U form.* skłonność do pieniactwa.

litmus [ˈlɪtməs] *n. U chem.* lakmus.

litmus paper *n. chem.* papierek lakmusowy.

litmus test *n.* **1.** *chem.* test papierkiem lakmusowym. **2.** *przen.* test, sprawdzian, próba.

litotes [ˈlaɪtəˌtiːz] *n. pl.* **litotes** *ret.* litotes.

litre [ˈliːtər] *n. Br.* = **liter**.

litter [ˈlɪtər] *n.* **1.** *U* śmieci, odpadki (*rzucane na ziemię zamiast do kosza*). **2.** *U* ściółka (*leśna*). **3.** *U* podściółka (*dla bydła*); (*także* **cat/kitty ~**) piasek dla kota. **4.** miot (*np. szczeniąt, prosiąt*). **5.** nosze; *hist.* lektyka. – *v.* **1.** śmiecić; **~ (up)** zaśmiecać; **sth is ~ed with sth** coś jest zaśmiecone *l.* zawalone czymś; *przen.* coś roi się od czegoś, coś obfituje w coś (*np. w przykłady*). **2.** rozrzucać. **3.** *zool.* mieć młode (*= kocić się, szczenić się itp.*). **4.** podścielać (*np. koniowi*).

littérateur [ˌlɪtərəˈtɜː], **litterateur** *n. arch.* pisarz, literat.

litter bin *n. Br.* kosz *l.* kubeł na śmieci.

litterbug [ˈlɪtərˌbʌg] *n.* (*także* **litterer**) *US, Can. i Austr. pot.* osoba śmiecąca w miejscach publicznych.

litter lout *n. Br.* = **litterbug.**

little [ˈlɪtl] *a.* **1.** mały; **a ~ bit (of sth)** odrobina; **sb's ~ boy/girl** czyjś synek/czyjaś córeczka. **2.** *attr.* młodszy (*o bracie, siostrze*). **3.** *attr.* krótki (*o czasie, odległości*). **4.** (*odpowiada polskiemu zdrobnieniu; często z zabarwieniem uczuciowym*) **~ smile** uśmieszek; **~ tiny** malutki, malusieńki, tyci; **for a ~ while** przez chwilkę; **lovely ~ house** śliczny domek; **pathetic ~ man** żałosny człowieczyna; **we walked a ~ way** uszliśmy kawałeczek (drogi). **5.** *comp.* **lesser** drobny (*t. = nieważny*). **6. ~ ones** dzieci; młode, małe; **a ~ bird told me** *zob.* **bird** *n.*; **a ~ something** *pot.* małe co nieco (*do jedzenia l. picia*); drobny upominek. – *adv. i pron. comp.* **less** *sup.* **least 1.** mało, niewiele; **~ better/more** niewiele lepszy/więcej; **~ known** mało znany; **~ or nothing** prawie nic; **as ~ as possible** jak najmniej; **very ~** bardzo mało. **2. a ~** trochę, troszkę, troszeczkę; **a ~ better/more** trochę lepszy/więcej; **quite a ~** całkiem sporo. **3. ~ by ~** po trochu, pomału, stopniowo; **~ did I think/realize (that)...** nigdy nie przypuszczałem *l.* nie podejrzewałem, że...; **make ~ of sth** niewiele sobie z czegoś robić, lekceważyć coś; niewiele z czegoś rozumieć; **not a ~** (*także* **more than a ~**) *form.* bardzo (*np. przestraszony*); **the/what ~ I have** (tylko) to/tyle, co/ile mam; **the/what ~ there is** (tylko) to/tyle, co/ile jest; **think ~ of sb** nie mieć o kimś wysokiego mniemania; **think ~ of sth** nie przywiązywać do czegoś większego znaczenia; **too ~ (and) too late** *zob.* **too**; *zob. t.* **less**; *zob. t.* **least.**

Little America *n.* Mała Ameryka (*amerykańska baza wypraw antarktycznych*).

little auk *n. orn.* traczyk lodowy (*Plautus alle*).

Little Bear *n. zwł. Br.* = **Little Dipper.**

little blue heron *n. orn.* czapla śniada (*Hydranassa l. Florida caerulea*).

Little Dipper *n.* **the ~** *zwł. US i Can. astron.* Mała Niedźwiedzica.

little finger *n.* mały palec; **twist/wrap/wind sb around one's ~** *zob.* **finger.**

little folk *n.* = **little people.**

little grebe *n. orn.* perkozek (*Podiceps ruficollis*).

little hours *n. pl. kośc.* godzinki.

little man *n. pl.* **little men** *Br.* drobny przedsiębiorca.

littleneck [ˈlɪtlˌnek] *n.* (*także* **~ clam**) *US zool.* okrągły mięczak jadalny, wenus (*Venus mercenaria*).

little office *n.* (*także* **L~ O~**) *kośc.* oficjum małe.

little owl *n. orn.* pójdźka (*Athene noctua*).

little people *n. pl.* (*także* **little folk**) *zwł. mit. Ir.* krasnoludki; duszki.

Little Poland *n. geogr.* Małopolska.

little slam *n.* (*także* **small slam**) *karty* szlemik.

little theater *n. C/U US i Can.* teatr awangardowy *l.* eksperymentalny (*zw. amatorski*).

little toe *n.* mały palec u nogi.

little woman *n.* **the ~** *Br. przest.* żoneczka.

littoral [ˈlɪtərəl] *a.* nadbrzeżny; *t. biol.* przybrzeżny. – *n.* pas przybrzeżny.

lit up [ˌlɪt ˈʌp] *a. sl.* podchmielony; naćpany.

liturgic [lɪˈtɜːdʒɪk], **liturgical** [lɪˈtɜːdʒɪkl] *a.* liturgiczny.

liturgics [lɪˈtɜːdʒɪks] *n. U* liturgika.

liturgist [ˈlɪtərdʒɪst] *n.* **1.** badacz/ka form liturgicznych. **2.** zwolenni-k/czka liturgii.

liturgy [ˈlɪtərdʒɪ] *n. C/U pl.* **-ies** *kośc.* **1.** liturgia. **2.** (*także* **Divine L~**) nabożeństwo eucharystyczne (*w kościele wschodnim*).

livable [ˈlɪvəbl], **liveable** *a.* **1.** (*także Br.* **~ in**) nadający się do zamieszkania. **2.** znośny (*o życiu, egzystencji*). **3. ~ with** miły w pożyciu (*o współmieszkańcu*).

livableness [ˈlɪvəblnəs], **livability** [ˌlɪvəˈbɪlətɪ] *n. U* znośność (*życia, warunków mieszkaniowych*).

live[1] [lɪv] *v.* **1.** mieszkać (*in/at* w, *with sb* z kimś); **~ at home** mieszkać z rodzicami; **~ together** mieszkać razem, mieszkać ze sobą (*o parze*). **2.** żyć; przeżyć (= *pozostać przy życiu*); **~ an active/a healthy life** prowadzić aktywny/zdrowy tryb życia; **~ a double/virtuous life** prowadzić podwójne/cnotliwe życie; **~ a lie** żyć kłamstwem; **~ and let ~** żyć i dać żyć innym; **~ from day to day** żyć z dnia na dzień; **~ high on the hog** *zob.* **hog** *n.*; **~ in a small way** prowadzić skromny i cichy żywot; **~ in a dream world** żyć marzeniami; **~ in poverty** żyć w ubóstwie; **~ in sin** *przest.* żyć w grzechu; **~ life to the full** żyć pełnią życia; **~ one's own life** żyć na własny rachunek; **~ the life of Riley** *zob.* **life; ~ to be a hundred** dożyć (wieku) stu lat; **~ to see sth** dożyć czegoś; **~ to tell the tale** przeżyć, przetrwać; **~ well** dobrze sobie żyć; **as I ~ and breathe!** *emf.* jak tu stoję!; **as long as I ~** póki żyję; do końca życia; **give sb a month to ~** dawać komuś miesiąc życia (= *rokować*); **long ~ the Queen!** niech żyje Królowa!; **sb ~s and breathes sth** coś jest dla kogoś całym życiem; **you'll ~ to regret it** jeszcze tego pożałujesz; **you/we ~ and learn** *zob.* **learn. 3. ~ by sth** żyć zgodnie z czymś (*z zasadami, wiarą*); **~ down** naprawić, zmazać, odkupić (*np. błąd, krzywdę, gafę*); **you'll never ~ that down** nigdy ci tego nie zapomną; **~ for sb/sth** żyć dla kogoś/czegoś; **~ for the day when...** nie móc się doczekać dnia, kiedy...; **~ in** mieszkać na miejscu (= *w miejscu pracy; np. o gosposi, pracowniku hotelu*); **~ off sb** żyć na czyjś koszt, być na czyimś utrzymaniu; **~ off sth** *pot.* żywić się (wyłącznie) czymś; **~ off the land** żywić się tym, co się wyhoduje *l.* upoluje; **~ on** trwać, żyć nadal (*zwł. o pamięci o kimś*); **~ on sth** żywić się wyłącznie czymś; **~ on air** *przen.* żyć powietrzem; **~ on welfare/$... a year** żyć z zasiłku/z... dolarów rocznie; **~ on/by one's wits** zarabiać na życie w nieuczciwy sposób; **~ out** mieszkać poza miejscem pracy; *Br. uniw.* nie mieszkać w akademiku; **~ out one's days/life** przeżyć (swoje) życie; **~ out of a suitcase** *przen.* żyć na walizkach; **~ through sth** przeżyć coś, przejść przez coś; **~ up to sth** starać się utrzymać coś (*np. reputację, standard*); **~ up to sb's expectations** spełniać czyjeś oczekiwania; **~ it up** *pot.* żyć na całego, używać życia; **~ with sth** żyć z czymś (*np. ze świadomością krzywdy, z poczuciem klęski*); radzić sobie z czymś (*np. ze stresem*); **I can ~ with that** *często żart.* jakoś to przeżyję (= *nie przeszkadza mi to*).

live2 [laɪv] *a. gł. attr.* **1.** żywy (= *żyjący*). **2.** *radio, telew.* na żywo, bezpośredni (*np. o koncercie, transmisji*). **3.** *el.* pod napięciem. **4.** uzbrojony (*o bombie, minie*); ostry (*o nabojach*). **5.** aktualny (*np. o kwestii, problemie*). **6.** niezużyty (*o zapałce*).

liveable [ˈlɪvəbl] *a.* = **livable.**

live birth [ˌlaɪv ˈbɜːθ] *n. med.* poród żywego płodu.

live center [ˌlaɪv ˈsentər], *Br.* **live centre** *n. mech.* kieł obrotowy.

live coals [ˌlaɪv ˈkoʊlz] *n. pl.* (*także* **live ember**) żarzący się węgiel, żar.

lived-in [ˌlɪvdˈɪn] *a.* zamieszkały (*o domu*); *zw. żart.* zdradzający oznaki zamieszkania (= *przytulny, ale niezbyt nowy l. czysty*).

livedo [ləˈviːdoʊ] *n. pl.* **-s** *pat.* sinica.

live-in [ˌlɪvˈɪn] *a. attr.* ~ **lover/partner** konkubent/ina; ~ **maid/nanny** służąca/niania mieszkająca przy rodzinie.

live keyboard [ˌlaɪv ˈkiːˌbɔːrd] *n. komp.* klawiatura interaktywna.

livelihood [ˈlaɪvlɪˌhʊd] *n. C/U* źródło utrzymania.

liveliness [ˈlaɪvlɪnəs] *n. U* żywość; żwawość; ożywienie.

live load [ˌlaɪv ˈloʊd] *n. techn.* obciążenie zmienne (*np. mostu*).

livelong [ˈlɪvˌlɔːŋ] *a.* **all the ~ day** *US lit.* przez cały Boży dzień.

lively [ˈlaɪvlɪ] *a.* **-ier, -iest 1.** żywy (*np. o opisie, barwach, zainteresowaniu*); ożywiony (*np. o dyskusji*); żwawy, pełen życia (*o osobie, tańcu*); tętniący życiem (*o miejscu*); świeży, orzeźwiający (*o wietrzyku*); ~ **imagination** żywa *l.* bujna wyobraźnia. **2.** *pot.* **look ~!** *zob.* **look** *v.*; **make it/things ~ for sb** dać komuś popalić.

liven [ˈlaɪvən] *v.* ~ **(up)** ożywiać się, nabierać życia; ~ **sth (up)** ożywiać coś, dodawać czemuś życia.

live oak [ˌlaɪv ˈoʊk] *n. bot.* dąb wiecznie zielony (*Quercus virginianus*).

liver1 [ˈlɪvər] *n.* **1.** *anat.* wątroba. **2.** *U kulin.* wątróbka.

liver2 *n. w złoż.* **fast ~** osoba korzystająca z życia; **plain ~** osoba prowadząca skromny tryb życia.

liver extract *n. U med.* wyciąg z wątroby.

liver fluke *n. zool.* motylica wątrobowa (*Fasciola hepatica*).

liver fluke disease *n. U wet.* choroba motyliczna, fascioloza.

liveried [ˈlɪvərɪd] *a.* w liberii, odziany w liberię.

live ring *n. mech.* łożysko rolkowe.

liverish [ˈlɪvərɪʃ] *a.* **1.** *pot.* cierpiący na wątrobę; *Br.* niedysponowany (*zwł. z przejedzenia l. przepicia*). **2.** *przen.* opryskliwy.

Liverpudlian [ˌlɪvərˈpʌdlɪən] *Br. a.* liverpoolski. – *n.* mieszkan-iec/ka Liverpoolu.

liver sausage *n. Br.* = **liverwurst.**

liver spot *n. pat.* plama wątrobowa.

liverwort [ˈlɪvərˌwɜːt] *n. bot.* przylaszczka pospolita (*Hepatica nobilis l. triloba*).

liverwurst [ˈlɪvərˌwɜːst] *n. U US, Can. i Austr. kulin.* kiszka wątrobiana *l.* pasztetowa, wątrobianka.

livery1 [ˈlɪvərɪ] *n. pl.* **-ies 1.** *C/U* liberia. **2.** *U lit.* (charakterystyczny) strój *l.* wygląd. **3.** *C/U Br.* strój cechowy; **take up one's ~** zostać członkiem cechu miejskiego. **4.** *U* branie koni w pensjonat; **at ~** w pensjonacie (*o koniu*). **5.** *U prawn., hist.* przelanie tytułu własności ziemi.

livery2 *a.* **1.** wątrobiany (*t. o kolorze*). **2.** = **liverish.**

livery company *n. pl.* **-ies** *Br.* towarzystwo cechowe, gildia kupiecka (*w londyńskim City*).

livery fine *n. Br.* wpisowe do cechu.

liveryman [ˈlɪvərɪmən] *n. pl.* **-men 1.** właściciel *l.* pracownik stajni-pensjonatu. **2.** *Br.* członek towarzystwa cechowego (*w londyńskim City*).

livery stable *n.* stajnia-pensjonat (= *utrzymująca cudze konie l. wynajmująca konie i pojazdy*).

lives [laɪvz] *n. pl. zob.* **life.**

live steam [ˌlaɪv ˈstiːm] *n. U* para świeża.

livestock [ˈlaɪvˌstɑːk] *n. U roln.* żywy inwentarz.

live wheel [ˌlaɪv ˈwiːl] *n. mech.* koło ruchome *l.* napędowe.

live wire [ˌlaɪv ˈwaɪr] *n.* **1.** *el.* przewód pod napięciem. **2.** *przen. pot.* żywe srebro (*o osobie*).

live yoghurt [ˌlaɪv ˈjoʊgərt] *n. C/U* jogurt z żywymi kulturami bakterii.

livid [ˈlɪvɪd] *a.* **1.** *pot.* wściekły. **2.** siny; zsiniały. **3.** *lit.* chorobliwie blady; poszarzały (*o twarzy, skórze*).

living [ˈlɪvɪŋ] *n.* **1.** *U l. sing.* życie; utrzymanie; ~ **conditions** warunki życia; **city/country ~** życie w mieście/na wsi; **cost of ~** koszty utrzymania; **earn/make a ~** zarabiać na życie *l.* utrzymanie; **scrape/scratch a ~** z trudem zarabiać na życie, ledwo wiązać koniec z końcem; **standard of ~** poziom życia, stopa życiowa; **what does he do for a ~?** czym się zajmuje?, z czego żyje?. **2. the ~** (ludzie) żywi. **3.** *Br. kość. przest.* beneficjum. – *a.* **1.** żyjący; znajdujący się przy życiu; żywy (*t. o języku*); istniejący (*współcześnie*); ~ **things** natura ożywiona, wszystko, co żyje. **2.** *przen.* **be a ~ proof of sth** stanowić żywy dowód na coś; **in/within ~ memory** jak sięgnąć pamięcią; **it's a ~ likeness/image of X** to X jak żywy (*np. na obrazie*); **make sb's life a ~ hell** *zob.* **hell.**

living death *n. sing. emf.* życie gorsze od śmierci.

living fossil *n. biol.* żywy relikt.

living picture *n. zw. pl.* żywy obraz.

living quarters *n. pl.* kwatery (*np. żołnierzy, robotników*).

living room, living-room *n.* salon, pokój dzienny.

living space *n. U* przestrzeń mieszkalna.

living standards *n. pl.* stopa życiowa, poziom życia.

living wage *n. zw. sing. ekon.* minimum socjalne.

living will *n. US prawn.* życzenie niepodtrzymywania życia w razie śmiertelnej choroby (*wyrażone na piśmie przez zainteresowanego*).
Livonia [lɪ'vounɪə] *n. hist., geogr.* Inflanty.
Livonian [lɪ'vounɪən] *a. hist.* inflancki.
lixiviate [lɪk'sɪvɪˌeɪt] *v. techn.* ługować.
lixiviation [lɪkˌsɪvɪ'eɪʃən] *n. U techn.* ługowanie.
lizard ['lɪzərd] *n. zool.* jaszczurka (*zwł. rodzina Lacertidae*).
ll *abbr.* = **lines.**
'll [əl] *abbr.* = **will**; = **shall.**
llama ['lɑːmə] *n. zool.* lama (*Lama glama*).
LLB [ˌel ˌel 'biː] *abbr. uniw.* = **Bachelor of Laws.**
LLD [ˌel ˌel 'diː] *abbr. uniw.* = **Doctor of Laws.**
LLM [ˌel ˌel 'em] *abbr. uniw.* = **Master of Laws.**
lo [lou] *int. arch.* patrz(cie)!; ~ **and behold!** patrzcie i podziwiajcie!
loach [loutʃ] *n. icht.* ryba z rodziny piskorzowatych (*Cobitidae*).
load [loud] *n.* **1.** ładunek. **2.** *t. przen.* ciężar. **3.** *t. el., fiz., komp.* obciążenie; **teaching** ~ *szkoln.* pensum, wymiar godzin; **work** ~ obciążenie (= *obowiązki zawodowe*). **4.** (*także* **~s**) *zwł. Br. pot.* masa, mnóstwo (*of sth* czegoś); **~s to do** kupa roboty; **a ~ of crap/rubbish/bullshit** stek bzdur; **thanks ~s** wielkie dzięki. **5.** *przen.* **have a ~ on** *US i Can. sl.* być wstawionym; **get a ~ of this!** *pot.* popatrz no (tylko) na to!; **sb is a brick short of a ~** *zob.* **short** *a.*; **shoot one's ~** *zob.* **shoot** *v.* **6. that's a ~ off my mind** kamień spadł mi z serca. – *v.* **1.** ładować (*np. towar, pralkę, broń, film do aparatu*); ~ **(up)** ładować, załadowywać (*np. ciężarówkę, statek*). **2.** *komp.* ładować, wgrywać (*program*). **3.** ~ **sb with sth** *przen.* obsypywać kogoś czymś (*np. podarkami, pochwałami, zaszczytami*). **4.** *pot.* podrasowywać (*silnik*). **5.** *ubezp.* podwyższać stawkę (*ubezpieczenia; np. w związku ze zwiększonym ryzykiem*). **6.** ~ **the dice** obciążać kości (*oszukując w grze*); **the the dice are ~ed against sb** *przen.* ktoś stoi na przegranej pozycji. **7.** *zw. pass.* ~ **sb down with sth** obładowywać kogoś czymś; *przen.* przeciążać kogoś czymś (*np. obowiązkami*).
load displacement *n. sing.* wyporność, zanurzenie (*załadowanego statku*).
loaded ['loudɪd] *a.* **1.** załadowany; naładowany. **2.** podchwytliwy (*o pytaniu*). **3.** fałszowany (*o kościach do gry*). **4.** *pred. pot.* nadziany (= *bogaty*). **5.** *US i Can. sl.* wstawiony; naćpany. **6.** ~ **with sth** *pot.* uginający się od czegoś (*np. o półkach, stole*).
loader ['loudər] *n. myśl.* pomocnik ładujący strzelby (*myśliwemu*); *wojsk.* ładowniczy; amunicyjny (*w czołgu*).
loading bay ['loudɪŋ ˌbeɪ] *n.* hala wsadowa.
loadstar ['loudˌstɑːr] *n.* = **lodestar.**
loadstone ['loudˌstoun] *n.* = **lodestone.**
loaf [louf] *n. pl.* **loaves** [louvz] **1.** bochenek; bochen. **2.** *Br.* główka (*kapusty, sałaty*). **3. meat ~** *kulin.* pieczeń rzymska, klops (*duży, podłużny*); **sugar ~** *gł. hist.* głowa cukru. **4.** *Br. przest. sl.* głowa, łeb, pomyślunek; **use your ~!** rusz łbem! **5. half a ~ is better than no bread** *przen.* lepszy rydz niż nic. – *v. pot.* ~ **(around/about)** obijać się, byczyć się; ~ **sth away** marnować coś (*np. czas, życie*).
loafer ['loufər] *n.* **1.** *pot.* próżniak, obibok. **2.** *US i Can.* mokasyn.
loaf sugar *n. U gł. hist.* cukier w głowach.
loam [loum] *n. U* **1.** ił, gleba ilasta. **2.** glinka; polepa. **3.** glinka formierska.
loamy ['loumɪ] *a.* **-ier, -iest** iłowaty; ilasty.
loan [loun] *n.* **1.** *t. bank* pożyczka; kredyt; **apply for a ~** starać *l.* ubiegać się o kredyt; **bank/student ~** kredyt bankowy/studencki; **take out/get/repay a ~** zaciągnąć/dostać/spłacić pożyczkę *l.* kredyt. **2.** *U l. sing.* pożyczenie, wypożyczenie (*of sth* czegoś); **on ~** wypożyczony (*to sb* komuś); **thanks for the ~ of...** dziękuję za wypożyczenie... **3.** = **loanword.** – *v.* **1.** ~ **sb sth** (*także* ~ **sth to sb**) *gł. US* pożyczać coś komuś (*zwł. pieniądze*). **2.** *gł. Br.* wypożyczać (*coś cennego, np. obraz innemu muzeum*).
loan account *n. bank* rachunek kredytowy.
loan capital *n. U fin.* kapitał pożyczkowy.
loan collection *n.* wystawa wypożyczonych dzieł sztuki.
loanee [lou'niː] *n.* dłużni-k/czka.
loaner ['lounər] *n.* **1.** wierzyciel/ka. **2.** *US handl.* artykuł wypożyczony klientowi na czas naprawy jego własnego (*np. samochód, sprzęt gospodarstwa domowego*).
loan office *n.* **1.** lombard. **2.** biuro subskrypcji pożyczki państwowej.
loan shark *n.* lichwia-rz/rka.
loan sharking *n. U* lichwiarstwo, lichwa.
loan translation *n. jęz.* kalka (*językowa*).
loanword ['lounwɝːd], **loan word** *n. jęz.* wyraz zapożyczony, zapożyczenie, pożyczka.
loath [louθ], **loth** *a. pred. form.* niechętny; **be ~ to do sth** nie mieć ochoty czegoś robić; robić coś niechętnie *l.* z bólem serca.
loathe [louð] *v.* czuć wstręt *l.* odrazę do (*kogoś l. czegoś*); ~ **doing sth** nie cierpieć czegoś robić.
loathing ['louðɪŋ] *n. U* wstręt, odraza.
loathly ['louθlɪ] *arch. l. lit. a.* = **loathsome.** – *adv.* niechętnie.
loathsome ['louðsəm] *a.* wstrętny, odrażający, obmierzły.
loaves [louvz] *n. pl. zob.* **loaf.**
lob [lɑːb] *tenis, krykiet v.* **-bb-** lobować. – *n.* lob (= *piłka wybita l. rzucona wysoko*).
lobar ['loubər] *a. anat.* płatowy.
lobate ['loubeɪt] *a.* (*także* **lobed**) *biol.* z płatami *l.* płatkami, płatowaty.
lobby ['lɑːbɪ] *n. pl.* **-ies** **1.** hall, foyer, westybul; przedsionek, przedpokój. **2.** *polit.* lobby, grupa nacisku. **3.** *Br. parl.* kuluary (*dostępne dla publiczności*); **division ~** korytarz do głosowania. – *v. gł. parl.* **1.** prowadzić lobbing wśród (*posłów*). **2.** prowadzić lobbing (*for / against sth* na rzecz czegoś/przeciwko czemuś). **3.** ~ **through** przeprowadzić dzięki lobbingowi (*np. ustawę*).
lobbyist ['lɑːbɪɪst] *n. parl.* człon-ek/kini lobby.

lobe [loʊb] *n.* **1.** *anat.* płat (*płucny, mózgowy*). **2.** = **earobe**. **3.** *mech.* garb, garbik (*krzywki*).

lobectomy [loʊˈbektəmɪ] *n. C/U pl.* **-ies** *chir.* lobektomia (= *wycięcie płata mózgu l. płuca*).

lobed [loʊbd] *a.* = **lobate**.

lobelia [loʊˈbiːlɪə] *n. bot.* lobelia, stroiczka (*Lobelia*).

loblolly [ˈlɑːbˌlɑːlɪ] *n. pl.* **-ies** **1.** *bot.* gatunek sosny rosnący na południu Stanów Zjednoczonych (*Pinus taeda*). **2.** *US dial.* bagno. **3.** *U dial. l. żegl., kulin.* kleik.

loblolly boy *n.* (*także* **loblolly man**) *Br. hist. żegl.* sanitariusz pokładowy.

lobo [ˈloʊboʊ] *n. pl.* **-s** *zach. US zool.* = **timber wolf**.

lobotomy [loʊˈbɑːtəmɪ] *n. C/U pl.* **-ies** *chir.* leukotomia (= *nacięcie płata płuca l. mózgu*).

lobscouse [ˈlɑːbskaʊs] *n. U Br. żegl., kulin.* mięso duszone z jarzynami i sucharami.

lobster [ˈlɑːbstər] *n.* **1.** *zool.* homar (*Homarus vulgaris*); **rock/spiny** ~ langusta (*Palinurus vulgaris*). **2.** *U kulin.* homar, mięso homara.

lobster moth *n. ent.* buczynówka (*Stauropus fagi*).

lobster Newburg [ˌlɑːbstər ˈnuːbɝːg] *n. U kulin.* homar w sosie śmietankowym.

lobster pot *n.* (*także* ~ **trap**) pułapka na homary.

lobular [ˈlɑːbjələr] *a. anat.* płacikowy, zrazikowy.

lobule [ˈlɑːbjuːl] *n. anat.* płacik, zrazik.

lobworm [ˈlɑːbˌwɝːm] *n. zool.* piaskówka, piasecznik (*Arenicola*).

local [ˈloʊkl] *a.* **1.** miejscowy, lokalny. **2.** *med.* miejscowy; ograniczony miejscowo; działający miejscowo. – *n.* **1.** *często pl.* tubylec, miejscow-y/a. **2.** *med.* = **local anesthetic**. **3.** *US* = **local bus**; = **local train**. **4.** *US i Can.* oddział miejscowy (*zwł. związku zawodowego*). **5.** *Can. tel.* (numer) wewnętrzny. **6.** *Br.* miejscowy *l.* pobliski pub.

local anesthetic, local anaesthetic *n. C/U med.* środek znieczulający miejscowo; znieczulenie miejscowe.

local area network *n. komp.* sieć lokalna.

local authority *n. Br.* = **local government** 2.

local bus *n. US* autobus zwykły (*zatrzymujący się na każdym przystanku*).

local call *n. tel.* rozmowa lokalna *l.* miejscowa.

local color, *Br.* **local colour** *n. U* koloryt lokalny.

locale [loʊˈkæl] *n. form.* miejsce (*for sth* czegoś *l.* na coś) (*zdarzenia, imprezy, akcji książki l. filmu*).

local examination *n. Br. szkoln.* egzamin przygotowywany centralnie, a przeprowadzany lokalnie (*np. GCSE*).

local government *n.* **1.** *U* samorząd terytorialny. **2.** *US* władze terenowe *l.* lokalne.

localism [ˈloʊkəˌlɪzəm] *n.* **1.** miejscowy zwyczaj; *jęz.* miejscowe wyrażenie *l.* zwrot. **2.** *U* regionalizm (= *popieranie tego, co miejscowe*); *pot.* partykularyzm, zaściankowość.

locality [loʊˈkælətɪ] *n. pl.* **-ies** **1.** okolica, rejon; **in the** ~ w (tej) okolicy. **2.** miejsce zdarzenia. **3.** *C/U* położenie; **sense of** ~ zmysł orientacyjny.

localization [ˌloʊkələˈzeɪʃən], *Br. i Austr. zw.* **localisation** *n. U* **1.** lokalizacja. **2.** decentralizacja.

localize [ˈloʊkəˌlaɪz], *Br. i Austr. zw.* **localise** *v.* **1.** *form.* umiejscawiać, lokalizować. **2.** ograniczać (*miejscowo*). **3.** decentralizować (*władzę, kompetencje*).

localized [ˈloʊkəˌlaɪzd], *Br. i Austr. zw.* **localised** *a. form.* miejscowy (*np. o zakażeniu*).

locally [ˈloʊklɪ] *n.* **1.** na miejscu (*np. produkować*); w okolicy (*np. mieszkać*). **2.** miejscowo (*np. stosować znieczulenie*); miejscami (*np. będzie padać*).

local option *n. US, Scot., NZ* prawo do decydowania lokalnie w drodze referendum (*zwł. w kwestiach regulujących sprzedaż alkoholu*).

local paper *n.* gazeta lokalna.

local rag *n. Br. pot.* = **local paper**.

local time *n. U* czas miejscowy; **at midnight** ~ o północy czasu miejscowego.

local train *n. US kol.* pociąg osobowy; pociąg podmiejski.

locatable [loʊˈkeɪtəbl] *a.* dający się umiejscowić *l.* zlokalizować.

locate [ˈloʊkeɪt] *v.* **1.** zlokalizować (= *odnaleźć*). **2.** *zw. pass.* umieszczać, umiejscawiać, lokować; **be ~d in/at/on...** mieścić się *l.* być położonym w/przy/na... **3.** umiejscawiać (*wydarzenie; zwł. o historyku*). **4.** *US i Can.* rozpoczynać działalność (*w danej okolicy; o firmie*). **5.** *US* zgłaszać pretensje do (*ziemi*); obejmować w posiadanie (*ziemię*).

location [loʊˈkeɪʃən] *n.* **1.** położenie, lokalizacja; miejsce; **good** ~ **for a party** dobre miejsce na imprezę. **2.** *C/U film* plener, plenery; **on** ~ w plenerach. **3.** *U* umiejscowienie, zlokalizowanie.

locative [ˈlɑːkətɪv] *gram. n.* miejscownik. – *a.* miejscownikowy, w miejscowniku.

loch [lɑːk] *n. Scot.* **1.** jezioro. **2.** (*także* **sea** ~) fiord w Szkocji.

lock[1] [lɑːk] *n.* **1.** zamek (*w drzwiach, walizce, broni palnej*). **2.** *zapasy* chwyt. **3.** (*także* ~ **forward**) *rugby* wspieracz młyna. **4.** *Br. i Austr. mot.* promień skrętu koła. **5.** *mech.* rygiel; połączenie klinowe (*koła*); **differential** ~ urządzenie blokujące dyferencjał. **6.** śluza; przedsionek śluzowy (*komory roboczej*); komora śluzowa. **7. air** ~ *zob.* **air**. **8.** ~**, stock and barrel** *zob.* **barrel** *n.*; **under** ~ **and key** dobrze zamknięty, pod kluczem. – *v.* **1.** zamykać (się) (*na klucz*). **2.** *t. techn.* blokować (się). **3.** *przen.* ~ **horns** *zob.* **horn** *n.*; ~ **the stable after the horse has been stolen** *przest.* być mądrym po szkodzie. **4.** ~ **away/up** zamykać na klucz; trzymać pod kluczem; brać pod klucz; *przen.* zamknąć (w więzieniu); oddać do zakładu (*dla psychicznie chorych*); ~ **down/up** *żegl.* przeprowadzić przez śluzę (*jednostkę pływającą*); ~ **sb in** zamknąć kogoś na klucz (*zwł. przez przypadek l. wbrew jego woli*); ~ **into place** wskakiwać na miejsce (*np. o baterii, kasecie*); ~ **on to sth** (*także* ~ **onto sth**) namierzyć coś (*o radarze, systemie celowniczym*); ~ **sb out** zamknąć drzwi (na klucz) przed kimś, *t. przen.* (= *nie wpuścić do zakładu pracy; zwł. robotników dopóki nie zgodzą się na warunki proponowane przez pracodawcę*); ~ **up** pozamykać (wszystkie drzwi); = **lock away**.

lock[2] *n.* lok, pukiel.

lockable [ˈlɑ:kəbl] *a.* zamykany na klucz.

lockage [ˈlɑ:kɪdʒ] *n. C/U* **1.** system śluz. **2.** przeprowadzanie przez śluzę. **3.** opłata za użycie śluzy.

locker [ˈlɑ:kər] *n.* **1.** szafka (*zamykana, zwł. w szatni*); schowek (*w samoobsługowej przechowalni bagażu*). **2.** kufer; *t. wojsk.* kuferek. **3.** *US i Can.* chłodnia. **4. have another shot (left) in one's** ~ *Br. przest.* mieć jeszcze jednego asa w rękawie.

locker room *n. sport, szkoln.* szatnia.

locket [ˈlɑ:kɪt] *n.* medalion (*na portret, pukiel włosów*).

lock forward *n. rugby* = **lock** *n.* 3.

lockjaw [ˈlɑ:kˌdʒɔ:] *n. U pat.* szczękościsk.

locknut [ˈlɑ:kˌnʌt] *n. mech.* przeciwnakrętka.

lockout [ˈlɑ:kˌaʊt] *n.* lokaut.

locksmith [ˈlɑ:kˌsmɪθ] *n.* ślusarz.

locksmithery [ˈlɑ:kˌsmɪθərɪ], **locksmithing** [ˈlɑ:kˌsmɪθɪŋ] *n. U* ślusarstwo.

lock spring *n. mech.* zatrzask sprężynowy (*np. w medalionie, kopercie zegarka*).

lockstep [ˈlɑ:kˌstep] *n. U wojsk.* **1.** krok marszowy z ciasnym kryciem. **2. in** ~ **with sb** *zwł. US przen.* krok w krok z kimś *l.* za kimś.

lock stitch *n. C/U* ścieg maszynowy.

lockup [ˈlɑ:kˌʌp] *n.* **1.** areszt. **2.** zamykanie na noc (*np. internatu*); godzina zamknięcia. **3.** (*także* ~ **garage**) *Br.* wynajmowany garaż (*zw. jeden z kilku przylegających do siebie*). **4.** (*także* ~ **shop**) *Br. i NZ* sklepik bez zaplecza mieszkalnego. – *a. attr.* zamykany (*o pomieszczeniu*).

loco[1] [ˈloʊkoʊ] *n. pl.* **-s** *US pot.* lokomotywa.

loco[2] *n. U* (*także* **locoweed**) *bot.* toksyczny gatunek traganka (*Astragalus*). – *a. US sl.* zbzikowany; **go** ~ zbzikować. – *v.* **1.** *US sl.* przyprawiać o bzika. **2.** zatruć tragankiem (*krowę, owcę, konia*).

loco disease *n. U* (*także* **loco poisoning**) *wet.* zatrucie toksycznym gatunkiem traganka.

locomotion [ˌloʊkəˈmoʊʃən] *n. U form.* lokomocja.

locomotive [ˌloʊkəˈmoʊtɪv] *a.* **1.** *t. fizj.* lokomocyjny; ruchowy; ~ **organs** narządy ruchu. **2.** ruchomy. – *n.* (*także* ~ **engine**) *kol.* lokomotywa; spalinowóz; elektrowóz.

locomotor [ˌloʊkəˈmoʊtər] *a.* lokomocyjny; *t. fizj.* dotyczący czynności przemieszczania się.

locomotor ataxia *n. U pat.* wiąd rdzenia.

loco poisoning *n.* = **loco disease**.

locoweed [ˈloʊkoʊˌwi:d] *n.* = **loco**[2] *n.*

locular [ˈlɑ:kjələr] *a. biol.* komorowy.

loculus [ˈlɑ:kjələs], **locule** [ˈlɑ:kju:l] *n. pl.* **loculi** [ˈlɑ:kju:laɪ] *biol.* komora.

locum [ˈloʊkəm] *n.* (*także form.* ~ **tenens**) *Br. i Austr.* zastępca (*zwł. lekarza l. duchownego*).

locus [ˈloʊkəs] *n. pl.* **loci** [ˈloʊsaɪ] **1.** *form.* miejsce (*of sth* czegoś). **2.** *prawn.* położenie; dokładne miejsce (*zdarzenia*). **3.** *geom.* miejsce geometryczne (*punktów*). **4.** *biol.* położenie genu w chromosomie.

locust [ˈloʊkəst] *n.* **1.** *zool.* szarańcza (*Locusta migratoria*). **2.** (*także* ~ **tree**) *bot.* robinia akacjowa *l.* biała, grochodrzew biały (*Robinia pseudoacacia*). **3.** (*także* ~ **tree**) *bot.* szarańczyn strąkowy, chleb świętojański (*Ceratonia siliqua*).

locust bird *n. orn.* pasterz różowy (*Pastor roseus*).

locution [loʊˈkju:ʃən] *n. jęz.* **1.** *U* sposób mówienia. **2.** wyrażenie, zwrot (*zwł. używany przez określoną grupę osób*).

locutory [ˈlɑ:kjəˌtɔ:rɪ] *n. pl.* **-ies** *kość.* rozmównica (*w klasztorze*).

lode [loʊd] *n.* **1.** *górn.* żyła rudna. **2.** *Br.* odkryty dren, kanał odwadniający.

lodestar [ˈloʊdˌstɑ:r], **loadstar** *n. zw. sing.* **1.** gwiazda przewodnia (*zw.* = *Gwiazda Polarna*). **2.** *lit.* model (*do naśladowania*).

lodestone [ˈloʊdˌstoʊn], **loadstone** *n.* **1.** *U min.* magnetyt. **2.** *t. przen.* magnes.

lodge [lɑ:dʒ] *n.* **1.** *gł. Br.* stróżówka (*zwł. przy wejściu na teren dużego majątku ziemskiego*). **2.** *t. szkoln., uniw.* portiernia. **3.** *US i Can.* siedziba dyrekcji (*ośrodka, parku*). **4.** hotelik, schronisko (*zwł. w górach, np. dla narciarzy*). **5.** (*także* **hunting** ~) domek myśliwski. **6.** *US* szałas (*indiański*). **7.** loża (*np. masońska*). **8.** nora (*zwł. borsuka l. wydry*). **9. the L~** *Austr.* oficjalna siedziba premiera. – *v.* **1.** przenocować; przyjąć na kwaterę *l.* mieszkanie. **2.** umieścić, ulokować (*sb with sb* kogoś u kogoś). **3.** mieszkać, przemieszkiwać (*with sb* u kogoś) (*zwł. czasowo*). **4.** wsadzić, wpakować (*np. kulkę*). **5.** utkwić (*in sth* w czymś). **6.** kłaść pokotem (*zboże - o wietrze, deszczu*). **7.** ~ **a complaint** *zwł. Br.* składać skargę, wnosić zażalenie (*against sb/sth* na kogoś/coś, *with (the hands of) sb* na czyjeś ręce).

lodgement [ˈlɑ:dʒmənt] *n.* = **lodgment**.

lodger [ˈlɑ:dʒər] *n. zwł. Br.* lokator/ka.

lodging [ˈlɑ:dʒɪŋ] *n.* **1.** *U l. sing.* mieszkanie, zakwaterowanie; nocleg; **board and** ~ *Br.* zakwaterowanie z wyżywieniem. **2.** *pl. zob.* **lodgings**.

lodging house *n. Br.* pensjonat; **common** ~ dom noclegowy.

lodgings [ˈlɑ:dʒɪŋz] *n. pl.* stancja, kwatera; wynajęte mieszkanie.

lodgment [ˈlɑ:dʒmənt], **lodgement** *n.* **1.** *U form.* zakwaterowanie. **2.** *U prawn.* złożenie (*skargi, zażalenia*). **3.** *wojsk.* przyczółek.

loess [ˈloʊes] *n. U geol.* less, żółtoziem.

Lofoten Islands [loʊˌfoʊtən ˈaɪləndz] *n. pl. geogr.* Lofoty.

loft [lɔ:ft] *n.* **1.** poddasze; strych. **2.** (*także* **hay** ~) stryszek (*na siano*). **3.** *bud., kość.* chór. **4.** *US* antresola; górne piętro. **5.** (*także* **converted** ~) *US* pomieszczenia fabryczne zamienione na mieszkanie. **6.** *Br.* gołębnik. **7.** *sport* podbicie piłki; wysoko podbita piłka. **8.** *golf* ukośne nachylenie kija (*w celu podbicia piłki*). – *v.* **1.**

umieszczać *l.* magazynować na strychu. **2.** *sport* podbić wysoko (*piłkę*). **3.** *golf* przebić nad przeszkodą (*piłkę*); nachylić płaszczyznę (*kija*). **4.** *budowa okrętów* trasować.

lofter [ˈlɑːftər] *n. golf* kij do podbijania piłki.

loftily [ˈlɔːftɪlɪ] *adv.* **1.** podniośle (*przemawiać*). **2.** wyniośle (*zachowywać się*).

loftiness [ˈlɔːftɪnəs] *n. U* **1.** wzniosłość (*celu, ideału*); podniosłość (*tonu*). **2.** wyniosłość (*szczytu, zachowania*).

lofty [ˈlɔːftɪ] *a.* **-ier, -iest 1.** wzniosły (*o celu, ideale*); podniosły (*o tonie*). **2.** wyniosły (*o szczycie, zachowaniu*). **3.** wysoki (*o pozycji*).

log[1] [lɔːg] *n.* **1.** polano; kłoda, kloc; bal; *leśn.* dłużyca; **gas ~** sztuczne polano na kominku ogrzewanym gazem; **in the ~** nieociosany. **2.** *żegl.* log; **heave the ~** dokonywać pomiaru prędkości logiem. **3.** (*także* **logbook**) *żegl., lotn.* dziennik pokładowy; *lotn., wojsk.* książka lotów. **4.** *US* dziennik operacyjny (*maszyny*). **5.** *US* dziennik wiertniczy. **6.** *przen.* **as easy as falling off a ~** *zob.* **easy** *a.*; **lie like a ~** leżeć jak kłoda; **sleep like a ~** spać jak kamień. – *v.* **-gg- 1.** ciąć na kłody *l.* kloce (*drzewo*). **2.** *leśn.* pozyskiwać drewno z (*lasu, obszaru*). **3.** *żegl.* wciągać do dziennika pokładowego. **4.** wciągać do rejestru (*np. skargi, przestępców*), rejestrować (*np. rozmowy telefoniczne*). **5.** *żegl.* rozwinąć prędkość (*... węzłów*); pokonać dystans (*... mil*); (*także Br. i Austr.* **~ up**) *lotn.* wylatać (*... godzin*). **6.** *komp.* **~ in/on** logować się; **~ off/out** wylogowywać się.

log[2] *abbr.* = **logarithm.**

loganberry [ˈloʊgənˌberɪ] *n. pl.* **-ies** *bot.* krzyżówka maliny z jeżyną (*Rubus loganobaccus*).

logarithm [ˈlɔːgəˌrɪðəm] *n. mat.* logarytm.

logarithmic [ˌlɔːgəˈrɪðmɪk] *a. mat.* logarytmiczny.

logarithmically [ˌlɔːgəˈrɪðmɪklɪ] *adv. mat.* logarytmicznie.

logbook [ˈlɔːgˌbʊk], **log book** *n.* **1.** = **log** *n.* 3. **2.** *Br. mot.* dowód rejestracyjny.

log cabin *n.* chata z okrąglaków *l.* bali.

loge [loʊʒ] *n. US teatr* loża.

logger [ˈlɔːgər] *n.* **1.** drwal. **2.** *leśn.* dźwig do ładowania dłużyc.

loggerhead [ˈlɔːgərˌhed] *n.* **1.** (*także* **~ turtle**) *zool.* karetta (*Caretta caretta*). **2.** (*także* **~ shrike**) *orn.* dzierzba (*Lanius ludovicianus*). **3.** *techn.* przyrząd z żelazną kulą do topienia smoły. **4.** *żegl.* słupek do mocowania liny harpuna na statku wielorybniczym. **5.** *arch. l. dial.* tuman (*=głupiec*). **6. be at ~s (with sb)** *przen.* drzeć koty (z kimś) (= *być poróżnionym*).

logging [ˈlɔːgɪŋ] *n. U* wycinka (*lasu*).

logic [ˈlɑːdʒɪk] *n. C/U* logika.

logical [ˈlɑːdʒɪkl] *a.* logiczny.

logical atomism *n. U fil.* atomizm logiczny.

logical constant *n. U log.* stała logiczna.

logicality [ˌlɑːdʒəˈkælətɪ], **logicalness** [ˈlɑːdʒɪklnəs] *n. U* logiczność.

logically [ˈlɑːdʒɪklɪ] *adv.* logicznie.

logical positivism *n. U fil.* pozytywizm logiczny.

logical sum *n. log., mat.* alternatywa, dysjunkcja, suma logiczna.

logical truth *n. log.* tautologia.

logic circuit *n.* (*także Br.* **logic device**) *komp.* obwód logiczny.

logician [loʊˈdʒɪʃən] *n.* logik.

logistic [loʊˈdʒɪstɪk], **logistical** [loʊˈdʒɪstɪkl] *a.* logistyczny.

logistically [loʊˈdʒɪstɪklɪ] *adv.* logistycznie.

logistics [loʊˈdʒɪstɪks] *n. U wojsk., handl. l. przen.* logistyka.

logjam [ˈlɔːgˌdʒæm], **log jam** *n. US i Can.* zator z drzew (*spławianych rzeką*); *przen.* zastój, martwy punkt.

LOGO [ˈloʊgoʊ] *n. U komp.* Logo.

logo [ˈloʊgoʊ] *n. pl.* **-s** logo, znak firmowy.

logogram [ˈlɔːgəˌgræm], **logograph** [ˈlɔːgəˌgræf] *n. pismo* logogram (= *symbol graficzny zastępujący całe słowo*).

logogriph [ˈlɔːgəˌgrɪf] *n.* logogryf (*rodzaj zagadki słownej*).

logomachy [loʊˈgɑːməkɪ] *n. pl.* **-ies** *form.* logomachia (=*jałowy spór o słowa*).

logotype [ˈlɔːgəˌtaɪp] *n.* **1.** *druk.* logotyp (= *czcionka wieloliterowa*). **2.** = **logo.**

logrolling [ˈlɔːgˌroʊlɪŋ] *n. U przen. pot.* usługa za usługę; *US parl.* zakulisowe układy między politykami (*zwł.* = *pomoc w przepchnięciu proponowanej przez danego kongresmena ustawy w zamian za obietnicę podobnej usługi w przyszłości*).

logwood [ˈlɔːgˌwʊd] *n. bot.* kampeszyn, modrzejec kampechiański (*Haematoxylum campechianum*).

logy [ˈloʊgɪ] *a.* **-ier, -iest** *US* ociężały, tępawy.

loin [lɔɪn] *n. C/U* **1.** (*także* **~ chop**) *kulin.* polędwica. **2.** *pl. zob.* **loins.**

loincloth [ˈlɔɪnˌklɔːθ] *n.* przepaska na biodra.

loins [lɔɪnz] *n. pl. gł. lit.* lędźwie (*l. euf.* = *genitalia*); **the fruit of sb's ~** *Bibl. l. żart.* owoc czyichś lędźwi (=*potomstwo*); **gird (up) one's ~** *zob.* **gird**[1] *v.*

loiter [ˈlɔɪtər] *v.* **1.** snuć *l.* wałęsać się (*bez celu*); leserować, obijać się. **2.** guzdrać się (*over sth* z czymś).

loiterer [ˈlɔɪtərər] *n.* **1.** leser, obibok. **2.** maruda, guzdrała. **3.** *rugby* zawodnik poza swoją pozycją.

loll [lɑːl] *v.* **1. ~ (about/around)** rozwalać się, być rozwalonym (*leniwie*). **2.** zwieszać (*głowę*); zwisać (*o głowie*). **3.** wywieszać (*język*); **~ out** wisieć na zewnątrz, być wywieszonym (*o języku*).

lollapalooza [ˌlɑːləpəˈluːzə], **lolapalooza** *n. US sl.* coś fantastycznego.

lollipop [ˈlɑːlɪˌpɑːp], *US t.* **lollypop** *n.* **1.** lizak. **2.** (*także* **ice ~**) *Br.* lizak z mrożonej wody z sokiem owocowym; lód na patyku.

lollipop lady *n. pl.* **-ies** *Br.* kobieta pomagająca dzieciom w przechodzeniu przez jezdnię w pobliżu szkoły (*zaopatrzona w duży znak w kształcie lizaka*).

lollipop man *n. pl.* **lollipop men** *Br.* mężczyzna pomagający dzieciom w przechodzeniu przez jezdnię w pobliżu szkoły (*jw.*).

lollop ['lɑːləp] *v. Br. pot.* biec ciężko *l.* niezgrabnie (*o osobie l. dużym zwierzęciu*).

lolly ['lɑːlɪ] *n.* **1.** *pl.* **-ies** *Br. pot.* = **lollipop**. **2.** *U Br., Austr., NZ przest. pot.* szmal, kasa (= *pieniądze*).

lollygag ['lɑːlɪˌgæg] *v.* = **lallygag**.

lollypop ['lɑːlɪˌpɑːp] *n. US* = **lollipop**.

Lombard ['lɑːmbərd] *n.* **1.** Lombard-czyk/ka. **2.** *hist.* Longobard. – *a.* lombardzki.

Lombardic [lɑːm'bɑːrdɪk] *a.* **1.** lombardzki (*zwł. o malarstwie renesansowym*). **2.** longobardzki (*zwł. o architekturze*).

Lombard Street *n. U Br.* świat finansów i bankowości (*od ulicy w Londynie, na której mieści się wiele banków*).

Lombardy ['lɑːmbərdɪ] *n. geogr.* Lombardia.

Lombardy poplar *n. bot.* topola czarna włoska (*Populus nigra italica*).

loment ['loʊment] *n. bot.* strąk łamiący się poprzecznie (*na jednonasienne komórki*).

London ['lʌndən] *n. geogr.* Londyn.

Londoner ['lʌndənər] *n.* londy-ńczyk/nka, mieszkan-iec/ka Londynu.

London pride *n. bot.* odmiana skalnicy (*Saxifraga umbrosa*).

lone [loʊn] *a. attr. gł. lit.* **1.** samotny. **2.** jedyny. **3.** pojedynczy. **4.** ~ **mother/father** samotna matka/samotny ojciec, matka/ojciec samotnie wychowując-a/y dziecko.

lone hand *n.* **1.** *karty* gracz grający samotnie; rozdanie rozegrane bez partnera. **2. play a ~** *przen.* działać na własną rękę.

loneliness ['loʊnlɪnəs] *n. U* samotność, osamotnienie.

lonely ['loʊnlɪ] *a.* **-ier, -iest 1.** samotny, osamotniony. **2.** *attr.* opuszczony, odludny (*o miejscu*).

lonely hearts *n.* osoby samotne; ~ **club** klub dla samotnych; ~ **section/page/column** ogłoszenia matrymonialne (*w prasie*).

loner ['loʊnər] *n. pot.* samotni-k/czka.

lonesome ['loʊnsəm] *a. gł. US* **1.** samotny, osamotniony. **2.** opuszczony, odludny (*o miejscu*). **3. by/on one's ~** *pot.* zupełnie sam, samiutki.

lonesomeness ['loʊnsəmnəs] *n. U* samotność, osamotnienie.

Lone Star State *n. US pot.* Teksas.

lone wolf *n. przen.* samotni-k/czka; **play a ~** *przen.* chadzać własnymi drogami.

long[1] [lɔːŋ] *a.* **1.** długi; **be five inches ~** mieć pięć cali (długości), być długim na pięć cali; **be six months/years ~** trwać sześć miesięcy/lat; **a ~ way** długa *l.* daleka droga; **be a ~ way from sth** znajdować się daleko skądś *l.* od czegoś; **for a ~ time** przez długi czas, długo; **get ~er** wydłużać się, stawać się coraz dłuższym; **how ~ is it?** jakie to jest długie?, ile to ma długości *l.* na długość?. **2.** *przen.* ~ **face** *zob.* **face** *n.*; ~ **odds** małe *l.* niewielkie szanse; ~ **time no see!** *pot.* kopę lat!; **as ~ as one's arm** *zob.* **arm** *n.*; **at ~ last** *zob.* **last**[1] *n.*; **be ~ in the tooth** *zob.* **tooth**; **be ~ on excuses** tłumaczyć się gęsto; **go a ~ way** wystarczać na długo (*o jedzeniu, pieniądzach*); **sb will go a ~ way** ktoś daleko zajdzie; **go back a ~ way** znać się długo *l.* od dawna (*o dwóch l. więcej osobach*); **have a ~ memory** mieć dobrą pamięć; **have a ~ way to go** mieć jeszcze wiele do zrobienia; **have come a ~ way** *zob.* **come** *v.*; **how ~ is a piece of string?** *Br. pot.* a bo to wiadomo?, kto to może wiedzieć? (*zw. w odpowiedzi na pytanie, jak długo coś potrwa*); **in the ~ run/term** na dłuższą metę, w dalszej *l.* dłuższej perspektywie; **it's a ~ story** *zob.* **story**[1]; **not by a ~ shot** *US*/**chalk** *Br. pot.* w żadnym razie; wcale nie; **take a ~ time** długo trwać; **take the ~ view of sth** rozważać długofalowe skutki czegoś; **the ~ arm of the law** *zob.* **arm** *n.*; **to cut a ~ story short,...** *zob.* **cut** *v.* – *adv.* długo; ~ **ago/since** dawno temu; ~ **before/after** dużo wcześniej/później; ~ **before/after sth** na długo przed/po czymś; **all day/year ~** przez cały dzień/rok, jak dzień/rok długi; ~ **live X!** niech żyje X!; **as/so ~ as** dopóki, tak długo, jak; pod warunkiem, że; **don't be ~!** pospiesz się!; **have you been waiting ~?** długo czekasz?; **how ~ are you here for?** na jak długo przyjechaliście?, jak długo zostaniecie?; **I won't be ~** zaraz wracam; **it won't take ~** to nie potrwa długo; **no ~er** (*także* **not any ~er**) już (więcej) nie; **sb is not ~ for this world** *przest. l. żart.* komuś nie pozostało wiele życia; **so ~!** na razie!, tymczasem! – *n.* **1.** *U* **before ~** niedługo (potem), niezadługo; **for ~** na długo; **the ~ and the short of it is...** krótko mówiąc, ..., sprawa ma się następująco:. **2.** *fon.* głoska długa; (*także* ~ **consonant**) spółgłoska długa; (*także* ~ **vowel**) samogłoska długa. **3.** *fon.* sylaba długa. **4.** *pl. zob.* **longs**. – *abbr.* = **longitude**.

long[2] *v.* ~ **for sth** tęsknić do czegoś; ~ **to do sth** pragnąć coś zrobić; ~ **for sb to do sth** pragnąć, żeby ktoś coś zrobił, nie móc się doczekać, aż ktoś coś zrobi.

long. *abbr.* = **longitude**.

long-acting [ˌlɔːŋ'æktɪŋ] *a. med.* o przedłużonym działaniu.

long-ago [ˌlɔːŋə'goʊ] *a.* dawny, daleki (*w czasie*). – *n. U* daleka *l.* dawna przeszłość.

longanimity [ˌlɑːŋgə'nɪmətɪ] *n. U rzad.* **1.** cierpliwość; wyrozumiałość. **2.** wytrzymałość (*na trudy*).

long-awaited [ˌlɔːŋə'weɪtɪd] *a. attr.* długo oczekiwany *l.* wyczekiwany.

longbeak ['lɔːŋˌbiːk] *n. orn.* szlamiec (*Limnodromus*).

longbeard ['lɔːŋˌbiːrd] *n.* = **long moss** 1.

longboat ['lɔːŋˌboʊt] *n. żegl.* **1.** barkas (= *największa szalupa na pokładzie*). **2.** = **longship**.

longbow ['lɔːŋˌboʊ] *n.* **1.** *broń, hist.* łuk (*średniowieczny*). **2. draw/pull the ~** *przen.* przesadzać, koloryzować.

longcase clock ['lɔːŋkeɪsˌklɑːk] *n.* stojący zegar szafkowy.

long-chain [ˌlɔːŋ'tʃeɪn] *a. chem.* łańcuchowy (*np. o cząsteczkach*).

longcloth ['lɔːŋˌklɔːθ] *n. U tk.* **1.** *US* rodzaj muślinu. **2.** *Br.* rodzaj tkaniny bawełnianej.

long cross *n. her.* krzyż łaciński.

long-dated [ˌlɔːŋ'deɪtɪd] *a. fin.* długoterminowy (*o obligacjach skarbowych*).

long-day [ˌlɔːŋˈdeɪ] *a. bot.* długiego dnia (*o roślinach*).

long-distance [ˌlɔːŋˈdɪstəns] *a. attr.* **1.** *t. lotn.* daleki (*o podróży, locie*). **2.** *sport* długodystansowy. **3.** *tel.* zamiejscowy; międzymiastowy; międzynarodowy. **4.** długoterminowy (*o prognozach*). **5.** dalekobieżny (*o pociągu, autokarze*). – *adv.* **1.** na długi dystans *l.* długie dystanse (*biegać*). **2. call/phone (sb)** ~ *tel.* telefonować (do kogoś) z innego miasta *l.* z zagranicy.

long division *n. C/U mat.* dzielenie przez liczbę wielocyfrową.

long dozen *n.* trzynaście sztuk.

long-drawn-out [ˌlɔːŋˌdrɔːnˈaʊt] *a.* rozwlekły; niepotrzebnie się przeciągający (*o procesie, konflikcie*).

long drink *n.* drink, koktajl (*zw. alkoholowy*).

longe [lʌndʒ] *n. i v. przest.* = **lunge**[2].

long-eared owl [ˌlɔːŋˌiːrd ˈaʊl] *n. orn.* sowa uszata (*Asio otus*).

longed-for [ˈlɔːŋdfɔːr] *a.* wytęskniony, upragniony.

longeron [ˈlɑːndʒərɑːn] *n. lotn.* podłużnica (*kadłuba*).

longevity [lɑːnˈdʒevɪtɪ] *n. U* długowieczność.

longevous [lɑːnˈdʒiːvəs] *a. rzad.* długowieczny.

long face *n. przen.* smętna mina.

long-faced [ˌlɔːŋˈfeɪst] *a. przen.* z nosem na kwintę.

long game *n. karty* gra, w której na wstępie rozdaje się wszystkie karty.

longhair [ˈlɔːŋˌher] *n.* **1.** *zool.* kot o długiej sierści (*domowy*). **2.** *US przest. pot.* hipis.

long-haired [ˌlɔːŋˈherd] *a.* długowłosy.

longhand [ˈlɔːŋˌhænd] *n. U* pismo odręczne *l.* ręczne (*bez znaków stenograficznych*); **in** ~ odręcznie.

long-haul [ˌlɔːŋˈhɔːl] *a. t. lotn.* długodystansowy.

long-headed [ˌlɔːŋˈhedɪd] *a. arch. l. lit.* spostrzegawczy; przenikliwy.

longhorn [ˈlɔːŋˌhɔːrn] *n. pl.* **-s** *l.* **longhorn** *hodowla* krowa rasy długorogiej (*hodowana dla mięsa*).

long-horned beetle [ˌlɔːŋˌhɔːrnd ˈbiːtl] *n. zob.* **longicorn**.

longhouse [ˈlɔːŋˌhaʊs] *n. US i Can.* długi dom u Irokezów i niektórych innych plemion indiańskich.

long hundredweight *n.* = **hundredweight** 2.

longicorn [ˈlɑːndʒəˌkɔːrn] *ent. a.* z długimi mackami. – *n.* (*także* ~ **beetle**) (*także* **long-horned beetle**) chrząszcz z rodziny kózkowatych (*Cerambycidae*).

longing [ˈlɔːŋɪŋ] *n. U l. sing.* tęsknota (*for sth* za czymś); pragnienie (*for sth* czegoś).

longingly [ˈlɔːŋɪŋlɪ] *adv.* tęsknie.

longipennate [ˌlɑːndʒəˈpeneɪt] *a. orn.* długoskrzydły.

long iron *n. golf* długi kij z metalową końcówką (*do uderzania dalekich, płaskich piłek*).

longish [ˈlɔːŋɪʃ] *a. pot.* długawy, przydługi.

longitude [ˈlɑːndʒəˌtuːd] *n. C/U* **1.** *geogr.* długość geograficzna. **2.** (*także* **celestial** ~) *astron.* długość ekliptyczna.

longitudinal [ˌlɑːndʒəˈtuːdənl] *a.* **1.** *techn.* wzdłużny (*np. o rzucie*); podłużny (*np. o przekroju, fali*). **2.** *t. geogr., astron.* dotyczący długości (*zwł. geograficznej l. ekliptycznej*).

longitudinally [ˌlɑːndʒəˈtuːdənlɪ] *adv.* **1.** wzdłużnie; podłużnie. **2.** *t. geogr., astron.* pod względem długości (*zwł. geograficznej l. ekliptycznej*).

long johns *n. pl.* kalesony.

long jump *n.* **the** ~ *Br. sport* skok w dal.

long jumper *n. Br. sport* skoczek w dal.

long-lasting [ˌlɔːŋˈlæstɪŋ] *a.* długotrwały; długofalowy (*np. o konsekwencjach, skutkach*).

longleaf pine [ˌlɔːŋliːf ˈpaɪn] *n. bot.* sosna błotna (*Pinus palustris*).

long lease *n. Br. prawn.* rodzaj dzierżawy wieczystej (*pierwotnie na 21 lat*).

long-legged [ˌlɔːŋˈlegɪd] *a.* **1.** długonogi. **2.** *pot.* szybko biegający.

long-legged buzzard *n. orn.* kurhannik (*Buteo rufinus*).

long-life [ˌlɔːŋˈlaɪf] *a. Br.* **1.** o przedłużonej trwałości (*np. o mleku*). **2.** o dużej pojemności (*np. o bateriach*).

long-limbed [ˌlɔːŋˈlɪmd] *a.* o długich kończynach.

long-lived [ˌlɔːŋˈlɪvd] *a.* długowieczny (*o osobie, zwierzęciu*); długotrwały (*np. wojnie*); długoletni (*np. o przyjaźni, sławie*); stary (*np. o samochodzie, domu*).

long-lost [ˌlɔːŋˈlɔːst] *a. attr.* **1.** *często żart.* dawno niewidziany (*o krewnym, przyjacielu*). **2.** dawno stracony *l.* zagubiony.

long mark *n. fon.* diakrytyczny znak długości samogłoski.

long measure *n.* miara długości.

long metre *n. wers.* strofa o czterech wierszach ośmiozgłoskowych.

long moss *n.* (*także* **Spanish moss**) *bot.* **1.** oplątwa brodaczkowata (*Tilandsia usneoides*). **2.** brodaczek (*Usnea longissima*).

Longobard [ˈlɔːŋgəˌbɑːrd] *n. hist.* Longobard/yjka.

Long Parliament *n. Br. hist.* Parlament Długi (*1640-60 i 1661-79*).

long pig *n. U* ludzkie mięso (*u maoryskich i polinezyjskich kanibali*).

long-player [ˌlɔːŋˈpleɪər] *n.* (*także* **long-playing record**) (*także* **LP**) longplay, płyta długogrająca (*analogowa*).

long primer *n. U druk.* **1.** garmond. **2.** cycero.

long purse *n. przest. pot.* kupa forsy.

long-range [ˌlɔːŋˈreɪndʒ] *a. attr.* **1.** długoterminowy (*o prognozie*); długofalowy, dalekosiężny (*o planach*). **2.** *wojsk.* dalekiego zasięgu (*o samolocie, lotnictwie*); dalekonośny (*o artylerii*).

long-running [ˌlɔːŋˈrʌnɪŋ] *a. attr.* **1.** *radio, telew.* od dawna nadawany (*np. o serialu*). **2.** ciągnący się od dawna (*np. o sporze*).

longs [lɔːŋz] *n. pl.* **1.** długie spodnie. **2.** *fin.* długoterminowe obligacje skarbowe.

longshanks [ˈlɔːŋʃæŋks] *n. orn.* szczudłak (*Himantopus*).

longship [ˈlɔːŋˌʃɪp] *n. hist.* łódź Wikingów.

longshore [ˈlɔːŋˌʃɔːr] *a. attr.* nabrzeżny; przybrzeżny.

longshoreman [ˈlɔːŋˌʃɔːrmən] *n. pl.* **-men** *US i Can.* doker, robotnik portowy.

long shot *n.* **1.** *sport* zawodni-k/czka niemający-y/a szans na wygraną (*zwł. w biegach*). **2.** *hazard* zakład mający małe szanse wygranej; *przen.* przedsięwzięcie mające małe szanse powodzenia. **3.** *film, telew.* plan ogólny. **4. not by a ~** *zob.* **long** *a.*

long-sighted [ˌlɔːŋˈsaɪtɪd] *a. t. przen.* dalekowzroczny; **be ~** być dalekowidzem.

long-sightedness [ˌlɔːŋˈsaɪtɪdnəs] *n. U t. przen.* dalekowzroczność.

longspur [ˈlɔːŋˌspɜːː] *n. orn.* poświerka (*Calcarius*).

long-standing [ˌlɔːŋˈstændɪŋ] *a. attr.* dawny, istniejący od dawna (*np. o tradycji*); długoletni, stary (*o przyjaźni, znajomości*); ugruntowany (*np. o reputacji*); zadawniony (*o urazie, konflikcie*).

long-stemmed [ˌlɔːŋˈstemd] *a. bot.* o długiej łodydze.

long-suffering [ˌlɔːŋˈsʌfərɪŋ] *a.* **1.** mający świętą cierpliwość, anielsko cierpliwy (*o osobie*). **2.** cierpiętniczy (*np. o spojrzeniu*). – *n. U* (*także* **long-sufferance**) święta *l.* anielska cierpliwość.

long-sufferingly [ˌlɔːŋˈsʌfərɪŋlɪ] *adv.* z anielską cierpliwością.

long suit *n. karty* **1.** najdłuższy kolor, longier. **2.** *przen. pot.* najmocniejsza strona, największa zaleta.

long-tailed duck [ˌlɔːŋˌteɪld ˈdʌk] *n. orn.* lodówka (*Clangula hyemalis*).

long-tailed skua *n. orn.* wydrzyk długoogonowy (*Stercorarius longicaudus*).

long-tailed tit *n. orn.* raniuszek (*Aegithalos caudatus*).

long-term [ˌlɔːŋˈtɜːm] *a. gł. attr. t. fin.* długoterminowy (*np. o prognozie, wekslu*); długofalowy (*np. o planowaniu, skutkach*).

long-term memory *n. U psych.* pamięć długotrwała.

longtime [ˌlɔːŋˈtaɪm], **long-time** *a. attr.* długoletni; istniejący od dawna.

long tin *n. Br. przest.* długi i wysoki bochenek chleba.

long tom, Long Tom *n. wojsk.* **1.** ciężkie działo okrętowe; działo dalekonośne (*lądowe*). **2.** *sl.* działko przeciwlotnicze dużego kalibru.

long ton *n.* tona brytyjska (= *1016 kg*).

long-tongued [ˌlɔːŋˈtʌŋd] *a.* gadatliwy (= *niedyskretny*); plotkarski.

longueurs [loʊnˈgɜːz] *n. pl. lit.* dłużyzny (*np. w powieści, sztuce*).

long vacation *n.* (*także pot.* **long vac**) *Br. szkoln., uniw.* wakacje letnie.

long-waisted [ˌlɔːŋˈweɪstɪd] *a. krawiectwo* o obniżonym stanie.

longwall [ˈlɔːŋˌwɔːl] *n. górn.* ściana, przodek ścianowy.

long wave *n. U radio* fale długie; **on ~** na falach długich.

long-wave [ˌlɔːŋˈweɪv] *a. radio* (nadawany) na falach długich.

longways [ˈlɔːŋˌweɪz] *adv. Br.* = **longwise**.

long-wearing [ˌlɔːŋˈwerɪŋ] *a. US* nie do zdarcia, wytrzymały (*o odzieży, butach*).

long-winded [ˌlɔːŋˈwɪndɪd] *a.* **1.** rozwlekły, nużąco długi. **2.** niemęczący się łatwo.

long-windedly [ˌlɔːŋˈwɪndɪdlɪ] *n. U* rozwlekle.

long-windedness [ˌlɔːŋˈwɪndɪdnəs] *n. U* rozwlekłość.

longwise [ˈlɔːŋˌwaɪz] *adv. US, Can. i Austr.* wzdłuż, podłużnie.

loo[1] [luː] *n. pl.* **-s** [luːz] *Br. i Austr. pot.* kibelek (= *ubikacja*).

loo[2] *n. pl.* **-s** *karty* **1.** rodzaj gry karcianej. **2.** stawka lub kara wpłacana do puli. **3.** gracz wpłacający karę lub stawkę do puli.

looby [ˈluːbɪ] *n. pl.* **-ies** *arch.* dureń.

loofah [ˈluːfə], **loofa** *n.* (*także* **luffa**) **1.** gąbka roślinna (*do szorowania*). **2.** *bot., kulin.* gąbczak kanciasty, trukwa ostrokątna (*Luffa acutangula*).

look [lʊk] *v.* **1.** patrzeć, spoglądać (*at sb / sth* na kogoś/coś); przypatrywać *l.* przyglądać się (*at sb / sth* komuś/czemuś); **~ sb in the eye/face** spojrzeć komuś (prosto) w oczy/twarz; **~ what you're doing/where you're going!** patrz, co robisz/gdzie idziesz! (= *uważaj*); **~ who's here!** popatrz, kto przyszedł! **2.** wyglądać (*like sb / sth* jak ktoś/coś, *as if...* jak gdyby...); **it ~s as if it's going to rain** (*także* **it ~s like rain**) wygląda na to, że będzie padać, zanosi się na deszcz; **~ grave/impressive** wyglądać poważnie/imponująco; **~ one's age** wyglądać na swój wiek; **~ scared/tired** wyglądać na przestraszonego/zmęczonego; **not be ~ing o.s.** nie wyglądać najlepiej; **strange-~ing** dziwnie wyglądający; **what does he/it ~ like?** jak on/to wygląda?. **3.** być zwróconym ku (*np. wschodowi; o budynku*). **4.** szukać; **I ~ed everywhere** szukałam wszędzie; **try ~ing here** spróbuj poszukać tutaj. **5.** *przen.* **~ alive/lively/sharp/smart!** *pot.* rusz się!, zwijaj się! (= *pospiesz się*); **~ before you leap** *zob.* **leap** *v.*; **~ daggers at sb** *zob.* **dagger** *n.*; **~ here!** *przest.* słuchaj no!; **~ kindly on sth** *zob.* **kindly** *adv.*; **~ on the bright side (of things)** *zob.* **bright** *a.*; **~ who's talking!** i kto to mówi?!; **don't/never ~ a gift horse in the mouth** *zob.* **horse** *n.*; **here's ~ing at you!** *żart.* twoje zdrowie!; **(I'm) just ~ing** (ja) tylko oglądam (*w sklepie*); **not much to ~ at** *pot.* nic specjalnego (*t. o osobie*); **to ~ at him/her,...** sądząc z wyglądu,... **6. ~ after sb/sth** doglądać *l.* pilnować kogoś/czegoś; opiekować się kimś/czymś; zajmować się kimś/czymś; **~ after yourself!** *Br.* uważaj na siebie! (*przy pożegnaniu*); **be capable of ~ing after o.s.** dawać sobie samemu radę; **be well ~ed after** mieć dobrą opiekę; **~ ahead** patrzeć przed siebie; patrzeć w przyszłość, robić plany na przyszłość; **~ around** rozglądać się (*for sth* za czymś) (*np. za pracą*); rozglądać się po (*mieście itp.; = zwiedzać*); **~ back** *t. przen.* patrzeć *l.* spoglądać wstecz, oglądać się (za siebie); **~ back on/to sth** wspominać coś, wracać do czegoś pamięcią *l.* myślami; **~ down on/upon sb/sth** *przen.* patrzeć *l.* spoglądać z góry na kogoś/coś; ~ **down one's nose at sb/sth** *przen.* gardzić kimś/czymś; ~ **for sb/sth** szukać czegoś; **be ~ing for sb/sth** poszukiwać kogoś/czegoś (= *potrzebować*); **be ~ing for trouble** *pot.* szukać guza; ~ **forward to sth** nie móc się czegoś doczekać; **I ~ forward to meeting her** cieszę się na spotkanie z nią; ~ **in** *pot.* zajrzeć, wpaść (*on sb* do kogoś); ~ **into sth** zajrzeć do czegoś (*np. do książki*); *przen.* zbadać coś (*np. sprawę*); ~ **on** przyglądać *l.* przypatrywać się (*bezczynnie*); ~ **on/upon sb/sth as...** uważać kogoś/coś za...; postrzegać kogoś/coś jako...; traktować kogoś/coś jak...; ~ **out** wyglądać (*np. przez okno*); wyszukać, odszukać (*zwł. wśród swoich rzeczy*); ~ **out!** uważaj!, ostrożnie!; ~ **out for sb/sth** wypatrywać kogoś/czegoś; uważać na kogoś/coś, mieć się na baczności przed kimś/czymś, wystrzegać się kogoś/czegoś; ~ **out for number one** *przen.* troszczyć się tylko o siebie; ~ **out onto sth** wychodzić na coś (*np. o oknie*); ~ **over** przyjrzeć się (*czemuś*); zlustrować (*kogoś wzrokiem*); wychodzić na (*podwórze, morze itp.; o oknie*); ~ **round** *Br.* = **look around**; ~ **through** przenikać wzrokiem; przyjrzeć się dokładnie (*czemuś*); przetrząsać (*np. kieszenie*); ~ **through sb** *przen.* przejrzeć kogoś (na wylot); ~ **(right/straight) through sb** *przen.* udawać, że się kogoś nie dostrzega, traktować kogoś jak powietrze; ~ **to sth** doglądać *l.* pilnować czegoś; uważać na coś; ~ **to do sth** spodziewać się coś zrobić; ~ **to sb for sth** zwracać się do kogoś o *l.* po coś; oczekiwać czegoś od kogoś; ~ **to sb to do sth** oczekiwać, że ktoś coś zrobi; ~ **to the future** patrzeć w przyszłość; ~ **up** spojrzeć w górę, podnieść wzrok (*from sth* znad czegoś); ~ **sb up** zajrzeć do kogoś, odwiedzić kogoś (*zwł. będąc przypadkiem w okolicy*); ~ **sth up** sprawdzić coś (*w encyklopedii, słowniku*); **be ~ing up** *przen.* poprawiać się (*o warunkach, sytuacji*); **things are ~ing up** idzie ku lepszemu; ~ **up to sb** podziwiać kogoś, traktować kogoś jako autorytet; ~ **sb up and down** zmierzyć kogoś wzrokiem; ~ **upon** *zob.* **look on**. – *n.* **1.** *zw. sing.* spojrzenie; **give sb a dirty/meaningful ~** rzucić *l.* posłać komuś niechętne/znaczące spojrzenie, spojrzeć na kogoś niechętnie/znacząco; **have/take a ~** spojrzeć, rzucić okiem (*at sb / sth* na kogoś/coś); **have a close/good ~** przyjrzeć się dokładnie/dobrze (*at sb / sth* komuś/czemuś); **have a ~ for sth** poszukać czegoś; **have/take a ~ around** rozejrzeć się; **let's have a ~** spójrzmy, popatrzmy. **2.** wygląd; **he had the ~ of a man enjoying himself** wyglądało na to, że dobrze się bawi; **I don't like the ~ of it** to mi wygląda podejrzanie, nie podoba mi się to; **she has a sick ~ about her** wygląda na chorą; **there is a nervous ~ in his eyes** wygląda na zdenerwowanego; **(they're back,) by the ~(s) of it/things** wygląda na to, że (wrócili). **3.** *pl.* (*także* **good ~s**) uroda, atrakcyjny wygląd; **lose one's ~s** stracić urodę. **4.** *sing.* styl; moda (*zwł. w dziedzinie stroju i fryzury*); **the new ~** nowy styl; **this season's ~** moda w tym sezonie.

lookalike [ˈlʊkəˌlaɪk] *n. pot.* sobowtór.

looker [ˈlʊkər] *n. sing. pot.* ślicznotka; *rzad.* przystojniak.

looker-on [ˌlʊkərˈɑːn] *n. pl.* **lookers-on** gap; widz.

look-in [ˈlʊkˌɪn] *n. sing. pot.* **1.** krótka wizyta. **2. not get/have a ~** *Br. i Austr. pot.* nie mieć szansy *l.* okazji (*np. na udział, zwycięstwo; żeby się odezwać*).

looking glass [ˈlʊkɪŋ ˌglæs] *n. przest.* zwierciadło, lustro.

lookout [ˈlʊkˌaʊt], **look-out** *n.* **1.** obserwacja; **be on the ~ for sb/sth** wypatrywać kogoś/czegoś, rozglądać się za kimś/czymś; poszukiwać kogoś/czegoś (*t. o policji*); uważać na kogoś/coś; **keep a ~** być w pogotowiu, mieć się na baczności; **keep a ~ for sb/sth** wypatrywać kogoś/czegoś; uważać na kogoś/coś. **2.** *wojsk.* obserwator, czujka; (*także* ~ **post**) stanowisko obserwacyjne, punkt obserwacyjny; *hist.* czata. **3.** *Br. przen. pot.* **it's a bad/poor ~ for sb** czyjaś przyszłość nie wygląda różowo; **it's your/his (own) ~** to twój/jego problem; to twoja/jego sprawa.

look-see [ˌlʊkˈsiː] *n. US pot.* (szybki) rzut oka; **have a ~** rzucić okiem.

loom¹ [luːm] *n.* **1.** *tk.* krosna; warsztat tkacki. **2.** wałek wiosła.

loom² *v.* **1.** majaczyć na horyzoncie (*zwł. groźnie*). **2.** zbliżać się, nadchodzić (*zwł. o czymś nieprzyjemnym*). **3.** ~ **large** stanowić nieprzyjemną perspektywę; ~ **large in sb's mind** budzić czyjś niepokój, spędzać komuś sen z powiek. **4.** ~ **over** piętrzyć się nad (*czymś; zwł. groźnie*); ~ **up** wyłaniać *l.* wynurzać się (*zwł. jako coś groźnego*); *przen.* wisieć w powietrzu (*o kwestii, pytaniu*). – *n.* niewyraźny *l.* majaczący kształt (*na horyzoncie*).

loom³ *n. arch. l. dial.* = **loon¹**.

loon¹ [luːn] *n. US i Can. orn.* nur (*Gavia*).

loon² *n.* **1.** *pot. obelż.* pomyl-eniec/ona; głupek. **2.** *Scot. dial.* chłopak. **3. lord and ~** *arch. przen.* książę i żebrak.

loony [ˈluːnɪ], **looney** *a.* **-ier, -iest** pomylony. – *n. pl.* **-ies** pomyl-eniec/ona, wariat/ka.

loony bin *n. żart. sl.* wariatkowo (= *szpital dla umysłowo chorych*).

loony tune *n. US pot.* = **loony** *n.*

loop¹ [luːp] *n.* **1.** *t. lotn., komp., anat.* pętla. **2.** pierścień; ucho, uszko; **belt ~** szlufka. **3.** *pismo* brzuszek (*litery*). **4.** (*także* ~ **line**) *Br. kol.* pętla, linia okrężna. **5.** spirala (= *wkładka wewnątrzmaciczna*). **6.** *fiz.* brzusiec (= *strzałka fali stojącej*). **7.** *el.* obwód zamknięty; ~ **current** prąd obwodowy; ~ **test** wykrywanie uszkodzeń w kablu. **8.** *el.* = **loop aerial**. **9.** *US przen. pot.* **be in the/out of the ~** należeć do kręgu decydentów; **knock/throw sb for a ~** zbić kogoś z tropu; zaszokować kogoś. – *v.* **1.** ~ **sth around/over sth** okręcać coś wokół czegoś; obwiązywać czymś coś. **2.** splatać; *tk.* dziać. **3.** splatać się, tworzyć pętle. **4.** *komp.* tworzyć pętlę. **5.** ~ **the ~** *lotn.* robić pętlę.

loop² *n. arch.* = **loophole** 1, 2.

loop aerial *n.* antena ramowa.

looper [ˈluːpər] *n.* **1.** urządzenie do robienia pętli (*np. w maszynie do szycia*). **2.** *ent.* gąsienica miernikowca.

loophole ['lu:pˌhoʊl] *n.* **1.** otwór w murze (*obserwacyjny, świetlny, wentylacyjny*). **2.** *wojsk.* strzelnica (*w murze*). **3.** *prawn.* luka prawna; kruczek prawny; **close a ~** zlikwidować nieszczelność w systemie (*prawnym, podatkowym*). – *v.* robić otwory w (*murze*).

loop line *n.* = **loop** *n.* 4.

loopy ['lu:pɪ] *a.* **-ier, -iest 1.** *pot.* stuknięty, szurnięty; **go ~** *Br.* dostać kręćka (= *zwariować*); wściec się (= *rozgniewać*). **2.** poplątany, pełen pętli.

loose [lu:s] *a.* **1.** *t. przen.* luźny (*np. o ubiorze, szyku, stylu, grupce*). **2.** obluźniony, obluzowany; **come ~** (*także* **work itself ~**) obluzować się (*np. o śrubie*). **3.** *gł. attr.* wolny (*np. o przekładzie*); nieprecyzyjny (*o sformułowaniu, terminologii*). **4.** *tk.* rzadki, rzadko tkany. **5.** obwisły, wiszący (*o skórze*). **6.** rozpuszczony (*o włosach*). **7.** sypki (*o glebie, piasku*); *handl.* nieopakowany, luzem. **8.** *attr. przest.* swobodny, rozwiązły (*o obyczajach*); **~ woman** kobieta lekkich obyczajów. **9.** *US i Can. pot.* wyluzowany. **10.** **~ bowels** *przest.* rozwolnienie; **~ talk** *przest.* pusta *l.* czcza gadanina; **break ~** *zob.* **break**[1] *v.*; **cast ~** *żegl.* odcumować (*łódź*); **cut ~** *żegl.* odciąć cumy (*łodzi*); *przen.* wyrwać się (*spod kontroli*); *US i Austr. pot.* użyć sobie, zaszaleć; **hang/stay ~** *US pot.* zachować spokój; **have a screw ~** *przen. pot.* mieć nierówno pod sufitem, nie mieć wszystkich w domu; **let ~** *zob.* **let**[1] *v.*; **set/turn sb ~** wypuścić *l.* zwolnić kogoś; **tear (o.s.) ~** uwolnić się (*np. z uścisku, więzów*); **with a ~ rein** *przen.* liberalnie (*wychowywać*). – *v.* **1.** zwolnić; poluzować. **2.** złamać (*pieczęć*). **3.** odcumować (*statek*). **4.** wypuścić (*strzałę*); wystrzelić (*at sth* do czegoś) (*pocisk*). **5.** *lit.* rozpętać (*np. falę ataków, protestów*). **6. be ~d on/upon sb** stanowić zagrożenie dla kogoś, zagrażać komuś. – *n. U* **1. the ~** *rugby* przegrupowanie (*podczas którego tworzy się młyny taktyczne*). **2. be on the ~** być na swobodzie *l.* wolności (*o skazańcu*); biegać wolno (*o zwierzęciu*); *przen. pot.* szaleć, używać sobie. – *adv.* **1.** = **loosely**. **2. play fast and ~ with sb/sth** *zob.* **fast**[1] *adv.*

loosebox ['lu:sˌbɑ:ks] *n. roln.* boks.

loose change *n. U* drobne (*pieniądze*).

loose cover *n. Br.* pokrowiec (*na mebel*).

loose end *n. często pl. przen.* **1.** niewyjaśniony *l.* niedopracowany szczegół; niezałatwiona sprawa (*zw. drobna*); **tie up the ~s** dopracować szczegóły; wyjaśnić (pozostałe) szczegóły; doprowadzić sprawę do końca. **2. be at ~s** (*także Br.* **be at a ~**) nie mieć nic szczególnego do roboty.

loose-fitting [ˌlu:s'fɪtɪŋ] *a.* luźny (*np. o spodniach, marynarce*).

loose-jointed [ˌlu:s'dʒɔɪntɪd] *a.* **1.** giętki, gibki. **2.** luźno zbudowany *l.* sklecony.

loose-leaf [ˌlu:s'li:f] *a. zw. attr.* z luźnymi kartkami, niezszyty; **~ binder** skoroszyt, segregator; **~ system** system kartotekowy.

loosely ['lu:slɪ] *adv.* **1.** luźno (*np. zawiązany, noszony*). **2.** rzadko (*tkany*).

loosen ['lu:sən] *n.* **1.** poluzowywać, poluźniać (*np. śrubę*). **2.** *t. przen.* rozluźniać (*np. krawat, dyscyplinę*). **3.** rozpuszczać (*włosy*). **4.** działać rozwalniająco na (*jelita*). **5.** poluzować się. **6.** rozluźniać się. **7. ~ one's grip/hold** rozluźnić uścisk/uchwyt; *przen.* rozluźnić kontrolę (*on sth* nad czymś); **~ sb's tongue** *przen.* rozwiązać komuś język (*np. o alkoholu*). **8. ~ up** rozluźniać (*mięśnie, stawy; zwł. przed zawodami*); rozluźniać się, relaksować się.

looseness ['lu:snəs] *n. U* **1.** *t. przen.* luźność (*np. sukni, wypowiedzi*). **2. ~ of the bowels** *przest.* rozwolnienie.

loose order *n. U wojsk.* szyk luźny.

loosestrife ['lu:sˌstraɪf] *n. bot.* **1. yellow ~** tojeść pospolita (*Lysimachia vulgaris*). **2. purple ~** krwawnica pospolita (*Lythrum salicaria*).

loot [lu:t] *n. U* łup, łupy (*t. przen., żart.* = *zdobycz, prezenty*). – *v.* **1.** grabić, plądrować, łupić (*np. miasto*). **2.** rabować, zabierać jako łup.

looter ['lu:tər] *n.* grabieżca, łupieżca; rabuś, złodziej/ka (*zwł. podczas rozruchów*).

looting ['lu:tɪŋ] *n. U* grabież.

lop[1] [lɑ:p] *v.* **-pp- 1.** okrzesywać (*drzewo*). **2. ~ at sth** ciachać coś; **~ away/off** obcinać (*gałęzie, członki*); **~ $ ... off the price** obniżyć cenę o ... dolarów. – *n.* **1.** obcięta gałąź. **2.** *C/U* obcięcie, cięcie; **~ and crop/top** *ogr.* cięcie na koronę/wzrost.

lop[2] *v.* **-pp- 1.** zwieszać się *l.* wisieć luźno. **2. ~ (about)** snuć się, wałęsać się.

lop[3] *n. płn. Br. dial.* pchła.

lop[4] *v.* = **lope**.

lope [loʊp] *v.* sadzić susami (*zwł. o zwierzętach*). – *n. sing.* bieg susami.

lop-eared [ˌlɑ:p'i:rd] *a. Br.* kłapouchy (*np. o króliku*).

loper ['loʊpər] *n. jeźdz.* koń o dużym wykroku.

lophobranch ['lɑ:fəˌbræŋk] *icht. a.* wiązkoskrzelny. – *n.* ryba z podrzędu wiązkoskrzelnych (*Lophobranchii*).

lopper ['lɑ:pər] *n. ogr.* nóż do obcinania *l.* okrzesywania.

loppings ['lɑ:pɪŋz] *n. pl.* obcięte gałęzie.

loppy ['lɑ:pɪ] *a.* **-ier, -iest** obwisły; oklapły.

lopsided [ˌlɑ:p'saɪdɪd] *a.* **1.** nierówny, krzywy (*np. o uśmiechu*); koślawy (*np. o krześle*). **2.** *przen.* nierówny, zachwiany (*np. o proporcjach*).

lopsidedly [ˌlɑ:p'saɪdɪdlɪ] *adv.* nierówno, krzywo; koślawo.

lopsidedness [ˌlɑ:p'saɪdɪdnəs] *n. U* nierówność, krzywość; koślawość.

loq. *n. i abbr.* = **loquitur**.

loquacious [loʊ'kweɪʃəs] *a. form.* wielomówny (*o osobie*); *przen.* świergotliwy (*o ptaku*); szemrzący (*o potoku*).

loquaciousness [loʊ'kweɪʃəsnəs] *n.* = **loquacity**.

loquacity [loʊ'kwæsətɪ] *n. U form.* wielomówność.

loquat ['loʊkwɑ:t] *n. bot.* miszpelnik *l.* nieśplik *l.* groniweł japoński (*Eriobotrya japonica*).

loquitur ['loʊkwɪˌtʊr] *v. Lat. teatr* mówi (*w tekście pobocznym*).

lor [lɔ:r], **lor'** *int. nonstandard* = **Lord!**

loral ['lɔ:rəl] *a. zool.* kantarowy.

loran [ˈlɔːrən] *n. i abbr.* **long-range navigation system** radionawigacji.

lord [lɔːrd] *n.* **1.** pan, władca (*t. hist.* - *feudalny*). **2.** *rel.* **(the) L~** Pan (Bóg); **good/oh L~!** wielki *l.* dobry Boże!; **in the year of our L~...** Roku Pańskiego... **3.** *Br. parl.* **L~** lord; **the L~s** członkowie Izby Lordów; (*także* **the House of L~s**) Izba Lordów; **Civil L~** cywilny członek Admiralicji; **First L~** najwyższy urzędnik (*np. Admiralicji*). **4.** *Br.* (*przed nazwą posiadłości*) tytuł dodawany do nazwiska markiza, hrabiego, wicehrabiego *l.* barona (*np. Lord Derby*); (*przed imieniem i nazwiskiem*) tytuł grzecznościowy używany w stosunku do młodszych synów księcia *l.* markiza; **my ~** (*voc.*) milordzie, wasza lordowska mość (*do arystokraty poniżej księcia*); ekscelencjo (*do biskupa, burmistrza l. sędziego Sądu Najwyższego*); wysoki sądzie (*do sędziego*). **5.** **~ of the manor** dziedzic; **~s of creation** *lit.* panowie stworzenia (= *ludzkość*); *żart.* mężczyźni; **drunk as a ~** *zob.* **drunk** *a.*; **live like a ~** żyć jak lord; **sb's ~ and master** *żart.* czyjś pan i władca (= *małżonek*); **swear like a ~** kląć jak szewc. – *v.* **1.** *rzad.* nadawać tytuł lordowski (*komuś*), podnosić do godności lorda. **2.** **~ it over sb** *przen.* traktować kogoś z góry.

Lord Advocate *n. Br. admin.* prokurator generalny (*w Szkocji*).

Lord Chamberlain *n. Br.* marszałek dworu.

Lord Chancellor *n.* (*także* **Lord High Chancellor**) *Br. admin.* minister sprawiedliwości i prokurator generalny (*Anglii i Walii; pełniący jednocześnie funkcję Spikera w Izbie Lordów*).

Lord Chief Justice *n. Br. admin.* prezes wydziału Queen's Bench Sądu Najwyższego.

Lord Justice Clerk *n. Scot. admin.* prezes wydziału Sądu Apelacyjnego (*Court of Session, Inner House*); wiceprezes Sądu Najwyższego (*High Court of Justiciary*).

Lord Justice General *n. Scot. admin.* prezes Sądu Najwyższego (*High Court of Justiciary*).

Lord Justice of Appeal *n. Br. admin.* sędzia Sądu Apelacyjnego.

lordless [ˈlɔːrdləs] *a.* bezpański.

Lord Lieutenant *n. Br.* **1.** *admin.* reprezentant Korony (*w hrabstwie*). **2.** *hist.* wicekról Irlandii (*do r. 1922*).

lordlike [ˈlɔːrdlaɪk] *a.* pański (*np. o manierach*).

lordliness [ˈlɔːrdlɪnəs] *n. U* pańskość, wielkopańskość.

lordling [ˈlɔːrdlɪŋ] *n. rzad.* syn lorda, panicz.

lordly [ˈlɔːrdlɪ] *a.* **-ier, -iest** **1.** wyniosły; pański, wielkopański. **2.** lordowski.

Lord Mayor *n. Br. admin.* burmistrz (*Londynu i kilku innych dużych miast Anglii, Walii i Irlandii*).

Lord Muck *n. iron.* wielki pan, panisko.

Lord of Appeal *n. Br. admin.* sędzia w Najwyższym Sądzie Apelacyjnym (*Izby Lordów*).

Lord of the Flies *n. Bibl. euf.* Władca Much (= *Belzebub*).

lordosis [lɔːrˈdoʊsɪs] *n. C/U pl.* **lordoses** [lɔːrˈdoʊsiːs] *anat., pat.* lordoza.

Lord President *n. Scot. admin.* prezes wydziału Sądu Apelacyjnego (*Court of Session, Inner House*).

Lord President of the Council *n. Br. admin.* przewodniczący Privy Council (*w randze ministra*).

Lord Privy Seal *n. Br. admin.* podkanclerzy (*w randze ministra*).

Lord Provost *n. Scot. admin.* burmistrz (*Edynburga i innych dużych miast Szkocji*).

lords-and-ladies [ˌlɔːrdzənˈleɪdɪz] *n. sing. Br. bot.* obrazki plamiste (*Arum maculatum*).

Lord's Day *n.* **the ~** *rel.* Dzień Pański (= *niedziela*).

lordship [ˈlɔːrdˌʃɪp] *n.* **1.** **His/Your L~** *form.* Jego/Wasza Lordowska Mość; **his ~** *żart.* jaśniepan. **2.** *U form.* panowanie, władza (*over sb / sth* kimś/czymś).

Lord's Prayer *n.* **the ~** *rel.* Modlitwa Pańska (= *Ojcze nasz*).

Lords Spiritual *n. pl. Br. parl.* duchowni członkowie Izby Lordów.

Lord's Supper *n. pl. rel.* **the ~** Wieczerza Pańska (= *Komunia Święta*).

Lord's Table *n. rel.* **1.** **the ~** Stół Pański (= *Komunia Św.*) (*w kościele protestanckim*). **2.** ołtarz (*jw.*).

Lords Temporal *n. pl. Br. parl.* świeccy członkowie Izby Lordów.

lordy [ˈlɔːrdɪ] *int. US i Can. przest. pot.* (o) Boże!

lore[1] [lɔːr] *n. U* **1.** mądrość (*zwł. ludowa*), tradycja (*ustna*); wiedza (*zwł. tajemna*). **2.** *przest.* nauka; uczoność.

lore[2] *n. zool.* kantar (*na głowie ptaka*).

lorgnette [lɔːrnˈjet] *n.* **1.** lorgnon. **2.** lornetka (*teatralna*).

lorgnon [lɔːrˈnjɔːŋ] *n. przest.* **1.** lorgnon. **2.** monokl. **3.** lornetka (*teatralna*).

loricate [ˈlɔːrəˌkeɪt], **loricated** *a. zool.* opancerzony.

lorikeet [ˈlɔːrəˌkiːt] *n. pl.* **-s** *l.* **lorikeet** *orn.* **1.** papużka lorika (*Charmosyna loriculus l. coriphilus*). **2.** **varied ~** lorysa białooka (*Glossopsitta / Psitteuteles versicolor*). **3.** **rainbow ~** lorysa górska (*Trichoglossus haematodus*).

lorimer [ˈlɔːrəmər], **loriner** *n. Br. hist.* kowal produkujący wędzidła i ostrogi.

loris [ˈlɔːrɪs] *n. pl.* **lorises** [ˈlɔːrɪsiːz] *zool.* **1.** ssak z rodziny lorisowatych (*Lorisidae*). **2.** **slow ~** lori wysmukły (*Loris tardigradus*). **3.** **slender ~** lori kukang (*Nycticebus coucang*).

lorn [lɔːrn] *a. arch. l. poet.* opuszczony, zapomniany.

Lorraine [loʊˈreɪn] *n. geogr.* Lotaryngia.

lorry [ˈlɔːrɪ] *n. pl.* **-ies** **1.** *Br.* samochód ciężarowy, ciężarówka; **articulated ~** ciężarówka przegubowa *l.* naczepowa. **2.** *kol.* lora. **3.** platforma. **4.** **sth fell off the back of a ~** *żart. pot.* coś zostało skombinowane na lewo.

lorry driver *n. Br.* kierowca ciężarówki.

lory [ˈlɔːrɪ] *n. pl.* **-ies** *l.* **lory** *orn.* papużka lora, lorysa *l.* lorika.

lose [luːz] *v.* **lost, lost** **1.** *t. przen.* tracić; zatracać; ~ **face** stracić twarz; ~ **ground** tracić poparcie *l.* popularność; ~ **height** *lotn.* tracić wysokość; ~ **interest** tracić zainteresowanie (*in sth* czymś); ~ **one's balance/bearings/life/patience** stracić równowagę/orientację/życie/cierpliwość; ~ **one's cool** *pot.* tracić zimną krew; ~ **one's memory/sight/voice** tracić pamięć/wzrok/głos; ~ **one's mother/father** stracić matkę/ojca; ~ **one's temper** tracić panowanie nad sobą; ~ **sight of sb/sth** *t. przen.* tracić kogoś/coś z oczu; ~ **touch with sb** stracić kontakt z kimś; ~ **touch with sth** tracić w czymś rozeznanie; ~ **value/weight** tracić na wartości/wadze; **have nothing/have too much to** ~ nie mieć nic/mieć zbyt wiele do stracenia; **there's no time to** ~ nie ma chwili do stracenia. **2.** *t. przen.* gubić; ~ **one's way** zgubić drogę, zabłądzić; **we managed to** ~ **them** udało nam się ich zgubić (= *uciec im*); **you've lost me; can you say that again?** zgubiłem *l.* pogubiłem się; możesz to powtórzyć?. **3.** przegrywać (*np. grę, bitwę, proces, wybory*) (*to / against sb* z kimś). **4.** spóźniać się (*o zegarze*); **my watch is losing** mój zegarek się spóźnia; **my watch ~s five minutes a day** mój zegarek spóźnia się pięć minut na dobę. **5.** ~ **it** *przen. pot.* stracić panowanie *l.* kontrolę (*nad sobą*), dać się ponieść (*emocjom*); ~ **o.s. in sth** zatracać się w czymś; zatapiać się w czymś; ~ **track of sb/sth** *zob.* **track** *n.*; **I didn't ~ a word of what he said** nie uroniłem ani słowa z tego, co powiedział; **it lost him his job** to go kosztowało utratę posady, przez to stracił posadę; **we are losing the patient** pacjent nam umiera; **you win some you ~ some** *zob.* **win** *v.* **6.** ~ **out** odnieść porażkę; ~ **out to sb** przegrać w konkurencji z kimś, przegrać rywalizację z kimś (*zwł. o pracę, kontrakt itp.*).

losel [ˈloʊzl] *n. arch. l. dial.* nicpoń.

loser [ˈluːzər] *n.* **1.** przegrywając-y/a; **be a good/bad** ~ umieć/nie umieć przegrywać; **be the** ~ być poszkodowanym, stracić. **2.** nieudacznik; **born** ~ życiowa oferma. **3.** poronione przedsięwzięcie, niewypał. **4. finders keepers, ~s weepers** *zob.* **finder.**

losing [ˈluːzɪŋ] *a. attr.* przynoszący straty, deficytowy; skazany na przegraną *l.* niepowodzenie; ~ **business/concern** deficytowy interes; ~ **game** gra bez szans na wygraną; ~ **streak** zła passa; **fight a ~ battle** *zob.* **battle** *n.*

losings [ˈluːzɪŋz] *n. pl.* straty; przegrana, przegrane pieniądze (*zwł. w grze hazardowej*).

loss [lɔːs] *n. C / U* **1.** *t. fin., ekon.* strata (*t. bliskiej osoby*); ~ **of life** *form.* straty w ludziach; **cut one's ~es** ograniczać straty, zapobiegać dalszym stratom (*np. przez wycofanie się*); **make a** ~ przynieść straty (*of...* w wysokości...); **run at a** ~ przynosić straty, być deficytowym; **sell sth at a** ~ sprzedać coś ze stratą; **sense of** ~ poczucie straty; **suffer heavy ~es** ponieść duże straty (*w ludziach*); **that's his/their** ~ *pot.* (to) jego/ich strata. **2.** *C / U* utrata; ~ **of vision/balance/memory** utrata wzroku/równowagi/pamięci; **weight/blood** ~ utrata wagi/krwi. **3.** zguba. **4.** *t. sport* przegrana (*to sb* z kimś) porażka. **5.** *el., techn.* ubytek. **6. be at a ~ (as to how) to do sth** łamać sobie głowę, jak coś zrobić, nie wiedzieć, jak się do czegoś zabrać, nie bardzo potrafić coś zrobić; **be at a ~ for words** zaniemówić, nie móc znaleźć słów (*np. ze wzruszenia*). **7. dead** ~ *zob.* **dead.**

loss adjuster *n. ubezp.* likwidator szkód.

loss leader *n. handl.* artykuł sprzedawany ze stratą (*dla zachęty*).

lossmaker [ˈlɔːsˌmeɪkər] *n. Br. handl.* przedsiębiorstwo deficytowe.

loss ratio *n. ubezp.* stosunek rocznych strat do zysków.

lost [lɔːst] *v. zob.* **lose.** – *a.* **1.** *attr.* stracony; zmarnowany (*o szansie, okazji*); ~ **cause** przegrana sprawa; **the L~ Generation** stracone pokolenie (= *młodzi ludzie polegli w czasie I wojny światowej l. pokolenie pisarzy amerykańskich działających tuż po I wojnie światowej*). **2.** zaginiony (*t. np. o cywilizacji*); zagubiony; ~ **in battle/at sea** poległy w bitwie/na morzu; **be** ~ zginąć (*t. przen.* = *umrzeć*); zaginąć; zgubić się; *przen.* pogubić się (= *nie rozumieć*); **be ~ for words** zaniemówić, nie móc znaleźć słów (*np. ze wzruszenia*); **be ~ in thought** być pogrążonym *l.* zatopionym w myślach; **be ~ on sb** *pot.* nie docierać do kogoś; nie robić na kimś wrażenia; **get** ~ zgubić się; zabłądzić; **get ~!** *pot.* spadaj!, zjeżdżaj!; **get ~ in sth** pogubić się w czymś; **we're** ~ zgubiliśmy się, zabłądziliśmy.

lost-and-found office [ˌlɔːstəndˈfaʊnd ˌɔːfɪs] *n.* (*także* **the lost-and-found**) *US i Can.* biuro rzeczy znalezionych.

lost motion *n. C / U mech.* poślizg (*mechanizmu*).

lost property *n. Br. i Austr.* **1.** *U* rzeczy zagubione (*w miejscach publicznych*). **2.** (*także* **lost property office**) = **lost-and-found office.**

Lot [lɑːt] *n. Bibl.* Lot.

lot [lɑːt] *n.* **1.** los (*t. przen.* = *dola*); *U* losowanie; **be content with one's** ~ być zadowolonym ze swego losu; **cast/draw ~s** ciągnąć losy; **choose/decide by** ~ wybrać/zadecydować w drodze losowania; **fall to sb's** ~ *lit.* przypaść komuś w udziale; **the ~ fell on/upon me** *lit.* los padł na mnie; **throw in/cast one's ~ with sb** *form* związać swój los z kimś. **2.** *US i Can.* działka, parcela; **parking** ~ parking. **3.** *kino* studio (*z przyległym terenem*). **4.** obiekt, pozycja katalogowa (*na aukcji*). **5.** *Br. i Austr.* partia (*t. handl.*), porcja; zestaw. **6.** *Br. pot.* grupa, towarzystwo. **7.** *Br. pot.* **bad** ~ *przest.* podłe nasienie (*o człowieku*); **the** ~ wszystko razem. – *pron. i adv.* **a** ~ (*także pot.* **~s**) mnóstwo, dużo (*of sth* czegoś); **a fat ~ of good** *zob.* **fat** *a.*; **a ~ bigger/more expensive** dużo większy/droższy; **a ~ to do/see** dużo do zrobienia/zobaczenia; **an awful** ~ strasznie dużo; **feel a ~ better** czuć się znacznie lepiej; **have a ~ (going) on** mieć dużo spraw do załatwienia, być bardzo zajętym; **have a ~ on one's mind** (*także Br.* **have a ~ on one's plate**) mieć dużo problemów; **he talks a** ~ on dużo mówi; **thanks a** ~ dziękuję bardzo; **this happens a** ~ to się często zdarza. – *v.* **-tt- 1.** ciągnąć losy o (*coś*). **2.** ~ **(out)** parcelować (*ziemię*); przydzielać. **3.** ~ **(out)** *handl.* dzielić na partie (*towar na sprzedaż*).

loth [loʊθ] *a.* = **loath.**

Lothario [loʊ'θerɪˌoʊ], **lothario** *n. pl.* **-s** *lit.* rozpustnik.

lotic ['loʊtɪk] *a. ekol.* bytujący w wodzie płynącej.

lotion ['loʊʃən] *n. C/U* płyn (kosmetyczny); mleczko, balsam, emulsja; **after-shave ~** płyn po goleniu; **suntan ~** mleczko do opalania.

lottery ['lɑːtərɪ] *n. pl.* **-ies** *t. przen.* loteria; **~ ticket** los (*loterii*).

lotto ['lɑːtoʊ] *n. U* lotto (= *gra przypominająca bingo; Austr.* = *loteria państwowa*).

lotus ['loʊtəs] *n. bot.* **1.** lotos orzechodajny (*Nelumbo nucifera*). **2.** kwiat z rodziny grzybieniowatych (*Nymphaeaceae*). **3.** komonica (*Lotus*).

lotus-eater ['loʊtəsˌiːtər] *n. mit. grecka* Lotofag; *przen.* sybaryt-a/ka.

lotus position *n. joga* kwiat lotosu.

louche [luːʃ] *a.* o podejrzanej reputacji (*o osobie*).

loud [laʊd] *a. t. przen.* **1.** głośny; **be ~ about sth** robić wokół czegoś dużo szumu *l.* hałasu (*np. o prasie*); **be ~ in in one's support/disapproval** głośno wyrażać swoje poparcie/swoją dezaprobatę (*of sth* dla czegoś). **2.** krzykliwy (*o kolorach, ubiorze, zachowaniu*). – *adv.* **1.** głośno; **~ and clear** głośno i wyraźnie; **out ~** na głos; **I was thinking out ~** głośno myślałam. **2.** *przen.* **actions speak ~er than words** *zob.* **action** *n.*; **for crying out ~** *zob.* **cry** *v.*

louden ['laʊdən] *v. rzad.* **1.** stawać się głośniejszym. **2.** czynić głośniejszym.

loudhailer [ˌlaʊd'heɪlər], **loud-hailer** *n. zwł. Br.* megafon (*ręczny*).

loudly ['laʊdlɪ] *adv.* głośno.

loudmouth ['laʊdˌmaʊθ], **loud-mouth** *n.* krzykacz/ka.

loudmouthed ['laʊdˌmaʊðd], **loud-mouthed** *a.* głośny, krzykliwy, hałaśliwy (*o osobie*).

loudness ['laʊdnəs] *n. U* **1.** głośność. **2.** *t. przen.* krzykliwość (*kolorów, ubioru, zachowania*).

loudspeaker ['laʊdˌspiːkər] *n.* głośnik.

loudspeaker van *n. zwł. Br.* **1.** samochód z nagłośnieniem. **2.** *film* wóz dźwiękowy.

lough [lɑːk] *n. Ir.* **1.** jezioro. **2.** fiord w Irlandii.

louis d'or [ˌluːiː 'dɔːr] *n. pl.* **louis d'or** *Fr. hist. fin.* luidor, ludwik.

Louisiana [luːˌiːzɪ'ænə] *n. US geogr.* stan Luizjana.

lounge [laʊndʒ] *v.* **1.** rozsiadać się, rozpierać się (*np. w fotelu*); wylegiwać się (*np. nad basenem*); wystawać (*np. przed sklepem*). **2. ~ around/about** *Br.* wałęsać się (*bez celu*); próżnować; **~ away** spędzać leniwie (*czas, dzień, popołudnie*). – *n.* **1.** hol (*hotelowy, klubowy, teatralny*); poczekalnia (*na stacji*); **arrival/departure ~** hala przylotów/odlotów. **2.** *Br.* salon, bawialnia. **3.** *Br.* = **lounge bar**. **4.** szezlong; *Br.* wygodny fotel. **5.** wałęsanie się; przechadzka.

lounge bar *n. US i Can.* **1.** barek hotelowy. **2.** *Br.* drink-bar; wygodny bar (*np. w pubie*).

lounge lizard *n. pot.* bywal-ec/czyni modnych kawiarni, pubów itp.

lounger ['laʊndʒər] *n.* **1.** = **lounge** 4; **sun ~** leżak. **2.** osoba wylegująca się; osoba wałęsająca się.

lounge suit *n. Br. przest.* garnitur (*noszony do pracy*).

loupe [luːp] *n.* lupa jubilerska *l.* zegarmistrzowska.

lour [laʊr] *n. i v. Br.* = **lower**[2].

louse [laʊs] *n. pl.* **lice** [laɪs] **1.** *ent., pat.* wesz; **body/head ~** wesz odzieżowa/głowowa (*Pediculus corporis/capitis*); **crab ~** wesz łonowa (*P(h)thirus pubis*). **2.** *zool.* mszyca; pasożyt zwierzęcy podobny do mszycy (*Mallophaga*). **3.** *pl.* **-es** *pot. obelż.* gnida (*osoba*). – *v.* **1.** iskać. **2. ~ up** *US pot.* spaprać (= *zepsuć*); **~ up (on sth)** zawalić (coś) (*zwł. egzamin*).

lousewort ['laʊsˌwɜːt] *n. bot.* gnidosz (*Pedicularis*).

lousily ['laʊzɪlɪ] *adv. pot.* **1.** kiepsko, marnie (*zrobiony*). **2.** parszywie (*postąpić*).

lousiness ['laʊzɪnəs] *n. U* **1.** *pot.* nędza, miernota (*np. wykonania, spektaklu*). **2.** *pot.* parszywość (*postępku*). **3.** zawszenie.

lousy ['laʊzɪ] *a.* **-ier, -iest** **1.** *pot.* kiepski, marny (*np. o filmie, produkcie, samopoczuciu*); parszywy, okropny (*np. o zachowaniu, pogodzie*); nędzny (*np. o sumie, kwocie*); **feel ~** czuć się podle *l.* marnie. **2.** *US pot.* **~ with sth** pełen czegoś; mający czegoś pod dostatkiem; **~ with money** dziany (= *bogaty*). **3.** wszawy, zawszony.

lout[1] [laʊt] *n.* gbur, cham, prostak.

lout[2] *v. arch.* kłaniać się; dygać.

loutish ['laʊtɪʃ] *a.* gburowaty, chamski, prostacki; nieokrzesany.

louvar ['luːvɑːr] *n. icht.* luwar (*Luvaris imperialis*).

louver ['luːvər], *Br.* **louvre** *n.* **1.** pojedyncza deszczułka żaluzji; (*także* **~-boards**) zewnętrzna żaluzja w formie ukośnych deszczułek (*nieruchoma*). **2. ~ shutter** *fot.* migawka żaluzjowa. **3.** szpara wentylacyjna (*np. w masce silnika*). **4.** *hist., bud.* wywietrznik w dachu (*często w kształcie wieżyczki*).

louvered ['luːvərd] *a.* zaopatrzony w stałe zewnętrzne żaluzje (*o drzwiach, oknach*).

lovable ['lʌvəbl], **loveable** *a.* milutki, uroczy, rozkoszny.

lovably ['lʌvəblɪ] *adv.* milutko, uroczo.

lovage ['lʌvɪdʒ] *n. U bot., med., kulin.* lubczyk (ogrodowy) (*Levisticum officinale*).

love [lʌv] *n.* **1.** *C/U* miłość (*for/toward sb* do kogoś); umiłowanie (*of sb/sth* kogoś/czegoś); zakochanie; **~ at first sight** miłość od pierwszego wejrzenia; **cupboard ~** *zob.* **cupboard**; **fall in ~** zakochać się (*with sb/sth* w kimś/czymś); **for the ~ of God** na miłość boską; **in ~** zakochany (*with sb/sth* w kimś/czymś) (*t. przen.* = *rozmiłowany, lubujący się*); **head over heels in ~** zakochany po uszy; **madly in ~** zakochany do szaleństwa; **make ~** *euf.* kochać się (*to/with sb* z kimś) (= *odbywać stosunek*); *arch.* zalecać się (*to sb* do kogoś); **the ~ of sb's life** (*także* **the ~ of a lifetime**) miłość czyjegoś życia (= *ukochana osoba; t. przen. = pasja*); **there's little/no ~ lost between A and B** *euf.* A i B nie darzą się specjalnym uczuciem (= *nie cierpią się nawzajem*). **2.** *U* serdeczne pozdrowienia (*from sb* od kogoś); **give/send (sb) one's ~** przekazywać/przesyłać (komuś) pozdrowienia; **(with) ~** (*także* **lots of ~**) *pot.* ściskam serdecznie (*w zakończeniu listu*). **3.** *gł. Br.* kochan-y/a; ukochan-y/a; **be a ~ and...** *pot.* bądź tak-i/a kochan-y/a i...; **lady ~** *zob.* **lady**; *voc.* (*także* **my ~**) kochanie; skarbie (*t. do osoby nieznanej, np. klientki w sklepie, pasażerki autobusu*). **4.** *sing.* zamiłowanie (*of sth* do czegoś); pasja. **5.** *pot.* rozkoszna osoba; rozkoszna rzecz; **what a ~!** jakie urocze stworzenie!; **isn't it a ~?** czyż to nie jest rozkoszne?. **6.** *U tenis, squash* zero; **~ all** zero do zera; **thirty-~** trzydzieści do zera; **~ game/set** gem/set przegrany do zera. **7.** *przen.* **a labor of ~** *zob.* **labor** *n.*; **all's fair in ~ and war** *zob.* **fair[1]** *a.*; **(just) for ~** na piękne oczy (= *za darmo, bez nagrody*); **for the ~ of it** (*także* **for the ~ of the thing**) dla czystej przyjemności (= *nie dbając o korzyść*); **not for ~ or/nor money** *pot.* za żadne skarby świata; żadnym sposobem. – *v.* **1.** kochać (*t. = być zakochanym*). **2.** *emf.* przepadać za (*kimś l. czymś*); uwielbiać (*to do sth / doing sth* robić coś, *sb to do sth / sb doing sth / sb's doing something* gdy ktoś coś robi); **I'd ~ to** z przyjemnością (*przyjmując zaproszenie*); **we'd ~ you to come** bylibyśmy zachwyceni, gdybyś przyszedł; **"Will you have lunch with us?" "I'd ~ to but I can't"** „Zjesz z nami lunch?" „Bardzo bym chciała, ale nie mogę". **3.** *przen.* **I must ~ you and leave you** *żart. pot.* niestety, muszę już iść; **you're going to ~ this!** *często iron.* nie uwierzysz!

loveable ['lʌvəbl] *a.* = **lovable.**

love affair *n.* **1.** romans, przygoda miłosna (*with sb* z kimś). **2.** *przen.* namiętność (*with sth* do czegoś) (= *zamiłowanie*).

love apple *n. arch.* pomidor.

lovebird ['lʌvˌbɜ:d] *n.* **1.** *orn.* nierozłączka (*Agapornis*). **2.** *pl. przen.* nierozłączki, para gołąbków (= *zakochani*).

love bite, lovebite *n. zwł. Br.* malinka (= *ukąszenie miłosne*).

love child *n. pl.* **love children** *euf.* owoc miłości (= *dziecko nieślubne*).

loved [lʌvd] *a.* **1.** *w złoż.* **best-~** ulubiony; **much/greatly-~** ukochany. **2. sb's ~ ones** czyiś bliscy.

love feast *n. hist.* agapa (*t. przen. = uczta przyjaciół*).

love handles *n. pl. żart. pot.* wałeczki tłuszczu w talii.

love-in-a-mist [ˌlʌvɪnə'mɪst] *n. bot.* czarnuszka damasceńska (*Nigella damascena*).

love-in-idleness [ˌlʌvɪn'aɪdlnəs] *n. bot.* fiołek trójbarwny, bratek polny (*Viola tricolor*).

love knot *n.* (*także* **lover's knot**) kokarda (*podarowana jako znak uczuć*).

loveless ['lʌvləs] *a.* **1.** niekochający; chłodny uczuciowo (*t. o związku dwojga ludzi*). **2.** niekochany, pozbawiony miłości.

lovelessly ['lʌvləslɪ] *adv.* bez miłości, ozięble.

lovelessness ['lʌvləsnəs] *n. U* brak miłości, chłód uczuciowy.

love letter *n.* list miłosny.

love-lies-bleeding [ˌlʌvˌlaɪz'bli:dɪŋ] *n. bot.* szarłat zwisły (*Amaranthus caudatus*).

love life *n. C / U* życie intymne (*czyjeś*).

loveliness ['lʌvlɪnəs] *n. U* urok; uroda.

lovelock ['lʌvˌlɑ:k] *n.* pukiel włosów opadający na czoło.

lovelorn ['lʌvˌlɔ:rn] *a. lit.* nieszczęśliwie zakochany; porzucony (*przez ukochaną osobę*).

lovely ['lʌvlɪ] *a.* **-ier, -iest** *zwł. Br.* **1.** śliczny, uroczy, cudny; **you look ~** ślicznie wyglądasz. **2.** *pot.* przyjemny, miły; **have a ~ time** wspaniale się bawić. **3. ~ and warm/fresh** *emf.* cieplutki/świeżutki. – *n. pl.* **-ies** *przest. pot.* ślicznotka, laleczka. – *int. Br. pot.* świetnie, znakomicie (*wyrażając zadowolenie*).

lovemaking ['lʌvˌmeɪkɪŋ] *n. U* **1.** kochanie się, miłość (= *stosunek seksualny*). **2.** *arch.* zaloty.

love match *n.* małżeństwo z miłości.

love nest *n.* gniazdko miłosne (= *miejsce schronienia kochanków*).

love potion *n. arch. l. poet.* napój miłosny, lubczyk.

lover ['lʌvər] *n.* **1.** kochan-ek/ka; ukochan-y/a; *pl.* kochankowie; zakochani; become ~s, zostać kochankami. **2.** *w złoż.* miłośni-k/czka, amator/ka (*of sth* czegoś); **art/music ~** miłośnik/czka sztuki/muzyki.

lover's knot ['lʌvərz ˌnɑ:t] *n.* = **love knot.**

love seat *n. US* kozetka.

lovesick ['lʌvˌsɪk] *a.* **1.** usychający *l.* chory z miłości. **2.** wyrażający cierpienia miłosne, tęskny (*o utworze*).

love song *n.* pieśń miłosna.

love story *n. pl.* **-ies** opowieść o miłości; wątek miłosny (*w utworze literackim*).

lovey ['lʌvɪ] *n. voc.* (*także* **luvvy**) *Br. pot.* kochanie, skarbie, złotko (*do kobiety l. dziecka*).

lovey-dovey [ˌlʌvɪ'dʌvɪ] *a. pot.* przesadnie czuły; ckliwy.

loving ['lʌvɪŋ] *a. attr.* kochający (*np. o mężu, dziecku*); pełen miłości, czuły (*np. o geście, słowach, opiece*).

loving cup *gł. hist.* puchar wiwatowy (*krążący podczas uczty*); *sport* puchar (*zwł. z uchwytami, wręczany jako nagroda*).

loving kindness *n. U lit.* czułe uczucie (*przyjaźni l. miłości*).

lovingly ['lʌvɪŋlɪ] *adv.* czule; z miłością.

lovingness ['lʌvɪŋnəs] *n. U* czułość.

low[1] [loʊ] *a.* **1.** niski (*t. o wielkościach fizycznych, kosztach, dźwiękach; t. przen. o pochodzeniu, pobudkach; nigdy o wzroście czy osobie*); niewysoki, niewielki (*t. o liczbie*); głęboki (= *nisko opuszczony*); **~ altitude** niewielka wysokość; *lotn., meteor.* niski pułap; **~ birth** *przest.* niskie urodzenie; **~ bow** głęboki *l.* niski ukłon; **~ brow** niskie czoło; **~ cloud** niska chmura *l.* warstwa chmur; **~ income/tax** niski dochód/podatek; **~ neck/neckline** głęboki dekolt; **~ voice** niski *l.* gruby głos; ściszony głos; **~ vowel** *fon.* samogłoska niska *l.* otwarta. **2.** niższy (= *prymitywny*);

~ **form of life** niższa forma życia. **3.** *pred.* bliski opróżnienia *l.* wyczerpania; **be/run** ~ kończyć się, wyczerpywać się; **be (running)** ~ **on sth** wyczerpywać zapasy czegoś. **4.** pospolity, niewybredny; *pog.* nieokrzesany. **5.** nikczemny. **6.** słaby, pogarszający się (*o samopoczuciu, stanie zdrowia*). **7.** *pred.* przygnębiony; **feel ~/in ~ spirits** odczuwać przygnębienie. **8.** przyciemniony (*o świetle*). **9.** zły, negatywny (*o zdaniu, opinii*). **10. be at a ~ ebb** *zob.* **ebb** *n.* – *adv.* **1.** nisko (*t. przen.*); przy ziemi. **2.** tanio, za niską sumę; o niską stawkę. **3.** niskim *l.* ściszonym głosem. **4. bring** ~ *zob.* **bring; lay sb** ~ *zob.* **lay2** *v.*; **lie** ~ *zob.* **lie1** *v.*; **look/search high and** ~ *zob.* **high** *adv.*; **play** ~ *karty* zagrywać nisko (= *wychodzić w niską kartę*); *przen.* siedzieć cicho. – *n.* **1.** minimum, najniższy *l.* rekordowo niski poziom; **all-time** ~ *zob.* **all-time; fall to/hit a new** ~ *gł. fin.* spaść jeszcze niżej (*o wartości waluty*); **highs and ~s** wzloty i upadki. **2.** *meteor.* niż (barometryczny). **3.** *mot.* niski bieg. **4.** *el.* niski stan (wejściowy *l.* wyjściowy) elementu logicznego (= *zero logiczne*).

low2 *lit. v.* ryczeć (*o bydle*). – *n.* ryk (*bydła*).

lowball ['loʊ,bɔ:l] *v. US* świadomie zaniżać (*zwł. koszta przy wycenie*).

low beam *n. mot.* światła mijania.

low blow *n. pot.* cios poniżej pasa.

lowborn ['loʊ,bɔ:rn] *a. przest.* podłego rodu, niskiego urodzenia.

lowboy ['loʊ,bɔɪ] *n. US i Can.* komódka.

lowbred [,loʊ'bred] *a.* **1.** wulgarny, pospolity. **2.** *przest.* = **lowborn**.

lowbrow ['loʊ,braʊ] *n.* osoba niekulturalna. – *a.* hołdujący niskim gustom, niewyszukany; na niskim poziomie.

low-budget [,loʊ'bʌdʒət] *a. attr.* niskobudżetowy.

low-cal [,loʊ'kæl], **lo-cal** *a. attr. pot.* niskokaloryczny (*o produktach spożywczych*).

low-carbon steel [,loʊ,kɑ:rbən 'sti:l] *n. U metal.* stal niskowęglowa.

Low Church *n. U kośc.* nurt ewangelicki (*w Kościele anglikańskim*).

low-class [,loʊ'klæs] *a. attr.* **1.** niskiej jakości. **2.** *przest.* z niskich klas społecznych.

low comedy *n. U teor. lit.* komedia bulwarowa.

low-cost [,loʊ'kɔ:st] *a. attr.* tani, oszczędny (= *niekosztowny*).

Low Countries *n.* **the** ~ *hist., geogr.* Niderlandy (= *Holandia, Belgia i Luksemburg*).

low-cut [,loʊ'kʌt] *a.* głęboko wycięty, z dużym dekoltem.

lowdown ['loʊ,daʊn] *a. attr.* **1.** *pot.* podły, drański. **2.** *sl. muz.* funkowy. – *n. U pot.* **give sb the** ~ wyjawić komuś całą prawdę; **get the** ~ dowiedzieć się całej prawdy (*on sb/sth* o kimś/czymś).

low-energy [,loʊ'enərdʒɪ] *a. attr. fiz.* niskoenergetyczny.

lower1 ['laʊər] *a. comp. od* **low 1.** niższy (*t.* = *prymitywny*); obniżony (*zwł. o cenie*); ~ **animals/plants** zwierzęta/rośliny niższe. **2.** *attr.* dolny (*t. geol. i archeol.* = *wczesny, starszy*); położony niżej; ~ **limit** *mat.* granica dolna; **L~ Saxony** *geogr.* Dolna Saksonia; **the** ~ **Mississippi** *geogr.* dolna Missisipi; **the L~ Triassic/Eocene** *geol.* dolny trias/eocen. – *adv. comp. zob.* **low**. – *v.* **1.** obniżać (*t.* = *redukować*), opuszczać; spuszczać, opuszczać (*flagę, żagiel*). **2.** zmniejszać, pomniejszać; osłabiać; ściszać (*dźwięk*). **3.** zmniejszać się, obniżać się, maleć. **4.** *pot.* wychylać, łykać (= *pić*). **5.** *przen.* ~ **one's eyes** spuszczać wzrok *l.* oczy; ~ **one's sights** zniżyć i obniżyć loty; ~ **one's voice (to a whisper)** zniżać głos (do szeptu); ~ **o.s.** poniżać się (*by doing sth* robiąc coś). **6.** ~ **away** *żegl.* spuszczać (*żagiel, łódź na wodę*).

lower2 (*także Br.* **lour**) *v.* **1.** spoglądać groźnie *l.* posępnie (*at/on/upon sb/sth* na kogoś/coś). **2.** wyglądać groźnie *l.* złowieszczo, chmurzyć się (*o niebie*). – *n.* **1.** groźne spojrzenie, mars, marsowa mina. **2.** złowieszczy wygląd (*zwł. nieba l. chmur*).

lower case *n. druk.* **1.** *przest.* część kaszty służąca do przechowywania małych liter. **2.** = **lowercase**.

lowercase [,loʊər'keɪs] *a. druk.* mały (*o literach*). – *n. U* małe litery; **in** ~ małymi literami. – *v.* drukować małymi literami.

lower chamber *n.* = **lower house**.

lower class *n. często pl.* klasa niższa, niższe warstwy społeczne (*t. uj.* = *pospólstwo*).

lower-class [,loʊər'klæs], **lowerclass** *a. gł. attr.* charakterystyczny dla klasy niższej; *uj.* prostacki, nieokrzesany; ~ **life** życie niższych warstw społecznych; ~ **manners** prostackie maniery.

lowerclassman [,loʊər'klæsmən] *n. pl.* **-men** (*także* **underclassman**) *US szkoln.* uczeń pierwszej *l.* drugiej klasy; *uniw.* student pierwszego *l.* drugiego roku (*college'u*).

lower deck *n. żegl.* **1.** dolny pokład. **2. the** ~ (*z czasownikiem w liczbie mnogiej*) załoga (= *marynarze i podoficerowie*).

lower house, Lower House *n.* (*także* **lower chamber**) *parl.* izba niższa.

lowermost ['loʊər,moʊst] *a. form.* najniższy, położony na samym dole.

lower orders *n. pl.* **the** ~ *przest.* klasy niższe, niższe warstwy społeczne.

lower regions *n. pl.* **the** ~ *rel. euf.* państwo podziemne (= *piekło*).

lowest ['loʊɪst] *a. i adv. sup. zob.* **low1**; **reduce to** ~ **terms** *mat.* uprościć (*ułamek*).

lowest common denominator *n. mat.* najmniejszy wspólny mianownik.

lowest common multiple *n. mat.* najmniejsza wspólna wielokrotność.

low explosive *n. techn.* materiał wybuchowy miotający (= *o niskiej sile wybuchu*).

low-fat [,loʊ'fæt] *a. attr.* niskotłuszczowy, o niskiej zawartości tłuszczu (*o diecie, produktach spożywczych*).

low frequency *n. fiz.* mała częstotliwość (*zwł. el. i tel.*); **(very)** ~ **waves** fale o (bardzo) małych częstotliwościach.

low-frequency [,loʊ'fri:kwənsɪ] *a. attr. fiz.* (o)

małej częstotliwości; ~ **amplifier** wzmacniacz małej częstotliwości.

low gear *n. C / U mot.* niski bieg.

Low German *a. i n. U jęz.* (dialekt) dolnoniemiecki.

low-grade [ˌloʊˈgreɪd] *a.* **1.** niskiej jakości, małowartościowy; *górn.* ubogi (*o rudzie, złożu*). **2.** *pat.* niezbyt nasilony (*np. o gorączce*).

low-income [ˌloʊˈɪnkʌm] *a. attr.* o niskich dochodach, mało zarabiający.

low-key [ˌloʊˈkiː], **low-keyed** [ˌloʊˈkiːd] *a.* ściszony; *przen.* cichy (= *przeprowadzony bez rozgłosu*); stonowany, powściągliwy (*np. o wypowiedzi*); przyciemniony (*o tonacji obrazu l. fotografii*).

lowland [ˈloʊlənd] *n.* teren nizinny; *zw. pl. geogr.* nizina, niż, = nizinna część kraju; **the L~s** Nizina Środkowoszkocka. – *a. attr.* nizinny (*o obszarze*); **L~ Scots** *jęz.* nizinna odmiana dialektu szkockiego.

lowlander [ˈloʊləndər] *n.* **1.** mieszkan-iec/ka nizin. **2. L~** mieszkan-iec/ka nizinnej części Szkocji.

lowland fir *n.* (*także* **grand fir**) *bot.* jodła olbrzymia (*Abies grandis*).

lowland rice *n. U roln.* ryż nizinny (*uprawiany na zalewanych polach*).

Low Latin *n. U* (*także* **Medieval Latin**) *hist., jęz.* łacina średniowieczna.

low-level [ˌloʊˈlevl] *a. attr.* **1.** *techn.* niskoaktywny (*o odpadach promieniotwórczych*). **2.** *komp.* niskiego poziomu, podstawowy (*o języku programowania*).

low life *n. pot.* **1.** (*także* **lowlife**) *US pot.* typ spod ciemnej gwiazdy. **2.** *U* szumowiny, męty społeczne.

low-life [ˈloʊˌlaɪf] *a. attr. pot.* podejrzany, spod ciemnej gwiazdy (*o typie*); ~ **company** szemrane towarzystwo.

low-light [ˌloʊˈlaɪt] *a. attr. fot.* wysokoczuły.

lowliness [ˈloʊlɪnəs] *n. U lit.* **1.** skromny stan; niskie pochodzenie. **2.** skromność, prostota.

low-loader [ˌloʊˈloʊdər] *n. mot.* pojazd niskopodwoziowy.

lowly [ˈloʊlɪ] *a.* **-ier, -iest** *lit. cz. żart.* prosty, skromny, zwykły; niskiego pochodzenia; cichy, nienarzucający się. – *adv. rzad.* skromnie, zwyczajnie.

low-lying [ˌloʊˈlaɪɪŋ] *a.* **1.** przygruntowy. **2.** położony tuż nad poziomem morza.

low-maintenance [ˌloʊˈmeɪntənəns] *a. US pot.* tani w utrzymaniu; niewymagający.

Low Mass *n. C / U rz.-kat.* msza zwykła.

low-minded [ˌloʊˈmaɪndɪd] *a.* hołdujący niewybrednym gustom *l.* zainteresowaniom.

low-mindedly [ˌloʊˈmaɪndɪdlɪ] *adv.* niewybrednie.

low-mindedness [ˌloʊˈmaɪndɪdnəs] *n. U* niewyszukane gusta, niewybredność.

low-necked [ˌloʊˈnekt] *a.* z głębokim dekoltem.

lowness [ˈloʊnəs] *n. U* **1.** niskość (*t. przen.* = *niska wartość*). **2.** prostactwo. **3.** nikczemność.

low-paid [ˌloʊˈpeɪd] *a.* nisko *l.* źle płatny (*o zajęciu*); nisko *l.* źle opłacany (*o pracowniku*).

low-pass filter [ˌloʊˌpæs ˈfɪltər] *n. el.* filtr dolnoprzepustowy.

low-pitched [ˌloʊˈpɪtʃt] *a.* **1.** niski, głęboki (*o głosie l. dźwięku*). **2.** o małym spadku (*o dachu*).

low-pressure [ˌloʊˈpreʃər] *a. attr. techn.* niskociśnieniowy.

low profile *n. sing.* **keep a ~** *zob.* **profile** *n.*.

low-profile [ˌloʊˈproʊfaɪl] *a. attr.* unikający rozgłosu; stonowany; ~ **campaign** kampania utrzymana w spokojnym tonie; ~ **politician** polityk unikający rozgłosu.

low-quality [ˌloʊˈkwɑːlətɪ] *a. attr.* niskiej jakości.

low relief *n. C / U sztuka* relief płaski, bas-relief.

low resolution *n. C / U* (*także* **lo-res, low-res**) *komp., telew.* niska rozdzielczość (*obrazu*).

low-rise [ˌloʊˈraɪz] *n. i a. attr.* (budynek) o niewielkiej liczbie kondygnacji (*zw. bez windy*).

low-risk [ˌloʊˈrɪsk] *a. attr.* niskiego ryzyka (*np. o grupie*); bezpieczny (*np. o inwestycji*).

low road *n. przen.* droga występku.

low season *n. U l. sing. zwł. Br.* martwy sezon (*w miejscowości wypoczynkowej*).

low-spirited [ˌloʊˈspɪrɪtɪd] *a.* przygnębiony, przybity, w złym nastroju.

low-spiritedly [ˌloʊˈspɪrɪtɪdlɪ] *adv.* w przygnębieniu.

low-spiritedness [ˌloʊˈspɪrɪtɪdnəs] *n. U* przygnębienie, zły nastrój.

low spirits *n. pl.* przygnębienie, zły nastrój; **be in ~** być przygnębionym *l.* przybitym.

low tech *n.* = **low technology**.

low-tech design [ˌloʊˌtek dɪˈzaɪn] *n. C / U bud.* tradycyjny styl wnętrza (= *celowe unikanie elementów nowoczesnych*).

low technology *n. U* technika tradycyjna (= *prosta, nienowoczesna*).

low-temperature [ˌloʊˈtempərətʃər] *a. attr. fiz., chem.* niskotemperaturowy; ~ **physics** fizyka niskich temperatur.

low-tension [ˌloʊˈtenʃən] *a.* = **low-voltage**.

low tide *n.* **1.** *hydrol.* najniższy poziom odpływu; moment największego odpływu. **2.** *przen.* najniższy punkt, minimum.

low-voltage [ˌloʊˈvoʊltɪdʒ] *a. attr.* (*także* **low-tension**) *el.* niskonapięciowy.

low water *n. U* **1.** *hydrol.* niski stan wód. **2.** *żegl.* woda niska.

low-water mark [ˌloʊˈwɔːtər ˌmɑːrk] *n. żegl.* znak wody niskiej; *przen.* okres niepowodzenia *l.* słabości.

lox[1] [lɑːks] *n. pl.* **-es** *l.* **lox** *C / U zwł. US kulin.* wędzony łosoś.

lox[2] *n. U techn.* ciekły tlen (*zwł. jako materiał pędny*).

loxodromic [ˌlɑːksəˈdrɑːmɪk] *a. żegl., geogr., geom.* loksodromiczny.

loxodromically [ˌlɑːksəˈdrɑːmɪklɪ] *adv.* loksodromicznie.

loxodromic line *n.* (*także* **loxodromic curve**) *geogr., żegl.* loksodroma.

loxodromics [ˌlɑːksəˈdrɑːmɪks] *n. U żegl.* nawigacja po loksodromie.

loyal ['lɔɪəl] *a.* lojalny, wierny (*to sb/sth* wobec kogoś/czegoś); prawomyślny.

loyalism ['lɔɪəˌlɪzəm] *n. U polit.* lojalizm.

loyalist ['lɔɪəlɪst] *n.* lojalist-a/ka.

loyally ['lɔɪəlɪ] *adv.* lojalnie, wiernie.

loyalty ['lɔɪəltɪ] *n. C/U* lojalność, wierność (*to/toward sb/sth* wobec kogoś/czegoś); ~ **oath** przysięga lojalności; **divided loyalties** konflikt lojalności; **vow ~ to sb/sth** ślubować wierność komuś/czemuś.

lozenge ['lɑːzɪndʒ] *n.* **1.** *med.* pastylka do ssania. **2.** romb (*zwł. jako motyw dekoracyjny l. heraldyczny*); ~ **pattern** wzór rombowy.

lozenged ['lɑːzɪndʒd], **lozenge-patterned** [ˌlɑːzɪndʒ'pætərnd] *a.* pokryty wzorem rombowym.

lozenge-shaped [ˌlɑːzɪndʒ'ʃeɪpt] *a.* w kształcie rombu, rombowy, romboidalny.

LP [ˌel 'piː] *abbr. i n. pl.* **LPs** *l.* **LP's** = **long player**.

LPG [ˌel ˌpiː 'dʒiː] *abbr.* **liquefied petroleum gas** *techn.* gaz płynny (*paliwo*).

L-plate ['elˌpleɪt] *n. Br. mot.* tablica z literą L (= *„nauka jazdy"*).

LPN [ˌel ˌpiː 'en], **L.P.N.** *abbr.* **licensed practical nurse** *US* pielęgnia-rz/rka (*po ukończeniu podstawowego kursu pielęgniarskiego*).

LPT [ˌel ˌpiː 'tiː] *abbr.* = **line printer**.

LR [ˌel 'ɑːr] *abbr.* = **living-room**.

LSD [ˌel ˌes 'diː] *abbr. i n. U* **lysergic acid diethylamide** *chem., med.* dietyloamid kwasu lizergowego, LSD.

L.S.D. l.s.d., £sd, LSD *abbr. Br. hist.* **librae, solidi, denarii** *Lat.* funty, szylingi, pensy (= *brytyjski system monetarny do roku 1971*).

Lt., LT *Br.* **Lt** *abbr. wojsk.* = **lieutenant**.

lt. *abbr.* = **light**.

Lt. Col., LTC *Br.* **Lt-Col** *abbr.* **lieutenant colonel** *wojsk.* podpułkownik (*t. w lotnictwie USA*).

Lt. Comdr., LCDR *Br.* **Lt-Cdr** *abbr. wojsk.* **lieutenant commander** kapitan marynarki.

Ltd., ltd. *abbr.* **limited (liability/company)** *gł. Br. handl.* (*po nazwie firmy*) sp. z o.o. (= *spółka z ograniczoną odpowiedzialnością*).

Lt. Gov. *abbr.* **lieutenant governor** *polit.* wicegubernator.

luau [luː'aʊ] *n. US* uczta z hawajskimi potrawami (*zw. na wolnym powietrzu*).

lubber ['lʌbər] *n.* **1.** *przest.* niezgrabiasz, tępy osiłek. **2.** (*także* **land~**) *żegl. pog.* szczur lądowy.

lubber line, lubber's line *n. żegl.* kreska kursowa (*kompasu*).

lube [luːb] *n. pot.* **1.** *U* smar; olej maszynowy. **2.** nasmarowanie, naoliwienie. – *v. pot.* smarować, oliwić (*maszynę, części pojazdu*).

lubricant ['luːbrəkənt] *a.* smarowy, smarujący, zmniejszający tarcie. – *n. C/U* **1.** smar; olej smarowy. **2.** *przen.* coś, co ułatwia działanie *l.* nawiązywanie kontaktów.

lubricate ['luːbrəˌkeɪt] *v.* **1.** smarować, oliwić, natłuszczać. **2.** *US sl.* poić (*sb with sth* kogoś czymś).

lubrication [ˌluːbrə'keɪʃən] *n. U* smarowanie, oliwienie, zmniejszanie tarcia.

lubricative ['luːbrə'keɪtɪv] *a.* = **lubricant**.

lubricator ['luːbrəˌkeɪtər] *n.* **1.** smarowniczy (*robotnik*). **2.** smarownica, oliwiarka, lubrykator.

lubricious [luː'brɪʃəs] *a. form.* **1.** lubieżny, rozpustny; sprośny. **2.** *rzad.* śliski, gładki (*t. przen.* = *sprytny, nieszczerze układny*).

lubriciously [luː'brɪʃəslɪ] *adv. form.* lubieżnie; sprośnie.

lubricity [luː'brɪsətɪ] *n. U* **1.** *techn.* smarowność. **2.** *form.* lubieżność; sprośność. **3.** *rzad.* śliskość, gładkość. **4.** *przen.* spryt.

lubricous ['luːbrəkəs] *a.* = **lubricious**.

lubricously ['luːbrəkəslɪ] *adv.* = **lubriciously**.

lucarne [luː'kɑːrn] *n. bud.* lukarna.

luce [luːs] *n. icht. rzad.* szczupak (*Esox lucius*).

lucency ['luːsənsɪ] *n. U rzad.* **1.** świetlistość, blask. **2.** przejrzystość.

lucent ['luːsənt] *a.* **1.** świetlisty, błyszczący. **2.** przejrzysty.

lucently ['luːsəntlɪ] *adv.* **1.** świetliście. **2.** przejrzyście.

Lucerne [luː'sɝːn] *n. geogr.* Lucerna; **Lake of ~** Jezioro Czterech Kantonów.

lucerne [luː'sɝːn] *n. Br. bot.* = **alfalfa**.

lucid ['luːsɪd] *a.* **1.** jasny (*t. o okresie poprawy w chorobie psychicznej*); klarowny (*o stylu, rozumowaniu, wyjaśnieniu*). **2.** jasno rozumujący; przytomny. **3.** *lit.* świetlisty.

lucidity [luː'sɪdətɪ] *n. U* **1.** jasność, klarowność. **2.** jasność *l.* przytomność umysłu. **3.** *lit.* świetlistość.

lucidly ['luːsɪdlɪ] *adv.* **1.** jasno, klarownie. **2.** przytomnie.

lucidness ['luːsɪdnəs] *n.* = **lucidity**.

Lucifer ['luːsəfər] *n.* **1.** *rel.* Lucyfer (= *Szatan*). **2.** *poet.* gwiazda poranna (= *Wenus*).

lucifer ['luːsəfər] *n. arch.* zapałka.

luciferin [luː'sɪfərɪn] *n. U biochem.* lucyferyna.

luciferous [luː'sɪfərəs] *a. rzad.* światłonośny.

lucite ['luːsaɪt], **Lucite** *n. U techn.* lucyt (*rodzaj szkła organicznego*).

luck [lʌk] *n. U* szczęście (= *pomyślny l. niepomyślny los*), fortuna; powodzenie; ~ **is on sb's side** szczęście komuś sprzyja; **any ~?** *pot.* i jak ci poszło?, udało ci się?; **a run of bad ~** zła passa; **a stroke of ~** szczęśliwy traf, zrządzenie losu; **as ~ would have it...** traf chciał, że..; **bad/poor/rotten ~** pech, pieskie szczęście; **bad/tough/hard ~!** *Br.* a to pech!, masz pecha! (*t. iron.* = *dobrze ci tak*); **beginner's ~** szczęście sprzyjające nowicjuszom; **be in/out of ~** mieć szczęście/pecha; **better ~ next time** następnym razem będzie lepiej; **bring sb (good) ~** przynosić komuś szczęście; **for (good) ~** na szczęście (*np. nosić coś*); **good ~** powodzenie, szczęście; **good ~!** powodzenia!; **good-~ charm** talizman, amulet; **have no ~** nie mieć szczęścia (*at sth/doing sth* w czymś/w robieniu czegoś); **(it's) just my ~** takie już moje szczęście; **it was bad/hard ~ on sb to do sth** pech chciał, że ktoś coś zrobił; **no such ~** *pot.* niestety nie; **pure/sheer ~** czysty przypadek, szczęśliwy traf; **push/crowd one's ~** kusić los, igrać z losem; **sb is down on their ~** komuś się nie wiedzie *l.* nie szczęści (*zwł.*

finansowo); **sb's ~ is in** szczęście komuś dopisuje; **some people have all the ~!** *pot.* niektórzy to mają szczęście!; **stretch one's ~** *zob.* **stretch** *v.*; **the ~ of the devil** (*także* **the devil's own ~**) *emf.* diabelne *l.* piekielne szczęście; **the ~ of the draw** kwestia szczęścia; **the ~ of the game** ślepy traf (*jako czynnik decydujący o powodzeniu*); **trust to ~** zdawać się na los (szczęścia); **try/chance one's ~** próbować szczęścia (*at sth* w czymś); **wish sb good ~/the best of ~** życzyć komuś powodzenia; **with a little bit of ~** (*także* **with any ~**) przy odrobinie szczęścia; **worse ~** *Br. pot.* co gorsza. – *v. US i Can. pot.* **~ into sth** załapać się na coś (= *zdobyć bez wysiłku*); **~ out** mieć fart.

luckily [ˈlʌkɪlɪ] *adv.* szczęśliwie, na szczęście, szczęściem (*for sb* dla kogoś).

luckiness [ˈlʌkɪnəs] *n. U* **1.** przynoszenie szczęścia. **2.** bycie szczęściarzem.

luckless [ˈlʌkləs] *a. lit.* pechowy, niefortunny.

luckpenny [ˈlʌkˌpenɪ] *n. pl.* **-ies** *Br.* grosik na szczęście.

lucky [ˈlʌkɪ] *a.* **-ier, -iest** szczęśliwy (= *przynoszący l. mający szczęście*); pomyślny; **~ break** *zob.* **break**[1] *n.*; **~ charm** talizman; **~ man** szczęściarz; **~ you!** *pot.* ty to masz dobrze!; **be ~** mieć szczęście; **sb was ~ enough to do sth** komuś udało się coś zrobić; **sb's ~ day** czyjś dobry dzień (= *pomyślny*); **sb's ~ number** czyjaś szczęśliwa liczba; **thank one's ~ stars** dziękować losowi; **third time ~** do trzech razy sztuka; **you can count/think yourself ~...** masz szczęście, że..., powinieneś się cieszyć, że...; **you/I will/should be (so) ~!** *iron.* chciał-byś/bym! (= *wątpię, czy ci / mi się uda*). – *adv.* **strike (it) ~** *pot.* mieć fart.

lucky dip *n. Br.* **1.** = **grab bag**. **2.** *przen. pot.* loteria (= *niepewne przedsięwzięcie*).

lucrative [ˈluːkrətɪv] *a.* lukratywny, intratny, zyskowny.

lucratively [ˈluːkrətɪvlɪ] *adv.* z zyskiem.

lucrativeness [ˈluːkrətɪvnəs] *n. U* lukratywność, intratność.

lucre [ˈluːkər] *n. U przest. l. żart.* zysk; **filthy ~** brudny zysk.

lucubrate [ˈluːkjʊˌbreɪt] *v. lit.* ślęczeć po nocach (*zwł. pisząc l. czytając*).

lucubration [ˌluːkjʊˈbreɪʃən] *n.* **1.** *U* mozolne studia *l.* pisanie (*zwł. po nocach*). **2.** *często pl.* elukubracja.

luculent [ˈluːkjʊlənt] *a. rzad.* = **lucid**.

luculently [ˈluːkjʊləntlɪ] *adv.* = **lucidly**.

lud [lʌd] *int.* **1. my ~/m'~** *Br.* wysoki sądzie. **2.** *arch.* przebóg.

Luddism [ˈlʌˌdɪzəm] *n. U Br. hist.* luddyzm.

Luddite [ˈlʌdaɪt] *n. Br. hist.* luddysta (*t. uj.* = *przeciwnik postępu technicznego*).

ludicrous [ˈluːdəkrəs] *a.* niedorzeczny, groteskowy; śmieszny, śmiechu wart.

ludicrously [ˈluːdəkrəslɪ] *adv.* niedorzecznie, groteskowo; śmiesznie.

ludicrousness [ˈluːdəkrəsnəs] *n. U* niedorzeczność, groteskowość; śmieszność.

ludo [ˈluːdoʊ] *n. U Br.* chińczyk (*gra planszowa*).

lues [ˈluːiːz] *n. pl.* **lues** *rzad.* **1.** *pat.* lues (= *choroba weneryczna, zwł. kiła*). **2.** zaraza.

luetic [luːˈetɪk] *a. rzad.* syfilityczny.

luff [lʌf] *n. żegl.* przedni lik (żagla). – *v.* **1.** *żegl.* ustawiać na wiatr (*jacht l. statek podczas manewru ostrzenia*). **2.** *żegl.* łopotać (*o żaglu podczas żeglugi na wiatr*). **3.** podnosić (*wysięgnik żurawia, bom ładunkowy*); opuszczać (*jw.*).

luffa [ˈlʌfə] *n.* = **loofah**.

lug[1] [lʌg] *v.* **-gg- 1. ~ (about/along/around)** taszczyć, wlec (*t. pot. emf.* = *nieść l. prowadzić*). **2.** szarpać, pracować nierówno (*o silniku l. maszynie*). **3. ~ sail** *żegl.* mieć zbyt dużą powierzchnię postawionych żagli; **~ sth into the conversation/discussion** wprowadzać coś na siłę do rozmowy/dyskusji (*zwł. niezwiązaną z tematem kwestię*). – *n.* **1.** wtaszczenie. **2.** szarpnięcie (*silnika*).

lug[2] *n.* **1.** uchwyt, ucho (*do podnoszenia, holowania, naciągania, mocowania*). **2.** (*także* **~hole**) *zwł. Scot. pot.* ucho (*część ciała*). **3.** *pot.* niezguła, niedorajda.

lug[3] *n. żegl.* = **lugsail**.

lug[4] *n. zool.* = **lugworm**.

luge [luːʒ] *sport n.* sanki sportowe; *U* saneczki (*dyscyplina*); **street ~** *gł. US* sankorolka (*ryzykowny sport uprawiany na jezdni*). – *v. sport* uprawiać saneczkarstwo; zjeżdżać na sankach sportowych.

luger [ˈluːʒər] *n. sport* saneczka-rz/rka.

luggage [ˈlʌgɪdʒ] *n. U zwł. Br. i Austr.* bagaż; **hand ~** (*także lotn.* **carry-on ~**) bagaż ręczny *l.* podręczny.

luggage carrier *n.* ręczny wózek bagażowy.

luggage label *n. Br. i Austr.* = **luggage tag**.

luggage rack *n.* **1.** *zwł. Br.* półka na bagaż (*w pociągu, autokarze*). **2.** *US mot.* bagażnik (*na dachu*).

luggage tag *n. US i Can.* naklejka *l.* przywieszka na bagaż.

luggage trolley *n. Br.* = **luggage carrier**.

luggage van *n. Br. kol.* wagon bagażowy.

lugger [ˈlʌgər] *n. żegl.* lugier.

lughole [ˈlʌghoʊl] *n. Br. pot.* = **lug**[2] *n.* 2.

lugsail [ˈlʌgˌseɪl] *n.* (*także* **lug**) *żegl.* żagiel lugrowy.

lugubrious [ləˈguːbrɪəs] *a.* **1.** *form.* żałobny. **2.** *żart. l. iron.* pogrzebowy, ponury, smętny.

lugubriously [ləˈguːbrɪəslɪ] *adv.* **1.** żałobnie. **2.** pogrzebowo, ponuro, smętnie.

lugubriousness [ləˈguːbrɪəsnəs] *n. U* **1.** żałobny nastrój *l.* charakter. **2.** ponuractwo.

lugworm [ˈlʌgˌwɜːm] *n.* (*także* **lug**) *zool.* piaskówka (*Arenicola, wieloszczet osiadły*).

Luke [luːk] *n. t. Bibl.* Łukasz.

lukewarm [ˌluːkˈwɔːrm] *a.* **1.** letni (*o płynie*), ciepławy. **2.** *przen.* letni, chłodny, obojętny (*about sb / sth* wobec kogoś/czegoś).

lukewarmly [ˌluːkˈwɔːrmlɪ] *adv.* chłodno, = bez entuzjazmu.

lukewarmness [ˌluːkˈwɔːrmnəs] *n. U* letniość (*t. uczuć*).

lull [lʌl] *v.* **1.** uciszać, uspokajać (*czyjeś lęki l. podejrzenia*); **~ sb (to sleep)** usypiać kogoś, kołysać kogoś do snu; ~ **sb into a false sense of security** *przen.* uśpić czyjąś czujność; ~ **sb into believing sth** sprawić, że ktoś w coś uwierzy. **2.** cichnąć, uspokajać się (*o wietrze, burzy, hałasie*). – *n. sing.* okres *l.* chwila ciszy; **the ~ before the storm** cisza przed burzą.

lullaby ['lʌləˌbaɪ] *n. pl.* **-ies** kołysanka. – *v.* nucić kołysankę (*komuś*); kołysać (do snu).

lulling ['lʌlɪŋ] *a.* kołyszący, senny.

lullingly ['lʌlɪŋlɪ] *adv.* kołysząco, sennie.

lulu ['lu:lu:] *n. US, Can. i Austr. sl.* **1.** bomba (= *nadzwyczajna osoba l. rzecz*). **2.** niewypał (= *coś bardzo nieudanego*).

lumbago [ləm'beɪgoʊ] *n. U pat.* lumbago, postrzał.

lumbar ['lʌmbər] *a. anat.* lędźwiowy; ~ **plexus/vertebra** splot/kręg lędźwiowy; ~ **region** okolica lędźwiowa.

lumbar puncture *n. C/U med.* nakłucie lędźwiowe, punkcja.

lumber[1] ['lʌmbər] *n. U* **1.** *gł. US i Can.* drewno (*pocięte l. obrobione*), tarcica; ~ **industry** przemysł drzewny; ~ **manufacturing** produkcja drewna; ~ **trade** handel drewnem. **2.** *gł. Br.* rupiecie, graty. – *v.* **1.** ~ **(up)** zagracać (*with sth* czymś). **2.** zrzucać na kupę. **3.** *US i Can.* ciąć, przerabiać na drewno (*drzewa, las*). **4.** *Br. pot.* obarczać, obciążać (*sb with sth* kogoś czymś). **5.** *Austr. pot.* przymknąć, = aresztować.

lumber[2] *v.* **1.** ~ **(along/on/past/by)** wlec się, gramolić się; tarabanić się (*zwł. o pojazdach*). **2.** *przest.* grzmieć.

lumberer ['lʌmbərər] *n. gł. US i Can.* robotnik zatrudniony przy cięciu *l.* obróbce drewna.

lumbering[1] ['lʌmbərɪŋ] *n. U US i Can.* przemysł drzewny; handel drewnem.

lumbering[2] *a.* ociężały; jadący *l.* kroczący z łoskotem, turkocący.

lumberingly ['lʌmbərɪŋlɪ] *adv.* ociężale; z łoskotem.

lumberjack ['lʌmbərˌdʒæk] *n. US i Can.* **1.** drwal. **2.** (*także* **~jacket**) ocieplana kurtka w jaskrawą szachownicę (*noszona przez drwali*).

lumberman ['lʌmbərmən] *n. pl.* **-men** *US i Can.* = **lumberer**.

lumber-room ['lʌmbərˌru:m] *n. Br.* rupieciarnia, lamus.

lumberyard ['lʌmbərˌjɑ:rd] *n. US i Can.* skład drewna.

lumbrical ['lʌmbrɪkl] *a. anat.* glistowaty.

lumbricalis [ˌlʌmbrə'keɪləs] *n. pl.* **lumbricales** [ˌlʌmbrə'keɪli:z] mięsień glistowaty.

lumen ['lu:mən] *n.* **1.** *fiz.* lumen (= *jednostka strumienia świetlnego*); ~ **second** lumenosekunda. **2.** *pl.* **-s** *l.* **lumina** ['lu:mənə] *anat.* światło (= *przewód l. kanalik narządu rurkowatego*); *bot.* jamka (= *zagłębienie w ścianie komórkowej*).

luminance ['lu:mənəns] *n. U* **1.** *fiz.* luminancja, jaskrawość, jasność powierzchniowa. **2.** *form.* jasność, blask.

luminary ['lu:məˌnerɪ] *n. pl.* **-ies** **1.** luminarz (*zwł. nauki l. kultury*), znakomitość. **2.** *poet.* światło niebieskie (= *słońce l. księżyc*). – *a. form.* rozsiewający światło (*t. przen.* = *oświecający*).

luminesce [ˌlu:mə'nes] *v. fiz.* wykazywać luminescencję.

luminescence [ˌlu:mə'nesəns] *n. U t. biol.* luminescencja.

luminescent [ˌlu:mə'nesənt] *a.* **1.** luminescencyjny (*o ekranie, źródle światła*). **2.** *biol.* świetlny (*o narządach*); świecący (*o organizmie, wydzielinie*).

luminiferous [ˌlu:mə'nɪfərəs] *a. rzad.* światłonośny.

luminiferous ether *n. U fiz., astron. przest.* eter kosmiczny.

luminosity [ˌlu:mə'nɑ:sətɪ] *n. U* **1.** świetlistość; *C* jasność (= *jaśniejący punkt l. obiekt*). **2.** *fiz., astron.* jasność; **intrinsic** ~ jasność absolutna (*gwiazdy*).

luminous ['lu:mənəs] *a.* **1.** świecący; fosforyzujący; rozświetlony; jaskrawy. **2.** *fiz.* świetlny, dotyczący światła (*o wielkościach fizycznych*). **3.** *przen.* jasny (= *logiczny, zrozumiały*); wyrażający się jasno.

luminous efficiency *n. fiz.* wydajność luminescencyjna.

luminous energy *n. U fiz.* energia świetlna.

luminous flux *n. U fiz.* strumień świetlny.

luminous intensity *n. U fiz.* natężenie źródła światła.

luminously ['lu:mənəslɪ] *adv.* **1.** świetliście; jaskrawo. **2.** *przen.* jasno (= *zrozumiale*).

luminousness ['lu:mənəsnəs] *n. U* **1.** świetlistość; jaskrawość. **2.** *przen.* jasność (= *zrozumiałość*).

lumme ['lʌmɪ], **lummy** *int. Br. sl. przest.* (o) rety!

lummox ['lʌməks] *n. US pot.* gbur; niezguła.

lump[1] [lʌmp] *n.* **1.** bryłka, grudka; (*także* **sugar ~**) kostka cukru; **in the ~** w jednym kawałku (= *naraz, bez rozdrabniania*). **2.** twardy gruzeł, nierówność; *pat.* guzek; guz; obrzęk, nabrzmienie. **3.** *pl. US pot.* cięgi; **get/take one's ~s** zebrać cięgi. **4.** *pot.* niezguła; tępak. **5. a ~ in one's throat** *przen.* ściskanie w gardle. **6. the ~** (*także* **~ labor/workers**) (*z czasownikiem w liczbie mnogiej*) *Br. pot.* najemni robotnicy budowlani (*zwł. zatrudniani na lewo*). – *v.* **1.** ~ **(together)** pakować, sklejać *l.* zbijać razem, łączyć (*into sth* w coś); *przen.* wrzucać do jednego worka (*as sth* jako coś). **2.** zbrylać się, tworzyć grudki. **3.** ~ **(along)** tarabanić się, gramolić się.

lump[2] *v. pot.* pogodzić się z (*czymś*); ~ **it** wytrzymać; **like it or ~ it** albo to polubisz, albo przywykniesz.

lumpectomy [lʌm'pektəmɪ] *n. pl.* **-ies** *chir.* wycięcie guzka (*zwł. z sutka*).

lumper ['lʌmpər] *n. US* robotnik portowy, doker.

lumpfish ['lʌmpˌfɪʃ] *n. pl.* **-es** *l.* **lumpfish** (*także* **lumpsucker**) *icht.* tasza, zając morski (*Cyclopterus lumpus*).

lumpily ['lʌmpɪlɪ] *adv.* **1.** nierówno, chropowato; gruzłowato. **2.** z grudkami.

lumpiness ['lʌmpɪnəs] *n. U* **1.** nierówność (*po-*

wierzchni), chropowatość; guzowatość, gruzłowatość. **2.** zbrylenie.

lumpish [ˈlʌmpɪʃ] *n. pot.* **1.** niezdarny, niezgrabny, ociężały. **2.** tępy (= *głupkowaty*).

lumpishly [ˈlʌmpɪʃlɪ] *adv.* **1.** niezdarnie, ociężale. **2.** tępo.

lumpishness [ˈlʌmpɪʃnəs] *n. U* **1.** niezdarność, ociężałość. **2.** tępota.

lumpsucker [ˈlʌmpˌsʌkər] *n.* = **lumpfish**.

lump sugar *n. U* cukier w kostkach.

lump sum *n.* (*także* ~ **payment**) jednorazowa wypłata (*dużej sumy pieniędzy*).

lumpy [ˈlʌmpɪ] *a.* **-ier, -iest 1.** nierówny (*np. o łóżku, materacu*); wyboisty; chropowaty; guzowaty, gruzłowaty. **2.** grudkowaty, zbrylony, pełen grudek (*np. o sosie*). **3.** wzburzony (*o morzu*). **4.** o ciężkiej budowie, niezgrabny.

Luna [ˈlu:nə] *n. poet.* księżyc, luna (*t.* = *alchemiczny symbol srebra*).

lunacy [ˈlu:nəsɪ] *n.* **1.** *U przest.* szaleństwo, obłęd (*t. emf.* = *brak rozsądku*); głupota; **sheer** ~ czysty obłęd. **2.** *pl.* **-ies** wariactwo.

luna moth *n. ent.* pawica luna (*Actias luna*).

lunar [ˈlu:nər] *a.* **1.** księżycowy, dotyczący księżyca *l.* Księżyca; ~ **landing** lądowanie na Księżycu; ~ **landscape** *t. przen.* krajobraz księżycowy; ~ **rocks/samples** skały/próbki gruntu pochodzące z Księżyca. **2.** *chem. przest.* zawierający srebro; ~ **caustic** *med.* lapis (= *azotan srebra w postaci laseczek*).

lunar eclipse *n. astron.* zaćmienie księżyca.

lunarian [lu:ˈnerɪən] *n. mit.* mieszkan-iec/ka Księżyca.

lunar module, lunar excursion module *n. astronautyka* moduł księżycowy (*statków serii Apollo*).

lunar month *n.* (*także* **synodic month**) *astron.* miesiąc księżycowy *l.* synodyczny.

lunate [ˈlu:neɪt] *a. anat., bot.* księżycowaty. – *n. anat.* kość księżycowata.

lunatic [ˈlu:nətɪk] *a.* **1.** *przest.* obłąkany (= *umysłowo chory*). **2.** szalony, zwariowany (*o osobie, pomyśle, zachowaniu*); obłąkańczy, wariacki. – *n.* **1.** *przest.* obłąkan-y/a, umysłowo chor-y/a. **2.** *pot.* wariat/ka, szal-eniec/ona, pomyl-eniec/ona.

lunatic asylum *n. przest. l. pog.* dom wariatów.

lunatic fringe *n. z czasownikiem w liczbie pojedynczej l. mnogiej* **the** ~ *Br.* skrajny odłam, skrajne elementy (*ruchu l. partii politycznej*).

lunation [lu:ˈneɪʃən] *n. astron.* lunacja (= *następstwo faz księżyca*).

lunch [lʌntʃ] *n. C/U* **1.** lunch, obiad (*jedzony około południa*); *US* przekąska, lekki posiłek (*of sth* złożony z czegoś) (*jedzony o dowolnej porze*); **bag** *US*/**packed** *Br.* ~ drugie śniadanie (*zabierane do szkoły l. pracy*); suchy prowiant (*zabierany na wycieczkę*); **buffet** ~ stół szwedzki; **business/working** ~ służbowy lunch; **go (out) to/for** ~ iść na lunch; **have** ~ jeść lunch. **2. be out to** ~ *przen. pot.* zachowywać się dziwnie. – *v. form.* **1.** być na lunchu, jeść lunch (*with sb* z kimś). **2.** częstować lunchem. **3.** ~ **(out) on sth** jeść coś na lunch.

lunch box *n.* pojemnik na drugie śniadanie.

lunch break *n.* = **lunch hour**.

lunch counter *n. gł. US i Can.* = **lunchroom**.

luncheon [ˈlʌntʃən] *n. form.* = **lunch**.

luncheon club *n.* **1.** klub organizujący spotkania przy lunchu. **2.** *Br.* stołówka z tanimi posiłkami (*forma pomocy społecznej*).

luncheonette [ˌlʌntʃəˈnet] *n. US i Can.* **1.** lokal serwujący lekkie posiłki. **2.** = **lunchroom**.

luncheon meat *n. U* mielonka (*konserwa*).

luncheon voucher *n. Br.* kupon obiadowy.

lunch hour *n.* (*także* **lunch break**) przerwa na lunch.

lunchroom [ˈlʌntʃˌru:m] *n. gł. US i Can.* **1.** stołówka szkolna. **2.** bufet z przekąskami *l.* lekkimi posiłkami.

lunchtime [ˈlʌntʃˌtaɪm] *n. C/U* pora lunchu *l.* obiadowa; ~ **concert** koncert w południe; **at** ~ w porze lunchu.

lune[1] [lu:n] *n. geom.* strefa powierzchni kuli (*ograniczona przez dwa wielkie półokręgi*); półksiężyc (= *figura ograniczona dwoma łukami okręgów*).

lune[2] *n. sokolnictwo* uwięź (= *linka do trenowania sokoła*).

lunette [lu:ˈnet] *n.* **1.** *bud., wojsk.* luneta, półksiężyc (= *szaniec półkolisty*). **2.** *bud.* świetlik (*zwł. u szczytu sklepienia*). **3.** *bud.* koncha (= *sklepienie niszy*). **4.** (*także* ~ **dune**) *geol.* wydma w kształcie półksiężyca (*na krawędzi misy jeziornej*). **5.** *rz.-kat.* lunula (= *uchwyt na hostię w monstrancji*).

lung [lʌŋ] *n. anat., zool.* płuco; ~ **tissue** *anat.* tkanka płucna; ~ **transplant** *chir.* przeszczep płuca; **have good ~s** (*także* **have a good/healthy pair of ~s**) *żart.* mieć dobre płuca (= *umieć głośno krzyczeć; zwł. o niemowlęciu*).

lung cancer *n. U pat.* rak płuc.

lunge[1] [lʌndʒ] *v.* **1.** *szerm.* zadawać pchnięcie (*at sb* komuś, *with sth* czymś). **2.** ~ **(out)** rzucać się naprzód, atakować. – *n.* **1.** pchnięcie (*bronią białą*). **2.** wypad, skok do przodu.

lunge[2] *n.* (*także* **longe**) *jeźdz.* lonża. – *v.* prowadzić na lonży (*konia*).

lungfish [ˈlʌŋˌfɪʃ] *n. pl.* **-fish** *l.* **-fishes** ryba dwudyszna (*podgromada Dipnoi*).

lungworm [ˈlʌŋˌwɝ:m] *n. zool., wet.* nicień płucny (*Metastrongylus*).

lungwort [ˈlʌŋˌwɝ:t] *n. bot.* miodunka (*Pulmonaria*).

lunisolar [ˌlu:nəˈsoʊlər] *a.* księżycowo-słoneczny (*o kalendarzu*).

lunitidal interval [ˌlu:nəˌtaɪdl ˈɪntərvl] *n.* (*także* **high-water interval**) *hydrol.* opóźnienie maksimum przypływu (*względem minięcia przez Księżyc danego południka Ziemi*).

lunula [ˈlu:njələ] *n. pl.* **lunulae** [ˈlu:njəli:] *anat.* obłączek (*paznokcia*).

lunular [ˈlu:njələr] *a. form.* półksiężycowaty.

lunulate [ˈlu:njəˌleɪt], **lunulated** [ˈlu:njəˌleɪtɪd] *a.* **1.** *bot., zool.* pokryty wzorem drobnych półksiężyców. **2.** = **lunular**.

lunule [ˈlu:nju:l] *n.* = **lunula**.

lupin [ˈlu:pɪn] *n. Br.* = **lupine**.

lupine ['lu:paın] *n.* (*także* **bot.**) łubin (*Lupinus*). – *a. zool.* wilczy.

lupulin ['lu:pjəlın] *n. U med.* lupulina.

lupus ['lu:pəs] *n. U pat.* toczeń.

lupus erythematosus [ˌlu:pəs ˌerəˌθi:mə'tousəs] *n. U pat.* toczeń *l.* liszaj rumieniowaty.

lupus vulgaris [ˌlu:pəs ˌvʌl'gerəs] *n. U pat.* toczeń gruźliczy, wilk.

lurch[1] [lɝ:tʃ] *v.* **1.** przechylać się gwałtownie; chwiać się, chybotać się; jechać *l.* płynąć chybotliwie; ~ **(along/on)** zataczać się, słaniać się, iść chwiejnym krokiem; ~ **(forward)** szarpnąć (naprzód) (*zwł. o pojeździe*); ~ **to a halt** zatrzymać się gwałtownie (*jw.*). **2.** *przen.* pogrążać się (niebezpiecznie) (*into sth* w czymś); ~ **from defeat to defeat** ponosić klęskę za klęską; ~ **from one topic to another** przeskakiwać z tematu na temat. – *n. zw. sing.* **1.** nagły przechył; szarpnięcie (*pojazdu*); **give a** ~ szarpnąć (*o pojeździe*); *przen.* podskoczyć (*o sercu*). **2.** chwiejny chód, zataczanie się, słanianie się.

lurch[2] *n.* **1. be in the** ~ *gra w cribbage* być w dołku (= *przegrywać z liczbą punktów poniżej 30*). **2. leave sb in the** ~ *przen.* zostawić kogoś na lodzie, wystawić kogoś do wiatru. – *v.* **1.** *arch.* wywieść w pole. **2.** *arch.* okraść, ogołocić (*sb / sth of sth* kogoś/coś z czegoś).

lurch[3] *v. arch. l. dial.* czaić się, skradać się.

lurch[4] *v. arch.* pożerać, połykać.

lurcher ['lɝ:tʃər] *n.* **1.** *arch.* złodziejaszek; kłusownik. **2.** *kynol.* pies kłusowniczy (= *mieszaniec owczarka szkockiego i charta l. spaniela*).

lure [lʊr] *n.* **1.** *zw. sing.* powab; urok, czar. **2.** *myśl.* przynęta; wabik (*zwł. do przywabiania sokoła*); *ryb.* sztuczna przynęta; **fly** ~ sztuczna mucha. – *v.* **1.** ~ **sb (on)** wabić kogoś (*into sth* w coś); nęcić *l.* kusić kogoś. **2.** *myśl.* przywabiać (*sokoła*). **3.** ~ **sb away from sth** odrywać kogoś od czegoś (*zwł. od pracy l. obowiązków*).

Lurex ['lʊreks] *n. U tk.* lureks.

lurgy ['lɝ:dʒı] *n. sing. Br. i Austr. żart. pot.* choróbsko.

lurid ['lʊrəd] *a.* **1.** drastyczny, sensacyjny (*np. o opisach zdarzeń w prasie brukowej*); okrutny, krwawy (*o opowieści, życiu, zbrodni*); ponury, upiorny; ~ **details** szokujące szczegóły. **2.** krzykliwy (*o kolorach, strojach*). **3.** upiornie blady, woskowy. **4.** nienaturalnie jasny *l.* świecący; rozjaśniony łuną (*o niebie, chmurach, dymie*). **5.** *bot., zool.* brązowy z odcieniem czerwonym *l.* purpurowym.

luridly ['lʊrədlı] *adv.* wzbudzając zgrozę *l.* sensację.

luridness ['lʊrədnəs] *n. U* drastyczność, sensacyjność (*opisu*); okrucieństwo, groza (*sytuacji*).

lurk [lɝ:k] *v.* czaić się, czyhać (*t. przen.* = *pozostawać niewidocznym*); trzymać się na uboczu; ~ **in the shadows** czaić się w cieniu. – *n. Austr. sl.* przekręt (= *nielegalny interes*). – *a. attr.* **1.** skryty, nie w pełni uświadomiony (*o podejrzeniach, wątpliwościach, obawach*). **2.** majaczący (*np. o cieniu, zarysie postaci*).

Lusatia [lʊ'seıʃıə] *n. geogr.* Łużyce.

Lusatian [lʊ'seıʃən] *a. t. jęz.* łużycki. – *n.* **1.** Łużyczan-in/ka. **2.** *U* **Upper/Lower** ~ *jęz.* język górnołużycki/dolnołużycki.

luscious ['lʌʃəs] *a.* **1.** smakowity; soczysty; dostarczający rozkosznych wrażeń (*zwł. smakowych l. węchowych*). **2.** *pot.* zmysłowy, pociągający. **3.** *arch.* ckliwy, przesłodzony.

lusciously ['lʌʃəslı] *adv.* **1.** smakowicie; rozkosznie. **2.** zmysłowo.

lusciousness ['lʌʃəsnəs] *n. U* **1.** smakowitość; rozkoszność. **2.** przyjemność zmysłowa; zmysłowość.

lush[1] [lʌʃ] *a.* **1.** bujny (*o roślinności, łące, pastwisku*); dorodny (*zwł. o owocu*); obfity. **2.** luksusowy (*np. o hotelu, restauracji*); wykwintny, kunsztowny.

lush[2] *US i Can. sl. n.* ochlapus, moczymorda. – *v.* chlać (= *nadużywać alkoholu*).

lushly ['lʌʃlı] *adv.* **1.** bujnie; dorodnie. **2.** luksusowo; wykwintnie.

lushness ['lʌʃnəs] *n. U* **1.** bujność. **2.** wykwintność.

lust [lʌst] *n. C / U* pożądanie (*for sb / sth* kogoś/czegoś) (*zwł. seksualne*), chuć; żądza, pragnienie (*of / for sth* czegoś); **a** ~ **for life** chęć używania życia; **curb one's** ~ hamować swoje pożądanie; **gratify one's** ~**s** czynić zadość swoim żądzom; **the** ~ **of battle** zapał bitewny. – *v.* ~ **after/for sb/sth** *często uj.* pożądać *l.* pragnąć kogoś/czegoś.

luster ['lʌstər], *Br.* **lustre** *n.* **1.** *U l. sing.* połysk; blask (*zwł. klejnotów*); **adamantine/dull/vitreous** ~ *min.* połysk diamentowy/matowy/szklisty. **2.** *U l. sing. przen.* blask, splendor, polor; **add** ~ **to sth** dodawać czemuś blasku *l.* splendoru. **3.** kandelabr, żyrandol (*dekorowany wisiorkami z kryształu l. szkła*). **4.** wisiorek z kryształu *l.* szkła. **5.** *C / U ceramika* lustr; ~ **decoration** zdobienie lustrem. **6.** = **lustrum**. – *v.* **1.** nadawać połysk (*czemuś*), nabłyszczać. **2.** *ceramika* pokrywać lustrem.

lustering ['lʌstərıŋ] *n. U tk.* lustryna (= *błyszcząca tkanina jedwabna*).

lusterless ['lʌstərləs] *a.* **1.** pozbawiony blasku; bez połysku, matowy. **2.** *przen.* bez poloru.

lusterware ['lʌstərˌwer] *n. U ceramika* lustr (*zbiorowo = wyroby zdobione lustrem*).

lustful ['lʌstfʊl] *a.* **1.** *form.* pożądliwy. **2.** *arch.* krzepki, zdrowy.

lustfully ['lʌstfʊlı] *adv.* pożądliwie.

lustily ['lʌstılı] *adv.* krzepko, z wigorem.

lustiness ['lʌstınəs] *n. U* krzepa, wigor.

lustral ['lʌstrəl] *a.* **1.** *rel.* lustralny, oczyszczający (*o obrzędach*). **2.** *gł. hist.* pięcioletni (*o okresie*).

lustrate ['lʌstreıt] *v. rel.* oczyszczać rytualnie.

lustration [ˌlʌ'streıʃən] *n. C / U rel.* obrzęd oczyszczenia.

lustre ['lʌstər] *Br.* = **luster**.

lustring ['lʌstrıŋ] *n. Br.* = **lustering**.

lustrous ['lʌstrəs] *a.* **1.** połyskliwy, lśniący. **2.** *przen.* pełen blasku *l.* splendoru.

lustrously ['lʌstrəslı] *adv.* **1.** połyskliwie, lśniąco. **2.** *przen.* ze splendorem, wspaniale.

lustrum ['lʌstrəm] *n. pl.* **-s** *l.* **lustra** ['lʌstrə] *hist.* okres pięcioletni (*zwł. w starożytnym Rzymie*).

lusty ['lʌstɪ] *a.* **-ier, -iest** krzepki, pełen wigoru.

lutanist ['lu:tənɪst] *n.* = **lutenist**.

lute[1] [lu:t] *n. muz.* lutnia.

lute[2] *n. U* (*także* **luting**) *techn.* kit uszczelniający (*zwł. hydrauliczny*). – *v.* uszczelniać kitem (*złącze*).

luteal ['lu:tɪəl] *a. fizj.* dotyczący (powstawania) ciałka żółtego.

lutein ['lu:ti:ən] *n. U biochem.* luteina.

luteinizing hormone [ˌlu:təˌnaɪzɪŋ 'hɔ:rmoʊn], *Br. i Austr. zw.* **luteinising hormone** *n.* (*także* **LH**) *biochem.* hormon luteinizujący, lutropina.

lutenist ['lu:tənɪst], **lutanist** *US i Can. t.* **lutist** ['lu:tɪst] *n. muz.* lutnist-a/ka.

luteotropic hormone [ˌlu:tɪəˌtrɑ:pɪk 'hɔ:rmoʊn], *Br.* **luteotrophic hormone** [ˌlu:tɪəˌtrɑ:fɪk 'hɔ:rmoʊn] *n. biochem.* hormon luteotropowy (= *prolaktyna*).

luteous ['lu:tɪəs] *a. rzad.* zielonkawożółty.

lutestring ['lu:tˌstrɪŋ] *n.* = **lustering**.

lutetium [lʊ'ti:ʃəm] *n. U chem.* lutet.

Lutheran ['lu:θərən] *rel. a.* luterański. – *n.* luteran-in/ka.

Lutheran Church *n. kośc.* Kościół ewangelicko-augsburski.

Lutheranism ['lu:θərənˌɪzəm] *n. U* luteranizm.

luthern ['lu:θərn] *n. bud.* okno mansardowe.

luting ['lu:tɪŋ] *n.* **1.** = **lute**[2] *n.* **2.** (*także* ~ **paste**) *kulin.* pasek ciasta do wyklejenia brzegu formy.

lutist ['lu:tɪst] *n. US i Can.* = **lutenist**.

lutz [lʊts] *n. łyżwiarstwo figurowe* lutz.

luv [lʌv] *n. Br. i Austr. pot. voc.* kochanie; skarbie.

luvvy ['lʌvɪ], **luvvie** *n. pl.* **-ies** **1.** = **lovey**. **2.** *pot. uj. l. żart.* sztucznie zachowując-y/a się aktor/ka.

lux [lʌks] *n. pl.* **lux** *fiz.* luks (= *jednostka natężenia oświetlenia*).

luxate ['lʌkseɪt] *v. pat. form.* zwichnąć, wywichnąć.

luxation [lʌk'seɪʃən] *n. C/U* zwichnięcie.

Luxembourg ['lʌksəmˌbɝ:g] *n. geogr.* Luksemburg.

Luxembourger ['lʌksəmˌbɝ:gər] *n.* Luksembur-czyk/ka.

Luxembourgian ['lʌksəmˌbɝ:gɪən] *a. i n. U* (język) luksemburski.

luxuriance [lʌg'ʒʊrɪəns] *n. U* **1.** bujność; płodność; obfitość. **2.** kwiecistość.

luxuriant [lʌg'ʒʊrɪənt] *a.* **1.** bujny; płodny, żyzny; obfity. **2.** kwiecisty, ozdobny (*o stylu, środkach wyrazu*).

luxuriantly [lʌg'ʒʊrɪəntlɪ] *adv.* **1.** bujnie; płodnie; obficie. **2.** kwieciście.

luxuriate [lʌg'ʒʊrɪˌeɪt] *v.* **1.** ~ **in sth** rozkoszować się czymś. **2.** pławić się w zbytku. **3.** rozrastać się bujnie.

luxurious [lʌg'ʒʊrɪəs] *a.* **1.** luksusowy (*t.* = *doskonałej jakości*), kosztowny, zbytkowny; wystawny (*o stylu życia*), wykwintny (*o upodobaniach*). **2.** *arch.* rozwiązły.

luxuriously [lʌg'ʒʊrɪəslɪ] *adv.* **1.** luksusowo, kosztownie; wystawnie, wykwintnie. **2.** *arch.* rozwiąźle.

luxuriousness [lʌg'ʒʊrɪəsnəs] *n. U* zbytkowność, wystawność.

luxury ['lʌgʒərɪ] *n. C/U pl.* **-ies** luksus (*t.* = *zbyteczna wygoda, przedmiot zbytku, produkt luksusowy*), zbytek; ~ **goods/items** towary/artykuły luksusowe; ~ **hotel/car** luksusowy hotel/samochód; **can't afford the ~ of (doing) sth** *przen.* nie móc sobie pozwolić na luksus (zrobienia) czegoś; **lead/live a life of ~** prowadzić dostatnie życie; **live in (the lap of) ~** żyć w luksusie.

LW [ˌel 'dʌblju:] *abbr.* = **long wave**.

lycanthrope ['laɪkənˌθroʊp] *n. mit.* wilkołak.

lycanthropic [ˌlaɪkən'θrɑ:pɪk] *a.* przypominający wilkołaka; dotyczący wilkołactwa.

lycanthropy [laɪ'kænθrəpɪ] *n. U mit.* wilkołactwo, likantropia (*t. pat. - rodzaj urojenia*).

lycée [li:'seɪ] *n. szkoln.* liceum, państwowa szkoła średnia (*zwł. we Francji*).

lyceum [laɪ'sɪəm] *n.* **1.** (*gł. w nazwach budynków*) centrum kultury (= *miejsce wykładów, koncertów, spotkań dyskusyjnych*). **2.** *US* towarzystwo krzewienia kultury *l.* oświaty. **3.** = **lycée**. **4. the L~** *hist.* Likejon (= *gimnazjon ateński*).

lychee ['li:tʃɪ] *n.* (*także* **litchi**) *bot., kulin.* liczi (*Litchi chinensis*).

lych gate *n.* = **lich gate**.

Lycia ['lɪʃɪə] *n. hist.* Licja, Likia.

Lycian ['lɪʃɪən] *a. hist., jęz.* licyjski. – *n.* **1.** Licyj-czyk/ka. **2.** *U* język licyjski.

lycopod ['laɪkəˌpɑ:d] *n. bot.* widłak (*rząd Lycopodiales*).

lycopsid ['laɪkɑ:psəd] *n. bot.* widłak (*typ Lycopodophyta = Lycopsida*).

Lycra ['laɪkrə] *n. U tk.* lycra.

Lydia ['lɪdɪə] *n. hist.* Lidia.

Lydian ['lɪdɪən] *a. hist., jęz., muz.* lidyjski. – *n.* **1.** Lidyj-czyk/ka. **2.** *U* język lidyjski.

lye [laɪ] *n. C/U* ług; **soda/potash ~** *chem.* ług sodowy/potasowy.

lying ['laɪɪŋ] *v. zob.* **lie**[1, 2].

lying-in [ˌlaɪɪŋ'ɪn] *n. pl.* **lyings-in** *med. przest.* połóg; ~ **hospital** szpital położniczy.

lyke-wake ['laɪkˌweɪk] *n. Br. przest.* czuwanie przy zwłokach.

Lyme disease ['laɪm dɪˌzi:z] *n. U pat.* borelioza, choroba z Lyme (= *krętkowica kleszczowa*).

lyme grass *n. U bot.* wydmuchrzyca piaskowa (*Elymus arenarius*).

lymph [lɪmf] *n.* **1.** *U fizj.* limfa, chłonka. **2.** *arch.* źródło, krynica; *U* woda źródlana.

lymphatic [lɪm'fætɪk] *a.* **1.** *fizj.* limfatyczny. **2.** *przest.* flegmatyczny, o typie fizycznym = słabowity. – *n.* (*także* ~ **vessel**) *anat.* naczynie limfatyczne.

lymphatic system *n. anat.* układ limfatyczny.

lymphatic tissue *n.* = **lymphoid tissue**.

lymph cell *n.* = **lymphocyte**.

lymph node *n.* (*także* **lymph gland**) *anat.* węzeł chłonny *l.* limfatyczny.

lymphoblast ['lɪmfəˌblæst] *n. pat.* limfoblast.

lymphoblastic [ˌlɪmfəˈblæstɪk] *a. pat.* limfoblastyczny (*zwł. o białaczce*).

lymphocyte [ˈlɪmfəˌsaɪt] *n.* (*także* **lymp cell**) limfocyt, krwinka biała.

lymphocytic [ˌlɪmfəˈsɪtɪk] *a.* limfocytowy.

lymphocytosis [ˌlɪmfəsaɪˈtoʊsɪs] *n. U pat.* limfocytoza.

lymphoid [ˈlɪmfɔɪd] *a. fizj., anat.* limfoidalny (*t. = limfatyczny*).

lymphoid tissue *n. U* (*także* **lymphatic tissue**) tkanka limfatyczna *l.* limfoidalna.

lymphoma [lɪmˈfoʊmə] *n. pl.* **-s** *l.* **lymphomata** *pat.* chłoniak.

lyncean [lɪnˈsiən] *a. rzad.* **1.** rysi. **2.** = **lynx-eyed**.

lynch [lɪntʃ] *v.* zlinczować (*zwł. przez powieszenie*), dokonać samosądu na (*kimś*).

lyncher [ˈlɪntʃər] *n.* uczestni-k/czka linczu.

lynchet [ˈlɪntʃɪt] *n. Br.* miedza (*rozdzielająca pola orne*); *gł. archeol.* wąski taras na zboczu wzgórza (*ślad dawnych upraw*).

lynching [ˈlɪntʃɪŋ], **lynch law** *n. U* lincz; samosąd.

lynch mob *n. sing.* tłum dokonujący linczu.

lynchpin [ˈlɪntʃˌpɪn] *n.* = **linchpin**.

lynx [lɪŋks] *n. pl.* **-es** *l.* **lynx** **1.** *zool.* ryś (*Lynx*). **2. L~** *astron.* Ryś (*gwiazdozbiór*).

lynx-eyed [ˌlɪŋksˈaɪd] *a.* bystry jak ryś.

lyolysis [laɪˈɑːlɪsɪs] *n. U chem.* lioliza.

Lyon [liːˈɑːn], **Lyons** *n. geogr.* Lyon (*we Francji*).

Lyon King of Arms [ˌlaɪən ˌkɪŋ əv ˈɑːrmz] *n.* (*także* **Lord Lyon**) *her.* główny heraldyk Szkocji.

lyophilic [ˌlaɪəˈfɪlɪk] *a. chem.* liofilowy.

lyophilize [laɪˈɑːfəˌlaɪz], *Br. i Austr. zw.* **lyophilise** *v. techn.* liofilizować.

lyophobic [ˌlaɪəˈfoʊbɪk] *a. chem.* liofobowy.

Lyra [ˈlaɪrə] *n. astron.* Lutnia (*gwiazdozbiór*).

lyrate [ˈlaɪreɪt], **lyrated** [ˈlaɪreɪtɪd] *a. zool., bot.* lirowaty.

lyre [laɪr] *n. muz.* lira (*antyczna l. średniowieczna*).

lyrebird [ˈlaɪrˌbɝːd] *n. orn.* lirogon (*Menura*).

lyric [ˈlɪrɪk] *a.* liryczny (*t. o głosie śpiewaka*). – *n.* **1.** *teor. lit.* utwór liryczny. **2.** *pl. zob.* **lyrics**.

lyrical [ˈlɪrɪkl] *a.* **1.** = **lyric**. **2.** wylewnie entuzjastyczny; **wax ~** rozpływać się (w zachwytach) (*about sth* nad czymś).

lyrically [ˈlɪrɪklɪ] *adv.* lirycznie.

lyricalness [ˈlɪrɪklnəs] *n.* = **lyricism**.

lyricism [ˈlɪrɪˌsɪzəm] *n. U* liryzm, liryczność.

lyricist [ˈlɪrɪsɪst] *n.* **1.** autor/ka tekstów (*piosenek*), tekścia-rz/rka. **2.** liry-k/czka, poet-a/ka liryczn-y/a.

lyric poetry *n. U* poezja liryczna.

lyrics [ˈlɪrɪks] *n. pl.* tekst, słowa (*piosenki*).

lyrist *n.* **1.** [ˈlaɪrɪst] *muz.* lirni-k/czka. **2.** [ˈlɪrɪst] = **lyricist** 2.

lysergic acid diethylamide [laɪˌsɝːdʒɪk ˌæsɪd daɪˌeθəˈlæmaɪd] *n. chem.* dietyloamid kwasu lizergowego (= *LSD*).

lysine [ˈlaɪsiːn] *n. U biochem.* lizyna (*aminokwas*).

lysis [ˈlaɪsəs] *n. C/U pl.* **lyses** [ˈlaɪsiːz] **1.** *fizj.* niszczenie *l.* rozpuszczanie komórek, liza. **2.** *med.* ustępowanie, zanikanie (*objawów choroby*).

lysol [ˈlaɪsɔːl], **Lysol** *n. U chem., med.* lizol.

lysosome [ˈlaɪsəˌsoʊm] *n. fizj.* lizosom.

lysozym [ˈlaɪzəzaɪm], **lysozyme** *n. biochem.* lizozym (*enzym*).

lytic [ˈlɪtɪk] *a. fizj.* niszczący, rozpuszczający (*o działaniu przeciwciał, limfocytów l. bakteriofagów*).

M [em], **m** *n. pl.* **-'s** *l.* **-s** [emz] M, m (*litera l. głoska*).

M [em] *abbr.* **1.** = **million**. **2.** *fin.* = **mark(s)**. **3.** *handl.* **medium (size)** rozmiar średni (*odzieży*). **4. motorway** *Br.* autostrada; **the M4** autostrada nr 4.

m *abbr.* **1.** = **meter(s)**. **2.** = **mile(s)**. **3.** = **minute(s)**.

M. *abbr.* **1.** = **Monday**. **2.** = **Majesty**. **3.** = **marquis**. **4.** = **morphine**.

m. *abbr.* **1. male** mężczyzna. **2. married** żonaty; mężatka. **3.** *jęz.* = **masculine**. **4.** *geogr.* = **meridian**.

MA [ˌem 'eɪ] *abbr.* = **Massachusetts**.

Ma [mɑː] *n.* **1.** (*także* **ma**) *pot.* mama. **2.** *voc. pot. cz. pog.* babciu (*do starszej kobiety*). **3.** *US dial. przest.* = **Mrs**.

M.A. [ˌem 'eɪ] *abbr.* **1.** = **Master of Arts**. **2.** = **Military Academy**.

ma'am [mæm] *n. voc.* **1.** *US pot.* proszę pani. **2.** *Br.* sposób zwracania się do Królowej (*t. do wysokiej rangą kobiety służącej w armii l. policji; t. hist. – do kobiety wysoko urodzonej*).

MAC [ˌem ˌeɪ 'siː] *abbr.* **1. maximum allowable concentration** *fiz.* najwyższe dopuszczalne stężenie. **2. minimum anesthetic concentration** *med.* minimalne stężenie anestetyczne. **3. multi-access computer** *komp.* komputer wielodostępny.

Mac[1] [mæk] *n. voc.* (*także* **m~**) *US, Can. i Scot. pot.* szefie.

Mac[2] *n. komp. pot.* = **Macintosh**.

mac [mæk], **mack** *n. Br. pot.* = **mackintosh**.

macabre [mə'kæbrə] *a.* **1.** makabryczny. **2. danse ~** taniec śmierci.

macaco [mə'kɑːkoʊ] *n. pl.* **-s** *zool.* lemur mokok, akumba (*Lemur macaco*).

macadam [mə'kædəm] *n. U* nawierzchnia tłuczniowa, makadam.

macadamia [ˌmækə'deɪmɪə] *n. bot.* **1.** makadamia, zwł. trójlistna (*Macadamia, zwł. M. ternifolia*). **2.** (*także* **~ nut**) jadalny orzech drzewa jw.

macadamize [mə'kædəˌmaɪz], *Br. i Austr. zw.* **macadamise** *v.* pokrywać nawierzchnią tłuczniową, utwardzać tłuczniem (*drogę*).

macaque [mə'kɑːk] *n. pl.* **-s** *l.* **macaque** *zool.* makak (*rodzaj Macaca*).

macaroni [ˌmækə'roʊnɪ] *n.* **1.** *U kulin.* makaron (*rurki*). **2.** *pl.* **-s** *pl.* **-es** *Br. hist.* dandys naśladujący wzory kontynentalne (*w XVIII w.*).

macaronic [ˌmækə'rɑːnɪk] *gł. hist. lit. a.* makaroniczny. – *n. pl.* wiersze makaroniczne.

macaroni cheese *n. U kulin.* makaron zapiekany w sosie serowym.

macaroon [ˌmækə'ruːn] *n. kulin.* makaronik (*ciasteczko*).

Macassar [mə'kæsər] *n. U* (*także* **~ oil**) *hist.* rodzaj oliwy do włosów.

Macau [mə'kaʊ], **Macao** *n. geogr.* Makao.

macaw [mə'kɔː] *n. pl.* **-s** *l.* **macaw** *orn.* ara żółtoskrzydła (*Ara macao*); ara hiacyntowa (*Anodorhynchus hyacinthinus*).

Maccabean [ˌmækə'biːən] *n. Bibl.* machabejski.

Maccabees ['mækəˌbiːz] *n. pl. Bibl.* Machabeusze.

maccaboy ['mækəˌbɔɪ], **maccabaw** *n. U* makuba (= *odmiana tabaki zaprawiana olejkiem różanym*).

Mace [meɪs] *n. U US* gaz łzawiący.

mace[1] [meɪs] *n.* **1.** *hist.* buzdygan. **2.** buława (*jako oznaka urzędu*). **3.** wczesna odmiana kija bilardowego.

mace[2] *n. U kulin.* gałka muszkatołowa (*przyprawa*).

macebearer ['meɪsˌberər] *n.* funkcjonariusz noszący buławę (*w uroczystych pochodach*).

macédoine [ˌmæsə'dwɑːn] *n. U kulin.* **1.** sałatka jarzynowa (*podawana t. na ciepło*). **2.** sałatka owocowa (*podawana w galaretce l. z syropem*). **3.** *lit.* mieszanina, mieszanka.

Macedonia [ˌmæsɪ'doʊnɪə] *n. geogr., hist.* Macedonia.

Macedonian [ˌmæsɪ'doʊnɪən] *a.* macedoński. – *n.* **1.** Macedo-ńczyk/nka. **2.** *U* język macedoński.

macer ['meɪsər] *n.* = **macebearer**.

macerate ['mæsəˌreɪt] *v.* **1.** *kulin.* macerować. **2.** umartwiać (*przez post*); odchudzać. **3.** *rzad.* schudnąć, zeszczupleć.

maceration [ˌmæsə'reɪʃən] *n. U* **1.** *kulin.* macerowanie. **2.** umartwianie; odchudzanie.

Mach [mɑːk], **mach** *n.* (*także* **~ number**) *fiz., lotn.* liczba Macha (= *prędkość w stosunku do prędkości dźwięku*).

machete [mə'ʃetɪ] *n.* maczeta.

Machiavellian [ˌmækɪə'velɪən], **Machiavelian** *a. polit.* makiaweliczny, makiawelski.

Machiavellianism [ˌmækɪə'velɪəˌnɪzəm], **Machiavellism** *n. U polit.* makiawelizm.

machicolate [mə'tʃɪkəˌleɪt] *v. bud., hist.* zaopatrywać w machikuły (*mur obronny*).

machicolation [məˌtʃɪkə'leɪʃən] *n. bud., hist.* machikuła.

machinate ['mækə,neɪt] *v.* knuć.

machinations [,mækə'neɪʃən] *n. pl.* machinacje, knowania, intrygi.

machinator ['mækə,neɪtər] *n.* intrygant/ka.

machine [mə'ʃi:n] *n.* **1.** maszyna (*t. = komputer; t. pot. = auto; t. uj. o osobie*); automat (*np. do sprzedaży napojów l. słodyczy*); **sewing ~** maszyna do szycia; **simple ~** *fiz.* maszyna prosta; (*także* **answering ~**) (automatyczna) sekretarka; (*także* **washing ~**) pralka (automatyczna), automat. **2.** *przen.* machina; **party/propaganda/war ~** machina partyjna/propagandowa/wojenna. – *v.* **1.** obrabiać maszynowo. **2.** zszywać na maszynie (*kawałki materiału*).

machineable [mə'ʃi:nəbl], **machinable** *a.* nadający się do obróbki maszynowej.

machine bolt *n.* śruba maszynowa.

machine code *n. C / U komp.* kod maszynowy.

machine gun *n. broń* karabin maszynowy. – *v.* **-nn-** (*także* **machine-gun**) **1.** ostrzeliwać z karabinu maszynowego. **2.** zastrzelić z karabinu maszynowego.

machine head *n. muz.* maszynka (*np. w gitarze*).

machine language *n. C / U komp.* język maszynowy.

machine-made [mə,ʃi:n'meɪd] *a.* wykonany maszynowo.

machine pistol *n. broń* pistolet maszynowy.

machine-readable [mə,ʃi:n'ri:dəbl] *a. komp.* nadający się do automatycznego przetwarzania.

machinery [mə'ʃi:nərɪ] *n. U* **1.** maszyneria; maszyny. **2.** *t. przen.* mechanizm, mechanizmy (*of sth* (funkcjonowania) czegoś) (*np. władzy*). **3.** *teor. lit.* środki literackie (*zwł. w poezji epickiej*).

machine shop *n.* warsztat mechaniczny.

machine tool *n. mech.* obrabiarka.

machine translation *n. U komp.* tłumaczenie maszynowe *l.* automatyczne.

machine-wash [mə,ʃi:n'wɔ:ʃ], **machine wash** *v. zw. pass.* prać w pralce.

machine-washable [mə,ʃi:n'wɔ:ʃəbl] *a.* nadający się do prania w pralce.

machinist [mə'ʃi:nɪst] *n.* **1.** operator/ka (*maszyny*); tokarz. **2.** konstruktor/ka maszyn. **3.** mechanik (*dokonujący napraw*).

machismo [mɑ:'tʃi:zmoʊ] *n. U* agresywna męskość; przesadna męska duma.

macho ['mætʃoʊ] *a. pot.* samczy, przesadnie męski. – *n. pl.* **-s** (*także* **~ man**) macho.

Macintosh ['mækɪn,tɑ:ʃ] *n.* (*także pot.* **Mac**) *komp.* komputer typu Apple Macintosh.

macintosh ['mækɪn,tɑ:ʃ] *n.* = **mackintosh**.

mack1 [mæk] *n. Br.* = **mackintosh**.

mack2 *n. sl.* alfons.

mackerel ['mækrəl] *n. pl.* **-s** *l.* **mackerel** *icht.* **1.** makrela (*Scomber*). **2. holy ~!** *zob.* **holy** *a.* 4.

mackerel breeze *n. żegl.* mocna bryza.

mackerel shark *n. icht.* ostronos (*Isurus oxyrinchus*).

mackerel sky *n. dial.* niebo usiane barankami; baranki na niebie.

mackinaw ['mækə,nɔ:] *n.* (*także* **M~ coat**) *gł. US i Can.* dwurzędowa kurtka z kraciastego koca.

mackintosh ['mækɪn,tɑ:ʃ], **macintosh** *n.* **1.** gumowany płaszcz nieprzemakalny. **2.** peleryna, płaszcz przeciwdeszczowy.

mackle ['mækl] *n. druk.* **1.** zamazany *l.* podwójny obraz. **2.** poplamiony arkusz.

macle ['mækl] *n. min.* **1.** kryształ bliźniaczy, bliźniak. **2.** *U* chiastolit.

macramé ['mæcrə,meɪ], **macrame** *n. U* makrama.

macro ['mækroʊ] *n. pl.* **-s** *komp.* makro.

macrobiotic [,mækrəbaɪ'ɑ:tɪk] *a. kulin.* makrobiotyczny (*o diecie, kuchni*).

macrobiotics [,mækrəbaɪ'ɑ:tɪks] *n. U* makrobiotyka.

macrocephalic [,mækrəsɪ'fælɪk] *a. pat.* makrocefaliczny, wielkogłowy.

macrocephaly [,mækrə'sefəlɪ] *a. U pat.* makrocefalia, wielkogłowie.

macrocosm ['mækrə,kɑ:zəm] *n.* **1.** makrokosmos. **2. the ~** wszechświat.

macroeconomic [,mækroʊ,i:kə'nɑ:mɪk] *a.* makroekonomiczny.

macroeconomics [,mækroʊ,i:kə'nɑ:mɪks] *n. U* makroekonomia (*nauka*).

macroeconomy [,mækroʊɪ'kɑ:nəmɪ] *n. U* makroekonomia, gospodarka w skali makro.

macron ['meɪkrɑ:n] *n. jęz.* znak długości (*nad samogłoską*).

macula ['mækjələ] *n. pl.* **maculae** ['mækjəli:] **1.** *anat.* plamka; (*także* **~ lutea**) plamka żółta (*siatkówki*). **2.** *astron.* plama (*na Słońcu l. Księżycu*). **3.** *zool.* plama, cętka.

macular ['mækjələr] *a. anat.* plamkowy, dotyczący plamki.

maculate *a.* ['mækjələt] **1.** cętkowany, nakrapiany. **2.** *przen.* splamiony. – *v.* ['mækjəleɪt] **1.** nakrapiać. **2.** *przen.* splamić.

maculation [,mækjə'leɪʃən] *n. U* **1.** *zool.* cętki. **2.** *arch. l. lit.* skaza.

mad [mæd] *a.* **-dd- 1.** szalony (*t. przest. = chory umysłowo*), zwariowany (*o osobie, pomyśle*); **~ with grief/rage** oszalały z bólu/wściekłości; **(as) ~ as a hatter** (*także* **(as) ~ as a March hare**) *emf.* zupełnie *l.* kompletnie zwariowany; **be ~ about sb/sth** *Br. pot.* szaleć za kimś, mieć bzika na czyimś punkcie; **be ~ about sth** *Br. pot.* mieć bzika na punkcie czegoś; **drive sb ~** doprowadzać kogoś do szału *l.* obłędu; **go ~** zwariować, oszaleć; **he/you must be ~!** *Br. pot.* chyba zwariował/eś!; **like ~** jak szalony *l.* oszalały; **(stark) raving ~** kompletnie szalony; *w złoż.* **be sex-/football-~** mieć bzika na punkcie seksu/futbolu. **2.** *attr.* dziki (*np. o pośpiechu, panice*). **3.** *zwł. US i Can. pot.* wściekły (*t. = chory na wściekliznę*) (*at / with sb* na kogoś); **go ~** wściec się; **hopping/boiling ~** (*także* **~ as hell**) wściekły jak diabli *l.* jak cholera. – *adv. Br. pot.* strasznie (*= bardzo*); **be ~ keen on sth** mieć bzika *l.* fioła na punkcie czegoś, przepadać za czymś. – *v.* **-dd-** *US l. arch. Br.* **1.** doprowadzać do obłędu. **2.** oszaleć. **3.** zachowywać się jak obłąkany.

Madagascan [ˌmædəˈgæskən] *a.* madagaskarski. – *n.* mieszkan-iec/ka Madagaskaru.

Madagascar [ˌmædəˈgæskər] *n. geogr.* Madagaskar.

madam [ˈmædəm] *n. pl.* **-s** *l.* **mesdames** [meɪˈdɑːm] **1.** *voc.* proszę pani; **Dear M~** Szanowna Pani (*w liście*); **M~ President/Chairman** (Szanowna) Pani Prezydent/Przewodnicząca; **yes/no ~** tak/nie, proszę pani. **2.** burdelmama. **3.** *Br. przest. pot.* wielka dama (*uj. o młodej dziewczynie, która zachowuje się zbyt dorośle i próbuje rozkazywać innym*).

madame [məˈdæm], **Madame** *n. pl.* **mesdames** [meɪˈdɑːm] *Fr.* pani (*przed nazwiskiem zamężnej Francuzki l. jako forma grzecznościowa*).

madcap [ˈmædˌkæp] *a. attr.* zwariowany, wariacki (*o pomyśle, planie*). – *n.* postrzelona osoba, wariat/ka.

mad cow disease *n. U wet. pot.* choroba szalonych krów.

madden [ˈmædən] *v. zw. pass.* przyprawiać o obłęd, doprowadzać do szału; rozwścieczać.

maddening [ˈmædənɪŋ] *a.* bardzo denerwujący *l.* irytujący.

madder[1] [ˈmædər] *n. U* **1.** *bot.* marzana barwierska (*Rubia tinctorum*); kłącze marzany. **2.** alizaryna (*barwnik*). **3.** *chem.* kraplak, lak krapowy. **4.** ciemnoczerwony odcień purpury.

madder[2] *a. comp. zob.* **mad**.

madding [ˈmædɪŋ] *n. arch.* **1.** szalejący. **2.** = **maddening**.

made [meɪd] *v. pret. i pp.* **1.** *zob.* **make** *v.*; **be ~ of/from sth** być zrobionym z czegoś. **2.** *przen.* **be ~ of money** *pot.* być bardzo bogatym; **sb wasn't ~ for sth** *Br.* ktoś nie został do czegoś stworzony (*zwł. do określonego rodzaju pracy*); **they are/were ~ for each other** są dla siebie stworzeni; **we'll see what he's (really) ~ of** *pot.* zobaczymy, ile naprawdę jest wart. – *a.* **1.** sztucznie wyprodukowany. **2.** *w złoż.* **hand~** robiony ręcznie; **ready-~** gotowy. **3. have (got) it ~** *przen. pot.* być dobrze ustawionym (*finansowo*).

Madeira [məˈdiːərə] *n.* **1.** *geogr.* Madera. **2.** *U* madera (*wino*).

mademoiselle [ˌmædəmwəˈzel] *n. pl.* **mesdemoiselles** [ˌmeɪdəmwəˈzel] *Fr.* panna (*przed nazwiskiem niezamężnej Francuzki l. jako forma grzecznościowa*).

made-to-measure [ˌmeɪdtəˈmeʒər] *a. zwł. Br.* szyty na miarę.

made-to-order [ˌmeɪdtəˈɔːrdər] *a. zwł. US* robiony na zamówienie.

made-up [ˌmeɪdˈʌp] *a.* **1.** wymyślony (*o historii, opowieści*). **2.** umalowany (*= z makijażem*). **3.** gotowy (*= niewymagający składania, przygotowywania itp.*).

madhouse [ˈmædhaʊs] *n. przest. l. przen.* dom wariatów.

madia [ˈmædɪə] *n. bot.* maziczka (*Madia*).

madly [ˈmædlɪ] *adv.* **1.** szalenie, obłędnie; **~ in love** zakochany do szaleństwa. **2.** jak szalony, gorączkowo, z obłędem w oku.

madman [ˈmædˌmæn] *n. pl.* **-men** wariat, obłąkany; szaleniec; **like a ~** jak szalony.

madness [ˈmædnəs] *n. U* **1.** *t. przen.* szał, szaleństwo; obłęd; **it would be (sheer) ~ to try to do it** byłoby (czystym) szaleństwem próbować to zrobić; **there's a method to his/her/their ~** (*także Br.* **there's method in his/her ~**) w tym szaleństwie jest metoda. **2.** wściekłość. **3.** *pot.* wścieklizna.

Madonna [məˈdɑːnə] *n.* **1. the ~** *rel.* Madonna. **2.** *sztuka* madonna.

Madonna lily *n. pl.* **-ies** *bot.* lilia biała (*Lilium candidum*).

madras [ˈmædrəs] *n.* **1.** *U tk.* madras. **2.** szal z madrasu. **3.** *C / U kulin.* pikantne curry mięsne.

madrasa [məˈdræsə], **madrasah** *n. islam* medresa.

madrepore [ˈmædrəˌpɔːr] *n. zool.* koral madreporowy (*Madrepora*).

Madrid [məˈdrɪd] *n. geogr.* Madryt.

madrigal [ˈmædrəgl] *n. muz.* madrygał.

madrigalian [ˌmædrəˈgælɪən] *a. muz.* madrygałowy.

madwoman [ˈmædˌwʊmən] *n. pl.* **-women** [ˈmædˌwɪmɪn] wariatka, obłąkana.

Maecenas [maɪˈsiːnəs] *n. rzad.* mecenas (*literacki, artystyczny*).

maelstrom [ˈmeɪlstrəm] *n.* **1.** wir (*wodny*). **2.** *przen.* burza, zamęt.

maenad [ˈmiːnæd], **menad** *n. mit. l. przen.* menada.

maestro [ˈmaɪstroʊ] *n. pl.* **-s** *l.* **maestri** [ˈmaɪstriː] *gł. muz.* maestro, mistrz.

mae west [ˌmeɪ ˈwest], **Mae W~** *n. US lotn. sl.* kamizelka ratunkowa (*w czasie II wojny św.*).

maffick [ˈmæfɪk] *v. Br. arch.* szumnie świętować; hałaśliwie się cieszyć.

Mafia [ˈmɑːfɪə], **mafia** *n. t. przen.* **the ~** mafia (*zwł. sycylijska l. amerykańska*).

mafioso [ˌmɑːfɪˈoʊsoʊ] *n. pl.* **-s** *l.* **mafiosi** [ˌmɑːfɪˈoʊsiː] mafiozo, członek mafii.

mag [mæg] *n. Br. pot.* = **magazine** 1.

magazine [ˈmægəˌziːn] *n.* **1.** czasopismo, pismo (*ilustrowane*), magazyn. **2.** *radio, telew.* magazyn (*program*). **3.** magazynek (*w broni palnej, przezroczy*). **4.** *film* kaseta. **5.** *wojsk.* magazyn *l.* skład amunicji *l.* materiałów wybuchowych.

magdalen [ˈmægdəlɪn], **magdalene** [ˈmægdəliːn] *n. lit.* nawrócona jawnogrzesznica.

mage [meɪdʒ] *n. arch.* mag.

magenta [məˈdʒentə] *n. i a. attr. t. druk.* magenta (*= kolor purpuroworóżowy*).

maggot [ˈmægət] *n.* **1.** *ent.* czerw. **2.** *arch.* kaprys, zachcianka.

maggoty [ˈmægətɪ] *a.* **-ier, -iest** **1.** robaczywy. **2.** *sl.* zalany w trupa (*= pijany*). **3.** *Austr. sl.* wkuty (*= wściekły*).

Maghreb [ˈmɑːgreb], **Maghrib** *n. geogr.* Maghreb, kraje Maghrebu.

Magi [ˈmeɪdʒaɪ] *n. pl.* **1.** *zob.* **Magus**. **2. the (three) ~** *Bibl.* Trzej Królowie, Mędrcy ze Wschodu.

magic [ˈmædʒɪk] *n. U t. przen.* magia; czary; sztuczki magiczne; cuda; **as if by ~** (*także* **like ~**) jak za dotknięciem czarodziejskiej różdżki;

do/work ~ działać *l.* czynić cuda; **work like** ~ działać *l.* chodzić jak złoto (*o urządzeniu*); działać cudownie (*o metodzie*); **work one's** ~ **on sb** oczarować kogoś. – *a. attr.* magiczny; cudowny; czarodziejski, zaczarowany; ~ **charm/spell** magiczne zaklęcie; ~ **trick** sztuczka magiczna; ~ **word** zaczarowane *l.* magiczne słowo; **there is no** ~ **formula** nie ma cudownej recepty (*for sth* na coś). – *v.* **-ck-** *Br.* **1.** zaczarować. **2.** ~ **(up)** wyczarować. **3.** ~ **sb/sth away** (jak) za pomocą czarów sprawić, że ktoś/coś zniknie.

magical [ˈmædʒɪkl] *a.* **1.** magiczny, czarodziejski. **2.** cudowny (= *bardzo przyjemny*).

magically [ˈmædʒɪklɪ] *adv.* **1.** magicznie, czarodziejsko. **2.** cudownie.

magical realism *n.* = **magic realism**.

magic bullet *n. przen. pot.* cudowny środek, panaceum.

magic carpet *n.* latający dywan.

magic eye *n. radio przest. pot.* magiczne oko.

magician [məˈdʒɪʃən] *n. t. przen.* **1.** sztukmistrz, magik; iluzjonist-a/ka. **2.** czarodziej; czarownik, czarnoksiężnik.

magic lantern *n.* latarnia magiczna.

Magic Marker *n.* zakreślacz.

magic mushroom *n. pot.* grzybek halucynogenny.

magic number *n. fiz.* liczba magiczna.

magic realism *n. U* (*także* **magical realism**) *sztuka, teor. lit.* realizm magiczny.

magic square *n. mat.* kwadrat magiczny.

magic wand *n. t. przen.* różdżka czarodziejska.

magilp [məˈgɪlp] *n.* = **megilp**.

magisterial [ˌmædʒɪˈstiːrɪəl] *a. gł. attr. form.* **1.** władczy (*np. o stylu, głosie*); dyktatorski. **2.** autorytatywny (*np. o książce, opracowaniu*). **3.** *prawn.* sądowy (*w odniesieniu do sądów niższej instancji*).

magisterially [ˌmædʒɪˈstiːrɪəlɪ] *adv.* **1.** władczo. **2.** autorytatywnie.

magisterialness [ˌmædʒɪˈstiːrɪəlnəs] *n. U* **1.** władczość. **2.** autorytatywność.

magisterium [ˌmædʒɪˈstiːərɪəm] *n. U rz.-kat.* magisterium (= *nauczanie Kościoła*).

magistracy [ˈmædʒɪstrəsɪ] *n. pl.* **-ies** *admin., prawn.* **1.** *C/U* stanowisko sędziego pokoju; okres sprawowania urzędu przez sędziego pokoju; **the** ~ sędziowie pokoju (*zbiorowo*), władza sądownicza najniższej instancji. **2.** obwód podlegający jurysdykcji sędziego pokoju.

magistral [ˈmædʒɪstrəl] *a.* **1.** władczy. **2.** *med.* na receptę (*o lekarstwie*). – *n.* (*także* ~ **line**) *fortyfikacje* magistrala.

magistrate [ˈmædʒɪˌstreɪt] *n. admin., prawn.* **1.** sędzia pokoju. **2.** urzędnik administracyjno-sądowy.

magistrates' court [ˈmædʒɪˌstreɪts ˌkɔːrt] *n. Br. prawn.* sąd najniższej instancji (*w Anglii i Walii*).

magma [ˈmægmə] *n. U geol.* magma.

magna cum laude [ˌmægnə kum ˈlaudeɪ] *a. i adv. zob.* **cum laude**.

magnanimity [ˌmægnəˈnɪmətɪ] *n. U* wielkoduszność, wspaniałomyślność.

magnanimous [mægˈnænəməs] *a.* wielkoduszny, wspaniałomyślny.

magnanimously [mægˈnænəməslɪ] *adv.* wielkodusznie, wspaniałomyślnie.

magnate [ˈmægneɪt] *n.* **1.** *hist.* magnat. **2.** *przen.* magnat, potentat; **newspaper/oil** ~ magnat prasowy/naftowy.

magnesia [mægˈniːʒə] *n. U chem.* magnezja; **milk of** ~ *med.* mleczko magnezjowe.

magnesian [mægˈniːʒən] *a. chem.* magnezjowy.

magnesite [ˈmægnɪˌsaɪt] *n. U min.* magnezyt.

magnesium [mægˈniːzɪəm] *n. U chem.* magnez.

magnet [ˈmægnɪt] *n. t. przen.* magnes.

magnet crane *n. techn.* suwnica z uchwytem magnetycznym.

magnetic [mægˈnetɪk] *a.* **1.** *fiz. techn.* magnetyczny. **2.** *przen.* przyciągający jak magnes, zniewalający.

magnetically [mægˈnetɪklɪ] *adv.* **1.** magnetycznie. **2.** *przen.* jak magnes, zniewalająco.

magnetic card *n.* karta magnetyczna.

magnetic disk *n. komp.* dysk magnetyczny.

magnetic field *n. fiz.* pole magnetyczne.

magnetic guidance *n. U wojsk.* magnetyczne naprowadzanie na cel (*pociskami*).

magnetic head *n. t. komp.* głowica magnetyczna.

magnetic north *n. U geogr.* północ magnetyczna.

magnetic pole *n.* biegun magnetyczny.

magnetic resonance imaging *n. U* (*także* **MRI**) *med.* obrazowanie techniką magnetycznego rezonansu jądrowego.

magnetic tape *n.* taśma magnetyczna.

magnetism [ˈmægnəˌtɪzəm] *n. t. przen.* magnetyzm.

magnetite [ˈmægnəˌtaɪt] *n. U min.* magnetyt.

magnetization [ˌmægnətəˈzeɪʃən], *Br. i Austr. zw.* **magnetisation** *n. U* magnetyzacja.

magnetize [ˈmægnəˌtaɪz], *Br. i Austr. zw.* **magnetise** *v.* **1.** *t. przen.* magnetyzować. **2.** przyciągać jak magnes.

magneto [mægˈniːtoʊ] *n. pl.* **-s** **1.** *el.* magneto, iskrownik. **2.** *tel.* induktor.

magnetoelectric [mægˌniːtoʊɪˈlektrɪk] *a. el.* elektromagnetyczny.

magnetogenerator [mægˌniːtoʊˈdʒenəˌreɪtər] *n. el.* induktor, prądnica ze stałymi magnesami.

magnetometer [ˌmægnəˈtɑːmətər] *n. fiz.* magnetometr.

magnetomotive [mægˌniːtoʊˈmoʊtɪv] *a.* magnetomotoryczny.

magnetron [ˈmægnɪˌtrɑːn] *n. el.* magnetron.

magnet school *n. US szkoln.* szkoła przyciągająca uczniów poszerzonym programem z danego przedmiotu.

magnific [mægˈnɪfɪk], **magnifical** *a. arch.* **1.** wzniosły. **2.** wspaniały.

magnification [ˌmægnəfəˈkeɪʃən] *n.* **1.** *U opt.* powiększanie. **2.** *opt., fot.* powiększenie.

magnificence [mæg'nɪfɪsəns] *n. U* wspaniałość; okazałość.

magnificent [mæg'nɪfɪsənt] *a.* wspaniały; okazały.

magnificently [mæg'nɪfɪsəntlɪ] *adv.* wspaniale; okazale.

magnifico [mæg'nɪfəˌkoʊ] *n. pl.* **-es** **1.** *hist.* wielmoża wenecki. **2.** *przen.* magnat, potentat.

magnifier ['mægnəˌfaɪr] *n.* szkło powiększające, lupa.

magnify ['mægnəˌfaɪ] *v.* **-ied, -ying** **1.** *t. opt.* powiększać. **2.** wyolbrzymiać (*zwł. problemy*). **3.** *form.* potęgować (*np. napięcia, negatywne skutki*). **4.** *rel. form.* wysławiać, sławić (*Boga*).

magnifying glass ['mægnəˌfaɪɪŋ ˌglæs] *n.* szkło powiększające, lupa.

magniloquence [mæg'nɪləkwəns] *n. rzad.* górnolotność.

magniloquent [mæg'nɪləkwənt] *a. rzad.* górnolotny.

magnitude ['mægnɪˌtu:d] *n. C/U* **1.** *t. astron., fiz., mat.* wielkość. **2.** *przen.* waga, rozmiary (*np. problemu*).

magnolia [mæg'noʊlɪə] *n. bot.* magnolia (*Magnolia*).

magnum ['mægnəm] *n. pl.* **-s** butelka wina o pojemności 1,5 l.

magnum opus [ˌmægnəm 'oʊpəs] *n. sing.* dzieło życia (*danego pisarza, artysty*).

magpie ['mægˌpaɪ] *n. orn.* **1.** sroka (*Pica*). **2.** *pot.* gaduła.

Magus ['meɪgəs], **magus** *n. pl.* **Magi** ['meɪdʒaɪ] **1.** *hist.* Mag (*w starożytnej Persji*); **the (three) Magi** *zob.* **Magi**. **2.** mag; czarownik.

Magyar ['mægjɑ:r] *n.* **1.** Madziar/ka; Węgier/ka. **2.** *U* język węgierski. – *a.* madziarski; węgierski.

maharaja [ˌmɑ:hə'rɑ:dʒə], **maharajah** *n. Ind.* maharadża.

maharanee [ˌmɑ:hə'rɑ:ni:], **maharani** *n. Ind.* **1.** żona maharadży. **2.** królowa *l.* udzielna księżna w randze maharadży.

maharishi [ˌmɑ:hə'rɪʃɪ] *n. hinduizm* nauczyciel (*duchowy*).

Mahican [mə'hi:kən] *t. arch.* **Mohican** *n. pl.* **-s** *l.* **Mahican** **1.** Mohikan-in/ka. **2.** *U* język mohikański.

mahjong [ˌmɑ:'ʒɑ:ŋ], **mahjongg** *n. U* madżong (*gra chińska*).

mahlstick ['mɑ:lˌstɪk] *n.* = **maulstick**.

mahogany [mə'hɑ:gənɪ] *n.* **1.** *pl.* **-ies** *bot.* mahoń (*rodzaj Swietenia*). **2.** *U* mahoń, drewno mahoniowe. **3.** *U* kolor mahoniowy. – *a.* **1.** mahoniowy, z mahoniu. **2.** koloru mahoniowego.

Mahometan [mə'hɑ:mətən] *przest. n.* mahometan-in/ka. – *a.* mahometański.

Mahometanism [mə'hɑ:mətənˌɪzəm] *n. U* mahometanizm.

mahout [mə'haʊt] *n.* poganiacz słoni (*w płd. i płd.-wsch. Azji*).

maid [meɪd] *n.* **1.** służąca. **2.** (*także* **chamber~**) pokojówka. **3.** *arch. l. lit.* dziewczę, dziewczyna, panna; **old ~** *przest.* stara panna.

maiden ['meɪdən] *n.* **1.** panna. **2.** *arch. l. lit.* dziewczę; dziewica. **3.** *jeźdz.* koń, który nie wygrał jeszcze żadnego biegu. **4.** (*także* **clothes ~**) *płn. Br. dial.* statyw do suszenia odzieży. **5.** *Scot. hist.* gilotyna używana w Edynburgu w XVI i XVII w. – *a. attr.* **1.** dziewiczy; **~ voyage/flight** dziewiczy rejs/lot. **2.** panieński; **~ blush** panieński rumieniec. **3.** niezamężny; **~ aunt** niezamężna ciotka. **4.** nowiutki, jeszcze nieużywany (*o przedmiocie*); niewypróbowany, niesprawdzony (*np. o żołnierzu, szlaku*).

maidenhair ['meɪdənˌher] *n. U* (*także* **~ fern**) *bot.* adiantum (*Adiantum*).

maidenhair tree *n. bot.* miłorząb japoński (*Ginkgo biloba*).

maidenhead ['meɪdənˌhed] *n. lit.* wianek (= *hymen*); *U* dziewictwo.

maidenhood ['meɪdənˌhʊd] *n. U* **1.** panieństwo. **2.** dziewictwo.

maidenly ['meɪdənlɪ] *a.* dziewczęcy, panieński.

maiden name *n.* nazwisko panieńskie.

maiden over *n. krykiet* seria rzutów bez zaliczenia biegu.

maiden speech *n. Br. parl.* mowa inauguracyjna (*nowego posła*).

maid-in-waiting [ˌmeɪdɪn'weɪtɪŋ] *n. hist.* panna z fraucymeru.

maid of all work *n. t. przen.* dziewczyna do wszystkiego.

maid of honor, *Br.* **maid of honour** *n.* **1.** *US i Can.* główna druhna (*na ślubie*). **2.** = **maid-in-waiting**. **3.** *Br. kulin.* ciasteczko migdałowe.

Maid of Orléans [ˌmeɪd əv 'ɔ:rlɪənz] *n. hist.* Dziewica Orleańska (= *Joanna d'Arc*).

maidservant ['meɪdˌsɝ:vənt] *n. przest.* służąca.

maieutic [meɪ'ju:tɪk] *a. fil.* sokratyczny (*o metodzie*).

maigre ['meɪgər] *a. rz.-kat.* **1.** bezmięsny. **2.** postny.

maihem ['meɪhem] *n.* = **mayhem**.

mail[1] [meɪl] *n. U* poczta; **by ~** pocztą; **(sb got sth/sth came) in the ~** (ktoś dostał coś/coś przyszło) pocztą; **through the ~** za pośrednictwem poczty. – *a. attr.* pocztowy. – *v. gł. US* **1.** przesyłać *l.* wysyłać pocztą. **2.** nadawać na poczcie; wrzucać do skrzynki (*pocztowej*).

mail[2] *n. U* **1.** (*także* **chain ~**) *hist.* kolczuga. **2.** *zool.* pancerz, skorupa (*np. żółwia, homara*). – *v. hist.* przyodziewać w kolczugę.

mailable ['meɪləbl] *a.* nadający się do wysłania pocztą.

mailbag ['meɪlˌbæg] *n.* **1.** worek pocztowy. **2.** torba listonosza.

mailbox ['meɪlˌbɑ:ks] *n. US i Can.* **1.** skrzynka na listy (*zw. przed domem*). **2.** skrzynka pocztowa (*na ulicy, na poczcie*). **3.** *komp.* skrzynka (*w poczcie elektronicznej*).

mailcar ['meɪlˌkɑ:r] *n. US i Can. kol.* wagon pocztowy.

mail carrier *n. US i Can.* listonosz/ka, doręczyciel/ka.

mailcoach ['meɪlˌkoʊtʃ] *n. Br.* **1.** *kol.* wagon pocztowy. **2.** *hist.* dyliżans.

mail drop *n. US i Can.* **1.** pojemnik, otwór *l.*

rynna na dostarczaną pocztę. **2.** adres do korespondencji (*inny od adresu zamieszkania*).

mailed fist *n. US lit.* zbrojna pięść.

mailer ['meɪlər] *n.* **1.** osoba wysyłająca *l.* adresująca pocztę. **2.** *US i Can.* maszyna do stemplowania *l.* adresowania poczty.

mailing list ['meɪlɪŋ ˌlɪst] *n. handl., komp.* lista adresowa *l.* wysyłkowa.

maillot [mɑː'joʊ] *n.* **1.** trykot (*gimnastyczki, tancerki*). **2.** kostium kąpielowy (*zw. jednoczęściowy*).

mailman ['meɪlˌmæn] *n. pl.* **-men** *US i Can.* listonosz.

mail merge *n. U komp.* korespondencja seryjna.

mail order *n. handl.* **1.** *U* sprzedaż wysyłkowa; **by ~** wysyłkowo. **2.** zamówienie pocztowe.

mail-order catalog [ˌmeɪlˌɔːrdər 'kætəˌlɔːg] *n. handl.* katalog sprzedaży wysyłkowej.

mail-order company *n.* (*także* **mail-order firm/house**) *handl.* przedsiębiorstwo zajmujące się sprzedażą wysyłkową.

mailshot ['meɪlˌʃɑːt] *n. Br.* = **mass mailing.**

mail slot *n. US i Can.* = **mailbox** 1, 2.

maim [meɪm] *v. t. przen.* okaleczyć.

Main [meɪn] *n. geogr.* Men (*rzeka*).

main[1] [meɪn] *a. attr.* **1.** główny; najważniejszy; **the ~ thing is...** najważniejsze to... **2. by ~ force/strength** *przen.* z całej siły, z całych sił. – *n.* **1.** *techn., kol., el.* magistrala. **2.** *pl.* sieć (*elektryczna, gazowa, wodna*); **gas/water ~s** gazociąg/wodociąg. **3.** *U* **in the ~** głównie; na ogół, przeważnie. **4. with might and ~** *zob.* **might**[2] *n.* **5. the ~** *arch. l. poet.* otwarte morze, ocean. **6.** *arch.* = **mainland.**

main[2] *n.* **1.** walka kogutów. **2.** rzut kostkami (*w grze w kości*). **3.** zawody (*np. bokserskie, łucznicze*).

main clause *n. gram.* zdanie główne.

main course *n.* (*także* **main dish**) *kulin.* danie główne.

main deck *n. żegl.* główny pokład.

main drag *n.* **the ~** *US pot.* główna ulica.

Maine [meɪn] *n. US geogr.* stan Maine.

mainframe ['meɪnˌfreɪm] *n. komp.* duży system komputerowy.

mainland ['meɪnlənd] *n.* **the ~** ląd stały; kontynent. – *a. attr.* kontynentalny; **~ China** Chiny kontynentalne; **~ Europe** kontynent europejski.

main line *n.* **1.** *kol.* magistrala. **2.** *US* droga główna.

mainline ['meɪnˌlaɪn] *a. attr.* uznany, o ustalonej pozycji. – *v. sl.* **1.** wstrzykiwać sobie (*narkotyk*). **2.** dawać sobie w żyłę.

mainly ['meɪnlɪ] *adv.* głównie; na ogół, przeważnie.

mainmast ['meɪnˌmæst] *n. żegl.* grotmaszt.

mainsail ['meɪnˌseɪl] *n. żegl.* grot, grotżagiel.

mainspring ['meɪnˌsprɪŋ] *n.* **1.** główna sprężyna (*w zegarze*). **2. the ~ of sth** *form.* siła napędowa czegoś.

mainstay ['meɪnˌsteɪ] *n.* **1.** *żegl.* forsztag, sztag dziobowy. **2.** *przen.* podstawa (*np. gospodarki, czyichś dochodów*); filar (*podpora*) (*instytucji, organizacji; o osobie*). **3.** *wojsk.* główna siła, trzon (*armii, lotnictwa*).

mainstream ['meɪnˌstriːm] *n.* **the ~** główny *l.* dominujący nurt. – *a. gł. attr.* należący do głównego nurtu; **~ cinema/politics** główny nurt kinematografii/polityki.

Main Street *n. US* **1.** główna ulica (*prowincjonalnego miasta*). **2.** *U przen.* przeciętni Amerykanie (*z prowincji*).

maintain [meɪn'teɪn] *v.* **1.** utrzymywać (*np. rodzinę, dom, stosunki, poziom, wagę*); podtrzymywać (*np. życie, związki*). **2.** utrzymywać w dobrym stanie, konserwować (*budynki, maszyny, drogi*). **3.** twierdzić, utrzymywać (*that* że); upierać się *l.* obstawać przy (*czymś*), zapewniać o (*czymś*); **he ~ed his innocence** zapewniał o swej niewinności, uparcie twierdził, że jest niewinny. **4.** zachowywać; **~ one's independence/position** zachowywać niezależność/pozycję.

maintainable [meɪn'teɪnəbl] *a.* dający się utrzymać *l.* podtrzymać.

maintenance ['meɪntənəns] *n. U* **1.** utrzymywanie (*np. tempa, kierunku*). **2.** *techn.* obsługa techniczna, serwis; konserwacja; **~ man/worker** konserwator. **3.** *Br. prawn.* alimenty; alimentacja.

maintenance contract *n.* umowa serwisowa.

maintenance fee *n. US i Can.* opłata za utrzymanie, remonty itp. (*mieszkania własnościowego*).

maintenance order *n. Br. prawn.* nakaz alimentacji.

maintop ['meɪnˌtɑːp] *n. żegl.* grotmars.

main yard *n. żegl.* grotreja.

Mainz [maɪnts] *n. geogr.* Moguncja.

maiolica [mə'jɑːləkə] *n.* = **majolica.**

maisonette [ˌmeɪzə'net], **maisonnette** *n. Br.* mieszkanie z osobnym wejściem (*często dwupoziomowe*).

maître d' [ˌmeɪtrə 'diː], **maître d'hôtel** [ˌmeɪtrə doʊ'tel] *n. pl.* **maîtres d'(hôtel) 1.** kierownik sali (*w restauracji*). **2.** kamerdyner. **3.** dyrektor hotelu; właściciel hotelu.

maître d'hôtel butter [ˌmeɪtrə doʊˌtel 'bʌtər] *n. U kulin.* topione masło z pietruszką i sokiem cytrynowym.

maize [meɪz] *n. U Br. bot., roln.* kukurydza (*Zea mays*).

Maj. *abbr. wojsk.* mjr (= *major*).

majestic [mə'dʒestɪk] *a.* majestatyczny.

majestically [mə'dʒestɪklɪ] *adv.* majestatycznie.

majesty ['mædʒəstɪ] *n. pl.* **-ies 1.** *U* majestatyczność, majestat. **2.** Her/His/Your M~, Jej/Jego/Wasza Królewska Mość.

majolica [mə'dʒɑːləkə], **maiolica** [mə'jɑːləkə] *n. U* majolika. – *a. attr.* majolikowy, z majoliki.

major ['meɪdʒər] *a.* **1.** *gł. attr.* większy; ważny, ważniejszy, znaczący; poważny, poważniejszy; **~ operation** poważna operacja. **2.** *prawn.* pełnoletni. **3.** *muz.* durowy; **C ~** C-dur. **4.** *US uniw.* główny, kierunkowy (*o przedmiocie studiów*). **5.** *Br. przest. szkoln.* starszy (*z dwóch braci chodzących do tej samej szkoły*); **Smith ~** starszy z braci Smith. – *n.* **1.** (*także* **M~**) *wojsk.* major. **2.** *prawn.* osoba pełnoletnia. **3.** *US, Can. i Austr. uniw.* główny kierunek studiów; przedmiot kierunkowy; *w złoż.* student/ka (*danego kierunku*); **sociology/math ~** student/ka socjologii/matematyki. **4.** *log.* = **major premise**; = **major term**. **5. the ~s** *US i Can.* = **the major leagues**; *zob.* **major league**. – *v.* **~ in sth** *US uniw.* studiować coś (*jako główny kierunek*).

major axis *n. geom.* oś wielka *l.* długa.

major bugle *n. wojsk.* starszy trębacz.

Majorca [mə'jɔːrkə] *n. geogr.* Majorka.

major-domo [ˌmeɪdʒər'doumou], **majordomo** *n. pl.* **-s** majordomus.

major drum *n. wojsk.* starszy dobosz.

major epilepsy *n. U pat.* padaczka z napadami dużymi (*uogólnionymi*).

majorette [ˌmeɪdʒə'ret] *n.* = **drum majorette**.

major general *n. wojsk.* generał dywizji (= *generał brygady*).

majority [mə'dʒɔːrətɪ] *n. pl.* **-ies 1.** *C/U* większość (*of sth* czegoś); **absolute/relative ~** większość absolutna/względna; **be in the/a ~** być w większości, stanowić większość; **great/large/vast ~** znakomita większość. **2.** *C/U* przewaga *l.* większość głosów; **~ decision/verdict** decyzja/orzeczenie podjęte większością głosów; **win by a narrow/large ~** wygrać niewielką/znaczną większością głosów; **with a ~ of 20 votes** większością *l.* przewagą 20 głosów. **3.** *U prawn.* pełnoletność. **4.** *U wojsk.* ranga majora.

majority leader *n. US polit.* lider partii mającej większość w Kongresie.

majority rule *n. C/U* rządy większości (*w danej instytucji, organizacji*).

major league *n. US i Can. baseball* jedna z dwu głównych lig zawodowych.

majorly ['meɪdʒərlɪ] *adv. pot.* w dużym *l.* znacznym stopniu.

major premise *n. log.* przesłanka większa.

major scale *n. muz.* skala durowa.

major suit *n. brydż* starszy kolor (*kiery l. piki*).

major term *n. log.* termin większy.

majuscule ['mædʒəskjuːl] *n. paleografia* majuskuła. – *a.* (*także* **~ar**) majuskułowy.

make [meɪk] *v.* **made, made 1.** robić, wykonywać; produkować, wytwarzać (*sth from sth/out of sth* coś z czegoś); **~ a cake** upiec ciasto; **~ a dress** uszyć sukienkę. **2.** robić (*sth of sb/sth* coś z kogoś/czegoś); **~ a fool of sb** zrobić z kogoś wariata; **he was made general** zrobili z niego generała, zrobili go generałem; **he made their life hell** zrobił im z życia piekło. **3.** sporządzać (*dokument, testament, notatkę, listę*). **4.** tworzyć; ustanawiać (*np. reguły, prawa*); **~ a circle** utworzyć krąg. **5.** dokonywać (*wyboru*); podejmować (*decyzje*). **6.** czynić (*postępy, wysiłki*); poczynić (*np. sugestie, uwagi, zmiany*). **7.** stanowić, być; **it'll ~ a good gift** to będzie dobre na prezent; **it ~s a good read** to się znakomicie czyta; **she will ~ a good doctor** będzie z niej dobry lekarz. **8.** dawać (razem), być (w sumie); **five and two ~ seven** pięć plus dwa jest siedem; **this flood ~s three since the beginning of the year** to już trzecia powódź w tym roku; **twelve inches ~ a foot** dwanaście cali daje stopę. **9.** zarabiać (*określoną sumę*); **~ a living** zarabiać na życie; **how much are you making there?** ile tam zarabiasz?. **10.** *t. sport* uzyskiwać, zdobywać; **~ 10 points** uzyskać *l.* zdobyć 10 punktów. **11. ~ sth happen** sprawić *l.* spowodować, że coś się stanie. **12. ~ sb do sth** kazać komuś coś zrobić; zmusić kogoś do (zrobienia) czegoś, sprawić *l.* spowodować, że ktoś coś zrobi; **~ sb go** kazać komuś odejść, zmusić kogoś do odejścia; **~ sb laugh** rozśmieszyć kogoś; **~ sb think** zmusić kogoś do zastanowienia, dac komuś do myślenia; **the author ~s the hero live in a small town** autor każe bohaterowi żyć w małym miasteczku; **what ~s you say that?** dlaczego tak mówisz?. **13. ~ sth possible/easy/difficult** umożliwiać/ułatwiać/utrudniać coś; **~ it possible/easy/difficult for sb to do sth** umożliwiać/ułatwiać/utrudniać komuś zrobienie czegoś. **14. ~ believe (that)...** udawać, że... **15. ~ do with sth** zadowolić się czymś; **we'll have to ~ do with a spade** będzie nam musiała wystarczyć łopata. **16. ~ do without sb/sth** dawać sobie radę bez kogoś/czegoś. **17. ~ to do sth** zabierać się do robienia czegoś; **~ to leave** zbierać się do odejścia *l.* wyjazdu. **18. ~ as if to do sth** sprawiać wrażenie, jakby miało się (zaraz) coś zrobić; **she made as if to protest** (*także pot.* **she made like she was about to protest**) wydawało się, że zacznie protestować. **19.** dostać się do (*czegoś; zw. pokonując trudności*); **~ the club/national team** dostać się do klubu/reprezentacji. **20. ~ a break** *zob.* **break**[1] *n.*; **~ a call** *zob.* **call** *n.*; **~ a case for/against sth** *zob.* **case** *n.*; **~ a day of it** *zob.* **day**; **~ a donation** *zob.* **donation**; **~ a good job of sth** *zob.* **job** *n.*; **~ a habit of sth** *zob.* **habit** *n.*; **~ a killing** *zob.* **killing** *n.*; **~ a mess/a lot of noise** narobić bałaganu/dużo hałasu; **~ a name for o.s.** zdobyć rozgłos; **~ an appearance** *zob.* **appearance**; **~ an offer/a suggestion** złożyć ofertę/propozycję; **~ arrangements for sth** *zob.* **arrangement**; **~ a journey/visit/pilgrimage** odbyć podróż/wizytę/pielgrzymkę; **~ a judgment** *zob.* **judgment**; **~ a move** *zob.* **move** *n.*; **~ a mistake/an error** zrobić błąd, pomylić się; **~ a profit** (*także* **~ money**) zarobić; **~ a speech** wygłosić mowę *l.* przemówienie; **~ a sound** wydać dźwięk; **~ a start** zacząć; **~ colors** *żegl.* podnosić banderę; **~ friends** *zob.* **friend** *n.*; **~ inquiries** *zob.* **inquiry**; **~ good** *zob.* **good** *a.*; **~ heavy weather of sth** *zob.* **heavy** *a.*; **~ it** *pot.* zdążyć; dotrzeć na miejsce; *przen.* osiągnąć sukces; **he didn't ~ it** nie udało mu się; **she failed to ~ it as a journalist** nie sprawdziła się w dziennikarstwie; **~ it big** *zob.* **big**; **~ it with sb** *przest.* sypiać z kimś; **~ light of sth** *zob.* **light**[2] *a.*; **~ like** *US i Can. nonstandard* udawać, że; **~ love** *zob.* **love** *n.*; **~ merry** *zob.* **merry** *a.*; **~ or break sb/sth** zadecydować o sukcesie/niepowodzeniu kogoś/czegoś; **~ o.s. clear** wyrażać się jasno; **~ o.s. comfortable** usiąść (sobie) wygodnie; rozgościć się; **~ peace** zawrzeć pokój, pogodzić się (*with sb* z kimś); **~ progress** robić postępy; **~ sail** *żegl.* rozwijać żagiel (*t. dodatkowy*); wypływać; **~ sb** *US, Can. i Austr. sl.* zaliczyć kogoś (*zwł. dziewczynę*); **~ sb angry/happy** rozzłościć/uszczęśliwić kogoś; ~ **sb's day** *zob.* **day**; ~ **sense** mieć sens (= *być zrozumiałym l. sensownym*); ~ **short work of sth** uwinąć się z czymś; ~ **so bold as to do sth** *zob.* **bold**; ~ **sth clear** stwierdzić coś wyraźnie; wyjaśnić coś; ~ **sth known to sb** zawiadomić kogoś o czymś, oznajmić komuś coś; ~ **sure/certain** upewnić się; ~ **the bed** *zob.* **bed** *n.*; ~ **the best of sth** *zob.* **best** *n.*; ~ **the grade** *zob.* **grade** *n.*; ~ **the headlines** *zob.* **headline** *n.*; ~ **the train/plane** *pot.* złapać pociąg/samolot, zdążyć na pociąg/samolot; ~ **time for sb/sth** znaleźć czas dla kogoś/na coś; ~ **(full) use of sth** wykorzystać coś (w pełni); ~ **war** prowadzić wojnę, wojować; ~ **way** zrobić miejsce (*for sb / sth* dla kogoś/czegoś); **I'll have an espresso - no, ~ that a cappuccino** poproszę espresso - albo nie, (niech będzie) cappuccino; **let's ~ it Sunday/half past three** *pot.* niech będzie niedziela/wpół do czwartej (*umawiając się na spotkanie*); **that ~s two of us** *pot.* ja też; **what time do you ~ it?** którą masz godzinę? **21.** ~ **after sb** *arch.* (zacząć) gonić kogoś; ~ **away with o.s.** *przest.* skończyć ze sobą (= *popełnić samobójstwo*); ~ **away with sb** *przest.* sprzątnąć kogoś (= *zabić*); ~ **away with sth** *pot.* ukraść coś; ~ **for sth** zdążać dokądś, kierować się dokądś *l.* ku czemuś; *przen.* przyczyniać się do czegoś; ~ **X into Y** przerabiać X na Y; przetwarzać X na Y; robić Y z X; ~ **sth of sth** pojmować coś z czegoś; sądzić coś o czymś; dopatrywać się czegoś w czymś; **I can't ~ anything of it** nic z tego nie pojmuję; **what do you ~ of this?** co o tym sądzisz?; ~ **(too) much of sth** przywiązywać (zbyt) wielką wagę do czegoś; **do you want to ~ something of it?** *pot.* chcesz się bić?; ~ **off** *pot.* zbiec, uciec; ~ **off with sth** *pot.* ukraść coś; ~ **out** sporządzić (*np. listę, dokument, umowę*); wystawić, wypisać (*np. czek, pokwitowanie*) (*to sb* na czyjeś nazwisko); wypełnić (*np. formularz*); dostrzec; dosłyszeć; rozróżnić; odcyfrować, odczytać; rozszyfrować; zrozumieć; odgadnąć; *pot.* dawać sobie radę; *zwł. US pot.* całować się namiętnie; ~ **o.s. out to be sb** *pot.* zgrywać się na kogoś, udawać kogoś; ~ **out (that)...** *pot.* udawać, że...; ~ **out to do sth** *pot.* udawać, że się coś robi; ~ **out with sb** *pot.* pójść z kimś do łóżka; ~ **sth over** *US* przerobić coś (*into sth* na coś); ~ **sth over to sb** przepisać coś na kogoś (= *przenieść tytuł własności*); ~ **towards** *Br.* skierować się ku (*czemuś*); ~ **up** wymyślić, zmyślić (*historię, usprawiedliwienie*); ułożyć (*wiersz, piosenkę*); zrobić, przygotować (*sałatkę, paczkę*); sporządzić (*lekarstwo, fakturę, listę*); uszyć (*sukienkę, zasłony*); posprzątać (*pokój*); *druk.* łamać; podsycać (*ogień*); wyrównać, uzupełnić (*różnicę, brakującą liczbę*); malować się, robić (sobie) makijaż; pogodzić się (*zwł. o przyjaciołach, kochankach*); stanowić (*np. procent czegoś*); składać się na (*coś*); **be made up of sth** składać się z czegoś; ~ **up for sth** nadrobić *l.* nadgonić coś; ~ **up for lost time** *przen.* nadrabiać stracony czas (= *żyć intensywnie w starszym wieku*); ~ **up to sb** *Br. i Austr. pot.* podlizywać się komuś; ~ **sb up** *teatr* malować *l.* charakteryzować kogoś; ~ **it up** pogodzić się (*o skłóconych*); **I'll ~ it up to you** wynagrodzę ci to; ~ **up one's mind (to do sth)** *zob.* **mind** *n.*; ~ **with sth** *US przest. sl.* robić coś (dalej), kontynuować coś; dać *l.* przynieść coś. – *n.* **1.** marka (*handlowa*); **what ~ is that car?** jakiej to marki samochód?. **2.** wydajność (*zakładu*); produkcja. **3.** = **make-up** 3, 4. **4.** *el.* zamknięcie obwodu; **at ~** skontaktowany. **5.** *brydż* kontrakt. **6.** *karty* kolej na tasowanie. **7. be on the ~** *pot.* pchać się w górę, robić karierę (*za wszelką cenę*); szukać partnera (*seksualnego*).

make-believe [ˈmeɪkbɪˌliːv] *n.* **1.** *U* udawanie, pozory; **a game of ~** gra pozorów. **2.** pozer/ka. – *a.* fikcyjny; udawany; pozorny; rzekomy.

makefast [ˈmeɪkˌfæst] *n. żegl.* pachołek (*do cumowania łodzi*).

make-or-break [ˌmeɪkərˈbreɪk] *a.* na zasadzie „wóz albo przewóz".

makeover [ˈmeɪkˌoʊvər] *n.* **1.** zmiana wizerunku (*zwł. dokonana z pomocą wizażysty, kosmetyczki itp.*). **2.** przeróbka; remont (*pomieszczenia*).

make-peace [ˈmeɪkˌpiːs] *n.* koncyliator/ka.

maker [ˈmeɪkər] *n.* **1.** wykonaw-ca/czyni; producent/ka; **car-~** producent samochodów. **2.** (*w złoż. oznaczających osoby*) **film~** filmowiec; **dress~** krawcowa; **match~** swatka. **3.** (*w złoż. oznaczających rzeczy*) **coffee ~** ekspres do kawy; **icecream/yogurt ~** maszyna do (robienia) lodów/jogurtu. **4. M~** *rel.* Stwórca; **go to/meet one's M~** *euf.* oddać duszę Bogu, iść do nieba. **5.** *prawn.* osoba podpisująca dokument prawny (*zwł. = wystawca skryptu dłużnego*). **6.** *Scot. arch.* poet-a/ka.

make-ready [ˈmeɪkˌredɪ] *n. U druk.* wyrównywanie (*składu do druku*).

maker's mark [ˈmeɪkərz ˌmɑːrk] *n.* punca (*np. złotnika*).

makeshift [ˈmeɪkˌʃɪft] *a. attr.* prowizoryczny. – *n. U* prowizorka; namiastka.

make-up [ˈmeɪkˌʌp], **makeup** *n.* **1.** *U* kosmetyki upiększające; makijaż; (*także* **stage ~**) *teatr* charakteryzacja; **wear ~** nosić makijaż, malować się. **2.** *sing.* budowa, układ. **3. sb's ~** czyjaś natura, czyjś charakter. **4.** *C / U druk.* łamanie; układ graficzny. **5.** (*także* ~ **test/exam**) *US szkoln., uniw. pot.* poprawka.

make-up remover *n. C / U* płyn do demakijażu.

makeweight [ˈmeɪkˌweɪt] *n.* dodatek, dokładka (*dla wyrównania wagi; t. przen. = osoba l. rzecz dodana do kompletu l. dla równego rachunku*).

makework [ˈmeɪkˌwɜːk] *n. U US* praca, której jedynym celem jest danie ludziom zajęcia.

making [ˈmeɪkɪŋ] *n. U* **1.** tworzenie się, proces tworzenia się *l.* powstawania; *często w złoż.* wytwarzanie, produkcja; **furniture-/watch~** produkcja mebli/zegarków. **2.** urobek. **3.** skład, zawartość (*czegoś*). **4.** *przen.* **be the ~ of sb/sth** zapewnić komuś/czemuś powodzenie; **in the ~** przyszły; **a compromise is in the ~** wypracowuje się kompromis; **be a hero in the ~** mieć zadatki na bohatera; **big events are in the ~** zanosi się na wielkie wydarzenia; **of one's own ~** własnoręcznie stworzony *l.* wywołany (*np. o problemie, kryzysie*).

makings [ˈmeɪkɪŋz] *n. pl.* **1.** wszelkie (potrzebne) cechy; **have the ~ of a scholar** mieć zadatki na uczonego; **the ~ of a crisis** wszelkie cechy *l.* znamiona kryzysu. **2.** zysk, zarobek. **3.** *pot.* bibułka i tytoń do skręcania papierosa.

malachite [ˈmæləˌkaɪt] *n. U min.* malachit.

malacopterygian [ˌmæləˌkɑːptəˈriːdʒɪən] *n. i a. icht.* (ryba) miękkopłetwa.

malacostracan [ˌmæləˈkɑːstrəkən] *n. zool.* pancerzowiec.

maladjusted [ˌmæləˈdʒʌstɪd] *a.* nieprzystosowany (*społecznie*).

maladjustment [ˌmæləˈdʒʌstmənt] *n. U* nieprzystosowanie.

maladministration [ˌmælædˌmɪnɪˈstreɪʃən] *n. U* zła administracja, złe zarządzanie.

maladroit [ˌmæləˈdrɔɪt] *a. form.* niezręczny; niezgrabny.

maladroitly [ˌmæləˈdrɔɪtlɪ] *adv. form.* niezręcznie; niezgrabnie.

maladroitness [ˌmæləˈdrɔɪtnəs] *n. U form.* niezręczność; niezgrabność.

malady [ˈmælədɪ] *n. C/U pl.* **-ies** *przest. t. przen.* choroba, dolegliwość, przypadłość.

Malaga [ˈmæləgə] *n.* **1.** *geogr.* Malaga. **2.** *C/U kulin.* malaga (*deser*).

Malagasy [ˌmæləˈgæsɪ] *a.* malgaski, madagaskarski. – *n.* **1.** *U* język malgaski, malgassi. **2.** Malgasz/ka.

malaise [mæˈleɪz] *n. U l. sing. form.* **1.** ogólne złe samopoczucie. **2.** *przen.* niemoc, apatia; fatalna kondycja (*t. np. gospodarki*).

malamute [ˈmæləˌmjuːt], **malemute** *n.* malamut (*pies eskimoski*).

malapert [ˈmæləˌpɜːt] *arch. l. lit. a.* zuchwały. – *n.* zuchwalec.

malaprop [ˈmæləˌprɑːp], **malapropian** [ˈmæləˌprɑːpɪən] *a.* śmiesznie przekręcony (*o wyrazie*).

malapropism [ˈmæləprɑːˌpɪzəm] *n.* zabawne przejęzyczenie.

malapropos [ˌmælæprəˈpoʊ] *form. a.* nie na miejscu, nietaktowny. – *adv.* nie na miejscu, nietaktownie. – *n.* nietakt.

malar [ˈmeɪlər] *anat. a.* jarzmowy. – *n.* (*także* **~ bone**) kość jarzmowa.

malaria [məˈlerɪə] *n. U pat.* malaria.

malarial [məˈlerɪəl], **malarian** [məˈlerɪən], **malarious** [məˈlerɪəs] *a.* malaryczny.

malarkey [məˈlɑːrkɪ], **malarky** *n. U przest. sl.* bzdury (*t. = niepotrzebne l. bezsensowne zachowania*); androny.

malate [ˈmæleɪt] *n. chem.* jabłczan.

Malay [ˈmeɪleɪ] *a.* malajski. – *n.* **1.** *U* język malajski. **2.** Malaj/ka.

Malaya [məˈleɪə] *n. geogr., hist.* Malaje.

Malayalam [ˌmæleɪˈɑːləm], **Malayalaam** *n. U jęz.* malajalam (*język z rodziny drawidyjskich*).

Malayan [məˈleɪən] *a.* malajski.

Malay Peninsula *n. geogr.* Półwysep Malajski.

Malaysia [məˈleɪʒə] *n. geogr.* Malezja.

Malaysian [məˈleɪʒən] *a.* malezyjski. – *n.* Malezyj-czyk/ka.

malcontent [ˈmælkənˌtent] *form. a.* niezadowolony. – *n.* malkontent/ka.

male [meɪl] *a.* **1.** *t. bot.* męski; **~ child/student** dziecko/student płci męskiej. **2.** *zool.* samczy. – *n.* **1.** mężczyzna. **2.** *zool.* samiec.

male chauvinism *n. U* męski szowinizm.

male chauvinist *n.* męski szowinista.

male chauvinist pig *n.* męska szowinistyczna świnia.

male connector *n. techn.* = **male plug**.

malediction [ˌmæləˈdɪkʃən] *n. form.* **1.** złorzeczenie, przekleństwo. **2.** obmowa.

maledictive [ˌmæləˈdɪktɪv], **maledictory** *a.* stanowiący obmowę.

malefaction [ˌmæləˈfækʃən] *n. form.* **1.** zbrodnia. **2.** krzywda.

malefactor [ˈmæləˌfæktər] *n. form.* złoczyńca, zbrodniarz.

malefactress [ˈmæləˌfæktrɪs] *n. form.* zbrodniarka.

malefic [məˈlefɪk] *a. rzad.* zgubny, szkodliwy (*np. o czarach*).

maleficence [məˈlefɪsəns] *n. U rzad.* **1.** szkodliwość; nikczemność, niegodziwość. **2.** występność.

maleficent [məˈlefɪsənt] *a. rzad.* **1.** szkodliwy (*to sb* dla kogoś); niegodziwy, nikczemny. **2.** występny.

male menopause *n. sing. żart.* męska menopauza.

malemute [ˈmæləˌmjuːt] *n.* = **malamute**.

male nurse *n.* pielęgniarz.

male plug *n.* (*także* **male connector**) *el.* wtyczka, wtyk.

male thread *n. techn.* gwint zewnętrzny.

malevolence [məˈlevələns] *n. U form.* nieżyczliwość, wrogość; złośliwość.

malevolent [məˈlevələnt] *a.* **1.** *form.* nieżyczliwy, wrogi; złośliwy. **2.** *astrol.* niepomyślny.

malevolently [məˈlevələntlɪ] *adv. form.* nieżyczliwie; złośliwie.

malfeasance [mælˈfiːzəns] *n. U prawn.* nadużycie władzy; wykroczenie (*służbowe*).

malfeasant [mælˈfiːzənt] *a. prawn.* stanowiący nadużycie (*władzy, stanowiska służbowego*).

malformation [ˌmælfɔːrˈmeɪʃən] *n. C/U t. pat.* zniekształcenie, deformacja.

malformed [mælˈfɔːrmd] *a.* zniekształcony, zdeformowany.

malfunction [mælˈfʌŋkʃən] *techn. n.* usterka, defekt. – *v.* działać wadliwie, wykazywać usterki w działaniu; nie działać.

malic acid [ˌmælɪk ˈæsɪd] *n. U chem.* kwas jabłkowy.

malice [ˈmæləs] *n. U* **1.** złośliwość; zła wola; złe zamiary; **bear ~ to sb** źle komuś życzyć, żywić do kogoś urazę; **bear sb no ~** nie życzyć komuś źle, nie żywić do kogoś urazy. **2. ~ aforethought** (*także* **~ prepense**) *prawn.* premedytacja.

malicious [məˈlɪʃəs] *a.* złośliwy.

maliciously [məˈlɪʃəslɪ] *adv.* złośliwie.

maliciousness [məˈlɪʃəsnəs] *n. U* złośliwość.

malign [məˈlaɪn] *form. n.* **1.** szkodliwy, zły (*np. o wpływie*). **2.** złośliwy, pełen złej woli. – *v. zw. pass.* szkalować, rzucać oszczerstwa na (*kogoś*).

malignancy [mə'lɪgnənsɪ] *n. U* **1.** szkodliwość. **2.** złośliwość, zła wola. **3.** *pat.* nowotworowy charakter, złośliwość (*guza*). **4.** *pl.* **-ies** *pat.* guz nowotworowy.

malignant [mə'lɪgnənt] *a.* **1.** *pat.* złośliwy (*o guzie, nowotworze*). **2.** *form.* wrogi. – *n. Br. hist.* zwolennik Karola I (*w wojnie domowej 1644-1649*).

malignity [mə'lɪgnətɪ] *n. U* **1.** złośliwość; niegodziwość, nikczemność. **2.** wrogość.

malinger [mə'lɪŋgər] *v.* symulować, udawać chorego.

malingerer [mə'lɪŋgərər] *n.* symulant/ka.

malingering [mə'lɪŋgərɪŋ] *n. U* symulowanie, symulanctwo.

malison ['mælɪzən] *n. arch.* przekleństwo.

malkin ['mɔ:kɪn] *n.* (*także* **mawkin**) **1.** *dial.* kot. **2.** *Br. dial.* flejtuch (*o kobiecie*); strach na wróble.

mall [mɔ:l] *n.* **1.** (*także* **shopping** ~) centrum handlowe (*pod dachem*). **2.** promenada, deptak.

mallard ['mælərd] *n. orn.* kaczka krzyżówka (*Anas platyrhynchos*).

mall crawl *n. zwł. US pot.* włóczenie się po sklepach (*w obrębie centrum handlowego*).

malleability [ˌmælɪə'bɪlətɪ] *n. U* **1.** kowalność; plastyczność. **2.** *przen.* podatność na wpływy.

malleable ['mælɪəbl] *a.* **1.** kowalny; plastyczny. **2.** *przen.* podatny na wpływy.

mallemuck ['mæləˌmʌk] *n. orn.* ptak morski z rzędu rurkonosych (*Tubinares; np. albatros*).

mallet ['mælɪt] *n.* **1.** młotek (*zwł. drewniany l. plastikowy*). **2.** *sport* młotek do gry w krokieta *l.* polo. **3.** *muz.* pałka do gry na instrumentach perkusyjnych.

malleus ['mælɪəs] *n. pl.* **mallei** ['mælɪˌaɪ] *anat.* młoteczek (*w uchu*).

mallow ['mæloʊ] *n. C/U bot.* **1.** ślaz, zwł. dziki (*Malva, zwł. M. silvestris*). **2.** = **marsh mallow** 1.

malm [mɑ:m] *n. U* **1.** *geol.* miękka skała kredowa. **2.** *Br.* ziemia marglowa, malm. **3.** *bud.* cegła marglowa.

malmsey ['mɑ:mzɪ] *n. U* (*także* **malvasia**) małmazja (*wino*).

malnourished [mæl'nɜ·:ɪʃt] *a.* niedożywiony.

malnutrition [ˌmælnʊ'trɪʃən] *n. U* niedożywienie; niewłaściwe odżywianie.

malocclusion [ˌmælə'klu:ʒən] *n. U dent.* wadliwy zgryz.

malodorous [mæl'oʊdərəs] *a. lit.* o przykrym zapachu.

malposed [mæl'poʊzd] *a. pat.* wadliwie ułożony (*zwł. o płodzie*).

malposition [ˌmælpə'zɪʃən] *n. U pat.* wadliwe ułożenie (*zwł. płodu*).

malpractice [mæl'præktɪs] *n. C/U prawn.* błąd w sztuce; zaniedbanie obowiązków (*np. przez lekarza*).

malt [mɔ:lt] *n.* **1.** *U* słód. **2.** *US* = **malted (milk)**. **3.** *C/U* = **malt whisky**. – *v.* **1.** zaprawiać słodem, słodować. **2.** zamieniać (się) w słód.

Malta ['mɔ:ltə] *n. geogr.* Malta; **knight of** ~ kawaler maltański.

malted ['mɔ:ltɪd], **malted milk** *n. US kulin.* **1.** *U* mleko w proszku z kaszką słodową. **2.** *C/U* napój na bazie mleka jw. (*z dodatkiem lodów, czekolady itp.*).

Maltese [mɔ:l'ti:z] *a.* maltański. – *n.* **1.** *U* język maltański. **2.** Malta-ńczyk/nka. **3.** *kynol.* maltańczyk.

Maltese Cross *n.* krzyż maltański.

malt extract *n. U kulin., browarnictwo* ekstrakt słodowy.

maltha ['mælθə] *n. U* malta (= *spoidło ze smoły i wosku*).

Malthusian [mæl'θu:ʒən] *socjol. a.* maltuzjański. – *n.* wyznaw-ca/czyni teorii Malthusa.

Malthusianism [mæl'θu:ʒənˌɪzəm] *n. U* maltuzjanizm.

malt liquor *n. U US* napój alkoholowy na bazie słodu.

maltose ['mɔ:ltoʊs] *n. U chem.* cukier słodowy, maltoza.

maltreat [mæl'tri:t] *v.* znęcać się nad (*kimś*), maltretować.

maltreatment [mæl'tri:tmənt] *n. U* znęcanie się, maltretowanie.

maltster ['mɑ:ltstər] *n.* producent słodu; sprzedawca słodu.

malt whisky *n. C/U* whisky słodowa (*szkocka*).

malvaceous [mæl'veɪʃəs] *a. bot.* ślazowaty (*Malvaceae*).

malvasia [ˌmælvə'zi:ə] *n. U* = **malmsey**.

malversation [ˌmælvər'seɪʃən] *n. C/U rzad.* **1.** zaniedbanie obowiązków (*zawodowych*). **2.** sprzeniewierzenie (*of sth* czegoś), malwersacja.

mam [mæm] *n. płn. Br. dial.* mama.

mama ['mɑ:mə] *n.* **1.** (*także* **mamma, momma**) *US dziec. l. pot.* mama. **2.** *US sl.* laska, cizia (= *atrakcyjna kobieta*). **3.** [mə'mɑ:] *Br. przest.* mama.

mama's boy ['mɑ:məz ˌbɔɪ] *n. US* maminsynek.

mamba ['mɑ:mbə] *n. zool.* mamba (*Dendroaspis*).

mambo ['mɑ:mboʊ] *n. pl.* **-s** mambo. – *n.* tańczyć mambo.

mamilla [mə'mɪlə] *n.* = **mammilla**.

mamma[1] ['mɑ:mə] *n.* **1.** = **mama** 1. **2.** *pot.* postawna i pulchna kobieta.

mamma[2] ['mæmə] *pl.* **mammae** ['mæmi:] *zool.* gruczoł sutkowy (*u ssaków*).

mammal ['mæml] *n. zool.* ssak.

mammalian [mə'meɪlɪən] *a. zool.* właściwy ssakom; dotyczący ssaków. – *n. zool.* ssak.

mammary ['mæmərɪ] *a. attr. anat.* sutkowy.

mammary gland *n.* gruczoł sutkowy.

mammiferous [mæ'mɪfərəs] *a. zool.* ssący.

mammilla [mə'mɪlə], *Br.* **mamilla** *n. pl.* **mammillae** [mə'mɪli:] *anat.* brodawka sutkowa.

mammillary ['mæməˌlerɪ] *a. anat.* sutkowy.

mammillate ['mæməˌleɪt], **mammillated** *a. anat.* wyposażony w sutki.

mammock ['mæmək] *arch. l. dial. n.* kawałek; strzęp. – *v.* rozbijać na kawałki; drzeć na strzępy.

mammogram [ˈmæməˌgræm] *n. med.* mammogram.

mammograph [ˈmæməˌgræf] *n. med.* mammograf.

mammography [mæˈmɑːgrəfɪ] *n. U med.* mammografia.

mammon [ˈmæmən] *n. U form.* **1.** mamona. **2.** skąpstwo; chciwość, zachłanność.

mammonism [ˈmæməˌnɪzəm] *n. U form.* kult mamony.

mammonist [ˈmæmənɪst], **mammonite** [ˈmæmənaɪt] *n. form.* czciciel/ka mamony.

mammoplasty [ˈmæməˌplæstɪ] *n. pl.* **-ies** *chir.* operacja plastyczna piersi.

mammoth [ˈmæməθ] *n. zool.* mamut (*Mammuthus, Elephas*). – *a. attr.* **1.** mamuci. **2.** *przen.* gigantyczny, olbrzymi.

mammy [ˈmæmɪ], **mammie** *n. pl.* **-ies** **1.** *zwł. Ir. dziec. pot.* mama. **2.** *US przest.* czarna niania; czarna służąca.

Man [mæn] *n.* (*także* **Isle of ~**) *geogr.* wyspa Man.

man [mæn] *n. pl.* **men** **1.** mężczyzna. **2.** człowiek; *U przest.* ludzkość, rodzaj ludzki; **Cro-Magnon/Java ~** *antrop.* człowiek z Cro Magnon/z Jawy; **modern ~** człowiek współczesny. **3. sb's ~** *pot.* czyjś partner (*życiowy*); *arch.* czyjś służący *l.* lokaj. **4.** *zw. pl.* robotnik. **5.** *zw. w złoż.* człowiek od (*czegoś*), fachowiec; **electricity ~** człowiek od prądu. **6.** *wojsk.* żołnierz (*szeregowy*); marynarz; **officers and men** oficerowie, podoficerowie i szeregowi. **7.** *szachy itp.* pionek. **8.** *hist.* wasal. **9.** *przen.* **~ and boy** *przest. l. żart.* przez całe życie; **~ and wife** *lit.* mąż i żona; **~'s best friend** *zob.* **friend** *n.*; **a ~ after my own heart** *zob.* **heart** *n.*; **a ~ of his word** człowiek dotrzymujący słowa; **a ~ of the world** *cz. żart.* światowy człowiek, światowiec; **a ~'s ~** mężczyzna czujący się dobrze tylko w towarzystwie mężczyzn; **(as) ~ to ~** jak mężczyzna z mężczyzną, po męsku (*rozmawiać*); **as one ~** jak jeden mąż; **be a ~!** bądź mężczyzną!; **be ~ enough for sth** mieć dość odwagi na coś; **be one's own ~** być panem samego siebie; **every ~ for himself** ratuj się, kto może; **it's every ~ for himself** każdy sobie rzepkę skrobie; **every ~ jack** *zob.* **jack**[1] *n.*; **grand old ~** *zob.* **grand**; **Yale/Oxford ~** absolwent Yale/Oksfordu; **he's the ~ for the job** to jest człowiek odpowiedni do tej roboty; **I'm your ~!** zgoda!, wchodzę w to!; **ladies' ~** bawidamek, ulubieniec pań; **make a ~ (out) of sb** zrobić z kogoś mężczyznę; *voc. US* **M~!** *pot.* człowieku!, stary!; **my (good) ~** *Br. przest.* dobry człowieku; **my old ~** *pot.* mój stary (= *ojciec*); **one ~'s meat is another ~'s poison** *zob.* **meat**; **sb's right-hand ~** *przen.* czyjaś prawa ręka; **separate/sort the men from the boys** pokazać, kto jest naprawdę odważny (*o sytuacji*); **sporting ~** człowiek wysportowany, typ sportowca; **the ~** *US sl.* policja; władza; **the ~ in the street** przeciętny *l.* szary człowiek; **the inner ~** *zob.* **inner**; **to a ~** *zwł. lit.* co do jednego; **your ~** *Ir. pot.* ten; on. – *v.* **-nn-** **1.** obsadzać załogą (*np. fort, statek*). **2.** obsługiwać (*maszynę, urządzenie*). **3.** obejmować (*np. stanowisko, placówkę*). – *int. zwł. US pot.* o rany!

man about town, man-about-town *n. pl.* **men about town** *przest.* światowiec; *hist.* dandys.

manacle [ˈmænəkl] *v.* **1.** zakuwać w kajdanki *l.* kajdany. **2.** przykuwać (*kajdankami*) (*to sth* do czegoś).

manacles [ˈmænəklz] *n. pl.* kajdanki, kajdany; *przen.* kajdany, więzy.

manage [ˈmænɪdʒ] *v.* **1. ~ to do sth** dać radę *l.* zdołać coś zrobić; **he ~d to spoil the fun** udało mu się zepsuć zabawę. **2. ~ sth** radzić sobie *l.* dawać sobie radę z czymś; **we'll ~ (it) somehow** jakoś sobie (z tym) poradzimy. **3.** prowadzić (*np. gospodarstwo, sklep*); zarządzać, kierować (*np. przedsiębiorstwem, państwem*). **4.** opiekować się, zajmować się (*np. zwierzętami*). **5.** podporządkować sobie (*kogoś, np. przez pochlebstwa*). **6.** władać (*bronią*); obchodzić się z, operować (*narzędziem*). – *n. arch.* = **manège**.

manageable [ˈmænɪdʒəbl] *a.* **1.** wykonalny (*o zadaniu*). **2.** łatwy w utrzymaniu (*np. o fryzurze*).

management [ˈmænɪdʒmənt] *n. U* **1.** zarządzanie, prowadzenie, kierowanie. **2.** *U l. sing.* kierownictwo, zarząd; **labor and ~** pracownicy i kierownictwo.

management accounting *n. U* kalkulacja kosztów.

management buyout *n. ekon.* wykup kontrolnego pakietu akcji przedsiębiorstwa przez kierownictwo.

management consultant *n.* konsultant/ka ds. zarządzania.

manager [ˈmænɪdʒər] *n.* **1.** kierowni-k/czka, dyrektor/ka; **sales ~** dyrektor handlowy. **2.** menedżer, menadżer (*firmy, drużyny sportowej*); menażer (*artysty*). **3.** *prawn.* tymczasowy zarządca. **4.** *Br. parl.* delegat którejś z izb Parlamentu w sprawie dotyczącej obu izb.

manageress [ˌmænɪdʒəˈres] *n. przest.* kierowniczka.

managerial [ˌmænɪˈdʒiːrɪəl] *a.* kierowniczy (*np. o stanowisku*); menedżerski (*np. o umiejętnościach*); dotyczący zarządzania (*np. o decyzjach*).

managership [ˈmænɪdʒərˌʃɪp] *n. U* kierownictwo, zarząd.

managing director [ˌmænɪdʒɪŋ dɪˈrektər] *n. Br. i Austr.* dyrektor naczelny.

manakin [ˈmænəkɪn] *n.* **1.** *orn.* manakin (*rodzina Pipridae*). **2.** *przest.* = **manikin**.

mañana [mənˈjɑːnə] *adv. Sp.* **1.** jutro. **2.** kiedy indziej.

man-at-arms [ˌmænətˈɑːrmz] *n. pl.* **men-at-arms** *hist.* żołnierz (*zwł. ciężkozbrojny*).

manatee [ˈmænətiː] *n. zool.* ssak morski z rodziny manatów (*Trichechidae*).

manchester [ˈmæntʃɪstər] *n. U Austr. i NZ* bielizna pościelowa, stołowa i ręczniki.

Manchuria [mænˈtʃʊrɪə] *n. geogr.* Mandżuria.

Manchurian [mænˈtʃʊrɪən] *a.* mandżurski. – *n.* mieszkan-iec/ka Mandżurii.

manciple ['mænsəpl] *n. Br.* intendent/ka (*zwł. szkoły l. klasztoru*).

Mancunian [mæn'kju:nɪən] *Br. a.* manchesterski. – *n.* mieszkan-iec/ka Manchesteru.

mandala ['mændələ] *n. hinduizm, buddyzm* mandala (= *symbol Wszechświata*).

mandamus [mæn'deɪməs] *n. pl.* **-es** *hist., prawn.* nakaz wydany przez sąd wyższy sądowi niższemu, urzędowi lub urzędnikowi państwowemu.

Mandarin ['mændərɪn] *n. U* (*także* ~ **Chinese**) język chiński (*wariant używany przez wykształcone warstwy społeczeństwa i mający status języka urzędowego w Republice Chińskiej*).

mandarin[1] ['mændərɪn] *n.* mandaryn (*hist. l. przen. = urzędnik służby państwowej o zbyt dużych wpływach; wpływowy członek elity literackiej l. intelektualnej*).

mandarin[2] *n. bot.* (*także* ~ **orange**) mandarynka (*Citrus nobilis / reticulata*).

mandarin duck *n. orn.* (kaczka) mandarynka (*Aix galericulata*).

mandatary ['mændəˌterɪ] *n. pl.* **-ies** (*także* **mandatory**) *prawn., polit.* mandatariusz (*osoba l. państwo*).

mandate ['mændeɪt] *n.* **1.** *polit.* mandat; instrukcja poselska. **2.** *admin.* urzędowe polecenie; *prawn.* zlecenie, nakaz. **3.** *C / U prawn.* pełnomocnictwo. **4.** (*także* **M~**) (*także* **~d territory**) *hist.* terytorium mandatowe (*Ligi Narodów*). – *v.* **1.** *polit.* powierzać mandat nad (*krajem, terytorium*) (*to sb* komuś). **2.** *często pass.* dawać pełnomocnictwo *l.* władzę (*komuś*). **3.** *zwł. US* nakazywać (*ustawowo*).

mandated territory [ˌmændeɪtɪd 'terɪˌtɔ:rɪ] *n.* = **mandate** *n.* 4.

mandatory ['mændəˌtɔ:rɪ] *a.* **1.** obowiązkowy, przymusowy. **2.** mandatowy. **3.** *prawn.* ustawowy, nakazany prawem. – *n.* = **mandatary**.

man-day [ˌmæn'deɪ] *n.* dniówka (*robocza*), roboczodniówka.

mandible ['mændɪbl] *n.* **1.** *anat., zool., icht.* żuchwa, szczęka dolna. **2.** *orn.* dolna *l.* górna część dzioba. **3.** *ent.* jedna z połówek górnej szczęki u owadów.

mandibular [mæn'dɪbjələr] *a. biol.* szczękowy; żuchwowy.

mandibulate [mæn'dɪbjəlɪt] *a. biol.* posiadający szczęki *l.* żuchwy.

mandolin [ˌmændə'lɪn], **mandoline** *n. muz.* mandolina.

mandolinist [ˌmændə'lɪnɪst] *n.* mandolinist-a/ka.

mandrake ['mændreɪk], **mandragora** [mæn'drægərə] *n. bot.* mandragora lekarska (*Mandragora officinarum*).

mandrel ['mændrəl], **mandril** *n. mech.* **1.** trzpień (*tokarki*). **2.** bęben (*zwijarki*).

mandrill ['mændrɪl] *n. zool.* mandryl (*Mandrillus sphinx*).

manducate ['mændjʊˌkeɪt] *v. lit.* żuć, przeżuwać.

manducation [ˌmændjʊ'keɪʃən] *n. U lit.* żucie.

mane [meɪn] *n.* grzywa (*t. lit. l. pot. = długie włosy*).

man-eater ['mænˌi:tər] *n.* **1.** *zool.* ludojad (*zwł. rekin l. tygrys*). **2.** kanibal. **3.** *pot.* modliszka (= *kobieta traktująca mężczyzn przedmiotowo*).

manège [mæ'neɪʒ], **manege** *n. jeźdz.* **1.** *U* ujeżdżanie koni. **2.** szkółka jeździecka. **3.** kryta ujeżdżalnia, maneż.

maneuver [mə'nu:vər], *Br. i Austr.* **manoeuvre** *n. C / U t. wojsk., lotn.* manewr; *pl. wojsk.* manewry; **on ~s** na manewrach; **room for ~** *przen.* pole do manewru. – *v.* **1.** dokonać manewru, wykonać manewr; *t. przen.* manewrować, manipulować (*for sth* dla osiągnięcia czegoś). **2.** ~ **sb into sth** wmanewrować kogoś w coś; ~ **sb into doing sth** pokierować kimś tak, że coś zrobi; ~ **sth into sth** ulokować coś w czymś; ~ **sth out of sth** wydostać *l.* wydobyć coś z czegoś.

maneuverability [məˌnu:vərə'bɪlətɪ] *n. U żegl., lotn.* zdolności manewrowe; zwrotność, sterowność.

maneuverable [mə'nu:vərəbl] *a.* dający się manewrować, poddający się manewrom; zwrotny.

maneuvering [mə'nu:vərɪŋ] *n. C / U* manewry, manipulacje.

man Friday *n. pl.* **man Fridays** *l.* **men Friday** wierny sługa (*jak Piętaszek z „Robinsona Crusoe"*).

manful ['mænfʊl] *a.* mężny.

manfully ['mænfʊlɪ] *adv.* mężnie.

manganate ['mæŋgəˌneɪt] *n. chem.* manganian.

manganese ['mæŋgəˌni:s] *chem. n. U* mangan. – *a.* manganowy.

manganese steel *n. U chem.* stal manganowa.

manganic [mæn'gænɪk] *a. chem.* manganowy.

manganous ['mæŋgənəs] *a. chem.* manganawy.

mange [meɪndʒ] *n. U wet., pat.* parch, parchy.

mangel ['mæŋgl], **mangold** ['mænˌgoʊld] *n.* (*także* **~-wurzel**) *Br. bot.* burak pastewny (*Beta vulgaris*).

manger ['meɪndʒər] *n.* **1.** żłób. **2. dog in the ~** *zob.* **dog** *n.*

mangetout [mændʒ'tu:] *n. U Br. bot., kulin.* groch *l.* groszek cukrowy (*Pisum sativum saccharatum*).

manginess ['meɪndʒɪnəs] *n. U* **1.** parchatość; wyliniałość. **2.** *pot.* nędzny stan (*np. budynku, dywanu*).

mangle[1] ['mæŋgl] *v. często pass.* pokiereszować, poharatać; *t. przen.* zniekształcić (*np. artykuł, tekst*).

mangle[2] *v.* maglować. – *n.* magiel.

mango ['mæŋgoʊ] *n. pl.* **-es** *l.* **-s** *bot.* mango, posmacz indyjski (*Mangifera indica*).

mangold ['mænˌgoʊld] *n.* (*także* **~wurzel**) = **mangel**.

mangonel ['mæŋgəˌnel] *n. hist.* machina miotająca.

mangosteen ['mæŋgəˌsti:n] *n. bot.* mangostan (właściwy), smaczelina (*Garcinia mangostana*).

mangrove ['mæŋgroʊv] *n. bot.* korzeniara, namorzyniec (*Rhizophora*).

mangy ['meɪndʒɪ] *a.* **-ier, -iest 1.** parchaty, parszywy; wyliniały. **2.** *przen.* nędzny, brudny (*np. o budynku, dywanie*).

manhandle ['mæn,hændl] *v.* **1.** obchodzić się obcesowo z (*kimś*); poniewierać (*kimś*). **2.** przesuwać *l.* przenosić ręcznie (*np. ładunek*).

manhole ['mænhoʊl] *n.* właz (*np. kanalizacyjny, czołgu*).

manhood ['mænhʊd] *n. U* **1.** męskość (*t. sing. euf.* = *członek męski*). **2.** wiek męski. **3.** *lit.* ludność płci męskiej, (wszyscy) mężczyźni (*np. danego kraju*).

man-hour ['mɑːn,aʊr] *n. ekon.* roboczogodzina.

manhunt ['mæn,hʌnt] *n.* obława (*na przestępcę*).

mania ['meɪnɪə] *n. C/U* **1.** *pat.* stan pobudzenia maniakalnego, mania; **persecution** ~ mania prześladowcza. **2.** *przen.* mania, obsesja (*for sth* na punkcie czegoś).

maniac ['meɪnɪæk] *n.* **1.** *pot.* mania-k/czka. **2.** *przest. pat.* maniak. – *a.* (*także* **~al**) maniakalny; maniacki.

maniacally [mə'naɪəklɪ] *adv.* maniakalnie; maniacko.

manic ['mænɪk] *a. pat.* maniakalny.

manic-depressive [,mænɪkdɪ'presɪv] *pat. a.* maniakalno-depresyjny. – *n.* osoba cierpiąca na psychozę maniakalno-depresyjną.

manic-depressive disorder *n. U* (*także* **manic depression**) *pat.* psychoza maniakalno-depresyjna.

Manichean [,mænə'kiːən], **Manichaean** *a. fil.* manichejski.

Manichee ['mænə,kiː] *n. fil.* manichejczyk.

Manicheism [,mænə'kiː,ɪzəm], **Manichaeism** *n. U fil.* manichenizm.

manicure ['mænəkjʊr] *n. C/U* manicure, manikiur. – *v.* robić manicure (*komuś*).

manicured ['mænəkjʊrd] *a.* wymanikiurowany; wypielęgnowany, zadbany (*t. np. o ogrodzie, trawniku*).

manicurist ['mænə,kjʊrɪst] *n.* manikiurzyst-a/ka.

manifest ['mænə,fest] *v.* **1.** manifestować, demonstrować, wyraźnie okazywać (*np. swój stosunek do czegoś*); przejawiać, zdradzać (*emocje*); ~ **itself** przejawiać się. **2.** ostatecznie dowieść (*czegoś*). **3.** zjawiać się, przybierać widzialną postać (*o duchu*). **4.** *żegl.* wykazywać w manifeście. – *a. form.* oczywisty, ewidentny; wyraźny (*np. o próbach, dezaprobacie*); **be made** ~ uwidaczniać się wyraźnie. – *n.* **1.** *żegl., kol., lotn.* manifest, lista ładunkowa, wykaz ładunków. **2.** *US i Can.* szybki pociąg towarowy do przewozu łatwo psujących się towarów.

manifestation [,mænəfe'steɪʃən] *n. form.* **1.** przejaw, oznaka (*of sth* czegoś); *U* objawy, widoczne oznaki (*t. choroby*). **2.** *U* manifestowanie, okazywanie (*uczuć*); manifestacja (*np. solidarności*). **3.** *U* zjawienie się (*ducha*).

manifestly ['mænə,festlɪ] *adv.* wyraźnie; ewidentnie, w oczywisty sposób.

manifesto [,mænɪ'festoʊ] *n. pl.* **-es** *l.* **-s** *polit.* manifest, orędzie.

manifold ['mænə,foʊld] *a. form.* wieloraki, różnorodny. – *n.* **1.** *mech.* (*także* ~ **pipe**) rura zbiorcza, kolektor; rura rozgałęźna; **exhaust** ~ rura wydechowa. **2.** *mat.* rozmaitość; ~ **with boundary** rozmaitość z brzegiem. – *v.* powielać.

manifolder ['mænə,foʊldər] *n.* (*także* ~ **writer**) powielacz.

manifold paper *n.* przebitka.

manikin ['mænəkɪn], **mannikin** *n.* **1.** *med.* model anatomiczny; fantom. **2.** *przest.* człowieczek. **3.** = **mannequin**.

Manila [mə'nɪlə], **Manilla** *n.* **1.** *geogr.* Manila. **2.** cygaro manilskie. **3.** = **Manila hemp**. **4.** = **Manila paper**.

Manila hemp *n. U tk.* włókno manilowe, manila.

Manila paper *n. U* papier manilowy (*używany np. do wyrobu mocnych kopert*).

manilla [mə'nɪlə] *n. hist.* metalowa bransoleta używana jako środek płatniczy w zach. Afryce.

man in the moon *n. folklor, rymowanki dziec.* Pan Księżyc (= *Księżyc przypominający twarz ludzką l. fikcyjny mieszkaniec Księżyca*).

manioc ['mænɪ,ɑːk], **manioca** *n. bot.* maniok (*Manihot*).

maniple ['mænəpl] *n.* **1.** *hist.* manipuła. **2.** *hist., kośc.* manipularz.

manipulable [mə'nɪpjələbl], **manipulatable** *a.* dający sobą manipulować.

manipulate [mə'nɪpjə,leɪt] *v.* **1.** manipulować (*kimś l. czymś*); powodować (*kimś*). **2.** zręcznie władać *l.* operować (*np. narzędziem*). **3.** fałszować (*np. czeki, rachunki*). **4.** *med.* dokonywać zabiegów manipulacyjnych na (*kręgosłupie, stawie*).

manipulation [mə,nɪpjə'leɪʃən] *n.* **1.** *U* manipulowanie. **2.** zręczne władanie *l.* operowanie (*of sth* czymś). **3.** *U* fałszowanie (*czeków, rachunków*). **4.** *U med.* zabieg manualny, manipulacja (*of sth* na czymś) (*np. na kręgosłupie, mięśniach*).

manipulative [mə'nɪpjə,leɪtɪv] *a.* **1.** intrygancki. **2.** (*także* **~atory**) manipulacyjny (*np. o zdolnościach, technikach*).

manipulator [mə'nɪpjə,leɪtər] *n.* manipulator/ka.

manitou ['mænɪ,tuː], **manitu**, **manito** ['mænɪ,toʊ] *n.* manitu (= *duch przyrody u Indian algonkińskich*).

mankind [,mæn'kaɪnd] *n. U* ludzkość, rodzaj ludzki.

manky ['mæŋkɪ] *a.* **-ier, -iest** *Br.* uświniony (= *bardzo brudny; np. o chusteczce do nosa, dywanie*).

manlike ['mæn,laɪk] *a.* męski (*np. o wyglądzie*), przypominający mężczyznę (*t. o kobiecie*); właściwy mężczyźnie.

manliness ['mænlɪnəs] *n. U* męskość (*męskie cechy*).

man lock *n. techn.* śluza powietrzna.

manly ['mænlɪ] *a.* **-ier, -iest** męski (= *dzielny, silny itp.*).

man-made [,mæn'meɪd] *n.* sztuczny (*np. o jeziorze, włóknach*).

manna [ˈmænə] *n. U* **1.** *Bibl. l. przen.* manna; ~ **from heaven** *przen.* manna z nieba, dar niebios. **2.** manna, sok z jesionu mannowego.

manna ash *n. bot.* jesion mannowy (*Fraxinus ornus*).

manna grass *n. U bot.* manna (*Glyceria*).

manned [mænd] *a.* **1.** *wojsk.* obsadzony załogą; z obsługą. **2.** *astronautyka* załogowy.

mannequin [ˈmænəkɪn], **manikin, mannikin** *n.* **1.** manekin (*wystawowy*). **2.** *przest.* modelka.

manner [ˈmænər] *n. zw. sing.* **1.** sposób (*of doing sth* robienia czegoś); **in this** ~ w ten *l.* taki sposób. **2.** styl *l.* sposób bycia, zachowanie się; **bedside** ~ podejście do chorego. **3.** *sztuka* styl, maniera; **in the** ~ **of Rubens/Hitchcock** w stylu Rubensa/Hitchcocka. **4.** *pl. zob.* **manners**. **5. all** ~ **of things/people** *form.* wszelkiego rodzaju rzeczy/ludzie; **(as if) to the** ~ **born** jakby to robił/a od urodzenia, jakby był/a do tego stworzon-y/a; **in a** ~ **of speaking** w pewnym sensie, poniekąd, niejako; **not by any** ~ **of means** *Br. przest.* w żaden sposób, stanowczo nie; **what** ~ **of man is he?** *form.* jaki to człowiek?.

mannered [ˈmænərd] *a.* **1.** zmanierowany, manieryczny. **2.** *w złoż.* **ill/bad-**~ źle wychowany; **mild-**~ łagodny w obejściu; **well-**~ dobrze wychowany.

mannerism [ˈmænəˌrɪzəm] *n.* **1.** maniera. **2.** *U* (*także* **M**~) *hist. sztuki* manieryzm.

mannerist [ˈmænərɪst], **Mannerist** *n. hist. sztuki* manieryst-a/ka.

manneristic [ˌmænəˈrɪstɪk], **manneristical** *a.* manierystyczny.

mannerless [ˈmænərləs] *a.* niewychowany, źle wychowany.

mannerly [ˈmænərlɪ] *a.* dobrze ułożony *l.* wychowany; uprzejmy, grzeczny. – *adv. arch.* uprzejmie, grzecznie.

manners [ˈmænərz] *n. pl.* wychowanie; maniery (*towarzyskie*); **good/bad** ~ dobre/złe wychowanie; **have no** ~ być niewychowanym *l.* źle wychowanym; **it's bad** ~ **to stare/yawn** niegrzecznie jest gapić się/ziewać; **mind one's** ~ *przest.* być uprzejmym *l.* grzecznym; **table** ~ zachowanie (się) przy stole; **where are your** ~**?** jak ty się zachowujesz? (*z pretensją, zwł. do dziecka*).

mannikin [ˈmænəkɪn] *n.* = **manikin**.

mannish [ˈmænɪʃ] *a.* męski (*o kobiecie*).

mannishly [ˈmænɪʃlɪ] *adv.* po męsku (*zachowywać się; o kobiecie*).

mannishness [ˈmænɪʃnəs] *n. U* męskie cechy, męskie zachowanie (*u kobiety*).

manoeuvre [məˈnuːvər] *n. Br. i Austr.* = **maneuver**.

man of God *n.* **1.** święty (człowiek); prorok. **2.** = **man of the cloth**.

man of letters *n.* pisarz, literat.

man of straw *n.* (*także US* **straw man**) **1.** problem pozorny *l.* zastępczy. **2.** rzekomy przeciwnik. **3.** figurant, marionetka. **4.** *zwł. Br.* człowiek słabego charakteru.

man of the cloth *n.* duchowny, ksiądz.

man-of-war [ˌmænəvˈwɔːr], **man o' war** *n. pl.* **men-of-war** **1.** *arch.* okręt. **2.** *wojsk.* pancernik. **3.** (*także* **Portugese** ~) *zool.* bąbelnica, aretuza (*Physalia physalis*).

man-of-war bird *n. orn.* ptak z rodziny fregat (*Fregatidae*).

manometer [məˈnɑːmətər] *n. techn.* manometr.

manometric [ˌmænəˈmetrɪk] *a.* manometryczny.

manometry [məˈnɑːmətrɪ] *n. U* **1.** *techn.* manometria, pomiary ciśnień. **2.** *chem.* analiza manometryczna.

manor [ˈmænər] *n.* **1.** majątek ziemski; folwark. **2.** = **manor house**. **3.** *hist.* dobra lenne, włości (*pana feudalnego*); **lord of the** ~ pan na włościach, dziedzic. **4.** *Br. sl.* okręg policyjny.

manor house *n.* dwór, rezydencja.

manorial [məˈnɔːrɪəl] *a.* **1.** dworski. **2.** *hist.* lenny (*o dobrach*).

man o' war [ˌmænəˈwɔːr] *n.* = **man-of-war**.

manpower [ˈmænˌpaʊər] *n. U* **1.** siła robocza. **2.** *wojsk.* siła żywa, stan osobowy; ~ **of a battalion** siła batalionu.

manqué [mɑːŋˈkeɪ] *a. tylko po n.* niespełniony, niedoszły; **writer/actor** ~ niedoszły pisarz/aktor.

manrope [ˈmænˌroʊp] *n. żegl.* poręcz z liny.

mansard [ˈmænsɑːrd] *n.* **1.** mansarda. **2.** (*także* ~ **roof**) *bud.* dach mansardowy.

manse [mæns] *n.* **1.** *kośc.* plebania (*zwł. szkocka prezbiteriańska*). **2.** *arch.* domostwo.

manservant [ˈmænˌsɝːvənt] *n. pl.* **menservants** *przest.* służący; kamerdyner.

mansion [ˈmænʃən] *n.* **1.** (*także* ~ **house**) okazały dom; rezydencja. **2.** *Br. rzad.* dwór. **3.** *pl.* (*także* **M**~**s**) *Br.* blok, budynek (*zwł. w nazwach*).

man-sized [ˌmɑːnˈsaɪzd], **man-size** *a. attr.* **1.** rozmiarów (dorosłego) mężczyzny; odpowiedni dla mężczyzny. **2.** *pot.* spory, porządny.

manslaughter [ˈmænˌslɔːtər] *n. U prawn.* pozbawienie życia; (*niefachowo*) zabójstwo; **involuntary** ~ nieumyślne spowodowanie śmierci.

mansuetude [ˈmænswəˌtuːd] *n. U arch.* łagodność.

manta [ˈmæntə] *n.* **1.** (*także* ~ **ray**) *icht.* manta, diabeł morski (*Manta birostris*). **2.** *U tk.* szorstka tkanina bawełniana (*produkowana w Hiszpanii i Ameryce Łacińskiej*). **3.** szal lub koc z tkaniny jw.

mantel [ˈmæntl] *rzad.* **mantle, mantelpiece** [ˈmæntlˌpiːs] *n.* **1.** obramowanie kominka. **2.** (*także Br.* ~**shelf**) półka *l.* gzyms nad kominkiem.

mantelet [ˈmæntəˌlet], **mantlet** *n.* **1.** *hist.* mantyla, mantylka (*na ramiona*). **2.** *wojsk.* osłona, tarcza pancerna.

mantelletta [ˌmæntəˈletə] *n. kośc.* mantolet (= *krótka peleryna noszona przez kardynała, biskupa itp.*).

mantelpiece [ˈmæntlˌpiːs] *n. zwł. Br.* = **mantel**.

mantelshelf [ˈmæntlˌʃelf] *n. Br.* = **mantel** 2.

mantel tree [ˈmæntl ˌtriː] *n.* belka stanowiąca górne obramowanie otworu kominka.

mantic [ˈmæntɪk] *a. form.* wieszczy, wróżebny.

mantilla [mænˈtɪlə] *n.* **1.** mantyla (*na głowę*). **2.** mantylka, mantyla (*na ramiona*).

mantis [ˈmæntɪs] *n. ent.* modliszka (*Mantis*);

praying ~ modliszka zwyczajna (*Mantis religiosa*).

mantissa [mæn'tɪsə] *n. mat.* mantysa (*logarytmu*).

mantle ['mæntl] *n.* **1.** *hist.* peleryna, opończa. **2.** *przen.* pokrywa, powłoka, całun; **a ~ of snow** *lit.* całun śniegu; **under a ~ of darkness** *lit.* pod powłoką ciemności. **3.** *form.* funkcja, obowiązki; **take on/assume the ~ of presidency** objąć funkcję przewodniczącego. **4.** *zool.* płaszcz (*u mięczaków*). **5.** *geol.* płaszcz ziemi. **6.** *anat.* płaszcz (= *kora mózgowa z substancją białą*). **7.** *mech.* osłona, płaszcz (*izolacyjny*). **8.** *techn.* siatka (*lampy naftowej, palnika gazowego*). **9.** *techn.* forma piaskowa (*skorupowa, precyzyjna*). **10.** = **mantel**. – *v.* **1.** okrywać (jak) płaszczem; spowijać. **2.** czerwienić się (*o twarzy, policzkach*).

mantlepiece ['mæntl,pi:s] *n.* = **mantel**.

mantleshelf ['mæntl,ʃelf] *n.* = **mantel** 2.

mantlet ['mæntlət] *n.* = **mantelet**.

mantling ['mæntlɪŋ] *n. her.* płaszcz.

man-to-man [,mæntə'mæn] *adv.* jak mężczyzna z mężczyzną, po męsku (*rozmawiać*). – *a.* ~ **talk/conversation** męska rozmowa (= *uczciwa, szczera*).

mantra ['mæntrə] *n. hinduizm, buddyzm* mantra.

mantrap ['mæn,træp] *n.* pułapka na intruzów.

manual ['mænjʊəl] *a.* **1.** ręczny; ~ **transmission/gearshift** *mot.* ręczna przekładnia/zmiana biegów. **2.** manualny; ~ **dexterity/skills** zdolności manualne. **3.** fizyczny; ~ **labor/work** praca fizyczna; ~ **laborer/worker** pracowni-k/ca fizyczny/a, robotni-k/ca. – *n.* **1.** podręcznik; (*także* **instruction** ~) instrukcja obsługi. **2.** *muz.* manuał (*organowy*). **3.** (*także* ~ **exercise**) *wojsk.* chwyty bronią.

manual alphabet *n. sing.* alfabet głuchoniemych.

manually ['mænjʊəlɪ] *adv.* **1.** ręcznie. **2.** manualnie.

manufactory [,mænjə'fæktərɪ] *n. pl.* **-ies** *arch.* fabryka.

manufacture [,mænjə'fæktʃər] *form. v.* **1.** *t. fizj.* produkować, wytwarzać. **2.** *przen.* fabrykować, zmyślać (*np. wymówki, historie*). – *n.* **1.** *U* produkcja, wytwarzanie. **2.** wyrób (*przemysłowy*), produkt.

manufacturer [,mænjə'fæktʃərər] *n.* producent, wytwórca.

manumission [,mænjə'mɪʃən] *n. C/U form.* wyzwolenie (*niewolnika*).

manumit [,mænjə'mɪt] *v.* **-tt-** *form.* wyzwalać (*niewolników*).

manure [mə'nʊr] *roln. n. U* **1.** obornik, gnój. **2.** *Br.* nawóz (*t. sztuczny*). – *v.* nawozić.

manuscript ['mænjə,skrɪpt] *n.* **1.** rękopis; **in** ~ w rękopisie. **2.** *hist.* manuskrypt. – *a. attr.* pisany ręcznie.

Manx [mæŋks] *a. attr.* dotyczący wyspy Man. – *n.* **1.** *U hist.* język mański. **2. the** ~ mieszkańcy wyspy Man.

Manx cat *n.* bezogoniasty kot z wyspy Man.

Manxman ['mæŋksmən] *n. pl.* **-men** mieszkaniec wyspy Man.

Manxwoman ['mæŋks,wʊmən] *n. pl.* **-women** mieszkanka wyspy Man.

many ['menɪ] *a.* **1.** wiele, dużo; wielu, liczni; **a good** ~ całkiem sporo; **a great** ~ mnóstwo; **for** ~ dla wielu; **how ~?** ile?; ilu?. **2. as** ~ tyle; **as ~ again** jeszcze raz tyle; **as ~ as twenty** aż dwadzieścia; **as ~ praises as criticisms** tyle samo pochwał, co uwag krytycznych; **five times/twice as** ~ pięć/dwa razy więcej; **I drove through five countries in as ~ days** przejechałam pięć krajów w tyleż dni. **3.** ~ **a(n)...** *form.* niejeden...; ~ **a time** *lit.* niejeden raz; ~ **happy returns (of the day)!** *zob.* **happy**; **~'s the time/hour/man...** *żart.* ileż to razy/godzin/ludzi...; **be one too ~ for sb** *Br. przest.* być nie do pokonania dla kogoś (*bo przewyższa się go inteligencją, sprytem itp.*); **have had one too** ~ wypić o jednego za dużo; **in so ~ words** bez ogródek; **not in so ~ words** nie wprost, ogródkami. – *n.* **the** ~ większość (*ludzi*).

manyplies ['menɪ,plaɪz] *n. pl. zool.* księgi, trzeci żołądek.

many-sided [,menɪ'saɪdɪd] *a.* złożony (*np. o osobowości, pojęciu*); wieloaspektowy.

Maoism ['maʊ,ɪzəm] *hist. n. U* maoizm.

Maoist ['maʊɪst] *n.* maoist-a/ka. – *a.* maoistyczny.

Maori ['maʊərɪ] *a.* maoryski. – *n.* **1.** Maorys/ka. **2.** *U* język maoryjski.

map [mæp] *n.* **1.** *t. geogr., astron.* mapa; **road** ~ mapa samochodowa; (*także* **street** ~) plan (*miasta*). **2.** *mat.* = **mapping**. **3.** *sl.* facjata (= *twarz*). **4.** *przen.* **off the** ~ *pot.* na uboczu *l.* odludziu; **put sth on the** ~ spopularyzować coś (*zwł. miejsce, miasto*); rozsławić coś (*jw.*); **wipe sth off the** ~ zetrzeć coś z powierzchni ziemi. – *v.* **-pp- 1.** sporządzać mapę (*czegoś*), przedstawiać na mapie. **2.** *mat.* odwzorowywać. **3.** *kartogr.* robić pomiary kartograficzne (*czegoś*). **4.** ~ **out** zaplanować szczegółowo (*np. czyjąś przyszłość l. karierę*); rozplanować (*np. akcję, zadanie*); opracować szczegółowo, nakreślić (*np. plan*).

maple ['meɪpl] *n. bot.* **1.** klon (*Acer*); **Norway** ~ klon zwyczajny (*Acer platanoides*); **silver** ~ klon srebrzysty (*Acer dasycarpum / saccharinum*); **sugar** ~ klon cukrowy (*Acer saccharum*). **2.** *U* klon, drewno klonowe.

maple leaf *n.* liść klonu (*godło Kanady*).

maple sugar *n. U* cukier klonowy.

maple syrup *n. U kulin.* syrop klonowy.

mapmaker ['mæp,meɪkər] *n. pot.* kartograf.

mapping ['mæpɪŋ] *n. mat.* odwzorowanie.

map pocket *n. mot.* kieszeń na mapy (*w drzwiach samochodu*).

maquette [mæ'ket] *n. rzeźba, bud.* model; makieta.

maquillage [,mækɪ'ɑ:ʒ] *n. U* makijaż; sztuka makijażu.

Mar, Mar. *abbr.* = **March**.

mar [mɑ:r] *v.* **-rr-** *zw. pass.* zepsuć, zeszpecić (*wygląd, piękny widok*); zrujnować, zepsuć (*np. urlop*); zmącić (*np. przyjemność*). – *v.* skaza.

mara [mə'rɑː] *n. zool.* mara (*Dolichotis patagonum*).

marabou ['merəˌbuː], **marabout** *n. orn.* **1.** marabut (*Leptoptilos crumeniferus*). **2.** *U* puch z ogona marabuta (*do ozdabiania odzieży*). **3.** *U tk.* surowy biały jedwab.

marabout ['merəˌbuːt] *n.* **1.** marabut (= *mnich l. pustelnik muzułmański*). **2.** grobowiec marabuta. **3.** = **marabou.**

maracas [mə'rɑːkəz] *n. pl. muz.* marakasy.

maranta [mə'ræntə] *n. bot.* maranta (*Maranta*).

marasca [mə'ræskə] *n. bot.* odmiana wiśni (*Prunus cerasus marasca*).

maraschino [ˌmerə'skiːnoʊ] *n. U* maraskino (*likier z wiśni jw.*).

maraschino cherry *n. pl.* **-ies** *kulin.* wiśnia w maraskino (*do dekoracji drinków i wyrobów cukierniczych*).

marasmus [mə'ræzməs] *n. U pat.* kacheksja, wyniszczenie.

Marathon ['merəˌθɑːn] *n. geogr., hist.* Maraton.

marathon ['merəˌθɑːn] *n. sport* maraton (*t. przen.*), bieg maratoński; **dance ~** maraton taneczny. – *a. attr.* maratoński (*t. przen.* = *długi i wyczerpujący*); maratonowy.

marathoner ['merəˌθɑːnər] *n. sport* maratończyk/nka.

maraud [mə'rɔːd] *v.* **1.** grasować. **2.** plądrować, łupić, grabić.

marauder [mə'rɔːdər] *n.* maruder (*żołnierz*); grabieżca, łupieżca; rabuś (*t. o zwierzęciu*).

marauding [mə'rɔːdɪŋ] *a. attr.* grasujący (*np. o zwierzęciu, bandzie*).

marble ['mɑːrbl] *n.* **1.** *U* marmur. **2.** rzeźba marmurowa, marmur. **3.** (szklana) kulka (*do gry*). **4.** *pl. zob.* **marbles**. **5.** *przen. pot.* **make one's ~ good** *Austr. i NZ* zrobić, co należy; **pass in one's ~** *Austr.* kopnąć w kalendarz (= *umrzeć*); **pick up one's ~s and go home** *US* zabierać (swoje) zabawki i iść do domu. – *a. attr.* **1.** marmurowy, z marmuru (*np. o posągu, popiersiu*). **2.** marmurkowy (*np. o deseniu*). – *v.* marmurkować (*np. papier, mydło*).

marble cake *n. kulin.* babka marmurkowa.

marbled ['mɑːrbld] *a.* **1.** marmurkowy, żyłkowany (*o deseniu*). **2.** *Br. kulin.* przerośnięty *l.* poprzerastany (tłuszczem) (*o mięsie*).

marbled white *n. ent.* motyl z rodzaju polowców (*Melangria*).

marble paper *n. U* papier marmurkowy, marmurek.

marbles ['mɑːrblz] *n. pl.* **1.** *U* gra w kulki. **2.** *przen. pot.* rozum; **be born without one's ~** mieć nie po kolei w głowie; **lose one's ~** postradać rozum.

marbling ['mɑːrblɪŋ] *n. U* **1.** marmurkowanie. **2.** *Br. kulin.* pasma tłuszczu w poprzerastanym mięsie.

marc [mɑːrk] *n. U* **1.** wytłoki, wytłoczyny (*z owoców*). **2.** (*także* **~ brandy**) winiak z wytłoków.

marcasite ['mɑːrkəˌsaɪt] *n. C/U min., jubilerstwo* markasyt, markazyt.

marcel [mɑːr'sel] *n.* (*także* **~ wave**) trwała ondulacja w fale (*popularna w latach 20.*). – *v.* **-ll-** ondulować w fale (*włosy*).

marcescent [mɑːr'sesənt] *a. bot.* więdnący.

March [mɑːrtʃ] *n. C/U* **1.** marzec; *zob. t.* **February**. **2.** **(as) mad as a ~ hare** *zob.* **mad** *a.*

march[1] [mɑːrtʃ] *v.* **1.** maszerować; **forward, ~!** *wojsk.* naprzód marsz! **2.** prowadzić siłą (*np. więźnia, jeńca*); **~ sb in/off/out** wprowadzić/odprowadzić/wyprowadzić kogoś (*używając siły*). **3.** **~ along** *t. przen.* posuwać się naprzód; **~ away/forth/off** odmaszerować; wyruszyć; **~ into sth** wmaszerować *l.* wkroczyć gdzieś; **~ on** maszerować dalej; **~ out of sth** wymaszerować skądś; **~ past sb** przemaszerować *l.* przedefilować przed kimś. – *n.* **1.** *t. wojsk., muz.* marsz; **be on the ~** maszerować (*o wojsku*); **go on a ~** wziąć udział w marszu (*np. protestacyjnym*); **peace ~** marsz pokojowy. **2.** *przen.* bieg (*np. wypadków, czasu, historii*); postęp (*np. myśli ludzkiej*); pochód (*np. następujących po sobie pokoleń*). **3.** *przen.* **be on the ~** rosnąć w siłę (*np. o ideologii*); **steal a ~ on sb** ubiec *l.* uprzedzić kogoś.

march[2] *n.* (*także* **~land**) pogranicze (*często sporne*); *hist.* marchia; **the M~es** *Br.* tereny przygraniczne między Anglią i Szkocją *l.* Anglią i Walią. – *v. form.* graniczyć (*with/upon sth* z czymś).

marcher ['mɑːrtʃər] *n.* maszerujący-y/a.

marching band ['mɑːrtʃɪŋ ˌbænd] *n.* orkiestra dęta biorąca udział w paradach.

marching orders ['mɑːrtʃɪŋ ˌɔːrdərz] *n. pl.* **1.** *wojsk.* rozkaz wymarszu. **2.** *zwł. Br. przen. pot.* **get one's ~** zostać zwolnionym (*z pracy*); **give sb their ~** zwolnić kogoś (*z pracy*); odprawić kogoś; rzucić kogoś.

marchioness ['mɑːrʃənəs] *n.* markiza.

marchpane ['mɑːrtʃˌpeɪn] *n. arch.* = **marzipan**.

march-past ['mɑːrtʃˌpæst], **march past** *n. sing. wojsk.* defilada.

Mardi Gras ['mɑːrdɪ ˌgrɑː] *n. U kośc.* ostatki (= *wtorek przed środą popielcową i związane z nim obchody końca karnawału*).

mare[1] *n.* ['mer] klacz, kobyła.

mare[2] *n.* ['mɑːreɪ] *pl.* **maria** ['mɑːrɪə] *astron.* morze.

mare's nest ['merzˌneɪst] *n. przen.* **1.** bezwartościowe *l.* iluzoryczne odkrycie. **2.** zagmatwana sytuacja.

mare's-tail ['merzˌteɪl] *n.* **1.** *meteor.* długa chmura pierzasta. **2.** *bot.* przęstka pospolita (*Hippuris vulgaris*).

margarine ['mɑːrdʒərɪn] *n. U* margaryna.

margarita [ˌmɑːrgə'riːtə] *n.* margarita (*drink na bazie tequili*).

margay ['mɑːrgeɪ] *n. zool.* margaj (*Felis wiedi*).

marge[1] [mɑːrdʒ] *n. poet.* skraj.

marge[2] *n. U Br. pot.* margaryna.

margin ['mɑːrdʒɪn] *n.* **1.** *t. przen.* margines; *pl. przen.* granice, obrzeża; **~ of error/safety** granica błędu/bezpieczeństwa; **in the ~** na marginesie (*pisać, notować*); **on the ~(s) of politics** na obrzeżach polityki; **on the ~(s) of society** na marginesie społeczeństwa. **2.** *przen.* zapas, nadwyżka, rezerwa (*np. czasu*). **3.** różnica (*zwł. głosów*); **win by a narrow/wide** ~ wygrać małą/dużą różnicą głosów. **4.** *lit.* skraj (*lasu, jeziora*). **5.** *ekon., handl.* = **profit margin**. **6.** *fin.* zabezpieczenie, kaucja. – *v.* **1.** robić margines *l.* marginesy w (*czymś*), opatrywać marginesem *l.* marginesami. **2.** *fin.* składać kaucję na (*coś*).

marginal [ˈmɑ:rdʒənl] *a.* **1.** marginalny, nieznaczny; marginesowy. **2.** minimalny. **3.** *attr.* na marginesie (*o notatce*). **4.** znajdujący się na krawędzi *l.* granicy; *roln.* skrajnie położony (*o gruntach*). **5.** *gł. Br. i NZ polit.* ~ **constituency** okręg wyborczy, w którym zwycięstwo zależy od niewielkiej liczby głosów; ~ **seat** mandat poselski, o którym decyduje minimalna większość głosów.

marginalia [ˌmɑ:rdʒəˈneɪlɪə] *n. pl.* uwagi na marginesie, marginalia.

marginality [ˌmɑ:rdʒəˈnæləti] *n. U* marginalność.

marginalization [ˌmɑ:rdʒɪnələˈzeɪʃən], *Br. i Austr. zw.* **marginalisation** *n. U* marginalizacja, zepchnięcie na margines.

marginalize [ˈmɑ:rdʒɪnəˌlaɪz], *Br. i Austr. zw.* **marginalise** *n.* marginalizować, spychać na margines.

marginally [ˈmɑ:rdʒənlə] *adv.* **1.** marginalnie, nieznacznie (*np. różniący się*). **2.** minimalnie, tylko trochę (*np. lepszy*).

marginal subsistence *n. C/U ekon.* minimum socjalne.

marginal utility *n. U ekon.* granica opłacalności.

marginate [ˈmɑ:rdʒəˌneɪt] *v.* opatrywać marginesem *l.* marginesami. – *a.* (*także* **~d**) *biol.* z obrzeżeniem *l.* obwódką (*np. o liściu*).

margin release *n.* zwalniacz marginesu (*w maszynie do pisania*).

margravate [ˈmɑ:rgrəvət] *n. hist.* marchia, margrabstwo.

margrave [ˈmɑ:rgreɪv] *n. hist.* margrabia.

margravine [ˈmɑ:rgrəˌvi:n] *n. hist.* margrabina.

marguerite [ˌmɑ:rgəˈri:t] *n. bot.* **1.** jastrun *l.* złocień właściwy (*Chrysanthemum leucanthemum*). **2.** *US* stokrotka pospolita (*Bellis perennis*).

mariachi [ˌmɑ:rɪˈɑ:tʃɪ] *n.* **1.** meksykańska orkiestra uliczna. **2.** *U* tradycyjna meksykańska muzyka taneczna.

Marian [ˈmerɪən] *a.* **1.** *rel.* maryjny (*np. o kulcie*). **2.** *Br. hist.* mariański (*zwł. = dotyczący Marii Stuart l. królowej angielskiej Marii I*). – *n. rel.* marian-in/ka (= *czciciel/ka Matki Boskiej*).

marigold [ˈmerəˌgoʊld] *n. bot.* **1.** aksamitek (*Tagetes*); **African** ~ aksamitek wielkokwiatowy *l.* wzniesiony (*Tagetes erectus*); **French** ~ aksamitek drobnokwiatowy *l.* rozpierzchły (*Tagetes patula*). **2. pot** ~ nagietek lekarski (*Calendula officinalis*). **3.** = **marsh marigold**.

marijuana [ˌmerəˈwɑ:nə], **marihuana** *n. U* marihuana, konopie indyjskie (*bot. = Cannabis indica*).

marimba [məˈrɪmbə] *n. muz.* marimba.

marina [məˈri:nə] *n.* przystań jachtowa.

marinade [ˌmerɪˈneɪd] *kulin. n. C/U* marynata, zalewa (*np. octowa*). – *v.* = **marinate**.

marinate [ˈmerəˌneɪt] *v.* marynować (się).

marination [ˌmerəˈneɪʃən] *n. U* marynowanie.

marine [məˈri:n] *a. attr.* **1.** morski (*np. o roślinach, ssakach*). **2.** okrętowy. – *n.* **1.** *wojsk. US* żołnierz piechoty morskiej; *Br.* żołnierz służący w marynarce; **the M~s** piechota morska. **2. merchant** ~ *US* marynarka handlowa. **3.** *mal.* obraz o tematyce morskiej. **4. (go) tell that to the M~s!** *pot.* bujać to my, ale nie nas.

marine architect *n.* specjalist-a/ka w zakresie budowy okrętów.

marine biology *n. U* biologia morza, oceanografia biologiczna.

Marine Corps [məˈri:n ˌkɔ:r] *n. sing. US wojsk.* korpus piechoty morskiej.

marine engineeer *n.* mechanik okrętowy.

marine ivy *n. U bot.* cissus wcięty (*Cissus incisa*).

mariner [ˈmerənər] *n. przest. l. lit.* marynarz.

Mariology [ˌmerɪˈɑ:lədʒɪ] *n. U teol.* mariologia.

marionette [ˌmerɪəˈnet] *n.* marionetka.

marish [ˈmerɪʃ] *a. przest.* bagnisty.

Marist [ˈmerɪst] *n. kośc.* marianin (= *członek sodalicji mariańskiej l. zakonu mariańskiego*).

marital [ˈmerɪtl] *a. gł. attr.* **1.** małżeński. **2.** *form.* mężowski; dotyczący małżonka.

marital bliss *n. U żart.* szczęście małżeńskie.

marital status *n. U form.* stan cywilny.

maritime [ˈmerɪˌtaɪm] *a. gł. attr. form.* **1.** morski (*np. o potędze, handlu, klimacie, muzeum*). **2.** nadmorski (*o regionie*).

Maritime Provinces *n. pl.* (*także* **Maritimes**) *Can. geogr.* prowincje nadmorskie *l.* atlantyckie (= *Nowy Brunszwik, Nowa Szkocja i Wyspa Księcia Edwarda*).

marjoram [ˈmɑ:rdʒərəm] *n. U bot., kulin.* majeranek (*Majorana*).

Mark [mɑ:rk] *n. t. Bibl.* Marek.

mark[1] [mɑ:rk] *n.* **1.** plama; **grease ~s** tłuste plamy. **2.** ślad; **bite** ~ ślad po ugryzieniu; **finger ~s** ślady palców. **3.** znak (*np. na skali*); wskaźnik; **halfway** ~ *sport* znak połowy dystansu; **over the ten percent** ~ powyżej (wskaźnika) dziesięciu procent; **Plimsoll('s)** ~ *żegl.* znak wolnej burty. **4.** cecha, znak; **distinguishing/identifying** ~ cecha charakterystyczna, znak szczególny. **5.** *t. w złoż.* znamię; **birth**~ znamię wrodzone. **6.** (*także* **~ing**) cętka, plamka, plama (*u zwierzęcia*). **7.** piętno, znamię; **leave one's/its/a ~ on sth** odcisnąć (swoje) piętno na czymś. **8.** znak, oznaka, przejaw; **as a ~ of respect/appreciation** na znak szacunku/uznania. **9.** *pismo* znak; **exclamation** ~ wykrzyknik; **interrogation/question** ~ znak zapytania, pytajnik; **punctuation** ~ znak interpunkcyjny; **quotation** ~ cudzysłów. **10.** cel (*strzelecki; t. przen.*); **hit the** ~ trafić; **miss the** ~ nie trafić, spudłować; **off the** ~ nietrafiony, chybiony (*o strzale*). **11.** (*także* **~s**) *sport* linia startu; **get off the** ~ wystartować; **on your ~(s), get set, go!** na miejsca, gotowi, start! **12.** *zwł. Br. i*

Austr. szkoln., uniw. stopień, ocena; punkt (*na teście, egzaminie*). **13. full ~s** najwyższa ocena; maksymalna ilość punktów. **14. pass ~** ocena pozytywna (*z testu, egzaminu*); ilość punktów wymagana na zaliczenie. **15. M~** model, typ, wersja (*np. samochodu, silnika, pistoletu*). **16. M~ 2** model *l.* wersja 2. **17.** *US pot.* jeleń (= *ktoś, kogo przęstepca upatrzył sobie na ofiarę, zw. oszustwa*). **18.** *gra w kule* biała kula, do której celują grający. **19. the ~** *boks* dołek (= *przepona*). **20.** *hist.* wspólne grunty (*gminy; w średniowiecznej Anglii i Niemczech*). **21.** *arch.* krzyżyk (*zamiast podpisu*). **22.** *arch.* granica. **23.** *przen.* **a black ~ against sb** minus na czyimś koncie; **be close to/near the ~** niewiele się mylić, być bliskim prawdy; **be quick off the ~** *pot.* nie zwlekać (*to do sth* ze zrobieniem czegoś); **be slow off the ~** *pot.* mieć spóźniony zapłon; wolno myśleć *l.* kojarzyć; **below the ~** poniżej (wymaganego) poziomu; **easy ~** *sl.* frajer, jeleń; **full ~s for observation** punkt za spostrzegawczość; **make a/one's ~** wyrobić sobie pozycję (*in / on sth* w czymś); **not up to the ~** *Br.* nie dość dobry (*np. o czyjejś pracy*); **not be/feel up to the ~** *Br. przest.* czuć się kiepsko; **of ~** wybitny, nietuzinkowy; godny uwagi; **on the ~** trafny (*np. o opisie, komentarzu*); **overstep the ~** *zob.* **overstep; (there are) no ~s for guessing who/what...** nietrudno zgadnąć, co/kto...; **up to the ~** na (przyzwoitym) poziomie; **wide of the ~** (*także* **off the ~**) całkiem chybiony, zupełnie błędny. – *v.* **1.** znakować, znaczyć, oznaczać (*sth with sth* coś czymś) (*np. symbolem, kreską*); zaznaczać; **~ one's place** zaznaczać miejsce (*w książce*). **2.** opatrywać napisem *l.* adnotacją (*dokument*). **3.** wyznaczać (*np. pozycję, miejsce*); stanowić (*np. punkt zwrotny*). **4.** upamiętniać (*zwł. rocznicę*). **5.** robić plamy na, zostawiać ślady na (*czymś*). **6.** plamić się, brudzić się; **this desk ~s easily** na tym biurku zostają ślady *l.* robią się plamy. **7.** piętnować (*sb as sth* kogoś jako coś). **8.** charakteryzować, cechować; **be ~ed by sth** cechować *l.* charakteryzować się czymś; nosić ślady czegoś. **9.** *szkoln.* oceniać (*np. wypracowanie*). **10.** liczyć punkty w (*grze*). **11.** *Br. i Austr. sport* kryć, pilnować. **12. ~ time** *wojsk.* maszerować w miejscu; *przen.* dreptać w miejscu; grać na zwłokę; **~ you** *przest.* zauważ; **(you) ~ my words!** *przest.* zapamiętaj (sobie) moje słowa! **13. ~ down** notować; przeceniać (*towar*); obniżać (*cenę*); **~ sb down** *Br. szkoln.* obniżyć komuś ocenę (*for sth* za coś); **~ sb down as...** ocenić kogoś jako..., uznać kogoś za...; **~ sb down as absent** wpisać komuś nieobecność; **~ off** odgradzać (*np. kawałek gruntu*); odhaczyć, odfajkować (*np. pozycję na liście*); **~ sb/sth off from sb/sth** odróżniać *l.* różnić kogoś/coś od kogoś/czegoś; **~ out** wytyczać (*np. trasę wyścigu*); wytyczać linie na (*np. na boisku, polu*); **~ sb out** wyróżniać kogoś spośród innych (*np. o cechach charakteru*); **~ up** podnosić (*cenę*); podnosić cenę (*towaru*).

mark2 *n. fin.* marka (*waluta*).

markdown [ˈmɑːrkˌdaʊn], **mark-down** *n. handl.* **1.** obniżka ceny. **2.** towar przeceniony.

marked [mɑːrkt] *a.* **1.** wyraźny, zauważalny (*np. o poprawie, wpływie*). **2.** *jęz.* nacechowany. **3. ~ man** *przen.* człowiek naznaczony (= *śledzony, narażony na niebezpieczeństwo itp.*). **4. in ~ contrast to...** zupełnie inaczej niż...

markedly [ˈmɑːrkɪdlɪ] *adv.* wyraźnie, zauważalnie.

marker [ˈmɑːrkər] *n.* **1.** znak (*wytyczający l. wyznaczający*); tablica; słupek; (*także* **~ post**) pachołek. **2.** *techn., lotn., biol.* znacznik, marker, markier. **3.** (*także Br.* **~ pen**) zakreślacz, marker. **4.** *Br. szkoln., uniw.* oceniając-y/a (*testy, prace pisemne*). **5.** *sport* osoba prowadząca punktację; tablica z punktami. **6.** *Br. i US sport* zawodni-k/czka kryjąc-y/a (*zawodnika drużyny przeciwnej*). **7.** *sing. przen.* znak, oznaka (*np. zmian*); wyznacznik; **a ~ of/for quality** wyznacznik jakości. **8.** = **bookmark**. **9. put down a ~** *przen.* wyrazić swoje intencje; zdeklarować się.

market [ˈmɑːrkət] *n.* **1.** (*także* **~place**) targ, targowisko; *t. przen.* rynek; **street ~** targ uliczny. **2.** *ekon., handl.* rynek; rynek zbytu (*for sth* na coś); **bring sth onto the ~** wypuścić coś (na rynek); **buyer's ~** rynek kupującego *l.* nabywcy (= *z podażą większą niż popyt*); **come onto the ~** pojawić się na rynku; **corner the ~** zmonopolizować rynek; **domestic/foreign ~** rynek krajowy/zagraniczny; **falling ~** rynek o tendencji zniżkowej; **job/labor ~** rynek pracy; **on the ~** dostępny na rynku, w sprzedaży; **on the open ~** na wolnym rynku; **put sth on the ~** wystawić coś na sprzedaż; **seller's ~** rynek sprzedającego *l.* sprzedawcy (= *z popytem większym niż podaż*). **3. there is a ~ for sth** jest zbyt *l.* popyt na coś. **4.** *U ekon., handl.* cena rynkowa; **at (the) ~** po aktualnej cenie (*rynkowej*). **5. the ~** giełda; **the ~s** światowe giełdy; **play the ~** grać na giełdzie. **6.** *US* sklep (*zwł. z artykułami spożywczymi i gospodarstwa domowego*). **7.** *przen.* **be in the ~ for sth** być zainteresowanym kupnem czegoś; **price o.s. out of the ~** *zob.* **price** *v.* – *v.* **1.** wprowadzać na rynek; reklamować (*as* jako). **2.** handlować (*produktem*), sprzedawać. **3.** *US* robić zakupy. – *a. attr.* **1.** targowy. **2.** rynkowy. **3.** giełdowy.

marketability [ˌmɑːrkətəˈbɪlətɪ] *n. U handl.* atrakcyjność handlowa, pokupność.

marketable [ˈmɑːrkətəbl] *a. handl.* znajdujący zbyt, pokupny.

market day *n. zwł. Br.* dzień targowy.

market-driven [ˌmɑːrkətˈdrɪvən] *a.* = **market-led**.

market economy *n. pl.* **-ies** *ekon.* gospodarka rynkowa.

marketeer [ˌmɑːrkəˈtiːr] *n. w złoż.* **black ~** paskarz; **free ~** zwolenni-k/czka wolnego rynku; **pro-/anti-M~** *Br. hist.* zwolennik/przeciwnik przystąpienia Wielkiej Brytanii do Wspólnego Rynku.

market forces *n. pl. ekon.* mechanizmy rynkowe.

market garden *n. Br.* gospodarstwo, w którym hoduje się warzywa i owoce na sprzedaż.

market gardening *n. U Br.* ogrodnictwo nastawione na sprzedaż produktów.

marketing ['mɑ:rkətɪŋ] *n. U* **1.** *ekon.* marketing, zorganizowana sprzedaż. **2.** *US przest.* zakupy (*zwł. żywnościowe*).

marketing campaign *n. handl.* kampania promocyjna *l.* reklamowa.

marketing mix *n. handl.* zmienne komponenty marketingu (= *produkt, cena, dystrybucja, promocja*).

market leader *n. handl.* lider na rynku.

market-led [ˌmɑ:rkət'led] *a.* (*także* **market-driven**) *ekon.* wymuszony przez rynek (*np. o produkcie, usłudze*).

market letter *n.* biuletyn giełdowy.

market maker *n. giełda* makler.

market order *n. giełda* zlecenie kupna/sprzedaży po kursie dnia.

marketplace ['mɑ:rkətˌpleɪs] *n.* = **market** *n.* 1.

market price *n. sing. ekon.* cena rynkowa.

market research *n. U* badanie rynku.

market share *n. handl.* udział w rynku.

market stall *n.* stragan.

market town *n. Br.* miasto targowe (*z targiem co tydzień l. dwa razy w tygodniu*).

market value *n. ekon.* wartość rynkowa.

marking ['mɑ:rkɪŋ] *n.* **1.** *zw. pl. biol.* cętka, plamka, plama (*na futrze, liściu, upierzeniu*). **2.** *pl.* oznakowanie (*np. pojazdu*). **3.** *U* znakowanie, znaczenie; *techn.* oznaczanie; cechowanie. **4.** *U Br. szkoln.* ocenianie (*wypracowań, testów*).

markka ['mɑ:rkˌkɑ:] *n. fin.* marka (*waluta fińska*).

marksman ['mɑ:rksmən] *n. pl.* **-men** dobry strzelec; *wojsk.* strzelec wyborowy.

marksmanship ['mɑ:rksmənˌʃɪp] *n. U* umiejętności strzeleckie.

mark-up ['mɑ:rkˌʌp], **markup** *n.* **1.** *handl.* marża, narzut. **2.** zwyżka ceny, podwyżka.

marl [mɑ:rl] *n. U geol.* margiel. – *v. roln.* nawozić marglem, marglować.

marlin ['mɑ:rlɪn] *n. pl.* **-s** *l.* **marlin** *icht.* marlin (*rodzina Istiophoridae*).

marline ['mɑ:rlɪn], **marlin** *n. żegl.* dwunitka, marlinka.

marlinespike ['mɑ:rlɪnˌspaɪk] *n. żegl.* rożek szkutniczy.

marmalade ['mɑ:rməleɪd] *n. U kulin.* dżem z owoców cytrusowych (*zwł. pomarańczowy*).

marmalade tree *n. bot.* sapota (*Calocarpum sapota*).

Marmara ['mɑ:rmərə] *n.* **Sea of** ~ *geogr.* morze Marmara.

marmite ['mɑ:rmaɪt] *n.* **1.** kociołek z pokrywką; kamionkowy gar z pokrywką (*np. do podawania zupy*). **2.** *U* **M~** *Br. kulin.* ekstrakt z warzyw i drożdży, używany do smarowania pieczywa *l.* jako przyprawa.

marmoreal [mɑ:r'mɔ:rɪəl], **marmorean** *a. form.* marmurowy, przypominający marmur; ~ **complexion** alabastrowa cera.

marmoset ['mɑ:rməˌzet] *n. zool.* marmozeta, uistiti (*rodzina Callithricidae*); **black-pencilled** ~ uistiti czarnoucha (*Callithrix penicillata*); **pygmy** ~ uistiti pigmejka (*Cebullea pygmaea*); **silvery** ~ marmozeta biała, uistiti srebrzysta (*Callithrix argentata*).

marmot ['mɑ:rmət] *n. zool.* **1.** świstak (*rodzaj Marmota*). **2. prairie** ~ piesek preriowy, nieświszczuk (*Cynomys*).

Maronite ['merəˌnaɪt] *n. rel.* maronit-a/ka.

maroon[1] [mə'ru:n] *a. i n. U* (kolor) kasztanowy. – *n. Br. gł. kol.* petarda (*sygnalizacyjna*).

maroon[2] *v. zw. pass.* **1.** wysadzać na bezludnym wybrzeżu. **2.** *przen.* pozostawiać samemu sobie, pozbawiać środków do życia. – *n.* **1.** rozbitek. **2.** (*także* **M~**) potomek zbiegłych niewolników żyjący w górach Gujany *l.* Indii Zachodnich.

marooned [mə'ru:nd] *a.* **1.** wyrzucony na brzeg. **2.** *przen.* pozostawiony samemu sobie.

marque [mɑ:rk] *n.* **1.** marka (*zwł. samochodu*). **2.** znak fabryczny (*jw.*). **3. letters of** ~ **(and reprisal)** *zob.* **letters**.

marquee [mɑ:r'ki:] *n.* **1.** *US i Can.* wielki afisz z tytułem filmu *l.* spektaklu (*przed wejściem do kina l. teatru*). **2.** (*także* **marquise**) *US i Can.* markiza, daszek (*np. nad wejściem do hotelu*). **3.** *Br. i Austr.* duży namiot (*np. na festynie, weselu*).

marquess ['mɑ:rkwɪs] *n. Br.* = **marquis**.

marquetry ['mɑ:rkətrɪ], **marqueterie** *n. C/U pl.* **-ies** *sztuka* markieteria, markietaż.

marquis ['mɑ:rkwɪs] *n. pl.* **-es** *l.* **marquis** *hist.* markiz.

marquisate ['mɑ:rkwɪzɪt] *n.* **1.** tytuł markiza. **2.** dobra związane z tytułem markiza.

marquise [mɑ:r'ki:z] *n.* **1.** markiza. **2.** kamień szlachetny owalnego kształtu o szlifie fasetowym; pierścień z kamieniem jw. **3.** = **marquee** 2.

marquisette [ˌmɑ:rkɪ'zet] *n. U tk.* markizeta.

Marrakech [ˌmerə'keʃ], **Marrakesh** *n. geogr.* Marrakesz.

marram ['merəm] *n. U* (*także* ~ **grass**) *bot.* piaskownica zwyczajna (*Ammophila arenaria*).

marriage ['merɪdʒ] *n.* **1.** *C/U* małżeństwo (*instytucja, stan*); **be related to sb by** ~ być z kimś spowinowaconym; **he has two sons by his first** ~ ma dwóch synów z pierwszego małżeństwa. **2.** ślub; ożenek; ~ **by licence** (*także* **civil/registry** ~) ślub cywilny; ~ **by proxy** ślub przez pełnomocnika; **officiate at a** ~ udzielać ślubu. **3.** *karty* mariasz (= *król i dama jednego koloru*). **4.** *przen.* mariaż (= *połączenie*).

marriageable ['merɪdʒəbl] *a. przest.* **1.** na wydaniu (*o pannie*); do wzięcia (*o kawalerze*). **2.** *attr.* odpowiedni do małżeństwa (*zwł. o wieku*).

marriage brokerage *n. U prawn.* **1.** pośrednictwo matrymonialne. **2.** koszty pośrednictwa matrymonialnego.

marriage bureau *n. Br.* biuro matrymonialne.

marriage certificate *n.* akt ślubu.

marriage contract *n.* umowa małżeńska.

marriage counseling *n. U* (*także Br.* **marriage guidance**) poradnictwo małżeńskie.

marriage license, *Br.* **marriage licence** *n.* zezwolenie na ślub.

marriage lines *n. Br. przest.* = **marriage certificate**.

marriage of convenience *n.* małżeństwo z rozsądku; małżeństwo zawarte dla zdobycia obywatelstwa itp.

marriage portion *n. przest.* wiano, posag.

marriage settlement *n.* intercyza.

marriage vows *n. pl.* przysięga małżeńska.

married ['merɪd] *a.* **1.** żonaty (*to sb* z kimś); zamężna; **get** ~ pobierać się, brać ślub. **2.** *attr.* małżeński (*np. o życiu, miłości*); ~ **couple** małżeństwo (= *mąż i żona*); ~ **name** nazwisko po mężu. **3.** ~ **to sth** *przen.* całkowicie oddany czemuś. – *n. zw. pl.* **(young)** ~**s** (młodzi) małżonkowie.

marron ['merən] *n. kulin.* kasztan jadalny, maron; ~ **glacés** *Fr.* kasztan kandyzowany.

marrow ['meroʊ] *n. U* **1.** *anat.* szpik; **bone** ~ szpik kostny. **2.** *lit.* rdzeń, istota, kwintesencja. **3.** *arch.* żywotność. **4. chilled/frozen to the** ~ *przen.* przemarznięty do szpiku kości. **5.** *C/U* (*także* **vegetable** ~) *Br. i Austr.* = **marrow squash**.

marrowbone ['meroʊˌboʊn] *n. C/U t. kulin.* kość szpikowa.

marrowbones ['meroʊˌboʊnz] *n. pl.* **1.** *żart.* kolana. **2.** *rzad.* = **crossbones**.

marrow squash *n. C/U US i Can. bot., kulin.* kabaczek, dynia szparagowa (*Cucurbita pepo*).

marry[1] ['merɪ] *v.* **-ied, -ying 1.** pobierać się, brać ślub; żenić się; wychodzić za mąż. **2.** poślubić; ożenić się z (*kimś*); wyjść (za mąż) za (*kogoś*). **3.** udzielać ślubu, dawać ślub (*komuś*), żenić. **4.** wydawać (za mąż) (*to sb* za kogoś). **5.** *przen.* ~ **(into) money** bogato się ożenić; bogato wyjść za mąż; ~ **sth and sth** *form.* pożenić coś z czymś (= *umiejętnie połączyć*); ~ **the ropes** *żegl.* wiązać lub zszywać równolegle końce lin; **he/she's not the ~ing kind** on/a nie ma ochoty się żenić/wychodzić za mąż. **6.** ~ **into** wżenić się w (*bogatą rodzinę itp.*); ~ **sb off** wydać kogoś za mąż (*to sb* za kogoś) znaleźć męża dla kogoś.

marry[2] *int. arch.* dalibóg.

Mars [mɑːrz] *n. mit., astron.* Mars.

Marseillaise [ˌmɑːrseɪ'eɪz] *n.* **the** ~ Marsylianka (*pieśń*).

Marseilles [ˌmɑːr'seɪ] *n. geogr.* Marsylia.

marsh [mɑːrʃ] *n. C/U* bagna, moczary.

marshal ['mɑːrʃl] *n.* **1.** *wojsk.* marszałek; **field** ~ feldmarszałek, marszałek polny. **2.** *US* szeryf. **3.** *US* (*w niektórych stanach*) komendant policji; komendant straży pożarnej. **4.** organizator (*imprezy*); szef protokołu; (*także* **knight** ~) *Br. hist.* marszałek dworu. **5.** (*także* **judge's** ~) *Br. prawn.* sekretarz sędziego objazdowego. – *v.* **-ll-** *Br.* **1.** porządkować (*fakty*); zbierać (*myśli, siły*); zdobywać (*poparcie*). **2.** wprowadzać uroczyście (*podczas ceremonii*). **3.** usadzać (*w należytym porządku, np. gości na bankiecie*); ustawiać w szyku (*żołnierzy*). **4.** *her.* zestawiać na jednej tarczy (*kilka herbów*).

marshalcy ['mɑːrʃlsɪ], **marshalship** *n. C/U wojsk.* marszałkostwo.

marshalling yard *n. Br. kol.* stacja rozrządowa.

marshbuck ['mɑːrʃˌbʌk] *n. zool.* antylopa sitatunga (*Tragelaphus spekii*).

marsh deer *n. zool.* południowoamerykański jeleń bagienny (*Odocoileus dichotomus*).

marsh gas *n. U* gaz bagienny.

marsh harrier *n. orn.* **1.** błotniak stawowy (*Circus aeruginosus*). **2.** (*także* **marsh hawk**) *US i Can.* błotniak zbożowy (*Circus cyaneus*).

marsh hen *n. orn.* każdy ptak z rodziny chruścieli (*Rallidae*).

marshland ['mɑːrʃˌlænd] *n. C/U* teren bagienny, bagna.

marsh mallow *n.* **1.** (*także* **mallow**) *bot.* prawoślaz lekarski (*Althaea officinalis*). **2.** (*także* **rose mallow**) *US i Can. bot.* ketmia piżmowa (*Hibiscus moschatus*).

marshmallow [mɑːrʃ'meloʊ] *n. kulin.* **1.** cukierek ślazowy. **2.** *U* słodka pasta na bazie wyciągu z korzenia prawoślazu.

marsh marigold *n. bot.* knieć błotna (*Caltha palustris*).

marsh orchid *n. bot.* storczyk z rodzaju kukułek (*Dactylorchiza*).

marsh tit *n. orn.* sikora uboga *l.* mniszka (*Parus palustris*).

marshwort ['mɑːrʃˌwɜːt] *n. U bot.* selery wodne (*Apium inundatum*).

marsh wren *n. orn.* strzyżyk (*Cistosthorus*); **long-billed/short-billed** ~ strzyżyk błotny/nadrzeczny (*Cistothorus palustris / platensis*).

marshy ['mɑːrʃɪ] *a.* **1. -ier, -iest** bagnisty, grząski. **2.** bagienny (= *rosnący na bagnie*).

marsupial [mɑːr'suːpɪəl] *n. zool.* torbacz, workowiec. – *a. anat., zool.* woreczkowaty.

mart [mɑːrt] *n. zwł. US i Ir.* targ, targowisko; centrum handlowe.

Martello [mɑːr'teloʊ] *n. hist.* (*także* ~ **tower**) okrągła wieża (*zwł. w fortyfikacjach wybrzeża*).

marten ['mɑːrtən] *n. pl.* **-s** *l.* **marten** *zool.* **1.** kuna (*Martes*); **pine/sweet** ~ kuna leśna, tumak (*Martes martes*). **2. foul** ~ tchórz zwyczajny (*Mustela putorius*).

martial ['mɑːrʃl] *a.* **1.** *attr.* wojskowy (*np. o muzyce*); żołnierski (*np. o zachowaniu*). **2. court** ~ sąd wojenny.

martial art *n. zw. pl.* wschodnia sztuka walki.

martial law *n. U* stan wojenny.

Martian ['mɑːrʃən] *a.* marsjański. – *n.* Marsjan-in/ka.

martin ['mɑːrtən] *n. orn.* ptak z rodziny jaskółek (*Hirundinidae*); **crag** ~ jaskółka skalna (*Ptyonoprogne rupestris*); **house** ~ oknówka (*Delichon urbica*); **sand** ~ brzegówka (*Riparia riparia*).

martinet [ˌmɑːrtə'net] *n. form.* surowy służbista (*zwł. w wojsku l. flocie*).

martingale ['mɑːrtənˌgeɪl] *n.* **1.** *jeźdz.* wytok; **Irish** ~ wytoczek. **2.** (*także* ~ **boom**) *żegl.* delfinbom, delfiniak. **3.** *U hazard* podwajanie stawki po każdej przegranej.

martini [mɑːr'tiːnɪ] *n. C/U* martini.

Martinmas ['mɑːrtənməs] *n. kość.* dzień św. Marcina (= *11 listopada*).

martlet ['mɑːrtlət] *n.* **1.** *arch.* = **martin**. **2.** *her.* ptak, martleta.

martyr [ˈmɑːrtər] *n. t. przen.* męczenni-k/ca. – *v.* = **martyrize**.

martyrdom [ˈmɑːrtərdəm] *n. U* **1.** *kośc.* męczeństwo; męczeńska śmierć. **2.** męczarnie, udręka.

martyred [ˈmɑːrtərd] *a. attr.* cierpiętniczy (*np. o minie*).

martyrize [ˈmɑːrtəˌraɪz], *Br. i Austr. zw.* **martyrise** *v.* **1.** *kośc.* umęczyć. **2.** *przen.* robić męczennika z (*kogoś*); zamęczać, zadręczać. **3.** zadręczać się.

martyrolatry [ˌmɑːrtəˈrɑːlətrɪ] *n. U kośc.* kult męczenników.

martyrology [ˌmɑːrtəˈrɑːlədʒɪ] *n. pl.* **-ies** *kośc.* **1.** martyrologium, spis męczenników. **2.** żywoty męczenników. **3.** studiowanie żywotów męczenników.

martyry [ˈmɑːrtərɪ] *n. pl.* **-ies** *kośc.* kaplica wzniesiona na cześć męczennika.

marvel [ˈmɑːrvl] *n.* cud, rzecz zadziwiająca *l.* niepojęta; fenomen (*t. o osobie*); **it's a ~ that...** to cud, że..., aż dziw, że...; **one of the ~s of the Ancient World** jeden z cudów świata starożytnego. – *v.* **-ll-** *Br. lit.* zdumiewać się; zachwycać się (*at sth* czymś); **I ~ that...** zdumiewa mnie, że...

marvelous [ˈmɑːrvləs], *Br.* **marvellous** *a.* cudowny, wspaniały; **I feel ~** czuję się wspaniale; **that's ~** to cudownie.

marvelously [ˈmɑːrvləslɪ] *adv.* cudownie, wspaniale.

Marxian [ˈmɑːrksɪən] *a.* marksowski.

Marxism [ˈmɑːrksˌɪzəm], **Marxianism** *n. U fil.* marksizm.

Marxist [ˈmɑːrksɪst] *fil. a.* marksistowski. – *n.* marksist-a/ka.

Mary [ˈmerɪ] *n. t. Bibl.* Maria.

Maryland [ˈmerələnd] *n. US* stan Maryland.

Mary Magdalene *n. Bibl.* Maria Magdalena.

marzipan [ˈmɑːrzəˌpæn] *n. U kulin.* marcepan.

masc., masc *abbr. jęz.* = **masculine**.

mascara [mæˈskerə] *n. U* tusz do rzęs.

mascaraed [mæˈskerəd] *a.* pomalowany *l.* podkreślony tuszem.

mascot [ˈmæskɑːt] *n.* maskotka (*przynosząca szczęście*).

masculine [ˈmæskjələn] *a.* **1.** męski (*np. o zachowaniu, cechach, podejściu; t. wers. o rymie*); **look ~** wyglądać jak mężczyzna (*o kobiecie*). **2.** *gram.* męski, rodzaju męskiego (*o rzeczowniku, zaimku, końcówce*). – *n. gram.* rzeczownik rodzaju męskiego; forma męska *l.* rodzaju męskiego; *U* rodzaj męski.

masculinity [ˌmæskjəˈlɪnətɪ] *n. U* męskość.

masculinization [ˌmæskjəˌlɪnəˈzeɪʃən], *Br. i Austr. zw.* **masculinisation** *n. U* maskulinizacja.

masculinize [ˈmæskjələˌnaɪz], *Br. i Austr. zw.* **masculinise** *v.* **1.** nadawać cechy męskie (*komuś*), maskulinizować. **2.** maskulinizować się, nabierać cech męskich.

MASH [mæʃ] *abbr.* **Mobile Army Surgical Hospital** *US wojsk.* szpital polowy.

mash [mæʃ] *n. U* **1.** papka, miazga. **2.** zacier. **3.** *roln.* mieszanka (*dla bydła, drobiu*); mesz (*dla konia*). **4.** *Br. kulin. pot.* = **mashed potato**. **5.** *płn. Br. dial.* zaparzona herbata. – *v.* **1.** *kulin.* tłuc (*np. ziemniaki*). **2.** przerabiać na zacier. **3.** *płn. Br. dial.* parzyć, zaparzać (*herbatę*). **4.** *arch.* flirtować z (*kimś*). **5.** **~ up** *zwł. US* pokiereszować.

mashed potato [ˌmæʃt pəˈteɪtoʊ], **mashed potatoes** *n. U kulin.* tłuczone ziemniaki, ziemniaki purée.

masher [ˈmæʃər] *n. kulin.* tłuczek.

mashie [ˈmæʃɪ], **mashy** *n. pl.* **-ies** *golf* kij nr 5 (*do wybijania piłeczki w górę*).

mask [mæsk] *n.* **1.** *t. sport, fot., wojsk., el., komp.* maska; **death ~** maska pośmiertna; **gas ~** maska gazowa; **surgical ~** maseczka chirurgiczna. **2.** *zw. sing. przen.* zasłona dymna (*for sth* dla czegoś). **3.** *wojsk.* obiekt maskujący. **4.** maseczka (*kosmetyczna*). **5.** pysk (*np. psi l. lisi*). **6.** = **masque**. **7.** = **masquerade**. – *v.* **1.** zasłaniać, zakrywać (*np. twarz*). **2.** maskować (*np. uczucia, zapach*); ukrywać (*np. intencje*).

maskalonge [ˈmæskəˌlɑndʒ], **maskanonge** [ˈmæskəˌnɑːndʒ] *n.* = **muskellunge**.

masked [mæskt] *a.* zamaskowany (*np. o przestępcach*).

masked ball *n.* bal maskowy.

masker [ˈmæskər], **masquer** *n.* maska (= *uczestni-k/czka maskarady itp.*).

masking tape [ˈmæskɪŋ ˌteɪp] *n. U* taśma maskująca.

masochism [ˈmæsəˌkɪzəm] *n. U pat. l. przen.* masochizm.

masochist [ˈmæsəkɪst] *n.* masochist-a/ka.

masochistic [ˌmæsəˈkɪstɪk] *a.* masochistyczny.

masochistically [ˌmæsəˈkɪstɪklɪ] *adv.* masochistycznie.

mason [ˈmeɪsən] *n.* **1.** (*także* **stone~**) murarz-kamieniarz. **2.** (*także* **free~**) wolnomularz, mason. – *v.* murować; podmurowywać.

Mason-Dixon line [ˌmeɪsənˈdɪksən ˌlaɪn] *n. sing. US hist.* tradycyjna linia demarkacyjna pomiędzy Północą a Południem Stanów (*przebiegająca wzdłuż granicy między Pensylwanią a Maryland*).

masonic [məˈsɑːnɪk] *a.* wolnomularski, masoński.

Mason jar *n. US* słój z zakrętką (*do zapraw*).

masonry [ˈmeɪsənrɪ] *n. U* **1.** murarstwo; kamieniarka, kamieniarstwo. **2.** obmurowanie, kamieniarka. **3.** (*także* **free~**) wolnomularstwo, masoneria.

masque [mæsk], **mask** *n.* **1.** *hist.* maski (= *dworskie przedstawienie łączące pantomimę, taniec i pieśń; t. utwór dramatyczny tego rodzaju; popularne w XVI-XVII wieku*). **2.** = **masquerade**.

masquer [ˈmæskər] *n.* = **masker**.

masquerade [ˌmæskəˈreɪd] *n.* **1.** maskarada. **2.** przebranie (*na maskaradę*). **3.** *C/U przen.* pozory (*of sth* czegoś). – *v.* **1.** *t. przen.* przybierać maskę, maskować się. **2.** **~ as sb/sth** przebierać się za kogoś/coś; *przen.* udawać kogoś/coś, podawać się za kogoś/coś.

masquerader [ˌmæskəˈreɪdər] *n.* uczestnik/czka maskarady.

Mass [mæs] *n.* **1.** *C / U gł. rz.-kat.* ~ msza; **celebrate/say** ~ odprawiać mszę; **go to** ~ chodzić na mszę, chodzić do kościoła; **High** ~ suma; **Low** ~ msza zwykła. **2.** *muz.* msza.

mass [mæs] *n.* **1.** masa; nagromadzenie, zbiorowisko; bryła; masy (*powietrza*); połacie (*lądu*). **2.** *C / U fiz., chem.* masa; **critical/inertial** ~ masa krytyczna/spoczynkowa. **3.** *farmakologia* masa tabletkowa. **4.** *mal., rysunek* płaszczyzna jednobarwna. **5.** *sing.* **a** ~ **of sth** masa *l.* mnóstwo czegoś; **a** ~ **of colour** feeria kolorów; **a** ~ **of contradictions** *przen.* kłębowisko sprzeczności (*uj. o osobie*); **a** ~ **of hands** las rąk; **a** ~ **of people** tłum ludzi. **6. in the** ~ w swojej masie; **the** ~ **of** większość, przeważająca część (*np. społeczeństwa, studentów*). **7.** *pl. zob.* **masses**. – *a. attr.* masowy (*np. o proteście, odbiorcach*); **ona a** ~ **scale** na skalę masową. – *v.* **1.** gromadzić (się). **2.** *wojsk.* koncentrować (*oddziały*). **3.** ~ **in** *mal., rysunek* wypełniać kolorem; zaczerniać.

Mass. *n.* = **Massachusetts.**

Massachusetts [ˌmæsəˈtʃuːsɪts] *n.* *US* stan Massachusetts.

massacre [ˈmæsəkər] *n.* **1.** masakra, rzeź. **2.** *pot. gł. sport* sromotna porażka (*against sb* z kimś). – *v.* **1.** *t. przen.* zmasakrować; urządzić rzeź *l.* masakrę wśród (*kogoś l. czegoś*). **2.** *pot.* rozgromić (*przeciwnika*).

massage [məˈsɑːʒ] *n.* *C / U* masaż; **foot** ~ masaż stóp; **give sb a** ~ zrobić komuś masaż. – *v.* **1.** masować; rozmasowywać. **2.** *przen.* manipulować (*np. cyframi, faktami*). **3.** ~ **sb's ego** *przen. pot.* kadzić komuś.

massage parlor, *Br.* **massage parlour** *n.* salon masażu (*t. euf.* = *dom publiczny*).

massager [məˈsɑːʒər], **massagist** [məˈsɑːʒɪst] *n.* masażyst-a/ka.

massasauga [ˌmæsəˈsɔːgə] *n. zool.* massasauga (= *jadowity wąż z rodziny grzechotnikowatych (Crotalidae)*).

massé [mæˈseɪ], **massé shot** *n.* *bilard* uderzenie kijem trzymanym prawie pionowo.

massed [mæst] *a.* **1.** zbity w masę. **2.** *attr.* połączony; ~ **choirs/bands** połączone chóry/orkiestry.

mass-energy equivalence [ˌmæsˌenərdʒɪ ɪˈkwɪvələns] *n.* *U fiz.* równoważność masy i energii.

masses [ˈmæsɪz] *n. pl.* **1.** *Br. pot.* ~ **of sth** cała masa czegoś; ~ **to do** kupa roboty. **2. the** ~ masy (*ludowe*).

masseur [mæˈsʊr] *n.* masażysta.

masseuse [mæˈsuːz] *n.* masażystka.

massicot [ˈmæsəˌkɑːt] *n.* *U min.* glejta (*żółta*), żółcień, massikot.

massif [ˈmæsiːf] *n.* masyw (*górski*).

massive [ˈmæsɪv] *a.* **1.** masywny. **2.** ogromny, wielki (*np. o wzroście, smutku*); potężny (*np. o dawce*). **3.** *attr. t. pat.* rozległy (*np. o zawale, wylewie, zmianach*). **4.** masowy (*np. o poparciu*); zmasowany (*np. o ataku*).

massively [ˈmæsɪvlɪ] *adv.* ogromnie; potężnie.

massiveness [ˈmæsɪvnəs] *n.* *U* **1.** masywność (*obiektu*). **2.** rozległość (*strat, zniszczeń, nowotworu*). **3.** zmasowanie (*ataku*).

mass mailing *n.* *US, Can. i Austr.* przesyłka reklamowa rozsyłana masowo (*zw. w formie ulotki*).

mass market *n.* *ekon.* rynek masowego odbiorcy.

mass-market [ˌmæsˈmɑːrkət] *a. attr.* nastawiony na masowego odbiorcę (*o produktach*); adresowany do masowego odbiorcy (*np. o publikacjach*).

mass media *n. pl.* **the** ~ środki masowego przekazu, media.

mass meeting *n.* wiec, masówka.

mass murderer *n.* wielokrotn-y/a morderca/czyni.

mass noun *n. gram.* rzeczownik zbiorowy.

mass number *n. fiz.* liczba masowa.

mass-produced [ˌmæs prəˈduːst] *a.* produkowany na skalę masową; seryjny.

mass production *n.* *U* produkcja masowa.

mass spectrum *n. fiz.* widmo mas *l.* masowe.

massy [ˈmæsɪ] *a.* **-ier, -iest** *lit.* masywny; ciężki.

mast[1] [mæst] *n.* **1.** *żegl. Br. t. radio, telew.* maszt; *w złoż.* **half-**~ *zob.* **half**; **two/three-~ed** dwu-/trójmasztowy. **2.** *żegl.* (*także* **captain's** ~) posiedzenie dyscyplinarne na statku; **sail before the** ~ służyć jako chłopiec okrętowy; **the M~** *US* posiedzenie dyscyplinarne we flocie wojennej. **3. nail one's colors to the** ~ *zob.* **colors**. – *v.* zaopatrywać w maszt *l.* maszty.

mast[2] *n.* *U roln.* buczyna, bukiew (*zwł. jako pokarm dla świń*).

mastectomy [mæˈstektəmɪ] *n.* *C / U pl.* **-ies** *chir.* mastektomia, amputacja sutka.

master [ˈmæstər] *n.* **1.** *przest.* pan (*sługi, niewolnika, psa*); ~ **of the house** pan domu; ~ **of the situation** pan sytuacji; **be** ~ **of sth** panować nad czymś; **be one's own** ~ być sobie samemu panem; **like ~, like man** *przest.* jaki pan, taki kram. **2.** mistrz (*artysta, nauczyciel, rzemieślnik*); majster; ~ **carpenter/builder** mistrz stolarski/murarski; ~ **workman** mistrz, przodownik; **past** ~ absolutny mistrz (*at / in / of sth* w czymś). **3.** *żegl.* kapitan (*statku handlowego*). **4.** *gł. Br. przest.* nauczyciel. **5.** *prawn.* referendarz (*sądowy*). **6.** *uniw.* magister. **7.** *Br. uniw.* prezydent (*college'u w Oksfordzie l. Cambridge*). **8.** *przest.* **M~** panicz; **M~ George** panicz George. **9.** *techn.* matryca, matka; ~ **positive/print** *film* musterkopia; ~ **tape** taśma-matka. – *a. attr.* **1.** pański; władczy. **2.** mistrzowski. **3.** główny; ~ **switch/valve** *techn.* wyłącznik/zawór główny. **4.** *techn.* wzorcowy; ~ **scale** podziałka wzorcowa. – *v.* **1.** opanowywać (*np. przedmiot, instrument, język, emocje, sytuację*). **2.** podbijać, ujarzmiać (*np. lud, kraj*). **3.** panować nad, rządzić (*kimś*).

master-at-arms [ˌmæstərətˈɑːrmz] *n.* *wojsk.* podoficer żandarmerii (*na okręcie*).

master bedroom *n.* sypialnia państwa (*domu*).

master builder *n.* **1.** *hist.* budowniczy. **2.** przedsiębiorca budowlany.

master chief petty oficer *n.* *US wojsk.* starszy bosman sztabowy.

masterful ['mæstərfʊl] *a.* **1.** władczy. **2.** mistrzowski.

masterfully ['mæstərfʊlɪ] *adv.* **1.** władczo. **2.** mistrzowsko, po mistrzowsku.

master gunnery sergeant *n. US wojsk.* starszy sierżant sztabowy.

master key *n.* klucz uniwersalny.

masterless ['mæstərləs] *a.* bezpański.

masterly ['mæstərlɪ] *a.* mistrzowski (*np. o wykonaniu, interpretacji*).

mastermind ['mæstər,maɪnd] *v.* sterować (*skomplikowanym przedsięwzięciem*); zaplanować i zorganizować (*np. kampanię, napad*). – *n. sing. przen.* mózg (*przedsięwzięcia*).

Master of Arts *n. uniw.* magister nauk humanistycznych.

Master of Business Administration *n. uniw.* magister nauk ekonomicznych.

Master of Ceremonies *n.* (*także* **MC, emcee**) mistrz ceremonii; prezenter, konferansjer.

master of foxhounds *n. Br.* łowczy (*od polowań na lisy*).

Master of Science *n. uniw.* magister nauk ścisłych.

Master of the Horse *n. Br.* koniuszy królewski.

masterpiece ['mæstər,pi:s] *n.* (*także* **~work**) arcydzieło.

masterplan ['mæstər,plæn] *n. zw. sing.* ogólny plan (*przedsięwzięcia*).

master race *n. gł. hist.* rasa panów.

master's ['mæstərz] *n. pot.* = **master's degree**.

master's degree *n. uniw.* magisterium, stopień magistra.

master sergeant *n. US wojsk.* starszy sierżant.

mastersinger ['mæstər,sɪŋər], **Mastersinger** *n. hist.* meistersinger, śpiewak towarzystwa cechowego (*w XV i XVI w.*).

masterstroke ['mæstər,stroʊk] *n.* majstersztyk, genialne posunięcie.

master warrant officer *n. Can. wojsk.* młodszy chorąży.

masterwork ['mæstər,wɝ:k] *n.* = **masterpiece**.

mastery ['mæstərɪ] *n. U* **1.** **~ of sth** biegłe opanowanie czegoś (*np. języka, przedmiotu, instrumentu*). **2.** **~ of/over sb** władza nad kimś; **~ of/over sth** panowanie nad czymś.

masthead ['mæst,hed] *n.* **1.** *żegl.* szczyt masztu. **2.** *dzienn.* nagłówek (*z tytułem gazety*). – *v. żegl.* **1.** wciągać na szczyt masztu (*żagiel*). **2.** posyłać na szczyt masztu (*marynarza za karę*).

mastic ['mæstɪk] *n.* **1.** (*także* **~ tree**) drzewo mastykowe *l.* mastyksowe, pistacja kleista (*Pistacia lentiscus*). **2.** *U* mastyks (*żywica m.in. do lepienia*). **3.** *U* likier zaprawiony mastyksem.

masticate ['mæstə,keɪt] *v.* **1.** *form.* żuć, przeżuwać. **2.** *techn.* miażdżyć, kruszyć.

mastication [,mæstə'keɪʃən] *n. U* **1.** *form.* żucie, przeżuwanie. **2.** *techn.* miażdżenie, kruszenie.

masticator ['mæstə,keɪtər] *n.* **1.** *anat.* żwacz. **2.** *techn.* maszyna do miażdżenia.

mastiff ['mæstɪf] *n. kynol.* mastif.

mastitis [mæ'staɪtəs] *n. U pat.* zapalenie sutka.

mastodon ['mæstə,dɑ:n] *n. paleont.* mastodont.

mastoid ['mæstɔɪd] *a. anat.* **1.** sutkowaty. **2.** *pot.* = **mastoiditis**.

mastoidectomy [,mæstɔɪ'dektəmɪ] *n. C/U pl.* **-ies** *chir.* wycięcie wyrostka sutkowatego.

mastoiditis [,mæstɔɪ'daɪtəs] *n. U pat.* zapalenie wyrostka sutkowatego.

masturbate ['mæstər,beɪt] *v.* onanizować się, uprawiać masturbację.

masturbation [,mæstər'beɪʃən] *n. U* masturbacja, onanizm.

masurium [mə'sʊrɪəm] *n. U chem. przest.* mazur (= *technet*).

mat[1] [mæt] *n.* **1.** *t. w złoż.* mata (*t. sport*); dywanik; **bath ~** mata łazienkowa, dywanik łazienkowy; (*także* **door~**) wycieraczka. **2.** podkładka (*np. pod wazonik, półmisek*); **beer ~** podkładka pod szklankę *l.* kufel; **place ~** podkładka pod talerz i sztućce. **3.** *sing.* gąszcz, zbita masa (*of sth* czegoś) (*np. włosów, wodorostów*). **4.** *przen.* **go to the ~ (for sb)** *US* zrobić wszystko (dla kogoś); **hit the ~** *US boks* pójść na deski; **on the ~** *Br. wojsk. sl.* na dywaniku. – *v.* **-tt- 1.** plątać (się); zbijać (się) w gęstą masę. **2.** pokrywać matami.

mat[2] (*także* **matt, matte**) *a.* matowy; **~ finish** matowe wykończenie (*np. mebla*). – *n.* **1.** matowe tło. **2.** *mal.* passe-partout. – *v.* **-tt-** matować (*t. szkło*).

mat[3] *n. druk. pot.* matryca.

matador ['mætə,dɔ:r] *n.* matador.

mat bridge *n. wojsk.* kładka tratwowa (*dla lekkich pojazdów*).

match[1] [mætʃ] *n.* **1.** odpowiednik (*osoba l. rzecz*); **be a (perfect) ~ for sth** (idealnie) pasować do czegoś; **be more than a ~ for sb** bić kogoś na głowę; **be no ~ for sb/sth** nie móc się z kimś/czymś mierzyć, nie dorównywać komuś/czemuś; **meet one's ~** znaleźć godnego (siebie) przeciwnika *l.* rywala, trafić na równego sobie. **2.** para, małżeństwo; partia; **be a good ~** stanowić dobraną parę; **he's/she's a good ~** *przest.* to dobra partia; **make a good ~** *przest.* ożenić się z kimś odpowiednim; wyjść za kogoś odpowiedniego. **3.** *gł. Br. sport* mecz; **football/cricket ~** mecz piłki nożnej/krykieta; **return ~** spotkanie rewanżowe, rewanż. **4. shouting/slanging ~** *przen.* pyskówka (= *głośna kłótnia*). – *v.* **1.** pasować do (*czegoś; kolorem, np. deseniem*); pasować do siebie (nawzajem). **2. ~ (up)** dobierać, dopasowywać (*np. materiał, kolor, deseń*) (*to sth* do czegoś); dobierać do pary; **mix and ~** *zob.* **mix** *v.*; **she wore a red dress and shoes to ~** miała na sobie czerwoną sukienkę i pasujące buty *l.* buty pod kolor; **well/ill-~ed** dobrze dobrany. **3. ~ (up) to/with sth** *zwł. Br.* dorównywać czemuś. **4.** iść w zawody z (*kimś*). **5.** kojarzyć (= *swatać*) (*with sb* z kimś); kojarzyć się (*w parę*). **6.** dokładać równowartość (*np. czyjegoś datku, darowizny*). **7.** *US* rzucać monetę. **8.** *przen.* **~ wits with sb** starać się kogoś przechytrzyć; **be ~ed by sth** iść w parze z czymś. **9.** **~ sb against sb** *gł. sport* wystawiać kogoś przeciwko komuś; **~ sth against sth** porównywać coś z czymś; **~ up** zgadzać *l.* pokrywać się (*np. o wersjach, relacjach*); **~ up to sb's expectations/ hopes** spełniać czyjeś oczekiwania/nadzieje.

match² *n.* **1.** zapałka; **safety ~** zapałka szwedzka; **put a ~ to sth** przyłożyć do czegoś zapałkę (= *podpalić*); **strike a ~** zapalić zapałkę. **2.** lont.

matchbook [ˈmætʃˌbʊk] *n.* zapałki reklamowe (*z tektury*).

matchbox [ˈmætʃˌbɑːks] *n.* pudełko od zapałek.

matchet [ˈmætʃɪt] *n.* = **machete**.

matching [ˈmætʃɪŋ] *a.* dobrze dobrany, pasujący (do siebie); pod kolor.

matchless [ˈmætʃləs] *a. lit.* niezrównany, nieporównywalny z niczym; bezprecedensowy.

matchlock [ˈmætʃˌlɑːk] *n. hist. wojsk.* **1.** zamek lontowy. **2.** rusznica (*lontowa*).

matchmaker [ˈmætʃˌmeɪkər] *n.* **1.** swat/ka. **2.** *sport* organizator zawodów.

matchmaking [ˈmætʃˌmeɪkɪŋ] *n. U* swatanie.

matchmark [ˈmætʃˌmɑːrk] *techn. n.* znak montażowy (*zw. dla ułatwienia montażu maszyny*). – *v.* znaczyć dla łatwiejszego montażu.

match play *n.* **1.** *sport* zawody. **2.** *brydż* gra konkursowa. **3.** *golf* gra, w której liczy się zrobione dołki (*a nie uderzenia*).

match point *n.* punkt meczowy; piłka meczowa.

matchstick [ˈmætʃˌstɪk] *n.* zapałka. – *a. attr.* **~ figure/man** ludzik z kreseczek (*np. rysowany przez dziecko*).

matchwood [ˈmætʃˌwʊd] *n. U* **1.** drewno na zapałki. **2.** drzazgi; **break to ~** rozbić się w drzazgi *l.* drobne kawałki; **reduce/smash sth to ~** rozbić coś w puch *l.* pył *l.* perzynę.

mate¹ [ˈmeɪt] *n.* **1.** *zwł. US* partner/ka (*seksualny, życiowy*). **2.** *zool.* towarzysz/ka (*z pary*). **3.** *w złoż.* **room~/flat~** współlokator/ka; **school~/ team~** kole-ga/żanka ze szkoły/z drużyny. **4.** *Br. i Austr. pot.* kumpel/a; *voc.* koleś, stary. **5.** *zwł. US* para, rzecz od pary (*np. but l. rękawiczka*). **6.** *Br.* pomocnik (*rzemieślnika*); **plumber's/carpenter's ~** pomocnik hydraulika/stolarza. **7.** *żegl.* mat. – *v.* **1.** *zool.* parzyć się, łączyć się w pary. **2.** *hodowla* kryć (*zwierzę innym*). **3.** kojarzyć (*w parę*) (*with sb* z kimś). **4.** łączyć się w związku (*małżeńskim*) (*with sb* z kimś).

mate² *szachy n. i v.* = **checkate**.

matelassé [ˈmɑːtˌlɑːseɪ] *a. tk.* z wypukłym deseniem.

matelot [ˈmætloʊ] *n.* (*także* **matlo, matlow**) *Br. żegl. sl.* marynarz.

matelotte [ˈmætəˌloʊt], **matelote** *n. C/U kulin.* ryba w sosie z wina.

mater [ˈmeɪtər] *n. Br. przest. szkoln. sl. l. żart.* rodzicielka.

material [məˈtiːrɪəl] *a.* **1.** *t. fil.* materialny. **2.** *form.* istotny, ważny (*to sth* dla czegoś). **3.** *prawn.* rzeczowy (*np. o dowodzie, jurysdykcji*); majątkowy (*np. o korzyści, przedmiocie*). **4.** *t. fil.* materialistyczny. **5.** *fil.* treściowy (*w przeciwieństwie do formalnego*). – *n. C/U* **1.** *t. przen.* materiał (*for sb / sth* na kogoś/coś); (*także* **raw ~**) surowiec. **2.** tkanina, materiał. **3.** *pl.* materiały; **publicity/teaching ~s** materiały reklamowe/do nauczania. **4.** *pl.* przybory; **writing ~s** przybory do pisania.

materialism [məˈtiːrɪəˌlɪzəm] *n. U t. fil.* materializm.

materialist [məˈtiːrɪəlɪst] *n.* materialist-a/ka.

materialistic [məˈtiːrɪəlɪstɪk] *a. t. fil.* materialistyczny.

materiality [məˌtiːrɪˈæləti] *n. U* **1.** (*także* **materialness**) materialność. **2.** materia.

materialization [məˌtiːrɪələˈzeɪʃən], *Br. i Austr. zw.* **materialisation** *n. C/U* materializacja, zmaterializowanie się.

materialize [məˈtiːrɪəˌlaɪz], *Br. i Austr. zw.* **materialise** *v.* **1.** materializować się (*zwł. o obiecanych pieniądzach; t. o duchach*); urzeczywistniać się, spełniać się (*np. o nadziejach*); dochodzić do skutku (*np. o planach*). **2.** *t. przen.* nadawać formę materialną (*czemuś*); wywoływać (*duchy*). **3.** pojawiać się (*zwł. w sposób dziwny l. nieoczekiwany*).

materially [məˈtiːrɪəlɪ] *adv.* **1.** materialnie, pod względem materialnym. **2.** *form.* w istotny sposób.

matériel [məˌtiːrɪˈel], **materiel** *n. U wojsk.* sprzęt.

maternal [məˈtɝːnl] *a.* **1.** matczyny (*np. o opiece, troskliwości*); macierzyński (*np. o uczuciach, instynkcie, miłości*). **2.** *genealogia* ze strony matki; **~ uncle/grandfather** wuj/dziadek ze strony matki.

maternally [məˈtɝːnlɪ] *adv.* po macierzyńsku *l.* matczynemu (*np. troskliwy, opiekuńczy*).

maternity [məˈtɝːnətɪ] *n. U* macierzyństwo. – *a. attr.* **1.** macierzyński. **2.** ciążowy; **~ clothes** odzież dla kobiet w ciąży; **~ dress** sukienka ciążowa. **3.** *med.* położniczy; porodowy; **~ hospital** szpital położniczy; **~ ward** oddział położniczy *l.* porodowy, porodówka.

maternity allowance, maternity benefit *n. Br.* zasiłek macierzyński.

maternity leave *n. U* urlop macierzyński.

matey [ˈmeɪtɪ], **maty** *Br. pot. a.* **-ier, -iest** kumplowski (*o stosunkach*); zaprzyjaźniony (*o osobach*); **be ~ with sb** kolegować *l.* kumplować się z kimś. – *n. voc.* koleś, stary.

math [mæθ] *n. U US i Can.* matematyka.

mathematic [ˌmæθəˈmætɪk], **mathematical** [ˌmæθəˈmætɪkl] *a.* matematyczny.

mathematically [ˌmæθəˈmætɪklɪ] *adv.* matematycznie.

mathematician [ˌmæθəməˈtɪʃən] *n.* matematyk/czka.

mathematics [ˌmæθəˈmætɪks] *n. U* matematyka.

maths [mæθs] *n. U Br. i Austr. pot.* = **mathematics**.

matin [ˈmætən], **mattin, matinal** [ˈmætənl] *a. kośc.* dotyczący jutrzni.

matinée [ˌmætənˈeɪ], **matinee** *teatr, kino n.* popołudniówka (*spektakl, seans, koncert*). – *a.*

attr. popołudniowy (*o spektaklu, teatrze, koncercie*).

matinée coat, matinée jacket *n. przest.* kaftanik niemowlęcy.

matinée idol *n. przest.* bożyszcze kobiet (= *popularny aktor; zwł. w latach 30. i 40. XX w.*).

mating ['meɪtɪŋ] *zool. n. U* łączenie się w pary, parzenie się. – *a. attr.* godowy; ~ **call** godowe wołanie (*samca*); ~ **season** okres godowy, pora godowa.

matins ['mætənz], **mattins** *n. U* **1.** *kośc.* jutrznia (*modlitwa l. nabożeństwo*). **2.** *poet.* poranne trele (*ptaków*).

matlo ['mætloʊ], **matlow** *n.* = **matelot.**

matrass ['mætrəs], **mattrass** *n. hist., chem.* kolba (*do destylacji itp.*).

matriarch ['meɪtrɪˌɑːrk] *n.* **1.** przywódczyni (*w społeczności, organizacji*). **2.** głowa rodu *l.* plemienia (*w matriarchacie*). **3.** matrona (= *starsza, godna szacunku kobieta*).

matriarchal [ˌmeɪtrɪ'ɑːrkl] *a.* **1.** matriarchalny (*o społeczeństwie, systemie*). **2.** dziedziczony po kądzieli.

matriarchate ['meɪtrɪˌɑːrkɪt] *n. rzad.* społeczność *l.* rodzina rządzona na zasadzie matriarchatu.

matriarchy ['meɪtrɪˌɑːrkɪ] *n. C/U pl.* **-ies** matriarchat.

matrices ['meɪtrɪˌsiːz] *n. pl. zob.* **matrix.**

matricidal ['meɪtrɪˌsaɪdl] *a.* matkobójczy.

matricide ['meɪtrɪˌsaɪd] *n.* **1.** *U* matkobójstwo. **2.** matkobój-ca/czyni.

matriculate [mə'trɪkjʊˌleɪt] *v. uniw.* immatrykulować (się).

matriculation [məˌtrɪkjʊ'leɪʃən] *n. U uniw.* immatrykulacja.

matriculatory [mə'trɪkjʊləˌtɔːrɪ] *a. uniw.* immatrykulacyjny.

matrimonial [ˌmætrə'moʊnɪəl] *a. form.* małżeński (*np. o prawach, kłopotach*).

matrimony ['mætrəˌmoʊnɪ] *n.* **1.** *prawn., kośc. form.* związek małżeński, małżeństwo; **holy** ~ święty węzeł małżeński, sakrament małżeństwa. **2.** *karty* mariasz.

matrix ['meɪtrɪks] *n. pl.* **-es** *l.* **matrices** ['meɪtrɪˌsiːz] **1.** *t. mat., komp.* macierz. **2.** *form.* kontekst (*np. społeczny l. kulturowy*). **3.** *techn., chem., druk.* matryca; forma wklęsła. **4.** *geol.* skała macierzysta. **5.** *metal.* osnowa, podłoże (*stopu*). **6.** *biol., anat.* macierz (*np. paznokcia*); kształtka, formówka (*zęba*). **7.** *biol., anat.* substancja międzykomórkowa; **bone** ~ substancja międzykomórkowa kości. **8.** *arch.* macica.

matron ['meɪtrən] *n.* **1.** *zwł. lit. l. żart.* matrona. **2.** *US* dozorczyni w więzieniu dla kobiet. **3.** *gł. Br. szkoln.* higienistka, pielęgniarka szkolna. **4.** *Br. i Austr. przest.* przełożona pielęgniarek, siostra przełożona (*w szpitalu*).

matronage ['meɪtrənɪdʒ] *n. U* **1.** matrony (*zbiorowo*). **2.** *US* nadzór (*w więzieniu dla kobiet*). **3.** *Br. i Austr. przest.* obowiązki siostry przełożonej.

matronly ['meɪtrənlɪ] *a.* **1.** *żart.* przy kości, postawny (*o kobiecie*). **2.** odpowiedni *l.* typowy dla matrony.

matron of honor, *Br.* **matron of honour** *n.* **1.** mężatka w orszaku panny młodej. **2.** *gł. hist.* dama dworu.

matt [mæt] *a., n. i v.* = **mat²**.

mattamore ['mætəˌmɔːr] *n. Br.* pomieszczenie podziemne (*mieszkalne l. pełniące funkcję magazynu*).

matte¹ [mæt] *n. U metal.* kamień (*np. miedziowy, niklowy*).

matte² *n.* **1.** *film, telew.* maska; kaszeta. **2.** = **mat²**.

matted ['mætɪd] *a.* splątany, pozlepiany (*o włosach, sierści, futrze*).

matter ['mætər] *n.* **1.** sprawa; kwestia; rzecz; **family ~s** sprawy rodzinne; **have a few ~s to attend to** mieć parę spraw *l.* rzeczy do załatwienia; **money ~s** kwestie finansowe. **2.** *U* materiały (*zwł. drukowane*); **adveritising** ~ materiały reklamowe; **printed** ~ *poczta* druki; **reading** ~ *zwł. Br.* lektura (= *to, co się czyta*). **3.** *druk.* złożony materiał, skład. **4.** *U t. fiz., fil.* materia. **5.** treść (*np. książki*); **subject** ~ tematyka, temat (*jw.*). **6.** *U anat.* substancja, istota; **gray/white** ~ istota szara/biała. **7.** *U pat.* ropa. **8. a ~ of life and death** kwestia *l.* sprawa życia i śmierci; **a ~ of record** rzecz ogólnie znana; **a ~ of taste** rzecz gustu, kwestia smaku; **and that's the end of the ~** i koniec dyskusji; **as a ~ of course** automatycznie; rutynowo; **as a ~ of fact** *zob.* **fact**; **as a ~ of principle** z *l.* dla zasady; **as a ~ of priority** *form.* w pierwszej kolejności; **for that ~** jeśli o to chodzi; **I don't like herring, or any kind of fish for that ~** nie lubię śledzi; zresztą w ogóle nie lubię ryb; **in a ~ of days/seconds** w kilka dni/sekund; **is anything the ~?** (czy) coś (jest) nie tak?; **it's just a ~ of doing sth** trzeba tylko zrobić coś; **it's only/just a ~ of time** to tylko kwestia czasu; **it's/that's a ~ of opinion** to zależy; zdania są podzielone; **it's/that's no hanging ~** *zob.* **hanging** *a.*; **(just) as a ~ of interest** *Br.* (tak) z ciekawości; **let the ~ drop** *zob.* **drop** *v.*; **make ~s worse** (*także* **not help ~s**) pogarszać sytuację *l.* sprawę; **mind over ~** *zob.* **mind** *n.*; **no ~** *pot.* nieważne; **no ~ what** bez względu na to, co się stanie; **no ~ who/how/when** bez względu na to, kto/jak/kiedy, wszystko jedno kto/jak/kiedy; **not mince ~s** *zob.* **mince** *v.*; **take ~s into one's own hands** brać sprawy w swoje ręce; **the ~ at** *US*/**in** *Br.* **hand** rozpatrywana *l.* omawiana sprawa; **the fact/truth of the ~** fakty; **the fact/truth of the ~ is that...** prawda jest taka, że...; **the heart/crux of the ~** sedno sprawy; **there's something the ~ with sb/sth** coś jest nie tak z kimś/czymś, coś komuś/czemuś jest; **this is no laughing ~** *zob.* **laugh** *v.*; **to make ~s worse,...** co gorsza...; **what's the ~?** co się stało?, o co chodzi?; **what's the ~ with him/her/you?** co mu/jej/ci jest?, co mu/jej/ci się stało?, co się z nim/nią/tobą dzieje?. – *v.* **1.** mieć znaczenie (*to sb* dla kogoś) liczyć się; robić różnicę; **it doesn't ~** to nie ma znaczenia; (nic) nie szkodzi; **what (really) ~s is...** (*także* **all that ~s is...**) (*także* **the only thing that ~s is...**) liczy się tylko (to, że)... **2.** *pat.* ropieć.

matter-of-course [ˌmætərəv'kɔ:rs] *a.* **1.** oczywisty, naturalny (*np. o następstwach*). **2.** niczemu się niedziwiący (*o stosunku do życia*).

matter-of-fact [ˌmætərəv'fækt] *a.* **1.** rzeczowy, suchy (*o relacji, stwierdzeniu*). **2.** praktyczny, życiowy (*o osobie*).

matter-of-factly [ˌmætərəv'fæktlɪ] *adv.* rzeczowo (*stwierdzić, powiedzieć*).

matter-of-factness [ˌmætərəv'fæktnəs] *n. U* rzeczowość.

mattery ['mætərɪ] *a. pat.* ropiejący.

Matthew ['mæθju:] *n.* Mateusz (*t. Bibl.*); Maciej.

matting[1] ['mætɪŋ] *n. U* mata (*podłogowa*); maty.

matting[2] *n.* **1.** *U* matowanie. **2.** powierzchnia matowa. **3.** *mal.* passe-partout.

mattins ['mætənz] *n.* = **matins**.

mattock ['mætək] *n. roln., ogr.* motyka.

mattrass ['mætrəs] *n.* = **matrass**.

mattress ['mætrəs] *n.* **1.** materac; siennik; **spring ~** materac sprężynowy. **2.** (*także* **Dutch ~**) faszyna; faszynada. **3.** *bud.* zbrojenie.

maturate ['mætʃʊˌreɪt] *v.* **1.** *t. biol.* dojrzewać. **2.** powodować dojrzewanie (*czegoś*). **3.** *pat.* zbierać się (*o wrzodzie*).

maturation [ˌmætʃʊ'reɪʃən] *n. U form.* **1.** *t. biol.* dojrzewanie, osiąganie dojrzałości. **2.** *pat.* zbieranie się *l.* dojrzewanie wrzodu.

maturative [mə'tʃʊrətɪv] *a. pat.* przyspieszający dojrzewanie wrzodu.

mature [mə'tʃʊr] *a.* **1.** *t. przen.* dojrzały (*np. o osobie, owocu, serze, twórczości, decyzji*); **of ~ years** *euf.* w dojrzałym wieku. **2.** dorosły. **3.** *fin.* płatny. **4. on ~ reflection** *form.* po głębszym namyśle. – *v.* **1.** dojrzewać. **2.** doroślеć. **3.** *fin.* przypadać (do wypłaty), być płatnym; **the policy is due to ~ next year** *ubezp.* płatności z tytułu polisy rozpoczną się w przyszłym roku.

maturely [mə'tʃʊrlɪ] *adv.* **1.** dojrzale. **2.** dorośle.

mature student *n. Br. uniw.* student/ka dorosł-y/a (= *w wieku powyżej 25 lat*).

maturity [mə'tʃʊrətɪ] *n. U* **1.** dojrzałość; wiek dojrzały; **reach ~** osiągnąć dojrzałość. **2.** *fin.* płatność; termin płatności.

matutinal [mætʃʊ'taɪnl] *a. form.* poranny, ranny.

maty ['meɪtɪ] *a. i n.* = **matey**.

matzo ['mɑ:tsə] *n. pl.* **-s** *l.* **mazoth** *kulin.* maca (*spożywana tradycyjnie przez Żydów w czasie święta Paschy*).

maudlin ['mɔ:dlɪn] *a.* rozrzewniony; rzewny, płaczliwy; *euf.* wzruszony (*po pijaku*); **get ~** rozklejać się.

maul [mɔ:l] *v. zw. pass.* **1.** pokiereszować, poturbować (*t. o drapieżniku*). **2.** tarmosić. **3.** obłapiać. **4.** *przen.* nie zostawić suchej nitki na (*filmie, książce; o krytykach*). – *n.* **1.** młot (*zwł. drewniany*). **2.** *rugby* młyn taktyczny.

mauling ['mɔ:lɪŋ] *n. sing.* bezlitosna krytyka; **give sb/sth a ~** nie zostawić na kimś/czymś suchej nitki.

maulstick ['mɔ:lˌstɪk], **mahlstick** *n. mal.* kij malarski (*do opierania ręki*).

maunder ['mɔ:ndər] *v.* **1. ~ (on)** *gł. Br.* pleść, bredzić (*about sth* o czymś). **2.** szwendać się, snuć się.

maundy ['mɔ:ndɪ] *n. U kość.* mycie nóg starcom (*w Wielki Czwartek*); **M~** *Br.* rozdawanie monet przez monarchę (*jw.*); **M~ money** *Br.* monety wielkoczwartkowe; **M~ Thursday** Wielki Czwartek.

Mauritania [mɔ:rə'teɪnɪə] *n. geogr., hist.* Mauretania.

Mauritius [mɔ:'rɪʃəs] *n. geogr.* Mauritius.

mausoleum [ˌmɔ:sə'li:əm] *n.* mauzoleum; *przen.* grobowiec (= *ponure pomieszczenie*).

mauve [moʊv] *a. i n. U* (kolor) bladofioletowy *l.* jasnofioletowy.

maven ['meɪvən], **mavin** *n. US* znaw-ca/czyni, koneser/ka, ekspert/ka.

maverick ['mævərɪk] *n. zwł. US* **1.** indywidualist-a/ka. **2.** osoba niezależna; *polit.* niezależny polityk. **3.** *US i Can. roln.* niecechowane cielę.

mavis ['meɪvɪs] *n. lit.* drozd.

mavourneen [mə'vʊrˌni:n], **mavournin** *n. Ir.* moje kochanie.

maw [mɔ:] *n.* **1.** paszcza, paszczęka (*zwierzęcia; t. żart. pot. żarłocznej osoby*). **2.** *przen. form.* worek bez dna.

mawkish ['mɔ:kɪʃ] *a.* ckliwy.

mawkishly ['mɔ:kɪʃlɪ] *adv.* ckliwie.

mawkishness ['mɔ:kɪʃnəs] *n. U* ckliwość.

max [mæks] *abbr.* **maximum** maks. – *adv. gł. US pot.* maksimum, (co) najwyżej; **it'll cost ten dollars ~** to będzie kosztowało najwyżej 10 dolców. – *n. gł. US sl.* maksimum; **to the ~** na maksa, do oporu. – *v. US sl.* **1.** wyciągać, móc wyciągnąć (*kwotę, szybkość, ilość*); **the car ~es at 100 kph** samochód wyciąga setkę. **2. ~ out** wyczerpać *l.* wybrać (do zera) (*kartę kredytową*); dać z siebie wszystko; **~ out on sth** przegiąć *l.* przesadzić z czymś (*np. z jedzeniem, piciem, treningiem*). – *a. gł. US sl.* największy (możliwy), maksymalny.

maxi ['mæksɪ] *n. pot.* (sukienka *l.* spódnica *l.* płaszcz) maksi *l.* maxi.

maxilla [mæk'sɪlə] *n. pl. t.* **-s** *l.* **maxillae** [mæk'sɪli:] *anat.* szczęka (*zwł. górna*).

maxillary ['mæksəˌlerɪ] *a.* szczękowy.

maxim ['mæksɪm] *n.* maksyma, sentencja.

maximal ['mæksɪml] *a.* maksymalny.

maximalist ['mæksɪməlɪst] *n.* maksymalist-a/ka.

maximally ['mæksɪmlɪ] *adv.* maksymalnie.

maximize ['mæksəˌmaɪz], *Br. i Austr. zw.* **maximise** *v.* **1.** maksymalizować (*zyski; t. komp. – okno programu*); powiększać *l.* zwiększać (maksymalnie). **2.** wyolbrzymiać; przykładać największą wagę do (*czegoś*). **3.** *mat.* znajdować maksimum (*funkcji*).

maximum ['mæksəməm] *a. attr.* maksymalny, (jak) najlepszy; **~ speed** prędkość *l.* szybkość maksymalna; **for ~ effect** aby uzyskać jak najlepszy efekt *l.* rezultat. – *n. pl.* **-s** *l.* **maxima**

['mæksəmə] maksimum; **the temperature will reach a ~ of 20°C** *meteor.* temperatura maksymalna wyniesie 20°C.

maxiskirt ['mæksɪˌskɜ:t], **maxi skirt** *n.* spódnica maksi *l.* maxi.

May [meɪ] *n. C / U* maj; *zob. t.* **February**.

may¹ [meɪ] *v. 3 os. sing.* **may** *pret.* **might** **1.** (*wyraża możliwość, prawdopodobieństwo*) móc; **I ~ come** (być) może przyjdę; **it ~ not be possible** to może nie być możliwe; **he ~ have gone away** może wyjechał; **I ~/might (just) as well** mogę/mógłbym spokojnie, równie dobrze mogę/mógłbym (*do sth* zrobić coś); **this ~ well be true** to jak najbardziej może być prawda. **2.** (*wyraża pozwolenie*) móc; **~ I speak to you (in private)?** (czy) możemy porozmawiać (na osobności)?; **~ I (just) say...** *form.* jeśli wolno mi zauważyć,...; **~ I suggest that...** *form.* jeśli mogę coś zaproponować,...; **if I ~** jeśli pozwoli-sz/cie, jeśli mogę *l.* wolno; **you ~ go now** *form.* jest Pan/i woln-y/a. **3.** (*wyraża zastrzeżenie*) **he ~ be smart, but...** może i jest inteligentny, ale... **4.** (*w zdaniach celowych*) **they died so that others ~ live** *form.* oddali życie, aby inni mogli żyć. **5.** (*wyraża życzenie*) oby; niech; **~ you live long** obyś długo żył/a; **be that as it ~** tak czy inaczej, tak czy owak; **come what ~** niech się dzieje, co chce.

may² *n. Br. ogr.* = **may tree**; = **may blossom**.

Maya ['maɪə] *n. pl.* **-s** *l.* **Maya** **1.** *U* rodzina języków majańskich. **2. the ~** Majowie. – *a.* = **Mayan**.

maya ['maɪə] *n. hinduizm* maja.

Mayan ['maɪən] *a.* majański, dotyczący Majów.

maybe ['meɪbɪ] *adv.* może, być może; **it's a definite ~** *pot.* to bardzo prawdopodobne, prawie na pewno tak.

may blossom *n. U Br. ogr.* kwiat głogu.

maybug ['meɪˌbʌg] *n. ent.* chrabąszcz majowy (*Melolontha*).

May Day *n. C / U* 1 Maja, Święto Pracy.

mayday ['meɪˌdeɪ] *int. i n. sing. radio, żegl., lotn.* SOS (*radiotelefoniczny sygnał wezwania pomocy*).

mayest ['meɪɪst], **mayst** [meɪst] *v. arch.* 2 osoba liczby pojedynczej czasu teraźniejszego od „may".

mayflower ['meɪˌflaʊər] *n.* **1.** *U* kwiecie majowe (*np. pierwiosnki, kaczeńce*). **2. the M~** *hist.* Mayflower (*statek pielgrzymów osiedleńców, który przybił do Ameryki w 1620 r.*).

mayfly ['meɪˌflaɪ] *n. pl.* **-ies** *ent.* jętka (*Ephemera*).

mayhap [ˌmeɪ'hæp] *adv. arch.* azali (= *może*).

mayhem ['meɪhem] *n. U* **1.** chaos, zamęt. **2.** *prawn.* okaleczenie.

Maying ['meɪɪŋ] *n. U* obchody *l.* uroczystości pierwszomajowe.

mayn't ['meɪənt] *v. Br. przest.* = **may not**.

mayo ['meɪoʊ] *n. U US pot.* = **mayonnaise**.

mayonnaise [ˌmeɪə'neɪz] *n. U kulin.* majonez.

mayor ['meɪər] *n. admin.* burmistrz.

mayoral ['meɪərəl] *a. admin.* dotyczący burmistrza (*o obowiązkach, stanowisku*).

mayoralty ['meɪərəltɪ] *n. U form.* burmistrzostwo; stanowisko burmistrza.

mayoress ['meɪərəs] *n. przest.* **1.** burmistrzyni, pani burmistrz. **2.** *gł. Br.* burmistrzowa.

maypole ['meɪpoʊl] *n. Br. hist.* gaik (= *słup malowany i przybierany kwiatami na 1 maja*).

mayst [meɪst] *v. arch.* = **mayest**.

may tree *n. Br. ogr., bot.* głóg (*Crataegus*).

may've [meɪv] *v.* = **may have**.

Mazdaism ['mæzdəˌɪzəm], **Mazdeism** *n. U rel.* mazdaizm.

maze [meɪz] *n. t. przen.* labirynt (*w terenie, na papierze; ulic, przepisów*). – *v. arch. l. dial.* = **amaze**.

mazer ['meɪzər] *n. arch.* czara.

mazurka [mə'zɜ:kə], **mazourka** *n. muz.* mazurek (*utwór l. taniec*).

MB [ˌem 'bi:] *abbr.* **1.** *komp.* **megabyte** MB (= *megabajt*). **2. Bachelor of Medicine** felczer med.; lek. med. **3.** *Can. geogr.* = **Manitoba**. **4.** = **MBA**.

MBA [ˌem ˌbi: 'eɪ], **M.B.A.** *abbr.* **Master of Business Administration** mgr zarządzania.

MBBS [ˌem ˌbi: ˌbi: 'es], **MBChB** [ˌem ˌbi: ˌsi: ˌeɪtʃ 'bi:] *abbr.* **Bachelor of Medicine and Surgery** felczer med.; lek. med.

MBE [ˌem ˌbi: 'i:] *abbr. Br.* **Member of the Order of the British Empire** kawaler Orderu Imperium Brytyjskiego (*odznaczenie państwowe*).

MBSc [ˌem ˌbi: ˌes 'si:] *abbr.* **Master of Business Science** mgr ekonomii.

MC [ˌem 'si:] *abbr.* **1.** = **Master of Ceremonies**. **2.** *Br. wojsk.* = **Military Cross**. **3.** *US parl.* = **Member of Congress**.

MCAT ['emkæt] *abbr.* **Medical College Admissions Test** *US uniw.* test na medycynę.

McCarthyism [mə'kɑ:rθɪˌɪzəm] *n. U US hist., polit.* maccartyzm, makkartyzm.

McCarthyist [mə'kɑ:rθɪɪst], **McCarthyite** [mə'kɑ:rθɪaɪt] *US polit., hist. n.* maccartysta, makkartysta. – *a.* maccartystowski, makkartystowski.

McCoy [mə'kɔɪ] *n.* **the real ~** *pot.* autentyk, żadna podróba.

MCP [ˌem ˌsi: 'pi:] *abbr. gł. Br. pot. euf.* = **male chauvinist pig**.

MD [ˌem 'di:] *abbr.* **1. Doctor of Medicine** dr med. **2. Managing Director** dyr.

Md. *abbr.* = **Maryland**.

mdse. *abbr. handl.* = **merchandise**.

MDT [ˌem ˌdi: 'ti:] *n.* **Mountain Daylight Time** *US* czas strefowy stanów górskich.

ME [ˌem 'i:] *abbr.* **1.** *Br. pat.* = **myalgic encephalomyelitis**. **2.** *US prawn.* = **medical examiner**.

Me *abbr.* = **Maine**.

me¹ [mi:] *pron.* mi; mnie; mną; ja; **~ too/neither** ja też/też nie; **about/for/without ~** o/dla/beze mnie; **give it to ~** daj mi to; **give it to ~, not to her** daj to mnie, nie jej; **it's ~** to ja; **show ~** pokaż mi; **why ~ (of all the people)?** dlaczego (akurat) ja?; **with ~** ze mną.

me² *n. muz.* = **mi²**.

mea culpa [ˌmeɪə 'kʊlpə] *int. Lat. żart.* mea culpa.

mead [miːd] *n.* **1.** *U kulin.* miód pitny. **2.** *poet.* = **meadow**.

meadow [ˈmedoʊ] *n.* łąka.

meadowlark [ˈmedoʊˌlɑːrk] *n. gł. US orn.* wojak (*Sturnella*).

meadowsweet [ˈmedoʊˌswiːt] *n. bot.* tawuła (*Spiraea*).

meager [ˈmiːgər], *Br.* **meagre** *a.* **1.** skąpy, skromny (*np. o posiłku, wynagrodzeniu*). **2.** nędzny, ubogi. **3.** wynędzniały, wychudzony.

meagerly [ˈmiːgərlɪ] *adv.* **1.** skąpo, skromnie. **2.** nędznie, ubogo.

meagerness [ˈmiːgərnəs] *n. U* **1.** skąpość, skromność. **2.** nędza.

meal [miːl] *n.* **1.** posiłek; **cooked/hot ~** ciepły posiłek; **go out for a ~** wyjść do restauracji, iść coś zjeść; **square ~** solidny posiłek; **take/ask sb out for a ~** zaprosić kogoś do restauracji. **2.** *U* mąka; mączka; **bone/fish ~** mączka kostna/rybna; (*także* **corn ~**) *gł. US* mączka kukurydziana. **3. make a ~ (out) of sth** *pot.* ceregielić się *l.* bawić się z czymś.

mealie [ˈmiːlɪ] *n. S.Afr.* kolba kukurydzy, kukurydza; *pl.* kukurydza.

meals on wheels *n. U Br.* obiady z dostawą do domu (*z pomocy społecznej*).

meal ticket *n.* **1.** *US i Austr.* kupon obiadowy. **2.** *przen. pot.* źródło utrzymania; chlebodawca.

mealtime [ˈmiːlˌtaɪm], **meal time** *n.* pora posiłku.

mealy [ˈmiːlɪ] *a.* **-ier, -iest 1.** mączny (= *z mąki*); mączysty, mączny (*o konsystencji*). **2.** srokaty, łaciaty, nakrapiany (*o zwierzęciu, maści*). **3.** blady (*o cerze*). **4.** = **mealy-mouthed**.

mealy bug *n. ent.* czerwiec biały (*szkodnik cytrusów Icerya purchasi l. inny podobny*).

mealy-mouthed [ˌmiːlɪˈmaʊðd], **mealymouthed** *a.* mówiący półsłówkami; nieszczery.

mealy primrose *n. bot.* pierwiosnka zmączona (*Primula farinosa*).

mean [miːn] *v.* **meant, meant 1.** znaczyć (*that* że); oznaczać (*doing sth* zrobienie czegoś, *that* że); mieć znaczenie (*to / for sb / sth* dla kogoś/czegoś); **~ nothing to sb** nic dla kogoś nie znaczyć (= *nie obchodzić*); nic komuś nie mówić (*np. o nazwie, nazwisku*); **does this ~ anything to you?** czy to ci coś mówi?; **it ~s a lot to me** to dla mnie wiele znaczy; **sth ~s everything/the world to sb** coś jest dla kogoś wszystkim; **that/which doesn't mean (that)...** to/co nie oznacza, że...; **what does this ~?** co to znaczy *l.* oznacza?; **you don't know/understand what it ~s to be homeless/in love** nie masz pojęcia, co to znaczy być bezdomnym/zakochanym. **2.** mieć na myśli; rozumieć (*by sth* przez coś); **do you know what I ~?** rozumiesz, o co mi chodzi?; **do you ~ him?** jego masz na myśli?; **(do) you mean...?** (czy) to znaczy...?; **how do you ~?** nie (bardzo) rozumiem; to znaczy jak?; **if you know what I ~** jeśli rozumiesz, o co mi chodzi; **I ~ (to say)...** to znaczy...; **I didn't ~ it** tak mi się tylko powiedziało; **I didn't ~ it that way** nie chciałam tego tak powiedzieć, nie to miałem na myśli; **I know (exactly) what you ~** wiem dokładnie, o co ci chodzi; **I see what you ~** rozumiem; **see what I ~?** rozumiesz?; **she meant what she said** doskonale wiedziała, co mówi, powiedziała to z pełną świadomością; nie żartowała; **that's what I ~** i o to (właśnie)(mi) chodzi; **what do you ~?** co chcesz (przez to) powiedzieć?; jak to?; **what do you ~ by this?!** (*także* **what is this supposed to ~?!**) co to ma znaczyć?! (*z pretensją*); **what I mean is (that)...** chcę (przez to) powiedzieć, że...; **you ~ you like him?** chcesz powiedzieć, że go lubisz?. **3.** zamierzać, mieć zamiar; chcieć; **~ business** *zob.* **business**; **~ to do sth** zamierzać coś zrobić; **~ (for) sb to do sth** chcieć, żeby ktoś coś zrobił; **I didn't ~ to hurt you** nie chciałem cię skrzywdzić; **I didn't ~ for you to get hurt** nie chciałem, żeby ci się coś stało; **~ it for the best** mieć (jak) najlepsze zamiary; **~ mischief/trouble** knuć (coś), mieć złe zamiary; **~ no harm** nie mieć złych zamiarów; **~ well** chcieć dobrze, mieć dobre intencje; **~ well to/by sb** być życzliwie usposobionym do kogoś; **be meant to do sth** mieć coś zrobić. **4.** *zwł. pass.* przeznaczać (*t. o losie*); **be meant for sb** być przeznaczonym dla kogoś, powstać z myślą o kimś; **be meant for sth** być stworzonym do czegoś; **sth was never meant for sb** komuś nie było coś przeznaczone, ktoś nie jest stworzony do czegoś; **they are meant for each other** są sobie pisani (*o partnerach*); **this was meant to be/happen** tak musiało być/się stać. – *a.* **1.** podły, nędzny, nikczemny; nieprzyjemny, złośliwy. **2.** *gł. US* zły (*zwł. o psie*); narowisty, złośliwy (*zwł. o koniu*). **3.** *gł. Br.* skąpy. **4.** *US sl.* obłędny (= *doskonały*). **5.** *attr. mat., stat.* średni; **~ deviation** odchylenie średnie; **~ square** średni kwadrat. **6.** *attr. lit.* lichy, nędzny; marny. **7.** *attr. przest.* niski (*o pochodzeniu, stanie społecznym*); niskiego pochodzenia, nisko urodzony (*o osobie*). **8. ~ motives** niskie pobudki; **no ~ achievement/feat** nie byle co (= *znaczący sukces*); **no ~ player** nie byle jaki gracz. – *n.* **1.** *mat., stat.* średnia; **arithmetic/geometric/harmonic ~** średnia arytmetyczna/geometryczna/harmoniczna. **2.** *przen.* kompromis, rozwiązanie pośrednie; **(find) the ~ between X and Y** (znaleźć) właściwy kompromis pomiędzy X i Y; **the golden ~** złoty środek. **3.** *zob. t.* **means**.

meander [mɪˈændər] *v.* **1.** wić się (*o rzece, szosie*). **2.** błąkać się, wałęsać się, włóczyć się (*through* sth po czymś) (*np. po ulicach, parku*). **3. ~ on** ględzić. – *n.* **1.** *zw. pl.* meander (*rzeki*). **2.** *zw. pl.* zakręt, zawijas. **3.** *sztuka* meander.

meandering [mɪˈændərɪŋ] *a.* **1.** kręty, wijący się. **2.** zawiły.

meanderings [mɪˈændərɪŋz] *n. pl.* ględzenie.

meanie [ˈmiːnɪ], **meany** *n. pl.* **-ies** *pot. zwł. dziec.* **1.** *gł. US* wstręciuch. **2.** *gł. Br.* skąpiradło.

meaning [ˈmiːnɪŋ] *n. zw. U* znaczenie; sens (*of sth* czegoś) (*np. słowa, gestu*); *sztuka* wymowa (*filmu, obrazu*); **get/catch/understand sb's ~** zrozumieć kogoś; **have ~** mieć znaczenie; **lose its ~** stracić znaczenie; **sb doesn't know the ~ of poverty/fear** ktoś nie wie, co to bieda/strach; **the ~ of life** sens życia; **what's the ~ of this?** co to ma znaczyć? (*z pretensją*); **with no deeper ~** pozbawiony głębszego sensu. – *a. attr.* znaczący, wymowny (*o spojrzeniu, geście*).

meaningful ['mi:nɪŋful] *a.* **1.** sensowny; zrozumiały. **2.** znaczący, wymowny, wiele mówiący (*o spojrzeniu, wyrazie twarzy, uśmieszku*); **give sb a ~ look** rzucić komuś wymowne spojrzenie, spojrzeć na kogoś znacząco. **3.** poważny, ważny, głęboki, mający znaczenie; **~ experience** ważne doświadczenie; **~ relationship** poważny związek.

meaningfully ['mi:nɪŋfulɪ] *adv.* **1.** sensownie. **2.** znacząco, wymownie. **3.** poważnie.

meaningless ['mi:nɪŋləs] *a.* **1.** bezsensowny. **2.** bez znaczenia, niemający znaczenia.

meaninglessness ['mi:nɪŋləsnəs] *n. U* bezsensowność, bezsens.

meanly ['mi:nlɪ] *adv.* **1.** podle, nikczemnie; nędznie. **2.** nieprzyjemnie, złośliwie.

meanness ['mi:nnəs] *n. U* **1.** podłość; złośliwość. **2.** *Br.* skąpstwo.

means [mi:nz] *n. pl.* **means** **1.** środek; *t. fin.* środki; **~ of production** *ekon.* środki produkcji; **~ of transportation** *US*/**transport** *Br.* środek *l.* środki komunikacji *l.* transportu. **2.** możliwości *l.* środki (finansowe); **according to one's ~** według swoich możliwości (finansowych); **have the ~ to do sth** posiadać wystarczające środki na coś; **(well) within sb's ~** w zasięgu czyichś możliwości (finansowych); **live beyond one's ~** żyć ponad stan; **man/woman of ~** *form.* osoba zamożna; **ways and ~** *zob.* **ways**. **3.** sposób; droga; sposoby; **a ~ to an end** środek do celu. **4. by ~ of sth** za pomocą czegoś; **by all ~** jak najbardziej, ależ oczywiście; z całą pewnością; **by any ~ (possible)** wszelkimi (możliwymi) sposobami *l.* metodami; **by honest/fair ~** uczciwie, w uczciwy sposób; **by fair ~ or foul** nie przebierając w środkach; **by no ~** (*także* **not by any ~**) w żadnym wypadku *l.* razie; bynajmniej *l.* wcale (nie).

mean-spirited [ˌmi:n'spɪrɪtɪd] *a.* nieżyczliwy; złośliwy; małoduszny; zły.

means test *n.* ocena dochodów (*dla ustalenia prawa do pomocy finansowej*).

means-tested ['mi:nzˌtestɪd] *a. gł. attr.* uzależniony od dochodów; **~ benefit** zasiłek zależny od (wysokości) dochodów.

meant [ment] *v. pret. i pp. od* **mean**.

meantime ['mi:ntaɪm], **meanwhile** ['mi:nˌwaɪl] *adv.* tymczasem, w tym czasie; do tego czasu. – *n.* **in the ~** tymczasem, w tym czasie, w międzyczasie; do tego czasu; **for the ~** póki co, na razie.

meany ['mi:nɪ] *n.* = **meanie**.

measles ['mi:zlz] *n. pat.* **1.** *z czasownikiem w liczbie pojedynczej l. mnogiej* (*także* **the ~**) odra; **German ~** różyczka. **2.** *pl.* krosty, wysypka (*u chorego na odrę*).

measly ['mi:zlɪ] *a.* **-ier, -iest** **1.** *pot.* żałosny, marny, nędzny (*np. o sumie, rozmiarach*). **2.** *pat. przest.* chory na odrę.

measurable ['meʒərəbl] *a.* **1.** wymierny (*np. o zysku, wpływie, rezultatach*); zauważalny (*np. o poprawie*). **2.** *techn.* mierzalny.

measurably ['meʒərəblɪ] *adv.* **1.** wymiernie; zauważalnie. **2.** o wiele (*np. lepiej*).

measure ['meʒər] *n.* **1.** *zw. pl.* środek, krok, działanie; **~s to reduce crime** działania mające na celu ograniczenie przestępczości; **emergency ~** środek awaryjny; **half ~s** półśrodki; **panic ~** pospieszny krok; **take (precautionary) ~s** przedsiębrać środki (zaradcze), podejmować działania *l.* kroki (zaradcze). **2.** *C/U* miara, jednostka (miary); **dry ~** miara objętości (ciał sypkich); **liquid ~** miara objętości cieczy; **solid ~** miara objętości; **weights and ~s** miary i wagi. **3.** *form.* miara, sprawdzian (*np. popularności, umiejętności*). **4.** *sing.* odrobina, pewna doza (*of sth* czegoś) (*np. swobody, sukcesu*). **5.** *miern.* miarka, przymiar; **tape ~** taśma miernicza *l.* pomiarowa. **6.** *chem.* menzurka. **7.** *US muz.* takt. **8.** *geol.* pokład, warstwa. **9. ~ for ~** miarka za miarkę; **above/beyond ~** *form.* ponad miarę; **for good ~** na dokładkę; **get the ~ of sb** (*także* **take sb's measure**) *krawiectwo* zdjąć *l.* wziąć z kogoś miarę; *przen.* wybadać kogoś (*zwł. przeciwnika*); **in full ~** w całej pełni (*np. odwzajemnić się*); **in large/some ~** *form.* w dużym pewnym/stopniu *l.* zakresie; **made to ~** na miarę (*o odzieży*); **the full ~ of sth** *form.* całość czegoś. – *v.* **1.** mierzyć (= *dokonywać pomiaru; wynosić*); **~ length/radiation/rainfall** mierzyć długość/promieniowanie/opady deszczu; **~ sb for sth** *krawiectwo* brać z kogoś miarę na coś; **~ sth by sth** mierzyć coś czymś *l.* za pomocą czegoś; **~ 30 feet** mierzyć 30 stóp. **2. ~ one's length** *przest.* upaść jak długi; **~ swords (with sb)** skrzyżować szpady (z kimś); *przen.* zmierzyć się (z kimś). **3. ~ sb/sth against sb/sth** sądzić kogoś/coś według kogoś/czegoś; **~ off** odmierzać (*materiał, teren*); **~ out** odmierzać (*np. porcję czegoś, teren*); *przen.* wymierzać (*karę*); **~ up** wymierzyć (*np. pokój, dywan*); dokonać pomiaru; *przen.* spełniać wymagania, być wystarczająco dobrym; **~ up to sth** sprostać czemuś (*np. oczekiwaniom, wymogom*).

measured ['meʒərd] *a. gł. attr.* **1.** wyważony (*np. o wypowiedzi, tonie, reakcji*). **2.** miarowy (*np. o rytmie, kroku*).

measureless ['meʒərləs] *a. lit.* niezmierzony.

measurement ['meʒərmənt] *n.* **1.** wymiar; *handl.* rozmiar; obwód; *pl.* wymiary; **chest/hip/waist ~** obwód klatki piersiowej/bioder/w pasie; **leg ~** długość nogawki; **take sb's ~** brać *l.* zdejmować z kogoś miarę. **2.** *techn., miern.* pomiar; *U* mierzenie, pomiary; **make/ take ~s** dokonywać pomiarów.

measurement science *n. U* metrologia, miernictwo.

measurer ['meʒərər] *n.* miernicz-y/a.

measuring cup ['meʒərɪŋ ˌkʌp] *n.* (*także* **cup**) *US kulin.* miarka, szklanka (*o objętości 237ml*).

measuring jug *n. zwł. Br. kulin.* miarka (kuchenna) (*wysoka, z podziałkami*).

measuring spoon *n. US kulin.* miarka (*wielkości łyżeczki l. łyżki*).

measuring tape *n.* taśma pomiarowa *l.* miernicza, miarka.

measuring worm *n. ent.* miernikowiec (= *gąsienica motyla z rodziny Geometridae*).

meat [mi:t] *n.* **1.** *U kulin.* mięso; jadalna część (*różnych produktów*); miąższ (*owoców, orze-*

chów); białko i żółtko (*jaj*); *pl.* **cold ~s** *gł. Br.* wędliny; **cooked/raw ~** mięso surowe/gotowane. **2.** *przen.* treść, zawartość (*np. wykładu*); **the ~ of sth** zasadnicza treść czegoś. **3.** *przen.* pokarm, materiał (*do przemyśleń*). **4.** *arch.* jadło (= *pokarm*). **5.** *US obsc. sl.* parówa (= *członek męski*); **eat (sb's) ~** obciągać (komuś) parówę. **6.** *przen.* **as full as an egg is of ~** pełniutki; **be the ~ in the sandwich** *Br. pot.* być między młotem a kowadłem (= *przyjaźnić się z wzajemnymi wrogami*); **easy ~** *Br. pot.* łatwa ofiara; **he/she doesn't have much ~ on him/her** *pot.* sama skóra i kości; **one man's ~ is another man's poison** nie każdy lubi to samo; **sth is ~ and drink to sb** ktoś jest w swoim żywiole, robiąc coś; coś jest czyimś chlebem powszednim (= *jest łatwe*); **the ~ and potatoes** *US pot.* sedno sprawy; **treat sb like a piece of ~** traktować kogoś jak przedmiot.

meat-and-potatoes [ˌmi:təndpəˈpeɪtoʊz] *a. attr. US pot.* zasadniczy, podstawowy.

meat and two veg *n. Br.* **1.** *kulin.* mięso z dwoma dodatkami (*warzywnymi*). **2.** *obsc. sl.* parówka z jajami (= *męskie genitalia*).

meatball [ˈmi:tˌbɔ:l] *n.* **1.** *kulin.* klopsik. **2.** *US i Can. obelż. sl.* ciemna masa (= *głupek*); góra mięsa (= *grubas*).

meat counter *n. handl.* stoisko mięsne.

meat grinder *n. US* maszynka do (mielenia) mięsa.

meathead [ˈmi:tˌhed] *n. pot. obelż.* ciemniak.

meatless [ˈmi:tləs] *a.* bezmięsny.

meatloaf [ˈmi:tˌloʊf] *n. C/U kulin.* klops (*duży, podłużny*), pieczeń rzymska.

meat-packer [ˈmi:tˌpækər] *n. gł. US* pracownik/ca zakładów mięsnych, rzeźni-k/czka; masarz.

meat-packing [ˈmi:tˌpækɪŋ] *n. U gł. US* rozbiór mięsa; przemysł mięsny; **~ plant** zakłady mięsne.

meat pie *n. C/U kulin.* mięso w cieście.

meatus [mɪˈeɪtəs] *n. pl.* **-es** *l.* **meatus** *anat.* przewód, kanał; otwór; **auditory ~** przewód słuchowy.

meaty [ˈmi:tɪ] *a.* **-ier, -iest 1.** mięsny. **2.** mięsisty. **3.** *pot.* treściwy, konkretny. **4.** *pot.* napakowany (= *muskularny*); spasiony (= *tęgi*).

Mecca [ˈmekə] *n.* **1.** *geogr., rel.* Mekka. **2.** *zw. sing.* **m~** *przen.* mekka (*of sb/sth* kogoś/czegoś, *for sb* dla kogoś).

mechanic [məˈkænɪk] *n.* mechanik.

mechanical [məˈkænɪkl] *a.* **1.** *gł. attr. t. fiz., techn.* mechaniczny; **~ energy** energia mechaniczna; **~ erosion/weathering** *geol.* erozja mechaniczna; **~ failure** awaria mechaniczna; **~ properties** *fiz.* właściwości mechaniczne; **~ trouble** trudności techniczne. **2.** machinalny, automatyczny; **~ response** machinalna reakcja. **3.** *pred. pot.* znający się na technice; **I'm not very ~** nie znam się na technice.

mechanical advantage *n. sing. mech.* przełożenie siłowe.

mechanical engineer *n.* inżynier mechanik.

mechanical engineering *n. U mech.* budowa maszyn.

mechanically [məˈkænɪklɪ] *adv.* **1.** mechanicznie. **2.** machinalnie.

mechanically minded *n.* znający się na technice.

mechanical pencil *n. US* ołówek automatyczny.

mechanics [məˈkænɪks] *n.* **1.** *U fiz.* mechanika; **quantum ~** mechanika kwantowa. **2.** (*z czasownikiem w liczbie mnogiej*) mechanizm; **the ~ of (doing) sth** mechanizm (robienia) czegoś; **the ~ of reading/learning** przebieg procesu czytania/uczenia się; **the ~ of the stock exchange** mechanizmy giełdowe.

mechanism [ˈmekəˌnɪzəm] *n.* **1.** *t. techn., fizj., psych. l. przen.* mechanizm (= *urządzenie, sposób funkcjonowania, reakcja*); **defense/survival ~** mechanizm obronny/przetrwania. **2.** tryb, sposób (*for/of doing sth* robienia czegoś). **3.** *U fil.* mechanizm (= *doktryna mechanistyczna*).

mechanist [ˈmekənɪst] *n. fil.* mechanist-a/ka.

mechanistic [ˌmekəˈnɪstɪk] *a.* **1.** *fil.* mechanistyczny. **2.** *fiz.* mechaniczny.

mechanization [ˌmekənəˈzeɪʃən], *Br. i Austr. zw.* **mechanation** *n. U* mechanizacja.

mechanize [ˈmekəˌnaɪz], *Br. i Austr. zw.* **mechanise** *v.* mechanizować; wprowadzać mechanizację do (*czegoś*).

mechanized [ˈmekəˌnaɪzd], *Br. i Austr. zw.* **mechanised** *a.* zmechanizowany (*np. o produkcji, rolnictwie, brygadzie*).

M. Econ., M Econ *abbr. Br.* **Master of Economics** mgr ekonomii.

Med [med] *n.* **the ~** *Br. pot.* rejon Morza Śródziemnego.

med [med] *a. attr. pot.* medyczny; **~ school** *uniw.* akademia medyczna.

M.Ed. [ˌem ˈed], **M Ed** *abbr.* **Master of Education** mgr pedagogiki.

medal [ˈmedl] *n.* **1.** *t. przen.* medal; **be awarded a ~** zostać odznaczonym medalem (*for sth* za coś); **deserve a ~** zasłużyć na medal; spisać się na medal; **win a ~** *sport* zdobyć medal. **2.** *rel.* medalik. – *v. Br.* **-ll- 1.** *US sport* zdobyć medal (*in sth* w czymś). **2.** *arch.* odznaczyć medalem.

Medal for Merit *n. US wojsk.* Medal Zasługi.

medalist [ˈmedlɪst], *Br.* **medallist** *n. US* **1.** medalist-a/ka. **2.** medalier. **3.** *golf* zwycię-zca/żczyni turnieju stroke play.

medallion [məˈdæljən] *n. sztuka, kulin.* medalion.

medallist [ˈmedlɪst] *n. Br.* = **medalist**.

Medal of Honor *n. US wojsk.* Medal Honoru (*najwyższe odznaczenie, przyznawane przez Kongres*).

medal play *n. U golf* = **stroke play**.

meddle [ˈmedl] *v.* **1.** wtrącać się, mieszać się (*with/in sth* do czegoś *l.* w coś). **2.** grzebać, kombinować (*with sth* przy/w czymś).

meddler [ˈmedlər] *n.* osoba wścibska.

meddlesome [ˈmedlsəm] *a.* wścibski.

meddling [ˈmedlɪŋ] *n. U* wtrącanie się.

Mede [mi:d] *n. hist.* Med; *pl.* Medowie.

media[1] [ˈmi:dɪə] *n. z czasownikiem w liczbie pojedynczej l. mnogiej* **the ~** (mass) media; środki (masowego) przekazu; ~ **coverage of sth** zainteresowanie mediów czymś; sposób przedstawienia czegoś w mediach; nagłośnienie czegoś przez media; ~ **circus** sprawa przesadnie rozdmuchana przez media; ~ **event** wydarzenie medialne; ~ **hype** szum w mediach (= *przesadne zainteresowanie*).

media² *n. pl. zob.* **medium.**

media³ *n. pl.* **-ae** ['miːdɪiː] **1.** *anat.* mięśniówka (*naczynia krwionośnego*). **2.** *ent.* główna żyłka (*w skrzydle owada*).

mediaeval [ˌmiːdɪ'iːvl] *a.* = **medieval.**

mediaevalism [ˌmiːdɪ'iːvəˌlɪzəm] *n.* = **medievalism.**

mediaevalist [ˌmiːdɪ'iːvəlɪst] *n.* = **medievalist.**

medial ['miːdɪəl] *a.* **1.** środkowy. **2.** średni, przeciętny; *stat.* środkowy (= *o wartości równej medianie*). **3.** *anat.* przyśrodkowy. **4.** *jęz.* wewnątrzwyrazowy.

median ['miːdɪən] *n.* **1.** *Can. mot.* = **median strip. 2.** *stat.* mediana, wartość środkowa. **3.** *geom.* środkowa (*trójkąta*). – *a.* **1.** *t. stat.* środkowy (*o wartości*). **2.** *anat.* środkowy, pośrodkowy; ~ **plane** płaszczyzna środkowa ciała.

median lethal dose *n. med.* dawka śmiertelna 50%.

median strip *n. US i Austr. mot.* pas zieleni (*rozdzielający pasma ruchu*).

mediant ['miːdɪənt] *n. muz.* medianta.

mediastinum [ˌmiːdɪə'staɪnəm] *n. pl.* **mediastina** [ˌmiːdɪə'staɪnə] *anat.* śródpiersie.

media studies *n. U Br.* nauka o (mass) mediach, nauka o środkach masowego przekazu.

mediate *v.* ['miːdɪˌeɪt] **1.** pośredniczyć; *zwł. polit.* prowadzić mediacje *l.* negocjacje, mediować, negocjować, występować w roli mediatora (*between sb/sth (and sb/sth)* pomiędzy kimś/czymś (a kimś/czymś), *sth* w jakiejś sprawie); ~ **a ceasefire** wynegocjować zawieszenie broni. **2.** pośredniczyć (w) (*czymś*); tworzyć ogniwo pośrednie (dla) (*czegoś*). **3.** stanowić ogniwo pośrednie (*between sth and sth* pomiędzy czymś a czymś). **4.** *form. l. stat.* wpływać (dodatkowo) na, determinować częściowo (*zmienną: o czynniku pobocznym*). – *a.* ['miːdɪət] pośredni.

mediation [ˌmiːdɪ'eɪʃən] *n. U* pośrednictwo; *zwł. polit.* mediacja.

mediatize ['miːdɪəˌtaɪz], *Br. i Austr. zw.* **mediatise** *v. hist., polit.* mediatyzować (= *anektować*).

mediator ['miːdɪˌeɪtər] *n.* **1.** pośredni-k/czka; *zwł. polit.* mediator/ka. **2.** *fizj.* przekaźnik, mediator.

mediatorial [ˌmiːdɪə'tɔːrɪəl] *a.* pośredniczący.

medic ['medɪk] *n. pot.* **1.** medyk (= *lekarz; Br. t.* = *student medycyny*). **2.** *US wojsk.* sanitariusz; (oficer) medyczny.

medicable ['medəkəbl] *a. med.* uleczalny.

Medicaid ['medəˌkeɪd] *n. U US* państwowe ubezpieczenie zdrowotne (*dla osób o niskich dochodach*).

medical ['medɪkl] *a. gł. attr.* **1.** medyczny; lekarski; ~ **attention/care** pomoc lekarska *l.* medyczna; ~ **student** student/ka medycyny; **the ~ profession** służba zdrowia, pracownicy służby zdrowia. **2.** leczniczy; ~ **treatment** leczenie, zabieg leczniczy; ~ **plant** roślina lecznicza. – *n. Br.* badanie lekarskie (*kontrolne, okresowe*).

medical certificate *n.* zaświadczenie *l.* świadectwo lekarskie.

medical examination *n.* badanie lekarskie.

medical examiner *n. prawn.* lekarz sądowy, ekspert medycyny sądowej.

medical jurisprudence *n. U* medycyna sądowa.

medically ['medɪklɪ] *adv.* **1.** za pomocą medycyny; z punktu widzenia medycyny; medycznie. **2.** leczniczo.

medical mall *n. US* centrum zdrowia.

medical practitioner *n. Br. form.* lekarz.

medical school *n. uniw.* akademia medyczna.

medicament [mə'dɪkəmənt] *n. form.* medykament.

Medicare ['medəˌker] *n. U US, Can. i Austr.* państwowe ubezpieczenie zdrowotne (*US tylko dla osób starszych*).

medicate ['medəˌkeɪt] *v.* **1.** *med.* poddawać leczeniu farmakologicznemu (*pacjenta*). **2.** *chem.* dodawać substancję leczniczą *l.* aktywną do (*mydła, szamponu*).

medicated ['medəˌkeɪtɪd] *a.* leczniczy, z substancją aktywną (*o mydle, szamponie*).

medication [ˌmedə'keɪʃən] *n. med.* **1.** *C/U* lek, leki; **be on ~** brać leki (*for sth* na coś). **2.** *U* leczenie (farmakologiczne).

Medicean [ˌmedə'tʃiːən] *a. hist.* medycejski.

Medici ['medətʃiː] *n. pl. hist.* Medyceusze, Medici; **Catherine de' ~** Katarzyna Medycejska.

medicide ['medəˌsaɪd] *a. C/U pot.* eutanazja (medyczna) (*z udziałem lekarza*).

medicinal [mə'dɪsənl] *a.* **1.** leczniczy (*o działaniu, roślinie, substancji*); ~ **properties** właściwości lecznicze; **for ~ purposes** w celach leczniczych (*t. żart. o spożywaniu alkoholu*). **2.** o smaku lekarstwa.

medicinally [mə'dɪsənlɪ] *adv.* leczniczo.

medicine ['medəsən] *n.* **1.** *C/U* lek, lekarstwo; **take (one's) ~** brać *l.* zażywać lekarstwo. **2.** *U* medycyna. **3.** *C/U przen.* lekarstwo; **give sb a dose/taste of their own ~** odpłacić komuś tą samą monetą, odpłacić komuś pięknym za nadobne; **laughter is the best ~** śmiech jest najlepszym lekarstwem; **take one's ~ (like a man)** dzielnie *l.* mężnie coś przyjąć, przełknąć gorzką pigułkę. **4.** *U antrop.* czary.

medicine ball *n. sport* piłka lekarska.

medicine chest *n.* apteczka (*szafka*).

medicine man *n. pl.* **medicine men** czarownik, szaman, znachor.

medicine woman *n. pl.* **medicine women** szamanka, znachorka.

medico ['medəˌkoʊ] *n. pl.* **-s** *US przest. pot.* medyk (= *lekarz*).

medieval [ˌmiːdɪ'iːvl], *Br. t.* **mediaeval** *a.* średniowieczny; *t. żart.* ze średniowiecza.

medievalism [ˌmiːdɪ'iːvəˌlɪzəm] *n.* **1.** *U* średniowiecze; duch średniowiecza; wierzenia średniowieczne; praktyki średniowieczne. **2.** przeżytek średniowiecza.

medievalist [ˌmi:dɪ'i:vəlɪst] *n.* mediewist-a/ka, badacz/ka średniowiecza.

mediocre [ˌmi:dɪ'oʊkər] *a.* mierny, pośledni; (co najwyżej) przeciętny; nie najlepszy.

mediocrity [ˌmi:dɪ'ɑ:krətɪ] *n. pl.* **-ies** **1.** *U* mierność, miernota; przeciętność. **2.** miernota (*osoba*).

meditate ['medɪˌteɪt] *v.* **1.** *zwł. rel.* medytować, oddawać się medytacji *l.* medytacjom. **2.** rozmyślać, medytować (*on / upon sth* nad *l.* o czymś). **3.** obmyślać, kontemplować (*zwł. zemstę*).

meditation [ˌmedɪ'teɪʃən] *n.* **1.** *U zwł. rel.* medytacje, medytacja. **2.** *C / U* rozmyślanie, medytacja; *pl.* rozmyślania, medytacje (*on sth* nad czymś).

meditative ['medəteɪtɪv] *a.* **1.** refleksyjny, kontemplacyjny; medytacyjny. **2.** zamyślony, zadumany.

meditatively ['medəteɪtɪvlɪ] *adv.* **1.** refleksyjnie. **2.** w zamyśleniu *l.* zadumie.

Mediterranean [ˌmedɪtə'reɪnɪən] *n.* **the ~ (Sea)** *geogr.* Morze Śródziemne. – *a.* śródziemnomorski.

medium ['mi:dɪəm] *a.* **1.** średni (*o rozmiarze, wielkości, poziomie*); **~ brown/blond** średnio jasny *l.* średni brąz/blond; **bake in a ~ oven** *kulin.* piec w średnio gorącym piekarniku; **cook on ~ heat** *kulin.* gotować na średnim ogniu; **of ~ build** średniej budowy ciała; **of ~ height** średniego wzrostu. **2.** *kulin.* średnio wysmażony *l.* wypieczony (*o mięsie, befsztyku*). – *n. pl.* **-s** *l.* **media** ['mi:dɪə] **1.** medium, nośnik, środek (przekazu); **~ of circulation/exchange** *ekon.* środek obiegowy/wymiany; **~ of instruction** *szkoln., uniw.* język wykładowy. **2.** (*także* **~ of expression**) *sztuka* środek (wyrazu), forma przekazu. **3.** *biol., fiz.* środowisko, ośrodek. **4.** *fiz., techn.* medium. **5.** *komp.* nośnik; **on magnetic ~** na nośniku magnetycznym. **6.** *pl.* **-s** *okultyzm* medium. **7.** *US chem.* rozcieńczalnik, rozpuszczalnik (*do farb*). **8. strike a happy ~** *zob.* **happy medium.**

medium frequency *n. C / U radio* częstotliwość średnia.

medium shot *n. film* plan średni.

medium-size [ˌmi:di:əm'saɪz], **medium-sized** *a.* średniej wielkości (*o przedmiocie*); w średnich rozmiarach (*o odzieży*); średniej postury (*o osobie*).

medium term *zwł. ekon. n. sing.* średni okres; **in the ~** w średnim okresie. – *a. attr.* średniookresowy.

medium wave *n. U radio* fale średnie.

medlar ['medlər] *n. bot.* nieszpułka, niesplik (*Mespilus germanica*).

medley ['medlɪ] *n.* **1.** mieszanka, mieszanina. **2.** *muz.* składanka. **3.** (*także* **~ relay**) *pływanie* pływanie *l.* wyścig stylem zmiennym; *lekkoatletyka* sztafeta mieszana (*w której każdy zawodnik biegnie inny dystans*).

medulla [me'dʌlə] *n. pl.* **-s** *l.* **medullae** [me'dʌli:] *anat., bot.* rdzeń; *anat.* szpik; (*także* **~ oblongata**) *anat.* rdzeń przedłużony.

medullary ['medəˌlerɪ] *a. anat., bot.* rdzeniowy; *anat.* szpikowy; **~ ray** *bot.* promień rdzeniowy (*drzew*); **~ sheath** *anat.* otoczka mielinowa.

Medusa [mə'du:sə] *n. mit.* Meduza.

medusa [mə'du:sə] *n. pl.* **-s** *l.* **medusae** [mə'du:si:] *zool.* meduza.

meed [mi:d] *n. arch. l. poet.* zapłata, nagroda.

meek [mi:k] *a.* potulny; **~ and mild** (*także* **(as) ~ as a lamb**) potulny jak baranek.

meekly ['mi:klɪ] *adv.* potulnie.

meekness ['mi:knəs] *n. U* potulność.

meerschaum ['mi:rʃəm] *n.* **1.** *U min.* pianka morska, sepiolit. **2.** (*także* **~ pipe**) fajka z pianki morskiej.

meet [mi:t] *v.* **met, met** **1.** spotykać się (z) (*kimś*); spotykać (*kogoś*); **let's ~ at my place** spotkajmy się u mnie; **she met him at a party** spotkała go na przyjęciu. **2.** poznawać (*kogoś nowego*); poznać się, spotkać się (*po raz pierwszy*); **we (first) met on vacation** poznaliśmy się na urlopie; **nice/pleased/glad to ~ you** (*także US* **nice ~ing you**) bardzo mi miło, miło mi Pana/Panią poznać; **it was nice to ~ you** (*także US* **it was nice ~ing you**) miło mi było Pana/Panią poznać. **3. ~ sb (at the station/airport)** odbierać kogoś (z dworca/lotniska), wychodzić *l.* wyjeżdżać po kogoś (na dworzec/lotnisko). **4.** napotykać (*problemy, przeszkody*). **5.** zbierać się (*np. o grupie, komisji*). **6.** *zwł. sport* zmierzyć się z (*przeciwnikiem, drużyną*). **7.** łączyć się, zbiegać się, spotykać się (*o drogach, rzekach, przewodach*). **8.** *przen.* **~ an aim/a goal** osiągnąć cel; **~ a deadline/target** dotrzymać terminu, zmieścić się w terminie; **~ a demand/need** zaspokajać potrzebę; **~ costs/expenses** ponosić koszty/rachunki; **~ debts** spłacać długi; **~ one's death/end** pożegnać się z życiem, zakończyć życie; **~ one's maker** *zob.* **maker**; **~ one's match** *zob.* **match** *n.*; **~ one's Waterloo** doigrać się; **~ sb halfway** *zob.* **halfway**; **~ sb's ear** dać się słyszeć, dotrzeć do kogoś (*o dźwięku*); **~ sb's eye** ukazać się czyimś oczom (*o widoku*); **~ sb's eye/gaze/glance** odwzajemnić czyjeś spojrzenie; wytrzymać czyjeś spojrzenie *l.* czyjś wzrok; **~ head-on** zderzyć się; **~ sth head-on** zderzyć się z czymś (*o samochodzie: z innym samochodem*); stawić czoła *l.* czoło czemuś (*zwł. kłopotom*); **~ requirements** spełniać wymagania; **~ sb on a price** zgodzić się z kimś co do ceny; **make (both) ends ~** *zob.* **end** *n.*; **their/our eyes met** wymienili/śmy spojrzenia; **there's more to this than ~s the eye** *zob.* **eye** *n.* **9. ~ up** spotykać się (*żeby coś razem zrobić*); **~ with sb** *zwł. US* spotykać się z kimś (*zwł. w celach oficjalnych*); **~ with sth** łączyć się z czymś (*np. z inną drogą*); *przen.* spotykać się z czymś (*np. z aprobatą, dezaprobatą, złym traktowaniem*); **~ with success/failure** zakończyć się sukcesem/porażką; **~ with an accident** *form.* ulec wypadkowi; **~ with danger** *form.* stanąć w obliczu niebezpieczeństwa; **sb met with death** *form.* kogoś spotkała śmierć. – *n.* **1.** *gł. US sport* spotkanie; **track ~** mityng lekkoatletyczny. **2.** *Br. myśl.* zbiórka (*przed rozpoczęciem polowania*).

meeting ['mi:tɪŋ] *n.* **1.** spotkanie; **attend a ~** przybyć na spotkanie; być obecnym na spotkaniu. **2.** zebranie; zgromadzenie; *form.* forum (zgromadzenia), zebrani; **address a ~** przemówić na forum zgromadzenia *l.* do zebranych; **be at/in a ~** mieć zebranie, być na zebraniu *l.* spotkaniu (*zwł. o dyrektorze*); **call a ~** zwoływać zebranie; **chance ~** przypadkowe spotkanie; **hold a ~** zbierać się; organizować *l.* urządzać zebranie. **3.** *sport* spotkanie, mityng. **4.** *rel.* zgromadzenie wiernych (*w kościołach protestanckich, zwł. u kwakrów*). **5. ~ of minds** *przen.* zrozumienie; zgoda.

meeting-house ['mi:tɪŋ,hæʊs], **meetinghouse** *n. rel.* zbór (*zwł. u kwakrów*).

meg [meg] *abbr. i n. pl. zw.* **meg** *komp. pot.* mega (= *megabajt*).

mega ['megə] *a. i int. sl.* super.

megabit ['megə,bɪt] *n. komp.* megabit.

megabuck ['megə,bʌk] *pot. n.* milion dolców. – *a. attr.* milionowy.

megabucks ['megə,bʌks] *n. pl. pot.* wielki szmal.

megabyte ['megə,baɪt] *n. komp.* megabajt.

megacycle ['megə,saɪkl] *n. fiz. przest.* megaherc.

megadeath ['megə,deθ] *n. U* milion ofiar (*ataku nuklearnego*).

megadose ['megə,doʊs] *n. med. pot.* potężna *l.* wielka dawka (*np. lekarstwa, witamin*).

megahertz ['megə,hɜ:ts] *n. fiz.* megaherc.

megalith ['megəlɪθ] *n.* megalit.

megalithic [,megə'lɪθɪk] *a.* megalityczny.

megalomania [,megəloʊ'meɪnɪə] *n. U pat. l. przen.* megalomania.

megalomaniac [,megəloʊ'meɪnɪ,æk] *n.* megaloman/ka. – *a.* megalomański.

megalopolis [,megə'lɑ:pələs], **megapolis** *n.* megalopolis.

megaphone ['megə,foʊn] *n.* megafon.

megaplex ['megə,pleks] *n.* megakino (= *wielkie multikino*).

megapolis [mə'gæpələs] *n.* = **megalopolis.**

megastar ['megə,stɑ:r] *n. pot.* supergwiazda (*muzyki, filmu*).

megastore ['megə,stɔ:r] *n. handl.* hipermarket, supersklep (*zw. branżowy*).

megaton ['megə,tʌn] *n. t. wojsk.* megatona.

megawatt ['megə,wɑ:t] *n. el.* megawat.

megilp [mə'gɪlp], **magilp** *n. U* rozcieńczalnik do farb olejnych (*pokostowy*).

megohm ['megoʊm] *n. el.* megaom.

meiosis [maɪ'oʊsɪs] *n. C / U pl.* **meioses** [maɪ'oʊsi:z] **1.** *biol.* mejoza. **2.** *ret.* litotes.

melamine ['melə,mi:n] *n. U chem.* melamina.

melancholia [,melən'koʊlɪə] *n. pat. przest.* melancholia (= *depresja*).

melancholic [,melən'kɑ:lɪk] *a.* **1.** *pat. przest.* w stanie depresji. **2.** *form.* melancholijny, smutny. **3.** *hist. fizj.* melancholiczny (*o temperamencie*).

melancholy ['melən,kɑ:lɪ] *a.* melancholijny, smutny. – *n. U form.* melancholia.

Melanesia [,melə'ni:ʒə] *n. geogr.* Melanezja.

Melanesian [,melə'ni:ʒən] *a.* melanezyjski. – *n.* **1.** Melanezyj-czyk/ka. **2.** *U* języki melanezyjskie.

mélange [meɪ'lɑ:nʒ], **melange** *n. zw. sing. form.* melanż.

melanin ['melənɪn] *n. U biochem.* melanina.

melanism ['melə,nɪzəm] *n. U* **1.** *biol.* melanizm; **industrial ~** *ekol.* melanizm przemysłowy (= *zmiana barwy organizmów pod wpływem zanieczyszczenia środowiska*). **2.** *pat.* = **melanosis.**

melanoma [,melə'noʊmə] *n. pat.* czerniak; **benign/malignant ~** czerniak łagodny/złośliwy.

melanosis [,melə'noʊsɪs] *n. U pat.* czerniaczka, melanoza.

melatonin [,melə'toʊnɪn] *n. U biochem.* melatonina.

Melba toast ['melbə ,toʊst] *n. U kulin.* cienkie grzaneczki.

melee ['meɪleɪ], **melée** *n. zw. sing.* zamieszanie, rozgardiasz; utarczka; **in the ~** w (tym) zamieszaniu.

melic ['melɪk] *a. wers., muz.* meliczny.

meliorate ['mi:lɪə,reɪt] *v. form.* poprawiać (się), polepszać (się).

melioration [,mi:lɪə'reɪʃən] *n. C / U form.* polepszenie, poprawa.

meliorism ['mi:lɪə,rɪzəm] *n. U fil.* melioryzm.

meliorist ['mi:lɪərɪst] *n.* melioryst-a/ka.

melliferous [mə'lɪfərəs] *a. form.* miodonośny, miododajny.

mellifluence [mə'lɪfluəəns] *n. U form.* słodycz.

mellifluous [mə'lɪfluəs] *n. form.* miodowy, słodki (*zwł. o głosie*).

mellifluously [mə'lɪfluəslɪ] *adv. form.* miodowo, słodko.

mellow ['meloʊ] *a.* **1.** łagodny (*o osobie, charakterze, dźwięku, barwie, świetle, klimacie, smaku*); spokojny, stonowany (*o kolorze, świetle*); aksamitny (*o głosie*). **2.** soczysty; słodki; miękki (*o owocu*). **3.** dojrzały (*o winie, owocu*). **4.** rozluźniony, w dobrym nastroju (*zwł. po alkoholu*). **5.** *roln.* tłusty (*o glebie*). – *v.* **1.** łagodnieć (*t. z wiekiem – o osobie*). **2.** dojrzewać (*o winie, owocach*). **3.** zmiękczać; *t. przen.* mięknąć. **4.** *US pot.* **~ out** wyluzować się, dać sobie luz; **~ sb out** rozluźnić kogoś.

melodeon [mə'loʊdɪən] *n. muz.* melodeon (= *wczesna forma organów l. mały akordeon*).

melodic [mə'lɑ:dɪk] *a.* **1.** *muz.* melodyczny; **~ line** linia melodyczna. **2.** melodyjny.

melodically [mə'lɑ:dɪklɪ] *adv.* **1.** *muz.* melodycznie. **2.** melodyjnie.

melodious [mə'loʊdɪəs] *a.* melodyjny.

melodiously [mə'loʊdɪəslɪ] *adv.* melodyjnie.

melodiousness [mə'loʊdɪəsnəs] *n. U* melodyjność.

melodist ['melədɪst] *n.* **1.** kompozytor/ka. **2.** śpiewa-k/czka.

melodize ['melə,daɪz], *Br. i Austr. zw.* **melodise** *v.* **1.** komponować. **2.** umelodyjniać.

melodrama ['melə,drɑ:mə] *n. C / U* **1.** *t. przen.* melodramat. **2.** melorecytacja, melodeklamacja.

melodramatic [ˌmelədrəˈmætɪk] *a.* melodramatyczny.

melodramatics [ˌmelədrəˈmætɪks] *n. U zw. przen.* melodramat.

melody [ˈmelədɪ] *n. C/U pl.* **-ies** melodia.

melon [ˈmelən] *n.* **1.** *bot., kulin.* melon; (*także* **water~**) arbuz. **2.** *US i Can. fin. pot.* dodatkowy zysk (*zwł. nieoczekiwany*); (niespodziewany) zastrzyk finansowy; **~ cutting** podział dodatkowych zysków; **cut a ~** wypłacać dodatkowe dywidendy (*z zysku*). **3.** *pl. pot. obelż.* bufory, melony (= *duży biust*).

melt [melt] *v.* **1.** topić (się); topnieć; roztapiać (się); **~ in the/one's mouth** rozpływać się w ustach (*o jedzeniu*). **2.** *przen.* rozklejać się, rozczulać się. **3.** *przen.* **look as if butter wouldn't ~ in one's mouth** *zob.* **mouth** *n.*; **sb's heart ~ed (with pity)** komuś zmiękło serce (z litości). **4. ~ away** *t. przen.* topnieć (*o śniegu, zapasach*); ustępować, ulatniać się (*np. o złości*); rzednąć, rozchodzić się (*o tłumie*); wyczerpywać, uszczuplać (*zapasy, oszczędności*); **~ down** *metal.* przetapiać; **~ (away) into sth** płynnie przechodzić w coś, stapiać się z czymś (*o kolorach, dźwiękach*); wtapiać się w coś; **~ into a crowd** wtopić się w tłum. – *n. U* **1.** *t. fiz.* topnienie. **2.** *metal.* topienie, wytop.

meltdown [ˈmeltˌdaʊn] *n.* (*także* **core ~**) *el., ekol.* stopienie rdzenia (*reaktora jądrowego*).

melting point [ˈmeltɪŋ ˌpɔɪnt] *n. fiz.* temperatura topnienia (*danej substancji*).

melting pot *n. metal. l. przen. socjol.* **1.** tygiel; **~ of nations** tygiel narodów (= *Stany Zjednoczone*). **2. in the ~** *Br.* w stadium krystalizacji (*o planach*).

member [ˈmembər] *n.* **1.** człon-ek/kini (*np. organizacji, partii, klubu*); członek (*kategorii*); **~ of a family** (*także* **family ~**) członek rodziny; **~ of staff** (*także* **staff ~**) pracowni-k/ca, zatrudnion-y/a; **~s of staff** pracownicy, personel; **~ states/countries/organizations** państwa/kraje/organizacje członkowskie; **M~ of Congress** *US* członek/kini Kongresu; **M~ of Parliament** parlamentarzyst-a/ka, pos-eł/łanka; **party ~** człon-ek/kini partii; **tigers and lions are ~s of the cat family** tygrysy i lwy należą do rodziny kotów. **2.** (*także* **male ~**) *form. l. żart.* członek (męski). **3.** *anat. przest.* członek (*ręka l. noga*). **4.** *mat.* element (*zbioru*). **5.** *log., mat.* człon (*wyrażenia*). **6.** *bud.* element, człon (*konstrukcyjny*).

membership [ˈmembərˌʃɪp] *n.* **1.** *U* członkostwo; przynależność (*US in sth/Br. of sth* do czegoś); **apply for ~** ubiegać się o przyjęcie (w poczet członków); **resign one's ~** zrezygnować z członkostwa; **take out a ~ (for two/three years)** zapłacić składkę członkowską (za dwa/trzy lata). **2.** *U l. sing.* członkowie; liczba członków; skład członkowski.

membership card *n.* karta *l.* legitymacja członkowska.

membranaceous [ˌmembrəˈneɪʃəs] *a.* = **membranous.**

membrane [ˈmembreɪn] *n. C/U* **1.** *gł. biol., chem.* membrana, przepona. **2.** *anat.* błona.

membranous [ˈmembrənəs] *a.* **1.** *gł. biol., chem.* membranowy, przeponowy. **2.** *anat.* błonowy. **3.** *pat.* błoniasty.

memento [məˈmentoʊ] *n. pl.* **-s** *l.* **-es** pamiątka (*of sb* po kimś, *of sth* z czegoś *l.* po czymś).

memo [ˈmemoʊ] *n. pl.* **-s** notatka (służbowa), okólnik.

memoir [ˈmemwər] *n.* **1.** *form.* wspomnienie (*np. biograficzne*). **2.** *form.* esej; artykuł (*monograficzny*).

memoirs [ˈmemwərz] *n. pl.* **1.** pamiętniki, wspomnienia. **2.** zeszyty naukowe (*towarzystwa*).

memorabilia [ˌmemərəˈbɪlɪə] *n. pl.* memorabilia; pamiątki (*zwł. po kimś sławnym*).

memorable [ˈmemərəbl] *a.* pamiętny, niezapomniany; **~ for sth** godny zapamiętania z jakiegoś powodu.

memorably [ˈmemərəblɪ] *adv.* pamiętnie, w niezapomniany sposób.

memorandum [ˌmeməˈrændəm] *n. pl.* **-s** *l.* **memoranda** *gł. form.* **1.** notatka służbowa, okólnik. **2.** *prawn.* protokół (porozumienia). **3.** notatka, notka. **4.** *polit.* memorandum.

memorial [məˈmɔːrɪəl] *a. attr.* **1.** pamiątkowy (*np. o imprezie, uroczystości, tablicy*); ku czci *l.* pamięci (*czyjejś*). **2. John Smith ~ prize/scholarship/fund** nagroda/stypendium/fundacja (imienia) Johna Smitha. **3.** żałobny; **~ ceremony** uroczystość żałobna; **~ service** *kośc.* nabożeństwo żałobne (*for sb* za kogoś *l.* w czyjejś intencji). – *n.* **1.** pomnik (*to sb* ku czyjejś czci); **war ~** pomnik poległych. **2.** *sing. przen.* żywy pomnik (= *pamiętne dzieło*). **3.** *polit.* memoriał.

Memorial Day *n. US* Dzień Pamięci (*ku czci poległych żołnierzy; obchodzony w ostatni poniedziałek maja*).

memorialist [məˈmɔːrɪəlɪst] *n.* **1.** *polit.* autor/ka memoriału. **2.** *teor. lit.* pamiętnika-rz/rka.

memorialize [məˈmɔːrɪəˌlaɪz], *Br. i Austr. zw.* **memorialise** *v. form.* **1.** czcić pamięć (*kogoś l. czegoś*). **2.** wystosować memoriał do (*kogoś*); przedkładać memoriał (*komuś*).

memorial park *n. US form.* nekropolia.

memorization [ˌmemərəˈzeɪʃən], *Br. i Austr. zw.* **memorisation** *n. U* uczenie się na pamięć.

memorize [ˈmeməˌraɪz], *Br. i Austr. zw.* **memorise** *v.* uczyć się na pamięć (*np. wiersza, mowy*).

memory [ˈmemərɪ] *n. pl.* **-ies** **1.** *C/U* pamięć; **commit sth to ~** nauczyć się czegoś na pamięć, zapamiętać coś; **(do sth) from ~** (robić coś) z pamięci; **have a good/bad ~ for sth** mieć dobrą/złą pamięć do czegoś (*np. do liczb, nazwisk, twarzy*); **have a short/long ~** mieć krótką/długą pamięć; **have a ~ like a sieve/an elephant** *emf.* mieć kurzą/doskonałą pamięć; **in ~ of sb** (*także* **to the ~ of sb**) ku czyjejś pamięci, ku pamięci kogoś; **if my ~ serves me (right/well/correctly)** (*także* **if ~ serves**) o ile (dobrze) pamiętam, jeśli mnie pamięć nie myli; **in/within living ~** za ludzkiej pamięci; **loss of ~** (*także* **~ loss**) utrata pamięci, amnezja; **my ~ is playing tricks on me** pamięć mnie zawodzi; **of blessed ~** *form.* świętej pamięci; **refresh**

sb's ~ odświeżyć komuś pamięć; **sb's ~ lives on** pamięć o kimś żyje *l.* pozostaje żywa; **speaking from ~** na ile pamiętam; **take a walk/trip/stroll down ~ lane** powspominać (dawne czasy); **within sb's ~** za czyjegoś życia. **2.** *zw. pl.* wspomnienie (*of sth* czegoś *l.* z (czasów) czegoś); **bring back memories (in sb)** przywodzić (komuś) na myśl wspomnienia, pobudzać (kogoś) do wspomnień; **childhood memories** wspomnienia z dzieciństwa; **good/happy/bad memories** dobre/szczęśliwe/złe wspomnienia. **3.** *C/U komp.* pamięć; **~ bank/expansion** bank/rozszerzenie pamięci.

memsahib ['memsɑ:b] *n. Anglo-Ind. przest.* pani (*Europejka, zwł. zamężna*).

men [men] *n. pl. zob.* **man** *n.*

menace ['menəs] *n.* **1.** *zw. sing.* zagrożenie (*to sb/sth* dla kogoś/czegoś); zmora (*to sb/sth* kogoś/czegoś); **public ~** zagrożenie dla bezpieczeństwa publicznego. **2.** *U* groźba. **3.** *zw. sing.* wieczne utrapienie (*zwł. o kłopotliwym dziecku*). – *v. form.* grozić, zagrażać (*komuś l. czemuś*).

menacing ['menəsɪŋ] *a.* groźny; przerażający, napawający przerażeniem.

menacingly ['menəsɪŋlɪ] *adv.* przerażająco.

ménage [meɪ'nɑ:ʒ], **menage** *n. z czasownikiem w liczbie pojedynczej l. mnogiej form. l. żart.* gospodarstwo domowe (= *osoby wspólnie mieszkające*).

ménage à trois [meɪˌnɑ:ʒ ɑ: 'trwɑ:] *n. sing. socjol.* ménage à trois, trójkąt małżeński (*mieszkający razem*).

menagerie [mə'nædʒərɪ] *n. t. przen.* menażeria.

mend [mend] *v.* **1.** *t. przen.* naprawiać (*np. buty, światło, stosunki*); łatać (*ubranie*); cerować (*dziury*). **2.** goić się (*o złamaniu, ranie*); goić (*ranę, złamanie*). **3.** *przest.* poprawiać się (*o stanie zdrowia*); zdrowieć (*o osobie*). **4.** *przen.* **~ fences** naprawić *l.* poprawić stosunki, pogodzić się (*with sb* z kimś); **~ one's ways** poprawić się, poprawić swoje zachowanie. – *n.* **1.** naprawa; cera; łata. **2.** *U* **be on the ~** *pot.* wracać do zdrowia.

mendacious [men'deɪʃəs] *a. form.* kłamliwy.

mendaciously [men'deɪʃəslɪ] *adv. form.* kłamliwie.

mendacity [men'dæsətɪ] *n. U form.* kłamliwość.

mendicant ['mendəkənt] *a. gł. attr.* **1.** *kośc.* żebrzący; **~ friar/order** zakonnik/zakon żebrzący. **2.** żebraczy. – *n.* **1.** *kośc.* zakonnik żebrzący. **2.** *form.* żebra-k/czka.

mending ['mendɪŋ] *n. U* rzeczy do naprawy *l.* cerowania *l.* łatania.

menfolk ['menfoʊk], **menfolks** *n. pl. przest.* mężczyźni (*np. w rodzinie, społeczności*).

menhaden [men'heɪdən] *n. icht.* menhaden (*Brevoortia tyrannus*).

menhir ['menhi:r] *n. archeol.* menhir (*pomnik megalityczny*).

menial ['mi:nɪəl] *a.* **1.** niewymagający kwalifikacji; nudny, nieciekawy, rutynowy (*o pracy, zajęciu*). **2.** służalczy. **3.** *przest.* służebny. – *n.* **1.** służąc-y/a, sługa. **2.** *form.* pracowni-k/ca *l.* robotni-k/ca niewykwalifikowan-y/a.

menially ['mi:nɪəlɪ] *adv.* **1.** służalczo. **2.** jak służąc-y/a (*pracować*).

meningeal [mə'nɪndʒɪəl] *a. anat., pat.* oponowy.

meningitis [ˌmenɪn'dʒaɪtɪs] *n. U med.* zapalenie opon mózgowych.

meninx ['menɪŋks] *n. pl.* **meninges** [me'nɪndʒi:z] *anat.* opona mózgowa.

meniscus [mə'nɪskəs] *n. pl.* **-es** *l.* **menisci** [mə'nɪsaɪ] **1.** *fiz., opt.* menisk. **2.** *anat.* łąkotka, łękotka.

Mennonite ['menəˌnaɪt] *n. rel.* menonit-a/ka.

menology [mə'nɑ:lədʒɪ] *n. pl.* **-ies** *rel.* **1.** kalendarz kościelny. **2.** (*w kościołach wschodnich*) księga liturgiczna z żywotami świętych uporządkowanymi wg miesięcy.

menopausal [ˌmenə'pɔ:zl] *a. fizj.* klimakteryjny.

menopause ['menəˌpɔ:z] *n. U fizj.* menopauza, klimakterium.

menorah [mə'nɔ:rə] *n. judaizm* menora (= *świecznik żydowski*).

menses ['mensi:z] *n. pl.* **menses** *fizj. form.* menstruacja.

Menshevik ['menʃəvɪk] *n. hist.* mienszewik.

men's room ['menz ˌru:m] *n. gł. US i Can.* męska toaleta.

menstrual ['menstrʊəl] *a. fizj.* miesiączkowy, menstruacyjny.

menstruate ['menstrʊˌeɪt] *v. fizj.* miesiączkować.

menstruation [ˌmenstrʊ'eɪʃən] *n. U fizj.* miesiączka, menstruacja.

menstruous ['menstrʊəs] *a.* miesiączkowy, menstruacyjny; miesiączkujący.

menstruum ['menstrʊəm] *n. pl.* **-s** *l.* **menstrua** ['menstrʊə] środek rozpuszczający (*zwł. w produkcji leków*).

mensurable ['menʃərəbl] *a.* **1.** = **measurable. 2.** *muz.* menzuralny.

mensural ['menʃərəl] *a.* **1.** miarowy (= *dotyczący miary*). **2.** *muz.* menzuralny.

mensuration [ˌmenʃə'reɪʃən] *n. U form.* mierzenie, pomiar.

menswear ['menzˌwer], **men's wear** *n. U* odzież męska.

mental[1] ['mentl] *a.* **1.** *attr.* umysłowy (*np. o wysiłku, zdrowiu, zdolnościach*). **2.** *attr.* pamięciowy (*np. o rachunku, kalkulacjach*); **make a ~ note of sth** zakonotować coś sobie. **3.** *attr.* umysłowo chory (*o pacjencie*); psychiczny (*o chorobie*); psychiatryczny (*o szpitalu*). **4.** paranormalny (= *dotyczący czytania w myślach, telepatii itp.*). **5.** *pred. Br. sl.* walnięty (= *głupi*); **go ~** dostawać na głowę (= *wariować, wściekać się*).

mental[2] *a. anat.* dotyczący brody *l.* podbródka.

mental age *n. psych.* wiek umysłowy.

mental arithmetic *n. U* rachunek pamięciowy.

mental block *n. sing.* pustka w głowie.

mental deficiency *n.* = **mental retardation.**

mental healing *n. U* leczenie sugestią.

mental hospital *n.* szpital dla umysłowo chorych, szpital psychiatryczny.

mental illness *n. C/U* choroba umysłowa.

mentalist [ˈmentəlɪst] *n.* **1.** czytający-y/a w myślach. **2.** jasnowidz.

mentality [menˈtælətɪ] *n. C/U pl.* **-ies** mentalność; umysłowość.

mentally [ˈmentlɪ] *adv.* **1.** umysłowo. **2.** pamięciowo, w pamięci (*liczyć*).

mentally handicapped *a.* upośledzony umysłowo.

mental reservation *n.* zastrzeżenie myślowe.

mental retardation *n. U pat.* niedorozwój umysłowy.

menthol [ˈmenθoʊl] *n. U chem.* mentol.

mentholated [ˈmenθəˌleɪtɪd] *a.* mentolowy (*o papierosach, cukierkach*).

mention [ˈmenʃən] *n. U l. sing.* wzmianka, wspomnienie (*of sb/sth* o kimś/czymś); **get a ~** zostać wspomnianym *l.* wzmiankowanym; **honorable ~** wyróżnienie (*w konkursie*); **make (no) ~ of sb/sth** (nie) wspominać o kimś/czymś; **there was no ~ of sth** nie było mowy o czymś. – *v.* wspominać, wzmiankować, napomykać (*that* że); wspominać o, wzmiankować o, napomykać o (*kimś l. czymś*); **~ sth to sb** wspomnieć *l.* napomknąć komuś o czymś; **don't ~ it** nie ma za co, nie ma o czym mówić (*w odpowiedzi na podziękowanie*); **not to ~ sb/sth** nie mówiąc (już) o kimś/czymś.

mentor [ˈmentɔːr] *form. n.* mentor/ka. – *v.* być mentor-em/ką dla (*kogoś*).

menu [ˈmenjuː] *n.* **1.** *kulin.* menu, karta (potraw *l.* dań); zestaw (*dań*); **on the ~** w menu *l.* karcie. **2.** *komp.* menu.

menu-driven [ˌmenjʊˈdrɪvən] *a. komp.* sterowany za pomocą menu.

meow [mɪˈaʊ], **meou, miaow, miaou, miaul** [mɪˈaʊl] *v.* miauczeć. – *n.* miau; miauknięcie.

MEP [ˌem ˌiː ˈpiː] *n. i abbr. Br.* **Member of the European Parliament** pos-eł/łanka do Parlamentu Europejskiego.

Mephistopheles [ˌmefɪˈstɑːfəˌliːz], **Mephisto** [məˈfɪstoʊ] *n. mit.* Mefistofeles, Mefisto.

Mephistophelian [ˌmefɪstəˈfiːlɪən] *a.* mefistofelowy, mefistofeliczny.

mephitic [məˈfɪtɪk] *a. lit.* **1.** smrodliwy. **2.** trujący.

mephitis [məˈfaɪtɪs] *n. U* **1.** *geol.* wyziewy (*trującego l. cuchnącego gazu*). **2.** *lit.* smród.

mercantile [ˈmɝːkənˌtiːl] *a. attr. form.* **1.** handlowy (*np. o flocie, prawie, ryzyku*). **2.** kupiecki (*np. o klasie społecznej, zwyczajach, wekslu*); *t. uj.* merkantylny. **3.** *ekon.* merkantylistyczny.

mercantilism [ˈmɝːkəntiːˌlɪzəm] *n. U ekon.* merkantylizm.

mercantilist [ˈmɝːkəntiːlɪst] *n.* merkantylist-a/ka. – *a.* merkantylistyczny.

Mercator projection [mərˌkeɪtər prəˈdʒekʃən], **Mercator's projection** *n. C/U kartogr.* rzut Merkatora.

mercenary [ˈmɝːsəˌnerɪ] *a.* **1.** wyrachowany, interesowny. **2.** najemny; *hist.* zaciężny. – *n. pl.* **-ies** *t. przen.* najemnik; *hist.* żołnierz zaciężny.

mercer [ˈmɝːsər] *n. Br.* handlarz tekstyliami.

mercerize [ˈmɝːsəˌraɪz], *Br. i Austr. zw.* **mercerise** *v. tk.* merceryzować (*towary bawełniane*).

mercery [ˈmɝːsərɪ] *n. pl.* **-ies** *Br.* **1.** *U* tekstylia, tkaniny. **2.** sklep tekstylny.

merchandise [ˈmɝːtʃənˌdaɪz] *form. n. U* towar, towary. – *v. gł. US i Can.* handlować (*czymś*).

merchandiser [ˈmɝːtʃənˌdaɪzər] *n.* handlowiec.

merchant [ˈmɝːtʃənt] *n.* **1.** kupiec (*zwł. w handlu międzynarodowym*); **timber/wine ~** kupiec drewnem/winem. **2.** *gł. US i Can.* handlowiec (*w handlu detalicznym*); sklepika-rz/rka; **wholesale ~** hurtownik. **3.** *w złoż. Br. sl.* **con ~** oszust/ka; **gossip ~** plotka-rz/rka; **speed ~** pirat drogowy. – *a. attr.* handlowy. – *v.* handlować, prowadzić handel (*czymś*).

merchantable [ˈmɝːtʃəntəbl] *a. form.* nadający się do sprzedaży, sprzedażny.

merchant bank *n. fin.* bank handlowy; bank akceptacyjny *l.* rembursowy.

merchantman [ˈmɝːtʃəntmən] *n. pl.* **-men** *przest.* statek handlowy.

merchant marine *n. U* (*także Br.* **merchant navy**) flota handlowa.

merchant prince *n. gł. hist.* magnat handlowy (*zwł. w renesansowych Włoszech*).

merchant seaman *n. pl.* **-men** (*także* **merchant sailor**) marynarz floty handlowej.

merciful [ˈmɝːsɪfʊl] *a.* **1.** litościwy, miłosierny. **2.** zbawienny (= *szczęśliwy*); **~ release** wybawienie (*z bólu, nieszczęścia*).

mercifully [ˈmɝːsɪfʊlɪ] *adv.* na szczęście.

mercifulness [ˈmɝːsɪfʊlnəs] *n. U* miłosierdzie, litość.

merciless [ˈmɝːsɪləs] *a.* bezlitosny, niemiłosierny.

mercurate [ˈmɝːkjəreɪt] *v. chem.* **1.** poddawać działaniu rtęci. **2.** łączyć z rtęcią.

mercurial [mərˈkjʊrɪəl] *a.* **1.** rtęciowy. **2.** *lit.* zmienny, nieprzewidywalny (*np. o osobie, temperamencie, pogodzie*). **3.** *lit.* bystry, dowcipny (*o osobie*); żywy (*np. o dowcipie, inteligencji*). **4.** *astron.* dotyczący Merkurego. **5.** *mit.* Merkurowy (= *dotyczący boga Merkurego*). – *n. C/U med.* lekarstwo rtęciowe.

mercurialism [mərˈkjʊrɪəˌlɪzəm] *n. U pat.* rtęcica, merkurializm.

mercurialize [mərˈkjʊrɪəˌlaɪz], *Br. i Austr. zw.* **mercurialise** *v. chem.* poddawać działaniu (związku) rtęci.

mercuric [mərˈkjʊrɪk] *a. chem.* rtęciowy.

mercurous [mərˈkjʊrəs] *a. chem.* rtęciawy.

mercury [ˈmɝːkjərɪ] *n.* **1.** *U chem.* rtęć. **2. M~** *mit., astron.* Merkury. **3.** *arch.* posłaniec; przewodnik.

mercury-vapor lamp [ˈmɝːkjərɪ veɪpər ˌlæmp] *n. el.* lampa rtęciowa.

mercy [ˈmɝːsɪ] *n. pl.* **-ies** **1.** *U* litość, miłosierdzie; zmiłowanie; **~!** litości!; **have ~ on sb** mieć litość nad kimś; **know no ~** nie znać litości; **plead for ~** błagać o litość *l.* zmiłowanie; **show ~** okazać litość *l.* miłosierdzie. **2.** *U* łaska; **be at the ~ of sb/sth** być na łasce kogoś/czegoś, być zdanym na łaskę (i niełaskę) kogoś/czegoś; **throw o.s. at the ~ of sb/sth** zdać się na łaskę kogoś/czegoś. **3.**

szczęście, dobrodziejstwo; łaska boska, wybawienie; **be grateful for small mercies** cieszyć się, że nie jest (jeszcze) gorzej; **it was a ~ that no one was killed** *pot.* to szczęście, że nikt nie zginął; **leave sb to sb's (tender) mercies** zostawić kogoś na czyjejś łasce. **4. cry ~** *zob.* **cry** *v.*

mercy flight *n.* lot ratunkowy.

mercy killing *n. C/U* eutanazja.

mere[1] [mi:r] *a. attr. sup.* **merest** (*nie ma stopnia wyższego*) **1.** zwykły, zwyczajny (*np. o oszuście*); czysty (*np. o przypadku*); **a ~ ten dollars/meters** zaledwie *l.* jedyne dziesięć dolarów/metrów; **by ~ chance** przez czysty przypadek; **he is a ~ child** on jest tylko dzieckiem. **2. the ~** (*także* **the ~st**) sam; **the ~(st) thought of sth** sama myśl o czymś. **3. the ~st** najmniejszy, najdrobniejszy; **the ~st mention/suggestion** najmniejsza wzmianka/sugestia; **the ~st noise** najmniejszy hałas.

mere[2] *n.* **1.** *poet. l. dial.* jezioro; staw. **2.** *Br. dial.* bagno. **3.** *przest.* morze; zatoka.

merely [ˈmi:rlɪ] *adv.* jedynie, tylko.

merest [ˈmi:rɪst] *a. sup. zob.* **mere** *a.*

meretricious [ˌmerəˈtrɪʃəs] *a. form.* **1.** tylko z pozoru atrakcyjny (*np. o ozdobach, stylu*); powierzchowny, bezwartościowy (*np. o argumentach*). **2.** fałszywy, nieszczery, udawany (*np. o pochwałach, zachwycie*). **3.** *arch.* nierządny, wszeteczny.

meretriciously [ˌmerəˈtrɪʃəslɪ] *adv.* **1.** powierzchownie. **2.** fałszywie. **3.** *arch.* wszetecznie.

meretriciousness [ˌmerəˈtrɪʃəsnəs] *n. U* **1.** blichtr. **2.** fałsz. **3.** *arch.* wszeteczność.

merganser [mərˈgænsər] *n. pl.* **-s** *l.* **merganser** *orn.* tracz nurogęś (*Mergus merganser*); tracz długodziób (*Mergus serrator*).

merge [mɜ˞:dʒ] *v.* **1.** łączyć (się) (*with sth* z czymś). **2. ~ (together)** (*także* **~ with one another**) zlewać się ze sobą; **~ into sth** zlewać się w coś; roztapiać się w czymś. **3.** *ekon.* dokonywać fuzji. **4.** *komp.* scalać (*pliki*).

merger [ˈmɜ˞:dʒər] *n.* **1.** połączenie (się). **2.** zlanie się; roztopienie się. **3.** *ekon.* fuzja, połączenie (się) (*przedsiębiorstw*).

meridian [məˈrɪdɪən] *n.* **1.** *geogr.* południk. **2.** *geogr.* koło wielkie łączące oba bieguny. **3.** *astron.* koło wielkie na sferze niebieskiej przechodzące przez bieguny świata i zenit. **4.** *przen.* szczyt (*zwł. osiągnięć*). **5.** *arch.* południe (*pora dnia*).

meridian circle *n. astron.* koło południkowe (*instrument*).

meridional [məˈrɪdɪənl] *a.* **1.** południkowy. **2.** południowy (*zwł. =południowoeuropejski*). – *n.* południowiec (*zwł. z płd. Francji*).

meringue [məˈræŋ] *n. C/U kulin.* beza.

merino [məˈri:noʊ] *n. pl.* **-s** **1.** *zool.* merynos (*rasa owiec*). **2.** *U* wełna merynosowa; przędza merynosowa. – *a. attr.* merynosowy.

merit [ˈmerɪt] *n.* **1.** *U form.* wartość, wartości; **artistic ~** wartości artystyczne (*danego dzieła*); **be of ~** (*także* **have ~**) być wartościowym. **2.** zaleta; **sth has the ~ of being new** coś ma tę zaletę, że jest nowe. **3.** *pl.* strona merytoryczna, meritum; **judge sth on its (own) ~s** oceniać coś pod względem merytorycznym. **4.** *zwł. rel.* zasługa. **5.** *arch.* wyróżnienie; nagroda. – *v. form.* zasługiwać na (*np. uwagę, rozważenie*).

meritocracy [ˌmerɪˈtɑ:krəsɪ] *n. C/U pl.* **-ies** merytokracja.

meritorious [ˌmerɪˈtɔ:rɪəs] *a. form.* chwalebny.

meritoriously [ˌmerɪˈtɔ:rɪəslɪ] *adv. form.* chwalebnie.

merit system *n. sing. zwł. US* system zatrudniania i promocji urzędników państwowych na podstawie ich kwalifikacji (*a nie np. z klucza partyjnego*).

merle [mɜ˞:l], **merl** *n. arch. l. Scot. orn.* kos.

merlin [ˈmɜ˞:lɪn] *n. orn.* drzemlik (*Falco columbarius*).

merlon [ˈmɜ˞:lən] *n. hist., bud., wojsk.* blanka.

mermaid [ˈmɜ˞:ˌmeɪd] *n. mit.* syrena.

merman [ˈmɜ˞:mæn] *n. pl.* **-men** *mit.* pół mężczyzna, pół ryba (*męski odpowiednik syreny*).

Merovingian [ˌmerəˈvɪndʒɪən] *hist. a.* merowiński. – *n.* Merowing.

merrily [ˈmerɪlɪ] *adv.* wesoło.

merriment [ˈmerɪmənt] *n. U form.* wesołość.

merry [ˈmerɪ] *a.* **-ier, -iest** **1.** wesoły, radosny; **make ~** *lit.* weselić się; **M~ Christmas!** Wesołych Świąt (Bożego Narodzenia)! **2.** *rzad.* śmieszny. **3.** *pred. Br. pot.* podchmielony, podochocony. **4. the more the merrier** im (nas) więcej, tym raźniej.

merry-andrew [ˌmerɪˈændru:] *n. arch.* błazen, trefniś.

merry bone *n. wsch. US* = **wishbone**.

merry dancers *n. pl. Scot.* zorza polarna.

merry-go-round [ˈmerɪgoʊˌraʊnd] *n.* **1.** karuzela. **2.** *sing. przen.* wir, karuzela (*np. zajęć, wydarzeń*).

merrymaker [ˈmerɪˌmeɪkər] *n.* bawiąc-y/a się.

merrymaking [ˈmerɪˌmeɪkɪŋ] *lit. n. U* zabawa. – *a.* rozbawiony, wesoły.

merry men *n. pl. żart.* świta.

merrythought [ˈmerɪˌθɔ:t] *n. Br.* = **wishbone**.

mesa [ˈmeɪsə] *n. zwł. płd.-zach. US* płaskowzgórze (*o urwistych stokach*).

mesalliance [ˌmeɪˈzælɪəns] *n. form.* mezalians.

mescaline [ˈmeskəlɪn] *n. U* meskalina (*narkotyk*).

mesdames [meɪˈdɑ:m] *n. pl.* **1.** *zob.* **madam**. **2.** *zob.* **madame**.

mesdemoiselles [ˌmeɪdəmwəˈzel] *n. pl. zob.* **mademoiselle**.

meseems [mɪˈsi:mz] *v. pret.* **meseemed** *arch.* wydaje mi się.

mesencephalon [ˌmesenˈsefəˌlɑ:n] *n. anat.* śródmózgowie.

mesenteric [ˌmesənˈterɪk] *a. anat.* krezkowy.

mesentery [ˈmesənˌterɪ] *n. pl.* **-ies** *anat.* krezka.

mesh [meʃ] *n.* **1.** *C/U* siatka; sieć; **wire ~** siatka druciana. **2.** oko, oczko (*siatki, sieci, sita*). **3.** *często pl.* sznurki; sznury; druty (*siatki, sieci*). **4.** *zw. pl. przen.* sieć, sidła (*of sth* czegoś) (*np. uczuć*). **5.** *U techn.* zazębienie; **in ~** zazębiony (*o kołach zębatych*). – *v.* **1.** *techn.* zazębiać (się).

2. pasować do siebie; pasować (*with sth* do czegoś). 3. dopasowywać się (*with sth* do czegoś). 4. łączyć (*into sth* w coś). 5. wikłać (się).

mesh connection *n. el.* połączenie wielokątowe.

meshy [ˈmeʃɪ] *a.* siatkowy.

mesial [ˈmiːzɪəl] *a. anat.* środkowy, położony w linii środkowej ciała.

mesmeric [mezˈmerɪk] *a.* mesmeryczny, hipnotyczny.

mesmerism [ˈmezməˌrɪzəm] *n. U psych.* 1. hipnoza (*stan*). 2. *gł. hist.* mesmeryzm, hipnotyzm.

mesmerize [ˈmezməˌraɪz], *Br. i Austr. zw.* **mesmerise** *v. zw. pass. t. przen.* hipnotyzować.

mesmerizer [ˈmezməˌraɪzər], *Br. i Austr. zw.* **mesmeriser** *n.* hipnotyzer/ka.

mesne [miːn] *a. prawn.* międzyokresowy, międzyterminowy. – *n.* (*także* ~ **lord**) *hist.* lord feudalny posiadający majątek z ramienia wyższego lorda.

mesne process *n. prawn.* postępowanie sądowe pomiędzy wniesieniem powództwa a wydaniem wyroku.

mesne profits *n. pl.* dochód narosły w okresie pomiędzy bezprawnym usunięciem i powrotem prawowitego właściciela majątku.

Mesoamerica [ˌmesəəˈmerɪkə], **Meso-America** *n. gł. hist.* Ameryka Środkowa (*zwł. w czasach prekolumbijskich*).

mesoblast [ˈmesəˌblæst] *n. biol.* mezoderma.

mesocarp [ˈmesəˌkɑːrp] *n. bot.* owocnia środkowa.

mesoclimate [ˈmesəˌklaɪmət] *n. meteor.* mezoklimat, klimat umiarkowany.

mesoderm [ˈmesəˌdɝːm] *n. biol.* mezoderma.

Mesolithic [ˌmesəˈlɪθɪk] *geol. n.* **the** ~ mezolit. – *a.* mezolityczny.

mesomorphic [ˌmesəˈmɔːrfɪk] *a. chem.* mezomorficzny.

meson [ˈmiːzɑːn] *n. fiz.* mezon.

mesophyll [ˈmesəˌfɪl] *n. U bot.* mezofil, miękisz liścia.

mesophyte [ˈmesəˌfaɪt] *n. bot.* mezofit (= *roślina o średnich wymaganiach wilgotności*).

Mesopotamia [ˌmesəpəˈteɪmɪə] *n. hist., geogr.* Mezopotamia.

Mesopotamian [ˌmesəpəˈteɪmɪən] *a.* mezopotamski.

mesosphere [ˈmesəˌsfiːr] *n. U geogr., meteor.* mezosfera.

mesothorium [ˌmesəˈθɔːrɪəm] *n. fiz. przest.* mezotor.

mesotron [ˈmesəˌtrɑːn] *n. fiz. przest.* = **meson**.

Mesozoic [ˌmesəˈzoʊɪk] *geol. n.* **the** ~ mezozoik. – *a.* mezozoiczny.

mess [mes] *n.* 1. *C/U* bałagan, nieporządek; nieład; **in a** ~ w nieładzie; **make a** ~ nabałaganić, narobić bałaganu; **the room is a** ~ w pokoju jest (straszny) bałagan. 2. *C/U* brud; paskudztwo, ohydztwo (= *nieapetyczna papka l. masa*); *zwł. Br. pot.* kupa (*zwł. psia l. niemowlęca*); **make a** ~ nabrudzić. 3. *sing.* kłopoty, kłopotliwe położenie; **get o.s. into a** ~ wpakować się w kłopoty; **in a** ~ w kłopotliwym położeniu. 4. *żegl.* mesa. 5. *wojsk.* kantyna; **officers'** ~ kasyno oficerskie. 6. *zwł. wojsk.* grupa spożywająca wspólnie posiłki. 7. *arch.* porcja (*jedzenia, zwł. półpłynnego*). 8. **a** ~ **of sth** *US pot.* mnóstwo czegoś; **a** ~ **of pottage** *Bibl. l. przen.* miska soczewicy; **clear up the** ~ posprzątać; *przen.* przywrócić porządek; **look a** ~ wyglądać jak straszydło; **make a** ~ **of sth** *pot.* schrzanić *l.* sknocić coś; zawalić coś (*np. egzamin, test*); **sb's life is (in) a** ~ czyjeś życie jest pogmatwane. – *v.* 1. *zwł. US pot.* zrobić bałagan w (*czymś*); popsuć (*np. fryzurę*). 2. ~ **(together)** *wojsk.* jadać posiłki wspólnie (*with sb* z kimś). 3. **no** ~**ing!** *Br. pot.* ja nie żartuję! 4. *pot.* ~ **around/about** obijać się; wygłupiać się; ~ **sb around/about** zawracać komuś głowę; robić kogoś w konia; ~ **sth around/about** (*także* ~ **around/about with sth**) grzebać przy *l.* w czymś; ~ **around/about with sb** zadawać się z kimś; *zwł. US* kręcić z kimś (= *mieć romans*); ~ **in/with sth** wtrącać się do czegoś; ~ **up** skrewić; ~ **sb up** *US sl.* spuścić komuś wpierdol (= *pobić, powodując obrażenia*); ~ **sth up** nabrudzić w czymś, narobić bałaganu w czymś (*np. w pomieszczeniu*); zapaprać coś (*np. ubranie*); *przen.* zrujnować coś (*np. czyjeś plany, życie*); zawalić coś (*np. pracę, test*); ~ **with sb** kręcić z kimś (= *mieć romans*); zawracać komuś głowę; podskakiwać komuś (= *narażać się*); ~ **with sth** grzebać *l.* dłubać przy *l.* w czymś (*np. przy urządzeniu, aparaturze*); **don't** ~ **with me/him!** nie zaczynaj ze mną/z nim!; **don't** ~ **with drugs!** nie baw się w narkotyki!

message [ˈmesɪdʒ] *n.* 1. wiadomość; **can I take a** ~**?** *zwł. tel.* czy (mogę) coś przekazać?; **leave a** ~ zostawić wiadomość. 2. *zw. sing.* przesłanie. 3. orędzie (*proroka, polityka*). 4. zadanie; misja. 5. *pl. Scot.* zakupy; **do the** ~**s** robić zakupy. 6. **they finally got the** ~ *pot.* wreszcie do nich dotarło (= *zrozumieli*). – *v. rzad.* 1. sygnalizować (*np. plan*). 2. przekazywać wiadomość o (*czymś*).

message switching *n. U komp.* rozsyłanie komunikatów w sieci.

messed up [ˌmest ˈʌp] *a. pot.* pokręcony (= *mający problemy, często natury psychicznej*).

messeigneurs [meɪˈseɪnjər] *n. pl. zob.* **monseigneur**.

messenger [ˈmesəndʒər] *n.* 1. posłaniec; goniec; kurier; **blame/shoot the** ~ *przen.* winić posłańca (*za złe wiadomości*). 2. *żegl.* rzutka (*lina*). 3. *arch.* zwiastun.

mess hall *n. wojsk.* kantyna.

Messiah [məˈsaɪə] *n.* **the** ~ *rel.* Mesjasz.

Messianic [ˌmesɪˈænɪk] *a.* mesjanistyczny, mesjański.

messieurs [meɪsˈjɝːz] *n. pl. zob.* **monsieur**.

messily [ˈmesɪlɪ] *adv.* 1. brzydko. 2. niechlujnie. 3. skomplikowanie.

messiness [ˈmesɪnəs] *n. U* 1. bałaganiarstwo; niechlujność. 2. skomplikowanie (*sprawy*).

messmate [ˈmesˌmeɪt] *n. wojsk.* towarzysz stołu.

Messrs., Messrs *abbr.* **Messieurs** Panowie (= *pl. skrótu Mr., zwł. w nazwach firm*).

messuage [ˈmeswɪdʒ] *n. prawn.* dom mieszkalny z przyległościami.

messy ['mesɪ] *a.* **-ier, -iest 1.** brudny, zabrudzony; niechlujny; zabałaganiony. **2.** skomplikowany, przykry (*np. o sytuacji, rozwodzie*).

mestee [mə'stiː] *n.* = **mustee.**

mestiza [me'stiːzə] *n. pl.* **-s** Metyska.

mestizo [me'stiːzoʊ] *n. pl.* **-s** *l.* **-es** Metys.

Met [met] *abbr.* **Metropolitan Opera (House)** opera nowojorska.

met [met] *v. zob.* **meet.**

met. *abbr.* **1.** = **metaphor. 2.** = **metaphysics. 3.** = **meteorological;** = **meteorology. 4.** = **metropolitan.**

metabolic [ˌmetə'bɑːlɪk] *a.* metaboliczny.

metabolism [mə'tæbəˌlɪzəm] *n. U fizj.* metabolizm, przemiana materii.

metabolize [mɪ'tæbəˌlaɪz], *Br. i Austr. zw.* **metabolise** *v.* metabolizować.

metacarpal [ˌmetə'kɑːrpl] *a. anat.* śródręczny.

metacarpus [ˌmetə'kɑːrpəs] *n. pl.* **-carpi** *anat.* śródręcze.

metacenter ['metəˌsentər], *Br.* **metacentre** *n. hydrol.* metacentrum.

metafiction [ˌmetə'fɪkʃən] *n. U teor. lit.* metafikcja.

metagalaxy [ˌmetə'gæləksɪ] *n. pl.* **-ies** *astron.* metagalaktyka.

metage ['miːtɪdʒ] *n. C/U* **1.** urzędowe ważenie (*np. ładunku węgla*); urzędowe mierzenie (*towaru*). **2.** opłata za ważenie; opłata za mierzenie.

metagenesis [ˌmetə'dʒenəsɪs] *n. U biol.* metageneza.

metagenetic [ˌmetədʒə'netɪk] *a.* metagenetyczny.

metal ['metl] *n.* **1.** *C/U* metal. **2.** *druk.* czcionka metalowa. **3.** *U techn.* masa szklana. **4.** *U* (*także* **road ~**) *Br. techn.* tłuczeń, szuter. **5.** *pot.* = **heavy metal. 6.** *pl. kol.* szyny. – *v.* **-ll- 1.** zaopatrywać w metal; pokrywać metalem. **2.** *Br.* szutrować.

metal., metall. *abbr.* = **metallurgical;** = **metallurgy.**

metalanguage ['metəˌlæŋgwɪdʒ] *n. C/U* metajęzyk.

metal detector *n. techn.* wykrywacz metalu.

metal fatigue *n. U techn.* zmęczenie metalu.

metalist ['metəlɪst], *Br.* **metallist** *n.* **1.** metalowiec. **2.** *ekon.* zwolenni-k/czka waluty metalowej.

metalize ['metəlaɪz], *Br. i Austr. zw.* **metallise** *v.* metalizować.

metallic [mə'tælɪk], **metalline** *a.* **1.** metalowy (= *dotyczący metalu*). **2.** metaliczny (*np. o dźwięku, smaku*).

metalliferous [ˌmetə'lɪfərəs] *a.* metalonośny, zawierający metal; kruszconośny.

metalliferous ore *n. C/U* ruda metalu.

metallography [ˌmetə'lɑːgrəfɪ] *n. U metal., sztuka* metalografia.

metalloid ['metəˌlɔɪd] *a.* (*także* **~loidal**) **1.** przypominający metal, wyglądający jak metal. **2.** *chem.* niemetaliczny; metaloidalny. – *n.* niemetal; metaloid.

metallurgic [ˌmetə'lɝːdʒɪk], **metallurgical** *a.* metalurgiczny; hutniczy.

metallurgist ['metəˌlɝːdʒɪst] *n.* metalurg.

metallurgy ['metəˌlɝːdʒə] *n. U* metalurgia; **powder ~** metalurgia proszków; ceramika metali.

metalwork ['metlˌwɝːk] *n. U* **1.** obróbka metali. **2.** części z metalu.

metamere ['metəˌmiːr] *n. zool.* segment, metamer (*np. robaka, raka*).

metameric [ˌmetə'merɪk] *a.* **1.** *zool.* segmentowy, metameryczny. **2.** *chem.* metameryczny.

metamerism [mə'tæməˌrɪzəm] *n. U* **1.** *zool.* segmentacja, metameria. **2.** *chem.* metameria, izomeria rodników.

metamorphic [ˌmetə'mɔːrfɪk], **metamorphous** [ˌmetə'mɔːrfəs] *a.* **1.** *form.* metamorficzny. **2.** *geol.* metamorficzny, przeobrażony (*o skale*).

metamorphism [ˌmetə'mɔːrfɪzəm] *n. U* **1.** *geol.* metamorfizm. **2.** = **metamorphosis.**

metamorphose [ˌmetə'mɔːrfoʊz] *v. form.* przeobrażać (się) (*into sb/sth* w kogoś/coś); ulegać metamorfozie.

metamorphosis [ˌmetə'mɔːrfəsɪs] *n. C/U pl.* **metamorphoses** [ˌmetə'mɔːrfəsiːz] *form.* metamorfoza, przeobrażenie (*t. biol*); przemiana; **undergo a ~** przechodzić metamorfozę.

metaphor ['metəˌfɔːr] *n. C/U jęz., teor. lit.* metafora (*for sth* czegoś) przenośnia; **mixed ~** *zob.* **mixed; mix one's ~s** *zob.* **mix** *v.*

metaphoric [ˌmetə'fɔːrɪk], **metaphorical** *a.* metaforyczny, przenośny.

metaphorically [ˌmetə'fɔːrɪklɪ] *adv.* metaforycznie, w przenośni; **~ speaking** (mówiąc) w przenośni.

metaphrase ['metəˌfreɪz] *lit. n.* metafraza, tłumaczenie dosłowne. – *v.* **1.** tłumaczyć dosłownie. **2.** wyrażać innymi słowami.

metaphysical [ˌmetə'fɪzɪkl] *a.* metafizyczny.

metaphysician [ˌmetəfə'zɪʃən] *n.* metafizy-k/czka.

metaphysics [ˌmetə'fɪzɪks] *n. U fil.* metafizyka.

metastasis [mə'tæstəsɪs] *n. C/U pl.* **metastases** [mə'tæstəsiːz] *pat.* przerzut, metastaza.

metastasize [mə'tæstəsaɪz], *Br. i Austr. zw.* **metastasise** *v. pat.* przerzucać się, dawać przerzuty.

metastatic [ˌmetə'stætɪk] *a. pat.* przerzutowy.

metatarsus [ˌmetə'tɑːrsəs] *n. pl.* **metatarsi** [ˌmetə'tɑːrsaɪ] *anat.* śródstopie.

metathesis [mə'tæθəsɪs] *n. pl.* **metatheses 1.** *jęz.* metateza, przestawka. **2.** *chem.* reakcja podwójnej wymiany.

mete[1] [miːt] *v.* **1. ~ out** *form.* wymierzać (*np. karę, wyrok*). **2.** *arch. l. poet.* mierzyć.

mete[2] *n. rzad.* znak graniczny; linia graniczna; granica.

metempsychosis [məˌtemsə'koʊsɪs] *n. U* metempsychoza, wędrówka dusz.

meteor ['miːtɪər] *n. gł. astron.* meteor.

meteoric [ˌmiːtɪ'ɔːrɪk] *a.* **1.** *astron.* meteoryczny, meteorowy. **2.** *przen.* błyskawiczny, olśniewający (*np. o karierze*); krótkotrwały, przemijający, chwilowy. **3.** *meteor. rzad.* atmosferyczny, meteorologiczny.

meteoric water *n. U geol.* wody wadyczne *l.* meteoryczne.

meteorite [ˈmiːtɪəˌraɪt] *n. astron.* meteoryt.

meteorograph [ˌmiːtɪˈɔːrəˌgræf] *n. meteor.* meteorograf.

meteorologic [ˌmiːtɪərəˈlɑːdʒɪkl], **meteorological** *a.* meteorologiczny.

meteorologist [ˌmiːtɪəˈrɑːlədʒɪst] *n.* meteorolog/żka.

meteorology [ˌmiːtɪəˈrɑːlədʒɪ] *n. U* meteorologia.

meter[1] [ˈmiːtər] (*także Br.* **metre**) *n.* metr.

meter[2] *n.* (*także Br.* **metre**) **1.** *lit.* miara wierszowa, metrum, metr. **2.** *muz.* metrum.

meter[3] *n.* **1.** licznik (*np. prądu, gazu, w taksówce*); **read the ~** odczytywać licznik. **2.** miernik (*np. napięcia*), przyrząd pomiarowy. **3.** = **parking meter**. **4.** = **postage/postal meter**. – *v.* **1.** mierzyć (*np. przepływ wody, napięcie*). **2.** *poczta* frankować (*za pomocą maszyny frankującej*).

meter maid *n. przest. pot.* policjantka *l.* funkcjonariuszka służby miejskiej wypisująca mandaty za złe parkowanie.

methadone [ˈmeθəˌdoun], **methadon** [ˈmeθəˌdɑːn] *n. U med.* metadon.

methane [ˈmeθeɪn] *n. U chem.* metan.

methanol [ˈmeθəˌnɔːl] *n. U chem.* metanol, alkohol metylowy.

metheglin [məˈθeglɪn] *n. U gł. hist.* miód pitny zaprawiony korzeniami.

methinks [mɪˈθɪŋks] *v. pp.* **methought** *arch. l. żart.* sądzę.

method [ˈmeθəd] *n.* **1.** metoda; sposób (*for sth* na coś); **~ of payment** sposób płatności. **2.** *U form.* metodyczność, systematyczność. **3.** **there's a ~ to his/her/their madness** (*także Br.* **there's ~ in his/her madness**) *zob.* **madness**.

methodical [məˈθɑːdɪkl] *a.* metodyczny.

methodically [məˈθɑːdɪklɪ] *adv.* metodycznie.

Methodism [ˈmeθəˌdɪzəm] *n. U rel.* metodyzm.

Methodist [ˈmeθədɪst] *rel. a.* (*także* **~istic, ~istical**) metodystyczny. – *n.* metodyst-a/ka.

methodize [ˈmeθəˌdaɪz], *Br. i Austr. zw.* **methodise** *v.* systematyzować.

methodological [ˌmeθədəˈlɑːdʒɪkl] *a.* **1.** metodologiczny. **2.** metodyczny (= *dotyczący metod nauczania*).

methodology [ˌmeθəˈdɑːlədʒɪ] *n. C/U pl.* **-ies** **1.** metodologia. **2.** metodyka (*nauczania*).

methought [mɪˈθɔːt] *v. zob.* **methinks**.

meths [meθs] *n. U gł. Br., Austr. i NZ* = **methylated spirit**.

Methuselah[1] [məˈθuːzələ] *n. Bibl.* Matuzalem.

Methuselah[2] *n.* duża butelka wina (*o objętości ośmiu zwykłych butelek*).

methyl [ˈmeθl] *n. U chem.* metyl.

methyl alcohol *n. U chem.* alkohol metylowy, metanol.

methylate [ˈmeθəˌleɪt] *v.* mieszać z metylem; skażać metylem. – *n. U* metanolan.

methylated spirit [ˌmeθəˌleɪt ˈspɪrɪt], **methylated spirits** *n. U* denaturat.

meticulous [məˈtɪkjələs] *a.* **1.** drobiazgowy, skrupulatny. **2.** pedantyczny.

meticulously [məˈtɪkjələslɪ] *adv.* **1.** drobiazgowo, skrupulatnie. **2.** pedantycznie.

meticulousness [məˈtɪkjələsnəs] *n. U* **1.** drobiazgowość, skrupulatność. **2.** pedantyczność.

métier [ˈmeɪtjeɪ], **metier** *n. zw. sing. form.* **1.** mocna strona, specjalność; **sth is not sb's ~** coś nie jest czyjąś mocną stroną. **2.** zawód.

Métis [meɪˈtiː] *n. pl.* **Métis** Metys.

Métisse [meɪˈtiːs] *n.* Metyska.

Metonic cycle [meˌtɑːnɪk ˈsaɪkl] *n. sing. astron.* cykl Metona.

metonymical [ˌmetəˈnɪmɪkl] *a. jęz., teor. lit.* metonimiczny.

metonymy [məˈtɑːnəmɪ] *n. C/U pl.* **-ies** metonimia.

metope [ˈmetəpɪ] *n. bud., hist.* metopa.

metre [ˈmiːtər] *n. Br.* = **meter**[1, 2].

metric [ˈmetrɪk] *a.* metryczny; **go ~** przechodzić na system metryczny. – *n. mat.* metryka przestrzeni.

metrical [ˈmetrɪkl] *a.* (*także* **metric**) **1.** miarowy (= *związany z mierzeniem*). **2.** *prozodia* metryczny, miarowy.

metrically [ˈmetrɪklɪ] *adv.* **1.** miarowo. **2.** *prozodia* metrycznie, miarowo.

metrication [ˌmetrəˈkeɪʃən] *n. U* przejście na system metryczny.

metricize [ˈmetrəˌsaɪz], *Br. i Austr. zw.* **metricise** *v.* wyrażać w jednostkach metrycznych.

metrics [ˈmetrɪks] *n. prozodia* metryka.

metric space *n. mat.* przestrzeń metryczna.

metric system *n. sing.* system metryczny.

metric ton *n.* tona metryczna (= *1000 kg*).

metric unit *n.* jednostka metryczna.

metro [ˈmetrou] *n. C/U pl.* **-s** metro (*zwł. we Francji*); **go by ~** (*także* **take the ~**) jeździć metrem.

metrology [mɪˈtrɑːlədʒɪ] *n. pl.* **-ies** **1.** *U* metrologia, miernictwo. **2.** system miar i wag.

metronidazole [ˌmetrəˈnaɪdəˌzoul] *n. U med.* metronidazol.

metronome [ˈmetrənoum] *n. muz.* metronom, taktomierz.

metropolis [məˈtrɑːpələs] *n. polit., kośc. l. form.* metropolia.

metropolitan [ˌmetrəˈpɑːlətən] *a. attr.* **1.** metropolitalny, wielkomiejski (*np. o okręgu*); miejski (*np. o muzeum*); stołeczny (*np. o policji*). **2.** *kośc.* metropolitalny. **3.** *geogr., polit.* metropolitalny (= *związany terytorium danego państwa, a nie z jego zamorskimi koloniami*). – *n.* **1.** mieszkan-iec/ka metropolii. **2.** *kośc.* (arcybiskup) metropolita.

mettle [ˈmetl] *n. U* odwaga, determinacja; charakter; **be on one's ~** być gotowym dać z siebie wszystko; **show/prove one's ~** wykazać się, pokazać, na co kogoś stać.

mettled [ˈmetld], **mettlesome** [ˈmetlsəm] *a.* odważny, dzielny.

mew[1] [mjuː] *n.* miau; miauknięcie. – *v.* miauczeć.
mew[2] *n.* (*także* ~ **gull**) (*także* **sea** ~) *orn.* mewa (*zwł. Larus canus*).
mew[3] *n.* klatka na sokoły (*zwł. podczas pierzenia się*). – *v.* (*także* ~ **up**) **1.** zamykać w klatce (*sokoła*). **2.** *arch.* (*o sokole*) zrzucać (*pióra*); pierzyć się.
mewl [mjuːl] *v.* kwilić. – *n.* kwilenie.
mews [mjuːz] *n. z czasownikiem w liczbie pojedynczej l. mnogiej Br.* **1.** uliczka z małymi mieszkaniami przerobionymi ze stajen; ~ **house/flat** dom/mieszkanie w uliczce jw. **2.** *hist.* stajnie królewskie (*na Charing Cross w Londynie*).
Mexican [ˈmeksəkən] *a.* meksykański. – *n.* Meksyka-nin/nka.
Mexican hairless *n. kynol.* rasa małych bezwłosych psów.
Mexico [ˈmeksɪkoʊ] *n. geogr.* Meksyk.
mezzanine [ˈmezəˌniːn] *n.* **1.** *bud.* mezanin, międzypiętro (*zwł. między parterem a pierwszym piętrem*); antresola. **2.** *US i Can. teatr* pierwszy balkon. **3.** *Br. teatr* pomieszczenie pod sceną.
mezzo-soprano [ˌmetsoʊ səˈprænoʊ] *muz. n. C/U pl.* **-s** (*także* **mezzo**) **1.** mezzosopran. **2.** mezzosopranistka, mezzosopran. – *a.* mezzosopranowy.
mezzotint [ˈmetsoʊˌtɪnt] *sztuka n. C/U* mezzotinta. – *v.* wykonywać mezzotintą.
MF [ˌem ˈef] *abbr.* = **medium frequency**.
m/f *abbr.* **motor ferry** *żegl.* prom motorowy.
MFA [ˌem ˌef ˈeɪ] *abbr. US* **Master of Fine Arts** mgr sztuk pięknych.
mfd. *abbr.* = **manufactured**.
mfg. *abbr.* = **manufacturing**.
mfr. *abbr.* = **manufacture**; = **manufacturer**.
mg *abbr.* = **milligram**.
MGB [ˌem ˌdʒiː ˈbiː] *abbr.* = **motor gun boat**.
mgr, Mgr *abbr.* **1.** = **manager**. **2.** = **Monseigneur**. **3.** = **Monsignor**.
MHR [ˌem ˌeɪtʃ ˈɑːr] *abbr.* **Member of the House of Representatives** *US i Austr. parl.* człon-ek/kini Izby Reprezentantów.
MHz *abbr.* = **megahertz**.
MI [ˌem ˈaɪ] *abbr.* = **Michigan**.
mi[1] *abbr.* = **mile**.
mi[2] [miː] *n.* (*także* **me**) *muz.* mi.
mi. *abbr.* **1.** = **mile**. **2.** = **mill**.
MI5 [ˌem ˌaɪ ˈfaɪv] *abbr.* **Military Intelligence 5** *Br.* kontrwywiad brytyjski.
MI6 [ˌem ˌaɪ ˈsɪks] *abbr.* **Military Intelligence 6** *Br.* wywiad brytyjski.
MIA [ˌem ˌaɪ ˈeɪ], **M.I.A.** *abbr. wojsk.* = **missing in action**.
miaow [mɪˈaʊ], **miaou** *n. i v.* = **meow**.
miasma [mɪˈæzmə] *n. pl.* **-s** *l.* **miasmata** [mɪˈæzmətə] *lit.* **1.** wyziew, miazmat. **2.** *przen.* zły wpływ, miazmat; zła atmosfera.
miasmal [mɪˈæzml], **miasmatic** *a. lit.* miazmatyczny.
miaul [mɪˈaʊl] *n. i v.* = **meow**.
mic [mɪk] *n. US pot.* mikrofon.
mica [ˈmaɪkə] *n. U min.* mika, łyszczyk.
micaceous [maɪˈkeɪʃəs] *a.* mikowy, łyszczykowy.
mice [maɪs] *n. pl. zob.* **mouse**.
Mich. *abbr.* = **Michigan**.
Michaelmas [ˈmɪklməs] *n.* (*także* ~ **Day**) *rel.* dzień św. Michała, święto św. Michała Archanioła (*29 września*).
Michigan [ˈmɪʃəgən] *n. US* stan Michigan.
Mick [mɪk], **Mickey** [ˈmɪkɪ] *n. Br. pog. sl.* ajrysz (*= Irlandczyk, zwł. katolik*).
mickey [ˈmɪkɪ], **micky** [ˈmɪkɪ], **mick** [mɪk] *n. U* **take the** ~ **(out of sb)** *Br. i Austr. pot.* żartować sobie (z kogoś) (*np. naśladując go*).
Mickey Finn, Mickey, mickey *n. pot.* środek nasenny, który dodaje się komuś do drinka; drink ze środkiem nasennym.
Mickey Mouse, mickey m~ *a. attr. pot.* **1.** niepoważny, byle jaki (*np. o organizacji, instytucji*); michałkowaty (*np. o przedmiocie szkolnym, pracy*). **2.** *gł. US i Can.* chałowaty (*o muzyce*).
mickle [ˈmɪkl] *arch. l. płn. Br. dial. a.* wielki; obfity. – *adv.* wielce. – *n.* **1.** wielka ilość. **2.** *Scot.* mała ilość.
Micmac [ˈmɪkmæk] *n.* **1.** *pl.* **-s** *l.* **Micmac** człon-ek/kini plemienia Micmac (*zamieszkującego niegdyś nadmorskie prowincje Kanady*). **2.** *U* język Micmac.
micra [ˈmaɪkrə] *n. pl. zob.* **micron**.
micro [ˈmaɪkroʊ] *a.* mikroskopijny, bardzo mały. – *n. pl.* **-s** *pot.* **1.** = **microcomputer**. **2.** = **microprocessor**. **3.** = **microwave oven**.
microbe [ˈmaɪkroʊb] *n. biol.* mikrob, drobnoustrój, mikroorganizm.
microbial [maɪˈkroʊbɪəl] *a. biol.* mikrobiologiczny.
microbiologist [ˌmaɪkroʊbaɪˈɑːlədʒɪst] *n.* mikrobiolo-g/żka.
microbiology [ˌmaɪkroʊbaɪˈɑːlədʒɪ] *n. U* mikrobiologia.
microcephaly [ˌmaɪkroʊˈsefəlɪ] *n. U pat.* mikrocefalia, małogłowie.
microchip [ˈmaɪkroʊtʃɪp] *n.* = **chip**[1] *n.* 5.
microcircuit [ˈmaɪkroʊˌsɜːkɪt] *n. el.* mikroukład.
microclimate [ˈmaɪkroʊˌklaɪmɪt] *n. ekol.* mikroklimat.
micrococcus [ˌmaɪkroʊˈkɑːkəs] *n. pl.* **micrococci** [ˌmaɪkroʊˈkɑːksaɪ] *biol.* mikrokok, ziarenkowiec.
microcomputer [ˈmaɪkroʊkəmˌpjuːtər], **micro** [ˈmaɪkroʊ] *n. komp. przest.* mikrokomputer.
microcosm [ˈmaɪkrəˌkɑːzəm] *n. C/U* mikrokosmos; miniatura (*of sth* czegoś); **in** ~ w miniaturze.
microeconomics [ˌmaɪkroʊˌiːkəˈnɑːmɪks] *n. U* mikroekonomia.
microelectronics [ˌmaɪkroʊɪˌlekˈtrɑːnɪks] *n. U* mikroelektronika.
microfiche [ˈmaɪkroʊˌfiːʃ] *n. C/U* mikrofisza.
microfilm [ˈmaɪkroʊˌfɪlm] *n. C/U* mikrofilm. – *v.* fotografować na mikrofilmie.
microinstruction [ˌmaɪkroʊɪnˈstrʌkʃən] *n. komp.* mikrorozkaz.

micrometer[1] [maɪˈkrɑːmətər] *n.* mikrometr (*przyrząd*).

micrometer[2] *n. US* (*także Br.* **micrometre**) mikrometr (*jednostka*).

micrometrical [ˌmaɪkroʊˈmetrɪkl] *a.* mikrometryczny.

micron [ˈmaɪkrɑːn] *n. pl.* **-s** *l.* **micra** [ˈmaɪkrə] mikron.

Micronesia [ˌmaɪkrəˈniːʒə] *n. geogr.* Mikronezja.

Micronesian [ˌmaɪkrəˈniːʒən] *a.* mikronezyjski. – *n.* **1.** Mikronezyj-czyk/ka. **2.** *U* języki mikronezyjskie.

microogranism [ˌmaɪkroʊˈɔːrgəˌnɪzəm] *n. biol.* drobnoustrój, mikroorganizm, mikrob.

microphone [ˈmaɪkrəˌfoʊn] *n.* mikrofon; **speak into the ~** mówić przez mikrofon *l.* do mikrofonu.

microphotograph [ˌmaɪkrəˈfoʊtəˌgræf] *n.* mikrofotografia.

microphotography [ˌmaɪkroʊfəˈtɑːgrəfɪ] *n. U* mikrofotografia (*technika*).

microprocessor [ˌmaɪkroʊˈproʊsesər] *n. el., komp.* mikroprocesor.

microreader [ˈmaɪkroʊˌriːdər] *n.* czytnik (*np. mikrofilmów*).

microscope [ˈmaɪkrəˌskoʊp] *n.* mikroskop; **reflecting ~** mikroskop odbiciowy; **under the ~** pod mikroskopem.

microscopic [ˌmaɪkrəˈskɑːpɪk], **microscopical** [ˌmaɪkrəˈskɑːpɪkl] *a.* **1.** mikroskopowy. **2.** *przen.* mikroskopijny.

microscopically [ˌmaɪkrəˈskɑːpɪklɪ] *adv.* **1.** mikroskopowo. **2.** *przen.* mikroskopijnie.

microscopic section *n.* wycinek *l.* preparat mikroskopowy.

microscopy [maɪˈkrɑːskəpɪ] *n. U* mikroskopia, badanie mikroskopowe.

microsecond [ˈmaɪkrəˌsekənd] *n.* mikrosekunda.

microsection [ˈmaɪkrəˌsekʃən] *n.* szlif, zgład (*do badań mikroskopowych metali*).

microstructure [ˈmaɪkroʊˌstrʌktʃər] *n. C / U* mikrostruktura, mikrobudowa, budowa mikroskopowa.

microsurgery [ˌmaɪkroʊˈsɝːdʒərɪ] *n. U med.* mikrochirurgia.

microsurgical [ˌmaɪkroʊˈsɝːdʒəkl] *a.* mikrochirurgiczny.

microswitch [ˈmaɪkrəˌswɪtʃ] *n. el.* mikrołącznik, łącznik miniaturowy.

microtome [ˈmaɪkrəˌtoʊm] *n.* mikrotom (= *przyrząd do cięcia preparatów mikroskopowych*).

microwavable [ˌmaɪkrəˈweɪvəbl] *a.* nadający się do przygotowania w kuchence mikrofalowej.

microwave [ˈmaɪkrəˌweɪv] *n.* **1.** *el.* mikrofala. **2.** = **microwave oven**. – *a. attr.* mikrofalowy. – *v.* podgrzewać w kuchence mikrofalowej.

microwave oven, micro [ˈmaɪkroʊ] *n.* kuchenka mikrofalowa, mikrofalówka.

micturate [ˈmɪktʃəˌreɪt] *v. form.* oddawać mocz.

micturition [ˌmɪktʃəˈrɪʃən] *n. U form.* oddawanie moczu, mikcja.

mid[1] [mɪd] *a.* **1.** *fon.* średni (*o samogłosce*). **2.** *gł. w złoż.* **in ~-afternoon** po południu; **in ~-April** w połowie kwietnia; **he's in his ~-40s** ma około 45 lat; **in the ~ 1970s** w połowie lat 70. – *n. arch.* = **middle**.

mid[2] *prep.* (*także* **'mid**) *poet.* = **amid**.

midair [ˌmɪdˈer] *n. U* **in ~** w powietrzu. – *a. attr.* powietrzny; w powietrzu (*np. o zderzeniu*).

mid-Atlantic [ˌmɪdætˈlæntɪk] *a. jęz.* środkowoatlantycki (= *łączący cechy brytyjskie i amerykańskie, zwł. o akcencie*).

midbrain [ˈmɪdˌbreɪn] *n. anat.* śródmózgowie.

midday [ˈmɪdˌdeɪ] *n. U* południe; **at ~** w południe. – *a. attr.* południowy (*np. o spotkaniu, wiadomościach*).

midden [ˈmɪdən] *n.* **1.** *Br. arch. l. dial.* sterta gnoju; sterta śmieci; *Br. dial.* kosz na śmieci. **2. kitchen ~** *archeol.* śmietnik (*zawierający zw. muszle, kości i skorupy naczyń*).

middle [ˈmɪdl] *n.* **1.** *t. przen.* środek (*t. np. owocu*); **in the ~ of the night** w środku nocy; **in the ~ of the road/street** na środku drogi/ulicy; **in the ~ of nowhere** *zob.* **nowhere** *n.*; **stand in the ~** stać w środku *l.* pośrodku. **2.** połowa; **in the ~ of the week** w połowie tygodnia; **split/divide sth down the ~** dzielić coś na pół *l.* na połowę, dzielić coś równo. **3.** pas, talia; brzuch. **4.** *dzienn.* artykuł (*po artykułach wstępnych, a przed recenzjami*). **5. be in the ~ of (doing) sth** być w trakcie (robienia) czegoś. – *a. attr.* **1.** środkowy. **2.** pośredni; **follow/stear/take the ~ course/path/way** wybierać drogę pośrednią (*between X and Y* pomiędzy X a Y). **3. (sb's) ~ child** (czyjeś) średnie dziecko (*mające starsze i młodsze rodzeństwo*). – *v.* **1.** *form.* umieszczać w środku. **2.** *żegl.* składać na pół. **3.** *piłka nożna* dośrodkowywać.

middle age *n. U* wiek średni.

middle-aged [ˌmɪdlˈeɪdʒd] *a.* w średnim wieku.

Middle Ages *n. pl.* **the ~** średniowiecze, wieki średnie.

middle-age spread *n. U* (*także* **middle aged spread**) *żart.* wałek tłuszczu w pasie (*u osoby w średnim wieku*).

Middle America *n.* **1.** *geogr.* Ameryka Środkowa. **2.** *U* amerykańska klasa średnia. **3.** *US* = **Midwest**.

Middle American *a.* **1.** *geogr.* dotyczący Ameryki Środkowej. **2.** dotyczący amerykańskiej klasy średniej. **3.** = **Midwestern**. – *n.* **1.** mieszkan-iec/ka Ameryki Środkowej. **2.** członek amerykańskiej klasy średniej. **3.** = **Midwesterner**.

Middle Atlantic States *n. pl.* (*także* **Middle States**) *US* stany Nowy Jork, New Jersey i Pensylwania.

middlebrow [ˈmɪdlˌbraʊ] *a.* (*także* **~ed**) mało ambitny, niewyszukany, dla masowej publiczności. – *n.* osoba o niewyszukanych gustach.

middle class, middle classes *n.* **the ~** klasa średnia.

middle-class [ˌmɪdlˈklæs] *a.* dotyczący klasy średniej; należący do klasy średniej; typowy dla klasy średniej.

middle distance, middle ground *n.* **the ~** *mal.* plan środkowy (*obrazu*).

middle ear *n. anat.* ucho środkowe.

Middle East *n.* **the** ~ *geogr., polit.* Bliski Wschód.

Middle English *n. U hist. jęz.* (język) średnioangielski (*ok. 1100-1450*).

middle finger *n. anat.* palec środkowy.

middle ground *n. U* **1.** = **middle distance. 2.** *przen.* wspólny grunt, kompromis.

Middle Kingdom *n. hist.* Państwo Środka (= *cesarstwo chińskie*).

middleman ['mɪdlˌmæn] *n. pl.* **-men** pośrednik.

middle management *n. U ekon.* kierownictwo średniego szczebla.

middlemost ['mɪdlˌmoʊst] *a.* = **midmost** *a.*

middle name *n.* **1.** drugie imię. **2. sb's** ~ *pot.* czyjaś specjalność, czyjś znak rozpoznawczy, czyjaś druga natura.

middle-of-the-road [ˌmɪdləvðə'roʊd] *a.* **1.** *zwł. polit.* umiarkowany. **2.** ~ **music** *muz.* muzyka środka.

middle-of-the-roader [ˌmɪdləvðə'roʊdər] *n. zwł. polit.* zwolenni-k/czka polityki umiarkowanej.

middle-ranking [ˌmɪdl'ræŋkɪŋ] *a.* średniej rangi (*np. o urzędniku, ministrze*).

middle school *n. C / U szkoln.* gimnazjum (*US – dla dzieci w wieku 11-14; Br. – dla dzieci w wieku 8-12*).

middle-sized [ˌmɪdl'saɪzd] *a.* średniej wielkości.

Middle States *n. pl. US* = **Middle Atlantic States.**

middle voice *n.* **the** ~ *gram.* strona zwrotna.

middleweight ['mɪdlˌweɪt] *n. i a.* **1.** *boks* (zawodowiec) wagi średniej (*70-72,5 kg*); (amator) wagi średniej (*71-75 kg*). **2.** *zapasy* (zawodnik) w kategorii 78-87 kg.

Middle West *n.* = **Midwest.**

middling ['mɪdlɪŋ] *a. pot.* średni, przeciętny; zwyczajny; **fair to** ~ *pot.* tak(i) sobie. – *adv. pot.* średnio, dość; ~ **well** dość dobrze. – *n. pl.* **1.** towary średniej jakości *l.* w średniej cenie. **2.** *U roln.* mąka średnia; śruta.

middy ['mɪdɪ] *n. pl.* **-ies 1.** *pot.* = **midshipman. 2.** (*także* ~ **blouse**) bluzka z kołnierzem marynarskim. **3.** *Austr.* kufel średniej wielkości (*o objętości 285 ml*).

midfield ['mɪdfi:ld] *n. U piłka nożna, baseball* **1.** środek boiska; **in** ~ na środku boiska. **2. the** ~ środkowi gracze.

midfielder ['mɪdfi:ldər] *n. U piłka nożna, baseball* gracz środka pola, pomocnik.

midge [mɪdʒ] *n.* **1.** *ent.* ochotka (*rodzina Chironomidae*). **2.** (*także* **biting** ~) *ent.* dowolny owad dwuskrzydły z rodziny *Ceratopogonidae.* **3.** *ent.* = **gall-midge. 4.** *pot.* mikrus (= *mała osoba l. zwierzę*).

midget ['mɪdʒɪt] *n.* **1.** *pat. czas. obelż.* karzeł; karlica. **2.** maleństwo (= *bardzo niska osoba*); miniaturka (*np. samochód, łódź*). – *a. attr.* **1.** miniaturowy (*np. o samochodzie, łodzi, aparacie fotograficznym*). **2.** *US sport* dla dzieci (*o zawodach, rozgrywkach*).

midi ['mɪdɪ] *a. attr. i n. pl.* **-s** (długości) midi (*np. spódnica l. płaszcz*).

midland ['mɪdlənd] *geogr. n.* **1.** środkowa część kraju. **2.** *pl.* **the M~s** *Br.* środkowa Anglia. – *a. attr.* (*także* **~s**) **1.** środkowy, centralny (*o regionie*). **2.** *Br.* typowy dla środkowej Anglii (*np. o akcencie*).

Midlander ['mɪdləndər] *n. Br.* mieszkan-iec/ka środkowej Anglii.

midlife ['mɪdˌlaɪf] *n. U* wiek średni.

midlife crisis *n. psych.* kryzys wieku średniego.

midmost ['mɪdˌmoʊst] *a.* (*także* **middlemost**) środkowy; położony najbliżej środka. – *adv.* w środku.

midnight ['mɪdˌnaɪt] *n. U* północ; **at** ~ o północy. – *a. attr.* **1.** północny; o północny. **2.** ~ **feast** *Br.* nocna uczta (*zwł. urządzona przez dzieci, w sekrecie*); **burn the** ~ **oil** *zob.* **burn**[1] *v.*

midnight blue *a. i n. U* (kolor) ciemnogranatowy.

midnight sun *n.* **the** ~ słońce o północy (*widoczne latem w Arktyce l. Antarktyce*).

mid-ocean ridge [mɪdˌoʊʃən 'rɪdʒ] *n. geol.* grzbiet śródoceaniczny.

midpoint ['mɪdˌpɔɪnt] *n. zw. sing.* **1.** punkt środkowy, środek. **2.** *przen.* środek, połowa (*wydarzenia*).

midrash [mɪ'drɑ:ʃ] *n. pl.* **-im** [mɪ'drɑ:ʃəm] *judaizm* Midrasz.

midrib ['mɪdˌrɪb] *n. bot.* środkowy nerw, środkowa żyłka (*liścia*).

midriff ['mɪdˌrɪf] *n.* **1.** talia, pas, stan (*np. sukienki*); brzuch (*zwł. jego część widoczna spod krótkiej bluzeczki*). **2.** *zwł. US* część garderoby odsłaniająca brzuch. **3.** *anat. przest.* przepona.

midsection ['mɪdˌsekʃən] *n.* **1.** *zwł. US* = **midriff** 1. **2.** *chir.* cięcie w linii środkowej.

midship ['mɪdˌʃɪp] *n. U żegl.* śródokręcie.

midshipman ['mɪdˌʃɪpmən] *n. pl.* **-men 1.** *US* kadet marynarki. **2.** *Br. hist.* podchorąży marynarki.

midships ['mɪdˌʃɪps] *adv.* = **amidships.**

midship tack *n. żegl.* półhals.

midsize ['mɪdˌsaɪz], **midsized** ['mɪdˌsaɪz] *a. zwł. US* średniej wielkości, średnich rozmiarów.

midst [mɪdst] *n.* **1. in the** ~ **of sth** wśród *l.* pośród czegoś (*np. tłumu*); w (samym) środku czegoś (*jakiegoś wydarzenia*); w trakcie czegoś. **2. in our/your/their** ~ *form.* pośród nas/was/nich. **3.** *arch.* środek. – *prep. poet.* = **amid.**

midstream [ˌmɪd'stri:m] *n. U* **1.** środek rzeki; **in** ~ na środku *l.* pośrodku rzeki. **2.** *przen.* **change horses in** ~ *zob.* **horse** *n.*; **he interrupted me in** ~ przerwał mi, nie czekając aż skończę; **in the** ~ **of sth** w środkowej fazie czegoś (*np. kariery*). – *adv.* **1.** na środku rzeki. **2.** ku środkowi rzeki.

midsummer [ˌmɪd'sʌmər] *n. U* **1.** środek *l.* pełnia lata. **2.** *astron.* przesilenie letnie.

Midsummer Day, Midsummer's Day *n. sing.* dzień św. Jana (*24 czerwca*).

midsummer madness *n. U* letnie szaleństwo (= *ekscentryczne zachowanie, zdarzające się rzekomo w środku lata*).

midterm ['mɪdˌtɜ:m] *a. attr.* **1.** *zwł. US uniw., szkoln.* śródsemestralny (*o egzaminie, feriach*).

2. *US polit.* odbywający się w połowie kadencji (*np. o wyborach*). **3.** *med.* śródokresowy (*o badaniu, zwł. w połowie ciąży*). – *n.* **1.** *US uniw., szkoln.* egzamin śródsemestralny; krótkie ferie w połowie semestru; *U* połowa semestru. **2.** *U US polit.* połowa kadencji. **3.** *U med.* połowa okresu ciąży.

midtown [ˌmɪd'taʊn] *n. US i Can. U* centrum miasta. – *a.* śródmiejski.

midway ['mɪdˌweɪ] *a. i adv.* **1.** (leżący) w połowie drogi (*between A and B* między A i B). **2.** ~ **through sth** w połowie czegoś (= *w trakcie*). – *n. US i Can.* miejsce widowisk i zabaw (*np. na jarmarku, w wesołym miasteczku*).

midweek [ˌmɪd'wi:k] *n. U* **1.** środek *l.* połowa tygodnia. **2. M~** środa (*u kwakrów*). – *a. i adv.* (mający miejsce) w środku *l.* połowie tygodnia; **come** ~ przyjdź w połowie tygodnia.

Midwest [ˌmɪd'west], **Middle West** *n.* **the** ~ (*także* **Middle America**) *US* Środkowy Zachód (= *Ohio, Indiana, Michigan, Illinois, Wisconsin, Iowa, Minnesota, Nebraska, Missouri i Kansas*).

Midwestern [ˌmɪd'westərn] *a. US* środkowo-zachodni; dotyczący Środkowego Zachodu.

Midwesterner [ˌmɪd'westərnər] *n. US* mieszkan-iec/ka Środkowego Zachodu.

midwife ['mɪdˌwaɪf] *n. pl.* **-wives** ['mɪdˌwaɪvz] położna, akuszerka.

midwifery [ˌmɪd'waɪfərɪ] *n. U* położnictwo, akuszerstwo.

midwinter [ˌmɪd'wɪntər] *n. U* **1.** środek zimy; **in** ~ w środku zimy. **2.** *astron.* przesilenie zimowe.

midyear ['mɪdˌji:r] *n. U* połowa roku (*kalendarzowego, szkolnego, fiskalnego*); **at** ~ w połowie roku. – *a. attr. szkoln.* odbywający się w połowie roku (*o egzaminie*).

mien [mi:n] *n. sing. lit.* **1.** zachowanie, styl bycia. **2.** wygląd; wyraz twarzy, mina (*typowe dla kogoś*).

miff [mɪf] *pot. v.* obrażać (się) (*with / at sth* na coś). – *n.* **1.** fochy. **2.** drobna sprzeczka.

miffed [mɪft] *a. pred. pot.* poirytowany; obrażony, dotknięty.

might[1] [maɪt] *v. 3 os. sing.* **might** *neg.* **might not = mightn't** ['maɪtənt] **1.** (*wyraża nikłą możliwość l. nikłe prawdopodobieństwo*) móc; **it** ~ **rain, though it's very unlikely** może (będzie) padać, choć to bardzo mało prawdopodobne; **it** ~ **have been an accident** to mógł być wypadek; **you** ~ **not have noticed but we're working here** (być) może nie zauważyłeś, ale my tu pracujemy. **2.** (*przest. l. form. w uprzejmych pytaniach o pozwolenie*) ~ **I talk to you?** czy mogłabym z tobą porozmawiać?; ~ **I just ask/add...** *zwł. Br.* jeśli mogę *l.* jeśli wolno spytać/dodać,..., pozwolę sobie (tylko) spytać/dodać,... **3.** (*odpowiednik „may" w mowie zależnej*) **I thought he** ~ **come** sądziłem, że może przyjdzie. **4.** (*wyraża sugestię*) **next time you** ~ **try to be more careful** następnym razem mógłbyś postarać się być ostrożniejszy. **5.** (*wyraża zastrzeżenie*) **she** ~ **be smart, but...** może i jest inteligentna, ale... **6.** (*wyraża niespełnioną powinność*) **he** ~ **at least apologize** mógłby przynajmniej przeprosić; **I** ~ **have known/guessed they'd turn us down** powinienem był przewidzieć, że nam odmówią. **7.** (*w zdaniach celowych*) **let's sign the agreement so that we** ~ **submit it to the committee** *form.* podpiszmy umowę, żebyśmy mogli przedłożyć ją komisji. **8.** (*w zdaniach warunkowych*) **she** ~ **have gotten the job if she hadn't been late for the interview** może dostałaby tę pracę, gdyby nie spóźniła się na rozmowę. **9.** (*żart. l. dla wyrażenia dezaprobaty*) **and who** ~ **this be?** a to kto?, a któż to taki?. **10. I** ~**/may (just) as well** *zob.* **may**[1].

might[2] *n. U lit.* siła; moc, potęga; ~ **makes** *US*/is *Br.* **right** siła idzie przed prawem; **with all one's** ~ z całej siły, z całych sił; **with** ~ **and main** całą siłą.

might-have-beens [ˌmaɪtəv'bi:nz] *n. pl. pot.* minione *l.* niezrealizowane możliwości; niespełnione oczekiwania.

mightily ['maɪtɪlɪ] *adv. lit.* **1.** wielce, ogromnie. **2.** z wielką siłą; mocno, potężnie.

mightiness ['maɪtɪnəs] *n. U lit.* **1.** moc, potęga; siła. **2.** ogrom.

mightn't ['maɪtənt] *v. zwł. Br.* = **might not**; *zob.* **might** *v.*

mighty ['maɪtɪ] *a.* **-ier, -iest** *gł. lit.* **1.** potężny; mocny; silny. **2.** ogromny, olbrzymi. **3. high and** ~ *zob.* **high** *a.* – *adv. gł. US i Can. pot.* szalenie (= *bardzo*).

mignon [mɪn'joʊn] *a. lit.* drobniutki, filigranowy; delikatny.

mignonette [ˌmɪnjə'net] *n. bot.* rezeda pachnąca (*Reseda odorata*).

migraine ['maɪgreɪn] *n. C / U pat.* migrena.

migrant ['maɪgrənt] *a. attr.* wędrowny; migracyjny; koczowniczy. – *n.* **1.** emigrant/ka; imigrant/ka. **2.** (*także* ~ **worker**) robotni-k/ca sezonow-y/a (*wędrujący w poszukiwaniu pracy*). **3.** *orn.* ptak wędrowny; *zool.* zwierzę wędrowne.

migrate ['maɪgreɪt] *v.* **1.** migrować (*from...to...* z...do...); ~ **into** napływać do (*danego kraju; o imigrantach*). **2.** wędrować (*t. o ptakach, rybach*). **3.** *przen.* przenosić się (*np. o handlu, interesach*).

migration [maɪ'greɪʃən] *n.* **1.** *C / U* migracja; wędrówka; tułaczka. **2.** grupa migrująca *l.* wędrująca. **3.** *U chem.* migracja (*np. jonów, cząsteczek*).

migratory ['maɪgrəˌtɔ:rɪ] *a.* wędrowny (*t. o ptakach, rybach*); migracyjny; koczowniczy.

mikado [mɪ'kɑ:doʊ], **Mikado** *n. pl.* **-s** *arch.* cesarz japoński.

mike [maɪk] *pot. n.* mikrofon. – *v.* **1.** wyposażać w mikrofon. **2.** nagrywać *l.* wzmacniać przez mikrofon. **3.** ~ **sb up** *pot.* podstawić komuś mikrofon.

mil [mɪl] *n.* **1.** milical (= *1 / 1000 cala*). **2.** mililitr. **3.** *wojsk.* tysięczna artyleryjska (= *1 / 6400 obwodu koła*).

mil. *abbr.* **1.** = **military. 2.** = **militia.**

milady [mɪ'leɪdɪ], **miladi** *n. pl.* **-ies** *hist.* milady (*w Europie kontynentalnej: tytuł grzecznościowy angielskiej szlachcianki*).

milage ['maɪlɪdʒ] *n.* = **mileage.**

Milan [mɪ'læn] *n. geogr.* Mediolan.

Milanese [ˌmɪlə'ni:z] *a.* **1.** mediolański. **2.** *tk.* milanezowy (*np. o jedwabiu*). – *n. pl.* **-ese** mediola-ńczyk/nka.

milch cow ['mɪltʃ ˌkaʊ] *n. Br.* = **milk cow.**

mild [maɪld] *a.* **1.** łagodny (*np. o smaku, osobie, klimacie, zimie, wymówce, kosmetyku*). **2.** lekki (*np. o chorobie, gorączce*); słaby (*np. o leku, proteście*). **3.** umiarkowany (*np. o zaskoczeniu, zainteresowaniu*). **4. meek and ~** *zob.* **meek.** – *n. U Br.* ciemne piwo (*o łagodnym smaku chmielu*).

milden ['maɪldən] *v. lit.* **1.** łagodzić. **2.** łagodnieć.

mildew ['mɪldu:] *n. U* pleśń. – *v.* pleśnieć; pokrywać (się) pleśnią.

mildewed ['mɪldu:d], **mildewy** ['mɪldu:ɪ] *a.* spleśniały.

mildly ['maɪldlɪ] *adv.* **1.** łagodnie, delikatnie; **to put it ~** delikatnie mówiąc. **2.** słabo (*np. protestować*). **3.** umiarkowanie, w miarę (*np. zainteresowany*); lekko, z lekka (*np. zaskoczony*).

mildness ['maɪldnəs] *n. U* **1.** łagodność. **2.** lekkość. **3.** umiarkowanie.

mild steel *n. U metal.* stal miękka.

mile [maɪl] *n.* **1.** mila (= *1,609 km*); **30 ~s an/per hour** 30 mil na godzinę. **2.** = **nautical mile. 3. the ~** *sport* bieg na milę, wyścig na dystansie jednej mili. **4.** *pl. zob.* **miles. 5.** *przen.* **a miss is as good as a ~** *zob.* **miss**[1] *n.*; **go the extra ~** zrobić dodatkowy wysiłek, trochę bardziej się postarać *l.* wysilić; **one can see/tell sb/sth a ~ off** *pot.* można kogoś/coś rozpoznać na kilometr (= *z łatwością*); **run a ~** *zob.* **run** *v.*; **stand/stick out a ~** *pot.* być widocznym na kilometr (= *być wyraźnym l. oczywistym*); **talk a ~ a minute** gadać jak najęty.

mileage ['maɪlɪdʒ], **milage** *n.* **1.** *U l. sing.* droga *l.* odległość w milach; opłata *l.* stawka za milę; *mot.* przebieg; droga przebyta *(w milach)* na jednym galonie paliwa (*jako miara zużycia paliwa*); wytrzymałość opony (*wyrażona w milach*); (*także* **~ allowance**) zwrot kosztów podróży na podstawie przebytych mil. **2.** *U przen.* korzyść, pożytek.

mileometer [maɪ'lɑ:mətər], **milometer** *n. zwł. Br.* = **odometer.**

milepost ['maɪlˌpoʊst] *n.* **1.** *gł. US i Can. mot.* drogowskaz (*pokazujący odległość w milach*). **2.** *jeźdz.* słupek milowy (*na milę przed metą*).

miler ['maɪlər] *n.* **1.** *sport* średniodystansowiec. **2.** *jeźdz.* koń biegnący w biegu na milę.

miles [maɪlz] *n. pl. pot.* **1.** *emf. t. przen.* kawał drogi; **~ away** kawał drogi stąd; **~ from anyway/nowhere** na odludziu; **be ~ away** *zwł. Br. przen.* być myślami gdzie indziej, być nieobecnym duchem; **be ~ out** *Br.* być kompletnie błędnym (*o pomiarze, obliczeniu, przypuszczeniach*). **2.** *Br. pot.* o wiele, o niebo; **~ better** (*także* **better by ~**) o niebo lepszy; **~ too high** o wiele za wysoki.

Milesian [maɪ'li:ʒən] *żart. a.* irlandzki. – *n.* Irland-czyk/ka.

milestone ['maɪlˌstoʊn] *n.* **1.** *t. przen.* kamień milowy. **2.** *zwł. Br.* = **milepost** 1.

milfoil ['mɪlfɔɪl] *n. pl.* **-s** *l.* **milfoil** *bot.* **1.** (*także* **yarrow**) krwawnik (*Achillea*). **2.** (*także* **water ~**) wywłocznik (*Myriophyllum*).

miliaria [ˌmɪlɪ'erɪə] *n. U pat.* potówki.

miliary ['mɪlɪˌerɪ] *a. pat.* prosówkowy; **~ tuberculosis** gruźlica prosówkowa.

milieu [mi:l'ju:] *n. pl.* **-s** *l.* **milieux** [mi:l'ju:z] środowisko, otoczenie.

militancy ['mɪlɪtənsɪ] *n. U* wojowniczość.

militant ['mɪlɪtənt] *a.* **1.** wojowniczy; bojowo nastawiony; agresywny. **2.** *attr.* wojujący. – *n.* bojowni-k/czka.

militantly ['mɪlɪtəntlɪ] *adv.* wojowniczo; bojowo; agresywnie.

militarism ['mɪlɪtəˌrɪzəm] *n. U* militaryzm.

militarist ['mɪlɪtərɪst] *n.* **1.** militaryst-a/ka. **2.** znaw-ca/czyni sztuki wojskowej.

militaristic [ˌmɪlɪtə'rɪstɪk] *a.* militarystyczny.

militarization [ˌmɪlɪtərə'zeɪʃən], *Br. i Austr. zw.* **militarisation** *n. U* militaryzacja.

militarize ['mɪlɪtəˌraɪz], *Br. i Austr. zw.* **militarise** *v.* militaryzować.

military ['mɪlɪˌterɪ] *a.* **1.** wojskowy, militarny. **2.** żołnierski, wojskowy. – *n. U* **the ~** wojsko, armia.

military academy *n. pl.* **-ies** akademia wojskowa.

military attaché *n.* attaché wojskowy.

military band *n.* orkiestra wojskowa.

military engineering *n. U* inżynieria wojskowa.

military honors, *Br.* **military honours** *n. pl.* honory wojskowe.

military-industrial complex *n.* **the ~** *gł. US polit.* kompleks wojskowo-przemysłowy.

military police, Military P~ *n. z czasownikiem w liczbie pojedynczej l. mnogiej* żandarmeria wojskowa.

military service *n. U* służba wojskowa; **do ~** odbywać służbę (wojskową), służyć w wojsku.

militate ['mɪlɪˌteɪt] *v. form.* **1.** stawać na przeszkodzie (*against sth* czemuś) (*np. o warunkach, otoczeniu*). **2.** przemawiać (*against sth* przeciwko czemuś, *for / in favor of sth* za czymś) (*np. o faktach, dowodach*).

militia [mə'lɪʃə] *n. z czasownikiem w liczbie pojedynczej l. mnogiej* **1.** armia niezawodowa, milicja. **2.** *US* rezerwa, rezerwiści. **3.** *hist.* siły zbrojne.

militiaman [mə'lɪʃəmən] *n. pl.* **-men** **1.** żołnierz armii niezawodowej *l.* milicji. **2.** *US* rezerwista.

milk [mɪlk] *n. U* **1.** *fizj., kulin.* mleko; **breast/mother's ~** mleko matki; **skim(med) ~** mleko odtłuszczone; **whole ~** mleko pełnotłuste. **2.** mleczko (*np. roślinne, kosmetyczne*). **3.** *przen.* **it's no use crying over spilled ~** *zob.* **cry** *v.*; **land of ~ and honey** *zob.* **land** *n.*; **the ~ of human kindness** *lit.* dobroć serca. – *v.* **1.** doić (*krowę, kozę*). **2.** dawać mleko (*o zwierzętach*). **3. ~ sth of sth** pozyskiwać coś z czegoś (*np. soki z rośliny, jad z węża*). **4.** *przen.* eksploatować, wykorzystywać; **~ sb for sth** wyciągać coś od kogoś, naciągać kogoś na coś; **~ sb of savings/information** wyciągać od kogoś oszczędności/informacje; **~ sth for all it**

is worth wykorzystać *l.* wyeksploatować coś do maksimum (*zwł. sytuację, temat*).

milk-and-water [ˌmɪlkən'wɔːtər] *a. przen.* słaby; bezbarwny; niezdecydowany.

milk bar *n.* **1.** bar mleczny. **2.** *Austr.* sklep nabiałowy (*handlujący t. pieczywem i słodyczami*).

milk chocolate *n. U* czekolada mleczna.

milk churn *n. Br.* = **churn** *n.* 2.

milk cow *n.* (*także Br.* **milch cow**) mleczna krowa; *t. przen.* dojna krowa.

milker ['mɪlkər] *n.* **1.** doja-rz/rka. **2.** dojarka mechaniczna. **3.** *hodowla* krowa mleczna; **good/poor ~** krowa dająca dużo/mało mleka.

milk fever *n. U* **1.** *fizj.* przejściowy wzrost temperatury w okresie rozpoczynania się laktacji. **2.** *wet.* gorączka mleczna (*np. u krów, kóz*).

milk float *n. Br.* pojazd rozwożący mleko.

milk glass *n. U* szkło mleczne.

milkiness ['mɪlkɪnəs] *n. U* mleczność.

milking ['mɪlkɪŋ] *n. U* dojenie.

milking machine *n.* dojarka mechaniczna.

milkmaid ['mɪlkˌmeɪd] *n.* **1.** dojarka, dójka. **2.** pracownica mleczarni.

milkman ['mɪlkˌmæn] *n. pl.* **-men** mleczarz.

milk of magnesia *n. U med.* mleczko magnezjowe.

milk pox *n. U pat.* ospówka, alastrim.

milk punch *n. U* poncz mleczny (*z alkoholem*).

milk round *n. Br.* **1.** trasa mleczarza. **2.** *przen.* objazd uniwersytetów przez łowców talentów.

milk run *n. pot.* **1.** *lotn., wojsk.* rutynowy lot (*zwł. na niezbyt niebezpiecznej trasie*). **2.** *US* podróż z wieloma przystankami (*lotnicza l. kolejowa*). **3.** *Br.* stała trasa (= *regularnie odbywana podróż*).

milk shake, milkshake *n. C/U* koktajl mleczny.

milk snake *n. zool.* niejadowity wąż północnoamerykański (*rodzaj Lampropeltis*).

milksop ['mɪlkˌsɑːp] *n. przest. pog.* słabeusz, mięczak.

milk sugar *n. U* cukier mlekowy, laktoza.

milktoast ['mɪlkˌtoʊst] *n.* = **milquetoast**.

milk tooth *n.* ząb mleczny.

milk truck *n. US* pojazd rozwożący mleko.

milkweed ['mɪlkˌwiːd] *n. U* **1.** *bot.* roślina wydzielająca mlecz roślinny (*zwł. z rodzaju Asclepias*). **2.** *ent.* = **monarch** 2.

milk-white [ˌmɪlk'waɪt] *a.* mlecznobiały.

milkwort ['mɪlkˌwɝːt] *n. bot.* krzyżownica (*Polygala*).

milky ['mɪlkɪ] *a.* **-ier, -iest** **1.** z dużą ilością mleka (*o kawie, herbacie*). **2.** mleczny (*t. o kolorze*); mętny. **3.** *przest. przen.* chwiejny; bojaźliwy; pozbawiony charakteru.

Milky Way *n.* **the ~** *astron.* Droga Mleczna.

mill¹ [mɪl] *n.* **1.** młyn (*zbożowy*). **2.** młynek; **coffee/pepper ~** młynek do kawy/pieprzu. **3.** *często w złoż.* zakład (przemysłowy); **cotton ~** przędzalnia bawełny; **paper ~** zakład papierniczy; **steel ~** stalownia; huta żelaza. **4.** *techn.* maszyna robocza (*ciężka*). **5.** *metal.* walcownia; walcarka. **6.** *techn.* powierzchnia radełkowana *l.* moletowana; ząbkowana krawędź (*monety*). **7.** = **milling machine**. **8.** *przen.* młyn (*np. systemu edukacyjnego*); fabryka (*np. dyplomów, rozwodów*). **9.** *przen.* **grist to sb's/the ~** *zob.* **grist**; **put sb through the ~** przekręcić kogoś przez maszynkę (= *gruntownie wypytać; poddać ciężkiej próbie*). – *v.* **1.** mleć, mielić. **2.** *techn.* frezować. **3.** *techn.* moletować, radełkować (*powierzchnię*); ząbkować (*krawędź monety*). **4.** *tk.* folować, pilśnić. **5.** *kulin. rzad.* ubijać (*np. śmietanę, czekoladę; nadając konsystencję kremu*). **6.** **~ (around/about)** kręcić się; kotłować się (*np. o tłumie, stadzie*). **7.** *arch. sl.* tłuc się (= *bić się, zwł. na pięści*).

mill² *n. US i Can. fin.* 1/1000 dolara (*jednostka obliczeniowa*).

millboard ['mɪlˌbɔːrd] *n. U introl.* tektura.

milldam ['mɪlˌdæm] *n.* **1.** tama młyńska. **2.** = **mill pond**.

millefeuile [ˌmiːl'fɔɪ] *n. Br. kulin.* napoleonka.

millefleurs [ˌmiːl'flɝː] *n.* wzór kwiatowy. – *a.* o wzorze kwiatowym, w kwiaty.

millenarian [ˌmɪlə'nerɪən], **millenary** ['mɪləˌnerɪ] *a.* **1.** tysiącletni, milenijny. **2.** milenijny, dotyczący milenium. – *n. rel.* milenaryst-a/ka.

millenarianism [ˌmɪlə'nerɪəˌnɪzəm] *n. U rel.* milenaryzm (= *wiara w tysiącletnie panowanie Chrystusa nad światem po powtórnym przyjściu*).

millenary [mə'lenərɪ] *a.* = **millenarian**. – *n. pl.* **-ies** **1.** tysiąc. **2.** tysiąc lat. **3.** = **millennium**. **4.** = **millenarian**.

millennial [mə'lenɪəl] *a.* milenijny.

millennium [mə'lenɪəm] *n. pl.* **-s** *l.* **millennia** [mə'lenɪə] **1.** tysiąclecie, milenium. **2.** tysiączna rocznica, milenium. **3.** *rel.* milenium (= *tysiącletnie panowanie Chrystusa nad światem po powtórnym przyjściu*). **4.** *przen.* czas pokoju i szczęścia (*który miałby nastać w wyniku rewolucji*).

millennium bug *n. komp.* pluskwa milenijna (*związana ze zmianą daty na 1 stycznia 2000 r.*).

millepede ['mɪləˌpiːd] *n.* = **millipede**.

miller ['mɪlər] *n.* **1.** młyna-rz/rka. **2.** = **milling machine**. **3.** *ent.* biała *l.* lekko kolorowa ćma (*zwł. Apatele leporina*).

millery ['mɪlərɪ] *n. U* młynarstwo.

millesimal [mə'lesəml] *a.* tysięczny. – *n.* jedna tysięczna.

millet ['mɪlɪt] *n. U* **1.** *bot., roln.* proso (zwyczajne) (*Panicum (miliaceum)*). **2.** *kulin.* kasza jaglana.

milliard ['mɪljərd] *n. Br. przest.* miliard.

millibar ['mɪlɪˌbɑːr] *n.* milibar.

milligram ['mɪlɪgræm], *Br.* **milligramme** *n.* miligram.

milliliter ['mɪləˌliːtər], *Br.* **millilitre** *n.* mililitr.

millimeter ['mɪləˌmiːtər], *Br.* **millimetre** *n.* milimetr.

milliner ['mɪlənər] *n. przest.* modystka.

millinery ['mɪləˌnerɪ] *n. pl.* **-ies** **1.** *U* wyroby modniarskie. **2.** *U* modniarstwo. **3.** sklep modniarski.

milling machine [ˈmɪlɪŋ məˌʃiːn] *n.* (*także* **miller**) *techn.* frezarka.

million [ˈmɪljən] *n. pl.* **-s** *l.* **million** **1.** milion. **2.** (*także* **~s**) *pot.* setki, mnóstwo; **~s of people** setki ludzi; **I've told you a ~ times** (*także* **I've told you ~s of times**) mówiłam ci sto *l.* setki razy. **3.** *przen. pot.* **feel/look like a ~ dollars** *zob.* **dollar**; **not/never in a ~ years** *emf.* nigdy w życiu, za nic w świecie; **one in a ~** *emf.* jeden na milion (= *wyjątkowy*); **thanks a ~** *emf.* wielkie *l.* stokrotne dzięki.

millionaire [ˌmɪljəˈner], **millionnaire** *n.* milioner/ka.

millionairess [ˌmɪljəˈnerəs], **millionnairess** *n. przest.* milionerka.

millionth [ˈmɪljənθ] *a.* milionowy. – *n.* jedna milionowa.

millipede [ˈmɪləˌpiːd], **millepede** *n. zool.* krocionóg (*gromada Diplopoda*).

millisecond [ˈmɪlɪˌsekənd] *n.* milisekunda.

millpond [ˈmɪlˌpɑːnd] *n.* (*także* **~dam**) staw młyński.

millrace [ˈmɪlˌreɪs], **millrun** [ˈmɪlˌrʌn] *n.* **1.** *U* młynówka (= *woda napędzająca koło młyńskie*). **2.** kanał młynówki.

millrun [ˈmɪlˌrʌn] *n.* **1.** = **millrace**. **2.** *górn.* mielenie rudy *l.* skały w celu zbadania ilości *l.* jakości zawartego w niej minerału; minerał uzyskany w sposób jw.

mill-run [ˈmɪlˌrʌn] *a. gł. US* niesortowany; = **run-of-the-mill**.

millstone [ˈmɪlˌstoʊn] *n.* **1.** kamień młyński. **2. be a ~ around sb's neck** *przen.* być komuś kamieniem u szyi.

millstream [ˈmɪlˌstriːm] *n. U* młynówka (= *woda napędzająca koło młyńskie*).

millwheel [ˈmɪlˌwiːl] *n.* koło młyńskie.

millwork [ˈmɪlˌwɜːk] *n. U* **1.** gotowe wyroby (*zwł. stolarskie*). **2.** praca fabryczna.

millwright [ˈmɪlˌraɪt] *n.* budowniczy młynów.

milometer [maɪˈlɑːmətər], **mileometer** *n. zwł. Br.* = **odometer**.

milord [mɪˈlɔːrd] *n. hist.* milord (*w Europie kontynentalnej: tytuł grzecznościowy angielskiego szlachcica*).

milquetoast [ˈmɪlkˌtoʊst], **milktoast** *n. US i Can. przest. pot.* strachajło.

milt [mɪlt] *n.* **1.** *U icht.* mlecz. **2.** *zool. rzad.* śledziona (*zwł. ptactwa l. świń*). – *v.* zapładniać (*ikrę, zwł. sztucznie*).

milter [ˈmɪltər] *n. icht.* mleczak.

mime [maɪm] *n.* **1.** *C/U teatr* pantomima. **2.** *C/U hist. teatr* mim (= *widowisko farsowe*). **3.** (*także* **~ artist**) mim (*aktor/ka*). – *v.* **1.** pokazywać na migi; odgrywać na migi; wyrażać gestami. **2.** *teatr* grać w pantomimie. **3.** śpiewać z playbacku; grać z playbacku.

mimeograph [ˈmɪmɪəˌgræf] *n.* powielacz. – *v.* powielać.

mimesis [mɪˈmiːsɪs] *n. U* **1.** *t. sztuka* naśladowanie, mimesis. **2.** *biol.* mimetyzm; mimikra.

mimetic [mɪˈmetɪk] *a.* **1.** *t. sztuka* mimetyczny, naśladujący, naśladowczy. **2.** *biol.* mimetyczny.

mimic [ˈmɪmɪk] *v.* **-ck-** **1.** przedrzeźniać. **2.** naśladować wiernie *l.* niewolniczo. **3.** upodabniać się do (*kogoś l. czegoś*). – *n.* **1.** parodyst-a/ka. **2.** naśladow-ca/czyni. – *a. attr.* **1.** naśladowczy, mimetyczny. **2.** udawany (*np. o łzach*); pozorowany (*np. o walce*).

mimicker [ˈmɪmɪkər] *n.* naśladow-ca/czyni.

mimicry [ˈmɪmɪkrɪ] *n. U* **1.** wierne naśladowanie. **2.** przedrzeźnianie. **3.** *biol.* mimetyzm; mimikra.

miminy-piminy [ˌmɪmɪnɪˈpɪmɪnɪ] *a.* = **niminy-piminy**.

mimosa [mɪˈmoʊzə] *n. bot.* mimoza (*rodzaj Mimosa*).

Min. *abbr.* **1.** = **Minister**; = **Ministry**. **2.** = **Minnesota**.

min. *abbr.* = **mineralogy**; = **mineralogical**; = **minimum**; = **mining**; = **minor**; = **minute(s)**.

mina[1] [ˈmaɪnə] *n. pl.* **- s** *l.* **minae** [ˈmaɪniː] *hist.* mina (*waga i pieniądz*).

mina[2] *n.* (*także* **minah**) = **myna**.

minacious [mɪˈneɪʃəs] *a. form.* groźny, grożący.

minaret [ˌmɪnəˈret] *n. bud.* minaret.

minatory [ˈmɪnəˌtɔːrɪ] *a. form.* groźny, grożący.

mince [mɪns] *n. U* **1.** *Br. i Austr.* mięso mielone (*zw. wołowe*). **2.** *US* = **mincemeat**. – *v.* **1.** *kulin.* mleć, mielić; siekać. **2.** drobić (nogami). **3. not ~ (one's) words** *przen.* nie przebierać w słowach.

minced [mɪnst] *a.* mielony (*zwł. o mięsie*).

mincemeat [ˈmɪnsˌmiːt] *n. U* **1.** (*także US* **mince**) *kulin.* bakaliowe nadzienie do ciasta. **2.** = **minced meat**. **3. make ~ of sb** *przen. pot.* rozbić kogoś na miazgę (= *pokonać, zwł. w grze l. dyskusji*).

mince pie *n. kulin. US* ciasto z nadzieniem bakaliowym; *Br.* babeczka z nadzieniem bakaliowym (*spożywana w okresie Świąt Bożego Narodzenia*).

mincer [ˈmɪnsər] *n. Br. i Austr.* maszynka do (mielenia) mięsa.

mincing [ˈmɪnsɪŋ] *a.* **1.** afektowany, zmanierowany (*o zachowaniu, sposobie mówienia*). **2.** drobiący (*o chodzie*).

mincingly [ˈmɪnsɪŋlɪ] *adv.* **1.** w sposób afektowany. **2.** drobiąc (nogami).

mind [maɪnd] *n. U* **1.** umysł (*t. C; t. przen. o osobie*); rozum; zmysły; pamięć; głowa; myśli; uwaga; duch, psychika. **2.** opinia, zdanie. **3.** zamiar; ochota. **4. ~ over matter** wyższość ducha nad materią; **be at/in the back of sb's ~** *zob.* **back**[1] *n.*; **be clear in one's ~ about sth** mieć jasność co do czegoś; **be of one/the same/like ~** być jednej myśli (*on sth* co do czegoś); być podobnego *l.* tego samego zdania; **be of sound/unsound ~** być/nie być przy zdrowych zmysłach, być/nie być zdrowym na umyśle; *prawn.* być poczytalnym/niepoczytalnym; **be of** *US*/**in** *Br.* **two ~s (about sth)** nie móc się zdecydować; **be out of one's ~ (with grief/worry)** odchodzić od zmysłów (z żalu/ze zmartwienia); **you must be out of your ~!** *pot.* chyba zwariowałeś!; **bear/keep sth in mind** mieć coś na uwadze, pamiętać o czymś; **blow**

sb's ~ *zob.* **blow[1]** *v.*; **call/bring sth to ~** przywoływać *l.* przywodzić coś na myśl; przypominać sobie coś; **change one's ~ (about sth)** *zob.* **change** *v.*; **come/spring to ~** przychodzić na myśl *l.* do głowy; **frame/state of ~** nastrój, stan ducha; **get sb/sth out of one's ~** przestać o kimś/czymś myśleć; **give sb a piece of one's ~** *pot.* powiedzieć komuś (coś) do słuchu, nagadać komuś; **go out of one's ~** (*także* **lose one's ~**) *pot.* postradać rozum *l.* zmysły; **go over sth in one's ~** (*także* **turn sth over in one's ~**) wałkować coś w myślach (= *nie przestawać o czymś myśleć*); **have a ~ of one's own** mieć własne zdanie (*zwł. żart. o urządzeniu odmawiającym posłuszeństwa*); **have a lot on one's ~** mieć mnóstwo spraw na głowie; **have half a ~ to do sth** (*także* **have a good ~ to do sth**) być prawie zdecydowanym coś zrobić; mieć wielką ochotę zrobić coś (*zw. – skarcić l. ukarać kogoś*); **have it in ~ to do sth** nosić się z zamiarem zrobienia czegoś; **have sb/sth in ~** mieć kogoś/coś na myśli; **know one's own ~** wiedzieć, czego się chce; **in one's/the ~'s eye** *zob.* **eye** *n.*; **it (completely) slipped my ~** (*także* **it went (right) out of my ~**) całkiem mi to wyleciało z pamięci *l.* z głowy; **it never crossed/entered my ~** nigdy mi nie przeszło przez myśl (*to do sth* żeby coś zrobić); **it's all in the/your ~** to (wszystko) tylko twoja wyobraźnia, to ci się tylko wydaje; **keep one's ~ on sth** koncentrować *l.* skupiać się na czymś; **make up one's ~** podjąć decyzję, zdecydować się; **make up one's ~ to do sth** postanowić coś zrobić, zdecydować się na zrobienie czegoś; **meeting of ~s** *zob.* **meeting**; **my ~ is a blank** *zob.* **blank** *n.*; **nobody in their right ~ would do such a thing** nikt przy zdrowych zmysłach nie zrobiłby czegoś takiego; **nothing was further from my ~** wcale nie to miałam na myśli; **out of sight, out of ~** co z oczu, to i z serca; **peace of ~** spokój ducha; **presence of ~** przytomność umysłu; **put sb in ~ of sb/sth** *przest.* przypominać komuś kogoś/coś; **put sb/sth out of one's ~** wyrzucić kogoś/coś z pamięci; **put/set one's ~ to sth** skoncentrować *l.* skupić się na czymś, przyłożyć się do czegoś; **put/set sb's ~ at ease/rest** uspokoić kogoś, rozwiać czyjeś obawy; **read sb's ~** czytać komuś w myślach; **sb's ~ is on sth** ktoś ma głowę zaprzątniętą czymś; **sb's ~ wanders** ktoś jest duchem *l.* myślami gdzie indziej; **speak one's ~** mówić, co się myśli; **sth is (constantly) on sb's ~** coś komuś (stale) chodzi po głowie; **stick in sb's ~** utkwić komuś w pamięci; **take sb's ~ off sth** pozwolić komuś przestać myśleć o czymś; **that's a load off my ~** *zob.* **load** *n.*; **the ~ boggles at sth** (*także* **sth boggles the ~**) *zob.* **boggle**; **to my ~** *Br.* według mnie, moim zdaniem; **time out of ~** niezliczoną ilość razy; **turn one's ~ to sth** zwrócić myśli *l.* uwagę ku czemuś (= *zająć się czymś*); **turn sth over in one's ~** = **go over sth in one's mind.** – *v.* **1.** mieć coś przeciwko (*czemuś*). **2.** *zwł. Br.* uważać na, zwracać uwagę na (*coś*). **3.** *Br.* doglądać, pilnować (*kogoś l. czegoś*); zajmować się (*kimś l. czymś*). **4.** *US* być posłusznym (*komuś l. czemuś*), słuchać (*kogoś l. czegoś*). **5.** *płn. Br. dial.* pamiętać o, nie zapominać o (*kimś l. czymś*). **6. ~!** (*także Br.* **~ out!**) uwaga!; z drogi!; **~ how you go!** *Br. przen. pot.* uważaj na siebie! (*przy pożegnaniu*); **~ one's p's and q's** zachowywać się poprawnie; **~ the step!** uwaga stopień! (*napis*); **~ the store** *US przen. pot.* sprawować pieczę nad wszystkim (*pod czyjąś nieobecność*); **~ where you're going!** *zwł. Br.* uważaj, gdzie idziesz!; **~ you,...** (ale) zauważ, że...; **~ (that) you don't break it** *Br.* uważaj, żebyś tego nie stłukł; **~ your own business!** *pot.* pilnuj własnego nosa!, nie twoja sprawa!; **do you ~? (It's mine!)** *przest.* halo, (to moje)!; **don't ~ me** nie zwracaj na mnie uwagi; **do/would you ~ if I open the window?** (*także* **do/would you ~ me opening the window?**) czy (nie) będzie Panu/Pani przeszkadzało, jeśli otworzę okno?, czy mógłbym otworzyć okno?; **if you don't ~ me/my saying so** jeśli wolno mi wyrazić swoje zdanie; **I don't ~** nie przeszkadza mi to; nie mam nic przeciwko temu; *zwł. Br.* wszystko (mi) jedno (*wybierając*); (*także* **I don't ~ if I do**) *żart.* chętnie (*w odpowiedzi na poczęstunek*); **I don't ~ waiting** mogę zaczekać; **I wouldn't ~ a cup of tea** nie miałabym nic przeciwko filiżance herbaty; **never ~** mniejsza o to, nieważne; (nic) nie szkodzi, nie przejmuj się; **never ~ X** nie wspominając o X, że (już) nie wspomnę o X; a co dopiero X; **never ~ about X** mniejsza o X; **never you ~** *zwł. Br. pot.* niech cię o to głowa nie boli; **would/do you ~ opening the window?** czy byłby Pan/Pani uprzejm-y/a otworzyć okno?

mind-altering [ˌmaɪndˈɔːltərɪŋ] *a.* = **mind-blowing** 2.

mind-bending [ˌmaɪndˈbendɪŋ] *pot. a.* **1.** niezrozumiały, skomplikowany. **2.** niewiarygodny, nieprawdopodobny. **3.** *przest.* = **mind-blowing** 2. – *n. U* pranie mózgu.

mind-blowing [ˌmaɪndˈbloʊɪŋ] *a. pot.* **1.** (*także* **mind-boggling**) niesamowity (*o efekcie, doświadczeniu*). **2.** (*także* **mind-altering, mind-bending, mind-expanding**) psychodeliczny, halucynogenny (*o narkotyku*).

minded [ˈmaɪndɪd] *a.* **1.** *pred. form.* skłonny, mający zamiar (*to do sth* coś zrobić); **if he's so ~** jeśli jest skłonny to zrobić, jeśli ma na to ochotę. **2.** *w złoż.* **career-~** nastawiony na karierę; **liberally-~** liberalnie nastawiony; **politically-~** zainteresowany polityką; **safety-~** mający na uwadze względy bezpieczeństwa.

minder [ˈmaɪndər] *n.* **1.** opiekun/ka. **2.** = **child minder.** **3.** *sl.* asystent/ka, pomocnik (*np. polityka*). **4.** *sl.* goryl (= *ochroniarz*); pomagier (*zwł. w półświatku przestępczym*).

mind-expanding [ˌmaɪndɪkˈspændɪŋ] *a.* **1.** poszerzający horyzonty. **2.** = **mind-blowing** 2.

mindful [ˈmaɪndful] *a.* **be ~ of sth** mieć coś na względzie *l.* na uwadze.

mindfully [ˈmaɪndfulɪ] *adv.* uważnie; rozważnie.

mindfulness [ˈmaɪndfulnəs] *n. U* troska; uwaga; rozwaga.

mindless [ˈmaɪndləs] *a.* **1.** bezmyślny. **2. be ~ of sth** nie zważać na coś.

mindlessly [ˈmaɪndləslɪ] *adv.* bezmyślnie.

mindlessness ['maɪndləsnəs] *n.* *U* bezmyślność.

mind-numbing [ˌmaɪnd'nʌmɪŋ] *a.* (*także* **mind-numbingly boring**) ogłupiający (*o zajęciu*).

mind reader *n.* *często żart.* osoba czytająca w myślach.

mind-reading ['maɪndˌri:dɪŋ] *n.* *U* czytanie w myślach.

mind-set ['maɪndˌset], **mind-set** *n.* mentalność; sposób myślenia (*zwł. niedający się łatwo zmienić*).

mine[1] [maɪn] *pron.* **1.** mój; moja; moje; ~ **are better** moje są lepsze; **a friend of** ~ (pewien) mój znajomy; **this is** ~ to moje. **2.** *arch.* (*przed samogłoską l. h*) = **my**; ~ **eyes** moje oczy.

mine[2] *n.* **1.** *górn. l. przen.* kopalnia; **coal/diamond/gold/salt** ~ kopalnia węgla/diamentów/złota/soli; **a** ~ **of information** *przen.* kopalnia informacji (*osoba*). **2.** złoże (*rudy l. minerału*). **3.** *wojsk.* mina; podkop (*minowy*). **4.** *bot.* mina (= *chodnik wydrążony wewnątrz liścia przez larwy*). – *v.* **1.** ~ **(for)** *górn.* wydobywać (*np. węgiel, diamenty*). **2.** *górn.* kopać; ~ **an area** kopać *l.* prowadzić prace górnicze w pewnej okolicy. **3.** *często pass. wojsk.* minować, zaminowywać. **4.** *arch.* = **undermine**. **5.** ~ **a reach seam of sth** *przen.* wykorzystywać głębokie pokłady czegoś (*np. ludzkiej naiwności, przesądów*).

mine detector *n.* *wojsk.* wykrywacz min.

mine field, minefield *n.* *wojsk. l. przen.* pole minowe.

minehunter ['maɪnˌhʌntər] *n.* *pot.* = **minesweeper**.

mine layer *n.* *wojsk.* minowiec, stawiacz min (*okręt*).

miner ['maɪnər] *n.* **1.** górnik. **2.** *hist., wojsk.* minier.

mineral ['mɪnərəl] *n.* **1.** minerał. **2.** *zw. pl. Br. przest.* napój gazowany. **3.** *zw. pl. Br.* = **mineral water**. – *a.* mineralny.

mineral flax *n.* *U* azbest, włókno azbestowe.

mineralize ['mɪnərəˌlaɪz], *Br. i Austr. zw.* **mineralise** *v.* mineralizować.

mineral jelly *n.* = **petrolatum**.

mineralogical [ˌmɪnərə'lɑ:dʒɪkl] *a.* mineralogiczny.

mineralogist [ˌmɪnə'rɑ:lədʒɪst] *n.* mineralog/żka.

mineralogy [ˌmɪnə'rɑ:lədʒɪ] *n.* *U* mineralogia.

mineral oil *n.* **1.** *U zwł. US i Can. med.* parafina ciekła, olej parafinowy. **2.** *C / U Br.* olej mineralny.

mineral pitch *n.* *U* asfalt naturalny.

mineral water *n.* *C / U* woda mineralna.

mineral wool *n.* *U* wełna żużlowa.

minestrone [ˌmɪnə'stroʊnɪ] *n.* *U kulin.* minestrone (*włoska zupa jarzynowa*).

minesweeper ['maɪnˌswi:pər] *n.* (*także pot.* **~hunter**) *wojsk.* trałowiec, poławiacz min.

mine thrower *n.* *wojsk.* moździerz piechoty.

mine timber *n.* *U górn.* drewno kopalniane, kopalniaki.

mingle ['mɪŋgl] *v.* **1.** ~ **with sb** obracać się wśród kogoś; zadawać się z kimś; rozmawiać z kimś (*zwł. z nieznajomymi na przyjęciu*); ~ **with the crowd** wtapiać się w tłum. **2.** mieszać (się) (*with sth* z czymś) (*np. o dźwiękach, zapachach*).

mingled ['mɪŋgld] *a.* zmieszany (*o dźwiękach, zapachach, uczuciach*).

mingy ['mɪndʒɪ] *a.* **-ier, -iest** *Br. pot.* skąpy.

mini ['mɪnɪ] *a. attr. i n. pl.* **-s** (o długości) mini.

miniature ['mɪnɪətʃər] *n.* **1.** *C / U* miniatura (*t. mal.*); miniaturka (*of sth* czegoś); **in** ~ w miniaturze. **2.** *U mal.* malarstwo miniaturowe. – *a. attr.* miniaturowy.

miniature camera *n.* *fot.* aparat małoobrazkowy.

miniaturist ['mɪnɪətʃərɪst] *n.* *mal.* miniaturzyst-a/ka.

miniaturize ['mɪnɪətʃəˌraɪz], *Br. i Austr. zw.* **miniaturise** *v.* miniaturyzować.

minibar ['mɪnɪˌbɑ:r] *n.* barek (*w pokoju hotelowym*).

minibike ['mɪnɪˌbaɪk] *n.* mały, lekki rower.

minibus ['mɪnɪˌbʌs] *n.* *zwł. Br. mot.* mikrobus.

minicab ['mɪnɪˌkæb] *n.* *Br.* taksówka (*na telefon*), radio-taxi.

minicomputer ['mɪnɪkəmˌpju:tər] *n.* *komp.* minikomputer.

Mini Disc ['mɪnɪ ˌdɪsk] *n.* minidysk.

minidress ['mɪnɪˌdres] *n.* (sukienka) mini.

minify ['mɪnɪˌfaɪ] *v.* **-ied, -ying** *rzad.* pomniejszać.

minikin ['mɪnɪkɪn] *arch. n.* maleństwo, drobiazg (*t. o osobie*). – *a.* drobniutki, filigranowy.

minim ['mɪnɪm] *n.* **1.** *Br. i Austr. muz.* półnuta. **2.** minim (*aptekarska jednostka miary = 1/60 drachmy*). **3.** *pismo ręczne* laska (*w literze*).

minima ['mɪnəmə] *n. pl.* *zob.* **minimum**.

minimal ['mɪnəml] *a.* minimalny; najmniejszy.

minimalism ['mɪnɪməˌlɪzəm] *n.* *U t. sztuka* minimalizm.

minimalist ['mɪnɪməlɪst] *n.* minimalist-a/ka.

minimally ['mɪnɪmlɪ] *adv.* **1.** minimalnie, w minimalnym stopniu. **2.** (jak) najmniej.

minimization [ˌmɪnəmə'zeɪʃən], *Br. i Austr. zw.* **minimisation** *n.* *U* **1.** minimalizacja. **2.** *przen.* pomniejszanie, bagatelizowanie.

minimize ['mɪnəˌmaɪz], *Br. i Austr. zw.* **minimise** *v.* **1.** minimalizować, zmniejszać do minimum. **2.** *przen.* pomniejszać, bagatelizować.

minimum ['mɪnəməm] *n. pl.* **-s** *l.* **minima** minimum (*of sth* czegoś); **bare/absolute** ~ absolutne minimum; **keep/reduce sth to a** ~ ograniczać coś do minimum. – *a.* minimalny.

minimum lending rate *n.* *fin.* najniższa stopa dyskontowa.

minimum wage *n.* *zw. sing. ekon.* płaca minimalna.

minimus ['mɪnəməs] *a.* *Br. przest. szkoln.* (*po nazwisku*) najmłodszy (*z braci uczęszczających do danej szkoły*).

mining ['maɪnɪŋ] *n.* *U* **1.** górnictwo. **2.** *wojsk.* minowanie.

mining industry *n.* *U* przemysł wydobywczy.

minion ['mɪnjən] *n.* **1.** sługus, pachołek. **2.**

arch. faworyt, pupil. **3.** *druk.* kolonel (*rozmiar czcionki*).

minipill ['mɪnɪˌpɪl] *n. med.* minipigułka (*antykoncepcyjna*).

miniscule ['mɪnəˌskju:l] *a.* = **minuscule** 2.

miniseries ['mɪnɪˌsi:ri:z] *n. pl.* **miniseries** *telew.* miniserial.

minish ['mɪnɪʃ] *v. arch.* zmniejszać (się), pomniejszać (się).

miniskirt ['mɪnɪˌskɜ:t] *n.* minispódniczka, (spódniczka) mini.

minister ['mɪnɪstər] *n.* **1.** *polit.* minister (*of/for sth* czegoś); **foreign** ~ minister spraw zagranicznych. **2.** *rel.* pastor, duchowny (*protestancki*). **3.** *rz.-kat.* zwierzchnik zakonu. **4.** *dyplomacja* minister pełnomocny. **5.** *form.* wykonawca; sługa, narzędzie. – *v.* **1.** ~ **to sb/sb's needs** *form.* służyć komuś (pomocą); ~ **to sb/sth** zajmować się kimś/czymś; troszczyć się *l.* dbać o kogoś/coś. **2.** ~ **(to a parish)** *rel.* pełnić obowiązki duszpasterskie (w parafii). **3.** *arch.* dostarczać (*czegoś*).

ministerial [ˌmɪnɪ'sti:rɪəl] *a.* **1.** *polit.* ministerialny; ministerski; (*także* **M~**) rządowy; ~ **duties** obowiązki ministra. **2.** *rel.* duszpasterski. **3.** *form.* wykonawczy; sprawczy.

ministerialist [ˌmɪnɪ'sti:rɪəlɪst] *n. Br. polit.* stronni-k/czka rządu, prorządowiec.

minister of state *n. Br. polit.* **1.** minister. **2.** wiceminister (*zwykle niezasiadający w Gabinecie*).

Minister of the Crown *n. Br. polit.* minister (*członek Gabinetu*).

minister without portfolio *n. polit.* minister bez teki.

ministrant ['mɪnɪstrənt] *n. lit.* osoba pomagająca innym. – *a. arch.* pomagający innym, troszczący się o innych.

ministration [ˌmɪnɪ'streɪʃən] *n.* **1.** *zw. pl. form. l. żart.* troska, zabiegi, starania. **2.** *U rel.* pełnienie obowiązków duszpasterskich; pomoc, służba (*religijna*).

ministrative ['mɪnɪstrətɪv] *a.* **1.** dotyczący pomocy, troski *l.* służby. **2.** *rel.* duszpasterski.

ministry ['mɪnɪstrɪ] *n. pl.* **-ies** **1.** (*także* **M~**) *polit.* ministerstwo (*of sth* czegoś). **2.** *U polit.* rządy (*danego premiera*). **3.** **the** ~ *rel.* duchowieństwo, kler (*zwł. protestancki*); stan duchowny. **4.** *U* pełnienie obowiązków duchownego, praca duszpasterska. **5.** *U form.* pomoc, usługa; służba.

minium ['mɪnɪəm] *n. U* minia ołowiana.

minivan ['mɪnɪˌvæn] *n. US mot.* van.

miniver ['mɪnəvər] *n. U* futro gronostajowe, gronostaje.

mink [mɪŋk] *n. pl.* **-s** *l.* **mink** **1.** *zool.* norka (*Mustela*). **2.** *U* norki (*futro l. kołnierz*).

minnesinger ['mɪnɪˌsɪŋər] *n. hist.* minnesinger.

Minnesota [ˌmɪnɪ'soutə] *n. US* stan Minnesota.

minnow ['mɪnou] *n. pl.* **- s** *l.* **minnow** **1.** *icht.* drobna ryba słodkowodna z rodziny *Cyprinidae*. **2.** mała ryba; rybka. **3.** *przen.* płotka.

Minoan [mɪ'nouən] *a. hist.* minojski.

minor ['maɪnər] *a.* **1.** drobny (*np. o naprawie, poprawkach, niedogodnościach; t. prawn. o wykroczeniu*); lekki (*zwł. pat. o obrażeniach, poparzeniach*); mały (*t. med. o operacji, zabiegu; t. teatr o roli*); pomniejszy (*np. o twórcy*). **2.** *prawn.* niepełnoletni. **3.** *muz.* molowy, minorowy (*o skali, tonacji*); mały (*o interwale*); **C-~** c-moll. **4.** *Br. szkoln.* (*po nazwisku*) młodszy (*z dwóch braci uczęszczających do danej szkoły*). – *n.* **1.** *prawn.* nieletni/a. **2.** *US i Can. uniw.* pomocniczy kierunek studiów; student/ka studiując-y/a dany kierunek jako pomocniczy; **she's an English major and a history** ~ angielski jest jej głównym kierunkiem studiów, a historia pomocniczym. **3.** *muz.* skala molowa *l.* minorowa; tonacja molowa *l.* minorowa; interwał mały. **4.** **M~** = **Minorite**. **5.** *mat.* minor, podwyznacznik. – *v.* ~ **in sth** *US i Can. uniw.* studiować coś jako kierunek pomocniczy.

minor axis *n. geom.* mała oś (*elipsy*).

Minorca [mɪ'nɔ:rkə] *n. geogr.* Minorka.

minor canon *n. anglikanizm* kanonik mniejszy.

Minorite ['maɪnəˌraɪt] *n. rz.-kat.* minoryta (= *członek zakonu franciszkanów - braci mniejszych*).

minority [mə'nɔ:rətɪ] *n. pl.* **-ies** **1.** mniejszość (*t. parlamentarna*); mniejsza *l.* niewielka część (*of sb/sth* kogoś/czegoś); **be in the/a** ~ być w mniejszości, stanowić mniejszość. **2.** *zw. pl.* (*także* ~ **group**) mniejszość (*zwł. narodowa*); **ethnic minorities** mniejszości etniczne. **3.** *U prawn.* niepełnoletniość. **4.** **be in a** ~ **of one** *przen.* być odosobnionym w swoich sądach, opiniach itp.

minor league *n. US i Can. sport* druga liga (*zawodowa*).

minor-league [ˌmaɪnər'li:g] *a. US i Can.* **1.** *sport* drugoligowy. **2.** *przen.* drugorzędny.

minor orders *n. pl. rz.-kat.* święcenia niższe.

minor suit *n. brydż* młodszy kolor (*karo l. trefle*).

Minotaur ['mɪnəˌtɔ:r] *n. mit.* Minotaur.

minster ['mɪnstər] *n. zwł. Br. rel.* katedra; (ważny) kościół; *hist.* kościół klasztorny.

minstrel ['mɪnstrəl] *n.* **1.** *hist.* minstrel. **2.** artysta występujący w minstrel show. **3.** *zwł. US poet.* poeta; muzyk; śpiewak.

minstrel show *n.* przedstawienie, w którym biali tancerze i śpiewacy ucharakteryzowani są na Murzynów (*popularne w latach 20.*).

minstrelsy ['mɪnstrəlsɪ] *n. pl.* **-ies** *hist.* **1.** *U* sztuka minstreli. **2.** *U* poezja, muzyka *l.* pieśni minstreli. **3.** trupa minstreli.

mint[1] [mɪnt] *n.* **1.** *U bot., kulin.* mięta (*rodzaj Mentha*). **2.** cukierek miętowy, miętówka. – *a. attr.* miętowy.

mint[2] *n.* **1.** mennica. **2.** *przen.* **a** ~ *pot.* masa pieniędzy, majątek; **in** ~ **condition/state** w idealnym stanie. – *v.* **1.** wybijać, bić (*monety*). **2.** utworzyć, ukuć (*słowo, zwrot*).

mintage ['mɪntɪdʒ] *n.* **1.** *U* bicie monet; koszt wybicia monet; produkcja mennicy. **2.** znak wybity na monecie.

minter ['mɪntər] *n.* pracowni-k/ca mennicy.

mint julep *n. C/U zwł. US* koktajl na bazie

whisky *l.* brandy z dodatkiem cukru i liści mięty.

mint sauce *n. U* (*także US* **mint jelly**) *kulin.* sos miętowy (*zw. podawany z baraniną*).

minty ['mɪntɪ] *a.* **-ier, -iest** miętowy.

minuend ['mɪnjʊˌend] *n. mat.* odjemna.

minuet [ˌmɪnjʊ'et] *n. muz.* menuet.

minus ['maɪnəs] *prep.* **1.** *mat.* minus; **15 ~ 6 equals 9** 15 minus 6 równa się 9. **2.** bez; **a book ~ a few pages** książka bez kilku stron. – *a.* **1.** *mat., el.* ujemny; **a ~ number** liczba ujemna; **a temperature of ~ 10** temperatura minus 10 (stopni); **a value of ~ 10** wartość minus 10. **2.** *attr.* ujemny, negatywny (*np. o czynniku*). **3. A/B ~** *szkoln.* pięć/cztery minus. – *n.* **1.** *mat.* = **minus sign**. **2.** *mat.* wartość ujemna. **3.** *pot.* minus; **the pluses and ~es** plusy i minusy (*of sth* czegoś).

minuscule ['mɪnəˌskju:l] *a.* **1.** (*także* **miniscule**) malutki; maluteńki. **2.** *pismo* minuskułowy. – *n. C/U* minuskuła (= *mała litera l. pismo minuskułowe*).

minus sign *n. mat.* znak odejmowania.

minute[1] ['mɪnɪt] *n.* **1.** minuta; **it's ten ~s past four** jest dziesięć minut po czwartej; **it's only five ~s away** to tylko pięć minut (drogi) stąd. **2.** (*także* **~ of arc**) *geom.* minuta. **3.** notatka; memorandum. **4.** *pl.* protokół (*np. z zebrania*); **approve the ~s** przyjąć protokół; **take/do the ~s** protokołować. **5.** *gł. Br.* pro memoria; zalecenie, instrukcja (*urzędowa*). **6.** *przen.* chwila; chwilka, chwileczka, minutka; **any ~ (now)** w każdej chwili (*np. spodziewać się*); **at the last ~** w ostatniej chwili; **by the ~** z każdą chwilą; **call me the ~ (that) they come** zadzwoń do mnie, gdy tylko przyjdą; **come here this ~!** chodź tu w tej chwili!; **do you have a ~?** (*także Br.* **have you got a ~?**) (czy) masz chwilkę (czasu)?; **I won't be a ~** zaraz będę gotowy; zaraz wracam; **in a ~** za chwilę; **just a ~!** (*także* **one ~!**) (*także* **wait a ~!**) (*także* **hang/hold on a ~!**) (jedną) chwileczkę!; **love/enjoy every ~ of sth** *pot.* świetnie się bawić przez cały czas (trwania) czegoś; **not for one ~** ani przez chwilę; **the next ~** zaraz *l.* natychmiast potem; **up-to-the-~** najnowszy, najnowocześniejszy (*o urządzeniu, technologii, modzie*); z ostatniej chwili, najświeższy (*o wiadomościach*); najmodniejszy (*o stroju*). – *v.* protokołować (*zebranie*); wciągać do protokołu (*wypowiedź, zdarzenie*).

minute[2] [maɪ'nu:t] *a.* **1.** drobniutki; mikroskopijny. **2.** minimalny, nieznaczny (*np. o zmianach*). **3.** drobiazgowy, dokładny (*np. o badaniu*). **4. in ~ detail** w najdrobniejszych szczegółach.

minute gun ['mɪnɪt ˌgʌn] *n. wojsk.* wystrzał armatni powtarzany co minutę (*jako sygnał niebezpieczeństwa l. na ceremonii pogrzebowej*).

minute hand ['mɪnɪt ˌhænd] *n.* wskazówka minutowa (*zegara*).

minutely [maɪ'nu:tlɪ] *adv.* **1.** drobiazgowo, szczegółowo (*np. badać*). **2.** minimalnie, nieznacznie (*np. poruszyć się*).

Minuteman ['mɪnɪtˌmæn], **minuteman** *n. pl.* **-men** *US* **1.** *hist.* żołnierz amerykańskiej armii obywatelskiej z czasów Wojny o Niepodległość. **2.** *wojsk.* Minuteman (*międzykontynentalny pocisk balistyczny*).

minute mark ['mɪnɪt ˌmɑ:rk] *n.* znak minuty (').

minuteness [maɪ'nu:tnəs] *n. U* drobiazgowość, szczegółowość.

minute quantities [maɪˌnu:t 'kwɑ:ntətɪz] *n. pl. chem.* ilości śladowe.

minute steak ['mɪnɪt ˌsteɪk] *n. C/U kulin.* cienki stek (*do szybkiego przygotowania*).

minutiae [mə'nu:ʃi:ˌi:] *n. pl.* **the ~** drobne szczegóły (*of sth* czegoś).

minx [mɪŋks] *n. przest. l. żart.* flirciara.

Miocene ['maɪəˌsi:n] *geol. a.* mioceński. – *n.* **the ~** miocen.

miosis [maɪ'oʊsɪs], **myosis** *n. pl.* **mioses** [maɪ'oʊsi:z] *pat.* zwężenie źrenicy.

MIPS [mɪps] *abbr.* **million instructions per second** *komp.* milion rozkazów na sekundę.

miracle ['mɪrəkl] *n.* **1.** *t. przen.* cud; **~ cure/drug** cudowne lekarstwo; **a ~ of engineering** cud inżynierii; **by some ~** jakimś cudem; **it's a ~ (that)...** (to) cud, że...; **work/perform ~s** działać *l.* czynić cuda; **the ~ of life** cud życia. **2.** (*także* **~ play**) *hist. teatr* misterium.

miraculous [mɪ'rækjʊləs] *a. t. przen.* cudowny; **~ recovery** *cz. iron.* cudowne ozdrowienie.

miraculously [mɪ'rækjʊləslɪ] *adv.* cudownie.

mirage [mə'rɑ:ʒ] *n. t. przen.* miraż.

mire [maɪr] *zwł. lit. n.* **1.** *zw. sing.* bagno (*t. przen.*), grzęzawisko. **2.** *U* błoto; brud. **3.** *przen.* **drag sb's name through the ~** *zob.* **drag** *v.*; **get sucked into the ~** (*także* **sink into the ~**) pogrążać się *l.* grzęznąć (w trudnościach). – *v.* **1.** pogrążać w bagnie; grzęznąć w błocie. **2.** zabłocić; zabrudzić. **3.** *przen.* pogrążać (*in sth* w czymś) (*np. w trudnościach, biedzie*).

mirk [mɜ:k] *n.* = **murk**.

mirror ['mi:rər] *n.* lustro; lusterko; *mot.* lusterko (wsteczne); *t. przen.* zwierciadło (*of sth* czegoś). – *v.* odbijać; *przen.* odzwierciedlać.

mirror finish *n. U* wykończenie na połysk lustrzany (*powierzchni metalowej*).

mirror image *n.* odbicie lustrzane.

mirror lens *n. fot.* obiektyw zwierciadlany.

mirth [mɜ:θ] *n. U lit.* rozbawienie, wesołość.

mirthful ['mɜ:θfʊl] *a. lit.* radosny.

mirthfully ['mɜ:θfʊlɪ] *a. lit.* radośnie.

mirthless ['mɜ:θləs] *a. lit.* pozbawiony radości *l.* wesołości, ponury.

MIRV ['mɜ:v] *abbr.* **multiple independently targeted re-entry vehicle** *wojsk.* pocisk rakietowy o kilku głowicach bojowych niezależnie kierowanych do różnych celów; głowica pocisku j.w.

miry ['maɪrɪ] *a. lit.* **1.** bagnisty. **2.** błotnisty. **3.** zabłocony; brudny.

misadventure [ˌmɪsəd'ventʃər] *n. C/U* **1.** *lit.* nieszczęśliwy wypadek, nieszczęście. **2.** (*także* **death by ~**) *Br. prawn.* śmierć na skutek nieszczęśliwego wypadku.

misalliance [ˌmɪsə'laɪəns] *n. form.* niedobrany związek; niedobrane małżeństwo; mezalians.

misandry [mɪs'ændrɪ] *n. U* mizandria, mizoandria.

misanthrope [ˈmɪsənˌθroʊp], **misanthropist** [mɪsˈænθrəpɪst] *n.* mizantrop.

misanthropic [ˌmɪsənˈθrɑːpɪk], **misanthropical** *a.* mizantropijny.

misanthropist [mɪsˈænθrəpɪst] *n.* = **misanthrope.**

misanthropy [mɪsˈænθrəpɪ] *n. U* mizantropia.

misapplication [mɪsˌæpləˈkeɪʃən] *n. C/U* **1.** złe *l.* niewłaściwe stosowanie. **2.** = **misappropriation.**

misapply [ˌmɪsəˈplaɪ] *v.* **-ied, -ying 1.** źle *l.* niewłaściwie stosować. **2.** = **misappropriate.**

misapprehend [ˌmɪsæprɪˈhend] *v. form.* źle *l.* błędnie rozumieć.

misapprehension [ˌmɪsæprɪˈhenʃən] *n. C/U* błędne mniemanie *l.* przekonanie; błędne zrozumienie; **(labor) under a/the ~ that...** (działać) w błędnym przekonaniu, że...

misappropriate [ˌmɪsəˈproʊprɪˌeɪt] *v. form.* sprzeniewierzać.

misappropriation [ˌmɪsəˌproʊprɪˈeɪʃən] *n. C/U form.* sprzeniewierzenie (*of sth* czegoś).

misbecome [ˌmɪsbɪˈkʌm] *v.* **-came, -come** *form.* **1. it ~s me** nie przystoi *l.* nie wypada mi (*to do sth* czegoś zrobić). **2.** być nieodpowiednim dla (*kogoś l. czegoś*).

misbegotten [ˌmɪsbɪˈgɑːtən] *a.* **1.** *attr. form. l. żart.* niewydarzony (*np. o projekcie, planie; t. o osobie*). **2.** nielegalnie zdobyty (*o dochodach, zyskach*). **3.** (*także* **misbegot**) *lit. l. dial.* nieślubny (*o dziecku*).

misbehave [ˌmɪsbɪˈheɪv] *v.* (*także* **~ o.s.**) źle *l.* niewłaściwie się zachowywać.

misbehaved [ˌmɪsbɪˈheɪvd] *n.* niegrzeczny, źle się zachowujący.

misbehavior [ˌmɪsbɪˈheɪvjər], *Br.* **misbehaviour** *n. U* złe *l.* niewłaściwe zachowanie.

misbelief [ˌmɪsbɪˈliːf] *n. U* **1.** błędne przekonanie, błędna opinia. **2.** *rel.* błędne wierzenie; herezja.

misbelieve [ˌmɪsbɪˈliːv] *v. arch.* wyznawać błędne poglądy (*t. religijne*).

misbeliever [ˌmɪsbəˈliːvər] *n. rel.* wyznawca/czyni błędnych poglądów; herety-k/czka.

misc. *abbr.* = **miscellaneous**; = **miscellany.**

miscalculate [ˌmɪsˈkælkjəˌleɪt] *v.* **1.** pomylić się (*w liczeniu*). **2.** źle *l.* błędnie obliczyć. **3.** źle *l.* błędnie ocenić. **4.** przeliczyć się.

miscalculation [mɪsˌkælkjəˈleɪʃən] *n. C/U* **1.** złe obliczenie. **2.** błędna ocena. **3.** przeliczenie się.

miscall [ˌmɪsˈkɔːl] *v.* **1.** nazywać niewłaściwie. **2.** *Br. dial.* przezywać.

miscarriage [ˌmɪsˈkerɪdʒ] *n.* **1.** *pat.* poronienie; **have a ~** poronić. **2.** *form.* niepowodzenie (*np. planu*). **3.** *Br.* zaginięcie (*np. listu, ładunku*).

miscarriage of justice *n. C/U prawn.* pomyłka sądowa.

miscarry [ˌmɪsˈkerɪ] *v.* **-ied, -ying 1.** *pat.* mieć poronienie. **2.** *form.* nie powieść się (*np. o planie*). **3.** *Br.* zaginąć (*np. o liście, ładunku*).

miscast [ˌmɪsˈkɑːst] *v. zw. pass.* **-cast, -cast** *teatr, film* obsadzać źle *l.* niewłaściwie (*sztukę, rolę, aktora*).

miscegenation [ˌmɪsɪdʒəˈneɪʃən] *n. U form.* mieszanie się ras.

miscellanea [ˌmɪsəˈleɪnɪə] *n. pl. lit.* miscellanea, rozmaitości.

miscellaneous [ˌmɪsəˈleɪnɪəs] *a. attr.* **1.** różny, rozmaity, różnorodny. **2.** mieszany, zróżnicowany.

miscellany [ˈmɪsəˌleɪnɪ] *n. pl.* **-ies 1.** zbiór (*t. np. opowiadań*). **2.** mieszanina.

mischance [ˌmɪsˈtʃæns] *n. C/U form.* pech; nieszczęście; **as ~ would have it...** pech chciał, że...; **by ~** na nieszczęście.

mischief [ˈmɪstʃɪf] *n.* **1.** *U* psoty, figle; **get into ~** psocić; **keep sb out of ~** nie pozwalać komuś psocić; nie pozwalać komuś na robienie głupstw. **2.** *U* figlarność; **full of ~** psotny, figlarny; **with ~** psotnie, figlarnie. **3.** *C/U* szkoda; krzywda; **do a lot of ~** wyrządzić wiele szkód (*t. np. o broni*); **do o.s. a ~** *Br. pot. cz. żart.* zrobić sobie krzywdę; **undo the ~** naprawić szkodę. **4.** źródło kłopotów *l.* trudności. **5.** *U przest.* intrygi; **make ~** robić intrygi, siać niezgodę (*between* pomiędzy) (*np. sąsiadami, przyjaciółmi*). **6.** *przest. pot.* psotni-k/ca.

mischief-maker [ˈmɪstʃɪfˌmeɪkər] *n.* intrygant/ka.

mischief-making [ˈmɪstʃɪfˌmeɪkɪŋ] *n. U* intrygi. – *a.* intrygancki.

mischievous [ˈmɪstʃɪvəs] *a.* **1.** psotny, figlarny. **2.** złośliwy. **3.** szkodliwy.

mischievously [ˈmɪstʃɪvəslɪ] *adv.* **1.** psotnie, figlarnie. **2.** złośliwie. **3.** szkodliwie.

mischievousness [ˈmɪstʃɪvəsnəs] *n. U* **1.** psotność, figlarność. **2.** złośliwość. **3.** szkodliwość.

miscibility [ˌmɪsəˈbɪlətɪ] *n. U form.* mieszalność, zdolność mieszania się.

miscible [ˈmɪsəbl] *a. form.* mieszalny; **be ~ with sth** dawać się zmieszać z czymś.

misconceive [ˌmɪskənˈsiːv] *v.* źle *l.* błędnie rozumieć; mieć błędne mniemanie o (*czymś*).

misconceived [ˌmɪskənˈsiːvd] *a.* błędny (*np. o podejściu, pojęciu*); źle pomyślany (*np. o planie*).

misconception [ˌmɪskənˈsepʃən] *n. C/U* błędne mniemanie *l.* przekonanie; **popular/common ~** rozpowszechniony przesąd (*that* że).

misconduct *form. n.* [ˌmɪsˈkɑːndʌkt] *U* **1.** złe prowadzenie się. **2.** złe prowadzenie (*of sth* czegoś) (*np. firmy, interesów*). **3.** *sport* przewinienie. **4. professional ~** naruszenie etyki zawodowej. – *v.* [ˌmɪskənˈdʌkt] **1. ~ o.s.** źle się prowadzić. **2.** źle prowadzić (*interesy*); źle kierować (*firmą*).

misconstruction [ˌmɪskənˈstrʌkʃən] *n. C/U* **1.** *form.* błędna interpretacja, błędne rozumienie; **be open to ~** stwarzać pole do nieporozumień. **2.** *zwł. gram.* zła konstrukcja.

misconstrue [ˌmɪskənˈstruː] *v. form.* błędnie interpretować *l.* rozumieć (*czyjeś słowa, zachowanie*).

miscount [ˌmɪsˈkaʊnt] *v.* **1.** źle policzyć *l.* obliczyć. **2.** pomylić się w liczeniu. – *n.* błędne obliczenie (*zwł. głosów*).

miscreance [ˈmɪskrɪəns], **miscreancy** [ˈmɪskrɪənsɪ] *a. arch.* niewiara, brak wiary (*religijnej*).

miscreant ['mɪskrɪənt] *n.* **1.** *form.* łajdak, złoczyńca. **2.** *arch.* heretyk; niewierzący.

miscue [ˌmɪs'kju:] *n.* **1.** *bilard* złe trafienie (*w bilę*). **2.** *pot.* pomyłka, błąd. – *v.* **1.** *bilard* źle trafić, nie trafić (w) (*bilę*). **2.** *teatr* przeoczyć replikę; pomylić replikę. **3.** *radio* zacząć odtwarzać od złego momentu (*taśmę, płytę*). **4.** *pot.* pomylić się.

misdeal [ˌmɪs'di:l] *karty v.* **-dealt, -dealt** [ˌmɪs'delt] źle rozdawać. – *n.* złe rozdanie.

misdeed [ˌmɪs'di:d] *n. form.* nadużycie; nieprawość.

misdemean [ˌmɪsdɪ'mi:n] *v. rzad.* = **misbehave.**

misdemeanant [ˌmɪsdɪ'mi:nənt] *n. prawn.* osoba, której dowiedziono wykroczenia.

misdemeanor [ˌmɪsdɪ'mi:nər], *Br.* **misdemeanour** *n.* **1.** *prawn.* wykroczenie. **2.** *form.* występek.

misdirect [ˌmɪsdə'rekt] *v. zw. pass.* **1.** źle *l.* mylnie skierować (*kogoś*); *prawn.* niewłaściwie instruować (*podwładnych, przysięgłych*). **2.** źle zaadresować (*list, paczkę*). **3.** źle wymierzyć (*cios, uderzenie*).

misdoubt [ˌmɪs'daʊt] *arch. v.* mieć wątpliwości *l.* podejrzenia co do (*czegoś*); niedowierzać (*czemuś*). – *n.* podejrzenia; wątpliwości.

mise [mi:z] *n. prawn.* ugoda.

mise-en-scène [ˌmi:zɑ:n'seɪn] *n. pl.* **-s** [ˌmi:zɑ:n'seɪn] **1.** *teatr* inscenizacja; scenografia. **2.** *form.* otoczenie.

miser[1] ['maɪzər] *n.* **1.** skąpiec, sknera. **2.** samolub.

miser[2] *n. Br. techn.* świder łyżkowy.

miserable ['mɪzərəbl] *a.* **1.** nieszczęśliwy, nieszczęsny (*o osobie, życiu*); **make sb's life ~** unieszczęśliwiać kogoś. **2.** żałosny (*np. o głosie, spojrzeniu, wyglądzie*). **3.** *gł. attr.* okropny (*np. o warunkach*). **4.** *attr.* nędzny, marny (*np. o wynagrodzeniu*). **5.** kiepski (*o pogodzie*). **6.** sromotny (*o klęsce*). **7.** godny pogardy (*np. o przestępcy*). **8.** *Scot., Austr. i NZ* skąpy.

miserably ['mɪzərəblɪ] *adv.* **1.** nieszczęśliwie, ponuro (*np. uśmiechać się*). **2.** żałośnie (*np. spoglądać*); **~ small** żałośnie mały. **3.** sromotnie (*przegrać*).

Miserere [ˌmɪzə'rerɪ] *n.* **1.** *rel.* Miserere (*Psalm 51*). **2.** = **misericord** 3.

misericord [ˌmɪzərə'kɔ:rd], **misericorde** *n.* **1.** *bud., kośc.* wspornik (*dla osoby stojącej w stallach, umieszczony na spodniej stronie złożonego siedzenia*). **2.** *kośc.* złagodzenie reguły zakonnej dla chorych *l.* starszych zakonników *l.* zakonnic; klasztor, w którym można korzystać ze złagodzonej reguły. **3.** *broń, hist.* mizerykordia (*sztylet*).

miserliness ['maɪzərlɪnəs] *n. U* **1.** skąpstwo. **2.** chciwość.

miserly ['maɪzərlɪ] *a.* **1.** skąpy. **2.** chciwy.

misery ['mɪzərɪ] *n. pl.* **-ies** **1.** *U* nędza. **2.** *C/U* nieszczęście, nieszczęścia; **make sb's life a ~** unieszczęśliwić kogoś. **3.** (*także* **~ guts**) *Br. pot.* maruda. **4.** *dial.* ból. **5. put an animal out of its ~** skrócić cierpienia zwierzęcia (*usypiając je*); **put sb out of their ~** *przen. pot.* oszczędzić komuś nerwów (= *nie trzymać dłużej w niepewności*).

misfeasance [ˌmɪs'fi:zəns] *n. U prawn.* wykroczenie służbowe (*zwł. nadużycie władzy*).

misfeasor [ˌmɪs'fi:zər] *n. prawn.* osoba nadużywająca władzy.

misfire [ˌmɪs'faɪr] *v.* **1.** *wojsk.* nie wypalić (*o broni*). **2.** *mot.* nie zapalać; przerywać; mieć źle ustawiony zapłon (*o silniku*). **3.** *przen.* spełznąć na niczym, nie wypalić (*o planie, krytyce*). – *n.* **1.** *wojsk.* niewypał. **2.** *mot.* przerwa zapłonu.

misfit ['mɪsfɪt] *n.* **1.** odmieniec. **2.** rzecz niedopasowana.

misfortune [ˌmɪs'fɔ:rtʃən] *n. C/U* pech; nieszczęście; **have the ~ to do sth/of doing sth** mieć nieszczęście coś zrobić.

misgive [ˌmɪs'gɪv] *v.* **-gave, -gave** *lit.* **1.** mieć obawy *l.* wątpliwości. **2. my heart/conscience ~s me** serce/sumienie ostrzega mnie.

misgiving [ˌmɪs'gɪvɪŋ] *n.* **1.** *zw. pl.* wątpliwość; obawa; **have serious ~s** mieć poważne wątpliwości (*about sth* co do czegoś). **2.** *U* złe przeczucia; **filled with ~** pełen złych przeczuć.

misgovern [ˌmɪs'gʌvərn] *v. form.* źle rządzić (*czymś*).

misgovernment [ˌmɪs'gʌvərnmənt] *n. U* złe rządy.

misguidance [ˌmɪs'gaɪdəns] *n. U form.* **1.** wprowadzenie w błąd; zła informacja; zła rada. **2.** sprowadzenie na manowce *l.* złą drogę.

misguide [ˌmɪs'gaɪd] *v. form.* **1.** wprowadzać w błąd. **2.** sprowadzać na manowce *l.* złą drogę. **3.** = **misdirect.**

misguided [ˌmɪs'gaɪdɪd] *a.* **1.** błędny, mylny (*o opinii*). **2.** niefortunny (*o próbie*); nieopatrzny, nierozważny (*o kroku, działaniu*). **3.** zagubiony (*o osobie*).

mishandle [ˌmɪs'hændl] *v.* **1.** nieumiejętnie obchodzić się z (*narzędziem, instrumentem*). **2.** źle prowadzić (*sprawę, negocjacje*). **3.** źle rozgrywać (*sytuację*). **4.** źle traktować (*osobę*).

mishap ['mɪsˌhæp] *n. C/U* niefortunny wypadek; nieszczęśliwy zbieg okoliczności; **without ~** pomyślnie.

mishear [ˌmɪs'hi:r] *v. pret. i pp.* **-heard** [ˌmɪs'hɜ:d] **1.** nie dosłyszeć (*czegoś*), źle usłyszeć. **2.** przesłyszeć się.

mishit *sport v.* [ˌmɪs'hɪt] **-tt-** źle uderzyć (*np. piłkę, krążek*). – *n.* ['mɪsˌhɪt] złe uderzenie; zły strzał.

mishmash ['mɪʃmæʃ] *n. sing. pot.* miszmasz.

misinform [ˌmɪsɪn'fɔ:rm] *v. zw. pass.* błędnie informować; wprowadzać w błąd.

misinformation [ˌmɪsɪnfər'meɪʃən] *n. U* błędna informacja.

misinterpret [ˌmɪsɪn'tɜ:prɪt] *v.* źle *l.* błędnie interpretować.

misinterpretation [ˌmɪsɪnˌtɜ:prə'teɪʃən] *n. C/U* zła *l.* błędna interpretacja.

misjoinder [ˌmɪs'dʒɔɪndər] *n. prawn.* włączenie do sprawy niewłaściwych kwestii *l.* osób; **~ of action** nieprawidłowe połączenie powództwa; **~ of**

parties nieprawidłowe włączenie osób do sprawy.

misjudge [ˌmɪsˈdʒʌdʒ] *v.* **1.** źle osądzać (*osobę*). **2.** źle oceniać (*sytuację, odległość*).

misjudgment [ˌmɪsˈdʒʌdʒmənt], **misjudgement** *n. C/U* **1.** zły osąd (*osoby*). **2.** zła ocena (*sytuacji, odległości*).

mislay [ˌmɪsˈleɪ] *v. pret. i pp.* **-laid** **1.** zapodziać, zawieruszyć. **2.** źle położyć (*np. wykładzinę, płytki*).

mislead [ˌmɪsˈliːd] *v. pret. i pp.* **-led** **1.** wprowadzić w błąd, zmylić, zwieść; **be misled by sth** dać się zwieść czemuś. **2.** prowadzić w złym kierunku.

misleading [ˌmɪsˈliːdɪŋ] *a.* mylący, zwodniczy; bałamutny.

misleadingly [ˌmɪsˈliːdɪŋlɪ] *a.* zwodniczo; bałamutny.

mislike [ˌmɪsˈlaɪk] *v. arch.* **1.** nie lubić (*kogoś l. czegoś*). **2.** nie podobać się (*komuś l. czemuś*).

mismanage [ˌmɪsˈmænɪdʒ] *v.* źle *l.* niewłaściwie zarządzać (*np. firmą, przedsiębiorstwem*).

mismanagement [ˌmɪsˈmænɪdʒmənt] *n. C/U* złe *l.* niewłaściwe zarządzanie.

mismatch *n.* [ˈmɪsˌmætʃ] **1.** niedopasowanie. **2.** niedobrana para. – *v.* [ˌmɪsˈmætʃ] *zw. pass.* źle *l.* niewłaściwie dobierać (*zwł. małżeństwo*).

mismatched [ˌmɪsˈmætʃt] *a.* niedobrany (*zwł. o małżeństwie*).

mismate [ˌmɪsˈmeɪt] *v. form.* źle *l.* niewłaściwie dobierać (się).

misnomer [ˌmɪsˈnoʊmər] *n.* **1.** błędna *l.* niewłaściwa nazwa. **2.** błędny *l.* niewłaściwy termin.

miso [ˈmiːsoʊ] *n. U kulin.* japońska pasta sojowa (*stosowana zwł. w kuchni wegetariańskiej*).

misogamist [mɪˈsɑːgəmɪst] *n. form.* mizogamist-a/ka.

misogamy [mɪˈsɑːgəmɪ] *n. form. U* mizogamia.

misogynist [məˈsɑːdʒənɪst] *n. form.* mizoginista, mizogin.

misogynous [məˈsɑːdʒənəs] *a. form.* mizoginiczny.

misogyny [mɪˈsɑːdʒənɪ] *n. U form.* mizoginia.

mispickel [ˈmɪsˌpɪkl] *n. U min.* arsenopiryt.

misplace [ˌmɪsˈpleɪs] *v.* **1.** zgubić, zawieruszyć, zapodziać (*np. klucze*). **2.** *często pass.* źle *l.* niewłaściwie lokować (*uczucie, zaufanie*); źle *l.* niewłaściwie stawiać *l.* umieszczać (*np. akcent*).

misplaced [ˌmɪsˈpleɪst] *a.* źle ulokowany (*o uczuciu, zaufaniu*).

misplay [ˌmɪsˈpleɪ] *sport v.* źle zagrać (*piłkę*); źle grać. – *n.* zła gra.

misprint *n.* [ˈmɪsˌprɪnt] literówka, błąd drukarski. – *v.* [ˌmɪsˈprɪnt] błędnie wydrukować.

misprision¹ [ˌmɪsˈprɪʒən] *n. form.* zaniedbanie obowiązku; **~ of felony/treason** *prawn.* nieujawnienie przestępstwa/zdrady.

misprision² *n. U arch.* **1.** pogarda. **2.** niedocenianie.

misprize [ˌmɪsˈpraɪz], **misprise** *v. form.* **1.** nie doceniać (*kogoś l. czegoś*). **2.** gardzić (*kimś l. czymś*).

mispronounce [ˌmɪsprəˈnaʊns] *v.* źle *l.* niewłaściwie wymawiać.

mispronunciation [ˌmɪsprəˌnʌnsɪˈeɪʃən] *n. C/U* zła *l.* błędna wymowa; złe *l.* błędne wymówienie.

misquote [ˌmɪsˈkwoʊt] *v.* błędnie cytować *l.* przytaczać. – *n.* (*także* **misquotation**) błędne zacytowanie *l.* przytoczenie.

misread [ˌmɪsˈriːd] *v. pret. i pp.* **-read** [ˌmɪsˈred] **1.** błędnie interpretować. **2.** *t. przen.* błędnie odczytywać.

misreading [ˌmɪsˈriːdɪŋ] *n. C/U* **1.** błędna interpretacja. **2.** błędne odczytanie.

misreport [ˌmɪsrɪˈpɔːrt] *v. zw. pass.* niewłaściwie przedstawiać.

misrepresent [ˌmɪsreprɪˈzent] *v.* przeinaczać, przekręcać (*np. czyjeś słowa*); fałszować obraz (*kogoś l. czegoś*), przedstawiać w fałszywy sposób.

misrepresentation [ˌmɪsˌreprɪzenˈteɪʃən] *n. C/U* przeinaczenie; fałszywe przedstawienie.

misrule [ˌmɪsˈruːl] *n. U* **1.** złe rządy. **2.** nieporządek. – *v.* źle rządzić (*czymś*).

miss¹ [mɪs] *v.* **1.** *t. sport* nie trafiać w (*cel*); nie trafiać, chybiać, pudłować. **2.** spóźniać się na; **~ a/one's train/plane** spóźnić się na pociąg/samolot. **3.** tracić; **~ a chance/an opportunity** stracić *l.* przegapić okazję. **4.** tęsknić za (*kimś l. czymś*); **I'll ~ him** będę za nim tęsknić, będzie mi go brakowało; **sb ~es doing sth** komuś brakuje (robienia) czegoś; **she/he will be sadly/sorely ~ed** będzie nam jej/go bardzo/dotkliwie brakowało (*o zmarłej osobie*). **5.** opuszczać (*np. wykład, spotkanie*); **~ school** być nieobecnym w szkole; **I wouldn't ~ it for the world** *pot.* za nic w świecie bym tego nie opuścił. **6.** opuścić, przeoczyć (*np. nazwisko, pozycję w spisie*); nie zauważyć (*czegoś*), przegapić; **you can't ~ it** nie można tego nie zauważyć. **7.** zauważać brak (*np. zegarka, portfela*). **8.** uniknąć (*np. niebezpieczeństwa, śmierci*); **she narrowly ~ed being caught** ledwo udało jej się uniknąć złapania, o mało co jej nie złapali. **9.** *mot.* = **misfire.** **10.** *przen.* **~ the boat/ bus** *pot.* przegapić okazję; **~ the/one's mark** nie osiągnąć celu; **~ the point** nie rozumieć (istoty sprawy); **he doesn't ~ much** niewiele mu umknie *l.* umyka; **sb never ~es a trick** *zob.* **trick** *n.*; **sb's heart ~ed a beat?** serce komuś stanęło (*z podekscytowania l. ze strachu*); **without ~ing a beat** jakby nigdy nic, bez zmrużenia oka. **11.** **~ out** być pokrzywdzonym; **~ out on sth** być pozbawionym czegoś (*np. przyjemności, korzyści*); **~ sb/sth out** *Br.* przeoczyć *l.* pominąć kogoś/coś. – *n.* **1.** *t. sport* chybienie, pudło; **penalty ~** przestrzelony rzut karny. **2.** *mot.* = **misfire.** **3.** *przen.* **a ~ is as good as a mile** porażka jest porażką; **give sth a ~** *Br. i Austr. pot.* podarować coś sobie (= *nie zrobić*).

miss² *n.* **1.** **M~** pani, panna (*przed nazwiskiem osoby niezamężnej*); **the M~es Smith** panny Smith. **2.** **M~** miss (*w konkursie piękności*); **M~ California/World/Universe** Miss Kalifornii/Świata/Universum. **3.** *zwł. Br. szkoln.* proszę pani (*do nauczycielki*). **4.** *przest.* proszę pani (*do nieznanej młodej kobiety*). **5.** *zwł. Br. żart. l. uj.* panna, pannica. **6.** **~es** *US* średni rozmiar odzieży damskiej; część garderoby o rozmiarze jw.

Miss. *abbr.* = **Mississippi.**

missal ['mɪsl] *n. kośc.* mszał.

missel thrush ['mɪsl ˌθrʌʃ], **mistle thrush** *n. orn.* drozd paszkot (*Turdus viscivorus*).

misshape [ˌmɪs'ʃeɪp] *v. pp.* **-ed** *l.* **-n** zniekształcać, deformować.

misshapen [ˌmɪs'ʃeɪpən] *a.* zniekształcony, zdeformowany.

missile ['mɪsl] *n.* **1.** *wojsk.* pocisk; **ballistic/guided ~** pocisk balistyczny/kierowany. **2.** *pl. przen.* amunicja (*np. kamienie l. inne rzucane przedmioty*).

missile base *n. wojsk.* baza rakietowa.

missile launcher *n. wojsk.* wyrzutnia pocisków rakietowych.

missilery ['mɪslrɪ], **missilry** *n. U wojsk.* **1.** technika pocisków (*zwł. kierowanych*). **2.** pociski (*jw.*).

missing ['mɪsɪŋ] *a.* **1.** zaginiony; **~ in action** *wojsk.* zaginiony w toku działań; **go ~** *Br. i Austr.* zaginąć (*o osobie*); zginąć (*o rzeczy*); **report sb/sth ~** zgłosić zaginięcie kogoś/zgubę czegoś. **2.** brakujący; **sb/sth is ~** kogoś/czegoś brakuje (*from sth* w czymś *l.* gdzieś).

missing link *n. zwł. ewolucjonizm* brakujące ogniwo.

missing person *n.* **1.** osoba zaginiona. **2. M~ P~s** *policja* wydział zajmujący się poszukiwaniem osób zaginionych.

mission ['mɪʃən] *n.* **1.** *t. wojsk.* zadanie; operacja, akcja; **~ accomplished** zadanie wykonane; **combat ~** *wojsk.* zadanie bojowe; **peace ~** misja pokojowa; **rescue ~** akcja ratunkowa. **2.** misja; powołanie; **be on a secret ~** odbywać tajną misję; **sb's ~ in life** czyjaś misja życiowa, czyjeś (życiowe) powołanie. **3.** *rel.* misja (*t. budynek*). **4.** *t. dyplomacja* misja; przedstawicielstwo; **trade ~** przedstawicielstwo handlowe. – *a. attr.* **1.** misyjny. **2.** *US* z okresu misji hiszpańskich (*zwł. o meblach, stylu*). – *v. form.* **1.** wysyłać z misją. **2.** zakładać *l.* prowadzić misję w (*okręgu, okolicy*); prowadzić misję wśród (*ludności*).

missionary ['mɪʃəˌnerɪ] *n. pl.* **-ies** *rel.* misjona-rz/rka. – *a. attr. rel.* misyjny; misjonarski (*np. o zapale*).

missionary position *n. sing. seks* pozycja klasyczna.

mission control *n. U astronautyka* kontrola lotów, kontrola naziemna.

missioner ['mɪʃənər] *n. rel.* misjonarz (*zwł. prowadzący misje w parafii*).

missis ['mɪsɪz] *n.* = **missus.**

Mississippi [ˌmɪsə'sɪpɪ] *n. US* **1.** *geogr.* Missisipi (*rzeka*). **2.** stan Missisipi.

missive ['mɪsɪv] *n. form.* pismo, list.

Missouri [mɪ'zʊrɪ] *n. US* **1.** *geogr.* Missouri (*rzeka*). **2.** stan Missouri.

misspell [ˌmɪs'spel] *v. pret. i pp.* **-ed** *l.* **-spelt** źle *l.* błędnie napisać, napisać z błędem *l.* błędami.

misspelling [ˌmɪs'spelɪŋ] *n.* błąd ortograficzny, błąd w pisowni; błędnie napisane słowo; *U* błędy ortograficzne.

misspend [ˌmɪs'spend] *v. pret. i pp.* **-spent** trwonić, marnować; **misspent youth** *często żart.* zmarnowana młodość; błędy młodości.

misstate [ˌmɪs'steɪt] *v. zwł. US form.* **1.** błędnie podawać. **2.** fałszywie przedstawiać.

misstatement [ˌmɪs'steɪtmənt] *n. C/U zwł. US form.* błędne *l.* fałszywe stwierdzenie; błędne *l.* fałszywe przedstawienie.

misstep [ˌmɪs'step] *n. zwł. US* **1.** zły *l.* fałszywy krok. **2.** *przen.* gafa, faux pas.

missus ['mɪsəz], **missis** *n. sing. pot. l. dial.* **1.** (*także* **the ~**) żona; pani domu. **2.** *zwł. Br.* proszę pani (*do nieznanej kobiety*).

missy ['mɪsɪ] *n. pl.* **-ies** *pot. cz. pog.* panienka.

mist [mɪst] *n. C/U* **1.** *t. meteor.* mgła; mgiełka (*t. przed oczami*); zamglenie; **shrouded in ~** spowity mgłą. **2.** *Br.* para (*np. na szybie*). **3. be lost in the ~s of time** *przen.* pójść w zapomnienie. – *v.* **1. ~ (over/up)** zachodzić mgłą (*o oczach*); *Br.* zaparowywać (*o oknach*). **2.** mżyć.

mistakable [mə'steɪkəbl], **mistakeable** *a. attr.* **~ signals/indications** sygnały/wskazówki, które można pomylić *l.* źle zrozumieć.

mistake [mɪ'steɪk] *n.* **1.** *C/U* błąd; pomyłka; **by ~** przez pomyłkę, omyłkowo; **it was a big ~** to był duży błąd; **learn from one's ~s** uczyć się na błędach; **make a ~** popełnić *l.* zrobić błąd, pomylić się; **make a ~ about sb/sth** pomylić się co do kogoś/czegoś; **spelling ~** błąd ortograficzny; **there must be some ~** musiała zajść jakaś pomyłka. **2.** *przen.* **and no ~** *zwł. Br. pot.* i niech to będzie jasne; bez dwóch zdań (= *niewątpliwie*); **I made the ~ of helping him** zrobiłam głupstwo i pomogłam mu; **make no ~ about it** *pot.* możesz być tego pewien; **we all make ~s** wszyscy popełniamy błędy, każdemu mogło się to zdarzyć (*pocieszając kogoś*). – *v.* **-took, -taken 1.** źle rozumieć (*np. czyjeś motywy*). **2.** pomylić (*np. drogę, adres*). **3.** nie rozpoznać (*np. samochodu, miejsca*); **there's no mistaking sb/sth** łatwo poznać kogoś/coś; **there was no mistaking the worry in his voice** łatwo było poznać po głosie, że się martwi; **you can't ~ him/her/it** nie można go/jej/tego nie rozpoznać. **4.** mylić się (*as to sth* co do czegoś). **5. ~ sb/sth for sb/sth** brać kogoś/coś za kogoś/coś; pomylić kogoś/coś z kimś/czymś.

mistaken [mɪ'steɪkən] *a.* **1. be ~** mylić się, być w błędzie. **2.** mylny, błędny. **3. it was a case of mistaken ~** *zob.* **identity.**

mistakenly [mɪ'steɪkənlɪ] *adv.* mylnie, błędnie.

mister ['mɪstər] *n.* **1.** *zwł. US pot.* proszę pana (*do nieznanego mężczyzny*). **2.** (*także* **the ~**) *pot. l. dial.* mąż. **3. M~** = **Mr.** – *v.* **~ sb** *pot.* mówić komuś per „pan".

mistigris ['mɪstɪˌgrɪs] *n. poker* **1.** joker *l.* pusta karta. **2.** *U* odmiana pokera z użyciem karty jw.

mistily ['mɪstɪlɪ] *adv.* mgliście.

mistime [ˌmɪs'taɪm] *v.* **1.** źle obliczyć czas (*cze-*

goś). **2.** ~ **sth** powiedzieć coś nie w porę; zrobić coś nie w porę; wybrać zły moment na coś.

mistiness [ˈmɪstɪnəs] *n.* *U* **1.** mglistość. **2.** mgła, zamglenie.

mistletoe [ˈmɪslˌtoʊ] *n.* *U bot.* jemioła (*rodzina Loranthaceae*).

mistook [mɪˈstʊk] *v.* *zob.* **mistake.**

mistral [ˈmɪstrəl] *n.* **the** ~ *meteor.* mistral.

mistranslate [ˌmɪsˈtrænsleɪt] *v.* błędnie przetłumaczyć.

mistreat [ˌmɪsˈtriːt] *v.* źle traktować; znęcać się nad (*osobą l. zwierzęciem*).

mistreatment [ˌmɪsˈtriːtmənt] *n.* *U* złe traktowanie; znęcanie się.

mistress [ˈmɪstrɪs] *n.* **1.** *zw. uj.* kochanka, utrzymanka; *arch. l. poet.* pani *l.* dama serca, ukochana. **2.** pani (*np. psa, domu, służącej*); **be the ~ of the situation/one's own life** być panią sytuacji/swego losu. **3.** *Br. przest. szkoln.* nauczycielka, pani; **French** ~ nauczycielka francuskiego, pani od francuskiego. **4. M~** *arch. l. dial.* = **Mrs.**

mistrial [ˌmɪsˈtraɪəl] *n.* *prawn.* unieważniony proces (*z powodu błędu l. braku jurysdykcji albo gdy jury nie jest w stanie uzgodnić werdyktu*); **declare a** ~ unieważnić proces.

mistrust [ˌmɪsˈtrʌst] *n.* *C/U* nieufność, brak zaufania (*of sb/sth* do kogoś/czegoś). – *v.* nie ufać, nie dowierzać (*komuś l. czemuś*).

mistrustful [ˌmɪsˈtrʌstfʊl] *a.* nieufny, podejrzliwy (*of sb/sth* w stosunku do kogoś/czegoś).

misty [ˈmɪstɪ] *a.* **-ier, -iest** mglisty (*o dniu, pogodzie, t. przen. np. o wspomnieniach*); zamglony (*o szybie, oczach*).

misunderstand [ˌmɪsˌʌndərˈstænd] *v. pret. i pp.* **-stood 1.** źle rozumieć. **2.** nie rozumieć (*kogoś l. czegoś*).

misunderstanding [ˌmɪsˌʌndərˈstændɪŋ] *n.* **1.** *C/U* nieporozumienie (*t. = niezgoda*). **2.** *U* niezrozumienie.

misuse *n.* [ˌmɪsˈjuːs] *C/U* **1.** (*także* **misusage**) błędne *l.* niewłaściwe używanie (*słowa, narzędzia*); nadużywanie (*władzy, pieniędzy*). **2.** złe *l.* okrutne traktowanie. – *v.* [ˌmɪsˈjuːz] **1.** używać błędnie *l.* niewłaściwie; nadużywać (*czegoś*). **2.** źle *l.* okrutnie traktować.

misuser [ˌmɪsˈjuːzər] *n.* *prawn.* nadużycie (*np. przywileju*).

MIT [ˌem ˌaɪ ˈtiː] *abbr.* *US uniw.* = **Massachusetts Institute of Technology.**

mite[1] [maɪt] *n.* *ent., pat.* roztocz (*rząd Acarina*).

mite[2] *n.* **1.** drobina, drobinka; kruszyna, kruszynka (*zwł. o dziecku*). **2.** *hist., fin.* moneta flamandzka o małej wartości. **3.** *przest.* **a ~ of sth** odrobina *l.* kapka *l.* źdźiebko czegoś (*np. rozsądku, trudności*); **a ~ long/foolish** *pot.* cokolwiek przydługi/głupawy; **widow's** ~ *t. Bibl.* wdowi grosz.

miter[1] [ˈmaɪtər], *Br.* **mitre** *kość. n.* mitra, infuła. – *v.* obdarzać infułą.

miter[2] *stol. n.* **1.** (*także* ~ **joint**) połączenie kątowe na ucios. **2.** (*także* ~ **square**) kątownik stały 45°. – *v. stol.* **1.** łączyć ukośnie. **2.** ścinać ukośnie.

miter block *n.* opór uciosowy.

miter box *n.* skrzynka uciosowa.

miter wheel *n.* koło stożkowe (*o półkącie stożka 45°*).

Mithra [ˈmɪθrə], **Mithras** [ˈmɪθrəs] *n. rel.* Mitra (*perskie bóstwo słoneczne*).

Mithraic [mɪˈθreɪɪk] *a.* mitrajski.

Mithraism [ˈmɪθreɪˌɪzəm] *n.* *U rel.* mitraizm.

mithridatism [ˌmɪθrɪˈdeɪtˌɪzəm] *n.* *U* uodpornienie na truciznę przez stopniowanie jej dawek.

mitigate [ˈmɪtəˌgeɪt] *v. form.* łagodzić (*np. skutki*); czynić mniej dotkliwym *l.* dokuczliwym (*np. nudę, monotonię*); zmniejszać ciężar *l.* wagę (*np. przewinienia*); uśmierzać, mitygować (*np. czyjś gniew*).

mitigating circumstances [ˌmɪtəˌgeɪtɪŋ ˈsɜːkəmˌstænsɪz] *n. pl. t. prawn.* okoliczności łagodzące.

mitigation [ˌmɪtəˈgeɪʃən] *n.* *U* **1.** *form.* złagodzenie; uśmierzenie. **2.** *prawn.* **add in** ~ podać jako okoliczność łagodzącą; **in ~ of penalty/damages** w celu zmniejszenia kary/odszkodowania.

mitigatory [ˈmɪtəgəˌtɔːrɪ] *a. form.* łagodzący; uśmierzający.

mitosis [maɪˈtoʊsɪs] *n. pl.* **mitoses** [maɪˈtoʊsiːz] *biol.* mitoza.

mitrailleuse [ˌmɪtrəˈjɜːz] *n.* *broń, hist.* mitralieza.

mitral [ˈmaɪtrəl] *a. anat.* dwudzielny, mitralny.

mitral stenosis *n.* *U pat.* zwężenie zastawki dwudzielnej.

mitral valve *n.* *anat.* zastawka dwudzielna *l.* mitralna.

mitre [ˈmaɪtər] *n. Br.* = **miter.**

mitt [mɪt] *n.* **1.** *t. sport* rękawica (ochronna) (*np. kuchenna, bokserska, baseballowa*). **2.** = **mitten** 1, 2. **3.** *sl. cz. żart.* graba (= *ręka*).

mitten [ˈmɪtən] *n.* **1.** rękawiczka (*z jednym palcem*). **2.** mitenka. **3.** *sl.* rękawica bokserska.

mittimus [ˈmɪtəməs] *n. pl.* **-es** *prawn.* nakaz aresztowania (*skierowany do naczelnika więzienia*).

mix [mɪks] *v.* **1.** mieszać (się); łączyć (się) (*with sth* z czymś); ~ **business with/and pleasure** łączyć przyjemne z pożytecznym; ~ **one's metaphors** łączyć metafory w sposób niekonwencjonalny (*zwł. osiągając niezamierzony efekt humorystyczny*); **X and Y do not** ~ nie powinno się mieszać *l.* łączyć X z Y (*np. leków z alkoholem*). **2.** *kulin.* mieszać, łączyć (*składniki*); przyrządzać, miksować (*napój*); kręcić (*ciasto*); ~ **(together)** wymieszać, połączyć. **3.** *muz., radio, telew.* miksować (*ścieżki, źródła sygnału*). **4.** *el.* mieszać (*sygnały*). **5.** utrzymywać *l.* nawiązywać kontakty towarzyskie (*with sb* z kimś); **not ~ well** mieć trudności z nawiązywaniem kontaktów. **6.** ~ **and match** nosić rzeczy w różnych kombinacjach (*żeby sprawdzić, czy wzajemnie do siebie pasują*). **7.** ~ **it** *pot.* bruździć (*for sb* komuś); *zwł. Br. pot.* nie dawać się zbić z tropu, nie dać sobie w kaszę dmuchać (*with sb* komuś). **8.** ~ **in** *kulin.* dodawać (*with sth* do czegoś); ~ **into**

kulin. dodawać do (*czegoś*); ~ **up** pomylić (ze sobą); pomieszać; **be/get ~ed up in sth** być/zostać zamieszanym w coś; **I'm all ~ed up** *pot.* wszystko mi się pomieszało, już nic nie wiem; ~ **it up** *US i Can. pot.* sprzeczać się; tłuc się. – *n.* **1.** *C / U t. przen.* mieszanka; mieszanina (*of sth* czegoś). **2.** połączenie. **3.** *pot.* kabała, kłopot. **4. cake/soup** ~ *kulin.* ciasto/zupa w proszku.

mixable ['mɪksəbl] *a.* mieszalny.

mixed [mɪkst] *a.* mieszany; **be a ~ blessing** mieć swoje złe i dobre strony (*o wydarzeniu, sytuacji*); **have ~ feelings** mieć mieszane uczucia; **in ~ company** *przest.* w mieszanym towarzystwie, w obecności pań (*np. opowiadać nieprzyzwoite dowcipy*).

mixed-ability [ˌmɪkstə'bɪlətɪ] *a. attr. szkoln.* dla uczniów o różnym poziomie zdolności (*np. o klasie*).

mixed bag *n. sing. przen. pot.* mieszanina (*np. spraw, cech, osób*).

mixed doubles *n. U tenis* gra mieszana, mikst.

mixed economy *n. pl.* **-ies** *ekon.* gospodarka mieszana.

mixed farming *n. U roln.* gospodarka wielokierunkowa.

mixed grill *n. Br. kulin.* danie z rusztu złożone z różnych gatunków mięsa.

mixed marriage *n. C / U* małżeństwo mieszane.

mixed metaphor *n.* niekonwencjonalne połączenie metafor (*zwł. wywołujące niezamierzony efekt humorystyczny*); *ret.* katachreza.

mixed number *n. mat.* liczba mieszana.

mixed-up [ˌmɪkst'ʌp] *a. pot.* zagubiony, niepewny siebie (*o osobie*).

mixer ['mɪksər] *n.* **1.** *kulin.* mikser. **2.** *techn.* mieszarka; mieszadło; mieszalnik. **3.** *US pot.* spotkanie zapoznawcze; spotkanie integracyjne (*np. pracowników firmy*). **4.** wichrzyciel/ka. **5.** dodatek do drinków (*np. sok, piwo imbirowe*). **6.** *el.* mikser (*sygnałów dźwiękowych l. wizyjnych*). **7.** mikser (= *operator / ka urządzenia jw.*). **8.** *el.* mieszacz, stopień przemiany częstotliwości. **9. be a good/bad ~** łatwo/trudno nawiązywać znajomości.

mixing bowl ['mɪksɪŋ ˌbouI] *n. kulin.* miska (*np. do kręcenia ciasta*).

mixture ['mɪkstʃər] *n.* **1.** *t. chem.* mieszanina; *t. mot.* mieszanka (*of sth* czegoś). **2.** *med., muz.* mikstura. **3.** *U form.* mieszanie.

mix-up ['mɪksˌʌp] *n. pot.* **1.** zamieszanie; kłopot, kabała. **2.** pomyłka, błąd. **3.** bójka.

mizzen ['mɪzən], **mizen** *żegl. n.* **1.** bezan. **2.** (*także* **~mast**) bezanmaszt. – *a.* ~ **staysail** bezansztaksel, apsel.

mizzle ['mɪzl] *zwł. US v.* mżyć. – *n.* mżawka.

mizzly ['mɪzlɪ] *a. zwł. US* dżdżysty.

mk *abbr. pl.* **mks** = **mark**[2] *n.*

mks [ˌem ˌkeɪ 'es], **MKS** *abbr.* = **meter-kilogram-second.**

MKSA [ˌem ˌkeɪ ˌes 'eɪ] *abbr.* = **meter-kilogram-second-ampere.**

mkt *abbr.* = **market** *n.*

ml *abbr.* **1.** = **mail. 2.** = **mile. 3.** = **milliliter.**

MLitt [ˌem'lɪt] *abbr.* **Master of Letters** *Br. uniw.* mgr nauk humanistycznych.

Mlle. *abbr.* = **Mademoiselle.**

MLR [ˌem ˌel 'ɑːr] *abbr.* **minimum lending rate** *Br. fin.* stopa dyskontowa Banku Anglii.

mm *abbr.* **1.** = **millimeter. 2. millia** tysiące.

MM., MM *abbr.* = **Messieurs.**

Mme., Mme *abbr.* = **Madame.**

Mmes. *abbr.* = **Mesdames.**

mmf *abbr.* **magnetomotive force** siła magnetomotoryczna.

MMR [ˌem ˌem 'ɑːr] *n.* (*także* ~ **vaccine**) *med.* szczepionka przeciwko odrze, śwince i różyczce.

MN *abbr.* **1.** *US* = **Minnesota. 2.** *Br.* = **Merchant Navy.**

mnemonic [nɪ'mɑːnɪk] *a.* **1.** mnemotechniczny, mnemoniczny. **2.** pamięciowy. – *n.* **1.** środek mnemotechniczny. **2.** *komp.* mnemonik.

mnemonically [nɪ'mɑːnɪklɪ] *adv.* mnemonicznie, mnemotechnicznie.

mnemonics [nɪ'mɑːnɪks] *n. U* mnemotechnika, mnemonika.

Mnemosyne [nɪ'mɑːsənɪ] *n. mit.* Mnemosyne.

MO [ˌem 'ou] *abbr.* **1.** = **Medical Officer. 2. method/mode of operation** sposób działania, modus operandi. **3.** *US* = **Missouri. 4.** *fin.* = **money order.**

mo [mou] *n.* **1.** *gł. Br. pot.* momencik, chwileczka; **half a** ~ momencik, chwileczkę. **2.** *gł. Austr. pot.* = **mustache** 1.

Mo. *abbr.* **1.** *US* = **Missouri. 2.** = **Monday.**

mo. *abbr. pl.* **mos. month** mies. (= *miesiąc*).

M.O. [ˌem 'ou], **m.o.** *abbr.* **1. method/mode of operation** sposób działania, modus operandi. **2.** *fin.* = **money order.**

m.o. [ˌem 'ou] *abbr.* **1.** = **mail order. 2.** = **M.O.**

Moabite ['mouəbaɪt] *Bibl. n.* Moabit-a/ka. – *a.* moabicki.

moan [moun] *v.* **1.** jęczeć; ~ **with pain/in ecstasy** jęczeć z bólu/rozkoszy. **2.** *Br. przen. pot.* narzekać (*at / about sth* na coś, *that* że); (*także* ~ **and groan**) jęczeć, stękać, marudzić, zrzędzić. **3.** opłakiwać; narzekać na (*swój los*). **4.** *lit.* wyć (*o wietrze*). – *n.* **1.** jęk; **give a ~** wydać jęk. **2.** *lit.* wycie (*zwł. wiatru*). **3. have a ~** *Br. pot.* ponarzekać sobie.

moaner ['mounər] *n.* malkontent/ka, zrzęda.

moat [mout] *n.* fosa. – *v.* otaczać fosą.

mob [mɑːb] *n. z czasownikiem w liczbie pojedynczej l. mnogiej* **1.** tłum, zbiorowisko, gawiedź; **angry ~** rozwścieczony tłum. **2.** *uj.* motłoch, hałastra; ~ **rule** rządy motłochu. **3. the M~** *sl.* mafia. **4.** *pot.* towarzystwo (*danego rodzaju*). **5.** *Austr. i NZ* stado (*owiec, bydła*). – *v.* **-bb- 1.** oblegać (tłumnie); tłoczyć się wokół (*kogoś l. czegoś*). **2.** otoczyć i zaatakować (*o tłumie ludzi l. stadzie drapieżników*). **3.** *zw. pass. US* zatłoczyć (*budynek, plac*).

mobbed [mɑːbd] *a. pot. US* zatłoczony.

mobbish ['mɑːbɪʃ] *a.* **1.** pospolity. **2.** niesforny.

mob-cap ['mɑːbˌkæp], **mob cap** *n. hist.* czepek, czepiec.

mobile ['moubl] *a.* **1.** ruchomy; przenośny (*o*

sprzęcie). **2.** *socjol.* mobilny (*o grupie społecznej l. zawodowej*). **3.** *attr. Br. i Austr.* objazdowy (*np. o bibliotece, teatrze, kinie*). **4. be ~** *pot.* móc się poruszać; posiadać samochód (*zwł. w ogłoszeniach dotyczących pracy*). **5. ~ features/face** zmienny wyraz twarzy. – *n.* **1.** (*także* **~ (tele)phone**) komórka, telefon komórkowy. **2.** mobile (*rzeźba l. ozdoba*).

mobile home *n.* dom na kółkach.

mobility [moʊˈbɪlətɪ] *n. U* **1.** możliwość *l.* łatwość poruszania się. **2.** *socjol.* mobilność; **job ~** mobilność zawodowa; **upward/social ~** mobilność społeczna.

mobility allowance *n. Br.* zapomoga dla niepełnosprawnych na pokrycie wydatków związanych z transportem.

mobilization [ˌmoʊbələˈzeɪʃən], *Br. i Austr. zw.* **mobilisation** *n.* **1.** *C / U t. wojsk.* mobilizacja. **2.** organizowanie, zdobywanie (*np. poparcia*).

mobilize [ˈmoʊbəˌlaɪz], *Br. i Austr. zw.* **mobilise** *v.* **1.** *t. wojsk.* mobilizować (się). **2.** organizować, zdobywać (*np. poparcie, środki*).

mobocracy [mɑːˈbɑːkrəsɪ] *n. C / U pl.* **-ies 1.** rządy motłochu, ochlokracja. **2.** motłoch znajdujący się u władzy.

mobs [ˈmɑːbz] *n. pl.* **~ of people** *pot.* tłumy ludzi. – *a. Austr. i NZ pot.* o wiele; **~ better** o wiele *l.* o niebo lepiej.

mobster [ˈmɑːbstər] *n. US sl.* gangster.

moccasin [ˈmɑːkəsɪn] *n.* **1.** mokasyn. **2.** = **water moccasin.**

moccasin flower *n. bot., ogr.* obuwik (*Cypripedium*).

moccasin telegraph *n. Can. pot.* poczta pantoflowa (= *plotki*).

mocha [ˈmoʊkə] *n. U* **1.** mokka (*kawa*). **2.** *US* kawa z czekoladą. **3.** smak kawowy. **4.** (kolor) ciemnobrązowy. **5.** delikatna skóra na rękawiczki. – *a. attr.* **1.** kawowy, o smaku kawowym. **2.** ciemnobrązowy.

mocha stone *n. U min.* agat mszysty (*odmiana chalcedonu*).

mock [mɑːk] *v.* **1. ~ (at)** kpić (sobie) z (*kogoś l. czegoś*). **2.** przedrzeźniać. **3.** zwodzić, oszukiwać. **4.** udaremniać (*np. wysiłki*); pokonywać (*np. napastników*). – *n.* **1.** kpiny. **2.** pośmiewisko (*osoba l. rzecz*). **3.** imitacja. **4.** *Br. szkoln.* egzamin próbny. **5. make a ~ of sb/sth = make a mockery of sb/sth** *zob.* **mockery; make ~ of sb/sth** *lit.* wyśmiewać się z kogoś/czegoś. – *a. attr.* **1.** próbny, na niby (*np. o egzaminie, walce*). **2.** udawany, fałszywy (*np. o zdziwieniu, strachu*).

mocker [ˈmɑːkər] *n.* kpiarz; prześmiewca.

mockery [ˈmɑːkərɪ] *n. pl.* **-ies 1.** *U* kpiny. **2.** kpina, żart. **3.** kpina (*o wydarzeniu, badaniu*). **4.** pośmiewisko; **make a ~ of sb/sth** wystawiać kogoś/coś na pośmiewisko, ośmieszać kogoś/coś coś.

mock-heroic [ˌmɑːkhɪˈroʊɪk] *teor. lit. a.* heroikomiczny. – *n.* farsa heroikomiczna.

mocking [ˈmɑːkɪŋ] *a.* kpiący.

mockingbird [ˈmɑːkɪŋˌbɝːd] *n. orn.* przedrzeźniacz (*Mimus polyglottus*).

mockingly [ˈmɑːkɪŋlɪ] *adv.* kpiąco.

mock orange *n. bot.* jaśminowiec (*Philadelphus*).

mock sun *n. meteor.* parantelion, halo przeciwsłoneczne boczne.

mock turtle *n. US* golf (*bluzka l. sweter*).

mock turtle soup *n. U hist., kulin.* imitacja zupy żółwiowej (*zw. z głowy cielęcej; popularna w epoce wiktoriańskiej*).

mock-up [ˈmɑːkˌʌp], **mockup** *n.* makieta.

MOD [ˌem ˌoʊ ˈdiː] *abbr.* **Ministry of Defence** *Br.* Ministerstwo Obrony.

mod[1] [mɑːd] *n. Br.* (*także* **M~**) **1.** członek grupy młodzieżowej z lat 60., charakteryzującej się wyszukaną modą i opozycją wobec rokersów. **2.** członek podobnej grupy z lat 70. i 80., w opozycji wobec skinheadów.

mod[2] [moʊd] *n. Scot.* doroczny festiwal muzyki i poezji celtyckiej.

mod[3] *abbr.* = **modulus.**

mod. *abbr.* **1.** = **moderate. 2.** *muz.* = **moderato. 3.** = **modern.**

modal [ˈmoʊdl] *a. jęz., log., fil., muz.* modalny. – *n.* (*także* **~ auxiliary/verb**) *jęz.* czasownik modalny.

modality [moʊˈdælətɪ] *n. pl.* **-ies 1.** *U* modalność. **2.** zmysł (= *wzrok, słuch itd*). **3.** *med.* metoda terapeutyczna (*np. zabieg chirurgiczny, chemioterapia*).

mod cons [ˌmɑːd ˈkɑːnz] *n. pl. Br. i Austr.* (*w ogłoszeniach mieszkaniowych*) wygody.

mode [moʊd] *n.* **1.** tryb (*życia*); sposób (*działania*); forma (*transportu*). **2.** *jęz., komp., muz.* tryb; **major/minor ~** *muz.* tryb durowy/molowy. **3.** *form.* moda; **be all the ~** być najmodniejszym; **be in ~** być w modzie. **4.** *geol.* skład (*skały magmowej*). **5.** *stat.* moda, dominanta. **6.** *el., fiz.* rodzaj fali elektromagnetycznej. **7.** *log.* = **modality.**

model [ˈmɑːdl] *n.* **1.** wzór, model (*for sb / sth* dla kogoś/czegoś); **role ~** wzór do naśladowania (*osoba*). **2.** *t. log.* model (*of sth* czegoś) (*np. samolotu, systemu; t. = wzór l. styl produktu*); **last year's ~** zeszłoroczny model. **3.** model/ka. **4. on the American/French ~** na modłę amerykańską/francuską. – *a. attr.* **1.** wzorowy. **2.** wzorcowy, modelowy. – *v.* **-ll- 1.** wykonywać model (*np. samolotu*); **~ in sth** wykonywać model *l.* modele z czegoś. **2.** prezentować (*ubranie, kolekcję jako model / ka*); pracować jako model/ka. **3.** pozować (*artyście*). **4.** modelować (*glinę, posąg, ornament*); modelować się (*o glinie, wosku*). **5.** nadawać kształt (*glinie, woskowi*). **6. ~ (o.s.) on sb/sth** wzorować (się) na kimś/czymś.

modeler [ˈmɑːdlər], *Br.* **modeller** *n.* modelarz/rka.

modeling [ˈmɑːdlɪŋ], *Br.* **modelling** *n. U* **1.** praca model-a/ki. **2.** modelarstwo. **3.** *psych.* modelowanie (*zachowania*).

modem [ˈmoʊdem] *n. komp.* modem.

moderate *a.* [ˈmɑːdərət] **1.** umiarkowany. **2.** średni (*np. o rozmiarze*). **3.** wstrzemięźliwy. – *n.* [ˈmɑːdərət] osoba o umiarkowanych poglądach. – *v.* [ˈmɑːdəˌreɪt] **1.** łagodzić (*np. krytykę, stanowisko*); powściągać (*np. żądania*), poskramiać (*np. emocje*). **2.** słabnąć (*np. o burzy*). **3.** *Br.* przewodniczyć (*zebraniu, naradzie*).

moderately [ˈmɑːdərətlɪ] *adv.* umiarkowanie (*np. trudny*); średnio (*np. zadowolony*); z umiarem (*np. pić*); ~ **priced** w umiarkowanej cenie.

moderateness [ˈmɑːdərətnəs] *n. U* umiarkowanie.

moderation [ˌmɑːdəˈreɪʃən] *n. U* **1.** umiar, umiarkowanie; **in** ~ z umiarem. **2.** złagodzenie; powściągnięcie, poskromienie. **3.** *fiz.* spowolnianie, moderacja (*neutronów*).

moderato [ˌmɑːdəˈrɑːtoʊ] *adv. i a. muz.* moderato.

moderator [ˈmɑːdəˌreɪtər] *n.* **1.** *zwł. US* przewodnicząc-y/a (*zebrania, narady*). **2.** *zwł. Br.* mediator/ka (*w negocjacjach*). **3.** *prezbiterianizm* duchowny stojący na czele sądu kościelnego, synodu *l.* zgromadzenia ogólnego. **4.** *fiz.* spowalniacz, moderator (*neutronów*). **5.** *Br. i NZ szkoln.* osoba odpowiedzialna za utrzymanie jednolitych standardów przy ocenianiu.

modern [ˈmɑːdərn] *a.* **1.** *attr.* współczesny. **2.** nowoczesny. **3.** nowożytny. – *n.* **1.** człowiek współczesny. **2.** osoba nowoczesna.

modern dance *n. U* taniec współczesny.

modernism [ˈmɑːdərˌnɪzəm] *n. U* modernizm.

modernist [ˈmɑːdərnɪst] *n.* modernist-a/ka.

modernistic [ˌmɑːdərˈnɪstɪk] *a.* modernistyczny.

modernity [mɑːˈdɜːnətɪ] *n. pl.* **-ies** **1.** *U* nowoczesność. **2.** *U* epoka nowożytna. **3.** rzecz nowoczesna.

modernization [ˌmɑːdərnəˈzeɪʃən], *Br. i Austr. zw.* **modernisation** *n. U* modernizacja, unowocześnianie.

modernize [ˈmɑːdərˌnaɪz], *Br. i Austr. zw.* **modernise** *v.* modernizować (się), unowocześniać (się).

modernizer [ˈmɑːdərˌnaɪzər], *Br. i Austr. zw.* **moderniser** *n.* modernizator/ka.

modern jazz *n. C/U muz.* jazz nowoczesny.

modern languages *n. pl. Br. gł. uniw., szkoln.* języki nowożytne; neofilologia.

modernness [ˈmɑːdərnnəs] *n.* = **modernity** 1.

modest [ˈmɑːdəst] *a.* **1.** skromny. **2.** wstydliwy. **3.** niewielki, nieznaczny (*np. o poprawie*); niewygórowany (*np. o cenie, żądaniach*).

modestly [ˈmɑːdəstlɪ] *adv.* **1.** skromnie. **2.** wstydliwie.

modesty [ˈmɑːdəstɪ] *n. U* **1.** skromność; ~ **forbids** *często żart.* skromność nie pozwala (*sb from doing sth* komuś robić czegoś); **false** ~ fałszywa skromność; **in all** ~ nie chwaląc się. **2.** wstydliwość.

modicum [ˈmɑːdɪkəm] *n.* **a** ~ **of sth** *form.* odrobina czegoś.

modification [ˌmɑːdəfəˈkeɪʃən] *n. C/U* **1.** modyfikacja; (drobna) zmiana. **2.** złagodzenie.

modificatory [ˈmɑːdəfəkəˌtɔːrɪ] *a.* modyfikujący.

Modified American Plan [ˌmɑːdəˌfaɪd əˌmerɪkən ˈplæn] *n.* (*także* **MAP**) *US* zakwaterowanie z niepełnym wyżywieniem (*śniadanie plus jeden główny posiłek*).

modifier [ˈmɑːdɪˌfaɪər] *n.* **1.** modyfikator. **2.** czynnik modyfikujący. **3.** *jęz.* przydawka, określnik.

modify [ˈmɑːdəˌfaɪ] *v.* **-ied, -ying** **1.** modyfikować; zmieniać częściowo. **2.** łagodzić. **3.** ulegać modyfikacji.

modillion [məˈdɪljən] *n. bud.* modylion.

modish [ˈmoʊdɪʃ] *a. form.* modny, zgodny z najnowszą modą.

modishly [ˈmoʊdɪʃlɪ] *adv.* modnie, zgodnie z najnowszą modą.

modishness [ˈmoʊdɪʃnəs] *n. U* pogoń za modą.

modiste [moʊˈdiːst] *n. przest.* **1.** krawcowa. **2.** modystka.

modular [ˈmɑːdʒələr] *a.* modułowy, modularny.

modulate [ˈmɑːdʒəˌleɪt] *v.* **1.** *t. el., muz.* modulować. **2.** *form.* modyfikować, przekształcać (*czynność l. proces*).

modulation [ˌmɑːdʒəˈleɪʃən] *n. C/U* **1.** *t. el., muz.* modulacja. **2.** *jęz. rzad.* intonacja. **3.** *form.* modyfikacja, przekształcenie.

modulator [ˈmɑːdʒəˌleɪtər] *n. el.* modulator.

module [ˈmɑːdʒuːl] *n.* **1.** moduł. **2.** *astronautyka* człon. **3.** *Br. szkoln., uniw.* blok (*nauczania*).

modulus [ˈmɑːdʒələs] *n. pl.* **moduli** [ˈmɑːdʒəlaɪ] *fiz., mat.* moduł.

modus operandi [ˌmoʊdəs ˌɑːpəˈrændiː] *n. pl.* **modi operandi** [ˌmoʊdaɪ ˌɑːpəˈrændiː] *form.* modus operandi, sposób działania.

modus vivendi [ˌmoʊdəs vɪˈvendiː] *n. pl.* **modi vivendi** [ˌmoʊdaɪ vɪˈvendiː] *form.* modus vivendi, sposób życia.

mofette [moʊˈfet] *n. geol.* mofeta (= *chłodny wyziew wulkaniczny*).

moggy [ˈmɑːgɪ], **moggie** *n. Br. i Austr. pot.* kotek, kiciuś.

Mogul [ˈmoʊgl] *hist. n.* **1.** mogoł; **the Great** ~ Mogoł Wielki. **2.** Mongoł (*zwł. = uczestnik najazdu na Indie w XVI w. l. jego potomek*). – *a. attr.* mongolski.

mogul[1] [ˈmoʊgl] *n.* **1.** magnat; **press/movie** ~ magnat prasowy/filmowy. **2.** *kol.* ciężka lokomotywa parowa.

mogul[2] *n. narty* pagórek z twardego śniegu (*na stoku*).

mohair [ˈmoʊˌher] *n. U* moher. – *a. attr.* moherowy.

Mohammed [moʊˈhæmɪd] *n. hist., rel.* Mahomet.

Mohammedan [moʊˈhæmɪdən] *przest. rel. a.* mahometański. – *n.* mahometan-in/ka.

Mohammedanism [moʊˈhæmɪdəˌnɪzəm] *n. U* mahometanizm.

Mohawk [ˈmoʊhɔːk] *n.* **1.** Indian-/ka z plemienia Mohawk. **2.** *U* język Mohawk.

mohawk [ˈmoʊhɔːk] *n. US pot.* irokez, czub (= *fryzura punka*).

Mohican [moʊˈhiːkən] *n. arch.* = **Mahican**.

mohican [moʊˈhiːkən] *n. Br. pot.* = **mohawk**.

moi [mwɑː] *pron. żart.* (*zw. w pytaniach wyrażających zdziwienie*) ja.

moiety [ˈmɔɪətɪ] *n. pl.* **-ies** *prawn. l. lit.* **1.** połowa; jedna z dwóch części. **2.** część; udział.

moil [mɔɪl] *arch. l. dial. v.* **1.** zabrudzić (się) (*zwł. ziemią l. błotem*). **2.** (*także* **toil and** ~) harować. – *n. U* **1.** zamieszanie; wir. **2.** brud; błoto. **3.** harówka.

moire [ˈmwɑːr] *n. U tk.* mora (*zwł. jedwab*).

moiré [mwɑːˈreɪ] *a.* morowy (*o jedwabiu, powierzchni metalu*). – *n.* **1.** (*także* ~ **pattern**) wzór morowy. **2.** *U tk.* = **moire**.

moist [mɔɪst] *a.* wilgotny (*np. o tkaninie, dniu, cieście, oczach*).

moisten [ˈmɔɪsən] *v.* **1.** zwilżać; nawilżać. **2.** wilgotnieć.

moistener [ˈmɔɪsənər] *n.* nawilżacz.

moistly [ˈmɔɪstlɪ] *adv.* wilgotno.

moistness [ˈmɔɪstnəs] *n. U* wilgotność.

moisture [ˈmɔɪstʃər] *n. U* wilgoć; para.

moisture-proof [ˈmɔɪstʃərˌpruːf] *a.* odporny na wilgoć.

moisturize [ˈmɔɪstʃəˌraɪz], *Br. i Austr. zw.* **moisturise** *v.* nawilżać; **moisturizing cream/lotion** krem/balsam nawilżający.

moisturizer [ˈmɔɪstʃəˌraɪzər], *Br. i Austr. zw.* **moisturiser** *n. C/U* krem nawilżający.

moke [moʊk] *n. sl.* **1.** *Br.* osioł. **2.** *Austr.* szkapa.

MOL [ˌem ˌoʊ ˈel] *abbr.* **manned orbiting laboratory** orbitalne laboratorium załogowe.

mol [moʊl] *n. chem.* = **mole**[5].

mol. *abbr.* = **molecular**; = **molecule**.

molal [ˈmoʊləl] *a. chem.* **1.** molowy. **2.** molalny (*o stężeniu*).

molal concentration, molality *n. C/U chem.* molalność, stężenie molalne.

molar[1] [ˈmoʊlər] *a.* **1.** *anat.* trzonowy (*o zębie*). **2.** mielący. – *n. anat.* ząb trzonowy.

molar[2] *a. chem.* **1.** molowy. **2.** molarny (*o stężeniu*).

molarity [moʊˈlerətɪ] *n. U chem.* molarność, stężenie molarne.

molar mass *n. C/U chem.* masa molowa.

molar volume *n.* = **molecular volume**.

molasses [məˈlæsɪz] *n. U zwł. US* melasa.

mold[1] [moʊld], *Br. zw.* **mould** *n.* **1.** *t. metal.* forma (*odlewnicza*); *kulin.* foremka (*zwł. do galaretki l. galarety*); *t. druk.* matryca. **2.** wzornik, szablon. **3.** odlew. **4.** *bud.* = **molding**. **5.** *przen.* **be cast in a completely different** ~ być osobą zupełnie innego pokroju (*from sb* niż ktoś); **break the** ~ przełamać stereotyp; **fit (into) the** ~ mieścić się w stereotypie (*of sth* czegoś); **out of the same** ~ według jednej sztancy, z tej samej gliny. – *v.* **1.** formować, modelować (*glinę, plastik*). **2.** *metal.* robić *l.* przygotowywać formę z (*czegoś*). **3.** *przen.* kształtować, urabiać (*opinię, poglądy*). **4.** przylegać do (*ciała*), opinać się na (*figurze*).

mold[2] *n. C/U* pleśń. – *v.* pleśnieć; pokrywać (się) pleśnią.

mold[3] *n. U* **1.** *roln.* górna warstwa gleby; luźna, miękka ziemia (*zwł. bogata w związki organiczne*). **2.** *arch. l. poet.* ziemia.

moldable [ˈmoʊldəbl] *a.* **be** ~ dawać się kształtować *l.* urabiać.

Moldavia [mɑːlˈdeɪvɪə] *n. geogr.* **1.** = **Moldova**. **2.** *t. hist.* Mołdawia (*prowincja Rumunii*).

Moldavian [mɑːlˈdeɪvɪən] *a.* mołdawski. – *n.* Mołdawia-nin/nka.

moldboard [ˈmoʊldˌbɔːrd] *n. roln.* odkładnica (*pługa*).

molder[1] [ˈmoʊldər], *Br.* **moulder** *v.* ~ **(away)** rozsypywać się w proch; rozkładać się, gnić.

molder[2] *n.* **1.** *metal.* formierz. **2.** *druk.* matryca na elekrotyp.

moldiness [ˈmoʊldɪnəs], *Br.* **mouldiness** *n. U* pleśń; stęchlizna.

molding [ˈmoʊldɪŋ], *Br.* **moulding** *n.* **1.** *U metal.* formowanie. **2.** *bud.* profil sztukatorski; listwa profilowa.

molding board *n. kulin.* stolnica.

Moldova [mɑːlˈdoʊvə] *n. geogr.* Mołdowa (*państwo*).

moldy [ˈmoʊldɪ], *Br.* **mouldy** *a.* **-ier, -iest 1.** spleśniały (*o żywności*); **go** ~ pleśnieć. **2.** stęchły (*o zapachu*); zatęchły (*o pomieszczeniu*). **3.** *przen.* przestarzały, niemodny.

mole[1] [moʊl] *n. pat.* znamię, pieprzyk (*na skórze*).

mole[2] *n.* **1.** *zool.* kret (*rodzina Talpidae*). **2.** *pot.* wtyka, wtyczka (*= szpieg*).

mole[3] *n. pat.* bezkształtna masa płodu; (*także* **cystic** ~) zaśniad groniasty; **blood** ~ (*także* **maternal/true** ~) popłód pozostały po poronieniu; **false** ~ polip wewnątrzmaciczny; **stone** ~ kamień maciczny.

mole[4] *n. żegl.* **1.** falochron. **2.** port *l.* kotwicowisko chronione falochronem.

mole[5] *n. chem.* **1.** mol, gramocząsteczka. **2.** mol (*jednostka ilości substancji*).

mole cricket *n. ent.* owad z rodziny *Gryllotalpidae* (*np. turkuć podjadek (Gryllotalpa Gryllotalpa)*).

molecular [məˈlekjələr] *a. fiz., chem.* molekularny, cząsteczkowy, drobinowy.

molecular beam, molecular ray *n. fiz.* wiązka molekularna.

molecular biology *n. U biol.* biologia molekularna.

molecular formula *n. chem.* wzór cząsteczkowy.

molecular sieve *n. chem.* sito molekularne *l.* cząsteczkowe.

molecular volume, molar volume *n. C/U chem.* objętość molowa.

molecular weight *n. C/U* masa cząsteczkowa (względna).

molecule [ˈmɑːlɪkjuːl] *n. t. chem.* cząsteczka, molekuła.

molehill [ˈmoʊlˌhɪl] *n.* **1.** kretowisko. **2. make a mountain out of a** ~ *przen.* robić z igły widły.

moleskin [ˈmoʊlˌskɪn] *n. U* **1.** futerko krecie. **2.** *tk.* moleskin (*mocna tkanina bawełniana*); *pl.* część garderoby z moleskinu (*zwł. spodnie*). **3.** rodzaj bandaża ochronnego na stopy (*cz. z warstwą przylepną*).

molest [mə'lest] *v.* **1.** molestować (*zwł. seksualnie*). **2.** napastować.

molestation [ˌmoʊle'steɪʃən] *n. U* **1.** molestowanie (*zwł. seksualne*). **2.** napastowanie.

molester [mə'lestər] *n.* **child ~** osoba molestująca dzieci, pedofil.

moll [mɑ:l] *n. sl.* **1.** dziewczyna gangstera. **2.** mewa (= *prostytutka*).

mollification [ˌmɑ:lɪfə'keɪʃən] *n. U* **1.** udobruchanie. **2.** uspokojenie; ukojenie. **3.** złagodzenie.

mollify ['mɑ:lɪˌfaɪ] *v.* **-ied, -ying 1.** udobruchać. **2.** uspokajać; koić. **3.** łagodzić.

mollusk ['mɑ:ləsk], *Br.* **mollusc** *n. zool.* mięczak.

molluskan ['mɑ:ləskən] *n. zool.* mięczak. – *a.* mięczakowaty.

molly ['mɑ:lɪ] *n. pl.* **-ies** *Ir. pot.* mięczak (*osoba*).

mollycoddle ['mɑ:lɪˌkɑ:dl] *n.* niewieściuch. – *v.* pieszczoch.

mollymawk ['mɑ:lɪˌmɑ:k] *n. NZ* = **mallemuck.**

Moloch ['moʊlɑ:k], **Molech** ['moʊlek] *n. Bibl.* Moloch.

moloch ['moʊlɑ:k] *n. zool.* moloch kolczasty (*Moloch horridus*).

Molotov cocktail [ˌmɑ:lətɔ:f 'kɑ:kˌteɪl] *n.* koktajl Mołotowa, butelka zapalająca.

molt [moʊlt], *Br.* **moult** *v.* linieć; linieć, pierzyć się (*o ptakach*). – *n. C/U zool.* **1.** linienie; pierzenie się. **2.** zrzucone pióra, sierść *l.* skóra.

molten ['moʊltən] *a.* **1.** roztopiony, ciekły (*o metalu, skałach*). **2.** lany (*o wyrobach metalowych*). – *v. zob.* **melt.**

moly ['moʊlɪ] *n. pl.* **-ies 1.** *bot.* czosnek smagliczka (*Allium moly*). **2.** *mit.* magiczne ziele.

molybdenum [mə'lɪbdɪnəm] *n. U chem.* molibden.

mom [mɑ:m] *n. zwł. US i Can. pot.* mama.

moment ['moʊmənt] *n.* **1.** moment, chwila; **at any ~** w każdej chwili; **at that/this ~** w tym momencie; **at the ~** w tej chwili, teraz; **at the last ~** w ostatnim momencie, w ostatniej chwili; **choose one's ~** *cz. iron.* dobrze wybrać moment, wybrać właściwy moment; **for a ~** na moment *l.* chwilę (*np. wyjść, wpaść*); przez moment *l.* chwilę (*np. rozmawiać, wahać się*); **for the ~** chwilowo, na razie; **have one's/its ~s** mieć dobre momenty; **in a ~** za moment *l.* chwilę; **I've only (just) this ~ sat down** dopiero co *l.* w tej chwili usiadłem; **just a ~** (*także* **one ~**) momencik, chwileczkę; **of the ~** aktualny (*np. o zjawisku, idolu*); **on the spur of ~** *zob.* **spur** *n.*; **the next ~ the telephone rang** moment później zadzwonił telefon; **the ~ (that)...** jak tylko... **2.** *U* waga, znaczenie; **of (great) ~** wielkiej wagi. **3.** *fiz.* moment.

momentarily [ˌmoʊmən'terəlɪ] *adv.* **1.** przez moment *l.* chwilę, chwilowo; na moment *l.* chwilę. **2.** co chwilę. **3.** *US* za moment *l.* chwilę.

momentariness [ˌmoʊmən'terɪnəs] *n. U* chwilowość, krótkotrwałość; przejściowość.

momentary ['moʊmənˌterɪ] *a.* **1.** chwilowy, krótkotrwały; przejściowy. **2.** *rzad.* mogący zdarzyć się w każdej chwili.

momently ['moʊməntlɪ] *adv. zwł. US* = **momentarily** 1, 2.

moment of inertia *n. fiz.* moment bezwładności.

moment of truth *n.* **1.** chwila prawdy. **2.** *korrida* chwila poprzedzająca zabicie byka przez matadora.

momentous [moʊ'mentəs] *a.* doniosły, wielkiej wagi.

momentously [moʊ'mentəslɪ] *adv.* doniośle.

momentousness [moʊ'mentəsnəs] *n. U* doniosłość.

momentum [moʊ'mentəm] *n. pl.* **-s** *l.* **momenta** [moʊ'mentə] **1.** *fiz.* pęd, ilość ruchu. **2.** rozpęd, impet (*poruszającego się obiektu*). **3.** *t. przen.* tempo (*np. zmian, rozwoju*); **gain/gather ~** nabierać rozpędu *l.* rozmachu (*np. o kampanii, akcji*); przybierać na sile (*np. o ruchu, walce*); nabierać impetu (*np. o zmianach*); **lose ~** tracić rozpęd; **under its own ~** siłą bezwładności (*poruszać się*).

momma ['mɑ:mə] *n. zwł. US i Can. pot.* mama.

mommy ['mɑ:mɪ], **mommie** *n. zwł. US i Can. dziec.* mamusia.

Mon. *abbr.* = **Monday.**

monachal ['mɑ:nəkl] *a. rel.* mnisi.

monachism ['mɑ:nəˌkɪzəm] *n. U* życie klasztorne.

monad ['moʊnæd] *n.* **1.** *fil.* monada. **2.** *biol.* organizm jednokomórkowy. **3.** *chem.* atom, pierwiastek *l.* rodnik jednowartościowy. **4.** (niepodzielna) jednostka.

monadelphous [ˌmɑ:nə'delfəs] *a. bot.* jednowiązkowy (*o pręcikach l. kwiatach*).

monadic [mə'nædɪk] *a.* **1.** *fil.* monadyczny. **2.** *chem.* jednowartościowy. **3.** *komp., log., mat.* jednoargumentowy.

monadism ['mɑ:nəˌdɪzəm] *n. U fil.* monadyzm.

monadnock [mə'nædnɑ:k] *n. geol.* monadnok, góra-świadek.

monandrous [mə'nændrəs] *a.* **1.** posiadająca tylko jednego męża (*o kobiecie*). **2.** *bot.* jednopręcikowy (*o kwiecie l. roślinie*).

monandry [mə'nændrɪ] *n. U* **1.** posiadanie tylko jednego męża. **2.** *bot.* jednopręcikowość.

monarch ['mɑ:nərk] *n.* **1.** monarch-a/ini. **2.** (*także* **milkweed**) *ent.* duży motyl wędrowny o czarno-pomarańczowych skrzydłach (*Danaus plexippus*).

monarchal [mə'nɑ:rkl], **monarchial** [mə'nɑ:rkɪəl] *a.* monarszy.

monarchic [mə'nɑ:rkɪk], **monarchical** *a.* **1.** monarchiczny. **2.** monarchistyczny.

monarchism ['mɑ:nərˌkɪzəm] *n. U* monarchizm.

monarchist ['mɑ:nərkəst] *n.* monarchist-a/ka.

monarchistic [ˌmɑ:nər'kɪstɪk] *a.* monarchistyczny.

monarchy ['mɑ:nərkɪ] *n. C/U pl.* **-ies** monarchia.

monastery ['mɑ:nəˌsterɪ] *n. pl.* **-ies** *rel.* klasztor.

monastic [mə'næstɪk] *a.* **1.** klasztorny. **2.** mnisi; zakonny.

monasticism [mə'næstɪˌsɪzəm] *n. U* życie klasztorne.

monaural [mɑː'nɔːrəl] *a. el.* monofoniczny.

Monday ['mʌndeɪ] *n. C/U* **1.** poniedziałek; *zob. t.* **Friday**. **2.** *przen.* ~ **morning feeling** (*także Austr.* **Mondeyitis**) *pot.* poniedziałkowy blues; ~-**morning quarterback** *zwł. US* mądry po fakcie.

mondial ['mɑːndɪəl] *a. form.* światowy, ogólnoświatowy.

Monegasque [ˌmɑːnə'gæsk] *a.* monakijski. – *n.* Monakij-czyk/ka (= *obywatel/ka Monako*); monakij-czyk/ka, = mieszkan-iec/ka Monako.

monetarism ['mɑːnətəˌrɪzəm] *n. U ekon.* monetaryzm.

monetarist ['mɑːnətərɪst] *n.* monetaryst-a/ka. – *a.* monetarystyczny.

monetary ['mɑːnəˌterɪ] *a. gł. attr. ekon.* monetarny, pieniężny; walutowy.

monetary crisis *n. ekon.* kryzys walutowy.

monetary unit *n. ekon.* jednostka monetarna.

monetary value *n. C/U ekon.* wartość pieniężna.

monetize ['mɑːnəˌtaɪz], *Br. i Austr. zw.* **monetise** *v. ekon.* wprowadzać do obiegu jako pieniądz.

money ['mʌnɪ] *n. U* **1.** pieniądze; *gł. ekon.* pieniądz; **earn/save/spend** ~ zarabiać/oszczędzać/wydawać pieniądze; **make** ~ zarabiać (*o osobie*); przynosić zysk (*o firmie*). **2.** *przen.* ~ **burns a hole in sb's pocket** *zob.* **burn**[1] *v.*; ~ **doesn't grow on trees** *pot.* pieniądze nie rosną na drzewach; ~ **is short/tight** jest krucho z pieniędzmi; ~ **for jam/old rope** *zwł. Br. pot.* pieniądze za nic; ~ **is no object** *pot.* pieniądze nie mają znaczenia (= *nieważne, ile to będzie kosztowało*); ~ **talks** pieniądz rządzi światem; ~ **well spent** wydatek, który się opłaci, dobra inwestycja; **be (good) value for** ~ *zob.* **value** *n.*; **be in the** ~ *pot.* być przy forsie; **be made of** ~ *zob.* **made** *v.*; **for my** ~ moim zdaniem, według mnie; **give sb a good run for their** ~ *zob.* **run** *n.*; **good** ~ dużo pieniędzy (*np. zarabiać, zapłacić za coś*); **have** ~ **to burn** (*także* **be rolling in** ~) *pot.* mieć kupę forsy; **marry (into)** ~ *zob.* **marry**[1] *v.*; **put** ~ **into sth** wkładać w coś pieniądze (= *inwestować*); **put** ~ **on sth** stawiać pieniądze na coś (*np. na konia*); **put one's** ~ **where one's mouth is** *pot. cz. żart.* nie ograniczać się do słów, zrobić coś konkretnego (*zwł. demonstrując swoje poparcie*); **(right) on the** ~ *US pot.* tip-top (= *dokładny l. fachowy*); **sb got their** ~**'s worth** komuś opłacił się wydatek; **there's** ~ **to be made in sth** można na czymś zarobić; **throw good** ~ **after bad** wyrzucać pieniądze w błoto; **throw one's** ~ **about/away** wyrzucać pieniądze.

moneybag ['mʌnɪˌbæg] *n.* worek na pieniądze; sakiewka.

moneybags ['mʌnɪˌbægz] *n. sing. pot. żart.* bogacz/ka.

moneybox ['mʌnɪˌbɑːks] *n. zwł. Br.* skarbonka.

moneychanger ['mʌnɪˌtʃeɪndʒər] *n.* **1.** pracowni-k/ca kantoru wymiany walut. **2.** *hist.* bankier (*wymieniający pieniądze*). **3.** *gł. US* automat rozmieniający pieniądze.

moneyed ['mʌnɪd], **monied** *a. attr. form.* **1.** zamożny, majętny (*np. o rodzinie*). **2.** pieniężny (*np. o pomocy, środkach*). **3.** ~ **class/interest** klasa posiadająca.

moneyed corporation *n. ekon.* spółka inwestycyjna.

moneygrubber ['mʌnɪˌgrʌbər] *n.* groszorób.

moneygrubbing ['mʌnɪˌgrʌbɪŋ] *a.* chciwy. – *n. U* groszoróbstwo.

moneylender ['mʌnɪˌlendər] *n.* lichwia-rz/rka.

moneymaker ['mʌnɪˌmeɪkər] *n.* (*także Br.* **money-spinner**) dochodowy interes; **be a** ~ przynosić *l.* zarabiać dużo pieniędzy (*np. o firmie, filmie, książce*).

moneymaking ['mʌnɪˌmeɪkɪŋ] *n. U* zarabianie pieniędzy. – *a. gł. attr.* dochodowy, zyskowny.

money market *n. fin.* rynek pieniężny.

money of account *n. księgowość* jednostka obrachunkowa.

money order *n. zwł. US, Can. i Austr. poczta, bank* przekaz pieniężny.

money-spinner ['mʌnɪˌspɪnər] *n. Br.* = **moneymaker.**

money supply *n. sing. ekon.* podaż pieniądza.

moneywort ['mʌnɪˌwɝːt] *n. bot.* tojeść rozesłana, pieniężnik (*Lysimachia nummularia*).

monger ['mɑːŋgər] *n. zw. w złoż. zwł. Br.* **1.** handlarz, sprzedawca; **fish~/iron~** handlarz rybami/wyrobami żelaznymi. **2. war~** podżegacz wojenny.

Mongol ['mɑːŋgl] *n.* **1.** Mongoł/ka. **2.** *U* język mongolski.

mongol ['mɑːŋgl] *n. obelż.* mongoł (= *osoba z zespołem Downa*).

Mongolia [mɑːŋ'goʊlɪə] *n. geogr.* Mongolia.

Mongolian [mɑːŋ'goʊlɪən] *n.* **1.** Mongoł/ka. **2.** *U* język mongolski. – *a.* mongolski.

mongolian [mɑːŋ'goʊlɪən] *a. przest. pat.* **1.** dotyczący mongolizmu. **2.** dotknięty mongolizmem.

mongolism ['mɑːŋgəˌlɪzəm] *n. U przest. pat. l. obelż.* mongolizm.

Mongoloid ['mɑːŋgəˌlɔɪd] *a. antrop.* mongoloidalny. – *n.* mongoloid, osobni-k/czka typu mongoidalnego.

mongoloid ['mɑːŋgəˌlɔɪd] *n. przest. pat. l. obelż.* mongoloid.

mongoose ['mɑːŋˌguːs] *n. pl.* **-es** *zool.* mangusta (*rodzaj Herpestes*).

mongrel ['mʌŋgrəl] *n.* **1.** kundel. **2.** mieszaniec (*t. pog. o człowieku*). **3.** krzyżówka (*roślina*). – *a. cz. uj.* mieszany.

mongrelize ['mʌŋgrəˌlaɪz], *Br. i Austr. zw.* **mongrelise** *v.* mieszać (*rasy*).

mongst [mʌŋgst] *prep. poet.* = **amongst.**

monied ['mʌnɪd] *a.* = **moneyed.**

monies ['mʌnɪz], **moneys** *n. pl. arch. l. prawn.* kwoty; sumy *l.* środki pieniężne; fundusze.

moniker ['mɑːnəkər], **monicker** *n. sl.* ksywa, ksywka (= *pseudonim*); nazwisko. – *v.* przezwać.

monish ['mɑːnɪʃ] *v. arch.* = **admonish.**

monism [ˈmɑːnˌɪzəm] *n. U fil.* monizm.

monist [ˈmɑːnɪst] *n. fil.* monist-a/ka.

monistic [məˈnɪstɪk] *a. fil.* monistyczny.

monition [moʊˈnɪʃən] *n.* **1.** *form.* ostrzeżenie; przestroga. **2.** *prawn.* wezwanie sądowe. **3.** *kośc.* upomnienie biskupie.

monitor [ˈmɑːnɪtər] *n.* **1.** *komp., telew.* monitor. **2.** *techn.* monitor; przyrząd kontrolny; przyrząd ostrzegawczy. **3.** *szkoln.* monitor (= *uczeń zastępujący nauczyciela*). **4.** *górn.* monitor, hydromonitor. **5.** *hist., żegl.* monitor (*mały okręt pancerny*). **6.** (*także* ~ **lizard**) *zool.* duża jaszczurka mięsożerna (*rodzina Varanidae*). – *v.* **1.** monitorować; kontrolować. **2.** słuchać (*audycji l. rozmów telefonicznych*).

monitorial [ˌmɑːnɪˈtɔːrɪəl] *a.* **1.** dotyczący monitora. **2.** = **monitory**.

monitory [ˈmɑːnɪˌtɔːrɪ] *a. form.* upominający; ostrzegawczy. – *n. pl.* **-ies** *rzad.* list napominający (*np. od biskupa*).

monk [mʌŋk] *n.* mnich, zakonnik.

monkery [ˈmʌŋkərɪ] *n. pl.* **-ies** *pog.* **1.** *U* życie *l.* praktyki zakonne. **2.** klasztor. **3.** *U* zakonnicy.

monkey [ˈmʌŋkɪ] *n.* **1.** *zool. l. przen.* małpa; małpka (*t. pot. o nieznośnym dziecku*). **2.** *techn.* bijak kafara. **3.** *sl. US i Can.* 500 dolarów; *Br.* 500 funtów. **4.** *przen.* **have a ~ on one's back** *US i Can. sl.* być narkoman-em/ką; **make a ~ (out) of sb** zrobić z kogoś głupca; **I don't/couldn't give a ~'s** *Br. sl.* guzik mnie to obchodzi; **I'll be a ~'s uncle!** *przest. pot.* niech mnie kule biją! – *v. pot.* **1.** ~ **about/around** błaznować; ~ **(about/around) with sth** ruszać coś; manipulować przy czymś. **2.** *US* małpować.

monkey bars *n. pl.* drabinki (*US – na placu zabaw; Br. – na sali gimnastycznej*).

monkey bread *n.* **1.** owoc baobabu. **2.** baobab (*drzewo*).

monkey business *n. U pot.* **1.** machlojki. **2.** małpie figle.

monkeyish [ˈmʌŋkɪɪʃ] *a.* małpi.

monkey jacket *n.* krótka, obcisła marynarka.

monkeynut [ˈmʌŋkɪˌnʌt] *n. Br.* = **peanut**.

monkey puzzle *n.* (*także* **monkey puzzle tree**) *bot.* araukaria (*Araucaria arauna*).

monkeyshines [ˈmʌŋkɪˌʃaɪnz] *n. pl. US pot.* małpie figle; błazeństwa.

monkey suit *n. przest. sl.* **1.** męski strój wieczorowy. **2.** mundur, uniform.

monkey's wedding *n. S.Afr. pot.* słońce z deszczem.

monkey tricks *n. Br. pot.* = **monkeyshines**.

monkey wrench *n. zwł. US techn.* klucz nastawny.

Mon-Khmer [ˌmoʊnˈkmer] *n. U* grupa języków mon-khmerskich.

monkhood [ˈmʌŋkhʊd] *n. U rel.* **1.** stan zakonny. **2.** zakonnicy.

monkish [ˈmʌŋkɪʃ] *a.* mnisi.

monkshood [ˈmʌŋksˌhʊd] *n. bot.* tojad (*Aconitum*).

mono¹ [ˈmɑːnoʊ] *a.* monofoniczny, mono. – *n. U* dźwięk monofoniczny, monofonia.

mono² *n. U US pot.* = **mononucleosis**.

monobasic [ˌmɑːnəˈbeɪsɪk] *a. chem.* jednozasadowy.

monocarp [ˈmɑːnəˌkɑːrp] *n. bot.* roślina owocująca tylko raz w życiu.

monocarpic [ˌmɑːnəˈkɑːrpɪk], **monocarpous** [ˌmɑːnəˈkɑːrpəs] *a. bot.* owocujący tylko raz w życiu, monokarpiczny.

monochord [ˈmɑːnəˌkɔːrd] *n. muz.* monochord.

monochromat [ˌmɑːnəˈkroʊmæt], **monochromate** [ˌmɑːnəˈkroʊmeɪt] *n. pat.* osoba całkowicie ślepa na barwy.

monochromatic [ˌmɑːnəkroʊˈmætɪk] *a.* **1.** jednobarwny, jednokolorowy. **2.** *fiz.* monochromatyczny, jednobarwny (*o świetle*); monochromatyczny (*o innym promieniowaniu*).

monochromator [ˌmɑːnəˈkroʊˌmeɪtər] *n. fiz.* monochromator.

monochrome [ˈmɑːnəˌkroʊm] *n.* **1.** *fot.* fotografia czarno-biała; przezrocze czarno-białe. **2.** *mal.* malowidło jednobarwne, monochrom; *U* monochromia. – *a.* **1.** *mal.* jednobarwny, monochromatyczny. **2.** *przen.* bez wyrazu.

monocle [ˈmɑːnəkl] *n.* monokl.

monocled [ˈmɑːnəkld] *a.* noszący monokl, z monoklem w oku.

monoclinal [ˌmɑːnəˈklaɪnl] *geol. a.* monoklinalny. – *n.* (*także* **monocline**) fałd monoklinalny, monoklina.

monoclinic [ˌmɑːnəˈklɪnɪk] *a. krystal.* jednoskośny.

monocotyledon [ˌmɑːnəˌkɑːtəˈliːdən] *n. bot.* roślina jednoliścienna (*klasa Monocotyledonae*).

monocotyledonous [ˌmɑːnəˌkɑːtəˈliːdənəs] *a. bot.* jednoliścienny.

monocracy [məˈnɑːkrəsɪ] *n. C/U pl.* **-ies** *polit.* jedynowładztwo, rządy jednostki.

monocular [məˈnɑːkjələr] *a.* **1.** *form.* jednooki. **2.** jednooczny (*o widzeniu, okularze*). – *n.* luneta (*polowa*).

monoculture [ˈmɑːnəˌkʌltʃər] *n. C/U roln.* monokultura.

monodactylous [ˌmɑːnəˈdæktɪləs] *a. zool.* jednopalcowy.

monodrama [ˈmɑːnəˌdrɑːmə] *n. teatr* monodram.

monody [ˈmɑːnədɪ] *n. C/U pl.* **-ies** **1.** *muz., teatr grecki* monodia. **2.** tren (*utwór poetycki*).

monoecious [məˈniːʃəs] *a.* **1.** *zool.* obojnacki. **2.** *bot.* obupłciowy.

monogamous [məˈnɑːgəməs] *a.* monogamiczny.

monogamously [məˈnɑːgəməslɪ] *adv.* monogamicznie.

monogamy [məˈnɑːgəmɪ] *n. U t. zool.* monogamia.

monogenesis [ˌmɑːnəˈdʒenəsɪs], **monogeny** [məˈnɑːgənɪ] *n. C/U biol.* monogeneza.

monogenetic [ˌmɑːnoʊdʒəˈnetɪk], **monogenous** [məˈnɑːdʒənəs] *a.* monogenetyczny.

monogram [ˈmɑːnəgræm] *n.* monogram. – *v.* ozdabiać monogramem.

monogrammatic [ˌmɑːnəgrəˈmætɪk] *a.* monogramowy.

monograph ['mɑːnəˌgræf] *n.* monografia. – *v.* pisać monografię na temat (*kogoś l. czegoś*).

monographer [mə'nɑːgrəfər] *n.* monograf/ka, monografist-a/ka.

monographic [ˌmɑːnə'græfɪk] *a.* monograficzny.

monogynous [mə'nɑːdʒɪnəs] *a.* **1.** *antrop.* monoginiczny. **2.** *bot.* jednosłupkowy.

monogyny [mə'nɑːdʒənɪ] *n. U antrop.* monoginia.

monohydric [ˌmɑːnə'haɪdrɪk] *a. chem.* jednowodorotlenowy (*o alkoholu*).

monolingual [ˌmɑːnə'lɪŋgwəl] *a.* **1.** monolingwalny, jednojęzyczny (*o słowniku*). **2.** znający tylko jeden język, mówiący tylko jednym językiem (*o osobie*). – *n.* osoba znająca tylko jeden język.

monolith ['mɑːnəˌlɪθ] *n. geol. l. przen.* monolit.

monolithic [ˌmɑːnə'lɪθɪk] *a.* monolityczny.

monolog ['mɑːnəˌlɔːg] *n.* monolog.

monologic [ˌmɑːnə'lɑːdʒɪk], **monological** *a.* monologowy.

monologist [mə'nɑːlədʒɪst], **monologuist** ['mɑːnəˌlɔːgɪst] *n.* monologist-a/ka.

monologue ['mɑːnəˌlɔːg] *n. gł. Br.* = **monolog**.

monomania [ˌmɑːnə'meɪnɪə] *n. U pat.* monomania.

monomaniac [ˌmɑːnə'meɪnɪˌæk] *a.* monoman/ka.

monomaniacal [ˌmɑːnəmə'naɪəkl] *a.* dotyczący monomanii.

monomer ['mɑːnəmər] *n. chem.* monomer.

monometallic [ˌmɑːnəmə'tælɪk] *a.* **1.** *chem.* jednometaliczny. **2.** *ekon.* monometaliczny.

monometallism [ˌmɑːnə'metəˌlɪzəm] *n. U fin.* monometalizm (*walutowy*).

monomial [mɑː'noʊmɪəl] *n. mat.* jednomian. – *a.* **1.** *mat.* jednomianowy. **2.** *biol.* jednowyrazowy (*o nazwie taksonomicznej*).

monomolecular [ˌmɑːnəmə'lekjələr] *a. chem.* jednocząsteczkowy, monomolekularny.

monomorphic [ˌmɑːnə'mɔːrfɪk], **monomorphous** [ˌmɑːnə'mɔːrfəs] *a. form.* monomorficzny.

mononucleosis [ˌmɑːnəˌnuːklɪ'oʊsɪs] *n. U zwł. US pat.* mononukleoza.

monopetalous [ˌmɑːnə'petələs] *a. bot.* jednopłatkowy.

monophonic [ˌmɑːnə'fɑːnɪk] *a. el., muz.* monofoniczny.

monophony [mə'nɑːfənɪ] *n. U* monofonia.

monophthong ['mɑːnəfˌθɔːŋ] *n. fon.* monoftong.

monophthongal ['mɑːnəfˌθɔːŋgl] *a.* monoftongiczny.

monophyllous [mə'nɑːfələs] *a. bot.* jednolistny.

monoplane ['mɑːnəˌpleɪn] *n. lotn.* jednopłat.

monopolist [mə'nɑːpəlɪst] *n.* monopolist-a/ka.

monopolistic [məˌnɑːpə'lɪstɪk] *a.* monopolistyczny.

monopolization [məˌnɑːpələ'zeɪʃən], *Br. i Austr. zw.* **monopolisation** *n. U* monopolizacja.

monopolize [mə'nɑːpəˌlaɪz], *Br. i Austr. zw.* **monopolise** *v. t. przen.* monopolizować.

monopoly [mə'nɑːpəlɪ] *n. pl.* **-ies** **1.** *ekon.* monopol (*on / of sth* na coś). **2.** *sing. przen.* **be a ~ of sb** stanowić monopol kogoś; **have a/the ~ on sth** mieć monopol na coś.

monorail ['mɑːnəˌreɪl] *n. kol.* kolej jednoszynowa.

monosodium glutamate [ˌmɑːnəˌsoʊdɪəm 'gluːtəˌmeɪt] *n. U chem.* glutaminian sodu.

monospermous [ˌmɑːnə'spɝːməs], **monospermal** [ˌmɑːnə'spɝːml] *a. bot.* jednonasienny.

monostich ['mɑːnəˌstɪk] *a. wers.* jednowiersz, monostych.

monostichic ['mɑːnəˌstɪkɪk] *a.* jednowierszowy, monostychiczny.

monostichous [mə'nɑːstɪkəs] *a. bot.* tworzący jeden rząd.

monosyllabic [ˌmɑːnəsɪ'læbɪk] *a.* **1.** *jęz.* jednozgłoskowy, monosylabiczny (*o wyrazie*). **2.** burkliwy (*o osobie*).

monosyllable ['mɑːnəˌsɪləbl] *n. jęz.* wyraz jednozgłoskowy, monosylaba.

monotheism ['mɑːnəθiːˌɪzəm] *n. U rel.* monoteizm.

monotheist ['mɑːnəθiːɪst] *n.* monoteist-a/ka.

monotheistic [ˌmɑːnəθiː'ɪstɪk] *a.* monoteistyczny.

monotone ['mɑːnəˌtoʊn] *n.* **1.** *sing.* ton o stałej wysokości; monotonny głos; wypowiedź, recytacja *l.* śpiew na jednym tonie; **speak in a ~** mówić jednostajnie *l.* monotonnie. **2.** *U* monotonia, jednostajność (*np. tonu, stylu, koloru*). – *a.* monotonny, jednostajny.

monotonic [mɑːnə'tɑːnɪk] *a. muz., mat.* monotoniczny.

monotonous [mə'nɑːtənəs] *a.* **1.** monotonny, jednostajny. **2.** monotoniczny.

monotonously [mə'nɑːtənəslɪ] *adv.* **1.** monotonnie, jednostajnie. **2.** monotonicznie.

monotony [mə'nɑːtənɪ], **monotonousness** [mə'nɑːtənəsnəs] *n. U* **1.** monotonia, jednostajność; **break the ~** przerwać monotonię, wprowadzić urozmaicenie. **2.** monotoniczność.

monotreme ['mɑːnəˌtriːm] *n. zool.* stekowiec.

monotype ['mɑːnəˌtaɪp] *n. druk., biol.* monotyp.

monotypic [ˌmɑːnə'tɪpɪk] *a.* monotypowy.

monovalent [ˌmɑːnə'veɪlənt] *a. chem.* jednowartościowy.

monoxide [mɑːn'ɑːksaɪd] *n. chem.* tlenek, jednotlenek; **carbon ~** tlenek węgla.

monseigneur [ˌmɑːnˌseɪn'jɝː], **Monseigneur** *n. pl.* **messeigneurs** [ˌmeɪˌseɪn'jɝː] *Fr.* monseigneur (*tytuł przysługujący książętom, kardynałom i biskupom we Francji i niektórych krajach francuskojęzycznych*).

monsieur [mə'sjɝː], **Monsieur** *n. pl.* **messieurs** [mə'sjɝːz] *Fr.* monsieur, pan.

monsignor [mɑːn'siːnjər], **Monsignor** *n. pl.* **-s** *l.* **monsignori** [ˌmɑːnsiːn'jɔːrɪ] *rz.-kat.* monsinior, monsignore (*tytuł wysokich dostojników kościelnych*).

monsoon [mɑːn'suːn] *n. meteor.* **1.** monsun. **2.** *zw. sing.* pora deszczowa.

monsoonal [mɑːn'suːnl] *a.* monsunowy.

monster ['mɑːnstər] *n.* **1.** *t. przen.* potwór, monstrum. **2.** kolos. **3.** potworek (= *człowiek, zwierzę l. roślina o kształtach innych od po-*

wszechnie spotykanych). – *a. attr. pot.* gigantyczny.

monstrance ['mɑːnstrəns] *n. kośc.* monstrancja.

monstrosity [mɑːn'strɑːsətɪ] *n. pl.* **-ies** **1.** potworność, szkaradzieństwo (*np. o budowli, obrazie*). **2.** *U* potworność.

monstrous ['mɑːnstrəs] *a.* monstrualny (= *wyjątkowo wielki, brzydki l. zły*); potworny (*zwł. o zbrodni*).

Mont. *abbr.* = **Montana.**

montage [mɑːn'tɑːʒ] *n. fot., film, radio, sztuka* montaż.

Montana [mɑːn'tænə] *n. US* stan Montana.

montane [ˌmɑːn'teɪn] *a. zw. attr. form.* górski (*np. o florze i faunie*).

montbretia [mɑːn'briːʃə] *n. bot.* cynobrówka (*rodzaj Montbretia*).

Montenegrin [ˌmɑːntə'niːgrɪn] *a.* czarnogórski. – *n.* Czarnogó-rzec/rka.

Montenegro [ˌmɔːntə'niːgroʊ] *n. geogr., polit.* Czarnogóra.

month [mʌnθ] *n.* **1.** miesiąc; **a ~'s holiday** miesięczne wakacje; **a six-~ old baby** sześciomiesięczne dziecko; **he's six ~s old** ma sześć miesięcy; **in/during the ~ of August/December** w sierpniu/grudniu; **last/next/this ~** w zeszłym/przyszłym/tym miesiącu. **2.** *przen.* **for ~s** bardzo długo; **not/never in a ~ of Sundays** *pot.* nigdy w życiu; **woman/book of the ~** kobieta/książka miesiąca.

monthly ['mʌnθlɪ] *a. attr.* miesięczny (*np. o dochodach, bilecie*); comiesięczny (*np. o spotkaniu, uroczystości*). – *n. pl.* **-ies** **1.** miesięcznik. **2.** *pl. Br. przest. pot.* miesiączka. – *adv.* miesięcznie, raz w miesiącu; co miesiąc; **twice ~** dwa razy w miesiącu.

month's mind [ˌmʌnθs 'maɪnd] *n. rz.-kat.* msza żałobna w miesiąc po zgonie *l.* pogrzebie.

monticule ['mɑːntəˌkjuːl] *n. geol.* **1.** pagórek. **2.** wtórny stożek wulkaniczny.

monument ['mɑːnjəmənt] *n.* **1.** pomnik, monument (*of/to sb/sth* ku czci kogoś/czegoś). **2.** zabytek. **3.** grób, grobowiec. **4.** *arch.* posąg, statua. **5.** *US* kamień graniczny. **6. be a ~ to sth** *przen.* stanowić wymowny przykład czegoś.

monumental [ˌmɑːnjə'mentl] *a. gł. attr.* **1.** pomnikowy (= *dotyczący pomnika*). **2.** monumentalny (*o dziele, znaczeniu*). **3.** *attr. emf.* straszny (*np. o błędzie, głupocie, nudzie, korkach*).

monumentally [ˌmɑːnjə'mentlɪ] *adv.* **1.** monumentalnie. **2.** *emf.* strasznie (*np. głupi, nudny*).

moo [muː] *v.* ryczeć (*o krowie*). – *n.* ryk.

mooch [muːtʃ] *v. sl.* **1.** *US* sępić; **~ sth from/off sb** wysępić coś od kogoś. **2.** *US* skradać się. **3.** *gł. US i Can.* zwinąć (= *ukraść*). **4. ~ around** (*także Br.* **~ about**) wałęsać się, snuć się.

moocher ['muːtʃər] *n.* **1.** włóczęga. **2.** żebrak.

mood[1] [muːd] *n.* **1.** nastrój, humor (*osoby*); nastrój (*grupy, społeczeństwa*); klimat (*miejsca, okolicy*); **be in a good/bad ~** być w dobrym/złym nastroju; **be in the ~ for sth/to do sth** mieć ochotę na coś/zrobić coś; **not be in the ~/be in no ~ for (doing) sth/to do sth** nie być w nastroju do czegoś/, by coś robić; **put sb in a good/bad ~** dobrze/źle kogoś nastrajać; wprawiać kogoś w dobry/zły humor. **2.** zły nastrój *l.* humor, humory; **be in a ~** być w złym nastroju; **he's in one of his ~s** jak zwykle ma zły humor.

mood[2] *n. gram., log.* tryb.

moodily ['muːdɪlɪ] *adv.* **1.** kapryśnie. **2.** ponuro, markotnie.

moodiness ['muːdɪnəs] *n. U* **1.** zmienność nastrojów, kapryśność. **2.** markotność, zły humor.

moody ['muːdɪ] *a.* **-ier, -iest** **1.** kapryśny, humorzasty. **2.** w złym humorze; markotny.

moola ['muːlə], **moolah** *n. U US przest. sl.* forsa.

moon [muːn] *n.* **1.** *t. astron.* księżyc; **the M~** Księżyc; **full/new ~** pełnia/nów (księżyca); **the ~ is waxing/waning** przybywa/ubywa księżyca. **2.** = **moonlight**. **3.** *zw. pl. zwł. poet.* miesiąc. **4.** *przen.* **ask/cry for the ~** żądać gwiazdki z nieba; **be over the ~** *Br. pot.* nie posiadać się ze szczęścia (*over/about sth* z jakiegoś powodu); **many ~s ago** *przest.* bardzo dawno temu; **once in a blue ~** (raz) od wielkiego dzwonu. – *v.* **1. ~ (sb)** *pot.* wypiąć się (na kogoś) (*pokazując gołe pośladki*). **2. ~ about/around** *Br. pot.* snuć się (bez celu); **~ over sb/sth** *lit. l. żart.* marzyć o kimś/czymś; tęsknić za kimś/czymś; **~ over sb's photo** wpatrywać się rozmarzonym wzrokiem w czyjąś fotografię.

moonbeam ['muːnˌbiːm] *n.* promień księżyca.

moon-blind ['muːnˌblaɪnd] *a.* **1.** *pat.* cierpiący na ślepotę zmierzchową. **2.** *wet.* cierpiący na okresowe zapalenie oczu (*o koniu*).

moon blindness *n. U* **1.** ślepota zmierzchowa. **2.** (*także* **mooneye**) *wet.* choroba koni, objawiająca się okresowym zapaleniem oczu i kończąca się ślepotą.

mooncalf ['muːnˌkæf] *pl.* **-calves** *n. arch.* **1.** *obelż.* idiot-a/ka. **2.** potworek, monstrum (*zwł. o martwym płodzie ludzkim l. zwierzęcym*).

mooneye ['muːnˌaɪ] *n.* **1.** *U* = **moon blindness** 2. **2.** *icht.* wielkooka ryba z rodziny *Hiodontidae* (*zwł. Hiodon tergisus*).

moon-eyed ['muːnˌaɪd] *a.* **1.** z szeroko otwartymi oczyma (*ze strachu l. podziwu*). **2.** *wet.* cierpiący na okresowe zapalenie oczu (*o koniu*).

moon-faced ['muːnˌfeɪst] *a.* o okrągłej twarzy, z twarzą jak księżyc w pełni.

moonfish ['muːnˌfɪʃ] *n. icht.* **1.** tropikalna amerykańska srebrzysta ryba z rodziny *Carangidae*. **2.** srebrzysta ryba (*np. Monodactylus argenteus z Oceanu Spokojnego*). **3.** = **opah**.

moonflower ['muːnˌflɔɪər] *n. bot.* **1.** rozkwitająca w nocy roślina powojowata z rodzaju *Calonyction* (*zwł. Calonyction l. Ipomoea aculeatum*). **2.** meksykańska roślina rozkwitająca w nocy (*Datura suaveolens*). **3.** *Br.* złocień właściwy (*Chrysanthemum leucanthemum*).

Moonie ['muːnɪ] *n. rel.* człon-ek/kini sekty Moona (*tzw. Kościoła Zjednoczeniowego*).

moonless ['muːnləs] *a.* bezksiężycowy.

moonlight ['muːnˌlaɪt] *n.* **1.** *U* światło *l.* blask księżyca. **2. do a ~ flit** *Br. pot.* wyprowadzić się w nocy (*zwł. żeby nie płacić czynszu*). – *a. attr.*

1. oświetlony światłem księżyca. 2. przy księżycu (*np. o spacerze, kąpieli*). – *v. pot.* dorabiać na boku (*as* jako).

moonlighter [ˈmuːnˌlaɪtər] *n.* osoba dorabiająca na boku.

moonlighting [ˈmuːnˌlaɪtɪŋ] *n. U* dorabianie na boku *l.* na drugiej posadzie.

moonlit [ˈmuːnˌlɪt] *a. attr.* oświetlony światłem księżyca; ~ **night** księżycowa noc.

moonrise [ˈmuːnˌraɪz] *n.* wschód księżyca.

moonscape [ˈmuːnˌskeɪp] *n.* krajobraz księżycowy.

moonset [ˈmuːnˌset] *n.* zachód księżyca.

moonshine [ˈmuːnˌʃaɪn] *n. U* **1.** światło księżyca. **2.** *US i Can. przest. l. żart. pot.* bimber (= *pędzony nielegalnie alkohol, zwł. whisky*). **3.** gadanina; bzdury.

moonshiner [ˈmuːnˌʃaɪnər] *n. US i Can. pot.* osoba pędząca nielegalnie alkohol.

moonshot [ˈmuːnˌʃɑːt], **moon shot** *n.* start rakiety księżycowej.

moonstone [ˈmuːnˌstoʊn] *n. min.* kamień księżycowy (*odmiana ortoklazu l. plagioklazu*).

moonstruck [ˈmuːnˌstrʌk], **moonstricken** *a.* **1.** pomylony, szalony. **2.** rozmarzony. **3.** otumaniony.

moonwort [ˈmuːnˌwɜːt] *n. bot.* **1.** podejźrzon (*rodzaj Botrychium*). **2.** miesięcznica, miesiącznica (*Lunaria annua*).

moony [ˈmuːnɪ] *a.* **-ier, -iest 1.** *pot.* rozmarzony; niespokojny. **2.** księżycowy. **3.** oświetlony światłem księżycowym.

Moor [mʊr] *n. hist.* Maur.

moor[1] [mʊr] *n. zwł. Br.* **1.** *zw. pl.* wrzosowisko. **2.** teren łowiecki.

moor[2] *v.* **1.** przymocować, umocować. **2.** *żegl.* cumować. **3.** *lotn.* kotwiczyć (*samolot*), cumować (*sterowiec*).

moor cock *n. Br. orn.* samiec pardwy szkockiej (*Lagopus scoticus*).

moor hen *n. orn.* **1.** *Br.* samica pardwy szkockiej (*Lagopus scoticus*). **2.** kokoszka *l.* kurka wodna (*Gallinula chloropus*).

mooring [ˈmʊrɪŋ] *n.* **1.** *żegl.* martwa kotwica. **2.** *zw. pl. żegl.* miejsce cumowania. **3.** *pl.* beczki cumownicze, martwe kotwice i cumy. **4.** *zw. pl. przen.* fundament, punkt oparcia. **5.** *lotn.* ~ **mast** maszt cumowniczy (*dla balonów, sterowców*); ~ **tower** wieża cumownicza (*dla balonów, sterowców*).

Moorish [ˈmʊrɪʃ] *a. hist., bud.* mauretański.

moorland [ˈmʊrlənd] *n. Br.* wrzosowisko.

moose [muːs] *n. pl.* **moose 1.** łoś amerykański (*Alces americana*). **2.** = **elk**.

moot [muːt] *n.* **1.** *hist.* zgromadzenie ludowe. **2.** debata; *prawn.* inscenizacja rozprawy sądowej (*zwł. jako ćwiczenie dla studentów prawa*); ~ **court** sąd rozpatrujący hipotetyczne sprawy (*jw.*). – *a.* **1.** podlegający dyskusji, dyskusyjny. **2.** *US* bezprzedmiotowy, czysto hipotetyczny (*np. o propozycji, obawach*). – *v.* **1.** poddawać pod dyskusję; poruszać w dyskusji. **2.** debatować nad (*sprawą, propozycją*), dyskutować, omawiać. **3.** *prawn.* przedstawiać argumenty w (*sprawie; zwł. jako ćwiczenie dla studentów*).

moot point *n. zw. sing.* punkt sporny.

mop[1] [mɑːp] *n.* **1.** mop (*do podłogi*); zmywak (*do naczyń; na rączce*). **2.** *sing. pot.* czupryna. – *v.* **-pp-** ~ **(up)** myć, zmywać (*podłogę*); zbierać, ścierać (*rozlany płyn*); ocierać (*twarz, czoło, zwł. z potu*); *przen. pot.* uporać się z (*pracą, zadaniem*); *wojsk.* oczyszczać z resztek sił wroga (*miasto, teren*); oczyszczać teren z (*resztek sił wroga*); eliminować, opór, żołnierzy; ~ **the floor (up) with sb** *US pot.* rozgromić kogoś.

mop[2] *v.* **-pp-** ~ **and mow** robić miny. – *n. pl.* ~**s and mows** miny, grymasy.

mopboard [ˈmɑːpˌbɔːrd] *n. US bud.* listwa przypodłogowa.

mope [moʊp] *v.* **1.** pogrążać się w czarnych myślach; rozczulać się nad sobą; być osowiałym. **2.** ~ **(about/around)** *pot.* snuć się bez celu. – *n.* **1.** (*także* ~**r**) osoba osowiała. **2. the** ~**s** chandra, przygnębienie.

moped [ˈmoʊped] *n. mot.* motorower, moped.

moper [ˈmoʊpər] *n.* = **mope** *n.* 1.

mopes [moʊps] *n. pl. zob.* **mope** *n.* 2.

mopey [ˈmoʊpɪ], **mopy**, **mopish** [ˈmoʊpɪʃ] *a.* przygnębiony, osowiały.

moppet [ˈmɑːpɪt] *n. pot.* berbeć.

moquette [moʊˈket] *n. U tk.* tkanina pluszowa (*stosowana zwł. do wyrobu dywanów i w tapicerce*).

mora [ˈmɔːrə] *n. pl.* **-s** *l.* **morae** [ˈmɔːriː] *prozodia, wers.* mora.

moraine [məˈreɪn] *n. geol.* morena.

moral [ˈmɔːrəl] *a.* **1.** moralny, etyczny; zasadniczy (*o osobie*). **2.** *attr.* moralny; duchowy; wewnętrzny (*np. o przekonaniu*); ~ **authority/dilemma** autorytet/dylemat moralny; ~ **duty/obligation** moralny obowiązek; ~ **fiber** (*także Br.* ~ **fibre**) siła charakteru; ~ **responsibility** odpowiedzialność moralna; ~ **sense** poczucie moralności; ~ **support** wsparcie duchowe; ~ **victory** moralne zwycięstwo. – *n.* **1.** morał, nauka (moralna); **draw a** ~ **from sth** wyciągnąć z czegoś naukę; **the** ~ **of/to the story is...** płynie z tego morał *l.* nauka, że... **2.** *pl.* moralność; **loose** ~**s** *przest. l. żart.* niemoralność, rozwiązłość; **public** ~**s** moralność publiczna.

morale [məˈræl] *n. U* morale, duch; **boost/raise/improve** ~ podnosić morale; **keep up/maintain** ~ utrzymywać morale.

moralism [ˈmɔːrəˌlɪzəm] *n.* **1.** *U* moralizowanie. **2.** morał. **3.** *U* moralizm.

moralist [ˈmɔːrəlɪst] *n.* moralist-a/ka; moralizator/ka.

moralistic [ˌmɔːrəˈlɪstɪk] *a.* moralistyczny.

morality [məˈrælətɪ] *n. pl.* **-ies 1.** *C/U* moralność. **2.** nauka moralna; moralizowanie. **3.** (*także* ~ **play**) *hist., teatr* moralitet.

moralize [ˈmɔːrəˌlaɪz], *Br. i Austr. zw.* **moralise** *v.* **1.** moralizować, prawić morały (*on/about sth* na temat czegoś). **2.** wyciągać morał z (*czegoś*); analizować pod względem moralnym. **3.** umoralniać.

morally [ˈmɔːrəlɪ] *adv.* **1.** moralnie. **2.** z moralnego punktu widzenia, pod względem moralnym.

morals ['mɔ:rəlz] *n. pl. zob.* **moral** *n.* 2.

morass [mə'ræs] *n. zw. sing.* **1.** *gł. lit.* bagno, mokradło. **2.** *przen.* gąszcz (*of sth* czegoś) (*np. szczegółów, przepisów*).

moratorium [ˌmɔ:rə'tɔ:rɪəm] *n. pl.* **-s** *l.* **moratoria** [ˌmɔ:rə'tɔ:rɪə] *polit., prawn.* moratorium (*on sth* na coś).

moratory [ˌmɔ:rə'tɔ:rɪ] *a.* moratoryjny.

Moravia [mə'reɪvɪə] *n. geogr.* Morawy.

Moravian [mə'reɪvɪən] *a.* morawski. – *n.* **1.** *U jęz.* dialekt morawski. **2.** Morawia-nin/nka. **3.** *rel.* człon-ek/kini kościoła morawskiego.

Moravian Church *n. rel.* kościół morawski (*powstały w 1722 r., mający bliskie związki z kościołem luterańskim*).

moray ['mɔ:reɪ] *n.* (*także* ~ **eel**) *icht.* ryba węgorzowata z rodziny *Muraenidae* (*zwł. Muraena helena*).

morbid ['mɔ:rbɪd] *a.* **1.** chorobliwy, niezdrowy (*np. o wyobraźni, zainteresowaniu*). **2.** makabryczny (*np. o szczegółach zbrodni, temacie*). **3.** *pat.* chorobowy.

morbidity [mɔ:r'bɪdətɪ] *n. U* **1.** (*także* **morbidness**) chorobliwość. **2.** (*także* ~ **rate**) chorobowość, liczba przypadków choroby w populacji.

morbidly ['mɔ:rbɪdlɪ] *adv.* **1.** chorobliwie. **2.** makabrycznie.

morbific [mɔ:r'bɪfɪk] *a. pat.* chorobotwórczy, patogenny.

morceau [mɔ:r'soʊ] *n. pl.* **morceaux** [mɔ:r'soʊz] **1.** *form.* kęs. **2.** *zwł. muz.* krótki utwór.

mordacious [mɔ:r'deɪʃəs] *a. form.* zjadliwy, gryzący (*np. o sarkazmie*).

mordaciously [mɔ:r'deɪʃəslɪ] *adv.* zjadliwie.

mordacity [mɔ:r'dæsətɪ], **mordaciousness** [mɔ:r'deɪʃəsnəs] *n. U* zjadliwość.

mordancy ['mɔ:rdənsɪ] *n. U form.* zjadliwość.

mordant ['mɔ:rdənt] *a.* **1.** = **mordacious**. **2.** *chem.* żrący, gryzący. **3.** *tk.* utrwalający kolory. – *n. C/U pl.* **-ies** **1.** *tk.* zaprawa farbiarska. **2.** *sztuka* kwas do trawienia (*w technikach graficznych*). – *v. tk.* zaprawiać, impregnować zaprawą.

mordantly ['mɔ:rdəntlɪ] *adv.* **1.** = **mordaciously**. **2.** żrąco.

mordent ['mɔ:rdənt] *n. muz.* mordent.

more [mɔ:r] *a. i adv. comp.* **1.** bardziej; ~ **and** ~ coraz bardziej; ~ **apparent** bardziej oczywisty, oczywistszy; ~ **beautiful** piękniejszy; ~ **slowly** wolniej; **much/a lot** ~ o wiele bardziej (*np. lubić*); **the** ~ **so as...** tym bardziej, że... **2.** więcej; ~ **and** ~ **letters** coraz więcej listów; **a little** ~ **time/a few** ~ **books** trochę więcej czasu/książek. **3.** jeszcze; **once** ~ jeszcze raz; **we want** ~ **coffee** chcemy jeszcze kawy. **4.** *z neg.* już; **not any** ~ już nie; **there is no/there isn't any** ~ **coffee** nie ma już kawy. **5.** ~ **often than not** najczęściej, przeważnie; **I couldn't agree** ~ *form.* zgadzam się w całej rozciągłości; **(the)** ~ **fool you** *Br.* to znaczy, żeś głupi; **think** ~ **of sb/sth** być lepszego zdania o kimś/czymś. – *pron.* więcej; ~ **have come than last time** przyszło więcej, niż ostatnio; ~ **than six thousand** więcej niż sześć tysięcy, ponad sześć tysięcy; **I brought two chairs, but** ~ **were needed** przyniosłem dwa krzesła, ale potrzeba było więcej; **six** ~ jeszcze sześć; **we'd like to see** ~ **of you** chcielibyśmy częściej cię widywać. – *n. U* **1.** (coś) więcej; ~ **and** ~ coraz więcej; ~ **or less** mniej więcej; **I spent much** ~ **than I had planned** wydałam o wiele więcej niż planowałam; **it's** ~ **than just a letter** to coś więcej niż (tylko) list; **the** ~ **I sleep the** ~ **tired I am** im więcej śpię, tym bardziej jestem zmęczony; **what's** ~ co więcej, ponadto, poza tym. **2.** jeszcze (trochę); **would you like (some)** ~**?** chciałbyś jeszcze (trochę)?. **3.** *z neg.* już; **there's no** ~ nie ma już (ani trochę).

moreen [mə'ri:n] *n. U tk.* mocna tkanina (bawełniano-wełniana) na draperie itp.

moreish ['mɔ:rɪʃ] *a. Br. i Austr. pot.* pyszny (*o jedzeniu*).

morel [mə'rel] *n. biol.* smardz (*rodzaj Morchella*).

moreover [mɔ:r'oʊvər] *adv. form.* ponadto, co więcej.

mores ['mɔ:reɪz] *n. pl. form.* obyczaje.

Moresque [mɔ:'resk] *a.* mauretański (*o stylu, wzorze*). – *n.* mauretański styl *l.* element zdobniczy.

morganatic [ˌmɔ:rgə'nætɪk] *a.* morganatyczny (*o małżeństwie, żonie*).

morganite ['mɔ:rgəˌnaɪt] *n. U min.* morganit.

morgue [mɔ:rg] *n.* **1.** *zwł. US, Can. i Austr.* kostnica. **2.** *dzienn., pot.* archiwum.

MORI ['mɔ:rɪ] *abbr.* **Market and Opinion Research Institute** *Br.* Ośrodek Badania Rynku i Opinii Społecznej.

moribund ['mɔ:rɪˌbʌnd] *a. form.* **1.** umierający, dogorywający. **2.** chylący się ku upadkowi.

morion[1] ['mɔ:rɪˌɑ:n] *n. zbroja, hist.* morion (= *hełm bez przyłbicy*).

morion[2] *n. U min.* morion (*czarna odmiana kwarcu*).

Morisco [mə'rɪskoʊ], **Moresco** [mə'reskoʊ] *a.* mauretański. – *n. pl.* **-s** *l.* **-es** **1.** Maur. **2.** = **morris dance**.

Mormon ['mɔ:rmən] *rel. n.* **1.** mormon/ka. **2.** Mormon (= *prorok, którego rzekome objawienia zostały zapisane w Księdze Mormona*). – *a.* mormoński.

Mormonism ['mɔ:rməˌnɪzəm] *n. U* mormonizm.

morn [mɔ:rn] *n.* **1.** *poet.* ranek, poranek. **2.** **the** ~ *Scot.* jutro.

morning ['mɔ:rnɪŋ] *n.* **1.** *C/U* rano; ranek, poranek; świt; ~, **noon and night** rano, wieczór i w południe (= *całymi dniami*); **from** ~ **till night** od rana do nocy, od rana do wieczora; **(good)** ~! dzień dobry!; do widzenia!; **in the** ~ w nocy (*między północą a 3 rano*); nad ranem; rano; przed południem; jutro rano; **this** ~ dziś rano. **2.** *przen.* początek, zaranie (*np. świata, życia*). **3.** **the** ~ **after** *przen. pot.* kac. – *a. attr.* poranny (*np. o kawie, gazecie*); ranny, poranny (*np. o autobusie, spacerze*).

morning-after pill [ˌmɔ:rnɪŋ'æftər ˌpɪl] *n. med.* pigułka dzień po (*stosunku*).

morning coat *n.* frak (*część formalnego męskiego stroju dziennego*).

morning dress *n. zwł. Br.* = **morning suit**.

morning glory *n. C/U pl.* **-ies** *bot.* wilec (*zwł. pnący Ipomoea purpurea*).

morning prayer *n. anglikanizm* jutrznia (*poranne nabożeństwo*).

mornings ['mɔ:rnɪŋz] *adv. US* rano; każdego ranka; **work** ~ pracować przedpołudniami.

morning sickness *n. U pat.* mdłości poranne, wymioty ciężarnych.

morning star *n. sing.* gwiazda poranna (*zw.* = *Wenus*).

morning suit *n. U* (*także Br.* **morning dress**) formalny dzienny strój męski (= *frak, spodnie w prążki i cylinder; zakładany np. na wesela*).

morning tea *n. C/U Austr. i NZ* drugie śniadanie.

morning watch *n. żegl.* wachta poranna (*między 4 i 8 rano*).

Moroccan [mə'rɑ:kən] *a.* marokański. – *n.* Maroka-ńczyk/nka.

Morocco [mə'rɑ:koʊ] *n. geogr.* Maroko.

morocco [mə'rɑ:koʊ] *n. U* (*także* ~ **leather**) marokin, skóra marokańska.

moron ['mɔ:rɑ:n] *n.* **1.** *pot. obelż.* kretyn/ka, debil/ka. **2.** *przest.* osoba niedorozwinięta umysłowo (*o współczynniku inteligencji 50-70*).

moronic [mə'rɑ:nɪk] *a. pot. obelż.* kretyński, debilny (*o zachowaniu*); durny (*o osobie*).

moronically [mə'rɑ:nɪklɪ] *adv. pot. obelż.* kretyńsko, debilnie.

morose [mə'roʊs] *a.* posępny, ponury, zasępiony.

morosely [mə'roʊslɪ] *adv.* posępnie, ponuro.

moroseness [mə'roʊsnəs] *n. U* posępność, ponurość.

morph [mɔ:rf] *n. jęz.* morf.

morph., morphol. *abbr.* = **morphological**; = **morphology**.

morpheme ['mɔ:rfi:m] *n. jęz.* morfem.

Morpheus ['mɔ:rfɪəs] *n. mit.* Morfeusz.

morphine ['mɔ:rfi:n], **morphia** ['mɔ:rfɪə] *n. U t. med.* morfina.

morphing ['mɔ:rfɪŋ] *n. U komp.* wytwarzanie wizerunków pośrednich.

morphinism ['mɔ:rfɪˌnɪzəm] *n. U pat.* morfinizm.

morphogenesis [ˌmɔ:rfə'dʒenəsɪs] *n. U* morfogeneza.

morphogenetic [ˌmɔ:rfoʊdʒə'netɪk], **morphogenic** [ˌmɔ:rfə'dʒenɪk] *a. biol.* morfogenetyczny.

morphologic [ˌmɔ:rfə'lɑ:dʒɪk], **morphological** *a. zwł. biol., jęz.* morfologiczny.

morphology [mɔ:r'fɑ:ləgɪ] *n. U* morfologia.

morphophoneme [ˌmɔ:rfə'foʊni:m] *n. jęz.* morfonem.

morris dancing ['mɔ:rəs ˌdænsɪŋ] *n. U Br.* tańce ludowe, wykonywane przez mężczyzn ubranych w kostiumy z dzwoneczkami i często wcielających się w postaci z opowieści ludowych.

morrow ['mɔ:roʊ] *n. arch. l. poet.* **(the)** ~ poranek, ranek; następny dzień; **on the** ~ jutro; następnego dnia, nazajutrz (*of sth* po czymś) (*t. przen., np. po wojnie*).

Morse [mɔ:rs], **morse** *n. U* (*także* **the** ~ **code/alphabet**) alfabet Morse'a, mors; **in m**~ alfabetem Morse'a, morsem (*sygnalizować*).

morse [mɔ:rs] *n. Br. kośc.* klamra (*u kapy*).

morsel ['mɔ:rsl] *n.* **1.** kęsek. **2.** kawałek. **3.** smakołyk. – *v.* dzielić na kawałki; rozdrabniać.

mort[1] [mɔ:rt] *n.* **1.** *myśl.* nuta grana na rogu po zabiciu zwierzyny. **2.** *przest.* śmierć.

mort[2] *n. dial.* mnóstwo.

mortadella [ˌmɔ:rtə'delə] *n. U kulin.* mortadela.

mortal ['mɔ:rtl] *a.* **1.** śmiertelny (*o istotach*). **2.** *attr. t. emf.* śmiertelny; ~ **blow** śmiertelny cios; ~ **combat** walka na śmierć i życie; ~ **enemy/foe** śmiertelny wróg; ~ **fear/terror** śmiertelny strach. **3.** *poet.* ludzki (*np. o wzroku, siłach, możliwościach*). **4.** *sl.* śmiertelnie długi. **5.** *attr. przest. pot.* (*z odcieniem złości*) **every** ~... absolutnie każdy...; **no** ~... absolutnie żaden... – *n.* śmiertelni-k/czka, istota śmiertelna; **lesser/mere/ordinary** ~**s** *żart.* zwykli śmiertelnicy.

mortality [mɔ:r'tælətɪ] *n. U* **1.** śmiertelność. **2.** śmiertelność, umieralność (= *liczba l. odsetek zgonów*). **3.** *lit.* ludzkość (= *wszyscy śmiertelnicy*). **4.** *przest.* śmierć.

mortality rate *n.* współczynnik umieralności.

mortally ['mɔ:rtlɪ] *adv.* śmiertelnie (*np. ranny, przestraszony*).

mortal sin *n. rz.-kat.* grzech śmiertelny.

mortar ['mɔ:rtər] *n.* **1.** *wojsk., kulin.* moździerz. **2.** *U bud.* zaprawa (murarska). – *v.* **1.** *bud.* tynkować; spajać zaprawą murarską. **2.** *wojsk.* ostrzeliwać z moździerzy.

mortarboard ['mɔ:rtərˌbɔ:rd] *n.* **1.** *bud.* packa murarska. **2.** *uniw.* czapka uniwersytecka z kwadratowym, płaskim denkiem.

mortgage ['mɔ:rgɪdʒ] *n. prawn.* hipoteka; (*także* ~ **debt**) dług hipoteczny; (*także* ~ **deed**) umowa ustanawiająca dług hipoteczny; (*także* ~ **loan**) pożyczka hipoteczna; ~ **credit** kredyt hipoteczny; ~ **register** księga hipoteczna *l.* wieczysta; **burden with** ~ obciążać hipoteką; **lend/borrow on** ~ pożyczać na hipotekę; **pay off/redeem a** ~ spłacić dług hipoteczny; **take out a $50,000** ~ zaciągnąć dług hipoteczny w wysokości 50 tysięcy dolarów. – *v.* **1.** obciążać hipoteką, hipotekować; ~ **a property** obciążać nieruchomość hipoteką; **be** ~**d (up) to the hilt** *emf.* być w całości obciążonym hipoteką (*np. o domu*). **2.** *przen. pot.* zaryzykować (*np. przyszłość*).

mortgagee [ˌmɔ:rgɪ'dʒi:] *n.* wierzyciel hipoteczny.

mortgager ['mɔ:rgɪdʒər], **mortgagor** *n.* dłużnik hipoteczny.

mortice ['mɔ:rtɪs] *n. i v.* = **mortise**.

mortician [mɔ:r'tɪʃən] *n. gł. US* pracowni-k/ca zakładu pogrzebowego.

mortification [ˌmɔ:rtəfə'keɪʃən] *n. U* **1.** zażenowanie, skrępowanie, wstyd; upokorzenie. **2.** *rel.* umartwianie (się). **3.** *przest. pat.* zgorzel.

mortify ['mɔ:rtəˌfaɪ] *v.* **-ied, -ying 1.** *zw. pass.* żenować, krępować; zawstydzać; upokarzać; **be**

mortified czuć się potwornie zażenowanym. **2.** ~ **o.s./the flesh** *rel.* umartwiać się/ciało. **3.** *przest. pat.* powodować zgorzel (*tkanki, członka*); ulegać zgorzeli (*o tkance, członku*).

mortise ['mɔːrtɪs], **mortice** *stol. n.* gniazdo czopa; ~**-and-tenon joint** połączenie na czopy. – *v.* **1.** łączyć (*zwł. na czopy*). **2.** wycinać gniazdo czopa w (*kawałku drewna*).

mortise lock *n.* zamek drzwiowy wpuszczany.

mortmain ['mɔːrtˌmeɪn] *n. U prawn.* martwa ręka.

mortuary ['mɔːrtʃʊˌerɪ] *n. pl.* **-ies 1.** *US* dom pogrzebowy. **2.** *zwł. Br.* kostnica. – *a. attr. form.* pogrzebowy.

mos. *abbr.* = **months**; *zob.* **month.**

Mosaic [moʊ'zeɪɪk] *a. attr.* Mojżeszowy; mojżeszowy.

mosaic [moʊ'zeɪɪk] *n. C/U sztuka, el., roln.,* mozaika. – *a. attr.* mozaikowy; mozaikowaty. – *v.* **-ck- 1.** ozdabiać mozaiką. **2.** wykonywać techniką mozaikową.

mosaic disease *n. U roln.* mozaika (*choroba roślin*).

mosaic gold *n. U* złoto mozaikowe (= *siarczek cynowy l. stop miedzi i cynku imitujący złoto*).

mosaicist [moʊ'zeɪɪsɪst] *n.* mozaikarz.

moschatel [ˌmɑːskə'tel] *n. bot.* piżmaczek (*Adoxa moschatellina*).

Moscow ['mɑːskaʊ] *n. geogr.* Moskwa.

Moselle [moʊ'zel] *n.* **1.** *geogr.* Mozela. **2.** *U* (*także* **m~**) wino mozelskie.

Moses ['moʊzɪz] *n. Bibl.* Mojżesz.

mosey ['moʊzɪ] *v.* ~ **(along)** *zwł. US pot.* łazić, wałęsać się.

Moslem ['mɑːzləm] *n. i a.* = **Muslim.**

mosque [mɑːsk] *n. rel.* meczet.

mosquito [mə'skiːtoʊ] *n. pl.* **-s** *l.* **-es** *ent.* komar; moskit (*rodzina Culicidae*).

mosquito boat *n. wojsk., żegl.* ścigacz torpedowy.

mosquito fleet *n. wojsk., żegl.* flotylla małych okrętów (*zwł. ścigaczy torpedowych*).

mosquito hawk *n. US* **1.** *ent.* ważka. **2.** *orn.* amerykański ptak nocny z rzędu *Chordeiles.*

mosquito net, mosquito netting *n.* moskitiera.

moss [mɔːs] *n.* **1.** *U bot.* mech. **2.** *płn. Br.* torfowisko; trzęsawisko.

mossback ['mɔːsˌbæk] *n. US i Can.* **1.** stary żółw, skorupiak *l.* ryba z górną częścią ciała pokrytą glonami. **2.** *przen. pot.* osoba staromodna; zatwardział-y/a konserwatyst-a/ka.

mossbunker ['mɔːsˌbʌŋkər] *n. US icht.* menhaden (*Brevoortia tyrannus*).

moss-grown ['mɔːsˌgroʊn] *a.* **1.** omszały. **2.** *przen. pot.* staroświecki.

mossie ['mɔːsɪ] *n.* = **mozzie.**

moss rose *n. bot.* róża kosmata *l.* mszysta (*Rosa centifolia muscosa*).

mosstrooper ['mɔːsˌtruːpər] *n. Br. hist.* rabuś grasujący na pograniczu szkocko-angielskim w XVII w.

mossy ['mɔːsɪ] *a.* **-ier, -iest** omszały, porosły *l.* pokryty mchem.

most [moʊst] *a. i adv. sup.* **1.** ~ **books/students** większość książek/studentów; **in ~ cases** w większości przypadków. **2.** najbardziej; **the ~ diligent student** najbardziej pilny *l.* najpilniejszy student; **she worked ~ diligently** pracowała najpilniej. **3. the ~ money/votes** najwięcej pieniędzy/głosów; **John received the ~ letters** John dostał najwięcej listów; **she has the ~ talent** ona ma najwięcej talentu. **4. for the ~ part** zwykle, najczęściej. **5.** bardzo; *form.* wysoce, wielce; **it's a ~ interesting case** to wielce ciekawy przypadek. **6.** *pot.* prawie; ~ **everyone replied** prawie wszyscy odpowiedzieli. – *pron.* większość; ~ **of the gifts have been opened** większość prezentów została otwarta; ~ **of the work has already been done** większa część pracy już została wykonana; **she was happier than ~** była szczęśliwsza niż większość (ludzi). – *n. U* **1. the ~** najwięcej; **at (the) ~** (co) najwyżej, w najlepszym razie; **he has the ~ to lose** on ma najwięcej do stracenia; **make the ~ of sth** maksymalnie coś wykorzystywać; **the ~ I can say** wszystko *l.* jedyne, co mogę powiedzieć. **2.** *sl.* **the ~** super (= *najlepszy*); **everyone agreed that his house was the ~** wszyscy się zgadzali, że jego chata była super.

mostly ['moʊstlɪ] *adv.* **1.** głównie. **2.** przeważnie.

MOT [ˌem ˌoʊ 'tiː] *abbr. Br.* **Ministry of Transport** Ministerstwo Transportu; ~ **(test)** przegląd techniczny pojazdu.

mot [moʊ] *n.* = **bon mot.**

mote [moʊt] *n. przest.* pyłek.

motel [moʊ'tel] *n.* motel.

motet [moʊ'tet] *n. muz.* motet.

moth [mɔːθ] *n. ent.* **1.** ćma (*rząd Lepidoptera*). **2.** = **clothes moth.**

mothball ['mɔːθˌbɔːl] *n.* kulka naftalinowa (*przeciwko molom*); **in ~s** *przen.* odłożony na później (*o projekcie*); *wojsk.* zakonserwowany (*o sprzęcie, uzbrojeniu*); **put in ~s** = **mothball** *v.* – *v.* **1.** *wojsk.* przystosowywać do długiego przechowywania, konserwować (*sprzęt, uzbrojenie*). **2.** zakonserwować (*fabrykę, zakład: by móc potem przywrócić produkcję*). **3.** odkładać (na później) (*projekt*).

moth-eaten ['mɔːθˌiːtən] *a.* **1.** zniszczony przez mole. **2.** zniszczony; zużyty. **3.** *przen.* przestarzały.

mother[1] ['mʌðər] *n.* **1.** matka. **2. M~** *rel.* = **Mother Superior**; *voc. przest.* matko (*do starszej kobiety*). **3.** *US obelż. wulg. sl.* = **motherfucker.** **4.** *przen.* ~ **figure** *zob.* **figure** *n.*; **be ~** nalewać herbatę; **every ~'s son** *lit.* wszyscy (bez wyjątku); **learn sth at one's ~'s knee** *zob.* **knee** *n.*; **like ~, like daughter** *zob.* **like**[1] *prep.*; **the ~ of all wars** *emf.* największa z wszystkich wojen. – *v.* **1.** *cz. uj.* matkować (*komuś l. czemuś*). **2.** wychowywać. **3.** *t. przen.* zrodzić. **4.** uznawać za swoje dziecko; *przen.* przyznawać się do autorstwa (*czegoś*).

mother[2] *n.* = **mother of vinegar.**

motherboard ['mʌðərˌbɔːrd] *n. el. komp.* płyta główna.

Mother Carey's chicken [ˌmʌðər 'kerɪz ˌtʃɪkən] *n.* = **storm(y) petrel.**

mother country *n.* = **motherland.**

Mother Earth *n. U* Matka Ziemia.

motherfucker ['mʌðərˌfʌkər] *n. gł. US obelż., wulg. sl.* skurwiel.

mother hen *n.* kwoka.

motherhood ['mʌðərˌhʊd] *n. U* macierzyństwo.

Mother Hubbard [ˌmʌðər 'hʌbərd] *n.* długa luźna suknia.

Mothering Sunday ['mʌðərɪŋ ˌsʌndeɪ] *n. Br. przest.* = **Mother's Day.**

mother-in-law ['mʌðərɪnˌlɔː] *n. pl.* **mothers-in-law** *l.* **mother-in-laws** teściowa.

motherland ['mʌðərˌlænd] *n. sing.* **1.** kraj ojczysty *l.* rodzinny, ojczyzna, macierz. **2.** kraj przodków.

motherless ['mʌðərləs] *a.* bez matki.

motherliness ['mʌðərlɪnəs] *n. U* macierzyńskość; matczyność.

motherly ['mʌðərlɪ] *a.* macierzyński (*np. o podejściu*); matczyny (*np. o dłoniach, trosce*). – *adv.* po macierzyńsku, macierzyńsko.

Mother Nature *n. U często żart.* Matka Natura.

Mother of God *n. kośc.* Matka Boża.

mother-of-pearl [ˌmʌðərəv'pɝːl] *n. U* masa *l.* macica perłowa. – *a. gł. attr.* z masy perłowej.

mother of thousands *n. Br. bot.* **1.** lnica pospolita (*Linaria cymbalaria*). **2.** skalnica (*Saxifraga*).

mother of vinegar *n. U* błona śluzowa na occie.

mother's boy ['mʌðərz ˌbɔɪ] *n. Br. pot.* maminsynek.

Mother's Day *n. C/U* Dzień Matki (*US i Can. = druga niedziela maja; Br. = czwarta niedziela wielkiego postu*).

mother ship *n. żegl.* statek-baza.

Mother Superior *n. pl.* **Mother Superiors** *l.* **Mothers Superior** *kośc.* matka przełożona (*wspólnoty zakonnej*).

mother-to-be [ˌmʌðərtə'biː] *n. pl.* **mothers-to-be** przyszła matka.

mother tongue *n.* język ojczysty.

mother wit *n. U* zdrowy rozsądek.

motherwort ['mʌðərˌwɝːt] *n. bot.* serdecznik pospolity (*Leonurus cardiaca*).

mothproof ['mɔːθpruːf] *a.* moloodporny. – *v.* impregnować przeciwko molom.

mothy ['mɔːθɪ] *a. pl.* **-ier, -iest 1.** pełen moli. **2.** zniszczony przez mole.

motif [moʊ'tiːf] *n.* **1.** motyw (*np. przewodni, muzyczny*). **2.** wzór, deseń.

motile ['moʊtl] *a. biol., anat.* ruchomy.

motility [moʊ'tɪlətɪ] *n. U* ruchliwość.

motion ['moʊʃən] *n.* **1.** *U t. fiz.* ruch; poruszanie się; sposób poruszania się; **be in ~** być w ruchu (*o pojeździe*); być *l.* zostać uruchomionym (*o procedurze*); **in slow ~** w zwolnionym tempie; **put/set sth in ~** uruchamiać coś (*maszynę, urządzenie*); *przen.* nadawać czemuś bieg (*sprawie, procesowi*); **set the wheels in ~** *przen.* rozkręcić sprawę. **2.** ruch (*ręki l. głowy*); gest; skinienie; **go through the ~s of doing sth** *przen.* udawać, że się coś robi; zmuszać się do zrobienia czegoś. **3.** wniosek (*na zebraniu, posiedzeniu*); **carry/pass a ~** przegłosować wniosek; **put forward a ~** zgłosić wniosek. **4.** *techn.* mechanizm. **5.** *Br. fizj.* wypróżnienie; stolec. – *v.* **1.** sygnalizować gestem (*np. aprobatę*). **2. ~ (to/for) sb to do sth** dać komuś znak, żeby coś zrobił. **3. ~ sb in/out** skinąć na kogoś, żeby wszedł/wyszedł.

motionless ['moʊʃənləs] *a.* nieruchomy, bez ruchu.

motionlessly ['moʊʃənləslə] *adv.* nieruchomo, bez ruchu.

motionlessness ['moʊʃənləsnəs] *n. U* bezruch, nieruchomość.

motion picture *n. US i Can.* film (*kinowy*).

motion sickness *n. U med.* choroba lokomocyjna.

motivate ['moʊtəˌveɪt] *v.* **1.** dostarczać motywacji (*komuś*); motywować (*sb to do sth* kogoś do zrobienia czegoś). **2.** *zw. pass.* powodować (*czyn, decyzję*); **he was ~d by envy** powodowała nim zawiść.

motivated ['moʊtəˌveɪtɪd] *a.* **1. be (highly) ~** mieć (silną) motywację. **2. an act ~ by envy** czyn powodowany zawiścią; **be financially ~** wypływać z pobudek finansowych (*o zachowaniu, działaniach*); **racially ~ attacks** ataki na tle rasowym.

motivation [ˌmoʊtə'veɪʃən] *n.* **1.** *U* motywacja. **2.** powody, powód (*for / behind sth* (dla) czegoś).

motivational [ˌmoʊtə'veɪʃənl] *a.* motywacyjny.

motivator ['moʊtəˌveɪtər] *n.* pobudka (*do działania*).

motive ['moʊtɪv] *n.* **1.** motyw, pobudka. **2.** = **motif.** – *a. attr.* **1.** poruszający, napędowy. **2.** powodujący; motywujący. – *v. rzad.* = **motivate.**

motive force *n.* (*także* **motive power**) *t. przen.* siła napędowa.

motive unit *n.* **1.** *techn.* zespół napędowy. **2.** *kol.* jednostka pociągowa.

motivity [moʊ'tɪvətɪ] *n. U* siła napędowa.

mot juste [ˌmoʊ 'ʒuːst] *n. pl.* **mots justes** [ˌmoʊ 'ʒuːsts] *Fr.* właściwe słowo *l.* wyrażenie.

motley ['mɑːtlɪ] *a. attr.* **-ier, -iest 1.** różnorodny; **~ collection/crew/crowd/bunch** zbieranina; **~ mixture** mieszanina. **2.** różnobarwny; pstry, pstrokaty. – *n.* **1.** zbieranina; mieszanina. **2.** strój błazna. **3.** *arch.* błazen.

motocross ['moʊtoʊˌkrɔːs] *n. U mot., sport* motokros, motocross.

motor ['moʊtər] *n.* **1.** *t. mot.* silnik. **2.** (*także* **electric ~**) silnik elektryczny. **3.** = **motor vehicle.** – *a. attr.* **1.** *Br. i Austr.* samochodowy (*np. o wycieczce, wypadku, ubezpieczeniu*); motoryzacyjny, samochodowy (*o przemyśle*). **2.** *fizj., anat.* motoryczny, ruchowy (*o nerwie, włóknie, odruchu*); **~ activity** czynność ruchowa, motoryka. – *v.* **1.** jeździć *l.* jechać samochodem. **2.** wieźć *l.* przewozić samochodem.

motorbicycle ['moʊtərbaɪˌsɪkl] *n. mot.* **1.** motocykl. **2.** motorower.

motorbike ['moʊtərˌbaɪk] *n. mot. pot.* **1.** *Br. pot.* motor (= *motocykl*). **2.** *US* motor (= *motocykl, zwł. mały i lekki*); motorower. – *v.* jeździć *l.* jechać na motocyklu *l.* motorowerze.

motorboat ['moʊtərˌboʊt] *n. żegl.* łódź motorowa, motorówka. – *v.* płynąć motorówką.

motorbus ['moʊtərˌbʌs] *n. mot.* autobus.

motorcade ['moʊtərˌkeɪd] *n.* kawalkada samochodów.

motorcar ['moʊtərˌkɑːr] *n.* **1.** *form.* samochód. **2.** *kol.* drezyna motorowa.

motor caravan *n. Br.* = **motor home**.

motorcoach ['moʊtərˌkoʊtʃ] *n. Br.* autokar.

motorcycle ['moʊtərˌsaɪkl] *n. mot.* motocykl. – *v.* jeździć *l.* jechać na motocyklu.

motorcyclist ['moʊtərˌsaɪklɪst] *n.* motocyklist-a/ka.

motor drive *n. U* **1.** napęd silnikowy elektryczny. **2.** *fot.* szybkie przewijanie filmu silnikiem elektrycznym.

motordrome ['moʊtərˌdroʊm] *n. US* motodrom (= *tor wyścigowy l. testowy dla samochodów l. motocykli*).

motor generator *n. el.* zespół silnikowo-prądnicowy, przetwornica dwumaszynowa.

motor gun boat *n. wojsk.* ścigacz artyleryjski.

motor home *n. US* pojazd z przestrzenią mieszkalną używany podczas dalekich podróży.

motoring ['moʊtərɪŋ] *zwł. Br. n. U* jazda *l.* kierowanie samochodem. – *a. attr.* samochodowy (*o mapie*); samochodowy, drogowy (*o wypadku*); drogowy (*o wykroczeniu*).

motorist ['moʊtərɪst] *n.* kierowca.

motorization [ˌmoʊtərə'zeɪʃən], *Br. i Austr. zw.* **motorisation** *n. U* **1.** motoryzacja. **2.** wyposażanie w silnik.

motorize ['moʊtəˌraɪz], *Br. i Austr. zw.* **motorise** *v.* **1.** *wojsk.* zmotoryzować. **2.** wyposażać w silnik.

motorized ['moʊtəˌraɪzd], *Br. i Austr. zw.* **motorised** *a.* **1.** silnikowy, wyposażony w silnik (*np. o wózku inwalidzkim*). **2.** samochodowy (*o transporcie*). **3.** motorowy (*np. o statku*). **4.** *wojsk.* zmotoryzowany. **5.** *techn.* sterowany silnikiem (*np. o zaworze*).

motor lodge, motor inn *n. US* motel.

motorman ['moʊtərmən] *n. pl.* **-men** **1.** motorniczy. **2.** *kol.* maszynista (*lokomotywy o napędzie elektrycznym*).

motormouth ['moʊtərˌmaʊθ] *n. zwł. US sl.* gaduła.

motor oil *n. U* olej silnikowy.

motor pool *n. US* park samochodowy.

motor racing *n. U* wyścigi samochodowe.

motor scooter *n. mot.* skuter.

motor ship, motor vessel *n. żegl.* motorowiec, statek motorowy.

motor sprinkler *n. mot.* polewaczka samochodowa (*uliczna*).

motor torpedo boat *n. wojsk.* ścigacz torpedowy.

motor traffic *n. U* ruch samochodowy.

motor vehicle *n. mot.* pojazd mechaniczny.

motor vessel *n.* = **motor ship**.

motorway ['moʊtərˌweɪ] *n. Br.* autostrada.

mottle ['mɑːtl] *n.* plamka; cętka; żyłka; *U* plamki; cętki; żyłki. – *v.* pokrywać plamkami *l.* cętkami; żyłkować.

mottled ['mɑːtld] *a.* plamisty (*np. o cerze, twarzy*); żyłkowany (*np. o marmurze*); cętkowany, w cętki, nakrapiany (*np. sierści, o upierzeniu*).

motto ['mɑːtoʊ] *n. pl.* **-es** *l.* **-s** **1.** motto; motto życiowe, dewiza. **2.** *muz.* powtarzająca się fraza. **3.** powiedzenie *l.* wierszyk umieszczany w tubie z papieru, która wybucha przy otwarciu (*zwyczaj związany z Bożym Narodzeniem*).

moue [muː] *n. pl.* **-s** [muːz] *form.* wydęcie warg (*zwł. pogardliwe*).

mouflon ['muːflɑːn], **moufflon** *n. zool.* muflon (*Ovis musimon*).

moujik [mʊ'ʒɪk] *n.* = **muzhik**.

moulage [mʊ'lɑːʒ] *n.* **1.** odlew gipsowy. **2.** *U* sporządzanie odlewów gipsowych (*dla celów policyjnych*).

mould [moʊld] *n. i v. gł. Br.* = **mold**.

moult [moʊlt] *n. i v. gł. Br.* = **molt**.

mound[1] [maʊnd] *n.* **1.** kopiec; kurhan. **2.** wał; nasyp. **3.** pagórek (*naturalny*). **4.** stos, sterta (*of sth* czegoś). – *v.* **1.** ~ **(up)** usypywać stos z (*ziemi, piasku*); układać w stos (*np. kamienie*). **2.** usypywać kopiec na (*grobie itp.*); otaczać wałem *l.* nasypem (*zwł. fortyfikacje*).

mound[2] *n. her.* jabłko (*emblemat władzy królewskiej*).

Mound Builders *n. pl. US hist.* prehistoryczni Indianie budujący kopce i inne budowle ziemne w rejonie Missisipi.

mount[1] [maʊnt] *v.* **1.** wspinać się; wspinać *l.* wdrapywać się na (*górę, schody, scenę*); ~ **the throne** *przen.* wstępować na tron; ~ **to sth** prowadzić *l.* piąć się w górę do czegoś (*o schodach, ścieżce*). **2.** wsiadać na (*konia, rower, motocykl*); ~ **sb on sth** wsadzać kogoś na coś; **be ~ed on sth** dosiadać czegoś (= *jechać na czymś*). **3.** montować, mocować, umieszczać, ustawiać (*sth on / upon / onto sth* coś na czymś, *sth in sth* coś w czymś); oprawiać (*sth in sth* coś w coś); wkładać, wklejać (*np. znaczki, pocztówki, zdjęcia do albumu l. klasera*). **4.** złożyć, zmontować (*eksponat, np. wypreparowany szkielet*). **5.** pokrywać (*samicę; o samcach zwierząt*). **6.** wystawiać (*np. wartownika, posterunek, wachtę*) (*on sth* na czymś, *around / along sth* wokół/wzdłuż czegoś); ~ **guard** zaciągać straż (*at / over sth* gdzieś/przy czymś). **7.** organizować (*przedsięwzięcie, imprezę*); *wojsk.* przeprowadzać (*atak, ofensywę, operację*). **8.** *wojsk.* wystawiać, uzbrajać (*oddział, armię*). **9.** *wojsk.* przygotowywać do strzału (*broń*); być wyposażonym w (*działa; zwł. o okręcie*). **10.** ~ **(up)** rosnąć, wzrastać, narastać (*to...* osiągając...); **~ing excitement/tension** narastające podniecenie/napięcie. **11.** ~ **to sb's face** nabiegać komuś do twarzy (*o rumieńcu, krwi*). – *n.* **1.** oprawa, ramka. **2.** wierzchowiec. **3.** dosiadanie konia. **4.** *filatelistyka* pasek w klaserze (*przytrzymujący znaczki*). **5.** *techn.* = **mounting**. **6.** *opt.* szkiełko podstawowe (*mikroskopu*).

mount[2] *n.* **1.** *poet.* (*l. w nazwach geograficznych*) góra, wzgórze; **M~/Mt Kilimanjaro** (góra) Kilimandżaro; **M~ of Olives** Góra Oliwna. **2.**

chiromancja wzgórek (= *wybrzuszenie na dłoni*).

mountable ['mauntəbl] *a.* **1.** dający się dosiąść. **2.** dający się zamontować *l.* wstawić.

mountain ['mauntən] *n.* **1.** góra; ~ **path** ścieżka górska; ~ **peak/stream** szczyt/strumień górski. **2.** *przen.* **a ~ of sth** góra czegoś (= *mnóstwo, nadmiar*); **make a ~ out of a molehill** *zob.* **molehill.**

mountain ash *n. bot.* **1.** jarzębina, jarząb pospolity (*Sorbus aucuparia*). **2.** *US* jesion teksański (*Fraxinus texensis*). **3.** *Austr.* eukaliptus olbrzymi (*Eucalyptus regnans*).

mountain bike *n.* rower górski.

mountain cat *n.* **1.** (*także* **Andean mountain cat**) *zool.* kot andyjski (*Felis jacobita*). **2.** *US pot.* = **puma;** = **bobcat.**

mountain chain *n.* = **mountain range.**

mountain climbing *n. U* wspinaczka (*jako sport l. rozrywka*).

mountaineer [ˌmauntɪ'ni:r] *n.* **1.** *sport* alpinista/ka. **2.** góral/ka. – *v.* uprawiać alpinizm.

mountaineering [ˌmauntɪ'ni:rɪŋ] *n. sport* alpinizm, wspinaczka górska.

mountain goat *n.* (*także* **Rocky Mountain goat**) *zool.* kozioł śnieżny (*Oreamnos americanus*).

mountain laurel *n. bot.* kalmia szerokolistna (*Kalmia latifolia*).

mountain lion *n. US pot.* = **puma.**

mountainous ['mauntənəs] *a.* **1.** górzysty. **2.** ogromny, zwalisty.

mountainously ['mauntənəslɪ] *adv.* **1.** górzyście. **2.** zwaliście.

mountainousness ['mauntənəsnəs] *n. U* **1.** górzystość. **2.** ogrom.

mountain range *n.* (*także* **mountain chain**) pasmo górskie.

mountain sheep *n. pl.* **mountain sheep** (*także* **Rocky Mountain sheep**) *zool.* = **bighorn.**

mountain sickness *n. U* (*także* **altitude sickness**) *pat.* choroba górska *l.* wysokościowa.

mountainside ['mauntənˌsaɪd] *n.* zbocze (góry), stok (górski).

mountaintop ['mauntənˌta:p] *n.* szczyt (górski).

mountebank ['mauntəˌbæŋk] *lit. n.* szarlatan (*zwł. hist.* = *sprzedawca fałszywych leków*); szalbierz, oszust. – *v. hist.* handlować fałszywymi lekami.

mounted ['mauntɪd] *a. attr.* konny (= *dosiadający wierzchowca*); ~ **infantry/police** piechota/policja konna.

Mountie ['mauntɪ], **Mounty** *n. Can. pot.* policjant konny (= *funkcjonariusz Kanadyjskiej Królewskiej Policji Konnej*).

mounting ['mauntɪŋ] *n. techn.* **1.** rama (*urządzenia*); podstawa, zawieszenie; łoże (*np. działa, silnika*). **2.** *U* montaż.

mounting-block ['mauntɪŋˌbla:k] *n. hist.* podnóżek do wsiadania na koń.

Mounty ['mauntɪ] *n.* = **Mountie.**

mourn [mɔ:rn] *v.* **1.** ~ **(for) sb** opłakiwać kogoś; ~ **(for/over) sth** ubolewać *l.* boleć nad czymś; boleć nad stratą czegoś. **2.** nosić żałobę, okrywać się żałobą (*for / over sb / sth* po kimś/czymś).

mourner ['mɔ:rnər] *n.* żałobni-k/ca.

mournful ['mɔ:rnful] *a.* **1.** żałobny. **2.** zasmucony, bardzo smutny; *często uj.* smętny, ponury.

mournfully ['mɔ:rnfulɪ] *adv.* **1.** żałobnie. **2.** smutno, ze smutkiem; smętnie, ponuro.

mournfulness ['mɔ:rnfulnəs] *n. U* **1.** żałoba. **2.** głęboki smutek; ponury nastrój.

mourning ['mɔ:rnɪŋ] *n. U* żałoba (*t.* = *strój żałobny, okres żałoby*); **in** ~ w żałobie; na znak żałoby (*for / over sb / sth* po kimś/czymś); **go into** ~ przywdziać żałobę; **wear** ~ nosić żałobę.

mourning band *n.* opaska żałobna.

mourning cloak *n. US ent.* (rusałka) żałobnik (*Vanessa antiopa*).

mourning dove *n. orn.* gołąb karoliński (*Zenaida macroura*).

mouse *n.* [maus] *pl.* **mice** [maɪs] **1.** mysz, myszka (*pot. jakikolwiek drobny gryzoń, US często* = *myszak; t. przen.* = *osoba bojaźliwa, nieśmiała*); **(common) house** ~ *zool.* mysz domowa (*Mus musculus*); **harvest** ~ *zool.* badylarka (*Br.* = *Micromys minutus; US* = *Reithrodontomys*). **2.** *przen.* **as poor as a church** ~ biedny jak mysz kościelna; **be as quiet as a** ~ siedzieć (cicho) jak mysz pod miotłą; **play (a game of) cat and ~ with sb** bawić się z kimś w kotka i myszkę. **3.** *pl.* **-es** ['mausɪz] *l.* **mice** [maɪs] *komp.* mysz (komputerowa). **4.** *przest. sl.* limo (= *podbite oko*). – *v.* [mauz] **1.** łowić myszy, polować na myszy (*o kocie, sowie*). **2.** ~ **(about)** myszkować. **3.** *żegl.* zabezpieczać (*hak, np. za pomocą zatrzasku, opaski*).

mouse deer *n. pl.* **mouse deer** *zool.* kanczyl (*ssak parzystokopytny z rodziny Tragulidae*).

mouse-ear ['mausˌi:r] *n.* (*także* ~ **chickweed**) *bot.* rogownica (*Cerastium*).

mouse hare *n. zool.* szczekuszka (*rodzina Ochotonidae*).

mouselike ['mauslaɪk] *a.* mysi, przypominający mysz.

mouser ['mauzər] *n. zw. z przymiotnikiem* kot łowiący myszy (*l. inny drapieżnik*); **good** ~ łowny kot.

mousetail ['mausˌteɪl] *n. bot.* mysiurek (*Myosurus*).

mousetrap ['mausˌtræp] *n.* **1.** pułapka na myszy. **2.** *U* (*także* ~ **cheese**) *Br. żart.* ser pośledniego gatunku.

mousey ['mausɪ] *a.* = **mousy.**

mousily ['mausɪlɪ] *adv. pog.* jak mysz (= *płochliwie, ukradkiem*).

mousiness ['mausɪnəs] *n. U* płochliwość.

mousing ['mauzɪŋ] *n. żegl.* zabezpieczenie haka (*zapobiegające rozgięciu l. wysunięciu się z oka*); ~ **hook** hak z zabezpieczeniem.

moussaka [mu'sa:kə] *n. U kulin.* musaka (*danie kuchni greckiej*).

mousse [mu:s] *n. C / U* **1.** *kulin.* mus; **chocolate/strawberry** ~ mus czekoladowy/truskawkowy; **salmon** ~ mus z łososia. **2.** (*także* **conditioning/styling** ~) pianka do (układania) włosów.

mousseline ['mu:sli:n] *n. U tk.* muślin jedwabny.

mousseline glass *n. U szklarstwo* delikatne szkło kieliszkowe.

mousseline sauce *n. U kulin.* sos muślinowy.

moustache [ˈmʌstæʃ] *n. Br.* = **mustache.**

mousy [ˈmaʊsɪ], **mousey** *a.* **-ier, -iest 1.** płochliwy (jak mysz), nieśmiały. **2.** mysi (*o twarzy, wyglądzie, kolorze*). **3.** myszaty (*o umaszczeniu l. kolorze włosów*). **4.** pachnący myszami, o mysim zapachu. **5.** rojący się od myszy.

mouth *n.* [maʊθ] *pl.* **-s** [maʊðz] **1.** usta (*t. = jama ustna*); paszcza, gęba (*t. zool. = otwór gębowy*). **2.** mina, grymas. **3.** *techn.* odstęp między szczękami (*imadła, uchwytu*). **4.** wylot (*jaskini, tunelu, sztolni*); otwór (*np. naczynia*). **5.** ujście (*rzeki*). **6.** *U pot. uj.* gadanie (*zwł. jałowe*); pyskowanie. **7.** pysk (*t. jeźdz. = reakcja konia na wodze*); **fine/dead ~** pysk czuły/niewrażliwy; **light/hard ~** pysk miękki/twardy; **light/hard in ~** miękki/twardy w pysku (*o koniu*). **8.** *przen.* **a ~ to feed** gęba do wykarmienia (= *osoba na utrzymaniu*); **be all ~ (and no action)** *pot.* dużo gadać (a mało robić), być mocnym w gębie; **born with a silver spoon in one's ~** w czepku urodzony; **by word of ~** ustnie (*przekazywać wiadomości*); **don't/never look a gift horse in the ~** *zob.* **horse** *n.*; **down in/at the ~** *pot.* w minorowym nastroju; **foam at the ~** *zob.* **foam** *v.*; **foul ~** niewyparzona gęba; **give ~ to sth** ująć coś słowami *l.* w słowa; **have a big ~** mieć niewyparzoną gębę, mieć długi język; **keep one's ~ shut** *pot.* trzymać buzię *l.* gębę na kłódkę; **leave a bad/nasty taste in the ~** zostawić po sobie niesmak; **live from hand to ~** *zob.* **hand** *n.*; **look as if butter wouldn't melt in one's ~** sprawiać wrażenie niewiniątka; **make sb's ~ water** sprawiać, że komuś ślinka cieknie; **open one's ~** otwierać usta (= *odzywać się*); **open one's big ~** *pot.* rozpuścić gębę; **out of the ~s of babes and sucklings** *zob.* **babe; put one's foot in one's ~** *zob.* **foot** *n.*; **put one's money where one's ~ is** *zob.* **money; put words in/into sb's ~** przypisywać komuś coś, czego nie powiedział *l.* nie napisał; podsuwać komuś słowa; **shut one's ~** *pot.* zamknąć się (= *zamilknąć*); **shut sb's ~** *pot.* zamknąć komuś gębę (= *uciszyć*); **(straight) from the horse's ~** *zob.* **horse** *n.*; **me and my/you and your big ~!** *pot.* ja to mam/ty to masz niewyparzoną gębę! (*wyrażając irytację z powodu popełnionej niedyskrecji*); **you took the words (right) out of my ~** wyjąłeś mi to z ust. – *v.* [maʊð] **1.** wypowiadać bezgłośnie (*ruchami warg*). **2.** *uj.* wygłaszać, klepać (*np. slogany, puste obietnice*). **3.** dotykać ustami; próbować ustami. **4.** robić grymasy (*at sb* do kogoś). **5.** *jeźdz.* przyzwyczajać do wędzidła (*konia*). **6.** *US pot.* **~ off** walić prosto z mostu; odszczekiwać się; wyrzekać (*at / about sth* na coś).

mouth brooder *n. icht.* gębacz, pyszczak (*różne ryby z rodziny pielęgnicowatych, wychowujące młode w pysku*).

mouthed [maʊðd] *a. w złoż.* **big-~** gadatliwy; **foul-~** z niewyparzoną gębą; **narrow/wide-~** o wąskim/szerokim otworze *l.* wylocie; **open-~** z rozdziawionymi ustami.

mouthful [ˈmaʊθˌfʊl] *n.* **1.** kęs (*jedzenia*); łyk (*picia*); kąsek, odrobina; **eat a few ~s** zjeść kilka kęsów; **in a/one ~** jednym kęsem. **2.** *przen.* **(a bit of) a ~** *pot. żart.* trudne do wymówienia słowo; **give sb a ~** *Br. pot.* wygarnąć komuś (*używając mocnych słów*); **say a ~** *gł. US i Can. pot.* powiedzieć świętą prawdę (*w zwięzły sposób*).

mouth guard *n. rugby itp.* ochraniacz na zęby.

mouth organ *n. muz.* harmonijka ustna, organki.

mouthpart [ˈmaʊθˌpɑːrt] *n. zw. pl. zool.* narząd gębowy (*u stawonogów*).

mouthpiece [ˈmaʊθˌpiːs] *n.* **1.** *muz.* ustnik. **2.** *tel.* mikrofon (*słuchawki*). **3.** dzióbek (*naczynia*). **4.** *boks, hokej* ochraniacz na zęby. **5.** *zw. sing. przen.* oficjalny organ (*np. gazeta*); rzeczni-k/czka.

mouth-to-mouth [ˌmaʊθtəˈmaʊθ] *a. attr. med.* usta-usta (*o technice sztucznego oddychania*).

mouthwash [ˈmaʊθˌwɔːʃ] *n. C/U* płyn do płukania ust.

mouth-watering [ˈmaʊθˌwɔːtərɪŋ] *a.* apetyczny, smakowity.

mouthy [ˈmaʊðɪ] *a.* **-ier, -iest 1.** gadatliwy. **2.** napuszony, bombastyczny.

mouton [ˈmuːtɑːn] *n. U* (*także* **~ lamb**) *kuśnierstwo* duża skóra owcza futerkowa.

movability [ˌmuːvəˈbɪlətɪ], **moveability** *n. U* ruchomość (*cecha*).

movable [ˈmuːvəbl], **moveable** *a.* ruchomy; **~ feast** *rel.* święto ruchome; **~ property** *prawn.* majątek ruchomy; **~ type** *druk.* czcionka ruchoma. – *n.* **1.** *zw. pl.* przedmiot ruchomy. **2.** *pl. prawn.* ruchomości, majątek ruchomy.

movableness [ˈmuːvəblnəs] *n.* = **movability.**

movably [ˈmuːvəblɪ], **moveably** *adv.* ruchomo.

move [muːv] *v.* **1.** poruszać się, ruszać się; ruszać (*czymś*); *t. przen.* wprawiać w ruch. **2.** przesuwać (się); przemieszczać (się). **3.** wykonywać ruch (*t. w grze*). **4.** posuwać (się) naprzód. **5. ~ (across/over)** przesuwać, przenosić. **6.** być w ruchu, działać (*o maszynie*). **7.** (*także Br. i Austr.* **~ house**) przeprowadzać się, przenosić się (*from X to Y* z X do Y); **~ into sth** wprowadzać się dokądś; **~ out of sth** wyprowadzać się skądś. **8.** *form.* przedkładać (*wniosek, projekt*); wnosić (*for sth* o coś, *that sth be done* o zrobienie czegoś). **9.** *często pass.* wzruszać, poruszać (*kogoś, czyjeś uczucia*); **~ sb to tears** wzruszyć kogoś do łez. **10.** skłaniać, pobudzać (*sb to do sth* kogoś do zrobienia czegoś). **11.** zmieniać zdanie; **~ sb** skłaniać kogoś do zmiany zdania (*on sth* na temat czegoś). **12.** *med. l. form.* wypróżniać się (*o jelitach*); **~ one's bowels** wypróżniać się (*o osobie*). **13.** *handl.* rozchodzić się (*o towarze*). **14.** *przen.* **~ heaven and earth** poruszyć niebo i ziemię; **~ in high society/in the best circles/in exalted spheres** obracać się w dobrym towarzystwie/w najlepszych kręgach/w wyższych sferach; **get moving** zaczynać, startować, ruszać w drogę; **get moving!** *pot.* rusz się! (= *pospiesz się*); **get sth moving** *pot.* rozkręcać coś (= *ożywiać, nadawać rozpęd*); **start moving** *pot.* rozkręcać się, nabierać rozpędu (*o imprezie l. przedsięwzięciu*). **15. ~ along** *Br.* posuwać się (*ustępując miejsca*); schodzić z drogi; **~ sb along** *zwł. Br.* nakazać komuś rozejście się; **~ aside/over** *przen.* odsunąć się (*np. odchodząc na emeryturę*); ~ **away** wyprowadzać się (*w odległe miejsce*), wyjeżdżać daleko; ~ **down** *pot.* obsuwać się (= *tracić pozycję l. stanowisko*); ~ **in** wprowadzać się (*with sb* do kogoś); ~ **in on/upon sb/sth** osaczać kogoś/coś; *przen. pot.* zdobywać władzę nad kimś/czymś; ingerować w sprawy kogoś/czegoś; ~ **sb in** pomagać komuś przy wprowadzaniu się; ~ **off** ruszać (z miejsca), odjeżdżać (*zwł. o pojeździe*); wycofywać się (*z zagrożonych pozycji*); ~ **on** iść *l.* jechać dalej, ruszać w dalszą drogę; odchodzić; rozchodzić się (*zwł. na polecenie policji*); ~ **on to sth** przechodzić do czegoś (*zwł. do nowego tematu*); ~ **sb on** nakazać komuś rozejście się; ~ **out** wyprowadzać się; ~ **sb out** pomagać komuś przy wyprowadzce; ~ **over** przesuwać się (*ustępując miejsca*); schodzić z drogi; ~ **up** *przen. pot.* piąć się w górę, awansować; *Br.* posuwać się (*ustępując miejsca*); ~ **sb up (through the ranks)** *przen.* pchać kogoś w górę (= *pomagać w karierze*). – *n.* **1.** ruch (*t. przen.* = *działanie*); przemieszczenie się, przesunięcie się (*from... to/into...* z *l.* od... do...); **it's my** ~ mój ruch (*w grze*). **2.** przeprowadzka, przenosiny (*from... to/into...* z *l.* od... do...). **3.** *przen.* posunięcie, krok (*toward sth* ku czemuś *l.* w kierunku czegoś); manewr (*to do sth* w celu zrobienia czegoś). **4. be on the** ~ być w drodze; być w rozjazdach; krzątać się; **get a** ~ **on!** *pot.* rusz się! (= *pospiesz się*); **in a** ~ **to do sth** zamierzając *l.* usiłując zrobić coś; **make a** ~ *t. przen.* wykonać *l.* zrobić ruch; *Br.* zbierać się (do wyjścia); *zw. neg. przen.* podejmować działanie; **make one's** ~ zdobyć się na działanie; **(one) false** ~ (jeden) fałszywy ruch *l.* krok.

moveability [ˌmuːvəˈbɪlətɪ] *n.* = **movability**.

moveable [ˈmuːvəbl] *a.* = **movable**.

moveably [ˈmuːvəblɪ] *adv.* = **movably**.

movement [ˈmuːvmənt] *n.* **1.** *C/U* ruch (*t. sceniczny, taneczny; t. przen.* = *prąd, nurt, grupa aktywistów*); poruszenie (się); zdolność poruszania się; **freedom of** ~ swoboda ruchu; **have no** ~ **in one's legs** nie móc ruszać nogami; **resistance** ~ ruch oporu; **the impressionist** ~ *sztuka* ruch impresjonistów; **the women's liberation** ~ *polit.* ruch wyzwolenia kobiet. **2.** *gł. wojsk.* manewr pozycyjny; *pl.* ruchy (= *zmiany pozycji*). **3.** *pl. Br. i Austr.* działania, poczynania (*zwł. osoby obserwowanej*); **watch sb's ~s** śledzić czyjeś poczynania. **4.** *techn.* mechanizm (= *zespół części ruchomych*). **5.** *U* dynamizm (*kompozycji*); tempo (*utworu literackiego l. muzycznego*); rozwój (*akcji*); **lack** ~ odznaczać się brakiem dynamizmu *l.* tempa. **6.** *C/U ekon.* wahanie (*in sth* czegoś) (*zwł. notowań giełdowych l. cen*). **7.** *sing.* dążenie (*toward sth* ku czemuś); ~ **away from sth** odchodzenie od czegoś. **8.** *muz.* część (*np. symfonii*). **9.** *U wers.* budowa rytmiczna. **10.** (*także* **bowel** ~) *med.* wypróżnienie; stolec.

mover [ˈmuːvər] *n.* **1.** siła napędowa; **prime** ~ *techn.* źródło napędu; *przen.* motor zmian; *fil.* pierwsza przyczyna sprawcza. **2.** *z przymiotnikami* osoba poruszająca się; **she's a graceful** ~ ona porusza się z wdziękiem. **3.** *form.* wnioskodaw-ca/czyni. **4.** przewoźnik (*of sth* czegoś). **5.** *US* pracownik firmy przewożącej meble; *pl.* firma przewożąca meble. **6. ~s and shakers** *przen. pot.* ci, którzy pociągają za sznurki (= *osoby mające wpływy l. władzę*).

movie [ˈmuːvɪ] *n.* **1.** *gł. US i Can.* film; ~ **producer** producent filmowy; ~ **ticket** bilet do kina. **2.** *pl.* **the ~s** przemysł filmowy; kino; **go to the ~s** iść do kina; **work in the ~s** pracować w branży filmowej.

movie camera *n. US i Can.* kamera filmowa.

movie film *n. C/U US i Can.* taśma filmowa.

movie-goer [ˈmuːvɪˌgoʊər] *n. US i Can.* kinoman/ka.

movie house *n.* = **movie theater**.

movie star *n.* gwiazda filmowa.

movie theater, movie house *n. US i Can.* kino (*budynek*).

moving [ˈmuːvɪŋ] *a.* **1.** wzruszający, poruszający. **2.** *attr.* ruchomy; poruszający się, (znajdujący) się w ruchu. **3.** *attr.* napędzający.

moving coil *n. el.* cewka ruchoma.

moving-coil microphone [ˈmuːvɪŋˌkɔɪl ˌmaɪkrəˌfoʊn] *n.* mikrofon (dynamiczny) z ruchomą cewką.

movingly [ˈmuːvɪŋlɪ] *adv.* wzruszająco.

moving picture *n. zwł. US i Can. przest.* film (*kinowy*).

moving sidewalk *n. zwł. US i Can.* ruchomy chodnik (*np. na lotnisku*).

moving spirit *n.* (*także* **moving force**) duch przewodni; dusza (*behind sth* czegoś) (*jakiegoś przedsięwzięcia; o osobie*).

moving staircase *n. przest.* schody ruchome.

moving van *n. US* wóz do przeprowadzek.

mow[1] [moʊ] *v. p. i pp.* **-ed** *l.* **mown** **1.** kosić (*trawę, zboże, trawnik, pole*); ścinać; **new-mown hay** świeżo skoszone siano. **2.** ~ **down** *przen.* wykosić (= *położyć trupem l. kolejno pokonać*).

mow[2] [maʊ] *n. roln.* **1.** sąsiek (*w stodole*). **2.** sterta zboża l. siana w sąsieku.

mow[3] [maʊ] *arch. n.* grymas. – *v.* robić grymas, krzywić się.

mower [ˈmoʊər] *n.* **1.** kosiarka; **lawn** ~ kosiarka (do trawy). **2.** kosia-rz/rka.

mown [moʊn] *v. zob.* **mow**[1].

moxie [ˈmɑːksɪ] *n. U US i Can. sl.* animusz, werwa.

Mozambican [ˌmoʊzəmˈbiːkən] *a.* mozambicki. – *n.* Mozambij-czyk/ka.

Mozambique [ˌmoʊzəmˈbiːk] *n. geogr.* Mozambik.

Mozarab [moʊˈzerəb] *n. hist.* mozarab/ka.

Mozarabic [moʊˈzerəbɪk] *a.* mozarabski (*t. kość. o liturgii*); ~ **chant** *hist., muz.* chorał mozarabski *l.* wizygocki.

Mozartean [moʊtˈsɑːrtɪən], **Mozartian** *a. muz.* mozartowski (*o stylu*).

mozzarella [ˌmɑːtsəˈrelə] *n. U* mozzarella (*ser*).

mozzie [ˈmɑːzɪ], **mossie** *n. Austr. i NZ pot.* komar, moskit.

mozzle [ˈmɑːzl] *n. U Austr. pot.* niefart, pech.

MP [ˌem ˈpiː] *abbr. i n. pl.* **MPs** *l.* **MP's Member of Parliament** *Br.* parlamentarzyst-a/ka, pos-eł/łanka (*do Izby Gmin*) (*for...* z (okręgu)...);

John Smith MP poseł John Smith. – *abbr.* **1. Military Police** żandarmeria wojskowa. **2. Mounted Police** policja konna. **3. (London) Metropolitan Police** *Br.* londyńska policja stołeczna.

mp [ˌem ˈpiː], **m.p.** *abbr.* = **melting point.**

mpg [ˌem ˌpiː ˈdʒiː], **m.p.g.** *abbr.* **miles per gallon** *mot.* (*liczba*) mil przejeżdżanych na galonie paliwa.

mph [ˌem ˌpiː ˈeɪtʃ], **m.p.h.** *abbr.* **miles per hour** (*liczba*) mil na godzinę.

Mr., *Br.* **Mr** *n. pl.* **Messrs.** *l.* **Messrs** [ˈmesərz] **1.** *często voc.* pan; ~ **(Bruce) Smith** pan (Bruce) Smith; ~ **Chairman** pan przewodniczący; ~ **President** *gł. US* pan prezydent. **2.** *przen.* ~ **Big** *pot.* ważniak (*zwł. = boss organizacji przestępczej*); ~ **Clean** *pot. często iron.* wzór *l.* wcielenie uczciwości; ~ **Right** *żart.* ten właściwy (= *idealny kandydat na męża*); **no more ~ Nice Guy!** *pot.* koniec z altruizmem!; koniec z uprzejmością!

MRBM [ˌem ˌɑːr ˌbiː ˈem] *abbr.* **middle-range ballistic missile** *wojsk.* pocisk balistyczny średniego zasięgu.

MRI [ˌem ˌɑːr ˈaɪ] *abbr.* **magnetic resonance imaging** *techn., med.* metoda magnetycznego rezonansu jądrowego; ~ **scanner** aparat do diagnostyki metodą magnetycznego rezonansu jądrowego.

Mrs. [ˈmɪsɪz], *Br.* **Mrs** *n. pl.* **Mrs.** *l.* **Mmes.** [meɪˈdɑːm] **1.** *często voc.* pani (*przed (imieniem i) nazwiskiem kobiety zamężnej*); ~ **(Sarah) Jones** *przest.* pani (Sarah) Jones; ~ **Christopher Jones** *przest.* pani Krzysztofowa Jones; **Mr. and ~ Jones** państwo Jones. **2.** ~ **Perfect/Average etc** *pot. żart. l. iron.* pani Chodząca Doskonałość/Przeciętność itd. (*o zamężnej kobiecie uosabiającej określoną cechę*).

MS [ˌem ˈes] *abbr.* **1.** *US* = **Mississippi. 2.** (*także* **M.S.**) *żegl.* = **motor ship. 3.** *pat.* = **multiple sclerosis.**

Ms. [mɪz], *Br.* **Ms** *n. pl.* **Mses.** *pl.* **Mses** [ˈmɪzɪz] pani (*przed (imieniem i) nazwiskiem kobiety, niezależnie od stanu cywilnego*).

ms., ms *abbr. pl.* **mss.** *l.* **mss** = **manuscript.**

M.S. [ˌem ˈes], **M.Sc.** *Br.* **MSc** [ˌem ˌes ˈsiː] *abbr.* **Master of Science** magister nauk ścisłych.

MSG [ˌem ˌes ˈdʒiː] *abbr.* = **monosodium glutamate.**

Msgr *abbr.* = **Monsignor.**

MST [ˌem ˌes ˈtiː], **M.S.T.** *abbr.* **Mountain Standard Time** *US i Can.* czas Gór Skalistych (= *czas uniwersalny minus 5h*).

MT [ˌem ˈtiː] *abbr.* **1.** *US* = **Montana. 2.** (*także* **M.T.**) **Mountain Time** *US i Can.* = **MST.**

Mt. *abbr.* **1.** = **Mount. 2.** (*także* **Mtn.**) = **Mountain.**

MTB [ˌem ˌtiː ˈbiː] *abbr.* = **motor torpedo boat.**

mtg, mtg. *abbr.* = **meeting.**

mtg., mtge. *abbr.* = **mortgage.**

mth *abbr. pl.* **mths** *Br.* = **month.**

MTV [ˌem ˌtiː ˈviː] *abbr.* (*także* ~ **Networks**) **Music Television** sieć telewizyjna MTV.

mu [mjuː] *n.* mi (*litera alfabetu greckiego*).

much [mʌtʃ] *a. i pron.* **1.** *comp.* **more** [mɔːr] *sup.* **most** [moʊst] (*zwł. w pytaniach, przeczeniach i po niektórych przysłówkach*) dużo, wiele (*w odniesieniu do rzeczowników niepoliczalnych*); **as ~ as I can** tak dużo, jak potrafię; **(far) too ~** (o wiele) za dużo; **he's not ~ of a poet** marny z niego poeta; **I can't make ~ of it** niewiele z tego rozumiem; **I didn't have ~ time** nie miałam wiele czasu; **I didn't do ~ yesterday** niewiele wczoraj zrobiłem; **not (very) ~** niedużo, niezbyt wiele; **there's so ~ work left that we won't go to bed before midnight** zostało tak wiele do zrobienia, że nie pójdziemy spać przed północą. **2. how ~** ile (*w odniesieniu do rzeczowników niepoliczalnych*); **how ~ gas/money/time do you need?** ile benzyny/pieniędzy/czasu potrzebujesz?; **how ~ is it?** ile to kosztuje?. **3. as ~** dokładnie tyle (*t. = właśnie tak*); **I suspected/thought as ~** tak właśnie podejrzewałem/myślałem. **4. so ~** tyle; **so ~ sth** tyle a tyle czegoś; **so ~ for sb/sth** *iron.* tyle, jeśli chodzi o kogoś/coś (*o osobie l. rzeczy niewartej dyskusji*); **not so ~ A as B** nie tyle A, co B; **what he says is so ~ nonsense** to, co on mówi, to same bzdury; **with not so ~/without so ~ as a "thank you"** bez słowa podziękowania. **5. that ~** aż tyle; dokładnie tyle; **not that ~** nie aż tak wiele. **6. this ~** tyle (*zwł. = to, co za chwilę powiem*); **I'll tell you this ~** tyle ci powiem (że...); **this ~ is certain** (to) jedno jest pewne. **7. be too ~ for sb** być zbyt trudnym dla kogoś; być dla kogoś nie do zniesienia; **it's not (up to) ~** to nic nadzwyczajnego; **make ~ of sb/sth** robić szum wokół kogoś/czegoś; **not think ~ of sb/sth** nie być najlepszego zdania o kimś/czymś. – *adv.* **1.** *comp.* **more** [mɔːr] *sup.* **most** [moʊst] (*gł. w połączeniach z czasownikami i imiesłowami biernymi*) bardzo (*zwł. w zdaniach pytaniach i przeczeniach*); często; **very ~** (*także t. emf.* **ever so ~**) bardzo, wielce; **~ as I'd like to** choć bardzo bym chciał; **~ used** często używany; **I enjoyed the book very ~** książka bardzo mi się podobała; **it doesn't happen ~** to się nieczęsto zdarza; **it doesn't matter ~** to nie ma większego znaczenia; **thank you very ~** (*także emf.* **thank you ever so ~**) dziękuję bardzo, bardzo dziękuję; **(very) ~ aware of sth** głęboko świadom czegoś; **(very) ~ frightened** bardzo przestraszony; **(very) ~ surprised** wielce zdziwiony; **~-praised book** bardzo zachwalana książka. **2.** (*z przymiotnikami i przysłówkami w stopniu wyższym*) o wiele, znacznie; **~ bigger** o wiele większy; **~ longer** o wiele dłuższy; znacznie dłużej; **~ more/less** o wiele więcej/mniej; **~ more expensive** znacznie droższy; **she's ~ better** ona czuje się o wiele lepiej; **(we can't afford a holiday,) ~ less (a holiday abroad)** (nie stać nas na wakacje,) a co dopiero (na wakacje za granicą). **3.** (*z przymiotnikami i przysłówkami w stopniu najwyższym*) *form.* bez porównania, bezspornie; **~ the earliest** bezspornie najwcześniejszy; **~ the most expensive** bez porównania najdroższy. **4.** prawie, praktycznie; **~ the same as...** prawie to samo, co...; prawie taki sam jak... **5. ~ to sb's amusement/astonishment/delight** ku czyjemuś rozbawieniu/zdumieniu/zachwytowi.

muchness ['mʌtʃnəs] *n. U* **1.** *arch. l. pot.* wielkość. **2. much of a** ~ *Br. pot.* niemal taki sam.

mucid ['mju:sɪd] *a. rzad. form.* omszały, butwiejący; oślizły.

mucidity [mjʊ'sɪdətɪ] *n. U* zbutwienie; oślizłość.

mucilage ['mju:səlɪdʒ] *n. U* śluz (= *substancja kleista; t. bot.*); klej roślinny.

mucilaginous [ˌmju:sə'lædʒənəs] *a.* śluzowaty; kleisty.

mucin ['mju:sɪn] *n. C/U biochem.* mucyna.

muck [mʌk] *n.* **1.** *U roln., ogr.* obornik, gnój; mierzwa; (*także* ~ **soil**) ziemia kompostowa. **2.** *U* brud, błoto, breja; paskudztwo. **3.** *U górn.* gruz z wyrobiska. **4.** *przen.* brudy (= *skandalizujące l. zniesławiające plotki*); **drag sb's name through the** ~ obrzucić kogoś błotem (= *oczernić*); **stir up** ~ **about sb** wyciągać brudy na czyjś temat. **5.** *sing.* (*także* ~**-up**) *Br. i Austr. pot.* bałagan, bajzel; **in a** ~ rozbabrany; **make a** ~ **of sth** rozbabrać *l.* zaśmiecić coś; *przen.* spaprać *l.* spartaczyć coś. – *v.* **1.** *roln.* nawozić obornikiem. **2.** ~ **(up)** *pot.* zaświnić, zapaskudzić. **3.** ~ **(out)** sprzątać (*oborę, stajnię*), wybierać gnój *l.* ściółkę z (*obory, stajni*). **4.** *pot.* ~ **about/around** *Br.* obijać się; wałęsać się; ~ **about/around with sb** grać komuś na nerwach; robić kogoś w konia; ~ **in (together)** *Br.* podzielić się sprawiedliwie (*pracą, obowiązkami*); ~ **up** *Austr.* rozrabiać; ~ **sth up** *Br. i Austr.* spaprać *l.* spartaczyć coś.

muckamuck [ˌmʌkə'mʌk] *Can. dial. pot. n.* żarcie. – *v.* wcinać (= *jeść*).

mucker ['mʌkər] *n.* **1.** *górn.* robotnik usuwający gruz z wyrobiska. **2.** *Br. sl.* koleś, kumpel; *uj.* cham, gbur.

muckerish ['mʌkərɪʃ] *a. Br. sl.* chamski.

muckheap ['mʌkˌhi:p] *n.* sterta gnoju.

muckily ['mʌkɪlɪ] *adv.* **1.** błotniście. **2.** *przen. pot.* po świńsku (= *brudno l. nieprzyzwoicie*).

muckiness ['mʌkɪnəs] *n. U* **1.** brud. **2.** *przen. pot.* świństwa, świntuszenie.

muckrake ['mʌkˌreɪk] *n. roln.* grabie do rozgarniania gnoju. – *v. dzienn. pot.* ujawniać brudne sprawki (*zwł. osób z życia publicznego*), uprawiać demaskatorstwo; *uj.* grzebać się w brudach.

muckraker ['mʌkˌreɪkər] *n.* demaskator/ka (*zwł.* = *reporter/ka ujawniając-y/a ciemne strony życia publicznego*); *uj.* skandalist-a/ka.

muckraking ['mʌkˌreɪkɪŋ] *n. U* demaskatorstwo; *uj.* grzebanie się w brudach.

muck-up ['mʌkˌʌp] *n. Br. i Austr.* = **muck** *n.* 5.

muckworm ['mʌkˌwɜ:m] *n.* **1.** robak żyjący w błocie *l.* gnoju. **2.** *przen. pot.* kutwa.

mucky ['mʌkɪ] *a.* **-ier, -iest 1.** zabłocony; zapaskudzony; utytłany. **2.** *przen. pot.* świński (= *nieprzyzwoity*).

mucoid ['mju:kɔɪd], **mucoidal** [mjʊ'kɔɪdl] *a. gł. biochem., pat.* śluzowaty.

mucopolysaccharide [ˌmju:koʊˌpɑ:lə'sækəˌraɪd] *n. zw. pl. biochem.* mukopolisacharyd.

mucosa [mjʊ'koʊsə] *n. pl.* **mucosae** [mjʊ'koʊsi:] *anat.* śluzówka, błona śluzowa; **gastric** ~ błona śluzowa żołądka.

mucosal [mjʊ'koʊsl] *a. anat.* dotyczący śluzówki.

mucous ['mju:kəs] *a. fizj., anat.* śluzowy.

mucous membrane *n. anat.* błona śluzowa, śluzówka.

mucro ['mju:kroʊ] *n. pl.* **mucrones** [mjʊ'kroʊni:z] *biol.* szpic, ostry koniec.

mucronate ['mju:krəˌneɪt], **mucronated** ['mju:krəˌneɪtɪd] *a.* zaostrzony, ostro zakończony.

mucus ['mju:kəs] *n. U fizj.* śluz; wydzielina (*np. z nosa*).

MUD [ˌem ˌju: 'di:] *abbr.* **multi-user dungeon/dimensions/domains** *komp.* gra internetowa z udziałem wielu graczy.

mud¹ [mʌd] *n. U* **1.** błoto (*t. przen.* = *oszczerstwa, obmowa*); muł; *sl.* mokra zaprawa murarska. **2.** *przen.* ~ **sticks** trochę błota zawsze się przyklei (= *obmowa zawsze skutkuje*); **(as) clear as** ~ *zob.* **clear** *a.*; **drag sb/sb's name through the** ~ *zob.* **drag** *v.*; **here's** ~ **in your eye!** *przest. pot.* no to siup w ten głupi dziób! (*toast*); **fling/hurl/sling/throw** ~ **at sb** obrzucać kogoś błotem; **sb's name is** ~ czyjeś dobre imię jest zszargane. – *v.* **-dd-** brudzić *l.* oblepiać błotem.

mud² *v.* **-dd-** *komp. sl.* grać w MUD; *zob.* **MUD**.

mud bath *n. C pl.* **mud baths 1.** kąpiel błotna (*t.* = *ochlapanie błotem*); *med.* kąpiel borowinowa. **2.** *emf.* grzęzawisko (= *miejsce rozmiękłe, błotniste*).

mud cat *n. US* (*zwł. w dolinie Missisipi*) *icht.* sumik (*rodzina Ictaluridae*).

mud dauber *n.* = **mud wasp**.

mudder ['mʌdər] *n. komp. sl.* gracz/ka w MUD; *zob.* **MUD**.

mud devil *n. zool.* diabeł mułowy (*Cryptobranchus alleghaniensis*).

muddily ['mʌdɪlɪ] *adv.* **1.** błotniście. **2.** *przen.* mętnie (= *pokrętnie, niejasno*).

muddiness ['mʌdɪnəs] *n. U* **1.** błotnistość. **2.** *przen.* mętniactwo.

muddle ['mʌdl] *n. zw. sing.* bałagan, zamieszanie (*about/over sth* wokół *l.* w sprawie czegoś); zamęt, mętlik (*t. w głowie*); **be in a** ~ mieć mętlik w głowie; **get in/into a** ~ dostawać pomieszania z poplątaniem. – *v.* **1.** ~ **(up)** mieszać (*US t. koktajl*); plątać (*t. przen.* = *mylić*); przyprawiać o mętlik w głowie; mącić w głowie (*komuś; t. o alkoholu*); ~ **(up) A with/and B** (*także* **get A and B ~d (up)**) pomylić A z B; **sb is ~d (up) about/over sth** komuś się coś pomyliło *l.* pomieszało. **2.** mącić (*wodę*). **3.** *przen.* ~ **along/on (from day to day)** *Br.* żyć z dnia na dzień, wegetować; ~ **through** *zwł. Br.* jakoś sobie radzić (*mimo bałaganu l. braku orientacji*).

muddleheaded ['mʌdlˌhedɪd] *a.* myślący bezładnie; mętny (*bałamutny*).

muddleheadedness ['mʌdlˌhedɪdnəs] *n. U* nieład myślowy; mętniactwo.

muddler ['mʌdlər] *n.* **1.** *US* mieszadło (*do przyrządzania napojów*). **2.** mąciciel/ka (= *osoba siejąca zamęt*). **3.** bałagania-rz/rka (= *osoba postępująca chaotycznie*).

mud drum *n. techn.* osadnik (*zwł. w bojlerze*).

muddy ['mʌdɪ] *a.* **-ier, -iest 1.** błotnisty; zabłocony, ubłocony. **2.** brudny (*o kolorze*). **3.** mulisty; mętny (*t. przen. = niejasny*). – *v.* **1.** zabłocić. **2.** mącić, zamulać. **3.** zaciemniać, gmatwać (= *czynić niejasnym*).

mud eel *n. zool.* syrena jaszczurowata (*Siren lacertina*).

mudfish [ˈmʌdˌfɪʃ] *n. pl.* **-fish** *l.* **-fishes** *icht.* miękławka, amia (*Amia calva*).

mud flap *n. mot.* chlapacz.

mud flat *n. zw. pl. geol.* równina błotna (*okresowo zalewana, zwł. przy ujściu rzeki*).

mudflow [ˈmʌdfloʊ] *n.* = **mudslide**.

mudguard [ˈmʌdˌgɑːrd] *n. gł. Br.* błotnik (*roweru, motocykla*).

mud hen *n. orn.* łyska amerykańska (*Fulica americana*).

mudlark [ˈmʌdˌlɑːrk] *n.* **1.** *hist.* zbieracz/ka przedmiotów wyrzuconych przez rzekę. **2.** *Br. przest.* ulicznik, gawrosz.

mudminnow [ˈmʌdˌmɪnoʊ] *n. pl.* **-s** *l.* **mudminnow** *icht.* muławka (*Umbra limi*).

mud pack *n. kosmetyka* maseczka błotna.

mud pie *n.* placek z błota (*lepiony przez dzieci w zabawie*).

mud puppy *n. pl.* **-ies** *zool.* odmieniec amerykański, szczeniak mułowy (*Necturus maculosus*).

mudsill [ˈmʌdˌsɪl] *n. bud.* podwalina.

mudskipper [ˈmʌdˌskɪpər] *n. icht.* skoczek mułowy (*Periophthalmus*).

mudslide [ˈmʌdˌslaɪd] *n.* (*także* ~ **flow**) *geol.* lawina błotna.

mudslinger [ˈmʌdˌslɪŋər] *n.* osoba oczerniająca kogoś *l.* niszcząca czyjąś reputację.

mudslinging [ˈmʌdˌslɪŋɪŋ] *n. U przen.* obrzucanie błotem (= *oczernianie, zniesławianie*).

mud snake *n. zool.* amerykański wąż błotny (*Farancia abacura*).

mudstone [ˈmʌdˌstoʊn] *n. geol.* mułowiec.

mud turtle, mud tortoise *n. zool.* żółw mułowy (*rodzina Kinosternidae*).

mud wasp *n.* (*także* **mud dauber**) *ent.* błonkówka lepiąca gniazda z błota (*rodzina Sphecidae*).

muenster [ˈmʊnstər], **Muenster** *n. U* (*także* ~ **cheese**) ser munsterski.

muesli [ˈmjuːzlɪ] *n. U kulin.* muesli.

muezzin [mjʊˈezɪn] *n. islam* muezin.

muff¹ [mʌf] *n.* **1.** mufka. **2.** *techn.* mufa. **3.** *zw. pl. hodowla* „nausznik" z piór (*u niektórych ras drobiu*).

muff² *n. pot.* **1.** partactwo, fuszerka; *sport* błąd w grze (*zwł. = puszczona piłka, chybiony rzut*). **2.** partacz/ka, niezdara. – *v. pot.* fuszerować, knocić; *sport* puszczać (*piłkę*); chybiać.

muffin [ˈmʌfɪn] *n. kulin.* **1.** *US i Can.* słodka bułeczka (*często z owocami*). **2.** *Br. i Austr.* (*także US* **English** ~) bułeczka drożdżowa (*jedzona na ciepło z masłem*).

muffle¹ [ˈmʌfl] *n.* **1.** *U* otulina tłumiąca hałas. **2.** *techn.* mufla (*pieca*); (*także* ~ **furnace/kiln**) *metal., ceramika* piec muflowy. – *v.* **1.** ~ **(up)** otulać, opatulać, owijać szalem (*głowę, szyję*); owijać (*w celu stłumienia dźwięku, np. dzwon, wiosło*). **2.** uciszać (*kogoś l. coś*); tłumić (*dźwięk; t. przen. - głosy sprzeciwu, opozycję*).

muffle² *n. zool.* ruchliwa górna warga (*u przeżuwaczy, gryzoni, zajęczaków*).

muffled [ˈmʌfld] *a.* stłumiony, przytłumiony, zduszony (*o dźwięku, krzyku, protestach*).

muffler [ˈmʌflər] *n.* **1.** *US i Can. zwł. mot.* tłumik. **2.** *przest.* ciepły szal *l.* kołnierz, chusta (*otulająca szyję*).

mufti [ˈmʌftɪ] *n. pl.* **-s** **1.** *islam* mufti. **2.** *U* strój cywilny; **in** ~ w stroju cywilnym; **wear** ~ być ubranym po cywilnemu.

mug¹ [mʌg] *n.* **1.** kubek. **2.** (*także* **~ful**) *kulin.* kubek (*jako miara objętości*).

mug² *n.* **1.** *pot. pog. l. żart.* gęba, morda. **2.** *sl.* grymas. **3.** *US i Can. sl.* bandzior. **4.** *gł. Br. sl.* jeleń, frajer; **~'s game** głupiego robota (= *bezsensowne przedsięwzięcie*). – *v. pot.* **1.** napadać, brutalnie atakować (*zwł. w celach rabunkowych*). **2.** robić zdjęcie (*komuś; zwł. do kartoteki policyjnej*).

mug³ *v.* ~ **(up)** *Br. szkoln. sl.* wkuwać (*(on) sth* coś).

mugger¹ [ˈmʌgər] *n.* **1.** *pot.* uliczny rabuś, bandzior. **2.** *gł. US i Can. teatr* aktor/ka grający/a z nadmiernym patosem.

mugger² *n. zool.* krokodyl błotny (*Crocodylus palustris*).

muggily [ˈmʌgɪlɪ] *adv. pot.* parno, duszno.

mugginess [ˈmʌgɪnəs] *n. U pot.* parność, duchota.

mugging [ˈmʌgɪŋ] *n. C/U* rozbój, napad bandycki.

muggins [ˈmʌgɪnz] *n. U Br. pot.* osioł, głupek; ~ **(here)** ten tu idiota (*żart. o sobie samym*).

muggy [ˈmʌgɪ] *a.* **-ier, -iest** *pot.* parny, duszny.

mug shot, mugshot *n. pot.* zdjęcie (twarzy) (*zwł. do kartoteki policyjnej*).

mugwort [ˈmʌgwɜːt] *n. bot.* bielica pospolita (*Artemisia vulgaris*).

mugwump [ˈmʌgˌwʌmp] *n. US polit.* członek/kini niezależnego odłamu partii (*dystansujący się od jej polityki*).

Muhammad [mʊˈhæmɪd], **Muhammed, Mohammed** *n. hist.* Mahomet.

Muhammadan [mʊˈhæmɪdən] *przest. a.* mahometański. – *n.* mahometan-in/ka.

Muhammadanism [mʊˈhæmɪdəˌnɪzəm] *n. U przest.* mahometanizm.

mujahideen [ˌmuːdʒəheˈdiːn], **mujahidin, mujaheddin** *n. pl.* mudżahedini (= *bojownicy islamscy*).

mukluk [ˈmʌklʌk], **mucluc, muckluck** *n.* miękki but eskimoski (*ze skóry foki l. renifera*); kapeć *l.* pantofel skórzany (*przypominający but eskimoski*).

mulatto [mjʊˈlætoʊ] *n. pl.* **-s** *US t.* **-es** mulat/ka. – *a. gł. attr.* jasnobrązowy.

mulberry [ˈmʌlˌberɪ] *n. pl.* **-ies** **1.** *bot.* morwa (*Morus, owoc l. roślina*); **Texas/white** ~ morwa drobnolistna/biała (*Morus Microphylla / alba*). **2.** *U* kolor (ciemnych owoców) morwy. – *a.* koloru morwy (= *purpurowowiśniowy*).

mulch [mʌltʃ] *ogr. n. U* ściółka ogrodnicza (*t.*

=*jakikolwiek materiał do okrywania korzeni sadzonek*); kompost; **dust** ~ ściółka torfowa. – *v.* okrywać *l.* pokrywać ściółką (*t. folią, żwirem itp.*).

mulct [mʌlkt] *arch. n.* grzywna, kara pieniężna. – *v.* **1.** karać grzywną. **2.** oszukać, okraść podstępnie.

mule[1] [mju:l] *n.* **1.** *hodowla* muł (= *krzyżówka klaczy z osłem*). **2.** *pot.* uparciuch. **3.** *pot.* mieszaniec, krzyżówka; ~ **canary** *orn.* mieszaniec kanarka z kulczykiem. **4.** *sl.* kurier (*przemycający narkotyki*). **5.** (*także* **spinning** ~) *tk.* przędzarka mulejowa. **6. (as) obstinate/stubborn as a** ~ *przen.* uparty jak muł *l.* jak osioł.

mule[2] *n. zw. pl.* pantofel *l.* kapeć bez napiętka.

mule deer *n. zool.* jeleń mulak (*Odocoileus hemionus*).

muleskinner [ˈmju:lˌskɪnər] *n. US i Can. pot.* = **muleteer.**

muleta [mjʊˈleɪtə] *n. korrida* muleta.

muleteer [ˌmju:ləˈti:r] *n.* mulni-k/czka, poganiacz/ka mułów.

muley [ˈmju:lɪ], **mulley** [ˈmʊlɪ] *hodowla a.* bezrogi (*o bydle*). – *n.* krowa bezroga.

mulga [ˈmʌlgə] *n. Austr.* **1.** *bot.* karłowata akacja (*zwł. Acacia aneura*); skrub akacjowy (= *gąszcz krzewiastych akacji*). **2.** tarcza aborygeńska.

muliebrity [ˌmju:lɪˈebrətɪ] *n. U form.* kobiecość, bycie kobietą; żeńskość.

mulish [ˈmju:lɪʃ] *a.* uparty (jak muł *l.* osioł); zawzięty.

mulishly [ˈmju:lɪʃlɪ] *adv.* uparcie, z oślim uporem.

mulishness [ˈmju:lɪʃnəs] *n. U* ośli upór; zawziętość.

mull[1] [mʌl] *v.* ~ **sth (over)** (*także* ~ **over sth**) rozmyślać *l.* dumać nad czymś, roztrząsać coś; przetrawić coś (= *przemyśleć*).

mull[2] *v.* grzać z korzeniami (*wino, piwo*).

mull[3] *n. U tk.* lekki muślin.

mull[4] *n. U roln.* mull (*próchnica glebowa*).

mull[5] *n. Scot.* cypel, przylądek (*zwł. w nazwach geograficznych*).

mullah [ˈmʌlə] *islam* mułła.

mulled wine [ˌmʌld ˈwaɪn] *n. U* grzane wino.

mullein [ˈmʌlən] *n. bot.* dziewanna (*Verbascum*).

muller [ˈmʌlər] *n.* biegun (= *ruchomy kamień w żarnach*).

mullet [ˈmʌlɪt] *n. pl.* **-s** *l.* **mullet** *icht.* (*także* **gray** ~) cefal (*Mugil; t. inne ryby z rodziny cefalowatych, Mugilidae*); **red** ~ *Br.* barwena (*Mullus*).

mulley [ˈmʊlɪ] *a. i n.* = **muley.**

mulligan [ˈmʌlɪgən] *n. U* (*także* ~ **stew**) *US i Can. kulin.* gulasz z resztek.

mulligatawny [ˌmʌlɪgəˈtɔ:nɪ] *n. U kulin.* zupa ostro przyprawiona curry (*danie kuchni indyjskiej*).

mullion [ˈmʌljən] *n.* **1.** *bud.* pionowy szpros okienny; filarek (*w otworze okiennym*). **2.** *geol.* żebro skalne. – *v. bud.* dzielić na pionowe sekcje (*okno*).

mullioned [ˈmʌljənd] *a. bud.* wielodzielny (*o oknie*).

multangular [mʌlˈtæŋjʊlər] *a.* (*także* **multiangular**) *form.* wielorożny, wielokątny.

multeity [mʌlˈteɪətɪ] *n. U rzad.* wielorakość.

multiaccess [ˌmʌltɪˈækses] *a. attr. komp.* wielodostępny.

multiangular [ˌmʌltɪˈæŋgjələr] *a.* = **multangular.**

multicellular [ˌmʌltɪˈseljələr] *a. biol.* wielokomórkowy.

multichannel [ˌmʌltɪˈtʃænl] *a. attr. el.* wielokanałowy.

multicide [ˈmʌltɪˌsaɪd] *n. C/U prawn.* wielokrotne zabójstwo.

multicolored [ˌmʌltɪˈkʌlərd], *Br.* **multicoloured** *a.* wielobarwny, różnokolorowy.

multicultural [ˌmʌltɪˈkʌltʃərəl] *a. socjol.* wielokulturowy.

multiculturalism [ˌmʌltɪˈkʌltʃərəˌlɪzəm] *n. U socjol.* wielokulturowość, zróżnicowanie kulturalne; *polit.* ochrona wielokulturowości.

multidimensional [ˌmʌltɪdaɪˈmenʃənl] *a. gł. mat.* wielowymiarowy.

multidimensionality [ˌmʌltɪdəˌmenʃəˈnælətɪ] *n. U* wielowymiarowość.

multidimensionally [ˌmʌltɪdəˈmenʃənlɪ] *adv.* wielowymiarowo.

multidirectional [ˌmʌltɪdəˈrekʃənl] *a.* wielokierunkowy.

multidirectionally [ˌmʌltɪdəˈrekʃənlɪ] *adv.* wielokierunkowo.

multidisciplinary [ˌmʌltɪˈdɪsəpləˌnerɪ] *a. uniw.* wielokierunkowy (*o studiach*).

multiethnic [ˌmʌltɪˈeθnɪk] *a.* wieloetniczny.

multifaceted [ˌmʌltɪˈfæsɪtɪd] *a.* **1.** wieloaspektowy. **2.** *jubilerstwo* fasetowy (*o szlifie*).

multifactorial [ˌmʌltɪfækˈtɔ:rɪəl] *a. pat.* o złożonej etiologii.

multifamily [ˌmʌltɪˈfæmlɪ] *a. attr.* wielorodzinny (*o budownictwie*).

multifarious [ˌmʌltɪˈferɪəs] *a. form.* różnorodny, zróżnicowany.

multifariously [ˌmʌltɪˈferɪəslɪ] *adv.* różnorodnie.

multifariousness [ˌmʌltɪˈferɪəsnəs] *n. U* różnorodność, zróżnicowanie.

multifid [ˈmʌltɪfɪd] *a. bot.* wielodzielny.

multiflora rose [ˌmʌltɪˌflɔ:rə ˈroʊz] *n. bot.* róża wielokwiatowa (*Rosa multiflora*).

multifoil [ˈmʌltɪˌfɔɪl] *n. bud.* rozeta wielolistna.

multifold [ˈmʌltɪˌfoʊld] *a. form.* wieloraki.

multifoliate [ˌmʌltɪˈfoʊlɪɪt] *a. bot.* wielolistny; wielolistkowy (*o liściu złożonym*).

multiform [ˈmʌltɪˌfɔ:rm] *a. form.* wielokształtny, wielopostaciowy.

multiformity [ˌmʌltɪˈfɔ:rmətɪ] *n. U form.* wielokształtność, wielopostaciowość.

multihull [ˈmʌltɪˌhʌl] *n. żegl.* wielokadłubowiec.

multilateral [ˌmʌltɪˈlætərəl] *a.* **1.** wielostronny, multilateralny (*np. o umowie, rokowaniach*). **2.** *geom.* wieloboczny.

multilaterally [ˌmʌltɪˈlætərəlɪ] *adv.* wielostronnie, multilateralnie.

multilayer [ˌmʌltɪˈleɪər] *a. attr.* wielowarstwowy.

multilevel [ˌmʌltɪˈlevl] *a. attr.* wielopoziomowy.

multilingual [ˌmʌltɪˈlɪŋgwəl] *a.* wielojęzyczny.

multilingualism [ˌmʌltɪˈlɪŋgwəˌlɪzəm] *n. U* wielojęzyczność.

multilingually [ˌmʌltɪˈlɪŋgwəlɪ] *adv.* wielojęzycznie.

multimedia [ˌmʌltɪˈmiːdɪə] *n. U (z czasownikiem w liczbie pojedynczej l. mnogiej)* multimedia. – *a. attr.* multimedialny; ~ **computer** komputer multimedialny; ~ **encyclopedia** encyklopedia multimedialna; ~ **teaching aids** multimedialne pomoce naukowe.

multimillionaire [ˌmʌltɪˌmɪljəˈner] *n.* multimilioner/ka.

multinational [ˌmʌltɪˈnæʃənl] *a.* wielonarodowy; międzynarodowy (= *organizowany wspólnie przez różne państwa*); ~ **peacekeeping forces** międzynarodowe siły pokojowe. – *n. ekon.* koncern międzynarodowy.

multinomial [ˌmʌltɪˈnoʊmɪəl] *n. i a. mat. rzad.* = **polynomial.**

multipara [mʌlˈtɪpərə] *n. pl.* **-ae** [mʌlˈtɪpəriː] *med., zool.* wieloródka.

multiparity [ˌmʌltɪˈperətɪ] *n. U* **1.** *zool.* wielorodność. **2.** *med.* wielokrotne rodzenie.

multiparous [mʌlˈtɪpərəs] *a.* **1.** *zool.* wielorodna (*o samicy ssaka = rodząca kilkoro potomstwa w jednym miocie*). **2.** *med.* wielokrotnie rodząca (*o kobiecie*).

multipart [ˌmʌltɪˈpɑːrt] *a. attr. muz.* wielogłosowy.

multipartite [ˌmʌltɪˈpɑːrtaɪt] *a. form.* **1.** wielodzielny, wieloczęściowy. **2.** = **multilateral.**

multiparty [ˌmʌltɪˈpɑːrtɪ] *a. attr. polit.* wielopartyjny.

multipath [ˌmʌltɪˈpæθ] *a. attr. tel., komp.* wielotorowy. – *n. tel.* echo radiowe.

multiped [ˈmʌltɪˌped], **multipede** [ˈmʌltɪˌpiːd] *a. attr. rzad.* wielonogi, wielonożny. – *n. zool. przest.* wielonóg (= *stworzenie wielonogie*).

multiphase [ˈmʌltɪˌfeɪz] *a. attr. el.* wielofazowy.

multiplane [ˈmʌltɪˌpleɪn] *n. lotn.* wielopłat.

multiple [ˈmʌltɪpl] *a.* **1.** wielokrotny; wieloczęściowy, zwielokrotniony; wieloraki; ~ **birth** *med., zool.* poród mnogi; ~ **fracture** *pat.* złamanie wielokrotne; ~ **star (system)** *astron.* układ (*gwiazd*) wieloskładnikowy. **2.** *z rzeczownikiem w liczbie mnogiej form. l. techn.* liczne, wiele; ~ **users** wielu użytkowników. **3.** *el.* wielostykowy. **4.** *el. gł. US i Can.* równoległy (*połączony równolegle*). – *n.* **1.** *mat.* wielokrotność; **lowest/least common** ~ najmniejsza wspólna wielokrotność. **2.** *tel.* wielokrocie. **3.** **in** ~ *US i Can. el.* równolegle. **4.** = **multiple store.**

multiple-choice test [ˌmʌltɪpl ˈtʃɔɪs ˌtest] *a. szkoln.* test wielokrotnego wyboru.

multiple fruit *n. bot.* owocostan.

multiple personality disorder *n. U pat.* zespół mnogiej osobowości.

multiple sclerosis *n. U* (*także* **MS**) *pat.* stwardnienie rozsiane.

multiple store *n. Br. handl.* sklep należący do sieci.

multiplet [ˈmʌltɪplət] *n. fiz.* multiplet (*t. = rodzina cząstek elementarnych*).

multiplex [ˈmʌltɪˌpleks] *a. techn. l. form.* złożony, wieloczęściowy. – *n.* **1.** (*także* ~ **cinema**) multikino. **2.** *kartogr.* autograf analityczny, stereokomparator. **3.** *U tel.* multipleks, zwielokrotnienie (kanału); **by** ~ przez jeden (zwielokrotniony) kanał; **time/frequency-division** ~ zwielokrotnienie z podziałem czasu/częstotliwości. – *v. komp., tel.* multipleksować, zwielokrotnić (*kanał*); przesyłać (*różne sygnały*) jednym kanałem.

multiplexer [ˈmʌltɪˌpleksər] *n. el.* multiplekser.

multiplexing [ˈmʌltɪˌpleksɪŋ] *n. U komp., tel.* multipleksowanie.

multiplicand [ˌmʌltɪplɪˈkænd] *n. mat.* mnożna.

multiplicate [ˈmʌltɪplɪˌkeɪt] *a. rzad.* złożony, zwielokrotniony.

multiplication [ˌmʌltɪpləˈkeɪʃən] *n. U* **1.** *mat.* mnożenie. **2.** *form.* pomnażanie. **3.** *el.* powielenie, zwielokrotnienie. **4.** *biol.* rozmnażanie; namnażanie się.

multiplication sign *n. mat.* znak mnożenia.

multiplication table *n. mat.* tabliczka mnożenia.

multiplicative [ˈmʌltɪˌplɪkətɪv] *a. mat.* multyplikatywny.

multiplicity [ˌmʌltɪˈplɪsətɪ] *n. C/U pl.* **-ies** **1.** *form.* mnogość, multum; różnorodność (*of sth* czegoś). **2.** *fiz.* multipletowość.

multiplier [ˈmʌltɪˌplaɪər] *n.* **1.** *mat., ekon.* mnożnik. **2.** *techn.* multiplikator; *el.* powielacz; **frequency/voltage** ~ powielacz częstotliwości/napięcia; ~ **phototube** fotopowielacz.

multiplier effect *n. sing. ekon.* efekt mnożnika inwestycyjnego.

multiply[1] [ˈmʌltɪˌplaɪ] *v.* **-ied**, **-ying** **1.** mnożyć (*t. mat. = wykonywać mnożenie*); pomnażać, zwielokrotniać; ~ **A by B** mnożyć A przez B; ~ **A and B (together)** mnożyć *l.* wymnażać A i B. **2.** mnożyć się; *biol.* rozmnażać się.

multiply[2] [ˈmʌltɪplɪ] *adv.* **1.** wielokrotnie (*powielony l. zwielokrotniony*). **2.** *el.* wielostykowo; równolegle.

multiprocessor [ˌmʌltɪˈprɑːsesər] *n. komp.* multiprocesor, układ wieloprocesorowy.

multiprogramming [ˌmʌltɪˈproʊgræmɪŋ] *n. U komp.* wieloprogramowość.

multipurpose [ˌmʌltɪˈpɜːpəs] *a. attr.* wieloczynnościowy, wielofunkcyjny, uniwersalny.

multiracial [ˌmʌltɪˈreɪʃl] *a.* wielorasowy, zróżnicowany pod względem rasowym.

multistage [ˌmʌltɪˈsteɪdʒ] *a. attr. gł. lotn.* wielostopniowy (*o rakiecie*).

multistory [ˌmʌltɪˈstɔːrɪ], *Br.* **multistorey** *a. attr.* wielopiętrowy, wielopoziomowy.

multitasking [ˌmʌltɪˈtæskɪŋ] *n. U komp.* wielozadaniowość, wieloprzetwarzanie.

multitrack [ˌmʌltɪˈtræk] *n. attr. el.* wielościeżkowy (*o zapisie magnetycznym*).

multituberculate [ˌmʌltɪtʊˈbɜːkjələt] *n. paleont.* wieloguzkowiec (= *ssak z rzędu Multituberculata*).

multitude [ˈmʌltɪˌtuːd] *n.* **1.** *form.* mnogość, wielość, mnóstwo (*of sb / sth* kogoś/czegoś). **2. the** ~ *Bibl. l. lit.* rzesza, tłum; *uj.* pospólstwo. **3.** *U* wielka liczebność.

multitudinous [ˌmʌltɪˈtjuːdɪnəs] *a.* **1.** *form.* liczny, rozliczny. **2.** *rzad.* wieloraki, różnorodny. **3.** *lit.* tłumny.

multitudinously [ˌmʌltɪˈtjuːdɪnəslɪ] *adv.* **1.** *form.* licznie. **2.** *lit.* tłumnie.

multiuser [ˌmʌltɪˈjuːzər] *a. attr. gł. komp.* przeznaczony dla wielu użytkowników.

multivalency [ˌmʌltɪˈveɪlənsɪ] *n. U gł. mat.* wielowartościowość.

multivalent [ˌmʌltɪˈveɪlənt] *a.* **1.** *gł. mat.* wielowartościowy, przyjmujący różne wartości. **2.** *chem.* = **polyvalent**.

multivector [ˌmʌltɪˈvektər] *n. mat.* multiwektor.

multivibrator [ˌmʌltɪˈvaɪbreɪtər] *n. el.* multiwibrator.

multivitamin [ˌmʌltɪˈvaɪtəmɪn] *a. attr.* wielowitaminowy. – *n. med.* preparat wielowitaminowy, multiwitamina.

multure [ˈmʌltʃər] *n. C / U arch.* opłata za mielenie ziarna.

mum[1] [mʌm] *n. gł. Br. pot.* mama.

mum[2] *int. Br. pot.* sza!; **~'s the word!** ani mrumru! – *a. pred. Br. pot.* milczący; **keep** ~ nie puścić pary z ust, milczeć jak grób. – *v.* **-mm-** odgrywać pantomimę.

mum[3] *n. zw. pl. US pot.* chryzantema.

mum[4] *n. U Br. hist.* gatunek piwa.

mumble [ˈmʌmbl] *v.* **1.** mamrotać, bełkotać. **2.** *rzad.* mamlać, memłać (= *jeść powoli*). – *n. sing.* niewyraźny dźwięk; mamrotanie.

mumbler [ˈmʌmblər] *n.* osoba o niewyraźnej *l.* bełkotliwej wymowie.

mumbo jumbo [ˌmʌmboʊˈdʒʌmboʊ] *n. pl.* **mumbo jumbos** *pot. uj.* **1.** hokus pokus (= *absurdalny rytuał*). **2.** bełkot (= *nowomowa, niezrozumiały żargon*). **3.** *przen.* bożyszcze, fetysz.

mummer [ˈmʌmər] *n.* **1.** *hist. l. iron.* komediant/ka. **2.** mim, mimik.

mummery [ˈmʌmərɪ] *n. pl.* **-ies** *hist. l. iron.* komedia (*widowisko*).

mummification [ˌmʌməfəˈkeɪʃən] *n. U* mumifikacja.

mummify [ˈmʌməˌfaɪ] *v.* **-ied, -ying 1.** mumifikować (*t. przen.* = *utrwalać*). **2.** mumifikować się, ulegać mumifikacji.

mummy[1] [ˈmʌmɪ] *n. pl.* **-ies** mumia.

mummy[2] *n. pl.* **-ies** *Br. i Austr. dziec.* mamusia.

mummy bag *n.* śpiwór osłaniający głowę.

mummy's boy [ˈmʌmɪz ˌbɔɪ] *n. Br. i Austr.* maminsynek.

mumps [mʌmps] *n. U* **(the)** ~ *pat.* świnka.

mun. *abbr.* = **municipal**.

munch [mʌntʃ] *v.* chrupać; żuć, przeżuwać (*(on / at) sth* coś).

Munchausen [ˈmʌnʃaʊzən] *n. przen.* **1.** mitoman, blagier. **2.** blaga.

munchies [ˈmʌntʃɪz] *n. pl. zwł. US pot.* **1.** przekąski. **2. have the** ~ mieć ochotę coś przekąsić.

mundane [mənˈdeɪn] *a.* **1.** przyziemny, prozaiczny. **2.** *form.* doczesny, ziemski, światowy.

mundanely [mənˈdeɪnlɪ] *adv.* przyziemnie.

mundaneness [mənˈdeɪnnəs] *n. U* przyziemność.

mung bean [ˈmʌŋ ˌbiːn] *n. bot., kulin.* fasola złota (*Phaseolus aureus*).

Munich [ˈmjuːnɪk] *geogr.* Monachium.

municipal [mjʊˈnɪsəpl] *a. gł. attr.* municypalny, komunalny, miejski; ~ **government** *US* samorząd terytorialny; ~ **law** *prawn.* prawo państwowe; ~ **ownership** *prawn.* mienie komunalne.

municipality [mjʊˌnɪsəˈpælətɪ] *n. pl.* **-ies 1.** *polit.* okręg samorządowy; miasto. **2.** władze miejskie.

municipalize [mjʊˈnɪsəpəˌlaɪz], *Br. i Austr. zw.* **municipalise** *v.* **1.** nadawać uprawnienia samorządowe (*miastu*). **2.** przejmować jako mienie komunalne.

municipally [mjʊˈnɪsəplɪ] *adv.* komunalnie.

munificence [mjʊˈnɪfɪsəns] *n. U form.* szczodrość, hojność.

munificent [mjʊˈnɪfɪsənt] *a. form.* szczodry, hojny (*o osobie l. darze*).

muniment [ˈmjuːnəmənt] *n. rzad.* obrona, środek obrony.

munition [mjʊˈnɪʃən] *n. zw. pl.* amunicja i sprzęt bojowy; **~s factory** fabryka zbrojeniowa. – *v. wojsk.* zaopatrywać.

munnion [ˈmʌnjən] *n. arch.* = **mullion**.

muntjac [ˈmʌntdʒæk], **muntjak** *n. zool.* mundżak (*Muntiacus*).

muon [ˈmjuːɑːn] *n. fiz.* mion; ~ **neutrino** neutrino mionowe.

mural [ˈmjʊrəl] *a. attr.* ścienny. – *n.* malowidło ścienne, fresk.

muralist [ˈmjʊrəlɪst] *n. mal.* twór-ca/czyni fresków.

murder [ˈmɜːdər] *n.* **1.** *C / U* morderstwo, mord; **commit (a)** ~ popełnić morderstwo. **2.** *U przen.* katorga (*on sb / sth* dla kogoś/czegoś). **3.** *t. przen.* ~ **will out** zbrodnia musi wyjść na jaw; **get away with** ~ *pot.* być zupełnie bezkarnym; **let sb get away with** ~ *pot.* pozwalać komuś na wszystko; **scream bloody** ~ (*także Br. i Austr.* **scream/shout/yell blue** ~) *pot.* drzeć się wniebogłosy. – *v.* **1.** mordować; **be ~ed** zostać zamordowanym. **2.** *przen. pot.* zniszczyć, unicestwić (*np. szanse, nadzieje*); rozgromić, wykończyć (*np. drużynę przeciwnika*); znęcać się nad (*piosenką itp.; = nieumiejętnie wykonywać*); ~ **the English language** kaleczyć angielszczyznę; **he'll ~ you when he hears about it** *emf. pot.* zamorduje cię, jak się o tym dowie (= *będzie wściekły*).

murderer [ˈmɜːdərər] *n.* morder-ca/czyni.

murderess [ˈmɜːdərəs] *n. przest.* morderczyni.

murderous [ˈmɜːdərəs] *a.* **1.** morderczy, krwiożerczy (*np. o instynkcie, spojrzeniu, wyrazie twarzy*); zbrodniczy (*np. o intencjach*). **2.** *przen. pot.* zabójczy; katorżniczy; ~ **heat** zabójczy upał; ~ **road** piekielnie niebezpieczna trasa.

murderously [ˈmɜːdərəslɪ] *adv.* **1.** morderczo, krwiożerczo. **2.** *przen.* zabójczo; niebezpiecznie.

mure [mjʊr] *v.* ~ **(up)** *arch. l. lit.* zamknąć, uwięzić.

murex [ˈmjʊreks] *n. pl.* **murices** [ˈmjʊrəsiːz] *zool.* rozkolec (*Murex*).

muriate [ˈmjʊrɪˌeɪt] *n. przest. chem.* chlorek.

muriatic acid [ˌmjʊrɪˌætɪk ˈæsɪd] *a. U przest. chem.* kwas solny.

murine [ˈmjʊraɪn] *n. zool.* gryzoń z rodziny myszowatych (*Muridae*).

murine typhus *n. U pat.* dur endemiczny wysypkowy.

murk [mɜːk], **mirk** *n. U gł. lit.* mrok. – *a. arch.* = **murky**.

murkily [ˈmɜːkɪlɪ] *adv.* mrocznie.

murkiness [ˈmɜːkɪnəs] *n. U* mrok, pomroka.

murky [ˈmɜːkɪ] *a.* **-ier, -iest 1.** mroczny. **2.** nieprzenikniony; zaćmiony (*with sth* czymś). **3.** *przen.* mętny, niejasny (*np. o wymówkach, czyjejś przeszłości*).

murmur [ˈmɜːmər] *v.* **1.** mruczeć; mamrotać (*about sth* o czymś). **2.** *t. przen.* szemrać (*against sb / sth* przeciwko komuś/czemuś). **3.** brzęczeć (*o owadach*). – *n.* mruczenie, pomruk, szemranie; *t. pat.* szmer; ~ **of bees** brzęczenie pszczół; ~ **of discontent** *przen.* szemranie, szmer niezadowolenia; ~ **of the sea** szum morza; ~ **of voices/conversation** szmer głosów/rozmów; **without a** ~ bez szemrania.

murmurous [ˈmɜːmərəs] *a.* **1.** szemrzący. **2.** brzęczący.

murphy [ˈmɜːfɪ] *n. pl.* **-ies** *dial.* kartofel, pyra.

Murphy's law [ˈmɜːfɪz ˌlɔː] *n. U zwł. US żart.* prawo Murphy'ego (*głoszące, że jeśli coś może się nie udać, to na pewno się nie uda*), złośliwość rzeczy martwych.

murrain [ˈmɜːən] *n. C / U* **1.** *wet.* pomór bydła. **2.** *arch.* zaraza.

murre [mɜː] *n. orn. US i Can.* nurzyk (*Uria*); **common** ~ nurzyk podbielały (*Uria aalge*).

murrey [ˈmʌrɪ] *a. i n. U Br. arch.* (kolor) purpurowoczerwony.

murrhine glass [ˌmʌrən ˈglæs] *a. U* wschodnie szkło mozaikowe.

murther [ˈmɜːðər] *n. i v. arch.* = **murder**.

musaceous [mjʊˈzeɪʃəs] *a. attr. bot.* bananowaty (= *należący do rodziny Musaceae*).

muscadel [ˌmʌskəˈdel], **muscadelle** *n.* = **muscatel**; *zob.* **muscat**.

muscadine [ˈmʌskədɪn] *n. bot.* winorośl amerykańska (*Vitis rotundifolia*); *winiarstwo* winogrono odmiany scuppernong.

muscarine [ˈmʌskərɪn] *n. U biochem.* muskaryna.

muscat [ˈmʌskət] *n. winiarstwo* **1.** muszkat (*odmiana winogron*). **2.** (*także* **muscatel**) muszkatel (*wino*).

muscle [mʌsl] *n.* **1.** mięsień; **arm/thigh/stomach ~s** mięśnie ramion/ud/brzucha; **flex/tense one's ~s** napinać mięśnie, prężyć muskuły; **pull/strain/tear a** ~ naciągnąć/nadwerężyć/naderwać (sobie) mięsień; **rippling/bulging ~s** muskuły. **2.** *U* mięśnie, umięśnienie; *anat.* tkanka mięśniowa. **3.** *U przen.* tężyzna, siła; **political/military** ~ potęga polityczna/militarna. **4.** *przen.* **flex one's ~s** *zob.* **flex** *v.*; **not move a** ~ (nawet) nie drgnąć; **put some ~ into it!** *pot.* wysil się trochę! – *v. pot.* **1.** pchać; wypychać (*sth out of sth* coś skądś). **2.** ~ **in** wpychać się na siłę; ~ **in on sth** *przen.* rościć sobie prawa do czegoś.

musclebound [ˈmʌslˌbaʊnd] *a.* **1.** nadmiernie umięśniony. **2.** *przen.* sztywny, skrępowany, nieelastyczny.

muscle fibre *n. anat.* włókno mięśniowe.

muscleman [ˈmʌslˌmæn] *n. pl.* **-men** *pot.* **1.** osiłek. **2.** goryl (= *zbir na usługach gangsterów*).

muscle sense *n. U fizj.* zmysł kinestetyczny.

muscovado [ˌmʌskəˈveɪdoʊ] *n. U* surowy cukier trzcinowy.

Muscovite [ˈmʌskəˌvaɪt] *n.* **1.** moskwian-in/ka, mieszkan-iec/ka Moskwy. **2.** *arch.* Moskal/ka, Rosjan-in/ka. – *a. arch.* rosyjski.

muscovite [ˈmʌskəˌvaɪt] *n. C / U min.* muskowit.

Muscovy [ˈmʌskəvɪ] *n. arch.* Moskwa (= *imperium carów*).

Muscovy duck *n.* (*także* **musk duck**) *orn.* kaczka piżmowa (*Cairina moschata*).

muscular [ˈmʌskjələr] *a.* **1.** muskularny, umięśniony. **2.** *attr. anat.* mięśniowy; ~ **effort/tension** praca/napięcie mięśni; ~ **tissue** tkanka mięśniowa.

muscular dystrophy *n. U pat.* dystrofia mięśniowa, zanik mięśni.

muscularity [ˌmʌskjəˈlerətɪ] *n. U* muskularność.

musculature [ˈmʌskjələtʃər] *n. C / U* umięśnienie, muskulatura.

Mus.D., MusD *abbr.* **Doctor of Music** doktor muzykologii.

muse¹ [mjuːz] *v.* **1.** dumać, rozmyślać (*over / on / about sth* nad czymś *l.* o czymś). **2.** spoglądać w zamyśleniu (*on sb / sth* na kogoś/coś). **3.** zastanawiać się (*na głos*). – *n. arch.* zaduma.

muse² *n.* **1. M~** *mit.* Muza. **2. (the) m~** *przen.* muza (= *natchnienie*); **his m~ deserted him** opuściła go muza.

musette [mjʊˈzet] *n. muz.* **1.** dudy francuskie. **2.** musette (*dawny taniec francuski*).

musette bag *US wojsk.* chlebak oficerski.

museum [mjʊˈziːəm] *n.* muzeum.

museum beetle *n. ent.* mrzyk muzealny (*Anthrenus museorum*).

museum piece *n. t. przen., zw. żart.* okaz muzealny.

mush¹ [mʌʃ] *n.* **1.** *U l. sing.* papka. **2.** *U US kulin.* kleik kukurydziany, mamałyga. **3.** *U pot.* ckliwe *l.* sentymentalne bzdury (*zwł. o książce l. filmie*). **4.** *U radio* szum syczący.

mush² *US i Can. int.* jazda! (*okrzyk popędzający psy w zaprzęgu*). – *n.* jazda psim zaprzęgiem; *przen.* podróż, wyprawa. – *v.* **1.** podróżować psim zaprzęgiem; prowadzić (*sanie, psi zaprzęg*). **2.** iść pieszo, używając rakiet śnieżnych.

musher [ˈmʌʃər] *n. US i Can.* osoba powożąca psim zaprzęgiem.

mushily [ˈmʌʃılı] *adv. pot.* ckliwie, łzawo, sentymentalnie.

mushiness [ˈmʌʃınəs] *n. pot.* ckliwość, łzawość.

mushroom [ˈmʌʃru:m] *n.* **1.** *C/U biol., kulin.* grzyb (*zwł. kapeluszowy*); **edible** ~ grzyb jadalny; **field/garden** ~ pieczarka polna (*Agaricus campestris*); **gather/pick** ~**s** zbierać grzyby; **pore** ~**s** grzyby borowikowate; **Satan's** ~ borowik szatański, szatan (*Boletus satana*). **2.** *techn.* grzybek (= *element w kształcie grzyba*); ~ **valve** zawór grzybkowy. – *a. attr.* szybki, gwałtownie rosnący; ~ **expansion/growth** błyskawiczny rozrost. – *v.* **1.** zbierać grzyby; **go** ~**ing** iść na grzyby. **2.** przybierać kształt grzyba. **3.** *przen.* wyrastać jak grzyby po deszczu (*np. o nowych domach, osiedlach*); wzrastać gwałtownie (*np. o liczbie ludności*).

mushroom cloud *n. zw. sing.* grzyb atomowy.

mushy [ˈmʌʃı] *a.* **-ier, -iest 1.** papkowaty. **2.** *pot.* ckliwy, łzawy, sentymentalny.

music [ˈmju:zık] *n. U* **1.** muzyka; ~ **lesson** lekcja muzyki; ~ **lover** meloman/ka; ~ **school** szkoła muzyczna; ~ **teacher** nauczyciel/ka muzyki; **compose/write** ~ komponować/pisać muzykę; **make** ~ muzykować; **modern/classical** ~ muzyka współczesna/poważna; **piece of** ~ utwór (muzyczny); **put/set sth to** ~ skomponować *l.* napisać muzykę do czegoś. **2.** nuty; zapis nutowy, partytura; **read** ~ czytać nuty. **3.** *przen.* ~ **to sb's ears** muzyka dla czyichś uszu; **face the** ~ *pot.* ponieść konsekwencje.

musical [ˈmju:zıkl] *a.* **1.** *attr.* muzyczny; ~ **entertainment** impreza muzyczna; ~ **instruments** instrumenty muzyczne; ~ **society** towarzystwo muzyczne. **2.** muzykalny, utalentowany muzycznie. **3.** melodyjny (*o głosie, śmiechu*). – *n.* (*także* ~ **comedy**) musical (= *film l. komedia muzyczna*).

musical box *n. Br.* = **music box**.

musical chairs *n. U* **1.** komórki do wynajęcia (*zabawa dziecięca*). **2.** *przen.* przetasowania (= *zmiany l. przesunięcia osób*).

musical comedy *n.* = **musical** *n.*

musicale [ˌmju:zəˈkæl] *n. US i Can.* wieczór muzyczny.

musicality [ˌmju:zıˈkælətı] *n. U* **1.** muzykalność. **2.** melodyjność.

musically [ˈmju:zıklı] *adv.* **1.** muzycznie. **2.** muzykalnie. **3.** melodyjnie.

music box *n. gł. US* pozytywka.

music centre *n. Br. przest.* = **music system**.

music drama *n. C/U teatr* dramat muzyczny.

music hall *n. C/U gł. Br.* wodewil, kabaret muzyczny; scena wodewilowa; **music-hall song** piosenka wodewilowa.

musician [mjʊˈzıʃən] *n.* muzy-k/czka; muzykant/ka.

musicianship [mjʊˈzıʃənˌʃıp] *n. U* umiejętności muzyczne.

music of the spheres *n. U hist., fil.* muzyka sfer niebieskich (*np. u Pitagorasa*).

musicological [ˌmju:zəkəˈlɑ:dʒıkl] *a.* muzykologiczny.

musicologist [ˌmju:zəˈkɑ:lədʒıst] *n.* muzykolo-g/żka.

musicology [ˌmju:zəˈkɑ:lədʒı] *n. U* muzykologia.

music paper *n. U* papier nutowy.

music stand *n.* stojak na nuty.

music stool *n.* taboret do gry na fortepianie.

music system *n.* sprzęt grający (*wieża*).

musk [mʌsk] *n. U* **1.** *fizj.* piżmo; ~ **flavour/oil** aromat/olejek piżmowy; ~ **gland** *zool.* gruczoł piżmowy; **secrete** ~ wydzielać piżmo. **2.** woń piżma. **3.** *bot.* kroplik piżmowy (*Mimulus moschatus*).

musk deer *n. pl.* **musk deer** *zool.* piżmowiec (*Moschus moschiferus*).

musk duck *n. orn.* **1.** australijska kaczka piżmowa (*Biziura lobata*). **2.** = **Muscovy duck**.

muskeg [ˈmʌskeg] *n. C/U Can.* torfowisko.

muskellunge [ˈmʌskəˌlʌndʒ] *n. pl.* **-s** *l.* **muskellunge** *icht.* (szczupak) maskinunga (*Esox masquinongy*).

musket [ˈmʌskıt] *n. broń, hist.* muszkiet.

musketeer [ˌmʌskıˈti:r] *n. hist., wojsk.* muszkieter.

musketry [ˈmʌskıtrı] *n. U hist., wojsk.* **1.** muszkiety; muszkieterzy. **2.** technika używania broni palnej.

muskie [ˈmʌskı] *n. Can. pot.* = **muskellunge**.

muskiness [ˈmʌskınəs] *n. U* woń piżma.

muskmelon [ˈmʌskˌmelən] *n. bot., kulin.* melon siatkowany (*Curcumis melo reticulatus*).

musk-ox [ˈmʌskˌɑ:ks] *n. pl.* **-oxen** piżmowół, wół piżmowy (*Ovibos moschatus*).

muskrat [ˈmʌskˌræt] *n. pl.* **-s** *l.* **muskrat 1.** *zool.* piżmak, szczur piżmowy (*Ondatra zibethica*). **2.** *U* piżmaki (*skórki l. futro*).

musk rose *n. bot., ogr.* róża piżmowa (*Rosa moschata*).

musk turtle *n. zool.* żółw wonny (*Sternotherus odoratus*).

musky[1] [ˈmʌskı] *a.* **-ier, -iest** piżmowy, pachnący piżmem.

musky[2] *n. US i Can. pot.* = **muskellunge**.

Muslim [ˈmʌzlım], **Moslem** *n. pl.* **-s** *l.* **Muslim 1.** *rel.* muzułman-in/ka, wyznaw-ca/czyni islamu. **2. Black** ~**s** *US rel., polit.* Czarni Muzułmanie. – *a. gł. attr.* islamski, muzułmański; ~ **countries** kraje islamskie; **the** ~ **faith** wiara islamska.

muslin [ˈmʌzlın] *n. U tk.* muślin.

musquash [ˈmʌskwɑ:ʃ] *n. pot.* = **muskrat**.

muss [mʌs] *US i Can. n. sing. pot.* nieład, rozwichrzenie; chaos, zamieszanie. – *v.* ~ **(up)** czochrać, wichrzyć, mierzwić (*zwł. włosy, fryzurę*); *przen.* wikłać, komplikować (*sytuację*).

mussel [ˈmʌsl] *n. zool.* omułek (*Mytilus*); *pot.* małż (*jadalny, zwł. słodkowodny l. przypominający omułki*); **common sea** ~ omułek jadalny

(*Mytilus edulis*); **pearl ~** perłoródka (*Margaritifera margaritifera*); skójka (*Unio*); **swan ~** szczeżuja wielka (*Anodonta cygnea*); **zebra ~** racicznica (*Dreissena polymorpha*).

Mussulman ['mʌslmən] *n. pl.* **-s** *arch.* = **Muslim.**

mussy ['mʌsɪ] *a.* **-ier, -iest** *US i Can. pot.* **1.** nieporządny, potargany, zwichrzony. **2.** *przen.* chaotyczny.

must[1] [mʌst; məst; məs] *v. 3 os. sing.* **must** *neg.* **must not** *l.* **mustn't** ['mʌsənt] **1.** (*wyraża nakaz, zalecenie, zobowiązanie, konieczność*) musieć; **~ you leave so early?** czy musisz tak wcześnie wychodzić?; **I ~ tell you the truth** muszę ci powiedzieć prawdę; **I really ~ be on my way** naprawdę muszę już iść. **2.** (*wyraża przekonanie l. pewność*) **he ~ be older than you** on musi być starszy od ciebie; **I ~ have made a mistake** musiałem się pomylić; **it ~ have been Jimmy** to na pewno był Jimmy; **you ~ be kidding** chyba (sobie) żartujesz; **you ~ be Joan** ty pewnie jesteś Joan; **you ~ be thirsty** na pewno chce ci się pić. **3.** (*wyraża naleganie l. dezaprobatę: tylko w formie akcentowanej*) **~ you be so cruel?** czy naprawdę musisz być taki okrutny?; **if you ~** jeśli (koniecznie) musisz; **you ~ see this movie** (koniecznie) musisz zobaczyć ten film. **4.** *z neg.* (*wyraża zakaz l. stanowcze odradzanie czegoś*) **vehicles ~ not park on the sidewalk** nie parkować pojazdów na chodniku!; **we ~n't do it, ~ we?** nie wolno nam tego robić, prawda?; **you ~n't leave the gate open** (pod żadnym pozorem) nie zostawiaj bramy otwartej; **you ~n't smoke in this room** w tym pomieszczeniu nie wolno palić. **5.** *arch.* (*z określeniem kierunku*) **I ~ away** śpieszno mi stąd; **we ~ to London** śpieszymy do Londynu. – *n. sing.* obowiązek; konieczność, rzecz obowiązkowa; **going there is a ~** koniecznie trzeba tam pojechać; **this book is a ~** ta książka to lektura obowiązkowa.

must[2] [mʌst] *n. U winiarstwo* moszcz.

must[3] *n. U* pleśń; stęchlizna.

must[4] *n.* = **musth.**

mustache ['mʌstæʃ] *Br.* **moustache** *n.* **1.** wąs, wąsy. **2.** *pl.* = **mustachio(s).**

mustached ['mʌstæʃt] *a.* z wąsem *l.* wąsami, mający wąsy.

mustachio [mə'stɑːʃɪoʊ] *n. pl.* **-s** *często pl. zw. żart.* sumiasty wąs, wąsiska.

mustachioed [mə'stɑːʃɪoʊd] *a.* wąsaty.

mustang ['mʌstæŋ] *n.* mustang.

mustard ['mʌstərd] *n. U* **1.** *kulin.* musztarda. **2.** *bot.* gorczyca (*różne gatunki z rodziny kapustowatych*); **~ seed** ziarnko gorczycy; *U* nasiona gorczycy; **black ~** gorczyca czarna (*Brassica nigra*). **3.** *przen.* **(as) keen as ~** *zob.* **keen**[1]; **not cut the ~** *gł. US* nie sprawdzić się (*as* jako). – *a.* musztardowy (= *koloru musztardy*).

mustard gas *n. U wojsk.* iperyt (*gaz musztardowy*).

mustard oil *n. U* olej gorczyczny.

mustard plaster *n. med.* gorczycznik, synapizm (*plaster rozgrzewający*).

mustee [mə'stiː], **mestee** *n. przest.* ćwierćmulat/ka (= *osoba mająca 1/8 krwi murzyńskiej*); *pot.* mieszaniec.

musteline ['mʌstəˌlaɪn] *n. i a. attr.* (ssak drapieżny) z rodziny łasicowatych (*Mustelidae*).

muster ['mʌstər] *n.* **1.** *wojsk.* przegląd, lustracja; zbiórka, apel. **2.** *lit.* zgromadzenie. **3.** *Austr.* spęd (*bydła, owiec*). **4.** stadko (*pawi*). **5. pass ~** *przen.* nadawać się, pomyślnie przejść egzamin *l.* próbę. – *v.* **1.** zwoływać do przeglądu, wzywać na apel; *przen.* skrzykiwać. **2.** *wojsk.* powoływać pod broń, mobilizować. **3.** stawać do przeglądu. **4.** *przen.* **~ (up) (the/enough) courage** zbierać się *l.* zdobywać się na odwagę; **~ (up) strength/energy** mobilizować siły, zbierać się w sobie; **~ (up) votes/support** zdobywać głosy/poparcie. **5. ~ sb in/out** *US* powoływać kogoś do wojska/zwalniać kogoś z wojska.

muster roll *n. wojsk.* lista załogi *l.* personelu.

musth [mʌst], **must** *n. U* **in ~** *zool.* w stanie podniecenia płciowego (*o samcach słoni*).

mustily ['mʌstɪlɪ] *adv.* stęchle.

mustiness ['mʌstɪnəs] *n. U* stęchlizna, zapach pleśni.

mustn't ['mʌsənt] *v.* = **must not**; *zob.* **must.**

musty ['mʌstɪ] *a.* **-ier, -iest** stęchły, zbutwiały; *gł. przen.* trącący myszką.

mut [mʌt] *n.* = **mutton**[2].

mutability [ˌmjuːtə'bɪlətɪ] *n. U form.* zmienność, niestałość.

mutable ['mjuːtəbl] *a.* zmienny, niestały.

mutably ['mjuːtəblɪ] *adv.* niestale.

mutagen ['mjuːtədʒən] *n. biol.* mutagen, czynnik mutagenny.

mutagenesis [ˌmjuːtə'dʒenəsɪs] *n. U* mutageneza.

mutagenic [ˌmjuːtə'dʒenɪk] *a.* mutagenny, mutageniczny.

mutagenicity [ˌmjuːtədʒə'nɪsətɪ] *n. U* mutagenność.

mutant ['mjuːtənt] *biol. n.* mutant. – *a.* zmutowany.

mutate ['mjuːteɪt] *v. biol.* mutować, ulegać mutacji; *rzad.* wywoływać mutację u (*organizmów*).

mutation [mjʊ'teɪʃən] *n. C/U* **1.** *form.* zmiana, przekształcenie. **2.** *biol.* mutacja (*t.* = *mutant*). **3.** *fon.* przegłos. **4.** *pl.* (*także* **~ stops**) *muz.* głosy złożone (*w organach*).

mutational [mjʊ'teɪʃənl] *a. gł. biol.* mutacyjny, dotyczący mutacji; **~ change** zmiana mutacyjna.

mutative ['mjuːˌteɪtɪv] *a. rzad.* = **mutational.**

mutch [mʌtʃ] *n. Scot. hist.* mycka płócienna (*tradycyjne nakrycie głowy kobiet i dzieci*).

mutchkin ['mʌtʃkɪn] *n. Scot. hist.* półkwarta (*dawna miara objętości*).

mute[1] [mjuːt] *a.* **1.** niemy (*zwł.* = *milczący*); oniemiały; niewypowiedziany; **~ appeal/protest** nieme błaganie/protest; **~ from birth** niemy od urodzenia; **~ letter** litera niema *l.* niewymawiana; **in ~ admiration/amazement** w niemym podziwie/zdumieniu; **stand ~** *prawn.* odmawiać zeznań. **2.** *fon. przest.* zwarty (*o spółgłosce*). – *n.* **1.** *przest.* niemowa. **2.** *teatr* mim. **3.** *prawn.* osoba odmawiająca zeznań. **4.** *muz.* tłumik. **5.** *pismo* litera niewymawiana. **6.** *fon. przest.* spółgłoska zwarta. – *v.* **1.** *gł. muz.* tłumić (*dźwięk*). **2.** tonować, przygaszać (*barwę*); zaciemniać.

mute2 *v. arch.* fajdać (*o ptakach = wydalać odchody*).

muted [ˈmjuːtɪd] *a.* **1.** przytłumiony (*o dźwięku*). **2.** zgaszony (*o barwach*). **3.** umiarkowany (*o krytyce, poparciu, reakcji*).

mutely [ˈmjuːtlɪ] *adv.* niemo, w milczeniu.

muteness [ˈmjuːtnəs] *n. U* milczenie; niemota.

mute swan *n. orn.* łabędź niemy (*Cygnus olor*).

mutilate [ˈmjuːtəˌleɪt] *v.* okaleczać (*t. przen. = zniekształcać, cenzurować*).

mutilation [ˌmjuːtəˈleɪʃən] *n. C / U* okaleczenie.

mutilator [ˈmjuːtəˌleɪtər] *n.* osoba winna okaleczenia.

mutineer [ˌmjuːtəˈniːr] *n.* buntowni-k/czka.

mutinous [ˈmjuːtɪnəs] *a.* buntowniczy; ogarnięty buntem, zbuntowany.

mutinously [ˈmjuːtɪnəslɪ] *adv.* buntowniczo.

mutinousness [ˈmjuːtɪnəsnəs] *n. U* buntowniczość.

mutiny [ˈmjuːtənɪ] *n. C / U pl.* **-ies** bunt (*zwł. w wojsku l. na okręcie*). – *v.* wzniecać bunt, buntować się (*against sb / sth* przeciwko komuś/czemuś).

mutism [ˈmjuːtɪzəm] *n. U* **1.** uporczywe milczenie. **2.** *psych.* mutyzm.

mutt [mʌt] *n. sl.* **1.** kundel, psisko. **2.** = **muttonhead**.

mutter [ˈmʌtər] *v.* **1.** mruczeć (pod nosem), mamrotać (*to sb* do kogoś, *about sth* o czymś). **2.** *przen.* szemrać (= *objawiać skryte niezadowolenie*) (*against sb* przeciwko komuś, *against / about / at sth* przeciwko czemuś). **3.** wydawać pomruk (*o odległym grzmocie*). – *n. sing.* **1.** mamrotanie, mruczenie. **2.** *przen.* szemranie. **3.** pomruk (*burzy, dalekiego grzmotu*).

mutton1 [ˈmʌtən] *n. U* **1.** *kulin.* baranina; ~ **chop** kotlet barani. **2.** *przen.* ~ **dressed (up) as lamb** *Br. pot. pog.* stara baba udająca młódkę; odgrzewane kotlety (= *rzecz l. idea znana od dawna*); **(as) dead as** ~ martwy jak kłoda.

mutton2 *n. druk.* em (= *szerokość litery m*).

mutton bird *n. gł. Austr. i NZ orn.* burzyk (*Puffinus*).

muttonchops [ˈmʌtənˌtʃɑːps] *n. pl.* (*także* **muttonchop whiskers**) bujne bokobrody.

muttonhead [ˈmʌtənˌhed] *n. pot.* baran (= *tępak*), zakuta pała.

muttonheaded [ˈmʌtənˌhedɪd] *a. pot.* tępy (*o osobie*).

mutual [ˈmjuːtʃʊəl] *a.* **1.** wzajemny; ~ **admiration society** *żart.* towarzystwo wzajemnej adoracji; ~ **assistance/hatred** wzajemna pomoc/nienawiść; ~ **confidence/trust** wzajemne zaufanie; ~ **friends/enemies** przyjaciele/wrogowie; **the feeling is** ~ odwzajemniam to uczucie. **2.** wspólny; ~ **acquaintance/friend** wspólny znajomy/przyjaciel; ~ **interests** wspólne interesy. **3.** obopólny; **by** ~ **consent** za obopólną zgodą; **to our/their** ~ **advantage** dla obopólnej korzyści.

mutual fund *n. US i Can. fin.* fundusz inwestycyjny.

mutual inductance *n. U fiz.* induktywność wzajemna.

mutual induction *n. U fiz.* indukcja wzajemna.

mutual insurance company *n. ubezp.* towarzystwo ubezpieczeń wzajemnych.

mutualism [ˈmjuːtʃʊəˌlɪzəm] *n. U biol.* mutualizm (*forma symbiozy*).

mutuality [ˌmjuːtʃʊəˈælətɪ] *n. U* wzajemność.

mutualize [ˈmjuːtʃʊəˌlaɪz] *Br. i Austr. zw.* **mutualise** *v.* **1.** *form.* czynić wzajemnym *l.* wspólnym; stawać się wzajemnym *l.* wspólnym. **2.** *US ekon.* zamieniać w spółkę z przewagą akcjonariatu pracowniczego (*przedsiębiorstwo, zakład*).

mutually [ˈmjuːtʃʊəlɪ] *adv.* **1.** wzajemnie, nawzajem (*np. wykluczające się*). **2.** obopólnie (*np. korzystny*).

muumuu [ˈmuːˌmuː] *n. US* długa luźna sukienka z barwnego materiału (*zwł. hawajska*).

muzak [ˈmjuːzæk] *n. U zw. pog.* muzak (= *lekka muzyka nadawana przez głośniki*).

muzhik [mʊˈʒɪk], **moujik** *n. hist.* mużyk (= *rosyjski chłop pańszczyźniany*).

muzz [mʌz] *v. Br. pot.* skołować, ogłupić.

muzzle [ˈmʌzl] *n.* **1.** pysk (*zwierzęcia*). **2.** kaganiec. **3.** *broń* wylot lufy. **4.** *wojsk.* muszka (*celownicza*). – *v.* **1.** nakładać kaganiec (*komuś l. czemuś; t. przen. = uciszać, cenzurować*). **2.** *żegl.* zwijać (*żagiel*).

muzzleloader [ˈmʌzlˌloʊdər] *n.* broń ładowana od wylotu lufy.

muzzle velocity *n. C / U broń* prędkość wylotowa (*pocisku*).

muzzy [ˈmʌzɪ] *a.* **-ier, -iest** *pot.* **1.** skołowany, otumaniony, ogłupiały. **2.** niewyraźny, mętny.

MV [ˌem ˈviː] *abbr.* = **motor vessel**.

MY, Myr. *abbr.* **million years** *geol., paleont.* milion lat.

my [maɪ] *pron.* **1.** mój; moja; moje; ~ **dog/book/desk** mój pies/moja książka/moje biurko. **2.** (*w wykrzyknikach i z wołaczem*) ~ **darling** (moje) kochanie; ~ **God/goodness!** mój Boże!; ~ **dear** mój drogi; moja droga; ~ **lord** *zob.* **lord** *n.* – *int.* **(oh)** ~**!** o rety!

myalgia [maɪˈældʒɪə] *n. U pat.* ból mięśni, mialgia.

myalgic [maɪˈældʒɪk] *a. pat.* związany z bólem mięśni.

myalgic encephalomyelitis *n. U* (*także* **ME**) *pat.* łagodne zapalenie mózgu i rdzenia z mialgią, choroba islandzka.

Myanmar [ˌmiːənˈmɑːr] *n. geogr.* Myanmar (*oficjalna nazwa Birmy*).

myasthenia [ˌmaɪəsˈθiːnɪə] *n. U pat.* miastenia, osłabienie mięśni; (*także* ~ **gravis**) ciężkie (rzekomoporażenne) osłabienie mięśni.

mycelium [maɪˈsiːlɪəm] *n. pl.* **mycelia** [maɪˈsiːlɪə] *biol.* grzybnia.

Mycenae [maɪˈsiːniː] *geogr., hist.* Mykeny.

Mycenaean [ˌmaɪsəˈniːən] *hist. a.* mykeński. – *n.* **the ~s** Mykeńczycy (= *Achajowie z okresu kultury mykeńskiej*).

mycetoma [ˌmaɪsəˈtoʊmə] *n. pl.* **-s** *l.* **mycetomata** *pat.* chroniczna grzybica.

mycetozoan [maɪˌsiːtəˈzouən] *n. biol. przest.* śluzowiec.

mycobacterium [ˌmaɪkəbækˈtiːrɪəm] *n. pl.* **-bacteria** *biol.* prątek (*Mycobacterium*).

mycobiont [ˈmaɪkəˌbiːɑːnt] *n.* grzyb będący składnikiem porostu.

mycological [ˌmaɪkəˈlɑːdʒɪkl] *n.* mikologiczny.

mycologist [maɪˈkɑːlədʒɪst] *n.* mikolog, grzyboznawca.

mycology [maɪˈkɑːlədʒɪ] *n. U* mikologia.

mycoplasma [ˌmaɪkəˈplæzmə] *n. biol.* mikoplazma (*Mycoplasma*).

mycoplasmosis [ˌmaɪkəplæzˈmousɪs] *n. U pat.* mikoplazmoza.

mycorrhiza [ˌmaɪkəˈraɪzə] *n. pl.* **-s** *l.* **mycorrhizae** [ˌmaɪkəˈraɪziː] *biol.* mikoryza.

mycorrhizal [ˌmaɪkəˈraɪzl] *a.* **1.** dotyczący mikoryzy. **2.** współżyjący z korzeniami roślin (*o grzybie*).

mycosis [maɪˈkousɪs] *n. pl.* **-ses** [maɪˈkousiːz] *pat.* grzybica, mikoza.

mycotic [maɪˈkɑːtɪk] *a.* grzybiczny.

mycotoxin [ˌmaɪkəˈtɑːksɪn] *n. biochem.* mikotoksyna.

myelin [ˈmaɪəlɪn] *n. U anat.* mielina.

myelinated [ˈmaɪələˌneɪtɪd] *a. anat.* posiadający osłonkę (*o włóknie nerwowym*).

myelin sheath *a. anat.* osłonka mielinowa.

myelitis [ˌmaɪəˈlaɪtɪs] *n. U pat.* zapalenie rdzenia kręgowego *l.* szpiku kostnego.

myeloblast [ˈmaɪələˌblæst] *n. anat.* mieloblast.

myeloblastic [ˌmaɪələˈblæstɪk] *a.* mieloblastyczny.

myelocyte [ˈmaɪələˌsaɪt] *n. anat.* mielocyt.

myelogram [ˈmaɪələˌgræm] *n. med.* mielogram.

myelography [ˌmaɪəˈlɑːgrəfɪ] *n. C/U pl.* **-ies** mielografia.

myeloma [ˌmaɪəˈloumə] *n. pl.* **-s** *l.* **myelomata** [ˌmaɪəˈloumətə] *pat.* szpiczak; **multiple ~** szpiczak mnogi.

myiasis [ˈmaɪəsɪs] *n. U pat.* choroba wywoływana przez larwy much.

Mylar [ˈmaɪlɑːr] *n. U tworzywa sztuczne* mylar.

mylonite [ˈmaɪləˌnaɪt] *n. U geol.* mylonit.

myna [ˈmaɪnə], **mynah**, **mina** *n.* (*także* **~ bird**) *orn.* gwarek (*Gracula, Acridotheres*).

myocardial [ˌmaɪəˈkɑːrdɪəl] *n. anat.* dotyczący mięśnia sercowego.

myocardial infarction *n. C/U pat.* zawał mięśnia sercowego.

myocarditis [ˌmaɪəkɑːrˈdaɪtɪs] *n. U pat.* zapalenie mięśnia sercowego.

myocardium [ˌmaɪəˈkɑːrdɪəm] *n. pl.* **myocardia** [ˌmaɪəˈkɑːrdɪə] mięsień sercowy.

myoglobin [ˌmaɪəˈgloubɪn] *n. U fizj.* mioglobina.

myogram [ˈmaɪəˌgræm] *n. med.* miogram.

myography [maɪˈɑːgrəfɪ] *n. C/U pl.* **-ies** *med.* miografia.

myologic [maɪəˈlɑːdʒɪk], **myological** [maɪəˈlɑːdʒɪkl] *a. med.* miologiczny.

myologist [maɪˈɑːlədʒɪst] *a.* miolog.

myology [maɪˈɑːlədʒɪ] *n. U* miologia (= *gałąź medycyny zajmująca się mięśniami*).

myoma [maɪˈoumə] *n. pl.* **-s** *l.* **myomata** [maɪˈoumətə] *pat.* mięśniak.

myopathy [maɪˈɑːpəθɪ] *n. C/U pl.* **-ies** miopatia, schorzenie mięśni.

myope [ˈmaɪoup] *n. form.* krótkowidz/ka.

myopia [maɪˈoupɪə] *n. U pat.* miopia, krótkowzroczność (*t. przen.*).

myopic [maɪˈɑːpɪk] *a. t. przen. form.* krótkowzroczny.

myopically [maɪˈɑːpɪklɪ] *adv.* krótkowzrocznie.

myosin [ˈmaɪəsən] *n. biochem.* miozyna.

myosis [maɪˈousɪs] *n.* = **miosis**.

myosote [ˈmaɪəˌsout], **myosotis** [ˌmaɪəˈsoutɪs] *n. bot. form.* niezapominajka (*Myosotis*).

myotonia [ˌmaɪəˈtounɪə] *n. U pat.* miotonia.

myotonic muscular dystrophy [ˌmaɪəˌtɑːnɪk ˌmʌskjələr ˈdɪstrəfɪ] *n. U pat.* miotonia zanikowa, dystrofia miotoniczna, choroba Curschmanna-Steinerta.

myriad [ˈmɪrɪəd] *lit. n.* bezlik, krocie (*of sth* czegoś); miriada (*t. arch.* = *10000*). – *a. attr.* nieprzebrany, nieprzeliczony.

myriapod [ˈmɪrɪəˌpɑːd] *n. ent.* wij (*gromady Chilopoda, Diplopoda, Symphyla*).

myrmecological [ˌmɝːməkəˈlɑːdʒɪkl] *a.* myrmekologiczny.

myrmecologist [ˌmɝːməˈkɑːlədʒɪst] *n.* myrmekolog.

myrmecology [ˌmɝːməˈkɑːlədʒɪ] *n. U* myrmekologia (= *dział zoologii zajmujący się mrówkami*).

myrmecophagous [ˌmɝːməˈkɑːfəgəs] *a. zool.* mrówkożerny.

myrmecophile [ˈmɝːməkəˌfaɪl] *n. ekol.* myrmekofil (= *zwierzę żyjące w kopcach mrówek l. termitów*).

myrmidon [ˈmɝːməˌdɑːn] *n. żart. l. uj.* sługus, pachołek.

myrrh [mɝː] *n.* **1.** *U* mirra. **2.** *bot.* balsamowiec mirra (*Commiphora myrrha*). **3.** *bot.* marchewnik anyżowy (*Myrrhis odorata*).

myrtaceous [mɝːˈteɪʃəs] *a. bot.* należący do rodziny mirtowatych (*Myrtaceae*).

myrtle [ˈmɝːtl] *n. U bot.* **1.** mirt (*Myrtus*). **2.** **creeping/trailing ~** *US i Can.* barwinek (*Vinca*).

myself [maɪˈself] *pron.* **1.** się; **I cut ~** skaleczyłem się. **2.** siebie; sobie; sobą; **I am not ~ today** nie jestem dziś sobą; **I have the house (all) to ~** mam cały dom (tylko) dla siebie; **I'm ashamed of ~** wstyd mi za siebie; **I poured ~ a drink** nalałam sobie drinka. **3.** *emf.* ja sam/a; ja osobiście; **(all) by ~** (całkiem *l.* zupełnie) sam/a; **I ~ will drive the car today** dziś ja (sam/a) poprowadzę. **4.** ja; **my wife and ~** moja żona i ja; **she's a Pole, like ~** ona jest Polką, podobnie jak ja.

mystagogic [ˌmɪstəˈgɑːdʒɪk] *a. hist., rel.* mistagogiczny (= *dotyczący wtajemniczenia*).

mystagogue [ˈmɪstəˌgɑːg] *n. hist., rel. l. przen.* mistagog, mistrz wtajemniczenia.

mystagogy [ˈmɪstəˌgɑːdʒɪ] *n. U* mistagogia, wtajemniczenie.

mysterious [mɪˈstiːrɪəs] *a.* **1.** tajemniczy, zagadkowy; skryty (*o osobie*); **~ look** tajemnicza mina; **be ~ about sth** trzymać coś w tajemnicy; **in**

~ **circumstances** w tajemniczych okolicznościach. **2.** niezgłębiony, niezbadany; **God moves in ~ ways** niezbadane są wyroki boskie *l.* niebios.

mysteriously [mɪ'stiːrɪəslɪ] *adv.* **1.** tajemniczo, zagadkowo (*np. uśmiechać się*). **2.** w tajemniczy sposób (*np. zniknąć*); w tajemniczych *l.* zagadkowych okolicznościach (*np. ponieść śmierć*). **3.** (*na początku zdania*) ~, **the box was empty** o dziwo, pudełko było puste.

mysteriousness [mɪ'stiːrɪəsnəs] *n.* *U* tajemniczość, zagadkowość.

mystery[1] ['mɪstərɪ] *n. pl.* **-ies** **1.** *C*/*U* tajemnica, zagadka (*t.* = *tajemnicza osoba l. rzecz*); *U* tajemniczość; ~ **guest/lover** tajemniczy gość/kochanek; **an air of** ~ aura tajemniczości; **cloaked/shrouded/veiled in** ~ spowity *l.* owiany tajemnicą; **it's a ~ to me** jest to dla mnie zagadką; **remain a** ~ pozostawać tajemnicą; **solve/unravel a** ~ rozwiązać/rozwikłać zagadkę. **2.** kryminał z intrygą pełną zagadek (*książka l. film*); ~ **writer** autor kryminałów jw. **3.** *często pl. rel.* misterium. **4.** = **mystery play**.

mystery[2] *n. pl.* **-ies** *arch.* **1.** rzemiosło, zajęcie. **2.** cech, gildia.

mystery play *n. hist. teatr* misterium.

mystery tour *n. Br.* wycieczka w nieznane.

mystic ['mɪstɪk] *a.* = **mystical**. – *n.* misty-k/czka.

mystical ['mɪstɪkl] *a.* **1.** mistyczny; tajemny. **2.** niesamowity. **3.** *rzad.* tajemniczy.

mystically ['mɪstɪklɪ] *a.* **1.** mistycznie. **2.** w tajemniczy *l.* niesamowity sposób.

mysticism ['mɪstəˌsɪzəm] *n.* *U* mistycyzm.

mystification [ˌmɪstəfə'keɪʃən] *n.* *U* **1.** zdumienie. **2.** *uj.* zwodzenie, wprowadzanie w błąd; mistyfikacja.

mystifier ['mɪstəˌfaɪər] *n.* mistyfikator/ka.

mystify ['mɪstəˌfaɪ] *v.* **-ied, -ying** **1.** stanowić zagadkę dla (*kogoś*); zdumiewać, zadziwiać. **2.** zwodzić, nabierać. **3.** czynić zawiłym, wikłać.

mystifying ['mɪstəˌfaɪɪŋ] *a.* **1.** zagadkowy; zdumiewający. **2.** zwodniczy, mylący.

mystifyingly ['mɪstəˌfaɪɪŋlɪ] *adv.* **1.** zagadkowo; zdumiewająco. **2.** zwodniczo.

mystique [mɪ'stiːk] *n.* *U często iron.* magia (*of sth* czegoś); aura tajemniczości; mistyczna otoczka.

myth [mɪθ] *n.* **1.** *C*/*U* mit (*t. uj.* = *fikcja, fałszywe mniemanie*); podanie; **explode/dispel/disprove a** ~ obalić *l.* zburzyć mit; **his army career turned out to be a** ~ jego kariera wojskowa okazała się mitem; **the ~ of Sisyphus** mit o Syzyfie; **the ~ of social equality** mit równości społecznej. **2.** *U* mitologia, podania.

mythic ['mɪθɪk], **mythical** ['mɪθɪkl] *a.* **1.** mityczny; mitologiczny, baśniowy. **2.** fikcyjny.

mythically ['mɪθɪklɪ] *adv.* **1.** mitycznie, baśniowo. **2.** fikcyjnie.

mythicize ['mɪθəˌsaɪz] *Br. i Austr. zw.* **mythicise** *v.* **1.** mitologizować. **2.** traktować jako mit.

mythmaker ['mɪθˌmeɪkər] *n.* twór-ca/czyni mitów.

mythmaking ['mɪθˌmeɪkɪŋ] *n.* *U* tworzenie mitów, mitologizowanie.

mythological [ˌmɪθə'lɑːdʒɪkl] *a.* mitologiczny; mityczny.

mythologically [ˌmɪθə'lɑːdʒɪklɪ] *adv.* mitologicznie.

mythologist [mɪ'θɑːlədʒɪst] *n.* mitolo-g/żka, znaw-ca/czyni mitów.

mythology [mɪ'θɑːlədʒɪ] *n.* *C*/*U* *pl.* **-ies** *t. przen.* mitologia (= *zbiór mitów l. nauka o mitach*); zbiór opowieści; **personal** ~ prywatna mitologia; **the ~ of the White House** opowieści o Białym Domu.

mythomania [ˌmɪθə'meɪnɪə] *n.* *U psych.* mitomania.

mythomaniac [ˌmɪθə'meɪnɪˌæk] *n. psych.* mitoman/ka.

mythopoeia [ˌmɪθə'piːə] *n.* *U form.* mitotwórstwo.

mythos ['mɪθɑːs] *n. pl.* **mythoi** ['mɪθɔɪ] **1.** *antrop.* zespół wierzeń *l.* wspólnych przekonań. **2.** *form.* mit; mitologia.

myxedema [ˌmɪksɪ'diːmə] *Br.* **myxoedema** *n.* *U pat.* obrzęk śluzowaty.

myxomatosis [ˌmɪksəmə'toʊsɪs] *n.* *U wet.* miksomatoza (*wirusowa choroba królików*).

myxomycete [ˌmɪksoʊmaɪ'siːt] *n. biol.* śluzowiec właściwy (*typ Myxomycota*).

myxovirus ['mɪksəˌvaɪərəs] *n. biol.* miksowirus.

N [en], **n** *n. pl.* **-'s** *l.* **-s** [enz] N, n (*litera l. głoska*).

N *abbr.* **1.** (*także* **kt**) *szachy* = **knight**. **2.** *fiz.* = **Newton**.

N, N., n, n. *abbr.* **north(ern)** płn.

n *abbr. fiz.* = **neutron**.

'n' [ən] *abbr.* = **and**.

N. *n.* **1.** = **National**; = **Nationalist**. **2.** = **Navy**. **3.** = **Norse**. **4.** = **November**.

N., n. *abbr.* **1. natus** ur. (= *urodzony*). **2.** = **nail**. **3.** = **name**. **4.** = **navy**. **5.** *jęz.* = **neuter**. **6.** = **new**. **7.** *jęz.* = **nominative**. **8.** = **noon**. **9.** *jęz.* = **noun**.

n. *abbr.* **1.** = **nephew**. **2.** = **net**. **3.** = **note**. **4.** = **number**.

na [neɪ] *a. i adv* = **nae**.

N.A. *abbr.* **1. North America** Am. Płn. **2.** = **n/a**.

n/a *abbr.* **1. not applicable** nie dot. (= *nie dotyczy*). **2. no account** *handl.* brak rachunku (*bieżącego*).

NAACP [ˌen dʌbl ˌeɪ ˌsiː ˈpiː] *abbr.* **National Association for the Advancement of Colored People** *US* organizacja mająca na celu ochronę praw i popieranie interesów gospodarczych ludności kolorowej.

NAAFI [ˈnæfɪ], **naafi** *abbr.* **Navy, Army and Air Force Institutes** *Br.* instytucja prowadząca stołówki, sklepy itp. dla żołnierzy brytyjskich w Wielkiej Brytanii i za granicą.

naan [nɑːn] *n.* = **nan** 1.

nab [næb] *v.* **-bb-** *pot.* **1.** złapać, capnąć (= *aresztować*); przyłapać, nakryć (*na przestępstwie*). **2.** złapać, chwycić.

nabob [ˈneɪbɑːb] *n.* **1.** *przest. pot.* bogacz, nabab; gruba ryba, ważniak. **2.** *hist.* Europejczyk, który zdobył majątek w Indiach. **3.** *hist.* = **nawab**.

nacelle [nəˈsel] *n. lotn.* gondola.

nachos [ˈnætʃoʊz] *n. pl. kulin.* nachos (*danie kuchni meksykańskiej*).

nacre [ˈneɪkər] *n. U* macica perłowa.

nacreous [ˈneɪkrɪəs] *a.* **1.** perłowy. **2.** opalizujący.

NACU [ˌen ˌeɪ ˌsiː ˈjuː] *abbr.* **National Association of Colleges and Universities** *US* Krajowe Stowarzyszenie Kolegiów i Uniwersytetów.

nadir [ˈneɪdiːr] *n.* **1.** *astron.* nadir. **2.** *przen.* najniższy punkt.

nae [neɪ], **na** [neɪ] *a. i adv. Scot.* **1.** = **no**. **2.** = **not**.

naevus [ˈniːvəs] *n. Br.* = **nevus**.

naff [næf] *Br. sl. a.* durny, kretyński, idiotyczny (*t.* = *niemodny*). – *v.* ~ **off!** odpieprz się!

NAFTA [ˈnæftə] *abbr.* **North American Free Trade Agreement** Północnoamerykańska Strefa Wolnego Handlu.

nag¹ [næg] *v.* **-gg- 1.** strofować. **2.** zrzędzić, marudzić. **3.** ~ **sb for sth/to do sth** męczyć kogoś o coś/, żeby coś zrobił; ~ **sb into doing sth** wymóc na kimś zrobienie czegoś. **4.** ~ **at sb** dręczyć *l.* męczyć kogoś, nie dawać komuś spokoju (*np. o problemie, wątpliwościach*). – *n. pot.* zrzęda (*zwł. kobieta*).

nag² *n.* **1.** *pot.* szkapa. **2.** kucyk, pony.

nagging [ˈnægɪŋ] *a.* dokuczliwy (*np. o bólu*); dręczący (*np. o wątpliwości, podejrzeniu*).

naiad [ˈnaɪæd] *n. pl.* **-s** *l.* **-es** *mit.* najada, nimfa wodna.

naif [naɪˈiːf], **naïf** *a.* = **naive**.

nail [neɪl] *n.* **1.** gwóźdź. **2.** *anat.* paznokieć; **bite/cut/paint one's ~s** obgryzać/obcinać/malować (sobie) paznokcie. **3.** *zool.* pazur; *orn.* szpon. **4.** *sl.* igła (*do narkotyków*). **5.** *tk., hist.* jednostka długości = 2,25 cala. **6.** *przen.* **(as) hard/tough as ~s** twardy jak skała (= *nieczuły, bez serca*); w świetnej formie (*fizycznej*); **hit the ~ on the head** trafić w sedno *l.* w dziesiątkę; **a ~ in sb's/sth's coffin** gwóźdź do trumny; **be (right) on the ~** *US pot.* mieć (całkowitą) rację; zgadnąć; **fight tooth and ~** *zob.* **tooth**; **pay on the ~** *Br. pot.* zapłacić natychmiast. – *v.* **1.** przybijać (gwoździami) (*sth to sth* coś do czegoś). **2.** *pot.* nakryć (*złodzieja, przestępcę*). **3.** *pot.* przydybać (*kogoś wbrew jego woli, zwł. żeby porozmawiać*). **4.** *pot.* utrafić w (*piłkę itp.*). **5.** *pot.* trafić (*z broni, np. przeciwnika*). **6.** utkwić wzrok w (*kimś l. czymś*), wbijać wzrok w (*kogoś l. coś*). **7.** nabijać gwoździami. **8.** *przen.* ~ **a lie** *przest.* zdemaskować kłamstwo; ~ **one's colors to the mast** *zob.* **colors**. **9.** ~ **down** przybić (gwoździami); *US przen. pot.* ustalić; uzgodnić (*np. warunki, politykę*); sfinalizować (*np. umowę*); ~ **sb down (on/to sth)** *przen. pot.* przycisnąć kogoś (w jakiejś sprawie); ~ **up** przybić (*np. na ścianie*); zabić (gwoździami) (*np. drzwi, okno*).

nail-biter [ˈneɪlˌbaɪtər] *n.* **1. be a** ~ obgryzać paznokcie. **2.** *pot.* pasjonujące opowiadanie, książka, film itp.

nail-biting [ˈneɪlˌbaɪtɪŋ] *n. U* obgryzanie paznokci. – *a. attr.* pasjonujący (*np. o finiszu, meczu*).

nail bomb *n.* bomba wypełniona gwoździami (*używana np. przez terrorystów*).

nailbrush [ˈneɪlˌbrʌʃ], **nail brush** *n.* szczoteczka do paznokci.

nail claw *n.* (*także* **nail extractor**) *techn.* wyciągacz gwoździ, łapa do wyciągania gwoździ.

nail clippers *n. pl.* cążki do (obcinania) paznokci.

nail enamel *n.* = **nail polish**.

nailer [ˈneɪlər] *n. sl.* **1.** odlotowa rzecz; odlotowy gość (= *bardzo dobry*). **2.** mistrz/yni (*at* w czymś).

nail extractor *n.* = **nail claw**.

nail file *n.* pilnik do paznokci, pilniczek.

nailhead [ˈneɪlˌhed] *n.* **1.** główka gwoździa. **2.** nit (*jako ozdoba na wyrobie ze skóry l. meblu*).

nail polish *n. U* (*także* **nail enamel**) (*także Br. i Austr.* **nail varnish**) lakier do paznokci.

nail punch *n.* (*także* **nail set**) *techn.* dobijak do gwoździ.

nail scissors *n. pl.* nożyczki do paznokci.

nail varnish *n. Br. i Austr.* = **nail polish**.

nainsook [ˈneɪnsʊk] *n. U tk.* delikatna tkanina bawełniana.

naive [nɑːˈiːv], **naïve**, **naif** [nɑːˈiːf], **naïf** *a.* naiwny.

naively [nɑːˈiːvlɪ] *adv.* naiwnie.

naiveness [nɑːˈiːvnəs] *n. U* naiwność.

naiveté [nɑːˌiːvˈteɪ], **naïveté**, **naivete**, **naïvete**, **naivety** [nɑːˈiːvətɪ], **naïvety** *n.* **1.** *U* naiwność. **2.** *pl.* **-ies** przejaw naiwności.

naked [ˈneɪkɪd] *a.* **1.** *t. przen.* nagi, goły (*t. o skale, ścianie, prawdzie, faktach*); **half-~** półnagi; **stark ~** (*także US* **buck ~**) nagusieńki, golusieńki; **strip ~** rozebrać się do naga; **with the ~ eye** gołym okiem. **2.** *attr. przen.* obnażony (*t. o mieczu*); odkryty (*o płomieniu*); nieosłonięty (*o żarówce, świecy*); otwarty (*np. o wrogości, agresji, groźbie*). **3.** *przen.* bezbronny; **town left ~ to the invasions of the enemy** miasto bezbronne wobec ataków wroga. **4.** **~ of sth** *form.* pozbawiony czegoś, ogołocony z czegoś. **5.** *prawn., handl.* nieposiadający mocy prawnej (*o kontrakcie, umowie*).

naked ladies *n. z czasownikiem w liczbie pojedynczej bot.* zimowit jesienny (*Colchicum autumnale*).

nakedly [ˈneɪkɪdlɪ] *adv.* **1.** otwarcie. **2.** prosto.

nakedness [ˈneɪkɪdnəs] *n. U* nagość.

naker [ˈneɪkər] *n. hist., muz.* kocioł.

NAM [ˌen ˌeɪ ˈem] *abbr.* **National Association of Manufacturers** *US* Krajowe Stowarzyszenie Producentów.

Nam [nɑːm], **'Nam** *n. gł. US pot.* Wietnam.

namby-pamby [ˌnæmbɪˈpæmbɪ] *pot. a.* **1.** wymuskany; niezdecydowany, niepewny (*o osobie*). **2.** czułostkowy, ckliwy (*o słowach, poezji*). – *n. pl.* **-ies** **1.** mięczak. **2.** osoba nadmiernie uczuciowa.

name [neɪm] *n.* **1.** imię (*t. zwierzęcia*); **first/Christian/given ~** imię; **middle ~** drugie imię; **her ~ is Claire** ma na imię Claire, na imię jej Claire; **what's your ~?** jak masz na imię?, jak ci na imię? **2.** nazwisko (*t. przen.* = *ród, sława*); **full ~** imię i nazwisko; **last/family ~** nazwisko; **maiden ~** nazwisko panieńskie; **go by/under the ~ of X** być znanym jako X, posługiwać się nazwiskiem X; **in the ~ of Jones/in sb's ~** na nazwisko Jones/na czyjeś nazwisko (*o rezerwacji, zapisie*); **know sb by ~ (only)** znać kogoś (tylko) z nazwiska; **my ~ is (Paul) Short** nazywam się (Paul) Short; **sb by the ~ of Jones** ktoś o nazwisku Jones; **what's your ~?** jak się Pan/i nazywa?; jak się nazywasz? **3.** nazwa. **4.** *sing. przen.* (*także* **good ~**) dobre imię, reputacja; **bad ~** zła opinia *l.* reputacja; **give sb a bad ~** zepsuć komuś opinię *l.* reputację; **have a good/bad ~** mieć dobrą/złą reputację; **make a ~ for o.s.** wyrobić sobie reputację *l.* markę. **5.** *przen.* **big/famous/household ~** *pot.* powszechnie znane nazwisko; powszechnie znana nazwa; **call sb ~s** *zob.* **call** *v.*; **have a ~ for sth** być znanym z czegoś; **in ~ only** tylko z nazwy, tylko formalnie (= *bez władzy l. przynależnego statusu*); **in all but ~** faktycznie, w rzeczywistości (*ale nie w sensie formalnym*); **in God's/heaven's ~** (*także* **in the ~ of God/heaven**) *emf.* na Boga; **in the ~ of sb/sth** w imię kogoś/czegoś; w imieniu kogoś/czegoś (= *reprezentując*); **not have a penny to one's ~** *pot.* nie mieć grosza przy duszy; **(patience/effectiveness is) the ~ of the game** *pot.* najważniejsza rzecz (to cierpliwość/skuteczność); **sb's ~ is mud** *zob.* **mud¹** *v.*; **take sb's ~ in vain** *żart.* źle o kimś mówić (*pod jego nieobecność*). – *v.* **1.** dawać na imię (*dziecku*), nazywać (*np. psa*); nadawać imię *l.* nazwę (*np. okrętowi, uniwersytetowi*); **~ sb for** *US*/**after** *Br.* **sb** dać komuś imię po kimś; **~ sth for** *US*/**after** *Br.* **sb** nazwać coś *l.* nadać czemuś imię na cześć kogoś; **they ~d the baby Patrick** dali dziecku na imię Patrick. **2.** wymieniać (*np. poetów, miasta*); podawać nazwisko, wymieniać z nazwiska (*zwł. podejrzanego*); podawać nazwę (*przedmiotu, rośliny*); podawać tytuł (*piosenki, utworu*); **can you ~ five US presidents?** czy potrafisz wymienić pięciu prezydentów USA?; **to ~ but a few** że wymienię tylko kilku *l.* kilka. **3.** podawać (*np. cenę, ilość, datę*). **4.** wyznaczać; mianować (*sb (as) sth* kogoś czymś); wybierać; **~ sb to an office** *US* wyznaczyć kogoś na urząd; **she was ~d Photographer of the Year** wybrano ją Fotografem Roku. **5.** *Br. parl.* zawiesić w obowiązkach (*posła, przez wyczytanie go z nazwiska*). **6.** *przen.* **~ ~s** podawać nazwiska (*zwł. winnych l. wspólników*); **~ the day** wyznaczyć datę ślubu; **you ~ it** *pot.* co tylko chcesz, czego dusza zapragnie.

nameable [ˈneɪməbl], **namable** *a.* **1.** możliwy do nazwania. **2.** pamiętny.

name-calling [ˈneɪmˌkɔːlɪŋ] *n. U* wyzwiska, epitety.

name day *n.* **1.** imieniny. **2.** dzień chrztu.

name-drop [ˈneɪmˌdrɑːp] *v. pot.* rzucać znanymi nazwiskami (*żeby zrobić wrażenie*), popisywać się znajomościami.

namedropper [ˈneɪmˌdrɑːpər] *n.* osoba lubiąca popisywać się znajomościami.

namedropping [ˈneɪmˌdrɑːpɪŋ] *n. U* rzucanie znanymi nazwiskami.

nameless [ˈneɪmləs] *a.* **1.** bezimienny; anonimowy; nieznany; **~ source of information** anonimowe źródło informacji; **a person who shall re-**

main ~ osoba, której nazwiska nie wymienię. **2.** *attr. lit.* nieopisany, niedający się opisać (*np. o przerażeniu*); okropny, nieopisany (*o zbrodni*).

namely [ˈneɪmlɪ] *adv.* (a) mianowicie.

name part *n. teatr* rola tytułowa.

nameplate [ˈneɪmˌpleɪt] *n.* tabliczka z nazwiskiem; tabliczka z nazwą (firmy) (*na drzwiach l. ścianie*).

namesake [ˈneɪmˌseɪk] *n.* imienni-k/czka; osoba o tym samym nazwisku.

name tag *n.* plakietka z nazwiskiem, identyfikator.

Namibia [nəˈmɪbɪə] *n. geogr.* Namibia.

Namibian [nəˈmɪbɪən] *a.* namibijski. – *n.* Namibij-czyk/ka.

nan¹ [nɑːn] *n. U* (*także* **naan (bread)**) *kulin.* przaśny chleb spożywany jako dodatek do dań indyjskich.

nan² [næn] *n.* = **nana**.

nana [ˈnænə] *n.* (*także* **nanna, nanny**) *zwł. Br. dziec. pot.* babcia.

nance [næns] *n. US przest., obelż. sl.* pedał (= *homoseksualista*).

nancy [ˈnænsɪ] *n. pl.* **-ies** (*także* ~ **boy**) *Br.* = **nance**.

nankeen [ˌnænˈkiːn] *n.* **1.** *U tk.* nankin. **2.** *pl.* spodnie z nankinu. **3.** *U* kolor szarawożółty.

nanny [ˈnænɪ] *n. pl.* **-ies** *Br.* **1.** niania, opiekunka (*do dziecka*). **2.** *dziec.* babcia. – *v.* **-ied, -ying** niańczyć (*t. przen.* = *nadmiernie ochraniać*).

nanny goat *n.* koza (*samica*).

nanny state *n. zwł. Br.* nadopiekuńcze państwo.

nanometer [ˈnænəˌmiːtər] *Br.* **nanometre** *n.* nanometr.

nanosecond [ˈnænəˌsekənd] *n.* nanosekunda.

nap¹ [næp] *n.* drzemka; **have/take a (little/short)** ~ zdrzemnąć się, uciąć sobie (krótką) drzemkę. – *v.* **-pp- 1.** drzemać. **2. be caught ~ping** *przen.* dać się zaskoczyć.

nap² *n. sing. tk.* włos, kutner, meszek (*np. zamszu*); *bot.* kutner, meszek (*na roślinach*). – *v.* **-pp-** *tk.* drapać, kutnerować (*tkaninę*).

nap³ *n.* **1.** = **napoleon** 2; **go** ~ zapowiedzieć wzięcie wszystkich pięciu lew (*w grze w napoleona*); *przen.* stawiać wszystko na jedną kartę; ~ **hand** *przen.* pozycja niemalże gwarantująca sukces w razie podjęcia ryzyka. **2.** *wyścigi konne* pewniak (= *koń, który w opinii zawodowego doradcy powinien wygrać bieg*). – *v. wyścigi konne* polecać jako pewniaka (*konia*).

napalm [ˈneɪpɑːm] *n. U wojsk.* napalm. – *v.* atakować napalmem.

nape [neɪp] *n. zw. sing.* **the ~ of the neck** kark.

napery [ˈneɪpərɪ] *n. U arch.* bielizna stołowa.

naphtha [ˈnæfθə] *n. U* **1.** nafta. **2.** ropa naftowa.

naphthalene [ˈnæfθəˌliːn], **naphthaline** *n. U* naftalen, naftalina.

napkin [ˈnæpkɪn] *n.* **1.** (*także* **table** ~) serwetka (*z tkaniny l. papierowa*); ~ **ring** kółko na serwetkę. **2.** (*także* **sanitary** ~) *zwł. US* podpaska (higieniczna). **3.** *zwł. Br. form.* = **nappy**. **4.** *Br. dial.* chusteczka do nosa. **5.** *Scot.* chustka na głowę; apaszka.

Naples [ˈneɪplz] *n. geogr.* Neapol.

napoleon [nəˈpoʊlɪən] *n.* **1.** *US kulin.* napoleonka. **2.** *U karty* napoleon (*gra*); licytacja w grze jw. zapowiadająca wzięcie wszystkich pięciu lew. **3.** *hist.* napoleondor (= *złota moneta francuska o wartości 20 franków*).

Napoleonic [nəˌpoʊlɪˈɑːnɪk] *a.* napoleoński.

nappa [ˈnæpə] *n. U* delikatna skóra koźlęca *l.* jagnięca (*zwł. do wyrobu rękawiczek*).

napper¹ [ˈnæpər] *n. tk.* **1.** osoba kutnerująca tkaninę. **2.** draparka (*maszyna*).

napper² *n. Br. przest. sl.* łeb, pała (= *głowa*).

nappy¹ [ˈnæpɪ] *n. pl.* **-ies** *Br.* pieluszka, pielucha.

nappy² *a.* **-ier, -iest 1.** pokryty meszkiem; włochaty. **2.** *US* mocno kręcony (*o włosach*). **3.** *Br.* (*zwł. o piwie*) spieniony; mocny. **4.** *gł. Br. dial.* podchmielony. **5.** nerwowy (*o koniu*). – *n. Br.* mocny napój alkoholowy (*zwł. mocne piwo*).

nappy liner *n. Br.* wkładka wchłaniająca do pieluszki tetrowej.

nappy rash *n. U Br. pat.* pieluszkowe zapalenie skóry niemowląt.

narc [nɑːrk], **nark** *n. US sl.* agent/ka zajmując-y/a się ściganiem przestępstw narkotykowych.

narceine [ˈnɑːrsɪˌiːn], **narceen** *n. U chem.* narceina.

narcissism [ˈnɑːrsəˌsɪzəm] *n. U psych.* narcyzm.

narcissist [ˈnɑːrsəsɪst] *n.* osoba cierpiąca na narcyzm.

narcissistic [ˈnɑːrsəsɪstɪk] *n.* narcystyczny.

narcissus [nɑːrˈsɪsəs] *n. pl.* **-es** *l.* **narcissi** [nɑːrˈsɪsɪ] *bot.* narcyz (*rodzaj Narcissus*).

narcolepsy [ˈnɑːrkəˌlepsɪ] *n. U pat.* narkolepsja.

narcosis [nɑːrˈkoʊsɪs] *n. U* **1.** oszołomienie narkotykiem. **2.** *med.* narkoza.

narcotic [nɑːrˈkɑːtɪk] *a. attr. t. przen.* narkotyczny; ~ **addict** narkoman/ka, osoba uzależniona od narkotyków. – *n. med.* narkotyk; *zw. pl. zwł. US* narkotyk (*nielegalny, zwł. heroina l. kokaina*).

narcotics agent *n. form.* = **narc**.

narcotism [ˈnɑːrkəˌtɪzəm] *n. U* **1.** *pat.* narkomania, uzależnienie od narkotyków. **2.** *med.* narkoza.

narcotize [ˈnɑːrkəˌtaɪz] *Br. i Austr. zw.* **narcotise** *v.* narkotyzować, poddawać działaniu narkotyku.

nard [nɑːrd] *n.* nard (*roślina i pachnidło*).

nares [ˈneriːz] *n. pl. anat.* nozdrza.

narghile [ˈnɑːrgəleɪ], **nargile**, **nargileh** *n.* nargile (*fajka wodna*).

narial [ˈnerɪəl], **narine** [ˈnerɪn] *a. anat.* nozdrzowy.

nark [nɑːrk] *n. sl.* **1.** = **narc**. **2.** *Br., Austr. i NZ przest.* szpicel (*zwł. policyjny*). **3.** *Br.* zrzęda. **4.** *Austr. i NZ* psuj (= *osoba psująca innym zabawę*). – *v.* **1.** *Br., Austr. i NZ* wkurzać. **2.** *Br., Austr. i NZ przest.* szpiclować; szpiegować (*on* *sb* kogoś) (*zwł. dla policji*). **3.** *Br.* zrzędzić. **4.** ~ **it!** *Br.* przestań!

narrate [ˈnereɪt] *v.* **1.** opowiadać (*historię*). **2.** występować w roli narratora (*np. filmu dokumentalnego*).

narration [næˈreɪʃən] *n.* **1.** *U teor. lit.* narracja. **2.** *U* komentarz (*np. do filmu, pokazu slajdów*). **3.** opowiadanie.

narrative [ˈnerətɪv] *n.* **1.** *C / U form.* opowiadanie, relacja. **2.** *U teor. lit.* narracja, opis. – *a.* narracyjny.

narrator [ˈnereɪtər] *n.* narrator/ka.

narrow [ˈneroʊ] *a.* **1.** *t. przen.* wąski (*t. np. o znaczeniu*). **2.** ograniczony (*o poglądach, horyzontach, środkach*). **3.** nieznaczny, niewielki (*np. o większości, zwycięstwie*); **win by a ~ margin** zwyciężyć małą różnicą głosów. **4.** *form.* dokładny, skrupulatny, szczegółowy (*o badaniu, dochodzeniu*). **5.** *fon.* napięty; zamknięty (*o samogłosce*). **6.** *roln.* bogaty w białko (*o paszy dla zwierząt*). **7.** *dial.* skąpy. **8.** *przen.* **have a ~ escape** ledwo *l.* z trudem ujść cało; **it was a ~ squeak** *pot.* niewiele brakowało (*do nieszczęścia, wypadku*). – *v.* **1.** zwężać się (*o rzece, ulicy, źrenicach*). **2.** *t. przen.* zmniejszać (się) (*o różnicy, przepaści*). **3.** ~ **one's eyes** mrużyć oczy. **4.** ~ **down** zawężać (*to sth* do czegoś) (*np. listę podejrzanych, poszukiwania*). – *n.* wąskie przejście, przesmyk.

narrow boat *n. żegl.* długa wąska łódź przypominająca barkę (*używana na kanałach*).

narrow-gauge [ˌneroʊˈgeɪdʒ] *a. kol.* wąskotorowy.

narrowly [ˈneroʊlɪ] *adv.* **1.** ledwo, z ledwością; minimalnie, o mało co; **he ~ missed the target** minimalnie chybił; **she ~ missed winning the competition** niewiele brakowało, a wygrałaby konkurs. **2.** wąsko (*np. interpretować coś*). **3.** *form.* dokładnie, skrupulatnie, szczegółowo (*badać*); uważnie, pilnie (*obserwować, przyglądać się*).

narrow-minded [ˌneroʊˈmaɪndɪd] *a.* **1.** ograniczony, o wąskich horyzontach, o ciasnym umyśle (*o osobie*). **2.** pełen uprzedzeń (*o stanowisku, stosunku*).

narrow-mindedness [ˌneroʊˈmaɪndɪdnəs] *n. U* ograniczoność, ciasnota umysłu.

narrowness [ˈneroʊnəs] *n. U* **1.** wąskość (*ulicy*). **2.** ograniczoność, ciasnota (*poglądów, umysłu*). **3.** *form.* dokładność, skrupulatność (*badań*).

narrows [ˈneroʊz] *n. pl. żegl.* wąskie przejście; cieśnina.

narrow seas *n. pl. Br. geogr.* kanały oddzielające Wielką Brytanię od masy kontynentu europejskiego i od Irlandii.

narthex [ˈnɑːrθeks] *n. bud., kośc.* narteks.

narwal [ˈnɑːrwəl], **narwhal, narwhale** [ˈnɑːrweɪl] *n. zool.* narwal (*Monodon monoceros*).

nary [ˈnerɪ] *a. dial.* = **not**; = **never**.

NASA [ˈnæsə] *abbr.* **National Aeronautics and Space Administration** *US* NASA.

nasal [ˈneɪzl] *a. t. anat., fon.* nosowy (*t. o głosie*). – *n.* **1.** *fon.* głoska nosowa. **2.** *zbroja, hist.* płytka na nos (*część hełmu*).

nasality [neɪˈzælətɪ] *n. U* nosowość.

nasalization [ˌneɪzələˈzeɪʃən] *Br. i Austr. zw.* **nasalisation** *n. U* wymawianie przez nos; *fon.* nazalizacja.

nasalize [ˈneɪzəˌlaɪz] *Br. i Austr. zw.* **nasalise** *v.* wymawiać przez nos; *fon.* nazalizować.

nasally [ˈneɪzlɪ] *adv.* nosowo (*wymawiać*); przez nos (*np. mówić, przyjmować lek*).

nasal spray *n. C / U med.* spray do nosa.

nascence [ˈnæsəns], **nascency** [ˈnæsənsɪ] *n. U form.* rodzenie się; powstawanie.

nascent [ˈnæsənt] *a. form.* **1.** rodzący się; powstający. **2.** *chem.* powstający, in statu nascendi (*o pierwiastku*).

NASDAQ [ˈnæzdæk] *abbr.* **National Association of Securities Dealers Automated Quotations** *giełda* (indeks) NASDAQ.

naseberry [ˈneɪzˌberɪ] *n. pl.* **-ies** *bot.* sączyniec (*Achras zapota*).

nasi goreng *n. U kulin.* ryż z mięsem i warzywami (*danie kuchni indonezyjskiej*).

nasofrontal [ˌneɪzoʊˈfrʌntl] *a. anat.* nosowoczołowy.

nasopharyngeal [ˌneɪzoʊˌferɪnˈdʒiːəl] *a. anat.* nosowo-gardłowy.

nasopharynx [ˌneɪzoʊˈferɪŋks] *n. pl.* **-pharynxes** *l.* **-pharynges** [ˌneɪzoʊfəˈrɪndʒiːz] *anat.* nosogardziel, część nosowa gardła.

Nassau [ˈnæsɔː] *n. geogr.* Nassau.

nastily [ˈnæstɪlɪ] *adv.* złośliwie.

nastiness [ˈnæstɪnəs] *n. U* złośliwość (*osoby, uwagi*).

nasturtium [næˈstɝːʃəm] *n. bot.* nasturcja (*Tropaeolum*).

nasty [ˈnæstɪ] *a.* **-ier, -iest 1.** złośliwy, niemiły, nieprzyjemny (*o osobie, uwadze, zachowaniu*); **be ~ to sb** być nieprzyjemnym dla kogoś (*o osobie*); **turn ~** zrobić *l.* stać się nieprzyjemnym (*o osobie l. sytuacji*). **2.** nieprzyjemny, wstrętny, okropny (*o smaku, zapachu, przyzwyczajeniu*); paskudny (*o ranie, wypadku, pogodzie, usposobieniu*); niemiły, przykry (*o szoku, niespodziance*); **have a ~ feeling that...** mieć paskudne przeczucie, że...; **it's a ~ business** to paskudna sprawa. **3.** trudny (*o problemie*); podstępny, podchwytliwy (*o pytaniu*). **4.** silny, mocny (*o ciosie*). **5.** nieprzyzwoity, sprośny, brzydki (*o języku, słowach*). **6.** *przen.* **a ~ piece of work** *Br. pot.* wredny typ; wredna baba; **cheap and ~** *zob.* **-cheap** *a.*; **leave a ~ taste in the mouth** pozostawiać po sobie niesmak. – *n. pl.* **-ies** *pot.* **1.** wredny typ; wredna baba. **2.** okropieństwo (*rzecz*). **3.** = **video nasty**.

NAS/UWT [ˌen ˌeɪ ˈes ˌjuː ˌdʌbljuː ˈtiː] *abbr.* **National Association of Schoolmasters/Union of Women Teachers** *Br.* związek zawodowy nauczycieli.

nat. *abbr.* **1.** = **national**. **2.** = **native**. **3.** = **natural**.

natal[1] [ˈneɪtl] *a. form.* **1.** urodzeniowy; związany z urodzeniem. **2.** *lit.* = **native**.

natal[2] *a. anat.* pośladkowy.

natality [neɪˈtælətɪ] *n. pl.* **-ies** *zwł. US* wskaźnik urodzeń.

natant ['neɪtənt] *a. form.* pływający (*gł. bot. o roślinach wodnych*).

natation [neɪ'teɪʃən] *n. U form.* pływanie.

natational [neɪ'teɪʃənl] *a. form.* pływacki.

natationist [neɪ'teɪʃənɪst] *n. rzad.* pływak/czka.

natatorial [ˌneɪtə'tɔːrɪəl], **natatory** [ˌneɪtə'tɔːrɪ] *a. form.* **1.** pływający. **2.** pływacki.

natatorium [ˌneɪtə'tɔːrɪəm] *n. pl.* **-s** *l.* **natatoria** [ˌneɪtə'tɔːrɪə] *rzad.* basen pływacki.

natheless ['neɪθləs], **nathless** ['næθləs] *adv. i prep. arch.* mimo (to).

nation ['neɪʃən] *n.* **1.** naród. **2.** państwo; kraj.

national ['næʃənl] *a. gł. attr.* **1.** narodowy (*np. o cechach, galerii, muzeum*). **2.** państwowy (*np. o interesach*). **3.** krajowy (*np. o rynku, wiadomościach, prasie*); o zasięgu ogólnokrajowym. **4.** centralny (*o rządzie*). – *n.* **1.** *zw. pl.* obywatel/ka (*danego państwa, zwł. żyjący w innym*); **US/foreign ~s** obywatele USA/obcych państw. **2.** *dzienn.* = **national newspaper**. **3.** *zw. pl. sport* zawody o zasięgu krajowym. **4. N~** = **Grand National**.

national anthem *n.* hymn państwowy.

national costume *n.* = **national dress**.

National Curriculum *n. Br. szkoln.* program nauczania dziesięciu podstawowych przedmiotów obowiązujący w szkołach państwowych w Anglii i Walii od 1989 r.

national debt *n. ekon.* dług publiczny.

national dress *n. U* (*także* **national costume**) strój narodowy.

national grid *n.* **1.** *Br.* krajowa sieć energetyczna. **2.** *Br., Ir. i NZ kartogr.* system współrzędnych metrycznych.

National Guard *n. US* Gwardia Narodowa (*milicja rezerwowa poszczególnych stanów*).

National Health Service *n.* **the ~** (*także* **the NHS**) *Br.* państwowa służba zdrowia.

national holiday *n.* święto państwowe.

national insurance *n. U Br.* ubezpieczenie społeczne.

nationalism ['næʃənəˌlɪzəm] *n. U* nacjonalizm.

nationalist ['næʃənəlɪst] *n.* nacjonalist-a/ka. – *a.* nacjonalistyczny.

nationalistically [ˌnæʃənə'lɪstɪklɪ] *adv.* nacjonalistycznie.

nationality [ˌnæʃə'nælətɪ] *n. pl.* **-ies** **1.** *C / U* narodowość (*t. = naród*); obywatelstwo; **dual ~** podwójne obywatelstwo. **2.** *U* charakter narodowy. **3.** *U* byt narodowy.

nationalization [ˌnæʃənələ'zeɪʃən], *Br. i Austr. zw.* **nationalisation** *n. U* nacjonalizacja, upaństwowienie.

nationalize ['næʃənəˌlaɪz], *Br. i Austr. zw.* **nationalise** *v.* **1.** nacjonalizować, upaństwawiać. **2.** nadawać charakter ogólnonarodowy *l.* ogólnopaństwowy (*czemuś*). **3.** naturalizować (*cudzoziemca*).

National League *n. US baseball* jedna z dwóch lig zawodowych.

nationally ['næʃənlɪ] *adv.* **1.** narodowo; jako naród. **2.** państwowo. **3.** na szczeblu centralnym *l.* państwowym.

national monument *n.* zabytek narodowy; park narodowy.

national newspaper *n.* gazeta krajowa.

national park *n.* park narodowy.

National Security Council *n. US polit.* Rada Bezpieczeństwa Narodowego.

national service *n. U wojsk.* **1.** *Br. i Austr.* obowiązkowa służba wojskowa. **2.** *US hist.* obowiązkowa służba wojskowa wprowadzana na czas konfliktów zbrojnych (*zniesiona w 1973 r.*).

national socialism, National S~ *n. U hist., polit.* narodowy socjalizm.

National Trust *n. Br.* instytucja zajmująca się ochroną zabytków i krajobrazu w Anglii, Walii i Irlandii Północnej.

nationhood ['neɪʃənˌhʊd] *n. U* **1.** byt narodowy. **2.** narodowość.

nation-state ['neɪʃənˌsteɪt] *n. polit.* państwo narodowe.

nationwide ['neɪʃənˌwaɪd] *a.* **1.** ogólnokrajowy (*np. o zasięgu, akcji*). **2.** ogólnonarodowy. **3.** ogólnopaństwowy. – *adv.* w całym kraju.

native ['neɪtɪv] *a. attr.* **1.** ojczysty, rodzinny (*o kraju*); ojczysty (*o języku*). **2.** rodowity, rdzenny (*o ludności*). **3.** miejscowy; tubylczy (*o stroju, zwyczajach*); **go ~** *pot. uj. l. żart.* przyjąć miejscowy sposób życia, zasymilować się (*o osadnikach, kolonistach*). **4.** rodowity (*o mieszkańcach*); **~ New Yorker** rodowity nowojorczyk. **5.** *bot., zool.* występujący naturalnie (*na danym obszarze*); **~ to Africa** występujący naturalnie w Afryce (*o florze, faunie*). **6.** krajowy (*o przemyśle*). **7.** wrodzony (*np. o inteligencji, umiejętnościach, głupocie*). **8.** *chem.* naturalny (= *występujący w przyrodzie*); **~ alloy** stop naturalny; **~ metal/sulphur** metal rodzimy/siarka rodzima; **~ paraffin** wosk ziemny. – *n.* **1.** *przest. cz. pog. l. żart.* tubylec, krajowiec; miejscow-y/a; autochton/ka; **a ~ of Cuba** rodowit-y/a Kuba-ńczyk/nka. **2.** *bot.* roślina miejscowa; *zool.* zwierzę miejscowe; **be a ~ of Australia** występować naturalnie w Australii (*o roślinie l. zwierzęciu*).

Native American *n. US* rdzenn-y/a Amerykan-in/ka (= *Indian-in / ka*).

native-born [ˌneɪtɪv'bɔːrn] *a.* rodowity.

native land *n.* ojczyzna, ziemia ojczysta.

native language *n.* = **native tongue**.

native speaker *n. jęz.* rodzim-y/a użytkowni-k/czka języka.

native tongue *n.* (*także* **native language**) *jęz.* język ojczysty.

nativism ['neɪtɪˌvɪzəm] *n. U* **1.** *gł. US polit.* faworyzowanie rodowitych obywateli państwa. **2.** *antrop.* ochrona i kultywowanie kultury miejscowej. **3.** *fil., psych.* natywizm.

nativist ['neɪtɪvɪst] *fil., psych. n.* natywist-a/ka. – *a.* (*także* **~ic**) natywistyczny.

nativity [nə'tɪvətɪ] *n. pl.* **-ies** **1.** *form.* narodzenie; **the N~** *rel.* narodzenie Jezusa Chrystusa, Narodzenie Pańskie (*t. jego artystyczne przedstawienie, zwł. mal.*); Boże Narodzenie (*święto*). **2.** *astrol.* horoskop.

nativity play, Nativity play *n.* jasełka.

natl. *abbr.* = **national**.

NATO ['neɪtoʊ] *abbr.* = **North Atlantic Treaty Organization.**

natrium ['neɪtrɪəm] *n. U chem.* sód.

natron ['neɪtrɑːn] *n. U chem.* soda naturalna, natron.

natter ['nætər] *gł. Br. pot. v.* paplać, trajkotać; plotkować. – *n. sing.* paplanina, paplanie; plotkowanie; **have a ~** pogadać sobie.

natterjack ['nætərˌdʒæk] *n. zool.* ropucha paskówka (*Bufo calamita*).

nattily ['nætɪlɪ] *adv. przest. pot.* szykownie.

nattiness ['nætɪnəs] *n. U* szykowność.

natty ['nætɪ] *a.* **-ier, -iest** szykowny (*o wyglądzie l. ubiorze*).

natural ['nætʃərəl] *a.* **1.** naturalny; **die of ~ causes** (*także* **die a ~ death**) umrzeć śmiercią naturalną; **it's (only) ~ to feel worried/that you (should) feel worried** jest rzeczą (całkowicie) naturalną, że się martwisz; **it's not ~ for a young person to behave like that** to nienaturalne, żeby młoda osoba tak się zachowywała. **2.** zwykły (*o biegu wydarzeń*); normalny (*o wyniku, rezultacie*). **3.** swobodny, niewymuszony, naturalny (*o uśmiechu, zachowaniu*). **4.** *attr.* wrodzony (*o talencie, uzdolnieniach, predyspozycjach*); urodzony (*np. o nauczycielu, przywódcy*). **5.** *attr.* żywiołowy (*o klęsce*). **6.** *attr.* biologiczny (*o rodzicach*). **7.** *muz.* niealterowany; z kasownikiem. **8.** *arch., euf.* nieślubny (*o dziecku*). – *n.* **1.** samorodny talent (*osoba*); **be a ~** być naturalnie uzdolnionym, mieć talent (*at sth* do czegoś). **2.** *t. hazard pot.* pewniak; oczywisty wybór (*for sth* jeśli chodzi o coś). **3.** *muz.* nuta z kasownikiem; (*także* **~ sign**) kasownik. **4.** *muz.* biały klawisz (*fortepianu, organów*). **5.** *karty, kości* wygrywająca kombinacja. **6.** kolor naturalny. **7.** *arch.* idiota, głupiec. **8.** *US* (fryzura) afro.

natural-born [ˌnætʃərəl'bɔːrn] *a. attr. US* **1.** rodowity (*np. o Angliku, Francuzie*). **2.** urodzony (*np. o idiocie*).

natural childbirth *n. U* poród naturalny *l.* siłami natury.

natural environment *n. C/U* środowisko naturalne.

natural foods *n. pl.* żywność naturalna, zdrowa żywność.

natural frequency *n. fiz.* częstotliwość własna, częstotliwość drgań własnych.

natural gas *n. U* gaz ziemny.

natural gender *n. C/U gram.* rodzaj naturalny.

natural history *n. U* **1.** przyrodoznawstwo. **2.** przyroda (*danego obszaru*).

naturalism ['nætʃərəˌlɪzəm] *n. U fil., sztuka, teor. lit.* naturalizm.

naturalist ['nætʃərəlɪst] *n.* **1.** przyrodni-k/czka. **2.** naturalist-a/ka.

naturalistic [ˌnætʃərə'lɪstɪk] *a.* **1.** przyrodniczy. **2.** naturalistyczny.

naturalization [ˌnætʃərələ'zeɪʃən], *Br. i Austr. zw.* **naturalisation** *n. U* naturalizacja.

naturalize ['nætʃərəˌlaɪz], *Br. i Austr. zw.* **naturalise** *v.* **1.** naturalizować (*cudzoziemca*); naturalizować się (*o cudzoziemcu*). **2.** aklimatyzować się (*o roślinie, zwierzęciu*); aklimatyzować (*roślinę, zwierzę*). **3.** przyjmować się (*o słowie, zwyczaju*); przyswajać sobie (*słowo, zwyczaj*). **4.** pozbawiać charakteru nadprzyrodzonego (*poprzez wyjaśnienie odwołujące się do przyczyn naturalnych*); czynić bardziej naturalnym.

natural language *n. C/U* język naturalny.

natural language processing *n. U komp.* przetwarzanie języka naturalnego.

natural law *n.* **1.** prawo natury. **2.** *U fil., prawn.* prawo natury, prawo przyrodzone.

natural lighting *n. U* oświetlenie naturalne.

natural logarithm *n. mat.* logarytm naturalny.

naturally ['nætʃərəlɪ] *adv.* **1.** naturalnie (*t.* = *oczywiście*). **2.** z natury (*np. pogodny, utalentowany*). **3.** w sposób naturalny (*zdarzyć się*); **be found ~** występować w stanie naturalnym (*np. o pierwiastkach*); **die ~** umrzeć śmiercią naturalną; **sth comes ~ to sb** coś przychodzi komuś naturalnie.

natural medicine *n. U* medycyna naturalna.

naturalness ['nætʃərəlnəs] *n. U* naturalność.

natural number *n. mat.* liczba naturalna.

natural person *n. prawn.* osoba fizyczna.

natural philosophy *n. U arch.* = **natural science.**

natural resources *n. pl.* bogactwa naturalne.

natural science *n.* nauka przyrodnicza; *U* nauki przyrodnicze.

natural selection *n. U biol.* dobór naturalny.

natural wastage *n. U ekon.* ubytek naturalny.

natural world *n.* **the ~** świat natury *l.* przyrody.

nature ['neɪtʃər] *n.* **1.** *U* natura (*t.* = *proste warunki*); przyroda. **2.** *C/U* natura, charakter, rodzaj (*np. zjawiska, zajęcia*). **3.** natura, usposobienie (*osoby l. zwierzęcia*); istota, właściwość, natura (*rzeczy*). **4. against ~** wbrew naturze; **back to ~** powrót do natury (*styl życia*); **by ~** z natury (*np. spokojny*); **by its very ~** z natury (rzeczy), ze swej natury; **course of ~** *zob.* **course** *n.*; **from ~** z natury (*np. malować*); **good-~d** dobroduszny; **human ~** natura ludzka; **it's his second ~ to be late** spóźnianie się to jego druga natura; **in a state of ~** w stanie pierwotnym (= *przed złym wpływem cywilizacji*); *euf. l. żart.* w stroju Adama/Ewy (= *nago*); **in the ~ of things, errors will occur** to normalne, że błędy będą się pojawiać; **let ~ take its course** pozwolić sprawom toczyć się swoim porządkiem; **Mother N~** *często żart.* Matka Natura; **not be in sb's ~** nie leżeć w czyjejś naturze; **political/social in ~** natury politycznej/społecznej; **request in/of the ~ of a command** prośba o charakterze rozkazu; **something of that ~** coś w tym rodzaju; **sth has become second ~ to sb** coś stało się czyjąś drugą naturą; **the call of ~** *zob.* **call** *n.*

nature reserve, nature preserve *n.* rezerwat przyrody.

nature strip *n. Austr.* pas zieleni.

nature study *n. U* obserwacja przyrody.

nature trail *n.* szlak przyrodoznawczy.

naturism ['neɪtʃəˌrɪzəm] *n. U* naturyzm.

naturist ['neɪtʃərɪst] *n.* naturyst-a/ka. – *a.* naturystyczny.

naturopath ['neɪtʃərəˌpæθ] *n.* osoba praktykująca medycynę naturalną.

naturopathic [ˌneɪtʃərə'pæθɪk] *a.* dotyczący medycyny naturalnej.

naturopathy [ˌneɪtʃə'rɑːpəθɪ] *n.* *U* medycyna naturalna.

Naugahyde ['nɔːgəˌhaɪd] *n.* *U tk.* mocna tkanina skóropodobna.

naught [nɔːt], **nought** *n.* **1.** *arch. l. lit.* nic; **be for ~** na nic się nie zdać; **come to ~** spełznąć na niczym (*o planach*); pójść na marne (*o pracy, wysiłku*); **set sb/sth at ~** nic sobie nie robić z kogoś/czegoś. **2.** *US* zero. – *adv. arch. l. lit.* wcale nie; w żaden sposób. – *a. arch.* **1.** bezwartościowy. **2.** zły.

naughtily ['nɔːtɪlɪ] *adv.* **1.** niegrzecznie, krnąbrnie. **2.** frywolnie.

naughtiness ['nɔːtɪnəs] *n.* *U* **1.** niegrzeczność, niegrzeczne zachowanie (się), krnąbrność, nieposłuszeństwo. **2.** frywolność.

naughty ['nɔːtɪ] *a.* **-ier, -iest** **1.** niegrzeczny, krnąbrny (*o dziecku, postępowaniu*). **2.** *zwł. Br. żart.* frywolny (*np. o żartach, ilustracjach, zachowaniu*).

nausea ['nɔːzɪə] *n.* *U* **1.** *pat.* mdłości, nudności; choroba morska. **2.** *lit.* obrzydzenie, wstręt.

nauseate ['nɑːzɪˌeɪt] *v.* **1.** przyprawiać o mdłości. **2.** dostawać mdłości; mieć mdłości. **3.** *przen.* budzić wstręt *l.* obrzydzenie w (*kimś*).

nauseating ['nɔːzɪˌeɪtɪŋ] *a.* **1.** przyprawiający o mdłości, mdlący (*np. o zapachu*). **2.** *przen.* budzący wstręt *l.* obrzydzenie, obrzydliwy (*t. o osobie*).

nauseatingly ['nɔːzɪˌeɪtɪŋlɪ] *adv.* **1.** mdląco. **2.** *przen.* obrzydliwie.

nauseous ['nɔːʃəs] *a.* **1.** przyprawiający o mdłości. **2. feel ~** mieć mdłości. **3.** *przen.* budzący wstręt *l.* obrzydzenie, obrzydliwy.

nauseously ['nɔːʃəslɪ] *adv.* **1.** w sposób przyprawiający o mdłości. **2.** obrzydliwie.

nauseousness ['nɔːʃəsnəs] *n.* *U* obrzydliwość.

naut. *abbr.* = **nautical**.

nautical ['nɔːtɪkl] *a.* *żegl.* morski; żeglarski; marynarski.

nautical mile *n.* *żegl.* (*także* **international nautical mile**) mila morska (= *1,852 km*).

nautilus ['nɔːtələs] *n. pl.* **-es** *l.* **nautili** ['nɔːtəlaɪ] *zool.* łodzik, nautilus (*rodzaj Nautilus*).

nav. *abbr.* **1.** = **naval**; = **navy**. **2.** = **navigable**; = **navigation**; = **navigator**.

Navaho ['nævəˌhoʊ], **Navajo** *n.* **1.** *pl.* **-s, -es** *l.* **Navaho** Indian-in/ka z plemienia Nawaho. **2.** *U* język nawaho.

naval ['neɪvl] *a. attr. żegl.* **1.** morski (*np. o bitwie*). **2.** marynarski (*np. o mundurze*). **3.** okrętowy.

naval architect *n.* budowniczy okrętów, inżynier budowy okrętów.

naval architecture *n.* *U* budowa okrętów.

naval base *n. wojsk., żegl.* baza marynarki wojennej.

naval dockyard *n. Br.* = **navy yard**.

naval officer *n. wojsk., żegl.* oficer marynarki (wojennej).

nave[1] [neɪv] *n. bud., kośc.* nawa główna.

nave[2] *n.* piasta (*koła*).

navel ['neɪvl] *n.* **1.** *anat.* pępek; **gaze at/contemplate/examine one's ~** *żart.* oglądać własny pępek (= *być zbyt pochłoniętym sobą*). **2.** = **navel orange**.

navel orange *n. bot.* gatunek słodkiej pomarańczy mającej w zagłębieniu owocu mały owoc wtórny.

navel-string ['neɪvlˌstrɪŋ] *n. anat.* pępowina.

navelwort ['neɪvlˌwɜːt] *n.* *U bot.* rozłóg (*Cotyledon umbilicus*).

navicert ['nævəˌsɜːt] *n. żegl., wojsk.* świadectwo morskie (*stwierdzające charakter ładunku statku neutralnego i pozwalające mu przepłynąć przez blokadę morską*).

navicular [nə'vɪkjʊlər] *a. form.* łódkowaty (*zwł., anat. o kościach*). – *n.* (*także* **~ bone**) *anat.* kość łódkowata.

navigability [ˌnævəgə'bɪlətɪ] *n.* *U żegl.* **1.** żeglowność (*rzeki, kanału*). **2.** zdolność żeglugowa (*statku*).

navigable ['nævəgəbl] *a.* **1.** *żegl.* żeglowny, spławny (*o rzece, kanale*). **2.** *żegl.* nadający się do żeglugi (*o statku*). **3.** *lotn.* sterowny (*o balonie*).

navigate ['nævəˌgeɪt] *v.* **1.** pokonywać (*rzekę, drogę, schody*). **2.** płynąć (*o statku*); lecieć (*o samolocie*); jechać (*o samochodzie*); iść (*o pieszym*). **3.** *żegl., lotn.* nawigować. **4.** *mot.* pilotować. **5.** odnajdować drogę (*o ptakach*).

navigation [ˌnævə'geɪʃən] *n.* *U* **1.** *żegl.* żegluga. **2.** *żegl., lotn.* nawigacja. **3.** *mot.* pilotowanie.

navigational [ˌnævə'geɪʃənl] *a.* nawigacyjny.

navigator ['nævəˌgeɪtər] *n.* *U* **1.** nawigator/ka. **2.** żegla-rz/rka; podróżni-k/czka morsk-i/a. **3.** *Br.* = **navvy**.

navvy ['nævɪ] *n. pl.* **-ies** *Br. przest. pot.* robotnik (*na budowie, wykopach*).

navy ['neɪvɪ] *n. pl.* **-ies** **1.** *wojsk., żegl.* marynarka (wojenna); flota (wojenna); **Department of the N~** *US hist.* Departament Marynarki Wojennej. **2.** *arch. l. lit.* flota. **3.** = **navy blue**.

navy bean *n. bot., kulin.* mała biała fasola.

navy blue *n.* *U* granat, kolor granatowy. – *a.* granatowy.

navy cut *n.* *U* tytoń drobno krojony.

Navy list *n. Br. wojsk., żegl.* rejestr oficerów marynarki w służbie czynnej i w rezerwie.

navy yard *n. zwł. US wojsk., żegl.* stocznia marynarki wojennej.

nawab [nə'wɔːb] *n.* (*także* **nabob**) *hist.* nabab (= *książę muzułmański l. zarządca prowincji w Indiach*).

nay [neɪ] *adv.* **1.** *arch. l. dial.* nie. **2.** *lit.* ba; a nawet, wręcz, mało tego; **she has many good, ~, noble qualities** ma wiele dobrych, wręcz szlachetnych cech. – *n.* **1.** nie, odpowiedź przecząca. **2.** głos przeciw; osoba głosująca przeciw; **ten ~s, four ayes** dziesięć głosów przeciw, jeden za; **the ~s have it** wniosek nie przeszedł.

naysayer ['neɪˌseɪər] *n. US lit.* **1.** osoba głosująca przeciw; osoba sprzeciwiająca się. **2.** krytykant/ka; pesymist-a/ka.

Nazarene [ˌnæzəˈriːn] *a.* nazaretański, dotyczący Nazaretu. – *n.* **1.** nazareta-ńczyk/nka, mieszkan-iec/ka Nazaretu. **2.** (*także* **Nazarite**) *rel. przest.* chrześcija-nin/nka (*termin używany niegdyś przez muzułmanów i żydów*); **the ~** *rel.* Nazarejczyk (= *Jezus Chrystus*). **3.** (*także* **Nazarite**) *rel., hist.* nazarejczyk (= *członek grupy religijnej we wczesnym chrześcijaństwie, postulującej zachowywanie prawa Mojżeszowego*). **4.** *US rel.* człon-ek/kini Church of the Nazarene (*odłamu protestantyzmu*). **5.** *hist. sztuki* nazareńczyk (= *członek stowarzyszenia niemieckich malarzy działających w pierwszej połowie XIX w. w Rzymie*).

Nazareth [ˈnæzərəθ] *n. Bibl., geogr.* Nazaret.

Nazarite[1] [ˈnæzəˌraɪt] *n.* (*także* **Nazirite**) *hist., rel.* Żyd, który złożył pewne śluby wstrzemięźliwości.

Nazarite[2] *n. zob.* **Nazarene** 2, 3.

naze [neɪz] *n. Br.* przylądek.

Nazi [ˈnɑːtsɪ] *hist. l. przen. n.* nazist-a/ka. – *a.* nazistowski.

Nazism [ˈnɑːtsˌɪzəm], **Naziism** [ˈnɑːtsɪˌɪzəm] *n. U* nazism.

NB [ˌen ˈbiː], **N.B.** *abbr.* **1.** (*także* **nb**) (*także* **n.b.**) = **nota bene**. **2.** *Can.* = **New Brunswick**.

NBA [ˌen ˌbiː ˈeɪ], **N.B.A.** *abbr. US sport* **1.** = **National Basketball Association**. **2.** = **National Boxing Association**.

NBC [ˌen ˌbiː ˈsiː] *abbr.* **1. National Broadcasting Company** *US* sieć telewizji komercyjnej. **2. nuclear, biological, and chemical** *wojsk.* jądrowa, biologiczna i chemiczna (*o broni*).

N-bomb [ˈenˌbɑːm] *n. wojsk.* = **neutron bomb**.

NBS [ˌen ˌbiː ˈes], **N.B.S.** *abbr.* **National Bureau of Standards** *US* amerykański urząd normalizacyjny.

NC [ˌen ˈsiː], **N.C.** *abbr.* **1.** *chem.* = **nitrocellulose**. **2.** (*także* **n/c**) **no charge** *handl.* bezpł. (*bezpłatnie*). **3.** *US* = **North Carolina**. **4.** *Br.* = **National Curriculum**.

NCCL [ˌen dʌbl ˌsiː ˈel] *abbr.* **National Council for Civil Liberties** *Br.* organizacja występująca w obronie praw obywatelskich.

NCO [ˌen ˌsiː ˈoʊ], **N.C.O.** *abbr.* = **noncommissioned officer**.

ND, N.D., N.Dak. *abbr.* = **North Dakota**.

N.D., n.d. *abbr.* **no date** bez daty.

NE *abbr.* **1.** = **Nebraska**. **2.** (*także* **N.E.**) = **New England**. **3.** (*także* **N.E.**) (*także* **n.e.**) **northeast(ern)** płn. wsch.

Neanderthal [nɪˈændərˌθɔːl] *a.* **1.** (*także* **Neandertal**) *antrop.* neandertalski. **2.** (*także* **n~**) prymitywny; niecywilizowany; prostacki. – *n.* **1.** (*także* **~ man**) *antrop.* neandertalczyk, człowiek neandertalski. **2.** (*także* **n~**) prymityw, prostak.

neap [niːp] *a.* dotyczący pływu kwadraturowego. – *n.* (*także* **~ tide**) pływ kwadraturowy.

Neapolitan [ˌniːəˈpɑːlɪtən] *a.* neapolitański. – *n.* neapolita-ńczyk/nka.

near [niːr] *adv.* **1.** blisko, niedaleko (*w przestrzeni*); **~ at hand** blisko (*w czasie l. przestrzeni*); **~ here/there** niedaleko stąd/stamtąd, tutaj/tam niedaleko; **draw ~** zbliżać się, nadchodzić; **get ~ sb** *t. przen.* zbliżyć się do kogoś. **2.** prawie, niemal, niemalże; **~ perfect/impossible** niemalże doskonały/niemożliwy. **3.** = **nearly**. **4.** skąpo; oszczędnie. **5. ~ enough** wystarczająco dokładnie; **nowhere ~** *zob.* **nowhere** *adv.*; **or as ~ as makes no difference** lub coś koło tego (*np. podając przybliżoną wartość*). – *prep.* (*także* **~ to**) **1.** blisko (*kogoś, czegoś*). **2.** około (*godziny, pory*). **3.** bliski (*np. spełnienia*); **be ~ tears** być bliskim płaczu; **come ~ to doing sth** o mało (co) nie zrobić czegoś. – *a.* **-er, -est 1.** bliski, niedaleki (*w czasie l. przestrzeni*); bliższy (*z dwojga osób, rzeczy*); *attr.* bliski (*o krewnym*). **2.** prawie zupełny (*np. o ciemności*). **3.** lewy (*o koniu w zaprzęgu, nodze, kole*). **4.** *pot.* skąpy. **5.** krótszy; bezpośredni (*o drodze, trasie*). **6. ~ likeness** spore podobieństwo; **in the ~ future** w niedalekiej przyszłości; **it was a ~ escape/thing** niewiele brakowało (*do nieszczęścia, wypadku*); **one's ~est and dearest** *cz. żart.* najbliżsi (*zwł. o rodzinie*); **to the ~est ten dollars** w zaokrągleniu do dziesięciu dolarów. – *v.* **1.** zbliżać się; zbliżać się do (*kogoś l. czegoś*); **the work is ~ing completion** praca jest na ukończeniu *l.* dobiega końca. **2.** graniczyć z (*czymś; o stanie, sytuacji*). – *n.* (*także* **~side**) **1.** *mot.* lewa strona pojazdu (*w ruchu prawostronnym*); prawa strona pojazdu (*w ruchu lewostronnym*). **2.** lewy bok (*konia*); lewa strona (*zaprzęgu*).

nearby [ˌniːrˈbaɪ] *a. attr.* pobliski. – *adv.* w pobliżu.

Nearctic [niːˈɑːrktɪk] *a.* nearktyczny.

nearly [ˈniːrlɪ] *adv.* **1.** prawie; o mało co; **I ~ drowned** o mało (co) się nie utopiłem. **2.** blisko (*t. spokrewniony*); **correspond ~** ściśle odpowiadać; **examine ~** bliżej zbadać; **resemble ~** być bardzo podobnym. **3. not ~ enough** o wiele za mało.

near miss *n.* **1.** minimalnie chybiony strzał. **2. it was a ~** *t. mot., lotn. itp.* o mało co nie doszło do wypadku.

nearness [ˈniːrnəs] *n. U* bliskość.

nearside [ˈniːrsaɪd] *n.* = **near** *n.*

nearsighted [niːrˈsaɪtɪd] *a.* krótkowzroczny.

nearsightedly [niːrˈsaɪtɪdlɪ] *adv.* krótkowzrocznie.

nearsightedness [niːrˈsaɪtɪdnəs] *n. U* krótkowzroczność.

neat[1] [niːt] *a.* **1.** schludny, porządny (*np. o osobie, pokoju*). **2.** zgrabny (*o figurze*). **3.** elegancki (*o rozwiązaniu, planie*). **4.** czysty, nierozcieńczony (*o alkoholu*). **5.** *gł. US i Can. pot.* świetny, wystrzałowy. **6.** *rzad.* netto (*o zysku*).

neat[2] *n. pl.* **neat** *arch.* bydło.

neath [niːθ], **'neath** *prep. gł. poet.* = **beneath**.

neatherd [ˈniːθɜːd] *n. arch.* pasterz bydła.

neatly [ˈniːtlɪ] *adv.* **1.** starannie (*pakować, kłaść*). **2.** zgrabnie, elegancko (*pasować, ujmować w słowa*). **3.** schludnie (*ubierać*).

neatness [ˈniːtnəs] *n. U* **1.** schludność (*osoby, pokoju*). **2.** zgrabność (*figury, planu*). **3.** elegancja (*rozwiązania*).

NEB [ˌen ˌiː ˈbiː] *abbr.* **New English Bible** *rel.* tłumaczenie Biblii z 1970 r.

neb [neb] *n.* **1.** dziób (*ptaka*). **2.** ryj (*zwierzę-*

cia). **3.** nos (*człowieka l. zwierzęcia*). **4.** usta (*człowieka*). **5.** czubek (*pióra l. ołówka*). **6.** *zwł. płn. Br.* szczyt (*góry*). **7.** czubek; koniec; koniuszek (*przedmiotu*).

Neb., Nebr. *abbr.* = **Nebraska.**

Nebraska [nəb'ræskə] *n. US* stan Nebraska.

Nebuchadnezzar [ˌnebəkəd'nezər] *n. hist.* Nabuchodonozor.

nebula ['nebjələ] *n. pl.* **nebulae** ['nebjəli:] **1.** *astron.* mgławica. **2.** *pat.* drobne zmętnienie rogówki. **3.** *pat.* męt w moczu. **4.** płyn do rozpylania.

nebular ['nebjulər] *a. astron.* mgławicowy; ~ **hypothesis** hipoteza mgławicowa.

nebulosity [ˌnebjə'lɑ:sətɪ] *n.* **1.** *U astron.* mgławicowość. **2.** *astron.* mgławica. **3.** mglistość, zamglenie. **4.** pochmurność, zachmurzenie.

nebulous ['nebjələs] *a.* **1.** *astron.* mgławicowy. **2.** mglisty (= *niewyraźny, nieokreślony*). **3.** mglisty, zamglony; zachmurzony, pochmurny.

necessarian [ˌnesə'serɪən] *n. i a.* = **necessitarian.**

necessarily [ˌnesə'serəlɪ] *adv.* **1.** z konieczności, siłą rzeczy. **2.** koniecznie; **not** ~ niekoniecznie.

necessary ['nesəˌserɪ] *a.* **1.** niezbędny; potrzebny (*o narzędziach, umiejętnościach*). **2.** konieczny (*o warunku, związku*). **3.** nieunikniony (*o skutku*). **4. if** ~ w razie potrzeby; **it is ~ that he (should) do it/for him to do it** trzeba, żeby to zrobił; **it is ~ to do it** trzeba to zrobić; **more than** ~ więcej niż potrzeba; **the ~ evil** zło konieczne. – *n. pl.* **-ies 1.** artykuł pierwszej potrzeby. **2. the** ~ *pot.* forsa (*na jakiś cel*); **do the** ~ zrobić to, co konieczne.

necessitarian [nəˌsesɪ'terɪən] *fil. a.* deterministyczny. – *n.* determinist-a/ka.

necessitarianism [nəˌsesɪ'terɪəˌnɪzəm] *n. U fil.* determinizm.

necessitate [nə'sesɪˌteɪt] *v.* wymagać (*czegoś*), czynić niezbędnym *l.* koniecznym.

necessitous [nə'sesɪtəs] *a. lit.* ubogi, w potrzebie.

necessity [nə'sesətɪ] *n. pl.* **-ies 1.** *C/U* potrzeba; konieczność; ~ **is the mother of invention** potrzeba jest matką wynalazków; **be a** ~ być koniecznym; **make a virtue of** ~ *zob.* **virtue**; **not by choice but by** ~ nie z wyboru, lecz z konieczności; **of** ~ z konieczności; **out of** ~ z konieczności. **2.** *zw. pl.* potrzeba, niedostatek; artykuł pierwszej potrzeby; **bare necessities** *zob.* **bare** a.

neck [nek] *n.* **1.** szyja. **2.** kołnierz (*koszuli*); wykończenie przy szyi (*sukienki*). **3.** szyjka (*butelki*). **4.** *anat., muz.* szyjka. **5.** *geogr.* półwysep. **6.** *geogr.* przesmyk. **7.** *geol.* rdzeń wulkaniczny, szyja. **8.** *lotn.* rękaw (*balonu*). **9.** *przen.* ~ **and** ~ łeb w łeb; ~ **or nothing** było nie było, wóz albo przewóz; **a pain in the** ~ *zob.* **pain** *n.*; **be up to one's ~ in sth** być po szyję *l.* po uszy w czymś (*np. w długach*); być zawalonym czymś (*np. robotą*); **break the** ~ *pot.* złamać (sobie) kark (*zwł. spiesząc się*); **get it in the** ~ *pot.* dostać za swoje (= *dostać naganę l. karę*); **have the ~ to do sth** *pot.* mieć czelność coś zrobić; **in this ~ of the woods** *pot.* w tych stronach; **save one's/sb's** ~ *pot.* uratować swoją/czyjąś skórę; **stick one's ~ out** *pot.* wychylać się; **win by a** ~ zwyciężyć o długość szyi (*o koniu*); być minimalnie lepszym (*o osobie*). – *v.* **1. be ~ing** *pot.* całować się namiętnie. **2.** ściąć głowę (*człowiekowi, zwierzęciu*); udusić, zadusić.

neckband ['nekˌbænd] *n.* **1.** karczek (*u sukni*). **2.** kołnierz.

neckcloth ['nekˌklɔ:θ] *n. hist.* krawat (*duży, ozdobny, zw. biały*).

neckerchief ['nekərˌtʃɪf] *n.* chustka na szyję, apaszka.

necking ['nekɪŋ] *n.* **1.** *U pot.* pieszczoty. **2.** *bud.* szyjka (*kolumny*). **3.** (*także* ~ **down**) przewężenie.

necklace ['nekləs] *n.* naszyjnik.

neckline ['nekˌlaɪn] *n.* dekolt (*sukienki, bluzki*).

neckpiece ['nekˌpi:s] *n.* **1.** kołnierz futrzany. **2.** kołnierz; karczek (*części ubioru*). **3.** *hist.* część pancerza ochraniająca szyję.

necktie ['nekˌtaɪ] *n. zwł. US* krawat.

neckwear ['nekˌwer] *n. U* krawaty, szaliki i apaszki.

necrology [nə'krɑ:lədʒɪ] *n. pl.* **-ies 1.** lista zgonów. **2.** *rzad.* nekrolog.

necromancer ['nekrəˌmænsər] *n.* **1.** czarodziej. **2.** wiedźma.

necromancy ['nekrəˌmænsɪ] *n. U* **1.** nekromancja. **2.** czarna magia.

necrophilia [ˌnekrə'fi:lɪə], **necromania** [ˌnekrə'meɪnɪə], **necrophilism** [nə'krɑ:fəlɪzəm] *n. U pat.* nekrofilia.

necropolis [nə'krɑ:pələs] *n. pl.* **necropoleis** [nə'krɑ:pəli:s] *form.* nekropolia.

necropsy ['nekrɑ:psɪ], **necroscopy** [nə'krɑ:skəpɪ] *n. pl.* **-ies** *form.* nekropsja, sekcja zwłok.

necrose [nə'kroʊs] *v. pat.* **1.** powodować martwicę *l.* nekrozę (*tkanki*). **2.** obumierać.

necrosis [ne'kroʊsɪs] *n. U pat.* nekroza, martwica.

necrotic [nə'krɑ:tɪk] *a.* martwiczy.

necrotize ['nekrəˌtaɪz], *Br. i Austr. zw.* **necrotise** *v.* powodować martwicę *l.* nekrozę.

nectar ['nektər] *n. U t. przen.* nektar.

nectarine [ˌnektə'ri:n] *n. bot.* nektarynka, nektaryna.

nectary ['nektərɪ] *n. pl.* **-ies** *bot.* nektarium, miodnik.

neddy ['nedɪ] *n. pl.* **-ies** *Br.* **1.** *dziec.* osiołek. **2.** *pot.* osioł (= *głupiec*).

née [neɪ], **nee** *a.* z domu (*przed nazwiskiem kobiety*); **Mary White ~ Smith** Mary White z domu Smith.

need [ni:d] *v.* **1.** potrzebować (*kogoś, czegoś*); wymagać (*czegoś*); **a car is ~ed** potrzebny jest samochód; **John ~s new shoes** John potrzebuje nowych butów; **the room ~s painting** trzeba pomalować pokój. **2.** musieć; ~ **I say more?** czy muszę mówić więcej?; **I ~ to know** muszę wiedzieć; **you don't ~ to go** (*także* **you ~n't go**) nie musisz iść. **3. it ~s** trzeba (*czegoś*). **4.** cierpieć biedę. **5.** ~ **sb**

to do sth chcieć, żeby ktoś coś zrobił; **you ~ to see a doctor** powinieneś pójść do lekarza; **she ~n't have mentioned his name** niepotrzebnie wymieniła jego nazwisko. – *n.* potrzeba, konieczność; *C/U* potrzeba, zapotrzebowanie; *U* potrzeba, kłopoty, trudności; ubóstwo, bieda; **a friend in ~ is a friend indeed** prawdziwych przyjaciół poznaje się w biedzie; **be in ~ of sth** potrzebować czegoś; wymagać czegoś; **have ~ of sth** potrzebować czegoś; **have no ~ to do sth** nie musieć czegoś robić; **if ~(s) be** w razie potrzeby; **I ~ hardly say** (*także* **hardly ~ I say**) nie muszę mówić; **in ~** w potrzebie; **no ~** nie trzeba; **there's no ~ to do that** nie ma potrzeby tego robić.

needful [ˈniːdfʊl] *a.* **1.** *form.* potrzebny; konieczny; wymagany; **it's ~ for us to hurry** musimy się pośpieszyć. **2.** *arch.* ubogi; potrzebujący. – *n. Br. pot.* **1.** to, czego trzeba (*zwł. pieniądze*); **do you have the ~?** masz, co trzeba?, masz forsę? **2. do the ~** zrobić, co należy.

neediness [ˈniːdnəs] *n. U* bieda, ubóstwo.

needle [ˈniːdl] *n.* **1.** *t. bot., med.* igła. **2.** drut (*do robót dzianych*). **3.** szydełko. **4.** wskazówka (*przyrządu pomiarowego*); **magnetic ~** igła magnetyczna. **5.** *bud., wojsk., techn., geol.* iglica. **6.** *bud.* belka-igła. **7.** *sztuka* obelisk; kolumna. **8.** igiełkowaty kryształ. **9.** *przen.* **~'s eye** ucho igły; *Bibl.* ucho igielne; **get/have the ~** *Br. pot.* wkurzać się; **give sb the ~** *pot.* dogryzać komuś; **like looking for a ~ in a haystack** *zob.* **haystack**; **pins and ~s** *zob.* **pins**. – *v.* **1.** *pot.* dokuczać, dogryzać (*komuś*). **2.** szyć (*igłą*). **3.** wyszywać. **4.** nakłuwać (*igłą*). **5.** krystalizować się w postaci igiełek. **6.** *US* wzmacniać alkoholem (*napój*).

needle bath *n. Br.* = **needle shower**.

needle bearing *n. techn.* łożysko igiełkowe.

needle board *n. tk.* igielnica.

needle case *n.* igielnik.

needlecraft [ˈniːdlˌkræft] *n. U* sztuka posługiwania się igłą (*w krawiectwie, hafciarstwie itp.*).

needlefish [ˈniːdlˌfɪʃ] *n. icht.* **1.** ryba z rodziny *Belonidae*. **2.** ryba z rodziny *Syngnathidae*.

needleful [ˈniːdlˌfʊl] *n.* odcinek nici do nawleczenia.

needle lace *n. U* koronka robiona igłą.

needle match *n. t. sport pot.* zawzięta walka.

needlepoint [ˈniːdlˌpɔɪnt] *n.* **1.** czubek igły. **2.** *U* koronka robiona igłą. **3.** *U* haft pokrywający całą powierzchnię materiału i przypominający gobelin.

needle shower *n.* natrysk z ostrych strumieni wodnych.

needless [ˈniːdləs] *a.* **1.** niepotrzebny, zbędny. **2. ~ to say** rzecz jasna.

needlessly [ˈniːdləslə] *adv.* niepotrzebnie.

needlessness [ˈniːdləsnəs] *n. U* zbędność.

needle valve *n. techn.* zawór iglicowy.

needle woman *n.* szwaczka.

needlework [ˈniːdlˌwɜːk] *n. U* **1.** szycie; szydełkowanie; robótki ręczne. **2.** robótka (ręczna).

needments [ˈniːdmənts] *n. pl.* **1.** rzeczy potrzebne (*zwł. w podróży*). **2.** *Scot.* potrzeby; wymagania.

needn't [ˈniːdənt] *v. zob.* **need** *v.*

needs [niːdz] *adv. arch. l. form.* koniecznie; z konieczności; **we must ~ go** musimy koniecznie iść.

needy [ˈniːdɪ] *a.* **-ier, -iest** ubogi. – *n.* **the ~** ubodzy.

ne'er [ner] *adv. poet.* = **never**.

ne'er-do-well [ˈnerduːˌwel] *przest. n.* leń, obibok; nicpoń. – *a.* bezwartościowy, do niczego.

nefarious [nɪˈferɪəs] *a. form.* nikczemny, niegodziwy.

nefariously [nɪˈferɪəslɪ] *adv.* nikczemnie, niegodziwie.

nefariousness [nɪˈferɪəsnəs] *n. U* nikczemność, niegodziwość.

neg. *abbr.* = **negative**; = **negatively**.

negate [nɪˈgeɪt] *v.* **1.** przeczyć, zaprzeczać (*czemuś*), negować. **2.** znosić, anulować; neutralizować; zaprzepaścić (*wysiłek, pracę*).

negation [nɪˈgeɪʃən] *n.* **1.** *C/U* negowanie; sprzeciw; odmowa. **2.** *C/U* zaprzeczenie, negacja. **3.** *U mat.* negacja.

negative [ˈnegətɪv] *a.* **1.** negatywny (*np. o stosunku, wpływie, doświadczeniu, kampanii*); **be ~ about sth** być negatywnie nastawionym do czegoś. **2.** odmowny, negatywny (*zwł. o odpowiedzi*); *gram.* przeczący. **3.** nieprzychylny (*o krytyce*). **4.** *t. mat., el.* ujemny. **5.** *fot.* negatywowy. – *n.* **1.** odpowiedź przecząca *l.* negatywna; **answer in the ~** odpowiadać przecząco. **2.** *gram.* przeczenie, negacja. **3.** *fot.* negatyw. **4.** wada, cecha ujemna, minus. **5.** *mat.* wartość ujemna; odjemna; = **negative sign**. **6.** *arch.* prawo weta. **7.** (*także* **~ electrode**) *el.* elektroda ujemna. – *v.* **1.** *US* odrzucać, wetować (*prawo, ustawę*); odrzucać (*kandydata na urząd*). **2.** odrzucać (*propozycję, wniosek*). **3.** wykazywać nieprawdziwość (*hipotezy*). **4.** sprzeciwiać się (*czemuś*). **5.** neutralizować (*skutek*); zaprzepaścić (*wysiłek, pracę*). – *int. zwł. wojsk., radiokomunikacja* nie.

negative feedback *n. U* sprzężenie zwrotne ujemne.

negative film *n.* film negatywowy.

negative income tax, negative tax *n.* dodatek dla osób o niskich dochodach.

negative ion *n. chem., fiz.* jon ujemny, anion.

negative lens *n. opt.* soczewka rozpraszająca *l.* ujemna.

negatively [ˈnegətɪvlɪ] *adv.* **1.** negatywnie. **2.** *el.* ujemnie.

negativeness [ˈnegətɪvnəs], **negativity** [ˌnegəˈtɪvətɪ] *n. U* **1.** negatywność. **2.** sceptycyzm.

negative pole *n.* **1.** biegun ujemny (*magnesu*). **2.** = **cathode**.

negative prescription *n. U prawn.* przedawnienie, utrata prawa na mocy przedawnienia.

negative resistance *n. U el.* opór ujemny.

negative sign *n. mat.* minus, znak ujemny.

negativism [ˈnegətɪˌvɪzəm] *n. U* negatywne myślenie; *t. psych.* negatywizm.

negativist [ˈnegətɪvɪst] *n.* negatywist-a/ka.

negativity [ˌnegəˈtɪvətɪ] *n.* = **negativeness**.

neglect [nɪˈglekt] *v.* **1.** zaniedbywać (*kogoś l. coś*). **2.** nie dostrzegać (*czegoś*), lekceważyć. **3.**

~ **to do sth** *form.* nie zrobić czegoś; zapomnieć coś zrobić. – *n. U* **1.** zaniedbanie. **2.** niedbalstwo. **3.** lekceważenie.

neglectful [nɪˈglektfʊl] *a.* niedbały, zaniedbujący (swoje) obowiązki; **be ~ of sb/sth** zaniedbywać kogoś/coś, nie dbać o kogoś/coś.

neglectfully [nɪˈglektfʊlɪ] *adv.* **1.** niedbale. **2.** lekceważąco.

neglectfulness [nɪˈglektfʊlnəs] *n. U* niedbalstwo; brak staranności.

negligee [ˌneglәˈʒeɪ], **negligée** *n.* **1.** lekki szlafrok (*kobiecy*). **2.** (*także* **négligé**) negliż.

negligence [ˈneglɪdʒəns] *n.* **1.** *U* niedbalstwo. **2.** *C / U t. prawn.* zaniedbanie; **gross/slight ~** rażące/niewielkie zaniedbanie; **professional ~** niedopełnienie obowiązków (służbowych).

negligent [ˈneglɪdʒənt] *a.* **1.** niedbały; zaniedbujący obowiązki; **be ~ of sb/sth** zaniedbywać kogoś/coś. **2.** nonszalancki (*o stosunku*).

negligently [ˈneglɪdʒəntlɪ] *adv.* **1.** niedbale. **2.** nonszalancko, od niechcenia.

negligible [ˈneglɪdʒəbl] *a.* nieistotny, bez znaczenia.

negotiability [nɪˌgoʊʃɪəˈbɪlətɪ] *n. U fin.* zbywalność, przenoszalność, zdatność do obiegu.

negotiable [nɪˈgoʊʃɪəbl] *a.* **1.** do uzgodnienia (*np. o warunkach*). **2.** przejezdny (*o drodze*); spławny (*o rzece*). **3.** *fin.* zbywalny, przenoszalny, nadający się do obiegu. – *n. pl.* = **negotiable securities**.

negotiable bill *n. fin.* weksel nadający się do dyskonta.

negotiable instrument *n. fin.* przenoszalny papier handlowy, dokument nadający się do obrotu.

negotiable securities *n. pl.* (*także* **negotiables**) *fin.* przenoszalne papiery wartościowe.

negotiable stocks *n. pl. giełda* zbywalne akcje.

negotiant [nɪˈgoʊʃɪənt] *n.* negocjator/ka.

negotiate [nɪˈgoʊʃɪˌeɪt] *v.* **1.** negocjować, pertraktować (*with sb* z kimś, *for sth* w sprawie czegoś). **2.** *ekon.* negocjować, ustalać w drodze rokowań (*cenę, ulgę*); **~ a loan** *fin.* uzyskać pożyczkę. **3.** *fin.* realizować, przedkładać do wypłaty (*czek*); dyskontować, puszczać w obieg (*weksel*). **4.** pokonywać (*schody, przeszkody, trudności*).

negotiation [nɪˌgoʊʃɪˈeɪʃən] *n. C / U* **1.** rokowania, negocjacje, pertraktacje; **collective ~s** układy *l.* rokowania zbiorowe; **enter into ~** podejmować negocjacje; **under ~** w fazie negocjacji. **2.** *fin.* realizacja (*czeku*); dyskontowanie, puszczenie w obieg (*weksla*).

negotiator [nɪˈgoʊʃɪˌeɪtər] *n.* negocjator/ka.

Negress [ˈni:gres] *n. przest. l. obelż.* Murzynka.

Negrillo [nɪˈgrɪloʊ] *n. pl.* **-s** *l.* **-es** *antrop.* przedstawiciel/ka jednego z wielu ludów zamieszkujących Afrykę Centralną i Południową.

Negrito [nɪˈgri:toʊ] *n. pl.* **-s** *l.* **-es** *antrop.* Negryt/ka (= *przedstawiciel / ka jednego z wielu ludów z rodziny austronezyjskiej, zamieszkujących głównie Filipiny i Płw. Malajski, l. Melanezyjczyków zamieszkujących wnętrze Nowej Gwinei*).

Negritude [ˈni:grɪˌtju:d] *n. U* négritude (= *gloryfikacja przeszłości i tradycyjnych wartości Afrykanów*).

Negro [ˈni:groʊ], **negro** *przest. l. obelż. n. pl.* **-es** Murzyn/ka. – *a. attr.* murzyński.

Negroid [ˈni:grɔɪd] *antrop. a.* negroidalny. – *n.* osobni-k/czka typu negroidalnego, negroid.

Negro spiritual *n. muz., rel.* Negro spiritual (= *pieśń religijna Murzynów amerykańskich*).

neigh [neɪ] *v.* rżeć. – *n.* rżenie.

neighbor [ˈneɪbər], *Br.* **neighbour** *n.* **1.** sąsiad/ka (*t. przy stole*). **2.** *zwł. rel.* bliźni. – *a. attr.* sąsiedni; sąsiadujący. – *v.* **~ (upon) sth** sąsiadować z czymś; przylegać do czegoś.

neighborhood [ˈneɪbərˌhʊd], *Br.* **neighbourhood** *n.* **1.** dzielnica; okolica; sąsiedztwo; **in the ~ of** w sąsiedztwie *l.* okolicach (*jakiegoś miejsca*); *przen.* około, w okolicach (*danej sumy, wartości*). **2.** sąsiedzi; sąsiedztwo. **3.** życzliwość; wspólnota (*sąsiedzka*). **4.** *mat.* otoczenie.

neighboring [ˈneɪbərɪŋ], *Br.* **neighbouring** *a. attr.* sąsiedni; sąsiadujący.

neighborliness [ˈneɪbərlɪnəs] *n. U* życzliwość, przyjaźń.

neighborly [ˈneɪbərlɪ] *a.* życzliwy, przyjazny.

Neisse [ˈnaɪsə] *n. geogr.* Nysa.

neither [ˈni:ðər] *a.* żaden (*z dwóch*), ani jeden, ani drugi; **~ car is fast enough** żaden samochód nie jest dość szybki. – *prep.* żaden; **~ (of them) is fast enough** żaden (z nich) nie jest dość szybki. – *adv.* też nie; **I do not wish to stay, but ~ do I wish to go** nie chcę zostać, ale nie chcę też odejść; **"I don't normally drive so fast." "N~ do I"** „Zwykle nie jeżdżę tak szybko." „Ja też nie."; **if she doesn't go, ~ will I** jeśli ona nie pójdzie, ja też nie. – *conj.* **~ ... nor** ani..., ani; **be ~ here nor there** być bez znaczenia; **that's ~ here nor there** *pot.* to nie ma nic do rzeczy; **he ~ called nor faxed me** ani do mnie nie zadzwonił, ani nie wysłał faksu; **I got ~ the key nor the pass** nie dostałam ani klucza, ani przepustki.

nelson [ˈnelsən] *n. zapasy* nelson.

nematocide [ˈnemәttәˌsaɪd] *n.* środek nicieniobójczy.

nematocyst [ˈnemәttәˌsɪst] *n. zool.* parzydełko.

nematode [ˈnemәˌtoʊd] *n. zool.* nicień.

nemesis [ˈnemɪsɪs] *n. pl.* **nemeses** [ˈnemɪsi:z] **1.** *lit.* nemezis, karząca sprawiedliwość; mściciel/ka, ramię sprawiedliwości (= *osoba wymierzająca sprawiedliwość*). **2. N~** *mit.* Nemezis.

neoclassical [ˌni:oʊˈklæsɪkl] *a.* (*także* **neoclassic**) *muz., sztuka, teor. lit.* neoklasyczny.

neoclassicism [ˌni:oʊˈklæsәˌsɪzәm] *n. U* neoklasycyzm.

neoclassicist [ˌni:oʊˈklæsәsɪst] *n.* neoklasycyst-a/ka.

neocolonialism [ˌni:oʊkәˈloʊnɪәˌlɪzәm] *n. U polit.* neokolonializm.

neocortex [ˌni:oʊˈkɔ:rteks] *n. pl.* **-es** *l.* **neocortices** [ˌni:oʊˈkɔ:rtɪsi:z] *anat.* kora nowa *l.* neopalialna.

Neo-Darwinian [ˌni:oʊdɑ:r'wɪnɪən] *a.* neodarwinistyczny. – *n.* neodarwinist-a/ka.

Neo-Darwinism [ˌni:oʊ'dɑ:rwəˌnɪzəm] *n. U* neodarwinizm.

neodymium [ˌni:oʊ'dɪmɪəm] *n. U chem.* neodym.

neofascism [ˌni:oʊ'fæʃˌɪzəm] *n. U polit.* neofaszyzm.

neofascist [ˌni:oʊ'fæʃɪst] *a.* neofaszystowski. – *n.* neofaszyst-a/ka.

Neogene ['nɪəˌdʒi:n] *n.* **the** ~ *geol.* neogen (*podokres trzeciorzędu*).

neo-Gothic [ˌni:oʊ'gɑ:θɪk] *a. bud.* neogotycki.

neolith ['ni:əlɪθ] *n. archeol.* narzędzie neolityczne.

Neolithic [ni:ə'lɪθɪk], **neolithic** *geol. a.* neolityczny. – *n.* **the** ~ neolit.

neologism [nɪ'ɑ:ləˌdʒɪzəm] *n.* (*także* **neology**) *jęz.* neologizm.

neologize [nɪ'ɑ:ləˌdʒaɪz], *Br. i Austr. zw.* **neologise** *v.* tworzyć neologizmy.

neomycin [ˌni:oʊ'maɪsɪn] *n. U med.* neomycyna.

neon ['ni:ɑ:n] *n. U chem.* neon.

neonatal [ˌni:oʊ'neɪtl] *a.* noworodkowy.

neonate ['nɪəˌneɪt] *n. form.* noworodek.

neonatology [ˌnɪəneɪ'tɑ:lədʒɪ] *n. U med.* neonatologia.

neo-Nazi [ˌni:oʊ'nɑ:tsɪ] *n. polit.* neonazist-a/ka.

neo-Nazism [ˌni:oʊ'nɑ:tsˌɪzəm] *n. U* neonazizm.

neon light *n.* neonówka.

neon sign *n.* neon, reklama neonowa.

neophyte ['nɪəˌfaɪt] *n.* **1.** *rel. l. przen.* neofit-a/ka. **2.** *t. rz.-kat.* nowicjusz/ka.

neoplasia [ˌni:ə'pleɪʒə] *n. U pat.* powstawanie nowotworu *l.* nowotworów.

neoplasm ['nɪəˌplæzəm] *n. pat.* nowotwór; **benign/malignant** ~ nowotwór łagodny/złośliwy.

neoplastic [ˌnɪə'plæstɪk] *a.* **1.** *pat.* nowotworowy. **2.** *med.* dotyczący chirurgii rekonstrukcyjnej. **3.** *mal.* neoplastyczny.

neoplasticism [ˌnɪə'plæstəˌsɪzəm] *n. U mal.* neoplastycyzm.

neoplasty ['nɪəˌplæstɪ] *n. U* chirurgia rekonstrukcyjna.

neo-Platonic [ˌni:əplə'tɑ:nɪk] *a. fil.* neoplatoński.

neo-Platonism [ˌni:ɪ'pleɪtəˌnɪzəm], **Neoplatonism** *n. U fil.* neoplatonizm.

neo-Platonist [ˌni:ɪ'pleɪtənɪst] *n. fil.* neoplatonik/ka.

neorealism [ˌni:ɪ'ri:əˌlɪzəm] *n. kino, hist.* neorealizm.

neoteric [ˌnɪə'terɪk] *a. form.* **1.** nowy; niedawno wprowadzony (*np. o rodzaju literackim, prądzie*). **2.** współczesny (*np. o pisarzu, filozofie*).

Neotropical [ˌni:oʊ'trɑ:pɪkl], **Neotropic** *a. geogr.* neotropikalny.

Nepal [nə'pɔ:l] *n. geogr.* Nepal.

Nepalese [ˌnepə'li:z] *a.* nepalski. – *n. U jęz.* **1.** dialekt *l.* dialekty języka nepalskiego. **2.** = **Nepali** 1.

Nepali [nə'pɔ:lɪ] *n.* **1.** *pl.* **-s** *l.* **Nepali** Nepalczyk/ka. **2.** *U jęz.* język nepalski (*urzędowy w Nepalu*).

nepenthe [nɪ'penθɪ] *n. U mit. l. przen.* napój zapomnienia.

nephew ['nefju:] *n.* siostrzeniec; bratanek.

nephology [ne'fɑ:lədʒɪ] *n. U meteor.* nauka o chmurach.

nephoscope ['nefəˌskoʊp] *n. meteor.* nefoskop (= *przyrząd do określania prędkości i kierunku ruchu chmur*).

nephralgia [nə'frældʒɪə] *n. U pat.* ból nerki.

nephrite ['nefraɪt] *n. C/U min.* nefryt.

nephritic [nə'fri:tɪk] *a.* **1.** *anat., med.* nerkowy. **2.** *pat.* chory na zapalenie nerek; dotyczący zapalenia nerek.

nephritis [nə'fraɪtɪs] *n. U pat.* zapalenie nerek.

nephrological [ˌnefrə'lɑ:dʒəkl] *a. med.* nefrologiczny.

nephrologist [nɪ'frɑ:lədʒɪst] *n.* nefrolog.

nephrology [nɪ'frɑ:lədʒɪ] *n. U* nefrologia.

nephron ['nefrɑ:n] *n. anat.* nefron.

nephrosis [nə'froʊsɪs] *n. U pat.* nerczyca.

nepit ['ni:pɪt] *n.* = **nit**[4].

nepotism ['nepəˌtɪzəm] *n. U form.* nepotyzm.

nepotist ['nepətɪst] *n.* nepotyst-a/ka.

nepotistic [ˌnepə'tɪstɪk] *a.* nepotystyczny.

Neptune ['neptju:n] *n. mit., astron.* Neptun.

Neptunian [nep'tu:nɪən] *a.* **1.** *mit.* Neptunowy. **2.** *poet.* morski. **3.** *astron.* dotyczący Neptuna. **4.** *geol.* neptuniczny (= *uformowany pod wodą*).

neptunium [nep'tu:nɪəm] *n. U chem.* neptun.

nerd [nɜ˞:d], *Austr. t.* **nurd** *n. pot. pog.* (*np. o koledze szkolnym*) **1.** suchar (= *nudziarz*); kujon; gamoń. **2.** maniak komputerowy.

nerdy ['nɜ˞:dɪ] *a.* **-ier, -iest** *pot.* **1.** kujonowaty; gamoniowaty. **2.** niemodny (*np. o okularach, wyglądzie*).

Nereid ['ni:rɪɪd], **nereid** *n. mit., astron.* Nereida.

nervate ['nɜ˞:veɪt] *a. bot.* unerwiony (*o liściu*).

nervation [nər'veɪʃən] *n. U bot.* unerwienie, nerwacja.

nerve [nɜ˞:v] *n.* **1.** *anat.* nerw; **facial/sciatic** ~ nerw twarzowy/kulszowy. **2.** *pl. zob.* **nerves**. **3.** *U* odwaga; zimna krew; **it takes a lot of ~ to do sth** trzeba wiele odwagi, żeby zrobić coś; **lose one's** ~ tracić zimną krew; **not have the ~ to do sth** nie mieć odwagi czegoś zrobić. **4.** *U l. sing.* bezczelność, tupet; **have a/the ~ to do sth** mieć czelność coś zrobić; **what a ~!** (*także* **of all the ~!**) co za tupet!. **5.** *bot.* nerw, żyłka. **6.** *ent.* żyłka (*na skrzydle owada*). **7.** *przen.* **strain every** ~ wytężać siły, starać się ze wszystkich sił; **touch/hit/strike a raw** ~ dotknąć bolesnego miejsca, uderzyć w bolesną *l.* czułą strunę. – *v.* ~ **o.s. (up)** *zwł. Br.* dodawać sobie sił *l.* odwagi, zbierać się w sobie (*for sth* przed czymś); zebrać się na odwagę (*to do sth* i zrobić coś).

nerve block *n. med.* blokada nerwu (*zastrzyk*).

nerve cell *n. anat.* komórka nerwowa, neuron.

nerve center, *Br.* **nerve centre** *n.* **1.** *anat.* ośrodek nerwowy. **2.** *przen.* ośrodek decyzyjny, centrum decyzyjne.

nerve fibre *n. anat.* włókno nerwowe.

nerve gas *n. U wojsk.* gaz paraliżujący.

nerve impulse *n. fizj.* impuls nerwowy.

nerveless [ˈnɜːvləs] *a.* **1.** pozbawiony czucia (*o części ciała*). **2.** pozbawiony sił *l.* energii (*o osobie*). **3.** niemający dość odwagi. **4.** spokojny, opanowany (*zwł. w niebezpieczeństwie*).

nervelessly [ˈnɜːvləslɪ] *adv.* **1.** bez czucia. **2.** spokojnie, bez nerwów.

nervelessness [ˈnɜːvləsnəs] *n. U* **1.** brak czucia. **2.** brak sił.

nerve-racking [ˈnɜːvˌrækɪŋ], **nerve-wracking** *a.* denerwujący, wykańczający nerwowo.

nerves [nɜːvz] *n. pl.* nerwy; zdenerwowanie; **a bundle of ~** kłębek nerwów (*o osobie*); **calm/steady one's ~** uspokoić się; **get on sb's ~** działać komuś na nerwy; **live on one's ~** *Br.* żyć w ciągłym napięciu; **war of ~** wojna nerwów.

nervily [ˈnɜːvɪlɪ] *adv.* **1.** *US i Can. pot.* śmiało, z tupetem. **2.** *Br. pot.* nerwowo. **3.** odważnie.

nervine [ˈnɜːviːn] *n. i a. med.* (środek) łagodnie uspokajający.

nerviness [ˈnɜːvɪnəs] *n. U* **1.** *US i Can. pot.* śmiałość, z tupet. **2.** *Br. pot.* nerwowość.

nervous [ˈnɜːvəs] *a.* **1.** *anat., fizj., pat.* nerwowy. **2.** nerwowy; zdenerwowany, podenerwowany; niespokojny; **be ~ about/of sth** denerwować się czymś *l.* o coś; **be ~ of sb/sth** bać *l.* obawiać się kogoś/czegoś; **be a ~ wreck** być kłębkiem nerwów; **feel ~** denerwować się, odczuwać zdenerwowanie; **viewers of a ~ disposition** widzowie o słabych nerwach. **3.** *arch.* energiczny; mocny.

nervous breakdown *n. pat.* załamanie nerwowe.

nervous exhaustion *n. U pat.* wyczerpanie nerwowe.

nervously [ˈnɜːvəslɪ] *adv.* nerwowo.

nervousness [ˈnɜːvəsnəs] *n. U* nerwowość; zdenerwowanie; niepokój (*about sth* dotyczący czegoś).

nervous system *n. anat.* układ nerwowy.

nervous tension *n. U* napięcie nerwowe.

nervous tick *n. pat.* tik nerwowy.

nervure [ˈnɜːvjʊr] *n.* **1.** *bot.* nerw, żyłka. **2.** *ent.* żyłka (*na skrzydle owada*).

nervy [ˈnɜːvɪ] *a.* **-ier, -iest 1.** *US i Can. pot.* śmiały, z tupetem; bezczelny. **2.** *Br. pot.* nerwowy; spięty. **3.** wymagający odwagi. **4.** *arch.* muskularny.

nescience [ˈneʃəns] *n. U form.* **1.** nieznajomość, nieświadomość (*of sth* czegoś); niewiedza. **2.** *rzad.* agnostycyzm.

nescient [ˈneʃənt] *a. form.* **1.** nieświadomy (*of sth* czegoś). **2.** *rzad.* agnostyczny.

ness [nes] *n. arch.* (*l. w nazwach*) przylądek.

nest [nest] *n.* **1.** *t. zool., ent., bot., geol.* gniazdo; **machine-gun ~** *wojsk.* gniazdo karabinów maszynowych. **2.** *przen.* gniazdo (*zwł. rodzinne*); gniazdko (*= przytulne miejsce*); **leave the ~** wyfrunąć z gniazda, opuścić (rodzinne) gniazdo (*= wyprowadzić się od rodziców*); **love ~** gniazdko miłosne. **3.** *przen. uj.* jaskinia, nora (*zbójców, złodziei*); siedlisko, gniazdo (*zbrodni, herezji*). **4.** komplet, zestaw; **~ of saws** komplet pił wymiennych; **~ of tables** zestaw stolików wsuwanych jeden pod drugi. **5.** *przen.* **feather one's (own) ~** *zob.* **feather** *v.*; **mare's ~** *zob.* **mare**. **6. stir up a hornets' ~** *zob.* **hornet**. – *v.* **1.** gnieździć się; budować gniazdo. **2.** podbierać jajka z gniazd. **3.** *t. komp.* zagnieżdżać (*np. wyrazy w haśle słownikowym, podprogram w programie*).

nest box, nesting box *n.* **1.** budka lęgowa (*ptaków*). **2.** gniazdo (*w kurniku, gdzie kury składają jajka*).

nest egg *n.* oszczędności (*gromadzone z myślą o konkretnym przeznaczeniu*).

nestle [ˈnesl] *v.* **1. ~ (down/up)** leżeć przytulonym; przytulać się (*beside / against sb* do kogoś); wygodnie się sadowić (*in sth* w czymś). **2.** wtulać (się); być wtulonym (*in / among sth* w coś) (*t. np. o domu, wiosce*). **3.** tulić. **4.** *arch.* = **nest**.

nestling [ˈnestlɪŋ] *n.* **1.** pisklę (*t. przen. = dziecko*). **2.** młode.

Nestor [ˈnestər] *n.* **1.** *hist.* Nestor. **2.** (*także* **n~**) nestor.

Nestorianism [neˈstɔːrɪəˌnɪzəm] *n. U rel.* nestorianizm.

net[1] [net] *n.* **1.** *C / U t. sport* siatka; **butterfly ~** siatka na motyle. **2.** *ryb.* (*także* **~ dipper**) podbierak; (*także* **fishing ~**) sieć (rybacka). **3.** *U tk.* tiul. **4.** *przen.* sieć. **5.** *komp., tel.* sieć; **the N~** Internet. **6.** *tenis, siatkówka* net. **7.** *piłka nożna, hokej* bramka, gol. **8.** *przen.* **cast one's ~ wide** *zob.* **cast** *v.*; **slip through the ~** wyślizgnąć się. – *v.* **1.** *t. przen.* łapać w sieć *l.* sieci. **2.** otaczać siatką. **3.** *sport pot.* umieszczać w bramce (*piłkę, krążek*). **4.** wiązać siatkę *l.* sieć z (*liny, sznurka*).

net[2] (*także Br.* **nett**) *a.* netto; **he earned $1000 ~** zarobił na czysto tysiąc dolarów; **it weighs 10 kilograms ~** to waży 10 kilogramów netto. – *v.* **-tt- 1.** zarabiać na czysto (*o osobie*); przynosić na czysto (*o firmie, transakcji*). **2.** zdobyć (*np. kontrakt, pracę*); **~ o.s. a fortune** zbić fortunę. – *n. ekon.* czysty dochód *l.* zysk; **what's your ~ after taxes?** jaki jest twój dochód po podatku?

net amount *n. fin.* suma netto.

net assets *n. pl. fin.* aktywa netto.

netball [ˈnetˌbɔːl] *n. U Br. sport* gra podobna do koszykówki (*uprawiana zwł. przez dziewczęta*).

net cash *n. U* zapłata gotówką (*bez rabatu*).

net curtains *n. pl.* firanki.

Neth. *abbr.* = **Netherlands.**

nether [ˈneðər] *a. attr. lit. l. żart* dolny; **the ~ regions** dolne partie (*zwł. ciała*); *rel.* piekło.

Netherlander [ˈneðərˌlændər] *n.* Holender/ka.

Netherlandish [ˈneðərˌlændɪʃ] *a.* holenderski.

Netherlands [ˈneðərləndz] *n.* **the ~** *geogr.* Holandia, Niderlandy.

nethermost [ˈneðərˌmoʊst] *a. lit.* najniższy, najniżej położony; najgłębszy.

nether world *n.* **the ~** *mit.* świat zmarłych, kraina umarłych; *rel.* piekło; *lit.* mroczny świat (*zbrodni itp.*).

net income *n. fin.* dochód netto, czysty dochód.

netiquette [ˈnetɪkət] *n. U komp.* netykieta (*= niepisane reguły postępowania przy korzystaniu z Internetu*).

netkeeper [ˈnetˌkiːpər] *n.* = **goalkeeper**.

net price *n. ekon.* cena netto.

net profit *n. ekon.* czysty dochód *l.* zysk.

net result *n.* rezultat końcowy *l.* ostateczny.

nett [net] *a. Br.* = **net**[2].

netting [ˈnetɪŋ] *n. U* siatka.

nettle [ˈnetl] *n.* **1.** *bot.* pokrzywa (*Urtica*). **2. grasp the ~** *zob.* **grasp**. – *v.* **1.** parzyć (jak) pokrzywami. **2.** poparzyć się (*pokrzywami*). **3.** *przen. pot.* drażnić, irytować.

nettle rash *n. C / U pat.* pokrzywka.

nettlesome [ˈnetlsəm] *a.* drażniący, irytujący.

net ton *n.* (*także* **ton, short ton**) *US* tona (= *2000 funtów l. ok. 907 kg*).

net weight *n.* waga netto, ciężar bez opakowania.

network [ˈnetˌwɜːk] *n.* **1.** *t. telew., radio, komp.* sieć. **2.** siateczka (*np. żył*). – *v.* **1.** *telew., radio* transmitować jednocześnie (przez różne stacje). **2.** *komp.* łączyć w sieć. **3.** nawiązywać kontakty zawodowe (*zwł. przez nieformalne spotkania*).

networking [ˈnetˌwɜːkɪŋ] *n. U* **1.** nieformalna wymiana informacji i usług; nawiązywanie kontaktów zawodowych. **2.** *komp.* projektowanie sieci; zakładanie sieci; praca w sieci.

neural [ˈnʊrəl] *a. fizj., anat.* nerwowy; dotyczący układu nerwowego.

neural arch *n. anat.* łuk kręgowy.

neural computer *n.* = **neurocomputer**.

neural crest *n. anat.* grzebień nerwowy (*embrionu*).

neuralgia [nʊˈrældʒə] *n. U pat.* nerwoból, neuralgia.

neuralgic [nʊˈrældʒɪk] *a. pat.* neuralgiczny.

neurally [ˈnʊrəlɪ] *adv. fizj.* za pośrednictwem układu nerwowego.

neural net *n. komp.* = **neural network**.

neural network *n. anat., komp.* sieć neuronowa.

neural spine *n. anat.* wyrostek kolczysty *l.* ościsty.

neural tube *n. anat.* cewa nerwowa (*embrionu*).

neurasthenia [ˌnʊrəsˈθiːnɪə] *n. U pat. przest.* neurastenia.

neurasthenic [ˌnʊrəsˈθenɪk] *a.* neurasteniczny. – *n.* neurasteni-k/czka.

neuration [nʊˈreɪʃən] *n. U* **1.** *bot.* unerwienie (*liścia*). **2.** *ent.* użyłkowanie (*skrzydła owada*).

neurectomy [nʊˈrektəmɪ] *n. C / U pl.* **-ies** *chir.* wycięcie nerwu.

neurilemma [ˌnʊrəˈlemə] *a.* (*także* **neurolemma**) *anat.* neurolema, osłonka Schwanna.

neuritic [nʊˈrɪtɪk] *a. pat.* dotyczący zapalenia nerwu.

neuritis [nʊˈraɪtɪs] *n. U* zapalenie nerwu.

neuroblast [ˈnʊrəˌblæst] *n. anat.* neuroblast.

neurocomputer [ˈnʊrəkəmˌpjuːtər] *n.* (*także* **neural computer**) *komp.* neurokomputer.

neurofibril [ˈnʊrəˌfaɪbrɪl] *n. anat.* neurofibryla, włókienko nerwowe.

neurol. *abbr.* = **neurology**.

neuroleptic [ˌnjʊroʊˈleptɪk] *med. n.* neuroleptyk. – *a.* neuroleptyczny.

neurolinguist [ˌnjʊroʊˈlɪŋgwɪst] *n. jęz., med.* neurolingwist-a/ka.

neurolinguistic [ˌnjʊroʊlɪŋˈgwɪstɪk] *a.* neurolingwistyczny.

neurolinguistic programming *n. U* programowanie neurolingwistyczne.

neurolinguistics [ˌnjʊroʊlɪŋˈgwɪstɪks] *n. U* neurolingwistyka.

neurological [ˌnjʊrəˈlɑːdʒɪkl] *a. med., pat.* neurologiczny.

neurologically [ˌnjʊrəˈlɑːdʒɪklɪ] *adv.* neurologicznie.

neurologist [nʊˈrɑːlədʒɪst] *n.* neurolog.

neurology [nʊˈrɑːlədʒɪ] *n. U* neurologia.

neuroma [nʊˈroʊmə] *n. pl.* **-s** *l.* **neuromata** [nʊˈroʊmətə] *pat.* nerwiak.

neuromuscular [ˌnʊrəˈmʌskjələr] *a. fizj.* nerwowo-mięśniowy.

neuron [ˈnʊrɑːn], **neurone** [ˈnʊroʊn] *n. anat.* neuron, komórka nerwowa.

neuronal [nʊˈroʊnl] *a.* neuronalny, neuronowy.

neuropath [ˈnʊrəˌpæθ] *n.* **1.** *pat.* neuropat-a/ka. **2.** *med.* neuropatolog.

neuropathic [ˌnʊrəˈpæθɪk] *a. pat.* neuropatyczny.

neuropathist [ˌnʊrəˈpæθɪst] *n. med.* neuropatolog.

neuropathy [nʊˈrɑːpətɪ] *n. C / U pl.* **-ies** *pat.* neuropatia.

neuropsychiatric [ˌnʊroʊˌsaɪkɪˈætrɪk] *a. med.* neuropsychiatryczny.

neuropsychiatrist [ˌnʊroʊsaɪˈkaɪətrɪst] *n.* neuropsychiatra.

neuropsychiatry [ˌnʊroʊsaɪˈkaɪətrɪ] *n. U* neuropsychiatria.

neuroscience [ˌnʊroʊˈsaɪəns] *n. C / U* nauka zajmująca się badaniem układu nerwowego.

neurosis [nʊˈroʊsɪs] *n. C / U pl.* **neuroses** [nʊˈroʊsiːz] *pat.* nerwica, neuroza.

neurosurgeon [ˌnʊroʊˈsɜːdʒən] *n. med.* neurochirurg.

neurosurgery [ˌnʊroʊˈsɜːdʒərɪ] *n. U* neurochirurgia.

neurosurgical [ˌnʊroʊˈsɜːdʒɪkl] *a.* neurochirurgiczny.

neurosurgically [ˌnʊroʊˈsɜːdʒɪklɪ] *adv.* za pomocą neurochirurgii.

neurotic [nʊˈrɑːtɪk] *a.* **1.** znerwicowany; przewrażliwiony (*about sth* na punkcie czegoś). **2.** *pat.* nerwicowy, neurotyczny. – *n.* neuroty-k/czka.

neurotically [nʊˈrɑːtɪklɪ] *adv.* nerwicowo, neurotycznie.

neuroticism [nʊˈrɑːtəˌʃɪzəm] *n. U* nerwicowość, neurotyczność.

neurotomy [nʊˈrɑːtəmɪ] *n. C / U pl.* **-ies** *chir.* przecięcie nerwu.

neut. *abbr.* **1.** = **neuter**. **2.** = **neutral**.

neuter [ˈnuːtər] *a.* **1.** *gram.* rodzaju nijakiego (*np. o rzeczowniku*). **2.** *gram.* nieprzechodni (*o czasowniku*). **3.** *bot.* bezpłciowy; *biol.* niepłodny, bezpłodny. **4.** *arch.* neutralny. – *n.* **1.** *U gram.* rodzaj nijaki. **2.** *gram.* rzeczownik rodzaju nijakiego (*l. inna część mowy, do której odnosi się kategoria rodzaju w danym języku*). **3.** *gram.* czasownik nieprzechodni. **4.** wysterylizowane zwierzę. – *v.* sterylizować (*zwierzę*).

neutral ['nu:trəl] *a.* **1.** neutralny (*t. polit. o państwie*), bezstronny (*o osobie, opinii*); **on ~ ground/territory** na gruncie neutralnym; **remain ~** zachowywać neutralność *l.* bezstronność. **2.** niezdecydowany, bliżej nieokreślony (*o kolorze*); bezbarwny (*np. o paście do butów*). **3.** *opt.* achromatyczny. **4.** *el.* zerowy (*o przewodzie*). **5.** *chem., fiz.* obojętny. **6.** *rzad.* = **neuter** *a.* 3. – *n.* **1.** osoba neutralna *l.* bezstronna. **2.** *polit.* kraj neutralny; obywatel/ka kraju neutralnego. **3.** *U mot.* bieg jałowy; **in ~** na jałowym biegu. **4.** kolor niezdecydowany *l.* bliżej nieokreślony. **5.** *opt.* barwa achromatyczna. **6.** *el.* przewód zerowy.

neutral corner *n. boks* narożnik neutralny.

neutral earthing, neutral ground *n. U el.* uziemienie punktu zerowego.

neutrality [nu:'trælətɪ] *n. U* **1.** neutralność (*t. polit.*), bezstronność. **2.** *chem., fiz.* obojętność.

neutralization [ˌnu:trələ'zeɪʃən], *Br. i Austr. zw.* **neutralisation** *n. U* **1.** neutralizacja. **2.** *chem.* zobojętnianie, neutralizacja. **3.** *el.* zerowanie.

neutralize ['nu:trəˌlaɪz], *Br. i Austr. zw.* **neutralise** *v.* **1.** neutralizować. **2.** *chem.* zobojętniać, neutralizować. **3.** *el.* zerować.

neutralizer ['nu:trəˌlaɪzər], *Br. i Austr. zw.* **neutraliser** *n.* (*także* **neutralizing agent**) *chem.* środek zobojętniający.

neutrally ['nu:trəlɪ] *adv.* neutralnie, bezstronnie.

neutral particle *n. fiz.* cząstka obojętna.

neutral reaction *n. chem.* odczyn obojętny.

neutral solution *n. chem.* roztwór obojętny.

neutral spirits *n. z czasownikiem w liczbie pojedynczej l. mnogiej US* spirytus czysty spożywczy.

neutrino [nu:'tri:noʊ] *n. pl.* **-s** *fiz.* neutrino.

neutron ['nu:trɑ:n] *n. fiz.* neutron.

neutron beam *n. fiz.* wiązka neutronów.

neutron bomb *n. wojsk.* bomba neutronowa.

neutron excess *n.* (*także* **neutron excess number**) *fiz.* liczba izotopowa.

neutron star *n. astron.* gwiazda neutronowa.

neutrophil ['nu:trəfɪl], **neutrophile** *n. anat.* krwinka biała obojętna.

Nev. *abbr.* = **Nevada**.

Nevada [nə'vædə] *n. US* stan Nevada.

névé [neɪ'veɪ] *n.* **1.** *U* firn, lód ziarnisty. **2.** pole firnowe.

never ['nevər] *adv.* **1.** nigdy; **~ again/before** nigdy więcej/przedtem; **~ ever** *emf.* absolutnie nigdy; **~ in my life** nigdy w życiu. **2. ~!** *Br.* niemożliwe!; **~ a word** ani słówka; **~ fear!** *zob.* **fear** *v.*; **~ mind** *zob.* **mind** *v.*; **~ once** ani razu; **~ you mind!** *zob.* **mind** *v.*; **I ~ knew/realized (that)...** *pot.* nic nie wiedziałam, że...; **I ~ said that!** *pot.* nic podobnego nie powiedziałem!; **that will ~ do!** tak nie może być!, to nie do przyjęcia!; **the bus ~ came** *pot.* autobus nie przyjechał; **you ~ know** *zob.* **know** *v.*; **well I ~ (did)!** nie do wiary!, a to dopiero!

never-ending [ˌnevər'endɪŋ] *a.* niekończący się.

nevermore [ˌnevər'mɔ:r] *adv. lit.* już nigdy, nigdy więcej.

never-never land [ˌnevər'nevər lænd] *n. U* kraina marzeń.

nevertheless [ˌnevərðə'les] *adv.* pomimo to, niemniej jednak.

nevus ['ni:vəs], *Br.* **naevus** *n. pl.* **-i** ['ni:vaɪ] *pat.* znamię (*na skórze*).

new [nu:] *a.* **1.** nowy; **~ at the job** nowy w (tej) pracy; **~ to sb** nowy dla kogoś; **~ to this neighborhood** nowy w tym sąsiedztwie; **as good as ~** jak nowy; **brand ~** nowiuteńki. **2.** młody (*np. o ojcu, kraju, warzywach*). **3.** świeży (*np. o farbie*). **4.** *przen.* **a ~ lease on/of life** *zob.* **lease** *n.*; **give sth a ~ lease on life** *zob.* **lease** *n.*; **be ~ to sth** być nieprzyzwyczajonym do czegoś; być nieobeznanym z czymś (*np. z obowiązkami, zasadami*); **feel (like) a ~ man/woman** czuć się jak nowo narodzon-y/a; **that's a ~ one on me!** *pot.* pierwsze słyszę!; **turn over a ~ leaf** *zob.* **leaf** *n.*; **what's ~?** *zwł. US pot.* co słychać?. – *n. U* **the ~** nowe (= *zmiany, nowe idee, nowoczesność*). – *adv. zwł. w złoż.* nowo; świeżo; **~-formed** nowo uformowany.

New Age *n. U* **1.** ruch New Age. **2.** (*także* **New Age music**) muzyka New Age. – *a.* dotyczący New Age.

new blood *n. U przen.* świeża krew.

new-blown [ˌnu:'bloʊn] *a.* świeżo rozkwitły.

newborn ['nu:bɔ:rn] *a.* **1.** nowo narodzony. **2.** *przen.* odrodzony. – *n.* noworodek.

new broom *n. przen.* nowa miotła.

New Brunswick [ˌnu: 'brʌnzwɪk] *n. Can.* Nowy Brunszwik.

newcomer ['nu:ˌkʌmər] *n.* **1.** przybysz; nowo przybył-y/a. **2.** now-y/a (*to sth* w czymś) (*np. w zawodzie, zakładzie pracy*).

New Deal *n. US hist.* Nowy Ład.

newel ['nu:əl] *n. bud.* **1.** słup środkowy schodów krętych. **2.** słupek balustrady schodowej.

New England *n. US geogr., hist.* Nowa Anglia.

New Englander *n.* mieszkan-iec/ka Nowej Anglii.

newfangled [ˌnu:'fæŋgld] *a. zw. uj.* nowomodny.

new-fashioned [ˌnu:'fæʃənd] *a. pot.* nowomodny.

new-found [ˌnu:'faʊnd] *n.* świeżo *l.* nowo odkryty.

Newfoundland ['nu:fəndlənd] *n.* **1.** *geogr.* Nowa Fundlandia. **2.** *kynol.* nowofundland, nowofundlandczyk, wodołaz.

Newfoundlander ['nu:fəndləndər] *n.* Nowofundland-czyk/ka (*mieszkan-iec/ka Nowej Fundlandii*).

New Guinea *n. geogr.* Nowa Gwinea.

New Hampshire [ˌnu: 'hæmpʃər] *n. US* stan New Hampshire.

New Jersey [ˌnu: 'dʒɜ:zɪ] *n. US* stan New Jersey.

newly ['nu:lɪ] *adv.* **1.** nowo, niedawno, świeżo. **2.** na nowo.

newlyweds ['nu:lɪˌwedz] *n. pl.* nowożeńcy, państwo młodzi.

New Mexico *n. US* stan Nowy Meksyk.

new money *n. U* nowobogaccy, nuworysze.

new moon *n. U astron.* nów.

newness ['nu:nəs] *n. U* **1.** nowość. **2.** świeżość. **3.** niedoświadczenie, brak doświadczenia.

New Orleans [ˌnu: 'ɔ:rlənz] *n. geogr.* Nowy Orlean.

new potatoes *n. pl.* młode ziemniaki.

new rich *US a.* nowobogacki, nuworyszowski. – *n.* **the** ~ nowobogaccy, nuworysze.

news [nu:z] *n. U* **1.** wiadomość, wiadomości (*of / about sb / sth* o kimś/czymś); **a piece of** ~ wiadomość; nowina; **bad/good** ~ złe/dobre wiadomości; **break the** ~ **to sb** powiadomić kogoś (*zwł. o czymś nieprzyjemnym*); **have** ~ **for sb** mieć dla kogoś wiadomość; **hear** ~ **from sb** mieć wiadomości od kogoś; **I've** ~ **for you/him** mam dla ciebie/niego złą wiadomość, muszę cię/go zmartwić; **no** ~ **is good news** brak wiadomości to dobra wiadomość. **2. the** ~ *radio, telew.* wiadomości (*program*); **it was on the** ~ **at 10.30** to było w wiadomościach o 10:30; **local** ~ wiadomości lokalne. **3. be front page** ~ trafić na pierwsze strony gazet (*zw. o wydarzeniu*); **he's/she's bad** ~ *pot.* to nieciekawa postać; **make (the)** ~ być omawianym w mediach; **sb is (in the)** ~ o kimś się mówi i/lub pisze (*w mediach*); **that's** ~ **to me!** *pot.* pierwsze słyszę!.

news agency *n. pl.* **-ies** *dzienn.* agencja prasowa.

newsagent ['nu:zˌeɪdʒənt] *n. Br.* **1.** kioska-rz/rka. **2.** (*także* ~**'s**) kiosk z gazetami.

newsboy ['nu:zˌbɔɪ] *n.* gazeciarz.

news bulletin *n. telew., radio* **1.** *US* wiadomości z ostatniej chwili (*emitowane w środku innego programu*). **2.** *Br.* serwis informacyjny, wydanie wiadomości.

newscast ['nu:zˌkæst] *n. US radio, telew.* wiadomości (*program*).

newscaster ['nu:zˌkæstər] *n.* prezenter/ka wiadomości.

news conference *n. dzienn.* konferencja prasowa.

newsdealer ['nu:zˌdi:lər] *n. US* kioska-rz/rka; sprzedaw-ca/czyni gazet.

news desk *n. dzienn., radio, telew.* redakcja informacyjna.

newsgirl ['nu:zˌgɜ:l] *n.* gazeciarka.

newshound ['nu:zˌhaʊnd], **newshawk** ['nu:zˌhɔ:k] *n. US i Can. pot.* dziennika-rz/rka, reporter/ka (*zwł. goniący za sensacjami*).

newsletter ['nu:zˌletər] *n.* biuletyn.

newsman ['nu:zˌmæn] *n. pl.* **-men** **1.** *dzienn.* reporter. **2.** sprzedawca gazet.

newsmonger ['nu:zˌmʌŋgər] *n. przest.* plotkarz/ra.

New South Wales *n. geogr. Austr.* Nowa Południowa Walia.

newspaper ['nu:zˌpeɪpər] *n.* **1.** gazeta; **daily** ~ gazeta codzienna, dziennik; **weekly** ~ tygodnik. **2.** *U* gazety (*stare, np. jako makulatura*); **wrapped in** ~ zawinięty w gazetę. **3.** = **newsprint**.

newspaperman ['nu:zˌpeɪpərˌmæn] *n. pl.* **-men** **1.** reporter. **2.** redaktor. **3.** właściciel gazety.

newspaperstand ['nu:zˌpeɪpərˌstænd] *n.* stoisko z gazetami.

newspaperwoman ['nu:zˌpeɪpərˌwʊmən] *n. pl.* **-women** **1.** reporterka. **2.** redaktorka. **3.** właścicielka gazety.

newspeak ['nu:ˌspi:k] *n. U* nowomowa.

newsprint ['nu:zˌprɪnt] *n. U* papier gazetowy.

newsreader ['nu:zˌri:dər] *n. zwł. Br.* = **newscaster**.

newsreel ['nu:zˌri:l] *n. kino* kronika filmowa.

news release *n. dzienn.* komunikat *l.* informacja dla prasy.

newsroom ['nu:zˌru:m] *n. dzienn.* pokój redakcji informacyjnej.

newsstand ['nu:zˌstænd] *n.* stoisko z gazetami.

New Style *n. rachuba czasu* nowy styl (= *kalendarz gregoriański*).

newsvendor ['nu:zˌvendər] *n. zwł. Br. i Can.* sprzedawca gazet.

newsworthiness ['nu:zˌwɝ:ðɪnəs] *n. U* ważność zapewniająca wzmiankę w mediach.

newsworthy ['nu:zˌwɝ:ðɪ] *a.* wart opublikowania *l.* wzmianki w mediach (*o wydarzeniu*).

newsy ['nu:zɪ] *a.* **-ier**, **-iest** *pot.* pełen ciekawych wiadomości (*np. o liście, gazecie*).

newt [nu:t] *n. zool.* traszka (*rodzina Salamandridae*).

New Test. *abbr.* = **New Testament**.

New Testament *n. Bibl.* Nowy Testament.

newton ['nu:tən] *n. fiz.* niuton.

Newtonian [nu:'toʊnɪən] *a.* Newtonowski.

new wave *sztuka, kino, muzyka n.* nowa fala. – *a.* nowofalowy.

New World *n.* **the** ~ *przest.* Nowy Świat (= *Ameryka, Półkula Zachodnia*).

New Year, new y~ *n. U* nowy rok (= *nadchodzący l. niedawno rozpoczęty*); **Happy N~ Y~** Szczęśliwego Nowego Roku; **see in the n~ y~** powitać nowy rok.

New Year's Day *n. U l. sing.* (*także US* **New Year's**) Nowy Rok (*1 stycznia*).

New Year's Eve *n. U l. sing.* sylwester.

New Year's resolution, new year resolution *n.* postanowienie noworoczne.

New York *n.* **1.** (*także* **New York City**) Nowy Jork (*miasto*). **2.** *US* stan Nowy Jork.

New Yorker *n.* nowojorczyk, mieszkan-iec/ka Nowego Jorku.

New Zealand *n. geogr.* Nowa Zelandia.

New Zealander *n.* Nowozeland-czyk/ka.

next [nekst] *a. i pron.* **1.** sąsiedni, znajdujący się obok. **2.** następny; najbliższy, przyszły; ~ **(please)!** następny, (proszę)!; ~ **in line** *t. przen.* następny w kolejce (*to / for sth* do czegoś); ~ **Sunday** w najbliższą *l.* przyszłą niedzielę; ~ **week/month/year** w przyszłym tygodniu/miesiącu/roku; **the** ~ **day** następnego dnia; **(the)** ~ **time** następnym razem; **the** ~ **Sunday but one** (*także* **the Sunday after** ~) w niedzielę za dwa tygodnie; **the week/year after** ~ za dwa tygodnie/lata; **who's** ~**?** kto następny?. **3. be the** ~ **best thing to sth** być prawie tak dobrym, jak coś; **in the** ~ **place** poza tym; po drugie; **every day is like the ~** jeden dzień jest podobny do drugiego; **I like winning as much as the ~ person, but...** lubię wygrywać, jak każdy, ale...; **the ~ biggest** drugi co do wielkości; **the ~ on the right/left** pierwsza (ulica) po prawej/lewej; **the ~ thing I knew...** zanim się spostrzegłem, ... – *adv.* **1.** następnie, potem; ~, **he took her hand** potem wziął ją za rękę; **what ~?** co dalej?. **2.** następnym razem; **when do we meet ~?** kiedy się następnym razem zobaczymy?. **3. ~ to sb/sth** obok kogoś/czegoś, przy kimś/czymś; **~ to impossible** prawie że niemożliwy; **~ to nothing** tyle co nic; **~ to Susan, you're the best** po Susan, ty jesteś najlepszy. – *prep. arch.* = **next to.**

next-best [ˌnekstˈbest] *a.* drugi pod względem jakości.

next-door *a.* [ˈneksˌdɔːr] **1.** sąsiedni (*np. o mieszkaniu, domu*). **2.** najbliższy, zza ściany *l.* płotu (*o sąsiedzie*). – *adv.* [ˌneksˈdɔːr] (*także* **next door**) **1.** obok, za ścianą; po sąsiedzku, w budynku obok. **2. ~ to sb/sth** obok kogoś/czegoś. **3. being asked to resign is ~ to being fired** *Br. przen.* prośba o złożenie rezygnacji niewiele się różni od wylania z pracy.

next friend *n. prawn.* osoba występująca w imieniu innej osoby pozbawionej zdolności do działań prawnych, ale niebędąca jej ustawowym przedstawicielem.

next of kin *n.* najbliższ-y/a krewn-y/a; *z czasownikiem w liczbie mnogiej* najbliżsi krewni, najbliższa rodzina.

nexus [ˈneksəs] *n. pl.* **nexus** *form.* **1.** związek; ogniwo łączące; **causal ~** związek przyczynowo-skutkowy. **2.** centrum. **3.** grupa; zespół.

NF[1] [ˌen ˈef] *abbr.* **National Front** *Br. polit.* Front Narodowy (*radykalna partia prawicowa*).

NF[2] *abbr.* = **Newfoundland.**

NFL [ˌen ˌef ˈel] *abbr.* **National Football League** *US sport* Narodowa Liga Futbolu.

Nfld. *abbr.* = **Newfoundland.**

NG [ˌen ˈdʒiː] *abbr.* **1.** *US* = **National Guard. 2.** = **natural gas. 3. no good** do niczego.

NGO [ˌen ˌdʒiː ˈoʊ] *abbr.* **non-governmental organization** organizacja pozarządowa.

NH [ˌen ˈeɪtʃ], **N.H.** *abbr. US* = **New Hampshire.**

NHL [ˌen ˌeɪtʃ ˈel] *abbr.* **National Hockey League** *US sport* Narodowa Liga Hokeja.

NHS [ˌen ˌeɪtʃ ˈes] *abbr. Br.* = **National Health Service.**

NI [ˌen ˈaɪ] *abbr.* **1.** = **Northern Ireland. 2.** *Br.* = **National Insurance.**

niacin [ˈnaɪəsɪn] *n. U chem.* niacyna.

Niagara [naɪˈægrə] *n.* **1.** *geogr.* Niagara (*rzeka*). **2.** *przen.* potok, lawina (*of sth* czegoś).

Niagara Falls *n. pl. geogr.* wodospad Niagara.

nib [nɪb] *n.* **1.** stalówka. **2.** czubek (*pióra*). **3.** czubek; koniec; koniuszek (*przedmiotu*). **4.** dziób (*ptaka*). – *v.* **-bb-** zacinać *l.* oporządzać (*pióro*).

nibble [ˈnɪbl] *v.* **1.** skubać, pogryzać (*(on/at) sth* coś); przygryzać (*(at) sth* coś) (*lekko l. czule*). **2.** *przen.* bawić się (*np. pomysłem, sugestią*). **3.** *przen.* czepiać się (*at sth* czegoś) (= *krytykować*). **4. ~ away at sth** stopniowo zjadać *l.* pochłaniać (*np. oszczędności*). – *n.* **1.** kęsek, kąsek; skubnięcie; **take a ~** skubnąć (= *skosztować*). **2.** *pl. Br. pot.* przekąski (*na przyjęciu*). **3.** *przen.* wyraz umiarkowanego zainteresowania (*zwł. ofertą sprzedaży*).

nibbler [ˈnɪblər] *n. techn.* nożyce wibracyjne do blachy.

niblick [ˈnɪblɪk] *n. golf* kij do golfa (*nr 9*).

nibs [nɪbz] *n.* **his/her ~** *przest. pot. często iron.* jego/jej wysokość, jaśnie pan/i.

Nic. *abbr.* = **Nicaragua.**

Nicaea [naɪˈsɪə] *n. geogr.* Nicea (*w Azji Mniejszej*).

Nicaean [naɪˈsɪən] *a.* nicejski.

Nicaragua [ˌnɪkəˈrɑːgwə] *n. geogr.* Nikaragua.

Nicaraguan [ˌnɪkəˈrɑːgwən] *a.* nikaraguański. – *n.* mieszkan-iec/ka Nikaragui.

Nice [niːs] *n. geogr.* Nicea (*we Francji*).

nice [naɪs] *a.* **1.** miły; przyjemny; **be ~ to sb** być miłym dla kogoś; **have a ~ day!** *zwł. US* miłego dnia!; **have a ~ time** przyjemnie spędzać czas; **it was ~ of you to come** miło, że przyszedłeś; **it was (so) ~ to see you again** (tak) miło było znów się z wami zobaczyć; **it would be ~ (to do sth)** byłoby przyjemnie (zrobić coś). **2.** ładny; **look/sound ~** ładnie wyglądać/brzmieć. **3.** dobry, smaczny; **taste ~** dobrze smakować. **4.** *form.* subtelny (*np. o rozróżnieniu, szczegółach*); precyzyjny. **5.** wymagający; wybredny; wyrafinowany; wrażliwy (*t. o zmyśle*). **6.** *przest.* przyzwoity, szanujący się (*o ludziach*). **7. ~ and cool** przyjemnie chłodny; **~ and soft/warm** mięciutki/cieplutki. **8. ~ to meet you** (*także* **~ meeting you**) *zob.* **meet** *v.*; **~ work!** *Br. pot.* dobra robota!; **~ work if you can get it** *pot.* sam chciałbym mieć taką pracę; **(as) ~ as pie** *pot.* że do rany przyłóż; **no more Mr. N~ Guy** *zob.* **Mr.**

nice-looking [ˌnaɪsˈlʊkɪŋ] *a.* atrakcyjny; przystojny.

nicely [ˈnaɪslɪ] *adv.* **1.** dobrze; zadowalająco; **that will do ~** to w zupełności wystarczy. **2.** ładnie (*np. ubrany*). **3.** miło, przyjemnie; grzecznie (*np. podziękować, poprosić*). **4.** *form.* dokładnie, precyzyjnie; ściśle. **5. sb is doing ~ (for themselves)** komuś świetnie się powodzi.

Nicene [naɪˈsiːn] *a.* nicejski.

Nicene Council *n. hist., rel.* Sobór Nicejski.

Nicene Creed *n. kośc.* Credo nicejskie.

niceness [ˈnaɪsnəs] *n. U* **1.** przyjemność; przyjemna strona (*czegoś*). **2.** dokładność. **3.** trudność; delikatność. **4.** (zbytnia) drobiazgowość; (zbytnia) wrażliwość; wybredność.

nicety [ˈnaɪsətɪ] *n. pl.* **-ies** **1.** *U* delikatność; subtelność. **2.** *U* dokładność; skrupulatność; precyzja. **3.** *U* trudność; subtelność. **4.** *zw. pl.* przyjemność. **5.** elegancki szczegół; przysmak. **6.** *form.* subtelność; drobny szczegół; **to a ~** do najdrobniejszego szczegółu.

niche [nɪtʃ] *n.* **1.** *bud.* nisza, wnęka. **2.** *t. ekon., ekol.* nisza. **3. carve (out)/make a ~ for o.s.** *przen.* znaleźć swoje miejsce, odnaleźć się (*as/in* jako/w). – *v.* **1.** umieszczać we wnęce (*np. posąg*). **2.** ulokować (*osobę*); **~ o.s.** ulokować się.

nick [nɪk] *n.* **1.** zadraśnięcie (*np. na twarzy, lakierze*). **2.** nacięcie; karb (*w metalu, drewnie*). **3.** *górn.* wcięcie, wcios. **4.** *przen.* **in good/bad ~** *Br. pot.* w dobrym/złym stanie; **in the ~ of time** w samą porę; **the ~** *Br. pot.* paka (= *areszt, więzienie*); posterunek policji. – *v.* **1.** zaciąć; drasnąć; **~ o.s.** zaciąć *l.* zadrasnąć się. **2.** nacinać; karbować. **3.** *Br. i Austr. pot.* zwinąć (= *ukraść*). **4.** *Br. sl.* przymknąć (= *aresztować*). **5. ~ sb for...** *US i Can. sl.* obrobić kogoś na... (*określoną sumę*). **6.** złapać w ostatniej chwili (*np. pociąg, samolot*). **7.** odnaleźć (*np. prawdę, odpowiedź*); **~ it** trafić (*t.* = *zgadnąć*). **8. ~ (off)** *pot.* prysnąć (= *wyjechać l. pojechać*). **9. ~ with sb/sth** dawać się porównać z kimś/czymś. **10.** *jeźdz.* podcinać (*ogon konia, by nosił go wyżej*). **11.** *hodowla* udawać się (*o reprodukcji zwierząt*).

nickel [ˈnɪkl] *n.* **1.** *U chem.* nikiel. **2.** *US i Can.* pięciocentówka (*moneta*). – *v. Br.* **-ll-** niklować.

nickel-and-dime [ˌnɪklənˈdaɪm] *US i Can. pot. a.* **1.** groszowy (= *tani, nisko płatny*). **2.** nieistotny, bez znaczenia. – *v.* **1.** oskubać do ostatniego grosza. **2.** zawracać głowę głupotami (*komuś*).

nickelic [nɪˈkelɪk] *a. chem.* niklowy.

nickelous [ˈnɪkələs] *a. chem.* niklawy.

nickel silver *n. U metal.* argentan, nowe srebro, alpaka.

nickel steel *n. U metal.* stal niklowa.

nicker[1] [ˈnɪkər] *v.* **1.** rżeć cicho. **2.** śmiać się pod nosem.

nicker[2] *n. pl.* **nicker** *Br. sl.* funciak (= *jeden funt szterling*).

nick-nack [ˈnɪkˌnæk] *n.* = **knick-knack.**

nickname [ˈnɪkˌneɪm] *n.* **1.** przezwisko; przydomek. **2.** zdrobniałe imię, zdrobnienie. – *v.* **1.** nadać przezwisko *l.* przydomek (*komuś*); przezwać. **2.** nazywać zdrobniale.

Nicosia [ˌnɪkəˈsiːə] *n. geogr.* Nikozja.

nicotine [ˈnɪkəˌtiːn] *n. U* nikotyna.

nicotine patch *n. med.* pasek nikotynowy.

nicotinic [ˌnɪkəˈtiːnɪk] *a. chem.* nikotynowy.

nicotinic acid *n. U chem.* kwas nikotynowy.

nicotinism [ˈnɪkətɪˌnɪzəm] *n. U pat.* nikotynizm.

nictitate [ˈnɪktɪˌteɪt] *v.* (*także* **nictate**) *form.* mrugać.

nictitating membrane [ˈnɪktɪˌteɪtɪŋ ˌmembreɪn] *n. zool.* błona migawkowa *l.* mrużna, migotka, trzecia powieka.

nide [naɪd] *n.* (*także* **nye**) **1.** gniazdo bażancie. **2.** młode bażanty.

nidi [ˈnaɪdaɪ] *n. pl. zob.* **nidus.**

nidify [ˈnɪdəˌfaɪ] *v.* **-ied, -ying** (*także* **nidificate**) budować gniazdo (*o ptakach*).

nidus [ˈnaɪdəs] *n. pl.* **-es** *l.* **nidi** [ˈnaɪdaɪ] **1.** *zool.* gniazdo (*zwł. owadzie l. pajęcze*). **2.** *bot.* gniazdo (= *jama, w której rozwijają się zarodniki l. nasiona*). **3.** *pat.* ognisko zakażenia.

niece [niːs] *n.* siostrzenica; bratanica.

niello [nɪˈelou] *n. C/U pl.* **-s** *l.* **nielli** [nɪˈeliː] niello (*technika zdobienia przedmiotów metalowych l. powierzchnia l. przedmiot ozdobione tą techniką*). – *v.* ozdabiać techniką niello.

niff [nɪf] *n. U Br. pot.* smród.

niffy [ˈnɪfɪ] *a.* **-ier, -iest** smrodliwy.

nifty [ˈnɪftɪ] *pot. a.* **-ier, -iest** świetny, super (*np. o stroju, pomyśle, samochodzie*); zmyślny (*np. o przyrządzie, sztuczce*).

Niger [ˈnaɪdʒər] *n. geogr.* Niger.

Nigeria [naɪˈdʒiːrɪə] *n. geogr.* Nigeria.

Nigerian [naɪˈdʒiːrɪən] *a.* nigeryjski. – *n.* Nigeryj-czyk/ka.

niggard [ˈnɪgərd] *n.* sknera; dusigrosz. – *a. arch.* skąpy.

niggardliness [ˈnɪgərdlɪnəs] *n. U* skąpstwo.

niggardly [ˈnɪgərdlɪ] *a.* **-ier, -iest** skąpy. – *adv.* skąpo.

nigger [ˈnɪgər] *n. pog.* czarnuch.

niggle [ˈnɪgl] *v.* **1.** nie dawać spokoju (*komuś; np. o myślach, podejrzeniach*). **2.** czepiać się (*czegoś*), wynajdywać błędy w (*czymś*). **3.** zajmować się drobiazgami, tracić czas na drobiazgi. – *n. Br. i Can.* **1.** małostkowy zarzut. **2.** drobne, ale niedające spokoju zmartwienie.

niggling [ˈnɪglɪŋ] *a. attr.* **1.** dręczący (*np. o wątpliwości, podejrzeniu*). **2.** drugorzędny; drobny, błahy (*o szczególe*). **3.** małostkowy; ograniczony (*o osobie, sposobie działania*). **4.** kłopotliwy (*np. o pracy*). **5.** pedantyczny (*o wykonaniu, dziele*). – *n. U* **1.** drobiazgowość; drobiazgowa praca. **2.** pedantyczność (*zwł. w sztuce*).

nigh [naɪ] *a., adv. i prep. arch. poet. l. dial.* = **near.**

night [naɪt] *n. C/U* noc; wieczór; *U* zmrok, zmierzch; **~ and day** (*także* **day and ~**) dniem i nocą, dniami i nocami; **~ falls** zapada noc; **a ~ out** wieczór (spędzony) poza domem; **a late ~** zarwana noc; **all ~ (long)** przez (całą) noc; **at ~** w nocy; **at dead of ~** w samym środku nocy; **by ~** nocą; **eight/two o'clock at ~** ósma wieczorem/druga w nocy; **first/opening ~** premiera (*spektaklu, filmu*); **for two ~s running** dwie noce z rzędu; **from morning till ~** *zob.* **morning; good ~!** dobranoc!; **have a good ~'s sleep** dobrze się wyspać; **have an early/a late ~** pójść wcześnie/późno spać; **in/during the ~** w nocy; **last ~** wczoraj w nocy; wczoraj wieczorem; **last thing at ~** tuż przed zaśnięciem *l.* pójściem spać; **late into the ~** długo w noc; **make a ~ of it** bawić się do (białego) rana; **morning, noon and ~** *zob.* **morning; (on) Saturday ~** w sobotni wieczór, w sobotę wieczorem; **the other ~** któregoś wieczora. – *a. attr.* nocny. – *int. pot.* dobranoc; **~-~!** *pot.* dobranoc! (*zwł. do dziecka*).

night bird *n.* **1.** ptak nocny. **2.** *przen.* nocny ptaszek.

night blindness *n. U pat.* ślepota zmierzchowa, kurza ślepota.

nightcap [ˈnaɪtˌkæp] *n.* **1.** kieliszek przed snem. **2.** *gł. hist.* szlafmyca; czepek (*nocny*). **3.** *US i Can. sport pot.* ostatnia konkurencja (*w danym dniu zawodów*); *baseball pot.* drugi mecz (*rozgrywany w danym dniu między tymi samymi drużynami*).

nightclothes [ˈnaɪtˌkloʊðz] *n. pl.* strój nocny; odzież do spania.

nightclub [ˈnaɪtˌklʌb] *n.* (*także* **night club**) klub nocny; nocny lokal. – *v.* odwiedzać kluby nocne.

night crawler *n. US i Can.* (*także* **night walker**) dżdżownica.

night depository *n. pl.* **-ies** *US bank* trezor, wrzutnia.

night dress *n.* **1.** = **nightclothes. 2.** = **nightgown.**

nightfall [ˈnaɪtˌfɔːl] *n. lit.* zmrok, zmierzch; **at ~** o zmroku.

night fighter *n. lotn., wojsk.* myśliwiec nocny.

nightglow [ˈnaɪtˌgloʊ] *n. U astron., meteor.* nocne świecenie nieba.

nightgown [ˈnaɪtˌgaʊn] *n.* (*także* **night dress**) koszula nocna.

nighthawk [ˈnaɪtˌhɔːk] *n.* **1.** *US i Can. orn.* ptak nocny z rodzaju *Chordeiles* (*zwł. Chordeiles minor*). **2.** *orn.* = **nightjar. 3.** *przen.* nocny marek, sowa (= *osoba późno chodząca spać*).

nightie [ˈnaɪtɪ], **nighty** *n. pl.* **-ies** *pot.* koszula nocna.

nightingale [ˈnaɪtənˌgeɪl] *n. orn.* słowik (*Luscinia magarhynchos*).

nightjar [ˈnaɪtˌdʒɑːr] *n.* (*także* **nighthawk**) *orn.* lelek (*Caprimulgus*).

night latch *n.* zatrzask drzwiowy (*otwierany od wewnątrz gałką, a z zewnątrz kluczem*).

nightlife [ˈnaɪtˌlaɪf] *n. U* życie nocne.

night light *n.* lampka nocna (*świecąca całą noc, zwł. dla dzieci*).

nightlong [ˈnaɪtˌlɔːŋ] *lit. a.* całonocny. – *adv.* (przez) całą noc.

nightly [ˈnaɪtlɪ] *a. attr.* **1.** nocny (*np. o bombardowaniach*); wieczorny (*np. o wiadomościach*). **2.** conocny. – *adv.* **1.** co noc, każdej nocy; co wieczór, każdego wieczora. **2.** w nocy.

nightmare [ˈnaɪtˌmer] *n.* **1.** koszmarny sen, koszmar, zmora. **2.** *przen.* koszmar.

nightmarish [ˈnaɪtˌmerɪʃ] *a.* koszmarny.

nightmarishly [ˈnaɪtˌmerɪʃlɪ] *a.* koszmarnie.

night owl *n. pot.* nocny marek, sowa.

nightpiece [ˈnaɪtˌpiːs] *n.* = **nightscape.**

nightrider [ˈnaɪtˌraɪdər] *n. US hist.* członek grupy białych konnych bandytów dokonujących nocnych aktów przemocy na Południu Stanów Zjednoczonych po zakończeniu wojny secesyjnej.

nights [naɪts] *adv. zwł. US pot.* w nocy, nocami (*zwł. pracować*).

night safe *n. bank* trezor, wrzutnia.

nightscape [ˈnaɪtˌskeɪp] *n.* (*także* **nightpiece**) *mal.* scena nocna, krajobraz nocny.

night school *n. szkoln.* szkoła wieczorowa; kurs wieczorowy.

nightshade [ˈnaɪtˌʃeɪd] *n. bot.* **1.** psianka (*Solanum*). **2.** = **deadly nightshade.**

night shift, nightshift *n.* nocna zmiana.

nightshirt [ˈnaɪtˌʃɝːt] *n.* koszula nocna (*zwł. męska*).

nightsoil [ˈnaɪtˌsɔɪl] *n. U* nieczystości (*wywożone nocą i czasem używane jako nawóz*).

nightspot [ˈnaɪtˌspɑːt] *n. pot.* = **night club.**

night stand *n.* = **night table.**

nightstick [ˈnaɪtˌstɪk], **night stick** *n. US i Can.* pałka policyjna.

night table *n.* (*także* **night stand**) *US i Can.* stolik nocny.

night terror *n. psych.* lęk nocny.

nighttime [ˈnaɪtˌtaɪm] *n. U* pora nocna, noc. – *a. attr.* nocny.

nightwalker [ˈnaɪtˌwɔːkər] *n.* **1.** nocny ptaszek (= *złodziej, prostytutka*). **2.** = **night crawler.**

night watch *n.* **1.** nocna warta; *żegl.* nocna wachta. **2.** *hist.* straż nocna.

night watchman *n. pl.* **-men** stróż nocny.

nightwear [ˈnaɪtˌwer] *n. U* = **nightclothes.**

nighty [ˈnaɪtɪ] *n.* = **nightie.**

nigrescence [naɪˈgresəns] *a. form.* czernienie; ciemnienie.

nigrescent [naɪˈgresənt] *a. form.* czarnawy; ciemnawy.

nigritude [ˈnɪgrəˌtuːd] *n. form. U* czerń; ciemność.

nihilism [ˈnaɪɪˌlɪzəm] *n. U* nihilizm.

nihilist [ˈnaɪɪlɪst] *n.* nihilist-a/ka.

nihilistic [ˌnaɪɪˈlɪstɪk] *a.* nihilistyczny.

nihility [naɪˈɪlətɪ] *n. pl.* **-ies** *form.* **1.** *C/U* nicość. **2.** drobiazg.

Nikkei [nɪˈkeɪ] *n. U* (*także* **~ index**) *giełda* indeks Nikkei.

nil [nɪl] *n.* nic; *zwł. Br. sport* zero.

Nile [naɪl] *n.* **the ~** *geogr.* Nil.

Nilotic [naɪˈlɑːtɪk] *a.* nilowy.

nimble [ˈnɪmbl] *a.* **1.** zwinny (*o osobie, palcach*). **2.** prędki, szybki (*o stopach*). **3.** bystry (*o umyśle*).

nimbleness [ˈnɪmblnəs] *n. U* **1.** zwinność (*osoby, palców*). **2.** szybkość (*stóp*). **3.** bystrość (*umysłu*).

nimbly [ˈnɪmblɪ] *adv.* **1.** zwinnie. **2.** prędko, szybko. **3.** bystro.

nimbo-stratus [ˌnɪmboʊˈstreɪtəs] *n. pl.* **-strati** [ˌnɪmboʊˈstreɪtaɪ] *meteor.* chmura warstwowa deszczowa, nimbostratus.

nimbus [ˈnɪmbəs] *n. pl.* **-es** *l.* **nimbi** [ˈnɪmbaɪ] **1.** nimb. **2.** *meteor.* chmura deszczowa, nimbus.

NIMBY [ˈnɪmbɪ] *abbr.* **not in my backyard** nie na moim podwórku (*slogan wyrażający sprzeciw dotyczący umiejscawiania niebezpiecznych zakładów itp. w bliskiej okolicy*). – *n.* osoba wyrażająca sprzeciw jw.

nimiety [nɪˈmaɪətɪ] *n. pl.* **-ies** *rzad.* nadmiar.

niminy-piminy [ˌnɪmənəˈpɪmənɪ] *a.* (*także* **miminy-piminy**) afektowany; zmanierowany.

Nimrod [ˈnɪmrɑːd] *n.* **1.** *Bibl.* Nemrod, Nimrod. **2.** (*także* **n~**) *lit.* myśliwy, nemrod.

nincompoop [ˈnɪnkəmˌpuːp] *n. przest.* głupek, matoł.

nine [naɪn] *num.* **1.** dziewięć; dziewięcioro; dziewięciu. **2.** *przen.* **~ days' wonder** (*także* **~ -days wonder**) *przest.* krótkotrwała sensacja; **~ times out of ten** dziewięć razy na dziesięć, w dziewięćdziesięciu procentach przypadków. – *n.* **1.** dziewiątka. **2.** *U* **~ (o'clock)** (godzina) dziewiąta; **at ~** o dziewiątej; **~ to five** od dziewiątej do piątej (*pracować*). **3.** *przen.* **dressed/done (up) to the ~s** *pot.* odstawiony (= *ubrany odświętnie l. w najlepsze ciuchy*); **on cloud ~** *zob.* **cloud** *n.*

ninebark [ˈnaɪnˌbɑːrk] *n. bot.* pęcherznica, tawułowiec (*Physocarpus*).

ninefold [ˈnaɪnˌfoʊld] *a.* dziewięciokrotny; dziewięcioraki, dziewięciodzielny, złożony z dziewięciu części. – *adv.* dziewięciokrotnie.

ninepin [ˈnaɪnˌpɪn] *n.* **1.** *pl.* kręgle (*wersja z dziewięcioma drewnianymi kręglami*). **2.** kręgiel używany w grze jw.

nineteen [ˌnaɪnˈtiːn] *num.* dziewiętnaście; dziewiętnaścioro; dziewiętnastu. – *n.* **1.** dziewiętnastka. **2. talk ~ to the dozen** *zob.* **dozen.**

nineteenth [ˌnaɪnˈtiːnθ] *num.* **1.** dziewiętnasty. **2. ~ hole** *golf żart.* bar klubu golfowego. – *n.* jedna dziewiętnasta.

ninetieth [ˈnaɪntɪəθ] *num.* dziewięćdziesiąty. – *n.* jedna dziewięćdziesiąta.

nine-to-five [ˌnaɪntəˈfaɪv] *adv. i a. attr.* od dziewiątej do piątej (*o godzinach pracy*).

ninety [ˈnaɪntɪ] *num.* dziewięćdziesiąt; dziewięćdziesięcioro; dziewięćdziesięciu. – *n. pl.* **-ies** dziewięćdziesiątka; **be in one's nineties** mieć dziewięćdziesiąt parę lat; **the (nineteen) nineties** lata dziewięćdziesiąte (dwudziestego wieku).

ninja [ˈnɪndʒə] *n. pl.* **-s** *l.* **ninja** (wojownik) ninja.

ninny [ˈnɪnɪ] *n. pl.* **-ies** *przest. pot.* matoł.

ninth [naɪnθ] *a.* dziewiąty. – *n.* **1.** (jedna) dziewiąta. **2.** *muz.* nona. – *adv.* (*także* **~ly**) **1.** na dziewiątej pozycji. **2.** po dziewiąte.

niobium [naɪˈoʊbɪəm] *n. U chem.* niob.

Nip [nɪp] *n. pog. sl.* Japoniec.

nip[1] [nɪp] *v.* **-pp- 1.** szczypać. **2.** ściskać; przyciskać. **3.** przygryzać; gryźć (lekko) (*(at) sth* w coś). **4.** *US sport* pokonać minimalnie. **5.** szczypać (boleśnie) (*o mrozie*); zmrozić, zwarzyć (*roślinę*). **6.** *US i Can. sl.* **~ (away/out/up)** capnąć; buchnąć (= *ukraść*). **7. ~ sth in the bud** *przen.* stłumić *l.* zdusić coś w zarodku. **8. ~ along** *Br. przest.* zasuwać (= *szybko iść l. jechać*); **~ in** zwęzić, dopasować (*np. sukienkę w talii*); *Br. i Austr. pot.* wpaść, wskoczyć; **~ off** uszczknąć; **~ out/round (to the shop/neighbours)** *Br. i Austr. pot.* wyskoczyć (do sklepu/sąsiadów); **~ up/down** *Br. i Austr. pot.* skoczyć na górę/na dół (*w obrębie budynku*). – *n.* **1.** uszczypnięcie. **2.** ściśnięcie; przyciśnięcie. **3.** przygryzienie. **4.** uszczknięcie; uszczknięty kawałek. **5.** ostry smak. **6.** *arch.* przycinek, docinek. **7.** *pot.* **a ~ in the air** chłód; **there's a ~ in the air** jest chłodnawo. **8.** *US i Can. pot.* **~ and tuck** łeb w łeb; na dwoje babka wróżyła; operacja plastyczna; **a ~ here and and a tuck there** seria drobnych cięć (*np. w zatrudnieniu, wydatkach*).

nip[2] *n.* łyk, łyczek; kieliszeczek (*alkoholu*); **a ~ of fresh air** *przen.* łyk świeżego powietrza. – *v.* **-pp-** popijać (*alkohol*).

nipper [ˈnɪpər] *n. gł. Br. pot.* dzieciak (*zwł. chłopiec*).

nippers [ˈnɪpərz] *n. pl.* **1.** *t. zool.* szczypce. **2.** *bud.* uchwyt nożycowy do podnoszenia ciosów. **3.** *sl.* kajdanki. **4.** *sl.* binokle. **5.** siekacze (*końskie*).

nipple [ˈnɪpl] *n.* **1.** *anat.* brodawka sutkowa. **2.** *US i Can.* smoczek (*na butelkę*). **3.** *techn.* złączka wkrętna. **4.** *wojsk.* iglica, bijnik. **5.** wzniesienie, pagórek (*na szczycie wzgórza l. góry*).

nipplewort [ˈnɪplˌwɝːt] *n. bot.* łoczyga pospolita, zajęczy chłodek (*Lapsana communis*).

Nippon [ˈnɪpɑːn] *n.* japońska nazwa Japonii.

Nipponese [ˌnɪpəˈniːz] *a.* japoński. – *n.* Japo-ńczyk/nka.

nippy [ˈnɪpɪ] *a.* **-ier, -iest** *pot.* **1.** mroźny, ostry (*o powietrzu, pogodzie*); szczypiący (*o wietrze*). **2.** *Br.* żwawy (*o osobie*); szybki (*o samochodzie*). **3.** ostry, gryzący (*np. o psie; t. o smaku*).

nirvana [nɪrˈvɑːnə] *n. U zwł. buddyzm, hinduizm* nirwana.

Nisei [ˌnɪˈseɪ] *n. pl.* **-s** *l.* **Nisei** *US* Japończyk/nka urodzon-y/a w Stanach Zjednoczonych.

Nissen hut [ˈnɪsən ˌhʌt] *n. wojsk.* półokrągły barak z blachy falistej.

nisus [ˈnaɪsəs] *n. pl.* **nisus** *form.* wysiłek (*dla osiągnięcia zamierzonego celu*).

nit[1] [nɪt] *n. zool.* gnida.

nit[2] *n. Br. i Austr. pot.* = **nitwit.**

nit[3] *n. fiz.* nit (*jednostka*).

nit[4] *n.* (*także* **nepit**) *komp.* nit (*jednostka; 1,44 bita*).

nit[5] *n.* **keep ~** *Austr. pot.* stać na czatach.

niter [ˈnaɪtər], *Br.* **nitre** *n. U min.* saletra indyjska *l.* potasowa; **cubic ~** *chem.* azotan sodowy, saletra chilijska.

nitpick [ˈnɪtˌpɪk], **nit-pick** *v.* **1.** szukać dziury w całym. **2.** doszukiwać się błędów w (*sprawozdaniu, procedurze*).

nitpicker [ˈnɪtˌpɪkər] *n.* krytykant/ka, osoba szukająca dziury w całym.

nitpicking [ˈnɪtˌpɪkɪŋ] *n. U* szukanie dziury w całym.

nitrate [ˈnaɪtreɪt] *n. C/U chem.* **1.** azotan; **potassium/sodium ~** azotan potasu/sodu. **2.** *roln.* saletra (*jako nawóz*). – *v. chem.* nitrować.

nitratine [ˈnaɪtrəˌtiːn] *n. U min.* saletra chilijska *l.* sodowa, nitratyn.

nitre [ˈnaɪtər] *n. Br.* = **niter.**

nitric [ˈnaɪtrɪk] *a.* azotowy.

nitric acid *n. U chem.* kwas azotowy.

nitric oxide *n. U chem.* tlenek azotu.

nitride [ˈnaɪtraɪd] *n. chem.* azotek.

nitriding [ˈnaɪtraɪdɪŋ] *n. U metal.* azotowanie.

nitrify [ˈnaɪtrəˌfaɪ] *v.* **-ied, -ying 1.** *biochem.* nitryfikować. **2.** *roln.* saletrować, nawozić saletrą.

nitrile [ˈnaɪtrɪl] *n. chem.* cyjanek, nitryl.

nitrite [ˈnaɪtraɪt] *n. chem.* azotyn.

nitrobacteria [ˌnaɪtroʊbækˈtiːrɪə] *n. pl. biochem.* bakterie nitryfikacyjne *l.* nitryfikujące, nitryfikatory.

nitrocellulose [ˌnaɪtroʊˈseljʊˌloʊz] *n. U chem.* nitroceluloza.

nitrochalk [ˈnaɪtroʊˌtʃɔːk] *n. U roln.* saletrzak (*nawóz*).

nitrogen [ˈnaɪtrədʒən] *n. U chem.* azot.

nitrogen cycle *n. ekol.* obieg azotu (*w przyrodzie*), cykl azotowy.

nitrogen narcosis *n. U pat.* odurzenie azotem, euforia nurków.

nitrogenous [naɪˈtrɑːdʒənəs] *a. chem.* azotowy.

nitrogenous fertilizer, *Br. i Austr. zw.* **nitrogenous fertiliser** *n. roln.* nawóz azotowy, azotniak.

nitroglycerin [ˌnaɪtrəˈglɪsərɪn], **nitroglycerine** *n. U chem., med.* nitrogliceryna.

nitrous [ˈnaɪtrəs] *a. chem.* azotawy.

nitrous acid *n. U chem.* kwas azotawy.

nitrous oxide *n. U* podtlenek azotu, gaz rozweselający.

nitty-gritty [ˌnɪtɪˈgrətɪ] *n. U pot.* konkrety, szczegóły praktyczne; **get down to the ~** przechodzić do konkretów.

nitwit [ˈnɪtˌwɪt] *n. pot.* przygłup.

nix¹ [nɪks] *US i Can. przest. pot. adv.* nie; wcale nie; **say ~** powiedzieć nie (= *odmówić, zabronić*). – *n. U* nic; **for ~** na nic. – *v.* **1.** zabraniać (*czegoś*). **2.** odrzucać (*np. plany, propozycje*).

nix² *n. mit. germańska* wodnik.

nixie [ˈnɪksɪ] *n. mit. germańska* wodnica, rusałka.

NJ, N.J. *abbr.* = **New Jersey**.

NLF [ˌen ˌel ˈef] *abbr.* **National Liberation Front** FWN (= *Front Wyzwolenia Narodowego; w Algierii*).

NLP [ˌen ˌel ˈpiː] *abbr.* **1.** = **neurolinguistic programming**. **2.** = **natural language processing**.

NLQ [ˌen ˌel ˈkjuː] *abbr.* **near letter quality** *komp.* jakość bliska drukarskiej.

NM, N.M. *n.* = **New Mexico**.

nm *abbr.* **1.** *żegl.* = **nautical mile**. **2.** = **nanometer**.

N. Mex. *abbr.* = **New Mexico**.

NMR [ˌen ˌem ˈɑːr] *abbr. fiz.* **nuclear magnetic resonance** *fiz.* jądrowy rezonans magnetyczny.

no [noʊ] *adv.* nie; (wcale *l.* nic) nie (*lepiej, lepszy itp.*); **~!** (no) nie!, coś takiego!; **~ fewer/less than** nie mniej niż, co najmniej; **~ more** nie więcej (*than* niż); **~ more/longer** już nie; **~ sooner had we entered than we noticed his absence** gdy tylko weszliśmy, zauważyliśmy jego nieobecność; **he's ~ more a sailor than I am** taki sam z niego żeglarz jak i ze mnie; **she's feeling ~ better today than she did yesterday** nie czuje się dziś (nic) lepiej niż wczoraj; **they ~ longer come here** już tutaj nie przychodzą; **whether you like it or ~** *form.* czy ci się to podoba, czy nie. – *a.* **1.** żaden; **~ form requires your signature** żaden formularz nie wymaga twojego podpisu; **by ~ means** w żaden sposób; **I had ~ time/books** nie miałem czasu/(żadnych) książek; **I had ~ way of knowing what their plans were** nie mogłem wiedzieć, jakie były ich plany; **of ~ importance** *form.* bez (żadnego) znaczenia; **she is ~ child/genius** nie jest dzieckiem/geniuszem; **there is ~ coffee** nie ma kawy; **there is ~ coffee/time left** nie zostało ani trochę kawy/czasu; **there is ~ knowing what the future will bring** nie wiadomo, co przyniesie przyszłość. **2. ~ doubt** niewątpliwie; "**~ entry**" „wstęp wzbroniony"; **~ good/use** do niczego; "**~ smoking**" „palenie wzbronione"; **~ trump(s)** *karty* bez atu; **no ~!** *pot.* nie ma mowy!; **in ~ time** błyskawicznie; **rain or ~ rain** (bez względu na to,) czy będzie padać, czy nie. – *n. pl.* **noes 1.** nie (= *odmowa, sprzeciw l. odpowiedź przecząca*); **not take ~ for an answer** nie uznawać odmowy; **say ~** powiedzieć nie. **2.** głos przeciw; *pl.* głosujący przeciw; **the ~es have it** *Br. parl.* większość głosów jest przeciw.

No. *abbr.* **1.** = **north**; = **northern**. **2.** (*także* **no.**) = **number**.

no-account [ˌnoʊəˈkaʊnt] *US a. attr.* nic nie wart (*t. o osobie*). – *n.* nicpoń.

Noah [ˈnoʊə] *n.* **1.** *Bibl.* Noe; **~'s Ark** Arka Noego. **2. n~** *Austr.* rekin.

nob¹ [nɑːb] *n. gł. Br. pot. żart.* wielk-i/a pan/i.

nob² *n.* **1.** *sl.* łeb, pała. **2.** *gra w cribbage* walet koloru atutowego; **one for his ~** punkt za waleta. – *v.* **-bb-** *Br. boks sl.* dać w łeb (*komuś*); walić w łeb.

no-ball [ˌnoʊˈbɔːl] *n. krykiet* nieważna piłka.

nobble [ˈnɑːbl] *v. Br. i Austr. sl.* **1.** przechytrzyć; przeciągnąć na swoją stronę (*zwł. nieuczciwie*). **2.** złapać (*np. kogoś na korytarzu, żeby porozmawiać*). **3.** podtruć (*zwierzę, zwł. konia przed wyścigiem*). **4.** gwizdnąć, świsnąć (= *ukraść*). **5.** porwać (*osobę*).

nobby [ˈnɑːbɪ] *a.* **-ier, -iest** *gł. Br. sl.* elegancki.

Nobelist [noʊˈbelɪst] *n.* noblist-a/ka.

nobelium [noʊˈbiːlɪəm] *n. U chem.* nobel (*pierwiastek*).

Nobel Prize [noʊˌbel ˈpraɪz] *n.* Nagroda Nobla; **Nobel Prize winner** (*także* **Nobel prizewinner**) laureat/ka Nagrody Nobla, noblist-a/ka.

nobiliary [noʊˈbɪlɪˌerɪ] *a. form.* szlachecki.

nobility [noʊˈbɪlətɪ] *n. pl.* **-ies 1.** szlachta; arystokracja. **2.** *U* szlachectwo; **title of ~** tytuł szlachecki. **3.** *U* godność. **4.** *U* szlachetność.

noble [ˈnoʊbl] *a.* **1.** szlachetny (*np. o uczynku, duchu; t. chem.*). **2.** szlachecki; arystokratyczny; **of ~ birth** szlachetnie urodzony. **3.** wspaniały, imponujący. – *n.* **1.** szlachci-c/anka; arystokrat-a/ka. **2.** *Br. hist.* złota moneta o wartości 1/3 funta.

noble gas *n. chem.* gaz szlachetny, helowiec.

nobleman [ˈnoʊblmən] *n. pl.* **-men** szlachcic; arystokrata.

noble metal *n. chem.* metal szlachetny.

nobleness [ˈnoʊblnəs] *n. U* szlachetność.

noble rot *n. U biol.* grzyb pasożytniczy *Botrytis cinerea* (*stosowany w produkcji wina*).

noble savage *n. fil.* dobry dzikus (*w koncepcji J.J. Rousseau*).

noblesse oblige [noʊˌbles oʊˈbliːʒ] *n. U Fr.* szlachectwo zobowiązuje.

noblewoman [ˈnoʊblˌwʊmən] *n. pl.* **-women** szlachcianka; arystokratka.

nobly [ˈnoʊblɪ] *adv.* **1.** szlachetnie. **2.** wspaniale.

nobody [ˈnoʊbədɪ] *pron.* nikt. – *n. pl.* **-ies** nikt, zero (= *osoba bez znaczenia*); **be a ~** być nikim, nic nie znaczyć; **be ~'s fool** *zob.* **fool¹** *n.*

nock [nɑːk] *n.* wycięcie w tyle strzały (*na cięciwę*); wycięcie na łuku (*na umocowanie cięci-*

wy). – *v.* **1.** robić karb na (*łuku l. strzale*). **2.** umieszczać na cięciwie (*strzałę*).

no-claim bonus [ˌnoʊˈkleɪm ˌboʊnəs], **no-claims bonus** *n. Br. i Austr. ubezp., zwł. mot.* zniżka za bezszkodowość.

no-count [ˌnoʊˈkaʊnt] *a. attr.* = **no-account.**

noctambulism [ˌnɑːkˈtæmbjəˌlɪzəm], **noctambulation** [ˌnɑːkˌtæmbjəˈleɪʃən] *n. U pat.* somnambulizm, lunatyzm.

noctiluca [ˌnɑːktəˈluːkə] *n. zool.* nocoświetlik (*rodzaj Noctiluca*).

noctule [ˈnɑːkˌtʃuːl] *n. zool.* borowiec (*nietoperz owadożerny z rodzaju Nyctalus*).

nocturnal [nɑːkˈtɝːnl] *a. zool., bot. l. form.* nocny.

nocturnally [nɑːkˈtɝːnlɪ] *adv.* nocą, w porze nocnej.

nocturne [ˈnɑːktɝːn] *n. muz.* nokturn.

nocuous [ˈnɑːkjʊəs] *a. form.* szkodliwy.

nod [nɑːd] *v.* **-dd- 1.** (*także* ~ **one's head**) kiwnąć *l.* skinąć głową; ~ **one's assent/approval** skinąć głową na znak zgody/aprobaty. **2.** przytakiwać. **3.** kłaniać się. **4.** wskazywać ruchem głowy; **she ~ded us into the office** skinieniem głowy skierowała nas do biura. **5.** kołysać się, chwiać się (*np. o kwiatach, drzewach*). **6. be on ~ding terms with sb** (*także* **have a ~ding acquaintance with**) znać z widzenia (*osobę*); mieć powierzchowną wiedzę na temat (*tematu, dziedziny*). **7.** ~ **(off)** *pot.* przysypiać. **8.** ~ **out** *sl.* odlecieć (= *stracić świadomość, zwł. po heroinie*). – *n.* **1.** *zw. sing.* skinienie; **give a** ~ skinąć głową. **2.** drzemka. **3. a ~ is as good as a wink (to a blind horse)** *żart.* nie musisz (mi) nic więcej mówić (= *wszystko rozumiem*); **give sb the** ~ *Br. pot.* dać komuś zgodę, udzielić komuś pozwolenia; **in the land of** ~ *zob.* **land** *n.*; **(pass/approve sth) on the** ~ *Br. pot.* (przyjąć *l.* zaakceptować coś) bez dyskusji (= *bez formalnego głosowania*).

nodal [ˈnoʊdl] *a.* **1.** *fiz., mat.* węzłowy. **2.** *bot.* węzłowy; kolankowy.

nodal point *n. fiz.*, punkt węzłowy, węzeł.

noddle [ˈnɑːdl] *n. gł. Br. przest. pot.* łeb (= *głowa l. rozum*).

noddy [ˈnɑːdɪ] *n. pl.* **-ies 1.** (*także* **common** ~) *orn.* rybitwa brunatna (*Anous stolidus*). **2.** *pot.* cymbał, osioł.

node [noʊd] *n.* **1.** *anat.* guz, guzek; zgrubienie; węzeł; **lymph** ~ węzeł chłonny *l.* limfatyczny. **2.** *bot.* węzeł, kolanko. **3.** *astron., mat., komp.* węzeł; *fiz.* węzeł, punkt węzłowy. **4.** *mat.* wierzchołek (*sieci*).

nodi [ˈnoʊdaɪ] *n. zob.* **nodus.**

nodical [ˈnɑːdɪkl] *a. astron.* ~ **elongation** elongacja węzłowa; ~ **month** miesiąc smoczy.

nodose [ˈnoʊdoʊs] *a. form.* **1.** węzłowaty. **2.** guzowaty, guzkowaty.

nodosity [noʊˈdɑːsətɪ] *n. pl.* **-ies** *form.* **1.** *U* guzowatość. **2.** guz.

nodular [ˈnɑːdʒələr] *a. t. pat.* guzowaty.

nodular cast iron *n. U metal.* żeliwo sferoidalne.

nodular ore *n. U geol.* ruda nerkowa.

nodule [ˈnɑːdʒuːl] *n.* **1.** *t. anat., pat.* guzek; grudka; zgrubienie; **lymph** ~ grudka chłonna *l.* limfatyczna; **rheumatoid** ~ *pat.* guzek dnawy. **2.** bryłka; kulka. **3.** *geol.* buła. **4.** *bot.* węzeł, kolanko. **5.** *bot.* brodawka (*korzeniowa*).

nodulous [ˈnɑːdʒuːloʊs], **noduleose** [ˈnɑːdʒuːləs] *a. bot., zool.* guzkowaty.

nodus [ˈnoʊdəs] *n. pl.* **nodi** [ˈnoʊdaɪ] **1.** *form.* trudność. **2.** = **node.**

Noel [noʊˈel], **Noël** *n.* **1.** *U* Boże Narodzenie (*zwł. w kolędach i na kartkach świątecznych*). **2.** (*także* **n~**) *rzad.* kolęda.

noes [noʊz] *n. pl. zob.* **no** n.

noetic [noʊˈetɪk] *a. fil.* noetyczny, rozumowy.

no-fault [ˌnoʊˈfɔːlt] *n. U ubezp., mot.* polisa, w której wypłata odszkodowania po wypadku następuje bez orzekania o winie. – *a. attr.* **1.** *ubezp., mot.* dotyczący polisy jw. **2.** ~ **divorce** *prawn.* rozwód bez orzekania o winie.

no-fly zone [ˌnoʊˈflaɪ ˌzoʊn] *n.* **1.** *lotn.* strefa zakazu lotów. **2.** *US przen. sl.* temat tabu.

nog[1] [nɑːg] *n.* (*także* **nogg**) **1.** = **eggnog. 2.** *Br. dial.* rodzaj mocnego piwa.

nog[2] *n.* **1.** kołek. **2.** *bud.* klocek drewniany wbudowany w ścianę. **3.** *bud.* = **nogging** 1. **4.** *górn.* klin drewniany. **5.** *górn.* stos; kaszt. – *v.* **-gg- 1.** *bud.* budować w formie szkieletu drewnianego wypełnianego cegłami. **2.** kołkować; zabezpieczać kołkami.

noggin [ˈnɑːgɪn] *n.* **1.** *przest.* kwaterka (*zwł. alkoholu; t. jako miara, zw.* = *1/4 kwarty*). **2.** *zwł. US pot.* łeb (= *głowa, rozum*).

nogging [ˈnɑːgɪŋ] *n. bud.* **1.** (*także* **nog, ~-piece**) rygiel, rozwora. **2.** (*także* **brick-~**) cegły wypełniające ścianę szkieletową.

no-go area [ˌnoʊˈgoʊ ˌerɪə] *n.* **1.** teren zamknięty. **2.** *przen.* temat tabu.

no-good [ˌnoʊˈgʊd] *a.* bezwartościowy; nieprzydatny. – *a.* **1.** bezwartościowa osoba. **2.** bezwartościowa *l.* nieprzydatna rzecz.

no-hoper [ˌnoʊˈhoʊpər] *n. pot., pog.* beznadziejny przypadek (= *osoba niemająca szans na powodzenie*).

nohow [ˈnoʊhaʊ] *adv. zw. żart.* w żaden sposób, żadną miarą; wcale nie.

noil [nɔɪl] *n. C/U tk.* wyczeski.

noise [nɔɪz] *n.* **1.** *C/U* dźwięk, odgłos; hałas; wrzawa; *uj.* gadanie, gadanina; **make (a)** ~ robić hałas, hałasować. **2.** *U fiz., el.* szum; zakłócenia. **3.** *przen.* **~s off** *teatr* hałas w tle (*uwaga w didaskaliach*); **make a ~ (lot of) about sth** *pot.* (bardzo) narzekać na coś; **make ~s about sth** *pot.* napomykać o czymś; **make (all) the right/proper/correct ~s** przejawiać należyty entuzjazm (*zw. udawany*); **make encouraging/sympathetic ~s** wydawać zachęcające/współczujące pomruki. – *v.* **1.** ~ **sth abroad/about/around** *zwł. Br. przest.* rozgłaszać *l.* rozpowiadać coś. **2.** *rzad.* hałasować.

noiseless [ˈnɔɪzləs] *a.* bezgłośny, cichy; *zwł. fiz., el.* bezszumowy.

noiselessly [ˈnɔɪzləslɪ] *adv.* bezgłośnie, cicho.

noisemaker [ˈnɔɪzˌmeɪkər] *n. US i Can.* hałaśliwa zabawka (*np. róg używany na przyjęciach l. meczach*).

noise pollution *n. U* skażenie środowiska hałasem.

noisette [nwɑ:'zet] *kulin. a.* z orzechami laskowymi; o smaku orzechów laskowych. – *n. C/U* **1.** filecik jagnięcy z dodatkami. **2.** czekolada z orzechami laskowymi.

noisily ['nɔɪzɪlɪ] *adv.* hałaśliwie, głośno.

noisiness ['nɔɪzɪnəs] *n. U* hałaśliwość, głośność.

noisome ['nɔɪsəm] *a. lit.* **1.** przykry (*zwł. o zapachu*). **2.** szkodliwy.

noisy ['nɔɪzɪ] *a.* **-ier, -iest 1.** hałaśliwy (*o osobie, maszynie*). **2.** zgiełkliwy, pełen zgiełku (*o miejscu*). **3.** krzykliwy (*o kolorze, stroju*).

nolle prosequi [ˌnɑ:lɪ 'prɑ:səˌkwaɪ] *n. U prawn.* odstąpienie od dochodzenia roszczenia (*skutkujące umorzeniem postępowania*).

no-load [ˌnoʊ'loʊd] *a. gł. attr.* **1.** ~ **current** *el.* prąd jałowy; ~ **running** *mech.* bieg jałowy, bieg luzem; ~ **test** *techn.* próba bez obciążenia. **2.** *fin.* sprzedawany bez prowizji (*o udziałach w funduszu*).

nolo contendere [ˌnoʊloʊ kən'tendərɪ] *n. U zwł. US prawn.* nolo contendere (= *deklaracja ze strony oskarżonego, która prowadzi do wymierzenia mu kary, ale technicznie nie jest przyznaniem się do winy i umożliwia odrzucenie tego samego zarzutu w kolejnej sprawie*).

no-lose [ˌnoʊ'lu:z] *a. gł. attr. pot.* gwarantujący powodzenie *l.* sukces (*o sytuacji, pozycji*).

nom. *abbr.* **1.** = **nominal. 2.** = **nominative.**

noma ['noʊmə] *n. U pat.* zgorzelinowe zapalenie jamy ustnej.

nomad ['noʊmæd] *n.* **1.** *antrop.* nomada, koczowni-k/czka. **2.** wędrowiec.

nomadic [noʊ'mædɪk] *a.* koczowniczy, nomadyczny.

nomadism ['noʊmædˌɪzəm] *n. U antrop.* koczownictwo, nomadyzm.

no man's land ['noʊ ˌmænz ˌlænd], **no-man's-land** *n. U l. sing.* ziemia niczyja.

nom de guerre [ˌnɑ:m də 'ger] *n. pl.* **noms de guerre** [ˌnɑ:m də 'ger] pseudonim (*zwł. na wojnie*).

nom de plume [ˌnɑ:m də 'plu:m] *n. pl.* **noms de plume** [ˌnɑ:m də 'plu:m] pseudonim literacki.

nomenclature ['noʊmənˌkleɪtʃər] *n. C/U form.* nomenklatura, nazewnictwo.

nomenklatura [ˌnoʊmənklə'tu:rə] *n. polit. z czasownikiem w liczbie mnogiej* nomenklatura, członkowie nomenklatury; *z czasownikiem w liczbie pojedynczej* nomenklatura, system nomenklaturowy.

nominal ['nɑ:mənl] *a.* **1.** nominalny (*np. o cenie, przywódcy*). **2.** symboliczny (*np. o opłacie*). **3.** imienny (*t. o akcjach*). **4.** *gram.* rzeczownikowy. **5.** *lotn., astronautyka* normalny, zwyczajny (*o manewrze, kontroli*). **6.** *fil.* nominalistyczny.

nominalism ['nɑ:mənəˌlɪzəm] *n. U fil.* nominalizm.

nominalist ['nɑ:mənəlɪst] *a. fil.* nominalistyczny. – *n.* nominalist-a/ka.

nominalistic [ˌnɑ:mənə'lɪstɪk] *a. fil.* nominalistyczny.

nominalization [ˌnɑ:mənələ'zeɪʃən], *Br. i Austr. zw.* **nominalisation** *n. C/U gram.* nominalizacja.

nominalize ['nɑ:mənəˌlaɪz], *Br. i Austr. zw.* **nominalise** *v. gram.* tworzyć rzeczownik od (*innej części mowy*).

nominally ['nɑ:mənlɪ] *adv.* **1.** nominalnie. **2.** symbolicznie. **3.** imiennie.

nominal value *n. ekon.* wartość nominalna.

nominal wages *n. pl. ekon.* płaca nominalna.

nominate ['nɑ:mɪˌneɪt] *v.* **1.** wysuwać kandydaturę (*czyjąś*). **2.** mianować, nominować (*sb for / as sth* kogoś na jakieś stanowisko, *sb to sth* kogoś do czegoś). **3.** mianować swoim przedstawicielem, wyznaczać na swojego przedstawiciela.

nomination [ˌnɑ:mɪ'neɪʃən] *n. C/U* **1.** kandydatura. **2.** przedstawienie kandydata na stanowisko. **3.** mianowanie, nominacja.

nominatival [ˌnɑ:mɪnə'taɪvl] *a. gram.* mianownikowy.

nominative *a.* ['nɑ:mɪnətɪv] **1.** mianowany, nominowany (*na stanowisko*). **2.** przedstawiony jako kandydat (*na stanowisko*). **3.** imienny (*t. o akcjach, udziałach*). **4.** ['nɑ:mɪneɪtɪv] *gram.* mianownikowy. – *n.* ['nɑ:mɪnətɪv] *gram.* mianownik.

nominator ['nɑ:mɪˌneɪtər] *n.* osoba mianująca *l.* nominująca.

nominee [ˌnɑ:mə'ni:] *n.* **1.** osoba mianowana, nominat. **2.** kandydat/ka. **3.** *prawn.* osoba wymieniona w zapisie, beneficjent/ka.

nomogram ['nɑ:məˌgræm], **nomograph** ['nɑ:məˌgræf] *n. mat.* nomogram.

nomographical [ˌnɑ:mə'græfɪkl] *a.* nomograficzny.

nomography [noʊ'mɑ:grəfɪ] *n. pl.* **-ies** nomografia.

nomological [ˌnɑ:mə'lɑ:dʒɪkl] *a.* nomologiczny.

nomology [noʊ'mɑ:lədʒɪ] *n. U* nomologia.

nomothetic [ˌnɑ:mə'θetɪk] *a. fil., psych., polit.* nomotetyczny.

non-ability [ˌnɑ:nə'bɪlətɪ] *n. U* **1.** *form.* brak zdolności (*fizycznej l. umysłowej*). **2.** *prawn.* brak zdolności prawnej, niezdolność prawna.

nonacademic [ˌnɑ:nˌækə'demɪk] *a.* **1.** *szkoln.* nieuzdolniony naukowo (*o uczniu*). **2.** *szkoln., uniw.* zawodowy (*o przedmiocie*). **3.** ~ **staff** *uniw.* pracownicy bibliotek, administracyjni i techniczni.

non-addictive [ˌnɑ:nə'dɪktɪv] *a.* niepowodujący uzależnienia (*o narkotyku, leku*).

nonage ['nɑ:nɪdʒ] *n. U* **1.** *prawn.* niepełnoletność, małoletniość. **2.** *form.* niedojrzałość.

nonagenarian [ˌnɑ:nədʒə'nerɪən] *a.* dziewięćdziesięcioletni; dziewięćdziesięcioparoletni. – *n.* dziewięćdziesięciolat-ek/ka; dziewięćdziesięcioparolat-ek/ka.

non-aggression [ˌnɑ:nə'greʃən] *n. U polit.* nieagresja.

nonagon ['nɑ:nəgən] *n. geom.* dziewięciokąt.

non-agression pact *n. polit.* pakt o nieagresji.

nonalcoholic [ˌnɑ:nˌælkə'hɔ:lɪk] *a.* bezalkoholowy.

nonaligned [ˌnɑ:nə'laɪnd] *a. polit.* niezaangażowany, neutralny (*o państwie*).

nonalignment [ˌnɑːnəˈlaɪnmənt] *n. U polit.* niezaangażowanie, neutralność.

nonanoic acid [ˌnɑːnəˌnoʊɪk ˈæsɪd] *n. U chem.* kwas pelargonowy.

non-appearance [ˌnɑːnəˈpiːrəns] *n. C/U form.* niestawienie się (*zwł. w sądzie*).

non assumpsit [ˌnɑːnəˈsʌmpsɪt] *n. U prawn.* powoływanie się na to, że pozwany nie poczynił żadnych obietnic.

non-attendance [ˌnɑːnəˈtendəns] *n. U form.* absencja, nieobecność.

nonbeliever [ˌnɑːnbɪˈliːvər] *n.* niewierząc-y/a.

non-belligerent [ˌnɑːnbəˈlɪdʒərənt] *a. form.* niewojujący, niewalczący.

non-biological [ˌnɑːnbaɪəˈlɑːdʒɪkl] *a.* (*także pot.* **non-bio**) nieenzymatyczny, nie zawierający enzymów (*o proszku do prania*).

non-breakable [ˌnɑːnˈbreɪkəbl] *a.* nietłukący.

nonbusiness [ˌnɑːnˈbɪznəs] *a.* niesłużbowy; niezawodowy.

nonce [nɑːns] *n. U* **for the ~** *lit. l. żart.* chwilowo, na razie; ad hoc.

nonce word *n.* wyraz okolicznościowy (*ukuty na jedną okazję*).

nonchalance [ˌnɑːnʃəˈlɑːns] *n. U* nonszalancja.

nonchalant [ˌnɑːnʃəˈlɑːnt] *a.* nonszalancki.

nonchalantly [ˌnɑːnʃəˈlɑːntlɪ] *adv.* nonszalancko.

nonclaim [ˌnɑːnˈkleɪm] *n. U prawn.* niezgłoszenie roszczenia w przepisanym terminie.

non-collegiate [ˌnɑːnkəˈliːdʒət] *uniw. a.* **1.** niezorganizowany w formie kolegiów (*o uczelni*). **2.** *Br.* nienależący do kolegium uniwersyteckiego (*o studencie*). – *n. Br.* student/ka nienależący do kolegium uniwersyteckiego.

non-com [ˈnɑːnˌkɑːm] *n. wojsk. pot.* podoficer.

noncombatant [ˌnɑːnkəmˈbætənt] *wojsk. a.* **1.** cywilny. **2.** niewalczący; nieliniowy. – *n.* **1.** cywil. **2.** żołnierz niewalczący *l.* nieliniowy (*np. lekarz l. kapelan*).

non-commissioned officer [ˌnɑːnkəˌmɪʃənd ˈɔːfɪsər] *n. wojsk.* podoficer.

non-committal [ˌnɑːnkəˈmɪtl] *a.* **1.** wymijający (*o odpowiedzi*). **2.** nieangażujący się (*o osobie*); niezajmujący zdecydowanego stanowiska (*about sth* w jakiejś sprawie).

noncommittally [ˌnɑːnkəˈmɪtlɪ] *adv.* wymijająco.

non-compliance [ˌnɑːnkəmˈplaɪəns] *n. U form.* niestosowanie się (*with sth* do czegoś), nieprzestrzeganie (*with sth* czegoś).

non compos mentis [ˌnɑːnˌkɑːmpəsˈmentəs] *a. pred. prawn.* niepoczytalny.

non-conductor [ˌnɑːnkənˈdʌktər] *n. fiz.* nieprzewodnik.

nonconformism [ˌnɑːnkənˈfɔːrmˌɪzəm] *n. U* **1.** (*także* **nonconformity**) nonkonformizm. **2.** (*także* **nonconformity**) niestosowanie się (*to/with sth* do czegoś). **3.** niezgoda. **4.** (*także* **N~**) *rel.* nonkonformizm.

nonconformist [ˌnɑːnkənˈfɔːrmɪst] *n.* **1.** nonkonformist-a/ka. **2.** (*także* **N~**) *rel.* nonkonformist-a/ka. – *a.* **1.** nonkonformistyczny. **2.** (*także* **N~**) *rel.* nonkonformistyczny.

non-content [ˈnɑːnkənˌtent] *n.* **1.** *Br. parl.* człon-ek/kini Izby Lordów głosując-y/a przeciwko ustawie. **2.** *form.* osoba niezadowolona.

non-contributory [ˌnɑːnkənˈtrɪbjəˌtɔːrɪ] *a. ubezp.* niewymagający płacenia składki przez pracownika (*o systemie emerytalnym*).

non-cooperation [ˌnɑːnkoʊˌɑːpəˈreɪʃən] *n. U* **1.** odmowa współpracy; brak współpracy. **2.** *polit.* bojkot polityczny, bierny opór (*w stosunku do władz*).

noncountable noun [ˌnɑːnˌkaʊntəbl ˈnaʊn] *n. gram.* rzeczownik niepoliczalny.

noncredit course [ˌnɑːnˌkredɪt ˈkɔːrs] *a. uniw., szkoln.* przedmiot, którego zaliczenie nie wchodzi w skład ogólnej sumy punktów wymaganych do uzyskania dyplomu *l.* promocji.

noncustodial [ˌnɑːnkəˈstoʊdɪəl] *a. prawn.* nieorzekający kary więzienia (*o wyroku*).

nondairy [ˌnɑːnˈdaɪərɪ] *a. gł. attr.* bezmleczny (*o produktach żywnościowych*).

nondeductible [ˌnɑːndɪˈdʌktəbl] *a. fin.* niedający się odpisać od podatku.

non-delivery [ˌnɑːndɪˈlɪvərɪ] *n. U handl., poczta* niedostarczenie; **in case of ~** w przypadku niedostarczenia.

nondescript [ˌnɑːndɪˈskrɪpt] *a.* nijaki (*o osobie, rzeczy*); nieokreślony, nijaki (*o kolorze*). – *n.* osoba nijaka.

non-drip [ˌnɑːnˈdrɪp], **nondrip** *a.* niekapiący (*o farbie*).

none [nʌn] *pron. z rzeczownikami policzalnymi* żaden, ani jeden; nikt; *z rzeczownikami niepoliczalnymi* ani trochę; nic; **~ at all** (*także* **~ whatsoever**) absolutnie żaden; absolutnie nic; **~ but him/her** *lit.* nikt oprócz niego/niej, jedynie on/a; **~ of my acquaintnaces** żaden z moich znajomych; **~ of us/you** nikt z nas/was; **~ other than X** *form.* nie kto inny, tylko X, X we własnej osobie; **bar ~** *form.* bez wyjątku; **have ~ of sth** nie chcieć słyszeć o czymś; **(it's) ~ of your business** *zob.* **business**; **second to ~** niemający sobie równych; **there's ~ left** nie zostało ani trochę; nie został ani jeden; **they have two cars and we have ~** oni mają dwa auta, a my żadnego. – *adv.* **1.** *z comp.* **~ the...** wcale nie..., bynajmniej nie...; **~ the better/worse** wcale nie lepiej/gorzej; **be ~ the better/worse for sth** nic nie zyskać/nie stracić na czymś; **I'm still ~ the wiser** nadal nic nie rozumiem. **2. ~ too...** niezbyt..., nie bardzo...; **~ too pleased/happy** niezbyt zadowolony/szczęśliwy; **~ too soon** w samą porę.

non-effective [ˌnɑːnɪˈfektɪv] *a.* **1.** nieefektywny. **2.** *wojsk.* nienadający się *l.* niezdolny do czynnej służby wojskowej. – *n.* żołnierz *l.* marynarz nienadający się do czynnej służby wojskowej.

non-effective service *n. U wojsk.* służba pozaliniowa.

non-elastic [ˌnɑːnɪˈlæstɪk] *a. dosł.* nieelastyczny.

non-elected [ˌnɑːnɪˈlektɪd] *a.* niewybieralny (*o urzędnikach*).

nonentity [nɑːˈnentətɪ] *n. pl.* **-ies** **1.** miernota, nikt, zero. **2.** rzecz nieistniejąca. **3.** *U* niebyt.

nonequivalence [ˌnɑːnɪˈkwɪvələns] *n. U t. log.* nierównoważność.

nones [noʊnz] *n. z czasownikiem w liczbie pojedynczej l. mnogiej* **1.** *kość.* nona. **2.** *hist., rachuba czasu* nony (*rzymskie*).

non-essential [ˌnɑːnɪˈsenʃl] *a.* zbędny, niekonieczny. – *n.* osoba zbędna; rzecz zbędna.

nonesuch [ˈnʌnˌsʌtʃ], **nonsuch** *n. sing. arch.* osoba niemająca sobie równych; rzecz niezrównana.

nonetheless [ˌnʌnðəˈles] *adv.* pomimo to, niemniej jednak.

non-Euclidean geometry [ˌnɑːnjuːˌklɪdɪən dʒiːˈɑːmɪtrɪ] *n. U* geometria nieeuklidesowa.

nonevent [nɑːnəˈvent] *n. zw. sing.* niewypał (= *wydarzenie niespełniające oczekiwań*).

non-existence [ˌnɑːnɪgˈzɪstəns] *n. U* nieistnienie, niebyt.

non-existent [ˌnɑːnɪgˈzɪstənt] *a.* nieistniejący. – *n.* rzecz nieistniejąca.

non-fat [ˌnɑːnˈfæt] *a.* beztłuszczowy, niezawierający tłuszczu.

non-fat milk *n. U* mleko chude.

non-feasance [ˌnɑːnˈfiːzəns] *n. C / U prawn.* zaniedbanie dopełnienia obowiązku.

non-ferrous [ˌnɑːnˈferəs] *a.* nieżelazny.

non-fiction [ˌnɑːnˈfɪkʃən] *n. U* literatura faktu. – *a.* (*także* **~al**) niebeletrystyczny.

non-finite [ˌnɑːnˈfaɪnaɪt] *a.* **1.** *gram.* nieosobowy (*o formie czasownika*). **2.** nieskończony.

non-flammable [ˌnɑːnˈflæməbl] *a.* niepalny.

non-identical [ˌnɑːnaɪˈdentɪkl] *a.* nieidentyczny.

non-intervention [ˌnɑːnˌɪntərˈvenʃən] *n. polit.* **1.** nieinterwencja. **2.** nieingerencja.

non-invasive [ˌnɑːnɪnˈveɪsɪv] *a. med.* nieinwazyjny.

noninvolvement [ˌnɑːnɪnˈvɑːlvmənt] *n. U* **1.** niezaangażowanie (*emocjonalne*). **2.** *polit.* niezaangażowanie; nieinterwencja.

noniron [ˌnɑːnˈaɪərn] *a. tk.* non-iron, nonajron, niegniotący się.

nonissue [ˌnɑːnˈɪʃuː] *n.* sprawa drugorzędna *l.* nieważna.

non-joinder [ˌnɑːnˈdʒɔɪndər] *n. prawn.* niewłączenie do sprawy w charakterze strony (*osoby, która powinna być włączona*).

non-judgmental [ˌnɑːnˌdʒʌdʒˈmentl], **non-judgemental** *a.* nieoceniający, nieferujący wyroków (*o osobie, podejściu*).

non-juror [ˌnɑːnˈdʒʊrər] *n.* **1.** *prawn.* osoba odmawiająca złożenia przysięgi. **2. N~** *hist.* duchowny angielski *l.* szkocki, który odmówił złożenia przysięgi wierności Wilhelmowi i Marii w r. 1689.

non-jury [ˌnɑːnˈdʒʊrɪ] *a. attr. prawn.* rozpoznawany bez udziału sądu przysięgłych (*o sprawie*).

nonlegal [ˌnɑːnˈliːgl] *a. prawn.* niemający charakteru prawnego.

nonlinear [ˌnɑːnˈlɪnɪər] *a. t. mat., el.* nieliniowy.

non liquet [ˌnɑːnˈlaɪkwət] *prawn. n.* werdykt sądu przysięgłych odraczający sprawę w przypadku istnienia wątpliwości. – *a.* niepewny, niejasny (*np. o dowodach*).

non-metal [ˌnɑːnˈmetl] *n. chem.* niemetal, pierwiastek niemetaliczny.

non-metallic [ˌnɑːnməˈtælɪk] *a.* **1.** niemetaliczny. **2.** niemetalowy.

non-moral [ˌnɑːnˈmɔːrəl] *a.* amoralny.

nonnative [ˌnɑːnˈneɪtɪv] *a.* obcy (*o osobie, języku*).

non-negotiable [ˌnɑːnnɪˈgoʊʃəbl] *a.* **1.** niepodlegający dyskusji (*np. o warunkach*). **2.** *fin., giełda* niezbywalny, nieprzenoszalny, nienadający się do obiegu (*o akcji, wekslu*).

no-no [ˈnoʊˌnoʊ] *n. pl.* **-s** *l.* **-'s** *pot.* **1.** rzecz zakazana. **2.** gafa.

no-nonsense [ˌnoʊˈnɑːnsens] *a. attr.* **1.** konkretny, rzeczowy (*o osobie, podejściu*). **2.** praktyczny; oszczędny; bez zbędnych ozdób *l.* dodatków (*np. o wyposażeniu*).

nonpareil [ˌnɑːnpəˈrel] *a. lit.* niezrównany. – *n.* **1.** *sing. lit.* osoba niemająca sobie równych; rzecz niezrównana. **2.** *pl. US kulin.* koraliki kolorowego cukru (*używane np. do dekoracji ciasta*). **3.** *gł. US* płaska czekoladka (*pokryta cukrem jw.*). **4.** *hist., druk.* nonparel (*stopień pisma*).

nonpartisan [ˌnɑːnˈpɑːrtəzən] *a. i n.* **1.** bezpartyjny. **2.** niezależny.

non-payment [ˌnɑːnˈpeɪmənt], **nonpayment** *n. U* niepłacenie; niezapłacenie (*of sth* czegoś).

nonperson [ˌnɑːnˈpɜːsən] *n.* nikt (= *osoba ignorowana*).

nonplus [ˌnɑːnˈplʌs] *v. zwł. Br.* **-ss-** konsternować, wprawiać w głębokie zakłopotanie. – *n. pl.* **-es** konsternacja, głębokie zakłopotanie.

nonplused [ˌnɑːnˈplʌst], *Br.* **nonplussed** *a.* skonsternowany, zakłopotany.

nonprescription [ˌnɑːnprɪˈskrɪpʃən] *a. attr. med.* (uzyskiwany) bez recepty (*o leku*).

nonproductive [ˌnɑːnprəˈdʌktɪv] *a.* **1.** nieprodukcyjny (*o pracowniku*). **2.** nieproduktywny (*np. o sposobie*).

nonprofessional [ˌnɑːnprəˈfeʃənl] *a.* nieprofesjonalny. – *n.* nieprofesjonalist-a/ka.

nonprofit [ˌnɑːnˈprɑːfɪt] *a.* (*także Br.* **non-profit-making**) nieobliczony na zysk, niezarobkowy, niedochodowy.

nonprofit organization *n.* organizacja o charakterze niezarobkowym.

non-proliferation [ˌnɑːnprəˌlɪfəˈreɪʃən], **nonproliferation** *n. U polit.* nierozprzestrzenianie, nieproliferacja; ~ **of nuclear weapons** nierozprzestrzenianie broni jądrowej.

non-pros [ˌnɑːnˈprɑːs] *v.* **-ss-** *prawn.* wydawać wyrok zaoczny przeciwko (*powodowi*).

non prosequitur [ˌnɑːnˌproʊˈsekwɪtər] *n. prawn.* wyrok zaoczny (*przeciwko powodowi*).

nonrenewable [ˌnɑːnrɪˈnjuːəbl] *a. ekol.* nieodnawialny (*o źródłach energii*).

nonresident [ˌnɑːnˈrezədənt] *a.* **1.** *uniw., szkoln.* zamiejscowy (*o studencie, uczniu*). **2.** dojeżdżający; dochodzący (*np. o pacjencie*). – *n.* **1.** student/ka zamiejscow-y/a. **2.** osoba niezamieszkująca (*w danej gminie, okręgu wyborczym*). **3.** *hotelarstwo* osoba niebędąca gościem hotelowym (*a korzystająca np. z hotelowej restauracji*).

nonresidential [ˌnɑːnˌrezəˈdenʃl] *a.* dzienny (*np. o opiece, kursie*).

nonresistance [ˌnɑːnrɪˈzɪstəns] *n. U* niestawianie oporu; bierne posłuszeństwo.

nonresistant [ˌnɑːnrɪˈzɪstənt] *a.* **1.** nieodporny (*to sth* na coś). **2.** biernie posłuszny.

nonrestrictive [ˌnɑːnrɪˈstrɪktɪv] *a.* bez ograniczeń.

nonrestrictive clause *a.* (*także* **nonrestrictive relative clause**) *gram.* zdanie (podrzędne) przydawkowe nieokreślające.

nonreturnable [ˌnɑːnrɪˈtɝːnəbl] *a.* niepodlegający zwrotowi (*np. o butelce, pojemniku; t. o zastawie, zaliczce*). – *n.* rzecz niepodlegająca zwrotowi (*zwł. butelka l. pojemnik*).

nonreturn valve [ˌnɑːnrɪˌtɝːn ˈvælv] *n. techn.* zawór zwrotny *l.* jednokierunkowy.

nonrigid [ˌnɑːnˈrɪdʒɪd] *a. form.* miękki.

nonrigid airship *n. lotn.* sterowiec miękki.

nonscheduled [ˌnɑːnˈskedʒuːld] *a.* **1.** *lotn.* funkcjonujący bez stałego rozkładu lotów (*o liniach lotniczych*). **2.** niezaplanowany.

nonsectarian [ˌnɑːnsekˈterɪən] *a. rel.* wielowyznaniowy.

nonsense [ˈnɑːnsens] *n. U l. sing.* nonsens, bzdura; bzdury, głupstwa; **~!** nonsens!, bzdura!; **absolute/complete/utter ~** kompletna *l.* wierutna bzdura; **a load of ~** stek bzdur; **it is (a) ~ to say (that)...** to nonsens twierdzić, że...; **make (a) ~ of sth** *Br. i Austr.* czynić coś bezsensownym, odbierać czemuś sens; **not stand any ~** (*także Br.* **stand no ~**) nie pozwalać na głupstwa (*from sb* komuś) (*zwł. o surowym nauczycielu*); **talk ~** mówić głupstwa, pleść bzdury, gadać od rzeczy.

nonsensical [ˌnɑːnˈsensɪkl] *a.* **1.** nonsensowny, bezsensowny, niedorzeczny (*o pomyśle, poglądach*). **2.** bezsensowny (*o słowach*).

nonsensically [ˌnɑːnˈsensɪklɪ] *adv.* **1.** nonsensownie, bezsensownie, niedorzecznie (*twierdzić*). **2.** bezsensownie (*mówić, pisać*).

non seq. *abbr.* = **non sequitur**.

non sequitur [ˌnɑːn ˈsekwɪtər] *n.* **1.** *log.* non sequitur, nielogiczny wniosek. **2.** stwierdzenie bez związku (*z tym, co je poprzedzało*).

nonsexist [ˌnɑːnˈseksɪst] *a.* nieseksistowski.

nonshrink [ˌnɑːnˈʃrɪŋk] *a. Br.* niekurczliwy.

nonskid [ˌnɑːnˈskɪd], **nonslip** [ˌnɑːnˈslɪp] *a.* nieślizgający się; przeciwślizgowy.

nonskid chain *n. mot.* łańcuch przeciwślizgowy.

nonsmoker [ˌnɑːnˈsmoʊkər] *n.* **1.** niepaląc-y/a. **2.** *kol.* przedział dla niepalących.

nonsmoking [ˌnɑːnˈsmoʊkɪŋ] *a. U* **1.** niepalący (*o osobie*). **2.** dla niepalących (*np. o sali*). **3.** *attr.* dotyczący zakazu palenia tytoniu (*np. o polityce*).

nonsolvency [nɑːnˈsɑːlvənsɪ] *n. U fin.* niewypłacalność.

nonsolvent [nɑːnˈsɑːlvənt] *a. fin.* niewypłacalny.

non-specific urethritis [ˌnɑːnspəˌsɪfɪk ˌjʊrəˈθraɪtɪs] *n. U* (*także* **NSU**) *pat.* zapalenie cewki moczowej nieswoiste.

nonstandard [ˌnɑːnˈstændərd] *a. t. jęz.* niestandardowy.

nonstarter [ˌnɑːnˈstɑːrtər] *n. zw. sing.* **1.** *pot.* kiepski pomysł; **be a ~** nie mieć szans na powodzenie (*o planie, pomyśle; t. o osobie*). **2.** *jeźdz.* koń, który nie wystartował w gonitwie, do której był zgłoszony.

nonstick [ˌnɑːnˈstɪk] *a.* teflonowy (*o naczyniu*).

nonstop [ˌnɑːnˈstɑːp] *a.* niekończący się; nieprzerwany, non stop; *lotn.* bezpośredni, non stop. – *a.* **1.** bez przerwy, non stop (*mówić*). **2.** bezpośrednio, non stop (*latać*).

nonsuch [ˈnɑːnˌsʌtʃ] *n.* = **nonesuch**.

nonsuit [ˌnɑːnˈsuːt] *n. C/U prawn.* wstrzymanie postępowania przez sędziego, gdy powód nie dostarczy dostatecznych dowodów, oddalenie powództwa. – *v.* oddalać powództwo (*czyjeś*).

nonsupport [ˌnɑːnsəˈpɔːrt] *n. U prawn.* niedostarczanie środków utrzymania.

nonsymmetric [ˌnɑːnsəˈmetrɪk] *a.* niesymetryczny.

nontaxable [ˌnɑːnˈtæksəbl] *a. fin.* niepodlegający opodatkowaniu.

non-U [ˌnɑːnˈjuː] *a. Br. i Austr. przest. pot.* pospolity (*o sposobie wyrażania się, zachowaniu*).

nonunion [ˌnɑːnˈjuːnɪən] *a.* **1.** niezwiązkowy. **2.** nienależący do związku zawodowego, niezrzeszony (*o pracowniku*). **3.** bez związków zawodowych (*o zakładzie pracy*). **4.** produkowany przez pracowników niezrzeszonych (*o towarach*). – *n. U pat.* brak zrostu kości.

nonunionist [ˌnɑːnˈjuːnɪənɪst] *n.* pracowni-k/ca nie należąc-y/a do związku zawodowego, pracowni-k/ca niezrzeszon-y/a.

nonverbal [ˌnɑːnˈvɝːbl] *a.* niewerbalny.

nonviable [ˌnɑːnˈvaɪəbl] *a.* **1.** niezdolny do przetrwania; *biol., pat.* niezdolny do przeżycia. **2.** niemożliwy do zrealizowania (*o planie, pomyśle*).

nonviolence [ˌnɑːnˈvaɪələns] *n. U* **1.** brak przemocy. **2.** postawa przeciwna używaniu siły.

nonviolent [ˌnɑːnˈvaɪələnt] *a.* bez użycia siły, pokojowy (*np. o demonstracji*).

nonviolently [ˌnɑːnˈvaɪələntlɪ] *adv.* bez użycia siły.

nonvoter [ˌnɑːnˈvoʊtər] *n. polit.* osoba niegłosująca *l.* nieposiadająca prawa głosu.

nonwhite [ˌnɑːnˈwaɪt] *zwł. S.Afr. a.* kolorowy (*o ludności*). – *n.* kolorow-y/a.

noodle[1] [ˈnuːdl] *n. zob.* **noodles**.

noodle[2] *US i Can. przest. pot. n.* **1.** łeb (*= głowa l. rozum*). **2.** cymbał. – *v.* improwizować (*na instrumencie*).

noodles [ˈnuːdlz] *n. pl.* makaron, kluski.

nook [nʊk] *n.* kąt; kącik; zakątek; **every ~ and cranny** wszystkie zakamarki.

nookie [ˈnʊkɪ], **nooky** *n. U sl.* seks.

noon [nuːn] *n. U* **1.** (*także* **~time**) południe; **morning, ~ and night** *zob.* **morning**. **2.** *przen. poet.* zenit; szczyt; kulminacja. – *a. attr.* południowy.

noonday [ˈnuːnˌdeɪ] *lit. n. U* południe. – *a. attr.* południowy.

no one [ˈnoʊ ˌwʌn] *pron.* = **nobody.**

noontide [ˈnuːnˌtaɪd] *n. U lit.* południe.

noontime [ˈnuːnˌtaɪm] *n.* = **noon** *n.* 1.

noose [nuːs] *n.* **1.** pętla. **2. the ~** stryczek (= *kara śmierci przez powieszenie*). **3.** *przen.* sidła, pułapka. **4.** *przen.* węzeł małżeński. – *v.* **1.** chwytać w pętlę. **2.** *przen.* łapać w sidła. **3.** robić pętlę na (*sznurze*). **4.** zarzucać (*sznur l. linę*) (*around sth* na coś).

Nootka [ˈnʊtkə] *n.* **1.** *pl.* **-s** *l.* **Nootka** członek/kini plemienia Nootka (*zamieszkującego gł. zachodnie wybrzeża Kanady*). **2.** *U* (język) nootka.

nopal [ˈnoʊpl] *n. bot.* **1.** kaktus z rodzaju *Nopalea.* **2.** kaktus (*Opuntia lindheimeri*).

no-par [ˈnoʊˌpɑːr] *a.* (*także* **~ value**) *fin.* bez wartości nominalnej (*o papierach wartościowych*).

nope [noʊp] *adv. pot.* nie.

noplace [ˈnoʊpleɪs], **no place** *adv. US i Can. pot.* nigdzie.

nor[1] [nɔːr] *conj.* **1.** ani; **neither... ~...** ani..., ani...; **he speaks neither English ~ French** nie mówi ani po angielsku, ani po francusku. **2.** *form.* i nie; **I told you that he had not made a mistake, ~ had he** powiedziałem ci, że on się nie omylił, i nie omylił się; **she never saw them again, ~ did she regret it** nigdy więcej ich nie widziała i nie żałowała tego. **3. ~ can/do I/we** *zwł. Br.* ja/my też nie.

nor[2] *prep. dial.* niż; **better ~ me** lepiej niż ja.

Nor. *abbr.* **1.** = **Norman. 2.** = **north. 3.** = **Norway;** = **Norwegian.**

NORAD [ˈnoʊræd] *abbr.* **North American Air Defence Command** *US wojsk.* Dowództwo Północnoamerykańskiej Obrony Powietrznej.

noradrenaline [ˌnɔːrəˈdrenəlɪn], **noradrenalin** *n. U biochem.* noradrenalina.

Noraid [ˈnɔːreɪd] *abbr.* **Irish Northern Aid Committee** *US* organizacja amerykańska pomagająca republikanom w Irlandii Północnej.

Nordic [ˈnɔːrdɪk] *antrop. a.* nordycki. – *n.* nordyk.

nor'easter [ˌnɔːrˈiːstər] *n.* = **northeaster.**

Norfolk jacket [ˌnɔːrfək ˈdʒækɪt] *n.* marynarka męska z paskiem.

NOR gate [ˈnɔːr ˌgeɪt] *n. el., komp.* bramka NIE-LUB, bramka NOR.

noria [ˈnɔːrɪə] *n. techn.* noria, podnośnik kubełkowy.

norland [ˈnɔːrlənd] *n. arch.* północ (*kraina*).

norm [nɔːrm] *n.* **1.** *t. mat., socjol.* norma. **2. be/become the ~** być/stać się regułą.

normal [ˈnɔːrml] *a.* **1.** normalny; **perfectly ~** zupełnie normalny. **2.** *chem.* jednonormalny (*o roztworze*); normalny (*o alkanie l. alkilu*). **3.** *geom.* prostopadły. – *n.* **1.** *U* norma (= *normalny stan, poziom, wielkość*); **above/below ~** powyżej/poniżej normy; **return to ~** wracać do normy. **2.** *fiz.* średnia. **3.** *geom.* prostopadła. **4.** *mat.* normalna.

normalcy [ˈnɔːrməlsɪ] *n. US* = **normality** 1.

normal distribution *n. stat.* rozkład normalny, rozkład Gaussa.

normality [nɔːrˈmælətɪ] *n. U* **1.** (*także US* **normalcy**) normalność. **2.** *chem.* normalność (*roztworu*), stężenie równoważnikowe.

normalization [ˌnɔːrmələˈzeɪʃən], *Br. i Austr. zw.* **normalisation** *n. U* normalizacja.

normalize [ˈnɔːrməˌlaɪz] *v.* **1.** normalizować, normować. **2.** ulegać normalizacji, normować się (*o stosunkach, temperaturze*). **3.** ujednolicać (*tekst*). **4.** *mat.* normować. **5.** *metal.* normalizować.

normally [ˈnɔːrmlɪ] *adv.* normalnie.

normal saline *n. U med.* roztwór fizjologiczny (*chlorku potasu*).

normal salt *n. chem.* sól obojętna.

normal valence *n. U chem.* wartościowość główna.

Norman [ˈnɔːrmən] *n.* **1.** *hist.* Norman/ka. **2.** mieszkan-iec/ka Normandii. – *a.* **1.** *hist.* normański. **2.** normandzki.

Norman Conquest *n. Br. hist.* podbój normański (*rozpoczęty w 1066 r. przez Wilhelma Zdobywcę*).

Normandy [ˈnɔːrməndɪ] *n. geogr.* Normandia.

Norman French *n. U jęz.* dialekt normandzki (*t. hist. – używany przez najeźdźców normańskich i ich potomków w średniowiecznej Anglii*).

Norman style *n. bud.* styl normandzki.

normative [ˈnɔːrmətɪv] *a.* normatywny.

normatively [ˈnɔːrmətɪvlɪ] *adv.* normatywnie.

normativeness [ˈnɔːrmətɪvnəs] *n. U* normatywność.

normothermia [ˌnɔːrməˈθɜːmɪə] *n. U fizj.* prawidłowa ciepłota ciała.

Norse [nɔːrs] *a.* **1.** staroskandynawski. **2.** norweski. – *n.* **1.** *U jęz.* grupa języków skandynawskich. **2. the ~** Norwegowie; *hist.* wikingowie.

Norseland [ˈnɔːrslənd] *n. lit.* Norwegia.

Norseman [ˈnɔːrsmən], **Northman** [ˈnɔːrθmən] *n. pl.* **-men 1.** Norweg. **2.** Skandynaw. **3.** *hist.* wiking.

north [nɔːrθ] *n. U* **the ~** północ; **to the ~ of sth** na północ od czegoś; **the N~** Północ (*w sensie polit. l. kulturalno-rel.*); *US* stany północne; **the Far ~** Daleka Północ. – *a. attr.* północny; **~ wind** wiatr północny. – *adv.* **1.** na północ (*of sth* od czegoś); w kierunku północnym. **2.** *arch.* z północy (*o kierunku wiatru*).

North Africa *n. geogr.* Afryka Północna.

North America *n. geogr.* Ameryka Północna.

North American *a.* północnoamerykański. – *n.* mieszkan-iec/ka Ameryki Północnej.

North Atlantic Treaty Organization *n.* (*także* **NATO**) *polit., wojsk.* Organizacja Paktu Północnoatlantyckiego.

northbound [ˈnɔːrθˌbaʊnd] *a.* zmierzający na północ, w kierunku północnym; zdążający na północ (*o ruchu*); prowadzący na północ (*o trasie, drodze*); *żegl.* idący na północ.

North Carolina *n. US* stan Północna Karolina.

North Country *n. geogr.* **1.** *US* region geograficzny i ekonomiczny złożony z Alaski i kanadyjskiego Terytorium Jukon. **2.** *Br.* północna część Anglii.

North Dakota *n.* *US* stan Północna Dakota.

northeast [ˌnɔːrθ'iːst] *n.* *U* północny wschód; **the ~** północny wschód *l.* północno-wschodnia część kraju. – *a. attr.* północno-wschodni. – *adv.* na północny wschód (*of sth* od czegoś).

northeaster [ˌnɔːrθ'iːstər] *n. meteor.* wiatr północno-wschodni; *żegl.* sztorm z północnego wschodu.

northeasterly [ˌnɔːrθ'iːstərlɪ] *a.* północno-wschodni (*o wietrze*). – *adv.* na północny wschód. – *n. pl.* **-ies** wiatr północno-wschodni.

northeastern [ˌnɔːrθ'iːstərn] *a.* północno-wschodni.

northeastward [ˌnɔːrθ'iːstwərd] *a.* (*także* **~ly**) północno-wschodni. – *adv.* (*także* **~ly, ~s**) na północny wschód.

norther ['nɔːrðər] *n. gł. płd. US meteor.* zimny wiatr północny.

northerly ['nɔːrðərlɪ] *a.* północny. – *adv.* na północ. – *n. pl.* **-ies** *meteor.* wiatr północny; *żegl.* sztorm z północy.

northern ['nɔːrðərn] *a.* północny.

northerner ['nɔːrðərnər] *n.* mieszkan-iec/ka północy.

northern hemisphere *n. sing.* półkula północna.

Northern Ireland *n. geogr., polit.* Irlandia Północna.

Northern Lights *n. pl.* **the ~** zorza polarna (*północna*).

northernmost ['nɔːrðərnˌmoʊst] *a. geogr.* wysunięty najdalej na północ.

Northern Territory *n. Austr. admin.* Terytorium Północne.

northing ['nɔːrθɪŋ] *n.* **1.** *astron., kartogr.* odchylenie na północ. **2.** *żegl.* kurs północny; droga przebyta kursem północnym.

North Korea *n. geogr., polit.* Korea Północna.

northland ['nɔːrθlənd] *n.* *U form.* północ (*danego kraju*).

Northman ['nɔːrθmən] *n. pl.* **-men** = **Norseman**.

North Pole *n.* **the ~** Biegun Północny.

North Sea *n.* **the ~** Morze Północne.

North Sea oil *n.* *U* ropa z Morza Północnego.

North Star *n. astron.* Gwiazda Polarna.

northward ['nɔːrθˌwɜːd] *a.* (*także* **~ly**) północny. – *n.* *U* północ. – *adv.* (*także* **~ly, ~s**) na północ.

northwest [ˌnɔːrθ'west] *n.* **the ~** północny zachód; **the N~** Północny Zachód (*Stanów Zjednoczonych, Kanady, Anglii*). – *a. attr.* północno-zachodni. – *adv.* na północny zachód (*of sth* od czegoś).

northwester [nɔːrθ'westər] *n. meteor.* wiatr północno-zachodni; *żegl.* sztorm z północnego zachodu.

northwesterly [ˌnɔːrθ'westərlɪ] *a.* północno-zachodni (*o wietrze*). – *adv.* na północny zachód. – *n. pl.* **-ies** *meteor.* wiatr północno-zachodni.

northwestern [ˌnɔːrθ'westərn] *a.* północno-zachodni.

northwestward [ˌnɔːrθ'westwərd] *a.* (*także* **~ly**) północno-zachodni. – *n.* północny zachód. – *adv.* (*także* **~ly, ~s**) na północny zachód.

Norw. *abbr.* = **Norway**; = **Norwegian**.

Norway ['nɔːrweɪ] *n. geogr.* Norwegia.

Norway maple *n. bot.* klon zwyczajny (*Acer platanoides*).

Norwegian [nɔːr'wiːdʒən] *a.* norweski. – *n.* **1.** Norwe-g/żka. **2.** *U* (język) norweski.

nor'wester [nɔːr'westər] *n.* **1.** *żegl.* kapelusz nieprzemakalny; płaszcz nieprzemakalny. **2.** *zwł. NZ* wiatr północno-zachodni. **3.** kieliszek (*mocnego alkoholu*).

nos., Nos. *abbr.* = **numbers**; *zob.* **number.**

n.o.s. [ˌen ˌoʊ 'en] *abbr.* **not otherwise specified** *handl.* niewymieniony w innej pozycji (*o towarze*).

nose [noʊz] *n.* **1.** nos (*t. przen.* = *węch, wyczucie*); **blow one's ~** wydmuchać nos; **have a good/bad ~** mieć dobry/zły węch (*zwł. o psie*); **have a good ~ for sth** *pot.* mieć (dobrego) nosa do czegoś. **2.** *U* bukiet (*wina*). **3.** przód (*samochodu*); nos, dziób (*samolotu*); głowica (*pocisku, rakiety*); dziób (*okrętu*). **4.** *przen.* **~ to tail** *zwł. Br. mot.* jeden za drugim (*o zaparkowanych samochodach*); bardzo wolny (*o ruchu samochodowym*); **cut off one's ~ to spite one's face** *zob.* **cut** *v.*; **follow one's ~** *zob.* **follow**; **get up sb's ~** *Br. i Austr. pot.* wkurzać kogoś; **have one's ~ in a book** *pot.* mieć nos w książce; **it's no skin off my ~** *zob.* **skin** *n.*; **keep one's ~ clean** *pot. zob.* **clean** *a.*; **keep one's ~ out of sth** *pot.* nie wtrącać się do czegoś *l.* w coś; **keep/have one's ~ to the grindstone** *zob.* **grindstone; lead sb (around) by the ~** *zob.* **lead**[1] *v.*; **look down one's ~ at sb/sth** *zob.* **look** *v.*; **on the ~** *zwł. US i Can.* dokładnie; **pay through the ~** *zob.* **pay** *v.*; **poke/stick one's ~ into sth** *pot.* wtykać w coś nos (= *wtrącać się*); **put sb's ~ out of joint** *zob.* **joint** *n.*; **rub sb's ~ in sth** *pot.* wypominać coś komuś; **see no further than the end of one's ~** *pot.* być krótkowidzem; nie widzieć dalej niż koniec własnego nosa; **thumb one's ~ at sb** *pot.* grać komuś na nosie; **turn up one's ~ at sth** *pot.* kręcić na coś nosem; wzgardzić czymś; **(right) under sb's ~** *pot.* pod (samym) nosem; **win by a ~** *pot.* wygrać o włos (*zwł. gonitwę konną*); **with one's ~ in the air** *pot.* zadzierając nosa. – *v.* **1.** dotykać *l.* pocierać nosem; popychać nosem. **2.** (*także* **~ one's way**) sunąć powoli. **3.** *t. przen.* węszyć (*after / for sth* za czymś). **4.** *przen.* **~ about/around** węszyć; **~ out** *pot.* wywęszyć (*informacje*); pokonać o włos.

nosebag ['noʊzˌbæg] *n.* torba z obrokiem (*na głowę konia*).

noseband ['noʊzˌbænd] *n.* (*także* **nosepiece**) *jeźdz.* nachrapnik.

nosebleed ['noʊzˌbliːd] *n. pat.* krwawienie z nosa.

nose candy *n.* *U US sl.* kokaina.

nose cap *n. lotn.* osłona piasty (*śmigła*).

nose cone *n. astronautyka, lotn. wojsk.* stożek ochronny (*rakiety, pocisku*).

nosedive ['noʊzˌdaɪv] *n.* (*także* **nose dive**) **1.** *lotn.* lot nurkowy. **2.** gwałtowny spadek (*zwł. cen*). – *v.* (*także* **nose-dive**) **1.** *lotn.* pikować (*o* *samolocie*). **2.** gwałtownie spadać (*np. o cenach*).

nose drops *n. pl. med.* krople do nosa.

nosegay ['nouz,geı] *n. przest.* bukiecik.

nose glasses *n. pl. US* binokle.

noseguard ['nouz,ga:rd] *n.* (*także* **nosetackle**) *futbol amerykański* blokujący.

nose job *n. chir. pot.* operacja plastyczna nosa.

nosepiece ['nouz,pi:s] *n.* **1.** *zbroja, hist.* płytka na nos (*u hełmu*). **2.** *opt.* oprawa obiektywu (*mikroskopu*). **3.** mostek (= *część okularów spoczywająca na nosie*). **4.** *jeźdz.* = **noseband**.

noserag ['nouz,ræg] *n. Br. sl.* smarkatka (= *chusteczka do nosa*).

nosering ['nouz,rıŋ] *n.* kółko do nosa.

nose stud *n.* kolczyk do nosa.

nosetackle ['nouz,tækl] *n.* = **noseguard**.

nose wheel *n. lotn.* koło przednie (*podwozia trzykołowego*).

nosey ['nouzı] *a.* = **nosy**.

nosh [na:ʃ] *pot. n.* **1.** *sing. gł. US* przekąska. **2.** *U gł. Br.* żarcie. **3.** *sing.* (*także* **~-up**) *Br.* wyżerka (= *solidny posiłek*). – *v.* **1.** *gł. US* przekąsić (*(on) sth* coś). **2.** *gł. Br.* pałaszować.

nosher ['na:ʃər] *n. pot.* gość (*w restauracji*).

no-show ['nou,ʃou] *n. pot.* **1.** osoba rezerwująca miejsce *l.* kupująca bilet, lecz niepojawiająca się w samolocie, na koncercie itp. **2.** osoba nieprzychodząca na umówione spotkanie.

no-side [,nou'saıd] *n. rugby* koniec gry.

nosily ['nouzılı] *adv.* wścibsko.

nosiness ['nouzınəs] *n. U* wścibstwo.

nosing ['nouzıŋ] *n. bud.* wystający zaokrąglony brzeg (*stopnia l. profilu sztukatorskiego*).

no-smoking [,nou'smo:kıŋ] *a.* dla niepalących.

nosocomial [,na:zə'koumıəl] *a. form.* szpitalny.

nosography [nou'sa:grəfı] *n. U med.* nozografia, systematyczny opis chorób.

nosology [nou'sa:lədʒı] *n. U med.* nozologia, klasyfikacja chorób.

nosophobia [,na:zə'foubıə] *n. U pat.* fobia choroby.

nostalgia [na:'stældʒə] *n. U* **1.** nostalgia; tęsknota (*for sth* za czymś). **2.** tęsknota za domem.

nostalgic [na:'stældʒık] *a.* **1.** nostalgiczny; **feel ~ for sth** tęsknić za czymś. **2.** tęskniący za domem.

nostalgically [na:'stældʒıklı] *adv.* nostalgicznie.

nostril ['na:strəl] *n. anat.* nozdrze.

nostrum ['na:strəm] *n.* **1.** *form.* rzekome lekarstwo (*zwł. na problemy społeczne l. polityczne*). **2.** *przest.* specyfik (*znachora*).

nosy ['nouzı], **nosey** *a.* **-ier, -iest** wścibski.

nosy parker *n. Br. pot.* osoba wścibska.

not [na:t] *adv.* nie; **~ all/everyone/always** nie wszyscy/każdy/zawsze; **~ a(n)/one...** ani jeden...; **~ a little/few** niemało, całkiem sporo; **~ at all** ani trochę, wcale nie; nie ma za co (*w odpowiedzi na podziękowanie*); **~ at all difficult** wcale nie trudny; **~ a word** ani słowa; **~ half** *zob.* **half** *adv.*; **~ me!** nie ja!; **~ many** niewiel-u/e, niedużo; **~ much** niewiele, niedużo; **~ now** nie teraz; **~ only..., but also...** nie tylko..., ale także...; **~ that I mind** nie, żebym miał coś przeciwko temu; **~ to say...** *Br.* żeby nie powiedzieć...; **~ without reason** nie bez powodu; **~ yet** jeszcze nie; **a ~ uncommon problem** *form.* nierzadki problem; **if ~** jeśli nie; **I hope/I'm afraid ~** mam nadzieję/obawiam się, że nie; **sth is ~ up to much** coś jest kiepskie.

nota bene [,noutə 'benı] *int. form.* notabene.

notability [,noutə'bılətı] *n.* **1.** *U* znaczenie. **2.** *pl.* **-ies** = **notable n.**

notable ['noutəbl] *a.* **1.** godny uwagi; znakomity, wybitny. **2.** *arch.* gospodarny. – *n.* dostojnik, notabl.

notably ['noutəblı] *adv.* **1.** w szczególności, zwłaszcza. **2.** wyraźnie.

notarial [nou'terıəl] *a. prawn.* notarialny.

notarization [,noutərə'zeıʃən] *Br. i Austr. zw.* **notarisation** *n. C/U prawn.* uwierzytelnienie notarialne.

notarize ['noutə,raız], *Br. i Austr. zw.* **notarise** *v. prawn.* uwierzytelniać notarialnie.

notary ['noutərı], **notary public** [,noutərı 'pʌblık] *n. pl.* **notaries (public)** *l.* **notary publics** notariusz/ka.

notation [nou'teıʃən] *n.* **1.** *C/U* notacja, zapis. **2.** notatka. **3.** *U* zapisywanie.

notch [na:tʃ] *n.* **1.** nacięcie; wycięcie; karb. **2.** *US i Can.* przesmyk; wąskie przejście. **3. a ~ above** *przen. pot.* o stopień *l.* klasę wyżej. – *v.* **1.** robić karby na (*czymś*), karbować. **2. ~ (up)** zaliczyć (*punkt, zwycięstwo*).

notch effect *n. bud., metal.* działanie karbu.

note [nout] *n.* **1.** notatka; **take ~s** robić notatki, notować. **2.** wiadomość (*pisemna*). **3.** (*także* **bank~**) banknot. **4.** *muz.* nuta. **5.** *sing. przen.* nuta, ton (*of sth* czegoś) (*np. ironii, sarkazmu*). **6.** przypis. **7.** nota (*dyplomatyczna*). **8.** zawiadomienie, awizo. **9.** *fin.* weksel; rewers, skrypt dłużny; **cash ~** asygnata kasowa, polecenie wypłaty; **credit/debit ~** nota kredytowa/debetowa; **promissory ~** (*także* **~ of hand**) weksel własny; skrypt dłużny. **10.** śpiew (*ptaka*); głos (*zwierzęcia*). **11.** sygnał (*np. trąbki*). **12.** *muz.* klawisz (*fortepianu, organów*). **13.** *arch., poet.* melodia. **14.** *przen.* **compare ~s** *pot.* wymienić poglądy (*on sth* na temat czegoś); **of ~** *form.* znaczący; ważny; **strike the right ~** uderzyć we właściwą strunę; **take ~ of sth** brać coś pod uwagę, zwracać uwagę na coś. – *v.* **1.** zauważyć. **2. ~ (down)** notować, zapisywać. **3.** *przen.* odnotowywać (*wydarzenie, fakt*). **4.** zwracać uwagę na, obserwować (pilnie). **5.** zwracać uwagę na, wspominać (*np. czyjś wysiłek, zasługi*). **6.** zaopatrywać w przypisy (*tekst*). **7.** *muz.* zapisywać nutami (*melodię*).

notebook ['nout,buk] *n.* **1.** notatnik, notes. **2.** *szkoln.* zeszyt. **3.** (*także* **~ computer**) *komp.* notebook.

notecase ['nout,keıs] *n. przest.* portfel.

noted ['noutıd] *a.* **1.** znany (*for sth* z czegoś). **2.** *attr.* zauważalny, wyraźny.

note of protest *n.* nota protestacyjna.

notepad [ˈnoʊtˌpæd] *n.* **1.** blok listowy. **2.** blok biurowy.

notepaper [ˈnoʊtˌpeɪpər] *n. U* papier listowy.

noteworthy [ˈnoʊtˌwɝːðɪ] *a.* **-ier, -iest** znaczący, godny uwagi.

NOT gate [ˈnɑːt ˌgeɪt] *n. el., komp.* bramka NIE, bramka NOT.

nothing [ˈnʌθɪŋ] *pron.* nic; ~ **at all** absolutnie nic; ~ **but** nic poza *l.* oprócz; ~ **but trouble/lies** same kłopoty/kłamstwa; ~ **doing** *pot.* nic z tego (*odmowa*); ~ **else** nic innego; ~ **if not** bez wątpienia, niewątpliwie; ~ **much** *pot.* niewiele; nic ważnego; ~ **new/special** nic nowego/specjalnego; ~ **of the kind/sort** nic podobnego; ~ **ventured,** ~ **gained** *zob.* **venture** *v.*; **all or** ~ wszystko albo nic; **be/go for** ~ spełznąć na niczym; **be/mean** ~ **to sb** nic dla kogoś nie znaczyć; **for** ~ za darmo, za nic; bez powodu; (*także* **all for** ~) na próżno; **have** ~ **on** nie mieć nic na sobie; nie mieć żadnych planów (*for* na) (*dany dzień*); **have** ~ **on sb/sth** *zob.* **have** *v.*; **have/be** ~ **to do with sb/sth** nie mieć nic wspólnego z kimś/czymś; **it's** ~ to nic takiego (= *nieważne, nic się nie stało*); **it's** ~ **to worry about** nie ma się czym martwić; **make** ~ **of sth** bagatelizować coś; nie móc się w czymś rozeznać; **next to** ~ tyle co nic; **sb will stop at** ~ nic kogoś nie powstrzyma; **that's** ~ **to you** nic ci do tego; **there's** ~ **for it but to do sth** nie pozostaje nic innego, jak tylko zrobić coś; **there's** ~ **in/to it** nie ma w tym ani odrobiny prawdy; **there's** ~ **like...** nie ma to, jak...; **(there's)** ~ **to it** to bardzo łatwe; **think** ~ **of it** (*także* **it was** ~) nie ma za co, żaden problem (*w odpowiedzi na podziękowanie*); **to say** ~ **of sb/sth** nie mówiąc (już) o kimś/czymś. – *n.* **1.** nikt, zero (*o osobie*). **2.** drobiazg, drobnostka; **sweet** ~**s** czułe słówka. – *adv.* wcale nie, w ogóle nie; ~ **less than...** (*także* ~ **short of...**) naprawdę, po prostu (*np. wspaniały*); co najmniej (*np. niegrzeczny*); **be** ~ **like sb/sth** ani trochę nie przypominać kogoś/czegoś.

nothingness [ˈnʌθɪŋnəs] *n. U* **1.** nicość; próżnia; pustka. **2.** bezwartościowość. **3.** nieświadomość. **4.** *C* rzecz bez wartości.

notice [ˈnoʊtɪs] *v.* **1.** zauważyć, zaobserwować, spostrzec (*t.* = *wspomnieć, skomentować*) (*that* że). **2.** zauważać, zwracać uwagę na (*osobę*). **3.** *form.* dawać wypowiedzenie (*komuś*). – *n.* **1.** ogłoszenie; obwieszczenie. **2.** *U* powiadomienie; ostrzeżenie; **advance** ~ wcześniejsze powiadomienie; **at short/a moment's** ~ bezzwłocznie, natychmiast; **at ten minutes'/two days'** ~ w ciągu dziesięciu minut/w terminie dwóch dni; **give sb** ~ powiadamiać kogoś z wyprzedzeniem (*of sth* o czymś); **serve** ~ *form.* powiadamiać, informować (*of sth* o czymś); **until further** ~ (aż) do odwołania; **upon** ~ po otrzymaniu zawiadomienia; **without** ~ bez uprzedzenia *l.* ostrzeżenia. **3.** *gł. Br.* wymówienie; **be given one's/a week's** ~ dostać (tygodniowe) wymówienie; **hand/give in one's** ~ składać wymówienie. **4.** *U* uwaga (*poświęcana komuś l. czemuś*); **bring sth to sb's** ~ zwracać na coś czyjąś uwagę; **escape sb's** ~ umykać czyjejś uwadze; **it has come to our** ~ **that...** *form.* dotarło do nas, że...; zwróciło naszą uwagę, że...; **take no** ~ **of sb/sth** nie zwracać uwagi na kogoś/coś. **5.** *zw. pl. Br. dzienn.* recenzja, omówienie (*np. książki, spektaklu*).

noticeable [ˈnoʊtɪsəbl] *a.* zauważalny, widoczny.

noticeably [ˈnoʊtɪsəblɪ] *adv.* zauważalnie, widocznie.

noticeboard [ˈnoʊtɪsˌbɔːrd] *n. Br. i Austr.* tablica ogłoszeń.

notice of receipt *n.* potwierdzenie odbioru, recepis.

notice of shipment *n.* zawiadomienie o wysyłce.

notice to pay *n.* wezwanie do zapłaty.

notice to quit *n. Br.* wypowiedzenie najmu, wezwanie do opuszczenia mieszkania.

notifiable [ˈnoʊtɪˌfaɪəbl] *a. med.* podlegający zgłoszeniu (*o chorobie zakaźnej*).

notification [ˌnoʊtəfəˈkeɪʃən] *n. C/U* zawiadomienie.

notify [ˈnoʊtəˌfaɪ] *v.* **-ied, -ying** **1.** powiadamiać (*sb of sth* kogoś o czymś). **2.** *gł. Br.* podawać do wiadomości, ogłaszać.

notion [ˈnoʊʃən] *n.* **1.** pojęcie; wyobrażenie; **have (only) a vague** ~ **of sth** mieć (zaledwie) blade pojęcie *l.* mgliste wyobrażenie o czymś. **2.** pogląd (*that* że); zapatrywanie. **3.** **have/take a** ~ **to do sth** *przest.* nagle zapragnąć coś zrobić. **4.** *pl. zob.* **notions**.

notional [ˈnoʊʃənl] *a.* **1.** spekulatywny (*o wiedzy, pracy*). **2.** *ekon.* hipotetyczny (*np. o dochodzie*). **3.** wyimaginowany. **4.** pojęciowy. **5.** *US i Can.* skłonny myśleć (*that* że); chimeryczny (*o osobie*). **6.** *gram.* leksykalny; semantyczny.

notions [ˈnoʊʃənz] *n. pl. gł. US i Can.* **1.** pasmanteria, artykuły pasmanteryjne. **2.** ładunek mieszany.

notochord [ˈnoʊtəˌkɔːrd] *n. zool.* struna grzbietowa.

notoriety [ˌnoʊtəˈraɪətɪ] *n. U* zła sława.

notorious [noʊˈtɔːrɪəs] *a.* **1.** notoryczny (*np. o przestępcy*); cieszący się złą sławą (*np. o miejscu*); ~ **for sth** słynący z czegoś (*złego*). **2.** *rzad.* powszechnie wiadomy *l.* znany.

notoriously [noʊˈtɔːrɪəslɪ] *adv.* notorycznie.

no-trump [ˌnoʊˈtrʌmp] *a. i n. U karty* (gra) bez atu.

notwithstanding [ˌnɑːtwɪðˈstændɪŋ] *form. prep.* pomimo (*czegoś*); ~ **their protests** (*także* **their protests** ~) pomimo ich protestów. – *adv.* jednakże, mimo wszystko, mimo to. – *conj.* chociaż; ~ **that** chociaż, pomimo tego, że.

nougat [ˈnuːgət] *n. U kulin.* nugat.

nought [nɔːt] *n.* **1.** = **naught** *n.* 1. **2.** *Br.* zero. – *adv. i a.* = **naught**.

noughts and crosses [ˌnɔːts ən ˈkrɔːsɪz] *n. pl. Br.* (gra w) kółko i krzyżyk.

noumenon [ˈnuːməˌnɑːn] *n. fil.* rzecz sama w sobie, noumenon.

noun [naʊn] *n. gram.* rzeczownik.

noun phrase *n. gram.* fraza rzeczownikowa *l.* nominalna, grupa rzeczownika *l.* nominalna.

nourish [ˈnɝːɪʃ] *v.* **1.** *t. przen.* odżywiać, karmić; ~ **o.s. on/with sth** odżywiać się czymś; **well-**

~**ed** dobrze odżywiony. **2.** umożliwiać rozwój (*np. miasta, lodowca*). **3.** *form.* żywić (*np. niechęć, nadzieję*); podtrzymywać (*np. uczucie, zwyczaj*).

nourishing ['nɜːɪʃɪŋ] *a.* pożywny.

nourishment ['nɜːɪʃmənt] *n. U* **1.** pożywienie, pokarm. **2.** żywienie, karmienie.

nous [nuːs] *n. U* **1.** *metafiz.* nous, umysł, rozum. **2.** *Br. i Austr. pot.* zdrowy rozsądek.

nouveau riche [nuːˌvoʊ 'riːʃ] *n. pl.* **nouveaux riches** [nuːˌvoʊ 'riːʃ] nuworysz/ka, nowobogack-i/a. – *a.* nuworyszowski, nowobogacki.

nouveau roman [nuːˌvoʊ roʊ'mɑːn] *n. pl.* **nouveaux romans** *teor. lit.* antypowieść.

nouvelle cuisine [ˌnuːvel kwɪ'ziːn] *n. U kulin.* nouvelle cuisine.

Nov, Nov. *abbr.* = **November.**

nova ['noʊvə] *n. pl.* **-s** *l.* **novae** ['noʊviː] *astron.* nowa.

Nova Scotia [ˌnoʊvə 'skoʊʃə] *n. geogr. Can.* Nowa Szkocja.

novation [noʊ'veɪʃən] *n. C / U prawn.* nowacja.

novel ['nɑːvl] *n.* **1.** powieść; **autobiographical/historical** ~ powieść autobiograficzna/historyczna; **the** ~ *teor. lit.* powieść (*gatunek*). **2.** *przest.* opowieść. **3.** *prawn.* nowela. – *a.* nowatorski.

novelette [ˌnɑːvə'let] *n.* **1.** *teor. lit.* krótka powieść, noweleta. **2.** *muz.* noweleta.

novelist ['nɑːvəlɪst] *n.* powieściopisa-rz/rka.

novelistic [ˌnɑːvə'lɪstɪk] *a.* powieściopisarski.

novelize ['nɑːvəˌlaɪz], *Br. i Austr. zw.* **novelise** *v.* przerabiać na powieść.

novella [noʊ'velə] *n. pl.* **-s** *l.* **novelle** [noʊ'veliː] **1.** opowieść. **2.** *teor. lit.* = **novelette.**

novelty ['nɑːvəltɪ] *n. pl.* **-ies** **1.** *C / U* nowość; innowacja. **2.** tani drobiazg (*np. maskotka l. artykuł biżuterii, zwł. jako prezent*). **3.** *U* nowatorstwo; oryginalność; nowość, świeżość; **the** ~ **of sth wears off** coś traci świeżość.

novelty value *n.* walor nowości; nowość (*przedmiotu*); świeżość (*pomysłu*).

November [noʊ'vembər] *n. C / U* listopad; *zob. t.* **February.**

novena [noʊ'viːnə] *n. pl.* **novenae** [noʊ'viːniː] *rz.-kat.* nowenna.

novercal [noʊ'vɜːkl] *a. rzad.* macoszy.

novice ['nɑːvɪs] *n. t. kośc.* nowicjusz/ka.

novitiate [noʊ'vɪʃɪət], **noviciate** *n. kośc.* **1.** nowicjat (*t.* = *pomieszczenie dla nowicjuszy*). **2.** nowicjusz/ka.

Novocaine ['noʊvəˌkeɪn] *n. U US med.* nowokaina.

NOW [ˌen ˌoʊ 'dʌbljuː] *abbr.* **National Organization for Women** *US* Krajowa Organizacja Kobiet.

now [naʊ] *adv.* teraz; obecnie; ~, **come on** no, daj spokój (*pocieszając*); ~, ~ no, spokojnie (*pocieszając*); *zwł. Br.* spokojnie (*upominając*); ~..., ~... *lit.* już to..., już to...; ~ **then** a więc, a zatem; ~ **you tell me!** (dopiero) teraz mi mówisz?! (*wyrażając irytację*); **(and)** ~ **for...** przejdźmy (teraz) do...; **any day** ~ lada dzień; **(every)** ~ **and again/then** co jakiś czas; **(it's)** ~ **or never** teraz albo nigdy; **not** ~ nie teraz (*odmawiając l. każąc poczekać*); **right** ~ w tej chwili; **she is leaving (just)** ~ właśnie wychodzi; **she left just** ~ wyszła przed chwilą; **(the) here and** ~ *zob.* **here; what is it** ~**?** o co chodzi tym razem? co znowu?. – *conj.* **1.** (*także* ~ **that**) teraz gdy, skoro (już). **2.** trzeba pamiętać, że (*wprowadzając nową informację*). **3.** (*także* **well,** ~) *pot.* otóż; tak (*zastanawiając się nad kontynuacją*). – *n. U* chwila obecna; **between** ~ **and Wednesday** (od teraz) do środy; **by** ~ teraz, w tej chwili; do tej pory; **for** ~ na teraz; **from** ~ **on** (*także* **as of/from** ~) od teraz, od tej pory; **in 5 days from** ~ za pięć dni. – *a. attr. pot.* obecny; aktualnie modny.

nowadays ['naʊəˌdeɪz] *adv.* obecnie, dzisiaj, w dzisiejszych czasach.

no way [ˌnoʊ 'weɪ] *adv. i int. pot.* nigdy w życiu; mowy nie ma.

noway ['noʊˌweɪ], **noways, nowise** ['noʊˌwaɪz] *adv. pot.* w żaden sposób; w ogóle.

nowel [noʊ'el], **nowell** *n. arch.* = **Noel.**

nowhence ['noʊˌwens] *adv. arch.* znikąd.

nowhere ['noʊˌwer] *adv.* nigdzie; donikąd (*np. zmierzać*); ~ **else** nigdzie indziej; ~ **near (as good/efficient etc)** nawet w przybliżeniu nie (tak dobry/wydajny itp.); **be** ~ *pot.* być daleko z tyłu (*np. w zawodach*); **sb is getting/going/heading** ~ **(fast)** *pot.* ciągle się komuś nie udaje; **they were** ~ **to be seen/heard** nie było ich widać/słychać; **this will get you** ~ *pot.* to ci nie pomoże (*w osiągnięciu sukcesu*). – *n. U* **from** ~ (*także* **out of** ~) znikąd; **in the middle of** ~ *pot.* w samym środku głuszy, gdzie diabeł mówi dobranoc.

nowheres ['noʊˌwerz] *adv. US dial.* = **nowhere.**

nowhither ['noʊˌwɪðər] *adv. arch.* nigdzie; donikąd.

no-win [ˌnoʊ'wɪn] *a. gł. attr. pot.* beznadziejny, bez szans na powodzenie *l.* sukces (*o sytuacji, pozycji*).

nowise ['noʊˌwaɪz] *adv.* = **noway(s).**

nowt [naʊt] *n. płn. Br. dial.* = **nothing** *n.*

noxious ['nɑːkʃəs] *a.* szkodliwy (*t. o ideach*); trujący (*np. o oparach*).

nozzle ['nɑːzl] *n.* **1.** dysza; końcówka wylotowa; **propelling** ~ *lotn.* dysza wylotowa silnika odrzutowego, dysza napędowa. **2.** oprawka świecy (*w świeczniku*). **3.** *sl.* kinol (= *nos*).

NP [ˌen 'piː] *abbr.* = **neuropsychiatric.**

N.P. [ˌen 'piː], **n.p., NP** *abbr.* = **notary public.**

NPR [ˌen ˌpiː 'ɑːr] *abbr.* **National Public Radio** *US* niekomercyjna sieć radiowa znana z wysokiej jakości programów informacyjnych i kulturalnych.

nr *abbr. Br.* (*w adresach*) = **near.**

NRA [ˌen ˌɑːr 'eɪ] *abbr.* **National Rifle Association** *US* organizacja zrzeszająca miłośników broni i sportu strzeleckiego (*prowadząca kampanię przeciwko ograniczaniu dostępu do broni*).

NS [ˌen 'es] *abbr.* **1.** (*także* **N.S.**) = **Nova Scotia.** **2.** **nuclear ship** N/s, n/s (*statek o napędzie jądrowym*). **3.** (*także* **n/s**) **not sufficient** niewystarczający; **not satisfactory** niedostateczny. **4.** (*także* **N.S.**) = **New Style.**

ns [ˌen ˈes] *abbr.* = **nanosecond.**

n.s., ns *abbr.* **1. new series** nowa seria. **2. not specified** nie wyszczególnione.

NSA [ˌen ˌes ˈeɪ] *abbr.* **National Security Agency** *US* Agencja Bezpieczeństwa Narodowego (*wchodząca w skład Departamentu Obrony i odpowiedzialna za kryptografię i łączność*).

NSC [ˌen ˌes ˈsiː] *abbr.* **National Security Council** *US* Krajowa Rada Bezpieczeństwa (*wchodząca w skład biura prezydenta*).

nsec *abbr.* = **nanosecond.**

NSF [ˌen ˌes ˈef] *abbr.* **National Science Foundation** *US* Narodowa Fundacja Nauki (*niezależna agencja rządowa wspomagająca badania i kształcenie w dziedzinie nauk ścisłych, społecznych i inżynierii*).

n.s.f. [ˌen ˌes ˈef], **N.S.F.** *abbr.* **not sufficient funds** *fin.* brak wystarczających środków.

NSPCA [ˌen ˌes ˌpiː ˌsiː ˈeɪ] *abbr.* **National Society for the Prevention of Cruelty to Animals** *US* Krajowe Stowarzyszenie Przeciwdziałania Okrucieństwu wobec Zwierząt.

NSPCC [ˌen ˌes ˌpiː ˌsiː ˈsiː] *abbr.* **National Society for the Prevention of Cruelty to Children** *Br.* Krajowe Stowarzyszenie Przeciwdziałania Okrucieństwu wobec Dzieci.

NSU [ˌen ˌes ˈjuː] *abbr. i n. U* = **non-specific urethritis.**

NSW [ˌen ˌes ˈdʌbljuː], **N.S.W.** *abbr.* = **New South Wales.**

NT [ˌen ˈtiː], **N.T.** *abbr.* **1.** *Bibl.* = **New Testament. 2.** *Austr.* = **Northern Territory.**

nth [enθ] *a. attr. pot.* n-ty, enty; **for the ~ time** po raz enty, po raz nie wiem który; **to the ~ degree** do kwadratu (= *bardzo, w najwyższym stopniu*); jak (tylko) się da.

nt. wt. *abbr.* = **net weight.**

nuance [ˈnuːɑːns] *n. C/U* niuans; odcień (*t. koloru, znaczenia*).

nuanced [ˈnuːɑːnst] *a.* cieniowany; o zróżnicowanym odcieniu.

nub [nʌb] *n.* **1. the ~ of the matter/problem** sedno *l.* istota sprawy/problemu. **2.** (*także* **nubble**) grudka, bryłka; kawałek; wypukłość, guzek.

nubbin [ˈnʌbɪn] *n. US i Can.* niekształtny owoc; niekształtna kolba kukurydzy.

nubble [ˈnʌbl] *n.* = **nub** 2.

nubbly [ˈnʌblɪ] *a.* **-ier, -iest 1.** grudkowaty, bryłkowaty. **2.** guzowaty.

nubby [ˈnʌbɪ] *a.* **-ier, -iest** guzkowaty.

Nubia [ˈnuːbɪə] *n. hist.* Nubia.

Nubian [ˈnuːbɪən] *a.* nubijski. – *n.* Nubijczyk/ka.

nubile [ˈnuːbl] *a. przest. l. żart.* **1.** dojrzały *l.* nadający się do małżeństwa. **2.** atrakcyjny (*seksualnie*), pociągający.

nucha [ˈnuːkə] *n. pl.* **nuchae** [ˈnuːkiː] *anat., zool.*, kark.

nuchal [ˈnuːkl] *a.* karkowy.

nuclear [ˈnuːkliːr] *a.* **1.** *fiz.* jądrowy, nuklearny. **2.** *biol.* jądrowy.

nuclear bomb *n. wojsk.* bomba jądrowa.

nuclear deterrent *n.* **the ~** *polit., wojsk.* straszak jądrowy.

nuclear disarmament *n. U wojsk.* rozbrojenie jądrowe.

nuclear energy *n. U fiz.* energia jądrowa.

nuclear family *n. socjol.* rodzina elementarna.

nuclear fission *n. U fiz.* rozszczepienie jądra (*atomowego*).

nuclear-free zone [ˌnuːkliːrˌfriː ˈzoʊn] *n.* obszar wolny od energii jądrowej (*zw. na terenie danego kraju*).

nuclear fusion *n. U fiz.* synteza jądrowa, fuzja.

nuclear physics *n. U* fizyka jądrowa.

nuclear point *n. fiz.* punkt zarodkowy (*krystalizacji*).

nuclear power plant, nuclear power station *n.* elektrownia jądrowa.

nuclear reaction *n.* reakcja jądrowa.

nuclear reactor *n.* (*także* **neuclear pile**) reaktor jądrowy *l.* atomowy.

nuclear test *n. wojsk.* próba jądrowa.

nuclear waste *n. U* odpady nuklearne.

nuclear weapon *n. wojsk.* broń jądrowa.

nuclear winter *n. wojsk.* zima nuklearna.

nuclei [ˈnuːklɪˌaɪ] *n. pl. zob.* **nucleus.**

nucleic acid [nʊˌkliːɪk ˈæsɪd] *n. U biochem.* kwas nukleinowy.

nucleolar [nʊˈkliːələr] *a. biol.* jąderkowy.

nucleolus [nʊˈkliːələs] *n. pl.* **nucleoli** [nʊˈkliːəlaɪ] *biol.* jąderko.

nucleon [ˈnuːklɪˌɑːn] *n. fiz.* nukleon.

nucleonics [ˌnuːklɪˈɑːnɪks] *n. U fiz.* nukleonika.

nucleon number *n. fiz., chem.* = **mass number.**

nucleus [ˈnuːklɪəs] *n. pl.* **-es** *l.* **nuclei** [ˈnuːklɪˌaɪ] **1.** *biol., fiz., astron.* jądro (*t. komety*); *chem.* pierścień (*w związkach organicznych*); *krystal.* zarodek *l.* jądro krystalizacji; *komp.* jądro *l.* trzon systemu (*operacyjnego*). **2.** *przen.* zaczątek (*of sth* czegoś) (*np. zbiorów, muzeum*).

nuclide [ˈnuːklaɪd] *n. fiz.* nuklid.

nuddy [ˈnʌdɪ] *n. U* **in the ~** *gł. Br. i Austr. pot.* golutki, golusieńki.

nude [nuːd] *a.* **1.** nagi, goły (*t. przen., np. o skałach*). **2.** *attr.* rozbierany (*np. o przyjęciu, scenach w filmie*); dla nudystów (*np. o plaży*); **~ picture/photograph** akt (*fotografia*). **3.** *prawn.* nieformalny (*o umowie, pakcie*). – *n.* **1.** naga postać; *mal., rzeźba* akt. **2.** *U* **in the ~** nagi; nago.

nudge [nʌdʒ] *v.* **1.** szturchać; trącać (*zwł. łokciem, dla zwrócenia uwagi*). **2.** *przen.* zachęcać (*sb into/towards sth* kogoś do czegoś). **3. be nudging...** *przen.* zbliżać się do... (*określonego wieku*); sięgać..., dochodzić do... (*określonej wysokości; zwł. o temperaturze*). – *n.* szturchnięcie (*zwł. łokciem*); **give sb a ~** szturchnąć kogoś.

nudism [ˈnuːdˌɪzəm] *n. U* nudyzm.

nudist [ˈnuːdɪst] *n.* nudyst-a/ka. – *a.* nudystyczny.

nudist colony *n. pl.* **-ies** kolonia nudystów.

nudity [ˈnuːdətɪ] *n. pl.* **-ies 1.** *U* nagość. **2.** *zwł. sztuka* naga postać; akt.

nugatory [ˈnuːgəˌtɔːrɪ] *a.* **1.** *form.* błahy; bezwartościowy. **2.** bezskuteczny. **3.** *prawn.* nieważny (*o akcie prawnym*).

nugget ['nʌgɪt] *n.* **1.** bryłka, grudka. **2.** bryłka, samorodek (*złota*). **3.** *kulin.* mały kawałek kurczaka *l.* ryby panierowany i smażony *l.* pieczony. **4.** *przen.* perła (*np. poezji*); **a ~ of wisdom/information** cenna myśl/informacja. **5.** *Austr.* przysadzista osoba; przysadziste zwierzę.

nuisance ['nu:səns] *n.* **1.** utrapienie, kłopot (*osoba, zwierzę l. rzecz*); niedogodność (*sytuacja*); **be a ~** (*także* **make a ~ of o.s.**) być utrapieniem, sprawiać kłopot; naprzykrzać się; **it's a real ~** to prawdziwe utrapienie; **what a ~!** a niech to!. **2.** *C / U prawn.* (*także* **public ~**) naruszenie porządku publicznego; **private ~** sąsiedzkie naruszenie posiadania.

NUJ [ˌen ˌju: 'dʒeɪ] *abbr.* **National Union of Journalists** *Br.* Krajowy Związek Dziennikarzy.

nuke [nu:k] *sl. v.* **1.** *wojsk.* atakować bronią jądrową. **2.** *zwł. US i Austr.* podgrzewać w mikrofali. – *n.* **1.** *wojsk.* bomba jądrowa; atak jądrowy; łódź podwodna o napędzie jądrowym. **2.** elektrownia jądrowa.

null [nʌl] *a.* **1.** (*także* **~ and void**) *prawn.* nieważny, nie posiadający mocy prawnej; **render sth ~ (and void)** unieważnić coś. **2.** bez znaczenia; bezwartościowy; bezużyteczny. **3.** nijaki; bez charakteru. **4.** nieistniejący; żaden; sprowadzający się do zera. **5.** *attr. mat.* zerowy (*o hipotezie, macierzy, ciągu*); pusty (*o zbiorze*). – *n. lit.* zero; wartość zerowa.

nullah ['nʌlə] *a. Anglo-Ind.* strumień; rów.

nullification [ˌnʌləfə'keɪʃən] *n. U* **1.** *prawn.* unieważnienie, anulowanie. **2.** przekreślenie (*zalet, wartości, przydatności*); odebranie (*korzyści, mocy*). **3.** *US prawn.* odmowa władz stanowych wprowadzenia w życie praw federalnych w obrębie stanu.

nullify ['nʌləˌfaɪ] *v.* **-ied, -ying 1.** *prawn.* unieważniać, anulować. **2.** przekreślać (*zalety, wartość, przydatność*); odbierać (*korzyści, moc*).

nullity ['nʌlətɪ] *n. pl.* **-ies 1.** *U prawn.* nieważność; **~ suit** proces o unieważnienie. **2.** nieważny akt.

null set *n. mat.* zbiór pusty; zbiór miary zero.

NUM [ˌen ˌju: 'em] *abbr.* **National Union of Mineworkers** *Br.* Krajowy Związek Górników.

num. *abbr.* **1.** = **number**. **2.** = **numeral**.

numb [nʌm] *a.* **1.** zdrętwiały; **~ with cold** zdrętwiały z zimna; **a ~ sensation** uczucie odrętwienia. **2.** *przen.* sparaliżowany; **~ with fear/grief** sparaliżowany z przerażenia/bólu. **3.** *przen.* głuchy (*to sth* na coś) (*np. na prośby*). – *v.* **1.** powodować drętwienie (*np. palców, stopy*). **2.** uśmierzać (*ból*). **3.** *przen.* paraliżować (*umysł, zmysły*).

number ['nʌmbər] *n.* **1.** *t. mat.* liczba; **even/odd ~** liczba parzysta/nieparzysta; **round ~** okrągła liczba. **2.** cyfra. **3.** numer (*np. domu, telefonu, czasopisma; t. = pozycja*); **a/the ~ 15 bus** autobus numer 15. **4.** *U gram.* liczba; **singular/plural ~** liczba pojedyncza/mnoga. **5.** *gram.* liczebnik; **cardinal/ordinal ~** liczebnik główny/porządkowy. **6.** utwór; część (*widowiska, opery, koncertu*). **7.** *sl.* numer (= *osoba, zwł. kobieta; t. = trick*). **8.** *sl.* skręt (*z marihuany*). **9.** *pot.* łaszek (*zwł. = sukienka*). **10.** *pl. zob.* **numbers**. **11. a ~ of people** *form.* pewna liczba osób; **a ~ of times** *form.* parę *l.* kilka razy; **a good ~ of...** (*także* **quite a ~ of...**) wiele...; **any ~ of people/times** wiele osób/razy; **for a ~ of reasons** z wielu powodów; **they are few in ~** jest ich niewielu. **12.** *przen.* **do a ~ on sb** *US sl.* dołożyć komuś (= *pokonać l. poniżyć*); wyciąć komuś numer (= *oszukać*); **do ~ one/two** *dziec. pot.* zrobić siusiu/kupę; **get/have sb's ~** *pot.* przejrzeć kogoś; **one of our ~** jeden z nas, jeden z członków naszej grupy; **sb's ~ is up/has come up** *pot.* ktoś jest skończony (= *musi umrzeć*); **without/beyond ~** *lit.* niezliczony; **wrong ~** *tel.* pomyłka. – *v.* **1.** numerować. **2.** liczyć (= *składać się z*). **3.** zaliczać (*among / in / with sb / sth* do kogoś/czegoś). **4.** zaliczać się (*with sb / sth* do kogoś/czegoś). **5.** wyliczać (*jeden po drugim*). **6.** liczyć, obliczać; **his days are ~ed** jego dni są policzone. **7. ~ off** *zwł. wojsk.* odliczać (*w kolejności*).

number crunching *n. U komp.* przetwarzanie danych liczbowych na dużą skalę.

numbering ['nʌmbərɪŋ] *n. U* numeracja.

numberless ['nʌmbərləs] *a.* niezliczony.

number one *n.* **1.** numer jeden (*t. na liście przebojów*). **2.** *pot.* najważniejsza osoba (*w organizacji itp.*). **3. look out for ~** *zob.* **look** *v.* – *a.* **1.** pierwszy. **2.** najważniejszy; najlepszy.

number plate *n. Br. i Austr. mot.* tablica rejestracyjna.

numbers ['nʌmbərz] *n. pl.* **1.** *zob.* **number** *n.* **2.** arytmetyka. **3.** (wielka) liczba; (wielka) ilość; **~ of people** wielka liczba osób; **in (large/vast) ~** (bardzo) licznie; w wielkiej ilości. **4.** *poet.* wiersze; *przest.* miara, metrum (*wiersza*). **5.** *arch., muz.* takty. **6. the ~** (*także* **~ game/racket**) *US* nielegalna loteria liczbowa (*w której zakłady dotyczą nieprzewidywalnej liczby, np. wysokości cen akcji*). **7.** *przen.* **be good at/with ~** mieć głowę do liczb; **by (sheer) force/weight of ~** (samą) liczebnością, dzięki przewadze liczebnej (*zwł. pokonać*); **by (the) ~** na komendę; ściśle według instrukcji (= *bez wyobraźni l. inwencji*).

number system *n.* (*także* **numeral system**) *mat.* system liczbowy.

Number Ten *n. Br.* siedziba premiera Wielkiej Brytanii (*mieszcząca się pod numerem 10 na Downing Street w Londynie*).

number theory *n. U mat.* teoria liczb.

numbfish ['nʌmˌfɪʃ] *n. icht.* drętwa (*rodzina Torpedinidae*).

numbing ['nʌmɪŋ] *a.* **1.** powodujący drętwienie *l.* odrętwienie. **2.** *przen.* paraliżujący.

numbles ['nʌmblz] *n. pl. arch.* podroby (*zwł. sarnie*).

numbly ['nʌmlɪ] *adv.* drętwo.

numbness ['nʌmnəs] *n. U* **1.** zdrętwienie, drętwota. **2.** *przen.* odrętwienie, otępienie.

numbskull ['nʌmˌskʌl] *n.* = **numskull**.

numerable ['nu:mərəbl] *a.* policzalny.

numeracy ['nu:mərəsɪ] *n.* *U* umiejętność liczenia.

numeral ['nu:mərəl] *a.* liczbowy. – *n.* **1.** cyfra; liczba (*pisana*). **2.** *gram.* liczebnik.

numeral system *n.* = **number system.**

numerary ['nu:məˌrerɪ] *a.* *form.* liczbowy, dotyczący liczb.

numerate *v.* ['nu:məˌreɪt] **1.** wyliczać. **2.** czytać (*wyrażenia liczbowe*). – *a.* ['nu:mərət] umiejący liczyć; **be ~** umieć liczyć.

numeration [ˌnu:mə'reɪʃən] *n.* **1.** *C / U* liczenie, obliczanie. **2.** *mat.* układ liczenia. **3.** *U* czytanie wyrażeń liczbowych.

numerator ['nu:məˌreɪtər] *n.* **1.** *mat.* licznik (*ułamka*). **2.** numerator, urządzenie numerujące.

numerical [nʊ'merɪkl], **numeric** [nʊ'merɪk] *a.* liczbowy, numeryczny.

numerical analysis *n.* *U* *mat.* analiza numeryczna.

numerical control *n.* *U* *techn.* sterowanie numeryczne *l.* cyfrowe.

numerical display *n.* *techn.* wskaźnik cyfrowy.

numerically [nʊ'merɪklɪ] *adv.* liczbowo.

numerical value *n.* *mat.* wartość liczbowa.

numerologist [ˌnu:mə'rɑ:ləgɪst] *n.* numerolo-g/żka.

numerology [ˌnu:mə'rɑ:ləgɪ] *n.* *U* numerologia.

numerous ['nu:mərəs] *a.* liczny.

numismatic [ˌnu:mɪz'mætɪk] *a.* numizmatyczny.

numismatics [ˌnu:mɪz'mætɪks] *n.* *U* numizmatyka.

numismatist [nʊ'mɪzmətɪst] *n.* numizmaty-k/czka.

nummary ['nʌmərɪ], **nummulary** ['nʌmjəˌlerɪ] *a.* *form.* **1.** pieniężny; monetarny. **2.** zajmujący się pieniędzmi.

nummet ['nʌmɪt] *n.* *Br.* *dial.* = **lunch.**

nummular ['nʌmjələr] *a.* *t. pat.* w kształcie monety, pieniążkowaty; rulonowaty (*o krwinkach czerwonych*).

nummulary ['nʌmjəˌlerɪ] *a.* = **nummary.**

nummulite ['nʌmjəˌlaɪt] *n.* *paleont.* numulit.

numnah ['nʌmnə], **numdah** ['nʌmdə] *n.* *Br.* **1.** *U* gruby filc (*zwł. produkowany w Indiach*); grube sukno. **2.** derka *l.* podkładka pod siodło.

numskull ['nʌmˌskʌl], **numbskull** *n.* *pot.* zakuta pała (= *głupiec, tępak*).

nun [nʌn] *n.* **1.** zakonnica. **2.** *Br.* *orn.* ozdobna odmiana gołębia domowego z piórkami na głowie; sikora modra (*Parus caeruleus*); szlacharek (*Mergus albellus*).

nun-buoy ['nʌnˌbɔɪ] *n.* *Br.* *żegl.* pława wrzecionowa *l.* stożkowa.

nunciature ['nʌnʃɪətʃər] *n.* *rz.-kat.* nuncjatura.

nuncio ['nʌnʃɪˌoʊ] *n.* *pl.* **-s** *rz.-kat.* nuncjusz (*papieski*).

nuncle ['nʌŋkl] *n.* *arch.* = **uncle.**

nuncupate ['nʌŋkju:ˌpeɪt] *v.* *prawn.* wyrażać ustnie (*testament, ostatnią wolę*).

nuncupative ['nʌŋkjəˌpeɪtɪv] *a.* ustny (*o testamencie*).

nunnery ['nʌnərɪ] *n.* *pl.* **-ies** *kość.* klasztor (*żeński*).

nun's cloth [ˌnʌnz 'klɔ:θ] *n.* *U* (*także* **nun's veiling**) *tk.* cienka tkanina używana na welony *l.* suknie.

nuptial ['nʌpʃl] *a.* *gł. attr.* **1.** *form. l. żart.* małżeński (*o przysiędze, łożu*); ślubny (*o ceremonii*). **2.** *zool.* godowy (*np. o upierzeniu*).

nuptials ['nʌpʃlz] *n. pl.* *form. l. żart.* zaślubiny.

nurd [nɝ:d] *n.* *Austr.* = **nerd.**

Nuremberg ['nʊrəmˌbɝ:g] *n.* *geogr.* Norymberga.

nurse [nɝ:s] *n.* **1.** pielęgnia-rz/rka. **2.** (*także* **~maid**) opiekunka do dzieci, niania. **3.** (*także* **wet ~**) *gł. hist.* mamka. **4.** *przen.* kolebka (*np. cywilizacji, wolności*). **5.** *zool.* robotnica (*u pszczół i mrówek, karmiąca młode*). – *v.* **1.** opiekować się (*kimś*), pielęgnować. **2.** karmić (piersią). **3.** ssać (pierś). **4.** opiekować się (*dzieckiem*), niańczyć (*dziecko*). **5.** leczyć (*zwł. przeziębienie; o chorym*); chronić, ochraniać (*np. zranioną kończynę*). **6.** tulić (w ramionach). **7.** troszczyć się o (*np. firmę, czasopismo*); zabiegać o względy (*wyborców*). **8.** smakować; oszczędzać (*napój itp.*). **9.** *przen.* żywić (*uczucie, urazę*). **10.** pracować jako pielęgnia-rz/rka. **11.** *bilard* trzymać tuż obok siebie (*bile*).

nurseling ['nɝ:slɪŋ] *n.* = **nursling.**

nursemaid ['nɝ:sˌmeɪd], **nurserymaid** *n.* = **nurse** 2.

nursery ['nɝ:sərɪ] *n.* *pl.* **-ies** **1.** żłobek. **2.** *przest.* pokój dziecinny. **3.** szkółka (*roślin*). **4.** = **nursery school.** **5.** *przen.* wylęgarnia (*np. pomysłów*).

nursery education *n.* *U* nauczanie początkowe *l.* przedszkolne.

nurserymaid ['nɝ:sərɪˌmeɪd] *n.* = **nursemaid.**

nurseryman ['nɝ:sərɪmən] *n.* *pl.* **-men** szkółkarz, osoba prowadząca szkółkę (*roślin*).

nursery rhyme *n.* wierszyk dla dzieci, rymowanka.

nursery school *n.* przedszkole.

nursery slope *n.* *Br.* *narty* ośla łączka.

nursery teacher *n.* przedszkolanka.

nursing ['nɝ:sɪŋ] *n.* *U* **1.** pielęgniarstwo. **2.** opieka pielęgniarska.

nursing bottle *n.* *zwł. US* butelka do karmienia.

nursing father *n.* *Bibl.* przybrany ojciec.

nursing home *n.* **1.** klinika prywatna. **2.** dom pogodnej starości.

nursing mother *n.* **1.** matka karmiąca. **2.** *Bibl.* przybrana matka.

nursling ['nɝ:slɪŋ], **nurseling** *n.* **1.** osesek. **2.** wychowan-ek/ka.

nurture ['nɝ:tʃər] *v.* **1.** żywić, karmić. **2.** wychowywać (*dziecko*). **3.** hodować (*roślinę*). **4.** kultywować (*np. talent, idee*). – *n.* *U form.* wychowanie; *biol.* czynniki środowiskowe (*w odróżnieniu od predyspozycji genetycznych*).

nurturer ['nɝ:tʃərər] *n.* *form.* wychowawca/czyni.

NUS [ˌen ˌju: 'es] *abbr.* *Br.* **1. National Union of Seamen** Krajowy Związek Marynarzy. **2. Na-**

tional Union of Students Krajowy Związek Studentów.

NUT [ˌen ˌjuː ˈtiː] *abbr.* **National Union of Teachers** *Br.* Krajowy Związek Nauczycieli.

nut [nʌt] *n.* **1.** *bot.* orzech. **2.** *techn.* nakrętka. **3.** *zwł. US pot.* świr (= *osoba głupia l. ekscentryczna*); *w złoż.* fanaty-k/czka, mania-k/czka; **tennis/movie ~** fanaty-k/czka tenisa/kina. **4.** *Br. i Austr. pot.* łeb (= *głowa l. umysł*). **5.** *Br. muz.* śruba (*smyczka*); szpic (*u skrzypiec, wiolonczeli*). **6.** *kulin.* okrągły pierniczek. **7.** *U US pot.* potrzebna forsa (*zwł. do rozkręcenia przedsięwzięcia*). **8.** *pl. zob.* **nuts. 9.** *przen.* **a hard/tough ~ to crack** twardy orzech do zgryzienia; **be off one's ~** *Br. pot.* mieć świra; **do one's ~** *Br. i Austr. sl.* wściec się. – *v.* **-tt- 1.** szukać orzechów; zbierać orzechy. **2.** *pot.* walnąć głową (*kogoś; zwł. w twarz*).

nutation [nuːˈteɪʃən] *n.* **1.** *form.* skinienie głową; *U* kiwanie głową. **2.** *U astron., bot., fiz.* nutacja.

nutbrown [ˌnʌtˈbraʊn] *a.* orzechowy; brązowy (*zwł. o kolorze oczu l. włosów*).

nutcase [ˈnʌtˌkeɪs] *n. pot.* świr.

nutcracker [ˈnʌtˌkrækər] *n.* **1.** *t. pl.* dziadek do orzechów. **2.** *orn.* orzechówka (*rodzaj Nucifraga*). **3.** *orn.* = **nuthatch.**

nutgall [ˈnʌtˌgɔːl] *n. bot.* galas (*narośl*).

nuthatch [ˈnʌtˌhætʃ] *n.* (*także* **nutcracker**) *orn.* kowalik, bargiel (*Sitta europaea l. inny ptak z rodziny Sittidae*).

nuthouse [ˈnʌtˌhaʊs] *n. sl.* wariatkowo, dom wariatów.

nutlet [ˈnʌtlət] *n.* **1.** mały orzech, orzeszek. **2.** pestka (*np. śliwki, wiśni*).

nutmeat [ˈnʌtˌmiːt] *n.* jądro orzecha (*zwł. jadalne*).

nutmeg [ˈnʌtˌmeg] *n.* **1.** *U kulin.* gałka muszkatołowa. **2.** *bot.* muszkatołowiec (*Myristica fragrans l. officinalis*). **3.** *U* kolor szarobrązowy.

nut oil *n. U* olej orzechowy.

nutria [ˈnuːtrɪə] **1.** *zool.* nutria (*Myocastor coypus*). **2.** *U* nutrie, futro z nutrii. **3.** *U* kolor brązowoszary.

nutrient [ˈnuːtrɪənt] *n.* składnik pokarmowy. – *a.* odżywczy.

nutriment [ˈnuːtrɪmənt] *n. C/U form.* **1.** pożywienie, pokarm. **2.** *przen.* pożywka.

nutrition [nʊˈtrɪʃən] *n. U* **1.** odżywianie (się). **2.** pożywienie, pokarm. **3.** technologia żywienia; dietetyka.

nutritional [nʊˈtrɪʃənl] *a.* **1.** żywieniowy. **2.** pokarmowy. **3.** odżywczy.

nutritionally [nʊˈtrɪʃənlɪ] *adv.* pod względem odżywczym.

nutritional requirements *n. pl. zootechnika* zapotrzebowanie pokarmowe.

nutritional standard *n.* poziom wyżywienia.

nutritional value *n. U* wartość odżywcza.

nutritionist [nʊˈtrɪʃənɪst] *n.* technolog żywienia, żywieniowiec; dietety-k/czka.

nutritious [nʊˈtrɪʃəs] *a.* pożywny.

nutritiously [nʊˈtrɪʃəslɪ] *adv.* pożywnie.

nutritiousness [nʊˈtrɪʃəsnəs] *n. U* pożywność.

nutritive [ˈnuːtrɪtɪv] *a.* **1.** pokarmowy; żywieniowy. **2.** *form.* odżywczy; pożywny. – *n. form.* pożywny pokarm.

nuts [nʌts] *a. pred. pot.* świrowaty, świrnięty; **be ~ about/on/over sb/sth** mieć świra na punkcie kogoś/czegoś (= *uwielbiać*); **go ~** świrować, dostawać świra (= *wariować*). – *int. przest. US pot.* wypchaj się!; **~ to you!** mam cię w nosie!. – *n. pl. zwł. US wulg. sl.* jaja (= *jądra*).

nuts and bolts *n. pl. pot.* szczegóły praktyczne.

nutshell [ˈnʌtˌʃel] *n.* **1.** łupina orzecha. **2. (to put it) in a ~** *przen.* (mówiąc) w skrócie.

nutter [ˈnʌtər] *n. Br. pot.* świr.

nuttiness [ˈnʌtɪnəs] *n. U* **1.** kolor orzechowy. **2.** *pot.* wariactwo.

nutty [ˈnʌtɪ] *a.* **-ier, -iest 1.** obfitujący w orzechy; zawierający orzechy. **2.** orzechowy, o smaku orzechowym. **3.** *pot.* świrnięty, stuknięty; **~ as a fruitcake** *pot.* zupełnie stuknięty.

nuzzle [ˈnʌzl] *v.* **1.** łasić się (do) (*kogoś; np. o psie*). **2. ~ (up)** tulić (się) (*against sb* do kogoś). **3.** ryć; popychać ryjem. – *n.* czuły uścisk.

NV *abbr.* = **Nevada.**

NW, N.W., n.w. *abbr.* = **northwest;** = **northwestern.**

NWT, N.W.T. *abbr.* **Northwest Territories** *Can.* Terytoria Północno-Zachodnie.

n.wt. *abbr.* = **net weight.**

NY, N.Y. *abbr.* = **New York.**

NYC *abbr.* = **New York City.**

nyctalopia [ˌnɪktəˈloʊpɪə] *n. U pat.* ślepota zmierzchowa.

nyctitropism [nɪkˈtɪtrəˌpɪzəm] *n. bot.* nyktitropizm.

nye [naɪ] *n.* = **nide.**

nylon [ˈnaɪlɑːn] *n.* **1.** *U* nylon. **2.** *pl.* pończochy nylonowe, nylony.

nymph [nɪmf] *n.* **1.** *mit.* nimfa. **2.** *ent.* poczwarka.

nymphet [ˈnɪmfɪt] *n. często żart.* nimfetka.

nympho [ˈnɪmfoʊ] *n. pl.* **-s** *pot.* = **nymphomaniac** *n.*

nymphomania [ˌnɪmfəˈmeɪnɪə] *n. U pat.* nimfomania.

nymphomaniac [ˌnɪmfəˈmeɪnɪˌæk] *n.* nimfomanka. – *a. pat.* **1.** charakterystyczny dla nimfomanii. **2.** cierpiący na nimfomanię.

NYSE [ˌen ˌwaɪ ˌes ˈiː] *abbr.* **New York Stock Exchange** Giełda Nowojorska.

nystagmus [nɪˈstægməs] *n. U pat.* oczopląs.

nystatin [ˈnɪstətɪn] *n. U med.* nystatyna.

NZ [ˌen ˈziː] *abbr.* = **New Zealand.**

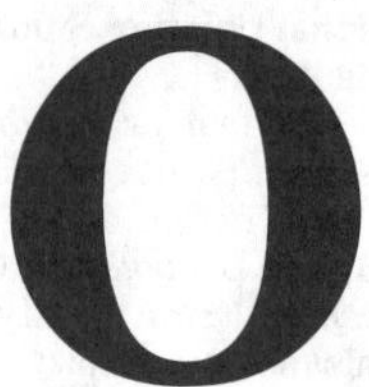

O [oʊ], **o** *n. pl.* **-'s** *l.* **-s** [oʊz] **1.** O, o (*litera l. głoska*). **2.** *t. tel.* zero (*przy podawaniu numerów*).

O *abbr. baseball* = **out**.

o [oʊ] *int.* o!.

O' [oʊ] *pref.* przedrostek w nazwiskach pochodzenia irlandzkiego.

o' [ə] *prep.* **1.** *arch. l. pot.* = **of**. **2.** *lit.* = **on**.

O. *abbr.* **1.** = **October**. **2.** *US* = **Ohio**. **3.** = **Ocean**.

o. *abbr.* **1.** (*także* **O.**) = **octavo**. **2.** (*także* **O.**) = **old**. **3.** = **only**. **4.** = **order**.

oaf [oʊf] *n.* **1.** prostak, cham. **2.** niezdara.

oafish ['oʊfɪʃ] *a.* **1.** prostacki, chamski. **2.** niezdarny.

oafishly ['oʊfɪʃlɪ] *adv.* **1.** po chamsku, prostacko. **2.** niezdarnie.

oak [oʊk] *n.* **1.** (*także* **~-tree**) dąb (*rodzaj Quercus*). **2.** *U* dąb, dębina (*drewno*). **3.** wieniec z liści dębu. – *a.* dębowy.

oak apple *n.* (*także* **oak gall**) dębianka, galasówka.

oaken ['oʊkən] *a.* dębowy.

oak leaf cluster *n. US wojsk.* liście dębowe (*jako oznaka powtórnego nadania tego samego odznaczenia*).

oakum ['oʊkəm] *n. U* targan, targaniec (= *pakuły ze starych lin*).

OAP [ˌoʊ ˌeɪ 'piː] *abbr.* **old age pensioner** *Br.* emeryt/ka.

oar [ɔːr] *n.* **1.** wiosło. **2.** wiośla-rz/rka. **3.** **put/stick one's ~ in** *zwł. Br. pot.* wtrącać swoje trzy grosze. – *v.* **1.** wiosłować. **2.** poruszać za pomocą wioseł (*np. łódź*).

oar blade *n.* pióro wiosła.

oared [ɔːrd] *a.* wyposażony w wiosła.

oarfish ['ɔːrˌfɪʃ] *n. pl.* **-fishes** *l.* **-fish** *icht.* duża ryba morska *Regalecus glesne*.

oarlock ['ɔːrˌlɑːk] *n. US i Can.* dulka (*do wiosła*).

oarsman ['ɔːrzmən] *n. pl.* **-men** wioślarz.

oarsmanship ['ɔːrzmənʃɪp] *n. U* sztuka wioślarska.

oarswoman ['ɔːrzˌwʊmən] *n. pl.* **-women** wioślarka.

OAS [ˌoʊ ˌeɪ 'es] *abbr.* **1. Organization of American States** Organizacja Państw Amerykańskich. **2. Organisation de l'Armee Secrete** *Fr.* tajna organizacja cywilno-wojskowa, walcząca w latach 1961-63 o utrzymanie w Algierii francuskich rządów kolonialnych.

oasis [oʊ'eɪsɪs] *n. pl.* **oases** [oʊ'eɪsiːs] *t. przen.* oaza.

oast [oʊst] *n. gł. Br.* piec do suszenia chmielu.

oast house *n.* suszarnia chmielu (*z piecami jw.*).

oat [oʊt] *n.* **1.** *U bot.* owies (*Avena sativa*). **2.** *pl. zob.* **oats**. **3.** *arch. l. poet.* piszczałka (*ze źdźbła owsa*).

oatcake ['oʊtˌkeɪk] *n.* herbatnik owsiany.

oaten ['oʊtən] *a.* owsiany.

oater ['oʊtər] *n. US sl. kino* western.

oat grass *n. U bot.* trawa z rodzaju *Arrhenatherum l. Danthonia.*

oath [oʊθ] *n. pl.* **-s** [oʊðz] **1.** przysięga; **be on/upon/under ~** być zaprzysiężonym; **under ~** (*także Br.* **on/upon ~**) pod przysięgą; **take/swear an ~** składać przysięgę, przysięgać. **2.** przekleństwo. **3.** *rel.* bluźnierstwo; użycie imienia boskiego bez uszanowania.

oath of allegiance *n.* przysięga wierności.

oath of office *n.* ślubowanie, przy obejmowaniu urzędu.

oatmeal ['oʊtˌmiːl] *n. U* **1.** *kulin. US* owsianka, płatki owsiane. **2.** kolor jasnokremowy. – *a.* jasnokremowy.

oats [oʊts] *n. pl.* **1.** owies (*ziarna*). **2.** *przen.* **be off one's ~** *Br. pot.* nie mieć apetytu; **feel one's ~** *US i Can.* czuć się pełnym energii; **get one's ~** *Br. pot.* bzykać się (= *mieć regularne stosunki*); **sow one's (wild) ~** *przest.* wyszumieć się (za młodu).

OAU [ˌoʊ ˌeɪ 'juː] *abbr.* **Organization of African Unity** *polit.* OJA (= *Organizacja Jedności Afrykańskiej*).

OB [ˌoʊ 'biː], **Ob.**, **ob.** *abbr.* = **obstetric**; = **obstetrician**; = **obstetrics**.

ob. *abbr.* **1. obiit** *Lat.* zm. (= *zmarł/a*). **2. obiter** *Lat.* przy okazji. **3.** *muz.* = **oboe**.

obduracy ['ɑːbdʊrəsɪ] *n. U* **1.** upartość; nieugiętość. **2.** zatwardziałość.

obdurate ['ɑːbdʊrɪt] *a.* **1.** uparty; nieugięty. **2.** zatwardziały.

obdurately ['ɑːbdʊrɪtlɪ] *adv.* **1.** uparcie; nieugięcie. **2.** zatwardziale.

obdurateness ['ɑːbdʊrɪtnəs] *n.* = **obduracy**.

OBE [ˌoʊ ˌbiː 'iː] *abbr.* **Order of the British Empire** *Br.* Order Imperium Brytyjskiego.

obeah ['oʊbɪə] *n. pl.* **-s** = **obi**[2].

obedience [oʊ'biːdɪəns] *n. U* **1.** posłuszeństwo; **in ~ to sth** zgodnie z czymś; **passive ~** bierne posłuszeństwo. **2.** *kość.* obediencja.

obedient [oʊ'biːdɪənt] *a.* **1.** posłuszny (*to sb*

komuś). 2. **your ~ servant** *arch. form.* Pański uniżony sługa (*w zakończeniu listu*).

obediently [oʊ'bi:dɪəntlɪ] *adv.* posłusznie.

obeisance [oʊ'beɪsəns] *n. form.* 1. *U* uniżoność. 2. głęboki ukłon; **make one's ~s to sb** *t. przen.* bić komuś pokłony, kłaniać się komuś nisko.

obeisant [oʊ'beɪsənt] *a. form.* uniżony.

obeli ['ɑ:bəlaɪ] *n. pl. zob.* **obelus.**

obelisk ['ɑ:bəlɪsk] *n.* 1. obelisk. 2. *druk.* krzyżyk (*odsyłacz*).

obelize ['ɑ:bəˌlaɪz], *Br. i Austr. zw.* **obelise** *v. druk.* oznaczać obelusem (*jako nieautentyczne*).

obelus ['ɑ:bələs] *n. pl.* **obeli** ['ɑ:bəlaɪ] 1. obelus (= *oznaczenie tekstu wątpliwego l. nieautentycznego wstawionego do oryginału*). 2. *druk.* = **obelisk** 2.

obese [oʊ'bi:s] *a.* otyły (*t. pat.*), opasły.

obesity [oʊ'bi:səti:] *n. U* otyłość (*t. pat.*), opasłość.

obey [oʊ'beɪ] *v.* 1. słuchać (*kogoś*), okazywać posłuszeństwo (*komuś*). 2. być posłusznym. 3. przestrzegać (*prawa, reguł*); wykonywać (*polecenia, rozkazy*); **~ a summons** *prawn.* zastosować się do wezwania sądowego. 4. (*o mechanizmie*) reagować na (*dotknięcie itp.*).

obfuscate [ɑ:b'fʌskeɪt] *v. form.* zaciemniać (*sprawę, prawdę, krajobraz*); zaćmić, zamroczyć (*umysł, ducha*); zamglić (*krajobraz, wzrok*).

obfuscation [ˌɑ:bfə'skeɪʃən] *n. U form.* zaciemnienie; zaćmienie, zamroczenie; zamglenie.

OB-GYN [ˌoʊ bi: ˌdʒi: waɪ 'en], **ob-gyn, ob/gyn** *n. zwł. US med. pot.* 1. ginekolog-położnik. 2. *U* położnictwo i ginekologia.

obi[1] ['oʊbɪ] *n. pl.* **-s** *l.* **obi** szarfa stanowiąca część tradycyjnego stroju japońskiego.

obi[2] *n. pl.* **-s** (*także* **obeah**) 1. *U* rodzaj czarów praktykowanych na Karaibach. 2. amulet; fetysz (*używany w obrzędach jw.*).

obit ['oʊbɪt] *a. pot.* 1. = **obituary** *n.* 2. *kośc.* rocznicowe nabożeństwo za duszę zmarłego.

obiter dictum [ˌoʊbətər 'dɪktəm] *n. pl.* **obiter dicta** [ˌoʊbətər 'dɪktə] *Lat.* 1. uwaga mimochodem. 2. *prawn.* niewiążąca opinia sędziego *l.* sądu.

obituary [oʊ'bɪtʃʊˌerɪ] *n. pl.* **-ies** (*także* **~ notice**) nekrolog. – *a. attr.* pośmiertny.

obj. *abbr.* 1. = **object.** 2. = **objection.** 3. = **objective.**

object *n.* ['ɑ:bdʒekt] 1. *t. przen.* przedmiot; obiekt; **an ~ of attention/desire** przedmiot uwagi/pożądania; **an ~ of ridicule** obiekt drwin; **glass/metal ~s** przedmioty szklane/metalowe; **unidentified flying ~** niezidentyfikowany obiekt latający. 2. *sing.* cel (*of sth* czegoś); **the ~ of the exercise is...** chodzi o to, żeby... 3. *gram.* dopełnienie; **direct/indirect ~** dopełnienie bliższe/dalsze. 4. *pot.* żałosny typ (*o osobie*). 5. **money is no ~** pieniądze nie grają roli (= *nie stanowią problemu*). – *v.* [əb'dʒekt] oponować (*that* że); sprzeciwiać się, być przeciwnym (*to sth* czemuś) protestować (*to sth* przeciwko czemuś); **I ~!** sprzeciw!, protestuję!; **I ~ to being spoken to like that!** nie życzę sobie, żeby zwracano się do mnie w ten sposób!; **would anyone ~ if we postponed the vote?** czy nikt nie miałby nic przeciwko temu, żebyśmy odłożyli głosowanie?

object at issue *n. prawn.* przedmiot sporu.

objectball ['ɑ:bdʒektˌbɔ:l] *n. zwł. bilard* kula, do której się celuje.

object code *n. U komp.* kod wynikowy.

object glass *n. opt.* obiektyw.

objectification [əbˌdʒektɪfə'keɪʃən] *n. U* obiektywizacja, uprzedmiotowienie.

objectify [əb'dʒektəˌfaɪ] *v.* **-ied, -ying** obiektywizować, uprzedmiotawiać.

objection [əb'dʒekʃən] *n.* 1. zastrzeżenie; zarzut; **have no ~(s)** nie mieć zastrzeżeń; **have no ~(s) to sth** nie mieć zastrzeżeń do czegoś, nie mieć czemuś nic do zarzucenia; nie mieć nic przeciwko czemuś. 2. *C/U* sprzeciw (*to/against sth* wobec czegoś); **overrule/sustain an ~** *prawn.* odrzucać/podtrzymywać sprzeciw; **raise/voice an ~** zgłaszać/wyrażać sprzeciw; **take ~ to sth** sprzeciwiać się czemuś, nie zgadzać się z czymś.

objectionable [əb'dʒekʃənəbl] *a.* naganny, nie do przyjęcia, nie na miejscu (*np. o zachowaniu, języku*); obraźliwy (*np. o uwadze*); nieprzyjemny (*o osobie*).

objectionableness [əb'dʒekʃənəblnəs] *n. U* naganność; obraźliwość.

objectionably [əb'dʒekʃənəblɪ] *adv.* nagannie; obraźliwie.

objective [əb'dʒektɪv] *n.* 1. *t. wojsk.* cel; **achieve/attain/meet an ~** osiągnąć cel; **main/prime ~** główny cel. 2. *gram.* biernik. 3. *opt.* obiektyw. – *a.* 1. obiektywny; przedmiotowy. 2. *gram.* dopełnieniowy.

objective case *n. gram.* biernik.

objective glass *n. opt.* obiektyw.

objectively [əb'dʒektɪvlɪ] *adv.* obiektywnie.

objectiveness [əb'dʒektɪvnəs] *n. U* obiektywność; przedmiotowość.

objective noise meter *n.* sonometr.

objective point *n. wojsk.* cel.

objectivism [əb'dʒektəˌvɪzəm] *n. U* obiektywizm.

objectivity [ˌɑ:bdʒek'tɪvətɪ] *n. U* 1. obiektywność, obiektywizm. 2. przedmiotowość. 3. *fil.* świat zewnętrzny; rzeczywistość materialna.

objectivize [əb'dʒektəˌvaɪz], *Br. i Austr. zw.* **objectivise** *v.* obiektywizować.

object language *n. komp.* język wynikowy.

object lens *n. opt.* obiektyw.

object lesson *n. t. przen.* lekcja poglądowa.

objector [əb'dʒektər] *n.* 1. przeciwni-k/czka (*to sth* czegoś). 2. **conscientious ~** osoba odmawiająca służby wojskowej ze względu na przekonania.

object-oriented [ˌɑ:bdʒekt'ɔ:rɪəntɪd] *a. komp.* obiektowy (*o programowaniu, języku*).

object plate *n. opt.* płytka przedmiotowa (*w mikroskopie*).

objet d'art [ɔ:bˌʒeɪ 'dɑ:r] *n. pl.* **objets d'art** [ɔ:bˌʒeɪ 'dɑ:r] *Fr.* dzieło sztuki.

objurgate ['ɑ:bdʒərˌgeɪt] *v. lit.* łajać.

objurgation [ˌɑ:bdʒər'geɪʃən] *n. U* łajanie.

objurgatory [əbˈdʒɜːgəˌtɔːrɪ] *a.* łający.

obl. *abbr.* **1.** = **oblique**. **2.** = **oblong**.

oblate [ˈɑːbleɪt] *a. geom.* spłaszczony. – *n. kośc.* oblat.

oblation [əˈbleɪʃən] *n. U kośc.* ofiara (*z chleba i wina w czasie Eucharystii; t. ogólnie dla Boga l. na zbożny cel*).

oblatory [ˈɑːbləˌtɔːrɪ] *a.* (*także* **oblational**) ofiarny.

obligate [ˈɑːbləˌgeɪt] *v. prawn. l. US form.* zobowiązywać (*sb to do sth* kogoś do zrobienia czegoś). – *a. biol.* przymusowy (*o pasożycie*).

obligation [ˌɑːbləˈgeɪʃən] *n. C/U* **1.** obowiązek; zobowiązanie; powinność; **a sense of ~** poczucie obowiązku; **be under an ~ to sb** być komuś zobowiązanym; **be under an ~ to do sth** być zobowiązanym coś zrobić; **contract an ~** zaciągnąć zobowiązanie; **discharge of an ~** wypełnienie zobowiązania; **exempt sb from an ~** zwolnić kogoś z obowiązku; **have an ~ to do sth** mieć obowiązek coś robić; **meet/fulfill one's ~s** wywiązywać się ze zobowiązań; **no ~ to buy** *handl.* bez obowiązku kupna; **of ~** *form.* obowiązkowy; obowiązujący; **put/place sb under an ~** zobowiązać kogoś. **2.** *prawn.* obowiązek, przymus prawny; **~ of a contract** moc obowiązująca umowy; **~ to give assistance** obowiązek udzielenia pomocy; **~ to pay** zobowiązanie do zapłaty, obowiązek płatności; **joint (and several) ~** zobowiązanie solidarne; **legal ~** zobowiązanie ustawowe; **mutual/reciprocal ~** zobowiązanie wzajemne. **3.** *prawn. fin.* obligacja, skrypt dłużny.

obligatory [əˈblɪgəˌtɔːrɪ] *a.* obowiązkowy (*np. o przedmiocie szkolnym, badaniu; t żart. o czymś modnym l. popularnym*).

oblige [əˈblaɪdʒ] *v. form.* **1.** *zw. pass. t. prawn.* zobowiązywać, obligować; **be ~d to sb for sth** być komuś zobowiązanym za coś; **feel ~d to do sth** czuć się zobowiązanym coś zrobić, czuć się zobligowanym do zrobienia czegoś; **I'd be ~d if...** byłbym (Pan-u/i) zobowiązany, gdyby...; **(I'm) much ~d (to you)!** *przest.* dziękuję (Pan-u/i) bardzo! **2.** **~ sb** wyświadczyć komuś przysługę *l.* grzeczność (*by doing sth* robiąc coś); **~ sb with sth** służyć komuś czymś; sprawiać komuś przyjemność czymś *l.* zrobieniem czegoś; **(I'd be) happy/ready to ~** (jestem) do usług.

obligee [ˌɑːbləˈdʒiː] *n. prawn.* wierzyciel/ka, strona uprawniona z umowy.

obliging [əˈblaɪdʒɪŋ] *a.* uczynny, usłużny; uprzejmy.

obligingly [əˈblaɪdʒɪŋlɪ] *adv.* usłużnie; uprzejmie.

obligor [ˌɑːbləˈgɔːr] *n. prawn.* dłużni-k/czka, osoba zobowiązana z umowy.

oblique [əˈbliːk] *a.* **1.** ukośny, skośny; pochyły, nachylony. **2.** *gł. attr.* z ukosa (*o spojrzeniu*); nie wprost (*np. o aluzji, komplemencie*); kręty, wymijający (*o odpowiedzi*). **3.** *gram.* zależny (*o przypadku*). **4.** niebezpośredni, okrężny (*o trasie*). **5.** *anat.* skośny (*o mięśniu*). – *n.* **1.** linia skośna *l.* ukośna. **2.** *anat.* mięsień skośny. **3.** (*także* **~ stroke**) *Br. i Austr. druk.* kreska pochyła. – *adv. wojsk.* pod kątem 45 stopni. – *v.* iść ukosem; *t. wojsk.* posuwać się ukosem.

oblique angle *n. geom.* kąt niebędący wielokrotnością prostego.

obliquely [əˈbliːklɪ] *adv.* **1.** ukośnie, skośnie; na ukos, po skosie. **2.** nie wprost, wymijająco (*np. odpowiedzieć*).

obliqueness [əˈbliːknəs] *n. U* **1.** ukośność, skośność; pochyłość, nachylenie. **2.** niejasność (*wypowiedzi, zachowania*).

oblique projection *n. U rysunek techn.* rzutowanie ukośne równoległe.

oblique triangle *n. geom.* trójkąt nieprostokątny.

obliquity [əˈblɪkwətɪ] *n. C/U pl.* **-ies** **1.** ukośność, skośność; pochyłość, nachylenie. **2.** odchylenie umysłowe, aberracja. **3.** niemoralne prowadzenie się *l.* zachowanie. **4.** niejasność (*wypowiedzi, zachowania*); niejasne stwierdzenie. **5.** (*także* **~ of the ecliptic**) *astron.* nachylenie ekliptyki.

obliterate [əˈblɪtəˌreɪt] *v.* **1.** zrównać z ziemią (*miejscowość*). **2.** zamazać (*pismo, kolory*); wymazać, usunąć (*wzmianki*); zatrzeć (*ślady*). **3.** wymazać z pamięci (*błąd, wspomnienie*); wymazać (*uczucie*).

obliteration [əˌblɪtəˈreɪʃən] *n. U* **1.** zrównanie z ziemią. **2.** zamazanie; wymazanie, usunięcie; zatarcie. **3.** wymazanie (z pamięci).

oblivion [əˈblɪvɪən] *n. U* **1.** niepamięć, zapomnienie; **consign sth to ~** skazywać coś na zapomnienie; **fade/fall/sink into ~** odchodzić w niepamięć, iść w zapomnienie; **seek ~** szukać zapomnienia (*in sth* w czymś) (*np. w alkoholu*). **2.** nieświadomość, stan nieświadomości. **3.** *prawn.* amnestia.

oblivious [əˈblɪvɪəs] *a. pred.* **1.** **~ of/to sth** nieświadom czegoś. **2.** nieuważny; zapominalski; **~ of sth** niepomny na coś. **3.** *poet.* dający zapomnienie.

obliviously [əˈblɪvɪəslɪ] *adv.* **1.** nieświadomie. **2.** nieuważnie.

obliviousness [əˈblɪvɪəsnəs] *n. U* **1.** nieświadomość (*to sth* czegoś). **2.** nieuwaga; niezwracanie uwagi (*to sth* na coś).

oblong [ˈɑːbˌlɔːŋ] *a.* **1.** podłużny. **2.** prostokątny. – *n.* **1.** podłużna figura; podłużny przedmiot. **2.** prostokąt.

obloquy [ˈɑːbləkwɪ] *n. U lit.* **1.** obmowa. **2.** niesława.

obnoxious [əbˈnɑːkʃəs] *a.* **1.** okropny, wstrętny, ohydny (*o zachowaniu, osobie, zapachu*). **2.** *arch.* narażony (*to sth* na coś).

o.b.o. [ˌoʊ ˌbiː ˈoʊ] *abbr.* **or best offer** *US* lub najwyższa oferta (*w ogłoszeniach*).

oboe [ˈoʊboʊ] *n. muz.* obój (*t. rejestr organowy*).

oboist [ˈoʊboʊɪst] *n.* oboist-a/ka.

obol [ˈɑːbl] *n. hist.* obol (*moneta*).

obovate [ɑːbˈoʊveɪt] *a. bot.* odwrotnie jajowaty (*o liściu*).

obs. *abbr.* **1.** = **obscure**. **2.** = **observation**. **3.** (*także* **Obs.**) = **observatory**. **4.** **obsolete** przest. (=*przestarzały*). **5.** *med.* = **obstetric**; = **obstetrician**; = **obstetrics**.

obscene [əb'si:n] *a.* nieprzyzwoity, sprośny, obsceniczny; ohydny, wstrętny, obrzydliwy; plugawy.

obscenely [əb'si:nlı] *adv.* nieprzyzwoicie, sprośnie, obscenicznie; ohydnie, wstrętnie, obrzydliwie.

obsceneness [əb'si:nnəs] *n. U* = **obscenity** 1.

obscenity [əb'senətı] *n. pl.* **-ies** **1.** *U* nieprzyzwoitość, sprośność, obsceniczność; ohyda, obrzydliwość; plugastwo. **2.** *zw. pl.* brzydki wyraz; plugastwo, świństwo.

obscurant [əb'skjʊrənt] *n. i a. lit.* = **obscurantist**.

obscurantism [əb'skjʊrənˌtızəm] *n. U* obskurantyzm, wstecznictwo.

obscurantist [əb'skjʊrəntıst] *n.* obskurant/ka, wsteczni-k/czka. – *a.* obskurancki.

obscuration [ˌɑ:bskjʊ'reıʃən] *n.* **1.** *C/U astron.* zaćmienie. **2.** *przen.* zaciemnienie, przyćmienie (*np. wizji, rozumienia*).

obscure [əb'skjʊr] *a.* **1.** mało znany (*o artyście, miejscu*). **2.** niejasny (*o sprawie, motywach*). **3.** niewyraźny, słabo widoczny (*o kształcie, postaci*); niewyraźny, słabo słyszalny (*o dźwięku*). **4.** ukryty (*o miejscu, błędzie*). **5.** *jęz.* zredukowany (*o samogłosce*). – *v.* **1.** zaciemniać; przyciemniać. **2.** przysłaniać; ukrywać. **3.** czynić niewyraźnym. **4.** przyćmiewać. **5.** *jęz.* redukować (*samogłoskę*). – *n. U rzad.* = **obscurity**.

obscurely [əb'skjʊrlı] *adv.* **1.** niejasno (*np. tłumaczyć*); niewyraźnie (*np. widzieć*). **2.** ciemno; niewyraźnie (*np. namalować*).

obscurity [əb'skjʊrətı] *n. pl.* **-ies** **1.** *U* zapomnienie, zapoznanie; **sink into ~** popaść w zapomnienie. **2.** *C/U* niejasność. **3.** *U lit.* ciemność, mrok.

obsecrate ['ɑ:bsəˌkreıt] *v. arch.* błagać (*Boga l. ważną osobę*).

obsecration [ˌɑ:bsə'kreıʃən] *n. C/U arch.* błaganie.

obsequies ['ɑ:bsəkwız] *n. pl.* obrzędy żałobne *l.* pogrzebowe; ceremonia pogrzebu.

obsequious [əb'si:kwıəs] *a.* **1.** służalczy. **2.** *rzad.* spolegliwy.

obsequiously [əb'si:kwıəslı] *adv.* **1.** służalczo. **2.** *rzad.* spolegliwie.

obsequiousness [əb'si:kwıəsnəs] *n. U* **1.** służalczość. **2.** *rzad.* spolegliwość.

observable [əb'zɝ:vəbl] *a.* **1.** widoczny, zauważalny, dający się zauważyć. **2.** *arch.* godny uwagi. **3.** *arch.* wymagający przestrzegania *l.* respektowania (*np. o zwyczaju*). – *n. fiz.* obserwabla.

observably [əb'zɝ:vəblı] *adv.* widocznie, zauważalnie, wyraźnie.

observance [əb'zɝ:vəns] *n.* **1.** *U* przestrzeganie (*prawa, ustaw*); zachowywanie (*zwyczajów*); obchodzenie (*świąt*); spełnianie (*obowiązków*). **2.** *zwł. rel.* obrzęd; rytuał. **3.** obserwacja, uwaga. **4.** *rz.-kat.* reguła (*zakonna*); zakon. **5.** *U arch.* szacunek.

observant [əb'zɝ:vənt] *a.* **1.** spostrzegawczy; uważny, skrupulatny. **2. be ~ of** przestrzegać (*prawa, ustaw*); zachowywać (*zwyczaj*); obchodzić (*święto*); spełniać (*obowiązek*).

observation [ˌɑ:bzɝ:'veıʃən] *n.* **1.** *C/U t. astron., wojsk.* obserwacja; **be under ~** *med.* być pod obserwacją; **escape ~** uniknąć bycia zauważonym; **powers of ~** zmysł obserwacji. **2.** uwaga, spostrzeżenie, obserwacja. **3.** *U przest.* = **observance**.

observational [ˌɑ:bzɝ:'veıʃənl] *a.* obserwacyjny.

observation car *n. kol.* wagon widokowy (*z dużymi oknami l. kopułą ułatwiającą obserwowanie krajobrazu*).

observation error *n. metrologia* błąd obserwacji.

observation post *n. zwł. wojsk.* punkt obserwacyjny.

observatory [əb'zɝ:vəˌtɔ:rı] *n. pl.* **-ies** *zwł. astron.* obserwatorium.

observe [əb'zɝ:v] *v.* **1.** obserwować. **2.** *form.* zauważać, spostrzegać; **~ sb do sth** zauważyć *l.* spostrzec, jak ktoś coś robi. **3.** *form.* zauważyć (*słownie*) (*that* że); **~ on/upon sth** uczynić uwagę na temat czegoś. **4.** przestrzegać (*prawa, ustaw*); spełniać (*obowiązki*). **5.** zachowywać (*zwyczaj, ciszę*); obchodzić (*święto*).

observer [əb'zɝ:vər] *n.* obserwator/ka; **casual ~** przygodny widz.

observer's error [əb'zɝ:vərz ˌerər] *n. metrologia* błąd osobowy.

observer's horizon *n. metrologia* horyzont fizyczny.

observer's paradox *n. nauka, fil.* paradoks obserwatora.

obsess [əb'ses] *v.* **1. be ~ed with sb/sth** mieć obsesję na punkcie kogoś/czegoś. **2.** *zw. pass.* prześladować, dręczyć (*zwł. o myślach*); opętać. **3. ~ over/about** *gł. US* mieć obsesję na punkcie (*kogoś l. czegoś*); zadręczać się (*czymś*).

obsession [əb'seʃən] *n. C/U* **1.** obsesja (*with/about sb/sth* na punkcie kogoś/czegoś). **2.** opętanie.

obsessive [əb'sesıv] *a.* **1.** (*także* **obsessional**) obsesyjny, chorobliwy (*np. o zachowaniu, pragnieniu*). **2. be ~ about sb/sth** mieć obsesję na punkcie kogoś/czegoś. – *n. pat.* osoba dotknięta obsesją.

obsessive-compulsive disorder [əbˌsesıv kəmˌpʌlsıv dıs'ɔ:rdər] *n. pat.* zespół obsesyjno-kompulsywny (= *natręctwa myślowe i czynności przymusowe*).

obsessively [əb'sesıvlı] *adv.* obsesyjnie, chorobliwie.

obsidian [əb'sıdıən] *n. U min.* obsydian (*szkliwo wulkaniczne*).

obsolesce [ˌɑ:bsə'les] *v.* wychodzić z użycia.

obsolescence [ˌɑ:bsə'lesəns] *n. U* **1.** starzenie się (*np. maszyn*); wychodzenie z użycia (*np. produktów, wyrazów*). **2. planned/built-in ~** *handl.* żywotność (*urządzenia*).

obsolescent [ˌɑ:bsə'lesənt] *a.* **1.** wychodzący z użycia. **2.** *biol.* zanikający (*o organie*).

obsolete [ˌɑ:bsə'li:t] *a.* **1.** przestarzały; **render**

sth ~ uczynić coś przestarzałym. **2.** *biol.* szczątkowy.

obstacle [ˈɑːbstəkl] *n. t. przen.* przeszkoda (*to sth* na drodze do czegoś); **come across/encounter an** ~ napotkać przeszkodę; **overcome an** ~ pokonać przeszkodę; **put ~s in the way of sth** stawiać przeszkody na drodze do czegoś; **present an** ~ stanowić przeszkodę.

obstacle course *n.* **1.** *sport l. przen.* tor przeszkód. **2.** *US wojsk.* teren z przeszkodami (*do szkolenia oddziałów szturmowych*).

obstacle race *n. sport* bieg z przeszkodami.

obstet. *abbr.* = **obstetric**; = **obstetrics**.

obstetric [əbˈstetrɪk], **obstetrical** [əbˈstetrɪkl] *a. med.* położniczy.

obstetrician [ˌɑːbstəˈtrɪʃən] *n. med.* położni-k/czka.

obstetrics [əbˈstetrɪks] *n. U med.* położnictwo.

obstinacy [ˈɑːbstənəsɪ] *n. U* **1.** upór. **2.** *pat.* uporczywość.

obstinate [ˈɑːbstənɪt] *a.* **1.** uparty. **2.** *attr. pat.* uporczywy (*np. o kaszlu*).

obstipation [ˌɑːbstəˈpeɪʃən] *n. U pat.* zaparcie, zatwardzenie.

obstreperous [əbˈstrepərəs] *a. form.* **1.** niesforny. **2.** hałaśliwy.

obstreperously [əbˈstrepərəslɪ] *adv. form.* **1.** niesfornie. **2.** hałaśliwie.

obstreperousness [əbˈstrepərəsnəs] *n. U form.* **1.** niesforność. **2.** hałaśliwość.

obstruct [əbˈstrʌkt] *v.* **1.** blokować, tarasować. **2.** utrudniać. **3.** zasłaniać (*np. widok*).

obstruction [əbˈstrʌkʃən] *n.* **1.** zator. **2.** przeszkoda; utrudnienie. **3.** *U pat.* zatkanie, niedrożność; **intestinal/urinary** ~ niedrożność jelit/dróg moczowych. **4.** *U parl.* obstrukcja. **5.** *U sport* utrudnianie gry.

obstructionism [əbˈstrʌkʃənˌɪzəm] *n. U* polityka obstrukcji.

obstructionist [əbˈstrʌkʃənɪst] *n.* obstrukcjonist-a/ka.

obstructionistic [əbˈstrʌkʃənɪstɪk] *a. polit.* obstrukcyjny.

obstruction of justice *n. U prawn.* utrudnianie pracy wymiaru sprawiedliwości.

obstructive [əbˈstrʌktɪv] *a.* **1. be** ~ stwarzać trudności, przeszkadzać. **2.** tamujący, blokujący. **3.** *pat.* zamykający, czopujący. – *n.* **1.** przeszkoda. **2.** *parl.* obstrukcjonist-a/ka.

obstructiveness [əbˈstrʌktɪvnəs] *n. U* utrudnianie, hamowanie.

obstruent [ˈɑːbstruənt] *n.* **1.** *pat.* czynnik powodujący zaparcie *l.* blokadę. **2.** *fon.* obstruent.

obtain [əbˈteɪn] *v. form.* **1.** nabywać (*np. drogą kupna*). **2.** uzyskiwać (*np. pozwolenie, rezultaty*). **3.** istnieć, panować, utrzymywać się (*np. o warunkach*). **4.** obowiązywać (*o przepisach*).

obtainable [əbˈteɪnəbl] *a.* osiągalny.

obtainment [əbˈteɪnmənt] *n. U form.* **1.** nabycie. **2.** uzyskanie.

obtect [ɑːbˈtekt], **obtected** [ɑːbˈtektɪd] *a. ent.* pokryty powłoczką chitynową (*o larwach owadów*).

obtest [ɑːbˈtest] *v. rzad.* **1.** zaklinać, błagać. **2.** zaręczać. **3.** wzywać na świadka (*zwł. opatrzność l. moce nadprzyrodzone*).

obtrude [əbˈtruːd] *v. form.* **1.** narzucać (*sth on/upon sb* coś komuś). **2.** wkradać *l.* zakradać się (*into sth* do czegoś). **3.** mącić, zakłócać (*np. ciszę, spokój*). **4.** wysuwać, wypychać.

obtrusion [əbˈtruːʒən] *n.* **1.** *U* narzucanie (się); natręctwo. **2.** *U* wpychanie. **3.** rzecz narzucona.

obtrusive [əbˈtruːsɪv] *a.* natrętny.

obtrusively [əbˈtruːsɪvlɪ] *adv.* natrętnie.

obtrusiveness [əbˈtruːsɪvnəs] *n. U* narzucanie (się), natrętność.

obtund [ɑːbˈtʌnd] *v. form.* przytępiać; *med.* uśmierzać.

obturate [ˈɑːbtəˌreɪt] *v. techn. l. form.* zatykać, blokować.

obturation [ˌɑːbtəˈreɪʃən] *n. U* zatykanie.

obturator [ˈɑːbtəˌreɪtər] *n.* **1.** zatyczka. **2.** uszczelnienie. **3.** *fot.* migawka.

obtuse [əbˈtuːs] *a.* **1.** tępy (*o osobie, bólu, t, dosł.* = *nieostry*); przytępiony (*o zmyśle*). **2.** *gł. bot.* zaokrąglony na końcu (*np. o liściu*). **3.** *geom.* rozwarty (*o kącie*).

obtusely [əbˈtuːslɪ] *adv.* tępo.

obtuseness [əbˈtuːsnəs] *n. U* tępota.

obverse [ˈɑːbvɝːs] *n. form.* **1.** odwrotność, przeciwieństwo (*of sth* czegoś) (*t. log., np. sądu, teorii*). **2.** odpowiednik. **3. the** ~ awers (*monety, medalu*). – *a.* **1.** przedni (= *zwrócony do widza*). **2.** stanowiący odpowiednik. **3.** *bot.* zwężający się ku nasadzie (*o liściu*).

obversion [ɑːbˈvɝːʒən] *n. C/U t. log.* odwrócenie.

obvert [ɑːbˈvɝːt] *v. t. log.* odwracać.

obviate [ˈɑːbvɪˌeɪt] *v. form.* **1.** czynić zbędnym; usuwać, eliminować; ~ **the need to do sth** eliminować konieczność robienia czegoś. **2.** zapobiec, zaradzić (*czemuś*).

obviation [ˌɑːbvɪˈeɪʃən] *n. U* **1.** usunięcie, eliminacja. **2.** zapobieżenie.

obvious [ˈɑːbvɪəs] *a.* oczywisty; **for ~ reasons** z oczywistych powodów; **it is ~ (to me) that...** to (dla mnie) oczywiste *l.* jasne, że...; **state the** ~ stwierdzać rzeczy oczywiste.

obviously [ˈɑːbvɪəslɪ] *adv.* **1.** wyraźnie; ~ **not** najwyraźniej nie. **2.** oczywiście; ~! (aleź) oczywiście!.

obviousness [ˈɑːbvɪəsnəs] *n. U* oczywistość.

obvolute [ˈɑːbvəˌluːt] *a. bot.* zachodzące na siebie (*o liściach l. płatkach*).

OC [ˌoʊ ˈsiː] *abbr.* **1.** *wojsk.* **Officer Commanding** oficer dowodzący; **Officer in Charge** oficer dowodzący. **2. (Officer of the) Order of Canada** *Can.* kawaler Orderu Kanady.

Oc., oc. *abbr.* = **Ocean**.

o.c. [ˌoʊ ˈsiː] *abbr.* **opere citato** *Lat.* w cytowanym dziele.

o/c *abbr.* = **overcharge**.

oca [ˈoʊkə] *n. U bot.* szczawik bulwiasty (*Oxalis tuberosa*).

ocarina [ˌɑːkəˈriːnə] *n. muz.* okaryna.

OCAS [ˌoʊ ˌsiː ˌeɪ ˈes] *abbr.* **Organization of Central American States** Organizacja Państw Ameryki Środkowej.

Occam's razor [ˌoʊkəmz ˈreɪzər] *n.* = **Ockham's razor.**

occasion [əˈkeɪʒən] *n.* **1.** okazja (*t.* = *sytuacja, wydarzenie*), sposobność (*for sth* do czegoś); (*także* **special** ~) (specjalna) okazja; **on** ~ okazjonalnie, czasami; **on that** ~ tym razem, przy tej okazji; **on the** ~ **of...** *form.* z okazji... (*np. czyichś urodzin*); **quite an** ~ nie byle jaka okazja; **rise to the** ~ stanąć na wysokości zadania; **take/use the** ~ skorzystać z okazji *l.* sposobności; **they met on three ~s** spotkali się trzy razy. **2.** *sing. form.* powód; **be the** ~ **of sth** być powodem czegoś, stanowić powód do czegoś; **have** ~ **to do sth** mieć powód, żeby coś zrobić; **if (the)** ~ **arises** jeśli zajdzie taka potrzeba. – *v. form.* **1.** powodować, wywoływać. **2.** ~ **sb sth** przysparzać komuś czegoś.

occasional [əˈkeɪʒənl] *a.* **1.** sporadyczny, rzadki; **I have the** ~ **cigarette** czasem sobie zapalę. **2.** przelotny (*np. o deszczu*). **3.** *form.* okolicznościowy (*np. o poezji*).

occasionalism [əˈkeɪʒənəˌlɪzəm] *n. U fil.* okazjonalizm.

occasionalist [əˈkeɪʒənəlɪst] *n. fil.* okazjonalist-a/ka.

occasionally [əˈkeɪʒənlɪ] *adv.* czasami, od czasu do czasu; **very** ~ (bardzo) rzadko.

occasional table *n.* stolik, stoliczek.

Occident [ˈɑːksɪdənt] *n.* **the** ~ *form.* Zachód.

occidental [ˌɑːksəˈdentl] *form. a.* zachodni. – *n.* człowiek Zachodu.

occipital [ɑːkˈsɪpɪtl] *a. anat.* potyliczny, potylicowy.

occipital bone *n. anat.* kość potyliczna.

occipital condyle *n. anat.* guz potyliczny.

occipital lobe *n. anat.* płat potyliczny.

occiput [ˈɑːksəˌpʌt] *n. pl. t.* **-s** *l.* **occipita** [ɑːkˈsɪpɪtə] *anat.* potylica.

occlude [əˈkluːd] *v.* **1.** zamykać, blokować; zatykać. **2.** *chem.* pochłaniać, okludować (*gazy*). **3.** *dent.* wykonywać zgryz. **4.** *meteor.* tworzyć front zokludowany.

occluded front [əˌkluːdɪd ˈfrʌnt] *n. meteor.* front zokludowany.

occlusion [əˈkluːʒən] *n. U* **1.** zamykanie, zatykanie; zamknięcie, zatkanie. **2.** *chem.* okluzja, wchłanianie. **3.** *dent.* zgryz; **improper** ~ nieprawidłowy zgryz. **4.** *fon.* zwarcie (*strun głosowych, artykulatorów*). **5.** *meteor.* okluzja.

occlusive [əˈkluːsɪv] *a.* zamykający; zatykający. – *n. fon.* głoska zwarta.

occult [əˈkʌlt] *a.* **1.** okultystyczny. **2.** tajemny. **3.** *pat.* ukryty, utajony (*o chorobie*). – *n. U* **the** ~ okultyzm, wiedza tajemna. – *v. zw. astron.* zakrywać, zasłaniać.

occultation [ˌɑːkʌlˈteɪʃən] *n. U* zakrycie, zasłonięcie; *astron.* okultacja.

occultism [əˈkʌlˌtɪzəm] *n. U* okultyzm.

occultist [əˈkʌltɪst] *n.* okultyst-a/ka.

occupancy [ˈɑːkjəpənsɪ] *n. U* **1.** zajmowanie (*pomieszczenia, budynku*). **2.** *prawn.* objęcie w posiadanie; zawłaszczenie. **3.** faktyczne posiadanie.

occupant [ˈɑːkjəpənt] *n. form.* **1.** mieszkan-iec/ka, lokator/ka; sublokator/ka. **2.** użytkowni-k/czka (*np. biura*). **3.** pasażer/ka (*np. samochodu*). **4.** *prawn.* faktyczny właściciel/ka. **5.** ~ **of a position** osoba zajmująca określone stanowisko.

occupation [ˌɑːkjəˈpeɪʃən] *n.* **1.** zawód; **please state your age, marital status and** ~ proszę podać wiek, stan cywilny i zawód. **2.** *form.* zajęcie; **his favorite** ~ **is watching TV** jego ulubionym zajęciem jest oglądanie telewizji. **3.** *U* okupacja (*of sth* czegoś) (*np. kraju, budynku*). **4.** *U* zajmowanie, zamieszkiwanie; **suitable for** ~ nadający się do zamieszkania.

occupational [ˌɑːkjəˈpeɪʃənl] *a. attr.* zawodowy.

occupational disease *n. pat.* choroba zawodowa.

occupational hazard *n.* (*także* **occupational risk**) ryzyko zawodowe.

occupationally [ˌɑːkjəˈpeɪʃənlɪ] *adv.* zawodowo.

occupational medicine *n. U* medycyna pracy.

occupational pension scheme *n.* zawodowy system emerytalny.

occupational therapy *n. U med.* terapia zajęciowa.

occupation number *n. fiz.* liczba obsadzeń.

occupation troops *n. pl. wojsk.* oddziały *l.* wojska okupacyjne.

occupied [ˈɑːkjəpaɪd] *a. attr.* okupowany (*o mieście, kraju, budynku*).

occupier [ˈɑːkjəpaɪər] *n.* **1.** *wojsk.* okupant. **2.** *Br.* lokator/ka; najemca; dzierżawca.

occupy [ˈɑːkjəpaɪ] *v. często pass.* **-ied, -ying 1.** *form.* zajmować (*lokal, przestrzeń, stanowisko*); **be occupied** być zajętym (*o miejscu, siedzeniu*). **2.** *form.* ~ **o.s.** znajdować sobie zajęcie; ~ **o.s. in/with sth/doing sth** zajmować się czymś/robieniem czegoś; **be occupied in/with sth/doing sth** być zajętym czymś/robieniem czegoś; **keep sb occupied** zajmować kogoś. **3.** *wojsk.* okupować. **4.** zaprzątać; ~ **sb's thoughts/attention** zaprzątać czyjeś myśli/czyjąś uwagę.

occur [əˈkɝː] *v.* **-rr- 1.** zdarzać się, mieć miejsce. **2.** występować (*in / among sb* u/wśród kogoś) (*np. o chorobach*). **3.** ~ **to sb** przychodzić komuś na myśl *l.* do głowy; **it never ~ed to me that/to do sth** nigdy mi nie przyszło do głowy, że/żeby coś zrobić.

occurrence [əˈkɝːəns] *n.* **1.** wydarzenie, zjawisko; **common/rare** ~ zwykłe/rzadkie zjawisko. **2.** *U* występowanie, pojawianie się; **be of frequent** ~ często występować.

OCD [ˌoʊ ˌsiː ˈdiː] *abbr. pat.* = **obsessive-compulsive disorder.**

ocean [ˈoʊʃən] *n.* **1.** *geogr.* ocean; **the Atlantic/Pacific O~** Ocean Atlantycki/Spokojny. **2. the** ~ ocean, morze; **a drop in the** ~ *przen.* kropla w morzu. **3.** *pl. przen. pot.* **~s of sth** *przest.* mnóstwo czegoś (*np. czasu*); **~s of tears** morze łez.

oceanarium [ˌoʊʃəˈnerɪəm] *n. pl.* **-s** *l.* **oceanaria** oceanarium.

oceanaut [ˈoʊʃənɔːt] *n.* nurek nurkujący w oceanie.

ocean basin *n. geol.* basen oceaniczny.

ocean bed *n.* (*także* **ocean floor**) dno oceanu.

ocean current *n.* prąd oceaniczny.

ocean floor *n.* = **ocean bed**.

oceangoing [ˈoʊʃənˌgoʊɪŋ], **ocean-going** *a.* pełnomorski.

Oceania [ˌoʊʃɪˈænɪə] *n. geogr.* Oceania.

Oceanian [ˌoʊʃɪˈænɪən] *a.* dotyczący Oceanii. – *n.* mieszkan-iec/ka Oceanii.

Oceanic [ˌoʊʃɪˈænɪk] *n. U* język używany na niektórych wyspach na północ i wschód od Australii (*należący do grupy malajsko-polinezyjskiej*). – *a.* dotyczący Oceanii.

oceanic [ˌoʊʃɪˈænɪk] *a.* **1.** oceaniczny. **2.** jak ocean.

oceanic island *n. geol.* wyspa wulkaniczna.

oceanic ridge *n. geol.* grzbiet oceaniczny.

oceanic trench *n. geol.* rów oceaniczny.

Oceanid [oʊˈsiːənɪd] *n. pl.* **-s** *l.* **-es** *mit.* okeanida, oceanida.

ocean lane *n.* szlak żeglugowy oceaniczny.

ocean liner *n. żegl.* liniowiec.

oceanographer [ˌoʊʃəˈnɑːgrəfər] *n.* oceanograf/ka.

oceanographic [ˌoʊʃənəˈgræfɪk], **oceanographical** *a.* oceanograficzny.

oceanographic research ship *n.* statek oceanograficzny.

oceanographic station *n.* stacja oceanograficzna.

oceanography [ˌoʊʃəˈnɑːgrəfɪ] *n. U* oceanografia.

oceanology [ˌoʊʃəˈnɑːlədʒɪ] *n. U* oceanologia.

oceanophilous [ˌoʊʃəˈnɑːfələs] *n. biol.* żyjący w oceanie.

ocean racer *n. żegl.* pełnomorski jacht regatowy.

ocean racing *n. U żegl.* regaty oceaniczne.

ocellate [ˈɑːsəˌleɪt], **ocellated** *a. bot.* oczkowany, nakrapiany; *icht.* z przyoczkiem *l.* przyoczkami.

ocellus [oʊˈseləs] *n. pl.* **ocelli** [oʊˈselaɪ] *ent., orn., bot.* oczko, kolorowa plamka (*otoczona pierścieniem odmiennego koloru*); *icht.* oczko proste, przyoczko.

ocelot [ˈoʊsəˌlɑːt] *n. zool.* ocelot (*Felis pardalis*).

ocher [ˈoʊkər], *Br.* **ochre** *n. U* **1.** ochra (*pigment naturalny*). **2.** kolor żółtobrunatny. **3.** *sl.* forsa. – *a. attr.* żółtobrunatny, w kolorze ochry. – *v.* malować *l.* znaczyć ochrą.

ochlocracy [ɑːˈklɑːkrəsɪ] *n. U polit.* ochlokracja, rządy motłochu.

ochlophobia [ˌɑːkləˈfoʊbɪə] *n. U pat.* lęk przed tłumem.

ochre [ˈoʊkər] *n. Br.* = **ocher**.

Ockham's razor [ˌoʊkəmz ˈreɪzər], **Occam's razor** *n. U fil.* brzytwa Ockhama.

o'clock [əˈklɑːk] *adv.* **seven/six ~** godzina siódma/szósta.

ocotillo [ˌoʊkəˈtiːljoʊ] *n. pl.* **-s** *bot.* okotijo (*Fouquieria splendens*).

OCR [ˌoʊ ˌsiː ˈɑːr] *abbr. komp.* = **optical character reader**.

ocrea [ˈɑːkrɪə], **ochrea** *n. pl.* **-e** [ˈɑːkrɪiː] *bot.* pochwa liściowa.

Oct, Oct. *abbr.* = **October**.

oct. *abbr.* = **octavo**.

octad [ˈɑːktæd] *n.* **1.** ósemka, grupa *l.* seria ośmiu (*np. elementów*). **2.** *chem.* pierwiastek ośmiowartościowy.

octagon [ˈɑːktəˌgɑːn] *n. geom.* ośmiokąt, ośmiobok.

octagonal [ɑːkˈtægənl] *a. geom.* ośmiokątny.

octahedral [ˌɑːktəˈhiːdrəl] *a. geom.* ośmiościenny.

octahedron [ˌɑːktəˈhiːdrən] *n. geom.* ośmiościan.

octal [ˈɑːktl] *a. mat., komp.* ósemkowy.

octal notation *n. komp.* zapis ósemkowy.

octameter [ɑːkˈtæmɪtər] *n. wers.* oktametr.

octane [ˈɑːkteɪn] *n. U chem.* oktan; **high-~ gas** *US* (*także Br.* **high-~ petrol**) benzyna wysokooktanowa.

octane number, octane rating *n. chem.* liczba oktanowa.

octangle [ˈɑːktæŋgl] *a. geom.* ośmiokąt.

octangular [ɑːkˈtæŋgjələr] *a. geom.* ośmiokątny.

octant [ˈɑːktənt] *n. geom., astron.* oktant.

octaroon [ˌɑːktəˈruːn] *n.* = **octoroon**.

octastyle [ˈɑːktəˌstaɪl] *bud. a.* oktastylowy, ośmiokolumnowy. – *n.* budynek, portyk itp. z ośmioma kolumnami.

octavalent [ˌɑːktəˈveɪlənt] *a. chem.* ośmiowartościowy.

octave [ɑːkˈteɪv] *n.* **1.** *muz., wers., kośc., szerm.* oktawa. **2.** ósemka (= *grupa ośmiu l. ósmy element z kolei*).

octave flute *n. muz.* pikolo, pikulina.

octavo [ɑːkˈteɪvoʊ] *n. pl.* **-s** *druk.* octavo, ósemka (*format książki*).

octennial [ɑːkˈtenɪəl] *form. a.* **1.** zdarzający się co osiem lat. **2.** ośmioletni.

octennially [ɑːkˈtenɪəlɪ] *adv.* co osiem lat.

octet [ɑːkˈtet], **octette** *n.* **1.** *muz.* oktet. **2.** *wers.* oktawa.

octillion [ɑːkˈtɪljən] *n. mat.* oktylion (*US = jedynka z 27 zerami, Br. = jedynka z 48 zerami*).

October [ɑːkˈtoʊbər] *n. C/U* październik; *zob. t.* **February**.

octocentenary [ˌɑːktoʊsenˈtiːnərɪ] *n. pl.* **-ies** osiemsetlecie, osiemsetna rocznica.

octodecimo [ˌɑːktoʊˈdesəˌmoʊ] *n. pl.* **-s** *druk.* osiemnastka (*format książki*).

octogenarian [ˌɑːktoʊdʒəˈnerɪən] *a.* osiemdziesięcioletni; osiemdziesięcioparoletni. – *n.* osiemdziesięcioparolat-ek/ka.

octonary [ˈɑːktəˌnerɪ] *a. rzad.* ósemkowy. – *n. pl.* **-ies** **1.** *rzad.* ósemka (*grupa*). **2.** *wers.* oktawa.

octoploid [ˈɑːktəˌplɔːd] *n. biol.* oktoploid.

octopod [ˈɑːktəˌpɑːd] *n. zool.* ośmionóg (*rząd Octopoda*).

octopus [ˈɑːktəpəs] *n. pl.* **-es** *l.* **octopi** [ˈɑːktəpaɪ] *t. przen.* ośmiornica (*zool. = Octopus*).

octoroon [ˌɑːktəˈruːn], **octaroon** *n. obelż. arch.* osoba posiadająca 1/8 krwi murzyńskiej.

octosyllabic [ˌɑːktəsɪˈlæbɪk] *wers. a.* ośmiozgłoskowy. – *n.* ośmiozgłoskowiec.

octosyllable [ˈɑːktəˌsɪləbl] *n.* **1.** = **octosyllabic.** **2.** wyraz ośmiozgłoskowy. – *a.* = **octosyllabic.**

octroi [ˈɑːktrɔɪ] *n. hist.* akcyza miejska; urząd akcyzowy; urzędnicy pobierający akcyzę.

octuple [ˈɑːktʊpl] *a.* **1.** *attr.* ośmiokrotny. **2.** składający się z ośmiu części. – *n.* ośmiokrotność. – *v.* mnożyć przez osiem.

octuplets [ɑːkˈtʌplət] *n. pl.* ośmioraczki.

ocular [ˈɑːkjələr] *a. attr.* **1.** *med.* oczny. **2.** wzrokowy. **3.** *rzad.* naoczny (*np. o świadku*). – *n. opt.* okular.

oculist [ˈɑːkjʊlɪst] *n. przest.* okulist-a/ka.

oculus [ˈɑːkjələs] *n. pl.* **oculi** [ˈɑːkjəlaɪ] *bud.* rozeta.

OD[1] *abbr.* **1.** (*także* **O/D, o/d**) = **overdraft.** **2.** (*także* **O/D, o/d**) = **overdrawn.** **3.** = **Doctor of Optometry.** **4.** *wojsk.* = **olive drab.** **5.** = **ordnance datum.**

OD[2] [ˌoʊ ˈdiː] *v. pot. l. żart.* przedawkować; **I ~'d on the potato salad** przesadziłam z sałatką ziemniaczaną. – *n. pot.* **1.** przedawkowanie. **2.** osoba, która przedawkowała.

o.d. *abbr.* **1.** = **outside diameter.** **2.** = **on demand** *zob.* **demand** *n.*

odalisque [ˈoʊdəlɪsk], **odalisk** *n.* odaliska.

odd [ɑːd] *a.* **1.** dziwny, osobliwy; dziwaczny; **~-looking/-tasting** dziwnie wyglądający/smakujący; **it's ~ (that)...** to dziwne (że)...; **the ~ thing is...** co najdziwniejsze,... **2.** *mat.* nieparzysty. **3.** *attr.* zbywający, pozostały; nie do pary; zdekompletowany; **be the ~ man/one out** *zwł. Br.* nie pasować do reszty, wyróżniać się. **4.** *attr. zwł. Br.* okazjonalny; **I enjoy the ~ game of bridge** od czasu do czasu lubię (sobie) zagrać w brydża; **they had the ~ rainy day** czasem trafił im się jakiś deszczowy dzień. **5.** *attr.* przypadkowy, dorywczy. **6.** *attr.* odległy, dalszy, rzadko odwiedzany (*np. o zakątkach domu*). **7.** *w złoż.* **forty/fifty-~** przeszło *l.* ponad czterdzieści/pięćdziesiąt, czterdzieści/pięćdziesiąt kilka *l.* parę. – *n. golf* jedno uderzenie więcej od przeciwnika.

oddball [ˈɑːdˌbɔːl] *zwł. US pot. n.* ekscentry-k/czka, dziwa-k/czka. – *a. attr.* ekscentryczny.

Oddfellow [ˈɑːdˌfeloʊ] *n. Br.* członek związku wzorującego się w obrzędach na masonach.

oddity [ˈɑːdətɪ] *n. pl.* **-ies** **1.** *U* osobliwość; dziwaczność. **2.** dziwa-k/czka; osobliwy *l.* dziwny przedmiot; dziwne wydarzenie.

odd-job man [ˌɑːdˈdʒɑːb mæn] *n.* złota rączka, majster do wszystkiego.

odd jobs *n. pl.* prace dorywcze.

odd lot *n. giełda* niepełny pakiet transakcyjny (*US = mniej niż 100 akcji*).

oddly [ˈɑːdlɪ] *adv.* **1.** dziwnie. **2.** **~ enough,...** dziwnym trafem,..., co dziwne,... **3.** **~ matched** niepasujące do siebie (nawzajem).

oddments [ˈɑːdmənts] *n. pl.* **1.** resztki, pozostałości. **2.** *druk.* partie książki poza tekstem (*np. karta tytułowa*). **3.** = **odds and ends.**

odd number *n. mat.* liczba nieparzysta.

odds [ɑːdz] *n. pl.* **1.** szanse (*t. wygranej, powodzenia*), prawdopodobieństwo; **against all (the) ~** na przekór wszelkiemu prawdopodobieństwu, wbrew wszelkim przewidywaniom; **increase/decrease the ~** (*także Br.* **lengthen/shorten the odds**) zwiększać/zmniejszać szanse *l.* prawdopodobieństwo (*on sth* czegoś); **the ~ are (that)...** wszystko przemawia za tym *l.* wskazuje na to, że...; **the ~ are in favor of/against the minister resigning** wszystko wskazuje na to, że minister poda/nie poda się do dymisji; **the ~ of winning the match are 1 in 10** szanse wygrania meczu są jak 1 do 10. **2.** *zakłady* różnica (*między stawkami zakładowymi*); **lay/give ~ of 2 to 1** stawiać dwa do jednego; **take ~** przyjmować nierówny zakład. **3.** *t. sport* fory, przewaga (*w grze*). **4.** trudności; **overcome enormous/heavy ~** pokonać niesamowite trudności. **5.** **be at ~ with sb** nie zgadzać się z kimś; **be at ~ with sth** nie pasować do czegoś, kłócić się z czymś. **6.** = **odds and ends.** **7.** **give long ~ on/against sth happening** być przekonanym, że coś się stanie/nie stanie; **make no ~** *Br. i Austr. pot.* nie mieć znaczenia, być bez różnicy; **pay over the ~** *Br. i Austr. pot.* zapłacić więcej, niż coś jest warte; **sb has the ~ stacked against them** *pot.* wszystko sprzysięgło się przeciwko komuś; **what's the ~?** *Br. i Austr. pot.* co za różnica?; cóż to szkodzi?.

odds and ends *n. pl. pot.* **1.** różności; drobiazgi, szpargały. **2.** resztki.

odds and sods *n. pl. Br. i Austr. pot.* **1.** = **odds and ends.** **2.** różni ludzie, ludziska.

odds-on [ˌɑːdzˈɑːn] *a.* **1.** *attr.* pewny (*o faworycie, zwycięzcy*). **2.** **it's ~ that...** założę się, że...

ode [oʊd] *n. wers.* oda (*to sb / sth* do kogoś/czegoś).

odeon [oʊˈdɪən] *n. pl.* **odea** [oʊˈdɪə] = **odeum.**

Oder [ˈoʊdər] *n. geogr.* Odra.

odeum [oʊˈdiːəm] *n. pl.* **odea** [oʊˈdɪə] *teatr, hist.* odeon (*w starożytnej Grecji i Rzymie*).

Odin [ˈoʊdɪn] *n. mit. skandynawska* Odyn.

odious [ˈoʊdɪəs] *a. form.* wstrętny, odpychający; nienawistny.

odiously [ˈoʊdɪəslɪ] *adv. form.* wstrętnie; nienawistnie.

odiousness [ˈoʊdɪəsnəs] *n. U form.* ohyda.

odium [ˈoʊdɪəm] *n. U form.* odium.

odometer [oʊˈdɑːmɪtər] *n. US* hodometr, drogomierz.

odonata [ˌoʊdənˈɑːtə] *n. pl. ent.* ważki (*rząd*).

odontalgia [ˌoʊdɑːnˈtældʒə] *n. U dent.* ból zęba.

odontoblast [oʊˈdɑːntəˌblæst] *n. anat.* odontoblast (= *komórka wytwarzająca zębinę*).

odontological [oʊˌdɑːntəˈlɑːdʒɪkl] *a. med.* odontologiczny.

odontologist [ˌoʊdɑːnˈtɑːlədʒɪst] *n.* odontolog.

odontology [ˌoʊdɑːnˈtɑːlədʒɪ] *n. U med.* odontologia.

odor [ˈoʊdər], *Br.* **odour** *n.* **1.** zapach (*zwł. nieprzyjemny*), woń; odór. **2.** *przen.* posmak, ślad; atmosfera; **~ of sanctity** odor sanctitatis; *zw. żart.* atmosfera przesadnej świętości; **~ of suspicion** atmosfera podejrzenia. **3.** reputacja, sława; **be in bad ~ with sb** mieć złą opinię u kogoś; **be in good ~ with sb** cieszyć się czyjąś przychylnością.

odoriferous [ˌoudə'rɪfərəs] *a. form.* wonny.

odorless ['oudərləs] *a.* bezwonny, bez zapachu.

odorous ['oudərəs] *a. lit.* wonny.

odour ['oudər] *n. Br.* = **odor**.

Odysseus [ou'dɪsɪəs] *n. mit.* Odyseusz, Odys.

odyssey ['ɑ:dɪsɪ] *n. lit.* odyseja.

OE [ˌou 'i:] *abbr. jęz.* = **Old English**.

OECD [ˌou ˌi: ˌsi: 'di:] *abbr.* **Organization for Economic Cooperation and Development** Organizacja Współpracy Gospodarczej i Rozwoju.

oedema [ɪ'di:mə] *n. Br.* = **edema**.

Oedipal ['edəpl] *n. psych.* edypalny.

Oedipus ['edəpəs] *n. mit.* Edyp.

Oedipus complex *n. psych.* kompleks Edypa.

oenology [i:'nɑ:lədʒɪ], **enology** *n. U* enologia (= *nauka o wyrobie wina*).

o'er [ɔ:r] *adv. i prep. arch. l. poet.* = **over**.

oersted ['ɜ˞:stɪd] *n. fiz.* ersted.

oesophagus [ɪ'sɑ:fəgəs] *n. Br.* = **esophagus**.

oestradiol [ˌestrə'daɪɔ:l] *n. Br.* = **estradiol**.

oestriol ['estrɪˌoul] *n. Br.* = **estriol**.

oestrogen ['estrədʒən] *n. Br.* = **estrogen**.

oestrous ['estrəs] *a. Br.* = **estrous**.

oestrum ['estrəm], **oestrus** *n. Br.* = **estrum, estrus**.

oeuvre ['ʊvrə] *n. zw. sing. lit.* dzieła (*pisarza, artysty*); **the (complete) ~ of Mozart** dzieła (wszystkie) Mozarta.

OF [ˌou 'ef] *abbr. jęz.* = **Old French**.

of [ʌv; əv; ə] *prep.* **1.** (*odpowiada dopełniaczowi l. przydawce w języku polskim*) **author ~ the book** autor książki; **a boy ~ six** sześcioletni chłopiec; **a family ~ five** pięcioosobowa rodzina; **a fool ~ a man** głupi człowiek; **a friend ~ mine** pewien mój przyjaciel; **a man ~ honor** człowiek honoru; **a pound ~ coffee** funt kawy; **a slice ~ bread** kromka chleba; **lots ~ money** dużo pieniędzy; **the barking ~ the dogs** szczekanie psów; **the city ~ Cracow** miasto Kraków; **the death ~ his father** śmierć jego ojca; **the novels ~ Hemingway** powieści Hemingwaya; **the Queen ~ England** królowa Anglii; **the people ~ Warsaw** ludność Warszawy; **the problem ~ unemployment** problem bezrobocia; **the summer ~ 1945** lato roku 1945; **the three ~ us** nas troje; **the 4th ~ July** 4 lipca. **2.** z; **~ necessity** z konieczności; **die ~ hunger** umrzeć z głodu; **a dress ~ silk** sukienka z jedwabiu; **it was kind ~ you** to było uprzejme z twojej strony; **Jesus ~ Nazareth** Jezus z Nazaretu; **leave ~ one's own will** wyjść z własnej woli; **made ~ glass** zrobiony ze szkła; **one ~ my friends** jeden z moich przyjaciół; **proud ~ sb/sth** dumny z kogoś/czegoś; **rob sb ~ money** ograbić kogoś z pieniędzy; **what ~ it?** co z tego? **3.** od; **expect sth ~ sb** oczekiwać czegoś od kogoś; **free ~ sth** wolny od czegoś; **south/west ~ Boston** na południe/zachód od Bostonu. **4.** o; **an increase ~ 5%** wzrost o 5%; **accuse sb ~ sth** oskarżać kogoś o coś; **hear/speak/think ~ sb/sth** słyszeć/mówić/myśleć o kimś/czymś; **smell ~ gas** śmierdzieć gazem. **5.** na; **die ~ cancer** umrzeć na raka. **6.** *US* za; **a quarter ~ six** za kwadrans szósta. **7.** pod; **the Battle ~ Hastings/Waterloo** bitwa pod Hastings/Waterloo. **8. ~ all things!** tego się najmniej spodziewałem!; **~ an evening** wieczorami, wieczorem; **~ itself** samorzutnie, sam/a/o z siebie.

of course [əv 'kɔ:rs] *adv.* oczywiście.

off [ɔ:f] *adv.* **1.** z dala, w pewnej odległości; **an island ~ the coast of Scotland** wyspa u wybrzeży Szkocji; **it's a long way ~** to daleko stąd. **2.** w bok od; **~ the main street** w bok od głównej ulicy; **turn ~ into a side street** skręcać w boczną ulicę. **3.** *pot.* za; **Easter is two weeks ~** Wielkanoc jest za dwa tygodnie; **two days/months/years ~** za dwa dni/miesiące/lata. **4.** z bonifikatą *l.* zniżką; **10% ~** 10% zniżki. **5.** wolny; **a day/evening ~** wolny dzień/wieczór; **be ~** mieć wolne; **be ~ sick** (*także* **be ~ on sick leave**) być na zwolnieniu lekarskim; **take two days ~** wziąć dwa dni wolnego. **6.** precz; **~ with that!** precz z tym!; **~ with his head!** żądamy jego głowy!, ściąć mu głowę!; **hats ~!** czapki z głów! **7. ~ and on** (*także* **on and ~**) z przerwami; od czasu do czasu; **and ~ into the country** i jazda na wieś; **be ~** wyruszać, wyjeżdżać; wychodzić (*to... do...*); **be ~ on holiday** wyjeżdżać na wakacje; **be ~ with sth** skończyć coś *l.* z czymś; **be badly/well~** być źle/dobrze sytuowanym; **be badly/well ~ for sth** *pot.* być źle/dobrze zaopatrzonym w coś; **be better ~** być w lepszej sytuacji; **electricity was ~ for two days** przez dwa dni nie było prądu; **finish it ~!** skończ *l.* dokończ to!; **how are you ~ for money?** jak u ciebie z pieniędzmi?, czy masz dosyć pieniędzy?; **I must be ~** muszę już iść; **right/straight ~** *zwł. Br. pot.* natychmiast; **you're better ~ doing sth** lepiej ci będzie, jeśli coś zrobisz. – *prep.* **1.** od; z dala od; **a button came ~ my shirt** odpadł mi guzik od koszuli; **borrow money ~ sb** *pot.* pożyczać pieniądze od kogoś; **cut a slice ~ the roast** odkroić kawałek pieczeni; **I got this car ~ my parents** *pot.* dostałem ten samochód od rodziców; **keep ~ (sth)** trzymać się z dala *l.* z daleka (od czegoś); **keep ~ the grass** nie deptać trawników; **two miles ~ shore** dwie mile od brzegu. **2.** z; **fall ~ the stairs** spaść ze schodów; **get ~ the bus/train** wysiadać z autobusu/pociągu; **take sth ~ the table/shelf** zdejmować coś ze stołu/z półki; **take/knock $5 ~ the price** spuścić pięć dolarów z ceny; **the ship is 50 miles ~ course** statek zboczył 50 mil z kursu; **the car is ~ the road** samochód zjechał z drogi. **3.** w bok od; **a path ~ the main walk** ścieżka w bok od głównej drogi; **a street ~ the square** ulica odchodząca od placu. **4. ~ duty/work** niezajęty, wolny; **get time ~ work** robić sobie wolne. **5.** poza; **~ side** *sport* poza boiskiem; niezgodny z zasadami gry. **6. ~ the top of one's head** z kapelusza (= *zmyślony*); **he is ~ beer** *pot.* skończył z piwem, już nie lubi piwa; **live ~ vegetables** żywić się warzywami. – *a. attr.* **1.** wolny; **an ~ day/week** wolny dzień/tydzień. **2.** zły; gorszy; **an ~ year for apples** zły rok na jabłka; **have an ~ day/week** mieć gorszy dzień/tydzień. **3.** drugi, dalszy (*np. o stronie*). **4.** prawy, z prawej strony (*np. o kole pojazdu, koniu*). **5.** boczny (*o ulicy*). **6.** drugorzędny (*o sprawie, kwestii*). **7.** niskiej jakości. **8.** (*także* **~ side**) *krykiet* zewnętrzny (*o części pola naprzeciw gracza wybijającego*). **9. the ~ season** martwy sezon; okres mniejszego ruchu. – *a. pred.* **1.** wyłączony, zakręcony (*np. o wodzie, dopływie gazu*). **2.** odwołany (*np. o koncercie, spotkaniu*); zerwany (*np. o negocjacjach, umowie*); **the meeting/wedding is ~** zebranie/wesele (jest) odwołane, zebrania/wesela nie będzie. **3.** *zwł. Br.* zepsuty, nieświeży (*o produktach spożywczych*). **4.** nieosiągalny, brakujący (*o pozycji w menu*); **chicken is ~** kurczak się skończył, kurczaka już nie ma. **5.** *pot.* nie do przyjęcia. **6.** błędny; **be ~ in one's calculations** pomylić się w obliczeniach. **7.** *giełda* zniżkujący, spadający (*o akcjach*). – *n.* (*także* **~side**) *krykiet* część pola naprzeciw gracza wybijającego.

off. *abbr.* **1.** = **office**. **2.** = **officer**. **3.** = **official**.

off-air [ˌɔːfˈer] *adv. i a. attr. radio, telew.* poza anteną.

offal [ˈɔːfl] *n. U* **1.** *kulin.* podroby. **2.** odpadki (*zwł. organiczne*).

offbeat *n.* [ˈɔːfˌbiːt] *muz.* offbeat (*słaba część taktu*). – *a.* [ˌɔːfˈbiːt] **1.** *muz.* z akcentem na drugim i czwartym uderzeniu (*w takcie 4/4*). **2.** *pot.* ekscentryczny, niekonwencjonalny.

off-campus [ˌɔːfˈkæmpəs] *a. i adv. uniw.* poza kampusem.

off-center [ˌɔːfˈsentər], *Br.* **off-centre** *a.* **1.** nie na środku, poza środkiem. **2.** *pot.* ekscentryczny, niekonwencjonalny.

off-chance [ˈɔːfˌtʃæns], **off chance** *n.* nikła *l.* znikoma szansa; **on the ~** (tak) na wszelki wypadek; **on the ~ that sth might happen** na wypadek, gdyby coś miało się zdarzyć.

off-color [ˌɔːfˈkʌlər], **off-colored** *Br.* **off-colour** *a.* **1.** *pred. zwł. Br.* niedysponowany, nie w formie. **2.** *pot. uj.* nieprzyzwoity, ryzykowny (*o żarcie*). **3.** wadliwy w kolorze.

off-cut [ˈɑːfˌkʌt], **offcut** *n.* ścinek; resztka.

off-duty [ˌɔːfˈduːtɪ] *a.* po służbie, nie na służbie (*np. o policjancie*).

offence *n. Br.* = **offense**.

offend [əˈfend] *v.* **1.** *zw. pass.* obrażać; urażać; **be/feel ~ed** czuć się urażonym. **2.** razić; **~ the eye/ear** razić oko/ucho. **3.** *prawn.* popełnić wykroczenie *l.* przestępstwo. **4.** *form.* gorszyć, wywoływać zgorszenie. **5.** *form.* **~ against decency/good taste** naruszać zasady przyzwoitości/dobrego smaku; **~ against the law/public order** naruszać prawo/porządek publiczny.

offender [əˈfendər] *n.* **1.** *prawn.* przestępca/czyni; **first ~** osoba wcześniej nienotowana *l.* niekarana; **young ~s** nieletni przestępcy. **2.** winowaj-ca/czyni (*t. przen. o przedmiotach, zjawiskach*). **3.** *sport* zawodnik łamiący przepisy.

offending [əˈfendɪŋ] *a. często żart.* przeszkadzający; niechciany.

offense [əˈfens] *Br.* **offence** *n.* **1.** *prawn.* przestępstwo; wykroczenie (*against sb / sth* przeciwko komuś/czemuś); **capital ~** przestępstwo karane karą śmierci; **commit an ~** popełnić przestępstwo; **criminal ~** przestępstwo kryminalne; **legal ~** wykroczenie prawne, naruszenie prawa; **minor ~** (drobne) wykroczenie; **serious ~** (poważne) przestępstwo. **2.** *sport* przewinienie. **3.** *U* zniewaga, obraza (*to sth* czegoś) (*np. godności*); **cause/give ~ to sb/sth** obrażać kogoś/coś; **mean no ~** nie chcieć nikogo obrazić; **no ~** *pot.* bez obrazy; **take ~ at sth** obrażać się o coś *l.* z powodu czegoś. **4.** [ˈɔːfens] *U wojsk., sport l. form.* atak (*t. = członkowie drużyny grający w ataku*), ofensywa; **weapons/arms of ~** broń zaczepna.

offensive [əˈfensɪv] *a.* **1.** obraźliwy (*to sb* w stosunku do kogoś). **2.** nieprzyzwoity. **3.** *form.* ohydny, wstrętny (*np. o zapachu*). **4.** *attr.* zaczepny (*t. wojsk. o broni*), ofensywny, napastliwy. **5.** *US sport* ofensywny; **~ play** gra ofensywna. – *n. t. przen.* ofensywa, atak; działanie zaczepne; **go on/take the ~** przechodzić do ofensywy, przystępować do ataku.

offensively [əˈfensɪvlɪ] *adv.* **1.** obraźliwie. **2.** nieprzyzwoicie.

offer [ˈɔːfər] *v.* **1.** proponować; **~ sb sth** (*także* **~ sth to sb**) proponować komuś coś. **2.** oferować; **~ for sale** oferować na sprzedaż *l.* do sprzedaży; **~ (sb) sth for...** oferować (komuś) coś za... (*określoną sumę*); **have sth to ~ (to sb)** mieć (komuś) coś do zaoferowania. **3.** ofiarować (się); **~ sth to sb** zaofiarować coś komuś; **~ to do sth** zaofiarować się coś zrobić. **4.** udzielać (*np. rad, pochwał*). **5.** *form.* dostarczać (*np. okazji*), stwarzać (*okazję, sposobność*); przedstawiać, nastręczać (*trudności, problemy*); składać (*podziękowanie, gratulacje*); **~ itself** nadarzać się (*o okazji, sposobności*); **~ resistance** stawiać opór. **6.** **~ (up)** *rel.* ofiarowywać, składać w ofierze; zanosić (*modły*). **7.** **~ one's hand to sb** wyciągać rękę do kogoś (*np. na powitanie*). **8.** *arch.* oświadczać się. – *n.* **1.** propozycja (*to do sth* zrobienia czegoś); **an ~ of marriage** propozycja małżeństwa. **2.** oferta; **accept an ~** przyjąć ofertę; **be open to ~s** przyjmować oferty; **make an ~ for sth** składać ofertę na coś; **on ~** oferowany, na sprzedaż; przeceniony; **special ~** oferta specjalna; **turn down/refuse/decline an ~** odrzucić ofertę.

offeree [ˌɔːfəˈriː] *n.* adresat/ka oferty.

offerer [ˈɔːfərər] *n.* **1.** ofiarodaw-ca/czyni. **2.** (*także* **offeror**) oferując-y/a (*zwł. na sprzedaż*).

offering [ˈɔːfərɪŋ] *n.* **1.** *rel.* ofiara; **burnt ~** ofiara całopalna. **2.** propozycja; oferta. **3.** prezent, podarunek. **4.** *kośc.* taca, datki.

offer price *n. gł. giełda* cena oferowana, kurs sprzedaży.

offertory [ˈɔːfərˌtɔːrɪ] *n. pl.* **-ies** *kośc.* **1.** ofiarowanie, ofertorium. **2.** zbiórka (*organizowana przez kościół*).

off-glide [ˈɔːfˌglaɪd] *n. fon.* dźwięk przechodni (*np. przy artykulacji dyftongu zstępującego*).

off-guard [ˌɔːfˈgɑːrd] *a. pred.* nieprzygotowany; **catch/take sb ~** zaskoczyć kogoś.

offhand [ˌɔːfˈhænd], **offhanded** [ˌɔːfˈhændɪd] *a.* **1.** bezceremonialny, obcesowy. **2.** bez namysłu, spontaniczny, improwizowany. – *adv.* **1.** od ręki, tak od razu; bez przygotowania *l.* namysłu, na poczekaniu (*np. odpowiedzieć*). **2.** bezceremonialnie, obcesowo.

offhandedly [ˌɔːfˈhændɪdlɪ] *adv.* **1.** bezceremonialnie, na odczepnego. **2.** bez namysłu.

offhandedness [ˌɔːfˈhændɪdnəs] *n. U* bezceremonialność, obcesowość.

off-hour [ˌɔ:fˈaʊr] *n.* **1.** wolne, urlop. **2.** okres poza godzinami szczytu. – *a. gł. attr.* poza godzinami szczytu (*np. o ruchu ulicznym*).

office [ˈɔ:fɪs] *n.* **1.** biuro; **at the** ~ w biurze; **box/ticket** ~ kasa biletowa; **head** ~ siedziba (*firmy*); oddział główny; **information/inquiry** ~ informacja; **passport/tourist** ~ biuro paszportowe/podróży; **work in an** ~ pracować w biurze. **2.** gabinet; **dentist's/doctor's** ~ *US* gabinet dentystyczny/lekarski; **the Oval O**~ *US polit.* gabinet owalny. **3.** *C/U* urząd; stanowisko; **customs/patent/post/tax** ~ urząd celny/patentowy/pocztowy/podatkowy; **hold** ~ piastować *l.* sprawować urząd; **in** ~ u władzy (*np. o partii*); na stanowisku *l.* urzędzie; **leave** ~ odchodzić z urzędu; **registered** ~ *Br.* siedziba, centrala, firma macierzysta; **registry** ~ *Br.* urząd stanu cywilnego; **resign from (an)** ~ zrezygnować ze stanowiska *l.* urzędu; **run for** ~ (*także Br.* **stand for** ~) *polit.* ubiegać się o urząd; **take** ~ obejmować urząd; **the** ~ **of president** urząd prezydencki. **4.** *US admin.* departament; agencja rządowa. **5.** *Br. admin.* ministerstwo; **Foreign/Home/War O**~ Ministerstwo Spraw Zagranicznych/Spraw Wewnętrznych/Obrony. **6.** *form.* obowiązek; zajęcie, zadanie. **7.** przysługa; **the last** ~**(s)** ostatnia przysługa; **through his good** ~**s** *form.* dzięki jego uprzejmości. **8.** *kośc.* nabożeństwo; **O**~ **of the Dead** nabożeństwo żałobne. **9.** *pl. gł. Br.* pomieszczenia *l.* budynki gospodarskie.

office boy *n.* goniec.

office building *n.* (*także Br.* **office block**) budynek biurowy, biurowiec.

office equipment *n.* *U* wyposażenie biura, sprzęt biurowy.

office girl *n.* goniec (*kobieta*).

office holder, office-holder *n.* osoba piastująca urząd.

office hours *n. pl.* godziny urzędowania; *US med.* godziny przyjęć.

office manager *n.* kierowni-k/czka biura.

officer [ˈɔ:fɪsər] *n.* **1.** *wojsk.* oficer; ~ **of the day** oficer dyżurny; ~ **of the guard** dowódca straży (*pod rozkazami oficera dyżurnego*); **commanding** ~ (*także* ~ **in command**) dowódca; **commissioned** ~ *US* oficer; **flag** ~ oficer flagowy; **line** ~ oficer liniowy; **non-commisioned** ~ *US* podoficer; **staff** ~ oficer sztabowy; **warrant** ~ chorąży; *żegl.* bosman. **2.** *policja* policjant/ka; posterunkow-y/a; *voc.* panie władzo (*uprzejma forma tytułowania policjanta*). **3.** *żegl.* kapitan (*statku handlowego*). **4.** (*także* **executive** ~) członek zarządu. **5.** urzędni-k/czka; funkcjonariusz/ka; ~ **of arms** *Br.* urzędnik heraldyczny; ~ **of the court** urzędnik sądowy; komornik; **civil** ~ urzędnik państwowy. – *v.* **1.** *wojsk.* obsadzać oficerami. **2.** *rzad.* dowodzić, kierować (*grupą, organizacją*).

office work *n.* *U* praca biurowa.

office worker *n.* urzędni-k/czka, pracowni-k/ca biura.

official [əˈfɪʃl] *a.* **1.** urzędowy. **2.** oficjalny; formalny. **3.** *med.* objęty lekospisem. – *n.* **1.** wysoki urzędnik. **2.** *Br.* oficjał (*przewodniczący l. sędzia sądu kościelnego*).

officialdom [əˈfɪʃldəm] *n.* *U pot.* **1.** biurokracja. **2.** oficjele, urzędnicy.

officialese [əˌfɪʃəˈli:z] *n.* *U zwł. US pot.* urzędnicza nowomowa.

officialism [əˈfɪʃəˌlɪzəm] *n.* *U* **1.** urzędowość. **2.** *pog.* biurokracja.

officially [əˈfɪʃlɪ] *adv.* **1.** oficjalnie. **2.** urzędowo, z urzędu.

official rate *n. fin.* kurs oficjalny (*waluty*).

official receiver *n. Br. i Austr.* = **receiver** 3.

officiant [əˈfɪʃɪənt] *n. kośc.* celebrans.

officiate [əˈfɪʃɪˌeɪt] *v.* **1.** urzędować. **2.** pełnić obowiązki gospodarza. **3.** *kośc.* odprawiać nabożeństwo *l.* mszę. **4.** *sport* prowadzić mecz, sędziować.

officiator [əˈfɪʃɪˌeɪtər] *n. kośc.* celebrans.

officinal [əˈfɪsənl] *arch. a.* **1.** aptekarski (*o ziołach, środku, nazwie*). **2.** apteczny, objęty lekospisem. – *n.* lek gotowy.

officious [əˈfɪʃəs] *a.* **1.** nadgorliwy; narzucający się, natrętny. **2.** *dyplomacja* nieoficjalny, nieurzędowy. **3.** *arch.* usłużny.

officiously [əˈfɪʃəslɪ] *adv.* nadgorliwie; natrętnie.

officiousness [əˈfɪʃəsnəs] *n.* *U* nadgorliwość; natrętność.

offing [ˈɔ:fɪŋ] *n.* **1. in the** ~ niezbyt odległy, bliski; **sth is in the** ~ zanosi się na coś. **2.** *żegl.* pełne morze, horyzont morski. **3.** *żegl.* odległość bezpieczna od lądu.

offish [ˈɔ:fɪʃ] *a. pot.* trzymający się na dystans, chłodny, sztywny.

off-key [ˌɔ:fˈki:] *a.* **1.** *muz.* fałszywy. **2.** niewłaściwy. – *adv. muz.* fałszywie; **sing** ~ fałszować.

off-label [ˌɔ:fˈleɪbl] *a. US med.* niezatwierdzony (*o leku*).

off-licence [ˈɔ:fˌlaɪsəns] *n. Br.* (sklep) monopolowy.

off-limits [ˌɔ:fˈlɪmɪts] *a. gł. wojsk.* niedostępny, zakazany (*to sb* dla kogoś).

off-line, offline *komp. a.* [ˈɔ:fˌlaɪn] **1.** autonomiczny, rozłączny. **2.** odłączony. – *adv.* [ˌɔ:fˈlaɪn] w trybie rozłącznym.

off-line mode [ˈɔ:fˌlaɪn ˌmoʊd] *a. komp.* tryb rozłączny *l.* autonomiczny.

off-load [ˌɔ:fˈloʊd], **offload** *v.* **1.** wyładowywać, rozładowywać. **2.** *Br.* pozbywać się (*czegoś*); ~ **sth onto sb** przerzucać coś na kogoś (*np. obowiązki, kłopoty*). **3.** *Br. komp.* przenosić (*dane*).

offpeak [ˌɔ:fˈpi:k] *adv. i a. gł. attr.* poza godzinami szczytu.

off-piste [ˌɔ:fˈpi:st] *a. narty* poza wytyczoną trasą.

off-plan [ˌɔ:fˈplæn] *a. i adv. bud.* na planie, w planach (= *przed rozpoczęciem budowy*).

offprint [ˈɔ:fˌprɪnt] *druk. n.* nadbitka. – *v.* robić nadbitki z (*czegoś*).

off-putting [ˈɔ:fˌpʊtɪŋ] *a.* odpychający.

off-puttingly [ˈɔ:fˌpʊtɪŋlɪ] *adv.* w sposób odpychający.

off-ramp [ˈɔːfˌræmp] *n. US mot.* zjazd (*z autostrady*).
off-rhyme [ˈɔːfˌraɪm] *n. wers.* rym niedokładny.
off-road vehicle [ˌɔːf ˌroʊd ˈviːɪkl] *n. mot.* pojazd terenowy.
offsales [ˈɔːfˌseɪlz] *n. pl. Br.* sprzedaż alkoholu w butelce (*do spożycia poza pubem, w którym jest sprzedawany*).
offscourings [ˈɔːfˌskaʊrɪŋz] *n. pl.* **1.** odpadki, śmieci. **2.** ~ **of society** *przen.* wyrzutki społeczeństwa, męty społeczne.
off-screen [ˌɔːfˈskriːn] *a.* **1.** *kino* poza kadrem. **2.** prywatny. – *adv.* prywatnie.
off-season [ˌɔːfˈsiːzən] *adv. i a. gł. attr.* poza sezonem. – *n.* **the** ~ okres mniejszego ruchu, martwy sezon.
offset *v.* [ˌɔːfˈset] **-set, -set, -tt- 1.** równoważyć, rekompensować (*sth against sth* coś czymś). **2.** *druk.* odbijać techniką offsetową. **3.** *bud.* robić odsadzkę w (*murze*); wystawać jako odsadzka. – *n.* [ˈɔːfˌset] **1.** wyrównanie, zrównoważenie, kompensata. **2.** *bot.* odrośl; rozłóg. **3.** *genetyka* potomek. **4.** odnoga (*t. górska*). **5.** *U druk.* offset. **6.** *druk.* odbicie farby ze świeżo drukowanego arkusza. **7.** *techn.* odsadzka (*rodzaj kształtki rurowej*). **8.** *bud.* odsadzka, uskok (*w murze*). **9.** *miern.* rzędna. **10.** *geol.* przesunięcie poprzeczne skały. **11.** *arch.* początek.
offshoot [ˈɔːfˌʃuːt] *n.* **1.** odgałęzienie, gałąź. **2.** *bot.* odrośl, pęd boczny.
offshore [ˌɔːfˈʃɔːr] *a.* **1.** przybrzeżny (*np. o prądach, rybołówstwie*). **2.** od lądu (*o wietrze*). **3.** *attr.* poza granicami kraju (*np. o banku, inwestycjach*). – *adv.* z dala od brzegu.
offshore banking *n. U fin.* operacje bankowe realizowane poza krajami stosującymi ścisłą kontrolę bankową (*zwł. w tzw. „rajach podatkowych", np. na Wyspach Bahama*).
offshore company *n. pl.* **-ies** *ekon.* przedsiębiorstwo zarejestrowane za granicą (*celem uniknięcia płacenia podatków*).
offside [ˌɔːfˈsaɪd] *a. i adv.* **1.** *sport* na spalonym. **2.** *mot.* od strony osi jezdni.
offspring [ˈɔːfˌsprɪŋ] *n. pl.* **offspring 1.** potomek; potomstwo. **2.** młode (*zwierząt; jedno l. kilka*). **3.** *przen.* wynik, rezultat.
offstage [ˌɔːfˈsteɪdʒ] *adv.* **1.** *teatr* za kulisami, za sceną. **2.** prywatnie. – *a.* **1.** zakulisowy. **2.** prywatny.
off-street parking [ˌɔːfˌstriːt ˈpɑːrkɪŋ] *n. U mot.* parkowanie nie na ulicy (*tylko na parkingu, podjeździe domu itp.*).
off the books [ˌɔːf ðə ˈbʊks] *a. US* **1.** niezaksięgowany. **2.** niezadeklarowany, niezgłoszony do opodatkowania.
off-the-cuff [ˌɔːfðəˈkʌf] *adv. i a. gł. attr.* bez namysłu, z głowy.
off-the-peg [ˌɔːfðəˈpeg] *a. i adv. Br.* = **off-the-rack**.
off-the-rack [ˌɔːfðəˈræk] *US a.* gotowy (= *nie szyty na miarę*). – *adv.* **buy clothes** ~ kupować gotową odzież.
off-the-record [ˌɔːfðəˈrekərd] *a.* nieoficjalny, poza protokołem. – *adv.* nieoficjalnie, poza protokołem.
off-the-shelf [ˌɔːfðəˈʃelf] *handl. a.* **1.** gotowy (*o wyrobach, elementach wyposażenia*); dostępny w sprzedaży (*jw.*); standardowy (*jw.*). **2.** *Br.* zatwierdzony do sprzedaży. – *adv.* prosto z półki; na miejscu (= *w sklepie*).
off-the-wall [ˌɔːfðəˈwɔːl] *a. pot.* dziwaczny.
offtrack [ˌɔːfˈtræk] *a. US wyścigi konne* poza torem wyścigowym (*np. o przyjmowaniu zakładów*).
off-white [ˌɔːfˈwaɪt] *a.* w kolorze złamanej bieli. – *n. U* złamana biel.
off year [ˌɔːf ˈjiːr] *n. zw. sing.* **1.** gorszy rok (*for sth* na coś *l.* dla czegoś). **2.** *US* rok bez wyborów (*zwł. prezydenckich*).
OFris. *abbr. jęz.* = **Old Frisian.**
OFT [ˌoʊ ˌef ˈtiː] *abbr.* **Office of Fair Trading** *Br.* Państwowa Inspekcja Handlowa.
oft [ɔːft] *adv. arch. l. poet.* często.
often [ˈɔːfən] *adv.* często; **all/only too** ~ o wiele za często; **as** ~ **as not** (*także* **more** ~ **than not**) najczęściej, zazwyczaj, przeważnie; **every so** ~ co jakiś czas; **how often?** jak często?; **very/quite** ~ bardzo/dość często. – *a. arch.* częsty.
oftentimes [ˈɔːfənˌtaɪmz] *adv.* (*także* **ofttimes**) *arch.* często.
OG [ˌoʊ ˈdʒiː] *abbr.* = **Officer of the Guard.**
o.g. [ˌoʊ ˈdʒiː] *abbr. piłka nożna* = **own goal.**
ogam [ˈɑːgəm] *n.* = **ogham.**
ogdoad [ˈɑːgdoʊˌæd] *n. rzad.* ósemka (*liczba l. grupa*).
ogee [ˈoʊdʒiː] *n. bud.* **1.** cyma, esownica. **2.** (*także* ~ **arch**) łuk ostry wklęsło-wypukły.
ogham [ˈɑːgəm], **ogam** *n. Ir. i Br. hist.* **1.** *U* pismo ogamiczne. **2.** litera alfabetu ogamicznego. **3.** inskrypcja ogamiczna.
ogival [oʊˈdʒaɪvl] *a. bud.* ostrołukowy.
ogive [ˈoʊdʒaɪv] *n.* **1.** *bud.* ostrołuk. **2.** *bud.* żebro przekątne (*w sklepieniu gotyckim*). **3.** *stat.* ogiwa, krzywa kumulacyjna.
ogle [ˈoʊgl] *v.* przyglądać się pożądliwie (*komuś l. czemuś*), pożerać wzrokiem. – *n.* lubieżne spojrzenie.
ogre [ˈoʊgər] *n.* **1.** ludojad (*w bajkach*). **2.** potwór.
OH *abbr.* = **Ohio.**
oh [oʊ] *int.* ach!.
Ohio [oʊˈhaɪoʊ] *n. US* stan Ohio.
ohm [oʊm] *n. fiz.* om.
ohmage [ˈoʊmɪdʒ] *n. U fiz.* opór omowy.
ohmmeter [ˈoʊmˌmiːtər] *n. fiz.* omomierz.
Ohm's law [ˌoʊmz ˈlɔː] *n. U fiz.* prawo Ohma.
oho [oʊˈhoʊ] *int. przest.* oho! (*zdziwienie*); ojej! (*radość*).
OHP [ˌoʊ ˌeɪtʃ ˈpiː] *abbr.* = **overhead projector.**
oik [ɔɪk] *n. Br. pog. sl.* cham.
oikish [ˈɔɪkɪʃ] *a.* chamski, chamowaty.
oil [ɔɪl] *n. U* **1.** olej; **castor** ~ *med.* olej rycynowy; **crude** ~ olej skalny, ropa naftowa; **fixed** ~ olej gęsty *l.* roślinny (*nielotny*); **fuel** ~ paliwo olejowe; olej napędowy; olej opałowy; **gas** ~ olej gazowy *l.* napędowy; **holy** ~ *kość.* oleje święte. **2.** ropa naftowa; **strike** ~ trafić na ropę. **3.** *kulin.*

oliwa; **olive** ~ oliwa z oliwek. **4.** olejek; **bath/suntan** ~ olejek do kąpieli/do opalania; **essential** ~ olejek eteryczny *l.* lotny. **5.** (*także* **paraffin** ~) *Br.* nafta. **6.** *C* farba olejna; **portrait in ~s** portret olejny. **7.** *C* obraz olejny, olej. **8.** *US pot.* wazelina (=*pochlebstwa*). **9.** *przen.* **burn the midnight** ~ *zob.* **burn**[1] *v.*; **(like)** ~ **and water** (jak) ogień i woda; **pour** ~ **on the waters/on troubled waters** nawoływać do zgody; **strike** ~ trafić na żyłę złota. – *v.* **1.** oliwić. **2.** natłuszczać, impregnować. **3.** napełniać olejem *l.* ropą naftową (*np. zbiornik*). **4.** przetapiać (*np. masło*). **5.** *przen.* ~ **sb's hand/palm** posmarować komuś, dać komuś w łapę (= *przekupić*); ~ **the wheels** naoliwić tryby (= *ułatwić coś, zwł. w polityce l. interesach*); ~ **one's tongue** mówić gładkie słówka.

oil-bearing [ˈɔɪlˌberɪŋ] *a. geol.* roponośny.

oilbird [ˈɔɪlˌbɜːd] *n. orn.* tłuszczak (*Steatornis caripensis*).

oil-burner [ˈɔɪlˌbɜːnər] *n.* **1.** *mot.* diesel, pojazd z silnikiem diesla. **2.** palnik olejowy.

oil-burning [ˈɔɪlˌbɜːnɪŋ] *a.* opalany ropą.

oil cake *n.* makuch (*wyciśnięte nasiona roślin oleistych*).

oilcan [ˈɔɪlˌkæn], **oil can** *n.* oliwiarka, smarownica.

oil change *n. gł. mot.* wymiana oleju.

oilcloth [ˈɔɪlˌklɔːθ] *n. U* cerata.

oil-cooled [ˌɔɪlˈkuːld] *a.* chłodzony olejem.

oil cup *n.* oliwiarka.

oil drum *n.* beczka na ropę.

oiled [ɔɪld] *a.* **1.** naoliwiony. **2.** natłuszczony, impregnowany. **3.** **well** ~ *Br. pot.* dobrze naoliwiony (= *pijany*).

oiled silk *n. U tk.* jedwab impregnowany.

oiler [ˈɔɪlər] *n.* **1.** smarowniczy. **2.** oliwiarka, olejarka. **3.** zbiornikowiec. **4.** samochód cysterna. **5.** statek na ropę; pojazd na ropę. **6.** ubranie nieprzemakalne, sztormiak. **7.** *US pot.* szyb naftowy.

oil field *n.* pole naftowe.

oil filter *n. mot.* filtr oleju.

oil-fired [ˈɔɪlˌfaɪərd] *a.* opalany paliwem olejowym.

oil gas *n. U* gaz olejowy.

oil gland *n. orn.* gruczoł kuprowy.

oil-heater [ˈɔɪlˌhiːtər] *n.* grzejnik *l.* kaloryfer olejowy.

oil industry *n.* przemysł naftowy.

oil lamp *n.* lampka oliwna.

oil-land [ˈɔɪlˌlænd] *n.* teren roponośny.

oil magnate *n.* potentat naftowy.

oilman [ˈɔɪlmən] *n. pl.* **-men** *US* nafciarz (= *pracownik l. właściciel firmy naftowej*).

oil mining *n. U* górnictwo naftowe.

oil of turpentine *n. U* olejek terpentynowy.

oil of vitriol *n. U* stężony kwas siarkowy.

oil paint *n. C / U* farba olejna.

oil painting *n.* **1.** obraz olejny; *U* malarstwo olejne. **2.** **be no** ~ *Br. żart.* być niezbyt urodziwym.

oil palm *n. bot.* olejowiec gwinejski, palma oleista (*Elaeis guineensis*).

oil pan *n.* **1.** *US mot.* miska olejowa. **2.** rynienka olejowa.

oil plant *n.* roślina oleista.

oil platform *n.* platforma wiertnicza.

oil pollution *n. U* zanieczyszczenie *l.* skażenie ropą.

oil press *n.* prasa do wyciskania oleju, tłocznia olejowa.

oil pump *n.* pompa olejowa.

oil refinery *n. pl.* **-ies** rafineria ropy naftowej.

oil-related [ˈɔɪlrɪˌleɪtɪd] *a.* ropopochodny.

oil rig *n.* **1.** szyb wiertniczy. **2.** platforma wiertnicza.

oil sand *n. C / U geol.* piasek roponośny.

oil seed *n. U* nasiona oleiste.

oil seed rape *n. bot.* rzepik, rzepa olejna (*Brassica oleifera*).

oil shale *n. U geol.* łupek naftowy.

oil skin *n. U* tkanina nieprzemakalna.

oilskins [ˈɔɪlˌskɪnz] *n. pl.* ubranie sztormowe, sztormiak.

oil slick *n.* plama ropy naftowej (*w morzu, na powierzchni drogi*).

oilstone [ˈɔɪlˌstoʊn] *n.* kamień szlifierski nasączony oliwą.

oil tanker *n.* **1.** zbiornikowiec, tankowiec. **2.** cysterna.

oil well *n.* szyb naftowy.

oily [ˈɔɪlɪ] *a.* **-ier, -iest** **1.** olejowy. **2.** oleisty. **3.** tłusty, przetłuszczający się (*np. o włosach, cerze*); tłusty, zatłuszczony (*np. o szmacie*). **4.** *przen.* przypochlebny, przymilny.

oink [ɔɪŋk] *int.* kwik (*odgłos wydawany przez świnię*). – *v.* kwiczeć (*o świni*).

ointment [ˈɔɪntmənt] *n.* **1.** maść. **2.** **a/the fly in the** ~ *przen.* łyżka dziegciu (w beczce miodu) (= *drobiazg psujący przyjemność*).

OJ [ˌoʊ ˈdʒeɪ], **oj** *abbr.* = **orange juice.**

OJT [ˌoʊ ˌdʒeɪ ˈtiː] *abbr.* = **on-the-job training.**

OK[1] [ˌoʊˈkeɪ], **O.K.**, **okay** *int. pot.* OK, okej; dobra, w porządku; **~?** zgoda?, dobrze? – *a. pred. pot.* w porządku; do przyjęcia; dość dobry; **are you** ~ **for money?** masz dosyć pieniędzy?; **he's/she's** ~ nic mu/jej nie jest; on/a jest w porządku; **if that's** ~ jeśli można; **is it** ~ **for us to go now?** możemy już iść?; **it's** ~ **with/by me** mnie to nie przeszkadza. – *adv. pot.* w porządku, dobrze; **is it ~?** może być? – *n. U pot.* **the** ~ zgoda, pozwolenie; **get the** ~ dostać zgodę *l.* pozwolenie; **give sb the** ~ **to sth** pozwolić komuś na coś; **give sth the** ~ wyrazić zgodę na coś. – *v. pot.* **1.** zgadzać się na (*coś*). **2.** ~ **sth with sb** dostać od kogoś zgodę *l.* pozwolenie na coś.

OK[2] *abbr.* (*także* **Okla.**) = **Oklahoma.**

okapi [oʊˈkɑːpɪ] *n. zool.* okapi (*Okapia johnstoni*).

okay [ˌoʊˈkeɪ] *int., a., adv., n. i v.* = **OK**[1].

okey-doke [ˌoʊkɪˈdoʊk], **okey-dokey** [ˌoʊkɪˈdoʊkɪ] *int. pot.* = **OK.**

Okie [ˈoʊkɪ] *n. US pog. sl.* **1.** mieszkan-iec/ka Oklahomy. **2.** wędrowny robotnik rolny (*który stracił ziemię l. musiał ją porzucić z powodu klęsk żywiołowych*).

Okla. *abbr.* = **Oklahoma.**

Oklahoma [ˌouklə'houmə] *n. US* stan Oklahoma.

okra ['oukrə] *n. U* **1.** *bot.* ketmia jadalna (*Abelmoschus esculentus*). **2.** *kulin.* nasiona ketmii jadalnej.

old [ould] *a.* **1.** stary; **at fifteen years ~** w wieku piętnastu lat, w piętnastym roku życia; **five-year-~** pięcioletni; **get/grow ~** starzeć się; **he is 53 years ~** ma 53 lata; **how ~ are you?** ile masz lat?. **2.** *attr.* dawny, były; **~ pupil/student** były uczeń/student; **in the ~ days** dawniej, niegdyś. **3.** *attr.* starodawny, starożytny. **4.** *attr.* znany, odwieczny. **5.** *attr.* poprzedni; **many still use the ~ name** wielu wciąż używa poprzedniej nazwy. **6. (as) ~ as the hills** *emf.* stary jak świat; **any ~ how/way** *pot.* byle jak; **any ~ thing** *pot.* byle co; **any ~ time** *pot.* kiedykolwiek; **be ~ before one's time** postarzeć się przedwcześnie; **be ~ beyond one's years** być dojrzałym nad wiek; **feel/look like one's ~ self** czuć się/wyglądać jak dawniej *l.* po staremu; **for ~ times' sake** ze względu na stare czasy; *attr.* **good ~** poczciwy; drogi, kochany; **good ~ days** stare dobre czasy; **have a fine/good/high ~ time** bawić się jak za starych dobrych czasów; **he's ~ enough to be your father** *pot.* mógłby być twoim ojcem; **the ~est profession (in the world)** *żart* najstarszy zawód świata (= *prostytucja*); **the same ~ story** stara śpiewka. – *n.* **1.** *U* **the ~** (to, co) stare. **2.** *U* **of ~** dawny; dawniej; od dawna. **3.** *w złoż.* **twenty-year-~** dwudziestolatek/ka; **four-year-~s** czterolatki. **4.** *pl.* **the ~** *pog.* starzy (ludzie), starcy.

old age *n. U* starość; **in one's ~** na starość; w podeszłym wieku.

old age pension, old-age pension *n. Br. i Austr.* emerytura.

old age pensioner, old-age pensioner *n. Br. i Austr.* emeryt/ka.

Old Bailey [ˌould 'beılı] *n.* **the ~** *Br.* główny sąd w Londynie.

Old Bill [ˌould 'bıl] *n. Br. sl.* glina, gliniarz; **the ~** gliny (= *policja zbiorowo*).

old bird *n. żart.* stary wyga *l.* wyjadacz.

old boy *n.* **1.** *Br.* absolwent (*szkoły prywatnej*). **2.** *pog.* stary piernik, ramol. **3.** *voc. Br. przest. pot.* stary (*poufale do kogoś dobrze znanego*). **4. the ~ network** grupa mężczyzn świadczących sobie wzajemnie przysługi (*przez wzgląd na dawne znajomości, chodzenie w przeszłości do tej samej szkoły itp.*).

Old Church Slavonic *n. U jęz., hist.* (język) staro-cerkiewno-słowiański.

old country *n.* **the ~** *zwł. US* stary kraj (= *kraj pochodzenia emigranta*).

olde [ould] *a. attr. pseudoarch.* stary, w starym stylu (*zwł. w nazwach sklepów, pubów itp.*).

olden ['ouldən] *a. attr. arch. l. poet.* stary; dawny; **in ~ days/times** w dawnych czasach, dawno temu.

Old English *a. i n. U jęz., hist.* (język) staroangielski.

Old English sheepdog *n. kynol.* owczarek staroangielski, bobtail.

old face *n. Br.* = **old style**.

oldfangled [ˌould'fæŋgld] *a.* przestarzały, staroświecki.

old fart *n. obelż. sl.* stary pryk.

old-fashioned [ˌould'fæʃənd] *a.* **1.** staromodny, niemodny; przestarzały. **2.** staroświecki. – *n. U US* koktajl na bazie whiskey.

old flame *n.* stara miłość (= *były chłopak l. była dziewczyna*).

old fogy, old fogey *n. pot.* stary ramol.

old-fogyish [ˌould'fougııʃ] *a. pot.* zramolały.

old folks, *Br.* **old folk** *n. pl.* staruszkowie.

old folks' home *n. pot.* = **old people's home**.

Old Frisian *a. i n. U jęz., hist.* (język) starofryzyjski.

old girl *n. Br.* **1.** absolwentka (*zwł. szkoły prywatnej*). **2.** *pog.* stara baba, stare próchno. **3.** *voc.* stara, staruszka (*poufały zwrot w stosunku do kogoś dobrze znanego*). **4. the ~ network** grupa kobiet świadczących sobie wzajemnie przysługi (*przez wzgląd na dawne znajomości, chodzenie w przeszłości do tej samej szkoły itp.*).

Old Glory *n. U pot.* sztandar narodowy USA.

old gold *n. U* stare złoto (*kolor*). – *a.* w kolorze starego złota.

old growth *n. U US i Austr.* stary drzewostan, stare drzewa.

old guard *n.* **the ~** stara gwardia.

old hand *n.* stary wyga; **be an ~ at sth** mieć wprawę w czymś.

Old Harry *n.* (*także* **Old Nick**) *Br. przest. żart.* diabeł, kusy.

old hat *a. pred. pot.* już niemodny; dobrze znany (*i stąd nudny*).

Old High German *a. i n. U jęz., hist.* (język) staro-wysoko-niemiecki.

oldie ['ouldi:] *n. pot.* staroć (*np. o piosence, filmie; t. o osobie*); **~ but goodie** stary, ale dobry; **golden ~s** złote przeboje.

Old Irish *a. i n. U jęz., hist.* (język) staroirlandzki.

oldish ['ouldıʃ] *a.* starszawy; starawy.

old lady *n. pl.* **-ies** **1.** starsza pani, staruszka. **2. my/the ~** *US pot.* (moja) stara (= *żona l. matka*). **3.** *ent.* straszka cyganka (*Mormo maura*).

old-line [ˌould'laın] *a.* **1.** konserwatywny. **2.** uświęcony przez tradycję.

old maid *n. pog.* stara panna.

old-maidish [ˌould'meıdıʃ] *a.* staropanieński.

old man *n. pl.* **old men** **1.** starzec. **2.** *pot.* stary (= *szef, ojciec, dowódca*); *voc. Br. przest.* stary, staruszku (*poufale do kogoś dobrze znanego*); **my/your/her ~** *sl.* mój/twój/jej stary (= *mąż*). **3.** *bot.* (bylica) boże drzewko (*Artemisia abrotanum*).

old man's beard *n. U bot.* **1.** powojnik pnący (*Clematis vitalba*). **2.** opłątwa brodaczkowata (*Usnea barbata*). **3.** skalnica rozłogowa (*Saxifraga sarmentosa*).

old man's head *n. bot.* goździk (*Dianthus*).

old master *n. mal.* **1.** dawny mistrz. **2.** dzieło któregoś z dawnych mistrzów.

old moon *n. C/U* księżyc w trzeciej kwadrze.

Old Nick *n.* = **Old Harry**.

Old Norse *a. i n. U jęz. hist.* (język) staronordyjski.

old people's home *n.* (*także* **old folks' home**) dom starców.

Old Polish *a. i n. U jęz., hist.* (język) staropolski.

Old Prussian *a. i n. U jęz., hist.* (język) staropruski.

old rose *a. i n. U* (kolor) ciemnoróżowy.

old salt *n. przest.* wilk morski.

Old Saxon *a. i n. U jęz., hist.* (język) starosaksoński.

old school *n. U przen.* **the ~** stara szkoła; **of the ~** starej daty.

old school tie *n.* **1.** krawat w kolorach dawnej szkoły (*do której się chodziło*). **2.** *U Br.* wartości *l.* tradycje utożsamiane ze szkołami prywatnymi. **3.** = **old boy network**; *zob.* **old boy**.

old soldier *n.* **1.** stary wiarus. **2.** stary wyga.

old stager *n.* stary wyga, stary wyjadacz.

oldster ['ouldstər] *n. pot.* osoba niemłoda.

Old Stone Age *n. archeol.* starsza epoka kamienia, epoka kamienia łupanego.

Old Style *n. rachuba czasu* stary styl (= *kalendarz juliański*).

old style *n.* (*także Br.* **old face**) *druk.* antykwa.

old-style [ˌould'staɪl] *a. gł. attr.* starego typu.

old sweat *n. pot.* weteran, stary wiarus.

Old Testament *n. Bibl.* Stary Testament.

old-time [ˌould'taɪm] *a. attr.* dawny, starodawny.

old-timer [ˌould'taɪmər] *n. pot.* **1.** weteran/ka. **2.** osoba starej daty, konserwatyst-a/ka. **3.** *zwł. US czas. pog.* starzec.

old wife *n. pl.* **old wives** *l.* **old wife** *icht.* mimorka (*Spondyliosoma cantharus*).

old wives' tale *n.* zabobon, przesąd.

old woman *n. pl.* **old women** *sl.* **1.** *pog.* stara baba (*o mężczyźnie*). **2.** **my/the ~** *obelż.* (moja) stara (= *żona l. matka*).

old-womanish [ˌould'wumənɪʃ] *a.* grymaśny, kapryśny; zrzędliwy.

Old World *n.* **the ~** *przest.* stary świat (= *Eurazja i Afryka*).

old-world [ˌould'wɝːld] *a. attr.* **1.** staromodny, staroświecki (*w atrakcyjny sposób*). **2.** ze starego świata (= *nieamerykański*).

OLE [ˌou ˌel 'iː] *abbr.* **object linking and embedding** *komp.* łączenie i osadzanie obiektów.

olé [ou'leɪ] *int.* olé!. – *n. pl.* **-s** okrzyk „olé!"

oleaceous [ˌoulɪ'eɪʃəs] *a. bot.* oliwkowaty.

oleaginous [ˌoulɪ'ædʒənəs] *a.* **1.** oleisty. **2.** *przen.* przymilny, przypochlebny.

oleander [ˌoulɪ'ændər] *n. pl.* **-s** *l.* **oleander** *bot.* oleander pospolity (*Nerium oleander*).

oleaster [ˌoulɪ'æstər] *n. pl.* **-s** *l.* **oleaster** *bot.* **1.** oliwnik wąskolistny (*Elaeagnus angustifolia*). **2.** owoc oliwnika.

oleate ['oulɪˌeɪt] *n. chem.* oleinian.

olecranon [ou'lekrəˌnɑːn] *n. anat.* wyrostek łokciowy.

olefin ['ouləfɪn], **olefine** *n. U chem.* olefina.

oleic [ou'liːɪk] *a.* **1.** oleinowy. **2.** oleisty.

oleic acid *n. U chem.* kwas oleinowy.

olein ['oulɪɪn], **oleine** *n. U* oleina (*stosowana do wyrobu mydeł i w przemyśle włókienniczym*).

oleo ['oulɪou] *n. pl.* **-s** *pot.* = **oleograph**.

oleograph ['oulɪəˌgræf] *n.* oleodruk.

oleographic [ˌoulɪə'græfɪk] *a.* oleodrukowy.

oleoresin [ˌoulɪou'rezən] *n. U* oleożywica.

oleum ['oulɪəm] *n. pl.* **-s** *l.* **olea** ['oulɪə] *chem.* oleum, kwas siarkowy dymiący.

O level ['ou ˌlevl] *n.* (*także form.* **Ordinary level**) *Br. szkoln.* egzamin z określonego przedmiotu na zakończenie szkoły średniej (*zdawany przez uczniów w Anglii i Walii w wieku 16 lat*).

olfaction [ɑːl'fækʃən] *n. U form.* **1.** węch, powonienie. **2.** wąchanie.

olfactive [ɑːl'fæktɪv] *a.* węchowy.

olfactometer [ˌɑːlfæk'tɑːmɪtər] *n.* olfaktometr.

olfactory [ɑːl'fæktərɪ] *a.* węchowy. – *n. pl.* **-ies** (*także* **~ organ**) narząd węchu.

olfactory nerve *n. anat.* nerw węchowy.

olibanum [ou'lɪbənəm] *n. U* żywica olibanowa, kadzidło arabskie.

oligarch ['ɑːləˌgɑːrk] *n.* oligarcha, możnowładca.

oligarchic [ˌɑːlə'gɑːrkɪk], **oligarchical** *a.* oligarchiczny.

oligarchy ['ɑːləˌgɑːrkɪ] *n. C/U pl.* **-ies** *polit.* oligarchia.

Oligocene ['ɑːləgouˌsiːn] *geol. n.* **the ~** oligocen. – *a.* oligoceński.

oligoclase ['ɑːləgouˌklæs] *n. U min.* oligoklaz.

oligodendrocyte [ˌɑːləgou'dendrəˌsaɪt] *n. anat.* oligodendrocyt, komórka glejowa skąpowypustkowa.

oligomer [ɑː'lɪgəmər] *n. chem.* oligomer.

oligophagous [ˌɑːlə'gɑːfəgəs] *a. zool.* odżywiający się niewieloma gatunkami roślin *l.* zwierząt.

oligopoly [ˌɑːlə'gɑːpəlɪ] *n. pl.* **-ies** *ekon.* oligopol.

oligosaccharide [ˌɑːləgou'sækəˌraɪd] *n. chem.* oligosacharyd, kilkucukrowiec.

oligotrophic [ˌɑːləgou'troufɪk] *a. ekol.* oligotroficzny, zawierający mało składników odżywczych (*zw. o zbiornikach wodnych*).

olio ['oulɪˌou] *n. pl.* **-s** **1.** *kulin.* ostry gulasz. **2.** *przen.* bigos, mieszanina.

olivaceous [ˌɑːlə'veɪʃəs] *a.* oliwkowy (*o kolorze*).

olivary ['ɑːlɪvərɪ] *a. anat.* oliwkowaty, oliwkowy (*o kształcie*).

olive ['ɑːlɪv] *n.* **1.** oliwka. **2.** *bot.* drzewo oliwne, oliwka europejska (*Olea europaea*). **3.** *U* drewno oliwkowe. **4.** *U* kolor oliwkowy. **5.** *techn.* pierścień *l.* stożek zaciskowy. **6.** *anat.* jądro oliwki. – *a.* **1.** (*także* **~-green**) oliwkowy (*o kolorze*). **2.** *attr.* oliwny (*o drzewie, gałęzi*); oliwkowy (*o cerze*).

olive branch *n.* gałązka oliwna; **hold out/offer the ~ to sb** przychodzić do kogoś z gałązką oliwną.

olive drab *n.* **1.** *U* kolor khaki. **2.** *U US tk.* materiał w kolorze khaki (*na mundury wojskowe*). **3.** *wojsk.* mundur w kolorze khaki, khaki. – *a.* khaki, zgniłozielony.

olive green *a. i n. U* (kolor) oliwkowy.

olive grove *n.* gaj oliwny.
olive oil *n. U kulin.* oliwa z oliwek.
olivine ['ɑːləˌviːn] *n. U min.* oliwin.
olla-podrida [ˌɑːləpə'driːdə] *n. Sp.* = **olio**.
Olympiad [oʊ'lɪmpɪˌæd] *n. form.* olimpiada.
Olympian [oʊ'lɪmpɪən] *a.* **1.** olimpijski (= *dotyczący Olimpu l. Olimpii*). **2.** majestatyczny, wyniosły. **3.** boski, doskonały. – *n.* **1.** olimpijczyk/ka. **2.** osoba dystyngowana. **3.** *hist.* mieszkan-iec/ka starożytnej Olimpii.
Olympic [oʊ'lɪmpɪk] *a.* olimpijski.
Olympic Games *n. pl.* (*także* **the Olympics**) igrzyska olimpijskie, olimpiada.
Olympus [oʊ'lɪmpəs] *n. geogr., mit.* Olimp.
OM [ˌoʊ 'em] *abbr. Br.* = **Order of Merit**.
omasum [oʊ'meɪsəm] *n. pl.* **omasa** [oʊ'meɪsə] *zool.* księgi (= *trzeci żołądek przeżuwaczy*).
ombudsman ['ɑːmbʊdzmən] *n. pl.* **-men** rzeczni-k/czka praw obywatelskich.
omega [oʊ'meɪgə] *n.* **1.** omega (*litera*). **2.** *przen.* **from alpha to ~ to** *zob.* **alpha; the alpha and ~** *zob.* **alpha**.
omega hyperon [oʊˌmeɪgə 'haɪpəˌrɑːn] *n. fiz.* hiperon omega (*cząstka elementarna*).
omega meson [oʊˌmeɪgə 'miːzɑːn] *n. fiz.* mezon omega.
omelet ['ɑːmlət], *gł. Br.* **omelette** *n.* **1.** *kulin.* omlet. **2. you can't make an ~ without breaking/cracking eggs** *zob.* **egg¹** *n.*
omen ['oʊmən] *n. zw. sing.* omen; **an ~ of sth** zapowiedź czegoś; **bad/ill ~** zły omen; **good ~** dobry *l.* szczęśliwy omen. – *v.* stanowić zapowiedź (*czegoś*), zwiastować, wróżyć.
omental [oʊ'mentl] *a. anat.* sieciowy.
omentum [oʊ'mentəm] *n. pl.* **omenta** [oʊ'mentə] *anat.* sieć; **greater/lesser ~** sieć większa/mniejsza.
omicron ['ɑːməˌkrɑːn] *n.* omikron (*litera alfabetu greckiego*).
ominous ['ɑːmənəs] *a.* **1.** złowieszczy, złowrogi. **2.** złowróżbny.
ominously ['ɑːmənəslɪ] *adv.* **1.** złowieszczo, złowrogo. **2.** złowróżbnie.
ominousness ['ɑːmənəsnəs] *n. U* **1.** złowieszczość. **2.** złowróżbność.
omission [oʊ'mɪʃən] *n. C/U* **1.** przeoczenie. **2.** pominięcie, opuszczenie. **3.** zaniedbanie; **glaring ~** rażące zaniedbanie.
omit [oʊ'mɪt] *v.* **-tt- 1.** pomijać, opuszczać. **2. ~ to do sth** *form.* nie zrobić czegoś, zapomnieć coś zrobić (*t. celowo*).
ommatidium [ˌɑːmə'tɪdɪəm] *n. pl.* **ommatidia** [ˌɑːmə'tɪdɪə] *ent.* omatidium (*część oka złożonego owada*).
ommatophore [ə'mætəˌfɔːr] *n. zool.* czułek (*zwł. z okiem jak u ślimaków*).
omnibus ['ɑːmnɪbəs] *n. pl.* **-es** *l.* **-ses** *zwł. Br.* **1.** = **omnibus book**. **2.** *radio, telew.* program składający się z serii odcinków emitowanych wcześniej pojedynczo. **3.** *arch.* omnibus, autobus. – *a. attr.* zbiorowy; ogólny; wieloaspektowy.
omnibus bill *n. parl.* ustawa o charakterze ogólnym.
omnibus book *n.* (*także* **omnibus volume**) *zwł. Br.* tom zawierający różne utwory tego samego autora (*publikowane wcześniej oddzielnie*).
omnibus survey *n.* ankieta zbiorowa.
omnibus ticket *n.* bilet zbiorowy.
omnibus train *n. Br.* pociąg osobowy.
omnibus volume *n.* = **omnibus book**.
omnicompetent [ˌɑːmnɪ'kɑːmpətənt] *a. form.* o wszelkich kompetencjach.
omnidirectional [ˌɑːmnɪdɪ'rekʃənl] *a. tel.* wszechkierunkowy, bezkierunkowy.
omnifarious [ˌɑːmnɪ'ferɪəs] *a. form.* wszelkiego rodzaju, wieloraki.
omnificent [ɑːm'nɪfɪsənt], **omnific** [ɑːm'nɪfɪk] *a. lit.* wszystkotworzący.
omnipotence [ɑːm'nɪpətəns] *n. U* wszechmoc.
omnipotent [ɑːm'nɪpətənt] *a.* wszechmocny, wszechmogący. – *n.* **the O~** *lit.* Bóg Wszechmogący.
omnipresence [ˌɑːmnɪ'prezəns] *n. U* wszechobecność.
omnipresent [ˌɑːmnɪ'prezənt] *a.* wszechobecny.
omniscience [ɑːm'nɪʃəns] *n. U* wszechwiedza.
omniscient [ɑːm'nɪʃənt] *a.* wszechwiedzący.
omnium-gatherum [ˌɑːmnɪəm 'gæðərəm] *n. pl.* **-s** *żart.* mieszanina, zbieranina.
omnivore ['ɑːmnɪˌvɔːr] *n.* **1.** *zool.* zwierzę wszystkożerne. **2.** *przen.* osoba o wszechstronnych zainteresowaniach.
omnivorous [ɑːm'nɪvərəs] *a.* **1.** *zool.* wszystkożerny. **2.** *przen.* o wszechstronnych zainteresowaniach.
omnivorousness [ɑːm'nɪvərəsnəs] *n. U* wszystkożerność.
OMOV [ˌoʊ ˌem ˌoʊ 'viː], **Omov** *abbr.* **one member one vote** *polit.* jeden członek – jeden głos.
omphalos ['ɑːmfələs] *n. pl.* **omphali** ['ɑːmfəlaɪ] **1.** *lit.* centrum, punkt centralny. **2.** *mit.* omfalos (= *półokrągły kamień w świątyni Apollina w Delfach*). **3.** *hist.* omfalos, wypukłość (*na tarczy u starożytnych Greków*).
OMR [ˌoʊ ˌem 'ɑːr] *abbr.* **optical mark reading** optyczne odczytywanie znaków kreskowych.
ON *abbr.* **1.** *geogr.* = **Ontario**. **2.** *jęz.* = **Old Norse**.
on [ɑːn] *prep.* **1.** na; **~ the bed/table/wall** na łóżku/stole/ścianie; **~ all fours** na czworakach; **~ drugs** *pot.* na prochach; **~ duty** na służbie; **~ an equal basis** na równych zasadach; **~ holiday** na wakacjach; **~ one's knees** na kolanach, na klęczkach; **~ one's word of honor** na słowo honoru; **~ the air** *radio, telew.* na antenie; **~ the left/right of sth** na lewo/prawo od czegoś; **~ time** na czas; **~ welfare** na zasiłku; **drinks are ~ the house** napoje na koszt firmy; **go ~ a trip** jechać na wycieczkę; **go ~ board** wchodzić na pokład; **have sth ~ sb** *US pot.* mieć coś na kogoś (= *dowody przeciwko komuś*); **live ~ a pension** żyć *l.* utrzymywać się z emerytury; **live ~ Beech Road** *US* mieszkać na Beech Road; **meet sb ~ the street** *US* spotkać kogoś na ulicy; **this is ~ me** ja płacę *l.* stawiam. **2.** w; **~ Christmas** w Boże Narodzenie; **~ crossing the street** w czasie przechodzenia przez ulicę; **~ Monday** w poniedziałek; **~ my birthday** w moje

urodziny; ~ **one's way to school/work** w drodze do szkoły/pracy; ~ **television/the radio** w telewizji/radiu; ~ **the bus/plane/train** w autobusie/samolocie/pociągu; ~ **the next day** następnego dnia; ~ **the run** w biegu; ~ **the whole** w całości; **a blow ~ the head** cios w głowę; **strike ~ sth** uderzać w coś; **the sales are 5% up ~ last year** sprzedaż wzrosła o 5% w porównaniu z zeszłym rokiem. **3.** nad; ~ **the river** nad rzeką; **work ~ sth** pracować nad czymś. **4.** o (*t. = na temat*); co do; ~ **the hour** o pełnej godzinie; **books ~ the Civil War** książki o wojnie domowej; **cut o.s. ~ sth** skaleczyć się o coś *l.* czymś. **5.** przy; **cash ~ delivery** płatne przy odbiorze; **I have no money ~ me** *pot.* nie mam przy sobie pieniędzy; **the shop is ~ the main street** sklep jest *l.* stoi przy głównej ulicy. **6.** po; ~ **arrival/one's return** (natychmiast) po przybyciu/powrocie; ~ **both sides** po obu stronach; ~ **hearing this** *form.* po usłyszeniu tego; ~ **the right/left** po prawej/lewej; ~ **the sly** po kryjomu. **7.** od; **depend ~ sb/sth** zależeć od kogoś/czegoś; **interest is 10 cents ~ the dollar** odsetki wynoszą 10 centów od dolara. **8.** ~ **foot/horseback** pieszo/konno; ~ **one condition** pod jednym warunkiem; ~ **good authority** z dobrego *l.* pewnego źródła; ~ **one's own** samotnie; samemu, samodzielnie; ~ **purpose** celowo; ~ **schedule** zgodnie z planem; **be/talk ~ the phone** rozmawiać przez telefon; **feed ~ insects** żywić się owadami; **serve ~ a jury** wchodzić w skład ławy przysięgłych; **the washing machine broke ~ me** *pot.* zepsuła mi się pralka (*w trakcie używania*). – *adv.* **1.** na; na sobie; **have a lot ~** *pot.* mieć dużo na głowie; **have sth ~** mieć coś na sobie; **put ~** wkładać, zakładać (*np. odzież, buty*); nastawiać (*np. płytę, czajnik*); **with nothing ~** nie mając nic na sobie (= *bez ubrania*). **2.** dalej; **and so ~** i tak dalej; **read/talk/work ~** czytać/mówić/pracować dalej. **3.** ~ **and ~** ciągle, bez przerwy; ~ **and off** (*także* **off and ~**) z przerwami; od czasu do czasu; **earlier/later ~** wcześniej/później; **end ~** końcem do przodu; **from that day/moment ~** (począwszy) od tego dnia/momentu; **it's getting ~ for midnight** dochodzi północ; **keep/go ~ doing sth** ciągle *l.* nadal coś robić; **pass ~ to the next topic** przechodzić do następnego punktu; **time is getting ~** czas biegnie, robi się późno; **walk straight ~** iść cały czas przed siebie. – *a. pred.* **1.** włączony (*np. o świetle*); odkręcony (*np. o kranie*); zaciągnięty (*o hamulcu*). **2.** w toku (*np. o zebraniu*). **3.** w programie; w planie; **"Hamlet" is ~** grają „Hamleta"; **have sth ~** mieć coś w planie; **what's ~ at the Odeon?** co grają w kinie Odeon? **4.** aktualny; **are we ~ for Monday?** czy nadal jesteśmy umówieni na poniedziałek?, czy poniedziałek jest nadal aktualny? **is the party ~?** czy impreza jest nadal aktualna? **5. be ~ at sb** *pot.* zamęczać *l.* zadręczać kogoś; **be ~ to sb/sth** wiedzieć o kimś/czymś, być poinformowanym o kimś/czymś; **it's not ~** *Br. pot.* to (jest) nie do przyjęcia.

onager [ˈɑːnɪdʒər] *n. pl.* **-s** *l.* **onagri** [ˈɑːnɪdʒraɪ] **1.** *zool.* onager, półosioł, kułan (*Equus hemionous onager*). **2.** *hist.* katapulta.

on-air [ˌɑːnˈer] *a. attr. radio, telew.* na żywo.

onanism [ˈoʊnəˌnɪzəm] *n. U* onanizm.

onboard [ˌɑːnˈbɔːrd], **on-board** *a.* pokładowy. – *adv.* na pokładzie.

once [wʌns] *adv.* **1.** (jeden) raz; ~ **a week/month/year** raz na tydzień/miesiąc/rok; ~ **again/more** jeszcze raz; ~ **and away** *Br.* raz na zawsze, raz a dobrze; raz na jakiś czas; ~ **and for all** raz na zawsze; ~ **or twice** (*także* ~ **and again**) raz czy dwa; ~ **too often** o jeden raz za dużo; **all at ~** naraz, nagle; naraz, jednocześnie; **at ~** od razu, natychmiast; naraz, równocześnie; **(every) ~ in a while** raz na jakiś czas; **(just) for ~** przynajmniej *l.* chociaż raz; **just this/the ~** tylko ten jeden (jedyny) raz; **more than ~** niejeden raz. **2.** kiedyś, niegdyś, swego czasu; ~ **upon a time** pewnego razu, dawno, dawno temu; ~ **upon a time there was...** był/a/o sobie raz... **3.** ~ **bitten twice shy** *zob.* **bitten**; ~ **in a blue moon** *zob.* **moon** *n.* – *conj.* zaraz po tym, jak, gdy tylko; jak już.

once-over [ˈwʌnsˌoʊvər] *n. pot.* szybkie spojrzenie; pośpieszne zbadanie; **give sb/sth the ~** rzucić na kogoś/coś okiem; **give the carpet a ~ with the vacuum cleaner** przejechać *l.* przelecieć dywan odkurzaczem.

oncer [ˈwʌnsər] *n. Br. przest. sl.* banknot jednofuntowy.

onchocerciasis [ˌɑːnkoʊsɝːˈkaɪəsɪs] *n. U pat.* onchocerkoza.

oncogene [ˈɑːnkəˌdʒiːn] *n. pat.* onkogen.

oncogenesis [ˌɑːnkəˈdʒenəsɪs] *n. U pat.* onkogeneza, powstawanie nowotworów.

oncogenic [ˌɑːnkəˈdʒenɪk], **oncogenous** [ˌɑːnkəˈdʒenjʊəs] *a. pat.* onkogenny.

oncological [ˌɑːnkəˈlɑːdʒɪkl] *a. med.* onkologiczny.

oncologist [ɑːŋˈkɑːlədʒɪst] *n. med.* onkolog.

oncology [ɑːŋˈkɑːlədʒɪ] *n. U med.* onkologia.

oncolysis [ɑːŋˈkɑːləsɪs] *n. U med.* onkoliza, rozpad komórek nowotworowych.

oncoming [ˈɑːnˌkʌmɪŋ] *a. attr.* **1.** nadjeżdżający z przeciwka (*o pojazdach*). **2.** nadchodzący (*np. o zimie*). – *n. U* nadejście.

oncost [ˈɑːnkɔːst] *n.* koszty ogólne.

on dit [ɑːŋ ˈdiː] *n. pl.* **on dits** [ɑːŋ ˈdiː] *Fr.* plotka, pogłoska.

one [wʌn] *num.* **1.** jeden; jedna; jedno; ~ **child/apple** jedno dziecko/jabłko; ~ **girl/street** jedna dziewczyna/ulica; ~ **man/car** jeden mężczyzna/samochód; ~ **hundred and ten** sto dziesięć; ~ **after another/the other** jeden po *l.* za drugim (= *w niedużych odstępach czasu*); ~ **at a time** po jednym, pojedynczo; ~ **by ~** jeden po *l.* za drugim (= *pojedynczo*); ~ **or two** jeden czy dwa; **I'll have two teas and ~ coffee** poproszę dwie herbaty i jedną kawę; **number ~** *t. przen.* numer jeden. **2.** pierwszy; **book/volume ~** tom pierwszy; **for ~ thing...** po pierwsze,... – *n.* **1.** jedynka. **2.** *U* ~ **(o'clock)** godzina pierwsza; **at ~** o pierwszej. **3.** *pot. US* jednodolarówka; *Br.* jednofuntówka. **4.** *pot.* walnięcie (= *cios, uderzenie*); **give sb ~ in the eye** walnąć kogoś w oko; **sock/land sb ~** przywalić komuś. **5.** *pot.* numer (= *oszustwo, coś zaskakującego*); **pull a fast ~ (on sb)** zrobić *l.* wywinąć (komuś) numer; **put ~ over on sb** wykiwać kogoś.

6. *pot.* jeden (= *drink, kieliszek*); **drop in for a quick ~** wstąpić na jednego szybkiego; **have ~ for the road** *pot.* strzelić sobie strzemiennego. 7. **(all) in ~** w jednym; **as ~** jak jeden mąż; **at ~ with sth** *form.* w zgodzie *l.* harmonii z czymś; **be as ~** (*także* **be at ~ with each other**) *form.* być jednomyślnym (*on sth* co do czegoś); **be ~ up (on sb)** *pot.* mieć przewagę (nad kimś); **from day ~** *pot.* od samego początku; **get ~ over on sb** *pot.* zyskać przewagę nad kimś; **in ~** jednym haustem (*wypić*); **in ~s and twos** pojedynczo; w małych grupkach; **many a ~** *form.* niejeden. – *pron.* 1. (*w zastępstwie wcześniej wymienionego l. domyślnego*) **I'd rather buy a Japanese car than a Korean ~** prędzej kupiłbym samochód japoński niż koreański; **the train was crowded so we took a later ~** pociąg był zatłoczony, więc pojechaliśmy późniejszym. 2. (*także* **the/this ~**) ten; ta; to; **that ~** tamten; tamta; tamto; **these/those ~s** te/tamte; ci/tamci; **have you heard the ~ about two policemen?** słyszałeś ten o dwóch policjantach? (*w domyśle: dowcip*); **not be ~ to do sth** (*także* **not be ~ who does sth**) *pot.* nigdy czegoś nie robić. 3. *form.* (*w konstrukcjach bezosobowych*) **~ must admire him** należy *l.* trzeba go podziwiać; **~ loves ~'s friends** kocha się swoich przyjaciół; **~ never knows** nigdy (nic) nie wiadomo. 4. **~ and all** *przest.* wszyscy (razem i każdy z osobna); **~ and the same** jeden i ten sam; **~ of us** jeden z nas; **~ with another** jeden z drugim; **be ~ for sth** *pot.* być entuzjastą czegoś; **be ~ of the family/boys** być jednym z nich/nas; **I for ~ believe (that)...** jeśli o mnie chodzi, to sądzę, że...; **I for ~ do not believe him** ja w każdym razie mu nie wierzę; **the little/young ~s** *żart.* dzieci. – *a. zw. attr.* 1. jedyny; **~-of-a-kind** jedyny w swoim rodzaju; **sb's ~ fear/concern** czyjaś jedyna obawa/troska; **the ~ and only** *emf.* jeden jedyny; **the ~ person/place** jedyna osoba/jedyne miejsce. 2. pewien; któryś; jakiś; **~ day** pewnego *l.* któregoś dnia; **~ Mr Smith** *form.* niejaki pan Smith. 3. *zwł. US emf. pot.* **he's ~ amazing guy** to niesamowity facet; **she's written ~ great novel** napisała rewelacyjną powieść. 4. **become ~** *form.* stawać się jednością; tworzyć całość; **be made ~** *form.* połączyć się; pobrać się; **be of ~ mind** *zob.* **mind** *n.*; **cry with ~ voice** wołać jednogłośnie *l.* jednym głosem; **it is all ~ to me** wszystko mi jedno.

one-acter [ˌwʌnˈæktər] *n. teatr* jednoaktówka.

one another *pron.* (*form. o więcej niż dwu osobach lub rzeczach, pot. t. o dwu*) się *l.* siebie *l.* sobie *l.* sobą (nawzajem); **they didn't want to look at ~** nie chcieli na siebie patrzeć; **they do not speak to ~** nie rozmawiają ze sobą; **they hate ~** nienawidzą się (wzajemnie); **they know ~'s opinions** znają nawzajem swoje poglądy; **we have known ~ for years** znamy się od lat.

one-armed bandit [ˌwʌnˌɑːrmd ˈbændɪt] *a. pot.* jednoręki bandyta (*automat do gry*).

one-dimensional [ˌwʌndəˈmenʃənl] *a.* 1. jednowymiarowy, liniowy. 2. płaski, powierzchowny.

one-eyed [ˌwʌnˈaɪd] *a.* jednooki.

one-handed [ˌwʌnˈhændɪd] *a.* 1. jednoręki. 2. jednoręczny. – *adv.* jednoręcznie, jedną ręką.

one-horse [ˌwʌnˈhɔːrs] *a. attr.* 1. jednokonny. 2. *pot.* marny, bez znaczenia, drobny.

one-horse town [ˌwʌnˌhɔːrs ˈtaʊn] *n. US, Can. i Austr. pot.* grajdoł, dziura (zabita dechami).

oneiromancy [oʊˈnaɪrəˌmænsɪ] *n. U* wróżenie ze snów.

one-legged [ˌwʌnˈlegɪd] *a.* 1. jednonogi; jednonożny. 2. *Br. przen.* jednostronny.

one-liner [ˌwʌnˈlaɪnər] *n.* dowcipna uwaga *l.* riposta.

one-man [ˌwʌnˈmæn] *a. attr.* jednoosobowy; indywidualny.

one-man band [ˌwʌnˌmæn ˈbænd] *n.* 1. człowiek-orkiestra. 2. *pot.* jednoosobowe przedsięwzięcie.

oneness [ˈwʌnnəs] *n. U* 1. jedność. 2. jednakowość. 3. jedyność, unikalność. 4. zgodność.

one-night stand [ˌwʌnˌnaɪt ˈstænd] *n.* 1. *pot.* numerek, jednorazówka (= *przygodny seks*). 2. *teatr* jednorazowe przedstawienie.

one-note [ˌwʌnˈnoʊt] *a. attr. US* ograniczony.

one-off [ˌwʌnˈɔːf] *Br. i Austr. pot. a.* jednorazowy. – *n.* fuks.

one-on-one [ˌwʌnɑːnˈwʌn] *a. US* 1. indywidualny. 2. wprost proporcjonalny (*o stosunku, zależności*); *mat.* wzajemnie jednoznaczny. – *adv. US* 1. indywidualnie. 2. jeden na jednego; **go ~ with sb** walczyć jeden na jednego; *sport* grać jeden na jednego.

one-parent family [ˌwʌnˌperənt ˈfæmlɪ] *n. pl.* **-ies** rodzina niepełna (= *bez jednego z rodziców*).

one-person [ˌwʌnˈpɜːsən] *a. attr.* jednoosobowy.

one-piece [ˌwʌnˈpiːs] *a. attr.* jednoczęściowy. – *n.* (*także* **~ swimsuit**) strój (kąpielowy) jednoczęściowy.

oner [ˈwʌnər] *n. Br. pot.* 1. znakomita osoba; znakomita rzecz. 2. mocny cios.

onerous [ˈoʊnərəs] *a.* 1. *form.* uciążliwy. 2. *prawn.* obciążony (*o majątku*).

onerously [ˈoʊnərəslɪ] *adv.* uciążliwie.

onerousness [ˈoʊnərəsnəs] *n. U* uciążliwość.

oneself [wʌnˈself] *pron. form.* 1. się; **cut ~** skaleczyć się. 2. siebie; sobie; sobą; **be ~** być sobą; **not feel ~** nie czuć się sobą. 3. samemu; **by ~** sam/a; samotn-y/a; w pojedynkę; samodzielnie; **do sth ~** robić coś samemu *l.* samodzielnie.

one-shot [ˌwʌnˈʃɑːt] *zwł. US a. gł. attr.* 1. jednorazowy. 2. skuteczny za pierwszym razem. – *n.* fuks.

one-sided [ˌwʌnˈsaɪdɪd] *a.* 1. jednostronny; stronniczy. 2. nierówny (*np. o walce*). 3. zabudowany (tylko) po jednej stronie (*o ulicy*).

one-sidedly [ˌwʌnˈsaɪdɪdlɪ] *adv.* jednostronnie; stronniczo.

one-sidedness [ˌwʌnˈsaɪdɪdnəs] *n. U* jednostronność; stronniczość.

one-size-fits-all [ˌwʌnˌsaɪzˌfɪtsˈɔːl] *a. attr. zwł. US* 1. o rozmiarze uniwersalnym, w jednym rozmiarze (*o części garderoby*). 2. *przen.* uniwersalny (*np. o rozwiązaniu*).

one-star [ˌwʌnˈstɑːr] *a. attr.* jednogwiazdkowy (*o hotelu, restauracji*).

one-step [ˈwʌnˌstep] *n. taniec* one-step.

one-stop [ˈwʌnˌstɑːp] *a. attr.* wielobranżowy (*o sklepie*).

one-time [ˈwʌnˌtaɪm], **onetime** *a. attr.* **1.** były, dawny, niegdysiejszy. **2.** jednorazowy.

one-to-one [ˌwʌntəˈwʌn] *a. Br.* = **one-on-one.**

one-track [ˌwʌnˈtræk] *a. t. przen.* jednotorowy; **have a ~ mind** (stale) myśleć tylko o jednym (*zwł. o seksie*).

one-two [ˌwʌnˈtuː] *n.* (*także* **~ punch**) *boks l. przen.* podwójny cios, cios za ciosem.

one-up [ˌwʌnˈʌp] *v. US pot.* zyskiwać przewagę nad (*kimś l. czymś*).

one-upmanship [ˌwʌnˈʌpmənˌʃɪp], **one-upsmanship** *n. U* (*także* **one-upping**) starania, żeby wydać się lepszym od innych.

one-way [ˌwʌnˈweɪ] *a. gł. attr.* **1.** jednokierunkowy (*o ruchu, ulicy*). **2.** *zwł. US* w jedną stronę (*o bilecie*). **3.** jednostronny (*np. o zobowiązaniu*).

one-way mirror *n. US policja* lustro weneckie (*stosowane zwł. podczas konfrontacji*).

one-woman [ˌwʌnˈwʊmən] *a. attr.* jednoosobowy; indywidualny.

on-glide [ˈɑːnˌglaɪd] *n. fon.* dźwięk przechodni, np. przy artykulacji dyftongu wstępującego.

ongoing [ˈɑːnˌgoʊɪŋ] *a. gł. attr.* trwający, toczący się.

ongoings [ˈɑːnˌgoʊɪŋz] *n. pl. Scot.* = **goings-on.**

ONI [ˌoʊ ˌen ˈaɪ] *abbr.* **Office of Naval Intelligence** *wojsk.* Oddział Wywiadowczy Marynarki Wojennej.

onion [ˈʌnjən] *n.* **1.** *C/U bot., kulin.* cebula (*Allium cepa*); (*także* **spring ~**) zielona cebulka. **2. know one's ~s** *Br. pot.* znać się na rzeczy.

onion dome *n. bud.* kopuła cebulasta.

onion ring *n. kulin.* krążek cebuli.

onion salt *n. U kulin.* sól cebulowa.

onion-shaped [ˌʌnjən ˈʃeɪpt] *a.* cebulasty, w kształcie cebuli.

onionskin [ˈʌnjənˌskɪn] *n. U* (*także* **~ paper**) *zwł. US* pelur.

onion soup *n. U kulin.* zupa cebulowa.

onlay [ˈɑːnˌleɪ] *v.* **-laid, -laid** nakładać (*zwł. elementy dekoracyjne*). – *n.* **1.** *chir.* przeszczep skóry. **2.** *dent.* nakładka.

online [ˌɑːnˈlaɪn] *a. gł. attr.* (*także* **on-line**) **1.** *komp.* podłączony do sieci *l.* Internetu; dostępny za pośrednictwem Internetu (*o usługach*). **2.** podłączony do komputera (*np. o drukarce*). **3.** *komp.* bezpośredni (*o trybie dostępu*); dostępny bezpośrednio (*o danych*). **4.** *US* toczący się, trwający. – *adv. komp.* **1.** w sieci *l.* Internecie; go ~, podłączyć się do Internetu. **2.** w trybie bezpośrednim.

onliner [ˌɑːnˈlaɪnər] *n. komp.* użytkowni-k/czka usług komputerowych w trybie bezpośrednim; dostawca usług komputerowych w trybie bezpośrednim.

onload [ˌɑːnˈloʊd] *v.* ładować (*do samochodu*).

onlooker [ˈɑːnˌlʊkər] *n.* widz, obserwator/ka; *uj.* gap.

onlooking [ˈɑːnˌlʊkɪŋ] *a.* przyglądający się, obserwujący.

only [ˈoʊnlɪ] *adv.* **1.** tylko; jedynie; **~ to do sth** tylko *l.* jedynie po to, żeby coś zrobić; **I can ~ hope** mogę tylko *l.* jedynie mieć nadzieję; **if ~** gdyby tylko; **if ~ I had known** gdybym tylko (był) wiedział, żałuję, że nie wiedziałem; **(it's) ~ me** (to) tylko ja; **not ~... but (also)...** nie tylko..., lecz (także)...; **staff ~** tylko dla personelu (*napis na drzwiach*); **you'll ~ make things worse/make her angry** tylko pogorszysz sprawę/ją rozzłościsz. **2.** tylko, zaledwie; **~ five** tylko pięć. **3.** dopiero; **~ just** *Br.* dopiero co, ledwie; **~ then** dopiero wtedy; **~ yesterday** dopiero wczoraj, nie dalej jak wczoraj. **4.** *emf.* **~ too** bardzo; **~ too true/likely** aż nadto prawdziwy/prawdopodobny; **~ too well** aż za dobrze; **we'll be ~ too pleased** będzie nam bardzo miło (*to do sth* zrobić coś). – *a. attr.* jedyny (*t.* = *najlepszy*); **one (and) ~** *zob.* **one** *a.*; **an ~ child** jedyna-k/czka; **he's/she's the ~ person for this position** jest jedyną osobą na to stanowisko; **the ~ thing is...** jedyny problem w tym, że... – *conj.* **~ (that)** tylko (że); **I would help you, ~ I am busy now** pomógłbym ci, tylko (że) jestem teraz zajęty.

on-message [ˈɑːnˌmesɪdʒ] *a. gł. polit.* po linii, zgodny z wytycznymi (*np. o poglądach, działaniu*).

onomasiology [ˌɑːnəˌmæsɪˈɑːlədʒɪ] *n. U jęz.* **1.** onomazjologia (*dział semantyki*). **2.** = **onomastics.**

onomastic [ˌɑːnəˈmæstɪk] *a. jęz.* onomastyczny.

onomastics [ˌɑːnəˈmæstɪks] *n. U* onomastyka.

onomatopoeia [ˌɑːnəˌmætəˈpiːə] *n. U jęz., teor. lit.* onomatopeja, dźwiękonaśladowczość.

onomatopoeic [ˌɑːnəˌmætəˈpiːɪk], **onomatopoetic** [ˌɑːnəˌmætəpoʊˈetɪk] *a.* onomatopeiczny, dźwiękonaśladowczy.

on-ramp [ˈɑːnˌræmp] *n. US mot.* wjazd (*na autostradę*).

onrush [ˈɑːnˌrʌʃ] *n. sing.* napór (*of sb/sth* kogoś/czegoś) (*np. demonstrantów*); natarcie (*np. wojsk przeciwnika*); pęd naprzód, prąd (*np. strumienia*).

onrushing [ˈɑːnˌrʌʃɪŋ] *a. attr.* napierający; nacierający; pędzący.

on-screen [ˌɑːnˈskriːn] *a. i adv.* na ekranie.

onset [ˈɑːnˌset] *n.* **1.** początek; nadejście (*of sth* czegoś). **2.** *wojsk.* atak, szturm. **3.** *fon.* nagłos.

onshore [ˌɑːnˈʃɔːr] *a. attr.* **1.** nadbrzeżny, przybrzeżny. **2.** od morza (*np. o wiatrach*). – *adv.* w stronę brzegu, od morza.

onside [ˌɑːnˈsaɪd], **on-side** *a. i adv. sport* w obrębie pola.

on-site [ˌɑːnˈsaɪt] *a. i adv.* na miejscu.

onslaught [ˈɑːnˌslɔːt] *n.* **1.** szturm, natarcie. **2.** *przen.* napaść (*on sth* na coś).

onstage [ˌɑːnˈsteɪdʒ] *a. i adv.* na scenie.

on-stream [ˌɑːnˈstriːm], **onstream** *a.* działający, funkcjonujący. – *adv.* **come ~** zacząć działać *l.* funkcjonować.

on-the-job [ˌɑːnðəˈdʒɑːb] *a.* w czasie *l.* w trakcie *l.* w godzinach pracy; ~ **training** szkolenie w czasie pracy.

ontic [ˈɑːntɪk] *a. fil.* ontyczny.

onto [ˈɑːntʊ; ˈɑːntə] *prep.* **1.** na (*z określeniami kierunku*); **load sth ~ a truck** ładować coś na ciężarówkę; **look (out)~ the garden** wyglądać na ogród (*o oknach*); **put it back ~ the shelf!** odłóż to na półkę!. **2.** do; **jump ~ the train** wskakiwać do pociągu. **3. be ~ a good thing** (*także* **be ~ a winner**) *pot.* być w korzystnym położeniu; mieć duże szanse na sukces; **be ~ sb** *pot.* być na czyimś tropie; **be ~ something big** *pot.* być na tropie czegoś ważnego; **be/get ~ sb** *Br. i Austr.* skontaktować się z kimś (*about sth* w jakiejś sprawie); *pot.* wsiąść na kogoś (= *robić wymówki*); **put sb ~ sb** *Br. i Austr.* skontaktować kogoś z kimś, polecić komuś kogoś (*np. lekarza l. prawnika*); naprowadzić kogoś na czyjś trop.

ontogenesis [ˌɑːntoʊˈdʒenəsɪs] *n. U biol.* ontogeneza.

ontogenetic [ˌɑːntoʊdʒəˈnetɪk] *a.* ontogenetyczny.

ontogenically [ˌɑːntoʊdʒəˈnetɪklɪ] *adv.* ontogenetycznie.

ontogeny [ɑːnˈtɑːdʒənɪ] *n. U biol.* ontogeneza.

ontological [ˌɑːntəˈlɑːdʒɪkl] *a. fil.* ontologiczny.

ontological argument *n. hist., fil.* dowód ontologiczny (*na istnienie Boga*).

ontologically [ˌɑːntəˈlɑːdʒɪklɪ] *adv.* ontologicznie.

ontology [ɑːnˈtɑːlədʒɪ] *n. U fil.* ontologia.

onus [ˈoʊnəs] *n. pl.* **-es** *form.* **1.** ciężar, brzemię; obowiązek; odpowiedzialność (*for sth* za coś) (*np. za czyjeś bezpieczeństwo*); **the ~ is on sb to do sth** (*także* **the ~ lies with sb to do sth**) obowiązek zrobienia czegoś spoczywa na kimś. **2.** (*także* **~ of proof**) *prawn.* ciężar dowodu.

onward [ˈɑːnwərd] *a. attr.* **1.** dalszy (*np. o podróży*). **2.** postępujący (naprzód) (*np. o rozwoju*). – *adv.* (*także* **onwards**) **1.** naprzód; dalej. **2. from... ~** począwszy od...

onymous [ˈɑːnɪməs] *a. form.* imienny (*w przeciwieństwie do bezimiennego l. anonimowego*); opatrzony nazwiskiem autora (*o dziele*).

onyx [ˈɑːnɪks] *n. U min.* onyks.

onyx marble *n. U min.* marmur onyksowy.

o.o., o/o *abbr.* = **on order**; *zob.* **order** *n.*

oocyst [ˈoʊəˌsɪst] *n. zool.* oocysta.

oocyte [ˈoʊəˌsaɪt] *n. biol.* oocyt, komórka jajowa.

O.O.D. *abbr.* **officer of the deck** *wojsk.* oficer pokładowy.

oodles [ˈuːdlz] *n. pl. pot.* kupa, huk, masa (*of sth* czegoś) (*np. pieniędzy*).

oof [uːf] *int.* uf!. – *n. U* **1.** *przest. pot.* szmal, forsa. **2.** *US pot.* procenty (= *zawartość alkoholu*).

oofy [ˈuːfɪ] *a.* **-ier, -iest** *przest.* forsiasty, przy forsie.

oogamete [ˈoʊəˌgæmiːt] *a. biol.* komórka jajowa.

oogamy [oʊˈɑːgəmɪ] *n. U biol.* oogamia.

oogenesis [ˌoʊəˈdʒenəsɪs] *n. U biol.* oogeneza, rozwój komórki jajowej.

oogenetic [ˌoʊədʒəˈnetɪk] *a.* oogenetyczny, wytwarzający komórki jajowe.

oogonia [ˌoʊəˈgoʊnɪə] *n. pl.* **1.** *bot.* oogonia, lęgnie. **2.** *biol.* oogonia, pierwotne komórki jajowe.

ooh [uː] *int.* **1.** och!. **2. ~ la la!** *żart.* popatrz, popatrz! – *n.* **~s and aachs** ochy i achy.

oolite [ˈoʊəˌlaɪt] *n. U geol.* oolit.

oolitic [ˌoʊəˈlɪtɪk] *a.* oolitowy.

oology [oʊˈɑːlədʒɪ] *n. U orn.* oologia (= *nauka o jajach ptasich*).

oolong [ˈuːlɔːŋ] *n. U* herbata ulung (*chińska, częściowo sfermentowana przed wysuszeniem*).

oomph [ʊmf] *n. pot.* **1.** energia; entuzjazm. **2.** „to coś" (= *atrakcyjność seksualna*).

oophorectomy [ˌoʊəfəˈrektəmɪ] *n. C/U pl.* **-ies** *chir.* wycięcie jajnika.

oophoritis [ˌoʊəfəˈraɪtɪs] *n. U pat.* zapalenie jajnika.

oops [ʊps] *int. pot.* oj!, ojej!

oops-a-daisy [ˈʊpsəˌdeɪzɪ] *int.* (*także* **ups-a-daisy**) *pot.* bęc!, bach! (*zwł. do dziecka, które się przewróciło*).

oospore [ˈoʊəˌspɔːr] *n. biol.* oospora.

ootid [ˈoʊətɪd] *n. biol.* owotyd.

ooze[1] [uːz] *v.* **1.** sączyć się, wyciekać (*from sth* skądś); uchodzić (*o powietrzu*); cieknąć (*o substancji*). **2.** wydzielać (*wilgoć*). **3.** *przen.* przeciekać, wydostawać się na zewnątrz (*np. o informacjach*). **4. sb ~s confidence** bije od kogoś pewność siebie. **5. ~ away** wyciekać; *przen.* zanikać, opadać (*np. o zapale, odwadze*); **~ forward** posuwać się powoli naprzód; **~ out** przeciekać; *t. przen.* przedostawać się na zewnątrz (*np. o sekretach*). – *n. U* **1.** sączenie się. **2.** sącząca się ciecz. **3.** *garbarstwo* roztwór garbnikowy, zaprawa.

ooze[2] *n. U* muł, szlam.

oozy[1] [ˈuːzɪ] *a.* **-ier, -iest** ociekający wilgocią.

oozy[2] *a.* **-ier, -iest 1.** oślizgły. **2.** błotnisty, mulisty.

OP *abbr.* **1.** *wojsk.* = **observation post. 2.** (*także* **o.p.**) = **out of print** zob. **print** *n.* **3.** (*także* **o.p.**) *teatr* = **opposite prompt**.

op [ɑːp] *n. pl.* **-s** *pot. chir., wojsk.* operacja.

op. *abbr.* **1.** (*także* **Op.**) = **opus. 2.** = **operation. 3.** = **opposite. 4.** = **optical. 5.** = **opera**.

opacity [oʊˈpæsətɪ] *n. U* **1.** nieprzezroczystość. **2.** *fiz., fot.* zaczernienie. **3.** mętność, niejasność. **4.** tępota.

opal [ˈoʊpl] *n.* **1.** *C/U min.* opal; **fire/flame ~** opal ognisty; **precious/noble ~** opal szlachetny. **2.** *U* szkło opalowe.

opalesce [ˌoʊpəˈles] *v.* opalizować.

opalescence [ˌoʊpəˈlesəns] *n. U* opalizacja, opalescencja.

opalescent [ˌoʊpəˈlesənt] *a.* opalizujący.

opaline [ˈoʊpəlaɪn] *a.* **1.** opalowy. **2.** opalizujący. – *n. U* szkło opalowe.

opaque [oʊˈpeɪk] *a.* **1.** nieprzezroczysty. **2.** nieprzepuszczalny (*np. dla dźwięków, ciepła*). **3.** matowy. **4.** mętny, niejasny. **5.** tępy (*umysłowo*). – *n. U fot.* płyn nieprzezroczysty (*do zakrywania części negatywu przy retuszowaniu*).

opaque projector *n. US opt.* episkop.

op art ['ɑːp ˌɑːrt] *n. U sztuka* op-art.

op. cit. [ˌɑːp 'sɪt], **op cit** *abbr.* **opere citato** *Lat.* w cytowanym dziele.

opcode ['ɑːpˌkoʊd] *n. komp.* = **operation code**.

ope [oʊp] *a. i v. arch.* = **open**.

OPEC ['oʊpek] *abbr.* **Organization of Petroleum-Exporting Countries** Organizacja Państw Eksporterów Ropy Naftowej.

op-ed [ˌɑːp'ed], **Op-Ed** *n.* (*także* ~ **page**) *US dzienn. pot.* strona zawierająca komentarze i eseje.

open ['oʊpən] *a.* **1.** *t. przen.* otwarty (*t.* = *odkryty; rozległy; nieogrodzony*); ~ **fields/space** otwarte pole/otwarta przestrzeń; ~ **tuberculosis** *pat.* otwarta gruźlica; ~ **wound** otwarta rana; **be ~ to the public** być otwartym dla publiczności; **declare sth ~** ogłaszać coś za otwarte; **keep one's eyes/ears ~** mieć oczy/uszy otwarte; **push/slide sth ~** otworzyć coś pchając/przesuwając; **tear/rip sth ~** rozedrzeć coś (*żeby otworzyć*); **throw sth ~** otworzyć coś nagle; otworzyć coś na oścież; **wide ~** szeroko otwarty; otwarty na oścież; **with ~ eyes** (*także* **with one's eyes ~**) z otwartymi oczami (*zw. przen.* = *świadomie, bacznie l. ze zdumieniem*). **2.** *t. przen.* dostępny; ~ **to visitors** dostępny dla zwiedzających; **the only course ~ to me** jedyny dostępny dla mnie kurs; **throw sth ~ to sb** udostępnić coś komuś. **3.** *attr.* jawny, nieskrywany; ~ **hostility** jawna wrogość. **4.** szczery, niezakłamany; prostolinijny; **be ~ with sb** być z kimś szczerym, grać z kimś w otwarte karty; **it's all ~ and above board** wszystko jest całkowicie jawne. **5.** podatny, narażony (*to sth* na coś); **lay o.s. ~ to sth** narażać *l.* wystawiać się na coś. **6.** wolny; **keep an hour ~ on Friday** zarezerwuj sobie wolną godzinę w piątek; **on the ~ market** na wolnym rynku; **the job is still ~** posada jest nadal wolna. **7.** *pred.* czynny, otwarty; **the shop stays ~ until 9** sklep jest czynny *l.* otwarty do 9; **we're ~ till 9** mamy otwarte do 9. **8.** niezapięty (*np. o koszuli*). **9.** *el.* nieizolowany, goły (*o przewodach*). **10.** niezamarzający, wolny od lodów (*o porcie*). **11.** *żegl.* czysty, niezamglony. **12.** *meteor.* łagodny, bez mrozu (*o pogodzie l. zimie*). **13.** *tk.* ażurowy, luźno tkany. **14.** *astron., mat.* nieskończony; otwarty. **15.** *roln.* przepuszczalny, luźny (*o glebie*). **16.** *druk.* konturowany (*o czcionce*). **17.** *druk.* z dużymi odstępami (*między linijkami*). **18.** *fin.* nielimitowany, nieograniczony. **19.** *US* włączony (*gotowy do użycia*). **20.** *bot.* rozwinięty (*o kwiatach, pąkach*). **21.** napowietrzny (*np. o linii telefonicznej*). **22.** *sport* nie kryty, wolny (*o zawodniku*). **23.** *przen.* **be ~ to question** być dyskusyjnym *l.* wątpliwym (*np. o czyichś motywach, uczciwości*); **be ~ to suggestions** być otwartym na propozycje; **greet/welcome sb with ~ arms** witać kogoś z otwartymi ramionami *l.* rękami; **in the ~ air** *zob.* **air** *n.*; **keep ~ house** *zob.* **house** *n.*; **in ~ court** *prawn.* przy drzwiach otwartych; **keep/have an ~ mind** odkładać podjęcie decyzji; nie deklarować się; **keep/leave one's options ~** *zob.* **option**; **lay ~** *zob.* **lay2** *v.*; **offer ~ until...** oferta ważna do...; **read sb like an ~ book** czytać w kimś jak w otwartej księdze; **sth is ~ to criticism/misinterpretation** łatwo coś skrytykować/błędnie zinterpretować. – *v.* **1.** *t. przen.* otwierać (się); ~ **a border/frontier** otwierać granicę (*to sth* dla czegoś); ~ **an account** *bank* otworzyć rachunek; ~ **a new shop/branch** otwierać nowy sklep/oddział; ~ **fire** otwierać ogień (*at / to sb / sth* do kogoś/czegoś); ~ **one's arms/eyes/mouth** otwierać ramiona/oczy/usta; ~ **sb's eyes** otwierać komuś oczy (*to sth* na coś); ~ **sth to the public** otwierać coś dla publiczności, udostępniać coś publiczności; **the banks ~ at eight** banki otwiera się o ósmej. **2.** dokonywać (ceremonii) otwarcia (*np. zawodów*). **3.** rozpoczynać (się); ~ **an investigation** rozpoczynać dochodzenie; **he ~ed his talk with a joke** rozpoczął przemówienie od dowcipu *l.* dowcipem. **4.** mieć premierę; **the play ~s on Saturday** premiera sztuki odbędzie się w sobotę. **5.** rozkładać (*np. parasol*); rozpościerać (*skrzydła*). **6.** roztaczać się, ukazywać się; **a beautiful view ~ed before us** roztoczył się przed nami piękny widok. **7.** rozwijać się (*o kwiatach, liściach*). **8.** *brydż* rozpoczynać, otwierać (*licytację*). **9.** *el.* otwierać, przerywać (*obwód elektryczny*). **10.** rozluźniać; rozwijać; ~ **the ranks** *wojsk.* rozwijać szeregi. **11.** *giełda* otwierać się (*jakimś kursem*). **12.** *przen.* ~ **a case** *prawn.* wygłaszać przemówienie wstępne; ~ **one's heart** *zob.* **heart**; ~ **one's mind/designs** ujawniać *l.* odkrywać swoje myśli/zamiary; ~ **o.s. to sth** otwierać się na coś; wystawiać się na coś; ~ **the door to sth** otwierać drogę do czegoś, stwarzać możliwości czegoś; **the heavens ~ed** *lit.* niebiosa otworzyły się (= *lunęło*). **13.** ~ **into/onto sth** prowadzić do czegoś; wychodzić na coś; **the gate ~s into the garden** furtka prowadzi do ogrodu; **the room ~s into/onto a terrace** pokój wychodzi na taras; ~ **out** otwierać (się) (*t. przen. o osobie*); rozwijać (się); odsłaniać (się); ~ **up** otwierać (się) (*t. przen. o osobie*); rozwijać (się); rozpoczynać (się); *mot.* przyspieszać; *sport* stawać się aktywnym; ~ **up with machine guns** *wojsk.* otwierać ogień z broni maszynowej; ~ **sb up** *chir.* otwierać *l.* rozcinać kogoś. – *n.* **1.** *U* **the ~** otwarta przestrzeń; otwarte *l.* pełne morze; **(out) in the ~** na świeżym *l.* wolnym powietrzu, pod gołym niebem; *przen.* na widoku (publicznym); **bring sth (out) into the ~** *przen.* wyciągać coś na światło dzienne. **2.** *sport* zawody otwarte.

open access *n. U* ogólny dostęp.

open-access [ˌoʊpən'ækses] *a.* **1.** ogólnodostępny. **2.** bezpośrednio dostępny.

open admission *n. U* (*także* **open enrolment**) *US uniw.* ogólnodostępne zapisy na studia (*bez względu na ukończoną szkołę*).

open-air [ˌoʊpən'er] *a. attr.* na świeżym *l.* wolnym powietrzu, pod gołym niebem.

open-and-shut case [ˌoʊpənəndʃʌt 'keɪs] *n. zwł. prawn.* oczywisty *l.* jasny przypadek.

open bar *n. US* bar z bezpłatnymi napojami (*na przyjęciach okolicznościowych*).

open-cast ['oʊpənˌkæst], **opencast** *a. attr. Br.* = **open-cut**.

open chain *n. chem.* łańcuch otwarty.

open champion *n. sport* zwycię-zca/żczyni w zawodach otwartych.

open checque *n. Br. fin.* czek gotówkowy *l.* kasowy.

open circuit *n. el.* obwód otwarty.

open competition *n.* **1.** *sport* zawody otwarte. **2.** *U ekon.* wolna konkurencja.

open court *n. prawn.* rozprawa przy drzwiach otwartych.

open credit *n. fin.* kredyt nieograniczony.

open-cut ['oupən,kʌt] *a. attr. US, Can. i Austr. górn.* odkrywkowy (*o eksploatacji, kopalni*).

open cycle *n.* obieg otwarty.

open day *n. Br.* = **open house** 2.

open-door policy [,oupən'dɔ:r ,pɑ:lɪsɪ] *n.* polityka otwartych drzwi.

open-end [,oupən'end] *a.* (*także Br.* **open-ended**) **1.** luźny (*np. o dyskusji*). **2.** na czas nieokreślony (*zwł. o kontrakcie*). **3.** opisowy (*o pytaniu; = wymagający odpowiedzi innej niż „tak" l. „nie"*).

open enrolment *n. U* = **open admission**.

opener ['oupənər] *n.* **1.** otwieracz; **bottle** ~ otwieracz do butelek; **can/tin** ~ otwieracz do puszek. **2.** *sport* gra rozpoczynająca serię. **3.** *karty* gracz rozpoczynający (*grę l. licytację*).

openers ['oupənərz] *n. pl.* **1.** *poker* karty umożliwiające rozpoczęcie licytacji. **2. for/as** ~ na wstępie, na początek.

open-eyed [,oupən'aɪd] *a. i adv. t. przen.* z (szeroko) otwartymi oczami.

open-faced [,oupən'feɪst] *a.* **1.** o szczerym wyglądzie. **2.** bez koperty (*o zegarku*).

open-faced sandwich *n. US* kanapka (*nieprzykryta drugim kawałkiem chleba*).

openhanded [,oupən'hændɪd], **open-handed** *a.* hojny, szczodry.

openhandedly [,oupən'hændɪdlɪ] *adv.* hojnie, szczodrze.

openhandedness [,oupən'hændɪdnəs] *n. U* hojność, szczodrość.

open-hearted [,oupən'hɑ:rtɪd] *a.* **1.** szczery. **2.** serdeczny, życzliwy.

open-heartedly [,oupən'hɑ:rtɪdlɪ] *adv.* **1.** szczerze. **2.** serdecznie, życzliwie.

open-heartedness [,oupən'hɑ:rtɪdnəs] *n. U* **1.** szczerość. **2.** serdeczność, życzliwość.

open-hearth furnace [,oupən,hɑ:rθ 'fɜ:nɪs] *n. metal.* piec martenowski.

open-heart surgery [,oupən,hɑ:rt 'sɜ:dʒərɪ] *n. U chir.* operacja na otwartym sercu.

open house *n.* **1.** dom otwarty. **2.** *US t. szkoln., uniw.* dni otwarte.

opening ['oupənɪŋ] *n.* **1.** otwór. **2.** *C / U* otwarcie (*of sth* czegoś) (*t. postępowania sądowego*). **3.** wakat. **4.** *zw. sing.* początek (*np. powieści, filmu*). **5.** sposobność, okazja (*for (doing) sth* do (zrobienia) czegoś, *to do sth* żeby coś zrobić). **6.** *US* przesieka. **7.** *t. teatr* premiera. **8.** (*także* ~ **statement**) *prawn.* mowa wstępna, oświadczenie wstępne (*adwokata w sądzie*). **9.** *szachy* otwarcie gry, pierwszy ruch; *karty* wyjście. **10.** *łucznictwo* rozpiętość (*łuku*). – *a. attr.* wstępny; początkowy.

opening ceremony *n.* uroczystość *l.* ceremonia otwarcia.

opening hours *n. pl.* godziny otwarcia; godziny urzędowania.

opening night *n. teatr, film* premiera.

opening time *n. Br.* czas otwierania pubów (*rozpoczynający legalną sprzedaż alkoholu*).

open interval *n. mat.* przedział otwarty.

open juncture *n. fon.* junktura wewnętrzna.

open learning *n. U uniw.* nauka w trybie eksternistycznym; indywidualny tok nauczania.

open letter *n.* list otwarty.

openly ['oupənlɪ] *adv.* otwarcie, szczerze.

open market *n. ekon.* wolny rynek.

open marriage *n.* małżeństwo otwarte.

open mike *n. U gł. US* mikrofon dla każdego (*czas, kiedy każdy może zaśpiewać piosenkę l. opowiedzieć dowcip, np. w klubie nocnym*).

open-minded [,oupən'maɪndɪd] *a.* otwarty, wolny od uprzedzeń.

open-mindedly [,oupən'maɪndɪdlɪ] *adv.* otwarcie, bez uprzedzeń.

open-mindedness [,oupən'maɪndɪdnəs] *n. U* otwartość umysłu, brak uprzedzeń.

open-mouthed [,oupən'mauðd] *a.* **1.** z otwartymi ustami (*zwł. ze zdziwienia*). **2.** wrzaskliwy. **3.** żarłoczny. – *adv.* z otwartymi ustami.

open-necked [,oupən'nekt] *a. gł. attr.* niezapięty pod szyją.

openness ['oupənnəs] *n. U* **1.** otwartość, szczerość. **2.** brak uprzedzeń.

open order *n.* **1.** *wojsk., żegl.* luźny szyk. **2.** *handl.* zamówienie nielimitowane.

open-pit ['oupən,pɪt] *a. gł. US* = **open-cast**.

open-plan [,oupən'plæn] *a. bud.* na planie otwartym, bez ścianek działowych (*np. o biurze*).

open-pollinated [,oupən'pɑ:ləneɪtɪd] *n. bot.* naturalnie zapylony.

open primary *n. US polit.* otwarte wybory wstępne.

open prison *n. Br.* więzienie o złagodzonym rygorze.

open range *n. US* teren nieogrodzony.

open road *n.* **1.** droga na terenie niezabudowanym. **2.** *US* droga publiczna.

open sandwich *n. Br.* = **open-faced sandwich**.

open season *n.* **1.** *myśl.* sezon otwarty *l.* łowiecki, okres polowań. **2.** *przen. pot.* czas polowania (*= czas nieograniczonej krytyki*) (*on sb* na kogoś).

open secret *n.* tajemnica poliszynela.

open sentence *n. log.* zdanie, którego prawdziwości nie można określić (*ponieważ zawiera zmienną*).

open sesame *n. sing.* „sezamie otwórz się" (*= sposób na osiągnięcie czegoś prawie niemożliwego*).

open set *n. mat.* zbiór otwarty.

open shelf *n. pl.* regał, półka (*sklepowa l. biblioteczna*).

open shop *n.* zakład pracy zatrudniający pracowników bez względu na przynależność do związków zawodowych.

open sky *n. lotn.* wolna *l.* otwarta przestrzeń powietrzna.

open society *n. polit.* społeczeństwo otwarte.

open syllable *n. fon.* sylaba otwarta (= *zakończona samogłoską*).

open system *n.* **1.** *komp.* system (informatyczny) otwarty. **2.** *fiz.* układ otwarty.

open ticket *n.* bilet otwarty.

open-toe [ˌoupən'tou], **open-toed** *a.* bez palców (*o butach*).

open-top [ˌoupən'tɑːp], **open-topped** *a. mot.* z odkrytym dachem (*o samochodzie*).

open town *n. US* miasto bez kontroli nad hazardem, sprzedażą alkoholu itp.

Open University *n. Br.* uniwersytet otwarty (*w którym nauka odbywa się za pośrednictwem radia, telewizji i materiałów przesyłanych pocztą*).

open verdict *n. prawn.* orzeczenie stwierdzające, że nie wykryto sprawcy *l.* że zgon mógł nastąpić w wyniku nieszczęśliwego wypadku.

open vowel *n. fon.* samogłoska otwarta.

openwork ['oupənˌwɝːk] *n. U* **1.** ażurowa robota *l.* konstrukcja. **2.** haft ażurowy. **3.** *górn.* eksploatacja odkrywkowa. – *a. attr.* ażurowy.

opera ['ɑːpərə] *n. C/U* opera; **go to the ~** chodzić do opery.

operable ['ɑːpərəbl] *a.* **1.** *med.* operowalny, dający się zoperować. **2.** dający się wprowadzić w życie, wykonalny.

opera buffa [ˌɑːpərə 'buːfə] *n. pl.* **opera buffas** *muz.* opera buffa.

opera glasses *n. pl.* lornetka teatralna.

opera hat *n.* szapoklak.

opera house *n.* gmach *l.* budynek opery, opera.

operand ['ɑːpəˌrænd] *n.* **1.** *mat.* podstawa działania. **2.** *komp.* argument operacji.

operant ['ɑːpərənt] *a.* działający. – *n. psych.* działanie niewywołane żadnym bodźcem.

operant conditioning *n. U psych.* stymulacja pożądanych zachowań poprzez system kar i nagród.

opera seria [ˌɑːpərə 'siːrɪə] *n. pl.* **opere serie** [ˌɑːpərə 'siːrɪ] *muz.* opera seria.

opera singer *n.* śpiewa-k/czka operow-y/a.

operate ['ɑːpəˌreɪt] *v.* **1.** działać (*np. o maszynie, leku, systemie; t. o osobie*); **~ in sb's favor** działać na czyjąś korzyść. **2.** obsługiwać (*np. maszynę*). **3.** posługiwać się (*czymś*). **4.** prowadzić (*np. firmę, agencję, działalność*). **5.** *chir.* operować (*on sb/sth* kogoś/coś). **6.** oddziaływać (*on sth* na coś). **7.** *wojsk., fin., giełda* prowadzić operacje (*t. nielegalne*). **8.** *gł. US* nadzorować działalność (*czegoś*).

operatic [ˌɑːpə'rætɪk] *a.* **1.** operowy. **2.** *przen.* egzaltowany; ekstrawagancki (*zwł. w zachowaniu*).

operatically [ˌɑːpə'rætɪklɪ] *adv.* **1.** operowo. **2.** egzaltowanie; ekstrawagancko.

operatics [ˌɑːpə'rætɪks] *n. z czasownikiem w liczbie pojedynczej l. mnogiej* egzaltacja; ekstrawagancje.

operating costs *n. pl. ekon.* koszty operacyjne.

operating funds *n. pl. ekon.* środki obrotowe.

operating loss *n. ekon.* strata przedsiębiorstwa.

operating profit *n. ekon.* zysk przedsiębiorstwa.

operating room *n. US chir.* sala operacyjna.

operating statement *n. ekon.* rachunek wyników działalności gospodarczej; rachunek zysków i strat.

operating system *n. komp.* system operacyjny.

operating table *n. chir.* stół operacyjny.

operating theatre *n. Br.* = **operating room.**

operation [ˌɑːpə'reɪʃən] *n.* **1.** *t. chir., fin., komp., mat., wojsk.* operacja; **perform an ~** *chir.* przeprowadzić operację (*on sb/sth* na kimś/czymś). **2.** *C/U* działanie, funkcjonowanie (*np. organizacji, firmy, przepisu, systemu*); **be in ~** działać, funkcjonować; być ważnym, obowiązywać; **come/go into ~** zaczynać działać, wchodzić w życie (*np. o przepisie*). **3.** *U* obsługa (*of sth* czegoś). **4.** czynność. **5.** przedsiębiorstwo. **6.** *fin.* transakcja. **7.** *mat.* działanie.

operational [ˌɑːpə'reɪʃənl] *a.* **1.** w stanie nadającym się do użytku; działający, funkcjonujący, sprawny; **be ~** działać. **2.** *t. wojsk.* operacyjny.

operational amplifier *n. komp.* wzmacniacz operacyjny.

operationalism [ˌɑːpə'reɪʃənəˌlɪzəm] *n. U* (*także* **operationism**) *fil.* operacjonizm.

operational research *n. U t. wojsk.* badania operacyjne.

operation code *n.* (*także* **opcode**) *komp.* kod operacji.

operationism [ˌɑːpə'reɪʃəˌnɪzəm] *n.* = **operationalism.**

operations research *n. U* = **operational research.**

operations room *n. gł. wojsk.* centrum operacyjne, centrum dowodzenia.

operative ['ɑːpəˌreɪtɪv] *a.* **1.** działający. **2.** skuteczny. **3.** *attr. chir.* operacyjny. **4.** *attr.* kluczowy, najważniejszy (*o słowie*). – *n.* **1.** robotni-k/ca (*zw. wykwalifikowan-y/a*). **2.** *US* tajny agent (*zwł. rządowy*). **3.** *US* prywatny detektyw.

operator ['ɑːpəˌreɪtər] *n.* **1.** telefonist-a/ka. **2.** operator/ka (*maszyny, urządzenia*). **3.** organizator (*firma l. osoba*); **tour ~** *Br.* organizator wycieczek. **4.** *giełda* spekulant. **5.** *chir.* chirurg operujący. **6.** *mat.* operator. **7.** przedsiębiorca, przemysłowiec. **8.** (*także* **smooth ~**) *pot.* sprycia-rz/ra.

operculum [ou'pɝːkjələm] *n. pl.* **-s** *l.* **opercula** [ou'pɝːkjələ] **1.** *zool.* zamek (*u małży*). **2.** *icht.* pokrywa skrzelowa. **3.** *bot.* nakrywka, przykrywka (*u mchów i niektórych grzybów*). **4.** *fizj.* czop śluzowy (*zamykający szyjkę macicy u ciężarnej*).

operetta [ˌɑːpə'retə] *n. muz.* operetka.

operon ['ɑːpəˌrɑːn] *n. genetyka* operon.

operose ['ɑːpəˌrous] *a. rzad.* **1.** pracochłonny. **2.** pracowity.

ophicleide ['ɑːfɪˌklaɪd] *n. hist. muz.* ofikleida.

ophidian [ou'fɪdɪən] *a.* wężowy. – *n. zool.* wąż (*rząd Ohidia*).

ophiology [ˌɑːfiˈɑːlədʒɪ] *n. U zool.* ofiologia (= *nauka o wężach*).

ophite [ˈɑːfaɪt] *n. min.* ofit.

ophitic [ɑːˈfɪtɪk] *a. min.* ofityczny.

ophthalmia [ɑːfˈθælmɪə] *n. U pat.* zapalenie gałki ocznej; zapalenie spojówek.

ophthalmic [ɑːfˈθælmɪk] *a.* oczny.

ophthalmic optician *n.* optyk-okulista.

ophthalmol. *abbr.* = **ophthalmology**; = **ophthalmologist**.

ophthalmological [ɑːfˌθælməˈlɑːdʒɪkl] *a. med.* okulistyczny.

ophthalmologist [ˌɑːfθælˈmɑːlədʒɪst] *n.* okulist-a/ka.

ophthalmology [ˌɑːfθælˈmɑːlədʒɪ] *n. U* okulistyka.

ophthalmoscope [ɑːfˈθælməˌskoʊp] *n. med.* oftalmoskop, wziernik oczny.

ophthalmoscopy [ˌɑːfθælˈmɑːskəpɪ] *n. C/U pl.* **-ies** oftalmoskopia, wziernikowanie oka.

opiate [ˈoʊpɪət] *n.* środek zawierający opium; narkotyk; *med.* opiat. – *a.* **1.** zawierający opium; narkotyczny; *med.* uspokajający. **2.** *przen.* nudny, usypiający. – *v.* **1.** poddawać działaniu narkotyku. **2.** usypiać. **3.** otępiać.

opine [oʊˈpaɪn] *v. form.* **1.** być zdania, utrzymywać (*that* że). **2.** wydawać opinię na temat (*czegoś*), opiniować.

opinion [əˈpɪnjən] *n. C/U* **1.** opinia (*about/on sth* o czymś *l.* na jakiś temat); zdanie, pogląd; **a difference of ~** różnica zdań *l.* poglądów; **be of the ~ that...** *form.* być zdania, że...; **express/give/state an ~** wyrażać (swoją) opinię; **get an independent ~** zasięgnąć niezależnej opinii; **get another/a second ~** zasięgnąć opinii innego specjalisty; **have a high/low ~ of sb/sth** (*także* **have a good/bad ~ of sb/sth**) mieć o kimś/czymś wysokie/niskie mniemanie, mieć o kimś/czymś dobre/złe zdanie; **in my/your ~** moim/twoim zdaniem; **it's/that's a matter of ~** *zob.* **matter** *n.*; **public ~** opinia publiczna; **the general ~ is that...** w opinii większości,... **2.** *prawn.* uzasadnienie (*wyroku*).

opinionated [əˈpɪnjəˌneɪtɪd] *a.* zadufany (w sobie); uparty.

opinionative [əˈpɪnjəˌneɪtɪv] *a. rzad.* **1.** dotyczący opinii. **2.** = **opinionated**.

opinion-forming [əˈpɪnjənˌfɔːrmɪŋ] *a.* opiniotwórczy.

opinion-makers [əˈpɪnjənˌmeɪkərz] *n. pl.* osoby mające wpływ na opinię publiczną.

opinion poll *n.* badanie opinii publicznej.

opium [ˈoʊpɪəm] *n. U* opium. – *v.* opiumować.

opium den *n.* palarnia opium.

opiumism [ˈoʊpɪəˌmɪzəm] *n. U pat.* uzależnienie od opium.

opium poppy *n. pl.* **-ies** *bot.* mak lekarski (*Papaver somniferum*).

opossum [əˈpɑːsəm] *n. pl.* **-s** *l.* **opossum** *zool.* opos (*Didelphis marsupialis*).

opp. *abbr.* = **opposite**.

oppidan [ˈɑːpɪdən] *rzad. a.* miejski. – *n.* mieszkan-iec/ka miasta.

oppilate [ˈɑːpəˌleɪt] *v. pat.* zatykać, czopować.

opponency [əˈpoʊnənsɪ] *n. U* opozycja.

opponens [əˈpoʊnəns] *n. anat.* = **opponent muscle**.

opponent [əˈpoʊnənt] *n.* przeciwni-k/czka, oponent/ka. – *a.* przeciwny; przeciwstawny.

opponent muscle *n.* (*także* **opponens**) *anat.* mięsień przeciwstawiacz.

opportune [ˌɑːpərˈtuːn] *a. form.* odpowiedni, stosowny, dogodny (*o czasie, momencie, czynności,*); w porę, na czasie (*np. o uwadze*).

opportunely [ˌɑːpərˈtuːnlɪ] *adv.* w porę, na czasie.

opportunism [ˌɑːpərˈtuːnˌɪzəm] *n. U* oportunizm.

opportunist [ˌɑːpərˈtuːnɪst] *n.* oportunist-a/ka.

opportunistic [ˌɑːpərtuːˈnɪstɪk] *a.* oportunistyczny.

opportunity [ˌɑːpərˈtuːnətɪ] *n. pl.* **-ies 1.** okazja, sposobność (*to do sth* żeby coś zrobić, *for sth* do czegoś); **at every ~** przy każdej okazji; **at the earliest/first ~** *form.* przy najbliższej/pierwszej (nadarzającej się) okazji; **grab/seize an ~ (with both hands)** (skwapliwie *l.* ochoczo) skorzystać z okazji; **take the ~ to do sth** skorzystać z okazji i zrobić coś (*np. podziękować, wznieść toast*). **2.** (*także* **job ~**) oferta (pracy). **3. equal ~** *zob.* **equal**.

opportunity cost *n. fin.* koszty alternatywne.

opportunity shop *n.* (*także pot.* **op shop**) *Austr. i NZ* sklep sprzedający rzeczy używane (*z przeznaczeniem zysków na cele dobroczynne*).

opposable [əˈpoʊzəbl] *a.* **1.** *form.* dający się odeprzeć; dający się przeciwstawić. **2.** *anat.* mogący dotknąć pozostałych palców (*o kciuku, np. u ludzi i małp*).

oppose [əˈpoʊz] *v.* **1.** przeciwstawiać (się) (*komuś l. czemuś*). **2.** sprzeciwiać się (*komuś l. czemuś*); **be ~d to sth** być przeciwnym czemuś.

opposed [əˈpoʊzd] *a. pred.* **1.** przeciwstawny. **2.** odmienny (*to sth* od czegoś). **3.** przeciwny (*to sth* czemuś). **4. as ~ to...** w przeciwieństwie do...; w odróżnieniu od... (*czegoś*).

opposing [əˈpoʊzɪŋ] *a. attr.* **1.** przeciwny (*o drużynie, stronie, obozie*). **2.** przeciwstawny; odmienny (*o poglądach, stanowiskach*).

opposite [ˈɑːpəzɪt] *a.* **1.** przeciwległy; przeciwstawny; **at ~ ends of sth** na przeciwległych krańcach czegoś. **2.** przeciwny, odwrotny (*zwł. o skutku*). **3.** sąsiedni (*o stronie w książce*). – *n.* **1.** przeciwieństwo. **2. be the ~ of sb/sth** być przeciwieństwem kogoś/czegoś. **3. just/quite the ~** wręcz przeciwnie. – *adv.* naprzeciw, naprzeciwko (*(to) sth* czegoś). – *prep.* **1.** naprzeciw, naprzeciwko. **2.** przy.

opposite leaves *n. pl. bot.* liście naprzeciwległe.

opposite number *n.* **sb's ~** czyjś odpowiedni-k/czka.

opposite prompt *n. teatr* prawa strona sceny (*z punktu widzenia aktora stojącego twarzą do widowni*).

opposite sex *n.* **the ~** płeć przeciwna.

opposition [ˌɑːpəˈzɪʃən] *n. C/U* **1.** opozycja (*t. astron., fon., jęz., log.*); sprzeciw; opór; **in ~ to sth** w opozycji do czegoś; jako wyraz sprzeciwu wobec czegoś; **meet with strong/fierce** ~ napotkać silny opór, spotkać się z silnym sprzeciwem. **2.** **the** ~ *sport* przeciwnik, rywal (= *drużyna przeciwna*). **3.** *polit.* **be in** ~ znajdować się w opozycji; **the ~/O~** opozycja (= *partia opozycyjna*). **4.** przeciwstawienie (się). **5.** przeciwieństwo.

oppositional [ˌɑːpəˈzɪʃənl] *a.* opozycyjny.

oppress [əˈpres] *v.* **1.** gnębić, uciskać, ciemiężyć. **2.** *przen.* przygniatać, przytłaczać (*np. o myślach, uczuciach, upale*).

oppressed [əˈprest] *a.* uciskany, ciemiężony. – *n. pl.* **the** ~ uciskani, ciemiężeni.

oppression [əˈpreʃən] *n. U* ucisk.

oppressive [əˈpresɪv] *a.* **1.** gnębiący, uciskający, ciemiężący; oparty na ucisku (*o systemie politycznym*). **2.** przygniatający, przytłaczający.

oppressively [əˈpresɪvlɪ] *adv.* przytłaczająco.

oppressiveness [əˈpresɪvnəs] *n. U* ucisk.

oppressor [əˈpresər] *n.* gnębiciel/ka, ciemiężyciel/ka, ciemiężca.

opprobrious [əˈproʊbrɪəs] *a. form.* **1.** pogardliwy; potępiający; obelżywy. **2.** haniebny.

opprobriously [əˈproʊbrɪəslɪ] *adv. form.* **1.** pogardliwie; potępiająco; obelżywie. **2.** haniebnie.

opprobriousness [əˈproʊbrɪəsnəs] *n. U form.* **1.** pogarda; potępienie. **2.** hańba, sromota.

opprobrium [əˈproʊbrɪəm] *n. U* **1.** potępienie. **2.** hańba.

oppugn [əˈpjuːn] *v. form.* **1.** zwalczać. **2.** kwestionować.

oppugnant [əˈpʌgnənt] *a. arch. l. form.* wrogi, przeciwny.

oppugner [əˈpjuːnər] *n. form.* przeciwni-k/czka.

op shop [ˈɑːp ˌʃɑːp] *n. pot.* = **opportunity shop**.

opsin [ˈɑːpsɪn] *n. U biochem.* opsyna, białko rodopsyny.

opsonic [ɑːpˈsɑːnɪk] *a. biol.* opsoninowy.

opsonin [ˈɑːpsənɪn] *n. U biochem.* opsonina, bakteriotropina.

opsonize [ˈɑːpsəˌnaɪz], *Br. i Austr. zw.* **opsonise** *v. biol.* uczulać opsoninami (*np. bakterie*).

opt [ɑːpt] *v.* **1.** opowiadać się, optować (*for sb / sth* za kimś/czymś); ~ **to do sth** zdecydować się coś zrobić. **2.** ~ **out (of sth)** wycofywać się (z czegoś); *zwł. Br.* uniezależniać się (od czegoś) (*zw. od administracji lokalnej, np. o szkole, szpitalu*).

optative [ˈɑːptətɪv] *a.* **1.** *form.* wyrażający życzenie *l.* pragnienie. **2.** *gram.* woluntalny, wyrażający życzenie. – *n. gram.* **1.** **the** ~ tryb woluntalny, optativus. **2.** czasownik w trybie jw.

optic[1] [ˈɑːptɪk] *a.* wzrokowy; oczny; optyczny. – *n. pot.* oko.

optic[2] *n. Br.* miarka na szyjce odwróconej butelki (*do odmierzania alkoholu*).

optical [ˈɑːptɪkl] *a.* **1.** optyczny; wzrokowy. **2.** korekcyjny (*o szkłach*). **3.** światłoczuły (*np. o przyrządzie*).

optical activity *n. U chem.* aktywność *l.* czynność optyczna.

optical brightener *n.* środek optycznie rozjaśniający, wybielacz optyczny.

optical character reader *n. komp.* optyczny czytnik znaków.

optical character recognition *n. U komp.* optyczne rozpoznawanie znaków.

optical disc *n.* **1.** *komp.* dysk optyczny. **2.** płyta DVD.

optical fiber, *Br.* **optical fibre** *n. U* włókno światłowodowe.

optical glass *n. U* szkło optyczne.

optical illusion *n.* złudzenie optyczne.

optical isomer *n. chem.* izomer optyczny *l.* optycznie czynny.

optical isomerism *n. U chem.* izomeria optyczna.

optically [ˈɑːptɪklɪ] *adv.* optycznie; wzrokowo.

optical rotation *n. U chem.* skręcalność optyczna.

optical scanner *n. komp.* skaner (optyczny).

optical sound *n. U* optyczny zapis dźwięku.

optic axis *n. opt.* oś optyczna.

optic chiasma *n. anat.* skrzyżowanie nerwu wzrokowego.

optic cup *n. anat.* kielich oczny.

optic disc *n. anat.* tarcza nerwu wzrokowego.

optician [ɑːpˈtɪʃən] *n.* **1.** *US* opty-k/czka. **2.** *Br.* optyk-okulista.

optic nerve *n. U anat.* nerw wzrokowy.

optic neuritis *n. U pat.* zapalenie nerwu wzrokowego.

optics [ˈɑːptɪks] *n. U* optyka.

optic tract *n. anat.* pasmo wzrokowe.

optic vesicle *n. anat.* pęcherzyk oczny.

optima [ˈɑːptəmə] *n. pl. zob.* **optimum** *n.*

optimal [ˈɑːptəml] *a.* optymalny.

optimally [ˈɑːptəmlɪ] *adv.* optymalnie.

optimise [ˈɑːptəˌmaɪz] *v. Br. i Austr.* = **optimize**.

optimism [ˈɑːptəˌmɪzəm] *n. U* optymizm.

optimist [ˈɑːptəmɪst] *n.* optymist-a/ka.

optimistic [ˌɑːptəˈmɪstɪk] *a.* optymistyczny; **be ~ about sth** zapatrywać się optymistycznie na coś, być optymist-ą/ką, jeśli chodzi o coś.

optimistically [ˌɑːptəˈmɪstɪklɪ] *adv.* optymistycznie.

optimization [ˌɑːptəməˈzeɪʃən], *Br. i Austr. zw.* **optimisation** *n. U* optymalizacja.

optimize [ˈɑːptəˌmaɪz], *Br. i Austr. zw.* **optimise** *v.* **1.** optymalizować. **2.** wyciągać maksimum korzyści z (*czegoś*). **3.** *arch. l. form.* być optymistą.

optimum [ˈɑːptəməm] *n. pl.* **-s** *l.* **optima** [ˈɑːptəmə] optimum. – *a. attr.* optymalny.

option [ˈɑːpʃən] *n.* **1.** opcja, możliwość (*to do sth* zrobienia czegoś); wybór; **another** ~ alternatywa; **have no** ~ nie mieć wyboru *l.* innego wyjścia; **keep/leave one's ~s open** wstrzymać się z decyzją; **the easy/soft** ~ wybór łatwiejszej. **2.** *handl.* prawo zakupu *l.* sprzedaży (*on sth* czegoś); **first** ~ prawo pierwokupu. **3.** *Br. uniw.* przedmiot *l.* kurs do wyboru. **4.** *handl.* dodatek (*zwł. przy zakupie samochodu*).

optional [ˈɑːpʃənl] *a.* **1.** opcjonalny. **2.** *gł. szkoln.* nadobowiązkowy, fakultatywny, dodatkowy.

optional extras *n. pl. handl.* dodatki (*zwł. przy zakupie samochodu*).

optionally [ˈɑːpʃənlɪ] *adv.* **1.** opcjonalnie, do wyboru. **2.** nadobowiązkowo.

optoelectronics [ˌɑːptoʊɪˌlekˈtrɑːnɪks] *n. U* optoelektronika.

optometer [ɑːpˈtɑːmətər] *n. opt.* optometr.

optometrist [ɑːpˈtɑːmɪtrɪst] *n.* **1.** okulist-a/ka. **2.** opty-k/czka.

optometry [ɑːpˈtɑːmɪtrɪ] *n. U* optometria.

optophone [ˈɑːptəˌfoʊn] *n.* optofon.

opt-out [ˌɑːptˈaʊt] *n. zw. sing.* **1.** wycofanie się. **2.** *Br.* uniezależnienie się (*zwł. szpitala l. szkoły od administracji lokalnej*).

opulence [ˈɑːpjələns] *n. U* **1.** bogactwo; luksus. **2.** obfitość.

opulent [ˈɑːpjələnt] *a.* **1.** bardzo bogaty. **2.** obfity, bujny.

opulently [ˈɑːpjələntlɪ] *adv.* **1.** bogato. **2.** obficie, bujnie.

opuntia [oʊˈpʌnʃɪə] *n. bot.* opuncja (*Opuntia*).

opus [ˈoʊpəs] *n. pl.* **-es** *l.* **opera** [ˈoʊpərə] **1.** *muz.* utwór. **2.** dzieło (*sztuki*); **magnum ~** dzieło życia (*danego pisarza, artysty*).

opuscule [oʊˈpʌskjuːl] *n. rzad.* drobny utwór.

OR [ˌoʊ ˈɑːr] *abbr.* **1. owner's risk** *ubezp.* ryzyko armatora; ryzyko właściciela ładunku. **2.** *US* = **Oregon**. **3.** *wojsk.* = **operations research**.

or[1] [ɔːr] *conj.* **1.** albo, lub; **~ rather** albo raczej, czy raczej; **black ~ white** czarny lub biały; **either... ~...** albo..., albo...; **either you ~ I must surrender** jedno z nas musi się poddać. **2.** *z neg.* ani; **~ anything** ani nic takiego; **he can't either read ~ write** nie umie ani czytać ani pisać; **he doesn't have a television ~ a video** nie ma (ani) telewizora ani video. **3.** czy; **I don't care whether he's happy ~ not** nie obchodzi mnie, czy jest szczęśliwy, czy nie; **a minute ~ two** minuta czy dwie; **two hours ~ so** jakieś dwie godziny, dwie godziny czy coś koło tego; **will he come ~ not?** przyjdzie czy nie?. **4.** bo (inaczej); **~ else** bo inaczej; **take an umbrella ~ you'll get wet** weź parasol, bo zmokniesz. **5.** czyli; **logic, ~ the science of reasoning** logika, czyli sztuka rozumowania.

or[2] *arch. prep.* przed. – *conj.* zanim.

or[3] *a. zw. po n. her.* złoty (*o kolorze*).

orach [ˈɔːrɪtʃ], **orache** *n. bot.* łoboda (*Atriplex*).

oracle [ˈɔːrəkl] *n. mit. l. przen.* wyrocznia (*często żart. = wszystkowiedząca osoba*); **consult the ~** spytać wyroczni.

oracular [oʊˈrækjələr] *a. form.* **1.** tajemniczy, enigmatyczny. **2.** proroczy. **3.** dotyczący wyroczni; w formie *l.* postaci wyroczni.

oracy [ˈɔːrəsʊ] *n. U Br. form.* dar krasomówstwa.

oral [ˈɔːrəl] *a.* **1.** *t. anat., fon.* ustny. **2.** mówiony. **3.** *med.* doustny. **4.** *t. psych.* oralny. **5.** *zool.* gębowy. – *n. zw. pl. uniw., szkoln.* egzamin ustny.

oral cavity *n. pl.* **-ies** *anat.* jama ustna.

oral contraceptive *n. med.* doustny środek antykoncepcyjny.

oral exam *n. uniw., szkoln.* egzamin ustny.

oral history *n. U* **1.** przekaz ustny. **2.** dział historii zajmujący się przekazami ustnymi.

oral hygiene *n. U* higiena jamy ustnej.

oral hygienist *n.* higienist-a/ka stomatologiczn-y/a.

orally [ˈɔːrəlɪ] *adv.* **1.** ustnie. **2.** *med.* doustnie.

oral sex *n. U* seks oralny.

oral society *n. C / U pl.* **-ies** społeczeństwo niepiśmienne.

oral surgeon *n. med.* **1.** *US* stomatolo-g/żka, dentyst-a/ka. **2.** *Br.* chirurg szczękowy.

oral tradition *n. C / U* tradycja ustna.

orang [oʊˈræŋ] *n. zool.* = **orang-utan**.

orange [ˈɔːrɪndʒ] *n.* **1.** *bot., kulin.* pomarańcza (*Citrus*); **bitter/sour ~** pomarańcza gorzka (*Citrus aurantium*); **sweet ~** pomarańcza słodka (*Citrus sinensis*). **2.** *U* = **orangewood**. **3.** *U* kolor pomarańczowy. **4.** *U* oranż (*barwnik*). **5.** *U* sok pomarańczowy; napój pomarańczowy. **6.** *ent.* szlaczkoń sylwetnik (*Colias crocea*).

orangeade [ˌɔːrɪndʒˈeɪd] *n. U* oranżada.

orange badge *n. Br. mot.* pomarańczowa naklejka (*na samochodzie osoby niepełnosprawnej*).

orange blossom *n. U* kwiat pomarańczy (*tradycyjnie zdobiący fryzurę panny młodej*).

Orangeman [ˈɔːrɪndʒmən] *n. pl.* **-men** *Br. hist.* oranżysta.

orange peel *n. U kulin.* skórka pomarańczowa.

orange-peel [ˈɔːrɪndʒˌpiːl] *a.* przypominający skórkę pomarańczy (*o skórze, zwł. z cellulitis*).

orange pekoe [ˌɔːrɪndʒ ˈpiːkoʊ] *n. U* wysokogatunkowa herbata (*z krzewów hodowanych w Indiach i Sri Lance*).

orangery [ˈɔːrɪndʒərɪ] *n. pl.* **-ies** oranżeria, pomarańczarnia.

orange squash *n. U Br.* napój pomarańczowy (*z koncentratu*).

orange stick *n.* patyczek do manicure.

orange tip *n. ent.* zorzynek rzeżuchowiec (*Anthocharis cardamines*).

orangewood [ˈɔːrɪndʒˌwʊd] *n. U* drewno pomarańczowe.

orang-utan [əˈræŋəˌtæn], **orangutang**, **orang-outang** *a. zool.* orangutan (*Pongo pygmaeus*).

orate [oʊˈreɪt] *n.* **1.** *form.* wygłaszać mowę *l.* orację. **2.** perorować.

oration [oʊˈreɪʃən] *n.* przemówienie; mowa; oracja.

orator [ˈɔːrətər] *n.* **1.** mów-ca/czyni, orator/ka. **2.** *prawn. arch.* powód/ka.

oratorical [ˌɔːrəˈtɔːrɪkl] *a. form.* oratorski, krasomówczy.

oratorio [ˌɔːrəˈtɔːrɪˌoʊ] *n. pl.* **-s** *muz.* oratorium.

Oratory [ˈɔːrəˌtɔːrɪ] *n.* (*także* **Congregation of the ~**) *rz.-kat.* oratorianie, filipini (*zgromadzenie zakonne*).

oratory[1] [ˈɔːrəˌtɔːrɪ] *n. U* sztuka krasomówcza, krasomówstwo.

oratory[2] *n. pl.* **-ies** *kość.* prywatna kaplica.

orb [ɔːrb] *n.* **1.** jabłko (*monarsze*). **2.** *form.* kula. **3.** *arch. l. lit.* ciało niebieskie. **4.** *poet.*

oko. **5.** *arch. l. lit.* okrąg, krąg. **6.** *arch. l. lit.* orbita. **7.** *lit.* krąg (*np. zainteresowań, wpływów*). – *v.* **1.** *lit.* okalać. **2.** *arch.* zbierać (się) w krąg.

orbicular [ɔːrˈbɪkjələr] *a. form.* **1.** kolisty. **2.** kulisty. **3.** stanowiący zamkniętą całość. **4.** *bot.* okrągły (*o kształcie liścia*).

orbicular bone *n. anat.* wyrostek soczewkowaty kowadełka.

orbicularity [ɔːrˌbɪkjəˈlerətɪ] *n. U form.* **1.** kolistość. **2.** kulistość.

orbicular muscle *n. anat.* mięsień okrężny.

orbiculate [ɔːrˈbɪkjəlɪt] *a. form.* = **orbicular**.

orbit [ˈɔːrbɪt] *n.* **1.** *C / U astron.* orbita; **in ~** na orbicie. **2.** *fiz.* orbita atomowa. **3.** *przen.* krąg, sfera (*wpływów, zainteresowań*). **4.** *anat.* oczodół. **5.** *zool., ent.* obwódka (*wokół oka*). – *v.* **1.** krążyć wokół (*czegoś*), okrążać. **2.** krążyć. **3.** umieszczać na orbicie.

orbital [ˈɔːrbɪtl] *a.* orbitalny. – *n.* **1.** *fiz.* orbital. **2.** *Br. mot.* obwodnica.

orbital decay *n. U astron.* zacieśnianie się orbity.

orbital velocity *n. C / U pl.* **-ies** prędkość orbitalna.

orbiter [ˈɔːrbɪtər] *n.* **1.** statek orbitalny. **2.** satelita orbitalny.

orc [ɔːrk] *n.* **1.** *zool.* = **orca**. **2.** *mit.* potwór.

orca [ˈɔːrkə] *n. zool.* orka, miecznik (*Orcinus orca*).

Orcadian [ɔːrˈkeɪdɪən] *Scot. n.* mieszkan-iec/ka Wysp Orkady. – *a.* dotyczący Wysp Orkady.

orcein [ˈɔːrsiːɪn] *n. U chem.* orceina, orcyna.

orch. *abbr. muz.* **1.** = **orchestra**. **2. orchestrated by** aranżacja.

orchard [ˈɔːrtʃərd] *n.* sad.

orchardist [ˈɔːrtʃərdɪst] *n.* sadowni-k/czka.

orchestra [ˈɔːrkɪstrə] *n.* **1.** orkiestra. **2.** *teatr, hist.* orchestra. **3.** *gł. US i Can. teatr* parter. **4.** = **orchestra pit**.

orchestral [ɔːrˈkestrəl] *a.* orkiestralny, orkiestrowy.

orchestra pit *n. muz.* fosa orkiestrowa.

orchestrate [ˈɔːrkɪˌstreɪt] *v.* **1.** orkiestrować, aranżować na orkiestrę. **2.** *przen.* wyreżyserować.

orchestration [ˌɔːrkɪˈstreɪʃən] *n. U* **1.** orkiestracja. **2.** *przen.* reżyserka, wyreżyserowanie.

orchestrator [ˈɔːrkɪˌstreɪtər], **orchestrater** *n.* **1.** aranżer. **2.** *przen.* reżyser/ka (*np. kampanii politycznej*).

orchestrina [ˌɔːrkɪˈstriːnə] *n.* (*także Br.* **orchestrion**) [ɔːrˈkestriən] *muz.* orkiestrion.

orchid [ˈɔːrkɪd] *n. bot.* orchidea, storczyk (*rodzina Orchidaceae*).

orchidaceous [ˌɔːrkɪˈdeɪʃəs] *a. bot.* storczykowaty.

orchiectomy [ˌɔːrkɪˈektəmɪ], **orchidectomy** [ˌɔːrkəˈdektəmɪ] *n. C / U pl.* **-ies** *chir.* wycięcie jądra *l.* jąder.

orchil [ˈɔːrkɪl] *n. U* lakmus (*barwnik organiczny*).

orchis [ˈɔːrkɪs] *n. bot.* storczyk (*Orchis*).

orchitis [ɔːrˈkaɪtɪs] *n. U pat.* zapalenie jąder.

ordain [ɔːrˈdeɪn] *v.* **1.** *kośc.* wyświęcać. **2.** mianować. **3.** *form.* zarządzać, postanawiać; nakazywać. **4.** *form.* zrządzić (*that* że); przeznaczyć (*o Bogu, losie*).

ordeal [ɔːrˈdiːl] *n.* **1.** gehenna; ciężka próba. **2.** *hist.* sąd Boży.

order [ˈɔːrdər] *n.* **1.** rozkaz; polecenie; **~s are ~s** *zw. żart.* rozkaz to rozkaz; **be under ~s to do sth** mieć rozkaz coś zrobić; **by ~ of sb** (*także* **on the ~s of sb**) na czyjś rozkaz *l.* polecenie; **give ~s** wydawać rozkazy *l.* polecenia; **have ~s to do sth** mieć rozkaz coś zrobić; **take ~s from sb** wykonywać czyjeś rozkazy. **2.** *fin.* zlecenie; **banker's ~** *Br. bank* zlecenie stałe; **money ~** *zwł. US, Can. i Austr.* przekaz pieniężny; **postal ~** *Br.* przekaz pocztowy. **3.** *admin., prawn.* zarządzenie; postanowienie; **court ~** postanowienie sądu; **O~ in Council** *Br.* zarządzenie władcy (*w kwestii administracyjnej, wydane w porozumieniu z Radą Przyboczną*). **4.** *C / U* kolejność, porządek, układ; **~ of the day** porządek dnia *l.* obrad; **in ~** po kolei; **in ~ of appearance** w kolejności występowania; **in alphabetical/chronological ~** w kolejności alfabetycznej/chronologicznej; **in ascending/descending ~** w porządku rosnącym/malejącym; **in reverse ~** w odwrotnej kolejności; **in the right/wrong ~** we właściwej/niewłaściwej kolejności, po kolei/nie po kolei; **out of ~** nie po kolei. **5.** *U l. sing.* porządek, ład; **~!** cisza!, spokój!; do rzeczy!; **call sb to ~** przywoływać kogoś do porządku; **established ~** ustalony porządek; **keep ~** utrzymywać porządek; **law and ~** praworządność; **natural ~** *biol.* porządek naturalny; **new world ~** nowy porządek świata; **public ~** porządek *l.* ład publiczny; **restore ~** przywracać porządek. **6.** *wojsk.* ekwipunek; mundur; **battle ~** ekwipunek bojowy. **7.** *C / U* zamówienie; **made to ~** zrobiony *l.* wykonany na zamówienie; **make/supply sth to ~** robić/dostarczać coś na zamówienie; **on ~** na zamówienie; zamówiony; **place an ~ for sth** złożyć zamówienie na coś; **take sb's ~** przyjąć czyjeś zamówienie (*t. o kelnerze*). **8.** *rel., hist.* zakon (*religijny l. rycerski*); **~ of Jesuits** zakon jezuitów; **Benedictine/Franciscan O~** zakon oo. benedyktynów/franciszkanów. **9.** organizacja, stowarzyszenie (*zwł. tajne*); **Masonic O~** loża masońska. **10.** *pl. kośc.* święcenia; **holy ~s** święcenia kapłańskie; **in (holy) ~s** wyświęcony; **major/minor ~s** wyższe/niższe święcenia; **take (holy) ~s** przyjmować święcenia. **11.** *form.* rodzaj; **of a different ~** innego rodzaju; **of a high/the highest/first ~** wysokiej/najwyższej/ pierwszej klasy; **on the ~ of...** w rodzaju... (= *podobny do*). **12.** *t. mat.* rząd (*wielkości*); **in/on/of the ~ of** rzędu, około; **a figure in the ~ of $5 million** cyfra *l.* suma rzędu 5 milionów dolarów. **13.** stan, klasa; **the lower ~s** klasy niższe, niższe stany. **14.** *biol.* rząd (*w systematyce*). **15.** *t. wojsk.* order, odznaczenie. **16.** *kośc.* obrzęd, rytuał. **17.** *bud., zwł. hist.* porządek, styl; **Doric/Ionic/Corynthian ~** porządek dorycki/joński/koryncki. **18.** *gram.* szyk; **word ~** szyk wyrazów, szyk zdania. **19.** *komp.* polecenie. **20.** *gł. Br. arch.* przepustka (*uprawniająca do wstępu bezpłatnego l. ulgowe-

go). **21. in ~ to do sth** żeby coś zrobić; **in ~ for sb to do sth** żeby ktoś coś zrobił; **in ~ for sth to happen** żeby coś się stało; **in ~ that sb might do sth** *form.* żeby ktoś mógł coś zrobić; **in ~ that sth might happen** *form.* żeby coś mogło się stać. **22. be the ~ of the day** *przen.* być na porządku dziennym; być na czasie; **in ~** w porządku; *parl.* formalnie; (*także* **in working ~**) na chodzie, sprawny; **be in ~** być odpowiednim *l.* stosownym; **be in bad/good ~** być w złym/dobrym stanie; **get one's/give sb their marching ~s** *zob.* **marching orders; in apple-pie ~** *US pot.* we wzorowym porządku; **in short ~** *zwł. US* bezzwłocznie, natychmiast; **out of ~** nie w porządku; zepsuty, nieczynny; niestosowny, nie na miejscu (*o zachowaniu*); niezgodny z przepisami; **put in ~** doprowadzić do porządku, uporządkować; **rise to a point of ~** zabierać głos w kwestii formalnej; **set/put one's (own) house in ~** *zob.* **house** *n.*; **tall ~** *zob.* **tall; the natural ~ of things** naturalna kolej rzeczy. – *v.* **1.** kazać (*sb to do sth* komuś coś zrobić). **2.** rozkazywać; *prawn.* zarządzać, nakazywać, postanawiać. **3.** *gł. med.* przepisywać (*np. leki*); zalecać (*np. określoną kurację*). **4.** zamawiać (*from sb* u kogoś); **~ sb sth** (*także* **~ sth for sb**) zamówić coś komuś *l.* dla kogoś. **5.** *t. wojsk.* wyprawić, odkomenderować. **6.** porządkować, układać; **~ one's affairs** porządkować swoje sprawy. **7.** *kość.* wyświęcać. **8.** zrządzać (*o Bogu, losie*). **9. ~ sb around/about** komenderować kimś, pomiatać kimś; **~ in** *handl.* zamawiać; **~ sb in** kazać komuś wejść; **~ sb off** *sport* wykluczyć kogoś z gry, usunąć kogoś z boiska; **~ out** wysyłać (*zwł. policję l. wojsko np. w rejon zamieszek*); **~ sb out** kazać komuś wyjść *l.* wyjechać; **~ sb out of the country** nakazać komuś opuszczenie kraju.

order arms *wojsk. n.* postawa z bronią u nogi. – *int.* do nogi broń!.

order book *n.* **1.** *handl.* księga *l.* książka zamówień. **2.** *wojsk.* książka rozkazów. **3.** *przen.* księga *l.* lista życzeń. **4.** *Br. parl.* księga wniosków (*w Izbie Gmin*).

order check *n. fin.* czek na zlecenie.

ordered ['ɔ:rdərd] *a.* **1.** uporządkowany. **2.** zorganizowany.

order form *n. handl.* zamówienie, formularz zamówienia.

orderliness ['ɔ:rdərlɪnəs] *n. U* **1.** porządek. **2.** zorganizowanie.

orderly ['ɔ:rdərlɪ] *a.* **1.** uporządkowany, systematyczny. **2.** zdyscyplinowany, spokojny. – *n. pl.* **-ies 1.** *med.* sanitariusz; salowa. **2.** *wojsk.* ordynans.

orderly book *n. Br. wojsk.* książka rozkazów.

orderly officer *n. wojsk.* oficer dyżurny.

orderly room *n. wojsk.* kancelaria kompanii (*w koszarach*).

order of business *n.* porządek dnia.

order of magnitude *n. U mat.* rząd wielkości.

order paper *n. Br. gł. parl.* porządek dzienny *l.* dnia.

order wire *n. tel.* łącze służbowe.

ordinal ['ɔ:rdənl] *a. attr.* porządkowy. – *n.* **1.** = **ordinal number**. **2.** *kość.* księga liturgiczna; pontyfikał.

ordinal number *n.* **1.** *gram.* liczebnik porządkowy. **2.** *mat., log.* liczba porządkowa.

ordinance ['ɔ:rdənəns] *n.* **1.** *prawn.* zarządzenie, rozporządzenie. **2.** *kość.* obrzęd, obrządek. **3.** *form.* zwyczaj, praktyka.

ordinand ['ɔ:rdəˌnænd] *n. kość.* kandydat do wyświęcenia.

ordinarily [ˌɔ:rdən'erəlɪ] *adv.* **1.** zazwyczaj, zwykle. **2.** zwyczajnie, normalnie.

ordinariness ['ɔ:rdənerɪnəs] *n. U* zwykłość, zwyczajność.

ordinary ['ɔ:rdənerɪ] *a.* **1.** zwyczajny, zwykły; *uj.* pospolity; **in the ~ way** *gł. Br.* zwykle; normalnie. **2.** etatowy, stały. **3.** *mat.* zwyczajny (*o równaniu*). – *n. pl.* **-ies 1.** *U* **the ~** przeciętność, zwyczajność; **above the ~** ponad przeciętność; **out of the ~** niezwykły, niecodzienny. **2.** *U* **in ~** etatowy; nadworny (*np. o lekarzu, malarzu*). **3.** *US prawn.* sędzia sądu spadkowego (*w niektórych stanach*). **4.** *kość.* ordynariusz. **5.** *kość.* rubrycela (*kalendarz kościelny*). **6.** *kość.* stały element mszy świętej. **7.** *Br. arch.* posiłek po stałej cenie (*w gospodzie*). **8.** *gł. US hist.* welocyped. **9.** *her.* najprostszy i najbardziej pospolity wzór herbowy.

ordinary differential equation *n. mat.* równanie różniczkowe zwyczajne.

ordinary level *n. form.* = **O level**.

ordinary seaman *n. pl.* **-men** *żegl.* marynarz drugiej klasy.

ordinary shares *n. pl. giełda* akcje zwykłe.

ordinate ['ɔ:rdənət] *n. geom.* rzędna.

ordination [ˌɔ:rdɪ'neɪʃən] *n.* **1.** *U kość.* święcenia (kapłańskie). **2.** *form.* układ, klasyfikacja.

ordn. *abbr.* = **ordnance**.

ordnance ['ɔ:rdnəns] *n. U wojsk.* **1.** działa, artyleria. **2.** zaopatrzenie (*gł. broń i amunicja*). **3.** *Br.* intendentura. **4.** agencja rządowa odpowiedzialna za dostawy dla wojska.

ordnance datum *n. Br. kartogr.* urzędowo zmierzony średni poziom morza.

Ordnance Survey *n. Br.* Instytut Kartograficzny.

ordnance survey map *n. Br.* mapa topograficzna; mapa sztabowa.

ordo ['ɔ:rdou] *n. pl.* **-s** *l.* **ordines** ['ɔ:rdəˌni:z] *kość.* kalendarz liturgiczny.

ordonnance ['ɔ:rdənəns] *n.* **1.** *form.* układ (*np. dzieła literackiego, budynku*). **2.** *gł. Fr., prawn.* ordonans.

Ordovician [ˌɔ:rdə'vɪsiən] *geol. n.* **the ~** ordowik. – *a.* dotyczący ordowiku; pochodzący z ordowiku.

ordure ['ɔ:rdʒər] *n. U* **1.** *form.* odchody, nieczystości. **2.** *lit.* ohyda.

ore [ɔ:r] *n. C/U* **1.** *geol.* ruda; **iron ~** ruda żelaza. **2.** *gł. poet.* kruszec.

Ore. *abbr.* = **Oregon**.

oread ['ɔ:rɪˌæd] *n.* **1.** *mit.* oreada, nimfa górska. **2.** *bot.* heliofit, roślina światłożądna.

Oreg. *abbr.* = **Oregon**.

oregano [ə'regəˌnou] *n. U bot.* lebiodka pospolita, oregano (*Origanum vulgare*); *kulin.* oregano.

Oregon ['ɔːrəgən] *n. US* stan Oregon.

orf [ɔːrf] *n. U wet.* ospa owcza, niesztowica wirusowa.

orfe [ɔːrf] *n. icht.* jaź (*Leuciscus idus*).

org. *abbr.* **1.** = **organic**. **2.** = **organization**; = **organized**.

organ ['ɔːrgən] *n.* **1.** *muz.* (*także* **pipe** ~) organy; **mouth** ~ harmonijka ustna. **2.** *muz.* fisharmonia. **3.** (*także* **barrel** ~) katarynka. **4.** *anat.*, *bot.* organ, narząd. **5.** *euf. l. żart.* organ męski (= *członek*). **6.** *form.* organ (*np. prasowy*); **~s of government** organy *l.* organa rządowe.

organ blower *n. muz.* **1.** urządzenie do kalikowania, dmuchawa. **2.** kalikant.

organdy ['ɔːrgəndɪ], **organdie** *n. U tk.* organdyna.

organelle [ˌɔːrgə'nel] *n. biol.* organellum.

organ grinder *n.* kataryniarz.

organic [ɔːr'gænɪk] *a.* **1.** *t. chem., pat., roln.* organiczny (*t. przen.* = *nieodłączny, nierozłączny*). **2.** hodowany bez nawozów sztucznych (*np. o warzywach*). – *n.* substancja organiczna; *roln.* nawóz organiczny.

organically [ɔːr'gænɪklɪ] *adv.* organicznie.

organic chemistry *n. U* chemia organiczna.

organic compound *n. chem.* związek organiczny.

organic disease *n. pat.* choroba organiczna.

organic farming *n. U* rolnictwo naturalne.

organic fertilizer, *Br. t.* **organic fertiliser** *n.* nawóz naturalny *l.* organiczny.

organicism [ɔːr'gænəˌsɪzəm] *n. U* **1.** *fil., socjol.* organicyzm. **2.** *biol.* holizm.

organism ['ɔːrgəˌnɪzəm] *n. biol. l. przen.* organizm.

organist ['ɔːrgənɪst] *n.* organist-a/ka.

organization [ˌɔːrgənə'zeɪʃən], *Br. i Austr. zw.* **organisation** *n.* **1.** organizacja. **2.** *U* organizacja, organizowanie (*of sth* czegoś).

organizational [ˌɔːrgənə'zeɪʃənl] *a.* organizacyjny; organizatorski.

organizationally [ˌɔːrgənə'zeɪʃənlɪ] *adv.* organizacyjnie.

organize ['ɔːrgəˌnaɪz] *Br. i Austr. zw.* **organise** *v.* **1.** organizować (się). **2.** zbierać, porządkować; ~ **one's thoughts** zbierać myśli.

organized ['ɔːrgəˌnaɪzd], *Br. i Austr. zw.* **organised** *a.* zorganizowany; poukładany; **badly/well** ~ źle/dobrze zorganizowany; **get** ~ zorganizować się; pozbierać się; **highly** ~ wysoce zorganizowany; wysoce rozwinięty (*np. o społeczeństwie*).

organized crime *n. U* przestępczość zorganizowana.

organized labor, *Br.* **organised labour** *n. U* związki zawodowe.

organizer ['ɔːrgəˌnaɪzər], *Br. i Austr. zw.* **organiser** *n.* **1.** organizator/ka. **2.** (*także* **personal** ~) organizator (osobisty), terminarz.

organogenesis [ˌɔːrgənoʊ'dʒenəsɪs] *n. U biol.* organogeneza, tworzenie się narządów.

organography [ˌɔːrgə'nɑːgrəfɪ] *n. U* **1.** *bot.* organografia (*dział morfologii roślin*). **2.** *biol.* opis anatomiczny narządów.

organoleptic [ˌɔːrgənoʊ'leptɪk] *a.* organoleptyczny.

organology [ˌɔːrgə'nɑːlədʒɪ] *n. U biol.* organologia.

organometallic [ˌɔːrgənoʊmə'tælɪk] *a. chem.* metaloorganiczny.

organophosphate [ˌɔːrgənoʊ'fɑːsfeɪt] *n. chem.* związek fosforoorganiczny; *roln.* preparat fosforoorganiczny.

organotherapy [ˌɔːrgənoʊ'θerəpɪ] *n. C/U pl.* **-ies** *med.* organoterapia.

organ screen *n. bud., kośc.* lektorium.

organ stop *n. muz.* rejestr organowy.

organum ['ɔːrgənəm] *n. pl.* **-s** *l.* **organa** ['ɔːrgənə] *muz.* organum.

organza [ɔːr'gænzə] *n. U tk.* organza.

organzine ['ɔːrgənˌziːn] *n. U tk.* organzyna.

orgasm ['ɔːrgæzəm] *n.* orgazm. – *v.* doznawać orgazmu, szczytować.

orgasmic [ɔːr'gæzmɪk], **orgastic** [ɔːr'gæstɪk] *a.* orgazmiczny.

orgeat [ɔːr'ʒæ] *n. U* orszada (*napój chłodzący*).

orgiastic [ˌɔːrdʒɪ'æstɪk] *a.* orgiastyczny.

orgiastically [ˌɔːrdʒɪ'æstɪklɪ] *adv.* orgiastycznie.

orgone ['ɔːrgoʊn] *n. U form.* energia życiowa; libido.

orgy ['ɔːrdʒɪ] *n. pl.* **-ies** **1.** orgia (*seksualna; t.* = *pijatyka*). **2.** *przen.* szał; **an** ~ **of shopping/spending** szał zakupów/wydawania pieniędzy. **3.** *pl. mit.* orgie, bachanalia.

oribi ['ɔːrəbɪ] *n. zool.* oribi (*Ourebia ourebi*).

oriel ['ɔːrɪəl] *n. bud.* **1.** (*także* ~ **window**) okno wykuszowe. **2.** wykusz.

orient ['ɔːrɪənt] *n.* **1.** **the O~** *przest.* Orient, (Daleki) Wschód. **2.** *poet.* wschód (*kierunek, strona*); wschód (słońca). **3.** *U arch.* połysk perły. **4.** *arch.* perła. – *a. arch.* **1.** wschodzący. **2.** *poet.* wschodni. **3.** błyszczący; połyskujący, lśniący (*zwł. o perle*). – *v.* (*także Br.* **orientate**) **1.** kierować, adresować (*toward sb/sth* do kogoś/czegoś). **2.** orientować (*budynek, mapę, przyrząd*). **3.** zwracać ku wschodowi (*zwł. budowany kościół*). **4.** ~ **o.s.** ustalać swoje położenie (*za pomocą mapy, kompasu*); *przen.* orientować się, nabierać orientacji *l.* rozeznania.

oriental [ˌɔːrɪ'entl] *a.* **1.** (*także* **O~**) orientalny, dalekowschodni. **2.** wschodni. – *n.* (*także* **O~**) *przest. zw. pog.* Azjat-a/ka.

orientalia [ˌɔːrɪən'teɪlɪə] *n. pl.* orientalia.

orientalism [ˌɔːrɪ'entəˌlɪzəm] *n. U* **1.** orientalizm. **2.** *uniw.* orientalistyka, filologia orientalna.

orientalist [ˌɔːrɪ'entəlɪst] *n. uniw.* orientalist-a/ka.

orientalize [ˌɔːrɪ'entəlaɪz], *Br. t.* **orientalise** *v.* **1.** nadawać cechy orientalne (*komuś l. czemuś*). **2.** ulegać wpływom orientalnym.

oriental poppy *n. bot.* mak wschodni (*Papaver orientale*).

Oriental rug *n.* dywan typu wschodniego.

oriental sore *n. U pat.* leiszmanioza skórna.

orientate [ˈɔːrɪənˌteɪt] *v. Br.* = **orient** *v.*

orientation [ˌɔːrɪənˈteɪʃən] *n. C/U* **1.** orientacja (*t. polityczna, seksualna, religijna*). **2.** *bud.* kierunek ustawienia. **3.** *zwł. US t. uniw.* spotkanie informacyjne. **4.** *chem.* układ molekularny.

orientation week *n. US* **1.** *uniw.* dni studenta pierwszego roku (= *okres na zapoznanie się z nową uczelnią*). **2.** kurs wprowadzający *l.* zapoznawczy (*w nowej pracy*).

oriented [ˈɔːrɪəntɪd], *Br. t.* **orientated** [ˈɔːrɪənˌteɪtɪd] *a.* nastawiony, zorientowany (*to/toward sth* na coś).

orienteer [ˌɔːrɪənˈtiːr] *sport v.* brać udział w biegu na orientację. – *n.* uczestni-k/czka biegu jw.

orienteering [ˌɔːrɪənˈtiːrɪŋ] *n. U* bieg na orientację.

orifice [ˈɔːrəfɪs] *n. anat.* otwór, ujście; *lit.* otwór, wejście.

oriflamme [ˈɔːrəˌflæm] *n. hist.* sztandar bojowy królów francuskich.

orig. *abbr.* **1.** = **original**. **2.** = **originally**. **3.** = **origin**.

origami [ˌɔːrəˈgɑːmɪ] *n. U* origami.

origin [ˈɔːrɪdʒɪn] *n.* **1.** *często pl.* źródło, początek, geneza (*of sth* czegoś); **have one's/its ~ in sth** mieć swój początek w czymś. **2.** *często pl.* pochodzenie (*np. osoby, wyrazu*); **country of ~** kraj pochodzenia; **certificate of ~** *handl.* świadectwo pochodzenia towaru. **3.** *mat.* początek; punkt zaczepienia; **~ of coordinates** *geom.* początek układu współrzędnych, punkt zerowy współrzędnych; **~ of a vector** początek *l.* punkt zaczepienia wektora. **4.** *anat.* punkt *l.* miejsce zaczepienia (*np. mięśnia*).

original [əˈrɪdʒənl] *a.* **1.** *attr.* pierwotny, początkowy, pierwszy. **2.** *attr.* oryginalny, autentyczny. **3.** oryginalny (*np. o pomyśle, osobie*); pomysłowy. – *n.* **1.** oryginał; **read sth in the ~** czytać coś w oryginale. **2.** *pot.* oryginał (*osoba*).

originality [əˌrɪdʒəˈnælɪtɪ] *n. U* oryginalność.

originally [əˈrɪdʒənlɪ] *adv.* **1.** pierwotnie, początkowo. **2.** oryginalnie.

original sin *n. U rel.* grzech pierworodny.

originate [əˈrɪdʒəˌneɪt] *v.* **1.** pochodzić; **~ from sth** pochodzić od czegoś, mieć (swój) początek w czymś; **~ in sth** tworzyć się w czymś; mieć (swój) początek w czymś, pochodzić skądś; **~ with/from sb** pochodzić od kogoś. **2.** dać początek (*czemuś*), zapoczątkować. **3.** *US* zaczynać bieg *l.* trasę (*o pociągu, autobusie*).

origination [əˌrɪdʒəˈneɪʃən] *n. U* **1.** zapoczątkowanie. **2.** początek.

originative [əˈrɪdʒəˌneɪtɪv] *a.* **1.** dający początek (*of sth* czemuś). **2.** twórczy; pomysłowy.

originator [əˈrɪdʒəˌneɪtər] *n.* twór-ca/czyni; pomysłodaw-ca/czyni, autor/ka; inicjator/ka.

orinasal [ˌɔːrɪˈneɪzl] *a. anat., fon.* ustno-nosowy. – *n. fon.* dźwięk ustno-nosowy.

O-ring [ˈoʊˌrɪŋ] *n. techn.* pierścień uszczelniający (*o przekroju okrągłym*).

oriole [ˈɔːrɪoʊl] *n. orn.* **1.** *US* kacyk, trupial (*Icterus*). **2.** *Br.* wilga (*Oriolus*).

Orion [oʊˈraɪən] *n. astron., mit.* Orion.

orison [ˈɔːrəsən] *n. lit.* modlitwa.

Orkney Islands [ˈɔːrknɪ ˌaɪləndz] *n. pl.* **the ~** (*także* **the Orkneys**) *geogr.* Orkady.

orle [ɔːrl] *n. her.* pionowa linia podziału tarczy.

Orlon [ˈɔːrlɑːn] *n. U tk.* orlon.

orlop [ˈɔːrlɑːp] *n.* (*także* **~ deck**) *żegl.* pokład najniższy.

ormer [ˈɔːrmər] *n. zool.* słuchotka (*Haliotis tuberculata*).

ormolu [ˈɔːrməˌluː] *n. U* złotawy stop miedzi i cynku (*cz. t. cyny; używany do dekoracji mebli i elementów architektonicznych*).

ornament *n.* [ˈɔːrnəmənt] **1.** *t. przen.* ozdoba; *U* ornamenty, ozdoby, upiększenia; **be an ~ to sth** *przest. l. lit.* być ozdobą czegoś (*np. przyjęcia; o osobie*). **2.** *muz.* ozdobnik. **3.** *zw. pl. kośc.* paramenty. – *v.* [ˈɔːrnəˌment] ozdabiać, zdobić; **be ~ed with sth** być przyozdobionym czymś.

ornamental [ˌɔːrnəˈmentl] *a.* **1.** zdobniczy, ornamentalny. **2.** *t. bot., ogr.* ozdobny. – *n. bot., ogr.* roślina ozdobna.

ornamentally [ˌɔːrnəˈmentlɪ] *a.* ozdobnie.

ornamentation [ˌɔːrnəmenˈteɪʃən] *n. U* **1.** zdobienie, zdobnictwo. **2.** ornamentacja, ozdoby. **3.** *muz.* stosowanie ozdobników.

ornate [ɔːrˈneɪt] *a.* zdobny, ozdobny (*t. o stylu*).

ornately [ɔːrˈneɪtlɪ] *adv.* ozdobnie.

ornateness [ɔːrˈneɪtnəs] *n. U* ozdobność.

orneriness [ˈɔːrnərɪnəs] *n. U US i Can. dial. l. pot. zwł. żart.* **1.** upór. **2.** nędza. **3.** pospolitość.

ornery [ˈɔːrnərɪ] *a.* **-ier, -iest** *US i Can. dial. l. pot. zwł. żart.* **1.** uparty; niesforny. **2.** nędzny, mizerny; skąpy. **3.** zwyczajny, pospolity.

ornith. *abbr.* = **ornithology**; = **ornithological**.

ornithine [ˈɔːrnəˌθiːn] *n. U biochem.* ornityna.

ornithischian [ˌɔːrnəˈθɪskɪən] *paleont. n.* dinozaur roślinożerny. – *a.* dotyczący dinozaurów jw.

ornithological [ˌɔːrnəθəˈlɑːdʒɪkl] *a.* ornitologiczny.

ornithologically [ˌɔːrnəθəˈlɑːdʒɪklɪ] *adv.* ornitologicznie.

ornithologist [ˌɔːrnəˈθɑːlədʒɪst] *n.* ornitolog/żka.

ornithology [ˌɔːrnəˈθɑːlədʒɪ] *n. U* ornitologia.

ornithosis [ˌɔːrnəˈθoʊsəs] *n. U pat., wet.* ornitoza (*choroba wirusowa roznoszona przez ptaki*).

orogen [ˈɔːrədʒən] *n. geol.* orogen, górotwór.

orogenesis [ˌɔːroʊˈdʒenəsɪs] *n. U geol.* = **orogeny**.

orogenic [ˌɔːrəˈdʒenɪk] *a. geol.* orogeniczny, górotwórczy.

orogenic belt *n.* górotwór.

orogeny [oʊˈrɑːdʒənɪ] *n. U geol.* orogeneza, górotwórczość.

orographic [ˌɔːrəˈgræfɪk], **orographical** *a. geogr.* orograficzny.

orography [oʊˈrɑːgrəfɪ] *n. U geogr.* orografia, morfografia.

oroide [ˈɔːroʊˌaɪd] *n. U* tombak.

oropharynx [ˈɔːrəˌferɪŋks] *n. anat.* część ustna gardła.

orotund [ˈɔːrəˌtʌnd] *a. form.* **1.** pełny, wyraźny (*o głosie*). **2.** napuszony, pompatyczny (*o stylu*).

orotundity [ˌɔːrəˈtʌndɪtɪ] *n. U form.* **1.** pełnia (*głosu*). **2.** pompatyczność (*stylu*).

orphan [ˈɔːrfən] *n.* **1.** sierota. **2.** *druk., komp.* ostatni wiersz na stronie, będący jednocześnie pierwszym wierszem akapitu. – *a. attr.* **1.** osierocony. **2.** sierocy. – *v.* osierocić; **be ~ed** zostać sierotą.

orphanage [ˈɔːrfənɪdʒ] *n.* **1.** sierociniec. **2.** *U przest.* sieroctwo.

orphanhood [ˈɔːrfəhʊd] *n. U* sieroctwo.

Orphean [ɔːrˈfiːən] *a. mit.* **1.** dotyczący Orfeusza, orfejski. **2.** *lit.* czarujący.

Orpheus [ˈɔːrfɪəs] *n. mit.* Orfeusz.

Orphic [ˈɔːrfɪk] *a.* **1.** orficki. **2.** *lit.* mistyczny; magiczny.

Orphism [ˈɔːrfˌɪzəm] *n. U mal.* orfizm.

orphrey [ˈɔːrfrɪ] *n. kość.* ozdobny szlak (*wyhaftowany na ornacie*).

orpiment [ˈɔːrpəmənt] *n. U farbiarstwo, garbarstwo* aurypigment.

orpin [ˈɔːrpɪn], **orpine** *n. bot.* rozchodnik wielki (*Sedum telephium*).

orrery [ˈɔːrərɪ] *n. pl.* **-ies** *astron.* rodzaj tellurium.

orris [ˈɔːrɪs] *n. bot.* **1.** *US* kosaciec niemiecki (*Iris germanica*). **2.** kosaciec florentyński *l.* słoweński (*Iris florentina*).

orth. *abbr.* = **orthopedic**; = **orthopedics**.

orthobiosis [ˌɔːrθəbaɪˈoʊsɪs] *n. U med.* życie prawidłowe *l.* właściwe.

orthocenter [ˈɔːrθəˌsentər], *Br.* **orthocentre** *n. geom.* ortocentrum.

orthocephalic [ˌɔːrθəsəˈfælɪk], **orthocephalous** [ˌɔːrθəˈsefələs] *a. antrop.* średniogłowy.

orthochromatic [ˌɔːrθəkroʊˈmætɪk] *a. fot.* ortochromatyczny (*o materiale światłoczułym*).

orthoclase [ˈɔːrθəˌkleɪz] *n. U min.* ortoklaz.

orthodontia [ˌɔːrθəˈdɑːnʃə] *n.* = **orthodontics**.

orthodontic [ˌɔːrθəˈdɑːnɪk], **orthodontal** *a.* ortodontyczny.

orthodontics [ˌɔːrθəˈdɑːntɪks] *n. U* ortodoncja, ortopedia szczękowa.

orthodontist [ˌɔːrθəˈdɑːntɪst] *n.* ortodont-a/ka.

orthodox [ˈɔːrθəˌdɑːks] *a.* **1.** ortodoksyjny, prawowierny. **2. O~** *rel.* prawosławny.

Orthodox Church *n. U rel.* kościół prawosławny, prawosławie.

Orthodox Judaism *n. U rel.* ortodoksyjny judaizm.

orthodoxy [ˈɔːrθəˌdɑːksɪ] *n. pl.* **-ies** **1.** *U* ortodoksja, ortodoksyjność. **2.** dominujący pogląd; dominujący kierunek. **3. O~** *rel.* prawosławie.

orthoepy [ɔːrˈθoʊəpɪ] *n. U* ortoepia (= *poprawność wymowy l. dział językoznawstwa zajmujący się tym zagadnieniem*).

orthogenesis [ˌɔːrθəˈdʒenəsɪs] *n. U biol.* ortogeneza.

orthogenic [ˌɔːrθəˈdʒenɪk] *a. biol.* ortogeniczny.

orthognathous [ɔːrˈθɑːgnəθəs] *a. antrop.* ortognatyczny.

orthogonal [ɔːrˈθɑːgənl] *a.* **1.** *geom.* prostopadły, ortogonalny. **2.** *stat.* statystycznie niezależny.

orthogonality [ɔːrˌθɑːgəˈnælətɪ] *n. U* prostopadłość, ortogonalność.

orthogonally [ɔːrˈθɑːgənlɪ] *adv.* prostopadle, ortogonalnie.

orthogonal projection *n. geom.* rzut prostopadły.

orthographic [ˌɔːrθəˈgræfɪk], **orthographical** *a.* **1.** ortograficzny. **2.** *geom.* składający się z linii prostopadłych.

orthographic projection *n.* **1.** *geom.* rzut prostopadły. **2.** *bud.* rzut ortograficzny.

orthography [ɔːrˈθɑːgrəfɪ] *n.* **1.** ortografia; pisownia. **2.** *geom.* rzut prostopadły. **3.** *bud.* rzut ortograficzny.

orthopedic [ˌɔːrθəˈpiːdɪk], **orthopaedic** *a. med.* ortopedyczny.

orthopedically [ˌɔːrθəˈpiːdɪklɪ] *adv.* ortopedycznie.

orthopedics [ˌɔːrθəˈpiːdɪks] *n. U* ortopedia.

orthopedist [ˌɔːrθəˈpiːdɪst] *n.* ortoped-a/ka.

orthophonic [ˌɔːrθəˈfɑːnɪk] *a. fon.* ortofoniczny.

orthophony [ɔːrˈθɑːfənɪ] *n. U* ortofonia.

orthophosphate [ˌɔːrθəˈfɑːsfeɪt] *n. chem.* ortofosforan.

orthophosphoric [ˌɔːrθəfɑːsˈfɔːrɪk] *a.* ortofosforowy.

orthophosphoric acid *n. chem.* kwas ortofosforowy.

orthopsychiatry [ˌɔːrθəsaɪˈkaɪətrɪ] *n. U* ortopsychiatria (*kładąca nacisk na profilaktykę i wczesne wykrywanie zaburzeń psychicznych*).

orthopteran [ɔːrˈθɑːptərən] *ent. n.* owad prostoskrzydły. – *a.* (*także* **orthopterous**) prostoskrzydły.

orthoptic [ɔːrˈθɑːptɪk] *a. opt.* ortoptyczny. – *n. Br.* celownik optyczny.

orthoptics [ɔːrˈθɑːptɪks] *n. U med.* ortoptyka (= *badanie i leczenie zaburzeń widzenia obuocznego*).

orthoscopic [ˌɔːrθəˈskɑːpɪk] *a.* **1.** *fizj.* normowzroczny. **2.** *opt.* ortoskopowy.

orthostichy [ɔːrˈθɑːstəkɪ] *n. pl.* **-ies** *bot.* prostnica, ortostycha.

orthotics [ɔːrˈθɑːtɪks] *n. U med.* protetyka.

orthotropic [ˌɔːrθəˈtrɑːpɪk] *a. bot.* rosnący pionowo.

ortolan [ˈɔːrtələn] *n. orn.* ortolan, trznadel ogrodowy (*Emberiza hortulana*).

ORV [ˌoʊ ˌɑːr ˈviː] *abbr.* = **off-road vehicle**.

oryx [ˈɔːrɪks] *n. zool.* oryks (*Oryx*).

orzo [ˈɔːrzoʊ] *n. U kulin.* makaron w kształcie ziaren ryżu.

OS [ˌoʊ ˈes] *abbr.* **1.** = **Ordnance Survey**. **2.** = **outsize**. **3.** = **ordinary seaman**. **4.** *komp.* = **operating system**. **5.** = **Old Style**. **6.** *jęz.* = **Old Saxon**. **7.** *fin.* = **outstanding**. **8.** (*także* **o.s., O/s**) **out of stock** *handl.* zapas wyczerpany *l.* wyprzedany.

os[1] [ɑːs] *anat. n. pl.* **ora** [ˈɔːrə] **1.** usta. **2.** ujście, otwór.

os[2] *n. pl.* **ossa** [ˈɑːsə] *anat.* kość.

o.s. *abbr.* **1.** *prawn.* = **old series**. **2.** *handl.* = **out of stock**. **3.** *fin.* = **outstanding**.

O/s *abbr.* **1.** *handl.* = **out of stock**. **2.** *fin.* = **outstanding**.

Oscan [ˈɑːskən] *hist. a.* oskijski. – *n.* **1.** *U* (język) oskijski. **2.** Osk.

Oscar [ˈɑːskər] *n. kino* Oskar (= *nagroda amerykańskiej Akademii Filmowej*).

OSCE [ˌoʊ ˌes ˌsiː ˈiː] *abbr.* **Organization for Security and Cooperation in Europe** OBWE (= *Organizacja Bezpieczeństwa i Współpracy w Europie*).

oscillate [ˈɑːsəˌleɪt] *v. techn. l. form.* oscylować, wahać się (*between X and Y* pomiędzy X a Y).

oscillation [ˌɑːsəˈleɪʃən] *n.* **1.** *U* oscylacja, wahanie. **2.** wahnięcie.

oscillator [ˈɑːsəˌleɪtər] *n. techn.* oscylator, generator drgań.

oscillatory [ˈɑːsələˌtɔːrɪ] *a.* oscylacyjny, wahadłowy; oscylujący.

oscillogram [əˈsɪləˌgræm] *n. techn.* oscylogram, zapis drgań.

oscillograph [əˈsɪləˌgræf] *n. techn.* oscylograf.

oscilloscope [əˈsɪləˌskoʊp] *n. techn.* oscyloskop.

oscitancy [ˈɑːsətənsɪ], **oscitance** *n. U form.* **1.** ziewanie. **2.** senność; apatia.

Osco-Umbrian [ˌɑːskoʊˈʌmbrɪən] *hist. a.* oskijsko-umbryjski. – *n. U* (język) oskijsko-umbryjski.

osculant [ˈɑːskjələnt] *a. biol.* posiadający cechy dwóch grup taksonomicznych.

oscular [ˈɑːskjələr] *a.* **1.** *biol.* otworkowy. **2.** *form.* ustny; *żart.* pocałunkowy.

osculate [ˈɑːskjəˌleɪt] *v.* **1.** *form.* łączyć (się) ściśle. **2.** *biol.* mieć wspólne cechy (*np. o dwóch gatunkach l. rodzinach*). **3.** *geom.* stykać się ściśle. **4.** *zw. żart.* całować się.

osculation [ˌɑːskjəˈleɪʃən] *n.* **1.** ścisły kontakt. **2.** *geom.* ścisła styczność; punkt styczny.

osculatory [ˈɑːskjələˌtɔːrɪ] *a.* **1.** *geom.* ściśle styczny. **2.** *żart.* pocałunkowy.

osculum [ˈɑːskjələm] *n. pl.* **-a** [ˈɑːskjələ] *zool.* **1.** otwór wyrzutowy (*u gąbki*). **2.** *rzad.* przyssawka (*u tasiemca*).

osier [ˈoʊzər] *n.* **1.** *bot.* wierzba wiciowa, witwa (*Salix viminalis*); wierzba purpurowa, wiklina (*Salix purpurea*). **2.** witka wierzbowa.

Osmanli [ɑːzˈmænlɪ] *n.* **1.** Osman-in/ka. **2.** *U jęz., hist.* (język) turecki (*z czasów Imperium Otomańskiego*). – *a.* osmański, otomański.

osmatic [ɑːzˈmætɪk] *a. form.* węchowy.

osmic [ˈɑːzmɪk] *a.* **1.** *chem.* osmowy. **2.** *form.* zapachowy; węchowy.

osmiridium [ˌɑːzməˈrɪdɪəm] *n. U metal.* osmoiryd, irydoosm.

osmium [ˈɑːzmɪəm] *n. U chem.* osm.

osmium tetroxide [ˌɑːzmɪəm teˈtrɑːksaɪd] *n. U chem.* kwas osmowy, czterotlenek osmu.

osmose [ˈɑːzmoʊs] *v.* poddawać działaniu osmozy, dyfundować przez osmozę.

osmosis [ɑːzˈmoʊsɪs] *n. U* **1.** *biol., fiz.* osmoza. **2.** *przen.* przenikanie.

osmotic [ɑːzˈmɑːtɪk] *a.* osmotyczny.

osmotic pressure *n. U fiz.* ciśnienie osmotyczne.

osmunda [ɑːzˈmʌndə] *n. bot.* długosz (*Osmunda*).

osprey [ˈɑːspreɪ] *n.* **1.** *pl.* **-s** *l.* **osprey** *orn.* rybołów (*Pandion haliaetus*). **2.** egreta (*na kapeluszu*).

ossein [ˈɑːsiːɪn] *n. U anat.* oseina (*składnik kości*).

osseous [ˈɑːsɪəs] *a.* kostny, z kości; kościsty.

Ossetia [ɑːˈsetɪə] *n. geogr.* Osetia.

Ossetic [ɑːˈsetɪk] *n.* **1.** Osetyj-czyk/ka. **2.** *U* (jezyk) osetyjski. – *a.* osetyjski.

Ossianic [ˌɑːsɪˈænɪk] *a. mit. celtycka* osjaniczny.

ossicle [ˈɑːsɪkl] *a. anat.* kostka, kosteczka.

ossification [ˌɑːsəfəˈkeɪʃən] *n. U* **1.** kostnienie. **2.** *przen.* skostnienie, skostniałość.

ossifrage [ˈɑːsəfrɪdʒ] *n. orn. arch.* **1.** = **osprey**. **2.** = **lammergeier**.

ossify [ˈɑːsəˌfaɪ] *v.* **-ied, -ying** **1.** *t. przen.* powodować kostnienie (*czegoś*). **2.** *t. przen.* kostnieć.

ossuary [ˈɑːsjʊˌerɪ] *n. pl.* **-ies** ossuarium.

osteitis [ˌɑːstɪˈaɪtɪs] *n. U pat.* zapalenie kości.

ostensible [ɑːˈstensɪbl] *a. attr.* rzekomy.

ostensibly [ɑːˈstensɪblɪ] *adv.* rzekomo.

ostensive [ɑːˈstensɪv] *a.* **1.** ostensywny (= *oparty na demonstracji; np. o definicji*). **2.** *rzad.* = **ostensible**.

ostensively [ɑːˈstensɪvlɪ] *adv.* **1.** ostensywnie. **2.** *rzad.* = **ostensibly**.

ostensorium [ˌɑːstənˈsɔːrɪəm] *n. pl.* **ostensoria** [ˌɑːstənˈsɔːrɪə] *kośc.* monstrancja.

ostensory [ɑːˈstensərɪ] *n. pl.* **-ies** *kośc.* = **ostensorium**.

ostentation [ˌɑːstenˈteɪʃən] *n. U* **1.** ostentacja. **2.** zbytek.

ostentatious [ˌɑːstenˈteɪʃəs] *a.* **1.** ostentacyjny. **2.** wystawny, zbytkowny. **3.** chełpliwy.

ostentatiously [ˌɑːstenˈteɪʃəslə] *adv.* **1.** ostentacyjnie. **2.** zbytkownie.

osteoarthritis [ˌɑːstɪoʊɑːrˈθraɪtɪs] *n. U pat.* zapalenie kości i stawów.

osteoarthrosis [ˌɑːstɪoʊɑːrˈθroʊsɪs] *n. U pat.* gościec zwyradniający.

osteoblast [ˈɑːstɪəˌblæst] *n. biol.* osteoblast, komórka kościotwórcza.

osteoclasis [ˌɑːstɪˈɑːkləsɪs] *n. U* **1.** *biol.* rozpad tkanki kostnej. **2.** *chir.* chirurgiczne łamanie kości.

osteoclast [ˈɑːstɪəˌklæst] *n.* **1.** *biol.* osteoklast, komórka kościogubna. **2.** *chir.* narzędzie do łamania kości.

osteocyte [ˈɑːstɪəˌsaɪt] *n. biol.* osteocyt, komórka kostna.

osteoid [ˈɑːstɪˌɔɪd] *a.* podobny do kości. – *n. U* osteoid, substancja międzykomórkowa kości.

osteology [ˌɑːstɪˈɑːlədʒɪ] *n. U* osteologia (= *nauka o kośćcu*).

osteolysis [ˌɑːstɪˈɑːləsɪs] *n. U pat.* zanikanie rozpływne kości.

osteoma [ˌɑːstɪˈoʊmə] *n. pl.* **-s** *l.* **osteomata** [ˌɑːstɪˈoʊmətə] *pat.* osteoma, kostniak.

osteomyelitis [ˌɑːstɪoʊˌmaɪəˈlaɪtɪs] *n. U pat.* zapalenie szpiku kostnego i kości.

osteopath [ˈɑːstɪəˌpæθ] *n.* osteopat-a/ka, kręgarz.

osteopathy [ˌɑːstɪˈɑːpəθɪ] *n. U* osteopatia, kręgarstwo.

osteophyte [ˈɑːstɪəˌfaɪt] *n. pat.* osteofit, wyrośle kostne.

osteoplastic [ˌɑːstɪəˈplæstɪk] *a. chir.* dotyczący plastyki kości.

osteoplasty [ˌɑːstɪəˈplæstɪ] *n. U chir.* plastyka kości, operacje odtwórcze kości.

osteoporosis [ˌɑːstɪoupəˈrousɪs] *n. U pat.* osteoporoza, zrzeszotnienie kości.

osteosarcoma [ˌɑːstɪousɑːrˈkoumə] *n. pl.* **-s** *l.* **osteosarcomata** [ˌɑːstɪousɑːrˈkoumətə] *pat.* kostniakomięsak.

osteosclerosis [ˌɑːstɪousklәˈrousɪs] *n. U pat.* stwardnienie kości.

osteosis [ˌɑːstɪˈousɪs] *n. U fizj.* kostnienie.

osteotome [ˈɑːstɪəˌtoum] *n. chir.* osteotom, dłuto kostne.

osteotomy [ˌɑːstɪˈɑːtəmɪ] *n. C/U pl.* **-ies** *chir.* przecięcie kości; nacięcie kości.

ostiary [ˈɑːstɪˌerɪ] *n. pl.* **-ies** *kośc.* ostiariusz.

ostinato [ˌɑːstəˈnɑːtou] *n. pl.* **-s** *muz.* ostinato.

ostium [ˈɑːstɪəm] *n. pl.* **ostia** **1.** *anat.* ujście, otwór. **2.** *zool.* otwór, otworek (*u gąbki*).

ostler [ˈɑːslər] *n.* = **hostler**.

ostracism [ˈɑːstrəˌsɪzəm] *n. U* ostracyzm.

ostracize [ˈɑːstrəˌsaɪz], *Br. i Austr. zw.* **ostracise** *v.* **1.** stosować bojkot towarzyski wobec (*kogoś*), bojkotować; wykluczać (*z towarzystwa*). **2.** *hist.* usuwać w drodze ostracyzmu.

ostrich [ˈɔːstrɪtʃ] *n.* **1.** *orn.* struś (*Struthio camelus*). **2.** *przen. pot.* osoba stosująca strusią politykę.

ostrich farm *n.* ferma strusia.

ostrich farming *n. U* hodowla strusi.

ostrich feather *n.* strusie pióro.

ostrich plume *n.* strusie pióro *l.* pióra.

ostrich policy *n. U* strusia polityka, chowanie głowy w piasek.

Ostrogoth [ˈɑːstrəˌgɑːθ] *n. hist.* Ostrogot/ka.

Ostrogothic [ˌɑːstrəˈgɑːθɪk] *a. hist.* ostrogocki.

OT [ˌou ˈtiː] *abbr.* **1.** (*także* **o.t.**) = **overtime**. **2.** = **Old Testament**. **3.** = **occupational therapy**.

otalgia [ouˈtældʒɪə] *n. U pat.* ból ucha.

OTB [ˌou ˌtiː ˈbiː] *abbr.* **offtrack betting** przyjmowanie zakładów poza terenem wyścigów.

OTC [ˌou ˌtiː ˈsiː] *abbr.* **1.** (*także* **O.T.C.**) **Officers' Training Corps** *wojsk.* przysposobienie oficerskie. **2.** = **over-the-counter** 2.

other [ˈʌðər] *a. attr.* **1.** inny; pozostały; **~ people/things** inni ludzie/inne rzeczy; **any ~ color would be better** każdy inny kolor byłby lepszy; **in ~ words** innymi słowy; **shorter than the ~ boys** niższy od innych *l.* pozostałych chłopców; **some ~ time** kiedy indziej; **sold in the US and five ~ countries** sprzedawany w Stanach Zjednoczonych i pięciu innych krajach. **2.** drugi; przeciwny; **every ~ day/week/month** co drugi dzień/tydzień/miesiąc; **on the ~ hand** *przen.* z drugiej strony; **on the ~ side** po drugiej *l.* przeciwnej stronie (*of sth* czegoś); **the ~ side of the coin** *przen.* druga strona medalu. **3. the ~ day** parę dni temu, niedawno; **the ~ way round/around** *Br.* na odwrót. – *pron.* **the ~** (ten) drugi; (ta) druga; (to) drugie; **~s** inni; inne; **the ~s** inni, pozostali; inne, pozostałe; **~ than those mentioned** *form.* inne od wymienionych, oprócz (tych) wymienionych; **it goes in one ear and out the ~** jednym uchem wpada, drugim wypada; **no/none ~ than X** nie kto inny, tylko X, X we własnej osobie; **somehow or ~** jakoś tam; **someone/something or ~** ktoś/coś tam; **that evening of all ~s** właśnie tego wieczoru; **the ~ three** (*także* **the three ~s**) trzej pozostali. – *adv.* **~ than that** poza tym, oprócz tego; **there is no solution ~ than to do sth** nie ma innego rozwiązania, jak tylko zrobić coś.

othergates [ˈʌðərˌgeɪts], **otherguess** [ˈʌðərˌges] *arch. l. dial. a.* zupełnie inny. – *adv.* zupełnie inaczej.

otherwhere [ˈʌðərˌwer] *adv. arch. l. dial.* gdzie indziej.

otherwhile [ˈʌðərˌwaɪl], **otherwhiles** [ˈʌðərˌwaɪlz] *adv. arch. l. dial.* kiedy indziej.

otherwise [ˈʌðərˌwaɪz] *adv.* **1.** inaczej; w inny sposób; **~ known as...** inaczej zwany..., znany też jako...; **be ~ engaged** *form.* mieć inne zobowiązania; być zajętym czymś innym (*w tym samym czasie*); **it cannot be ~** nie może być inaczej; **think ~** być innego zdania. **2.** poza tym; zresztą, skądinąd; **an ~ good novel/writer** skądinąd dobra powieść/pisarka; **good at languages, but ~ not very bright** dobry z języków, ale poza tym niezbyt bystry. **3.** w przeciwnym razie; **do it now, ~ you will forget** zrób to teraz, bo w przeciwnym razie zapomnisz. **4.** cokolwiek innego, wszystko inne; **almost 30 participants, Americans and ~** prawie 30 uczestników, Amerykanów i wielu innych. **5. or ~** *zwł. Br.* czy nie; **we don't want a new chairman, elected or ~** nie chcemy nowego przewodniczącego, (obojętnie czy) wybieranego, czy nie.

otherworld [ˈʌðərˌwɝːld] *n.* **the ~** inny świat (*zwł. = życie pozagrobowe*).

otherworldly [ˌʌðərˈwɝːldlɪ] *adv.* z innego świata, nie z tej ziemi.

otic [ˈoutɪk] *a. med.* uszny.

otiose [ˈouʃɪˌous] *a. form.* **1.** bezużyteczny. **2.** bezwartościowy. **3.** niepotrzebny, zbyteczny. **4.** *arch.* leniwy.

otitis [ouˈtaɪtɪs] *n. U pat.* zapalenie ucha.

otitis media *n. U pat.* zapalenie ucha środkowego.

otocyst [ˈoutəsɪst] *n.* **1.** *anat.* pęcherzyk słuchowy. **2.** *zool.* otocysta (*odpowiednik błędnika u bezkręgowców*).

OTOH [ˌou ˌtiː ˌou ˈeɪtʃ] *abbr. komp.* = **on the other hand**.

otol. *abbr.* = **otology**.

otolaryngological [ˌoutouˌlerəngəˈlɑːdʒɪkl] *a. med.* otolaryngologiczny.

otolaryngologist [ˌoutouˌlerənˈgɑːlədʒɪst] *n. med.* otolaryngolo-g/żka.

otolaryngology [ˌoutouˌlerənˈgɑːlədʒɪ] *n. U med.* otolaryngologia.

otolith [ˈoutəlɪθ] *n. anat.* otolit, kamyczek błędnikowy.

otology [oʊ'tɑ:lədʒɪ] *n. U med.* otologia, otiatria.

otorhinolaryngology [ˌoʊtoʊˌraɪnoʊˌlerən'gɑ:lədʒɪ] *n. U* = **otolaryngology**.

otosclerosis [ˌoʊtəsklə'roʊsɪs] *n. U pat.* otoskleroza.

otoscope ['oʊtəˌskoʊp] *n. med.* otoskop, wziernik uszny.

OTT [ˌoʊ ˌti: 'ti:] *abbr. pot.* = **over the top**.

otter ['ɑ:tər] *n.* **1.** *zool.* wydra (*Lutra lutra*). **2.** *U* futro z wydry.

Otto cycle ['ɑ:toʊ ˌsaɪkl] *n. fiz.* obieg Otto (*ze spalaniem przy stałej objętości*).

Ottoman ['ɑ:təmən] *hist. a.* otomański, osmański. – *n. pl.* **-s** Otoman/ka.

ottoman ['ɑ:təmən] *n.* **1.** otomana. **2.** *zwł. US* miękki podnóżek.

OU [ˌoʊ 'ju:] *abbr.* = **Open University**.

oubliette [ˌu:blɪ'et] *n. gł. hist.* loch.

ouch [aʊtʃ] *int.* au! (*okrzyk bólu*).

ought[1] [ɔ:t] *v.* **sb ~ to do sth** ktoś powinien coś zrobić; **sb ~ to have done sth** ktoś powinien był coś zrobić; **sth ~ to be done** należy coś zrobić; **sth ~ to have been done** coś powinno było zostać zrobione; **this ~ to be easy** to powinno być łatwe; **you ~ to be ashamed (of yourself)!** powinieneś się wstydzić!, jak ci nie wstyd!; **you ~ not to have said that** nie powinnaś była tego mówić.

ought[2] *n.* **1.** *rzad.* zero. **2. ~s and crosses** (gra w) kółko i krzyżyk.

ought[3] *adv.* = **aught**.

Ouija ['wi:dʒə] *n.* (*także* **~ board**) tablica z alfabetem używana na seansach spirytystycznych.

ounce[1] [aʊns] *n.* **1.** uncja (= *ok. 29 g*); uncja aptekarska (= *ok. 31 g*); uncja objętości. **2.** *przen.* krzta, krztyna; **not have an ~ of common sense** nie mieć ani krzty zdrowego rozsądku.

ounce[2] *n. zool.* lampart śnieżny (*Panthera uncia*).

our [aʊr; ɑ:r] *a.* nasz (*inf. t. = należący do naszej rodziny*); **~ John is a student** nasz John jest studentem.

Our Father [ˌaʊr 'fɑ:ðər] *n. kośc.* Ojcze nasz, Modlitwa Pańska.

Our Lady [ˌaʊr 'leɪdɪ] *n. kośc.* Matka Boska.

ours [aʊrz] *pron.* nasz; **a friend of ~** jeden z naszych przyjaciół; **this house is ~** ten dom jest nasz.

ourself [ˌaʊr'self] *pron.* (*gdy mówi o sobie monarcha itp.*) siebie; sobie; sobą; my; nas.

ourselves [ˌaʊr'selvz] *pron. pl.* **1.** się; **we enjoyed ~** bawiliśmy się świetnie. **2.** siebie; sobie; sobą; **we had the house to ~** mieliśmy dom dla siebie. **3.** *emf.* sami; same; **(all) by ~** (zupełnie) sami; (całkowicie) samodzielnie; **we are teachers ~** sami jesteśmy nauczycielami; **we will do it ~** sami to zrobimy. **4.** my (sami); nas (samych); **nobody is happier than ~** nikt nie jest szczęśliwszy niż my *l.* od nas; **the children and ~ would like to thank you** dzieci i my chcielibyśmy wam podziękować.

ousel ['u:zl] *n.* = **ouzel**.

oust [aʊst] *v.* **1. ~ sb from sth** pozbawić kogoś czegoś (*np. przywileju, prawa. pozycji*); usunąć kogoś skądś (*np. ze stanowiska*); **~ sb from power** odsunąć kogoś od władzy, pozbawić kogoś władzy. **2.** *prawn.* wywłaszczyć; wysiedlić, eksmitować.

ouster ['aʊstər] *n. U prawn.* wywłaszczenie; wysiedlenie, eksmisja.

out [aʊt] *adv.* **1.** na zewnątrz; na dworze; **it's hot ~** na zewnątrz jest gorąco. **2.** poza domem; **have a day/evening ~** spędzić dzień/wieczór poza domem. **3.** dalej; **the ship was twenty miles ~** statek był (o) dwadzieścia mil dalej. **4.** w obiegu; **the book is ~** *bibl.* książka jest wypożyczona; **the morning paper isn't ~ yet** poranna gazeta jeszcze się nie ukazała. **5.** do końca; **~ and ~** całkowicie, całkiem; **hear sb ~** wysłuchać kogoś do końca. **6.** *sport* na aut; na aucie. **7. ~ and away** o niebo, bez dwóch zdań (*np. lepszy*); **~ with it!** *pot.* wykrztuś to z siebie! (= *powiedz*); **be all ~** dawać z siebie wszystko, robić, co się da; **be ~ for sth** *pot.* uganiać się za czymś, polować na coś; **be ~ to do sth** mieć zamiar coś zrobić; **be tired ~** być wykończonym; **be/go ~ like a light** *zob.* **light**[1] *n.*; **from this ~** *US pot.* odtąd; **have it ~ with sb** *zob.* **have** *v.*; **look/watch ~!** uważaj!; **on one's way ~** wychodząc; **read/speak ~ loud** czytać/mówić głośno *l.* na głos; **tell sb sth straight/right ~** powiedzieć coś komuś otwarcie. – *a. zw. pred.* **1.** nieobecny; **he's ~** nie ma go, wyszedł; **she is ~ in Africa** wyjechała do Afryki, jest w Afryce. **2.** zgaszony; **the light is ~** światło jest zgaszone. **3.** nie do przyjęcia; **sth is ~** coś odpada, coś nie wchodzi w grę *l.* rachubę. **4.** niemodny; **long skirts are ~** długie spódnice wyszły z mody. **5.** *sport* wykluczony; **be ~** wypaść z gry. **6.** nieczynny, zepsuty. **7.** rozkwitnięty; **the carnations are ~** goździki zakwitły. **8.** niedokładny; błędny; **be ~ in one's calculations** mylić się w obliczeniach; **the bill is ~ by $10** rachunek nie zgadza się o 10 dolarów. **9.** opublikowany; **her new novel is ~** wyszła *l.* ukazała się jej nowa powieść. **10.** strajkujący; **the workmen are ~** robotnicy strajkują. **11.** nie u władzy, w opozycji; *attr.* opozycyjny; **Democrats are ~** demokraci nie są przy władzy; **leader of the ~ party** przywódca partii opozycyjnej. **12.** zużyty; wyczerpany (*o zapasach*); **~ at (the) elbow(s)** *zob.* **elbow** *n.* **13.** skończony; **before the week/month/year is ~** przed upływem tygodnia/miesiąca/roku; **the copyright is ~** prawa autorskie wygasły. **14.** jawny; **his secret was ~** jego tajemnica wyszła na jaw. **15.** nieprzytomny. **16.** stratny; **be ~ $100** być stratnym 100 dolarów. **17.** zdeterminowany (*to do sth* zrobić coś). **18.** *attr.* odległy (*np. o wyspie*). **19.** *attr.* zewnętrzny. **20.** *prawn.* uzgadniający werdykt, obradujący (*o ławie przysięgłych*). – *int.* precz!, wynocha! – *prep.* **1.** *pot.* z; **from ~ the room** z pokoju. **2.** *pot.* przez; **look ~ the window** wyglądać przez okno. **3. ~ of** z; **~ of curiosity/necessity** z ciekawości/konieczności; **~ of this world** nie z tego świata; **be ~ of the game** wypaść z gry; **go ~ of the room** wyjść z pokoju; **made ~ of iron/wood** zrobiony z żelaza/drewna; **scenes ~ of a film** sceny z filmu. **4. ~ of** poza; za; **~ of earshot/sight** poza zasięgiem słuchu/wzroku, niesłyszalny/niewidoczny; ~ **of town** poza *l.* za miastem; **ten miles ~ of Cracow** dziesięć mil od Krakowa *l.* za Krakowem. **5.** ~ **of** bez; **be ~ of work** być bez pracy; **be ~ of coffee/petrol** nie mieć kawy/benzyny; **be ~ of luck** nie mieć szczęścia. **6.** ~ **of** na; **one ~ of ten** jeden na dziesięć; **six times ~ of ten** sześć razy na dziesięć. **7.** ~ **of doors** *zob.* **door**; ~ **of place** nie na miejscu, niestosowny; nie na swoim miejscu; ~ **of reach** nieosiągalny; ~ **of sight**, ~ **of mind** *zob.* **mind** *n.*; ~ **of the blue** *zob.* **blue** *n.*; ~ **of the way** na uboczu *l.* odludziu; załatwiony, rozwiązany (*o problemie*); **be ~ of it** *pot.* być opuszczonym; być odrzuconym; być nieprzytomnym, nie kontrolować się (*z powodu alkoholu l. narkotyków*); **be done ~ of sth** *pot.* zostać wykiwanym; **born ~ of wedlock** nieślubny; **feel ~ of it** *pot.* czuć się nieswojo; czuć się obco *l.* wyobcowanym; **get ~ of control/hand** wymykać się spod kontroli; **it's ~ of the question** to wykluczone. – *n.* **1.** *sing. zwł. US pot.* wyjście, furtka; wymówka. **2.** *sport* wykluczenie z gry. **3.** *druk.* opuszczenie. **4. the ins and ~s** *zob.* **in** *n.* – *v.* **1.** wychodzić na jaw; **(the) truth/crime will ~** prawda/zbrodnia wyjdzie na jaw. **2.** *zw. pass.* demaskować; **be ~ed** zostać zdemaskowanym (*gł. o osobach homoseksualnych*).

outage ['aʊtɪdʒ] *n.* **1.** *handl.* manko, brak. **2.** *gł. US* przerwa (*zwł. w dopływie prądu*).

out-and-out [ˌaʊtən'aʊt] *a. attr.* absolutny, totalny; ~ **lie** wierutne kłamstwo; ~ **nationalist** nacjonalista w każdym calu; ~ **villain** skończony łajdak.

out-and-outer [ˌaʊtənd'aʊtər] *n. pot.* ekstremist-a/ka.

outback ['aʊtˌbæk] *n. U Austr.* **the ~** głąb kraju (*zwł. = pustynne regiony centralnej Australii*); **in the ~** w głębi kraju, na odludziu. – *a. attr.* odludny.

outbalance [ˌaʊt'bæləns] *v.* = **outweigh**.

outbid [ˌaʊt'bɪd] *v.* **-bid, -bidden, -dd-** *t. przen.* przelicytować.

outboard ['aʊtˌbɔːrd] *a. żegl., lotn.* przyczepny, zewnętrzny (*o silniku*). – *adv.* w kierunku linii środkowej (*statku l. samolotu*). – *n.* łódź z silnikiem przyczepnym.

outboard engine *n. lotn.* silnik zewnętrzny.

outboard motor *n.* silnik przyczepny (*łodzi motorowej*).

outbound ['aʊtˌbaʊnd] *a.* **1.** (w kierunku) od miasta; ~ **journey** podróż „tam"; ~ **traffic** ruch wylotowy, pojazdy wyjeżdżające z miasta. **2.** *żegl.* wypływający, płynący z portu.

outbrave [ˌaʊt'breɪv] *v.* **1.** przewyższać odwagą. **2.** przeciwstawiać się (*komuś*).

outbreak ['aʊtˌbreɪk] *n.* **1.** wybuch (*of sth* czegoś) (*np. wojny, gniewu, energii, wulkanu, epidemii*). **2.** epidemia. **3.** zaburzenia, rozruchy; bunt.

outbreed [ˌaʊt'briːd] *v.* **-bred, -bred 1.** *antrop.* praktykować egzogamię. **2.** *hodowla* krzyżować (się) z (*z odmianą pokrewną*).

outbuilding ['aʊtˌbɪldɪŋ] *n.* budynek gospodarczy (*np. stajnia l. szopa*).

outburst ['aʊtˌbɜːst] *n.* **1.** wybuch; ~ **of anger** (*także* **angry ~**) wybuch gniewu. **2.** przypływ; ~ **of energy** przypływ energii. **3.** *geol.* wypiętrzanie się (*skały*).

outcall ['aʊtˌkɔːl] *n.* spotkanie w domu klienta (*agencji towarzyskiej*); *med.* wizyta domowa.

outcast ['aʊtˌkæst] *n.* **1.** wyrzutek. **2.** włóczęga. – *a.* wyrzucony; odrzucony.

outcaste ['aʊtˌkæst] *n. i a.* (człowiek) nienależący do żadnej kasty (*w Indiach*).

outclass [ˌaʊt'klæs] *v.* zdeklasować; przewyższać o klasę.

outcome ['aʊtˌkʌm] *n. zw. sing.* wynik, rezultat (*of sth* czegoś).

outcrop ['aʊtˌkrɑːp] *geol. n.* wypiętrzenie, wychodnia. – *v.* **-pp-** wypiętrzać się.

outcross *hodowla v.* [ˌaʊt'krɔːs] krzyżować (*zw. osobniki tej samej rasy*). – *n.* ['aʊtˌkrɔːs] krzyżówka (*jw.*).

outcry *n.* ['aʊtˌkraɪ] *pl.* **-ies 1.** *sing.* głosy protestu, sprzeciw (*against sth* wobec czegoś); **public ~** głosy społecznego sprzeciwu *l.* protestu, powszechny sprzeciw. **2.** okrzyki, wrzawa. **3.** *handl.* licytacja. – *v.* [ˌaʊt'kraɪ] **-ied, -ying** *rzad.* przekrzykiwać.

outdated [ˌaʊt'deɪtɪd] *a.* **1.** przestarzały. **2.** nieważny (*np. o paszporcie*).

outdistance [ˌaʊt'dɪstəns] *v. t. przen.* zdystansować; prześcignąć, przegonić.

outdo [ˌaʊt'duː] *v.* **-did, -done** *t. przen.* prześcignąć; przewyższyć.

outdoor ['aʊtˌdɔːr] *a. attr.* **1.** na wolnym *l.* świeżym powietrzu (*np. o zawodach, sportach*); odkryty (*o basenie*). **2.** wierzchni (*o odzieży*). **3.** ~ **person/type** osoba lubiąca przebywać na świeżym powietrzu.

outdoors [ˌaʊt'dɔːrz] *adv.* na świeżym *l.* wolnym powietrzu, na dworze, na zewnątrz. – *n. U* **the (great) ~** otwarta przestrzeń, otwarte przestrzenie.

outdoorsy [ˌaʊt'dɔːrzɪ] *a. pot.* lubiący przebywać na świeżym powietrzu.

outdraw [ˌaʊt'drɔː] *v.* **-drew, -drawn 1.** wyciągnąć broń szybciej od (*przeciwnika*). **2.** przyciągać więcej widzów *l.* publiczności niż (*inny artysta itp.*).

outer ['aʊtər] *a. attr.* **1.** zewnętrzny (*np. o warstwie, powierzchni*). **2.** odległy (*np. o wyspach, przedmieściach*).

outermost ['aʊtərˌmoʊst] *a. attr.* **1.** najbardziej zewnętrzny. **2.** najbardziej oddalony od centrum.

outer planet *n. astron.* planeta leżąca poza pasmem asteroidów (*np. Jowisz, Saturn, Uran*).

outer space *n. U* przestrzeń kosmiczna, kosmos.

outerwear ['aʊtərˌwer] *n. U form.* odzież wierzchnia.

outface [ˌaʊt'feɪs] *v.* **1.** pokonać wzrokiem, zmusić do spuszczenia wzroku. **2.** stawić czoło (*komuś*).

outfall ['aʊtˌfɔːl] *n.* ujście, odpływ (*np. strumienia*); **sewage ~** wylot kanału ściekowego.

outfield ['aʊtˌfiːld] *n.* **the ~** *baseball, krykiet* pole zewnętrzne; gracze na polu zewnętrznym.

outfielder ['aʊtˌfi:ldər] *n. baseball, krykiet* gracz na polu zewnętrznym.

outfit ['aʊtˌfɪt] *n.* **1.** strój; kostium. **2.** wyposażenie, ekwipunek. **3.** *pot.* ekipa (= *drużyna, zespół*). – *v.* **-tt-** wyposażać (*with sth* w coś).

outfitter ['aʊtˌfɪtər] *n.* **1.** *US* sklep z wyposażeniem turystycznym. **2.** *Br. przest.* sklep z odzieżą męską.

outflank [ˌaʊt'flæŋk] *v.* podchodzić (*nieprzyjaciela l. przeciwnika*).

outflow ['aʊtˌfloʊ] *n.* odpływ.

outfoot [ˌaʊt'fʊt] *v.* prześcignąć (*zwł. inną łódź*).

outfox [ˌaʊt'fɑ:ks] *v.* przechytrzyć.

out front [ˌaʊt 'frʌnt] *US pot. adv.* **1.** szczerze, kawa na ławę. **2.** na przedzie, przed wszystkimi. – *a.* **1.** szczery. **2.** prowadzący, wiodący.

outgas [ˌaʊt'gæs] *v.* **1.** odgazowywać. **2.** uwalniać się (*o gazie*).

outgeneral [ˌaʊt'dʒenərəl] *v.* być lepszym dowódcą niż (*ktoś*).

outgo *v.* [ˌaʊt'goʊ] **-went, -gone** prześcignąć, przewyższyć. – *n.* ['aʊtˌgoʊ] **1.** wydatki. **2.** wypływ.

outgoing [ˌaʊt'goʊɪŋ] *a.* **1.** otwarty, towarzyski. **2.** *attr.* ustępujący (*np. o prezydencie*). **3.** *attr.* wychodzący (*np. o rozmowach telefonicznych*).

outgoings ['aʊtˌgoʊɪŋz] *n. pl. Br.* wydatki (*zwł. stałe*).

outgrow [ˌaʊt'groʊ] *v.* **-grew, -grown 1.** wyrosnąć z (*ubrania, butów*). **2.** przerosnąć (*np. rówieśnika, rodzica*). **3.** *przen.* pozbyć się z wiekiem (*przyzwyczajenia, nawyku*).

outgrowth ['aʊtˌgroʊθ] *n.* **1.** następstwo, wynik; pochodna. **2.** *bot.* odrost, odnóżka.

outguess [ˌaʊt'ges] *v.* przechytrzyć.

outgun [ˌaʊt'gʌn] *v.* **-nn- 1.** *wojsk.* przewyższać uzbrojeniem. **2.** *pot.* pokonać (*przeciwnika*).

out-Herod [ˌaʊt'herəd] *v.* przewyższać okrucieństwem.

outhouse ['aʊtˌhaʊs] *n.* **1.** budynek gospodarczy; przybudówka. **2.** *US* wychodek.

outing ['aʊtɪŋ] *n.* **1.** wycieczka; **go on an ~** wybrać się na wycieczkę; **school/class ~** wycieczka szkolna/klasowa. **2.** publiczny występ (*zwł. na zawodach lekkoatletycznych*). **3.** *U* publiczne demaskowanie osób o orientacji homoseksualnej.

outjockey [ˌaʊt'dʒɑ:kɪ] *v.* przechytrzyć.

outland ['aʊtˌlænd] *n.* **1.** odludzie. **2.** *arch. l. poet.* obczyzna. – *a. attr.* **1.** odległy. **2.** *arch. l. poet.* cudzoziemski; obcy.

outlander ['aʊtˌlændər] *n.* **1.** cudzoziem-iec/ka. **2.** *pot.* obc-y/a.

outlandish [ˌaʊt'lændɪʃ] *a.* **1.** dziwaczny. **2.** *arch.* obcy; cudzoziemski.

outlandishly [ˌaʊt'lændɪʃlɪ] *adv.* dziwacznie.

outlandishness [ˌaʊt'lændɪʃnəs] *n. U* dziwaczność.

outlast [ˌaʊt'læst] *v.* przetrwać (*kogoś l. coś*); trwać dłużej niż (*coś*); przetrzymać (*np. trudny okres, przeciwnika*).

outlaw ['aʊtˌlɔ:] *n.* **1.** zbieg (*zwł. recydywista*). **2.** *hist.* banita. **3.** buntowni-k/czka. **4.** dzikie zwierzę. – *v. prawn.* **1.** zakazywać (*czegoś*). **2.** *hist.* skazywać na banicję. **3.** pozbawiać praw publicznych. **4.** *US* pozbawiać mocy prawnej (*umowę, kontrakt*).

outlawry ['aʊtˌlɔ:rɪ] *n. U* **1.** lekceważenie prawa. **2.** *prawn.* wyjęcie spod prawa.

outlay *n.* ['aʊtˌleɪ] *C/U* wydatek; wydatki; nakłady. – *v.* [ˌaʊt'leɪ] wydawać, wydatkować.

outlet ['aʊtˌlet] *n.* **1.** wyjście, ujście; wylot, odpływ. **2.** *przen.* ujście (*for sth* dla czegoś) (*zwł. dla emocji*). **3.** ujście rzeki. **4.** *handl.* rynek zbytu. **5.** *handl.* punkt sprzedaży; sklep; **factory ~** sklep fabryczny; **retail ~** punkt sprzedaży detalicznej. **6.** *US el.* gniazdo wtykowe, gniazdko.

outlet box *n. US el.* puszka wypustowa.

outlet pipe *n.* rura odprowadzająca *l.* wylotowa.

outlier ['aʊtˌlaɪər] *n.* **1.** *geol.* ostaniec. **2.** oddzielna część (*np. systemu, organizacji*). **3.** osoba mieszkająca daleko od miejsca pracy.

outline ['aʊtˌlaɪn] *n.* **1.** *sing. t. przen.* zarys, kontur; szkic; **in ~** szkicowo, w zarysie; **in broad/rough ~** w ogólnych zarysach. **2.** plan (*np. książki*); *pl.* najważniejsze *l.* główne punkty (*np. przemówienia, planu*). – *v. t. przen.* szkicować; przedstawiać w zarysie.

outlive [ˌaʊt'lɪv] *v.* przeżyć (*kogoś*), żyć dłużej niż (*ktoś*); przetrwać (*okres, trudności*); **~ its usefulness** przeżyć się (*np. o systemie, polityce*).

outlook ['aʊtˌlʊk] *n. zw. sing.* **1.** pogląd, zapatrywania (*on sth* na coś). **2.** perspektywy, rokowanie (*for sb* dla kogoś). **3.** prognoza; **economic ~** prognoza gospodarcza; **weather ~** prognoza pogody; **the ~ for today/tomorrow** prognoza (pogody) na dziś/jutro. **4.** *form.* widok (*from sth* skądś). **5.** obserwacja.

outlying ['aʊtˌlaɪɪŋ] *a. attr.* odległy, leżący na uboczu, odludny.

outman [ˌaʊt'mæn] *v.* = **outnumber**.

outmaneuver [ˌaʊtmə'nu:vər], *Br.* **outmanoeuvre** *v.* przechytrzyć, wymanewrować.

outmatch [ˌaʊt'mætʃ] *v.* prześcignąć, przewyższyć.

outmoded [ˌaʊt'moʊdɪd] *a.* przestarzały; niemodny.

outmost ['aʊtˌmoʊst] *a.* **1.** najbardziej zewnętrzny. **2.** najodleglejszy.

outnumber [ˌaʊt'nʌmbər] *v.* (*także* **outman**) przewyższać liczebnie.

out-of-body experience [ˌaʊtəvˌbɑ:dɪ ɪk'spi:rɪəns] *n.* wrażenie opuszczenia własnego ciała (*zwł. u osoby w stanie śmierci klinicznej*).

out of bounds *a.* zakazany (*to/for sb* dla kogoś); objęty zakazem wstępu.

out-of-court [ˌaʊtəv'kɔ:rt] *a. prawn.* polubowny; **~ agreement** ugoda, polubowne załatwienie sprawy.

out-of-date [ˌaʊtəv'deɪt] *a.* **1.** przestarzały; niemodny. **2.** nieważny (*np. o dokumencie*).

out-of-doors [ˌaʊtəv'dɔ:rz], **out-of-door** *a.* = **outdoor**.

out-of-pocket [ˌaʊtəv'pɑ:kɪt] *a.* **1.** bez pieniędzy (*zwł. w wyniku nieudanego przedsięwzię-

cia). **2.** ~ **expenses** drobne wydatki związane z wykonywaną pracą (*refundowane przez pracodawcę w późniejszym terminie*).

out-of-the-way [ˌaʊtəvðəˈweɪ] *a.* **1.** leżący na uboczu, ustronny; mało znany. **2.** *Br.* niezwykły, nietypowy.

out-of-town [ˌaʊtəvˈtaʊn] *a.* pozamiejski; regionalny.

out-of-work [ˌaʊtəvˈwɝːk] *a.* bezrobotny, bez pracy.

outpace [ˌaʊtˈpeɪs] *v.* wyprzedzić, prześcignąć.

outpatient [ˈaʊtˌpeɪʃənt], **out-patient** *n. med.* pacjent/ka dochodząc-y/a.

outpatient department *n.* (*także* **outpatients**) przychodnia lekarska, ambulatorium.

outpatient treatment *n. U* leczenie ambulatoryjne.

outperform [ˌaʊtpərˈfɔːrm] *v.* sprawować się lepiej niż (*ktoś l. coś*), przewyższać w działaniu.

outplacement [ˈaʊtˌpleɪsmənt] *n. U* szukanie zatrudnienia dla zwalnianych pracowników.

outplay [ˌaʊtˈpleɪ] *v.* pokonać, pobić (*w grze*).

outpoint [ˌaʊtˈpɔɪnt] *v.* **1.** *np. boks* zwyciężyć na punkty (*przeciwnika*). **2.** *żegl.* płynąć bardziej na wiatr niż (*inny jacht*).

outport [ˈaʊtˌpɔːrt] *n.* port dowozowy.

outpost [ˈaʊtˌpoʊst] *n. t. wojsk.* placówka.

outpour *n.* [ˈaʊtˌpɔːr] wylew. – *v.* [ˌaʊtˈpɔːr] szybko wypływać, wylewać się.

outpouring [ˈaʊtˌpɔːrɪŋ] *n.* **1.** *t. pl.* wywnętrzanie się; wylewność; niekontrolowany wybuch emocji; ~**(s) of grief** niekontrolowany żal (*zwł. zbiorowy, np. po czyjejś śmierci*). **2.** *C/U* przypływ (*np. mocy twórczej*); zalew (*np. publikacji na określony temat*).

output [ˈaʊtˌpʊt] *n. C/U* **1.** produkcja. **2.** *górn.* wydobycie. **3.** zdolność produkcyjna. **4.** twórczość. **5.** *mech.* wydajność, sprawność. **6.** *el.* moc wyjściowa. **7.** *komp.* dane wyjściowe. – *v.* **-tt-** *komp.* przekazywać, przenosić (*dane, informacje*).

outrage [ˈaʊtˌreɪdʒ] *n.* **1.** *U* oburzenie; **public** ~ powszechne oburzenie, oburzenie opinii społecznej. **2.** akt przemocy. **3.** rzecz oburzająca; zniewaga, obraza, pogwałcenie (*against sth* czegoś) (*np. prawa l. moralności*), zamach (*against sth* na coś); **it's an ~ that...** to skandal, że... – *v.* **1.** *zw. pass.* oburzać, bulwersować; **be ~d by/with sth** być oburzonym *l.* zbulwersowanym czymś. **2.** pogwałcić (*np. prawo*). **3.** znieważać (*np. moralność*). **4.** *lit. euf.* zgwałcić (*kobietę*).

outrageous [ˌaʊtˈreɪdʒəs] *a.* **1.** oburzający, bulwersujący; skandaliczny; horrendalny (*zwł. o cenie*). **2.** szokujący, ekstrawagancki (*np. o stroju, fryzurze*).

outrageously [ˌaʊtˈreɪdʒəslɪ] *a.* **1.** w sposób oburzający *l.* skandaliczny (*zachowywać się*). **2.** horrendalnie (*drogi*). **3.** w sposób szokujący, ekstrawagancko (*ubrany*).

outrange [ˌaʊtˈrændʒ] *v.* mieć większy zasięg niż, strzelać dalej niż.

outrank [ˌaʊtˈræŋk] *v.* przewyższać (*statusem, pozycją*).

outré [uːˈtreɪ] *a. form.* **1.** przesadny, idący zbyt daleko. **2.** dziwaczny.

outreach [ˌaʊtˈriːtʃ] *v.* sięgać dalej niż (*ktoś l. coś*); wykraczać poza (*coś*). – *n. U* **1.** zasięg. **2.** *techn.* wysięg (*np. dźwigu*). **3.** ~ **center/service** *US* ośrodek pomagający osobom, które nie mogą same przyjść do szpitala, urzędu itp.

outride [ˌaʊtˈraɪd] *v.* **-rode, -ridden** **1.** wyprzedzić, pozostawić w tyle. **2.** *żegl.* przetrzymać *l.* przetrwać burzę (*o statku*).

outrider [ˈaʊtˌraɪdər] *n.* **1.** członek eskorty (*motocyklowej l. konnej*); osoba jadąca przodem. **2.** *hist.* foryś.

outrigger [ˈaʊtˌrɪgər] *n. żegl.* **1.** *t. lotn.* wysięgnik. **2.** przeciwwaga (*łodzi*). **3.** odsadnia (*łodzi wiosłowej*). **4.** saling (*masztu ładunkowego*).

outright *a.* [ˈaʊtˌraɪt] *attr.* **1.** bezpośredni, otwarty. **2.** całkowity, zupełny. **3.** bezapelacyjny (*zwł. o zwycięzcy, zwycięstwie*). – *adv.* [ˌaʊtˈraɪt] **1.** wprost, wyraźnie, otwarcie (*powiedzieć*). **2.** całkowicie, zupełnie (*np. zabronić*). **3.** bezapelacyjnie (*wygrać*). **4.** za gotówkę (*kupić*). **5.** na miejscu, od razu; **be killed** ~ zginąć na miejscu.

outrun [ˌaʊtˈrʌn] *v.* **-ran, -run, -nn-** **1.** *t. przen.* przegonić, prześcignąć. **2.** wymknąć się (*ścigającemu*). **3.** *przen.* przekroczyć (*np. limit, podaż*).

outrunner [ˈaʊtˌrʌnər] *n.* **1.** osoba biegnąca przodem; biegacz poprzedzający pojazd. **2.** pies prowadzący (*w zaprzęgu*).

outscore [ˌaʊtˈskɔːr] *v.* zdobyć więcej punktów niż (*ktoś*).

outsell [ˌaʊtˈsel] *v.* **-sold, -sold** **1.** sprzedawać się lepiej niż (*konkurencyjny produkt*). **2.** sprzedać więcej niż (*konkurenci*).

outsert [ˈaʊtˌsɝːt] *n.* reklama na opakowaniu.

outset [ˈaʊtˌset] *n.* początek; **at the** ~ na (samym) początku; **from the** ~ od (samego) początku.

outshine [ˌaʊtˈʃaɪn] *v.* **-shone, -shone** **1.** *t. przen.* zaćmić, przyćmić. **2.** *rzad.* błyszczeć.

outshoot [ˌaʊtˈʃuːt] *v.* **-shot, -shot** **1.** prześcignąć w strzelaniu. **2.** wystawać poza (*coś*). – *v.* występ (= *coś, co wystaje*).

outside [ˌaʊtˈsaɪd] *adv.* **1.** na zewnątrz (*t. = na świeże powietrze l. na świeżym powietrzu*). **2.** ~ **in** = **inside out**. – *prep.* **1.** za; ~ **the door** za drzwiami. **2.** poza; ~ **working hours** poza godzinami pracy, po pracy; **be ~ sth** wykraczać poza coś (*np. czyjeś obowiązki, kompetencje*). **3.** pod; **live just ~ Vancouver** mieszkać tuż pod Vancouver. **4.** przed; **I'll meet you ~ the bank** spotkamy się przed bankiem. **5.** *pot.* z wyjątkiem, oprócz. **6.** ~ **of** *zwł. US pot.* z wyjątkiem, oprócz; poza, za (*zwł. danym miastem*). – *a. attr.* **1.** zewnętrzny (*np. o ścianie*); z zewnątrz (*np. o pomocy, ekspercie*); (znajdujący się) na zewnątrz (*np. o toalecie*). **2.** najwyższy (*np. o kosztorysie, cenie*). **3.** nikły, niewielki; **an ~ chance/possibility** niewielkie *l.* nikłe szanse. – *n. U* **1. the** ~ zewnętrzna strona; wierzchnia strona, wierzch (*of sth* czegoś); **from** ~ z zewnątrz (*np. o pomocy*); **from the** ~ z zewnątrz (*np. patrzeć*). **2.** wygląd zewnętrzny. **3.** *gł. Br. mot., sport* = **outside lane**. **4. at the**

~ *pot.* (co) najwyżej; **on the** ~ na zewnątrz, z wierzchu (*t.* = *na pozór*); na wolności (= *nie w więzieniu ani w zakładzie psychiatrycznym*).

outside broadcast *n. radio, telew.* transmisja.

outside capital *n. U fin.* obcy kapitał.

outside interests *n. pl.* zainteresowania pozazawodowe.

outside lane *n.* **1.** *mot. US* zewnętrzny pas (ruchu); *Br. i Austr.* prawy pas (ruchu). **2.** *sport* tor zewnętrzny (*bieżni*).

outside line *n. tel.* linia wychodząca na miasto.

outside loop *n. lotn.* pętla odwrócona.

outsider [ˌaʊtˈsaɪdər] *n.* **1.** osoba postronna; osoba z zewnątrz; osoba spoza towarzystwa. **2.** *t. sport* autsajder.

outsize [ˈaʊtˌsaɪz], **outsized** *a. attr.* ponadrozmiarowy (*zwł. o odzieży*).

outskirts [ˈaʊtˌskɜːts] *n. pl.* peryferie, kraniec, obrzeża (*np. miasta*).

outsmart [ˌaʊtˈsmɑːrt] *v.* przechytrzyć.

outsold [ˌaʊtˈsoʊld] *v. zob.* **outsell.**

outsourcing [ˈaʊtˌsɔːrsɪŋ] *n. U ekon.* **1.** zatrudnianie osób spoza firmy (*np. celem obniżenia kosztów*). **2.** kupowanie gotowych części *l.* podzespołów w innej firmie.

outspan [ˈaʊtˌspæn] *S.Afr. v.* **-nn- 1.** wyprzęgać. **2.** stawać na popas, odpoczywać. – *n.* miejsce postoju *l.* odpoczynku (*zw. przy drodze*).

outspend [ˌaʊtˈspend] *v.* **-spent, -spent 1.** wydać więcej (pieniędzy) niż (*ktoś*). **2.** przekroczyć (*budżet, limit*).

outspoken [ˌaʊtˈspoʊkən] *a.* otwarty (*np. o krytyku, rzeczniku*); **be** ~ mówić otwarcie *l.* bez ogródek *l.* prosto z mostu.

outspokenly [ˌaʊtˈspoʊkənlɪ] *adv.* otwarcie.

outspokenness [ˌaʊtˈspoʊkənnəs] *n. U* otwartość.

outspread [ˈaʊtˌspred] *v.* **-spread, -spread** rozpościerać (się). – *a.* **1.** rozpostarty. **2.** rozpowszechniony, rozprzestrzeniony. – *n. U rzad.* rozpostarcie.

outstand [ˌaʊtˈstænd] **-stood, -stood 1.** wystawać. **2.** wyróżniać się. **3.** *arch.* przetrwać.

outstanding [ˌaʊtˈstændɪŋ] *a.* **1.** wyróżniający się, wybitny. **2.** zaległy (*o rachunku, płatności*); niezałatwiony (*o sprawie, problemie*). **3.** wystający. **4.** *giełda* puszczony do obrotu.

outstandingly [ˌaʊtˈstændɪŋlɪ] *adv.* wybitnie (*np. utalentowany*); doskonale, znakomicie (*np. zaprezentować się, zagrać*).

outstare [ˌaʊtˈster] *v.* wytrzymać spojrzenie (*czyjeś*); zmieszać spojrzeniem.

outstation [ˈaʊtˌsteɪʃən] *n. gł. wojsk.* posterunek oddalony od głównej kwatery.

outstay [ˌaʊtˈsteɪ] *v.* **1.** pozostać dłużej niż (*ktoś l. coś*). **2.** ~ **one's welcome** = **overstay one's welcome. 3.** *zob.* **overstay** 1.

outstood [ˌaʊtˈstʊd] *v. zob.* **outstand.**

outstretch [ˌaʊtˈstretʃ] *v.* wyciągać; rozpościerać; rozciągać.

outstretched [ˌaʊtˈstretʃt] *a.* wyciągnięty (*np. o ręce, ramionach*); rozpostarty (*np. o ramionach, skrzydłach*); rozciągnięty (na całą długość) (*np. o ciele*).

outstrip [ˌaʊtˈstrɪp] *v.* **-pp- 1.** *t. przen.* prześcignąć, wyprzedzić. **2.** przewyższać.

outta [ˈaʊtə], **outa** *prep. pot.* = **out of.**

outtake [ˈaʊtˌteɪk], **out-take** *n.* odrzut (= *scena wycięta z filmu l. utwór usunięty z płyty*).

out tray [ˈaʊt ˌtreɪ] *n.* tacka na korespondencję wychodzącą.

outturn [ˈaʊtˌtɜːn] *n.* **1.** produkcja. **2.** wynik, rezultat.

outvote [ˌaʊtˈvoʊt] *v.* **1.** przegłosować (*kogoś*). **2.** odrzucić w głosowaniu (*wniosek, propozycję*).

outward [ˈaʊtwərd] *a. attr.* **1.** zewnętrzny (*t.* = *cielesny, materialny, powierzchowny*). **2.** widoczny. **3.** pozorny; **to all** ~ **appearances** na pozór. **4.** w tamtą stronę, tam (*o podróży*). – *n. U* **the** ~ *lit.* świat zewnętrzny. – *adv.* (*także Br.* ~**s**) *t. przen.* na zewnątrz.

outward bound, outward-bound *a.* wyjeżdżający (*o pociągu, podróżnych*); wypływający (*o statku*).

outwardly [ˈaʊtwərdlɪ] *a.* **1.** pozornie, na pozór. **2.** na zewnątrz.

outwards [ˈaʊtwərdz] *adv.* = **outward.**

outwear [ˌaʊtˈwer] *v.* **-wore, -worn 1.** przetrwać (dłużej) niż (*coś*). **2.** wyrosnąć z (*czegoś*). **3.** zużyć; wyczerpać.

outweigh [ˌaʊtˈweɪ] *v.* (*także* **outbalance**) *t. przen.* przeważać nad (*czymś*), mieć większą wagę niż (*coś*).

outwit [ˌaʊtˈwɪt] *v.* **-tt-** przechytrzyć.

outwork *v.* [ˌaʊtˈwɜːk] **1.** pracować lepiej *l.* ciężej niż (*ktoś*). **2.** wypracować, skończyć. – *n.* [ˈaʊtˌwɜːk] **1.** *U* praca chałupnicza, chałupnictwo. **2.** *często pl. wojsk.* fort zewnętrzny.

outworker [ˈaʊtˌwɜːkər] *n.* chałupni-k/czka.

outworn [ˌaʊtˈwɔːrn] *a. attr.* **1.** przestarzały. **2.** znoszony; zużyty.

ouzel [ˈuːzl], **ousel** *n. orn.* kos (*Turdus merula*); **ring** ~ drozd obrożny (*Turdus torquatus*); **water** ~ pluszcz wodny (*Cinclus aquaticus*).

ouzo [ˈuːzoʊ] *n. U* grecka anyżówka.

ova [ˈoʊvə] *n. pl. zob.* **ovum.**

oval [ˈoʊvl] *a.* owalny. – *n.* owal.

ovalalbumin [ˌoʊvlælˈbjuːmən] *n. U biochem.* albumina jaja kurzego.

Oval Office *n.* **the** ~ *US admin.* Gabinet Owalny (*w Białym Domu*).

oval window *n. anat.* okienko owalne (*między uchem środkowym a wewnętrznym*).

ovarian [oʊˈverɪən] *a.* **1.** *anat., zool.* jajnikowy. **2.** *bot.* zalążniowy.

ovariectomy [oʊˌverɪˈektəmɪ] *n. C/U pl.* **-ies** *chir.* wycięcie jajnika.

ovariotomy [oʊˌverɪˈɑːtəmɪ] *n. C/U pl.* **-ies** *chir.* **1.** nacięcie jajnika. **2.** = **ovariectomy.**

ovaritis [ˌoʊvəˈraɪtɪs] *n. U pat.* zapalenie jajników.

ovary [ˈoʊvərɪ] *n. pl.* **-ies 1.** *anat., zool.* jajnik. **2.** *bot.* zalążnia.

ovate [ˈoʊveɪt] *a.* jajowaty (*t. bot. o kształcie liścia*).

ovation [oʊˈveɪʃən] *n.* owacja; **receive an** ~ dostać owację; **standing** ~ owacja na stojąco.

ovational [oʊˈveɪʃənl] *a.* owacyjny.

oven [ˈʌvən] *n.* **1.** piekarnik; **low/medium** ~

piekarnik o niskiej/średniej temperaturze. **2.** piec; piecyk; **tile-~** piec kaflowy. **3. Dutch ~** *zob.* **Dutch**; **gas ~** *zob.* **gas**; **have a bun in the ~** *zob.* **bun**[1] *n.*

ovenable [ˈʌvənəbl] *a.* **1.** żaroodporny. **2.** nadający się do podgrzania w piekarniku.

ovenbird [ˈʌvənˌbɝːd] *n. orn.* **1.** lasówka złotogłowa (*Seiurus aurocapillus*). **2.** garncarz (*Furnarius*).

oven mitt *n.* (*także Br.* **oven glove**) rękawica kuchenna.

ovenproof [ˈʌvənˌpruːf] *a.* żaroodporny.

oven-ready [ˌʌvənˈredɪ] *a.* do podgrzania w piekarniku.

ovenware [ˈʌvənˌwer] *n. U* naczynia żaroodporne.

over [ˈoʊvər] *prep.* **1.** nad; ponad; **~ sb's head** ponad czyjąś głową; **~ the table** nad stołem; **rule ~ sb/sth** panować nad kimś/czymś. **2.** przez; **~ the phone/radio** przez telefon/radio; **drive ~ the bridge** przejechać przez most; **jump ~ the ditch** przeskoczyć (przez) rów; **march ~ the Rockies** maszerować przez Góry Skaliste; **60 ~ 5** 60 (dzielone) przez 5. **3.** po drugiej stronie; na drugą stronę; **live ~ the road/river** mieszkać po drugiej stronie ulicy/rzeki; **the building ~ the street** budynek po drugiej stronie (ulicy), przeciwległy budynek. **4.** na; **spend a day ~ the preparations** spędzić dzień na przygotowaniach; **spread a carpet ~ the floor** rozłożyć dywan na podłodze; **you can't wear a jacket ~ that sweater** nie możesz zakładać marynarki na ten sweter. **5.** za; **~ the sea/mountain** za morzem/górą. **6.** przy; **talk ~ dinner** rozmawiać przy obiedzie. **7.** po; **~ my dead body!** *pot.* po moim trupie!; **travel ~ the whole country** podróżować po całym kraju; **the story continues ~ the page** dalszy ciąg opowiadania po drugiej stronie. **8.** podczas; przez; **~ a period of ten years** przez okres dziesięciu lat; **~ the holidays** podczas wakacji, przez wakacje; **~ the last three years** przez ostatnie trzy lata. **9.** ponad; więcej niż; powyżej; **~ one month/year** ponad miesiąc/rok; **children ~ 5** dzieci w wieku powyżej 5 lat; **lose ~ two kilos** stracić ponad dwa kilogramy. **10.** z; **fall ~ a cliff** spaść z urwiska; **trouble ~ money** kłopoty z pieniędzmi. **11.** o; **argue ~ sth** kłócić *l.* spierać się o coś. **12.** zamiast; **I'd choose steak ~ fish** wybrałbym stek zamiast ryby. **13. ~ all** całkowicie, zupełnie; **~ and above sth** w dodatku do czegoś, poza czymś; **all ~ America/the world** w całej Ameryce/na całym świecie; **be ~ sth** dochodzić do siebie po czymś; **be all ~ sb** *pot.* rzucić się na kogoś (*zwł. z czułościami*). – *adv.* **1.** w górze, nad głową. **2.** *tylko po v.* na drugą stronę; **cross/swim ~ (to the other side)** przejść/przepłynąć na drugą stronę. **3.** *tylko po v.* (*odpowiada polskiemu przedrostkowi l. nie tłumaczy się*) **ask sb ~** zaprosić kogoś (do domu *l.* do siebie); **come ~** przyjść; **fall ~** przewrócić się; **hand sth ~** przekazać coś; **lean ~** pochylić się; **paint sth ~** przemalować coś; zamalować coś; **we're going ~ to Mexico** wybieramy się do Meksyku; *radio, telew.* łączymy się z Meksykiem. **4.** *tylko po v.* od początku do końca; całkowicie, zupełnie; **heal ~** zagoić się zupełnie; **think/talk sth ~** przemyśleć/omówić coś (dokładnie). **5.** powyżej;więcej; **for viewers of 18 and ~** (dozwolony) dla widzów powyżej 18 lat; **one week or ~** tydzień lub dłużej. **6.** ponownie, na nowo; jeszcze raz; od początku; **~ and ~ (again)** w kółko, wielokrotnie; **(all) ~ again** (wszystko) od początku *l.* od nowa; **do sth ~** zrobić coś jeszcze raz; **start ~** *US* zaczynać od początku. **7.** zbyt, zbytnio; **they are not ~ happy, are they?** nie są zbytnio szczęśliwi, prawda?; **not ~ well** niezbyt dobrze. **8.** *radiotelegrafia* **~!** odbiór!; **~ and out!** bez odbioru! **9.** verte. **10. ~ against sth** naprzeciwko czegoś; w porównaniu z czymś; w przeciwieństwie do czegoś; **~ here/there** tu/tam; **~ to you** (teraz) twoja kolej; (teraz) ty masz głos; **all ~** wszędzie; **four/ten times ~** cztery/dziesięć razy, czterokrotnie/dziesięciokrotnie; **there are two (left) ~** zostały jeszcze dwa. – *a. pred.* skończony; **be ~** skończyć się (*np. o koncercie, meczu*); minąć (*o okresie czasu*); **be ~ (and done) with** skończyć się raz na zawsze; **get sth ~ (and done) with** skończyć z czymś raz na zawsze; **sth is all ~ (now)** coś się nieodwołalnie skończyło; coś należy (już) do przeszłości. – *n.* **1.** *krykiet* seria sześciu rzutów. **2.** *US* nadwyżka punktów (*zwł. w grach hazardowych*).

overabundance [ˌoʊvərəˈbʌndəns] *n. U* nadmiar.

overabundant [ˌoʊvərəˈbʌndənt] *a.* nadmierny.

overachieve [ˌoʊvərəˈtʃiːv] *v.* osiągać lepsze wyniki (*od zakładanych; zwł. w nauce l. pracy*).

overachiever [ˌoʊvərəˈtʃiːvər] *n.* osoba osiągająca lepsze wyniki (*jw.*); osoba bardzo się starająca i ambitna.

overact [ˌoʊvərˈækt] *v. teatr* grać przesadnie, szarżować.

overactive [ˌoʊvərˈæktɪv] *a.* nadpobudliwy; **have an ~ imagination** mieć bujną wyobraźnię.

overage[1] [oʊvərˈeɪdʒ] *a.* (*także* **over-age**) za stary.

overage[2] [ˈoʊvərɪdʒ] *n. ekon.* nadwyżka; **production ~** nadprodukcja.

overall *a.* [ˈoʊvərˌɔːl] *attr.* **1.** ogólny (*np. o wrażeniu*). **2.** całkowity (*np. o długości, koszcie*). – *adv.* [ˈoʊvərˌɔːl] w sumie, ogólnie (rzecz biorąc). – *n.* [ˌoʊvərˈɔːl] **1.** *US* kombinezon (*roboczy*). **2.** *Br.* kitel.

overall majority *n. gł. parl.* bezwzględna większość.

overalls [ˈoʊvərˌɔːlz] *n. pl.* **1.** *US* ogrodniczki. **2.** *Br.* kombinezon (*roboczy*). **3.** *Br. wojsk.* obcisłe spodnie galowe (*oficerskie*).

overambitious [ˌoʊvəræmˈbɪʃəs] *a.* zbyt *l.* nadmiernie ambitny.

overanxious [ˌoʊvərˈæŋkʃəs] *a.* **be ~** zbytnio się przejmować.

overarch [ˌoʊvərˈɑːrtʃ] *v.* tworzyć łuk; zwisać łukiem (*over sth* nad czymś).

overarching [ˌoʊvərˈɑːrtʃɪŋ] *a. attr. form.* naczelny, nadrzędny (*zwł. o celu*).

overarm [ˈoʊvərˌɑːrm] *a. i adv. zwł. Br.* = **overhand.**

overawe [ˌouvərˈɔ:] *v.* przerażać; onieśmielać.

overbalance [ˌouvərˈbæləns] *v.* **1.** *US t. przen.* przeważać. **2.** *Br.* stracić równowagę. – *n.* nadwyżka.

overbear [ˌouvərˈber] *v. zw. pass.* **-bore, -borne** **1.** pokonać, przezwyciężyć. **2.** dominować *l.* górować nad (*czymś*). **3.** rodzić zbyt dużo (*np. owoców, potomstwa*).

overbearing [ˌouvərˈberɪŋ] *a.* władczy, dominujący.

overbearingly [ˌouvərˈberɪŋlɪ] *adv.* władczo.

overbid *v.* [ˌouvərˈbɪd] **-bid, -bidden, -dd-** **1.** oferować wyższą cenę (*for sth* za coś). **2.** przelicytować (*t. w brydżu*). – *n.* [ˈouvərˌbɪd] wyższa oferta.

overbite [ˈouvərˌbaɪt] *n. U dent.* przodozgryz górny.

overblouse [ˈouvərˌblaus] *n.* bluzka wykładana na wierzch.

overblow [ˌouvərˈblou] *v.* **-blew, -blown** **1.** nawiewać; zdmuchiwać; przepędzać (*chmury*). **2.** *muz.* dąć z nadmierną siłą (*powodując powstawanie alikwotów*).

overblown [ˌouvərˈbloun] *a.* **1.** *form.* przesadzony, rozdmuchany. **2.** pretensjonalny, bombastyczny (*zwł. o stylu*). **3.** przekwitły (*zwł. o różach*).

overboard [ˈouvərˌbɔ:rd] *adv.* **1.** za burtą; za burtę. **2.** *przen. pot.* **go ~** przeginać (= *przesadzać*); **throw/chuck/toss sth ~** zarzucić coś (*np. ideę, pomysł*); pozbyć się czegoś (*np. akcji, obligacji*).

overbook [ˌouvərˈbuk] *v.* sprzedawać więcej biletów niż jest miejsc (na) (*przedstawienie, lot*).

overbore [ˌouvərˈbɔ:r] *v. zob.* **overbear.**

overborne [ˌouvərˈbɔ:rn] *v. zob.* **overbear.**

overbought [ˌouvərˈbɔ:t] *a.* **1.** *ekon.* przesycony (*o rynku*). **2.** *giełda* charakteryzujący się dużymi spekulacyjnymi zakupami papierów wartościowych.

overbuild [ˌouvərˈbɪld] *v.* **-built, -built** **1.** budować zbyt dużo. **2.** wybudować zbyt wysoko *l.* ozdobnie. **3.** zabudować.

overburden [ˌouvərˈbɜ:dən] *v. zw. pass.* przeciążać (*with sth* czymś). – *n.* **1.** nadmierny ciężar. **2.** *U geol.* nadkład.

overcall *brydż v.* [ˌouvərˈkɔ:l] przelicytować. – *n.* [ˈouvərˌkɔ:l] przelicytowanie.

overcame [ˌouvərˈkeɪm] *v. zob.* **overcome.**

overcapacity [ˌouvərkəˈpæsətɪ] *n. U ekon.* nadwyżka mocy produkcyjnych.

overcapitalize [ˌouvərˈkæpɪtəˌlaɪz], *Br. i Austr. zw.* **overcapitalise** *v. ekon.* **1.** przeinwestować. **2.** ustalić *l.* obliczyć zbyt wysoko kapitał (*np. firmy, korporacji*).

overcareful [ˌouvərˈkerful] *a.* zbyt *l.* przesadnie ostrożny.

overcast [ˈouvərˌkæst] *a.* **1.** zachmurzony, zaciągnięty chmurami (*o niebie*); pochmurny (*o dniu, poranku*). **2.** *krawiectwo* obrębiony. – *v.* **-cast, -cast** **1.** chmurzyć się. **2.** zakrywać, zasłaniać. **3.** *krawiectwo* obrębiać, obrzucać (*brzegi tkaniny*). – *n.* **1.** *U meteor.* zachmurzenie. **2.** *górn.* tumba (*rodzaj podpory stropu wyrobiska*).

overcasting [ˈouvərˌkæstɪŋ] *n. C/U krawiectwo* obrębienie.

overcharge *v.* [ˌouvərˈtʃɑ:rdʒ] **1.** liczyć (sobie) za dużo; **~ sb by...** policzyć komuś o... za dużo. **2.** przeładowywać (*t. akumulator*). **3.** *lit.* przesadzać. – *n.* [ˈouvərˌtʃɑ:rdʒ] **1.** zbyt wysoka cena. **2.** zbyt duży ładunek, przeciążenie.

overcheck [ˈouvərˌtʃek] *n. jeźdz.* wytok (*zakładany na głowę i pomiędzy uszy konia*).

overclothes [ˈouvərˌklouz] *n. pl.* odzież wierzchnia.

overcloud [ˌouvərˈklaud] *v.* **1.** *zw. pass.* przysłaniać chmurami. **2.** stawać się mrocznym.

overcoat [ˈouvərˌkout] *n.* **1.** płaszcz. **2.** (*także* **overcoating**) wierzchnia warstwa (*zwł. farby*).

overcome [ˌouvərˈkʌm] *v.* **-came, -come** **1.** pokonywać, przezwyciężać; opanowywać. **2.** zwyciężać. **3.** *zw. pass.* ogarniać, opanowywać; **be ~ with/by sth** być ogarniętym *l.* owładniętym czymś.

overcommit [ˌouvərkəˈmɪt] *v.* **-tt-** podejmować niewykonalne zobowiązania.

overcompensate [ˌouvərˈkɑ:mpənˌseɪt] *v.* (próbować) nadrabiać, kompensować (*for sth by (doing) sth* coś czymś l. robiąc coś).

overconfident [ˌouvərˈkɑ:nfɪdənt] *a.* zbyt pewny siebie.

overcook [ˌouvərˈkuk] *v.* gotować za długo; rozgotować.

overcorrect [ˌouvərkəˈrekt] *a.* zbyt *l.* przesadnie poprawny.

overcrop [ˌouvərˈkrɑ:p] *v. roln.* wyjałowić (*glebę przez ciągłe uprawy*).

overcrowd [ˌouvərˈkraud] *v.* zatłaczać, przepełniać.

overcrowded [ˌouvərˈkraudɪd] *a.* zatłoczony, przepełniony (*with sb / sth* kimś/czymś).

overcrowding [ˌouvərˈkraudɪŋ] *n. U* przepełnienie.

overdevelop [ˌouvərdɪˈveləp] *v.* **1.** nadmiernie rozwijać. **2.** *fot.* wywoływać zbyt długo *l.* intensywnie (*uzyskując nadmierny kontrast*).

overdeveloped [ˌouvərdɪˈveləpt] *a.* nadmiernie rozwinięty (*np. o poczuciu własnej wartości*).

overdo [ˌouvərˈdu:] *v.* **-did, -done** **1.** przesadzać z (*czymś*); **don't ~ it/things!** (tylko) nie przesadź! (*np. z forsownymi ćwiczeniami, alkoholem*). **2.** *kulin.* rozgotować; zbyt mocno spiec *l.* wysmażyć.

overdose *n.* [ˈouvərˌdous] nadmierna dawka, przedawkowanie. – *v.* [ˌouvərˈdous] przedawkować (*on sth* coś).

overdraft [ˈouvərˌdræft] *n.* **1.** *bank* przekroczenie stanu konta, debet. **2.** *US* przeciąg (*w piecu*), dmuch górny (*w palenisku*).

overdraught [ˈouvərˌdræft] *n. Br.* = **overdraft** 2.

overdraw [ˌouvərˈdrɔ:] *v.* **-drew, -drawn** **1.** *bank* przekraczać stan konta, mieć debet. **2.** *łucznictwo* nadmiernie naciągać (*łuk*). **3.** przesadzać, koloryzować.

overdrawn [ˌouvərˈdrɔ:n] *a.* **1.** *bank* wykazujący saldo debetowe (*o koncie*); **be ~ by 100 dollars** przekroczyć stan konta o sto dolarów, mieć debet na sto dolarów. **2.** przesadzony (*o opisie*).

overdress [ˌouvər'dres] *v. często pass.* stroić (się); ubierać (się) zbyt formalnie *l.* strojnie (*w stosunku do okazji*).

overdrive *n.* ['ouvərˌdraɪv] *U* **1.** *mot.* najwyższy bieg. **2. go into ~** *przen. pot.* pracować na najwyższych obrotach (*np. o czyjejś wyobraźni*). – *v.* [ˌouvər'draɪv] **-drove, -driven 1.** przemęczać (się). **2.** jeździć zbyt forsownie.

overdue [ˌouvər'du:] *a.* **1.** *fin.* zaległy (*o rachunku, płatności*). **2.** spóźniony; **be ~** spóźniać się (*np. o autobusie*); opóźniać się (*np. o zmianach*); **the reform is long ~** reformę należało przeprowadzić już dawno temu. **3.** *pred.* przenoszony (*o dziecku*); **the baby is two weeks ~** dziecko miało się urodzić dwa tygodnie temu. **4.** *bibl.* przetrzymywany (*o książce*).

overdye [ˌouvər'daɪ] *v.* **1.** nadmiernie pofarbować. **2.** przefarbować.

overeager [ˌouvər'i:gər] *a.* nadgorliwy.

overeat [ˌouvər'i:t] *v.* **-ate, -eaten** przejadać się.

overeater [ˌouvər'i:tər] *n.* obżartuch/a.

overeating [ˌouvər'i:tɪŋ] *n. U* przejadanie się, obżarstwo.

overegg [ˌouvər'eg] *v.* **~ the pudding** *Br. pot.* przedobrzyć.

overemphasize [ˌouvər'emfəˌsaɪz], *Br. i Austr. zw.* **overemphasise** *v.* przywiązywać nadmierną wagę do (*czegoś*).

overestimate *v.* [ˌouvər'estəˌmeɪt] **1.** przeceniać. **2.** zawyżać. – *n.* [ˌouvər'estəˌmɪt] zawyżony szacunek.

overexcited [ˌouvərɪk'saɪtɪd] *a.* nadmiernie *l.* zbyt podniecony.

overexpose [ˌouvərɪk'spouz] *v.* **1.** *fot.* prześwietlić. **2.** *zw. pass.* nadmiernie eksponować; **be ~d** zbyt często pojawiać się publicznie.

overexposure [ˌouvərɪk'spouʒər] *n. U* nadmierna ekspozycja, zbytnie wystawienie na działanie promieniowania (*świetlnego, cieplnego*).

overextend [ˌouvərɪk'stend] *v.* **1.** przeciągać. **2.** nadszarpywać. **3. ~ o.s.** przemęczać się, forsować się.

overfamiliar [ˌouvəfə'mɪlɪər] *a.* **1.** zbyt poufały. **2.** oklepany.

overfeed [ˌouvər'fi:d] *v.* **-fed, -fed** przekarmiać.

overfill [ˌouvər'fɪl] *v.* **1.** przepełniać (się). **2.** przesycać (*np. rynek*).

overfish [ˌouvər'fɪʃ] *v. ryb.* nadmiernie odławiać, wyrybiać.

overflight ['ouvərˌflaɪt] *n. lotn.* krążenie, oblatywanie.

overflow *v.* [ˌouvər'flou] **-flowed, -flown 1.** przelewać się. **2.** wylewać (się) (*t. o tłumie*). **3.** zalewać. **4.** przepełniać; **full to ~ing** pełny po brzegi; **hearts ~ing with joy/gratitude** serca przepełnione radością/wdzięcznością. – *n.* ['ouvərˌflou] **1.** *U* przelew, nadmiar cieczy. **2.** *US* powódź. **3.** *sing.* nadmiar (*t. ludzi*). **4.** *U komp.* przepełnienie, nadmiar danych. **5.** (*także* **~ pipe/drain**) rurka przelewowa.

overfly [ˌouvər'flaɪ] *v.* **-flew, -flown** *lotn.* oblatywać.

overfunding [ˌouvər'fʌndɪŋ] *n. U Br. polit., fin.* sprzedaż nadmiernej ilości obligacji skarbu państwa (*dla zmniejszenia inflacji*).

overgarment ['ouvərˌgɑ:rmənt] *n.* odzież wierzchnia.

overgeneralize [ˌouvər'dʒenərəˌlaɪz], *Br. i Austr. zw.* **overgeneralise** *v.* zbytnio uogólniać.

overgenerous [ˌouvər'dʒenərəs] *a.* zbyt hojny.

overglaze [ˌouvər'gleɪz] *n. U* **1.** druga glazura, glazura dodatkowa. **2.** zdobienie naszkliwne. – *v.* nakładać glazurę na.

overglaze color, *Br.* **overglaze colour** *n. U* farba naszkliwna.

overgrow [ˌouvər'grou] *v.* **-grew, -grown 1.** zarastać (*with sth* czymś). **2.** przerastać. **3.** rosnąć nadmiernie *l.* zbyt szybko.

overgrown [ˌouvər'groun] *a.* **1.** zarośnięty (*with sth* czymś) (*np. o ogrodzie*). **2.** przerośnięty; wyrośnięty; **behave like an ~ schoolboy/child/baby** zachowywać się jak duży dzieciak.

overgrowth ['ouvərˌgrouθ] *n. U* **1.** zarośla. **2.** narastanie. **3.** nadmierny *l.* zbyt bujny wzrost; przerost.

overhand ['ouvərˌhænd] *a. i adv. US* **1.** z podniesioną ręką. **2.** *sport* z wyrzutem ręki znad głowy. **3. sew ~** szyć na okrętkę.

overhand knot *n. żegl.* węzeł zwykły.

overhang *v.* [ˌouvər'hæŋ] *pret. i pp.* **-hung 1.** zwisać (nad) (*czymś*). **2.** *przen.* wisieć nad (*kimś l. czymś*). **3.** obwieszać (*with sth* czymś). – *n.* ['ouvərˌhæŋ] *zw. sing.* **1.** nawis. **2.** występ. **3.** *lotn.* różnica rozpiętości skrzydeł (*dwupłatowca*).

overhaul *v.* [ˌouvər'hɔ:l] **1.** dokonywać przeglądu (*czegoś*). **2.** przeprowadzać remont kapitalny (*czegoś*). **3.** doganiać; wyprzedzać. **4.** *żegl.* popuszczać, luzować. – *n.* ['ouvərˌhɔ:l] (*także* **overhauling**) **1.** przegląd, rewizja. **2.** remont kapitalny.

overhead *adv.* [ˌouvər'hed] **1.** nad głową, w górze. **2.** nad głowę. – *a.* [ˌouvər'hed] **1.** górny. **2.** napowietrzny. **3.** *attr.* globalny, ogólny (*zwł. o kosztach, cenie*). – *n.* ['ouvərˌhed] **1.** *sing. zwł. US* koszty stałe *l.* pośrednie. **2.** *tenis itp.* ścięcie.

overhead cables *n.* (*także* **overhead wires**) *el.* przewody napowietrzne.

overhead camshaft, overhead cam *n. mech.* wałek rozrządczy górny.

overhead charges *n. pl.* (*także* **overhead costs/expenses**) koszty stałe *l.* pośrednie.

overhead compartment *n. lotn.* miejsce na bagaże nad głowami pasażerów.

overhead line *n. el.* linia napowietrzna.

overhead projector *n.* (*także* **OHP**) rzutnik pisma.

overheads ['ouvərˌhedz] *n. pl. zwł. Br.* koszty stałe *l.* pośrednie.

overhead-valve engine [ˌouvərˌhed'vælv ˌendʒən] *n. Br. mech.* silnik górnozaworowy.

overhear [ˌouvər'hi:r] *v.* **-heard, -heard** podsłuchać (*niechcący*), przypadkiem usłyszeć.

overheat [ˌouvər'hi:t] *v.* **1.** przegrzewać (się). **2.** *ekon.* nadmiernie przyspieszać tempo wzrostu gospodarczego. **3.** nadmiernie się emocjonować. – *n. U* przegrzanie.

overhung [ˌouvərˈhʌŋ] *v. zob.* **overhang.**

overindulge [ˌouvərɪnˈdʌldʒ] *v.* **1.** dogadzać sobie (*in sth* czymś) (*zwł.* = *jeść l. pić za dużo*). **2.** rozpieszczać, rozpuszczać.

overjoyed [ˌouvərˈdʒɔɪd] *a. pred.* uradowany, zachwycony (*at sth* czymś); **be ~** nie posiadać się z radości; **be ~ to hear/see sth** radować się na wieść o czymś/na widok czegoś.

overkill [ˈouvərˌkɪl] *n. U* **1.** gruba przesada. **2.** nadmierna siła niszczenia (*zwł. broni jądrowej*).

overladen [ˌouvərˈleɪdən] *v. zob.* **overload.**

overlaid [ˌouvərˈleɪd] *v. zob.* **overlay.**

overlain [ˌouvərˈleɪn] *v. zob.* **overlie.**

overland [ˈouvərˌlænd] *adv.* lądem, drogą lądową. – *a. attr.* lądowy (*o podróży, transporcie*).

overlap *v.* [ˌouvərˈlæp] **-pp- 1.** zachodzić na (siebie). **2. ~ (with) sth** *t. przen.* zazębiać się z czymś, pokrywać się częściowo z czymś. – *n.* [ˈouvərˌlæp] **1.** *U* zazębianie się. **2.** warstwa zachodząca na drugą.

overlay¹ *v.* [ˌouvərˈleɪ] **-laid, -laid 1.** *zw. pass.* pokrywać, powlekać; **~ X with Y** pokrywać X (warstwą) Y, nakładać (warstwę) Y na X; **be overlaid with sth** być pokrytym *l.* powleczonym czymś. **2.** *przen.* zabarwiać (*np. humorem*). **3.** *druk.* umieszczać nakładkę na (*płycie drukującej; dla wyrównania nacisku*). – *n.* [ˈouvərˌleɪ] **1.** przykrycie, pokrycie. **2.** warstwa (*zwł. dekoracyjna*). **3.** *przen.* zabarwienie, domieszka. **4.** *druk.* nakładka. **5.** przezroczysta nakładka z dodatkowymi szczegółami (*np. na mapę, wykres*).

overlay² *v. zob.* **overlie.**

overleaf [ˌouvərˈliːf] *adv.* na odwrocie strony.

overlie [ˌouvərˈlaɪ] *v.* **-lay, -lain 1.** leżeć na (*czymś*), przykrywać. **2.** zadusić niechcący (*zwł. młode zwierzę, kładąc się na nim*).

overload *v.* [ˌouvərˈloud] *pp. t.* **overladen 1.** przeładowywać. **2.** przeciążać (*t. el.*), nadmiernie obciążać (*with sth* czymś) (*np. obowiązkami*). – *n.* [ˈouvərˌloud] *C/U* **1.** nadmierny ciężar. **2.** *el.* przeciążenie. **3.** *przen.* nadmierne obciążenie (*zwł. psychiczne*); **be in ~** *US pot.* być wykończonym psychicznie.

overload circuit breaker *n. el.* wyłącznik maksymalny.

overlock [ˈouvərˌlɑːk] *n. tk.* owerlok.

overlong [ˌouvərˈlɔːŋ] *a.* zbyt długi. – *adv.* zbyt długo.

overlook *v.* [ˌouvərˈluk] **1.** przeoczyć; pominąć. **2.** przymykać oczy na, puszczać płazem; nie zwracać uwagi na, ignorować. **3.** wychodzić na (*ogród, ocean itp.; np. o oknie, pokoju*); **a room ~ing the sea** pokój z widokiem na morze. **4.** wznosić się *l.* górować nad (*czymś*). **5.** dokładnie przyglądać się (*czemuś*). **6.** doglądać, nadzorować. – *n.* [ˈouvərˌluk] *US* **1.** przeoczenie, niedopatrzenie. **2.** punkt widokowy.

overlord [ˈouvərˌlɔːrd] *n.* **1.** *hist.* suzeren. **2.** suweren, najwyższy władca.

overly [ˈouvərlɪ] *adv. tylko przed a.* nazbyt, zbytnio; **~ optimistic** niezbyt optymistyczny; **not ~ happy** niezbyt szczęśliwy.

overman [ˈouvərmæn] *n. pl.* **-men 1.** *arch.* nadzorca. **2.** *fil.* nadczłowiek.

overmanned [ˌouvərˈmænd] *a.* cierpiący na przerost zatrudnienia.

overmanning [ˌouvərˈmænɪŋ] *n. U* przerost zatrudnienia.

overmantel [ˈouvərˌmæntl] *n. bud.* gzyms *l.* półka nad kominkiem (*zw. ozdobny*).

overmaster [ˌouvərˈmɑːstər] *v. lit.* **1.** opanować; pokonać. **2.** obezwładniać (*t. o uczuciu*).

overmatch *US v.* [ˌouvərˈmætʃ] **1.** pokonać. **2.** górować nad (*kimś*), przewyższać. **3.** wystawić silniejszego przeciwnika (*komuś*). – *n.* [ˈouvərˌmætʃ] nierówna walka.

overmatter [ˈouvərˌmætər] *n.* = **overset.**

overmuch [ˌouvərˈmʌtʃ] *adv. często z neg. zwł. lit. l. żart.* zbyt, zbytnio, za bardzo; przesadnie; **not ~** niezbyt, nie (za) bardzo.

overnice [ˌouvərˈnaɪs] *a.* **1.** zbyt dokładny, pedantyczny. **2.** grymaśny, wybredny (*about sth* w stosunku do czegoś).

overnight [ˌouvərˈnaɪt] *adv.* **1.** przez noc; na noc (*np. zostać*); w nocy (*np. zachorować*). **2.** z dnia na dzień (*np. zmienić się, odnieść sukces*). – *a. gł. attr.* **1.** nocny; na (jedną) noc; **~ guests** goście na jedną noc; **~ pass** przepustka nocna; **~ stay** pozostanie na noc, przenocowanie. **2.** na dwa-trzy dni; **~ clothes** zmiana bielizny. **3.** z dnia na dzień, nagły (*np. o sukcesie*). **4.** *zwł. US* dostarczany następnego dnia (*o przesyłce*); z dostarczeniem następnego dnia (*o usłudze*). – *v. rzad.* zostawać na noc, nocować (*gdzieś*).

overnighter [ˌouvərˈnaɪtər] *n.* (*także* **overnight bag/case**) neseser, torba podróżna.

overpass *n.* [ˈouvərˌpæs] *US* wiadukt. – *v.* [ˌouvərˈpæs] *rzad.* **1.** przecinać (*idąc, jadąc l. lecąc*); *t. przen.* przekraczać (*np. granicę, prawo, granice przyzwoitości*). **2.** przezwyciężyć, pokonać. **3.** przewyższać. **4.** ignorować.

overpay [ˌouvərˈpeɪ] *v.* **-paid, -paid 1.** zbyt wysoko opłacać. **2.** przepłacić (*zwł. przez pomyłkę*).

overpeople [ˌouvərˈpiːpl] *v.* powodować przeludnienie (*danego regionu*), przeludniać.

overpersuade [ˌouvərpərˈsweɪd] *v.* przekonać wbrew oporom (*sb to do sth* kogoś, żeby coś zrobił).

overplay [ˌouvərˈpleɪ] *v.* **1.** *teatr, kino* przerysowywać (*rolę, emocje*); grać w sposób przesadny *l.* afektowany. **2.** wyolbrzymiać; przesadnie podkreślać. **3.** *golf* przebić *l.* przerzucić poza otoczenie dołka (*piłkę*). **4. ~ one's hand** *przen.* przeliczyć się (z siłami), przecenić swoje siły.

overplus [ˈouvərˌplʌs] *n.* nadwyżka; nadmiar.

overpopulated [ˌouvərˈpɑːpjəˌleɪtɪd] *a.* przeludniony.

overpopulation [ˌouvərˌpɑːpjəˈleɪʃən] *n. U* przeludnienie.

overpower [ˌouvərˈpauər] *v.* **1.** obezwładnić (*t. w walce*). **2.** odurzać (*np. o zapachu, alkoholu*). **3.** *techn.* zaopatrywać w silnik o zbyt dużej mocy. **4. be ~ed with joy** nie posiadać się z radości.

overpowering [ˌouvərˈpauərɪŋ] *a.* **1.** obezwładniający, przytłaczający; przemożny. **2.** władczy.

overprice [ˌouvərˈpraɪs] *v. często pass.* zawyżać cenę *l.* ceny (*czegoś*).

overpriced [ˌouvərˈpraɪst] *a.* przedrożony.

overprint *v.* [ˌouvərˈprɪnt] **1.** *druk.* nadrukować (*sth with sth* coś na czym) (*np. cenę na znaczku*). **2.** *fot.* przekopiować. – *n.* [ˈouvərˌprɪnt] **1.** nadruk (*np. na znaczku, banknocie*). **2.** *filatelistyka* znaczek z nadrukiem.

overprize [ˌouvərˈpraɪz] *v.* **1.** nagrodzić zbyt wysoko. **2.** *przen.* przeceniać.

overproduce [ˌouvərprəˈdjuːs] *v. ekon.* produkować w nadmiarze, nadprodukować.

overproduction [ˌouvərprəˈdʌkʃən] *n. C/U ekon.* nadprodukcja.

overproof [ˌouvərˈpruːf] *a.* o zbyt dużej zawartości alkoholu (= *powyżej 49,28%*).

overqualified [ˌouvərˈkwɑːləˌfaɪd] *a. attr.* o zbyt wysokich kwalifikacjach; **be ~** mieć zbyt wysokie kwalifikacje.

overrate [ˌouvərˈreɪt] *v.* przeceniać.

overrated [ˌouvərˈreɪtɪd] *a.* przeceniany, przereklamowany.

overreach [ˌouvərˈriːtʃ] *v.* **1. ~ o.s.** przeliczyć się (z siłami). **2.** sięgać za daleko; wychylać *l.* wysuwać się za daleko. **3.** sięgać poza (*coś*). **4.** pokonać oszustwem. **5.** (*o koniu*) ścigać się (= *kaleczyć sobie przednią nogę zadnim kopytem*).

overreact [ˌouvərɪˈækt] *v.* reagować zbyt mocno *l.* emocjonalnie (*to sth* na coś) (*np. na krytykę*).

overreaction [ˌouvərɪˈækʃən] *n. C/U* nadreagowanie, zbyt mocna reakcja.

overrepresentation [ˌouvərˌreprɪzenˈteɪʃən] *n. U* nadreprezentacja.

overrepresented [ˌouvərˌreprɪˈzentɪd] *a.* zbyt licznie reprezentowany, nadreprezentowany.

override [ˌouvərˈraɪd] *v.* **-rode, -ridden 1.** uchylić, unieważnić (*np. decyzje, rozkaz, przepis*). **2.** być nadrzędnym w stosunku do (*czegoś*). **3.** przechodzić do porządku dziennego nad (*np. głosami innych*). **4.** *techn.* przechodzić na sterowanie ręczne (*systemem*). **5.** pojechać dłużej *l.* dalej niż pozwala na to bilet (*środkiem komunikacji miejskiej*). **6.** *jeźdz.* przemęczyć, zajeździć (*konia*). **7.** zachodzić na (*coś*). **8.** tratować; przełamywać (*linię obrony*). **9.** przejeżdżać *l.* przechodzić przez (*okolicę*).

overriding [ˌouvərˈraɪdɪŋ] *a. attr.* nadrzędny.

overripe [ˌouvərˈraɪp] *a.* przejrzały, zbyt dojrzały.

overrule [ˌouvərˈruːl] *v.* **1.** lekceważyć, nie zważać na (*kogoś, czyjś głos*). **2.** *prawn.* uchylić (*decyzję*); odrzucić (*sprzeciw*). **3.** zmienić bieg *l.* tok (*czegoś*). **4.** władać (*kimś l. czymś*).

overrun *v.* [ˌouverˈrʌn] **-ran, -run, -nn- 1.** dokonać napadu *l.* najazdu na (*coś*). **2.** *często pass.* rozplenić się w (*czymś; np. o robactwie, chwastach*). **3.** wybiegać poza, przekraczać; **~ one's alloted time** przekroczyć wyznaczony sobie czas. **4.** przekroczyć limit (czasu) (*by... o...*). **5.** przelewać *l.* wylewać się poza. **6.** *druk.* przenieść (*do nowego wiersza l. na nową stronę*). **7.** wylać (*o rzece, strumieniu*). **8.** *arch.* prześcignąć. – *n.* [ˈouvərˌrʌn] **1.** przekroczony czas; przekroczona ilość. **2.** *ekon.* przekroczenie kosztów. **3.** (*także* **~ strip**) *lotn.* wybieg (*drogi startowej*).

overrun brake *n. mot.* hamulec najazdowy.

overscore [ˌouvərˈskɔːr] *v.* przekreślić (*tekst, linijkę*).

overseas [ˌouvərˈsiːz] *adv.* **1.** za granicą; za morzem *l.* oceanem. **2.** za granicę; za morze *l.* ocen. **3. from ~** z zagranicy; zza morza *l.* oceanu. – *a.* **1.** *attr.* zagraniczny (*np. o studentach, handlu*); zamorski (*np. o lądach, podróżach*). **2.** (*także* **oversea**) przez morze, morski (*o podróży*). – *n. U pot.* zagranica.

overseas cap *n. US wojsk.* furażerka.

oversee [ˌouvərˈsiː] *v.* **-saw, -seen 1.** doglądać (*czegoś*); dozorować, nadzorować. **2.** podglądać.

overseer [ˈouvərˌsiːr] *n.* **1.** nadzorca. **2.** (*także* **~ of the poor**) *Br. hist.* opiekun ubogich (*w parafii*).

oversell [ˌouvərˈsel] *v.* **-sold, -sold 1.** *handl.* sprzedać więcej *towaru* niż jest się w stanie dostarczyć; wciskać na siłę (*towar*). **2.** *przen.* zachwalać ponad miarę.

oversensitive [ˌouvərˈsensətɪv] *a.* **1.** nadwrażliwy. **2.** przeczulony, przewrażliwiony.

overset *v.* [ˌouvərˈset] **-set, -set, -tt- 1.** *druk.* przepełnić składem. **2.** przewrócić. **3.** *arch.* przeszkodzić (*komuś*); zdenerwować. – *n.* [ˈouvərˌset] (*także* **overmatter**) *druk.* przepełniony skład.

oversexed [ˌouvərˈsekst] *a.* nadpobudliwy seksualnie; **be ~** być erotoman-em/ką.

overshadow [ˌouvərˈʃædou] *v.* **1.** przyćmiewać, zaćmiewać, usuwać w cień. **2.** *t. przen.* rzucać cień na; **be ~ed by sth** leżeć w cieniu czegoś.

overshoe [ˈouvərˌʃuː] *a.* **1.** kalosz (*zakładany na but*). **2.** kapeć (*np. muzealny*).

overshoot [ˌouvərˈʃuːt] *v. pret. i pp.* **-shot, -shot 1.** przestrzelić (= *strzelić poza*). **2.** przejechać (= *przegapić; np. stację, zjazd z autostrady*); **~ the mark** zajechać za daleko. **3.** *lotn.* wypaść z pasa (*startowego*); przyziemić za daleko. **4.** przekroczyć (*np. limit wydatków*). – *n.* **1.** *el.* chwilowe przetężenie. **2.** *techn.* przeregulowanie. **3.** *lotn.* zbyt dalekie przyziemienie, przelot.

overshot [ˌouvərˈʃɑːt] *a.* z górną szczęką wystającą ponad dolną (*np. o psie*).

overshot wheel *n. techn.* koło nasiębierne.

overside [ˈouvərˌsaɪd] *adv. żegl.* przez burtę, przez bok (*ładować l. wyładowywać statek*).

overside delivery *n. żegl.* wyładunek ze statku na statek.

oversight [ˈouvərˌsaɪt] *n.* **1.** *C/U* niedopatrzenie, przeoczenie; **due to an ~** przez niedopatrzenie. **2.** *U* nadzór; **have ~ of sth** sprawować nadzór nad czymś.

oversimplification [ˌouvərˌsɪmplɪfəˈkeɪʃən] *n. C/U* uproszczenie.

oversimplify [ˌouvərˈsɪmplɪfaɪ] *v.* **-ied, -ying** nadmiernie upraszczać, spłycać.

oversize *a.* [ˌouvərˈsaɪz] (*także* **oversized**) zbyt duży, nadwymiarowy. – *n.* [ˈouvərˌsaɪz] **1.** nadwymiar. **2.** artykuł nadwymiarowy.

overslaugh [ˌouvərˈslɔː] *v. US* pominąć, zignorować. – *n. Br. wojsk.* pominięcie obowiązku z uwagi na inny, ważniejszy obowiązek.

oversleep [ˌouvər'sli:p] *v.* **-slept, -slept** zaspać.
oversleeve ['ouvərˌsli:v] *n.* zarękawek.
overspend *v.* [ˌouvər'spend] **-spent, -spent 1.** wydawać więcej, niż się ma, żyć ponad stan. **2.** wyczerpywać (*fizycznie*); **be ~spent** być wyczerpanym. – *n.* ['ouvərˌspend] suma wydana ponad stan posiadania.
overspill [ˌouvər'spɪl] *n.* **1.** nadwyżka, nadmiar. **2.** *U Br.* uciekinierzy z przeludnionego miasta (*wyprowadzający się na przedmieścia*). – *v.* przelewać się.
overstaffed [ˌouvər'stæft] *a.* mający zbyt dużą liczbę personelu, cierpiący na przerost zatrudnienia.
overstate [ˌouvər'steɪt] *v.* wyolbrzymiać; **~ the case** zbyt ostro stawiać sprawę.
overstatement [ˌouvər'steɪtmənt] *n. C/U* przesada.
overstay [ˌouvər'steɪ] *v.* **1.** pozostawać poza (*termin, określony czas*); **~/outstay one's welcome** siedzieć za długo (*o gościu*). **2.** *ekon.* nie uciec na czas z (rynku) (*zanim minie koniunktura*).
overstep [ˌouvər'step] *v.* **-pp- 1.** przekraczać (*reguły, granice*). **2. ~ the mark** *przen.* przeciągnąć strunę, przeholować.
overstock [ˌouvər'stɑ:k] *v. handl.* mieć za dużo *towaru* w magazynie *l.* na składzie.
overstrain *v.* [ˌouvər'streɪn] **1.** przemęczać. **2.** *techn.* przeciążać. – *n.* ['ouvərˌstreɪn] **1.** przemęczenie. **2.** przeciążenie. **3.** *fiz.* odkształcenie trwałe (*niepożądanej wartości*).
overstrung [ˌouvər'strʌŋ] *a.* **1.** bardzo napięty (*o nerwach*); bardzo zdenerwowany (*o osobie*). **2.** *muz.* krzyżowy (*o fortepianie*).
overstuff [ˌouvər'stʌf] *v.* **1.** wpychać za dużo do (*czegoś*). **2.** tapicerować w całości (*meble*).
overstuffed ['ouvərˌstʌft] *a.* **1.** całkowicie pokryty tapicerką (*o meblu*). **2.** *przen.* rozwlekły (*np. o dziele naukowym*).
oversubscribe ['ouvərsʌbˌskraɪb] *v. zw. pass.* **be ~d** mieć więcej zgłoszeń niż miejsc (*np. o hotelu*).
oversupply *n.* ['ouvərsəˌplaɪ] *ekon.* nadmierna podaż. – *v.* [ˌouvərsə'plaɪ] **-ied, -ying** dostarczać w nadmiernej ilości (*czegoś*).
overt [ou'vɝ:t] *a. form.* otwarty, jawny; nie skrywany.
overtake [ˌouvər'teɪk] *v.* **-took, -taken 1.** doganiać; przeganiać; *Br. i Austr. mot.* wyprzedzać. **2.** opanować (*np. o zmęczeniu*); spaść (znienacka) na, zaskoczyć. **3. be ~n by events** *przen.* nie nadążać.
overtask [ˌouvər'tæsk] *v.* przeciążać (*pracą*).
overtax [ˌouvər'tæks] *v.* **1.** przeciążać (*pracą, obowiązkami*). **2. ~ o.s.** przepracowywać się; **be ~ed** być przepracowanym. **3.** *fin.* przeciążać podatkami, zbyt wysoko opodatkowywać.
over-the-counter [ˌouvərðə'kauntər] *a.* **1.** *med.* (sprzedawany) bez recepty (*o lekach*). **2.** (*także* **OTC**) *US ekon.* sprzedawany bez pośrednictwa giełdy (*o akcjach*).
over-the-top [ˌouvərðə'tɑ:p] *a.* (*także* **OTT**) *Br. pot.* przesadny; przesadzony; zbyt daleko posunięty; **it's a bit ~** to lekka przesada.
overthrow *v.* [ˌouvər'θrou] **-threw, -thrown 1.** obalić (*np. rząd, tyrana*). **2.** przewrócić. **3.** rzucić za daleko (*np. piłkę*). **4.** *przest.* przyprawiać o obłęd. – *n.* ['ouvərˌθrou] **1.** obalenie. **2.** upadek.
overtime *n.* ['ouvərˌtaɪm] *U* **1.** godziny nadliczbowe, nadgodziny; **do ~** pracować w godzinach nadliczbowych; **how much ~ did you do last month?** ile miałeś nadgodzin w zeszłym miesiącu?. **2.** = **overtime pay**. **3.** *US i Can. sport* dodatkowy *l.* doliczony czas. – *adv.* ['ouvərˌtaɪm] w godzinach nadliczbowych; **work ~** pracować w godzinach nadliczbowych; *przen. pot.* bardzo się starać. – *a.* ['ouvərˌtaɪm] *attr.* nadprogramowy. – *v.* [ˌouvər'taɪm] *fot.* przeeksponować.
overtime pay *n. U* dodatek za nadgodziny.
overtire [ˌouvər'taɪr] *v.* przemęczać, zbytnio męczyć; **~ o.s.** przemęczać się.
overtly [ou'vɝ:tlɪ] *adv.* otwarcie, jawnie.
overtone ['ouvərˌtoun] *n.* **1.** *muz.* ton harmoniczny. **2.** *pl. przen.* zabarwienie, podtekst; **have political ~s** mieć zabarwienie polityczne.
overtook [ˌouvər'tuk] *v. zob.* **overtake**.
overtop [ˌouvər'tɑ:p] *v.* **-pp-** *t. przen.* przewyższać.
overtrade [ˌouvər'treɪd] *v. handl.* przeholować w operacjach handlowych (*o przedsiębiorstwie*).
overtrain [ˌouvər'treɪn] *v.* przetrenować (się).
overtrick ['ouvərˌtrɪk] *n. brydż* nadróbka.
overtrump [ˌouvər'trʌmp] *v. karty* przebić wyższym atutem.
overture ['ouvərtʃər] *n.* **1.** *muz.* uwertura; **concert ~** uwertura koncertowa. **2.** *handl. l. przen.* oferta. **3.** *często pl. przen.* wstęp, sygnał (*to sth* do czegoś) (*np. do rokowań*); **~s of friendship** przyjazne gesty; **make ~s/an ~ of peace** wyciągać rękę do zgody; **make ~s** *pot. zw. żart.* zalecać się. **4.** *teor. lit.* inwokacja (*do poematu*).
overturn *v.* [ˌouvər'tɝ:n] **1.** przewrócić do góry nogami. **2.** obalić (*np. rząd*). **3.** *prawn.* uchylić (*decyzję, wyrok*). **4.** przewrócić się (*do góry nogami*); przekoziołkować. – *n.* ['ouvərˌtɝ:n] **1.** obalenie (*of sth* czegoś) (*np. rządu*). **2.** *lotn.* kapotaż.
overuse [ˌouvər'ju:z] *v.* nadużywać (*np. wyrazu*). – *n. U* nadużywanie (*of sth* czegoś).
overvalue [ˌouvər'vælju:] *v.* przeceniać.
overview ['ouvərˌvju:] *n.* przegląd; omówienie; **give an ~ of sth** omówić coś w ogólnych zarysach.
overwatch *v.* [ˌouvər'wɑ:tʃ] czuwać nad (*kimś l. czymś*). – *n.* ['ouvərˌwɑ:tʃ] *U wojsk.* taktyczna obserwacja przeciwnika; **bounding ~** wysunięta obserwacja; **traveling ~** obserwacja prowadzona w marszu.
overweening [ˌouvər'wi:nɪŋ] *a. form.* **1.** arogancki; zarozumiały, próżny. **2.** nieposkromiony (*o dumie, arogancji*).
overweigh [ˌouvər'weɪ] *v.* **1.** mieć większą wagę niż (*coś*). **2.** przygniatać, przytłaczać (*np. o smutku, zmartwieniach*).
overweight *n.* ['ouvərˌweɪt] *C/U* **1.** nadwaga. **2.** *przest.* przewaga. – *a.* [ˌouvər'weɪt] ponad normalną *l.* dozwoloną wagę; **be ~** mieć nadwagę; przekraczać dopuszczalną wagę (*o bagażu*);

be 5 kilos ~ (*także* **be ~ by 5 kilos**) mieć 5 kilo nadwagi, ważyć o 5 kilo za dużo.

overwhelm [ˌouvər'welm] *v.* **1.** przygniatać, przytłaczać (*o smutku, cierpieniu*). **2.** ogarnąć (*np. o litości*); oszołomić (*np. o radości*); zdumieć, zadziwić. **3.** obezwładnić (*przy użyciu broni*). **4.** zasypać (*np. pytaniami*).

overwhelming [ˌouvər'welmɪŋ] *a.* **1.** przygniatający, przytłaczający (*t. o większości, zwycięstwie*). **2.** oszałamiający. **3.** przemożny; wszechogarniający.

overwhelmingly [ˌouvər'welmɪŋlɪ] *adv.* w przeważającej części.

overwind [ˌouvər'waɪnd] *v.* **-wound, -wound** przekręcić sprężynę w (*zegarku*).

overwork [ˌouvər'wɝ:k] *v.* **1.** (*także* **~ o.s.**) przepracowywać się. **2.** kazać zbyt ciężko pracować (*komuś*); **be ~ed** być przepracowanym. **3.** podburzać (*np. tłum*). **4.** nadużywać (*słowa, zwrotu*). **5.** ozdabiać (całą) powierzchnię (*czegoś*). – *n. U* przepracowanie.

overwrite [ˌouvər'raɪt] *v.* **-wrote, -written 1.** poprawiać (*tekst, pisząc na nim*). **2.** rozpisywać się (*kosztem jakości*); pisać stylem kwiecistym *l.* wyszukanym. **3.** *komp.* zapisać, kasując poprzedni zapis.

overwrought [ˌouvər'rɔ:t] *a.* **1.** spięty (*o osobie*). **2.** przeładowany, zbyt wyszukany (*o stylu*). **3.** ozdobiony na całej powierzchni (*with sth* czymś).

oviduct ['ouvəˌdʌkt] *a. anat.* jajowód.

oviform ['ouvəˌfɔ:rm] *a. form.* jajowaty.

ovine ['ouvaɪn] *a. rzad.* owczy.

oviparous [ou'vɪpərəs] *a. zool.* jajorodny.

oviposit [ˌouvə'pɑ:zɪt] *v. zool.* składać jaja; składać ikrę.

ovipositor [ˌouvə'pɑ:zɪtər] *n. ent.* pokładełko.

ovoid ['ouvɔɪd] *a. bot.* owoidalny, jajowaty.

ovoviviparous [ˌouvouvaɪ'vɪpərəs] *a. zool.* jajożyworodny.

ovular ['ɑ:vjələr] *a.* **1.** jajeczkowaty. **2.** *biol.* dotyczący jajeczka; jajowy. **3.** *bot.* zalążkowy.

ovulate ['ɑ:vjəˌleɪt] *v. fizj.* jajeczkować.

ovulation [ˌɑ:vjə'leɪʃən] *n. U fizj.* owulacja, jajeczkowanie.

ovule ['ɑ:vju:l] *n.* **1.** *zool.* jajeczko (*w pęcherzyku*). **2.** *bot.* zalążek.

ovum ['ouvəm] *n. pl.* **ova** ['ouvə] *biol.* jajo, jajeczko.

ow! [au] *interj.* au! (*okrzyk bólu*).

owe [ou] *v.* **1.** być winnym (*for sth* za coś); **~ sb sth** (*także* **~ sth to sb**) być komuś coś winnym; **~ sb an apology/explanation** być komuś winnym przeprosiny/wyjaśnienie; **~ sb a debt of gratitude** mieć wobec kogoś dług wdzięczności; **how much do I ~?** ile jestem winny?; **they ~d allegiance to the king** winni byli posłuszeństwo królowi. **2.** zawdzięczać (*sth to sb/sth* coś komuś/czemuś); **~ everything to sb** (*także* **~ it all to sb**) wszystko zawdzięczać komuś; **~ sb a great deal/a lot** wiele komuś zawdzięczać. **3.** **~ o.s. sth** zasługiwać na coś; **you ~ it to yourself to take a holiday** należą ci się wakacje. **4.** **~ sb a grudge** żywić do kogoś urazę; **~ sb a living** *pot.* mieć obowiązek troszczenia się o kogoś.

OWI [ˌou ˌdʌblju: 'aɪ] *abbr.* **Office of War Information** *US hist.* Biuro Informacji Wojennych (= *rządowe biuro prasowe w latach 1942-1945*).

owing ['ouɪŋ] *a. pred.* należny (*np. o zapłacie*); **pay what is ~** zapłacić to, co należne. – *prep.* **~ to sth** wskutek czegoś, z powodu czegoś.

owl [aul] *n.* **1.** *zool.* sowa (*rząd Strigiformes*). **2.** *przen.* sowa, nocny marek. **3.** *przen.* osoba napuszona i uroczysta.

owlet ['aulət] *n.* sówka.

owlish ['aulɪʃ] *a.* sowi.

own [oun] *a. attr. i pron.* **1.** własny; **sb's ~...** czyjś własny...; **a house of my/our/their ~** mój/nasz/ich własny dom; **have nothing of one's ~** nie mieć niczego swojego *l.* własnego; **have sth for one's (very) ~** mieć coś (wyłącznie) dla siebie, mieć coś na własność; **it's (all) my ~ work** to (wszystko) moje własne dzieło. **2.** *przen.* **(all) on one's ~** na własną rękę, na własny rachunek; **be on one's ~** być zdanym na (tylko) siebie; **be one's ~ man/woman/person** być osobą całkowicie niezależną; **come into one's ~** *zob.* **come** *v.*; **do sth on one's ~** zrobić coś samodzielnie *l.* samemu; **get one's ~ back** *pot.* zemścić się, odegrać się (*on sb* na kimś); **hold one's ~** *zob.* **hold**[1] *v.*; **live on one's ~** mieszkać samotnie; **on your ~ head be it!** *zob.* **head** *n.*; **one's ~ flesh and blood** *zob.* **flesh and blood**; **see sth with one's ~ eyes/hear sth with one's ~ ears** zobaczyć coś na własne oczy/usłyszeć coś na własne uszy; **study for its ~ sake** studiować dla samego studiowania. – *v.* **1.** posiadać, mieć na własność. **2.** *przest.* przyznawać (się) (*to doing sth* do zrobienia czegoś); **~ o.s. sth** przyznać się, że się jest czymś; **~ that sth is true** przyznać, że coś jest prawdą. **3. act like** *US*/**as if** *Br.* **one ~ed the place** *przen. pot.* zachowywać się arogancko, zbyt wiele sobie pozwalać. **4.** **~ up** przyznać się (*to sth/doing sth* do czegoś/zrobienia czegoś).

own brand *n.* (*także* **own label**) *Br. handl.* firmowy (= *produkowany i sprzedawany przez określoną sieć sklepów*).

owner ['ounər] *n.* właściciel/ka, posiadacz/ka (*of sth* czegoś); **be the proud ~ of sth** być dumnym właścicielem czegoś, móc się poszczycić czymś; **home/dog-~** właściciel/ka domu/psa.

ownerless ['ounərləs] *a.* bezpański.

owner-occupied [ˌounər'ɑ:kjəpaɪd] *n.* zamieszkany przez właściciela (*o mieszkaniu l. domu*).

owner-occupier [ˌounər'ɑ:kjəpaɪər] *n.* lokator/ka będąc-y/a właścicielem mieszkania *l.* domu.

ownership ['ounərˌʃɪp] *n. U* **1.** posiadanie (*na własność*). **2.** *prawn.* prawo własności.

own goal *n.* **1.** *Br. piłka nożna* samobójcza bramka, samobójczy gol. **2.** *przen. pot.* strzał do własnej bramki.

ox [ɑ:ks] *n. pl.* **-en** *zool.* wół (*Bos taurus*); **grunting ~** jak (*Bos grunniens*); **Indian ~** zebu (*Bos indicus*).

oxalate ['ɑ:ksəˌleɪt] *n. chem.* szczawian.

oxalic acid [ɑːkˌsælɪk ˈæsɪd] *n. U chem.* kwas szczawiowy.

oxazepam [ɑːkˈsæzəˌpæm] *n. U med.* oxazepam.

oxbird [ˈɑːksˌbɝːd] *n. orn.* **1.** starzyk brunatnogłowy (*Molothrus ater*). **2.** biegus zmienny (*Calidris / Erolia alpina*).

oxblood [ˈɑːksˌblʌd] *a. i n. U* (kolor) brunatnoczerwony.

oxbow [ˈɑːksˌboʊ] *n. US* jarzmo.

oxbow front *n. sztuka* łukowaty, wklęsły w środku przód mebla.

oxbow lake *n. geol.* jezioro utworzone w starorzeczu.

Oxbridge [ˈɑːksˌbrɪdʒ] *n. U Br.* uniwersytety w Oksfordzie i Cambridge.

oxen [ˈɑːksən] *n. pl. zob.* **ox.**

oxeye [ˈɑːksˌaɪ] *n. bot.* **1.** *US* podobny do stokrotki kwiat z rodzaju skwarot (*Heliopsis*). **2.** *Br.* podobny do stokrotki kwiat z rodzaju kołotoczników (*Buphthalmum*).

oxeye daisy *n. bot.* jastrun *l.* złocień właściwy, margerytka (*Leucanthemum vulgare*).

OXFAM [ˈɑːksfæm] *abbr.* **Oxford Committee for Famine Relief** *Br.* Oksfordzki Komitet do Walki z Głodem (*organizacja charytatywna*).

Oxford [ˈɑːksfərd] *n. geogr.* Oksford.

oxford [ˈɑːksfərd] *n. US* **1.** gruba koszula bawełniana. **2.** *pl.* półbuty sznurowane.

Oxford bags *n. pl. Br.* bardzo szerokie spodnie.

Oxford blue *n. U* ciemny błękit.

Oxford Movement *n. hist., rel.* katolicyzujący ruch w kościele anglikańskim (*od 1833 r.*).

oxhide [ˈɑːkʃhaɪd] *n. U* skóra wołowa.

oxidase [ˈɑːksɪˌdeɪs] *n. U biochem.* oksydaza.

oxidation [ˌɑːksəˈdeɪʃən] *n. U chem.* (*także* **oxidization**) utlenianie (się), oksydacja.

oxide [ˈɑːksaɪd] *n. chem.* tlenek.

oxidization [ˌɑːksədəˈzeɪʃən], *Br. i Austr. zw.* **oxidisation** *n.* = **oxidation.**

oxidize [ˈɑːksəˌdaɪz], *Br. i Austr. zw.* **oxidise** *v. chem.* utleniać (się), oksydować (się).

oxidizer [ˈɑːksəˌdaɪzər], *Br. i Austr. zw.* **oxidiser** *n. C/U chem.* utleniacz.

oxlip [ˈɑːksˌlɪp] *n. bot.* pierwiosnka wyniosła (*Primula elatior*).

Oxonian [ɑːkˈsoʊnɪən] *Br. a.* oksfordzki. – *n.* **1.** człon-ek/kini uniwersytetu oksfordzkiego. **2.** mieszkan-iec/ka Oksfordu.

oxtail [ˈɑːksˌteɪl] *n. U gł. kulin.* ogony wołowe (*mięso*); ~ **soup** zupa ogonowa.

oxyacetylene blowpipe [ˌɑːksɪəˌsetliːn ˈbloʊˌpaɪp] *n.* (*także* **oxyacetylene torch**) *techn.* palnik acetylenowo-tlenowy.

oxyacid [ˈɑːksɪˌæsɪd] *n.* = **oxygen acid.**

oxygen [ˈɑːksɪdʒən] *n. U chem.* tlen.

oxygen acid *n. U chem.* kwas tlenowy.

oxygenate [ˈɑːksɪdʒəˌneɪt] *v.* (*także* **oxygenize**) *chem.* natleniać.

oxygenation [ˌɑːksɪdʒəˈneɪʃən] *n. U chem.* natlenianie.

oxygen cylinder *n.* butla tlenowa.

oxygen demand *n.* = **biochemical oxygen demand.**

oxygenic [ˌɑːksɪˈdʒenɪk] *a.* tlenowy; zawierający tlen.

oxygenize [ˈɑːksɪdʒəˌnaɪz], *Br. i Austr. zw.* **oxygenise** *v.* = **oxygenate.**

oxygen mask *n.* maska tlenowa.

oxygen tent *n. med.* namiot tlenowy.

oxyhydrogen [ˌɑːksɪˈhaɪdrədʒən] *n. U chem.* tlenowodór.

oxymoron [ˌɑːksɪˈmɔːrɑːn] *n. ret.* oksymoron.

oxysalt [ˈɑːksɪˌsɔːlt] *n. chem.* sól kwasu tlenowego.

oxysulfide [ˌɑːksɪˈsʌlfaɪd] *n. chem.* tlenosiarczek.

oxytocin [ˌɑːksɪˈtoʊsən] *n. U biochem., med.* oksytocyna.

oxytone [ˈɑːksɪˌtoʊn] *n. i a. attr. fon.* (wyraz) z akcentem na ostatniej sylabie.

oyer and terminer [ˌoʊjər ənd ˈtɝːmɪnər] *n. US* sąd karny wyższej instancji (*w niektórych stanach*).

oyez [oʊˈjeɪs], **oyes** *int. gł. hist.* słuchajcie! (*okrzyk wydawany zwykle trzy razy przed podaniem obwieszczenia*).

oyster [ˈɔɪstər] *n.* **1.** *zool.* ostryga (*Ostrea*). **2.** *kulin.* przypominający ostrygę kawałek mięsa przy kości biodrowej drobiu. **3.** *przen. pot.* milczek. **4. the world is your** ~ *przen.* świat stoi przed tobą otworem.

oyster bank, oyster bed *n.* ławica ostryg.

oystercatcher [ˈɔɪstərˌkætʃər] *n. orn.* ostrygojad (*Haematopus ostralegus*).

oyster crab *n. zool.* krab ostrygowy (*Pinnotheres ostreum*).

oyster farm *n.* hodowla ostryg.

oyster mushroom *n. biol.* boczniak ostrygowaty, bedłka ostrygowata (*Pleurotus ostreatus*).

oyster pink *a.* różowoszary (*o kolorze*).

oyster plant, oysterroot *n. bot.* **1.** kozibród porolistny, salsefia (*Tragopogon porrifolius*). **2.** miodunka lekarska (*Pulmonaria officinalis*).

oyster sauce *n. kulin.* sos ostrygowy (*używany w kuchni chińskiej*).

oyster white *a.* białoszary (*o kolorze*).

Oz [ɑːz] *n. Br. i Austr. inf.* Australia.

oz., oz *abbr.* **ounce** uncja (= *ok. 29 g*).

oz. ap. *abbr.* **ounce apothecary** uncja aptekarska (= *ok. 31 g*).

ozocerite [oʊˈzoʊkəraɪt] *n. U min.* ozokeryt, wosk ziemny.

ozone [ˈoʊzoʊn] *n. U chem.* ozon.

ozone-friendly [ˌoʊzoʊnˈfrendlɪ] *n. ekol.* nie zawierający substancji niszczących warstwę ozonową (*np. o aerozolu*).

ozone hole *n. sing. ekol.* dziura ozonowa.

ozone layer *n. sing.* (*także* **ozonosphere**) *ekol.* ozonosfera, warstwa ozonowa.

Ozzie [ˈɑːzɪ] *Br. i Austr. inf. n.* Australijczyk/ka. – *a. attr.* australijski.

P

P [piː], **p** *n. pl.* **-'s** *l.* **-s** [piːz] **1.** P, p (*litera l. głoska*). **2. mind one's P's and Q's** *przen.* pilnować się.

p. *abbr.* = **page** *n.* 1.

PA [ˌpiː 'eɪ] *abbr.* **1.** = **Pennsylvania**. **2.** = **public-address system**. **3.** = **personal assistant**. **4.** = **publicity agent**. **5.** = **press agent**. **6.** = **personal appearance** 2. **7.** *prawn.* = **power of attorney**.

pa [pɑː] *n. dziec. przest.* tata, tatuś.

Pa. *abbr.* = **Pennsylvania**.

p.a. *abbr.* = **per annum**.

pabulum ['pæbjələm] *n. U rzad.* **1.** pokarm. **2.** *przen.* strawa duchowa.

paca ['pækə] *n. zool.* paka (*Cuniculus paca*).

pace1 [peɪs] *n.* **1.** *U l. sing.* tempo; **gather ~** nabierać tempa; **set the ~** *t. przen.* narzucać tempo; **snaillike ~** ślimacze tempo. **2.** krok; **geometric ~** miara długości odpowiadająca 5 stopom (= *152,5 cm*); **military ~** *wojsk.* krok marszowy; **Roman ~** miara długości odpowiadająca 5 stopom rzymskim (= *147 cm*). **3.** *jeźdz.* chód (*koński*). **4.** *jeźdz.* inochód. **5.** *przen.* **at one's own ~** we własnym *l.* w swoim tempie (*t.* = *po swojemu*); **at twenty ~s** *pot.* z daleka (*np. potrafić rozpoznać*); **force the ~ (of sth)** przyspieszać (coś); **show one's ~s** popisywać się; **keep ~ with sb/sth** dotrzymywać komuś/czemuś kroku, nadążać za kimś/czymś; **put sb through their ~s** kazać komuś pokazać, co potrafi; **quicken one's ~** przyspieszyć kroku; **stand/stay the ~** wytrzymywać tempo, nadążać. – *v.* **1.** przemierzać (*np. pokój, korytarz*). **2. ~ up and down** (*także* **~ around**) chodzić tam i z powrotem (po) (*pokoju, korytarzu*). **3. ~ (off/out)** odmierzać krokami (*odległość*). **4.** kroczyć (*powoli, statecznie*). **5.** *sport* ustalać tempo dla (*zawodnika*). **6. ~ o.s.** ustalić sobie tempo; *przen.* działać bez pośpiechu. **7.** *jeźdz.* iść inochodem (*o koniu*).

pace2 *prep.* ['peɪsɪ] *często iron.* z całym szacunkiem dla (*kogoś*).

pacemaker ['peɪsˌmeɪkər] *n.* **1.** *med.* rozrusznik serca. **2.** (*także* **pacer, pacesetter**) *sport* zawodni-k/czka wyznaczając-y/a tempo (*w biegu, wyścigu*).

pacer ['peɪsər] *n.* **1.** = **pacemaker** 2. **2.** *jeźdz.* jednochodziec, inochodziec.

pacesetter ['peɪsˌsetər] *n.* = **pacemaker** 2.

pacey ['peɪsɪ], **paceey** *a.* **-ier, -iest** *Br.* o wartkiej akcji (*o filmie, książce*).

pacha ['pɑːʃə] *n.* = **pasha**.

pachouli ['pætʃʊlɪ] *n.* = **patchouli**.

pachyderm ['pækɪˌdɜːm] *n. zool.* gruboskórzec.

pachydermatous [ˌpækɪ'dɜːmətəs] *a. zool.* gruboskórny.

Pacific [pə'sɪfɪk] *n.* **the ~ (Ocean)** *geogr.* Ocean Spokojny, Pacyfik.

pacific [pə'sɪfɪk] *a. lit.* **1.** pokojowy; ugodowy. **2.** spokojny.

pacifically [pə'sɪfɪklɪ] *adv. lit.* **1.** pokojowo; ugodowo. **2.** spokojnie.

pacification [ˌpæsɪfɪ'keɪʃən] *n. U* **1.** *wojsk.* pacyfikacja. **2.** *lit.* uspokojenie.

pacificatory [pə'sɪfɪkəˌtɔːrɪ] *a.* uspokajający; pojednawczy.

Pacific Rim *n.* **the ~ (countries)** *ekon.* kraje basenu Oceanu Spokojnego (= *Japonia, Australia i zach. USA*).

pacifier ['pæsəˌfaɪər] *n.* **1.** *US i Can.* smoczek; gryzaczek (*dla ząbkującego niemowlęcia*). **2.** pacyfikator.

pacifism ['pæsəˌfɪzəm] *n. U* pacyfizm.

pacifist ['pæsəfɪst] *n.* pacyfist-a/ka.

pacify ['pæsəˌfaɪ] *v.* **-ied, -ying** **1.** uspokajać (*zdenerwowaną osobę, płaczące dziecko, tłum protestujących*). **2.** *wojsk.* pacyfikować.

pack [pæk] *n.* **1.** pakiet; **information ~** pakiet informacyjny. **2.** *US* opakowanie, paczka (*np. papierosów, makaronu*). **3.** (*także* **back~**) *zwł. Br.* plecak. **4.** tłumok, tobołek, pakunek. **5.** sfora (*psów*); stado, wataha (*wilków*). **6.** paczka, banda (*np. wyrostków, głupców, złodziei*); **go about as a ~** chodzić całą bandą. **7.** zastęp (*zuchów*). **8.** *Br. karty* talia. **9.** *lotn.* pokrowiec spadochronu. **10.** = **face pack**. **11. a ~ of lies** *przen.* stek kłamstw. **12.** *med.* okład; tampon; **ice ~** miejscowy okład z lodu; **rectal/vaginal ~** tampon doodbytniczy/dopochwowy. **13.** *med.* owijanie; kocowanie; **cold ~** owijanie w zimne mokre prześcieradło; **dry ~** owijanie w suchy ciepły koc; **hot ~** owijanie w prześcieradło zanurzone w gorącej wodzie; **wet ~** owijanie w mokre prześcieradło. – *v.* **1.** pakować; **~ one's bags** pakować się (*t. przen.* = *przygotowywać się do odejścia*). **2.** pakować się. **3.** *komp.* upakowywać. **4.** napychać (*sth with sth* coś czymś). **5.** opakowywać (*szczelnie*); uszczelniać. **6.** obładować, objuczyć (*zwierzę*). **7.** wypełniać (szczelnie) (*np. pomieszczenie, stadion*). **8.** dysponować (*uzbrojeniem, siłą, mocą*). **9.** *US pot.* nosić przy sobie (*broń*). **10.** *US, Can. i NZ* nieść na plecach (*ekwipunek, towary*). **11.** *karty* składać w talię. **12.** *karty* oszukiwać przy rozdawaniu *l.* układaniu (*kart*). **13.** *myśl.* zbierać w sforę (*psy*). **14.** *med.* kocować; owijać (*w koc, prześcieradło*). **15.** stłoczyć (się) (*w pomieszczeniu*); wepchać (się), wtłoczyć (się) (*in / into sth* do czegoś). **16.** łączyć się w stado. **17.** *przen. pot.* ~ **a jury/committee** zapełnić ławę przysięgłych/komisję swoimi ludźmi; ~ **a (fair/hard) punch** mieć potężne uderzenie (*np. o bokserze*); mieć wielką siłę perswazji; **send sb ~ing** kazać się komuś wynosić, odprawić *l.* przegonić kogoś. **18.** ~ **away** spakować (*odkładając w zwykłe miejsce*); ~ **sb/sth in** *Br. pot.* rzucić kogoś/coś (*np. chłopaka, pracę*); ~ **it all in** *Br. pot.* rzucić (to) wszystko w diabły; ~ **it in!** *pot.* dość tego!; ~ **them in** *pot.* zapełnić widownię (*o filmie l. sztuce*); ~ **sb off** *pot.* wysłać *l.* wyprawić kogoś (*np. do szkoły, na obóz*); ~ **sb off to bed** *pot.* zapakować kogoś do łóżka; ~ **up** spakować, zapakować; spakować się; *pot.* zwijać interes (*zwł. = kończyć pracę na dany dzień*); *zwł. Br. pot.* nawalać (*np. o maszynie, silniku*).

package [ˈpækɪdʒ] *n.* **1.** *US i Can.* opakowanie, pudełko (*np. ciasteczek*). **2.** paczka. **3.** *t. komp.* pakiet. **4.** zestaw, komplet. **5.** tobołek, pakunek. **6.** = **package deal**. – *v.* **1.** ~ **(up)** pakować. **2.** *przen.* promować, reklamować (*as sth* jako coś).

package deal *n. handl. l. przen.* transakcja wiązana.

package holiday *n. Br.* = **package tour**.

packager [ˈpækɪdʒər] *n. handl.* **1.** niezależna firma produkująca programy dla stacji telewizyjnych. **2.** niezależna firma przygotowująca ilustrowane książki, sprzedawane następnie wydawcom.

package store *n. US przest.* sklep monopolowy.

package tour *n.* wczasy zorganizowane.

packaging [ˈpækɪdʒɪŋ] *n. U* **1.** opakowania; opakowanie; materiały pakunkowe. **2.** pakowanie. **3.** *przen.* przedstawianie w korzystniejszym świetle, reklamowanie.

pack animal *n.* zwierzę juczne.

pack cloth *n. U tk.* płótno workowe.

pack drill *n. Br. wojsk.* kara polegająca na chodzeniu w ekwipunku marszowym.

packed [pækt] *a.* **1.** pełen, wypełniony po brzegi; (*także* ~ **out**) *pot.* zapchany, zatłoczony (*np. o pociągu*); ~ **with sth** (*także* ~ **full of sth**) pełen czegoś. **2.** *pred.* spakowany (*o osobie*). **3.** *w złoż.* **action-~** o wartkiej akcji (*np. o filmie*).

packed lunch *n. Br.* drugie śniadanie; suchy prowiant.

packer [ˈpækər] *n.* **1.** pakowacz/ka. **2.** *techn.* pakowarka, maszyna pakująca. **3.** przedsiębiorstwo pakujące artykuły żywnościowe.

packet [ˈpækɪt] *n.* **1.** *Br. i Austr.* opakowanie, pudełko (*np. ciasteczek, proszku do prania*); paczka (*np. papierosów, chrupek*). **2.** = **packet boat**. **3.** *Br. pot.* kupa forsy *l.* szmalu; **cost a ~** kosztować kupę szmalu; **make a ~** zarobić kupę forsy. **4.** *Br. przest. sl.* rana; porażenie prądem; **I copped/caught/got a ~** zarobiłem, dostało mi się. – *v.* pakować (*w paczuszkę*).

packet boat *n. żegl.* statek pocztowy.

packet switching *n. U komp.* komutacja pakietów.

pack horse, packhorse *n.* koń juczny.

pack ice *n. U* (*także* **ice pack**) *hydrol.* pak polarny, lód spiętrzony *l.* dryfujący, tłuka.

packing [ˈpækɪŋ] *n. U* **1.** pakowanie; **do the ~** pakować się. **2.** wyściółka (*do pakowanych przedmiotów*). **3.** *techn.* szczeliwo. **4.** *med.* zawijanie w prześcieradło. **5.** *med.* tampon. **6. postage and ~** *zob.* **postage**.

packing case *n.* (*także* **packing crate**) skrzynia do pakowania.

packing fraction *n. fiz.* ułamek upakowania.

pack rat *n. zool.* wielki gryzoń północnoamerykański (*Neotoma cinerea*).

packsack [ˈpækˌsæk] *n. US i Can.* chlebak, plecaczek.

packsaddle [ˈpækˌsædl] *n.* siodło z jukami, sakwami itp.

packthread [ˈpækˌθred] *n.* sznurek do zszywania paczek (*z tkaniny workowej*).

pack train *n.* karawana zwierząt jucznych.

pack trip *n. US* rajd konny.

pact [pækt] *n. polit.* pakt, układ; **make/sign a ~** zawrzeć/podpisać pakt.

pad1 [pæd] *n.* **1.** *zwł. sport* ochraniacz; **elbow/knee/shoulder ~** ochraniacz na łokieć/kolano/ramię. **2.** *krawiectwo* poduszka (*np. w żakiecie damskim*). **3.** miękka podkładka. **4. ink/stamp ~** poduszeczka z tuszem. **5.** (*także* note~, writing ~) blok, bloczek (*papieru do pisania l. rysunkowego*). **6.** bibularz. **7.** *lotn.* **landing ~** lądowisko (*helikoptera*); **launching ~** wyrzutnia (*rakietowa*). **8.** *sl.* chata (*= dom, mieszkanie*). **9.** poduszeczka (*w łapie kota l. psa*). **10.** *ent.* przylga. **11.** *bot.* liść pływający (*np. lilii wodnej*). – *v.* **-dd- 1.** wyścielać; obijać; wykładać (*czymś miękkim*). **2.** ~ **(out)** rozdymać niepotrzebnie (*tekst*). **3.** *US* rozdymać (*rachunki nieuzasadnionymi kwotami*).

pad2 *n.* stąpanie. – *v.* **-dd- 1.** ~ **(along)** stąpać cicho. **2.** ~ **(around)** wędrować, włóczyć się (*piechotą*).

padded cell [ˌpædɪd ˈsel] *n.* cela obita materacami (*w szpitalu psychiatrycznym*).

padder [ˈpædər] *n. el.* kondensator wyrównawczy; *radio* kondensator szeregowy regulowany.

padding [ˈpædɪŋ] *n. U* **1.** wyściółka; obicie (*mebla*); podszycie (*np. płaszcza*). **2.** *przen.* woda, wata (*= materiał niepotrzebnie rozdymający tekst*).

paddle1 [ˈpædl] *n.* **1.** *sport* wiosło (*kajakowe*); **double ~** wiosło o dwóch piórach. **2.** łopatka koła (*parowca, młyńskiego*). **3.** *zool.* płetwa (*foki, żółwia morskiego*). **4.** *US sport* rakietka (*do tenisa stołowego*). **5.** *kulin.* kopystka, łopatka. **6.** *arch.* kijanka (*do prania*). – *v.* **1.** wiosłować (*kajakiem*). **2.** *żegl.* płynąć przy pomocy kół łopatkowych (*o parowcu*). **3.** płynąć pieskiem. **4.** *kulin.* mieszać kopystką *l.* łopatką. **5.** *US i Can. pot.* dać w skórę (*dziecku*). **6.** ~ **one's own canoe** *przen. pot.* radzić sobie samemu.

paddle2 *v. Br. i Austr.* **1.** brodzić; chlapać się (*w płytkiej wodzie*). **2.** dreptać, tuptać (*zwł. o dziecku stawiającym pierwsze kroki*). – *n.* **go for a ~** (*także* **take a ~**) *Br. i Austr.* iść (sobie) pobrodzić.

paddle boat *n. żegl.* parowiec (*z bocznymi kołami*).

paddle fish *n. icht.* **1.** wiosłonos amerykański (*Polyodon spathula*). **2.** wiosłonos chiński (*Psephurus gladius*).

paddle steamer *n. Br.* = **paddle boat**.

paddle tennis *n. U US sport* tenis stołowy.

paddle wheel *n.* koło łopatkowe (*np. parowca*).

paddle wheeler *n. US* = **paddle boat**.

paddle worm *n. zool.* wędrujący wieloszczet (*Phyllodocidae*).

paddling pool [ˈpædlɪŋ ˌpuːl] *n. Br. i Austr.* brodzik.

paddock¹ [ˈpædək] *n.* **1.** wybieg, padok (*zwł. należący do stadniny*). **2.** padok (*do prezentacji koni wyścigowych*). **3.** *Austr. i NZ* ogrodzone pole. **4.** *Austr. i NZ* boisko (*np. futbolowe*). – *v.* zamykać na wybiegu (*konie*).

paddock² *n. Br. arch. l. dial.* żaba; ropucha.

Paddy [ˈpædɪ] *n. pl.* **-ies** *pot. często obelż.* Irlandczyk.

paddy¹ [ˈpædɪ] *n. pl.* **-ies** **1.** (*także* ~ **field**) (*także* **rice** ~) pole ryżowe. **2.** *U* ryż (*rosnący na polu l. zbierany z pola*).

paddy² *n. Br. przest. pot.* (*także* ~**whack**, ~**wack**) napad złości; **be in a** ~ być wkurzonym; **get in/into a** ~ wkurzyć się.

paddy wagon *n. US, Austr. i NZ sl.* furgonetka policyjna.

paddywhack [ˈpædɪˌwæk], **paddywack** *n. przest. pot.* **1.** = **paddy²**. **2.** lanie; klaps.

Padishah [ˈpɑːdəˌʃɑː] *n. hist.* padyszach.

padlock [ˈpædˌlɑːk] *n.* kłódka. – *v.* zamykać na kłódkę.

padouk [pəˈdaʊk], **padauk** *n. bot.* gatunek malajskiego drzewa budulcowego (*Pterocarpus indicus*).

padre [ˈpɑːdrɪ] *n. kośc.* **1.** *wojsk.* kapelan; *pot.* ksiądz (*zwł. we Włoszech*). **2.** *voc.* ojcze.

pad saw *n. Br.* piłka-wyrzynarka.

Padua [ˈpædʒʊə] *n. geogr.* Padwa.

paean [ˈpiːən] *n. lit.* pean.

paed(o)- *Br.* = **ped(o)-**.

paella [pɑːˈelə] *n. C/U kulin.* paella.

pagan [ˈpeɪgən] *n.* pogan-in/ka. – *a.* pogański.

pagandom [ˈpeɪgəndəm] *n. U* świat pogański; poganie.

paganish [ˈpeɪgənɪʃ] *a.* pogański.

paganism [ˈpeɪgəˌnɪzəm] *n. U* pogaństwo.

paganize [ˈpeɪgəˌnaɪz], *Br. i Austr. zw.* **paganise** *v.* **1.** stawać się poganinem. **2.** nawracać na pogaństwo.

page¹ [peɪdʒ] *n.* **1.** strona; stronica; kartka; **blank** ~ pusta strona, czysta *l.* niezapisana kartka; **front/back** ~ pierwsza/ostatnia strona (*gazety*); **turn a** ~ przewrócić stronę. **2.** *przen.* karta (*np. w historii*). – *v.* **1.** paginować. **2.** ~ **through sth** *US* kartkować coś.

page² *n.* **1.** *hist.* paź. **2.** = **pageboy**. – *v.* **1.** wywoływać przez głośniki. **2.** przywoływać pagerem. **3.** służyć w charakterze gońca.

pageant [ˈpædʒənt] *n.* **1.** pochód w strojach historycznych; plenerowe widowisko historyczne. **2.** *lit.* korowód. **3.** pokaz, widowisko. **4.** (*także* **beauty** ~) *zwł. US* konkurs piękności.

pageantry [ˈpædʒəntrɪ] *n. U* pełne przepychu widowisko (*często z udziałem koronowanej głowy*).

pageboy [ˈpeɪdʒˌbɔɪ] *n.* **1.** *US parl.* goniec (*w Kongresie*). **2.** *Br.* paź w orszaku panny młodej. **3.** *przest.* chłopiec hotelowy. **4.** (*także* ~ **hairstyle**) paź, fryzura na pazia.

pager [ˈpeɪdʒər] *n.* pager.

page-turner [ˈpeɪdʒˌtɜːnər] *n.* książka, od której trudno się oderwać.

paginal [ˈpædʒənl] *a.* **1.** stronicowy. **2.** strona po stronie.

paginate [ˈpædʒəˌneɪt] *v.* paginować.

pagination [ˌpædʒəˈneɪʃən] *n. U* paginacja, numerowanie stron.

pagoda [pəˈgoʊdə] *n.* pagoda.

pagoda tree *n. bot.* perełkowiec *l.* szupin japoński (*Sophora japonica*).

pagurian [pəˈgjuːrɪən] *n. zool.* pustelnik (*Pagurus, Eupagurus*).

pah [pɑː] *int. przest.* fe!.

paid [peɪd] *v.* **1.** *zob.* **pay**. **2. put** ~ **to sth** *Br. i NZ* zniweczyć coś (*np. nadzieje, szanse, plany*). – *a.* zarobkowy; płatny; opłacany; **low-**~ **workers** nisko opłacani pracownicy; **well-**~ **job** dobrze płatna praca.

paid-up [ˌpeɪdˈʌp] *a.* **1.** mający zapłacone wszystkie składki (*o członku organizacji*). **2.** *przen.* entuzjastyczny.

pail [peɪl] *n. zwł. US* wiadro; wiaderko (*metalowe l. drewniane*).

pailful [ˈpeɪlfʊl] *n.* wiadro (*of sth* czegoś).

paillasse [pælˈjæs], *Br.* **palliasse** *n.* siennik.

paillette [paɪˈjet] *n.* pajeta, pajetka.

pain [peɪn] *n.* **1.** *C/U* ból; cierpienie; **a dull/sharp/severe** ~ tępy/ostry/silny ból; **aches and** ~**s** drobne dolegliwości; **be in (great)** ~ (bardzo) cierpieć, cierpieć (wielki) ból; **ease the** ~ złagodzić ból; **feel** ~ odczuwać ból; **I have a** ~ **in my leg/arm** boli mnie noga/ramię, mam bóle w nodze/ramieniu; (*także* **labor** ~**s**) bóle porodowe. **2.** *przen.* **a** ~ **(in the neck)** *pot.* zawracanie głowy, utrapienie; **be a** ~ **in the ass/butt** (*także Br. i Austr.* **be a** ~ **in the arse/backside**) *wulg.* być upierdliwym; **no** ~, **no gain** bez pracy nie ma kołaczy; **on/under** ~ **of sth** *form.* pod rygorem czegoś; **on/under** ~ **of death** *form.* pod karą *l.* groźbą śmierci. – *v.* **1.** *przest.* dolegać (*komuś*); boleć. **2. it** ~**s me to hear that...** *form.* przykro mi słyszeć, że...

pained [peɪnd] *a.* zbolały (*zwł. o wyrazie twarzy*).

painful [ˈpeɪnfʊl] *a.* **1.** bolesny (*np. o zabiegu*). **2.** *przen.* bolesny, przykry (*np. o wspomnieniu, doświadczeniu*); **it's** ~ **for sb to do sth** robienie czegoś sprawia komuś przykrość. **3.** bolący; **my leg is** ~ boli mnie noga. **4.** żenujący.

painfully [ˈpeɪnfʊlɪ] *adv.* **1.** boleśnie (*t. przen. np. oczywisty*), dotkliwie (*np. ugodzić*). **2.** w bólach (*np. umrzeć*). **3.** z wielkim trudem (*np. poruszać się, zgromadzić wiedzę*). **4.** *emf.* żenująco (*np. nieudolny*); niesamowicie (*np. nieśmiały*).

painfulness [ˈpeɪnfʊlnəs] *n. U* bolesność.

painkiller [ˈpeɪnˌkɪlər] *n. med. pot.* środek przeciwbólowy.

painkilling [ˈpeɪnˌkɪlɪŋ] *a.* uśmierzający ból (*o substancji, środku*).

painless [ˈpeɪnləs] *a. t. przen.* bezbolesny.

painlessly [ˈpeɪnləslɪ] *adv.* bezboleśnie, bez bólu.

pains [peɪnz] *n. pl.* trud, mozół; fatyga; **for your ~** za fatygę; **be at ~ to do sth** dokładać wszelkich starań, żeby coś zrobić; **go to great ~** (*także* **take ~**) zadać sobie wiele trudu (*to do sth* żeby coś zrobić); bardzo uważać (*with/over sth* na coś).

painstaking [ˈpeɪnzˌteɪkɪŋ] *a.* staranny, skrupulatny; mozolny.

painstakingly [ˈpeɪnzˌteɪkɪŋlɪ] *adv.* starannie, skrupulatnie; z mozołem.

paint [peɪnt] *n.* **1.** *C/U* farba; lakier; **a coat of ~** warstwa farby; warstwa lakieru; **gloss ~** emalia; **wet ~** świeżo malowane (*napis*). **2.** *pl.* farby; farbki (*w tubkach l. słoikach*). **3.** *U przest. pot.* szminka; róż. – *v.* **1.** malować; **~ a room/wall** pomalować pokój/ścianę; **~ in watercolors/oils** malować akwarelami/farbami olejnymi; **~ one's fingernails/lips** pomalować (sobie) paznokcie/usta; **~ pictures/portraits** malować obrazy/portrety; **~ sb/sth** namalować kogoś/coś; **~ sth green/red** pomalować coś na zielono/czerwono. **2.** *med.* smarować, pędzlować. **3.** *przen.* malować, przedstawiać; **~ a gloomy/grim picture of sth** przedstawiać *l.* malować coś w czarnych barwach; **~ sth with a broad brush** przedstawiać *l.* szkicować coś w ogólnych zarysach. **4. ~ the town (red)** *przen. pot.* zabawić się (*zwł. odwiedzając bary itp.*). **5. ~ in** domalować; **~ out** zamalować (*np. fragment obrazu*); **~ over** zamalować; przemalować, pomalować na nowo.

paintbox [ˈpeɪntˌbɑːks] *n.* pudełko z farbami.

paintbrush [ˈpeɪntˌbrʌʃ] *n.* pędzel.

painter[1] [ˈpeɪntər] *n.* **1.** mala-rz/rka; **landscape ~** pejzażyst-a/ka. **2.** lakiernik.

painter[2] *n. żegl.* faleń, cumka.

painterly [ˈpeɪntərlɪ] *a.* malarski.

painting [ˈpeɪntɪŋ] *n.* **1.** obraz (*zwł. olejny*); malowidło. **2.** *U* malarstwo. **3.** *U* malowanie.

paint stripper *n. U* zmywacz do farby.

paintwork [ˈpeɪntˌwɝːk] *n. U* farba (*na ścianach budynku*); lakier (*na samochodzie*).

pair [per] *n.* **1.** para; **a ~ of shoes/gloves/socks** para butów/rękawiczek/skarpetek; **a ~ of glasses/scissors/jeans** okulary/nożyczki/dżinsy; **a ~ of fives** *karty* para piątek; **in ~s** parami (*np. spacerować*); w parach (*np. ćwiczyć*). **2.** parka, para (*np. gołębi*); para koni (*pociągowych*). **3.** *pot.* **I've only got one ~ of hands** mam tylko dwie ręce, nie rozdwoję się; **the ~ of you** *Br.* wy dwoje, wasza dwójka (*zw. z irytacją*). – *v.* **1.** dobierać *l.* układać parami. **2.** zestawić w parę (*with sb/sth* z kimś/czymś). **3.** być parą, stanowić parę (*with sb* z kimś). **4.** kojarzyć (się) w pary. **5.** parzyć się (*o zwierzętach*). **6. ~ off** łączyć *l.* kojarzyć (się) w pary; **~ up** dobrać się w parę (*with sb* z kimś).

pair-oar [ˈperˌɔːr] *n. sport* kanadyjka dwuosobowa (*C2*).

paisley [ˈpeɪzlɪ] *n.* **1.** *U tk.* delikatna tkanina wełniana z barwnym deseniem przypominającym powyginane płatki i pióra. **2.** szal itp. z tkaniny jw.

pajamas [pəˈdʒɑːməz], *Br.* **pyjamas** *n. pl.* piżama.

Paki [ˈpækɪ] *n. Br. obelż. sl.* Pakista-ńczyk/nka.

Pakistan [ˈpækɪˌstæn] *n. geogr.* Pakistan.

Pakistani [ˌpækɪˈstɑːnɪ] *a.* **1.** pakistański. **2.** Pakista-ńczyk/-nka.

PAL [pæl] *abbr.* PAL (*system telewizji kolorowej*).

pal [pæl] *n. pot.* **1.** kumpel/a. **2.** *voc.* koleś; **listen/look ~...** słuchaj (no), koleś... (*z pogróżką*). – *v.* **-ll-** *pot.* **~ around** *US* kumplować się (*with sb* z kimś); **~ up** *Br. i Austr. przest.* kumplować się (*with sb* z kimś).

palace [ˈpæləs] *n.* **1.** pałac. **2. the P~** *przen.* Dwór (*królewski*).

palace car *n. kol.* salonka.

palace coup *n.* = **palace revolution**.

palace guard *n.* **1.** strażnik w pałacu. **2.** straż pałacowa.

palace revolution *n.* (*także* **palace coup**) *polit.* przewrót pałacowy.

paladin [ˈpælədɪn] *n. hist.* paladyn.

palaeo- *Br. zob.* **paleo-**.

palaestra [pəˈlestrə] *n. Br. zob.* **palestra**.

palamino [ˌpæləˈmiːnoʊ] *n.* = **palomino**.

palanquin [ˌpælənˈkiːn], **palankeen** *n.* palankin (= *kryta lektyka*).

palatable [ˈpælətəbl] *a.* **1.** smaczny; nadający się do jedzenia; nadający się do picia (*zwł. o winie*). **2.** *przen.* do przyjęcia; interesujący (*o pomyśle, propozycji*).

palatal [ˈpælətl] *a.* **1.** *anat.* podniebienny. **2.** *fon.* palatalny, miękki, zmiękczony. – *n. fon.* spółgłoska palatalna *l.* miękka *l.* zmiękczona.

palatalization [ˌpælətələˈzeɪʃən], *Br. i Austr. zw.* **palatalisation** *n. C/U fon.* palatalizacja, zmiękczenie.

palatalize [ˈpælətəˌlaɪz] *Br. i Austr. zw.* **palatalise** *v. fon.* palatalizować, zmiękczać.

palate [ˈpælət] *n.* **1.** *anat., fon.* podniebienie; **hard/soft ~** podniebienie twarde/miękkie. **2.** *przen.* podniebienie, smak, zmysł smaku; gust; **for my ~** (jak) na mój gust; **have a fine ~** mieć wybredne *l.* wrażliwe podniebienie.

palatial [pəˈleɪʃl] *a.* **1.** pałacowy. **2.** rozmiarów pałacu; podobny do pałacu; nadający się na pałac.

palatinate [pəˈlætənət] *n.* **1.** *hist.* palatynat; **the Lower/Upper/Rhine P~** *geogr.* Palatynat Dolny/Górny/Nadreński. **2. P~** mieszkan-iec/ka Palatynatu.

palatine[1] [ˈpæləˌtaɪn] *n.* **1.** *hist.* palatyn. **2. P~** mieszkan-iec/ka Palatynatu. – *a.* **P~** palatyński.

palatine[2] *a.* pałacowy.

palatine[3] *a. anat.* podniebienny.

palaver [pəˈlɑːvər] *n. pot.* **1.** *U* korowody (=

formalności); zawracanie głowy, zamieszanie. **2.** *żart.* nasiadówka (= *zebranie*). – *v. pot.* **1.** robić dużo szumu *l.* hałasu. **2.** *żart.* konferować.

pale[1] [peɪl] *n.* **1.** palik; kołek (*w płocie*). **2.** ogrodzenie. **3.** odgrodzony obszar. **4. the (English) P~** *Br. hist.* część Irlandii pod władzą brytyjską. **5.** *her.* słup (= *pionowy pas w środku tarczy*). **6. beyond the ~** *przen.* nie do przyjęcia (*o czyimś zachowaniu*). – *v.* otaczać palikami; ogradzać.

pale[2] *a.* **1.** blady; pobladły; **grow/turn ~** zblednąć, poblednąć. **2.** *w złoż.* **~ blue/green** bladoniebieski/bladozielony. **3. ~ imitation** *przen.* nędzna *l.* marna imitacja. – *v.* **1.** *t. przen.* blednąć; blaknąć; **~ in/by comparison with sth** (*także* **~ beside/before sth**) blednąć przy czymś *l.* w porównaniu z czymś. **2.** *rzad.* wybielić; uczynić bladym. **3. ~ into insignificance (beside)** *przen.* schodzić na dalszy plan (wobec).

paleface ['peɪlˌfeɪs] *n. pog.* blada twarz (= *biały w określeniu Indian*).

paleness ['peɪlnəs] *n. U* bladość.

paleographer [ˌpeɪlɪ'ɑːgrəfər] *n.* paleograf/ka.

paleographic [ˌpeɪlɪə'græfɪk], **paleographical** [ˌpeɪlɪə'græfɪkl] *a.* paleograficzny.

paleography [ˌpeɪlɪ'ɑːgrəfɪ] *n. U* paleografia.

paleolith ['peɪlɪəlɪθ] *n. archeol.* narzędzie paleolityczne.

Paleolithic [ˌpeɪlɪə'lɪθɪk], **paleolithic** *geol. a.* paleolityczny. – *n.* **the ~** paleolit.

paleontological [ˌpeɪlɪˌɑːntə'lɑːdʒɪkl] *a.* paleontologiczny.

paleontologist [ˌpeɪlɪən'tɑːlədʒɪst] *n.* paleontolo-g/żka.

paleontology [ˌpeɪlɪən'tɑːlədʒɪ] *n. U* paleontologia.

Paleozoic [ˌpeɪlɪə'zoʊɪk] *geol. a.* paleozoiczny. – *n.* **the ~** paleozoik.

Palestine ['pæləstaɪn] *n. geogr.* Palestyna.

Palestinian [ˌpælɪ'stɪnɪən] *a.* palestyński. – *n.* Palesty-ńczyk/nka.

palestra [pə'lestrə], **palaestra** *n. pl.* **-s** *l.* **palestrae** [pə'lestriː] *hist.* palestra (= *miejsce treningu zawodników*).

paletot ['pælɪˌtoʊ] *n. strój hist.* narzutka; paltocik (*kobiecy, noszony w XIX w.*).

palette ['pælət] *n. mal. l. przen.* paleta.

palfrey ['pɔːlfrɪ] *n. arch. l. poet.* lekki wierzchowiec (*zwł. dla kobiet*).

palimony ['pæləˌmoʊnɪ] *n. U US prawn.* alimenty płacone byłej konkubinie.

palimpsest ['pælɪmpˌsest] *n.* palimpsest.

palindrome ['pælɪnˌdroʊm] *n.* palindrom.

paling ['peɪlɪŋ] *n.* **1.** palik. **2.** *pl.* płot.

palingenesis [ˌpælɪn'dʒenəsɪs] *n. biol., geol.* palingeneza.

palinode ['pælɪˌnoʊd] *n. poet., ret.* palinodia.

palisade [ˌpælɪ'seɪd] *n.* **1.** palisada. **2.** pal. **3.** *zw. pl. US* strome skały bazaltowe podobne do palisady (*zwł. nad rzeką Hudson*).

palish ['peɪlɪʃ] *a.* bladawy.

pall[1] [pɔːl] *n.* **1.** chmura, pokrywa (*of sth* czegoś) (*np. dymu, kurzu*). **2.** całun; kir. **3.** trumna. **4.** *kośc. przest.* paliusz. **5.** *her.* rosochacz (= *wzór w kształcie Y*). **6. cast a ~ on/over sth** *przen.* rzucić cień na coś (= *zepsuć*). – *v.* okrywać (jak) całunem.

pall[2] *v.* spowszednieć; **~ on/upon sb** sprzykrzyć się *l.* znudzić się komuś.

palladium[1] [pə'leɪdɪəm] *n. U chem.* pallad.

palladium[2] *n. pl.* **-s** *l.* **palladia** [pə'leɪdɪə] **1.** *mit.* palladion. **2.** *przen.* duch opiekuńczy; gwarancja bezpieczeństwa (*zwł. chroniąca instytucje społeczne*).

pallbearer ['pɔːlˌberər] *n.* żałobnik (*niosący l. eskortujący trumnę*).

pallet[1] ['pælət] *n.* **1.** siennik. **2.** barłóg.

pallet[2] *n.* **1.** łopatka garncarska do gładzenia. **2.** deska *l.* płyta do suszenia wyrobów garncarskich. **3.** *mech.* paleta (*wychwytu kotwicowego*). **4.** *handl.* paleta.

palletization [ˌpælətə'zeɪʃən], *Br. i Austr. zw.* **palletisation** *n. U handl.* paletyzacja, ładowanie na palety.

palletize ['pælətaɪz], *Br. i Austr. zw.* **palletise** *v. handl.* ładować na palety.

palliasse [pæl'jæs] *n. Br.* = **paillasse**.

palliate ['pælɪˌeɪt] *v.* **1.** *med.* łagodzić bez leczenia przyczyny, usuwać częściowo (*symptomy choroby*), uśmierzać (*ból*). **2.** *prawn.* łagodzić kwalifikację (*przestępstwa, poprzez ukrycie dowodów*). **3.** *form.* łagodzić (*np. natężenie czegoś, sytuację*); stanowić okoliczność łagodzącą dla (*czegoś*).

palliation [ˌpælɪ'eɪʃən] *n. U form.* łagodzenie; uśmierzanie.

palliative ['pælɪˌeɪtɪv] *a. gł. med.* łagodzący, uśmierzający (*o środkach*); paliatywny (*np. o opiece, medycynie*); kojący (*t. przen. o słowach, działaniach*). – *n.* **1.** *med.* paliatyw, środek uśmierzający ból. **2.** *form.* środek łagodzący.

pallid ['pælɪd] *a.* **1.** blady (*np. o cerze*). **2.** *przen.* bezbarwny.

pallium ['pælɪəm] *n. pl.* **-s** *l.* **pallia** ['pælɪə] **1.** *strój hist.* pallium. **2.** *kośc.* paliusz. **3.** *anat.* kora mózgowa z substancją białą. **4.** *zool.* płaszcz (*u mięczaków*).

pall-mall [ˌpæl'mæl] *n. U hist.* gra podobna do krykieta.

pallor ['pælər] *n. sing.* bladość (*nienaturalna*).

pally ['pælɪ] *a. pred. pot.* **be ~ with sb** kumplować się z kimś.

palm[1] [pɑːm] *n.* **1.** dłoń. **2.** piędź. **3.** *żegl.* rękawica (*żeglarska*). **4.** *żegl.* łapa (*kotwicy*). **5.** *przen.* **cross sb's ~ (with silver)** *zob.* **cross** *v.*; **grease sb's ~** *zob.* **grease** *v.*; **have an itching ~** *US pot.* być pazernym (na pieniądze); **have/hold sb in the ~ of one's hand** (*także* **have sb eating out of the ~ of one's hand**) mieć kogoś w ręku (= *pod kontrolą*); **read sb's ~** czytać komuś z ręki. – *v.* **1.** ukrywać w dłoni (*np. o iluzjoniście*). **2.** dotykać dłonią (*zwł. kojąco*). **3. ~ sth off on/onto sb** (*także* **~ sb off with sth**) *pot.* wcisnąć *l.* opchnąć coś komuś.

palm[2] *n.* **1.** *bot.* = **palm tree**. **2.** gałązka palmowa. **3.** *przen.* palma pierwszeństwa; **bear/carry off/yield the ~** dzierżyć/zdobyć/oddać palmę pierwszeństwa.

palmaceous [pæl'meɪʃəs] *a. bot.* palmowy.

palmar ['pælmər] *a. anat.* dłoniowy.

palmary ['pælmərɪ] *a. rzad.* dzierżący palmę pierwszeństwa; zwycięski.

palmate ['pælmeɪt], **palmated** ['pælmeɪtɪd] *a.* **1.** *bot.* dłoniastozłożony, dłoniasty. **2.** *orn.* płetwonogi.

palmcorder ['pɑ:mˌkɔ:rdər] *n.* miniaturowa kamera cyfrowa.

palmer ['pɑ:mər] *n.* **1.** *hist.* pielgrzym (*zwł. powracający z Ziemi Świętej z palmą*). **2.** *hist.* wędrowny mnich.

palmer worm *n. ent.* gąsienica kuprówki rudnicy (*Euproctis chrysorrhoea*).

palmette [pæl'met] *n. sztuka* palmeta (*rodzaj ornamentu*).

palmetto [pæl'metoʊ] *n. pl.* **-s** *l.* **-es** *bot.* **1.** palma sabalowa; **cabbage ~** bocznia palmetto (*Sabal palmetto*). **2.** karłowa palma, karłatka niska (*Chamaerops humilis*).

palmist ['pɑ:mɪst] *n.* chiromant-a/ka.

palmistry ['pɑ:mɪstrɪ] *n. U* chiromancja.

palm oil *n. U* olej palmowy.

palm sugar *n. U* cukier palmowy.

Palm Sunday *n. kośc.* Niedziela Palmowa.

palmtop ['pɑ:mˌtɑ:p] *n. komp.* palmtop, komputer kieszonkowy.

palm tree *n. bot.* drzewo palmowe, palma (*rodzina Palmae*).

palm vaulting *n. bud.* sklepienie krzyżowo-żebrowe.

palmy ['pɑ:mɪ] *a.* **-ier, -iest 1.** zarośnięty palmami; palmowy; palmowaty. **2.** *lit.* pomyślny, dostatni (*np. o życiu*); **~ days** dni prosperity.

palomino [ˌpælə'mi:noʊ], **palamino** *n. pl.* **-s** *zool.* koń izabelowaty, izabel.

palooka [pə'lu:kə] *n. US sl.* patałach (*np. o sportowcu, zwł. o bokserze*).

palp [pælp] *n.* (*także* **palpus**) *zool.* macka, czułek.

palpable ['pælpəbl] *a.* **1.** dotykalny, namacalny. **2.** *przen.* oczywisty, ewidentny.

palpably ['pælpəblɪ] *adv.* **1.** dotykalnie, namacalnie. **2.** *przen.* ewidentnie, w ewidentny *l.* oczywisty sposób.

palpate ['pælpeɪt] *v. med.* badać palpacyjnie, obmacywać.

palpation [pæl'peɪʃən] *n. C/U med.* badanie palpacyjne, obmacywanie.

palpebral ['pælpɪbrəl] *a. anat.* powiekowy.

palpitate ['pælpəˌteɪt] *v.* **1.** *pat.* kołatać (*o sercu*). **2.** drżeć, trząść się (*with sth* z czegoś) (*np. z emocji*).

palpitations [ˌpælpə'teɪʃənz] *n. pl. pat.* palpitacje, kołatanie (*serca*).

palpus ['pælpəs] *n. pl.* **palpi** ['pælpaɪ] = **palp**.

palsgrave ['pɔ:lzgreɪv] *n. hist.* palatyn (*w Niemczech*).

palsgravine ['pɔ:lzgrəˌvi:n] *n. hist.* żona palatyna (*jw.*).

palsied ['pɔ:lzɪd] *a.* dotknięty porażeniem.

palsy ['pɔ:lzɪ] *n. U pat.* porażenie; **cerebral ~** porażenie mózgowe; **shaking/trembling ~** choroba Parkinsona, drżączka poraźna. – *v.* **-ied, -ying** *gł. przen.* paraliżować.

palsy-walsy [ˌpælzɪ'wælzɪ] *a. Br. sl.* za pan brat; **get ~ with sb** kumplować się z kimś.

palter ['pɔ:ltər] *v.* **1.** kręcić (= *zachowywać się l. mówić nieszczerze*). **2.** targować się (*with sb* z kimś, *about sth* o coś).

paltriness ['pɔ:ltrɪnəs] *n. U* lichota, marnota, nędza.

paltry ['pɔ:ltrɪ] *a.* **-ier, -iest** lichy, marny, nędzny.

paludal [pə'lu:dl] *a. rzad.* **1.** bagienny. **2.** *pat.* malaryczny.

paludism [pə'lu:dˌɪzəm] *n. U pat. rzad.* malaria, zimnica.

paly ['peɪlɪ] *a. her.* podzielony na pionowe pasy o przemiennych kolorach.

palynology [ˌpælɪ'nɑ:lədʒɪ] *n. U* palinologia (*dział botaniki*).

pam [pæm] *n. karty* walet treflowy.

pam. *abbr.* = **pamphlet**.

pampas ['pæmpəz] *n. z czasownikiem w liczbie pojedynczej l. mnogiej* **the ~** pampasy.

pampas grass *n. U bot.* trawa pampasowa (*Cortaderia selloana*).

pamper ['pæmpər] *v.* rozpieszczać.

pamph. *n.* = **pamphlet**.

pamphlet ['pæmflət] *n.* broszura, broszurka.

pamphleteer [ˌpæmflə'ti:r] *n.* autor/ka broszur (*zwł. kontrowersyjnych, na tematy polityczne*). – *v.* pisać broszury (*zwł. polityczne*).

Pan [pæn] *n. mit. grecka* Pan.

pan[1] [pæn] *n.* **1.** (*także* **sauce~**) rondel; (*także* **frying ~**) patelnia; (*także* **roasting ~**) brytfanna. **2.** *US* blacha *l.* forma do pieczenia. **3.** szala (*wagi*). **4.** *mech.* panew, panewka. **5.** (*także* **lavatory/toilet ~**) *Br.* muszla (*klozetowa*). **6.** *górn.* płuczka do złota *l.* rudy. **7.** *geol.* dołek osadowy (*w którym zbiera się np. sól*). **8.** *hist., wojsk.* panewka (*broni palnej*). **9.** = **hardan**. **10.** = **brain** *n.* **11.** cienka kra. **12.** *sl.* gęba, facjata. **13.** *przen.* **a flash in the ~** *zob.* **flash** *n.*; **go down the ~** *Br. sl.* pójść na marne. – *v.* **-nn- 1.** *zwł. US* gotować w rondlu. **2.** *pot.* zjechać (= *skrytykować*). **3. ~ for gold** *górn.* wypłukiwać złoto. **4. ~ off/out** *górn.* płukać (*piasek złotonośny*); **~ out** *górn.* dostarczać złota (*o piasku*); *US przen. pot.* potoczyć się (*o wydarzeniach*), rozwinąć się (*o sytuacji*); wyjść, udać się (*np. o próbie*).

pan[2] [pɑ:n] *n.* **1.** *bot.* liść betelu. **2.** *U* mieszanina betelowa (*do żucia*).

pan[3] [pæn] *kino v.* panoramować. – *n.* panorama, ujęcie panoramiczne; **~ and tilt head** głowica uniwersalna; **~ shot** ujęcie z panoramą.

panacea [ˌpænə'sɪə] *n.* panaceum.

panacean [ˌpænə'sɪən] *a.* leczący wszystko.

panache [pə'næʃ] *n.* **1.** *U* polot; szyk. **2.** pióropusz (*na hełmie*).

Pan-African [ˌpæn'æfrɪkən] *a.* panafrykański.

Panama ['pænəmə] *n. geogr.* Panama; **~ Canal** Kanał Panamski.

Panama hat, panama *n.* panama (*typ kapelusza*).

Panamanian [ˌpænəˈmeɪnɪən] *a.* panamski. – *n.* Panam-czyk/ka.

Pan-American [ˌpænəˈmerɪkən] *a.* panamerykański.

panatella [ˌpænəˈtelə], **panatela** *n.* długie cienkie cygaro.

pancake [ˈpænˌkeɪk] *n.* **1.** *kulin. US* racuch (*spożywany np. z syropem klonowym*); *Br.* naleśnik. **2.** *lotn.* = **pancake landing**. **3. (as) flat as a ~** *zob.* **flat**[1] *a.* – *v. lotn.* spaść, klapnąć.

Pancake Day *n. Br. pot.* ostatki.

pancake landing *n. lotn.* lądowanie z przepadnięciem, klapnięcie.

pancake roll *n. Br. kulin.* sajgonka, krokiet wiosenny (*potrawa kuchni orientalnej*).

Panchen Lama [ˌpɑːnˌtʃen ˈlɑːmə] *n. buddyzm* Panczenlama.

panchromatic [ˌpænkroʊˈmætɪk] *a. fot.* panchromatyczny.

pancreas [ˈpænkrɪəs] *n. anat.* trzustka.

pancreatic [ˌpænkrɪˈætɪk] *a. anat., fizj.* trzustkowy.

pancreatin [ˈpænkrɪətən] *n. U biochem.* pankreatyna.

pancreatitis [ˌpænkrɪəˈtaɪtɪs] *n. U pat.* zapalenie trzustki.

panda [ˈpændə] *n. zool.* **1.** (*także* **giant ~**) panda wielka (*Ailuropoda melanoleuca*). **2.** (*także* **lesser/red ~**) panda mała (*Ailurus fulgens*).

Panda car, panda car *n. Br. pot.* samochód policyjny.

Pandean [pænˈdɪən] *a.* **1.** *mit. grecka* dotyczący (bożka) Pana. **2. ~ pipes** = **panpipes**.

pandect [ˈpændekt] *n. często pl.* **1.** *prawn.* kodeks praw. **2.** *hist.* pandekta, pandekty.

pandemic [pænˈdemɪk] *n. pat.* pandemia. – *a.* **1.** *pat.* pandemiczny. **2.** *rzad. przen.* nagminny.

pandemonium [ˌpændəˈmoʊnɪəm] *n. U* pandemonium, harmider.

pander [ˈpændər] *v.* **1. ~ to sb** schlebiać czyimś (prymitywnym) gustom; **~ to sth** folgować czemuś (*czyimś zachciankom, prymitywnym upodobaniom*). **2.** stręczyć, rajfurzyć. – *n.* (*także* **~er**) **1.** organizator/ka prymitywnej rozrywki. **2.** stręczyciel/ka, rajfur/ka.

pandit [ˈpændɪt] *n.* = **pundit** 3.

P & L [ˌpiː ənd ˈel] *abbr.* = **profit and loss**.

Pandora's box [pænˌdɔːrəz ˈbɑːks] *n. mit. l. przen.* puszka Pandory; **open (up) ~** otworzyć puszkę Pandory.

pandore [ˈpænˌdɔːr] *n.* = **bandore**.

pandour [ˈpændʊr] *n. hist.* pandur (= *zbrojny sługa magnata na Bałkanach; żołnierz na Węgrzech i w Austrii w XVII i XVIII w.*).

pandowdy [pænˈdaʊdɪ] *n. pl.* **-ies** *US kulin.* ciasto z jabłkami.

p & p [ˌpiː ənd ˈpiː] *abbr.* **postage and packing** *Br.* pakowanie i wysyłka.

pane [peɪn] *n.* **1.** szyba. **2.** tafla; płyta (*np. drzwi, boazerii*).

panegyric [ˌpænɪˈdʒɪrɪk] *n. form.* panegiryk (*on / upon sb / sth* na cześć kogoś/czegoś).

panegyrical [ˌpænɪˈdʒɪrɪkl] *a.* panegiryczny.

panegyrist [ˌpænɪˈdʒɪrɪst] *n.* panegiryst-a/ka.

panegyrize [ˈpænədʒəˌraɪz], *Br. i Austr. zw.* **panegyrise** *v. form.* opiewać w panegiryku *l.* panegirykach.

panel [ˈpænl] *n.* **1.** panel; tafla, płyta; płycina. **2.** *mot. lotn.* płat blachy; usztywniona część poszycia, płat poszycia. **3.** płat (*materiału*); wstawka, klin (*w odzieży*). **4.** *sztuka* panneau. **5.** (*także* **instrument/control ~**) *techn., el.* tablica rozdzielcza. **6.** duża podłużna fotografia; obrazek na desce. **7.** panel, grupa (*np. ekspertów*); jury (*konkursu*); **~ discussion** dyskusja panelowa (*w łonie wybranej grupy*). **8.** *prawn.* lista sędziów przysięgłych; sędziowie przysięgli. **9.** *Br. med., hist.* lista lekarzy ubezpieczalni; lista uprawnionych do świadczeń chorobowych. **10. on the ~** *Br. pot.* na zasiłku (chorobowym). – *v. Br.* **-ll-** **1.** *często pass.* pokrywać *l.* wykładać panelami *l.* boazerią; **oak-~ed** pokryty dębową boazerią. **2.** *prawn.* dobierać skład (*ławy przysięgłych*).

panel beater *n. mot.* **1.** blacharz. **2.** warsztat blacharski.

panel game *n. Br. radio, telew.* quiz.

panel heating *n. U* ogrzewanie panelowe.

paneling [ˈpænəlɪŋ], *Br.* **panelling** *n.* **1.** boazeria. **2.** pokrycie z płyt; płyty.

panelist [ˈpænəlɪst], *Br.* **panellist** *n.* uczestnik/czka dyskusji panelowej.

panel pin *n.* gwóźdź szklarski.

panel saw *n.* laubzega, włośnica.

panel truck *n. US i Can.* samochód dostawczy, furgonetka.

panel van *n. Austr. i NZ* = **panel truck**.

Pan-European [ˌpænjʊrəˈpiːən] *a.* paneuropejski.

pan-fry [ˈpænˌfraɪ] *v.* **-ied, -ying** smażyć na patelni.

pang [pæŋ] *n.* ukłucie, skurcz, dźgnięcie (*bólu*); **a ~ of jealousy** ukłucie zazdrości; **hunger ~s** skurcze głodowe (żołądka), ssanie w żołądku.

pangolin [ˈpæŋgələn] *n. zool.* łuskowiec (*Pholidota*).

panhandle [ˈpænˌhændl] *n.* **1.** rączka rondla *l.* patelni. **2.** *US* wąski obszar lądu połączony z większym. – *v. US i Can. pot.* żebrać na ulicy (*zaczepiając przechodniów*).

panhandler [ˈpænˌhændlər] *n. US i Can. pot.* żebra-k/czka uliczn-y/a.

Panic [ˈpænɪk] *a. mit. grecka* dotyczący (bożka) Pana.

panic[1] [ˈpænɪk] *n. C / U* panika, popłoch; **get into (a) ~** wpadać w panikę *l.* popłoch; **in (a) ~** w panice *l.* popłochu. – *a. attr.* paniczny. – *v.* **-ck-** **1.** panikować, wpadać w panikę *l.* popłoch. **2.** wzbudzać panikę u *l.* wśród (*kogoś*).

panic[2] *n. U* (*także* **~ grass**) *bot.* proso (*Panicum*).

panic attack *n. pat.* atak paniki, napad lęku.

panic button *n.* **1.** przycisk alarmowy. **2. hit/press/push the ~** *pot.* spanikować.

panic buying *n. U ekon.* kupowanie paniczne.

panicky [ˈpænɪkɪ] *a. pot.* panikarski; spanikowany; **~ feeling** uczucie paniki.

panicle [ˈpænɪkl] *n. bot.* wiecha.

panicmonger [ˈpænɪkˌmɑːŋgər] *n.* panika-rz/rka.

panic stations *n. pl. Br. pot.* kompletna panika; alarm na całej linii.

panic-stricken [ˈpænɪkˌstrɪkən], **panic-struck** *a.* ogarnięty paniką, spanikowany.

Panjabi [pʌnˈdʒɑːbɪ] *n. i a.* = **Punjabi**.

panjandrum [pænˈdʒændrəm] *n. pl.* **-s** *l.* **panjandra** [pænˈdʒændrə] ważna figura, szycha.

panne [pæn] *n. U tk.* lekka tkanina aksamitna.

pannier [ˈpænɪər], **panier** *n.* **1.** sakwa, juk; boczna sakwa (*motocyklowa, rowerowa*). **2.** *strój hist.* turniura.

pannikin [ˈpænəkɪn] *n. Br.* **1.** metalowy kubeczek. **2.** mała patelnia.

panocha [pəˈnoutʃə] *n.* **1.** *U* gruboziarnisty gatunek meksykańskiego cukru. **2.** *US kulin.* ciastko z brązowego cukru, mleka i masła (*zwł. z orzechami*).

panoply [ˈpænəplɪ] *n. U* **1.** *form.* pełen wachlarz, bogaty zbiór (*of sth* czegoś). **2.** *hist.* panoplia, pełny rynsztunek rycerski.

panorama [ˌpænəˈræmə] *n. zw. sing. t. przen.* panorama.

panoramic [ˌpænəˈræmɪk] *a.* panoramiczny.

panpipes [ˈpænˌpaɪps], **Panpipe** *n. muz.* fletnia Pana, multanki.

Pan-Slavic [ˌpænˈslævɪk] *a.* panslawistyczny, wszechsłowiański.

Pan-Slavism [ˌpænˈslɑːvˌɪzəm] *n. U hist.* panslawizm.

pansy [ˈpænsɪ] *n. pl.* **-ies** **1.** *bot.* bratek (*Viola tricolor*). **2.** *przest. pot.* ciota (= *homoseksualista*).

pant [pænt] *v.* **1.** dyszeć, ziajać. **2.** ~ **(out)** wydyszeć, wysapać. **3.** tłuc się (*o sercu*). **4.** ~ **for sth** wzdychać do czegoś; ~ **for revenge** dyszeć pragnieniem zemsty. – *n.* **1.** sapanie, dyszenie. **2.** kołatanie (*serca*).

pantalets [ˌpæntəˈlets], **pantalettes** *n. pl.* **1.** spodenki kolarskie. **2.** *strój hist.* długie majtki kobiece (*noszone w XIX w.*).

pantaloons [ˌpæntəˈluːnz] *n. pl. strój hist.* pantalony (*t. żart. = spodnie, zwł. workowate*).

pantechnicon [pænˈteknəˌkɑːn] *n. Br. przest.* meblowóz.

pantheism [ˈpænθɪˌɪzəm] *n. U fil., rel.* panteizm.

pantheist [ˈpænθɪɪst] *n.* panteist-a/ka.

pantheistic [ˈpænθɪɪstɪk], **pantheistical** [ˈpænθɪɪstɪkl] *a.* panteistyczny.

pantheon [ˈpænθɪɑːn] *n. mit. l. przen.* panteon.

panther [ˈpænθər] *n. zool.* pantera (*Panthera pardus*).

panties [ˈpæntɪz] *n. pl.* (*także Br.* **pants**) figi.

pantihose [ˈpæntɪˌhouz] *n.* = **pantyhose**.

pantile [ˈpænˌtaɪl] *n. bud.* dachówka holenderska, esówka.

panto [ˈpæntou] *n. pot.* = **pantomime**.

pantofle [ˈpæntəfl], **pantoffle** *n. arch.* ranny pantofel.

pantograph [ˈpæntəˌgræf] *n. el.* pantograf.

pantomime [ˈpæntəˌmaɪm] *n. C/U teatr* **1.** pantomima. **2.** *Br.* bajka muzyczna dla dzieci wystawiana w okresie Świąt Bożego Narodzenia.

pantomimic [ˌpæntəˈmɪmɪk] *a.* pantomimiczny.

pantomimist [ˈpæntəˌmaɪmɪst] *n.* mim.

pantothenate [ˌpæntəˈθeneɪt] *n. chem.* pantotenian.

pantothenic acid [ˌpæntəˌθenɪk ˈæsɪd] *n. U fizj., chem.* kwas pantotenowy.

pantry [ˈpæntrɪ] *n. pl.* **-ies** **1.** spiżarnia. **2.** przechowalnia zastawy stołowej (*w hotelu itp.*).

pants [pænts] *n. pl.* **1.** *US i Can.* spodnie. **2.** *Br.* kalesony. **3.** *przen. pot.* **bore/scare the ~ off sb** zanudzić/wystraszyć kogoś na śmierć; **catch sb with their ~ down** zaskoczyć kogoś w najbardziej nieodpowiednim momencie; **do sth by the seat of one's ~** robić coś na wyczucie; **wear the ~** nosić spodnie (= *rządzić w rodzinie; zwł. o kobiecie*).

pantsuit [ˈpæntˌsuːt], **pants suit** *n. US i Can.* kostium ze spodniami (*damski*).

pantyhose [ˈpæntɪˌhouz], **pantihose** *n. pl. US, Austr. i NZ* rajstopy.

pantyliner [ˈpæntɪˌlaɪnər], **panty liner** *n.* wkładka higieniczna (= *cienka podpaska*).

pantywaist [ˈpæntɪˌweɪst] *n. US pot. pog.* maminsynek.

pap[1] [pæp] *n. U* papka (*t. przen. uj. = bezwartościowa lektura itp.*).

pap[2] *n.* **1.** *arch.* brodawka piersiowa; sutek. **2.** stożkowaty wzgórek.

papa *n.* **1.** [ˈpɑːpə] *US dziec.* tata, tatuś. **2.** [pəˈpɑː] *Br. przest. l. form.* papa.

papacy [ˈpeɪpəsɪ] *n.* **1.** *U* papiestwo. **2.** *pl.* **-ies** pontyfikat.

papal [ˈpeɪpl] *a.* papieski.

paparazzi [ˌpɑːpəˈrɑːtsiː] *n. pl.* paparazzi.

papaveraceous [pəˌpævəˈreɪʃəs] *a. bot.* makowaty (*z rodziny Papaveraceae*).

papaverin [pəˈpævəˌriːn], **papaverine** *n. U med., chem.* papaweryna.

papaw [ˈpɔːpɔː], **pawpaw** *n. bot.* **1.** urodlin trzylatowy, pawpaw (*Asimina/Annona triloba*). **2.** = **papaya**.

papaya [pəˈpaɪə] *n. bot.* **1.** melonowiec właściwy (*Carica papaya*). **2.** papaja (*owoc drzewa jw.*).

paper [ˈpeɪpər] *n.* **1.** *U* papier; **a piece/sheet of ~** kartka *l.* kawałek papieru; **copying/handmade ~** papier przebitkowy/czerpany; **on ~** na papierze (*t. przen. = w teorii*); **tracing ~** kalka techniczna. **2.** kartka *l.* kawałek papieru; *handl.* weksel; *fin.* papier wartościowy; walor, banknot. **3.** *pl.* papiery (*dokumenty*). **4.** referat (*naukowy*); **give/publish a ~ on sth** wygłosić/opublikować referat na jakiś temat. **5.** *szkoln., uniw.* wypracowanie; (*także* **exam ~**) egzamin (*pisemny*); **biology/German ~** egzamin z biologii/niemieckiego. **6.** (*także* **news~**) gazeta. **7.** *U* (*także* **wall~**) tapeta. **8.** *polit.* dokument rządowy; **Command/Green ~P** *Br.* propozycja rządowa (*przedstawiona parlamentowi*); **White P~** *Br., Can., Austr. i NZ* biała księga (= *oficjalny raport rządowy*). **9.** *przen.* **commit sth to ~** przelać coś na papier;

put/set pen to ~ *zob.* **pen** *n.*; **send in one's ~s** zrezygnować. – *v.* **1.** owijać w papier; pokrywać papierem. **2.** tapetować. **3.** **~ the house** *teatr sl.* zapełnić teatr poprzez rozdawanie bezpłatnych biletów. **4.** *przen.* **~ over** maskować, tuszować (*np. problemy, różnice poglądów*); **~ over the cracks** udawać, że nie ma problemu. – *attr.* **1.** papierowy, z papieru. **2.** istniejący tylko na papierze (*np. o umowie, porozumieniu*).

paper advance *n. U komp.* przesuw papieru.

paperback ['peɪpərˌbæk] *n.* książka w miękkiej okładce.

paper bag *n.* torebka papierowa.

paper birch *n. bot.* brzoza papierowa (*Betula papyrifera*).

paperboard ['peɪpərˌbɔːrd] *n. U* tektura, karton; **~ box** karton (= *pudło kartonowe*).

paperboy ['peɪpərˌbɔɪ] *n.* gazeciarz.

paper chase *n.* podchody (*z trasą znakowaną kawałkami papieru*).

paperclip ['peɪpərˌklɪp], **paper clip** *n.* spinacz.

paper cutter *n.* gilotyna do cięcia papieru.

paper feeder *n. techn.* podajnik do papieru.

paperhanger ['peɪpərˌhæŋər], **paper hanger** *n.* **1.** tapeciarz. **2.** *US sl.* fałszerz czeków.

paperhangings ['peɪpərˌhæŋɪŋz] *n. pl. rzad.* tapety.

paper hornet *n.* = **paper wasp**.

paper jam *n. t. komp.* zacięcie się (drukarki *l.* fotokopiarki) przez wkręcenie się papieru.

paper knife, paperknife *n.* nóż do papieru.

paper mill *n.* papiernia.

paper money *n. U ekon.* pieniądz papierowy.

paper mulberry *n. pl.* **-ies** *bot.* morwa papierowa, papierówka chińska (*Broussonetia / Morus / Papyrius papyrifera*).

paper profit *n. fin.* zysk wytworzony, ale (jeszcze) nie zrealizowany.

paper punch *n.* dziurkacz (*do papieru*).

paper pusher *n. pot.* urzędas, urzędniczyna.

paper round *n. Br.* = **paper route**.

paper route *n. US* roznoszenie *l.* rozwożenie gazet (*zw. przez młodzież*); **do a ~** roznosić *l.* rozwozić gazety.

paper-thin [ˌpeɪpər'θɪn] *a.* cieniutki, cieniusieńki.

paper tiger *n. przen.* papierowy tygrys.

paper trail *n. prawn.* materiał dowodowy w postaci dokumentów, zapisków etc.

paper wasp *n.* (*także* **paper hornet**) *ent.* **1.** owad z rodziny osowatych (*Vespidae*). **2.** szerszeń (*Vespa crabro*).

paperweight ['peɪpərˌweɪt], **paper weight** *n.* przycisk do papieru.

paperwork ['peɪpərˌwɝːk], **paper work** *n. U* papierkowa robota.

papery ['peɪpərɪ] *a.* jak papier, podobny do papieru.

papier-mâché [ˌpeɪpərmə'ʃeɪ] *n. U* modelowana *l.* tłoczona masa papierowa, papier-mâché.

papilionaceous [pəˌpɪlɪə'neɪʃəs] *a. bot.* motylkowaty (*z rodziny Papilionaceae*).

papilla [pə'pɪlə] *n. pl.* **papillae** [pə'pɪliː] *anat., bot.* brodawka.

papillary ['pæpəˌlerɪ] *a.* brodawkowy, brodawkowaty.

papilloma [ˌpæpə'loʊmə] *n. pl.* **-s** *l.* **-ta** [ˌpæpə'loʊmətə] *pat.* brodawczak.

papillote ['pæpəˌloʊt] *n.* **en ~** *kulin.* pieczony w folii *l.* papierze.

papist ['peɪpɪst] *n. hist. obelż.* papist-a/ka (= *katoli-k / czka*).

papistic [pə'pɪstɪk], **papistical** [pə'pɪstɪkl] *a.* papistyczny.

papistry ['peɪpɪstrɪ] *n. U* doktryna *l.* praktyka papieska.

papoose [pæ'puːs], **pappoose** *n.* **1.** nosidełko (*do noszenia niemowlęcia na plecach*). **2.** *US arch.* indiańskie dziecko.

pappus ['pæpəs] *n. pl.* **pappi** *bot.* puch kielichowy.

pappy[1] ['pæpɪ] *a.* **-ier, -iest** papkowaty.

pappy[2] *n. pl.* **-ies** *US dial. przest.* tatuś.

paprika [pə'priːkə] *n. U* papryka (*przyprawa*).

Pap test ['pæp ˌtest] *n.* (*także* **Pap smear**) *med.* wymaz z szyjki macicy, badanie cytologiczne.

Papuan ['pæpʊən] *a.* papuaski. – *n.* Papuas/ka.

Papua New Guinea [ˌpæpʊə ˌnuː 'gɪnɪ] *n.* (*także* **PNG**) *geogr.* Papua Nowa Gwinea.

papula ['pæpjələ], **papule** *n. pat.* grudka.

papyraceous [ˌpæpə'reɪʃəs] *a. rzad.* papierowy, przypominający papier.

papyrus [pə'paɪrəs] *n. C / U pl.* **-es** *l.* **papyri** [pə'paɪraɪ] papirus (*roślina, materiał piśmienniczy l. rękopis*).

par [pɑːr] *n. U l. sing.* **1.** *ekon.* parytet; **~ of exchange** kurs wymienny dewiz. **2.** *handl.* stosunek wartości nominalnej do rynkowej; **at ~** al pari; **below ~** poniżej pari; **face/nominal ~** wartość nominalna. **3.** *golf* (*także* **~ for the course**) norma (= *przeciętna liczba uderzeń do zaliczenia dołka l. rundy*); **that hole is a ~ two** ten dołek robi się w dwóch uderzeniach. **4.** *przen.* **below/under ~** (*także* **not up to ~**) poniżej przeciętnej, poniżej (zwykłego) poziomu; **be below/under ~** być nie w formie, nie czuć się najlepiej; **be on a ~ with sth** stać na równi z czymś; **it is/was ~ for the course** należało się tego spodziewać; **up to ~** na przyzwoitym poziomie. – *a. gł. attr.* **1.** przeciętny, normalny. **2.** *ekon.* parytetowy.

par. *abbr.* **1.** = **paragraph**. **2.** = **parallel**. **3.** = **parenthesis**. **4.** = **parish**.

para ['perə] *n. pot.* **1.** = **paratrooper**. **2.** = **paragraph**.

parable ['perəbl] *n. t. Bibl.* przypowieść, parabola.

parabola [pə'ræbələ] *n. geom.* parabola.

parabolic [ˌperə'bɑːlɪk] *a.* **1.** *geom.* paraboliczny. **2.** (*także* **~al**) paraboliczny, typowy dla przypowieści.

paraboloid [pə'ræbəˌlɔɪd] *n. geom.* paraboloida.

paracetamol [ˌperə'siːtəˌmɑːl] *n. C / U Br. i Austr. med.* paracetamol.

parachute ['perəˌʃuːt] *n.* **1.** *lotn.* spadochron; **chest pack ~** piersiowy spadochron zapasowy; **extraction ~** pilocik, spadochron wyciągający; **free-fall ~** spadochron wyczynowy. **2.** *zool.* fałd skórny służący za spadochron. – *v.* **1.** zrzucać na spadochronie. **2.** *lotn.* zeskakiwać na spadochronie; **delayed drop parachuting** skoki z opóźnionym otwarciem spadochronu.

parachute deployment height *n. lotn.* wysokość otwarcia spadochronu.

parachute rigger *n. lotn.* układacz spadochronów.

parachutist ['perəˌʃu:tɪst] *n.* spadochronia-rz/rka.

parade [pə'reɪd] *n.* **1.** *wojsk.* parada; defilada; **be on ~** brać udział w defiladzie. **2.** pochód; **May Day ~** pochód pierwszomajowy. **3.** rewia; **fashion ~** rewia mody. **4.** *wojsk.* = **parade ground**. **5.** *szerm.* parada, zasłona. **6.** *Br. i Austr.* (*często w nazwach ulic*) deptak, promenada (*zwł. ze sklepikami po obu stronach*). **7.** *przen.* **a ~ of force** popis *l.* demonstracja siły; **on ~** na widoku publicznym; **make a ~ of sth** popisywać się czymś, obnosić się z czymś. – *v.* **1.** *wojsk.* defilować, paradować. **2.** *wojsk.* przeprowadzać (*defilujących żołnierzy przed obserwatorami*). **3.** paradować (dumnie) po (*ulicach itp.*). **4.** obnosić *l.* afiszować się z (*nowym nabytkiem itp.*). **5. ~ sb in front of sb** *policja* konfrontować kogoś z kimś (*podejrzanych z osobą poszkodowaną*).

parade ground *n. wojsk.* plac defiladowy.

paradigm ['perədaɪm] *n. t. gram., fil.* paradygmat.

paradigmatic [ˌperədɪg'mætɪk] *a.* paradygmatyczny.

paradigmatically [ˌperədɪg'mætɪklɪ] *adv.* paradygmatycznie.

paradisaical [ˌperədɪ'seɪəkl] *a.* = **paradisiac**.

paradise ['perədaɪs] *n. U* **1.** (*także* **P~**) *Bibl. l. przen.* raj. **2.** *rzad.* zwierzyniec, ogród zoologiczny. **3. fool's ~** *zob.* **fool**.

paradisiac [ˌperə'dɪsɪˌæk] *a.* (*także* **~al**) rajski.

parados ['perəˌdɑ:s] *n. fortyfikacje* zaplecze.

paradox ['perəˌdɑ:ks] *n. C/U* paradoks.

paradoxical [ˌperə'dɑ:ksɪkl] *a.* paradoksalny.

paradoxically [ˌperə'dɑ:ksɪklɪ] *adv.* paradoksalnie.

paradrop ['perəˌdrɑ:p] *n. lotn.* zrzut (*ładunku na spadochronie*).

paraesthesia [ˌperes'θi:ʒə] *n.* = **paresthesia**.

paraffin ['perəfɪn], **paraffine** *n. U* **1.** (*także* **~ wax**) *min.* parafina, wosk ziemny. **2.** (*także* **~ oil**) *Br.* nafta. **3.** = **liquid paraffin**.

paragenesis [ˌperə'dʒenəsɪs] *n. U geol.* parageneza.

paragoge [ˌperə'goʊdʒɪ] *n. jęz.* paragoga (= *dodanie dźwięku l. sylaby na końcu wyrazu*).

paragon ['perəˌgɑ:n] *n.* **1.** ideał, niedościgniony wzór (*of sth* czegoś) (*np. cnót, uczciwości*). **2.** *druk.* dwugarmond (= *20 punktów*).

paragraph ['perəˌgræf] *n.* **1.** akapit; ustęp. **2.** *dzienn.* notatka (*w gazecie*). – *v.* dzielić na akapity.

Paraguay ['perəˌgwaɪ] *n. geogr.* Paragwaj.

Paraguayan [ˌperə'gwaɪən] *a.* paragwajski. – *n.* Paragwaj-czyk/ka.

Paraguay tea *n. U* (yerba) mate.

parainfluenza [ˌperəˌɪnflu'enzə] *n. U pat.* paragrypa, grypa rzekoma.

parakeet ['perəˌki:t] *n. zool.* papużka (*zwł. długoogonowa*).

paralegal [ˌperə'li:gl] *n. US* praktykant/ka adwokack-i/a.

parallactic [ˌperə'læktɪk] *a. opt., astron.* paralaktyczny.

parallax ['perəˌlæks] *n. opt., astron.* paralaksa.

parallel ['perəˌlel] *a.* **1.** *geom., komp.* równoległy (*to/with sth* do czegoś). **2.** *form.* paralelny; zbliżony, podobny. – *n.* **1.** *geom.* równoległa. **2.** paralela, podobieństwo (*with/between sth* z/pomiędzy czymś); odpowiednik; **draw a ~ between X and Y** przeprowadzić paralelę pomiędzy X i Y; **have no ~** (*także* **be without ~**) nie mieć sobie równych. **3.** *geogr., kartogr.* = **parallel of latitude**. **4.** *druk.* odnośnik (//). **5. (be) in ~** *el.* (być połączonym) równolegle; **in ~ with sth** *przen.* równolegle z czymś (= *równocześnie*). – *adv.* równolegle; **run ~ to/with sth** przebiegać *l.* biec równolegle do czegoś; *przen.* występować równolegle z czymś. – *v. Br.* **-ll- 1.** być równoległym do (*czegoś*). **2.** *form.* dorównywać (*czemuś*); stanowić odpowiednik (*czegoś*). **3.** znaleźć paralelę *l.* odpowiednik dla (*czegoś*). **4.** porównywać, zestawiać (*sth with sth* coś z czymś).

parallel bars *n. pl. sport* drążki.

parallelepiped [ˌperəˌlelə'paɪped], **parallelopiped** *n. geom.* równoległościan.

parallelism ['perəlelˌɪzəm] *n. U* **1.** *fil., gram.* paralelizm. **2.** równoległość. **3.** *C* podobieństwo.

parallel of latitude *n. geogr., kartogr.* równoleżnik.

parallelogram [ˌperə'leləˌgræm] *n. geom.* równoległobok.

parallel processing *n. U komp.* przetwarzanie równoległe *l.* współbieżne, wieloprzetwarzanie.

paralogism [pə'ræləˌdʒɪzəm] *n. log., psych.* paralogizm, paralogia.

Paralympic [ˌperə'lɪmpɪk] *a. sport* paraolimpijski.

Paralympic Games *n. pl.* (*także* **the Paralympics**) *sport* Igrzyska Paraolimpijskie.

paralyse ['perəˌlaɪz] *v. Br. i Austr.* = **paralyze**.

paralysis [pə'ræləsɪs] *n. C/U pl.* **paralyses** [pə'ræləsi:s] *pat.* paraliż (*t. przen.*), porażenie.

paralysis agitans *n. U pat.* choroba Parkinsona.

paralytic [ˌperə'lɪtɪk] *a.* **1.** *attr. pat.* sparaliżowany; paralityczny. **2.** *pred. Br. pot.* zalany w trupa (= *pijany*). – *n. obelż.* parality-k/czka.

paralyze ['perəlaɪz], *Br. i Austr.* **paralyse** *v. pat.* paraliżować (*t. przen.*), porażać; **~d from the waist down** sparaliżowany od pasa w dół; **~d with/by fear** *przen.* sparaliżowany ze strachu.

paralyzer ['perəlaɪzər] *n.* paralizator (= *urządzenie obezwładniające prądem*).

paramatta [ˌperə'mætə], **parramatta** *n. U tk.* lekka tkanina wełniana, dawniej z dodatkiem bawełny *l.* jedwabiu.

paramecium [ˌperə'mi:sɪəm] *n. pl.* **-s** *l.* **paramecia** [ˌperə'mi:sɪə] *zool.* rzęsiniczka (*Paramecium*).

paramedic [ˌperə'medɪk] *n.* felczer/ka; sanitariusz/ka (*zwł. w obsłudze karetki pogotowia*).

parameter [pə'ræmɪtər] *n. zw. pl. t. mat., stat.* parametr; **lay down/set/establish ~s** wyznaczyć *l.* ustalić parametry.

parametric [ˌperə'metrɪk] *a. mat., el.* parametryczny.

parametrium [ˌperə'mi:trɪəm] *n. pl.* **parametria** [ˌperə'mi:trɪə] *anat.* przymacicze.

paramilitary [ˌperə'mɪlɪˌterɪ] *a. gł. attr.* paramilitarny. – *n. pl.* **-ies 1.** członek formacji paramilitarnej. **2.** formacja paramilitarna.

paramnesia [ˌperæm'ni:ʒə] *n. U pat.* paramnezja (= *zniekształcone odtwarzanie wspomnień*).

paramo ['perəˌmoʊ] *n. pl.* **-s** *geogr.* bezdrzewny płaskowyż w Andach.

paramorph ['perəˌmɔ:rf] *n. min.* minerał paramorficzny.

paramorphine [ˌperə'mɔ:rfi:n] *n. U chem., med.* tebaina.

paramorphism [ˌperə'mɔ:rˌfɪzəm] *n. U min.* paramorfizm.

paramount ['perəˌmaʊnt] *a. form.* najważniejszy; **of ~ importance** pierwszorzędnej *l.* najwyższej wagi, o kapitalnym znaczeniu. – *n. rzad.* najwyższy władca.

paramountcy ['perəˌmaʊntsɪ] *n. U* znaczenie, doniosłość.

paramour ['perəˌmɔ:r] *n. arch. l. lit.* kochan-ek/ka.

parang ['pɑ:ræŋ] *n.* ciężki nóż malajski.

paranoia [ˌperə'nɔɪə] *n. C/U pat. l. przen.* paranoja.

paranoiac [ˌperə'nɔɪæk] *a.* paranoiczny. – *n.* paranoi-k/czka.

paranoid ['perənɔɪd] *a.* **1.** paranoidalny. **2. be ~** mieć paranoję (*about sth* na jakimś punkcie). – *n.* paranoi-k/czka.

paranormal [ˌperə'nɔ:rml] *a.* paranormalny. – *n. U* **the ~** zjawiska paranormalne.

paraparesis [ˌperəpə'ri:sɪs] *n. U pat.* niedowład kończyn dolnych.

parapet ['perəpɪt] *n.* **1.** *bud.* gzyms; murek; bariera, balustrada, banda. **2.** *fortyfikacje* parapet, przedpiersie.

paraph ['perəf] *n. gł. hist.* zakrętas, zawijas (*przy podpisie, mający zapobiegać fałszerstwu*).

paraphernalia [ˌperəfər'neɪlɪə] *n. pl.* **1.** akcesoria, przybory, rekwizyty. **2.** *hist., prawn.* rzeczy stanowiące osobistą własność mężatki.

paraphrase ['perəˌfreɪs] *n.* parafraza. – *v.* parafrazować.

paraplegia [ˌperə'pli:dʒə] *n. U pat.* paraplegia, porażenie kończyn dolnych.

paraplegic [ˌperə'pli:dʒɪk] *a. pat.* dotyczący porażenia kończyn dolnych. – *n.* chor-y/a z porażeniem kończyn dolnych.

paraprofessional [ˌperəprə'feʃənl] *n.* asystent/ka prawnika, lekarza *l.* nauczyciela.

parapsychologist [ˌperəsaɪ'kɑ:lədʒɪst] *n.* parapsycholo-g/żka.

parapsychology [ˌperəsaɪ'kɑ:lədʒɪ] *n. U* parapsychologia.

paraquat ['perəˌkwɑ:t], **Paraquat** *n. U* silny środek chwastobójczy.

paraselene [ˌperəsɪ'li:ni:] *n. pl.* **paraselenae** [ˌperəsɪ'li:ni:] *astron. meteor.* księżyc pozorny, halo przyksiężycowe.

parasexual [ˌperə'sekʃʊəl] *a. biol.* paraseksualny, o rozmnażaniu.

parasite ['perəˌsaɪt] *n. biol. l. przen.* pasożyt.

parasitic [ˌperə'sɪtɪk] *a.* (*także* **~al**) pasożytniczy.

parasitic drag *n. U lotn.* opór szkodliwy.

parasiticide [ˌperə'sɪtɪˌsaɪd] *a.* tępiący pasożyty. – *n.* środek przeciwko pasożytom.

parasitism [ˌperə'saɪtˌɪzəm] *n. U* **1.** pasożytnictwo. **2.** *wet.* = **parasitosis**.

parasitology [ˌperəsaɪ'tɑ:lədʒɪ] *n. U med.* parazytologia.

parasitosis [ˌperəsaɪ'toʊsɪs] *n. C/U pl.* **parasitoses** [ˌperəsaɪ'toʊsi:s] *wet.* zasiedlenie przez pasożyty.

parasol ['perəˌsɔ:l] *n.* parasolka (*przeciwsłoneczna*).

parasol mushroom *n. bot.* czubajka (*Lepiota*).

parasympathetic [ˌperəˌsɪmpə'θetɪk] *a. anat.* przywspółczulny.

parasympathetic nervous system *n. anat.* układ nerwowy przywspółczulny.

paratactic [ˌperə'tæktɪk] *a. gram.* parataktyczny.

parataxis [ˌperə'tæksɪs] *n. gram.* parataksa.

parathyroid [ˌperə'θaɪrɔɪd] *n. anat.* przytarczyca, gruczoł przytarczyczny.

paratrooper ['perəˌtru:pər] *n. wojsk.* spadochroniarz.

paratroops ['perəˌtru:ps] *n. pl. wojsk.* wojska spadochronowe; jednostki spadochronowe.

paratyphoid [ˌperə'taɪfɔɪd] *n. U pat.* paradur, dur rzekomy.

parboil ['pɑ:rˌbɔɪl] *v. kulin.* podgotowywać (*np. ryż*).

parbuckle ['pɑ:rˌbʌkl] *n.* lina do podnoszenia i opuszczania beczek, kłód itp.

parcel ['pɑ:rsl] *n.* **1.** *zwł. Br.* paczka; **food ~** paczka żywnościowa. **2.** *zwł. US* parcela, działka. **3.** *handl.* partia (*towaru*). **4.** *arch. l. lit.* grupa, grono; **a ~ of friends** grono przyjaciół. **5. be part and ~ of sth** *przen.* stanowić nieodłączną część czegoś. – *v. Br.* **-ll- 1. ~ (out)** rozdzielać; rozparcelowywać. **2.** (*także Br.* **~ up**) pakować w paczkę; robić paczkę z (*czegoś*). **3.** *żegl.* pokrywać paskami smołowanego płótna (*liny*). – *adv. arch.* częściowo.

parcel bomb *n. Br.* przesyłka zawierająca ładunek wybuchowy.

parcel-gilt ['pɑ:rslˌgɪlt] *a.* złocony od wewnątrz (*o naczyniach, sztućcach*).

parcel post *n. US poczta* **1.** dział paczek; **send sth by ~** wysłać coś jako paczkę. **2.** przesyłki o wadze powyżej 1 funta.

parcenary ['pɑ:rsəˌnerɪ] *n. U prawn.* współdziedziczenie; współwłasność.

parcener ['pɑ:rsɪnər] *n. prawn.* współdziedziczący-y/a; współwłaściciel/ka.

parch [pɑ:rtʃ] *v.* **1.** wysuszać (się). **2.** prażyć (*np. groch, zboże*). **3.** wywoływać szalone pragnienie u (*kogoś*). **4.** cierpieć z gorąca *l.* pragnienia.

parched [pɑːrtʃt] *a.* **1.** spieczony (*o ustach*); wysuszony (*o skórze*); wyschnięty, spalony słońcem (*o glebie*). **2. I'm ~** *pot.* całkiem zaschło mi w gardle, strasznie chce mi się pić.

parcheesi [pɑːr'tʃiːzɪ], **Parcheesi** *n. U US* chińczyk (*gra planszowa*).

parchment ['pɑːrtʃmənt] *n.* **1.** *U* pergamin. **2.** *U* (*także* **~ paper**) papier pergaminowy. **3.** pergamin (*dokument*).

pard[1] [pɑːrd] *n. arch.* lampart; pantera.

pard[2] *n.* = **pardner**.

pardner ['pɑːrdnər] *n. voc. US sl.* przyjacielu.

pardon ['pɑːrdən] *n.* **1.** *prawn.* ułaskawienie; **grant/give sb a ~** ułaskawić kogoś. **2.** *rz.-kat.* odpust. **3.** *U przest.* przebaczenie; **ask/beg sb's ~** prosić kogoś o przebaczenie (*for sth* za coś). **4. (I) beg your ~** przepraszam (*np. pomyliwszy się, nastąpiwszy komuś na nogę*); słucham? (*prosząc o powtórzenie*); co proszę? (*niedowierzająco*); o przepraszam, wypraszam sobie (*z oburzeniem*). – *v.* **1.** *prawn.* ułaskawić. **2.** *przest.* przebaczyć, wybaczyć, darować (*komuś*); **sb may be ~ed for doing sth** można komuś wybaczyć *l.* darować zrobienie czegoś (= *można zrozumieć*). **3. ~!** (*także US* **~ me!**) *pot.* słucham?; **~ me!** *pot.* przepraszam (bardzo)! (*US t. np. zaczepiając kogoś na ulicy*); **~ me for breathing/existing/living** *pot. iron.* przepraszam, że żyję; **~ my French** *żart.* przepraszam za wyrażenie; **~ my interference** przepraszam, że się wtrącam; **if you'll ~ the expression** przepraszam za wyrażenie.

pardonable ['pɑːrdənəbl] *a.* wybaczalny.

pardonably ['pɑːrdənəblɪ] *adv.* wybaczalnie.

pardoner ['pɑːrdənər] *n. hist., kośc.* osoba mająca prawo udzielania odpustów.

pare [per] *v.* **1.** obcinać (*zwł. paznokcie*). **2.** obierać (*np. owoce*); okrawać (*np. placek*). **3.** *przen.* obcinać, redukować (*np. wydatki*). **4. ~ away/off** obcinać (*np. brzegi*); **~ away/down** *przen.* obcinać po trochu, ograniczać stopniowo (*np. zaangażowanie, wydatki*); **~ sth down to the bone** *przen.* obciąć *l.* zredukować coś maksymalnie, ograniczyć coś do minimum.

paregoric [ˌperə'gɔːrɪk] *n. hist., med.* **1.** lek uspokajający. **2.** wyciąg z opium (*wstrzymujący biegunkę i kaszel*).

parenchyma [pə'reŋkɪmə] *n. U anat., bot.* miąższ.

parenchymatous [ˌperɪn'kɪmətəs] *a. anat., bot.* miąższowy.

parent ['perənt] *n.* **1.** rodzic. **2.** opiekun/ka (*mający uprawnienia rodzica*). **3.** *rzad.* protoplast-a/ka, antenat/ka. – *a. attr. biol., chem., fiz.* macierzysty.

parentage ['perəntɪdʒ] *n. U* **1.** pochodzenie, parantela; **of unknown ~** nieznanego pochodzenia; (z) nieznanych rodziców (*o dziecku*). **2.** *rzad.* = **parenthood**.

parental [pə'rentl] *a.* rodzicielski.

parental guidance *n. U* = **PG** 1.

parental leave *n. U* urlop wychowawczy.

parent company *n. pl.* **-ies** *ekon.* firma macierzysta.

parenteral [pæ'rentərəl] *a. med.* pozajelitowy.

parenterally [pæ'rentərəlɪ] *adv. med.* pozajelitowo (*podawać leki, odżywiać*).

parenthesis [pə'renθɪsɪs] *n. pl.* **parentheses** [pə'renθɪsiːs] nawias (*t. = wtrącone zdanie l. słowo*); **in ~** w nawiasie.

parenthesize [pə'renθɪˌsaɪz], *Br. i Austr. zw.* **parenthesise** *v.* **1.** dawać w nawias, umieszczać w nawiasie *l.* nawiasach. **2.** wtrącać. **3. ~ sth with sth** przeplatać coś czymś.

parenthetical [ˌperən'θetɪkl], **parenthetic** [ˌperən'θetɪk] *a. form.* **1.** wtrącony, w nawiasie, na marginesie (*o uwadze*). **2.** wzięty w nawias.

parenthetically [ˌperən'θetɪklɪ] *adv. form.* w nawiasie, na marginesie; nawiasem.

parenthood ['perəntˌhud] *n. U* rodzicielstwo, bycie rodzicem.

parenting ['perəntɪŋ] *n. U* wychowywanie (dzieci).

parent metal *n. metal.* metal rodzimy.

parent's evening ['perənts ˌiːvnɪŋ] *n. szkoln.* wywiadówka.

Parent-Teacher Association *n.* (*także* **PTA**) *szkoln.* komitet rodzicielski.

Parent-Teacher Organization *n.* (*także* **PTO**) *zwł. US szkoln.* komitet rodzicielski.

paresis [pə'riːsɪs] *n. U pat.* niedowład, pareza; porażenie postępujące.

paresthesia [ˌperɪs'θiːʒə], *Br.* **paraesthesia** *n. pat.* parestezja (= *samoistnie występujące wrażenie czuciowe*).

par excellence [ˌpɑːr ˌeksə'lɑːns] *a. tylko po n.* par excellence, w całym tego słowa znaczeniu.

parfait [pɑːr'feɪ] *n. U US kulin.* puchar lodowy.

parget ['pɑːrdʒət] *n. U* (*także* **~ing**) *bud.* tynk (*odciskany*). – *v.* tynkować.

parhelion [pɑːr'hiːlɪən] *n. astron.* pozorne słońce, halo przysłoneczne.

pariah [pə'raɪə] *n.* parias.

Parian ['perɪən] *n. U* biskwit (*rodzaj delikatnej białej porcelany*).

parietal [pə'raɪətl] *a.* **1.** *anat.* ścienny. **2.** *anat.* ciemieniowy. **3.** *bot.* przyczepiony do ścianki (*zalążni*). **4.** *US uniw.* sprawujący nadzór nad porządkiem w budynkach college'u.

pari-mutuel [ˌperɪ'mjuːtʃʊəl] *n. wyścigi konne* **1.** *U* dzielenie wygranej na równe części. **2.** *pl.* **-s** *l.* **paris-mutuel** urządzenie do rejestrowania stawek.

parings ['perɪŋz] *n. pl.* obrzynki, okrawki; obierki.

pari passu [ˌpɑːrɪ 'pɑːsuː] *adv. lit.* równym krokiem, w równym tempie.

Paris ['perɪs] *n. geogr.* Paryż.

Paris green *n. U chem.* zieleń paryska *l.* szwajnfurcka.

parish ['perɪʃ] *n.* **1.** *kośc.* parafia (*t. = wierni danej parafii*). **2.** *US admin.* odpowiednik hrabstwa w Luizjanie.

parish clerk *n. Br. kośc.* świecki asystent księdza (*w kościele anglikańskim*).

parish council *n. Br. kośc.* rada parafialna.

parishioner [pə'rɪʃənər] *n. kośc.* parafian-in/ka.

parish pump *a. attr. Br. przest.* zaściankowy, prowincjonalny.

parish register *n. Br. kośc.* księgi parafialne.

Parisian [pəˈrɪʒən] *a.* paryski. – *n.* paryżanin/ka.

parity¹ [ˈperətɪ] *n. U* **1.** *form.* równość (*with sb / sth* z kimś/czymś). **2.** *fin.* parytet. **3.** *komp. fiz.* parzystość; ~ **bit/check/error** *komp.* bit/test/błąd parzystości.

parity² *n. U* **1.** poród. **2.** liczba potomstwa.

park [pɑːrk] *n.* **1.** park. **2.** wydzielony teren (*miejski*); **amusement** ~ wesołe miasteczko; **industrial** ~ tereny przemysłowe; (*także Br.* **car** ~) parking. **3.** *sport US i Can.* stadion, boisko (*do baseballa*); **the** ~ *Br. pot.* boisko piłkarskie. – *v.* **1.** parkować (*samochód*). **2.** *pot.* zostawić, postawić, położyć; ~ **your shoes here** zostaw buty tutaj. **3.** ~ **o.s.** *pot.* usadowić się.

parka [ˈpɑːrkə] *n.* parka (= *ciepła kurtka z kapturem*).

parking [ˈpɑːrkɪŋ] *n. U* **1.** parkowanie; **no** ~ zakaz parkowania (*napis*). **2.** miejsce do parkowania.

parking light *n. US, Can. i Austr. mot.* światło postojowe.

parking lot *n. US i Can.* parking.

parking meter *n. mot.* automat parkingowy, parkomat.

parking ticket *n.* mandat za nieprzepisowe parkowanie.

Parkinson's disease [ˈpɑːrkɪnsənz dɪˌziːz] *n. U pat.* choroba Parkinsona.

Parkinson's Law [ˈpɑːrkɪnsənz ˌlɔː] *n. żart.* prawo Parkinsona (*głoszące, że praca wydłuża się tak, aby zająć cały przeznaczony na nią czas*).

park keeper *n. Br.* dozorca parkowy.

park ranger *n. US* = **ranger**.

parkway [ˈpɑːrkˌweɪ] *n. US* aleja.

parky [ˈpɑːrkɪ] *a. gł. pred.* **-ier, -iest** *Br. pot.* chłodnawy (*o pogodzie*).

parlance [ˈpɑːrləns] *n.* **1.** *U form.* język, mowa; **in common** ~ mówiąc prostym językiem; **in medical/political** ~ w języku medycznym/polityki. **2.** *przest.* debata, konferencja.

parlay [ˈpɑːrlɪ] *US i Can. v.* **1.** podwajać stawkę. **2.** ~ **sth into sth** *przen.* obrócić coś w coś (= *wykorzystać do osiągnięcia czegoś*). – *n.* podwojenie stawki.

parley [ˈpɑːrlɪ] *przest. n.* pertraktacje, rokowania. – *v.* pertraktować, prowadzić rokowania.

parliament [ˈpɑːrləmənt], **Parliament** *n. C/U polit.* parlament, zgromadzenie ustawodawcze.

parliamentarian [ˌpɑːrləmenˈterɪən] *n.* **1.** parlamentarzyst-a/ka, pos-eł/łanka. **2.** specjalist-a/ka z zakresu procedur parlamentarnych. **3.** **P~** *Br. hist.* zwolennik parlamentu w wojnie domowej w XVII w.

parliamentarism [ˌpɑːrləˈmentəˌrɪzəm] *n. U* parlamentaryzm.

parliamentary [ˌpɑːrləˈmentərɪ] *a.* parlamentarny.

Parliamentary Commissioner for Administration *n. Br.* rzeczni-k/czka praw obywatelskich.

parlor [ˈpɑːrlər], *Br.* **parlour** *n.* **1.** *gł. US i Can. handl.* salon, zakład; **beauty** ~ salon kosmetyczny; **funeral** ~ zakład pogrzebowy; **ice cream** ~ lodziarnia. **2.** *przest.* salon, salonik (*w domu*).

parlor car *n. US i Can. kol.* wygodny wagon z rezerwowanymi miejscami.

parlor game *n. przest.* gra towarzyska.

parlor maid *n. gł. hist.* służąca, pokojówka.

parlour [ˈpɑːrlər] *n. Br.* = **parlor**.

parlous [ˈpɑːrləs] *a. form. l. żart.* **1.** opłakany (*o stanie*); niepewny (*o sytuacji*). **2.** *arch.* przebiegły. – *adv. arch.* nad wyraz.

Parmesan [ˈpɑːrməˌzɑːn] *a. geogr.* parmeński. – *n. U* (*także* ~ **cheese**) *kulin.* parmezan, ser parmezański.

parmigiana [ˌpɑːrməˈdʒɑːnə], **parmigiano** *a. tylko po n. It. kulin.* z parmezanem.

Parnassian [pɑːrˈnæsɪən] *a. lit.* poetycki. – *n. hist. lit.* parnasist-a/ka.

Parnassism [pɑːrˈnæsˌɪzəm] *n. U hist., lit.* parnasizm (*francuska szkoła poetycka z końca XIX w.*).

Parnassus [pɑːrˈnæsəs] *n.* **1.** *geogr., hist., mit.* Parnas. **2.** *przen.* parnas (= *świat poezji i poetów*).

parochial [pəˈroʊkɪəl] *a.* **1.** *attr. kośc.* parafialny. **2.** *uj.* zaściankowy, prowincjonalny.

parochialism [pəˈroʊkɪəlˌɪzəm] *n. U* zaściankowość, parafiańszczyzna.

parochial school *n. US szkoln.* szkoła parafialna (*prywatna*).

parodist [ˈperədɪst] *n.* parodyst-a/ka.

parody [ˈperədɪ] *n. C/U pl.* **-ies** parodia (*on / of sth* czegoś). – *v.* **-ied, -ying** parodiować.

parol [ˈperəl] *adj. prawn.* ustny.

parolable [pəˈroʊləbl] *a. prawn.* mający prawo do zwolnienia warunkowego.

parole [pəˈroʊl] *n. U* **1.** *prawn.* zwolnienie warunkowe; **break** ~ złamać zasady zwolnienia warunkowego; **(released) on** ~ zwolnion-y/a warunkowo. **2.** *US wojsk.* hasło. – *v. prawn.* zwalniać warunkowo.

parolee [pəˌroʊˈliː] *n. prawn.* osoba zwolniona warunkowo.

paronomasia [ˌperənoʊˈmeɪʒə] *n. C/U jęz., ret.* paronomazja, gra słów.

parotid [pəˈrɑːtəd] *anat. a.* przyuszny. – *n.* przyusznica, ślinianka przyuszna.

parotitis [ˌperəˈtaɪtɪs] *n. U pat.* zapalenie przyusznicy; **epidemic** ~ nagminne zapalenie przyusznicy, świnka.

paroxysm [ˈperəkˌsɪzəm] *n. t. pat.* paroksyzm (*np. śmiechu*).

paroxysmal [ˌperəkˈsɪzml] *a. pat.* napadowy.

paroxytone [pəˈrɑːksəˌtoʊn] *n. i a. attr. fon.* (wyraz) paroksytoniczny (= *akcentowany na przedostatniej sylabie*).

parquet [pɑːrˈkeɪ] *n. U* **1.** (*także* **~ry**) parkiet (*typ pokrycia*). **2.** (*także* ~ **floor**) parkiet (*podłoga*). **3.** *US teatr* parter. – *v.* kryć parkietem.

parquet circle *n. US teatr* tylny parter (*pod balkonami*).

parquetry [ˈpɑːrkɪtrɪ] *n. U* = **parquet** 1.

parr [pɑːr] *n. pl.* **-s** *l.* **parr** młody łosoś.

parramatta [ˌperəˈmætə] *n.* = **paramatta.**
parricidal [ˌperəˈsaɪdl] *a. form.* ojcobójczy; matkobójczy.
parricide [ˈperəˌsaɪd] *n. form.* **1.** ojcobójstwo; matkobójstwo. **2.** ojcobój-ca/czyni; matkobójca/czyni.
parrot [ˈperət] *n. orn. l. przen.* **1.** papuga (*zool. – rząd Psittaciformes*). **2. sick as a ~** *zob.* **sick** *a.* – *v.* papugować (= *powtarzać l. naśladować jak papuga*).
parrot disease, parrot fever *n. U wet.* papuzica, choroba papuzia.
parrot fashion *adv. Br.* jak papuga (= *bezmyślnie*).
parrot fish *n. icht.* papugoryba (*Scarus*).
parry [ˈperɪ] *v.* **-ied, -ying 1.** odparować (*cios*). **2.** odeprzeć (*krytykę, argumenty przeciwnika*); zręcznie uniknąć, wymigać się od (*kłopotliwego pytania*). – *n. pl.* **-ies 1.** odparowanie. **2.** wymijająca odpowiedź.
parse [pɑːrs] *v. jęz.* dokonywać rozbioru gramatycznego (*wyrazu*); dokonywać rozbioru syntaktycznego (*zdania*).
parsec [ˈpɑːrˌsek] *n. astron.* parsek.
Parsee [ˈpɑːrsiː], **Parsi** *rel. n.* Pars. – *n.* parsycki.
Parseeism [ˈpɑːrsiːˌɪzəm] *n. U rel.* parsyzm.
parser [ˈpɑːrsər] *n. komp.* parser, analizator składni.
parsimonious [ˌpɑːrsəˈmoʊnɪəs] *a.* przesadnie oszczędny; skąpy.
parsimony [ˈpɑːrsəˌmoʊnɪ] *n. U* przesadna oszczędność; skąpstwo.
parsley [ˈpɑːrslɪ] *n. U bot.* pietruszka (*Petroselinum sativum / crispum / hortense*).
parsnip [ˈpɑːrsnɪp] *n. C / U bot.* pasternak (*Pastinaca sativa*).
parson [ˈpɑːrsən] *n. przest. l. żart.* **1.** pleban, proboszcz (*w kościele anglikańskim*). **2.** ksiądz, duchowny (*zwł. protestancki*).
parsonage [ˈpɑːrsənɪdʒ] *n.* plebania, probostwo.
part [pɑːrt] *n.* **1.** *C / U* część (*t. książki, filmu*); **~s of the body** części ciała; **a good/large ~ of sth** znaczna część czegoś; **be (a) ~ of sth** być częścią czegoś; **constituent ~s** części składowe; **form (a) ~ of sth** stanowić część czegoś; **for the most ~** w przeważającej części; przeważnie; **in ~** po części; **(only) ~ of the story/problem** (zaledwie) część całej historii/całego problemu; **spare ~s** części zapasowe *l.* zamienne; **the better/best ~ (of the day/week etc)** większa część (dnia/tygodnia itp.). **2.** odcinek (*np. serialu*). **3.** *t. kulin.* porcja; **mix one ~ flour to/with three ~s water** zmieszać mąkę z wodą w proporcji 1:3. **4.** *teatr, film l. przen.* rola; **act/play the ~ of sb/sth** grać rolę kogoś/czegoś, występować w roli kogoś/czegoś; **play a ~** grać rolę; *przen.* grać (= *nie być sobą*); **play/have a (big/important) ~ in sth** odgrywać (dużą/znaczącą) rolę w czymś. **5.** *U* udział; **take ~ in sth** brać udział w czymś; **take/have/play/want no ~ in sth** nie brać w czymś udziału, nie chcieć mieć z czymś nic wspólnego. **6.** strona; **for my/her ~** z mojej/jej strony, jeśli o mnie/nią chodzi; **he/we/they, for their ~** on/my/oni, ze swej strony; **on the ~ of sb** (*także* **on sb's ~**) *form.* z czyjejś strony; **take the ~ of sb** (*także* **take sb's ~**) brać czyjąś stronę. **7.** *pl. pot.* strony, okolica; **in/around these ~s** w tych stronach. **8.** *muz.* partia (*np. skrzypiec, sopranu*). **9.** *US, Can. i Austr.* przedziałek (*we włosach*). **10.** *pl.* (*także* **private ~s**) organy płciowe. **11.** *pl. lit.* uzdolnienia, talenty; **a man/woman of many ~s** osoba wszechstronnie utalentowana. **12. be ~ and parcel of sth** *zob.* **parcel** *n.*; **I have done my ~** zrobiłam, co do mnie należało; **in large ~** *form.* w większości; **it was not my ~ to intervene** nie moją rzeczą było interweniować; **dress/look the ~** odpowiednio *l.* stosownie (do tego) ubierać się/wyglądać; **take sth in good ~** przyjmować coś w dobrej wierze; **the film was good in ~s** film był miejscami niezły. – *v.* **1.** rozdzielać (*np. walczących*). **2.** rozsuwać (się); **~ the curtains** rozsuwać zasłony. **3.** rozstępować się, rozchodzić się (*np. o tłumie, zbiegowisku*). **4.** rozchodzić się (*zw. przen. o czyichś drogach*). **5.** *zw. pass.* rozłączać, skazywać na rozłąkę; **be ~ed from sb/sth** być z dala od kogoś/czegoś. **6. ~ company (with sb)** *zob.* **company**; **~ one's hair** robić sobie przedziałek (we włosach); **till death do us ~** *zob.* **death**. **7. ~ from sb** rozstać się z kimś, odejść od kogoś; **~ with sb/sth** rozstawać się z kimś/czymś (*t. z pieniędzmi*). – *a. attr.* częściowy (*np. o właścicielu, zapłacie*). – *adv.* częściowo; **~ X, ~ Y** po części X, a po części Y.
partake [pɑːrˈteɪk] *v.* **-took, -taken 1. ~ in sth** *przest. l. form.* brać udział w czymś, uczestniczyć w czymś. **2. ~ of sth** *zw. żart.* spożywać coś; częstować się czymś; *form.* nie być pozbawionym czegoś; graniczyć z czymś (*np. z arogancją, grubiaństwem*).
partaker [pɑːrˈteɪkər] *n.* uczestni-k/czka.
partan [ˈpɑːrtən] *n. Scot.* krab.
parted [ˈpɑːrtɪd] *a.* rozchylony (*o ustach*).
parterre [pɑːrˈter] *n.* **1.** kwietnik, gazon. **2.** *teatr US* tylny parter (*pod balkonami*); *Br. i Ir.* parter.
part exchange *n. C / U Br. handl.* transakcja z upustem za oddany (używany) produkt; **in ~** w rozliczeniu.
parthenogenesis [ˌpɑːrθənoʊˈdʒenəsɪs] *n. U biol.* partenogeneza, dzieworództwo.
Parthian [ˈpɑːrθɪən] *hist. a.* partyjski. – *n.* Part.
Parthian shot *n.* obraźliwa uwaga na odchodnym; obraźliwy gest na odchodnym.
partial [ˈpɑːrʃl] *a.* **1.** częściowy. **2.** stronniczy. **3.** *mat., fiz.* cząstkowy. **4. be ~ to sth** *form.* mieć słabość do czegoś. – *n.* **1.** *akustyka* przyton, ton składowy. **2.** *mat.* (*także* **~ derivative**) pochodna cząstkowa.
partiality [ˌpɑːrʃɪˈælətɪ] *n. U* **1.** stronniczość. **2.** *form.* słabość (*for sth* do czegoś).
partially [ˈpɑːrʃlɪ] *adv.* **1.** częściowo. **2.** stronniczo.
partible [ˈpɑːrtəbl] *a. prawn.* podzielny, rozdzielny (*o spadku*).
·**participant** [pɑːrˈtɪsəpənt] *n.* uczestni-k/czka

(*in sth* czegoś). – *a.* uczestniczący, biorący udział.

participant observation *n. U socjol., psych.* obserwacja uczestnicząca.

participate [pɑːrˈtɪsəˌpeɪt] *v. form.* **1.** uczestniczyć, brać udział (*in sth* w czymś) (*np. w akcji*). **2.** mieć udział (*in sth* w czymś) (*np. w zyskach*).

participation [pɑːrˌtɪsəˈpeɪʃən] *n. U* uczestnictwo, udział.

participative [pɑːrˈtɪsəˌpeɪtɪv] *a.* zdolny do uczestnictwa.

participator [pɑːrˈtɪsəˌpeɪtər] *n. rzad.* uczestni-k/czka.

participatory [pɑːrˌtɪsəˈpeɪtərɪ] *a. form.* uczestniczący (*np. o demokracji*).

participial [ˌpɑːrtɪˈsɪpɪəl] *a. gram.* imiesłowowy.

participially [ˌpɑːrtɪˈsɪpɪəlɪ] *adv.* imiesłowowo.

participle [ˈpɑːrtɪˌsɪpl] *n. gram.* imiesłów; **present/past** ~ imiesłów czynny/bierny, imiesłów czasu teraźniejszego/przeszłego.

particle [ˈpɑːrtɪkl] *n.* **1.** cząstka, drobina; *t. fiz.* cząsteczka. **2.** *gram.* partykuła. **3.** odrobina, krztyna; **there's no ~ of truth in it** nie ma w tym ani odrobiny prawdy. **4.** *przest. prawn.* klauzula, artykuł.

particle accelerator *n. fiz.* akcelerator cząstek.

particle beam *n. fiz.* strumień cząstek.

particle physics *n. U fiz.* fizyka cząstek elementarnych.

particolored [ˌpɑːrtɪˈkʌlərd], *Br.* **particoloured** *a. form.* wielobarwny, różnobarwny.

particular [pərˈtɪkjələr] *a.* **1.** *attr.* konkretny (*np. o przypadku*); poszczególny. **2.** *attr.* szczególny, specjalny; indywidualny; **she has her own ~ style** ma swój własny, indywidualny styl. **3.** wybredny, wymagający (*about sth* jeśli chodzi o coś); **I'm not ~** *pot.* wszystko mi jedno. **4.** *attr. form.* szczegółowy, drobiazgowy (*np. o opisie, sprawozdaniu*). – *n. form.* **1.** *C/U* szczegół; *pl.* szczegóły, konkrety (*of sth* czegoś); **anything/nothing in ~** coś/nic szczególnego *l.* konkretnego; **in ~** w szczególności, szczególnie, zwłaszcza; **in every ~** (*także* **in all ~s**) w każdym szczególe *l.* detalu, we wszystkich szczegółach; **the ~** zagadnienia *l.* kwestie szczegółowe; **what in ~ do you have in mind?** co konkretnie masz na myśli?. **2.** *pl.* **sb's ~s** czyjeś dane (osobiste).

particularism [pəˈtɪkjʊlərˌɪzəm] *n. U* **1.** partykularyzm. **2.** *polit.* zasada maksymalnej autonomii mniejszości *l.* prowincji w ramach federacji. **3.** *teol.* nauka o odkupieniu poszczególnych jednostek.

particularist [pəˈtɪkjʊlərɪst] *n.* partykularyst-a/ka.

particularistic [pəˈtɪkjʊlərɪstɪk] *a.* partykularystyczny.

particularity [pərˌtɪkjəˈlerətɪ] *n. pl.* **-ies** *form.* **1.** drobny szczegół. **2.** *pl.* specyfika, szczególne okoliczności. **3.** *U* szczegółowość, drobiazgowość. **4.** *U* wybredność. **5.** *U* osobliwość, szczególność.

particularization [pərˌtɪkjələrəˈzeɪʃən], *Br. i Austr. zw.* **particularisation** *n. U form.* **1.** uszczegółowienie. **2.** wyszczególnienie. **3.** szczegółowe opisanie.

particularize [pərˈtɪkjələˌraɪz], *Br. i Austr. zw.* **particularise** *v. form.* **1.** uszczegóławiać. **2.** wyszczególniać. **3.** szczegółowo opisywać.

particularly [pərˈtɪkjələrlɪ] *adv.* **1.** szczególnie, zwłaszcza. **2. not ~** niespecjalnie.

particulates [pəˈtɪkjʊləts] *n. pl. fiz.* cząstki stałe (*w powietrzu, gazie*).

parting [ˈpɑːrtɪŋ] *n.* **1.** *C/U* rozstanie (się). **2.** rozstąpienie się (*tłumu*); rozejście się (*tłumu, dróg*); **the ~ of the ways** *przen.* rozejście się dróg, ostateczne rozstanie (*osób*); ostateczny rozłam (*w organizacji*). **3.** *Br. i Austr.* przedziałek; **center/side ~** przedziałek na środku/z boku. **4.** rozdział, podział. **5.** linia podziału. **6.** *euf.* zgon. – *a. attr.* **1.** dotyczący rozstania *l.* wyjazdu; pożegnalny; **~ day** *lit.* dzień rozstania; **~ kiss** pocałunek na pożegnanie; **~ shot** *przen.* złośliwa uwaga na pożegnanie. **2.** rozdzielający.

partisan[1] [ˈpɑːrtəzən], **partizan** *a.* **1.** stronniczy. **2.** partyzancki. – *n.* **1.** *gł. polit.* stronni-k/czka, zwolenni-k/czka (*of sb / sth* kogoś/czegoś). **2.** partyzant/ka; **~ forces** siły partyzanckie; **~ struggle** walka partyzancka, partyzantka.

partisan[2] *n. hist., wojsk.* partyzana (*rodzaj halabardy*).

partisanship [ˈpɑːrtəzənˌʃɪp], **partizanship** *n. U* stronniczość.

partita [pɑːrˈtiːtə] *n. pl.* **-s** *l.* **partite** [pɑːrˈtiːtiː] *muz.* partita.

partite [ˈpɑːrtaɪt] *a. bot.* podzielony.

partition [pɑːrˈtɪʃən] *n.* **1.** *U polit., hist.* rozbiór. **2.** *U* podział; rozdział; parcelacja. **3.** przegroda, przepierzenie. **4.** część. **5.** *U prawn.* podział; zniesienie współwłasności; **~ of property** rozdział majątkowy; **compulsory ~** przymusowy podział współwłasności. – *v.* **1.** *polit.* dokonywać rozbioru (*państwa*). **2.** dzielić, rozdzielać (*into sth* na coś). **3. ~ off** oddzielić (przegrodą *l.* przepierzeniem).

partitive [ˈpɑːrtətɪv] *a.* **1.** *gram.* cząstkowy (*o dopełniaczu*). **2.** *rzad.* oddzielający; rozdzielający. – *n. gram.* partitivus.

partizan [ˈpɑːrtəzən] *n.* = **partisan**.

partly [ˈpɑːrtlɪ] *adv.* częściowo; po części.

partner [ˈpɑːrtnər] *n.* **1.** partner/ka (*w związku, tańcu, grze, koalicji*); wspólni-k/czka (*w interesach*); współuczestni-k/czka (*in sth* w czymś). **2. ~!** *US pot.* przyjacielu!. **3.** *pl. żegl.* wzmocnienia międzypokładnikowe. – *v.* **1.** partnerować (*komuś*); mieć za partner-a/kę (*w grze, na balu*). **2. ~ up/off** kojarzyć (się) w parę *l.* pary (*w grze, tańcu*) (*with sb* z kimś).

partnership [ˈpɑːrtnərˌʃɪp] *n.* *C/U* partnerstwo; współudział, współuczestnictwo; *handl.* spółka; **be in ~** być wspólnikami; **go into ~ with sb** (*także* **form a ~ with sb**) wejść w spółkę z kimś; **in ~ with sb** wspólnie *l.* we współpracy z kimś.

part of speech *n. gram.* część mowy.

partook [pɑːrˈtʊk] *v. zob.* **partake**.

part owner *n.* współwłaściciel/ka.

partridge [ˈpɑːrtrɪdʒ] *n. pl.* **-s** *l.* **partridge** *orn.* **1.** (*także* **common/European ~**) kuropatwa (*Per-*

dix perdix). **2.** *US i Can.* przepiórka wirginijska (*Colinus virginianus*); cieciornik (*Bonasa umbellus*).

part song, part-song *n. muz.* pieśń na głosy (*zwł. bez akompaniamentu*).

part-time [ˌpɑːrtˈtaɪm] *a. attr.* niepełnoetatowy; ~ **work** praca w niepełnym wymiarze godzin, praca na ćwierć *l.* pół etatu. – *adv.* **work** ~ pracować w niepełnym wymiarze godzin, pracować na ćwierć *l.* pół etatu.

part-timer [ˌpɑːrtˈtaɪmər] *n.* osoba pracująca w niepełnym wymiarze godzin, osoba pracująca na ćwierć *l.* pół etatu.

parturient [pɑːrˈtʊrɪənt] *a.* **1.** *med.* rodząca (*o kobiecie*). **2.** *med.* porodowy. **3.** *lit.* rodzący się (*np. o idei*). – *n. med.* położnica, rodząca.

parturition [ˌpɑːrtəˈrɪʃən] *n. U med.* poród.

partway [ˌpɑːrtˈweɪ] *n.* ~ **through sth** *pot.* w trakcie czegoś.

party [ˈpɑːrtɪ] *n. pl.* **-ies 1.** przyjęcie, impreza; **birthday** ~ przyjęcie urodzinowe; **give/throw a** ~ wydać przyjęcie; **have a** ~ urządzić przyjęcie, zrobić imprezę; **dinner** ~ *zob.* **dinner**; **hen** ~ *zob.* **hen**; **stag** ~ *zob.* **stag**. **2.** *polit.* partia, stronnictwo; ~ **leader/member** przywódca/członek partii; **opposition** ~ partia opozycyjna; **the** ~ **faithful** wierni członkowie partii. **3.** *z czasownikiem w liczbie pojedynczej l. mnogiej* grupa, zespół; ekipa, brygada; wyprawa, wycieczka; **rescue/search** ~ ekipa ratownicza/poszukiwawcza; **school/coach** ~ wycieczka szkolna/autokarowa; **working** ~ brygada robocza. **4.** *prawn.* strona; **third** ~ osoba *l.* strona trzecia. **5.** *przest. pot.* gość, facet. **6. be (a)** ~ **to sth** *form.* brać udział w czymś; być zamieszanym w coś; być wtajemniczonym w coś. – *v.* **-ied, -ying** *pot.* imprezować.

party animal *n. pot.* zabawowicz/ka, imprezowicz/ka.

party-colored [ˌpɑːrtɪˈkʌlərd], *Br.* **party-coloured** *a.* = **particolored**.

party conference *n. Br. polit.* zjazd partii.

party favors *n. pl. zwł. US* drobne upominki rozdawane uczestnikom dziecięcego przyjęcia.

partygoer [ˈpɑːrtɪˌgoʊər] *n.* osoba często chodząca na przyjęcia.

partying [ˈpɑːrtɪɪŋ] *n. U* imprezowanie.

party line *n.* **1.** *polit.* linia partyjna; **toe/follow the** ~ trzymać się linii partyjnej. **2.** *pot.* telefon towarzyski.

party man *n. pl.* **party men** *polit.* człowiek oddany partii.

party piece *n.* **sb's** ~ czyjś popisowy numer (*w towarzystwie*).

party political broadcast *n. zwł. Br. radio, telew., polit.* program komitetu wyborczego partii.

party politics *n. U polit.* poprawianie image'u partii; pozyskiwanie zwolenników dla partii (*przez schlebianie gustom wyborców*).

party pooper *n. pot. żart.* osoba psująca innym zabawę.

party popper *n.* mała petarda eksplodująca kolorowymi wstążeczkami papieru.

party wall *n. bud.* wspólna ściana (*np. w domu-bliźniaku*).

parure [pəˈruːr] *n. rzad.* garnitur (*kosztowności, ozdób*).

par value [ˈpɑːr ˌvæljuː] *n.* **1.** *fin.* wartość nominalna (*akcji*). **2.** *ekon.* parytet monetarny.

parvenu [ˈpɑːrvəˌnuː] *form. n.* parweniusz/ka. – *a.* parweniuszowski.

parvis [ˈpɑːrvɪs], **parvise** *n. bud.* **1.** kruchta. **2.** placyk przed kościołem.

parvovirus [ˈpɑːrvoʊˌvaɪrəs] *n. U wet.* parwowiroza (*choroba psów*).

pas [pɑː] *n. pl.* **pas 1.** *balet, taniec* pas, krok. **2.** *rzad.* pierwszeństwo.

Pascal [pæsˈkæl], **PASCAL** *n. U komp.* (język) PASCAL.

pascal [ˈpæskl] *n. fiz.* paskal.

paschal [ˈpæskl] *a. rel.* **1.** paschalny. **2.** wielkanocny.

paschal flower *n.* = **pasqueflower**.

pash [pæʃ] *n. przest. pot.* zadurzenie; **have a** ~ **on sb** podkochiwać się w kimś.

pasha [ˈpɑːʃə], **pacha** *n. hist.* pasza.

pashalic [pəˈʃɑːlɪk], **pashalik** *n. hist.* paszałyk.

Pashto [ˈpʌʃtoʊ], **Pushto, Pushtu** *n. U* (język) paszto (*używany w Afganistanie i części Pakistanu*).

pasqueflower [ˈpæskˌflaʊər] *n.* (*także* **paschal flower**) *bot.* sasanka (*Pulsatilla*).

pasquinade [ˌpæskwəˈneɪd] *n.* (*także* **pasquil**) paszkwil. – *v.* atakować w paszkwilu.

pasquinader [ˌpæskwəˈneɪdər] *n.* paszkwilant/ka.

pass [pæs] *v.* **1.** ~ **(by)** przechodzić (obok); przejeżdżać (obok); ~ **(by) sb/sth** (*także* ~ **sb/sth (by)**) przechodzić obok kogoś/czegoś, mijać kogoś/coś; ~ **from sth into sth** *form.* przechodzić z czegoś w coś (= *zmieniać się; zwł. o substancji*); ~ **into sth** przedostawać się *l.* przechodzić do czegoś (*np. do krwi*); ~ **to/into sb** *form.* przechodzić na kogoś (*o majątku, własności*); **let sb** ~ pozwolić komuś przejść, przepuścić kogoś, zrobić komuś przejście; **we're (just) ~ing through** jesteśmy tu (tylko) przejazdem. **2.** podawać (*t. sport – piłkę, krążek*); ~ **(me) the mustard** podaj (mi) musztardę. **3.** przekazywać (*t. wiadomości*); **be ~ed from hand to hand** być przekazywanym *l.* przechodzić z rąk do rąk. **4.** *mot.* wymijać; wyprzedzać. **5.** biec, przebiegać (*o drodze, linii kolejowej*); płynąć, przepływać (*o rzece*); **the route ~es through five cities** droga biegnie przez pięć miast. **6.** mijać, przechodzić; przemijać; przechodzić do historii; ~ **unnoticed** przejść niezauważenie; **a year ~ed** minął rok. **7.** *szkoln., uniw.* zdać (*egzamin, test*); ~ **sb** zaliczyć komuś egzamin *l.* test, przepuścić kogoś; ~ **(sth) with flying colors** zdać (coś) celująco. **8.** przejść szczęśliwie (*próbę l. test*), wyjść szczęśliwie z (*próby*). **9.** przyjmować (*wnioski, propozycje*); *parl.* uchwalać (*ustawy*); ustanawiać (*prawa*). **10.** *t. parl.* zostać przyjętym, przejść (*o wniosku, ustawie*). **11.** *prawn.* wydawać (*wyroki*); ogłaszać (*werdykt, postanowienie*). **12.** *handl.* dopuszczać do obrotu (*nowe produkty*). **13.** przeciągać; przesuwać (*np. ręką, wzrokiem*). **14.** spędzać (*czas, życie*) (*doing sth* na robieniu czegoś). **15.**

fin. puszczać w obieg (*fałszywe pieniądze l. czeki*). **16.** *karty* pasować, mówić pas. **17.** przekraczać, wartość, limit; **~ the... mark** przewyższyć..., być wyższym niż... (*określona liczba*). **18.** *przen.* **~ blood** *form.* mieć krew w moczu; mieć krew w stolcu; **~ judgment (on sb/sth)** *zob.* **judgment**; **~ muster** *zob.* **muster** *n.*; **~ the buck** *zob.* **buck**[2]; **~ the hat (around)** *zob.* **hat** *n.*; **~ the time of day (with sb)** pogawędzić (z kimś); **~ understanding/belief** *form.* być niepojętym/nie do wiary; **~ water** *form.* oddawać mocz; **bring to ~** *arch.* dokonać (*czegoś*); spowodować; **come to ~** *zob.* **come** *v.*; **let sth ~** *zob.* **let**[1] *v.*; **looks/glances ~ed between them** wymienili spojrzenia; **to ~ the time** dla zabicia czasu. **19. ~ sth around** częstować (wszystkich) czymś; puszczać coś w obieg (*w towarzystwie*); **~ as = pass for**; **~ away** przemijać (*np. o modzie*); **~ away/on** *euf.* odejść (= *umrzeć*); **~ by** omijać; pomijać; **life is ~ing you by** życie (ci) ucieka; **~ down** przekazywać (*zwł. tradycje*); **be ~ed down from one generation to the next** być przekazywanym z pokolenia na pokolenie; **~ for/as** uchodzić za (*kogoś l. coś*); **~ off** przemijać, zanikać (*np. o skutkach czegoś*); **~ off well/badly** *zwł. Br. i Austr.* wypaść dobrze/źle (*o zaplanowanym wydarzeniu*); **~ o.s. off as sb** podawać się za kogoś; **~ sth off as sth else** przedstawiać coś jako coś innego (*zw. lepszego*); **~ on** *zob.* **pass away**; **~ on to sth** przechodzić do czegoś (*np. do nowego tematu, następnego punktu*); **~ sth on** przekazać coś (dalej) (*np. informację, wiadomość, zaproszenie*), podać coś dalej (*to sb* do kogoś); **~ sth on to sb** zarazić kogoś czymś; przerzucać coś na kogoś (*zwł. koszty*); **~ out** *pot.* zemdleć; *Br. i Austr. wojsk., policja* zostać promowanym; **~ sth out** rozdawać coś; **~ over** pomijać; **~ sth over in silence** pominąć coś milczeniem; **be ~ed over for promotion** zostać pominiętym przy awansach; **~ round** *Br.* **= pass around**; **~ up** *pot.* przepuścić (*okazję, sposobność*). – *n.* **1.** przepustka. **2.** darmowy bilet; bilet okresowy (*np. autobusowy, kolejowy*). **3.** *sport* podanie (*piłki, krążka*). **4.** *szkoln., uniw.* zaliczenie (*egzaminu, testu*); **get a ~ in sth** otrzymać *l.* dostać zaliczenie z czegoś, zdać *l.* zaliczyć coś. **5.** przełęcz; **mountain ~** przełęcz górska. **6.** przejście (*przez trudny teren*). **7.** kanał żeglowny. **8.** *szerm.* wypad. **9.** *karty* pas; spasowanie. **10.** *lotn.* pojedynczy przelot. **11.** *przen. pot.* **a pretty/fine ~** *przest. iron.* ładna historia; **things have come to/reached a pretty ~** źle się dzieje, sprawy mają się nie najlepiej; **make a ~ at sb** przystawiać się do kogoś, próbować kogoś poderwać.

passable [ˈpæsəbl] *a.* **1.** dający się pokonać (*o przeszkodzie*); do przejścia (*o szlaku*). **2.** znośny (= *do przyjęcia*). **3.** *fin.* obiegowy (*o pieniądzu*). **4.** *prawn.* dający się przeprowadzić *l.* uchwalić (*o ustawie*).

passably [ˈpæsəblɪ] *adv.* znośnie.

passage[1] [ˈpæsɪdʒ] *n.* **1.** (*także* **~way**) korytarz; (wąskie) przejście. **2.** *t. przen.* przejście (*t. przez tłum, z jednego stanu w drugi*). **3.** *U l. sing.* przejazd; przeprawa; podróż (*zwł. statkiem*); **outward ~** podróż „tam". **4.** *U* prawo (swobodnego) przejazdu (*np. przez strzeżony teren*); **grant sb ~ through a territory** zezwolić komuś na przejazd przez terytorium. **5.** *sing.* opłata za przejazd; **work one's ~ to...** odpracować podróż do... (*w jej trakcie*). **6.** ustęp, fragment (*np. cytowany*). **7.** *muz.* pasaż. **8.** *anat.* przewód. **9.** *U parl.* przeprowadzenie, uchwalanie (*ustawy*). **10. the ~ of time** *lit.* upływ czasu. **11.** (*także* **~ of arms**) *rzad.* potyczka (*t. słowna*). **12.** *arch.* zajście, wydarzenie. **13. bird of ~** *zob.* **bird** *n.*; **rite of ~** *zob.* **rite**.

passage[2] *jeźdz. n.* pasaż. – *v.* poruszać się pasażem.

passageway [ˈpæsɪdʒˌweɪ] *n.* = **passage**[1] *n.* 1.

passant [ˈpæsənt] *a.* **1.** *her.* kroczący z podniesioną prawą przednią łapą i spoglądający w prawo (*o zwierzęciu heraldycznym*). **2.** *zob.* **en passant**.

passbook [ˈpɑːsˌbʊk] *n.* **1.** *US* książeczka bankowa. **2.** *Br.* książeczka wpłat i wypłat (*zwł. na kasę mieszkaniową*). **3.** *handl.* książeczka zakupów na kredyt.

pass degree *n. uniw.* **1.** *Br.* ukończenie studiów z oceną dostateczną. **2.** *Austr.* studia trwające trzy lata (*w odróżnieniu od zwykłych czterech*).

passé [pæˈseɪ] *a. Fr.* **1.** przebrzmiały; przestarzały, niemodny. **2.** nie pierwszej młodości.

passementerie [pæsˈmentərɪ] *n. U Fr.* pasmanteria ozdobna, wyroby pasmanteryjne.

passenger [ˈpæsəndʒər] *n.* **1.** pasażer/ka; podróżn-y/a; **~ car/carriage** *kol.* wagon osobowy; **~ train** pociąg pasażerski. **2.** *Br. przen.* pasożyt/ka (*w grupie, zespole*).

passenger pigeon *n. orn.* gołąb wędrowny (*Ectopisces migratorius*).

passenger seat *n. mot.* miejsce obok kierowcy.

passe partout [ˌpæspɑːrˈtuː] *n. Fr.* **1.** passepartout (*na fotografie itp.*). **2.** klucz uniwersalny, wytrych.

passer-by [ˈpæsərˌbaɪ], **passerby** *n. pl.* **passers-by** [ˈpæsərzˌbaɪ] przechodzień.

passerine [ˈpæsəraɪn] *orn. a.* wróblowaty. – *n.* ptak z rzędu wróblowatych (*Passeriformes*).

passible [ˈpæsɪbl] *a. form.* zdolny do odczuwania; wrażliwy; uczuciowy (*o człowieku*).

passifloraceous [ˌpæsəfloʊˈreɪʃəs] *a. bot.* męczennicowaty.

passim [ˈpæsɪm] *adv. Lat. form.* passim (= *w różnych miejscach*).

passing [ˈpæsɪŋ] *n.* **1.** przejście (*np. w terenie*). **2.** *euf.* zgon. **3.** *U* **in ~** mimochodem (*nadmienić, wspomnieć*); **the ~ of time/the years** upływ czasu/lat. – *a. attr.* **1.** mijający; przemijający, przelotny, chwilowy; **with each ~ day** *lit.* z każdym (mijającym) dniem, z dnia na dzień. **2.** rzucony mimochodem (*o komentarzu, uwadze*). **3.** *szkoln., uniw.* dostateczny (*o ocenie*). – *adv. arch.* nader, wielce.

passing bell *n.* dzwon żałobny.

passing lane *n. US mot.* wewnętrzny pas autostrady.

passingly [ˈpæsɪŋlɪ] *adv.* przelotnie, chwilowo.

passing mark *n. US i Can. szkoln., uniw.* (minimalna) liczba punktów wymagana na zaliczenie.

passing note *n. muz.* nuta przejściowa.

passing shot *n. tenis* minięcie.

passion ['pæʃən] *n.* **1.** *C / U* namiętność (*for sb* do kogoś). **2.** pasja, zamiłowanie (*for sth* do czegoś). **3.** *rel.* **The P~** Męka Pańska; *muz.* pasja. **4. crime of ~** *zob.* **crime.**

passional ['pæʃənl] *a. lit.* dotyczący namiętności; wywołany przez namiętność. – *n. rel.* żywoty świętych i męczenników (*księga*).

passionate ['pæʃənət] *a.* **1.** namiętny. **2.** żarliwy. **3.** zapalczywy, porywczy.

passionately ['pæʃənətlɪ] *adv.* **1.** namiętnie. **2.** żarliwie. **3.** zapalczywie, porywczo.

passionflower ['pæʃənˌflaʊər] *n. bot.* pasiflora, męczennica (*Passiflora*); **bluecrown ~** męczennica modra *l.* zwyczajna (*Passiflora coerulea*).

passion fruit *n. bot.* marakuja, owoc męczennicy jadalnej, czyli granadilli purpurowej (*Passiflora edulis*).

passionless ['pæʃənləs] *a.* beznamiętny.

Passion play *n. teatr, hist.* widowisko pasyjne, misterium wielkanocne.

Passion Sunday *n. kośc.* **1.** przedostatnia niedziela przed Wielkanocą. **2.** Niedziela Palmowa.

Passion Week *n. kośc.* **1.** tydzień poprzedzający Wielki Tydzień. **2.** Wielki Tydzień.

passivation [ˌpæsə'veɪʃən] *n. U metal.* pasywacja (= *uodpornianie metalu przeciw korozji*).

passive ['pæsɪv] *a.* bierny (*t. gram.*), pasywny; **~ sentence/verb** zdanie/czasownik w stronie biernej; **the ~ voice** strona bierna. – *n. U* **the ~** *gram.* strona bierna.

passively ['pæsɪvlɪ] *adv.* biernie, pasywnie.

passiveness ['pæsɪvnəs] *n. U* (*także* **passivity**) bierność.

passive resistance *n. U* bierny opór.

passive smoking *n. U* bierne palenie.

passivism ['pæsəˌvɪzəm] *n. U* **1.** = **passive resistance. 2.** pasywizm.

passivity *n.* = **passiveness.**

passivize ['pæsɪˌvaɪz], *Br. i Austr. zw.* **passivise** *n. gram.* pasywizować, zamieniać na stronę bierną.

passkey ['pæsˌkiː] *n.* **1.** klucz patentowy. **2.** klucz uniwersalny; wytrych.

pass mark *n.* **1.** ocena pozytywna. **2.** *Br. i Austr.* = **passing mark.**

Passover ['pɑːsˌoʊvər] *n. U judaizm* Pascha, święto Paschy.

passport ['pæsˌpɔːrt] *n.* **1.** paszport. **2. a ~ to success/happiness** *przen.* przepustka *l.* klucz do sukcesu/szczęścia.

passport control *n. U* kontrola paszportowa.

password ['pæsˌwɜːd] *n. t. wojsk., komp.* hasło.

past [pæst] *a.* **1.** *attr.* miniony, ubiegły, ostatni; **in the ~ five years** w ciągu ostatnich pięciu lat. **2.** *attr.* wcześniejszy, poprzedni. **3.** *attr. gram.* przeszły; **the ~ tense** czas przeszły. **4.** *attr.* były; **~ president/champion** były prezydent/mistrz. **5.** dawny; **in years ~** *form.* w dawnych czasach. **6. be ~** skończyć się; **our troubles are ~** skończyły się nasze kłopoty. – *n. C / U* **the ~** przeszłość; *gram.* czas przeszły; **be a thing of the ~** należeć do przeszłości; **in the ~** w przeszłości; *gram.* w czasie przeszłym; **sb's ~** czyjaś przeszłość. – *prep.* **1.** po; **a quarter ~ seven** kwadrans po siódmej; **a woman ~ 40** kobieta po czterdziestce. **2.** za; **just ~** tuż za; **run ~ the corner** pobiec za róg. **3.** obok; **she walked (straight) ~ us without stopping** przemaszerowała tuż obok nas, nie zatrzymując się. **4.** ponad (*granicę czegoś*); poza (*granicą l. zasięgiem*). **5. ~ bearing/description** nie do wytrzymania/opisania; **~ belief** nie do wiary; **he/she is ~ it** *pot.* to już nie te lata (= *jest na to za star-y / a*); **I'm ~ caring** przestało mi zależeć; **not put it ~ sb to do sth** *pot.* uważać, że ktoś jest zdolny do zrobienia czegoś; **I wouldn't put it ~ her to show up here** *pot.* wcale bym się nie zdziwił, gdyby się tu zjawiła. – *adv.* **1.** obok, mimo; **flow/run ~** przepływać/przebiegać (obok); **roll ~** przetoczyć się (obok). **2. go ~** mijać (*o czasie*).

pasta ['pæstə] *n. U kulin.* makaron.

paste[1] [peɪst] *n. C / U* **1.** klajster, klej (*mączny*). **2.** *t. kulin.* pasta; papka; masa (*słodka*); **fish ~** pasta rybna. **3.** masa plastyczna; masa garncarska. **4.** *jubilerstwo* stras. – *v.* **1.** przyklejać, przylepiać (*sth to / onto sth* coś do czegoś); **~ sth with sth** oklejać *l.* oblepiać coś czymś (*zwł. papierowym*); **~ together** sklejać. **2.** *komp.* wstawiać (*fragment tekstu*). **3.** smarować (*czymś*).

paste[2] *v. pot.* przyłożyć, dać wycisk (*komuś*).

pasteboard [ˌpeɪst'bɔːrd] *n. U* tektura. – *a. attr. przen.* **1.** lichy, tandetny. **2.** lipny, lewy (= *fałszywy*).

pastel [pæ'stel] *n.* **1.** *C / U t. mal.* pastel. **2.** *U bot.* urzet barwierski (*Isatis tinctoria*). **3.** *U* niebieski barwnik z urzetu. – *attr.* pastelowy.

pastelist [pæ'stelɪst], **pastellist** *n. mal.* artystа/ka posługując-y/a się techniką pastelu.

paster ['peɪstər] *n.* **1.** *US* nalepka. **2.** naklejacz/ka (*osoba*). **3.** *techn.* naklejarka.

pastern ['pæstərn] *n. zool.* pęcina (*końska*); kość pęcinowa.

paste-up ['peɪstˌʌp] *n.* **1.** *sztuka* kolaż (*collage*). **2.** *druk.* makieta.

pasteurism ['pæstʃəˌrɪzəm] *n. U hist. med.* szczepienie metodą Pasteura.

pasteurization [ˌpæstʃərə'zeɪʃən], *Br. i Austr. zw.* **pasteurisation** *n. U* pasteryzacja.

pasteurize ['pæstʃəˌraɪz], *Br. i Austr. zw.* **pasteurise** *v.* **1.** pasteryzować. **2.** *rzad.* poddawać szczepieniu metodą Pasteura.

pastiche [pæ'stiːʃ] *n. C / U* pastisz.

pastille ['pæstl], **pastil** *n.* **1.** *zwł. Br.* pastylka (*do ssania*). **2.** *U* kadzidło. **3.** = **pastel** 1.

pastime ['pæsˌtaɪm] *n.* rozrywka; hobby.

pasting ['peɪstɪŋ] *n.* **1.** *zw. sing. zwł. Br. pot.* lanie (*t. przen.* = *sromotna przegrana*); **give sb/get a ~** *t. przen.* sprawić komuś/dostać lanie. **2.** *U komp.* wstawianie (*tekstu*).

pastis [pæ'stiːs] *n. U* anyżówka.

past master *n.* absolutn-y/a mistrz/yni (*at / in / of sth* w czymś).

pastor ['pæstər] *n.* **1.** *kośc.* pastor (*w kościele ewangelickim*); duszpasterz. **2.** *arch.* pasterz.

3. (*także* **rosy** ~) *orn.* pasterz różowy (*Sturnus roseus*).

pastoral ['pæstərəl] *a.* **1.** *kość.* duszpasterski. **2.** wychowawczy. **3.** sielski; *teor. lit.* sielankowy, pastoralny. **4.** *roln.* pastwiskowy (*o ziemi*). – *n.* **1.** *teor. lit.* sielanka, bukolika. **2.** = **pastorale**. **3.** *kość.* list pasterski. **4.** (*także* ~ **staff**) *kość.* pastorał.

pastorale [ˌpæstə'rɑːl] *n. pl.* **-s** *muz.* utwór o sielskiej tematyce.

pastorate ['pɑːstərət] *n. C / U kość.* **1.** stanowisko pastora. **2.** pastorzy (*zbiorowa*).

pastorship ['pæstərˌʃɪp] *n. C / U* godność *l.* urząd pastora.

past participle *n. gram.* imiesłów bierny, imiesłów czasu przeszłego.

past perfect *gram. n.* czas zaprzeszły. – *a.* w czasie zaprzeszłym.

pastrami [pə'strɑːmɪ] *n. U kulin.* pastrami (= *wędzona wołowina z łopatki*).

pastry ['peɪstrɪ] *n. pl.* **-ies** *kulin.* **1.** *U* ciasto (*gotowe l. jako surowiec*). **2.** ciastko; **Danish** ~ *zob.* **Danish**.

pasturage ['pæstʃərɪdʒ] *n. U roln.* **1.** prawo wypasu; wypas. **2.** = **pasture** *n.*

pasture ['pæstʃər] *n.* **1.** *C / U* pastwisko; **put/send the cattle/sheep out to** ~ wyganiać bydło/owce na pastwisko. **2.** *U* pasza (*na pastwisku*). **3.** *przen.* **put sb out to** ~ *pot.* wysłać kogoś na zieloną trawkę (= *na emeryturę*); ~**s new/greener** *żart.* nowe/lepsze miejsce (*zwł. pracy*). – *v.* **1.** paść się. **2.** wypasać, paść (*bydło*).

pastureland ['pæstʃərˌlænd] *n. U* teren pastwiskowy.

pasty¹ ['peɪstɪ] *a.* **-ier, -iest** **1.** ziemisty, niezdrowo blady. **2.** ciastowaty; klajstrowaty.

pasty² ['pæstɪ] *n. pl.* **-ies** *kulin.* pasztecik; krokiecik.

PA system [ˌpiː 'eɪ ˌsɪstəm] *n.* = **public-address system**.

Pat [pæt] *n. pot. obelż.* Irlandczyk.

pat¹ [pæt] *v.* **-tt-** **1.** klepać, poklepywać. **2.** uklepywać. **3.** tupać po (*podłodze*). **4.** tupać. **5.** ~ **sb on the back** *przen.* klepać kogoś po plecach (= *chwalić, gratulować*). – *n.* **1.** klepnięcie. **2.** tupot. **3.** (uklepana) bryłka (*zwł. masła*). **4. a** ~ **on the back** *przen. pot.* pochwała; zachęta.

pat² *adv.* **1.** w sam raz; w samą porę. **2.** gładko, bez zająknienia (*np. odpowiadać, tłumaczyć się*). **3. have/know sth down** ~ (*także Br. i Austr.* **have/know sth off** ~) znać coś na wylot *l.* na wyrywki; recytować coś na zawołanie; **stand** ~ *US i Can. pot.* stanąć okoniem, obstawać przy swoim; *poker* nie dobierać kart. – *a. zw. attr.* gładki, bez zająknienia (*o odpowiedzi, usprawiedliwieniu*).

pat. *abbr.* **1.** = **patent** *n.* **2.** = **patented**.

patagium [pə'teɪdʒɪəm] *n. pl.* **patagia** [pə'teɪdʒɪə] *zool.* błona do latania (*np. u nietoperzy*).

Patagonia [ˌpætə'goʊnɪə] *n. geogr.* Patagonia.

Patagonian [ˌpætə'goʊnɪən] *a.* patagoński. – *n.* Patago-ńczyk/nka.

patch [pætʃ] *n.* **1.** łata, łatka. **2.** plama, placek; *pat.* plama, wykwit; **a bald** ~ łysina. **3.** (*także* **eye** ~) opaska na oko. **4.** fragment, kawałek. **5.** zagon, poletko. **6.** *hist.* muszka, sztuczny pieprzyk (*zwł. z materiału, przyklejany na twarz w XVIII w.*). **7.** *Br. przen.* **go through a bad/sticky** ~ przechodzić ciężki okres; **not be a** ~ **on sb/sth** nie umywać się do kogoś/czegoś; **sb's** ~ *pot.* czyjś rewir. – *v.* **1.** *t. przen.* łatać. **2.** zszywać z łatek. **3.** stanowić łatę w (*czymś*). **4.** ~ **together** sklecić; ~ **up** załatać; *przen.* poskładać do kupy (= *zreperować naprędce*); ~ **it up (with sb)** *przen.* pogodzić się (z kimś).

patchiness ['pætʃɪnəs] *n. C / U* **1.** niejednorodność, niejednolitość. **2.** pstrokacizna.

patchouli ['pætʃʊlɪ], **pachouli** *n. U bot.* paczulka wonna (*Pogostemon patchouli*).

patch pocket *n. krawiectwo* kieszeń naszywana.

patch test *n. med.* test skórny plasterkowy.

patchwork ['pætʃˌwɜːk] *n.* **1.** *C / U* patchwork. **2.** *przen.* szachownica (*np. pól*); mieszanina, składanka (*np. różnych idei*).

patchy ['pætʃɪ] *a.* **-ier, -iest** **1.** łatany; prowizoryczny. **2.** wyrywkowy, fragmentaryczny (*np. o wiedzy*). **3.** upstrzony; pstrokaty. **4.** niejednolity, niejednorodny; *zwł. Br.* nierówny (*jakościowo, np. o przedstawieniu*). **5.** *pat.* plamisty, wysepkowaty.

pate [peɪt] *n. przest. l. żart.* łepetyna, pała (= *głowa*).

pâté [pɑː'teɪ] *n. C / U kulin.* pasztet.

pâté de foie gras [pɑːˌteɪ də ˌfwɑː 'grɑː] *n. C / U pl.* **pâtés de foie gras** [pɑːˌteɪz də ˌfwɑː 'grɑː] *Fr. kulin.* pasztet z gęsich wątróbek.

patella [pə'telə] *n. pl.* **patellae** [pə'teliː] *anat.* rzepka (*kolanowa*).

patellar [pə'telər] *a. anat.* rzepkowy.

paten ['pætən] *n.* (*także* **patin, patine**) *kość.* patena.

patency ['peɪtənsɪ] *n. U* **1.** jasność, oczywistość. **2.** *med.* drożność. **3.** *fon.* stopień otwarcia.

patent ['pætənt] *n.* **1.** patent; **take out a** ~ **on sth** uzyskać patent na coś. **2.** *US* prawo do eksploatacji zasobów mineralnych *l.* użytkowania gruntów państwowych. – *a.* **1.** patentowy; opatentowany; zastrzeżony; **letters** ~ zaświadczenie patentowe. **2.** *attr. form.* oczywisty, ewidentny, jawny (*np. o kłamstwie, bzdurze*). **3.** *t. przen.* otwarty. **4.** *med.* drożny. – *v.* **1.** opatentować. **2.** *metal.* patentować (*drut*). **3.** *US* nadawać prawo do eksploatacji zasobów mineralnych *l.* użytkowania gruntów państwowych (*komuś*).

patentee [ˌpætən'tiː] *n.* właściciel/ka patentu.

patent fuel *n. U Br. techn.* paliwo brykietowane.

patent leather *n. U* skóra lakierowana; ~ **leather shoes** lakierki.

patently ['peɪtəntlɪ] *adv.* **1.** ewidentnie, jawnie. **2.** ~ **obvious** całkiem oczywisty.

patent medicine *n. med.* lek dostępny bez recepty.

Patent Office *n.* urząd patentowy.

patent right *n.* prawa patentowe.

Patent Rolls *n. pl. Br.* rejestr patentów.

pater ['peɪtər] *n. gł. Br. przest. l. żart.* ojciec.

paterfamilias [ˌpeɪtərfə'mɪlɪˌæs] *n. pl.* **-es** *form.* głowa rodziny.

paternal [pə'tɜ:nl] *a.* **1.** ojcowski. **2.** *genealogia* ze strony ojca; ~ **grandmother/uncle** babka/wuj ze strony ojca.

paternalism [pə'tɜ:nəˌlɪzəm] *n. U polit.* paternalizm.

paternalist [pə'tɜ:nəlɪst] *n. polit.* paternalist-a/ka.

paternalistic [pəˌtɜ:nə'lɪstɪk] *a. polit.* paternalistyczny.

paternally [pə'tɜ:nlɪ] *adv.* ojcowsko, po ojcowsku.

paternity [pə'tɜ:nətɪ] *n. U prawn.* **1.** ojcostwo. **2.** pochodzenie po ojcu.

paternity leave *n. U* urlop przysługujący ojcu z tytułu narodzin dziecka.

paternity suit *n. prawn.* sprawa o ustalenie ojcostwa.

paternity test *n. prawn., med.* test na ustalenie ojcostwa.

paternoster [ˌpɑ:tər'nɑ:stər] *n.* **1.** (*także* **P~**) *kośc.* Ojcze nasz, Modlitwa Pańska. **2.** *kośc.* paciorek na Ojcze nasz (*w różańcu*). **3.** dźwig okrężny (= *niezatrzymująca się winda*).

path [pæθ] *n.* **1.** ścieżka, dróżka. **2.** *t. przen.* droga (*through sth* przez coś, *to sth* do czegoś) (*zwł. przen., np. do sukcesu*); szlak; **the ~ of virtue** droga cnoty; **their ~s crossed** ich drogi się spotkały. **3.** tor (*np. lotu*). **4. lead sb down/***Br.* **up the garden ~** *zob.* **garden** *n.*

pathetic [pə'θetɪk] *a.* żałosny (= *budzący współczucie l. politowanie*); lichy, nędzny.

pathetically [pə'θetɪklɪ] *adv.* żałośnie.

pathetic fallacy *n. U teor. lit.* przypisywanie zjawiskom nieożywionym cech ludzkich.

pathfinder ['pæθˌfaɪndər] *n.* **1.** zwiadow-ca/czyni. **2.** *przen.* osoba przecierająca szlaki, pionier/ka. **3.** *lotn., wojsk.* samolot naprowadzający na cel (*wyprawy bombowe*). **4.** *wojsk.* radarowe urządzenie naprowadzające.

pathic ['pæθɪk] *n. form.* młody utrzymanek homoseksualisty.

pathogen ['pæθədʒən] *n. med.* patogen, czynnik chorobotwórczy.

pathogenesis [ˌpæθə'dʒenəsɪs] *n. U* (*także* **pathogeny**) *med.* patogeneza.

pathogenic [ˌpæθə'dʒenɪk] *a.* (*także* **pathogenetic**) *med.* patogenny, chorobotwórczy.

pathologic [ˌpæθə'lɑ:dʒɪk], **pathological** [ˌpæθə'lɑ:dʒɪkl] *a.* patologiczny.

pathologist [pə'θɑ:lədʒɪst] *n. med.* patolo-g/żka.

pathology [pə'θɑ:lədʒɪ] *n. C/U pl.* **-ies** *med.* patologia (*t. np. społeczna*).

pathomorphology [ˌpæθəmɔ:r'fɑ:lədʒɪ] *n. U med.* patomorfologia.

pathophysiology [ˌpæθəˌfɪzɪ'ɑ:lədʒɪ] *n. U med.* patofizjologia, fizjopatologia.

pathos ['peɪθɑ:s] *n. U form.* wzruszający *l.* poruszający charakter; **full of ~** wzruszający.

pathway ['pæθˌweɪ] *n.* **1.** = **path. 2.** *biochem.* droga przemian.

patience ['peɪʃəns] *n. U* **1.** cierpliwość; **be out of ~ with sb** (*także* **have no ~ with sb**) nie mieć do kogoś cierpliwości; **lose (one's) ~ with sb** stracić cierpliwość do kogoś; **try sb's ~** wystawiać czyjąś cierpliwość na próbę. **2.** *gł. Br.* pasjans.

patient ['peɪʃənt] *a.* **1.** cierpliwy. **2. ~ of sth** *arch.* dopuszczający coś (*np. określoną interpretację*). – *n.* pacjent/ka, chor-y/a.

patiently ['peɪʃəntlɪ] *adv.* cierpliwie.

patin ['pætən] *n.* = **paten.**

patina ['pætənə] *n. U l. sing.* **1.** *t. przen.* patyna. **2.** nalot (*np. śniedzi*).

patine [pə'ti:n] *n.* = **paten.**

patio ['pætɪˌoʊ] *n. pl.* **-s 1.** patio. **2.** dziedziniec przed domem.

patisserie [pə'tɪsərɪ] *n.* ciastkarnia.

Pat. Off. *abbr.* = **Patent Office.**

patois ['pætˌwɑ:] *n. C/U pl.* **patois** *jęz.* **1.** gwara. **2.** żargon.

pat. pend. *abbr.* **patent pending** w trakcie czynności patentowych.

patrial ['peɪtrɪəl] *n. Br. prawn.* osoba urodzona poza Wielką Brytanią, ale mająca prawo stałego pobytu.

patriarch ['peɪtrɪˌɑ:rk] *n. t. kośc.* patriarcha.

patriarchal [ˌpeɪtrɪ'ɑ:rkl] *a. t. kośc.* patriarchalny.

patriarchate ['peɪtrɪˌɑ:rkət] *n. t. kośc.* patriarchat.

patriarchy ['peɪtrɪˌɑ:rkɪ] *n. C/U pl.* **-ies** patriarchat, system patriarchalny.

patrician [pə'trɪʃən] *hist. n.* patrycjusz/ka. – *a.* patrycjuszowski.

patriciate [pə'trɪʃɪət] *a. U hist.* patrycjat.

patricidal [ˌpætrɪ'saɪdl] *a.* ojcobójczy.

patricide ['pætrɪˌsaɪd] *n.* **1.** *U* ojcobójstwo. **2.** ojcobój-ca/czyni.

patriclinous [pə'trɪklɪnəs], **patroclinous** [pə'trɑ:klɪnəs] *a. biol.* mający cechy po ojcu.

patrimonial [ˌpætrə'moʊnɪəl] *a.* dziedziczny, rodowy, patrymonialny.

patrimony ['pætrəˌmoʊnɪ] *n. U l. sing.* **1.** *form.* ojcowizna, dziedzictwo, patrymonium. **2.** *kośc.* fundacja; darowizna (*na rzecz kościoła*).

patriot ['peɪtrɪət] *n.* patriot-a/ka.

patriotic [ˌpeɪtrɪ'ɑ:tɪk] *a.* **1.** patriotyczny. **2. be ~** być patriot-ą/ką.

patriotically [ˌpeɪtrɪ'ɑ:tɪklɪ] *adv.* patriotycznie.

patriotism ['peɪtrɪəˌtɪzəm] *n. U* patriotyzm.

patristic [pə'trɪstɪk], **patristical** [pə'trɪstɪkl] *a. kośc.* dotyczący patrystyki.

patristics [pə'trɪstɪks] *n. U kośc.* patrystyka.

patroclinous [pə'trɑ:klɪnəs] *a.* = **patriclinous.**

patrol [pə'troʊl] *v.* **-ll-** *t. wojsk.* patrolować. – *n. C/U* **1.** patrol; **on ~** w trakcie patrolu. **2.** zastęp (*skautów*).

patrol car *n. policja* radiowóz.

patrolman [pə'troʊlmən] *n. pl.* **-men 1.** *US policja* dzielnicowy. **2.** *Br.* pracownik pomocy drogowej (*związku motorowego*).

patrologist [pə'trɑ:lədʒɪst] *n. kośc.* patrolog.

patrology [pə'trɑ:lədʒɪ] *n. C/U pl.* **-ies** *kośc.* patrologia.

patrol wagon *n. US, Austr. i NZ policja* karetka więzienna.

patrolwoman [pə'troʊl,wʊmən] *n. pl.* **-women** policjantka.

patron ['peɪtrən] *n.* **1.** (stał-y/a) klient/ka, (stały) gość (*restauracji, pubu*). **2.** protektor/ka, opiekun/ka; ~ **of the arts** mecenas (sztuk). **3.** = **patron saint**. **4.** *kośc.* kolator/ka (*w kościele anglikańskim*).

patronage ['pætrənɪdʒ] *n. U* **1.** *zwł. US* stałe korzystanie z usług (*sklepu l. firmy*); **"thank you for your ~"** „dziękujemy za korzystanie z naszych usług" (*napis w sklepie itp.*). **2.** opieka, poparcie; patronat (*of sth* nad czymś); mecenat. **3.** *polit.* rozdawnictwo posad *l.* przywilejów (*przez rządzącą partię l. prezydenta*); posady *l.* przywileje z nominacji politycznych. **4.** protekcjonalność, przejawy protekcjonalności. **5.** *kośc.* kolatorstwo (*w kościele anglikańskim*).

patronal ['pætrənl] *a. form.* opiekuńczy.

patronize ['peɪtrə,naɪz], *Br. i Austr. zw.* **patronise** *v.* **1.** popierać (*np. jako klient*); protegować (*kogoś*). **2.** patronować (*komuś l. czemuś*). **3.** traktować protekcjonalnie.

patronizing ['peɪtrə,naɪzɪŋ], *Br. i Austr. zw.* **patronising** *a.* protekcjonalny.

patronizingly ['peɪtrə,naɪzɪŋlɪ], *Br. i Austr. zw.* **patronisingly** *adv.* protekcjonalnie.

patron saint *n. kośc.* patron/ka.

patronymic [,pætrə'nɪmɪk] *jęz. a.* patronimiczny, odojcowski (*o imieniu, przydomku, nazwisku*). – *n.* patronimik, patronimikum.

patronymically [,pætrə'nɪmɪklɪ] *adv.* patronimicznie.

patroon [pə'truːn] *n. US hist.* holenderski właściciel ziemski z przywilejami feudalnymi.

patsy ['pætsɪ] *n. pl.* **-ies** *US i Can. pog. sl.* frajer/ka.

pattée [pə'teɪ] *a. her.* rycerski, kawalerski, teutoński (*o krzyżu*).

patten ['pætən] *n.* **1.** chodak (*na platformie*). **2.** *med.* podkładka podwyższająca podeszwę buta (*dla wyrównania skrócenia nogi*).

patter[1] ['pætər] *v.* **1.** bębnić (*zwł. o deszczu*) (*against / on sth* o coś). **2.** ~ **(around/about)** tupać; dreptać (*szybko*). – *n. sing.* **1.** bębnienie. **2.** tupot; dreptanie. **3.** **the ~ of tiny feet** *przen. żart.* tupot dziecięcych nóżek (*jako symbol pojawienia się w rodzinie dziecka l. oczekiwania na nie*).

patter[2] *v.* **1.** trajkotać, paplać, trajlować. **2.** klepać (*pacierze*). – *n. U l. sing.* **1.** gadka (*osoby usiłującej coś sprzedać*). **2.** paplanina, trajlowanie. **3.** szybka recytacja. **4.** żargon.

pattern ['pætərn] *n.* **1.** *zw. sing.* wzór; wzorzec; **set a ~ (for sth)** stanowić wzór (dla czegoś). **2.** deseń, wzór; wzorek, rzucik. **3.** schemat; **follow a set ~** przebiegać według stałego schematu. **4.** próbka. **5.** forma; szablon; *krawiectwo* wykrój. **6.** rozrzut (*t. np. na tarczy strzeleckiej*). – *v.* **1.** *zw. pass.* wzorować; modelować; **be ~ed on/after sth** być wzorowanym na czymś. **2.** ozdabiać wzorem *l.* deseniem.

patterned ['pætərnd] *a.* we wzorki.

patterning ['pætərnɪŋ] *n. U* **1.** *psych., socjol.* wytwarzanie się wzorców (*np. zachowań, kulturowych*). **2.** *t. biol.* deseń, rysunek (*np. na skórze*).

pattern-maker ['pætərn,meɪkər] *n. metal.* modelarz.

pattern room *n.* (*także* **pattern shop**) *metal.* modelarnia.

patter song *n. muz.* szybka melorecytacja (*zwł. o żartobliwej treści*).

patty ['pætɪ] *n. pl.* **-ies** *kulin.* **1.** *zwł. US* płaski kotlecik (*zw. z mielonego mięsa l. warzyw*). **2.** *zwł. Br.* pasztecik; krokiecik. **3.** pastylka, drops (*np. miętowy*).

patulous ['pætʃələs] *a.* **1.** *bot.* rozłożysty. **2.** *rzad.* rozległy, szeroki.

paucity ['pɔːsətɪ] *n. U form.* szczupłość, niedostatek, ubóstwo (*np. środków, informacji*).

pauldron ['pɔːldrən] *n. zbroja, hist.* naramiennik.

Paulist ['pɔːlɪst] *n. kośc.* paulin.

paunch [pɔːntʃ] *n.* **1.** *często żart.* brzuszek (*zwł. u mężczyzny*). **2.** *zool., anat.* żwacz. **3.** *żegl.* mata ochronna.

paunchy ['pɔːntʃɪ] *a.* **-ier, -iest** z brzuszkiem, brzuchaty.

pauper ['pɔːpər] *n.* **1.** *przest.* bieda-k/czka, nędza-rz/rka. **2.** hist., osoba korzystająca z opieki społecznej.

pauperism ['pɔːpə,rɪzəm] *n. U przest.* skrajna nędza.

pauperization [,pɔːpərə'zeɪʃən], *Br. i Austr. zw.* **pauperisation** *n. U* pauperyzacja.

pauperize ['pɔːpə,raɪz], *Br. i Austr. zw.* **pauperise** *v.* pauperyzować.

pause [pɔːz] *n.* **1.** przerwa (*in sth* w czymś); pauza (*t. ret.*); **without a ~** bez przerwy, bez wytchnienia; pauza. **2.** *muz.* fermata, korona. **3.** **give sb ~ (for thought)** *form.* skłaniać kogoś do zastanowienia. – *v.* **1.** przerwać (*zwł. = przestać mówić*). **2.** wstrzymać się, zatrzymać się. **3.** zawahać się.

pavane [pə'vɑːn] *n. C / U muz.* pawana.

pave [peɪv] *v.* **1.** *zw. pass.* brukować; **~d (over)** (wy)brukowany. **2.** *przen.* **~ the way** torować drogę (*for sb* komuś, *to sth* do czegoś); **~d with flowers** usłany kwiatami; **the road to hell is ~d with good intentions** *zob.* **hell**; **the streets there are ~d with gold** złoto leży tam na ulicach (= *łatwo tam zbić fortunę*).

pavement ['peɪvmənt] *n.* **1.** *U US, Can. i Austr.* nawierzchnia (*drogi*). **2.** *Br.* chodnik. **3.** *C / U* bruk (= *materiał do brukowania, wybrukowana powierzchnia*).

pavement artist *n. Br.* artyst-a/ka malując-y/a na chodniku (*dla zarobku*).

pavilion [pə'vɪljən] *n.* **1.** pawilon (*t. wystawowy, szpitalny*). **2.** *Br. sport* szatnia (*zwł. przy boisku do krykieta*). **3.** *hist.* średniowieczny namiot rycerski. – *v. lit.* **1.** zamykać (jak) w pawilonie. **2.** wyposażać w pawilon *l.* pawilony.

paving ['peɪvɪŋ] *n. U* **1.** bruk. **2.** nawierzchnia. **3.** **crazy ~** *zob.* **crazy**.

paving stone *n. zwł. Br.* kostka brukowa; betonowa płyta brukowa.

pavior ['peɪvjər], *Br.* **paviour** *n.* **1.** brukarz. **2.** robotnik drogowy (*układający nawierzchnię*). **3.** *techn.* maszyna do brukowania; przesuwna betoniarka drogowa. **4.** *U techn.* klinkier drogowy.

pavis ['pævɪs], **pavise** *n. hist., wojsk.* pawęż.

pavlova [pɑːv'louvə] *n. C/U kulin.* ciasto bezowe z owocami i bitą śmietaną.

pavonine ['pævəˌnaɪn] *a. lit.* pawi; przypominający pawia.

paw[1] [pɔː] *n. zool.* łapa (*t. żart. pot.* = *ręka*). – *v.* **1.** uderzać łapą (*at sth* w coś). **2.** ~ **the ground** bić kopytem o ziemię; drzeć kopytami ziemię (*o koniu*). **3.** ~ **sb** *pot.* obmacywać *l.* obłapiać kogoś.

paw[2] *n. US dial.* tatuś.

pawky ['pɔːkɪ] *a.* **-ier, -iest** *gł. Scot.* sarkastyczny.

pawl [pɔːl] *n.* **1.** *mech.* języczek, zapadka; ~ **and ratchet** mechanizm zapadkowy. **2.** *żegl.* drąg przeciwpoślizgowy (*np. kołowrotu*). – *v.* zabezpieczać przy pomocy drąga (*np. kołowrót*).

pawn[1] [pɔːn] *n. szachy l. przen.* pionek (*in sth* w czymś).

pawn[2] *n.* **1.** *C/U* zastaw, fant; **in** ~ zastawiony, w zastawie. **2.** zakładni-k/czka. – *v.* **1.** zastawiać, oddawać w zastaw. **2.** *przen.* ręczyć (*czymś*).

pawnbroker ['pɔːnˌbroukər] *n.* osoba pożyczająca pod zastaw, właściciel/ka lombardu.

pawnbroking ['pɔːnˌbroukɪŋ], **pawnbrokerage** ['pɔːnˌbroukərɪdʒ] *n. U* pożyczanie pod zastaw.

Pawnee [pɔː'niː] *n. pl.* **-s** *l.* **Pawnee** *US* Paunis/ka.

pawner ['pɔːnər] *n.* osoba dająca zastaw.

pawnshop ['pɔːnˌʃɑːp] *n.* lombard.

pawnticket ['pɔːnˌtɪkɪt] *n.* kwit zastawny, pokwitowanie z lombardu.

pawpaw ['pɔːˌpɔː] *n.* = **papaw.**

pax [pæks] *n. kośc.* **1.** pacyfikał. **2.** znak pokoju. – *int. Br. szkoln. sl.* sztama!

paxwax ['pæksˌwæks] *n. Br. dial.* wiązadło karkowe (*u zwierzęcia*).

pay[1] [peɪ] *v.* **paid, paid** [peɪd] **1.** *t. przen.* płacić (*sb for sth* komuś za coś, *sb to do sth* komuś, żeby cos zrobił); *przen.* odpłacać (*with sth* czymś); spłacać (*np. wierzycieli*); ~ **by check/credit card** płacić czekiem/kartą kredytową; ~ **(in/by/with) cash** płacić gotówką; ~ **dearly** *przen.* drogo zapłacić (*for doing sth* za zrobienie czegoś); ~ **for itself** spłacić się, zwrócić się (*o inwestycji*); ~ **one's way** płacić za siebie; być samowystarczalnym finansowo; ~ **through the nose** *przen. pot.* płacić jak za zboże; ~ **top dollar** *US pot.* zapłacić kupę forsy; ~ **with one's life** *przen.* zapłacić życiem; **he who ~s the piper calls the tune** *zob.* **piper. 2.** dawać, przynosić (*dochody*); **a day's work ~s $50** za dzień pracy dostaje się 50 dolarów. **3.** opłacać się; popłacać; **crime does not** ~ zbrodnia nie popłaca; **it does not** ~ **to be honest** nie opłaca się być uczciwym, uczciwość nie popłaca. **4.** *przen.* ~ **attention (to sb/sth)** *zob.* **attention**; ~ **a call/visit on sb** (*także* ~ **sb a call/visit**) złożyć komuś wizytę; ~ **court to sb** *zob.* **court** *n.*; ~ **dividends** *zob.* **dividend** 4; ~ **lip service to sth** *zob.* **lip service**; ~ **one's dues** *zob.* **due** *n.*; ~ **one's (last) respects to sb** *zob.* **respect** *n.*; ~ **sb a compliment** *zob.* **compliment** *n.*; ~ **sb the compliment of doing sth** *zob.* **compliment** *n.*; ~ **the penalty/price** ponieść karę; ~ **tribute to sb** *zob.* **tribute** *n.* **5.** ~ **away** *żegl.* popuszczać (*linę*); ~ **back** oddać, zwrócić (*pieniądze*); ~ **sb back** *przen.* odpłacić komuś (*for sth* za coś); ~ **down** wpłacić gotówką jako pierwszą ratę; ~ **in** wpłacić (*np. w banku*); ~ **off** spłacić (*np. dług*); zapłacić (*np. rachunek*); opłacić się (*o ryzyku*); ~ **sb off** opłacić się komuś (*szantażyście*); spłacić kogoś (*pracownika przed zwolnieniem*); odpłacić (się) komuś (*for sth* za coś); ~ **out** wypłacić; wyłożyć (*zwł. dużą sumę*); popuszczać (*np. linę*); ~ **sb out** *US* odpłacić (się) komuś (*for sth* za coś); ~ **over** wypłacić (*sth to sb* coś komuś); ~ **up** zapłacić całą kwotę (*zwł. niechętnie*). – *n. U* **1.** płaca; wynagrodzenie; *t. przen.* zapłata; **in the** ~ **of sb** na czyichś usługach; na czyimś żołdzie. **2.** *US rzad.* płatnik; **good/poor** ~ terminowy/nieterminowy płatnik. – *a. attr.* **1.** płatny (*np. o telefonie, toalecie*). **2.** opłacalny w eksploatacji (*o złożu*).

pay[2] *v.* **payed** *żegl.* smołować (*łódkę*).

payable ['peɪəbl] *a.* **1.** płatny; ~ **beforehand/in advance** płatny z góry; ~ **on delivery/receipt** płatny przy dostawie/odbiorze; ~ **to bearer** płatny na okaziciela; **make a check** *US*/**checque** *Br.* ~ **to sb** wystawić czek na kogoś. **2.** opłacający się, dochodowy.

pay-as-you-earn [ˌpeɪæzjuː'ɜːn], **PAYE** [ˌpiː ˌeɪ ˌwaɪ 'iː] *n. U Br. i NZ* potrącanie podatku dochodowego przy wypłacie.

payback ['peɪˌbæk] *n.* **1.** *fin.* zwrot nakładów inwestycyjnych. **2.** (*także* ~ **period**) *fin.* okres amortyzowania się obiektu. **3.** *przen. pot.* zemsta, rewanż.

pay bed *n. Br.* miejsce w szpitalu ze specjalnymi wygodami, opłacanymi przez pacjenta.

pay check, *Br.* **pay cheque** *n.* **1.** czek z wypłatą. **2.** *zwł. US* zarobki.

pay claim *n. Br. i Austr.* roszczenie płacowe.

payday ['peɪˌdeɪ], **pay-day** *n.* dzień wypłaty.

pay dirt *n.* **1.** *górn.* złoże opłacalne w eksploatacji. **2. hit/strike** ~ *US przen. pot.* trafić na żyłę złota; osiągnąć cel.

PAYE [ˌpiː ˌeɪ ˌwaɪ 'iː] *abbr.* = **pay-as-you-earn.**

payee [peɪ'iː] *n.* odbior-ca/czyni płatności; *handl.* remitent/ka (*czeku*); *prawn.* beneficjent/ka.

pay envelope *n. US* koperta z wypłatą.

payer ['peɪər] *n.* płatnik.

paying guest ['peɪɪŋ ˌgest] *n.* gość pensjonatu.

paying-in slip [ˌpeɪɪŋ'ɪn ˌslɪp] *n. Br. bank* formularz *l.* druczek wpłaty.

payload ['peɪˌloud] *n. C/U handl.* ciężar użyteczny; ładunek użyteczny.

paymaster ['peɪˌmæstər] *n.* **1.** kasjer; *wojsk.* płatnik. **2.** *przen.* zleceniodaw-ca/czyni (*zwł. przestępstwa*).

payment ['peɪmənt] *n. C/U* zapłata (*for sth* za

coś) (*t. przen.*); wypłata; wpłata; opłata, płatność; ~ **in kind** zapłata w towarze; **balance of ~s** *zob.* **balance** *n.*; **down** ~ *zob.* **down**; **in ~ of sth** tytułem zapłaty za coś; **on ~ of sth** po wpłaceniu czegoś (*np. zaliczki*).

paynim [ˈpeɪnɪm] *n. arch.* pogan-in/ka; mahometan-in/ka.

pay-off [ˈpeɪˌɔ:f], **payoff** *n. pot.* **1.** ostateczna spłata (*np. długu*). **2.** *przen. pot.* pożądany rezultat *l.* efekt; nagroda (*for sth* za coś) (*np. za lata pracy l. poświęceń*). **3.** *przen.* odpłata, rewanż. **4.** *pot.* łapówka.

payola [peɪˈoʊlə] *n. gł. US pot.* łapówka za promocję produktu na antenie (*zwł. dla dyskdżokeja*).

pay packet *n. Br. i Austr.* **1.** koperta z wypłatą. **2.** zarobki.

pay phone *n.* automat telefoniczny.

payroll [ˈpeɪˌroʊl], **pay roll** *n.* lista płac; **be on sb's ~** być zatrudnionym przez kogoś.

payroll tax *n. US fin.* podatek od wynagrodzeń.

payslip [ˈpeɪˌslɪp] *n. Br.* = **paystub**.

paystub [ˈpeɪˌstʌb] *n. US* odcinek wypłaty.

PC[1] [ˌpi: ˈsi:] *n.* (*także* **personal computer**) pecet, komputer osobisty.

PC[2] *a.* (*także* **politically correct**) politycznie poprawny.

PC[3] *abbr.* (*także* **P.C.**) **1.** *US* = **Peace Corps**. **2.** = **Prince Consort**. **3.** *chem.* = **polycarbonate**. **4.** *Br.* = **Police Constable**. **5.** *Br.* = **Privy Council**; = **Privy Councillor**. **6. Progressive Conservative** *Can. polit.* człon-ek/kini Partii Postępowo-Konserwatywnej. **7. Post Commander** *wojsk.* dowódca posterunku.

pc, p.c. *abbr.* **1.** *el.* = **printed circuit**. **2.** *astron.* = **parsec**. **3.** *Br.* = **per cent**.

PCB [ˌpi: ˌsi: ˈbi:] *abbr.* **polychlorinated biphenyl** *chem.* dwufenyl polichlorowany.

pcm. [ˌpi: ˌsi: ˈem] *abbr.* **per calendar month** miesięcznie (*podając wysokość czynszu, np. w ogłoszeniu*).

pct. *abbr. US* = **percent**.

PD [ˌpi: ˈdi:] *abbr. US* = **Police Department**.

pd. *abbr.* **1. paid** *handl.* opłacone, zapłacone. **2.** (*także* **PD**) = **per diem**.

pdq [ˌpi: ˌdi: ˈkju:], **PDQ** *abbr. i adv.* (*także* **pretty damn/darn quick**) *sl.* w trymiga.

PDT [ˌpi: ˌdi: ˈti:] *abbr.* = **Pacific Daylight Time**.

PE [ˌpi: ˈi:] *abbr. i n. U szkoln.* = **physical education**. – *abbr.* **1.** *chem.* = **polyethylene**. **2.** *fiz.* = **potential energy**. **3.** *stat.* = **probable error**. **4.** (*także* **p.e.**) **printer's error** błąd drukarski.

pea [pi:] *n.* **1.** *kulin.* ziarnko grochu, groszek; *pl.* groch; groszek. **2.** *bot.* groch zwyczajny (*Pisum sativum*). **3. like two ~s in a pod** *przen.* (podobni do siebie) jak dwie krople wody.

peace [pi:s] *n.* **1.** *U l. sing.* pokój; ~ **conference/initiative** konferencja/inicjatywa pokojowa; ~ **talks** rozmowy *l.* negocjacje pokojowe; **a lasting ~** trwały pokój; **make ~** zawrzeć pokój; **the P~ of Paris/Augsburg** *hist.* pokój paryski/augsburski. **2.** *U* spokój; ~ **and quiet** cisza i spokój; ~ **of mind** spokój ducha; **(leave sb) in ~** (zostawić kogoś) w spokoju. **3. the ~** *prawn.* porządek publiczny; **breach of the ~** zakłócenie porządku (publicznego); **disturb the ~** zakłócić porządek; **justice of the ~** *zob.* **justice**; **keep the ~** pilnować porządku (*np. o policji*); przestrzegać prawa (*w zobowiązaniu*). **4. be at ~** żyć w harmonii (*with sb / o.s.* z kimś/z samym sobą); *euf.* nie żyć; **hold/keep one's ~** zachować milczenie; **make (one's) ~** pojednać *l.* pogodzić się (*with sb* z kimś); **may he/she rest in ~** niech spoczywa *l.* odpoczywa w pokoju (*np. na nagrobku*).

peaceable [ˈpi:səbl] *a.* **1.** pokojowy (*o metodach*). **2.** spokojny (*o obywatelu*); pokojowo nastawiony (*o narodzie, kraju*).

peaceably [ˈpi:səblɪ] *adv.* **1.** pokojowo (*np. nastawiony*). **2.** spokojnie (*np. demonstrować*).

Peace Corps [ˈpi:s ˌkɔ:r] *n.* **the ~** *US* Korpus Pokoju (*organizacja wolontariuszy działająca w krajach rozwijających się*).

peace dividend *n. sing. polit., fin.* pieniądze zaoszczędzone na zbrojeniach (*które można wydać na inne cele*).

peaceful [ˈpi:sfʊl] *a.* **1.** spokojny (*np. o okolicy, miejscu, osobie*). **2.** pokojowy (*np. o demonstracji, proteście, wykorzystaniu czegoś*). **3.** pokojowo nastawiony.

peacefully [ˈpi:sfʊlɪ] *adv.* **1.** spokojnie (*np. spać, żyć*). **2.** pokojowo (*np. demonstrować, protestować*); w celach pokojowych (*wykorzystywać*).

peacefulness [ˈpi:sfʊlnəs] *n. U* **1.** spokój. **2.** pokojowa natura; pokojowe nastawienie.

peace-keeping [ˈpi:sˌki:pɪŋ], **peacekeeping** *a.* **1.** pilnujący pokoju. **2.** ~ **operations/troops** operacje/oddziały pokojowe.

peace-loving [ˈpi:sˌlʌvɪŋ] *a.* miłujący pokój.

peacemaker [ˈpi:sˌmeɪkər] *a.* rozjem-ca/czyni, mediator/ka.

peacemaking [ˈpi:sˌmeɪkɪŋ] *n. U* rozjemstwo, mediacja.

peace march *n.* marsz pokojowy.

peace offering *n.* **1.** *Bibl.* ofiara dziękczynna. **2.** *pot.* prezent na zgodę.

peace pipe *n.* fajka pokoju.

peace sign *n.* znak pokoju *l.* zwycięstwa (= *palce w formie litery V*).

peacetime [ˈpi:sˌtaɪm] *n. U* okres pokoju; czasy pokojowe.

peach[1] [pi:tʃ] *n.* **1.** brzoskwinia (*owoc*). **2.** (*także* ~ **tree**) *bot.* brzoskwinia zwyczajna (*Prunus persica*). **3.** *U* kolor brzoskwiniowy. **4.** *sing. przest. pot.* cudo. **5. ~es and cream (complexion)** *przen.* (cera jak) krew z mlekiem. – *a.* (*także* **~-colored**) brzoskwiniowy.

peach[2] *v. przest. pot.* sypać (*against / on sb* kogoś) (*zw. wspólnika*).

peach-blow [ˈpi:tʃˌbloʊ] *n. U* **1.** kolor brzoskwini. **2.** orientalna glazura porcelanowa koloru brzoskwini.

peach melba *n. C / U kulin.* melba.

peachy [ˈpi:tʃɪ] *a.* **-ier, -iest** **1.** podobny do brzoskwini; koloru brzoskwini. **2.** *pot.* wspaniały, fantastyczny.

pea coat *n.* = **pea jacket**.

peacock [ˈpiːˌkɑːk] *n. orn. l. przen.* paw (*samiec*); **as proud as a ~** dumny jak paw. – *v. arch.* pysznić się (jak paw).

peacock blue *a. i n. U* (kolor) zielonkawoniebieski.

peacock butterfly *n. ent.* rusałka pawik (*Inachis io*).

peacock ore *n. U min.* bornit, chalkopiryt.

pea crab *n. zool.* (krab) strzeżek (*Pinnoteres*).

peafowl [ˈpiːˌfaʊl] *n. pl.* **-s** *l.* **peafowl** *orn.* paw (*Pavo cristatus*).

pea green *a. i n. U* (kolor) groszkowy.

peahen [ˈpiːˌhen] *n. orn.* pawica.

pea jacket *n.* (*także* **peacoat**) dwurzędowa kurtka marynarska z grubego sukna.

peak[1] [piːk] *n.* **1.** szczyt (*górski*); turnia. **2.** *przen.* szczyt, szczytowy punkt (*np. czyjejś kariery*); wartość szczytowa; **be at/reach one's ~** być u szczytu formy, osiągnąć szczyt formy (*np. o sportowcu*); **reach a ~** osiągnąć szczyt; sięgać szczytu. **3.** szpic (*t. brody*). **4.** *zwł. Br.* daszek (*czapki*). **5.** (*także* **widow's ~**) trójkącik włosów na środku czoła. **6.** *fiz. el.* wartość szczytowa. **7.** *mat. geom.* wierzchołek (*krzywej*); *mech.* garb (*krzywki*). **8.** *żegl.* skrajnik. **9.** *żegl.* róg pikowy (*żagla*). – *a. attr.* najwyższy, największy (*np. o poziomie, wartości, natężeniu ruchu*); szczytowy; **~ season** szczyt sezonu; **~ time/period** godziny szczytu; **~ viewing hours** *telew.* godziny największej oglądalności. – *v.* **1.** osiągnąć szczyt, sięgnąć szczytu; **last month unemployment ~ed at 1.6 million** w zeszłym miesiącu bezrobocie sięgnęło szczytu, wynosząc 1,6 miliona osób. **2.** stanowić szczyt. **3.** *żegl.* ustawiać pionowo (*reję*); stawiać na sztorc (*wiosła*).

peak[2] *v. arch.* marnieć, chudnąć.

peaked[1] [piːkt] *a.* **1.** z daszkiem (*o czapce*). **2.** szpiczasty, ostro zakończony.

peaked[2] *a.* (*także Br.* **peaky**) mizerny, zmarniały, wychudły.

peak hour *n. Austr. i NZ* godzina szczytu.

peaky [ˈpiːkɪ] *a.* **-ier, -iest** *Br. pot.* = **peaked**[2].

peal [piːl] *n.* **1. ~s of laughter** salwa *l.* wybuch śmiechu. **2.** bicie (*dzwonów; zwł. uderzanych na zmianę*); przeciągły huk (*np. armat, grzmotu*). **3.** zespół dzwonów. – *v.* **1. ~ (out)** bić (*o dzwonach*). **2.** bić w (*dzwony*). **3.** zagrzmieć (= *powiedzieć głośno*).

peanut [ˈpiːˌnʌt] *n.* **1.** *bot., kulin.* orzech *l.* orzeszek ziemny (*Arachis hypogaea*). **2.** *pl. zob.* **peanuts**.

peanut butter *n. U kulin.* masło orzechowe.

peanut gallery *n. US żart. teatr, kino* tanie tylne miejsca.

peanuts [ˈpiːˌnʌts] *n. pl. pot.* grosze, tyle co nic (*kosztować, zarabiać*).

pear [per] *n.* **1.** gruszka (*owoc*). **2.** (*także* **~ tree**) *bot.* grusza (*Pyrus domestica*).

pearl[1] [pɜːl] *n.* **1.** *t. przen.* perła; *pl.* perły (*biżuteria*); **~s of wisdom** *zw. iron. l. żart.* perły mądrości; **cast ~s before swine** *lit.* rzucać perły przed wieprze. **2.** *U* (*także* **mother-of-~**) macica perłowa. **3.** *U* kolor perłowy. **4.** *U druk.* perl. – *a. attr.* perłowy; z pereł. – *v.* **1.** wysadzać perłami. **2.** nadawać perłową barwę (*czemuś*). **3.** poławiać perły.

pearl[2] *n. i v. zob.* **purl**[1].

pearlash [ˈpɜːlˌæʃ], **pearl ash** *n. U chem.* potaż.

pearl barley *n. U kulin.* kasza (jęczmienna) perłowa.

pearl diver *n.* poławiacz/ka pereł.

pearler [ˈpɜːlər] *n.* **1.** poławiacz/ka pereł. **2.** łódź do połowu pereł. **3.** *Austr. pot.* coś fantastycznego.

pearl grey *a. i n. U* (kolor) szaroperłowy.

pearlite [ˈpɜːlaɪt], **perlite** *n. U metal.* perlit.

pearl millet *n. U bot.* proso perłowe *l.* murzyńskie (*Pennisetum glaucum*).

pearl oyster *n. zool.* perłopław perłorodny (*Meleagrina margaritifera*).

pearly [ˈpɜːlɪ] *a.* **-ier, -iest** perłowy (*o odcieniu, kolorze*).

pearly gates, Pearly Gates *n. pl.* (*także* **the ~**) *często żart.* bramy Raju.

pear-shaped [ˌperˈʃeɪpt] *a.* **1.** w kształcie gruszki (= *szerszy w biodrach niż w ramionach*). **2.** **go ~** *przen. pot.* iść nie po myśli.

peasant [ˈpezənt] *n.* wieśnia-k/czka, chłop/ka. – *a. attr.* chłopski, wiejski.

peasantry [ˈpezəntrɪ] *n. U* chłopstwo, chłopi, wieśniacy.

peasecod [ˈpiːzˌkɑːd], **peascod** *n. arch.* strączek grochu.

peashooter [ˈpiːˌʃuːtər] *n.* rurka do strzelania grochem, dmuchawka.

pea soup *n. U* **1.** *kulin.* zupa grochowa, grochówka. **2.** *US pot.* gęsta mgła.

pea-souper [ˌpiːˈsuːpər] *n.* **1.** *Can. obelż. sl.* Kanadyj-czyk/ka francuskojęzyczn-y/a. **2.** *U Br. pot.* = **pea-soup**[2].

peat[1] [piːt] *n.* **1.** *U* torf. **2.** grudka torfu (*na opał*).

peat[2] *int. arch.* skarbie.

peatbog [ˈpiːtˌbɑːg] *n.* torfowisko.

peat moss *n. U bot.* (mech) torfowiec (*Sphagnum*).

peat reek *n. U* **1.** dym z torfu opałowego. **2.** whisky pędzona przy użyciu torfu opałowego.

peaty [ˈpiːtɪ] *a.* **-ier, -iest** torfowy; torfiasty.

pebble [ˈpebl] *n.* **1.** kamyk (*zwł. otoczak*). **2.** *U* przezroczysty kryształ górski (*używany do produkcji soczewek*). **3.** *U* sztucznie granulowana skóra. – *v.* **1.** granulować (*skórę*). **2.** wykładać *l.* obrzucać kamykami.

pebble dash, pebbledash *n. U Br. bud.* tynk kamyczkowy.

pebbly [ˈpeblɪ] *a.* **1.** (*także* **pebbled**) pełen kamyków, kamienisty (*np. o wybrzeżu, plaży, dróżce*). **2.** granulowany (*o skórze*).

pecan [pɪˈkɑːn] *n.* **1.** orzech pekanowy. **2.** *bot.* (orzesznik) pekan (*Carya pecan / illinoensis*).

peccability [ˌpekəˈbɪlətɪ] *n. U form.* grzeszność (= *skłonność do grzechu*).

peccable [ˈpekəbl] *a. form.* grzeszny (= *skłonny do grzechu*).

peccadillo [ˌpekəˈdɪloʊ] *n. pl.* **-es** *l.* **-s** grzeszek.

peccant [ˈpekənt] *a. rzad.* **1.** grzeszny; niemoralny. **2.** wadliwy; nieprzepisowy.

peccary ['pekərɪ] *n. pl.* **-ies** *zool.* pekari; **collared** ~ pekari obrożny (*Tayassu tajacu*); **white-lipped** ~ pekari białobrody (*Tayassu albirostris*).

peck[1] [pek] *v.* **1.** *t. przen.* dziobać (*(at) sth* coś); ~ **(out)** wydziobać (*dziurę*). **2.** ~ **sb on the cheek** *pot.* cmoknąć kogoś w policzek. **3.** ~ **at** czepiać się (*kogoś l. czegoś*); dziobać (*jedzenie na talerzu*). – *n.* **1.** dziobnięcie. **2.** *pot.* cmoknięcie, muśnięcie wargami; **give sb a ~ on the cheek** cmoknąć kogoś w policzek. **3.** wydziobana dziurka; ślad po dziobnięciu.

peck[2] *n.* **1.** miara objętości równa 8 kwartom (= *9,09 l*); pojemnik o objętości jw. (*na substancje sypkie*). **2. a ~ of sth** *pot.* mnóstwo *l.* moc czegoś.

pecker ['pekər] *n.* **1.** *pot.* dzięcioł. **2.** *US* motyka; kilof. **3.** *US wulg. sl.* kutas. **4. keep your ~ up!** *Br. przest. pot.* głowa do góry!, nie daj się!.

pecking order ['pekɪŋ ˌɔːrdər] *n.* *często żart.* hierarchia (*nieoficjalna, w obrębie danej grupy*).

peckish ['pekɪʃ] *a. Br. i Austr. pot.* lekko głodny, głodnawy; **feel** ~ mieć ochotę rzucić coś na ząb.

Pecksniffian [pek'snɪfɪən] *a. lit.* obłudny.

pecs [peks] *n. pl. pot.* = **pectoral muscles**.

pecten ['pektɪn] *n. pl.* **-s** *l.* **pectines** ['pektəˌniːz] *zool.* **1.** grzebień. **2.** grzebyczek (*w oku*). **3.** przegrzebek (*Pecten*).

pectic ['pektɪk], **pectinous** ['pektɪnəs] *a. biochem.* pektynowy.

pectin ['pektɪn] *n. C/U biochem.* pektyna.

pectinate ['pektəˌneɪt], **pectinated** ['pektəˌneɪtɪd] *a. zool.* grzebieniasty.

pectination [ˌpektə'neɪʃən] *n. zool.* **1.** zazębienie. **2.** część grzebieniasta.

pectoral ['pektərəl] *a.* **1.** *anat.* piersiowy. **2.** noszony na piersi (*np. o krzyżu*). **3.** *rzad. przen.* płynący z serca. – *n.* **1.** *zbroja, hist.* pektorał. **2.** *przest. med.* lek wykrztuśny. **3.** *icht.* = **pectoral fin**. **4.** *anat.* = **pectoral muscle**.

pectoral fin *n. icht.* płetwa piersiowa.

pectoral muscle *n. anat.* mięsień piersiowy, mięsień klatki piersiowej.

peculate ['pekjəˌleɪt] *v. form.* sprzeniewierzyć, zdefraudować.

peculation [ˌpekjə'leɪʃən] *n. C/U form.* sprzeniewierzenie, defraudacja.

peculator ['pekjəˌleɪtər] *n. form.* malwersant/ka, defraudant/ka.

peculiar [pɪ'kjuːljər] *a.* **1.** osobliwy; dziwny; szczególny. **2.** ~ **to sb/sth** specyficzny *l.* charakterystyczny dla kogoś/czegoś, właściwy komuś/czemuś. – *n.* **1.** *rzad.* własność osobista; przywilej osobisty. **2.** *Br. kośc.* parafia wyjęta spod jurysdykcji biskupa diecezjalnego (*w kościele anglikańskim*).

peculiarity [pɪˌkjulɪ'erətɪ] *n. pl.* **-ies** **1.** *C/U* osobliwość. **2.** właściwość, cecha charakterystyczna *l.* szczególna (*of sth* czegoś).

peculiarly [pɪ'kjuːljərlɪ] *adv.* **1.** szczególnie (*np. trudny*). **2.** osobliwie; dziwnie. **3.** specyficznie, charakterystycznie.

pecuniary [pɪ'kjuːnɪˌerɪ] *a.* **1.** *form.* pieniężny (*np. o karze, pomocy, korzyściach*). **2.** *prawn.* karalny grzywną.

pedagogical [ˌpedə'gɑːdʒɪkl] *a.* (*także* **pedagogic**) pedagogiczny.

pedagogically [ˌpedə'gɑːdʒɪklɪ] *adv.* pedagogicznie; z pedagogicznego punktu widzenia.

pedagogics [ˌpedə'gɑːdʒɪks] *n. rzad.* = **pedagogy**.

pedagogue ['pedəˌgɑːg] *n.* (*także US* **pedagog**) **1.** *uj.* pedantyczn-y/a nauczyciel/ka. **2.** *przest. l. form.* pedagog, nauczyciel/ka.

pedagogy ['pedəˌgɑːdʒɪ] *n. U* pedagogika.

pedal ['pedl] *n.* **1.** *t. mot., muz.* pedał; **loud/soft** ~ *muz.* prawy/lewy pedał (*fortepianu*). **2.** *muz.* = **pedal point**. – *v. Br.* **-ll-** **1.** pedałować; naciskać pedał. **2.** obracać pedałem (*rower*). – *a.* **1.** *attr.* pedałowy. **2.** ['piːdl] *anat.* nożny.

pedal bin *n.* kosz na śmieci z pedałem.

pedalo ['pedəˌloʊ] *n. pl.* **-s** *l.* **-es** *Br. i Austr.* rower wodny.

pedal point *n. muz.* nuta pedałowa.

pedal pushers *n. pl. strój* rybaczki (*damskie*).

pedant ['pedənt] *n.* pedant/ka.

pedantic [pɪ'dæntɪk] *a.* pedantyczny.

pedantry ['pedəntrɪ] *n. U* pedanteria.

pedate ['pedeɪt] *a.* **1.** *zool.* posiadający odnóża; palczasty. **2.** *bot.* palczasto podzielony (*o liściu*).

peddle ['pedl] *v.* **1.** *uj.* kupczyć, kramarzyć (*czymś; w handlu domokrążnym*). **2.** ~ **drugs/pornographic magazines** handlować narkotykami/czasopismami pornograficznymi. **3.** *przen.* nachalnie głosić (*poglądy, filozofię*); rozpowszechniać (*plotki, fałszywe informacje*).

peddler ['pedlər] *n.* **1.** (*także Br.* **pedlar**) *przest.* domokrążca. **2. drug/dope** ~ *przest.* handlarz narkotykami, dealer. **3.** *przen.* ~ **of sth** głosiciel/ka czegoś; ~ **of gossip** plotka-rz/ra.

pederast ['pedəˌræst], *Br. i Austr. zw. przest.* **paederast** *n.* pederasta.

pederasty ['pedəˌræstɪ] *n. U* pederastia.

pedestal ['pedɪstl] *n.* **1.** cokół (*np. pomnika, kolumny, popiersia*), piedestał (*t. przen.*); postument (*np. rzeźby, wazonu*); *Br.* noga (*np. od umywalki*). **2.** kolumna szuflad (*jedna z dwóch w biurku*). **3.** *przen.* **knock sb off their** ~ strącić kogoś z piedestału; **put/place/set sb on a** ~ stawiać kogoś na piedestale, wynosić kogoś na piedestał. – *v.* **-ll-** stawiać na cokole *l.* piedestale.

pedestal basin *n. Br.* umywalka stojąca (*na nodze*).

pedestal desk *n.* biurko spoczywające na dwóch kolumnach szuflad.

pedestrian [pə'destrɪən] *a.* **1.** pieszy. **2.** *przen.* przyziemny, prozaiczny; przeciętny, nieszczególny. – *n.* **1.** pieszy (*w ruchu drogowym*). **2.** piechur/ka.

pedestrian crossing *n. Br.* przejście dla pieszych.

pedestrianism [pə'destrɪəˌnɪzəm] *n. U* **1.** sport pieszy. **2.** *przen.* przyziemność, prozaiczność.

pedestrianize [pə'destrɪəˌnaɪz], *Br. i Austr. zw.* **pedestrianise** *v.* zamknąć dla ruchu kołowego (*część miasta*); przerobić na deptak (*ulicę*).

pedestrian mall *n.* (*także Br.* **pedestrian precinct**) strefa ruchu pieszego; deptak, ulica zamknięta dla ruchu kołowego.

pediatric [ˌpiːdɪˈætrɪk], *Br.* **paediatric** *a. med.* pediatryczny.

pediatrician [ˌpiːdɪəˈtrɪʃən] *n. med.* pediatra.

pediatrics [ˌpiːdɪˈætrɪks] *n. U med.* pediatria.

pedicel [ˈpedɪsel] *n. bot., zool.* szypułka.

pedicellate [ˌpedəˈselɪt] *a. bot., zool.* z szypułką; osadzony na szypułce.

pedicular [pɪˈdɪkjələr] *a. pat.* dotyczący wszy; zawszawiony.

pediculate [pɪˈdɪkjʊlət] *icht. n.* ryba ramieniopłetwa *l.* żabnicokształtna. – *a.* ramieniopłetwy, żabnicokształtny.

pediculosis [pɪˌdɪkjəˈloʊsɪs] *n. U pat.* wszawica, zawszenie.

pediculous [pɪˈdɪkjələs] *a. pat.* zawszony, zawszawiony.

pedicure [ˈpedəˌkjʊr] *n. C/U* pedikiur, pedicure.

pedicurist [ˈpedəˌkjʊrɪst] *n.* pedikiurzyst-a/ka.

pedigree [ˈpedəˌgriː] *n. C/U* **1.** drzewo genealogiczne. **2.** rodowód. – *a. attr.* z rodowodem, rasowy; ~ **dachshund/poodle** rasowy jamnik/pudel.

pedigreed [ˈpedəˌgriːd] *a.* z rodowodem, rasowy.

pediment [ˈpedəmənt] *n. bud.* fronton (= *trójkątne zwieńczenie*).

pedimental [ˌpedəˈmentl] *a. bud.* frontonowy.

pedlar [ˈpedlər] *n. Br.* = **peddler** 1.

pedology[1] [pɪˈdɑːlədʒɪ] *n. U roln.* gleboznawstwo.

pedology[2] *n. U* (*także Br.* **paedology**) *med.* pedologia.

pedometer [pɪˈdɑːmətər] *n.* krokomierz.

pedophile [ˈpiːdəˌfaɪl] *n. pat.* pedofil.

pedophilia [ˌpiːdəˈfɪlɪə], *Br.* **paedophilia** *n. U pat.* pedofilia.

peduncle [pɪˈdʌŋkl] *n. bot., zool., anat.* szypułka.

peduncular [pɪˈdʌŋkjələr] *a. bot., anat., pat.* szypułowy; konarowy.

pee [piː] *pot. v.* siusiać. – *n.* **1.** *sing.* siusiu; **go for/have a** ~ zrobić siusiu. **2.** *U* siki.

peek [piːk] *v.* **1.** zerkać. **2.** ~ **(out)** wystawać (*from sth* z czegoś). – *n. zw. sing.* zerknięcie; **take a** ~ zerknąć.

peekaboo [ˌpiːkəˈbuː] *int. dziec.* a kuku!

peel[1] [piːl] *v.* **1.** obierać (*np. ziemniaki, jabłka*). **2.** łuszczyć się (*np. o farbie, korze, człowieku*); schodzić (*o skórze*). **3.** zdejmować łupinę *l.* skórkę (*off sth* z czegoś); ściągać *l.* zdzierać korę (*off sth* z czegoś) (*np. z gałązki*). **4. keep one's eyes ~ed** *zob.* **eye** *n.* **5.** ~ **off** *wojsk.* odejść od szyku; *lotn.* oddzielić się od formacji; *sl.* rozebrać się; ~ **sth off** zdjąć coś (*np. sweter, pończochy*). – *n. U* skórka (*np. pomarańczy, jabłka*); łupiny (*np. ziemniaka*), obierki.

peel[2] *n.* łopata piekarska.

peel[3] *n. Br. bud., hist.* strażnica, wieża obronna (*między Anglią a Szkocją w XVI w.*).

peeler[1] [ˈpiːlər] *n.* **1.** nóż do obierania (*np. ziemniaków*). **2.** maszyna do obierania (*jw.*). **3.** *US sl.* striptizerka.

peeler[2] *n. Br. arch. sl.* stójkowy.

peeling [ˈpiːlɪŋ] *n. zw. pl.* obierzyna, obierka; łupina.

peen [piːn] *n.* nosek, rąb (*młotka*). – *v.* tłuc noskiem (*młotka*).

peep[1] [piːp] *v.* **1.** zerkać (*ukradkiem*) (*at sth* na coś); ~ **into the room/through the keyhole** zaglądać do pokoju/przez dziurkę od klucza. **2.** ~ **out** wychynąć, wyjrzeć (*znienacka*); wyłonić się (*zwł. nieśmiało*) (*from behind sth* zza czegoś). – *n. zw. sing.* **1.** zerknięcie; **take a** ~ zerknąć, rzucić okiem (*at sth* na coś). **2.** *przen.* zapowiedź, pierwsza oznaka; **the** ~ **of dawn** pierwsze zorze.

peep[2] *v.* piszczeć (*jak mysz, pisklę*). – *n.* **1.** *zw. sing. t. przen.* pisk; **I don't want (to hear) a** ~ **out of you!** *pot.* ani mru-mru!; **not raise a** ~ *pot.* ani nie pisnąć (= *nie protestować*). **2.** *US orn.* biegus (*Calidris*).

peeper [ˈpiːpər] *n.* **1.** osoba zerkająca. **2.** *zw. pl. przest. sl.* patrzałka (= *oko*).

peephole [ˈpiːpˌhoʊl] *n.* judasz.

peeping Tom [ˌpiːpɪŋ ˈtɑːm] *n.* podglądacz.

peepshow [ˈpiːpˌʃoʊ] *n.* **1.** striptiz z kabinami. **2.** fotoplastikon z pornograficznymi zdjęciami.

peep sight *n. broń* szczerbinka.

peer[1] [piːr] *n.* **1.** rówieśni-k/ca. **2. sb's** ~ osoba równa komuś statusem *l.* rangą; **find one's** ~ trafić na równego sobie. **3.** *Br.* szlachcic (*zwł. utytułowany*); par; ~ **of the realm** par z prawem do miejsca w Izbie Lordów; **life** ~ par dożywotni (*mianowany*). **4.** *arch.* kompan, towarzysz/ka.

peer[2] *v.* **1.** ~ **at sb/sth** przyglądać się komuś/czemuś (*uważnie*); wytężać wzrok, żeby kogoś/coś zobaczyć; ~ **into sth** zaglądać do czegoś (*z zainteresowaniem*). **2.** *przen.* wyłaniać się, wyglądać (*np. o słońcu*).

peerage [ˈpiːrɪdʒ] *n. Br.* **1.** godność *l.* tytuł para. **2.** *U* **the** ~ parowie; szlachta, arystokracja. **3.** herbarz.

peeress [ˈpiːrəs] *n. Br.* **1.** żona para. **2.** kobieta z tytułem para. **3.** szlachcianka (*zwł. utytułowana*).

peer group *n. socjol.* grupa rówieśnicza.

peerless [ˈpiːrləs] *a.* niezrównany, niemający sobie równych.

peer pressure, *Br. t.* **peer group pressure** *n. U socjol.* nacisk grupy rówieśniczej.

peetweet [ˈpiːtˌwiːt] *n. US orn.* brodziec plamisty (*Actitis macularia*).

peeve [piːv] *pot. v. zw. pass.* wkurzać; **~d** wkurzony. – *n.* = **pet peeve**; *zob.* **pet** *a.*

peevish [ˈpiːvɪʃ] *a.* opryskliwy; poirytowany; zły.

peevishly [ˈpiːvɪʃlɪ] *adv.* opryskliwie.

peevishness [ˈpiːvɪʃnəs] *n. U* opryskliwość; zły humor.

peewee [ˈpiːˌwiː] *n.* **1.** *US pot.* maleństwo. **2.** (*także* **pewee**) *orn.* piwik (*Contopus*). **3.** *Scot.* = **peewit**.

peewit [ˈpiːwɪt] *n. orn.* czajka (*Vanellus*).

peg [peg] *n.* **1.** *t. muz.* kołek. **2.** *Br.* mały drink (*zwł. whisky l. brandy z wodą sodową*). **3.**

pot. = **peg leg. 4.** hak (*do wspinaczki*). **5.** (*także* **tent** ~) śledź (*do namiotu*). **6.** (*także* **clothes** ~) spinacz *l.* klamerka do bielizny. **7.** *przen.* **a ~ on which to hang sth** okazja *l.* pretekst do czegoś; **a square ~ in a round hole** *zob.* **hole** *n.*; **bring/take sb down a ~ (or two)** *pot.* przytrzeć komuś rogów; **off-the-~** *Br.* gotowy (= *nie szyty na miarę*); **clothes off the ~** *Br.* konfekcja (gotowa). – *v.* **-gg- 1.** mocować kołkami, śledziami *l.* klamerkami. **2.** oznaczać kołkami. **3.** zaopatrywać w haki (*wspinaczkowe*). **4.** *pot.* obrzucać (*np. kamieniami*). **5.** utrzymywać na stałym poziomie, np. cenę, wartość, poziom. **6. ~ away** *Br. pot.* harować (*at sth* nad/przy czymś); **~ down** przybijać kołkiem *l.* kołkami (do ziemi); **~ out** wytyczać (*przy pomocy kołków*); rozwieszać (*pranie*); *Br. i Austr. przen. pot.* wyciągnąć nogi, = umrzeć; wysiąść (= *odmówić posłuszeństwa; np. o samochodzie*).

Pegasus [ˈpegəsəs] *n. mit.* Pegaz.

peg box *n. muz.* główka, komora kołkowa.

peg leg *n. pot.* **1.** kula (= *proteza nogi*). **2.** kuternoga (*z drewnianą nogą*).

peg top *n.* **1.** bąk (*zabawka*). **2.** *pl.* (*także* **peg-top trousers**) *przest.* bufiaste spodnie (*zebrane w kostce*).

peignoir [peɪnˈwɑːr] *n.* peniuar.

pejorative [pɪˈdʒɑːrətɪv] *a. jęz. l. form.* pejoratywny. – *n. jęz.* wyraz o zabarwieniu pejoratywnym.

pejoratively [pɪˈdʒɑːrətɪvlɪ] *adv. form.* pejoratywnie.

pekan [ˈpekən] *n. zool.* kuna wodna (*Martes pennanti*).

peke [piːk] *n. pot.* = **pekinese**.

pekin [ˌpiːˈkɪn] *n. U tk.* pekinekla.

Pekinese [ˌpiːkəˈniːz], **Pekingese** *a.* pekiński. – *n. pl.* **Pekin(g)ese 1.** peki-ńczyk/nka. **2. p~** (*także pot.* **peke**) *kynol.* pekińczyk.

Peking [ˌpiːˈkɪŋ] *n. geogr. przest.* Pekin.

Pekingese [ˌpiːkəˈniːz] *a.* = **Pekinese**.

pekoe [ˈpiːkoʊ] *n. U kulin.* wysokogatunkowa herbata.

pelage [ˈpelɪdʒ] *n. U zool.* uwłosienie, sierść.

pelagic [pɪˈlædʒɪk] *a. biol., min., ryb.* pelagiczny, morski.

pelargonium [ˌpelɑːrˈgoʊnɪəm] *n. pl.* **-s** *l.* **pelargonium** *bot.* pelargonia (*Pelargonium*).

pelerine [ˌpeləˈriːn] *n.* pelerynka (*damska*).

pelf [pelf] *n. U przest. pog.* mamona.

pelican [ˈpelәkən] *n. orn.* pelikan (*rodzina Pelecanidae*).

pelican crossing *n. Br.* przejście dla pieszych (*ze światłami włączanymi przez pieszego*).

pelisse [pəˈliːs] *n.* pelisa.

pelite [ˈpiːlaɪt] *n. U geol.* pelit.

pellagra [pɪˈlægrə] *n. U pat.* pelagra, rumień lombardzki.

pellet [ˈpelɪt] *n.* **1.** kulka (*np. z papieru, chleba*); gałka. **2.** śrucina. **3.** *pl.* granulat. – *v.* **1.** robić kulki *l.* gałki z (*czegoś*); *techn.* granulować. **2.** zasypywać gradem (*with sth* czegoś).

pellicle [ˈpelɪkl] *n.* **1.** skórka; błonka. **2.** kożuszek (*na płynie*).

pellicular [pəˈlɪkjələr] *a.* błonkowaty.

pellitory [ˈpelɪˌtɔːrɪ] *n. pl.* **-ies** *bot.* **1.** (*także* ~ **of Spain**) bertram (*Anacyclus*). **2.** (*także* ~ **of the wall**) pomurnik, parietaria (*Parietaria*).

pell-mell [ˌpelˈmel], **pellmell** *przest. adv.* **1.** w nieładzie. **2.** na łeb na szyję. – *a.* bezładny. – *n.* nieład, groch z kapustą.

pellucid [pɪˈluːsɪd] *a. lit.* **1.** przejrzysty, przezroczysty. **2.** *przen.* jasny (= *zrozumiały*).

pellucidity [ˌpeljəˈsɪdətɪ] *n. U* **1.** przejrzystość, przezroczystość. **2.** *przen.* jasność.

pelmet [ˈpelmɪt] *n. Br.* lambrekin.

Peloponnese [ˌpeləpəˈniːz] *n. geogr.* **the ~** Peloponez.

Peloponnesian [ˌpeləpəˈniːʒən] *a.* peloponeski. – *n.* mieszkan-iec/ka Peloponezu.

pelorus [pəˈlɔːrəs] *n. pl.* **-es** *żegl.* pelorus, tarcza namiernicza.

pelt[1] [pelt] *v.* **1.** zasypywać (*pociskami*); bombardować, ostrzeliwać (*at sth* coś). **2.** *przen.* obsypywać, obrzucać (*zwł. zniewagami*). **3. ~ (along)** *pot.* pędzić, gnać. **4. ~ (down)** siec, lać (*o deszczu*); **it's ~ing down** (*także* **it's ~ing with rain**) leje jak z cebra. – *n.* **1.** (potężne) uderzenie. **2. (at) full ~** *przen.* co sił w nogach; pełną parą.

pelt[2] *n.* skóra (*zwierzęca*); skórka (*na futro*).

peltate [ˈpelteɪt] *a. bot.* tarczowaty.

peltry [ˈpeltrɪ] *n. U* skóry (*zwierzęce*).

pelvic [ˈpelvɪk] *a. anat.* miedniczny, biodrowy.

pelvic inflammatory disease *n. U pat.* zapalenie narządów miednicy.

pelvis [ˈpelvɪs] *n. pl.* **-es** *l.* **pelves** [ˈpelviːs] *anat.* **1.** miednica. **2.** (*także* **renal** ~) miedniczka (*nerkowa*).

pemican [ˈpemɪkən], **pemmican** *n. U US kulin.* placuszki z suszonego mięsa, niekiedy z dodatkiem suszonych owoców *l.* jagód (*tradycyjne danie Indian amerykańskich*).

pemphigus [ˈpemfəgəs] *n. U pat.* pęcherzyca.

PEN [pen] *abbr.* **International Association of Poets, Playwrights, Editors, Essayists, and Novelists** PEN-klub.

pen[1] [pen] *n.* **1.** pióro (*do pisania; t. przen.* = *styl pisarski*); (*także* **ballpoint** ~) pióro kulkowe; długopis; **felt-tip ~** pisak, mazak; (*także* **fountain** ~) pióro wieczne; **put/set ~ to paper** *przen.* chwytać za pióro (= *zaczynać pisać*). **2.** *zool.* skorupa wewnętrzna mątwy. – *v.* **-nn-** *form.* pisać, układać (*list, pismo*).

pen[2] *n.* **1.** *roln.* ogrodzenie, zagroda (*np. dla owiec*); kojec. **2.** *US i Can. sl.* pudło (= *więzienie*). **3. submarine ~** *wojsk.* schron dla łodzi podwodnej. – *v.* **-nn- ~ in/up** zamykać w kojcu *l.* ogrodzeniu; *przen.* ograniczać.

pen[3] *n.* łabędzica.

Pen. *abbr. geogr.* **1.** (*w nazwach*) = **Peninsula**. **2.** *US* (*także* **Penna**) = **Pennsylvania**.

penal [ˈpiːnl] *a.* **1.** *attr. prawn.* karny. **2.** *attr. prawn.* karalny, podlegający karze. **3.** *Br.* wygórowany, nadmiernie wysoki (*np. o stawkach podatkowych, wymogach*).

penal act *n. prawn.* czyn karalny.

penal code *n. prawn.* kodeks karny.

penal colony *n. pl.* **-ies** *prawn.* (*także* **penal settlement**) kolonia karna.

penal institution *n. prawn.* zakład karny.

penalization [ˌpiːnələ'zeɪʃən], *Br. i Austr. zw.* **penalisation** *n. U* penalizacja, karanie.

penalize ['piːnəˌlaɪz], *Br. i Austr. zw.* **penalise** *v.* **1.** *t. prawn., sport* karać. **2.** dyskryminować, uderzać w (*kogoś*). **3.** *prawn.* uznawać za karalne.

penal law *n. U prawn.* prawo karne.

penal reform *n. C / U prawn.* reforma prawa karnego.

penal servitude *n. U prawn.* ciężkie roboty, katorga.

penal settlement *n.* = **penal colony**.

penalty ['penəltɪ] *n. C / U pl.* **-ies 1.** *prawn., sport l. przen.* kara (*for sth* za coś); **impose a ~** nałożyć karę; **on/under ~ of...** pod karą...; **stiff/heavy ~** surowa/ciężka kara; **the death ~** kara śmierci. **2.** grzywna. **3.** *brydż* punkty karne. **4.** *piłka nożna* = **penalty kick**.

penalty area *n. piłka nożna* pole karne.

penalty box *n.* **1.** *hokej* ławka kar. **2.** *piłka nożna* = **penalty area**.

penalty clause *n. ekon.* klauzula dotycząca kar umownych.

penalty kick *n. piłka nożna* (rzut) karny.

penalty point *n. Br. mot.* punkt karny (*odnotowywany w prawie jazdy*).

penalty shootout, penalty shoot-out *n. piłka nożna* seria rzutów karnych (*decydująca o wyniku meczu*).

penalty spot *n. piłka nożna, hokej* punkt, z którego wykonuje się rzut karny.

penance ['penəns] *n. C / U* **1.** *kośc. l. przen.* pokuta; **do ~** odbyć pokutę, odpokutować (*for sth* za coś). **2.** *rz.-kat.* sakrament pokuty. – *v. kośc.* nakładać pokutę na (*grzesznika; o władzach kościelnych*).

penates [pe'neɪteɪz], **Penates** *n. pl. mit. rzymska* penaty.

pence [pens] *n. pl. Br. zob.* **penny**.

pencel ['pensl], **pensel** *n. hist.* proporzec (*rycerski*).

penchant ['pentʃənt] *n. form.* zamiłowanie, słabość (*for sth* do czegoś).

pencil ['pensl] *n.* **1.** *C / U* ołówek (*t. do oczu; rzad. przen. = autorstwo l. styl grafika l. rysownika*); kredka; **in ~** ołówkiem. **2.** *t. fiz., opt.* wiązka (*promieni, światła*); **~ of light** snop światła. **3.** *geom.* pęk (*prostych, płaszczyzn*). – *v. Br.* **-ll- 1.** rysować (ołówkiem); znaczyć (ołówkiem); kreślić (ołówkiem). **2.** kolorować (kredkami); cieniować. **3. ~ in** wpisywać wstępnie (*termin, osobę na spotkanie*).

pencil case *n. szkoln.* piórnik.

penciled ['pensld], *Br.* **pencilled** *a. attr.* (napisany) ołówkiem, w ołówku.

pencil pusher *n. US pot. gł. pog.* urzędas, gryzipiórek.

pencil sharpener *n.* temperówka.

pencil skirt *n.* rura, tuba (= *długa, wąska spódnica*).

pencil-thin [ˌpensl'θɪn] *a.* chudy jak patyk.

pendant ['pendənt] *n.* (*także* **pendent**) **1.** wisiorek. **2.** *bud.* zwornik, klucz (*w sklepieniu gotyckim*). **3.** kandelabr; świecznik (*zwisający z sufitu*). **4.** uzupełnienie, para (*to sth* (do) czegoś). **5.** ['penənt] *żegl.* proporzec, proporczyk. – *a.* = **pendent**.

pendant cloud *n. meteor.* trąba powietrzna.

pendency ['pendənsɪ] *n. U* **during the ~ of sth** *form.* w toku *l.* trakcie czegoś.

pendent ['pendənt] *a.* (*także* **pendant**) *form.* **1.** wiszący, zwisający, opuszczony (*np. o nodze posągu*). **2.** wystający (*np. o skale*). **3.** będący *l.* pozostający w zawieszeniu (= *nierozstrzygnięty*). – *n.* = **pendant**.

pendentive [pen'dentɪv] *n. bud.* żagielek, pendentyw.

pending ['pendɪŋ] *form. prep.* **1.** do czasu *l.* chwili *l.* momentu, aż do (*jakiegoś zdarzenia*); **~ his arrival** do czasu jego przybycia, w oczekiwaniu na jego przybycie. **2.** podczas, w trakcie. – *a.* **1.** (będący) w toku (*o postępowaniu*). **2.** nierozstrzygnięty (*o kwestii*); niezałatwiony, do załatwienia (*o sprawie*). **3.** zbliżający się.

pendragon [pen'drægən] *a. Br. hist. wojsk.* wódz (*u starożytnych Brytów*).

pendular ['pendʒələr] *n. mech.* wahadłowy (*o ruchu*).

pendulous ['pendʒələs] *a. form.* **1.** zwisający; wiszący; obwisły. **2.** kołyszący się. **3.** *rzad.* chwiejny, niezdecydowany.

pendulum ['pendʒələm] *n. mech.* wahadło (*t. przen., np. opinii publicznej*).

pendulum clock *n.* zegar wahadłowy.

Penelope [pə'neləpɪ] *n. mit.* Penelopa.

peneplain ['piːnɪˌpleɪn], **peneplane** *n. C / U geol.* peneplena, prawierównia (= *równina silnie zerodowana*).

penes ['piːniːz] *n. pl. rzad. zob.* **penis**.

penetrability [ˌpenətrə'bɪlətɪ] *n. U fiz.* przenikalność; przenikliwość.

penetrable ['penətrəbl] *a.* dający się przeniknąć *l.* spenetrować; przenikalny; przepuszczalny.

penetralia [ˌpenə'treɪlɪə] *n. pl. form.* tajniki; najgłębsze zakątki.

penetrate ['penəˌtreɪt] *v.* **1.** *t. przen.* przenikać; penetrować (*into / to sth* do czegoś, *(through) sth* (przez) coś) (*np. o promieniach, wzroku, rozumie, przedsiębiorstwie, szpiegu*); przedostawać się (*into / to sth* do czegoś); **~ into a/the market** *handl.* wchodzić na rynek. **2.** wnikać. **3.** *przen. pot.* docierać (do kogoś) (*o znaczeniu*). **4.** *fizj.* penetrować (*o samcu, członku*).

penetrating ['penəˌtreɪtɪŋ] *a. gł. attr.* **1.** przenikliwy (*np. o spojrzeniu, bólu, zapachu*); przeszywający (*o bólu*). **2.** dociekliwy, drążący (*o pytaniu*). **3.** *pat.* drążący, głęboki (*np. o ranie*).

penetration [ˌpenə'treɪʃən] *n. U* **1.** *handl., wojsk., fizj.* penetracja (*rynku, wroga, pochwy*). **2.** przenikanie (*promieni*); wnikanie, przedostawanie się, przechodzenie (*substancji*). **3.** przenikliwość (= *zdolność przenikania; bystrość*).

penetrative ['penəˌtreɪtɪv] *a.* **1.** *t. przen.* przenikliwy (*o substancji, umyśle*). **2.** *fizj.* z penetracją (*o stosunku*).

pen friend, penfriend *n. Br.* = **pen pal.**

penguin ['peŋwɪn] *n.* **1.** *orn.* pingwin (*rodzina Spheniscidae*). **2.** *wojsk.* makieta samolotu.

penholder ['penˌhoʊldər] *n.* **1.** obsadka (*pióra, długopisu*). **2.** stojak na długopis *l.* długopisy. **3.** etui na długopis *l.* długopisy; piórnik.

penicil ['penɪsɪl] *n. biol.* pędzelek (= *pęk włosków*).

penicillate [ˌpenə'sɪlɪt] *a. biol.* pędzelkowy, pędzelkowaty.

penicillin [ˌpenə'sɪlɪn] *n. U med.* penicylina.

penile ['pi:naɪl] *a. attr. anat.* prąciowy; dotyczący prącia.

peninsula [pə'nɪnsələ] *n. geogr.* półwysep.

peninsular [pə'nɪnsələr] *a. geogr.* półwyspowy.

penis ['pi:nɪs] *n. pl.* **-es** *rzad.* **penes** ['pi:ni:z] *anat.* penis, prącie, członek.

penis envy *n. U psych.* zazdrość o penisa (*w psychologii Freuda*).

penitence ['penətəns] *n. U* skrucha; *rel.* żal za grzechy.

penitent ['penətənt] *a. form.* skruszony. – *n. rel.* pokutni-k/ca, penitent/ka, (żałując-y/a) grzeszni-k/czka.

penitential [ˌpenə'tenʃl] *a. form. gł. rel.* pokutniczy, pokutny.

penitentiary [ˌpenə'tenʃərɪ] *n. pl.* **-ies 1.** *US i Can. prawn.* zakład karny *l.* penitencjarny; więzienie. **2.** *US prawn.* zakład poprawczy. **3.** *rz.-kat.* penitencjariusz; penitencjarz. – *a.* **1.** *gł. US i Can. prawn.* penitencjarny, karny. **2.** *US i Can. prawn.* karalny, zagrożony więzieniem *l.* pozbawieniem wolności (*o czynie*). **3.** *gł. US prawn.* poprawczy. **4.** pokutniczy.

penitently ['penətəntlɪ] *adv. form.* pokornie, ze skruchą.

penknife ['penˌnaɪf] *n. pl.* **penknives** ['penˌnaɪvz] scyzoryk.

penlight ['penˌlaɪt] *n. gł. US* latarka w kształcie długopisu.

penman ['penmən] *n. pl.* **-men 1.** kaligraf; **good/bad ~** osoba mająca ładne/brzydkie pismo. **2.** literat, pisarz, autor. **3.** *hist.* pisarz, kopista, skryba.

penmanship ['penmənˌʃɪp] *n. U form.* **1.** kaligrafia. **2.** charakter pisma, pismo. **3.** pisarstwo; styl pisarski.

Penna *abbr. zob.* **Pen.**

penna ['penə] *n. pl.* **pennae** ['peni:] *orn.* pióro konturowe.

pen name *n.* pseudonim literacki.

pennant ['penənt] *n.* proporczyk, proporzec.

pennate ['peneɪt], **pennated** ['peneɪtɪd] *a.* **1.** *orn.* upierzony; uskrzydlony. **2.** *bot.* pierzasty.

penniless ['penɪləs] *a. gł. pred.* bez grosza (przy duszy).

Pennines ['penaɪnz] *n. pl. Br. geogr.* Góry Pennińskie (*w płn. Anglii*).

pennon ['penən] *n.* **1.** *hist.* proporzec, chorągiew (*rycerza*). **2.** *poet.* skrzydło.

penn'orth ['penərθ] *Br. przest.* = **pennyworth.**

Pennsylvania [ˌpensəl'veɪnɪə] *n. US geogr.* stan Pensylwania.

Pennsylvanian [ˌpensəl'veɪnɪən] *a.* pensylwański. – *n.* **1.** mieszkan-iec/ka Pensylwanii. **2.** **the ~** *geol.* górny karbon.

penny ['penɪ] *n. pl.* **pennies 1.** *pl.* **pence** *o pojedynczych monetach:* **pennies** *Br.* pens; **a 20 pence piece** moneta dwudziestopensowa; **two-pence/sixpence** dwa pensy/sześć pensów. **2.** *US i Can.* cent. **3.** *przen.* **a ~ for your thoughts** (*także* **a ~ for them**) (zdradź mi) o czym (tak) myślisz?; **a pretty ~** *pot.* ładny kawałek grosza; **cost (sb) a pretty ~** *pot.* nieźle (kogoś) kosztować; **every ~** co do grosza; **in for a ~, in for a pound** *Br.* gdy się powiedziało A, trzeba powiedzieć B; jak już, to już; **not a ~** ani grosza; **not have two pennies/two half-pennies to rub together** (*także* **not have a ~ to one's name**) *Br. pot.* nie mieć grosza przy duszy; **sb's/the last ~** (czyjś) ostatni grosz; **spend a ~** *Br. pot. euf.* skorzystać z toalety; **take care of the pence (and the pounds will take care of themselves)** *przest.* ziarnko do ziarnka (a zbierze się miarka); **turn up like a bad ~** *Br. pot.* być jak zaraza (*o osobie*); **the ~ (has) dropped** *Br. pot.* nareszcie dotarło (= *ktoś coś zrozumiał*); **they are two/ten a ~** *Br. pot.* jest ich od metra *l.* na pęczki (*i dlatego są tanie l. niewiele warte*); **turn/make an honest ~** uczciwie zarabiać na życie.

penny-a-line [ˌpenɪə'laɪn] *a. gł. attr. Br.* brukowy, tandetny (*o utworze, literaturze*).

penny-a-liner [ˌpenɪə'laɪnər] *n. Br. pog.* pismak, gryzipiórek.

penny ante [ˌpenɪ 'æntɪ] *US n. U karty, hazard l. przen.* gra o małą stawkę; mała stawka. – *a. attr.* o małą stawkę.

penny arcade *n. Br. przest.* salon gier (automatycznych).

penny blood *n. Br.* = **penny dreadful.**

penny candy *n. pl.* **-ies** *US przest.* cukierek z automatu; *U* cukierki z automatu.

pennycress ['penɪˌkres] *n. U bot.* tobołki (*Thlaspi*).

penny dreadful *n.* (*także* **penny blood**) *Br.* kryminałek (= *tania powieść sensacyjna*).

penny-farthing [ˌpenɪ'fɑ:rðɪŋ] *n. hist.* welocyped.

penny-halfpenny [ˌpenɪ'heɪpənɪ] *n. Br. hist.* półtora pensa.

penny-in-the-slot [ˌpenɪɪnðə'ʃlɑ:t] *n. Br. przest.* automat wrzutowy (*do sprzedaży*).

penny pincher, penny-pincher *n. pot.* dusigrosz.

penny-pinching ['penɪˌpɪntʃɪŋ] *a. gł. attr.* skąpy, chytry.

pennyroyal [ˌpenɪ'rɔɪəl] *n. U bot.* mięta polej (*Mentha pulegium*).

penny shares, penny stocks *pl. n. fin.* tanie akcje (*zwł. skupowane w celach spekulacyjnych*).

pennyweight ['penɪˌweɪt] *n.* jednostka wagi = 1,555 grama.

penny whistle *n. muz.* fujarka.

penny-wise ['penɪˌwaɪz] *a.* oszczędzający na drobiazgach; **~ and pound-foolish** głupio oszczędny (*jw., za to szastający dużymi kwotami*).

pennywort ['penɪˌwɜ:t] *n. bot.* **1.** (*także* **marsh/water ~**) wąkrotka zwyczajna (*Hydrocoty-*

le vulgaris). **2.** (*także* **wall ~**) pępownica (*Umbilicus rupestris*).

pennyworth ['penɪˌwɝ:θ] *n. sing.* **1.** (jeden) pens; równowartość pensa. **2.** *przen.* odrobina; **not a ~** ani trochę *l.* odrobinę. **3.** *przen.* okazja; **a good/bad ~** dobry/zły interes.

penological [ˌpi:nə'lɑ:dʒɪkl] *a. prawn.* penologiczny.

penologist [pɪ'nɑ:lədʒɪst] *n. prawn.* penolog.

penology [pɪ'nɑ:lədʒɪ] *n. U prawn.* penologia (= *nauka o karach i karaniu*).

pen pal *n.* (*także Br.* **pen friend, penfriend**) korespondencyjn-y/a przyjaci-el/ółka.

pen pusher *n. Br.* = **pencil pusher**.

pensile ['pensaɪl] *a. gł. attr. orn.* wiszący (*o gnieździe*); budujący wiszące gniazda (*o ptaku*).

pension[1] ['penʃən] *fin., ubezp. n.* emerytura; renta; zasiłek; **draw a ~** otrzymywać emeryturę *l.* rentę; **disability ~** renta inwalidzka; **old-age ~** *Br.* emerytura. – *v.* **1.** przyznawać emeryturę *l.* rentę *l.* zasiłek (*komuś*). **2. ~ sb off** *pot.* wysyłać kogoś na emeryturę; **~ sth off** *pot.* pozbyć się czegoś (*np. starego mebla*).

pension[2] [pɑ:ns'joʊn] *n.* **1.** pensjonat. **2.** nocleg z (pełnym) wyżywieniem.

pensionable ['penʃənəbl] *a. gł. Br. fin., ubezp.* dający prawo do emerytury (*o zatrudnieniu*); mający prawo do emerytury (*o osobie*); **~ age** wiek emerytalny; **~ pay/salary** podstawa naliczania emerytury.

pensionary ['penʃəˌnerɪ] *a.* **1.** emerytalny. **2.** emerytowany, pobierający emeryturę. **3.** *arch.* najemny; sprzedajny. – *n. pl.* **-ies** *arch.* najmita; sprzedawczyk.

pensioner ['penʃənər] *n.* **1.** *Br.* rencist-a/ka; (*także* **old-age ~**) emeryt/ka. **2.** *arch.* najmita; sprzedawczyk.

pension fund *n.* fundusz emerytalny.

pension plan *n.* (*także Br. i Austr.* **pension scheme**) plan emerytalny.

pensive ['pensɪv] *a.* zamyślony; refleksyjny.

pensively ['pensɪvlɪ] *adv.* w zamyśleniu; refleksyjnie.

pensiveness ['pensɪvnəs] *n. U* zamyślenie.

penstemon [pen'sti:mən] *n.* (*także* **pentstemon**) *bot.* brodaczek (*Penstemon*).

penstock ['penˌstɑ:k] *n. techn.* **1.** rurociąg zasilający. **2.** zastawka (*w instalacji hydrotechnicznej*).

pent [pent] *a. arch.* uwięziony, zamknięty.

pentachord ['pentəˌkɔ:rd] *n. muz.* pięciodźwięk.

pentacle ['pentəkl] *n. geom.* = **pentagram**.

pentad ['pentæd] *n.* **1.** *mat.* pentada, piątka. **2.** *form.* pięciolecie. **3.** *meteor.* okres pięciodniowy. **4.** *chem.* pierwiastek pięciowartościowy, atom pięciowartościowy; grupa pięciowartościowa, rodnik pięciowartościowy.

pentadactyl [ˌpentə'dæktl] *a. zool.* pięciopalczasty.

pentagon ['pentəˌgɑ:n] *n.* **1.** *geom.* pięciokąt. **2. the P~** *US polit., wojsk.* Pentagon (= *pięciokątny budynek w Waszyngtonie, w którym mieści się Departament Obrony; t. przen.* = *Departament Obrony USA*).

pentagonal [pen'tægənl] *a. geom.* pięciokątny.

Pentagonese [ˌpentəgɑ:'ni:z] *n. U US często żart.* żargon Pentagonu.

pentagram ['pentəˌgræm] *n. geom.* pentagram, gwiazda pięcioramienna *l.* pięciokątna.

pentahedron [ˌpentə'hi:drən] *n. geom.* pięciościan.

pentamerous [pen'tæmərəs] *a. form. gł. bot.* pięciodzielny.

pentameter [pen'tæmɪtər] *n. wers.* pentametr.

pentane ['penteɪn] *n. U chem.* pentan.

pentangle ['pentæŋgl] *n. geom.* = **pentagram**.

pentangular [pen'tæŋgjələr] *n. geom.* pięciokątny.

pentarchy ['pentɑ:rkɪ] *n. pl.* **-ies** *polit., hist.* pentarchia.

pentastich ['pentəˌstɪk] *n. wers.* pięciowiersz.

Pentateuch ['pentəˌtu:k] *n. Bibl.* Pentateuch, Pięcioksiąg.

pentathlete [pen'tæθli:t] *n. sport* pięcioboist-a/ka, pentatlonist-a/ka.

pentathlon [pen'tæθlən] *n. sing. sport* pięciobój.

pentatomic [ˌpentə'tɑ:mɪk] *a. chem.* pięcioatomowy.

pentatonic scale [ˌpentəˌtɑ:nɪk 'skeɪl] *n. muz.* skala pentatoniczna.

pentavalent [ˌpentə'veɪlənt] *n. chem.* pięciowartościowy.

Pentecost ['pentəˌkɔ:st] *n. rel.* **1.** Zielone Świątki, Zesłanie Ducha Świętego. **2.** *judaizm* Święto Koszenia, Święto Pierwszych Płodów.

Pentecostal [ˌpentə'kɔ:stl] *a. rel.* **1.** zielonoświątkowy. **2.** *judaizm* dotyczący Święta Koszenia. **3.** *attr.* Ducha Świętego (*gł. w nazwach kościołów i odłamów religijnych*).

Pentecostalism [ˌpentə'kɔ:stəˌlɪzəm] *n. U rel.* ruch zielonoświątkowców.

Pentecostalist [ˌpentə'kɔ:stəlɪst] *a. rel.* zielonoświątkowiec.

penthouse ['pentˌhaʊs] *n.* **1.** *US bud.* apartament na najwyższym *l.* ostatnim piętrze (*zw. luksusowy*). **2.** *bud.* nadbudówka mieszkalna. **3.** *mech.* pomieszczenie mechanizmu dźwigu (*windy w bloku*).

penthouse roof *n.* = **pent roof**.

pentode ['pentoʊd] *n. el.* pentoda.

pent roof *n. bud.* dach jednospadowy *l.* pulpitowy; zadaszenie (jednospadowe) (*zwł. przybudówki*).

pentstemon [pent'sti:mən] *n.* = **penstemon**.

pent-up [ˌpent'ʌp], **pent up** *a. gł. attr.* **1.** stłumiony, zdławiony (*o uczuciach, gniewie*). **2.** uwięziony, zamknięty.

penuchle ['pi:nəkl], **penuckle** *n. karty* = **pinochle**.

penult ['pi:nʌlt] *n. jęz., fon.* przedostatnia sylaba; przedostatnia samogłoska (*wyrazu*).

penultimate [pɪ'nʌltɪmət] *a. attr.* **1.** *form.* przedostatni. **2.** *jęz., fon.* przedostatni (*o sylabie, samogłosce*); na przedostatnią sylabę *l.* samogłoskę (*o akcencie*). – *n.* = **penult**.

penumbra [pɪ'nʌmbrə] *n.* **1.** *astron., opt.* półcień. **2.** *form.* szara strefa. **3.** *form.* otoczenie, okolice.

penurious [pɪ'nʊrɪəs] *a. lit.* **1.** ubogi (*o osobie, ziemi*). **2.** skąpy (*o osobie, zapasach*).

penuriously [pɪ'nʊrɪəslɪ] *adv. lit.* **1.** ubogo. **2.** skąpo.

penury ['penjərɪ] *n. U form.* **1.** ubóstwo, nędza. **2.** dotkliwy brak (*of sth* czegoś).

peon[1] ['piːən] *n. gł. US hist.* peon, wyrobnik (*zwł. w Ameryce Łacińskiej lub na południu USA*).

peon[2] *n. Anglo-Ind.* **1.** piechur. **2.** goniec, posłaniec.

peonage ['piːənɪdʒ] *n. U gł. US hist.* peonaż (= *system pracy za długi*).

peony ['piːənɪ] *n. pl.* **-ies** *bot.* piwonia, peonia (*Paeonia*).

people ['piːpl] *n. sing. czas.* **person 1.** *pl.* ludzie; ~ **say (that)...** (ludzie) powiadają *l.* mówią, że..., mówi się, że...; **old** ~ starzy ludzie, starcy; **older** ~ *euf.* osoby starsze; **young** ~ młodzież; **(the)** ~ *t. polit.* lud; **a man of the** ~ człowiek z ludu; **cleaning/tax etc** ~ *pot.* ludzie od sprzątania/podatków itp.; **listen (here/up), ~!** *zwł. US pot.* słuchajcie, ludzie!; **my/your** ~ moi/twoi rodzice; *przest.* moi/twoi krewni; **X, of all** ~ nie kto inny, tylko X; akurat X; **it was Philip, of all ~, who phoned first** pierwszy zadzwonił nie kto inny, tylko Filip; **why me/he, of all ~?** dlaczego akurat ja/on?. **2.** *form.* naród, lud; **the ~s of Africa** narody Afryki. – *v. zw. pass. form.* zaludniać, zasiedlać; zamieszkiwać; **~d by/with sb** zamieszkały *l.* zasiedlony przez kogoś; wypełniony kimś *l.* przez kogoś.

people mover *n. techn.* środek komunikacji *l.* transportu (*zwł. automatyczny, np. kolejka naziemna sterowana komputerowo, ruchomy chodnik*).

people person *n. pot.* osoba towarzyska; **be a** ~ być towarzyskim, lubić towarzystwo.

people's front *n. polit.* front ludowy.

people skills *n. pl. socjol.* umiejętność nawiązywania kontaktu z ludźmi.

people's party *n. polit.* partia ludowa.

people's republic *n. polit.* republika ludowa.

pep [pep] *pot. v.* **-pp-** ~ **up** ożywić (*np. zmęczoną osobę, potrawę, wygląd, przedstawienie*); dodać skrzydeł (*komuś*); odpicować (*coś*). – *n. U* ikra; werwa, animusz, wigor.

pepper ['pepər] *n. kulin., bot.* **1.** *U* pieprz (*bot.* = *Piper nigrum*). **2.** papryka (*bot.* = *Capsicum*); **red/green ~/~s** czerwona/zielona papryka. – *v.* **1.** *kulin.* pieprzyć. **2.** bombardować, obrzucać; okładać; zasypywać, obsypywać (*sb/sth with sth* kogoś/coś czymś).

pepper-and-salt [ˌpepərən'sɔːlt] *a. attr.* przyprószony siwizną (*o włosach*); *tk.* w ciemne i jasne kropki *l.* plamki, cętkowany (*o materiale*).

pepperbox ['pepərˌbɑːks] *n. kulin.* pieprzniczka.

peppercorn ['pepərˌkɔːrn] *n.* **1.** *U kulin.* pieprz ziarnisty. **2.** *kulin., bot.* ziarnko *l.* ziarno pieprzu. **3.** *przen.* pestka, drobnostka.

peppercorn rent *n. U Br.* symboliczny czynsz.

peppered ['pepərd] *a.* ~ **with sth** najeżony *l.* usiany czymś (*np. błędami, cytatami*); podziurawiony czymś (*zwł. kulami*).

pepper mill *n. kulin.* młynek do pieprzu.

peppermint ['pepərˌmɪnt] *n.* **1.** *U bot., kulin.* mięta pieprzowa (*Mentha piperita*). **2.** *U kulin.* olejek miętowy. **3.** miętówka, pastylka miętowa.

pepperoni [ˌpepə'roʊnɪ] *n. U kulin.* kiełbasa peperoni; (*także* ~ **pizza**) pizza (z kiełbasą) peperoni.

pepperpot ['pepərˌpɑːt], **pepper pot** *n. kulin.* **1.** *U* (*także* **Philadelphia** ~) *płn.-wsch. US* flaczki. **2.** *U* karaibska potrawa z duszonego mięsa, ryżu i warzyw. **3.** *Br. kulin.* pieprzniczka.

pepper shaker, peppershaker *n. kulin.* pieprzniczka.

pepper spray *n. U* gaz łzawiący.

pepper steak *n. kulin.* stek z pieprzem (*mielonym l. w postaci sosu*).

peppery ['pepərɪ] *a.* **1.** *kulin.* pieprzny, ostry (*o potrawie*). **2.** *przen.* wybuchowy, porywczy (*o osobie, temperamencie*). **3.** *przen.* zjadliwy, napastliwy, ostry (*np. o krytyce, mowie*).

pep pill *n. przest. pot.* amfa (*l. inna tabletka o działaniu pobudzającym*).

peppiness ['pepɪnəs] *n. U US pot.* ikra, werwa.

peppy ['pepɪ] *a. US pot.* z ikrą, pełen werwy (*o osobie*).

pep rally *n. pl.* **-ies** *US gł. szkoln., sport* wiec dopingujący (*zw. przed meczem*).

pepsin ['pepsɪn], **pepsine** *n. U fizj.* pepsyna.

pep talk *n. U US pot.* przemówienie podnoszące na duchu *l.* dopingujące (*do lepszej gry, pracy, wysiłku*); *sport* odprawa przed meczem.

peptic ['peptɪk] *a. fizj., pat.* trawienny; ~ **ulcer** *pat.* wrzód trawienny.

peptide ['peptaɪd] *n. biochem.* peptyd.

peptide bond *n. biochem.* wiązanie peptydowe.

peptone ['peptoʊn] *n. biochem.* pepton.

per [pɜː] *prep.* **1.** (*w cenach, miarach, jednostkach, stawkach*) za; na; od; ~ **meter/head/person** na metr/głowę/osobę; **a dollar ~ head/person** po dolarze od głowy/osoby; **a dollar ~ pound/gallon** dolar za funt/galon; **50 miles ~ hour** 50 mil na godzinę; **three times ~ day** trzy razy dziennie *l.* na dzień; **the fare ~ mile** opłata od mili *l.* za milę. **2.** przez; za pomocą; ~ **post** pocztą. **3. as** ~ *form.* według, wedle; **as ~ (your) instructions** *form.* według *l.* wedle (Pana/Pani/Państwa) instrukcji; **as ~ usual** *żart.* jak zwykle.

per. *abbr.* **1.** = **person**. **2.** = **period**.

peracid [pər'æsɪd] *n. C/U chem.* nadkwas, kwas nadtlenowy.

peradventure ['pɜːədˌventʃər] *arch. l. lit. adv.* snadź; bodaj, dalibóg. – *n. C/U* **1.** fortuna, traf, koincydencja. **2.** koniektura; wątpliwość; **without** ~ ani chybi.

perambulate [pə'ræmbjəˌleɪt] *v. arch. l. form.* przechadzać się; przechadzać się po (*jakimś miejscu*); obchodzić.

perambulation [pəˌræmbjə'leɪʃən] *n. C/U arch.*

l. form. przechadzka, przechadzanie się; obchód.

perambulator [pər'æmbjəˌleɪtər] *n. Br. przest. form.* wózek dziecięcy.

per annum [pər 'ænəm] *adv. gł. fin. zwł. form.* rocznie; **an income of US $40,000 ~** dochód w wysokości 40 000 USD rocznie.

perborate [pər'bɔ:reɪt] *n. C/U chem.* nadboran.

perborax [pər'bɔ:rəks] *n. U chem.* nadboran sodowy *l.* sodu.

percale [pər'keɪl] *n. C/U US tk.* perkal.

percaline [ˌpɜ:kə'li:n] *n. C/U US tk.* perkalina.

per capita [pər 'kæpətə] *a. i adv. stat. form.* na głowę *l.* mieszkańca; **~ income** dochód na jednego mieszkańca.

perceivable [pər'si:vəbl] *a.* zauważalny.

perceive [pər'si:v] *v.* **1.** postrzegać; percypować; **~ sth to be...** postrzegać coś jako... **2.** dostrzegać, zauważać (*that* że). **3.** widzieć; rozumieć.

percent [pər'sent], *Br. t.* **per cent** *adv., a. i n. pl. zw.* **percent, per cent** procent; **five ~ increase in prices** pięcioprocentowy wzrost cen, podwyżka (cen) o pięć procent; **a/one hundred ~** w stu procentach (*np. zgadzać się z kimś*); stuprocentowy (*np. o patriocie*).

percentage [pər'sentɪdʒ] *n. C/U* **1.** odsetek; procent (*t. = udział w zysku*); **a large ~ of Polish women** duży *l.* znaczny odsetek Polek; **in ~ terms** w kategoriach procentowych; **I get a ~ for every item sold** dostaję procent od każdego sprzedanego egzemplarza. **2.** *pot.* zysk; **there's no ~ in sth** z czegoś nie ma (żadnego) zysku; coś nic nie daje.

percentile [pər'sentaɪl] *n. stat.* centyl, percentyl; **tenth ~** dziesiąty centyl.

percept ['pɜ:sept] *n. fil. form.* obiekt percepcji *l.* postrzegania, percept.

perceptible [pər'septəbl] *a.* zauważalny, dostrzegalny, odczuwalny (*np. o różnicy, przyroście*).

perceptibly [pər'septəblɪ] *adv.* zauważalnie, dostrzegalnie, odczuwalnie.

perception [pər'sepʃən] *n.* **1.** *t. psych., fil.* postrzeżenie; *U* postrzeganie, widzenie, percepcja. **2.** *U t. psych.* spostrzegawczość.

perceptive [pər'septɪv] *a.* **1.** spostrzegawczy (*o osobie*); wnikliwy (*o analizie*). **2.** *psych.* percepcyjny.

perceptively [pər'septɪvlɪ] *adv.* **1.** ze spostrzegawczością; wnikliwie. **2.** *psych.* percepcyjnie.

perceptiveness [pər'septɪvnəs] *n. U* spostrzegawczość; wnikliwość.

perceptual [pər'septʃʊəl] *n. psych.* percepcyjny.

perch[1] [pɜ:tʃ] *n.* **1.** żerdka, żerdź (*kanarka, papugi*); grzęda (*kury*). **2.** *przen.* schronienie (*zwł. tymczasowe*); gniazdko (*= wygodne miejsce l. sytuacja*); *pot.* punkt obserwacyjny, miejsce (*z dobrym widokiem*). **3.** pręt, drąg. **4.** *arch.* pręt (*miara długości = 5,03 m*); pręt (kwadratowy) (*miara powierzchni = 25,3 m²*); pręt (sześcienny) (*miara objętości kamienia = 0,7 m³*). **5. knock sb off their ~** *przen. pot.* utrzeć komuś nosa. – *v.* (*także* **~ o.s.**) przycupnąć, przysiąść; siadać; siedzieć (*on sth* na czymś) (*o ptaku, osobie*); **a house ~ed on a cliff** dom zawieszony na klifie.

perch[2] *n. pl.* **-es** *l.* **perch** *icht.* okoń (*Perca*).

perchance [pər'tʃæns] *adv. arch.* bodaj, dalibóg.

percher ['pɜ:tʃər] *n. orn.* = **perching bird**.

Percheron ['pɜ:tʃəˌrɑ:n] *n. zool.* perszeron (= *koń pociągowy*).

perching bird ['pɜ:tʃɪŋ ˌbɜ:d] *n.* (*także* **percher**) *orn.* ptak o nogach czepnych, ptak przesiadujący (*na gałęziach*).

perchlorate [pər'klɔ:reɪt] *n. C/U chem.* nadchloran.

perchloric acid [pərˌklɔ:rɪk 'æsɪd] *n. U chem.* kwas nadchlorowy.

perchloride [pər'klɔ:raɪd] *n. C/U chem.* nadchlorek.

perchloroethylene [pərˌklɔ:rə'eθəˌli:n] *n. U chem.* czterochloroetylen (*używany do prania chemicznego*).

percipience [pər'sɪpɪəns] *n. U* **1.** *psych.* zdolność percypowania *l.* postrzegania; percepcja. **2.** *form.* spostrzegawczość.

percipient [pər'sɪpɪənt] *a.* **1.** *psych.* percypujący, postrzegający. **2.** *form.* spostrzegawczy.

percolate ['pɜ:kəˌleɪt] *v.* **1.** *kulin.* zaparzać (*kawę w zaparzaczu*); parzyć się, zaparzać się (*o kawie; jw.*). **2.** *techn.* przesiąkać, przesączać się; perkolować, przesączać. **3. ~ down** przenikać, przesączać się, sączyć się (*through sth* przez coś) (*o cieczy*); **~ through** przenikać, przesączać się, sączyć się (*o cieczy*); *przen.* rozprzestrzeniać się, szerzyć się (*to sb* wśród kogoś) (*np. o informacji, poglądach, plotce*).

percolation [ˌpɜ:kə'leɪʃən] *n. U* **1.** parzenie, zaparzanie (*kawy*). **2.** rozprzestrzenianie się. **3.** przesączanie, przecedzanie; *techn.* perkolacja, przesiąkanie.

percolator ['pɜ:kəˌleɪtər] *n.* **1.** *kulin.* zaparzacz do kawy. **2.** *techn.* perkolator.

per contra [pɜ: 'kɑ:ntrə] *adv. Lat. form.* **1.** wręcz przeciwnie. **2.** dla porównania.

percuss [pər'kʌs] *v. med.* opukiwać.

percussion [pər'kʌʃən] *n.* **1.** *muz. C/U* perkusja; *U* instrumenty perkusyjne. **2.** *U med.* opukiwanie. **3.** *C/U gł. techn.* udar, uderzanie, uderzenie; **~ drill/borer** *techn.* wiertarka udarowa; **~ drilling/boring** *mech.* wiercenie udarowe; **~ tool** *techn.* narzędzie udarowe. **4.** *C/U wojsk., hist.* detonacja spłonki.

percussion cap *n.* **1.** kapiszon. **2.** *wojsk., hist.* spłonka.

percussion instrument *n. gł. pl. muz.* instrument perkusyjny.

percussionist [pər'kʌʃənɪst] *n. muz.* perkusist-a/ka.

percussion lock *n. wojsk. hist.* zamek *l.* mechanizm spłonkowy (*broni palnej*).

percussive [pər'kʌsɪv] *a.* **1.** *med.* opukowy. **2.** *techn.* udarowy.

percutaneous [ˌpɜ:kjʊ'teɪnɪəs] *n. med.* przezskórny, przez (nienaruszoną) skórę (*np. o zabiegu, działaniu leku*).

per diem [pər ˈdiːəm] *adv. Lat.* na dobę, na dzień, dziennie. – *a.* na dobę, na dzień, dzienny. – *n.* **1.** *fin.* dieta. **2.** *gł. US fin.* dniówka. **3.** *gł. US* pracowni-k/ca (zatrudnion-y/a) na dniówkę.

perdition [pərˈdɪʃən] *n. U* **1.** *form. gł. rel.* potępienie. **2.** *arch.* zguba.

perdu [pərˈduː] *arch. a.* ukryty, w ukryciu. – *n. wojsk.* żołnierz wysłany na pewną śmierć.

perdurable [pərˈdʊrəbl] *a. arch.* niezniszczalny, wieczny.

père [per] *n. Fr.* (*po nazwisku*) ojciec, senior, starszy; **Dumas ~** Dumas ojciec.

peregrinate [ˈperəgrɪˌneɪt] *v. lit.* peregrynować.

peregrination [ˌperəgrɪˈneɪʃən] *n. lit.* peregrynacja; *U* peregrynacje.

peregrinator [ˈperəgrɪˌneɪtər] *n. lit.* wędrowiec, pielgrzym.

peregrine [ˈperəgrɪn] *a. arch.* wędrowny; z daleka (*o przybyszu*). – *n.* (*także* ~ **falcon**) *orn.* sokół wędrowny (*Falco peregrinus*).

peremptorily [pəˈremptərɪlɪ] *adv. form.* tonem nieznoszącym sprzeciwu, stanowczo.

peremptory [pəˈremptərɪ] *a.* **1.** *form.* nieznoszący sprzeciwu; stanowczy (*o tonie, osobie*); definitywny. **2.** naglący. **3.** *prawn.* rozstrzygający, ostateczny.

perennial [pəˈrenɪəl] *a.* **1.** *bot.* wieloletni, trwały (*o roślinie*). **2.** wieczny, odwieczny (*o problemie*); ~ **optimist** wieczn-y/a *l.* niepoprawn-y/a optymist-a/ka. **3.** całoroczny, stały (*o strumieniu*). – *n. bot.* roślina wieloletnia *l.* trwała, bylina.

perennially [pəˈrenɪəlɪ] *adv.* wiecznie, odwiecznie.

perestroika [ˌperəˈstrɔɪkə] *n. U hist., polit.* pierestrojka.

perfect *a.* [ˈpɝːfekt] **1.** doskonały; idealny; w sam raz; perfekcyjny; bez wad; ~ **in every way** idealny *l.* doskonały pod każdym względem; ~ **in duties** wzorowo spełniający obowiązki; ~ **marriage** idealne małżeństwo, małżeństwo doskonałe; ~ **timing** idealne wyczucie czasu; ~ **timing!** w samą porę!; **nobody's ~** nikt nie jest doskonały; **the ~ crime** zbrodnia doskonała. **2.** *attr. emf.* zupełny, kompletny, całkowity; **I felt like a ~ fool** czułem się jak kompletny idiota; **they were ~ strangers** zupełnie się nie znali, byli sobie całkiem obcy. **3.** *gram.* dokonany (*o czasie*). **4.** *muz.* czysty (*o interwale, oktawie*); doskonały (*o kadencji*). **5.** *bot.* obupłciowy (*o kwiecie*). **6.** *ent.* (w pełni) dojrzały (*o osobniku*). – *v.* [pərˈfekt] udoskonalać, doskonalić; ulepszać.

perfect gas *n. chem., fiz.* gaz doskonały.

perfectible [pərˈfektəbl] *a.* dający się udoskonalić.

perfection [pərˈfekʃən] *n. U* **1.** doskonałość; perfekcja; **to ~** do perfekcji, doskonale, idealnie; **cooked to ~** *kulin.* idealnie wypieczony. **2.** ideał (*rzecz, osoba, wykonanie*). **3.** doskonalenie, udoskonalenie.

perfectionism [pərˈfekʃəˌnɪzəm] *n. U* perfekcjonizm.

perfectionist [pərˈfekʃənɪst] *n. t. fil.* perfekcjonist-a/ka.

perfective [pərˈfektɪv] *a.* **1.** *gram.* dokonany (*o formie czasownika*). **2.** *form.* udoskonalający; zmierzający do udoskonalenia; dążący do perfekcji *l.* doskonałości. – *n. gram.* forma dokonana; czasownik dokonany.

perfectly [ˈpɝːfektlɪ] *adv.* **1.** doskonale; perfekcyjnie; idealnie; w sam raz; **the dress fits ~** suknia leży idealnie *l.* jak ulał. **2.** *emf.* całkowicie, zupełnie; **she made it ~ clear (that)...** powiedziała zupełnie jasno, że...; **you know ~ well...** wiesz doskonale *l.* bardzo dobrze.

perfectness [ˈpɝːfektnəs] *n. U* perfekcja; doskonałość.

perfect number *n. mat.* liczba doskonała.

perfecto [pərˈfektoʊ] *n. pl.* **-s** *US* grube cygaro zwężające się na końcach.

perfect participle *n. gram.* imiesłów bierny.

perfect pitch *n. U muz.* słuch absolutny.

perfect rhyme *n. C / U wers.* rym dokładny.

perfect square *n. mat.* liczba kwadratowa.

perfect vision *n. U* **1.** *med.* idealna ostrość wzroku, idealny wzrok. **2.** *przen.* rzadki dar przewidywania.

perfervid [pərˈfɝːvɪd] *a. lit.* żarliwy.

perfidious [pərˈfɪdɪəs] *a. lit.* perfidny.

perfidy [ˈpɝːfɪdɪ] *n. U* (*także* **perfidiousness**) [ˈpərˈfɪdɪəsnəs] *lit.* perfidia.

perfin [ˈpɝːfɪn] *n.* firmowy znaczek pocztowy (*oznaczony skrótem firmy, żeby pracownicy nie używali go w celach prywatnych*).

perfoliate [pərˈfoʊlɪət] *a. bot.* obejmujący łodygę, z pochwiastą nasadą (*o liściu*).

perforate *v.* [ˈpɝːrfəˌreɪt] **1.** perforować; dziurkować (*zwł. papier*); przedziurawiać. **2.** przenikać (*into / through sth* w/przez coś); penetrować. – *a.* [ˈpɝːrfərət] *form. bot.* perforowany; dziurkowany.

perforated [ˈpɝːfəˌreɪtɪd] *a.* **1.** perforowany (*o kartce, linii*). **2.** *pat.* pęknięty (*o wrzodzie*).

perforation [ˌpɝːfəˈreɪʃən] *n. C / U* **1.** perforacja (*na papierze do oddzierania*); dziurkowanie, perforowanie. **2.** *pat.* perforacja (*wrzodu*); przebicie (*błony*).

perforator [ˈpɝːfəˌreɪtər] *n. druk.* perforator, perforówka, dziurkarka.

perforce [pərˈfɔːrs] *adv. przest. l. lit.* z konieczności, siłą rzeczy.

perform [pərˈfɔːrm] *v.* **1.** występować (*np. z koncertem, w sztuce, filmie*). **2.** wykonywać (*utwór*); odgrywać (*rolę*). **3.** przeprowadzać (*operację, ceremonię*); wypełniać, spełniać (*zadania, obowiązki*). **4.** działać, funkcjonować (*o urządzeniu*); spisywać się (*o osobie*); ~ **well/badly** dobrze/źle działać *l.* funkcjonować (*o urządzeniu*); **sb ~ed well/badly** ktoś się dobrze/źle spisał, komuś dobrze/źle poszło. **5.** ~ **miracles** czynić cuda; ~ **(tricks)** robić sztuczki (*o zwierzętach*).

performance [pərˈfɔːrməns] *n.* **1.** *muz., teatr* występ; przedstawienie. **2.** wykonanie (*utworu*). **3.** powodzenie; wyczyn. **4.** *U* funkcjonowanie, działanie (*maszyny*); *gł. mot.* osiągi (*samochodu*); *komp.* szybkość działania (*komputera, programu*). **5.** *ekon.* wyniki (ekonomiczne *l.* finansowe) (*gospodarki, państwa, spółki*). **6.** *sing. gł. Br. pot.* za dużo zachodu (= *(zbyt) dużo roboty*); przedstawienie, scena (= *głośna kłótnia*).

performance art *n. U sztuka* performance.

performance related pay *n. U* wynagrodzenie uzależnione od jakości pracy.

performer [pər'fɔ:rmər] *n. muz., teatr* artyst-a/ka; wykonaw-ca/czyni.

performing [pər'fɔ:rmɪŋ] *n.* tresowany (*o zwierzęciu*).

performing arts *n. pl.* sztuki sceniczne *l.* rozrywkowe *l.* widowiskowe.

perfume ['pɜ:fju:m] *n. C/U* **1.** perfumy; **put on ~** perfumować się; **wear ~** używać perfum; być wyperfumowanym. **2.** woń, zapach. – *v.* **1.** perfumować. **2.** *lit.* przesycać *l.* napełniać wonią (*powietrze*).

perfumed ['pɜ:fju:md] *a.* perfumowany (*o kosmetykach*); wyperfumowany (*o osobie*).

perfumer ['pɜ:fju:mər] *n.* **1.** perfumerzyst-a/ka (= *wytwórca l. sprzedawca perfum*). **2.** *handl.* perfumeria.

perfumery [pər'fju:mərɪ] *n. pl.* **-ies 1.** *handl.* perfumeria; dział perfumeryjny (*w domu towarowym*). **2.** *U* wyroby perfumeryjne, perfumy. **3.** *U* wyrób *l.* sprzedaż perfum.

perfunctorily [pər'fʌŋktərɪlɪ] *adv. form.* niedbale, od niechcenia; pobieżnie, powierzchownie; naprędce, pospiesznie.

perfunctory [pər'fʌŋktərɪ] *a. form.* niedbały, od niechcenia; pobieżny, powierzchowny; pospieszny.

perfuse [pər'fju:z] *v.* **1.** *med.* perfundować, poddawać perfuzji. **2.** *form.* omywać, oblewać (*sb/sth with sth* kogoś/coś czymś) (*blaskiem, barwą, cieczą*).

perfusion [pər'fju:ʒən] *n. U* **1.** *med.* perfuzja. **2.** *form.* oblewanie, omywanie.

pergola ['pɜ:gələ] *n. ogr.* pergola.

perhaps [pər'hæps] *adv.* **1.** (być) może; **~ I do, ~ I don't** może tak, (a) może nie; **~ not** może (raczej) nie. **2.** *zwł. w pytaniach* czasem, przypadkiem; **shouldn't he ~ be going?** czy nie powinien czasem już iść?.

perianth ['perɪ,ænθ] *n. bot.* okwiat.

periapt ['perɪ,æpt] *n. rzad* amulet, talizman.

pericardiac [,perə'kɑ:rdɪ,æk] *a.* (*także* **~al**) *anat.* osierdziowy.

pericarditis [,perəkɑ:r'daɪtɪs] *n. U pat.* zapalenie osierdzia.

pericardium [,perə'kɑ:rdɪəm] *n. pl.* **pericardia** [,perə'kɑ:rdɪə] *anat.* osierdzie.

pericarp ['perə,kɑ:rp] *n. bot.* owocnia.

perichondrium [,perə'kɑ:ndrɪəm] *n. pl.* **perichondria** [,perə'kɑ:ndrɪə] *anat.* ochrzęstna.

periclase ['perə,kleɪs] *n. U min.* peryklaz.

periclinal [,perə'klaɪnl] *a. geol.* peryklinalny.

pericline ['perə,klaɪn] *n. geol.* peryklina.

pericope [pə'rɪkə,pɪ] *n. pl.* **-es** *rz.-kat.* perykopa (= *czytanie z Biblii w czasie mszy*).

pericranium [,perə'kreɪnɪəm] *n. C/U pl.* **pericrania** [,perə'kreɪnɪə] *anat.* okostna czaszki.

perigee ['perɪ,dʒɪ] *n. C/U astron.* perygeum, perigeum, punkt przyziemny.

perigynous [pə'rɪdʒənəs] *a. bot.* okołozalążniowy (*o kwiecie*).

perihelion [,perə'hi:lɪən] *n. pl.* **perihelia** [,perə'hi:lɪə] *astron.* peryhelium, perihelium, punkt przysłoneczny.

peril ['perəl] *n. C/U form.* niebezpieczeństwo; **(be) in ~** (być) w niebezpieczeństwie; **do sth at one's ~** robić coś na własne ryzyko; **fraught with ~** najeżony niebezpieczeństwami; **the ~s of sth** niebezpieczeństwa czegoś. – *v. Br.* **-ll-** *arch.* narażać, wystawiać na niebezpieczeństwo.

perilous ['peri:ləs] *a. form.* niebezpieczny.

perilously ['peri:ləslɪ] *adv. form.* niebezpiecznie.

perimeter [pə'rɪmɪtər] *n.* **1.** *t. geom.* obwód. **2.** *wojsk.* granice (*umocnień*). **3.** *med., opt.* perymetr (= *przyrząd do badania pola widzenia*).

perimeter fence *n.* ogrodzenie.

perimeter track, peritrack *n. lotn.* obwodowa *l.* okrężna droga (do) kołowania.

perimetric [,perə'metrɪk] *a.* (*także* **~al**) **1.** obwodowy. **2.** graniczny.

perimetry [pə'rɪmɪtrɪ] *n. U med., opt.* perymetria, badanie pola widzenia.

perinatal [,perə'neɪtl] *n. med., fizj.* okołoporodowy; **~ care** *med.* opieka okołoporodowa; **~ unit** *med.* oddział okołoporodowy.

perineal [,perə'ni:əl] *a. anat.* kroczowy.

perineum [,perə'ni:əm] *n. pl.* **perinea** [,perə'ni:ə] krocze.

period ['pi:rɪəd] *n.* **1.** *t. mat., fiz., chem., geol., hist.* okres (*t. fizj.* = *miesiączka*); **~ of rotation** *astron.* okres obrotu; **a ~ of two weeks** (*także* **a two-week ~**) okres dwutygodniowy; **(for) a trial ~** (na) okres próbny; **the holiday ~** okres świąteczny; okres wakacyjny *l.* urlopowy. **2.** czas (trwania). **3.** (*także* **class ~**) *szkoln.* godzina (lekcyjna), lekcja. **4.** *gł. US interpunkcja* kropka; **put a ~ to sth** *przen.* kłaść kres *l.* koniec czemuś; **~!** *emf.* koniec, kropka!. – *a. attr.* historyczny; zabytkowy; **~ costume/furniture** strój/meble z epoki.

periodate [pə'raɪə,deɪt] *n. C/U chem.* nadjodan.

periodic [,pi:rɪ'ɑ:dɪk] *a.* okresowy; periodyczny.

periodic acid *n. U chem.* kwas nadjodowy.

periodical [,pi:rɪ'ɑ:dɪkl] *a.* okresowy; periodyczny. – *n.* periodyk, czasopismo (*zwł. naukowe*).

periodically [,pi:rɪ'ɑ:dɪklɪ] *adv.* okresowo; periodycznie.

periodic function *n. mat.* funkcja okresowa.

periodic group *n. chem.* grupa układu okresowego.

periodicity [,pi:rɪə'dɪsətɪ] *n. U* okresowość; periodyczność.

periodic law *n. U chem.* prawo okresowości.

periodic motion *n. U mech.* ruch okresowy *l.* periodyczny.

periodic sentence *n. ret.* okres retoryczny.

periodic table *n. sing.* (*także* **periodic system**) *chem.* układ okresowy (pierwiastków).

periodide [pə'raɪəˌdaɪd] *n. C/U chem.* nadjodek.

periodontal [ˌperɪə'dɑːntl], **periodontic** [ˌperɪə'dɑːntɪk] *n. dent.* okołozębowy.

periodontium [ˌperɪə'dɑːntɪəm] *n. U anat., dent.* ozębna.

period pains *n. pl. zwł. Br. pat.* bóle menstruacyjne.

period piece *n.* rzecz typowa dla danego okresu (*np. mebel, obraz; często bez większej wartości artystycznej*); antyk (*zwł. coś, co było bardzo nowoczesne w momencie powstania, a teraz trąci myszką*).

periosteal [ˌperə'ɑːstiːəl] *a. anat.* okostny.

periosteum [ˌperə'ɑːstɪəm] *n. C/U pl.* **periostea** [ˌperə'ɑːstɪə] *anat.* okostna.

periostitis [ˌperəɑː'staɪtɪs] *n. U pat.* zapalenie okostnej.

peripatetic [ˌperəpə'tetɪk] *a.* **1.** dojeżdżający; objazdowy (*zwł. o nauczycielu pracującym w kilku miejscach*). **2.** wędrowny. **3. P~** *fil.* perypatetyczny. – *n.* **1.** pracownik dojeżdżający *l.* objazdowy; *szkoln.* nauczyciel zastępca (*objeżdżający kilka szkół w miarę potrzeb*). **2.** *gł. żart.* wędrowiec. **3. P~** *fil.* perypatetyk (= *filozof ze szkoły Arystotelesa*).

peripheral [pə'rɪfərəl] *a.* **1.** poboczny (*np. o wątku*); marginalny, drugorzędny (*to sth* dla czegoś) (*o zagadnieniu, problemie*). **2.** *anat., fizj.* obwodowy. **3.** *t. komp.* peryferyjny. – *n. komp.* urządzenie peryferyjne.

peripheral nervous system *n. anat.* układ nerwowy obwodowy.

peripheral vision *n. U fizj.* widzenie obwodowe.

periphery [pə'rɪfərɪ] *n. pl.* **-ies** **1.** otoczenie; skraj (*miasta*); peryferia; *U* peryferie. **2.** *gł. techn.* obwód. **3.** margines; **on the ~** na marginesie (*grupy, działalności*).

periphrasis [pə'rɪfrəsɪs] *n. C/U pl.* **periphrases** [pə'rɪfrəsiːz] **1.** *teor. lit., gram.* peryfraza; *teor. lit.* omówienie. **2.** *form. uj.* mówienie nie wprost (*zwł. przy użyciu trudnych l. niejasnych wyrażeń i zwrotów*).

periphrastic [ˌperə'fræstɪk] *a. teor. lit., gram.* peryfrastyczny.

perique [pə'riːk] *n. U US* aromatyczny tytoń z Luizjany.

periscope ['perɪˌskoʊp] *n. opt., żegl.* peryskop.

perish ['perɪʃ] *v.* **1.** *gł. lit.* zginąć; sczeznąć; przepaść. **2.** psuć się (*zwł. o żywności*). **3.** *emf.* **~ the thought!** wypluj to słowo!, odpukać (w niemalowane)!; **I'm ~ed (with cold)** *Br. pot.* umieram z zimna; **they were ~ed with hunger** trapił ich straszny głód, cierpieli straszny głód.

perishable ['perɪʃəbl] *a. handl.* łatwo się psujący, nietrwały; **~ goods/articles = perishables**.

perishables ['perɪʃəblz] *n. pl. handl.* artykuły *l.* towary łatwo się psujące.

perisher ['perɪʃər] *n. Br. przest.* łobuz, łobuziak (= *nieposłuszne dziecko*).

perishing ['perɪʃɪŋ] *a. gł. Br.* **1.** *gł. pot.* zabójczy (*o zimnie*); bardzo zimny (*o pogodzie*); **it's ~ (cold)** jest przeraźliwie zimno; **I'm ~** umieram z zimna. **2.** *przest. uj.* przeklęty.

perisperm ['perɪˌspɜːm] *n. U bot.* obielmo, perysperm.

peristalsis [ˌperə'stælsɪs] *n. U fizj.* perystaltyka, ruch robaczkowy (*jelit*).

peristaltic [ˌperə'stɔːltɪk] *a. fizj.* perystaltyczny, robaczkowy.

peristome ['perɪˌstoʊm] *n.* **1.** *zool.* perystom (*element otworu gębowego*). **2.** *bot.* perystom (= *brzeg puszki u mchów*).

peristyle ['perɪˌstaɪl] *n. bud.* perystyl (= *dziedziniec*); kolumnada.

peritoneal [ˌperətə'niːəl] *a. gł. attr. anat., med.* otrzewnowy (*np. o tkance, dializie*).

peritoneum [ˌperətə'niːəm] *n. pl.* **-s** *l.* **peritonea** [ˌperətə'niːə] *anat.* otrzewna.

peritonitis [ˌperətə'naɪtɪs] *n. U pat.* zapalenie otrzewnej.

peritrack ['perɪˌtræk] *n. lotn.* = **perimeter track**.

periwig ['perɪˌwɪg] *n. hist.* peruka (*z białych loków, popularna w XVII-XVIII w.*).

periwinkle ['perɪˌwɪŋkl] *n.* **1.** *bot.* barwinek (*Vinca*). **2.** *zwł. US zool.* pobrzeżek (*Littorina*). **3.** *U* kolor bladoniebieski.

perjure ['pɜːdʒər] *v.* **~ o.s.** *prawn.* krzywoprzysięgać, popełniać krzywoprzysięstwo.

perjured ['pɜːdʒərd] *a. prawn.* winny krzywoprzysięstwa; krzywoprzysięski.

perjurer ['pɜːdʒərər] *n.* krzywoprzysię-zca/żczyni.

perjurious [pɜː'dʒʊrɪəs] *a.* **1.** *prawn.* winny krzywoprzysięstwa; krzywoprzysięski. **2.** *lit.* wiarołomny.

perjury ['pɜːdʒərɪ] *n. C/U pl.* **-ies** **1.** *prawn.* krzywoprzysięstwo. **2.** *lit.* wiarołomność; złamanie przysięgi.

perk¹ [pɜːk] *v. kulin. pot.* parzyć się (*o kawie*); parzyć (*kawę*).

perk² *n. gł. pl. pot.* (*także form.* **perquisite**) dodatkowe świadczenie (*np. służbowy samochód, telefon, ubezpieczenie*); dodatek; korzyść (uboczna).

perk³ *v.* **1.** podnosić się; sterczeć (*zwł. o psich uszach*). **2. ~ up** ożywić (się); podnieść (się); nastroszyć (się) (*o uszach*); ubarwiać, ozdabiać, przystrajać (*sth with sth* coś czymś) (*np. sukienkę broszką – o osobie*); ubarwiać, zdobić (*np. pokój – o przedmiotach*); *Austr. sl.* puścić pawia (= *zwymiotować*).

perkily ['pɜːkɪlɪ] *adv. pot.* **1.** żwawo. **2.** *uj.* zadzierając nosa.

perkiness ['pɜːkɪnəs] *n. U* **1.** *pot.* żwawość. **2.** *uj.* zbytnia pewność siebie, zadzieranie nosa.

perky ['pɜːkɪ] *a.* **-ier, -iest** **1.** *pot.* żwawy. **2.** *uj.* zbyt pewny siebie, zadzierający nosa.

perlite ['pɜːlaɪt] *n. U min.* perlit.

perlocution [ˌpɜːlə'kjuːʃən] *n. U jęz.* perlokucja.

perm [pɜːm] *n. fryzjerstwo* trwała (ondulacja); **have a ~** robić sobie trwałą. – *v.* **~ one's hair** (*także* **have/get one's hair ~ed**) robić sobie trwałą, ondulować włosy.

permafrost [ˈpɜ:məˌfrɔ:st] *n. U geogr.* zmarzlina, wieczna marzłoć.

permalloy [ˌpɜ:mˈælɔɪ], **Permalloy** *n. U metal.* permaloj.

permanence [ˈpɜ:mənəns] *n. U* trwałość.

permanency [ˈpɜ:mənənsɪ] *n. form.* **1.** *U* trwałość. **2.** *pl.* **-ies** stały element (*czegoś; t. o osobie*).

permanent [ˈpɜ:mənənt] *a.* trwały; stały; ciągły; wieczny; ~ **address** stały adres zamieszkania; ~ **fixture** stały element (*życia, krajobrazu*); **are you ~ here?** jesteś tu na stałe?. – *n.* **1.** *gł. US* trwała (ondulacja). **2.** *fil.* niezmiennik, stały element (*bytu, rzeczywistości*).

permanently [ˈpɜ:mənəntlɪ] *adv.* trwale (*np. uszkodzić, uszkodzony*); stale, ciągle (*np. zepsuty, zamknięty*); na stałe (*np. wyjechać*).

permanent magnet *n. C / U el., fiz., techn.* magnes trwały (*w głośniku, silniku*).

permanent press *n. U handl., tk.* wykończenie przeciwgniotliwe.

permanent-press [ˌpɜ:mənəntˈpres] *a. attr. handl.* niegniotliwy, niemnący (*o tkaninie*); niewymagający prasowania (*np. o koszuli*).

permanent secretary *n. pl.* **-ies** *Br. polit.* sekretarz stanu (*w randze wiceministra*).

permanent set *n. U mech.* odkształcenie trwałe.

permanent tooth *n. pl.* **permanent teeth** *dent.* ząb trwały.

permanent wave *n. form.* trwała ondulacja.

permanent way *n. Br. kol.* trakcja kolejowa.

permanent white *n. U chem.* biel barytowa *l.* barowa.

permanganate [pərˈmæŋgəˌneɪt] *n. C / U chem.* nadmanganian.

permanganic acid *n. U chem.* kwas nadmanganowy.

permeability [ˌpɜ:mɪəˈbɪlətɪ] *n. U techn.* przenikalność; przepuszczalność; (*także* **magnetic ~**) *fiz., el.* przenikalność (magnetyczna).

permeable [ˈpɜ:mɪəbl] *a. techn.* przepuszczalny (*dla cieczy, gazów*); **gas ~** przepuszczający powietrze (*o szkłach kontaktowych*).

permeance [ˈpɜ:mɪəns] *n. U* **1.** *techn.* przenikanie (*cieczy, gazu*). **2.** *el.* przewodność magnetyczna, permeancja.

permeant [ˈpɜ:mɪənt] *a. techn.* przenikalny.

permeate [ˈpɜ:mɪˌeɪt] *v.* **1.** przenikać, przesiąkać (*(through) sth* coś); wnikać (*into sth* w coś). **2.** *przen.* przepełniać (*o atmosferze, uczuciu*).

permeation [ˌpɜ:mɪˈeɪʃən] *n. U techn.* przenikanie.

permeative [ˈpɜ:mɪˌeɪtɪv] *a. techn.* przenikliwy.

Permian [ˈpɜ:mɪən] *geol. a.* permski, dotyczący permu. – *n.* **the ~** perm.

permissible [pərˈmɪsəbl] *a.* **1.** *techn.* dopuszczalny (*o poziomie zanieczyszczeń*). **2.** *form.* dozwolony; **smoking is not ~** palenie jest niedozwolone.

permissibly [pərˈmɪsəblɪ] *adv. form.* dopuszczalnie.

permission [pərˈmɪʃən] *n. U* pozwolenie, zezwolenie, zgoda (*to do sth* na coś); **ask ~ (from sb)** prosić (kogoś) o pozwolenie; **give ~ (to do sth)** wyrażać zgodę (na coś); **give sb ~** dawać komuś pozwolenie, udzielać komuś zezwolenia; **with your ~** za pozwoleniem.

permissive [pərˈmɪsɪv] *a.* **1.** przyzwalający, permisywny (*np. o społeczeństwie*); pobłażliwy (*np. o rodzicach*); liberalny (*np. o prawie*). **2.** swobodny (*o zachowaniu*). **3.** przyzwalający, wyrażający pozwolenie (*o geście*). **4.** *form.* dopuszczalny, dozwolony. **5.** *arch.* nieobowiązkowy.

permissively [pərˈmɪsɪvlɪ] *adv.* **1.** permisywnie; pobłażliwie; liberalnie. **2.** swobodnie. **3.** przyzwalająco (*np. skinąć głową*). **4.** *form.* dopuszczalnie.

permissiveness [pərˈmɪsɪvnəs] *n. U* permisywizm; pobłażliwość; liberalność.

permit *v.* [pərˈmɪt] **-tt- 1.** pozwalać na, zezwalać na, udzielać zgody na; **~ sb (to do) sth** pozwolić komuś na coś, udzielić komuś zgody na coś; **if time ~s** jeśli czas pozwoli; **smoking is not ~ted in the building** w budynku nie wolno palić. **2. ~ sb/sth** wpuszczać kogoś/coś, zezwalać na obecność kogoś/czegoś; tolerować kogoś/coś *l.* obecność kogoś/czegoś (*in / inside / within / on sth* wewnątrz *l.* w obrębie *l.* na terenie czegoś). **3. ~ of sth** *form.* dopuszczać coś, pozwalać na coś. **4. weather ~ting** jeśli pogoda dopisze. – *n.* [ˈpɜ:mɪt] **1.** zezwolenie, pozwolenie, zgoda (*na piśmie*); **building ~** *US* pozwolenie na budowę; **export ~** zezwolenie na wywóz; **work ~** pozwolenie na pracę. **2.** karta wstępu (*np. na parking, do budynku, pomieszczenia*); przepustka.

permittivity [ˌpɜ:mɪˈtɪvətɪ] *n. U fiz., el.* przenikalność dielektryczna *l.* elektryczna.

permutation [ˌpɜ:mjəˈteɪʃən] *n. C / U* **1.** kolejność, ustawienie; kombinacja. **2.** przestawienie. **3.** *mat.* permutacja.

permute [pərˈmju:t] *v.* **1.** przestawiać; zmieniać kolejność *l.* ustawienie (*czegoś*). **2.** *mat.* permutować, poddawać permutacji (*zbiór, elementy*).

pern [pɜ:n] *n. orn.* trzmielojad, pszczołojad (*Pernis apivorus*).

pernicious [pərˈnɪʃəs] *n. form.* zgubny, szkodliwy; zdradliwy, podstępny.

pernicious anemia *n. U pat.* niedokrwistość *l.* anemia złośliwa.

perniciously [pərˈnɪʃəslɪ] *adv. form.* szkodliwie; zdradliwie, podstępnie.

perniciousness [pərˈnɪʃəsnəs] *n. U form.* szkodliwość; zdradliwość, podstępność.

pernickety [pərˈnɪkətɪ] *a. Br.* = **persnickety**.

perorate [ˈperəˌreɪt] *v.* **1.** *ret.* rekapitulować, podsumowywać (*w przemówieniu*). **2.** *form.* perorować.

peroration [ˌperəˈreɪʃən] *n. C / U* **1.** *ret.* rekapitulacja, podsumowanie. **2.** *form.* perora.

peroxide [pəˈrɑ:ksaɪd] *n.* **1.** *U* (*także chem.* **hydrogen ~, ~ of hydrogen**) woda utleniona. **2.** *C / U chem.* nadtlenek. **3.** *U* perhydrol, rozjaśniacz (do włosów). – *v.* **1.** tlenić (*włosy*). **2.** *chem.* utleniać (nadtlenkiem); traktować nadtlenkiem; wybielać (*wodą utlenioną l. innym nadtlenkiem*).

peroxide blonde *n. przest.* tleniona blondynka.

perp [pɜ:p] *n. US sl.* ptaszek (= *przestępca*).

perpend1 ['pɜ:pend] *n. bud.* ściągacz, sięgacz.

perpend2 [pər'pend] *v. arch.* rozważać.

perpendicular [ˌpɜ:pən'dɪkjʊlər] *a.* **1.** *geom.* prostopadły. **2.** pionowy (*t. = bardzo stromy*). **3.** (*także* **P~**) *bud.* gotycki, późnogotycki, w stylu późnogotyckim (angielskim). – *n.* **1.** *geom.* prostopadła. **2.** *C/U* pion (*kierunek l. przyrząd*); pozycja prostopadła; **be out of (the) ~** odchylać się od pionu. **3.** *alpinizm* (pionowa) ściana.

perpetrate ['pɜ:pəˌtreɪt] *v. prawn. form.* popełniać (*zbrodnie, błędy*).

perpetration [ˌpɜ:pə'treɪʃən] *n. U prawn. form.* popełnienie (*czynu, przestępstwa*).

perpetrator ['pɜ:pəˌtreɪtər] *n. prawn. form.* spraw-ca/czyni (przestępstwa), przestęp-ca/czyni.

perpetual [pər'petʃʊəl] *a.* **1.** wieczny; bezustanny, ustawiczny. **2.** *prawn.* wieczysty; dożywotni. **3.** *bot., ogr.* stale kwitnący.

perpetual annuity *n. C/U pl.* **-ies** *fin., ubezp.* renta dożywotnia.

perpetual calendar *n.* wieczny kalendarz.

perpetual lease *n. C/U fin.* dzierżawa wieczysta.

perpetually [pər'petʃʊəlɪ] *adv.* wiecznie; bezustannie, ustawicznie.

perpetual motion *n. gł. sing.* (*także* **perpetual motion machine**) *fiz.* perpetuum mobile.

perpetuate [pər'petʃʊˌeɪt] *v.* **1.** utrwalać (*np. podziały społeczne, stereotypy*). **2.** zachowywać pamięć o (*kimś l. czymś*); uwieczniać (*unieśmiertelniać*).

perpetuation [pərˌpetʃʊ'eɪʃən] *n. U* **1.** utrwalanie. **2.** zachowywanie.

perpetuity [ˌpɜ:pə'tu:ətɪ] *n. U* **1.** *form.* wieczność; wieczystość; **in ~** na zawsze, po wsze *l.* wieczne czasy. **2.** *prawn.* (umowa o) dożywocie. **3.** *fin., ubezp.* renta dożywotnia.

perplex [pər'pleks] *v.* **1.** wprawiać w zakłopotanie; zakłopotać, zmieszać. **2.** mieszać, plątać, gmatwać.

perplexed [pər'plekst] *a.* **1.** zakłopotany, zmieszany. **2.** zawiły, pogmatwany.

perplexing [pər'pleksɪŋ] *a.* niezwykle kłopotliwy, szalenie trudny (*o problemie*).

perplexity [pər'pleksətɪ] *n. pl.* **-ies** **1.** *gł. pl.* zawiłość, dylemat. **2.** *U* zmieszanie, zakłopotanie.

perquisite ['pɜ:kwɪzɪt] *n. form.* **1.** = **perk2**. **2.** dodatkowy dochód. **3.** (zwyczajowy) napiwek. **4.** prerogatywa, przywilej.

perron ['perən] *n. bud.* **1.** taras *l.* podest wejściowy. **2.** schody zewnętrzne *l.* wejściowe.

perry ['perɪ] *n. C/U pl.* **-ies** *Br.* wino gruszkowe.

pers. *abbr.* **1.** = **person**. **2.** = **personal**.

per se [pɜ: 'seɪ] *adv. Lat. form.* per se, samo przez się, samo z siebie.

perse [pɜ:s] *a. i n. U* (kolor) ciemnoszaroniebieski.

persecute ['pɜ:səˌkju:t] *v.* prześladować (*np. z powodów politycznych l. religijnych*); szykanować; napastować, nękać (*np. pytaniami, prośbami*).

persecution [ˌpɜ:sə'kju:ʃən] *n. U* prześladowania, prześladowanie; szykany; napastowanie (*zwł. przez media*).

persecution complex *n. U pat.* mania prześladowcza.

persecutive ['pɜ:səˌkju:tɪv], **persecutory** ['pɜ:səkjəˌtɔ:rɪ] *a. form.* prześladowczy.

persecutor ['pɜ:səˌkju:tər] *n.* prześladow-ca/czyni.

Perseus ['pɜ:sɪəs] *n. mit., astron.* Perseusz.

perseverance [ˌpɜ:sə'vi:rəns] *n. U* **1.** wytrwałość. **2.** *rel.* trwanie w stanie łaski.

persevere [ˌpɜ:sə'vi:r] *v.* wytrwać; trwać (*at/in/with sth* w/przy czymś); nie ustawać (*at/in/with sth* w czymś) (*zwł. w wysiłkach*).

persevering [ˌpɜ:sə'vi:rɪŋ] *a.* wytrwały.

Persia ['pɜ:ʒə] *n. hist., geogr.* Persja.

Persian ['pɜ:ʒən] *a.* perski. – *n.* **1.** Pers/yjka. **2.** *U jęz.* (język) perski.

Persian blinds *n. pl. bud.* = **persiennes**.

Persian carpet *n. gł. Br.* = **Persian rug**.

Persian cat *n. zool.* kot perski, pers.

Persian Gulf *n. geogr.* Zatoka Perska.

Persian lamb *n. U* karakuły (*futro*).

Persian rug *n. gł. US* dywan perski.

persiennes [ˌpɜ:sɪ'enz] *n. pl.* okiennice (*zwł. z poziomych listewek o regulowanym kącie nachylenia*); żaluzje.

persiflage ['pɜ:sɪˌflɑ:ʒ] *n. U* **1.** *form.* pogawędki, facecje; żarty, podkpiwanie. **2.** *teor. lit.* persyflaż.

persimmon [pər'sɪmən] *n.* **1.** *bot., kulin.* persymona (*owoc*). **2.** *bot.* persymona, hebanowiec, hurma (*Diospyros*).

persist [pər'sɪst] *v.* **1.** obstawać, upierać się (*in/with sth* przy czymś); nie przestawać (*in doing sth* robić czegoś). **2.** utrzymywać się (*np. o deszczu, upale, plotkach*); pokutować, panować (*np. o błędnym poglądzie, wierzeniu*).

persistence [pər'sɪstəns], **persistency** [pər'sɪstənsɪ] *n. U* **1.** wytrwałość; uporczywość. **2.** trwałość. **3.** trwanie, kontynuacja. **4.** *biol., ekol.* zdolność przetrwania (*gatunku*).

persistent [pər'sɪstənt] *a.* **1.** wytrwały (*o osobie*). **2.** uporczywy (*o prośbach, kaszlu*). **3.** natarczywy (*o osobie*). **4.** trwały. **5.** *biol., ekol.* obdarzony (dużą) zdolnością przetrwania.

persistently [pər'sɪstəntlɪ] *adv.* **1.** wytrwale. **2.** uporczywie. **3.** natarczywie. **4.** trwale.

persistent offender *n. prawn.* recydywist-a/ka.

persnickety [pər'snɪkətɪ] *a.* (*także Br.* **pernickety**) *pot.* **1.** drobiazgowy. **2.** wybredny, grymaśny. **3.** precyzyjny, wymagający precyzji (*o czynności, zadaniu*).

person ['pɜ:sən] *n. pl. zw.* **people** *form.* **persons** osoba (*t. gram., prawn.*); persona, osobistość; **about/on one's ~** *form. prawn.* przy sobie; **artificial/natural ~** *prawn.* osoba prawna/fizyczna; **first/secon/third ~** *gram.* pierwsza/druga/trzecia osoba; **in ~** osobiście; **in one's own ~** *emf.* we własnej osobie; **in the ~ of...** *form.* w osobie...; **he's not a cat/dog** ~ on nie przepada za kotami/psami.

persona [pər'sounə] *n. pl.* **personae** [pər'souni:] **1.** *t. psych.* wizerunek, image; **(sb's) public** ~ (czyjś) wizerunek publiczny. **2.** *gł. pl. teatr, teor. lit.* osoba.

personable ['pɜ:sənəbl] *a. gł. form.* przystojny, dobrze się prezentujący; miły w obyciu.

personage ['pɜ:sənɪdʒ] *n. form.* **1.** osobistość, persona. **2.** *teatr, teor. lit.* osoba.

persona grata [pər,sounə 'grɑ:tə] *n. U Lat. polit.* persona grata, osoba mile widziana.

personal ['pɜ:sənl] *a. gł. attr.* **1.** osobisty (*np. o życiu, opinii, majątku, higienie*); prywatny; własny; ~ **belongings/effects/possessions** rzeczy osobiste; *prawn.* mienie osobiste, majątek osobisty; ~ **friend** blisk-i/a *l.* osobist-y/a znajom-y/a; blisk-i/a przyjaci-el/ółka; ~ **property** własność prywatna; *prawn.* mienie osobiste, majątek osobisty; **for** ~ **use** na użytek osobisty, do użytku osobistego; **get/be** ~ czynić osobiste uwagi, robić osobiste wycieczki; **let's not get/be** ~! (tylko) bez takich uwag!, bez tych wycieczek osobistych!; **(it's) nothing** ~**, (but)...** nie obraź się, ale... **2.** indywidualny (*np. o charakterze*); ~ **touch** indywidualne podejście. **3.** personalny (*zwł. o sporach*). **4.** *gram.* osobowy (*o zaimku*). – *n. US dzienn.* ogłoszenie towarzyskie.

personal allowance *n. Br. fin.* dochód wolny od opodatkowania (*w skali roku*).

personal appearance *n.* **1.** *U* wygląd osobisty. **2.** *polit.* oficjalna wizyta; obecność (*osobistości*).

personal assistant *n.* asystent/ka osobist-y/a, sekreta-rz/rka osobist-y/a.

personal column *n. dzienn.* ogłoszenia towarzyskie (*w gazecie*).

personal computer *n.* (*także* **PC**) *komp.* komputer osobisty.

personal data *n. pl. l. U* dane osobowe; personalia; ~ **protection** (*także* **protection of** ~) ochrona danych osobowych.

personal digital assistant *n. komp.* elektroniczny asystent *l.* notes *l.* notatnik.

personal flotation device *n. lotn., żegl., form.* osobisty pływający środek ratunkowy (= *pływająca poduszka siedzenia lotniczego, kamizelka ratunkowa l. koło ratunkowe*).

personal identification number *n. gł. fin.* numer PIN (*do karty płatniczej, bankomatowej*).

personal injury *n. C/U pl.* **-ies** *prawn.* uszkodzenie ciała.

personality [,pɜ:sə'nælətɪ] *n. pl.* **-ies** **1.** *C/U t. psych.* osobowość; charakter (*t. miejsca*); ~ **at law** (*także* **juridical/legal** ~) *prawn.* osobowość prawna; **multiple** ~ (*także pot.* **split** ~) *pat.* rozszczepienie osobowości, osobowość rozdwojona, rozdwojenie jaźni. **2.** osobistość, persona. **3.** *pl. Br. przest.* osobiste wycieczki *l.* uwagi.

personality clash *n. psych., prawn.* niezgodność charakterów.

personality cult *n. polit.* kult jednostki.

personality disorder *n. pat.* zaburzenie osobowości.

personality inventory *n. pl.* **-ies** *psych.* inwentarz osobowości.

personality test *n. psych.* test osobowości.

personality type *n. psych.* typ osobowości.

personalize ['pɜ:sənə,laɪz], *Br. i Austr. zw.* **personalise** *v.* **1.** *handl.* oznaczać monogramem *l.* nazwiskiem (*np. papeterię, ręcznik, portfel*); projektować *l.* wykonywać na indywidualne *l.* specjalne zamówienie. **2.** dopasowywać *l.* dobierać do indywidualnych potrzeb *l.* wymagań; nadawać charakter osobisty (*czemuś*). **3.** brać do siebie (*uwagi, krytykę*). **4.** uosabiać.

personalized ['pɜ:sənə,laɪzd] *a.* **1.** z monogramem *l.* nazwiskiem (*np. o ręczniku, piórze, papeterii*). **2.** dopasowany *l.* dobrany do indywidualnych potrzeb *l.* wymagań (*u usłudze*); zindywidualizowany.

personally ['pɜ:sənlɪ] *adv.* osobiście; **take sth** ~ brać coś do siebie (*zwł. uwagi krytyczne*).

personal organizer *n.* **1.** notes *l.* notatnik wielofunkcyjny (*w postaci książeczki*). **2.** *komp.* elektroniczny notes *l.* notatnik (wielofunkcyjny).

personal stereo *n.* przenośny odtwarzacz (*płyt, kaset*); walkman.

personalty ['pɜ:sənltɪ] *n. C/U pl.* **-ies** *prawn.* mienie osobiste, majątek osobisty.

persona non grata [pər,sounə,nɑ:n'grɑ:tə] *n. U Lat. polit.* persona non grata, osoba niepożądana.

personate[1] ['pɜ:səneɪt] *v.* **1.** *film, teatr* odgrywać (*rolę*). **2.** *prawn.* podawać się za (*kogoś*). **3.** *form.* uosabiać.

personate[2] ['pɜ:sənɪt] *a. bot.* wargowaty (*o kwiecie*).

personhood ['pɜ:sən,hud] *n. U form.* osobowość.

personification [pər,sɑ:nəfɪ'keɪʃən] *n. C/U* **1.** **the** ~ **of sth** uosobienie czegoś (*np. zła, szczęścia*). **2.** *sztuka, teor. lit.* personifikacja.

personify [pər'sɑ:nə,faɪ] *v.* **-ied, -ying** **1.** uosabiać; **he is laziness personified** on jest uosobieniem lenistwa. **2.** *sztuka, teor. lit.* personifikować.

personnel [,pɜ:sə'nel] *n. admin.* **1.** *z czasownikiem w liczbie mnogiej* personel. **2.** *U* (*także* ~ **department**) kadry, dział kadr, dział osobowy *l.* spraw osobowych. – *a. attr. admin.* kadrowy (*o polityce, sprawach*).

personnel carrier *n. wojsk.* transporter piechoty.

person-to-person [,pɜ:səntə'pɜ:sən] *a. i adv. gł. US* w cztery oczy, twarzą w twarz.

person-to-person call *n. US tel.* rozmowa z przywołaniem.

perspective [pər'spektɪv] *n.* perspektywa (*t. opt., mal.*); spojrzenie; punkt widzenia; ~ **on sth** spojrzenie na coś (*np. na życie, świat*); **center of** ~ (*także* ~ **center**) *opt., sztuka* punkt zbiegu; **from a...** ~ (*także* **from the** ~ **of...**) z perspektywy..., z punktu widzenia...; **get/keep sth in** ~ spojrzeć/patrzeć na coś z właściwej perspektywy (= *nie wyolbrzymiać*); **out of/in** ~ *mal.* sprzeczny/zgodny z zasadami perspektywy; **put sth in** ~ spojrzeć na coś w szerszym kontekście.

Perspex ['pɜ˞:speks] *n. U Br. i Austr. bud., techn.* pleksiglas.

perspicacious [ˌpɜ˞:spə'keɪʃəs] *a. form.* przenikliwy, bystry (*np. o osobie, wypowiedzi*).

perspicaciously [ˌpɜ˞:spə'keɪʃəslɪ] *adv. form.* przenikliwie, bystro.

perspicacity [ˌpɜ˞:spə'kæsətɪ] *n. U form.* przenikliwość, bystrość.

perspicuity [ˌpɜ˞:spə'kju:ətɪ] *n. U form.* **1.** klarowność, jasność, przejrzystość (*tekstu, wypowiedzi*). **2.** przenikliwość, bystrość (*osoby, wypowiedzi*).

perspicuous [pər'spɪkjʊəs] *a. form.* klarowny, jasny, przejrzysty (*o tekście, wypowiedzi*).

perspiration [ˌpɜ˞:spə'reɪʃən] *n. U fizj.* pot; pocenie się.

perspiratory [pər'spaɪrəˌtɔ:rɪ] *a.* **1.** *fizj., anat.* potowy. **2.** *med.* napotny (*o środku*).

perspire [pər'spaɪr] *v. fizj.* **1.** pocić się. **2.** wypacać (*coś*).

persuadable [pər'sweɪdəbl] *a.* dający się przekonać.

persuade [pər'sweɪd] *v.* ~ **sb of sth** przekonywać kogoś o czymś; ~ **sb that...** przekonywać kogoś, że...; ~ **sb to do/into doing sth** nakłaniać *l.* namawiać *l.* przekonywać kogoś do (zrobienia) czegoś.

persuader [pə'sweɪdər] *n.* **1.** argument (*t. przen. sl. = pistolet itp.*). **2.** argumentator/ka; namawiacz/ka.

persuasion [pər'sweɪʒən] *n.* **1.** *U* przekonywanie, perswazja; namowa; (*także* **powers of** ~) siła perswazji. **2.** *form. polit.* orientacja; ruch (*np. artystyczny*); *rel.* wierzenie; wyznanie; **of the conservative/left-of-center** ~ o orientacji konserwatywnej/lewicowej. **3.** *form. l. żart.* autorament; **people of all ~s** ludzie wszelakiego autoramentu.

persuasive [pər'sweɪsɪv] *a.* przekonujący.

persuasively [pər'sweɪsɪvlɪ] *adv.* przekonująco.

persuasiveness [pər'sweɪsɪvnəs] *n. U* siła przekonywania.

persulfate [pər'sʌlfeɪt] *n. C/U chem.* nadsiarczan.

PERT [pɜ˞:t] *n. U* (*także* **program evaluation and review technique**) *admin.* metoda PERT.

pert [pɜ˞:t] *a.* **1.** zgrabny; jędrny (*np. o piersiach, pośladkach*). **2.** lekko zadarty (*o nosie*). **3.** bezceremonialny; zuchwały (*zwł. o kobiecie, dziewczynie*). **4.** żwawy (*jw.*). **5.** zawadiacki (*np. o kapelusiku*).

pertain [pər'teɪn] *v. form.* **1.** ~ **to sth** odnosić się do czegoś, (bezpośrednio) dotyczyć czegoś; (bezpośrednio) wiązać się z czymś, być nieodłącznym elementem czegoś. **2.** być adekwatnym *l.* stosownym.

pertinacious [ˌpɜ˞:tə'neɪʃəs] *a. form.* **1.** uparty, nieprzejednany (*o osobie, poglądach*); niepoprawny (*o optymiście*). **2.** uporczywy (*o chorobie, kaszlu*).

pertinaciously [ˌpɜ˞:tə'neɪʃəslɪ] *adv. form.* **1.** uparcie, nieprzejednanie; niepoprawnie. **2.** uporczywie.

pertinacity [ˌpɜ˞:tə'næsətɪ] *n. U form.* **1.** upór, nieprzejednanie. **2.** uporczywość.

pertinence ['pɜ˞:tənəns], **pertinency** ['pɜ˞:tənənsɪ] *n.* **1.** *U form.* związek (*to sth* z czymś). **2.** adekwatność, stosowność.

pertinent ['pɜ˞:tənənt] *a. form.* **1.** związany (*to sth* z czymś) (*ze sprawą, z zagadnieniem*); na temat, związany z tematem. **2.** adekwatny, stosowny.

pertly ['pɜ˞:tlɪ] *adv.* **1.** bezceremonialnie; zuchwale. **2.** żwawo. **3.** zgrabnie. **4.** zawadiacko.

pertness ['pɜ˞:tnəs] *n. U* **1.** bezceremonialność; zuchwałość. **2.** żwawość. **3.** zgrabność. **4.** zawadiackość.

perturb [pɜ˞:'tɜ˞:b] *v.* **1.** *form.* niepokoić, poruszać; wzburzać. **2.** *t. fiz., astron.* zakłócać, zaburzać (*ruch, orbitę*).

perturbation [ˌpɜ˞:tər'beɪʃən] *n.* **1.** *U* niepokój, poruszenie, wzburzenie; perturbacje. **2.** *C/U t. fiz., astron.* zakłócenie, zaburzenie; perturbacje.

perturbative ['pɜ˞:tərˌbeɪtɪv] *a. form. t. fiz., astron.* zaburzający, zakłócający (*o wpływie, efekcie*).

perturbed [pɜ˞:'tɜ˞:bd] *a.* zaniepokojony, poruszony; wzburzony; **deeply** ~ głęboko zaniepokojony; **not be/seem overly/unduly** ~ nie być/wydawać się zbytnio zaniepokojonym.

pertussis [pər'tʌsɪs] *n. U pat.* krztusiec, koklusz.

Peru [pə'ru:] *n. geogr.* Peru.

peruke [pə'ru:k] *n. arch.* peruka.

perusal [pə'ru:zl] *n. C/U form.* lektura; studiowanie, czytanie; przestudiowanie, przeczytanie.

peruse [pə'ru:z] *v. form. l. żart.* studiować (= *czytać uważnie*).

Peruvian [pə'ru:vɪən] *a. geogr.* peruwiański. – *n.* Peruwia-ńczyk/nka.

perv [pɜ˞:v] *n. Br. i Austr. pot.* = **pervert** *n.*

pervade [pər'veɪd] *v.* **1.** panować w (*jakimś miejscu*); przenikać (*o nastrojach, zapachach*). **2.** *przen.* ogarniać (*kogoś l. coś – o nastrojach, uczuciach*); owładnąć (*kimś l. czymś*).

pervasion [pər'veɪʒən] *n. U form.* **1.** przenikanie; szerzenie się. **2.** owładnięcie.

pervasive [pər'veɪsɪv] *a.* wszechobecny; wszechogarniający; szerzący się.

perverse [pər'vɜ˞:s] *a.* **1.** przewrotny (*np. o osobie, satysfakcji, przyjemności*); przekorny (*np. o osobie, postępowaniu, czynie*); pokrętny; perwersyjny. **2.** *arch.* zboczony, perwersyjny (*o zachowaniu, umyśle*).

perversely [pər'vɜ˞:slɪ] *adv.* przewrotnie; przekornie; pokrętnie; perwersyjnie.

perverseness [pər'vɜ˞:snəs] *n. U* przewrotność; przekora; perwersyjność, perwersja.

perversion [pər'vɜ˞:ʒən] *n. C/U* **1.** *pat.* perwersja, zboczenie. **2.** *form.* wypaczenie (*np. sprawiedliwości, faktów*).

perversity [pər'vɜ˞:sətɪ] *n. pl.* **-ies 1.** perwersja, zboczenie. **2.** *U* przewrotność; perwersyjność; pokrętność.

perversive [pə'vɜ˞:sɪv] *a. t. pat.* perwersyjny.

pervert *n.* ['pɜ˞:ˌvɜ˞:t] *t. pat.* zboczeniec. – *v.*

[ˈpərˌvɜːt] **1.** wypaczać, przekręcać (*np. fakty, słowa*). **2.** deprawować, psuć (*np. osobę, moralność, umysł*). **3.** *prawn.* nadużywać (*prawa*); ~ **the course of justice** utrudniać czynności operacyjne; sprowadzać śledztwo na fałszywe tory.

perverted [pərˈvɜːtɪd] *a.* **1.** *t. pat.* perwersyjny, zboczony (*o zachowaniu, osobie*). **2.** wypaczony, wynaturzony (*o ideach, logice*).

pervious [ˈpɜːvɪəs] *a.* **1.** *form.* otwarty (*to sth* na coś) (*np. na pomysły, sugestie*). **2.** *fiz.* przepuszczalny; przepuszczający.

pervy [ˈpɜːvɪ] *a.* **-ier, -iest** *Br. i Austr. pot.* zboczony.

peseta [pəˈseɪtə] *n. fin.* peseta (= *jednostka monetarna Hiszpanii*).

peskily [ˈpeskɪlɪ] *adv. US pot.* nieznośnie.

peskiness [ˈpeskɪnəs] *n. US pot.* dokuczliwość.

pesky [ˈpeskɪ] *a.* **-ier, -iest** *US pot.* nieznośny (*np. o dzieciach, owadach, podróży*).

peso [ˈpeɪsoʊ] *n. fin.* peso (= *jednostka monetarna Meksyku*).

pessary [ˈpesərɪ] *n. pl.* **-ies** *med.* **1.** tabletka dopochwowa. **2.** (*także* **diaphragm** ~) krążek dopochwowy (*antykoncepcyjny*); (*także* **ring** ~) krążek maciczny, pesarium (*zapobiegający wypadaniu macicy*).

pessimism [ˈpesəˌmɪzəm] *n. U* pesymizm.

pessimist [ˈpesəmɪst] *n.* pesymist-a/ka.

pessimistic [ˌpesəˈmɪstɪk] *a.* pesymistyczny (*about sth* jeśli chodzi o coś).

pessimistically [ˌpesəˈmɪstɪklɪ] *adv.* pesymistycznie.

pest [pest] *n.* **1.** *t. ekol., roln., ogr.* szkodnik. **2.** *przen. pot.* utrapienie (*osoba l. rzecz*). **3.** *arch.* zaraza, plaga.

pest control *n. U ekol., roln.* zwalczanie szkodników.

pester [ˈpestər] *v.* męczyć, gnębić, nagabywać; ~ **sb for sth/to do sth** męczyć kogoś o coś/żeby coś zrobił.

pesthole [ˈpestˌhoʊl] *n. przest.* siedlisko zarazy.

pesthouse [ˈpestˌhaʊs] *n. hist. przest.* lazaret, szpital dla zapowietrzonych.

pesticide [ˈpestɪˌsaɪd] *n. C/U ekol., roln., chem.* pestycyd, środek przeciw szkodnikom.

pestiferous [pesˈtɪfərəs] *a.* **1.** *form.* dokuczliwy. **2.** *form.* szkodliwy, destrukcyjny. **3.** *pat.* powodujący zarazę.

pestilence [ˈpestɪləns] *n. C/U lit.* zaraza, plaga.

pestilent [ˈpestɪlənt], **pestilential** [ˌpestɪˈlenʃl] *a.* **1.** zaraźliwy. **2.** śmiercionośny; śmiertelny. **3.** *przest.* zgubny. **4.** *lit. l. żart.* utrapiony.

pestle [ˈpesl] *n.* tłuczek (*do moździerza*). – *v.* ucierać; tłuc (*w moździerzu*).

pesto [ˈpestoʊ] *n. U kulin.* sos z orzeszków piniowych, bazylii, czosnku i parmezanu (*do spaghetti*).

PET [ˌpiː ˌiː ˈtiː] *abbr.* **1.** *med.* = **positron emission tomography**. **2. polyethylene terephthalate** *chem.* tereftalan polietylenu, polietylen.

pet[1] [pet] *n.* **1.** zwierzę domowe; zwierzątko; **do you have a ~?** masz jakieś zwierzątko? **2.** ulubie-niec/nica; pupil-ek/ka, pupil/ka; faworyt/ka; **teacher's** ~ *szkoln.* pupil-ek/ka nauczyciel-a/ki *l.* pan-a/i. **3.** *voc. Br. i Austr.* kochanie, skarbie (*zwł. do kobiety l. dziecka*). – *a. attr.* **1.** oswojony; domowy; ~ **tortoise/rabbit** oswojony żółw/króliczek. **2.** ulubiony; **sb's** ~ **idea/theory** czyjaś ulubiona teoria; **sb's ~ subject** czyjś ulubiony temat; **sb's ~ peeve** *US*/~ **hate** *Br.* coś, czego ktoś wyjątkowo nie cierpi. – *v.* **-tt-** pieścić (się); uprawiać petting (z) (*kimś*).

pet[2] *Br. przest. n.* zły humor *l.* nastrój; **in a** ~ nie w humorze, poirytowany. – *v.* **-tt-** być nie w humorze.

petal [ˈpetl] *n.* **1.** *bot.* płatek. **2.** *voc. Br. dial. pot.* skarbie.

petaliferous [ˌpetəˈlɪfərəs] *a. bot.* pokryty *l.* obdarzony płatkami.

petaline [ˈpetəliːn] *a. attr. bot.* płatkowy.

petaloid [ˈpetəˌlɔɪd] *a. form.* płatkowaty, płatkokształtny.

petalous [ˈpetələs] *a. bot.* pokryty *l.* obdarzony płatkami; płatkowy.

petard [peˈtɑːrd] *n.* **1.** petarda. **2. be hoist(ed) with/by one's own** ~ *zob.* **hoist** *v.*

petasos [ˈpetəsəs], **petasus** *n. hist.* petasos, kapelusz tesalski; *mit.* kapelusz Hermesa *l.* Merkurego (*ze skrzydełkami*).

petaurist [pəˈtɔːrəst] *n. zool.* lotopałanka (*Petaurus australis*).

petcock [ˈpetˌkɑːk] *n. techn.* zawór spustowy.

Pete [piːt] *n.* **for the love of ~!** *emf.* na miłość boską!

Peter [ˈpiːtər] *n.* **1.** ~ **the Great** *hist.* Piotr Wielki; **St** ~ *Bibl.* Święty Piotr. **2. rob ~ to pay Paul** *przen.* przełożyć pieniądze z jednej kieszeni do drugiej; zabrać jednemu, żeby dać drugiemu.

peter[1] [ˈpiːtər] *sl. n. gł. US obsc.* **1.** kutas. **2.** kasa; sejf. **3.** miejsce dla świadka (*w sądzie*).

peter[2] *v.* ~ **out** (*także Br.* ~ **away**) kończyć się (*stopniowo*); zanikać; urywać się (*np. o drodze*); wygasać (*np. o zainteresowaniu*); opadać z sił.

Peter Pan [ˌpiːtər ˈpæn] *n.* **1.** Piotruś Pan (*w bajce*); *przen.* wieczny chłopiec (= *mężczyzna, który nie chce dorosnąć l. wiecznie wygląda młodo*). **2.** (*także* ~ **collar**) *strój* okrągły *l.* zaokrąglony kołnierzyk.

Peter's pence [ˌpiːtərz ˈpens] *n. U rz.-kat.* świętopietrze.

pétillant [ˌpeɪtɪˈjɑːn] *a. Fr.* lekko musujący (*o winie*).

petiole [ˈpetɪˌoʊl] *n. bot.* ogonek, szypułka (*liścia*).

petit [ˈpetɪ] *a. prawn.* = **petty**.

petit bourgeois [ˌpetɪ bʊrˈʒwɑː] *n. pl.* **petits bourgeois** *Fr. socjol., gł. hist.* drobnomieszczanin/nka. – *a. t. uj.* drobnomieszczański.

petite [pəˈtiːt] *a.* **1.** drobny, filigranowy, dziewczęcy (*o kształtach, kobiecie*). **2.** *handl.* mały (*o rozmiarze odzieży*).

petit four [ˌpetɪ ˈfɔːr] *n. pl.* **petits fours** [ˌpetɪ ˈfɔːrz] *Fr. kulin.* herbatniczek (*podawany do kawy*).

petition [pəˈtɪʃən] *n.* **1.** *polit.* petycja; **draw up/sign a** ~ wystosować/podpisać petycję. **2.** *prawn.* wniosek; pozew; skarga; **file a ~ for/a-**

gainst sth złożyć wniosek o coś/skargę przeciw czemuś. **3.** *rel. l. form.* prośba. – *v.* **1.** *gł. polit.* ~ **against sth** protestować przeciwko czemuś; ~ **for sth** domagać się czegoś (*zwł. za pośrednictwem petycji*); ~ **sb to do sth** domagać się od kogoś, żeby coś zrobił. **2.** *rel. l. form.* prosić, błagać. **3.** *prawn.* wnosić (*for sth* o coś).

petitionary [pəˈtɪʃəˌnerɪ] *a. form.* **1.** na drodze petycji (*o działaniu*). **2.** proszący, błagalny.

petitioner [pəˈtɪʃənər] *n.* **1.** osoba składająca petycję. **2.** *Br. prawn.* strona powodowa, powód/ka (*w procesie rozwodowym*). **3.** *form.* suplikant/ka.

petit mal [ˌpetɪ ˈmɑːl] *n. U Fr. pat.* mały napad padaczkowy.

petit pois [ˌpetɪ ˈpwɑː] *n. pl. Fr. kulin.* = **petits pois**.

petits bourgeois [ˌpetɪ bʊrˈʒwɑːz] *n. pl. zob.* **petit bourgeois**.

petits fours [ˌpetɪ ˈfɔːrz] *n. pl. zob.* **petit four**.

petits pois [ˌpetɪ ˈpwɑː], **petit pois** *n. pl. Fr. kulin.* zielony groszek.

pet name *n.* pieszczotliwe przezwisko.

petnapping [ˈpetˌnæpɪŋ] *n. C/U* porwanie zwierzęcia (domowego) (*w celu wymuszenia okupu*).

Petrarchan sonnet [peˌtrɑːrkən ˈsɑːnɪt] *n. wers.* sonet włoski.

petrel [ˈpetrəl] *n. orn.* petrel, burzyk (*Procellaria*); nawałnik (burzowy) (*Hydrobates (pelagicus)*).

petrifaction [ˌpetrəˈfækʃən] *n. geol.* **1.** *U* skamienienie, petryfikacja. **2.** skamielina.

petrified [ˈpetrəˌfaɪd] *a.* **1.** *geol.* skamieniały. **2.** ~ **(with terror)** *przen.* skamieniały *l.* zdrętwiały *l.* struchlały (z przerażenia).

petrify [ˈpetrəˌfaɪ] *v.* **-ied, -ying 1.** paraliżować (strachem), przerażać. **2.** *geol.* petryfikować, zamieniać (się) w kamień. **3.** przytępiać (*uczucia*). **4.** doprowadzać do skostnienia (*obyczajów*).

petrochemical [ˌpetroʊˈkemɪkl] *n. gł. pl.* produkt naftowy. – *a.* petrochemiczny.

petrochemistry [ˌpetroʊˈkemɪstrɪ] *n. U* petrochemia.

petrodollars [ˌpetroʊˈdɑːlərz] *n. pl. fin.* petrodolary.

petroglyph [ˈpetrəˌglɪf] *n. archeol.* petroglif; rysunek naskalny; inskrypcja naskalna.

petrography [pəˈtrɑːgrəfɪ] *n. U geol.* petrografia.

petrol [ˈpetrəl] *n. U Br. i Austr. gł. mot.* benzyna, paliwo; **unleaded** ~ benzyna bezołowiowa, paliwo bezołowiowe.

petrolatum [ˌpetrəˈleɪtəm] *n. U US chem.* wazelina.

petrol bomb *n. wojsk.* butelka z benzyną.

petrol can *n. Br. i Austr.* kanister.

petroleum [pəˈtroʊlɪəm] *n. U geol.* ropa naftowa. – *a. attr.* naftowy.

petrolic [pəˈtrɑːlɪk] *a. chem., geol.* naftowy.

petrological [ˌpetrəˈlɑːdʒɪkl] *a. geol.* petrologiczny.

petrologist [pəˈtrɑːlədʒɪst] *n. geol.* petrolog.

petrology [pəˈtrɑːlədʒɪ] *n. U geol.* petrologia.

petrol station *n. Br. i Austr. mot.* stacja benzynowa, stacja paliw.

petronel [ˈpetrəˌnel] *n. broń, hist.* petrynał (= *krótki karabin kawaleryjski*).

petrous [ˈpetrəs] *a. geol., anat.* skalisty.

PET scan [ˈpet ˌskæn] *n. med.* badanie tomografią pozytronową.

PET scanning [ˈpet ˌskænɪŋ] *n. U med.* tomografia (pozytronowa).

petticoat [ˈpetɪˌkoʊt] *n.* **1.** *gł. Br.* halka. **2.** *hist.* spódnica. **3.** *przest. pog.* spódniczka (= *kobieta*). **4.** *el.* klosz izolatora. – *a. attr. przest. pog.* babski (= *kobiecy*).

pettifog [ˈpetɪˌfɑːg] *v.* **-gg-** *przest.* **1.** prowadzić drobne *l.* podejrzane sprawy (*o adwokacie*). **2.** czepiać się (o drobiazgi), handryczyć się.

pettifogger [ˈpetɪˌfɑːgər] *n. przest.* **1.** adwokacina; adwokat-krętacz. **2.** krętacz/ka. **3.** czepialsk-i/a.

pettifogging [ˈpetɪˌfɑːgɪŋ] *a. przest.* **1.** bzdurny, mało znaczący. **2.** pokrętny. **3.** czepialski.

pettiness [ˈpetɪnəs] *n. U* małostkowość.

petting [ˈpetɪŋ] *n. U* petting.

petting party *n. gł. US* ostra *l.* gorąca prywatka (*z seksem*).

petting zoo *n. US* część zoo, w której można głaskać zwierzęta.

pettish [ˈpetɪʃ] *a.* humorzasty, opryskliwy.

pettitoes [ˈpetɪˌtoʊz] *n. pl. kulin.* nóżki wieprzowe.

petty [ˈpetɪ] *a.* **-ier, -iest 1.** mało znaczący (*o problemach, przeszkodach, szczegółach*); drobny (*o problemach, szczegółach, sprzeczce*). **2.** małostkowy (*o osobie, motywach, uczuciach*). **3.** (*także* **petit**) *prawn.* drobny (*o przestępstwie, przestępcy*).

petty cash *n. U fin., admin.* kasa podręczna; gotówka na wydatki bieżące; drobna gotówka.

petty crime *n. prawn.* drobne przestępstwo; wykroczenie.

petty jury *n.* (*także* **petit jury**) *US prawn.* sąd *l.* ława przysięgłych, Mała Ława.

petty larceny *n. C/U pl.* **-ies** (*także* **petit larceny**) *prawn.* drobna kradzież.

petty officer *n. wojsk.* podoficer (marynarki).

petty sessions *n. Br. hist.* posiedzenie dwu *l.* więcej sędziów pokoju dla doraźnego osądzenia pewnych przestępstw.

petulance [ˈpetʃələns] *n. U* kapryśność.

petulant [ˈpetʃələnt] *n.* kapryśny (*o dziecku, zachowaniu*); nadąsany (*o minie*).

petulantly [ˈpetʃələntlɪ] *adv.* kapryśnie.

petunia [pəˈtuːnɪə] *n.* **1.** *bot., ogr.* petunia (*Petunia*). **2.** *U* ciemny fiolet.

pew[1] [pjuː] *n.* **1.** *kośc.* ławka. **2.** **take a ~!** *Br. pot.* usiądź (sobie)!

pew[2] *int. US* fuj! (*wyrażając obrzydzenie, zwł. z powodu przykrego zapachu*).

pewit [ˈpiːwɪt] *n. orn.* czajka (właściwa) (*Vanellus (vanellus)*).

pewter [ˈpjuːtər] *n. U* **1.** *metal.* stop cynowo-ołowiowy; *nie techn.* cyna. **2.** naczynia cynowe. **3.** kolor lotniczy.

peyote [peɪˈoʊtiː] *n.* **1.** *U chem.* peyotl (*narkotyk*). **2.** *bot.* jeżowiec Williamsa (*kaktus Lophophora williamsii*).

pf. *abbr.* **1. preferred** *fin.* uprzyw. (= *uprzywilejowane; o akcjach*). **2.** = **perfect**. **3.** *fin.* = **pfennig**.

PFC [ˌpiː ˌef ˈsiː], **PFc** *abbr.* **private first class** *US wojsk.* st. szer. (= *starszy szeregowy*).

pfennig [ˈfenɪg] *n. pl.* **-s** *l.* **pfennige** [ˈpfenɪgə] *fin.* fenig (= *jednostka monetarna Niemiec*).

PG [ˌpiː ˈdʒiː] *abbr.* **1. parental guidance** *film* dozwolony dla dzieci w towarzystwie dorosłych. **2.** *uniw.* = **postgraduate**. **3.** *US pot.* = **pregnant**.

pg. *abbr.* **page** str., s. (= *strona*).

PG-13 [ˌpiː ˌdʒiː θɜːˈtiːn] *abbr. US film* dozwolony od lat 13 lub w towarzystwie dorosłych.

PGA [ˌpiː ˌdʒiː ˈeɪ] *abbr.* **Professional Golfers' Association** Związek Golfa Zawodowego.

PH [ˌpiː ˈeɪtʃ] *abbr.* **Purple Heart** *US wojsk.* odznaczenie nadawane za rany odniesione w boju.

pH [ˌpiː ˈeɪtʃ] *abbr.* **potential of hydrogen** *chem.* (odczyn) pH.

PHA [ˌpiː ˌeɪtʃ ˈeɪ] *abbr.* **Public Housing Administration** *US admin.* Zarząd Mieszkań Komunalnych (*agenda rządu federalnego*).

phacoemulsification [ˌfækəɪˌmʌlsɪfɪˈkeɪʃən] *n. U med., opt.* fakoemulsyfikacja (*technika leczenia zaćmy*).

phaeton [ˈfeɪətən] *n. hist.* faeton (*lekki powóz l. samochód*).

phage [feɪdʒ] *n. biol.* fag, bakteriofag.

phagedena [ˌfædʒɪˈdiːnə], **phagedaena** *n. pl.* **-s** *l.* **phagedenae** [ˌfædʒɪˈdiːniː] *pat.* wrzód pełzający *l.* żrący.

phagocyte [ˈfægəsaɪt] *n. fizj.* fagocyt.

phagocytosis [ˌfægəsaɪˈtoʊsɪs] *n. U fizj.* fagocytoza.

Phalange [ˈfeɪlændʒ] *n. polit., wojsk.* Falanga.

phalange [ˈfæləndʒ] *n.* = **phalanx**.

Phalangist [ˈfeɪlændʒɪst] *n. polit., wojsk.* falangista.

phalanx [ˈfeɪlæŋks], **phalange** [ˈfæləndʒ] *n. pl.* **phalanges** [fəˈlændʒiːz] **1.** *hist., wojsk.* falanga. **2.** *anat.* paliczek (= *kość palcowa*).

phalarope [ˈfæləˌroʊp] *n. orn.* płatkonóg (*Phalaropus*).

phallic [ˈfælɪk] *a.* falliczny (*np. o kształcie, symbolu, kulcie*).

phallocentric [ˌfæləˈsentrɪk] *n.* fallocentryczny.

phallus [ˈfæləs] *n. pl.* **-es** *l.* **phalli** [ˈfælaɪ] fallus.

phanerogam [ˈfænərəˌgæm] *n. bot.* spermatofit, roślina nasienna.

phanerogamic [ˌfænərəˈgæmɪk], **phanerogamous** [ˌfænəˈrɑːgəməs] *a. bot.* nasienny.

phantasm [ˈfænˌtæzəm] *n. form.* zjawa, fantom; *t. fil.* fantazmat.

phantasmagoria [fænˌtæzməˈgɔːrɪə] *n. form.* fantasmagoria.

phantasmagorical [fænˌtæzməˈgɔːrəkl] *n. form.* fantasmagoryczny.

phantasmal [fænˈtæzml] *a. form.* **1.** fantazmatyczny. **2.** złudny.

phantasy [ˈfæntəsɪ] *n. arch.* = **fantasy**.

phantom [ˈfæntəm] *n.* **1.** zjawa, fantom, widmo, widziadło; ~ **ship** statek-widmo. **2.** *przen.* widmo (*of sth* czegoś). **3.** ułuda, złuda. **4.** *techn.* fantom (*na radarze*). – *a. attr.* **1.** ułudny, złudny; urojony. **2.** *pat.* fantomowy. **3.** *gł. żart.* tajemniczy; **the ~ pizza-eater strikes again!** tajemniczy pożeracz pizz znowu w akcji! (= *ktoś znowu zjadł pizzę*).

phantom limb *n. pat.* kończyna fantomowa (*po amputacji*).

phantom limb pain *n. pat.* ból fantomowy.

phantom pregnancy *n. C/U pl.* **-ies** *Br. i Austr.* ciąża urojona *l.* rzekoma.

pharaoh [ˈferoʊ], **Pharaoh** *n. hist.* faraon.

pharaoh ant, pharaoh's ant *n. ent.* mrówka faraona (*Monomorium pharaonis*).

Pharisaic [ˌferɪˈseɪɪk], **Pharisaical** [ˌferɪˈseɪɪkl] *a.* **1.** *hist.* faryzejski. **2.** (*także* **p~**) *przen.* faryzeuszowski.

Pharisaism [ˈferɪseɪˌɪzəm] *n. U* **1.** *hist.* faryzeizm. **2.** (*także* **p~**) *przen.* faryzeuszostwo.

Pharisee [ˈferɪˌsiː] *n.* **1.** *hist., Bibl.* faryzeusz. **2.** (*także* **p~**) *przen.* faryzeusz/ka.

pharmaceutical [ˌfɑːrməˈsuːtɪkl] *med. n. gł. pl.* farmaceutyk, środek farmaceutyczny. – *a.* (*także* **pharmaceutic**) farmaceutyczny.

pharmaceutics [ˌfɑːrməˈsuːtɪks] *n. med.* **1.** *U* farmaceutyka. **2.** *pl.* farmaceutyki, środki farmaceutyczne.

pharmacist [ˈfɑːrməsɪst] *n.* farmaceut-a/ka; apteka-rz/rka.

pharmacodynamics [ˌfɑːrməkoʊdaɪˈnæmɪks] *n. U med.* farmakodynamika.

pharmacokinetics [ˌfɑːrməkoʊkɪˈnetɪks] *n. U med.* farmakokinetyka.

pharmacologist [ˌfɑːrməˈkɑːlədʒɪst] *n. med.* farmakolo-g/żka.

pharmacology [ˌfɑːrməˈkɑːlədʒɪ] *n. U med.* farmakologia.

pharmacopoeia [ˌfɑːrməkəˈpiːə] *n.* lekospis, urzędowy spis leków; farmakopea (*t. przen.* = *zakres l. zbiór dostępnych leków*).

pharmacotherapy [ˌfɑːrməkəˈθerəpɪ] *n. U med.* farmakoterapia, terapia lekowa.

pharmacy [ˈfɑːrməsɪ] *n. pl.* **-ies** **1.** apteka; punkt apteczny. **2.** *U* farmacja.

pharyngeal [ˌferənˈdʒiːɪl], **pharyngal** [fəˈrɪndʒl] *a. anat., fon.* gardłowy. – *n. fon.* głoska gardłowa.

pharyngitis [ˌferənˈdʒaɪtɪs] *n. U pat.* zapalenie gardła.

pharynx [ˈferɪŋks] *n. pl.* **-es** *l.* **pharynges** [fəˈrɪndʒiːz] *anat.* gardło, jama gardłowa.

phase [feɪz] *n.* faza (*t. el., fiz., astron.*); stadium; okres; **be in the initial ~** znajdować się w początkowym stadium; **be going through a ~** przechodzić trudny okres (*zwł. o dziecku l. buntującym się nastolatku*); **gas(eous)/fluid/liquid/solid ~** *fiz.* faza gazowa/ciekła/płynna/stała; **in ~** zsynchronizowany; *el.* (zgodny) w fazie; **out of ~** niezsynchronizowany; *el.* przesunięty w fazie. – *v.* **~ in** stopniowo wprowadzać; **~ out** stopniowo wycofywać (się z) (*czegoś*).

phase angle *n. el., mat., fiz.* kąt fazowy.

phase changer *n. el.* przetwornica fazowa.

phasedown [ˈfeɪzˌdaʊn] *n. U* stopniowe wycofywanie.

phase factor *n. el.* współczynnik mocy, współczynnik Φ.

phasein [ˈfeɪzˌɪn] *n. U* stopniowe wprowadzanie.

phase lock *n. U el., radio* synchronizacja fazowa.

phase-locked loop [ˌfeɪzˌlɑːkt ˈluːp] *n. el., radio* pętla synchronizacji fazowej, synchroniczna pętla fazowa.

phase modulation *n. el.* modulacja fazowa.

phaseout [ˈfeɪzˌaʊt] *n. U* stopniowe wycofywanie.

phase shift *n. el., radio, fiz., astron.* przesunięcie fazowe.

phase transition *n. U fiz.* przemiana fazowa, zmiana stanu skupienia.

phat [fæt] *a. US sl.* odjazdowy (= *świetny*).

phatic [ˈfætɪk] *a. socjol., jęz.* fatyczny.

Ph.D. [ˌpiː ˌeɪtʃ ˈdiː], **PhD** *n. pl. t.* **'s** *uniw.* **1.** doktorat, stopień doktorski, stopień naukowy doktora; **have a ~** mieć doktorat (*in sth* z czegoś). **2.** (*także* **~ holder**) doktor, osoba z doktoratem. – *abbr.* dr; **Jane Doe, Ph.D.** dr Jane Doe.

pheasant [ˈfezənt] *n. pl.* **-s** *l.* **pheasant 1.** *orn.* bażant (*Phasianus*). **2.** *U kulin.* bażant, mięso bażancie *l.* (z) bażanta.

phenacetin [fəˈnæsətɪn] *n. U chem., med.* fenacetyna.

phenix [ˈfiːnɪks] *n. gł. US* = **phoenix**.

phenobarbital [ˌfiːnoʊˈbɑːrbəˌtɔːl], *Br.* **phenobarbitone** [ˌfiːnoʊˈbɑːrbəˌtoʊn] *n. C / U US chem., med.* fenobarbital.

phenol [ˈfiːnoʊl] *n. C / U chem.* fenol.

phenolic [fɪˈnoʊlɪk] *a. chem.* fenolowy.

phenolic resin *n. C / U chem.* żywica fenolowa.

phenology [fəˈnɑːlədʒɪ] *n. U biol.* fenologia.

phenolphthalein [ˌfiːnlˈθælɪən] *n. U chem.* fenolftaleina.

phenol red *n. U chem.* czerwień fenolowa.

phenom [ˈfiːnəm] *n. US sl.* geniusz, fenomen (*np. sportu, gitary*).

phenomena [fəˈnɑːmənə] *n. pl. zob.* **phenomenon**.

phenomenal [fəˈnɑːmənl] *a. t. fil.* fenomenalny.

phenomenalism [fəˈnɑːmənəˌlɪzəm] *n. U fil.* fenomenalizm.

phenomenalist [fəˈnɑːmənəlɪst] *n. fil.* fenomenalist-a/ka.

phenomenalistic [fəˌnɑːmənəˈlɪstɪk] *a. fil.* fenomenalistyczny.

phenomenally [fəˈnɑːmənlɪ] *adv.* fenomenalnie; **be ~ successful** odnieść fenomenalny sukces.

phenomenology [fəˌnɑːməˈnɑːlədʒɪ] *n. U fil.* fenomenologia.

phenomenon [fəˈnɑːməˌnɑːn] *n. pl.* **phenomena** [fəˈnɑːmənə] **1.** zjawisko; **natural ~** zjawisko naturalne. **2.** fenomen.

phenotype [ˈfiːnəˌtaɪp] *n. biol.* fenotyp.

phenyl [ˈfenl] *n. chem.* fenyl, rodnik fenylowy; *U* fenyl.

phenylalanine [ˌfenlˈæləˌniːn] *n. U biochem.* fenyloalanina.

phenylketonuria [ˌfenlˌkiːtoʊˈnʊrɪə] *n. U pat.* fenyloketonuria.

pheromone [ˈferəmoʊn] *n. biochem.* feromon.

phew [fjuː] *int.* **1.** uff! (*wyrażając wysiłek, zmęczenie, ulgę, poczucie gorąca*). **2.** *US* fuj! (*wyrażając obrzydzenie, zwł. z powodu przykrego zapachu*).

phi [faɪ] *n. alfabet grecki* fi, Φ.

phial [ˈfaɪəl] *n. gł. Br. med.* ampułka; *techn.* fiolka.

Phi Beta Kappa [ˌfaɪ ˌbeɪtə ˈkæpə] *n. US uniw.* prestiżowe stowarzyszenie najlepszych absolwentów w kraju; członek stowarzyszenia jw.

Phila, Phila. *n. i abbr. US pot.* = **Philadelphia**.

Philadelphia [ˌfɪləˈdelfɪə] *n. US geogr.* Filadelfia.

Philadelphia lawyer *n. US pot.* sprytny adwokat.

Philadelphia pepper pot, Philadelphia pepperpot *n. U płn.-wsch. US kulin.* flaczki.

philander [fɪˈlændər] *v. przest. uj.* romansować, flirtować (*zwł. z mężatkami*).

philanderer [fɪˈlændərər] *n. przest. pog.* donżuan, flirciarz.

philanthropic [ˌfɪlənˈθrɑːpɪk], **philanthropical** [ˌfɪlənˈθrɑːpɪkl] *a.* filantropijny.

philanthropist [fɪˈlænθrəpɪst] *n.* filantrop/ka.

philanthropy [fɪˈlænθrəpɪ] *n. U* filantropia.

philatelic [ˌfɪləˈtelɪk], **philatelical** [ˌfɪləˈtelɪkl] *a.* filatelistyczny.

philatelist [fəˈlætələst] *n.* filatelist-a/ka.

philately [fəˈlætəlɪ] *n. U* filatelistyka.

philharmonic [ˌfɪlhɑːrˈmɑːnɪk] *muz. n.* **P~** (*gł. w nazwach*) orkiestra filharmoniczna; chór filharmoniczny; towarzystwo filharmoniczne. – *a. attr.* filharmoniczny.

philhellene [fɪlˈheliːn] *n. form.* = **philhellenist**.

philhellenic [ˌfɪlheˈliːnɪk] *a. form.* filhelleński.

philhellenism [fɪlˈheləˌnɪzəm] *n. U form.* filhellenizm.

philhellenist [fɪlˈhelənɪst] *n. form.* filhellenist-a/ka.

philippic [fɪˈlɪpɪk] *n. form. t. hist.* filipika.

Philippine [ˈfɪləˌpiːn] *a. gł. attr.* filipiński; **the ~ Islands** *geogr.* Filipiny.

Philippines [ˈfɪləˌpiːnz] *n. pl.* **the ~** *geogr.* Filipiny.

Philistine [ˈfɪləˌstiːn] *n.* **1.** *hist.* Filistyn. **2.** (*także* **p~**) filister. – *a.* **1.** *hist.* filistyński. **2.** (*także* **p~**) filisterski.

philistinism [ˈfɪləˌstiːˌnɪzəm] *n. U* filisterstwo.

Phillips head [ˈfɪlɪps ˌhed] *n. mech.* łeb krzyżowy (*wkrętu, śruby*).

Phillips screw [ˈfɪlɪps ˌskruː] *n. mech.* wkręt *l.* śruba z łbem krzyżowym.

Phillips screwdriver [ˈfɪlɪps ˌskruːˌdraɪvər] *n. mech.* wkrętak krzyżowy, śrubokręt krzyżowy, krzyżak.

Philly [ˈfɪlɪ] *n. US pot.* = **Philadelphia**.

philodendron [ˌfɪləˈdendrən] *n. pl.* **-s** *l.* **philodendra** [ˌfɪləˈdendrə] *bot.* filodendron.

philological [ˌfɪləˈlɑːdʒɪkl] *a. jęz.* filologiczny.

philologist [fɪˈlɑːlədʒɪst] *n. jęz.* filolo-g/żka.

philology [fɪˈlɑːlədʒɪ] *n. U jęz.* filologia.

philosopher [fəˈlɑːsəfər] *n. t. przen.* filozof/ka.

philosopher's stone, philosophers' stone *n. hist.* kamień filozoficzny.

philosophical [ˌfɪləˈsɑːfɪkl], **philosophic** [ˌfɪləˈsɑːfɪk] *a.* filozoficzny (*t. = spokojny, zrezygnowany*); **be ~ about sth** filozoficznie podchodzić do czegoś (= *przyjmować ze spokojem l. rezygnacją*).

philosophically [ˌfɪləˈsɑːfɪklɪ] *adv.* filozoficznie.

philosophism [fəˈlɑːsəˌfɪzəm] *n. U form.* filozofizm.

philosophize [fəˈlɑːsəˌfaɪz], *Br. i Austr. zw.* **philosophise** *v.* **1.** *t. iron., uj.* filozofować, snuć filozoficzne refleksje (*about sth* na jakiś temat). **2.** *fil.* rozważać z filozoficznego punktu widzenia (*zagadnienie, problem*).

philosophy [fəˈlɑːsəfɪ] *n. C/U pl.* **-ies** *t. uniw.* filozofia; **sb's ~ of life** (*także Br.* **sb's ~ on life**) czyjaś filozofia życiowa; **the ~ of religion/science** filozofia religii/nauki.

philter [ˈfɪltər], *Br.* **philtre** *n. lit.* **1.** eliksir miłości, napój miłosny. **2.** napój magiczny.

Phily [ˈfɪlɪ] *n. US pot.* = **Philadelphia**.

phiz [fɪz], **phizog** [ˈfɪzɑːg] *n. Br. przest. sl.* facjata (= *twarz*).

phlebitis [fləˈbaɪtɪs] *n. U pat.* zapalenie żył *l.* żyły.

phlebotomist [fləˈbɑːtəmɪst] *v.* **1.** *med.* laborant/ka (*pobierając-y/a krew do badania*). **2.** *hist.* cyrulik.

phlebotomize [fləˈbɑːtəˌmaɪz], *Br. i Austr. zw.* **phlebotomise** *v. chir.* nacinać żyłę, dokonywać nacięcia żyły (*komuś*); *hist.* upuszczać krwi (*komuś*).

phlebotomy [fləˈbɑːtəmɪ] *n. C/U pl.* **-ies** *chir.* nacięcie żyły; *hist.* upuszczanie krwi.

phlegm [flem] *n. U fizj., pat. l. przen.* flegma.

phlegmatic [flegˈmætɪk], **phlegmatical** [flegˈmætɪkl] *a.* flegmatyczny.

phlegmatically [flegˈmætɪklɪ] *adv.* flegmatycznie.

phloem [ˈfloʊem] *n. U bot.* łyko.

phlogistic [fləˈdʒɪstɪk] *a. pat.* zapalny.

phlogiston [fləˈdʒɪstən] *n. U hist., chem.* flogiston (= *hipotetyczna substancja palna*).

phlox [flɑːks] *n. bot., ogr.* floks (*Phlox*).

phobia [ˈfoʊbɪə] *n. t. w złoż. gł. pat.* fobia; **have a ~ about sth** mieć fobię na punkcie czegoś; **claustro~** klaustrofobia; **xeno~** ksenofobia.

phobic [ˈfoʊbɪk] *pat. a.* cierpiący na fobię (*o osobie*); charakterystyczny dla fobii, świadczący o fobii (*o objawach*). – *n.* osoba cierpiąca na fobię.

Phoenicia [fəˈnɪʃə] *n. hist.* Fenicja.

Phoenician [fəˈnɪʃən] *hist. a.* fenicki. – *n.* **1.** Fenicjan-in/ka. **2.** *U* język fenicki.

phoenix [ˈfiːnɪks] *n. mit., lit.* feniks; **(rise) like a ~ from the ashes** (powstać) jak feniks z popiołów.

phon [fɑːn] *v. fon.* fon (= *jednostka głośności*).

phonate [ˈfoʊneɪt] *v. fon.* wydawać dźwięki.

phonation [foʊˈneɪʃən] *n. C/U fon.* fonacja.

phone¹ [foʊn] *n.* telefon (= *aparat l. rozmowa*); **be on the ~** rozmawiać (przez telefon); telefonować, dzwonić; *Br.* być pod telefonem, mieć telefon; **on/over the ~** (*także* **by ~**) przez telefon; **pick up/answer the ~** odbierać (telefon), podnosić słuchawkę; **put the ~ down** (*także* **hang up the ~**) odkładać słuchawkę, rozłączać się; **put the ~ down on sb** odłożyć słuchawkę w trakcie rozmowy z kimś (*zwł. lekceważąco*); **sb is wanted on the ~** jest do kogoś telefon. – *v.* **1. ~ (up)** dzwonić, telefonować; **~ sb (up)** dzwonić do kogoś. **2. ~ (sb) back** oddzwonić (do kogoś), zadzwonić (do kogoś) później; **~ in** *radio, telew.* dzwonić (*o słuchaczach, widzach*); zameldować się telefonicznie (*zwł. służbowo*); **~ in sick** *gł. US* dzwonić do pracy, powiadamiając o chorobie (*żeby usprawiedliwić nieobecność*).

phone² *n. jęz., fon.* fon, głoska.

phone book *n. tel.* książka telefoniczna.

phone booth *n.* (*także Br. i Austr.* **phone box**) *tel.* budka *l.* kabina telefoniczna.

phone call *n. tel.* rozmowa telefoniczna, telefon; **make a ~** zatelefonować, wykonać telefon.

phone card, phonecard *n. tel.* karta telefoniczna.

phone-in [ˈfoʊnˌɪn] *n. Br. radio, telew.* program z (telefonicznym) udziałem słuchaczy *l.* widzów.

phoneme [ˈfoʊniːm] *n. jęz.* fonem.

phonemic [fəˈniːmɪk] *a. jęz.* fonemiczny (*np. o zapisie, analizie, kontraście*).

phonemically [fəˈniːmɪklɪ] *adv. jęz.* fonemicznie.

phonemics [fəˈniːmɪks] *adv. jęz.* fonemika.

phone number *n. tel.* numer telefonu.

phone tap *n.* podsłuch telefoniczny (*aparatura*).

phone tapping *n. U* podsłuch telefoniczny (*praktyka*).

phonetic [fəˈnetɪk] *a. jęz., fon.* fonetyczny.

phonetic alphabet *n.* alfabet fonetyczny.

phonetician [ˌfoʊnɪˈtɪʃən] *n.* fonety-k/czka.

phonetics [fəˈnetɪks] *n. U jęz., fon.* fonetyka.

phoney [ˈfoʊnɪ] *a. Br.* = **phony**.

phonic [ˈfɑːnɪk] *a. fon.* foniczny, dźwiękowy.

phonically [ˈfɑːnɪklɪ] *adv. fon.* fonicznie, dźwiękowo.

phonics [ˈfɑːnɪks] *n. U szkoln.* metoda fonetyczna (*nauki czytania*), fonika.

phoniness [ˈfoʊnɪnəs] *n. U* sztuczność; fałszywość; zakłamanie.

phonogram [ˈfoʊnəˌgræm] *n. jęz.* znak graficzny (*reprezentujący słowo l. fonem*), graficzny zapis dźwięku, fonogram.

phonograph [ˈfoʊnəˌgræf] *n. hist.* fonograf (= *wczesny gramofon*); *US i Can. przest.* gramofon.

phonographic [ˌfoʊnəˈgræfɪk] *a.* **1.** *muz.* fonograficzny. **2.** *jęz., fon.* fonetyczny (*o zapisie*).

phonography [foʊˈnɑːgrəfɪ] *n. U jęz., fon.* zapis fonetyczny.

phonolite [ˈfoʊnəˌlaɪt] *n. U geol.* fonolit.

phonological [ˌfoʊnəˈlɑːdʒɪkl] *a. jęz.* fonologiczny.

phonologically [ˌfounəˈlɑːdʒɪklɪ] *adv. jęz.* fonologicznie.

phonologist [fəˈnɑːlədʒɪst] *n. jęz.* fonolo-g/żka.

phonology [fəˈnɑːlədʒɪ] *n. U jęz.* fonologia.

phonometer [fəˈnɑːmətər] *n. med.* fonometr.

phonotactics [ˌfounəˈtæktɪks] *n. U jęz.* fonotaktyka.

phony [ˈfounɪ], *Br.* **phoney** *pot. a.* **1.** fałszywy, lipny (*np. o adresie*). **2.** *uj.* udawany, sztuczny; zakłamany. – *n. pl.* **-ies** *l.* **-s** **1.** zgrywus/ka, udawacz/ka; fałszywiec. **2.** oszust/ka. **3.** fałszywka. **4.** bajer. **5.** *pl.* silikony, plastiki (= *sztucznie powiększony biust*).

phony war *n. gł. Br. hist.* dziwna wojna (*kampania niemiecko-francuska 1940 r.*).

phooey [ˈfuːiː] *int. pot.* tfu!, fuj!

phosgene [ˈfɑːzdʒiːn] *n. U chem., wojsk.* fosgen.

phosphate [ˈfɑːsfeɪt] *n. C/U* **1.** *roln.* fosfat, nawóz fosfatowy. **2.** *chem.* fosforan.

phosphatic [ˌfɑːsˈfætɪk] *a.* **1.** *roln.* fosfatowy, fosforowy. **2.** *chem.* fosforowy.

phosphene [ˈfɑːsfiːn] *n. fizj.* fosfen (= *wrażenie światła przy nacisku na gałkę oczną*).

phosphide [ˈfɑːsfaɪd] *n. C/U chem.* fosforek.

phosphite [ˈfɑːsfaɪt] *n. C/U chem.* fosforyn.

phosphorate [ˈfɑːsfəˌreɪt] *v. chem.* fosforować.

phosphoresce [ˌfɑːsfəˈres] *v. gł. fiz.* fosforyzować.

phosphorescence [ˌfɑːsfəˈresəns] *n. U t. fiz.* fosforescencja; poświata.

phosphorescent [ˌfɑːsfəˈresənt] *a. t. fiz.* fosforyzujący.

phosphoric [fɑːsˈfɔːrɪk] *a. chem.* fosforowy; ~ **acid** kwas fosforowy.

phosphorite [ˈfɑːsfəˌraɪt] *n. U min.* fosforyt.

phosphorous [ˈfɑːsfərəs] *a. chem.* fosforawy.

phosphorus [ˈfɑːsfərəs] *n. U chem.* fosfor.

phot [fɑːt] *n. opt.* fot (= *jednostka natężenia oświetlenia*).

photic [ˈfoutɪk] *a.* **1.** *opt.* świetlny. **2.** *form.* fotyczny (= *z dostępem światła*); ~ **zone** *ekol.* strefa fotyczna (*oceanu, jeziora*).

photism [ˈfoutˌɪzəm] *n. U fizj.* fotyzm (= *wrażenie świetlne w wyniku podrażnienia receptorów*).

photo [ˈfoutou] *zwł. pot. n. pl.* **-s** zdjęcie, fotografia; **take a ~ of sb/sth** zrobić zdjęcie komuś/czemuś *l.* kogoś/czegoś, sfotografować kogoś/coś. – *a. attr.* fotograficzny. – *v.* robić *l.* pstrykać zdjęcie *l.* zdjęcia (*komuś l. czemuś*).

photoactive [ˌfoutouˈæktɪv] *n. opt., fiz.* światłoczuły.

photo album *n.* album do zdjęć *l.* na zdjęcia, album fotograficzny.

photo booth *n.* fotoautomat, kabina fotograficzna (*zwł. do automatycznych zdjęć paszportowych*).

photocell [ˈfoutouˌsel] *n. opt., el.* fotokomórka.

photochemical [ˌfoutouˈkemɪkl] *n. chem.* fotochemiczny.

photochemical smog *n. U ekol.* smog fotochemiczny.

photochromic [ˌfoutouˈkroumɪk] *n. opt.* fotochromowy (*o szkle, okularach*).

photocomposition [ˌfoutouˌkɑːmpəˈzɪʃən] *n. U druk.* fotoskład.

photoconductivity [ˌfoutouˌkɑːndəkˈtɪvətɪ] *n. U el.* fotoprzewodnictwo, zjawisko fotoelektryczne wewnętrzne.

photocopier [ˈfoutouˌkɑːpɪər] *n.* fotokopiarka, kserograf.

photocopy [ˈfoutouˌkɑːpɪ] *n. pl.* **-ies** fotokopia, kserokopia, odbitka kserograficzna. – *v.* **-ied, -ying** powielać (na ksero), kserować, kopiować, robić ksero *l.* kserokopię (*dokumentu, strony*).

photoelectric [ˌfoutouɪˈlektrɪk] *a. opt. el.* fotoelektryczny.

photoelectric cell *n.* komórka fotoelektryczna, fotokomórka.

photoelectric effect *n.* zjawisko fotoelektryczne.

photo emission *n. U el.* emisja fotoelektryczna.

photoengraving [ˌfoutouɪnˈgreɪvɪŋ] *n. U druk.* światłodruk, fototypia.

photo essay, photoessay *n. dzienn.* fotoreportaż.

photo finish *n.* **1.** *sport* rozstrzygnięcie fotokomórką (*wyniku wyścigu*). **2.** *przen.* minimalna przewaga *l.* wygrana (*np. w wyborach, sondażach*).

photo finishing *n. U fot.* obróbka fotograficzna, wywoływanie zdjęć.

Photofit [ˈfoutouˌfɪt] *n.* (*także* ~ **picture**) *Br.* portret pamięciowy (*osoby poszukiwanej*).

photoflash [ˈfoutouˌflæʃ] *n.* (*także* ~ **lamp**) *fot.* lampa błyskowa, flesz.

photoflood [ˈfoutouˌflʌd] *n.* (*także* ~ **lamp**) *fot.* lampa do zdjęć *l.* zdjęciowa.

photog [fəˈtɑːg] *n. US pot.* = **photographer**.

photog. *abbr.* = **photograph**; = **photographer**; = **photographic**; = **photography**.

photogenic [ˌfoutəˈdʒenɪk] *a.* **1.** fotogeniczny. **2.** *biol.* emitujący światło, świecący, fosforyzujący (*o organizmie, narządzie*). **3.** *pat.* światłogenny, światłopochodny (*o ataku choroby*).

photogenically [ˌfoutəˈdʒenɪklɪ] *adv.* fotogenicznie.

photogrammetry [ˌfoutəˈgræmɪtrɪ] *n. U miern.* fotogrametria.

photograph [ˈfoutəˌgræf] *n.* fotografia, zdjęcie; *sztuka* fotogram; **take a ~ of sb/sth** zrobić zdjęcie komuś/czegoś *l.* kogoś/czegoś, sfotografować kogoś/coś. – *v.* **1.** fotografować (*zwł. profesjonalnie*). **2.** ~ **badly/well** źle/dobrze wychodzić na zdjęciach.

photographer [fəˈtɑːgrəfər] *n.* fotograf/ka; fotografi-k/czka.

photographic [ˌfoutəˈgræfɪk] *a.* fotograficzny (*np. o sprzęcie*); zdjęciowy; ~ **film** błona fotograficzna; **a ~ history of Disneyland** Disneyland w fotografii.

photographically [ˌfoutəˈgræfɪklɪ] *adv.* fotograficznie; zdjęciowo; na zdjęciach.

photographic memory *n. U* pamięć fotograficzna.

photography [fə'tɑ:grəfɪ] *n.* *U* **1.** fotografia (= *robienie zdjęć*); **digital/X-ray** ~ fotografia cyfrowa/rentgenowska. **2.** *sztuka* fotografika. **3.** *film* zdjęcia.

photogravure [ˌfoutəgrə'vjur] *n.* *U* *druk.* fotograwiura, heliograwiura.

photojournalism [ˌfoutou'dʒɝ:nəˌlɪzəm] *n.* *U* *dzienn.* fotoreportaż (*dziedzina dziennikarstwa*).

photojournalist [ˌfoutou'dʒɝ:nəlɪst] *n.* fotoreporter/ka.

photomap ['foutouˌmæp] *n.* *kartogr.* mapa lotnicza.

photometer [fou'tɑ:mətər] *n.* *opt.* fotometr.

photometric [ˌfoutou'metrɪk] *a.* *opt.* fotometryczny.

photometry [fou'tɑ:mɪtrɪ] *n.* *U* *opt.* fotometria.

photomicrograph [ˌfoutou'maɪkrəˌgræf] *n.* *fot.* zdjęcie mikroskopowe.

photomicrography [ˌfoutoumaɪ'krɑ:grəfɪ] *n.* *U* *fot.* fotomikrografia, fotografia mikroskopowa.

photomontage [ˌfoutəmɑ:n'tɑ:ʒ] *n.* *C/U* *fot.* fotomontaż.

photon ['foutɑ:n] *fiz.* *n.* foton. – *a.* *attr.* fotonowy; ~ **rocket** rakieta fotonowa.

photo opportunity *n.* *pl.* **-ies** (*także pot.* **photo op**) *dzienn.* okazja do sfotografowania (*sławnej osoby l. wydarzenia*).

photosensitive [ˌfoutou'sensətɪv] *a.* światłoczuły.

photo shoot *n.* *fot.* sesja zdjęciowa.

photosphere ['foutouˌsfi:r] *n.* *U* *astron.* fotosfera.

photostat ['foutəˌstæt], **Photostat** *n.* **1.** fotokopiarka. **2.** fotokopia. – *v.* kopiować.

photo story *n.* *pl.* **-ies** *dzienn.* fotoreportaż.

photosynthesis [ˌfoutou'sɪnθəsɪs] *n.* *U* *biol.* fotosynteza.

phototaxis [ˌfoutə'tæksɪs] *n.* *U* *biol.* fototaksja.

phototherapy [ˌfoutou'θerəpɪ] *n.* *med.* światłolecznictwo, fototerapia, leczenie światłem.

phototype ['foutəˌtaɪp] *n.* *U* *druk.* światłodruk, fototypia.

phototypesetting [ˌfoutə'taɪpˌsetɪŋ] *n.* *U* *druk.* fotoskład.

phrasal ['freɪzl] *a.* *gram., jęz.* frazowy.

phrasal verb *n.* *gram.* czasownik złożony (*z przyimkiem l. przysłówkiem*).

phrase [freɪz] *n.* **1.** wyrażenie, zwrot, określenie. **2.** *gram., jęz.* grupa wyrazowa, fraza; **noun** ~ fraza rzeczownikowa *l.* nominalna, grupa rzeczownika. **3.** *muz.* fraza. **4.** *pl.* frazesy. **5.** *U* **turn of** ~ wyrażenie, zwrot, określenie; sposób wyrażania *l.* wysławiania się. **6. to coin a** ~ *zob.* **coin** *v.* – *v.* **1.** formułować, wyrażać, ujmować (w słowa) (*określone treści, myśli*); układać (*np. przemówienie, list*). **2.** *muz.* frazować.

phrase book, phrasebook *n.* rozmówki (*w formie książkowej*).

phrase marker *n.* *jęz.* reprezentacja struktury składniowej.

phraseological [ˌfreɪzɪə'lɑ:dʒɪkl] *a.* *jęz.* frazeologiczny.

phraseology [ˌfreɪzɪ'ɑ:lədʒɪ] *n.* *U* frazeologia.

phrasing ['freɪzɪŋ] *n.* *U* **1.** sformułowanie (*np. dokumentu*). **2.** *muz., wers.* frazowanie.

phratry ['freɪtrɪ] *n.* *pl.* **-ies** *hist.* fratria.

phrenic ['frenɪk] *a.* **1.** *anat.* przeponowy. **2.** *przest.* umysłowy.

phrenological [ˌfrenə'lɑ:dʒɪkl] *a.* *hist.* frenologiczny.

phrenologist [frə'nɑ:lədʒɪst] *n.* *hist.* frenolog.

phrenology [frə'nɑ:lədʒɪ] *n.* *U* *hist.* frenologia.

Phrygia ['frɪdʒɪə] *n.* *hist.* Frygia.

Phrygian ['frɪdʒɪən] *hist.* *a.* frygijski. – *n.* **1.** Frygij-czyk/ka. **2.** *U* język frygijski.

Phrygian cap *n.* *hist.* czapka frygijska, frygijka.

PHS [ˌpi: ˌeɪtʃ 'es] *n.* **Public Health Service** *US* publiczna służba zdrowia.

phthalic ['θælɪk] *a.* *chem.* ftalowy.

phthisic ['θaɪsɪk] *n.* *U* **1.** = **phthisis**. **2.** *arch.* astma.

phthisis ['θaɪsɪs] *n.* *U* *pat.* **1.** wyniszczenie. **2.** *arch.* suchoty.

phut [fʌt] *int.* *Br.* *pot.* psss (*odgłos towarzyszący zatrzymywaniu się l. psuciu silnika itp.*); **go** ~ *przen.* wysiąść (*np. o silniku, maszynie*).

phylactery [fə'læktərɪ] *n.* *pl.* **-ies** **1.** *pl.* *judaizm* filakterie, tefilin (= *szkatułki ze zwitkami Pięcioksięgu*). **2.** *lit.* memento, świadectwo. **3.** *arch.* talizman.

phyle ['faɪli:] *n.* *pl.* **phylae** ['faɪli:] *hist.* fila (= *gmina l. dzielnica starożytnych Aten*).

phyletic [faɪ'letɪk] *a.* *biol.* filogenetyczny.

phyllophagous [fɪ'lɑ:fəgəs] *a.* *zool.* liściożerny.

phyllopod ['fɪləˌpɑ:d] *zool.* *n.* liścionóg. – *a.* liścionogi.

phylloxera [ˌfɪlək'si:rə] *n.* *ent.* filoksera, winiec, mszyca amerykańska (*Viteus vitifolii*).

phylogenetic [ˌfaɪloudʒə'netɪk] *a.* (*także* **phylogenic** [ˌfaɪlou'dʒenɪk]) *biol.* filogenetyczny.

phylogeny [faɪ'lɑ:dʒənɪ] *n.* *U* (*także* **~esis**) *biol.* filogeneza, filogenia.

phylum ['faɪləm] *n.* *pl.* **phyla** ['faɪlə] **1.** *biol.* gromada. **2.** *jęz.* gałąź (*języków*).

physiatrics [ˌfɪzɪ'ætrɪks] *n.* *U* *US* fizjoterapia, fizykoterapia.

physiatrist [ˌfɪzɪ'ætrɪst] *n.* *U* *US* fizjoterapeut-a/ka, fizykoterapeut-a/ka.

physic ['fɪzɪk] *n.* *C/U* **1.** *lit.* pokrzepienie. **2.** *arch.* środek na przeczyszczenie; medykament. **3.** *arch.* medycyna. – *v.* **-ck-** *arch.* **1.** przeczyszczać (*zwł. jelita*). **2.** kurować, leczyć.

physical ['fɪzɪkl] *a.* **1.** *attr.* fizyczny (*np. o ćwiczeniach, cechach, naukach*). **2.** cielesny (*np. o kontakcie*); *pot.* lubiący dotykać innych; **get** ~ **(with sb)** *zw. uj.* pchać się z łapami (do kogoś). **3.** *attr.* materialny (*o świecie, przedmiocie*); fizykalny (*o zjawiskach*); naturalny (*o przyczynie*). **4.** siłowy; agresywny. – *n.* (*także* ~ **checkup/examination**) *med.* badanie lekarskie (*zwł. okresowe*).

physical challenge *n.* *euf.* niepełnosprawność ruchowa, upośledzenie ruchowe.

physical education *n.* *U* (*także* **PE**) *szkoln.* wychowanie fizyczne.

physical geography *n.* *U* geografia fizyczna.

physical handicap *n.* upośledzenie fizyczne.

physically [ˈfɪzɪklɪ] *adv.* **1.** fizycznie; **be ~ impossible** być fizyczną niemożliwością *l.* fizycznie niemożliwym. **2.** cieleśnie. **3.** materialnie. **4.** siłowo.

physically challenged *euf. a.* niepełnosprawny ruchowo. – *n. pl.* **the ~** osoby niepełnosprawne ruchowo.

physically fit *a.* sprawny fizycznie.

physical medicine *n. U med.* medycyna fizykalna, fizykoterapia.

physical sciences *n. pl. uniw.* nauki fizyczne.

physical therapist *n.* rehabilitant/ka; fizykoterapeut-a/ka, fizjoterapeut-a/ka.

physical therapy *n. U med.* rehabilitacja ruchowa, terapia ruchowa; fizykoterapia, fizjoterapia.

physical training *n. U* (*także* **PT**) *Br. szkoln.* wychowanie fizyczne.

physician [fɪˈzɪʃən] *n. gł. US* leka-rz/rka.

physicist [ˈfɪzɪsɪst] *n.* fizy-k/czka.

physicochemical [ˌfɪzɪkoʊˈkemɪkl] *a. form.* fizykochemiczny.

physics [ˈfɪzɪks] *n. U* fizyka.

physio [ˈfɪzɪoʊ] *n. Br. i Austr. pot.* **1.** *pl.* **-s** = **physiotherapist**. **2.** *U* = **physiotherapy**.

physiocrat [ˈfɪzɪoʊˌkræt] *n. hist., ekon.* fizjokrata.

physiognomic [ˌfɪzɪəˈnɑːmɪk], **physiognomical** [ˌfɪzɪəˈnɑːmɪkl] *a.* fizjonomiczny.

physiognomy [ˌfɪzɪˈɑːgnəmɪ] *n. pl.* **-ies** **1.** *żart.* fizjonomia. **2.** *U psych.* fizjonomika. **3.** *C / U geogr.* charakter (*terenu*).

physiographic [ˌfɪzɪəˈgræfɪk], **physiographical** [ˌfɪzɪəˈgræfɪkl] *a. geogr. przest.* fizjograficzny.

physiography [ˌfɪzɪˈɑːgrəfɪ] *n. U geogr. przest.* fizjogeografia, fizjografia.

physiological [ˌfɪzɪəˈlɑːdʒɪkl] *a.* (*także* **physiologic**) fizjologiczny.

physiologist [ˌfɪzɪˈɑːlədʒɪst] *n.* fizjolo-g/żka.

physiology [ˌfɪzɪˈɑːlədʒɪ] *n. U* fizjologia.

physiotherapist [ˌfɪzɪoʊˈθerəpɪst] *n.* fizykoterapeut-a/ka, fizjoterapeut-a/ka.

physiotherapy [ˌfɪzɪoʊˈθerəpɪ] *n.* fizykoterapia, fizjoterapia.

physique [fɪˈziːk] *n.* budowa (ciała), sylwetka.

phytochemistry [ˌfaɪtəˈkemɪstrɪ] *n. U biol.* fitochemia, chemia roślin.

phytophagous [faɪˈtɑːfəgəs] *a. zool.* roślinożerny.

phytoplankton [ˌfaɪtəˈplæŋktən] *n. U biol.* fitoplankton.

pi[1] [paɪ] *n. pl.* **-s** **1.** *alfabet grecki* pi, Π. **2.** *mat.* liczba π.

pi[2] (*także* **pie**) *n. pl.* **pies** **1.** *druk.* pomieszane czcionki. **2.** *przen.* galimatias, bałagan. – *v.* pomieszać (się).

pi[3] *a. Br. sl.* = **pious**.

piacular [paɪˈækjələr] *a. rel.* **1.** pokutny. **2.** grzeszny (*o czynie*).

piaffe [pɪˈæf] *jeźdz. n.* pasaż w miejscu. – *v.* wykonywać pasaż w miejscu.

pianissimo [ˌpiːəˈnɪsɪˌmoʊ] *a., adv. i n. muz.* pianissimo.

pianist [piːˈænəst] *n.* pianist-a/ka.

piano[1] [piːˈænoʊ] *n. pl.* **-s** *muz.* (*także* **grand ~**) fortepian; (*także* **upright ~**) pianino.

piano[2] *a., adv. i n. pl.* **-s** *muz.* piano.

piano bar *n.* bar z pianist-ą/ką.

pianoforte [piːˌænoʊˈfɔːrteɪ] *n. muz. form.* = **piano** 1.

pianola [piːəˈnoʊlə], **Pianola** *n. muz.* pianola.

piano nobile [pɪːˌænoʊˈnɔːbɪˌleɪ] *n. bud. form.* bel-étage, piano nobile (= *główna, reprezentacyjna kondygnacja*).

piano player *n.* pianist-a/ka.

piano stool *n.* stołek do pianina.

piano tuner *n.* stroiciel/ka fortepianów.

Piarist [ˈpaɪərɪst] *n. kość.* pijar.

piaster [pɪˈæstər], **piastre** *n. fin.* piastr (= *jednostka monetarna w Egipcie, Libanie, Sudanie i Syrii*).

piazza [pɪˈɑːzə] *n.* **1.** piazza, plac (*we Włoszech l. w Watykanie*). **2.** *gł. Br. bud.* galeria. **3.** *gł. US bud. przest.* ganek; weranda.

pibroch [ˈpiːbˌrɑːk] *n. Scot. muz.* utwór na dudy.

pic [pɪk] *n. pl.* **-s** *l.* **pix** *pot.* fotka, zdjęcie.

pica[1] [ˈpaɪkə] *n. U druk.* cycero (= *czcionka 12 punktów*).

pica[2] *n. U pat.* łaknienie spaczone.

picador [ˈpɪkəˌdɔːr] *n.* pikador.

picaninny [ˈpɪkəˌnɪnɪ] *n. pl.* **-ies** *obelż.* = **pickaninny**.

Picardy [ˈpɪkərdɪ] *n. geogr.* Pikardia.

picaresque [ˌpɪkəˈresk] *a.* **1.** *teor. lit.* łotrzykowski, pikarejski; **~ novel** powieść łotrzykowska; **~ romance** romans łotrzykowski. **2.** *lit.* hultajski, szelmowski. – *n.* pikareska, picaresca.

picaroon [ˌpɪkəˈruːn] *n. arch.* **1.** hultaj, złodziej. **2.** korsarz, pirat. **3.** statek korsarski *l.* piracki.

picayune [ˌpɪkəˈjuːn] *US i Can. a.* (*także* **picayunish** [ˌpɪkəˈjuːnɪʃ]) **1.** błahy. **2.** małostkowy. – *n.* **1.** błahostka, drobnostka. **2.** *arch.* drobna moneta.

piccalilli [ˈpɪkəˌlɪlɪ] *n. U kulin.* ostry sos przyprawowy z marynowanej cebuli i ogórków.

piccaninny [ˈpɪkəˌnɪnɪ] *n. zwł. Br.* = **pickaninny**.

piccolo [ˈpɪkəˌloʊ] *n. pl.* **-s** *muz.* (flet) pikolo *l.* piccolo, pikulina.

pice [paɪs] *n. pl.* **pice** *Anglo-Ind. hist., fin.* dawna drobna moneta indyjska.

piceous [ˈpɪsɪəs] *a. gł. bot., zool.* smolisty.

pick[1] [pɪk] *v.* **1.** wybierać (*sb / sth for sth* kogoś/coś do czegoś, *sb as...* kogoś na...); dobierać. **2.** zrywać (*kwiaty, owoce*), zbierać (*owoce, grzyby*); obierać (*drzewo z owoców*); **newly/freshly ~ed** świeżo zebrany *l.* zerwany; **strawberies ~ easily** truskawki łatwo się zbiera. **3.** wybierać; zbierać; wyjmować; zdejmować (*np. książkę z półki*); podnosić (*drobne przedmioty*); **~ food from/off the floor** zbierać jedzenie z podłogi. **4.** dziobać (*ziarna*). **5.** **~ one's nose/teeth/ear** dłubać w nosie/zębach/uchu. **6.** wyciskać (*zaskórniki, pryszcze*). **7.** zdrapywać, drapać (*strup*). **8.** ogryzać (*kość*); obierać, oczyszczać (*kość z mię-*

sa). 9. skubać (*kurczaka*). 10. kopać (kilofem) (*ziemię*); rozbijać (*nawierzchnię*). 11. otworzyć (wytrychem), sforsować; ~ **a lock with a hairpin** otworzyć zamek spinką. 12. *muz.* szarpać, uderzać (*strunę*). 13. *przen.* ~ **and choose** *zob.* **choose**; ~ **a fight/quarrel (with sb)** wdać się w bójkę/kłótnię (z kimś); ~ **a winner** *t. iron.* dobrze obstawić; ~ **holes (in sth)** *zob.* **hole** *n.*; ~ **one's steps/way** stąpać/posuwać się ostrożnie *l.* powoli; ~ **one's words** starannie dobierać słowa; ~ **sb/sth to pieces/apart** nie zostawić na kimś/czymś suchej nitki (= *skrytykować*); ~ **sb's brains** *zob.* **brain** *n.*; ~ **sb's pocket** *zob.* **pocket** *n.* 14. ~ **at sb** *US pot.* czepiać się kogoś; ~ **at** skubać, dziobać (*jedzenie na talerzu*); dłubać (paznokciem *l.* paznokciami) w (*czymś*); bawić się (*czymś*); szarpać *l.* ciągnąć za (*rękaw itp.*); ~ **off** wystrzelać (jeden po drugim) (*z broni palnej*); *US sport* przechwycić (*piłkę*); *US baseball* wyeliminować (*gracza biegnącego*); ~ **on sb** czepiać się kogoś; zaczynać z kimś (= *prowokować do bójki*); ~ **on sb/sth** wybrać kogoś/coś; ~ **out** wybrać; dostrzec, dojrzeć (w oddali), rozróżnić; wyróżniać (*np. literę na tle*); oświetlać, padać na (*kogoś l. coś; np. o świetle latarki, snopie reflektora*); wygrywać (*utwór na gitarze*); ~ **over** przeglądać (*np. zawartość walizki l. szuflady*); sortować. 15. ~ **through sth** przeszukiwać coś; ~ **up** podnieść (*sb / sth by sth* kogoś/coś za coś) (*np. dziecko za rączki, płytę za brzegi*); podnieść słuchawkę; odebrać (*np. swoje rzeczy od kogoś, gościa z lotniska, zwł. samochodem*); *gł. US* posprzątać (*pokój, mieszkanie*); pozbierać (*ubrania*); wyjąć ze skrzynki (*listy*); zbierać (*informacje, korzyści*); podchwycić (*słówko*); nauczyć się (*języka*); nabywać (*umiejętności*); nabierać (*zwyczajów*); zabrać (*autostopowicza, pasażerów*); poderwać (*kogoś*); łapać, odbierać (*np. stację radiową l. telewizyjną, sygnał*); złapać (*np. wirusa, chorobę*); usłyszeć, dosłyszeć (*głosy, słowa, rozmowę*); dojrzeć (*ślady, drogę, sylwetkę, zarys czegoś*); *sport* zdobywać (*punkty*); odbierać (*koncesję, legitymację*); odnaleźć (*drogę, trop*); podejmować (*wcześniej przerwaną rozmowę*); powracać do (*wcześniejszego tematu*); odzyskiwać (*zdrowie, siły*); poprawiać się, polepszać się (*o koniunkturze, zdrowiu*); nabierać rozmachu (*o gospodarce*); nasilać się, wzmagać się (*np. o wietrze, deszczu*); zwiększać się, rosnąć (*np. o deficycie, prędkości*); dodawać sił (*komuś*); pocieszać (*kogoś*); podciągać się (*w nauce*); pasować do (*koloru, mebla, zasłon*); *pot.* przymknąć (= *aresztować*); ~ **up after sb** *zwł. US pot.* sprzątać po kimś; ~ **up speed/steam/momentum** przyspieszać, nabierać prędkości *l.* rozpędu *l.* impetu; ~ **up the bill/tab** *pot.* zapłacić (rachunek) (*for sth* za coś) (*zwł. w restauracji*); ~ **up the pieces** *zob.* **piece** *n.*; ~ **up the threads of sth** wrócić do czegoś (*np. do rozmowy, tematu*); odbudować coś (*np. życie, związek*); ~ **up where one left off** *pot.* zaczynać od początku; ~ **up with sb** *US pot.* lepiej kogoś poznać; ~ **o.s. up** podnieść się, pozbierać się (*po upadku*); ~ **sb up for sth** zatrzymać kogoś za coś (*zwł. kierowcę za przekroczenie szybkości*); ~ **up on sth** zauważyć coś, dostrzec coś (*np. różnicę, aluzję*); wrócić do czegoś (*np. do zarzuconego tematu*); ~ **sb up on sth** złapać kogoś na czymś; wytknąć komuś coś. – *n.* 1. *U* wybór; **have one's ~ of sth** (móc) wybierać w czymś; **take one's ~** wybrać, zdecydować się. 2. *ogr.* zbiór (*owoców*). 3. *US muz.* kostka (*do gitary*). 4. (*także* **tooth~**) wykałaczka. 5. (*także* **~ax**) kilof, oskard. 6. dziób, ostry koniec (*kilofa*). 7. grzebień z długimi zębami (*do kręconych włosów*). 8. dziobnięcie. 9. *US druk.* skaza. 10. *pot.* **she's the best ~** ona jest najlepszą kandydatką, ona jest najlepsza; **the ~ of...** najlepszy spośród...; **the ~ of the bunch** *przest.* najlepszy ze wszystkich; **the ~ of the week/month** przebój tygodnia/miesiąca (= *najlepszy l. najpopularniejszy produkt itp.*).

pick2 *tk. n.* przerzut czółenka; nitka wątku.

pickaback [ˈpɪkəˌbæk] *n., adv., a. i v.* = **piggyback**.

pickaninny [ˈpɪkəˌnɪnɪ], **picaninny, piccaninny** *n. pl.* **-ies** *obelż.* bambusek, czarnuszek (= *dziecko murzyńskie*).

pickax [ˈpɪkˌæks], *Br.* **pickaxe** *n.* (*także* **pick**) kilof, oskard. – *v.* 1. rozbijać (kilofem) (*nawierzchnię*), kopać (kilofem) (*ziemię*). 2. walić kilofem; pracować kilofem.

picked [pɪkt] *a. attr.* doborowy, dobrany.

picker1 [ˈpɪkər] *n.* 1. *gł. w złoż.* zbieracz/ka; **apple/cotton ~** zbieracz/ka jabłek/bawełny. 2. *muz. pot.* gitarzyst-a/ka.

picker2 *n. tk.* goniec (czółenkowy), żabka.

pickerel [ˈpɪkərəl] *n. icht.* 1. szczupak (*Esox*). 2. *gł. Br.* szczupaczek, młody szczupak.

picket [ˈpɪkɪt] *n.* 1. (*także* ~ **line**) pikieta (*strajkowa*). 2. pikietując-/a. 3. (*także* ~ **duty**) *wojsk.* pikieta. 4. palik. – *v.* 1. pikietować. 2. otaczać *l.* oznaczać palikami (*działkę, teren*). 3. *wojsk.* obstawiać pikietami; strzec (*terenu*). 4. przywiązywać do palika (*np. krowę, konia*).

picket fence *n. US* płot (sztachetowy).

pickiness [ˈpɪkɪnəs] *n. U pot.* wybredność.

pickings [ˈpɪkɪŋz] *n. pl.* (*także* **rich/easy** ~) łatwy zysk, łatwa gotówka; zdobycz, łup (*t. na zakupach*).

pickle [ˈpɪkl] *n.* 1. *U kulin.* marynata, zalewa. 2. *U kulin.* marynaty. 3. *U Br. kulin.* pikle (= *gęsty sos z marynowanych warzyw*). 4. *C / U gł. US i Can. kulin.* (*także* **dill** ~) ogórek kiszony; ogórek marynowany, korniszon. 5. *U metal.* kąpiel trawiąca. 6. *Br. pot.* łobuziak, urwis. 7. **be in a (pretty/right) ~** *przest. pot.* być w tarapatach. – *v.* 1. marynować; kisić, kwasić. 2. *metal.* trawić, wytrawiać.

pickled [ˈpɪkld] *a.* 1. *kulin.* marynowany; kiszony, kwaszony. 2. *przest. pot.* zawiany (= *pijany*).

picklock [ˈpɪkˌlɑːk] *n.* 1. włamywacz/ka. 2. wytrych.

pick-me-up [ˈpɪkmiːˌʌp] *n.* (*także US* **pick-up**) *pot.* łyczek na wzmocnienie *l.* orzeźwienie.

pickpocket [ˈpɪkˌpɑːkɪt] *n.* kieszonkowiec, złodziej/ka kieszonkow-y/a.

pickup [ˈpɪkˌʌp], **pick-up** *n.* 1. (*także* ~ **truck**) furgonetka, pickup, pikap. 2. podniesienie. 3.

odbiór (*towaru*); załadunek, podjęcie (*pasażerów*). **4.** (*także* ~ **point**) przystanek (dla wsiadających); miejsce zbiórki (*podróżnych*); punkt odbioru (*towaru*). **5.** *pot.* autostopowicz/ka. **6.** *pot.* pasażerowie. **7.** *pot.* ładunek, towar. **8.** *pot. t. ekon.* poprawa; wzrost; ożywienie. **9.** *pot.* podryw. **10.** *pot.* znajomość (= *osoba poderwana*). **11.** *gł. US mot. pot.* zryw, zrywność. **12.** *pot.* przymknięcie (= *aresztowanie*). **13.** *fin.* przeniesienie, suma do przeniesienia. **14.** *US pot.* = **pick-me-up**. **15.** *US radio, telew.* odbiór; odbiornik. **16.** *el., muz.* przetwornik, przystawka (*przy gitarze*); wkładka, adapter (*w gramofonie*); ramię (gramofonu). **17.** *mech.* podnośnik. **18.** *dzienn.* istniejący (już) materiał, wcześniej napisany materiał. **19.** *baseball* podniesienie (*piłki*). – *a. attr.* przygodny; sklecony naprędce; doraźny.

pickup line *n. pot.* bajer (na podryw).

picky [ˈpɪkɪ] *a.* **-ier, -iest** *pot.* wybredny.

picnic [ˈpɪknɪk] *n.* **1.** piknik (*Br. t.* = *jedzenie zabierane na piknik*); majówka. **2.** *pot.* zabawa; **it's no** ~ to nic przyjemnego, to nie żarty. **3.** *kulin.* łopatka (wieprzowa). – *v.* **-ck-** piknikować.

picnic area *n.* **1.** *US, Austr. i NZ mot.* parking przy autostradzie. **2.** miejsce na piknik (*zwł. w parku, z zadaszonymi stolikami*).

picnicker [ˈpɪknɪkər] *n.* uczestni-k/czka pikniku.

picot [ˈpiːkou] *n. tk.* pikotka (*w koronce*).

picotee [ˌpɪkəˈtiː] *n. ogr.* goździk *l.* tulipan z ciemniejszymi brzegami płatków.

picric acid [ˌpɪkrɪk ˈæsɪd] *n. U chem.* kwas pikrynowy.

Pict [pɪkt] *n. hist.* Pikt/yjka.

Pictish [ˈpɪktɪʃ] *hist. a.* piktyjski. – *n. U* język piktyjski.

pictogram [ˈpɪktəˌgræm], **pictograph** [ˈpɪktəˌgræf] *n. t. jęz.* piktogram.

pictographic [ˌpɪktəˈgræfɪk] *a. t. jęz.* piktograficzny.

pictography [pɪkˈtɑːgrəfɪ] *n. U t. jęz.* piktografia, pismo obrazkowe.

pictorial [pɪkˈtɔːrɪəl] *a.* **1.** obrazkowy (*np. o piśmie, słowniku*). **2.** ilustrowany (*np. o słowniku, encyklopedii, czasopiśmie*); ~ **history of the world** ilustrowana historia świata, historia świata w obrazkach. **3.** obrazowy (*np. o opisie, języku*); malarski (*np. o wyobraźni*). – *n. dzienn.* (*cz. w nazwach*) magazyn ilustrowany (*zw. z przewagą ilustracji nad tekstem*).

pictorially [pɪkˈtɔːrɪəlɪ] *adv.* **1.** z wykorzystaniem *l.* za pomocą ilustracji. **2.** obrazowo; malowniczo.

picture [ˈpɪktʃər] *n.* **1.** obraz (*t. przen., telew.*); obrazek; portret; **paint ~s** malować obrazy. **2.** zdjęcie, fotografia; **take a ~ of sb/sth** zrobić zdjęcie komuś/czemuś *l.* kogoś/czegoś, sfotografować kogoś/coś. **3.** *film* film, obraz; **be in ~s** pracować w branży filmowej; **the ~s** *Br. przest.* kino. **4.** *przen.* **a ~ of health/virtue** okaz zdrowia/cnoty; **be/look a ~** *zwł. Br.* wyglądać jak z obrazka *l.* jak malowanie; **bring sth into the ~** wprowadzać coś (*nowy element*); **come into the ~** wchodzić w grę; **fit into the ~** pasować do całości; **get the ~** *pot.* rozumieć, o co chodzi; **I get the ~** *pot.* rozumiem; **out of the ~** poza sprawą; **be out of the ~** nie liczyć się; **stay out of the ~** trzymać się z dala (od sprawy); **paint a gloomy ~ of sth** malować coś w ponurych *l.* czarnych barwach; **pretty as a ~** (ładny) jak z obrazka *l.* jak malowanie; **put sb in the ~** wprowadzić kogoś w sytuację; **the ~ of his brother** wierne odbicie brata, wypisz wymaluj brat; **the big ~** *gł. US* ogólny obraz; ogólna sytuacja; **the economic/political ~** sytuacja gospodarcza/polityczna. – *v.* **1.** (*także* ~ **to o.s.**) wyobrażać sobie (*sb / sth as...* kogoś/coś jako..., *sb doing sth* jak ktoś coś robi); ~ **my surprise/horror** wyobraź sobie moje zaskoczenie/przerażenie. **2.** *często pass.* przedstawiać (*o obrazie, zdjęciu, artyście*); malować; rysować; **envy was ~d in his face** na jego twarzy malowała się zawiść.

picture book *n.* książeczka z obrazkami.

picture card *n. karty* figura.

picture element *n. el., komp., telew.* piksel, element obrazu.

picture gallery *n. pl.* **-ies** *sztuka* galeria grafiki *l.* obrazów.

picture hat *n.* kapelusz damski z szerokim rondem (*zw. zdobiony piórami l. kwiatami*).

picture molding *n.* (*także Br.* **picture rail**) *bud.* listwa wykończeniowa.

picture-perfect [ˌpɪktʃərˈpɜːfekt] *a. US* jak z obrazka.

picture postcard *n.* widokówka.

picture-postcard [ˌpɪktʃərˈpoustkɑːrd] *a. attr. Br.* jak z obrazka.

picture projector *n. kino* aparat projekcyjny, projektor.

picture rail *n. Br.* = **picture molding**.

picturesque [ˌpɪktʃəˈresk] *a.* **1.** malowniczy (*o krajobrazie, postaci*). **2.** obrazowy (*o języku*).

picturesquely [ˌpɪktʃəˈresklɪ] *adv.* **1.** malowniczo (*usytuowany*). **2.** obrazowo (*przedstawiać*).

picturesqueness [ˌpɪktʃəˈresknəs] *n. U* **1.** malowniczość. **2.** obrazowość.

picture tube *n. el., telew.* kineskop, lampa obrazowa *l.* kineskopowa.

picture window *n. bud.* okno widokowe.

picture writing *n. U* pismo obrazkowe.

piddle [ˈpɪdl] *v. pot.* **1.** *zwł. dziec.* siusiać. **2.** ~ **(around/about/away)** zajmować się głupstwami; ~ **the time away** tracić czas. – *n. pot.* **1.** *sing. zwł. dziec.* siusiu. **2.** *U* siki. – *int. pot.* kurczę!.

piddling [ˈpɪdlɪŋ] *a. pot.* głupi, błahy (*o szczegółach, sprawach*).

pidgin [ˈpɪdʒən] *n. C / U jęz.* pidżyn, pidgin, język pidżynowy *l.* mieszany *l.* wehikularny; ~ **English** pidgin English, pidżyn angielski.

pie[1] [paɪ] *n. C / U* **1.** *kulin.* placek, ciasto (*zw. z nadzieniem owocowym i warstwą ciasta na wierzchu*); **cherry ~** placek z wiśniami. **2.** *zwł. Br.* zapiekanka w cieście (*mięsna l. warzywna*). **3.** *przen.* ~ **in the sky** obiecanki cacanki, gruszki na wierzbie; **(as) easy as ~** *zob.* **easy** *a.*; **(as) nice as ~** *zob.* **nice**; **eat humble ~** *zob.* **eat** *v.*; **have a finger in every ~** *zob.* **finger** *n.*; **have/put a/one's**

finger in the ~ *zob.* **finger** *n.*; **piece/slice/share of the ~** udział (*w zyskach*).

pie2 *n. arch. orn.* = **magpie.**

pie3 *n. i v.* = **pi2.**

pie4 *n. hist., kośc.* księga rytuału (*w dawnym kościele anglikańskim*).

pie5 *n. Anglo-Ind.* indyjska moneta miedziana.

piebald [ˈpaɪˌbɔːld] *a.* pstrokaty, łaciaty; srokaty (*o koniu*). – *n.* srokaty koń, srokacz.

piebald skin *n. U pat.* pstrokatość, bielactwo nabyte.

piece [piːs] *n.* **1.** kawałek (*of sth* czegoś); **~ by ~** kawałek po kawałku; **break into/to ~s** rozlecieć *l.* potłuc *l.* rozbić się na kawałki; **in ~s** w kawałkach (= *rozbity*); **rip/tear sth to ~s** podrzeć coś na kawałki; **smash sth to ~s** potłuc *l.* rozbić coś na kawałki; **take sth to ~s** *Br.* rozebrać coś na kawałki *l.* części; rozłożyć coś na czynniki pierwsze. **2.** *zw. sing.* **~ of advice/information/gossip** rada/informacja/plotka; **~ of clothing** część garderoby; **~ of furniture** mebel; **~ of land** połać *l.* kawałek ziemi *l.* gruntu; **~ of music** utwór. **3.** sztuka; egzemplarz; **~ of baggage** sztuka bagażu; **paid by the ~** płatny od sztuki *l.* akordowo; **work by the ~** pracować na akord. **4.** *sztuka* obraz; utwór; dzieło; *teatr* sztuka. **5.** *gry planszowe* pionek, figura. **6.** *dzienn.* artykuł. **7.** okaz (= *przykład l. eksponat*); **a ~ of dishonesty** okaz nieuczciwości; **museum ~** okaz muzealny. **8.** moneta; **~ of eight** *hist.* złota moneta hiszpańska; **fifty-cent ~** moneta pięćdziesięciocentowa, pięćdziesięciocentówka, półdolarówka. **9.** *US sl.* gnat, spluwa. **10.** *US obelż. sl.* (*także* **~ of skirt**) sztuka, towar (= *kobieta, dziewczyna*); **~ of ass/tail** *wulg.* dupa (*jw.*). **11.** *US sl.* numer (= *stosunek*). **12.** (*w złoż.*) **ten-~ band** zespół dziesięcioosobowy; **two-~ swimsuit** kostium kąpielowy dwuczęściowy. **13.** *gł. Scot. dial.* kawałek chleba; kanapka; *często pl.* drugie śniadanie (*zabierane do szkoły l. pracy*). **14.** *przen.* **a ~ of cake** *zob.* **cake** *n.*; **a ~ of the action** *pot.* działka (= *udział w zyskach*); **a ~ of crap/shit** *wulg. pot.* gówno (= *rzecz bezwartościowa*); **a ~ of piss** *zob.* **piss** *n.*; **a ~ of work** coś (świetnego) (*z podziwem*); **a nasty ~ of work** *zob.* **nasty** *a.*; **(all) in one ~** w całości, nienaruszony; **(all) of a/one ~** jednolity; zgodny (*with sth* z czymś); **be falling to ~s** *zob.* **fall** *v.*; **down the road a ~** *US i Can. przest.* niedaleko stąd; kawałek dalej na tej ulicy; **give sb a ~ of one's mind** *zob.* **mind** *n.*; **go/fall to ~s** *pot.* rozsypać się (= *zdenerwować, załamać*); rozpaść się (*o małżeństwie*); **party ~** *zob.* **party**; **pick up the ~s** pozbierać się (do kupy) (*po niepowodzeniu*); **pick/pull sb/sth to ~s** zjechać kogoś/coś (= *skrytykować*); **say one's ~** powiedzieć swoje. – *v.* **1.** składać, zestawiać; sztukować; łączyć; wiązać. **2. ~ sth on** przyczepić coś (*to sth* do czegoś); **~ out** sztukować, przedłużać (*materiał, sukienkę*); dzielić (na mniejsze porcje); **~ together** składać (do kupy); odtwarzać, rekonstruować (*sytuację, wydarzenia*); kojarzyć (*fakty*); **~ up** łatać.

pièce de résistance [pɪˌes də rɪˌziːˈstɑːns] *n. pl.* **pièces de résistance** [pɪˌes də rɪˌziːˈstɑːns] *Fr.* **1.** ukoronowanie całości; popisowy numer. **2.** *kulin. form.* danie główne.

piece-dyed [ˈpiːsˌdaɪd] *a. tk.* farbowany w całości (*o tkaninie*).

piece goods *n. pl. handl.* tkaniny *l.* materiał w kuponach (= *porcjach określonej długości*).

piecemeal [ˈpiːsˌmiːl] *adv.* **1.** stopniowo, krok po kroku; porcjami, kawałek po kawałku. **2.** na kawałki (*np. rozerwać*). – *a. uj.* **1.** niespójny, poszarpany (*np. o powieści*). **2.** na raty (*o pracy*).

piece rate *n. C/U fin.* stawka akordowa.

pièces de résistance *n. pl.* *zob.* **pièce de résistance.**

piecework [ˈpiːsˌwɜːk] *n. U* praca na akord *l.* akordowa.

piechart [ˈpaɪˌtʃɑːrt] *n. stat.* wykres *l.* diagram kołowy.

piecrust [ˈpaɪˌkrʌst] *n. C/U kulin.* wierzch ciasta; spód ciasta; forma z ciasta (*gotowa do zapieczenia w niej nadzienia*).

pied [paɪd] *a. attr.* pstry, pstrokaty.

pied-à-terre [pɪˌeɪdɑːˈter] *n. pl.* **pieds-à-terre** *Fr.* pied-à-terre (= *zapasowe mieszkanie*).

Piedmont [ˈpiːdmɑːnt] *n. geogr.* **1.** (*także* **~ Plateau**) *US* Piedmont. **2.** *we Włoszech* Piemont. **3. p~** przedgórze, podgórze.

Piedmontese [ˌpiːdmɑːnˈtiːz] *a.* piemoncki. – *n.* Piemont-czyk/ka.

Pied Piper [ˌpaɪd ˈpaɪpər] *n.* **1.** *legenda* szczurołap z Hamelin. **2.** (*także* **p~ p~**) *t. polit.* populista, demagog.

pie-eyed [ˌpaɪˈaɪd] *n. pot.* zaprawiony, zapruty (= *bardzo pijany*).

pie plant *n. U bot.* rabarbar (*Rheum*).

pier [pɪːr] *n.* **1.** pomost; molo; pirs; falochron. **2.** *bud.* filar.

pierce [piːrs] *v. t. przen.* przebijać; przekłuwać; kłuć; dziurawić; przenikać (*t. o wzroku*); **~ the air** przeszywać *l.* rozdzierać powietrze (*o krzyku*); **have one's ears/nose ~d** przekłuć sobie uszy/nos.

piercing [ˈpiːrsɪŋ] *a. gł. attr.* przeszywający (*np. o spojrzeniu, krzyku*); przenikliwy (*np. o zimnie, wzroku, pytaniu*).

piercingly [ˈpiːrsɪŋlɪ] *adv.* przeszywająco (*np. krzyczeć*); przenikliwie (*np. patrzeć*).

pieridine [paɪˈerɪˌdaɪn] *n. ent.* bielinek (*motyl z rodziny Pieridiae*).

pierogi [pəˈrougiː] *n. US kulin.* pieróg; *U* pierogi; **meat ~s/~** pierogi z mięsem.

pierrot [ˈpiːərou], **Pierrot** *n. teatr* pierrot.

pietism [ˈpaɪəˌtɪzəm] *n. U rel.* **1.** pobożność. **2.** *uj.* dewocja.

pietistic [ˌpaɪəˈtɪstɪk], **pietistical** [ˌpaɪəˈtɪstɪkl] *a. rel.* **1.** pobożny. **2.** *uj.* dewocyjny.

piety [ˈpaɪətɪ] *n. U* **1.** *gł. rel.* pobożność; nabożność. **2.** *uj.* hipokryzja. **3.** *C pl.* **-ies** nabożny czyn.

piezoelectric [pɪˌeɪzouɪˈlektrɪk] *n. el., fiz.* piezoelektryczny.

piezoelectricity [pɪˌeɪzouɪlekˈtrɪsətɪ] *n. U* piezoelektryczność.

piezometer [ˌpɪəˈzɑːmətər] *n. techn.* piezometr.

piezometric [pɪˌeɪzəˈmetrɪk] *a. techn.* piezometryczny.

piffle [ˈpɪfl] *Br. przest. pot. n. U* głupia gadka, ględzenie; banialuki. – *v.* ględzić; wydurniać się.

piffling [ˈpɪflɪŋ] *a. Br. przest. pot.* głupi, błahy.

pig [pɪg] *n.* **1.** *zool., roln.* świnia (*Sus scrofa*); wieprz; *pl. roln.* trzoda (chlewna). **2.** *przen.* świnia; prosię; **male chauvinist ~** męska szowinistyczna świnia. **3.** *pog. sl.* glina, gliniarz (= *policjant/ka*). **4.** *metal.* gęś (*surówki*); *U* surówka. **5.** *przen.* **~s might fly** *zw. iron.* cuda się zdarzają; **~'s ear** *Br. sl.* browarek (= *piwo*); **a ~ of a job** (*także* **a ~ to do**) *Br. pot.* upierdliwa robota, mordęga; **buy a ~ in a poke** *zob.* **poke²** *n.*; **in a ~'s eye!** *zob.* **eye** *n.*; **make a ~ of o.s.** *pot.* nażreć się jak świnia *l.* prosię; **make a ~'s ear (out) of sth** *zob.* **ear** 1. – *v.* **1.** prosić się (*o maciorze*). **2.** *pot.* żreć; zeżreć; **~ o.s. on sth** obżerać się czymś. **3.** (*także* **~ it**) *pot.* żyć (jak) w chlewie. **4. ~ out** *pot.* obżerać się (*on sth* czymś).

pigbed [ˈpɪgˌbed] *n. metal.* łoże odlewnicze (*do surówki*).

pigboat [ˈpɪgˌboʊt] *n. US pot.* okręt podwodny.

pigeon¹ [ˈpɪdʒən] *n. orn.* **1.** gołąb (*Columba livia*); **carrier/homing ~** gołąb pocztowy. **2.** = **clay pigeon**. **3.** *sl.* frajer/ka.

pigeon² *n.* **not my/her/our ~** *Br. przest. pot.* nie moje/jej/nasze zmartwienie.

pigeon breast *n. C/U pat.* kurza klatka piersiowa.

pigeon hawk *n. orn.* drzemlik (amerykański) (*Falco columbarius*).

pigeon-hearted [ˌpɪdʒənˈhɑːrtɪd] *a.* tchórzliwy, bojaźliwy.

pigeonhole [ˈpɪdʒənˌhoʊl] *n.* **1.** przegródka (*na korespondencję*); *t. przen.* szufladka. **2.** gniazdo gołębie. – *v.* **1.** zaszufladkować (*kogoś*). **2.** odkładać (na później) (*sprawę*). **3.** wkładać do przegródki (*korespondencję*).

pigeon milk, pigeon's milk *n. U orn. l. przen.* ptasie mleczko.

pigeon-toed [ˈpɪdʒənˌtoʊd] *a. pat.* szpotawy, o stopach zwróconych do środka.

pigeonwing [ˈpɪdʒənˌwɪŋ] *gł. US n.* hołubiec (*w tańcu*). – *v.* wycinać hołubce.

pigfish [ˈpɪgˌfɪʃ] *n. icht.* ryba z rodziny chrząkających (*Orthopristis chrysopterus*).

piggery [ˈpɪgərɪ] *n. pl.* **-ies** *gł. Br.* **1.** *t. przen.* chlew. **2.** *U* żarłoczność.

piggish [ˈpɪgɪsh] *a.* **1.** żarłoczny. **2.** *zwł. Br. pot.* uparty (jak osioł).

piggishness [ˈpɪgɪshnəs] *n. U* **1.** żarłoczność. **2.** *zwł. Br. pot.* upór.

piggy [ˈpɪgɪ] *n. pl.* **-ies** (*także* **piggie**) **1.** *zwł. dziec.* świnka; prosiaczek. **2.** *dziec.* paluszek (*zwł. u stopy*). – *a.* **1.** *attr.* świński; **~ eyes** świńskie oczka. **2.** *przen. pot.* żarłoczny; pazerny.

piggyback [ˈpɪgɪˌbæk], **pickaback** *v.* **1.** nosić na barana (*dziecko*); jeździć na barana. **2.** transportować *l.* przewozić na platformach (*samochody*); jechać/lecieć/płynąć na większym pojeździe/samolocie/statku. **3.** *US pot.* wiązać, łączyć (*sth on/onto sth* coś z czymś) (*zwł. jakiś przepis z innym*). **4. ~ on/to sth** *US pot.* zyskiwać na czymś; korzystać z czegoś. – *n.* **1.** jazda na barana; **give sb a ~** wziąć kogoś na barana. **2.** transport *l.* przewóz na platformach (*samochodów ciężarówkami, koleją*). – *adv.* **1.** na barana, na plecach (*nosić, jeździć*). **2.** na platformach, na barana (*przewozić samochody*); na większym pojeździe/samolocie/statku (*transportować, być przewożonym*). **3.** *przen.* jednocześnie, łącznie (*z innym przepisem*). – *a. gł. attr.* **1.** na barana, na plecach (*o jeździe*). **2.** na platformach, na barana; na większym pojeździe/samolocie/statku (*o transporcie*). **3.** dodatkowy, łączny, powiązany (*o przepisie*).

piggy bank, piggy-bank *n.* skarbonka, świnka.

piggy in the middle, pig in the middle *n. Br.* **1.** *U zwł. dziec.* gra w wariata, wariat. **2.** wariat (*w grze jw.*). **3. be a ~** *przen.* być między młotem a kowadłem.

pigheaded [ˌpɪgˈhedɪd] *a.* (głupio) uparty.

pigheadedly [ˌpɪgˈhedɪdlɪ] *adv.* uparcie, z uporem.

pigheadedness [ˌpɪgˈhedɪdnəs] *n. U* głupi upór.

pig in the middle *n.* = **piggy in the middle**.

pig iron *n. U metal.* surówka (w gąskach).

pig Latin *n. U* język kuku (= *szyfrowany język w zabawach dzieci*).

piglet [ˈpɪglət] *n.* prosię, prosiak, prosiaczek, prosiątko; *roln.* warchlak.

pigmeat [ˈpɪgˌmiːt] *n. U kulin.* wieprzowina.

pigment [ˈpɪgmənt] *n. C/U chem. biol.,* barwnik; pigment.

pigmentary [ˈpɪgmənˌterɪ] *a. attr. chem., biol.* barwnikowy; pigmentowy.

pigmentation [ˌpɪgmənˈteɪʃən] *n. U* **1.** *biol.,* ubarwienie, zabarwienie, pigmentacja. **2.** *pat.* odbarwienie, pigmentacja.

pigmy [ˈpɪgmɪ] *n.* = **pygmy**.

pignut [ˈpɪgˌnʌt] *n. gł. US bot.* orzesznik, przeorzech, hikora (*Carya glabra l. cordiformis*); orzech z drzewa jw.

pig-out [ˈpɪgˌaʊt] *n. zw. sing. pot.* wielkie żarcie.

pigpen [ˈpɪgˌpen] *n. US t. przen.* chlew.

pigskin [ˈpɪgˌskɪn] *n.* **1.** *U* świńska skórka (*wyprawiona*); *zool.* skóra świni. **2.** *US pot.* jajo (*piłka do futbolu amerykańskiego*). **3.** *pot.* siodło.

pigsty [ˈpɪgˌstaɪ] *n. pl.* **-ies** *t. przen.* chlew.

pigswill [ˈpɪgˌswɪl] *n. U* (*także* **~wash, ~'s wash**) *Br.* pomyje (*t. przen.* = *podłe jedzenie*).

pigtail [ˈpɪgˌteɪl] *n.* **1.** warkoczyk; warkocz; **in ~** uczesany w warkoczyki (*o włosach, dziecku*). **2.** *U el.* przewód wielożyłowy splatany, skrętka. **3.** *el.* mostek, zworka (*z przewodu jw.*). **4.** zwój tytoniu.

pigweed [ˈpɪgˌwiːd] *n. U bot.* **1.** *US* komosa biała, lebioda (*Chenopodium album*). **2.** szarłat szorstki (*Amaranthus retroflexus*).

pika [ˈpaɪkə] *n. zool.* szczekuszka (*Ochotona*).

pike¹ [paɪk] *n. pl.* **-s** *l.* **pike** *icht.* szczupak (*Esox lucius*).

pike² *n.* **1.** *broń, hist.* pika, dzida. **2.** *płn. Br.*

geogr. (*zwł. w nazwach*) góra; szczyt. **3.** czubek, szczyt, ostry koniec; grot. **4.** *sport* pozycja łamana; wyskok w pozycji łamanej. – *v. hist.* ugodzić *l.* pchnąć piką *l.* dzidą.

pike3 *n. gł. US mot.* **1.** (*także* **turn~**) droga *l.* autostrada płatna. **2.** opłata za przejazd (*autostradą*). **3.** bramka, rogatka (*do zbierania opłat na autostradzie*). **4. come down the ~** *przen.* wynurzać się, pojawiać się, powstawać.

pikeman ['paɪkmən] *n. pl.* **-men** *hist. wojsk.* pikinier (= *żołnierz uzbrojony w pikę*).

pikeperch ['paɪk͵pɜ:tʃ] *n. pl.* **-es** *l.* **pikeperch** *icht.* sandacz (*Lucioperca lucioperca*).

piker ['paɪkər] *n.* **1.** *US pot.* skąpiradło, sknera. **2.** *US pot.* czepialsk-i/a. **3.** *US pot. fin.* drobny *l.* ostrożny gracz (*w kasynie, na giełdzie*). **4.** *US, Austr. i NZ sl.* lawirant/ka.

pikestaff ['paɪk͵stæf] *n. pl.* **pikestaffs** **1.** drzewce (piki *l.* dzidy). **2.** *US* laska z metalowym końcem.

pilaf [pɪ'lɑ:f], **pilaff, pilau** [pɪ'loʊ] *n. C / U kulin.* pilaw.

pilaster [pɪ'læstər] *n. bud.* pilaster, półfilar.

Pilate ['paɪlət] *n. Bibl.* Piłat.

pilau [pɪ'loʊ] *n. kulin.* = **pilaf**.

pilchard ['pɪltʃərd] *n. icht., kulin.* sardynka (*Sardina pilchardus*).

pile1 [paɪl] *n.* **1.** stos, sterta, kupa; **~/~s of sth** *pot.* kupa czegoś (= *mnóstwo*). **2.** *przen. pot.* kupa pieniędzy, majątek; **make a/one's ~** zbić majątek. **3.** *gł. Br.* gmach, gmaszysko. **4.** *el.* ogniwo (elektryczne). **5.** *fiz. przest.* stos (= *reaktor jądrowy*). **6.** *bud.* pal, słup (*konstrukcyjny*). **7.** *t. her.* grot (strzały). **8. at the bottom of the ~** *przen.* na (samym) dole drabiny (= *w najgorszej sytuacji*). – *v.* **1.** układać w stos, układać jedno na drugim; ładować; **~ a table with food** zastawić stół jedzeniem; **~ed (high) with sth** wyładowany czymś (po brzegi/sufit/dach itp.). **2.** *bud.* wspierać *l.* wznosić na palach (*budowlę*). **3.** wbijać. **4. ~ in/into sth** *pot.* ładować się do czegoś (*zwł. do samochodu*); **~ it on (thick)** *przen. pot.* (grubo) przesadzać; **~ on the agony/praise** *gł. Br. przen. pot.* przesadzać z tragizowaniem/pochwałami; **~ out of sth** *pot.* wysypywać *l.* wylewać się z czegoś (*o osobach; z samochodu*); **~ up** układać w stos, układać jedno na drugim; gromadzić; gromadzić się, zbierać się (*t. o zaległościach*); *mot.* tworzyć karambol (*o samochodach*).

pile2 *n. U tk.* włos, meszek (*na tkaninie, dywanie*); *zool.* sierść.

pile3 *n. Br. arch.* rewers (*monety*); **cross or ~** orzeł czy reszka.

pile driver *n.* **1.** kafar. **2.** *pot.* potężny cios.

piles [paɪlz] *n. pl. pat. pot.* hemoroidy.

pileup ['paɪl͵ʌp], **pile-up** *n. pot.* **1.** *mot.* karambol. **2.** zaległości; zapas, nagromadzenie (*of sth* czegoś).

pileus ['paɪlɪəs] *n. pl.* **pilei** ['paɪlɪ͵aɪ] *biol.* kapelusz (*grzyba*).

pilewort ['paɪl͵wɜ:t] *n. bot.* ziarnopłon wiosenny (*Ranunculus ficaria; t. inne rośliny stosowane w leczeniu hemoroidów*).

pilfer ['pɪlfər] *v.* podkradać, podbierać.

pilferage ['pɪlfərɪdʒ] *n. U* **1.** podkradanie; drobne kradzieże. **2.** łup (*złodziejaszka*).

pilferer ['pɪlfərər] *n.* drobny złodziej, złodziejaszek.

pilfering ['pɪlfərɪŋ] *n. U* podkradanie; drobne kradzieże.

pilgrim ['pɪlgrɪm] *n. t. rel.* pielgrzym; wędrowiec.

pilgrimage ['pɪlgrəmɪdʒ] *n. C / U t. rel.* pielgrzymka; wędrówka.

Pilgrim Fathers *n. pl. US hist.* Ojcowie Pielgrzymi.

pili ['paɪlaɪ] *n. pl. bot. zob.* **pilus**.

piliferous [paɪ'lɪfərəs] *a. form. gł. bot.* owłosiony.

piliform ['pɪlə͵fɔ:rm] *a. form. gł. bot.* włosowaty.

piling ['paɪlɪŋ] *n. C / U bud.* palowanie.

pill1 [pɪl] *n.* **1.** *med.* pigułka, tabletka, pastylka; **take ~s for sth** brać tabletki na coś; **the ~/P~** (*także* **contraceptive ~**) pigułka antykoncepcyjna; **be on the ~** stosować antykoncepcję doustną; **go on the ~** zacząć stosować antykoncepcję doustną. **2.** *sl.* piguła (= *kula, piłka, bomba l. inny okrągły przedmiot*). **3.** *US przest. sl.* nudzia-rz/ra. **4.** *pl. zob.* **pills**. **5.** *przen.* **a ~ to cure earthquake** *Br.* półśrodek; **a bitter ~ (to swallow)** gorzka pigułka; **to sweeten the ~** (*także Br.* **to sugar the ~**) na pocieszenie. – *v.* **1.** mechacić się (*o materiale, swetrze*). **2.** *przest. sl.* bojkotować (*osobę*).

pill2 *v. arch.* = **pillage**.

pillage ['pɪlɪdʒ] *form. v.* grabić, łupić. – *n.* **1.** *U* grabież, łupiestwo. **2.** łup.

pillager ['pɪlɪdʒər] *n. form.* grabieżca, łupieżca.

pillar ['pɪlər] *n.* **1.** *t. przen.* filar; słup; **~ of smoke/flame/dust** słup ognia/dymu/pyłu; **~ of the community/society** filar społeczności/społeczeństwa. **2. (be dragged/driven/passed) from ~ to post** *przen.* (biegać) tam i z powrotem, (chodzić) od Annasza do Kajfasza. – *v. bud.* podpierać (filarami); dekorować filarami.

pillar box *n. Br. przest.* skrzynka pocztowa (*w kształcie słupa*).

Pillars of Hercules *n. pl. hist., geogr.* Słupy Herkulesa.

pillbox ['pɪl͵bɑ:ks] *n.* **1.** pojemnik *l.* pudełko na leki. **2.** (*także* **~ hat**) toczek. **3.** *wojsk.* bunkier.

pill bug *n. ent.* stonoga (*Oniscus*).

pillion ['pɪljən] *n. mot.* siedzenie *l.* siodełko tylne (*na motocyklu*); *hist., jeźdz.* siodło damskie; **ride ~** *mot.* jechać z tyłu *l.* na tylnym siodełku; *jeźdz.* siedzieć za jeźdźcem.

pillory ['pɪlərɪ] *n. pl.* **-ies** *hist.* pręgierz (*t. przen.*); dyby. – *v. zw. pass.* **-ied, -ying** **1.** *t. przen.* stawiać pod pręgierzem. **2.** *hist.* zakuwać w dyby.

pillow ['pɪloʊ] *n.* poduszka. – *v.* wspierać, opierać (*sth on sth* coś na czymś) (*zwł. głowę*).

pillow block *n. mech.* łożysko.

pillowcase ['pɪloʊ͵keɪs] *n.* (*także* **pillowslip**) poszewka, powłoczka (*na poduszkę*).

pillow fight *n.* bitwa na poduszki.

pillow lace *n. U* koronka klockowa.

pillow lava *n. U geol.* lawa poduszkowa.

pillow sham *n.* ozdobna poszewka (*na poduszkę*).

pillowslip [ˈpɪloʊˌslɪp] *n.* = **pillowcase**.

pillow talk *n. pot.* rozmowa w łóżku (*między kochankami*).

pill-popping [ˈpɪlˌpɑːpɪŋ] *n. U pot.* branie *l.* łykanie prochów, lekomania.

pills [pɪlz] *n. pl. obsc. sl.* jaja (= *jądra*).

pilose [ˈpaɪloʊs] *a.* (*także* **pilous**) *bot.* owłosiony, włochaty (*o liściach, łodygach*).

pilosity [paɪˈlɑːsətɪ] *n. U bot.* owłosienie; włochatość.

pilot [ˈpaɪlət] *n.* **1.** *t. lotn.* pilot/ka (*t. portowy, wycieczek*). **2.** *telew.* pilot (*serialu*). **3.** *żegl.* sterni-k/czka. **4.** *mech.* bolec naprowadzający, kołek, prowadnik. **5.** pilotaż (= *test*). **6.** = **pilot light**. – *v.* pilotować (*np. samolot, statek, wycieczkę, technologię*); ~ **sth to sb** pilotować coś wśród kogoś (*nowy produkt*). – *a. attr.* **1.** pilotażowy; doświadczalny; ~ **plan/program/project/scheme** program *l.* projekt pilotażowy. **2.** *techn.* pilotowy; ~ **balloon** balon pilotowy.

pilotage [ˈpaɪlətɪdʒ] *n. U żegl.* **1.** pilotaż, pilotowanie. **2.** opłata pilotowa *l.* pilotażowa, opłata za pilotaż.

pilot biscuit, pilot bread *n. hist., żegl.* suchar; *U* suchary.

pilot boat *n. żegl.* pilotówka (= *łódź pilota portowego*).

pilot burner *n.* = **pilot light**.

pilot fish *n. icht.* pilot, (przynawek) retman (*Naucrates ductor*).

pilot flame *n.* = **pilot light**.

pilot house *n. przest. żegl.* sterownia, sterówka.

pilot lamp *n. el.* kontrolka, lampka kontrolna.

pilot light *n.* **1.** (*także* **pilot burner, pilot flame**) *techn.* pilot, płomień pilota (*w piecyku gazowym*). **2.** *el.* kontrolka, lampka kontrolna.

pilot officer *n. gł. Br. wojsk.* podporucznik lotnictwa.

pilot plant *n.* zakład doświadczalny.

pilot run *n.* seria doświadczalna *l.* pilotażowa.

pilot study *n. pl.* **-ies** badanie pilotażowe.

pilot whale *n. zool.* grindwal (*Globicephala*).

pilot wire *n. el.* żyła sterująca *l.* kontrolna.

pilous [ˈpaɪləs] *a.* = **pilose**.

pilsener [ˈpɪlznər], **pilsner** *n.* **1.** *U* (*także* ~ **beer**) pilzner, piwo pilzneńskie. **2.** (*także* ~ **glass**) kieliszek do piwa.

pilular [ˈpɪljələr] *a. form.* pigułkowaty.

pilule [ˈpɪljuːl] *n. form.* pigułka.

pilus [ˈpaɪləs] *n. pl.* **pili** [ˈpaɪˌlaɪ] *bot.* włosek.

pily [ˈpaɪlɪ] *a.* **-ier, -iest** włochaty.

pimento [pɪˈmentoʊ] *n. kulin.* **1.** *t. bot.* czerwona papryka (*Capsicum annuum*). **2.** *U* (*także* **pimiento**) piment, pimenta (lekarska), ziele angielskie (*mielone*).

pimp [pɪmp] *n.* alfons, sutener, stręczyciel/ka, naganiacz/ka. – *v.* stręczyć, naganiać; ~ **for sb** być czyimś alfonsem.

pimpernel [ˈpɪmpərˌnel] *n. bot.* kurzyślad (*Anagallis*).

pimping [ˈpɪmpɪŋ] *n. U* stręczycielstwo, sutenerstwo. – *a. US dial.* **1.** drobny, głupi (*o szczegółach*). **2.** cherlawy (*o osobie*).

pimple [ˈpɪmpl] *n.* pryszcz.

pimpled [ˈpɪmpld] *a.* pryszczaty.

pimply [ˈpɪmplɪ] *a.* **-ier, -iest** pryszczaty.

pimpmobile [ˈpɪmpməˌbiːl] *n. US sl. zw. uj.* gablota (= *duży samochód*).

PIN [pɪn], **PIN number** *n. i abbr.* **personal identification number** *gł. fin.* (numer) PIN.

pin [pɪn] *n.* **1.** szpilka. **2.** (*także* **drawing** ~) *gł. Br.* pinezka, pineska. **3.** (*także* **safety** ~) agrafka. **4.** (*także* **bobby**~) *US i Can.* spinka *l.* wsuwka (do włosów); (*także* **hair**~) spinka *l.* wsuwka (do włosów); szpilka do włosów. **5.** (*także* **clothes**~) *US* spinacz *l.* klamerka do bielizny. **6.** odznaka; *gł. US* broszka. **7.** *el.* nóżka (*układu scalonego, tranzystora*); zacisk, terminal (*złącza*); bolec (*wtyczki*). **8.** *mech.* zatyczka; kołek; palec; sworzeń; czop; sztyft; trzpień. **9.** (*także* **rolling** ~) wałek (do ciasta). **10.** (*także* **bone** ~) *chir.* umocowanie (*zewnętrzne l. wszczep, w leczeniu złamań*). **11.** *dent.* sztyft, ćwiek. **12.** (*także* **safety** ~) *wojsk.* zawleczka (*granatu*). **13.** (*także* **bowling** ~) kręgiel. **14.** *golf* chorągiewka. **15.** *muz.* kołek (*na struny*). **16.** *zapasy* rzut na łopatki. **17.** *komp.* bolec naprowadzający (*w drukarce*); igła (*w drukarce igłowej*). **18.** *pl. zob.* **pins**. **19.** *żegl.* (*także* **belaying** ~) kołek (*do mocowania lin*); (*także* **thole** ~) dulka kołkowa. **20.** *przen.* **(as) neat as a (new)** ~ *przest.* jak w pudełeczku (= *czysty, schludny*); **for two ~s I'd...** *Br. przest.* najchętniej bym...; **I don't care/give a ~/two ~s** *pot.* guzik mnie to obchodzi; **you could hear a ~ drop** (było) cicho jak makiem zasiał. – *v.* **-nn- 1.** przypinać, przyczepiać (*sth to sth* coś do czegoś); wpinać (*broszkę*); upinać (*włosy*); ~ **sth on the board** przyczepić *l.* wywiesić coś na tablicy. **2.** ~ **(together)** spinać, upinać (*materiał*). **3.** przyciskać, przyduszać, przypierać (*sb against / to sth* kogoś do czegoś) (*muru, ściany*); przygnieść, przygwoździć (*sb under sth* kogoś (pod) czymś); *t. zapasy* przytrzymywać (*przeciwnika*); unieruchamiać. **4.** *przen.* osaczyć (*osobę, figurę szachową*). **5.** ~ **sb** *US przest.* podarować komuś broszkę (*l. inny artykuł biżuterii; w dowód miłości*); *uniw.* podarować komuś odznakę bractwa studenckiego. **6.** ~ **sth on sb** *przen.* obarczać kogoś winą za coś. **7.** ~ **your ears back!** (*także* ~ **back your ears!**) *Br. pot.* słuchaj uważnie!; ~ **sb down** przyprzeć kogoś do muru; ~ **sth down** zidentyfikować coś; dokładnie coś określić; ~ **one's faith on sb** zawierzyć komuś; ~ **(all) one's hopes on sb/sth** *zob.* **hope** *n.*; ~ **the blame on sb** *zob.* **blame** *n.*

piña colada [ˌpiːnjə kəˈlɑːdə] *n. C / U* piña colada (*drink*).

pinafore [ˈpɪnəˌfɔːr] *n.* **1.** (*także* ~ **dress**) bezrękawnik. **2.** *gł. US* fartuszek, fartuch (*bez rękawów*).

pinaster [paɪˈnæstər] *n. bot.* sosna nadmorska (*Pina pinaster*).

pinball [ˈpɪnˌbɔːl] *n.* (*także* ~ **machine**) bilard (elektryczny).

pince-nez [ˌpænts'neɪ] *pl.* **pince-nez** *n.* pince-nez, binokle.

pincer [ˈpɪnsər] *n. zool.* szczypce, kleszcze.

pincer movement *n. wojsk.* manewr kleszczowy.

pincers [ˈpɪnsərz] *n. pl. t. zool., mech., chir.* szczypce; kleszcze.

pinch [pɪntʃ] *v.* **1.** szczypać (*t. o mrozie*); ~ **o.s.** uszczypnąć się (*t. przen., nie mogąc w coś uwierzyć*). **2.** przyciąć, przycisnąć (*np. palec drzwiami*). **3.** ściskać; uwierać, cisnąć (*o butach*). **4.** *pot.* zwinąć, zwędzić (= *ukraść*). **5.** doskwierać, dokuczać (*komuś*). **6.** *zw. pass. przest. pot.* przymknąć, przyskrzynić (= *aresztować*). **7.** *górn.* zwężać się; wyczerpywać się (*o żyle*). **8.** *żegl.* sterować (za) blisko do wiatru (*łódź*). **9.** ~ **(back/off/out)** *ogr.* przycinać, obrywać (*pędy, pączki*); uszczknąć (*jw.*); *przen.* obcinać (*fundusze, zaopatrzenie*). **10.** *przen.* ~ **and scrape** (*także* ~ **pennies**) cienko prząść; **that's where the shoe ~es** w tym sęk. **11.** ~ **on sth** skąpić *l.* żałować (sobie) czegoś. – *n.* **1.** szczypta; ~ **of salt/pepper** szczypta soli/pieprzu. **2.** uszczypnięcie, szczypnięcie. **3.** *przen.* szpony (*nędzy*). **4.** *pot.* przymknięcie (= *aresztowanie*). **5.** *pot.* zwinięcie (= *kradzież*). **6.** = **pinch bar**. **7.** *przen.* **feel the** ~ cienko prząść (= *mieć mało pieniędzy*); **in** *US*/**at** *Br.* **a** ~ (*także* **if/when it comes to the** ~) w ostateczności; **(take sth) with a** ~ **of salt** (traktować coś) z przymrużeniem oka.

pinch bar *n.* łom.

pinchbeck [ˈpɪntʃˌbek] *n. U* **1.** tombak. **2.** *przen.* erzac, imitacja; tandeta. – *a. attr.* **1.** fałszywy. **2.** tandetny.

pinchcock [ˈpɪntʃˌkɑːk] *n. techn.* zacisk.

pinched [pɪntʃt] *a.* ściągnięty, skurczony; wychudły, wynędzniały; mizerny, wymizerowany; **her face was** ~ **with cold/pain** twarz miała skurczoną z zimna/bólu.

pinchers [ˈpɪntʃərz] *n. pl. arch.* = **pincers**.

pinch-hit [ˌpɪntʃˈhɪt] *v. US t. baseball* zastępować (*for sb* kogoś) (*gracza, pracownika*).

pinch hitter *n. US* **1.** zastęp-ca/czyni. **2.** *baseball* gracz *l.* pałkarz rezerwowy.

pinchpenny [ˈpɪntʃˌpenɪ] *n. pl.* **-ies** sknera. – *a. attr.* skąpy (*o osobie, budżecie*).

pin curl *n.* loczek.

pincushion [ˈpɪnˌkʊʃən] *n.* **1.** poduszeczka na igły. **2.** *U telew., komp.* zniekształcenie poduszkowate (obrazu).

pine¹ [paɪn] *n.* **1.** *C/U* (*także* ~ **tree**) *bot.* sosna (*Pinus*). **2.** *U* = **pinewood** 1. – *a. attr.* sosnowy; ~ **cone/shelf** szyszka/półka sosnowa.

pine² *v.* **1.** ~ **(away)** usychać, marnieć (*z żalu, choroby*). **2.** ~ **for sb/sth** usychać z tęsknoty za kimś/czymś, wzdychać do kogoś/czegoś. **3.** ~ **to do sth** usychać z tęsknoty do (zrobienia) czegoś.

pineal [ˈpɪnɪəl] *a.* **1.** *anat., fizj.* szyszynkowy, dotyczący szyszynki. **2.** *bot.* szyszkowaty.

pineal gland *n.* (*także* **pineal body**) *anat.* szyszynka.

pineapple [ˈpaɪnˌæpl] *n.* **1.** *C/U bot., kulin.* ananas (*Ananas sativus*). **2.** *wojsk. sl.* odłamkowy (= *granat*).

pine marten *n. zool.* kuna leśna, tumak (*Martes martes*).

pine needles *n. pl.* igliwie sosnowe.

pine nut *n.* (*także Br.* **pine kernel**) *kulin., bot.* orzeszek piniowy, piniola.

pinery [ˈpaɪnərɪ] *n. pl.* **-ies** **1.** plantacja ananasów. **2.** las *l.* bór sosnowy.

pine tar *n. U chem.* smoła drzewna *l.* sosnowa.

pinewood [ˈpaɪnˌwʊd] *n.* **1.** *U* drewno sosnowe, sosna. **2.** *często pl.* las *l.* bór sosnowy.

piney [ˈpaɪnɪ] *a.* = **piny**.

pinfeather [ˈpɪnˌfeðər] *n. orn.* zalążek pióra; nierozwinięte pióro.

pinfold [ˈpɪnˌfoʊld] *n.* **1.** zagroda dla bydła niewiadomego pochodzenia. **2.** *przen.* bariera.

ping [pɪŋ] *n.* pisk; gwizd; świst; brzęk; *US mot.* dzwonienie; stuki (*w silniku*). – *v.* popiskiwać; gwizdać; świstać; brzęczeć; *US mot.* dzwonić; stukać (*w silniku*).

pingpong [ˈpɪŋˌpɑːŋ] *v. uj.* ganiać (tam i z powrotem).

Ping-Pong [ˈpɪŋˌpɑːŋ], **ping-pong** *n. U sport* ping-pong.

pinguid [ˈpɪŋgwɪd] *a. form.* tłusty.

pinhead [ˈpɪnˌhed] *n.* **1.** główka od szpilki. **2.** *przen.* drobiazg. **3.** *pot. obelż.* tuman, tępak.

pinheaded [pɪnˈhedɪd] *n. pot. obelż.* ciemny (= *tępy*).

pinhole [ˈpɪnˌhoʊl] *n.* **1.** dziurka, otworek. **2.** *mech.* otwór (*na sztyft, sworzeń*).

pinion¹ [ˈpɪnjən] *n. mech.* koło zębate (trzpieniowe) (= *mniejsze koło w przekładni zębatej*); wałek zębaty; **rack and** ~ zębatka, mechanizm zębatkowy.

pinion² *n.* **1.** *orn.* dłoń (= *końcowa partia skrzydła*); lotka; *U* lotki. **2.** *zwł. poet.* skrzydło. – *v.* **1.** podcinać (*skrzydła*); podcinać skrzydła (*ptakowi*). **2.** *przen.* wiązać, pętać, krępować (*ręce, osobę*).

pink¹ [pɪŋk] *a.* **1.** różowy. **2.** *polit. uj. pot.* lewicujący. **3.** *attr. pot.* gejowski. **4.** **(see)** ~ **elephants** *przen.* (widzieć) białe myszki (= *mieć halucynacje, zwł. alkoholowe*). – *n.* **1.** *C/U* kolor różowy, róż. **2.** *ogr. bot.* goździk. **3.** *polit.* = **pinko**. **4.** *Br. myśl.* (czerwona) kurtka myśliwska; myśliwy (*zwł. polujący na lisa*). **5.** *przen.* **in the** ~ *przest.* w świetnej formie; **the** ~ **of sth** wcielenie *l.* uosobienie czegoś (*elegancji, zdrowia, ideału*). – *adv.* **be tickled** ~ *pot.* być zachwyconym *l.* wniebowziętym; **strike me** ~! *przest. pot.* niech mnie piorun trzaśnie!

pink² *v.* **1.** wycinać w ząbki. **2.** drasnąć (*zwł. bronią białą*). **3.** przebijać, przekłuwać; dziurkować (*skórę, materiał – dla ozdoby*).

pink³ *Br. mot. v.* dzwonić; stukać (*o silniku*). – *v.* dzwonienie; stuki (*w silniku*).

pink⁴ *n.* (*także* ~**y**) *hist., żegl.* pinasa (= *łódź żaglowa*).

pink-collar [ˌpɪŋkˈkɑːlər] *n. gł. US ekon.* nisko płatny (*o posadach l. pracownikach w tradycyjnie kobiecych dziedzinach*).

pink dollar, *Br.* **pink pound** *n. U handl.* siła nabywcza konsumentów homoseksualnych.

pinkeye [ˈpɪŋkˌaɪ] *n. U pat.* zapalenie spojówek.

pinkie [ˈpɪŋkɪ], **pinky** *n. pl.* **-ies** *gł. US, Can. i Scot. pot.* mały palec (*u ręki*).

pinking shears [ˈpɪŋkɪŋ ˌʃiːrz] *n.* (*także* **pinking scissors**) *pl.* nożyce *l.* nożyczki (krawieckie) ząbkowane.

pinkish [ˈpɪŋkɪʃ] *n.* różowawy.

pink noise *n. U akustyka* szum różowy.

pinko [ˈpɪŋkoʊ] *polit. uj. sl. n. pl.* **-s** *l.* **-es** lewicowiec. – *a.* lewicujący.

pink pound *n. Br.* = **pink dollar.**

pink salmon *n. pl.* **pink salmon** **1.** *U kulin.* łosoś. **2.** *icht.* gorbusza (*Oncorhynchus gorbuscha*).

pink slip *n. US pot.* wymówienie.

pink-slip [ˌpɪŋkˈslɪp] *v. US pot.* wylać (z pracy); dać wymówienie (*komuś*).

pinkster flower [ˈpɪŋkstər ˌflaʊər], **pinxter flower** *n. bot.* azalia różowa (*Rhododendron periclymenoides*).

pinky[1] [ˈpɪŋkɪ] *n.* = **pinkie.**

pinky[2] *n.* = **pink**[4].

pin money *n. U* pieniądze na drobne wydatki; zaskórniaki; *przest.* kieszonkowe.

pinnace [ˈpɪnɪs] *n. żegl. przest.* szalupa.

pinnacle [ˈpɪnəkl] *n.* **1.** szczyt (*of sth* czegoś) (*np. sławy, świetności; t. lit. góry*). **2.** *bud.* pinakiel, fiala, wieżyczka. – *v.* **1.** *bud.* zwieńczać pinaklami *l.* fialami. **2.** umieszczać na szczycie.

pinnate [ˈpɪneɪt] *a. bot.* pierzasty (*o liściu*).

pinniped [ˈpɪnəˌped] (*także* **pinnipedian**) *zool. n.* zwierzę płetwonogie. – *a.* płetwonogi.

pinnule [ˈpɪnjuːl] *n.* **1.** *bot.* listek (*część liścia złożonego*). **2.** *zool.* odnoga (*zwł. w kształcie pióra l. płetwy*).

pinny [ˈpɪnɪ] *n. pl.* **-ies** *Br. pot.* = **pinafore** 1.

pinocle [ˈpiːnəkl], **pinochle** *n. U karty* odmiana bezika.

pinole [pɪˈnoʊlɪ] *n. U płd.-zach. US kulin.* słodzona mąka z prażonej mielonej kukurydzy i fasoli.

piñon [ˈpɪnjən], **pinyon** *n. bot.* **1.** pinia (*Pinus edulis l. monophylla*). **2.** (*także* ~ **nut**) orzeszek piniowy, piniola.

pinpoint [ˈpɪnˌpɔɪnt] *v.* **1.** sprecyzować, określić, ustalić (*np. położenie, przyczynę*). **2.** określić *l.* wyznaczyć położenie (*czegoś*); zlokalizować. – *n.* **1.** punkcik; ~ **of light** punkcik światła; ostrze szpilki. **2.** detal, drobiazg. **3.** otworek. **4. with ~ accuracy/precision** z zegarmistrzowską precyzją.

pinprick [ˈpɪnˌprɪk] *n.* **1.** punkcik; ~ **of light** punkcik światła. **2.** otworek (*jak od ukłucia szpilką*). **3.** ukłucie (*strzykawką*); zadraśnięcie. **4.** *zw. pl. przen.* drobna niedogodność *l.* przykrość. – *v.* nakłuć, przekłuć, przebić (*skórę*).

pins [pɪnz] *n. pl. Br. przest. pot.* kulasy, giry (= *nogi*).

pins and needles *n. U* **1.** mrowienie, mrówki (*w kończynie*); **get ~** ścierpnąć; **get ~ in sth** czuć mrowienie w czymś; **I have ~ in my leg** ścierpła mi noga. **2. (be) on ~** *US przen.* (siedzieć) jak na szpilkach.

pinscher [ˈpɪntʃər] *n. kynol.* pinczer; (*także* **Doberman ~**) doberman.

pinstripe [ˈpɪnˌstraɪp] *n. US tk.* **1.** prążek. **2.** *U* materiał w prążki. **3.** (*także* ~ **suit**) garnitur w prążki.

pinstriped [ˈpɪnˌstraɪpt] *a. gł. attr.* prążkowany, w prążki.

pint [paɪnt] *n.* **1.** pół kwarty (*US = 0,473 l, Br. = 0,568 l, dla artykułów sypkich t. US = 0,551 l*). **2.** *Br.* (duże) piwo; **go out for a ~** skoczyć na piwo; **I'll have another ~!** jeszcze jedno (piwo) poproszę!.

pintail [ˈpɪnˌteɪl] *n. orn.* rożeniec (*Anas acuta*).

pintle [ˈpɪntl] *n. mech.* sworzeń, czop (*w zawiasie*).

pinto [ˈpɪntoʊ] *a. i n. pl.* **-s** *US i Can. jeźdz.* (koń) srokaty.

pinto bean *n. bot., kulin.* odmiana fasoli zwyczajnej o ziarnkach w kropki (*Phaseolus vulgaris*).

pint-size [ˈpaɪntˌsaɪz], **pint-sized** [ˈpaɪntˌsaɪzd] *n. pot.* **1.** drobny, mały. **2.** *przen.* byle jaki.

pintuck [ˈpɪnˌtʌk], **pin tuck** *n. krawiectwo* zaszewka (*pionowa, z przodu*).

pinup [ˈpɪnˌʌp], **pin-up** *n.* plakat ze zdjęciem idola; plakat z kociakiem, rozebrane zdjęcie (*do wieszania na ścianie*); (*także* ~ **girl**) kociak (= *dziewczyna pozująca do zdjęć jw.*); ~ **of the month** chłopak/dziewczyna miesiąca (*plakat l. osoba*). – *a. attr.* **1.** na ścianę (*o zdjęciu, kalendarzu*). **2.** pozujący do zdjęć jw. (*o osobie*).

pinwheel [ˈpɪnˌwiːl] *n.* **1.** *US* wiatraczek (*dziecięcy*). **2.** wirujący fajerwerk.

pinworm [ˈpɪnˌwɜːm] *n. zool., pat.* owsik (*Enterobius vermicularis*); *U pat.* owsiki.

pin wrench *n. mech.* klucz z bolcem.

pinxter flower [ˈpɪŋkstər ˌflaʊər] *n. bot.* = **pinkster flower.**

piny [ˈpaɪnɪ], **piney** *a.* **-ier, -iest** sosnowy (*o zapachu*).

pinyon [ˈpɪnjɑːn] *n. bot.* = **piñon.**

pion [ˈpaɪɑːn] *n. fiz.* mezon Π, pion.

pioneer [ˌpaɪəˈniːr] *n.* pionier/ka; **transplant ~** (*także* ~ **in transplant technology**) pionier/ka (w dziedzinie) przeszczepów. – *a. attr.* pionierski; ~ **work (in...)** pionierskie prace (w dziedzinie...). – *v.* być pionierem (*czegoś*); utorować drogę (*czemuś*); zapoczątkować, wprowadzić.

pioneering [ˌpaɪəˈniːrɪŋ] *a. attr.* pionierski, nowatorski.

pious [ˈpaɪəs] *a.* **1.** *gł. rel.* pobożny. **2.** nabożny (= *pełen szacunku, czci*). **3.** *uj.* zakłamany, demagogiczny (*zwł. = fałszywie pobożny*). **4.** *rel.* boski, niebieski (= *nie ziemski*). **5.** ~ **hope/wish** pobożne życzenie.

piously [ˈpaɪəslɪ] *adv.* **1.** *gł. rel.* pobożnie. **2.** nabożnie. **3.** *uj.* demagogicznie.

pip[1] [pɪp] *n.* **1.** *zwł. Br.* pestka (*np. jabłka, pomarańczy*). **2.** oczko (*na powierzchni ananasa*). **3.** *bot.* kłącze, karpa (*zwł. lilii, peonii, anemonu*).

pip[2] *n.* **1.** *Br.* pisk, piśnięcie; **the ~s** *radio* sygnał czasu. **2.** *techn.* impuls (szpilkowy); echo (*na radarze*). **3.** oczko (*w kartach, kościach, dominie*). **4.** *pot.* punkcik. **5.** *Br. przest. wojsk.* gwiazdka (*na pagonie*). – *v.* **-pp- 1.** piszczeć; popiskiwać (*o pisklęciu*). **2.** przebić (*skorupkę jajka; o pisklęciu*).

pip[3] *n.* **1.** *orn., pat.* pypeć (*choroba drobiu*). **2.** *przest. żart. pot.* choróbsko. **3. give sb the ~** *Br. przest. pot.* działać komuś na nerwy.

pip[4] *v.* **1.** *Br. sl.* wpakować kulkę (*komuś*). **2.** (*także* **~ sb at the post**) *Br. pot.* pokonać kogoś o włos; pokonać kogoś tuż przed metą.

pipage ['paɪpɪdʒ] *n. U* **1.** rurociąg, instalacja rurociągowa. **2.** transport rurociągiem. **3.** opłata za transport rurociągiem.

pipal ['paɪpl] *n. bot.* drzewo święte (*Ficus religiosa*).

pipe [paɪp] *n.* **1.** *techn.* rura; *t. bot., zool.* rurka. **2.** fajka; **~ of peace** fajka pokoju. **3.** *muz.* fujarka; piszczałka (*t. w organach*). **4.** *pl. zob.* **pipes**. **5.** *lit.* trele, śpiew (*ptaka*). **6.** dźwięk. **7.** *komp.* pionowa kreska (*= znaczek „ | " na klawiaturze l. ekranie*). **8.** *komp.* potok (*= przesłanie wyjścia jednej operacji na wejście następnej*). **9.** *żegl.* gwizdek bosmański. **10.** *górn., geol.* komin (rudny). **11.** *geol.* komin wulkaniczny. **12.** *metal.* jama (*w odlewie*). **13.** *US sl.* pryszcz (*= coś łatwego, zwł. zajęcia l. egzamin*). **14.** beka, beczka (*na wino l. paliwo, zwł. o pojemności 478 l*). **15. put/stick that in your ~ and smoke it!** *przen. pot.* chcesz czy nie, musisz się z tym pogodzić! – *v.* **1.** doprowadzać (rurami *l.* rurociągiem) (*sth to/into...* coś do...) (*np. wodę, ropę, gaz*); odprowadzać (*ścieki*). **2.** zaopatrywać w instalację (rurową) *l.* hydraulikę (*budynek*); instalować *l.* podłączać rury *l.* hydraulikę w (*budynku*). **3.** wygrywać *l.* grać na piszczałce, fujarce *l.* kobzie (*utwór, melodię*). **4.** gwizdać, piszczeć, świstać. **5.** piać (*= mówić głośnym, piskliwym głosem*). **6.** wypełniać muzyką (*budynek, pomieszczenie, plac*); puszczać (*muzykę z nagrania*). **7.** obszywać *l.* ozdabiać lamówką (*bluzkę, rękaw*). **8.** *kulin.* dekorować (*tort*). **9.** *Br. ogr.* odkładać, rozkrzewiać (*rośliny*). **10.** *żegl.* świstać, odgwizdywać, sygnalizować (*gwizdkiem określoną komendę*). **11. ~ down!** *pot.* przymknij się!; **~ up** *pot.* odezwać się, wtrącić się; *muz.* wchodzić (*o instrumencie, wokalu*).

pipe bomb *n.* bomba rurowa.

pipeclay ['paɪpˌkleɪ] *n. U* glinka kaolinowa *l.* porcelanowa, kaolin.

pipe cleaner *n.* wycior; przepychacz (*do fajki*).

piped music [ˌpaɪpt 'mjuːzɪk] *n.* muzyka w tle (*np. w sklepie, hotelu, restauracji*).

pipe dream *n.* mrzonka.

pipefish ['paɪpˌfɪʃ] *n. pl.* **-es** *l.* **pipefish** *icht.* konik morski, pławikonik; iglicznia; wężynek (*Syngnathus; l. inne z rodziny igliczniowatych*).

pipe fitter *n.* instalator, hydraulik.

pipe fitting *n.* **1.** *U* instalatorstwo (wodno-kanalizacyjno-gazowe), hydraulika; montaż instalacji. **2.** *techn.* złączka (rurowa), łącznik (rurowy), kształtka (rurowa); kolanko.

pipeline ['paɪpˌlaɪn] *n.* **1.** rurociąg; **gas/oil ~** gazociąg/naftociąg. **2.** kanał (informacyjny), źródło (informacji). **3.** system przesyłu *l.* transportu (*cieczy, gazu, informacji, towarów*). **4. in the ~** *przen.* w przygotowaniu. – *n.* **1.** transportować *l.* przesyłać rurociągiem. **2.** wyposażać w instalację rurociągową (*zakład, budynek*).

pipe organ *n. muz.* organy (piszczałkowe).

piper ['paɪpər] *n. muz.* **1.** muzykant grający na fujarce *l.* piszczałce; dudziarz; kobziarz. **2.** *przen.* **pay the ~** zapłacić za przyjemność (*= ponieść konsekwencje*); **he who pays the ~ calls the tune** *przest.* kto płaci, tego muzyka.

pipe rack *n.* stojak na fajki.

pipes [paɪps] *n. pl.* **1.** *muz.* dudy. **2.** *pot.* głos. **3.** *sl.* miechy (*= płuca*). **4.** *sl.* flaki, bebechy (*= jelita*).

pipes of Pan *n. pl. muz.* fletnia Pana, multanki.

pipestem ['paɪpˌstem] *n.* cybuch (*fajki*). – *a. attr.* patykowaty, tyczkowaty.

pipestone ['paɪpˌstoʊn] *n. U US* glinka kaolinowa różowa (*używana przez Indian do wyrobu fajek*).

pipe tobacco *n. U* tytoń fajkowy.

pipette [paɪ'pet] *gł. chem. n.* pipeta, pipetka. – *v.* odmierzać pipetą.

pipe wrench *n. techn.* klucz do rur, klucz hydrauliczny.

piping ['paɪpɪŋ] *n. U* **1.** rury, instalacja rurociągowa *l.* rurowa. **2.** rurociąg. **3.** *muz.* gra na fujarce *l.* kobzie; dźwięki fujarki *l.* kobzy. **4.** *kulin.* dekoracja (*na torcie*). **5.** lamówka (*przy ubraniu*). **6.** świst, poświst, gwizd. – *a.* piskliwy; przenikliwy (*o głosie, dźwięku*). – *adv.* **~ hot** *zob.* **hot** *a.*

pipistrel [ˌpɪpɪ'strel], **pipistrelle** *n. zool.* karlik (malutki) (*nietoperz Pipistrellus (pipistrellus)*).

pipit ['pɪpɪt] *n. orn.* świergotek (*Anthus*).

pipkin ['pɪpkɪn] *n.* garnuszek.

pippin ['pɪpɪn] *n.* **1.** *bot., kulin.* reneta (*grupa odmian jabłka, m.in. boskop, koksa*). **2.** pestka (*zwł. jabłka*). **3.** *przest. pot.* (niezły) gość; świetna sprawa.

pipsqueak ['pɪpˌskwiːk], **pip-squeak** *n. pog. pot.* pętak; małe cholerstwo.

pipy ['paɪpɪ] *a.* **-ier, -iest 1.** rurkowaty (*o kształcie*). **2.** piskliwy (*o głosie*).

piquancy ['piːkənsɪ] *n. U* **1.** *kulin.* pikantność. **2.** pikanteria; sensacyjność.

piquant ['piːkənt] *a.* **1.** *kulin.* pikantny. **2.** pikantny (*np. o szczegółach*); sensacyjny (*np. o wiadomości*); intrygujący (*np. o okolicznościach, opowieści*).

pique [piːk] *n. U* urażona duma; **in a fit of ~** w przypływie urażonej dumy. – *v.* **1.** *zw. pass.* dotknąć, urazić; **feel/be ~d** poczuć się/być dotkniętym/urażonym. **2.** *gł. US* wzbudzać, rozbudzać; **~ sb's interest/curiosity** rozbudzić czyjeś zainteresowanie/czyjąś ciekawość. **3. ~ o.s. on/upon sth** szczycić się czymś. **4.** *lotn.* pikować, nurkować.

piqué [piː'keɪ] *n. U tk.* pika.

piquet [pɪ'ket] *n. U karty* pikieta.

piracy ['paɪrəsɪ] *n. U* **1.** piractwo; **software ~**

piractwo komputerowe. **2.** *hist.* piractwo, korsarstwo.

piragua [pɪ'rɑ:gwə] *n.* = **pirogue.**

piranha [pə'rɑ:nə], **piraña** *n. icht.* pirania (*Serrasalmus*).

pirate ['paɪrət] *n.* **1.** pirat (*oprogramowania, płyt, filmów*). **2.** *hist.* pirat, korsarz. **3.** (*także* ~ **ship**) *hist., żegl.* statek piracki. – *v.* **1.** nielegalnie kopiować, piratować (*płyty, programy*); wydawać nielegalnie (*książki*). **2.** *hist.* grabić; zajmować się piractwem *l.* korsarstwem. – *a. attr. radio, telew.* piracki (*o stacji nadawczej*).

pirated ['paɪrətɪd] *a.* piracki (*o oprogramowaniu, filmach, płytach*).

piratic [ˌpaɪ'rætɪk], **piratical** [ˌpaɪ'rætɪkl] *a. hist.* piracki, korsarski.

pirn [pɜ:n] *n. tk.* cewka wątkowa, kanetka.

pirog [pə'roʊg] *n. pl.* **pirogi** *pl.* **piroghi** *US kulin.* pieróg (*duży*).

pirogue [pɪ'roʊg] *n.* (*także* **piragua**) *hist., żegl.* piroga.

piroshki [pɪ'rɔ:ʃki:], **pirozhki** *n. U l. pl. US kulin.* pierożki, pierogi.

pirouette [ˌpɪrʊ'et] *Fr. balet n.* piruet. – *v.* robić piruet *l.* piruety.

pirozhki [pɪ'rɔ:ʃki:] *n. kulin.* = **piroshki.**

pis aller [ˌpi:z æ'leɪ] *n. pl.* **pis allers** *Fr.* ostateczność.

piscary ['pɪskərɪ] *n. pl.* **-ies** (*także* **common of** ~) *prawn., ryb.* prawo (do) połowu.

piscatorial [ˌpɪskə'tɔ:rɪəl], **piscatory** ['pɪskəˌtɔ:rɪ] *a. form.* wędkarski, rybacki.

Piscean ['paɪsɪən] *n. astrol.* Ryba; **be a** ~ być spod znaku Ryb, być Rybą.

Pisces ['paɪsi:z] *n. pl. astrol., astron.* Ryby.

pisciculture ['pɪsɪˌkʌltʃər] *n. U form.* hodowla ryb.

piscina [pɪ'saɪnə] *n. kośc.* piscyna, piscina (= *misa z wodą*).

piscine ['pɪsaɪn] *a. form.* rybi.

piscivorous [pɪ'sɪvərəs] *a. zool.* rybożerny.

pish [pɪʃ] *int. przest.* tfu, pfuj, fe (*wyraża obrzydzenie, pogardę*).

pisiform ['pɪsɪˌfɔ:rm] *a. zool., bot.* groszkowaty, grochowaty. – *n.* (*także* ~ **bone**) *anat.* kość grochowata.

pisolite ['paɪsəˌlaɪt] *n. U geol.* pizolit, grochowiec.

piss [pɪs] *wulg. sl. v.* **1.** sikać, lać, odlewać się, szczać; ~ **o.s.** posikać się. **2.** *przen.* ~ **all over sb** dokopać komuś (= *pokonać*); ~ **in the wind** obcyndalać się; ~ **o.s. (laughing)** sikać (ze śmiechu); **it's ~ing (it) down (with rain)** *Br.* leje jak skurczybyk; **go ~ up a rope!** *US* spadaj na drzewo!; **not have a pot to ~ in** *US* chodzić z gołą dupą (= *nie mieć pieniędzy*). **3.** ~ **about/around** *Br.* opieprzać się; ~ **sb about/around** *Br.* zagrywać *l.* grać z kimś w kulki (= *nie wywiązywać się z obietnic, oszukiwać*); ~ **sth away** przechlapać *l.* przepieprzyć coś (= *zmarnować*); ~ **sb off** wkurzać *l.* wpieprzać kogoś; ~ **off!** spieprzaj!; odpieprz się! – *n.* **1.** *C/U* siki, szczyny; **have/take a** ~ wysikać się, odlać się; **I need a** ~ muszę się odlać. **2.** *U Austr.* piwo. **3.** *przen.* **a piece of** ~ pryszcz (= *łatwizna*); **go on the** ~ *Br.* iść w tango; **full of** ~ **and vinegar** *US* z jajami (*o osobie*); **take the** ~ **(out of sb/sth)** *Br.* robić sobie jaja (z kogoś/czegoś). – *adv.* cholernie; ~ **easy/poor** cholernie łatwy/kiepski.

piss-ant ['pɪsˌænt], **pissant** *US wulg. sl. a. attr.* pieprzony. – *n.* dupek, zasraniec.

piss artist *n. Br. wulg. sl.* pijus, gazer.

piss-ass ['pɪsˌæs] *a. attr. US wulg. sl.* ciulowy, pieprzony.

pissed [pɪst] *a. wulg. pot.* **1.** *US* wkurzony, wpieprzony (*at/with sb/sth* na kogoś/coś); **she was really ~ at him** była na niego maksymalnie wkurzona. **2.** *Br.* nawalony, uwalony, zalany (= *pijany*); ~ **as a newt** (*także* ~ **out of one's head**) nawalony jak stodoła, zalany w trzy dupy. **3.** ~ **off** *Br.* wkurzony, wpieprzony (*with sb/sth* na kogoś/coś); **I'm really ~ off with this job** mam serdecznie dosyć tej roboty.

pisser ['pɪsər] *n. wulg. sl.* **1.** *US* straszny bzdet (= *coś bezwartościowego*); **a ~ of a movie** film (całkiem) do dupy. **2.** sracz, kibel. **3.** *Austr.* pub, bar. **4. what a ~!** *US t. iron.* ale jaja!.

pisshead ['pɪsˌhed] *n. Br. wulg. sl.* pijus, gazer.

pissoir [pi:'swɑ:r] *n. Fr.* szalet miejski (*zwł. męski*).

pisspot ['pɪsˌpɑ:t] *n. wulg. sl.* **1.** *US* palant. **2.** *Austr. i NZ* pijus.

piss-take ['pɪsˌteɪk] *n. Br. wulg. sl.* jaja (= *żarty*); **do a ~ of sb** robić sobie z kogoś jaja (*zwł.* = *przedrzeźniać*).

piss-up ['pɪsˌʌp] *n. Br. wulg. sl.* balanga, ochlaj.

pissy ['pɪsɪ] *n. wulg. sl.* pieprzony, ciulowy.

pistachio [pɪ'stæʃɪˌoʊ] *n. pl.* **pistachios 1.** *bot.* pistacja (*Pistachia vera*). **2.** (*także* ~ **nut**) *kulin., bot.* orzeszek pistacjowy. **3.** *U* (*także* ~ **green**) kolor pistacjowy.

piste [pi:st] *n. narty* stok (zjazdowy).

pistil ['pɪstɪl] *n. bot.* słupek.

pistillate ['pɪstɪlət] *a. bot.* posiadający słupek *l.* słupki (*zwł. w przeciwieństwie do pręcików*).

pistol ['pɪstl] *n.* pistolet. – *v. Br.* **-ll-** zastrzelić z pistoletu.

pistole [pɪ'stoʊl] *n. hist., fin.* pistol (*moneta*).

pistol grip *n.* **1.** *wojsk.* chwyt, rękojeść (*pistoletu*). **2.** *techn.* uchwyt pistoletowy (*narzędzia*).

pistol-whip ['pɪstlˌwɪp] *v.* bić *l.* okładać pistoletem.

piston ['pɪstən] *n.* **1.** *mot., mech.* tłok. **2.** *muz.* piston, wentyl (*w niektórych instrumentach dętych*).

piston ring *n. mot.* pierścień tłokowy.

piston rod *n. mot.* korbowód; *mech.* tłoczysko, drag *l.* trzon tłokowy.

pit [pɪt] *n.* **1.** dół, wykop, jama (*w ziemi*); dziura (*w nawierzchni drogi*). **2.** dołek, dziurka; zagłębienie, wgłębienie. **3.** *pot.* chlew (= *zaniedbane mieszkanie itp.*). **4.** *US* pestka (*np. brzoskwini, wiśni*). **5.** *US fin.* parkiet (*na giełdzie, t. określonej branży*). **6.** *mot.* kanał (*w garażu, warsztacie*). **7. the** *US* **~/***Br.* **~s** punkt serwisowy (*przy torze wyścigów samochodowych*). **8.** *teatr Br. przest.* parter; (*także* **orchestra** ~) *gł. Br.* kanał dla orkiestry. 9. *anat.* dołek; *gł. pl. pat.* dziób (*np. po ospie*). 10. kopalnia (*zwł. węgla*). 11. *górn.* wyrobisko; szyb. 12. ring (*do walk kogutów, psów*). 13. *US pot.* = **armit.** 14. = **sandt.** 15. *przen.* **dig a ~ for sb** kopać dołki pod kimś; **in/at the ~ of one's stomach** w dołku (*np. o uczuciu strachu*); **the ~ (of hell)** *Bibl.* otchłań piekielna; **the ~ of despair/dismay** *lit.* dno rozpaczy; **the ~s** *pot.* (kompletne) dno. – *v.* **-tt-** 1. przeciwstawiać sobie, konfrontować ze sobą; **~ o.s. against sb/sth** mierzyć się z kimś/czymś, stawać do walki z kimś/czymś; **~ one's wits against sb/sth** mierzyć się (intelektualnie) z kimś/czymś; **~ sb against sb** rzucać kogoś przeciw komuś; **be ~ted against sb** współzawodniczyć z kimś. 2. wystawiać do walki (*koguta, psa*). 3. pobruździć, poorać (*twarz; o ospie*); podziurawić, poryć (*ziemię; o deszczu, gradzie*). 4. wkładać do dołu, zakopywać, zagrzebywać; pogrzebać (*w ziemi*). 5. *US* drylować (*owoce*).

pita ['pi:tə], *Br.* **pitta** *n. C/U* (*także* **~ bread**) *kulin.* (chleb *l.* chlebek) pita.

pitapat ['pɪtə,pæt], **pit-a-pat** *int., adv., n. i v.* = **pitter-patter.**

pit bull *n.* (*także* **pit bull terrier**) *kynol.* pitbul, pitbulterier, pit bull terrier.

pitch¹ [pɪtʃ] *v.* 1. rzucać, ciskać, miotać (*piłkę*). 2. upaść; runąć (głową do przodu). 3. ustalać; ustawiać wysokość *l.* poziom (*np. ceny, trudności*); dobierać, dopasowywać (*np. tematykę, sposób przekazu*); **~ the prices too high** ustalić za wysokie ceny; **she ~ed her talk at just the right level** idealnie dobrała poziom wykładu. 4. *muz.* dobierać wysokość tonu *l.* rejestr *l.* tonację (*utworu, instrumentu*); stroić, dostrajać (*instrument*); **~ sth too high/low** za wysoko/nisko coś grać *l.* śpiewać. 5. rozbijać; **~ camp/a tent** rozbić obóz/namiot. 6. osadzić (*w ziemi; słup*). 7. *roln.* dołować (*buraki*). 8. *US handl.* reklamować, promować, zachwalać (*towar*). 9. *żegl., lotn.* kołysać się, rzucać (*o statku, samolocie*). 10. opadać, pochylać się, nachylać się (*o dachu*). 11. *baseball* miotać; grać na pozycji miotacza. 12. *krykiet, golf* uderzać o ziemię (*o piłce*). 13. *karty* wychodzić z (*koloru*). 14. *przen.* **~ a good game** dobrze zagrać; **~ for sth** usiłować coś osiągnąć; **~ sb a curve** *US pot.* zażyć kogoś; **~ sb a line/yarn** *US pot.* wciskać komuś ciemnotę. 15. **~ in** *pot.* włączać się, przyłączać się (*do pracy, pomocy, zbiórki funduszy*); brać *l.* zabierać się (ostro) do roboty; **~ in with sth** zaoferować coś; dorzucić coś; **~ into sb** *pot.* rzucać się na kogoś (= *atakować, zwł. słownie*); **~ on/upon sth** zdecydować się na coś; **~ up** *pot.* pojawić się, zjawić się. – *n. C/U* 1. rzut (*t.* = *sposób rzucenia*). 2. stopień; poziom; nasilenie (*uczuć*); **tension was at fever ~** napięcie sięgało zenitu. 3. *muz. t. akustyka* wysokość tonu, ton; *pot.* tonacja; **have good ~** mieć dobry słuch (*o osobie*). 4. (*także* **sales ~**) *US handl. pot.* metoda reklamy (*przez sprzedającego*); gadka, bajer. 5. *t. bud.* nachylenie, spadek (*dachu*). 6. *żegl., lotn.* kołysanie (wzdłużne); pochylenie (*statku, samolotu*). 7. *lotn.* skok linii śrubowej śmigła. 8. *Br.* boisko. 9. *Br. handl.* stoisko, stragan. 10. *mech.* odstęp (*między spawami, nitami*); *t. lotn., żegl.* skok (*gwintu, śmigła, śruby*). 11. *mech.* podziałka. 12. *przen.* **make a ~ for sth** dążyć do czegoś, próbować coś osiągnąć; **make a ~ for attention** starać się zwrócić na siebie uwagę; **make a ~ for sb** agitować za kimś; *pot.* przystawiać się do kogoś.

pitch² *n. U* 1. *chem., bud.* smoła; pak; **mineral ~** asfalt naturalny. 2. *bot.* żywica sosny smołowej. – *v.* smołować (*dach*).

pitch-black [,pɪtʃ'blæk] *a.* czarny jak smoła.

pitchblende ['pɪtʃ,blend] *n. U min.* blenda uranowa *l.* smolista, uraninit (*ruda uranu i radu*).

pitch-dark [,pɪtʃ'dɑ:rk] *a.* zupełnie ciemny, ciemny jak noc.

pitched battle [,pɪtʃt 'bætl] *n. t. przen.* zażarty bój.

pitched roof *n. bud.* dach spadzisty *l.* pochyły.

pitcher¹ ['pɪtʃər] *n. baseball* miotacz.

pitcher² *n.* 1. dzban. 2. *bot.* liść dzbanecznika, dzbanuszek. 3. *przest. przen.* **the ~ goes often to the well but it is broken at last** póty dzban wodę nosi, póki mu się ucho nie urwie; **the ~ goes (once) too often to the well** przyszła kryska na Matyska.

pitcher³ *n. bud.* kostka granitowa.

pitcher plant *n. bot.* dzbanecznik (*Nepenthes*).

pitchfork ['pɪtʃ,fɔ:rk] *n.* 1. *roln.* widły. 2. *muz.* kamerton. – *v.* 1. ładować widłami. 2. *przen.* wepchnąć (*kogoś na stanowisko*); wpakować (*kogoś w niewygodną sytuację*).

pitchman ['pɪtʃmən] *n. pl.* **-men** *US i Can.* 1. *telew.* prezenter (reklam). 2. wygadany *l.* nachalny akwizytor. 3. straganiarz.

pitch pine *n. bot.* sosna smołowa (*Pinus rigida l. palustris*).

pitch pipe *n. muz.* stroik, kamerton ustny.

pitchstone ['pɪtʃ,stoun] *n. U geol.* smołowiec.

pitchy ['pɪtʃɪ] *a.* **-ier, -iest** 1. pokryty smołą. 2. smolny. 3. smolisty; czarny jak smoła.

piteous ['pɪtɪəs] *a.* żałosny, rozpaczliwy.

piteously ['pɪtɪəslɪ] *adv.* żałośnie, rozpaczliwie.

piteousness ['pɪtɪəsnəs] *n. U* żałosność, rozpaczliwość.

pitfall ['pɪt,fɔ:l] *n.* 1. *często pl.* pułapka; niebezpieczeństwo. 2. *myśl.* wilczy dół.

pith [pɪθ] *n. U* 1. *bot., zool., anat.* rdzeń (*łodygi, włosa, pióra, kości*). 2. *bot.* albedo (= *biała gąbczasta warstwa skórki cytrusa*). 3. istota (*sprawy, problemu*). 4. krzepa; wigor. – *v. techn.* 1. przecinać rdzeń kręgowy (*zwierzęciu hodowlanemu l. doświadczalnemu*). 2. wyjmować rdzeń z (*rośliny, łodygi*).

pithecanthrope [,pɪθɪ'kænθroup] *n. antrop.* pitekantrop.

pith helmet *n.* topi, hełm tropikalny.

pithily ['pɪθɪlɪ] *adv.* treściwie, krótko i węzłowato; celnie; dosadnie.

pithy ['pɪθɪ] *a.* **-ier, -iest** 1. treściwy, krótki i węzłowaty; celny; dosadny (*o wypowiedzi*). 2. *bot., zool., anat.* rdzeniowy; wypełniony rdzeniem.

pitiable [ˈpɪtɪəbl] *a. form.* żałosny (= *budzący współczucie*).

pitiably [ˈpɪtɪəblɪ] *adv.* żałośnie.

pitiful [ˈpɪtɪful] *a.* żałosny (*t.* = *pożałowania godny*).

pitifully [ˈpɪtɪfulɪ] *adv.* żałośnie.

pitiless [ˈpɪtɪləs] *a.* **1.** bezlitosny. **2.** niemiłosierny (*np. o ulewie, upale*).

pitilessly [ˈpɪtɪləslɪ] *adv.* **1.** bezlitośnie. **2.** niemiłosiernie.

pitman [ˈpɪtmən] *n. pl.* **-men** *gł. Scot.* górnik.

piton [ˈpiːtɑːn] *n. alpinizm* hak (skalny).

Pitot tube [ˈpiːtoʊ ˌtuːb] *n. techn.* rurka Pitota.

pitsaw [ˈpɪtˌsɔː] *n. techn.* tracznica, piła tracka.

pit stop *n.* **1.** *pot.* krótki postój (*w podróży*). **2.** *pot.* przydrożny parking. **3.** *wyścigi samochodowe* przystanek serwisowy; tankowanie.

pitta [ˈpiːtə] *n. Br.* = **pita**.

pittance [ˈpɪtəns] *n. sing.* marne *l.* nędzne grosze, psie pieniądze.

pitted [ˈpɪtɪd] *a.* **1.** podziurawiony, poryty (*o ziemi*); pobrużdżony, poorany (*with sth* czymś) (*o twarzy*); dziobaty, ospowaty (*o twarzy*); ~ **with rust** przeżarty rdzą. **2.** usiany (*with sth* czymś) (*np. głazami, kraterami*). **3.** drylowany, bez pestek (*o wiśniach, daktylach*).

pitter-patter [ˈpɪtərˌpætər], **pitapat** [ˈpɪtəˌpæt], **pit-a-pat** *int. i adv.* stuku-puku, stuk-puk; **go** ~ kołatać (*o sercu*); bębnić (*o deszczu*). – *n. U l. sing.* tupot (*łapek, nóżek*); stukot; bębnienie (*deszczu*); kołatanie (*serca*). – *v.* **-tt-** tupać; stukotać.

pitting [ˈpɪtɪŋ] *n. U* **1.** *techn.* wżery korozyjne; korozja. **2.** *roln.* dołowanie (*buraków*).

pituitary [pɪˈtuːɪˌterɪ] *n. pl.* **-ies** **1.** *anat.* = **pituitary gland**. **2.** *med.* = **pituitary extract**. – *a.* przysadkowy.

pituitary extract *n. U med.* wyciąg z przysadki.

pituitary gland *n.* (*także* **pituitary body**) *anat.* przysadka mózgowa.

pit viper *n. zool.* wąż jadowity z rodziny grzechotnikowatych charakteryzujących się obecnością dołków twarzowych (*rodzina Crotalidae*).

pity [ˈpɪtɪ] *n. pl.* **-ies** *U l. sing.* litość; współczucie; **feel ~ for sb** współczuć komuś; **for ~'s sake!** *emf. pot.* na litość Boską!; **have ~ on sb** *form.* mieć litość nad kimś; **I feel ~ for him** żal mi go; **(it's a) ~ (that)...** szkoda, że...; **it is/seems a ~ to do sth** szkoda, że trzeba coś zrobić; **it is a thousand pities** *gł. lit.* wielka szkoda; **take ~ on sb** zlitować *l.* ulitować się nad kimś (= *udzielić pomocy*); **(the) more's the ~** wielka szkoda; tym gorzej; **what a ~!** wielka *l.* jaka szkoda! – *v.* **-ied, -ying** współczuć (*komuś*); żałować (*kogoś*); litować się nad (*kimś*); **I ~ you/him** żal mi cię/go.

pityriasis [ˌpɪtɪˈraɪəsɪs] *n. U pat.* łupież.

pivot [ˈpɪvət] *n.* **1.** *mech.* czop; oś; trzpień; sworzeń. **2.** *przen.* ośrodek, centrum, oś (*of sth* czegoś). **3.** (*także* ~ **man**) centralna *l.* kluczowa postać. **4.** *koszykówka* obrotow-y/a (*pozycja lub gracz/ka*); ~ **man** obrotowy. **5.** (*także* ~ **man**) *wojsk.* skrzydłowy. – *v.* **1.** obracać się (wokół osi). **2.** *mech.* osadzać na czopie *l.* osi *l.* sworzniu. **3.** ~ **on sth** *przen.* zależeć od czegoś (*np. o powodzeniu, wyniku*).

pivotal [ˈpɪvətl] *a.* **1.** kluczowy, decydujący (*o roli*). **2.** *mech.* obrotowy (*o ruchu, umocowaniu*). **3.** *mech.* osiowy; trzpieniowy; sworzniowy (*o konstrukcji, umocowaniu*).

pix [pɪks] *n. pl. pot. zob.* **pic**.

pixel [ˈpɪksl] *n. el., komp., telew.* piksel.

pixie [ˈpɪksɪ], **pixy** *n. pl.* **-ies** chochlik. – *a.* (*także* **pixieish**) psotny.

pixilated [ˈpɪksɪˌleɪtɪd] *a. gł. US* **1.** postrzelony (= *ekscentryczny*). **2.** zagubiony, zdezorientowany. **3.** *sl.* podcięty (= *pijany*).

pixy [ˈpɪksɪ] *n.* = **pixie**.

pizazz [pəˈzæz] *n.* = **pizzazz**.

pizza [ˈpiːtsə] *n. C/U* (*także US* ~ **pie**) *kulin.* pizza.

pizza base *n. kulin.* spód (do) pizzy.

pizza-face [ˈpiːtsəˌfeɪs] *n. sl.* pryszczat-y/a.

pizza house *n. Br.* pizzeria.

pizza parlor *n. US* pizzeria.

pizza place *n.* pizzeria.

pizzazz [pəˈzæz], **pizazz** *n. U pot.* ikra, czad; szpan, szyk.

pizzeria [ˌpiːtsəˈriːə] *n.* pizzeria.

pizzicato [ˌpɪtsɪˈkɑːtoʊ] *a., adv. i n. muz.* pizzicato.

pizzle [ˈpɪzl] *n. arch. dial.* pyta (= *penis byka, t. jako bicz*).

pj's [ˌpiːˈdʒeɪz], **p.j.'s**, **P.J.'s** *abbr. i n. pl. pot.* = **pajamas**.

pk. *abbr.* **1.** = **pack**. **2.** = **park**. **3.** = **peak**. **4.** = **peck**.

pkg. *abbr. handl.* = **package**.

pkt. *abbr. handl.* = **packet**.

pkwy. *abbr. US mot.* = **parkway**.

pl. *abbr.* **1.** = **place**. **2.** *gram.* = **plural**.

P/L *abbr. ekon.* = **profit and loss**.

placable [ˈplækəbl] *a. lit.* dający się udobruchać.

placard [ˈplæˌkɑːrd] *n.* **1.** afisz, plakat; ogłoszenie. **2.** transparent (*polityczny*). **3.** tablica; tabliczka (*na drzwiach*). – *v.* **1.** rozplakatować; obwieszczać, rozgłaszać (*wydarzenie*). **2.** rozwieszać plakaty w (*mieście, budynku*); pokrywać plakatami (*ściany*). **3.** rozwieszać, rozlepiać (*ogłoszenia, obwieszczenia*).

placate [ˈpleɪkeɪt] *v.* **1.** udobruchać (*osobę*). **2.** załagodzić (*gniew*). **3.** uspokoić, zadowolić (*przeciwników*).

placating [ˈpleɪkeɪtɪŋ] *a.* uspokajający, kojący (*o głosie*).

placation [ˌpleɪˈkeɪʃən] *n. U* **1.** uspokojenie. **2.** załagodzenie.

placatory [ˈpleɪkəˌtɔːrɪ] *a.* uspokajający, kojący (*o głosie*); polubowny (*o tonie*).

place [pleɪs] *n.* **1.** *C/U t. przen.* miejsce; ~ **of interest** interesujące miejsce; ~ **of work/worship** *form.* miejsce pracy/kultu; **change ~s with sb** zamienić się z kimś miejscami *l.* na miejsca; **decimal** ~ *mat.* miejsce dziesiętne, miejsce po przecinku; **from ~ to ~** z miejsca na miejsce; **get a ~ at college/university** dostać się do koledżu/na uniwersytet; **give ~ to sb/sth** zrobić komuś/czemuś miejsce; **in ~** na miejscu; **in ~s** miejscami, w niektórych miejscach; **in ~ of sb/sth** w miejsce kogoś/czegoś; **in sb's ~** w miejsce kogoś; na czyimś miejscu (*postawić się*); **(if I were) in your ~** (gdybym był/a) na twoim miejscu; **know one's ~** znać swoje miejsce; **out of ~** nie na swoim miejscu; nie na miejscu (*np. o uwadze*); **put sb in their ~** pokazać komuś, gdzie (jest) jego miejsce; **save/keep sb a ~** zająć komuś miejsce (*np. w pociągu*); **sb has no ~ somewhere** *form.* dla kogoś nie ma gdzieś miejsca (*np. w organizacji, partii*); **take ~** mieć miejsce, odbyć się, wydarzyć się; **take first ~** zająć pierwsze miejsce; *przen.* mieć pierwszeństwo *l.* priorytet; **take one's ~** zająć miejsce; *przen.* przygotować się (*for sth* do czegoś); **take second ~** zająć drugie miejsce; **take second ~ to sth** *przen.* musieć ustąpić czemuś (*ważniejszemu*); **take the ~ of sb/sth** zająć miejsce kogoś/czegoś; **this is no ~ for sb** to nie jest właściwe miejsce dla kogoś; **this is no ~ for (doing) sth** to nie jest miejsce na coś. **2. (sb's) ~** (czyjeś) mieszkanie; (czyjś) dom; **at sb's ~** u kogoś (w domu); **why don't we go to my ~?** może pójdziemy do mnie? **3.** miejscowość. **4.** posada. **5.** (*zwł. w nazwach*) plac; ulica; uliczka. **6. ~ in the sun** *przen.* uprzywilejowana pozycja; **all over the ~** *pot.* wszędzie; w rozsypce, w proszku (= *w nieładzie, niegotowy*); **another ~** *Br. parl.* Izba Lordów (*dla posłów Izby Gmin*); Izba Gmin (*dla posłów Izby Lordów*); **be in ~** istnieć, działać (*o przepisach, zabezpieczeniach*); **have friends in high ~s** *zob.* **high** *a.*; **in the first ~** *zob.* **first** *a.*; **in the second/third ~** po drugie/trzecie; **it is not sb's ~ to do sth** coś nie jest czyjąś rzeczą, coś nie należy do kogoś; **fall into ~** ułożyć się (*o życiu*); składać się w (jedną *l.* logiczną) całość (*o szczegółach, faktach*); **feel out of ~** czuć się obco (*gdzieś*); **go ~s** *zob.* **go** *v.*; **have/take pride of ~** *zob.* **pride** *n.*; **lose one's ~** zgubić się (*np. w czasie wykładu, przemówienia*); **the other ~** *Br. uniw. żart.* uniwersytet w Oksfordzie (*dla pracowników i studentów uniwersytetu w Cambridge*); uniwersytet w Cambridge (*dla pracowników i studentów uniwersytetu w Oksfordzie*). – *v.* **1.** umieszczać; kłaść; stawiać (*np. kubek na stole*); **~ a book on the shelf** położyć *l.* odłożyć książkę na półkę. **2.** *zw. z neg.* przypominać sobie, kojarzyć (*osobę*); **I can't ~ him** nie kojarzę go. **3.** *fin.* lokować; **~ money in a bank** ulokować pieniądze w banku. **4.** *sport* lokować; plasować; ustalać kolejność (*zwycięzców na wyścigach*); **be ~d** zająć punktowaną lokatę (*US i Can. drugą, Br. drugą l. trzecią – o koniu l. psie na wyścigach*); **be ~d second/fourth** uplasować się na drugiej/czwartej pozycji. **5. ~ a bet on sth** postawić na coś (*w zakładach*); **~ an advertisement** dawać ogłoszenie; **~ an order** składać zamówienie (*with sb* u kogoś, *for sth* na coś); **~ confidence in sb/sth** pokładać zaufanie w kimś/czymś; **~ emphasis on sth** kłaść nacisk na coś; **~ importance on sth** przywiązywać do czegoś wagę *l.* znaczenie; **~ sb in a difficult position** stawiać kogoś w trudnym położeniu; **~ sb with...** przydzielać *l.* kierować kogoś do... (*zakładu, działu*); **~ sb/sth in danger** zagrażać komuś/czemuś; narażać kogoś/coś na niebezpieczeństwo; **be well ~d to do sth/for sth** mieć (dobrą) sposobność *l.* okazję coś zrobić/ku czemuś.

placebo [plə'si:boʊ] *n. pl.* **-s 1.** *med.* placebo. **2.** pociecha, pocieszenie. **3.** *rz.-kat.* modlitwa za zmarłych.

placebo effect *n. med.* efekt placebo.

place card *n.* etykietka *l.* kartka z nazwiskiem (*gościa przy stole*).

place kick *n. futbol amerykański, rugby* kopnięcie z miejsca.

placeman ['pleɪsmən] *n. pl.* **-men** *gł. Br. pog.* karierowicz (*w polityce*).

place mat *n.* podkładka pod nakrycie *l.* talerz.

placement ['pleɪsmənt] *n.* **1.** posada; stanowisko. **2.** przydział; mianowanie; zatrudnienie. **3.** *Br.* praktyka (zawodowa). **4.** umieszczenie, umiejscowienie. **5.** *sport* precyzja zagrania.

placement test *n. szkoln.* test kwalifikacyjny (*dla określenia poziomu kandydata*).

place name, placename *n.* nazwa miejscowa.

placenta [plə'sentə] *n. biol.* łożysko (*u ssaków, roślin*).

placental [plə'sentl] *biol. n. gł. pl.* łożyskowiec, ssak wyższy. – *a.* łożyskowy, posiadający łożysko.

placer ['plæsər] *n. geol.* złoże okruchowe; (*także* **alluvial ~**) złoże aluwialne *l.* napływowe.

placer mining *n. U górn.* eksploatacja złóż aluwialnych.

place setting *n.* nakrycie (*na stole*).

placid ['plæsɪd] *a.* spokojny; łagodny.

placidity [plə'sɪdətɪ] *n. U* spokój; łagodność.

placidly ['plæsɪdlɪ] *adv.* spokojnie; łagodnie.

placidness ['plæsɪdnəs] *n.* = **placidity.**

placket ['plækɪt] *n. krawiectwo* **1.** kieszonka, kieszeń (*w spódnicy l. bluzce damskiej*). **2.** rozcięcie (*na kieszonkę l. przy zapięciu*).

placoid ['plækɔɪd] *a. icht.* plakoidalny (*o łuskach*).

plafond [plə'fɑ:n] *n. bud.* plafon.

plagal ['pleɪgl] *a. gł. attr. muz.* plagalny, kościelny (*o kadencji*).

plagiarism ['pleɪdʒəˌrɪzəm] *n.* plagiat; *U* plagiatorstwo, popełnienie plagiatu.

plagiarist ['pleɪdʒərɪst] *n.* plagiator/ka.

plagiarize ['pleɪdʒəˌraɪz], *Br. i Austr. zw.* **plagiarise** *v.* popełnić plagiat (*utworu l. pomysłu twórczego*).

plagioclase ['pleɪdʒɪəˌkleɪz] *n. min.* plagioklaz.

plague [pleɪg] *n. C/U* **1.** *pat. l. przen.* plaga (*t. np. szczurów, kradzieży*); zaraza (*t. = przykra osoba l. rzecz*). **2. the ~** (*także* **bubonic ~**) *pat.* dżuma. **3. a ~ on you/him!** *arch.* niech cię/go licho! – *v. zw. pass.* **1.** nękać, prześladować (*o chorobach, nieszczęściach, pechu*); **sb is ~ed by sth** ktoś boryka się z czymś. **2.** dręczyć, męczyć, zamęczać (*zwł. pytaniami*). **3.** dotykać plagą *l.* zarazą.

plaguey ['pleɪgɪ], **plaguy** *przest. pot. a.* nieznośny, dokuczliwy. – *adv.* nieznośnie.

plaice [pleɪs] *n. C/U pl.* **plaice** *icht., kulin.* **1.**

płastuga, gładzica (*Pleuronectes platessa*). **2.** *gł. US i Can.* halibut (*Hippoglossus*).

plaid [plæd] *n.* **1.** *U tk.* materiał w szkocką kratę; szkocka krata. **2.** *gł. Scot.* szal *l.* pled szkocki (*część tradycyjnego stroju szkockiego*). – *a. attr.* w szkocką kratę, kraciasty.

Plaid Cymru [ˌplaɪd ˈkʌmrɪ] *n. Br. polit.* Partia Walii, Walijska Partia Narodowa.

plain [pleɪn] *a.* **1.** wyraźny; jasny. **2.** prosty, nieskomplikowany (*np. o stylu, osobie, jedzeniu*); zwyczajny, zwykły; bez dodatków *l.* ozdób; *handl., kulin.* naturalny (*o jogurcie*). **3.** *t. euf.* pospolity; niełądny, niezbyt ładny. **4.** gładki (*o materiale, papierze*); niekolorowany. **5.** czysty (*o wodzie, wódce*). **6.** otwarty, szczery (*with sb* w stosunku do kogoś). **7.** *arch.* płaski, równy (*o powierzchni*). **8.** *przen.* ~ **stupidity/greed** czysta *l.* zwykła głupota/chciwość; **(as) ~ as the nose on your face** (*także Br.* **(as) ~ as a pikestaff**) *pot.* jasne jak słońce; **in ~ clothes** w cywilu; **in ~ English** po ludzku, normalnym językiem; **make it ~ (to sb) (that...)** powiedzieć (komuś) wprost *l.* jasno (że...); **make o.s. ~** wyrażać się jasno; **the ~ truth is...** prawda jest taka, że... – *adv.* **1.** *gł. emf.* po prostu; **this was ~ stupid** to było po prostu głupie. **2.** jasno, szczerze, wyraźnie (*powiedzieć*). – *n. geogr.* równina; **elevated ~** płaskowyż; **high ~** wysoczyzna; **valley ~** dno doliny; **the Great P~s** *US* Wielkie Równiny.

plainchant [ˈpleɪnˌtʃænt] *n.* = **plainsong.**

plain chocolate *n. U gł. Br. handl., kulin.* czekolada gorzka.

plainclothes [ˌpleɪnˈklouz], **plain-clothes** *n. pl.* ubranie cywilne. – *a. attr.* w cywilu (*o policjancie, agencie*).

plainclothesman [ˌpleɪnˈklouzmən] *n. pl.* **-men** *US* agent w cywilu, tajniak.

plainclotheswoman [ˌpleɪnˈklouzˌwumən] *n. pl.* **-women** *US* agentka w cywilu, tajniaczka.

plain dealing *n. U* bezpośredniość, szczerość, otwartość.

plain flour *n. U Br. kulin.* mąka zwykła (*nie tortowa*).

plainly [ˈpleɪnlɪ] *adv.* **1.** jasno, wyraźnie; otwarcie, szczerze, prosto z mostu (*powiedzieć*). **2.** prosto, nieskomplikowanie. **3.** najwyraźniej.

plainness [ˈpleɪnnəs] *n. U* **1.** oczywistość, jasność. **2.** prostota. **3.** brzydota.

plain sailing *n. U pot.* bułka z masłem, łatwizna.

Plains Indians *n. pl. US* Indianie prerii.

plainsman [ˈpleɪnzmən] *n. pl.* **-men** mieszkaniec równin *l.* równiny (*zwł. Wielkich Równin w USA*).

plainsong [ˈpleɪnˌsɔːŋ] *n. U* (*także* **plainchant** [ˈpleɪnˌtʃænt]) *hist. muz.* cantus planus.

plain-spoken [ˌpleɪnˈspoukən], **plainspoken** *n.* bezpośredni, szczery, otwarty.

plaint [pleɪnt] *n.* **1.** *prawn.* skarga, pozew. **2.** *arch. l. poet.* skarga.

plain text *n. U* **1.** *komp.* format tekstowy, tekst. **2.** tekst nieszyfrowany.

plaintiff [ˈpleɪntɪf] *n. prawn.* powód/ka.

plaintive [ˈpleɪntɪv] *a.* żałosny, zawodzący (*np. o głosie*); tęskny (*np. o spojrzeniu*); smutny (*np. o muzyce, wierszu, zawodzeniu*).

plaintively [ˈpleɪntɪvlɪ] *adv.* żałośnie; tęsknie.

plait [pleɪt] *n.* **1.** *zwł. Br.* warkocz. **2.** *U t. techn.* plecionka; pleciony sznur; *el.* oplot (*kabla*). **3.** *Br. kulin.* chałka. **4.** *krawiectwo* = **pleat.** – *v.* **1.** *zwł. Br.* pleść, splatać; zaplatać. **2.** *rzad.* = **pleat.**

plan [plæn] *n.* **1.** plan (= *zamiar, mapa, rysunek; t. bud.* = *przekrój poziomy*); ~ **for (doing) sth/to do sth** plan *l.* plany (zrobienia) czegoś; ~ **of action** plan działania; **P~ A/B** plan A/B (= *plan podstawowy / awaryjny*); **change of ~** zmiana planu; **change one's ~s** zmienić plany; **do you have (any) ~s for tomorrow?** masz jakieś plany na jutro?; **(go) according to ~** (iść) zgodnie z planem; **have ~s for sth** planować coś, mieć coś w planie *l.* planach; **keep/stick to a ~** trzymać się planu; **make ~s for sth** planować coś, czynić przygotowania do czegoś. **2.** *t. ubezp.* system (*emerytalny*); program (*socjalny*). – *v.* **-nn- 1.** planować; zamierzać; ~ **to do sth/on doing sth** planować coś zrobić. **2.** *bud.* sporządzać *l.* wykonywać plan (*budynku*). **3.** ~ **(well) ahead** planować z (dużym) wyprzedzeniem; ~ **for/on sth** planować coś, przewidywać coś; *zwł. z neg.* spodziewać się czegoś; **I hadn't ~ned on their coming so early** nie spodziewałam się, że przyjdą tak wcześnie; ~ **sth out** zaplanować *l.* rozplanować coś (w szczegółach); **she has (had) it all ~ned out** wszystko już zaplanowała.

planar [ˈpleɪnər] *n. geom., techn.* płaski, planarny; *geom.* leżący na płaszczyźnie.

planchet [ˈplæntʃət] *n.* krążek monety (*w mennicy*).

planchette [plænˈʃet] *n. spirytualizm* tacka na kółkach z ołówkiem do odbierania przekazów z zaświatów.

Planck's constant [ˌplæŋks ˈkɑːnstənt] *n. sing. fiz.* stała Plancka.

plane [pleɪn] *n.* **1.** samolot; **by ~** samolotem. **2.** poziom (*intelektualny, artystyczny*). **3.** *geom.* płaszczyzna. **4.** *fiz.* równia; **inclined ~** równia pochyła. **5.** (*także* **~ tree**) *bot.* platan (*Platanus*). **6.** *mech.* hebel, strug; gładzik. **7.** *lotn.* płat (*samolotu*). – *v.* **1.** lecieć (samolotem). **2.** *lotn.* szybować. **3.** *lotn., żegl.* ślizgać się, planować (*po wodzie*). **4.** strugać, heblować; ~ **sth away/down/off** zestrugać *l.* zheblować coś, wyrównać coś. – *a. attr. geom.* płaski, leżący na płaszczyźnie.

plane angle *n. geom.* kąt płaski.

plane geometry *n. U geom.* planimetria.

planeload [ˈpleɪnˌloud] *n. sing. lotn.* nośność (samolotu), ładowność (samolotu).

planer [ˈpleɪnər] *n.* **1.** *mech.* strugarka. **2.** strugacz/ka (*osoba*). **3.** *druk.* klocek (*do poziomowania*).

plane sailing *n. U żegl.* żegluga po loksodromie.

planet [ˈplænɪt] *n.* **1.** *astron.* planeta; **the ~** nasza planeta (= *Ziemia*). **2.** (*także* **~ wheel**) *mech.* koło obiegowe, satelita. **3.** *przen. pot.* **be (living) on another ~** (*także* **be from another ~**) *żart.* być z innej planety; **what ~ are you on?** na jakim świecie (ty) żyjesz?, z Księżyca spadłeś?

plane table *n. miern.* stolik mierniczy *l.* topograficzny.

planetarium [ˌplænɪˈterɪəm] *n. pl.* **-s** *l.* **planetaria** [ˌplænɪˈterɪə] planetarium.

planetary [ˈplænɪˌterɪ] *a.* **1.** *astron.* planetarny. **2.** *mech.* obiegowy, planetarny. **3.** światowy, ogólnoświatowy.

planetary gear *n. mech.* przekładnia obiegowa *l.* planetarna; koło obiegowe, satelita.

planetary nebula *n. astron.* mgławica planetarna.

planetesimal [ˌplænɪˈtesəml] *n. gł. pl. astron.* planetozymal.

planetoid [ˈplænɪˌtɔɪd] *n. astron.* planetoida.

plangent [ˈplændʒənt] *a. lit.* żałobny; przejmujący (*o dźwięku*).

planimetric [ˌplænəˈmetrɪk], **planimetrical** [ˌplænəˈmetrɪkl] *a. geom.* planimetryczny.

planimetry [pləˈnɪmətrɪ] *n. geom. U* planimetria.

planish [ˈplænɪʃ] *v. metal.* wygładzać (*przez wyklepywanie l. walcowanie*).

planisphere [ˈplænɪˌsfiːr] *n. kartogr.* planisfera.

plank [plæŋk] *n.* **1.** *t. bud.* deska; klepka; bal; tarcica. **2.** *polit.* punkt programu (*zwł. wyborczego*). **3.** *przen.* **(as) thick as two short ~s** *Br. pot.* głupi jak but; **walk the ~** *hist.* skoczyć do morza (*z trapu pod przymusem, zwł. piratów*); *US pot.* stracić pracę. – *v.* **1.** pokrywać *l.* obudowywać deskami. **2.** *gł. US i Can. kulin.* piec na desce (*mięso l. rybę*); podawać na desce (*jw.*).

planking [ˈplæŋkɪŋ] *n. U bud.* **1.** deski; tarcica. **2.** poszycie (z desek); *żegl.* poszycie klepkowe (*kadłuba*).

plankton [ˈplæŋktən] *n. U biol.* plankton.

planned obsolescence *n. zob.* **obsolescence**.

planner [ˈplænər] *n.* planist-a/ka; (*także* **town ~**) urbanist-a/ka.

planning [ˈplænɪŋ] *n. U* planowanie; (*także* **town ~**) urbanistyka, planowanie przestrzenne.

planning permission *n. U Br.* zezwolenie na budowę.

plant¹ [plænt] *n.* **1.** *t. ogr., bot.* roślina; sadzonka. **2.** *pot.* coś podrzuconego *l.* podłożonego (*np. narkotyki, fałszywe dowody*), sfabrykowany materiał (obciążający). **3.** *pot.* wtyczka (= *osoba podstawiona*). **4.** *pot.* kant (= *oszustwo*). – *v.* **1.** *t. ogr.* sadzić; siać. **2.** *t. ogr.* obsadzać; obsiewać (*sth with sth* coś czymś) (*np. grządkę roślinami*). **3.** wsadzać, wtykać (*tyczkę*). **4.** *pot.* podkładać (*bombę*); podrzucać (*narkotyki, fałszywe dowody*); **~ sth on sb** podrzucić coś komuś. **5.** *pot.* podstawiać (*kogoś potajemnie*); rozmieszczać (*tajnych agentów*). **6.** wprowadzać (*narybek do basenu*). **7.** zakładać (*np. kolonię, miasto*). **8.** *przen.* **~ a blow** *pot.* wymierzyć cios; **~ a kiss (on sb's cheek)** złożyć pocałunek (na czyimś policzku); **~ a doubt/suspicion (in sb's mind)** zasiać wątpliwości/podejrzenia (w czyimś umyśle); **~ an idea in sb's mind** zaszczepić komuś pomysł. **9. ~ out** flancować, rozsadzać, przesadzać (*zwł. z pomieszczenia pod gołe niebo*).

plant² *n.* **1.** fabryka; zakład przemysłowy. **2.** urządzenie; instalacja przemysłowa. **3.** *U Br.* maszyny. **4. physical ~** kotłownia; warsztaty (*zakładu pracy, szkoły*). **5.** = **power plant**.

plantain [ˈplæntən] *n. bot.* **1.** *C/U t. kulin.* banan rajski, plantan (*Musa paradisiaca*). **2.** babka (zwyczajna) (*Plantago (maior)*).

plantar [ˈplæntər] *a. anat., pat.* podeszwowy; **~ wart** *pat.* brodawka podeszwowa.

plantation [plænˈteɪʃən] *n.* **1.** plantacja; **cotton ~** plantacja bawełny. **2.** *hist.* kolonia.

planter [ˈplæntər] *n.* **1.** *ogr.* gazon, donica. **2.** *roln.* hodowca roślin; plantator/ka. **3.** *roln.* sadzarka; siewnik (*do siewu gniazdowego*). **4.** *hist.* osadni-k/czka.

plantigrade [ˈplæntɪˌgreɪd] *zool. a.* stopochodny (*o zwierzęciu*). – *n.* stopochód, zwierzę stopochodne.

plantlet [ˈplæntlət] *n. bot.* (młoda) roślinka.

plant louse *n. ent.* mszyca (*Aphid*).

plant pot *n. Br.* doniczka.

plaque [plæk] *n.* **1.** tablica *l.* płyta pamiątkowa. **2.** odznaka, znaczek. **3.** *pat., fizj.* płytka, blaszka, tarczka. **4.** *U* (*także* **dental ~**) *pat.* płytka nazębna.

plash [plæʃ] *v. rzad.* chlapać (*t. czymś*).

plashy [ˈplæʃɪ] *a.* **-ier, -iest** *lit.* bagnisty, podmokły.

plasm [ˈplæzəm] *n. U* **1.** *biol.* protoplazma, plazma; (*także* **germ ~**) plazma zarodkowa. **2.** = **plasma**.

plasma [ˈplæzmə] *n. U* **1.** *anat., med.* osocze, plazma; **blood ~** osocze krwi. **2.** *fiz.* plazma. **3.** *min.* plazma (= *zielona odmiana chalcedonu*).

plasma cell *n. biol.* komórka plazmatyczna.

plasma engine *n. fiz.* silnik plazmowy.

plasma membrane *n. U biol.* błona cytoplazmatyczna *l.* elementarna, plazmalemma.

plasma torch *n. techn.* palnik plazmowy.

plasmodium [plæzˈmoʊdɪəm] *n.* **1.** *U biol.* plazmodium, śluźnia (= *masa protoplazmatyczna*). **2.** *zool.* zarodziec, plazmodium (= *pierwotniak pasożytujący Plasmodium*).

plaster [ˈplæstər] *n.* **1.** *U bud.* tynk. **2.** *U* (*także* **~ of Paris**) gips; **(have one's leg/arm) in ~** *Br.* (mieć nogę/rękę) w gipsie. **3.** *C/U* (*także* **sticking ~**) *Br. med.* plaster, przylepiec. – *v.* **1.** *bud.* tynkować (*ścianę*). **2.** oblepiać, zalepiać (*sth with sth* coś czymś) (*np. ścianę plakatami*). **3.** smarować (*sth with sth* coś czymś) (*zwł. grubo*). **4.** *med.* zaklejać plastrem (*ranę, skaleczenie*). **5.** *gł. sport pot.* pobić, pokonać (*zawodnika, drużynę*). **6. ~ sb with sth** *przen.* obsypywać kogoś czymś (*np. pochwałami, zarzutami*); *pot.* okładać kogoś czymś (*ciosami*).

plasterboard [ˈplæstərˌbɔːrd] *n. U bud.* płyta gipsowo-kartonowa, płyta gipsowa.

plaster cast *n.* **1.** *sztuka* odlew gipsowy. **2.** *chir.* gips, opatrunek gipsowy.

plastered [ˈplæstərd] *a. pred. pot.* zaprawiony (= *pijany*).

plasterer [ˈplæstərər] *n.* tynkarz.

plasterwork [ˈplæstərˌwɜːk] *n. U bud.* tynk; stiuk, tynk ozdobny.

plastic [ˈplæstɪk] *n. U* **1.** plastik, plastyk, tworzywo sztuczne; **sth is made of ~** coś jest plastikowe *l.* (zrobione) z plastiku. **2.** *handl. pot.* karta, karty (*płatnicze*); **put sth on ~** zapłacić za coś kartą. **3.** *US pot.* torba plastikowa, reklamówka; "**paper or ~?**" *handl.* „papierowa czy plastikowa?" (= *w jaką torbę zapakować zakupy?*). – *a.* **1.** plastikowy, z plastiku. **2.** sztuczny (*o uśmiechu*). **3.** *t. mech.* plastyczny; podatny, elastyczny.

plastic art *n.* sztuka plastyczna; *U l. pl.* sztuki plastyczne.

plastic bag *n.* **1.** torba plastikowa, reklamówka. **2.** woreczek foliowy *l.* plastikowy.

plastic bomb *n.* bomba plastikowa.

plastic explosive *n. U* plastik (*materiał wybuchowy*).

plasticine [ˈplæstəˌsiːn] *n. U Br.* plastelina.

plasticity [plæˈstɪsətɪ] *n. U t. mech.* plastyczność; podatność.

plasticizer [ˈplæstɪˌsaɪzər], *Br. i Austr. zw.* **plasticiser** *n. C/U chem.* plastyfikator, zmiękczacz, środek uplastyczniający.

plastic mac *n.* foliowa peleryna (*przeciwdeszczowa*).

plastic money *n. U* plastikowy pieniądz (= *karty płatnicze*).

plastic surgeon *n. med.* chirurg plastyczny.

plastic surgery *n. pl.* **-ies** *med.* operacja plastyczna; *U* chirurgia plastyczna.

plastic wrap *n. U US* folia spożywcza.

plastid [ˈplæstɪd] *n. bot.* plastyd.

plastron [ˈplæstrən] *n.* **1.** *szerm.* plastron (= *kamizelka ochronna*). **2.** *hist., wojsk.* plastron, napierśnik. **3.** *hist.* plastron (= *szeroki krawat*). **4.** *zool.* plastron (= *tarcza brzuszna pancerza żółwia*).

plat[1] [plæt] *n.* **1.** działka. **2.** *US* plan (= *mapa, szkic*). – *v.* **-tt-** *US* sporządzać mapę (*terenu*).

plat[2] *n. i v. arch.* = **plait**.

plat. *abbr.* **1.** *geogr.* = **plateau**. **2.** *wojsk.* = **platoon**.

platan [ˈplætən] *n. bot.* platan (*Platanus*).

plat du jour [ˌplɑː də ˈʒʊr] *n. pl.* **plats du jour** [ˌplɑː də ˈʒʊr] *Fr. kulin.* danie dnia (*w restauracji*).

plate [pleɪt] *n.* **1.** talerz (*naczynie l. zawartość*). **2.** *US* porcja dla jednej osoby; **dinner at twenty dollars a ~** obiad po dwadzieścia dolarów od osoby. **3.** *kulin.* danie; potrawa. **4.** *U* platery. **5.** *t. kość.* taca (*do zbiórki pieniędzy*). **6.** tabliczka; tablica; **license/registration/number ~** *mot.* tablica rejestracyjna; **a car with Canadian ~s** *mot.* samochód z kanadyjską rejestracją. **7.** płyta; *t. anat., bot., zool.* płytka (*t. część mechanizmu l. urządzenia*); **cover ~** nakładka. **8.** *U* blacha. **9.** (*także* **dental ~**) *dent.* płytka protezy stomatologicznej. **10.** *chir.* metalowa płytka (*łącząca złamane fragmenty kości*). **11.** *druk.* płyta drukująca. **12.** tablica, ilustracja, rycina (*zw. zajmująca całą stronę w książce, na papierze lepszej jakości*); **book of ~s** album. **13.** tafla (*szkła*). **14.** *el.* anoda; elektroda. **15.** *bud.* murłata, namurnica; płatew. **16.** (*także* **photographic ~**) *fot.* płyta fotograficzna. **17.** *geol.* płyta. **18.** *sport* srebrny *l.* złoty puchar (*jako nagroda na wyścigach, zwł. konnych*). **19.** *sport* wyścigi konne (*z nagrodą jw. dla zwycięzcy*); **selling ~** wyścigi konne (*gdzie zwycięski koń musi być sprzedany za ustaloną wcześniej cenę*). **20.** (*także* **platter**) *baseball* stanowisko gracza odbijającego piłki. – *v.* **1.** platerować (*naczynia metalowe*). **2.** powlekać galwanicznie. **3.** opancerzać, pokrywać płytami (*np. okręt*). **4.** *druk.* kopiować w formie kliszy *l.* stereotypu (*skład l. płytę*). **5.** satynować (*papier*). **6.** opatrywać tablicami (*książkę*).

plateau [plæˈtoʊ] *n. pl.* **-s** *l.* **plateaux** **1.** *geol.* płaskowyż. **2.** *t. psych.* okres zastoju; **reach a ~** stanąć w miejscu. **3.** *el.* plateau (*licznika promieniowania jonizującego*). **4.** *Br.* ozdobny półmisek; ozdobna taca. **5.** *Br.* plakieta, płyta *l.* tablica dekoracyjna. **6.** *Br.* damski kapelusz o płaskim denku. – *v.* ustabilizować się (*t. fin., np. o wysokości zysków*).

plated [ˈpleɪtɪd] *a.* platerowany.

plateful [ˈpleɪtfʊl] *n.* talerz (*of sth* czegoś).

plate glass *n. U* szkło płaskie walcowane.

plate-layer [ˈpleɪtˌleɪər], **platelayer** *n. Br. kol.* torowy, dróżnik obchodowy.

platelet [ˈpleɪtlət] *n. biol.* płytka (krwi).

plate mark *n. Br.* **1.** znak probierczy. **2.** ślad pozostawiony po odciśnięciu płyty graficznej (*na brzegu sztychu l. ryciny*).

platen [ˈplætən] *n.* **1.** *mech.* płyta dociskowa. **2.** *mech.* stół roboczy (*prasy l. strugarki*). **3.** wałek maszyny do pisania. **4.** *meteor.* płyta pomiarowa.

platen machine *n.* (*także* **platen press**) *druk.* maszyna dociskowa.

plater [ˈpleɪtər] *n.* **1.** monter płyt kadłuba, ślusarz kadłubowy. **2.** galwanotechnik. **3.** *jeźdz.* pośledni koń wyścigowy.

plate tectonics *n. U geol.* tektonika płyt, teoria wielkich kier litosfery.

platform [ˈplætfɔːrm] *n.* **1.** podium; trybuna. **2.** *przen.* forum, trybuna. **3.** *kol.* peron; **the train leaves from ~ two** pociąg odjeżdża z peronu drugiego. **4.** *zw. sing. polit.* platforma polityczna; *US* deklaracja programowa (*zwł. partii, na zgromadzeniu wybierającym kandydatów*). **5.** *komp.* platforma (= *procesor łącznie z systemem operacyjnym*). **6.** = **platform shoe**.

platform car *n. kol.* wagon-platforma; *kol., górn.* wózek-platforma (*szynowy*).

platform game *n. komp.* gra platformowa, platformówka.

platform shoe *n.* but na koturnie.

platform sole *n.* koturn, gruba podeszwa.

platform ticket *n. Br. kol.* bilet peronowy, peronówka.

plating [ˈpleɪtɪŋ] *n. U* **1.** *metal.* powłoka metalowa, plater. **2.** *metal.* platerowanie. **3.** *el., chem.* powlekanie galwaniczne, galwanizacja.

platinic [pləˈtɪnɪk] *a. chem.* platynowy.

platinic chloride *n. U chem.* chlorek platynowy.

platinize ['plætəˌnaɪz], *Br. i Austr. zw.* **platinise** *v.* platynować, powlekać *l.* pokrywać czernią platynową.

platinous ['plætənəs] *a. chem.* platynawy.

platinous chloride *n. U chem.* chlorek platynawy.

platinum ['plætənəm] *n. U* **1.** *chem.* platyna. **2.** kolor platynowy (= *jasnoszary z niebieskim odcieniem*). – *a.* platynowy (*t. o kolorze; t. muz. o płycie*).

platinum blonde *n. pot.* platynowa blondynka.

platitude ['plætɪˌtjuːd] *n.* frazes, banał; **mouth/utter ~s** sypać frazesami, mówić banały.

platitudinize [ˌplætɪ'tuːdəˌnaɪz], *Br. i Austr. zw.* **platitudinise** *v.* sypać frazesami.

platitudinous [ˌplætɪ'tuːdənəs] *a.* **1.** sypiący frazesami. **2.** pełen frazesów, banalny.

Plato ['pleɪtoʊ] *n. hist.* Platon.

Platonic [plə'tɑːnɪk] *a. fil.* platoński (*np. o dziełach, systemie*).

platonic [plə'tɑːnɪk] *a.* platoniczny.

platoon [plə'tuːn] *n. wojsk.* pluton.

platter ['plætər] *n.* **1.** półmisek (*naczynie*); danie (*zw. zestaw potraw podanych na wspólnym półmisku*); **fish/seafood ~** półmisek ryb/owoców morza. **2.** *US i Can. sl.* płyta gramofonowa. **3.** *komp.* twardy dysk. **4.** = **plate** *n.* 20.

platypus ['plætɪpəs] *n. pl.* **-es** *zool.* dziobak (*Ornithorhynchus anatinus*).

plaudits ['plɔːdɪt] *n. pl. form.* aplauz, uznanie.

plausibility [ˌplɔːzə'bɪlətɪ] *n. U* **1.** prawdopodobieństwo; wiarygodność. **2.** *uj.* pozory wiarygodności.

plausible ['plɔːzəbl] *a.* **1.** prawdopodobny; wiarygodny; budzący zaufanie. **2.** *uj.* pozornie słuszny, uczciwy *l.* prawdziwy; stwarzający pozory wiarygodności.

plausibly ['plɔːzəblɪ] *adv.* **1.** prawdopodobnie; wiarygodnie. **2.** *uj.* stwarzając pozory słuszności, prawdziwości, wiarygodności itp.

play [pleɪ] *v.* **1.** *t. przen.* bawić się (*with sth* czymś, *with sb* z kimś); **~ hide-and-seek/soldiers** bawić się w chowanego/w wojsko. **2.** *t. sport, giełda, muz.* grać (*(against) sb* z kimś); uprawiać (*dyscyplinę sportową*); grać jako (= *mieć określoną pozycję l. rolę podczas gry*); **~ (at) cards** grać w karty; **~ chess/football** grać w szachy/piłkę nożną; **~ Chopin** grać Szopena; **~ for money** grać o pieniądze; **~ for the LA Lakers** grać w (drużynie) LA Lakers; **~ in attack** grać w ataku; **~ in an orchestra** grać w orkiestrze; **~ the (stock) market** grać na giełdzie; **we're going to ~ play our archrivals tomorrow** jutro będziemy grali z naszymi najgroźniejszymi rywalami. **3.** *muz.* grać na; **~ (the) guitar/trumpet** grać na gitarze/trąbce. **4.** *teatr, kino* grać (rolę); **~ Hamlet** grać (rolę) Hamleta. **5.** *t. telew., kino, radio* nadawać, grać, puszczać; **~ a record/tape** puszczać płytę/taśmę; **the radio was ~ing all day long** radio nadawało *l.* grało cały dzień; **they are ~ing "Gone with the wind" tonight** dziś wieczorem grają „Przeminęło z wiatrem". **6.** *teatr, muz.* grać *l.* występować w (*np. danym mieście*); **she has ~ed the whole country** zjeździła cały kraj z występami. **7.** udawać; **~ dumb** udawać głupiego. **8.** posłużyć się (*czymś*), wykorzystać. **9.** *mech.* poruszać się swobodnie (*o częściach mechanizmu*). **10.** zostać odebranym *l.* przyjętym (*with sb* przez kogoś); **how did your speech ~ with the public?** jak publiczność odebrała twoje przemówienie? **11.** ryzykować, stawiać (*pieniądze*). **12.** grać, mienić się (*o świetle l. kolorach*). **13.** nadawać się do grania (*t. np. o boisku*); **the piece will ~** sztuka będzie się dobrze grała. **14.** kierować, puszczać (*światło*). **15.** *ryb.* zmęczyć (*rybę złowioną na wędkę*). **16.** strzelać (*o dziale l. z działa*) (*on sb / sth* do kogos/czegoś). **17.** *przen.* **~ a joke/trick on sb** zrobić komuś kawał, spłatać komuś figla; **~ a part/role (in sth)** odgrywać (w czymś) rolę, mieć znaczenie (w czymś); **~ a waiting game** grać na czas; **~ ball** *zob.* **ball[1]** *n.*; **~ both ends against the middle** *US* starać się skłócić dwie strony *l.* grupy (*dla własnej korzyści*); **~ ducks and drakes (with sb/sth)** *zob.* **ducks** *n.*; **~ fair/false** grać *l.* postępować uczciwie/nieuczciwie *l.* fair/nie fair; **~ fast and loose with sb/sth** *zob.* **fast[1]** *adv.*; **~ first/second fiddle** *zob.* **fiddle** *n.*; **~ footsie with sb** *zob.* **footsie**; **~ for time** grać na zwłokę *l.* czas; **~ hard to get** *zob.* **hard** *a.*; **~ hardball** *zob.* **hardball**; **~ hooky** *US*/**truant** *Br.* wagarować, chodzić na wagary; **~ into sb's hands** *zob.* **hand** *n.*; **~ (it) by ear** *zob.* **ear[1]**; **~ it cool** *zob.* **cool** *adv.*; **~ (it) safe** nie ryzykować; asekurować się; **~ games (with sb)** *zob.* **game[1]** *n.*; **~ low** *zob.* **low[1]** *adv.*; **~ one's cards right** *zob.* **card[1]** *n.*; **~ possum** *zob.* **possum**; **~ sb at their own game** *zob.* **game[1]** *n.*; **~ sb false** *zob.* **false** *adv.*; **~ the field** *zob.* **field** *n.*; **~ the fool** *zob.* **fool[1]** *n.*; **~ the game** *zob.* **game[1]** *n.*; **~ with a full deck** *zob.* **deck** *n.*; **~ with fire** *zob.* **fire** *n.* **18.** **~ about/around** *t. przen.* bawić się (*with sth* czymś); żartować, igrać (*with sth* z czymś); *pot.* sypiać na prawo i lewo; **~ along with sb** pójść komuś na rękę; **~ along with sth** przystać na coś (*zw. chwilowo; z wyrachowania l. chęci uniknięcia kłótni*); **~ at** bawić się w (*coś*); **what is he ~ing at?** co on wyprawia?; **~ back** odtwarzać, puszczać (*nagranie*); **~ down** bagatelizować, pomniejszać, tuszować; **~ off** *sport* rozstrzygnąć przez zagranie jeszcze jednej partii (*grę zakończoną remisem*); **~ sb off against sb** napuścić kogoś na kogoś, skłócić kogoś z kimś; **~ on/upon sth** grać na czymś (*zwł. na czyichś uczuciach l. instynktach*); **~ on/upon words** uprawiać grę słów; **~ out** rozegrać *l.* doprowadzić do końca; odegrać; popuścić (*np. linę l. smycz*); **~ up** dawać z siebie wszystko (*podczas gry*); rozdmuchiwać, reklamować (*np. swoje zalety*); rozrabiać, szaleć (*zwł. o dzieciach*); nawalać (*np. o pralce*); **~ (sb) up** dawać się (komuś) we znaki, dokuczać (komuś) (*o chorym organie*); **~ up to sb** schlebiać komuś; **~ with sth** bawić się czymś (*np. długopisem, kluczami*); wypróbowywać coś; **~ with o.s.** *euf.* onanizować się; **~ with the idea of doing sth** rozważać możliwość zrobienia czegoś; **have money/time to ~ with** mieć aż nadto pieniędzy/czasu. – *n.* **1.** *teatr* sztuka; **put on a ~** wystawić sztukę. **2.**

C / U t. przen. zabawa; igraszka; rozrywka; **be at ~** bawić się; **children at ~** bawiące się dzieci; **in ~** w zabawie; w żartach. **3.** *U t. przen.* gra; sposób gry; **fair ~** gra fair; **in ~** w grze (*o piłce*); **team ~** gra zespołowa. **4.** *U* zainteresowanie; sprawozdanie (*w mediach*). **5.** *t. mech.* swoboda; luz. **6.** *przen.* **~ on words** gra słów; **bring/put sth into ~** posłużyć się czymś, skorzystać z czegoś; **come into ~** wchodzić w grę; odgrywać rolę; **give/allow full ~ to phantasy** puszczać wodze fantazji; **make a ~ for sb/sth** starać się zdobyć kogoś/coś (*t.* = *uwieść*); **the ~ of light/colour** gra światła/kolorów.

playable ['pleɪəbl] *a.* nadający się do gry (*np. o boisku l. utworze muzycznym*).

playact ['pleɪˌækt] *v.* udawać; być nieszczerym.

playacting ['pleɪˌæktɪŋ] *n. U* udawanie.

playback ['pleɪˌbæk] *n. zwł. Br.* **1.** playback; podkład muzyczny (*wokalny i instrumentalny*); odtwarzanie (*nagrania l. filmu*). **2.** adapter.

playbill ['pleɪˌbɪl] *n. teatr* **1.** *przest.* afisz (*sztuki teatralnej*). **2.** *US* program (*jw.*).

playboy ['pleɪˌbɔɪ], **playgirl** ['pleɪˌgɝːl] *n. US pot.* osoba prowadząca beztroskie, wolne od zobowiązań życie.

play-by-play [ˌpleɪbaɪ'pleɪ] *n. i a. attr. US gł. sport* bezpośrednia (transmisja); (komentarz) na żywo.

Play-Doh ['pleɪˌdoʊ] *n. U* modelina.

played out [ˌpleɪd 'aʊt] *n.* **1.** zgrany, wyczerpany (*t. o osobie*). **2.** przestarzały.

player ['pleɪər] *n.* **1.** gracz/ka. **2.** hazardzist-a/ka. **3.** muzy-k/czka; *w złoż.* **guitar/piano ~** gitarzysta/pianista. **4.** *sport* gracz zawodowy. **5.** *kino, teatr* aktor/ka. **6.** *polit., ekon.* strona, uczestnik (*np. negocjacji, transakcji handlowej*). **7.** adapter.

player piano *n. muz.* pianola.

playfellow ['pleɪˌfeloʊ] *n.* (*także* **playmate**) towarzysz/ka zabaw (*zwł. o dziecku*).

playful ['pleɪfʊl] *a.* **1.** figlarny, wesoły. **2.** żartobliwy.

playfully ['pleɪfʊlɪ] *adv.* **1.** figlarnie, wesoło. **2.** żartobliwie; w żartach, żartem.

playfulness ['pleɪfʊlnəs] *n. U* **1.** figlarność, wesołość. **2.** żartobliwy charakter.

playgirl *n. zob.* **playboy**.

playgoer ['pleɪˌgoʊər] *n.* bywal-ec/czyni teatraln-y/a, teatroman/ka.

playground ['pleɪˌgraʊnd] *n.* **1.** boisko (*zwł. przy szkole*); plac zabaw. **2.** teren rekreacyjny.

playgroup ['pleɪˌgruːp] *n. C / U Br.* grupa dzieci w wieku przedszkolnym bawiących się razem (*pod nadzorem dorosłej osoby*).

playhouse ['pleɪˌhaʊs] *n.* **1.** *t. przen.* teatr (*zw. budynek*). **2.** domek do zabaw; domek dla lalek.

playing card ['pleɪɪŋ ˌkɑːrd] *n.* karta do gry.

playing field *n.* boisko sportowe.

playmate ['pleɪˌmeɪt] *n.* = **playfellow**.

play-off ['pleɪˌɔːf] *n. sport* **1.** dogrywka, baraż. **2.** *US i Can.* rozgrywki.

playpen ['pleɪˌpen] *n.* kojec.

playroom ['pleɪˌruːm] *n.* pokój do zabawy (*dla dzieci*).

plaything ['pleɪˌθɪŋ] *n.* **1.** *form.* zabawka. **2.** igraszka, zabawka (*t. o osobie*).

playtime ['pleɪˌtaɪm] *n.* przerwa na zabawę *l.* odpoczynek (*zwł. między zajęciami w szkole*).

playwright ['pleɪˌraɪt] *n.* dramaturg, dramatopisa-rz/rka.

plaza ['plɑːzə] *n.* **1.** plac, rynek (*zwł. w krajach hiszpańskojęzycznych*). **2.** *gł. US* centrum handlowe; plac, do którego przylegają sklepy, banki itp.; teren z parkingiem, sklepami, toaletami itp. (*przy drodze szybkiego ruchu*).

plc [ˌpiː ˌel 'siː] *abbr.* **public limited company** S.A. (= *spółka akcyjna*).

plea [pliː] *n.* **1.** prośba; apel; **make a ~ for sth** apelować *l.* prosić o coś (*np. o pomoc l. litość*). **2.** *sing.* usprawiedliwienie; pretekst; **on the ~ that...** pod pretekstem, że..., powołując się na... **3.** *prawn.* wywód obrońcy (*mający na celu usprawiedliwienie l. uniewinnienie oskarżonego*); **~ of guilty/not guilty** przyznanie/nieprzyznanie się do winy; **special ~** przytoczenie nowego faktu przez obronę (*powodujące umorzenie l. oddalenie pozwu*). **4.** *hist. l. Scot. prawn.* proces.

plea bargaining *n. U prawn.* ugoda między obrońcą i prokuratorem (*dotycząca złagodzenia wyroku w zamian za przyznanie się oskarżonego do winy*).

pleach [pliːtʃ] *v.* splatać (*zwł. gałęzie, z przeznaczeniem na ogrodzenie*).

plead [pliːd] *v. pret. i pp.* **-ed** *l.* **pled** **1.** błagać, prosić (*for sth* o coś); **~ for/against sb** wypowiadać się czyjejś obronie/przeciwko komuś; **~ with sb** wstawiać się u kogoś; odwoływać się do kogoś (*to do sth* żeby coś zrobił). **2.** *prawn.* odpowiadać na zarzuty aktu oskarżenia; **~ guilty** przyznawać się do winy; **~ innocent/not guilty** nie przyznawać się do winy. **3.** *prawn.* przemawiać w charakterze rzecznika sądowego *l.* obrońcy; być rzecznikiem (*sprawy*). **4.** *t. prawn.* przytaczać, jako usprawiedliwienie *l.* uzasadnienie, tłumaczyć się (*czymś*), powoływać się na (*coś*); **~ ignorance** tłumaczyć się niewiedzą; **~ insanity** powoływać się na chorobę psychiczną (*jako czynnik uniewinniający*).

pleader ['pliːdər] *n.* rzeczni-k/czka (*gł. sądowy/a*).

pleading ['pliːdɪŋ] *n. U prawn.* **1.** rzecznictwo; **special ~** wywody dotyczące specjalnych *l.* nowych aspektów sprawy (*z pominięciem wywodów strony przeciwnej*); *przen.* wywody pomijające niekorzystne aspekty sprawy, sofistyka. **2.** *Br.* formalne przedstawienie sprawy *l.* zarzutu (*zw. pisemnie*). – *a.* błagalny, proszący (*np. o tonie głosu*).

pleadingly ['pliːdɪŋlɪ] *adv.* błagalnie, prosząco.

pleasance ['plezəns] *n.* **1.** park, fragment ogrodu. **2.** *arch.* przyjemność.

pleasant ['plezənt] *a.* **1.** przyjemny, miły. **2.** uprzejmy. **3.** ładny (*o pogodzie*).

pleasantly ['plezəntlɪ] *adv.* **1.** przyjemnie, miło. **2.** uprzejmie.

pleasantness ['plezəntnəs] *n. U* **1.** miły *l.* przyjemny sposób *l.* charakter. **2.** uprzejmość.

pleasantry ['plezəntrɪ] *n. pl.* **-ies** **1.** *zw. pl.*

uprzejma uwaga (*wypowiedziana np. w celu nawiązania rozmowy*); **exchange pleasantries** wymienić uprzejmości. **2.** żart; żartobliwa uwaga; *U* żarty. **3.** *U* wesołość, humor.

please [pli:z] *v.* sprawiać przyjemność (*komuś*); podobać się (*komuś*); cieszyć, zadowalać; ~ **yourself** *pot.* rób, jak chcesz; **he's hard/difficult/impossible to** ~ trudno *l.* nie sposób mu dogodzić; **if you** ~ *form.* jeśli Pan/i pozwoli; proszę; *przest. emf.* proszę ciebie, wyobraź sobie; **close the door, if you** ~ proszę zamknąć drzwi; **I'll do as I** ~ zrobię, jak mi się będzie podobało; **whatever/however you** ~ co/jak ci się żywnie podoba; **whenever you** ~ kiedykolwiek zechcesz, kiedy ci się będzie podobało. – *int.* proszę; ~ **don't shout** proszę, nie krzycz; ~, **miss/sir!** *pot.* proszę pani/pana! (*zwł. starając się zwrócić uwagę nauczyciela*); **can/could I speak to John, ~?** *tel.* czy mógłbym rozmawiać z Johnem?, czy mogę prosić Johna?; **(yes,)** ~ (tak,) poproszę.

pleased [pli:zd] *a.* zadowolony (*with/about sth* z czegoś); szczęśliwy; ~ **with o.s.** zadowolony z siebie; **be as ~ as Punch** *zob.* **Punch**; **(I'm) ~ to meet you** bardzo mi miło; **I'm ~ to hear that** miło mi to słyszeć; **I'm only too ~ to help** bardzo się cieszę, że mogę pomóc; **we are ~ to inform you that...** miło nam poinformować, że...

pleasing ['pli:zɪŋ] *a.* miły, przyjemny.

pleasingly ['pli:zɪŋlɪ] *adv.* miło, przyjemnie.

pleasurable ['pleʒərəbl] *a. form.* sprawiający przyjemność, przyjemny (*o czynności l. wydarzeniu*); przyjemny (*o uczuciu*).

pleasurably ['pleʒərəblɪ] *adv. form.* przyjemnie, w przyjemny sposób.

pleasure ['pleʒər] *n.* **1.** *C/U* przyjemność; uciecha, radość; *U* zadowolenie; **do us the ~ of staying with us** będzie nam bardzo miło, jeśli zostaniesz u nas; **bring/give** ~ być źródłem przyjemności; **have the ~ of doing sth** mieć przyjemność robić coś; **(it's) a/my** ~ cała przyjemność po mojej stronie; **man/woman of** ~ osoba uganiająca się za przyjemnościami (*zwł. cielesnymi*); *przest.* rozpustn~ik/ica; **take ~ in (doing) sth** znajdować przyjemność w czymś; **with** ~ z przyjemnością, chętnie. **2.** *U form.* wola, życzenie, chęć; **at** ~ dowolnie, według własnego upodobania *l.* uznania; **consult sb's** ~ pytać kogoś o zdanie; **make known one's** ~ wyrazić swoje zdanie. – *v.* **1.** sprawiać przyjemność (*komuś*); zadowalać (*kogoś; zwł. seksualnie*). **2.** *arch.* znajdować przyjemność (*in sth* w czymś).

pleasure boat *n.* statek spacerowy; łódź wycieczkowa.

pleasure cruise *n.* wycieczka statkiem.

pleasure ground *n.* park; teren rekreacyjny; miejsce zabaw.

pleasure principle *n. psych.* zasada przyjemności (*u Freuda*).

pleasure seeker *n.* hedonist-a/ka.

pleat [pli:t] *n.* plisa, fałda. – *v.* plisować, fałdować.

pleated ['pli:tɪd] *a.* plisowany.

pleb [pleb] *n. zw. pl. pot. l. żart.* plebej-usz/ka.

plebe [pli:b] *n. US pot.* uczeń najniższej klasy akademii wojskowej.

plebeian [plə'bi:ən] *a.* plebejski. – *n. t. hist.* plebej-usz/ka.

plebiscite ['plebɪˌsaɪt] *n. C/U* plebiscyt; referendum.

plectrum ['plektrəm] *n. pl.* **-s** *l.* **plectra** ['plektrə] *muz.* plektron, kostka (*do gry na instrumentach strunowych szarpanych*).

pled [pled] *v. zob.* **plead** *v.*

pledge [pledʒ] *n.* **1.** przyrzeczenie, zobowiązanie; deklaracja (*np. wpłaty*); **take/sign the ~** *przest. l. żart.* złożyć przyrzeczenie abstynencji (*od alkoholu*); **under ~ of secrecy** z zobowiązaniem utrzymania tajemnicy. **2.** *gł. ekon. t. przen.* zastaw; gwarancja, rękojmia; zabezpieczenie; **give/put in ~** oddać w zastaw, zastawić; **lying in ~** zastawiony; **take in ~** wziąć w zastaw; **take out of ~** wykupić. **3.** *US uniw.* kandydat/ka na członka (*stowarzyszenia studenckiego*). **4.** pamiątka, znak, dowód (*of sth* czegoś) (*np. przyjaźni l. miłości*). **5.** *arch.* toast. – *v.* **1.** zobowiązywać (*sb to sth* kogoś do czegoś); ~ **sb to secrecy** zobowiązać kogoś do zachowania tajemnicy; **~d to sb** związany z kimś; **~d to sth** zobowiązany do czegoś. **2.** zobowiązać się do (*czegoś*); ~ **fight for justice** zobowiązać się do walki o sprawiedliwość; ~ **to support sb** deklarować poparcie dla kogoś. **3.** *gł. ekon.* zastawiać. **4.** ręczyć (*honorem l. słowem*). **5.** *arch.* wznosić toast (*za czyjeś zdrowie*).

pledgee [pledʒ'i:] *n. ekon.* zastawnik (= *osoba przyjmująca zastaw*).

pledger ['pledʒər] *n.* (*także* **pledgor**) *ekon.* zastawca (= *osoba dająca zastaw*).

pledget ['pledʒɪt] *n. med.* tampon, wacik (*do rany*).

pledgor [ˌpledʒ'ɔ:r] *n. prawn.* = **pledger** *n.*

Pleiad ['pli:əd] *n. pl.* **-s** *l.* **-es** **1.** *pl. astron.* Plejady. **2.** *przen.* plejada.

plein-air [ˌpleɪn'er] *a. mal., fot.* plenerowy.

Pleiocene ['plaɪəˌsi:n] *n. i a.* = **Pliocene.**

Pleistocene ['plaɪstəˌsi:n] *geol. a.* plejstoceński. – *n.* **the ~** plejstocen.

plenary ['pli:nərɪ] *form. a. attr.* **1.** plenarny. **2.** pełny, całkowity, zupełny. – *n. pl.* **-ies** posiedzenie plenarne, sesja plenarna.

plenary indulgence *n. C/U rz.-kat.* odpust zupełny.

plenary powers *n. pl. prawn.* plenipotencje, pełnomocnictwo.

plenipotentiary [ˌplenɪpə'tenʃɪˌerɪ] *form. polit. a.* **1.** pełnomocny, posiadający pełnomocnictwo (*zwł. o pośle*). **2.** pełny, całkowity (*o władzy l. uprawnieniach*). – *n. pl.* **-ies** pełnomocni-k/czka.

plenitude ['plenɪˌtju:d] *n. U lit.* **1.** obfitość. **2.** pełnia (*of sth* czegoś) (*np. czasu, majestatu, władzy*).

plenteous ['plentɪəs] *a. lit.* **1.** obfity. **2.** owocny; wydajny.

plenteously ['plentɪəslɪ] *adv. lit.* **1.** obficie. **2.** owocnie; wydajnie.

plenteousness ['plentɪəsnəs] *n. U lit.* **1.** obfitość. **2.** wydajność.

plentiful ['plentɪful] *a.* obfity.

plentifully ['plentɪfulɪ] *adv.* obficie.

plenty ['plentɪ] *pron.* **1.** mnóstwo, dużo; ~ **of money/time** mnóstwo pieniędzy/czasu. **2.** ~ **more** wystarczająco dużo, pod dostatkiem. – *n. U form.* obfitość; **horn of** ~ róg obfitości; **in** ~ w obfitości, pod dostatkiem; **land of** ~ kraina mlekiem i miodem płynąca. – *adv. pot.* **1.** całkiem, zupełnie; ~ **warm/bright enough** wystarczająco ciepły/jasny. **2.** *US* bardzo; dużo; ~ **good** bardzo dobry; **he sleeps** ~ on dużo śpi.

plenum ['pli:nəm] *n. pl.* **-s** *l.* **plena** ['pli:nə] **1.** *fiz.* przestrzeń wypełniona. **2.** plenum (*zgromadzenie plenarne*).

plenum chamber *n. techn.* komora sprężonego powietrza; komora powietrza naporowego.

pleonasm ['pli:əˌnæzəm] *n. jęz.* pleonazm.

pleonastic [ˌpli:ə'næstɪk] *a. jęz.* pleonastyczny.

plesiosaur ['pli:zɪəˌsɔ:r] *n. paleont.* plezjozaur.

plethora ['pleθərə] *n. zw. sing.* **1.** *form.* multum, mnóstwo (*of sth* czegoś). **2.** *pat.* hiperwolemia; nadmiar jednego z płynów ustrojowych (*zwł. krwi*).

plethoric [ple'θɔ:rɪk] *a.* **1.** *przen.* rozdęty; przepełniony. **2.** bombastyczny, nadęty (*np. o stylu*). **3.** *pat.* charakteryzujący się nadmiarem jednego z płynów ustrojowych; przekrwiony.

pleura ['plurə] *n. pl.* **-s** *l.* **pleurae** ['pluri:] *anat.* opłucna.

pleural ['plurəl] *a. anat.* opłucnowy.

pleurisy ['plurəsɪ] *n. U pat.* zapalenie opłucnej.

Plexiglas ['pleksɪˌglæs] *n. U* pleksiglas.

plexus ['pleksəs] *n. pl.* **-es** *l.* **plexus** *anat. l. przen.* splot (*np. nerwowy, żylny l. chłonny*).

pliability [ˌplaɪə'bɪlətɪ] *n. U* (*także* **pliancy**) **1.** *t. przen.* giętkość, elastyczność. **2.** uległość; podatność na wpływy.

pliable ['plaɪəbl] *a.* (*także* **pliant**) **1.** *t. przen.* giętki, elastyczny. **2.** uległy; podatny na wpływy.

plica ['plaɪkə] *n. pl.* **plicae** ['plaɪsi:] **1.** *anat.* fałd. **2.** *pat.* kołtun.

plicate ['plaɪkeɪt], **plicated** *a. zool., bot.* sfałdowany; bruzdowaty.

plication [plaɪ'keɪʃən] *n.* **1.** fałd. **2.** *t. geol.* sfałdowanie.

pliers ['plaɪərz] *n. pl.* szczypce; obcęgi; kombinerki.

plight¹ [plaɪt] *n.* **1.** *zw. sing.* niedola, ciężki los. **2.** *prawn.* stan prawny.

plight² *v. form.* **1.** dawać (*słowo, obietnicę*). **2.** ~ **one's troth** *zob.* **plight.**

Plimsoll mark ['plɪmsl ˌmɑ:rk] *n. żegl.* znak wolnej burty.

plimsolls ['plɪmslz] *n. pl. Br.* tenisówki.

plinth [plɪnθ] *n. bud.* **1.** cokół, postument; plinta (= *płyta pod bazą kolumny l. filaru*). **2.** odsadzka (= *występ muru tuż nad ziemią*).

Pliocene ['plaɪəˌsi:n], **Pleiocene** *geol. a.* plioceński. – *n.* **the** ~ pliocen.

plod [plɑ:d] *v.* **-dd- 1.** ~ **(along/on)** wlec się; iść powłócząc nogami. **2.** ~ **(away)** harować (*at sth* nad czymś); kuć, zakuwać (= *uczyć się*). – *n.* **1.** wleczenie się. **2.** łomot, odgłos ciężkich kroków. **3.** harówka; kucie.

plodder ['plɑ:dər] *n.* **1.** wół roboczy (= *pracownik pozbawiony wyobraźni l. entuzjazmu*); *szkoln.* kujon/ka; **be a** ~ pracować wytrwale; guzdrać się (*z robotą*). **2.** *mech.* peloteza, zgniatarka (*do mydła*).

plonk [plɑ:ŋk] *n. i v. Br.* = **plunk.**

plop [plɑ:p] *n.* **1.** plusk; pluśnięcie (*do wody*). **2.** upadek *l.* upuszczenie czegoś z pluskiem *l.* całym ciężarem. – *v.* **-pp- 1.** wpaść z pluskiem. **2.** upuścić z pluskiem. **3.** ~ **down** rzucić całym ciężarem; ~ **(o.s.) down on a chair** paść *l.* opaść (ciężko)na krzesło. – *adv.* z pluskiem.

plot [plɑ:t] *n.* **1.** tajny plan; spisek; intryga. **2.** osnowa, fabuła (*np. sztuki l. powieści*). **3.** parcela, działka. **4.** *US* plan, mapa; wykres; plan mierniczy; *żegl., lotn.* nakres. **5. the** ~ **thickens** *zob.* **thicken.** – *v.* **-tt- 1.** knuć; spiskować. **2.** robić *l.* snuć plan (*np. powieści l. scenariusza*). **3.** zaznaczać *l.* nanosić na mapę *l.* wykres; sporządzać wykres (*czegoś*), wykreślać. **4.** *mat.* przedstawiać graficznie (*równanie*); wytyczać (*krzywą równania*). **5.** obliczać przy pomocy wykresu. **6.** parcelować, ziemię.

plotter ['plɑ:tər] *n.* **1.** spiskowiec. **2.** *miern.* koordynatograf. **3.** *komp.* ploter.

plotting chart ['plɑ:tɪŋ ˌtʃɑ:rt] *n. lotn., żegl.* mapa nakresowa.

plotting paper *n. U* papier milimetrowy.

plough [plau] *n. i v. Br.* = **plow.**

plover ['plʌvər] *n. orn.* siewka; ptak z rodziny siewkowatych (*Charadriidae*).

plow [plau], *Br.* **plough** *n.* **1.** *t. roln.* pług (*t. do śniegu*); **gang** ~ pług wieloskibowy; **moldboard** ~ pług lemieszowy. **2. P~** *astron. przest.* Wielki Wóz, Wielka Niedźwiedzica. **3.** *Br. uniw. pot.* oblanie (*studenta, egzaminu*). – *v.* **1.** *roln.* orać. **2.** wyorać; wydrapać (*np. bruzdę, linię*); *przen.* poorać (*np. czoło*). **3.** *stol.* strugać (*wpusty*). **4.** *lit.* pruć (*fale; o statku*). **5.** *Br. uniw. pot.* oblać (*studenta l. o studencie*). **6.** *US przen.* zabierać się ostro (*into sth* do czegoś) (*np. do pracy*). **7.** odśnieżać (*np. drogę*). **8.** *ekon.* inwestować (*into sth* w coś) (*np. w przedsięwzięcie handlowe l. nowy sprzęt*). **9.** *przen.* ~ **the sands/the air** *Br.* pracować mozolnie i bez efektu; ~ **one's way** przebijać się, brnąć (*through sth* przez coś). **10.** ~ **back** *fin.* reinwestować; ~ **into sth** wjechać w coś (*np. w tłum, inny pojazd; o samochodzie*); ~ **on** walczyć dalej, męczyć się dalej (= *kontynuować robienie czegoś trudnego l. nudnego*); ~ **out/up** wyorywać (*np. korzenie, chwasty, kamienie*); ~ **through sth** przebrnąć przez coś, przebić się przez coś (*np. przez lekturę, trudne zadanie*); ~ **up** poorać, zryć (*np. drogę kopytami; o koniach*).

plowbeam ['plauˌbi:m] *n. roln.* grządziel.

plowboy ['plauˌbɔɪ] *n. gł. hist.* **1.** chłopiec do pługa. **2.** parobek.

plowman ['plaumən] *n. pl.* **-men 1.** oracz. **2.** parobek. **3.** wieśniak.

plowshare ['plaʊˌʃer] *n. roln.* lemiesz.

ploy [plɔɪ] *n.* **1.** *pot.* chwyt, sztuczka, fortel. **2.** *gł. płn. Br.* wyprawa; przedsięwzięcie; zajęcie, hobby.

pluck [plʌk] *v.* **1.** zrywać (*np. kwiaty*). **2.** wyrywać. **3.** szarpać; uderzać (*np. struny*). **4.** skubać (*np. kurę z pierza*); wyrywać, wyskubywać (*np. brwi*); *t. przen.* oskubać. **5.** złapać, chwycić (*at sth* za coś). **6.** *Br. pot.* oblać (*studenta l. kandydata*); **be ~ed** oblać, zawalić (*egzamin*). **7.** ~ **up (one's) heart/spirits/courage** zebrać się *l.* zdobyć się na odwagę. – *n.* **1.** szarpnięcie; pociągnięcie. **2.** *U* wnętrzności zwierzęce (*jako pokarm*). **3.** *U przest.* odwaga, hart ducha.

plucker ['plʌkər], **plucking machine** *n. roln.* skubarka (*drobiu*).

pluckiness ['plʌkɪnəs] *n. U* odwaga, dzielność.

plucky ['plʌkɪ] *a.* **-ier, -iest** odważny, dzielny.

plug [plʌg] *n.* **1.** *techn.* czop; zatyczka; zaślepka; korek; **ear~s** zatyczki do uszu. **2.** *el.* wtyczka; ~ **fuse** bezpiecznik korkowy; **five-pin** ~ złącze pięciostykowe, wtyczka pięciostykowa. **3.** (*także* **spark** ~, **sparking** ~) *mot.* świeca zapłonowa. **4.** (*także* **fire** ~) hydrant przeciwpożarowy. **5.** *med.* czop. **6.** *med.* tampon. **7.** *U* tytoń prasowany (*t. do żucia*). **8.** *US, Austr. i NZ sl.* szkapa, chabeta. **9.** reklama (*zwł. w trakcie filmu l. programu radiowego*); **give sb/sth a** ~ zareklamować kogoś/coś. **10.** *sl.* uderzenie pięścią. **11.** *ryb.* sztuczna przynęta. **12. pull the** ~ *med. pot.* odłączyć aparaturę utrzymującą pacjenta przy życiu; **pull the** ~ **on sth** *pot.* uniemożliwić realizację *l.* kontynuację czegoś (*np. projektu przez wstrzymanie funduszy*). – *v.* **-gg- 1.** ~ **(up)** zatykać; zamykać korkiem, czopem itp. **2.** wtykać, wsadzać. **3.** *med.* czopować. **4.** *pot.* reklamować; popularyzować. **5.** *sl.* uderzyć pięścią. **6.** *sl.* strzelać (*at sb / sth* do kogoś *l.* czegoś). **7.** ~ **away** *pot.* pracować ciężko i zawzięcie (*at sth* nad czymś); ~ **for** *pot.* zachwalać; zabiegać o. **8.** ~ **in** *el.* włączać (do kontaktu); podłączać (*do sieci l. źródła zasilania*).

plug-and-socket [ˌplʌgənd'sɑːkət] *n. el.* zespół wtyczkowy, łącznik wtyczkowy, sprzęgnik.

plug cock *n. techn.* kurek bezdławikowy.

plugger ['plʌgər] *n.* **1.** osoba pracująca ciężko i zawzięcie. **2.** popularyzator/ka. **3.** *dent.* upychadło; kondensator. **4.** *ryb.* wędkarz łowiący na sztuczną przynętę.

plug hat *n. US sl.* cylinder; *Austr.* melonik.

plughole ['plʌgˌhoul] *n.* **1.** *Br.* otwór odpływowy, odpływ. **2.** *górn.* otwór strzałowy.

plug-in socket [ˌplʌgɪn'sɑːkət] *n. el.* gniazdko wtyczkowe.

plug tap *n.* gwintownik.

plug-ugly ['plʌgˌʌglɪ] *n. pl.* **-ies** *US sl.* chuligan. – *a. pot.* potwornie brzydki.

plug valve *n. techn.* zawór czopowy *l.* kurkowy.

plum [plʌm] *n.* **1.** śliwka (*owoc*). **2.** (*także* ~ **tree**) *bot.* śliwa (*Prunus domestica*). **3.** *kulin.* owoc kandyzowany; rodzynek (*do ciasta*). **4.** *U* kolor śliwkowy. **5.** *przen.* gratka, tłusty kąsek; dobry interes, okazja. **6.** *fin.* dywidenda nadzwyczajna *l.* w formie akcji gratisowych; *Br. sl.* 100 tysięcy funtów szterlingów. **7.** *bud.* duży kamień wrzucony do masy betonowej (*w celu zaoszczędzenia cementu*). – *a.* **1.** śliwkowy (*o kolorze*). **2.** *attr. pot.* wspaniały, świetny; opłacalny; ~ **job** *Br.* ciepła posadka.

plumage ['pluːmɪdʒ] *n. U orn.* upierzenie.

plumb [plʌm] *n.* **1.** *gł. bud.* ciężarek ołowiany; ciężarek pionu (*zwł. murarskiego*); **out of** ~ (*także* **off** ~) odchylony od pionu. **2.** *ryb., żegl.* ciężarek sondy, ołowianka (*do sondowania głębokości zbiornika wodnego*). – *a.* **1.** pionowy. **2.** *pot.* zupełny, całkowity. – *adv.* **1.** pionowo; prosto. **2.** dokładnie. **3.** *US pot.* zupełnie, całkowicie; **I ~ forgot about the meeting** całkiem zapomniałem o spotkaniu. – *v.* **1.** *gł. bud.* sprawdzać pionem. **2.** prowadzić *l.* umieszczać pionowo. **3.** zanurzać *l.* zapadać się, spadać (*jak ciężarek ołowiany*). **4.** *ryb., żegl. l. przen.* sondować. **5.** plombować (*bagaż*). **6.** *przen.* zgłębiać, analizować dogłębnie. **7.** pracować jako instalator; instalować. **8.** *przen.* ~ **the depths of bad taste** być skrajnym przykładem złego smaku; ~ **the depths of despair** być na dnie rozpaczy. **9.** ~ **in** przyłączać do instalacji (*wodociągowej l. gazowej*).

plumbaginous [ˌplʌm'bædʒənəs] *a.* grafitowy.

plumbago [ˌplʌm'beɪgoʊ] *n. U min.* grafit.

plumbeous ['plʌmbɪəs] *a.* **1.** ołowiany. **2.** powleczony ołowiem.

plumber ['plʌmər] *n.* **1.** instalator (*wodociągów i gazu*), hydraulik. **2.** blacharz.

plumber's helper [ˌplʌmərz 'helpər] *n.* (*także* **plumber's friend**) przepychacz.

plumbery ['plʌmərɪ] *n. pl.* **-ies 1.** zakład instalacyjny *l.* blacharski. **2.** roboty instalacyjne *l.* blacharskie.

plumbic ['plʌmbɪk] *a. chem.* ołowiowy; ~ **compounds** związki ołowiowe.

plumbing ['plʌmɪŋ] *n. U* **1.** instalacja (*np. wodociągowa l. gazowa*). **2.** prace instalacyjne (*wodociągowo-kanalizacyjne*). **3.** prace blacharskie. **4.** *bud.* pionowanie. **5.** *techn.* sondowanie.

plumbism ['plʌmbˌɪzəm] *n. U pat.* ołowica, zatrucie ołowiem.

plumb line *n. bud., techn.* sznurek pionu; pion (*zwł. murarski*); linia pionowa.

plumbous ['plʌmbəs] *a. chem.* ołowiawy.

plumb rule *n. bud.* łata z pionem.

plume [pluːm] *n.* **1.** pióro (*zwł. duże l. długie*). **2.** pióropusz (*t. dymu l. pary*); smuga, chmura (*produktów radioaktywnych po wydzieleniu z elektrowni jądrowej*); słup (*dymu, wody l. ziemi, np. po wybuchu bomby jądrowej*). **3. nom de** ~ *zob.* **nom de plume**. – *v.* **1.** pokrywać *l.* ozdabiać piórami. **2.** czyścić pióra (*o ptaku*). **3.** ~ **o.s.** pysznić się (*on / upon sth* czymś).

plumed [pluːmd] *a.* **1.** upierzony. **2.** ozdobiony piórami.

plummet ['plʌmət] *n.* **1.** *bud.* ciężarek pionu (*murarskiego*); pion (*murarski*), ołowianka. **2.** *ryb., żegl.* ciężarek sondy. **3.** *przen.* kula u nogi. – *v.* runąć w dół; *t. przen.* gwałtownie spadać (*np. o ilości, liczbie, cenie*).

plummy ['plʌmɪ] *a.* **-ier, -iest** **1.** śliwkowy (*np. o smaku*). **2.** *Br.* głęboki, niski (*o głosie*); z wyższych sfer (*o akcencie*). **3.** *Br. pot.* pożądany, dobry (*np. o posadzie*).

plumose ['plu:moʊs] *a. form.* **1.** upierzony; pierzasty. **2.** przypominający pióro.

plump[1] [plʌmp] *a.* **1.** pulchny, zaokrąglony (*np. o osobie, policzkach*); mięsisty (*np. o winogronach*); puszysty, miękki (*np. o poduszkach*). **2.** wypchany (*np. o portfelu*). – *v.* **1.** ~ **(out)** wypełniać (*np. policzki powietrzem*). **2.** ~ **(up)** poprawiać, spulchniać (*np. poduszkę*).

plump[2] *v.* **1.** spaść nagle *l.* całym ciężarem. **2.** wpaść (*against/into sth* na coś). **3.** ~ **(down)** ciężko usiąść; upuścić; rzucić (*zwł. z całej siły*). **4.** ~ **for sb/sth** *pot.* zdecydować się na kogoś/coś; poprzeć kogoś/coś. – *n.* **1.** upadek (*zwł. ciężkiej rzeczy l. osoby*). **2.** huk, odgłos upadku. – *adv.* **1.** nagle; gwałtownie; ciężko. **2.** wprost; otwarcie; bez wahania; **lie ~** kłamać bez zająknienia. – *a.* otwarty; stanowczy (*np. o odmowie*).

plump[3] *n. arch. l. Br. dial.* gromada, grupa, stado.

plumper[1] ['plʌmpər] *n.* **1.** ciężki upadek. **2.** *Br. przest. sl.* bezczelne kłamstwo.

plumper[2] *n.* **1.** substancja spulchniająca *l.* wypełniająca (*np. powietrze l. woda*). **2.** *dent.* naddatek do brzegów protezy dentystycznej (*wypełniający zapadnięte policzki*).

plumply ['plʌmplɪ] *adv.* pulchnie.

plumpness ['plʌmpnəs] *n. U* pulchność; miękkość.

plumule ['plu:mju:l] *n.* **1.** *bot.* pąk (*zarodka*). **2.** *orn.* piórko puchowe.

plumy ['plu:mɪ] *a.* **-ier, -iest** **1.** upierzony; ozdobiony piórami. **2.** pierzasty.

plunder ['plʌndər] *v.* plądrować, grabić, łupić. – *n.* **1.** *U* rabunek, grabież. **2.** łup.

plunderage ['plʌndərɪdʒ] *n. U* **1.** grabież, plądrowanie, rabowanie. **2.** *żegl. przest.* przywłaszczenie sobie cudzej własności na statku; cudza własność przywłaszczona na statku.

plunderer ['plʌndərər] *n.* łupieżca, grabieżca, rabuś.

plunge [plʌndʒ] *v.* **1.** zanurzać (się); nurkować. **2.** wpaść; rzucić się (*into sth* do czegoś *l.* w coś) (*np. do pokoju l. w tłum*). **3.** *często pass.* pogrążać, ogarniać; **be ~d into despair** pogrążyć się w rozpaczy; **the house was ~d into darkness** dom ogarnęły ciemności. **4.** rzucać (się) (*in/into sth* w coś) (*np. w wir wojny l. dyskusję*). **5.** wbijać (*sth into sth* coś w coś) (*np. sztylet w czyjeś serce*); pogrążać (*sth into sth* coś w czymś). **6.** opuszczać się; spadać (*zwł. gwałtownie*). **7.** *jeźdz.* rzucić się do przodu, dać szczupaka (*o koniu*). **8.** *sl.* uprawiać hazard; lekkomyślnie spekulować; szastać pieniędzmi. **9.** ~ **into debt** *przen.* popaść w długi. – *n.* **1.** *zw. sing.* nurkowanie; nurek, skok (*zwł. do wody*). **2.** *zw. sing. ekon.* silny *l.* gwałtowny spadek (*np. cen l. kursów*). **3.** *pot.* ryzykowne ulokowanie kapitału. **4.** **take the ~** *przen.* podjąć życiową decyzję, zaryzykować.

plunger ['plʌndʒər] *n.* **1.** *mech., techn.* tłok (*np. strzykawki*); nurnik; trzpień ruchomy. **2.** przepychacz. **3.** nurek (*osoba*). **4.** *US pot.* lekkomyślny gracz, ryzykant/ka. **5.** *wojsk.* bezwładnik, mechanizm bezwładnościowy. **6.** *Br. wojsk. sl.* kawalerzysta.

plunging neckline [ˌplʌndɪŋ 'nekˌlaɪn] *n.* głęboki dekolt.

plunk [plʌŋk], *Br.* **plonk** [plɑ:ŋk] *v.* **1.** *pot.* szarpać, uderzać (*struny instrumentu*). **2.** *pot.* dźwięczeć, brzęczeć (*o strunach*). **3.** ~ **(down)** *pot.* upaść; spadać gwałtownie; rzucić (się) (*zwł. z całą siłą l. całym ciężarem*). **4.** *sl.* uderzyć; zranić; strzelić. **5.** spadać *l.* rzucać gwałtownie. **6.** ~ **down** *sl.* wybulić (*pieniądze*). – *n.* **1.** brzęk; brzdąkanie. **2.** huk, odgłos upadku. **3.** uderzenie; cios. **4.** *US sl.* dolar. – *adv. pot.* **1.** z hukiem *l.* brzękiem. **2.** dokładnie; prosto; ~ **in the middle of the field** prosto *l.* dokładnie w środek pola.

pluperfect [ˌplu:'pɜ:fekt] *gram. a.* zaprzeszły. – *n.* **the ~** czas zaprzeszły.

plural ['plʊrəl] *a.* **1.** *gram.* mnogi. **2.** *form.* pluralistyczny (*t. polit. o prawie wyborczym l. głosowaniu*). – *n. gram.* **1.** *U* liczba mnoga. **2.** forma liczby mnogiej; wyraz w liczbie mnogiej.

pluralism ['plʊrəˌlɪzəm] *n. U* **1.** *fil., polit., socjol.* pluralizm. **2.** mnogość. **3.** (*także* **plurality**) *gł. Br.* kumulowanie urzędów (*zwł. beneficjów*).

pluralist ['plʊrəlɪst] *n. fil., polit., socjol.* pluralist-a/ka.

pluralistic [ˌplʊrə'lɪstɪk] *a. fil., polit., socjol.* pluralistyczny.

plurality [plʊ'rælətɪ] *n. C/U pl.* **-ies** **1.** wielość. **2.** mnóstwo. **3.** większość. **4.** *US i Can. polit.* względna większość głosów. **5.** = **pluralism** 3.

pluralize ['plʊrəˌlaɪz], *Br. i Austr. zw.* **pluralise** *v.* **1.** kumulować urzędy. **2.** *gram.* wyrażać w liczbie mnogiej; przybierać liczbę mnogą (*o wyrazie l. formie*).

plus [plʌs] *prep.* **1.** *mat.* plus; dodać; i; **four ~ three is five** cztery plus *l.* dodać trzy równa się siedem; **two adults ~ four children** dwoje dorosłych plus *l.* i czwórka dzieci. **2.** *mat.* plus; **~ three/five** plus trzy/pięć. – *n. pl.* **-es** *l.* **-ses** **1.** (*także* **~ sign**) *mat.* (znak) plus. **2.** *mat., el.* wartość dodatnia. **3.** *pot.* plus (= *korzyść*); **on the ~ side** po stronie plusów. **4.** dodatek; dodatkowa ilość; nadwyżka. – *a.* **1.** *attr. t. mat., el.* dodatni. **2.** *attr.* korzystny, dodatni. **3.** *szkoln., uniw.* plus; **B ~, B +** dobry z plusem. – *conj.* poza tym, ponadto, co więcej. – *adv. po num. pot.* ponad; **ten/twenty ~** ponad dziesięć/dwadzieścia.

plus fours [ˌplʌs'fɔ:rz] *n. pl. strój* bryczesy (*noszone zwł. do gry w golfa l. na polowanie*).

plush [plʌʃ] *n. U tk.* plusz. – *a.* (*także* **~y**) **1.** pluszowy. **2.** kosztowny; luksusowy; okazały.

plus sign *n. mat.* znak plus.

Pluto ['plu:toʊ] *a. astron., mit.* Pluton.

plutocracy [plu:'tɑ:krəsɪ] *n. C/U pl.* **-ies** *polit.* plutokracja.

plutocrat ['plu:təˌkræt] *n.* plutokrat-a/ka.

plutocratic [ˌplu:tə'krætɪk] *a.* plutokratyczny.

Plutonian [plu:'toʊnɪən] *a.* **1.** *astron., mit.* dotyczący Plutona, plutonowy. **2.** *przen.* piekielny.

best ~ is his ability to solve problems jego największą zaletą jest umiejętność rozwiązywania problemów. **7.** miejsce; **a ~ 10 km north of here** miejsce odległe o 10 km. **8.** moment; faza, etap; stan; **at the ~ of death** na progu śmierci; **at this ~** w tym momencie; na tym etapie; **she took him to the ~ where he lost control** doprowadziła go stanu, w którym stracił panowanie. **9.** poziom; stopień; **(up) to a ~** do pewnego stopnia (= *nie całkowicie*). **10.** jednostka (*w określonej skali*). **11.** *giełda* punkt w notowaniach. **12.** *US fin.* jeden procent wartości pożyczki (*przy obliczaniu kosztu usługi ponoszonego przez dłużnika*). **13.** *mot.* punkt karny (*za wykroczenia drogowe*). **14.** *US uniw.* punkt zaliczeniowy za uczestnictwo w zajęciach z jednego przedmiotu (*odpowiadający określonej liczbie godzin lekcyjnych*). **15.** koniec, koniuszek (*zwł. ostry*); czubek; szpic; ostrze. **16.** = **point chisel**. **17.** *geogr.* cypel; przylądek. **18.** *muz.* dolna część smyczka (*przy żabce*). **19.** kropka; **full ~** kropka na końcu zdania. **20.** (*także* **decimal ~**) *mat.* przecinek (*w ułamku dziesiętnym*); **three ~ six** trzy przecinek pięć. **21.** puenta. **22.** *zool.* pojedyncza odnoga rogu jelenia *l.* daniela. **23.** *wojsk.* zwiad, czujka. **24.** *her.* pole (= *tło herbu l. godła*). **25.** (*także* **vowel ~**) *fon.* znak diakrytyczny powyżej *l.* poniżej spółgłoski, oznaczający pojawienie się po niej *l.* przed nią samogłoski (*zwł. w językach arabskim i hebrajskim*). **26.** *pl.* puenty (*baletnicy*). **27.** *pl. hodowla* uszy, dolna część kończyn i ogon (*zwierzęcia domowego*). **28.** *zw. pl. Br. kol.* zwrotnica. **29.** *pl., el.* styki. **30. boiling/freezing/melting ~** *fiz.* temperatura wrzenia/krzepnięcia/topnienia. **31.** *przen.* **a sore ~** przyczyna zdenerwowania *l.* irytacji; **at all ~s** pod każdym względem; **be on/upon the ~ of doing sth** właśnie mieć coś zrobić; **in ~ of fact** w rzeczy samej, istotnie, faktycznie; **make a ~** (*także* **come to a ~**) *myśl.* wystawiać zwierzynę (*o psie*); **make one's ~s** przedstawiać swoje racje; **not to put too fine a ~ upon it** nie owijając w bawełnę, nazywając rzeczy po imieniu; **stretch a ~** naginać zasady *l.* reguły (*do potrzeb*), pozwolić na wyjątek od reguły; przesadzać; **take sb's ~** przyjmować do wiadomości czyjś punkt widzenia; rozumieć czyjeś racje; **that's a ~!** słusznie!, racja!; **that's just the ~** właśnie o to chodzi; **that's the whole ~!** w tym cały problem!; **what's your ~?** o co ci chodzi?, do czego zmierzasz?; **when it came to the ~** gdy przyszło co do czego; **you've got a ~ there** tu masz rację. – *v.* **1.** wskazywać; kierować; być skierowanym (*to / towards / at sth / sb* na coś/kogoś); **~ sb in the right direction** wskazać komuś właściwy kierunek. **2.** celować, mierzyć (*at sb* do kogoś, *at sth* do kogoś *l.* w coś); **~ a gun at sb** wycelować do kogoś z pistoletu. **3.** zwracać uwagę (*to sth* na coś). **4.** zmierzać; prowadzić (*to / towards sth* do czegoś); wskazywać (*to / towards sth* na coś). **5.** podkreślać; czynić bardziej dosadnym, ciętym *l.* zjadliwym (*np. uwagę l. tekst*); *przen.* wyostrzać (*dowcip*). **6.** ostrzyć, strugać, temperować (*np. ołówek*). **7.** *bud.* grotować, szpicować (*kamienie*). **8.** *bud.* spoinować, fugować spoiny (*np. w murze*). **9.** *myśl.* wystawiać (*zwierzynę; o psie*). **10.** *fon.* opatrywać znakami diakrytycznymi (*literę, symbol*). **11.** *muz., kośc.* oznaczać tekst psalmu (*w celu ułatwienia jego odśpiewania*). **12.** *pat.* przygotowywać się do samoistnego pęknięcia (*o ropniu l. wrzodzie*); *pot.* obierać (*podchodzić ropą*). **13. ~ down** wskazywać *l.* kierować w dół; *US* wygładzać; **~ off** *mat.* oddzielać przecinkiem; **~ out** wskazywać, wykazywać; zwracać uwagę na; **~ up** podkreślać (*np. słowa l. czynności*); wskazywać *l.* kierować w górę; *US* czynić chropowatym *l.* szorstkim.

point-and-shoot [ˌpɔɪntənd'ʃu:t] *a. fot.* automatyczny (*o aparacie fotograficznym*).

point-blank [ˌpɔɪnt'blæŋk] *a.* **1.** o płaskim torze pocisku, z bliska (*o strzale*). **2.** bezceremonialny, obcesowy, bez ogródek. – *adv.* **1.** w prostej linii, bezpośrednio; z bliska. **2.** wprost, bez ogródek, bezceremonialnie. **3.** bez zastanowienia.

point-blank fire *n. wojsk.* ogień bezpośredni (*z bliska*).

point-blank range *n. U* (*także* **point-blank distance**) *wojsk.* odległość strzału bezpośredniego; **at ~** z bliska.

point-blank refusal *n.* kategoryczna odmowa.

point charge *n. el.* ładunek punktowy.

point chisel *n.* dłuto kamieniarskie wąskie, grot, szpicak.

point defect *n. krystal.* defekt punktowy.

point-device [pɔɪnt dɪ'vaɪs] *arch. a.* nienaganny, bez zarzutu; perfekcyjny. – *adv.* nienagannie, bez zarzutu; perfekcyjnie.

point duty *n. U Br.* kierowanie ruchem drogowym; **be on ~** kierować ruchem drogowym.

pointe [pwɑ:ŋt] *n. balet* postawa na palcach.

pointed ['pɔɪntɪd] *a.* **1.** ostry, ostro zakończony, zaostrzony (*np. o ołówku*); spiczasty (*np. o nosie*); *bud.* ostrołukowy. **2.** *przen.* cięty, uszczypliwy (*o dowcipie l. uwadze*); wyraźny, dobitny; znaczący (*np. o spojrzeniu*); nie pozostawiający wątpliwości.

pointed arch *n. bud.* łuk lancetowy, łuk gotycki podwyższony.

pointedly ['pɔɪntɪdlɪ] *adv.* **1.** uszczypliwie; dosadnie. **2.** wyraźnie, dobitnie; znacząco. **3.** dokładnie; punktualnie.

pointer ['pɔɪntər] *n.* **1.** *t. techn., komp.* wskaźnik (*t. do wskazywania na tablicy l. mapie*); strzałka. **2.** *t. przen.* wskazówka (*np. zegarka l. wagi*). **3.** zapowiedź; znak (*tego, co ma nastąpić*). **4.** *US wojsk.* celowniczy (*np. działa*). **5.** *bud.* narzędzie do czyszczenia spoin (*przed spoinowaniem*). **6.** *myśl.* pies myśliwski (*potrafiący wystawiać zwierzynę*). **7.** *pl.* (*także* **P~s**) *astron.* Dubhe i Merak (*gwiazdy Wielkiej Niedźwiedzicy tworzące linię prostą z Gwiazdą Polarną*).

pointillism ['pwæntɪˌlɪzəm], **Pointillism** *n. U* **1.** *mal.* pointylizm. **2.** *muz.* punktualizm.

pointing ['pɔɪntɪŋ] *n. U bud.* spoinowanie.

pointing device *n. komp.* urządzenie wskazujące (= *mysz, manipulator kulkowy l. joystick*).

point lace *n. C / U* koronka wykonana całkowicie igłą.

pointless ['pɔɪntləs] *a.* **1.** bezsensowny, bezcelowy; bezprzedmiotowy; **be ~** mijać się z celem. **2.** bez puenty. **3.** *sport* bez punktów (*o graczu l. grze*).

pointlessly ['pɔɪntləslɪ] *adv.* bez sensu.

pointlessness ['pɔɪntləsnəs] *n.* *U* bezsensowność, bezcelowość.

point man *n.* *pl.* **-men** **1.** *wojsk.* dowódca. **2.** *US t. polit., ekon.* pionier.

point mutation *n. biochem.* mutacja punktowa (*polegająca na zmianie jednego aminokwasu*).

point of departure *n.* **1.** punkt wyjścia (*np. dyskusji*). **2.** *żegl. zob.* **departure.**

point of honor, *Br.* **point of honour** *n.* punkt honoru.

point of no return *n.* **1.** *przen.* punkt bez wyjścia *l.* powrotu. **2.** *lotn.* bezpieczny promień lotu; krytyczna prędkość startu.

point of order *n. t. parl.* kwestia formalna.

point of presence *n. komp.* punkt obecności.

point of reference *n.* punkt odniesienia.

point of sale *n. handl.* miejsce sprzedaży.

point-of-sale [ˌpɔɪntəv'seɪl] *a. handl.* zlokalizowany *l.* używany w miejscu sprzedaży.

point of the compass *n. żegl.* rumb.

point of view *n.* **1.** punkt widzenia (*t. narratora w utworze literackim*); zdanie, opinia. **2.** punkt obserwacyjny.

point-of-view shot [ˌpɔɪntəv'vjuː ˌʃɑːt] *n. kino, telew.* ujęcie subiektywne (*z punktu widzenia określonej postaci*).

point rationing *n.* *U* system racjonowania według przydzielonych jednostek (*np. żywności l. odzieży*).

pointsman ['pɔɪntsmən] *n.* *pl.* **-men** *Br. kol.* zwrotniczy.

point source *n. fiz.* źródło punktowe.

point-to-point [ˌpɔɪnttə'pɔɪnt] *n. jeźdz.* przełajowy wyścig z przeszkodami (*dla amatorów*). – *a. attr.* **~ communication** *t. komp.* połączenie między dwiema stacjami; **~ connection** *t. komp.* bezpośrednie połączenie dwóch urządzeń, połączenie dwupunktowe; **~ protocol** *komp.* protokół komunikacyjny między dwiema stacjami (*używany w Internecie do przesyłania danych przez łącze szeregowe*).

point woman *n.* *pl.* **point women** *US t. polit., ekon.* pionierka.

pointy ['pɔɪntɪ] *a.* **-ier, -iest** *pot.* spiczasty (*np. o kapeluszu*); ostro zakończony.

pointy-headed [ˌpɔɪntɪ'hedɪd] *a. US sl.* jajogłowy.

poise [pɔɪz] *n.* *U* **1.** pewność siebie, swoboda (*towarzyska*). **2.** gracja (*np. tancerza*). **3.** *t. przen.* stabilność, równowaga. **4.** stałość; opanowanie. **5.** stan zawieszenia; pauza. **6.** unoszenie się (*w powietrzu*). – *v. lit.* **1.** trzymać w gotowości (*np. włócznię*). **2.** utrzymywać w równowadze. **3.** *rzad.* ważyć.

poised [pɔɪzd] *a. pred.* **1.** przygotowany, gotowy (*for sth* do czegoś) (*np. do ataku*) (*to do sth* zrobić coś). **2.** uniesiony (*w powietrzu, zwł. w oczekiwaniu na coś*). **3.** utrzymujący się w równowadze. **4.** opanowany, zrównoważony; pewny siebie; dostojny. **5. ~ between comedy and tragedy** w pół drogi między komedią a tragedią (*np. o sztuce, filmie*).

poison ['pɔɪzən] *n.* *C/U* **1.** *t. przen.* trucizna. **2.** *chem.* zatruwacz, wygaszacz. **3. one man's meat is another man's ~** *zob.* **meat; what's your ~?** (*także* **name your ~**) *żart. pot.* co pijesz? – *v.* **1.** otruć (*osobę l. zwierzę*). **2.** dodać trucizny do (*jedzenia, napoju*). **3.** *t. chem. l. przen.* zatruwać (*t. środowisko, czyjś umysł*). **4.** *t. chem. l. przen.* gasić (*np. radość l. entuzjazm*). – *a. attr. t. przen.* trujący; jadowity.

poison chalice *n. przen.* kielich goryczy.

poisoner ['pɔɪzənər] *n.* truciciel/ka.

poison gas *n.* *U chem.* gaz trujący.

poison hemlock *n. bot.* pietrasznik, szczwół plamisty (*Conium maculatum*).

poisoning ['pɔɪzənɪŋ] *n.* *C/U pat.* zatrucie; **food/lead ~** zatrucie pokarmowe/ołowiem.

poison ivy *n.* *U* **1.** *bot.* sumak jadowity (*Rhus toxicodendron*). **2.** *bot.* wysypka pojawiająca się w wyniku dotknięcia rośliny jw.

poisonous ['pɔɪzənəs] *a.* **1.** trujący. **2.** jadowity (*np. o wężu*). **3.** *t. przen.* toksyczny (*np. o atmosferze*). **4.** zjadliwy; złośliwy.

poisonously ['pɔɪzənəslɪ] *adv.* **1.** przy użyciu trucizny. **2.** toksycznie. **3.** zjadliwie; złośliwie.

poison-pen letter [ˌpɔɪzənˌpen 'letər] *n.* oszczerczy *l.* zniesławiający anonim.

poison pill *n. ekon.* strategiczne posunięcie mające zapobiec przejęciu korporacji (*np. emisja dodatkowych akcji*).

poke[1] [poʊk] *a.* **1.** szturchać; dźgać (*at sth / sb* coś/kogoś); **~ sb in the ribs** dźgnąć kogoś w żebra (*np. palcem l. łokciem*). **2.** grzebać w (*czymś*); **~ the fire** grzebać w kominku *l.* piecu (*pogrzebaczem*); grzebać w ognisku (*patykiem*). **3. ~ a hole in sth** wydłubywać dziurę w czymś, przedziurawić coś. **4.** wpychać, wtykać (*sth in / into sth* coś w coś *l.* do czegoś). **5.** *pot.* uderzać (*zwł. pięścią*). **6.** pochylać (się); wychylać (się); wystawiać; **~ one's head out of the window** wystawić głowę przez okno. **7.** wtrącać się (*into sth* do czegoś *l.* w coś). **8.** *wulg. sl.* rżnąć (= *mieć stosunek seksualny z*). **9. ~ and pry** *zob.* **pry** *n.*; **~ fun at sb** *zob.* **fun** *n.*; **~ one's nose into sth** *zob.* **nose** *n.* **10. ~ about/around** *przen.* węszyć; myszkować; **~ about/around sth** przeglądać coś niedbale *l.* niesystematycznie; **~ along** poruszać się bardzo powoli; pracować bardzo powoli; **~ out** wystawać, sterczeć; **~ sth out** wydłubać coś; **~ o.s. up** *pot.* zagrzebać się, zamknąć się (*w obskurnym miejscu*); **~ through** wystawać; **~ sth through** wystawić coś; przepchnąć coś. – *n.* **1.** szturchaniec, szturchnięcie; dźgnięcie; **give sb a ~** dać komuś szturchańca, szturchnąć kogoś; **give sth a ~** dźgnąć coś. **2.** wetknięcie; wepchnięcie. **3.** *pot.* uderzenie (*zwł. pięścią*). **4.** myszkowanie. **5.** *wulg. sl.* rżnięcie (= *stosunek seksualny*).

poke[2] *n.* **1.** *dial.* worek, torba (*zwł. małych rozmiarów*); **buy a pig in a ~** *przen.* kupować kota w worku. **2.** *Scot.* papierowa torba.

poke[3] *n. bot.* = **pokeweed** *n.*

poke bonnet *n. strój hist.* kapelusz damski w

kształcie czepka z wystającym z przodu brzegiem (*popularny w XVIII i XIX w.*).

poker1 ['poukər] *n.* **1.** pogrzebacz. **2.** *przen. pot.* sztywnia-k/czka. **3.** *przest.* **as stiff as a ~** sztywny jakby kij połknął; **by the holy ~** *Br. pot. żart.* jak babcię kocham.

poker2 *n. U karty* poker.

poker-face ['poukər,feɪs] *n.* kamienna twarz.

poker-faced ['poukər,feɪst] *a.* z kamienną twarzą.

poker machine *n. Austr. i NZ* automat do gry, jednoręki bandyta.

pokerwork ['poukər,wɜːk] *n. U* wzory wypalane w białym drewnie.

pokeweed ['pouk,wiːd] *n. pl.* **-s** *l.* **pokeweed** (*także* **poke**) *bot.* szkarłatka (*Phytolacca americana*).

pokey1 ['poukɪ] *a.* = **poky** *a.*

pokey2 *n.* = **pokie.**

pokie ['poukɪ], **pokey** *n. Austr. i NZ pot.* automat do gry, jednoręki bandyta.

poky ['poukɪ], **pokey** *pot. a.* **-ier, -iest 1.** ciasnawy, przyciasny; obskurny (*o pomieszczeniu*). **2.** *US* ślamazarny. **3.** drobny (*o zajęciu*); nudny (*t. o osobie*). **4.** marnie ubrany, obdarty; wyświechtany (*o ubiorze*). – *n. US i Can.* ciupa (= *więzienie*).

pol [pɑːl] *n. pot.* polityk (*zwł. doświadczony*).

Polack ['poulæk] *n. US pog. pot.* polaczek (= *imigrant polskiego pochodzenia*).

Poland ['poulənd] *n. geogr.* Polska.

polar ['poulər] *a.* **1.** *geogr.* polarny, podbiegunowy. **2.** *t. fiz., geogr., astron., el., geom.* biegunowy. **3.** *chem.* dwubiegunowy. **4.** krańcowo różny. **5.** osiowy. **6.** *przen.* podstawowy; kardynalny; kluczowy. **7.** *lit.* przewodni. **8.** *krystal.* z wiązaniem jonowym. – *n. geom.* (krzywa) biegunowa.

polar axis *n. krystal., mat.* oś biegunowa.

polar bear *n. zool.* niedźwiedź polarny *l.* biały (*Ursus maritimus*).

polar cap *n. geogr., astron.* czapa polarna.

polar circle *n. geogr.* koło podbiegunowe.

polar coordinates *n. pl. mat.* współrzędne biegunowe.

polar distance *n. astron.* odległość biegunowa.

polar front *n. meteor.* front polarny.

polarimeter [,poulə'rɪmɪtər] *n. opt.* polarymetr.

Polaris [pou'lerɪs] *n.* (*także* **polar star**) *astron.* Polaris, Gwiazda Polarna.

polariscope [pou'lerɪ,skoup] *n. opt.* polaryskop.

polarity [pou'lerətɪ] *n. U* **1.** *el., fiz., mat. l. przen.* biegunowość, polarność. **2.** *form.* krańcowa odmienność (*np. opinii*).

polarization [,poulərə'zeɪʃən] *Br. i Austr. zw.* **polarisation** *n. U fiz. l. przen.* polaryzacja.

polarize ['poulə,raɪz], *Br. i Austr. zw.* **polarise** *v.* **1.** *fiz.* polaryzować. **2.** *form.* prowadzić do polaryzacji (*np. stanowisk, opinii*), polaryzować.

polarizer ['poulə,raɪzər], *Br. i Austr. zw.* **polariser** *n. opt.* polaryzator.

polarizing microscope [,poulə,raɪzɪŋ 'maɪkrə,skoup] *n. opt.* mikroskop polaryzacyjny.

polar lights *n. pl. geofizyka* zorza polarna (*południowa l. północna*).

Polaroid ['poulə,rɔɪd] *n.* **1.** *fot.* polaroid (*marka aparatu*); zdjęcie wykonane polaroidem. **2.** *U* tworzywo sztuczne zapobiegające odblaskom.

polar star *n.* = **Polaris.**

polder ['pouldər] *n. techn., roln.* polder (*osuszony depresyjny teren nadmorski*).

Pole [poul] *n.* Pol-ak/ka; osoba polskiego pochodzenia.

pole1 [poul] *n. fiz., mat., el., geogr., astron., biol.* biegun (*t. przen.* = *jedna z dwóch przeciwstawnych zasad l. racji*); **be ~s apart** *przen.* znajdować się na przeciwstawnych biegunach; **the North/South P~** *geogr.* biegun północny/południowy.

pole2 *n.* **1.** słup (*np. namiotu l. telefoniczny*). **2.** maszt. **3.** żerdź. **4.** drąg; pręt. **5.** *t. sport* tyczka. **6.** dyszel. **7.** *gł. US i Can. wyścigi konne* środkowy tor. **8. under bare ~s** *żegl.* ze zwiniętymi żaglami; **up the ~** *Br., Austr. i NZ przen. pot.* lekko stuknięty; w błędzie, na fałszywym tropie. – *v.* **1.** zaopatrywać w słupy, maszty itp. **2.** popychać *l.* odpychać tyczką, drągiem itp. **3.** podpierać tyczką (*roślinę*). **4.** zaprzęgać do dyszla. **5.** *sport* jechać na nartach odpychając się kijkami.

poleax ['poul,æks], *Br.* **poleaxe** *n.* **1.** *broń hist.* berdysz. **2.** topór rzeźniczy. – *v.* **1.** zaatakować, uderzyć *l.* zabić toporem. **2.** silnie uderzać.

polecat ['poul,kæt] *n. zool.* tchórz (*Mustela putorius*).

pole horse *n.* (*także* **poler**) koń dyszlowy.

poleis ['pɑːleɪs] *n. pl. zob.* **polis** *n.*

pole jump *n.* = **pole vault.**

polemic [pə'lemɪk] *n.* **1.** *C/U* polemika. **2.** *lit.* polemist-a/ka. – *a.* (*także* **~al**) polemiczny.

polemicist [pə'lemɪsɪst] *n.* (*także* **polemist**) polemist-a/ka.

polemics [pə'lemɪks] *n. U* polemika.

pole piece *n. el.* nabiegunnik.

pole position *n. C/U* **1.** *sport, mot.* najlepsza pozycja na starcie. **2.** *przen.* dobry start; korzystna sytuacja; **be in ~** mieć dobry start *l.* dobrą pozycję na starcie, być w korzystnej sytuacji.

poler ['poulər] *n.* **1.** osoba popychająca łódź tyczką. **2.** = **pole horse.**

pole star *n.* **1.** (*także* **the P~ S~**) = **Polaris. 2.** *przen.* gwiazda przewodnia; myśl przewodnia.

pole vault *n. C/U* (*także* **pole jump**) *sport* skok o tyczce.

poley ['poulɪ] *a. roln.* bezrogi.

police [pə'liːs] *n.* **1.** *pl.* **the ~** policja; policjanci; **call the ~** wezwać policję. **2.** *U arch.* utrzymanie porządku publicznego. – *v.* **1.** utrzymywać porządek w (*rejonie*). **2.** egzekwować przestrzeganie przepisów przez (*np. gałąź przemysłu*). **3.** patrolować. **4.** regulować ruch (*drogowy*). **5.** obsadzać policją.

police car *n.* radiowóz (*policyjny*).

police constable *n.* (*także* **PC**) *Br. form.* policjant/ka (*szeregow-y/a*); posterunkowy.

police court *n. prawn.* sąd policyjny.

police department *n. US i Can.* komenda policji.

police dog *n.* pies policyjny.

police force *n.* policja (*danego kraju l. regionu*).

policeman [pəˈliːsmən] *n. pl.* **-men** policjant.

Police Motu [pəˌliːs ˈmoutuː] *n. U jęz.* jeden z oficjalnych języków Papui-Nowej Gwinei.

police officer *n.* policjant/ka, funkcjonariusz/ka policji.

police procedural *n.* powieść *l.* sztuka detektywistyczna *l.* kryminalna.

police state *n. polit.* państwo policyjne.

police station *n.* posterunek policji.

policewoman [pəˈliːsˌwumən] *n. pl.* **-women** policjantka, funkcjonariuszka policji.

policlinic [ˌpɑːlɪˈklɪnɪk] *n. rzad.* **1.** przychodnia (*szpitalna*). **2.** *Br.* klinika prywatna.

policy¹ [ˈpɑːləsɪ] *n. pl.* **-ies 1.** *C/U polit., ekon.* polityka (*zwł. państwa, firmy l. instytucji*) (*on sth* w kwestii czegoś); **foreign/housing ~** polityka zagraniczna/mieszkaniowa. **2.** *U form.* roztropność; mądrość polityczna, dyplomacja.

policy² *n. pl.* **-ies** *ubezp.* (*także* **insurance ~**) polisa (ubezpieczeniowa); **take out a ~** ubezpieczyć się.

policyholder [ˈpɑːləsɪˌhouldər] *n.* ubezpieczon-y/a, posiadacz/ka polisy ubezpieczeniowej.

policy of integration *n. U polit.* polityka integracji.

polio [ˈpoulɪˌou] *n. pot.* = **poliomyelitis**.

poliomyelitis [ˌpoulɪouˌmaɪəˈlaɪtɪs] *n. U pat.* zapalenie istoty szarej rdzenia, choroba Heinego i Medina, paraliż dziecięcy, polio.

polis [ˈpɑːləs] *n. pl.* **poleis** *hist., admin.* miasto-państwo.

Polish [ˈpoulɪʃ] *a.* polski. – *n. U* (język) polski.

polish [ˈpɑːlɪʃ] *v.* **1.** nadawać połysk (*czemuś*); gładzić; polerować (*np. buty l. meble*); froterować (*podłogę*). **2.** *techn., kulin.* oczyszczać (*ryż, dla celów konsumpcyjnych*). **3.** *przen.* udoskonalać, wygładzać, polerować (*np. styl, utwór literacki l. przemówienie*). **4.** polityrować. **5.** nabierać połysku *l.* blasku; *przen.* nabierać poloru, stawać się bardziej wyrafinowanym (*np. o języku l. osobie*). **6. be ~ing apples for sb** *US sl.* podlizywać się komuś. **7. ~ off** *pot.* uporać się prędko z (*czymś*), skończyć (*zwł.* = *zjeść do końca*); *US* rozgromić (= *pokonać*); sprzątnąć (= *zabić*); **~ up** *pot.* wypolerować; wygładzić (*np. przemówienie*); **~ up on** *pot.* odświeżyć (*wiedzę*); udoskonalić (*umiejętności*). – *n. C/U* **1.** pasta (*do butów*); środek do nadawania połysku. **2.** (*także* **nail ~**) lakier do paznokci. **3.** połysk; blask. **4.** politura. **5.** *przen.* polor, ogłada towarzyska; wyrafinowanie (*zwł. stylu l. formy*).

polished [ˈpɑːlɪʃt] *a.* **1.** wypolerowany, gładki; błyszczący. **2.** pełen poloru; wytworny; wyrafinowany. **3.** nienaganny, bez zarzutu; bezbłędny. **4.** oczyszczony (*o ryżu*).

polisher [ˈpɑːlɪʃər] *n.* **1.** polerowacz/ka (*osoba*). **2.** *techn.* polerka (*maszyna do polerowania*). **3.** *C/U* środek do nadawania połysku.

Polish notation *n. U log., mat.* notacja polska, notacja Łukasiewicza.

Politburo [ˈpɑːlətˌbjurou], **politburo** *n. hist. polit.* politbiuro, biuro polityczne.

polite [pəˈlaɪt] *a.* grzeczny, uprzejmy; dobrze wychowany; kulturalny; wytworny; **I was just/only being ~** powiedziałam to tylko z grzeczności *l.* przez grzeczność; **in ~ society/circles/company** *przest. l. żart.* w kulturalnym towarzystwie.

politely [pəˈlaɪtlɪ] *adv.* uprzejmie, grzecznie; kulturalnie; wytwornie.

politeness [pəˈlaɪtnəs] *n. U* grzeczność, uprzejmość; kultura; dobre wychowanie.

politesse [ˌpɑːlɪˈtes] *n. U iron. l. form.* uprzejmość, grzeczność (*zwł. pretensjonalna*).

politic [ˈpɑːlɪtɪk] *a. form.* **1.** rozsądny, roztropny; przemyślny; *t. uj.* przebiegły, sprytny; **it would be ~ to do sth** rozsądnie byłoby zrobić coś. **2.** taktowny. **3.** *arch.* = **political**. – *v.* (*także* **politick**) *zwł. uj.* politykować; uprawiać politykę.

political [pəˈlɪtɪkl] *a.* **1.** polityczny. **2.** zaangażowany politycznie; interesujący się polityką. **3.** pragmatyczny, praktyczny, podyktowany względami pragmatycznymi *l.* praktycznymi (*np. o decyzji*).

political asylum *n. U polit.* azyl polityczny.

political correctness *n. U socjol., jęz.* poprawność polityczna.

political economy *n. U przest.* ekonomia polityczna.

political geography *n. U* geografia polityczna.

politically [pəˈlɪtɪklɪ] *adv.* politycznie.

politically correct *a. socjol., jęz.* politycznie poprawny.

political party *n. pl.* **-ies** *polit.* partia polityczna, stronnictwo polityczne.

political prisoner *n. polit.* więzień polityczny.

political science *n. U* nauki polityczne.

political terrorism *n. U polit.* terroryzm polityczny.

politician [ˌpɑːlɪˈtɪʃən] *n.* **1.** polity-k/czka. **2.** *zwł. US* politykier. **3.** intrygant/ka.

politicization [pəˌlɪtəsəˈzeɪʃən], *Br. i Austr. zw.* **politicisation** *n. U* upolitycznienie.

politicize [pəˈlɪtɪˌsaɪz], *Br. i Austr. zw.* **politicise** *v.* **1.** nadawać polityczny charakter (*czemuś*), upolityczniać. **2.** politykować (= *uprawiać politykę l. rozmawiać o polityce*).

politicized [pəˈlɪtɪˌsaɪzd] *a.* upolityczniony.

politicking [ˈpɑːlɪˌtɪkɪŋ] *n. U polit.* politykierstwo; demagogia.

politico [pəˈlɪtɪˌkou] *n. pl.* **-s** *l.* **-es** politykier.

politics [ˈpɑːlətɪks] *n.* **1.** *U* polityka; działalność polityczna; **go into ~** zająć się polityką. **2.** *pl.* zasady *l.* poglądy polityczne (*czyjeś*).

polity [ˈpɑːlətɪ] *n. C/U pl.* **-ies** *form.* administracja państwowa; ustrój; państwo.

polka [ˈpoulkə] *n. muz.* polka. – *v.* tańczyć polkę.

polka dot *n. zw. pl.* kropka, groszek (*zwł. na tkaninie*). – *a. gł. attr.* (*także* **polka-dot**) w groszki *l.* kropki.

poll [poul] *n.* **1.** ankieta, badanie opinii publicznej; **carry out/conduct a** ~ przeprowadzać ankietę; **the Gallup** ~ ankieta (Instytutu) Gallupa. **2.** *polit.* rejestrowanie głosów (*przy wyborach*). **3.** *polit.* głosowanie; wybory. **4.** *polit.* liczba oddanych głosów; wyniki głosowania. **5.** *polit.* lista wyborcza. **6.** *pl. polit.* lokal wyborczy; urny wyborcze; **go to the ~s** iść głosować; stawać do wyborów. **7.** = **poll tax**. **8.** *arch. l. dial.* głowa (*ludzka*); tył głowy; część głowy pokryta włosami. – *v.* **1.** przeprowadzać ankietę wśród (*kogoś*), ankietować. **2.** *polit.* otrzymać (*określoną liczbę głosów*). **3.** *gł. polit.* obliczać głosy (*czyjeś*). **4.** *gł. polit.* oddawać (*głos*); głosować. **5.** *komp.* przeglądać. **6.** obcinać włosy (*komuś l. czemuś*); strzyc. **7.** *leśn., ogr.* obcinać wierzchołek (*drzewa l. innej rośliny*). **8.** *hodowla* obcinać rogi (*bydłu*).

pollack [ˈpɑːlək], **pollock** *n. icht.* rdzawiec (*Pollachius Pollachius*).

pollard [ˈpɑːlərd] *n.* **1.** *leśn., ogr.* drzewo *l.* inna roślina po ogłowieniu. **2.** *zool., hodowla* zwierzę bezrogie (*zwł. w wyniku obcięcia l. zrzucenia*). – *v. leśn., ogr.* ogłowić (*drzewo*).

pollen [ˈpɑːlən] *n. U bot.* pyłek (*kwiatowy*).

pollen analysis *n. biol.* palinologia (*nauka o pyłkach roślin*).

pollen basket *n. ent.* koszyczek pyłkowy (*pszczoły*).

pollen count *n. meteor.* stężenie pyłków w powietrzu.

pollenosis [ˌpɑːləˈnoʊsɪs], **pollinosis** *n. U pat.* alergia pyłkowa, gorączka sienna.

pollen tube *n. bot.* łagiewka pyłkowa.

poller [ˈpoʊlər] *n.* **1.** *leśn., ogr.* osoba zajmująca się ogławianiem drzew. **2.** *polit.* głosujący; wyborca. **3.** *polit.* osoba rejestrująca wyborców *l.* głosujących.

poll evil *n. wet.* wrzód na szyi konia.

pollex [ˈpɑːleks] *n. pl.* **pollices** *anat.* kciuk.

pollicitation [pəˌlɪsɪˈteɪʃən] *n. Br. prawn.* oferta jeszcze nie przyjęta.

pollie [ˈpɑːlɪ], **polly** *n. pl.* **-ies** *Austr. pot.* polityk/czka.

pollinate [ˈpɑːləˌneɪt] *v. bot.* zapylać.

pollination [ˌpɑːləˈneɪʃən] *n. U bot.* zapylanie.

pollinator [ˈpɑːləˌneɪtər] *n.* owad zapylający.

polling booth [ˈpoʊlɪŋ ˌbuːθ] *n. Br. i Austr. polit.* kabina do głosowania.

Polling day *n. Br. i Austr. polit.* dzień wyborów.

polling place *n.* (*także Br. i Austr.* **polling station**) *polit.* lokal wyborczy.

polliniferous [ˌpɑːlɪˈnɪfərəs] *a. bot.* pyłkodajny, pylący.

pollinosis [ˌpɑːləˈnoʊsɪs] *n.* = **pollenosis** *n.*

polliwog [ˈpɑːlɪˌwɑːg], **pollywog** *n. US i Can.; Br. dial. zool.* kijanka.

pollock [ˈpɑːlək] *n. Br.* = **pollack**.

pollster [ˈpoʊlstər] *n. gł. US* ankieter/ka.

poll tax *n. polit.* pogłówne, podatek wyborczy.

pollucite [pəˈluːsaɪt] *n. U min.* pollucyt, polluks.

pollutant [pəˈluːtənt] *n. ekol.* polutant, substancja zanieczyszczająca (*środowisko*).

pollute [pəˈluːt] *v.* **1.** skażać, zanieczyszczać. **2.** *przen.* bezcześcić, kalać; demoralizować.

polluted [pəˈluːtɪd] *a.* **1.** zanieczyszczony, skażony. **2.** zbezczeszczony, skalany; zdemoralizowany. **3.** *gł. US sl.* zalany; naćpany.

polluter [pəˈluːtər] *n.* **1.** osoba zanieczyszczająca środowisko; zakład produkcyjny zanieczyszczający środowisko. **2.** demoralizator/ka. **3.** polutant, substancja zanieczyszczająca (*środowisko*).

pollution [pəˈluːʃən] *n. U* **1.** skażenie, zanieczyszczenie. **2.** zbezczeszczenie, skalanie.

polly [ˈpɑːlɪ] *n.* = **pollie** *n.*

pollyanna [ˌpɑːlɪˈænə], **Pollyanna** *n. zw. sing.* niepoprawna-y/a optymist-a/ka.

pollywog [ˈpɑːlɪˌwɑːg] *n.* = **polliwog** *n.*

polo [ˈpoʊloʊ] *n. U sport* polo.

poloist [ˈpoʊloʊɪst] *n.* gracz w polo.

polonaise [ˌpɑːləˈneɪz] *n. C/U muz.* polonez.

polo neck *n. gł. Br.* golf (*kołnierz l. sweter*).

polo necked *a. gł. Br.* z golfem.

polonium [pəˈloʊnɪəm] *n. U chem.* polon.

polony [pəˈloʊnɪ] *n. C/U pl.* **-ies** (*także* ~ **sausage**) *gł. Br. kulin.* mortadela.

polo shirt *n.* **1.** koszulka polo. **2.** bluzka z golfem.

poltergeist [ˈpoʊltərˌgaɪst] *n. Br.* złośliwy i hałaśliwy duch.

poltroon [pɑːlˈtruːn] *n. przest.* tchórz.

poly [ˈpɑːlɪ] *n. pl.* **-ies** *pot.* **1.** = **polymorphonuclear leukocyte**. **2.** = **polyethylene**. **3.** *zwł. Br.* = **polytechnic**.

polyacid [ˌpɑːlɪˈæsɪd] *n. chem.* polikwas, wielokwas.

polyadelphous [ˌpɑːlɪəˈdelfəs] *a. bot.* wielowiązkowy (*o pręcikach*).

polyalcohol [ˌpɑːlɪˈælkəˌhɔːl] *n.* (*także* **polyol**) *chem.* alkohol wielowodorotlenowy, poliol.

polyandrous [ˌpɑːlɪˈændrəs] *a.* **1.** *antrop., zool.* poliandryczny. **2.** *bot.* wielopręcikowy.

polyandry [ˈpɑːlɪˌændrɪ] *n. U antrop., zool.* poliandria, wielomęstwo.

polyatomic [ˌpɑːlɪəˈtɑːmɪk] *a. fiz.* wieloatomowy.

polybasic [ˌpɑːlɪˈbeɪsɪk] *a. chem.* wielozasadowy.

polybasite [ˌpɑːlɪˈbeɪsaɪt] *n. U min.* polibazyt.

polycarbonate [ˌpɑːlɪˈkɑːrbəˌneɪt] *n. U* (*także* ~ **resin**) *chem.* żywica poliwęglanowa, poliwęglan.

polycarboxylic acid [ˌpɑːlɪˌkɑːrbəˌksɪlɪk ˈæsɪd] *n. U chem.* kwas wielokarboksylowy.

polycarpic [ˌpɑːlɪˈkɑːrpɪk] *a.* (*także* **polycarpous**) *bot.* wieloowocowy.

polycentrism [ˌpɑːlɪˈsentˌrɪzəm] *n. U hist., polit.* policentryzm.

polychete [ˌpɑːlɪˈkiːt], *Br.* **polychaete** *n. zool.* wieloszczet.

polychromatic [ˌpɑːlɪkroʊˈmætɪk] *a.* **1.** (*także* **polichrome, polichromic**) *form.* wielobarwny. **2.** *el.* polichromatyczny.

polychromatic radiation *n. U el.* promieniowanie polichromatyczne.

polychrome [ˈpɑːlɪˌkroʊm], **polychromic** *a.* **1.** = **polychromatic** 1. **2.** polichromiczny.

polychromy [ˈpɑːlɪˌkroʊmɪ] *n. U* polichromia.

polyclinic [ˌpɑːlɪˈklɪnɪk] *n. med.* poliklinika.

polyconic projection [ˌpɑːlɪˌkɑːnɪk prəˈdʒekʃən] *n. miern.* rzut wielostożkowy.

polycrystal [ˌpɑːlɪˈkrɪstl] *n. krystal.* ciało polikrystaliczne.

polycyclic [ˌpɑːlɪˈsaɪklɪk] *n. i a. chem., biol.* (związek) wielopierścieniowy *l.* wielocykliczny.

polycystic [ˌpɑːlɪˈsɪstɪk] *a. pat.* wielotorbielowy.

polycythemia [ˌpɑːlɪsaɪˈθiːmɪə], *Br.* **polycythaemia** *n. U pat.* czerwienica, policytemia.

polydactyl [ˌpɑːlɪˈdæktl] *a. pat., zool.* posiadający większą niż przewidywana liczbę palców.

polydipsia [ˌpɑːlɪˈdɪpsɪə] *n. U pat.* nadmierne pragnienie.

polyelectrolyte [ˌpɑːlɪɪˈlektrəˌlaɪt] *n. C/U el., chem.* polielektrolit.

polyene [ˈpɑːlɪˌen] *n. U chem.* polien.

polyester [ˈpɑːlɪˌestər] *n. U tk.* poliester.

polyethylene [ˌpɑːlɪˈeθəˌliːn], *Br.* **polythene** *n. U* (*także pot.* **poly**) *chem.* polietylen.

polygamist [pəˈlɪgəmɪst] *n.* poligamist-a/ka.

polygamous [pəˈlɪgəməs] *a.* **1.** poligamiczny. **2.** *bot.* wielopłciowy.

polygamy [pəˈlɪgəmɪ] *n. U* poligamia.

polygenesis [ˌpɑːlɪˈdʒenəsɪs] *n. U biol.* poligeneza; *antrop., zool.* poligenizm.

polygenetic [ˌpɑːlɪdʒəˈnetɪk] *a.* poligenetyczny; poligeniczny.

polyglot [ˈpɑːlɪˌglɑːt] *form. a.* wielojęzyczny (*np. o osobie, mieście, książce*). – *n.* **1.** poliglot-a/ka. **2.** wydanie wielojęzyczne (*zwł. Biblii*).

polygon [ˈpɑːlɪˌgɑːn] *n. geom.* wielokąt.

polygonal [pəˈlɪgənl] *a. geom.* wielokątny.

polygraph [ˈpɑːlɪˌgræf] *n.* **1.** *el.* aparat do badania prawdomówności, poligraf, wariograf. **2.** test wykonany aparatem jw.; rezultat testu jw. – *v.* poddawać testom za pomocą poligrafu.

polygynous [pəˈlɪdʒənəs] *a.* **1.** *zool.* poliginiczny; *antrop.* wielożenny. **2.** *bot.* wielosłupkowy.

polygyny [pəˈlɪdʒənɪ] *n. U* **1.** *zool.* poliginia; *antrop.* wielożeństwo. **2.** *bot.* wielosłupkowość.

polyhedral [ˌpɑːlɪˈhiːdrəl] *n. geom.* wielościenny.

polyhedral angle *n. geom.* kąt wielościenny.

polyhedron [ˌpɑːlɪˈhiːdrən] *n. geom.* wielościan.

Polyhymnia [ˌpɑːləˈhɪmnɪə] *n. mit.* Polihymnia (= *muza sakralnej pieśni chóralnej*).

polyisoprene [ˌpɑːləˈaɪsəˌpriːn] *n. U chem.* poliizopren, kauczuk poliizoprenowy.

polymath [ˈpɑːlɪˌmæθ] *n. form.* uczony; encyklopedysta; polihistor.

polymer [ˈpɑːləmər] *n. chem.* polimer.

polymeric [ˌpɑːləˈmerɪk] *a. chem.* polimeryczny.

polymerization [ˌpɑːləmərəˈzeɪʃən], *Br. i Austr. zw.* **polymerisation** *n. U chem.* polimeryzacja.

polymerize [ˈpɑːlɪməˌraɪz] *Br. i Austr. zw.* **polymerise** *v. chem.* polimeryzować, poddawać polimeryzacji.

polymerous [pəˈlɪmərəs] *a. biol.* wielodzielny; wieloczęściowy; wielosegmentowy.

polymorph [ˈpɑːlɪˌmɔːrf] *n.* **1.** *biol., krystal.* polimorf, odmiana polimorficzna. **2.** = **polymorphonuclear leukocyte.**

polymorphic [ˌpɑːlɪˈmɔːrfɪk] *a.* (*także* **polymorphous**) *biol., krystal.* polimorficzny, wielopostaciowy.

polymorphism [ˌpɑːlɪˈmɔːrfɪzəm] *n. U biol., krystal.* polimorfizm, wielopostaciowość.

polymorphonuclear leukocyte [ˌpɑːlɪˌmɔːrfəˌnuːkliːr ˈluːkəˌsaɪt] *n.* (*także* **polymorph, poly**) *biol., med.* granulocyt.

polymyxin [ˌpɑːlɪˈmɪksɪn] *n. U biochem., med.* polimyksyna (*rodzaj antybiotyku*).

Polynesia [ˌpɑːləˈniːʒə] *n. geogr.* Polinezja.

Polynesian [ˌpɑːləˈniːʒən] *a.* polinezyjski. – *n.* **1.** Polinezyj-czyk/ka. **2.** *U* grupa języków polinezyjskich.

polyneuritis [ˌpɑːlɪnʊˈraɪtɪs] *n. U pat.* zapalenie wielonerwowe.

Polynices [ˌpɑːləˈnaɪsiːz] *n. mit.* Polinik.

polynomial [ˌpɑːlɪˈnoʊmɪəl] *a. mat.* wielomianowy. – *n.* **1.** *mat.* wielomian. **2.** *biol.* wielowyrazowa nazwa taksonomiczna.

polynucleotide [ˌpɑːlɪˈnuːklɪəˌtaɪd] *n. zw. pl. biochem.* polinukleotyd.

polyol [ˌpɑːlɪˈɔːl] *n.* = **polyalcohol.**

polyoma [ˌpɑːlɪˈoʊmə] *n.* (*także* ~ **virus**) *wet.* poliomawirus, wirus poliomy.

polyp [ˈpɑːlɪp] *n.* **1.** *zool.* polip. **2.** *pat.* = **polypus.**

polypary [ˈpɑːləˌperɪ] *n. pl.* **-ies** *zool.* pień kolonii polipów.

polypeptide [ˌpɑːlɪˈpeptaɪd] *n. zw. pl. biochem.* polipeptyd.

polypetalous [ˌpɑːlɪˈpetələs] *a. bot.* wielopłatkowy.

polyphagia [ˌpɑːlɪˈfeɪdʒɪə] *n. U* **1.** *pat.* żarłoczność, nadmierne łaknienie. **2.** *zool.* wszystkożerność, polifagia.

polyphagous [pəˈlɪfəgəs] *a.* **1.** *pat.* żarłoczny. **2.** *zool.* wszystkożerny, polifagiczny.

polyphase [ˈpɑːlɪˌfeɪz] *a. el.* wielofazowy.

Polyphemus [ˌpɑːləˈfiːməs] *n. mit.* Polifem.

polyphonic [ˌpɑːlɪˈfɑːnɪk] *a.* **1.** *muz.* wielogłosowy, polifoniczny. **2.** *fon.* wyrażający różne głoski (*o znaku graficznym l. literze*).

polyphonically [ˌpɑːlɪˈfɑːnɪklɪ] *adv. muz.* wielogłosowo, polifonicznie.

polyphony [pəˈlɪfənɪ] *n. U muz.* polifonia.

polyphyletic [ˌpɑːlɪfaɪˈletɪk] *a. biol.* polifiletyczny.

polyploid [ˈpɑːlɪˌplɔɪd] *a. biol.* poliploidalny.

polyploidy [ˈpɑːlɪˌplɔɪdɪ] *n. U biol.* poliploidalność.

polypod [ˈpɑːlɪˌpɑːd] *n. zool.* wielonóg.

polypody [ˈpɑːlɪˌpoʊdɪ] *n. pl.* **-ies** (*także* **common** ~) *bot.* paprotka zwyczajna (*Polypodium vulgare*).

polyposis [ˌpɑːlɪˈpoʊsɪs] *n. U pat.* polipowatość.

polypropylene [ˌpɑːlɪˈproʊpəˌliːn] *n. U chem.* polipropylen.

polyptych [ˈpɑːləptɪk] *n. sztuka* poliptyk.

polypus [ˈpɑːləpəs] *n. pl.* **polypi** (*także* **polyp**) *pat.* polip.

polyrhythm [ˌpɑːlɪˈrɪðəm] *n. muz.* utwór polirytmiczny.

polyrhythmic [ˌpɑːlɪˈrɪðmɪk] *a. muz.* polirytmiczny.

polyribosome [ˌpɑːlɪˈrɪbəˌsoʊm] *n. zw. pl.* (*także* **polysome**) *biochem.* polirybosom, polisom, ergosom.

polysaccharide [ˌpɑːlɪˈsækəˌraɪd] *n. zw. pl.* (*także* **polysaccharose**) *chem.* wielocukier.

polysemy [pəˈlɪsɪmɪ] *n. U jęz.* polisemia, wieloznaczność.

polysepalous [ˌpɑːlɪˈsepələs] *a. bot.* wielodziałkowy.

polysome [ˈpɑːlɪˌsoʊm] *n.* = **polyribosome**.

polyspermy [ˌpɑːlɪˈspɝːmɪ] *n. U biol.* polispermia.

polystyrene [ˌpɑːlɪˈstaɪriːn] *n. U chem.* polistyren.

polysulphide [ˌpɑːlɪˈsʌlfaɪd] *n. zw. pl. chem.* polisulfid.

polysyllabic [ˌpɑːlɪsɪˈlæbɪk] *a.* **1.** *jęz.* wielozgłoskowy, wielosylabiczny. **2.** rozwlekły, przegadany (*zwł. o stylu*).

polysyllable [ˈpɑːlɪˌsɪləbl] *n. jęz.* wyraz wielozgłoskowy.

polysyllogism [ˌpɑːlɪˈsɪləˌdʒɪzəm] *n. log., mat.* polisylogizm.

polysyndeton [ˌpɑːlɪˈsɪndɪˌtɑːn] *n. jęz.* polisyndeton.

polysynthetic [ˌpɑːlɪsɪnˈθetɪk] *n. jęz.* polisyntetyczny (*o typie języka*).

polytechnic [ˌpɑːlɪˈteknɪk] *uniw. n.* (*także pot.* **poly**) *zwł. Br.* politechnika. – *a.* politechniczny.

polytheism [ˈpɑːlɪθɪˌɪzəm] *n. U rel.* politeizm, wielobóstwo.

polytheist [ˈpɑːlɪθɪɪst] *n.* politeist-a/ka.

polytheistic [ˌpɑːlɪθɪˈɪstɪk] *a.* politeistyczny.

polythene [ˈpɑːləˌθiːn] *n. Br.* = **polyethylene**.

polytonality [ˌpɑːlɪtoʊˈnælətɪ] *n. U muz.* wielotonalność.

polyunsaturated [ˌpɑːlɪʌnˈsætʃəˌreɪtɪd] *a. chem.* wielonienasycony.

polyurethane [ˌpɑːlɪˈjʊrəˌθeɪn] *n. U chem.* poliuretan.

polyvinyl [ˌpɑːlɪˈvaɪnl] *n. U chem.* poliwinyl.

polyvinyl chloride *n. U* (*także* **PVC**) *chem.* polichlorek winylu, PCV, PCW.

Polyxena [pəˈlɪksənə] *n. mit.* Poliksena.

pom [pɑːm] *n.* (*także* **pommy**) *Austr. i NZ pot., uj. l. żart.* angol, brytol.

pomace [ˈpʌmɪs] *n. U roln.* wytłoki, wytłoczyny (*owocowe*).

pomade [poʊˈmeɪd] *gł. hist. n. U* pomada. – *v.* smarować pomadą, pomadować.

pomander [ˈpoʊmændər] *n.* odświeżacz powietrza, zw. w formie pojemnika z suszonymi aromatyzowanymi kwiatami *l.* ziołami.

pome [poʊm] *n. bot.* owoc szupinkowy.

pomegranate [ˈpɑːmɪˌgrænɪt] *n. bot., kulin.* granat właściwy (*Punica granatum*); jabłko granatu.

pomelo [ˈpɑːməˌloʊ] *n. pl.* **-s** *bot.* pomarańcza olbrzymia, pompela (*Citrus grandis*).

Pomerania [ˌpɑːməˈreɪnɪə] *n. geogr., hist.* Pomorze.

Pomeranian [ˌpɑːməˈreɪnɪən] *a.* pomorski. – *n.* **1.** Pomorzan-in/ka. **2.** *kynol.* szpic miniaturowy.

pomiculture [ˈpɑːmɪˌkʌltʃər] *n. U ogr.* sadownictwo.

pommel [ˈpʌml] *n.* **1.** *broń hist.* głowica, gałka (*zwł. na rękojeści miecza*). **2.** *jeźdz.* kula (= *wzniesiony łęk siodła*). **3.** *sport* łęk (*konia*). – *v.* = **pummel**.

pommy [ˈpɑːmɪ] *n. pl.* **-ies** = **pom**.

pomological [ˌpoʊməˈlɑːdʒɪkl] *a. ogr.* pomologiczny.

pomologist [poʊˈmɑːlədʒɪst] *n. ogr.* pomolog.

pomology [poʊˈmɑːlədʒɪ] *n. U ogr.* pomologia.

pomp [pɑːmp] *n. U* **1.** pompa, przepych, wystawność. **2.** ~ **and circumstance** *zob.* **circumstance** *n.*

pompadour [ˈpɑːmpəˌdʊr] *n.* **1.** (*także Br.* **quiff**) fryzura męska z włosami zaczesanymi do góry (*w stylu lat 50. XX w.*); część włosów nad czołem we fryzurze jw. **2.** *hist.* fryzura damska z włosami zaczesanymi do góry (*popularna zwł. w XVIII w.*).

Pompeian [pɑːmˈpeɪən] *a. hist., geogr.* pompejański.

Pompeii [pɑːmˈpeɪ] *n. hist., geogr.* Pompeje, Pompeja.

pompom [ˈpɑːmpɑːm], **pom-pom** *n.* **1.** (*także* **pompon, pom-pon**) pompon. **2.** *hist., wojsk.* pompom (*przeciwlotnicze działo automatyczne*).

pomposity [pɑːmˈpɑːsətɪ] *n.* (*także* **pompousness**) *U* pompatyczność.

pompous [ˈpɑːmpəs] *a.* pompatyczny.

pompously [ˈpɑːmpəslɪ] *adv.* pompatycznie.

ponce [pɑːns] *n.* **1.** *Br. pot.* alfons. **2.** *Br. i Austr. obelż. sl.* pedał (= *homoseksualista*); zniewieściały facet. – *v.* ~ **about/around** *Br. pot.* opieprzać się; *Br. i Austr. obelż. sl.* zachowywać się jak pedał.

poncho [ˈpɑːntʃoʊ] *n. pl.* **-s** *strój* poncho; płaszcz przeciwdeszczowy w stylu poncho.

poncy [ˈpɑːnsɪ] *n.* **-ier, -iest** *Br. i Austr. obelż. sl.* pedałowaty, pedalski.

pond [pɑːnd] *n.* staw.

ponder [ˈpɑːndər] *v.* **1.** rozważać. **2.** rozmyślać (*on / upon / over / about sth* nad czymś).

ponderable [ˈpɑːndərəbl] *a.* **1.** *t. przen.* dający się zważyć *l.* ocenić. **2.** *fiz. l. przen.* ważki.

ponderer [ˈpɑːndərər] *n.* osoba rozmyślająca.

ponderous [ˈpɑːndərəs] *a.* ciężki, przyciężkawy (*np. o chodzie; t. przen. np. stylu pisarskim*); niezgrabny (*np. o sposobie poruszania się*).

ponderously [ˈpɑːndərəslɪ] *adv. t. przen.* ciężko; niezgrabnie.

pond lily *n. pl.* **-ies** *gł. US* lilia wodna (*Nuphar advena*).

pondweed [ˈpɑːndˌwiːd] *n. bot.* rdestnica (*Potamogeton*).

pone[1] [poʊn] *n. U płd. US kulin.* chleb kukurydziany.

pone[2] *n. karty* gracz na ręku.

pong [pɑːŋ] *Br., Austr. żart. n. zw. sing.* smród, fetor. – *v.* cuchnąć.

pongee [pɑːnˈdʒiː] *n. U tk.* miękka niebielona chińska tkanina jedwabna; imitacja tkaniny jw.

poniard [ˈpɑːnjərd] *lit. n.* sztylet. – *v.* zasztyletować.

pons [pɑːnz] *n. anat.* most.

pontiff [ˈpɑːntɪf] *n.* **1.** *kośc., hist.* pontifex; arcykapłan; najwyższy kapłan (*w starożytnym Rzymie*). **2.** *rz.-kat.* biskup (*zwł. Rzymu*); papież.

pontifical [pɑːnˈtɪfɪkl] *a.* **1.** *rz.-kat.* pontyfikalny; papieski. **2.** *przen.* pompatyczny. – *n. rz.-kat.* **1.** pontyfikał. **2.** *pl.* strój i insygnia biskupie.

Pontifical Mass *n. rz.-kat.* msza święta pontyfikalna.

pontificate *n.* [pɑːnˈtɪfəkət] *rz.-kat.* pontyfikat. – *v.* [pɑːnˈtɪfəˌkeɪt] **1.** pełnić obowiązki *l.* być na stanowisku biskupa. **2.** *przen.* wymądrzać się, perorować (*on / about sth* o czymś).

pontine [ˈpɑːntaɪn] *a. anat.* mostowy.

pontoon1 [pɑːnˈtuːn] *n.* (*także US* **ponton**) **1.** *gł. wojsk.* ponton. **2.** keson. **3.** *żegl.* płaskodenka. **4.** pływak (*wodnosamolotu*).

pontoon2 *Br. karty* oczko, oko.

pontoon bridge *n. gł. wojsk.* most pontonowy.

pony [ˈpoʊnɪ] *n. pl.* **-ies 1.** kucyk. **2.** *pot.* koń (*t. do gry w polo*). **3.** *US pot.* kieliszek (*zwł. do likierów*). **4.** *US szkoln. pot.* bryk (*tekstu literackiego*); ściąga (*zwł. z języka obcego*). **5.** *Br. sl.* 25 funtów. – *v.* ~ **up** *US przest. pot.* oddać pieniądze, spłacić dług.

pony express *n. US hist.* poczta rozstawna (*na zachodzie, w latach 1860-61*).

ponytail [ˈpoʊnɪˌteɪl], **pony-tail** *n.* koński ogon (*fryzura*).

pony trekking *n. U Br.* rajd konny.

poo [puː] *pot. dziec. n. U l. sing.* kupa, kupka. – *v.* robić kupę.

pooch [puːtʃ] *n. pot. zw. żart.* psiak, zwł. kundel.

poodle [ˈpuːdl] *n.* **1.** *kynol.* pudel. **2. be sb's ~** *Br. pot.* być na czyichś usługach.

poof [pʊf] *n.* (*także* **pouf, pouffe, poofter**) *gł. Br. i Austr. obelż. sl.* pedał (*homoseksualista*). – *int. pot.* **1.** *onomat.* bęc! **2.** phi! (*wyrażając brak zgody l. dezaprobatę*).

pooh [puː] *int. pot.* **1.** *Br.* fuj! (*wyrażając obrzydzenie, zwł. z powodu przykrego zapachu*). **2.** phi! (*wyrażając niecierpliwość l. pogardę*).

pooh-pooh [ˌpuːˈpuː] *v. pot.* wyśmiewać, wykpiwać.

pooka [ˈpuːkə] *n. Ir.* chochlik, puk.

pool1 [puːl] *n.* **1.** (*także* **swimming ~**) pływalnia, basen. **2.** sadzawka; niewielki staw. **3.** *żegl.* spokojne, głębokie miejsce na rzece *l.* w przystani. **4.** kałuża (*np. wody, krwi*). – *v.* **1.** formować *l.* tworzyć kałużę (*np. o krwi*). **2.** podchodzić wodą (*o gruncie*).

pool2 *n.* **1.** *ekon.* konsorcjum; syndykat; kartel; trust. **2.** *ekon.* fundusz; *sport* pula (*t. przy zbiorowych zakładach*). **3.** wspólnie użytkowane pomieszczenia *l.* urządzenia. **4.** grupa osób wspólnie użytkujących pomieszczenie *l.* urządzenie *l.* dzielących wspólne obowiązki. **5.** *U sport* rodzaj bilardu. **6.** *szerm.* zawody zbiorowe. **7.** *sport* uczestnicy wstępnych rozgrywek. **8.** *pl. Br.* totalizator sportowy; **do the ~s** grać w totalizatora. – *v.* **1.** tworzyć wspólny fundusz, pulę, kartel itp.; **~ resources** łączyć środki. **2.** dzielić się (*czymś*); wspólnie użytkować.

pool-hall [ˈpuːlˌhɔːl], **pool room** *n.* pomieszczenie *l.* lokal do gry w bilard.

poop1 [puːp] *żegl. n.* rufówka, nadbudówka rufowa. – *v.* zalewać od rufy (*statek; o morzu, fali*).

poop2 *v. US, Can. i Austr. pot.* **1.** męczyć, wykańczać. **2.** ~ **(out)** zmęczyć się; przestać pracować, funkcjonować *l.* brać udział.

poop3 *n. U* **the ~** *US t. dzienn. sl.* szczegółowe *l.* najnowsze informacje.

poop4 *n. U pot.* odchody (*zwł. psie*); *US dziec.* kupa, kupka. – *n.* robić kupę.

poop deck *n. żegl.* pokład rufówki.

pooped [puːpt] *a.* ~ **out** zmachany, wykończony.

pooper-scooper [ˈpuːpərˌskuːpər] *n. pot.* łopatka do sprzątania psich odchodów.

poor [pʊr] *a.* **1.** *t. przen.* biedny; ubogi (*in sth* w coś) (*np. w minerały, o glebie*). **2.** *attr.* biedny, nieszczęsny; **~ man** biedaczyna, biedaczysko; nieszczęśnik; **~ thing** biedactwo. **3.** złej jakości; marny, lichy; słaby; kiepski (*at sth* w czymś *l.* z czegoś) (*np. z matematyki*); **~ consolation** słaba pociecha; **~ eyesight/hearing** słaby wzrok/słuch; **~ health** słabe *l.* wątłe zdrowie. **4.** wadliwy. **5. ~ relations** *przen.* ubodzy krewni; **be a ~ loser** nie umieć przegrywać; **make a ~ job of sth** nie najlepiej sobie z czymś poradzić. – *n. z czasownikiem w liczbie mnogiej* **the ~** biedni, ubodzy.

poor box *n.* skarbonka na datki dla ubogich (*np. w kościele*).

poor boy *n. US pot.* podłużny sandwicz.

poorhouse [ˈpʊrˌhaʊs] *n.* schronisko dla ubogich.

poor law *n. U* **the P~ L~** *Br. prawn.* ustawodawstwo dotyczące pomocy społecznej dla ubogich.

poorly [ˈpʊrlɪ] *adv.* słabo; kiepsko; marnie, licho; **think ~ of sb/sth** mieć kiepskie zdanie o kimś/czymś. – *a.* **-ier, -iest** *pred. Br. i Austr. pot.* niezdrów.

poorly off *a. pred.* **1.** biedny, ubogi. **2. be ~ for sth** mieć za mało czegoś.

poormouth [ˈpʊrˌmaʊθ], **poor-mouth** *v. zwł. US, Ir. pot.* jęczeć, biadolić (*zwł. na brak pieniędzy w celu wzbudzenia litości*).

poorness [ˈpʊrnəs] *n. U* bieda, ubóstwo.

poor-spirited [ˌpʊrˈspɪrɪtɪd] *a. lit.* bojaźliwy.

pop1 [pɑːp] *v.* **-pp- 1.** strzelać (*at sth* do czegoś) (*np. do ptaka*). **2.** pękać z trzaskiem. **3.** prażyć (*kukurydzę*). **4.** wybałuszać (*oczy*). **5.** wychodzić na wierzch, wychodzić z orbit (*o oczach*); **his eyes ~ped** oczy mu wyszły na wierzch. **6.** pukać; uderzać. **7.** *pot.* brać (*prochy*). **8.** *Br. sl.* zastawiać, dawać w zastaw. **9. ~ the question** *pot.* oświadczyć się. **10. ~ for** *sl.* zafundować, zapłacić za; ~ **in/down** *pot.* wskoczyć; wpaść z wizytą (*zwł. krótką i niespodziewaną*); ~ **in/into** wrzucić (w/do) (*szybko l. nagle*); ~ **in and out** często wpadać z wizytą; ~ **off** szybko wyjść; wybuchnąć; pęknąć; *US pot.* mówić ze złością *l.* za dużo i bez zachowania dyskrecji; narzekać; wściekać się; ~ **on** nastawić (*np. wodę na herbatę*); ~ **out** wyrzucić (*szybko l. nagle*); wyskoczyć; ~ **up** pojawić się (*nieoczekiwanie*). – *n.* **1.** strzał. **2.** trzask; huk. **3.** *przest.* napój gazowany. **4. in** ~ *Br. sl.* oddany w zastaw, w lombardzie; **the tickets cost thirty-two dollars a** ~ *US, Can. i Austr. pot.* bilety kosztują trzydzieści dwa dolary za sztukę. – *int.* paf! – *adv.* **go** ~ pękać z hukiem (*np. o balonie*); wyskakiwać z hukiem (*np. o korku od szampana*).

pop[2] *n. U* = **pop music**. – *a. attr.* popularny; masowy; *t. muz.* pop.

pop[3] *n. gł. US pot.* tata.

pop[4] *n.* (*także* **pop.**) populacja.

pop art *n. U sztuka* pop art.

pop artist *n. sztuka* artyst-a/ka tworząc-y/a w stylu pop art.

popcorn ['pɑ:pˌkɔ:rn] *n. U* **1.** prażona kukurydza, popkorn. **2.** gatunki kukurydzy używane do produkcji popkornu.

pope [poʊp] *n.* **1.** (*także* **P**~) *rz.-kat.* papież. **2.** głowa kościoła, przewodniczący wspólnoty religijnej (*w kościele prawosławnym l. koptyjskim*). **3.** *przen.* wpływowa osoba, przywódca (*grupy*).

popedom ['poʊpdəm] *n. U* papiestwo.

popery ['poʊpərɪ] *n. U obelż.* papiestwo; religia rzymskokatolicka.

pop-eyed ['pɑ:pˌaɪd], **popeyed** *a. pot.* **1.** z wyłupiastymi oczami. **2.** o oczach szeroko otwartych (*np. ze zdumienia*).

popgun ['pɑ:pˌgʌn], **pop gun** *n.* pistolet zabawka, pukawka.

popinjay ['pɑ:pɪnˌdʒeɪ] *n. przest.* fanfaron (= *próżna i zarozumiała osoba*).

popish ['poʊpɪʃ] *a. obelż.* papieski; rzymskokatolicki.

poplar ['pɑ:plər] *n.* **1.** *bot.* topola (*Populus*). **2. trembling** ~ *bot.* osika (*Populus tremula*). **3.** *U* drewno topoli; osina.

poplin ['pɑ:plɪn] *n. U tk.* popelina.

popliteal [ˌpɑ:plɪ'ti:əl] *a. anat.* podkolanowy.

pop music *n.* (*także* **pop**) *U muz.* (muzyka) pop.

popover ['pɑ:pˌoʊvər] *n.* **1.** *gł. US kulin.* lekka bułeczka. **2.** *strój* prosta sukienka *l.* bluzka zakładana przez głowę.

poppadum ['pɑ:pədəm], **poppadom** *n. kulin.* cienki chlebek hinduski (*suszony, a następnie podgrzewany na oleju*).

popper ['pɑ:pər] *n.* **1.** druciany kosz *l.* patelnia do prażenia kukurydzy. **2.** *Br. pot.* zatrzask (*np. przy ubraniu*). **3.** *sl.* pistolet.

poppet ['pɑ:pɪt] *n.* **1.** *mech.* konik tokarki. **2.** *mech.* zatrzask kulkowy. **3.** *Br. i Austr. pot.* kruszynka, pędrak, szkrab (*czule o dziecku*).

poppet valve *n. mech.* zawór grzybkowy.

poppied ['pɑ:pɪd] *a.* **1.** pokryty makami. **2.** odurzony (jakby) opium; apatyczny.

popple[1] ['pɑ:pl] *v.* burzyć się; przelewać się (*zwł. o wodzie*).

popple[2] *n. pot.* = **poplar** 1.

poppy ['pɑ:pɪ] *n. pl.* **-ies** **1.** *bot.* mak (*Papaver*). **2.** *U* wyciąg z soku maku (*używany do produkcji opium*). **3.** *U* kolor makowy.

poppycock ['pɑ:pɪˌkɑ:k] *n. U przest. pot.* bzdury, brednie.

poppyhead ['pɑ:pɪˌhed] *n.* **1.** *bud.* ozdobne zwieńczenie (*zwł. ławki*). **2.** makówka.

poppy seed, poppyseed *n. U* mak (*nasiona*).

pop quiz *n. US szkoln.* niezapowiedziany sprawdzian.

popshop ['pɑ:pˌʃɑ:p], **pop shop** *n. Br. sl.* lombard.

Popsicle ['pɑ:psɪkl] *n. US i Can.* lizak z mrożonej wody z sokiem owocowym.

pop singer *n. muz.* piosenka-rz/rka.

popsock ['pɑ:pˌsɑ:k] *n.* podkolanówka (*damska, zw. noszona pod spodniami*).

pop star *n. muz.* gwiazda muzyki pop.

popsy ['pɑ:psɪ], **popsie, popsy-wopsy** *n. pl.* **-ies** *Br. przest. sl.* kociak (= *atrakcyjna dziewczyna*).

populace ['pɑ:pjələs] *n. sing. form.* **1.** lud, ludność, zwykli ludzie. **2.** społeczeństwo; społeczność lokalna. **3.** *Br.* motłoch, pospólstwo.

popular ['pɑ:pjələr] *a.* **1.** popularny; **be** ~ **with sb** cieszyć się popularnością u *l.* wśród kogoś. **2.** rozpowszechniony; powszechny; **contrary to** ~ **belief** wbrew powszechnemu przekonaniu. **3.** *attr.* społeczny, ogólnospołeczny; oddolny; *t. hist., polit.* ludowy.

popular etymology *n. U jęz.* etymologia ludowa.

popular front *n. hist., polit.* front ludowy.

popularity [ˌpɑ:pjə'lerətɪ] *n. U* popularność.

popularization [ˌpɑ:pjələrə'zeɪʃən], *Br. i Austr. zw.* **popularisation** *n. U* popularyzacja; upowszechnianie; rozpowszechnianie.

popularize ['pɑ:pjələˌraɪz], *Br. i Austr. zw.* **popularise** *v.* popularyzować; upowszechniać; rozpowszechniać.

popularizer ['pɑ:pjələˌraɪzər], *Br. i Austr. zw.* **populariser** *n.* popularyzator/ka.

popularly ['pɑ:pjələrlɪ] *adv.* **1.** powszechnie (*np. znany*); **it is** ~ **believed that...** powszechnie uważa się, że... **2.** potocznie.

popular sovereignty *n. U US hist., polit.* suwerenność narodowa.

populate ['pɑ:pjəˌleɪt] *v. często pass.* zamieszkiwać; zaludniać; **be ~d by sb/sth** być zamieszkanym przez kogoś/coś; **densely/heavily/thickly ~d** gęsto zaludniony.

population [ˌpɑ:pjə'leɪʃən] *n. t. stat.* **1.** *U* ludność, liczba mieszkańców; zaludnienie. **2.** populacja.

population control *n. U socjol., zool.* kontrola populacji.

population explosion *n. stat.* eksplozja demograficzna.

population genetics *n. U med.* genetyka populacyjna.

populism ['pɑ:pjəˌlɪzəm] *n. U polit.* populizm.

populist [ˈpɑːpjəlɪst] *polit. n.* populist-a/ka. – *a.* populistyczny.

populous [ˈpɑːpjʊləs] *a. t. stat.* gęsto zaludniony, ludny.

populousness [ˈpɑːpjʊləsnəs] *n. U t. stat.* gęste zaludnienie.

pop-up [ˈpɑːpˌʌp] *a. gł. attr.* **1.** *techn.* automatycznie unoszony w górę *l.* wysuwany. **2.** *komp.* pojawiający się; ~ **menu** menu pojawiające się. **3.** składany (*o książce z wycinanymi figurami, zwł. dla dzieci*). – *n.* książka składana (*jw.*).

porbeagle [ˈpɔːrˌbiːgl] *n. icht.* lamna (*Lamna nasus*).

porcelain [ˈpɔːrsəlɪn] *n. U* porcelana.

porcelain clay *n. U* kaolin, glinka porcelanowa.

porcelain enamel *n. U* emalia porcelanowa, szkliwo porcelanowe.

porcelain shell *n. zool.* porcelanka monetka (*Cypraea moneta*).

porcellaneous [ˌpɔːrsəˈleɪnɪəs] *a. form.* porcelanowy; przypominający porcelanę.

porch [pɔːrtʃ] *n.* **1.** ganek. **2.** *US i Can.* weranda. **3.** *kośc.* kruchta.

porcine [ˈpɔːrsaɪn] *a. form.* świński; wieprzowy.

porcupine [ˈpɔːrkjəˌpaɪn] *n. zool.* jeżozwierz (*rodzina Hystricidae*).

porcupine provisions *n. pl. ekon.* środki mające zapobiec przejęciu firmy przez inną.

pore[1] [pɔːr] *v.* **1.** rozmyślać, dumać (*on / upon sth* nad czymś). **2.** ~ **over sth** ślęczeć *l.* przesiadywać nad czymś (*zw. nad książką*); zagłębiać się w coś.

pore[2] *n. anat., zool., bot.* otwór; por.

porgy [ˈpɔːrgɪ] *n. pl.* **-ies** *l.* **porgy** *icht.* ryba z rodziny prażmowatych, np. morlesz (*Sparidae, Pagellus centrodontus*).

pork [pɔːrk] *n. U* **1.** wieprzowina. **2.** *US polit. pot.* fundusze rządowe przeznaczone na projekty lokalne (*pod pretekstem politycznym*).

pork barrel *n. US polit. pot.* projekt rządowy mający na celu zdobycie głosów wyborców (*np. dotyczący budowy autostrady l. innych ulepszeń lokalnych*).

pork-barreling [ˈpɔːrkˌberəlɪŋ] *n. U US polit. pot.* polityka rządowa mająca na celu zdobycie głosów wyborców (*polegająca na wprowadzaniu ulepszeń lokalnych*).

porker [ˈpɔːrkər] *n.* **1.** *hodowla* wieprz opasowy, tucznik. **2.** *obelż. pot.* wieprz. **3.** *sl.* kłamstwo.

pork pie *n.* **1.** *C / U US kulin.* placek z nadzieniem z wieprzowiny. **2.** (*także* **porky**) *sl.* kłamstwo.

porkpie hat [ˈpɔːrkˌpaɪ ˌhæt] *n. US* miękki kapelusz z płaskim denkiem.

pork rinds *n. pl.* (*także Br.* **pork scratchings**) *kulin.* skwarki.

porky [ˈpɔːrkɪ] *a.* **1.** wieprzowy. **2. -ier, -iest** *obelż. pot.* opasły. – *n. sl.* kłamstwo.

porno [ˈpɔːrnoʊ], **porn** *n. i a. pot.* porno.

pornographer [pɔːrˈnɑːgrəfər] *n.* pornograf.

pornographic [ˌpɔːrnəˈgræfɪk] *a.* pornograficzny.

pornographically [ˌpɔːrnəˈgræfɪklɪ] *adv.* pornograficznie.

pornography [pɔːrˈnɑːgrəfɪ] *n. U* pornografia.

porosity [poʊˈrɑːsətɪ] *n. U* porowatość.

porous [ˈpɔːrəs] *a.* porowaty.

porousness [ˈpɔːrəsnəs] *n.* = **porosity**.

porphyria [pɔːrˈfiːrɪə] *n. U pat.* porfiria.

porphyrin [ˈpɔːrfərɪn] *n. U biol.* porfiryna.

porphyry [ˈpɔːrfərɪ] *n. U min.* porfir.

porpoise [ˈpɔːrpəs] *n. zool.* morświn (*Phocoena phocoena*). – *v. żegl., lotn.* **1.** galopować (*o ślizgaczu l. wodnosamolocie*). **2.** zakołysać się (*wzdłużnie*).

porridge [ˈpɔːrɪdʒ] *n. U* **1.** *kulin.* owsianka. **2.** *Br. sl.* odsiadka (*w więzieniu*); **do** ~ siedzieć (*jw.*).

porringer [ˈpɑːrəndʒər] *n.* miseczka z uchwytem (*np. do zupy l. owsianki*).

port[1] [pɔːrt] *n. C / U* miasto portowe; port; **come into** ~ zawinąć do portu; **in** ~ w porcie; **leave** ~ opuścić port. – *a. attr.* portowy.

port[2] *n.* **1.** *techn., mech.* otwór przelotowy (*t. wlot l. wylot*); luk. **2.** szczelina; okno; *wojsk.* otwór strzelniczy. **3.** *żegl.* furta (*wodna*). **4.** *el.* wrota (*sygnału*). **5.** *komp.* gniazdo wejściowe, port. **6.** *gł. Scot. bud.* brama (*miejska*).

port[3] *żegl., lotn. n.* (*także* ~ **side**) bakburta, bakbort, lewa burta (*statku*); lewa strona (*samolotu*); **to** ~ po lewej. – *a.* z lewej, po lewej stronie (*statku l. samolotu*). – *v.* obracać (się) w lewo.

port[4] *n. U* porto (*wino*).

port[5] *v.* **1.** *form.* nieść, przenosić. **2.** *wojsk.* prezentować (*broń*); ~ **arms!** prezentuj broń! – *n.* **1.** *wojsk.* pozycja „prezentuj broń!". **2.** *przest.* postawa; sposób noszenia się.

portability [ˌpɔːrtəˈbɪlətɪ] *n. U* przenośność.

portable [ˈpɔːrtəbl] *a.* **1.** przenośny. **2.** polowy. – *n.* przenośne urządzenie (*np. maszyna do pisania, telewizor l. radioodbiornik*).

portable typewriter *n.* walizkowa maszyna do pisania.

portacrib [ˈpɔːrtəˌkrɪb] *n. US* przenośne łóżeczko dla niemowlęcia.

portage [ˈpɔːrtɪdʒ] *n. U form.* **1.** przewóz; transport; noszenie; przenoszenie; **mariner's** ~ *żegl.* miejsce na ładunek marynarza na statku zamiast płacy (*l. w ramach płacy*); płaca marynarza. **2.** *żegl.* przenoszenie łodzi *l.* towarów pomiędzy dwiema żeglownymi szlakami (*np. przez ląd l. ponad wodospadem*); droga, którą odbywa się przenoszenie jw. **3.** koszt przewozu; przewoźne. – *v. form.* przenosić (*np. łodzie, towary*).

Portakabin [ˈpɔːrtəˌkæbɪn] *n.* barak (*przewoźny*).

portal [ˈpɔːrtl] *n.* **1.** *zwł. lit. t. komp.* portal. **2.** *t. techn.* brama. – *a. attr.* **1.** *anat.* wrotny. **2.** *techn.* bramowy.

portal system *n. fizj.* system wrotny.

portal vein *n. anat.* żyła wrotna.

portative [ˈpɔːrtətɪv] *a. form.* **1.** przenośny. **2.** nośny; podtrzymujący.

portcullis [pɔːrtˈkʌləs] *n.* spuszczana krata (*w bramie twierdzy l. zamku*).

portend [pɔːrˈtend] *v. form.* zapowiadać, zwiastować.

portent [ˈpɔːrtent] *n. lit.* **1.** zwiastun, wróżba, znak (*of sth* czegoś) (*zwł. złego*); **of dire ~** złowieszczy. **2.** cud.

portentous [pɔːrˈtentəs] *a. form.* **1.** wróżebny; *uj.* złowieszczy. **2.** *uj.* udający ważnego; pompatyczny. **3.** cudowny; niesamowity.

portentously [pɔːrˈtentəslɪ] *adv.* **1.** wróżebnie; *uj.* złowieszczo. **2.** *uj.* udając ważnego; pompatycznie. **3.** cudownie; niesamowicie.

porter¹ [ˈpɔːrtər] *n.* **1.** bagażowy, tragarz. **2.** osoba zajmująca się sprzątaniem i dokonywaniem drobnych napraw (*w budynku, sklepie*). **3.** *US i Can. kol.* konduktor wagonu sypialnego *l.* kuszetkowego, kuszetkowy.

porter² *n.* **1.** *gł. Br.* portier, recepcjonista, odźwierny. **2.** *kość.* ostiariusz.

porter³ *n. U Br.* porter (*piwo*).

porterage [ˈpɔːrtərɪdʒ] *n. U* **1.** praca tragarza. **2.** opłata za przeniesienie bagaży.

porterhouse [ˈpɔːrtərˌhaʊs] *n.* **1.** *C/U* (*także* **~ steak**) *US, Can. i Austr. kulin.* befsztyk z polędwicy. **2.** *hist.* piwiarnia; gospoda; jadłodajnia.

portfire [ˈpɔːrtˌfaɪr] *n. wojsk.* knot.

portfolio [pɔːrtˈfoʊlɪˌoʊ] *n. pl.* **-s** **1.** teczka; aktówka. **2.** portfolio (*artysty*). **3.** *polit. przen.* teka (*np. ministerialna*); urząd ministra; **minister without ~** minister bez teki. **4.** *fin.* portfel (*np. weksli l. obligacji*).

porthole [ˈpɔːrtˌhoʊl] *n.* **1.** *żegl.* luk; iluminator. **2.** *wojsk.* otwór strzelniczy.

portico [ˈpɔːrtɪˌkoʊ] *n. pl.* **-es** *l.* **-s** *bud.* portyk.

porticoed [ˈpɔːrtɪˌkoʊd] *a. bud.* z portykiem.

portiere [ˌpɔːrtɪˈer], **portière** *n.* portiera, kotara.

portion [ˈpɔːrʃən] *n.* **1.** część (*of sth* czegoś). **2.** porcja (*t. jedzenia*). **3.** *prawn.* posag; część spadku (*należna danemu spadkobiercy*). **4. sb's ~** *lit.* czyjś los. – *v.* **1.** *fom.* dzielić; przydzielać (*sth to sb* coś komuś). **2. ~ out** wydzielać; rozdzielać (*among / between sb* pomiędzy kogoś).

Portland cement [ˌpɔːrtlənd səˈment] *n. U bud.* cement portlandzki.

portliness [ˈpɔːrtlɪnəs] *n. U* **1.** *żart.* korpulencja. **2.** *arch.* okazałość.

portly [ˈpɔːrtlɪ] *a.* **-ier, -iest** **1.** *cz. żart.* tęgi, korpulentny. **2.** *arch.* okazały, imponujący.

portmanteau [pɔːrtˈmæntoʊ] *n. pl.* **-s** *l.* **portmanteaux** *gł. Br. przest.* duża walizka. – *a.* stanowiący kombinację wielu elementów; niejednorodny.

portmanteau word *n. jęz.* wyraz powstały ze zlania sie dwu innych (*np. smog = smoke + fog*).

port of call *n.* **1.** port pośredni (*do którego zawija statek*). **2.** *przen. pot.* jedno z wielu odwiedzanych miejsc.

portrait [ˈpɔːrtrət] *n.* **1.** *mal., fot. l. przen.* portret. **2.** *U komp.* pion (= *pionowe położenie papieru przy wydruku*); **in ~ (mode)** w pionie (*drukować, rozplanować*). – *a. komp.* w pionie, pionowy (*o wydruku, układzie strony*). – *adv. komp.* w pionie, pionowo (*drukować*).

portraitist [ˈpɔːrtrətɪst] *n. mal., fot. l. przen.* portrecist-a/ka.

portraiture [ˈpɔːrtrətʃʊr] *n. U mal., fot.* **1.** portretowanie. **2.** *form.* portret.

portray [pɔːrˈtreɪ] *v.* **1.** *mal., fot.* portretować. **2.** opisywać; przedstawiać (*zwł. w określony sposób*). **3.** *teatr, kino* grać *l.* odtwarzać rolę (*kogoś*).

portrayal [pɔːrˈtreɪəl] *n.* **1.** *U mal., fot.* portretowanie. **2.** opis; przedstawienie (*kogoś l. czegoś*). **3.** portret. **4.** *teatr, kino* odtworzenie roli.

portress [ˈpɔːrtrəs] *n.* furtianka (*w klasztorze*).

port side *n. zob.* **port³** *n.*

Portugal [ˈpɔːrtʃəgl] *n. geogr.* Portugalia.

Portuguese [ˌpɔːrtʃʊˈgiːz] *a.* portugalski. – *n.* **1.** Portugal-czyk/ka. **2.** *U* (język) portugalski.

Portuguese man-of-war *n. zool.* bąbelnica, żeglarz portugalski, okręt portugalski, aretuza (*Physalia physalis*).

portulaca [ˌpɔːrtʃəˈlækə] *n. bot.* portulaka (*Portulaca*).

port-wine stain [ˌpɔːrtˌwaɪn ˈsteɪn] *n. pat.* znamię naczyniowe (*zwł. na twarzy l. szyi*).

POS [ˌpiː ˌoʊ ˈes] *abbr.* = **point of sale.**

pose¹ [poʊz] *v.* **1.** *mal., fot.* pozować (*for sb* komuś, *for sth* do czegoś). **2. ~ as sb** udawać kogoś, podawać się za kogoś. **3.** stawiać (*np. kwestię l. problem*); wysuwać (*np. pretensję l. twierdzenie*). **4.** *zwł. Br.* zachowywać się pretensjonalnie. **5. ~ a problem/challenge/threat** stanowić problem/wyzwanie/zagrozenie. – *n. mal., fot. l. przen.* poza.

pose² *v. rzad.* stanowić zagadkę dla (*kogoś*).

poser¹ [ˈpoʊzər] *n.* **1.** *mal., fot.* model/ka. **2.** = **poseur** *n.*

poser² *n. przest.* łamigłówka; zagadka (*t. o osobie*).

poseur [poʊˈzɝː] *pot.* **poser** *n.* pozer/ka.

posh [pɑːʃ] *pot. a.* **1.** elegancki; luksusowy (*np. o restauracji, hotelu, samochodzie*). **2.** *gł. Br.* z wyższych sfer (*zwł. o osobie l. sposobie mówienia*). – *adv.* **talk ~** *gł. Br.* mówić z akcentem charakterystycznym dla osoby z wyższych sfer.

posit [ˈpɑːzɪt] *v.* **1.** *fil., log.* zakładać, przyjmować; wysuwać. **2.** *form.* umieszczać. – *n. fil., log.* założenie.

position [pəˈzɪʃən] *n.* **1.** *C/U* pozycja (*t. wojsk., sport; t. seksualna*); położenie; ustawienie; ułożenie; **geographical ~** położenie geograficzne; **in a vertical/horizontal ~** w pozycji pionowej/poziomej; **take up (one's) ~** zająć pozycję; **try to put yourself in my ~** spróbuj postawić się w moim położeniu. **2.** *form.* stanowisko, posada; **hold a ~** zajmować stanowisko; **the ~ has been filled** stanowisko zostało obsadzone. **3.** *zw. sing.* położenie, sytuacja; **in a fortunate/an enviable ~** w szczęśliwej sytuacji/w sytuacji do pozazdroszczenia; **put sb in a difficult/an awkward ~** postawić kogoś w trudnej/kłopotliwej sytuacji *l.* trudnym/kłopotliwym położeniu. **4.** *form.* stanowisko (*on sth* w kwestii czegoś); zdanie, opinia; **take the ~ that...** być zdania, że... **5.** *Br. i Austr.*

sport miejsce, lokata; **she finished the race in third ~** ukończyła wyścig na trzecim miejscu *l.* z trzecią lokatą. **6.** *U* status; ranga; pozycja (*społeczna*). **7.** *U* odpowiednie umiejscowienie, właściwe położenie; **in ~** na właściwym miejscu; **out of ~** na niewłaściwym miejscu. **8.** *fil., log.* twierdzenie; założenie. **9. be in a ~ to do sth** być w stanie coś zrobić; **be in no ~ to do sth** nie być w stanie czegoś zrobić; **from a ~ of strength** z pozycji siły (*np. negocjować*); **jockey/jostle for ~** walczyć o (lepszą) pozycję *l.* pierwszeństwo; **sb is in no ~ to talk** *pot.* ktoś nie ma prawa zabierać głosu. – *v.* **1.** umieszczać; ustawiać; nastawiać; nadawać właściwe położenie (*czemuś*). **2.** lokalizować; ustalać położenie (*czegoś*). **3. ~ o.s.** zająć pozycję.

positional notation [pəˌzɪʃənl noʊˈteɪʃən] *n.* *C/U komp.* zapis pozycyjny, notacja pozycyjna.

position audit *n. fin., ekon.* ocena pozycji finansowej firmy.

position effect *n. med.* efekt pozycyjny.

position feedback *n. U komp., mech.* położeniowe sprzężenie zwrotne.

position paper *n. zwł. polit.* raport (*np. rządowy*).

positive [ˈpɑːzətɪv] *a.* **1.** pewny (*about sth* czegoś); przekonany (*about sth* o czymś); **he's ~ that they did it** jest pewny, że oni to zrobili. **2.** pozytywny; mający pozytywne nastawienie; **think ~** myśleć pozytywnie. **3.** twierdzący (*o odpowiedzi*). **4.** *t. mat., el., fiz., med.* dodatni (*t. np. o wyniku testu*). **5.** wyraźny, stanowczy (*np. o odpowiedzi, odmowie l. decyzji*). **6.** *gł. attr.* niewątpliwy; niepodważalny (*t. prawn. o dowodach*); bezdyskusyjny. **7.** ustanowiony (*w przeciwieństwie do przyrodzonego, zwł. o prawie l. zwyczaju*). **8.** *fot.* pozytywowy. **9.** *attr. pot.* prawdziwy; **it's a ~ miracle** to prawdziwy cud. **10.** *mech.* przymusowy (*np. o napędzie l. sprzęgle*). **11.** *gram.* równy (*o stopniu przymiotnika l. przysłówka*). **12.** *fil.* pozytywistyczny; pozytywny. – *n.* **1.** *mat., el., fiz.* wartość dodatnia. **2.** (*także* **~ sign**) *mat.* znak dodatni. **3.** *fot.* pozytyw. **4.** *gram.* przymiotnik *l.* przysłówek w stopniu równym; *U* stopień równy (*przymiotnika l. przysłówka*).

positive discrimination *n. U Br. i Austr. polit., socjol.* dyskryminacja pozytywna (*w celu wyrównania szans poszkodowanej l. dyskryminowanej grupy etnicznej, rasy, płci*).

positively [ˈpɑːzətɪvlɪ] *adv.* **1.** *pot.* wręcz; naprawdę, autentycznie; **she ~ glowed with health** wręcz tryskała zdrowiem; **they ~ enjoy it** autentycznie to lubią. **2.** pozytywnie; twierdząco. **3.** wyraźnie, stanowczo. **4.** niewątpliwie. **5.** bezwzględnie. **6.** *mat., el., fiz.* dodatnio; **~ charged** naładowany dodatnio.

positiveness [ˈpɑːzətɪvnəs] *n. U* **1.** pewność. **2.** niepodważalność; bezdyskusyjny charakter. **3.** stanowczość.

positive sign *n.* = **positive** *n.* 2.

positivism [ˈpɑːzətɪvˌɪzəm] *n. U fil.* pozytywizm.

positivist [ˈpɑːzətɪvɪst] *n.* pozytywist-a/ka.

positivistic [ˈpɑːzətɪvɪstɪk] *a.* pozytywistyczny.

positron [ˈpɑːzɪˌtrɑːn] *n. fiz.* pozytron, antyelektron, elektron dodatni.

positron emission tomography *n. U* (*także* **PET**) *med.* tomografia pozytronowa.

poss. *abbr.* **1.** *prawn.* = **possession**. **2.** *gram.* = **possessive**. **3.** = **possible**; = **possibly**.

posse [ˈpɑːsɪ] *n.* **1.** = **posse comitatus**. **2.** *pot.* grupa ludzi. **3.** pościg, obława. **4.** *sl.* banda, paczka (*przyjaciół*).

posse comitatus [ˌpɑːsɪ ˌkɑːməˈtɑːtəs] *n. US gł. hist.* oddział powołany przez szeryfa dla utrzymania porządku; oddział policyjny.

possess [pəˈzes] *v.* **1.** *form.* posiadać (*t. cechę*). **2.** *lit.* opanować (*np. o myśli l. uczuciu*); *t. przen.* opętać (*np. o demonie*); **what(ever) ~ed her to do it?** co ją opętało, żeby to zrobić? **3.** *lit.* przepajać (*with sth* czymś) (*np. uczuciem l. myślą*). **4.** *przest.* posiąść (*kobietę*). **5. ~ o.s. of sth** *form.* brać coś na własność. **6. ~ a language** władać językiem. **7.** *rzad.* panować nad (*emocjami*); **~ o.s.** panować nad sobą, kontrolować się.

possessed [pəˈzest] *a.* **1.** opętany (*with/by sth* czymś) (*np. myślą*); **like a man ~** (*także* **like one ~**) jak opętany. **2.** opanowany, panujący nad sobą. **3. be ~ of sth** *lit.* posiadać coś (*jakąś cechę*).

possession [pəˈzeʃən] *n.* **1.** *U form.* posiadanie; własność; **be in ~ of sth** być w posiadaniu czegoś; **be in the ~ of sb** być w czyimś posiadaniu; **have sth in one's ~** mieć coś w swoim posiadaniu; **take/get ~ of sth** *t. prawn.* obejmować *l.* brać coś w posiadanie. **2.** rzecz posiadana; *pl.* dobytek, majątek; **material ~s** dobra materialne; **personal ~** rzecz *l.* własność osobista. **3.** *t. polit.* posiadłość; dominium. **4.** *U* opanowanie, panowanie nad sobą. **5.** *U* opętanie. **6.** *U prawn.* nielegalne posiadanie (*zwł. narkotyków l. broni*). **7. in (full) ~ of one's faculties/senses** w pełni władz umysłowych. **8.** *U sport* posiadanie piłki.

possession order *n. prawn.* nakaz zarekwirowania *l.* przejęcia.

possessive [pəˈzesɪv] *a.* **1.** zachłanny; zazdrosny; zaborczy (*towards sb* wobec *l.* względem kogoś). **2.** *gram.* dzierżawczy. **3.** dotyczący posiadania. – *n. gram.* **1.** zaimek dzierżawczy; przymiotnik dzierżawczy. **2.** (*także* **~ case**) dopełniacz.

possessively [pəˈzesɪvlɪ] *adv.* zachłannie; zazdrośnie; zaborczo.

possessiveness [pəˈzesɪvnəs] *n. U* zachłanność; zazdrość; zaborczość.

possessor [pəˈzesər] *n. form. l. żart.* posiadacz/ka, właściciel/ka; **be the proud ~ of sth** być dumnym posiadaczem czegoś.

possessory [pəˈzesərɪ] *a. form.* **1.** dotyczący posiadania; związany z posiadaniem. **2.** posiadający.

posset [ˈpɑːsət] *n. U gł. dial. kulin.* napój z gorącego mleka z dodatkiem piwa *l.* wina, zwł. słodzony i zaprawiony korzeniami.

possibility [ˌpɑːsəˈbɪlətɪ] *n. C/U pl.* **-ies** możliwość (*of sth* czegoś); **exhaust all the possibilities** wyczerpać wszystkie możliwości; **have (great)**

possibilities mieć (duży) potencjał; **there is a ~ (that)...** istnieje możliwość, że...; **there is a strong ~ (that)...** istnieje duże prawdopodobieństwo, że..., jest duża szansa, że...; **within the realms of ~** *zob.* **realm.**

possible ['pɑ:səbl] *a.* możliwy; **anything's ~** wszystko jest możliwe, wszystko może się zdarzyć; **as far as ~** w miarę możliwości, na tyle, na ile (to) możliwe; **as soon as ~** jak najszybciej; **humanly ~** w ludzkiej mocy; **if (at all) ~** jeśli to (w ogóle) możliwe, o ile (tylko) to możliwe; **it's ~ (that)...** możliwe, że...; **would it be ~...** czy byłoby możliwe... (*w uprzejmych prośbach*).

possibly ['pɑ:səblɪ] *adv.* **1.** być może; możliwe; **quite ~** (to) całkiem możliwe (*odpowiadając na pytanie*). **2.** *emf.* absolutnie, w żaden *l.* jakikolwiek sposób; **I couldn't ~ afford it** w żaden sposób nie mogę sobie na to pozwolić; **she can't ~ accept it** ona absolutnie nie może tego przyjąć. **3.** *emf.* tylko; **if you ~ can** jeśli tylko możesz. **4. could/can you ~...** czy mógłbyś... (*w uprzejmych prośbach*).

possum ['pɑ:səm] *n.* **1.** *zool. pot.* = **opossum. 2. play ~** *przen. pot.* udawać śpiącego, umarłego *l.* chorego.

POST [ˌpi: ˌoʊ ˌes 'ti:] *abbr.* **point-of-sale terminal** *komp., fin., handl.* terminal kasowy.

post¹ [poʊst] *n.* **1.** słup; słupek; pal; palik. **2.** = **bedost. 3.** = **goalst. 4. deaf as a ~** *zob.* **deaf** *n.*; **pip sb at the ~** *zob.* **pip** *v.* – *v.* **1. ~ (up)** wywieszać; nalepiać; rozplakatowywać, rozlepiać. **2. ~ (up)** ogłaszać (*publicznie, oficjalnie; np. zapowiedzi*); **sb is ~ed missing** (oficjalnie) ogłoszono czyjeś zaginięcie. **3.** *uniw.* umieszczać na liście, studentów, którzy nie zdali egzaminów; na niektórych uniwersytetach. **4.** zalepiać plakatami.

post² *n.* **1.** stanowisko, posada, etat; **resign (from) one's ~** ustąpić ze stanowiska; **take up a ~** objąć stanowisko. **2.** *wojsk. l. przen.* posterunek. **3.** załoga; oddział (*na posterunku*). **4.** (*także* **trading ~**) faktoria; skład handlowy. **5.** *fin.* miejsce handlu na giełdzie określonym rodzajem akcji. – *v.* **1.** *wojsk.* umieszczać (*zwł. na posterunku l. stanowisku*); wystawiać (*straże*). **2.** *często pass.* wysyłać, oddelegowywać (*pracownika*); **be ~ed abroad/to Australia** zostać wysłanym *l.* oddelegowanym za granicę/do Australii. **3.** stacjonować. **4.** *pot.* spłacać (*kaucję*).

post³ *n.* **1.** *U gł. Br.* **the ~** poczta (*przesyłki l. instytucja*); **by ~** pocztą; **by return (of) ~** odwrotną pocztą; **put sth in the ~** wysłać coś (pocztą); **the letter/cheque is in the ~** list/czek został wysłany *l.* nadany. **2.** (*także* **~ up**) *fin.* zaksięgować. – *a. attr.* pocztowy. – *v.* **1. ~ (off)** *gł. Br.* przesyłać *l.* wysyłać pocztą; nadawać na poczcie; wrzucać do skrzynki (*pocztowej*). **2.** *pot. Br.* włożyć *l.* wsunąć *l.* wrzucić przez otwór na listy (*w drzwiach; np. klucz*). **3.** *fin.* przeksięgować (*pozycję z księgi pomocniczej do głównej*); zaksięgować. **4.** *arch.* jechać pośpiesznie, śpieszyć się. **5. keep sb ~ed (on sth)** informować kogoś (o czymś) na bieżąco.

postage ['poʊstɪdʒ] *n. U* opłata pocztowa, porto; **~ and packing** *Br. i Austr.* koszty wysyłki.

postage stamp *n. form.* znaczek pocztowy.

postal ['poʊstl] *a. attr.* pocztowy.

postal ballot *n. Br. polit.* głosowanie korespondencyjne.

postal card *n.* = **postcard.**

postal code *n.* = **postcode.**

postal order *n. Br.* przekaz pocztowy.

postal vote *n. Br. polit.* głos oddany korespondencyjnie.

postbag ['poʊstˌbæg] *n. Br.* **1.** torba listonosza. **2.** *sing. pot.* otrzymana poczta (*np. w związku z konkretnym wydarzeniem, programem telewizyjnym itp.*).

post-bellum [ˌpoʊst'beləm] *a. attr.* powojenny.

postbox ['poʊstˌbɑ:ks] *n. Br.* skrzynka pocztowa.

postboy ['poʊstˌbɔɪ] *n.* **1.** *przest.* listonosz. **2.** goniec.

postcard ['poʊstˌkɑ:rd], **post card** *n.* (*także* **postal card**) kartka pocztowa; pocztówka, widokówka.

post chaise ['poʊst ˌʃeɪz] *n. hist.* powóz pocztowy.

postcode ['poʊstˌkoʊd] *n.* (*także* **postal code**) kod pocztowy.

post-coital [ˌpoʊst'kɔɪtl] *a. fizj.* występujący po stosunku seksualnym (*o reakcji, zachowaniu*).

postdate [ˌpoʊst'deɪt] *v.* **1.** postdatować (*np. czek*). **2.** następować po (*czymś*), być późniejszym niż.

postdiluvian [ˌpoʊstdɪ'lu:vɪən], **postdiluvial** [ˌpoʊstdɪ'lu:vɪəl] *Bibl. a.* mający miejsce po Potopie. – *n.* osoba *l.* rzecz ocalała po Potopie.

postdoc [ˌpoʊst'dɑ:k], **post doc** *zwł. US uniw. pot. n.* **1.** stypendyst-a/ka ze stopniem doktora. **2.** stypendium podoktoranckie. – *a.* = **postdoctoral** *a.*

postdoctoral [ˌpoʊst'dɑ:ktərəl] *a. gł. attr. uniw.* **1.** podoktorancki. **2. ~ dissertation** rozprawa habilitacyjna.

poster ['poʊstər] *n.* **1.** afisz; plakat. **2.** gablota (*na afisze l. ogłoszenia*).

poster color *n. C/U* (*także Br.* **poster paint**) farba plakatowa.

poste restante [ˌpoʊst re'stɑ:nt] *n. U l. sing. Br. poczta* poste restante.

posterior [pɑ:'stɪ:rɪər] *a. attr.* **1.** tylny. **2.** późniejszy (*to sth* od czegoś). – *n. żart.* siedzenie, tyłek, zadek.

posteriorly [pɑ:'stɪ:rɪərlɪ] *adv.* **1.** z tyłu. **2.** *przest.* później.

posterity [pɑ:'sterətɪ] *n. U form.* potomność; przyszłe pokolenia; **preserve sth for ~** zachować coś dla potomności.

postern ['poʊstərn] *n. t. przen.* tylne *l.* boczne drzwi *l.* wejście (*t. do ucieczki*). – *a.* **1.** tylny. **2.** boczny. – *adv. arch.* **1.** z tyłu. **2.** z boku.

poster paint *n. Br.* = **poster color.**

post exchange *n. US wojsk.* sklep garnizonowy.

postfeminist [ˌpoʊst'femənɪst] *socjol. a.* postfeministyczny. – *n.* postfeminist-a/ka.

postfix ['poʊstˌfɪks] *n.* **1.** dodatek. **2.** *gram.*

przyrostek. – *v.* 1. dodawać na końcu. 2. *gram.* dodawać przyrostek do (*rdzenia, tematu*).

post-free [ˌpoustˈfriː] *a. Br.* = **postpaid.**

postglacial [ˌpoustˈgleɪʃl] *a. geol.* polodowcowy.

postgrad [ˌpoustˈgræd] *n. i a.* = **postgraduate.**

postgraduate [ˌpoustˈgrædʒuət] *uniw. a. attr.* podyplomowy; *zwł. US* doktorancki; *zwł. Br.* magistrancki. – *n.* 1. *zwł. US* doktorant/ka. 2. *zwł. Br.* magistrant/ka.

posthaste [ˌpoustˈheɪst], **post-haste** *adv. przest. l. lit.* w wielkim pośpiechu. – *n. U arch.* wielki pośpiech.

post hoc [ˌpoust ˈhouk] *a. log. l. form.* post hoc (*zwł. o wyjaśnianiu l. błędzie logicznym*).

post horn *n. hist.* trąbka pocztyliona.

post horse *n. hist.* koń pocztowy.

posthumous [ˈpɑːstʃəməs] *a.* 1. pośmiertny (*np. o publikacji l. odznaczeniu*). 2. urodzony po śmierci ojca.

posthumously [ˈpɑːstʃəməslɪ] *adv.* pośmiertnie.

posthypnotic [ˌpoustˌhɪpˈnɑːtɪk] *a. psych.* pohipnotyczny (*np. o sugestii*).

postiche [pɔːˈstiːʃ] *n.* 1. *form.* namiastka; *U* naśladownictwo; udawanie. 2. tupecik, półperuczka. – *a.* 1. *form.* fałszywy; sztuczny. 2. *bud.* zbędny; nieudany (*o elemencie zdobniczym*).

posticous [pɑːˈstaɪkəs] *a. bot.* tylny (*o kwiatostanie l. jego elementach*).

postie [ˈpoustɪ] *n. pot.* = **postman.**

postilion [pouˈstɪljən], *Br. t.* **postillion** *n.* pomocnik stangreta.

postimpressionism [ˌpoustɪmˈpreʃəˌnɪzəm] *n. U mal.* postimpresjonizm.

postimpressionist [ˌpoustɪmˈpreʃənɪst] *n. mal.* postimpresjonist-a/ka.

postimpressionistic [ˌpoustɪmˈpreʃənɪstɪk] *a.* postimpresjonistyczny.

postindustrial [ˌpoustɪnˈdʌstrɪəl] *a. attr.* postindustrialny.

posting1 [ˈpoustɪŋ] *n.* 1. *komp.* przesłanie. 2. *C/U fin.* księgowanie.

posting2 *n. Br. t. wojsk.* mianowanie na stanowisko; oddelegowanie (*zwł. za granicę*).

posting3 *a.* pocztowy (= *związany z wysyłaniem l. przyjmowaniem poczty*).

Post-it notes [ˈpoustɪt ˌnouts] *n. pl.* kartki samoprzylepne.

postliminy [ˌpoustˈlɪmənɪ] *n. U prawn.* postliminium.

postlude [ˈpoustˌluːd] *n. muz.* postludium.

postman [ˈpoustmən] *n. pl.* **-men** *gł. Br.* listonosz.

postmark [ˈpoustˌmɑːrk] *n.* stempel pocztowy. – *v.* stemplować.

postmaster [ˈpoustˌmæstər] *n.* naczelni-k/czka urzędu pocztowego.

postmaster general *n. pl.* **-s general** dyrektor poczt (*np. w Wielkiej Brytanii*).

postmenopausal [ˌpoustˌmenəˈpɔːzl] *a. fizj., med.* pomenopauzalny.

postmeridian [ˌpoustməˈrɪdɪən] *a. form.* popołudniowy.

post meridiem [ˌpoust məˈrɪdɪəm] *adv. Lat.* po południu.

postmistress [ˈpoustˌmɪstrəs] *n. przest.* naczelniczka urzędu pocztowego.

postmodern [ˌpoustˈmɑːdərn], **Postmodern** *a. sztuka, bud., teor. lit.* postmodernistyczny.

postmodernism [ˌpoustˈmɑːdərˌnɪzəm] *n. U* postmodernizm.

postmodernist [ˌpoustˈmɑːdərnɪst] *n.* postmodernist-a/ka.

postmortem [ˌpoustˈmɔːrtəm], **post-mortem** *a.* 1. *t. med.* pośmiertny. 2. *med.* dotyczący sekcji zwłok. – *n.* 1. (*także* ~ **examination**) *med.* sekcja zwłok, autopsja, oględziny pośmiertne. 2. *przen. t. sport* analiza przyczyn porażki.

postnasal [ˌpoustˈneɪzl] *a. anat.* znajdujący się między jamą nosową i gardłem.

postnatal [ˌpoustˈneɪtl] *a. fizj., med.* pourodzeniowy; poporodowy.

postnatal depression *n. Br.* = **postpartum depression.**

postnuptial [ˌpoustˈnʌpʃl] *a. form.* 1. poślubny. 2. ~ **settlement** *prawn.* umowa majątkowa małżeńska.

post-obit [ˌpoustˈoubɪt] *prawn. a.* nabierający ważności po czyjejś śmierci (*o dokumencie*). – *n.* skrypt dłużny płatny po śmierci osoby, po której dłużnik oczekuje spadku (*o charakterze lichwiarskim*).

post office *n.* urząd pocztowy, poczta.

post office box, Post Office Box *n.* skrytka pocztowa.

postoperative [ˌpoustˈɑːpərətɪv] *a. attr. med.* pooperacyjny.

postorbital [ˌpoustˈɔːrbɪtl] *a. anat.* znajdujący się za orbitą oka.

postpaid [ˌpoustˈpeɪd] *a.* (*także Br.* **post-free**) 1. wolny od opłaty pocztowej. 2. opłacony, ofrankowany.

postpartum [ˌpoustˈpɑːrtəm] *a. fizj., med.* poporodowy.

postpartum depression *n. U* (*także Br.* **postpartum depression**) *pat.* depresja poporodowa.

postpone [ˌpoustˈpoun] *v.* 1. odkładać, odraczać; zwlekać z (*czymś*); ~ **doing sth** odkładać zrobienie czegoś, zwlekać ze zrobieniem czegoś. 2. *form.* podporządkowywać (*to sb/sth* komuś/czemuś).

postponement [ˌpoustˈpounmənt] *n. C/U* 1. odłożenie, odroczenie; zwłoka. 2. podporządkowanie.

postposition [ˌpoustpəˈzɪʃən] *n.* 1. umieszczenie w tyle. 2. (*także* **postpositive**) *gram.* postpozycja; enklityka.

postpositive [ˌpoustˈpɑːzɪtɪv] *a.* 1. umieszczony w tyle. 2. *gram.* w postpozycji; enklityczny. – *n.* = **postposition.**

postprandial [ˌpoustˈprændɪəl] *a. form. l. żart.* mający miejsce po posiłku; poobiedni.

postprandially [ˌpoustˈprændɪəlɪ] *adv. form. l. żart.* po posiłku; po obiedzie.

post-print [ˌpoʊst'prɪnt] *a. attr.* należący do ery elektronicznej.

postproduction [ˌpoʊstprə'dʌkʃən] *n. C / U kino* etap montażu i udźwiękowienia.

postrider [ˌpoʊst'raɪdər] *n. hist.* listonosz konny.

postroad ['poʊstˌroʊd] *n. hist.* szlak pocztowy.

PostScript ['poʊstˌskrɪpt] *n. U komp.* język opisu strony dla urządzeń drukujących.

postscript ['poʊstˌskrɪpt] *n.* postscriptum, dopisek.

post stamp *n.* znaczek pocztowy.

post-structuralism [ˌpoʊst'strʌktʃərəˌlɪzəm] *n. U fil., nauka* poststrukturalizm.

postsynch [ˌpoʊst'sɪŋk] *v. kino* postsynchronizować.

posttransfusion [ˌpoʊstˌtrænz'fjuːʒən] *a. attr. med.* potransfuzyjny.

post-traumatic [ˌpoʊsttrə'mætɪk] *a. pat.* pourazowy.

post-traumatic stress disorder *n. U pat.* stres pourazowy.

postulant ['pɑːstʃələnt] *n. kość.* postulant/ka (= *kandydat / ka do zakonu*).

postulate *v.* ['pɑːstʃəˌleɪt] **1.** *form.* postulować; zakładać, przyjmować (*that* że). **2.** domagać się (*czegoś*). – *n.* ['pɑːstʃələt] *log., mat. l. form.* postulat; warunek uprzedni.

postulation [ˌpɑːstʃə'leɪʃən] *n. U log., mat.* postulowanie; zakładanie.

posture ['pɑːstʃər] *n.* **1.** *C / U t. przen.* postawa, postura; *t. uj.* poza. **2.** *sing.* stanowisko; opinia (*on sth* o czymś). **3.** stan, zaistniała sytuacja. – *v.* **1.** *t. przen.* przybierać pozę; pozować (*np. przed lustrem*). **2.** *mal., fot.* upozować (*modela*).

post-viral syndrome [ˌpoʊstˌvaɪrəl'sɪnˌdroʊm] *n. pat.* = **myalgic encephalomyelitis**.

postvocalic [ˌpoʊstvə'kælɪk] *a. fon.* posamogłoskowy.

postwar [ˌpoʊst'wɔːr] *a. attr.* powojenny.

posy ['poʊzɪ] *n. pl.* **-ies 1.** wiązanka, bukiecik. **2.** *arch.* krótkie motto, inskrypcja (*np. na pierścionku*).

pot[1] [pɑːt] *n.* **1.** garnek; garnuszek. **2.** kocioł. **3.** czajnik; imbryk; dzbanek. **4.** słój; słoik. **5.** (*także* **chamber ~, potty**) nocnik. **6.** doniczka. **7.** kufel. **8.** *ryb.* wiklinowy kosz (*do łowienia homarów i innych skorupiaków*). **9.** *zw. pl. Br. pot.* masa, kupa (*zwł. pieniędzy*); **he's got ~s of money** ma kupę forsy. **10.** *karty* pula. **11.** *sport t. przen.* puchar; nagroda. **12.** = **potshot**. **13.** = **potbelly**. **14.** *przen.* **a watched ~ never boils** *przest.* im bardziej się czegoś pragnie, tym trudniej się tego doczekać; **go to ~** *pot.* schodzić na psy; **the ~ calling the kettle black** przyganiał kocioł garnkowi. – *v.* **-tt- 1.** *kulin.* wkładać do garnka; gotować w garnku. **2.** przygotowywać przetwory *l.* konserwy z (*mięsa, warzyw l. owoców*). **3.** sadzić w doniczce *l.* doniczkach. **4.** *przen.* streszczać, przedstawiać w skróconej formie. **5.** *myśl. pot.* zabijać tylko dla mięsa (*zwierzynę*). **6.** strzelać (*at sth / sb* do czegoś/kogoś) (*zwł. na chybił trafił*). **7.** *sport* złapać (*piłkę*); zdobyć, punkt. **8.** *bilard* wbijać do łuzy (*kulę*). **9.** *el.* umieszczać w szczelnej obudowie.

pot[2] *n. U przest. sl.* trawa, trawka (= *marihuana*).

potability [ˌpoʊtə'bɪlətɪ] *n. U form.* zdatność do picia.

potable ['poʊtəbl] *form. a.* pitny, zdatny do picia. – *n. pl.* napoje.

potamic [poʊ'tæmɪk] *a. form.* rzeczny.

potash ['pɑːtˌæʃ] *n. U chem.* potaż, techniczny węglan potasowy.

potassic [pə'tæsɪk] *a. chem.* potasowy.

potassic fertilizer *n. C / U chem.* nawóz potasowy.

potassium [pə'tæsɪəm] *n. U t. chem.* potas.

potassium carbonate *n. U chem.* węglan potasowy *l.* potasu.

potassium ferricyanide, potassium ferrocyanide *n. U chem.* żelazocyjanek potasowy *l.* potasu.

potassium hydrate, potassium hydroxide *n. U chem.* wodorotlenek potasowy *l.* potasu.

potassium iodide *n. U chem.* jodek potasowy *l.* potasu.

potassium nitrate *n. U chem.* azotan potasowy *l.* potasu.

potassium permanganate *n. U chem.* nadmanganian potasowy *l.* potasu.

potassium-sodium tartrate *n. U chem.* winian sodowo-potasowy, sól Seignette'a.

potation [pə'teɪʃən] *lit. n.* **1.** *U* picie (*t. bez umiaru*). **2.** napój (*zwł. alkoholowy*).

potato [pə'teɪtoʊ] *n. pl.* **-es 1.** *t. bot., kulin.* ziemniak, kartofel (*bot.* = *Solanum tuberosum*). **2.** *t. bot., kulin.* batat (*bot.* = *Ipomoea batatas*). **3.** *przen.* **drop sb/sth like a hot ~** *zob.* **hot** *a.*; **hot ~** *zob.* **hot**; **small ~es** *US pot.* pryszcz (= *drobiazg bez znaczenia*); płotka (= *osoba bez znaczenia*).

potato beetle, potato bug *n. ent.* stonka ziemniaczana (*Leptinotarsa decemlineata*).

potato blight *n. U roln.* zaraza ziemniaczana.

potato chip *n. zw. pl.* **1.** *US, Can. i Austr.* chrupka (*ziemniaczana*). **2.** *Br.* frytka.

potato crisp *n. zw. pl. Br.* chrupka (*ziemniaczana*).

potato flour *n. U kulin.* mąka ziemniaczana.

potato masher *n. kulin.* ugniatacz do ziemniaków.

potato pancake *n. kulin.* placek ziemniaczany.

potato peeler *n. kulin.* nóż do obierania ziemniaków.

pot-au-feu [ˌpɑːtoʊ'fʌ] *n. pl.* **pot-au-feu 1.** *kulin.* duszone z mięsem i warzywami. **2.** naczynie gliniane do potrawy jw.

potbellied ['pɑːtˌbelɪd] *a.* brzuchaty (*zwł. z przejedzenia*); z rozdętym brzuchem (*w wyniku niedożywienia*).

potbelly ['pɑːtˌbelɪ] *n. pl.* **-ies 1.** wydatny *l.* rozdęty brzuch. **2.** brzuchacz. **3.** (*także* **~ stove**) *US* rodzaj pieca z dużą komorą.

potboiler ['pɑːtˌbɔɪlər] *n. pot.* chałtura (*zwł. książka l. film powstałe jedynie dla pieniędzy*).

pot-bound [ˈpɑːtˌbaʊnd] *a.* o korzeniach wypełniających doniczkę (*o roślinie*).

potboy [ˈpɑːtˌbɔɪ] *n.* (*także* **potman**) *gł. Br. arch.* pomocnik w pubie.

pot cheese *n. U gł. US* twaróg, biały ser.

poteen [pəˈtʃiːn], **potheen** *n. U Ir.* whiskey pędzona potajemnie, samogon.

potency [ˈpoʊtənsɪ] *n. U* **1.** potęga, moc, siła. **2.** przekonujący charakter (*czegoś*). **3.** skuteczność. **4.** potencjalność. **5.** *fizj.* potencja, sprawność seksualna.

potent [ˈpoʊtənt] *a.* **1.** potężny (*np. o broni*); mocny, o silnym działaniu (*np. o narkotyku*). **2.** ważny (*np. o przyczynie*). **3.** przekonujący (*np. o argumencie, zasadzie*). **4.** skuteczny. **5.** *fizj.* sprawny seksualnie (*o mężczyźnie*).

potentate [ˈpoʊtənˌteɪt] *n.* potentat/ka.

potential [pəˈtenʃl] *a. attr.* **1.** potencjalny. **2.** *rzad.* potężny. – *n. U l. sing.* możliwości; zdolności (*for sth* do czegoś) (*np. do rozwoju*); *t. el., fiz., mat., ekon.* potencjał; **achieve/fulfill/realize one's (full) ~** osiągnąć pełnię swoich możliwości; **economic ~** *ekon.* potencjał gospodarczy; **have enormous ~** mieć ogromny potencjał; **have executive ~** mieć zdolności kierownicze.

potential difference *n. el.* różnica potencjałów.

potential energy *n. U fiz.* energia potencjalna.

potentiality [pəˌtenʃɪˈælətɪ] *n. pl.* **-ies** **1.** *U* potencjalność. **2.** potencjalne wydarzenie, sytuacja itp.

potentially [pəˈtenʃlɪ] *adv.* potencjalnie; **it's a ~ fatal disease** to jest potencjalnie śmiertelna choroba, ta choroba może zakończyć się śmiercią.

potential well *n. fiz.* dół potencjału, jama potencjału.

potentiometer [pəˌtenʃɪˈɑːmətər] *n. el.* potencjometr.

potentiometric [pəˌtenʃɪəˈmetrɪk] *a. el., chem.* potencjometryczny.

potful [ˈpɑːtfʊl] *n.* (pełen) garnek, kufel, dzbanek itp. (*of sth* czegoś); zawartość garnka, kufla, dzbanka itp.

pot hat *n. Br.* melonik.

pot head, pothead *n. przest. sl.* nałogow-y/a palacz/ka marihuany.

potheen [pəˈtʃiːn] *n.* = **poteen**.

pother [ˈpɑːðər] *rzad. n.* **1.** awantura; rwetes, zgiełk, wrzawa. **2.** chmura duszącego pyłu *l.* dymu. – *v.* martwić (się); kłopotać (się).

potherb [ˈpɑːtˌɜːb], **pot-herb** *n. ogr., kulin.* warzywo liściowe (*z którego otrzymuje się przyprawy*).

potholder [ˈpɑːtˌhoʊldər] *n.* szmatka do trzymania gorących garnków.

pothole [ˈpɑːtˌhoʊl] *n.* **1.** wybój, wgłębienie, koleina (*na drodze*). **2.** *geol.* kocioł erozyjny; misa eworsyjna; jaskinia.

potholer [ˈpɑːtˌhoʊlər] *n.* grotołaz/ka; jaskinioznawca, speleolog.

potholing [ˈpɑːtˌhoʊlɪŋ] *n. U* chodzenie po jaskiniach; speleologia.

pothouse [ˈpɑːtˌhaʊs] *n. Br.* piwiarnia, pub (*gorszej kategorii*).

pothunter [ˈpɑːtˌhʌntər] *n.* **1.** *myśl.* myśliwy polujący jedynie dla mięsa *l.* zysku (*nie przestrzegając reguł*). **2.** *t. sport pot.* zawodni-k/czka biorąc-y/a udział w konkursie jedynie dla nagrody. **3.** *archeol.* archeolog amator.

potion [ˈpoʊʃən] *n.* **1.** *lit.* eliksir; mikstura; napój (*zw. trujący l. magiczny*); **love ~** napój miłosny, lubczyk. **2.** *żart. l. uj.* lekarstwo, płynny lek.

potlatch [ˈpɑːtˌlætʃ] *n. C/U US i Can.* **1.** *antrop.* ceremonia rozdawania podarków (*w niektórych plemionach indiańskich*). **2.** *pot.* balanga.

potluck [ˈpɑːtˌlʌk], **pot luck** *n. U* **1.** przygodny posiłek; **take ~ (with sb)** zjeść (z kimś) to, co (akurat) jest (*w domu*). **2.** przypadek; **take ~** zdać się na przypadek; zadowolić się tym, co jest. **3.** (*także* **~ dinner/supper**) *US i Can.* zrzutkowy posiłek (*każdy gość przynosi coś do jedzenia*).

potman [ˈpɑːtmən] *n. pl.* **-men** *Br.* = **potboy**.

potpie [pɑːtˈpaɪ] *n. C/U kulin.* zapiekanka mięsno-warzywna (*przygotowywana w głębokim naczyniu*).

pot plant *n.* **1.** *Br.* = **potted plant**. **2.** *pot.* marihuana.

potpourri [ˌpoʊpʊˈriː] *n.* **1.** *C/U* potpourri. **2.** *przen.* mieszanina; zbieranina.

pot roast *n. C/U kulin.* duszona wołowina (*zw. z warzywami*).

Potsdam [ˈpɑːtsdæm] *n. geogr.* Poczdam.

potsherd [ˈpɑːtˌʃɜːd] *n. archeol.* czerep, skorupa stłuczonego naczynia.

potshot [ˈpɑːtˌʃɑːt], **pot shot** *n. pot.* **1.** strzał na chybił trafił; **take a ~ at sb/sth** strzelać do kogoś/czegoś na chybił trafił. **2.** *myśl.* łatwy strzał; strzał mający na celu zdobycia pożywienia. **3.** *przen.* nieprzemyślany atak (*pisemny l. ustny*).

pot still *n. chem.* aparat destylacyjny kotłowy.

potstone [ˈpɑːtˌstoʊn] *n. U min.* odmiana steatytu.

pottage [ˈpɑːtɪdʒ] *n. U* **1.** *kulin. przest.* zupa jarzynowa (*często z mięsem*). **2.** **sell/exchange sth for a mess of ~** *Bibl. l. przen.* sprzedać/wymienić coś za miskę soczewicy.

potted [ˈpɑːtɪd] *a. attr.* **1.** doniczkowy (*o roślinie*). **2.** *zwł. Br. kulin.* ze słoika, konserwowany (*np. o warzywach, mięsie, rybie*). **3.** *US sl.* zaprawiony (= *pijany*). **4.** *Br. pot.* skrócony, w pigułce (*np. o historii, wersji lektury szkolnej*).

potted plant *n.* (*także Br.* **pot plant**) roślina doniczkowa.

potter[1] [ˈpɑːtər] *n.* garnca-rz/rka.

potter[2] *gł. Br. v.* **~ along** nie śpieszyć się; **~ around/about** krzątać się; pałętać się; **~ around the house** pałętać się po domu. – *n. sing.* **have a ~** (*także* **go for a ~**) iść się przejść (*round sth* po czymś) (*np. po sklepach, po mieście*).

potter's clay *n. U* glinka garncarska.

potter's wheel *n.* koło garncarskie, toczek.

pottery [ˈpɑːtərɪ] *n. pl.* **-ies** **1.** *U* garncarstwo. **2.** *U* wyroby garncarskie, ceramika. **3.** pracownia garncarska; warsztat garncarski.

pottiness [ˈpɑːtɪnəs] *n. U Br. pot.* dziwactwo, dziwny charakter (*czyjś*).

potting compost [ˈpɑːtɪŋ ˌkɑːmpoʊst] *n.* *U ogr.* kompost do przesadzania roślin.

potting shed *n.* *br.* szopa (*w ogrodzie, do przechowywania narzędzi, nasion itp.*).

pottle [ˈpɑːtl] *n.* *arch.* garniec (*miara pojemności = 2 kwarty l. dzban o pojemności jw.*).

potty [ˈpɑːtɪ] *a.* **-ier, -iest** *gł. Br. pot.* **1.** pomylony, stuknięty; zwariowany (*t. np. o pomyśle*); mający bzika *l.* kręćka (*about sth* na punkcie czegoś); **drive sb ~** doprowadzać kogoś do obłędu; **go ~** zbzikować. **2.** trywialny, nieistotny. – *n. pl.* **-ies** *zwł. dziec.* nocnik, nocniczek.

potty-trained [ˈpɑːtɪˌtreɪnd] *a.* umiejący korzystać z nocnika (*o dziecku*).

potty training *n.* *U* nauka korzystania z nocnika.

pot-walloper [ˈpɑːtˌwɑːləpər], **pot-waller** *n.* *Br. hist.* wyborca uprawniony do głosowania z racji posiadania domu (*przed 1832 r.*).

pouch [paʊtʃ] *n.* **1.** kapciuch (*na tytoń*); sakiewka; torba (*t. listonosza*). **2.** *zool.* torba (*np. u kangura l. pod dziobem pelikana*). **3.** *wojsk.* ładownica. **4.** *zw. pl. zwł. US* worek (*pod okiem*). **5.** *anat., pat.* kieszonka; woreczek; zagłębienie. **6.** *t. bot.* torebka (*zwł. nasienna*). – *v.* **1.** wkładać do worka, torby *l.* kieszeni. **2.** nadawać workowatą *l.* bufiastą formę (*części odzieży*); uszyć luźno. **3.** tworzyć worek; zwisać bufiasto. **4.** połykać (*o rybie l. ptaku*).

pouchy [ˈpaʊtʃɪ] *a.* **-ier, -iest** workowaty; bufiasty.

pouf [puːf], **pouffe** *n.* **1.** *Br.* puf. **2.** kunsztowny kok (*popularny zwł. w XVII w.*). **3.** = **poof** *n.*

poulard [ˈpuːlɑːrd], **poularde** *n.* *hodowla, kulin.* pularda.

poult [poʊlt] *n.* młody ptak domowy (*np. kurczak l. indyk*); *myśl.* młody ptak łowny (*np. bażant*).

poulterer [ˈpoʊltərər] *n.* *gł. Br.* handlarz drobiem.

poultice [ˈpoʊltɪs] *n.* *med.* kataplazm, gorący okład z papki (*np. z siemienia lnianego*).

poultry [ˈpoʊltrɪ] *n.* *U* **1.** *z czasownikiem w liczbie mnogiej* drób, ptactwo domowe. **2.** *kulin.* drób, mięso drobiowe.

poultry farm *n.* *roln.* ferma drobiu, drobiarnia; gospodarstwo drobiarskie.

poultry farmer *n.* *roln.* hodowca drobiu.

poultry farming *n.* *U* hodowla drobiu, drobiarstwo.

poultry house *n.* kurnik.

pounce[1] [paʊns] *v.* *t. przen.* rzucać się (*on / upon sth* na coś) (*na zdobycz, np. o ptaku drapieżnym*); atakować (*on / upon sb / sth* na kogoś/coś) (*np. wytykając błędy*).

pounce[2] *n.* **1.** szpon (*ptaka drapieżnego*). **2.** *t. przen.* nurek, skok (*drapieżnika w kierunku ofiary*).

pounce[3] *v.* **1.** trybować (*zwł. naczynia metalowe*). **2.** gofrować (*tkaninę*).

pounce[4] *n.* *U* proszek pumeksowy. – *v.* **1.** pumeksować (*np. papier*). **2.** posypywać proszkiem pumeksowym. **3.** odbijać przy pomocy proszku pumeksowego (*np. rysunek*).

pouncet box [ˈpaʊnsɪt ˌbɑːks] *n.* *hist.* puzderko na perfumy (*z dziurkowanym wieczkiem*).

pound[1] [paʊnd] *n.* *t. fin.* funt (*jednostka masy l. monetarna*); **a five-~ note** banknot pięciofuntowy; **half a ~** pół funta. – *v.* *Br. t. hist.* **1.** odważać (*monety celem sprawdzenia, czy ich masa odpowiada ustalonym standardom*). **2.** *przen.* **demand one's ~ of flesh (from sb)** wymagać (od kogoś) więcej niż potrzeba (*np. w wyniku nadmiernego formalizmu*); **get one's ~ of flesh (from sb)** ściągnąć (z kogoś) haracz.

pound[2] *v.* **1.** *t. kulin.* tłuc, bić (*np. tłuczkiem l. pięściami*); ubijać; ścierać; **~ into a paste** zetrzeć na papkę *l.* miazgę; **~ to pieces** tłuc na kawałki. **2. ~ (out/away)** *pot.* bębnić, wygrywać (*melodie, nuty*); bębnić na (*instrumencie*), walić w (*instrument*). **3.** walić (*t. o sercu*); grzmocić (*at / on sth* w coś) (*np. w drzwi*); huczeć; **my head is ~ing** w głowie mi huczy. **4.** *t. przen.* wbijać (*sth into sth* coś w coś) (*np. gwóźdź w deskę l. wiedzę komuś do głowy*). **5. ~ (along)** poruszać się ciężko, toczyć się. **6.** tupać. **7.** ostrzeliwać. **8.** *przen. pot.* **~ the beat** *Br.* robić obchód, patrolować swój rewir (*o dzielnicowym*); **~ the pavement** zdzierać sobie buty (*np. w poszukiwaniu pracy*). **9. ~ away** harować; nie ustawać w próbach; **~ down/up** zetrzeć na proszek *l.* miazgę; **~ in** *t. przen.* wbić (*gwóźdź l. wiedzę komuś do głowy*); **~ out** spłaszczyć; wygładzić, wyklepać; *pot.* wystukać; bębnić, wygrywać (*zwł. fałszywe nuty na instrumencie*). – *n.* **1.** tłuczenie; walenie, grzmocenie. **2.** stuk; tupot.

pound[3] *n.* **1.** schronisko dla bezdomnych zwierząt. **2.** ogrodzenie (*dla bydła l. owiec*). **3.** *mot.* miejsce odholowywania nieprawidłowo zaparkowanych samochodów. **4.** areszt. **5.** *ryb.* pułapka na ryby. – *v.* **1.** zamykać w ogrodzeniu. **2.** więzić.

poundage [ˈpaʊndɪdʒ] *n.* *C / U* **1.** *handl., fin.* prowizja od obrotu. **2.** procent w funtach. **3.** opłata od wagi. **4.** waga w funtach. **5.** *mech.* obciążenie w funtach (*np. sprężyny*).

poundal [ˈpaʊndl] *n.* *fiz.* poundal.

pound cake, poundcake *n.* *C / U US kulin.* ciasto zawierające dawniej po funcie każdego z głównych składników (*mąki, masła i cukru*).

pounder[1] [ˈpaʊndər] *n.* *kulin.* **1.** tłuczek; trzepaczka. **2.** moździerz.

pounder[2] *n.* *gł. w złoż.* **1. five-/twenty-~** zwierzę ważące pięć/dwadzieścia funtów; **quarter/half ~** *kulin.* hamburger ważący ćwierć/pół funta. **2.** *fin.* **five-/ten-~** banknot pięcio-/dziesięciofuntowy; rzecz kosztująca pięć/dziesięć funtów. **3.** *wojsk.* **12-/25-pounder (gun/howitzer)** działo strzelające dwunasto-/dwudziestopięciofuntowymi pociskami (*określenie kalibru*).

pounding [ˈpaʊndɪŋ] *n.* **1.** *U t. kulin.* bicie; ubijanie. **2.** *sing. gł. Br. pot. t. sport* lanie, dostać lanie; **take/get a ~** dostać lanie *l.* cięgi.

pound sign *n.* **1.** *fin.* znak funta. **2.** *US komp.* hasz (*znak #*).

pound sterling *n.* *sing. Br. fin.* funt szterling.

pour [pɔːr] *v.* **1.** *t. przen.* lać (się) (*t. o deszczu l. pocie*); **it's ~ing down** (*także* **it's ~ing with rain**) leje jak z cebra. **2.** nalewać; ~ **sb some tea** nalać komuś herbaty; **he ~ed out three glasses of juice** nalał trzy szklanki soku. **3.** *t. przen.* wylewać (się) (*from sth* z czegoś) (*np. z naczynia; budynku l. stadionu*). **4.** sypać (*np. proszek l. ziarno*). **5.** wpływać, wpadać (*into sth* do czegoś) (*np. do morza*). **6.** *przen.* lać potoki (*słów l. dźwięków*); sypać gradem (*pocisków, obelg*). **7.** *przen.* ~ **cold water on** *zob.* **cold** *a.*; ~ **oil on the waters/on troubled waters** *zob.* **oil** *n.*; **it never rains, but it ~s** nieszczęścia (zawsze) chodzą parami. **8.** ~ **along** *przen.* płynąć (*zwł. o tłumie*); ~ **away** wylewać; ~ **down** *t. przen.* lać (się); spływać; ~ **forth** *przest.* wylewać (się); ~ **in** wpływać; wlewać (się); napływać (*masowo*); **letters were ~ing in** listy napływały strumieniem; ~ **it on** *US pot.* przesadzać; ~ **out** *t. przen.* wylewać; ~ **out one's heart to sb** *zob.* **heart**; ~ **out one's troubles** wylewać (z siebie) żale; ~ **o.s. out** wywnętrzać się, żalić się. – *n.* **1.** *t. przen.* strumień. **2.** ulewa.

pourboire [pʊr'bwɑːr] *n.* napiwek.

poured concrete [ˌpɔːrd 'kɑːnkriːt] *n.* *U bud.* beton lany.

pouring ['pɔːrɪŋ] *a. attr.* ulewny (*o deszczu*).

pourparler [ˌpʊrpɑːr'leɪ] *n. polit. form.* wstępne nieformalne rozmowy (*przed rozpoczęciem oficjalnych negocjacji*).

pour point *n.* **1.** *fiz.* temperatura krzepnięcia. **2.** *metal.* temperatura zalewania.

pourpoint ['pʊrˌpɔɪnt] *n. strój hist.* kaftan watowany i pikowany.

poussette [puː'set] *n. muz.* figura taneczna ze spleceniem rąk tancerzy (*w tańcu ludowym*).

pout [paʊt] *v.* **1.** wydymać (*wargi*); wydymać się (*o wargach*). **2.** dąsać się, być nie w humorze. **3.** mówić wydymając wargi (*w celu okazania niezadowolenia, lekceważenia itp.*). – *n.* **1.** wydęcie warg. **2. in the ~s** *przen.* nadąsany, niezadowolony. **3.** = **pouter** *n.* 2.

pouter ['paʊtər] *n.* **1.** *orn.* garłacz (*rasa gołębia domowego*). **2.** (*także* **pout**) *icht.* bielmik (*Gadus luscus; t. in. z rodzaju Trisopterus*).

poverty ['pɑːvərtɪ] *n.* **1.** *U t. przen.* bieda; ubóstwo; nędza; ~ **is no crime/not a shame** bieda nie hańbi; **abject/dire/grinding** ~ skrajna nędza; **live in** ~ żyć w biedzie. **2.** *U l. sing. form.* brak, niedostatek; bardzo niski poziom, ubóstwo (*of sth* czegoś) (*np. wiedzy, wyobraźni*).

poverty line *n.* (*także* **poverty level**) *ekon.* najniższy dochód; minimum socjalne; **live below the** ~ żyć poniżej minimum socjalnego.

poverty-stricken [ˌpɑːvərtɪ'strɪkən] *a.* dotknięty biedą *l.* ubóstwem.

poverty trap *n. Br.* zaklęte *l.* zamknięte koło ubóstwa; **be caught in the** ~ wpaść w zaklęte *l.* zamknięte koło ubóstwa.

POW [ˌpiː ˌoʊ 'dʌbljuː] *abbr.* = **prisoner of war.**

powder ['paʊdər] *n.* **1.** *C/U t. med.* proszek; **baking** ~ *kulin.* proszek do pieczenia; **milk** ~ *kulin.* mleko w proszku; **washing** ~ proszek do prania. **2.** *C/U* puder (*kosmetyczny*); **baby** ~ zasypka dla dzieci; **talcum**~ talk (kosmetyczny). **3.** *U* proch (*strzelniczy*). **4.** *U* (*także* ~ **snow**) sypki śnieg. **5. take a** ~ *US i Can. przen. pot.* zwiać. – *v.* **1.** proszkować, rozdrabniać na proszek. **2.** pudrować; ~ **one's face/nose** przypudrować sobie twarz/nos; **I must (go)** ~ **my nose** *euf., żart.* muszę iść do toalety. **3.** *zw. pass.* posypywać, obsypywać (*with sth* czymś). **4.** *t. her.* ozdabiać plamkami, kropkami *l.* figurkami.

powder blue *n.* *U* **1.** rodzaj niebieskiego barwnika (*używanego do barwienia bielizny*). **2.** kolor bladoniebieski. – *a.* bladoniebieski.

powder compact *n.* puderniczka.

powdered ['paʊdərd] *a.* **1.** sproszkowany. **2.** upudrowany; posypany zasypką.

powdered milk *n. U kulin.* mleko w proszku.

powder horn *n. hist.* rożek na proch.

powdering ['paʊdərɪŋ] *n. U* **1.** proszkowanie, rozdrabnianie na proszek. **2.** *techn.* nakurzanie, okurzanie (*w odlewnictwie*). **3.** *druk.* pylenie farby drukarskiej.

powder keg *n. t. przen.* beczka prochu; **be sitting on a** ~ siedzieć na beczce prochu.

powder magazine *n. wojsk.* prochownia.

powder monkey *n. hist., żegl., wojsk.* chłopiec noszący ładunki obsłudze dział.

powder puff *n.* puszek do pudru.

powder room *n. euf.* damska toaleta.

powder stick *n.* puder kosmetyczny w sztyfcie.

powdery ['paʊdərɪ] *a.* **1.** sproszkowany, w postaci proszku; proszkowaty; pylisty; sypki (*t. o śniegu*). **2.** kruchy. **3.** zakurzony.

power ['paʊər] *n.* **1.** *U zwł. polit.* władza (*over sb/sth* nad kimś/czymś); **be in** ~ być u władzy; **come to** ~ dojść do władzy; **executive** ~ władza wykonawcza; **fall from** ~ stracić władzę; **legislative** ~ władza ustawodawcza; **return to** ~ odzyskać władzę; **struggle for** ~ walczyć o władzę; **take/seize** ~ objąć władzę; **the** ~ **behind the throne** *przen.* szara eminencja; **the party in** ~ *polit.* partia znajdująca się u władzy, partia rządząca. **2.** uzdolnienie; *t. ekon.* zdolność; **borrowing** ~ *ekon.* zdolność kredytowa; **carrying** ~ zdolność przewozowa; ładowność; **mental** ~ zdolność umysłowa; **musical ~s** zdolności muzyczne. **3.** *t. mat.* potęga; **economic** ~ potęga gospodarcza; **three to the** ~ **(of) four/to the fourth** ~ (*także* **three to the fourth** ~) trzy do potęgi czwartej. **4.** *hist., polit.* mocarstwo, potęga; **world** ~ światowe mocarstwo. **5.** *U t. techn., fiz., prawn.* moc; **do everything in one's** ~ zrobić wszystko, co w czyjejś mocy; **sth is not within sb's** ~ coś nie jest *l.* nie leży w czyjejś mocy. **6.** *U mech., techn.* zasilanie; **turn the** ~ **on** włączyć zasilanie. **7.** *U* energia (*t. elektryczna*); **nuclear/solar** ~ energia atomowa/słoneczna. **8.** *C/U* pełnomocnictwo; upoważnienie; **negotiating** ~ pełnomocnictwo do negocjacji *l.* rokować. **9.** *C/U* prawo; *zw. pl.* uprawnienia; **have full ~s to do sth** mieć pełne prawo coś zrobić; **the** ~ **of veto** prawo weta. **10.** *C/U* siła; **balance of** ~ równowaga sił; **buying/purchasing** ~ *ekon.* siła nabywcza; **driving** ~ siła napędowa; **it is beyond my** ~ to jest ponad moje siły; **labor** ~ siła robocza; **the ~s of darkness** *lit.* siły ciemności. **11.** własność; **cooling** ~ własności chłodzące. **12.** *opt.* zdolność powiększania (*soczewki*). **13.** *pot.* mnóstwo, moc. **14. be at the height of one's** ~

znajdować się u szczytu (swoich) możliwości; **be in sb's ~** być w czyichś rękach; **have ~ over sb** mieć na kogoś wpływ; **it will do her/him a ~ of good** *Br.* to jej bardzo dobrze zrobi; **more ~ to you!** (*także Br. i Austr.* **more ~ to your elbow!**) brawo!; tak trzymać!; powodzenia!; **the ~s that be** (prawowite) władze; ci na górze. – *v. mech., techn.* **1.** zasilać; napędzać (*by / with sth* czymś). **2.** *pot.* pędzić, pruć. **3.** ~ **away** pracować intensywnie; ~ **down** *komp.* wyłączać (się); ~ **up** *komp.* włączać (się); *przen.* przygotowywać się (*for sth* do czegoś). – *a. attr.* **1.** *el., mech.* zasilany elektrycznie (*o urządzeniu*). **2.** *el.* przewodzący energię elektryczną (*o przewodzie*). **3.** *pot.* biznesowy (*o spotkaniu l. stroju*).

power base *n. polit.* podstawa władzy (*np. o stanowisku l. grupie wyborców*).

powerboat [ˈpaʊərˌboʊt] *n.* szybka łódź motorowa.

power brake *n. mot.* hamulec ze wspomaganiem, serwohamulec.

power breakfast *n.* (*także* **power lunch**) *pot.* ważne spotkanie biznesowe (*przy posiłku*).

powerbroker [ˈpaʊərˌbroʊkər], **power broker** *n. polit., ekon., handl.* potentat (*państwo l. osoba*).

power centre *n. Can.* centrum handlowe.

power cut *n.* (*także* **power failure, power outage**) przerwa w dopływie prądu.

power dressing *n. U* strój właściwy ludziom władzy; strój biznesmena *l.* bizneswoman.

power drill *n. mech., el.* wiertarka silnikowa.

powered [ˈpaʊərd] *a. w złoż.* zasilany (*by / with sth* czymś) (*np. energią elektryczną*); **nuclear-~ submarine** atomowy okręt podwodny; **solar-~ calculator** kalkulator zasilany energią słoneczną.

power failure *n.* = **power cut.**

powerful [ˈpaʊərfʊl] *a.* **1.** potężny. **2.** wpływowy. **3.** skuteczny. **4.** silny, mocny.

powerfully [ˈpaʊərfʊlɪ] *adv.* **1.** potężnie. **2.** skutecznie. **3.** silnie, mocno.

powerhouse [ˈpaʊərˌhaʊs] *n.* **1.** = **power station. 2.** *przen. pot.* osoba tryskająca energią; **be a ~ of ideas** być niewyczerpanym źródłem pomysłów.

powerless [ˈpaʊərləs] *a.* **1.** bezsilny. **2.** bezskuteczny. **3. be ~ to do sth** nie być w stanie czegoś zrobić.

powerlessly [ˈpaʊərləslɪ] *adv.* **1.** bezsilnie. **2.** bezskutecznie.

power line *n. el.* linia elektroenergetyczna.

power loom *n. mech., tk.* krosno mechaniczne.

power of appointment *n. C / U prawn.* pełnomocnictwo *l.* prawo do nominacji.

power of attorney *n. C / U prawn.* pełnomocnictwo, upoważnienie.

power outage *n.* = **power cut.**

power pack *n. el.* zasilacz sieciowy.

power plant *n.* **1.** urządzenie napędowe, zespół silnikowy. **2.** = **power station** *n.*

power play *n. U* **1.** *t. polit., ekon.* demonstracja siły (*o strategii w negocjacjach l. relacji międzyludzkiej*). **2.** *polit., ekon., handl.* taktyka kumulacji środków i wysiłków (*w określonym celu l. na określonym terenie*). **3.** *sport* taktyka totalna (*zw. obronna, np. w futbolu*).

power point *n. el.* gniazdo, gniazdko.

power politics *n. sing. polit.* polityka nacisku.

power series *n. mat.* szereg potęgowy.

power station *n.* (*także* **power plant, powerhouse**) elektrownia; siłownia.

power steering *n. U mot.* kierowanie ze wspomaganiem.

power structure *n. polit.* struktura władzy.

power struggle *n. gł. polit., ekon.* walka o władzę.

power takeoff *n. el., mot.* **1.** *U* odbiór *l.* pobór mocy. **2.** przystawka do odbioru mocy.

power tool *n. mech., el.* narzędzie ręczne z napędem mechanicznym *l.* elektrycznym.

power train *n. mech.* mechanizm napędowy zębaty.

power user *n. komp.* zaawansowan-y/a użytkowni-k/czka komputera.

power vacuum *n. C / U gł. polit., ekon.* brak kierownictwa; *przen.* bezkrólewie; **fill the ~** wziąć władzę w swoje ręce, objąć kierownicze stanowisko (*dotąd puste*).

powwow [ˈpaʊwaʊ] *n.* **1.** *pot. zw. żart.* narada. **2.** narada, rada (*u Indian północnoamerykańskich*); ceremonia z udzieleniem błogosławieństwa przez szamana plemiennego (*jw., np. z okazji ślubu*). – *v. pot.* naradzać się.

pox [pɑːks] *n. U* **1.** *pat. przest.* choroba przebiegająca z wysypką; ospa; **water-~** ospa wietrzna. **2. the ~** *pat. pot.* kiła. **3. a ~ on sb/sth!** *arch. pot.* (a) żeby kogoś/coś pokręciło!.

poxvirus [ˈpɑːksˌvaɪrəs] *n. pat.* wirus ospy.

poxy [ˈpɑːksɪ] *n.* **-ier, -iest** *Br. pot.* nic niewart; nieważny.

Poynting theorem [ˈpɔɪntɪŋ ˌθiːərəm] *n. fiz., el.* twierdzenie Poyntinga.

pozzuolana [ˌpɑːtsəˈlɑːnə], **pozzolana** *n. U min.* pucolana.

PP *abbr.* **1. past president** *polit.* były prezydent. **2. parish priest** *kośc.* wikariusz. **3.** (*także* **P.P., p.p.**) = **postpaid**; = **prepaid. 4.** (*także* **P.P., p.p.**) = **parcel post. 5.** *med.* = **postprandially. 6.** *gram.* = **prepositional phrase.**

pp *abbr.* **1. privately printed** drukowany nakładem prywatnym. **2.** *muz.* = **pianissimo. 3.** (*także* **pp.**) **pages** str. (= *strony*). **4.** (*także* **pp., p.p.**) *gram.* = **past participle. 5. per procurationem** *Lat. prawn.* z up. (= *z upoważnienia*), wz. (= *w zastępstwie*).

PPP [ˌpiː ˌpiː ˈpiː] *abbr. komp.* = **point-to-point protocol.**

ppr., p.pr. *abbr. gram.* = **present participle.**

PPS [ˌpiː ˌpiː ˈes] *abbr.* **1. post postscriptum** *Lat.* PPS. **2. problem-processing system** *komp.* system przetwarzania problemowego.

PR [ˌpiː ˈɑːr] *abbr.* **1.** = **public relations** 1. **2.** *parl.* = **proportional representation.**

Pr. *abbr.* **1. Priest** *kośc.* ks. (= *ksiądz*). **2.** = **Prince. 3.** *t. prawn., handl.* = **preferred.**

pr. *abbr. gram.* = **pronoun.**

practicability [ˌpræktəkəˈbɪlətɪ] *n. U* wykonalność; możliwość wprowadzenia w życie.

practicable [ˈpræktəkəbl] *a.* **1.** wykonalny; nadający się do wprowadzenia w życie. **2.** nadający się do użytku (*np. o drodze*). **3. as far as is ~** *form.* w takim stopniu, w jakim jest to możliwe.

practicably [ˈpræktəkəblɪ] *adv.* w wykonalny sposób; możliwie.

practical [ˈpræktɪkl] *a.* **1.** praktyczny (*np. o osobie, umyśle, radzie, ubiorze*); funkcjonalny (*o przedmiocie l. pomieszczeniu*). **2.** uzdolniony manualnie. **3.** możliwy (do zastosowania) w praktyce (*o pomysłach l. metodach*). **4.** *pot.* rzeczywisty, faktyczny, właściwy; **be the ~ leader** być rzeczywistym przywódcą; **have ~ control of sth** mieć faktyczną kontrolę nad czymś. **5.** stosowany (*o nauce*). **6. for/to all ~ purposes** w rzeczywistości. – *n. Br. szkoln.* zajęcia praktyczne, ćwiczenia; egzamin praktyczny.

practicality [ˌpræktɪˈkælətɪ] *n. pl.* **-ies 1.** *U* praktyczność. **2.** *U* wykonalność. **3.** *pl.* strona praktyczna (*of sth* czegoś).

practical joke *n.* psikus, figiel, kawał.

practical joker *n.* figla-rz/rka, kawala-rz/rka.

practically [ˈpræktɪklɪ] *adv.* **1.** praktycznie. **2.** w praktyce. **3.** *pot.* właściwie, prawie; **I have ~ no money left** właściwie nie mam już żadnych pieniędzy.

practical nurse *n. US med.* pielęgniarka z ograniczonymi uprawnieniami.

practice [ˈpræktɪs], *US t.* **practise** *n.* **1.** *C/U* praktyka (*t. zawodowa*); **be in ~** praktykować, wykonywać praktykę; **follow the usual ~** stosować ogólnie przyjętą praktykę; **get into private ~** rozpocząć praktykę prywatną (*zwł. o lekarzu l. adwokacie*); **have a large ~** mieć dużą praktykę *l.* klientelę (*jw.*); **in ~** w praktyce; **it's common/standard ~** to powszechna *l.* typowa praktyka; **law ~** *prawn.* praktyka adwokacka; **~ of the law** praktyka prawna *l.* sądowa, wykonywanie prawa; **put sth into ~** zastosować coś w praktyce; **retire from ~** wycofać się z praktyki *l.* uprawiania zawodu. **2.** zwyczaj (*of doing sth* robienia czegoś); tradycja; **customary ~s** przyjęte zwyczaje; **trade ~s** *handl.* zwyczaje handlowe. **3.** *U* doświadczenie; wprawa; **be in ~** mieć wprawę; **be out of ~** wyjść z wprawy, stracić wprawę. **4.** *U* ćwiczenie; trening; **football ~** trening piłkarski; **three hours' guitar ~** trzygodzinne ćwiczenie gry na gitarze. **5.** *prawn.* procedura prawna; **civil ~** procedura cywilna; **criminal ~** procedura karna. **6. ~ makes perfect** ćwiczenie *l.* praktyka czyni mistrza. – *v.* (*także Br. i Austr.* **practise**) **1.** praktykować. **2.** wykonywać (*zawód*); prowadzić (*praktykę zawodową*); **~ as a dentist** pracować w zawodzie dentysty, prowadzić praktykę dentystyczną. **3.** uprawiać (*np. zawód, dyscyplinę sportu, nielegalne praktyki, seks*). **4.** *t. sport* trenować; ćwiczyć (*sb in sth* kogoś w czymś); **~ o.s.** ćwiczyć się (*in sth* w czymś); **~ on the piano** ćwiczyć (grę) na pianinie. **5. ~ on/upon sb** wyzyskiwać kogoś. **6. ~ what one preaches** *zob.* **preach.**

practiced [ˈpræktɪst], *Br. i Austr. zw.* **practised** *a.* **1.** doświadczony, wprawiony (*at/in sth* w czymś) (*o osobie*). **2.** *attr. form.* wyćwiczony, nabyty *l.* udoskonalony w drodze praktyki (*np. o umiejętnościach*). **3. with a ~ eye** wprawnym okiem.

practice match *n. sport* spotkanie kontrolne.

practicing [ˈpræktɪsɪŋ], *Br. i Austr. zw.* **practising** *a. attr.* **1.** praktykujący (*o adwokacie, lekarzu l. wyznawcy jakiejś religii*); **~ Catholic** praktykując-y/a katoli-k/czka. **2.** aktywny (*np. o homoseksualiście*).

practicum [ˈpræktəkəm] *n. US uniw., szkoln.* kurs praktyczny.

practise [ˈpræktɪs] *v. Br. i Austr.* = **practice.**

practitioner [prækˈtɪʃənər] *n.* **1.** zawodowiec (*o lekarzu l. prawniku*); **general ~** *Br. i Austr.* lekarz ogólny; **medical/legal ~** *gł. Br.* lekarz/prawnik. **2. be a ~ of sth** *przen.* praktykować coś.

praedial [ˈpriːdɪəl] *a.* = **predial.**

praemunire [ˌpraɪmjuːˈniːrɪ] *n. U Br. hist., prawn.* **1.** zarzut uciekania się do obcego sądu, np. papieskiego. **2.** kara za uciekanie się do obcego sądu.

praenomen [priːˈnoumən] *n. pl.* **-s** *l.* **praenomina** [priːˈnɑːmənə] *hist.* pierwsze imię (*w starożytnym Rzymie*).

praesidium [prɪˈsɪdɪəm] *n.* = **presidium.**

praetor [ˈpriːtər], **pretor** *n. hist.* pretor.

praetorial [prɪˈtɔːrɪəl] *a. hist.* pretorski.

praetorian [prɪˈtɔːrɪən] *hist. a.* **1.** pretorski. **2.** pretoriański. – *n.* **1.** urzędnik w randze pretora. **2.** pretorianin.

pragmatic [prægˈmætɪk], **pragmatical** [prægˈmætɪkl] *a. t. fil., hist., jęz., polit.* pragmatyczny.

pragmaticality [prægˌmætɪˈkælətɪ] *n. U* pragmatyczność.

pragmatically [prægˈmætɪklɪ] *adv.* pragmatycznie.

pragmatics [prægˈmætɪks] *n. U jęz.* pragmatyka.

pragmatic sanction *n. polit.* sankcja wydana przez głowę państwa.

pragmatism [ˈprægməˌtɪzəm] *n. U t. fil., hist., polit.* pragmatyzm.

pragmatist [ˈprægmətɪst] *n.* **1.** pragmaty-k/czka. **2.** *fil., hist.* pragmatyst-a/ka.

Prague [prɑːg] *n. geogr.* Praga.

prairie [ˈprerɪ] *n.* **1.** preria. **2.** *pl. Can.* prerie (= *prowincje Manitoba, Alberta i Saskatchewan*).

prairie chicken *n. orn.* kupidonia (*Tympanuchus cupido*).

prairie dog *n. zool.* nieświszczuk, piesek preriowy (*Cynomys ludovicianus*).

prairie schooner *n. US hist.* wóz z budą (*używany przez pierwszych osadników*).

prairie wolf *n. zool.* kojot (*Canis latrans*).

praise [preɪz] *v. t. rel.* chwalić; wychwalać; sławić. – *n. zw. U* pochwała; pochwały; **be full of ~ for sb/sth** nie móc się kogoś/czegoś nachwalić; **sing one's own ~s** przechwalać się; **sing sb's ~s** wychwalać kogoś.

praiseworthily [ˈpreɪzˌwɝːðɪlɪ] *adv.* w sposób godny pochwały.

praiseworthiness [ˈpreɪzˌwɝːðɪnəs] *n. U* chwalebny charakter.

praiseworthy ['preɪzˌwɜːðɪ] *a.* godny pochwały; chwalebny.

praline ['preɪliːn] *n.* **1.** *U kulin.* masa z orzechów *l.* migdałów gotowanych w cukrze. **2.** pralinka.

pram[1] [præm] *n. Br. i Austr. pot.* wózek dziecięcy.

pram[2] *n. żegl.* **1.** płaskodenna łódź rybacka. **2.** prom.

prance [præns] *v.* **1.** paradować; kroczyć. **2.** nadymać się; wynosić się (*ponad innych*); pysznić się. **3.** *jeźdz.* stawać dęba (*o koniu*); tańczyć (*jw.*); paradować (*jw.*). **4.** *jeźdz.* jechać na tańczącym koniu; kazać tańczyć (*koniowi*). **5.** ~ **(about/around)** podskakiwać; hasać; wygłupiać się (*zwł. o dziecku*). – *n.* **1.** *jeźdz.* stawanie dęba; taniec. **2.** podskok; hasanie.

prancer ['prænsər] *n.* **1.** pyszałek. **2.** *jeźdz.* koń stający dęba *l.* tańczący. **3.** *jeźdz.* jeździec na koniu jw.

prancingly ['prænsɪŋlɪ] *adv.* **1.** dumnie; pyszałkowato. **2.** *jeźdz.* paradując. **3.** podskakując; tańcząc.

prandial ['prændɪəl] *a. t. med. form.* dotyczący posiłku.

prandially ['prændɪəlɪ] *abbr. t. med. form.* podczas posiłku.

prang [præŋ] *Br. i Austr. v.* **1.** ~ **(up)** *mot., lotn. pot.* rozbić; potrzaskać; skasować. **2.** *lotn. sl. przest.* zbombardować (*cel*). **3.** ~ **up** *pot.* zepsuć; *sl.* zrobić dziecko (*komuś*). – *n.* **1.** *mot. pot.* stłuczka; skasowanie, rozbicie (*samochodu*). **2.** *lotn. sl. przest.* nalot.

prank[1] [præŋk] *n.* figiel, psota, psikus; **play ~s on sb** psocić komuś, robić komuś figle.

prank[2] *v.* ~ **(up)** *form.* wystroić, przystroić; ~ **o.s. (up)** wystroić się; popisywać się.

prankish ['præŋkɪʃ] *a.* figlarny, psotny.

prankster ['præŋkstər] *n.* figla-rz/rka, psotnik/ca.

prase [preɪz] *n. U min.* praz.

praseodymium [ˌpreɪzɪoʊ'dɪmɪəm] *n. U chem.* prazeodym.

prat [præt] *Br. pot. obelż. n.* (*także* **pratt**) **1.** głupek, idiota; **make a ~ of o.s.** zrobić z siebie głupka. **2.** *zw. pl. sl.* pośladek. – *v.* ~ **about/around** wygłupiać się.

prate [preɪt] *przest. v.* gadać, paplać (*about sth* o czymś). – *n. U* gadanina, paplanie.

prater ['preɪtər] *n.* gaduła, papla.

pratfall ['prætˌfɔːl] *n. US i Can. sl.* **1.** upadek na pośladki (*zwł. w celu wywołania komicznego efektu*). **2.** *przen.* żenujący błąd.

praties ['prætɪs] *n. pl. Ir. pot.* kartofle.

pratincole ['prætənˌkoʊl] *n. orn.* żwirowiec obrożny (*Glareola pratincola*).

pratique [præ'tiːk] *n. żegl.* prawo swobody ruchów; świadectwo swobody ruchu (*wydane przez władze sanitarne portu*).

pratt [præt] *n.* = **prat** *n.*

prattle ['prætl] *v.* **1.** paplać (*about sth* o czymś). **2.** ~ **away** nie przestawać paplać. – *n. U* paplanina.

prattler ['prætlər] *n.* papla.

prawn [prɔːn] *n.* **1.** *zool.* krewetka (*Natantia*); krewetka czerwona (*Leander serratus*). **2. come the raw** ~ *Austr. pot.* udawać niewiniątko. – *v. ryb.* łowić krewetki.

prawn cocktail *n. kulin.* koktajl z krewetek.

praxeology [ˌprɑːksɪ'ɑːlədʒɪ], **praxiology** *n. U* prakseologia.

praxis ['præksɪs] *n. C/U pl.* **-es** *l.* **praxes** ['præksiːz] **1.** praktyczna strona; zastosowanie. **2.** praktyka; zwyczaj.

pray [preɪ] *v. rel. l. przen.* modlić się (*to sb* do kogoś, *for sth* o coś, *on behalf of sb* za kogoś); błagać (*for sth* o coś); **I ~ that it will start raining at last** modlę się, żeby wreszcie zaczęło padać. – *adv. przest. l. lit.* proszę; ~ **take a seat** proszę usiąść; **what, ~, are you driving at?** powiedz mi, proszę, do czego zmierzasz.

prayer ['preɪər] *n.* **1.** *gł. rel.* modlitwa; pacierz; *U l. pl.* modlenie się, modlitwy, modły; **hear sb's ~** wysłuchać czyjejś modlitwy *l.* czyichś modłów; **say one's ~s** odmawiać modlitwę, mówić pacierz. **2.** prośba. **3.** *przen.* **my only ~ is to see him again** *lit.* moim jedynym pragnieniem jest zobaczyć go ponownie; **not have a ~** *pot.* nie mieć cienia szansy; **sb ~s are answered** czyjeś modlitwy *l.* modły *l.* prośby zostały wysłuchane.

prayer book *n. kośc.* modlitewnik, książeczka do nabożeństwa.

prayerful ['preɪərfʊl] *a.* **1.** nabożny; pobożny. **2.** modlitewny; błagalny.

prayer rug *n.* (*także* **prayer mat**) *islam* dywanik modlitewny.

prayer shawl *n. judaizm* tałes.

prayer wheel *n. buddyzm* młynek modlitewny.

praying mantis [ˌpreɪɪŋ 'mæntɪs] *n. ent.* modliszka zwyczajna (*Mantis religiosis / religiosa*).

PRC [ˌpiː ˌɑːr 'siː] *n.* **People's Republic of China** ChRL (= *Chińska Republika Ludowa*).

preach [priːtʃ] *v.* **1.** *t. rel.* głosić (*np. ewangelię, zasady*). **2.** *rel.* mówić *l.* wygłaszać kazanie; nauczać (*to sb* kogoś). **3.** *przen.* prawić kazanie (*at / to sb* komuś). **4.** propagować. **5.** *przen.* ~ **to the converted** nawracać nawróconych; ~ **the virtues of sth** wychwalać zalety czegoś; **practice what one ~es** żyć zgodnie z głoszonymi przez siebie zasadami. **6.** *przest.* ~ **down** potępiać; ~ **up** wychwalać.

preacher ['priːtʃər] *n.* **1.** *kośc. l. przen. uj.* kaznodzieja. **2.** *przen.* propagator/ka.

preachify ['priːtʃɪˌfaɪ] *v.* **-ied, -ying** *pot.* prawić kazanie *l.* kazania (*at / to sb* komuś).

preachiness ['priːtʃɪnəs] *n. U pot.* skłonność do prawienia kazań.

preaching ['priːtʃɪŋ] *n. U* **1.** *kośc.* kaznodziejstwo. **2.** *kośc.* kazanie; nauczanie. **3.** *przen.* propagowanie.

preachment ['priːtʃmənt] *n. pot. zw. pog.* kazanie.

preachy ['priːtʃɪ] *a.* **-ier, -iest** *pot.* **1.** lubiący prawić kazania. **2.** podobny do kazania.

preadaptation [ˌpriːˌædəp'teɪʃən] *n. C/U biol.* preadaptacja.

preamble [ˌpriː'æmbl] *n.* **1.** *form.* wstęp;

prawn. preambuła; **without ~** bez zbędnych wstępów. **2.** *komp.* nagłówek komunikatu. **3.** *komp.* ciąg wstępny (*np. na taśmie magnetycznej*).

preamplifier [ˌpriːˈæmplɪˌfaɪr] *n. radio, telew.* wzmacniacz wstępny.

prearranged [ˌpriːəˈreɪndʒd] *a.* umówiony; ustalony (*wstępnie*); **at a ~ signal** na umówiony sygnał.

prearrangement [ˌpriːəˈreɪndʒmənt] *n. U* ustalenie wstępne *l.* uprzednie; **by ~** zgodnie z (uprzednim *l.* wstępnym) ustaleniem.

pre-audience [ˌpriːˈɔːdɪəns] *n. U Br. prawn.* prawo pierwszeństwa przemawiania przed sądem.

prebend [ˈprebənd] *n. kośc., hist.* **1.** prebenda. **2.** = **prebendary**.

prebendal [prɪˈbendl] *a. kośc., hist.* dotyczący prebendy.

prebendary [ˈprebənˌderɪ] *n. pl.* **-ies** *kośc., hist.* prebendarz.

prebuilt [ˌpriːˈbɪlt] *a. gł. US* = **prefabricated** *a.* 1.

prec. *abbr.* = **preceding.**

Precambrian [ˌpriːˈkæmbrɪən], **Pre-Cambrian** *geol. n. U* prekambr. – *n.* prekambryjski.

precancerous [ˌpriːˈkænsərəs] *a. pat.* przedrakowy.

precarious [prɪˈkerɪəs] *a.* **1.** niebezpieczny; ryzykowny. **2.** niepewny, wątpliwy. **3.** niestabilny, chwiejny. **4.** odwołalny. **5.** przypadkowy.

precariously [prɪˈkerɪəslɪ] *adv.* **1.** niebezpiecznie; ryzykownie. **2.** niepewnie, wątpliwie. **3.** chwiejnie. **4. be ~ balanced** stać niepewnie, chwiać się.

precast [ˌpriːˈkɑːst] *a. bud.* prefabrykowany (*o elementach betonowych*).

precative [ˈprekətɪv], **precatory** [ˈprekəˌtɔːrɪ] *a. form.* **1.** wyrażający prośbę; zawierający prośbę; błagalny. **2.** wyrażający nadzieję.

precatory trust *n. prawn.* polecenie zawarte w testamencie (*o charakterze wiążącym*).

precaution [prɪˈkɔːʃən] *n.* **1.** zabezpieczenie (*against sth* przed czymś); środek ostrożności, środek zapobiegawczy; **take ~s** przedsiębrać środki ostrożności; **take the ~ of doing sth** zabezpieczyć się, robiąc coś, na wszelki wypadek coś zrobić. **2.** *U* przezorność; ostrożność.

precautionary [prɪˈkɔːʃəˌnerɪ] *a.* **1.** zapobiegawczy; zabezpieczający; **~ measures/steps** środki/kroki zapobiegawcze. **2.** przezorny.

precede [prɪˈsiːd] *v. form.* **1.** poprzedzać (*sth with sth* coś czymś); wyprzedzać. **2.** mieć pierwszeństwo *l.* prawo pierwszeństwa przed (*kimś l. czymś*). **3. he ~d them** (*także* **they were ~d by him**) szedł przed nimi.

precedence [ˈpresɪdəns] *n. U* (*także* **precedency**) **1.** pierwszeństwo; nadrzędność; **give ~ sb/sth** dawać pierwszeństwo komuś/czemuś; **take/have ~ over sb/sth** mieć pierwszeństwo przed kimś/czymś. **2.** *form.* prawo pierwszeństwa *l.* starszeństwa. **3. in order of ~** według ważności (= *w kolejności od najważniejszego do najmniej ważnego*).

precedent [ˈpresɪdənt] *n. C/U gł. prawn.* precedens (*for sth* dla czegoś); prejudykat; **create/establish/set a ~** *prawn.* ustanowić *l.* stworzyć precedens; **judicial ~** *prawn.* precedens sądowy; **without ~** bez precedensu, bezprecedensowy. – *a.* **1.** *form.* poprzedni; poprzedzający; uprzedni; **~ condition** uprzedni warunek. **2.** *gł. prawn.* mający precedens; oparty na precedensie.

precedential [ˌpresɪˈdenʃl] *a. form.* **1.** stanowiący precedens; precedensowy. **2.** uprzedni. **3.** mający pierwszeństwo.

preceding [prɪˈsiːdɪŋ] *a. attr.* poprzedni; poprzedzający; uprzedni; powyższy.

precensor [ˌpriːˈsensər] *n. radio, telew.* cenzor/ka przeprowadzając-y/a cenzurę wstępną.

precensorship [ˌpriːˈsensərˌʃɪp] *n. U radio, telew.* cenzura wstępna.

precentor [prɪˈsentər] *n. kośc.* **1.** kantor. **2.** członek kapituły czuwający nad częścią muzyczną nabożeństw (*w katedrach anglikańskich*).

precept [ˈpriːsept] *n. form.* **1.** *t. prawn.* zasada; reguła; przepis; **~ of law** norma prawna; przepis prawa. **2.** *prawn.* nakaz (*t. płatniczy*); zarządzenie; **by ~** według zarządzenia. **3.** *rel., kośc.* nauka moralna; przykazanie. **4.** *polit.* nakaz odbycia wyborów.

preceptive [priːˈseptɪv], **preceptory** [priːˈseptərɪ] *a. form.* **1.** przykazujący; nakazujący; zalecający. **2.** pouczający.

preceptor [prɪˈseptər] *n. szkoln. form.* **1.** nauczyciel/ka; wychowaw-ca/czyni. **2.** dyrektor/ka szkoły.

preceptory [priːˈseptərɪ] *a.* = **preceptive.** – *n. pl.* **-ies** *hist.* zgromadzenie templariuszy.

precession [prɪˈseʃən] *n. C/U mech., astron.* precesja; ruch precesyjny.

precession angle *n. mech.* kąt precesji.

precession of the equinoxes *n. C/U astron.* precesja.

pre-Christian [ˌpriːˈkrɪstʃən] *a.* przedchrześcijański.

precinct [ˈpriːsɪŋkt] *n.* **1.** *US* dzielnica. **2.** *US polit.* okręg wyborczy. **3.** obręb; granice (*posiadłości*). **4.** *pl.* okolice; teren przylegający (*np. do katedry l. uniwersytetu*). **5.** *Br.* **pedestrian ~** ulica zamknięta dla ruchu kołowego; **shopping ~** centrum handlowe; dzielnica handlowa; pasaż handlowy. **6.** (*także* **~ house**) *US* dzielnicowy posterunek policji.

preciosity [ˌpreʃɪˈɑːsətɪ] *n. C/U pl.* **-ies** *lit.* wymyślność; afektacja (*w języku l. zachowaniu*).

precious [ˈpreʃəs] *a.* **1.** wartościowy; *t. przen.* cenny; drogocenny. **2.** *attr.* szlachetny (*o metalach l. kamieniach*). **3.** wspaniały. **4.** wybredny; afektowany; wymyślny, wyszukany. **5.** *attr. pot. iron.* nic niewart, do niczego. – *adv. pot.* niezwykle, bardzo; **~ little/few** bardzo niewiele/niewielu. – *n.* **my ~** mój skarbie.

precious coral *n. zool.* koral czerwony, koral szlachetny (*Corallium rubrum*).

preciously [ˈpreʃəslɪ] *adv.* **1.** *pot.* niezwykle, bardzo. **2.** *uj.* w afektowany sposób; wybrednie.

precious metal *n. C/U min.* metal szlachetny.

preciousness [ˈpreʃəsnəs] *n. U* **1.** wartościowość; wartość. **2.** wspaniałość. **3.** *uj.* afektacja; wybredność.

precious stone *n. min.* kamień szlachetny.

precipice [ˈpresəpɪs] *n.* **1.** przepaść; urwisko. **2.** *przen.* ryzykowna *l.* niebezpieczna sytuacja; **at the edge of an economic ~** na skraju katastrofy ekonomicznej.

precipitance [prɪˈsɪpɪtəns], **precipitancy** [prɪˈsɪpɪtənsɪ] *n. pl.* **-cies** *form.* **1.** *U* pośpiech. **2.** *U* nagłość. **3.** *U* pochopność; lekkomyślność. **4.** lekkomyślne zachowanie; pochopne *l.* pośpieszne posunięcie.

precipitant [prɪˈsɪpɪtənt] *a.* **1.** pochopny; pośpieszny. **2.** nagły; nieoczekiwany. – *n. chem.* środek *l.* odczynnik strącający.

precipitate *v.* [prɪˈsɪpəˌteɪt] *form.* **1.** przyśpieszać (*wydarzenie l. wypadki*). **2.** *t. chem.* strącać (*sb somewhere* kogoś gdzieś); wytrącać (się). **3.** *meteor.* powodować opady (*śniegu, deszczu l. gradu*); padać (*o śniegu, deszczu l. gradzie*); skraplać (*parę wodną*); skraplać się. **4.** rzucać (się) (*into sth* w coś) (*np. w wir walki*). **5.** *przen.* prowadzić (*into sth* do czegoś) (*np. do wojny*). **6.** spadać. – *n.* [prɪˈsɪpətət] *C/U* **1.** *chem.* osad (*wytrącony*). **2.** *meteor.* opad. **3.** *metal.* wydzielina, faza wydzielona (*z roztworu stałego*). – *a.* [prɪˈsɪpətət] *form.* **1.** (*także* **precipitous**) (zbyt) pośpieszny, pochopny; nieprzemyślany. **2.** nagły, nieoczekiwany.

precipitately [prɪˈsɪpətətlɪ] *adv. form.* **1.** pośpiesznie. **2.** pochopnie. **3.** nagle, nieoczekiwanie.

precipitation [prɪˌsɪpɪˈteɪʃən] *n.* **1.** *C/U meteor.* opad atmosferyczny, opady atmosferyczne. **2.** *C/U* strącanie (się); wytrącanie (się). **3.** *U form.* pochopność; pośpiech. **4.** *U form.* przyśpieszanie. **5.** *U form.* upadek; spadanie. **6.** *U form.* rzucanie.

precipitation hardening *n. U metal.* utwardzanie wydzieleniowe, umacnianie wydzieleniowe.

precipitation intensity *n. U meteor.* natężenie opadu.

precipitation static *n. U radiotechnika, radiolokacja* zakłócenia opadowe.

precipitin [prɪˈsɪpɪtɪn] *n. fizj.* precypityna, przeciwciało precypitujące.

precipitinogen [prɪˌsɪpɪˈtɪnədʒen] *n. fizj.* antygen powodujący wydzielanie precypityny.

precipitous [prɪˈsɪpɪtəs] *a.* **1.** przepaścisty; spadzisty; urwisty. **2.** = **precipitate** *a.* 1.

précis [preɪˈsiː] *n. pl.* **précis** [preɪˈsiːz] streszczenie; wyciąg (*np. z dokumentu*). – *v.* robić streszczenie (*czegoś*); robić wyciąg z (*czegoś*).

precise [prɪˈsaɪs] *a.* **1.** dokładny; precyzyjny; wyraźny. **2. to be ~** ściśle *l.* ściślej mówiąc. – *v.* wyszczególniać; precyzować.

precisely [prɪˈsaɪslɪ] *adv.* **1.** dokładnie; precyzyjnie; wyraźnie. **2.** właśnie, dokładnie (*potakując*).

preciseness [prɪˈsaɪsnəs] *n. U* dokładność; precyzja; wyraźność.

precisian [prɪˈsɪʒən] *n. form.* osoba ściśle przestrzegająca zasad (*zwł. religijnych l. moralnych*); *przen.* purytan-in/ka.

precision [prɪˈsɪʒən] *n. U* dokładność; precyzja, precyzyjność.

precision balance *n. techn.* waga wysokiej dokładności.

precision bombing *n. C/U wojsk.* bombardowanie precyzyjne.

precision engineering *n. U* mechanika precyzyjna.

precision instrument *n.* (*także* **precision tool**) *techn.* przyrząd precyzyjny.

precisionist [prɪˈsɪʒənɪst] *n.* **1.** perfekcjonist-a/ka. **2.** pedant/ka.

preclude [prɪˈkluːd] *v.* **1.** wykluczać (*sb/sth from sth* kogoś/coś z czegoś). **2.** *form.* nie dopuszczać (*sb from sth* kogoś do czegoś); przeszkadzać (*sb from doing sth* komuś w zrobieniu czegoś). **3.** zapobiegać (*czemuś*); uniemożliwiać.

preclusion [prɪˈkluːʃən] *n. U* **1.** wykluczenie. **2.** niedopuszczenie (*from sth* do czegoś). **3.** uniemożliwienie (*of sth* czegoś).

preclusive [prɪˈkluːsɪv] *a. form.* wykluczający (*of sth* coś); uniemożliwiający (*of sth* coś); zapobiegający (*of sth* czemuś) (*np. niebezpieczeństwu*).

precocial [prɪˈkoʊʃl] *a. gł. orn.* taki, którego potomstwo wykazuje wysoki stopień samodzielności zaraz po urodzeniu.

precocious [prɪˈkoʊʃəs] *a.* **1.** *t. uj.* rozwinięty nad wiek, przedwcześnie rozwinięty (*umysłowo*) (*o dziecku*). **2.** *bot.* przedwcześnie kwitnący *l.* owocujący. **3.** przedwczesny; wcześnie rozwinięty (*t. o talencie*).

precocity [prɪˈkɑːsətɪ] *n. U* (*także* **precociousness**) **1.** *med., pat.* przedwczesny rozwój, rozwinięcie nad wiek (*u dziecka*); **mental/sexual ~** przedwczesny rozwój umysłowy/płciowy. **2.** *bot.* przedwczesne kwitnienie *l.* owocowanie. **3.** przedwczesność; wczesny rozwój (*np. talentu*).

precognition [ˌpriːkɑːgˈnɪʃən] *n. U* **1.** *form.* zdolność przepowiadania przyszłości. **2.** *Scot. prawn.* przesłuchanie świadków przed procesem.

precognitive [prɪˈkɑːgnətɪv] *n.* dotyczący zdolności przepowiadania przyszłości.

pre-Columbian [ˌpriːkəˈlʌmbɪən] *a. hist.* prekolumbijski (*np. o sztuce l. literaturze*).

precombustion [ˌpriːkəmˈbʌstʃən] *n. C/U mech.* spalanie w komorze wstępnej.

precombustion chamber *n. mech.* komora wstępna, komora wstępnego spalania.

preconceive [ˌpriːkənˈsiːv] *v.* **1.** przyjmować z góry, zakładać; *uj.* uprzedzać się do (*czegoś*). **2.** podejmować z góry (*decyzję*).

preconceived [ˌpriːkənˈsiːvd] *a.* **1.** *zw. uj.* z góry przyjęty (*o sądzie l. wniosku*). **2.** z góry powzięty (*o decyzji*).

preconception [ˌpriːkənˈsepʃən] *n.* z góry przyjęta opinia; *uj.* uprzedzenie.

preconcert [ˌpriːkənˈsɜːt] *v. form.* z góry układać *l.* aranżować.

precondition [ˌpriːkənˈdɪʃən] *n. t. prawn.* warunek wstępny (*for/of sth* (do) czegoś). – *v. t. techn.* przygotowywać wstępnie *l.* uprzednio; kondycjonować.

preconize [ˈpriːkəˌnaɪz], *Br. i Austr. zw.* **preconise** *v.* **1.** *form.* ogłaszać publicznie; propagować. **2.** *form.* publicznie wywoływać (*po nazwisku*). **3.** *kośc.* ogłaszać nominację (*biskupa; o papieżu*).

preconscious [prɪˈkɑːnʃəs] *psych. n. U* podświadomość. – *a.* podświadomy.

precontract [ˌpriːkənˈtrækt] *prawn. n.* **1.** umowa przedwstępna. **2.** umowa przedmałżeńska. – *v.* **1.** zawierać umowę przedwstępną. **2.** zawierać umowę przedmałżeńską.

precook [ˌpriːˈkʊk] *v. kulin., handl.* gotować wstępnie, podgotowywać.

precool [ˌpriːˈkuːl] *v. handl.* chłodzić wstępnie (*przed pakowaniem l. transportem*); schładzać.

precooling room [ˌpriːˈkuːlɪŋ ruːm] *n.* przedchłodnia, wychładzalnia.

precritical [ˌpriːˈkrɪtɪkl] *a. pat., ekon.* przedkryzysowy.

precursive [prɪˈkɜːsɪv] *a.* = **precursory** *a.*

precursor [prɪˈkɜːsər] *n.* **1.** poprzedn-ik/iczka (*na określonym stanowisku*). **2.** *t. chem.* prekursor/ka. **3.** zwiastun; zapowiedź.

precursory [prɪˈkɜːsərɪ], **precursive** [prɪˈkɜːsɪv] *a.* **1.** wstępny; początkowy. **2.** *form.* zwiastujący, zapowiadający.

pred. *abbr.* = **predicate**.

predacious [prɪˈdeɪʃəs] *a.* = **predatory** *a.*

predacity [prɪˈdæsətɪ] *n. U* (*także* **predaciousness**) **1.** *t. przen.* drapieżność. **2.** rabunkowy *l.* grabieżczy charakter.

predate [ˌpriːˈdeɪt] *v.* **1.** antydatować, oznaczać wcześniejszą datą. **2.** być wcześniejszym od (*czegoś*), poprzedzać.

predation [prɪˈdeɪʃən] *n. U* **1.** *zool.* drapieżny tryb życia. **2.** *przen.* rabowanie, grabienie, łupienie.

predator [ˈpredətər] *n.* **1.** *zool.* drapieżnik. **2.** *przen.* łupieżca, grabieżca, rabuś.

predatory [ˈpredəˌtɔːrɪ] *a.* (*także* **predacious**) **1.** *zool. l. przen.* drapieżny (*o zwierzęciu l. instynktach*). **2.** *przen.* rabunkowy, grabieżczy, łupieżczy.

predatory exploitation *n. U ekon.* rabunkowa eksploatacja.

predatory pricing *n. U ekon., handl.* ustalanie nadmiernie wysokich cen.

predatory war *n. wojsk.* wojna zaborcza.

predecease [ˌpriːdɪˈsiːs] *form. v.* umrzeć wcześniej od (*kogoś*). – *n.* wcześniejsza śmierć, uprzedni zgon.

predecessor [ˈpredəˌsesər] *n.* **1.** poprzedn-ik/iczka. **2.** przodek, antenat/ka.

predelinquent [prɪdɪˈlɪŋkwənt] *a. US* zdradzający skłonności przestępcze (*zwł. o nastolatku*).

predestinarian [prɪˌdestɪˈnerɪən] *teol. a.* **1.** dotyczący predestynacji. **2.** wierzący w predestynację. – *n.* osoba wierząca w predestynację.

predestinate *v.* [ˌpriːˈdestəneɪt] = **predestine** *v.* – *a.* [ˌpriːˈdestənət] *teol.* predestynowany.

predestination [ˌpriːˌdestəˈneɪʃən] *n. U* **1.** *teol.* predestynacja. **2.** przeznaczanie z góry (*kogoś l. czegoś*).

predestine [ˌpriːˈdestɪn] *v.* (*także* **predestinate**) *teol.* predestynować.

predestined [ˌpriːˈdestɪnd] *a.* **1.** nieunikniony. **2.** **~d to do sth** predestynowany do zrobienia czegoś; skazany na coś; **your plans are ~d to fail** twoje plany są skazane na niepowodzenie.

predeterminate [ˌpriːdɪˈtɜːmɪnət] *a.* z góry postanowiony *l.* ustalony.

predetermination [ˌpriːdɪˌtɜːməˈneɪʃən] *n. U* **1.** określenie z góry; z góry podjęta decyzja. **2.** *biol.* predeterminacja.

predetermine [ˌpriːdɪˈtɜːmɪn] *v.* **1.** z góry postanawiać *l.* ustalać. **2.** skłaniać (*to sth* do czegoś). **3.** *biol.* predeterminować.

predetermined [ˌpriːdɪˈtɜːmɪnd] *a.* z góry ustalony.

predeterminer [ˌpriːdɪˈtɜːmɪnər] *n. gram.* określnik, słowo określające.

predial [ˈpriːdɪəl], **praedial** *a. form.* **1.** ziemski; gruntowy. **2.** rolniczy. **3.** wiejski.

predicable [ˈpredəkəbl] *a. form.* dający się stwierdzić, stwierdzalny. – *n.* **1.** *form.* atrybut, cecha charakterystyczna. **2.** *log.* orzecznik (*zwł. w logice Arystotelesa*).

predicament [prɪˈdɪkəmənt] *n.* **1.** kłopotliwe położenie; kłopot. **2.** *log.* kategoria (*u Arystotelesa*).

predicant [ˈpredəkənt] *kośc. form. a.* kaznodziejski (*np. o zakonie*). – *n.* kaznodzieja; członek zakonu kaznodziejskiego.

predicate [ˈpredɪkət] *n.* **1.** *gram.* orzeczenie; orzecznik. **2.** *log.* predykat. **3.** *log.* zdanie z wyłączeniem nazw. – *v. form.* **1.** opierać (*sth on sth* coś na czymś) (*np. argument l. opinię*). **2.** *t. log. form.* twierdzić; orzekać (*of sth* o czymś). **3.** głosić. **4.** sugerować, implikować; mieścić w sobie pojęcie (*czegoś*). **5.** przypisywać (*sth / sb of sth* czemuś/komuś coś). – *a.* (*także* **predicative**) *gram.* orzeczeniowy; orzecznikowy.

predicate adjective *n. gram.* przymiotnik orzecznikowy (*występujący po czasowniku*).

predicate calculus *a. U log.* rachunek predykatów.

predicate nominative *n. gram.* rzeczownik orzecznikowy; zaimek orzecznikowy.

predication [ˌpredəˈkeɪʃən] *n. C/U* orzekanie; twierdzenie.

predicative [prɪˈdɪkətɪv] *gram. a.* **1.** orzekający. **2.** = **predicate** *a.*

predicatory [ˈpredɪkəˌtɔːrɪ] *a. kośc. form.* kaznodziejski.

predict [prɪˈdɪkt] *v.* przewidywać; przepowiadać; prognozować.

predictability [prɪˌdɪktəˈbɪlətɪ] *n. U* przewidywalność.

predictable [prɪˈdɪktəbl] *a.* dający się przewidzieć, przewidywalny, do przewidzenia.

predictably [prɪˈdɪktəblɪ] *adv.* przewidywalnie, w sposób możliwy do przewidzenia; ~, **the project ended in a failure** jak było do przewidzenia, projekt się nie powiódł.

prediction [prɪˈdɪkʃən] *n.* przepowiednia; *U* przepowiadanie; **make a ~ about sth** przepowiedzieć *l.* przewidzieć coś.

predictor [prɪˈdɪktər] *n.* **1.** *wojsk.* aparat do kierowania ogniem artylerii przeciwlotniczej, przelicznik. **2.** *mat.* wzór wstępny.

predigest [ˌpriːdaɪˈdʒest] *v.* **1.** *biol.* poddawać trawieniu przedwstępnemu (*poza ustrojem*). **2.** *przen.* przetrawiać, upraszczać (*przekazywane informację*).

predigested [ˌpriːdaɪˈdʒestɪd] *a.* **1.** *biol.* poddany trawieniu wstępnemu (*poza ustrojem*). **2.** *przen.* przetrawiony, uproszczony (*o przekazywanych informacjach*).

predilection [ˌpredəˈlekʃən] *n. form.* predylekcja, upodobanie (*for sth* do czegoś).

predispose [ˌpriːdɪˈspoʊz] *v.* **1.** predysponować, usposabiać (*sb to sth* kogoś do czegoś). **2.** ~ **of sth** *prawn. arch.* rozporządzać uprzednio czymś.

predisposed [ˌpriːdɪˈspoʊzd] *a.* predysponowany, usposobiony, mający skłonność (*to / towards sth* do czegoś).

predisposition [prɪˌdɪspəˈzɪʃən] *n. t. pat.* predyspozycja, skłonność.

prednisone [ˈpredniˌsoʊn] *n. U med.* prednison.

predoctoral [ˌpriːˈdɑːktərəl] *a. uniw.* mający miejsce przed uzyskaniem stopnia doktora (*o studiach l. badaniach*).

predominance [prɪˈdɑːmənəns] *n.* **1.** *sing.* przewaga (*of sth* czegoś). **2.** *U* dominacja, panowanie.

predominant [prɪˈdɑːmənənt] *a.* **1.** przeważający. **2.** dominujący, panujący, górujący.

predominantly [prɪˈdɑːmənəntlɪ] *adv.* w przeważającej mierze *l.* części; przeważnie.

predominate [prɪˈdɑːməˌneɪt] *v.* **1.** przeważać, dominować. **2.** górować (*over sb / sth* nad kimś/sth).

pre-eclampsia [ˌpriːɪˈklæmpsɪə] *n. U pat.* stan przedrzucawkowy (*mogący wystąpić pod koniec ciąży*).

pre-embryo [ˌpriːˈembrɪˌoʊ] *n. biol.* zapłodniona komórka jajowa przed zagnieżdżeniem się w ścianie macicy.

preemie [ˈpriːmiː], **premie** *Austr.* **premmie** *n. US i Can.* wcześniak.

preeminence [ˌpriːˈemənəns], **pre-eminence** *n. U* **1.** wybitność, wyróżnianie się. **2.** przewaga, wyższość; prymat.

preeminent [ˌpriːˈemənənt] *a.* **1.** wybitny, wyróżniający się. **2.** mający przewagę, górujący (*nad innymi*).

preeminently [ˌpriːˈemənəntlɪ] *adv.* wybitnie.

preempt [ˌpriːˈempt], **pre-empt** *v.* **1.** udaremniać. **2.** uprzedzać (*decyzję l. atak wroga*). **3.** *US prawn., handl.* zajmować (*ziemię państwową*) celem zdobycia prawa pierwokupu. **4.** *prawn., handl.* nabywać w drodze pierwokupu; korzystać z prawa pierwokupu do (*czegoś*). **5.** wypierać; zastępować. **6.** *brydż* robić zapowiedź zamykającą dalszą licytację (*w brydżu*).

preemption [ˌpriːˈempʃən] *n. C / U* **1.** udaremnienie. **2.** *t. wojsk.* taktyka polegająca na uprzednim ataku, strategia ofensywna. **3.** *prawn., handl.* pierwokup; prawo pierwokupu; skorzystanie z prawa pierwokupu.

preemption right *n. U prawn., handl.* prawo pierwokupu; *US* prawo pierwokupu zagospodarowanej ziemi państwowej.

preemptive [ˌpriːˈemptɪv] *a.* **1.** *t. wojsk.* wyprzedzający (*o ataku l. uderzeniu*). **2.** *prawn., handl.* dotyczący pierwokupu. **3.** *brydż* uniemożliwiający dalszą licytację.

preemptive right *n. C / U prawn., handl.* prawo poboru akcji (*przez akcjonariusza*); prawo pierwokupu.

preen [priːn] *v.* **1.** gładzić *l.* czyścić (piórka) (*o ptaku*). **2.** lizać *l.* czyścić (sierść) (*o zwierzęciu*). **3.** *przen.* ~ **o.s.** stroić się; szykować się; *uj.* mizdrzyć się. **4.** ~ **o.s. on sth** *przen.* pysznić się czymś.

pre-engineered [ˌpriːˌendʒəˈniːrd] *a. bud.* zbudowany z prefabrykatów.

pre-establish [ˌpriːɪˈstæblɪʃ] *v.* ustalić wstępnie; z góry zdecydować.

pre-exist [ˌpriːɪgˈzɪst] *v.* poprzedzać; istnieć przed (*kimś l. czymś*).

pre-existence [ˌpriːɪgˈzɪstəns] *n. U* preegzystencja.

pref. *abbr.* **1.** = **preface**; = **prefatory**. **2.** *prawn., handl.* = **preference**; = **preferred**. **3.** *gram.* = **prefix**.

prefab [ˈpriːˌfæb] *bud. pot. n.* budynek z elementów prefabrykowanych *l.* prefabrykatów. – *v.* **-bb-** = **prefabricate**. – *a.* prefabrykowany.

prefabricate [ˌpriːˈfæbrəˌkeɪt] *v.* **1.** *bud.* prefabrykować. **2.** *t. przen. uj.* produkować masowo. **3.** *przen. uj.* przygotować wcześniej; *uj.* ukartować.

prefabricated [ˌpriːˈfæbrəˌkeɪtɪd] *a.* **1.** (*także* **prebuilt**) *bud.* prefabrykowany. **2.** *t. przen. uj.* produkowany masowo. **3.** *przen. uj.* wcześniej przygotowany; ukartowany; udawany.

prefabrication [ˌpriːˌfæbrəˈkeɪʃən] *n. U* **1.** *bud.* prefabrykacja. **2.** *t. przen. uj.* masowa produkcja. **3.** *przen. uj.* uprzednie przygotowanie; ukartowanie; udawanie.

preface [ˈprefɪs] *n.* **1.** przedmowa; wstęp; wprowadzenie. **2.** (*także* **P~**) *kośc.* prefacja. – *v.* **1.** zaopatrywać w przedmowę, wstęp *l.* wprowadzenie; poprzedzać (*with / by sth* czymś). **2.** stanowić przedmowę, wstęp *l.* wprowadzenie do (*czegoś*).

prefaded [ˌpriːˈfeɪdɪd] *a. tk.* sprany (*zwł. o dżinsie*).

prefatory [ˈprefəˌtɔːrɪ] *a. form.* wstępny; wprowadzający.

prefect [ˈpriːfekt] *n.* **1.** *admin., hist., szkoln., kośc.* prefekt. **2.** *Br. i Austr. szkoln.* starszy uczeń pełniący dodatkowe obowiązki (*m.in. pomagający w utrzymaniu porządku*).

prefecture [ˈpriːfektʃər] *n. C / U admin., hist., szkoln., kośc.* prefektura (*t. policji*).

prefer [prɪˈfɝː] *v.* **-rr-** **1.** woleć, preferować (*sb / sth to sb / sth* kogoś/coś od kogoś/czegoś); **he ~s playing to learning** on woli się bawić niż uczyć; **she ~s tea to coffee** ona woli herbatę od kawy; **I'd ~ not to talk about it** wolałbym o tym nie mówić;

I would ~ it if you didn't ask me such questions wolałabym, żebyś nie zadawał mi takich pytań. **2.** *t. handl., prawn.* wyróżniać, uprzywilejowywać; dawać pierwszeństwo (*komuś l. czemuś*); **~ one creditor over others** uprzywilejować jednego wierzyciela w stosunku do pozostałych. **3.** *prawn.* wnosić (*oskarżenie*); składać, zgłaszać (*np. zażalenie*); **~ a charge/charges against sb** wnieść oskarżenie przeciwko komuś; **~ a claim** zgłaszać pretensje. **4.** dawać awans (*komuś*), awansować (*sb to sth* kogoś na coś) (*na urząd l. stanowisko*).

preferable ['prefərəbl] *a.* lepszy; bardziej pożądany (*to sb/sth* niż ktoś/coś *l.* od kogoś/czegoś); **infinitely ~** o niebo lepszy.

preferably ['prefərəblɪ] *adv.* najlepiej.

preference ['prefərəns] *n.* **1.** *C/U* preferencja, większe upodobanie; **have a ~ for sth** preferować *l.* woleć coś; **have no strong/particular ~** nie mieć wyraźnych preferencji; **sexual ~** preferencje seksualne, orientacja seksualna; **what are your ~s in painting?** jakie masz upodobania, jeśli chodzi o malarstwo?, jakie malarstwo najbardziej lubisz? **2.** *U* prawo *l.* możność wyboru; **we have our ~ of seats** możemy wybierać miejsca. **3.** *U t. prawn.* pierwszeństwo (*np. przy spłacie długów*); **give/show ~ to sb/sth** dawać pierwszeństwo komuś/czemuś. **4.** *t. prawn., handl.* uprzywilejowanie (*zwł. celne*). **5.** *pl. handl.* akcje uprzywilejowane. **6.** *pl. polit.* preferencyjny system głosowania (*np. w Australii*). **7. by ~** z wyboru; **in ~ to sth** zamiast czegoś; **she chose physics in ~ to chemistry** wolała studiować fizykę niż chemię.

preference share *n. br.* = **preferred stock** *n.*

preferential [ˌprefə'renʃl] *a. t. handl., prawn.* **1.** preferencyjny (*np. o cle*). **2.** uprzywilejowany (*np. o roszczeniu, wierzycielu l. dywidendzie*).

preferentially [ˌprefə'renʃlɪ] *adv.* **1.** preferencyjnie. **2.** w sposób uprzywilejowany.

preferment [prɪ'fɝːmənt] *n. U* **1.** *handl., prawn.* prawo pierwszeństwa. **2.** *t. kość.* awans. **3.** wysokie stanowisko; ważny urząd. **4.** wybór.

preferred [prɪ'fɝːd] *a. t. prawn., handl.* uprzywilejowany; priorytetowy; preferencyjny.

preferred stock *n.* (*także Br.* **preference share**) *handl.* akcja uprzywilejowana.

prefiguration [prɪˌfɪgjə'reɪʃən] *n. C/U form.* zapowiedź; prototyp.

prefigure [prɪ'fɪgər] *v.* **1.** zapowiadać. **2.** z góry wyobrażać sobie. **3.** wyobrażać; być prototypem (*czegoś l. kogoś*).

prefix ['priːfɪks] *n.* **1.** *t. gram.* prefiks (*t. w numerze telefonicznym*), przedrostek. **2.** tytuł przed nazwiskiem. – *v.* **1.** umieszczać na wstępie (*to sth* do czegoś) (*np. do książki*). **2.** poprzedzać (*by sth* czymś). **3.** *gram.* umieszczać jako przedrostek *l.* prefiks (*to sth* przed czymś). **4.** *form.* ustalać z góry (*np. godzinę spotkania*).

preflight ['priːˌflaɪt] *a. lotn.* mający miejsce przed lotem *l.* startem.

preflight check *n. lotn.* procedura kontrolna przed lotem (*sprawdzająca stan i gotowość urządzeń*).

preform [ˌpriː'fɔːrm] *v. t. techn.* formować wstępnie; kształtować wstępnie; tłoczyć wstępnie.

preformation [ˌpriːˌfɔːr'meɪʃən] *n.* **1.** uprzednia formacja. **2.** *U* uprzednie formowanie, kształtowanie *l.* tłoczenie. **3.** *U* (*także* **~ theory**) *hist. biol.* preformacja, teoria preformacji.

prefrontal [ˌpriː'frʌntl] *a. anat.* przedczołowy.

prefrontal lobe *n. anat.* płat przedczołowy (*mózgu*).

prefrontal lobotomy *n. C/U pl.* **-ies** *med.* leukotomia przedczołowa.

preganglionic [ˌpriːˌgæŋglɪ'ɑːnɪk] *a. anat.* przedzwojowy.

preggers ['pregərz] *a. pot.* w ciąży.

preglacial [ˌpriː'gleɪʃl] *a. geol.* przedlodowcowy, preglacjalny.

pregnable ['pregnəbl] *a. form.* **1.** dający się zaatakować. **2.** do zdobycia.

pregnancy ['pregnənsɪ] *n. C/U pl.* **-ies** **1.** *fizj.* ciąża; **ectopic ~** *pat.* ciąża pozamaciczna; **false/phantom ~** *pat.* ciąża urojona; **high-risk ~** *pat.* ciąża wysokiego ryzyka; **multiple/twin ~** ciąża mnoga/bliźniacza. **2.** *przen.* brzemienność; znaczenie, waga (*słów*).

pregnancy test *n. med.* test ciążowy.

pregnant ['pregnənt] *a.* **1.** *biol.* w ciąży, ciężarna; *przest.* brzemienna; **~ with her third child** w ciąży z trzecim dzieckiem; **get/become ~** (*także przest.* **fall ~**) zajść w ciążę (*by sb* z kimś); **get sb ~** spłodzić z kimś dziecko; **heavily ~** w zaawansowanej ciąży; **twelve weeks/four months ~** w dwunastym tygodniu/czwartym miesiącu ciąży. **2.** *przen. form.* brzemienny (*with sth* czymś); **~ with consequences** brzemienny w skutki; **~ with possibilities** dający wiele możliwości. **3.** *przen. form.* płodny, twórczy. **4.** *przen.* doniosły; znaczący; sugestywny; **a ~ pause/silence** znacząca pauza/cisza.

preheat [ˌpriː'hiːt] *v.* ogrzewać wstępnie; *t. kulin.* podgrzewać.

preheater [ˌpriː'hiːtər] *n. techn.* podgrzewacz.

prehensile [prɪ'hensl] *a.* **1.** *zool.* chwytny. **2.** *form.* pojętny. **3.** *form.* chciwy.

prehension [prɪ'henʃən] *n. U* **1.** *zool.* chwytanie. **2.** *form.* postrzeganie zmysłowe. **3.** *form.* rozumienie, pojmowanie.

prehistorian [ˌpriːhɪ'stɔːrɪən] *n.* prehistoryk/czka, specjalist-a/ka od prehistorii.

prehistoric [ˌpriːhɪ'stɔːrɪk], **prehistorical** [ˌpriːhɪ'stɔːrɪkl] *a.* przedhistoryczny; *t. przen.* prehistoryczny.

prehistory [priː'hɪstərɪ] *n. U hist.* prehistoria.

prehominid [ˌpriː'hɑːmənɪd] *n. antrop.* praczłowiek.

preignition [ˌpriːɪg'nɪʃən] *n. U mot., mech.* przedwczesny zapłon (*w silniku*).

preindustrial [ˌpriːɪn'dʌstrɪəl] *a.* preindustrialny, przedindustrialny.

prejudge [ˌpriː'dʒʌdʒ] *v.* przesądzać; osądzać z góry.

prejudgment [ˌpriː'dʒʌdʒmənt], **prejudgement** *n. C/U* przesądzenie; osądzenie z góry.

prejudice ['predʒədɪs] *n. C/U* **1.** uprzedzenie,

negatywne nastawienie (*against sb / sth* do kogoś/czegoś). **2.** przychylne nastawienie (*in favour of sb / sth* do kogoś/czegoś). **3.** stronniczość; uprzedzenia, przesądy; **free of** ~ wolny od uprzedzeń; **racial/sexual** ~ uprzedzenia na tle rasowym/seksualnym. **4.** szkoda; uszczerbek; **pecuniary** ~ *prawn.* szkoda majątkowa; **to the** ~ **of sb/sth** *form.* ze szkodą *l.* uszczerbkiem dla kogoś/czegoś; **without** ~ *prawn.* bez szkody *l.* uszczerbku (*dla istniejącego prawa l. pretensji*); z zastrzeżeniem praw; bezstronnie. – *v.* **1.** uprzedzać, nastawiać negatywnie (*against sb / sth* do kogoś/czegoś). **2.** nastawiać pozytywnie (*in favour of sb / sth* na rzecz kogoś/czegoś). **3.** krzywdzić; przynosić szkodę *l.* uszczerbek (*komuś l. czemuś*); szkodzić (*komuś l. czemuś*). **4.** naruszać (*np. prawa*); pogarszać (*np. szanse*).

prejudiced [ˈpredʒədɪst] *a.* uprzedzony (*against sb / sth* do kogoś/czegoś); stronniczy.

prejudicial [ˌpredʒʊˈdɪʃl] *a. form.* szkodliwy; krzywdzący (*to sb / sth* dla kogoś/czegoś); ~ **to the national economy** szkodliwy dla gospodarki narodowej.

prekindergarten [ˌpriːˈkɪndərˌgɑːrtən] *n. C / U* żłobek. – *a. attr.* w wieku żłobkowym; żłobkowy.

prelacy [ˈpreləsɪ] *n. C / U pl.* **-ies** **1.** *kośc.* prałatura. **2.** *kośc.* prałaci, dostojnicy kościelni. **3.** *uj.* = **prelatism**.

prelate [ˈprelət] *n. kośc.* prałat, dostojnik kościelny.

prelatic [prɪˈlætɪk] *a. kośc.* prałacki.

prelatism [ˈpreləˌtɪzəm] *n. U* (*także* **prelacy**) *uj.* rządy prałatów.

prelature [ˈprelətʃər] *n. U kośc.* prałatura.

prelect [prɪˈlekt] *v. form.* wykładać, dawać prelekcję.

prelection [prɪˈlekʃən] *n. form.* prelekcja, odczyt.

prelector [prɪˈlektər] *n. gł. Br. form.* wykładow-ca/czyni.

prelibation [ˌpriːlaɪˈbeɪʃən] *n. rzad.* przedsmak.

prelim [ˈpriːlɪm] *n. pot.* = **preliminary** *n.*

prelim. *abbr.* = **preliminary** *a.*, *n.*

preliminary [prɪˈlɪməˌnerɪ] *a.* wstępny; przedwstępny; przygotowujący. – *n. pl.* **-ies** **1.** *zw. pl. t. prawn., polit.* kroki *l.* czynności wstępne *l.* przygotowawcze; preliminaria; *pot.* przymiarki. **2.** *uniw.* egzamin przedwstępny. **3.** *sport* wstępne eliminacje *l.* rozgrywki.

preliterate [ˌpriːˈlɪtərət] *a.* dotyczący okresu przed powstaniem pisma. – *n.* człon-ek/kini społeczności ludzkiej przed powstaniem pisma.

preloved [ˌpriːˈlʌvd] *a. Austr. i NZ pot.* używany (*o artykule przeznaczonym na sprzedaż*).

prelude [ˈpreljuːd] *n.* **1.** *muz.* preludium. **2.** (*także* **prelusion**) *przen.* wstęp, przygrywka (*to sth* do czegoś). – *v. form.* **1.** stanowić wstęp *l.* przygrywkę do, czegoś. **2.** poprzedzać. **3.** *muz.* poprzedzać preludium (*większą kompozycję*).

prelusion [ˌprɪˈluːʒən] *n.* = **prelude** *n.* 2.

prem [prem] *n.* = **premature newborn**.

premalignant [ˌpriːməˈlɪgnənt] *a. pat.* przedrakowy, przednowotworowy.

premarital [ˌpriːˈmerɪtl] *a.* przedmałżeński (*np. o seksie*).

premature [ˌpriːməˈtʊr] *a.* **1.** przedwczesny. **2.** pospieszny; pochopny. **3.** *pat.* przedwcześnie urodzony.

prematurely [ˌpriːməˈtʊrlɪ] *adv.* **1.** *t. pat.* przedwcześnie. **2.** pośpiesznie; pochopnie.

premature newborn, premature baby *n.* (*także pot.* **prem**) wcześniak.

premed [ˌpriːˈmed] *n. pot.* **1.** = **premedication**. **2.** *US* = **premedical course**. **3.** *US* słuchacz/ka kursu wstępnego medycyny.

premedical course [ˌpriːˈmedɪkl ˌkɔːrs] *n. med.* kurs wstępny medycyny.

premedication [ˌpriːmedɪˈkeɪʃən] *n. U med.* premedykacja.

premeditate [ˌpriːˈmedɪˌteɪt] *v.* obmyślać *l.* planować z góry.

premeditated [ˌpriːˈmedɪˌteɪtɪd] *a. gł. prawn.* zamierzony, rozmyślny; (dokonany) z premedytacją (*o przestępstwie*).

premeditation [ˌpriːˌmedɪˈteɪʃən] *n. U gł. prawn.* premedytacja.

premenstrual [prɪˈmenstrʊəl] *a.* przedmiesiączkowy.

premenstrual syndrome *n. U* (*także* **PMS**) (*także Br.* **premenstrual tension**) *fizj.* zespół napięcia przedmiesiączkowego.

premie [ˈpriːmɪ] *n.* = **preemie**.

premier [prɪˈmiːr] *n.* **1.** *polit.* premier, prezes rady ministrów; prezydent. **2.** *pl. Austr. sport* zwycięzcy mistrzostw (*zwł. w piłce nożnej i rugby*). – *a. attr. form.* pierwszy; główny; najlepszy.

premier danseur [prɪˌmiːr ˈdɑːŋsər] *a. Fr. balet* pierwszy tancerz.

premiere [prɪˈmiːr], **première** *kino, teatr, muz., balet n.* **1.** premiera. **2.** *teatr* odtwórczyni głównej roli. – *v.* **1.** nadawać *l.* wyświetlać premierę (*czegoś*); być nadawanym *l.* wyświetlanym jako premiera (*np. o filmie*). **2.** debiutować (*o aktorze, tancerzu l. muzyku*).

premiership [prɪˈmiːrˌʃɪp] *n.* **1.** *polit.* premierostwo; prezydentura. **2.** *sport* mistrzostwa.

premillennial [ˌpriːmɪˈlenɪəl] *a.* dotyczący okresu przed tysiącleciem; mający miejsce przed tysiącleciem.

premise [ˈpremɪs] *n.* **1.** (*także* **premiss**) *log.* przesłanka. **2.** *prawn.* podstawa dowodzenia; poprzednie stwierdzenie. **3.** *pl. prawn.* część wstępna; uwagi wstępne; nagłówek. **4.** *pl. zob.* **premises**. – *v.* **1.** zaznaczać na wstępie. **2.** zaopatrywać we wstępne uwagi, poprzedzać wstępem. **3.** zakładać. **4.** opierać (*sth on sth* coś na czymś) (*np. argument na założeniu*).

premises [ˈpremɪsɪz] *n. pl.* **1.** teren (*np. sklepu, zakładu pracy*); obiekt; **keep off the** ~ wejście (na teren obiektu) wzbronione; **on the** ~ na miejscu; **smoking is not permitted on the** ~ zakaz palenia na terenie budynku. **2.** pomieszczenie; lokal; ~ **for sale** *handl., prawn.* lokal na sprzedaż. **3.** *prawn.* nieruchomości wymienione w akcie przenoszącym własność.

premiss [ˈpremɪs] *n.* = **premise** *n.* 1.

premium ['pri:mıəm] *n.* **1.** *ekon., handl. l. przen.* premia; **at a ~** z premią (*powyżej wartości normalnej l. nominalnej*); *przen.* w wysokiej cenie; bardzo poszukiwany; **put/place a ~ on sth** wyznaczać premię na coś; *przen.* wysoko cenić. **2.** *ubezp.* składka (ubezpieczeniowa). **3.** *fin.* ażio (= *nadwyżka kursu dewiz l. papierów wartościowych ponad ich wartość nominalną*). **4.** nagroda. **5.** opłata terminatorska (*za naukę rzemiosła*). **6.** *U* = **premium gasoline**. – *a.* **1.** wysokiej jakości, wysokogatunkowy. **2.** w *l.* po wysokiej cenie.

premium bond, Premium Bond, Pemium Savings Bond *n. Br. handl., prawn.* obligacja pożyczki premiowej.

premium deal *n. handl.* oferta specjalna.

premium gasoline *n. U US mot.* etylina super, etylina premium.

premium petrol *n. Br.* = **emium gasoline**.

premix ['pri:ˌmıks] *n. techn.* przedmieszka.

premmie ['pri:mi:] *n.* = **preemie** *n.*

premolar [ˌpri:'moʊlər] *dent. a.* przedtrzonowy. – *n.* przedtrzonowiec, ząb przedtrzonowy.

premonition [ˌpri:mə'nıʃən] *n.* **1.** przeczucie (*of sth* czegoś); **have a ~** mieć przeczucie. **2.** *form.* ostrzeżenie.

premonitory [prı'mɑ:nəˌtɔ:rı] *a. form.* ostrzegawczy.

prenatal [pri:'neıtl] *a. biol.* prenatalny, przedurodzeniowy.

prenatally [pri:'neıtlı] *adv. biol.* przed urodzeniem.

prenotion [pri:'noʊʃən] *n. form.* **1.** wstępne *l.* uprzednie wyobrażenie. **2.** przeczucie.

prenuptial [pri:'nʌpʃl] *a. form.* przedmałżeński.

prenuptial contract *n. prawn.* umowa przedmałżeńska.

preoccupancy [prı'ɑ:kjəpənsı] *n. U form.* = **preoccupation** *n.* 4, 5.

preoccupation [prıˌɑ:kjə'peıʃən] *n. C/U* **1.** zamyślenie. **2.** troska, frasunek. **3.** zajęcie; przedmiot zainteresowania, zaabsorbowania *l.* troski. **4.** (*także* **preoccupancy**) zainteresowanie; zaabsorbowanie (*with sth* czymś). **5.** (*także* **preoccupancy**) *prawn.* uprzednie zajęcie *l.* objęcie w posiadanie (*mieszkania l. domu*).

preoccupied [prı'ɑ:kjəˌpaıd] *a.* **1.** zamyślony. **2.** pochłonięty (myślami); zainteresowany; zaabsorbowany (*with sth* czymś). **3.** *biol.* już w użyciu (*o nazwie taksonomicznej*).

preoccupy [prı'ɑ:kjəˌpaı] *v.* **-ied, -ying 1.** absorbować; zaprzątać (*umysł*). **2.** *prawn.* uprzednio zajmować *l.* obejmować w posiadanie (*mieszkanie l. dom*).

preop [ˌpri:'ɑ:p] *a.* = **preoperative**.

preoperative [ˌpri:'ɑ:pərətıv] *a. med.* przedoperacyjny.

preordain [ˌpri:ɔ:r'deın] *v.* **1.** *t. rel.* predestynować. **2.** z góry decydować.

preovulatory [ˌpri:'ɑ:vjələˌtɔ:rı] *a. biol.* przedowulacyjny.

preowned [ˌpri:'oʊnd] *a. Austr. i NZ handl.* będący w uprzednim posiadaniu (*a obecnie przeznaczony na sprzedaż*).

prep [prep] *n. pot.* **1.** = **preparation** *n.* 4, 5. **2.** = **preparatory school**; *zob.* **preparatory** *n.* **3.** = **preppy** *n.* 1. – *v. pot.* **1.** *US szkoln., uniw., sport* przygotowywać się (*for sth* do czegoś) (*np. do egzaminu, zawodów*). **2.** *med.* przygotowywać (*pacjenta do operacji*). **3.** *mal.* gruntować. – *a.* = **preparatory** *a.* 1.

prep. *abbr.* **1.** = **preparation**; = **preparatory**; = **prepare**. **2.** *gram.* = **preposition**.

prepackage [ˌpri:'pækıdʒ] *v.* **1.** paczkować; opakowywać. **2.** organizować z wyprzedzeniem.

prepackaged [ˌpri:'pækıdʒd] *a.* **1.** opakowany, w gotowym opakowaniu. **2.** zorganizowany (*z wyprzedzeniem*); **~ holiday** wczasy zorganizowane.

prepaid [ˌpri:'peıd] *a. gł. poczta* opłacony z góry; **~ envelope** koperta zwrotna ze znaczkiem.

preparation [ˌprepə'reıʃən] *n.* **1.** *C/U* przygotowanie (*t. np. szkoln. – do zajęć*); **be in ~** być przygotowywanym; **in ~ for sth** przygotowując się na coś; **make ~s** czynić przygotowania. **2.** *U* gotowość; **in ~ for sth** w gotowości do czegoś. **3.** preparat (*np. leczniczy, kosmetyczny*). **4.** *U szkoln.* dodatkowa praca domowa (*w szkole prywatnej l. z internatem*); czas przeznaczony na naukę (*w szkole z internatem*). **5.** *muz.* przygotowanie dysonansu. – *a. attr.* potrzebny na przygotowanie; **we need a ~ time of about an hour** potrzebujemy około godziny na przygotowanie.

preparative [prı'perətıv] *a. form.* = **preparatory**.

preparatory [prı'perəˌtɔ:rı] *a.* **1.** *attr.* przygotowawczy. **2.** wprowadzający, służący jako wstęp (*to sth* do czegoś). **3.** (*także* **~ school**) (*także pot.* **prep school, prep**) *szkoln. US* prywatna szkoła średnia przygotowująca do studiów wyższych; *Br.* prywatna szkoła podstawowa (*przygotowująca do nauki w prywatnej szkole średniej*).

prepare [prı'per] *v.* **1.** przygotowywać (się); **~ o.s. for sth** przygotowywać się do czegoś (*np. do egzaminu*); przygotować się na coś (*np. na szok*); **she was preparing to to leave** przygotowywała się do wyjazdu. **2.** przyrządzać (*jedzenie, posiłek*). **3.** sporządzać (*np. umowę, projekt*). **4.** preparować (*np. lek*). **5.** *muz.* przygotowywać (*dysonans*). **6. ~ the ground for sth** *zob.* **ground** *n.* 1.

prepared [prı'perd] *a.* **1.** gotowy (*for sth* do czegoś l. na coś); **be ~ to do sth** być gotowym coś zrobić. **2.** przygotowany; **be ~ for the worst** być przygotowanym na najgorsze; **well/badly ~** dobrze/źle przygotowany.

preparedness [prı'perıdnəs] *n. U* **1.** przygotowanie (*t. wojsk. – do działań*). **2.** gotowość.

prepay [ˌpri:'peı] *v.* **-paid, -paid 1.** płacić z góry za, opłacać z góry. **2.** dokonać przedpłaty na; zaprenumerować.

prepayable [ˌpri:'peıəbl] *a.* płatny z góry.

prepayment [ˌpri:'peımənt] *n.* opłata z góry; przedpłata; prenumerata.

prepense [prı'pens] *a. tylko po n. prawn. form.* umyślny, rozmyślny, dokonany z premedytacją;

malice ~ premedytacja; **of malice** ~ z premedytacją, w złym zamiarze.

preponderance [prɪˈpɑːndərəns] *n. sing. form.* **1.** przewaga; **there is a ~ of sb/sth** ktoś coś przeważa, kogoś/czegoś jest więcej (*in sth* w czymś). **2.** wyższość.

preponderant [prɪˈpɑːndərənt] *a. form.* **1.** przeważający; mający przewagę. **2.** górujący.

preponderate [prɪˈpɑːndəˌreɪt] *v. form.* **1.** przeważać; mieć przewagę (*over sb / sth* nad kimś/czymś). **2.** przewyższać (*over sb / sth* kogoś/coś), górować (*over sb / sth* nad kimś/czymś).

preposition [ˌprepəˈzɪʃən] *n. gram.* przyimek.

prepositional [ˌprepəˈzɪʃənl] *a. gram.* przyimkowy.

prepositional phrase *n. gram.* wyrażenie przyimkowe.

prepositive [ˌpriːˈpɑːzətɪv] *gram. a.* poprzedzający (*o wyrazie l. partykule*). – *n.* wyraz poprzedzający; partykuła poprzedzająca.

prepossess [ˌpriːpəˈzes] *v. form.* **1.** robić dobre wrażenie na (*kimś*). **2.** usposabiać, uprzedzać (*zw. życzliwie*). **3.** opanować; owładnąć (*umysłem, o myśli*).

prepossessing [ˌpriːpəˈzesɪŋ] *a. form.* ujmujący (*np. o uśmiechu*); robiący przyjemne wrażenie; usposabiający życzliwie.

prepossession [ˌpriːpəˈzeʃən] *n. C / U* **1.** uprzedzenie (*zw. pozytywne*). **2.** zaabsorbowanie (*with sth* czymś).

preposterous [prɪˈpɑːstərəs] *a.* niedorzeczny, absurdalny; śmieszny, bzdurny.

preposterously [prɪˈpɑːstərəslɪ] *adv. C / U* niedorzecznie, absurdalnie; śmiesznie, bzdurnie.

preposterousness [prɪˈpɑːstərəsnəs] *n. U* niedorzeczność, absurdalność; śmieszność, bzdurność.

prepotency [ˌpriːˈpoʊtənsɪ] *n. pl.* **-ies** *biol. l. przen.* przewaga (*t. genetyczna*).

prepotent [ˌpriːˈpoʊtənt] *a.* **1.** przemożny. **2.** *biol. l. przen.* mający przewagę (*t. genetyczną*).

preppy [ˈprepɪ], **preppie** *US pot. n. pl.* **-ies** (*także* **prep**) **1.** osoba bogata, wykształcona i dobrze ubrana. **2.** ucze-ń/nnica prywatnej szkoły średniej. – *a.* dotyczący osób jw.

preprandial [priːˈprændɪəl] *a. from. l. żart.* mający miejsce przed posiłkiem (*zwł. wieczornym*).

preprocess [ˌpriːˈprɑːses] *v. komp.* przetwarzać wstępnie (*dane wejściowe*).

preproduction [ˌpriːprəˈdʌkʃən] *n. U* **1.** produkcja próbna. **2.** przygotowanie produkcji; okres przygotowania do uruchomienia produkcji seryjnej. – *a. attr.* **1.** przedprodukcyjny. **2.** próbny; prototypowy.

prep school [ˈprep ˌskuːl] *n.* = **preparatory school**; *zob.* **preparatory** *n.*

prepubescence [ˌpriːpjuːˈbesəns] *n. U* (*także* **prepuberty**) *biol.* okres przed dojrzewaniem *l.* pokwitaniem.

prepubescent [ˌpriːpjuːˈbesənt] (*także* **prepuberal, prepubertal**) *biol. a.* przedpokwitaniowy. – *n.* dziecko w wieku poprzedzającym dojrzewanie.

prepuce [ˈpriːpjuːs] *n. anat.* napletek.

preputial [priːˈpjuːʃl] *a. anat.* napletkowy.

prequel [ˈpriːkwl] *n. zw. sing.* film, sztuka *l.* książka opowiadające o zdarzeniach wcześniejszych od znanych z innego filmu, sztuki *l.* książki.

Pre-Raphaelite [ˌpriːˈræfəˌlaɪt] *mal., teor. lit. a.* prerafaelicki, prerafaelityczny. – *n.* prerafaelit-a/ka.

Pre-Raphaelitism [ˌpriːˌræfəˈlaɪtˌɪzəm] *n. U* prerafaelityzm.

prerecord [ˌpriːrɪˈkɔːrd] *v. radio, telew.* nagrywać z wyprzedzeniem (*przed emisją*).

prerecorded [ˌpriːrɪˈkɔːrdɪd] *a.* **1.** *radio, telew.* nagrany z wyprzedzeniem (*przed emisją*). **2.** *muz.* nagrany (*o płycie l. kasecie*).

prerequisite [ˌpriːˈrekwəzɪt] *prawn. l. form. n.* warunek wstępny *l.* zasadniczy (*for / to / of sth* czegoś). – *a.* warunkujący, wymagany jako warunek wstępny.

prerogative [prɪˈrɑːgətɪv] *n. zw. sing.* prerogatywa; prawo, uprawnienie; przywilej; **exercise/use one's ~** skorzystać ze swoich uprawnień; **the Royal P~** *hist.* przywilej królewski, prerogatywa królewska. – *a.* **1.** uprzywilejowany. **2.** posiadany na mocy przywileju.

prerogative court *n. Br. hist., kośc., prawn.* sąd arcybiskupi dla spraw spadkowych.

Pres. *abbr.* = **president**.

pres. *abbr.* **1.** = **present** *a.* **2.** = **presidency**; = **presidential**; (*także* **Pres.**) = **president**.

presage [ˈpresɪdʒ] *lit. v.* **1.** zapowiadać; wróżyć, zwiastować; przepowiadać. **2.** przeczuwać. – *n.* **1.** (zły) omen, (zła) wróżba. **2.** przeczucie.

presale [ˈpriːˌseɪl] *n. C / U handl.* przedsprzedaż.

Presb., Presby. *abbr.* = **Presbyterian**.

presbyopia [ˌprezbɪˈoʊpɪə] *n. U pat.* starczowzroczność, dalekowzroczność starcza.

presbyter [ˈprezbətər] *n. kośc.* prezbiter.

presbyteral [prezˈbɪtərəl], **presbyterial** *a. kośc.* prezbiterialny.

presbyterate [prezˈbɪtərɪt] *n. kośc.* **1.** godność prezbitera. **2.** prezbiterowie.

presbyterian [ˌprezbəˈtiːrɪən], **Presbyterian** *rel. a.* prezbiteriański. – *n.* prezbiterianin.

Presbyterianism [ˌprezbəˈtiːrɪənˌɪzəm] *n. U rel.* prezbiterianizm.

presbytery [ˈprezbəˌterɪ] *n. pl.* **-ies** *kośc.* **1.** prezbiterzy. **2.** sąd prezbiteriański. **3.** prezbiterium. **4.** *rz.-kat.* plebania.

preschool *a.* [ˌpriːˈskuːl] *attr.* (*także* **pre-school**) przedszkolny; w wieku przedszkolnym. – *n.* [ˈpriːˌskuːl] *C / U US, Can. i Austr.* przedszkole.

preschooler [ˈpriːˌskuːlər] *n. US, Can. i Austr.* przedszkolak; dziecko w wieku przedszkolnym.

prescience [ˈpreʃəns] *n. U form.* **1.** uprzednia znajomość *l.* wiedza; przewidywanie. **2.** przezorność.

prescient [ˈpreʃənt] *a. form.* **1.** wiedzący z góry; przewidujący. **2.** przezorny.

prescientific [ˌpriːˌsaɪənˈtɪfɪk] *a. form.* przednaukowy.

presciently [ˈpreʃəntlɪ] *adv. form.* **1.** wiedząc z góry; przewidując. **2.** przezornie.

prescind [prɪ'sɪnd] *v.* ~ **from sth** *form.* abstrahować od czegoś; pomijać coś.

prescribe [prɪ'skraɪb] *v.* **1.** *med.* przepisywać, zapisywać (*leki*). **2.** nakazywać; postanawiać; *t. med.* zalecać. **3.** *prawn.* ulegać przedawnieniu, przedawniać się. **4.** *prawn.* unieważniać na mocy przedawnienia. **5.** *prawn.* rościć prawo na podstawie zasiedzenia (*to / for sth* do czegoś).

prescribed illness [prɪˌskraɪbd 'ɪlnəs] *n. pat.* choroba spowodowana przez szkodliwe warunki pracy.

prescript *form. n.* ['priːˌskrɪpt] przepis; nakaz; zalecenie. – *a.* [ˌprɪ'skrɪpt] nakazany; zalecany.

prescriptible [ˌprɪ'skrɪptəbl] *a. prawn.* ulegający przedawnieniu, przedawniający się.

prescription [prɪ'skrɪpʃən] *n.* **1.** *C / U med. l. przen.* recepta (*for sth* na coś) (*t. np. na szczęście*); **on** ~ *med.* na receptę. **2.** (*także* ~ **drug/medicine**) *med.* lek na receptę; lek przepisany przez lekarza. **3.** *prawn.* przepis; zarządzenie; zalecenie. **4.** *U prawn.* tworzenie przepisów. **5.** *U* (*także* **positive** ~) *prawn.* zasiedzenie; nabycie praw przez zasiedzenie. **6.** (*także* **negative** ~) *prawn.* przedawnienie; utrata prawa na mocy przedawnienia.

prescription charges *n. pl.* zryczałtowana opłata za lek (*na receptę*).

prescriptive [prɪ'skrɪptɪv] *a.* **1.** *prawn.* nakazany. **2.** *prawn.* oparty na zasiedzeniu *l.* przedawnieniu. **3.** *jęz.* normatywny.

prescriptive grammar *n. C / U jęz.* gramatyka normatywna.

prescriptively [prɪ'skrɪptɪvlɪ] *adv.* normatywnie.

prescriptiveness [prɪ'skrɪptɪvnəs] *n. U* normatywność.

prescriptive right *n. prawn.* prawo oparte na zasiedzeniu.

presence ['prezəns] *n.* **1.** *U* obecność; **be admitted to sb's** ~ *form.* być dopuszczonym przed czyjeś oblicze; **in sb's** ~ (*także* **in the** ~ **of sb**) w obecności kogoś; **in this venerable** ~ *form.* przed tym czcigodnym obliczem; **make one's** ~ **felt** dać odczuć swoją obecność; **military** ~ *polit.* obecność militarna *l.* wojskowa; **sb requests the** ~ **of sb at...** *form.* ktoś ma zaszczyt zaprosić kogoś na... **2.** *U* osobowość (*zwł. imponująca, oddziałująca na innych*). **3.** prezencja; powierzchowność; osobowość (*zwł. artysty*); **have a poor** ~ marnie się prezentować. **4.** *U* godność. **5.** *zw. sing.* istota (= *niewidzialny duch, którego obecność mimo to się odczuwa*).

presence chamber *n. form.* sala prezencyjna (*we dworze, w pałacu*).

presence of mind *n. U* przytomność umysłu; **sb had the** ~ **to do sth** ktoś miał *l.* zachował na tyle przytomności umysłu, że coś zrobił.

present[1] *a.* ['prezənt] **1.** obecny; ~ **company excepted** z wyjątkiem (tu) obecnych; **those** ~ (tu) obecni. **2.** aktualny, bieżący; obecny; niniejszy; **the** ~ **writer** *form.* pisząc-y/a te słowa. **3.** *t. gram.* teraźniejszy; **the** ~ **tense** czas teraźniejszy. **4.** ~ **to the mind** *form.* pozostający w pamięci. – *n.* ['prezənt] **1.** *U* **the** ~ teraźniejszość. **2.** *U gram.* czas teraźniejszy. **3. by these** ~**s** *prawn.* niniejszym. **4. at** ~ obecnie, teraz; **for the** ~ na razie; **no time like the** ~ nie ma (na) co czekać; jak już, to już.

present[2] *n.* ['prezənt] prezent, upominek; **make sb a** ~ **of sth** dać komuś coś w prezencie, sprezentować komuś coś. – *v.* [prɪ'zent] **1.** wręczać; darować, ofiarować, sprezentować (*sth to sb* coś komuś, *sb with sth* komuś coś). **2.** *wojsk.* składać (*meldunek*). **3.** przedstawiać (*film, sztukę, scenę, program, propozycje, argumenty*); *radio, telew.* prowadzić (*program*). **4.** pokazywać, prezentować (*postać*); ~ **sb/sth in a favorable way** przedstawiać kogoś/coś w przychylnym świetle. **5.** okazywać (*np. bilet, dokument*). **6.** stanowić (*np. trudność*); ~ **a danger to sb/sth** stanowić dla kogoś/czegoś zagrożenie; **this** ~**s no problem** to nie stanowi problemu. **7.** przedstawiać (*osobę*); *form.* dokonywać prezentacji (*osoby*); *gł. Br. form.* wprowadzać do towarzystwa (*młodą damę*). **8.** ~ **itself** pojawiać się (*np. o okazji, okoliczności*); **an idea** ~**s itself** nasuwa się myśl; **an opportunity** ~**ed itself** nadarzyła się sposobność. **9.** ~ **o.s.** *gł. form.* stawiać się, zgłaszać się (*o osobie*). **10.** *handl.* opakowywać; oferować, podawać (*towar w określony sposób*); **attractively** ~**ed** w atrakcyjnym opakowaniu; *kulin.* ładnie podany (*o potrawie*). **11.** *prawn.* wnosić (*sprawę*); zgłaszać (*poprawkę*). **12.** *med.* przodować, pojawiać się (*o noworodku l. części jego ciała w czasie porodu*). **13.** ~ **arms!** *wojsk.* prezentuj broń! **14.** ~ **as sb** *form.* dać się odczuć jako ktoś. **15.** ~ **with sth** *med., pat.* wykazywać objawy czegoś (*o pacjencie*).

presentable [prɪ'zentəbl] *a. gł. form.* **1.** o dobrej prezencji (*o osobie; t. w ogłoszeniach o pracy*); atrakcyjny; przyzwoity (*w wyglądzie*); **I'm not** ~ nie jestem odpowiednio ubrany; **look** ~ dobrze wyglądać; **make o.s.** ~ doprowadzić się do odpowiedniego *l.* przyzwoitego wyglądu. **2.** nadający się na prezent, dobry na *l.* jako prezent.

presentation [ˌprezən'teɪʃən] *n.* **1.** *C / U* przedstawienie (*np. dokumentów, dowodów, osoby, sztuki*); prezentacja. **2.** *U* wygląd. **3.** *U handl.* opakowanie, podanie (*towaru*); *kulin.* sposób podania (*potrawy*). **4.** wystąpienie, wykład; prelekcja; **give a** ~ wygłosić wykład *l.* prelekcję. **5.** *U* wręczenie, rozdanie (*np. nagród*); ofiarowanie (*np. upominków*). **6.** *U* okazanie, przedłożenie (*dokumentu*); **on** ~ **of sth** za okazaniem czegoś. **7.** pokaz. **8.** *C / U med.* przodowanie (*ułożenie płodu*). **9.** *fil.* spostrzeżenie, postrzeżenie. **10.** *kośc.* prezenta (= *mianowanie na stanowisko*).

presentation copy *n. pl.* **-ies** egzemplarz autorski *l.* bezpłatny (*książki*).

presentationism [ˌprezən'teɪʃəˌnɪzəm] *n. U fil.* prezentacjonizm.

Presentation of the Virgin Mary *n. rz.-kat.* Ofiarowanie Najświętszej Marii Panny (*21 listopada*).

presentative [prɪ'zentətɪv] *a. fil.* postrzegalny (bezpośrednio).

present-day [ˌprezənt'deɪ] *a. attr.* dzisiejszy, współczesny.

presentee [ˌprezən'tiː] *n. form.* **1.** laureat/ka (*nagrody*); obdarowan-y/a. **2.** osoba przedstawiana.

presenter [prɪ'zentər] *n.* **1.** wręczając-y/a, osoba wręczająca (*nagrodę*). **2.** *telew. gł. US* prowadząc-y/a (*program, zwł. reklamowy*); *gł. Br.* prezenter/ka.

presentient [prɪ'senʃənt] *a. form.* obdarzony przeczuciem, mający przeczucie.

presentiment [prɪ'zentɪmənt] *n. form.* przeczucie (*of sth* czegoś) (*zwł. złego*).

presently ['prezəntlɪ] *adv.* **1.** *gł. form.* niebawem, wkrótce; po chwili. **2.** obecnie.

presentment [prɪ'zentmənt] *n. gł. form.* **1.** *C / U* przedstawienie (*czynność l. obiekt*); pokaz. **2.** *U* okazanie. **3.** *C / U* sposób przedstawienia. **4.** *U fin.* przedstawienie (*środka płatniczego*). **5.** *przest. prawn.* oświadczenie przysięgłych.

present participle *n. gram.* imiesłów czynny *l.* współczesny, imiesłów czasu teraźniejszego.

present perfect *gram. n.* czas teraźniejszy dokonany. – *a.* w czasie teraźniejszym dokonanym.

preservation [ˌprezər'veɪʃən] *n. U* **1.** zachowanie; utrzymanie; **in a good/poor state of ~** w dobrym/złym stanie, dobrze/źle zachowany. **2.** *ekol.* ochrona, zachowanie (*zasobów naturalnych, środowiska*). **3.** *t. handl.* konserwacja; **food ~** konserwacja żywności. **4.** zabezpieczenie (*np. przed szkodą, zniszczeniem*).

preservationist [ˌprezər'veɪʃənɪst] *n. t. ekol.* osoba walcząca o ochronę *l.* zachowanie (*gatunku, środowiska, zabytku*); ekolog.

preservative [prɪ'zɜːvətɪv] *n.* **1.** (*także* **food ~**) *t. handl.* konserwant, środek konserwujący (*żywność*). **2.** środek ochronny *l.* zabezpieczający *l.* konserwujący. – *a.* ochronny, zabezpieczający.

preserve [prɪ'zɜːv] *v.* **1.** zabezpieczać, ochraniać (*sb / sth against / from sth* kogoś/coś przed czymś) (*np. przed zniszczeniem, zapomnieniem*). **2.** zachowywać (*np. stan, wygląd, jakość, niepodległość*); **well ~d** dobrze zakonserwowany (*o starszej osobie*). **3.** kultywować, chronić (*tradycje, obyczaje, pamięć*). **4.** konserwować (*np. owoce, żywność, metal, drewno*); *kulin.* robić zaprawy z (*owoców*); **oranges ~d in brandy** pomarańcze w koniaku. – *n.* **1.** *sing.* **sb's ~** (*także* **the ~ of sb**) czyjaś domena *l.* dziedzina (*obszar, działalność*); **a male ~** dziedzina zdominowana przez mężczyzn, domena mężczyzn *l.* męska. **2.** *zwł. pl. kulin.* zaprawa (*gł. dżem l. marmolada*). **3.** *US ekol.* rezerwat.

preserver [prɪ'zɜːvər] *n.* **1.** ochraniacz. **2.** ochrona, osłona.

preset, pre-set *v.* [ˌpriː'set] **-setting, -set** *t. komp., el.* programować; ustawiać (wstępnie) (*urządzenie, parametry*); **~ the VCR to record at 8.00 pm** zaprogramować *l.* ustawić magnetowid na nagrywanie o 20:00. – *a.* [ˌpriː'set] zaprogramowany; (wcześniej *l.* wstępnie) ustawiony; **volume is/comes ~ at 3** głośność jest wstępnie ustawiona na (poziomie) 3. – *n.* ['priːˌset] **1.** ustawienie wstępne (*parametru*). **2.** programator; timer (*w urządzeniu*).

pre-shrunk [ˌpriː'ʃrʌŋk], **preshrunk** *a. handl., tk.* dekatyzowany (*np. o materiale, dżinsach*).

preside [prɪ'zaɪd] *v. gł. form.* **1. ~ over/at sth** przewodniczyć czemuś; **~ over sth** kierować czymś. **2. ~ at the organ/piano** *muz.* zasiadać przy organach/fortepianie.

presidency ['prezɪdənsɪ] *n. C / U pl.* **-ies 1.** *polit.* prezydentura (*osoby*); urząd prezydencki; prezydencja, przewodnictwo (*np. kraju w Unii Europejskiej*). **2.** *admin.* prezesura; stanowisko prezesa; kierownictwo.

president ['prezɪdənt] *n.* **1.** *polit.* prezydent. **2.** *admin.* prezes (*spółki*); przewodnicząc-y/a (*rady*). **3.** *uniw.* rektor.

president-elect [ˌprezɪdəntɪ'lekt] *n. pl.* **presidents-elect** *polit.* prezydent elekt.

presidential [ˌprezɪ'denʃl] *a. gł. attr.* **1.** *t. polit.* prezydencki; **~ address** wystąpienie *l.* przemówienie prezydenta; **~ candidate** kandydat/ka na prezydenta; **~ race** wyścig o fotel prezydenta. **2.** dotyczący prezesa; **~ post** stanowisko prezesa.

presidential timber *n. U US polit.* materiał na prezydenta (= *potencjalny kandydat na prezydenta*); predyspozycje na prezydenta.

presidentship ['prezɪdəntˌʃɪp] *n.* = **presidency**.

presidia [prɪ'zɪdɪə] *n. pl. zob.* **presidium**.

presidiary [prɪ'sɪdɪˌerɪ] *a. wojsk.* garnizonowy, załogowy.

presidio [prɪ'sɪdɪˌoʊ] *n. pl.* **-s** *płd. US* fort (z garnizonem) (*na dawnych terenach hiszpańskich*).

presidium [prɪ'sɪdɪəm], **praesidium** *n. pl.* **-s** *l.* **presidia** *polit.* prezydium.

press [pres] *n.* **1.** *Br. t. z czasownikiem w liczbie mnogiej* **(the) ~** prasa (= *dzienniki*); media (*t. radio i telewizja*); **freedom of the ~** wolność prasy *l.* druku; **get a good/bad ~** (*także* **be given a good/bad ~**) cieszyć/nie cieszyć się przychylnością mediów; **sb/sth is in the ~ (a lot)** o kimś/czymś dużo się pisze, o kimś/czymś jest głośno w mediach. **2.** *U druk.* druk; **go to ~** iść do druku; **in ~** (*także US* **on ~**) w druku (*o książce, artykule*). **3.** (*także* **printing ~**) *druk.* prasa *l.* maszyna drukarska. **4.** *druk.* drukarnia (*zwł. w nazwach*). **5.** *mech.* prasa; tłocznia. **6.** nacisk; naciśnięcie. **7.** *U l. sing.* tłok, ścisk; tłum (*ludzi*). **8.** natłok, spiętrzenie, nawał (*spraw*). **9.** *sport* wyciskanie (*sztangi*). **10.** *U l. sing. sport* (krótkie) krycie. **11.** bieliźniarka (*szafa*). **12.** *hist., wojsk.* pobór. – *v.* **1.** naciskać (*klawisz*); przyciskać (*sth against sth* coś do czegoś). **2.** prasować (*żelazkiem l. prasą*). **3.** *t. mech.* tłoczyć (*t. płyty*); wytłaczać, wyciskać (*sth out of / from sth* coś z czegoś) (*np. sok z owoców, olej z nasion*). **4.** napierać, tłoczyć się (*o tłumie*). **5.** *t. przen.* przygniatać; **~ on/upon sb/sth** przytłaczać *l.* przygniatać kogoś/coś, ciążyć na kimś/czymś (*np. o obowiązkach, odpowiedzialności*). **6.** obstawać przy (*żądaniu, postanowieniu*). **7.** *sport* wyciskać (*sztangę, określony ciężar*). **8.** naglić, przynaglać; **~ sb for sth** domagać się czegoś od kogoś; **~ sb to do sth/into**

doing sth napierać *l.* nastawać na kogoś, żeby coś zrobił, zmuszać kogoś do (zrobienia) czegoś. **9.** *hist., wojsk.* wcielać (siłą) do wojska. **10.** ~ **sb's arm/hand** uścisnąć *l.* podać komuś rękę; ~ **charges (against sb)** *prawn.* wnosić oskarżenie (przeciwko komuś); ~ **the flesh** *zob.* **flesh** *n.*; ~ **heavily on sb's mind** leżeć komuś na sercu (*o problemie, sprawie*); ~ **home** wcisnąć *l.* włożyć na miejsce; zasunąć (*zasuwę*); (silnie) zaakcentować (*stanowisko, argument*); ~ **home one's advantage** wykorzystać wszystkie (swoje) atuty. **11.** ~ **down (on)** naciskać (*np. dźwignię*); ~ **for action** domagać się *l.* wymagać szybkiego działania; ~ **sb for an answer** domagać się *l.* żądać od kogoś odpowiedzi; **sb is ~ed for sth** komuś brakuje czegoś, ktoś ma mało czegoś (*zwł. czasu l. pieniędzy*); ~ **sb/sth into service** użyć kogoś/czegoś (w zastępstwie), wykorzystać kogoś/coś (*z braku bardziej odpowiedniej osoby l. rzeczy*); ~ **sth on/upon sb** wmuszać *l.* wciskać coś komuś (siłą); ~ **on/ahead/forward** posuwać się (do przodu), zdążać naprzód; ~ **on/ahead/forward with sth** (konsekwentnie) kontynuować coś, nie zaprzestawać czegoś.

press agency *n. pl.* **-ies** *dzienn.* agencja prasowa.

press agent *n.* agent/ka *l.* rzeczni-k/czka prasowy (*firmy, artysty*).

press association *n.* = **press agency**.

pressboard [ˈpresˌbɔːrd] *n.* **1.** *U* preszpan (*materiał*). **2.** deska do prasowania (*zwł. mała, do rękawów i nogawek*).

press box *n. dzienn.* loża prasowa (*na stadionie itp.*).

press button *n. el., mech.* przycisk.

press campaign *n. polit., dzienn.* kampania prasowa.

press clipping *n.* (*także* **press cutting**) wycinek z prasy *l.* prasowy.

press conference *n. dzienn., polit.* konferencja prasowa; **hold a** ~ odbywać konferencję prasową.

press cutting *n.* = **press clipping**.

press fit *n. U mech.* pasowanie wtłaczane, pasowanie na wcisk.

press gallery *n. pl.* **-ies** *dzienn.* galeria prasowa (*w sądzie, parlamencie*).

press-gang [ˈpresˌgæŋ], **press gang** *n. hist., wojsk.* oddział rekrutujący przymusowo do wojska. – *v.* ~ **sb into doing sth** *pot.* zmuszać kogoś do czegoś.

pressie [ˈprezɪ], **prezzie** *n. Br. pot.* prezencik.

pressing [ˈpresɪŋ] *a.* **1.** naglący, pilny (*o potrzebach*); niecierpiący zwłoki (*o sprawach*). **2.** usilny (*o naleganiach*); nieustępliwy (*o osobie*). – *n.* **1.** *muz.* tłoczenie (= *edycja płyty*). **2.** *U sport* (krótkie) krycie, pressing.

pressingly [ˈpresɪŋlɪ] *adv.* **1.** pilnie. **2.** usilnie; nieustępliwie.

press kit *n. handl.* pakiet informacyjny (*dla mediów*).

pressman [ˈpresmən] *n. pl.* **-men** **1.** *Br.* dziennikarz. **2.** *druk.* maszynista.

pressmark [ˈpresˌmɑːrk] *n.* sygnatura (*książki w bibliotece*).

press office *n. polit.* biuro prasowe, biuro rzecznika.

pressor [ˈpresər] *a. i n. med.* (czynnik) presyjny (*podnoszący ciśnienie*).

press release *n. dzienn.* oświadczenie prasowe.

pressroom [ˈpresˌruːm] *n.* **1.** sala prasowa (*w instytucji, pałacu prezydenckim*). **2.** *druk.* hala maszyn.

press secretary *n. pl.* **-ies** sekretarz *l.* rzecznik prasowy.

press stud *n. Br.* zatrzask (*przy ubraniu*).

press-up [ˈpresˌʌp] *n. gł. Br. sport* pompka (*ćwiczenie*).

pressure [ˈpreʃər] *n. C/U* **1.** *t. fiz., meteor., fizj.* ciśnienie; **blood** ~ *fizj.* ciśnienie krwi; **high/low** ~ wysokie/niskie ciśnienie; **area of low** ~ *meteor.* obszar *l.* strefa niskiego ciśnienia *l.* niżu; **low** ~ **system** *meteor.* niż. **2.** nacisk; ucisk; napór. **3.** napięcie, stres; **under** ~ w stresie, pod wpływem stresu. **4.** ciężar, obciążenie; ~ **of work** ciężar zajęć, obciążenie pracą. **5.** presja; nacisk, naciski; ~ **to do sth/for sth** presja, żeby coś zrobić; ~ **from sb/sth** presja *l.* naciski ze strony kogoś/czegoś; **exert/put** ~ **on sb** (*także form.* **bring** ~ **to bear on sb**) wywierać presję *l.* nacisk na kogoś; **give in to** ~ (*także* **bow under** ~) ulegać naciskom; **pile on the** ~ zwiększać presję; **under** ~ **(from sb)** pod (czyimś) naciskiem. – *v.* (*także Br.* **pressurise**) ~ **sb (to do sth/into doing sth)** zmuszać kogoś (do zrobienia czegoś), wywierać presję *l.* nacisk na kogoś (żeby coś zrobił).

pressure cabin *n. lotn.* kabina ciśnieniowa.

pressure cooker *n. kulin.* szybkowar.

pressured [ˈpreʃərd] *a.* **1.** zestresowany (*o osobie*); pełen stresu, w stresie (*o życiu*). **2.** stresujący (*o pracy*).

pressure gauge *n. techn.* ciśnieniomierz, manometr.

pressure group *n. polit.* grupa nacisku.

pressure pipe *n. techn.* rura ciśnieniowa *l.* wysokoprężna.

pressure point *n.* **1.** *med.* punkt ucisku (*przy tamowaniu krwotoku, w masażu*); punkt nakłucia (*w leczeniu akupunkturą*). **2.** *przen.* newralgiczny punkt (= *źródło konfliktów l. kontrowersji*).

pressure suit *n. lotn., astronautyka* skafander ciśnieniowy.

pressure vessel *n. techn.* naczynie ciśnieniowe, zbiornik ciśnieniowy.

pressurization [ˌpreʃərəˈzeɪʃən], *Br. i Austr. zw.* **pressurisation** *n. U* **1.** *techn.* zwiększanie ciśnienia. **2.** *lotn.* utrzymywanie (podwyższonego *l.* właściwego) ciśnienia (*w kabinie*).

pressurize [ˈpreʃəˌraɪz], *Br. i Austr. zw.* **pressurise** *v.* **1.** *techn.* podwyższać ciśnienie w (*zbiorniku*). **2.** *lotn.* regulować ciśnienie w (*kabinie*); utrzymywać właściwe *l.* podwyższone ciśnienie w (*kabinie*). **3.** *gł. Br.* = **pressure** *v.*

pressurized [ˈpreʃəˌraɪzd], *Br. i Austr. zw.*

pressurised *a. techn.* pod ciśnieniem (*o gazie, zbiorniku*); ciśnieniowy (*o zbiorniku*).

presswork ['pres,wɜ˞:k] *n. U druk.* drukowanie.

prestidigitation [,prestɪ,dɪdʒɪ'teɪʃən] *n. U form.* prestidigitatorstwo.

prestidigitator [,prestɪ'dɪdʒɪ,teɪtər] *n. form.* prestidigitator/ka.

prestige [pre'sti:ʒ] *n. U* prestiż; **enjoy high ~** cieszyć się wysokim prestiżem. – *a. attr.* ekskluzywny (*o samochodzie, posadzie, dzielnicy*).

prestigious [pre'sti:dʒəs] *a.* prestiżowy.

presto ['prestoʊ] *a., adv. i n. muz.* presto. – *int.* hokus-pokus, czary-mary. – *adv. pot.* ni stąd, ni zowąd; znienacka.

prestressed concrete [,pri:,strest 'kɑ:nkri:t] *n. U bud.* beton sprężony.

presumable [prɪ'zu:məbl] *a.* przypuszczalny, prawdopodobny.

presumably [prɪ'zu:məblɪ] *adv.* przypuszczalnie, prawdopodobnie, zapewne.

presume [prɪ'zu:m] *v.* **1.** *form.* przypuszczać, domniemywać, mniemać; zakładać, przyjmować (*(that)...* że...); **~ sb/sth to be sb/sth** przypuszczać, że ktoś/coś jest kimś/czymś; **be ~d dead/innocent** zostać uznanym za zmarłego/niewinnego; **I ~ so/not** zakładam, że tak/nie; **..., I ~?** ..., jak przypuszczam?. **2.** *form.* pozwalać sobie, ośmielać się (*to do sth* coś zrobić). **3.** *form.* **~ on/upon sth** wykorzystywać coś (*np. czyjąś przyjaźń, przychylność*); **~ on sb's time** zabierać komuś czas.

presumed [prɪ'zu:md] *a. attr. t. prawn.* domniemany (*np. o sprawcy, autorze*).

presumedly [prɪ'zu:mɪdlɪ] *adv. form.* przypuszczalnie.

presuming [prɪ'zu:mɪŋ] *a.* (zbyt) pewny siebie; arogancki; zarozumiały.

presumption [prɪ'zʌmpʃən] *n.* **1.** przypuszczenie; podstawa do przypuszczenia (*that...* że...). **2.** założenie. **3.** *C/U prawn.* domniemanie; **~ of innocence/death** domniemanie niewinności/śmierci; **~ of law** domniemanie prawne. **4.** *U* nadmierna pewność siebie; arogancja; bezczelność.

presumptive [prɪ'zʌmptɪv] *a. form.* **1.** przypuszczalny. **2.** *prawn.* domniemany; **heir ~** *prawn.* spadkobierca domniemany.

presumptuous [prɪ'zʌmptʃʊəs] *a.* (zbyt) pewny siebie; arogancki; bezczelny.

presumptuously [prɪ'zʌmptʃʊəslɪ] *adv. form.* arogancko; bezczelnie.

presumptuousness [prɪ'zʌmptʃʊəsnəs] *n. U form.* nadmierna pewność siebie; arogancja; bezczelność.

presuppose [,pri:sə'poʊz] *v. form.* **1.** zakładać (z góry), przyjmować (*(that)...* że...). **2.** zakładać istnienie (*czegoś*); wymagać (*czegoś*); **effects ~ causes** skutki każą szukać przyczyn.

presupposition [prɪ,sʌpə'zɪʃən] *n. C/U form.* założenie; *fil., log., jęz.* presupozycja.

pret. *abbr. gram.* = **preterite.**

prêt-à-porter [,pretɑ: pɔ:r'teɪ] *handl. a.* ze sklepu, gotowy (= *nie szyty na zamówienie*). – *n. U* konfekcja gotowa.

pretax [,pri:'tæx], **pre-tax** *a. gł. attr. fin.* przed opodatkowaniem (*o dochodzie, kwocie*).

preteen [,pri:'ti:n] (*także* **subteen**) *a. gł. attr.* w młodszym wieku szkolnym (*o dzieciach*); dla dzieci w młodszym wieku szkolnym (*o ubraniach, grach*). – *n. US* dziecko w młodszym wieku szkolnym.

pretence ['pri:tens] *n. Br.* = **pretense.**

pretend [prɪ'tend] *v.* **1.** udawać (*(that)...* że..., *to be sb/sth* że jest się kimś/czymś); **~ innocence/deafness** udawać niewinnego/głuchego; **I don't ~ (that)...** nie będę udawać, że..., nie twierdzę, że... **2.** pretendować; rościć sobie prawo (*to sth* do czegoś). – *a. attr. gł. dziec.* (na) niby, udawany.

pretended [prɪ'tendɪd] *a.* udawany, udany; rzekomy.

pretender [prɪ'tendər] *n.* **1.** udawacz/ka; oszust/ka. **2.** *gł. hist.* pretendent/ka (*to sth* do czegoś) (*gł. do tronu*).

pretense ['pri:tens], *Br.* **pretence** *n.* **1.** *C/U* pozór, pretekst; pozory; **keep up the ~ of doing sth** udawać, że się coś robi; **make a/no ~ of doing sth** udawać/nie udawać, że się coś robi; **she made no ~ of hiding her indignation** nie próbowała ukryć oburzenia; **on the slightest ~** pod najmniejszym pozorem; **on/under false ~s** pod fałszywym pretekstem; **under (the) ~ of sth** pod pretekstem *l.* pozorem czegoś, udając coś. **2.** pretensje (*to sth* do czegoś) (*np. do wyższości, doskonałości*). **3.** *U* pretensjonalność.

pretension [prɪ'tenʃən] *n.* **1.** *gł. pl.* pretensje (*to sth* do czegoś). **2.** *U* pretensjonalność.

pretentious [prɪ'tenʃəs] *a.* pretensjonalny.

pretentiously [prɪ'tenʃəslɪ] *adv.* pretensjonalnie.

pretentiousness [prɪ'tenʃəsnəs] *n. U* pretensjonalność.

preterit ['pretərɪt], **preterite** *gram. n.* **1.** *U* **the ~** czas przeszły. **2.** forma czasu przeszłego, forma przeszła. – *a.* przeszły; w czasie przeszłym; **the ~ tense** czas przeszły.

preterition [,pretə'rɪʃən] *n. C/U form.* pominięcie; nieuwzględnienie.

preterm [,pri:'tɜ˞:m] *med. a. attr.* przedwczesny, przed czasem (*o porodzie*); **~ infant** wcześniak. – *adv.* przedwcześnie, przed czasem (*urodzić (się)*).

pretermission [,pri:tər'mɪʃən] *n. U* **1.** *prawn.* pominięcie; nieuwzględnienie (*zwł. spadkobiercy ustawowego w testamencie*). **2.** *form.* zaniedbanie. **3.** *form.* zarzucenie.

pretermit [,pri:tər'mɪt] *v.* **-tt- 1.** *prawn.* pomijać; nie uwzględniać (*zwł. spadkobiercy ustawowego w testamencie*). **2.** *form.* zaniedbywać. **3.** *form.* zarzucać (*czynność*).

preternatural [,pri:tər'nætʃərəl] *a. form.* nadprzyrodzony, nadnaturalny, nadludzki (*o sile*).

preternaturally [,pri:tər'nætʃərəlɪ] *adv. form.* nadnaturalnie, nadludzko.

pretest *n.* ['pri:,test] **1.** badania wstępne *l.* pilotażowe (*produktu, narzędzia badawczego*). **2.**

szkoln. test kwalifikacyjny. – *v.* [ˌpriːˈtest] **1.** testować wstępnie (*produkt, narzędzie badawcze*). **2.** *szkoln.* poddawać testowi kwalifikacyjnemu; kwalifikować za pomocą testu (*kandydatów*).

pretext [ˈpriːˌtekst] *n.* pretekst; wymówka (*for sth* do/dla czegoś); **on/under the ~ of doing sth** pod pretekstem *l.* pozorem (robienia) czegoś.

preticket [ˌpriːˈtɪkɪt] *n. US gł. lotn.* wystawiać *l.* sprzedawać bilety z wyprzedzeniem (*pasażerom*).

pretor [ˈpriːtər] *n. hist.* = **praetor.**

prettify [ˈprɪtəˌfaɪ] *v.* **-ied, -ying** *uj.* upiększać (*zwł. z odwrotnym skutkiem l. na siłę*).

prettily [ˈprɪtɪlɪ] *adv.* ładnie.

prettiness [ˈprɪtɪnəs] *n. U* uroda.

pretty [ˈprɪtɪ] *a.* **-ier, -iest** ładny (= *urodziwy, spory*); *t. iron.* niezły; **~ as a picture** *zob.* **picture** *n.*; **be not just a ~ face** (*także* **be more than just a ~ face**) *zwł. żart.* mieć nie tylko urodę, ale i rozum (*gł. o kobiecie*); **(cost sb) a ~ penny** *zob.* **penny; not a ~ sight** *zw. żart.* nieciekawy widok; **things have come to/reached a ~ pass** *zob.* **pass** *n.* – *adv. pot.* **1.** całkiem, dość, dosyć; **that's ~ good!** całkiem nieźle!; **that was ~ smart of him** całkiem nieźle to sobie wykombinował. **2.** bardzo (*np. trudny, ciężki*). **3. ~ much** mniej więcej; (*także* **~ well,** *US* **~ near**) prawie (całkiem); **~ much the same** mniej więcej taki sam. **4. be sitting ~** *przen.* być w komfortowej sytuacji. – *n. pl.* **-ies 1.** *gł. żart. l. dziec.* piękn-y/a; ślicznotka; **hi, ~!** cześć piękn-y/a!; **my ~** słodziutk-i/a. **2.** *pot.* coś wyjątkowo ładnego (*np. zdjęcie, obrazek, ozdóbka*).

pretty-pretty [ˌprɪtɪˈprɪtɪ], **pretty pretty** *a. Br. pot.* przesłodzony (= *przeładowany ozdobami*).

pretzel [ˈpretsl] *n. kulin.* precel.

prevail [prɪˈveɪl] *v. form.* **1.** być powszechnym, panować; dominować, przeważać (*np. o poglądzie, zwyczaju*) (*in / among sb / sth* wśród kogoś/czegoś). **2. ~ (over sb/sth)** przeważyć (nad kimś/czymś), wziąć górę (nad kimś/czymś); zwyciężyć (kogoś/coś); **justice/truth will ~** sprawiedliwość/prawda zwycięży. **3. ~ on/upon sb** nakłonić kogoś (*to do sth* do (zrobienia) czegoś).

prevailing [prɪˈveɪlɪŋ] *a. attr.* powszechny, panujący (obecnie), dominujący (obecnie) (*np. o opinii, poglądach*); obecny (*np. o stanie wiedzy, gospodarki*); *meteor.* przeważający, dominujący, najczęstszy (*o wietrze*).

prevailingly [prɪˈveɪlɪŋlɪ] *adv.* przeważnie.

prevalence [ˈprevələns] *n. U* panowanie; rozpowszechnienie; występowanie (*zjawiska, choroby*); *med., pat.* prewalencja, chorobowość.

prevalent [ˈprevələnt] *a.* powszechny, rozpowszechniony (*np. o praktyce*) (*among sb* wśród kogoś); panujący (*np. o zwyczaju, poglądzie*).

prevaricate [prɪˈverəˌkeɪt] *v.* lawirować, kręcić; unikać odpowiedzi, wykręcać się od odpowiedzi.

prevarication [prɪˌverəˈkeɪʃən] *n. U* wykręty, krętactwa.

prevaricator [prɪˈverəˌkeɪtər] *n.* krętacz/ka.

prevenient [prɪˈviːnjənt] *a. form.* uprzedni; wyprzedzający.

prevent [prɪˈvent] *v.* zapobiegać (*czemuś*); uniemożliwiać; **~ sb (from) doing sth** powstrzymywać kogoś przed zrobieniem czegoś, uniemożliwiać komuś zrobienie czegoś; **~ sth (from) happening** zapobiegać czemuś; uniemożliwiać coś; **if nothing ~s** *form.* jeśli nic nie stanie na przeszkodzie.

preventable [prɪˈventəbl], **preventible** *a.* dający się uniknąć, możliwy do zapobieżenia; **the accident was entirely ~** tego wypadku z całą pewnością można było uniknąć, temu wypadkowi z całą pewnością można było zapobiec.

preventative [prɪˈventətɪv] *a.* = **preventive.**

prevention [prɪˈvenʃən] *n.* **1.** *U* zapobieganie (*of sth* czemuś); profilaktyka, prewencja; **accident/crime ~** zapobieganie wypadkom/przestępczości. **2.** środek zapobiegawczy. **3.** przeszkoda. **4. an ounce of ~ is worth a pound of cure** (*także Br.* **~ is better than cure**) lepiej zapobiegać niż leczyć; strzeżonego Pan Bóg strzeże.

preventive [prɪˈventɪv] *a.* (*także* **preventative**) zapobiegawczy, profilaktyczny, prewencyjny; **~ actions/measures** działania/środki zapobiegawcze. – *n.* **1.** środek *l.* czynnik zapobiegawczy; zabezpieczenie (*against sth* przeciw/przeciwko czemuś *l.* przed czymś). **2.** zabezpieczenie przed ciążą, środek antykoncepcyjny.

preventive detention *n. U prawn.* **1.** *Br.* areszt prewencyjny (*długotrwały, dla notorycznych przestępców*). **2.** areszt tymczasowy, zatrzymanie tymczasowe.

preventive medicine *n. U med.* medycyna prewencyjna; profilaktyka medyczna.

preverbal [ˌpriːˈvɝːbl] *n.* **1.** *psych.* niemówiący (jeszcze) (*o dziecku*); poprzedzający mowę, prewerbalny (*o stadium rozwoju*). **2.** *gram.* prewerbalny, przed czasownikiem (*o pozycji w zdaniu*).

preview [ˈpriːˌvjuː] *n.* **1.** pokaz zamknięty (*filmu, kolekcji mody, obrazów*); (*także* **sneak ~**) pokaz przedpremierowy (*filmu*). **2.** (*także US* **prevue**) *film* zapowiedź, reklama (*nowego filmu*). **3.** *komp.* podgląd; **print ~** podgląd wydruku. **4. (give sb) a ~ of sth** *przen.* (dać komuś) przedsmak czegoś. – *v.* **1.** oglądać na pokazie zamkniętym; prezentować na pokazie zamkniętym (*film, kolekcję mody, obrazów*). **2.** reklamować (*nowy film*). **3.** oglądać wcześniej (*w celu sprawdzenia czegoś*). **4.** *komp.* wyświetlać w podglądzie (*dokument*).

previous [ˈpriːvɪəs] *a. attr.* **1.** poprzedni; wcześniejszy; **~ experience** doświadczenie (*zawodowe*); **no ~ experience necessary** doświadczenie niewymagane (*w ogłoszeniach o pracy*); **no ~ convictions** *prawn.* wcześniej niekarany. **2.** *pred. Br. pot.* pochopny, przedwczesny.

previously [ˈpriːvɪəslɪ] *adv.* poprzednio; wcześniej; **two days/three years ~** dwa dni/trzy lata wcześniej.

previous question *n. parl.* wniosek o zamknięcie debaty.

previous to *prep.* przed (*określoną datą, rokiem itp.*).

previse [priːˈvaɪz] *v. lit.* **1.** przewidywać. **2.** przestrzegać, ostrzegać.

prevision [ˌpriːˈvɪʒən] *n. C / U lit.* wizja (*czegoś, co ma nastąpić*); przewidywanie; przeczucie.

prevue [ˈpriːˌvjuː] *n. US* = **preview** *n.* 2.

prewar [ˌpriːˈwɔːr], **pre-war** *a. gł. attr.* przedwojenny.

prewashed [ˌpriːˈwɑːʃt] *a. handl.* sprany (= *prany przed sprzedażą l. uszyciem; np. o dżinsach, tkaninie*).

prexy [ˈpreksɪ] *n. US uniw. sl.* rektor.

prey [preɪ] *n. U* zdobycz (*drapieżnika*); ofiara (*wroga, choroby*); łup; **be/fall ~ to sb/sth** paść ofiarą *l.* łupem kogoś/czegoś; **beast of ~** zwierzę drapieżne; **bird of ~** ptak drapieżny. – *v.* **1.** **~ on/upon sb/sth** polować na kogoś/coś; *przen.* żerować na kimś/czymś. **2.** **~ on sb's mind** gnębić *l.* nękać *l.* dręczyć kogoś, nie dawać komuś spokoju (*o myśli, wątpliwościach*).

prez [preɪz] *n. gł. sing. sl.* = **president**.

prezzie [ˈprezɪ] *n. Br.* = **pressie**.

priapic [praɪˈæpɪk] *a. form.* priapiczny.

priapism [ˈpraɪəˌpɪzəm] *n. U pat.* priapizm.

price [praɪs] *n.* **1.** *C / U handl. l. przen.* cena; **~ increase/rise** wzrost cen; **above/beyond/without ~** bezcenny; **at/for a ~** za odpowiednią cenę (= *za niemałą cenę*); **at any ~** za wszelką cenę; **at reduced ~** po obniżonej cenie; **at what ~?** za jaką cenę?; **buy sth at half ~** kupić coś za pół ceny; **buy sth at full ~** kupić coś po normalnej cenie *l.* za pełną cenę; **cheap at the ~/at any ~/at half the ~** *zob.* **cheap** *a.*; **everyone has their ~** (*także* **every man has his ~**) na każdego jest sposób, każdego można kupić; **go up/rise in ~** drożeć; **name a ~** zaproponować cenę; **not at any** za żadną cenę; **pay a high ~ for sth** *gł. przen.* zapłacić wysoką cenę za coś; **pay the ~** *zob.* **pay**[1] *v.*; **put a ~ on sth** wycenić coś; przeliczać coś na pieniądze; **the right ~** dobra cena; **what's the ~ of...?** ile kosztuje...?; **what ~ fame/freedom?** sława/wolność – ale za jaką cenę?; **what ~ her sacrifice now?** cóż jest teraz warte jej poświęcenie?; **set a ~ on sb's head** *przest.* wyznaczyć nagrodę za czyjąś głowę. **2.** *giełda* kurs, cena (*akcji*). **3.** *hazard* stawka (*w wyścigach*); **what's your ~ on...?** ile dajecie za...? – *v. gł. handl.* wyceniać; wyznaczać *l.* określać cenę (*towaru*); rozeznać ceny, zorientować się w cenach (*artykułu przed nabyciem*); metkować (*towar*); **~d at $10** w cenie 10 dolarów; **attractively/competitively ~d** po atrakcyjnych/konkurencyjnych cenach; **~ o.s. out of the market** nie utrzymać się na rynku z powodu wysokich cen; **be ~d out of the market** być *l.* zostać wypartym z rynku przez tańszy towar.

price control *n. U ekon.* regulacja *l.* kontrola cen.

price cut *n. ekon., handl.* obniżka cen.

price fixing *n. U ekon.* ustalanie cen.

price index *n. ekon.* indeks cen.

priceless [ˈpraɪsləs] *a.* **1.** bezcenny. **2.** nieoceniony. **3.** *pot.* kapitalny (= *śmieszny*).

price list *n. handl.* cennik; taryfa.

price support *n. U ekon.* podtrzymywanie cen *l.* kursów (*przez rząd*).

price tag *n. handl.* metka; *t. przen.* cena, koszt.

price war *n. ekon.* wojna cenowa *l.* cen.

pricey [ˈpraɪsɪ], **pricy** *a.* **-ier, -iest** *pot.* przydrogi, drogawy.

prick [prɪk] *n.* **1.** ukłucie (*czynność, wrażenie l. ślad*); nakłucie; ślad po ukłuciu. **2.** *pot. wulg., obelż.* kutas (*t. przen. o osobie*). **3.** *pot. wulg., obelż.* jełop; **I'm such a (stupid) ~** ale ze mnie (głupi) jełop. **4.** *bot.* kolec, cierń. **5.** ukąszenie (*owada*). **6.** *arch.* kij (*zaostrzony do poganiania bydła*). **7.** *przen.* **~ of conscience** wyrzut sumienia; **~ of light** punkcik światła; **kick against the ~s** walczyć z wiatrakami. – *v.* **1.** nakłuwać; kłuć; przebijać, przekłuwać, dziurawić; **~ o.s.** ukłuć się; **~ one's finger** ukłuć się w palec. **2.** drapać, gryźć (*np. o materiale, swetrze*); szczypać (*np. o łzach*). **3.** **~ (out/off)** *ogr.* pikować, rozsadzać (*rośliny*). **4.** **~ (out)** wypunktować, wykropkować (*jakiś wzór na papierze, kartonie*). **5.** *przen.* **~ sb's conscience** leżeć komuś na sumieniu; **his conscience ~s him** ma wyrzuty sumienia, gryzie go sumienie; **~ the bubble/balloon (of sth)** rozwiać złudzenia (w jakiejś sprawie). **6.** **~ up one's ears** stroszyć *l.* podnosić *l.* stawiać uszy (*o zwierzęciu*); nadstawiać uszu (*o osobie*); **~ed up** nastroszony, podniesiony (*zwł. o uszach*).

pricker [ˈprɪkər] *n.* **1.** szydło, iglica (*ostrze do dziurawienia*). **2.** *bot.* = **prickle**.

pricket [ˈprɪkɪt] *n.* **1.** *myśl.* roczniak, zalatek (= *młody jeleń*). **2.** *przest.* kolec (*w świeczniku*); świecznik *l.* lichtarz z kolcem.

prickle [ˈprɪkl] *n.* **1.** *bot.* kolec, cierń. **2.** *pat.* pieczenie, szczypanie, kłucie. – *v.* **1.** *pat.* piec, szczypać, kłuć (*o oczach, skórze*); odczuwać pieczenie *l.* szczypanie *l.* kłucie. **2.** *fizj.* jeżyć się (*o włosach*).

prickling [ˈprɪklɪŋ] *n. U pat.* pieczenie, szczypanie, kłucie.

prickly [ˈprɪklɪ] *a.* **-ier, -iest** **1.** *bot.* kolczasty, ciernisty. **2.** kłujący; drapiący, gryzący (*np. o swetrze*); **~ feeling** uczucie drapania *l.* pieczenia *l.* szczypania. **3.** *przen. pot.* drażliwy (*o osobie, temacie*).

prickly heat *n. U pat.* potówka.

prickly pear *n. C / U bot.* opuncja (*Opuntia*); owoc opuncji.

pride [praɪd] *n. U* **1.** duma, godność osobista. **2.** *uj.* pycha, buta. **3.** (*także* **~ of lions**) *myśl.* stado lwów. **4.** **have/take ~ of place** zajmować honorowe miejsce, znajdować się na honorowym miejscu; **hurt sb's ~** urazić czyjąś dumę; **sb's ~ and joy** czyjaś duma, czyjś powód do dumy; **swallow one's ~** (*także* **put one's ~ in one's pocket**) schować dumę do kieszeni, przemóc w sobie dumę; **take/feel/show (a) ~ in sth** być dumnym z czegoś, szczycić się czymś; **the ~ of sth** duma czegoś (*np. miasta, rodziny*); kwiat czegoś (*np. kolekcji*). – *v.* **~ o.s. on/upon sth** szczycić się czymś, być z czegoś dumnym.

prideful [ˈpraɪdful] *a. t. uj.* dumny.

pridefully [ˈpraɪdfulɪ] *adv. t. uj.* z dumą; dumnie.

pried [ˈpraɪd] *v. zob.* **pry**.

prie-dieu [ˌpriːˈdjʊ] *n. pl.* **prie-dieux** *Fr. kośc.* klęcznik.

prier [ˈpraɪər], **pryer** *n.* ciekawsk-i/a; **be a ~** *uj.* lubić się wtrącać, wszędzie wcisnąć nos.

priest [priːst] *n. kośc.* kapłan (*t. przen.*); ksiądz; duchowny.

priestcraft [ˈpriːstˌkræft] *n. U* **1.** *uj.* klerykalizm. **2.** *kośc.* kapłaństwo.

priestess [ˈpriːstəs] *n. kośc. l. przen.* kapłanka.

priesthood [ˈpriːsθhʊd] *n. U kośc.* **1.** kapłaństwo, stan duchowny. **2.** kler, duchowieństwo, duchowni.

priestly [ˈpriːstlɪ] *a.* kapłański; księży.

priest-ridden [ˈpriːstˌrɪdən] *a. uj.* sklerykalizowany, opanowany przez kler.

prig [prɪg] *n. obelż.* zarozumialec.

priggery [ˈprɪgərɪ], **priggism** [ˈprɪgˌɪzəm], **priggishness** [ˈprɪgɪʃnəs] *n. U* zarozumialstwo.

priggish [ˈprɪgɪʃ] *a.* zarozumiały.

priggishly [ˈprɪgɪʃlɪ] *a.* zarozumiale.

prim [prɪm] *a.* **-mm- 1.** (*także* **~ and proper**) pruderyjny. **2.** sztywny, poważny; wymuszony. **3.** wymuskany. – *v.* **-mm-** przybierać poważną minę, poważnieć; (*także* **~ one's face/lips**) składać buzię w ciup.

prima ballerina [ˌpriːmə ˌbæləˈriːnə] *n. balet* primabalerina.

primacy [ˈpraɪməsɪ] *n. U form.* **1.** prymat, pierwszeństwo. **2.** *kośc.* prymasostwo.

prima donna [ˌprɪmə ˈdɑːnə] *n.* **1.** *opera* primadonna. **2.** *przen. uj.* książę; księżniczka (= *osoba o wysokim mniemaniu o sobie, traktująca innych z góry*).

primaeval [praɪˈmiːvl] *a. Br.* = **primeval**.

prima facie [ˌpraɪmə ˈfeɪʃɪ] *Lat. a. attr.* **1.** *prawn.* oparty na domniemaniu faktycznym; **~ facie case/evidence** sprawa/dowód opart-a/y na domniemaniu faktycznym. **2.** *form.* prima facie, oczywisty, widoczny na pierwszy rzut oka. – *adv. form.* prima facie, na pierwszy rzut oka.

primage [ˈpraɪmɪdʒ] *n. U fin., żegl.* prymaż (= *dodatek do frachtu*).

primal [ˈpraɪml] *a. attr. form.* **1.** pierwotny (*np. o instynkcie, gestach, okrzykach*). **2.** elementarny, podstawowy (*np. o prawdach*).

primarily [praɪˈmerəlɪ] *adv.* w pierwszym rzędzie, przede wszystkim.

primary [ˈpraɪˌmerɪ] *a.* **1.** podstawowy, główny, zasadniczy; *form.* prymarny. **2.** pierwotny. – *n. pl.* **-ies 1.** (*także* **~ election**) *US polit.* prawybory; **closed/open ~** prawybory zamknięte/otwarte (*dla wyborców spoza zainteresowanej partii*). **2.** (*także* **~ feather**) *orn.* lotka pierwszorzędowa. **3.** podstawa; aspekt podstawowy. **4.** *Br.* = **primary school**. **5.** (*także* **~ planet**) *astron.* planeta główna. **6.** *astron.* jaśniejsza gwiazda w układzie podwójnym. **7.** = **primary color**. **8.** *el.* = **primary coil**.

primary care *n. U* (*także* **primary health care**) *med.* opieka podstawowa, podstawowa opieka zdrowotna.

primary care physician *n. med.* lekarz pierwszego kontaktu.

primary cell *n. el.* ogniwo galwaniczne.

primary coil *n. el.* uzwojenie pierwotne (*transformatora*).

primary color, *Br.* **primary colour** *n. opt.* barwa podstawowa.

primary consumer *n. ekol.* konsument pierwszego rzędu, konsument pierwotny (= *roślinożerca*).

primary education *n. U szkoln.* szkolnictwo podstawowe; kształcenie na poziomie podstawowym.

primary school *n. Br. i Austr. szkoln.* szkoła podstawowa.

primary stress *n. C / U jęz.* akcent główny.

primary wave *n. geol.* fala pierwotna (*trzęsienia ziemi*).

primate *n.* **1.** [ˈpraɪmeɪt] *gł. pl. zool.* (ssak) naczelny, ssak z rzędu naczelnych; *pl.* naczelne. **2.** [ˈpraɪmət] (*także* **P~**) *kośc.* prymas.

primatial [ˌpraɪˈmeɪʃl] *a.* **1.** *zool.* naczelny. **2.** *kośc.* prymasowski.

prime [praɪm] *a. attr.* **1.** pierwszorzędny, pierwszej klasy; **~ grade beef** *US kulin.* wołowina ekstra (*najlepszego gatunku według oficjalnych norm*). **2.** główny, najważniejszy, zasadniczy; **~ cause of sth** główny powód czegoś; **~ candidate** czołowy *l.* główny kandydat; **~ target** główny cel (*ataków*); **~ suspect** *prawn.* główn-y/a podejrzan-y/a. **3.** pierwszy (*t. mat. o liczbie*) (*to... względem...*). **4. the ~ example of sth** klasyczny *l.* typowy przykład czegoś. – *n.* **1.** *U* najlepsze lata (*życia, funkcjonowania*); rozkwit; **in the ~ of life** w kwiecie wieku; **in one's ~** w kwiecie wieku; u szczytu rozwoju. **2.** *U* najlepsza część. **3.** *U* początek (*roku, dnia*). **4.** *fin.* = **prime interest rate**. **5.** *muz.* pryma (*interwał l. dźwięk podstawowy*). **6.** *mat.* liczba pierwsza. **7.** *U* **x ~** *mat.* x prim (= *pełniejszy wariant zapisu x′*). **8.** *szerm.* prima, pierwsza postawa. **9.** *rz.-kat.* pryma. – *v.* **1.** przygotowywać (*sb / sth for sth* kogoś/coś do czegoś, *sb to do sth* kogoś do (zrobienia) czegoś); instruować (*sb to do sth* kogoś, żeby coś zrobił). **2.** gruntować (*powierzchnię*). **3.** *wojsk.* uzbrajać (*broń palną, minę*). **4.** poić (*sb with sth* kogoś czymś) (*zwł. alkoholem dla odwagi*). **5.** *mot.* wstrzyknąć *l.* podać paliwo do (*gaźnika przed rozruchem*); **~ a carburetor** włączyć ssanie. **6. ~ the pump** *mech.* zalewać pompę; *ekon.* nakręcać koniunkturę, stymulować aktywność gospodarczą; *ekon.* promować rozwój (*na drodze inwestycji i subwencji*).

prime cost *n. ekon.* koszt własny; *U* koszty własne.

prime interest rate *n.* (*także* **prime (lending) rate**) *fin.* (minimalna) stopa procentowa kredytów.

prime meridian *n. sing. kartogr., geogr.* południk zerowy.

prime minister, Prime Minister *n. polit., admin.* premier; (*w Polsce*) Prezes Rady Ministrów.

prime mover *n.* **1.** inicjator/ka. **2.** katalizator (*rozwoju*). **3.** *mech.* źródło napędu *l.* energii (napędzającej); silnik. **4.** (*także* **primum mobile**) *fil.* pierwszy motor, pierwsza przyczyna ruchu (*u Arystotelesa*).

prime number *n. mat.* liczba pierwsza.

primer[1] ['prɪmər] **1.** *gł. US* wprowadzenie, podręcznik; (*w tytułach*) **organic chemistry ~** wprowadzenie do chemii organicznej, podstawy chemii organicznej. **2.** *Br. szkoln. przest.* elementarz.

primer[2] ['praɪmər] **1.** *techn. C/U* grunt, podkład; *U* farba podkładowa. **2.** *wojsk.* spłonka, zapłonnik (*pocisku*).

prime rate *n.* = **prime interest rate.**

prime rib *n. U l. sing. US kulin.* antrykot.

prime time *n. U* **1.** *telew.* czas najwyższej oglądalności (*zw. od 19.00 do 23.00*); *telew., radio* najlepszy czas antenowy. **2.** *handl.* okres nasilenia obrotów, szczyt obrotów.

primeval [praɪ'mi:vl], *Br. t.* **primaeval** *a.* pierwotny, pradawny (*np. o roślinności, formach życia, instynktach*); odwieczny, prastary (*np. o uczuciach*).

prime vertical, prime vertical circle *n. astron.* pierwsze koło wierzchołkowe, pierwszy wertykał.

primigravida [ˌpraɪmɪ'grævɪdə] *n. pl.* **-s** *l.* **primigravidae** [ˌpraɪmɪ'grævɪdi:] *med.* pierwiastka.

priming ['praɪmɪŋ] *n.* **1.** *C/U* przygotowanie (*osoby, powierzchni*). **2.** *techn.* grunt, podkład, warstwa podkładowa; *U* gruntowanie. **3.** *wojsk.* spłonka, zapalnik.

primipara [praɪ'mɪpərə] *n. pl.* **-s** *l.* **primiparae** [praɪ'mɪpəri:] *med.* **1.** pierworódka; jednoródka. **2.** = **primigravida.**

primiparous [praɪ'mɪpərəs] *a. med.* **1.** rodząca pierwszy raz; taka, która rodziła jeden raz. **2.** dotyczący pierworódki.

primitive ['prɪmətɪv] *a.* **1.** prymitywny (*np. o warunkach, narzędziach, społeczeństwie, sztuce, formie życia*). **2.** *t. antrop., archeol., mat.* pierwotny (*np. o kulturach, ludach, wyrażeniach*). **3.** *mat.* podstawowy. – *n.* **1.** *t. obelż.* prymityw. **2.** *antrop.* człowiek prymitywny. **3.** *sztuka* twór-ca/czyni prymitywn-y/a (*zwł. malarz l. rzeźbiarz*); prymitywist-a/ka. **4.** *sztuka* dzieło prymitywne. **5.** *mat.* wyrażenie pierwotne; funkcja pierwotna; *geom.* krzywa pierwotna.

primitivism ['prɪmətɪˌvɪzəm] *n. U sztuka* prymitywizm.

primitivist ['prɪmətɪvɪst] *n. sztuka* prymitywist-a/ka.

primly ['prɪmlɪ] *adv.* **1.** pruderyjnie. **2.** sztywno, poważnie; wymuszenie. **3.** wymuskanie.

primness ['prɪmnəs] *n. U* **1.** pruderia, pruderyjność. **2.** sztywność, powaga; wymuszoność. **3.** wymuskanie.

primogenitor [ˌpraɪmoʊ'dʒenətər] *n. form.* **1.** protoplast-a/ka. **2.** przodek.

primogeniture [ˌpraɪmoʊ'dʒenətʃər] *n. U form.* pierworództwo, primogenitura, majorat (= *system, przywilej l. prawo dziedziczenia*).

primordial [praɪ'mɔ:rdɪəl] *a. form.* **1.** pierwotny, prymitywny (*o formach życia i materii, emocjach, instynktach*); prastary. **2.** elementarny, podstawowy.

primp [prɪmp] *v. uj.* stroić (się) (*np. przed lustrem*).

primrose ['prɪmˌroʊz] *n.* **1.** *bot.* pierwiosnek, prymulka (*Primula*). **2.** **the ~ path** *lit. uj.* życie pełne uciech; pozornie łatwa droga (*a w rzeczywistości zdradliwa*).

primula ['prɪmjələ] *n. gł. Br. bot.* pierwiosnek, prymulka (*Primula*).

primum mobile [ˌpraɪməm 'moʊbɪlɪ] *n.* **1.** *hist., astron.* primum mobile (= *hipotetyczna sfera poza sferą gwiazd stałych w modelu Ptolemeusza*). **2.** *fil.* = **prime mover** 4.

Primus ['praɪməs], **Primus stove, primus stove** *n.* prymus, kuchenka turystyczna.

prince [prɪns] *n.* **1.** książę; królewicz; **P~ of Wales** *Br.* książę Walii. **2.** arystokrata (*w krajach europejskich, np. w Niemczech l. we Włoszech*). **3.** *US i Can. pot.* dżentelmen. **4.** *przen.* **a ~ among thieves/writers etc.** (*także* **the ~ of thieves/writers etc.**) król złodziei/pisarzy itp.; **merchant ~** *zob.* **merchant; P~ of Darkness** *lit.* książę ciemności (= *szatan*).

Prince Charming *n.* **1.** *zw. żart.* książę z bajki (= *romantyczny ideał*). **2.** czaruś (= *mężczyzna czarujący kobiety*).

prince consort *n.* książę małżonek.

princedom ['prɪnsdəm] *n.* **1.** księstwo. **2.** tytuł książęcy.

Prince Edward Island *n. Can. geogr.* Wyspa Księcia Edwarda.

princeling ['prɪnslɪŋ], **princelet** ['prɪnslət] *n.* książątko (*t. pog.*); pomniejszy książę; mały książę.

princely ['prɪnslɪ] *a.* **1.** książęcy. **2.** *form. przen.* królewski (*np. o przyjęciu, poczęstunku, darze*). **3.** *form. przen.* dżentelmeński (*o sposobie bycia, manierach*). **4.** **~ sum** *zob.* **sum** *n.*

prince regent *n. pl.* **prince regents** *l.* **princes regent** książę regent.

prince royal *n. pl.* **princes royal** następca tronu.

prince's feather, prince's-feather *n. bot.* **1.** rdest wschodni (*Polygonum orientale*). **2.** odmiana szarłatu o czerwonawych liściach i czerwonym kwieciu (*Amaranthus hybridus hypochondriacus*).

princess ['prɪnsəs] *n.* **1.** *t. przen.* księżniczka; królewna. **2.** księżna; **P~ Diana** Księżna Diana. **3.** (*także* **~ dress, princesse**) princeska (*sukienka*).

princess royal *n. pl.* **princesses royal** następczyni tronu.

principal ['prɪnsəpl] *a. attr.* **1.** główny. **2.** *fin.* nominalny (*o kwocie*). – *n.* **1.** *form.* przełożon-y/a, zwierzchni-k/czka; pryncypał (*przest.*). **2.** *szkoln.* dyrektor/ka (*Br. t. szkoły wyższej*). **3.** *sing. fin.* kapitał, suma kapitału (*przy naliczaniu odsetek*). **4.** *muz., teatr* lider/ka, solist-a/ka (*w zespole, chórze, balecie, teatrze*). **5.** *muz.* pryncypał (= *piszczałka organów*). **6.** *prawn.* mocodaw-ca/czyni. **7.** *prawn.* główn-y/a sprawca/czyni (*przestępstwa*). **8.** *bud.* krokiew (*dachu*).

principal axis *n. opt., mech.* oś główna.

principal boy *n. Br. teatr* główna rola męska

(*w bajce muzycznej dla dzieci; zw. odtwarzana przez kobietę*).

principal diagonal *n. mat.* przekątna (główna) (*macierzy*).

principal focus *n. opt.* ognisko optyczne (*soczewki*).

principality [ˌprɪnsəˈpælətɪ] *n. pl.* **-ies** **1.** księstwo. **2.** rządy książęce. **3. the P~** *Br.* Walia. **4.** *pl. teol.* Księstwa (= *jeden z chórów anielskich*).

principally [ˈprɪnsəplɪ] *adv.* głównie.

principal parts *n. pl. gram.* główne formy czasownika.

principal photography *n. U film* zdjęcia pierwszoplanowe.

principate [ˈprɪnsəˌpeɪt] *n.* **1.** *hist.* pryncypat. **2.** *gł. hist.* księstwo.

principle [ˈprɪnsəpl] *n. C/U* **1.** zasada (= *prawo, reguła; t. działania, moralna; t.* = *podstawa, źródło*); **~ of conservation of energy/momentum** *fiz.* zasada zachowania energii/pędu; **~ of relativity** *fiz.* zasada względności; **a man/woman of ~** osoba z zasadami; **be against (sb's) ~s** być sprzecznym *l.* niezgodnym z (czyimiś) zasadami; **first ~s** podstawowe zasady; **have no ~s** być pozbawionym zasad (*moralnych; o osobie*); **in ~** w zasadzie; **on ~** (*także* **as a matter of ~**) dla zasady, z zasady; **on the ~ that...** zgodnie z zasadą, że...; **the ~ of the thing** *pot.* żelazna zasada. **2.** *arch. l. lit.* pierwiastek; **the male/female ~** pierwiastek męski/żenski. **3.** *przest. chem.* składnik, pierwiastek (*substancji, zwł. decydujący o jej właściwościach*).

principled [ˈprɪnsəpld] *a.* **1.** pryncypialny, kierujący się zasadami (*o osobie*). **2.** uzasadniony, umotywowany.

prink [prɪŋk] *v.* = **primp**.

print [prɪnt] *n.* **1.** drukować (*na papierze, tkaninie*); wydrukować (*książkę, artykuł*); nadrukować (*napis na koszulce*). **2.** drukować się. **3.** pisać drukowanymi literami; **please ~** wypełniać drukowanymi literami (*wskazówka na formularzu*). **4.** *fot.* robić odbitkę *l.* odbitki z (*negatywu, klatki*). **5.** tłoczyć, wytłaczać (*powierzchnię*). **6.** wryć się (*on sth* w coś) (*np. w umysł, pamięć*). **7. ~ money** *ekon.* drukować pieniądze (*zwł. bez pokrycia*); **a license to ~ money** *przen.* złoty interes, żyła złota; *uj.* maszynka do robienia pieniędzy (*np. o korupcjogennej ustawie*). **8. ~ off/out** *komp.* wydrukować. – *n.* **1.** *C/U* druk. **2.** reprodukcja; *fot.* odbitka; *film* kopia. **3.** *sztuka* sztych, rycina. **4.** *zwł. pl.* odcisk (*palca, stopy*). **5.** *druk., techn.* matryca. **6.** *tk.* nadruk (*na koszulce*). **7.** *U tk.* tkanina drukowana *l.* z nadrukiem, imprimé. **8. ~ hand/letter** pismo drukowane; **appear in ~** (*także* **get into ~**) ukazać się drukiem; **get sth into ~** opublikować *l.* wydać coś (drukiem); **in ~** *handl.* dostępny, w sprzedaży (*o książce*); **large/small ~** duży/mały druk, duża/mała czcionka; **(the book is) out of ~** *handl.* (nakład książki jest) wyczerpany; **the fine/small ~** szczegółowe uregulowania *l.* zasady (*zw. drukowane małą czcionką u dołu reklamy, umowy, kontraktu*); *przen.* kruczki *l.* obwarowania prawne. – *a. attr.* drukowany.

printable [ˈprɪntəbl] *a.* nadający się do druku; cenzuralny.

printed [ˈprɪntɪd] *a.* drukowany; **~ acknowledgement** potwierdzenie na piśmie; **the ~ word** słowo drukowane.

printed circuit *n. el.* obwód drukowany.

printed matter *n. U* materiały drukowane; druki (*napis na przesyłce*).

printer [ˈprɪntər] *n.* **1.** *komp.* drukarka; **color/dot-matrix/(ink)jet/laser ~** drukarka kolorowa/igłowa/atramentowa/laserowa. **2.** *druk.* maszyna drukarska. **3.** *druk.* druka-rz/rka (*osoba*). **4.** drukarnia. **5.** *fot., film* kopiarka.

printer's ink *n. U* = **printing ink**.

printhead [ˈprɪnθˌhed] *n. komp.* głowica drukująca, głowica drukarki.

printing [ˈprɪntɪŋ] *n.* **1.** *U* drukowanie, druk. **2.** *druk.* nakład (*książki*). **3.** *U* napisy, nadruk. **4.** *U* pismo drukowane. **5.** *U* wykonywanie napisów (*wzornikiem*).

printing frame *n. druk.* kopiorama, kopioramka.

printing ink *n. U* (*także* **printer's ink**) *druk.* farba drukarska.

printing machine *n. druk.* maszyna drukarska.

printing press *n. druk.* prasa drukarska.

printmaker [ˈprɪntˌmeɪkər] *n. t. sztuka* grafi-k/czka.

printout [ˈpriːntˌaʊt] *n. komp.* wydruk.

print shop *n.* **1.** (punkt) ksero, punkt usług reprograficznych; punkt wykonywania nadruków (*na koszulkach*). **2.** drukarnia. **3.** *handl.* salon grafiki.

printthrough [ˈprɪntˌθruː] *n. U techn.* efekt kopiowania (*zapisu magnetycznego*).

prion [ˈpraɪɑːn] *n. biol., pat.* prion.

prior[1] [ˈpraɪər] *a.* **1.** *attr.* poprzedni, uprzedni; wcześniejszy; **I have a ~ engagement** *zob.* **engagement**; **without ~ notice/warning** bez wcześniejszego powiadomienia/ostrzeżenia. **2.** ważniejszy; **be ~ to sth** mieć pierwszeństwo przed czymś. – *n.* **have ~s/a ~** *prawn. pot.* być wcześniej karanym.

prior[2] *n. kośc.* przeor.

priorate [ˈpraɪərɪt] *n. kośc.* przeorat.

prioress [ˈpraɪərəs] *n. kośc.* przeorysza.

prioritization [praɪˌɑːrətəˈzeɪʃən], *Br. i Austr. zw.* **prioritisation** *n. U* ustalenie priorytetów.

prioritize [praɪˈɑːrətaɪz] *Br. i Austr. zw.* **prioritise** *v.* **1.** ustalać priorytety w (*czymś*); porządkować według ważności (*np. zadania, czynności*). **2.** nadawać priorytet (*czemuś*).

priority [praɪˈɑːrətɪ] *n. C/U pl.* **-ies** sprawa nadrzędna; priorytet; pierwszeństwo; **be given/have/take/get ~ (over sth)** otrzymać priorytet (nad czymś), być nadrzędnym (w stosunku do czegoś); **get one's priorities right** ustalić właściwą hierarchię ważności; **give ~ to sth** dawać czemuś priorytet *l.* pierwszeństwo; **high/low/top ~** wysoki/niski/najwyższy priorytet. – *a. attr.* priorytetowy; **~ treatment** charakter priorytetowy.

prior to *prep.* przed (*w czasie*).

priory ['praɪərɪ] *n. pl.* **-ies** *kośc.* klasztor (*kierowany przez przeora l. przeoryszę*).

prise [praɪz] *n. i v.* = **prize**2.

prism ['prɪzəm] *n.* **1.** *opt.* pryzmat. **2.** *geom.* graniastosłup. **3.** *krystal.* słup.

prismatic [prɪz'mætɪk] *a.* **1.** *opt.* pryzmatyczny. **2.** mieniący się (wszystkimi) kolorami tęczy; wielobarwny; ~ **colors** kolory tęczy. **3.** *geom.* graniastosłupowy.

prison ['prɪzən] *n. prawn. C / U* więzienie; areszt; kara więzienia; **in** ~ w więzieniu; **3 years in** ~ 3 lata więzienia *l.* pozbawienia wolności; **maximum security** ~ więzienie o najwyższym rygorze; put sb in ~, wsadzić kogoś do więzienia; **send sb to** ~ skazać kogoś na karę więzienia *l.* pozbawienia wolności; **state/federal** ~ *US* więzienie stanowe/federalne. – *a. attr.* więzienny; ~ **break** ucieczka z więzienia; ~ **breaker** zbieg z więzienia; ~ **cell** cela (więzienna); ~ **sentence** kara pozbawienia wolności, kara więzienia; ~ **van** karetka więzienna, więźniarka.

prison camp *n.* obóz jeniecki.

prisoner ['prɪzənər] *n. t. przen.* więzień, więźniarka; aresztant/ka; jeniec; ~ **at the bar** *prawn.* oskarżon-y/a, podsądn-y/a; więzień w areszcie śledczym; **be** ~ **to one's room** *przen.* być uwięzionym w pokoju; **be** ~ **to one's bed** *przen.* być przykutym do łoża; **hold/keep sb** ~ więzić kogoś; **political** ~ (*także* ~ **of state**) więzień polityczny; **take sb** ~ wziąć kogoś do niewoli; uwięzić kogoś.

prisoner of conscience *n.* więzień sumienia, osoba więziona za przekonania.

prisoner of war *n.* (*także* **POW**) jeniec (wojenny).

prison visitor *n.* opiekun/ka społeczn-y/a (*więźnia*); pracowni-k/ca socjaln-y/a (*w więziennictwie*).

priss [prɪs] *pot. uj. n.* sztywniak. – *v.* ~ **around** czepiać się (drobiazgów).

prissily ['pri:sılı] *adv. pot. uj.* **1.** sztywno; pruderyjnie. **2.** drobiazgowo, pedantycznie.

prissiness ['pri:sınəs] *n. U pot. uj.* **1.** sztywność; pruderia. **2.** drobiazgowość, pedantyczność, pedanteria.

prissy ['pri:sɪ] *a.* **-ier, -iest** *pot. uj.* **1.** sztywny; pruderyjny. **2.** drobiazgowy, pedantyczny.

pristine ['prɪsti:n] *a.* **1.** nieskazitelny; ~ **condition** stan idealny (*w ofertach sprzedaży*); **in** ~ **condition** w nienaruszonym stanie. **2.** dziewiczy, pierwotny.

prithee ['prɪðɪ] *int. arch.* proszę (cię).

priv. *abbr.* = **private**.

privacy ['praɪvəsɪ] *n. U* **1.** prywatność; intymność; **right to** ~ prawo do prywatności *l.* intymności. **2.** samotność, odosobnienie; spokój, zacisze; **disturb sb's** ~ zakłócać komuś spokój; **in the** ~ **of one's own room/study** w zaciszu własnego pokoju/gabinetu; naruszać czyjąś prywatność. **3.** tajemnica; utrzymanie w tajemnicy; **confer in** ~ naradzać się w tajemnicy.

private ['praɪvət] *a.* **1.** prywatny; osobisty. **2.** skryty (*o osobie*). **3.** ustronny (*o miejscu*). **4.** **P**~ poufne, do rąk własnych (*napis na korespondencji*); obcym wstęp wzbroniony (*napis na drzwiach*). – *n.* **1.** **in** ~ prywatnie, na osobności. **2.** (*także* ~ **soldier**) *wojsk.* szeregowy. **3.** *pl. euf.* intymne części ciała.

private bill *n. Br. parl.* projekt ustawy prywatnej (*mającej ograniczony zakres zastosowania*).

private detective *n.* prywatny detektyw.

private enterprise *n. ekon.* **1.** *U* prywatna przedsiębiorczość. **2.** przedsiębiorstwo prywatne.

privateer [ˌpraɪvə'ti:r] *n. hist., wojsk.* **1.** kaper, korsarz, statek kaperski *l.* korsarski. **2.** (*także* ~**sman**) kaper, korsarz (= *członek załogi statku jw.*).

private eye *n. pot.* prywatny detektyw.

private first class *n. US wojsk.* starszy szeregowy.

private hearing *n. prawn.* przesłuchanie niejawne.

private income *n. U ekon.* dochód prywatny (*niezwiązany z pracą zarobkową*).

private investigator *n.* = **private detective**.

private law *n. U prawn.* prawo prywatne.

private lessons *n. pl.* prywatne lekcje; korepetycje.

private life *n. C / U* życie prywatne.

private limited company *n. Br. ekon.* spółka prywatna z ograniczoną odpowiedzialnością.

privately ['praɪvətlɪ] *adv.* **1.** na osobności, bez świadków (*np. rozmawiać*). **2.** w głębi duszy, na własny użytek (*sądzić, uważać*). **3.** prywatnie (*np. kształcić dzieci*); **be** ~ **owned** mieć prywatnego właściciela.

private medicine *n. U Br.* prywatna opieka zdrowotna.

private member *n. Br. parl.* poseł prywatny (= *deputowany Izby Gmin niezasiadający w rządzie*).

private member's bill *n. Br. parl.* projekt posła prywatnego (*zw. o tematyce społecznej*).

private parts *n. pl. euf.* intymne części ciała.

private practise, *Br.* **private practice** *n. U* praktyka prywatna (*np. lekarza*).

private property *n. U* własność prywatna.

private school *n. szkoln.* szkoła prywatna *l.* społeczna.

private secretary *n. pl.* **-ies** osobist-y/a sekreta-rz/rka.

private sector *n.* **the** ~ *ekon.* sektor prywatny.

private soldier *n.* = **private** *n.* 2.

private view, private viewing *n.* pokaz prywatny.

privation [praɪ'veɪʃən] *n. C / U form.* niedostatek, ubóstwo; **life of** ~ życie pełne wyrzeczeń.

privatise ['praɪvəˌtaɪz] *v. Br. i Austr.* = **privatize**.

privative ['prɪvətɪv] *a.* **1.** *form.* prowadzący do biedy, powodujący niedostatek. **2.** *gram.* przeczący; prywatywny. – *n. gram.* przyrostek przeczący; przyrostek prywatywny.

privatization [ˌpraɪvətə'zeɪʃən], *Br. i Austr. zw.* **privatisation** *n. C / U ekon.* prywatyzacja.

privatize ['praɪvəˌtaɪz], *Br. i Austr. zw.* **privatise** *v. ekon.* prywatyzować (*przedsiębiorstwo, gałąź gospodarki*).

privatized [ˈpraɪvəˌtaɪzd] *a. ekon.* sprywatyzowany.

privet [ˈprɪvɪt] *n. U bot.* ligustr (pospolity) (*Ligustrum (vulgare)*).

privilege [ˈprɪvəlɪdʒ] *n.* **1.** przywilej (*(of doing) sth* (robienia) czegoś). **2.** *sing.* zaszczyt (*of doing sth* robienia czegoś); **I have the ~ of introducing/inviting...** mam zaszczyt przedstawić/zaprosić...; **it is a ~** jestem zaszczycon-y/a, to dla mnie zaszczyt. **3.** *U* uprzywilejowanie. **4.** *US fin.* transakcja premiowa. **5.** *U* (*także* **tax ~**) ulga podatkowa. **6.** *C / U parl.* przywilej (poselski); immunitet; **breach of ~** złamanie etyki poselskiej. – *v.* **1.** uprzywilejowywać. **2.** zwalniać (*from sth* od *l.* z czegoś).

privileged [ˈprɪvəlɪdʒd] *a.* **1.** zaszczycony; **feel/be ~ to do sth** czuć się/być zaszczyconym, mogąc coś zrobić. **2.** uprzywilejowany; **the ~ few** garstka uprzywilejowanych.

privileged communication *n. U* **1.** *prawn.* (treść) rozmowy adwokata z klientem (*nie mogąc-a / e stanowić materiału dowodowego*). **2.** *form.* informacje poufne.

privity [ˈprɪvətɪ] *n. C / U pl.* **-ies** **1.** *prawn.* stosunek (*wynikający z umowy, kontraktu, prawa, własności*); więzy (*krwi*); **~ of contract** stosunek umowny. **2.** *form.* wiedza.

privy [ˈprɪvɪ] *a.* **1.** *pred.* wtajemniczony (*to sth* w coś) (*np. w czyjeś zamiary, sekrety*). **2.** *arch.* prywatny; osobisty. **3.** *arch.* ukryty; odosobniony; potajemny. – *n. pl.* **-ies** **1.** *arch.* wygódka, prewet. **2.** *prawn.* osoba zainteresowana.

privy chamber *n.* prywatny apartament królewski *l.* monarszy.

Privy Council *n. Br.* Tajna Rada (*królewska*).

Privy Councillor *n. Br.* człon-ek/kini Tajnej Rady.

privy parts *n. pl. arch.* przyrodzenie.

Privy Purse, privy purse *n. Br.* **1.** *U* **the ~** uposażenie królewskie *l.* monarsze. **2.** (*także* **Keeper of the ~**) (osobisty) skarbnik królewski.

privy seal *n. Br.* tajna pieczęć.

prix fixe [ˌpriː ˈfɪks] *n. pl.* **-s** *Fr.* zestaw obiadowy (za ustaloną cenę) (*w restauracji*).

prize¹ [praɪz] *n.* **1.** nagroda; wygrana (*np. w konkursie, teleturnieju, na loterii*); **award sb a ~** przyznać komuś nagrodę; **main ~** główna wygrana; **win a ~** zdobyć nagrodę. **2.** *wojsk., żegl.* pryz (= *statek l. ładunek skonfiskowany w czasie wojny*); **make ~ of** zająć (*ładunek l. statek*). **3. (there' are) no ~s for guessing sth** *przen.* nietrudno coś zgadnąć. – *a. attr.* **1.** nagrodzony; **~ novel** nagrodzona powieść. **2.** pierwszorzędny, znakomity; **~ answer** *t. iron.* odpowiedź godna nagrody; **~ example (of sth)** klasyczny przykład (czegoś); **~ idiot/fool** *przest. pot.* kompletny idiota/głupek. – *v. zw. pass.* cenić (sobie), wysoko (sobie) cenić (*coś*).

prize² *v.* (*także Br.* **prise**) **1.** podważyć (*pokrywę, wieko*). **2. ~ apart** rozdzielić (*np. sklejone warstwy, plastry*); **~ off** zdjąć (*podważając*); **~ open** wyważyć (*drzwi, okno*); **~ sth out of sb** wydobyć coś od kogoś, wyciągnąć coś z kogoś (*np. informacje, tajemnicę*). – *n.* ostrze (*do podważania*), coś do podważania.

prize court *n. prawn.* sąd kaperski, trybunał pryzowy.

prized [praɪzd] *a.* ulubiony; **(highly) ~** (wysoko) ceniony; **sb's (most) ~ possession** czyjaś (najbardziej) ulubiona rzecz.

prizefight [ˈpraɪzˌfaɪt], **prize fight** *v. sport* **1.** *US* uprawiać boks zawodowy, boksować zawodowo. **2.** *Br. hist.* walczyć na gołe pięści (*o nagrodę pieniężną*).

prizefighter [ˈpraɪzˌfaɪtər], **prize fighter** *n. sport US* bokser zawodowy.

prizefighting [ˈpraɪzˌfaɪtɪŋ], **prize fighting** *n. U sport* **1.** *US* boks zawodowy. **2.** *Br. hist.* walka na gołe pięści (*o nagrodę pieniężną*).

prize money *n. U* nagroda (*pieniężna*).

prize ring *n. sport* ring (bokserski).

prizewinner [ˈpraɪzˌwɪnər], **prize winner** *n.* zwycię-zca/żczyni, laureat/ka *l.* zdobyw-ca/czyni nagrody.

prizewinning [ˈpraɪzˌwɪnɪŋ], **prize-winning** *a. attr.* zwycięski, nagrodzony (*np. o książce, filmie*).

PRO [ˌpiː ˌɑːr ˈoʊ] *abbr.* = **public relations officer.**

pro¹ [proʊ] *pot. n. pl.* **-s** **1.** zawodowiec; (*także* **old ~**) stary wyga. **2.** prostytutka. – *a. gł. sport* zawodowy, profesjonalny; **go/turn ~** przechodzić na zawodowstwo (*o zawodniku*). – *adv.* zawodowo, profesjonalnie.

pro² *prep. i adv.* pro; za (*czymś*). – *n. gł. pl.* argument za; **the ~s and cons** (argumenty) za i przeciw.

proa [ˈproʊə] *n. żegl.* proa (= *malajska łódź żaglowa*).

pro-abortion [ˌproʊəˈbɔːrʃən] *a. gł. attr.* opowiadający się za prawem do aborcji; **~ activist** obroń-ca/czyni prawa do aborcji.

pro-abortionist [ˌproʊəˈbɔːrʃənɪst] *a.* obroń-ca/czyni prawa do aborcji.

proactive [ˌproʊˈæktɪv] *a.* aktywny, proaktywny; inicjujący; zaangażowany, z inicjatywą, pełen inicjatywy.

proactively [ˌproʊˈæktɪvlɪ] *a.* aktywnie, proaktywnie (*działać*); z inicjatywą.

pro-am [ˌproʊˈæm] *sport a. gł. attr.* dla zawodowców i amatorów (*o zawodach*). – *n.* zawody dla zawodowców i amatorów.

prob. *abbr.* **1. = probable**; **= probably**; **= probability. 2. = problem.**

probabilism [ˈprɑːbəbəˌlɪzəm] *n. U fil.* probabilizm.

probability [ˌprɑːbəˈbɪlətɪ] *n. C / U pl.* **-ies** *t. stat.* prawdopodobieństwo (*of sth (happening)* (zajścia) czegoś); **in all ~** według wszelkiego prawdopodobieństwa, najprawdopodobniej; **the ~ is that...** jest prawdopodobne, że...; **there is a strong ~ that...** istnieje duże prawdopodobieństwo, że...

probability density *n. C / U stat.* gęstość prawdopodobieństwa.

probability density function *n. stat.* funkcja gęstości prawdopodobieństwa.

probability distribution *n. C/U stat.* rozkład prawdopodobieństwa.

probability level *n. stat.* poziom ufności.

probability theory *n. U stat.* rachunek prawdopodobieństwa.

probable ['prɑ:bəbl] *a.* prawdopodobny; **it is ~ that...** jest prawdopodobne, że... – *n.* prawdopodobn-y/a kandydat/ka.

probable cause *n. U prawn.* prawdopodobieństwo winy (*wystarczające do aresztowania*).

probable error *n. stat.* błąd prawdopodobny.

probably ['prɑ:bəblɪ] *adv.* prawdopodobnie; **most/very ~** najprawdopodobniej.

probate ['proʊbeɪt] *prawn. n.* poświadczenie autentyczności testamentu; uwierzytelniona kopia testamentu, testament o poświadczonej autentyczności. – *v.* poświadczyć autentyczność (*testamentu*).

probate court *n. prawn.* sąd do spraw spadkowych.

probation [proʊ'beɪʃən] *n. U* **1.** okres próbny; staż; próba. **2.** *prawn.* probacja, zawieszenie wykonania wyroku. **3. be on ~** *prawn.* być pod nadzorem sądowym; być zatrudnionym na okres próbny (*o pracowniku*); *szkoln.* być dopuszczonym warunkowo, mieć warunek (*poprawy ocen l. dobrego zachowania pod rygorem kary*); **place/put sb under ~** *prawn.* oddawać kogoś pod dozór sądowy; *szkoln.* dopuszczać kogoś warunkowo (*do dalszej nauki*).

probationary [proʊ'beɪʃəˌnerɪ] *a.* **1.** *prawn.* dotyczący dozoru sądowego. **2.** próbny (*o okresie*). **3.** *szkoln.* dopuszczony warunkowo (*o uczniu, studencie*).

probationer [prə'beɪʃənər] *n.* osoba pod dozorem sądowym.

probation officer *n. prawn.* kurator/ka sądowy/a.

probation service *n. U prawn.* dozór sądowy *l.* kuratorski.

probative ['proʊbətɪv], **probatory** ['proʊbəˌtɔ:rɪ] *a. gł. prawn.* **1.** dowodowy; **~ value** moc dowodowa. **2.** próbny.

probe [proʊb] *v.* **1. ~ (into) sth** badać coś, wnikać w coś, zagłębiać się w coś. **2.** *chir.* sondować (*ranę, narząd*). – *n.* **1.** *astron., techn.* sonda, próbnik; *chir.* sonda, zgłębnik; **space ~** *astron.* sonda kosmiczna. **2.** (*zwł. w tytułach prasowych*) dochodzenie.

probity ['proʊbətɪ] *n. U form.* rzetelność, uczciwość.

problem ['prɑ:bləm] *n.* **1.** problem; kłopot; **no ~!** *zwł. pot.* nie ma sprawy *l.* problemu!; **have ~s/a problem with sb/sth** mieć z czymś/kimś kłopoty/kłopot (*np. z szefem, samochodem*); **do you have a ~ with...?** masz coś przeciwko...?, przeszkadza ci...?; **I have no ~ with that** nie mam nic przeciwko temu, nie przeszkadza mi to; **the crime/drinking ~** problem przestępczości/alkoholizmu; **that's your ~** to (już) twoja sprawa; **sb has a drinking ~** ktoś nadużywa alkoholu; **what's the ~?** o co chodzi?, w czym kłopot?; **what's your ~?** o co ci chodzi?; coś ci się nie podoba?, masz jakieś wątpliwości? (*zaczepnie*). **2.** *szkoln.* zadanie; **a math ~** zadanie z matematyki. – *a. attr.* **1.** *gł. socjol.* trudny; **~ child** dziecko trudne; **~ drinker** pijąc-y/a nałogowo, alkoholi-k/czka; **~ family** rodzina trudna *l.* patologiczna; **~ page** *dzienn.* kącik porad; **~ solving** *psych.* rozwiązywanie problemów. **2.** *teor. lit.* problemowy (*o filmie, sztuce, literaturze*).

problematic [ˌprɑ:blə'mætɪk], **problematical** [ˌprɑ:blə'mætɪkl] *a.* problematyczny, kłopotliwy.

pro bono [ˌproʊ 'boʊnoʊ], **pro bono publico** *a. i adv. Lat. prawn.* gratis, bez honorarium.

proboscidean [ˌproʊbə'sɪdɪən], **proboscidian** *zool. n.* trąbowiec. – *a.* z rzędu trąbowców (*o ssaku*).

proboscis [proʊ'bɑ:sɪs] *n. pl.* **-es** *l.* **proboscides** [prə'bɑ:sədi:z] **1.** *anat. zool.* trąba (*słonia*); długi nos (*tapira, nosacza*). **2.** *ent.* trąbka (*owada*). **3.** *pot.* nochal.

proboscis monkey *n. zool.* nosacz (*Nasalis larvatus*).

procedural [prə'si:dʒərəl] *a.* proceduralny; formalny; **~ language** *komp.* język proceduralny; **~ memory** *psych.* pamięć proceduralna.

procedure [prə'si:dʒər] *n.* **1.** *t. komp.* procedura; postępowanie. **2.** *chir., med.* zabieg.

proceed [prə'si:d] *v.* **1.** kontynuować; robić dalej; **~ in one's action** prowadzić dalej *l.* kontynuować akcję; **~ with sth** *form.* kontynuować coś (*np. badania*); **I don't know how to ~** nie wiem, co (mam) teraz *l.* dalej robić. **2.** *form.* postępować, toczyć się (dalej) (*np. o negocjacjach*). **3.** *form.* iść *l.* jechać (dalej); przechodzić (*to sth* do czegoś) (*t. np. do nowego tematu*); **~ to an M.A.** *uniw.* kontynuować studia na poziomie magisterskim; **passengers please ~ to gate 12** pasażerów prosimy o przechodzenie do wyjścia nr 12. **4. ~ to do sth** przystępować do (robienia) czegoś, zaczynać coś robić; przechodzić do (robienia) czegoś (*zwł. nieoczekiwanego l. nieprzyjemnego*). **5. ~ against sb** *prawn.* podjąć kroki (prawne) przeciwko komuś, wszcząć postępowanie przeciwko komuś; **~ from sth** *form.* wynikać z czegoś; zaczynać *l.* rozpoczynać od czegoś; pochodzić *l.* wywodzić się skądś *l.* od czegoś.

proceedings [prə'si:dɪŋz] *n. pl. form.* **1.** (*także rzad.* **proceeding**) zdarzenia, przebieg wydarzeń; poczynania. **2.** obchody, uroczystości. **3.** obrady, prace; zebranie, spotkanie; **open the ~** otworzyć obrady. **4.** sprawozdanie, protokół; **"P~ of the XV International Conference on..."** „Sprawozdania z XV Międzynarodowej Konferencji na temat..." (*tytuł zbioru referatów*). **5.** *prawn.* postępowanie, kroki (*prawne*); **legal/disciplinary ~** postępowanie sądowe/dyscyplinarne.

proceeds ['proʊsi:dz] *n. pl. fin. form.* dochód (*of sth* z czegoś).

process[1] ['prɑ:ses] *n.* **1.** *t. fiz., chem., techn.* proces. **2.** tok, przebieg; **be in ~** być w toku; **be in the ~ of (doing) sth** być w trakcie (robienia) czegoś. **3.** *techn.* obróbka. **4.** *prawn.* proces (sądowy), postępowanie (sądowe). **5.** *prawn.* pozew (sądowy). **6.** *biol.* wyrostek (*np. kostny*). **7. by a ~ of elimination** przez *l.* poprzez eliminację; **in the ~** przy okazji; **he won the race and broke**

the world record/twisted his ankle in the ~ wygrał wyścig, a przy okazji pobił rekord świata/skręcił sobie kostkę. – *v.* **1.** *t. komp.* przetwarzać (*np. surowce, odpady, żywność, dane*); obrabiać; przerabiać; poddawać zabiegom. **2.** *fot.* wywoływać (*zdjęcia*); obrabiać (*film*). **3.** *admin.* rozpatrywać (*podania, wnioski*). **4.** *kulin.* rozdrabniać; miksować (*za pomocą robota kuchennego*). **5.** *prawn.* doręczać pozew sądowy (*komuś*); wytaczać proces (*komuś*).

process2 [prəˈses] *v.* defilować.

process cheese *n. U* (*także Br.* **processed cheese**) ser topiony.

processed [ˈprɑːsest] *a.* przetworzony, sztucznie konserwowany (*o żywności*).

processed cheese *n. Br.* = **process cheese**.

process engineer *n.* technolog.

process engineering *n. U* technologia.

process industry *n. U* przemysł przetwórczy.

processing [ˈprɑːsesɪŋ] *n. U* **(photo) ~** *fot.* obróbka (fotograficzna).

procession [prəˈseʃən] *n.* **1.** sekwencja; następstwo. **2.** pochód; defilada; *t. rel.* procesja; **funeral ~** kondukt żałobny; **(march) in ~** (maszerować) w pochodzie; **wedding ~** orszak ślubny.

processional [prəˈseʃənl] *a. attr. form.* procesyjny. – *n.* **1.** *muz.* marsz, muzyka marszowa. **2.** *kośc.* hymn procesyjny (*towarzyszący wejściu duchownych*). **3.** *kośc.* księga hymnów.

processor [ˈprɑːsesər] *n.* **1.** *komp.* procesor. **2.** *kulin.* = **food processor**.

pro-choice [ˌproʊˈtʃɔɪs] *a.* opowiadający się za prawem (kobiety) do wyboru (= *do aborcji*).

pro-choicer [ˌproʊˈtʃɔɪsər] *a.* obroń-ca/czyni prawa (kobiety) do wyboru (*jw.*).

proclaim [prəˈkleɪm] *v.* **1.** *form.* proklamować (*niepodległość*), deklarować (*wiarę*); **~ that...** ogłaszać, że...; **~ sb sth** ogłosić *l.* proklamować kogoś kimś (*np. królem*). **2.** *lit.* być oznaką (*czegoś; np. czyjejś przynależności do grupy*), wskazywać na.

proclamation [ˌprɑːkləˈmeɪʃən] *n. C/U* proklamacja, odezwa; obwieszczenie, ogłoszenie; **~ of independence** proklamacja niepodległości.

proclitic [proʊˈklɪtɪk] *gram. n.* proklityka. – *a.* proklityczny.

proclivity [proʊˈklɪvətɪ] *n. pl.* **-ies** *form.* inklinacja, skłonność (*to / towards / for sth* do czegoś) (*zwł. złego*).

proconsul [proʊˈkɑːnsl] *n. hist.* prokonsul.

proconsular [proʊˈkɑːnslər] *a. hist.* prokonsularny.

proconsulate [proʊˈkɑːnsələt], **proconsulship** [proʊˈkɑːnslˌʃɪp] *n. hist.* prokonsulat.

procrastinate [prəˈkræstəˌneɪt] *v. form.* zwlekać, ociągać się.

procrastination [prəˌkræstəˈneɪʃən] *n. U form.* zwłoka, zwlekanie, ociąganie się.

procrastinator [prəˈkræstəˌneɪtər] *n. form.* maruder, spóźnialsk-i/a.

procreate [ˈproʊkrɪˌeɪt] *v. fizj. l. form.* **1.** rozmnażać się. **2.** płodzić (*potomstwo*).

procreation [ˌproʊkrɪˈeɪʃən] *n. fizj. l. form.* prokreacja, rozmnażanie się.

procreative [ˌproʊkrɪˈeɪʃən] *a. fizj. l. form.* prokreacyjny.

Procrustean [proʊˈkrʌstɪən] *a.* **1.** *lit.* bezwzględny (*o metodach*). **2. ~ bed** *mit.* Prokrustowe łoże.

proctologist [prɑːkˈtɑːlədʒɪst] *n. med.* proktolog.

proctology [prɑːkˈtɑːlədʒɪ] *n. U med.* proktologia.

proctor [ˈprɑːktər] *n. szkoln.* **1.** *US* pilnując-y/a (*na egzaminie*). **2.** *Br. gł. uniw.* pedel (= *urzędnik pilnujący dyscypliny*).

proctoscope [ˈprɑːktəˌskoʊp] *n. med.* proktoskop, wziernik odbytniczy.

proctoscopy [prɑːkˈtɑːskəpɪ] *n. C/U pl.* **-ies** *med.* proktoskopia, wziernikowanie odbytnicy.

procumbent [proʊˈkʌmbənt] *a.* **1.** *bot.* płożący się (*o roślinie, łodydze*). **2.** *form.* leżący twarzą w dół *l.* ku ziemi.

procurable [prəˈkjʊrəbl] *a. form.* osiągalny.

procuration [ˌprɑːkjʊˈreɪʃən] *n. U form.* **1.** uzyskanie. **2.** *prawn.* pełnomocnictwo; prokura; upoważnienie. **3.** stręczycielstwo, stręczenie do nierządu.

procurator [ˈprɑːkjəˌreɪtər] *n.* **1.** *prawn.* prokurent, pełnomocnik. **2.** *hist.* prokurator (*rzymski*).

procurator fiscal *n. pl.* **procurators fiscal** *l.* **procurator fiscals** *Scot. prawn.* (okręgowy) oskarżyciel publiczny.

procure [prəˈkjʊr] *v.* **1.** *form.* sprokurować (*sb sth* komuś coś, *sth for sb* coś dla kogoś). **2.** *prawn.* stręczyć do nierządu; uprawiać stręczycielstwo.

procurement [prəˈkjʊrmənt] *n. U form.* **1.** prokurowanie. **2.** *handl.* zaopatrzenie; zaopatrywanie (*zwł. firmy, rządu l. innej instytucji*). **3.** *prawn.* stręczycielstwo.

procurer [prəˈkjʊrər] *n.* **1.** *form.* osoba pozyskująca (*of sth* coś). **2.** *prawn.* stręczyciel/ka.

procuress [prəˈkjʊrəs] *n. przest.* stręczycielka.

prod [prɑːd] *v.* **-dd- 1.** szturchać, trącać. **2.** dźgać (*with sth* czymś). **3.** popychać; popędzać; **~ sb into (doing) sth** popchnąć kogoś do (zrobienia) czegoś; **~ sb into action** zdopingować kogoś do działania. – *n. zw. sing.* **1.** szturchnięcie, szturchaniec; **give sb a ~** dać komuś szturchańca, szturchnąć kogoś. **2.** dźgnięcie. **3.** tyka, pręt, drąg. **4.** *przen.* bodziec; przypomnienie; **give sb a ~** dostarczyć komuś bodźca; przypomnieć komuś (*to do sth* żeby cos zrobił).

prodigal [ˈprɑːdəgl] *a. form.* **1.** rozrzutny; marnotrawny; **the ~ son** *Bibl. l. przen.* syn marnotrawny. **2.** obfity; wystawny (*np. o uczcie*). **3. ~ of sth** pełen czegoś, przepełniony czymś; **be ~ of/with sth** marnotrawić *l.* marnować coś; szafować czymś. – *n. lit.* utracjusz/ka; marnotrawca/czyni.

prodigality [ˌprɑːdəˈgælətɪ] *n. U form.* **1.** rozrzutność; marnotrawstwo. **2.** obfitość; wystawność.

prodigally [ˈprɑːdəglɪ] *adv. form.* **1.** rozrzutnie; marnotrawnie. **2.** obficie; wystawnie.

prodigious [prəˈdɪdʒəs] *a. form.* **1.** niezwykły, fantastyczny (*np. o wyczynie*). **2.** kolosalny.

prodigiously [prəˈdɪdʒəslɪ] *adv. form.* **1.** niezwykle, fantastycznie. **2.** kolosalnie.

prodigy [ˈprɑːdɪdʒɪ] *n. pl.* **-ies 1.** młodociany geniusz; (*także* **child/infant ~**) cudowne dziecko; **musical ~** cudowny talent muzyczny. **2.** cud.

prodrome [ˈproʊˌdroʊm] *n. pat.* zwiastun (*choroby*).

produce *v.* [ˌprəˈduːs] **1.** produkować; wytwarzać. **2.** wydawać, rodzić (*plony, potomstwo*). **3.** przynosić (*efekty, rezultaty*). **4.** okazywać, przedstawiać (*np. dowody, dokumenty, bilet*); wydobywać, wyjmować (*przedmiot z kieszeni*). **5.** wywoływać (*np. sensację, pogłoski, objawy uboczne*). **6.** *górn.* wydobywać. **7.** *film* być producentem (*filmu*), wyprodukować. **8.** *teatr* wystawiać. **9.** *geom.* przedłużać (*linię*). – *n.* [ˈproʊduːs] *U handl.* produkty (spożywcze); *zwł. US* warzywa i owoce; **animal/plant ~** produkty pochodzenia zwierzęcego/roślinnego; **dairy ~** *handl.* nabiał, produkty mleczarskie; (*także* **farm ~**) *roln.* płody *l.* produkty rolne.

producer [prəˈduːsər] *n.* **1.** *film, teatr, telew.* producent/ka; realizator/ka; **assistant ~** asystent/ka producenta; **film ~** producent/ka filmow-y/a. **2.** *ekon.* producent, wytwórca; **car ~** producent *l.* wytwórca samochodów. **3.** (*także* **gas ~**) *techn.* generator (gazu).

producer gas *n. U techn.* gaz generatorowy.

product [ˈprɑːdʌkt] *n.* **1.** *C/U ekon., techn., handl., chem.* produkt; wyrób. **2.** wytwór, wynik (*of sth* czegoś). **3.** *mat.* iloczyn.

production [prəˈdʌkʃən] *n.* **1.** *U* produkcja; wytwarzanie, wyrób; **go into ~** zostać wdrożonym do produkcji. **2.** *U górn.* wydobycie. **3.** *U* wytwórczość. **4.** *sztuka* dzieło; utwór; *teatr* inscenizacja (*sztuki*). **5.** *U* okazanie; **(entry/entrance is permitted only) on ~ of a ticket/membership card** *form.* (wstęp wyłącznie) za okazaniem biletu/legitymacji członkowskiej. **6. make a ~ (out) of sth** *przen. pot.* robić z czegoś (wielkie) ceregiele. – *a. attr.* produkcyjny; **~ cost** *ekon.* koszty produkcji; **~ cycle** cykl produkcyjny.

production assistant *n. film* asystent/ka producenta.

production company *n. pl.* **-ies** *film* wytwórnia filmowa.

production designer *n. film* kierownik produkcji, kierownik planu.

production line *n.* linia produkcyjna.

production manager *n.* kierownik produkcji.

production number *n. musical* scena zbiorowa.

production platform *n. górn.* platforma wiertnicza.

productive [prəˈdʌktɪv] *a.* **1.** *t. ekon.* wydajny. **2.** produktywny, owocny (*np. o spotkaniu, dyskusji*). **3.** *psych., jęz.* produktywny (*np. o wiedzy, znajomości języka, formie gramatycznej*). **4.** *ekon.* wytwórczy, produkcyjny. **5. ~ of sth** *form.* prowadzący do czegoś, wywołujący coś.

productive cough *n. U med.* kaszel z wydzieliną.

productively [prəˈdʌktɪvlɪ] *adv.* **1.** *t. ekon.* wydajnie (*pracować*); produktywnie, owocnie (*spożytkować czas*). **2.** *psych., jęz.* produktywnie.

productiveness [prəˈdʌktɪvnəs] *n. U gł. ekon.* wydajność, produktywność.

productivity [ˌproʊdʌkˈtɪvətɪ] *n. U ekon.* wydajność; produktywność (*t. jęz.: formy l. konstrukcji gramatycznej*).

productivity bonus *n.* premia za wydajność (pracy).

product line *n. handl.* **1.** asortyment (wyrobów), oferta (wyrobów). **2.** rodzina, seria, linia (*wyrobów*).

proem [ˈproʊem] *n. teor. lit., ret.* introdukcja, wstęp.

proenzyme [proʊˈenzaɪm] *n. biochem.* proenzym.

prof [prɑːf] *n. uniw. pot.* profesor.

prof., Prof. *abbr.* = **professor.**

profanation [ˌprɑːfəˈneɪʃən] *n. C/U form.* profanacja.

profanatory [prəˈfænəˌtɔːrɪ] *a. form.* profanujący; bluźnierczy.

profane [prəˈfeɪn] *a.* **1.** *gł. rel.* bluźnierczy. **2.** *form.* świecki (*np. o sztuce, literaturze*). **3.** laicki, niewtajemniczony. **4.** *form.* pospolity, wulgarny. – *v.* profanować.

profanely [prəˈfeɪnlɪ] *adv.* bluźnierczo.

profaneness [prəˈfeɪnnəs] *n. U* bluźnierczość.

profanity [prəˈfænətɪ] *n. pl.* **-ies 1.** *C/U gł. rel.* bluźnierstwo. **2.** wulgaryzm; *U* niecenzuralny *l.* wulgarny język, wulgaryzmy.

profess [prəˈfes] *v. form.* **1.** utrzymywać, twierdzić (*zwł. fałszywie*) (*to be/do sth* że się kimś jest/coś robi); **~ o.s. to be sth** przedstawiać się jako ktoś. **2.** deklarować (*np. upodobanie do czegoś*); wyrażać (*uczucie, przekonanie*); dawać wyraz (*uczuciu*). **3.** udawać (*np. ignorancję, zdumienie*). **4.** oświadczać (*that...* że...); **I don't ~ to be a genius** nie twierdzę, że jestem geniuszem, nie pretenduję do roli geniusza. **5.** wyznawać (*religię*). **6.** *kość.* przyjmować do zakonu; składać śluby (zakonne).

professed [prəˈfest] *a. attr. form.* **1.** zdeklarowany, jawny (*np. o wyznawcy, wrogu, sympatii*). **2.** rzekomy, pozorny. **3.** *kość.* po ślubach (zakonnych).

professedly [prəˈfestɪdlɪ] *adv.* **1.** jawnie. **2.** jakoby, rzekomo.

profession [prəˈfeʃən] *n.* **1.** zawód; profesja; fach; **by ~** z zawodu; **the ~s** wolne zawody; **the acting/medical/teaching ~** zawód aktora/lekarza/nauczyciela; *Br. t. z czasownikiem w liczbie mnogiej* aktorzy/lekarze/nauczyciele; **the oldest ~** *euf. żart.* najstarszy zawód świata (= *prostytucja*). **2.** oświadczenie; deklaracja; wyznanie; zapewnienie (*of sth* o czymś); **~ of faith** wyznanie wiary; **in practise if not in ~** w praktyce, jeśli nie w słowach. **3.** *kość.* śluby (zakonne).

professional [prəˈfeʃənl] *a.* **1.** fachowy; profesjonalny; **~ help** fachowa pomoc (*t. euf.* = *porada psychiatryczna*); **seek ~ advice** szukać fachowej porady. **2.** zawodowy; pracujący zawodowo (*zwł. w wolnym zawodzie l. na kierowniczym* *stanowisku; zwł. w ogłoszeniach o wynajem lokalu*); ~ **qualifications** kwalifikacje zawodowe; **turn** ~ przejść na zawodowstwo. – *n.* profesjonalist-a/ka, zawodowiec; fachowiec; *sport* zawodowiec, profesjonał; **health ~s** personel medyczny (*zwł. lekarze i pielęgniarki*); **speak to your health** ~ porozmawiaj ze swoim lekarzem (lub pielęgniarką) (*w reklamach leków*).

professional association *n.* organizacja zawodowa.

professional foul *n. Br. sport* faul taktyczny.

professionalism [prəˈfeʃənəˌlɪzəm] *n. U* **1.** profesjonalizm; fachowość. **2.** *sport* charakter zawodowy (*zawodów, konkursu*).

professionalize [prəˈfeʃənəˌlaɪz], *Br. i Austr. zw.* **professionalise** *v.* nadawać rangę zawodu (*zajęciu*), podnosić do rangi zawodu; podnosić prestiż (*zawodu*).

professionally [prəˈfeʃənlɪ] *adv.* **1.** fachowo; profesjonalnie. **2.** *t. sport* zawodowo. **3.** w ramach pracy (*zawodowej*), w pracy.

professor [prəˈfesər] *n.* **1.** *uniw.* profesor (*z tytułem naukowym*); *US i Can. t.* wykładowca/czyni (*zw. ze stopniem doktora*); **physics** ~ (*także* ~ **of physics**) profesor fizyki. **2.** *szkoln.* profesor/ka. **3.** *form. gł. rel.* wyznaw-ca/czyni (*wiary, poglądu*).

professorate [prəˈfesərɪt] *n. C / U* (*także* **professoriate**) *uniw. form.* **1.** profesura. **2.** kadra profesorska, profesorowie.

professorial [ˌproʊfəˈsɔːrɪəl] *a. uniw. form.* profesorski; ~ **post** stanowisko profesora.

professoriate [ˌproʊfəˈsɔːrɪət] *n.* = **professorate**.

professorship [prəˈfesərˌʃɪp] *n. uniw.* profesura.

proffer [ˈprɑːfər] *form. v.* **1.** oferować, składać, przedstawiać (*propozycję*). **2.** podawać, wyciągać (*dłoń do uścisku*). – *n.* oferta, propozycja.

proficiency [prəˈfɪʃənsɪ] *n. U* biegłość; wprawa (*in sth* w czymś); ~ **in English** biegła znajomość języka angielskiego.

proficient [prəˈfɪʃənt] *a.* biegły (*in / at sth* w czymś); ~ **in English** władający biegle językiem angielskim.

proficiently [prəˈfɪʃəntlɪ] *adv.* biegle (*np. mówić, pisać*).

profile [ˈproʊfaɪl] *n.* **1.** profil; zarys; **in** ~ z profilu. **2.** *przen.* notka biograficzna, szkic *l.* rys biograficzny, sylwetka (*of sb* kogoś). **3. give sth a high** ~ nadać czemuś szeroki rozgłos; **have a high** ~ odbić się szerokim echem, być powszechnie dyskutowanym *l.* znanym (*o sprawie, zjawisku*); być bardzo widocznym, zwracać na siebie uwagę (*o osobie*); zajmować eksponowane stanowisko; **keep a low** ~ starać się nie rzucać w oczy, usuwać się w cień; siedzieć cicho. – *v.* **1.** przedstawiać z profilu. **2.** *przen.* przedstawiać *l.* nakreślać sylwetkę (*kogoś*). **3.** *mech.* profilować. **4.** *US sl.* szpanować.

profiler [ˈproʊfaɪlər] *n. prawn., psych.* psycholog kryminalistyczny (*określający cechy charakteru przestępcy na podstawie okoliczności przestępstwa*).

profiling [ˈproʊfaɪlɪŋ] *n. U* (*także* **offender** ~) *prawn., psych.* określanie cech psychologicznych przestępcy.

profit [ˈprɑːfət] *n. C / U* **1.** *ekon., fin.* zysk; **at a** ~ z zyskiem, korzystnie (*sprzedać*); **bring sth into** ~ osiągnąć na czymś zysk; **make (a)** ~ osiągnąć *l.* wypracowywać zysk; **make a clear** ~ **of...** zyskać *l.* zarobić na czysto...; **net/gross** ~ zysk netto/brutto. **2.** korzyść, pożytek; **to sb's** ~ z korzyścią dla kogoś; **there's no** ~ **in sth** nie ma z czegoś (żadnego) pożytku. – *v.* ~ **(from/by sth)** osiągać zyski (z czegoś), zyskiwać (na czymś); odnosić korzyści (z czegoś), korzystać (na czymś); ~ **sb** być z korzyścią dla kogoś, przynosić komuś korzyści.

profitability [ˌprɑːfətəˈbɪlətɪ] *n. U ekon.* opłacalność, dochodowość, rentowność.

profitable [ˈprɑːfətəbl] *a.* **1.** *ekon.* dochodowy, opłacalny, zyskowny, rentowny. **2.** korzystny, pożyteczny.

profitably [ˈprɑːfətəblɪ] *adv.* **1.** *ekon.* opłacalnie, dochodowo, zyskownie, z zyskiem. **2.** korzystnie, z korzyścią, pożytecznie.

profit and loss *n.* (*także* ~ **account**) *ekon.* rachunek zysków i strat.

profit center, *Br.* **profit centre** *n. ekon.* centrum zysku *l.* zysków.

profiteer [ˌprɑːfəˈtiːr] *ekon. n.* spekulant/ka, paska-rz/rka. – *v.* spekulować.

profiteering [ˌprɑːfəˈtiːrɪŋ] *n. U ekon.* spekulanctwo, paskarstwo.

profiterole [prəˈfɪtəˌroʊl] *n. kulin.* kulka ptysiowa.

profitless *a. ekon.* nie przynoszący zysku.

profit margin *n. ekon., handl.* margines zysku, marża.

profit sharing *n. U ekon.* udział w zyskach.

profit taking *n. U fin.* realizacja zysków (= *wyprzedaż walorów przy krótkoterminowym wzroście kursów*).

profligacy [ˈprɑːfləgəsɪ] *n. U form.* **1.** rozrzutność, marnotrawstwo. **2.** rozwiązłość; brak skrupułów.

profligate [ˈprɑːfləgət] *form. a.* **1.** rozrzutny. **2.** rozwiązły; pozbawiony skrupułów. – *n.* **1.** osoba rozrzutna. **2.** osoba rozwiązła; osoba pozbawiona skrupułów.

pro forma [ˌproʊ ˈfɔːrmə] *adv. i a. Lat.* pro forma.

pro forma invoice *n. fin.* faktura pro forma *l.* tymczasowa *l.* prowizoryczna.

profound [prəˈfaʊnd] *a.* głęboki (*np. o wpływie, dyskusji, smutku, myślicielu*); gruntowny (*np. o wiedzy, zmianach*); zupełny, całkowity (*np. o obojętności, niewiedzy*); **take a** ~ **interest in sth** przejawiać żywe zainteresowanie czymś. – *n. arch. l. poet.* głębia, otchłań.

profoundly [prəˈfaʊndlɪ] *adv.* głęboko.

profoundness [prəˈfaʊndnəs] *n. U* głębia.

profundity [prəˈfʌndətɪ] *n. pl.* **-ies** *form.* **1.** *U* głębia. **2.** *zw. pl.* subtelność.

profuse [prəˈfjuːs] *a. gł. form.* **1.** obfity (*np. o krwawieniu, poceniu się*). **2.** hojny, szczodry (*zwł. nadmiernie*); wylewny (*np. o podziękowa-*

niach); **be ~ in one's apologies** gęsto się usprawiedliwiać; **be ~ in one's promises** szafować obietnicami.

profusely [prəˈfjuːslɪ] *adv. gł. form.* **1.** obficie (*np. krwawić, pocić się*). **2.** hojnie, szczodrze; wylewnie (*np. dziękować*).

profuseness [prəˈfjuːsnəs] *n. U form.* **1.** obfitość. **2.** hojność, szczodrość; wylewność.

profusion [prəˈfjuːʒən] *n. U form.* obfitość; nadmiar (*of sth* czegoś); **in ~** w wielkiej obfitości.

progenitor [proʊˈdʒenətər] *n.* **1.** *t. biol.* przodek. **2.** *form.* prekursor/ka.

progeny [ˈprɑːdʒənɪ] *n. U l. pl. biol. l. żart.* potomstwo.

progeria [ˌproʊˈdʒiːrɪə] *n. U pat.* starość przedwczesna, progeria.

progestational [ˌproʊdʒesˈteɪʃənl] *n.* **1.** *fizj.* lutealny (*o fazie cyklu miesiączkowego*). **2.** *fizj.* przedciążowy. **3.** *med., biochem.* gestagenny (*o działaniu, leku*).

progesterone [proʊˈdʒestəˌroʊn] *n. U biochem.* progesteron.

progestin [proʊˈdʒestən], **progestogen** [proʊˈdʒestədʒən] *n. biochem.* progestagen.

proglottid [proʊˈglɑːtəd] *n. pat., zool.* proglotyda (= *segment tasiemca*).

proglottis [proʊˈglɑːtɪs] *n. pl.* **proglottides** [proʊˈglɑːtədiːz] = **proglottid**.

prognathous [ˈprɑːgnəθəs], **prognathic** [prɑːgˈnæθɪk] *a. anat., zool.* prognatyczny, o wystającej szczęce, o wystających szczękach.

prognosis [prɑːgˈnoʊsəs] *n. pl.* **-es** [prɑːgˈnoʊsiːz] *med.* rokowanie, prognoza; *form.* prognoza.

prognostic [prɑːgˈnɑːstɪk] *a.* **1.** *med. form.* prognostyczny. **2.** **~ of sth** *form.* zapowiadający coś. – *n. med. l. form.* prognostyk.

prognosticate [prɑːgˈnɑːstəˌkeɪt] *v. form.* zapowiadać (*o symptomach*); przewidywać, przepowiadać (*o osobie*).

prognostication [prɑːgˌnɑːstəˈkeɪʃən] *n. C/U form.* zapowiedź; przepowiednia.

prograde [ˌproʊˈgreɪd] *a. astron.* zgodny (*z kierunkiem ciała centralnego: o ruchu obrotowym l. obiegowym ciała niebieskiego*).

program [ˈproʊgræm], *Br. oprócz komp.* **programme** *n. telew., radio, komp., teatr, admin.* program. – *v.* **1.** *komp., biol.* programować. **2.** planować.

program director *n. US telew., radio* przewodniczący-y/a rady programowej (*zwł. w mediach publicznych*); dyrektor/ka ds. repertuaru (*zwł. w mediach prywatnych*).

program evaluation and review technique *n. U admin.* metoda PERT.

programmable [ˈproʊgræməbl] *a. techn.* programowalny.

programmatic [ˌproʊgrəˈmætɪk] *a.* programowy (*np. o deklaracji, artykule*).

programmed course [ˌproʊgræmd ˈkɔːrs] *n. szkoln.* kurs programowany.

programmed instruction *n.* (*także* **programmed learning**) *szkoln., psych.* nauczanie programowane.

programmer [ˈproʊgræmər] *n. komp.* programist-a/ka.

programming [ˈproʊgræmɪŋ] *n. U* **1.** *gł. komp.* programowanie. **2.** *telew., radio* repertuar.

programming language *n. U komp.* język programowania.

program music *n. U muz.* muzyka programowa.

program trading *n. U fin.* transakcje elektroniczne (*giełdowe*).

progress *n.* [ˈprɑːgres] **1.** *U* postęp; postępy; **make (good/poor) ~** robić *l.* czynić (dobre/słabe) postępy, postępować (szybko/wolno) (*in sth* w czymś). **2.** droga (*(from sth) to sth* (od czegoś) do czegoś) (*np. do wyzwolenia, wolnego rynku*). **3.** rozwój (*wydarzeń, wypadków*). **4.** *arch.* objazd; podróż (*monarchy*). **5.** **in ~** *form.* w toku. – *v.* [prəˈgres] **1.** postępować, posuwać się (*naprzód*). **2.** czynić postępy (*in sth* w czymś). **3.** awansować. **4.** **~ to sth** przechodzić do czegoś (*np. do nowego tematu*); przerzucać się na coś (*np. na inny alkohol*).

progression [prəˈgreʃən] *n.* postępy; *t. mat.* postęp; *t. muz.* progresja; **tax ~** *ekon., fin.* progresja podatkowa.

progressional [prəˈgreʃənl] *a.* progresyjny.

progressionist [prəˈgreʃənɪst] *n.* postępowiec.

progressist [ˈprɑːgresɪst] *n. przest.* progresist-a/ka.

progressive [prəˈgresɪv] *a.* **1.** postępowy (*np. o poglądach, partii*). **2.** stopniowy. **3.** *pat.* postępujący (*o chorobie*). **4.** progresywny; **~ jazz/rock** *muz.* jazz/rock progresywny; **~ tax** *fin.* podatek progresywny. **5.** *gram.* ciągły (*o formie czasownika*). **6.** z cykliczną zmianą partnerów (*np. o tańcu, partii brydża*). – *n.* **1.** *polit.* postępowiec. **2.** *gram.* forma ciągła.

Progressive Conservative Party *n. Can. polit.* Partia Postępowo-Konserwatywna.

progressive education *n. U szkoln.* nauczanie progresywne.

progressively [prəˈgresɪvlɪ] *adv.* **1.** postępowo. **2.** stopniowo.

Progressive Party *n. US i Can. hist., polit.* Partia Postępowa.

progressivism [prəˈgresɪvˌɪzəm] *n. U* progresywność; progresywizm.

progress payment *n. fin.* rata (*zapłaty za etap pracy*).

progress report *n.* **1.** *med.* karta choroby. **2.** *admin.* sprawozdanie, raport. **3.** *szkoln.* sprawozdanie z postępów w nauce, wykaz ocen (*np. za semestr*).

prohibit [proʊˈhɪbɪt] *v.* **1.** zakazywać, zabraniać (*czegoś*); **~ sb from doing sth** zakazywać *l.* zabraniać komuś (robienia) czegoś. **2.** uniemożliwiać.

prohibited [proʊˈhɪbɪtɪd] *a. gł. pred.* wzbroniony, zabroniony, zakazany; **smoking is (strictly) ~** palenie (surowo) wzbronione.

prohibition [ˌproʊəˈbɪʃən] *n.* **1.** zakaz (*on/against sth* czegoś); *U* zakaz (*of sth* czegoś). **2.** prohibicja; **P~** *US hist.* Prohibicja.

prohibitionist [ˌproʊəˈbɪʃənɪst] *n.* prohibicjonist-a/ka.

Prohibition Party *n. US hist., polit.* Partia Prohibicyjna.

prohibitive [proʊˈhɪbətɪv] *a.* **1.** wygórowany (*np. o cenach, kosztach*); *ekon.* prohibicyjny (*o cenach, cłach*). **2.** zakazujący.

prohibitively [proʊˈhɪbətɪvlɪ] *adv.* wygórowanie; ~ **expensive** niezwykle kosztowny.

prohibitory [proʊˈhɪbəˌtɔːrɪ] *a.* zakazujący.

project *n.* [ˈprɑːdʒekt] **1.** projekt; plan. **2.** zamierzenie; przedsięwzięcie, inwestycja (*zwł. budowlana*). **3.** *szkoln.* referat (*on sth* na jakiś temat). **4. the** ~ (*także* **housing** ~) *US* osiedle (komunalne) (*dla najuboższych*). – *v.* [prəˈdʒekt] **1.** projektować. **2.** prognozować, przewidywać; planować; **be ~ed** być w planach *l.* planie, być planowanym *l.* zaplanowanym. **3.** wyświetlać (*np. film, przeźrocza*). **4.** wystawać, sterczeć (*np. o gałęzi, drągu*). **5.** *gł. form.* rzucać, wyrzucać, ciskać. **6.** rzucać (*światło, cień*). **7.** *geom., kartogr.* rzutować. **8.** ~ **sth on/onto sb** *psych.* rzutować coś na kogoś, dokonywać projekcji czegoś na kogoś (*np. emocji na terapeutę*). **9.** ~ **an image of sth** stwarzać wrażenie *l.* obraz czegoś; ~ **one's voice** wyrzucać *l.* kierować głos (*o aktorze, mówcy*); ~ **one's voice well** mieć dobrą projekcję głosu; ~ **o.s. as...** dawać się pokazać jako..., kreować się na...; ~ **o.s. into the future/past** przenosić się myślą w przyszłość/przeszłość.

projectile [prəˈdʒektl] *n. wojsk., mech.* pocisk. – *a.* **1.** *mech.* balistyczny, wyrzutowy; ~ **energy/force** energia/siła wyrzutu; ~ **weapon** *wojsk.* pocisk. **2.** *zool.* wysuwalny, wysuwany (*o organie*).

projection [prəˈdʒekʃən] *n.* **1.** prognoza; przewidywanie. **2.** *form.* występ (*skały*). **3.** *U* projekcja (*filmu, przeźroczy*). **4.** *geom., kartogr.* rzut; *U* rzutowanie, projekcja. **5.** *mat.* projekcja. **6.** *U psych.* projekcja (*uczuć*). **7.** *U alchemia* projekcja (= *dodawanie kamienia filozoficznego do metalu w celu uzyskania złota*).

projection booth *n.* (*także Br.* **projection room**) *film* kabina projekcyjna.

projectionist [prəˈdʒekʃənɪst] *n. kino* operator/ka (kinow-y/a).

projection television *n. U* (*także* **projection TV**) *telew.* telewizja projekcyjna *l.* teatralna.

projective [prəˈdʒektɪv] *a.* **1.** *geom.* rzutowy. **2.** *t. psych.* projekcyjny.

projective geometry *n. U geom.* geometria rzutowa.

projective test *n. psych.* test projekcyjny (*np. Rorschacha l. Murraya*).

project manager *n. admin.* kierownik projektu.

projector [prəˈdʒektər] *n. opt.* rzutnik (*do przeźroczy*); projektor, aparat projekcyjny (*filmowy*).

projet [ˌprɔːˈʒe] *n. Fr. polit.* projekt (*porozumienia, układu*).

prokaryon [proʊˈkerɪˌɑːn] *n. biochem.* nukleoid, prokarion.

prokaryote [proʊˈkerɪˌoʊt] *n. biol.* prokariont.

prokaryotic [proʊˌkerɪˈɑːtɪk] *a. biol.* prokariotyczny, bezjądrowy.

prolactin [proʊˈlæktɪn] *n. U biochem.* prolaktyna, laktotropina, hormon luteotropowy.

prolamin [proʊˈlæmɪn] *n. gł. pl. biochem.* prolamina.

prolapse *pat. n.* [ˈproʊlæps] opadnięcie (*np. zastawki serca*); wypadnięcie (*np. macicy*). – *v.* [proʊˈlæps] opadać; wypadać (*o narządzie*).

prolapsed [proʊˈlæps] *a. gł. attr. pat.* opadnięty; wypadnięty.

prolate [ˈproʊleɪt] *a. geol.* wydłużony (*o fragmencie skalnym*).

prole [proʊl] *n. Br. pot.* **1.** *obelż.* robol (= *robotnik*). **2.** *przest.* proletariusz/ka.

proleg [ˈproʊˌleg] *n. ent.* odnóże (odwłokowe) (*gąsienicy*).

prolegomena [ˌproʊlɪˈgɑːmənə] *n. pl. form.* prolegomena.

prolegomenon [ˌproʊlɪˈgɑːməˌnɑːn] *n. sing. od* **prolegomena**.

prolepsis [proʊˈlepsəs] *n. pl.* **prolepses** [proʊˈlepsiːs] *log., ret., gram., jęz.* prolepsis, antycypacja.

proletarian [ˌproʊlɪˈterɪən] *a.* proletariacki. – *n.* proletariusz/ka.

proletariat [ˌproʊlɪˈterɪət] *n. U* **the** ~ proletariat.

pro-life [proʊˈlaɪf] *a.* broniący życia (poczętego) (= *opowiadający się za zakazem aborcji*).

pro-lifer [proʊˈlaɪfər] *a.* obroń-ca/czyni życia (poczętego) (= *przeciwni-k/czka aborcji*).

proliferate [prəˈlɪfəˌreɪt] *v.* **1.** szerzyć się, rozpowszechniać się, rozprzestrzeniać się, mnożyć się; narastać (w sposób niekontrolowany). **2.** *biol.* mnożyć się, namnażać się (*o komórkach*); namnażać, rozmnażać (*komórki*).

proliferation [prəˌlɪfəˈreɪʃən] *n.* **1.** *U l. sing.* szerzenie (się), rozpowszechnianie (się), rozprzestrzenianie (się), proliferacja; (niekontrolowany) wzrost *l.* rozwój; **nuclear** ~ *polit.* rozprzestrzenianie broni jądrowej. **2.** *U biol.* namnażanie (się) (*komórek*), rozrost.

proliferous [prəˈlɪfərəs] *a.* **1.** *bot.* obficie się krzewiący. **2.** *bot.* przybyszowy, produkujący odrośla. **3.** *zool.* rozmnażający się przez pączkowanie, pączkujący.

prolific [prəˈlɪfɪk] *a.* **1.** *biol. l. przen.* płodny (*np. o gatunku, twórcy*). **2.** *lit.* obfity, liczny.

prolificacy [prəˈlɪfəkəsɪ] *n. U form.* płodność.

prolifically [prəˈlɪfɪklɪ] *adv. biol. l. przen.* płodnie.

prolix [ˈproʊlɪks] *a. form.* rozwlekły (*o tekście*).

prolixity [proʊˈlɪksətɪ] *n. U form.* rozwlekłość.

prolixly [ˈproʊlɪkslɪ] *adv. form.* rozwlekle.

prolocutor [proʊˈlɑːkjətər] *n.* **1.** *form.* rzecznik/czka. **2.** *gł. kośc.* przewodniczący (*zwł. niższej izby synodu kościoła anglikańskiego*).

PROLOG [ˈproʊlɔːg], **Prolog** *n. U komp.* Prolog (*język programowania*).

prologue [ˈproʊlɔːg], *US t.* **prolog** *n.* **1.** *teor. lit., muz. l. przen.* prolog (*to sth* do czegoś). **2.** *teatr* prolog (= *aktor wygłaszający ekspozycję dramatu*). – *v.* poprzedzać *l.* opatrywać prologiem (*utwór*).

prolong [prəˈlɔːŋ] *v.* **1.** przedłużać (*np. cierpie-*

nie); przeciągać (*np. zebranie*); ~ **the agony** przedłużać cierpienie; *przen. pot.* męczyć kogoś, kazać komuś czekać. **2.** *fin.* prolongować.

prolongation [ˌproulɔ:ŋ'geɪʃən] *n. C/U* **1.** przedłużenie; wydłużenie. **2.** *fin.* prolongata.

prolonged [prə'lɔ:ŋd] *a. attr.* długotrwały (*np. o chorobie, nieobecności, stosowaniu leku*).

PROM [prɑ:m] *n.* (*także* **PROM memory**) *el., komp.* (pamięć) PROM, pamięć programowalna.

prom [prɑ:m] *n.* **1.** *US i Can. szkoln.* bal (*dla uczniów szkoły średniej l. studentów, zw. na koniec roku*); bal maturalny. **2.** *Br. pot.* = **promenade** *n.* 1. **3.** *Br. pot.* = **promenade concert**.

promenade [ˌprɑ:mə'neɪd] *n.* **1.** *Br.* promenada, deptak (*nad wodą*). **2.** *form.* przechadzka, spacer. **3.** promenada, marsz (= *figura w tańcu*). – *v.* **1.** odbywać przechadzkę *l.* przejażdżkę (po), przechadzać się (po) (*jakimś terenie*). **2.** oprowadzać (*kogoś*). **3.** obnosić się z (*czymś*).

promenade concert *n. Br.* koncert na świeżym powietrzu.

promenade deck *n. żegl.* pokład spacerowy.

promenader [ˌprɑ:mə'nɑ:dər] *n.* spacerowicz/ka.

promethazine [prou'meθəˌzi:n] *n. U med., chem.* prometazyna, diphergan (*lek antyhistaminowy*).

Promethean [prə'mi:θɪən] *a. mit.* prometejski (*t. przen. = twórczy*).

prometheum [prə'mi:θɪəm] *n. U chem.* promet.

Prometheus [prə'mi:θɪəs] *n. mit.* Prometeusz.

prominence ['prɑ:mənəns] *n.* **1.** *U* znaczenie; ważność; **come to/rise to/gain** ~ zdobyć *l.* osiągnąć znaczącą pozycję; zdobyć *l.* zyskać sławę *l.* rozgłos; **give ~ to sth** (*także* **give sth ~**) kłaść nacisk na coś, przywiązywać (duże) znaczenie do czegoś. **2.** *t. geogr.* wzniesienie; występ; wypukłość. **3.** *astron.* protuberancja (*na Słońcu*).

prominent ['prɑ:mənənt] *a.* **1.** wybitny, znany; znaczący; prominentny; ~ **place/position** honorowe miejsce; *przen.* znaczące miejsce; **play a ~ role** odgrywać znaczącą rolę. **2.** widoczny. **3.** wydatny, wyraźnie zarysowany (*o nosie*); wystający, sterczący (*o skale*).

prominently ['prɑ:mənəntlɪ] *adv.* **1.** na widocznym miejscu. **2.** wydatnie. **3. rise ~ above sth** górować nad czymś.

promiscuity [ˌprɑ:mə'skju:ətɪ] *n. U* **1.** swoboda (obyczajowa *l.* seksualna), promiskuityzm, promiskuizm; *uj.* rozwiązłość. **2.** *przest.* melanż, mieszanka.

promiscuous [prə'mɪskjuəs] *a.* **1.** mający wielu partnerów; swobodny obyczajowo; *uj.* rozwiązły (*o osobie, zachowaniu*). **2.** *form.* przypadkowy (*o działaniu*). **3.** *przest.* bezprzykładny, ślepy (*np. o okrucieństwach, morderstwach*). **4.** *przest.* poplątany.

promiscuously [prə'mɪskjuəslɪ] *adv.* ze swobodą; *uj.* rozwiąźle.

promise ['prɑ:məs] *n.* **1.** obietnica, przyrzeczenie, słowo (*of sth / to do sth* czegoś, *that* że); **break a ~** złamać obietnicę *l.* przyrzeczenie; **keep a ~** dotrzymać słowa *l.* obietnicy *l.* przyrzeczenia; **make a ~** dawać słowo, przyrzekać, składać obietnicę; **that's a ~!** słowo (honoru)! **2.** *U* zapowiedź; zadatki; nadzieja; **of (great) ~** (bardzo) dobrze się zapowiadający; **show ~** dobrze się zapowiadać, rokować nadzieje; **show ~ as sth** mieć zadatki na kogoś (*np. na dobrego gracza, sportowca, naukowca*). – *v.* **1.** obiecywać, przyrzekać (*sb sth / sth to sb* komuś coś, *(sb) that* (komuś), że, *(sb) to do sth* (komuś) coś zrobić); **~?** obiecujesz?, słowo?; **~ sb the moon/earth** obiecywać komuś gwiazdkę z nieba; **as ~ed** zgodnie z obietnicą; **I ~ you** daję ci słowo, zaręczam ci (*t.* = *ostrzegam*); **I can't ~ anything** nie mogę nic obiecać. **2.** zapowiadać się (*np. o dniu, pogodzie*); **~ to be interesting/controversial** zapowiadać się ciekawie/kontrowersyjnie; **~ well** dobrze się zapowiadać. **3.** zapowiadać, zwiastować (*np. burzę*). **4.** *przest.* obiecywać za żonę.

Promised Land [ˌprɑ:məst 'lænd], **promised land** *n. sing. Bibl. l. przen.* ziemia obiecana.

promisee [ˌprɑ:mə'si:] *n.* **1.** *form.* osoba otrzymująca obietnicę. **2.** *fin.* wierzyciel/ka.

promiser ['prɑ:məsər] *n. form.* obiecując-y/a, promitent/ka.

promising ['prɑ:məsɪŋ] *a.* obiecujący; dobrze się zapowiadający.

promisingly ['prɑ:məsɪŋlɪ] *adv.* obiecująco.

promissory ['prɑ:məˌsɔ:rɪ] *a.* **1.** obiecujący; zawierający obietnicę. **2.** *ubezp.* określający warunki ubezpieczenia.

promissory note *n. fin.* skrypt dłużny.

promo ['proumou] *n. i a. attr. pot.* (film *l.* materiał) promocyjny *l.* reklamowy.

promontory ['prɑ:mənˌtɔ:rɪ] *n. pl.* **-ies** **1.** *geogr.* przylądek, cypel. **2.** *anat.* wzgórek.

promote [prə'mout] *v.* **1.** awansować (*pracownika*) (*to...* na (stanowisko)...); **be ~d** awansować (*o pracowniku, drużynie ligowej*). **2.** *gł. handl.* promować, lansować (*nowy produkt*). **3.** promować, wspierać (*działania, współpracę*); przyczyniać się do (*np. pokoju na świecie*). **4.** *szkoln.* promować (*ucznia*), dawać promocję (*uczniowi*). **5.** patronować (*imprezie*). **6.** *szachy, warcaby* promować (*pionek*).

promoter [prə'moutər] *n.* **1.** organizator/ka; patron/ka (*imprezy*). **2.** propagator/ka. **3.** *ekon.* założyciel/ka. **4.** *chem., biochem.* promotor, aktywator.

promotion [prə'mouʃən] *n.* **1.** *C/U* awans (*pracownika, drużyny ligowej*); ~ **prospects** szanse *l.* widoki na awans; **get ~** dostać awans. **2.** *U* wspieranie, propagowanie (*np. pokoju, działań, równouprawnienia*). **3.** *C/U gł. handl.* promocja; reklama. **4.** *szachy, warcaby* promocja (*pionka*).

promotional [prə'mouʃənl] *a. gł. handl.* promocyjny; reklamowy.

promotive [prə'moutɪv] *a. form.* promujący, wspierający.

prompt [prɑ:mpt] *a.* **1.** niezwłoczny, bezzwłoczny, natychmiastowy (*o działaniu*). **2.** punktualny, na czas. **3.** gotowy do działania. **4. ~ cash** *handl.* płatne gotówką od ręki. – *adv. pot.* punkt, równo, punktualnie; **at 2 ~** punkt o drugiej. – *v.* **1.** zachęcać, pobudzać (*sb to do sth* kogoś do (zrobienia) czegoś); skłaniać do (*czegoś*). **2.** wywoływać, pobudzać, budzić (*uczucia, myśli*). **3.** podpowiadać (*mówcy*); *teatr* suflerować (*aktorowi*). – *n.* **1.** podpowiedź (*t. teatr – suflera*); przypomnienie. **2.** *komp.* podpowiedź (programowa). **3.** (*także* **command ~, ~ character**) *komp.* znak zgłoszenia *l.* zachęty. **4.** *handl.* termin płatności.

prompt book *n.* (*także* **prompt script**) *teatr* egzemplarz suflerski.

prompt box *n.* *teatr* budka suflera.

prompter [ˈprɑːmptər] *n.* *teatr* sufler/ka.

promptitude [ˈprɑːmptəˌtuːd] *n.* *U form.* **1.** punktualność. **2.** natychmiastowość.

promptly [ˈprɑːmptlɪ] *adv.* **1.** zaraz, natychmiast; niezwłocznie, bezzwłocznie, bez zwłoki. **2.** punktualnie.

promptness [ˈprɑːmptnəs] *n.* *U* **1.** punktualność. **2.** natychmiastowość.

prompt note *n.* *handl.* przypomnienie o terminie płatności.

prompt script *n.* *teatr* = **prompt book.**

prompt side *n.* *teatr* strona suflerska (sceny) (*US prawa, Br. lewa patrząc od strony aktorów*).

proms [prɑːmz] *n. pl.* **the ~** *Br.* seria koncertów na świeżym powietrzu.

promulgate [ˈprɑːmlˌgeɪt] *v. form.* **1.** obwieszczać. **2.** rozgłaszać, głosić; wieścić.

promulgation [ˌprɑːmlˈgeɪʃən] *n.* *U* **1.** obwieszczanie, ogłaszanie. **2.** rozgłaszanie, głoszenie.

pron. *abbr.* **1.** *gram.* = **pronoun.** **2. pronounced** wym. (= *wymawiaj*). **3. pronunciation** wym. (= *wymowa*).

pronate [ˈprouneɪt] *n. fizj.* nawracać (*dłoń, stopę*); odwracać *l.* ustawiać grzbietem do góry (*dłoń*); obciążać wewnętrzną krawędź (*stopy*).

pronation [ˈprouneɪʃən] *n.* *U fizj.* nawracanie, pronacja.

pronator [ˈprouneɪtər] *n.* *anat.* mięsień nawrotny, pronator.

prone [proun] *a.* **1. ~ to sth** podatny na coś, wrażliwy na coś (*np. na chorobę*); **~ to anger** łatwo wpadający w złość; **~ to do sth** skłonny do (robienia) czegoś; **be ~ to do sth** mieć skłonność do (robienia) czegoś *l.* ku czemuś; **be accident-~** często ulegać wypadkom. **2.** *form.* twarzą w dół (*o pozycji*); leżący na brzuchu *l.* twarzą w dół (*o osobie*). **3.** pochyły, nachylony, spadzisty.

proneness [ˈprounnəs] *n.* *U* **1.** podatność, wrażliwość (*to sth* na coś). **2.** skłonność, tendencja (*to sth* do czegoś).

prong [prɔːŋ] *n.* **1.** ząb (*widelca, wideł*). **2.** *US sl.* lacha, fujara (= *członek*). – *v.* kłuć; przekłuwać; nakłuwać.

pronged [prɔːŋd] *a. w złoż.* **1.** z zębami; **two-/three-~** z dwoma/trzema zębami. **2. three-~ attack** *wojsk. l. przen.* atak z trzech stron *l.* frontów.

pronghorn [ˈprɔːŋˌhɔːrn] *n.* (*także* **~ antelope**) *zool.* antylopa widłoroga, widłoróg (*Antilocapra americana*).

pronominal [prouˈnɑːmənl] *a.* *gram.* zaimkowy.

pronoun [ˈprouˌnaun] *n.* *gram.* zaimek; **demonstrative/personal/reflexive/relative ~** zaimek wskazujący/osobowy/zwrotny/względny.

pronounce [prəˈnauns] *v.* **1.** wymawiać (*słowo, nazwisko, dźwięk*). **2.** ogłaszać; uznawać (oficjalnie); **~ sb/sth (to be) sth** ogłosić kogoś/coś czymś; uznać kogoś/coś za coś; **he was ~d dead** uznano go (oficjalnie) za zmarłego. **3.** *prawn.* wydawać werdykt, orzekać (*on sth* w jakiejś sprawie, *against sb* przeciwko komuś); **~ sentence** wydać wyrok. **4.** *fon.* przedstawiać *l.* podawać wymowę (*słowa*), transkrybować. **5. ~ on/upon sth** wypowiadać się na temat czegoś, wygłaszać sąd *l.* zdanie na temat czegoś (*zwł. bez znajomości tematu*).

pronounceable [prəˈnaunsəbl] *a.* łatwy *l.* możliwy do wymówienia, dający się wymówić.

pronounced [prəˈnaunst] *a.* **1.** wyraźny (*np. o obcym akcencie*). **2.** zdecydowany, wyrazisty (*np. o poglądach*).

pronouncedly [prəˈnaunsɪdlɪ] *a.* **1.** wyraźnie. **2.** zdecydowanie.

pronouncement [prəˈnaunsmənt] *n.* *form.* oświadczenie, wypowiedź; *prawn.* orzeczenie.

pronto [ˈprɑːntou] *adv. pot.* raz-dwa, migiem.

pronunciation [prəˌnʌnsɪˈeɪʃən] *n.* *C/U* wymowa.

proof [pruːf] *n.* **1.** *C/U t. mat., log.* dowód (*of sth* czegoś l. na coś, *that* że); **~ positive** niepodważalny *l.* ostateczny dowód; **conclusive ~** ostateczny dowód, dowód ponad wszelką wątpliwość, dowód niepozostawiający *l.* niebudzący wątpliwości. **2.** próba; **put sth to the ~** poddawać coś próbie. **3.** *druk.* odbitka korektowa *l.* próbna, korekta, wydruk próbny *l.* do korekty. **4.** *gł. hist., handl.* próba alkoholu, stopień zawartości alkoholu. **5.** *t. fot., sztuka* odbitka (próbna) (*np. grafiki, zdjęcia, monety*). **6. the ~ of the pudding (is in the eating)** *przen.* wszystko się okaże (w praniu). – *a.* **1.** *zw. w złoż.* odporny (*against sth* na coś); **bullet~** kuloodporny; **water~** wodoodporny. **2. be 70° ~** *handl.* mieć 70° w skali „proof" (*o napoju alkoholowym*). – *v. zw. pass.* **1.** zabezpieczać (*sth against sth* coś przed czymś); impregnować (*tkaninę*). **2.** *t. druk.* dokonywać korekty, robić korektę (*książki, tekstu*). **3.** *t. fot., sztuka* wykonywać (próbną) odbitkę (*zdjęcia, grafiki*). **4.** *kulin.* zalewać (*drożdże*).

proofread *v. pret. i pp.* **-read** [ˈpruːfˌred] dokonywać korekty, robić korektę (*tekstu*).

proofreader [ˈpruːfˌriːdər] *n.* korektor/ka.

proofreading [ˈpruːfˌriːdɪŋ] *n.* *U* korekta (*tekstu*).

proof spirit *n.* *U* wzorcowy roztwór alkoholu (= *mający 100 stopni w skali „proof", czyli US 50% obj. w temp. 15,6°C, Br. i Can. 57% obj. w temp. 10,6°C*).

Prop [prɑːp] *n.* *US polit. pot.* = **proposition** *n.* 5.

prop [prɑːp] *v.* **-pp- ~ (up)** *t. przen.* podpierać, wspierać; wspomagać; **~ o.s. up (against sth)** wspierać się (o coś *l.* na czymś), podpierać się (czymś); **~ped up** wsparty, oparty, podparty (*against / by sth* na czymś) (*np. na lasce, podusz-*

kach); ~ **the window open with sth** zablokować czymś okno (*żeby się nie zamykało*). – *n.* **1.** *t. przen.* podpora, wsparcie. **2.** *teatr, film* rekwizyt. **3.** *rugby* filar młyna. **4.** *pot.* = **propeller** 1, 2.

prop. *abbr.* **1.** = **property**. **2.** = **proper**; = **properly**. **3.** *mat., log.* = **proposition**.

propaedeutic [ˌproʊpɪˈduːtɪk] *a. szkoln. form.* propedeutyczny.

propaedeutics [ˌproʊpɪˈduːtɪks] *n. pl. szkoln. form.* propedeutyka.

propaganda [ˌprɑːpəˈgændə] *n. U gł. polit.* propaganda.

propaganda campaign *n. polit.* kampania propagandowa.

propagandism [ˌprɑːpəˈgændˌɪzəm] *n. U form.* propagandowość.

propagandist [ˌprɑːpəˈgændɪst] *n. form.* propagandyst-a/ka, propagandzist-a/ka. – *a. gł. polit.* propagandowy.

propagandize [ˌprɑːpəˈgændaɪz], *Br. i Austr. zw.* **propagandise** *v. polit.* **1.** propagować (*coś*). **2.** uprawiać *l.* szerzyć propagandę.

propagate [ˈprɑːpəˌgeɪt] *v.* **1.** *biol., ogr.* rozmnażać (*zwierzęta, rośliny*); (*także* ~ **itself**) rozmnażać się. **2.** *form.* propagować (*np. idee*); kultywować, przekazywać (*np. tradycje, zwyczaje*); *biol.* przekazywać (*cechy*). **3.** *fiz.* rozprzestrzeniać się, rozchodzić się (*o falach*); propagować, przenosić (*fale, drgania*).

propagation [ˌprɑːpəˈgeɪʃən] *n. U* **1.** *biol., ogr.* rozmnażanie (się). **2.** *gł. form.* propagowanie, kultywacja, szerzenie (*wiary, obyczajów*). **3.** *fiz.* propagacja, rozchodzenie się (*fal*).

propagator [ˈprɑːpəˌgeɪtər] *n.* **1.** propagator/ka. **2.** *ogr.* skrzynka rozsadowa.

propane [ˈproʊpeɪn] *n. U chem.* propan.

propel [prəˈpel] *v.* **-ll- 1.** *mech.* napędzać, wprawiać w ruch. **2.** *przen.* popychać (*np. do działania, wojny*).

propellant [prəˈpelənt], **propellent** *n. C/U* **1.** *mech.* czynnik napędzajacy, materiał napędowy. **2.** *techn.* gaz pędny, propelent (*w aerozolach*). **3.** *wojsk.* materiał wybuchowy *l.* miotający (*nadający prędkość pociskowi*). – *a.* napędzający; napędowy.

propeller [prəˈpelər] *n.* **1.** *lotn.* śmigło. **2.** *żegl.* śruba. **3.** *żegl., mech.* pędnik (= *śruba, wiosło, żagiel, rotor l. koło łopatkowe*).

propeller shaft *n. mech.* **1.** *mot., żegl.* wał napędowy. **2.** *lotn.* wał śmigła.

propelling pencil *n. Br. i Austr.* ołówek automatyczny.

propensity [prəˈpensətɪ] *n. pl.* **-ies** *form.* skłonność (*to sth* do czegoś, *for (doing) sth* do (robienia) czegoś).

proper [ˈprɑːpər] *a.* **1.** *attr.* właściwy, odpowiedni (*np. o miejscu*). **2.** stosowny, odpowiedni; prawidłowy; **it's only (right and)** ~ **that sb (should) do sth** byłoby stosownym, żeby ktoś coś zrobił, wypada, żeby ktoś coś zrobił. **3.** *attr. Br.* porządny, normalny; prawdziwy; **get a** ~ **job** znaleźć (sobie) porządną pracę. **4.** *po n.* w ścisłym tego słowa znaczeniu, prawdziwy; **independence** ~ niepodległość w ścisłym tego słowa znaczeniu, prawdziwa niepodległość. **5.** *po n.* sam; **in the city** ~ w samym mieście. **6.** *gł. Br. pot.* kompletny, zupełny, skończony; ~ **idiot** kompletn-y/a idiot-a/ka. **7.** *gł. uj.* przyzwoity (do przesady). **8.** *attr.* własny (*np. o nazwach*). **9.** *kość.* świąteczny (*o obrządku*). – *adv. pot. Br.* porządnie; **good and** ~ na dobre, porządnie. – *n.* (*także* **P~**) *kość.* obrządek świąteczny.

proper fraction *n. mat.* ułamek właściwy.

properly [ˈprɑːpərlɪ] *adv.* **1.** właściwie, odpowiednio. **2.** prawidłowo; stosownie, należycie. **3.** *t. pot.* porządnie; przyzwoicie. **4.** *gł. Br. pot.* całkowicie, zupełnie. **5.** słusznie; **perfectly/quite/very** ~ zupełnie słusznie, jak najzupełniej słusznie. **6.** ~ **speaking** *gł. Br.* prawdę mówiąc.

proper noun *n.* (*także* **proper name**) *gram.* nazwa własna.

proper subset *n. mat.* podzbiór właściwy.

propertied [ˈprɑːpərtɪd] *a. attr. ekon.* posiadający (*o klasie*).

property [ˈprɑːpərtɪ] *n. pl.* **-ies 1.** *U* własność, dobra, własności; rzeczy; **personal/private** ~ własność osobista/prywatna; **stolen** ~ rzeczy kradzione; *prawn.* skradzione dobra. **2.** nieruchomość; *U* nieruchomości. **3.** własność, właściwość, cecha. **4.** *teatr, form.* rekwizyt. **5. it's common** ~ **that...** *pot.* wszyscy wiedzą, że..., powszechnie wiadomo, że...; **a man of** ~ *form.* człowiek majętny.

property damage insurance *n. C/U ubezp.* ubezpieczenie od szkód materialnych; *mot.* autocasco, (ubezpieczenie) AC.

property developer *n.* = **developer** 1.

property tax *n. C/U fin.* podatek od nieruchomości; podatek majątkowy.

prophecy [ˈprɑːfəsɪ], *US t.* **prophesy** *n. pl.* **-ies** *C/U* proroctwo, przepowiednia.

prophesy [ˈprɑːfəˌsaɪ] *v.* **-ied, -ying** *t. rel.* przepowiadać; prorokować (*that...* że...).

prophet [ˈprɑːfət] *n.* **1.** *t. rel.* prorok/ini. **2.** orędowni-k/czka (*of sth* czegoś). **3.** *przen.* ~ **of doom/disaster** czarnowidz, pesymist-a/ka; **a** ~ **is not without honor save in his own country** *przest.* nikt nie jest prorokiem we własnym kraju.

prophetess [ˈprɑːfətəs] *n.* prorokini.

prophetic [prəˈfetɪk], **prophetical** [prəˈfetɪkl] *a.* proroczy.

prophetically [prəˈfetɪklɪ] *adv.* proroczo.

prophy [ˈproʊfɪ] *n. pl.* **-ies** *US przest. pot.* gumka (= *prezerwatywa*).

prophylactic [ˌproʊfəˈlæktɪk] *gł. med. a. form.* profilaktyczny, zapobiegawczy. – *n.* **1.** środek profilaktyczny *l.* zapobiegawczy. **2.** *gł. US* prezerwatywa.

prophylaxis [ˌproʊfəˈlæksɪs] *n. U gł. med.* profilaktyka, zapobieganie.

propinquity [prəˈpɪŋkwətɪ] *n. form.* **1.** bliskość. **2.** *t. przen.* (bliskie) pokrewieństwo, powinowactwo.

propionic acid [ˌproʊpɪˌɑːnɪk ˈæsɪd] *n. U chem.* kwas propionowy.

propitiate [proʊˈpɪʃɪˌeɪt] *v. form.* ułagodzić, ubłagać, przebłagać; zjednać sobie.

propitiation [proʊˌpɪʃɪˈeɪʃən] *n. U form.* **1.** ułagodzenie, przebłaganie. **2.** zjednanie (sobie). **3.** *rel.* ofiara przebłagalna.

propitiatory [proʊ'pɪʃɪəˌtɔ:rɪ] *a. form.* **1.** pojednawczy. **2.** błagalny.

propitious [prə'pɪʃəs] *a. form.* **1.** pomyślny, sprzyjający (*to sth* czemuś). **2.** przychylny, życzliwy, łaskawy.

propitiously [prə'pɪʃəslɪ] *adv. form.* **1.** pomyślnie. **2.** przychylnie, życzliwie.

propjet ['prɑ:pˌdʒet] *lotn. n.* **1.** samolot turbośmigłowy. **2.** napęd turbośmigłowy; silnik turbośmigłowy. – *a. attr.* turbośmigłowy.

propman ['prɑ:pˌmæn] *n. pl.* **-men** *teatr, telew.* rekwizytor.

propolis ['prɑ:pəlɪs] *n. U biochem.* kit pszczeli, propolis.

proponent [prə'poʊnənt] *n.* **1.** zwolenni-k/czka, rzeczni-k/czka (*of sth* czegoś). **2.** autor/ka (*np. wniosku, teorii, propozycji*); pomysłodawca/czyni, wnioskodaw-ca/czyni (*of sth* czegoś).

proportion [prə'pɔ:rʃən] *n. C/U* **1.** stosunek, proporcja (*of sth to sth* czegoś do czegoś); relacja; odsetek, udział, część (*of sth* czegoś); liczba, ilość, wielkość. **2.** *pl.* rozmiary; **of catastrophic/crisis ~s** katastrofalnych rozmiarów (*o tragedii*); **of huge/massive ~s** olbrzymich rozmiarów (*o długu*). **3. blow/get sth out of (all) ~** wyolbrzymiać coś, demonizować coś; **in ~ (to/with sth)** proporcjonalnie (do czegoś); we właściwej relacji (do czegoś); **in ~ to sth** w stosunku do czegoś; **in direct/inverse ~ to sth** *gł. mat.* wprost/odwrotnie proporcjonalnie do czegoś; **keep things in ~** zachowywać umiar *l.* równowagę, nie przesadzać; **out of (all) ~ (to/with sth)** (zupełnie) nieproporcjonalny (do czegoś), niewspółmierny (do czegoś); **sense of ~** wyczucie, równowaga; umiar, umiarkowanie; wyczucie proporcji (*u artysty*). – *v.* zachowywać proporcje między (*elementami czegoś*); dostosować (*sth to sth* coś do czegoś).

proportionable [prə'pɔ:rʃənəbl] *a. form.* proporcjonalny.

proportional [prə'pɔ:rʃənl] *a.* proporcjonalny (*to sth* do czegoś); **directly/inversely ~ to sth** *gł. mat.* wprost/odwrotnie proporcjonalny do czegoś. – *n. mat.* proporcjonalna.

proportionally [prə'pɔ:rʃənlɪ] *adv.* proporcjonalnie.

proportional representation *n. U* (*także* **PR**) *parl.* reprezentacja proporcjonalna.

proportional tax *n. U fin.* podatek proporcjonalny.

proportionate *a.* [prə'pɔ:rʃənət] proporcjonalny. – *v.* [prə'pɔ:rʃəneɪt] nadawać *l.* przywracać proporcje (*czemuś*).

proportionately [prə'pɔ:rʃənətlɪ] *adv.* proporcjonalnie.

proportioned [prə'pɔ:rʃənd] *a. form.* ukształtowany; **badly ~** nieproporcjonalny; **beautifully/well ~** o pięknych/dobrych proporcjach; **generously ~** *euf.* słusznych rozmiarów (*o ciele, osobie*).

proposal [prə'poʊzl] *n. C/U* **1.** propozycja (*to do sth/that sth be done* żeby coś zrobić); **indecent ~** nieprzystojna *l.* nieprzyzwoita propozycja. **2.** oświadczyny.

propose [prə'poʊz] *v.* **1.** proponować (*działanie, kandydata na stanowisko*); zgłaszać, składać (*wniosek, ofertę*); składać propozycję (*to do sth* zrobienia czegoś); **~ that...** zaproponować, że...; zaproponować, żeby...; **~ a motion** *form.* zgłaszać wniosek. **2.** (*także* **~ marriage**) oświadczać się (*to sb* komuś). **3.** przedkładać (*projekt do rozpatrzenia*). **4.** postulować (*o naukowcu, teorii*). **5.** *form. zwł. iron.* zamierzać; **how do you ~ to do that?** jak zamierzasz to zrobić? **6. ~ a toast (to sb's health/to sb)** wznosić toast (za czyjeś zdrowie); **man ~s, God disposes** *przest.* człowiek strzela, Pan Bóg kule nosi.

proposed [prə'poʊzd] *a. attr.* proponowany (*o zmianie, planie, kandydacie*).

proposita [proʊ'pɑ:zətə] *n. pl.* **propositae** [proʊ'pɑ:zəti:] **1.** *med., pat.* probantka (= *pierwsza członkini rodziny, u której wykryto chorobę dziedziczną*). **2.** *prawn.* zainteresowana. **3.** *prawn.* protoplastka.

proposition [ˌprɑ:pə'zɪʃən] *n.* **1.** twierdzenie (*that... że...*). **2.** propozycja. **3.** *euf.* propozycja (*seksualna*); **make sb a ~** złożyć komuś propozycję. **4.** *pot.* sprawa; **a tough ~** trudna *l.* ciężka sprawa. **5.** (*także* **P~**) *US* propozycja (*do przegłosowania przez wyborców danego okręgu*). **6.** *mat.* teza; *log.* założenie. **7.** *log.* zdanie logiczne. – *v.* **1.** *pot. euf.* czynić propozycje (seksualne) (*komuś*). **2.** składać ofertę *l.* propozycję (*komuś*).

propositional [ˌprɑ:pə'zɪʃənl] *a. log.* zdaniowy; **~ calculus** rachunek zdań; **~ function** funkcja zdaniowa.

propositus [prə'pɑ:zətəs] *n. pl.* **propositi** [prə'pɑ:zətaɪ] **1.** *med., pat.* probant (= *pierwszy członek rodziny, u którego wykryto chorobę dziedziczną*). **2.** *prawn.* zainteresowany. **3.** *prawn.* protoplasta.

propound [prə'paʊnd] *v. form.* przedkładać, wysuwać, poddawać pod rozwagę *l.* dyskusję.

proprietary [prə'praɪɪˌterɪ] *a. form.* **1.** *handl., prawn.* markowy (*o towarze, zwł. leku; = z chronionym prawem wyłączności*); (prawnie) zastrzeżony. **2.** władczy, zaborczy (*np. o geście, tonie*). **3.** dotyczący własności; **~ rights** *prawn.* prawa własności. **4.** stanowiący własność, będący własnością; własny. – *n. pl.* **-ies** *form.* **1.** prawo własności; własność. **2.** *handl., med.* lek markowy. **3.** właściciel/ka, właściciele. **4.** *hist.* właściciel kolonii tytularnej.

proprietary class *n. ekon., form.* klasa posiadająca.

proprietary colony *n. pl.* **-ies** *hist.* kolonia tytularna (*z nadania królewskiego*).

proprietary name *n. handl.* nazwa firmowa *l.* zastrzeżona.

proprietary product *n. handl.* produkt firmowy *l.* zastrzeżony.

proprietor [prə'praɪɪtər] *n. form.* **1.** *gł. prawn.* właściciel/ka; (*także* **joint ~**) współwłaściciel/ka. **2.** gospodarz. **3.** *hist.* właściciel kolonii tytularnej.

proprietorial [prəˌpraɪˈtɔːrɪəl] *a.* dotyczący własności.

proprietorship [prəˈpraɪtərˌʃɪp] *n. U form. gł. prawn.* własność; prawo własności.

proprietress [prəˈpraɪtrəs] *n. przest.* właścicielka.

propriety [prəˈpraɪətɪ] *n. pl.* **-ies** *form.* **1.** *U l. sing.* przyzwoitość; moralność. **2. the proprieties** zasady przyzwoitości.

proprioceptor [ˌproʊprɪəˈseptər] *n. fizj.* proprioreceptor.

proproom [ˈprɑːpˌruːm] *n. teatr* rekwizytornia.

propulsion [prəˈpʌlʃən] *n. U mech., techn.* napęd; **jet ~** napęd odrzutowy.

propulsive [prəˈpʌlsɪv] *a. mech.* napędowy.

propyl [ˈproʊpɪl] *n. chem.* propyl, grupa propylowa.

propylaeum [ˌprɑːpɪˈliːəm] *n. pl.* **propylaea** [ˌprɑːpɪˈliːə] *bud.* propyleje.

propyl alcohol *n. U chem.* alkohol propylowy, propanol.

pro rata [ˌproʊ ˈreɪtə] *a. i adv. Lat. fin.* pro rata, według stawki (*wypłacać, naliczać*).

prorate [ˌproʊˈreɪt] *v. gł. US i Can. fin.* naliczać *l.* obliczać według stawki (*należność, płatność*).

prorogation [ˌprɔːrəˈgeɪʃən] *n. U parl.* odroczenie.

prorogue [proʊˈroʊg] *v. parl.* odraczać (*sesję parlamentu*).

pros [proʊz] *n. pl.* **the ~ and cons** *zob.* **pro**[2] *n.*

prosaic [proʊˈzeɪɪk], **prosaical** [proʊˈzeɪɪkl] *a.* **1.** prozaiczny. **2.** prozatorski.

prosaically [proʊˈzeɪɪklɪ] *adv.* prozaicznie.

prosaist [ˈproʊzeɪɪst] *n. teor. lit.* prozai-k/czka.

Pros. Atty. *abbr.* **Prosecuting Attorney** *US prawn.* prok. (= *prokurator*).

proscenium [proʊˈsiːnɪəm] *n. pl.* **-s** *l.* **proscenia** [proʊˈsiːnɪə] *teatr* proscenium.

prosciutto [proʊˈʃuːtoʊ] *n. U It. kulin.* szynka wędzona surowa.

proscribe [proʊˈskraɪb] *v. form.* **1.** zakazywać (oficjalnie) (*czegoś*). **2.** potępiać (*coś*). **3.** wydalać (*kogoś*). **4.** *hist.* proskrybować (= *wyjąć spod prawa*).

proscription [proʊˈskrɪpʃən] *n. C/U* **1.** zakaz. **2.** potępienie. **3.** banicja. **4.** *hist.* proskrypcja.

prose [proʊz] *n.* **1.** *U t. teor. lit.* proza. **2.** *Br. szkoln.* tłumaczenie na język obcy (*jako ćwiczenie*). **3.** *rz.-kat.* sekwencja (= *hymn w czasie mszy*). – *a. attr.* **1.** *teor. lit.* prozatorski; **~ poem** poemat prozą; **~ writer** prozai-k/czka. **2.** prozaiczny. – *v.* **1.** wyrażać prozą. **2.** nudzić (*about sth* o czymś).

prosector [proʊˈsektər] *n. med.* prosektor.

prosecute [ˈprɑːsəˌkjuːt] *v.* **1.** *prawn.* podawać do sądu, zaskarżać, ścigać (sądownie) (*sb for sth* kogoś za coś); wnosić oskarżenie przeciwko (*komuś*); dochodzić sądownie (*czegoś*); wnosić sprawę do sądu. **2.** *prawn.* występować w charakterze oskarżyciela; oskarżać. **3.** *form.* prowadzić (dalej), kontynuować (*działania wojenne*). **4.** *form.* trudnić się (*np. badaniami, handlem*); prowadzić (*działalność*).

prosecuting attorney [ˌprɑːsəˌkjuːtɪŋ əˈtɜːnɪ] *n. US prawn.* prokurator, oskarżyciel publiczny.

prosecution [ˌprɑːsəˈkjuːʃən] *n.* **1.** *C/U prawn.* oskarżenie; ściganie sądowe; **the ~** oskarżenie (= *prokurator*); **witness for the ~** świadek oskarżenia; **Director of Public P~s** *Br.* prokurator generalny. **2.** *U form.* wykonywanie (*obowiązków*); prowadzenie, kontynuacja (*działalności*).

prosecutor [ˈprɑːsəˌkjuːtər] *n. prawn.* oskarżyciel/ka, prokurator/ka; **public ~** oskarżyciel publiczny, prokurator.

proselyte [ˈprɑːsəˌlaɪt] *form. t. rel. n.* prozelit-a/ka, nawrócon-y/a. – *v. rzad.* = **proselytize**.

proselytism [ˈprɑːsəlɪˌtɪzəm] *n. U form. t. rel.* prozelityzm.

proselytize [ˈprɑːsəlɪˌtaɪz], *Br. i Austr. zw.* **proselytise** *v. form. t. rel., polit. gł. uj.* nawracać (*na wiarę, przekonanie*), agitować.

proselytizer [ˈprɑːsəlɪˌtaɪzər], *Br. i Austr. zw.* **proselytiser** *n. form. t. rel., polit. gł. uj.* agitator/ka.

proseminar [proʊˈsemɪnɑːr] *n. uniw.* proseminarium.

prosimian [proʊˈsɪmɪən] *n. zool.* małpiatka.

proslavery [proʊˈsleɪvərɪ] *a. attr.* opowiadający się za niewolnictwem.

prosodic [prəˈsɑːdɪk], **prosodical** [prəˈsɑːdɪkl] *a. jęz., wers.* prozodyczny; prozodyjny.

prosody [ˈprɑːsədɪ] *n. C/U pl.* **-ies** *wers., jęz.* prozodia.

prosopopeia [ˌprɑːsəpəˈpiːɪ] *n. ret.* prozopopeja.

prospect [ˈprɑːspekt] *n.* **1.** *C/U* perspektywa (*t. dosł.* = *widok, panorama*) (*for/of sth* czegoś); widok, szansa (*for/of sth* na coś); *pl.* widoki na przyszłość; **in ~** *form.* w (niedalekiej) perspektywie; **every ~ of sth** duże szanse na coś. **2.** nadzieja, kandydat/ka rokując-y/a nadzieje. **3.** *handl.* potencjaln-y/a klient/ka. **4.** *górn.* (prawdopodobne) złoże; lokalizacja złoża; wydajność złoża. – *v. t. górn.* **1.** poszukiwać (*for sth* czegoś) (*np. złota, ropy, okazji do zrobienia interesów*); przeszukiwać (*sth for sth* coś w poszukiwaniu czegoś). **2.** *górn.* eksploatować próbnie (*złoże, kopalnię*).

prospecting [ˈprɑːspektɪŋ] *n. U górn.* prace poszukiwawcze, poszukiwanie; **gold ~** (*także* **~ for gold**) poszukiwanie złota.

prospective [prəˈspektɪv] *a. attr.* potencjalny; ewentualny; przyszły; **~ buyer/customer** *handl.* potencjalny nabywca/klient.

prospector [ˈprɑːspektər] *a. górn.* poszukiwacz/ka; **gold/oil ~** poszukiwacz/ka złota/ropy.

prospectus [prəˈspektəs] *n.* **1.** broszura informacyjna, ulotka informacyjna, prospekt. **2.** *Br. uniw.* informator uczelni, katalog zajęć *l.* kursów.

prosper [ˈprɑːspər] *v.* **1.** prosperować, kwitnąć. **2.** *arch.* przyczyniać się do sukcesu (*czegoś*).

prosperity [prɑːˈsperətɪ] *n. U* dobrobyt; rozkwit; *ekon.* prosperita, (dobra) koniunktura; **peace and ~** pokój i dobrobyt.

prosperous [ˈprɑːspərəs] *a.* **1.** (dobrze) prosperujący (*o przedsiębiorstwie*); kwitnący (*o gospo-*

darce). **2.** zamożny (*o osobie, regionie*). **3.** szczęśliwy, pomyślny, pełen sukcesów (*zwł. w życzeniach*).

prosperously [ˈprɑːspərəslɪ] *adv.* z powodzeniem; pomyślnie.

pross [prɑːs], **prossie** [ˈprɑːsɪ] *n. sl.* mewka (= *prostytutka*).

prostaglandin [ˌprɑːstəˈglændɪn] *n. zw. pl. biochem.* prostaglandyna.

prostate [ˈprɑːsteɪt] *n.* (*także* ~ **gland**) *anat.* prostata, stercz, gruczoł krokowy.

prostate cancer *n. U pat.* rak prostaty.

prostatectomy [ˌprɑːstəˈtektəmɪ] *n. C/U pl.* **-ies** *chir.* wycięcie stercza, prostatektomia.

prostatism [ˈprɑːstəˌtɪzəm] *n. U pat.* objawy ze strony prostaty (*zwł. spowodowane przerostem l. zapaleniem prostaty*).

prosthesis [ˌprɑːsˈθiːsɪs] *n. pl.* **prostheses** [ˌprɑːsˈθiːsiːz] **1.** *med., dent.* proteza. **2.** *jęz.* = **prothesis**.

prosthetic [ˌprɑːsˈθetɪk] *a. chir., med.* protezowy, prostetyczny.

prosthetic group *n. biochem.* grupa prostetyczna.

prosthodontic [ˌprɑːsθəˈdɑːntɪk] *n. dent.* protetyczny (*o leczeniu*).

prosthodontics [ˌprɑːsθəˈdɑːntɪks] *n. U dent.* protetyka dentystyczna *l.* stomatologiczna.

prosthodontist [ˌprɑːsθəˈdɑːntɪst] *n. dent.* protety-k/czka.

prostitute [ˈprɑːstəˌtuːt] *n.* prostytutka; **male** ~ męska prostytutka. – *v.* **1.** *form. uj.* sprzedawać (*np. talent, zdolności*). **2.** ~ **o.s.** *t. przen.* prostytuować się.

prostitution [ˌprɑːstəˈtuːʃən] *n. U t. przen.* prostytucja, prostytuowanie się.

prostrate [ˈprɑːstreɪt] *a.* **1.** leżący twarzą w dół *l.* do ziemi (*o osobie*); twarzą w dół (*o pozycji*). **2.** powalony. **3.** bezsilny; ~ **with fear** bezsilny ze strachu, sparaliżowany strachem. **4.** zupełnie wyczerpany. **5.** *bot.* płożący się (*o roślinie*). – *v.* **1.** ~ **o.s.** padać na twarz. **2.** *zw. pass. form.* powalać; **~d by illness** powalony chorobą.

prostration [prɑːˈstreɪʃən] *n. C/U* **1.** padnięcie na twarz. **2.** skrajne wyczerpanie, prostracja.

prostyle [ˈproʊˌstaɪl] *bud. a.* z fasadą kolumnową, z portykiem (*o budynku*). – *n.* prostyl.

prosy [ˈproʊzɪ] *a.* **-ier, -iest** prozaiczny, banalny.

protagonist [proʊˈtægənɪst] *n. form.* **1.** *teor. lit., film* protagonist-a/ka, główn-y/a bohater/ka. **2.** uczestni-k/czka boju. **3.** ~ **of sth** *przen.* szermierz czegoś, bojowni-k/czka o coś.

protamine [ˈproʊtəˌmiːn] *n. zwł. pl. biochem.* protamina.

protasis [ˈprɑːtəsɪs] *n. pl.* **protases** [ˈprɑːtəsiːz] **1.** *log., gram.* poprzednik (*zdania warunkowego*). **2.** *teatr* ekspozycja (*w dramacie klasycznym*).

protean [ˈproʊtɪən] *a. form. t. mit.* proteuszowy; zmienny, niestały; wielopostaciowy.

protease [ˈproʊtɪˌeɪs] *n. zw. pl. biochem.* proteaza, proteinaza.

protease inhibitor *n. zwł. pl. biochem., med.* inhibitor proteazy.

protect [prəˈtekt] *v.* **1.** bronić; chronić (*from / against sth / sb* przed czymś/kimś). **2.** zabezpieczać. **3.** ochraniać (*np. zabytki, zagrożone gatunki, przemysł rodzimy*).

protected [prəˈtektɪd] *a.* chroniony (*np. o gatunku*).

protection [prəˈtekʃən] *n. U* **1.** *t. sing.* ochrona, zabezpieczenie (*against sth* przed czymś); **environmental** ~ *ekol.* ochrona środowiska; **insurance/patent** ~ *prawn.* ochrona ubezpieczeniowa/patentowa; **offer/give/provide** ~ dawać ochronę. **2.** opieka. **3.** protekcja. **4.** zabezpieczenia, urządzenia zabezpieczające. **5.** = **protection money**. **6.** *ekon.* protekcjonizm. **7.** *euf.* zabezpieczenie (= *środek antykoncepcyjny, zwł. prezerwatywa*).

protectionism [prəˈtekʃəˌnɪzəm] *n. U ekon.* protekcjonizm.

protectionist [prəˈtekʃənɪst] *n. ekon.* protekcjonist-a/ka.

protection money *n. U* haracz (*płacony przestępcom za „ochronę"*); łapówki (*płacone organom ścigania*).

protection racket *n. pot.* wyłudzanie haraczu; łapownictwo (*w organach ścigania*).

protective [prəˈtektɪv] *a.* **1.** zabezpieczający, ochronny. **2.** opiekuńczy (*toward sb* w stosunku do kogoś).

protective coloration *n. U* (*także* **protective coloring**) *biol.* barwy ochronne.

protective custody *n. U prawn.* areszt ochronny (*dla ochrony aresztowanego*); areszt prewencyjny *l.* zapobiegawczy.

protectively [prəˈtektɪvlɪ] *adv.* **1.** opiekuńczo. **2.** dla ochrony.

protectiveness [prəˈtektɪvnəs] *n. U* opiekuńczość.

protective tariff *n. ekon.* cła ochronne, taryfa ceł ochronnych.

protector [prəˈtektər] *n.* **1.** obroń-ca/czyni, opiekun/ka, protektor/ka. **2.** osłona, ochraniacz, zabezpieczenie. **3.** (*także* **P~**) *polit.* protektor.

protectorate [prəˈtektərət] *n. polit.* protektorat.

protectory [prəˈtektərɪ] *n. pl.* **-ies** *przest.* ochronka.

protectress [prəˈtektrəs] *n. przest. l. form.* protektorka, opiekunka.

protégé [ˈproʊtəˌʒeɪ] *n.* protegowany.

protégée [ˈproʊtəˌʒeɪ] *n.* protegowana.

protein [ˈproʊtiːn] *n. C/U biochem.* białko, proteina.

protein-rich [ˌproʊtiːnˈrɪtʃ] *a. biochem., kulin.* wysokobiałkowy (*o produktach, diecie*).

pro tem [ˌproʊ ˈtem], **pro tempore** [ˌproʊ ˈtempərɪ] *Lat. form. a.* tymczasowy. – *adv.* tymczasowo.

protest *n.* [ˈproʊˌtest] *C/U* protest; protesty (*against sth* przeciwko czemuś); **a storm/wave of** ~ fala protestów; **in ~ (against sth)** w proteście (przeciwko czemuś); **register a** ~ zgłosić protest;

under ~ wbrew sobie, z (najwyższą) niechęcią; z zastrzeżeniem; **without** ~ bez protestów. – *v.* [prəˈtest] **1.** protestować (*(against / about) sth* przeciwko czemuś); narzekać (*about sth* na coś). **2.** zaklinać się, zapewniać (*that* że); ~ **one's innocence** zapewniać o swojej niewinności.

Protestant [ˈprɑːtɪstənt] *rel. n.* protestant/ka. – *a.* protestancki.

Protestant ethic *n. U* (*także* **Protestant work ethic**) etyka protestancka.

Protestantism [ˈprɑːtɪstənˌtɪzəm] *n. U rel.* protestantyzm.

protestation [ˌprɑːtəˈsteɪʃən] *n. form.* **1.** solenne *l.* uroczyste zapewnienie (*of sth* o czymś) gwarancja (*of sth* czegoś). **2.** protest.

protester [ˈproʊˌtestər] *n.* **1.** protestując-y/a; demonstrant/ka. **2.** autor/ka protestu.

prothalamion [ˌproʊθəˈleɪmɪən], **prothalamium** [ˌproʊθəˈleɪmɪəm] *n. pl.* **prothalamia** [ˌproʊθəˈleɪmɪə] *teor. lit.* pieśń weselna.

prothesis [ˈprɑːθəsɪs] *n. pl.* **protheses** **1.** (*także* **prosthesis**) *jęz.* proteza (= *dodanie dźwięku l. sylaby na początku wyrazu dla ułatwienia wymowy*). **2.** *kośc.* proteza (= *przygotowanie do eucharystii*).

prothonotary [proʊˈθɑːnəˌterɪ] *n. pl.* **-ies** *rz.-kat., hist. prawn.* protonotariusz.

prothrombin [proʊˈθrɑːmbɪn] *n. U biochem.* protrombina.

protium [ˈproʊtɪəm] *n. U chem.* prot (= *najczęstszy izotop wodoru o masie 1*).

protocol [ˈproʊtəˌkɔːl] *n.* **1.** *U* protokół (= *etykieta, zapis spotkania, aneks umowy*); **breach of (diplomatic)** ~ naruszenie protokołu (dyplomatycznego). **2.** *komp.* protokół. **3.** (*także* ~ **statement**) *fil.* zdanie protokolarne.

Proto-Germanic [ˌproʊtoʊdʒərˈmænɪk] *jęz. n. U* język pragermański *l.* protogermański. – *a.* pragermański, protogermański.

protohistoric [ˌproʊtoʊhɪˈstɔːrɪk] *a. gł. attr.* prehistoryczny.

protohistory [ˌproʊtoʊˈhɪstərɪ] *n. U* prehistoria.

protohuman [ˌproʊtoʊˈhjuːmən] *antrop. n.* praczłowiek. – *a.* praludzki.

Proto-Indo-European [ˌproʊtoʊˌɪndoʊˌjʊrəˈpiːən] *jęz. n. U* język praindoeuropejski *l.* protoindoeuropejski. – *a.* praindoeuropejski, protoindoeuropejski.

protolanguage [ˌproʊtoʊˈlæŋgwɪdʒ] *n. jęz.* prajęzyk.

proton [ˈproʊtɑːn] *n. fiz.* proton.

proton number *n. t. chem.* liczba atomowa, liczba protonów (*pierwiastka*).

protoplanet [ˌproʊtoʊˈplænɪt] *n. astron.* protoplaneta.

protoplasm [ˈproʊtəˌplæzəm] *n. U biol.* protoplazma.

protoplasmic [ˌproʊtoʊˈplæzmɪk], **protoplasmatic** [ˌproʊtoʊplæzˈmætɪk] *a. biol.* protoplazmatyczny.

protoplast [ˈproʊtəˌplæst] *n.* **1.** *U biol.* protoplast, protoplazma. **2.** *form.* protoplast-a/ka.

protostar [ˈproʊtəˌstɑːr] *n. astron.* protogwiazda.

prototype [ˈproʊtətaɪp] *n.* prototyp; pierwowzór (*of / for sth* czegoś). – *v.* tworzyć *l.* wykonywać prototyp (*czegoś*).

protozoan [ˌproʊtəˈzoʊən], **protozoon** [ˌproʊtəˈzoʊɑːn] *n. pl.* **-s** *l.* **protozoa** [ˌproʊtəˈzoʊə] *zool.* pierwotniak.

protract [prəˈtrækt] *v.* **1.** *form.* przedłużać, przeciągać (*w czasie*). **2.** *fizj.* wysuwać, wystawiać (*organ*); prostować (*kończynę*). **3.** wykreślać; kreślić *l.* rysować w skali.

protracted [prəˈtræktɪd] *a.* przedłużający się, przeciągający się.

protractile [prəˈtræktl] *a. fizj.* wysuwany (*o organie*).

protraction [prəˈtrækʃən] *n.* **1.** *U form.* opóźnienie. **2.** *C / U* rysunek w skali.

protractor [prəˈtræktər] *n.* **1.** *geom., szkoln.* kątomierz. **2.** *anat.* (mięsień) prostownik. **3.** przedłużenie, przedłużka (*element*).

protrude [prəˈtruːd] *v.* **1.** odstawać, wystawać, sterczeć. **2.** wysuwać.

protruding [prəˈtruːdɪŋ] *form.* **protrudent** [prəˈtruːdənt] *a.* odstający, wystający, sterczący.

protrusile [prəˈtruːsaɪl] *a. zool.* wysuwalny, wysuwany (*o organie*).

protrusion [prəˈtruːʒən] *n.* **1.** występ. **2.** *U* odstawanie, wystawanie, sterczenie. **3.** *U* wysuwanie.

protrusive [proʊˈtruːsɪv] *a.* **1.** wystający, sterczący. **2.** natrętny. **3.** wysuwający.

protuberance [prəˈtuːbərəns] *n.* **1.** *form.* wypukłość. **2.** *anat.* guzowatość, występ, wyrostek.

protuberant [prəˈtuːbərənt] *a. form. l. anat.* wystający; wypukły.

proud [praʊd] *a.* **1.** dumny (*of sth* z czegoś, *that* że); ~ **to be sth** dumny, że jest kimś; **(as)** ~ **as a peacock** *emf.* dumny jak paw. **2.** *uj.* pyszny, butny, hardy. **3.** napawający dumą (*o chwili*). **4.** *płd. US* zadowolony. **5.** wezbrany (*o wodzie, rzece*). **6.** *lit.* wyniosły, wybujały, imponujący (*np. o budynku, wieży*). **7. be** ~ **to do sth** robić coś z przyjemnością; mieć zaszczyt coś zrobić. – *adv.* **1. do o.s.** ~ niczego sobie nie żałować *l.* nie odmawiać. **2. do sb** ~ *pot.* ugościć kogoś po królewsku; sprawiać komuś zaszczyt; napawać kogoś dumą, wprawiać kogoś w dumę.

proud flesh *n. U pat.* dzikie mięso (= *ziarnina wybujała na bliźnie*).

proudly [ˈpraʊdlɪ] *adv.* **1.** dumnie; z dumą, w poczuciu dumy. **2.** *uj.* butnie, hardo.

Prov. *abbr. Bibl.* = **(Book of) Proverbs**; *zob.* **proverb** 2.

provability [ˌpruːvəˈbɪlətɪ] *n. U* możliwość dowiedzenia *l.* udowodnienia.

provable [ˈpruːvəbl] *a.* możliwy do udowodnienia, dający się dowieść *l.* udowodnić.

prove [pruːv] *v. pp. t.* **proven** **1.** udowadniać, dowodzić, wykazywać, pokazywać (*that* że); ~ **sb innocent** dowieść czyjejś niewinności; ~ **sb wrong** pokazać *l.* udowodnić, że ktoś się myli; **time ~d him right** czas pokazał, że miał rację. **2.** ~ **o.s.** sprawdzić się (*o osobie*). **3.** okazywać się;

~ **(to be) correct/difficult** okazać się słusznym/trudnym. **4.** *mat., log.* dowodzić, przeprowadzać dowód (*twierdzenia*). **5.** *mat.* sprawdzać (*poprawność obliczeń*). **6.** *chem.* poddawać badaniu *l.* analizie (*substancję*). **7.** *prawn.* ustalać autentyczność *l.* ważność (*testamentu*). **8.** *kulin.* rosnąć (*o cieście*). **9.** *druk.* robić próbną odbitkę (*czegoś*).

proven ['pru:vən] *a.* dowiedziony, udowodniony (*np. o skuteczności, fakcie*); sprawdzony (*np. o leku, sposobie*).

provenance ['prɑ:vənəns] *n.* (*także US* **provenience**) *form.* pochodzenie, proweniencja; **a vase of Turkish** ~ wazon pochodzący z Turcji.

Provençal [ˌprɑ:vɑ:n'sɑ:l] *a.* prowansalski. – *n.* **1.** Prowansal-czyk/ka. **2.** *U* język prowansalski.

Provençale [ˌprɑ:vɑ:n'sɑ:l] *a. tylko po n. kulin.* po prowansalsku; **chicken** ~ kurczak po prowansalsku.

Provence [prə'vɑ:ns] *n. geogr.* Prowansja.

provender ['prɑ:vəndər] *n. U* **1.** *przest.* pasza, obrok. **2.** *lit. l. żart.* prowiant (= *jedzenie*).

provenience [prə'vi:nɪəns] *n. US* = **provenance**.

proventriculus [ˌprouven'trɪkɪələs] *n. pl.* **proventriculi** [ˌprouven'trɪkɪəlaɪ] *zool.* żołądek gruczołowy.

proverb ['prɑ:vərb] *n.* **1.** przysłowie; **be a ~ for sth** być symbolem czegoś (*głupoty, spokoju, itp.*); **to a** ~ przysłowiowo. **2. (Book of) P~s** *Bibl.* Księga Przypowieści. – *v.* **1.** wyrażać w formie przysłowia. **2.** przedstawiać w przysłowiu.

proverbial [prə'vɜ:bɪəl] *a.* **1.** przysłowiowy. **2.** powszechnie wiadomy *l.* znany.

provide [prə'vaɪd] *v.* **1.** zaopatrywać (*sb/sth with sth* kogoś/coś w coś); dostarczać; zapewniać (*sth for/to sb* coś komuś); dawać, przynosić (*rozwiązanie, spokój*). **2.** ~ **that...** *form.* gwarantować, że..., zapewniać, że... **3.** ~ **against sth** *form.* przygotować się na coś; zabezpieczyć się na wypadek *l.* okoliczność czegoś; ~ **for sb** utrzymywać kogoś; **be ~ed for** mieć (zapewnione) utrzymanie; ~ **for sth** zabiegać o coś, starać się o coś; troszczyć się o coś (*zwł. o czyjeś bezpieczeństwo*); uwzględniać coś, przewidywać coś (*w planach*); gwarantować coś, zapewniać coś (*o przepisie, prawie; np. równouprawnienie, wolność*); umożliwiać coś, zezwalać na coś (*o przepisie, prawie; np. wybór, aresztowanie*); przyczyniać się do czegoś (*o okolicznościach*).

provided [prə'vaɪdɪd], **providing** [prə'vaɪdɪŋ] *conj.* ~ **(that)...** pod warunkiem, że..., o ile...

providence ['prɑ:vɪdəns] *n. U l. sing.* **1.** *t. rel.* opatrzność; **P~** Opatrzność. **2.** *przest.* przezorność, skrzętność, gospodarność.

provident ['prɑ:vɪdənt] *a. form.* przezorny, skrzętny, gospodarny.

providential [ˌprɑ:vɪ'denʃl] *a. lit.* opatrznościowy.

providentially [ˌprɑ:vɪ'denʃlɪ] *adv. lit.* opatrznościowo.

providently ['prɑ:vɪdəntlɪ] *adv. form.* przezornie, skrzętnie, gospodarnie.

provident society *n. pl.* **-ies** fundusz koleżeński, kasa zapomogowo-pożyczkowa, kasa wzajemnej pomocy.

provider [prə'vaɪdər] *n.* **1.** dostaw-ca/czyni. **2.** żywiciel/ka (*rodziny*). **3.** (*także* **service** ~) *ekon.* usługodawca.

providing [prə'vaɪdɪŋ] *conj.* = **provided**.

province ['prɑ:vɪns] *n.* **1.** *admin.* prowincja, obwód. **2.** *t. admin.* domena, kompetencje, zakres kompetencji; **outside sb's** ~ poza czyimś zakresem kompetencji; **that's not my** ~ to nie moja domena. **3.** *form.* dziedzina; **in the ~ of...** w dziedzinie... **4.** *pl.* **the ~s** prowincja (= *zaścianek*).

provincial [prə'vɪnʃl] *a.* **1.** *t. uj.* prowincjonalny. **2.** *admin.* prowincji (*o władzy, sądzie*). – *n.* **1.** prowincjusz/ka, osoba z prowincji, mieszkaniec/ka prowincji. **2.** *rel.* prowincjał (*zakonu*).

provincialism [prə'vɪnʃəˌlɪzəm] *n.* **1.** *U* prowincjonalizm, prowincjonalność, zaściankowość. **2.** *jęz.* prowincjonalizm, regionalizm, dialektyzm.

provinciality [prəˌvɪnʃɪ'ælətɪ] *n. U* prowincjonalność.

proving ground *n. t. przen.* poligon (badawczy) (*for sth* dla czegoś).

provision [prə'vɪʒən] *n.* **1.** *C/U* zapewnienie (*of sth* czegoś) (*np. świadczeń, opieki*). **2.** *C/U* zabezpieczenie *l.* zaspokojenie potrzeb (*for sb* czyichś) (*np. osób niepełnosprawnych*). **3.** *prawn.* postanowienie, warunek, klauzula; **there's no ~ for this in the contract** umowa tego nie przewiduje *l.* nie precyzuje. **4.** zaopatrzenie (*of sth* w coś); dostawa (*of sth* czegoś). **5.** przygotowanie się (*for/against sth* na coś); **make ~ for sth** przygotowywać się na coś, zabezpieczać się na wypadek czegoś; **make ~ for sb** zapewniać komuś utrzymanie *l.* byt, zabezpieczać czyjeś potrzeby. **6.** *pl.* prowiant, zapasy żywności. – *v.* zaopatrywać w prowiant *l.* żywność (*np. podróżnych, statek*).

provisional [prə'vɪʒənl] *a.* **1.** tymczasowy, prowizoryczny; ~ **government** *polit.* rząd tymczasowy; ~ **licence** *Br. mot.* tymczasowe prawo jazdy (*przed zdaniem egzaminu*). **2.** wstępny, orientacyjny (*o danych*). – *n.* **1.** pracowni-k/ca zatrudnion-y/a tymczasowo. **2. P~** (*także pot.* **Provo**) *polit.* członek radykalnego skrzydła Irlandzkiej Armii Republikańskiej. **3.** *poczta* znaczek zastępczy.

provisionally [prə'vɪʒənlɪ] *adv.* **1.** tymczasowo, prowizorycznie (*zatrudnić, postanowić, naprawić, załatwić*). **2.** wstępnie, orientacyjnie (*ocenić, powiedzieć, poinformować*).

proviso [prə'vaɪzou] *n. pl.* **-s** *l.* **-es** *form. t. prawn.* warunek, klauzula, zastrzeżenie; **on/with the ~ that...** pod warunkiem, że...

provisory [prə'vaɪzərɪ] *a. form.* **1.** *gł. prawn.* warunkowy. **2.** tymczasowy.

provitamin [prou'vaɪtəmɪn] *n. C/U biochem.* prowitamina.

Provo ['prouvou] *n. pot. zob.* **provisional** *n.* 2.

provocateur [prouˌvɑ:kə'tər] *n.* = **agent provocateur**.

provocation [ˌprɑ:və'keɪʃən] *n. C/U* prowokacja.

provocative [prəˈvɑːkətɪv] *a.* prowokacyjny, prowokujący.

provocatively [prəˈvɑːkətɪvlɪ] *adv.* prowokacyjnie, prowokująco.

provoke [prəˈvoʊk] *v.* **1.** prowokować (*osobę, działanie*); ~ **sb to do sth/into doing sth** sprowokować kogoś do (zrobienia) czegoś. **2.** wywoływać (*np. współczucie, reakcję*).

provoker [prəˈvoʊkər] *n.* prowokator/ka.

provolone [ˌproʊvəˈloʊnɪ] *n. U kulin.* provolone (= *łagodny ser żółty wędzony*).

provost¹ [ˈproʊvoʊst] *n.* **1.** *uniw.* rektor; prorektor. **2.** *Scot.* burmistrz. **3.** *kość.* prepozyt (= *przewodniczący kapituły katedralnej l. proboszcz kolegiaty*).

provost² [prəˈvoʊst] *n. Br. i Can. wojsk.* żandarm wojskowy; ~ **guard/marshall** oddział/komendant żandarmerii wojskowej.

provost court *a. Br. i Can. wojsk.* sąd polowy.

prow [praʊ] *n. lit.* dziób (*statku*).

prowess [ˈpraʊəs] *n. U form.* **1.** sprawność; biegłość (*in sth* w czymś); **physical/sexual/sporting** ~ sprawność fizyczna/seksualna/sportowa. **2.** dzielność, męstwo.

prowl [praʊl] *v.* grasować (*o przestępcy, drapieżniku*); ~ **the streets** grasować po ulicach; ~ **about/around...** kręcić się po... (*terenie, pomieszczeniu*). – *n. sing.* grasowanie; kręcenie się; **be on the** ~ grasować; kręcić się.

prowl car *n. US przest.* wóz patrolowy.

prowler [ˈpraʊlər] *n.* ktoś podejrzany, ciemny typ; **there's a** ~ **outside** ktoś podejrzany kręci się koło domu.

proxemics [prɑːkˈsiːmɪks] *n. U socjol.* proksemika (= *nauka o traktowaniu przestrzeni między ludźmi*).

proximal [ˈprɑːksɪml] *a.* **1.** *anat.* proksymalny, dosiebny, bliższy (*osi ciała: o części kości, organu*). **2.** *dent.* sąsiedni, proksymalny (*o zębie*).

proximate [ˈprɑːksəmɪt] *a. form.* **1.** najbliższy (*w czasie l. przestrzeni*). **2.** bezpośredni (*o przyczynie*). **3.** przybliżony.

proximity [prɑːkˈsɪmətɪ] *n. U form.* bliskość (*to sth* do czegoś); ~ **of blood** pokrewieństwo. – *a. attr. techn.* zbliżeniowy; ~ **card** karta (magnetyczna) zbliżeniowa; ~ **detector** *el.* czujnik zbliżeniowy; ~ **fuse** *wojsk.* zapalnik zbliżeniowy.

proximo [ˈprɑːksəˌmoʊ] *adv.* **on the 5th** ~ *Lat. form.* piątego przyszłego miesiąca.

proxy [ˈprɑːksɪ] *n. pl.* **-ies** *gł. prawn.* **1.** *U* pełnomocnictwo; **by** ~ przez pełnomocnika, per procura, z upoważnienia. **2.** pełnomocni-k/czka, prokurent/ka.

proxy vote *n.* głosowanie z upoważnienia.

Prozac [ˈproʊˌzæk] *n. U med.* Prozac.

prs. *abbr. handl.* = **pairs**; *zob.* **pair** *n.*

prude [pruːd] *n.* osoba pruderyjna, świętosz-ek/ka.

prudence [ˈpruːdəns] *n. U* **1.** roztropność, rozwaga. **2.** gospodarność.

prudent [ˈpruːdənt] *a.* **1.** roztropny, rozważny; **it would be** ~ **to do sth** rozsądnie byłoby coś zrobić. **2.** gospodarny, oszczędny.

prudential [pruːˈdenʃl] *a. przest.* roztropny.

prudently [ˈpruːdəntlɪ] *adv.* **1.** roztropnie, rozważnie. **2.** gospodarnie, oszczędnie.

prudery [ˈpruːdərɪ] *n. U* pruderia.

prudish [ˈpruːdɪʃ] *a.* pruderyjny (*about...* w sprawach...).

pruinose [ˈpruːəˌnoʊs] *a. bot.* omszony (*o liściu, owocu*).

prune¹ [pruːn] *n.* **1.** suszona śliwka; *pot.* śliwka (*świeża*). **2.** *pot. obelż.* sierota, ofiara.

prune² *v.* **1.** ~ **(back/down/off/away)** *ogr.* przycinać (*gałęzie, krzewy, drzewa*). **2.** ~ **(down)** przycinać, skracać (*tekst*); wycinać (*fragmenty*); cenzurować, oczyszczać (*tekst*) (*of sth* z czegoś).

prunella [pruːˈnelə], **prunelle** [pruːˈnel] *n. U tk.* prunela.

pruner [ˈpruːnər] *n.* (*także* **tree** ~) *ogr.* **1.** sekator. **2.** ogrodni-k/czka (*od przycinania gałęzi*).

prunes and prisms [ˌpruːnz ənd ˈprɪzəmz] *n. pl.* afektacja. – *a. attr.* afektowany, manieryczny. – *adv.* w sposób afektowany.

pruning [ˈpruːnɪŋ] *n. ogr.* przycinanie (*gałęzi, drzewek*).

pruning hook *n. ogr.* nóż *l.* hak do gałęzi (*na kiju*).

pruning knife *n. pl.* **pruning knives** *ogr.* nóż ogrodniczy.

pruning shears *n. pl. ogr.* sekator, nożyce ogrodnicze.

prurience [ˈprʊrɪəns] *n. U form.* lubieżność.

prurient [ˈprʊrɪənt] *a. form.* lubieżny; chorobliwy, niezdrowy (*o zainteresowaniach*).

pruriently [ˈprʊrɪəntlɪ] *a. form.* lubieżnie; chorobliwie, niezdrowo.

pruriginous [prʊˈrɪdʒɪnəs] *a. pat.* świerzbiączkowy; świerzbiący, swędzący.

prurigo [prʊˈraɪgoʊ] *n. U pat.* świerzbiączka.

pruritus [prʊˈraɪtəs] *n. U pat.* świąd, swędzenie.

Prussia [ˈprʌʃə] *n. geogr., hist.* Prusy.

Prussian [ˈprʌʃən] *a.* pruski. – *n.* Prusa-k/czka.

Prussian blue *n. U* błękit pruski. – *a.* błękitny.

prussiate [ˈprʌsɪət] *n. C/U chem. przest.* prusydek (= *żelazicyjanek l. żelazocyjanek*); cyjanek.

prussic acid *a. chem. przest.* kwas pruski (= *kwas cyjanowodorowy*).

pry [praɪ] *v.* **-ied, -ying 1.** wtrącać się; wścibiać nos (*into sth* do czegoś); (*także* **poke and** ~) węszyć (*into sth* w czymś). **2.** *gł. US* podważać (*pokrywę, wieko*); ~ **apart** rozdzielić (*sklejone warstwy, plastry*); ~ **off** zdjąć (*podważając*); ~ **open** wyważyć (*drzwi, okno*); ~ **sth out of sb** wydobyć coś od kogoś, wyciągnąć coś z kogoś (*np. informacje, tajemnicę*). – *n. pl.* **-ies 1.** ciekawsk-i/a. **2.** wtrącanie się, wścibianie nosa; węszenie. **3.** *gł. US* łom; ostrze (*do podważania*), coś do podważania.

pryer [ˈpraɪər] *n.* = **prier**.

prying [ˈpraɪɪŋ] *a.* wścibski, ciekawski, ciekawy; **away from ~ing eyes** z dala od ciekawych *l.* wścibskich oczu.

Przewalski's horse [ʃəˈvɑːlskɪz ˌhɔːrs] *n. zool.*

koń Przewalskiego (*Equus (caballus) przewalskii*).

PS [ˌpi: ˈes] *abbr.* **1.** (*także* **P.S., p.s.**) **postscript** PS, P.S. (= *postscriptum*). **2. Public School** *US* szkoła publiczna.

psalm [sɑ:m] *n. rel. teor. lit., muz.* psalm. – *v. form.* opiewać w psalmach *l.* psalmami.

psalmist [ˈsɑ:mɪst], **psalmodist** [ˈsælmədɪst] *n.* psalmist-a/ka.

psalmody [ˈsɑ:mədɪ] *n. pl.* **-ies** *C / U* psalmodia.

psalter [ˈsɔ:ltər] *n. rel.* psałterz.

psaltery [ˈsɔ:ltərɪ] *n. pl.* **-ies** *hist., muz.* psalterium (*dawny instrument strunowy*).

PSAT [ˌpi: ˌes ˌeɪ ˈti:] *abbr.* **Preliminary Scholastic Aptitude Test** *US* Wstępny Test Zdolności Akademickich (= *egzamin sprawdzający przydatność kandydatów na studia*).

PSBR [ˌpi: ˌes ˌbi: ˈɑ:r] *abbr.* **public sector borrowing requirement** *Br. ekon.* zapotrzebowanie na kredyty ze strony sektora publicznego.

pseud [su:d] *n. Br. pot.* pozer/ka.

pseud. *abbr.* = **pseudonym**.

pseudo [ˈsu:doʊ] *a. pot.* (na) niby, pseudo, fałszywy, udawany.

pseudocarp [ˈsu:dəˌkɑ:rp] *n. bot.* nibyjagoda.

pseudoclassicism [ˌsu:doʊˈklæsɪˌsɪzəm] *n. U sztuka* pseudoklasycyzm.

pseudogene [ˈsu:dəˌdʒi:n] *n. biol.* pseudogen.

pseudomorph [ˈsu:dəˌmɔ:rf] *n. krystal.* pseudomorfoza, kryształ fałszywy.

pseudonym [ˈsu:dənɪm] *n. t. teor. lit.* pseudonim.

pseudonymous [su:ˈdɑ:nəməs] *a. teor. lit.* piszący pod pseudonimem (*o autorze*); pod pseudonimem (*o dziele*).

pseudonymously [su:ˈdɑ:nəməslɪ] *adv. teor. lit.* pod pseudonimem (*pisać, publikować*).

pseudopod [ˈsu:dəˌpɑ:d] *n.* = **pseudopodium**.

pseudopodium [ˌsu:doʊˈpoʊdɪəm] *n. pl.* **pseudopodia** [ˌsu:doʊˈpoʊdɪə] *zool.* nibynóżka (*pierwotniaka*).

pseudopregnancy [ˌsu:doʊˈpregnənsɪ] *n. U pat.* ciąża rzekoma.

pseudorandom number [ˌsu:doʊˌrændəm ˈnʌmbər] *n. gł. pl. komp., stat.* liczba pseudolosowa.

pseudorandom number generator *n. komp.* generator liczb pseudolosowych.

pseudoscience [ˈsu:dəˌsaɪəns] *n. C / U* pseudonauka; *U* pseudonaukowość.

pseudoscientific [ˌsu:doʊˌsaɪənˈtɪfɪk] *n.* pseudonaukowy.

pseudotuberculosis [ˌsu:doʊtuˌbɝ:kjəˈloʊsəs] *n. U pat.* gruźlica rzekoma.

psf [ˌpi: ˌes ˈef], **p.s.f.** *abbr.* **pounds per square foot** *fiz.* funt na stopę kwadratową (*jednostka ciśnienia = 47,88 paskali*).

pshaw [ʃɔ:] *int. przest.* phi (*wyraża zniecierpliwienie, dezaprobatę*).

psi[1] [psaɪ] *n.* (litera) Ψ.

psi[2] [ˌpi: ˌes ˈaɪ] (*także* **p.s.i.**) *abbr.* **pounds per square inch** *fiz.* funt na cal kwadratowy (*jednostka ciśnienia = 6,895 kilopaskali*).

psilosis [saɪˈloʊsɪs] *n. U pat.* łysienie.

psittacosis [ˌsɪtəˈkoʊsɪs] *n. U wet.* choroba papuzia, papuzica.

psoriasis [səˈraɪəsɪs] *n. U pat.* łuszczyca.

psst [pst], **pst** *int.* hej, halo (*dla dyskretnego przywołania l. zwrócenia uwagi*).

PST [ˌpi: ˌes ˈti:], **P.S.T.** *abbr.* **1. Pacific Standard Time** (*także* **PT**) *US geogr.* czas urzędowy zachodnioamerykański. **2. provincial sales tax** *Can. ekon.* podatek obrotowy prowincji.

PSV [ˌpi: ˌes ˈvi:] *abbr.* **public service vehicle** *Br.* pojazd służb miejskich *l.* komunalnych.

psych [saɪk] *pot. v.* **1.** ~ **(out)** speszyć, zbić z pantałyku. **2.** ~ **(out)** wyczaić, wyczuć. **3.** ~ **(up)** przygotowywać psychicznie; ~ **o.s. up** przygotować się psychicznie (*for sth* do czegoś); **be ~ed (up)** *gł. US* być przygotowanym psychicznie.

psych. *abbr.* = **psychologist**; = **psychology**.

psyche [ˈsaɪkɪ] *n. psych.* psychika, psyche.

psychedelic [ˌsaɪkəˈdelɪk] *a.* **1.** psychodeliczny (*o muzyce, sztuce, kulturze*). **2.** halucynogenny, psychodeliczny (*o środkach*). – *n.* środek halucynogenny *l.* psychodeliczny.

psychiatric [ˌsaɪkɪˈætrɪk] *a.* psychiatryczny.

psychiatrically [ˌsaɪkɪˈætrɪklɪ] *a.* psychiatrycznie.

psychiatric hospital *a. med.* szpital psychiatryczny.

psychiatrist [saɪˈkaɪətrɪst] *n.* psychiatra.

psychiatry [saɪˈkaɪətrɪ] *n. U* psychiatria.

psychic [ˈsaɪkɪk] *n.* jasnowidz/ka, wróż/ka, osoba o zdolnościach parapsychicznych *l.* parapsychologicznych; medium. – *a.* **1.** (*także* **psychical**) parapsychiczny, parapsychologiczny. **2.** jasnowidzący, posiadający zdolności parapsychiczne *l.* parapsychologiczne; **you must be ~!** ty chyba jesteś jasnowidzem! **3.** (*także* **psychical**) psychiczny, duchowy.

psychically [ˈsaɪkɪklɪ] *adv.* **1.** parapsychicznie, parapsychologicznie. **2.** psychicznie, duchowo.

psycho [ˈsaɪkoʊ] *obelż. pot. n. pl.* **-s** pomyleniec, psychol. – *a.* pomylony, psychopatyczny.

psychoactive [ˌsaɪkoʊˈæktɪv] *n. med.* psychotropowy (*o lekach*).

psychoanalysis [ˌsaɪkoʊəˈnæləsɪs] *n. U* psychoanaliza.

psychoanalyst [ˌsaɪkoʊˈænəlɪst] *n.* psychoanality-k/czka.

psychoanalytic [ˌsaɪkoʊˌænəˈlɪtɪk] *a. psych.* psychoanalityczny.

psychoanalyze [ˌsaɪkoʊˈænəlaɪz] *v.* poddawać psychoanalizie.

psychobabble [ˈsaɪkoʊˌbæbl] *n. U pot.* pseudopsychologia, pseudonaukowe bzdury (*udające psychologię*); żargon pseudopsychologiczny.

psychobiology [ˌsaɪkoʊbaɪˈɑ:lədʒɪ] *n. U* psychobiologia.

psychochemical [ˌsaɪkoʊˈkemɪkl] *n. i a. med.* (lek) psychotropowy.

psychodrama [ˈsaɪkoʊˌdrɑ:mə] *n.* psychodrama.

psychodynamics [ˌsaɪkoʊdaɪˈnæmɪks] *n. U l. pl.* psychodynamika.

psychogenic [ˌsaɪkoʊˈdʒenɪk] *n. med., pat.* psychogenny.

psychokinesis [ˌsaɪkoʊkaɪˈni:sɪs] *n. U* psychokineza (= *zdolność poruszania przedmiotów siłą woli*).

psycholinguist [ˌsaɪkoʊˈlɪŋgwɪst] *n.* psycholingwist-a/ka.

psycholinguistic [ˌsaɪkoʊlɪŋˈgwɪstɪk] *n. jęz.* psycholingwistyczny.

psycholinguistics [ˌsaɪkoʊlɪŋˈgwɪstɪks] *n. U jęz.* psycholingwistyka.

psychological [ˌsaɪkəˈlɑ:dʒɪkl] *a.* psychiczny; psychologiczny; ~ **boost** podbudowa psychiczna; ~ **dependence** *psych.* uzależnienie psychiczne; ~ **profile** profil psychologiczny (*zwł. przestępcy*); ~ **profiling** określanie cech psychologicznych przestępcy; ~ **warfare** *t. wojsk.* wojna psychologiczna; **the ~ moment** odpowiedni *l.* właściwy moment (*z psychologicznego punktu widzenia*).

psychologically [ˌsaɪkəˈlɑ:dʒɪklɪ] *adv.* psychicznie; psychologicznie; ~ **disturbed** *euf.* chory psychicznie.

psychologism [saɪˈkɑ:ləˌdʒɪzəm] *n. U t. fil.* psychologizm.

psychologist [saɪˈkɑ:lədʒɪst] *n.* psycholo-g/żka.

psychologize [saɪˈkɑ:ləˌdʒaɪz], *Br. i Austr. zw.* **psychologise** *v.* **1.** psychologizować. **2.** interpretować w kategoriach psychologicznych.

psychology [saɪˈkɑ:lədʒɪ] *n. U* psychologia; **cognitive/developmental/educational/social ~** psychologia poznawcza/rozwojowa/wychowawcza/społeczna.

psychometric [ˌsaɪkoʊˈmetrɪk] *a. psych.* psychometryczny; ~ **test** test psychometryczny.

psychometrics [ˌsaɪkoʊˈmetrɪks] *n. U psych.* psychometria.

psychometry [saɪˈkɑ:mɪtrɪ] *n. U psych., parapsychologia* psychometria.

psychomotor [ˌsaɪkoʊˈmoʊtər] *a. fizj.* psychomotoryczny.

psychopath [ˈsaɪkəˌpæθ] *n. psych. t. obelż.* psychopat-a/ka.

psychopathic [ˌsaɪkəˈpæθɪk] *n. psych.* psychopatyczny.

psychopathology [ˌsaɪkoʊpəˈθɑ:lədʒɪ] *n. U psych.* psychopatologia.

psychopathy [saɪˈkɑ:pəθɪ] *n. U psych.* psychopatia.

psychophysical [ˌsaɪkoʊˈfɪzɪkl] *n. fizj.* psychofizyczny.

psychophysics [ˌsaɪkoʊˈfɪzɪks] *n. U psych.* psychofizyka.

psychophysiology [ˌsaɪkoʊˌfɪzɪˈɑ:lədʒɪ] *n. U fizj.* psychofizjologia.

psychosexual [ˌsaɪkoʊˈsekʃʊəl] *a. psych.* psychoseksualny.

psychosis [saɪˈkoʊsɪs] *n. C/U pl.* **psychoses** [saɪˈkoʊsi:z] *pat.* psychoza.

psychosocial [ˌsaɪkoʊˈsoʊʃl] *a.* psychospołeczny.

psychosomatic [ˌsaɪkəsəˈmætɪk] *a. pat.* psychosomatyczny.

psychotherapeutic [ˌsaɪkoʊˌθerəˈpju:tɪk] *a.* psychoterapeutyczny.

psychotherapist [ˌsaɪkoʊˈθerəpɪst] *n.* psychoterapeut-a/ka.

psychotherapy [ˌsaɪkoʊˈθerəpɪ] *n. U* psychoterapia.

psychotic [saɪˈkɑ:tɪk] *pat. a.* psychotyczny. – *n.* psychoty-k/czka.

psychotropic [ˌsaɪkəˈtrɑ:pɪk] *n. i a. med.* (lek) psychotropowy.

psych-out [ˈsaɪkˌaʊt] *n. U pot.* zbicie z pantałyku, wyprowadzenie z równowagi.

PT [ˌpi: ˈti:] *abbr.* **1.** *Br. szkoln.* = **physical training. 2.** *US geogr.* = **PST** 1.

Pt. *abbr. geogr.* **1.** = **point. 2.** = **port.**

pt. *abbr. pl.* **pts. 1.** = **point. 2.** = **part. 3.** = **pint. 4.** = **payment. 5.** = **port.**

PTA [ˌpi: ˌti: ˈeɪ] *abbr. szkoln.* = **Parent-Teacher Association.**

ptarmigan [ˈtɑ:rməgən] *n. pl.* **-s** *l.* **ptarmigan** *orn.* pardwa (*Lagopus*).

PT boat [ˌpi: ˈti: ˌboʊt] *n. US wojsk., gł. hist.* kuter torpedowy, torpedowiec.

pteranodon [təˈrænəˌdɑ:n] *n. paleont.* pteranodon.

pteridology [ˌterɪˈdɑ:lədʒɪ] *n. U bot.* pterydologia (= *nauka o paprociach*).

pteridophyte [təˈrɪdəˌfaɪt] *n. gł. pl. bot.* paprotnik.

pterodactyl [ˌterəˈdæktɪl] *n. paleont.* pterodaktyl.

pteropod [ˈterəˌpɑ:d] *n. zool.* skrzydłonóg, pteropod.

pterosaur [ˈterəˌsɔ:r] *n. paleont.* pterozaur.

pterygoid process [ˌterəˌgɔɪd ˈprɑ:ses] *n. anat.* wyrostek skrzydłowaty (*kości klinowej czaszki*).

ptisan [təˈzæn] *n. U kulin.* napar (*zwł. z liści l. kwiatów*).

PTO [ˌpi: ˌti: ˈoʊ] *abbr.* **1.** *US szkoln.* = **Parent-Teacher Organization. 2. please turn over** verte (*napis na końcu strony*).

Ptolemaic [ˌtɑ:ləˈmeɪɪk] *a. astron.* ptolemejski.

Ptolemy [ˈtɑ:ləmɪ] *n. hist.* Ptolemeusz.

ptomaine [ˈtoʊmeɪn] *n. U chem.* ptomaina.

ptomaine poisoning *n. C/U pat.* zatrucie pokarmowe.

pts. *abbr. pl. od* **pt.**

ptyaline [ˈtaɪəlɪn] *n. C/U biochem.* ptialina.

pub [pʌb] *n. gł. Br. i Austr.* pub.

pub., publ. *abbr.* **1.** = **public. 2.** = **publication**; = **published**; = **publisher**.

pub-crawl [ˈpʌbˌkrɔ:l] *gł. Br. pot. v.* chodzić od pubu do pubu (*pijąc w każdym pubie po jednym drinku*); włóczyć się po barach. – *n.* picie od pubu do pubu; łażenie po barach.

puberty [ˈpju:bərtɪ] *n. U biol.* dojrzałość płciowa; dojrzewanie (płciowe).

pubes¹ [ˈpju:bi:z] *n. anat.* **1.** *pl.* **pubes** łono. **2.** *pl.* owłosienie łonowe.

pubes² *n. pl. zob.* **pubis**.

pubescence [pju:ˈbesəns] *n. C/U biol.* **1.** pokwitanie, dojrzewanie (płciowe). **2.** meszek, puszek, owłosienie.

pubescent [pju:ˈbesənt] *a. gł. attr. biol.* **1.** pokwitający, dojrzewający (płciowo). **2.** dojrzały (płciowo). **3.** pokryty meszkiem *l.* puszkiem.

pubic [ˈpju:bɪk] *a. anat.* łonowy.

pubic bone *n. anat.* kość łonowa.

pubic hair *n. U anat.* owłosienie łonowe.

pubic louse *n. pl.* **pubic lice** *pat., zool.* wesz łonowa.

pubis [ˈpju:bɪs] *n. pl.* **pubes** [ˈpju:bi:z] *anat.* kość łonowa.

publ. *abbr.* = **pub.**

public [ˈpʌblɪk] *a.* publiczny; powszechny; społeczny; państwowy; ~ **affairs** sprawy państwowe *l.* publiczne; ~ **appearance** wystąpienie publiczne; ~ **assistance** pomoc społeczna; ~ **display of sth** publiczne okazanie czegoś (*zwł. uczuć*); **on ~ display** wystawiony na widok publiczny; ~ **figure** osoba publiczna; ~ **image** wizerunek (publiczny); ~ **interest** interes publiczny; ~ **life** życie publiczne; **retire from ~ life** wycofywać się z życia publicznego; ~ **money** publiczne fundusze; ~ **office** stanowisko publiczne; ~ **outcry** powszechne oburzenie; ~ **property** *t. przen.* dobro publiczne; ~ **speaking** wystąpienia publiczne; **be ~ knowledge** być powszechnie wiadomym; **be in the ~ eye** *zob.* **eye** *n.*; **go ~** ujawnić tajemnicę; *fin.* wystawić akcje na sprzedaż; **in the ~ interest** w interesie publicznym *l.* społecznym; **make sth ~** ujawnić coś, upublicznić coś. – *n. U l. sing.* publiczność; **in ~** publicznie; **the general ~** ogół społeczeństwa; **the reading/viewing ~** czytelnicy/widzowie; **wash one's dirty linen in ~** *zob.* **dirty** *a.*

public access *n. U US telew.* powszechny dostęp.

public access channel *n. US* telewizja obywatelska (*powszechnie dostępna, w której każdy może wystąpić*).

public-address system *n.* (*także* **PA system**) system nagłaśniający, nagłośnienie.

publican [ˈpʌblәkәn] *n. Br.* właściciel/ka pubu.

publication [ˌpʌblәˈkeɪʃәn] *n.* **1.** *U* publikacja, wydanie; publikowanie, wydawanie. **2.** publikacja, pozycja wydawnicza. **3.** *U* opublikowanie, ogłoszenie (*np. wyników wyborów*).

public bar *n. Br.* sala barowa (*w pubie*).

public bill *n. Br. parl.* projekt ustawy publicznej (*mającej konsekwencje dla ogółu społeczeństwa*).

public catalog *n. bibl.* katalog publiczny.

public company *n. pl.* **-ies** *Br.* = **public corporation**.

public convenience *n. Br. i Austr.* toaleta publiczna.

public corporation *n. US ekon.* spółka akcyjna.

public debt *n. zw. sing. gł. US ekon.* dług publiczny.

public defender *n. US prawn.* obroń-ca/czyni z urzędu.

public domain *t. prawn. n. U* **1.** *t. komp.* własność publiczna. **2.** własność państwowa (*zwł. gruntów*). **3. in the ~** będący własnością publiczną, niechroniony prawem autorskim; powszechnie znany *l.* wiadomy (*o faktach*); *t. komp.* powszechnie dostępny, udostępniany bez ograniczeń (*o oprogramowaniu*). – *a.* będący własnością publiczną, niechroniony prawem autorskim; *t. komp.* powszechnie dostępny, udostępniany bez ograniczeń (*o oprogramowaniu*); powszechnie znany *l.* wiadomy (*o informacji*).

public enemy *n. pl.* **-ies** wróg publiczny; **~ number one** wróg publiczny numer jeden (*przestępca l. zło społeczne*).

public expenditure *n. U* wydatki publiczne.

public health *n. U* **1.** zdrowie publiczne. **2.** ochrona zdrowia.

public holiday *n.* święto urzędowe *l.* państwowe.

public house *n. Br. form.* pub.

public housing *n. U US* mieszkania komunalne.

public inquiry *n. pl.* **-ies** oficjalne dochodzenie.

publicist [ˈpʌblɪsɪst] *n.* **1.** rzeczni-k/czka prasow-y/a. **2.** *form.* publicyst-a/ka.

publicity [pʌbˈlɪsәtɪ] *n. U* **1.** rozgłos, sława; **adverse/bad ~** zła sława. **2.** reklama; ~ **agent** agent/ka ds. reklamy; ~ **campaign** kampania promocyjna *l.* reklamowa; ~ **stunt** działanie medialne, działanie dla rozgłosu; chwyt reklamowy. **3.** publiczny charakter.

publicize [ˈpʌblɪˌsaɪz], *Br. i Austr. zw.* **publicise** *v.* **1.** ogłaszać, ujawniać, upubliczniać. **2.** reklamować. **3. highly/well/widely ~d** głośny.

public lending right *n. Br. prawn.* prawo do wynagrodzenia z tytułu wypożyczeń bibliotecznych (*przysługujące autorom*).

public library *n. pl.* **-ies** biblioteka publiczna.

public limited company *n. Br.* = **public company**.

publicly [ˈpʌblɪklɪ] *adv.* publicznie (*np. przeprosić*); na forum publicznym (*np. upokorzyć kogoś*); ~ **announce/disclose** podać do publicznej wiadomości; ~ **funded** finansowany ze środków publicznych; ~ **owned** znajdujący się w rękach publicznych akcjonariuszy.

public nuisance *n.* **1.** *prawn.* naruszenie porządku publicznego. **2.** *pog.* (wieczn-y/a) maruda.

public opinion *n. U* opinia publiczna.

public opinion poll *n. socjol.* badanie opinii publicznej.

public ownership *n. U* własność państwowa; **be taken into ~** zostać upaństwowionym.

public prosecutor *n. gł. Br. prawn.* oskarżyciel publiczny, prokurator.

public relations *n.* **1.** *U* (*także* **PR**) public relations (= *kreowanie wizerunku firmy, instytucji l. osoby*); biuro informacyjne (*instytucji, znanej osoby*). **2.** *pl.* obraz *l.* wizerunek (publiczny) firmy.

public relations exercise *n.* chwyt *l.* zabieg medialny.

public relations officer *n.* (*także* **PRO**) szef/owa biura informacyjnego.

public school *n.* **1.** *US i Scot.* szkoła publiczna *l.* państwowa. **2.** *Br.* szkoła prywatna (*zwł. elitarna, z internatem*).

public sector *n. sing. ekon.* sektor publiczny *l.* państwowy *l.* uspołeczniony.

public servant *n.* funkcjonariusz/ka *l.* urzędni-k/czka państwow-y/a.

public service *n.* **1.** *pl.* usługi komunalne. **2.** usługa dla ludności (*niedochodowa*). **3.** *U l. sing.* stanowisko *l.* stanowiska publiczne *l.* państwowe.

public service announcement *n. US telew., radio* ogłoszenie publiczne (*zwł. władz dla ludności*).

public service corporation *n.* przedsiębiorstwo użyteczności publicznej.

public spending *n. U fin.* wydatki publiczne.

public spirit *n. U* duch obywatelski, społecznikostwo.

public-spirited [ˌpʌblɪkˈspɪrɪtɪd] *a.* dbający o dobro publiczne, społecznikowski.

public television *n. U gł. US* telewizja publiczna.

public transport *Br. n.* = **public transportation.**

public transportation *n. U US* komunikacja publiczna.

public utility *n. pl.* **-ies 1.** przedsiębiorstwo użyteczności publicznej, przedsiębiorstwo komunalne. **2.** usługa komunalna.

public works *n. pl.* roboty publiczne.

publish [ˈpʌblɪʃ] *v.* **1.** publikować (*książki, czasopisma, listy czytelników w gazecie*); wydawać. **2.** *zw. pass.* ogłaszać, publikować; rozgłaszać.

publisher [ˈpʌblɪʃər] *n.* wydawca; wydawnictwo.

publishing [ˈpʌblɪʃɪŋ] *n. U* **1.** publikowanie, wydawanie, działalność wydawnicza. **2. desktop ~** *zob.* **desktop.**

publishing house *n.* (*także* **publishing company**) wydawnictwo, oficyna wydawnicza.

puccoon [pəˈkuːn] *n.* **1.** *bot.* krwawoziół kanadyjski (*Sanguinaria canadensis*). **2.** *bot.* nawrot (*Lithospermum canescens*). **3.** *U* czerwony barwnik roślinny.

puce [pjuːs] *a. i n. U* (kolor) fioletowobrązowy.

puck [pʌk] **1.** *hokej* krążek. **2.** (*także* **P~**) chochlik.

pucka [ˈpʌkə] *a.* = **pukka.**

pucker [ˈpʌkər] *v.* **1. ~ (up)** zaciskać (*usta*), wykrzywiać (*twarz*); zaciskać się (*o ustach*), wykrzywiać się (*o twarzy*). **2. ~ (up)** marszczyć się (*o tkaninie*). – *n.* zmarszczka.

puckish [ˈpʌkɪʃ] *a.* psotny; chochlikowaty.

pud [pʊd] *n. Br. pot.* = **pudding.**

pudding [ˈpʊdɪŋ] *n. C/U* **1.** *kulin.* pudding; budyń; **plum ~** pudding/budyń śliwkowy. **2.** *Br. kulin.* deser; **what's for ~?** *Br.* co jest na deser? **3.** *Br. kulin.* zapiekanka (*z nadzieniem mięsnym l. warzywnym*); **steak and kidney ~** wołowina i cynaderki w cieście. **4. black/blood ~** *kulin.* kaszanka. **5.** *przen.* **in the ~ club** *Br. przest. pot.* w błogosławionym stanie (= *w ciąży*); **more praise than ~** piękne słówka zamiast zapłaty; **the proof of the ~ (is in the eating)** *zob.* **proof** *n.*; **too much ~ will choke a dog** co za dużo, to niezdrowo.

pudding basin *n.* **1.** *kulin.* garnek do budyniu; salaterka. **2.** (*także* **~ haircut**) *uj.* fryzura *l.* strzyżenie od donicy *l.* na Piasta Kołodzieja.

pudding stone *n. geol.* zlepieniec.

puddle [ˈpʌdl] *n.* **1.** kałuża. **2.** *U bud.* zaprawa glinowo-piaskowa (*do uszczelniania dna zbiornika, kanału*). – *v.* **1. ~ (about)** taplać się. **2.** *bud.* rozrabiać (*glinę*). **3.** *bud.* uszczelniać (zaprawą) (*dno zbiornika, kanału*). **4.** *metal.* świeżyć (*surówkę*).

pudency [ˈpjuːdənsɪ] *n. U arch.* skromność.

pudendum [pjuːˈdendəm] *n. pl.* **pudenda** [pjuːˈdendə] *t. pl. przest.* srom.

pudge [pʌdʒ] *n.* = **podge.**

pudgy [ˈpʌdʒɪ] *a.* = **podgy.**

pueblo [ˈpwebloʊ] *n.* **1.** *zwł. płd.-zach. US* osada, wioska. **2. the P~** *US* (Indianie) Pueblo.

puerile [ˈpjuːraɪl] *a. form.* infantylny.

puerility [ˌpjʊˈrɪlətɪ] *n. U form.* infantylność.

puerperal [pjuːˈɜːpərəl] *a. fizj., pat.* połogowy; **~ fever/sepsis** *pat.* gorączka/posocznica połogowa.

puff [pʌf] *v.* **1.** sapać, dyszeć; **~ out** wysapać (= *powiedzieć sapiąc*). **2. ~ (out)** wydmuchiwać, puszczać, wypuszczać (*dym*); dmuchać (*dymem*). **3.** *przen.* robić przesadną reklamę (*komuś l. czemuś*), przesadnie chwalić. **4. ~ (along/on/up)** iść posapując (*o człowieku*); jechać posapując (*o lokomotywie, ciuchci*). **5. huff and ~** *zob.* **huff** *v.* **6. ~ away/out** zdmuchnąć (*np. świeczkę*); **~ out** wypinać, wydymać (*pierś*); nadymać (*policzki*); **~ on/at** palić (*papierosa, fajkę*), pykać (*fajkę*); zaciągać się (*dymem, papierosem*); **~ up** spuchnąć (*np. o oku*); nastroszyć (*pióra*); rosnąć (*o cieście*); **~ sb up** *przen.* wbijać kogoś w dumę; **be ~ed up with pride** *przen.* puchnąć z dumy. – *n.* **1.** zaciągnięcie się (*papierosem*); sztach (*pot.*); pyknięcie (*fajki*); **have/take a ~** zaciągnąć się; pyknąć sobie (*z fajki*). **2.** podmuch (*wiatru*); kłąb (*dymu*). **3.** (krótki) wydech; oddech; sapnięcie; **get back one's ~** *Br. pot.* odzyskać oddech; **out of ~** *Br. pot.* bez tchu, wypompowany. **4.** *krawiectwo* bufka. **5.** (*także* **powder ~**) wacik *l.* płatek (kosmetyczny). **6.** *U* przesadna reklama, przesadne pochwały, przechwałki. **7.** rozdęcie; obrzęk. **8.** *kulin.* ciastko francuskie (*z nadzieniem*); (*także* **cream ~**) ptyś. **9.** kok. **10.** *US przest.* kapa.

puff adder *n. zool.* żmija sykliwa (*Bitis arietans*).

puffball [ˈpʌfˌbɔːl] *n. bot.* purchawka (*Lycoperdon l. Calvatia*).

puffed [pʌft] *a. pred. Br. pot.* zasapany, zadyszany.

puffed sleeve *n.* bufiasty rękaw.

puffed up *a. uj.* nadęty.

puffery [ˈpʌfərɪ] *n. U pot.* pic (na wodę) (= *przechwałki l. przesadne pochwały*).

puffin [ˈpʌfɪn] *n. orn.* maskonur (*Fratercula*).

puffiness [ˈpʌfɪnəs] *n. U* obrzęk, opuchlizna.

puff pastry *n.* (*także* **puff paste**) *U kulin.* ciasto francuskie.

puffy [ˈpʌfɪ] *a.* **-ier, -iest 1.** spuchnięty, opuchnięty (*o części ciała*); podpuchnięty (*o oczach*). **2.** zasapany. **3.** *uj.* nadęty.

pug1 [pʌg] *n.* **1.** *kynol.* mops. **2.** *sport pot.* bokser.

pug2 *bud. n. U* masa gliniana, polepa. – *v.*

-gg- **1.** wyrabiać, wygniatać (*glinę*). **2.** wypełniać (gliną) (*szczeliny*). **3.** wyciszać, izolować (*od hałasu*).

pug³ *n. Anglo-Ind., myśl.* trop.

pugilism [ˈpjuːdʒɪˌlɪzəm] *n. U sport form.* pięściarstwo, boks.

pugilist [ˈpjuːdʒɪlɪst] *n. sport form.* pięściarz, bokser.

pugilistic [ˈpjuːdʒɪlɪstɪk] *a. sport form.* pięściarski, bokserski.

pugnacious [pʌgˈneɪʃəs] *a. form.* wojowniczy, zaczepny.

pugnaciously [pʌgˈneɪʃəslɪ] *adv. form.* wojowniczo, zaczepnie.

pugnacity [pʌgˈnæsətɪ] *n. U form.* wojowniczość, zaczepność.

pug nose *n.* perkaty nos.

pug-nosed [ˌpʌgˈnoʊzd] *a.* z perkatym nosem.

puissance [ˈpjuːəsəns] *n. U lit.* potęga.

puissant [ˈpjuːəsənt] *a. arch.* możny, potężny.

puke [pjuːk] *sl. v.* rzygać, puszczać pawia; **it makes me ~** *t. przen.* rzygać mi się chce. – *n. U* rzygi.

pukey [ˈpjuːkɪ], **puky** *a. sl.* obrzydliwy.

pukka [ˈpʌkə], **pukha, pucka** *a. attr. Anglo-Ind. przest.* **1.** porządny, solidny. **2.** prawdziwy. **3.** *żart.* nadęty.

pulchritude [ˈpʌlkrɪˌtuːd] *n. U lit.* uroda.

pulchritudinous [ˌpʌlkrɪˈtuːdənəs] *a. lit.* urodziwy.

pule [pjuːl] *v. arch.* zawodzić, kwilić.

Pulitzer prize [ˈpʊlɪtsər ˌpraɪz] *n.* nagroda Pulitzera.

pull [pʊl] *v.* **1.** ciągnąć; pociągać za (*dźwignię, rękaw, spust*); **~ (out)** wyciągać (*np. korek, pistolet*); wysuwać (*np. szufladę*); **~ sb's hair** ciągnąć *l.* szarpać kogoś za włosy. **2.** przyciągać (*tłumy, widzów*). **3.** (*także* **~ from the shelves**) *handl.* wycofywać (*wadliwy towar, nakład*). **4.** *pat.* naciągnąć (sobie) (*mięsień, ścięgno*). **5.** *gł. Br.* pociągać (*seksualnie*). **6.** wyrywać (*zęby, włosy, chwasty*). **7.** zrywać (*kwiaty*). **8.** (*także* **~ (apart/open)**) odsłaniać; (*także* **~ shut**) zasłaniać (*zasłony, rolety, żaluzje*). **9.** naciągać (*sth over sth* coś na coś) (*np. czapkę na uszy*). **10.** *kulin.* patroszyć (*kurczaka*). **11.** *kulin.* skubać (*kurczaka*). **12.** *jeźdz.* powstrzymywać (*konia*). **13.** *jeźdz.* szarpać (*o koniu*). **14.** **~ (to the left/right)** *mot.* ściągać (w lewo/prawo) (*o samochodzie, rowerze*). **15.** *sport* uderzać fałszem (*piłkę*). **16.** *gł. Br.* nalewać z beczki (*piwo*). **17.** *druk.* drukować (*kopię do korekty*). **18.** *przen.* **~ a face** *zob.* **face** *n.*; **~ faces** *zob.* **face** *n.*; **~ a fast one (on sb)** *zob.* **fast** *a.*; **~ a gun/knife on sb** zagrozić komuś bronią/nożem; **~ a line/string** *US pot.* bajerować, nawijać; **~ a punch/one's punches** nie uderzać z całej siły; **~ a robbery** *pot.* zrobić skok; **~ one's weight** przykładać się (*do pracy*); robić swoje, robić, co do kogoś należy; **not ~ one's weight** obijać się; **~ rank** *pot.* za bardzo się rządzić, szarogęsić się; **~ rank on sb** *pot.* rozkazywać komuś, rozstawiać kogoś po kątach; **~ strings/wires** skorzystać z protekcji; użyć (swoich) wpływów (*for sb* żeby komuś pomóc); **~ sb's leg** *zob.* **leg** *n.*; **~ sb's license** *pot.* odebrać komuś prawo jazdy; **~ sb/sth to pieces** rozszarpać kogoś/coś (na strzępy *l.* kawałki); **~ the birds** *Br. pot.* zarywać *l.* rwać laski (= *podrywać dziewczyny*); **~ the other one (it's got bells on)** *pot. iron.* aha, i co jeszcze?; jedzie mi tu czołg?; **~ the plug** ujawnić tajemnicę; **~ the punters** *pot.* przyciągać klientów; **~ the rug/carpet (out) from under sb** pokrzyżować komuś szyki; **~ the strings** pociągać za sznurki; **~ the wool over sb's eyes** *zob.* **wool**; **not ~ any/one's punches** (*także* **~ no punches**) *zob.* **punch** *n.* **19.** **~ about** szarpać (na lewo i prawo); **~ ahead** wysuwać się na prowadzenie (*o zawodniku*); **~ ahead of sb/sth** wyprzedzić kogoś/coś, wysuwać się przed kogoś/coś (*o samochodzie, zawodniku*); **~ apart** rozdzielać (*walczące osoby, psy*); rozdzierać serce (*komuś*); odsłaniać (*zasłony*); przestudiować, przeanalizować (*sprawozdanie*); **~ sb/sth apart** *przen.* nie zostawić na kimś/czymś suchej nitki; **~ at/on sth** pociągać za coś (*np. za rękaw*); pociągać z czegoś (*np. z fajki, butelki*); **~ away** ruszać (*o samochodzie, pociągu*); cofać się, wycofywać się (*przed dotykiem*); wyrywać się (*from sth* z czegoś); *Br. mot.* odholowywać (*samochód*); **~ away from sb** wysforować się przed kogoś, uciekać komuś (*o zawodniku*); **~ back** wycofywać (się); cofać się; hamować się; odsłaniać (*zasłony*); **~ down** rozbierać, burzyć (*stary budynek*), dokonywać rozbiórki (*budynku*); *komp.* rozwijać (*menu*); zaciągać (*żaluzje*); ściągać (*skarpetki, buty*); *US* przygnębiać, dobijać (*kogoś: o kłopotach*); podkopywać zdrowie (*komuś*); obniżać (*cenę*); *sl.* wyciągać (= *zarabiać: określoną sumę*); **~ for sb** *polit.* popierać kogoś (*kandydata*); kibicować komuś (*w konkursie*); **~ in** *mot.* podjechać (*o samochodzie*); *mot.* zjechać na bok, zatrzymać się (*o samochodzie*); wjechać (*na stację; o pociągu*); *pot.* zgarnąć, zatrzymać (*podejrzanego*); *pot.* wyciągać (= *zarabiać: określoną sumę*); przyciągać (*widownię, tłumy*); **~ in one's belt** *przen.* zaciskać pasa; **~ in one's horns** *zob.* **horn** *n.*; **~ in the slack** *przen.* poprawiać organizację *l.* wydajność (*w przedsiębiorstwie*); **~ off** ściągnąć, zdjąć (*np. czapkę, buty*); *pot.* dokonać (*czegoś*); osiągnąć (*sukces, zwycięstwo*); **how did you ~ that (one) off?** jak ci się to udało?; **~ off (sth)** *mot.* skręcać (z czegoś) (*z drogi, ulicy*); **~ on** wkładać, wciągać (*czapkę, skarpetki*) (*zwł. w pośpiechu*); *zob.* **pull at**; **~ out** odjechać (*o pociągu, autobusie*); *mot.* ruszyć, włączyć się do ruchu (*z pobocza*); *mot.* zjechać na lewy/*Br.* prawy pas (*w celu wyprzedzenia*); wycofać (się) (*of sth* z czegoś); *lotn.* wyrównać (lot); wyciągnąć z lotu nurkowego (*samolot*); **~ one's finger out** *zob.* **finger** *n.*; **~ out all the stops** *zob.* **stop** *n.*; **~ sth out of the fire** cudem coś uratować, uratować coś w ostatniej chwili (*np. mecz, sytuację*); **~ sth out of the/one's hat/bag** *pot.* wytrzasnąć coś (z rękawa *l.* nie wiadomo skąd); **~ over** *mot.* zjechać na bok; zatrzymać się (*w podróży*); zatrzymać (*samochód, kierowcę: o policjancie*); **~ through** (*także* **~ round**) wylizać się, wykaraskać się (= *wyzdrowieć*); przetrzymać, wytrzymać; przeżyć; **~ sb through** uratować kogoś (*od śmierci w chorobie*); pomagać komuś (*w kłopotach*); ~ **together** zebrać się (razem *l.* do kupy); brać się (razem) do roboty; poprawić organizację *l.* wydajność (*przedsiębiorstwa*); ~ **o.s. together** *pot.* wziąć się w garść, zebrać się w kupę; ~ **up** zatrzymać się (*o kierowcy, samochodzie, biegaczu*); zatrzymać (*samochód*); wyrywać (*chwasty*); przysunąć *l.* przystawić sobie (*krzesło*); dołączyć do stawki, zmniejszyć stratę (*w wyścigu*); ~ **up short** *gł. mot.* gwałtownie zahamować, gwałtownie się zatrzymać; ~ **up to sb** dogonić kogoś; dołączyć do kogoś; ~ **sb up on their laziness/lateness** położyć kres czyjemuś lenistwu/spóźnianiu się; ~ **one's socks up** *przen.* wziąć się do roboty, podciągnąć się. – *n.* **1.** pociągnięcie (*t. z fajki, butelki*); szarpnięcie; **give sth a** ~ pociągnąć *l.* szarpnąć za coś. **2.** *sing.* przyciąganie (*ziemskie*). **3.** ciąg, zamiłowanie (*of sth* do czegoś). **4.** *U l. sing. pot.* wpływy, wtyki, plecy; **have a lot of** ~ mieć wpływy *l.* wtyki. **5.** wysiłek. **6.** rękojeść, rączka, ucho; dźwignia. **7.** *wioślarstwo* pociągnięcie. **8.** *sport* fałsz, uderzenie fałszem (*piłki*). **9.** opór (*spustu broni*). **10.** *Br. przest.* wspinaczka, podejście, podjazd. **11.** *druk.* odbitka próbna. **12. be/go (out) on the** ~ *Br. pot.* iść na podryw.

pullback [ˈpʊlˌbæk] *n.* **1.** *wojsk.* wycofywanie, wycofanie (*wojsk*) (*from sth* skądś). **2.** *mech.* hamulec (*mechanizmu*).

pull date *n. US handl.* data ważności, data przydatności do spożycia.

pull-down [ˈpʊlˌdaʊn] *a. attr. komp.* rozwijany; ~ **menu** menu rozwijane.

puller [ˈpʊlər] *n.* **1.** osoba ciągnąca (*osoba*). **2.** *mech.* ściągacz.

pullet [ˈpʊlɪt] *n. roln.* kurczak, młoda kura.

pulley [ˈpʊlɪ] *n. mech.* **1.** blok, wielokrążek; wyciąg (krążkowy). **2.** krążek; (*także* **belt** ~) koło pasowe. **3.** rolka dynama (*w rowerze*).

pulley bone *n. płd. US kulin.* = **wishbone.**

pull-in [ˈpʊlˌɪn], **pull-up** [ˈpʊlˌʌp] *n. Br. mot.* zajazd; parking (przydrożny), zatoka.

Pullman [ˈpʊlmən] *n.* **1.** (*także* ~ **car**) *kol.* wagon sypialny; salonka; wagon pulmanowski, pulman. **2.** (*także* ~ **case**) walizka (podróżna).

pull-on [ˈpʊlˌɑːn] *a. attr.* (zakładany) przez głowę (*np. o sukience, bluzie*).

pull-out [ˈpʊlˌaʊt], **pullout** *n.* **1.** wkładka (*w czasopiśmie, książce*). **2.** *wojsk.* wycofywanie, wycofanie (*wojsk*). **3.** *US lotn.* wyrównanie (*z lotu nurkowego*).

pullover [ˈpʊlˌoʊvər], **pull-over** *n.* (*także* **slipover**) pulower. – *a. attr.* (zakładany) przez głowę (*np. o swetrze, kamizelce*).

pull-tab [ˈpʊlˌtæb] *n.* zawleczka (*przy puszce*). – *a. attr.* z zawleczką (*o puszce*).

pullulate [ˈpʌljəˌleɪt] *v.* **1.** *bot.* kiełkować; pączkować. **2.** *zool.* mnożyć się, rozmnażać się (*zwł. gwałtownie*). **3.** *lit.* roić się (*with sth* od czegoś).

pull-up [ˈpʊlˌʌp] *n.* **1.** *US sport* podciągnięcie (na drążku); *pl.* podciąganie (na drążku); **do ~s** podciągać się (na drążku). **2.** *Br. mot.* = **pull-in.**

pulmonary [ˈpʌlməˌnerɪ] *a.* **1.** *anat.* płucny; ~ **artery/vein** tętnica/żyła płucna; ~ **tuberculosis** *pat.* gruźlica płuc. **2.** *zool.* posiadający płuca, obdarzony płucami.

pulmonate [ˈpʌlməˌneɪt] *zool. a.* płucodyszny; posiadający płuca, obdarzony płucami. – *n. gł. pl. zool.* płucodyszny.

pulmonic [pʌlˈmɑːnɪk] *a.* = **pulmonary** 1.

pulp [pʌlp] *n. U* **1.** miąższ (*owocu*). **2.** papka; **boil/cook sth to a** ~ *kulin.* rozgotować coś na papkę. **3.** *techn.* pulpa, miazga, masa (*drzewna, celulozowa, ziemna*). **4.** *przen.* szmatławce, tandeta, chłam (= *literatura, czasopisma, filmy niskiej wartości*). **5.** *anat., dent.* miazga (*zęba, śledziony*). **6. beat sb to a** ~ *przen.* sprać kogoś na kwaśne jabłko. – *v.* **1.** *kulin.* rozcierać (*owoce*). **2.** *kulin.* usuwać *l.* wybierać miąższ z (*owoców*). **3.** przerabiać na makulaturę (*gazety*). – *a. attr. uj.* szmatławy, tandetny (*o literaturze, filmach*); ~ **fiction** tandetna powieść sensacyjna.

pulpit [ˈpʊlpɪt] *n. kośc.* **1.** ambona; **from the** ~ z ambony (*np. upominać, nawoływać*). **2.** *U* **the** ~ kler, księża.

pulpwood [ˈpʌlpˌwʊd] *n. U leśn.* papierówka (= *miękkie drzewo do wyrobu papieru*).

pulpy [ˈpʌlpɪ] *a.* **-ier, -iest** miękki, miąższysty, mięsisty (*o owocu*).

pulque [ˈpʊlkɪ] *n. U zwł. płd. US* pulque (= *likier z agawy*).

pulsar [ˈpʌlsɑːr] *n. astron.* pulsar.

pulsate [ˈpʌlseɪt] *v. fiz., fizj. l. przen.* pulsować, tętnić; ~ **with excitement** tętnić życiem (*o mieście*).

pulsatile [ˈpʌlsətl] *a. form.* pulsujący.

pulsating [ˈpʌlseɪtɪŋ], **pulsatory** [ˈpʌlsəˌtɔːrɪ] *a.* pulsujący, tętniący.

pulsation [pʌlˈseɪʃən] *n. C/U fizj.* tętno; *techn.* pulsacja.

pulse [pʌls] *n.* **1.** *fizj. l. przen.* puls, tętno; **check/feel/take sb's** ~ badać/mierzyć komuś puls *l.* tętno; **keep one's finger on the** ~ *przen.* trzymać rękę na pulsie; **sb's** ~ **quickened** komuś żywiej zabiło serce; **sb's** ~ **races** komuś wali serce. **2.** *el., fiz., techn.* impuls; tętnienie. **3.** rytm (*np. wioseł, świateł*). **4.** atmosfera, nastrój. **5.** *pl. zob.* **pulses.** – *v. fiz., fizj.* pulsować, tętnić.

pulsejet [ˈpʌlsˌdʒet] *n. mech.* silnik odrzutowy pulsacyjny.

pulses [ˈpʌlsɪz] *n. pl. bot., kulin.* nasiona strączkowe; rośliny strączkowe.

pulverization [ˌpʌlvərəˈzeɪʃən] *n. U* **1.** rozcieranie. **2.** *techn.* proszkowanie. **3.** *techn.* rozpylanie.

pulverize [ˈpʌlvəˌraɪz], *Br. i Austr. zw.* **pulverise** *v.* **1.** rozcierać. **2.** *przen.* zmiażdżyć, zetrzeć na proch (= *zniszczyć doszczętnie*). **3.** *techn.* proszkować. **4.** rozpylać (*ciecz*).

pulverizer [ˈpʌlvəˌraɪzər] *n. techn.* rozpylacz.

pulverulent [pʌlˈverʊlənt] *a. form.* **1.** proszkowaty, proszkowy. **2.** rozsypujący się.

pulvinate [ˈpʌlvəˌneɪt], **pulvinated** [ˈpʌlvəˌneɪtɪd] *a.* **1.** *gł. bot.* poduszeczkowaty. **2.** *bud.* wypukły (*o fryzie*).

puma [ˈpjuːmə] *n. zool.* puma, kuguar (*Felis concolor*).

pumice ['pʌmɪs] *n.* *C/U* (*także* ~ **stone**) *t. geol.* pumeks. – *v.* pumeksować (*pięty*).

pumiceous [pjuːˈmɪʃəs] *a. form.* pumeksowy.

pummel [ˈpʌml] *v. Br.* **-ll-** (*także* **pommel**) **1.** okładać pięściami. **2.** *gł. sport pot.* rozgromić.

pump[1] [pʌmp] *n. mech., techn., fizj., fiz.* **1.** pompa; pompka (*np. do roweru, materaca*). **2.** (*także* **gas** *US*/**petrol** *Br.* ~) *mot.* dystrybutor (*paliwa*); **price (of gas) at the ~** *US* detaliczna cena benzyny *l.* paliwa. **3.** *przen.* **all hands to the ~** wszyscy do wioseł; **prime the ~** *zob.* **prime** *v.* – *v.* **1.** ~ **(away)** pompować; ~ **sth into sth** wpompowywać coś do czegoś; ~ **sth out of sth** wypompowywać coś z czegoś; ~ **sth through sth** przepompowywać coś przez coś; ~ **dry** opróżniać (*np. studnię, zbiornik*); wypompowywać wodę z (*zalanego pomieszczenia*), osuszać pompami. **2.** *przen. pot.* brać na spytki. **3.** *med.* płukać (*żołądek*); **have one's stomach ~ed** mieć płukanie żołądka. **4.** ~ **(away)** walić (*o sercu*). **5.** tryskać (*o cieczy, krwi*). **6.** *przen.* ~ **iron** *zob.* **iron** *n.*; ~ **money into sth** *pot.* pakować *l.* ładować w coś pieniądze; ~ **sb full of sth** nafaszerować *l.* naszpikować kogoś czymś (*np. lekami, narkotykami*); ~ **sb's hand** energicznie ściskać komuś rękę. **7.** ~ **sb for sth** (*także* ~ **sth out of sb**) *pot.* wyciągać coś z kogoś (*informacje*); ~ **sth into sb/sth** *pot.* naszpikować kogoś/coś czymś (*zwł. amunicją*); ~ **four bullets into sb** *pot.* wpakować komuś cztery kulki; ~ **out** wypompowywać wodę z (*pomieszczenia*), osuszać pompami; produkować *l.* wypuszczać w dużych ilościach (*np. płyty, informacje*); ~ **up** napompować (*oponę, materac*); *przen.* zwiększać (*np. eksport, presję*); *sl.* podkręcać (*muzykę, wzmacniacz*); ~ **up the volume** (*także* ~ **it up**) *sl.* przyczadować, dać czadu; ~ **it up!** *sl.* więcej czadu!; ~ **sb up** *zwł. sport* zagrzewać kogoś (do gry/walki).

pump[2] *n. zob.* **pumps**.

pump-action [ˌpʌmpˈækʃən] *a. attr.* **1.** na powietrze, pompowany; ~ **spray** atomizer. **2.** *mech.* przesuwany, z dźwignią; ~ **gun/shotgun** karabin powtarzalny.

pumped storage [ˌpʌmptˈstɔːrɪdʒ] *el. n. U* elektrownie szczytowo-pompowe, energetyka szczytowo-pompowa. – *a. attr.* szczytowo-pompowy; ~ **(power) plant** elektrownia szczytowo-pompowa.

pumpernickel [ˈpʌmpərˌnɪkl] *n. C/U kulin.* pumpernikiel.

pumpkin [ˈpʌmpkɪn] *n.* **1.** *C/U bot., kulin.* dynia (*Cucurbita pepo l. maxima*); ~ **pie** *kulin.* placek *l.* ciasto z dynią. **2.** *voc. US pot.* słoneczko, skarbie (*pieszczotliwie*).

pumproom [ˈpʌmpˌruːm] *n.* pijalnia wód (*w uzdrowisku*).

pumps [pʌmps] *n. pl. sing.* **pump 1.** *gł. US* czółenka (*buty damskie*). **2.** lakierki (*buty męskie*). **3.** *Br.* tenisówki. **4.** *Br.* baletki.

pumpwell [ˈpʌmpˌwel] *n.* studnia z pompą.

pun [pʌn] *n.* gra słów, kalambur, żart słowny; **a ~ on sth** aluzja (słowna) do czegoś. – *v.* **-nn-** stosować grę słów; ~ **on sth** zrobić aluzję (słowną) do czegoś.

puna [ˈpuːnə] *n.* **1.** *geogr.* puna, płaskowyż andyjski. **2.** *U pat.* choroba górska (*z niedoboru tlenu*).

Punch [pʌntʃ] *n. gł. Br. teatr* **1.** Punch (*zgryźliwy bohater w angielskim teatrze kukiełkowym*); ~ **and Judy** Punch i Judy (*para bohaterów w teatrze jw.*); ~ **and Judy show** teatr kukiełkowy jw. **2. be (as) pleased as ~** cieszyć się jak dziecko.

punch [pʌntʃ] *n.* **1.** cios (pięścią), uderzenie (pięścią), raz; **throw a ~** wymierzyć *l.* zadać cios. **2.** *U przen.* siła przebicia, charakter. **3.** dziurkacz (*biurowy*); *mech.* przebijak; dziurkarka; stempel; (*także* **center** ~) punktak. **4.** *U kulin.* poncz (*drink*). **5.** *przen.* **beat sb/sth to the ~** uprzedzić *l.* wyprzedzić *l.* ubiec kogoś/coś; **not pull any/one's ~es** (*także* **pull no ~es**) *pot.* walić prosto z mostu; **pack a (fair/hard) ~** *zob.* **pack** *n.* – *v.* **1.** uderzyć *l.* walnąć (pięścią) (*sb/sth in/on sth* kogoś/coś w coś). **2.** przebijać, dziurkować; kasować (*bilet*); ~ **a hole in/through sth** przebić coś (na wylot), zrobić dziurę w czymś. **3.** naciskać, przyciskać (*klawisz*). **4.** *US roln.* pędzić (*bydło*). **5.** *przen.* ~ **holes in sth** *Br.* wskazywać na wady *l.* niedociągnięcia *l.* mankamenty czegoś (*planu, projektu*); ~ **sb's lights out** *US pot.* dać komuś w dziób; ~ **the clock** *US pot.* odbijać kartę (*po przyjściu do l. przy wychodzeniu z pracy*). **6.** ~ **in** *US pot.* odbijać kartę (*po przyjściu do pracy*); *komp. pot.* wklepywać (*dane*); ~ **out** *US pot.* odbijać kartę (*przy wycodzeniu z pracy*); ~ **sb out** znokautować kogoś; ~ **up** *pot.* ubarwić (*np. przemówienie*).

punchbag [ˈpʌntʃˌbæg], **punch bag** *n. Br. boks* = **punching bag**.

punchball [ˈpʌntʃˌbɔːl], **punch ball** *n. boks* gruszka *l.* piłka bokserska.

punch card, punched card *n. komp., hist.* karta dziurkowana *l.* perforowana.

punch-drunk [ˌpʌntʃˈdrʌŋk] *a.* **1.** *boks, pat.* cierpiący na encefalopatię bokserską. **2.** zamroczony *l.* oszołomiony ciosem. **3.** *pot.* skołowany.

punched card *n.* = **punch card**.

puncheon [ˈpʌntʃən] **1.** *hist.* beczka (*o pojemności 270-450 litrów*). **2.** *bud.* słupek. **3.** *bud.* belka podłogowa.

Punchinello [ˌpʌntʃəˈneloʊ] *n.* **1.** *teatr* Poliszynel (*we włoskim teatrze kukiełkowym*). **2.** *przen.* błazen, pajac.

punching bag [ˈpʌntʃɪŋ ˌbæg] *n. gł. US boks* **1.** worek bokserski *l.* treningowy. **2. use sb as a ~** *pot.* okładać kogoś pięściami; *przen.* wyżywać się na kimś.

punch line *n.* puenta (*dowcipu*).

punch-up [ˈpʌntʃˌʌp] *n. pot.* bijatyka; awantura (*t. słowna*).

punchy [ˈpʌntʃɪ] *a.* **-ier, -iest** *pot.* **1.** dobitny. **2.** = **punch-drunk**.

punctate [ˈpʌŋkteɪt] *a. bot.* nakrapiany; dziurkowany (*o liściu*).

punctilio [pʌŋkˈtɪlɪoʊ] *n. pl.* **-s** *form.* **1.** *U* pedanteria, pedantyczność, drobiazgowość. **2.** drobny szczegół (*procedury, etykiety*).

punctilious [pʌŋkˈtɪlɪəs] *a. form.* pedantyczny, drobiazgowy.

punctiliously [pʌŋkˈtɪlɪəslɪ] *adv. form.* pedantycznie, drobiazgowo.

punctiliousness [pʌŋkˈtɪlɪəsnəs] *n. U form.* pedanteria, pedantyczność, drobiazgowość.

punctual [ˈpʌŋktʃʊəl] *a.* **1.** punktualny (*o osobie, działaniu*); terminowy (*o płatności*). **2.** *geom.* punktowy.

punctuality [ˌpʌŋktʃʊˈælətɪ] *n. U* punktualność; terminowość.

punctually [ˈpʌŋktʃʊəlɪ] *adv.* punktualnie; terminowo.

punctuate [ˈpʌŋktʃʊˌeɪt] *v.* **1.** używać interpunkcji w (*tekście*); wydzielać znakami przestankowymi (*fragment tekstu*). **2.** przerywać (*przemówienie*); okraszać (*przemówienie, artykuł*); **~d by/with sth** przerywany czymś (*np. protestami*); okraszony czymś (*np. dowcipami, anegdotami*). **3.** podkreślać, zaznaczać (*ważny punkt, fakt*).

punctuation [ˌpʌŋktʃʊˈeɪʃən] *n. U* interpunkcja, przestankowanie.

punctuation mark *n.* znak przestankowy *l.* interpunkcyjny.

puncture [ˈpʌŋktʃər] *n.* **1.** *Br. mot.* guma, przebicie dętki; **have a ~** złapać gumę. **2.** *C/U* przekłucie, nakłucie; otworek (*powstały po przekłuciu*). **3.** *C/U med.* nakłucie, punkcja; **lumbar ~** nakłucie lędźwiowe. – *v.* **1.** przebijać, przekłuwać, przedziurawiać; nakłuwać. **2.** przedziurawić się. **3. ~ sb's pride/complacency** *przen.* wyleczyć kogoś z dumy/przemądrzalstwa.

pundit [ˈpʌndɪt] *n.* **1.** ekspert. **2.** uczony, mędrzec. **3.** (*także* **pandit**) *Anglo-Ind.* pandit (= *mędrzec bramiński*).

pungency [ˈpʌndʒənsɪ] *n. U* **1.** ostrość, cierpkość (*zapachu, smaku*). **2.** uszczypliwość, zjadliwość (*uwagi*).

pungent [ˈpʌndʒənt] *a.* **1.** ostry, cierpki (*o zapachu, smaku*). **2.** uszczypliwy, zjadliwy (*o uwadze*). **3.** *biol.* ostro zakończony (*o liściu*).

pungently [ˈpʌndʒəntlɪ] *adv.* **1.** ostro, cierpko. **2.** uszczypliwie, zjadliwie.

Punic [ˈpju:nɪk] *a. i n. U hist., jęz.* (język) punicki.

puniness [ˈpju:nɪnəs] *n. U* **1.** mizerność. **2.** żałosność.

punish [ˈpʌnɪʃ] *v.* **1.** karać (*sb for (doing) sth* kogoś za coś, *with sth* czymś); karać za (*przestępstwo, kradzież*). **2.** dawać w kość (*komuś l. czemuś*), źle traktować. **3. ~ o.s. (for (doing) sth)** winić *l.* obwiniać się (o coś). **4.** *pot.* pochłaniać (= *jeść l. pić szybko i w dużych ilościach*).

punishable [ˈpʌnɪʃəbl] *a.* karalny, karany (*by sth* czymś).

punishing [ˈpʌnɪʃɪŋ] *a.* wyczerpujący, wymagający, morderczy. – *n.* **take a ~** *przen. pot.* dostać w kość.

punishment [ˈpʌnɪʃmənt] *n.* **1.** *C/U* kara (*for (doing) sth* za coś); **harsh/severe ~** surowa kara; **mete out/administer ~** *form.* wymierzać karę. **2.** *U przen. pot.* cięgi; ciężka szkoła; **take a lot of ~** dostać (nieźle) w kość. **3. ~ is lame, but it comes** *lit.* Pan Bóg nierychliwy, ale sprawiedliwy.

punitive [ˈpju:nətɪv] *a.* **1.** *t. prawn.* karny (*np. o sankcjach*); karzący. **2.** dokuczliwy (*np. o podatkach, podwyżkach*).

punitive damages *n. pl. prawn.* nawiązka, zadośćuczynienie.

punitively [ˈpju:nətɪvlɪ] *adv.* niezwykle (*surowy; o wyroku*); dokuczliwie (*wysoki; np. o cenach, czynszach*).

Punjabi [pʌnˈdʒɑ:bɪ], **Panjabi** *a. geogr., jęz.* pendżabski. – *n.* **1.** mieszkan-iec/ka Pendżabu. **2.** *U* język pendżabski.

punk [pʌŋk] *n.* **1.** *U* (*także* **~ rock**) *muz.* punk-rock, pank-rock. **2.** *U* ruch punków *l.* panków. **3.** (*także* **~ rocker, punker**) punk, pank. **4.** *US sl. obelż.* śmieć, gówniarz. **5.** *US arch.* hubka, próchno (*do zapalania*). – *a. attr.* **1.** punkowy, pankowy. **2.** *uj.* podły (*o przedmiocie, samopoczuciu*).

punka [ˈpʌŋkə], **punkah** *n. Anglo-Ind. hist.* wachlarz (*u sufitu, z liścia palmy*).

punker [ˈpʌŋkər] *n.* = **punk** 3.

punkie [ˈpʌŋkɪ] *n. US ent.* mikroskopijny komar (*Ceratopogonidae*).

punkin [ˈpʌnkɪn] *n. US dial.* = **pumpkin**.

punk rock *n.* = **punk** 1.

punk rocker *n.* = **punk** 3.

punnet [ˈpʌnɪt] *n. Br. handl.* koszyczek, kobiałka (*w której sprzedaje się np. truskawki*).

punster [ˈpʌnstər] *n.* kalamburzyst-a/ka.

punt¹ [pʌnt] *futbol amerykański n.* wykop z ręki. – *v.* wykonywać wykop z ręki; kopnąć (w powietrzu) (*piłkę*).

punt² *żegl. n.* łódź płaskodenna. – *v.* **1.** pływać (łodzią płaskodenną). **2.** popychać (*łódź*) żerdzią.

punt³ *pot. v.* stawiać zakład. – *n.* zakład.

punt⁴ *n.* wcięcie w dnie butelki (*od wina l. szampana*).

punt⁵ [pʊnt] *n.* (*także* **Irish ~**) *fin.* funt irlandzki.

punter¹ [ˈpʌntər] *n. futbol amerykański* (zawodnik) wykopujący.

punter² *n. Br. pot.* **1.** *wyścigi konne* gracz (*hazardowy*). **2.** klient/ka.

punty [ˈpʌntɪ] *n. techn.* przylepiak (= *pręt używany w końcowej fazie obróbki wyrobów ze szkła*).

puny [ˈpju:nɪ] *a.* **-ier, -iest** *gł. uj.* **1.** mizerny. **2.** żałosny.

pup [pʌp] *n. zool. l. przen.* szczenię (*np. psa, foki, wilka, lisa*), szczeniak (*t. przest. obelż.* = *pyskaty młodzieniec*); młode (*np. myszy*); **have ~s** mieć szczeniaki *l.* szczenięta, szczenić się; *US pot.* być jak na szpilkach; **in ~** szczenna (*o suce*); ciężarna (*o samicy ssaka*); **sell sb a ~** *Br. przest.* wcisnąć komuś tandetę *l.* kit. – *v.* **-pp-** rodzić (*szczenięta*); szczenić się.

pupa [ˈpju:pə] *n. pl.* **-s** *l.* **pupae** [ˈpju:pi:] *ent.* poczwarka.

pupal [ˈpju:pl] *a. ent.* poczwarkowaty.

pupate [ˈpju:ˌpeɪt] *v. ent.* przepoczwarzać się.

pupil [ˈpju:pl] *n.* **1.** *gł. Br. szkoln.* ucze-ń/nnica, wychowan-ek/ka. **2.** ucze-ń/nnica (*mistrza,* *filozofa*). **3.** *prawn.* małoletn-i/a, osoba małoletnia. **4.** *anat.* źrenica.

pupillarity [ˌpju:pəˈlerətɪ] *n.* *U Scot.* *prawn.* niepełnoletność.

pupillary [ˈpju:pəˌlerɪ] *a.* **1.** *anat.* źrenicowy. **2.** *prawn.* kuratorski.

puppet [ˈpʌpɪt] *n.* kukiełka, pacynka, lalka; *t. przen.* marionetka. – *a. attr. polit.* marionetkowy; ~ **government/regime** marionetkowy rząd/reżim.

puppeteer [ˌpʌpɪˈti:r] *n.* lalka-rz/rka, kukiełka-rz/rka, pacynka-rz/rka.

puppetry [ˈpʌpɪtrɪ] *n.* *U* **1.** teatr lalek. **2.** lalkarstwo. **3.** *przen.* komedia, kpina.

puppy [ˈpʌpɪ] *n. pl.* **-ies** **1.** szczeniak, szczenię; *zwł. dziec.* piesek. **2.** *Br. przest. obelż.* szczeniak (= *pyskaty młodzieniec*). **3.** **have -ies** mieć szczeniaki *l.* szczenięta, szczenić się; *US przen. pot.* być jak na szpilkach.

puppy fat *n.* *U Br. pot.* tłuszczyk dziecięcy.

puppy love *n.* *U* szczenięca miłość.

pup tent *n.* namiot dwuosobowy; *t. wojsk.* pałatka.

purblind [ˈpɜ:ˌblaɪnd] *a. form. obelż.* **1.** ślepawy; ślepy. **2.** *przen.* ślepy (= *nierozumny*).

purchasable [ˈpɜ:tʃəsəbl] *a. form.* **1.** dostępny w handlu *l.* sprzedaży. **2.** przekupny.

purchase [ˈpɜ:tʃəs] *form. n.* **1.** *C/U handl.* zakup, kupno, nabycie; **make a** ~ dokonać zakupu; **on special** ~ w promocji, w specjalnej ofercie. **2.** *handl.* zakup, nabytek. **3.** *U l. sing.* punkt oparcia; **gain/get (a)** ~ **(on sth)** znaleźć punkt oparcia (w czymś); uchwycić się czegoś. **4.** *sing.* przewaga; **gain a** ~ **over sb** zdobyć przewagę nad kimś. **5.** *C/U mech.* przełożenie (siłowe) (*przekładni, dźwigni*). **6.** *techn.* wielokrążek. – *v.* **1.** nabywać (*sth for sb* coś dla kogoś, *sth with sth* coś za coś). **2.** *przen.* okupić (*sth with sth* coś czymś) (*np. zwycięstwo krwią*). **3.** *mech.* podnosić.

purchase price *n. handl.* cena zakupu *l.* kupna; *fin.* kurs kupna.

purchaser [ˈpɜ:tʃəsər] *n. handl. form.* nabywca/czyni, kupując-y/a.

purchasing power [ˈpɜ:tʃəsɪŋˌpaʊər] *n.* *U ekon., fin.* siła nabywcza.

purdah [ˈpɜ:də] *n. Anglo-Ind.* **1.** *U* prawo *l.* obyczaj izolowania kobiet od społeczeństwa (*w hinduizmie i islamie*). **2.** parawan (*oddzielający kobiety*). **3.** kwef, czarczaf. **4.** *U przen.* izolacja; **go into** ~ odizolować się; **in** ~ w izolacji.

pure [pjʊr] *a. t. przen.* czysty (*np. o wodzie, powietrzu, wełnie, narkotyku, myślach, kolorze, dźwięku, sztuce, naukach*); ~ **hell** istne piekło; **as** ~ **as the driven snow** *zob.* **driven** *a.*; **(by)** ~ **chance** (przez) czysty przypadek.

pure and simple *adv. pot.* po prostu, normalnie.

purebred [ˈpjʊrˌbred] *a. biol.* czystej krwi.

purée [pjʊˈreɪ], **puree** *kulin. n.* *C/U* przecier; **apple/tomato** ~ przecier z jabłek/ pomidorowy. – *v.* przecierać.

purely [ˈpjʊrlɪ] *adv.* czysto, całkowicie, wyłącznie, jedynie (*np. hipotetyczny*).

pureness [ˈpjʊrnəs] *n.* = **purity**.

purfle [ˈpɜ:fl] *n.* ozdobny brzeg, szlaczek; lamówka. – *v.* ozdabiać.

purfling [ˈpɜ:flɪŋ] *n.* *U* zdobienie, ozdobny brzeg, szlaczek; lamówka.

purgation [pɜ:ˈgeɪʃən] *n.* *U lit.* oczyszczenie.

purgative [ˈpɜ:gətɪv] *a. i n. med.* (środek) przeczyszczający.

purgatorial [ˌpɜ:gəˈtɔ:rɪəl] *a.* **1.** *rel.* czyśćcowy. **2.** *lit.* oczyszczający, pokutny.

purgatory [ˈpɜ:gəˌtɔ:rɪ] *n.* *U* **1. P~** *rz.-kat.* czyściec. **2.** *pot. t. żart.* piekło; **go through** ~ przechodzić (przez) piekło; **sheer** ~ istne piekło.

purge [pɜ:dʒ] *n.* **1.** *polit.* czystka. **2.** eliminacja, oczyszczenie. **3.** *przest. med.* środek przeczyszczający. – *v.* **1.** przeprowadzać czystki *l.* czystkę w (*organizacji, partii*). **2.** ~ **sb/sth from/of sth** (*także* ~ **sth of sb/sth**) usuwać *l.* eliminować kogoś/coś skądś (*zwł. bezwzględnie, bezprawnie*). **3.** ~ **sb/sth of sth** (*także* ~ **sth from sb/sth**) *lit. t. rel.* oczyszczać kogoś/coś z czegoś (*np. duszę z grzechu*). **4.** *komp.* wyczyścić (*zawartość dysku*). **5.** *med.* wywoływać przeczyszczenie; przeczyszczać (*przez podanie środków wymiotnych l. przeczyszczających*).

purification [ˌpjʊrɪfɪˈkeɪʃən] *n.* *U techn., rel.* oczyszczenie, oczyszczanie.

purificator [ˈpjʊrəfəˌkeɪtər] *n. kość.* puryfikarz (= *ściereczka do wycierania kielicha mszalnego*).

purifier [ˈpjʊrɪˌfaɪər] *n. techn.* oczyszczalnik, oczyszczacz; filtr; **oil** ~ filtr olejowy *l.* oleju.

purify [ˈpjʊrɪˌfaɪ] *v.* **-ied, -ying** *techn., rel.* oczyszczać (*of/from sth* z czegoś).

Purim [ˈpjʊrɪm] *n.* *U judaizm* Purim, Święto Estery.

purism [ˈpjʊrˌɪzəm] *n.* *U t. jęz., sztuka* puryzm.

purist [ˈpjʊrɪst] *n.* puryst-a/ka.

puristic [pjʊˈrɪstɪk] *a.* purystyczny.

puritan [ˈpjʊrətən] *n.* puryta-nin/nka; **P~** *hist.* Purytan-in/ka. – *a.* purytański.

puritanic [ˌpjʊrəˈtænɪk], **puritanical** [ˌpjʊrəˈtænɪkl] *a.* purytański.

puritanically [ˌpjʊrəˈtænɪklɪ] *adv.* po purytańsku.

puritanism [ˈpjʊrətənˌɪzəm] *n.* *U* purytanizm; **P~** *hist.* Purytanizm.

purity [ˈpjʊrətɪ] *n.* *U* czystość.

purl[1] [pɜ:l] *n.* *U* **1.** (*także* ~ **stitch**) *dziewiarstwo* ścieg lewy. **2.** (*także* **pearl**) *krawiectwo* pikotka (*koronki*); (złoty *l.* srebrny) kordonek, galonik. – *v.* **1.** *dziewiarstwo* robić lewym ściegiem. **2.** (*także* **pearl**) *krawiectwo* obszywać *l.* lamować (złotym *l.* srebrnym) kordonkiem.

purl[2] *v.* szemrać (*o potoku*). – *n.* szemranie (*potoku*).

purler [ˈpɜ:lər] *n.* **come a** ~ *Br. pot.* wywalić się jak długi.

purlieu [ˈpɜ:lu:] *n. form.* **1.** przedmieście. **2.** przyległy *l.* sąsiedni obszar. **3.** zakamarek, zaułek (*zwł. zaniedbany*). **4.** *Br. hist.* teren na skraju lasu. **5.** *pl.* peryferie.

purlin [ˈpɜ:lɪn], **purline** *n. bud.* płatew (= *pozioma belka pod krokwiami więźby dachowej*).

purloin [pɜ:ˈlɔɪn] *v. form. l. żart.* przywłaszczyć sobie.

purloiner [pɜ:ˈlɔɪnər] *n. form. l. żart.* rabuś, złodziej/ka.

purple [ˈpɜ:pl] *n. U* **1.** fiolet. **2.** purpura (= *szata l. symbol godności l. władzy monarchy l. biskupa*). **3. born to the ~** *lit.* błękitnej krwi. – *a.* **1.** fioletowy; purpurowy; **~ in the face** purpurowy na twarzy; **~ with rage** pąsowy z gniewu. **2.** *teor. lit. gł. uj.* górnolotny (*o stylu, tekście literackim*); **~ patch/passage** górnolotny fragment. – *v.* czerwienić się, poczerwienieć, pąsowieć (*na twarzy*); sinieć.

Purple Heart *n. US wojsk.* Purpurowe Serce (= *medal za odwagę dla rannych w boju*).

purplish [ˈpɜ:plɪʃ] *a.* fioletowawy; purpurowawy.

purport *form. v.* [pərˈpɔ:rt] **1.** utrzymywać, twierdzić; **~ to be sb/sth** utrzymywać, że się kimś jest, podawać się za kogoś; **be ~ed to be sb/sth** rzekomo być kimś/czymś; **a document ~ing to be official** rzekomo urzędowy dokument. **2. ~ to do sth** mieć (w zamierzeniu) spowodować coś *l.* doprowadzić do czegoś (*o działaniu*). – *n.* [ˈpɜ:ˌpɔ:rt] *U* wymowa, ogólny ton (*np. dokumentu, uwag*).

purported [pərˈpɔ:rtɪd] *a. form.* rzekomy.

purportedly [pərˈpɔ:rtɪdlɪ] *adv. form.* rzekomo.

purpose [ˈpɜ:pəs] *n.* **1.** *C/U* cel (*of (doing) sth/in doing sth* czegoś); **for our/their ~s** dla naszych/ich celów; **for tax ~s** dla celów podatkowych; **on ~** celowo; **sense of ~** poczucie celu. **2.** zamiar, zamysł; **for/with the ~ of doing sth** z zamiarem zrobienia czegoś. **3.** skutek, efekt; **to good/little/some ~** *form.* z dobrym/małym/pewnym skutkiem; **to no ~** *form.* bez żadnego skutku, na próżno. **4.** *U* zdecydowanie, determinacja. **5. accidentally on ~** *żart.* niby (to) przez przypadek; **for all practical ~s** z praktycznego punktu widzenia; **novel with a ~** powieść z tezą; **of set ~** z rozmysłem; **serve a (useful) ~** *zob.* **serve** *v.*; **serve its/the ~** *zob.* **serve** *v.*; **to the ~** *przest.* udatny. – *v. przest.* zamierzać.

purposeful [ˈpɜ:pəsfʊl] *a.* **1.** celowy (*o działaniu*). **2.** zdecydowany, stanowczy (*o osobie*).

purposefully [ˈpɜ:pəsfʊlɪ] *a.* zdecydowanie, stanowczo.

purposefulness [ˈpɜ:pəsfʊlnəs] *n. U* **1.** celowość. **2.** zdecydowanie, stanowczość.

purposeless [ˈpɜ:pəsləs] *a.* bezcelowy, bez celu.

purposelessness [ˈpɜ:pəsləsnəs] *n. U* bezcelowość.

purposely [ˈpɜ:pəslɪ] *adv. form.* celowo.

purposive [ˈpɜ:pəsɪv] *a. form.* **1.** celowy (= *zamierzony l. służący określonemu celowi*). **2.** zdecydowany, stanowczy.

purpura [ˈpɜ:pjərə] *n. U pat.* plamica.

purr [pɜ:] *v.* **1.** mruczeć (*o kocie; t. o zadowolonej l. rozmarzonej osobie*). **2.** warkotać (*o silniku*). – *n.* **1.** mruczenie. **2.** warkot.

purse [pɜ:s] *n.* **1.** *US* torebka (damska). **2.** portmonetka; *gł. Br.* portfel. **3.** (łączna) stawka (*w turnieju*). **4.** kwota. **5.** fundusz. **6.** *przest. l. przen.* kiesa, sakiewka, kabza. **7.** *przen.* **control/hold the ~ strings** pilnować wydatków, być odpowiedzialnym za wydatki (*w rodzinie, przedsiębiorstwie, państwie*); trzymać kasę; **loosen the ~ strings** popuścić kabzy; **pull in/tighten the ~ strings** obcinać fundusze; **the public ~** kiesa publiczna, fundusze publiczne; **you can't make a silk ~ out of a sow's ear** z pustego i Salomon nie naleje. – *v.* **~ one's lips/mouth** zaciskać *l.* sznurować wargi/usta.

purser [ˈpɜ:sər] *n. żegl.* ochmistrz; *wojsk.* oficer płatnik.

purse seine [ˈpɜ:s ˌseɪn] *n. ryb.* okrężnica (*sieć do połowów*).

purse snatcher *n. US* złodziej/ka torebek.

purslane [ˈpɜ:slən] *n. bot.* portulaka (*Portulaca*).

pursuance [pərˈsu:əns] *n. U form.* **~ of sth** realizacja czegoś; dążenie do czegoś; **in ~ of sth** zgodnie z czymś (*np. z porozumieniem, postanowieniem*); w celu zrealizowania *l.* uzyskania czegoś.

pursuant [pərˈsu:ənt] *a. form.* ścigający.

pursuant to *prep. form. gł. prawn.* zgodnie z; stosownie do.

pursue [pərˈsu:] *v.* **1.** realizować (*np. politykę, przedsięwzięcie, plan*). **2.** ścigać (*np. samochód, przestępcę, ofiarę*). **3.** prześladować (*kogoś*). **4.** dążyć do osiągnięcia (*np. szczęścia, satysfakcji*), zmierzać do (*celu*); poświęcać się (*np. studiom, karierze*). **5.** kontynuować (*działanie*); prowadzić (dalej) (*sprawę, dyskusję*); **let's not ~ the matter any further** zakończmy tę sprawę. **6.** uganiać się za (*kimś l. czymś*).

pursuer [pərˈsu:ər] *n.* **1.** prześladow-ca/czyni. **2.** ścigając-y/a. **3. ~ of sth** osoba dążąca do czegoś *l.* poszukująca czegoś (*szczęścia*).

pursuit [pərˈsu:t] *n.* **1.** *U l. sing.* pościg, pogoń (*t. przen.*); **in ~** ścigający (*zwł. przestępcę; np. o policjancie, radiowozie*); **in ~ of sb/sth** w pogoni za kimś/czymś (*np. za bandytą, szczęściem, zyskiem*); **in hot ~** tuż za nim/nią/nimi, tuż za plecami. **2.** *gł. pl. form.* zajęcie; rozrywka, rekreacja; **leisure ~s** zajęcia rekreacyjne, rozrywki; **outdoor ~s** zajęcia na (świeżym) powietrzu. **3.** *Br. kolarstwo* wyścig na dochodzenie.

pursuit plane *n. lotn., wojsk., hist.* pościgowiec, myśliwiec pościgowy.

purtenance [ˈpɜ:tənəns] *n. U arch.* trzewia.

purulence [ˈpjʊrələns], **purulency** *n. U pat.* ropienie; ropa.

purulent [ˈpjʊrələnt] *a. pat.* ropiejący (*o ranie*); ropny (*o zakażeniu*).

purvey [pərˈveɪ] *v. form.* **1.** handlować (*czymś*). **2. ~ sth to sb** dostarczać komuś czegoś, zaopatrywać kogoś w coś (*np. w żywność, informację*). **3.** rozpuszczać (*plotki*).

purveyance [pərˈveɪəns] *n. U form.* zaopatrzenie, zaopatrywanie.

purveyor [pərˈveɪər] *n.* **1.** *form. handl.* dostawca. **2.** *zwł. pog.* dostarczyciel/ka (*czegoś złego*).

purview [ˈpɜ:vju:] *n.* **1.** *form.* zakres kompetencji *l.* obowiązków; **within/outside the ~ of sb/sth** w zakresie/poza zakresem kompetencji *l.* obowiązków kogoś/czegoś. **2.** *prawn.* (główna) treść (*dokumentu, przepisu, ustawy*).

pus [pʌs] *n. U pat.* ropa.

push [pʊʃ] *v.* **1.** pchać, popychać (*rękami*). **2.** pchać się, przepychać się. **3.** naciskać (*klawisz*). **4.** naciskać na (*sb to do sth* kogoś, żeby coś zrobił); zmuszać (*sb into (doing) sth* kogoś do (zrobienia) czegoś). **5.** pilnować, dopingować (*uczniów, żeby się uczyli; pracowników, żeby pracowali*); zmuszać do nauki (*uczniów*). **6.** *t. handl. pot.* promować, reklamować (*produkt, styl życia*). **7.** forsować (*poglądy*), namawiać *l.* agitować do (*czegoś*). **8.** "~" pchać (*napis na drzwiach, dźwigni*); dzwonić (*napis koło dzwonka*); ~ **one's way** pchać się, rozpychać się, przepychać się (*towards / across sth* w kierunku czegoś/przez coś); ~ **the door open/shut** otworzyć/zamknąć drzwi. **9.** *przen.* ~ **sth to the back of one's mind** przestać o czymś myśleć, zapomnieć o czymś (*zwł. nieprzyjemnym*); ~ **drugs/heroin** *pot.* handlować narkotykami/heroiną; ~ **it** (*także* ~ **one's luck**) *pot.* kusić los; przegiąć, przeciągnąć strunę; ~ **one's fortune** pomagać szczęściu; ~ **o.s.** zarzynać się (= *zbyt ciężko pracować*); ~ **the point** *przest.* upierać się, nastawać; ~ **things ahead/along/forward/on** pospieszyć się, przyspieszyć (działania); **be ~ing 80** *pot. mot.* pruć osiemdziesiątką (= *jechać*); **sb is ~ing 70/80** *pot.* komuś idzie siódmy/ósmy krzyżyk. **10.** ~ **about** *Br.* = **push around**; ~ **against sth** opierać się o coś (*np. o drzwi, ścianę*); pchać coś, popychać coś; ~ **ahead with sth** kontynuować coś; przeprowadzić coś (*reformy, zmiany*); ~ **along** *pot.* uciekać (= *iść już*); ~ **along (with sth)** kontynuować (coś), nie zwlekać (z czymś); ~ **sb around** (*także Br.* ~ **sb about**) *pot.* pomiatać kimś; ~ **sb/sth aside** odepchnąć kogoś/coś; *przen.* odstawić kogoś/coś, odsunąć kogoś/coś na bok; ~ **sth aside** odpychać coś od siebie (*np. złe myśli*); ~ **away** odpychać, odsuwać; ~ **back** odpychać, odsuwać; odsuwać się, cofać się; ~ **down** przewrócić (*na ziemię*); *ekon.* prowadzić do spadku *l.* obniżenia (*cen, płac, popytu*); ~ **for sth** domagać się czegoś; agitować *l.* działać na rzecz czegoś; obstawać przy czymś, forsować coś; ~ **sb for sth** apelować do kogoś o coś; agitować za czyjąś kandydaturą na jakieś stanowisko; **sb is ~ed for money** *gł. Br.* komuś brakuje pieniędzy; **sb is ~ed for time** *gł. Br.* komuś się spieszy, czas kogoś nagli; ~ **forward** posuwać się; nie ustępować; ~ **o.s. forward** dać się zauważyć, pokazać się (*o osobie*); pchać się do przodu; ~ **in** wtrącać się; *Br. pot.* włazić *l.* wpychać się *l.* wciskać się bez kolejki, wpychać się (do kolejki); ~ **off** odbijać (od brzegu *l.* pomostu) (*o łodzi*); odpychać się od brzegu *l.* pomostu (*o osobie w łodzi*); ~ **off!** *zwł. Br. pot. obelż.* spływaj!, spadaj!; ~ **on** posuwać się, iść *l.* jechać dalej, nie zatrzymywać się; ~ **on with sth** dalej coś robić; wrócić do czegoś; ~ **out** odbijać (od brzegu *l.* pomostu) (*o łodzi*); odpychać się od brzegu *l.* pomostu (*o osobie w łodzi*); wysuwać; wypuszczać (*pędy - o roślinie*); ~ **the boat out** *Br. przen. pot.* nie żałować pieniędzy (*on sth* na coś); ~ **sb/sth over** przewrócić kogoś/coś; ~ **through** przepychać się, przeciskać się (*przez tłum*); przeprowadzić, doprowadzić do końca (*sprawę*); przepchnąć (*np. czyjąś kandydaturę*); ~ **a law through parliament** przepchnąć ustawę przez parlament; ~ **to** dopchnąć, domknąć (*drzwi, okno*); ~ **up** *ekon.* podbijać, podwyższać (*ceny*); prowadzić do wzrostu (*cen, płac, popytu*); ~ **up/be ~ing up the daisies** *zob.* **daisy**. – *n.* **1.** pchnięcie; popchnięcie; **give sb/sth a** ~ popchnąć kogoś/coś. **2.** naciśnięcie (*klawisza*). **3.** przycisk, klawisz. **4.** *U l. sing.* impuls, motywacja (*do działania*); energia; determinacja, zdecydowanie, siła przebicia. **5.** *wojsk.* natarcie, ofensywa, uderzenie (*into sth* na terytorium *l.* teren czegoś). **6.** *przen.* **at a** ~ *gł. Br. pot.* z trudem; **100 at a** ~ (co) najwyżej 100; **at the** ~ **of a button** (jak) za naciśnięciem guzika; **get the** ~ *Br. pot.* zostać wylanym (z roboty); **give sb the** ~ *Br. pot.* wylać kogoś; zerwać z kimś; **if/when** ~ **comes to shove** (*także* **if/when it comes to the** ~) *zwł. Br. pot.* w najgorszym wypadku; **it'll be a** ~ *pot.* będzie (trochę) ciężko (*zdążyć*).

pushball [ˈpʊʃˌbɔːl] *n. US sport* **1.** *U* pushball, przepychanie piłki (*gra zespołowa*). **2.** piłka w grze jw. (*o średnicy prawie 2 metrów*).

push-bike [ˈpʊʃˌbaɪk] *n. Br.* rower.

push-broom [ˈpʊʃˌbruːm] *n.* miotła.

push button *n.* klawisz, przycisk, guzik.

push-button [ˈpʊʃˌbʌtən] *a. attr.* **1.** klawiszowy, na przyciski, obsługiwany klawiszami *l.* przyciskami. **2.** zautomatyzowany; elektroniczny.

pushcart [ˈpʊʃˌkɑːrt] *n.* wózek (ręczny).

pushchair [ˈpʊʃˌtʃer] *n. Br.* spacerówka, wózek spacerowy.

pusher [ˈpʊʃər] *n.* **1.** *pot.* dealer/ka, handlarz/rka narkotyków. **2.** *pot.* osoba przebojowa, karierowicz/ka. **3.** pchając-y/a, osoba pchająca. **4.** *mech.* popychacz. **5.** *hist., wojsk.* pchacz (*samolot ze śmigłem pchającym*).

pushiness [ˈpʊʃɪnəs] *n. U pot.* natarczywość, natrętność.

pushing [ˈpʊʃɪŋ] *a.* ambitny, prący do przodu.

pushover [ˈpʊʃˌoʊvər] *n. pot.* **1.** łatwizna, pryszcz (*zwł. o grze, meczu*); **it's a** ~ to łatwizna. **2.** łatw-y/a przeciwni-k/czka. **3.** jeleń (= *osoba, którą łatwo przekonać l. nabrać*); **he's a (real)** ~ on wszystko łyknie; **be a** ~ **for sb/sth** mieć słabość do kogoś/czegoś.

pushpin [ˈpʊʃˌpɪn] *n. US i Can.* pinezka.

push-pull [ˌpʊʃˈpʊl] *a. gł. attr. el.* przeciwsobny (*o układzie tranzystorów, wzmacniaczu*).

push-rod [ˈpʊʃˌrɑːd] *n. mot., mech.* popychacz.

push-start [ˈpʊʃˌstɑːrt] *Br. mot. v.* zapalać na popych. – *n.* rozruch na popych.

push-up [ˈpʊʃˌʌp] *n. US sport* pompka (*ćwiczenie*); **one-armed** ~ pompka na jednej ręce.

pushy [ˈpʊʃɪ] *n.* **-ier, -iest** natrętny, nachalny, natarczywy; ambitny, zdeterminowany.

pusillanimity [ˌpjuːsɪləˈnɪmətɪ] *n. U form.* lękliwość.

pusillanimous [ˌpjusɪˈlænɪməs] *a. form.* lękliwy.

pusillanimously [ˌpjusɪˈlænɪməslɪ] *adv. form.* lękliwie.

puss [pʊs] *n.* **1.** *pot.* kotek, kiciuś, kicia; ~, ~! kici, kici! **2.** *pot. czas. obelż.* ślicznotka (*o kobiecie*). **3.** *sl.* facjata (= *twarz*).

pussy[1] ['pʊsɪ] *n. pl.* **-ies** **1.** (*także* **puss, pussy cat**) *pot. gł. dziec.* kotek, kiciuś. **2.** *bot.* bazia, kotek. **3.** *obsc. wulg.* cipa (= *srom l. owłosienie łonowe*); dupa (*o kobiecie*); *U* dupa (= *seks z kobietą*); **eat ~** strzelać minetę (= *zaspokajać kobietę ustami*). **4.** (*także* **pussycat**) *US pot. pog.* ciota, oferma (= *tchórzliwy, słaby mężczyzna*).

pussy[2] ['pʌsɪ] *a.* ropny.

pussycat ['pʊsɪˌkæt], **pussy cat** *n. pot.* **1.** *zob.* **pussy[1]** *n.* 1, 4. **2.** misiaczek (= *osoba delikatna i miła*).

pussyfoot ['pʊsɪˌfʊt] *v.* **1. ~ (around/about)** *pot.* szczypać się, pękać (= *nie podejmować zdecydowanego działania*); kręcić, owijać w bawełnę (= *nie mówić wprost*). **2.** skradać się.

pussy willow *n. bot.* **1.** wierzba (*Salix*). **2.** bazia, kotek.

pustular ['pʌstʃələr] *a.* **1.** *pat.* krostkowy. **2.** krostowaty.

pustule ['pʌstjuːl] **1.** *pat.* krosta. **2.** *gł. bot.* brodawka.

put [pʊt] *v.* **put, put, -tt- 1.** kłaść, położyć; umieszczać; stawiać (*sth here / there / on sth* coś tu/tutaj/tam/na czymś); wkładać, wsadzać (*sth in / into sth* coś do czegoś/w coś); **~ sb on a bus/train/plane** wsadzić kogoś do autobusu/pociągu/samolotu. **2.** dodawać (*sth into sth* czegoś do czegoś) (*np. soli do zupy, radości do codziennego życia*). **3.** oddawać (*sb / sth in sth* kogoś/coś gdzieś/do czegoś). **4.** wyrażać (*treść słowami, w określony sposób*); przedstawiać, ujmować (*sprawę*). **5.** stawiać (*pytanie*). **6.** określać, ustalać, obliczać; oceniać (*sth at...* coś na...) (*np. cenę, deficyt na jakimś poziomie*). **7.** zaliczać, wliczać (*sb / sth among sth* kogoś/coś do czegoś); uważać (*sb / sth as sb / sth* kogoś/coś za kogoś/coś). **8.** narażać (*sb / sth to sth* kogoś/coś na coś). **9.** przekładać, tłumaczyć (*sth into...* coś na...) (*jakiś język*). **10.** *fin.* nakładać (*sth on sth* coś na coś) (*np. opłaty, podatek l. cło na towar, usługę*). **11.** *sport* pchać kulą. **12.** *przen.* **~ a case/proposal/proposition to sb** przedstawić komuś propozycję; **~ an end/stop to sth** położyć czemuś kres; **~ effort/energy into sth** wkładać w coś wysiłek/energię; **~ it right** naprawić błąd; **~ it there!** *pot.* przybij! (= *podaj rękę*); **~ new life into sb/sth** tchnąć nowe życie w kogoś/coś; **~ one's heart into sth** wkładać w coś serce; **~ o.s. in/into sb's place** postawić się na czyimś miejscu; **~ paid to sth** *zob.* **paid** 2; **~ pressure on sb** *zob.* **pressure** *n.*; **~ sb at (their) ease** *zob.* **ease** *n.*; **~ sb in a good/bad mood** *zob.* **mood[1]**; **~ sb in a difficult/an awkward position** *zob.* **position** *n.*; **~ sb out of work/a job** pozbawić kogoś pracy/posady; **~ sb straight/right** wyprowadzić kogoś z błędu (*on sth* jeśli chodzi o coś); **~ sth behind me/you etc.** zapomnieć o czymś (*przykrym*), puścić coś w niepamięć; **~ sth into action/practice** zrealizować coś, wprowadzić coś w życie (*np. obietnice, plan*); **~ sth into effect** *zob.* **effect** *n.*; **~ sth into shape** nadać czemuś realny kształt; **~ sth into words** wyrazić coś słowami; **~ sth out of one's/sb's head** *zob.* **head** *n.*; **~ sth straight** uporządkować coś; **~ sth to music** skomponować muzykę do czegoś; **~ sth well/briefly** dobrze/krótko coś powiedzieć *l.* wyrazić; **be ~ in charge/control/command of sth** mieć kierować/dowodzić czymś; **be hard ~ to do sth** *zob.* **hard** *adv.*; **how can/shall/should I ~ it** jak by to powiedzieć; **I ~ it to you (that)...** *Br.* mówię ci, że...; **not ~ it past sb to do sth** *zob.* **past** *prep.*; **not know where to ~ o.s.** nie wiedzieć, co ze sobą zrobić *l.* co począć; **sb ~s X before Y** X jest dla kogoś ważniejsze niż Y; **sb ~s sth first** coś jest dla kogoś najważniejsze; **tell sb where to ~ sth** *pot.* powiedzieć komuś, że może sobie coś wsadzić gdzieś; **to ~ it another way** inaczej mówiąc, innymi słowy; **to ~ it bluntly** mówiąc bez ogródek; **to ~ it mildly** delikatnie mówiąc. **13. ~ about** *żegl.* zmieniać kurs (na przeciwny), robić zwrot, zmieniać hals; **~ sth about** *pot.* rozpuszczać plotki o czymś; **~ it about that...** *pot.* gadać, że...; **~ o.s. about** *Br. pot.* puszczać się (= *uprawiać seks z wieloma osobami*); **be ~ about** *Br.* być zdezorientowanym; **~ sth across** wyrażać coś, komunikować coś, przekazywać coś (*opinie, informacje*); przeprowadzić coś (*pomyślnie*); **~ one across on sb** *pot.* wciskać komuś kit *l.* ciemnotę; **~ aside** odkładać *l.* odsuwać na bok; odpychać; odkładać (*np. lekturę, gazetę; t. pieniądze, oszczędności*); przezwyciężyć, pokonać (*nieporozumienia, waśnie*); przeznaczać (*czas*) (*for sth* na coś); **~ away** odkładać (na miejsce) (*np. ubrania, książki*); chować (*np. zakupy do lodówki*); odkładać (*pieniądze, oszczędności*); *pot.* połykać, pochłaniać (*jedzenie*); *euf.* uśpić (*zwierzę*); *pot.* zamknąć, posadzić (*przestępcę*); zamknąć w zakładzie (*osobę chorą umysłowo*); **~ back** odkładać (na miejsce); odłożyć, przełożyć, przesunąć (*w czasie*) (*by... o...*); cofnąć (*zegarek*); opóźnić (*spotkanie*); *pot.* obalić (*drinka*); **~ by** odkładać (*pieniądze, oszczędności*); **~ down** odkładać, odstawiać (*przedmiot*); *przen.* poniżać; krytykować (*niesprawiedliwie*); *fin.* wyłożyć (*sumę od ręki*); *Br.* zapisać, zanotować; wysadzić (*kogoś z samochodu*); zdławić, stłumić (*rewolucję, powstanie, demonstrację*); położyć do łóżka (*dziecko*); *euf.* uśpić (*zwierzę*); *t. parl.* przedstawiać (*projekt, wniosek*); *lotn.* posadzić (*samolot*); **~ one's foot down** *zob.* **foot** *n.*; **~ o.s. down** źle o sobie mówić; **~ the phone down (on sb)** *zob.* **phone** *n.*; **~ sb down as...** zaszufladkować kogoś jako...; **~ sb down for sth** zapisać kogoś do czegoś *l.* na coś (*np. do przedszkola, na wycieczkę*); **~ sth down to sth** wyjaśniać *l.* motywować coś czymś; **~ it down to experience** zawsze to jakieś doświadczenie (*pocieszając kogoś*); **can't ~ it down** *pot.* tak wciąga, że nie można przerwać *l.* przestać (*o książce*); **~ forth** *lit.* wypuszczać, puszczać (*listki, pędy, korzenie*); *form.* przedstawiać (*propozycje*); *form.* rozgłaszać, obwieszczać (*informacje*); *form.* wkładać (*wysiłek*); *lit.* wyruszać; **~ forward** przedstawiać (*propozycje, kandydaturę*); wysuwać (*teorię*); przesunąć (do przodu) (*zegarek*) (*one hour* o godzinę); przyspieszyć (*coś zaplanowanego na później*); **~ o.s. forward** zgłosić swoją kandydaturę; **~ one's best foot forward** *zob.* **foot** *n.*; **~ sb forward** (*także* **~ sb's name forward**) zgłaszać czyjąś kandydaturę; ~ **in** zakładać, instalować (*np. szafki, wannę*); poświęcać (*czas, wysiłek*); wtrącić (*słowo*); złożyć (*wniosek, żądanie*); *polit.* wybrać (*polityka, partię*); wykonać (*telefon*); *żegl.* wchodzić do portu (*o statku*); ~ **in an appearance** *zob.* **appearance**; ~ **in a good word for sb** wstawić się za kimś; ~ **in for sth** ubiegać się o coś; ~ **off** odkładać, przesuwać (*coś zaplanowanego*); odstręczać; rozpraszać, dekoncentrować, peszyć; wysadzić (*pasażera z samochodu*); ~ **sb off (doing) sth** zniechęcić kogoś do (robienia) czegoś, odstręczać kogoś od (robienia) czegoś; ~ **sb/sb's mind off sth** odwodzić kogoś od czegoś; ~ **on** wkładać (*ubranie, buty*); nakładać (*makijaż, maseczkę*); włączać (*np. światło, czajnik, ogrzewanie*); nastawiać (*płytę, muzykę*); udawać (*np. zmartwienie, złość*); przybierać (*manierę, pozę*); nabierać (*charakteru, wyglądu*); *gł. US pot.* podpuszczać, nabierać (*kogoś*); *teatr* wystawiać (*sztukę, przedstawienie*); *Br.* podstawiać (*pociąg, autobus, zwł. dodatkowy*); ~ **sth on sth** dodawać coś do czegoś (*np. kwotę do podatku*); stawiać coś na coś (*np. pieniądze na konia, wynik meczu*); ~ **on airs** *zob.* **air** *n.*; ~ **on a brake** *mot.* zahamować; ~ **on (a lot of) weight** (mocno) przytyć, (mocno) przybrać na wadze; ~ **on 4 kg** przytyć 4 kg; **you're ~ting me on!** *US pot.* podpuszczasz mnie!; ~ **sb onto sb/sth** *pot.* polecić *l.* podsunąć komuś kogoś/coś (*np. restaurację, dentystę*); ~ **out** gasić (*lampę, światło, pożar, papierosa*); wydawać (*czasopisma, ulotki*); wystawiać (przed dom) (*np. śmieci, makulaturę w dniu zbiórki*); wypuszczać (*kota*); wyciągać (*rękę*); wystawiać (*język*); *med.* usypiać (*pacjenta przed operacją*); *Br.* zwichnąć (*rękę*); wybić (*oko*); *telew., radio* nadawać (*program*); *zwł. z neg. l. pyt.* sprawiać kłopot (*komuś*), fatygować; *US sl.* dawać (*o kobiecie, = uprawiać seks*) (*for sb* komuś); puszczać się (*for sb* z kimś); *sport* wyeliminować (*gracza*); (*także* ~ **out to sea**) *żegl.* wychodzić w morze, odbijać (od nabrzeża); ~ **o.s. out (for sb)** fatygować *l.* poświęcać się (dla kogoś), zadawać sobie trud (dla kogoś); **be/feel ~ out** być/czuć się urażonym *l.* dotkniętym; ~ **over** wyrażać, komunikować, przekazywać (*opinie, informacje*); ~ **one over on sb** *pot.* wciskać komuś ciemnotę; ~ **through** *tel.* łączyć (*rozmowę, rozmówcę*); przyjmować, akceptować (*np. propozycje, zmiany*); ~ **sb through sth** (ciężko) doświadczyć kogoś czymś; ~ **sb through it** maglować kogoś; ~ **sb through school/college/uniwersity** opłacić *l.* sfinansować komuś naukę/studia; ~ **sb through training** poddawać kogoś szkoleniu; **be ~ through sth** (musieć) przejść przez coś; *zwł. z neg. i pyt.* ~ **sb to sth** narażać kogoś na coś (*np. na kłopot, niewygodę*); ~ **sth to sb** przedstawić coś komuś (*np. propozycję, projekt*); zadać coś komuś (*pytanie*); ~ **to sea** *żegl.* wychodzić w morze; ~ **sth to the vote** *gł. parl.* poddawać coś pod głosowanie; ~ **one's name/signature to sth** złożyć (swój) podpis pod czymś; ~ **together** przygotowywać (*zwł. z gotowych składników l. naprędce*); składać, montować; zestawiać; **...than (all) the rest (of them) ~ together** ...niż wszyscy inni razem wzięci; ~ **two and two together** skojarzyć jedno z drugim; **let's ~ our heads together** *zob.* **head** *n.*; ~ **up** stawiać (*budynek, płot, namiot*); rozkładać (*parasol*); rozpinać (*osłonę*); wywieszać (*plakaty, wyniki na tablicy*); przedstawiać (*propozycję, projekt*); podnosić, podwyższać (*czynsz, ceny*); spinać (*włosy*); przenocować, ugościć (*kogoś*); *gł. Br.* przenocować, zatrzymać się (*at/in sth* gdzieś, *with sb* u kogoś); wyłożyć (*pieniądze, sumę na jakiś cel, zwł. dobroczynny*); wekować, zaprawiać (*warzywa, owoce*); ~ **up a (good) fight** *zob.* **fight** *n.*; ~ **sb up as a candidate** *polit.* wystawić kogoś jako kandydata; ~ **sb up to sth** namawiać kogoś do czegoś; ~ **a house up for sale** wystawić dom na sprzedaż; ~ **up or shut up!** *pot.* rób coś albo się zamknij!; ~ **up with sb/sth** znosić kogoś/coś. – *adv.* **stay ~** nie ruszać się, zostać (na miejscu); nie schodzić (*np. o farbie, szmince*); nie rozwarstwiać się (*o mieszance*). – *n.* **1.** (*także* **shot ~**) *sport* pchnięcie kulą. **2.** (*także* ~ **option**) *giełda* opcja sprzedaży.

putative [ˈpjuːtətɪv] *a. form.* domniemany.

put-down [ˈpʊtˌdaʊn], **putdown** *n.* przytyk, docinek; przykrość (*wyrządzona komuś*).

put-in [ˈpʊtˌɪn] *n. rugby* wrzucenie piłki do młyna.

putlog [ˈpʌtˌlɑːg] *n. bud.* leżnia, maculec (= *belka, na której opierają się deski platformy rusztowania*).

put-off [ˈpʊtˌɔːf] *n.* wykręt.

put-on [ˈpʊtˌɑːn] *n. gł. US i Can. pot.* podpucha, zgrywa.

putout [ˈpʊtˌaʊt] *n. baseball* gra, w której pałkarz *l.* gracz biegnący został wyeliminowany.

put-put [ˈpʌtˌpʌt], **putt-putt** *int. pot. onomat.* pyr-pyr (*dźwięk silnika*).

putrefaction [ˌpjuːtrəˈfækʃən] *n. form. U* rozkład, gnicie.

putrefy [ˈpjuːtrəˌfaɪ] *v.* **-ied, -ying** powodować gnicie *l.* rozkład (*czegoś*); gnić, rozkładać się.

putrescence [pjuːˈtresənsɪ] *n. U form.* gnicie.

putrescent [pjuːˈtresənt] *a. form.* **1.** gnijący. **2.** gnilny.

putrid [ˈpjuːtrɪd] *a.* **1.** *t. przen.* zgniły. **2.** cuchnący. **3.** ohydny. **4.** *Br. przen. pot.* beznadziejny.

putridity [pjuːˈtrɪdətɪ] *n. U form.* zgnilizna.

putsch [pʊtʃ] *n. polit.* pucz.

putt [pʌt] *golf n.* uderzenie (piłki); uderzenie zakańczające. – *v.* uderzać (piłkę); zakańczać dołek.

puttee [pʌˈtiː] *n. gł. wojsk.* **1.** owijacz (*na łydkę*). **2.** sztylpa (= *przywiązywana cholewka*).

putter[1] [ˈpʌtər] *v.* **1.** ~ **(around)** *US i Can.* krzątać się. **2.** ~ **along** *US i Can.* nie spieszyć się. **3.** *pot.* pyrkać (*o silniku*).

putter[2] *n. golf* putter (= *lekki, mały kij*).

putting green [ˈpʌtɪŋ ˌgriːn] *n. golf* green, pole puttingowe.

putt-putt [ˈpʌtˌpʌt] *int.* = **put-put**.

putt-putt golf *n. U US* minigolf.

putty [ˈpʌtɪ] *n. U* **1.** *techn.* kit. **2.** *techn.* szpachlówka. **3.** jasny beż; kolor kremowy. **4. be ~ in sb's hands** *przen.* robić wszystko, co ktoś każe. – *v. techn.* **1.** kitować. **2.** szpachlować (*np. ramy, ściany*).

putty knife *n. techn.* szpachelka *l.* nożyk (do kitowania).

putty powder *n. U techn.* pasta polerska.

put-up [ˈpʊtˌʌp] *a. pot.* nagrany, sfingowany (*np. o porwaniu, napadzie*); ~ **job** nagrana *l.* sfingowana robota.

put-upon [ˈpʊtəˌpɑːn] *a. pred. pot.* wykorzystywany.

putz [pʌts] *n. US i Can. obsc. sl.* kutas (*t obelż. = ktoś głupi i/lub nielubiany*).

puzzle [ˈpʌzl] *n.* **1.** zagadka; niewiadoma (*t. o osobie*); **a piece of the** ~ jeden z (wielu) elementów zagadki. **2.** łamigłówka; **crossword** ~ krzyżówka. **3.** układanka, puzzle. – *v.* **1.** stanowić zagadkę dla (*kogoś*); dawać do myślenia (*komuś*), zastanawiać. **2.** ~ **about/over sth** (*także* ~ **one's head over sth**) głowić się nad czymś; ~ **out** rozwikłać, odgadnąć.

puzzled [ˈpʌzld] *a.* zdziwiony; zadziwiony (*o osobie, spojrzeniu, wyrazie twarzy*); **be** ~ **about sth** nie rozumieć *l.* nie pojmować czegoś.

puzzlement [ˈpʌzlmənt] *n. U* zdziwienie; zadziwienie; niezrozumienie, brak zrozumienia.

puzzler [ˈpʌzlər] *n. pot.* zagadka.

puzzling [ˈpʌzlɪŋ] *a.* zagadkowy.

PVC [ˌpiː ˌviː ˈsiː] *abbr. chem.* = **polyvinyl chloride**.

Pvt. *abbr. US wojsk.* **Private** szer. (= *szeregowy*).

pw *abbr.* **per week** tyg. (= *tygodniowo*).

PWA [ˌpiː ˌdʌbljuː ˈeɪ] *abbr. euf.* **person with AIDS** osoba chora na AIDS.

PWC [ˌpiː ˌdʌbljuː ˈsiː] *abbr.* **personal watercraft** *US* skuter wodny.

PWR [ˌpiː ˌdʌbljuː ˈɑːr] *abbr.* **pressurized-water reactor** *techn.* reaktor z wodą pod ciśnieniem.

PX [ˌpiː ˈeks] *abbr.* = **post exchange**.

pyelitis [ˌpaɪəˈlaɪtɪs] *n. U pat.* zapalenie miedniczek nerkowych.

Pygmy [ˈpɪgmɪ], **Pigmy** *n. pl.* **-ies** Pigmej/ka. – *a.* pigmejski.

pygmy [ˈpɪgmɪ] *n. pl.* **-ies** *t. pog.* karzeł, pigmej. – *a. attr. zool.* karłowaty; ~ **hippopotamus** hipopotam karłowaty (*Choeropsis liberiensis*).

pyjamas [pəˈdʒɑːməz] *n. pl. Br.* = **pajamas**.

pylon [ˈpaɪlən] *n.* **1.** *techn., bud.* słup wysokiego napięcia; słup (nośny), podpora (kratownicowa). **2.** *US mot.* pachołek (*na szosie*). **3.** *lotn.* wieża sygnalizacyjna. **4.** *lotn.* wspornik (*gondoli silnikowej*). **5.** *hist., bud.* pylon (*u bramy świątyni egipskiej*).

pylorus [paɪˈlɔːrəs] *n. pl.* **pylori** [paɪˈlɔːraɪ] *anat.* odźwiernik.

PYO [ˌpiː ˌwaɪ ˈoʊ] *abbr.* **pick your own** *roln., handl.* do samodzielnego zbierania (*o owocach sprzedawanych prosto z pola l. sadu*).

pyorrhea [ˌpaɪəˈriːə], *Br. t.* **pyorrhoea** *n. U pat., dent.* ropotok.

pyramid [ˈpɪrəmɪd] *n.* **1.** *bud. l. przen.* piramida. **2.** stos. **3.** *geom.* ostrosłup. – *v.* **1.** zwężać się ku górze. **2.** *gł. US* zwiększać (*koszty, płace*); zwiększać się.

pyramidal [pɪˈræmɪdl] *a.* piramidalny.

pyramid selling *n. U handl.* sprzedaż łańcuchowa.

pyre [ˈpaɪər] *n.* **(funeral)** ~ stos (pogrzebowy).

Pyrenean [ˌpɪrəˈniːən] *a. geogr.* pirenejski.

Pyrenees [ˈpɪrəˌniːz] *n. pl.* **the** ~ *geogr.* Pireneje.

pyretic [paɪˈretɪk] *pat., med. a.* gorączkowy; wywołujący gorączkę. – *n. C/U* środek wywołujący gorączkę.

Pyrex [ˈpaɪreks] *n. U* szkło żaroodporne.

pyrexia [paɪˈreksɪə] *n. U med.* gorączka.

pyrite [ˈpaɪraɪt], **pyrites** [paɪˈraɪtiːz] *n. U min.* piryt.

pyrolisis [paɪˈrɔːləsɪs] *n. U fiz., chem.* piroliza (= *rozkład termiczny*).

pyromancy [ˈpaɪrəˌmænsɪ] *n. U* piromancja, wróżenie z ognia.

pyromania [ˌpaɪrəˈmeɪnɪə] *n. U t. pat.* piromania.

pyromaniac [ˌpaɪrəˈmeɪnɪˌæk] *n.* piroman/ka.

pyrope [ˈpaɪroʊp] *n. U min.* pirop, granat czeski.

pyrosis [paɪˈroʊsɪs] *n. U pat.* zgaga.

pyrotechnic [ˌpaɪrəˈteknɪk] *a.* **1.** pirotechniczny. **2.** *przen.* iskrzący się, błyskotliwy. – *n.* fajerwerk.

pyrotechnical [ˌpaɪrəˈteknɪkl] *a.* = **pyrotechnic**.

pyrotechnics [ˌpaɪrəˈteknɪks] *n.* **1.** *U* pirotechnika. **2.** *z czasownikiem w liczbie pojedynczej l. mnogiej* sztuczne ognie; *t. przen.* fajerwerki; błyskotliwy pokaz (*umiejętności*).

pyrotechnist [ˌpaɪrəˈteknɪst] *n.* pirotechni-k/czka.

pyroxene [ˈpaɪrɑːkˌsiːn] *n. C/U geol., min.* piroksen.

pyroxylin [paɪˈrɑːksəlɪn] *n. U chem.* piroksylina.

pyrrhic [ˈpɪrɪk] *n. wers.* pirychej. – *a.* **1.** *wers.* pirychejski. **2.** pirryjski (*o tańcu*).

Pyrrhic victory *n. lit.* pyrrusowe zwycięstwo.

Pythagorean [pəˌθægəˈriːən] *fil., mat. a.* pitagorejski; ~ **theorem** *geom.* twierdzenie Pitagorasa. – *n.* pitagorejczyk.

python [ˈpaɪθɑːn] *n. zool.* pyton (*Python*).

pythoness [ˈpaɪθənəs] *n.* pytia; *mit.* Pytia.

pyx [pɪks] *n.* **1.** *kość.* cyborium, puszka na hostię (= *pojemnik na opłatki w obrzędach chrześcijańskich*). **2.** (*także* ~ **chest**) *Br.* puszka na monety (*w mennicy*).

pyxidium [pɪkˈsɪdɪəm] *n. pl.* **pyxidia** [pɪkˈsɪdɪə] *bot.* puszka.

pyxis [ˈpɪksɪs] *n. pl.* **pyxides** [ˈpɪksədiːz] *bot.* = **pyxidium**.

Q [kjuː], **q** *n. pl.* **-'s** *l.* **-s** [kjuːz] Q, q (*litera*).

Q *abbr.* **1. Queen** *szachy* H (= *hetman*). **2.** (*także* **Q., q, q.**) **question** pyt.

q *abbr.* = **quintal.**

Q. *abbr.* **1.** = **quartermaster. 2.** (*także* **q.**) = **quarto. 3.** *Can.* = **Quebec. 4.** = **Queen. 5.** *el.* = **quality factor** 1.

q. *abbr.* **1.** = **quart. 2.** = **quarter. 3.** = **quarterly. 4.** = **query. 5.** = **quire.**

q and a [ˌkjuː ənd ˈeɪ], **q & a** *abbr.* = **question and answer.**

qb *abbr.* = **quarterback.**

QC [ˌkjuː ˈsiː], **Q.C.** *abbr.* **1.** = **Queen's Counsel. 2.** = **quality control.**

Q.E.D. [ˌkjuː ˌiː ˈdiː] *abbr.* **quod erat demonstrandum** *mat.* c.b.d.o. (= *co było do okazania*), c.n.d. (= *czego należało dowieść*).

QF [ˌkjuː ˈef] *abbr.* = **quick-firing.**

Q factor [ˈkjuː ˌfæktər] *n. el.* = **quality factor** 1.

ql *abbr.* = **quintal.**

qlty. *abbr.* = **quality.**

QM *abbr.* = **quartermaster.**

qn. *abbr.* = **question.**

Qq., qq. *abbr.* **1.** *zob.* **Q** 2. **2.** *zob.* **Q.** 2.

qr *abbr.* **1.** = **quarter. 2.** = **quarterly. 3.** = **quire.**

qt, qt. *abbr.* **1.** = **quantity. 2.** = **quart.**

q.t. [ˌkjuː ˈtiː], **Q.T.** *abbr. i n. pot.* **on the q.t.** po cichu, w tajemnicy, po kryjomu.

qto *abbr.* = **quarto.**

qty. *abbr.* = **quantity.**

qua [kweɪ] *conj. form.* jako.

quack[1] [kwæk] *v.* (*t. przen.*) kwakać. – *n. onomat. l. dziec.* kwa, kwaknięcie.

quack[2] *n.* **1.** szarlatan/ka, znachor/ka. **2.** *Br., Austr. i NZ pot.* konował. – *v.* uprawiać szarlatanerię.

quackery [ˈkwækərɪ] *n. U* szarlataneria, szarlatańѕtwo; znachorstwo.

quack grass *n. U bot.* perz (właściwy) (*Agropyrum repens*).

quackish [ˈkwækɪʃ] *a.* szarlatański; znachorski.

quacksalver [ˈkwækˌsælvər] *n. arch.* = **quack**[2] *n.* 1.

quad [kwɑːd] *n.* **1.** = **quadrangle** 2. **2.** = **quadrat. 3.** = **quod. 4.** = **quadruplet. 5.** = **quadrophonics.** – *a.* = **quadrophonic.**

quad. *abbr.* **1.** = **quadrangle** 2. **2.** = **quadrant. 3.** = **quadrilateral.**

quadrable [ˈkwɑːdrəbl] *a.* **1.** *mat.* wymierny. **2.** *form.* czterokrotny.

Quadragesima [ˌkwɑːdrəˈdʒesəmə] *n.* (*także* ~ **Sunday**) *kośc.* pierwsza niedziela wielkiego postu.

Quadragesimal [ˌkwɑːdrəˈdʒesəml] *a.* wielkopostny.

quadrangle [ˈkwɑːdˌræŋgl] *n.* **1.** *geom.* czworokąt. **2.** *bud.* dziedziniec czworokątny. **3.** *bud.* budynki położone wokół dziedzińca jw.

quadrangular [ˌkwɑːˈdræŋgələr] *a.* czworokątny.

quadrant [ˈkwɑːdrənt] *n.* **1.** *astron., żegl., techn.* kwadrant. **2.** *geom.* kwadrant, ćwiartka (*koła, płaszczyzny*).

quadraphonic [ˌkwɑːdrəˈfɑːnɪk] *a. el.* kwadrofoniczny.

quadraphonics [ˌkwɑːdrəˈfɑːnɪks], **quadraphony** [kwɑːˈdrɑːfənɪ] *n. U el.* kwadrofonia.

quadrat [ˈkwɑːdrət] *n. druk.* kwadrat.

quadrate [ˈkwɑːdreɪt] *a.* **1.** *t. geom.* kwadratowy; prostokątny. **2.** *zool.* dotyczący kości kwadratowej. – *n.* **1.** *t. geom.* kwadrat; sześcian. **2.** *zool.* kość kwadratowa (*u ptaków, gadów i ryb*). – *v. form.* **1.** odpowiadać (*with sth* czemuś), zgadzać się (*with sth* z czymś). **2.** pasować (do siebie), harmonizować (ze sobą). **3.** dopasowywać (*to sth* do czegoś) uzgadniać (*to sth* z czymś).

quadratic [kwɑːˈdrætɪk] *a. geom., mat.* kwadratowy. – *n. mat.* równanie kwadratowe, równanie drugiego stopnia.

quadratics [kwɑːˈdrætɪks] *n. U mat.* teoria równań kwadratowych.

quadrature [ˈkwɑːdrətʃər] *n. C/U astron., el., mat.* kwadratura.

quadrennial [kwɑːˈdrenɪəl] *a. form.* czteroletni (= *trwający l. powtarzający się co cztery lata*).

quadrennially [kwɑːˈdrenɪəlɪ] *adv.* co cztery lata.

quadrennium [kwɑːˈdrenɪəm] *n. pl.* **-s** *l.* **quadriennia** [kwɑːˈdrenɪə] czterolecie, okres czterech lat.

quadric [ˈkwɑːdrɪk] *a. mat.* kwadratowy, drugiego stopnia. – *n.* **1.** *geom.* kwadryka, powierzchnia drugiego stopnia. **2.** *mat.* forma kwadratowa.

quadricentennial [ˌkwɑːdrəsenˈtenɪəl] *form. a.* czterechsetletni. – *n.* czterechsetlecie.

quadriceps [ˈkwɑːdrəˌseps] *n. pl.* **-es** *l.* **quadriceps** *anat.* mięsień czworogłowy.

quadrifid [ˈkwɑːdrəfɪd] *a. form.* czwórdzielny.

quadriga [kwɑːˈdriːgə] *n. pl.* **-s** *l.* **quadrigae** [kwɑːˈdriːdʒiː] *hist.* kwadryga.

quadrilateral [ˌkwɑːdrəˈlætərəl] *geom. a.* czworoboczny. – *n.* czworobok, czworokąt.

quadrilingual [ˌkwɑ:drəˈlɪŋgwəl] *a. form.* czterojęzyczny.

quadrille[1] [kwəˈdrɪl] *n. muz., taniec* kadryl.

quadrille[2] *n. karty* kadryl.

quadrillion [kwɑ:ˈdrɪljən] *n. mat.* kwadrylion (*US i Can. 15 zer; Br. 24 zera*).

quadrinominal [ˌkwɑ:drəɜ:ˈnɑ:mənl] *n. mat.* czworomian.

quadripartite [ˌkwɑ:drəˈpɑ:rtaɪt] *a. form.* **1.** czwórdzielny; czteroczęściowy. **2.** czterostronny (*o układzie*).

quadriphonic [ˌkwɑ:drəˈfɑ:nɪk] *a.* = **quadraphonic**.

quadriphony [kwɑ:ˈdrɪfənɪ] *n. U* = **quadraphony**.

quadriplegia [ˌkwɑ:drəˈpli:dʒɪə] *n. U pat.* porażenie czterokończynowe.

quadriplegic [ˌkwɑ:drəˈpli:dʒɪk] *pat. a.* dotyczący porażenia czterokończynowego. – *n.* chor-y/a z porażeniem czterokończynowym.

quadrisyllabic [ˌkwɑ:drəsɪˈlæbɪk] *a. wers.* czterozgłoskowy.

quadrivalent [ˌkwɑ:drəˈveɪlənt] *a. chem.* czterowartościowy.

quadrivium [kwɑ:ˈdrɪvɪəm] *n. pl.* **quadrivia** [kwɑ:ˈdrɪvɪə] *hist., szkoln.* kwadrywium, quadrivium.

quadroon [kwɑ:ˈdru:n] *n. obelż.* potom-ek/kini rodzica białego i mulata *l.* mulatki, murzyn/ka ćwierć krwi.

quadrumanous [kwɑ:ˈdru:mənəs], **quadrumanal** [kwɑ:ˈdru:mənl] *a. zool.* czwororęki.

quadruped [ˈkwɑ:drəˌped] *zool. a.* czworonożny. – *n.* czworonóg.

quadrupedal [kwɑ:ˈdru:pədl] *a. zool.* czworonożny.

quadruple [kwɑ:ˈdru:pl] *a.* **1.** czterokrotny; poczwórny; cztery razy większy (*of/to sth* od czegoś). **2.** *mat.* czwórkowy. **3.** *muz.* czteromiarowy. – *n.* czterokrotność (*of sth* czegoś). – *v.* **1.** mnożyć przez cztery; zwiększać czterokrotnie. **2.** wzrastać czterokrotnie.

quadruple alliance *n. hist.* czwórprzymierze.

quadruple point *n. fiz.* punkt poczwórny (*równowagi czterech faz*).

quadruplet [kwɑ:ˈdru:plət] *n.* **1.** czwórka. **2.** *techn.* układ czterech sprężyn eliptycznych pracujących jak jedna sprężyna wielopłytkowa.

quadruplets [kwɑ:ˈdru:pləts] *n. pl.* czworaczki.

quadruplex [ˈkwɑ:drəˌpleks] *n. tel.* układ kwadrupleksowy, kwadrupleks.

quadruplicate *a.* [kwɑ:ˈdru:plɪkət] poczwórny. – *n.* [kwɑ:ˈdru:plɪkət] **1.** *U* **in ~** *form.* w czterech egzemplarzach *l.* kopiach. **2.** *pl.* cztery egzemplarze *l.* kopie. – *v.* [kwɑ:ˈdru:plɪkeɪt] **1.** mnożyć przez cztery; pomnażać czterokrotnie. **2.** pomnażać się czterokrotnie.

quadruplication [kwɑ:ˌdru:pləˈkeɪʃən] *n. U* **1.** mnożenie przez cztery; pomnożenie czterokrotne. **2.** pomnożenie się czterokrotne.

quaere [ˈkwɪrɪ] *int. rzad. form.* pytam (się). – *n. i v. rzad.* = **query**.

quaestor [ˈkwestər], **questor** *n. hist.* kwestor (*w starożytnym Rzymie*).

quaestorial [kweˈstɔ:rɪəl] *a.* kwestorski.

quaff [kwɑ:f] *lit. l. żart. v.* pić wielkimi łykami; wypić jednym haustem. – *n.* potężny haust.

quag [kwɑ:g] *n.* = **quagmire**.

quaggy [ˈkwɑ:gɪ] *a.* **-ier, -iest** grząski; miękki.

quagmire [ˈkwægmaɪr] *n.* **1.** trzęsawisko. **2.** *przen.* gąszcz; grzęzawisko.

quahog [ˈkwɔ:ˌhɔ:g], **quahaug** *n. US i Can. zool.* jadalny małż o twardej, okrągłej skorupie (*Venus l. Mercenaria mercenaria*).

quail[1] [kweɪl] *n.* **1.** *orn.* przepiórka. **2.** *kulin.* przepiórki, mięso przepiórcze.

quail[2] *v. lit.* drżeć (*at/before/ to sb/sth* przed kimś/czymś).

quaint [kweɪnt] *a.* urokliwy; ciekawy, oryginalny (*zwł. o staromodnych przedmiotach i miejscach*); dziwaczny, cudaczny; staroświecki.

quaintly [ˈkweɪntlɪ] *adv.* urokliwie; ciekawie, oryginalnie; dziwacznie.

quaintness [ˈkweɪntnəs] *n. U* oryginalność; dziwaczność; staroświeckość.

quake [kweɪk] *v.* trząść się (*t. np. o ziemi, budynku*), dygotać; **~ with fear/cold** trząść się ze strachu/z zimna. – *n.* trzęsienie ziemi (*t. przen.*); wstrząs.

Quaker [ˈkweɪkər] *n. rel.* kwakier/ka.

Quakeress [ˈkweɪkərəs] *n. przest. rel.* kwakierka.

Quaker gun *n. US* makieta działa, działo pozorowane (*na okręcie, w twierdzy*).

Quakerish [ˈkweɪkərɪʃ] *a.* kwakierski.

Quaker meeting, Quakers' meeting *n.* **1.** *rel.* spotkanie kwakrów (*z długimi okresami milczenia*). **2.** *przen.* milczące zebranie towarzyskie.

quaking grass [ˈkweɪkɪŋ ˌgræs] *n. U bot.* drżączka (*Briza*).

quaky [ˈkweɪkɪ] *a.* **-ier, -iest** trzęsący się.

qualification [ˌkwɑ:ləfəˈkeɪʃən] *n.* **1.** *zw. pl.* kwalifikacje; **~s to be a teacher** kwalifikacje nauczycielskie; **paper ~s** papierowe kwalifikacje (= *zaświadczenia, w odróżnieniu od doświadczenia*); **what are your ~s?** jakie ma Pan/i kwalifikacje?. **2.** *C/U* zastrzeżenie; modyfikacja; ograniczenie; **without ~** bez zastrzeżeń. **3.** *U t. sport* zakwalifikowanie się.

qualified [ˈkwɑ:ləˌfaɪd] *a.* **1.** wykwalifikowany (*o pracowniku*); dyplomowany (*np. o lekarzu, inżynierze*). **2.** połowiczny (*np. o sukcesie*); powściągliwy (*np. o pochwale*). **3. be/feel ~ to do sth** być/czuć się kompetentnym, by coś zrobić; **she's not ~ for the job** ona nie ma kwalifikacji do tej pracy.

qualifier [ˈkwɑ:ləˌfaɪər] *n.* **1.** *sport* uczestnik/czka (zawodów *l.* turnieju) wyłonion-y/a w drodze eliminacji. **2.** *sport* eliminacje (*do zawodów l. turnieju*). **3.** *gram.* określnik.

qualify [ˈkwɑ:ləˌfaɪ] *v.* **-ied, -ying 1.** kwalifikować (się); upoważniać; **~ for sth** móc ubiegać się o coś; kwalifikować się do czegoś; mieć prawo do czegoś (*np. do zasiłku*); **~ sb for sth** dawać komuś prawo do ubiegania się o coś; kwalifikować *l.* upoważniać kogoś do czegoś. **2.** zdobywać dyplom *l.* kwalifikacje; **~ as a doctor/pilot** zdobyć dyplom lekarza/pilota. **3.** *sport* zakwalifikować się. **4.** uściślać; modyfikować; ograniczać.

qualifying [ˈkwɑːləˌfaɪɪŋ] *a. attr.* **1.** kwalifikacyjny, kwalifikujący; ~ **examination** egzamin kwalifikacyjny. **2.** ~ **round** *sport* eliminacje, runda eliminacyjna.

qualitative [ˈkwɑːləˌteɪtɪv] *a.* jakościowy, kwalitatywny.

qualitatively [ˈkwɑːləˌteɪtɪvlɪ] *adv.* jakościowo.

quality [ˈkwɑːlətɪ] *n. pl.* **-ies 1.** *C/U* jakość; ~ **of life** jakość życia; **of (good)** ~ dobrej jakości. **2.** *C/U* cecha (charakteru), przymiot (*osoby*); cecha (charakterystyczna), właściwość, własność (*przedmiotu, materiału*); **in the** ~ **of sb/sth** *form.* w charakterze kogoś/czegoś (*np. występować*). **3.** *U* barwa, timbre (*głosu, dźwięku*). **4. man/lady of** ~ *przest.* osoba z wyższych ster. – *a. attr. zwł. Br.* dobrej *l.* wysokiej jakości, dobry jakościowo.

quality assurance *n. U* zapewnienie jakości.

quality control *n. U* sterowanie jakością, kontrola jakości.

quality factor *n.* **1.** *el.* dobroć, współczynnik dobroci. **2.** *radiologia* współczynnik jakości promieniowania.

quality papers *n.* (*także* **quality press**) *Br. i Austr. dzienn.* poważne gazety.

quality time *n. U* najcenniejszy czas (*przeznaczony dla kochanej osoby l. na ulubione zajęcie*).

qualm [kwɑːm] *n.* **1.** *zw. pl.* skrupuł; **have ~s about sth** mieć skrupuły w związku z czymś. **2.** atak mdłości. **3.** przypływ niepokoju.

qualmish [ˈkwɑːmɪʃ] *a.* **be** ~ mieć skrupuły; mieć mdłości.

quandary [ˈkwɑːndərɪ] *n. pl.* **-ies** dylemat; **be in a** ~ być w rozterce.

quango [ˈkwæŋoʊ] *abbr. pl.* **-s** (*także form.* **quasi-autonomous non-governmental organization**) *Br.* niezależna od rządu organizacja powołana i finansowana przez rząd.

quant [kwɑːnt] *Br. żegl. n.* wiosło pychowe. – *v.* popychać wiosłem jw. (*łódź*).

quanta [ˈkwɑːntə] *n. pl. zob.* **quantum**.

quantifiable [ˈkwɑːntəˌfaɪəbl] *a.* wymierny.

quantification [ˌkwɑːntəfɪˈkeɪʃən] *n. U* kwantyfikacja.

quantifier [ˈkwɑːntəˌfaɪər] *n. log., gram.* kwantyfikator.

quantify [ˈkwɑːntəˌfaɪ] *v.* **-ied, -ying 1.** mierzyć; wyliczać. **2.** *log.* ograniczać kwantyfikatorem.

quantitative [ˈkwɑːntəˌteɪtɪv] *a.* **1.** ilościowy, kwantytatywny. **2.** mierzalny. **3.** *wers.* dotyczący iloczasu, oparty na iloczasie.

quantitatively [ˈkwɑːntəˌteɪtɪvlɪ] *adv.* ilościowo, kwantytatywnie.

quantity [ˈkwɑːntɪtɪ] *n. pl.* **-ies 1.** *C/U* ilość; (*także* **quantities**) duże ilości (*of sth* czegoś); **in** ~ w dużych ilościach; **in large/small quantities** w dużych/małych ilościach. **2.** *t. mat.* wielkość. **3.** *U wers., prozodia* iloczas. **4. unknown** ~ *t. przen.* niewiadoma.

quantity survey *n. U* obmiar (*robót*).

quantity surveyor *n.* kosztorysant/ka.

quantum [ˈkwɑːntəm] *n. pl.* **quanta** [ˈkwɑːntə] **1.** *fiz.* kwant. **2.** ilość; kwantum. **3.** udział, część.

quantum jump *n. fiz.* **1.** przejście kwantowe. **2.** (*także* **quantum leap**) *przen.* gwałtowny wzrost; wielki skok naprzód.

quantum mechanics *n. U fiz.* mechanika kwantowa.

quantum theory *n. sing. fiz.* teoria kwantów.

quaquaversal [ˌkweɪkwəˈvɝːsl] *a. geol.* zwrócony we wszystkich kierunkach.

quarantine [ˈkwɑːrənˌtiːn] *n. C/U* kwarantanna; **be in** ~ przechodzić kwarantannę. – *v.* poddawać kwarantannie.

quark[1] [kwɔːrk] *n. fiz.* kwark.

quark[2] [kwɑːrk] *n. U kulin.* biały ser z chudego mleka.

quarrel[1] [ˈkwɑːrəl] *n.* **1.** kłótnia, sprzeczka (*about/over sth* o coś); **have a** ~ **with sb** pokłócić *l.* posprzeczać się z kimś; **pick a** ~ szukać zaczepki *l.* zwady (*with sb* z kimś). **2.** powód do niezgody; zarzut, pretensja (*against/with sb/sth* do kogoś/czegoś); **have no** ~ **with sb/sth** *form.* nie mieć komuś/czemuś nic do zarzucenia. – *v. Br.* **-ll- 1.** kłócić się, sprzeczać się (*with sb* z kimś, *about/over sth* o coś). **2.** ~ **with sth** nie zgadzać się z czymś; skarżyć się na coś; **I can't** ~ **with that** nie mogę się z tym nie zgodzić.

quarrel[2] *n. broń* strzała do kuszy, bełt.

quarrelsome [ˈkwɑːrəlsəm] *a.* kłótliwy.

quarrelsomeness [ˈkwɑːrəlsəmnəs] *n. U* kłótliwość.

quarrier [ˈkwɑːrɪər] *n.* = **quarryman**.

quarry[1] [ˈkwɑːrɪ] *n. pl.* **-ies 1.** kamieniołom. **2.** *przen.* kopalnia (*informacji*). – *v.* **1.** wydobywać (*kamień*). **2.** urządzać kamieniołom w (*zboczu, wzgórzu*). **3.** *przen.* wyszperać (*informacje*); szperać w (*bibliotece itp.; w poszukiwaniu informacji*).

quarry[2] *n. t. przen.* zwierzyna (*na którą się poluje*); ofiara.

quarry[3] *n.* **1.** szybka w kształcie kwadratu *l.* diamentu. **2.** płytka w kształcie jw.

quarryman [ˈkwɑːrɪmən] *pl.* **-men** *n.* (*także* **quarrier**) robotnik w kamieniołomie.

quart[1] [kwɔːrt] *n.* kwarta (*jednostka objętości; US = 0,946 l, Br. = 1,136 l*).

quart[2] [kɑːrt] *n.* **1.** *karty* sekwens z czterech kart (*w tym samym kolorze*). **2.** *szerm.* = **quarte**.

quart. *abbr.* **1. quarter** kw. (= *kwartał*). **2.** = **quarterly**.

quartan [ˈkwɔːrtən] *n. U pat.* czwartaczka (= *malaria z atakami gorączki co czwarty dzień*).

quarte [kɑːrt] *n.* (*także* **quart**) *szerm.* kwarta.

quarter [ˈkwɔːrtər] *n.* **1.** ćwierć; ćwiartka (*t. np. tuszy zwierzęcej*). **2.** *US i Can. fin.* ćwierć dolara. **3.** kwadrans; **(a)** ~ **after** *US*/**past** *Br.* **four** kwadrans po czwartej; **(a)** ~ **of** *US*/**to** *Br.* **four** za kwadrans czwarta. **4.** *US uniw.* kwartał (*roku*) **5.** *US sport* kwarta (*meczu*). **6.** dzielnica, kwartał; **the Spanish** ~ dzielnica hiszpańska. **7.** *astron.* kwadra (*księżyca*). **8.** *zw. pl.* krąg; **in some ~s** w pewnych kregach. **9.** *pl. t. wojsk.* kwatery; pomieszczenia (*dla służby itp.*); miejsce zamieszkania. **10.** ćwierć mili. **11.** ćwierć jarda. **12.** ćwierć cetnara (*US = 25 funtów; Br. = 28 funtów*). **13.** *pot.* ćwierć funta (= *4 uncje*).

14. *Br.* ćwierć (= *miara objętości ciał sypkich, równa 8 buszlom*). **15.** *pl. żegl., wojsk.* stanowiska bojowe (*na okręcie wojennym*). **16.** *U arch.* litość; **ask for ~** prosić o litość *l.* zmiłowanie; **give no ~ to sb** nie mieć litości dla kogoś (*zwł. dla wroga pokonanego na polu bitwy*). **17.** *her.* ćwierć pola tarczy. **18.** napiętek (*buta*). **19. all ~s of the Earth/globe** wszystkie (cztery) strony świata; **at close ~s** z bliska; **from all ~s** ze wszystkich stron. – *v.* **1.** *t. kulin.* ćwiartować (*t. skazańca*); dzielić na cztery części. **2.** *wojsk.* zakwaterowywać. **3.** *żegl.* wiać z baksztagu (*o wietrze*). **4.** *myśl.* szukać na wszystkie strony (*o psie szukającym zwierzyny*). **5.** *her.* dzielić na (cztery) pola (*tarczę*); umieszczać w jednym z czterech pól tarczy (*herb*).

quarterage [ˈkwɔːrtərɪdʒ] *n.* suma pieniędzy płacona *l.* otrzymywana co kwartał.

quarterback [ˈkwɔːrtərˌbæk] *n.* *futbol amerykański* rozgrywający.

quarterday [ˈkwɔːrtərˌdeɪ] *n. Br.* dzień wpłat kwartalnych.

quarterdeck [ˈkwɔːrtərˌdek] *n.* *żegl.* tylny pokład.

quarter-final [ˌkwɔːrtərˈfaɪnl] *n.* *sport* ćwierćfinał.

quarter horse *n.* koń odmiany Quarter horse (*pierwotnie hodowany do biegów na ćwierć mili*).

quarterly [ˈkwɔːrtərlɪ] *a.* **1.** kwartalny. **2.** *her.* podzielony na cztery pola (*o tarczy*). – *n. pl.* **-ies** kwartalnik. – *adv.* **1.** kwartalnie, raz na kwartał. **2.** *her.* w polach (*tarczy*).

quartermaster [ˈkwɔːrtərˌmæstər] *n.* **1.** *wojsk.* kwatermistrz. **2.** *marynarka woj.* podoficer odpowiedzialny za sterownię.

quarter-miler [ˌkwɔːrtərˈmaɪlər] *n.* *sport* czterystumetrowiec.

quartern [ˈkwɔːrtərn] *n.* **1.** ćwierć (*różnych jednostek miary*). **2.** (*także* **~-loaf**) *Br.* bochenek czterofuntowy.

quarter note *n. muz.* ćwierćnuta.

quarter-phase [ˈkwɔːrtərˌfeɪz] *a. el.* dwufazowy.

quarter round *n. bud.* ćwierćwałek.

quarter section *n.* obszar o powierzchni 1/4 mili kwadratowej.

quarter sessions *n. pl. Br. hist.* sąd odbywający sesję co kwartał (*do lat siedemdziesiątych*).

quarterstaff *n. pl.* **-staves** [ˈkwɔːrtərˌsteɪvz] *broń, hist.* drąg (*długi na 1,8-2,4 m*).

quarter tone *n. muz.* ćwierćton.

quartet [kwɔːrˈtet], *zwł. Br.* **quartette** *n. muz.* kwartet; **piano ~** kwartet fortepianowy.

quarto [ˈkwɔːrtoʊ] *n. pl.* **-s 1.** kwarto (*rozmiar papieru l. strony w książce*). **2.** książka formatu kwarto.

quartz [kwɔːrts] *n. U min.* kwarc.

quartz clock *n.* zegar kwarcowy.

quartz glass *n. U* szkło kwarcowe.

quartzite [ˈkwɔːrtsaɪt] *n. U min.* kwarcyt.

quartz lamp *n.* lampa kwarcowa.

quasar [ˈkweɪzɑːr] *n. astron.* kwazar.

quash [kwɑːʃ] *v. form.* **1.** *prawn.* unieważniać, anulować (*werdykt, wyrok*). **2.** tłumić (*rebelię*).

quasi [ˈkweɪzaɪ] *a.* jak gdyby; niby; prawie. – *adv. arch.* niby, poniekąd.

quassia [ˈkwɑːʃə] *n. bot., med.* kwasja, gorzknia (*rodzaj Quassia*).

quatercentenary [ˌkwɑːtərsenˈtenərɪ] *n. pl.* **-ies** *Br.* czterechsetna rocznica.

quaternary [ˈkwɑːtərˌnerɪ] *a. form.* **1.** czwórkowy. **2.** czwarty. **3.** *chem.* czteroskładnikowy. **4. Q~** *geol.* czwartorzędowy. – *n. pl.* **-ies 1.** czwórka. **2. the Q~** *geol.* czwartorzęd.

quaternion [kwəˈtɝːnɪən] *n.* **1.** *form.* czwórka. **2.** *mat.* kwaternion.

quatrain [ˈkwɑːtreɪn] *n. wers.* czterowiersz.

quatre [ˈkwɑːtər] *n. form.* czwórka.

quatrefoil [ˈkætərˌfɔɪl] *n.* **1.** *bot.* czworoliść. **2.** *bud.* ornament czterolistny.

quaver [ˈkweɪvər] *v.* **1.** drżeć (*zwł. o głosie*). **2.** mówić drżącym głosem. **3.** *rzad. zwł. muz.* trylować; śpiewać trylując (*nutę, piosenkę*). – *n.* **1.** *Br. muz.* ósemka. **2.** drżenie głosu. **3.** tryl.

quaveringly [ˈkweɪvərɪŋlɪ] *adv.* drżąco; drżącym głosem.

quavery [ˈkweɪvərɪ] *a.* drżący.

quay [kiː] *n. żegl.* nabrzeże.

quayage [ˈkiːɪdʒ] *n. U żegl.* **1.** nabrzeża; ogólna długość nabrzeży (*w porcie*). **2.** opłata przystaniowa.

quayside [ˈkiːˌsaɪd] *n. żegl.* nabrzeże; keja.

Que. *abbr.* = **Quebec.**

quean [kwiːn] *n.* **1.** *arch.* dziwka, ladacznica. **2.** *Scot.* dziewoja.

queasily [ˈkwiːzɪlɪ] *adv.* **1.** mdląco. **2.** wrażliwie; w sposób przewrażliwiony.

queasiness [ˈkwiːzɪnəs] *n. U* **1.** mdłości. **2.** niepokój.

queasy [ˈkwiːzɪ] *a.* **-ier, -iest 1.** mdlący, przyprawiający o mdłości (*o jedzeniu*). **2. be/feel ~** mieć/odczuwać mdłości. **3.** mający skłonności do mdłości; wrażliwy (*o osobie, żołądku*). **4.** niespokojny (*o sumieniu*); niepokojący, wywołujący niepokój (*np. o myśli*).

Quebec [kwɪˈbek] *n. geogr.* Quebec.

Quebecer [kwɪˈbekər] *n.* mieszkan-iec/ka Quebecu.

Québecois [ˌkeɪbeˈkwɑː], **Québécois** *a.* dotyczący Quebecu. – *n. pl.* **Québecois** mieszkan-iec/ka Quebecu.

Quechua [ˈketʃʊə], **Kechua, Quichua** *n. i. a.* **1.** (Indian-in/ka z plemienia) Keczua (*w Ameryce Płd.*). **2.** *U* (język) keczua.

queen [kwiːn] *n.* **1.** *t. polit., ent. l. przen.* królowa. **2.** *szachy* hetman, królowa. **3.** *karty* dama. **4.** *obelż. pot.* ciota (= *homoseksualista*). – *v.* **1.** *szachy* zamieniać na hetmana *l.* królową (*pionka na ósmej linii*); zmieniać się w hetmana *l.* królową (*o pionku*); zamieniać pionka na hetmana *l.* królową. **2.** królować. **3.** koronować na królową. **4. ~ it (over)** *przen. pot.* grać królową.

queen bee *n.* **1.** *ent.* królowa (*u pszczół*). **2.** *przen.* królowa (= *ważna kobieta*).

queencake [ˈkwiːnˌkeɪk] *n. kulin.* ciastko z rodzynkami.

queen consort *n. pl.* **queens consort** królewska małżonka, żona króla.

queen dowager *n.* królowa wdowa.

queenliness ['kwi:nlɪnəs] *n. U* królewskość.

queenly ['kwi:nlɪ] *a.* królewski. – *adv.* po królewsku.

queen mother, Queen M~ *n.* królowa matka.

queen of hearts *n.* **1.** *karty* dama kier. **2.** *przen.* królowa serca, ulubienica.

queen post *n. bud.* wieszak w wieszarze dwuwieszakowym.

Queen's Bench Division *n. Br. prawn.* Wydział Ławy Królewskiej (*Sądu Najwyższego*).

Queen's Counsel *n. Br. prawn.* radca *l.* adwokat królewski (*tytuł honorowy w hierarchii prawniczej*).

Queen's English *n. U Br. jęz.* standardowa odmiana języka angielskiego.

Queen's evidence *n. U Br. prawn.* zeznanie obciążające współoskarżonego (*w zamian za obietnicę ułaskawienia*).

Queen's highway *n. Br.* droga publiczna.

queen-size ['kwi:nˌsaɪz] *a. zwł. US* **1.** duży (*o rozmiarze łóżka l. pościeli*). **2.** XL (*o rozmiarze odzieży damskiej*).

Queen's Regulations *n. Br. wojsk.* kodeks wojskowy.

Queen's Scout *n. Br.* (*gdy na tronie zasiada kobieta*) skaut/ka posiadając-y/a najwyższy stopień w skautingu.

Queen's speech *n. Br. parl.* mowa tronowa.

queer [kwi:r] *a.* **1.** *przest.* dziwny, dziwaczny. **2.** *obelż. pot.* pedalski, ciotowaty (= *homoseksualny*). **3.** mętny, podejrzany. **4.** *pot.* pomylony. **5.** *pot.* lichy; podrabiany. **6. be in ~ street** *Br. pot.* być w tarapatach (*zw. finansowych*); **feel ~** *Br.* trochę źle się czuć. – *n. obelż. pot.* pedał, ciota. – *v.* **1.** stawiać w niezręcznej sytuacji. **2. ~ sb's pitch** *Br. i Austr. pot.* pokrzyżować komuś plany.

queer-bashing ['kwi:rˌbæʃɪŋ] *n. U pot.* bicie gejów.

queer fish *n.* (*także* **queer customer**) *Br. pot.* dziwa-k/czka.

queerly ['kwi:rlɪ] *adv.* dziwnie, dziwacznie.

quell [kwel] *v.* **1.** tłumić (*powstanie, zamieszki*). **2.** koić (*żal, ból*). **3.** stłumić, okiełznać (*uczucia, pożądanie*).

quench [kwentʃ] *v.* **1.** gasić; **~ a fire** ugasić ogień; **~ one's thirst** ugasić pragnienie. **2.** tłumić (*powstanie, uczucia*). **3.** *techn.* oziębiać, szybko schładzać; hartować (*stal*).

quencher ['kwentʃər] *n. pot.* coś do picia; drink.

quenelle [kə'nel] *n. C/U kulin.* klops (*mięsny l. rybny*).

quercine [kwɜ:'si:n] *a. rzad.* dębowy.

querist ['kwɪrɪst] *n. form.* pytając-y/a, osoba pytająca.

quern [kwɜ:n] *n.* **1.** ręczny młynek (*np. do pieprzu*). **2.** *hist.* żarna.

querulous ['kwerələs] *a.* **1.** kwękający; zrzędliwy (*o osobie*). **2.** zrzędliwy; płaczliwy (*o głosie*).

querulously ['kwerələslɪ] *adv.* zrzędliwie; płaczliwie.

querulousness ['kwerələsnəs] *n. U* zrzędliwość; płaczliwość.

query ['kwerɪ] *n. pl.* **-ies 1.** zapytanie; wątpliwość. **2.** *druk.* znak zapytania, pytajnik. – *v.* **-ied, -ying 1.** kwestionować. **2.** pytać, zapytywać; **"What time is she arriving?" he queried** – O której ona przyjeżdża? – zapytał. **3. ~ sb on sth** *US* pytać kogoś o coś, zadawać komuś pytania na temat czegoś. **4.** *druk.* opatrywać znakiem zapytania.

ques. *abbr.* **question** pyt. (= *pytanie*).

quest [kwest] *n.* **1.** *lit.* poszukiwanie (*for sth* czegoś); pogoń (*for sth* za czymś). **2.** *lit.* przedmiot poszukiwań. **3.** *rzad.* kwesta. – *v.* **1.** *lit.* poszukiwać (*for / after sb / sth* kogoś/czegoś). **2.** *lit.* wyruszać na poszukiwanie. **3.** *myśl.* szukać zwierzyny (*o psach*); warczeć (*szukając zwierzyny*). **4.** *rzad.* kwestować.

question ['kwestʃən] *n.* **1.** pytanie; zapytanie; **answer a ~ question** odpowiedzieć na pytanie; **ask (sb) a ~** zadać (komuś) pytanie; **good ~!** dobre pytanie! (*gdy nie zna się odpowiedzi*); **in answer to your ~** (*także* **to answer your ~**) odpowiadając *l.* w odpowiedzi na twoje pytanie; **put a ~ to sb** skierować do kogoś pytanie; **rhetorical ~** pytanie retoryczne; **the ~ is whether...** pytanie (tylko), czy..., rzecz w tym, czy... **2.** wątpliwość; **be beyond ~** nie ulegać wątpliwości; **call sth in/into ~** podawać coś w wątpliwość, kwestionować coś; **open to ~** wątpliwy, dyskusyjny; **raise ~s about sth** rodzić wątpliwości odnośnie czegoś, kazać wątpić w coś; **there is no ~ (about that)** nie ma (co do tego) żadnych wątpliwości; **without ~** bez wątpienia. **3.** kwestia, sprawa; **it's (just) a ~ of time/luck** to (tylko) kwestia czasu/szczęścia. **4. be out of the ~** być wykluczonym, nie wchodzić w grę *l.* rachubę; **beg the ~** *zob.* **beg**; **in ~** rzeczony; **the article in ~** rzeczony artykuł, artykuł, o którym mowa; **pop the ~** *pot. żart.* oświadczyć się; **put to the ~** *hist.* przesłuchiwać z użyciem tortur (*osobę podejrzaną o herezję*); **there is no ~ of us staying any longer** nie ma mowy o tym, żebyśmy zostali dłużej; **without ~** bez dyskusji (*np. wykonać rozkaz*). – *v.* **1.** wypytywać, pytać; przesłuchiwać (*about sth* w jakiejś sprawie); **~ sb closely** wypytywać kogoś dokładnie. **2.** kwestionować, podawać w wątpliwość; powątpiewać w (*np. czystość czyichś intencji*).

questionable ['kwestʃənəbl] *a.* **1.** wątpliwy, dyskusyjny. **2.** podejrzany (*np. o motywach*).

questioner ['kwestʃənər] *n.* pytając-y/a.

questioning ['kwestʃənɪŋ] *a.* pytający (*np. o spojrzeniu, wyrazie twarzy*). – *n. U* przesłuchanie; **take sb for ~** brać kogoś na przesłuchanie.

questioningly ['kwestʃənɪŋlɪ] *adv.* pytająco (*np. spojrzeć*).

questionless ['kwestʃənləs] *a. przest.* **1. = unquestionable. 2. = unquestioning.**

question mark *n.* **1.** *interpunkcja* znak zapytania, pytajnik. **2.** *przen.* znak zapytania; **a ~ hangs over sth** coś stoi pod znakiem zapytania.

questionmaster ['kwestʃənˌmæstər] *n. Br. ra-*

dio, telew. osoba zadająca pytania, prowadzący/a quiz.

questionnaire [ˌkwestʃəˈner] *n.* kwestionariusz, ankieta; **fill in/complete a ~** wypełnić ankietę.

question tag *n. gram.* pytanie rozłączne.

question time *n. U parl.* **1.** (część sesji przeznaczona na) interpelacje poselskie; **2.** część zebrania poświęcona na pytania, dyskusję.

questor [ˈkwestər] *n.* = **quaestor.**

queue [kjuː] *n.* **1.** *t. przen. Br.* kolejka (*for sth* do czegoś *l.* po coś) (*np. do awansu, po kredyt*); **jump the ~** wepchnąć się do kolejki; wepchnąć się poza kolejką *l.* kolejnością; **the dole ~** *zob.* **dole queue. 2.** *komp.* kolejka. **3.** *hist.* warkocz (*zwł. noszony przez żołnierzy i marynarzy*). – *v.* **1. ~ (up)** *Br.* stać *l.* czekać w kolejce. **2.** *komp.* dodawać do kolejki.

queue-jump [ˈkjuːˈdʒʌmp] *v. Br. pot.* wpychać się do kolejki; wpychać się poza kolejką *l.* kolejnością.

quibble [ˈkwɪbl] *v.* **1.** robić drobne zastrzeżenia. **2.** *arch.* bawić się grą słów. **3. ~ about/over sth** sprzeczać się o coś (*with sb* z kimś). – *n.* **1.** drobne zastrzeżenie. **2.** wykręt, wymijająca odpowiedź. **3.** *arch.* gra słów.

quibbler [ˈkwɪblər] *n.* krętacz/ka.

quiche [kiːʃ] *n. C/U kulin.* tarta (*z nadzieniem z jajek, sera, warzyw, boczku itp.*), quiche.

quick [kwɪk] *a.* **1.** szybki (*t. = krótko trwający*). **2.** bystry (*o umyśle*). **3.** cięty (*o dowcipie*). **4.** ostry (*o zakręcie*). **5.** zwinny (*o palcach*). **6.** spostrzegawczy (*o oku, wzroku*). **7.** *arch. l. dial.* ostry (*o psie*). **8.** mocny (*o ogniu*). **9.** *dial.* grząski (*o mokrym piasku*). **10. ~ as a flash** *emf.* szybki jak błyskawica; **a ~ fix** *pot.* prowizorka (= *rada, naprawa itp. dobra na krótko*); **a ~ one/half/pint** *zwł. Br. pot.* jeden szybki (= *szybko wypity drink*); **be ~ (about it)** pośpiesz się (z tym); **be ~ on the draw/uptake** szybko chwytać, o co chodzi; **be ~ to do sth** szybko coś robić; **be ~ with child** *arch.* być w zaawansowanej ciąży; **have a ~ temper** mieć porywcze usposobienie; **have a ~ word with sb** zamienić z kimś parę słów; **in ~ succession** (szybko) jeden po drugim. – *n. U* **1. the ~ and the dead** *arch.* żywi i umarli. **2. the ~** żywe ciało (*zwł. wrażliwe miejsce pod paznokciami*); *przen.* najważniejsza część (*sprawy itp.*); **cut sb to the ~** *przen.* dotknąć kogoś do żywego. – *adv.* szybko. – *int.* **~!** szybko!

quick assets *n. pl. ekon.* aktywa łatwe do upłynnienia.

quick bread *n. U kulin.* pieczywo pieczone na proszku do pieczenia *l.* sodzie oczyszczanej.

quick-change artist [ˌkwɪkˈtʃeɪndʒ ˌɑːrtɪst] *n.* transformist-a/ka (*artyst-a/ka zmieniając-y/a szybko strój l. charakteryzację w czasie występu*).

quicken [ˈkwɪkən] *v.* **1.** przyśpieszać; **~ the pace** przyśpieszyć kroku; **her heart/pulse ~ed** serce zaczęło jej szybciej/żywiej bić. **2.** *form.* ożywiać (się), wzmagać (się). **3.** *fizj.* zacząć się ruszać (*o dziecku w łonie matki*). **4.** *przest. l. lit.* przywracać do życia; wracać do życia.

quickening [ˈkwɪkənɪŋ] *n. U fizj.* (pierwsze) ruchy płodu; odczuwanie ruchów płodu (*przez matkę*).

quick-fire [ˌkwɪkˈfaɪr] *a.* **1.** (*także* **quick-firing**) *wojsk.* szybkostrzelny (*o dziale*). **2.** *przen.* szybki; **~ questions** grad pytań.

quick-freeze [ˈkwɪkˌfriːz] *v.* **-froze, -frozen** *kulin.* szybko zamrażać, poddawać szybkiemu zamrażaniu.

quick grass *n. U bot.* perz (właściwy) (*Agropyrum repens*).

quickie [ˈkwɪkɪ] *n. pot.* **1.** szybki numer (= *szybki seks*). **2.** (*także zwł. Br.* **quick one**) jeden szybki (= *szybko wypity drink*).

quicklime [ˈkwɪkˌlaɪm] *n. U* wapno palone *l.* niegaszone.

quickly [ˈkwɪklɪ] *adv.* szybko.

quickness [ˈkwɪknəs] *n. U* **1.** szybkość. **2.** porywczość. **3.** ostrość, przenikliwość (*wzroku*); czułość (*słuchu*); bystrość (*umysłu*). **4.** ostrość (*zakrętu*).

quicksand [ˈkwɪkˌsænd] *n. C/U geol.* **1.** ruchome piaski. **2.** *przen.* pułapka.

quickset [ˈkwɪkˌset] *n. gł. Br. ogr.* **1.** sadzonki roślin, z których można wyhodować żywopłot. **2.** (*także* **~ hedge**) żywopłot.

quicksilver [ˈkwɪkˌsɪlvər] *n. arch.* żywe srebro, rtęć. – *a.* zmienny.

quickstep [ˈkwɪkˌstep] *n. taniec* szybki taniec, quickstep.

quick study *n. pl.* **-ies** *US sl.* rakieta (= *osoba szybko się ucząca*).

quick-tempered [ˌkwɪkˈtempərd] *a.* porywczy, zapalczywy.

quick-witted [ˌkwɪkˈwɪtɪd] *a.* bystry, o ciętym dowcipie.

quid¹ [kwɪd] *n. pl.* **quid 1.** *Br. pot.* funt, funciak. **2.** *przen.* **be ~s in** *Br. pot.* dobrze zarobić, obłowić się; **not the full ~** *Austr. i NZ. sl.* niekumaty (= *mało inteligentny*).

quid² *n.* kawałek tytoniu do żucia.

quiddity [ˈkwɪdɪtɪ] *n. pl.* **-ies 1.** *t. fil.* istota, sedno. **2.** nieistotna różnica.

quidnunc [ˈkwɪdˌnʌŋk] *n. lit.* plotka-rz/rka.

quid pro quo [ˌkwɪd proʊ ˈkwoʊ] *n. pl.* **quid pro quos** *form.* **1.** wymiana; rekompensata (*for sth* za coś). **2.** coś za coś, rewanż. **3.** pomyłka (*polegająca na zastosowaniu jednego elementu zamiast innego*).

quiescence [kwɪˈesəns], **quiescency** [kwɪˈesənsɪ] *n. U form.* **1.** cisza. **2.** bezruch. **3.** uśpienie.

quiescent [kwɪˈesənt] *a. form.* **1.** cichy; milczący. **2.** nieaktywny; nieruchomy. **3.** uśpiony.

quiet [ˈkwaɪət] *a.* **1.** *t. przen.* cichy. **2.** spokojny. **3.** milczący. **4.** cichobieżny (*np. o silniku*). **5. (be/keep) ~!** (bądź/siedź) cicho!; **have a ~ word with sb** pomówić z kimś na osobności; **keep ~** siedzieć cicho; **keep sb ~** uciszać kogoś; **keep sth ~** (*także* **keep ~ about sth**) trzymać coś w tajemnicy. – *n. U* cisza; **on the ~** *przen. pot.* po cichu, cichcem (= *w tajemnicy*); **peace and ~** cisza i spokój. – *v.* **1. ~ (down)** uspokajać (się); cichnąć, ucichać; uciszać (się). **2.** rozwiewać (*lęki, obawy*).

quieten ['kwaɪətən] *v. zwł. Br.* = **quiet** *v.*

quietism ['kwaɪəˌtɪzəm] *n. U zwł. rel.* kwietyzm.

quietly ['kwaɪətlɪ] *adv.* **1.** cicho; po cichu; w milczeniu. **2.** spokojnie. **3.** ~ **confident/optimist** *zwł. Br.* pewny siebie bez okazywania tego; **just** ~ *Austr. i NZ* (tak) między nami (mówiąc).

quietness ['kwaɪətnəs] *n. U* (*także form.* **quietude**) **1.** cisza. **2.** spokój.

quietus [kwaɪ'iːtəs] *n. C / U pl.* **-es** *lit.* **1.** kres; **give the ~ to** położyć czemuś kres. **2.** kres, zgon. **3.** *fin.* rozliczenie (*długów*); potwierdzenie rozliczenia się (*z długów*). **4.** uciszenie; uspokojenie.

quiff [kwɪf] *n. Br.* = **pompadour** 1.

quill [kwɪl] *n.* **1.** *orn.* lotka. **2.** *poet.* pióro. **3.** *orn.* dudka (*pióra*). **4.** (*także* ~ **pen**) gęsie pióro (*do pisania*). **5.** *zool.* kolec (*jeża l. jeżozwierza*). **6.** *tk.* cewka; szpula; wrzeciono. **7.** *techn.* tuleja. **8.** *muz.* plektron, piórko, kostka. **9.** *muz.* piszczałka, fujarka. **10.** *ryb.* spławik, pływak (*wykonany z lotki pióra*). **11.** *kulin.* kawałeczek kory cynamonowej.

quillet ['kwɪlət] *n. arch.* subtelność.

quillwort ['kwɪlˌwɜːt] *n. bot.* poryblin (*Isoetes*).

quilt [kwɪlt] *n.* **1.** kołdra. **2.** *zwł. US* kapa, narzuta (*na łóżko*). – *v.* **1.** zszywać (*materiał i watowanie*). **2.** pikować, watować. **3.** szyć (*kołdrę, kapę*); *US* szyć kołdry.

quilted ['kwɪltɪd] *a.* pikowany (*np. o szlafroku*), watowany.

quilting ['kwɪltɪŋ] *n. U* **1.** wykonywanie kołder. **2.** materiał na kołdrę. **3.** kołdra; kołdry.

quinary ['kwaɪnərɪ] *form. a.* **1.** piąty. **2.** *mat.* piątkowy. – *n. pl.* **-ies** **1.** zbiór pięcioelementowy. **2.** piąty element (*zbioru*).

quince [kwɪns] *n. bot.* pigwa (*Cydonia*).

quincentenary [ˌkwɪnsen'tiːnərɪ] *a.* (*także* **quintcentennial**) pięćsetletni. – *n. pl.* **-ies** pięćsetna rocznica.

quincunx ['kwɪŋkʌŋks] *n. rzad.* kwinkunks (= *rozmieszczenie po jednym przedmiocie na każdym rogu kwadratu i piątego w środku*).

quinic acid ['kwɪnɪk ˌæsɪd] *n. U chem.* kwas chinowy.

quinine ['kwaɪnaɪn] *n. U chem., med.* chinina.

quinine water *n. U zwł. US* tonik (*zwł. jako dodatek do drinków*).

quinquagenarian [ˌkwɪŋkwədʒə'nerɪən] *form. a.* pięćdziesięcioletni (*mający lat 50 l. pomiędzy 50 a 59*). – *n.* pięćdziesięciolat-ek/ka, osoba pięćdziesięcioletnia.

Quinquagesima [ˌkwɪŋkwə'dʒesəmə] *n.* (*także* ~ **Sunday**) *kośc.* niedziela zapustna.

quinquennial [kwɪn'kwenɪəl] *form. a.* pięcioletni. – *n.* **1.** piąta rocznica. **2.** = **quinquennium**.

quinquennium [kwɪn'kwenɪəm] *n. pl.* **quinquennia** [kwɪn'kwenɪə] *form.* pięciolecie.

quinquepartite [ˌkwɪŋkwə'pɑːrtaɪt] *a. form.* pięciodzielny.

quinquevalent [ˌkwɪŋkwɪ'veɪlənt] *a. chem.* pięciowartościowy.

quins [kwɪnz] *n. pl. Br. pot.* = **quintuplets**.

quinsy ['kwɪnzɪ] *n. C / U pl.* **-ies** *pat.* **1.** ropień okołomigdałkowy. **2. lingual** ~ zapalenie migdałka językowego.

quint [kwɪnt] *n.* **1.** *muz.* kwinta. **2.** *karty* sekwens z pięciu kart w jednym kolorze (*w grze w pikietę*).

quintal ['kwɪntl] *n.* **1.** kwintal (*100 kg*). **2.** *US* cetnar amerykański (*100 funtów = 45,359 kg*).

quintan ['kwɪntən] *n. U pat.* gorączka z atakami co piąty dzień.

quinte [kænt] *n. szerm.* kwinta.

quintessence [kwɪn'tesəns] *n. form.* kwintesencja (*of sth* czegoś).

quintessential [ˌkwɪntə'senʃl] *a.* najczystszy, typowy.

quintessentially [ˌkwɪntə'senʃlɪ] *adv.* typowo.

quintet [kwɪn'tet], **quintette** *n.* **1.** *muz.* kwintet. **2.** *form.* piątka.

quintillion [kwɪn'tɪljən] *n. mat.* kwintylion (*US i Can. 18 zer, Br. 30 zer*).

quints [kwɪnts] *n. pl. US i Can. pot.* = **quintuplets**.

quintuple [kwɪn'tuːpl] *a.* pięciokrotny. – *n.* pięciokrotność. – *v.* **1.** mnożyć przez pięć; zwiększać pięciokrotnie. **2.** wzrastać pięciokrotnie.

quintuplet [kwɪn'tʌplət] *n. form.* piątka.

quintuplets [kwɪn'tʌpləts] *n. pl.* pięcioraczki.

quip [kwɪp] *n.* **1.** dowcipna uwaga. **2.** *arch.* = **quibble**. – *v.* **-pp-** dowcipkować, żartować.

quipster ['kwɪpstər] *n.* dowcipni-ś/sia, żartowni-ś/sia.

quire[1] [kwaɪr] *druk. n.* **1.** libra (= *24 arkusze*). **2.** lega, składka (= *4 arkusze tworzące po złożeniu 8 kart*).

quire[2] *n. arch.* = **choir**.

Quirinal ['kwɪrənl] *n. hist.* Kwirynał.

quirk [kwɜːk] *n.* **1.** dziwactwo; dziwny zwyczaj. **2.** zakrętas, zawijas (*w piśmie*); ozdobnik. **3.** *bud.* głęboki rowek. **4.** ~ **of fate/history** kaprys losu/historii; **by a ~ of fate** (*także* **by some strange ~**) dziwnym zrządzeniem losu, dziwnym trafem.

quirkiness ['kwɜːkɪnəs] *n. U* **1.** dziwactwo. **2.** zakrętasy, zawijasy; zdobienia, ozdobniki.

quirky ['kwɜːkɪ] *a.* **-ier, -iest** **1.** dziwny, dziwaczny. **2.** pełen zawijasów *l.* zakrętasów; zdobiony.

quirt [kwɜːt] *US n.* pejcz (*o krótkiej rączce ze splecionym skórzanym końcem*). – *v.* uderzać pejczem.

quisling ['kwɪzlɪŋ] *n.* zdraj-ca/czyni (*kraju*), Quisling.

quit [kwɪt] *v.* **-tt-** *pret. i pp.* **-ted** *l.* **quit** **1.** rzucać; ~ **school/one's job** rzucić szkołę/pracę. **2.** *zwł. US* przestawać (*doing sth* coś robić); ~ **it!** przestań!; ~ **smoking** rzucić palenie; ~ **stalling!** *US pot.* przestań kręcić! **3.** rezygnować; rezygnować z (*np. pracy, próbowania*). **4.** *komp.* wyjść z programu. **5.** opuszczać (*miejsce, osobę*); wyjeżdżać z (*miejsca*). **6.** *prawn.* wyprowadzać się z (*wynajmowanego lokum*); **notice to** ~ wymówienie. **7.** *arch.* spłacać (*dług*). **8.** ~ **o.s.** *arch.* zachowywać się. **9.** ~ **o.s. of sth** *arch.* uwolnić się od czegoś. – *a. pred.* **be ~ of sth**

form. uwolnić się od czegoś (*np. od kłopotu, trudnej sytuacji*).

quitch [kwɪtʃ] *n. U bot.* perz (*Agropyrum repens*).

quitclaim ['kwɪtˌkleɪm] *prawn. n.* zrzeczenie się (*roszczenia l. prawa do czegoś*); ~ **deed** akt zrzeczenia się. – *v.* zrzekać się (*roszczenia l. prawa do czegoś*).

quite [kwaɪt] *adv.* **1.** *zwł. Br.* całkiem, dosyć, dość; ~ **a lot/bit/few** (całkiem) sporo; **he ~ likes it here** *Br.* całkiem mu się tu podoba. **2.** całkowicie, całkiem, zupełnie; **I ~ agree** całkowicie się zgadzam; **I'm not ~ sure** nie jestem całkiem pewny; **not ~** niezupełnie. **3.** ~ **a/some** *emf.* niezły, nie najgorszy; ~ **right** święta prawda; ~ **(so)** *Br. form.* (no) właśnie; **not ~ as much as last week** trochę mniej niż w zeszłym tygodniu; **not ~ bright/loud enough** odrobinę za ciemny/cichy; **that's ~ all right** wszystko w porządku, nic nie szkodzi (*odpowiadając na pytanie, czy ktoś nam nie przeszkadza*); **the car was ~ something!** *zwł. Br.* co to był za samochód!

quitrent ['kwɪtˌrent] *n. hist.* czynsz w gotówce płacony zamiast usługi *l.* odrobku (*w systemie feudalnym*).

quits [kwɪts] *a. pot.* **be ~ (with sb)** być kwita (z kimś); **call it ~** zakończyć sprawę; **let's call it ~** niech będzie kwita; **we'll call it ~ for the day** na dziś starczy *l.* będzie dosyć.

quittance ['kwɪtəns] *n.* **1.** *U* spłata (*np. długu, zobowiązania*); *przen.* odpłata. **2.** *U* uwolnienie (*from sth* od czegoś). **3.** kwit, pokwitowanie.

quitter ['kwɪtər] *n. pot.* osoba łatwo rezygnująca.

quiver[1] ['kwɪvər] *v.* **1.** drżeć; ~ **with excitement/horror** drżeć z podniecenia/przerażenia. **2.** trzepotać (*skrzydłami*). – *n.* drżenie.

quiver[2] *n. broń* kołczan.

quivery ['kwɪvərɪ] *a.* drżący.

qui vive [ˌki: 'vi:v] *n.* **be on the ~** *form.* mieć się na baczności.

Quixote ['kwɪksət] *n.* (*także* **Don ~**) donkiszot.

quixotic [kwɪk'sɑ:tɪk] *a.* donkiszotowski.

quixotism ['kwɪksəˌtɪzəm] *n. U* donkiszoteria.

quiz [kwɪz] *n. pl.* **-zes 1.** kwiz, quiz. **2.** *zwł. US szkoln., uniw.* sprawdzian, test. **3.** przepytywanie; badanie; przesłuchanie. **4.** *arch.* kawał, psikus. **5.** *arch.* dziwa-k/czka. – *v.* **-zz- 1.** przepytywać (*sb on sth* kogoś z czegoś); *zwł. US szkoln., uniw.* robić sprawdzian (*komuś*). **2.** wypytywać; przesłuchiwać. **3.** *arch.* przypatrywać się (*komuś l. czemuś*).

quizmaster ['kwɪzˌmæstər] *n. Br.* = **question master.**

quiz show *n.* (*także* **quiz program**) *radio* kwiz, quiz; *telew.* teleturniej.

quizzer ['kwɪzər] *n.* pytając-y/a.

quizzical ['kwɪzɪkl] *a.* pytający; zagadkowy; kpiący (*np. o spojrzeniu, uśmiechu*).

quizzically ['kwɪzɪklɪ] *adv.* pytająco; zagadkowo; kpiąco.

quod [kwɑ:d] *n. gł. Br. sl.* pierdel (= *więzienie*).

quoin [kɔɪn] *n.* **1.** *bud.* naroże, węgieł; narożnik, kamień narożny (*budowli*). **2.** *bud.* = **keystone**. **3.** klin. **4.** *druk.* klin do formy. – *v.* **1.** zaklinować. **2.** podnosić przy pomocy klina.

quoit [kwɔɪt] *n.* **1.** **~s** gra polegająca na zarzucaniu pierścieni na słupek. **2.** pierścień do gry jw.

quokka ['kwɑ:kə] *n. zool.* kuoka (*Setonyx brachyurus*).

quondam ['kwɑ:ndæm] *a. arch. l. lit.* były, niegdysiejszy.

Quonset hut ['kwɑ:nsət ˌhʌt] *n. US wojsk.* półokrągły barak z blachy falistej.

quorate ['kwɔ:reɪt] *a.* mający kworum (*o zebraniu*); **be ~** mieć *l.* tworzyć kworum (*o grupie osób*).

quorum ['kwɔ:rəm] *n.* kworum, quorum.

quot. *abbr.* = **quotation**.

quota ['kwoʊtə] *n.* **1.** udział, część (*wniesiona l. otrzymywana*). **2.** kontyngent (*towarów*); maksymalna ilość *l.* liczba; **export/import ~** *ekon.* kwota eksportowa/importowa; **immigration ~** *polit.* kontyngent imigracyjny.

quotable ['kwoʊtəbl] *a.* nadający się do zacytowania.

quotation [kwoʊ'teɪʃən] *n.* **1.** cytat; *U* cytaty; cytowanie. **2.** *handl.* notowanie (*kursów akcji, dewizowych*); **admit to ~** *giełda* dopuścić do notowania na giełdzie; **opening/closing ~** *giełda* notowanie otwarcia/końcowe. **3.** wycena (*naprawy, usługi*); **~ of a price** podanie ceny; **~ for fixing the roof** wycena naprawy dachu. **4.** *Br. druk.* firet (*kwadrat do wypełniania pustych miejsc*).

quotation marks *n.* (*także* **quote marks, quotes**) cudzysłów.

quote [kwoʊt] *v.* **1.** cytować, przytaczać; **~ sb as saying that...** przytaczać czyjeś słowa mówiące, że... **2.** umieszczać w cudzysłowie. **3.** **~..., unquote** *zob.* **unquote**. **4.** *handl.* podawać cenę (*towaru*); podawać wycenę (*usługi*), wyceniać (*usługę*). – *n. pot.* **1.** cytat. **2.** *handl.* wycena (*towaru, usługi*). **3.** *pl.* cudzysłów; **in ~s** w cudzysłowie.

quoth [kwoʊθ] *v.* **~ I/he/she** *arch.* rzekłem/rzekł/rzekła.

quotha ['kwoʊθə] *int. arch. iron. pog.* zaiste.

quotidian [kwoʊ'tɪdɪən] *a. form.* codzienny. – *n. pat.* codzienny atak wysokiej gorączki.

quotient ['kwoʊʃənt] *n. mat.* iloraz.

quo warranto [ˌkwoʊ wə'rɑ:ntoʊ] *n. prawn.* sądowy nakaz okazania tytułu do korzystania z praw, stanowiska *l.* przywileju.

Qur'an [kə'rɑ:n] *n.* = **Koran**.

qv [ˌqju: 'vi:] *abbr.* **quod vide** zob.

QWERTY ['kwɝ:tɪ], **querty** *a.* **~ keyboard** *Br. t. komp.* klawiatura QWERTY.

R [ɑːr], **r** *n. pl.* **-'s** *l.* **-s** [ɑːrz] **1.** R, r (*litera l. głoska*). **2. the three Rs** (*reading, writing and (a)rithmetic*) *szkoln. przest.* czytanie, pisanie i rachunki.

R *abbr.* **1.** *chem.* = **radical**. **2.** *fiz.* = **gas constant**. **3.** *mat.* = **ratio**. **4.** *fiz.* = **Réaumur (scale)**. **5.** = **registered trademark**. **6. regular** M (*rozmiar męskich garniturów i płaszczy*). **7. restricted** *kino US* (od lat) 17; *Austr.* (od lat) 18. **8.** (*także* **R.**) *US polit.* = **Republican**. **9.** (*także* **r**) *el., fiz.* = **resistance**. **10. response** *kośc.* L. (= *lud*). **11.** *fiz.* = **röntgen**. **12.** *szachy* = **rook**. **13.** = **royal**.

r *abbr.* **1.** (*także* **R.**, **r.**) *mat.* = **radius**. **2.** (*także* **R.**) = **rod**. **3.** (*także* **r.**) *baseball, krykiet* = **run**.

R. *abbr.* **1.** = **rabbi**. **2.** (*także* **r.**) *US* = **railroad**; *Br.* = **railway**. **3.** = **rector**. **4.** *wojsk.* = **Regiment**. **5. Regina** Królowa; **Rex** Król. **6.** (*także* **r.**) = **right**. **7.** (*także* **r.**) = **river**. **8.** (*także* **r.**) = **road**.

r. *abbr.* **1.** = **rare**. **2.** = **recipe**. **3.** = **recto**.

RA [ˌɑːr ˈeɪ] *abbr.* **1.** *wojsk.* = **rear admiral**. **2. right ascension** *astron.* rektascensja, wznoszenie proste. **3.** *Br.* **Royal Academy** Akademia Królewska; **Royal Academician** człon-ek/kini Akademii Królewskiej.

Ra [rɑː] *n.* (*także* **Re**) *mit.* Re, Ra.

RAAF [ˌɑːr ˌdʌbl ˌeɪ ˈef] *abbr.* **Royal Australian Air Force** *Austr. wojsk.* australijskie wojska lotnicze.

Rabat [rəˈbɑːt] *n. geogr.* Rabat.

rabbet [ˈræbət] (*także* **rebate**) *techn. n.* wręg, wręga, wpust, felc. – *v.* **1.** wykonywać wpust *l.* wręg(ę) w (*drewnie*), felcować. **2.** łączyć na wpust, felcować.

rabbi [ˈræbaɪ] *n. pl.* **-s** *judaizm* **1.** rabin. **2.** rabbi.

rabbinate [ˈræbɪnət] *n. C/U judaizm* rabinat.

rabbinical [rəˈbɪnɪkl], **rabbinic** [rəˈbɪnɪk] *a. judaizm* **1.** rabinacki. **2.** rabiniczny.

rabbinist [ˈræbɪnɪst] *n. judaizm* rabinista.

rabbit [ˈræbət] *n.* **1.** *pl.* **-s** *l.* **rabbit** *zool.* królik (*rodzina Leporidae*). **2.** *U t. kulin.* królik (*mięso l. futro*). **3.** *pot.* zając. **4.** *sport* zawodnik nadający szybkie tempo silniejszemu koledze na początku biegu długodystansowego. **5.** *Br. przest. pot. sport* nowicjusz; słabeusz. – *v. Br.* **-tt- 1.** *myśl.* polować na króliki. **2.** ~ **(on/away)** *Br. i Austr. pot.* ględzić, gadać.

rabbit ears *n. pl. pot. telew.* antena pokojowa w kształcie litery V.

rabbit fever *n. U pat., wet.* tularemia.

rabbit food *n. U pot. uj.* zielenina (= *warzywa, zwł. jedzone w sałatkach*).

rabbit-foot clover [ˌræbətˌfʊt ˈkloʊvər] *n. U bot.* koniczyna polna (*Trifolium arvense*).

rabbit hole *n.* nora królicza.

rabbit hutch *n.* klatka dla królików.

rabbit punch *n.* cios w kark.

rabbitry [ˈræbɪtrɪ] *n. pl.* **-ies 1.** królikarnia. **2.** *U* króliki (*w królikarni*).

rabble¹ [ˈræbl] *n.* **1.** motłoch. **2. the** ~ pospólstwo (= *klasy niższe*).

rabble² *metal. n.* mieszadło. – *v.* mieszać (*kąpiel metalową*).

rabble-rouser [ˈræblˌraʊzər] *n.* demagog.

rabble-rousing [ˈræblˌraʊzɪŋ] *a.* demagogiczny. – *n. U* demagogia.

rabid [ˈræbɪd] *a.* **1.** *wet., pat.* wściekły. **2.** *przen.* zaciekły, wściekły, fanatyczny.

rabidity [rəˈbɪdətɪ] *n. U* zaciekłość, wściekłość, fanatyzm.

rabies [ˈreɪbiːz] *n. U wet., pat.* wścieklizna.

raccoon [ræˈkuːn], **racoon** *n. zool.* szop pracz (*Procyon lotor*).

raccoon dog *n. zool.* jenot, szop usuryjski (*Nyctereutes procyonoides*).

race¹ [reɪs] **1.** *sport* wyścig; bieg; gonitwa; **the ~s** wyścigi (konne). **2.** prąd, nurt (*wody*). **3.** wąskie przejście. **4.** (*także* **~way**) *techn.* kanał (*dopływowy l. odpływowy*); (*także* **mill** ~) kanał, młynówka. **5.** *techn.* bieżnia; pierścień nośny (*łożyska*). **6.** *lotn.* strumień zaśmigłowy. **7.** *arch. l. lit.* droga, bieg (*zwł. słońca l. księżyca*). **8.** *arch. l. lit.* bieg życia. **9.** *przen.* **a ~ against time/the clock** wyścig z czasem; **arms** ~ *polit., wojsk.* wyścig zbrojeń; **not to be in the** ~ *Austr. pot.* nie mieć szans; **presidential** ~ *polit.* wyścig o fotel prezydenta; **the ~ is on to do sth** trwa wyścig o to, kto pierwszy coś zrobi (*np. wynajdzie lekarstwo na raka, opublikuje sensacyjną wiadomość*). – *v.* **1.** ścigać się; ~ **(against) sb** ścigać się z kimś; **I'll ~ you!** ścigajmy się! **2.** wystawiać *l.* zgłaszać do wyścigów (*konia, charta*). **3.** pędzić, gnać. **4.** bić szybko (*o sercu*); **sb's pulse ~s** ktoś ma mocno przyspieszone tętno. **5.** *techn.* pracować na podwyższonych obrotach (*o silniku*); obracać się w przyśpieszonym tempie (*o śmigle, śrubie okrętowej*); dodawać obrotów (*silnikowi, śmigłu, śrubie okrętowej*). **6.** *Austr. sl.* poderwać (*kobietę*).

race² *n.* **1.** *U* rasa; **discrimination on the grounds of** ~ dyskryminacja na tle rasowym; **of mixed** ~ mieszany rasowo. **2.** rasa; lud; naród; plemię; szczep; rodzaj; **the British are an island** ~ Brytyjczycy są narodem wyspiarzy; **the human** ~

rodzaj ludzki. **3.** *zool.* rasa (*zwł. zwierząt hodowlanych*). **4.** *biol.* rodzaj; gatunek; odmiana. **5.** *przen.* grupa; kategoria; gatunek; **the ~ of authors/writers** ludzie pióra (= *pisarze*).

race3 *n.* korzeń imbiru.

race car *n. US mot.* samochód wyścigowy.

racecard ['reɪsˌkɑːrd] *n. Br.* program wyścigów (*konnych*).

racecourse ['reɪsˌkɔːrs] *n.* **1.** *US i Can. mot.* tor wyścigowy (*samochodowy*); bieżnia. **2.** *Br.* = **racetrack** 1.

racegoer ['reɪsˌgoʊər] *n.* miłośni-k/czka wyścigów konnych.

racehorse ['reɪsˌhɔːrs] *n.* koń wyścigowy.

raceme [reɪ'siːm] *n. bot.* grono, kiść (*kwiatostanu*).

race meet *n.* (*także Br. i Austr.* **race meeting**) **1.** wyścigi konne. **2.** wyścigi chartów.

racemic [rə'siːmɪk] *a. chem.* racemiczny (*o związku, mieszaninie, odmianie*); gronowy (*o kwasie*).

racemose ['ræsəˌmoʊs] *a. bot.* gronowy.

racer ['reɪsər] *n.* **1.** biegacz/ka; uczestni-k/czka wyścigu. **2.** koń wyścigowy. **3.** (*także* **race** *US*/**racing** *Br.* **car**) samochód wyścigowy. **4.** (*także* **racing bike**) rower wyścigowy. **5.** *zool.* wąż właściwy (*Coluber*).

race relations *n. pl.* stosunki rasowe.

race riot *n.* rozruchy na tle rasowym.

racetrack ['reɪsˌtræk] *n.* **1.** *US i Can.* tor wyścigów konnych. **2.** *Br.* = **racecourse** 1.

raceway ['reɪsˌweɪ] *n.* **1.** tor wyścigów konnych (*zwł. dla zaprzęgów*). **2.** = **race1** *n.* 5. **3.** *el.* torowisko przewodów.

rachis ['reɪkɪs] *n. pl.* **-es** *l.* **rachides** ['rækəˌdiːz] **1.** *bot.* oś kwiatostanu; główna oś liścia pierzastego. **2.** *orn.* oś pióra; stosina. **3.** *anat.* kręgosłup.

rachitic [rə'kɪtɪk] *a. pat.* krzywiczy, rachityczny.

rachitis [rə'kaɪtəs] *n. U pat.* krzywica.

racial ['reɪʃl] *a.* rasowy; **~ discrimination** dyskryminacja rasowa; **~ prejudice/tension** uprzedzenia/napięcia na tle rasowym.

racialism ['reɪʃəˌlɪzəm] *n. U Br. przest.* = **racism**.

racialist ['reɪʃəlɪst] *n. i a. Br. przest.* = **racist**.

racially ['reɪʃlɪ] *adv.* rasowo; **~ motivated attacks/violence** ataki/przemoc na tle rasowym.

racily ['reɪsɪlɪ] *adv.* **1.** żywo, barwnie. **2.** wyraziście. **3.** pikantnie.

raciness ['reɪsɪnəs] *n. U* **1.** żywość, barwność. **2.** wyrazistość. **3.** pikantność.

racing ['reɪsɪŋ] *n. U* wyścigi; **horse/greyhound/car/motor ~** wyścigi konne/chartów/samochodowe/motocyklowe.

racing car *n. Br. mot.* samochód wyścigowy.

racing form *n.* informacja o wyścigach konnych.

racing start *n. sing.* przewaga na starcie (*over sb* nad kimś).

racism ['reɪsˌɪzəm] *n. U* rasizm.

racist ['reɪsɪst] *a.* rasistowski. – *n.* rasist-a/ka.

rack1 [ræk] *n.* **1.** wieszak; stojak; półka; **clothes ~** wieszak (*zwł. sklepowy, w formie metalowej ramy z poprzecznym prętem*); **luggage ~** *zwł. Br.* półka na bagaż (*w pociągu, autokarze*); **magazine ~** stojak na czasopisma; **roof ~** (*także US* **luggage ~**) *mot.* bagażnik dachowy; **plate ~** suszarka do naczyń; **soap ~** mydelniczka, uchwyt na mydło (*w łazience*); **toast ~** koszyczek na grzanki; **wine ~** stojak na wino. **2.** *techn.* zębatka. **3.** *zool.* poroże, wieniec (*jelenia*). **4.** *US sl.* wyro (= *łóżko*). **5.** drabina (*na paszę*); **feeding ~** paśnik. **6. the ~** *hist.* koło tortur. **7. be on the ~** *przen.* cierpieć męki *l.* katusze. – *v.* **1.** *zw. pass.* męczyć, dręczyć, nękać; **~ed by/with doubt** nękany wątpliwościami; **~ed by/with guilt** dręczony wyrzutami sumienia. **2.** *hist.* poddawać torturom. **3.** kłaść na stojaku, suszarce itp. **4.** *techn.* poruszać mechanizmem zębatkowym. **5. ~ one's brain(s)** *zob.* **brain** *n.* **6. ~ off!** *Austr. sl.* odpieprz się!; **~ up** *zwł. US pot.* nabijać (= *zdobywać; np. punkty, głosy*); podbijać (= *podnosić; np. wartość, poziom*).

rack2 *n. U* (*także* **wrack**) zniszczenie, ruina; **go to ~ and ruin** zamieniać się w ruinę (*o budynku*); podupadać (*o firmie*).

rack3 *n. i v. jeźdz.* = **single-foot**.

rack4 *n.* poszarpane chmury (*gnane wiatrem*). – *v.* pędzić (*o chmurach*).

rack5 *n.* **1.** *kulin.* żebra jagnięce, cielęce *l.* wieprzowe (*przygotowane do pieczenia*). **2. ~ of bones** *US przen. pot.* szkielet (= *wychudzona osoba l. zwierzę*).

rack6 *v.* **~ (off)** ściągać (*wino, jabłecznik*).

racket1 ['rækɪt] *pot. n. sing.* **1.** raban, harmider. **2.** machlojki, machinacje; kant; gangsterstwo; **protection ~** wyłudzanie haraczu. **3.** interes, biznes; branża; **be in the advertising ~** pracować w reklamie. **4.** życie lekkie, łatwe i przyjemne. **5.** *przest.* hulanka, zabawa. – *v.* **1.** tłuc się (= *hałasować*). **2. ~ (about)** *przest.* hulać, bawić się.

racket2 *n.* (*także* **racquet**) rakieta (*do gry l. śnieżna*). – *v.* uderzać rakietą (*piłkę, lotkę*).

racketeer [ˌrækə'tiːr] *n.* kanciarz; rekieter, gangster. – *v.* robić kanty *l.* machlojki.

racketeering [ˌrækə'tiːrɪŋ] *n. U* kanty, machlojki.

rackets ['rækɪts], **racquets** *n. U sport* gra przypominająca tenis, rozgrywana na korcie otoczonym czterema ścianami.

rackety ['rækətɪ] *a.* **1.** *pot.* robiący dużo hałasu (*t. np. o urządzeniu*). **2.** hulaszczy.

racking ['rækɪŋ] *a.* straszliwy (*o bólu l. cierpieniu*).

rackingly ['rækɪŋlɪ] *adv.* straszliwie.

rack railway *n. kol.* kolej zębata (*górska*).

rack-rent ['rækˌrent] *n.* wygórowany czynsz. – *v.* zdzierać czynsz z (*dzierżawcy, ziemi*).

rack-renter ['rækˌrentər] *n.* właściciel/ka pobierając-y/a wygórowany czynsz.

racon ['reɪkɑːn] *n.* = **radar beacon**.

raconteur [ˌrækɑːn'tɜː] *n.* gawędzia-rz/rka.

racoon [ræ'kuːn] *n.* = **raccoon**.

racquet ['rækɪt] *n. i v.* = **racket2**.

racquetball ['rækɪtˌbɔːl] *n. U sport* gra przypominająca tenis, rozgrywana na korcie otoczonym czterema ścianami, z użyciem krótkich rakiet i piłki większej niż w rackets.

racquets ['rækɪts] *n.* = **rackets**.

racy ['reɪsɪ] *a.* **-ier, -iest 1.** żywy, barwny (*np. o opisie, stylu*). **2.** wyrazisty (*np. o smaku*). **3.** pikantny (*np. o dowcipie, książce*).

rad[1] [ræd] *n. U chem.* rad.

rad[2] *a. gł. US sl.* super (= *świetny*).

rad[3] *abbr. mat.* radian.

rad. *abbr.* **1.** = **radiator**. **2.** = **radical**. **3.** = **radius**. **4.** = **radix**.

RADA ['rɑːdə] *abbr.* **Royal Academy of Dramatic Art** *Br. uniw.* Królewska Akademia Sztuk Dramatycznych.

radar ['reɪdɑːr] *n. C/U* radar.

radar astronomy *n. U astron.* radiolokacja astronomiczna.

radar beacon *n.* (*także* **racon**) *lotn., żegl.* radiolatarnia radarowa.

radar gun *n. mot.* radar ręczny.

radar trap *n. mot.* pułapka radarowa.

raddle[1] ['rædl] *v. gł. Br.* splatać.

raddle[2] *n. i v.* = **ruddle**. – *v. gł. Br.* różować (*twarz*).

raddled ['rædld] *a.* **1.** *US* zdezorientowany, zaniepokojony. **2.** *Br.* zużyty, zniszczony (*o osobie*).

radial ['reɪdɪəl] *a.* **1.** promienisty; ~ **roads** drogi rozchodzące się promieniście. **2.** *anat., geom.* promieniowy. – *n.* **1.** *t. geom.* promień. **2.** = **radial drilling machine**. **3.** = **radial tire**.

radial drilling machine *n. techn.* wiertarka promieniowa.

radial engine *n. techn.* silnik gwiazdowy; **double-row** ~ silnik podwójna gwiazda.

radially ['reɪdɪəlɪ] *adv.* promieniowo; promieniście.

radial tire, *Br.* **radial tyre** *n. mot.* opona radialna.

radial velocity *n. C/U pl.* **-ies** *fiz.* prędkość promieniowa, składowa promieniowa prędkości.

radian ['reɪdɪən] *n. geom.* radian.

radiance ['reɪdɪəns], **radiancy** ['reɪdɪənsɪ] *n. U* **1.** *przen.* blask, promienność. **2.** blask. **3.** *fiz.* promieniowanie, radiacja; zdolność promieniowania, zdolność emisyjna; gęstość powierzchniowa natężenia promieniowania.

radiant ['reɪdɪənt] *a.* **1.** *fiz.* promienisty (*o energii*); promieniujący (*o elemencie*). **2.** promienny (*o uśmiechu*); rozpromieniony (*o osobie*). **3.** *attr.* przepiękny (*np. o dniu, niebie, wykonaniu utworu*). – *n.* **1.** *el.* element promieniujący. **2.** *astron.* radiant (*roju meteorów*).

radiant efficiency *n. U fiz.* sprawność (źródła) promieniowania.

radiant flux *n. fiz.* strumień promieniowania.

radiant heat *n. U fiz.* ciepło promieniowania.

radiant heating *n. U techn., bud.* ogrzewanie promiennikowe.

radiantly ['reɪdɪəntlɪ] *adv.* **1.** promiennie (*np. uśmiechać się*); olśniewająco (*np. piękny*). **2.** *techn.* promiennikowo (*ogrzewać*).

radiate *v.* ['reɪdɪˌeɪt] **1.** promieniować (*from... to...* z... do...). **2.** promieniować (*czymś*), wypromieniowywać. **3.** *przen.* ~ **joy** promienieć (radością); **she ~s energy/enthusiasm** emanuje z niej *l.* bije od niej energia/zapał. **4.** rozchodzić *l.* rozbiegać się promieniście. – *a.* ['reɪdɪət] **1.** promienisty; promieniujący. **2.** rozchodzący się promieniście.

radiation [ˌreɪdɪ'eɪʃən] *n. U* **1.** *zwł. fiz.* promieniowanie. **2.** *med.* = **radiotherapy**. **3.** *anat.* promienistość. **4.** (*także* **adaptive** ~) *ekol.* radiacja adaptatywna.

radiation chemistry *n. U chem.* chemia radiacyjna.

radiation pattern *n. el.* charakterystyka promieniowania (*anteny*).

radiation physics *n. U fiz.* radiologia.

radiation pyrometer *n. fiz.* pirometr radiacyjny.

radiation resistance *n. el.* opór promieniowania (*anteny*).

radiation sickness *n. U pat.* choroba popromienna.

radiator ['reɪdɪˌeɪtər] *n.* **1.** kaloryfer, grzejnik. **2.** *mot., lotn.* chłodnica. **3.** *el.* radiator. **4.** *techn.* promiennik; element promieniujący.

radiator cap *n. mot.* korek chłodnicy.

radiator grill *n. mot.* okratowanie wlotu chłodnicy.

radical ['rædɪkl] *a.* **1.** *t. polit., med.* radykalny (*np. o poglądach, reformach, leczeniu*). **2.** zasadniczy, podstawowy, fundamentalny. **3.** *gł. US sl.* świetny, super. **4.** *bot.* korzeniowy. **5.** *mat.* pierwiastkowy. **6.** *jęz.* rdzenny, pierwiastkowy. – *n.* **1.** *t. polit.* radykał. **2.** *mat.* pierwiastek. **3.** *mat.* = **radical sign**. **4.** (*także* **radicle**) *chem.* rodnik; **free** ~ wolny rodnik. **5.** *jęz.* rdzeń, pierwiastek.

radicalism ['rædɪkəˌlɪzəm] *n. U t. polit.* radykalizm.

radicalization [ˌrædɪkələ'zeɪʃən], *Br. i Austr. zw.* **radicalisation** *n. U t. polit.* radykalizacja.

radicalize ['rædɪkəˌlaɪz], *Br. i Austr. zw.* **radicalise** *v.* radykalizować.

radically ['rædɪklɪ] *adv.* radykalnie.

radical sign *n. mat.* znak pierwiastka.

radicel ['rædəˌsel] *n. bot.* korzonek.

radices ['reɪdɪˌsiːz] *n. pl. zob.* **radix**.

radicle ['rædɪkl] *n.* **1.** *anat., bot.* korzonek. **2.** *chem.* = **radical** *n.* 4.

radiculitis [rəˌdɪkjə'laɪtɪs] *n. U pat.* zapalenie korzonków nerwowych.

radiculography [rəˌdɪkjə'lɑːgrəfɪ] *n. C/U pl.* **-ies** *med.* radykulografia.

radii ['reɪdɪˌaɪ] *n. pl. zob.* **radius**.

radio ['reɪdɪˌoʊ] *n. pl.* **-s 1.** *U* radio; **listen to the** ~ słuchać radia; **on the** ~ w radiu. **2.** radio, radioodbiornik. **3.** radiostacja. – *a. attr.* radiowy; ~ **program***US*/**programme***Br.* program radiowy. – *v.* **1.** łączyć się przez radio z (*osobą, miejscem*). **2.** nadawać przez radio (*wiadomości*); podawać przez radio (*pozycję*); ~ **for help** wzywać pomoc przez radio; ~ **to sb** łączyć się z kimś przez radio.

radioactive [ˌreɪdɪoʊ'æktɪv] *a. fiz.* promieniotwórczy, radioaktywny.

radioactive dating *n. U US* (*także Br.* (**radio**)**carbon dating**) radiochronologia, datowanie węglem.

radioactive decay *n. U fiz.* rozpad promieniotwórczy.

radioactively [ˌreɪdɪoʊ'æktɪvlɪ] *adv. fiz.* promieniotwórczo, radioaktywnie.

radioactive waste *n. U fiz.* odpady promieniotwórcze.

radioactivity [ˌreɪdɪoʊæk'tɪvətɪ] *n. U fiz.* promieniotwórczość, radioaktywność.

radio alarm clock *n.* (*także* **clock radio**) radio z budzikiem.

radio announcer *n.* spiker/ka radiow-y/a.

radio astronomy *n. U astron.* radioastronomia, astronomia radiowa.

radio beacon *n. lotn., żegl.* radiolatarnia.

radio beam *n. el., fiz.* wiązka fal radiowych.

radiocarbon [ˌreɪdɪoʊ'kɑːrbən] *n. U chem.* węgiel promieniotwórczy, radiowęgiel, węgiel-14.

radiocarbon dating *n. Br. form.* = **radioactive dating**.

radio-cassette player [ˌreɪdɪˌoʊ kə'set ˌpleɪər] *n.* radiomagnetofon.

radiochemistry [ˌreɪdɪoʊ'kemɪstrɪ] *n. U chem.* radiochemia, chemia pierwiastków promieniotwórczych.

radio communication *n. tel.* radiokomunikacja.

radio compass *n. lotn., żegl.* radiokompas.

radio control *n. U techn.* sterowanie radiowe.

radio controlled *a. techn.* sterowany radiowo.

radioelement [ˌreɪdɪoʊ'eləmənt] *n. chem.* pierwiastek promieniotwórczy, radiopierwiastek.

radio frequency *n. pl.* **-ies** *tel.* częstotliwość radiowa.

radio galaxy *n. pl.* **-ies** *astron.* radiogalaktyka.

radiogram ['reɪdɪoʊˌgræm] *n.* **1.** *tel.* radiogram, radiotelegram. **2.** *Br.* zestaw radiowogramofonowy. **3.** = **radiograph**.

radiograph ['reɪdɪoʊˌgræf] *med. n.* radiogram, zdjęcie rentgenowskie, rentgenogram. – *v.* wykonywać zdjęcie rentgenowskie (*narządu, części ciała*).

radiographer [ˌreɪdɪ'ɑːgrəfər] *n. med.* technik rentgenowski.

radiography [ˌreɪdɪ'ɑːgrəfɪ] *n. U med.* radiografia, wykonywanie zdjęć rentgenowskich.

radiologist [ˌreɪdɪ'ɑːlədʒɪst] *n. med.* radiolo-g/żka, rentgenolo-g/żka.

radiology [ˌreɪdɪ'ɑːlədʒɪ] *n. U med.* radiologia, rentgenologia.

radiometer [ˌreɪdɪ'ɑːmətər] *n. fiz.* radiometr, miernik promieniowania.

radiopaque [ˌreɪdɪoʊ'peɪk], **radio-opaque** *a. fiz., med.* nieprzepuszczalny dla promieni rentgenowskich.

radiophone ['reɪdɪoʊˌfoʊn] *n.* = **radiotelephone**.

radioscopy [ˌreɪdɪ'ɑːskəpɪ] *n. C/U pl.* **-ies** *med., techn.* radioskopia, rentgenoskopia.

radiosonde ['reɪdɪoʊˌsɑːnd] *n. meteor.* radiosonda, sonda radiowa.

radio source *n. astron.* radioźródło.

radio station *n.* **1.** *tel.* radiostacja (*urządzenie*). **2.** *radio* stacja radiowa (*organizacja*).

radio taxi *n.* radio-taxi.

radiotelegram [ˌreɪdɪoʊ'teləˌgræm] *n. tel.* radiotelegram, radiogram.

radiotelegraph [ˌreɪdɪoʊ'teləˌgræf] *tel. n.* radiotelegraf. – *v.* nadawać radiotelegrafem.

radiotelegraphy [ˌreɪdɪoʊtə'legrəfɪ] *n. U tel.* radiotelegrafia.

radiotelephone [ˌreɪdɪoʊ'teləˌfoʊn] *tel. n.* radiotelefon. – *v.* łączyć się przez radiotelefon z (*kimś*).

radio telescope *n. astron.* radioteleskop.

radiotherapist [ˌreɪdɪoʊ'θerəpɪst] *n. med.* radioterapeut-a/ka.

radiotherapy [ˌreɪdɪoʊ'θerəpɪ] *n. U med.* radioterapia, radiolecznictwo.

radio wave *n. zw. pl., el. fiz.* fala radiowa.

radish ['rædɪʃ] *n. bot., kulin.* rzodkiewka (*Raphanus sativus*).

radium ['reɪdɪəm] *n. U chem.* rad.

radium therapy *n. U med.* leczenie radem, terapia radowa.

radius ['reɪdɪəs] *n. pl.* **-es** *l.* **radii** ['reɪdɪˌaɪ] **1.** *t. geom.* promień; **from a 10-mile** ~ z terenów w promieniu 10 mil; **within a** ~ **of 10 miles** (*także* **within a 10-mile** ~) w promieniu 10 mil. **2.** *anat.* kość promieniowa.

radius of action *n.* promień działania.

radius of curvature *n. geom.* promień krzywizny.

radius vector *n. geom.* promień wodzący.

radix ['reɪdɪks] *n. pl.* **-es** *l.* **radices** ['rædɪˌsiːz] **1.** *mat.* podstawa systemu liczenia. **2.** *mat.* podstawa logarytmu. **3.** *jęz.* rdzeń, pierwiastek.

radon ['reɪdɑːn] *n. U chem.* radon.

radwaste ['rædˌweɪst] *n. U US pot.* = **radioactive waste**.

RAF [ˌɑːr ˌeɪ 'ef], **R.A.F.** *abbr.* = **Royal Air Force**.

raff [ræf] *n. U arch. l. dial.* **1.** śmieci. **2.** = **riffraff**.

raffia ['ræfɪə], *Br. t.* **rafia** *n.* (*także* **raphia**) **1.** (*także* ~ **palm**) *bot.* rafia (*Raphia ruffia*). **2.** *U* rafia (*włókno*).

raffish ['ræfɪʃ] *a.* **1.** niekonwencjonalny. **2.** krzykliwy; wulgarny.

raffishly ['ræfɪʃlɪ] *adv.* **1.** niekonwencjonalnie. **2.** krzykliwie; wulgarnie.

raffishness ['ræfɪʃnəs] *n. U* **1.** niekonwencjonalność. **2.** krzykliwość; wulgarność.

raffle[1] ['ræfl] *n.* loteria fantowa. – *v.* ~ **(off)** wystawiać jako fant na loterii.

raffle[2] *n. U* rupiecie; śmieci.

raffle ticket *n.* los loterii fantowej.

rafia ['ræfɪə] *n. Br.* = **raffia**.

raft[1] [ræft] *n.* **1.** *żegl.* tratwa. **2.** (*także* **life** ~) tratwa ratunkowa. – *v.* **1.** przewozić tratwą; spławiać. **2.** przeprawiać się na tratwie przez (*rzekę, wodę*); przepłynąć tratwą. **3.** pływać na tratwie. **4.** łączyć w tratwę.

raft2 *n. gł. US i Can. pot.* mnóstwo, masa; **a (whole) ~ of sth** (całe) mnóstwo czegoś.

rafter1 ['ræftər] *n. zw. pl.* **1.** *bud.* krokiew. **2. packed to the ~s** *przen.* wypełniony po brzegi.

rafter2 *n. żegl.* **1.** osoba płynąca na tratwie. **2.** flisak.

rag1 [ræg] *n.* **1.** szmata; szmatka (*t. US = ściereczka do kurzu; t. pot = ciuch*); *U* szmata, szmaty; *pl.* szmaty; łachmany; **in ~s** w łachmanach (*o osobie*). **2.** skrawek, strzęp; **in ~s** w strzępach. **3.** *pot.* chustka do nosa. **4.** *przen. pot.* szmatławiec (*gazeta*). **5.** *przen.* **be like a red ~ to a bull** działać jak (czerwona) płachta na byka; **chew the ~** *zob.* **chew** *v.*; **go from ~s to riches** przejść drogę od pucybuta do milionera (= *zrobić zawrotną karierę*); **sb's glad ~s** *zob.* **glad1** *a.*

rag2 *v.* **1.** besztać. **2.** *przest.* dokuczać (*komuś*); żartować z (*kogoś*); *Br.* robić kawały (*komuś*). – *n. Br.* **1.** kawał. **2.** *uniw.* seria imprez studenckich, z których dochód przeznaczony jest na cele dobroczynne.

rag3 *muz. n.* ragtime (*utwór*). – *v.* **1.** pisać ragtime'y. **2.** grać ragtime'y.

rag4 *n. bud.* łupek dachowy (*z jedną stroną nieobrobioną*).

raga ['rɑ:gə] *n. Ind. muz.* raga.

ragamuffin ['rægə,mʌfın] *n. przest. l. lit.* obdartus, oberwaniec.

rag-and-bone man [,rægənd'boun mæn] *n. pl.* **-men** *Br. i Austr.* handlarz starzyzną, szmaciarz.

ragbag ['ræg,bæg] *n.* **1.** *sing.* miszmasz (*of sth* czegoś). **2.** torba *l.* worek na szmaty.

rag doll *n.* szmaciana lalka.

rage [reıdʒ] *n. C/U* **1.** wściekłość; gniew; **in a ~** w gniewie; **fly into a ~** wpadać we wściekłość; **shake/tremble/quiver with ~** drżeć z wściekłości; **towering ~** wściekły *l.* niepohamowany gniew. **2.** pasja (*for sth* dla czegoś); pożądanie (*of sth* czegoś). **3.** *Austr. i NZ pot.* impreza, balanga. **4.** *przest. pot.* **a ~ for sth** moda *l.* szał na coś; **be (all) the ~** być ostatnim krzykiem mody. – *v.* **1.** wściekać się (*at/about/against sth* na coś). **2.** szaleć (*np. o burzy, epidemii*); wrzeć, o dyskusji.

ragged ['rægıd] *a.* **1.** (*także* **~y**) podarty (*np. o częściach ubrania, książkach*). **2.** (*także* **~y**) obdarty (*o osobie*). **3.** (*także* **~y**) postrzępiony; zaniedbany (*o brodzie, wąsach*). **4.** *t. przen.* nierówny (*np. o linii, oddechu, przedstawieniu*). **5.** szorstki, chrapliwy (*o głosie, kaszlu*). **6.** *pot.* umęczony, zmordowany; **run o.s. ~** umordować się, urobić się po łokcie; **run sb ~** zamęczyć kogoś (robotą). **7. be on the ~ edge** *US pot.* być u kresu wytrzymałości.

raggedly ['rægıdlı] *adv.* **1.** nierówno. **2.** szorstko. **3.** w łachmany (*ubrany*); na strzępy (*podarty*).

raggedness ['rægıdnəs] *n. U* **1.** nierówności, chropowatość (*np. powierzchni, przedstawienia*). **2.** obszarpany *l.* opłakany stan (*osoby, odzieży*). **3.** brak zgrania (*zespołu*).

raggedy ['rægıdlı] *adv.* = **ragged** 1, 2, 3.

raging ['reıdʒıŋ] *a.* **1.** wzburzony (*o morzu*). **2.** szalejący (*np. o burzy, epidemii*). **3.** dokuczliwy (*o pragnieniu*); dotkliwy (*o bólu*).

ragingly ['reıdʒıŋlı] *adv.* wściekle.

raglan ['ræglən] *krawiectwo n.* reglan, raglan. – *a. attr.* reglanowy, raglanowy.

raglan sleeve *n.* rękaw reglanowy.

ragman ['ræg,mæn] *n. pl.* **-men** (*także* **ragpicker**) *US* handlarz starzyzną, szmaciarz.

ragout [ræ'gu:] *n. C/U kulin.* ragout.

rag paper *n. U* papier szmaciany.

ragpicker ['ræg,pıkər] *n.* = **ragman**.

ragtag ['ræg,tæg] *pot. a.* **1.** obdarty; nieporządny. **2.** mieszany; niezorganizowany (*o zespole, oddziale*). – *n. U* (*także* **~ and bobtail**) *przest. pog.* hołota.

ragtime ['ræg,taım] *n. U muz.* ragtime.

rag trade *n. U* **the ~** *Br. pot.* przemysł odzieżowy (*zwł. produkujący odzież damską*).

ragweed ['ræg,wi:d] *n. U bot.* ambrozja (*Ambrosia*).

ragwort ['ræg,wɜ:t] *n. U bot.* starzec (*Senecio*).

rah [rɑ:] *int. gł. US pot.* = **hurrah**.

raid [reıd] *n.* **1.** *wojsk.* atak; nalot; **air ~** nalot, atak z powietrza; **carry out/launch/make a ~** przeprowadzić atak *l.* nalot. **2.** (*także* **police ~**) nalot (policyjny). **3.** napad; **bank ~** napad na bank; **carry out a ~ (on sth)** dokonać napadu (na coś). **4.** *hist.* najazd; **carry out a ~ (on sth)** dokonać najazdu (na coś), najechać (coś). **5.** próba przejęcia (*on sb* kogoś) (*np. pracowników, zawodników konkurencji*). **6.** *giełda* próba przejęcia (*on sth* czegoś) (*poprzez kupowanie akcji*); próba sztucznego obniżenia kursu (*on sth* czegoś) (*poprzez zaoferowanie do sprzedaży dużej ilości akcji*). – *v.* **1.** *wojsk.* atakować; dokonywać nalotu na. **2.** *policja* robić nalot na. **3.** napadać na (*np. na bank*). **4.** *hist.* najeżdżać (*np. miasto, tereny*). **5.** przejmować (*np. pracowników, zawodników konkurencji*). **6. ~ the refrigerator/larder** *żart.* robić nalot na lodówkę/spiżarnię (= *wyjadać zawartość*).

raider ['reıdər] *n.* **1.** uczestni-k/czka napadu. **2.** *hist.* najeźdźca. **3.** *lotn.* samolot biorący udział w nalocie. **4.** *giełda* spekulant/ka.

rail1 [reıl] *n.* **1.** poręcz; balustrada. **2.** *Br. i Austr.* wieszak; **towel ~** wieszak na ręczniki. **3.** *kol.* szyna. **4.** *U* kolej; **by ~** koleją. **5.** *żegl.* reling. **6.** *bud.* ramiak poziomy. **7. go off the ~s** *przen. pot.* zwariować. – *v.* **1.** zaopatrywać w poręcz *l.* poręcze. **2. ~ in/off** ogradzać; odgradzać.

rail2 *v. form.* pomstować (*at/against sb/sth* na kogoś/coś).

rail3 *n. orn.* wodnik (*Rallus*).

railcar ['reıl,kɑ:r] *n.* **1.** *US* wagon. **2.** wagon silnikowy.

railcard ['reıl,kɑ:rd] *n. Br. kol.* legitymacja zniżkowa (*dla młodzieży i emerytów*).

railchair ['reıl,tʃer] *n. kol.* siodełko szynowe.

rail head *n. kol.* **1.** stacja końcowa. **2.** czoło toru kolejowego (*w budowie*). **3.** główka szyny. **4.** *wojsk.* ostatni punkt kolejowy (*dla transportów*).

railing ['reılıŋ] *n. zw. pl.* **1.** balustrada; płot (*z *prętów metalowych l. desek*). **2.** poręcz; poręcze. **3.** pręty metalowe; szyny.

raillery [ˈreɪlərɪ] *n. form.* **1.** *U* żarty, przekomarzanie się. **2.** *pl.* **-ies** żartobliwa uwaga.

railroad [ˈreɪlˌroʊd] *n. US* **1.** linia kolejowa. **2. the ~** kolej. – *v.* **1.** przewozić koleją. **2.** budować kolej w (*okolicy, miejscu*). **3.** *US* pracować na kolei. **4.** *US* podróżować koleją. **5.** *pot.* popędzać; przymuszać (*sb into sth* kogoś do czegoś). **6.** *pot.* przeprowadzać pośpiesznie (*np. wniosek, projekt ustawy*); przepychać (*dziecko przez szkołę*); skazywać pośpiesznie (*oskarżonego na podstawie wątpliwych dowodów*).

railroader [ˈreɪlˌroʊdər] *n. US* kolejarz.

railroad flat *n. US* mieszkanie z pokojami przechodnimi.

railroading [ˈreɪlˌroʊdɪŋ] *n. U* **1.** *US* podróżowanie koleją. **2.** *US* kolejnictwo. **3.** *pot.* przepychanie (*spraw, osób*); pośpiech.

railroad line *n. US* linia kolejowa.

railroad station *n. US* stacja kolejowa.

railroad track *n. US* tory kolejowe.

railway [ˈreɪlˌweɪ] *n. Br.* **1.** linia kolejowa. **2. the ~(s)** kolej.

railway line *n. Br.* linia kolejowa.

railwayman [ˈreɪlˌweɪmən] *n. pl.* **-men** *Br.* kolejarz.

railway station *n. Br.* stacja kolejowa.

railway track *n. Br.* tory kolejowe.

raiment [ˈreɪmənt] *n. U arch. l. poet.* strój.

rain [reɪn] *n.* **1.** *C/U meteor.* deszcz; opady (deszczu); **heavy ~** obfite opady; **it looks like ~** wygląda na to, że będzie padać; **it is pouring with ~** *Br. emf.* leje jak z cebra; **the ~s** pora deszczowa (*w tropikach*). **2.** *przen.* **(as) right as ~** *emf.* zdrów jak ryba; **(come) ~ or (come) shine** *Br. pot.* bez względu na to, co się stanie; *dosł.* bez względu na pogodę; **under a ~ of arrows/blows** pod deszczem strzał/ciosów. – *v.* **1. it is ~ing** pada (deszcz); **it is ~ing cats and dogs** *emf.* leje jak z cebra. **2.** sypać się (*np. o ciosach, strzałach*). **3. ~ sth on sb** *przen.* obsypywać kogoś czymś (*np. prezentami*); obrzucać kogoś czymś (*np. obelgami*). **4. it never ~s but it pours** *przen.* nieszczęścia (zawsze) chodzą parami. **5. ~ down** spływać (*np. o łzach*); **be ~ed out** *US*/**off** *Br.* nie odbyć się z powodu deszczu (*np. o meczu*).

rainbow [ˈreɪnˌboʊ] *n.* tęcza.

rain check, raincheck *n. zwł. US i Can.* **1.** bilet na powtórzenie imprezy (*jeśli bieżąca przerwana zostanie przez deszcz*). **2.** gwarancja zrealizowania oferty w przyszłości (*zwł. = zaświadczenie dla osoby pragnącej kupić na wyprzedaży towar, którego zabrakło*). **3. I'll take a ~ (on that)** *pot.* może kiedy indziej skorzystam (*grzecznie odmawiając*).

raincoat [ˈreɪnˌkoʊt] *n.* płaszcz przeciwdeszczowy, deszczowiec.

raindrop [ˈreɪnˌdrɑːp] *n.* kropla deszczu.

rainfall [ˈreɪnˌfɔːl] *n. C/U meteor.* opad *l.* opady deszczu.

rain forest, rainforest *n.* tropikalny las deszczowy.

rain gauge *n. meteor.* deszczomierz.

rainmaker [ˈreɪnˌmeɪkər] *n. US* **1.** zaklinacz deszczu. **2.** *meteor.* specjalista od sztucznego wywoływania deszczu. **3.** *przen. pot.* czarodziej (= *prawnik, dyrektor itp. osiągający świetne rezultaty*).

rainproof [ˈreɪnˌpruːf] *a.* nieprzemakalny.

rainstorm [ˈreɪnˌstɔːrm] *n. meteor.* ulewa, nawałnica.

rainwater [ˈreɪnˌwɔːtər] *n. U* woda deszczowa, deszczówka.

rainy [ˈreɪnɪ] *a.* **-ier, -iest 1.** deszczowy (*o dniu, porze*); z dużą ilością opadów (*o miejscu*). **2. save sth for a ~ day** *przen.* odkładać coś na czarną godzinę.

raise [reɪz] *v.* **1.** *t. przen.* podnosić (*np. rękę, pensje, wydajność, temat, świadomość*); **~ o.s.** podnieść się; **~ one's voice** podnieść głos; **~ 5 to the power of 3** *mat.* podnieść 5 do potęgi trzeciej. **2.** *zwł. US* wychowywać; **~ sb (as) a Catholic** wychować kogoś na katolika; **~ sb on sth** wychowywać kogoś na czymś (*np. na określonej diecie*). **3.** hodować (*rośliny, zwierzęta*). **4.** uprawiać (*zboże*). **5.** wnosić (*zastrzeżenia*). **6.** stawiać (*np. słup, stodołę*); *form.* wznosić (*pomnik, budynek*). **7.** wzbudzać (*nadzieje, wątpliwości*). **8.** wywoływać (*zamieszki, protesty*); wzniecać (*bunt, rewoltę*). **9.** zbierać (*pieniądze, armię*). **10.** awansować; **~ sb to the rank of sergeant** awansować kogoś do stopnia sierżanta. **11.** *bank* zaciągać (*pożyczkę*). **12.** *lit.* obudzić. **13.** *kulin.* zaczyniać (*chleb, ciasto*). **14.** *tel.* łączyć się z (*osobą, sztabem*). **15.** *pat.* powodować powstanie (*odcisku, pręgi*). **16.** *pat.* odkrztuszać (*flegmę*). **17.** *zwł. US i Can.* podrabiać (*czek, banknot na wyższą wartość*). **18.** *żegl.* dojrzeć (*ląd, statek*). **19. ~ (from the dead)** *Bibl.* wskrzeszać (z martwych). **20. ~ a glass** wznieść toast (*to sb / sth* za kogoś/coś); **~ a laugh/smile** wywołać śmiech/uśmiech; **~ a siege** *form.* zakończyć oblężenie; **~ an embargo** *form.* znieść embargo; **~ Cain** *zob.* **Cain**; **~ (a few/one's) eyebrows** *zob.* **eyebrow**; **~ hell/the devil** *przen.* podnieść raban/wrzawę; **~ one's hat** uchylić kapelusza; **~ sb $20** *poker* przebić kogoś o 20 dolarów; **~ the alarm** *zob.* **alarm** *n.*; **~ the roof** *zob.* **roof** *n.*; **~ the specter** *US*/**spectre** *Br.* **of sth** *lit.* wywoływać ducha czegoś (*np. wojny*). – *n.* **1.** *US, Can. i Austr.* podwyżka (*płacy*). **2.** podniesienie, podwyższenie (*stawki*).

raised [reɪzd] *a.* **1.** podniesiony; wzniesiony. **2.** *Bibl.* wskrzeszony. **3.** wypukły. **4.** *kulin.* wyrosły (*na drożdżach, proszku*).

raised beach *n. geol.* taras nadbrzeżny.

raiser [ˈreɪzər] *n.* hodow-ca/czyni.

raisin [ˈreɪzən] *n.* rodzynek, rodzynka.

raison d'être [ˌreɪzoʊn ˈdetrə] *n. pl.* **raisons d'être** *Fr.* racja bytu.

raj [rɑːdʒ] *n. U Ind.* **1.** władza. **2. the (British) R~** *hist.* okres panowania brytyjskiego w Indiach.

rajah [ˈrɑːdʒə], **raja** *n.* radża.

rake[1] [reɪk] *n.* grabie. – *v.* **1.** grabić. **2.** drapać. **3.** przeczesywać (*o reflektorze*). **4.** *wojsk.* ostrzeliwać (*o dziale, karabinie*). **5.** omiatać *l.*

ogarniać wzrokiem. **6.** ~ **ashes/a fire** grzebać w popiele/kominku (*pogrzebaczem*); ~ **one's fingers through one's hair** przeczesywać *l.* rozgarniać włosy palcami; ~ **sb over the coals** *zob.* **coal**. **7.** ~ **in** *przen. pot.* zgarniać (*pieniądze*); ~ **it in** *przen. pot.* zgarniać *l.* robić duże pieniądze; ~ **out** *Br.* odgrzebać (= *odnaleźć*); ~ **over** *przen. pot.* rozgrzebywać, rozdrapywać (*nieprzyjemne sprawy*); ~ **through/around/about** przetrząsać, przeszukiwać; ~ **together/up** z trudem zebrać (*np. drużynę*); ~ **up** *przen. pot.* odgrzebywać (*stare sprawy*).

rake2 *n. przest.* hulaka.

rake3 *v.* **1.** *żegl.* pochylać się w stronę rufy (*o maszcie l. kominie*). **2.** nachylać do tyłu. – *n.* **1.** pochylenie. **2.** *techn.* kąt natarcia (*ostrza*).

rake4 *v. myśl.* **1.** latać za zdobyczą (*o jastrzębiu*). **2.** pędzić za zwierzyną z nosem przy tropie (*o psie*).

rakehell [ˈreɪkˌhel] *n. arch.* hulaka.

rake-off [ˈreɪkˌɔːf] *n. pot.* działka (= *udział w nielegalnych zyskach*).

rakish1 [ˈreɪkɪʃ] *a. przest.* hulaszczy.

rakish2 *a.* **1.** zawadiacki; **wear a hat at a ~ angle** nosić kapelusz (zawadiacko) na bakier. **2.** *żegl.* o smukłych liniach.

rakishly1 [ˈreɪkɪʃlɪ] *adv. przest.* hulaszczo.

rakishly2 *adv.* zawadiacko.

rakishness1 [ˈreɪkɪʃnəs] *n. U przest.* hulaszczość.

rakishness2 *n. U* **1.** zawadiackość. **2.** *żegl.* smukłość.

rale [rɑːl], **râle** *n. pat.* rzężenie, szmer oddechowy.

rally1 [ˈrælɪ] *v.* **-ied, -ying 1.** zbierać (*zwolenników*); pozyskiwać (*wsparcie, fundusze*); mobilizować (*opinię publiczną, zwolenników*). **2.** zbierać się (*o zwolennikach*); mobilizować się (*o opinii publicznej, zwolennikach*); **party members rallied to the President's defense** członkowie partii zmobilizowali się w obronie prezydenta. **3.** dochodzić do siebie (*po chorobie*). **4.** zbierać (*siły*); odzyskiwać (*odwagę*). **5.** poprawiać się (*o zdrowiu*); wzrastać (*o siłach, odwadze*). **6.** *giełda* ożywiać się; zwyżkować (*o cenach akcji*). **7.** *tenis, squash* wymieniać piłki. **8.** *wojsk.* robić zbiórkę (*oddziału, wojska*), ponownie zbierać. **9.** *wojsk.* ponownie zbierać się (*o oddziale, wojsku*). **10.** ~ **around** (*także Br.* ~ **round**) łączyć siły; skupiać się wokół (*kogoś, czegoś*). – *n. pl.* **-ies 1.** *polit.* wiec. **2.** zlot (*harcerski*) **3.** *sport, mot.* rajd. **4.** *tenis, squash* wymiana piłek. **5.** *giełda* ożywienie. **6.** poprawa. **7.** powrót (*do zdrowia, sił*). **8.** *wojsk.* zbiórka; ponowne zebranie (się) (*wojska, oddziału*); sygnał do zbiórki.

rally2 *v.* **-ied, -ying** żartować sobie z (*kogoś l. czegoś*).

rallying cry [ˈrælɪɪŋ ˌkraɪ] *n. t. przen.* sygnał do walki.

rallying point *n.* punkt zborny.

ralph [rælf] *v. US sl.* rzygać.

RAM [ræm] *abbr.* **1.** *komp.* = **random access memory**. **2.** (*także* **R.A.M.**) **Royal Academy of Music** *Br. uniw.* Królewska Akademia Muzyczna.

ram [ræm] *n.* **1.** baran; **the R~** *astron.* Baran. **2.** *hist.* taran. **3.** *techn.* kafar; baba kafara; bijak (*młota pneumatycznego*); nurnik (*pompy*); suwak (*prasy, strugarki*). **4.** *hist.* okręt z taranem. – *v.* **-mm- 1.** taranować; uderzać w. **2.** wbijać. **3.** wciskać. **4.** zasuwać (*zasuwę*). **5.** *wojsk.* dosyłać do komory nabojowej (*nabój*). **6.** *parl.* przepychać (*ustawę*). **7.** ~ **sth home** energicznie coś wcisnąć, wbić *l.* zasunąć; *przen.* postarać się, żeby coś zostało zrozumiane. **8.** ~ **sth down sb's throat** *przen.* powtarzać coś komuś do znudzenia, zanudzać kogoś czymś.

Ramadan [ˌræməˈdɑːn] *n. U islam* Ramadan, ramadan.

ramble [ˈræmbl] *v.* **1.** wędrować. **2.** wić się (*np. o ścieżce, strumieniu*). **3.** piąć się; pełzać (*o roślinie*). **4.** mówić *l.* pisać bez ładu i składu. – *n.* wędrówka, piesza wycieczka.

rambler [ˈræmblər] *n.* **1.** *zwł. Br.* wędrowiec, turyst-a/ka piesz-y/a. **2.** *bot.* pnącze; pnąca róża. **3.** gaduła. **4.** *US* = **ranch house** 2.

rambling [ˈræmblɪŋ] *a. gł. attr.* **1.** rozłożysty, zbudowany bez planu (*o budowli*). **2.** bezładny, chaotyczny (*np. o mowie, liście*). **3.** *bot.* pnący (*zwł. o róży*). **4.** wędrowny. – *n. U zwł. Br.* piesze wędrówki.

ramblings [ˈræmblɪŋz] *n. pl.* gadanina.

rambunctious [ræmˈbʌŋkʃəs] *a. zwł. US żart.* hałaśliwy; niesforny; żywy.

rambunctiousness [ræmˈbʌŋkʃəsnəs] *n. U zwł. US żart.* hałaśliwość; niesforność; żywość.

ramekin [ˈræməkɪn], **ramequin** *n. kulin.* **1.** zapiekanka z sera, jajek i tartej bułki. **2.** naczynie do zapiekanki jw.

ramie [ˈræmɪ], **ramee** *n.* **1.** *bot.* rami, szczmiel biały (*Boehmeria nivea*). **2.** *U tk.* ramia (*włókno z krzewu jw.*); tkanina z włókna jw.

ramification [ˌræməfəˈkeɪʃən] *n.* **1.** *zw. pl.* konsekwencja, implikacja (*zwł. komplikująca sytuację*). **2.** odgałęzienie, rozwidlenie. **3.** *U* rozgałęzianie (się).

ramify [ˈræməˌfaɪ] *v.* **-ied, -ying 1.** *biol.* rozgałęziać się. **2.** komplikować się.

ramjet [ˈræmˌdʒet] *n. lotn.* silnik odrzutowy strumieniowy.

rammer [ˈræmər] *n.* **1.** *techn.* ubijak. **2.** *techn.* kafar. **3.** *wojsk.* dosyłacz pocisku.

rammish [ˈræmɪʃ] *a.* capi, jak (stary) cap (= *lubieżny l. cuchnący*).

ramose [ˈreɪmoʊs] *a. biol.* rozgałęziony.

ramp [ræmp] *n.* **1.** podjazd; rampa. **2. on/off** ~ *US mot.* wjazd na autostradę/zjazd z autostrady. **3.** *lotn.* schody, trap. **4.** *mot.* garb spowalniający. **5.** *bud.* zagięcie (*poręczy*); nachylenie (*zwieńczenia muru*). **6.** *Br. sl.* przekręt (= *oszustwo, zwł. polegające na zawyżaniu cen*). – *v.* **1.** ~ **(about/around)** wściekać się; rzucać się (*zwł. o zwierzętach*). **2.** przyjąć groźną postawę. **3.** *her.* stać *l.* wspinać się na tylnych łapach (*zwł. o lwie*).

rampage *v.* [ræmˈpeɪdʒ] szaleć (*t. np. o inflacji*); siać zniszczenie *l.* spustoszenie; **go rampaging through the town/streets** iść przez miasto/ulice, siejąc zniszczenie. – *n.* [ˈræmˌpeɪdʒ] **be/go on a/the ~** siać zniszczenie *l.* spustoszenie.

rampancy [ˈræmpənsɪ] *n.* *U* **1.** gwałtowność, zaciekłość. **2.** wybujałość.

rampant [ˈræmpənt] *a.* **1.** gwałtowny; zaciekły (*o osobie*). **2.** szerzący się (*np. o chorobie, plotkach*); **be ~** szerzyć się. **3.** bujny, wybujały (*o roślinach*); **be ~** wybujać. **4.** *tylko po n. her.* stojący *l.* wspinający się na tylnych łapach (*zwł. o lwie*). **5. ~ arch** *bud.* łuk pochyły, łuk pełzający.

rampantly [ˈræmpəntlɪ] *adv.* gwałtownie; zaciekle.

rampart [ˈræmpɑːrt] *n.* **1.** *fortyfikacje* wał obronny. **2.** *przen.* osłona; obrona. – *v. fortyfikacje* otaczać wałem obronnym; umacniać.

rampion [ˈræmpɪən] *n. bot.* **1.** dzwonek, kampanula (*Campanula rapunculus*). **2.** podobna roślina z rodzaju *Phyteuma*.

ramraiding [ˈræmˌreɪdɪŋ] *n. U Br. pot.* wjeżdżanie samochodem w szybę wystawową sklepu (*w celu dokonania kradzieży*).

ramrod [ˈræmˌrɑːd] *n.* **1.** *wojsk.* dosyłacz pocisku. **2.** *wojsk.* wycior. **3.** *US przen.* wymagający szef; wymagający dowódca. **4. stiff/straight as a ~** *emf.* prosty jak struna; *uj.* sztywny, jakby kij połknął. – *v. US* **1.** *parl.* przepychać (*ustawę*). **2.** ściśle kontrolować (*kogoś l. coś*).

ramshackle [ˈræmˌʃækl] *a. gł. attr.* walący się (*o budynku*); rozklekotany (*o pojeździe, meblu*).

ramson [ˈræmzən] *n. bot.* czosnek niedźwiedzi (*Allium ursinum*).

ran [ræn] *v. zob.* **run** *v.*

rance [ræns] *n. U min.* odmiana czerwonego marmuru (*często z niebieskimi l. białymi żyłkami*).

ranch [ræntʃ] *n.* **1.** ranczo, rancho; **work on a ~** pracować na ranczo. **2.** *zwł. w złoż. US* ferma; **mink ~** ferma norek. **3. = ranch house**. – *v.* **1.** prowadzić ranczo; pracować na ranczo. **2.** prowadzić fermę; pracować na fermie. **3.** hodować (jak) na ranczo (*zwierzęta*).

ranch dressing *n. U US kulin.* kremowy sos do sałatek.

rancher [ˈræntʃər] *n.* **1.** (*także* **ranchman**) ranczer (= *właściciel l. zarządca rancza*). **2.** pomocnik (na ranczo). **3. = ranch house** 2.

ranchero [rɑːnˈtʃeroʊ] *n. pl.* **-s** *płd.-zach. US* = **rancher** 1, 2.

ranch house *n.* **1.** budynek mieszkalny na ranczo. **2.** (*także* **rambler, rancher, ranch-style house**) *US bud.* dom jednopoziomowy (*zwł. z prawie płaskim dachem*).

ranching [ˈræntʃɪŋ] *n. U* praca na ranczo; hodowla zwierząt na ranczo.

rancho [ˈræntʃoʊ] *n. pl.* **-s** *płd.-zach. US* **1.** chata pomocnika na ranczo; grupa chat jw. **2. = ranch**.

rancid [ˈrænsɪd] *a.* zjełczały.

rancidity [rænˈsɪdətɪ], **rancidness** *n. U* zjełczałość.

rancor [ˈræŋkər], *Br.* **rancour** *n. U form.* głęboka uraza; rozgoryczenie; nienawiść (*toward / against sb* do kogoś).

rancorous [ˈræŋkərəs] *a.* pełen urazy; pełen nienawiści.

rand [rænd] *n. pl.* **rand** *S.Afr. fin.* rand (*jednostka monetarna*).

randan[1] [rænˈdæn] *n. sport* **1.** styl wioślarski, w którym środkowy wioślarz używa dwóch wioseł, a dwaj pozostali po jednym. **2.** trzyosobowa łódź wioślarska.

randan[2] *n.* hulanka.

R and B [ˌɑːr ənd ˈbiː], **R & B** *abbr. i n. U* = **rhythm and blues**.

R and D [ˌɑːr ənd ˈdiː], **R & D** *abbr. i n. U* = **research and development**.

random [ˈrændəm] *a.* przypadkowy; *stat.* losowy. – *n. U* **at ~** na chybił trafił; losowo.

random access *n. U komp.* dostęp swobodny.

random access memory *n. C / U* (*także* **RAM**) *komp.* pamięć o dostępie swobodnym.

randomization [ˌrændəməˈzeɪʃən], *Br. i Austr. zw.* **randomisation** *n. U stat.* randomizacja.

randomize [ˈrændəˌmaɪz], *Br. i Austr. zw.* **randomise** *v. stat.* randomizować.

randomly [ˈrændəmlɪ] *adv.* przypadkowo; *stat.* losowo.

randomness [ˈrændəmnəs] *n. U* przypadkowość; *stat.* losowość.

random sample *n. stat.* próbka losowa.

random variable *n. stat.* zmienna losowa.

R and R [ˌɑːr ənd ˈɑːr], **R & R** *abbr. i n. U* **rest and relaxation/recreation** *US wojsk.* odpoczynek.

randy [ˈrændɪ] *a.* **-ier, -iest** **1.** *gł. Br.* napalony, nagrzany. **2.** *gł. Scot.* prostacki; hałaśliwy.

ranee [ˈrɑːnɪ], **rani** *n.* = **rani**.

rang [ræŋ] *v. zob.* **ring**[2] *v.*

range [reɪndʒ] *n.* **1.** zakres (*np. tematów, możliwości, władzy*). **2.** przedział; rząd (*wielkości*); grupa, kategoria; **age ~** grupa wiekowa; **in the ~ (of) $30,000 to $35,000...** w przedziale od 35 000 to 35 000 dolarów, rzędu (od) 35 000 to 35 000 dolarów; **price ~** przedział cenowy. **3.** *sing.* zestaw, wybór (*np. książek, filmów*); *handl.* asortyment (*towarów*); **wide/full ~** szeroki/pełen wybór *l.* asortyment. **4.** *sing.* przekrój; **wide/broad/whole ~ of backgrounds** szeroki przekrój społeczny. **5.** *U* zasięg (*np. samolotu, nadajnika, głosu*); **~ of vision** pole widzenia; **out of/beyond sb's ~** poza czyimś zasięgiem (*np. = zbyt drogi l. trudny*); **within ~/out of ~ of enemy radar** w zasięgu/poza zasięgiem radaru nieprzyjaciela. **6.** *C / U wojsk.* donośność (*broni*); zasięg (*strzału, pocisku*); **a bullet fired from a ~ of six feet** kula wystrzelona z odległości sześciu stóp; **close/long ~ missile** pocisk bliskiego/dalekiego zasięgu; **shot at close/point-blank ~** zastrzelony z bliska *l.* z bliskiej odległości; zasięg widzialności, widzialność. **7.** *lotn.* zasięg (*samolotu*). **8.** *muz.* skala (*głosu, instrumentu*). **9.** (*także* **mountain ~**) łańcuch (górski). **10.** *wojsk.* poligon (*artyleryjski, rakietowy*). **11.** (*także* **rifle ~**) strzelnica. **12.** *C / U US i Can.* pastwisko. **13.** *zwł. US* piec (kuchenny). **14.** *hist.* palenisko (*w kuchni*). **15.** *mat.* przeciwdziedzina, zbiór wartości. **16.** *ekol.* obszar występowania gatunku. **17. top of the ~** *handl.* najlepszy (*o produkcie, towarze*). – *v.* **1.** wahać się (*from... to...* w granicach od... do..., *between... and...* pomiędzy... a...); **ranging from X to**

Y począwszy od X, a skończywszy na Y; **they ~ in age/size from fifteen to eighteen** ich wiek/rozmiar waha się pomiędzy piętnaście a osiemnaście. **2.** ustawiać; układać; **~ sth on/along/against sth** ustawić coś na czymś/wzdłuż czegoś/naprzeciw czegoś; **~d left/right** *komp., druk.* wysunięty w lewo/prawo (*o tekście*). **3.** klasyfikować, kategoryzować; **~ sb/o.s. with sb/sth** zaliczać kogoś/się do kogoś/czegoś. **4. ~ o.s. with/against sb** opowiedzieć się po czyjejś stronie/przeciwko komuś; **~ o.s. with/against sth** opowiedzieć się za czymś/przeciwko czemuś. **5. ~ over (several disciplines/many topics)** obejmować (kilka dyscyplin/wiele tematów). **6. ~ (over/through) sth** wędrować po czymś/przez coś. **7.** *t. wojsk., astron.* wycelować, nastawić (*działo, teleskop*); nastawiać się (*o dziale, teleskopie*). **8.** wyznaczać (*linię, krzywą*). **9.** *żegl.* odwijać (*linę kotwiczną*). **10. ~ o.s.** ustatkować się. **11.** *ekol.* występować (*over sth* na jakimś obszarze) (*o gatunku*). **12.** *wojsk.* wystrzelić na odległość (*pocisk*); **~ (over) one mile** nieść na odległość jednego kilometra (*o broni palnej*); mieć zasięg jednego kilometra (*o pocisku*). **13.** przebiegać (*teren*); przejeżdżać (*kraj*); pływać po (*kraju, wybrzeżu*). **14.** *US i Can.* wypasać (*bydło*). **15. ~ north/south** ciągnąć *l.* rozciągać się na północ/południe.

rangefinder [ˈreɪndʒˌfaɪndər] *n. t. fot., wojsk.* dalmierz, odległościomierz.

rangeland [ˈreɪndʒˌlænd] *n. często pl.* pastwisko.

ranger [ˈreɪndʒər] *n.* **1.** strażnik leśny. **2.** *US* policjant, zwł. policji stanowej w Teksasie. **3.** *US wojsk.* komandos. **4.** wędrowiec. **5.** (*także* **R~ (Guide)**) *Br.* starsza harcerka.

ranginess [ˈreɪndʒɪnəs] *n. U* **1.** smukłość. **2.** zdolność do wędrówki.

Rangoon [ˌræŋˈguːn] *n. geogr.* Rangun.

rangy [ˈreɪndʒɪ] *a.* **-ier, -iest 1.** smukły; długonogi (*t. o zwierzęciu*). **2.** zdolny do wędrówki. **3.** przestronny. **4.** *Austr.* górzysty.

rani [ˈrɑːnɪ], **ranee** *n. Ind.* królowa; księżniczka; żona radży; wdowa po radży.

rank1 [ræŋk] *n.* **1.** szereg; **~ after/upon ~** szeregi (*of sth* kogoś l. czegoś) (*np. policjantów, butelek*); **break ~s** *wojsk.* złamać szereg; *przen.* wycofać swoje poparcie (*dla grupy, której jest się członkiem*); **close ~s** *przen.* zewrzeć szeregi; **in the ~s of the homeless** w szeregach *l.* wśród bezdomnych; **join the ~s of the unemployed** dołączyć do (grupy) bezrobotnych. **2.** *U* ranga; **of the first ~** pierwszorzędny. **3.** *U* warstwa (*społeczeństwa*); **a person of ~** osoba z wyższych sfer. **4.** *C/U wojsk.* stopień; **reduce sb to the ~s** zdegradować kogoś do (stopnia) szeregowca; **rise from the ~s** dostać awans na oficera; **senior/junior ~** wysoki/niski stopień. **5.** *pl.* **the ~s** *wojsk.* szeregowi żołnierze; *przen.* szeregowi członkowie (*organizacji, partii*). **6.** (*także Br.* **taxi ~**) postój taksówek. **7.** *szachy* rząd (*na szachownicy*). **8.** *mat.* rząd (*macierzy*). **9. pull ~** *zob.* **pull** *v.* – *v.* **1. ~ as/among** zaliczać się do (*kogoś l. czegoś*); **~ low/high** mieć niską/wysoką pozycję; **~ with sb** mieć względy u kogoś; **be ~ed second** być sklasyfikowanym na drugim miejscu. **2.** *US wojsk.* być wyższym rangą niż; **a captain ~s a lieutenant** kapitan jest wyższy rangą niż porucznik. **3.** (*także* **~ in order**) ustawiać w kolejności. **4. ~ on sb** *sl.* wyzywać kogoś.

rank2 *a.* **1.** śmierdzący, cuchnący (*with sth* czymś). **2.** wstrętny, obrzydliwy (*o smaku, zapachu*). **3.** wulgarny (*o języku*). **4.** *attr.* zupełny (*np. o amatorze, nowicjuszu, autsajderze*). **5.** zbyt bujny, wybujały (*o roślinności*).

rank and file *n.* **the ~** szeregowi członkowie (*organizacji*), doły (*partyjne*).

rank-and-file [ˌræŋkəndˈfaɪl] *a. attr.* **1.** szeregowy, zwykły (*o członku partii, organizacji*). **2.** oddolny (*np. o presji, poparciu*); **~ opinion** opinia szeregowych członków.

ranker [ˈræŋkər] *n. gł. Br.* **1.** klasyfikator. **2.** *wojsk.* szeregowiec. **3.** *wojsk.* oficer, który rozpoczął służbę od szeregowca.

ranking [ˈræŋkɪŋ] *n.* ranking. – *a. attr.* **1.** wysoki rangą. **2.** najlepszy; najważniejszy.

ranking officer *n. wojsk.* najwyższy rangą oficer (*w grupie*).

rankle [ˈræŋkl] *v.* **1.** jątrzyć (się). **2. ~ (with) sb** dręczyć kogoś, sprawiać komuś ból, napełniać kogoś goryczą (*np. o wspomnieniu*).

ransack [ˈrænˌsæk] *v.* **1.** przetrząsać. **2.** plądrować.

ransom [ˈrænsəm] *n.* **1.** okup. **2.** *U* zwolnienie za okupem. **3.** *rel.* odkupienie, wybawienie. **4. hold sb for** *US*/**to** *Br.* **~** przetrzymywać *l.* trzymać kogoś w charakterze zakładnika; *przen.* stawiać kogoś w przymusowej sytuacji. – *v.* **1.** zapłacić okup za. **2.** zwolnić za okupem. **3.** *rel.* odkupić, wybawić (*from sth* od czegoś).

ransomer [ˈrænsəmər] *n. rel.* odkupiciel, wybawiciel.

rant [rænt] *v.* grzmieć, gardłować; **~ and rave** wygłaszać tyrady, rzucać gromy, ciskać *l.* rzucać się. – *n.* tyrada.

ranunculaceous [rəˌnʌŋkjəˈleɪʃəs] *a. bot.* jaskrowaty.

rap1 [ræp] *v.* **-pp- 1.** pukać, stukać (*at/on sth* w coś); **~ at/on the door** pukać do drzwi. **2.** pukać w, stukać w. **3. ~ sb on/over the knuckles** *przen.* dać komuś po łapach (= *ostro skrytykować*). **4. ~ (out)** wyszczekać; **~ (out) orders** wyszczekać rozkazy. **5.** zjechać (= *skrytykować*). **6.** *muz.* rapować. **7.** *przest. pot.* nawijać, gadać. – *n.* **1.** pukanie, stukanie (*at/on sth* w coś); **~ at/on the door** pukanie do drzwi. **2.** *C/U muz.* rap. **3.** *pot.* ochrzan; **receive a ~ on/over the knuckles** *pot.* dostać ochrzan, dostać po łapach. **4.** *przest. pot.* nawijka, gadanie. **5.** *zwł. US pot.* zarzut, oskarżenie; **murder ~** zarzut morderstwa, oskarżenie o morderstwo. **6.** *zwł. US pot.* odsiadka (= *wyrok więzienia*). **7.** *przen.* **bum ~** *zwł. US pot.* fałszywy zarzut; niezasłużona kara; niesprawiedliwe potraktowanie; **beat the ~** *zwł. US pot.* wykręcić się sianem (= *uniknąć kary*); **take the ~ (for sth)** dostać w tyłek (za coś) (= *przyjąć winę l. karę*).

rap2 *n. pot.* odrobina; **I don't care/give a ~** ani trochę mnie to nie obchodzi; gwiżdżę na to.

rap[3] *n. Br. tk.* motek przędzy długości 120 jardów.

rap[4] *v. i n. Austr. zob.* **wrap**.

rapacious [rəˈpeɪʃəs] *a. form.* **1.** zachłanny. **2.** łupieski, łupieżczy. **3.** *zool.* drapieżny.

rapacity [rəˈpæsətɪ], **rapaciousness** [rəˈpeɪʃəsnəs] *n. U form.* **1.** zachłanność. **2.** łupiestwo. **3.** drapieżność.

rape[1] [reɪp] *n.* **1.** *C/U t. prawn.* gwałt. **2.** *sing.* zniszczenie (*of sth* czegoś) gwałt (*of sth* na czymś) (*zwł. na środowisku, lasach*). **3.** *przest.* porwanie, uprowadzenie. – *v.* **1.** *t. prawn.* gwałcić. **2.** zadawać gwałt (*zwł. środowisku, lasom*), niszczyć. **3.** *przest.* porywać, uprowadzać.

rape[2] *n. U bot.* rzepak (*Brassica napus*).

rape[3] *n. często pl.* odpadki z winogron (*do wyrobu octu*).

rapecake [ˈreɪpˌkeɪk] *n. U* makuch rzepakowy.

rape oil *n.* = **rapeseed oil**.

raper [ˈreɪpər] *n.* = **rapist**.

rapeseed [ˈreɪpˌsiːd] *n. U* nasienie rzepaku.

rapeseed oil *n. U* (*także* **rape oil**) olej rzepakowy.

raphia [ˈræfɪə] *n.* = **raffia**.

rapid [ˈræpɪd] *a.* szybki, prędki (*np. o krokach, biciu serca*); gwałtowny (*np. o wzroście, zmianie*). – *n. zob.* **rapids**.

rapid eye movement *n. U* (*także* **REM**) *fizj.* szybkie ruchy gałek ocznych (*faza snu*).

rapid-fire [ˌræpɪdˈfaɪr] *a.* **1.** *wojsk.* szybkostrzelny. **2.** szybki (*np. o dostawie*); następujący szybko po sobie (*np. o pytaniach*).

rapidity [rəˈpɪdətɪ] *n. U* szybkość, prędkość; gwałtowność.

rapidly [ˈræpɪdlɪ] *adv.* szybko, prędko; gwałtownie.

rapids [ˈræpɪdz] *n. pl.* bystrza (*na rzece*).

rapid transit *n.* (*także* ~ **system**) *US* metro.

rapier [ˈreɪpɪər] *n. szerm.* rapier.

rapine [ˈræpaɪn] *n. U arch. l. form.* grabież, łupiestwo.

rapist [ˈreɪpɪst] *n.* (*także* **raper**) gwałciciel.

rapparee [ˌræpəˈriː] *n.* **1.** *hist.* irlandzki żołnierz nieregularny *l.* korsarz (*w XVII w.*). **2.** *przest.* bandyta; grabieżca.

rappee [ræˈpiː] *n. U arch.* wilgotna, gruba tabaka o mocnym zapachu.

rappel [ræˈpel] *n. zwł. US* zejście z użyciem liny.

rapper [ˈræpər] *n.* **1.** kołatka. **2.** *muz.* raper.

rapport [ræˈpɔːr] *n. U l. sing.* porozumienie, wzajemne zrozumienie (*between/with sb* pomiędzy/z kimś); **be in/en ~ with sb** dobrze się z kimś rozumieć.

rapprochement [ˌræprouʃˈmɑːn] *n. U l. sing. form.* zbliżenie (*zwł. między państwami*).

rapscallion [ræpˈskæljən] *n. arch. l. żart.* łobuz, hultaj.

rap sheet *n. US sl.* kartoteka policyjna.

rapt [ræpt] *a.* **1.** wytężony, napięty (*o uwadze*); zaabsorbowany, pochłonięty (*o słuchaczu*); ~ **in thought/contemplation** pogrążony w myślach; ~ **with wonder** oczarowany, urzeczony. **2.** *Austr. pot.* wniebowzięty, zachwycony.

raptly [ˈræptlɪ] *adv.* **1.** z wytężoną uwagą. **2.** z zachwytem; w zachwycie.

raptness [ˈræptnəs] *n. U* **1.** zaabsorbowanie; wytężona uwaga. **2.** zachwyt.

raptor [ˈræptər] *n. orn.* ptak drapieżny.

raptorial [ræpˈtɔːrɪəl] *a. orn.* **1.** drapieżny (*o ptakach*). **2.** dotyczący ptaka drapieżnego.

rapture [ˈræptʃər] *n.* **1.** *U* zachwyt, uniesienie; ekstaza; *pl.* zachwyty, wyrazy zachwytu; **go into ~s over sth** rozpływać się w zachwytach *l.* z zachwytu nad czymś. **2.** *U rel.* wniebowzięcie.

raptured [ˈræptʃərd] *a.* zachwycony; w ekstazie.

rapturous [ˈræptʃərəs] *a. form.* pełen zachwytu *l.* uniesienia (*np. o brawach*); entuzjastyczny (*np. o powitaniu*).

rare[1] [rer] *a.* **1.** rzadki (*np. o okazie, słowie, umiejętności, okazji*); rzadko występujący (*np. o roślinie, zwierzęciu, chorobie*); **comparatively/relatively ~** stosunkowo rzadki; **it is ~ to do sth** rzadko udaje się coś zrobić; **it is ~ for sb to do sth** rzadko się zdarza, żeby ktoś coś zrobił. **2.** rzadki, rozrzedzony (*o powietrzu*). **3.** *attr. Br. przest.* świetny; **have a ~ old time** świetnie się bawić.

rare[2] *a. kulin.* krwisty (*o steku*).

rarebit [ˈrerˌbɪt] *n.* = **Welsh rabbit**.

rare earth *n. chem.* **1.** (*także* ~ **element**) pierwiastek ziem rzadkich, lantanowiec. **2.** tlenek lantanowca.

raree show [ˈrerɪ ˌʃou] *n.* **1.** widowisko uliczne. **2.** = **peepshow**.

rarefaction [ˌrerəˈfækʃən], **rarefication** [ˌrerəfəˈkeɪʃən] *n. U* rozrzedzenie (się); rozrzedzanie (się).

rarefied [ˈrerəˌfaɪd], **rarified** *a.* **1.** *fiz.* rozrzedzony (*o gazie, atmosferze*). **2.** *przen.* podniosły, wzniosły (*o języku, prozie*). **3.** *cz. żart.* elitarny (*np. o świecie nauki, dyplomacji*).

rarefy [ˈrerəˌfaɪ] *v.* **-ied, -ying 1.** rozrzedzać (się) (*zwł. o powietrzu*). **2.** wysubtelniać.

rare gas *n. chem.* gaz szlachetny.

rarely [ˈrerlɪ] *adv.* rzadko, nieczęsto; wyjątkowo.

rareness[1] [ˈrernəs] *n. U* **1.** rzadkość. **2.** rozrzedzenie (*powietrza, gazu*).

rareness[2] *n. U kulin.* krwistość (*steku*).

raring [ˈrerɪŋ] *a. pred.* **be ~ to do sth** palić się, żeby coś zrobić; **be ~ to go** rwać się do czynu *l.* dzieła.

rarity [ˈrerətɪ] *n. pl.* **-ies 1.** rzadki okaz *l.* egzemplarz. **2.** *U* rzadkość. **3. be a ~** być rzadkością; należeć do rzadkości.

rascal [ˈræskl] *n.* **1.** *cz. żart.* łobuz, łobuziak. **2.** *przest.* łajdak. – *a. attr. przest.* **1.** pospolity. **2.** łajdacki.

rascality [ræˈskælətɪ] *n. C/U pl.* **-ies 1.** łobuzerstwo. **2.** *przest.* łajdactwo.

rascally [ˈræsklɪ] *a.* łajdacki, podły. – *adv.* podle.

rase [reɪz] *v.* = **raze**.

rash[1] [ræʃ] *a.* pochopny, nierozważny.

rash[2] *n.* **1.** *C/U pat.* wysypka; **come/break out in a ~** dostać wysypki; **diaper** *US*/**nappy** *Br.* ~ pieluszkowe zapalenie skóry niemowląt; **heat ~** potówka czerwona. **2.** *sing. pot.* seria (*np. włamań, strajków*).

rasher ['ræʃər] *n. kulin.* plasterek (*bekonu l. szynki*).

rashly ['ræʃlɪ] *adv.* pochopnie, nierozważnie.

rashness ['ræʃnəs] *n. U* pochopność (*uczynku, osoby*); brak rozwagi (*osoby*).

rasp¹ [ræsp] *v.* **1.** drapać, skrobać; piłować (*pilnikiem*). **2.** skrzypieć, zgrzytać (*np. o zawiasach*). **3.** chrypieć; ~ **(out) an order** wychrypieć rozkaz. **4.** ~ **(on)** drażnić (*np. nerwy*). **5.** ~ **off/away** zdrapywać.

rasp² *n.* **1.** *techn.* tarnik, raszpla. **2.** zgrzyt, zgrzytanie. **3.** chrypienie.

raspberry ['ræzˌberɪ] *n. pl.* **-ies** **1.** *bot.* malina (*rodzaj Rubus*). **2.** *U* kolor malinowy. **3.** *pot.* prychnięcie (*wyrażające pogardę l. lekceważenie*); **give** *US*/**blow** *Br.* **a** ~ prychnąć z pogardą.

rasper ['ræspər] *n.* **1.** *Br. myśl.* wysoki płot (*trudny do przeskoczenia dla konia*). **2.** *przen. pot.* żyleta (= *osoba o nieprzyjemnym charakterze*); mocna rzecz (= *coś niezwykłego*).

rasping ['ræspɪŋ] *a.* (*także* **~y**) **1.** drapiący. **2.** drażniący. **3.** skrzypiący, zgrzytliwy (*o dźwięku*); chrypiący (*o głosie*).

Rasta ['ræstə] *n. rel. pot.* rastafaria-nin/nka.

Rastafarian [ˌræstə'ferɪən] *rel. n.* rastafarianin/nka. – *a.* rastafariański.

Rastafarianism [ˌræstə'ferɪənˌɪzəm] *n. U rel.* rastafarianizm.

Rastaman ['ræstəmæn] *n. pl.* **-men** *rel. pot.* rastafarianin.

rat [ræt] *n.* **1.** *zool.* szczur (*rodzaj Rattus*). **2.** *przen. pot.* oszust; zdrajca; łamistrajk; padalec (= *osoba godna pogardy*); *gł. US sl.* kapuś. **3.** *przen.* **like ~s deserting the sinking ship** jak szczury uciekające z tonącego okrętu; **look like a drowned** ~ wyglądać jak zmokła kura; **smell a** ~ *pot.* wyczuć pismo nosem. – *v.* **-tt-** **1.** *pot.* kapować (= *donosić*) (*on sb* na kogoś). **2.** zdradzić, zmienić front; ~ **on sb/sth** *pot.* porzucić kogoś/coś (*np. przyjaciół, przedsięwzięcie*), opuścić kogoś/coś w potrzebie. **3.** polować na szczury.

ratable ['reɪtəbl], **rateable** *a.* **1.** ocenialny. **2.** proporcjonalny. **3.** *gł. Br.* podlegający opodatkowaniu.

ratables ['reɪtəblz], **rateables** *n. pl. fin.* **1.** dochód z podatku od nieruchomości (*dla rządu, samorządu*). **2.** nieruchomości będące własnością samorządu lokalnego (*i przynoszące dochód poprzez podatek od nieruchomości*).

ratable value, rateable value *n. Br. fin.* wartość opodatkowana (*nieruchomości*).

ratafia [ˌrætə'fiːə], **ratafee** [ˌrætə'fiː] *n. U* **1.** ratafia. **2.** (*także* ~ **biscuit**) *gł. Br.* makaronik (*ciasteczko*).

ratal ['reɪtl] *n. Br. fin.* kwota opodatkowana; wartość opodatkowana.

ratan [rə'tæn] *n.* = **rattan.**

rataplan [ˌrætə'plæn] *n.* bębnienie. – *v.* **-nn-** bębnić.

rat-assed [ˌræt'æst], *Br.* **rat-arsed** *a. sl.* zalany w trzy dupy (= *bardzo pijany*).

ratatat [ˌrætə'tæt], **ratatattat** [ˌrætəˌtæt'tæt] *n. sing. Br. onomat.* puk, puk (= *stukanie, zwł. do drzwi*).

ratbag ['rætˌbæg] *n. zwł. Br. i Austr. pot.* palant (= *nieprzyjemna osoba*).

ratcatcher ['rætˌkætʃər] *n.* szczurołap.

ratch [rætʃ] *n.* = **ratchet.**

ratchet ['rætʃɪt] *techn. n.* **1.** (*także* ~ **wheel**) koło zapadkowe. **2.** zapadka. **3.** mechanizm zapadkowy. – *v.* **1.** ~ **(up)** podnosić (*za pomocą mechanizmu zapadkowego*); *przen.* podnosić (*ceny*); zwiększać (*inflację*); nasilać (*retorykę*). **2.** ~ **(down)** opuszczać (*za pomocą mechanizmu zapadkowego*); *przen.* obniżać (*ceny*); zmniejszać (*inflację*); osłabiać (*retorykę*).

rate¹ [reɪt] *n.* **1.** tempo; ~ **of growth** *ekon.* tempo wzrostu gospodarczego; **at a** ~ **of 50 miles per hour** z prędkością *l.* w tempie 50 mil na godzinę; **at an alarming** ~ w zastraszającym tempie; **at this** ~ w tym tempie; *przen.* w ten sposób; **pulse** ~ *med.* częstość tętna. **2.** współczynnik, wskaźnik; **birth** ~ *socjol.* współczynnik urodzeń; **death** ~ *socjol.* umieralność, współczynnik zgonów; **high/low ~(s) of unemployment** wysoki/niski współczynnik bezrobocia; **success/failure** ~ współczynnik powodzenia/niepowodzeń (= *skuteczność / nieskuteczność*). **3.** stawka; **hourly/weekly** ~ stawka godzinowa/tygodniowa; **the going** ~ zwykła *l.* przyjęta *l.* aktualna stawka. **4.** stopa; ~ **of interest** *fin.* stopa procentowa; ~ **of return** *ekon.* stopa zysku; **inflation** ~ *ekon.* stopa inflacji. **5.** *w złoż.* **first-/second-/third-~** pierwszorzędny/drugorzędny/trzeciorzędny. **6.** *pl. zob.* **rates. 7.** *przen.* **at any** ~ w każdym razie; **at a** ~ **of knots** *zob.* **knot** *n.* – *v.* **1.** uważać (*sb / sth as sb / sth* kogoś/coś za kogoś/coś); zaliczać (*sb / sth among sb / sth* kogoś/coś do kogoś/czegoś); **be ~d second in the world** zajmować drugą pozycję *l.* mieć drugie miejsce na świecie; **he is ~d (as)/he ~s as one of the best guitar players** uważa się go za jednego z najlepszych gitarzystów. **2.** cenić; ~ **sb/sth very highly** cenić kogoś/coś bardzo wysoko. **3.** oceniać, szacować (*at* na) (*daną wartość*). **4.** *zwł. US pot.* zasługiwać na (*np. podziękowanie*); ~ **a mention** być wartym wzmianki, zasługiwać na wzmiankę. **5.** klasyfikować (*urządzenie, element*). **6.** *Br. pot.* myśleć dobrze o (*osobie, rzeczy*), cenić sobie. **7.** opodatkowywać (*zwł. nieruchomość*). **8.** *zw. pass. kino* **be ~d G** *US*/**U** *Br.* być dozwolonym bez ograniczeń; **be ~d PG-13/X** być dozwolonym od lat 13/18.

rate² *v. arch.* = **berate.**

rateable ['reɪtəbl] *a.* = **ratable.**

ratepayer ['reɪtˌpeɪər] *n. Br.* osoba płacąca podatek od nieruchomości.

rates [reɪts] *n. pl. Br. fin.* podatek od nieruchomości.

ratfink ['rætˌfɪŋk] *n. US i Can. pog. sl.* kanalia, nędzna kreatura.

rathe [reɪð] *a. przest. l. lit.* wczesny.

rather ['ræðər] *adv.* **1.** dość, dosyć; całkiem; **he's ~ tall** jest dość wysoki; **I ~ like your dress** całkiem mi się podoba twoja sukienka. **2.** trochę; ~ **a lot** trochę (za) dużo; **it's ~ (too) heavy** to jest trochę (zbyt) ciężkie. **3.** raczej; **but ~** ale raczej; **or ~** czy (też) raczej; **I ~ think she won't play** mam wrażenie, że ona (raczej) nie zagra. **4. ~ than sth/doing sth** zamiast czegoś/robić coś. **5. would/'d ~** woleć; **I'd ~ die than ask him for a rise** prędzej bym umarł, niż poprosił go o podwyżkę; **I would ~ not use it** wolałabym tego nie używać; **I'd ~ stay here** wolałbym zostać tutaj; **we would ~ you did not talk to strangers** wolelibyśmy, żebyś nie rozmawiał z obcymi. – *int. Br. przest.* ma się rozumieć!, no chyba!

rathskeller [ˈrɑːtˌskelər] *n. US* piwiarnia *l.* restauracja w piwnicy.

ratification [ˌrætəfəˈkeɪʃən] *n. U form.* ratyfikacja.

ratifier [ˈrætəˌfaɪr] *n. form.* ratyfikując-y/a, strona ratyfikująca.

ratify [ˈrætəˌfaɪ] *v.* **-ied, -ying** *form.* ratyfikować.

ratiné [ˈrætəˌneɪ], **ratine** *n. U tk.* ratyna.

rating[1] [ˈreɪtɪŋ] *n.* **1.** ocena; **credit ~** *fin.* ocena zdolności kredytowej. **2.** notowania (*np. polityka, rządu*). **3.** *sing.* klasyfikacja, zaszeregowanie (*np. filmu jako dozwolonego od określonego wieku*). **4.** *Br. żegl.* marynarz. **5.** *techn.* wartość znamionowa.

rating[2] *n.* bura.

ratings [ˈreɪtɪŋz] *n. pl.* **the ~** *gł. telew.* notowania, oglądalność, wskaźnik oglądalności.

ratio [ˈreɪʃoʊ] *n. pl.* **-s** stosunek, proporcja (*of X to Y* X do Y); **in the ~ of four to one** w stosunku cztery do jednego.

ratiocinate [ˌræʃɪˈɑːsəˌneɪt] *v. form.* rozumować.

ratiocination [ˌræʃɪˌɑːsəˈneɪʃən] *n. U form.* rozumowanie.

ratio decidendi [ˌrɑːtɪoʊ ˌdesɪˈdendɪ] *n. pl.* **rationes decidendi** [ˌrɑːtɪoʊneɪs ˌdesɪˈdendɪ] *prawn.* motywy rozstrzygnięcia.

ration [ˈræʃən] *n.* **1.** racja, przydział; *pl. zwł. wojsk.* racje żywnościowe. **2. have had (more than) one's ~ of sth** *przen.* mieć aż za dużo czegoś (*zwł. problemów, kłopotów*). – *v.* **1. ~ (out)** racjonować, wydzielać. **2. ~ sb/o.s. to sth** ograniczać kogoś/się do czegoś (*np. do określonej liczby kalorii l. papierosów dziennie*).

rational [ˈræʃənl] *a.* **1.** rozumny (*o zachowaniu, istocie*); rozumowy (*np. o uzasadnieniu*). **2.** racjonalny, rozsądny (*np. o wytłumaczeniu, decyzji*); **be ~** myśleć racjonalnie. **3.** *mat.* wymierny. – *n. mat.* = **rational number**.

rationale [ˌræʃəˈnæl] *n. C/U form.* racjonalna podstawa, racjonalne uzasadnienie (*behind sth* czegoś).

rational function *n. mat.* funkcja wymierna.

rational horizon *n. astron.* horyzont astronomiczny *l.* prawdziwy.

rationalism [ˈræʃənəˌlɪzəm] *n. U t. fil.* racjonalizm.

rationalist [ˈræʃənəlɪst] *n. t. fil.* racjonalist-a/ka.

rationalistic [ˌræʃənəˈlɪstɪk] *a. t. fil.* racjonalistyczny.

rationality [ˌræʃəˈnælətɪ] *n. pl.* **-ies 1.** *U* racjonalność. **2.** *często pl.* racjonalna opinia; racjonalne działanie.

rationalization [ˌræʃənələˈzeɪʃən], *Br. i Austr. zw.* **rationalisation** *n. C/U* **1.** *t. psych., ekon.* racjonalizacja. **2.** usprawnianie; usprawnienie. **3.** *mat.* usuwanie niewymierności.

rationalize [ˈræʃənəˌlaɪz], *Br. i Austr. zw.* **rationalise** *v.* **1.** *t. psych., ekon.* racjonalizować. **2.** usprawniać. **3.** usprawiedliwiać (się), tłumaczyć (się); **~ that...** wytłumaczyć (sobie), że... **4.** *mat.* usuwać niewymierności.

rationally [ˈræʃənlɪ] *adv.* **1.** rozumnie; rozumowo. **2.** racjonalnie, rozsądnie. **3.** z racjonalnego punktu widzenia, na zdrowy rozum.

rational number *n. mat.* liczba wymierna.

rations [ˈræʃənz] *n. pl. zob.* **ration** *n.* 1.

ratite [ˈrætaɪt] *a. orn.* bezgrzebieniowy.

ratlike [ˈrætˌlaɪk] *a.* szczuropodobny, podobny do szczura.

ratlin [ˈrætlɪn], **ratline** *n. żegl.* wyblinka.

ratoon [rəˈtuːn], **rattoon** *bot. n.* nowy pęd (*rośliny wieloletniej wyrastający po jej ścięciu*). – *v.* wypuszczać pęd.

rat poison *n. U* trutka na szczury.

rat race *n.* **the ~** *przen.* wyścig szczurów.

rats [ræts] *int. pot.* bzdura!, gdzie tam!

ratsbane [ˈrætsˌbeɪn] *n. U* trutka na szczury.

rattan [rəˈtæn], **ratan** *n.* **1.** *U* ratan. **2.** mebel ratanowy. **3.** laska z ratanu. **4.** (*także* **~ palm**) *bot.* palma pnąca z gatunku *Calamus, Daemonorops, l. Plectomia.*

rat-tat [ˌrætˈtæt], **rat-tat-tat** [ˌrætˌtætˈtæt] *n.* = **ratatat**.

ratter [ˈrætər] *n.* **1.** szczurołap (*pies l. kot*). **2.** *pot.* łamistrajk. **3.** *gł. US sl.* kapuś.

rattish [ˈrætɪʃ] *a.* **1.** szczurzy. **2.** zaszczurzony.

rattle [ˈrætl] *v.* **1.** stukać (*np. o oknie, silniku*); stukać (*oknem*). **2.** szczękać (*np. o łańcuchu, szabli*); szczękać (*łańcuchem, szablą*). **3.** turkotać, stukotać (*np. o pociągu, kołach*). **4.** brzęczeć (*np. o monetach, butelkach*); brzęczeć, pobrzękiwać (*monetami, butelkami*). **5.** *pot.* wytrącić z równowagi. **6. ~ sb's cage** *pot. żart.* wkurzyć kogoś. **7. ~ along** przejechać z turkotem; **~ around** *pot.* obijać się o ściany (*= mieć za dużo miejsca, np. w pustym domu*); **~ off** wyrecytować, wyklepać (*np. rolę, definicję*); **~ on** *pot.* klepać, trajkotać (*about sth* o czymś); **~ through sth** *pot.* odklepać coś (*np. przemówienie*); odbębnić coś (*np. robotę*). – *n.* **1.** grzechotka (*węża, kibica, dla dziecka*). **2.** *sing.* stukanie (*okna*); stukot (*silnika*); szczęk (*łańcucha, szabli*); turkot (*pociągu*); brzęk (*monet, butelek*); grzechotanie (*węża*).

rattlebrain [ˈrætlˌbreɪn] *n.* (*także* **~head, ~pate**) *sl.* pusta głowa (*o osobie*).

rattler [ˈrætlər] *n.* **1.** *gł. US i Can.* = **rattle snake**. **2.** *pot.* gruchot, rzęch.

rattle snake *n. zool.* grzechotnik (*rodzaj Crotalis l. Sistrurus*).

rattletrap [ˈrætlˌtræp] *n. pot.* gruchot, rzęch.

rattling [ˈrætlɪŋ] *przest. a.* **1.** szybki (*np. o kroku, rozmowie*). **2.** wspaniały, świetny (*o opowie-*

ści). – *adv.* ~ **good** wspaniały (*np. o obiedzie, zabawie*).

rattly ['rætlı] *a.* **-ier, -iest** rozklekotany.

rattoon [rə'tu:n] *n.* = **ratoon.**

rat-trap ['ræt,træp] *n.* **1.** pułapka na szczury. **2.** *pot.* pedał (metalowy) z noskiem (*u roweru*). **3.** *US pot.* rudera.

ratty ['rætı] *a.* **-ier, -iest 1.** *US i Can. pot.* rozwalający się, w rozsypce (*np. o meblu, budynku*). **2.** *Br. pot.* wkuty, wkurzony (*o osobie*); podły (*o nastroju*). **3.** *Austr. sl.* szurnięty, pomylony. **4.** zaszczurzony. **5.** szczurzy.

raucous ['rɔ:kəs] *a.* **1.** chrapliwy, skrzekliwy (*np. o głosie, śmiechu*). **2.** hałaśliwy (*np. o okrzyku, przyjęciu*).

raucously ['rɔ:kəslı] *adv.* **1.** chrapliwie, skrzekliwie. **2.** hałaśliwie.

raucousness ['rɔ:kəsnəs] *n. U* **1.** chrapliwość. **2.** hałaśliwość.

raunch [rɔ:ntʃ] *n. U* nieprzyzwoitość.

raunchiness ['rɔ:ntʃınəs] *n. U* **1.** wredność. **2.** ciemniactwo. **3.** nieprzyzwoitość.

raunchy ['rɔ:ntʃı] *a.* **-ier, -iest 1.** wredny. **2.** ciemny (= *niekompetenty*). **3.** nieprzyzwoity.

ravage ['rævıdʒ] *n.* spustoszenie, zniszczenie. – *v.* **1.** pustoszyć, niszczyć. **2.** wyrządzać spustoszenia, siać zniszczenie.

rave [reıv] *v.* **1.** bredzić; wrzeszczeć (jak) w delirium. **2.** wrzeszczeć, wściekać się (*at sb* na kogoś); **rant and** ~ *zob.* **rant** *v.* **3.** wyć, szaleć, huczeć (*o wietrze, morzu*). **4.** *pot.* unosić się z zachwytu (*about / over sb / sth* nad kimś/czymś) zachwycać się (*about / over sb / sth* kimś/czymś). **5.** *Br. sl.* szaleć (= *bawić się*). – *n.* **1.** *pot.* pochwała, zachwyt. **2.** *Br.* duża impreza taneczna w pustym budynku, często połączona z używaniem narkotyków. **3.** *Br. przest. sl.* szaleństwo (= *coś modnego*); **the latest** ~ ostatnie szaleństwo. **4.** *zwł. US* entuzjastyczna recenzja (*filmu, przedstawienia*). – *a. attr.* entuzjastyczny (*o recenzji, artykule*).

ravel ['rævl] *v.* **1.** plątać, gmatwać; plątać się, gmatwać się (*o niciach, włóknach; t. przen.*). **2.** ~ **(out)** strzępić; strzępić się (*o niciach, włóknach*). **3.** ~ **(out)** rozwikłać (*skomplikowaną sprawę*). **4.** *techn.* rozluźniać się (*o nawierzchni drogi*). – *n.* plątanina; splot.

ravelin ['rævlın] *n. fortyfikacje* okop zewnętrzny.

raveling ['rævlıŋ], *Br.* **ravelling** *n.* nić, włókno (*wyplątane z tkaniny*).

raven[1] ['reıvən] *n. orn.* kruk (*Corvus corax*). – *a. attr. lit.* kruczoczarny, kruczy (*o włosach*).

raven[2] ['rævən] *v.* **1.** pożerać. **2.** porywać (*jako łup l. zdobycz*). **3.** żreć. **4.** uganiać się (*after sth* za czymś) (*łupem l. zdobyczą*); plądrować, grabić. **5.** mieć szalony apetyt (*for sth* na coś). **6.** żerować. – *n.* **1.** *U* żarłoczność. **2.** *C / U* grabież. **3.** *U* łup, zdobycz, pastwa; **beast of** ~ drapieżca, drapieżny zwierz.

raven-haired [,reıvən'herd] *a. lit.* kruczowłosy.

ravening ['rævənıŋ] *a. lit.* żarłoczny; drapieżny.

ravenous ['rævənəs] *a.* **1.** wygłodniały; *przen.* zgłodniały (*of sth* czegoś). **2.** żarłoczny; drapieżny. **3.** wilczy (*o apetycie*).

ravenously ['rævənəslı] *adv.* **1.** wygłodniale. **2.** żarłocznie; drapieżnie.

raver ['reıvər] *n. Br. pot.* imprezowicz/ka.

rave-up ['reıv,ʌp] *n. Br. przest. pot.* balanga, impreza.

ravine [rə'vi:n] *n.* wąwóz, jar.

raving ['reıvıŋ] *a. attr. pot.* ~ **beauty** skończona piękność; ~ **lunatic** skończony *l.* kompletny wariat; ~ **success** oszałamiający pełen sukces. – *adv.* ~ **mad** *zwł. Br. pot.* kompletnie szurnięty. – *n. gł. pl.* bełkot, bredzenie.

ravioli [,rævı'oulı] *n. U kulin.* ravioli.

ravish ['rævıʃ] *v.* **1.** porywać. **2.** olśniewać, zachwycać; **~ed by sb's beauty** zachwycony czyjąś urodą; **~ed with joy** uniesiony radością. **3.** gwałcić (*kobietę*).

ravisher ['rævıʃər] *n.* **1.** porywacz. **2.** gwałciciel.

ravishing ['rævıʃıŋ] *a.* olśniewający, zachwycający.

ravishment ['rævıʃmənt] *n. U* **1.** uniesienie, zachwyt. **2.** porwanie; uprowadzenie. **3.** zgwałcenie.

raw [rɔ:] *a.* **1.** surowy (*np. o mięsie, wełnie, jedwabiu*); nierafinowany (*o cukrze*). **2.** obtarty (*o skórze*); otwarty (*o ranie*). **3.** niedoświadczony (*o osobie*). **4.** przenikliwie zimny (*o wietrze*). **5.** naturalny (*o cechach, emocjach*). **6.** nieupiększony (*o opisie*). **7.** niewykształcony (*o głosie*). **8.** *gł. US pot.* nieprzyzwoity, wulgarny (*o języku*). **9.** *przen.* **catch/touch sb on the** ~ dotknąć kogoś do żywego; **get a** ~ **deal** zostać źle potraktowanym; **in the** ~ w stanie dzikim; *US pot.* nago; **touch/hit a** ~ **nerve** trafić w czułe miejsce.

rawboned [,rɔ:'bound] *a.* kościsty.

raw data *n. komp.* dane pierwotne.

rawhide ['rɔ:,haıd] *n.* **1.** *U* skóra niegarbowana. **2.** bykowiec. – *v.* bić bykowcem.

rawhide hammer *n. techn.* młotek (blacharski) skórzany.

raw material *n.* surowiec.

rawness ['rɔ:nəs] *n. U* **1.** surowość. **2.** brak doświadczenia. **3.** przenikliwe zimno. **4.** obtarcie (*skóry*).

raw silk *n. U tk.* surowy jedwab.

ray[1] [reı] *n. t. fiz., geom., zool.* promień; promyk; ~ **of hope** *przen.* promyk nadziei; ~ **of sunshine** *t. przen. pot.* promyk słońca; **catch some ~s** *sl.* złapać trochę słońca (= *opalić się*). – *v.* **1.** ~ **forth/off/out** *t. przen.* promieniować (*t. coś l. czymś*). **2.** zaopatrywać w linie promieniste (*ozdobę*).

ray[2] *n. icht.* płaszczka, raja (*Raia*).

ray[3] *n. sing. Br. muz.* re.

rayah ['rɑ:jə] *n. hist.* niemuzułmański poddany sułtana tureckiego.

rayon ['reıɑ:n] *n. U tk.* sztuczny jedwab, rayon.

raze [reız], **rase** *v.* **1.** (*także* ~ **to the ground**) zrównać z ziemią. **2.** ~ **(out)** wymazywać; usuwać.

razor ['reızər] *n.* **1.** brzytwa; **safety** ~ maszynka do golenia; **electric** ~ elektryczna maszynka do golenia, golarka elektryczna. **2. be on a ~ edge** *przen.* balansować na krawędzi.

razorback [ˈreɪzərˌbæk] *n.* **1.** finwal (*Balaenoptera physalus*). **2.** *płd. US* półdzika świnia o szczupłym ciele, wąskim grzbiecie i długich nogach. **3.** *US* wzgórze o ostrym grzbiecie.

razorbill [ˈreɪzərˌbɪl] *n.* (*także* **~-billed auk**) *orn.* alka (krzywonosa) (*Alca torda*).

razor blade *n.* żyletka.

razor-sharp [ˌreɪzərˈʃɑːrp] *a.* ostry jak brzytwa (*t. przen., np. o inteligencji, dowcipie*).

razor wire *n. U* drut kolczasty.

razz [ræz] *US i Can. pot. v.* podśmiechiwać się z (*kogoś*). – *n. U* = **raspberry** 3.

razzle [ˈræzl] *n.* **1. go on the ~** *Br. pot.* iść się zabawić. **2.** = **razzle-dazzle** 3.

razzle-dazzle [ˌræzlˈdæzl] *n. U* **1.** *pot.* = **razzmatazz**. **2.** *US pot. zwł. sport* kiwanie, uniki. **3.** falująca karuzela.

razzmatazz [ˌræzməˈtæz] *n. U* **1.** szum **2.** blichtr, pompa (*dla wywarcia wrażenia*).

RB [ˌɑːr ˈbiː] *abbr.* **running back** *futbol amerykański* lotny obrońca.

RBC [ˌɑːr ˌbiː ˈsiː], **rbc** *abbr.* **1.** = **red blood cell**. **2. red blood cell count** *med.* liczenie czerwonych krwinek.

RBE [ˌɑːr ˌbiː ˈiː], **rbe** *abbr.* **relative biological effectiveness** *radiologia* względna skuteczność biologiczna (*promieniowania*), WSB.

RC [ˌɑːr ˈsiː] *abbr.* **1. Roman Catholic** rz.-kat. **2.** = **Red Cross**. **3.** (*także* **rc**) = **remote control**. **4.** (*także* **rc**) = **reinforced concrete**.

RCA connector [ˌɑːr ˌsiː ˈeɪ kəˌnektər] *n. komp.* złącze RCA.

RCAF [ˌɑːr ˌsiː ˌeɪ ˈef] *abbr.* **Royal Canadian Air Force** *Can. wojsk.* Królewskie Lotnictwo Kanadyjskie.

rcd. *abbr.* **received** otrzymany.

RCMP [ˌɑːr ˌsiː ˌem ˈpiː] *abbr.* **Royal Canadian Mounted Police** *Can.* Królewska Kanadyjska Policja Konna.

RCN [ˌɑːr ˌsiː ˈen] *abbr.* **Royal Canadian Navy** *Can. wojsk.* Królewska Kanadyjska Marynarka Wojenna.

rcpt. *abbr.* = **receipt**.

rct. *abbr.* = **recruit**.

Rd *abbr.* **Road** ul. (*ulica; zwł. w adresach*).

rd *abbr.* = **rod**.

R.D. *abbr.* = **rural delivery**.

RDA [ˌɑːr ˌdiː ˈeɪ] *abbr.* = **recommended daily allowance**.

RDBMS [ˌɑːr ˌdiː ˌbiː ˌem ˈes] *abbr.* **relational database management system** *komp.* system zarządzania relacyjną bazą danych.

RDF [ˌɑːr ˌdiː ˈef] *abbr.* **1. radio direction finder** *radio* namiernik. **2. Rapid Deployment Force** *wojsk.* Siły Szybkiego Reagowania.

RE [ˌɑːr ˈiː] *abbr. Br.* **1. Religious Education** *szkoln.* religia (*jako przedmiot*). **2. Royal Engineers** *wojsk.* Królewscy Saperzy.

re[1] [riː] *prep.* w sprawie, dotyczy (*w nagłówku pisma*).

re[2] *n. sing. US muz.* re.

're [ər] *abbr.* = **are**.

reach [riːtʃ] *v.* **1.** docierać do (*celu, osoby, odbiorców*). **2.** dochodzić do (*wniosku*). **3.** podejmować (*decyzję*). **4.** osiągać (*wiek, porozumienie, rezultat*). **5.** sięgać do, dochodzić do (*miejsca*); dosięgać (do) (*punktu*); **~ as far as sth** sięgać aż do czegoś; **~ down to the knee** sięgać (w dół) do kolana; **~ for the stars** *przen.* sięgać gwiazd (= *starać się osiągnąć coś trudnego*); **~ six million dollars** osiągnąć sześć milionów dolarów (*np. o cenie, kosztach*); **can ~ sth** dosięgać czegoś, móc dosięgnąć do czegoś. **6.** kontaktować się (telefonicznie) z (*kimś*); **can we ~ you at the office?** czy można się z tobą skontaktować w biurze?, czy jesteś osiągalny w biurze? **7.** *boks, szerm.* dosięgać (*przeciwnika*). **8.** *żegl.* żeglować półwiatrem. **9. ~ sth down** ściągnąć coś (*z góry, z półki*); **~ out** wyciągać rękę, sięgać (*for sth* po coś); **~ over** sięgnąć ręką, wyciągnąć rękę; *przen.* wysilić się. – *n. zw. U l. sing.* **1.** *t. telew., reklama* zasięg. **2.** sięgnięcie; dosięgnięcie. **3.** odcinek (*zwł. rzeki*). **4.** *żegl.* długość halsu. **5.** *techn.* belka łącząca (*tylną oś pojazdu z jego przodem*). **6. beyond the ~ of sb** *przen.* poza czyimś zasięgiem; **keep out of the ~ of children** chronić przed dziećmi (*napis na leku*); **out of ~** nieosiągalny; **within ~** w zasięgu ręki; osiągalny; **within (easy) ~ of the station** (bardzo) blisko dworca.

reach-me-down [ˈriːtʃmiːˌdaʊn] *a. attr. Br.* **1.** gotowy; używany (*o ubraniu*). **2.** wtórny (*o postaci literackiej, twórczości, pomyśle*). – *n.* **1.** gotowe ubranie; używane ubranie. **2.** *pl.* spodnie.

react [rɪˈækt] *v.* **1.** reagować (*to/upon sth* na coś); **~ by doing sth** zareagować, robiąc coś. **2.** *chem.* wchodzić w reakcję (*with/on sth* z czymś). **3. ~ (badly) to sth** *med.* źle reagować na coś, być uczulonym na coś (*np. na penicylinę*). **4. ~ against sth** buntować się przeciwko czemuś.

reactance [rɪˈæktəns] *n. U el.* reaktancja, opór bierny.

reactant [rɪˈæktənt] *n. chem.* substrat reakcji.

reaction [rɪˈækʃən] *n.* **1.** *C/U t. fiz., chem., polit.* reakcja (*to sth* na coś); **gut ~** instynktowna reakcja; **mixed ~** mieszane reakcje. **2.** *med., pat.* reakcja, odczyn; **allergic ~** reakcja uczuleniowa *l.* alergiczna, odczyn alergiczny; **immune/local ~** odczyn odpornościowy/miejscowy. **3.** *chem.* odczyn; **acid/alkaline/neutral ~** odczyn kwaśny/alkaliczny/obojętny. **4. ~ against sth** bunt przeciwko czemuś, sprzeciw wobec czegoś. **5.** *pl. zob.* **reactions**.

reactionary [rɪˈækʃəˌnerɪ] *polit. a.* reakcyjny. – *n. pl.* **-ies** (*także* **~ist**) reakcjonist-a/ka.

reaction engine *n.* (*także* **reaction motor**) *techn.* silnik odrzutowy.

reactions [rɪˈækʃənz] *n. pl.* refleks; **quick/slow ~** szybki/spóźniony refleks.

reaction turbine *n. techn.* turbina reakcyjna.

reactive [rɪˈæktɪv] *a. t. chem., psych.* reaktywny.

reactive current *n. el.* prąd bierny.

reactive depression *n. C/U pat.* psychoza reaktywna.

reactive dye *n. C/U chem.* barwnik reaktywny.

reactive power *n. U el.* moc bierna.

reactor [rɪ'æktər] *n.* **1.** *fiz.* reaktor (jądrowy). **2.** *chem.* reaktor, aparat reakcyjny. **3.** *med.* osobnik wykazujący odczyn pozytywny (*np. przy szczepieniu*). **4.** *el.* dławik (*rodzaj cewki*).

read [ri:d] *v. pret. i pp.* **read** [red] **1.** czytać (*about / of sth* o czymś, *that* że); **~ (sth) aloud** czytać (coś) na głos; **~ sb (to sleep)** czytać komuś (do snu). **2.** brzmieć (*o tekście*). **3.** czytać się; **her last novel ~s extremely well** jej ostatnią powieść świetnie się czyta; **it ~s as if it was poetry** (*także pot.* **it ~s like it was poetry**) czyta się to jak poezję. **4.** pokazywać, wskazywać (*o termometrze*). **5.** odgadywać, odczytywać (*czyjś nastrój*); odczytywać, interpretować (*odpowiedź, wiersz, sytuację*); **~ sth accurately/well** prawidłowo/dobrze coś zinterpretować. **6.** odczytywać (*licznik*). **7.** *Br. uniw.* studiować (*przedmiot*). **8. do you ~ me?** *tel.* czy mnie słyszysz?; **~ between the lines** czytać między wierszami; **~ music/a map** (umieć) czytać nuty/mapę; **~ sb a lesson** *przen.* palnąć komuś kazanie; **~ sb like a book** *przen.* czytać w kimś jak w otwartej księdze; **~ sb the riot act** *zob.* **riot** *n.*; **~ sb's lips** czytać z ruchu (czyichś) warg; **~ sb's mind/thoughts** *przen.* czytać komuś w myślach; **~ sb's palm** *przen.* wróżyć komuś z ręki; **~ "sixteen" as "six"** (*także* **for "six" ~ "sixteen"**) zamiast „sześciu" proszę wstawić „szesnaście"; **~ the runes** *zob.* **rune**; **take it as ~ that...** przyjmować za pewnik, że...; **take sth as ~** brać *l.* przyjmować coś za pewnik; **well-/widely-~** oczytany (*in sth* w czymś); **widely-/little-~** szeroko/mało czytany (*o tekście*). **9. ~ for** *teatr* mieć przesłuchanie do (*roli*); **~ for the Bar/for a degree in history** *Br. uniw.* studiować prawo/historię; **~ sth into sth** doszukiwać *l.* dopatrywać się czegoś w czymś (*w czyichś słowach, uwagach*); **~ out** odczytać (na głos); **~ over** przeczytać jeszcze raz; **~ over/through** przeczytać uważnie; **~ up on sth** *pot.* poczytać (sobie) na jakiś temat. – *n. sing. Br. i Austr. pot.* **1. have a ~ (of sth)** poczytać sobie (coś). **2. I had a nice ~** miło mi się czytało. **3. sth is a good ~** coś się dobrze czyta.

readability [ˌri:də'bɪlətɪ] *n. U* (*także* **~ableness**) czytelność.

readable ['ri:dəbl] *a.* **1.** przyjemny w czytaniu; łatwy w czytaniu. **2.** czytelny.

readdress [ˌrɪə'dres] *v.* **1.** przeadresować (*list*). **2.** zająć się ponownie (*problemem, zagadnieniem*).

reader ['ri:dər] *n.* **1.** czytelni-k/czka; **be a fast/slow ~** szybko/wolno czytać. **2.** *szkoln.* czytanka (*książka*); wypisy. **3.** *uniw. US* asystent (*poprawiający prace studenckie w imieniu profesora*); *Br.* starszy wykładowca (*niższy o stopień od profesora*). **4.** *t. rel.* lektor/ka. **5.** *komp.* czytnik. **6.** korektor/ka (*w wydawnictwie*). **7.** recenzent/ka (*wydawnictwa, oceniający manuskrypty*). **8.** *judaizm* kantor.

readership ['ri:dərˌʃɪp] *n. U* **1.** czytelnicy (*określonej książki, gazety*). **2.** *Br. uniw.* stanowisko starszego wykładowcy.

readily ['redɪlɪ] *adv.* **1.** chętnie, ochoczo; bez wahania; **she ~ agreed to help** bez wahania zgodziła się pomóc. **2.** łatwo; szybko; **~ available** łatwo dostępny. **3. ~ apparent** zupełnie jasny, oczywisty.

readiness ['redɪnəs] *n. U* **1.** gotowość (*to do sth* do zrobienia czegoś); **in ~ for sth** gotowy do czegoś *l.* na coś; przygotowując się do czegoś *l.* na coś. **2.** łatwość; szybkość.

reading ['ri:dɪŋ] *n.* **1.** *U* czytanie (*czynność l. umiejętność*). **2.** *U* lektura, lektury (*= to, co się czyta*); **light ~** lekka *l.* łatwa lektura. **3.** *sing.* przeczytanie, lektura (*tekstu, książki*); **sth makes a good/interesting ~** coś dobrze/ciekawie się czyta. **4.** *U* oczytanie. **5.** *kośc., parl.* czytanie (*t. jako wydarzenie literackie*). **6.** interpretacja (*np. utworu na koncercie*). **7.** rozumienie, interpretacja (*wydarzenia, sytuacji*). **8.** wersja (*tekstu, fragmentu*). **9.** odczyt (*licznika*); odczytanie wskazań (*termometru*); **take a ~** dokonać odczytu (*licznika*); odczytać wskazania (*termometru*).

reading desk *n.* pulpit.

reading lamp *n.* lampa na biurko.

reading matter *n. U* materiały do czytania, lektura.

reading room *n.* czytelnia.

readjust [ˌri:ə'dʒʌst] *v.* **1.** przystosowywać się na nowo (*to sth* do czegoś). **2.** ustawiać (*pokrętło, ostrość*); regulować (*przyrząd*). **3.** modyfikować (*np. dane, wyniki*).

readjustment [ˌri:ə'dʒʌstmənt] *n.* **1.** *U* aklimatyzacja, przystosowanie się. **2.** *C / U* ustawienie (*pokrętła*); regulacja (*przyrządu*). **3.** *C / U* modyfikacja, dostosowanie (*danych*).

read-only memory [ˌri:dˌounlɪ 'memərɪ] *n. C / U* (*także* **ROM**) *komp.* pamięć ROM, pamięć stała.

readout ['ri:dˌaut], **read-out** *n.* **1.** *komp.* odczyt informacji. **2.** *techn.* odczyt wskazań przyrządu.

ready ['redɪ] *a.* **1.** *pred.* gotowy (*for sth* do czegoś); przygotowany (*for sth* na coś); chętny, gotów (*to do sth* coś zrobić); **be ~ for a meal/holiday** mieć wielką ochotę coś zjeść/iść na urlop; **be ~ to cry/faint** *pot.* o mało nie wybuchnąć płaczem/nie zemdleć; **get ~** (*także form.* **make ~**) przygotowywać się; **~ and waiting** w pełni gotowy; **~ at/to hand** pod ręką; **~ for anything** gotów na wszystko; **~ for (the) off** *pot.* gotowy do drogi *l.* do wyjścia; **~ for use** gotowy do użycia; **~, steady, go!** *Br.* na miejsca, gotowi, start!; **~ to roll** *zob.* **roll** *v.*; **~ when you are** możemy zaczynać; **he's always ~ with an excuse** zawsze ma gotową wymówkę; **when you are ~** *Br.* możesz zaczynać. **2.** *attr.* szybki (*np. o odpowiedzi, dostępie*); bystry (*o umyśle, dowcipie*); **a ~ wit** bystrość (umysłu). – *n. pl.* **-ies** **1.** *U* **at the ~** *wojsk.* gotowy do strzału; *przen.* w pogotowiu. **2. the readies** *Br. sl.* kasa (*= gotówka*). – *v.* **-ied, -ying** *form.* przygotowywać.

ready-built [ˌredɪ'bɪlt] *a. bud.* gotowy, prefabrykowany (*o budynku*).

ready cash *n. U* = **ready money**.

ready-made [ˌredɪ 'meɪd] *a. attr.* **1.** kupny (*np. o cieście*). **2.** *t. przen.* gotowy (*np. o odzieży, pomysłach, wytłumaczeniu, wymówce*); wygodny (*np. o wytłumaczeniu, wymówce*).

ready-mix [ˌredɪ'mɪks] *n. U* **1.** *kulin.* ciasto w

proszku. 2. *techn.* masa betonowa prefabrykowana.

ready money *n. U* (*także* **ready cash**) *przest.* gotówka.

ready reckoner *n. Br.* tablice obliczeniowe *l.* przeliczeniowe.

ready-to-wear [ˌredɪtəˈwer] *a. przest.* gotowy, szyty seryjnie (*o odzieży*).

ready-witted [ˌredɪ ˈwɪtɪd] *a.* bystry, inteligentny.

reaffirm [ˌriːəˈfɜːm] *v. form.* potwierdzać, ponownie deklarować (*np. swoje zaangażowanie, poparcie*).

reaffirmation [ˌriːˌæfərˈmeɪʃən] *n. C/U form.* potwierdzenie, ponowna deklaracja.

reafforest [ˌriːəˈfɔːrɪst] *v. Br. i Austr.* = **reforest**.

reafforestation [ˌriːəˌfɔːrɪˈsteɪʃən] *n. Br. i Austr.* = **reforestation**.

reagent [rɪˈeɪdʒənt] *n. chem.* odczynnik.

real [riːl] *a.* **1.** *t. emf.* prawdziwy (*np. o złocie, nazwisku, mężczyźnie*); autentyczny; ~ **beauty/disaster** prawdziwa piękność/katastrofa; ~ **Pollock/Picasso** prawdziwy Pollock/Picasso (*o obrazie*); **the ~ thing** (*także pot.* **the ~ McCoy**) autentyk. **2.** *attr.* prawdziwy, rzeczywisty (*np. o powodzie, przyczynie*); *t. ekon.* realny, rzeczywisty (*np. o niebezpieczeństwie, ryzyku, koszcie, wartości, dochodzie*); *mat.* rzeczywisty (*o liczbie*); **in ~ life** w rzeczywistości; **in the ~ world** w świecie rzeczywistym; **in ~ terms** *ekon.* w wyrażeniu realnym, realnie. **3. get ~!** *zwł. US pot.* bądź poważny!; **there's no ~ chance/hope of sth** nie ma praktycznie szansy/nadziei na coś. – *n.* **1. the ~** rzeczywistość. **2.** *zwł. US pot.* **for ~** na poważnie; **are you for ~?** mówisz poważnie? **3.** *mat.* = **real number**. – *adv. US* naprawdę; **a ~ fine day** naprawdę ładny dzień; **I'm ~ sorry** naprawdę (bardzo) przepraszam; naprawdę (bardzo) mi przykro.

real ale *n. U* piwo beczkowe warzone i przechowywane w tradycyjny sposób.

real estate *n. U zwł. US* **1.** nieruchomości, majątek nieruchomy. **2.** handel nieruchomościami.

real estate agent *n. US* pośredni-k/czka w handlu nieruchomościami.

realgar [rɪˈælgər] *n. U min.* realgar.

realign [ˌriːəˈlaɪn] *v.* **1.** *t. druk.* zmieniać ustawienie (*np. kolumn tekstu*), ustawiać na nowo. **2.** definiować na nowo (*np. cele organizacji, stosunki*).

realignment [ˌriːəˈlaɪnmənt] *n. U* **1.** nowy układ (*np. kolumn, organizacji*). **2.** przywrócenie prawidłowego ustawienia (*np. elementów; t. med. kości*).

realism [ˈriːəˌlɪzəm] *n. U t. fil., sztuka, teor. lit.* realizm.

realist [ˈriːəlɪst] *n.* realist-a/ka.

realistic [ˌriːəˈlɪstɪk] *a.* realistyczny; **be ~** być realist-ą/ką (*about sth* jeśli chodzi o coś).

realistically [ˌriːəˈlɪstɪklɪ] *adv.* **1.** realistycznie. **2.** ~,... patrząc realistycznie,..., realistycznie rzecz biorąc,...

reality [rɪˈælətɪ] *n.* **1.** *U t. fil.* rzeczywistość (= *to, co istnieje*). **2.** *U* realność; rzeczywistość, prawdziwość (*of sth* czegoś); **bear little semblance to ~** mieć niewiele wspólnego z rzeczywistością. **3.** *C/U* fakt; fakty, realia, rzeczywistość; **become a ~** stać się rzeczywistością *l.* faktem, urzeczywistnić *l.* spełnić się; **harsh realities** twarde realia; **in ~** w rzeczywistości; **the ~ is that...** rzeczywistość jest taka, że..., fakty są takie, że...; **the ~/realities of city life** realia życia w (wielkim) mieście.

realizable [ˈriːəˌlaɪzəbl], *Br. i Austr. zw.* **realisable** *a.* **1.** możliwy do zrealizowania. **2.** *fin.* nadający się do sprzedaży *l.* upłynnienia.

realization [ˌriːələˈzeɪʃən], *Br. i Austr. zw.* **realisation** *n. U l. sing.* **1.** realizacja, spełnienie. **2.** uświadomienie sobie; **come to the ~ that...** uświadomić sobie, że...; **the ~ was dawning that...** zaczynał/a/em itd. uświadamiać sobie, że... **3.** *fin.* sprzedaż, upłynnienie. **4.** *fon.* artykulacja, produkcja (*określonego dźwięku*).

realize [ˈriːəˌlaɪz], *Br. i Austr. zw.* **realise** *v.* **1.** zdawać sobie sprawę z, być świadomym (*czegoś*), uświadamiać sobie; **I ~ (that)...** zdaję sobie sprawę (z tego), że... **2.** spełniać (*np. marzenia, nadzieje*); realizować (*np. ambicje, plany, cele*); osiągać (*cele*); **sb's worst fears were ~d** spełniły się czyjeś najgorsze obawy. **3.** *handl.* przynosić (*zysk, sumę*); uzyskiwać, osiągać (*cenę*); **~ a profit on sth** uzyskać dochód z czegoś; **~ one's assets** *fin.* upłynnić (swoje) aktywa. **4.** *fon.* artykułować, realizować (*dźwięk*). **5.** urealniać (*np. scenę, opowieść*).

really [ˈriːlɪ] *adv.* naprawdę, rzeczywiście; **~?** naprawdę?, czyżby?; **~!** coś podobnego!; no wiesz! (*z oburzeniem*); **~ and truly** *emf.* naprawdę; **I ~ don't know** naprawdę nie wiem; **I don't ~ know** nie jestem (na sto procent) pewny; **not ~** niezupełnie; właściwie (to) nie.

realm [relm] *n.* **1.** dziedzina, sfera. **2.** *zwł. lit.* królestwo; **the R~** *Br. form.* Królestwo (= *Zjednoczone Królestwo Wielkiej Brytanii i Irlandii Północnej*). **3. (not) be within the ~s of possibility** *form.* (nie) być możliwym.

realness [ˈriːlnəs] *n. U* rzeczywistość, realność (*of sth* czegoś).

real number *n. mat.* liczba rzeczywista.

realpolitik [reɪˈɑːlˌpoʊlɪˌtiːk] *n. U polit.* Realpolitik, polityka realna (*podyktowana pragmatyzmem, a nie np. względami moralnymi*).

real time *n. U* czas rzeczywisty.

real-time [ˌriːlˈtaɪm] *a. attr.* **1. ~ processing** *komp.* przetwarzanie w czasie rzeczywistym. **2. ~ coverage** *radio, telew.* sprawozdanie *l.* transmisja na żywo.

Realtor [ˈriːltər] *n. US* pośrednik handlu nieruchomościami (*należący do Krajowego Stowarzyszenia Pośredników Handlu Nieruchomościami*).

realty [ˈriːəltɪ] *n.* = **real estate**.

ream¹ [riːm] *n.* **1.** ryza (*US = 500 arkuszy; Br. = 480 arkuszy*). **2. ~s of sth** *pot.* (całe) tomy lub stosy czegoś (*zwł. notatek, zapisków*).

ream² *v.* **1.** *techn.* rozwiercać rozwiertakiem

(*otwór*). **2.** *US* wyciskać sok z (*owoców cytrusowych*). **3.** *US sl.* zrobić na szaro (= *oszukać*). **4.** ~ **out** *US sl.* opieprzyć (= *udzielić reprymendy*).

reamer [ˈriːmər] *n. techn.* **1.** rozwiertak. **2.** *US* wyciskacz do owoców cytrusowych.

reanimate [ˌriːˈænəmeɪt] *v. form.* **1.** ożywiać, pobudzać do życia, reanimować (*np. idee, ducha*). **2.** ożywiać się.

reap [riːp] *v.* **1.** *roln.* zbierać (plony). **2.** *przen.* ~ **a bitter harvest** zebrać gorzkie żniwo; ~ **the benefit(s)/profit(s)/reward(s)** czerpać korzyści (*of sth* z czegoś); ~ **the fruits of sth** zbierać owoce czegoś; ~ **where one has not sown** *przest.* zbierać, gdzie się nie posiało; **as you sow, so you shall** ~ *przest.* jak sobie pościelisz, tak się wyśpisz; **he who sows the wind shall** ~ **the whirlwind** *przest.* kto sieje wiatr, ten zbiera burzę.

reaper [ˈriːpər] *n.* **1.** żniwia-rz/rka. **2.** (*także* **reaping machine**) *roln.* żniwiarka. **3. the (grim)** ~ *gł. lit.* kostucha.

reappear [ˌriːəˈpiːr] *v.* pojawiać się ponownie *l.* na nowo.

reappearance [ˌriːəˈpiːrəns] *n.* *C/U* ponowne pojawienie się.

reappraisal [ˌriːəˈpreɪzl] *n.* *C/U* powtórna ocena *l.* analiza; rewizja (poglądów).

reappraise [ˌriːəˈpreɪz] *v.* powtórnie ocenić *l.* przeanalizować (*np. sytuację*); zrewidować (*np. strategię*).

rear[1] [riːr] *n.* **1. the** ~ tył; *wojsk.* tyły; **at the** ~ **of a building** z tyłu budynku; **in the** ~ **of a car** z tyłu samochodu. **2.** *pot.* tyłek. **3.** *t. przen.* **bring up the** ~ zamykać pochód *l.* procesję; *wojsk.* zamykać kolumnę; *sport* zamykać stawkę *l.* peleton; **work one's** ~ **end off** *pot.* zapieprzać jak mały samochodzik (= *ciężko pracować*). – *a. attr.* tylny (*np. o wejściu, drzwiach*).

rear[2] *v.* **1.** wychowywać (*dzieci*); hodować (*np. gęsi, bydło, rośliny*); **be ~ed on sth** być wychowywanym na czymś (= *karmionym; t. przen., np. na określonych lekturach*); być hodowanym na czymś (*o zwierzętach*). **2.** stawiać (pionowo) (*drabinę*); wznosić (*pomnik*). **3.** ~ **its ugly head** *przen.* dawać o sobie znać, wracać jak zły sen (*o czymś nieprzyjemnym*). **4.** ~ **(up)** stawać dęba (*o koniu*). **5.** ~ **above/over sb/sth** wznosić się nad kimś/czymś, górować nad kimś/czymś.

rear admiral *n. wojsk.* kontradmirał.

rear-end [ˌriːrˈend] *v. US mot.* uderzyć *l.* wjechać w tył (*innego pojazdu*).

rear-engined [ˌriːrˈendʒənd] *a. mot.* z silnikiem z tyłu.

rearer [ˈriːrər] *n. roln.* hodow-ca/czyni.

rearguard [ˈriːrˌgɑːrd] *n.* *U* **1.** *wojsk.* straż tylna. **2.** frakcja konserwatywna (*partii, organizacji*). **3. fight a** ~ **action** *przen.* bronić straconych pozycji.

rear light *n.* (*także* **rear lamp**) *Br. mot.* tylne światło.

rearm [rɪˈɑːrm] *v. wojsk.* **1.** remilitaryzować (się). **2.** przezbrajać (się).

rearmament [rɪˈɑːrməmənt] *n.* *U* *wojsk.* **1.** remilitaryzacja. **2.** przezbrojenie (się).

rearmost [ˈriːrˌmoʊst] *a.* położony najbardziej z tyłu.

rearrange [ˌriːəˈreɪndʒ] *v.* **1.** przestawiać (*np. meble*). **2.** przekładać (*np. spotkanie*).

rearrangement [ˌriːəˈreɪndʒmənt] *n.* *C/U* **1.** przestawienie. **2.** przełożenie.

rear sight *n. wojsk.* celownik.

rear-view mirror [ˌriːrˌvjuː ˈmiːrər] *n. mot.* lusterko wsteczne.

rearward [ˈriːrwərd] *a.* **1.** tylny. **2.** skierowany do tyłu *l.* ku tyłowi. – *n.* *U* **in the** ~ z tyłu (*of sth* czegoś); *wojsk.* na tyłach (*armii, floty*). – *adv.* (*także* ~**s**) **1.** do tyłu. **2.** z tyłu (*of sth* czegoś).

reason [ˈriːzən] *n.* **1.** *C/U* powód; przyczyna (*for sth* czegoś); **all the more** ~ **to do sth** tym bardziej należy *l.* trzeba coś zrobić; **by** ~ **of sth** *form.* z powodu czegoś; **for ~s best known to o.s.** z sobie tylko wiadomych powodów; **for personal/health ~s** z powodów *l.* przyczyn osobistych/zdrowotnych; **for some** ~ z jakiegoś powodu; **give a** ~ podać powód; **have** ~ **to believe (that)...** mieć powód *l.* powody przypuszczać, że...; **have every** ~ **to do sth** mieć wszelkie powody, żeby coś zrobić; **have one's ~s** mieć swoje powody; **no** ~ bez powodu, tak sobie (*odpowiadając na pytanie, dlaczego coś robimy*); **the** ~ **why...** przyczyna, dla której..., powód, dla którego...; **with (good)** ~ nie bez powodu; **without rhyme or** ~ *zob.* **rhyme** *n.* **2.** *U* rozum; rozsądek; **be/go beyond all** ~ nie mieścić się w głowie (= *być nie do zaakceptowania*); **listen to/see** ~ posłuchać głosu rozsądku; **lose one's** ~ *zwł. Br. przest.* stracić rozum (= *zachorować umysłowo*); **it stands to** ~ **that...** jest zrozumiałe *l.* oczywiste, że...; **make sb see** ~ przemówić komuś do rozsądku *l.* rozumu; **within** ~ w granicach (zdrowego) rozsądku, w rozsądnych granicach. – *v.* **1.** wnioskować (*from sth* z czegoś); ~ **that...** wnioskować, że..., dochodzić do wniosku, że... **2.** snuć rozważania (*about/of/upon sth* o czymś *l.* na jakiś temat). **3.** rozumować; **the ability to** ~ zdolność rozumowania. **4.** ~ **sb into sth** przekonać kogoś do czegoś; ~ **out** rozwiązać (*problem, zagadkę*), wymyślić *l.* znaleźć rozwiązanie (*zagadki*); ~ **sb out of sth** wyperswadować komuś coś, odwieść kogoś od czegoś; ~ **with sb** przemawiać komuś do rozsądku, przekonywać kogoś.

reasonable [ˈriːzənəbl] *a.* **1.** rozsądny (*t. np. o ilości, cenie*). **2.** sensowny (*np. o prośbie, wyjaśnieniu*). **3.** znośny (*np. o pogodzie, jedzeniu*). **4.** spory (*np. o szansach*). **5.** rozumny; ~ **creature** istota rozumna. **6.** *prawn.* ~ **doubt** uzasadniona wątpliwość; ~ **care** należyta troska.

reasonableness [ˈriːzənəblnəs] *n.* *U* **1.** racjonalność, słuszność. **2.** rozumność.

reasonably [ˈriːzənəblɪ] *adv.* **1.** dość (*np. tani, dobrze*). **2.** rozsądnie (*postępować*). **3.** w uzasadniony sposób (*oczekiwać, spodziewać się*).

reasoned [ˈriːzənd] *a. attr.* racjonalny, logiczny (*np. o podejściu, argumentach*).

reasoner [ˈriːzənər] *n.* argumentator/ka.

reasoning [ˈriːzənɪŋ] *n.* *U* rozumowanie (*behind sth* na którym coś się opiera).

reassert [ˌriːəˈsɜːt] *v.* **1.** ponownie zaznaczać *l.* dawać odczuć (*np. swoją pozycję, władzę*). **2.** ~

o.s. ponownie podkreślać swoje prawa; ponownie zaznaczać swój autorytet. **3. common sense has ~ itself** (ponownie) górę wziął zdrowy rozsądek.

reassurance [ˌriːəˈʃʊrəns] *n.* **1.** *U* otucha, wsparcie duchowe, pokrzepienie. **2.** zapewnienie.

reassure [ˌriːəˈʃʊr] *v.* **1.** dodawać otuchy (*komuś*); uspokajać. **2.** zapewniać (*that* że). **3.** *ubezp.* = **reinsure**.

reassuring [ˌriːəˈʃʊrɪŋ] *a.* dodający otuchy, krzepiący; uspokajający.

reassuringly [ˌriːəˈʃʊrɪŋlɪ] *adv.* uspokajająco.

reave[1] [riːv] *v. pret. i pp.* **reaved** *l.* **reft** *arch.* **1.** pozbawiać (*czegoś*). **2.** porywać, uprowadzać. **3.** *Br.* = **reive**.

reave[2] *v. pret. i pp.* **reaved** *l.* **reft** *arch.* rozłamywać; rozdzierać.

reawaken [ˌriːəˈweɪkən] *v. form.* rozbudzać *l.* wzbudzać na nowo, ponownie ożywiać (*np. emocje, wspomnienia*).

reb [reb], **Reb** *n.* (*także* **Johnny R~**) *US hist. pot.* buntownik, rebeliant (*z czasów wojny secesyjnej*).

rebarbative [rɪˈbɑːrbətɪv] *a. form.* wstrętny, odpychający; nudny, nieatrakcyjny.

rebate[1] *n.* [ˈriːbeɪt] **1.** *fin.* zwrot nadpłaty; **tax ~** zwrot nadpłaconego podatku. **2.** *handl.* rabat. – *v.* [rɪˈbeɪt] **1.** *fin.* zwracać (*część zapłaconej sumy*). **2.** *arch.* zmniejszać, osłabiać.

rebate[2] *n. i v.* [ˈriːbeɪt] = **rabbet**.

rebec [ˈriːbek], **rebeck** *n. hist., muz.* rebek (*dawny instrument smyczkowy*).

rebel *n.* [ˈrebl] buntowni-k/czka; *polit.* rebeliant/ka. – *a.* [ˈrebl] buntowniczy; zbuntowany; *polit.* rebeliancki, powstańczy. – *v.* [rɪˈbel] **-ll-** buntować się (*against sb/sth* przeciwko komuś/czemuś); **~ at the idea/thought of sth** *przen.* buntować się na (samą) myśl o czymś (*np. o sumieniu, żołądku*).

rebellion [rɪˈbeljən] *n. C/U* bunt (*t. przen.*); *polit.* rebelia, powstanie; **put down/crush a ~** zdławić *l.* stłumić bunt *l.* powstanie.

rebellious [rɪˈbeljəs] *a.* **1.** buntowniczy (*o zachowaniu*); buntujący się, nieposłuszny (*o dziecku, poddanych*); *polit.* rebeliancki, zbuntowany. **2.** uparty (*np. o chorobie, przedmiocie*).

rebelliously [rɪˈbeljəslɪ] *adv.* **1.** buntowniczo. **2.** uparcie.

rebelliousness [rɪˈbeljəsnəs] *n. U* buntowniczość.

rebirth [ˌriːˈbɜːθ] *n. U* **1.** odrodzenie (się). **2.** *rel.* reinkarnacja.

reboot [ˌriːˈbuːt] *komp. v.* resetować (się). – *n.* resetowanie.

reborn [ˌriːˈbɔːrn] *a.* odrodzony.

rebound *v.* [ˌrɪˈbaʊnd] **1.** odbijać się (*off sth* od czegoś). **2.** *przen.* odbijać się od dna, ponownie wzrastać (*np. o cenach, wartości*). **3.** *koszykówka* zebrać (piłkę) (*z tablicy, spod kosza*). **4. ~ on/upon sb** odbijać *l.* mścić się na kimś (*o złym uczynku z przeszłości*). – *n.* [ˈriːˌbaʊnd] *U* **1.** *sport* odbita piłka; *koszykówka* zbiórka (*piłki z tablicy, spod kosza*). **2.** *przen.* ponowny wzrost (*cen, wartości*). **3. on the ~** odbity (*o piłce*); **(he married her) on the ~** *przen.* (ożenił się z nią) po przeżyciu zawodu miłosnego.

rebroadcast [ˌriːˈbrɔːdˌkæst] *radio, telew. v.* retransmitować. – *n.* retransmisja.

rebuff [rɪˈbʌf] *form. n.* **1.** odtrącenie (*osoby*); odrzucenie (*oferty*). **2.** niepowodzenie; **meet with a ~** doznać niepowodzenia. – *v.* **1.** odtrącać (*osobę*); odrzucać (*ofertę*). **2.** odpierać (*atak*).

rebuild [ˌriːˈbɪld] *v. pret. i pp.* **rebuilt 1.** odbudowywać. **2.** przebudowywać.

rebuke [rɪˈbjuːk] *form. v.* upominać, ganić, karcić (*sb for doing sth* kogoś za coś). – *n. C/U* upomnienie, nagana.

rebukingly [rɪˈbjuːkɪŋlɪ] *adv.* karcąco.

rebus [ˈriːbəs] *n. pl.* **-es** rebus.

rebut [rɪˈbʌt] *v.* **-tt-** *form.* odpierać (*krytykę, zarzuty*); obalać (*teorię, twierdzenie*); **~ a presumption** *prawn.* obalić domniemanie.

rebuttal [rɪˈbʌtl] *n. form.* **1.** odparcie (*zarzutu, krytyki*). **2.** *prawn.* replika (*pozwanego*).

rebutter [rɪˈbʌtər] *n.* **1.** osoba odpierająca zarzuty. **2.** *prawn.* odpowiedź (pozwanego) na zarzuty powoda.

rec [rek] *n. pot.* = **recreation**.

rec. *abbr.* **1.** = **receipt**. **2.** = **recipe**. **3.** = **record**. **4.** = **recorder**.

recalcitrance [rɪˈkælsətrəns] *n. U form.* krnąbrność; oporność.

recalcitrant [rɪˈkælsətrənt] *a. form.* krnąbrny (*o osobie*); oporny (*t. o przedmiocie*). – *n.* osoba krnąbrna.

recalcitrantly [rɪˈkælsətrəntlɪ] *adv. form.* krnąbrnie; opornie.

recalcitrate [rɪˈkælsəˌtreɪt] *v. form.* opierać się (*against/at sth* czemuś); buntować się (*against/at sth* przeciwko czemuś) (*np. przepisom*).

recalesce [ˌriːkəˈles] *v. techn.* ulegać rekalescencji.

recalescence [ˌriːkəˈlesəns] *n. U techn.* rekalescencja (= *ponowne rozgrzanie się stygnącego metalu*).

recall *v.* [rɪˈkɔːl] **1.** przypominać sobie (*that* że, *what/where/how* co/gdzie/kiedy); **as I ~** *pot.* o ile sobie przypominam; **I don't ~ seeing her there** nie przypominam sobie, żebym ją tam widział. **2.** odwoływać (*np. dyplomatę, decyzję*); **~ sb from sth** odwołać kogoś skądś (*np. ambasadora z placówki*). **3.** przypominać, przywoływać na myśl. **4.** przywoływać (*myśli, uwagę*). **5.** *handl.* wycofywać (ze sprzedaży). **6.** *komp.* przywoływać na ekran (*informacje, dane*). – *n.* [ˈriːkɔːl] **1.** *U* pamięć; **instant ~** natychmiastowe przypomnienie sobie; **powers of ~** pamięć; **total ~** pamięć absolutna. **2.** *U l. sing.* odwołanie (*np. ambasadora, decyzji*); *US polit.* odwołanie (przez głosowanie) (*wybieralnego urzędnika*); *wojsk.* sygnał powrotu; *handl.* wycofanie (ze sprzedaży) (*produktu*); **beyond/past ~** nieodwołalny, nieodwracalny.

recant [rɪˈkænt] *v. form.* **1.** odwoływać (*np. zdanie, twierdzenie*). **2.** wyrzekać się (*np. wiary, przekonań*). **3.** kajać się.

recantation [ˌriːkænˈteɪʃən] *n. C/U* **1.** odwołanie. **2.** wyrzeczenie się. **3.** pokajanie się.

recap[1] *v.* [ˌriːˈkæp] **-pp-** (*także form.* **recapitulate**) rekapitulować, podsumowywać. – *n.* [ˈriːkæp] (*także form.* **recapitulation**) rekapitulacja, podsumowanie.

recap[2] *v. i n. US i Austr. mot.* = **retread** *v. i n.* 1.

recapitalize [ˌriːˈkæpɪtəˌlaɪz], *Br. i Austr. zw.* **recapitalise** *v. fin.* **1.** odnawiać kapitał (*spółki*). **2.** zmieniać strukturę finansową (*spółki*).

recapitulate [ˌriːkəˈpɪtʃəˌleɪt] *v. form.* = **recap.**

recapitulation [ˌriːkəˌpɪtʃəˈleɪʃən] *n.* **1.** *C/U form.* = **recap. 2.** *biol.* rekapitulacja.

recapitulative [ˌriːkəˈpɪtʃəˌleɪtəv] *a.* (*także* **~ory**) *biol.* rekapitulacyjny.

recapture [ˌriːˈkæptʃər] *v.* **1.** odtwarzać (*np. atmosferę, nastrój*). **2.** ponownie ująć (*zbiega*). **3.** *wojsk.* odbijać (*zajęte tereny*). **4.** *US fin.* zabierać *l.* przejmować zgodnie z prawem (*część zysków przedsiębiorstwa użyteczności publicznej; o rządzie*). – *n. U* **1.** odtworzenie (*atmosfery, nastroju*). **2.** ponowne ujęcie (*zbiega*). **3.** odbicie (*terenu, miasta*).

recast *v.* [ˌriːˈkɑːst] *pret. i pp.* **recast 1.** przerabiać. **2.** *film, teatr* obsadzać na nowo (*rolę, film, sztukę*); obsadzać (*sb as sb* kogoś jako *l.* w roli kogoś). **3.** *metal.* przetapiać. **4.** przeliczać na nowo. – *n.* [ˈriːˌkɑːst] przeróbka.

recce [ˈrekɪ] *sl. n. C/U* = **reconnaissance.** – *v.* = **reconnoiter.**

recd., rec'd *abbr.* **received** otrzymany.

recede [rɪˈsiːd] *v.* **1.** oddalać się (*np. o światłach, groźbie, możliwości*); cofać się (*np. o przypływie, powodzi*); **~ into the distance** niknąć w oddali (*np. o dźwięku*). **2.** wygasać (*o nadziei*); słabnąć (*np. o pamięci*). **3.** tracić na wartości. **4. be receding** rzednąć (na skroniach) (*o włosach*); łysieć (na skroniach) (*o mężczyźnie*). **5. ~ from a promise** *form.* wycofać się z obietnicy.

re-cede [ˌriːˈsiːd] *v. form.* zwracać pierwotnemu właścicielowi.

receding [rɪˈsiːdɪŋ] *a.* cofnięty (*np. o podbródku, czole, linii włosów*); **have a ~ hairline** łysieć na skroniach.

receipt [rɪˈsiːt] *n.* **1.** pokwitowanie; paragon; **make out a ~** wypisać pokwitowanie. **2.** *poczta* dowód nadania (*paczki*). **3.** *U* odbiór; otrzymanie, otrzymywanie; **on/upon ~ of sth** *form.* po otrzymaniu czegoś; **we are in ~ of a letter** *form.* jesteśmy w posiadaniu listu, otrzymaliśmy list. **4.** *przest. kulin.* przepis. **5.** *pl. zob.* **receipts.** – *v.* **1.** kwitować (*pieniądze, towary, rachunek jako zapłacony*); potwierdzać odbiór (*pieniędzy, towarów*). **2.** *zwł. US* dawać pokwitowanie (*for sth* za coś).

receiptor [rɪˈsiːtər] *n. form.* **1.** kwitując-y/a. **2.** *US* osoba przyjmująca rzecz na przechowanie, depozytariusz/ka.

receipts [rɪˈsiːts] *n. pl. handl.* wpływy.

receivable [rɪˈsiːvəbl] *a. gł. fin.* **1.** nadający się do przyjęcia (*zwł. jako zapłata*). **2.** należny, do zapłaty.

receivables [rɪˈsiːvəblz] *n. pl. fin.* należności, wierzytelności.

receive [rɪˈsiːv] *v.* **1.** otrzymywać (*sth from sb* coś od kogoś) (*np. listy, telefony, wiadomości, podziękowania, pomoc, stopnie naukowe, nagrody*). **2.** *form.* przyjmować; **~ sb into an organization/a church** przyjąć kogoś do organizacji/kościoła; **be well ~d** zostać dobrze przyjętym (*np. o pomyśle, sugestii*). **3.** *form.* przyjmować gości. **4.** odnosić (*urazy, obrażenia*). **5.** spotykać się z (*uznaniem, krytyką*). **6.** *radio, telew.* odbierać. **7.** *gł. Br. prawn.* zajmować się paserstwem. **8. ~ treatment/therapy** *form.* być poddawanym leczeniu; **~d with thanks** *handl.* potwierdzam odbiór; **are you receiving me?** *radio* czy mnie słyszysz?; **receiving you loud and clear** *radio* słyszę cię dobrze; **be on/at the receiving end of sth** *przen.* być narażonym na coś.

received [rɪˈsiːvd] *a. attr. form.* ogólnie przyjęty, powszechnie panujący; **~ wisdom** powszechnie panująca opinia.

Received Pronunciation *n. U* (*także* **RP**) *Br. jęz.* standardowa wymowa brytyjska.

receiver [rɪˈsiːvər] *n.* **1.** *tel.* słuchawka. **2.** *radio, telew. form.* odbiornik. **3.** (*także Br. i Austr.* **official ~**) *ekon.* syndyk (masy upadłości), zarządca masy upadłościowej. **4.** odbior-ca/czyni. **5.** *futbol amerykański* napastnik. **6.** *prawn.* paser. **7.** *chem.* zbiornik na destylat.

receivership [rɪˈsiːvərˌʃɪp] *n. U prawn.* zarząd masy upadłościowej; **go into ~** przejść pod sekwestr sądowy.

receiving [rɪˈsiːvɪŋ] *n. U prawn.* paserstwo.

receiving order *n. Br. prawn.* decyzja o ustanowieniu syndyka masy upadłości.

recency [ˈriːsənsɪ] *n. U* (*także* **recentness**) nowość, bliskość w czasie.

recension [rɪˈsenʃən] *n.* **1.** *C/U* rewizja tekstu (*literackiego*). **2.** tekst poddany rewizji.

recent [ˈriːsənt] *a.* niedawny; ostatni; świeży, nowy; **~ photo** aktualne zdjęcie; **in ~ times** ostatnimi czasy; **in ~ years** w ostatnich latach.

recently [ˈriːsəntlɪ] *adv.* niedawno; ostatnio; **as ~ as yesterday** zaledwie wczoraj, nie dalej niż wczoraj; **as ~ as 1920** dopiero w roku 1920; **only ~** dopiero niedawno; **until ~** do niedawna.

recentness [ˈriːsəntnəs] *n.* = **recency.**

receptacle [rɪˈseptəkl] *n.* **1.** *form.* pojemnik; zbiornik. **2.** *bot.* dno kwiatowe.

reception [rɪˈsepʃən] *n.* **1.** *zw. sing.* przyjęcie, odbiór (*np. propozycji, utworu*); **friendly/warm ~** życzliwe/ciepłe przyjęcie. **2.** przyjęcie; (*także* **wedding ~**) przyjęcie weselne, wesele. **3.** *U* recepcja (*w hotelu; Br. t. w biurze*); rejestracja (*w szpitalu, u lekarza*); **leave a message with/wait in ~** zostawić wiadomość/zaczekać w recepcji. **4.** *U radio, telew.* odbiór. **5.** *U Br. szkoln.* zerówka. **6.** *U* przyjęcie; przyjmowanie (*np. pacjentów do szpitala*). **7.** = **reception room.**

reception centre *n. Br.* **1.** schronisko dla bezdomnych. **2.** izba dziecka.

reception desk *n.* recepcja (*w hotelu, biurze*); rejestracja (*w szpitalu*).

receptionist [rɪˈsepʃənɪst] *n.* recepcjonist-a/ka (*w hotelu, biurze*); rejestrator/ka (*u lekarza*).

reception room *n.* **1.** *Br. form.* salon, pokój

dzienny (*zwł. w opisach domów na sprzedaż*). **2.** sala bankietowa (*w hotelu*).

receptive [rɪ'septɪv] *a.* **1.** otwarty (*to sth* na coś) (*np. na pomysły, opinie*). **2.** chłonny (*o umyśle*). **3.** *psych.* odbiorczy, receptywny (*o funkcjach, wizualizacji*). **4. be ~ to sb/sth** być w stanie przyjąć kogoś/coś (*o terenie, kraju*).

receptively [rɪ'septɪvlɪ] *adv.* **1.** w sposób otwarty. **2.** *psych.* receptywnie.

receptiveness [rɪ'septɪvnəs] *n. U* (*także* **receptivity**) **1.** otwartość. **2.** chłonność. **3.** *psych.* receptywność.

receptor [rɪ'septər] *n. fizj.* receptor.

recess ['ri:ses] *n.* **1.** *C/U parl., prawn.* przerwa (*wakacyjna, między sesjami, w obradach, rozprawie*); **call a ~** ogłosić przerwę. **2.** *U US, Can. i Austr. szkoln.* przerwa, pauza; **at/during ~** podczas przerwy. **3.** *bud.* nisza, wnęka (*w pokoju*). **4.** *anat.* zachyłek. **5. the ~es of sth** *t. przen.* zakamarki czegoś (*np. jaskini, umysłu*). – *v.* **1.** *bud.* umieszczać w niszy. **2.** *bud.* zaopatrywać w niszę. **3.** *gł. US prawn., parl.* ogłaszać przerwę.

recessed ['ri:sest] *a. bud.* wnękowy.

recession [rɪ'seʃən] *n.* **1.** *ekon.* recesja. **2.** (*także* **~al**) *kośc.* procesja (do zakrystii) po zakończeniu nabożeństwa. **3.** *U* cofnięcie się; wycofanie się. **4.** *bud.* nisza.

recessional [rɪ'seʃənl] *n.* **1.** (*także* **~ hymn**) *kośc.* hymn śpiewany na zakończenie nabożeństwa (*przy odejściu duchowieństwa i chóru*). **2.** = **recession** 2. – *a.* dotyczący przerwy (*w pracy parlamentu*).

recessionary [rɪ'seʃəˌnerɪ] *a. ekon.* recesyjny.

recessive [rɪ'sesɪv] *a.* **1.** cofający się. **2.** *biol.* recesywny, ustępujący (*o cesze*).

recharge [ˌri:'tʃɑ:rdʒ] *v.* **1.** (ponownie) ładować (*baterie*). **2. ~ one's batteries** *przen.* naładować akumulatory (*np. na urlopie*).

rechargeable [ˌri:'tʃɑ:rdʒəbl] *a.* nadający się do powtórnego ładowania; **~ battery** akumulatorek.

réchauffé [reɪˌʃoʊ'feɪ] *n. pl.* **-s** **1.** *kulin.* odgrzane resztki potrawy. **2.** *przen.* przerobiona, nieoryginalna praca.

recherché [rəˌʃer'ʃeɪ] *a. form.* wyszukany.

recidivism [rɪ'sɪdɪˌvɪzəm] *n. U prawn.* recydywa.

recidivist [rɪ'sɪdɪvɪst] *n. prawn.* recydywist-a/ka.

recipe ['resəˌpi:] *n.* **1.** *kulin.* przepis (*for sth* na coś). **2.** *hist., med. l. przen.* recepta; **~ for success/happiness** recepta na sukces/szczęście.

recipience [rɪ'sɪpɪəns], **recipiency** [rɪ'sɪpɪənsɪ] *n. U form.* **1.** odbiór. **2.** = **receptiveness**.

recipient [rɪ'sɪpɪənt] *form. n.* **1.** odbior-ca/czyni. **2.** zdobyw-ca/czyni (*nagrody*); **the ~ of the 1983 Nobel Peace Prize** laureat Pokojowej Nagrody Nobla z 1983 roku. – *a. rzad.* = **receptive**.

reciprocal [rɪ'sɪprəkl] *a. form.* **1.** wzajemny (*np. o przyjaźni, usługach, komplementach*); obopólny, obustronny (*o korzyściach*). **2.** *mat.* odwrotny. – *n. mat.* odwrotność, wielkość odwrotna.

reciprocally [rɪ'sɪprəklɪ] *adv. form.* wzajemnie; obopólnie, obustronnie.

reciprocal pronoun *n. gram.* zaimek zwrotny (*np. 'each other' l. 'one another'*).

reciprocate [rɪ'sɪprəˌkeɪt] *v. form.* **1.** odwzajemniać (*np. uczucia*). **2.** odwzajemniać się. **3.** *mech.* poruszać (się) ruchem postępowo-zwrotnym. **4.** być odpowiednikiem (*with sb/sth* kogoś/czegoś).

reciprocating engine [rɪˌsɪprəˌkeɪtɪŋ 'endʒən] *n. techn.* silnik tłokowy (*suwowy*).

reciprocation [rɪˌsɪprə'keɪʃən] *n. U* **1.** odwzajemnienie (się). **2.** *mech.* ruch posuwisto-zwrotny. **3.** odpowiedniość.

reciprocity [ˌresɪ'prɑ:sətɪ] *n. U form.* wzajemność; **principle of ~** *handl.* zasada wzajemności.

recision [rɪ'sɪʒən] *n. C/U form.* unieważnienie (*traktatu, umowy*).

recital [rɪ'saɪtl] *n.* **1.** *muz.* recital. **2.** recytacja, deklamacja. **3. a ~ of sth** *form.* szczegółowa relacja z czegoś, szczegółowy opis czegoś; szczegółowe wyliczenie czegoś. **4.** *prawn.* deklaratywna część dokumentu. **5. ~ of facts** *prawn.* przedstawienie stanu faktycznego.

recitalist [rɪ'saɪtəlɪst] *n. muz.* wykonaw-ca/czyni recitalu.

recitation [ˌresɪ'teɪʃən] *n. C/U* **1.** recytacja, deklamacja. **2.** wyliczanie.

recitative [ˌresɪtə'ti:v] *a.* recytacyjny. – *n. muz.* recytatyw.

recite [rɪ'saɪt] *v.* **1.** recytować, deklamować (*wiersz*). **2.** opowiadać szczegółowo o (*kimś l. czymś*); relacjonować. **3.** wyliczać (*przykłady*). **4.** *US przest. szkoln.* recytować (*wyuczoną lekcję*).

reciter [rɪ'saɪtər] *n.* **1.** recytator/ka. **2.** zbiór fragmentów do recytacji.

reck [rek] *v. zw. z neg. arch.* **it ~s him/me not** nie zależy mu/mi na tym; **not ~ of sth** nie zważać na coś.

reckless ['rekləs] *a.* lekkomyślny, nierozważny; nieostrożny (*np. o kierowcy, jeździe*).

recklessly ['rekləslɪ] *adv.* lekkomyślnie, nierozważnie; nieostrożnie.

recklessness ['rekləsnəs] *n. U* lekkomyślność, brak rozwagi; nieostrożność.

reckon ['rekən] *v.* **1.** uważać, sądzić (*that* że); uważać (*sb/sth to be sb/sth* kogoś/coś za kogoś/coś); **he is ~ed clever** jest uważany za inteligentnego; **how old, do you ~, he is?** jak sądzisz, ile on ma lat?; **I ~ him as my friend** uważam go za przyjaciela; **I ~ him among/with my friends** zaliczam go do moich przyjaciół. **2.** *form.* obliczać, szacować (*np. koszty*); **be ~ed in thousands/millions** być liczonym w tysiącach/milionach (*np. o czyjejś fortunie*); **the inflation rate is ~ed to be about 8 percent** stopę inflacji szacuje *l.* oblicza się na ok. 8 procent. **3. ~ sb** *pot.* mieć dobrą opinię o kimś. **4. ~ sth in** wliczać coś; **~ on (doing) sth** liczyć na coś; **~ sth up** *przest.* zliczyć *l.* zsumować coś; **~ with sb/sth** liczyć się z kimś/czymś; **have sb/sth to ~ with** musieć liczyć się z kimś/czymś; **not ~ with sb/sth** (*także Br.* **~ with-**

out sb/sth) nie brać kogoś/czegoś pod uwagę; **sb/sth to be ~ed with** ktoś/coś, z kim/czym trzeba się liczyć.

reckoning ['rekənɪŋ] *n.* **1.** *U* obliczenia, kalkulacje, szacunki; **by my ~** według moich obliczeń. **2.** *fin.* rachunek; zapłacenie rachunku. **3.** *żegl., lotn.* = **dead reckoning**. **4. day of ~** *zob.* **day**.

reclaim [rɪ'kleɪm] *v.* **1.** odbierać (*bagaż na lotnisku*). **2.** *t. prawn.* żądać zwrotu, występować o zwrot (*pieniędzy, podatku*). **3.** *ekol.* rekultywować (*tereny*). **4.** *ekol.* odzyskiwać (*surowce*). **5.** *przen.* sprowadzać na dobrą drogę (*osobę*). **6.** *myśl.* oswajać (*sokoła, jastrzębia*). – *n. U* **1.** sprowadzenie na dobrą drogę (*osoby*). **2.** = **reclamation** 1. **3. beyond/past ~** w beznadziejnym stanie.

reclamation [ˌreklə'meɪʃən] *n. U* **1.** (*także* **reclaim**) *ekol.* rekultywacja (*terenów*). **2.** *ekol.* odzysk (*surowców*). **3.** *prawn.* rewindykowanie, rewindykacja.

réclame [reɪ'klɑːm] *n. U form.* **1.** rozgłos. **2.** umiejętność reklamowania się.

reclinate ['rekləˌneɪt] *a. bot.* odchylony.

recline [rɪ'klaɪn] *v.* **1.** *form.* leżeć; wyciągać się; układać się w pozycji półleżącej. **2.** składać (*głowę*); wyciągać, kłaść (*nogi*); **~ one's head against/on sb's shoulder** złożyć głowę na czyimś ramieniu. **3.** opuszczać oparcie, odchylać (do tyłu) oparcie (*fotela, siedzenia*); opuszczać się, odchylać się (do tyłu) (*o oparciu*).

recliner [rɪ'klaɪnər] *n.* (*także* **reclining chair**) fotel rozkładany z podnóżkiem.

reclining [rɪ'klaɪnɪŋ] *a. attr.* **1.** półleżący (*o pozycji*). **2.** opuszczany, odchylany (do tyłu) (*o oparciu*).

reclining chair *n.* = **recliner**.

reclining seat *n.* siedzenie z opuszczanym oparciem.

recluse ['rekluːs] *n.* **1.** samotni-k/czka, odludek. **2.** *rel.* pustelni-k/ca. – *a. arch.* = **reclusive**.

reclusion [rɪ'kluːʒən] *n.* **1.** *U t. prawn., rel.* odosobnienie. **2.** miejsce odosobnienia.

reclusive [rɪ'kluːsɪv] *a.* **1.** samotniczy. **2.** *rel.* pustelniczy.

recognition [ˌrekəg'nɪʃən] *n. U* **1.** rozpoznanie (*np. miejsca, osoby, choroby*); rozpoznawanie; **change beyond ~** (*także* **change out of all ~**) zmienić się nie do poznania; **speech/voice ~** *komp.* rozpoznawanie mowy/głosu. **2.** uznanie (*np. osiągnięcia, faktu, rządu*); **gain ~** zdobyć (sobie) uznanie; **in ~ of sth** w uznaniu (dla) czegoś (*np. czyichś zasług*). **3.** zrozumienie, świadomość; **growing ~ of sth** rosnące zrozumienie (dla) czegoś, rosnąca świadomość czegoś. **4.** *gł. US i Can.* pozwolenie, by zabrać głos (*na zebraniu*).

recognizable ['rekəgˌnaɪzəbl], *Br. i Austr. zw.* **recognisable** *a.* rozpoznawalny.

recognizance [rɪ'kɑːgnɪzəns], *Br. i Austr. zw.* **recognisance** *n. form.* **1.** *prawn.* pisemne zobowiązanie wobec sądu (*do wykonania jakiejś czynności*); kaucja, zastaw (*za wykonanie zobowiązania jw.*). **2.** uznanie (*prawa, różnic*). **3.** *U* rozpoznanie, bycie rozpoznanym.

recognizant [rɪ'kɑːgnɪzənt], *Br. i Austr. zw.* **recognisant** *a. form.* **1.** uznający (*of sth* coś). **2.** świadomy (*of sth* czegoś).

recognize ['rekəgˌnaɪz], *Br. i Austr. zw.* **recognise** *v.* **1.** poznawać, rozpoznawać (*np. miejsce, osobę, głos*); **~ sb by sth/as sb** rozpoznać kogoś po czymś/jako kogoś. **2.** rozpoznawać (*znaki, symptomy*). **3.** uznawać (*np. rząd, osiągnięcie, wkład*); honorować (*dyplom*). **4.** uznać istnienie (*np. problemu, potrzeby*). **5.** przyznawać; **she ~d she was at fault** przyznała, że to była jej wina. **6. ~ sth with sth** nagradzać coś czymś. **7.** pozdrawiać (*spotkanego znajomego*). **8.** *gł. US i Can.* oddawać głos (*komuś na zebraniu*).

recoil *v.* [rɪ'kɔɪl] **1.** odsuwać się (*from sb/sth* od kogoś/czegoś); *przen.* wzdragać się (*from sb/sth* na widok kogoś/czegoś *l.* przed kimś/czymś). **2.** *wojsk.* szarpać, odskakiwać (*o broni*). **3.** odbijać się (*upon sb* na kimś) (*zw. na wykonawcy działania*). – *n.* ['riːˌkɔɪl] **1.** odsunięcie się; wzdrygnięcie się. **2.** *wojsk.* odrzut (*broni palnej*); pchnięcie, kopnięcie (*karabinu*); odskok (*działa*). **3.** *fiz.* odrzut.

recoilless [rɪ'kɔɪləs] *a. wojsk.* bezodrzutowy (*o dziale*).

recollect [ˌrekə'lekt] *v. przest.* przypominać sobie.

re-collect [ˌriːkə'lekt] *v.* zbierać *l.* skupiać na nowo.

recollection [ˌrekə'lekʃən] *n. form.* **1.** *U* pamięć; **have a flash of ~** nagle sobie przypomnieć; **to the best of my ~** o ile sobie przypominam. **2.** wspomnienie. **3.** *U* spokój; **come to one's ~** odzyskać spokój.

recombinant [ˌriː'kɑːmbɪnənt] *genetyka a. attr.* będący produktem rekombinacji (*np. o chromosomie*). – *n.* rekombinant, produkt rekombinacji.

recombine [ˌriːkəm'baɪn] *v.* **1.** łączyć się ponownie *l.* na nowo. **2.** *fiz., genetyka* ulegać rekombinacji; powodować rekombinację (*czegoś*).

recommend [ˌrekə'mend] *v.* **1.** polecać, rekomendować (*sb/sth to sb* kogoś/coś komuś) (*np. osobę, dzieło*); **~ sb for the position of...** polecić kogoś na stanowisko... **2.** zalecać (*działanie*). **3. he has much to ~ him** wiele za nim przemawia, wiele przemawia na jego korzyść.

recommendable [ˌrekə'mendəbl] *a.* godny polecenia.

recommendation [ˌrekəmen'deɪʃən] *n.* **1.** *U* rekomendacja, polecenie; **on sb's ~** (*także* **on the ~ of sb**) z czyjegoś polecenia; na czyjś wniosek; za czyjąś radą. **2.** zalecenie; **make ~s** poczynić zalecenia. **3.** *zwł. US* list polecający.

recommendatory [ˌrekə'mendəˌtɔːrɪ] *a.* **1.** polecający. **2.** zalecający.

recommended daily allowance [ˌrekəˌmendɪd ˌdeɪlɪ ə'laʊəns] *n. med.* zalecane dzienne spożycie (*witamin, minerałów*).

recommended retail price *n. Br. handl.* sugerowana cena detaliczna.

recommit [ˌriːkə'mɪt] *v.* **-tt-** *form.* **1.** powierzać ponownie. **2.** *parl.* odsyłać (z powrotem) do komisji (*projekt ustawy*).

recompense [ˈrekəmˌpens] *v.* **1.** wynagradzać (*sb for sth* kogoś za coś). **2.** wynagradzać, rekompensować; ~ **sb for a loss** wynagrodzić *l.* zrekompensować komuś stratę. – *n. U* **1.** wynagrodzenie. **2.** odszkodowanie, zadośćuczynienie, rekompensata.

recompose [ˌri:kəmˈpouz] *v. form.* **1.** uspokajać. **2.** układać na nowo.

reconcilable [ˈrekənˌsaɪləbl] *a.* dający się pogodzić.

reconcile [ˈrekənˌsaɪl] *v.* **1.** godzić (*sth with sth* coś z czymś); godzić ze sobą (*sprzeczne fakty*); ~ **o.s. to sth** pogodzić się z czymś; **be ~d (to/with each other)** pogodzić *l.* pojednać się (ze sobą). **2.** załagodzić (*spór, różnice*). **3.** *kośc.* poświęcić na nowo (*sprofanowany kościół*).

reconciliation [ˌrekənˌsɪlɪˈeɪʃən] *n. U* **1.** pojednanie; zgoda; **spirit of** ~ duch pojednania. **2.** pogodzenie (*np. faktów*). **3.** *rz.-kat.* sakrament pojednania.

recondite [ˈrekənˌdaɪt] *a. form.* **1.** tajemny, ezoteryczny (*o wiedzy*). **2.** mało znany (*o autorze, źródle*). **3.** zawiły (*o stylu*). **4.** *arch.* ukryty.

recondition [ˌri:kənˈdɪʃən] *v.* remontować, odnawiać.

reconditioned engine [ˌri:kənˌdɪʃənd ˈendʒən] *n. techn.* silnik regenerowany (*po naprawie głównej*).

reconnaissance [rɪˈkɑ:nəzəns], **reconnoissance** *n. C/U* **1.** *t. wojsk.* zwiad, rekonesans; *wojsk.* rozpoznanie. **2.** *geol.* wstępne poszukiwania.

reconnoiter [ˌri:kəˈnɔɪtər], *Br.* **reconnoitre** *v. wojsk.* przeprowadzać rozpoznanie (*t. terenu*); *t. wojsk.* przeprowadzać zwiad *l.* rekonesans. – *n.* = **reconnaissance.**

reconnoiterer [ˌri:kəˈnɔɪtərər], *Br.* **reconnoitrer** *n. wojsk.* zwiadow-ca/czyni.

reconsider [ˌri:kənˈsɪdər] *v.* **1.** rozważać ponownie (*decyzję*). **2.** rewidować (*opinię*). **3.** zastanawiać się ponownie.

reconsideration [ˌri:kənˌsɪdəˈreɪʃən] *n. U* **1.** ponowne rozważenie (*decyzji*). **2.** rewizja (*opinii*). **3.** ponowne zastanowienie się.

reconstituent [ˌri:kənˈstɪtʃuənt] *n. i a. med.* (środek) odtwarzający; (środek) wzmacniający.

reconstitute [ˌri:ˈkɑ:nstɪˌtu:t] *v.* **1.** zawiązać ponownie (*organizację*). **2.** ukonstytuować ponownie (*rząd, radę, komisję*). **3.** *kulin.* doprowadzać do pierwotnej postaci przez dodanie wody (*żywność*).

reconstitution [ri:ˌkɑ:nstɪˈtu:ʃən] *n. U* **1.** ponowne zawiązanie (*organizacji*). **2.** ponowne ukonstytuowanie (*rządu, rady, komisji*). **3.** *kulin.* doprowadzenie do pierwotnej postaci przez dodanie wody; ~ **of milk** regeneracja *l.* odtwarzanie mleka (*przez dodanie wody*).

reconstruct [ˌri:kənˈstrʌkt] *v.* **1.** odbudowywać (*np. budynek, politykę*). **2.** rekonstruować (*np. wydarzenie, zbrodnię*).

reconstruction [ˌri:kənˈstrʌkʃən] *n.* **1.** *U* rekonstrukcja; odtworzenie; odbudowa, odbudowanie. **2.** rekonstrukcja (= *zrekonstruowana rzecz l. wydarzenie*). **3. R~** *US hist.* Rekonstrukcja (*Południa po wojnie secesyjnej*).

Reconstructionism [ˌri:kənˌstrʌkʃəˈnɪzəm] *n. U US hist.* rekonstrukcjonizm (= *poparcie dla polityki rekonstrukcji jw.*).

reconstructive surgery [ˌri:kənˌstrʌktɪv ˈsɜ:dʒərɪ] *n. pl.* **-ies** *chir.* operacja odtwórcza; *U* chirurgia odtwórcza.

reconvene [ˌri:kənˈvi:n] *v.* zbierać (się) ponownie.

reconversion [ˌri:kənˈvɜ:ʒən] *n. U* **1.** przywrócenie do poprzedniego stanu. **2.** powrót do poprzedniej religii. **3.** *ekon.* rekonwersja.

reconvert [ˌri:kənˈvɜ:t] *v.* **1.** przywracać do poprzedniego stanu. **2.** skłonić do powrotu do poprzedniej religii. **3.** *ekon.* dokonywać rekonwersji (*czegoś*).

reconvey [ˌri:kənˈveɪ] *v. prawn.* retrocedować.

record *v.* [rɪˈkɔ:rd] **1.** nagrywać (*głos, obraz*); *komp.* zapisywać. **2.** *techn.* wskazywać (*temperaturę, czas, prędkość*); notować, rejestrować (*trzęsienie ziemi*). **3.** zapisywać, notować, odnotowywać (*wydarzenia*); rejestrować (*o kronice, kronikarzu*); być świadkiem (*o zabytku; wydarzeń, okresu*); ~ **that** wskazać *l.* odnotować, że (*np. o raporcie*); **his face ~ed a disappointment** na jego twarzy odbiło się rozczarowanie. – *n.* [ˈrekərd] **1.** zapis. **2.** protokół. **3.** lista. **4.** akta. **5.** *sport* rekord; **all-time** ~ rekord wszech czasów; **break/set a** ~ pobić/ustanowić rekord; **hold a** ~ posiadać rekord (*w jakiejś dziedzinie, dyscyplinie*). **6.** *muz., komp.* płyta. **7.** *komp.* rekord (*w bazie danych*). **8.** przeszłość, historia (*osoby, organizacji*); **have a criminal** ~ być karanym *l.* notowanym, mieć kryminalną przeszłość; **sb's ~ on sth** czyjeś przeszłe poczynania dotyczące czegoś. **9. be/go on ~ as saying that...** stwierdzić publicznie, że...; **for the** ~ oficjalnie (*powiedzieć*); oficjalny (*o stwierdzeniu*); **have a ~ of a decision** mieć decyzję na piśmie; **keep a ~ of sth** zapisywać *l.* notować coś; **off the** ~ nieoficjalnie (*powiedzieć*); nieoficjalny (*o stwierdzeniu*); **on** ~ notowany, zanotowany (*np. o osiągnięciu, poziomie*); oficjalny (*o stwierdzeniu*); **place/put sth on** ~ zaprotokołować coś; **public ~s** archiwum państwowe; **set/put the ~ straight** sprostować (ewentualne) nieścisłości; **track** ~ *zob.* **track.** – *a.* [ˈrekərd] *attr.* (*także* **~-breaking**) rekordowy (*o czasie, tłumie*).

recordable [rɪˈkɔ:rdəbl] *a.* **1.** umożliwiający nagranie; możliwy do nagrania. **2.** wart zapamiętania.

record-breaking [ˈrekərdˌbreɪkɪŋ] *a. zob.* **record** *a.*

record company *n. pl.* **-ies** wytwórnia płytowa.

recorded [rɪˈkɔ:rdɪd] *a.* **1.** zanotowany; odnotowany (*np. o przypadkach występowania choroby*). **2.** nagrany (*np. o wiadomości na sekretarce*); (odtwarzany) z taśmy (= *nie na żywo*).

recorded delivery *n. U* **send a letter (by)** ~ *Br. poczta* wysłać list jako polecony.

recorder [rɪˈkɔ:rdər] *n.* **1.** (*także* **tape** ~) magnetofon; **cassette** ~ magnetofon kasetowy; **video** ~ magnetowid. **2.** *muz.* flet prosty. **3.** *prawn. US* sędzia miejski z uprawnieniami do orzekania w sprawach karnych; *Br.* doświadczony prawnik zatrudniony w niepełnym wymiarze godzin jako sędzia Sądu Koronnego.

record-holder ['rekərdˌhouldər] *n. t. sport* rekordzist-a/ka, posiadacz/ka rekordu.

recording [rɪ'kɔ:rdɪŋ] *n.* **1.** nagranie. **2.** *U* nagrywanie.

recording contract *n. muz.* kontrakt na nagrania (*z daną wytwórnią płytową*).

recording head *n. el., komp.* głowica zapisująca.

recording session *n. muz.* sesja nagraniowa.

recording studio *n.* studio nagrań *l.* nagraniowe.

record library *n. pl.* **-ies** *muz.* płytoteka.

record player *n.* gramofon.

recount [rɪ'kaunt] *v. form.* **1.** opowiadać (*historię, anegdotę*). **2.** opowiadać o (*wydarzeniu, przygodach*).

re-count *v.* [rɪ'kaunt] przeliczać ponownie. – *n.* ['ri:ˌkaunt] ponowne przeliczenie (*zwł. głosów*).

recoup [rɪ'ku:p] *v.* **1.** odzyskiwać. **2.** *prawn.* potrącać, odliczać. **3.** przynieść (*sumę w rezultacie inwestycji, sprzedaży*). **4.** odzyskiwać zdrowie; odzyskiwać siły. **5.** ~ **one's losses** (*także* ~ **(o.s.)**) wynagrodzić *l.* powetować sobie straty; ~ **sb (for) sth** wynagrodzić komuś coś.

recourse ['ri:kɔ:rs] *n. U form.* **1.** uciekanie się, ucieczka; **have ~ to sb/sth** uciekać się do kogoś/czegoś; **without ~ to sb/sth** bez uciekania się do kogoś/czegoś. **2.** *handl.* regres, prawo regresu; **endorsement without ~** indos bez prawa regresu (*na wekslu*).

recover [rɪ'kʌvər] *v.* **1.** odzyskiwać (*t. np. poniesione nakłady l. skradzione przedmioty*); ~ **consciousness** odzyskać przytomność; ~ **one's balance** *dosł.* odzyskać równowagę; ~ **one's legs** *dosł.* stanąć na nogi, pozbierać się (*po upadku*); ~ **o.s./one's composure** odzyskać panowanie nad sobą. **2.** wydobywać (*zwł. z niebezpiecznego miejsca*). **3.** nadrabiać (*czas, straty*). **4.** dochodzić do siebie (*po chorobie*), zdrowieć; dojść do siebie, ochłonąć (*po ciężkim doświadczeniu, szoku*); ~ **from a heart attack** dojść do siebie po ataku serca. **5.** *form.* uzdrawiać, przywracać do zdrowia; ~ **sb to life** przywrócić kogoś do życia. **6.** *ekon.* poprawiać się, ożywiać się (*o gospodarce*). **7.** *prawn.* uzyskać (*pomyślny wyrok*); ~ **(damages)** uzyskać odszkodowanie; ~ **debts** ściągać wierzytelności. **8.** *szerm.* wracać do pozycji cofniętej (*po pchnięciu*); *wioślarstwo, pływanie* wracać do poprzedniej pozycji.

re-cover [ˌri:'kʌvər] *v.* zmieniać obicie (*kanapy, fotela*); pokrywać na nowo (*parasol*).

recoverable [rɪ'kʌvərəbl] *a.* **1.** (możliwy) do odzyskania, odzyskiwalny. **2.** *prawn.* ściągalny (*o długu, należności*). **3.** naprawialny (*o błędzie*). **4.** uleczalny (*o chorobie*). **5.** ~ **reserves** *górn.* zasoby bilansowe (= *nadające się do eksploatacji*).

recovery [rɪ'kʌvərɪ] *n. U l. sing.* **1.** odzyskanie; odzyskiwanie. **2.** wyzdrowienie, powrót do zdrowia; ochłonięcie (*po szoku, przykrym doświadczeniu*); ~ **from an illness/after an operation** powrót do zdrowia po chorobie/operacji; **make a full ~** całkowicie wyzdrowieć zdrowia; **wish sb a speedy ~** życzyć komuś szybkiego *l.* rychłego powrotu do zdrowia. **3.** *ekon.* ożywienie; poprawa; **economic ~** ożywienie gospodarcze; **signs of ~** oznaki ożywienia. **4.** *szerm.* powrót do pozycji cofniętej (*po pchnięciu*); *szerm., pływanie* powrót do poprzedniej pozycji.

recovery program *n. US* program leczenia uzależnienia (*alkoholowego l. narkotykowego*).

recovery room *n. med.* sala pooperacyjna.

recreancy ['rekrɪənsɪ] *n. U przest. form.* **1.** tchórzostwo. **2.** zaprzaństwo; niewierność.

recreant ['rekrɪənt] *przest. form. a.* **1.** tchórzliwy. **2.** niewierny. – *n.* **1.** tchórz. **2.** zaprzaniec.

recreate[1] [ˌri:krɪ'eɪt] *v.* (*także* **re-create**) stwarzać na nowo; odtwarzać.

recreate[2] ['rekrɪˌeɪt] *v. arch.* **1.** bawić (się). **2.** odświeżać (się). **3.** ~ **o.s.** szukać rozrywki (*with sth* w czymś).

recreation [ˌrekrɪ'eɪʃən] *n.* **1.** *U* rekreacja, wypoczynek. **2.** rozrywka.

recreational [ˌrekrɪ'eɪʃənl] *a.* **1.** rekreacyjny, wypoczynkowy. **2.** ~ **drug** narkotyk brany dla przyjemności (*nie nałogowo*).

recreationally [ˌrekrɪ'eɪʃənlɪ] *n. US* w celach rekreacyjnych.

recreational vehicle *n. US* samochód kempingowy.

recreation center *n. US* centrum rekreacji.

recreation ground *n. Br.* plac gier i zabaw.

recreation room *n.* **1.** świetlica (*np. w szpitalu*). **2.** *US i Can.* pokój wypoczynkowy (*w prywatnym domu*).

recrement ['rekrəmənt] *n. U form.* **1.** *fizj.* wydzielina ulegająca wchłonięciu. **2.** odpadki.

recriminate [rɪ'krɪməˌneɪt] *v.* obwiniać się wzajemnie.

recrimination [rɪˌkrɪmə'neɪʃən] *n. C/U, często pl.* wzajemne obwinianie się, wzajemne oskarżenia, rekryminacja.

recriminative [rɪ'krɪməˌneɪtɪv] *a.* (*także* **~ory**) *form.* rekryminacyjny.

rec room ['rek ˌru:m] *n. US i Can. pot.* = **recreation room** 2.

recrudesce [ˌri:kru:'des] *v.* **1.** *pat.* odnawiać się (*o chorobie, ranie*). **2.** *form.* pojawiać się ponownie (*o kłopotach, problemach*).

recrudescence [ˌri:kru:'desəns] *n.* **1.** *pat.* odnowienie się (*procesu chorobowego*); nawrót (*objawów*). **2.** *form.* ponowne pojawienie się.

recrudescent [ˌri:kru:'desənt] *a. pat.* odnawiający się.

recruit [rɪ'kru:t] *n.* **1.** *wojsk.* rekrut. **2.** nowicjusz/ka (*np. w firmie*). – *v.* **1.** *wojsk.* rekrutować, werbować (*żołnierzy*); werbować (*armię*). **2.** przyjmować (do pracy), rekrutować, werbować (*pracowników*); przyjmować, rekrutować (*uczniów, studentów*); werbować, przyjmować (*nowych członków*). **3.** uzupełniać (*płyn*); utrzymywać (*ogień, siłę*). **4.** *przest.* odzyskiwać (zdrowie *l.* siły).

recruiter [rɪˈkru:tər] *n.* **1.** osoba werbująca (*żołnierzy*). **2.** osoba przyjmująca (*pracowników, uczniów*).

recruitment [rɪˈkru:tmənt] *n. U* **1.** rekrutacja, werbunek (*żołnierzy*). **2.** przyjmowanie, nabór, rekrutacja (*pracowników, uczniów*).

rect. *abbr.* **1.** (*także* **rec't**) = **receipt**. **2.** = **rectangle**; = **rectangular**. **3.** = **rector**; = **rectory**.

recta [ˈrektə] *n. pl. zob.* **rectum**.

rectal [ˈrektl] *a. anat.* odbytniczy; *med.* doodbytniczy.

rectally [ˈrektlɪ] *adv. med.* doodbytniczo.

rectangle [ˈrekˌtæŋgl] *n. geom.* prostokąt.

rectangular [rekˈtæŋgjələr] *a.* prostokątny.

rectangular coordinates *n. pl. geom.* współrzędne prostokątne.

rectifiable [ˈrektəˌfaɪəbl] *a.* **1.** *geom.* prostowalny. **2.** *form.* naprawialny.

rectification [ˌrektəfəˈkeɪʃən] *n. C/U* **1.** poprawienie (*błędu, niedopatrzenia, ustawienia przyrządu*); naprawienie (*sytuacji, charakteru*). **2.** *chem.* rektyfikacja. **3.** *el.* prostowanie (*prądu zmiennego*). **4.** *geom.* rektyfikacja, prostowanie (*krzywej*). **5.** *fotogrametria* przetwarzanie (*zdjęcia lotniczego*).

rectifier [ˈrektəˌfaɪər] *n.* **1.** naprawiacz/ka. **2.** *el.* prostownik. **3.** *chem.* aparat rektyfikacyjny. **4.** *fotogrametria* przetwornik.

rectify [ˈrektəˌfaɪ] *v.* **-ied, -ying** *form.* **1.** poprawiać (*błąd, niedopatrzenie, położenie przyrządu*); naprawiać (*sytuację, charakter*). **2.** *chem.* rektyfikować. **3.** *el.* prostować (*prąd*). **4.** *geom.* rektyfikować, prostować (*krzywą*). **5.** *fotogrametria* przetwarzać (*zdjęcie lotnicze*).

rectifying column [ˈrektəˌfaɪɪŋ ˌkɑ:ləm] *n. chem.* kolumna rektyfikacyjna.

rectilinear [ˌrektəˈlɪnɪər] *a.* (*także* **~al**) *form.* prostoliniowy.

rectitude [ˈrektəˌtu:d] *n. U form.* **1.** prawość; uczciwość; prostolinijność. **2.** poprawność (*ocen*). **3.** bycie prostym (*pod względem kształtu*).

recto [ˈrektoʊ] *n. pl.* **-s** *druk.* **1.** pierwsza strona. **2.** strona *l.* stronica nieparzysta.

rector [ˈrektər] *n.* **1.** *protestantyzm* proboszcz (*US w kościele episkopalnym, Br. w kościele anglikańskim*). **2.** *rz.-kat.* rektor (*zgromadzenia, wspólnoty*). **3.** *rz.-kat., hist., szkoln.* rektor (*kolegium przykościelnego i zakonnego*). **4.** *Br. szkoln.* dyrektor (*szkoły średniej l. koledżu*); **5.** *Scot. uniw.* wybieralny przedstawiciel studentów.

rectorate [ˈrektərət] *n.* **1.** *kośc.* probostwo. **2.** rektorat (*urząd*).

rectorial [rekˈtɔ:rɪəl] *a.* **1.** *kośc.* proboszczowski. **2.** *uniw.* rektorski.

rectory [ˈrektərɪ] *n. pl.* **-ies** *kośc.* **1.** probostwo, plebania. **2.** *Br.* probostwo (*urząd l. beneficjum w kościele anglikańskim*).

rectrix [ˈrektrɪks] *n. pl.* **rectrices** [ˈrektrɪsi:z] *orn.* sterówka (*pióro*).

rectum [ˈrektəm] *a. pl.* **-s** *l.* **recta** [ˈrektə] *anat.* odbytnica.

rectus [ˈrektəs] *n. pl.* **recti** [ˈrektaɪ] *anat.* mięsień prosty.

recumbence [rɪˈkʌmbəns], **recumbency** [rɪˈkʌmbənsɪ] *n. U form.* pozycja leżąca.

recumbent [rɪˈkʌmbənt] *a.* **1.** *form.* leżący. **2.** *bot.* płożący.

recuperate [rɪˈku:pəˌreɪt] *v.* **1.** wracać do zdrowia, odzyskiwać zdrowie; odzyskiwać siły, dochodzić do siebie (*from/after sth* po czymś). **2.** wracać do normy. **3.** odzyskiwać (*stratę, ciepło*).

recuperation [rɪˌku:pəˈreɪʃən] *n. U* **1.** powrót do zdrowia, rekonwalescencja; odzyskanie sił. **2.** powrót do normy. **3.** odzyskiwanie (*strat, ciepła*).

recuperative [rɪˈku:pəˌreɪtɪv] *a. form.* przywracający do sił; ~ **force/capacity** zdolność odzyskiwania sił.

recuperator [rɪˈku:pəˌreɪtər] *n.* **1.** *chem.* rekuperator, odzysknica (*ciepła*). **2.** *wojsk.* powrotnik.

recur [rɪˈkɝ:r] *v.* **-rr-** **1.** powtarzać się (*np. o błędzie, wydarzeniu*); nawracać (*o chorobie, bólu*); powracać (*np. o myśli, koszmarze, problemie*). **2.** *arch. l. lit.* nawiązywać, powracać (*to sth* do czegoś). **3.** *arch. l. lit.* uciekać się (*to sth* do czegoś) (*np. po pomoc*).

recurrence [rɪˈkɝ:əns] *n. C/U* powtórzenie się (*błędu, koszmaru, wydarzenia*); nawrót (*choroby, bólu*); powrót (*myśli, koszmaru, problemu*).

recurrent [rɪˈkɝ:ənt] *a.* **1.** powtarzający się (*o błędzie, wydarzeniu, motywie*); nawracający (*o chorobie, bólu*); powracający (*o problemie*). **2.** *anat.* powrotny (*o nerwie, arterii*).

recurrently [rɪˈkɝ:əntlɪ] *adv.* wielokrotnie; okresowo.

recurring [rɪˈkɝ:ɪŋ] *a.* powracający (*np. o problemie, myśli*); powtarzający się (*np. o koszmarze*).

recurring decimal *n. mat.* ułamek okresowy.

recursion [rɪˈkɝ:ʒən] *n. C/U mat., log.* rekursja.

recursive [rɪˈkɝ:sɪv] *a. t. mat., log.* rekursywny (*np. o funkcji*).

recurvate [rɪˈkɝ:vɪt] *a. form.* wygięty do tyłu.

recurve [rɪˈkɝ:v] *v. form.* wyginać (się) do tyłu.

recusancy [ˈrekjəzənsɪ] *n. U* **1.** *form.* odmowa posłuchu. **2.** *Br. hist.* odmowa brania udziału w nabożeństwach anglikańskich (*od XVI do XVIII w.*).

recusant [ˈrekjəzənt] *n. i a.* **1.** *form.* (osoba) odmawiająca posłuchu. **2.** *Br. hist.* (osoba) odmawiająca brania udziału w nabożeństwach anglikańskich.

recuse [rɪˈkju:z] *v. prawn.* odrzucać (*sędziego l. podejmującego decyzję z powodu jego uprzedzenia l. korzyści własnych*).

recyclable [ri:ˈsaɪkləbl] *a.* nadający się do przerobienia (*na surowce wtórne*).

recycle [ri:ˈsaɪkl] *v.* **1.** *ekol.* przerabiać (*na surowce wtórne*), poddawać recyklingowi, utylizować, odzyskiwać. **2.** używać ponownie (*np. przemówienia*). **3.** odnawiać i przerabiać (*sth as sth* coś na coś) (*zwł. stare budynki*). **4.** *techn.* zawracać do obiegu, ponownie wprowadzać do obiegu. **5.** *techn.* rozpoczynać inny cykl (*w maszynie, systemie*).

recycling [riː'saɪklɪŋ] *n. U* **1.** *ekol.* recykling, utylizacja, odzysk (*odpadów*). **2.** *techn.* zawracanie do obiegu, ponowne wprowadzanie do obiegu.

red [red] *a.* **1.** *t. przen.* czerwony (*t. = komunistyczny*); rudy (*o włosach*); zaczerwieniony (*o skórze*); zaczerwieniony, nabiegły krwią (*o oczach*); różowy, zaróżowiony (*o cerze*); czerwony, krwawy (*o rewolucji*). **2.** *przen.* **(as) ~ as a beet** *US*/**beetroot** *Br. emf.* czerwony jak burak; **be like a ~ rag to a bull** *zob.* **rag**[1]; **sb doesn't have/sth isn't worth a ~ cent** *US pot.* ktoś nie ma/coś nie jest warte złamanego szeląga. – *n.* **1.** *U* czerwień, (kolor) czerwony. **2.** *C / U* czerwone wino; **bottle of ~** butelka czerwonego wina. **3.** *bilard* czerwona bila. **4. R~** *polit.* czerwon-y/a. **5.** *przen.* **be in the ~** *fin. pot.* mieć deficyt (*o firmie*); mieć debet (na koncie) (*o osobie*); **paint the town ~** *zob.* **paint** *v.*; **see ~** *pot.* wściekać się. – *v.* **-dd-** = **redden.**

redact [rɪ'dækt] *v. form.* redagować.

redaction [rɪ'dækʃən] *n. form.* **1.** *U* redakcja. **2.** *C / U* wydanie, wersja.

redactor [rɪ'dæktər] *n. form.* redaktor/ka.

red admiral *n. ent.* rusałka admirał (*Vanessa atalanta*).

red alert *n. zw. sing.* czerwony alarm; **be on ~** być w gotowości *l.* pogotowiu.

red algae *n. pl. bot.* krasnorosty (*Rhodophyceae*).

redan [rɪ'dæn] *n. fortyfikacje* redan (*rodzaj szańca*).

Red Army *n.* **the ~** *hist.* Armia Czerwona.

redbacked shrike [ˌredˌbækt 'ʃraɪk] *n. orn.* gąsiorek (*Lanius collurio*).

redbird ['redˌbɜːd] *n. orn.* ptak o czerwonym upierzeniu, np. kardynał (*Richmondena cardinalis*).

red blood cell *n.* (*także* **red corpuscle**) *anat.* czerwona krwinka.

red-blooded [ˌred'blʌdɪd] *a. przen.* krzepki, męski (*o mężczyźnie*).

redbreast ['redˌbrest] *n. pl.* **-s** *l.* **redbreast** **1.** *orn., poet.* = **robin. 2.** *US icht.* słodkowodny samogłów (*Lepomis auritus*).

redbrick ['redˌbrɪk] *a. attr.* **1.** z czerwonej cegły. **2. ~ university** *Br.* uniwersytet założony w XIX *l.* na początku XX w.

Red Brigades *n. pl.* **the ~** *hist., polit.* Czerwone Brygady.

redbud ['redˌbʌd] *n. pl.* **-s** *l.* **redbud** *bot.* judaszowiec południowy (*Cercis canadensis*).

redbug ['redˌbʌg] *n. US i Can. zool., pat.* pasożytnicza larwa różnych gatunków roztoczy z rodziny *Trombidiidae* (*wywołująca silne podrażnienie skóry*).

redcap ['redˌkæp] *n.* **1.** *US pot.* bagażowy (*na dworcu l. lotnisku*). **2.** *Br. pot.* żandarm wojskowy. **3.** *orn.* szczygieł (*Carduelis carduelis*).

red card *n. piłka nożna* czerwona kartka.

red carpet *n.* **the ~** *przen.* czerwony dywan (= *uroczyste traktowanie*); **give sb the ~ treatment** (*także* **roll out the ~ for sb**) przyjąć *l.* podjąć *l.* potraktować kogoś z wszelkimi (należnymi) honorami.

redcoat ['redˌkoʊt] *n. Br. hist.* żołnierz brytyjski w XVIII i XIX w.

red corpuscle *n.* = **red blood cell.**

Red Crescent *n. sing.* Czerwony Półksiężyc (= *odpowiednik Czerwonego Krzyża w krajach muzułmańskich*).

Red Cross *n. sing.* Czerwony Krzyż.

redcurrant ['redˌkʌrənt] *n. bot., kulin.* porzeczka czerwona (*Ribes rubrum*).

redd [red] *v. płn. Br. dial.* porządkować (*t. przen., np. sprawy*).

red deer *n. pl.* **-s** *l.* **red deer** *zool.* jeleń (*Cervus elaphus*).

redden ['redən] *v.* czerwienić (się); czerwienieć.

reddish ['redɪsh] *a.* czerwonawy.

reddle ['redl] *n. i v.* = **ruddle.**

rede [riːd] *arch. l. dial. n.* **1.** rada. **2.** opowieść; wyjaśnienie. – *v.* **1.** radzić. **2.** wyjaśniać; interpretować.

redecorate [riː'dekəˌreɪt] *v. Br.* **1.** robić remont (*budynku*), remontować; odnawiać, malować (*pokój*). **2.** robić remont.

redecoration [riːˌdekə'reɪʃən] *n. U Br.* remont; malowanie.

redeem [rɪ'diːm] *v.* **1.** *rel.* odkupić, zbawić; **~ sb from sin** zbawić *l.* wybawić kogoś od grzechu, odkupić czyjeś grzechy. **2.** *fin.* wykupywać (*obligacje, zastaw*); spłacać (*dług, hipotekę*). **3.** ratować (*np. sytuację, sztukę*). **4.** zadośćuczynić (*za winę, zbrodnię*). **5.** wykupić (*zakładnika, niewolnika*). **6.** *handl.* wymieniać na gotówkę lub towar (*talon, bon*). **7. ~ o.s.** zrehabilitować się; **~ a promise/pledge/obligation** *form.* dotrzymać obietnicy/przysięgi/zobowiązania.

redeemable [rɪ'diːməbl] *a. handl.* wymienialny na gotówkę lub towar (*o bonie*).

Redeemer [rɪ'diːmər] *n.* **the ~** *rel. lit.* Odkupiciel, Zbawiciel (= *Jezus Chrystus*).

redeeming [rɪ'diːmɪŋ] *a. attr.* **~ feature/quality** jedyna zaleta.

redemption [rɪ'dempʃən] *n. U* **1.** *rel.* odkupienie, zbawienie (*przez Chrystusa*); **in the Year of R~ 800** Roku Pańskiego 800. **2.** uratowanie (*from sth* od czegoś). **3.** zadośćuczynienie (*za winę, zbrodnię*). **4.** wykupienie (*zakładnika, niewolnika*). **5.** *fin.* wykup (*obligacji, zastawu*); spłata (*długu, hipoteki*). **6.** wkupienie się (*do organizacji*). **7. beyond/past ~** nie do uratowania, stracony.

Redemptionist [rɪ'dempʃənɪst] *n. rel.* redemptoryst-a/ka.

redeploy [ˌriːdɪ'plɔɪ] *v. t. wojsk.* przerzucać (*ludzi, wyposażenie*); przegrupowywać (*wojska*).

redeployment [ˌriːdɪ'plɔɪmənt] *n. U t. wojsk.* przerzucenie; przegrupowanie.

redevelop [ˌriːdɪ'veləp] *v.* **1.** modernizować (*dzielnicę*). **2.** rozwijać na nowo (*idee*).

redevelopment [ˌriːdɪ'veləpmənt] *n. C / U* modernizacja.

redeye ['redˌaɪ] *n.* **1.** (*także* **~ flight**) *US i Can.*

pot. nocny lot. **2.** *U fot. pot.* efekt czerwonych oczu. **3.** *U US sl.* poślednia whisky.

red-faced [ˌred'feɪst] *a.* **1.** czerwony na twarzy, zaczerwieniony (*od wstydu l. gniewu*). **2.** *przen.* zawstydzony, zakłopotany.

red fish *n. icht.* **1.** łosoś w okresie tarła. **2.** czerwonawa ryba północnego Atlantyku, *zwł.* karmazyn atlantycki (*Sebasted marinus*).

red flag *n.* czerwona flaga (*jako symbol komunizmu l. socjalizmu; t. jako sygnał niebezpieczeństwa l. stopu*).

red fox *n. zool.* lis rudy (*Vulpes vulpes*).

red giant *n. astron.* czerwony olbrzym.

red-handed [ˌred'hændɪd] *a.* **catch sb ~** przyłapać *l.* złapać kogoś na gorącym uczynku.

red hat *n. rz.-kat. l. przen.* kapelusz kardynalski.

redhead ['redˌhed] *n.* **1.** rud-y/a, rudzielec. **2.** *US orn.* kaczka nurkująca (*Aythya americana*).

red herring *n. przen.* temat zastępczy.

red-hot [ˌred'hɑːt] *n.* **1.** rozgrzany do czerwoności (*t. przen. = bardzo gorący*). **2.** gorący (*np. o wiadomościach, produkcie, entuzjazmie; t. o osobie = seksowny*). **3.** gwałtowny (*o gniewie*).

redial [riː'daɪəl] *tel. v.* **1.** wykręcać *l.* wybierać jeszcze raz (*numer*). **2.** wykręcać *l.* wybierać numer ponownie. – *n. U* automatyczne wybieranie ostatnio wybranego numeru.

redid [riː'dɪd] *v. zob.* **redo**.

Red Indian *n. przest. l. obelż.* czerwonoskór-y/a.

redingote ['redɪŋˌgoʊt] *n. strój.* redingot (= *płaszcz do jazdy konnej l. rodzaj sukni z XVIII i XIX w.*).

redintegrate [red'ɪntəˌgreɪt] *v. form.* **1.** scalać, jednoczyć. **2.** odnawiać.

redintegration [redˌɪntə'greɪʃən] *n. U form.* **1.** scalanie, jednoczenie. **2.** odnowa; odnawianie. **3.** *psych.* reakcja na jeden z elementów dawnej sytuacji identyczna z reakcją na całą sytuację (*np. przy oglądaniu zdjęć, pamiątek*).

redirect [ˌriːdə'rekt] *v.* **1.** przeadresowywać (*pocztę*). **2.** kierować gdzie indziej (*np. energię, fundusze*). **3.** *mot.* kierować inną trasą (*ruch*). – *a. US prawn.* ponowny (*o przesłuchaniu własnego świadka po zakończeniu przesłuchania przez stronę przeciwną*).

rediscover [ˌriːdɪ'skʌvər] *v.* odkrywać na nowo.

rediscovery [ˌriːdɪ'skʌvərɪ] *n. C/U pl.* **-ies** ponowne odkrycie.

redistribute [ˌriːdɪ'strɪbjuːt] *v.* dokonywać redystrybucji (*czegoś*).

redistribution [ˌriːˌdɪstrə'bjuːʃən] *n. U* redystrybucja.

red lead *n. U chem.* czerwony tlenek ołowiu, minia ołowiana.

redleg ['redˌleg] *n.* **1.** *orn.* ptak o czerwonych nogach, np. brodziec krwawodzioby (*Tringa totanus*). **2.** *US wojsk. sl.* artylerzysta. **3.** *bot.* rdest wężownik (*Polygonum bistorta*).

red-letter day [ˌredˌletər 'deɪ] *a. pot.* pamiętny *l.* szczególny dzień.

red light *n. mot.* czerwone światło (*t. przen. = brak zgody*); **go through a ~** przejechać na czerwonym świetle.

red-light district [ˌredˌlaɪt 'dɪstrɪkt] *n.* dzielnica czerwonych świateł (= *domów publicznych*).

red meat *n. U* czerwone mięso (= *wołowina l. baranina*).

redneck ['redˌnek] *n. US obelż.* burak, ciemniak, chłopek-roztropek (*zwł. = biały niewykształcony wieśniak z Południa, t. = przeciwnik liberalnych zmian*).

redness ['rednəs] *n. U* czerwień (*np. kwiatów*); zaczerwienienie (*np. oczu*); rudość (*włosów*).

redo [riː'duː] *v.* **redid, redone** przerabiać.

redolence ['redələns] *n. U form.* woń.

redolent ['redələnt] *a. form.* **1.** wonny. **2.** *pred.* **~ of/with sth** pachnący czymś; cuchnący czymś; *przen.* przywodzący coś na myśl, przypominający coś.

redouble [riː'dʌbl] *v.* **1.** podwajać (się) (*np. o sumie, dźwiękach*); zdwajać (się) (*np. o wysiłkach*). **2.** *brydż* rekontrować. – *n. brydż* rekontra.

redoubt [rɪ'daʊt] *n. fortyfikacje* reduta.

redoubtable [rɪ'daʊtəbl] *a. lit.* **1.** groźny; straszny. **2.** godny szacunku.

redoubtably [rɪ'daʊtəblɪ] *adv.* **1.** groźnie; strasznie. **2.** w sposób godny szacunku.

redoubted [rɪ'daʊtɪd] *a. arch.* groźny; straszny.

redound [rɪ'daʊnd] *v. form.* **1.** przyczyniać się (*to sth* do czegoś); **~ to sb's fame/honor** przydawać komuś sławy/honoru. **2.** mścić się (*upon sb* na kimś) (*o okolicznościach, czynach*).

redout ['redˌaʊt] *n. pat.* (chwilowe) poczerwienienie pola widzenia (*zwł. u pilotów w wyniku ujemnego przeciążenia*).

redox ['redɑːks] *n. i a. attr. chem.* (reakcja) redoks.

red-pencil ['redˌpensl] *v. Br.* **-ll-** poprawiać (na czerwono) (*wydruk, wypracowanie*).

red pepper *n.* **1.** *C/U bot., kulin.* czerwona papryka (*Capsicum frutescens l. annum*). **2.** *U kulin.* pieprz cayenne.

red pine *n. C/U bot.* sosna czerwona *l.* żywiczna (*Pinus resinosa*).

redpoll ['redˌpoʊl] *n. orn.* czeczotka (*Carduelis l. Acanthis flammea*).

redraft [ˌriː'dræft] *v.* przeredagować (*umowę, dokument*).

red rag *n. gł. sing. przen.* czerwona płachta (na byka) (= *coś wybitnie jątrzącego*).

redress [rɪ'dres] *form. v.* naprawiać, wynagradzać (*zło, krzywdę*); korygować (*niedociągnięcia*); zaradzić (*złu, brakom*); **~ the balance** przywrócić równowagę. – *n. U* zadośćuczynienie.

Red Sea *n. geogr.* Morze Czerwone.

redshank ['redˌʃæŋk] *n. orn.* brodziec krwawodzioby (*Tringa totanus*).

redshift ['redˌʃɪft] *n. astron.* przesunięcie ku czerwieni (*widma odległych obiektów na skutek rozszerzania się wszechświata*).

redskin ['redˌskɪn] *n. przest. l. obelż.* czerwonoskór-y/a.

Red Square *n.* Plac Czerwony (*w Moskwie*).

red squirrel *n. zool.* **1.** *US* wiewiórka czerwona (*Tamiasciurus hudsonicus*). **2.** *Br.* wiewiórka pospolita (*Sciurus vulgaris*).

redstart [ˈredˌstɑːrt] *n. orn.* **1.** pleszka (*Phoenicurus phoenicurus*). **2.** (*także* **American** ~) pstruszka szkarłatna (*Setophaga ruticilla*).

red tape *n. U* (nadmiernie rozbudowana) biurokracja, (zbędne) przepisy.

reduce [rɪˈduːs] *v.* **1.** redukować, ograniczać (*np. ceny, płace, zatrudnienie*); zmniejszać (się), obniżać (się) (*by...* % o... %). **2.** *handl.* przeceniać (*from... to...* z... na...). **3.** sprowadzać (się) (*to sth* do czegoś). **4.** ~ **sb to (doing) sth** doprowadzać kogoś do czegoś (*np. do płaczu, rozpaczy*); zmuszać kogoś do czegoś (*np. do żebrania, kradzieży*). **5.** *gł. US* tracić na wadze, chudnąć. **6.** *chem.* redukować, odtleniać (*związek*); ulegać redukcji (*o związku*). **7.** *gł. wojsk.* degradować. **8.** *kulin.* zagęszczać (*sos, zupę*). **9.** *mat.* upraszczać, skracać, redukować (*równanie, ułamek*). **10.** *techn.* rozcieńczać (*roztwór*). **11.** *fot.* osłabiać (*negatyw*). **12.** *biol.* dzielić (się) mejotycznie *l.* redukcyjnie. **13.** *metal.* wytapiać (*rudę*). **14.** *przen.* ~ **sth to rubble/ashes** obrócić coś w perzynę (= *zniszczyć*); ~ **sb to the ranks** *zob.* **rank**[1] *n.*; **he was ~d to skin and bones** została z niego sama skóra i kości; **in ~d circumstances** *przest.* zubożały.

reducer [rɪˈduːsər] *n.* **1.** *techn.* zwężka (*rurowa*). **2.** *chem., mech.* reduktor. **3.** *fot.* osłabiacz. **4.** *ekol., biol.* reducent.

reducing [rɪˈduːsɪŋ] *a.* **1.** *t. techn., chem.* redukcyjny (*o złączce, zaworze, substancji*). **2. fat ~ diet** *kulin., med.* dieta odtłuszczająca.

reductio ad absurdum [rɪˌdʌktɪoʊ ˌæd əbˈsɝːdəm] *n. U Lat. log.* dowód nie wprost, reductio ad absurdum.

reduction [rɪˈdʌkʃən] *n. C/U* **1.** zmniejszenie, redukcja, obniżka, obniżenie (*in sth* czegoś). **2.** *U kulin.* (zagęszczony *l.* gęsty) sos *l.* wywar. **3.** pomniejszenie (= *zmniejszona kopia*). **4.** *U mat.* upraszczanie, redukcja (*ułamka, wyrażenia*). **5.** *C/U mat.* sprowadzenie do postaci dziesiętnej. **6.** *chem.* redukcja, odtlenianie. **7.** (*także* ~ **division**) *biol.* mejoza, podział redukcyjny, kariokineza redukcyjna.

reduction gear *n. mech., mot.* przekładnia redukcyjna.

reductionism [rɪˈdʌkʃəˌnɪzəm] *n. U t. fil.* redukcjonizm.

reductionist [rɪˈdʌkʃənɪst] *t. fil. a.* redukcjonistyczny. – *n.* redukcjonist-a/ka.

reductive [rɪˈdʌktɪv] *a. gł. form.* upraszczający; redukcyjny.

redundancy [rɪˈdʌndənsɪ] *n. pl.* **-ies** **1.** *U* nadmiar, zbyteczność. **2.** *U ret.* rozwlekłość (*stylu*). **3.** *C/U Br.* zwolnienie *l.* zwolnienia grupowe, redukcja zatrudnienia; zwolnienie *l.* zwolnienia (z pracy); **voluntary** ~ dobrowolne odejście z pracy. **4.** *Br.* utracone *l.* likwidowane *l.* zlikwidowane miejsce pracy. **5.** *C/U el., tel., techn.* redundancja, nadmiarowość.

redundancy payment *n.* odprawa (*dla zwalnianego pracownika*).

redundant [rɪˈdʌndənt] *a.* **1.** zbędny, zbyteczny; niekonieczny, niepotrzebny. **2.** *ret., jęz.* rozwlekły (*o stylu*); zbędny (*o słowie*). **3.** *Br.* bez pracy, zwolniony (z pracy); **be made** ~ zostać zwolnionym (z pracy), stracić pracę. **4.** *el., tel.* redundantny, nadmiarowy (*o kodowaniu*); *techn.* rezerwowy (*o zabezpieczeniu*).

redundantly [rɪˈdʌndəntlɪ] *adv.* **1.** nadmiernie, zbytecznie; niekoniecznie, niepotrzebnie. **2.** *el., tel.* nadmiarowo.

reduplicate *v.* [rɪˈduːplɪˌkeɪt] **1.** *form.* powielać (się), powtarzać (się). **2.** *jęz.* reduplikować (*głoskę, sylabę, morfem*). – *a.* [rɪˈduːplɪkət] **1.** *t. jęz.* powtórzony (*o elemencie, morfemie*). **2.** *bot.* zawinięty (*o płatku*).

reduplication [rɪˌduːplɪˈkeɪʃən] *n. C/U form.* **1.** podwojenie, powtórzenie; podwajanie, powielanie. **2.** *jęz.* reduplikacja.

redux [ˈriːdʌks] *a. po n. lit.* (przeniesiony żywcem) z przeszłości; **Dark Ages** ~ powrót do średniowiecza.

redwing [ˈredˌwɪŋ] *n. orn.* droździk (*Turdus iliacus*).

redwood [ˈredˌwʊd] *n.* **1.** *bot.* sekwoja (wiecznie zielona) (*Sequoia sempervirens*); (*także* **giant** ~) sekwoja olbrzymia (*Sequoiadendron giganteum*). **2.** *U bud.* drzewo *l.* drewno sekwojowe, sekwoja.

re-echo [rɪˈekoʊ], **reecho** *v. form.* **1.** odbijać się echem. **2.** powtarzać (*słowa*).

reed [riːd] *n.* **1.** *C/U* trzcina (*bot.* = *Phragmites*); sitowie. **2.** *muz.* stroik (*w instrumencie dętym*); *pot.* instrument (dęty) stroikowy; instrument dęty. **3.** *tk.* płocha (*w krośnie*). **4.** *przen.* **broken** ~ chorągiewka na wietrze (= *osoba o słabym charakterze*); **lean on a** ~ budować zamki na piasku *l.* lodzie. – *v. bud.* kryć strzechą *l.* trzciną.

reed bunting *n. orn.* potrzos (*Emberiza schoeniclus*).

reeding [ˈriːdɪŋ] *n. U* **1.** *bud.* profil *l.* ornament wałkowy. **2.** radełkowanie (*brzegu monety*).

reedling [ˈriːdlɪŋ] *n. orn.* wąsatka (*Panurus biarmicus*).

reed mace *n. bot.* pałka (wodna), rogoża (*Typha latifolia l. angustifolia*).

reed organ *n. muz.* **1.** instrument piszczałkowy. **2.** fisharmonia.

reed pipe *n. muz.* **1.** piszczałka (organowa). **2.** instrument stroikowy.

reed stop *n. muz.* rejestr.

re-educate [ˌriːˈedʒʊˌkeɪt] *v.* reedukować (*społeczeństwo, przestępcę*).

reed warbler *n. orn.* trzcinniczek (*Acrocephalus scirpaceus*).

reedy [ˈriːdɪ] *a.* **-ier, -iest** **1.** porośnięty sitowiem *l.* trzciną (*o brzegu jeziora, bagnach*). **2.** *uj.* piskliwy (*o głosie*). **3.** chudy (jak trzcina) (*o osobie*).

reef [riːf] *n.* **1.** *bot.* rafa; **coral** ~ rafa koralowa. **2.** *górn.* żyła (kominowa). **3.** *żegl.* ref (*żagla*); ~ **knot** *gł. Br.* węzeł płaski; ~ **point** refsejzing, reflinka; **take in a** ~ refować (żagiel); *przen.* przyhamować (trochę). – *v. żegl.* refować (*żagiel*); ~

one's sails refować (żagle); *przen.* przyhamować (trochę).

reefer ['ri:fər] *n.* **1.** (*także Br.* ~ **jacket, reefing jacket**) obcisła kurtka wełniana (*dwurzędowa*). **2.** *przest. sl.* dżojnt, joint (= *skręt z marihuany*); *U* marycha, trawa (= *marihuana*). **3.** *US pot.* lodówka; *mot.* samochód chłodnia; *kol.* wagon chłodnia.

reek [ri:k] *v.* **1.** śmierdzieć, cuchnąć, zalatywać (*of sth* czymś). **2.** *przen.* pachnieć, trącić (*of sth* czymś) (*np. oszustwem*). **3.** odymiać, okopcać. **4.** *gł. dial.* dymić; parować. – *n. sing.* **1.** smród, odór. **2.** *dial.* dym; para.

reeky ['ri:kɪ] *a.* **-ier, -iest** cuchnący; zadymiony.

reel [ri:l] *n.* **1.** rolka (*t. filmu*); *zwł. Br.* szpulka (*nici*); szpula (*t. filmu*); zwój; bęben; *ryb.* kołowrotek. **2.** *sing.* zataczanie się. **3.** *muz.* żywy taniec ludowy (*szkocki l. irlandzki*). – *v.* **1.** zataczać się, chwiać się (*o osobie*). **2.** dostawać zawrotu głowy, odczuwać zawroty głowy; **sb's head ~s** komuś kręci się w głowie (*from sth* od czegoś). **3.** wirować (*przed oczami*). **4.** przyprawiać o zawrót głowy. **5.** ~ **back** zatoczyć się, zachwiać się; ~ **in** *ryb.* wyciągnąć (na brzeg) (*rybę*); *przen.* pozyskać, upolować (*jakąś zdobycz*); ~ **off** odwijać (*sznurek, żyłkę*); *przen. pot.* wyrecytować, wyklepać (z pamięci); ~ **out** odwijać (*sznurek, żyłkę*).

reelect [ˌri:ɪ'lekt], **re-elect** *v. polit., parl.* wybrać ponownie *l.* na kolejną kadencję (*prezydenta, posła, partię*).

reelection [ˌri:ɪ'lekʃən] *n. C/U polit., parl.* reelekcja, ponowny wybór; **stand for/seek** ~ ubiegać się o reelekcję.

reel-to-reel [ˌri:ltə'ri:l] *n. i a. gł. attr.* (magnetofon) szpulowy.

reenact [ˌri:ɪn'ækt] *v.* rekonstruować (*zwł. zdarzenia na miejscu przestępstwa*); odtwarzać (*scenę*).

reenactment [ˌri:ɪn'æktmənt] *n. C/U* rekonstrukcja (zdarzeń) (*zwł. dokonanego przestępstwa*); odtworzenie (*sceny*).

reenter [rɪ'entər], **re-enter** *v.* **1.** ponownie *l.* powtórnie wchodzić do/w (*np. do pomieszczenia, w atmosferę ziemską*); powtórnie przekraczać granicę (*kraju, terenu*). **2.** *komp.* wprowadzać ponownie *l.* od nowa (*dane*). **3.** ponownie startować w (*konkursie, kampanii wyborczej*).

reentrant [rɪ'entrənt], **re-entrant** *a. i n. geom.* (kąt) wklęsły.

reentry [rɪ'entrɪ], **re-entry** *n. C/U pl.* **-ies 1.** powtórne przekroczenie granicy (*into sth* czegoś) (*kraju, terenu*). **2.** ponowne *l.* powtórne wejście (*into sth* do czegoś *l.* w coś) (*do pomieszczenia, w atmosferę ziemską*). **3.** *komp.* ponowne wprowadzenie (*danych*). **4.** *prawn.* ponowne wejście w posiadanie. **5.** *karty* wpustka, dojście.

reevaluate [ˌri:ɪ'væljuˌeɪt], **re-evaluate** *v.* dokonywać ponownej oceny (*czegoś*).

reevaluation [ˌri:ɪˌvælju'eɪʃən] *n.* ponowna ocena (*of sth* czegoś) (*zwł. polityki*).

reeve[1] [ri:v] *n.* **1.** *hist.* namiestnik królewski (*w hrabstwie*). **2.** *Can. admin.* przewodnicząc-y/a rady gminnej (*w niektórych prowincjach*). **3.** *hist., admin.* urzędnik administracji okręgowej. **4.** *orn.* samica bataliona (*Philomachus pugnax*).

reeve[2] *v. pret. i pp. t.* **rove** *żegl.* przewlekać, przeciągać (*linę*).

reexamination [ˌri:ɪgˌzæmə'neɪʃən] *n.* **1.** ponowne zbadanie; ponowna ocena (*of sth* czegoś) (*faktów, wydarzeń*). **2.** *prawn.* ponowne przesłuchanie (*świadka przez stronę powołującą*).

reexamine [ˌri:ɪg'zæmɪn], **re-examine** *v.* **1.** badać ponownie; dokonywać ponownej oceny (*czegoś*). **2.** *prawn.* ponownie przesłuchiwać (*świadka*).

reexport, re-export *ekon. v.* [ˌri:ɪk'spɔ:rt] reeksportować (*towary*). – *n.* [ˌri:'ekspɔ:rt] reeksport; *pl.* towary reeksportowane.

ref [ref] *sport pot. n.* = **referee** 1. – *v.* **-ff-** = **referee** 1.

ref. *abbr. form.* **with reference to** dot. (= *dotyczy*).

reface [ri:'feɪs] *v. bud.* remontować fasadę (*obiektu*); *t. przen.* odnawiać (*np. ubranie, wizerunek*).

refection [rɪ'fekʃən] *n. lit.* posiłek.

refectory [rɪ'fektərɪ] *n. pl.* **-ies 1.** *Br. uniw., szkoln.* stołówka, bufet. **2.** *przest. kośc.* refektarz.

refer [rɪ'fɜ:] *v.* **-rr- 1.** ~ **to sb/sth** wspominać o kimś/czymś (*w rozmowie*); dotyczyć kogoś/czegoś, odnosić się do kogoś/czegoś (*o sformułowaniu, liczbach, uwagach, objaśnieniach*). **2.** ~ **to sb/sth as...** nazywać kogoś/coś... (*określonym imieniem/nazwą*); ~ **to sb as...** zwracać się do kogoś (per)... (*w określony sposób, np. po imieniu*). **3.** ~ **to sth** korzystać z (pomocy) czegoś, posługiwać się czymś (*np. słownikiem, encyklopedią, notatkami, mapą*). **4.** ~ **sb to sth/sb** odsyłać kogoś do kogoś/czegoś (*źródła, autora*); *t. med.* kierować kogoś do kogoś/czegoś (*do lekarza specjalisty, eksperta, szpitala*); *med.* dać komuś skierowanie do kogoś/czegoś. **5.** ~ **sth to sb/sth** *t. prawn.* odsyłać coś do kogoś/czegoś (*zwł. sprawę do ponownego rozpatrzenia*). **6.** ~ **to drawer** *fin.* zwrot do wystawcy (*adnotacja na niezapłaconym czeku, wekslu*).

referee [ˌrefə'ri:] *n.* **1.** *sport* sędzia, arbiter (*w piłce nożnej, koszykówce, boksie*). **2.** arbiter. **3.** *Br.* osoba polecająca *l.* opiniująca (*zwł. starającego się o pracę*). **4.** *prawn.* sędzia odwoławczy (*dokonujący sprawdzenia poprawności procedur*). – *v.* **1.** *sport* sędziować. **2.** rozstrzygać (*kwestię, zwł. na drodze arbitrażu*); podejmować się arbitrażu.

reference ['refərəns] *n.* **1.** *C/U* wzmianka (*to sb/sth* na temat kogoś/czegoś); wspomnienie (*to sb/sth* o kimś/czymś). **2.** *C/U* odwoływanie się (*to sb/sth* do kogoś/czegoś). **3.** *U* odniesienie; aluzja (*to sth/sb* do czegoś/kogoś). **4.** źródło (*na które ktoś się powołuje*); *pl.* bibliografia, literatura, dzieła cytowane (*na końcu pracy, artykułu*). **5.** (*także* ~ **mark**) odsyłacz. **6.** (*także* **cross** ~) odnośnik. **7.** definicja (*w słowniku, encyklopedii*). **8.** list polecający; opinia (*przy podaniu o pracę, wynajem*); *gł. pl.* referencja; **take up ~s** uzyskać referencje; **~s essential** wymagane referencje (*w ogłoszeniach*). **9.** osoba polecająca *l.* opiniująca (*zwł. starającego się o pracę l. wynajem*). **10.** (*także* ~ **number**) *admin.* numer porządkowy *l.* identyfikacyjny *l.* sprawy *l.* akt. **11. for future** ~ na przyszłość (*mieć informację*); do akt (*wprowadzić, zapisać*); **make** ~ **to sb/sth** wspominać o kimś/czymś; powoływać się na kogoś/coś; **passing** ~ krótka wzmianka; **point of** ~ punkt odniesienia; **with/in** ~ **to sth** *form.* w nawiązaniu do czegoś, w związku z czymś.

reference book *n.* (*także* **reference work, work of reference**) wydawnictwo encyklopedyczne (*encyklopedia, słownik, rocznik, leksykon, almanach itp.*).

reference library *n. pl.* **-ies** *bibl.* księgozbiór podręczny.

referendum [ˌrefəˈrendəm] *n. pl.* **-s** *l.* **referenda** [ˌrefəˈrendə] *polit.* referendum; **hold a** ~ **on sth** przeprowadzić referendum w jakiejś sprawie.

referent [ˈrefərənt] *n. jęz., fil., log.* desygnat (*słowa*).

referential [ˌrefəˈrenʃl] *a. sztuka form. gł. uj.* wtórny (*o twórczości artystycznej*).

referral [rɪˈfɜːəl] *n. C/U* **1.** *med.* skierowanie (do specjalisty). **2.** *form. zwł. prawn.* przekazanie do rozpatrzenia.

referred pain [rɪˌfɜːd ˈpeɪn] *n. U pat.* ból przeniesiony.

refill *v.* [ˌriːˈfɪl] **1.** napełniać ponownie *l.* powtórnie (*szklankę, naczynie, pojemnik wielokrotnego użycia*); dolewać (*np. kawy, piwa*). **2.** *mot.* dotankować (*paliwo*). **3.** ~ **a prescription** *US med.* powtarzać receptę. – *n.* [ˈriːˌfɪl] **1.** ponowne *l.* powtórne napełnienie. **2.** *zw. sing.* dolewka; **would you like a ~?** może dolać?, może jeszcze (jednego/jedną/jedno)? (*drinka, kawę, piwo*). **3.** wkład (wymienny); (*także* **pen** ~) wkład (do długopisu); (*także* **pencil** ~) rysik (do ołówka) (*automatycznego*); (*także* **ink** ~) *komp.* tusz *l.* atrament do (ponownego) napełniania (*zbiornika drukarki atramentowej*). **4.** (*także* **prescription** ~) *US med.* powtórzenie recepty. **5.** *mot.* dotankowanie.

refillable [ˌriːˈfɪləbl] *a.* (do) wielokrotnego napełniania, wielokrotnego użytku (*o zbiorniku, pojemniku, zapalniczce*).

refinance [riːfɪˈnæns] *v. fin.* refinansować (*kredyt, hipotekę*).

refinancing [ˌriːfɪˈnænsɪŋ] *n. U fin.* refinansowanie (*kredytu, hipoteki*).

refine [rɪˈfaɪn] *v.* **1.** ~ **(on) sth** udoskonalać coś (*np. system, procedury*). **2.** *chem.* rafinować, oczyszczać (*substancję*). **3.** wysubtelniać (*mowę, maniery*).

refined [rɪˈfaɪnd] *a.* **1.** wykwintny, wytworny (*o guście, osobie*). **2.** *chem.* rafinowany, oczyszczony (*o substancji*). **3.** udoskonalony.

refinement [rɪˈfaɪnmənt] *n.* **1.** udoskonalenie. **2.** *U* wytworność, wykwintność. **3.** *U* doskonalenie, ulepszanie. **4.** *U chem.* oczyszczanie, rafinacja (*substancji*).

refinery [rɪˈfaɪnərɪ] *n. pl.* **-ies** *chem.* rafineria.

refinish [riːˈfɪnɪʃ] *v.* odnawiać (*mebel drewniany*).

refit *v.* [ˌriːˈfɪt] **-tt-** *US pret. t.* **refit** remontować (*statek, dom*). – *n.* [ˈriːˌfɪt] *C/U* remont.

reflate [riːˈfleɪt] *v.* (*także* ~ **the economy**) *ekon.* zwiększać podaż pieniądza.

reflation [riːˈfleɪʃən] *n. ekon.* reflacja, zwiększenie podaży pieniądza.

reflationary [riːˈfleɪʃəˌnerɪ] *a. ekon.* reflacyjny, zwiększający podaż pieniądza (*o działaniach, tendencji*).

reflect [rɪˈflekt] *v.* **1.** *t. opt.* odbijać się (*o świetle, obrazie*); odbijać (*o lustrze, tafli wody*). **2.** odzwierciedlać (*poglądy, sytuację*); stanowić odbicie *l.* wyraz, być wyrazem (*czegoś*); **be ~ed in sth** znajdować wyraz *l.* odbicie w czymś. **3.** zastanawiać się, rozmyślać (*on sth* nad czymś); ~ **that...** pomyśleć sobie, że...; dojść do wniosku, że... **4.** ~ **on/upon sb/sth** stawiać kogoś/coś w złym świetle; ~ **sth on/upon sb/sth** przynosić coś komuś/czemuś (*np. sławę, ujmę*); ~ **badly/well on sb/sth** źle/dobrze o kimś/czymś świadczyć.

reflecting telescope [rɪˌflektɪŋ ˈteləˌskoʊp] *n. opt., astron.* teleskop zwierciadlany, reflektor.

reflection [rɪˈflekʃən], *Br. rzad. t.* **reflexion** *n.* **1.** odbicie (*w lustrze, wodzie*). **2.** odzwierciedlenie (*ideologii*); odbicie (*wydarzeń*). **3.** *U fiz.* odbijanie (*fal, cząstek*); **angle of** ~ kąt odbicia. **4.** *C/U* namysł, zastanowienie, refleksja (*on/about sth* nad czymś); **on/upon/after** ~ po namyśle. **5.** *mat.* symetria; ~ **in a line/plane** symetria względem prostej/płaszczyzny. **6.** *sing.* ujma (*on/upon sb* dla kogoś); **be a** ~ **on/upon sb** przynosić komuś ujmę. **7.** *anat.* odgięcie (*błony wokół organu*).

reflective [rɪˈflektɪv] *a.* **1.** refleksyjny (*o nastroju*). **2.** *fiz.* odbijający. **3.** *fiz.* odbity.

reflectively [rɪˈflektɪvlɪ] *adv.* refleksyjnie.

reflector [rɪˈflektər] *n.* **1.** *t. mot.* światło *l.* światełko odblaskowe (*w samochodzie, rowerze*). **2.** *opt., fiz.* reflektor, odbłyśnik, zwierciadło; *t. astron.* reflektor, teleskop zwierciadlany; **parabolic** ~ *opt.* zwierciadło paraboliczne. **3.** *US mot.* kocie oko (= *wystające z powierzchni szosy światełko odblaskowe*).

reflet [rəˈfleɪ] *n. gł. ceramika* połysk, refleks.

reflex *n.* [ˈriːˌfleks] **1.** (*także* ~ **action**) *fizj.* odruch; **in a ~ (action)** odruchowo; **gag** ~ odruch wymiotny. **2.** *gł. pl. fizj.* refleks; **have slow/quick ~es** mieć słaby/szybki refleks. **3.** *fot.* = **reflex camera**. **4.** *opt., fiz.* odbicie. **5.** *jęz.* pozostałość (*wcześniejszego stanu języka*); ~ **of...** forma wywodząca się z... – *a. attr.* **1.** *fizj.* odruchowy. **2.** *opt., fiz.* odbity (*o fali*). **3.** *bot.* odwinięty, zawinięty (*o liściu*). – *v. form.* wyginać (się) do tyłu.

reflex angle [ˈriːˌfleks ˌæŋgl] *n. geom.* kąt wklęsły.

reflex arc *n. fizj.* łuk odruchowy.

reflex camera *n. fot.* lustrzanka; **single-lens/twin-lens** ~ lustrzanka jednoobiektywowa/dwuobiektywowa.

reflexion [rɪˈflekʃən] *n. Br. rzad.* = **reflection**.

reflexive [rɪˈfleksɪv] *a.* **1.** *gram., log., mat.* zwrotny (*o czasowniku, zaimku, relacji*). **2.** *fizj.* odruchowy. – *n. gram.* zaimek *l.* czasownik zwrotny.

reflexively [rɪˈfleksɪvlɪ] *adv.* odruchowo.

reflexology [ˌriːflekˈsɑːlədʒɪ] *n. U* **1.** refleksoterapia, masaż refleksoryczny stóp. **2.** *fizj.* nauka o odruchach.

refluent [ˈrefluənt] *a. form.* odpływający (*np. o fali, krwi*).

reflux [ˈriːˌflʌks] *n. U* **1.** *pat.* refluks, odpływ (*treści żołądka do przełyku*); zgaga. **2.** *techn.* powrót (*cieczy w rurach*).

reforest [riːˈfɔːrəst] *v. ekol.* odtwarzać zalesienie (*danego terenu*); zalesiać ponownie.

reforestation [riːˌfɔːrəˈsteɪʃən] *n. U ekol.* rekultywacja lasów *l.* terenów leśnych, ponowne zalesianie.

reform [rɪˈfɔːrm] *n. C/U* **1.** reforma; naprawa. **2.** poprawa (*moralna*). – *v.* **1.** reformować; naprawiać. **2.** poprawiać się (*moralnie*).

re-form [ˌriːˈfɔːrm] *v.* **1.** *wojsk.* przegrupowywać (*szeregi*); przegrupowywać siły. **2.** *gł. pat.* odbudowywać *l.* odtwarzać się (*np. o złogach*).

reformation [ˌrefərˈmeɪʃən] *n.* **1.** *C/U* reforma; zreformowanie; reformowanie. **2. the R~** *hist.* reformacja.

re-formation [ˌriːfɔːrˈmeɪʃən] *n. C/U* **1.** *wojsk.* przegrupowanie (sił). **2.** *gł. pat.* odbudowa, odtworzenie (*np. złogów*).

reformational [ˌrefərˈmeɪʃənl] *a.* (*także* **reformative**) reformatorski.

reformatory [rɪˈfɔːrməˌtɔːrɪ] *n. pl.* **-ies** *gł. US prawn.* zakład poprawczy. – *a.* reformatorski; naprawczy.

reformed [rɪˈfɔːrmd] *a.* **1.** nawrócony (na dobrą drogę) (*o przestępcy, grzeszniku*); **sb is a ~ character** ktoś jest (teraz)(zupełnie) innym człowiekiem. **2.** zreformowany (*o instytucji*).

reformer [rɪˈfɔːrmər] *n.* reformator/ka.

reformism [rɪˈfɔːrmˌɪzəm] *n. U t. fil.* reformizm.

reformist [rɪˈfɔːrmɪst] *a.* reformatorski. – *n.* reformist-a/ka.

Reform Judaism *n. U rel.* judaizm reformowany *l.* liberalny.

reform school *n. US prawn.* zakład poprawczy.

refract [rɪˈfrækt] *v.* **1.** *opt., fiz.* załamywać (*światło, fale*). **2.** *opt., med.* badać refrakcję *l.* moc *l.* zdolność załamującą (*soczewki, t. oka*). **3.** *form.* ukazywać, przedstawiać.

refracting telescope [rɪˌfræktɪŋ ˈteləˌskoʊp] *n. opt., astron.* refraktor, teleskop refrakcyjny.

refraction [rɪˈfrækʃən] *n. C/U* **1.** *opt., fiz.* refrakcja, załamanie, załamywanie (*światła, fal*). **2.** *opt., med.* pomiar refrakcji (*soczewki, t. oka*).

refractional [rɪˈfrækʃənl] *a.* (*także* **refractive**) *opt., fiz.* refrakcyjny.

refractive index [rɪˌfræktɪv ˈɪndeks] *n. C/U* (*także* **refractivity**) *opt., fiz.* współczynnik załamania (*światła, fal*).

refractor [rɪˈfræktər] *n. opt., astron.* refraktor, teleskop refrakcyjny; *fiz.* refraktor.

refractory [rɪˈfræktərɪ] *a.* **1.** *form.* krnąbrny, uparty (*o osobie*). **2.** *pat.* oporny (*o chorobie, wirusie*); uporczywy (*o ranie, dolegliwości*). **3.** *med.* odporny (*o pacjencie*). **4.** *techn.* ogniotrwały, żaroodporny, trudno topliwy; odporny (*o materiałach*). – *n. pl.* **-ies** *techn.* materiał ogniotrwały.

refrain [rɪˈfreɪn] *v. form.* powstrzymywać się (*from (doing) sth* od (robienia) czegoś). – *n.* **1.** *muz.* refren. **2. (constant) ~** *form.* (niezmienna) odpowiedź.

refrangible [rɪˈfrændʒɪbl] *a. opt., fiz.* załamujący się, podlegający załamaniu (*o świetle, falach*).

refresh [rɪˈfreʃ] *v.* **1.** pokrzepiać; orzeźwiać; **~ o.s.** odświeżać się. **2.** *komp.* odświeżać (*stronę, grafikę, pamięć*). **3.** *US* uzupełniać (*napój w szklance, zapas*); **~ sb's drink** dolewać komuś (napoju *l.* drinka). **4. ~ one's memory of sth** przypomnieć sobie coś (*np. znaczenie słowa*).

refreshed [rɪˈfreʃt] *a.* wypoczęty; pokrzepiony; odświeżony (*o osobie*); **visibly ~** wyraźnie wypoczęty.

refresher [rɪˈfreʃər] *n.* **1.** napój orzeźwiający. **2.** (*także* **~ course**) *szkoln.* kurs dokształcający, kurs doskonalenia zawodowego.

refreshing [rɪˈfreʃɪŋ] *a.* **1.** ożywczy, przyjemny (*o odmianie, zmianie*). **2.** orzeźwiający (*o napoju*).

refreshment [rɪˈfreʃmənt] *n.* **1.** *pl.* poczęstunek; przekąski, napoje (orzeźwiające); **~s (will be) provided/served/available** zapewniamy poczęstunek (*na uroczystości, spotkaniu*). **2.** *U* odpoczynek, pokrzepienie; orzeźwienie. **3.** *U* świeżość (= *zdolność orzeźwiania, np. napoju*). **4.** *U* pożywienie; **liquid ~** *żart.* coś mocniejszego (= *napoje alkoholowe*).

refresh rate *n. komp., el., telew.* częstotliwość odświeżania (obrazu).

refried beans [ˌriːˌfraɪd ˈbiːnz] *n. pl. kulin.* purée z fasolki, fasolka odsmażana (*potrawa meksykańska*).

refrigerant [rɪˈfrɪdʒərənt] *n. C/U* **1.** *techn.* czynnik chłodniczy, medium (chłodzące). **2.** *med.* środek przeciwgorączkowy. – *a.* **1.** *techn.* chłodniczy, chłodzący. **2.** *med.* przeciwgorączkowy.

refrigerate [rɪˈfrɪdʒəˌreɪt] *v. gł. kulin., handl.* przechowywać w lodówce *l.* w warunkach chłodniczych; chłodzić, schładzać; **~ after opening** po otwarciu przechowywać w lodówce (*napis na produkcie*).

refrigeration [rɪˌfrɪdʒəˈreɪʃən] *n. U gł. kulin., handl.* przechowywanie w lodówce *l.* w warunkach chłodniczych; chłodzenie, schładzanie; **under ~** w lodówce, w warunkach chłodniczych.

refrigeration truck *n. US mot.* samochód chłodnia.

refrigerator [rɪˈfrɪdʒəˌreɪtər] *n. kulin.* lodówka, chłodziarka; *techn., handl.* chłodnia, szafa chłodnicza.

reft [reft] *v. zob.* **reave**[1, 2].

refuel [ˌriːˈfjuːəl] *v. Br.* **-ll-** **1.** *mot., lotn.* tankować, uzupełniać paliwo *l.* zapas paliwa. **2.** *przen.* podsycać (*emocje, spekulacje*).

refuge [ˈrefjuːdʒ] *n.* **1.** *U* schronienie; *t. przen.* ucieczka (*from sth* przed czymś); **give ~ to sb** dać komuś schronienie, udzielić komuś schronienia; **seek ~** szukać schronienia *l.* ucieczki; **take ~** znaleźć schronienie *l.* ucieczkę, schronić się (*in sth* gdzieś *l.* w czymś). **2.** schronisko; **women's ~** schronisko dla (maltretowanych) kobiet. **3.** *Br. mot.* wysepka (*na jezdni*).

refugee [ˌrefjʊˈdʒiː] *n.* uchodźca.

refugee camp *n.* obóz dla uchodźców.

refulgence [rɪˈfʌldʒəns] *n. U lit.* poblask, jasność.

refulgent [rɪˈfʌldʒənt] *a. lit.* jaśniejący, świetlisty.

refund *v.* [rɪˈfʌnd] *handl., fin.* zwracać; **~ sb's money** zwrócić komuś pieniądze. – *n.* [ˈriːˌfʌnd] *handl., fin.* zwrot pieniędzy; **demand a ~** domagać się *l.* żądać zwrotu pieniędzy; **tax ~** *fin.* zwrot nadpłaconego podatku.

refundable [rɪˈfʌndəbl] *a. fin.* podlegający zwrotowi (*o zastawie, zaliczce*).

refurbish [ˌriːˈfɜːbɪʃ] *v.* **1.** odnawiać (*zwł. budynek, mieszkanie*). **2.** *handl.* naprawiać (*komputer, telewizor*).

refurbished [ˌriːˈfɜːbɪʃt] *a. gł. attr.* **1.** po remoncie (*o domu, mieszkaniu*). **2.** *handl. zw. euf.* po naprawie (*o przecenionym towarze*).

refurbishment [ˌriːˈfɜːbɪʃtmənt] *n. C/U* **1.** remont. **2.** *handl.* naprawa (*zwróconego wadliwego artykułu*).

refusal [rɪˈfjuːzl] *n. C/U* **1.** odmowa (*to do sth* zrobienia czegoś); **point-blank/blunt/flat ~** stanowcza *l.* zdecydowana odmowa. **2.** (*także* **first ~**) *t. prawn.* prawo pierwokupu.

refuse[1] [rɪˈfjuːz] *v.* **1.** odmawiać (*sb sth* komuś czegoś, *to do sth* zrobienia czegoś); **~ sb a visa** odmówić komuś (wydania) wizy. **2.** odrzucać (*propozycję*); nie przyjmować (*zaproszenia*). **3.** *jeźdz.* odmawiać wzięcia przeszkody (*o koniu*).

refuse[2] [ˈrefjuːs] *n. form. t. ekol.* odpadki, odpady, śmieci; **domestic/household ~** odpady domowe *l.* z gospodarstw domowych; **municipal ~** odpady komunalne. – *a. attr.* odpadowy.

refuse collection [ˈrefjuːs kəˌlekʃən] *n. U t. ekol.* wywóz odpadów.

refuse collector *n. form.* pracowni-k/ca zakładu oczyszczania.

refuse dump *n.* wysypisko odpadów.

refutable [rɪˈfjuːtəbl] *a. form.* dający się obalić (*o teorii*); dający się odeprzeć *l.* odrzucić (*o zarzutach*).

refutation [ˌrefjʊˈteɪʃən] *n. C/U form.* obalenie (*teorii*); zbicie (*twierdzenia*); odrzucenie, odparcie (*zarzutów*).

refute [rɪˈfjuːt] *v. form.* obalać (*teorię, hipotezy*); zbijać (*twierdzenia*); odrzucać, odpierać (*zarzuty*).

reg [reg] *n. pot.* = **regulation** 1.

reg. *abbr.* **1.** = **region**. **2.** = **registered**. **3.** = **regular** *a.* 2, 7, 9. **4.** = **regulation** 1. **5.** *Br. mot. pot.* = **registration number**; **K/L/M ~** z tablicą na K/L/M (*o pojeździe; wcześniejsza litera wskazuje na wcześniejszą rejestrację i starszy egzemplarz*).

regain [rɪˈgeɪn] *v.* **1.** odzyskiwać; **~ one's balance** *t. przen.* odzyskać równowagę; **~ consciousness** odzyskać przytomność; **~ control (of/over sth/sb)** odzyskać kontrolę (nad czymś/kimś). **2.** *form. lit.* powracać do (*miejsca*), powracać w (*miejsce*).

regal [ˈriːgl] *a. form.* królewski.

regale [rɪˈgeɪl] *v.* **~ sb with sth** *lit. l. żart.* raczyć kogoś czymś (*np. opowieściami, dowcipami, smakołykami*).

regalia [rɪˈgeɪlɪə] *n. U l. pl. gł. form.* **1.** insygnia (*monarsze, oficera, dygnitarza*). **2.** *przen.* strój odświętny; **in full ~** w pełnym rynsztunku.

regality [riːˈgæləti] *n. U form.* **1.** królewskość. **2.** przywilej królewski.

regally [ˈriːglɪ] *adv. gł. form.* po królewsku.

regard [rɪˈgɑːrd] *n. gł. form.* **1.** *U* szacunek, poszanowanie (*for sb/sth* dla kogoś/czegoś) (*t. dla uczuć*); **hold sb/sth in high ~** darzyć kogoś/coś wielkim szacunkiem. **2.** *U* wzgląd (*for sth* na coś); **have ~ for sth** mieć wzgląd na kogoś/coś; **in this/that ~** *form.* w tym względzie, w tej kwestii; **in/with ~ to sb/sth** *form.* jeśli chodzi o kogoś/coś, w odniesieniu do kogoś/czegoś; **pay (no) ~ to sth** (nie) zważać na coś; **without ~ to sb/sth** bez względu na kogoś/coś, nie zważając na kogoś/coś. **3.** *pl. zob.* **regards**. **4.** *sing. lit.* spojrzenie (*nieruchome l. znaczące*). – *v.* **1.** uważać (*sb/sth as sth* kogoś/coś za kogoś/coś); **~ sb/sth with admiration** być pełnym podziwu dla kogoś/czegoś; **~ sb/sth with concern** obawiać się o kogoś/coś; **~ sb/sth with fear** obawiać się kogoś/czegoś; **~ sb badly/well** być dobrego/złego zdania o kimś. **2.** *form.* dotyczyć (*czegoś*); **as ~s sb/sth** jeśli chodzi o kogoś/coś, w odniesieniu do kogoś/czegoś. **3.** *form.* przyglądać się (*komuś l. czemuś*), patrzeć na; **~ sb coldly/with apprehension** przyglądać się komuś chłodno/z obawą. **4.** *form.* zważać na (*przepisy, uczucia*).

regardant [rɪˈgɑːrdənt] *a. zw. po n. her.* patrzący za siebie (*o postaci ludzkiej l. zwierzęcej w herbie*).

regardful [rɪˈgɑːrdfʊl] *a. form.* delikatny; wyrozumiały (*of sb/sth* jeśli chodzi o kogoś/coś); zważający (*of sb/sth* na kogoś/coś).

regarding [rɪˈgɑːrdɪŋ] *prep. form.* odnośnie do, w odniesieniu do, względem.

regardless [rɪˈgɑːrdləs] *adv.* bez względu na wszystko, mimo wszystko, mimo to, i tak.

regardless of *prep.* bez względu na; nie zważając na.

regards [rɪˈgɑːrdz] *n. pl.* pozdrowienia, wyrazy szacunku; **give sb's ~ to sb** przekazywać komuś czyjeś pozdrowienia, pozdrawiać kogoś od kogoś; **send one's ~** przesyłać pozdrowienia, pozdrawiać; **(with) (kind/best/warm) ~** z wyrazami szacunku (*w zakończeniu listu*).

regatta [rɪˈgætə] *n. żegl., sport* regaty.

regd. *abbr.* = **registered**; *zob.* **register** *v.*

regelation [ˌriːdʒəˈleɪʃən] *n. U fiz., geol.* regelacja, zamarzanie ponowne.

regency [ˈriːdʒənsɪ] *n. pl.* **-ies** **1.** *C/U polit.* regencja. **2.** **R~** *hist.* okres regencji (*w Anglii 1811-20; we Francji 1715-23*). **3.** *U sztuka, bud.* regencja, styl regencji. – *a. attr.* **R~** w stylu regencji (*o budowlach, meblach*).

regenerate *v.* [rɪˈdʒenəreɪt] **1.** pobudzać do życia, ożywiać (*np. miasto, uczucia*). **2.** ożywiać się, wracać do życia. **3.** *fizj.* regenerować (*tkanki, organy*); regenerować się, odradzać się. **4.** *ekol.* odzyskiwać (*ciepło, energię*). **5.** *el.* regenerować (*sygnał*). – *a.* [rɪ'dʒenərət] *form.* odrodzony (*moralnie, duchowo, fizycznie*).

regeneration [rɪˌdʒenə'reɪʃən] *n. U* **1.** odrodzenie (się); ożywienie (się); regeneracja. **2.** *ekol.* odzysk, odzyskiwanie.

regenerative [rɪ'dʒenəˌreɪtɪv] *a. gł. attr.* regenerujący, odradzający (*o wpływie*); ~ **process** proces regeneracji, proces odradzania się.

regenerator [rɪ'dʒenəˌreɪtər] *n.* **1.** wskrzesiciel/ka. **2.** *el., techn.* regenerator.

regent ['riːdʒənt] *n.* **1.** regent/ka. **2.** *US i Can. uniw.* członek zarządu.

reggae ['regeɪ] *n. i a. attr. muz.* reggae.

regicidal ['redʒəˌsaɪd] *a. form.* królobójczy.

regicide [ˌredʒə'saɪdl] *n. form.* **1.** *U* królobójstwo. **2.** królobój-ca/czyni.

regime [rə'ʒiːm], **régime** *n.* **1.** *polit.* ustrój; system rządów *l.* polityczny. **2.** *polit.* reżim; **the Communist** ~ reżim komunistyczny. **3.** *polit.* rządy; **during the Bush** ~ za rządów *l.* kadencji Busha. **4.** (*także* **regimen**) *techn.* reżim (*technologiczny*); warunki pracy (*urządzenia*). **5.** *med.* = **regimen** 1.

regimen ['redʒɪmən] *n.* **1.** (*także* **regime**) *med.* tryb życia (*zwł. w zakresie ruchu i żywienia*); **dietary** ~ dieta, reżim dietetyczny; **therapeutic** ~ tryb leczenia. **2.** *techn.* = **regime** 4.

regiment *n.* ['redʒəmənt] **1.** *wojsk.* pułk. **2.** *przen.* morze, moc (*ludzi, zwierząt, przedmiotów*). – *v.* ['redʒəˌment] *zw. pass.* **1.** poddawać surowej dyscyplinie (*ludzi*); sprawować ścisłą kontrolę nad (*organizacją*). **2.** *wojsk.* organizować w pułk *l.* pułki; wcielać do pułku (*żołnierzy*).

regimental [ˌredʒə'mentl] *a.* **1.** surowy, rygorystyczny (*o dyscyplinie*). **2.** *attr. wojsk.* pułkowy, dotyczący pułku.

regimentation [ˌredʒəmən'teɪʃən] *n. U* surowy rygor *l.* reżim.

regiments ['redʒəmənts] *n. pl. wojsk.* **1.** mundur pułkowy *l.* pułku (*określonego*). **2.** mundur galowy.

region ['riːdʒən] *n.* **1.** okolica (*miasta, ciała*); rejon; sfera; *t. admin.* okręg; *geogr., polit.* region; **(pain) in the lower back** ~ (ból) w okolicy krzyża. **2. the ~s** prowincja (*w odróżnieniu od stolicy*). **3.** *przen.* **heavenly ~s** *lit.* niebiosa; **lower ~s** *lit.* otchłanie piekieł; **(somewhere) in the ~ of $100/two hours** (coś) koło stu dolarów/dwóch godzin, jakieś sto dolarów/dwie godziny.

regional ['riːdʒənl] *a.* regionalny; *admin.* okręgowy; ~ **development** rozwój regionalny.

regionalism ['riːdʒənəˌlɪzəm] *n.* **1.** *U polit.* regionalizm. **2.** *U* patriotyzm lokalny. **3.** *jęz.* regionalizm.

regionally ['riːdʒənlɪ] *adv.* regionalnie.

régisseur [ˌreɪʒɪ'sɜː] *n.* reżyser baletowy.

register ['redʒɪstər] *n.* **1.** *admin. el., komp. muz.* rejestr. **2.** spis, wykaz, lista; (*także* **electoral** ~) spis wyborców. **3.** *jęz.* rejestr, styl. **4.** (*także* **cash** ~) *handl.* kasa (*w sklepie*). **5.** *szkoln.* dziennik. **6.** *US i Can. bud.* wylot ogrzewania *l.* klimatyzacji (*w systemie ogrzewania / chłodzenia powietrzem w domu, biurze*); kratka wentylacyjna; zasuwa (*przy piecu, przewodzie wentylacyjnym*). **7.** wpis do rejestru. **8.** *druk.* register. – *v.* **1.** rejestrować (się); zapisywać (się) (*for sth* na coś) (*np. na listę, kurs, zajęcia*); meldować się; ~ **to vote** wpisać się na listę wyborców; ~ **with a doctor/the police** zapisać się do lekarza/zameldować się na policji; **be ~ed (as) unemployed** być zarejestrowanym jako bezrobotny. **2.** wyrażać (*o geście, twarzy; np. złość, zdziwienie*). **3.** *form.* zgłaszać (*sth with sb / sth* coś u *l.* do kogoś/gdzieś) (*zwł. sprzeciw*). **4.** *zwł. z neg.* ~ **(with sb)** docierać do kogoś; **I repeated it at least twice, but I don't think it ~ed (with hjim)** powtórzyłam to co najmniej dwa razy, ale nie sądzę, żeby do niego dotarło. **5.** zdać sobie sprawę z (*czegoś*); ~ **sb's presence** zdać sobie sprawę z czyjejś obecności. **6.** zapamiętać sobie, zwrócić uwagę na. **7.** *techn.* rejestrować, zapisywać; wskazywać (*o przyrządzie pomiarowym*). **8.** osiągać, wpisywać na swoje konto (*sukces*); doznawać (*porażki*). **9.** *poczta* wysyłać poleconym *l.* jako polecony (*przesyłkę*).

registered mail [ˌredʒɪstərd 'meɪl] *n. US i Can.* przesyłka *l.* poczta polecona; **by** ~ (listem) poleconym, przesyłką *l.* pocztą poleconą (*wysyłać*).

registered nurse *n.* (*także* **Registered General Nurse**) *Br.* pielęgnia-rz/rka dyplomowan-y/a.

registered post *n. Br.* = **registered mail**.

registered trademark *n. prawn., handl.* znak towarowy zastrzeżony, znak handlowy (prawnie) zastrzeżony.

register office *n. Br. admin.* = **registry office**.

register ton *n. żegl.* tona rejestrowa.

registrant ['redʒɪstrənt] *n. form.* osoba rejestrująca (się).

registrar ['redʒəˌstrɑːr] *n.* **1.** *admin.* rejestrator/ka (= *urzędni-k / czka zajmując-y / a się prowadzeniem rejestrów, zapisów i gromadzeniem danych, np. w szkole, urzędzie publicznym, w szpitalu, magazynie*); sekreta-rz/rka; archiwista/ka, archiwariusz/ka; *Br.* urzędni-k/czka stanu cywilnego; *uniw.* dyrektor administracyjny. **2.** *Br. med.* lekarz (po stażu) (*w szpitalu*); **medical/surgical** ~ lekarz ogólny/chirurg.

registration [ˌredʒɪ'streɪʃən] *n.* **1.** *U* rejestracja, zapisy (*for sth* na coś/do czegoś) (*na studia, kursy; do wyborów*). **2.** *US i Can. mot.* dowód rejestracyjny. **3.** liczba chętnych *l.* zapisanych *l.* zarejestrowanych *l.* zapisujących się. **4.** *C / U muz.* aranżacja (*utworu na organy, klawesyn*).

registration card *n. admin.* karta rejestracyjna.

registration document *n. Br. mot.* dowód rejestracyjny.

registration number *n. Br. mot.* numer rejestracyjny.

registration plate *n. Austr. mot.* tablica rejestracyjna.

registry ['redʒɪstrɪ] *n. pl.* **-ies** **1.** archiwum. **2.** kancelaria. **3.** rejestracja. **4.** *C / U żegl.* rejestracja, bandera; **ship of Liberian** ~ statek zarejestrowany w Liberii, statek (pływający) pod banderą liberyjską.

registry office *n. Br. admin.* urząd stanu cywilnego; **get married in a ~** wziąć ślub cywilny.

reglet [ˈreglət] *n.* **1.** *bud.* profil, gzyms, listwa. **2.** *druk.* reglet.

regnal [ˈregnl] *a. attr. form.* monarszy; **~ day** rocznica wstąpienia na tron; **the third ~ year** trzeci rok panowania.

regnant [ˈregnənt] *a. form.* **1.** *po n.* panujący (*o władcy*); **queen ~** panująca królowa. **2.** *przen.* panujący (*o obyczaju*).

regorge [ˌriːˈgɔːrdʒ] *v. form.* **1.** zwracać (*pokarm*). **2.** cofać się (*o wodzie w rzece, kanale*).

regress *v.* [rɪˈgres] **1.** cofać się, uwsteczniać się; *pat., psych.* ulegać regresji *l.* nawrotowi, wykazywać regresję *l.* nawrót (*to sth* do czegoś) (*zwł. do wcześniejszego l. poważniejszego stanu*). **2.** *stat.* wyznaczać regresję (*zmiennej, czynnika*); zdążać do średniej (*o zmiennej losowej*). – *n.* [ˈriːˌgres] *form.* regres, regresja, cofanie się, uwstecznienie.

regression [rɪˈgreʃən] *n. U pat., psych., stat., geol., biol., astron., fin.* regresja.

regressive [rɪˈgresɪv] *a. form.* **1.** *uj.* wsteczny. **2.** *fin.* regresywny (*o podatku*).

regret [rɪˈgret] *v.* **-tt- 1.** żałować (*czegoś*) (*that* że); **~ doing sth** żałować, że się coś zrobiło; **bitterly/deeply ~** gorzko żałować; **sb will live to ~ sth** ktoś jeszcze czegoś pożałuje *l.* będzie żałować; **or you'll ~ it** bo pożałujesz; **you'll ~ it** jeszcze pożałujesz. **2.** *form.* wyrażać ubolewanie; **we ~ (to inform you) that...** z przykrością *l.* żalem zawiadamiamy *l.* informujemy, że...; **we ~ that...** wyrażamy ubolewanie z powodu...; **I ~ to say (that)...** niestety muszę powiedzieć, że... – *n. C/U* **1.** żal; *form.* ubolewanie (*at/for sth* z powodu czegoś); **have/feel no ~s** nie odczuwać żalu, nie żałować; **much to my/our ~** *form.* niestety; **with (deep/great) ~** z żalem *l.* ubolewaniem. **2.** *pl.* odmowa (*zwł. jako reakcja na zaproszenie*); **give/send one's ~s** być zmuszonym odmówić.

regretful [rɪˈgretfʊl] *a.* żałujący, pełen żalu.

regretfully [rɪˈgretfʊlɪ] *adv.* **1.** z żalem. **2.** niestety.

regrettable [rɪˈgretəbl] *a. gł. form.* godny ubolewania.

regrettably [rɪˈgretəblɪ] *adv. form.* **1.** niestety; **~, he will not be able to attend** niestety nie będzie mógł przybyć. **2.** nader; **traffic was ~ slow** ruch posuwał się nader powoli.

regrew [ˌriːˈgruː] *v. zob.* **regrow**.

regroup [ˌriːˈgruːp] *v.* **1.** *wojsk. l. przen.* przegrupowywać (siły). **2.** *przen.* pozbierać się; *przen.* zebrać myśli.

regrow [ˌriːˈgroʊ] *v.* **regrew, regrown** *gł. zool.* odtwarzać (*utracony organ*); odrastać (*o organie*).

Regt. *abbr.* **1.** = **regent**. **2.** = **regiment** 1.

regular [ˈregjələr] *a.* **1.** regularny; **~ as clockwork** *emf.* (regularnie) jak w zegarku; **at ~ intervals** w równych *l.* regularnych odstępach (*przestrzeni l. czasu*); **be/keep ~** *euf.* regularnie się wypróżniać; regularnie miesiączkować; **on a ~ basis** regularnie. **2.** stały; **~ customer** stał-y/a klient/ka. **3.** *gł. US i Can. handl.* średni, normalny (*zwł. o porcji jedzenia l. picia*). **4.** zawodowy (*w odróżnieniu od amatorskiego*). **5.** przepisowy, poprawny, standardowy. **6.** *pot.* normalny, zwyczajny, zwykły; **just a ~ guy** po prostu normalny gość. **7.** *attr. pot.* prawdziwy (*np. o łajdaku, bohaterze, idiocie*). **8.** *mot.* normalny, zwykły (*o benzynie, oleju*). **9.** *attr. wojsk.* regularny (*o oddziałach*); zawodowy (*o żołnierzu*); stały (*o armii*). **10.** *geom.* foremny (*o wielokącie, wielościanie*); prawidłowy (*o ostrosłupie*). – *n.* **1.** *pot.* stał-y/a bywal-ec/czyni *l.* gość (*baru, klubu*); stał-y/a klient/ka (*sklepu*). **2.** *pot.* to, co zwykle; **(I'll have) my ~** (poproszę) to, co zwykle. **3.** *U gł. US* benzyna zwykła *l.* normalna. **4.** *kośc.* zakonni-k/ca. **5.** *wojsk.* żołnierz zawodowy. **6.** *US polit.* wiern-y/a zwolenni-k/czka *l.* poplecznik/czka (*partii*).

regularity [ˌregjəˈlerətɪ] *n. U* regularność.

regularize [ˈregjələˌraɪz], *Br. i Austr. zw.* **regularise** *v.* uregulować (*sytuację prawną*).

regularly [ˈregjələrlɪ] *adv.* regularnie.

regulate [ˈregjəˌleɪt] *v.* **1.** *t. techn.* regulować (*zegarek, maszynę*). **2.** sterować (*gospodarką*); kontrolować (*działalność*).

regulation [ˌregjəˈleɪʃən] *n.* **1.** *prawn.* przepis, uregulowanie (prawne), regulacja prawna; **rules and ~s** przepisy (i uregulowania). **2.** *U* sterowanie (*wydatkami*); kontrola (*działalności*). – *a. gł. attr.* przepisowy (*o mundurze*); zwyczajowy (*o stroju*).

regulative [ˈregjəˌleɪtɪv] *a.* (*także* **regulatory**) *form.* regulujący, regulacyjny.

regulator [ˈregjəˌleɪtər] *n.* **1.** *techn.* regulator, stabilizator. **2.** *admin.* organ nadzorczy, urząd kontroli *l.* nadzoru (*telekomunikacji, transportu, handlu*). **3.** zegar wzorcowy, wzorzec czasu. **4.** (*także* **~ gene**) *biol.* gen regulator, gen regulacyjny.

regurgitate [rɪˈgɜːdʒɪˌteɪt] *v. form.* **1.** *gł. zool.* zwracać (*pokarm*). **2.** ulegać zwracaniu *l.* cofnięciu (*o pokarmie, płynach, wodzie*). **3.** *pat.* cofać się (*zwł. o krwi przez niedomykalną zastawkę*).

regurgitation [rɪˌgɜːdʒɪˈteɪʃən] *n. U* **1.** *zool.* cofanie *l.* powrót (pokarmu). **2.** *pat.* cofanie się krwi (*w wyniku niedomykalności zastawki*).

rehab [ˈriːˌhæb] *pot. n.* **1.** *U med.* odwyk, leczenie odwykowe; **in ~** na odwyku. **2.** *US* odnowiony budynek. – *v. zwł. pot.* **1.** *med.* leczyć odwykowo. **2.** *US* odnawiać, remontować (*budynek, kwartał*).

rehabilitate [ˌriːəˈbɪlɪˌteɪt] *v.* **1.** resocjalizować (*przestępcę*). **2.** poddawać rehabilitacji, rehabilitować (*osobę niepełnosprawną*). **3.** *polit.* rehabilitować (*polityka*); **be ~d** zostać zrehabilitowanym. **4.** *US* odnawiać, remontować (*budynek, kwartał*); przywracać do stanu używalności (*budynek, pomieszczenie*).

rehabilitation [ˌriːəˌbɪlɪˈteɪʃən] *n. U* **1.** resocjalizacja. **2.** rehabilitacja. **3.** *med.* leczenie uzależnień, leczenie odwykowe. **4.** *US* odnowa, remont.

rehabilitative [ˌriːəˈbɪlɪˌteɪtɪv] *a.* **1.** resocjalizacyjny. **2.** rehabilitacyjny. **3.** *med.* odwykowy. **4.** *US* remontowy.

rehash *v.* [ˌriːˈhæʃ] odgrzewać (*stare pomysły*); powielać, powtarzać (*stare wzorce*). – *n.* [ˈriːˌhæʃ] powtórka, powielenie (*of sth* czegoś).

rehearsal [rɪˈhɜːsl] *n.* *C/U* **1.** *teatr* próba; **dress ~** próba generalna; **in ~** w fazie prób. **2.** *form.* wyliczanie; powtarzanie.

rehearse [rɪˈhɜːs] *v.* **1.** *teatr* robić *l.* odbywać próbę (*sztuki, opery*), próbować. **2.** ćwiczyć (*przemówienie*). **3.** *form.* powtarzać (*pogląd, opinię*); wyliczać, wymieniać.

Reich [raɪk] *n.* **the (Third) ~** *hist., polit.* (Trzecia) Rzesza.

reification [ˌreɪɪfəˈkeɪʃən] *n.* *C/U fil.* urzeczowienie, reifikacja.

reify [ˈreɪɪˌfaɪ] *v.* **-ied, -ying** *fil.* urzeczawiać, reifikować.

reign [reɪn] *polit. l. przen. n.* panowanie; rządy; **~ of terror** rządy terroru. – *v.* panować, władać (*o monarsze, anarchii*); **~ supreme** panować niepodzielnie; **panic ~ed over the city** miasto opanowała *l.* owładnęła panika.

reigning champion [ˌreɪnɪŋ ˈtʃæmpɪən] *n.* *sport* aktualn-y/a mistrz/yni.

reimburse [ˌriːɪmˈbɜːs] *v.* **~ sb for sth** *fin., form.* refundować komuś coś, zwracać komuś koszty czegoś.

reimbursement [ˌriːɪmˈbɜːsmənt] *n.* *C/U fin.* refundacja, zwrot kosztów *l.* wydatków.

reimport *ekon. v.* [ˌriːɪmˈpɔːrt] reimportować. – *n.* [ˌriːˈɪmpɔːrt] **1.** *U* reimport. **2.** *pl.* towary reimportowe.

reimpression [ˌriːɪmˈpreʃən] *n. druk.* przedruk; dodruk.

rein [reɪn] *n. często pl.* **1.** lejce, cugle; szelki (*dla dziecka uczącego się chodzić*); *t. przen.* wodze. **2.** *przen.* **give (full/free) ~ to sth** puścić wodze czemuś (*fantazji, wyobraźni*); **give sb (a) free ~** dać komuś wolną rękę; **hand/take over the ~s** przekazać/przejąć ster *l.* pałeczkę; **keep a tight ~ on sb** (*także* **keep sb on a tight ~**) trzymać kogoś krótko, ograniczać kogoś; **keep a tight ~ on sth** (*także* **keep sth on a tight ~**) ograniczać *l.* kontrolować coś (*np. wydatki, inflację*). – *v.* **~ (back/in)** powściągać (*konia lejcami*); *przen.* powściągać, trzymać na wodzy (*emocje*); powstrzymać, ograniczyć, opanować (*niepożądane zjawiska, działania*); **~ in inflation** *ekon.* opanować inflację.

reincarnate [ˌriːɪnˈkɑːrneɪt] *v.* **1.** *t. rel.* dawać nowe wcielenie (*komuś*), reinkarnować; **be ~d as...** odrodzić się jako..., narodzić się ponownie jako... **2.** *przen.* odgrzebywać (*stare pomysły*).

reincarnation [ˌriːɪnkɑːrˈneɪʃən] *n. t. rel.* **1.** *U* reinkarnacja. **2.** (nowe) wcielenie.

reindeer [ˈreɪnˌdiːr] *n. pl.* **-s** *l.* **reindeer** *zool.* renifer, ren (*Rangifer tarandus*).

reinforce [ˌriːɪnˈfɔːrs], **reenforce** *v.* **1.** wzmacniać (*konstrukcję, budowlę, siły zbrojne*) (*with sth/sb* czymś/kimś *l.* przy pomocy czegoś/kogoś); umacniać, potęgować (*przekonanie*); przemawiać za (*teorią, punktem widzenia*). **2.** zwiększać. – *n.* **1.** wzmocnienie, element wzmacniający. **2.** *broń* obsada (*karabinu*).

reinforced concrete [ˌriːɪnˌfɔːrst ˈkɑːnkriːt] *bud. n.* *U* beton zbrojony, żelbet, żelazobeton. – *a. attr.* żelbetowy.

reinforced plastic *techn. n.* *U* tworzywo sztuczne wzmocnione. – *a. attr.* z tworzywa sztucznego wzmocnionego.

reinforcement [ˌriːɪnˈfɔːrsmənt] *n.* **1.** wzmocnienie (*konstrukcji*); umocnienie (*przeświadczenia*). **2.** *pl. wojsk.* posiłki. **3.** *psych.* wzmocnienie (= *bodziec nagradzający*).

reinstate [ˌriːɪnˈsteɪt] *v. form.* **1.** przywracać na stanowisko (*polityka*); przywracać do pracy (*pracownika*). **2.** przywracać (*przepis*).

reinstatement [ˌriːɪnˈsteɪtmənt] *n.* *form.* **1.** przywrócenie na stanowisko; przywrócenie do pracy. **2.** przywrócenie (*przepisu*).

reinsurance [ˌriːɪnˈʃʊrəns] *n.* *U* (*także* **reassurance**) *ubezp.* reasekuracja.

reinsure [ˌriːɪnˈʃʊr] *v.* (*także* **reassure**) *ubezp.* reasekurować.

reinterpret [ˌriːɪnˈtɜːprət] *v. form.* nadawać nową interpretację (*czemuś*), reinterpretować.

reinterpretation [ˌriːɪnˌtɜːprəˈteɪʃən] *v.* *C/U form.* reinterpretacja.

reinvent [ˌriːɪnˈvent] *v.* **1.** ponownie wynaleźć *l.* odkryć. **2.** *przen.* **~ o.s.** zmienić (swój) image; **~ the wheel** *pot.* wyważać otwarte drzwi, odkrywać Amerykę.

reinvest [ˌriːɪnˈvest] *v. fin.* reinwestować (*środki*).

reinvestment [ˌriːɪnˈvestmənt] *n.* *C/U fin.* reinwestycja.

reissue [ˌriːˈɪʃuː] *n.* wznowienie (*publikacji*); ponowna emisja, reemisja (*akcji, serii znaczków*). – *v.* wznawiać; emitować ponownie.

reiterate [ˌriːˈɪtəreɪt] *v. form.* (wielokrotnie) powtarzać, powtarzać po raz kolejny (*sth/that* coś/że); (wielokrotnie) ponawiać (*prośbę*).

reiteration [ˌriːˌɪtəˈreɪʃən] *n. form.* powtórzenie, ponowienie; *U* powtarzanie, ponawianie.

reiterative [ˌriːˈɪtəˌreɪtɪv] *a. form.* powtarzający się.

reject *v.* [ˈrɪˌdʒekt] **1.** odrzucać (*np. ofertę, podanie, ideologię, uczucie, przeszczep*); nie akceptować (*kogoś*). **2.** *zw. pass.* odmawiać przyjęcia (*komuś l. kogoś, np. do wojska, szkoły*). **3.** *pat.* zwracać. – *n.* [ˈriːdʒekt] **1.** *handl.* odrzut, brak, artykuł wybrakowany *l.* niepełnowartościowy. **2.** odrzucon-y/a kandydat/ka.

rejection [rɪˈdʒekʃən] *n.* **1.** *C/U* odrzucenie (*podania, propozycji, przeszczepu*). **2.** *U* brak akceptacji (*zwł. rodziny, społeczności*); **fear of ~** lęk przed brakiem akceptacji.

rejection slip *n.* odmowa, odpowiedź odmowna (*pismo*).

rejig [riːˈdʒɪg], *US t.* **rejigger** [riːˈdʒɪgər] *v. pot.* zmieniać; przerabiać.

rejoice [rɪˈdʒɔɪs] *v.* **1.** *lit.* radować się (*at/over sth* czymś *l.* z czegoś). **2.** **~ in sth** cieszyć się czymś *l.* z czegoś; *zwł. Br. iron.* mieć wątpliwe szczęście posiadania czegoś (*zwł. dziwnego imienia, nazwiska, nazwy*).

rejoicing [rɪˈdʒɔɪsɪŋ] *n. U lit.* ogólna radość, uciecha (*at / over / in sth* z (powodu) czegoś).

rejoin[1] [ˌriːˈdʒɔɪn] *v.* **1.** wracać *l.* powracać do, ponownie przyłączać się do (*grupy, zespołu*); wracać na łono (*rodziny*); ponownie dołączać do (*kogoś*); *t. polit.* ponownie wstępować do (*partii, organizacji*). **2.** łączyć ponownie (*np. przewody, kawałki*).

rejoin[2] *v.* [rɪˈdʒɔɪn] **1.** *form.* ripostować, replikować. **2.** *prawn.* odpierać zarzuty.

rejoinder [rɪˈdʒɔɪndər] *n.* **1.** *form.* riposta, replika. **2.** *prawn.* odparcie zarzutów.

rejuvenate [rɪˈdʒuːvəˌneɪt] *v. t. przen.* odmładzać (*np. osobę, partię; t. geol. rzeźbę terenu*); odnawiać (*rzecz*).

rejuvenation [rɪˌdʒuːvəˈneɪʃən] *n. U l. sing.* odmłodzenie; odnowienie.

rekey [ˌriːˈkiː] *v. komp.* wprowadzać od nowa (*utracone dane*).

rekindle [ˌriːˈkɪndl] *n.* **1.** odnawiać (*np. zainteresowanie, związek, uczucie*). **2.** zapalać ponownie (*zgaszony płomień*).

rel. *abbr.* **1.** = **relative** *a.*; = **relatively**. **2.** = **released**; *zob.* **release** *v.* 1, 5. **3.** = **religion** 1, 3; = **religious** 1, 3.

relapse [rɪˈlæps] *v.* **1.** *pat.* mieć nawrót *l.* nawroty (choroby). **2.** ~ **into** *form.* popaść *l.* wpaść ponownie w (*np. w depresję, alkoholizm*); wrócić *l.* powrócić na drogę (*np. przestępstwa, oszustwa*); ~ **into silence** (ponownie) zamilknąć. — *n.* **1.** *pat.* nawrót; pogorszenie; **have a** ~ mieć nawrót (choroby). **2.** powrót (*into sth* do czegoś) (*złej praktyki*).

relapsing fever [rɪˌlæpsɪŋ ˈfiːvər] *n. U pat.* dur powrotny.

relate [rɪˈleɪt] *v.* **1.** łączyć, wiązać (*sth to / with sth* coś z czymś). **2.** *form.* relacjonować, opowiadać. **3.** ~ **to sb/sth** doskonale *l.* dobrze rozumieć kogoś/coś (*np. przyjaciela, cierpienie, powody, tekst piosenki*); ~ **to sth** łączyć się z czymś, pozostawać w związku z czymś, wiązać się z czymś.

related [rɪˈleɪtɪd] *a.* **1.** powiązany (*to sth* z czymś). **2.** spokrewniony (*t. = spowinowacony*) (*to sb* z kimś); pokrewny (*np. o gatunkach, dziedzinach*). **3.** *t. pat.* spowodowany (*to sth* czymś); *w złoż.* **stress-**~ spowodowany stresem, związany ze stresem.

relatedness [rɪˈleɪtɪdnəs] *n. U* pokrewieństwo.

relating to [rɪˈleɪtɪŋ tə] *prep.* związany z (*czymś*), dotyczący (*czegoś*).

relation [rɪˈleɪʃən] *n.* **1.** krewn-y/a; *pl.* rodzina; **close/distant** ~ bliski/daleki krewny; **no** ~ nikt z rodziny; **poor** ~ ubogi krewny. **2.** *pl. t. polit.* stosunki (*between* pomiędzy); **bilateral/diplomatic/international/mutual** ~**s** stosunki dwustronne/dyplomatyczne/międzynarodowe/wzajemne; **have (sexual)** ~**s with sb** *przest.* utrzymywać z kimś intymne stosunki, współżyć z kimś (seksualnie). **3.** *C / U* związek, powiązanie; **bear no** ~ **to sth** nie mieć (żadnego) związku z czymś. **4.** stosunek; **in/with** ~ **to sb/sth** w stosunku do kogoś/czegoś, względem kogoś/czegoś. **5.** *form.* relacja, sprawozdanie. **6.** *mat., log., fil.* relacja.

relational [rɪˈleɪʃənl] *a. gram.* wyrażający relacje; *mat., komp.* relacyjny; ~ **database** relacyjna baza danych.

relationship [rɪˈleɪʃənˌʃɪp] *n.* **1.** *t. polit.* stosunki, stosunek (*between* pomiędzy, *with sb* z kimś). **2.** *C / U* związek, powiązanie (*between* pomiędzy) (*np. czynnikami, przyczyną a skutkiem*). **3.** związek (*uczuciowy, fizyczny, zwł. między dwiema osobami*); romans. **4.** *U* pokrewieństwo (*t. = powinowactwo*).

relative [ˈrelətɪv] *a.* **1.** względny; relatywny, stosunkowy; ~ **peace/safety** względny spokój/względne bezpieczeństwo. **2. be** ~ **to sth** zależeć od czegoś. — *n.* **1.** krewn-y/a (*t. = powinowat-y / a*). **2.** *gram.* zaimek *l.* przysłówek względny.

relative clause *n. gram.* zdanie (podrzędne) względne.

relative density *n. U fiz.* gęstość względna.

relative frequency *n. U stat.* częstość względna.

relative humidity *n. U fiz., meteor.* wilgotność względna (*zwł. powietrza*).

relatively [ˈrelətɪvlɪ] *adv.* względnie, stosunkowo, relatywnie; ~ **easy/few** względnie *l.* stosunkowo łatwy/niewiele; ~ **speaking,...** relatywnie (rzecz) biorąc,...; ~ **speaking, John is intelligent** John jest stosunkowo inteligentny.

relative permittivity *n. U el.* przenikalność elektryczna względna.

relative pronoun *n. gram.* zaimek względny.

relative to *prep.* w stosunku do (*czegoś*); w zależności od (*czegoś*).

relativism [ˈrelətɪvˌɪzəm] *n. U fil.* relatywizm.

relativist [ˈrelətɪvɪst] *n. fil.* relatywist-a/ka.

relativistic [ˌrelətɪvˈɪstɪk] *a. fil., fiz.* relatywistyczny (*o poglądach, prędkości, masie*).

relativity [ˌreləˈtɪvətɪ] *n. U* **1.** *fiz.* względność; (*także* **theory of** ~) (*także* ~ **theory**) *fiz.* teoria względności; **general/special (theory of)** ~ ogólna/szczególna teoria względności. **2.** *gł. form.* względność, relatywność.

relax [rɪˈlæks] *v.* **1.** odprężać się, odpoczywać; rozluźniać się, relaksować się; odprężać (*kogoś*). **2.** uspokajać (się). **3.** rozluźniać (*mięśnie, chwyt, dyscyplinę*); rozluźniać się (*o mięśniu, dyscyplinie*). **4.** łagodzić (*przepisy, ograniczenia*); ulegać złagodzeniu (*o przepisach*). **5.** osłabiać (*czujność, koncentrację*). **6.** *gł. US* prostować (*kręcone włosy*).

relaxant [rɪˈlæksənt] *n. i a. gł. med.* (środek) rozluźniający *l.* zwiotczający; **muscle** ~ środek rozluźniający *l.* zwiotczający mięśnie.

relaxation [ˌriːlækˈseɪʃən] *n. C / U* **1.** odprężenie; odpoczynek; relaks. **2.** rozluźnienie (*dyscypliny*). **3.** złagodzenie (*ograniczeń, kary*).

relaxed [rɪˈlækst] *a.* **1.** opanowany, spokojny; wypoczęty, odprężony, zrelaksowany. **2.** leniwy, spokojny (*o nastroju, atmosferze*).

relaxer [rɪˈlæksər] *n. C / U* środek *l.* płukanka do prostowania włosów.

relaxing [rɪˈlæksɪŋ] *a.* odprężający, relaksujący (*np. o muzyce*); rozleniwiający, leniwy (*np. o poranku, popołudniu*).

relay[1] *n.* [ˈriːˌleɪ] **1.** *t. sport* zmiana (*zawodni-*

ców, koni); **in ~s** na zmianę. **2.** *sport* zmiana; odcinek (*sztafety*); *pot.* = **relay race**. **3.** *el., telew., radio, tel.* przekaźnik. – *v.* [ˈriːˌleɪ] **1.** przekazywać (*sth to sb* coś komuś) (*zwł. wiadomości*). **2.** *telew. radio* retransmitować; *Br.* transmitować, nadawać. **3.** zmienić, zluzować (*pracownika, brygadę*).

relay[2] *v.* [ˌriːˈleɪ] kłaść od nowa (*wykładzinę*).

relay race *n. sport* sztafeta.

release [rɪˈliːs] *v.* **1.** uwalniać; zwalniać (*from sth* z *l.* od czegoś) (*z więzienia, klatki, od obowiązku*). **2.** podawać do publicznej wiadomości, udostępniać, ujawniać; publikować (*informacje, dokumenty*). **3.** *mech.* zwalniać (*blokadę, hamulec*). **4.** *t. psych., fizj., chem., med.* uwalniać (*napięcie, złość, energię, hormon, produkt reakcji, substancję czynną*). **5.** wypuszczać (*film, płytę*). **6.** wypuszczać, puszczać, upuszczać (*trzymaną rzecz*). **7.** *euf.* zwalniać (*z pracy*). **8.** spuszczać (*pocisk, bombę*). **9.** *prawn.* zrzekać się (*sth to sb* czegoś na rzecz kogoś). – *n.* **1.** *U l. sing.* zwolnienie (*from sth* z *l.* od czegoś) (*z więzienia, stanowiska, od obowiązku*); *t. psych., fizj., chem.* uwolnienie (*emocji, hormonu, produktu reakcji, substancji czynnej*). **2.** *U* ulga, uczucie ulgi; uczucie wyzwolenia. **3.** *film, muz.* produkcja (*film l. płyta*); **sb's latest ~** (*także* **latest ~ from sb**) czyjś najnowszy film *l.* album; **in** *US*/**on** *Br.* **(general) release** na ekranach kin (*o nowym filmie*). **4.** *dzienn.* oświadczenie; **press ~** oświadczenie prasowe. **5.** *U* publikacja, opublikowanie; podanie do publicznej wiadomości, ujawnienie, udostępnienie. **6.** *mech.* wyzwalacz, zwalniacz; spust. **7.** *prawn.* zrzeczenie się (*czynność l. dokument*).

relegate [ˈreləˌgeɪt] *v.* **1.** *gł. form.* usuwać, spychać; degradować (*to (the role of) sth* do (roli) czegoś). **2.** *gł. Br. sport* degradować (*drużynę*); **be ~d** spaść, zostać zdegradowanym (*do niższej ligi*).

relegation [ˌreləˈgeɪʃən] *n. U* **1.** *form.* usunięcie, zepchnięcie; degradacja. **2.** *sport* spadek, degradacja.

relent [rɪˈlent] *v. gł. form.* **1.** ustępować, ulegać, uginać się (*o osobie*). **2.** złagodnieć, zelżeć (*o wietrze*).

relentless [rɪˈlentləs] *a.* nieustępliwy, nieprzejednany, nieugięty (*o osobie*) (*in sth* w czymś); bezlitosny (*o walce*); bezustanny (*o wietrze, deszczu*).

relentlessly [rɪˈlentləslɪ] *adv.* nieustępliwie, nieprzejednanie, nieugięcie; bezlitośnie; bezustannie.

relentlessness [rɪˈlentləsnəs] *n. U* nieustępliwość, nieprzejednanie, nieugiętość (*in sth* w czymś); bezlitosność; bezustanność.

relevance [ˈreləvəns] *rzad.* **relevancy** [ˈreləvənsɪ] *n. U* znaczenie; istotność (*faktu*); stosowność, trafność (*uwagi*); **have ~ to sb/sth** mieć związek z kimś/czymś; być istotnym dla kogoś/czegoś, mieć znaczenie dla kogoś/czegoś; **of ~ to sb/sth** *form.* istotny dla kogoś/czegoś.

relevant [ˈreləvənt] *a.* **1.** istotny; znaczący; ważny (*to sth / sb* dla czegoś/kogoś); *jęz.* istotny, relewantny, dystynktywny (*o cechach dźwięku*); **be ~ to sb/sth** być istotnym dla kogoś/czegoś, mieć związek z kimś/czymś, mieć znaczenie dla kogoś/czegoś. **2.** stosowny, odnośny; dany (*o przepisie, dziele, artykule, rozdziale*).

relevantly [ˈreləvəntlɪ] *adv.* **1.** istotnie; znacząco. **2.** na temat (*mówić, pisać*).

reliability [rɪˌlaɪəˈbɪlətɪ] *n. U* **1.** solidność, rzetelność (*osoby, firmy*). **2.** niezawodność (*urządzenia*). **3.** pewność (*źródła informacji*).

reliable [rɪˈlaɪəbl] *a.* **1.** solidny, rzetelny (*o osobie, fachowcu, firmie, usłudze*). **2.** niezawodny (*o urządzeniu*). **3.** pewny (*o źródle informacji*); **sb/sth is (not) ~** (nie) można na kimś/czymś polegać.

reliably [rɪˈlaɪəblɪ] *adv.* **1.** solidnie, rzetelnie (*pracować; o osobie*). **2.** niezawodnie (*pracować; o urządzeniu*). **3.** rzetelnie, pewnie (*informować*); **be ~ informed that...** dowiedzieć się *l.* wiedzieć z pewnego *l.* wiarygodnego źródła, że...

reliance [rɪˈlaɪəns] *n. U* **~ on sb/sth** poleganie na kimś/czymś (*np. na przyjacielu, komunikacji miejskiej*); zaufanie do kogoś/czegoś; ufność w kogoś/coś; **~ on sth** uzależnienie od czegoś (*np. od surowców, mocarstwa, lekarstwa, narkotyków*); **place ~ on sb/sth** polegać na kimś/czymś.

reliant [rɪˈlaɪənt] *a.* **be ~ on sb/sth** być zależnym *l.* uzależnionym od kogoś/czegoś.

relic [ˈrelɪk] *n.* **1.** relikt, pozostałość, przeżytek (*dawnych obyczajów, czasów*). **2.** *rel.* relikwia. **3.** *żart.* staroć. **4.** *pl. arch.* szczątki, zwłoki.

relict [ˈrelɪkt] *n.* **1.** *geol., ekol., biol.* relikt. **2.** *arch.* wdowa.

relief [rɪˈliːf] *n.* **1.** *U l. sing.* ulga; pocieszenie; odprężenie; **it's a ~ (that)...** pocieszające jest, że...; **sigh of ~** westchnienie ulgi; **what a ~!** co za ulga!. **2.** *U* uśmierzenie, złagodzenie (*of / from sth* czegoś); **pain ~** *med.* uśmierzanie *l.* leczenie bólu. **3.** *U* pomoc; **international/famine ~** pomoc międzynarodowa/dla głodujących. **4.** *U gł. US* zasiłek, zapomoga; **be on ~** pobierać zasiłek, być na zasiłku. **5.** zmienni-k/czka; zmiana; **~ driver** *mot.* zmienni-k/czka (*kierowca*). **6.** *lit.* odsiecz; odbicie z rąk wroga, oswobodzenie (*of sth* czegoś) (*oblężonego miasta*). **7.** *sztuka* relief, płaskorzeźba. **8.** *geogr.* rzeźba terenu. **9.** **in ~** wypukły, plastyczny (*np. o ozdobie, globusie*). **10.** *przen.* **bring out the facts in full ~** ukazywać *l.* uwypuklać fakty z całą wyrazistością; **light/comic ~** lżejszy *l.* pogodny *l.* wesoły fragment (*w książce, filmie, sztuce*); **stand out in bold/sharp/stark ~** wyraźnie odróżniać *l.* odcinać się (od tła); rzucać się w oczy; **to my/your/his ~,...** na szczęście,...

relief map *n. kartogr.* mapa plastyczna.

relief printing *n. U druk.* druk wypukły.

relief road *n. Br. mot.* objazd.

relieve [rɪˈliːv] *v.* **1.** przynosić ulgę *l.* pomoc w (*czymś*); ulżyć w (*czymś*); łagodzić (*ból, cierpienie*), uśmierzać (*ból*); rozładowywać (*np. napięcie, zagęszczenie ruchu drogowego*). **2.** *form.* nieść pomoc (*np. cierpiącym, ofiarom*). **3.** zmieniać, zluzowywać (*wartownika, pracownika* *zmianowego*). **4.** *wojsk. form.* oswobodzić (*oblężone miasto*). **5.** ~ **one's feelings** ulżyć sobie (*np. przeklinając, wyładowując na kimś złość*); ~ **o.s.** *przest. euf.* załatwiać się (= *oddawać mocz*); **to ~ the boredom/monotony** dla urozmaicenia. **6.** ~ **sb of sth** *form.* odwołać *l.* zdymisjonować kogoś z czegoś (*ze stanowiska, dowództwa*); zwalniać kogoś z czegoś (*z uciążliwego obowiązku*); przejmować od kogoś coś (*ciężar*), pomagać komuś przy czymś (*np. niesieniu bagażu*); *żart.* pozbawić kogoś czegoś (= *ukraść*).

relieved [rɪˈliːvd] *a.* **be/feel** ~ odczuwać ulgę; **I was ~ that/when/to hear...** ulżyło mi, że/kiedy/kiedy usłyszałem...; **visibly** ~ z wyraźną ulgą.

relieving force [rɪˈliːvɪŋ ˌfɔːrs] *n. wojsk.* posiłki.

relievo [rɪˈliːvoʊ] *n. pl.* **-s** *sztuka* relief, płaskorzeźba.

religion [rɪˈlɪdʒən] *n.* **1.** *C / U* religia; **get** ~ *pot.* stać się religijnym (*zwł. nieoczekiwanie*); **practice a** ~ wyznawać religię; **the Christian** ~ religia chrześcijańska. **2.** *sing. przen.* pasja, obsesja; **sth is a ~ for sb** coś jest czyjąś obsesją *l.* pasją; **make sth a** ~ uczynić z czegoś obsesję. **3.** *U zwł. rz.-kat.* stan zakonny.

religionism [rɪˈlɪdʒəˌnɪzəm] *n. U form.* fanatyzm (religijny); dewocja, bigoteria.

religionist [rɪˈlɪdʒənɪst] *n. form.* fanaty-k/czka (religijn-y/a); dewot/ka, bigot/ka.

religiose [rɪˌlɪdʒɪˈoʊs] *a. form.* dewocyjny, bigoteryjny; fanatyczny.

religiosity [rɪˌlɪdʒɪˈɑːsətɪ] *n. U form.* fanatyzm (religijny); dewocja, bigoteria.

religious [rɪˈlɪdʒəs] *a.* **1.** religijny (*o osobie*); wyznaniowy (*o sprawach*); ~ **freedom** wolność wyznania; **be** ~ wierzyć w Boga; **deeply** ~ głęboko religijny. **2.** pieczołowity, skrupulatny, sumienny; pedantyczny. **3.** zakonny. – *n. pl.* **religious** zakonni-k/ca.

religiously [rɪˈlɪdʒəslɪ] *adv.* **1.** pieczołowicie, skrupulatnie, sumiennie; pedantycznie. **2.** religijnie (*np. obojętny; postępować*).

religiousness [rɪˈlɪdʒəsnəs] *n. U* **1.** religijność. **2.** skrupulatność, sumienność; pedanteria.

relinquish [rɪˈlɪŋkwɪʃ] *v. form.* **1.** zrzekać się (*sth (to sb)* czegoś (na rzecz kogoś)) (*np. władzy, stanowiska, prawa*); zarzucać (*plan, przekonania, zwyczaj*); zaniechać (*wysiłków*); rezygnować z (*kariery*). **2.** wypuszczać (*przedmiot*); ~ **one's hold/grip on sth** *t. przen.* wypuszczać coś z rąk (*np. kierownicę, władzę*).

relinquishment [rɪˈlɪŋkwɪʃmənt] *n. U form.* zrzeczenie się; zarzucenie, zaniechanie; rezygnacja.

reliquary [ˈreləˌkwerɪ] *n. pl.* **-ies** *kość.* relikwiarz.

relish [ˈrelɪʃ] *v.* **1.** rozkoszować się (*np. pobytem, myślą, potrawą*); znajdować przyjemność *l.* rozkosz w (*czynności*); rozsmakować się w (*czynności, potrawie*); **not ~ sth/doing sth** nie przepadać za czymś/robieniem czegoś; **not ~ the prospect/thought/idea of (doing) sth** nie być zachwyconym perspektywą (robienia) czegoś. **2.** *kulin.* przyprawiać (*potrawę*). – *n.* **1.** *C / U kulin.* przyprawa smakowa (*sos, marynata*); pikle. **2.** *U l. sing.* przyjemność, rozkosz; ochota; **with (great)** ~ z (dużą) przyjemnością *l.* ochotą. **3.** *U l. sing.* zamiłowanie (*for sth* do czegoś). **4.** *U l. sing. kulin.* smak, smaczek, aromat; *przen.* posmak.

relive [rɪˈlɪv] *v.* przeżywać na nowo *l.* powtórnie (*życie, przygodę*); doświadczać na nowo *l.* powtórnie (*czegoś*).

relocate [ˌriːˈloʊkeɪt] *v.* przeprowadzać (się), przenosić (się) (*to sth* gdzieś *l.* do czegoś) (*do miejsca, lokalu, siedziby*).

relocation [ˌriːloʊˈkeɪʃən] *n. U* **1.** przeniesienie, przeprowadzka (*siedziby*). **2. witness ~ (program)** *US prawn.* ochrona świadków koronnych (*polegająca na zmianie tożsamości i miejsca zamieszkania*).

reluctance [rɪˈlʌktəns] *n. U l. sing.* **1.** niechęć; opór. **2.** *el., fiz.* reluktancja, opór magnetyczny.

reluctant [rɪˈlʌktənt] *a.* niechętny; oporny, opierający się; **be ~ to do sth** nie kwapić się z czymś *l.* do czegoś.

rely [rɪˈlaɪ] *v.* **-ied, -ying ~ on/upon sb/sth** polegać na kimś/czymś, liczyć na kogoś/coś; zależeć od kogoś/czegoś; ~ **on sb to do sth/doing sth** liczyć na to, że ktoś coś zrobi; ~ **on sth/sb for sth** być uzależnionym od czegoś/kogoś, jeśli chodzi o coś.

REM [ˌɑːr ˌiː ˈem] *abbr. fizj.* = **rapid eye movement**; ~ **sleep** faza paradoksalna, faza REM (*snu*).

rem [rem] *n. fiz.* rem (*jednostka dawki promieniowania*).

remade [ˌriːˈmeɪd] *v. zob.* **remake**.

remain [rɪˈmeɪn] *v.* **1.** zostawać (*na miejscu, w domu, z kimś*); pozostawać (*na miejscu, w pamięci*). **2.** zachowywać się, pozostawać, przetrwać (*o szczątkach*). **3.** ~ **to be done** zostawać *l.* pozostawać do zrobienia; **I ~ (yours truly)** *form.* (pozostaję) z poważaniem (*w zakończeniu listu*); **it (only) ~s for me to do sth** *form.* pozostaje mi (tylko) zrobić coś; **it ~s to be seen if/whether/what/who...** czas pokaże, czy/co/kto..., dopiero się okaże, czy/co/kto...; **the fact ~s (that)...** nie zmienia to faktu, że..., pozostaje faktem, że...

remainder [rɪˈmeɪndər] *n. U* **1. the** ~ reszta, pozostałość, pozostała część, resztka (*of sth* czegoś). **2.** *mat.* reszta (*z dzielenia*). **3.** *handl.* remanenty, nadwyżka nakładu (*książek*). – *v. handl.* upłynniać remanenty, sprzedawać nadwyżkę (*nakładu po obniżonej cenie*).

remains [rɪˈmeɪnz] *n. pl.* **1. the** ~ szczątki (*of sb / sth* kogoś/czegoś); pozostałości. **2.** (*także* **literary** ~) nieopublikowane utwory (*zmarłego pisarza*).

remake *n.* [ˈriːˌmeɪk] przeróbka (*utworu*); *film* nowa wersja, remake. – *v.* [ˌriːˈmeɪk] **remade** przerabiać (*utwór*); przygotowywać *l.* kręcić nową wersję (*filmu*).

remand [rɪˈmænd] *gł. Br. prawn. v.* **1. be ~ed** zostać zwolnionym za kaucją; **be ~ed in custody** przebywać w areszcie (śledczym). **2.** odsyłać (*sprawę do sądu niższej instancji; oskarżonego, skazanego*). – *n. U* **be on** ~ przebywać w areszcie (śledczym).

remand centre *n.* **1.** = **remand home**. **2.** = **remand prison.**

remand home *n.* (*także* **remand centre**) *Br. prawn.* schronisko dla nieletnich (*oczekujących na proces*).

remand prison *n.* (*także* **remand centre**) *Br. prawn.* areszt.

remand prisoner *n. Br. prawn.* aresztant/ka, aresztowan-y/a.

remanence [ˈremənəns] *n. U fiz.* remanencja *l.* pozostałość magnetyczna, magnetyzm szczątkowy.

remanent magnetism [ˌremənənt ˈmægnəˌtɪzəm] *n. U geol., fiz.* magnetyzm szczątkowy, namagnesowanie szczątkowe.

remark [rɪˈmɑːrk] *n.* **1.** uwaga, komentarz; **make/pass a ~** poczynić *l.* zrobić uwagę. **2.** *U przest.* uwaga; **(worthy) of ~** wart *l.* godzien uwagi. – *v.* **1.** zauważyć, zrobić uwagę (*that* że). **2.** **~ on/upon sth** zauważyć coś; zrobić uwagę na temat czegoś; nie omieszkać wspomnieć o czymś.

remarkable [rɪˈmɑːrkəbl] *a.* **1.** niezwykły, nadzwyczajny; **there's nothing ~ about it** nie ma w tym nic niezwykłego *l.* nadzwyczajnego. **2.** **be ~ for sth** słynąć z czegoś.

remarkably [rɪˈmɑːrkəblɪ] *adv.* **1.** niezwykle, nadzwyczajnie; **~ similar** uderzająco podobny. **2.** **~,...** co zdumiewające,...

remarry [ˌriːˈmerɪ] *v.* **-ied, -ying** wychodzić ponownie za mąż (*o wdowie, rozwódce*); żenić się ponownie (*o wdowcu, rozwodniku*).

remaster [ˌriːˈmɑːstər] *n. muz.* zrobić remastering, dokonywać remasteringu (*płyty, nagrania, utworu*), zgrywać (cyfrowo).

remastering [ˌriːˈmɑːstərɪŋ] *n. U* (*także* **digital ~**) *muz.* remastering, zgranie (cyfrowe) (*utworu*).

rematch [ˈriːˌmætʃ] *n. sport* rewanż, mecz rewanżowy.

remedial [rɪˈmiːdɪəl] *a. form.* **1.** zaradczy, naprawczy; zapobiegawczy (*o działaniu*); **~ measures** środki zapobiegawcze. **2.** *med.* rehabilitacyjny, korekcyjny (*o ćwiczeniach*). **3.** *gł. Br. szkoln.* wyrównawczy (*o kursie, zajęciach*).

remedy [ˈremədɪ] *n. pl.* **-ies** *gł. form.* **1.** środek (zaradczy); remedium, rada (*for sth* na coś); rozwiązanie, sposób naprawy (*for sth* czegoś). **2.** *med.* środek, lekarstwo (*for sth* na coś). **3.** *prawn.* zadośćuczynienie. **4.** *fin.* remedium (= *tolerancja monety*). **5.** **beyond/past/without ~** *form.* nie do naprawienia. – *v.* **-ied, -ying** *form.* **1.** zaradzić (*problemowi*); naprawić (*sytuację*). **2.** *med.* leczyć (*chorobę*).

remember [rɪˈmembər] *v.* **1.** pamiętać, nie zapominać (*that* że, *if/whether/what/how/where/why* czy/co/jak/gdzie/dlaczego); pamiętać o (*kimś l. czymś*); **~ doing sth** pamiętać, że *l.* jak się coś zrobiło; **~ sb doing sth** pamiętać, że *l.* jak ktoś coś zrobił; **~ to do sth** pamiętać, żeby coś zrobić; **~ clearly** wyraźnie pamiętać; **~ correctly/rightly/well** dobrze pamiętać; **distinctly/vividly ~** wyraźnie pamiętać; **scarcely ~** prawie nie pamiętać (*kogoś l. czegoś*); **vaguely/dimly ~** pamiętać jak przez mgłę. **2.** przypominać sobie (*that* że, *if/whether/what/how/where/why* czy/co/jak/gdzie/dlaczego). **3.** czcić pamięć (*kogoś l. czegoś*); czcić (*zwł. zmarłych*). **4.** **~ me to your sister/husband** *form.* proszę pozdrowić ode mnie siostrę/małżonka; **~ sb in one's will** nie zapomnieć o kimś *l.* nie pominąć kogoś w testamencie; **~ sb in one's prayers** *rel.* modlić się za kogoś; **be ~ed for sth/as sth** pozostawać w pamięci dzięki czemuś/jako ktoś, być sławnym *l.* słynąć z czegoś/jako ktoś.

remembrance [rɪˈmembrəns] *n. gł. form.* **1.** *C/U* pamięć; wspomnienie (*of sb/sth* o kimś/czymś *l.* kogoś/czegoś); **~ service for sb** *rel.* nabożeństwo w czyjejś intencji; **in ~ of sb/sth** ku pamięci kogoś/czegoś; **in sb's ~** za czyjejś pamięci. **2.** pamiątka. **3.** *pl.* pozdrowienia.

Remembrance Day *n. Br. i Can.* **1.** Dzień Pamięci (*poległych, zwł. w wojnach światowych, obchodzony 11 listopada*). **2.** (*także* **Remembrance Sunday**) Dzień Pamięci, Niedziela Pamięci (*poległych zwł. w wojnach światowych, obchodzona w niedzielę najbliższą 11 listopada*).

remigrate [ˈreməˌgreɪt] *v. biol., polit., socjol.* reemigrować.

remigration [ˌreməˈgreɪʃən] *n. U biol., polit., socjol.* reemigracja.

remind [rɪˈmaɪnd] *v.* **1.** przypominać (*sb about sth* komuś o czymś, *sb (that)* komuś, że); **~ sb if/whether/what/how/where/why** przypomnieć komuś, czy/co/jak/gdzie/dlaczego; **~ o.s. to do sth** (starać się) pamiętać *l.* nie zapomnieć o czymś *l.* zrobieniu czegoś; **don't remind me!** *pot.* musiał-eś/aś mi przypomnieć?, lepiej nie wspominaj!; **let me ~ you (that)...** (*także* **may I ~ you (that)...**) *form.* pozwolę sobie przypomnieć Pan-u/i, że..., pragnę *l.* chciałbym przypomnieć, że...; **that ~s me** *pot.* co mi przypomina, (że...). **2.** **~ sb of sb/sth** przypominać komuś kogoś/coś (*zwł. wyglądem*).

reminder [rɪˈmaɪndər] *n.* **1.** przypomnienie (*of/about sth* o czymś); **serve as/be a ~ that...** przypominać, że... (*o zjawiskach, zdarzeniach, przedmiotach*). **2.** upomnienie, ponaglenie (*listowne*).

reminisce [ˌreməˈnɪs] *v. form.* snuć wspomnienia (*about sth* o czymś); wspominać (*about sth* coś).

reminiscence [ˌreməˈnɪsəns] *n.* **1.** *C/U, często pl. form.* wspomnienie, reminiscencje; **~s of/about the war** wspomnienia z czasów wojny. **2.** *U fil.* anamneza (*u Platona*).

reminiscent [ˌreməˈnɪsənt] *a. gł. form.* **1.** **be ~ of sth** przypominać coś (*zwł. wyglądem*). **2.** *attr.* rozmarzony, pełen wspomnień.

remise [rɪˈmaɪz] *v. prawn.* zrzekać się (*prawa, własności*).

remiss [rɪˈmɪs] *a. pred. form.* niedbały; **be ~ in one's duties** zaniedbywać obowiązki; **it is/was ~ of sb to do sth** coś jest/było zaniedbaniem *l.* niedbalstwem z czyjejś strony.

remissible [rɪˈmɪsəbl] *a. form.* wybaczalny.

remission [rɪˈmɪʃən] *n.* **1.** *C/U med., pat.* remisja, tymczasowe ustąpienie objawów (*from sth* czegoś) (*zwł. raka*); **go into ~** przejść w fazę *l.* stadium remisji; **in ~** w fazie *l.* stadium remisji. **2.** *U* (*także* **~ of sins**) *rel.* odpuszczenie (grzechów). **3.** *U form.* przebaczenie. **4.** *C/U Br. prawn.* przedterminowe zwolnienie (*z więzienia za dobre zachowanie*). **5.** *U prawn.* umorzenie, darowanie (*długu*). **6. without ~** *przen.* bezlitośnie.

remit *v.* [rɪ'mɪt] **-tt-** *form.* **1.** *gł. fin.* przesyłać, przekazywać (*płatność, propozycję, zapytanie*) (*to sb / sth* komuś/do czegoś). **2.** *gł. prawn.* odsyłać, przekazywać (*sprawę*) (*to sb / sth* do kogoś/czegoś) (*do sądu, zwł. niższej instancji, komisji*). **3.** *t. prawn.* darować (*dług, karę, część wyroku*); złagodzić, zmniejszyć (*wymiar kary, surowość, natężenie*); odstąpić od, zaniechać (*wymierzenia kary*); umorzyć (*dług*). **4.** *t. rel.* odpuszczać, przebaczać (*grzechy, winy*). **5.** osłabiać (*gniew, czujność*); słabnąć (*o wietrze, gniewie*). **6.** przywracać (*coś do pierwotnego stanu*). **7.** odraczać, odkładać. – *n.* ['riːˌmɪt] *U l. sing.* **1.** *Br. form.* zakres uprawnień, uprawnienia; zadanie. **2.** odesłanie sprawy do sądu niższej instancji.

remittance [rɪ'mɪtəns] *n. form. fin.* kwota (*przekazana, przesłana*); przekaz (pieniężny); przelew; opłata, pokrycie (należności); **on ~ of sth** po przekazaniu czegoś (*kwoty, płatności*).

remittent [rɪ'mɪtənt] *a. pat.* napadowy, nasilający się *l.* słabnący okresowo, zwalniający (*o chorobie, objawach*).

remix *muz. n.* [ˌriː'mɪks] remiks (*utworu*). – *v.* ['riːˌmɪks] nagrywać remiks (*utworu*).

remnant ['remnənt] *n.* **1.** *zw. pl.* pozostałość, resztka (*np. posiłku, dawnej świetności, sławy*). **2.** *handl.* końcówka, resztka (*tkaniny po niższej cenie*). **3.** ślad (*uczucia*).

remodel [ˌriː'mɑːdl] *v. Br.* **-ll- 1.** przerabiać (*pomieszczenie, budynek*). **2.** *t. chir.* odtwarzać (*uszkodzoną część ciała*).

remonetize [ˌriː'mɑːnəˌtaɪz], *Br. i Austr. zw.* **remonetise** *v. fin.* przywracać jako środek płatniczy (*srebro*).

remonstrance [rɪ'mɑːnstrəns] *n. C/U form.* remonstracja, protest.

remonstrant [rɪ'mɑːnstrənt] *a. i n. form.* protestujący.

remonstrate ['remənˌstreɪt] *v. form.* zgłaszać (głośne) protesty (*with sb* do kogoś, *about / against sth* przeciwko czemuś).

remonstrative [rɪ'mɑːnstrətɪv] *a. form.* remonstracyjny, protestacyjny.

remontant [rɪ'mɑːntənt] *ogr. a.* kwitnący kilka razy do roku. – *n.* remontant (= *roślina, zwł. róża, kwitnąca kilka razy do roku*).

remorse [rɪ'mɔːrs] *n. U form.* wyrzuty sumienia, skrucha; **be filled with ~** mieć wyrzuty sumienia; **feel ~ for/about sth** mieć wyrzuty sumienia z powodu czegoś; **without ~** bez skrupułów.

remorseful [rɪ'mɔːrsfʊl] *a.* skruszony; **be ~ for sth** mieć wyrzuty sumienia z powodu czegoś.

remorsefully [rɪ'mɔːrsfʊlɪ] *adv.* ze skruchą.

remorseless [rɪ'mɔːrsləs] *a.* **1.** niemiłosierny (*o bólu, hałasie*). **2.** bez skrupułów, bezlitosny (*o osobie, postępowaniu*).

remorselessly [rɪ'mɔːrsləslɪ] *adv.* **1.** niemiłosiernie. **2.** bez skrupułów, bezlitośnie.

remote [rɪ'moʊt] *a.* **1.** odległy, daleki, oddalony (*w czasie, przestrzeni, stopniu pokrewieństwa*) (*from sb / sth* od kogoś/czegoś). **2.** odizolowany (*o zakątku, wiosce*). **3.** znikomy, niewielki, bardzo mały (*zwł. o szansach, możliwościach*); **a ~ chance/possibility** znikome prawdopodobieństwo. **4.** nieprzystępny, zamknięty w sobie (*o osobie*). **5.** *techn.* zdalny (*o sterowaniu, przesyle informacji*). **6.** mglisty, słaby (*o pojęciu*); **not have the ~st idea** nie mieć zielonego *l.* bladego pojęcia (*if / whether / what / how / where / why* czy/co/jak/gdzie/dlaczego). – *n.* **1.** pilot (*do telewizora, wieży*). **2.** *telew., radio* przekaz zewnętrzny. **3.** *komp.* = **remote computer**.

remote access *n. U komp.* zdalny dostęp.

remote computer *n. U komp.* jednostka zdalna, komputer zdalny.

remote control *n.* **1.** pilot (*do telewizora, wieży*). **2.** *U techn.* zdalne sterowanie.

remote-controlled [rɪˌmoʊtkən'troʊld] *a. techn.* zdalnie sterowany.

remotely [rɪ'moʊtlɪ] *adv.* **1.** daleko (*np. spokrewniony*). **2.** *z neg.* **not (even) ~...** w najmniejszym stopniu nie..., ani trochę nie...; **I'm not ~ interested** zupełnie *l.* ani trochę mnie to nie interesuje; **they are not ~ similar** w ogóle nie są (do siebie) podobn-i/e.

remoteness [rɪ'moʊtnəs] *n. U* oddalenie.

remote sensing *n. U techn.* teledetekcja.

remote sensor *n. techn.* teledetektor, urządzenie teledetekcyjne.

rémoulade [ˌreɪmə'lɑːd] *n. U kulin.* rodzaj sosu tatarskiego.

remould *n.* ['riːˌmoʊld] *Br. mot.* opona powtórnie bieżnikowana. – *v.* [ˌriː'moʊld] **1.** *form.* przekształcać; nadawać nową formę (*organizacji*). **2.** *Br. mot.* powtórnie bieżnikować (*oponę*).

remount *v.* [ˌriː'mæʊnt] **1.** montować *l.* instalować ponownie (*element, część*). **2.** wsiadać ponownie na (*rower, motocykl, konia*); dosiadać ponownie (*konia*). – *n.* ['riːˌmaʊnt] zmiana koni *l.* konia; nowy koń.

removable [rɪ'muːvəbl] *a.* **1.** zdejmowany (*o pokrowcu, zamknięciu, obudowie*); odpinany (*o rękawach, podpince, kapturze*); wyjmowany (*o przewodzie, wtyczce*). **2.** *komp.* wymienny, wyjmowany (*o dysku, nośniku danych*). **3.** usuwalny (*o śladach, plamach*).

removal [rɪ'muːvl] *n.* **1.** *U* usuwanie; usunięcie (*odpadów, plam, osoby ze stanowiska*); **~ from office** usunięcie ze stanowiska. **2.** *gł. Br.* przeprowadzka; **~s** przeprowadzki (*w ogłoszeniach*).

removal company *n. pl.* **-ies** *gł. Br.* firma przeprowadzkowa.

removal van *n. Br.* wóz meblowy (*do przeprowadzek*).

remove [rɪ'muːv] *v.* **1.** usuwać (*np. plamę, plakat, plik, przeszkodę, włosy, narośl, niewygodnego świadka*); **~ sb from office** usunąć kogoś ze stanowiska. **2.** wywozić (*śmieci, odpady*); wynosić (*książki z czytelni*). **3.** zdejmować (*np. ubra-*

nie, kapelusz, ogłoszenie). **4.** schodzić (*o plamie z ubrania*). **5.** *przest.* przeprowadzać się, wyprowadzać się (*from... to...* z... do...). **6.** ~ **sb's doubts/fears/suspicions (about sth)** rozwiać czyjeś wątpliwości/obawy/podejrzenia (co do czegoś). – *n. form.* **1.** dystans, odległość, stopień oddalenia; **at this** ~ z tej odległości; **at one** ~ **from sth** (*także* **(but) a short** ~ **from sth**) (tylko) o krok od czegoś (*np. od wojny, oskarżenia, szaleństwa*); **be several/many** ~**s from sth** mieć niewiele wspólnego z czymś (*np. z prawdą*). **2.** zmiana lokalizacji *l.* miejsca pobytu, przeprowadzka. **3.** *przest.* danie.

removed [rɪ'mu:vd] *a.* **1.** *form.* daleki, oddalony, znacznie odbiegający (*from sth* od czegoś) (*np. od prawdy, ideału*); **far** ~ **from the truth** daleki od prawdy; **be** ~ **from the truth** mijać się z prawdą; ~ **from sb** *przest.* schowany przed kimś. **2. cousin once/twice/three times** ~ kuzyn/ka w pierwszej/drugiej/trzeciej linii.

remover [rɪ'mu:vər] *n.* **1.** *C / U* środek usuwający; (*także* **lime** ~) środek do usuwania kamienia; (*także* **(nail-)varnish** ~) zmywacz (do paznokci); (*także* **make-up** ~) płyn do demakijażu; (*także* **paint** ~) rozpuszczalnik; **stain** ~ odplamiacz; (*także* **wall-paper** ~) płyn do usuwania tapet. **2.** *Br.* ekspedytor (*mebli*). **3.** *Br.* pracowni-k/ca firmy przeprowadzkowej; *t. pl.* firma przeprowadzkowa.

remunerate [rɪ'mju:nəˌreɪt] *v. form.* **1.** wynagradzać (*sb for sth* kogoś za coś); wypłacać wynagrodzenie (*sb for sth* komuś za coś). **2.** rekompensować (*sb for sth* komuś coś).

remuneration [rɪˌmju:nə'reɪʃən] *n. C / U* **1.** wynagrodzenie (*for sth* za coś). **2.** rekompensata (*for sth* za coś).

remunerative [rɪ'mju:nəˌreɪtɪv] *a. form.* przynoszący wynagrodzenie *l.* dochód; zyskowny.

renaissance [ˌrenə'sɑ:ns] *n. sing.* **1. the R**~ *hist.* renesans, Renesans, odrodzenie, Odrodzenie. **2.** renesans, odrodzenie (*of sth* czegoś). – *a. attr.* **R**~ renesansowy (*o architekturze, sztuce, ogrodach*); **R**~ **man** człowiek renesansu (= *osoba wszechstronna*).

renal ['ri:nl] *a. attr. anat., fizj., pat.* nerkowy, dotyczący nerek *l.* nerki.

renal clearance *n. fizj.* klirens nerkowy.

renal pelvis *n. anat.* miedniczka nerkowa.

renal tubule *n. anat.* kanalik nerkowy.

rename [ri:'neɪm] *v.* ~ **sth (sth)** przemianować coś (na coś), zmienić nazwę czegoś (na coś).

renascence [rɪ'næsəns] *n.* = **renaissance**.

renascent [rɪ'næsənt] *a. attr. form.* odradzający się.

rend ['rend] *v. pret. i pp.* **rent** *lit.* **1.** rozdzierać, rozrywać, drzeć, targać; ~ **the air** rozdzierać powietrze (*o krzyku*). **2.** wydzierać (siłą) (*sb / sth from sb* kogoś/coś komuś).

render ['rendər] *v. form.* **1.** czynić; ~ **sth useless/sb powerless** uczynić coś bezużytecznym/kogoś bezbronnym. **2.** *t. sztuka* przedstawiać, oddawać (*sth as sth* coś jako coś *l.* w jakiś sposób). **3.** wyrażać (*w mowie, na piśmie*). **4.** składać (*przeprosiny, wyjaśnienie, sprawozdanie*). **5.** *przest.* przekładać; ~ **sth into English/Polish** przełożyć coś na język angielski/polski. **6.** *bud.* obrzucać (*ścianę; = kłaść tynk surowy*). **7.** ~ **an account of sth** zdać sprawę z czegoś, złożyć sprawozdanie z czegoś; ~ **aid** pospieszyć *l.* przyjść z pomocą, udzielić pomocy (*to sb* komuś); ~ **sb/sth harmless** unieszkodliwić kogoś/coś (*np. przestępcę substancję, bombę*); ~ **services** świadczyć usługi (*to sb* komuś); **for services** ~**ed** za wyświadczone usługi (*o zapłacie*); za wyświadczone przysługi (*np. o wdzięczności*). **8.** ~ **(back)** oddawać. **9.** ~ **down** wytapiać (*tłuszcz*); ~ **up** *przest.* oddać, poddać (*twierdzę, miasto*). – *n.* **1.** *U bud.* obrzutka, rapówka, tynk surowy. **2.** *hist.* płatność w naturze (*w feudalizmie*).

rendering ['rendərɪŋ] *n. U* **1.** *gł. Br. muz., teatr* wykonanie, interpretacja. **2.** *bud.* obrzutka, rapówka, tynk surowy. **3.** *form.* przekład (*z języka obcego*). **4.** wytop *l.* wytapianie tłuszczu.

rendezvous ['rɑ:ndeɪˌvu:] *n. pl.* **rendezvous** **1.** spotkanie (*zwł. potajemne*) (*with sb* z kimś); schadzka, randka, rendez-vous. **2.** miejsce spotkania (*wyznaczone*); *zwł. wojsk.* punkt zborny (*wojska, floty*). **3.** (ulubione) miejsce spotkań. – *v.* spotykać się (*(with) sb* z kimś).

rendition [ren'dɪʃən] *n.* **1.** *gł. Br. muz., teatr* wykonanie, interpretacja. **2.** *form.* przekład (*z innego języka*).

rendzina [ˌrend'zi:nə] *n. C / U roln., geol.* rędzina (= *bogata gleba wapnista*).

renegade ['renəˌgeɪd] *gł. lit. n.* renegat/ka, odstęp-ca/czyni; buntowni-k/czka; zdraj-ca/czyni. – *a. attr.* zbuntowany.

renege [rɪ'ni:g] *v.* **1.** ~ **on sth** *form.* nie dotrzymać czegoś (*np. obietnicy, warunków umowy*), nie dopełnić czegoś (*obowiązku*). **2.** *karty* nie dawać do koloru.

renegotiate [ˌri:nɪ'goʊʃɪˌeɪt] *n.* renegocjować (*warunki*).

renegotiation [ˌri:nɪˌgoʊʃɪ'eɪʃən] *n.* renegocjacja; *U* renegocjacje.

renew [rɪ'nu:] *v.* **1.** przedłużać (*prawo jazdy, umowę, polisę, wypożyczenie, członkostwo*). **2.** odnawiać (*znajomość, zapasy*). **3.** ponawiać (*atak, wysiłki*). **4.** podejmować na nowo (*negocjacje*). **5.** uzupełniać (*zapasy czegoś*).

renewable [rɪ'nu:əbl] *a.* **1.** *ekol.* odnawialny; ~ **resources/energy sources** odnawialne zasoby/źródła energii. **2.** podlegający przedłużeniu (*o bilecie, przepustce, umowie, polisie*).

renewal [rɪ'nu:əl] *n. U l. sing.* **1.** odnowa, odnowienie. **2.** przedłużenie (*umowy, książki z wypożyczalni*). **3.** wznowienie (*walk*). **4. urban** ~ (*także* **inner city** ~) *socjol.* rewitalizacja centrów wielkomiejskich.

renewed [rɪ'nu:d] *a.* **1.** *attr.* wznowiony; ponowny, powracający; świeży, nowy; **with** ~ **enthusiasm/interest** ze rozbudzonym na nowo entuzjazmem/zainteresowaniem. **2.** *pred.* orzeźwiony, odświeżony, wypoczęty (*o osobie*).

reniform ['renəˌfɔ:rm] *a. form.* nerkowaty.

renin ['ri:nɪn] *n. U biochem.* renina.

rennet ['renɪt] *US t.* **rennin** ['renɪn] *n. U biochem.* podpuszczka, rennina.

renounce [rɪ'naʊns] *v. form.* **1.** wyrzekać się (*wartości, przekonań, ideologii, członka rodziny*) (*for sb / sth* dla kogoś/czegoś). **2.** zrzekać się (*tytułu, prawa, stanowiska, roszczenia*). **3.** *karty* nie mieć do koloru, mieć renons. – *n. karty* renons.

renouncement [rɪ'naʊnsmənt] *n. C / U* **1.** zrzeczenie się. **2.** wyrzeczenie się.

renovate ['renəˌveɪt] *v.* odnawiać (*budynek, pomieszczenie*); przeprowadzać renowację (*budynku, obrazu*).

renovation [ˌrenə'veɪʃən] *n. C / U* renowacja; **extensive ~s** remont kapitalny.

renown [rɪ'naʊn] *n. form. l. lit.* sława, renoma (*as* jako); **win (great) ~** zdobyć (wielką) sławę *l.* renomę.

renowned [rɪ'naʊnd] *a. gł. form. l. lit.* sławny (*as... / for sth* jako.../z czegoś).

rent[1] [rent] *n. C / U gł. fin.* **1.** czynsz, komorne; **pay the ~** płacić za mieszkanie, płacić czynsz; **raise the ~** (*także* **raise ~s**) podwyższyć *l.* podnieść czynsz *l.* czynsze. **2.** *gł. US* opłata za wynajem (*samochodu, urządzeń*). **3.** najem, wynajem; **for ~** *gł. US* do wynajęcia. **4.** dochód z majątku ziemskiego. – *v.* **1.** wynajmować, odnajmować; dzierżawić (*sth from sb* coś od kogoś); **~ (out)** wynajmować; dzierżawić (*sth to sb* coś komuś). **2.** **~ at/for about $1000** kosztować około 1000 dolarów (*o wynajmie mieszkania*).

rent[2] *n.* **1.** rozdarcie; dziura; szczelina. **2.** *przen.* rozłam (= *konflikt*).

rent[3] *v. zob.* **rend.**

rent-a-car ['rentəˌkɑːr] *n. U* wynajem samochodów.

rent-a-crowd ['rentəˌkraʊd] *n. U Br. uj.* chętni do demonstrowania (*dla draki*).

rental ['rentl] *n.* **1.** *C / U* opłata (stała); opłata za dzierżawę *l.* wynajem; **line ~** *tel.* opłata za dzierżawę łączy. **2.** *C / U* opłata czynszowa, czynsz. **3.** *C / U* wynajem (*np. mieszkania, samochodu*); wypożyczenie (*np. filmu, kosiarki*). **4.** *zwł. pl.* nieruchomość *l.* dom do wynajęcia. – *a. attr.* z wypożyczalni, wypożyczony, wynajęty (*np. o garniturze, samochodzie*).

rental library *n. pl.* **-ies** *US bibl.* biblioteka *l.* wypożyczalnia płatna.

rent book *n.* książeczka opłat czynszowych.

rent boy *n. Br. pot.* chłopiec do wynajęcia (= *męska prostytutka*).

rente [rɑːnt] *n. fin.* renta (= *roczny dochód z kapitału*).

rented ['rentɪd] *a. gł. attr.* wynajęty (*o mieszkaniu, domu*).

renter ['rentər] *n. gł. prawn.* **1.** wynajmujący/a. **2.** dzierżawca. **3.** najemca, odnajmujący/a; lokator/ka.

rent-free [ˌrent'friː] *a. i adv.* bez opłat; **stay ~** mieszkać za darmo *l.* bez opłat.

rentier [ˌrɑːn'tjeɪ] *n.* rentier.

renumber [riː'nʌmbər] *v.* zmieniać numerację (*czegoś*).

renunciation [rɪˌnʌnsɪ'eɪʃən] *n. C / U form.* **1.** zrzeczenie się (*prawa, stanowiska*). **2.** wyrzeczenie się (*przekonań, ideologii*).

reopen [riː'oʊpən] *v.* **1.** otwierać ponownie (*sprawę, granicę, restaurację*); wznawiać (*dyskusję, obrady*). **2.** zostać otwartym ponownie (*o restauracji, granicy, obradach*).

reopening [riː'oʊpənɪŋ] *n. C / U* ponowne otwarcie (*restauracji, sklepu*); wznowienie (*obrad*).

reorder [ˌriː'ɔːrdər] *v.* **1.** *handl.* zamawiać nowy (*towar na uzupełnienie sprzedanego*), zamawiać nową dostawę (*towaru*); uzupełniać zapas (*towaru*); powtarzać *l.* ponawiać zamówienie (*towaru*), zamawiać (ponownie *l.* powtórnie). **2.** zmieniać kolejność (*kogoś l. czegoś*); przestawiać (*meble, książki*); przekładać (*dokumenty*); przeorganizować (*biuro*). – *n. handl.* (nowe *l.* ponowne *l.* powtórne) zamówienie.

reorganization [rɪˌɔːrgənə'zeɪʃən], *Br. i Austr. zw.* **reorganisation** *n. U* reorganizacja; przeorganizowanie.

reorganize [rɪ'ɔːrgəˌnaɪz], *Br. i Austr. zw.* **reorganise** *v.* reorganizować (się); przeorganizować.

reovirus [ˌriːoʊ'vaɪrəs] *n. pat., biol.* reowirus.

rep [rep] *abbr.* **1.** *pot.* = **sales representative**. **2.** **repetition** *sport pot.* powtórzenie (*ćwiczenia*). **3.** *pot.* = **reputation**. **4.** *teatr pot.* = **repertory** 3. – *n. C / U* (*także* **repp**) *tk.* ryps.

Rep. *abbr.* **1.** *US* = **representative** 3. **2.** *US* = **republican**. **3.** = **republic**.

rep. *abbr.* **1.** = **repair**. **2.** = **report**. **3.** = **reporter**. **4.** = **reprint**.

repaid [rɪ'peɪd] *v. zob.* **repay.**

repaint [ˌriː'peɪnt] *v.* **1.** odmalować. **2.** przemalować.

repair [rɪ'per] *v.* **1.** *t. przen.* naprawiać (*urządzenie, samochód; t. przen. - krzywdę, błąd, stosunki*); reperować (*urządzenie*); remontować (*budynek, statek*); **~ sb's health** podreperować komuś zdrowie. **2.** **~ to...** *przest.* udać się *l.* przejść do... (*salonu, ogrodu itp.*). – *n. C / U* **1.** naprawa (*urządzenia*); remont (*budynku, statku*); *pl.* remont; **be in need of ~** wymagać naprawy; **beyond ~** nie do naprawienia; **under ~** w naprawie. **2.** (*także* **state of ~**) stan; **in good/bad/poor ~** w dobrym/złym stanie; **in a terrible state of ~** w fatalnym stanie.

repairable [rɪ'perəbl] *a.* do naprawienia, nadający się do naprawy.

repair kit *n.* zestaw naprawczy; reparaturka (*do opony*).

repairman [rɪ'perˌmæn], **repair man** *n. pl.* **-men** mechanik.

repair shop *n. gł. Br. mot.* warsztat naprawczy.

repand [rɪ'pænd] *a. bot.* falisty (*o liściu*).

reparable ['repərəbl] *a. form.* (możliwy) do naprawienia (*o szkodzie*).

reparation [ˌrepə'reɪʃən] *n. C / U* **1.** odszkodowanie; *pl.* odszkodowania, reparacje (*wojenne*); **make ~ (to sb) for sth** wynagrodzić coś (komuś). **2.** *form.* naprawa; *pl.* naprawy, remont.

reparative [rɪ'perətɪv] *a. form.* odszkodowawczy, tytułem odszkodowania (*o wypłacie*).

repartee [ˌrepɑːr'teɪ] *n.* **1.** cięta odpowiedź; (szybka) riposta. **2.** *U* przegadywanie się (*w* *rozmowie*); cięty dialog (*w dziele literackim*). **3.** *U* cięty język.

repartition [ˌri:pɑ:r'tɪʃən] *form. n.* **1.** przydział. **2.** redystrybucja. – *v.* **1.** przydzielać. **2.** dokonywać redystrybucji (*czegoś*), redystrybuować.

repast [rɪ'pæst] *n. lit. l. żart.* posiłek; strawa, jadło.

repatriate *v.* [ˌri:'peɪtrɪˌeɪt] **1.** repatriować (*obywateli*). **2.** wysyłać *l.* przesyłać *l.* odprowadzać do kraju (*pieniądze*). – *n.* [ˌri:'peɪtrɪət] repatriant/ka.

repatriation [ˌri:ˌpeɪtrɪ'eɪʃən] *n. U* repatriacja.

repay [ˌri:'peɪ] *v. pret. i pp.* **repaid 1.** oddawać, zwracać (*pieniądze, dług*); spłacać (*dług, dłużnika*); zwracać *l.* oddawać pieniądze (*komuś*); ~ **sb sth** oddać *l.* zwrócić coś komuś. **2.** ~ **sb for...** (*także* ~ **sb's...**) odwdzięczyć się komuś za..., odpłacić komuś za..., rewanżować się komuś za... (*pomoc, dobre serce, uczynki*). **3.** ~ **sth** być wartym czegoś (*np. starań, nakładów; o efekcie*); ~ **sb's effort** opłacać się (komuś), być wartym czyichś wysiłków.

repayable [ˌri:'peɪəbl] *a. fin.* podlegający spłacie; **be** ~ podlegać spłacie (*o kredycie*).

repayment [ˌri:'peɪmənt] *n. C / U fin.* spłata (*kredytu*).

repeal [rɪ'pi:l] *parl., prawn. v.* znosić, uchylać, unieważniać (*przepis, ustawę*). – *n. U* zniesienie, uchylenie, unieważnienie.

repeat [rɪ'pi:t] *v.* **1.** powtarzać (*np. słowa, czynności, sukces, plotki, program*); ~ **o.s./itself** powtarzać się (*o osobie / wydarzeniach*); ~ **after sb** powtarzać za *l.* po kimś; **history ~s itself** historia lubi się powtarzać; **sth doesn't bear ~ing** coś nie nadaje się do powtórzenia; **sth ~s on sb** *pot.* komuś odbija się czymś (*zjedzonym*). **2.** *parl.* oddawać podwójny głos (*bezprawnie*). – *n.* **1.** *telew., radio* powtórka; powtórzenie. **2.** *muz.* powtórka; (*także* ~ **mark**) znak powtórzenia *l.* repetycji. **3.** ~ **order** *handl.* powtórne *l.* ponowne zamówienie (*tego samego towaru*); ~ **performance** powtórzenie, powtórka (*zwł. czegoś złego*); ~ **prescription** *Br. med.* powtórzenie recepty.

repeated [rɪ'pi:tɪd] *a. attr.* powtarzający się (*o wydarzeniach, zjawiskach*); ponawiany, wielokrotny (*np. o próbach, apelach*).

repeatedly [rɪ'pi:tɪdlɪ] *adv.* wielokrotnie.

repeater [rɪ'pi:tər] *n.* **1.** powtarzając-y/a. **2.** (*także* **repeating firearm**) broń powtarzalna; repetier, karabin powtarzalny. **3.** *szkoln.* repetent/ka; *uniw.* student/ka powtarzając-y/a zajęcia *l.* rok. **4.** *el., tel.* wzmacniak. **5.** *prawn.* recydywist-a/ka.

repeating decimal [rɪˌpi:tɪŋ 'desəml] *n. mat.* ułamek okresowy.

repeating firearm *n.* = **repeater** 2.

repeat offender *n. prawn.* recydywist-a/ka.

repel [rɪ'pel] *v.* **-ll- 1.** *t. mech.* odpychać. **2.** budzić wstręt u (*kogoś*), odstręczać. **3.** odpierać (*atak*). **4.** odstraszać (*drapieżniki, komary*). **5.** odrzucać (*ofertę, zalotnika*).

repellent [rɪ'pelənt], **repellant** *n. C / U* **1.** (*także* **insect** ~) środek odstraszający owady, środek na owady, repelent; **mosquito** ~ płyn przeciw komarom. **2.** *tk.* środek impregnujący *l.* do impregnacji. – *a.* **1.** odpychający, odrażający (*np. o treści, wyglądzie, zapachu*); odrażający, wstrętny (*np. o czynach, myślach*). **2.** (*także* **water** ~) *t. tk.* nieprzemakalny, wodoodporny.

repent[1] [rɪ'pent] *v. rel. l. form.* żałować (*(doing) sth / of sth* czegoś) (*np. czynów, grzechów*).

repent[2] ['ri:pənt] *a. bot.* płożący się (*o roślinie, pędach*).

repentance [rɪ'pentəns] *n. U rel. l. form.* żal, skrucha.

repentant [rɪ'pentənt] *a. rel. l. form.* skruszony, żałujący.

repercussion [ˌri:pər'kʌʃən] *n.* **1.** reperkusja, echo; *pl.* reperkusje (*of sth* czegoś) (*np. decyzji, wojny*), echa, oddźwięk. **2.** *t. mech.* odbicie (się). **3.** *muz.* reperkusja (*w fudze*).

repertoire ['repərˌtwɑ:r] *n.* **1.** *teatr, muz. l. przen.* repertuar. **2.** *przen.* zakres.

repertory ['repərˌtɔ:rɪ] *teatr n. pl.* **-ies 1.** *U teatr* repertuar (= *tryb działalności teatru*). **2.** *t. muz. l. przen.* repertuar. **3.** (*także* ~ **company**, ~ **theater** *US*, ~ **theatre** *Br.*) teatr stały.

repetend ['repɪˌtend] *n.* **1.** *mat.* okres (*w ułamku okresowym*). **2.** *muz.* refren.

repetition [ˌrepə'tɪʃən] *n. C / U* powtórzenie, powtórka; *U* powtarzanie.

repetitious [ˌrepə'tɪʃəs] *a.* pełen powtórzeń (*o tekście*).

repetitive [rɪ'petɪtɪv] *a.* powtarzający się; *uj.* monotonny (*o czynności*); pełen powtórzeń (*o tekście*).

repetitive strain injury, repetitive stress injury *n. U pat.* syndrom RSI, zespół *l.* syndrom monotonnych ruchów.

rephrase [ˌri:'freɪz] *v.* ujmować *l.* wyrażać inaczej *l.* w inny sposób (*treść*); przeredagowywać (*tekst, zdanie*).

repine [rɪ'paɪn] *v. form.* sarkać (*at / against sth* na coś).

replace [rɪ'pleɪs] *v.* **1.** zastępować (*sb / sth with / by sb / sth* kogoś/coś kimś/czymś); *gł. polit., admin.* przejmować *l.* zajmować miejsce *l.* stanowisko (*kogoś*); ~ **sb as sth** zastąpić kogoś jako ktoś *l.* na jakimś stanowisku. **2.** wymieniać (*baterie*). **3.** odkupować (*coś zniszczonego*). **4.** odkładać (na miejsce) (*np. słuchawkę, książkę*).

replaceable [rɪ'pleɪsəbl] *a.* dający się zastąpić; **be** ~ dać się zastąpić, móc być zastąpionym.

replacement [rɪ'pleɪsmənt] *n.* **1.** *U* wymiana (*np. baterii, opon*). **2.** *U* zastąpienie. **3.** *U* odłożenie (na miejsce). **4.** zastępstwo; zastępca/czyni (*for sb* za kogoś). **5.** *gł. polit., admin.* następ-ca/czyni; **her** ~ **as prime minister** jej następ-ca/czyni na stanowisku premiera. **6.** *sport* zawodnik rezerwowy. **7.** *C / U sport* zmiana zawodnika. – *a. attr.* zapasowy (*np. o baterii, żarówce*).

replacement part *n.* część zamienna.

replant [ri:'plɑ:nt] *v.* **1.** *ogr.* przesadzać (*sadzonki, rośliny*); obsadzać (*grządkę*). **2.** *chir.* reimplantować.

replantation [ˌri:plæn'teɪʃən] *n.* **1.** *C / U chir.* reimplantacja. **2.** *U ogr.* przesadzanie.

replay *v.* [ˌriːˈpleɪ] *sport, telew.* powtarzać (*rozgrywkę, mecz, fragment, sekwencję*); *sport* rozgrywać ponownie (*mecz*); odtwarzać (*nagranie*). – *n.* [ˈriːˌpleɪ] *telew.* powtórka; *sport* powtórna rozgrywka, powtórny mecz.

replenish [rɪˈplenɪʃ] *v. form.* **1.** uzupełniać (*zapas*) (*with / by sth* czymś). **2.** napełniać ponownie (*sth with sth* coś czymś). **3.** dopełniać; ~ **sb's glass/drink** dolać komuś (do pełna). **4.** dokładać do (*ognia*).

replenishment [rɪˈplenɪʃmənt] *n. U* uzupełnienie.

replete [rɪˈpliːt] *a. form.* **1.** ~ **with sth** pełen czegoś; nasycony czymś; (w pełni) wyposażony w coś. **2.** syty.

repletion [rɪˈpliːʃən] *n. U form.* **1.** przesyt; **eat to** ~ najeść się do przesytu, przejeść się. **2.** wypełnienie, pełność; **full to** ~ pełen po brzegi (*o pomieszczeniu*). **3.** satysfakcja (*duchowa*).

replevin [rɪˈplevɪn] *n. Br. prawn.* warunkowy zwrot mienia (*właścicielowi w antycypacji takiej decyzji sądu*).

replevy [rɪˈplevɪ] *v.* **-ied, -ying** *prawn.* uzyskać warunkowy zwrot (*skradzionego mienia w antycypacji decyzji sądu*). – *n. pl.* **-ies** = **replevin**.

replica [ˈrepləkə] *n.* kopia, replika.

replicate *v.* [ˈrepləkeɪt] *form.* **1.** kopiować, powielać; powtarzać (*eksperyment, badanie*). **2.** powtarzać *l.* powielać się. **3.** *biol.* replikować (*DNA*). – *a.* [ˈrepləkət] *bot.* zawinięty (*o liściu*).

replication [ˌrepləˈkeɪʃən] *n.* **1.** powtórzenie (*eksperymentu, badania*). **2.** *C / U biol.* replikacja (*genetyczna*). **3.** *t. prawn.* replika.

reply [rɪˈplaɪ] *v.* **-ied, -ying** odpowiadać (*to sth* na coś, *with sth* czymś); odrzec. – *n.* odpowiedź; **in** ~ **(to sth)** *form.* w odpowiedzi (na coś); **in** ~ **to your letter of...** *form.* w odpowiedzi na Pańskie/Pani/Państwa pismo z dnia...; **make no** ~ (nic) nie odpowiedzieć; **say sth in** ~ odpowiedzieć coś; **there's no** ~ *t. tel.* nikt nie odpowiada; **without** ~ *sport* do zera (*wygrywać, prowadzić*).

report [rɪˈpɔːrt] *n.* **1.** *t. admin.* raport (*on / of / into sth* w sprawie czegoś); sprawozdanie (*on / of / into sth* z czegoś); *dzienn.* relacja, materiał, doniesienie, meldunek (*on / of sth* z czegoś). **2.** *C / U* pogłoska. **3.** (*także* **school** ~) *Br. szkoln.* wykaz ocen, świadectwo (szkolne). **4.** *form.* huk (*wybuchu, wystrzału*). **5.** *U form.* reputacja; **person of good/bad** ~ osoba ciesząca się dobrą/złą sławą. – *v.* **1.** *dzienn.* donosić, meldować, relacjonować. **2.** komunikować. **3.** składać *l.* zdawać sprawozdanie *l.* raport (*on sth* z czegoś); referować (*on sth* coś). **4.** zgłaszać; ~ **sb/sth missing** zgłosić zaginięcie kogoś/czegoś; ~ **sick** zgłaszać niezdolność do pracy z powodu choroby. **5.** zgłaszać się, meldować się (*to sb / sth* u kogoś/gdzieś) (*po przybyciu, o wyznaczonym czasie*). **6.** opowiadać (*t. o czymś*); powtarzać. **7.** ~ **sb (to sb/sth)** skarżyć na kogoś (do kogoś/gdzieś), zgłaszać skargę *l.* doniesienie na kogoś (u kogoś/gdzieś) (*u przełożonego, t. na policji*). **8. be** ~**ed to do sth** (mieć) rzekomo *l.* jakoby coś robić *l.* zrobić; **it is** ~**ed (that)...** mówi się, że..., podobno... **9.** ~ **back** meldować się (*to sb / sth* do kogoś/gdzieś); składać sprawozdanie *l.* raport (*to sb / sth* komuś/gdzieś); ~ **to sb/sth** *admin.* podlegać komuś/czemuś; być odpowiedzialnym przed kimś/czymś.

reportage [rɪˈpɔːrtɪdʒ] *n. U form. t. dzienn.* reportaż (*forma narracji l. zajęcie dziennikarza*).

report card *n. US szkoln.* wykaz ocen, świadectwo (szkolne).

reportedly [rɪˈpɔːrtɪdlɪ] *adv.* podobno; jakoby, rzekomo; **he was** ~ **drunk at the time** podobno był wtedy pijany.

reported speech *n. U gram.* mowa zależna.

reporter [rɪˈpɔːrtər] *n. dzienn.* **1.** reporter/ka, sprawozdaw-ca/czyni. **2.** *t. parl. prawn.* protokolant/ka; **court** ~ protokolant/ka sądow-y/a.

reporting [rɪˈpɔːrtɪŋ] *n. U dzienn.* reportaż (*zajęcie dziennikarza*).

report stage *n. U Br. parl.* etap sprawozdawczy, rozpatrywanie sprawozdania komisji.

repose [rɪˈpoʊz] *form. n. U* **1.** odpoczynek, spoczynek; **in** ~ w *l.* podczas spoczynku. **2.** spokój. – *v.* **1.** spoczywać (*gdzieś; o przedmiotach, t. euf. o zmarłym*). **2.** ~ **o.s.** odpoczywać. **3.** ~ **sth in sb/sth** pokładać coś w kimś/czymś (*np. zaufanie, nadzieje*). **4.** ~ **on sth** zasadzać *l.* opierać się na czymś (*o rozumowaniu*).

reposeful [rɪˈpoʊzfʊl] *a. form.* spokojny.

reposit [rɪˈpɑːzɪt] *v. form.* umieszczać, składać (na przechowanie), deponować.

reposition [ˌriːpəˈzɪʃən] *v.* **1.** przestawiać, przekładać (*przedmiot*); przemieszczać (*platformę, wojska*); przeorientować (*teleskop*). **2.** *chir.* nastawiać (*zwichnięcie*). **3.** *handl.* zmieniać politykę marketingową (*firmy l. produktu*). – *n. C / U chir.* nastawienie, repozycja (*zwichnięcia*).

repository [rɪˈpɑːzəˌtɔːrɪ] *n. pl.* **-ies** **1.** *form. l. żart.* kopalnia (*np. wiedzy, pomysłów; zw. o osobie l. publikacji*). **2.** *form.* składnica, skład; schowek; przechowalnia. **3.** *Br. handl.* magazyn. **4.** *form.* powierni-k/czka. **5.** *form.* miejsce wiecznego spoczynku.

repossess [ˌriːpəˈzes] *v.* **1.** *fin.* zajmować (*dom l. samochód z zaległościami kredytowymi l. hipotecznymi*). **2.** przejmować, odbierać, odzyskiwać (*terytorium, dobra*).

repossession [ˌriːpəˈzeʃən] *n. C / U* **1.** zajęcie (*domu, samochodu*); **mortgage/house** ~ zajęcie hipoteczne. **2.** przejęcie, odebranie, odzyskanie (*terytorium*).

repot [riːˈpɑːt] *v.* **-tt-** *ogr.* przesadzać (do większej doniczki).

repoussé [rəˌpuːˈseɪ] *sztuka, metal. n. U* repusowanie (= *tłoczenie blachy na wypukłej matrycy*). – *a.* repusowany.

repp [rep] *n. C / U tk.* = **rep** *n.*

reprehend [ˌreprɪˈhend] *v. form.* ganić, karcić (*osobę, zachowanie*).

reprehensible [ˌreprɪˈhensəbl] *a. form.* naganny (*of sb* z czyjejś strony).

reprehensibly [ˌreprɪˈhensəblɪ] *adv. form.* nagannie.

reprehension [ˌreprɪˈhenʃən] *n. C / U* krytyka; nagana.

represent [ˌreprɪˈzent] *v.* **1.** *t. polit.* reprezentować (*np. instytucję, osobę, wyborców, kraj, pogląd, opinie*). **2.** *t. sztuka* przedstawiać, wyobrażać (*rzeczywistość, świat*); *teatr* przedstawiać (*postać*); ~ **sb/sth as sth** przedstawiać kogoś/coś jako coś. **3.** ~ **sth to sb** *form.* przedstawiać coś komuś (*np. zażalenie, skargę*). **4.** symbolizować, oznaczać; być symbolem (*czegoś*). **5.** *form.* stanowić (*np. poprawę, przeszkodę, trudność*). **6.** ~ **o.s. as sb/sth** *form.* podawać się za kogoś/coś.

representation [ˌreprɪzen'teɪʃən] *n.* **1.** *U t. polit.* reprezentacja; przedstawicielstwo; **proportional** ~ *polit., parl.* reprezentacja proporcjonalna. **2.** *C/U t. sztuka* przedstawienie; wizerunek, obraz. **3.** *pl. form.* zażalenia, skargi; **make ~s about sth to sb/sth** składać zażalenia *l.* skargi na coś do kogoś/czegoś.

representational [ˌreprɪzen'teɪʃənl] *a.* **1.** *polit.* przedstawicielski (*o systemie, władzach*). **2.** *sztuka* przedstawiający (*w odróżnieniu od abstrakcyjnego*).

representative [ˌreprɪ'zentətɪv] *n.* **1.** przedstawiciel/ka. **2.** (*także* **sales** ~) *handl.* przedstawiciel/ka handlow-y/a. **3.** (*także* **R~**) *US parl.* człon-ek/kini Izby Reprezentantów (*t. stanowej*); **House of R~s** Izba Reprezentantów. **4.** typowy przykład (*of sth* czegoś). – *a.* **1.** reprezentatywny, typowy (*of sb / sth* dla kogoś/czegoś). **2.** *pred.* przedstawiający, wyobrażający (*of sth* coś). **3.** *polit.* przedstawicielski (*o systemie rządzenia, radzie*).

repress [rɪ'pres] *v.* **1.** *t. psych.* tłumić (*uczucia, bunt, śmiech*); powstrzymywać, pohamowywać, poskramiać (*śmiech, zapędy*). **2.** represjonować (*np. dysydentów*); trzymać w ryzach.

repression [rɪ'preʃən] *n. C/U* **1.** tłumienie; stłumienie (*uczuć, buntu*). **2.** represje, represja, ucisk; **political** ~ represje polityczne, ucisk polityczny.

repressive [rɪ'presɪv] *a. gł. polit.* represyjny (*o reżimie*).

repressively [rɪ'presɪvlɪ] *a. gł. polit.* z użyciem represji.

repressiveness [rɪ'presɪvnəs] *n. U gł. polit.* represyjność, represyjny charakter.

reprieve [rɪ'priːv] *n.* **1.** *prawn.* ułaskawienie; zawieszenie *l.* odroczenie wykonania wyroku (*zwł. kary śmierci*); **be granted a (last-minute)** ~ zostać (w ostatniej chwili) ułaskawionym. **2.** ulga, wytchnienie (*from sth* od czegoś). – *v.* **1.** *zw. pass.* ułaskawiać. **2.** przynosić ulgę, dawać wytchnienie (*komuś*).

reprimand ['reprɪˌmænd] *n.* reprymenda, nagana (*for sth* za coś). – *v.* udzielać reprymendy *l.* nagany (*sb for sth* komuś za coś).

reprint *druk. v.* [ˌriː'prɪnt] wznawiać; przedrukowywać (*nakład*). – *n.* ['riːˌprɪnt] **1.** przedruk; wznowienie; reprint (*t. zabytkowego znaczka*). **2.** nadbitka (*artykułu*).

reprisal [rɪ'praɪzl] *n.* **1.** *C/U* odwet, akcja odwetowa; *pl.* działania *l.* środki odwetowe; **in ~ (for sth)** w odwecie (za coś). **2.** *t. pl.* represje, prześladowania; **for fear of** ~ w obawie przed represjami *l.* prześladowaniami; **be/live without fear of** ~ nie musieć obawiać się represji *l.* prześladowań.

reprise [rɪ'praɪz] *n.* **1.** *muz.* repryza, powtórzenie. **2.** *muz.* refren. **3.** *form.* powtórzenie.

reprivatization [ˌriːˌpraɪvətə'zeɪʃən], *Br. i Austr. zw.* **reprivatisation** *n. ekon.* reprywatyzacja.

reprivatize [ˌriː'praɪvəˌtaɪz], *Br. i Austr. zw.* **reprivatise** *n. ekon.* reprywatyzować (*przedsiębiorstwo*).

repro ['riːproʊ] *abbr. pot.* **1.** *sztuka* = **reproduction**. **2.** *druk.* = **reproduction proof**.

reproach [rɪ'proʊtʃ] *n.* **1.** *C/U* wyrzut; wyrzuty; **full of** ~ pełen wyrzutu (*o spojrzeniu, głosie*). **2.** *C/U* wstyd, hańba; **bring ~ upon sb/sth** (*także* **be a ~ to sb/sth**) przynosić komuś/czemuś wstyd. **3. beyond/above** ~ *form.* bez zarzutu. – *v.* ~ **sb for (doing) sth** czynić *l.* robić komuś wyrzuty z powodu czegoś, wyrzucać komuś coś; ~ **sb with sth** zarzucać komuś coś; ~ **o.s. (for sth)** wyrzucać sobie (coś), czynić sobie wyrzuty (z powodu czegoś).

reproachful [rɪ'proʊtʃfʊl] *a.* pełen wyrzutu (*o spojrzeniu*).

reproachfully [rɪ'proʊtʃfʊlɪ] *adv.* z wyrzutem (*patrzeć*).

reprobate ['reprəˌbeɪt] *form. gł. rel. n. t. żart.* rozpustni-k/ca; potępieniec, potępion-y/a. – *a.* rozpustny; potępiony, grzeszny. – *v.* potępiać.

reprobation [ˌreprə'beɪʃən] *n. U form. gł. rel.* potępienie.

reproduce [ˌriːprə'duːs] *v.* **1.** *biol.* rozmnażać; (*także* ~ **o.s./itself**) rozmnażać (się). **2.** powielać, kopiować; reprodukować. **3.** *dzienn.* publikować (*np. zdjęcia, wywiad*). **4.** odtwarzać (*np. dźwięk, obraz; t. w myśli*).

reproducible [ˌriːprə'duːsəbl] *a.* nadający się do powielenia.

reproduction [ˌriːprə'dʌkʃən] *n.* **1.** *biol.* rozmnażanie (się). **2.** *U* kopiowanie, powielanie. **3.** *U dzienn.* opublikowanie, publikacja; publikowanie. **4.** *U* odtwarzanie (*dźwięku*). **5.** *sztuka* reprodukcja; imitacja, kopia; ~ **furniture** imitacje mebli stylowych.

reproductive [ˌriːprə'dʌktɪv] *a. attr.* **1.** *biol.* rozrodczy; ~ **system** układ rozrodczy. **2.** ~ **quality** jakość odtwarzania.

reproof [rɪ'pruːf] *n. form. C/U* nagana; **with** ~ z naganą (*w głosie*).

reprove [rɪ'pruːv] *v. form.* udzielać nagany (*komuś*), ganić (*for (doing) sth* za coś).

reproving [rɪ'pruːvɪŋ] *a. form.* pełen wyrzutu (*o spojrzeniu, tonie głosu*).

reprovingly [rɪ'pruːvɪŋlɪ] *adv. form.* z wyrzutem (*patrzeć, mówić*).

reptant ['reptənt] *a.* **1.** *bot.* płożący się. **2.** *zool.* pełzający.

reptile ['reptl] *n.* **1.** *zool.* gad. **2.** *przen. pot. pog.* gad, gadzina (*o osobie*). – *a.* **1.** *zool.* pełzający. **2.** *zool.* gadzi; należący do gadów. **3.** *przen. pot.* lizusowski; podły.

reptilian [rep'tɪlɪən] *a.* **1.** *zool.* gadzi; należący do gadów. **2.** *przen. pot.* lizusowski; podły. – *n. zool.* gad.

republic [rɪ'pʌblɪk] *n. polit.* republika; rzeczpospolita; ~ **of Chile/Cyprus/Ireland** *polit.* Republika Chile/Cypru/Irlandii; ~ **of Poland** *polit.* Rzeczpospolita Polska; ~ **of letters** *przen. form.* świat literacki.

republican [rɪ'pʌblɪkən], **Republican** *polit. a. polit.* republikański. – *n.* republika-nin/nka.

republicanism [rɪ'pʌblɪkəˌnɪzəm] *n. U polit.* republikanizm.

Republican Party *n. US polit.* Partia Republikańska.

republish [ˌriː'pʌblɪʃ] *v.* publikować ponownie (*książkę, wyniki*); wznawiać (*książkę*).

repudiate [rɪ'pjuːdɪˌeɪt] *v. form.* **1.** odtrącać (*np. przyjaźń, ofertę pomocy*). **2.** zaprzeczać (stanowczo) (*oskarżeniu*); odrzucać (*doktrynę, zarzut*). **3.** odcinać się od (*wypowiedzi, decyzji*). **4.** wyrzekać się (*użycia siły*). **5.** odmawiać spłaty *l.* zapłaty (*długu*). **6.** *przest.* wypierać się, wyrzekać się (*przyjaciela, małżonka*).

repudiation [rɪˌpjuːdɪ'eɪʃən] *n. U form.* **1.** odtrącenie (*oferty*). **2.** zaprzeczenie (*twierdzeniu*); odrzucenie (*zarzutu*). **3.** odcięcie się (*od wypowiedzi*). **4.** wyrzeczenie się (*użycia siły*). **5.** odmowa spłaty *l.* zapłaty (*długu*).

repugnance [rɪ'pʌgnəns] *n. U form.* wstręt, odraza.

repugnant [rɪ'pʌgnənt] *a. form.* wstrętny, odrażający (*to sb* dla kogoś).

repulse [rɪ'pʌls] *v. form.* **1.** *wojsk.* odpierać (*atak*); odrzucać (*wroga*). **2.** odtrącać (*np. przyjaźń, ofertę, zwł. nieuprzejmie, wyniośle*). **3.** napawać obrzydzeniem. – *n. sing.* **1.** *wojsk.* odparcie (*ataku*); odrzucenie (*wroga*). **2.** odmowa, odtrącenie (*propozycji pomocy, przyjaźni*).

repulsion [rɪ'pʌlʃən] *n.* **1.** *U l. sing.* wstręt, odraza, obrzydzenie. **2.** *U l. sing.* odtrącenie. **3.** *U fiz.* odpychanie (*ciał*).

repulsive [rɪ'pʌlsɪv] *a.* **1.** odpychający, odrażający. **2.** *fiz.* odpychający; ~ **force** siła odpychająca.

repulsively [rɪ'pʌlsɪvlɪ] *adv.* odpychająco, odrażająco.

repulsiveness [rɪ'pʌlsɪvnəs] *n. U* odpychający charakter.

reputability [ˌrepjətə'bɪlətɪ] *n. U* renoma, dobra opinia, dobre imię.

reputable ['repjətəbl] *a.* renomowany, cieszący się dobrą opinią, szanowany.

reputation [ˌrepjə'teɪʃən] *n.* reputacja, renoma, sława (*for sth* jeśli chodzi o coś, *as...* jako...); **acquire/earn/establish/gain/win a** ~ (*także* **make a** ~ **for o.s.**) zyskać (sobie) *l.* zdobyć sławę *l.* renomę; **good/bad** ~ dobra/zła reputacja *l.* sława; **have a** ~ **for sth** być znanym z czegoś; **live up to one's/its** ~ nie zawieść oczekiwań.

repute [rɪ'pjuːt] *n. U form.* reputacja, renoma, sława; poważanie, szacunek; **hold sb in high** ~ darzyć kogoś (wielkim) poważaniem *l.* szacunkiem; **house of ill** ~ *euf.* dom publiczny; **of good/evil** ~ o złej sławie; **of international** ~ cieszący się sławą międzynarodową; **of some** ~ cieszący się niezłą opinią.

reputed [rɪ'pjuːtɪd] *a.* **1.** *attr.* rzekomy; domniemany. **2. be** ~ **to be sth** podobno *l.* rzekomo być kimś/czymś; **be** ~ **to do sth** podobno *l.* rzekomo coś robić.

reputedly [rɪ'pjuːtɪdlɪ] *adv.* rzekomo, jakoby.

req. *abbr.* **1.** = **request** *n.* 1. **2.** = **require**; = **required**; = **requirement**. **3.** = **requisition**.

request [rɪ'kwest] *n.* **1.** prośba; życzenie; wniosek; **at sb's** ~ (*także* **at the** ~ **of sb, by** ~ **of sb**) na czyjąś prośbę; na czyjeś życzenie; na czyjś wniosek; **any ~s?** życzysz sobie czegoś?; **(available) on** ~ (dostępny) na życzenie; **be in (great)** ~ *form.* cieszyć się (wielkim) wzięciem. **2.** *radio* utwór na życzenie. – *v. form.* prosić o, upraszać o; ~ **that...** prosić, żeby...; **sb is ~ed to do sth** ktoś jest proszony o zrobienie czegoś, uprasza się kogoś o zrobienie czegoś; **you are ~ed not to smoke** prosimy o niepalenie (*napis*).

request stop *n. gł. Br.* przystanek na żądanie.

requiem ['rekwɪəm] *n.* **1.** (*także* ~ **mass**) *rz.-kat.* msza żałobna. **2.** *muz.* rekwiem, requiem.

require [rɪ'kwaɪr] *v.* **1.** potrzebować, życzyć sobie (*czegoś*). **2.** żądać, domagać się (*sth of sb* czegoś od kogoś). **3.** wymagać (*o sytuacji, osobie*); **passengers are ~d by law to wear seat belts** pasażerowie są prawnie zobowiązani do zapięcia pasów; prawo wymaga, aby pasażerowie mieli zapięte pasy.

required [rɪ'kwaɪrd] *a.* wymagany, obowiązkowy.

requirement [rɪ'kwaɪrmənt] *n.* **1.** wymaganie, wymóg; **meet a** ~ spełnić wymaganie *l.* wymóg. **2.** potrzeba.

requisite ['rekwɪzɪt] *form. a.* wymagany (*for sth* do *l.* dla czegoś). – *n.* **1.** *pl. handl.* artykuły, akcesoria, przybory; **toilet ~s** przybory toaletowe. **2.** konieczność; wymaganie, wymóg.

requisition [ˌrekwɪ'zɪʃən] *n. form.* **1.** *admin.* zapotrzebowanie, zamówienie; **make a** ~ **for sth** złożyć zapotrzebowanie *l.* zamówienie na coś; (*także* ~ **form**) blankiet *l.* formularz zamówienia. **2.** żądanie; nakaz. **3.** *wojsk., prawn.* rekwizycja (*sądowa l. wojskowa*). – *v.* **1.** składać zapotrzebowanie *l.* zamówienie na (*materiały*); zamawiać (*materiały, ludzi*). **2.** *wojsk.* rekwirować.

requital [rɪ'kwaɪtl] *n. C/U form.* **1.** odwet, akcja odwetowa. **2.** odwzajemnienie, odpłacenie.

requite [rɪ'kwaɪt] *v. form.* odwzajemniać (*uczucie, uczynki*) (*with sth* czymś); odwzajemniać się za (*coś*).

reran [ˌriː'ræn] *v. zob.* **rerun**.

reredos ['riːrdɑːs] *n.* **1.** *kośc.* retabulum. **2.** *bud.* tylna ściana kominka.

reroute [ˌriː'ruːt], **re-route** *n. mot.* kierować objazdem *l.* inną trasą (*ruch, samochód*).

rerun *gł. telew., radio, sport n.* ['riːˌrʌn] powtórka (*programu, wyścigu, t. sytuacji*). – *v.* [ˌriː'rʌn] **reran, rerun, -nn-** powtarzać (*np. program, wyścig*).

resale ['riːˌseɪl] *n. U handl.* **1.** odsprzedaż, odstąpienie. **2.** sprzedaż (detaliczna); **not for** ~ nie na sprzedaż, egzemplarz bezpłatny; **(suggested)** ~ **price** (sugerowana) cena detaliczna. **3.** sprzedaż rzeczy używanych.

resale price maintenance *n. handl.* obowiązująca cena minimalna (*przy sprzedaży detalicznej*).

reschedule [ˌriːˈskedʒʊl] *v.* **1.** przekładać (*na inny termin*); **the meeting was ~d for May 3** spotkanie zostało przełożone na 3 maja. **2.** *fin.* przedłużać termin spłaty (*kredytu*).

rescind [rɪˈsɪnd] *v. prawn.* uchylać, anulować, znosić (*decyzję, przepis*).

rescission [rɪˈsɪʒən] *n. C / U prawn.* uchylenie, anulowanie, zniesienie.

rescript [ˈriːˌskrɪpt] *n. hist., rz.-kat.* reskrypt (= *oficjalna odpowiedź*).

rescue [ˈreskjuː] *v.* **1.** ratować, wybawiać, ocalać (*sb / sth from sth* kogoś/coś od czegoś *l.* przed czymś). **2.** *prawn.* uprowadzać z użyciem siły; odbijać (*więźnia*). **3.** *prawn.* zajmować z użyciem siły (*mienie*). – *n.* **1.** ratunek, pomoc; wybawienie, ocalenie; akcja ratownicza; **come to the ~ (of sb)** pospieszyć (komuś) na ratunek, przyjść (komuś) z pomocą. **2.** *prawn.* uprowadzenie z użyciem siły; odbicie (*więźnia*). **3.** *prawn.* zajęcie z użyciem siły (*mienia*). – *a. attr.* ratowniczy, ratunkowy; **~ mission** akcja ratownicza *l.* ratunkowa; **~ party/team** ekipa ratownicza.

rescuer [ˈreskjuːər] *n.* ratowni-k/czka; wybawca/czyni.

research [ˈriːˌsɝːtʃ] *n. zw. U, rzad. pl.* badania (naukowe) (*in / on sth* w jakiejś dziedzinie/nad czymś); praca naukowa; **do ~** prowadzić badania (*on sth* nad czymś); poszukiwać materiałów, przeglądać literaturę; robić rozeznanie. – *v.* **1.** prowadzić badania nad (*zagadnieniem*); badać. **2.** zbierać materiały do (*publikacji, książki*).

research and development *n. U* (*także* **R & D**) prace badawczo-rozwojowe.

researcher [ˈriːˌsɝːtʃər] *n.* badacz/ka, naukowiec.

research professor *n.* profesor na stanowisku badawczym.

research project *n.* projekt badawczy.

reseat [ˌriːˈsiːt] *n.* **1.** przesadzać (*osobę na inne miejsce*); przesadzać z powrotem. **2.** wymieniać fotele w (*sali kina, teatru*). **3.** wymieniać siedzenie *l.* obicie w (*fotelu, krześle*). **4.** *mech.* regenerować gniazdo (*zaworu*).

resect [rɪˈsekt] *v. chir.* dokonywać resekcji (*narządu*), resekować, obciąć, wyciąć.

resection [rɪˈsekʃən] *n. C / U chir.* resekcja, obcięcie, wycięcie.

reseda [rɪˈsiːdə] *n. C / U bot., ogr.* rezeda (*Reseda*).

resell [riːˈsel] *v. handl.* odsprzedawać; sprzedawać (detalicznie *l.* po cenach detalicznych).

resemblance [rɪˈzembləns] *n. C / U* podobieństwo (*between X and Y* między X i Y); **bear a ~ to sb/sth** przypominać kogoś/coś, być podobnym do kogoś/czegoś.

resemble [rɪˈzembl] *v.* być podobnym do (*kogoś l. czegoś*), przypominać; **closely ~ sb/sth** bardzo przypominać kogoś/coś.

resend [riːˈsend] *v. pret. i pp.* **resent** wysyłać *l.* przesyłać ponownie.

resent[1] [ˌriːˈsent] *v. zob.* **resend**.

resent[2] [rɪˈzent] *v.* **~ sb** mieć żal *l.* pretensje do kogoś; **~ sb/sth** nie cierpieć *l.* nie znosić kogoś/czegoś; **~ sth** mieć żal *l.* pretensje o coś; oburzać się na coś; **sb ~s having to do sth** ktoś ma żal, że musi coś robić; ktoś nie cierpi *l.* nie znosi być zmuszanym do (robienia) czegoś.

resentful [rɪˈzentfʊl] *a.* **1.** pełen urazy (*np. o ciszy, spojrzeniu*). **2.** rozżalony, urażony (*of / at / about sth* z powodu czegoś).

resentfully [rɪˈzentfʊlɪ] *adv.* z urazą, z rozżaleniem.

resentment [rɪˈzentmənt] *n. U* uraza, rozżalenie, żal.

reservation [ˌrezərˈveɪʃən] *n.* **1.** *C / U* rezerwacja (*np. lotu, pokoju, stolika*); **make/confirm/cancel a ~** zrobić/potwierdzić/wycofać rezerwację. **2.** zastrzeżenie; wątpliwość; *U* zastrzeżenia; **have ~s about sth** mieć wątpliwości *l.* zastrzeżenia co do czegoś *l.* w związku z czymś; **with ~(s)** z (pewnymi) zastrzeżeniami; **without ~(s)** bez (żadnych) zastrzeżeń. **3.** *prawn.* klauzula, zastrzeżenie, ograniczenie. **4.** *US t. ekol.* rezerwat (*zwł. indiański, t. przyrody*).

reservation desk *n. US* recepcja.

reserve [rɪˈzɝːv] *v.* **1.** rezerwować (*sth for sb / sth* coś dla kogoś/na coś). **2.** *prawn.* zastrzegać (sobie) (*prawo*). – *n.* **1.** *gł. ekon.* rezerwa, zapas; *pl.* rezerwy; *t. geol.* zasoby; **foreign exchange ~s** *fin.* rezerwy dewizowe; **in ~** w rezerwie *l.* zapasie; **put sth on ~** rezerwować coś (*zwł. książkę w bibliotece*). **2.** *U* powściągliwość, rezerwa. **3.** (*także* **~ price**) *fin.* cena wywoławcza *l.* minimalna (*na licytacji, aukcji*). **4.** *sport* gracz/ka *l.* zawodni-k/czka rezerwow-y/a. **5.** *wojsk.* rezerwist-a/ka; *U* rezerwa. **6.** *U form.* zastrzeżenia; **without ~** *form.* bez (żadnych) zastrzeżeń. **7.** *ekol.* rezerwat (*przyrody, Can. t. indiański*).

reserve bank *n. US fin.* = **Federal Reserve Bank**.

reserve currency *n. pl.* **-ies** *fin.* waluta rezerwowa.

reserved [rɪˈzɝːvd] *a.* **1.** powściągliwy, pełen rezerwy. **2.** zarezerwowany (*for sb / sth* dla kogoś/na coś); zajęty (*o miejscu*). **3.** *prawn.* zastrzeżony; **all rights ~** wszelkie prawa zastrzeżone.

reservedly [rɪˈzɝːvɪdlɪ] *adv.* powściągliwie, z rezerwą.

reserve team *n. sport* drużyna rezerwowa.

reservist [rɪˈzɝːvɪst] *n. wojsk.* rezerwist-a/ka.

reservoir [ˈrezərvˌwɑːr] *n.* **1.** *geogr., ekol., anat.* zbiornik; *geogr., ekol. t.* rezerwuar; zbiorniczek (*np. w piórze, prezerwatywie*). **2.** *przen.* zbiór, kolekcja. **3.** *gł. geol.* złoże, zbiornik. **4.** *pl. przen.* rezerwy, pokłady (*np. siły, wiedzy*).

reset *v.* [ˌriːˈset] *pret. i pp.* **reset, -tt- 1.** *komp.* uruchamiać ponownie, resetować (*komputer*). **2.** przestawiać; nastawiać (*zegarek, budzik*). **3.** *techn.* zerować (*licznik, urządzenie pomiarowe*). **4.** *chir.* zestawiać, ustawiać, składać (*złamanie, kończynę*). **5.** *szkoln.* układać (na nowo) (*test, pytania egzaminacyjne*). **6.** *druk.* dokonywać ponownego składu (*książki*); składać ponownie.

7. oprawiać na nowo (*kamień szlachetny*). – *n.* ['ri:ˌset] *C/U* 1. *komp.* ponowne uruchomienie, reset, resetowanie. 2. zerowanie (*czynność l. przycisk*).

reset button *n. techn.* przycisk zerowania; *komp.* klawisz reset.

resettle [ri:'setl] *v.* osiadać ponownie, zasiedlać się ponownie (*na jakimś terytorium*); osiedlać ponownie (*ludzi na jakimś terytorium*).

resettlement [ˌri:'setlmənt] *n. U* ponowne zasiedlenie.

reshape [ˌri:'ʃeɪp] *v.* zmieniać kształt (*polityki*), dokonywać zmian w (*polityce*); kształtować (na nowo), nadawać nowy kształt (*przyszłości*).

reship [ˌri:'ʃɪp] *v.* **-pp-** 1. *t. handl.* wysyłać ponownie (*towar, zakup*). 2. *żegl.* przeładowywać (*towar na inny statek*).

reshuffle *n.* ['ri:ˌʃʌfl] 1. *polit.* przetasowanie; **cabinet** ~ przetasowanie w gabinecie *l.* rządzie. 2. *karty* tasowanie. – *v.* [ˌri:'ʃʌfl] 1. *polit.* dokonywać przetasowań w (*rządzie*). 2. *karty* przetasować.

reside [rɪ'zaɪd] *v. form.* 1. zamieszkiwać, mieszkać (*gdzieś, pod jakimś adresem*); rezydować. 2. ~ **in sth** tkwić w czymś (*o cechach*); ~ **in/within sb/ sth** *polit.* spoczywać w czyichś rękach/w czymś (*zwł. o władzy, przywilejach*).

residence ['rezɪdəns] *n. form.* 1. *C/U* pobyt; okres zamieszkiwania *l.* pobytu. 2. (*także* **place of** ~) miejsce zamieszkania, miejsce stałego pobytu. 3. rezydencja. 4. dom, mieszkanie. 5. siedziba (*firmy*). 6. **be in** ~ rezydować; **in** ~ (obecny) na miejscu; *uniw.* stacjonarny; mieszkający w domu akademickim (*o studencie*); związany z określoną instytucją *l.* uczelnią (*o artyście*); **take up** ~ **somewhere** zamieszkać gdzieś, wprowadzić się gdzieś.

residency ['rezɪdənsɪ] *n. pl.* **-ies** 1. = **residence** 1, 2. 2. *US i Can. med.* staż specjalizacyjny (*w szpitalu*). 3. *Br. hist.* rezydentura (*w kolonii indyjskiej*).

resident ['rezɪdənt] *n.* 1. *form.* mieszkaniec/nka (*miasta, hrabstwa, państwa, domu*); lokator/ka, osoba zajmująca lokal; podopieczny/a (*domu opieki, domu dziecka*); **permanent** ~ stał-y/a mieszkan-iec/ka; **Polish** ~ (*także* ~ **of Poland**) mieszkan-iec/ka Polski, osoba zamieszkała w Polsce; **the** ~ lokator (*w adresie przesyłki reklamowej*). 2. *form.* gość (*w hotelu*). 3. (*także* ~ **physician**) *US i Can.* leka-rz/rka na stażu specjalizacyjnym (*pozostając-y/a na terenie szpitala*), rezydent. 4. *polit. i Br. hist.* rezydent. 5. *zool.* zwierzę osiadłe; ptak osiadły. – *a.* 1. ~ **in...** *form.* zamieszkały *l.* mieszkający w... 2. stały (*o ludności*). 3. *attr.* mieszkający na miejscu (*np. o lekarzu, dozorcy*); miejscowy. 4. *zool.* osiadły (*o zwierzęciu, ptaku*). 5. *komp.* rezydentny (*o programie*). 6. ~ **in sth** *form.* tkwiący w czymś; przynależny czemuś (*o cechach*).

residential [ˌrezɪ'denʃl] *a.* 1. mieszkaniowy; ~ **area** dzielnica mieszkaniowa; ~ **rent** czynsz za mieszkanie, komorne. 2. mieszkający w miejscu pracy (*o pracowniku*); mieszkający w miejscu nauki (*o uczniu, studencie*). 3. z zakwaterowaniem (*o pracy*). 4. wyjazdowy (*o kursie*).

residential care *n. U socjol.* dom *l.* domy opieki społecznej; **be in** ~ przebywać w domu opieki społecznej.

residential requirement *n. prawn.* warunek stałego pobytu.

residential school *n. szkoln. zwł. Can.* szkoła z internatem; *US* szkoła specjalna (*z internatem*).

residential treatment facility *n. pl.* **-ies** *US med., euf.* zakład zamknięty (*psychiatryczny*).

residentiary [ˌrezɪ'denʃərɪ] *a. form.* 1. rezydencjalny (*o stanowisku*). 2. rezydujący (*o urzędniku*).

resident physician *n. US i Can.* = **resident** *n.* 3.

residents association, residents' association *n.* rada mieszkańców.

residual [rɪ'zɪdʒuəl] *a. attr. form. l. techn.* pozostały; szczątkowy, resztkowy; *t. chem.* pozostałościowy; *geol.* rezydualny. – *n.* 1. *techn.* pozostałość. 2. *mat., stat.* reszta. 3. *zw. pl. film, telew.* tantiemy. 4. (*także* **weathering** ~) *geol.* rezyduum wietrzeniowe, pozostałość wietrzenia.

residual income *n. fin.* dochód netto (*po podatku*).

residual oil *n. U chem.* olej pozostałościowy *l.* asfaltowy.

residuary [rɪ'zɪdʒuˌerɪ] *a.* 1. *techn.* resztkowy. 2. *prawn.* oczyszczony z długów i obciążeń (*o majątku*); taki, któremu przysługuje majątek jw. (*o zapisobiorcy*).

residue ['rezɪˌdu:] *n.* 1. *chem., fiz.* osad. 2. *form.* reszta; *t. chem., fiz.* pozostałość. 3. *prawn.* majątek spadkowy oczyszczony z długów.

resign [rɪ'zaɪn] *v.* 1. *t. polit.* rezygnować, ustępować (*from sth* z czegoś); ~ **one's post/position** zrezygnować *l.* ustąpić ze stanowiska. 2. ~ **o.s. to sth/to doing sth** pogodzić się z czymś/z koniecznością robienia czegoś. 3. zrzekać się (*uprawnienia, przywileju*).

resignation [ˌrezɪg'neɪʃən] *n.* 1. *C/U t. polit.* ustąpienie, rezygnacja, dymisja; **hand in/tender one's** ~ złożyć rezygnację, podać się do dymisji. 2. *U* rezygnacja (= *apatia*). 3. *C/U* zrzeczenie się.

resigned [rɪ'zaɪnd] *a.* zrezygnowany; ~ **to sth** pogodzony z czymś (*z losem, z jakimś faktem*).

resignedly [rɪ'zaɪndɪdlɪ] *adv.* z rezygnacją.

resile [rɪ'zaɪl] *v. form.* odbijać się, odskakiwać; rozprężać się.

resilience [rɪ'zɪlɪəns], **resiliency** [rɪ'zɪlɪənsɪ] *n. U* 1. odporność, wytrzymałość (*zwł. na przeciwieństwa losu, choroby*); siła; ~ **of character** silny charakter. 2. *mech.* sprężystość.

resilient [rɪ'zɪlɪənt] *a.* 1. odporny, wytrzymały (*zwł. na przeciwieństwa losu, choroby*); silny. 2. *mech.* sprężysty.

resin ['rezɪn] *n. C/U bot., chem.* żywica. – *v. techn.* żywicować.

resinate ['rezɪneɪt] *v. techn.* żywicować.

resiniferous [ˌrezə'nɪfərəs] *a. bot.* żywicodajny.

resinous ['rezənəs] *a.* żywiczny.

resist [rɪ'zɪst] *v.* 1. opierać się, przeciwstawiać

się (*atakom, napastnikom, pokusie, korozji*); stawiać opór; ~ **arrest** *prawn.* stawiać opór (*o zatrzymanym*); **can't/cannot ~ (doing) sth** nie móc oprzeć się czemuś, nie móc się powstrzymać od czegoś; **sth is hard/impossible to ~** trudno się czemuś oprzeć. **2.** być odpornym na (*infekcję, chorobę*). – *n. chem.* powłoka ochronna.

resistance [rɪˈzɪstəns] *n.* **1.** *U t. fiz., psych.* opór; **put up/offer ~** stawiać opór; **take/follow the line of least ~** iść po linii najmniejszego oporu; **the ~** *wojsk.* ruch oporu. **2.** *C/U* sprzeciw (*społeczny*). **3.** *U l. sing. med.* odporność (*pacjenta na chorobę*); *pat.* oporność (*bakterii, choroby na lek*). **4.** *U l. sing. bot.* rezystencja, obronność (*rośliny*). **5.** *el. U l. sing.* opór, oporność, rezystancja; *C* element opornościowy *l.* rezystancyjny, opornik, rezystor.

resistant [rɪˈzɪstənt] *a.* **1.** oporny. **2.** ~ **to sth** przeciwny czemuś (*zwł. zmianom*). **3.** *zw. w złoż.* odporny, wytrzymały (*na czynniki fizyczne, chemiczne*); **heat-~** żaroodporny; **oil-~** olejoodporny. **4.** *med.* odporny (*o pacjencie*); *pat.* oporny (*o bakterii, chorobie*). – *n.* osoba opierająca się *l.* oporna.

resistible [rɪˈzɪstəbl] *a.* taki, któremu można się oprzeć.

resistive [rɪˈzɪstɪv] *a.* **1.** *el.* opornościowy, rezystywny (*o elemencie*). **2.** odporny.

resistivity [ˌriːzɪsˈtɪvətɪ] *n. U el.* opór właściwy, rezystywność.

resistor [rɪˈzɪstər] *n. el.* opornik, rezystor.

resit *gł. Br. szkoln., uniw. v.* [ˌriːˈsɪt] **resat, -tt-** powtarzać, poprawiać (*egzamin*). – *n.* [ˈriːˌsɪt] egzamin poprawkowy, poprawka (*in/for sth* z czegoś).

resole [ˌriːˈsoʊl] *v.* podzelować (*but*).

resoluble [rɪˈsɑːljəbl] *a. form.* = **resolvable.**

resolute [ˈrezəˌluːt] *a.* zdecydowany, stanowczy.

resolutely [ˈrezəˌluːtlɪ] *adv.* zdecydowanie, stanowczo.

resolution [ˌrezəˈluːʃən] *n.* **1.** postanowienie; **make a ~** powziąć postanowienie, obiecać sobie; **New Year's ~** postanowienie noworoczne. **2.** rezolucja, uchwała. **3.** rozwiązanie (*konfliktu, problemu*). **4.** *U* zdecydowanie, stanowczość, determinacja. **5.** *opt., komp.* rozdzielczość (*obrazu, teleskopu*). **6.** *C/U fiz., chem.* rozkład, rozkładanie (*na składowe*). **7.** *med., pat.* ustąpienie (*objawów, choroby*). **8.** *muz., teor. lit., teatr* rozwiązanie.

resolvable [rɪˈzɑːlvəbl] *a.* **1.** rozwiązywalny (*o problemie*). **2.** *fiz., chem.* rozkładalny; rozpuszczalny (*o substancji*).

resolve [rɪˈzɑːlv] *v.* **1.** rozwiązywać (*problemy*); zażegnywać (*konflikty*); usuwać (*wątpliwości*). **2.** postanawiać (*to do sth* coś zrobić, *that* że); podejmować decyzję (*to do sth* o zrobieniu czegoś). **3.** podjąć *l.* uchwalić rezolucję. **4.** *t. fiz., chem.* rozkładać, rozdzielać (*into sth* na coś) (*np. sygnał, mieszaninę na składniki*); *opt.* rozszczepiać (*światło*); *mat.* rozkładać (*wektor*). **5.** *opt.* rozróżniać (*o teleskopie: obiekty*). **6.** *med., pat.* wyleczyć, wyeliminować (*o leku; objaw chorobowy*); zanikać (*o objawie chorobowym*). **7.** ~ **itself into sth** przeistoczyć *l.* przekształcić się w coś. – *n. form.* **1.** *U* zdecydowanie, determinacja. **2.** postanowienie.

resolved [rɪˈzɑːlvd] *a. pred. form.* zdecydowany (*to do sth* coś zrobić).

resolvent [rɪˈzɑːlvənt] *a. i n. U* **1.** *techn.* (czynnik) rozkładający *l.* rozdzielający. **2.** *med.* (środek) resorbujący.

resolving power [rɪˈzɑːlvɪŋ ˌpaʊər] *n. C/U opt.* rozdzielczość (*układu optycznego, teleskopu*).

resonance [ˈrezənəns] *n. C/U* **1.** *akustyka, fiz.* rezonans. **2.** echo (*wydarzenia*). **3.** (głębokie) brzmienie (*głosu*). **4.** *form.* (ukryte *l.* głębsze) znaczenie; skojarzenie.

resonant [ˈrezənənt] *a.* **1.** donośny; dźwięczny; głęboki (*o głosie*). **2.** ~ **with sth** *form.* rozbrzmiewający czymś; pełen czegoś (*odgłosów*). **3.** *fiz., akustyka* rezonansowy. **4.** z (silnym) pogłosem (*o sali*).

resonantly [ˈrezənəntlɪ] *adv.* donośnie (*brzmieć*).

resonate [ˈrezəˌneɪt] *v.* **1.** *form.* rozbrzmiewać; ~ **with sth** rozbrzmiewać czymś, wypełniać się czymś (*muzyką*); obfitować w coś (*o tekście, zwł. literackim*). **2.** *fiz., akustyka* rezonować.

resonator [ˈrezəˌneɪtər] *n. fiz., akustyka* rezonator.

resorb [rɪˈsɔːrb] *v. chem., fizj.* resorbować, wchłaniać (się).

resorption [rɪˈzɔːrpʃən] *n. U fizj., geol.* resorpcja.

resort [rɪˈzɔːrt] *v.* **1.** ~ **to (doing) sth** uciekać się do czegoś (*np. pogróżek*). **2.** ~ **to sth** *form.* odwiedzać coś, uczęszczać gdzieś. – *n.* **1.** (*także* ~ **town**) miejscowość wypoczynkowa; kurort; **summer ~** letnisko; **seaside ~** kurort nadmorski, uzdrowisko nadmorskie; **winter sports ~** ośrodek sportów zimowych. **2.** (*także Br.* ~ **hotel**) dom wczasowy *l.* wypoczynkowy. **3.** *C/U* wyjście; ratunek; uciekanie się (*to sth* do czegoś); **in the last ~** (*także* **as a last ~**) w ostateczności; **of last ~** ostateczny; **have ~ to stealing/force** *form.* uciekać się do kradzieży/użycia siły. **4.** *U form.* uczęszczanie; **place of great ~** miejsce licznie uczęszczane.

resound [rɪˈzaʊnd] *v. t. przen.* rozbrzmiewać (*with sth* czymś, *through/around sth* gdzieś); nieść się.

resounding [rɪˈzaʊndɪŋ] *a. attr.* **1.** oszałamiający, spektakularny (*np. o zwycięstwie, porażce*). **2.** ogłuszający, głośny (*np. o huku*).

resoundingly [rɪˈzaʊndɪŋlɪ] *adv.* spektakularnie.

resource [ˈriːsɔːrs] *n.* **1.** *pl.* zasoby, surowce; środki (*finansowe*); **mineral/natural ~s** *geol.* zasoby mineralne/naturalne. **2.** *pl.* siły; siła (charakteru); **inner ~s** siła charakteru; **pool one's ~s** połączyć siły. **3.** *szkoln.* pomoc (dydaktyczna); ~ **room** magazyn *l.* magazynek pomocy dydaktycznych. **4.** *U form.* przedsiębiorczość, pomysłowość, zaradność; **a man/woman of great ~** *form.* osoba zaradna *l.* pomysłowa.

resourceful [rɪˈsɔ:rsful] *a.* przedsiębiorczy, pomysłowy, zaradny.

resourcefulness [rɪˈsɔ:rsfulnəs] *n. U* przedsiębiorczość, pomysłowość, zaradność.

respect [rɪˈspekt] *n.* **1.** *U* szacunek, uznanie (*for sb / sth* dla kogoś/czegoś); poszanowanie (*for sth* czegoś) (*np. praw*); respekt (*for sb / sth* przed kimś/czymś); **command sb's ~** (*także* **command the ~ of sb**) cieszyć się czyimś szacunkiem *l.* uznaniem; **earn/win sb's ~** (*także* **earn/win the ~ of sb**) zdobyć sobie czyjś szacunek *l.* czyjeś uznanie; **have ~ for sb/sth** mieć szacunek dla kogoś/czegoś; **out of ~ for sb/sth** z szacunku dla kogoś/czegoś; **show ~ to sb** (*także* **show sb ~**) okazywać komuś szacunek; **with ~** z szacunkiem (*traktować kogoś*); **with (all) due ~** (*także* **with (the greatest) ~**) *form.* z całym szacunkiem (*kiedy się z kimś nie zgadzamy*). **2.** *pl. form.* wyrazy uszanowania; **give/send one's ~s to sb** przesyłać komuś wyrazy uszanowania; **pay one's ~s to sb** składać komuś wyrazy uszanowania; złożyć komuś wizytę; **pay one's last ~s to sb** oddać komuś ostatnią posługę *l.* ostatni hołd. **3.** wzgląd; **in ~ of sth** *form.* z uwagi na coś, jeśli chodzi o coś; *fin.* tytułem czegoś (*o zapłacie*); **in all ~s** (*także* **in every ~**) pod każdym względem; **in many/some ~s** pod wieloma/pewnymi względami; **in one ~** pod jednym względem; **with ~ to sth** odnośnie *l.* względem czegoś, w nawiązaniu do czegoś. – *v.* **1.** szanować, poważać (*sb for sth* kogoś za coś). **2.** respektować (*np. czyjeś życzenia*), liczyć się z (*czyimś zdaniem, czyimiś życzeniami*). **3.** przestrzegać (*prawa, przepisów*).

respectability [rɪˌspektəˈbɪlətɪ] *n. U* **1.** poważanie; dobre imię; powaga. **2.** poczucie przyzwoitości.

respectable [rɪˈspektəbl] *a.* **1.** poważny, szanujący się (*o firmie, osobie*); szanowany, poważany. **2.** godny szacunku. **3.** przyzwoity, porządny. **4.** *pot.* przyzwoity (= *niezły, np. o sumie*).

respectably [rɪˈspektəblɪ] *adv.* **1.** poważnie; z szacunkiem. **2.** przyzwoicie (*t. pot.* = *nieźle*).

respectful [rɪˈspektful] *a.* pełen szacunku *l.* uszanowania.

respectfully [rɪˈspektfulɪ] *a.* **1.** z szacunkiem; **~ (yours)** *form.* z uszanowaniem (*w zakończeniu listu*). **2.** *pot.* = **respectively**.

respecting [rɪˈspektɪŋ] *prep.* względem, odnośnie (do), jeśli chodzi o.

respective [rɪˈspektɪv] *a. attr.* poszczególny; odpowiedni; **they (each) got into their ~ cars** każdy wsiadł do swojego samochodu.

respectively [rɪˈspektɪvlɪ] *adv.* odpowiednio; **I'm referring to each of you ~** mówię (to) do każdego z osobna; **John and Liz are four and six ~** John ma cztery lata, a Liz sześć, John i Liz mają odpowiednio cztery i sześć lat; **the teams scored two and three goals ~** jedna drużyna zdobyła dwie, a druga trzy bramki.

respell [ˌri:ˈspel] *v. jęz.* transkrybować (*fonetycznie przy użyciu liter*).

respelling [ˌri:ˈspelɪŋ] *n. C / U jęz.* transkrypcja (fonetyczna) literowa.

respirable [ˈrespərəbl] *a. form.* **1.** nadający się do oddychania. **2.** mogący oddychać.

respiration [ˌrespəˈreɪʃən] *n. U fizj.* oddychanie.

respirator [ˈrespəˌreɪtər] *n. med., techn.* respirator.

respiratory [ˈrespərəˌtɔ:rɪ] *a. fizj., anat., pat.* oddechowy.

respiratory distress syndrome *n. U pat.* zespół zaburzeń oddechowych u noworodka.

respiratory failure *n. U pat.* niewydolność oddechowa.

respiratory system *n. anat.* układ oddechowy.

respire [rɪˈspaɪr] *v. form.* **1.** oddychać. **2.** *lit.* nabrać tchu.

respite [ˈrespət] *n. form.* **1.** wytchnienie, chwila wytchnienia *l.* oddechu (*from sth* od czegoś); **without ~** bez (chwili) wytchnienia. **2.** *prawn.* odroczenie wykonania wyroku (*śmierci*).

resplendence [rɪˈsplendəns] *n. U form.* **1.** splendor. **2.** blask, jasność.

resplendent [rɪˈsplendənt] *a. form.* **1.** olśniewający. **2.** jaśniejący.

resplendently [rɪˈsplendəntlɪ] *adv. form.* olśniewająco.

respond [rɪˈspɑ:nd] *v.* **1.** reagować (*to sth* na coś, *by doing sth* czymś *l.* zrobieniem czegoś). **2.** odpowiadać (*to sth* na coś, *that* że). **3. ~ to sth** *med.* reagować na coś (*na leczenie; o pacjencie*); poddawać się czemuś, ustępować w wyniku czegoś (*o chorobie, symptomie*). – *n.* **1.** *bud.* służka (= *filar łuku*). **2.** *kośc.* responsorium.

respondent [rɪˈspɑ:ndənt] *form. n.* **1.** respondent/ka (*w ankiecie*). **2.** *prawn.* pozwan-y/a (*zwł. w procesie rozwodowym*). – *a.* **1.** reagujący; wrażliwy (*to sth* na coś). **2.** odpowiadający. **3.** *prawn.* pozwany.

response [rɪˈspɑ:ns] *n.* **1.** *C / U* reakcja; oddźwięk (*to sth* na coś); odpowiedź; **in ~ to sth** w odpowiedzi na coś. **2.** *fizj., med.* reakcja. **3.** *kośc.* responsorium.

responsibility [rɪˌspɑ:nsəˈbɪlətɪ] *n. pl.* **-ies 1.** *U* odpowiedzialność; **accept/assume/take ~ for sb/sth** przyjmować odpowiedzialność za kogoś/coś, poczuwać się do odpowiedzialności za kogoś/coś; **claim ~ for sth** twierdzić, że jest się za coś odpowiedzialnym, przyznawać się do czegoś (*zwł. do zamachu terrorystycznego*); **(do sth) on one's own ~** (robić coś) na własną odpowiedzialność; **have ~ for sb/sth** odpowiadać za kogoś/coś, być odpowiedzialnym za kogoś/coś. **2.** *C / U* obowiązek; **have a ~ to do sth** mieć obowiązek coś robić; **have a ~ to sb** mieć zobowiązania wobec kogoś; **it is sb's ~ to do sth** coś należy do czyichś obowiązków, coś jest czyimś obowiązkiem; **sense of ~** poczucie obowiązku.

responsible [rɪˈspɑ:nsəbl] *a.* **1.** odpowiedzialny (*for sth* za coś, *to sb* przed kimś); **be ~ for sth** odpowiadać za coś, być za coś odpowiedzialnym; **hold sb ~ (for sth)** obarczać kogoś odpowiedzialnością (za coś). **2.** *fin.* wypłacalny.

responsibly [rɪˈspɑ:nsəblɪ] *adv.* odpowiedzialnie (*postępować*).

responsive [rɪˈspɑ:nsɪv] *a.* **1.** wrażliwy, czuły;

otwarty (*to sth* na coś). **2.** chętny; przychylny; **be ~ to sth** (żywo) reagować na coś (*np. na sugestie*). **3.** reagujący; odpowiadający. **4.** *kośc.* responsorialny, responsoryjny (*o śpiewie*).

responsively [rɪˈspɑːnsɪvlɪ] *adv.* **1.** wrażliwie; otwarcie. **2.** chętnie; przychylnie.

responsiveness [rɪˈspɑːnsɪvnəs] *n. U* **1.** wrażliwość; otwartość. **2.** przychylność.

responsory [rɪˈspɑːnsərɪ] *n. pl.* **-ies** *kośc.* responsorium.

rest [rest] *n.* **1.** *U* **the ~** reszta; **and the ~** *Br. żart.* lekko licząc; **and all the ~ of it** *Br. pot.* i inne takie, i nie wiadomo, co jeszcze; **(as) for the ~** poza tym; wreszcie, zresztą; **for the ~ of sb's life** przez resztę życia; **the ~ is history** reszta jest (już) dobrze znana; **the ~ is silence** reszta jest milczeniem. **2.** *C/U* odpoczynek (*from sth* od czegoś); spoczynek; **at ~** *form.* w spoczynku; *euf.* w ziemi (= *martwy*); **come to ~** zatrzymać się (*o pojeździe*); spocząć (*on sth* na czymś) (*o wzroku*); **give sb no ~** nie dawać komuś ani chwili odpoczynku; **have/take a ~** odpocząć; **lay sb to ~** *lit.* złożyć kogoś na wieczny spoczynek; **well-earned ~** zasłużony odpoczynek. **3.** *C/U* spokój; **give it a ~!** *Br. pot.* daj spokój!; **lay/put sth to ~** uspokoić coś (*zwł. czyjeś obawy*); pozostawić *l.* zostawić coś w spokoju, dać czemuś spokój; **set sb's/one's mind at ~** uspokoić kogoś/się. **4.** *często w złoż.* podpórka, oparcie (*na rękę, głowę*); **arm ~** podłokietnik; **back ~** oparcie; **foot ~** podnóżek. **5.** miejsce wypoczynku; schronienie. **6.** *muz.* pauza. **7.** *wers.* średniówka, cezura. – *v.* **1.** odpoczywać. **2.** spoczywać (*np. o zmarłym, ciężarze, odpowiedzialności, wzroku*); **~ on one's laurels** *przen.* spocząć na laurach; **sb will not rest until...** ktoś nie spocznie, dopóki... **3.** opierać (się) (*against/on sth* o coś/na czymś). **4.** uspokoić się. **5.** dawać odpocząć (*komuś l. czemuś*); **~ one's feet/legs/eyes** dać odpocząć nogom/oczom. **6.** *euf.* być bez pracy (*o aktorze*). **7. ~ assured/easy that...** *form.* może Pan/Pani być spokojn-y/a *l.* pewn-y/a, że...; **~ in peace** *form.* niech spoczywa *l.* odpoczywa w pokoju, niech mu/jej ziemia lekką będzie; **God ~ his soul** *rel.* wieczny odpoczynek racz mu dać Panie; **I ~ my case** *prawn.* nie mam nic do dodania; *żart.* nic dodać, nic ująć; sami widzicie; **let sth/to/the matter ~** zostawić coś/to/sprawę w spokoju. **8. ~ on/upon sth** *form.* zależeć od czegoś; wynikać z czegoś; spoczywać na czymś (*o spojrzeniu*); **~ up (before sth)** *US* odpoczywać (przed czymś); **~ with sb** być w czyjejś gestii, spoczywać w czyichś rękach (*o decyzji, odpowiedzialności*); leżeć po czyjejś stronie (*o winie*).

rest area *n. Austr. i NZ mot.* parking (*przydrożny z toaletami, automatami z piciem i jedzeniem*).

restate [riːˈsteɪt] *v.* **1.** powtarzać (*obietnicę, groźbę*). **2.** przeformułować, sformułować inaczej (*w sposób bardziej zrozumiały l. przekonujący*).

restatement [riːˈsteɪtmənt] *n. U* **1.** powtórzenie. **2.** przeformułowanie.

restaurant [ˈrestərənt] *n.* restauracja.

restaurant car *n. Br. kol.* wagon restauracyjny.

restaurateur [ˌrestərəˈtɜːr] *n.* restaurator/ka, właściciel/ka restauracji.

rest cure *n. med.* kuracja spoczynkowa.

rested [ˈrestɪd] *a.* wypoczęty.

restful [ˈrestfʊl] *a.* **1.** kojący (*o muzyce*). **2.** spokojny, zaciszny (*o miejscu*).

restfully [ˈrestfʊlɪ] *adv.* **1.** kojąco. **2.** spokojnie, zacisznie.

restharrow [ˈrestˌheroʊ] *n. C/U bot.* wilżyna ciernista (*Ononis spinosa*).

rest home *n.* dom spokojnej starości.

resting [ˈrestɪŋ] *a.* **1.** *euf.* bez pracy (*o aktorze*). **2.** *euf.* nieżywy (*o osobie*). **3.** *biol.* osiadły (*o organizmie*). **4.** *biol.* niedzielący się (*o komórce*). **5.** *bot.* przetrwalnikowy (*o zarodniku*). **6.** *roln.* odłogujący (*o ziemi*).

resting place *n.* (*także* **last/final ~**) *lit.* miejsce (ostatniego) spoczynku.

restitution [ˌrestɪˈtuːʃən] *n. U form. gł. prawn.* **1.** zwrot (*mienia*); przywrócenie; restytucja. **2.** rekompensata, odszkodowanie; **make ~ to sb for sth** zrekompensować komuś coś. **3.** powrót (do stanu pierwotnego).

restive [ˈrestɪv] *a.* **1.** niespokojny, nerwowy; niecierpliwy, zniecierpliwiony; niezadowolony. **2.** krnąbrny; narowisty (*o koniu*).

restively [ˈrestɪvlɪ] *adv.* niespokojnie; niecierpliwie.

restiveness [ˈrestɪvnəs] *n. U* niepokój, nerwowość; zniecierpliwienie.

restless [ˈrestləs] *a.* niespokojny, nerwowy; niecierpliwy; **~ night** bezsenna noc; **feel ~** nie móc sobie znaleźć miejsca; **grow/get ~** zaczynać się niecierpliwić.

restlessly [ˈrestləslɪ] *adv.* niespokojnie, nerwowo; niecierpliwie.

restlessness [ˈrestləsnəs] *n. U* niepokój, nerwowość; niecierpliwość, zniecierpliwienie.

rest mass *n. fiz.* masa spoczynkowa.

restock [ˌriːˈstɑːk] *v. gł. handl.* uzupełniać zapasy (*czegoś*).

restoration [ˌrestəˈreɪʃən] *n.* **1.** *C/U* przywrócenie; zwrot (*mienia*). **2.** odbudowa, odnowienie, odrestaurowanie; restauracja; **the R~** *Br. hist.* restauracja (Stuartów) (*w Anglii w 1660 l. okres 1660-1688*). **3.** rekonstrukcja (= *model*).

restorative [rɪˈstɔːrətɪv] *a.* wzmacniający; odżywczy; krzepiący. – *n. t. med.* środek wzmacniający *l.* odżywczy; *żart.* kropelki, coś na wzmocnienie (= *alkohol*).

restore [rɪˈstɔːr] *v.* **1.** przywracać; **~ order/peace** przywrócić porządek/pokój; **~ sb's sight/confidence** przywrócić komuś wzrok/wiarę w siebie; **~ sb/sth to...** przywrócić kogoś/coś do... (*dawnego stanu, świetności, praw, zdrowia*). **2.** odbudowywać, odnawiać, restaurować; odtwarzać, rekonstruować (*budowlę, obraz*). **3.** *form.* zwracać (*sth to sb/sth* coś komuś/czemuś) (*np. dobra właścicielowi, tereny państwu*).

restorer [rɪˈstɔːrər] *n. t. sztuka* restaurator/ka, renowator/ka (*zabytków, fresków*); odnowiciel/ka (*mebli*).

restrain [rɪ'streɪn] *v.* **1.** hamować, powściągać (*uczucia, zapędy*); powstrzymywać (*sb from doing sth* kogoś od (zrobienia) czegoś); ~ **o.s. from sth** powstrzymać się przed czymś. **2.** *t. fin.* ograniczać (*inflację, wydatki*). **3.** więzić, uwięzić (*osobę, zwierzę*).

restrained [rɪ'streɪnd] *a.* powściągliwy, umiarkowany (*o zachowaniu, osobie*); spokojny (*o barwach*); stonowany (*o wystroju, ozdobach*).

restrainedly [rɪ'streɪnɪdlɪ] *adv.* powściągliwie, umiarkowanie; spokojnie.

restrainer [rɪ'streɪnər] *n.* *C / U fot.* osłabiacz.

restraining order [rɪ'streɪnɪŋ ˌɔːrdər] *n.* *US prawn.* zakaz (sądowy) (*zwł. zbliżania się do określonej osoby*); **place a ~ on sb** (*także* **place sb under a ~**) wydać zakaz (sądowy) w stosunku do kogoś (*o sądzie*).

restraint [rɪ'streɪnt] *n.* **1.** *U* powściągliwość, wstrzemięźliwość, umiar; **show/exercise ~** zachowywać powściągliwość *l.* umiar. **2.** *C / U, gł. pl.* ograniczenie (*on sth* czegoś *l.* w jakiejś dziedzinie); **~ of trade** *ekon.* ograniczenie wolnej konkurencji; **impose ~s** wprowadzać ograniczenia; **without ~** bez ograniczeń. **3.** uwięzienie; ograniczenie swobody, zamknięcie; **keep/place sb under ~** ograniczyć czyjąś swobodę ruchu; umieścić kogoś pod eskortą, eskortować kogoś (*oskarżonego*). **4.** *mot.* pasy bezpieczeństwa.

restrict [rɪ'strɪkt] *v.* ograniczać (*swobodę, zakres, ruchy*); **~ o.s./sth to sth** ograniczać się/coś do czegoś.

restricted [rɪ'strɪktɪd] *a.* **1.** ograniczony; **~ to sb** dozwolony (wyłącznie) dla kogoś (*np. dla dorosłych, personelu*); **be ~ to sth** ograniczać się do czegoś. **2.** zastrzeżony (*o informacji*).

restricted area *n.* **1.** obszar ograniczonego wstępu (*niedostępny bez uprawnienia, t. teren wojskowy*). **2.** *Br. mot.* obszar ograniczonego ruchu.

restricted parking zone *n. mot.* strefa ograniczonego parkowania *l.* postoju.

restriction [rɪ'strɪkʃən] *n.* *C / U* ograniczenie (*on sth* czegoś); restrykcje; **impose/place ~s on sth** nakładać na coś ograniczenia *l.* restrykcje; **lift/raise a ~** znieść ograniczenie; **without ~** bez ograniczeń.

restrictive [rɪ'strɪktɪv] *a.* **1.** ograniczający, restrykcyjny (*o przepisie*). **2.** *gram.* określający (*o zdaniu podrzędnym*); ograniczający (zakres rzeczownika) (*o przydawce*).

restrictiveness [rɪ'strɪktɪvnəs] *n.* *U* restrykcyjność (*przepisów*).

restrictive practices *n. pl. Br.* praktyki restrykcyjne (*stosowane przez związki zawodowe*).

rest room, restroom *n. US* toaleta.

restructure [riː'strʌktʃər] *v.* restrukturyzować (*przemysł*).

restructuring [riː'strʌktʃərɪŋ] *n.* *C / U* restrukturyzacja.

rest stop *n. US mot.* **1.** parking (*przydrożny z toaletami, automatami z piciem i jedzeniem*). **2.** przystanek (w podróży), przerwa (na odpoczynek).

result [rɪ'zʌlt] *n.* *C / U* wynik, rezultat (*np. obliczeń, meczu, wyborów, badań*); *pl. ekon.* wyniki (finansowe) (*spółki*); **as a ~** w wyniku tego, w rezultacie; **as a ~ of sth** w wyniku *l.* na skutek czegoś; **be a direct ~ of sth** być bezpośrednim skutkiem czegoś; **end/final/net ~** ostateczny rezultat; **for best ~s** dla uzyskania najlepszego efektu; **get ~s** mieć wyniki (= *uzyskiwać poprawę*); **get a ~** *Br. pot. sport* wygrać; **with the ~ that...** przez co..., w związku z czym... – *v.* **1.** wynikać (*from sth* z czegoś). **2.** **~ in sth** prowadzić do czegoś, powodować coś, kończyć się czymś.

resultant [rɪ'zʌltənt] *a.* **1.** *form.* wynikający (z tego), powstały (w ten sposób), wynikły; **~ benefits** wynikające z tego korzyści, powstałe w ten sposób korzyści. **2.** *mat., fiz.* wypadkowy. – *n.* **1.** *form. t. mat.* wynik. **2.** *mat., fiz.* wypadkowa.

resulting [rɪ'zʌltɪŋ] *a.* wynikający (z tego), powstały (w ten sposób), wynikły; **~ problems** wynikające (z tego) kłopoty.

resume [rɪ'zuːm] *v. gł. form.* **1.** podejmować na nowo (*podróż, pracę, rozmowę*); wznawiać (*działalność*); zaczynać ponownie. **2.** zaczynać się ponownie *l.* na nowo *l.* od nowa (*o czynności, pracy*). **3.** zajmować ponownie *l.* z powrotem, wracać na (*miejsce*); obejmować na nowo, powracać na (*stanowisko*). **4.** odzyskiwać (*dobry humor, wolność*). **5.** powracać do (*dawnego nazwiska*). **6.** podejmować (*opowiadanie*).

résumé ['rezəmeɪ], **resumé, resume** *n.* **1.** *gł. US, Can. i Austr.* życiorys, CV (*przy podaniu o pracę*). **2.** streszczenie (*of sth* czegoś).

resumption [rɪ'zʌmpʃən] *n.* *U l. sing. form.* **1.** wznowienie; (ponowne) podjęcie, podjęcie na nowo. **2.** ponowne objęcie.

resupinate [rɪ'suːpəˌneɪt] *a. bot.* odwrócony (*o kwiecie, zwł. orchidei*).

resurface [ˌriː'sɜːfɪs] *n.* **1.** wynurzać się. **2.** pojawiać się, stawać się widocznym; powracać. **3.** wymieniać nawierzchnię (*drogi*).

resurgence [rɪ'sɜːdʒəns] *n.* *U l. sing.* odrodzenie (się), powrót do (*idei, zwł. niemile widzianej*); (ponowny) wzrost (*przestępczości*); **~ in the popularity of sth** wzrost popularności czegoś.

resurgent [rɪ'sɜːdʒənt] *a.* odradzający się, powracający; wzrastający (ponownie).

resurrect [ˌrezə'rekt] *v.* **1.** wracać do (*teorii, przepisu*). **2.** wskrzeszać (*zmarłego*).

resurrection [ˌrezə'rekʃən] *n.* *U* **1.** (*także* **R~**) *gł. rel.* zmartwychwstanie. **2.** wskrzeszenie, odrodzenie; odżycie (*t. idei, pomysłu*).

resuscitate [rɪ'sʌsɪˌteɪt] *v.* **1.** *med.* reanimować. **2.** *przen.* wskrzeszać, przywracać do życia, reanimować (*pomysł*).

resuscitation [rɪˌsʌsɪ'teɪʃən] *n.* *U* **1.** *med.* reanimacja; **mouth-to-mouth ~** sztuczne oddychanie, oddychanie usta-usta; **cardiopulmonary ~** = **CPR**. **2.** *przen.* wskrzeszenie, reanimowanie (*dawnego pomysłu*).

resuscitator [rɪ'sʌsɪˌteɪtər] *n. med.* **1.** reanimator/ka. **2.** aparat tlenowy, resuscytator. **3.** *przen.* wskrzesiciel/ka.

ret [ret] *v.* **-tt-** moczyć, zmiękczać (*len, konopie*).

ret. *abbr.* **1.** = **retired**. **2.** *prawn.* = **return**. **3.** *handl.* = **returned**; *zob.* **returned** *v.*

retable [rɪˈteɪbl] *n. kośc.* retabulum.

retail [ˈriːˌteɪl] *n. U handl.* detal; (*także* ~ **trade**) handel detaliczny. – *a. attr. handl.* detaliczny; ~ **outlet** punkt sprzedaży detalicznej; ~ **price** cena detaliczna; ~ **sales** obrót detaliczny. – *adv. handl.* w detalu, detalicznie (*sprzedawać, kupować*). – *v.* **1.** *handl.* sprzedawać w detalu *l.* detalicznie, prowadzić handel detaliczny; ~ **at/for...** być sprzedawanym *l.* dostępnym po cenie (detalicznej)...; **sth ~s at/for $100** coś kosztuje w sklepie 100 dolarów. **2.** [rɪˈteɪl] *form.* rozgłaszać, powtarzać (*plotki*).

retailer [ˈriːˌteɪlər] *n. handl.* sprzedawca (*przedsiębiorstwo l. osoba*); przedsiębiorstwo handlowe (*detaliczne*); sieć detaliczna *l.* handlowa; detalista.

retailing [ˈriːˌteɪlɪŋ] *n. U handl.* handel detaliczny.

retail park *n. Br.* centrum handlowe (*za miastem*).

retail price index *n.* (*także* **RPI**) *Br. ekon.* wskaźnik cen detalicznych.

retain [rɪˈteɪn] *v. form.* **1.** zatrzymywać (*wodę, ciepło, prowizję*); zachowywać. **2.** zachowywać w pamięci, zapamiętywać (sobie). **3.** zaangażować (*zwł. prawnika*).

retainer [rɪˈteɪnər] *n.* **1.** *t. mech.* umocowanie, element mocujący. **2.** *dent.* klamra. **3.** stałe wynagrodzenie *l.* honorarium (*zwł. prawnika*). **4.** zmniejszony czynsz, zmniejszona opłata (za wynajem) (*na czas nieobecności*). **5.** *przest.* służący. **6.** *hist.* członek świty.

retaining wall [rɪˈteɪnɪŋ ˌwɔːl] *n. bud.* ściana oporowa, mur oporowy.

retake *v.* [ˌriːˈteɪk] **-took, -taken** **1.** *wojsk.* odzyskiwać kontrolę nad (*miastem*), odbijać, odzyskiwać. **2.** *szkoln.* powtarzać, zdawać ponownie (*oblany egzamin*). **3.** *film* robić dubel (*ujęcia*); filmować ponownie. – *n.* [ˌriːˈteɪk] **1.** *film* dubel. **2.** *Br. szkoln.* poprawka, egzamin poprawkowy. **3.** *sport* powtórzenie (*rzutu wolnego itp.*).

retaliate [rɪˈtælɪˌeɪt] *v.* odpowiadać (*to sth* na coś, *by doing sth, with sth* czymś) (*zwł. czynem na wrogi czyn*); brać odwet (*for sth* za coś).

retaliation [rɪˌtælɪˈeɪʃən] *n. U* odwet; **in ~ for sth** w odwecie za coś.

retaliatory [rɪˈtælɪəˌtɔːrɪ], **retaliative** [rɪˈtælɪˌeɪtɪv] *a. form.* odwetowy.

retard *v.* [rɪˈtɑːrd] *form.* opóźniać, zwalniać. – *n.* [ˈriːˌtɑːrd] *zwł. US obelż. sl.* debil.

retardant [rɪˈtɑːrdənt] *n. chem.* opóźniacz, zwalniacz, retardant. – *a.* **fire ~** trudno palny, opóźniający palenie.

retardation [ˌriːtɑːrˈdeɪʃən] *n. U* **1.** *form.* opóźnienie; *mech. t.* przyspieszenie ujemne. **2. mental ~** *pat. przest.* niedorozwój umysłowy, opóźnienie rozwoju umysłowego.

retardative [rɪˈtɑːrdətɪv], **retardatory** [rɪˈtɑːrdəˌtɔːrɪ] *a. form.* opóźniający.

retarded [rɪˈtɑːrdɪd] *a. przest. l. obelż.* niedorozwinięty, opóźniony w rozwoju; **mentally ~** niedorozwinięty umysłowo.

retch [retʃ] *v. fizj.* mieć torsje; **he was ~ing** zbierało mu się na wymioty.

retd *abbr. gł. wojsk.* = **retired**.

retention [rɪˈtenʃən] *n.* **1.** *form.* utrzymanie, zachowanie; podtrzymywanie (*tradycji*). **2.** *t. pat.* zatrzymanie, retencja (*płynów*). **3.** *techn.* zdolność zatrzymywania (*płynów, ciepła*). **4.** *psych.* zapamiętywanie; przechowywanie.

retentive [rɪˈtentɪv] *a.* **1.** *psych.* trwały, wierny (*o pamięci*). **2.** *form.* dobrze zatrzymujący (*of sth* coś) (*zwł. płyny*).

retentiveness [rɪˈtentɪvnəs] *n. U form.* zdolność zatrzymywania (*płynów*).

retentivity [ˌriːtenˈtɪvətɪ] *n. pl.* **-ies** **1.** *C/U fiz.* remanencja magnetyczna. **2.** *U form.* zdolność zatrzymywania.

retest *gł. szkoln. v.* [ˌriːˈtest] powtórnie *l.* ponownie przetestować *l.* przeegzaminować. – *n.* [ˈriːˌtest] powtórny *l.* ponowny test *l.* egzamin.

rethink [ˌriːˈθɪŋk] *v.* przemyśleć sobie (ponownie *l.* na nowo); zastanowić się nad (*czymś*); rewidować (*politykę, strategię*). – *n. sing.* **have a ~** *pot.* zastanowić się (jeszcze).

reticence [ˈretɪsəns] *n. U* małomówność; powściągliwość.

reticent [ˈretɪsənt] *a.* małomówny; powściągliwy; **be ~ about sth** mało *l.* niewiele *l.* niechętnie mówić o czymś.

reticle [ˈretɪkl] *n. opt.* siatka (*w obiektywie*).

reticula [rɪˈtɪkjələ] *n. pl. zob.* **reticulum**.

reticular [rɪˈtɪkjələr] *a. form.* **1.** siatkowy, siatkowaty. **2.** misterny.

reticulate *a.* [rɪˈtɪkjələt] (*także* **~ted**) *gł. bot.* siateczkowy, siatkowaty, siatkowy. – *v.* [rɪˈtɪkjəleɪt] pokrywać się siatką; tworzyć siatkę, łączyć się w siatkę.

reticulation [rɪˌtɪkjəˈleɪʃən] *n. U form.* siatka, siateczka; siatkowanie.

reticule [ˈretɪˌkjuːl] *n.* **1.** *hist.* torebka damska z siatki (*noszona w XVIII i XIX w.*). **2.** *opt.* = **reticle**.

reticulum [rɪˈtɪkjələm] *n. pl.* **reticula** [rɪˈtɪkjələ] **1.** *anat., bot.* siatka, siateczka. **2.** *zool.* czepiec (= *druga komora żołądka przeżuwaczy*). **3. R~** *astron.* Sieć (*gwiazdozbiór*).

retina [ˈretənə] *n. pl.* **-s** *l.* **retinae** [ˈretəniː] *anat.* siatkówka.

retinal [ˈretənl] *a. anat., fizj., pat.* siatkówkowy, dotyczący siatkówki; **~ damage** *pat.* uszkodzenie siatkówki.

retinol [ˈretənɔːl] *n. U biochem.* retinol, akseroftol.

retinue [ˈretənuː] *n. t. z czasownikiem w liczbie mnogiej* świta, orszak.

retire [rɪˈtaɪr] *v.* **1.** (*także* ~ **from work/one's job**) przechodzić *l.* odchodzić na emeryturę; ~ **early** przejść na wcześniejszą emeryturę. **2.** wysyłać na emeryturę (*pracownika*). **3.** *form.* udawać się (*to sth* gdzieś) (*zw. w spokojniejsze miejsce*). **4.** *t. sport, wojsk.* wycofywać się (*from sth* z czegoś) (*np. z gry z powodu kontuzji, ze stanowiska, z życia publicznego*). **5.** *lit.* udawać się na spoczynek. **6.** wycofywać (*np. przestarzałe urządzenia, banknoty*). **7.** *baseball* wyeliminować (*zawodnika*). **8.** *form.* ~ **from the world** odseparować się od świata; ~ **into o.s.** zamknąć się w sobie.

retired [rɪˈtaɪrd] *a.* **1.** emerytowany, na emeryturze; *wojsk.* w stanie spoczynku; **the** ~ emeryci. **2.** żyjący w odosobnieniu (*o osobie*); w odosobnieniu (*o życiu*); ustronny (*o miejscu*).

retiree [rɪˌtaɪˈriː] *n. US* emeryt/ka.

retirement [rɪˈtaɪrmənt] *n.* **1.** *C/U* emerytura; przejście *l.* odejście na emeryturę; *wojsk.* przejście w stan spoczynku; ~ **age/fund** wiek/fundusz emerytalny; **early** ~ wcześniejsza emerytura; **go into** ~ przejść na emeryturę; **take early** ~ przejść na wcześniejszą emeryturę. **2.** *U* odejście, ustąpienie, wycofanie (się), usunięcie (się) (*from sth* z czegoś). **3.** *U* odosobnienie; **in** ~ w odosobnieniu.

retirement pension *n.* emerytura (*świadczenie*).

retirement plan *n. zwł. US ubezp.* system ubezpieczeń emerytalnych.

retiring [rɪˈtaɪrɪŋ] *a.* **1.** nieśmiały, wstydliwy. **2.** *attr. gł. polit., admin.* ustępujący (*np. o prezydencie, dyrektorze*).

retold [ˌriːˈtoʊld] *v. zob.* **retell.**

retook [ˌriːˈtʊk] *v. zob.* **retake.**

retool [ˌriːˈtuːl] *v.* **1.** *US pot.* unowocześniać (się); reorganizować (się). **2.** zaopatrywać (się) w nowe narzędzia.

retorsion [rɪˈtɔːrʃən], **retortion** *n. U polit.* retorsja, odwet.

retort[1] [rɪˈtɔːrt] *v.* odciąć się, odparować, zripostować. – *n.* riposta, cięta odpowiedź.

retort[2] *chem. n.* retorta. – *v.* destylować (*w retorcie*).

retortion [rɪˈtɔːrʃən] *n.* = **retorsion.**

retouch *v.* [ˌriːˈtʌtʃ] **1.** *fot. l. przen.* retuszować; przerabiać, poprawiać. **2.** farbować (*odrosty*). – *n.* [ˈriːˌtʌtʃ] *fot. l. przen.* retusz.

retrace [rɪˈtreɪs] *v.* **1.** przebiegać pamięcią (*dawne wydarzenia*). **2.** odtworzyć (*wydarzenie, tok rozumowania*); prześledzić (*tok rozumowania*). **3.** badać (*przyczynę, źródło, początek zjawiska, wydarzenia*). **4.** poprawiać, kreślić ponownie (*linię*). **5.** ~ **one's steps/way** *t. przen.* wracać tą samą drogą, zawracać; ~ **the route taken by sb** jechać czyimiś śladami.

retract [rɪˈtrækt] *v.* **1.** chować, wciągać (*pazury, kły, bolec*); chować się, wciągać się (*o pazurach, kłach, bolcu*). **2.** odwoływać, wycofywać, cofać (*stwierdzenie, obietnicę*). **3.** wycofywać się. **4.** *fon.* przesuwać ku tyłowi, cofać (*samogłoskę*).

retractable [rɪˈtræktəbl], **retractible** *a.* chowany, wciągany (*o pazurach, podwoziu samolotu*), wysuwany (*o antenie, ostrzu noża*).

retractation [ˌriːˌtrækˈteɪʃən] *n. C/U form.* odwołanie, cofnięcie.

retractile [rɪˈtræktl] *a. zool.* chowany, wciągany (*o pazurach*).

retraction [rɪˈtrækʃən] *n. C/U* odwołanie, cofnięcie.

retractor [rɪˈtræktər] *n.* **1.** *chir.* retraktor, hak. **2.** *anat.* retraktor (= *mięsień cofający, zwł. zginacz*).

retrain [riːˈtreɪn] *v.* przekwalifikowywać (się) (*as sth* na kogoś).

retraining [riːˈtreɪnɪŋ] *n. U* przekwalifikowanie.

retransmit [ˌriːˌtrænzˈmɪt] *v. gł. telew.* retransmitować.

retread *v.* [ˌriːˈtred] **1.** *mot.* bieżnikować (*zużytą oponę*). **2.** przerabiać (*zwł. nieznacznie*). – *n.* [ˈriːˌtred] **1.** *mot.* opona bieżnikowana. **2.** *US pot.* przeróbka (*czegoś starego*). **3.** *US pot.* przekwalifikowan-y/a pracowni-k/ca.

retreat [rɪˈtriːt] *n.* **1.** *U l. sing.* odwrót (*t. wojsk.*); wycofanie (się) (*from sth* z czegoś); ucieczka (*from sth* od czegoś); **be in (full)** ~ *gł. wojsk.* wycofywać się (na całej linii); **beat a (hasty)** ~ wycofać się (pośpiesznie *l.* w pośpiechu); uciec (w pośpiechu); **in** ~ w odwrocie; **sound the** ~ *gł. wojsk.* odtrąbić odwrót, dać sygnał do odwrotu. **2.** *C/U* odosobnienie; schronienie; kryjówka; zacisze. **3.** *C/U kośc.* rekolekcje. – *v.* **1.** *t. wojsk.* wycofywać się (*from sth* z czegoś) (*np. z obietnicy, pozycji*). **2.** szukać schronienia; znajdować schronienie (*to sth* gdzieś, *from sb/sth* przed kimś/czymś). **3.** *szachy itp.* cofać (*pionek w grze*). **4.** ~ **into o.s.** zamknąć się w sobie; ~ **into one's thoughts** zamyślić się.

retrench [rɪˈtrentʃ] *v.* **1.** *form. ekon.* redukować koszty *l.* wydatki, czynić *l.* robić oszczędności; redukować (*wydatki*). **2.** *Austr.* zwalniać (z pracy) (*w ramach redukcji zatrudnienia*).

retrenchment [rɪˈtrentʃmənt] *n. C/U ekon.* redukcja (kosztów *l.* wydatków).

retrial [riːˈtraɪl] *n. prawn.* rewizja procesu, powtórny proces.

retribution [ˌretrəˈbjuːʃən] *n. U l. sing. form.* **1.** kara (*for sth* za coś); **divine** ~ *rel.* kara boska; **mete out** ~ wymierzać karę. **2.** odwet, zemsta; *prawn.* odpłata.

retributive [rɪˈtrɪbjətɪv], **retributory** [rɪˈtrɪbjəˌtɔːrɪ] *a. form.* karzący.

retrieval [rɪˈtriːvl] *n. U* **1.** *komp.* wyszukiwanie (*danych, informacji*). **2.** odzyskanie; uratowanie (*czegoś utraconego, skradzionego*); **beyond/past** ~ nie do odzyskania *l.* uratowania; **lost beyond** ~ bezpowrotnie stracony.

retrieve [rɪˈtriːv] *v. form.* **1.** wydobywać (*sth from sth* coś skądś). **2.** *komp.* wyszukiwać (*informację*). **3.** odzyskać, odnaleźć (*szczęście*). **4.** uratować (*rozbitków*). **5.** naprawiać (*błąd*); wynagradzać (*krzywdę*); powetować (*stratę*). **6.** *t. psych.* przypominać sobie (*fakt z pamięci*). **7.** odszukiwać. **8.** *tenis, badminton* uratować (*trudną piłkę, lotkę*). **9.** *myśl.* aportować (*zwierzynę; o psach*). **10.** ~ **a situation** uratować sytuację; ~ **one's losses** odzyskać *l.* zrównoważyć straty; *karty* odegrać się. – *n.* **1.** odzyskanie. **2.** *tenis, badminton* uratowanie piłki/lotki.

retriever [rɪˈtriːvər] *n. kynol.* **1.** retriwer, retriever. **2.** pies myśliwski (*aportujący zwierzynę*).

retro [ˈretroʊ] *a.* retro.

retroact [ˈretroʊˌækt] *v.* **1.** *prawn.* działać wstecz. **2.** przeciwdziałać, reagować.

retroaction [ˌretroʊˈækʃən] *n. U* **1.** *prawn.* moc wsteczna, działanie wsteczne. **2.** reakcja, przeciwdziałanie.

retroactive [ˌretroʊˈæktɪv] *a. prawn.* z mocą wsteczną, działający wstecz; ~ **to last January 1** z mocą wsteczną od 1 stycznia br.

retroactively [ˌretroʊˈæktɪvlɪ] *adv. prawn.* z mocą wsteczną.

retroactivity [ˌretroʊækˈtɪvətɪ] *n. U prawn.* moc wsteczna, działanie wsteczne.

retrochoir [ˈretroʊˌkwaɪr] *n. bud., kośc.* ambit (= *obszar za głównym ołtarzem katedry l. dużego kościoła*).

retrofit [ˈretroʊˌfɪt] *techn., bud. v.* **1.** modernizować, doposażać; ~ **sth with sth** wyposażyć coś w coś (*np. maszynę, urządzenie, budynek w nową część, instalację*). **2.** zamontować (*nową część, instalację*). **3.** modernizować się (*o fabryce*). – *n.* **1.** zmodernizowane urządzenie; zmodernizowany budynek. **2.** modernizacja. **3.** nowe wyposażenie.

retroflex [ˈretrəˌfleks] *a.* **1.** *fon.* retrofleksyjny (*o głosce, artykulacji*). **2.** *gł. anat.* wygięty *l.* odgięty *l.* zgięty (do tyłu *l.* ku tyłowi).

retroflexion [ˌretrəˈflekʃən] *n.* **1.** *fon.* retrofleksja. **2.** *gł. anat.* wygięcie *l.* zgięcie (do tyłu *l.* ku tyłowi).

retrogradation [ˌretroʊgrəˈdeɪʃən] *n. U* **1.** *muz.* retrogradacja, rak. **2.** *astron.* ruch wsteczny.

retrograde [ˈretrəˌgreɪd] *a. t. astron., biol., fiz., fizj., pat.* wsteczny; ~ **orbit** *astron.* orbita wsteczna; ~ **step** krok wstecz *l.* do tyłu (= *pogorszenie stanu*). – *v. form.* cofać się.

retrogress [ˈretrəˌgres] *v. form.* cofać się.

retrogression [ˌretrəˈgreʃən] *n. U* **1.** *mech., astron.* ruch wsteczny. **2.** *form.* cofanie się. **3.** *biol.* regresja, degeneracja.

retrogressive [ˌretrəˈgresɪv] *a. form.* wsteczny, regresywny.

retrorocket [ˈretroʊˌrɑːkɪt] *n. mech.* silnik rakietowy hamujący.

retrorse [rɪˈtrɔːrs] *a. bot.* odwrócony.

retrospect [ˈretrəˌspekt] *n. U* **in** ~ z perspektywy czasu, patrząc wstecz.

retrospection [ˌretrəˈspekʃən] *n. U form.* retrospekcja.

retrospective [ˌretrəˈspektɪv] *a.* **1.** retrospektywny. **2.** *prawn.* działający wstecz, z mocą wsteczną. – *n. sztuka* wystawa retrospektywna.

retrospectively [ˌretrəˈspektɪvlɪ] *adv.* **1.** retrospektywnie. **2.** *prawn.* wstecznie, z mocą wsteczną.

retroussé [rəˌtruːˈseɪ] *a. lit.* zadarty (*o nosie*).

retroversion [ˌretrəˈvɝːʒən] *n. U pat.* tyłopochylenie, retrowersja (*macicy*).

retrovirus [ˈretroʊˌvaɪərəs] *n. pat., biol.* retrowirus.

retry [ˌriːˈtraɪ] *v.* **-ied, -ying 1.** *prawn.* przeprowadzać rewizję (*sprawy*), poddawać rewizji. **2.** próbować ponownie *l.* powtórnie.

retsina [retˈsiːnə] *n. C/U* retsina, retzina (*wino greckie*).

return [rɪˈtɝːn] *v.* **1.** *t. przen.* wracać, powracać (*from sth* skądś, *from sb* od kogoś, *to sb/sth* do kogoś/czegoś) (*t. do porzuconego tematu*); ~ **home** wracać do domu; ~ **to normal** wracać do normy; ~ **to work** wracać do pracy. **2.** *t. handl.* oddawać, zwracać, odsyłać (*sth to sb/sth* coś do kogoś/gdzieś) (*np. zakupiony towar do sklepu*). **3.** odwzajemniać (*np. grzeczność, wizytę, uczucie*); ~ **a complement** odwzajemnić komplement, zrewanżować się komplementem; ~ **a favor** odwdzięczyć *l.* zrewanżować się (za przysługę). **4.** odbijać (*światło, dźwięk; t. sport - piłkę*). **5.** *fin. form.* przynosić, dawać (*zyski*). **6.** *fin. form.* podawać, zgłaszać (*wysokość dochodu na zeznaniu podatkowym*). **7.** *zw. pass. polit., parl.* wybierać (ponownie). **8.** *komp.* zwracać (*wartość*). **9.** ~ **a high/low rate of interest** *fin.* przynosić *l.* dawać duże/niewielkie zyski; ~ **a verdict** *prawn.* wydać werdykt *l.* orzeczenie; ~ **sb's call** odpowiedzieć na czyjś telefon, oddzwonić do kogoś; ~ **fire** *wojsk.* odpowiedzieć ogniem; ~ **spades/a partner's lead** *karty* odgrywać piki/kolor partnera; **never to** ~ *lit.* by nigdy (już) nie powrócić, na zawsze (*zwł. z powodu śmierci*). – *n.* **1.** *U l. sing.* powrót (*of sb/sth from/to...* kogoś/czegoś z/do...); ~ **to power/office** *polit.* powrót do władzy/na stanowisko; **on/upon sb's** ~ po czyimś powrocie. **2.** *U l. sing.* nawrót (*idei, objawów*). **3.** *U l. sing.* zwrot (*mienia, zakładników, zakupionego towaru*). **4.** odpowiedź; reakcja. **5.** *t. pl. fin.* zwrot; dochód, zysk (*on sth* z czegoś) (*z inwestycji, sprzedaży, kapitału*); **rate of** ~ stopa zwrotu (*inwestycji, obligacji*). **6.** (*także* **tax** ~) *fin.* zeznanie podatkowe; **file one's (tax)** ~ złożyć zeznanie podatkowe. **7.** (*także* ~ **key**) *komp.* (klawisz) return, (klawisz) enter, klawisz powrotu karetki. **8.** *t. prawn.* raport; *fin.* raport (finansowy) (*spółki*). **9.** *pl. gł. US polit., parl.* wyniki (wyborów *l.* głosowania). **10.** *karty* odegranie koloru. **11. by** ~ **(of post/mail)** *gł. Br. form.* odwrotną pocztą; **in** ~ **for sth** (w zamian) za coś; **many happy ~s (of the day)** *Br.* wszystkiego najlepszego (z okazji urodzin). – *a. attr.* **1.** powrotny, tam i z powrotem; ~ **fare** cena biletu w obie strony; ~ **ticket** *Br. i Austr.* bilet tam i z powrotem; *US* bilet na powrót. **2.** powrotny (*o adresie, ładunku, prądzie*). **3.** ~ **ball** *sport* odbita piłka; ~ **match/game** *sport* rewanż; ~ **visit** rewizyta.

returnable [rɪˈtɝːnəbl] *a.* **1.** *t. ekol.* zwrotny (*o butelce, puszce, opakowaniu*); podlegający zwrotowi (*o kaucji*). **2.** *prawn.* wymagający odpowiedzi. – *n. ekol.* opakowanie zwrotne.

returnee [rɪˌtɝːˈniː] *n. gł. US i Can.* osoba powracająca, powracając-y/a (*zwł. z wojska l. do nauki*).

returner [rɪˈtɝːnər] *n. Br.* osoba powracająca do pracy (po przerwie).

returning officer [rɪˈtɝːnɪŋ ˌɑːfɪsər] *n. Br. parl.* przewodnicząc-y/a komisji wyborczej.

retuse [rɪˈtuːs] *a. bot.* stępiony, tępo zakończony z wcięciem (*o liściu*).

Reuben sandwich [ˈru:bən ˌsændwɪtʃ] *n. kulin.* kanapka z grilla z wołowiną, serem i kapustą kiszoną.

reunification [ˌri:ˌju:nɪfɪˈkeɪʃən] *n. U l. sing. polit.* zjednoczenie (*ponowne*).

reunify [ˌri:ˈju:nɪˌfaɪ] *n.* **-ied, -ying** *polit.* zjednoczyć (*ponownie*).

reunion [ˌri:ˈju:njən] *n.* **1.** zejście się (*rozbitego małżeństwa*); pogodzenie się (*skłóconej rodziny*) (*with sb* z kimś). **2.** zjazd; **class/college/school ~** *szkoln.* zjazd koleżeński; **family ~** zjazd rodzinny.

reunite [ˌri:ju:ˈnaɪt] *v.* łączyć (się) ponownie, połączyć się; **be ~d with one's family** połączyć się z rodziną; wrócić do rodziny *l.* na łono rodziny.

reuse *t. ekol. v.* [ˌri:ˈju:z] wykorzystywać ponownie, używać wielokrotnie *l.* kilkakrotnie. – *n.* [ˌri:ˈju:s] *U* ponowne wykorzystanie.

Rev *n. rel.* = **Reverend.**

rev [rev] *gł. pot. v.* **-vv- 1. ~ (up) the engine** dodawać gazu, zwiększać obroty silnika. **2. ~ up** zwiększać, przyspieszać (*tempo, produkcję*); rozgrzewać (*osobę, emocje, wyobraźnię*); wyć (*o silniku*); nabierać tempa *l.* rozmachu (*o gospodarce*). – *n.* obrót (*silnika, wału*).

rev. *abbr.* **1.** = **revenue. 2.** = **reverse. 3.** = **review. 4.** = **revise. 5.** = **revision. 6.** = **revolution.**

revaluation [ˌri:ˌvælju:ˈeɪʃən] *n. U l. sing. fin.* **1.** rewaluacja, rewaloryzacja (*waluty*). **2.** ponowna wycena. **3.** przewartościowanie.

revalue [ˌri:ˈvælju:] *v. fin.* **1.** rewaluować, rewaloryzować (*walutę*). **2.** poddawać ponownej wycenie, wyceniać ponownie. **3.** przewartościowywać.

revamp [ri:ˈvæmp] *pot. v.* przerabiać, unowocześniać (*np. system*); przeorganizowywać; poprawiać (*np. wizerunek miasta*). – *n.* przeróbka.

rev counter *n. Br. pot. mot.* obrotomierz.

Revd *n. rel.* = **Reverend.**

reveal[1] [rɪˈvi:l] *v.* **1.** odsłaniać (*ciało, scenę*). **2.** ujawniać, wyjawiać (*t. np. aferę, tajemnicę*) (*that* że). **3.** *rel.* objawiać (*zwł. o Bogu*); **~ed religion** religia objawiona.

reveal[2] *n.* **1.** *bud.* ościeże (*okienne l. drzwiowe*). **2.** *mot.* rama okna.

revealing [rɪˈvi:lɪŋ] *n.* **1.** skąpy, kusy (*o stroju*). **2.** odkrywczy (*o spostrzeżeniu*).

reveille [ˈrevəlɪ] *n. wojsk.* pobudka.

revel [ˈrevl] *v. Br.* **-ll- 1. ~ in sth** napawać *l.* rozkoszować się czymś. **2. ~ in doing sth** uwielbiać coś robić, przepadać za robieniem czegoś. **3.** *przest.* hulać, używać sobie. – *n. gł. pl.* hulanka, zabawa.

revelation [ˌrevəˈleɪʃən] *n.* **1.** odkrycie; rewelacja. **2.** *U* odsłonięcie, ujawnienie, odkrycie (*of sth* czegoś). **3.** *C/U rel.* objawienie; **R~** (*także* **R~s**) *Bibl.* Objawienie (według) św. Jana, Apokalipsa.

reveler [ˈrevələr], *Br.* **reveller** *n.* imprezowicz/ka; *przest.* hulaka.

revelry [ˈrevəlrɪ] *n. C/U pl.* **-ies** huczna zabawa, hulanka, hulatyka.

revenant [ˈrevənənt] *n. lit.* zjawa, duch, upiór.

revenge [rɪˈvendʒ] *n.* **1.** zemsta (*for sth* za coś); **get/take/have (one's) ~ on sb** zemścić się na kimś (*for sth* za coś). **2.** *U* pragnienie *l.* chęć zemsty, mściwość. **3.** *zwł. sport* rewanż; **get one's ~** zrewanżować się. – *v.* mścić, pomścić (*kogoś l. coś*); mścić się za (*czyn*); **~ o.s. (on sb)** (*także* **be ~ed (on sb)**) zemścić się (na kimś) (*for sth* za coś).

revengeful [rɪˈvendʒfʊl] *a.* mściwy.

revenue [ˈrevənu:] *n. U l. pl. fin.* **1.** dochód, dochody (*państwa, przedsiębiorstwa*); **bring in ~(s)** przynosić dochód *l.* dochody. **2.** źródło dochodu. **3.** (*także* **(public) ~**) skarb państwa; fiskus.

revenue cutter *n.* kuter celniczy.

revenue sharing *n. U fin.* podział dochodów.

revenue stamp *n. fin.* znaczek opłaty skarbowej.

reverb [ˈri:vɜ:b] *n. akustyka, muz.* **1.** pogłos. **2.** urządzenie pogłosowe.

reverberate [rɪˈvɜ:bəˌreɪt] *v.* **1.** odbijać się (*o dźwięku, świetle, cieple*). **2.** rozlegać się (*o dźwięku*); **~ through/around/along sth** wypełniać coś (*o dźwięku; pomieszczenie*); **~ with sth** rozbrzmiewać czymś (*dźwiękiem; o pomieszczeniu*). **3.** odbijać się szerokim echem, mieć reperkusje (*o wydarzeniach, wieściach*).

reverberation [rɪˌvɜ:bəˈreɪʃən] *n.* **1.** *pl.* reperkusje (= *skutki*). **2.** *C/U akustyka, muz.* pogłos, rewerberacja. **3.** *U* odbijanie (się) (*dźwięku, światła, ciepła*).

reverberative [rɪˈvɜ:bəˌreɪtɪv] *a. techn.* odbijający.

reverberator [rɪˈvɜ:bəˌreɪtər] *n.* **1.** *techn.* reflektor (*dźwięku, światła, ciepła*). **2.** *metal.* piec płomienny, płomieniak.

reverberatory [rɪˈvɜ:bərəˌtɔ:rɪ] *a. techn.* odbity. – *n. pl.* **-ies** (*także* **~ furnace**) *metal.* piec płomienny, płomieniak.

revere [rɪˈvi:r] *v. form.* czcić (*sb/sth for sth* kogoś/coś za coś).

reverence [ˈrevərəns] *n.* **1.** *form.* cześć, rewerencja (*for sb/sth* dla kogoś/czegoś). **2. your/his ~/R~** *przest. kośc.* Wasza/Jego Wielebność. – *v. przest.* czcić.

reverend [ˈrevərənd] *a. gł. kośc. przest.* wielebny, czcigodny; **the R~ John Smith** wielebny John Smith; **R~ Mother** matka przełożona (*w klasztorze*). – *n. kośc. przest.* duchowny.

reverent [ˈrevərənt] *a. form.* pełen czci.

reverential [ˌrevəˈrenʃl] *a. form.* uniżony, pełen szacunku.

reverentially [ˌrevəˈrenʃlɪ] *adv. form.* uniżenie, z szacunkiem.

reverently [ˈrevərəntlɪ] *adv. form.* z czcią.

reverie [ˈrevərɪ] *n. C/U lit.* **1.** zamyślenie; **fall into a ~** wpaść w zamyślenie, zamyślić się; **lost in ~** zamyślony. **2.** marzenia, sny na jawie (*about sth* o czymś).

revers [rɪˈvi:r] *n. pl.* **revers** [rɪˈvi:rz] wyłóg (*sukni, marynarki*).

reversal [rɪˈvɜ:sl] *n.* **1.** *C/U* (radykalna) zmiana, odwrócenie (*polityki, decyzji*). **2.** przeszkoda, przeciwność losu, niepowodzenie. **3.** *prawn.* uchylenie (decyzji), kasacja.

reverse [rɪˈvɜːs] *v.* **1.** odwracać (*tendencję, kolejność, położenie*). **2.** *prawn.* uchylać (*decyzję*). **3.** *zwł. Br. i Austr. mot.* wycofywać (się), cofać (się); jechać tyłem. **4.** wywracać (na lewo) (*ubranie*). **5.** ~ **(the) charges** *gł. Br. tel.* dzwonić na koszt wzywanego. – *n. U l. sing.* **1. the** ~ coś (wręcz) przeciwnego; przeciwieństwo (*of sth* czegoś); **quite the** ~ wręcz przeciwnie. **2. go into** ~ odwracać się, ulegać odwróceniu (*o procesie, tendencji*). **3.** rewers (*monety*). **4.** tył, druga strona; **on the** ~ na odwrocie, z tyłu, po drugiej stronie (*of sth* czegoś) (*kartki, dokumentu, zdjęcia*). **5.** lewa *l.* odwrotna strona (*ubrania, tkaniny*). **6.** *U mot.* (*także* ~ **gear**) (bieg) wsteczny; **in** ~ na (biegu) wstecznym, wstecz, tyłem (*jechać*); **put the car in/into** ~ włączać *l.* wrzucać wsteczny (bieg). **7.** *form.* niepowodzenie, porażka. – *a. attr.* **1.** odwrotny; przeciwny; **in** ~ **order** w odwrotnej kolejności, od końca. **2.** *mot., mech.* wsteczny (*o biegu, ruchu*). **3. the** ~ **side** tył, druga strona; **on the** ~ **side** na odwrocie, z tyłu, po drugiej stronie.

reverse-charge [rɪˌvɜːsˈtʃɑːrdʒ] *a. gł. Br. tel.* na koszt wzywanego (*o rozmowie, połączeniu*); ~ **call** rozmowa „R".

reverse commuting *n. U socjol.* dojeżdżanie (do pracy) poza miasto.

reverse discrimination *n. U polit., socjol.* dyskryminacja odwrotna (*w celu wyrównania szans poszkodowanej l. dyskryminowanej grupy etnicznej, rasy, płci*).

reverse engineering *n. U techn.* inżynieria wsteczna (= *opracowanie technologii na podstawie gotowego wyrobu*).

reversely [rɪˈvɜːslɪ] *adv.* odwrotnie; przeciwnie.

reverse osmosis *n. U ekol., fiz.* osmoza odwrócona.

reverser [rɪˈvɜːsər] *n. el., mech.* nawrotnik, rewersor.

reverse takeover *n. ekon.* przejęcie odwrotne (*większej spółki przez mniejszą*).

reverse video *n. U komp.* obraz negatywowy; **in** ~ w negatywie, w rewersie (*wyświetlać (się)*).

reversibility [rɪˌvɜːsəˈbɪlətɪ] *n. U t. fiz., chem.* odwracalność.

reversible [rɪˈvɜːsəbl] *a.* **1.** *t. tk.* dwustronny (*np. o kurtce, tkaninie*). **2.** *t. fiz., chem.* odwracalny (*o procesie, reakcji, następstwach, decyzji*).

reversing light *n. gł. pl. Br. mot.* światło cofania.

reversion [rɪˈvɜːʒən] *n. C/U* **1.** *form.* nawrót; powrót (*to sth* do czegoś). **2.** *form.* odwrócenie. **3.** *biol.* rewersja (*mutacji*); atawizm. **4.** *prawn.* powrót majątku (*z tytułu wygaśnięcia tymczasowego prawa do niego*).

revert [rɪˈvɜːt] *v.* **1.** powracać, wracać (*to (doing) sth* do czegoś) (*np. tematu, wcześniejszej nazwy, dawnego stanu, zwyczaju, zwł. nagannego*); cofać się. **2.** odwracać; ~ **one's eyes/gaze** odwrócić wzrok. **3.** *biol.* ulegać rewersji. **4.** ~ **to sb** *prawn.* powracać do kogoś, wracać w czyjeś ręce. **5.** ~ **to type** wracać do dawnych zwyczajów; *biol.* wracać do pierwotnego fenotypu.

revest [rɪˈvest] *v. form.* przywracać (*sb in sth* kogoś na coś, *sth in sb* coś komuś) (*osobę na stanowisko, uprawnienia osobie*).

revet [rɪˈvet] *v.* **-tt-** *bud.* umacniać (*budowlę, brzegi rzeki, zwł. przez obmurowanie, wylanie betonem, wyłożenie kamieniami*).

revetment [rɪˈvetmənt] *n. bud.* **1.** umocnienie (*muru, budowli, brzegu rzeki*). **2.** ściana oporowa, mur oporowy.

review [rɪˈvjuː] *n.* **1.** *C/U polit., admin.* przegląd; kontrola (*polityki, przepisów*); **come up for** ~ podlegać kontroli; **under** ~ będący przedmiotem kontroli *l.* przeglądu. **2.** przedłużenie (*koncesji, licencji*). **3.** *C/U* recenzja; **book under** ~ recenzowana książka; **get bad** ~**s** mieć złe recenzje; zostać skrytykowanym *l.* źle odebranym. **4.** sprawozdanie; omówienie. **5.** *US i Can. szkoln.* powtórka (*przed klasówką, egzaminem*). **6.** *dzienn.* przegląd (*zwł. w tytułach czasopism*). **7.** *prawn., polit.* rewizja (*werdyktu, polityki*); **court of** ~ sąd apelacyjny. **8.** *wojsk.* przegląd (*wojsk*); **pass in** ~ defilować. **9.** *teatr* = **revue**. – *v.* **1.** przeprowadzać kontrolę *l.* przegląd (*działalności, polityki, przepisów*); kontrolować, sprawdzać; przeglądać; dokonywać przeglądu (*sytuacji*). **2.** recenzować (*książkę, film, program*). **3.** *US i Can. szkoln.* powtarzać (materiał) (*przed klasówką, egzaminem*). **4.** *wojsk.* odbywać przegląd (*wojska*). **5.** *prawn., polit.* poddawać rewizji, rewidować (*werdykt, politykę*).

review copy *n. pl.* **-ies** egzemplarz recenzyjny *l.* do recenzji (*książki, filmu, programu*).

reviewer [rɪˈvjuːər] *n.* **1.** krytyk; **book/film/theater** ~ krytyk literacki/filmowy/teatralny. **2.** recenzent/ka.

revile [rɪˈvaɪl] *v. form.* obrzucać obelgami *l.* błotem; atakować (*słownie*) (*sb for sth* kogoś za coś).

revilement [rɪˈvaɪlmənt] *n. U form.* obelgi, ataki słowne.

reviler [rɪˈvaɪlər] *n. form.* antagonist-a/ka, (gorliw-y/a) kryty-k/czka.

revise [rɪˈvaɪz] *v.* **1.** dokonywać rewizji (*prawa, konstytucji*); weryfikować, rewidować (*poglądy*). **2.** korygować, poprawiać (*szacunek, wycenę*); ~ **upwards/downwards** *zwł. Br. i Austr.* dokonywać korekty w górę/dół (*kwoty, prognozy*). **3.** *Br. i Austr. szkoln.* powtarzać (materiał) (*przed klasówką, egzaminem*). **4.** *druk.* uaktualniać, aktualizować, poprawiać (i uzupełniać) (*książkę*); dokonywać korekty, robić korektę (*książki*). – *n. gł. pl. druk.* rewizja, ostatnia korekta.

revised [rɪˈvaɪzd] *a.* **1.** skorygowany, poprawiony, zaktualizowany (*o wycenie, kosztorysie*). **2.** ~ **edition** *druk.* wydanie uaktualnione, wydanie poprawione (i uzupełnione).

revision [rɪˈvɪʒən] *n.* **1.** poprawka, uzupełnienie, zmiana; *U* poprawa, uzupełnienia, zmiany; korekta; **sth is subject to** ~ coś może być zmienione *l.* ulec zmianie. **2.** *C/U* weryfikacja; rewizja (*poglądów*). **3.** (poprawiona) wersja (*artykułu,* *dokumentu*). **4.** *druk.* wydanie uaktualnione, wydanie poprawione (i uzupełnione). **5.** *Br. i Austr. szkoln.* powtórka (*przed klasówką, egzaminem*).

revisionism [rɪˈvɪʒəˌnɪzəm] *n. U gł. polit.* rewizjonizm.

revisionist [rɪˈvɪʒənɪst] *n. gł. polit.* rewizjonist-a/ka.

revisit [riːˈvɪzɪt] *v.* **1.** powracać *l.* wracać do (*miejsca, dyskusji, tematu*). **2. X ~ed** powtórka z X (*z wydarzenia*); powrót do X (*do miejsca, mody*).

revisory [rɪˈvaɪzərɪ] *a. form.* rewizyjny.

revitalization [riːˌvaɪtələˈzeɪʃən], *Br. i Austr. zw.* **revitalisation** *n. U* ożywienie.

revitalize [riːˈvaɪtəˌlaɪz], *Br. i Austr. zw.* **revitalise** *v.* ożywiać.

revival [rɪˈvaɪvl] *n. C/U* **1.** *t. ekon.* ożywienie (*w gospodarce*). **2.** odrodzenie (*of sth* czegoś) (*np. ruchu społecznego, kulturowego*); odżycie (*of sth* czegoś) (*np. dawnych obaw, animozji*). **3.** przywrócenie do życia, ocucenie (*kogoś*). **4.** *teatr* wznowienie. **5.** *rel.* odnowa, odrodzenie (uczuć religijnych). **6.** *rel.* = **revival meeting**. **7.** *prawn.* przywrócenie mocy prawnej.

revivalism [rɪˈvaɪvəˌlɪzəm] *n. U rel.* ewangeliczny ruch odnowy religijnej.

revivalist [rɪˈvaɪvəlɪst] *n. rel.* człon-ek/kini ewangelicznego ruchu odnowy religijnej.

revival meeting *n. rel.* wiec religijny, spotkanie religijne (*zwł. dla szerzenia i pogłębiania wiary*).

revive [rɪˈvaɪv] *v.* **1.** ożywiać, wskrzeszać (*np. roślinę, spór, tradycję, wspomnienie*); odnawiać (*wiarę*). **2.** cucić. **3.** *teatr* wznawiać (*przedstawienie*). **4.** ożywać; odżywać; odradzać się. **5.** odzyskiwać przytomność.

revivification [rɪˌvɪvəfəˈkeɪʃən] *n. U form.* ożywienie.

revivify [rɪˈvɪvəˌfaɪ] *v. pl.* **-ied, -ying** *form.* ożywiać.

revocable [ˈrevəkəbl], **revokable** *a. form.* odwołalny.

revocation [ˌrevəˈkeɪʃən] *n. C/U prawn.* odebranie (*prawa jazdy, koncesji*); cofnięcie, unieważnienie (*pełnomocnictwa, koncesji*); unieważnienie, anulowanie (*dokumentu*); uchylenie (*postanowienia*); odwołanie (*decyzji*).

revoke [rɪˈvoʊk] *v.* **1.** *prawn.* odbierać (*prawo jazdy, koncesję*); cofać, unieważniać (*pełnomocnictwo, koncesję*); unieważniać, anulować (*dokument*); uchylać (*postanowienie*); odwoływać (*decyzję*). **2.** *karty* nie dawać do koloru.

revolt [rɪˈvoʊlt] *n.* **1.** *C/U t. polit.* bunt, rewolta, protest (*against/over sth* przeciwko czemuś); **be in ~** buntować się, protestować; **in ~ (against/over sth)** zbuntowany *l.* protestujący (przeciw *l.* przeciwko czemuś). **2.** *U* odraza. – *v.* **1.** buntować się, protestować (*against/over sth* przeciwko czemuś). **2.** *zw. pass.* napawać *l.* napełniać odrazą (*kogoś*), budzić odrazę w (*kimś*).

revolting [rɪˈvoʊltɪŋ] *a.* odrażający, budzący odrazę; *pot.* obrzydliwy.

revolute [ˈrevəˌluːt] *a. bot.* zawinięty (*o liściu*).

revolution [ˌrevəˈluːʃən] *n. C/U* **1.** *polit., hist. t. przen.* rewolucja; *gł. przen.* przewrót (*w leczeniu, nauce*). **2.** *mech., astron.* obrót; obieg (*round/around sth* wokół czegoś) (*osi, planety centralnej*); **50 ~s per minute** 50 obrotów na minutę.

revolutionarily [ˌrevəˈluːʃəˌnerɪlɪ] *adv.* rewolucyjnie.

revolutionariness [ˌrevəˈluːʃəˌnerɪnəs] *n. U* rewolucyjność.

revolutionary [ˌrevəˈluːʃəˌnerɪ] *a.* **1.** rewolucyjny (*o pomyśle, rozwiązaniu, ruchu politycznym*). **2.** *mech., astron.* obrotowy; obiegowy (*o ruchu*). – *n. pl.* **-ies** rewolucjonist-a/ka.

revolutionist [ˌrevəˈluːʃənɪst] *n. polit.* rewolucjonist-a/ka; zwolenni-k/czka rewolucji.

revolutionize [ˌrevəˈluːʃəˌnaɪz], *Br. i Austr. zw.* **revolutionise** *v.* rewolucjonizować (*technologię, komunikację*).

revolve [rɪˈvɑːlv] *v.* **1.** *mech.* obracać się; obracać (*czymś*). **2. ~ around** *US*/**round** *Br.* **sth** *astron.* obiegać coś; obracać się wokół *l.* dookoła czegoś; **~ around** *US*/**round** *Br.* **sb/sth** obracać się wokół kogoś/czegoś, koncentrować się na kimś/czymś (*o zainteresowaniach, życiu*); opowiadać o kimś/czymś, dotyczyć kogoś/czegoś (*o akcji filmu, książki*); **sb thinks the (whole) world ~s around them** ktoś myśli, że cały świat kręci się wokół niego.

revolver [rɪˈvɑːlvər] *n.* rewolwer.

revolving [rɪˈvɑːlvɪŋ] *a. attr.* **1.** *mech.* obrotowy. **2.** *fin.* odnawialny, rewolwingowy; **~ credit/fund** kredyt/fundusz odnawialny *l.* rewolwingowy.

revolving door [rɪˌvɑːlvɪŋ ˈdɔːr] *n.* **1.** drzwi obrotowe. **2.** *przen.* poczekalnia (życiowa) (= *miejsce l. instytucja, przez którą przewijają się ciągle nowi ludzie*); *uj.* fabryka, produkcja taśmowa (= *instytucja, np. szpital l. szkoła, która szybko i pobieżnie załatwia ludzi*).

revue [rɪˈvjuː], **review** *n. teatr* rewia.

revulsion [rɪˈvʌlʃən] *n. U* wstręt, odraza, obrzydzenie; **in ~** ze wstrętem.

revulsive [rɪˈvʌlsɪv] *a.* odrażający, obrzydliwy.

reward [rɪˈwɔːrd] *n.* **1.** *C/U t. psych.* nagroda (*t. np. za pomoc w ujęciu przestępcy*); **in ~ for sth** (*także* **as a ~ for sth**) w nagrodę za coś. **2.** *t. pl.* satysfakcja, radość; **be its own ~** być źródłem radości *l.* satysfakcji (*np. o pracy, cnocie*); **the ~s of matrimony** satysfakcja z pożycia małżeńskiego. – *v.* **1.** nagradzać, wynagradzać (*sb for sth/with sth* kogoś czymś/za coś). **2. be ~ed** zostać nagrodzonym, opłacić się (*np. o wysiłkach, cierpliwości*).

rewarding [rɪˈwɔːrdɪŋ] *a.* przynoszący satysfakcję, satysfakcjonujący (*o pracy*); cenny (*o doświadczeniu*); **be ~** przynosić *l.* dawać satysfakcję; **financially ~** opłacalny.

rewind *v.* [ˌriːˈwaɪnd] *pret. i pp.* **rewound** przewijać (wstecz *l.* w tył *l.* do tyłu), cofać (*taśmę, film*). – *n.* [ˈriːˌwaɪnd] przewijanie (wstecz *l.* w tył *l.* do tyłu); **~ button/key/control** klawisz przewijania (wstecz *l.* w tył *l.* do tyłu).

rewire [riːˈwaɪr] *v.* **1.** *bud.* wymieniać instalację elektryczną w (*budynku, pomieszczeniu*). **2.** *el., tel., komp.* wymieniać przewody w (*urządzeniu, sieci*).

reword [ˌriːˈwɜːd] *v.* przeredagować (*tekst, zdanie*); wyrazić inaczej (*prośbę, pytanie*).

rework [ˌriːˈwɜːk] *v.* przerabiać (*np. plan, utwór muzyczny l. literacki*). – *n.* (*także Br.* **~ing**) przeróbka, nowa wersja.

rewound [ˌriːˈwaʊnd] *v. zob.* **rewind.**

rewritable [ˌriːˈraɪtəbl] *a. komp.* do wielokrotnego zapisu (*o nośniku danych*).

rewrite [ˌriːˈraɪt] *v.* **rewrote, rewritten 1.** pisać od nowa; przeredagowywać (*tekst, artykuł*); przepisywać (od nowa); *t. przen.* przerabiać (*tekst, historię*). **2.** *komp.* zapisywać ponownie (*dane, nośnik*).

Rex [reks] *n.* **1.** *form.* Rex (= *król, w nazwach łacińskich*). **2.** *Br. prawn.* Korona; **~ v Smith** Korona przeciw Smithowi (*nazwa sprawy*).

Reykjavik [ˈreɪkjəvɪk] *n. geogr.* Rejkiawik, Reykjawik.

RFD [ˌɑːr ˌef ˈdiː], **R.F.D.** *abbr. US* = **rural free delivery.**

Rh [ɑːrˈeɪtʃ] *n. fizj., med.* = **Rhesus.**

rhabdomancy [ˈræbdəˌmænsɪ] *n. U form.* różdżkarstwo.

Rhaetian [ˈriːʃən] *a.* **1.** *geogr.* retycki; **~ Alps** Alpy Retyckie. **2.** *U jęz.* = **Rhaeto-Romance.**

Rhaetic [ˈriːtɪk], **Rhetic** *geol. a.* retycki. – *n.* **the ~** ret.

Rhaeto-Romance [ˌriːtoʊroʊˈmæns] *a. i n. U* (język) retoromański.

rhapsode [ˈræpsoʊd] *n. hist.* = **rhapsodist** 2.

rhapsodic [ræpˈsɑːdɪk], **rhapsodical** [ræpˈsɑːdɪkl] *a.* **1.** *muz.* rapsodyczny. **2.** *lit.* ekstatyczny.

rhapsodist [ˈræpsədɪst] *n.* **1.** *lit.* entuzjasta/ka. **2.** *hist.* rapsod (= *poeta recytator w dawnej Grecji*).

rhapsodize [ˈræpsəˌdaɪz], *Br. i Austr. zw.* **rhapsodise** *v.* **~ about/over sth** rozpływać się nad czymś.

rhapsody [ˈræpsədɪ] *n. pl.* **-ies 1.** *muz.* rapsodia. **2.** *U* zachwyt.

rhatany [ˈrætənɪ] *n. pl.* **-ies 1.** *C/U bot.* krzew południowoamerykański (*Krameria lappacea l. argentea*). **2.** *U* mielony korzeń krzewu jw.

rhea [ˈriːə] *n. zool.* nandu (*Rhea*); **greater/lesser ~** nandu szare/plamiste (*Rhea americana/pennata*).

rheme [riːm] *n. jęz.* remat.

Rhenish [ˈriːnɪʃ] *a. geogr.* reński; nadreński. – *n. U* wino reńskie.

rhenium [ˈriːnɪəm] *n. U chem.* ren.

rheostat [ˈrɪəˌstæt] *n. el.* regulator potencjometryczny; potencjometr (oporowy); rezystor nastawny, reostat.

Rhesus [ˈriːzəs], **rhesus** *n.* (*także* **Rh**) *fizj., med.* Rh; **~ factor/antigen** czynnik Rh; **be ~ negative/positive** mieć ujemne/dodatnie Rh.

rhesus [ˈriːsəs] *n.* (*także* **~ monkey**) *zool.* (makak) rezus (*Macaca mulatta*).

rhet. *abbr.* = **rhetoric**; = **rhetorical.**

rhetor [ˈriːtər] *n. gł. hist.* retor.

rhetoric [ˈretərɪk] *n. U ret., t. polit. często uj.* retoryka; **empty ~** czysta retoryka, pustosłowie.

rhetorical [rɪˈtɔːrɪkl] *a. ret. l. przen.* retoryczny; **~ question** pytanie retoryczne.

rhetorically [rɪˈtɔːrɪklɪ] *adv. ret. l. przen.* retorycznie.

rhetorician [ˌretəˈrɪʃən] *n.* **1.** retory-k/czka, orator/ka, krasomów-ca/czyni. **2.** *hist.* retor.

rheum [ruːm] *n. U med., pat.* wodnista wydzielina (*zwł. z nosa l. oczu*); katar (*wydzielina*).

rheumatic [rʊˈmætɪk] *a. pat.* **1.** reumatyczny, gośćcowy; **~ fingers** palce dotknięte *l.* zniekształcone reumatyzmem; **~ pains** bóle reumatyczne. **2.** cierpiący na reumatyzm (*o pacjencie*); **be ~** cierpieć na reumatyzm. – *n.* reumaty-k/czka.

rheumatic fever *n. U pat.* ostry gościec stawowy.

rheumaticky [rʊˈmætɪkɪ] *a. pot.* cierpiący na reumatyzm (*o osobie*); reumatyczny (*o bólu*); dotknięty reumatyzmem (*o części ciała*).

rheumatics [ruːˈmætɪks] *n. U gł. Br. pot.* reumatyzm.

rheumatism [ˈruːməˌtɪzəm] *n. U pat.* reumatyzm, gościec.

rheumatoid [ˈruːməˌtɔɪd] *a. pat.* reumatoidalny.

rheumatoid arthritis *n. U pat.* reumatoidalne zapalenie stawów, gościec przewlekły postępujący.

rheumatologist [ˌruːməˈtɑːlədʒɪst] *n. med.* reumatolo-g/żka.

rheumatology [ˌruːməˈtɑːlədʒɪ] *n. U med.* reumatologia.

rheumy [ˈruːmɪ] *a.* **1.** wydzielinowy. **2.** *lit.* wilgotny (*o powietrzu*).

rhinal [ˈraɪnl] *a. anat., med., pat.* nosowy.

Rhine [raɪn] *n.* **1. the ~** *geogr.* Ren. **2. ~ wine** wino reńskie.

Rhineland [ˈraɪˌlænd] *n. geogr.* Nadrenia.

rhinestone [ˈraɪnˌstoʊn] *n. C/U* imitacja diamentu.

rhinitis [raɪˈnaɪtəs] *n. U pat.* nieżyt nosa, katar.

rhino [ˈraɪnoʊ] *n. pl.* **-s** *l.* **rhino 1.** *pot.* = **rhinoceros. 2.** *U Br. sl.* kasa (= *pieniądze*).

rhinoceros [raɪˈnɑːsərəs] *n. pl.* **-es** *l.* **rhinoceros** *zool.* nosorożec (*Rhinoceros*).

rhinoceros bird *n. orn.* bąkojad (*Buphagus*).

rhinoplasty [ˈraɪnoʊˌplæstɪ] *n. pl.* **-ies** *chir.* operacja plastyczna nosa; *U* chirurgia plastyczna nosa.

rhizome [ˈraɪzoʊm] *n. bot.* kłącze.

rhizopod [ˈraɪzəˌpɑːd] *n. biol.* pierwotniak z podtypu korzenionóżek (*podgromada Rhizopoda*).

rho [roʊ] *n. pismo* ro, P (*litera grecka*).

Rhode Island [ˌroʊd ˈaɪlənd] *n. US* stan Rhode Island.

Rhode Island Red *n. hodowla* rodajlend, karmazyn (*rasa kury*).

Rhodes [roʊdz] *n. geogr.* Rodos.

Rhodesia [roʊˈdiːʒə] *n. hist., polit.* Rodezja.

Rhodesian [roʊˈdiːʒən] *hist., polit. n.* Rodezyj-czyk/ka. – *a.* rodezyjski.

rhodium ['roʊdɪəm] *n. U chem.* rod.
rhododendron [ˌroʊdə'dendrən] *n. bot.* rododendron (*Rhododendron*).
rhomb [rɑ:m] *n. geom.* = **rhombus.**
rhombic ['rɑ:mɪk], **rhombical** ['rɑ:mɪkl] *a. geom.* rombowy.
rhombohedron [ˌrɑ:mbə'hi:drən] *n. geom.* romboedr.
rhomboid ['rɑ:mbɔɪd] *geom. a.* romboidalny. – *n.* deltoid, romboid.
rhombus ['rɑ:mbəs] *n. pl.* **-es** *l.* **rhombi** ['rɑ:mbaɪ] *geom.* romb.
rhonchus ['rɑ:ŋkəs] *n. C/U pl.* **rhonchi** ['rɑ:ŋkaɪ] *pat.* rzężenie (grubobańkowe) (*w piersi*).
Rhone [roʊn] *n.* **the ~** *geogr.* Rodan.
rhotacism ['roʊtəˌsɪzəm] *n. U jęz., fon.* rotacyzm.
rhotic ['roʊtɪk] *a. jęz. fon.* rotyczny (*o wymowie, dialekcie*).
rhubarb ['ru:bɑ:rb] *n.* **1.** *C/U kulin., bot.* rabarbar; *bot., med.* rzewień (*Rheum*). **2.** *US przest. pot.* awantura. – *int. teatr* tratata (= *nic nieznaczące dźwięki symulujące rozmowę*).
rhumb [rʌm] *n. żegl.* **1.** (*także* **~ line**) loksodroma. **2.** rumb (*na kompasie*).
rhumba ['rʌmbə] *n. muz.* rumba.
rhyme [raɪm] *n.* **1.** wierszyk, rymowanka. **2.** *t. wers.* rym (*for sth* do czegoś); **masculine/feminine ~** rym męski/żeński. **3.** *U* wiersz; **in ~** wierszem. **4.** *przen.* **without ~ or reason** bez żadnego widocznego powodu, bez żadnej widocznej przyczyny; (*także* **no ~ or reason**) (*także* **neither ~ nor reason**) ni stąd, ni zowąd; ni w pięć, ni w dziewięć, ni przypiął, ni przyłatał. – *v.* rymować (się) (*with sth* z czymś).
rhymer ['raɪmər] *n.* (*także* **~ster**) wierszoklet-a/ka.
rhyming slang ['raɪmɪŋ ˌslæŋ] *n. U jęz.* slang rymowany (*spopularyzowany przez mieszkańców wschodniego Londynu; np. "pig's ear" zamiast "beer"*).
rhythm ['rɪðəm] *n. C/U* rytm.
rhythm and blues *n. U* (*także* **R & B**) *muz.* rhythm and blues.
rhythmic ['rɪðmɪk], **rhythmical** ['rɪðmɪkl] *a.* rytmiczny.
rhythmically ['rɪðmɪklɪ] *adv.* rytmicznie.
rhythmics ['rɪðmɪks] *n. U muz.* rytmika (= *nauka o rytmie*).
rhythm method *n. med.* metoda kalendarzykowa (*antykoncepcji*).
rhythm section *n. muz.* sekcja rytmiczna.
RI *abbr.* **1.** *US geogr.* = **Rhode Island. 2. religious instruction** *rel., szkoln.* religia, lekcje religii.
rial [rɪ'ɑ:l], **riyal** *n. fin.* rial (*jednostka monetarna kilku krajów arabskich*).
riata [rɪ'ɑ:tə] *n.* lasso, arkan.
rib [rɪb] *n.* **1.** *anat., mech., bud.* żebro. **2.** *C/U kulin.* żeberko; żeberka; **barbecued ~s** żeberka z grilla; **prime ~** *US* antrykot. **3.** *pot.* przytyk, docinek. **4.** *bot.* żyłka (*liścia*). **5.** *mech.* pręt. **6.** *żegl.* wręga. **7.** *dziewiarstwo* ścieg prążkowany *l.* w prążki, ścieg prawo-lewo; prążek. **8.** *muz.* boczek (*pudła rezonansowego skrzypiec itp.*). **9. dig sb in the ~s** *zob.* **dig**[1] *v.* – *v.* **-bb- 1.** *pot.* **~ sb** robić sobie śmichy z kogoś; **~ sb about sth** dokuczać komuś z jakiegoś powodu (*zwł. na żarty*). **2.** *mech., bud.* żebrować, wzmacniać żebrami (*konstrukcję*). **3.** *dziewiarstwo* robić ściegiem prawo-lewo *l.* prążkowanym (*sweter*).
ribald ['rɪbld] *a. przest.* sprośny.
ribaldry ['rɪbəldrɪ] *n. U przest.* sprośności.
riband ['rɪbənd] *n. arch.* wstęga (*zwł. odznaczenie*).
ribband ['rɪbænd] *n. żegl.* wzdłużnik.
ribbed [rɪbd] *a.* prążkowany, w prążki.
ribber ['rɪbər] *n. gł. US pot.* żartowni-ś/sia.
ribbing ['rɪbɪŋ] *n.* **1.** *U l. sing. pot.* podśmiechujki, śmichy-chichy. **2.** *U tk.* prążki, prążkowanie. **3.** *U mech.* żebrowanie.
ribbon ['rɪbən] *n.* **1.** wstążka; tasiemka; wstążeczka. **2.** taśma (*do drukarki*) (*w maszynie do pisania*). **3.** strzęp; **in ~s** (*także* **cut/torn to ~s**) w strzępach; poszarpany. **4.** *mech., techn.* taśma, wstęga; pasek. **5.** *US wojsk.* wstęga (*odznaczenie*); **blue ~** wstęga zwycięzcy, główna nagroda. **6.** (*także* **~ cable**) *el.* kabel *l.* przewód taśmowy. **7.** *pl. jeźdz. pot.* lejce. – *v.* **1.** ozdabiać wstążką *l.* wstążkami. **2.** drzeć na strzępy.
ribbon development *n. Br. bud.* zabudowa przy drogach (dojazdowych).
ribbon fish *n. icht.* **1.** wstęgor królewski (*Regalecus glesne*). **2.** wstęgor (*rodzaj Trachypterus*).
ribbon grass *n. U bot.* mozga trzcinowata (*Phalaris arundinacea*).
ribbon snake *n. zool.* pończosznik (*Thamnophis*).
ribbon worm *n. zool.* wstężniak (*Nemertean*).
ribbony ['rɪbənɪ] *a.* taśmowaty, tasiemkowaty, wstęgowaty.
rib cage, ribcage *n. anat.* klatka piersiowa.
rib grass *n. bot.* babka lancetowata (*Plantago lanceolata*).
riboflavin [ˌraɪboʊ'fleɪvɪn] *n. U biochem.* ryboflawina.
ribonucleic acid [ˌraɪboʊnuˌkli:ɪk 'æsɪd] *n. U biochem.* kwas rybonukleinowy.
ribosome ['raɪbəˌsoʊm] *n. biol.* rybosom.
rice [raɪs] *n. U bot., kulin.* ryż (*Oryza sativa*); **puffed ~** ryż dmuchany. – *v. US i Can. kulin.* przeciskać, rozgniatać (*np. ziemniaki*).
ricebird ['raɪsˌbɝ:d] *n. US orn.* ryżojad (*Dolichonyx oryzivorus*).
rice paddy *n. pl.* **-ies** (*także* **rice field**) pole ryżowe.
rice paper *n. U kulin., sztuka* papier ryżowy.
rice pudding *n. U kulin.* deser (mleczno-)ryżowy.
ricer ['raɪsər] *n. US i Can. kulin.* przeciskacz, przeciskarka (*do ziemniaków itp.*).
rich [rɪtʃ] *a.* **1.** bogaty (*o osobie, ozdobach, tradycji, złożach, zaopatrzeniu, brzmieniu, mieszance*); **~ in sth** bogaty w coś (*np. w witaminy, białko*); **~ with sth** bogato czymś zdobiony; **the ~** bogaci; **the ~ and famous** elita (*towarzyska*). **2.** kosztowny. **3.** *roln.* żyzny. **4.** obfity, suty. **5.**

pożywny; *t. euf.* tłusty, tuczący (*o żywności*). **6.** aromatyczny (*o kawie*). **7.** soczysty, pełny, głęboki (*o barwie, dźwięku*). **8.** silny (*o zapachu*). **9.** *gł. iron.* zabawny; **that's ~ (coming from you/him/her/them)!** i kto to mówi!

riches ['rɪtʃɪz] *n. pl. lit.* bogactwa, bogactwo.

richly ['rɪtʃlɪ] *adv.* bogato (*zdobiony*); **~ deserve sth** w pełni na coś zasługiwać; **be ~ rewarded** być *l.* zostać sowicie nagrodzonym.

richness ['rɪtʃnəs] *n. U* bogactwo; obfitość.

Richter scale ['rɪktər ˌskeɪl] *n. U techn.* skala Richtera; **7 on the ~** 7 w skali Richtera.

rick[1] [rɪk] *roln. n.* stóg; bróg; kopka (*siana, trawy*). – *v.* ustawiać w stóg *l.* stogi.

rick[2] *v. Br. i Austr. pot.* naciągnąć sobie (*plecy, kark, kostkę*).

rickets ['ri:kɪts] *n. U pat.* krzywica, rachityzm.

rickety ['rɪkətɪ] *a.* **1.** rozwalający się, rachityczny (*o konstrukcji, schodach*); chwiejący się, koślawy (*o krześle, stole*). **2.** niedołężny, słaby. **3.** *pat.* krzywiczy.

rickey ['rɪkɪ] *n. US kulin.* gin *l.* wódka z sokiem z cytryny i wodą sodową.

rickrack ['rɪkˌræk] *n. tk.* bordiurka, bordiura.

rickshaw ['rɪkˌʃɔ:], **ricksha** *n.* riksza.

ricochet ['rɪkəˌʃeɪ] *n.* rykoszet. – *v. Br.* **-tt-** odbijać się (rykoszetem).

ricotta [rɪ'kɔ:tə] *n. U It. kulin.* serek biały.

rictus ['rɪktəs] *n. pl.* **-es** *l.* **rictus 1.** *lit.* grymas (*zwł. otwarcie l. wykrzywienie ust w przerażeniu*). **2.** *biol.* rozwarcie (*ust, pyska, dzioba, kielicha*).

rid [rɪd] *a.* **get ~ of sb/sth** pozbyć się kogoś/czegoś, uwolnić się od kogoś/czegoś; **be ~ of sb/sth** mieć kogoś/coś z głowy; pozbyć się kogoś/czegoś; **you'll be well ~ of him** dobrze, że będziesz go (już) mieć z głowy. – *v. pret. i pp.* **rid** *l.* **ridded ~ sb/sth of sth** uwolnić kogoś/coś od czegoś, oczyścić kogoś/coś z czegoś; **~ o.s. of sth** pozbyć się czegoś, uwolnić się od czegoś.

ridable ['raɪdəbl] *a.* nadający się do jazdy (*o rowerze, koniu*).

riddance ['rɪdəns] *n. U* **good ~!** krzyżyk na drogę!, nie będę/będziemy za nim/nią/nimi/tym płakać!; **bid sb good ~** dać komuś krzyżyk na drogę; **good ~ to bad rubbish** baba z wozu, koniom lżej.

ridden ['rɪdən] *v. zob.* **ride**. – *a. w złoż. z rzeczownikiem* opanowany przez (*coś*); pełen (*czegoś*); przepełniony (*czymś*); **guilt-~** pełen (poczucia) winy; **mosquito-~** opanowany przez komary.

riddle ['rɪdl] *n.* **1.** zagadka (= *łamigłówka słowna l. niewyjaśniona tajemnica*); **talk/speak in ~s** operować *l.* mówić zagadkami. **2.** (grube) sito, sito ramowe, rzeszoto. – *v.* **1.** wzruszyć (*palenisko, węgiel w palenisku*). **2.** dziurawić, podziurawić (*t. kulami*). **3.** przesiewać (*piasek*); odsiewać (*kamienie*). **4.** *przest.* operować *l.* mówić zagadkami; zadawać zagadki. **5.** rozwiązywać (zagadki *l.* zagadkę).

riddled ['rɪdld] *a.* **~ with sth** pełen czegoś (*błędów, uprzedzeń, wątpliwości*); przepełniony czymś (*wrogością*); przesiąknięty czymś (*wilgocią, korupcją*); **~ with holes** podziurawiony, cały w dziurach.

ride [raɪd] *v.* **rode, ridden 1.** jeździć na (*koniu, motocyklu, wrotkach*); *gł. US* jechać (*np. samochodem, metrem, windą*); **~ a bus** *gł. US* jechać autobusem; **~ in/on sth** jechać (na) czymś; **~ (on) a bike** jeździć rowerem *l.* motorem *l.* motocyklem, jeździć na rowerze *l.* na motorze *l.* na motocyklu; **~ on sb's shoulders/back** jeździć na barana (u kogoś); **~ up/down** *gł. US* wjeżdżać (na górę)/zjeżdżać (w dół) (*windą*). **2.** dosiadać (*wierzchowca, wielbłąda*); (*także* **~ a horse**) jeździć konno. **3.** pływać na (*desce*). **4.** unosić się; unosić się na (*falach, wietrze*). **5.** *US pot.* czepiać się (*kogoś*); trzymać krótko (*pracowników*). **6.** *US mot.* prowadzić się; **~ well** dobrze się prowadzić (*o samochodzie*). **7.** wozić (*kogoś*). **8.** *US mot.* przyciskać, naciskać na (*sprzęgło, hamulec, zwł. machinalnie*), opierać się na (*pedale*). **9.** złagodzić (*cios*). **10.** *sport* startować (*w wyścigach konnych, kolarskich, motocyklowych*). **11.** zachodzić na (*coś*). **12.** *przen.* **~ a race** startować (*w wyścigu*); **~ a winner** zwyciężyć (*w wyścigu*); **~ again** *pot.* powracać (= *dawać się zauważyć po przerwie*); **~ at anchor** *żegl.* stać na kotwicy (*o statku*); **~ herd on sb** patrzeć komuś na ręce; **~ (on) a wave of popularity** cieszyć się popularnością, przeżywać okres popularności; **~ roughshod over sb** (zupełnie) nie liczyć się z kimś, brutalnie się z kimś obchodzić; **~ roughshod over sth** (zupełnie) nie liczyć się z czymś, ignorować coś całkowicie; **~ sb (out of town) on a rail** wyśmiewać się z kogoś; **~ shotgun** *US mot.* jechać *l.* siedzieć koło kierowcy *l.* z przodu; **~ the range/countryside** *US* zjeździć okolice (*zwł. konno*); **~ the tiger** *zob.* **tiger**; **~ to hounds** *myśl.* polować (*zwł. na lisa*); **be riding high** być na fali; być pełnym optymizmu; **be riding for a fall** (*także* **~ for a fall**) *pot.* pakować się w tarapaty *l.* kłopoty; szukać guza; **let sth ~** *pot.* zignorować coś, puścić coś płazem (*zaczepkę*); **let it ~!** daj spokój!. **13. ~ down** stratować; doganiać; prześcigać, wyprzedzać; **~ on sth** zależeć od czegoś; **~ out** przeczekać, przetrzymać, wytrzymać (*t. trudną sytuację, kryzys*), wyjść cało z (*opałów, kryzysu*); **~ out the storm** *t. przen.* przetrzymać burzę; **~ to death** zajeździć (*konia; t. przen. temat*); **~ up** podnosić się, podjeżdżać do góry (*o spódnicy, nogawce*). – *n.* **1.** jazda; podwiezienie; przejażdżka (*on / in sth* czymś); **car/horse ~** przejażdżka samochodem/konna; **give sb a ~** podwieźć *l.* podrzucić kogoś; **have a ~** przejechać się; **hitch a ~** (*także* **get a (free) ~**) złapać okazję; **offer sb a ~** zaproponować komuś podwiezienie; **take sb for a ~** zabrać kogoś na przejażdżkę. **2.** *sing. mot.* komfort jazdy. **3.** karuzela (*w wesołym miasteczku*). **4.** droga, ścieżka (*zwł. do jazdy konnej*). **5.** *przen.* **come/go along for the ~** przyłączyć się dla zabawy (*bez większego przekonania*); **free ~** okazja (= *coś korzystnego, zwł. darmowego*); **get a free ~** załapać się; **give sb a rough ~** *zob.* **rough** *a.*; **sb is in for a bumpy ~** przed kimś stoi niełatwe zadanie; **sth is in for a bumpy ~** coś nie będzie łatwe; **take sb for a ~** *pot.* nabijać kogoś w butelkę, robić kogoś w balona.

rider ['raɪdər] *n.* **1.** jeździec; amazonka. **2.** rowerzyst-a/ka; motocyklist-a/ka. **3.** *gł. US* pasażer/ka (*autobusu, metra*). **4.** *prawn., parl.* klauzula; dodatek, aneks, uzupełnienie (*do przepisu, ustawy*). **5.** *ubezp.* dodatek (*do polisy, poszerzający zakres ubezpieczenia*). **6.** *mech.* wzmocnienie. **7.** *mech.* konik (*u wagi*).

ridership ['raɪdər,ʃɪp] *n. U US* liczba pasażerów (*korzystających ze środka komunikacji*).

ridesharing ['raɪd,ʃerɪŋ] *n. U US* współużytkowanie pojazdów (*przy dojazdach do pracy dla oszczędności i zmniejszenia korków*).

ridge [rɪdʒ] *n.* **1.** grzbiet, krawędź, wypukłość. **2.** *geogr.* grzbiet (*górski, podmorski, skalny*); pasmo (górskie); grań. **3.** (*także* **high pressure ~**) *meteor.* pasmo *l.* linia wysokiego ciśnienia. **4.** *bud.* kalenica, grzbiet dachu. **5.** *anat.* wyrostek; *t. zool.* grzebień. **6.** *roln.* skiba, radlina, redlina. **7. sb's has been around the ~s** *Austr.* ktoś z niejednego pieca chleb jadał. – *v.* **1.** prążkować. **2.** *roln.* obsypywać (*uprawy*).

ridged [rɪdʒd] *a.* **1.** prążkowany. **2.** nierówny; ostry.

ridgepiece ['rɪdʒ,pi:s] *n.* (*także* **~pole**) **1.** *bud.* płatew kalenicowa; listwa *l.* łata kalenicowa. **2.** rurka szczytowa (*w namiocie*).

ridgetile ['rɪdʒ,taɪl] *n. bud.* gąsior.

ridgy ['rɪdʒɪ] *a.* **-ier, -iest** nierówny; ostry; o ostrych krawędziach.

ridicule ['rɪdə,kju:l] *n. U* kpiny, drwiny; **be held up to ~** być przedmiotem kpin; **lay o.s. open to ~** narażać się na kpiny; **object of ~** pośmiewisko, przedmiot drwin. – *v.* wyśmiewać; kpić sobie z (*kogoś l. czegoś*).

ridiculous [rɪ'dɪkjələs] *a.* śmieszny, niepoważny, idiotyczny, absurdalny; **don't be ~!** nie bądź śmieszny!; **it's ~ that...** to niepoważne *l.* idiotyczne, że..., to absurd, że...

ridiculously [rɪ'dɪkjələslɪ] *adv.* śmiesznie, absurdalnie.

ridiculousness [rɪ'dɪkjələsnəs] *n. U* śmieszność, absurdalność.

riding[1] ['raɪdɪŋ] *jeźdz. n. U* (*także* **horse ~**) jazda konna *l.* wierzchowa, jeździectwo. – *a. attr.* do jazdy konnej *l.* wierzchowej.

riding[2] *n. Can. polit., parl.* okręg wyborczy.

riding breeches *n. pl. jeźdz.* bryczesy, spodnie do konnej jazdy.

riding crop *n. jeźdz.* szpicruta.

riding lamp *n.* (*także* **riding light**) *żegl.* światło kotwiczne.

riding school *n. jeźdz.* szkółka jeździecka.

rife [raɪf] *a. pred. uj.* **1.** rozpowszechniony, na porządku dziennym, częsty; liczny; **be/run ~** szerzyć się, kwitnąć (*o korupcji, przestępczości*). **2. ~ with sth** pełen czegoś, przesiąknięty czymś (*korupcją*); **the city was ~ with rumors** miasto trzęsło się *l.* huczało od plotek.

riff [rɪf] *n. muz.* riff, fraza.

riffle ['ri:fl] *v.* **1. ~ through sth** *pot.* przejrzeć coś (*książkę, czasopismo*). **2.** *karty* przetasować (*talię*). **3.** marszczyć się (*o wodzie*).

riff-raff ['rɪf,ræf], **riffraff** *n. U* **1.** *pog., obelż.* hołota. **2.** *pot.* barachło, śmieci.

rifle[1] ['raɪfl] *n. gł. wojsk.* **1.** karabin; *myśl.* strzelba. **2.** *hist.* działo gwintowane. **3.** gwint (*w lufie*). **4.** *pl.* strzelcy. – *v.* **1.** *mech.* gwintować (*lufę*). **2.** *sport* wystrzelić (*piłkę; = rzucić silnie*).

rifle[2] *v.* **1.** przetrząsać, przeszukiwać (*kieszenie, pomieszczenie*); **~ through sth** przetrząsać coś. **2.** zrabować, wykraść, skraść.

rifle grenade *n. wojsk.* granat karabinowy.

rifleman ['raɪflmən] *n. pl.* **-men** *wojsk.* strzelec.

rifler ['raɪflər] *n.* rabuś.

rifle range *n. gł. wojsk.* **1.** strzelnica. **2.** *U* odległość strzału.

riflery ['raɪflrɪ] *n. U US* strzelanie.

rifling ['raɪflɪŋ] *n. C/U* gwintowanie; gwint (*lufy*).

rift [rɪft] *n.* **1.** rozdźwięk; rozłam (*np. w łonie partii, rządu*). **2.** szczelina (skalna), pęknięcie, rozpadlina. **3.** *geol.* rów, ryft; **~ fault/valley** rów tektoniczny. – *v.* rozszczepiać (się), rozłupywać (się).

rig[1] [rɪg] *v.* **-gg- 1.** wyposażać, ekwipować. **2.** *żegl.* uzbrajać (*łódź*). **3.** *lotn.* zmontować i naregulować wzajemne położenie głównych elementów (*samolotu*); wyposażyć w kable i cięgna (*samolot*); wyposażyć w olinowanie (*balon*). **4.** *pot.* **~ sb out (in sth)** wystroić kogoś (w coś); **~ sth up** sklecić coś (naprędce). – *n.* **1.** (*także* **drilling ~**) *techn.* platforma wiertnicza. **2.** *przest. pot.* ciuchy. **3.** *żegl.* ożaglowanie; typ ożaglowania. **4.** *US pot.* sprzęt (*wędkarski, fotograficzny, krótkofalarski*). **5.** *US i Can. mot. pot.* tir; ciągnik (*siodłowy, do naczep*). **6.** *US i Can. przest.* wóz z zaprzęgiem.

rig[2] *v.* **-gg-** fałszować (*np. wybory, wyniki*); manipulować, dokonywać manipulacji (*np. rynkiem, cenami*).

Riga ['ri:gə] *n. geogr.* Ryga.

rigadoon [,rɪgə'du:n], **rigaudon** *n. muz.* rigaudon (*żywy taniec staroprowansalski l. muzyka do niego*).

rigamarole ['rɪgmə,roul] *n. US* = **rigmarole**.

rigatoni [,rɪgə'tounɪ] *n. U kulin.* (makaron) rurki.

rigger ['rɪgər] *n.* **1.** pracownik platformy wiertniczej. **2.** *wioślarstwo* knaga, siodełko (*na dulkę wiosła*). **3.** *żegl., techn.* takielarz, taklarz. **4.** *bud.* operator bloku *l.* wyciągu; cieśla.

rigging ['rɪgɪŋ] *n. U* **1.** *żegl.* takielunek. **2.** *mech.* bloczki, wyciągi. **3.** sprzęt. **4.** ubiór, strój.

right [raɪt] *int. pot.* **1.** dobra; tak; pewnie; **yeah, ~!** *iron.* aha, na pewno!, no, akurat! **2.** (*przerywnik w mowie*) ..., ~, ..., prawda,..., ..., nie, ... – *a.* **1.** dobry, poprawny (*o odpowiedzi*). **2.** słuszny (*o decyzji, postępowaniu*); **it is ~ to do sth** coś *l.* robienie czegoś jest słuszne. **3.** właściwy; odpowiedni; **be ~ for sb** (*także* **be the ~ person for sb**) być odpowiednim dla kogoś (*jako partner/ka*); **at the ~ time** we właściwym czasie, o właściwej porze; **in the ~ place** we *l.* na właściwym miejscu; **the ~ person** właściwa *l.* odpowiednia osoba, właściwy człowiek; **the ~ person for the job** właściwy człowiek na właściwym miejscu. **4.** *attr.* prawy (*np. o bucie, stronie*); **~ turn** zakręt w prawo. **5.** *geom.* prosty (*o kącie*). **6.** *attr. Br. pot.* kompletny, skończony; prawdziwy; **a ~ idiot** kompletn-y/a idiot-a/ka; **a ~ royal welcome** prawdziwie królewskie powitanie. **7.** zdrowy; **(as) ~ as rain** *emf.* zdrów jak ryba. **8. ~ as usual!** *emf.* jak zwykle nieomyln-y/a!; **~ you are!** *emf.* jasne!, zgoda!; racja!; **am I ~ in thinking (that)...** czy to prawda, że...; **are you all ~?** wszystko w porządku?, dobrze się czujesz?; **be ~ about sth** mieć rację co do czegoś, nie mylić się co do czegoś; **get on the ~ side of sb** *pot.* odpowiednio kogoś podejść; **get sth ~** (dobrze) zrozumieć coś; ustalić coś; uporządkować *l.* ułożyć coś; **let me get this ~, ...** (czy na pewno) dobrze rozumiem? ...; **sb got sth ~** coś się komuś udało *l.* powiodło; **in one's ~ mind** przy zdrowych zmysłach; **it's only ~ that...** wypada, żeby..., nie może być inaczej niż...; **not be ~ in the head** (*także* **not be in one's ~ mind**) *żart.* mieć nie po kolei w głowie; **on the ~ side of forty** przed czterdziestką, poniżej czterdziestki; **put sb ~** postawić kogoś na nogi; **put/set sb ~** wyprowadzić kogoś z błędu; **set sth ~** *zob.* **set**[1] *v.*; **that's ~!** zgadza się, tak!; jak najbardziej!; *t. iron.* znakomicie!; **the ~ way around/round** w dobrą stronę; **things are not ~** sprawy nie układają się najlepiej; **too ~!** *Br., Austr. i NZ emf.* święta prawda!. – *adv.* **1.** dokładnie; **~ at/on/in sth** dokładnie na/w czymś. **2.** dobrze; słusznie; właściwie, poprawnie. **3.** w prawo; **turn ~** skręcać w prawo. **4.** całkiem; aż. **5.** *wojsk.* **~ about face!** w tył zwrot!; **~ face!** w prawo zwrot!. **6. ~ after sth** zaraz po czymś; **~ and left** (*także Br.* **~, left and centre**) z lewej i z prawej, na lewo i prawo, na całym froncie; **~ away** *zob.* **right now; ~ away/off** od ręki; **~ behind sb/sth** tuż za kimś/czymś; **be ~ behind sb** *przen.* w pełni *l.* całkowicie kogoś popierać; **~ in front of sb/sth** tuż przed kimś/czymś; **~ in front of sb** *przen.* na czyichś oczach; **~ now** w tej chwili; **~ now/away** zaraz, od razu; **~ off** *zob.* **right away; ~ off the bat** *US* od razu, bez namysłu; **~ through** w całości; **~ to the end** do samego końca, aż do końca; **be ~ up sb's alley/street** *US i Austr. pot.* pasować komuś, być idealnym dla kogoś; **be ~ up there with sb/sth** *pot.* być nie gorszym od kogoś/czegoś, nie ustępować komuś/czemuś; **do ~ by sb** *przest.* być uczciwym względem kogoś; **guess ~** (dobrze) zgadnąć; **I'll be ~ back** (*także* **I'll be ~ with you**) zaraz wracam; **I'll be ~ there** już jadę *l.* idę, zaraz tam będę; **(it) serves him ~** dobrze mu tak, należało mu się. – *n.* **1.** prawo (*to do sth* do (robienia) czegoś); **all ~s reserved** *prawn.* wszelkie *l.* wszystkie prawa zastrzeżone; **equal ~s** równe prawa, równouprawnienie; **have a ~ to do sth** mieć prawo coś zrobić, mieć prawo do czegoś (*np. do zdenerwowania, żalu*); **have no ~ to do sth** nie mieć prawa czegoś zrobić; **human/women's ~s** prawa człowieka/kobiet. **2.** *U* dobro; **~ and wrong** dobro i zło. **3.** *U* prawa strona; **on the/one's ~** z prawej (strony), po prawej (stronie); **to the/one's ~** w prawo; z prawej (strony), po prawej (stronie). **4.** *mot.* skręt w prawo; **make/take a (third) ~** *gł. mot.* skręcić w (trzecią ulicę w) prawo. **5.** *U* **the ~** *polit.* prawica. **6.** *boks* prawa (= *uderzenie z prawej*). **7.** prawa para (= *but, rękawiczka itp. do pary*). **8. Mr/Ms/Mrs/Miss R~** właśnie ten/ta, ten jedyny/ta jedyna (= *wymarzon-y/a partner/ka*). **9. as of ~** *form.* na mocy prawa, prawnie, z tytułu przysługującego (komuś) prawa; **be in the ~** mieć rację; **be within one's ~s to do sth** mieć prawo coś zrobić, mieć prawo do czegoś; **by ~s** na dobrą sprawę; **have/catch sb dead to ~s** *pot.* złapać kogoś na gorącym uczynku; **in his/her/its own ~** sam/sama/samo w sobie; **in its own ~** pełnoprawny, prawdziwy; **in one's own ~** we własnym imieniu (*o władcy*); **put sb to ~s** postawić kogoś na nogi; **put sth to ~s** przywrócić coś do porządku; **the ~s and wrongs of sth** wady i zalety czegoś, plusy i minusy czegoś; argumenty za i przeciw czemuś. – *v.* **1.** wynagradzać (*winy, krzywdy*); naprawiać (*błędy*); **~ a wrong** naprawić *l.* wynagrodzić krzywdę. **2.** poprawiać (*błędy*). **3.** pomścić (*krzywdy*). **4.** wyprostować (*np. statek, kwiaty w wazonie, dywan*); wyprostować się. **5. ~ o.s.** odzyskać równowagę; **~ the balance** przywrócić równowagę.

rightabout [ˈraɪtəˌbaʊt] *a. i adv. t. przen.* o 180 stopni (*obrót, obracać się*). – *n. t. przen.* obrót o 180 stopni; w tył zwrot.

right angle *n. geom.* kąt prosty; **at right angles (to sth)** pod kątem prostym (do czegoś).

right-angled [ˌraɪtˈæŋgld] *a. geom.* prostokątny; **~ triangle** trójkąt prostokątny.

right brain *n. anat.* prawa półkula (mózgu).

righteous [ˈraɪtʃəs] *a. form.* sprawiedliwy (*o osobie, czynie*); prawy, uczciwy (*o osobie*); słuszny, święty (*o gniewie, oburzeniu*); **the ~** *Bibl.* sprawiedliwi.

righteously [ˈraɪtʃəslɪ] *adv. form.* sprawiedliwie; słusznie.

righteousness [ˈraɪtʃəsnəs] *n. U form.* sprawiedliwość; prawość; słuszność.

right field *n. C/U baseball* prawe pole (= *część pola gry l. pozycja gracza*).

rightful [ˈraɪtfʊl] *a. prawn.* **1.** prawowity, legalny, prawny (*o właścicielu, spadkobiercy*). **2.** słuszny, uzasadniony (*o skardze, wniosku*). **3.** (prawnie) należny.

rightfully [ˈraɪtfʊlɪ] *adv. prawn.* prawowicie, legalnie, prawnie (*należeć, przysługiwać*); słusznie.

right-hand [ˌraɪtˈhænd] *a. attr.* **1.** prawy; prawostronny. **2.** praworęczny. **3. ~ turn** *mot.* zakręt w prawo.

right-hand drive [ˌraɪtˌhænd ˈdraɪv] *mot. a. attr.* z prawostronnym układem kierowniczym, z kierownicą z prawej strony (*o samochodzie*). – *n. U* prawostronny układ kierowniczy.

right-handed [ˌraɪtˈhændɪd] *a.* **1.** praworęczny (*o osobie, narzędziu*). **2.** zgodny z ruchem wskazówek zegara; *mech.* prawy, prawoskrętny (*o gwincie, śrubie*). – *adv.* prawą ręką.

right-handedly [ˌraɪtˈhændɪdlɪ] *adv.* prawą ręką.

right-handedness [ˌraɪtˈhændɪdnəs] *n. U* **1.** praworęczność. **2.** *mech.* prawoskrętność.

right-hander [ˌraɪtˈhændər] *n.* **1.** osoba praworęczna. **2.** *boks* prawa, cios *l.* uderzenie z prawej.

right-hand man *n. pl.* **-men** prawa ręka (= *pomocnik*).

right-hand side *n.* prawa strona.

Right Hon *abbr.* = **Right Honourable.**

Right Honourable *a. attr. Br.* wielce szanowny (*tytuł przysługujący parom (poniżej markiza), radcom dworu, ministrom i niektórym innym urzędnikom państwowym*).

rightish [ˈraɪtɪʃ] *a. polit.* prawicujący.

rightism [ˈraɪtˌɪzəm] *n. U polit.* prawicowość; poglądy prawicowe.

rightist [ˈraɪtɪst] *polit. a.* prawicowy. – *n.* prawicowiec.

rightly [ˈraɪtlɪ] *adv.* **1.** słusznie; dobrze; **~ or wrongly** słusznie czy (też) nie; **and ~ so** i dobrze się stało, i bardzo dobrze; **if I remember ~** o ile dobrze pamiętam; **quite ~** *Br.* całkiem słusznie. **2.** *pot.* naprawdę; **I can't ~ say** naprawdę trudno mi powiedzieć; **I don't ~ know** naprawdę nie wiem.

right-minded [ˌraɪtˈmaɪndɪd] *a.* zdrowo myślący, rozsądny.

rightness [ˈraɪtnəs] *n. U* **1.** słuszność. **2.** poprawność.

righto [ˌraɪtˈoʊ], **right-oh, right oh** *int. Br. pot.* jasne!, zgoda!; racja!

right of appeal *n. pl.* **rights of appeal** *prawn.* prawo do apelacji *l.* odwołania, prawo do zaskarżenia decyzji *l.* wyroku.

right-of-center [ˌraɪtəvˈsentər], *Br.* **right-of-centre** *a. US polit.* centroprawicowy.

right of way, right-of-way *n. pl.* **rights of way, rights-of-way** **1.** *U mot.* pierwszeństwo (przejazdu); **have ~** mieć pierwszeństwo. **2.** *t. prawn.* droga publiczna; teren publiczny; prawo przejazdu (*zwł. przez teren prywatny*).

right on *a. pot.* **1.** *US i Can.* **~!** racja!; **be ~** mieć (absolutną) rację (*with sth* z czymś). **2.** *Br.* politycznie poprawny (*o osobie*).

rights issue [ˈraɪts ˌɪʃuː] *n. fin.* emisja praw poboru.

right-thinking [ˌraɪtˈθɪŋkɪŋ] *a.* zdrowo myślący, rozsądny.

right-to-die [ˌraɪttəˈdaɪ] *a. attr. t. polit.* opowiadający się za prawem do eutanazji.

right-to-life [ˌraɪttəˈlaɪf] *a. attr. t. polit.* = **pro-life.**

right triangle *n. geom.* trójkąt prostokątny.

rightward [ˈraɪtwərd], *gł. Br.* **rightwards** [ˈraɪtwərdz] *a. i adv.* w prawo.

right wing *n. sing.* **1.** *sport* prawe skrzydło. **2.** *polit.* prawica (*partii*).

right-wing [ˌraɪtˈwɪŋ] *a.* **1.** *sport* prawoskrzydłowy. **2.** *polit.* prawicowy.

right-winger [ˌraɪtˈwɪŋər] *n.* **1.** *sport* prawoskrzydłow-y/a. **2.** *polit.* prawicowiec.

rigid [ˈrɪdʒɪd] *a.* **1.** surowy; ścisły (*o dyscyplinie, kontroli*). **2.** sztywny (*o konstrukcji, zachowaniu, osobie*). **3.** nieelastyczny; skostniały (*o poglądach, systemie*). **4.** nieugięty. **5. bore sb ~** *przen.* zanudzić kogoś na śmierć.

rigidify [rɪˈdʒɪdəˌfaɪ] *v.* **-ied, -ying** *US* usztywniać (się).

rigidity [rɪˈdʒɪdətɪ] *n. U* **1.** surowość; ścisłość. **2.** sztywność; brak elastyczności. **3.** nieugiętość.

rigidly [ˈrɪdʒɪdlɪ] *adv.* **1.** surowo; ściśle. **2.** sztywno. **3.** nieugięcie.

rigidness [ˈrɪdʒɪdnəs] *n. U* **1.** surowość; ścisłość. **2.** sztywność; brak elastyczności. **3.** nieugiętość.

rigmarole [ˈrɪgməˌroʊl], *US t.* **rigamarole** *n. U l. sing.* **1.** skomplikowana procedura. **2.** skomplikowana historia, opowieść bez końca.

rigor [ˈrɪgər], *Br. (z wyj. znaczeń 4-5)* **rigour** *n.* **1.** *pl.* **the ~s of sth** trudy czegoś. **2.** *U* surowość (*klimatu, prawa*); rygorystyczność (*prawa, przepisów*); rygor. **3.** *U* dokładność, precyzja, ścisłość; dyscyplina logiczna (*wywodu*). **4.** *U pat.* zesztywnienie, sztywność, stężenie (*mięśni*). **5.** *U pat.* dreszcze.

rigorism [ˈrɪgəˌrɪzəm] *n. U form.* rygoryzm.

rigorist [ˈrɪgərɪst] *n. form.* rygoryst-a/ka.

rigor mortis [ˌrɪgər ˈmɔːrtɪs] *n. U pat.* stężenie pośmiertne.

rigorous [ˈrɪgərəs] *a.* **1.** rygorystyczny (*o testowaniu, zabezpieczeniach, procedurach*). **2.** surowy (*o warunkach*).

rigorously [ˈrɪgərəslɪ] *adv.* **1.** rygorystycznie. **2.** surowo.

rigour [ˈrɪgər] *n. Br.* = **rigor** 1, 2, 3.

rig-out [ˈrɪgˌaʊt] *n. Br. pot.* ciuchy.

rile [raɪl] *v.* **1. ~ sb** (*także* **get sb ~d**) *pot.* wkurzać kogoś. **2.** *US* mącić (*wodę*).

Riley [ˈraɪlɪ] *n.* **lead/live the life of ~** *zob.* **life.**

rill [rɪl] *n. geogr.* **1.** strumyk, strumyczek. **2.** *t. geol.* żłobek, rowek (erozyjny), rillmark. **3.** *astron.* = **rille.** – *v.* żłobić (*teren, pole; o wodzie*).

rille [rɪl], **rill** *n. astron.* dolina (księżycowa).

rillet [ˈrɪlət] *n. geogr.* **1.** strumyczek. **2.** *t. geol.* żłobek.

rim [rɪm] *n.* **1.** brzeg; krawędź; obrzeże. **2.** obręcz (*koła, kosza do gry*). **3.** ramka; obwódka. – *v.* **-mm- 1.** *lit.* otaczać. **2.** obwodzić, wykańczać (*krawędzią*); **red-~med glasses** okulary z czerwoną ramką *l.* obwódką.

rime1 [raɪm] *n. t. meteor.* szadź; szron. – *v.* pokryć szadzią; oszronić.

rime2 *n. i v. arch.* = **rhyme.**

rimer [ˈraɪmər] *n. arch.* = **rhymer.**

rime riche [ˌriːm ˈriːʃ] *n. pl.* **rime riches** [ˌriːm ˈriːʃ] *Fr. wers.* rym bogaty.

rimless [ˈrɪmləs] *a.* bez oprawki (*o okularach*).

rimose [ˈraɪmoʊz], **rimous** [ˈraɪməs] *a. gł. bot.* spękany.

rimy [ˈraɪmɪ] *a.* **-ier, -iest** pokryty szadzią; oszroniony.

rind [raɪnd] *n.* skórka (*pomarańczy, cytryny, sera, bekonu*).

rinderpest [ˈrɪndərˌpest] *n. U wet.* księgosusz, zaraza bydlęca.

ring1 [rɪŋ] *n.* **1.** pierścień; pierścionek; **engagement ~** pierścionek zaręczynowy; (*także*

wedding ~) obrączka. **2.** kółko (*w uchu, nosie, na klucze, z dymu*). **3.** krąg (*t. osób*); koło; **dance in a** ~ tańczyć w kole. **4.** *pl.* cienie (*pod oczami*). **5.** siatka; szajka; **drugs/spy** ~ siatka narkotykowa/szpiegowska. **6.** arena. **7.** *sport* ring (*w boksie, zapasach, wrestlingu*); *U* **the** ~ boks, kariera bokserska. **8.** *gł. Br.* palnik; **gas** ~ palnik gazowy. **9.** *kulin.* oczko (*tłuszczu*). **10.** *bot.* słój (*drzewa*). **11.** *astron., chem., geom., mat.* pierścień. **12.** *przen.* **give a thing, and take a thing, to wear the devil's gold** ~ kto daje i odbiera, ten się w piekle poniewiera; **run ~s around sb** *pot.* zostawiać kogoś daleko w tyle, nie dawać komuś szans; **toss one's hat in the** ~ *US polit.* zgłosić swoją kandydaturę. – *v.* **1.** otaczać; zamykać. **2.** zakreślać kółkiem (*odpowiedź*). **3.** *orn.* obrączkować (*ptaka*). **4.** *kulin.* kroić w talarki (*cebulę, jabłka*). **5.** *leśn., ogr.* = **ringbark**.

ring[2] *v.* **rang, rung 1.** dzwonić (*t. czymś*); wydzwaniać (*godzinę*). **2.** dźwięczeć; brzmieć; *lit.* rozbrzmiewać (*with sth* czymś). **3.** *tel.* dzwonić (*o telefonie, Br. t. osobie*); *gł. Br.* dzwonić do (*kogoś*); wykręcać (*numer*). **4.** ~ **a bell** *przen.* brzmieć znajomo (*np. o nazwisku*); ~ **hollow** *przen.* brzmieć nieszczerze *l.* nieprzekonująco; ~ **in sb's ears** dzwonić komuś w uszach; *t. przen.* dźwięczeć komuś w uszach; ~ **sb's praises** głosić czyjąś chwałę; ~ **the bell** bić w dzwon *l.* dzwony; *przen.* świętować zwycięstwo *l.* sukces; ~ **the changes (on sth)** wprowadzać urozmaicenie (do czegoś); ~ **true/false** brzmieć/nie brzmieć przekonująco. **5.** ~ **(sb) back** *gł. Br. tel.* oddzwonić (do kogoś *l.* komuś); zadzwonić (do kogoś) jeszcze raz; ~ **in** *Br. tel.* zadzwonić do pracy; ~ **in the New Year** powitać nowy rok dzwonami; ~ **off** *Br. tel.* odłożyć słuchawkę; ~ **out** rozbrzmiewać, rozlegać się; ~ **out the Old Year** pożegnać stary rok dzwonami; ~ **round** *Br.* podzwonić (po) (*znajomych, w różne miejsca*); ~ **up** *handl.* wybijać, nabijać (*kwotę, cenę w kasie*); ~ **sb up** *Br. tel.* zadzwonić do kogoś; ~ **sth up** zapisać coś na swoim koncie (*osiągnięcie*), zaliczyć coś. – *n.* **1.** dzwonienie; dzwonek (*t. do drzwi*). **2.** *gł. Br. pot. tel.* telefon; **give sb a** ~ zadzwonić do kogoś. **3.** dzwony (*kościelne*). **4.** brzmienie; **have a** ~ **of truth** brzmieć prawdopodobnie.

ring-around-the-rosey [ˌrɪŋəˌraʊndðəˈroʊzɪ], **ring-around-the-rosy, ring-around-a-rosey, ring-aring-a-roses** *n. gł. dziec.* stary niedźwiedź mocno śpi (*zabawa*).

ringbark [ˈrɪŋˌbɑːrk] *v. leśn., ogr.* obrączkować (*drzewo*).

ring binder *n.* segregator.

ringbolt [ˈrɪŋˌboʊlt] *n. mech.* śruba oczkowa z pierścieniem.

ringbone [ˈrɪŋˌboʊn] *n. U wet.* szpat, włogacizna (*choroba koni*).

ringdove [ˈrɪŋˌdʌv] *n. orn.* **1.** (gołąb) grzywacz (*Columba palumbus*). **2.** synogarlica (*Streptopelia risoria*).

ringed [rɪŋd] *a. attr.* **1.** pierścieniowaty; okrągły. **2.** otoczony (*by/with sth/sb* czymś/przez kogoś). **3.** ozdobiony pierścieniem *l.* pierścieniami.

ringed plover *n. orn.* sieweczka obrożna (*Charadrius hiaticula*).

ringed seal *n. zool.* nerpa, foka obrączkowana (*Pusa hispida*).

ringent [ˈrɪndʒənt] *a. bot.* paszczękowaty (*o kwiecie*).

ringer [ˈrɪŋər] *n.* **1.** dzwonnik. **2.** kółko (*do rzucania w grach*). **3.** (*także* **dead** ~) *pot.* sobowtór; **be a dead** ~ **for sb** być nie do odróżnienia od kogoś. **4.** *US pot.* podstawiony uczestnik (*zwł. koń w wyścigach*).

ringfence [ˈrɪŋˌfens] *v. fin.* wydzielać (*fundusze*).

ring finger *n. anat.* palec serdeczny.

ring-in [ˈrɪŋˌɪn] *n. Austr.* (nowy) nabytek, dodatek.

ringing [ˈrɪŋɪŋ] *n. U* dzwonienie; dzwonek. – *a.* rozbrzmiewający; donośny (*o głosie*).

ringleader [ˈrɪŋˌliːdər] *n.* prowodyr/ka; herszt, przywód-ca/czyni (*grupy przestępczej*).

ringlet [ˈrɪŋlət] *n.* **1.** lok, kędzior, pukiel. **2.** kółko, kółeczko.

ringmaster [ˈrɪŋˌmæstər] *n.* reżyser cyrkowy; konferansjer cyrkowy.

ring-necked duck [ˌrɪŋˌnekt ˈdʌk] *n. orn.* czernica obrożna (*Aythya collaris*).

ring-necked pheasant *a. orn.* bażant obrożny (*Phasianus colchicus*).

ring-pull [ˈrɪŋˌpʊl] *n.* zawleczka (*przy puszce z napojem*).

ringroad [ˈrɪŋˌroʊd] *n. Br. mot.* obwodnica.

ringside [ˈrɪŋˌsaɪd] *n. U* **1.** miejsca przy ringu *l.* arenie *l.* scenie. **2.** *przen.* dobre miejsce, dobry punkt obserwacyjny. – *a. attr.* przy ringu *l.* arenie *l.* scenie (*o miejscach*).

ring spanner *n. Br. techn.* klucz oczkowy.

ringster [ˈrɪŋstər] *n. przest.* spekulant/ka; malwersant/ka, aferzyst-a/ka.

ringtail [ˈrɪŋˌteɪl] *n. zool.* **1.** kotofretka (*Bassariscus astutus*). **2.** opos (*Didelphis marsupialis*).

ringworm [ˈrɪŋˌwɜːm] *n. U pat.* grzybica.

rink [rɪŋk] *n.* (*także* **ice** ~) lodowisko; tor łyżwiarski; (*także* **(roller) skating** ~) tor do jazdy na wrotkach.

rinky-dink [ˈrɪŋkɪˌdɪŋk] *a. US pot.* byle jaki.

rinse [rɪns] *v.* **1.** ~ **(out)** płukać (*włosy, ręce, usta, pranie, warzywa, naczynia*). **2.** farbować (*włosy płukanką*). **3.** *tk.* barwić. **4.** ~ **away/out/off** spłukiwać (*brud, błoto*). – *n.* **1.** *sing.* płukanie; **give sth a** ~ wypłukać coś. **2.** *C/U* płukanka (koloryzująca) do włosów.

riot [ˈraɪət] *n.* **1.** rozruchy, zamieszki; **race** ~ zamieszki na tle rasowym. **2.** *przen. lit.* feeria, orgia (*np. barw, dźwięków*); burza, salwa (*np. śmiechu*). **3.** *sing. przest.* dobra zabawa; **have/be a** ~ świetnie się bawić. **4.** *przen.* **read sb the** ~ **act** *zwł. żart.* przywoływać kogoś do porządku (*zwł. dzieci*); **run** ~ wymykać się spod kontroli (*np. o demonstracji, myślach*); ponosić kogoś (*o fantazji, uczuciu*); rozrastać się w sposób niekontrolowany (*o roślinności*). – *v.* **1.** brać udział w rozruchach *l.* zamieszkach; burzyć się, buntować się (*o osobach, tłumie*). **2.** ~ **away** roztrwonić, przehulać (*czas, pieniądze*).

rioter ['raɪətər] *n.* uczestni-k/czka rozruchów *l.* zamieszek, demonstrant/ka.

riot gear *n. U* umundurowanie bojowe (*policji do rozpraszania demonstracji*); **in** ~ w umundurowaniu bojowym, w pełnym rynsztunku.

riot gun *n.* broń na gumowe *l.* plastikowe kule.

rioting ['raɪətɪŋ] *n. U* rozruchy, zamieszki.

riotous ['raɪətəs] *a.* **1.** dziki, nieokiełznany; hałaśliwy (*o zachowaniu, imprezie*); awanturniczy (*o tłumie*). **2.** *przest.* rozpustny.

riot police *n. U l. pl.* oddziały prewencyjne (policji), specjalne oddziały (policji) (*do rozpraszanie demonstracji*).

RIP [ˌɑːr ˌaɪ 'piː], **R.I.P.** *abbr.* **rest in piece** RIP (*napis na nagrobku*).

rip [rɪp] *v.* **-pp- 1.** drzeć (się), rozdzierać (się), rozrywać (się); pruć (się); ~ **sth open** rozerwać coś; ~ **sth to shreds** podrzeć coś na strzępy. **2.** *pot.* pruć (= *szybko się przemieszczać*). **3.** *przen.* ~ **sb/sth to shreds** nie zostawić suchej nitki na kimś/czymś (= *ostro skrytykować*); **let** ~ **(at sb) (about sth)** *pot.* zrobić (komuś) piekło (z jakiegoś powodu); **let** ~ **at sb** *pot.* naskoczyć na kogoś; **let her/it** ~! *zwł. mot. pot.* gaz do dechy! **4.** ~ **away** zrywać, odrywać; oddzierać; ~ **into sb** *pot.* naskoczyć na kogoś; ~ **sb off** *pot.* zedrzeć z kogoś (skórę) (= *naciągnąć*); okraść kogoś; ~ **sth off** zdzierać coś, zrywać coś; *pot.* zwędzić coś; odwalić coś, zerżnąć coś (*np. piosenkę, wypracowanie*); ~ **sth off sb** *pot.* odwalić *l.* zerżnąć coś od kogoś; ~ **out** wydzierać, wypruwać; ~ **up** podrzeć (*kartkę*); rozrywać, rozdzierać; ~ **through sth** wstrząsnąć czymś (*o wybuchu; budynkiem*). – *n.* **1.** rozprucie, rozdarcie; pęknięcie. **2.** wir (*na wodzie*). **3.** *żegl.* = **rip tide**.

riparian [rɪ'perɪən] *a. form.* przybrzeżny, nadbrzeżny (*przy rzece*). – *n. prawn.* właściciel/ka gruntu nadbrzeżnego.

ripcord ['rɪpˌkɔːrd], **rip cord** *n. lotn.* linka wyzwalająca (*spadochronu*).

rip current *n. żegl.* = **rip tide**.

ripe [raɪp] *a.* **1.** dojrzały (*o owocach, osobie, serze, winie*). **2.** *euf.* mocny, ostry (*o zapachu*). **3.** *Br. pot.* soczysty, rubaszny (*o języku*). **4. be** ~ **for sth** *t. przen.* dojrzeć do czegoś, być gotowym do czegoś *l.* na coś; **live to a** ~ **old age** dożyć słusznego *l.* sędziwego wieku; **the time is** ~ **for sth** chwila dojrzała do czegoś, nadszedł czas na coś; **when the time is** ~ we właściwym czasie.

ripen ['raɪpən] *v.* dojrzewać.

ripeness ['raɪpnəs] *n. U* dojrzałość.

rip-off ['rɪpˌɔːf], **ripoff** *n. pot.* **1.** zdzierstwo; oszustwo. **2.** podróbka, plagiat.

ripost [rɪ'poʊst], **riposte** *form. t. szerm. n.* riposta. – *v.* ripostować.

ripper ['rɪpər] *n.* **1.** rozpruwacz (= *morderca*); **Jack the R**~ Kuba Rozpruwacz. **2.** *techn., bud.* zrywarka (*do nawierzchni drogi*).

ripping ['rɪpɪŋ] *a. Br. przest. sl.* klawy.

ripple[1] ['rɪpl] *n.* **1.** zmarszczka, zmarszczki (*na tafli wody, piasku*); ~ **marks** zmarszczki; *geol.* ripplemarki (*od wody l. wiatru na piasku, skale*). **2.** szmer (*podziwu, śmiechu, niezadowolenia*). **3.** falistość (*włosów, materiału*). **4.** falowanie (*dźwięku*). **5.** *pl.* następstwa, konsekwencje. **6.** szmer, plusk (*wody*). **7.** *U* (*także* ~ **ice cream**) lody (dwusmakowe *l.* wielosmakowe) (*ułożone warstwami*). **8.** *U el.* tętnienie. – *v.* **1.** marszczyć (się). **2.** falować. **3.** wypełniać; ~ **around sth** wypełniać coś (*pomieszczenie*); ~ **through sb** wypełniać kogoś, napełniać kogoś; przebiegać przez kogoś; wstrząsać kimś (*o wrażeniu, emocji*). **4.** prężyć się (*o mięśniach*). **5.** szemrać (*o strumyku, wodzie*).

ripple[2] *tk. n.* czochra, dziergaczka (= *grzebień do lnu*). – *v.* czochrać (*len, konopie*).

ripple effect *n.* efekt lawinowy.

ripplet ['rɪplət] *n. lit.* zmarszczka; fałdka.

ripply ['rɪplɪ] *a.* **-ier, -iest 1.** pomarszczony. **2.** falujący. **3.** szemrzący (*o strumyku*).

riprap ['rɪpˌræp] *bud. n. U* narzut kamienny (*zwł. w regulacji rzek*). – *v.* **-pp-** umacniać narzutem kamiennym (*brzeg*).

rip-roaring [ˌrɪp'rɔːrɪŋ] *a. attr. pot.* dziki, zwariowany (*o osobie, zabawie*); oszałamiający (*o sukcesie*). – *adv.* ~ **drunk** *pot.* pijany jak bela.

ripsaw ['rɪpˌsɔː] *n. techn.* piła wzdłużna.

ripsnorter ['riːpˌsnɔːrtər] *n. przest. pot.* rewelacja.

ripsnorting ['riːpˌsnɔːrtɪŋ] *a. przest. pot.* wdechowy.

ripstop ['riːpˌstɑːp] *a. tk.* wzmocniony, o zwiększonej wytrzymałości.

riptide ['rɪpˌtaɪd] *n.* (*także* **rip current**) *żegl.* przybój, prąd odpływowy.

Rip van Winkle [ˌrɪp væn 'wɪŋkl] *n. przen. pot.* **1.** człowiek niedzisiejszy. **2.** śpioch.

rise [raɪz] *v.* **rose, risen 1.** rosnąć, wzrastać (*by* o) (*daną sumę, procent*); podnosić się, przybierać (*o poziomie wód, rzece*); ~ **dramatically/sharply** gwałtownie wzrosnąć; ~ **steadily** systematycznie rosnąć *l.* wzrastać; **...and rising** ...i wciąż rośnie. **2.** wznosić się (*o drodze, terenie, budynku, górze*); górować, wyrastać (*o budynku, górze*) (*over sth* nad czymś). **3.** wstawać (*t. rano*); podnosić się (*po upadku*); ~ **from the table** wstawać od stołu; **all** ~ *form.* proszę wstać *l.* powstać, proszę wszystkich o powstanie. **4.** urastać, awansować (*to sth* do jakiejś rangi) (*o regionie, znaczeniu*). **5.** *astron.* wschodzić (*o słońcu, księżycu, ciałach niebieskich*). **6.** wzbijać się (*o ptaku*); podnosić się (*o dymie, mgle*); unosić się (*o zapachu*) (*from sth* skądś). **7.** wypływać (*na powierzchnię*). **8.** wzmagać się, nasilać się, rosnąć (*np. o podnieceniu*); zrywać się (*o wietrze*). **9.** stawać dęba, jeżyć się (*o włosach*). **10.** ukazywać się. **11.** mieć początek *l.* źródło (*o rzece*); wypływać (*from sth* skądś). **12.** *kulin.* rosnąć (*o cieście*). **13.** *parl.* zamykać sesję. **14.** ~ **and fall** wznosić się i opadać; wahać się; falować; ~ **and shine!** *żart.* pobudka!; ~ **from the dead/grave** *lit.* powstać z grobu; ~ **from the ranks** *wojsk.* awansować; ~ **(like a phoenix) from the ashes** powstać (jak feniks) z popiołów; ~ **in rank** *gł. wojsk.* awansować; ~ **through the ranks** piąć się po szczeblach kariery. **15.** ~ **above sth**

przewyższać coś; wznieść się ponad coś; przejść nad czymś do porządku dziennego, pogodzić się z czymś; przyjąć coś godnie *l.* z honorem (*np. zarzuty*); wyrzec się czegoś (*np. pokus, zła*); wykraczać *l.* wychodzić poza coś; ~ **(up) against sth/sb** *wojsk., polit.* powstać przeciwko czemuś/komuś; *przen.* buntować się przeciwko czemuś/komuś; ~ **out of sth** wypływać z czegoś (*o nieporozumieniu*); ~ **to the bait** *gł. przen.* połknąć haczyk; ~ **to fame** zdobyć sławę; ~ **to one's feet** powstać; ~ **to power** *polit.* dojść do władzy; ~ **to sth** zareagować na coś (*np. na uwagę*); ~ **to the occasion/challenge** stanąć na wysokości zadania; ~ **to the top** wspiąć się na szczyt kariery. – *n.* **1.** wzrost (*in sth* czegoś) (*cen, wskaźników*); podwyżka, zwyżka (*cen*); **a 10% ~ on the previous year** wzrost o 10% w stosunku do roku ubiegłego; **be on the ~** rosnąć, iść w górę (*zwł. o cenach*); **price ~** wzrost cen. **2.** (*także* **pay ~**) *Br.* podwyżka (płac). **3.** wzniesienie (*terenu, łuku*). **4.** powodzenie; awans; wzlot; ~ **and fall** wzlot i upadek. **5.** początek; powstanie. **6.** *polit.* powstanie. **7.** *astron.* wschód (*słońca, ciała niebieskiego*). **8.** *handl.* wysokość pasa (*w spodniach względem kroku*). **9.** *bud.* wysokość (*schodu l. biegu schodów*). **10.** *ryb.* wypłynięcie (na powierzchnię) (*ryby*). **11.** ~ **to fame** zdobycie sławy; ~ **to power** dojście do władzy; **get/take a ~ out of sb** *pot.* sprowokować kogoś; **give ~ to sth** dawać powód do czegoś, wywoływać coś.

riser [ˈraɪzər] *n.* **1.** *w złoż.* **early ~** ranny ptaszek; **late ~** śpioch. **2.** *bud.* pion (*hydrauliczny*). **3.** *el.* (pionowy) przewód zasilający, (pionowa) linia zasilająca. **4.** *bud.* przednóżek, podstopnica (*stopnia*). **5.** *t. pl.* platforma, podium.

risibility [ˌrɪzəˈbɪlətɪ] *n. C/U form.* absurdalność, śmieszność.

risible [ˈrɪzəbl] *a. form.* **1.** absurdalny, śmieszny. **2.** skłonny do śmiechu.

rising [ˈraɪzɪŋ] *a. gł. attr.* **1.** dobrze się zapowiadający (*np. o aktorze*). **2.** *attr.* wschodzący (*np. o ciele niebieskim*); ~ **star** *gł. przen.* wschodząca gwiazda. **3.** rosnący, zwyżkujący (*o cenach, płacach*). **4.** *el., fiz.* narastający (*o zboczu sygnału*). **5. the ~ generation** dorastające pokolenie. – *prep. gł. Br.* (*w określeniach wieku*) blisko, prawie; **he was ~ five** miał prawie pięć lat. – *n.* **1.** *polit., wojsk.* powstanie. **2.** powstanie (*do pozycji stojącej*). **3.** *U kulin.* zaczyn; zaczynianie (*ciasta*). **4.** wzniesienie.

rising damp *n. U Br. bud.* wilgoć (od ziemi), zawilgocenie (budynku).

risk [rɪsk] *n. C/U* ryzyko; niebezpieczeństwo (*of sth* czegoś, *that* że); zagrożenie (*to sth* (dla) czegoś); **a calculated ~** wkalkulowane ryzyko; **an element of ~** element ryzyka; **at ~ (from sth)** zagrożony (czymś); **smokers are at increased ~ from heart attack** u palących występuje zwiększone ryzyko zawału; **at the ~ of sth** ryzykując coś; **at the ~ of one's life** z narażeniem życia; **at the ~ of sounding stupid,...** być może zabrzmi to głupio, ale...; **(do sth) at one's own ~** (zrobić coś) na własne ryzyko; **fire/health ~** zagrożenie pożarowe/dla zdrowia; **high ~** znaczne ryzyko *l.* zagrożenie; **put sb/sth at ~** narażać kogoś/coś; **reduce/increase the ~ of sth** zmniejszyć/zwiększyć ryzyko czegoś; **run a ~ of sth** ryzykować coś *l.* czymś, narażać się na coś; **safety/security ~** zagrożenie dla bezpieczeństwa; **take a ~** zaryzykować, podjąć ryzyko; **take ~s** narażać się, ryzykować; **without ~ to sth** bez narażenia czegoś; **worth the ~** wart ryzyka. – *v.* **1.** ryzykować; narażać; podejmować ryzyko (*czegoś*). **2.** ~ **it** zaryzykować; ~ **money on sth** zaryzykować inwestycję w coś; postawić na coś (*w zakładach*); ~ **one's life** ryzykować życie *l.* życiem; ~ **one's neck (for sb)** *pot.* nadstawiać karku (za kogoś); **I wouldn't ~ doing it** bałbym się to zrobić.

risk capital *n. U fin.* kapitał spekulacyjny (= *inwestycja o wysokim ryzyku*).

risk factor *n. med., pat.* czynnik ryzyka.

risk management *n. U form.* minimalizacja ryzyka (*programowa, systematyczna*); zwiększanie *l.* zapewnienie bezpieczeństwa.

risk-taker [ˈrɪskˌteɪkər] *n.* ryzykant/ka.

risk-taking [ˈrɪskˌteɪkɪŋ] *n. U* ryzyko, podejmowanie ryzyka.

risky [ˈrɪskɪ] *a.* **-ier, -iest** ryzykowny.

risotto [rɪˈsɔːtoʊ] *n. U kulin.* rizotto.

risqué [rɪˈskeɪ] *a.* śmiały, ryzykowny, frywolny (*o dowcipie, uwadze*).

rissole [ˈrɪsoʊl] *n. kulin.* kotlecik mielony (*z mięsa, ryb l. warzyw*).

rite [raɪt] *n.* obrządek; rytuał; obrzęd; ceremonia; uroczystość; ~ **of passage** inicjacja; *antrop.* rytuał inicjacyjny; **funeral/marriage ~s** uroczystości pogrzebowe/ślubne; **last ~s** *zob.* **last**; **perform a ~** odprawiać obrządek *l.* ceremonię.

ritual [ˈrɪtʃʊəl] *n. t. antrop.* obrządek; *t. przen.* rytuał; **perform a ~** dokonywać obrządku *l.* rytuału. – *a. attr. t. antrop.* obrzędowy; *t. przen.* rytualny; zwyczajowy; ~ **murder** mord rytualny.

ritualism [ˈrɪtʃʊəlˌɪzəm] *n. U form. zwł. rel.* rytualizm.

ritualist [ˈrɪtʃʊəlɪst] *n. form. zwł. rel.* rytualist-a/ka.

ritualistic [ˌrɪtʃʊəˈlɪstɪk] *a.* rytualny; zrytualizowany.

ritually [ˈrɪtʃʊəlɪ] *adv.* rytualnie.

ritz [rɪts], **Ritz** *n.* **put on the ~** *przest. pot.* zadawać szyku.

ritzy [ˈrɪtsɪ] *a.* **-ier, -iest** *przest. pot.* elegancki, szykowny.

rival [ˈraɪvl] *n.* rywal/ka, konkurent/ka (*for sb/sth* w walce o kogoś/coś); **arch ~** główn-y/a rywal/ka; **without ~** bezkonkurencyjny. – *a. attr.* konkurencyjny (*o firmie*); alternatywny, konkurencyjny (*o wyjaśnieniu, teorii*); konkurujący ze sobą (*o frakcjach w partii*); ~ **team** drużyna rywali *l.* przeciwnika, drużyna przeciwna. – *v. Br.* **-ll-** ~ **sb/sth (in/for sth)** dorównywać komuś/czemuś (w czymś); konkurować z kimś/czymś (w czymś).

rivalry [ˈraɪvəlrɪ] *n. pl.* **-ies** *C/U* rywalizacja, współzawodnictwo (*for sth* o coś); **fierce/friendly ~** zacięta/zdrowa rywalizacja.

rive [raɪv] *v. pp.* **rived** *l.* **riven** [ˈrɪvən] *arch. l. lit.* **1.** rozdzierać (*serce*). **2.** rozłupywać (się).

riven [ˈrɪvən] *a. form.* **1.** podzielony, skłócony (*by sth* czymś). **2.** rozłupany. **3.** rozdarty.

river [ˈrɪvər] *n.* **1.** *geogr.* rzeka; (*także* **small ~**) rzeczka; **mouth of the ~** ujście rzeki; **(sail) up/down (the) ~** *żegl.* (płynąć) w górę/dół rzeki. **2.** *t. pl. przen.* rzeka, morze; **~(s) of blood** rzeka *l.* morze krwi. **3.** *przen.* **sell sb down the ~** *pot.* puścić kogoś kantem; **up the ~** *US sl.* w pace (*siedzieć*); do paki (*pójść, wpakować kogoś*).

river bank, riverbank *n.* brzeg rzeki.

river basin *n. geogr.* dorzecze.

river bed, riverbed *n. geogr.* koryto rzeki *l.* rzeczne.

river boat, riverboat *n. żegl.* statek rzeczny.

river catchment *n. geogr.* zlewnia rzeki, dorzecze.

riverine [ˈrɪvəˌraɪn] *a. form.* **1.** rzeczny. **2.** nadrzeczny.

riverside [ˈriːvəˌsaɪd] *n. U* brzeg rzeki. – *attr.* nadrzeczny (*o zabudowaniach, terenach*).

rivet [ˈrɪvət] *n. mech.* nit. – *v.* **1.** przykuwać (*uwagę, spojrzenie*) (*on sth* do czegoś); **be ~ed to the spot** znieruchomieć. **2. ~ (together)** *mech.* nitować, łączyć nitami.

riveter [ˈrɪvətər] *n. mech.* nitownica.

riveting [ˈrɪvətɪŋ] *n. pot. t. iron.* pasjonujący, fascynujący.

riviera [ˌrɪvɪˈerə] *n.* riwiera (= *wybrzeże śródziemnomorskie*); **the (French) R~** *geogr.* Riwiera (Francuska).

rivière [ˈrɪvɪˌeɪ] *n.* naszyjnik z brylantem.

rivulet [ˈrɪvjələt] *n.* **1.** strużka, struga (*potu, krwi*). **2.** *geogr.* struga, strumyk.

rix-dollar [ˈrɪksˌdɑːlər] *n. hist., fin.* talar.

riyal [rɪˈɑːl], **rial** *n. fin.* rial (= *jednostka monetarna Iranu, Arabii Saudyjskiej i Jemenu*).

rm. *abbr.* **1.** = **room** *n.* **2.** = **ream** *n.*

RN [ˌɑːr ˈen], **R.N.** *abbr.* **1.** *US med.* = **registered nurse**. **2.** *Br. wojsk.* = **Royal Navy**.

RNA [ˌɑːr ˌen ˈeɪ] *abbr.* **ribonucleic acid** *biochem.* (kwas) RNA.

roach [roʊtʃ] *n.* **1.** *US pot.* karaluch. **2.** *pl.* **-es** *l.* **roach** *icht.* płotka, płoć (*Rutilus rutilus*). **3.** *US sl.* skręt (z trawki); pet (skręta).

road [roʊd] *n.* **1.** droga (*from... to...* z... do...); szosa; autostrada; (*zwł. w nazwach, adresach*) ulica; **back/dirt ~** *US* droga podrzędna *l.* boczna/gruntowa; **by ~** samochodem; **3 hours by ~** 3 godziny jazdy (samochodem); **hit the ~** *gł. US pot.* ruszyć *l.* wyruszyć w drogę; **live (just) down the ~** mieszkać kawałek dalej (*na tej samej ulicy*); **live on** *US i Can.*/**in** *Br. i Austr.* **Ferry ~** *US* mieszkać na *l.* przy (ulicy) Ferry Road; **major/minor ~** droga główna/drugorzędna *l.* boczna; **on the ~** w drodze; w trasie (*o zespole, artyście*); na chodzie (*o samochodzie*); **rule of the ~** przepisy drogowe; **side ~** droga boczna *l.* podporządkowana; **take (to) the ~** ruszyć *l.* wyruszyć w drogę. **2.** *US kol.* = **railroad**. **3.** *zw. pl. żegl.* reda. **4.** *przen.* **~ to Damascus** *Bibl. l. przen.* droga do Damaszku (= *doświadczenie zmieniające życie*); **a few years ~ the road** *zob.* **down**[1] *prep.*; **all ~s lead to Rome** wszystkie drogi prowadzą do Rzymu; **be on the right ~** *Br.* zmierzać we właściwym kierunku; **get out of the/my ~!** *pot.* zejdź mi z drogi!; **it's not the end of the ~** to jeszcze nie koniec, (jeszcze) nie wszystko przepadło; **let's not go down that (particular) ~** *pot.* lepiej zmieńmy temat, wolałbym o tym nie mówić; **on the (right) ~ (to sth)** na (dobrej *l.* właściwej) drodze (do czegoś) (*np. do sukcesu*); **one for the ~** *przest. pot.* kieliszeczek na drogę, strzemienny; **the ~ to hell is paved with good intentions** *zob.* **hell**.

road accident *n. mot.* wypadek drogowy.

road apple *n. pot.* placek (= *odchody zwierzęce na drodze*).

road atlas *n. mot. kartogr.* atlas samochodowy.

roadbed [ˈroʊdˌbed] *n.* **1.** *mot.* koryto drogi. **2.** *kol.* nasyp; podtorze.

roadblock [ˈroʊdˌblɑːk] *n.* **1.** blokada drogi *l.* dróg; zapora drogowa. **2.** *przen.* przeszkoda (*to sth* dla czegoś).

road haulage *n. U* transport drogowy.

road hog *n. mot.* pirat drogowy.

roadhouse [ˈroʊdˌhaʊs] *n. US* restauracja przydrożna, zajazd.

roadie [ˈroʊdɪ] *n. muz. pot.* techniczny (= *pracownik przenoszący, pakujący i ustawiający sprzęt na trasie koncertowej*).

roadkill [ˈroʊdˌkɪl] *n. C/U* przejechane zwierzę, padlina (*na szosie*).

road manager *n. muz.* menedżer *l.* kierownik trasy.

road map *n. mot. kartogr.* mapa samochodowa.

road metal *n. U bud.* tłuczeń drogowy.

road movie *n. film* film drogi.

road racing *n.* **1.** *U mot.* rajd samochodowy (*po drogach publicznych*). **2.** *sport* kolarstwo szosowe.

roadrage [ˈroʊdˌreɪdʒ] *n. U* agresja na drogach.

road repairs *n. pl. mot.* roboty drogowe.

road roller *n. bud.* walec drogowy.

roadrunner [ˈroʊdˌrʌnər] *n. orn.* kukawka srokata (*Geococcyx californianus*).

road safety *n. U mot.* bezpieczeństwo ruchu drogowego, bezpieczeństwo na drogach.

road sense *n. U mot.* umiejętność oceny sytuacji na drodze.

roadshow [ˈroʊdˌʃoʊ] *n.* **1.** *handl.* objazdowa kampania promocyjna; *polit.* objazdowa kampania wyborcza; grupa prowadząca kampanię jw. **2.** *radio* program wyjazdowy; relacja z terenu. **3.** *t. muz.* występ gościnny. **4.** *teatr* teatr objazdowy; przedstawienie objazdowe.

roadside [ˈroʊdˌsaɪd] *n. mot.* pobocze (drogi); **by the ~** przy drodze, na poboczu. – *a. attr.* przydrożny (*np. o barze*).

road sign *n. mot.* znak drogowy.

roadstead [ˈroʊdˌsted] *n. żegl.* reda.

roadster [ˈroʊdstər] *n. przest. mot.* kabriolet (dwumiejscowy), roadster.

road tax *n. C/U Br. fin.* podatek drogowy.

road test *n.* **1.** *mot.* egzamin (praktyczny) na prawo jazdy. **2.** *mot.* próbna jazda (*samochodu*). **3.** test (praktyczny) (*prototypu*).

road-test ['roʊdˌtest], **roadtest** *v.* poddawać testom (praktycznym), testować w praktyce (*prototyp*).

road toll *n.* liczba ofiar wypadków (drogowych).

road trip *n.* **1.** *sport* gra na wyjeździe, mecz wyjazdowy. **2.** delegacja.

roadway ['roʊdˌweɪ] *n. mot.* jezdnia.

roadwork ['roʊdˌwɝːk] *n. U sport* biegi po szosie (*jako trening, zwł. boksera*).

roadworks ['roʊdˌwɝːks] *n. pl. gł. Br.* roboty drogowe.

roadworthy ['roʊdˌwɝːðɪ] *n. mot.* dopuszczony do ruchu; zdatny do jazdy, nadający się do jazdy (*o pojeździe*).

roam [roʊm] *v.* **1.** ~ **(around/about/over)** włóczyć się (po), wałęsać się (po), wędrować (po); ~ **the streets** wałęsać się po ulicach. **2.** ~ **over sth** przebiegać po czymś (*o spojrzeniu*). – *n.* wędrówka, włóczęga.

roamer ['roʊmər] *n.* włóczęga, wędrowiec.

roan [roʊn] *a.* dereszowaty (*o koniu*). – *n.* **1.** deresz. **2.** *U bibl.* szagryn, jaszczur (= *skóra do oprawy książek*).

roar [rɔːr] *v.* **1.** ryczeć (*o lwie, osobie*); ~ **out** ryknąć, zaryczeć. **2.** wyć (*o wietrze, silniku*). **3.** (*także* ~ **with laughter**) *gł. Br.* ryczeć ze śmiechu. **4.** ~ **(past/down)** przejechać z łoskotem *l.* hałasem (*o ciężarówce*). **5.** buzować (*o ogniu*). **6.** *wet.* mieć dychawicę, dyszeć (*o koniu*). – *n.* **1.** ryk. **2.** wycie. **3.** huk.

roaring ['rɔːrɪŋ] *a. attr.* **1.** wyjący (*o wietrze*). **2.** bardzo hałaśliwy (*o ruchu drogowym*). **3.** buzujący (*o ogniu*). **4.** *przen.* ~ **success** *Br.* oszałamiający sukces; **do a ~ trade (in sth)** *Br. pot.* robić znakomity *l.* świetny interes (na czymś). – *adv.* ~ **drunk** *Br.* pijany na umór. – *n. U* **1.** ryk. **2.** *wet.* dychawica (świszcząca) (*u koni*).

Roaring Forties *n. pl. żegl.* ryczące czterdziestki (= *obszary między 40° a 50° szerokości południowej, słynące z silnych zachodnich wiatrów*).

Roaring Twenties *n. pl. hist.* szalone lata dwudzieste.

roast [roʊst] *v.* **1.** *kulin.* piec (*w piekarniku l. na ogniu*); opiekać. **2.** *kulin.* piec się (*o mięsie*). **3.** palić (*kawę*); prażyć (*orzeszki*). **4.** prażyć *l.* smażyć się (*w gorącym pomieszczeniu l. na plaży*). **5.** *pot.* zjechać (= *krytykować*). **6.** *pot.* wyśmiewać. **7.** *techn.* prażyć, wypalać. – *n.* **1.** *kulin.* pieczeń. **2.** *US* ognisko (= *przyjęcie na powietrzu połączone z pieczeniem jedzenia*); **hotdog** ~ pieczenie kiełbasek. **3.** *US* bankiet *l.* przyjęcie na czyjąś cześć (*z pochwalnymi i żartobliwymi przemówieniami*). – *a. attr. kulin.* pieczony; ~ **beef** rostbef, pieczeń wołowa; ~ **chicken** kurczak pieczony, kurczę pieczone; ~ **potatoes** pieczone ziemniaki.

roaster ['roʊstər] *n.* **1.** piec; piekarnik; opiekacz. **2.** *kulin.* brojler.

roasting ['roʊstɪŋ] *a.* (*także* ~ **hot**) *pot.* upalny, skwarny, parny (*o pogodzie, dniu*); **be** ~ gotować się (*z gorąca*). – *n. sing. zwł. Br. pot.* ochrzan; **give sb a** ~ ochrzanić kogoś.

rob [rɑːb] **-bb- 1.** okraść, obrabować, ograbić (*sb of sth* kogoś z czegoś); ukraść (*sb of sth* coś komuś); skraść, zrabować (*przedmioty, czyjąś własność*). **2.** pozbawiać (*sb / sth of sth* kogoś/coś czegoś); obdzierać, odzierać (*sb / sth of sth* kogoś/coś z czegoś). **3.** *przen.* ~ **Peter to pay Paul** *przest.* spłacić dług innym długiem; zabrać jednemu, żeby dać drugiemu; ~ **the cradle** *US żart.* wziąć sobie młódkę (= *związać się ze znacznie młodszą osobą*); **I was ~bed!** *gł. sport* oszustwo!, to niesprawiedliwe!

robber ['rɑːbər] *n.* rabuś, bandyt-a/ka.

robber baron *n. hist.* **1.** *US* rekin finansjery (*w XIX w. w Stanach*). **2.** rycerz rabuś (*w średniowiecznej Europie*).

robbery ['rɑːbərɪ] *n. C / U pl.* **-ies** *t. prawn.* **1.** napad (rabunkowy), rabunek, rozbój; **armed** ~ napad z bronią w ręku; **bank** ~ napad na bank. **2. daylight/highway** ~ *przen. pot.* rozbój w biały dzień, zdzierstwo.

robe [roʊb] *n.* **1.** *t. pl.* toga (*sędziego, rektora*); *kośc.* sutanna. **2.** szlafrok; płaszcz kąpielowy. **3.** pled (*na nogi, zwł. w podróży*). **4.** *hist.* narzuta, opończa, burka. – *v.* **1.** *lit.* odziewać, przyodziewać; ~ **o.s.** odziewać się; **~d in sth** odziany w coś. **2.** *form.* wdziewać (togę).

robin ['rɑːbɪn] *n. orn.* **1.** (*także* **American** ~) drozd wędrowny (*Turdus migratorius*). **2.** (*także* **European** ~) rudzik (*Erithacus rubecula*).

Robin Goodfellow *n. lit.* chochlik.

robin redbreast *n.* = **robin**.

roborant ['rɑːbərənt] *a. i n. med.* (środek) wzmacniający.

robot ['roʊbɑːt] *n.* **1.** robot. **2.** *S.Afr. mot.* światła (*na skrzyżowaniu*).

robot bomb *n. wojsk.* pocisk samosterujący.

robotic arm [roʊˌbɑːtɪk 'ɑːrm] *a.* ramię robota.

roboticist [roʊ'bɑːtəsɪst] *n.* robotyk.

robotics [roʊ'bɑːtɪks] *n. U* robotyka.

robust [roʊ'bʌst] *a.* **1.** krzepki, silny (*o osobie*). **2.** solidny (*o meblu, butach, zabezpieczeniach*). **3.** *t. techn., komp.* stabilny; pewny; niewrażliwy, szczelny (*o systemie*). **4.** zdrowy, silny (*o gospodarce*). **5.** *ekon.* dynamiczny, stabilny (*o wzroście*). **6.** *kulin.* bogaty (*o potrawie, smaku*). **7.** zdecydowany, zagorzały (*np. o zwolenniku*). **8.** wymagający wytrzymałości *l.* siły (*o sporcie*).

robustious [roʊ'bʌstʃəs] *a. arch. l. żart.* **1.** niesforny. **2.** krzepki. **3.** rubaszny.

robustly [roʊ'bʌstlɪ] *adv.* **1.** krzepko. **2.** solidnie. **3.** *t. techn., komp.* stabilnie; pewnie (*działać, zaprojektowany*). **4.** *ekon.* dynamicznie, stabilnie (*rosnąć*).

robustness [roʊ'bʌstnəs] *n. U* **1.** krzepa. **2.** solidność. **3.** *t. techn., komp.* stabilność; pewność; szczelność (*systemu*). **4.** determinacja. **5.** siła (*gospodarki*).

rocambole ['rɑːkəmˌboʊl] *n. bot., kulin.* rokambuł (*Allium scordoprasum*).

rochet ['rɑːtʃət] *n. kośc.* rokieta (= *szata biskupa*).

rock [rɑːk] *n.* **1.** *C / U* skała. **2.** głaz; *US, Can. i Austr.* kamień. **3.** opoka, wsparcie. **4.** *U muz.* rock. **5.** *U* kołysanie (się). **6.** *U Br. kulin.* kryształek (miętowy) (= *podłużny cukierek, zwł. jako pamiątka znad morza*). **7.** *pot.* kamień (szlachetny); brylant. **8.** *U sl.* krak (*narkotyk*). **9.** *U US pot.* forsa. **10.** *pl. obsc. sl.* jaja (= *jądra*). **11.** *przen.* **be (as) solid/steady as a ~** być opoką, być jak opoka (*o osobie*); być mocnym jak skała, być nie do ruszenia (*o konstrukcji*); **be (stuck) between a ~ and a hard place** znaleźć się między młotem a kowadłem; **get one's ~s off** *obsc. sl. t. przen.* spuszczać się (= *mieć wytrysk l. wielką radość*); zamoczyć (*o mężczyźnie; = odbyć stosunek*); **on the ~s** *żegl.* na mieliźnie *l.* skałach (*o statku*); *kulin.* z lodem (*o drinku*); w rozsypce (*o małżeństwie*); w tarapatach (*o firmie*); bez grosza; **vodka/gin on the ~s** wódka/dżin z lodem. – *v.* **1.** kołysać (się), bujać (się), huśtać (się); **~ sb asleep** ukołysać kogoś do snu. **2.** wstrząsnąć (*np. miastem, opinią publiczną*); zatrząść się (*od wybuchu*). **3.** *t. muz. pot.* grać *l.* tańczyć *l.* śpiewać rocka. **4.** *górn.* wypłukiwać (*piasek złotonośny*). **5. ~ the boat** *zob.* **boat** *n.* **6. ~ along** *mot. US pot.* pruć, zasuwać; kulać się (= *dawać sobie radę*); **~ sb into security** uśpić czyjąś czujność, wywołać w kimś fałszywe poczucie bezpieczeństwa; **~ with laughter** zanosić się śmiechem *l.* od śmiechu. – *a. attr.* **1.** rockowy; **~ musician** muzyk rockowy. **2.** skalny.

rockabilly [ˈrɑːkəˌbɪlɪ] *n. U muz.* rockabilly.

rockabye [ˈrɑːkəˌbaɪ], **rockaby** *int. US dziec.* luli-luli.

rock and roll, rock-and-roll, rock'n'roll, rock & roll *muz. n. U* rock and roll. – *a. attr.* rockandrollowy. – *v.* tańczyć rock and rolla.

rock bass *n. pl.* **-es** *l.* **rock bass** *icht.* (wargacz) skalik (*Ambloplites l. Centropristis rupestris*).

rock bottom *n. U* **1.** *geogr.* dno morskie *l.* oceaniczne. **2.** *przen.* dno; najniższy poziom; **hit/ reach/ touch ~** *pot.* stoczyć się na samo dno, sięgnąć dna.

rock-bottom [ˌrɑːkˈbɑːtəm] *a. attr.* najniższy (możliwy); **at ~ prices** *handl.* po najniższych (możliwych) cenach.

rock-bound [ˈrɑːkˌbaʊnd], **rockbound** *a.* otoczony skałami.

rock bun, rock cake *n. U Br. kulin.* rodzaj pierniczka.

rock candy *n. pl.* **-ies** *US kulin.* kryształek (= *cukierek z cukru*).

rock-climb [ˈrɑːkˌklaɪm] *v.* wspinać się, uprawiać wspinaczkę *l.* alpinizm.

rock climber *n.* alpinist-a/ka, wspinacz/ka.

rock climbing *n. U* alpinizm, alpinistyka, wspinaczka.

rock crystal *n. U krystal.* kryształ górski.

rock dove *n.* (*także* **rock pigeon**) *orn.* gołąb skalny *l.* miejski (*Columba livia*).

rocker [ˈrɑːkər] *n.* **1.** biegun (*u kołyski, fotela*). **2.** fotel na biegunach, fotel bujany. **3.** koń na biegunach. **4.** fan/ka rocka. **5.** muzyk rockowy. **6.** rocker, rockers (= *członek subkultury rockersów*). **7.** *górn.* płuczka kołyskowa. **8.** *miedziorytnictwo* chwiejak. **9.** *mech.* wahacz. **10.** *gł. pl. łyżwiarstwo* łyżwa figurowa. **11. be off one's ~** *pot.* być niespełna rozumu.

rocker arm *n. mot.* dźwignia zaworu.

rockery [ˈrɑːkərɪ] *n. pl.* **-ies** *zwł. Br. ogr.* ogródek *l.* ogród skalny, alpinarium.

rocket[1] [ˈrɑːkət] *n.* **1.** rakieta (*kosmiczna, wojskowa l. fajerwerk*). **2. get a ~** *Br. i NZ pot.* dostać po nosie. – *v.* **1. ~ (up)** skoczyć w górę, gwałtownie wzrosnąć (*o cenach*). **2.** przemykać, śmigać. **3.** błyskawicznie awansować (*o przeboju, filmie w rankingach*); **~ to sth** błyskawicznie coś osiągnąć, zdobyć coś przebojem (*np. sławę, pozycję lidera*). **4.** *mech.* napędzać. **5.** *wojsk.* ostrzeliwać (rakietami *l.* ogniem rakietowym). **6.** *myśl.* wzlatywać w górę (*o ptaku*). – *a. attr.* rakietowy; **~ engine/propulsion** *mech.* silnik/napęd rakietowy; **~ launcher** *wojsk.* wyrzutnia rakietowa.

rocket[2] *n.* **1.** (*także* **~ salad**) *bot.* rokietka (*Eruca sativa*). **2.** (*także* **sea ~**) *bot.* rukwiel (*Cakile*).

rocketry [ˈrɑːkɪtrɪ] *n. U* technika rakietowa.

rock face *n. geol.* ściana skalna.

rockfall [ˈrɑːkˌfɑːl], **rock fall** *n. geol.* obryw skalny; osuwisko, zwalisko; osunięcie kamieni.

rockfish [ˈrɑːkˌfɪʃ] *n. pl.* **-es** *l.* **-fish** *icht.* karmazyn (*Sebastes, t. wiele innych ryb żyjących wśród skał*).

rock garden *n. zwł. US ogr.* ogródek *l.* ogród skalny, alpinarium.

rock-hard [ˌrɑːkˈhɑːrd] *a.* **1.** twardy jak kamień *l.* skała. **2.** *Br. żart.* nieustraszony.

Rockies [ˈrɑːkɪz] *n. pl.* **the ~** *geogr.* Góry Skaliste.

rockiness [ˈrɑːkɪnəs] *n. U* skalistość.

rocking chair [ˈrɑːkɪŋ ˌtʃer] *n.* fotel na biegunach, fotel bujany.

rocking horse *n.* koń na biegunach.

rockling [ˈrɑːklɪŋ] *n. icht.* motela (*Enchelyopus cimbrius; t. inne gatunki drobnych ryb żyjących wśród skał*).

rock music *n. U muz.* muzyka rockowa.

rock'n'roll [ˌrɑːkəndˈroʊl] *n. muz.* = **rock and roll.**

rock oil *n. U geol.* olej skalny, ropa naftowa.

rock pigeon *n. orn.* = **rock dove.**

rock plant *n. bot.* roślina skalna.

rock pool *n. Br.* kałuża po odpływie (*na brzegu morza, oceanu*).

rock-ribbed [ˈrɑːkˌrɪbd] *a.* **1.** skalisty. **2.** *przen.* nieugięty.

rockrose [ˈrɑːkˌroʊz] *n. bot.* **1.** posłonek (*Helianthemum*). **2.** czystek (*Cistus*).

rock salt *n. U geol.* sól kamienna.

rockslide [ˈrɑːkˌslaɪd] *n. geol.* osuwisko, zwalisko; lawina skalna; osunięcie kamieni.

rock wool *n. U techn.* wełna żużlowa.

rockwork [ˈrɑːkˌwɝːk] *n. U* **1.** *geol.* formacja skalna. **2.** *bud.* imitacja skały.

rock wren *n. orn.* skalik (złotorzytny) (*Salpinctes (obsoletus)*).

rocky [ˈrɑːkɪ] *a.* **-ier, -iest 1.** skalisty. **2.** niepewny (*o sytuacji, przyszłości*). **3.** chwiejny, niezdecydowany. **4.** twardy jak skała. **5.** *pot.* skołowany.

Rocky Mountains *n. pl. geogr.* Góry Skaliste.

Rocky Mountain spotted fever *n.* *U* *pat.* gorączka plamista Gór Skalistych.

rococo [rə'koukou], **Rococo** *sztuka a. attr.* rokokowy. – *n. U* rokoko.

rocoon [rə'ku:n] *n. meteor.* sonda rakietowa (*wystrzeliwana z balonu meteorologicznego*).

rod [rɑ:d] *n.* **1.** pręt (*t. hist. jako miara długości l. powierzchni*); drąg. **2.** (*także* **fishing ~**) *ryb.* wędka; kij, wędzisko. **3.** rózga. **4.** *polit.* laska (*np. marszałkowska*). **5.** *polit. przen.* jarzmo. **6.** *anat.* pręcik (*na siatkówce oka*). **7.** *biol., pat.* pałeczka (*bakteria*). **8.** piorunochron. **9.** *techn.* łata; *miern.* łata miernicza. **10.** *mech.* drążek. **11.** *US sl.* gnat (= *pistolet*). **12.** *przen.* **have a ~ in pickle for sb** mieć z kimś na pieńku; **hot ~** *US mot. sl.* podrasowany wóz *l.* samochód; **kiss the ~** potulnie przyjmować karę; **make a ~ for one's own back** *Br.* kręcić bicz na (samego) siebie; **rule (sb/sth) with a ~ of iron** rządzić (kimś/czymś) żelazną ręką; **spare the ~ and spoil the child** dziateczki rózeczką Duch Święty bić kazał.

rode [roud] *v. zob.* **ride.**

rodent ['roudənt] *zool. n.* gryzoń. – *a.* gryzoniowaty.

rodent ulcer *n. pat.* wrzód żrący.

rodeo ['roudɪ,ou] *n. pl.* **-s** *gł. US i Can.* **1.** rodeo. **2.** *roln.* spęd (bydła). **3.** *roln.* zagroda.

rodman ['rɑ:dmən] *n. pl.* **-men** *miern.* pomiarowy, tyczkarz (= *pomocnik mierniczego*).

rodomontade [,rɑ:dəmɑ:n'teɪd] *lit. n.* fanfaronada. – *a.* fanfaroński. – *v.* przechwalać się.

roe¹ [rou] *n. U icht.* (*także* **hard ~**) *t. kulin.* ikra; **soft ~** mlecz (*rybi*).

roe² *n. zool., myśl.* łania; (*także* **~ deer**) sarna (*Capreolus capreolus*).

roebuck ['rou,bʌk], **roebuck buck** *n. myśl.* kozioł, rogacz (= *samiec sarny*).

roentgen ['rentgən], **röntgen** *n. fiz.* rentgen (*jednostka dawki promieniowania*).

roentgenize ['rentgə,naɪz], *Br. i Austr. zw.* **roentgenise** *v. przest.* prześwietlać.

roentgenogram ['rentgənə,græm] *n. przest.* rentgenogram.

Rogation Days [rou'geɪʃən ,deɪz] *n. pl. rel.* dni krzyżowe.

roger ['rɑ:dʒər] *int.* **1.** *tel., radio* roger, odebrałem. **2.** *pot.* zgoda, w porządku. – *v. przest. obsc. sl.* posuwać, dymać (= *odbywać stosunek z*).

rogue [roug] *n.* **1.** *przest. l. żart.* łobuz, hultaj; łotr, łotrzyk; **~s' gallery** galeria łotrzyków (*arch. = fotografie na policji; przen. = grupa złych ludzi*). **2.** *biol.* słaby osobnik; poślednia odmiana (*rośliny*). **3.** *zool.* samotnik (*zwł. słoń*). **4.** *arch.* włóczęga (*osoba*). – *a. attr.* **1.** *zool.* samotny; zdziczały. **2.** awanturniczy (*o osobie, zachowaniu*). – *v.* **1.** *ogr., roln.* przerywać (*grządkę, uprawę*). **2.** żyć *l.* zachowywać się jak łobuz. **3.** oszukiwać (*kogoś*).

roguery ['rougərɪ] *n. pl.* **-ies** nikczemność, draństwo; *U* nikczemność, hultajstwo.

rogue site *n. komp.* strona naśladownicza (*w internecie, zwł. dla ośmieszenia znanej strony*).

rogue state *n. polit.* państwo awanturnicze.

roguish ['rougɪʃ] *a.* łobuzerski (*zwł. o uśmieszku, wyrazie twarzy*).

roguishly ['rougɪʃlɪ] *adv.* łobuzersko.

ROI [,ɑ:r ,ou 'aɪ] *abbr.* **return on investment** *fin.* oprocentowanie lokaty.

roil [rɔɪl] *v.* **1.** mącić (*wodę, zawiesinę*). **2.** drażnić (*kogoś*).

roister ['rɔɪstər] *v. przest.* baraszkować.

role [roul], **rôle** *n. t. film, teatr* rola; **leading/lead/major/key ~** główna rola; **minor ~** drugorzędna rola; **play a ~** grać *l.* odgrywać rolę, mieć znaczenie; **~ reversal** zamiana ról.

role model *n.* wzór do naśladowania; *psych., socjol.* wzorzec osobowy.

role-play ['roul,pleɪ] *n. C/U* odgrywanie scenek.

roll [roul] *n.* **1.** rolka; zwój; zwitek; bela (*materiału*); *mech.* krążek, walec. **2.** *kulin.* (*także* **bread ~**) bułka; bułeczka (*t. nadziewana*); **cheese/ham on a ~** *Br. i Austr.* **cheese/ham ~** bułka z serem/szynką. **3.** *sport* przewrót. **4.** *żegl., lotn.* kołysanie (boczne *l.* poprzeczne). **5.** *lotn.* beczka, obrót (*w akrobacji lotniczej*). **6.** *sing.* kołysanie się. **7.** rzut (*kości do gry*). **8.** *t. szkoln.* lista (nazwisk); wykaz; rejestr; **call/take the ~** *t. szkoln.* odczytywać listę, sprawdzać obecność; **honor ~** (*także Br.* **~ of honour**) lista honorowa (*zwł. poległych*); **strike sb off the ~s** skreślić kogoś z listy. **9.** archiwum. **10.** wałek, wałeczek, fałda; **~s of fat** zwały *l.* fałdy tłuszczu. **11.** *sing.* pofałdowanie (*terenu*). **12.** *sing.* tarzanie się. **13.** *sing. kulin.* wałkowanie. **14.** *muz.* werbel (= *bardzo szybkie bicie w werbel*). **15.** pomruk, łoskot, huk (*grzmotu*); bębnienie; dudnienie. **16.** potok (*słów*). **17.** *kulin.* zawijaniec. **18.** *mech.* walcarka. **19.** *astron.* obrót (*planety*). **20.** tryl, świergot (*ptaka*). **21.** *bud.* woluta, ślimacznica (*na kolumnie*). **22.** *fon.* głoska drżąca. **23.** *przen.* **~ in the hay** *pot. euf.* figlowanie na sianie, (mała) zabawa (= *seks*); **be on a ~** *pot.* być na fali; **your ~** twoja kolej. – *v.* **-ll- 1.** toczyć (się), kulać (się); obracać (się). **2.** obtaczać. **3.** tarzać się. **4.** zataczać się. **5.** kręcić się; działać (*o mechanizmie*). **6.** zwijać (*sznurek*). **7.** przewijać (*film*). **8.** podwijać (*rękawy, nogawki*). **9.** utoczyć (*kulę ze śniegu*). **10.** rzucać (kostką). **11.** *żegl., lotn.* kołysać się (na boki). **12.** *kulin.* wałkować, rozwałkowywać (*ciasto*). **13.** spływać, ściekać (*o łzach, pocie*); **tears ~ed down his cheeks** po policzkach ściekały mu łzy. **14.** falować (*o trawie, morzu, tłumie*). **15.** grzmieć (*o piorunie*); rozbrzmiewać (*o bębnie*); *muz.* wybijać werbel. **16.** świergotać, wyśpiewywać trele (*o ptaku*). **17.** *gra w kości* wyrzucić (*określoną liczbę oczek*). **18.** *film* kręcić, filmować. **19.** *astron.* obracać się wokół osi (*o planecie*). **20.** *lotn.* robić *l.* wykonywać beczkę; obracać (*samolotem*). **21.** *pot. t. obsc.* zabawić się (z) (*kimś*). **22.** *US* okraść (*zwł. ofiarę śpiącą l. pijaną*). **23.** **~ in the aisles** *przen.* tarzać się ze śmiechu; **~ the bones** rzucać kostką *l.* kości (*w grze*); **~ a cigarette** zrobić skręta; **~ one's own** palić skręty; **~ one's eyes** przewracać *l.* wywracać oczami; **~ with the punches** *US* umiejętnie radzić sobie z trudnościami; ~

one's r's *t. fon.* wymawiać *r* drżące; **a ~ing stone gathers no moss** bez pracy nie ma kołaczy; **be ~ling in sth** *pot.* mieć czegoś w bród; **be ~ling in it** *pot.* mieć forsy jak lodu, spać na forsie; **get ~ling** rozkręcić się (*o interesie*); brać się do roboty; **keep the ball ~ing** *zob.* **ball**[1] *n.*; **ready to ~** *gł. US* gotowy (*do drogi, działania*); **set a stone ~ing** wywoływać wilka z lasu; **start/set/get the ball ~ing** *zob.* **ball**[1] *n.* **24.** **~ about/around** tarzać się, turlać się; **~ around/round** powrócić, znowu przyjść (*o porze roku*); minąć (*o roku*); **~ away** rozpościerać się (górzyście) (*o krajobrazie*); **~ back** zwijać, rolować (*dywan*); *US* obniżać (*ceny, podatki, płace*); redukować (*wpływ, zasięg czegoś*); *wojsk.* spychać (*wojska*); **~ a window down** otworzyć okno (*w samochodzie*); **~ in** wpływać, napływać (*o zgłoszeniach, kandydatach*); docierać (w końcu); nadciągać (*o mgle, chmurach*); **(all) ~led into one** w jednej osobie; (wszystko) w jednym, za jednym zamachem; **actor and director ~led into one** aktor i reżyser w jednej osobie, aktor i (zarazem) reżyser; **~ off** odwijać (*sznurek*); wypływać (*o słowach*); recytować (*tekst*); *el.* opadać (*o charakterystyce częstotliwościowej filtra, wzmacniacza*); **~ off the tongue** *zob.* **tongue** *n.*; **~ out** *kulin.* rozwałkować (*ciasto*); rozwijać (*sznurek*); rozwijać się; *sport* grać *l.* atakować skrzydłami, rozwijać skrzydła; *handl.* wypromować, wprowadzić na rynek (*nowy produkt*); zaprezentować (*prototyp czegoś*); **~ out of bed** *pot.* wygrzebać się *l.* wyleźć z łóżka; **~ out the big guns** użyć radykalnych *l.* ostatecznych środków; **~ out the red carpet for sb** potraktować kogoś z honorami; **~ out the welcome mat for sb** ciepło kogoś przywitać; **~ over** przewrócić się, przekręcić się (*na drugi bok, na brzuch*); przewrócić się (*o jachcie*); przekręcić; znokautować, zmiażdżyć (= *pokonać wyraźnie*); *fin.* przelewać, przekazywać (*składki na inny fundusz emerytalny, powierniczy*); *fin.* przedłużać, prolongować (*spłatę odsetek, długu*); *fin.* renegocjować (*spłatę odsetek, długu*); **~ up** zwijać, rolować; podwijać (*rękawy, nogawki*); przybywać, zajeżdżać; pojawiać się, nadciągać; gromadzić (*fundusze*); zwijać się; **~ up!** *Br.* chodźcie!, prosimy!; **~ o.s. up into a ball** zwinąć się w kulkę *l.* kłębek; **~ a window up** zakręcić *l.* zamknąć okno (*w samochodzie*); **~ one's sleeves up** *zob.* **sleeve**.

rollaway [ˈroʊləˌweɪ], **roll-away** *a. attr.* na kółkach (*o łóżku, stoliczku*).

rollback [ˈroʊlˌbæk] *n. gł. sing.* **1.** *zwł. handl.* obniżka (*zwł. cen*). **2.** wycofanie (*poparcia, stanowiska*).

roll bar *n. mot.* pałąk (zabezpieczający) (*w samochodzie z otwartą kabiną na wypadek dachowania*).

roll call, roll-call *n. C/U* **1.** *zwł. szkoln.* sprawdzanie obecności. **2.** *wojsk.* apel. **3.** *US parl.* głosowanie imienne.

rolled gold [ˌroʊld ˈgoʊld] *Br. n. U metal.* pozłacanie; blacha platerowana złotem. – *a.* pozłacany, platerowany złotem.

rolled oats *n. pl. zwł. Br. kulin.* płatki owsiane.

roller [ˈroʊlər] *n.* **1.** *mech.* wałek; rolka; kółko. **2.** *mech., roln., ogr.* walec; wał. **3.** *żegl.* wał wodny (= *długa fala*). **4.** lokówka, wałek (*do włosów*). **5.** *med.* bandaż zwijany. **6.** *baseball* wolna piłka. **7.** *orn.* kraska (*Coracia*). **8.** *orn.* (kanarek) śpiewak. **9.** *Br. mot. pot.* rolls (= *rolls-royce*).

roller bearing *n. mech.* łożysko wałeczkowe.

roller blade, rollerblade, Rollerblade *n. gł. pl.* rolka, łyżworolka.

roller-blade [ˈroʊlər ˌbleɪd], **rollerblade** *v.* jeździć na rolkach *l.* łyżworolkach.

roller-blading [ˈroʊlər ˌbleɪdɪŋ], **rollerblading** *n. U sport* jazda na rolkach *l.* łyżworolkach, rolki, łyżworolki.

roller blind *n. Br. i Austr.* żaluzja zwijana, roleta.

roller coaster *n.* **1.** kolejka górska (*w wesołym miasteczku*). **2.** *przen.* huśtawka (*emocjonalna*).

roller derby *n. pl.* **-ies** *US sport* wyścig na łyżworolkach (*z udziałem dwóch drużyn*).

roller mill *n. mech.* młyn walcowy.

roller skate *n. gł. pl.* wrotka.

roller-skate [ˈroʊlərˌskeɪt] *v.* jeździć na wrotkach.

roller-skating [ˈroʊlərˌskeɪtɪŋ] *n. U sport* jazda na wrotkach, wrotki.

roller towel *n.* ręcznik w rolce (*w toalecie publicznej*).

rollick [ˈrɑːlɪk] *przest. v.* hasać. – *n.* hasanie.

rollicking [ˈrɑːlɪkɪŋ] *a. attr. przest.* wesoły. – *n. sing.* **give sb a ~** *Br. pot.* dać komuś po nosie.

rollicksome [ˈrɑːlɪksəm] *a. przest.* wesoły.

rolling [ˈroʊlɪŋ] *a.* **1.** pofałdowany, falisty (*o terenie*). **2.** pomarszczony, zmarszczony (*o tafli wody*). **3.** chwiejny (*o kroku*). **4.** nabierający tempa *l.* rozmachu; rozwijający się. **5.** *pot.* nadziany (= *zamożny*). **6.** dudniący. – *adv.* **~ drunk** *pot.* zalany w trupa.

rolling bearing *n. mech.* łożysko toczne.

rolling friction *n. U mech.* tarcie toczne, opór toczenia.

rolling hitch *n. mech.* chwyt stoperowy (*do liny*).

rolling mill *n. metal.* **1.** walcownia. **2.** walcarka.

rolling paper *n. często pl.* bibułka (*do skręcania papierosów*).

rolling pin *n. kulin.* wałek do ciasta.

rolling stock *n. U kol.* tabor kolejowy; *mot.* tabor samochodowy.

roll molding *n. bud.* wałek.

rollmop [ˈroʊlˌmɑːp], **rollmops** [ˈroʊlˌmɑːps] *n. Br. i Austr. kulin.* rolmops.

roll neck *n.* kołnierz zawijany; golf (*kołnierz l. sweter*).

roll of honour *n. Br.* = **honor roll**; *zob.* **roll** *n.*

roll-on [ˈroʊlˌɑːn] *a. attr.* w kulce. – *n.* **1.** (*także* **~ deodorant**) dezodorant w kulce. **2.** pas (elastyczny *l.* wyszczuplający) (*rodzaj gorsetu damskiego*).

roll-on roll-off [ˌroʊlˌɑːn ˌroʊlˈɔːf] *żegl. a. attr.*

1. ro-ro. 2. ~ **ferry** promowiec. – *n.* ro-ro, rorowiec.

rollout ['roʊlˌaʊt] *n.* 1. *zwł. lotn.* premiera, pokaz (*prototypu, nowego modelu*). 2. *lotn.* wykołowanie, wyprowadznie (*z hangaru*). 3. *lotn.* wyprostowanie (*po zakończeniu zakrętu*). 4. *handl.* wprowadzanie na rynek, promocja (*nowego produktu*). 5. *sport* zagranie skrzydłem *l.* po skrzydle.

rollover ['roʊlˌoʊvər] *n. C / U fin.* 1. przekazanie, przelew (*funduszy, środków*). 2. *mot.* dachowanie. 3. *żegl.* wywrotka, grzyb.

Rolls-Royce [ˌroʊlz'rɔɪs] *n.* 1. *mot.* rolls-royce. 2. **a ~ among/of CD players** *Br. przen.* mercedes wśród odtwarzaczy kompaktowych.

roll-top ['roʊlˌtɑːp] *a.* (*także* ~ **desk**) biurko zasuwane *l.* z zamknięciem żaluzjowym.

roll-up ['roʊlˌʌp] *n. Br.* skręt (*papieros*).

rollway ['roʊlˌweɪ] *n.* 1. *leśn.* ślizg (*do pni*). 2. *mech.* rolki (*do transportowania*).

roll-your-own [ˌroʊljər'oʊn] *n. Austr. pot.* skręt (*papieros*).

roly-poly [ˌroʊlɪ'poʊlɪ] *a. pot.* pulchny, okrąglutki. – *n.* 1. *pot.* grubasek, kluska. 2. *C / U* (*także* ~ **pudding**) *Br. kulin.* legumina (zawijana).

ROM [rɑːm] *abbr.* = **read-only memory**.

Rom [roʊm] *n. pl. t.* **Roma** Rom/ka.

romaine [rə'meɪn] *n. C / U* (*także* ~ **lettuce**) *US kulin.* sałata rzymska *l.* długolistna.

Roman ['roʊmən] *n.* 1. *t. hist.* Rzymian-in/ka. 2. *rel. pot.* katoli-k/czka, rzymskokatoli-k/czka. 3. *U druk.* antykwa; *komp.* czcionka Roman. – *a.* 1. *t. hist.* rzymski. 2. *rel.* rzymskokatolicki.

roman à clef [roʊˌmɑːn ɑː 'kleɪ] *n. pl.* **romans à clef** *Fr. teor. lit.* powieść z kluczem.

Roman alphabet *n. pismo* alfabet łaciński.

Roman Catholic *rel. a.* rzymskokatolicki; **the ~ Church** *kośc.* kościół rzymskokatolicki. – *n.* katoli-k/czka, rzymskokatoli-k/czka.

Roman Catholicism *n. U rel.* katolicyzm, wyznanie rzymskokatolickie.

Romance [roʊ'mæns] *jęz. a.* romański; ~ **languages** języki romańskie. – *n. U* języki romańskie, grupa języków romańskich.

romance [roʊ'mæns] *n.* 1. romans; **whirlwind ~** burzliwy romans. 2. *U* uczucie. 3. *U* urok, czar; romantyczność. 4. *teor. lit., film, muz.* romans. 5. fantazja (= *wymysł*). – *v.* 1. fantazjować (*(about) sth* na temat czegoś); koloryzować (*(about) sth* coś). 2. romansować (z), mieć romans (z) (*kimś*).

romancer [roʊ'mænsər] *n.* 1. fantast-a/ka. 2. *teor. lit.* autor/ka romansów.

Roman collar *n. kośc.* koloratka.

Romanesque [ˌroʊmə'nesk] *bud. a.* romański. – *n. U* **the ~** styl romański.

roman-fleuve [roʊˌmɑːn 'flʌv] *n. pl.* **romans-fleuves** *Fr. teor. lit.* powieść rzeka.

Roman font *n. U druk.* antykwa (czcionka).

Romania [rʊ'meɪnɪə], **Roumania**, **Rumania** *n. geogr., polit.* Rumunia.

Romanian [rʊ'meɪnɪən], **Roumanian**, **Rumanian** *a.* rumuński. – *n.* 1. Rumun/ka. 2. *U* język rumuński.

Romanic [roʊ'mænɪk] *a.* 1. romański. 2. rzymski. – *n. U* **the ~** *jęz.* języki romańskie, grupa języków romańskich.

Romanism ['roʊməˌnɪzəm] *n. U rel. zwł. pog.* (rzymski) katolicyzm.

Romanist ['roʊmənɪst] *n.* 1. *rel. zwł. pog.* (rzymsk-i/a) katoli-k/czka. 2. latynist-a/ka.

Romanize ['roʊməˌnaɪz], *Br. i Austr. zw.* **Romanise** *v.* 1. *rel.* katolicyzować (się). 2. *jęz.* latynizować, transliterować w alfabecie łacińskim. 3. *hist.* latynizować (się), romanizować (się).

Roman law *n. U prawn.* prawo rzymskie.

Roman nose *n.* rzymski nos.

Roman numeral *n. mat.* cyfra rzymska; **in Roman numerals** cyframi rzymskimi.

Romano [roʊ'mɑːnoʊ] *n. U kulin.* ser (tarty) Romano.

Romans ['roʊmənz] *n. sing. Bibl.* List (św. Pawła Apostoła) do Rzymian.

Romansch [roʊ'mænʃ], **Romansh** *a. i n. U jęz.* (język) retoromański.

romantic [roʊ'mæntɪk] *a.* 1. romantyczny. 2. (*także* **R~**) *sztuka, teor. lit.* romantyczny. – *n.* 1. romanty-k/czka. 2. (*także* **R~**) *teor. lit.* romanty-k/czka.

romantically [roʊ'mæntɪklɪ] *adv.* romantycznie.

romantic comedy *n. pl.* **-ies** *film* komedia romantyczna.

romanticism [roʊ'mæntəˌsɪzəm], **Romanticism** *n. U sztuka, teor. lit.* romantyzm.

romanticist [roʊ'mæntəsɪst], **Romanticist** *n. sztuka, teor. lit.* romanty-k/czka.

romanticize [roʊ'mæntəˌsaɪz], *Br. i Austr. zw.* **romanticise** *v.* nadawać charakter romantyczny (*czemuś*); idealizować.

Roman type *n. U druk.* antykwa.

Romany ['rɑːmənɪ] *n. pl.* **-ies** 1. Rom/ka. 2. *U* język cygański *l.* romani. – *a.* romski; cygański.

Rome [roʊm] *n.* 1. *geogr.* Rzym. 2. *przen.* ~ **was not built in a day** nie od razu Kraków zbudowano; **all roads lead to ~** wszystkie drogi prowadzą do Rzymu; **fiddle while ~ burns** patrzeć *l.* stać z założonymi rękami; **when in ~, do as the Romans (do)** kiedy wejdziesz między wrony, musisz krakać jak i one.

Romeo ['roʊmɪˌoʊ], **romeo** *n. pl.* **-s** *zw. żart. l. pog.* Romeo, amant.

Romish ['roʊmɪʃ] *a. zw. pog.* katolicki, rzymskokatolicki.

romp [rɑːmp] *v.* 1. ~ **(around/about)** hasać, dokazywać; igrać, figlować. 2. biec lekko *l.* z łatwością. 3. ~ **in** (*także* ~ **home**) *Br.* wygrać lekko *l.* bez wysiłku *l.* z łatwością (*zwł. o koniu w wyścigach*); ~ **through** *Br. pot.* poradzić sobie śpiewająco z (*czymś*). – *n. sing.* 1. figle, igraszki. 2. *pot.* dobra zabawa (*zwł. = film, koncert, książka*). 3. *Br. dzienn. pot.* figle, bara-bara (= *seks*). 4. *pot.* łatwizna; łatwe zwycięstwo; **have won in a ~** zwyciężyć bez trudu.

rompers [ˈrɑːmpərz] *n. pl.* śpioszki; pajacyk, kombinezon.

rompish [ˈrɑːmpɪʃ] *a.* figlarny.

rondeau [ˈrɑːndoʊ] *n. pl.* **rondeaux** [ˈrɑːndoʊz] *wers., muz.* rondo.

rondel [ˈrɑːndl], **rondelle** *n. wers.* rondel (*wiersz*).

rondo [ˈrɑːndoʊ] *n. pl.* **-s** *muz.* rondo.

rondure [ˈrɑːndʒər] *n. C / U lit.* krągłość.

röntgen [ˈrentgən] *n. fiz.* = **roentgen**.

roo [ruː] *n. Austr. pot.* kangur.

rood [ruːd] *n.* **1.** *bud., kośc. l. arch.* krucyfiks, krzyż. **2.** *roln.* ćwierć akra (= *0,1 ha*).

rood arch *n. bud., kośc.* łuk tęczy.

rood beam *n. bud., kośc.* belka tęczy.

rood screen *n. bud., kośc.* ściana tęczowa.

roof [ruːf] *n.* **1.** *bud., mot. l. przen.* dach; *bud.* strop (*korytarza, tunelu*); zadaszenie. **2.** (*także* **~ of the mouth**) *anat.* podniebienie. **3.** *przen.* **~ of the world** dach świata, korona Ziemi (= *Mount Everest*); **~ over one's head** dach nad głową; **bring the ~ down** *pot.* roznieść dom (*zwł. hałasem*); **go through the ~** *pot.* gwałtownie wzrosnąć, sięgnąć zenitu (*o cenach*); (*także* **hit the ~**) wściec się (*o osobie*); **raise the ~** *zwł. US pot.* szaleć (= *zachowywać się głośno*); robić aferę *l.* awanturę; **the ~ caves in/falls in** *US pot.* wszystko się wali na głowę; **under one ~** (*także* **under the same ~**) pod jednym dachem (*mieszkać*); **under sb's ~** pod czyimś dachem, w czyimś domu. – *v. bud.* **1.** kryć (dachem). **2. ~ in/over** zadaszać (*chodnik, podjazd*).

roofed [ruːft] *a. bud.* **1.** kryty (*with sth* czymś) (*o budynku*). **2.** zadaszony. **3.** *w złoż.* **red-~** z czerwonym dachem; **slate-~** kryty łupkiem.

roofer [ˈruːfər] *n.* dekarz.

roof garden *n. bud.* ogród na dachu; ogródek dachowy (*piętro restauracji, baru*).

roofing [ˈruːfɪŋ] *n. U bud.* pokrycie dachowe; krycie dachem.

roof rack *n. mot.* bagażnik dachowy.

rooftop [ˈruːfˌtɑːp] *n.* **1.** *bud.* dach; powierzchnia dachowa *l.* dachu. **2. shout/proclaim sth from the ~s** *przen.* obwieszczać coś całemu światu.

rooftree [ˈruːfˌtriː] *n. bud.* **1.** płatew kalenicowa. **2.** dach.

rook [rʊk] *n.* **1.** *orn.* gawron (*Corvus frugilegus*). **2.** *szachy* wieża. **3.** *przest. sl.* szuler, kanciarz. – *v. przest. sl.* oskubać (= *oszukać*).

rookery [ˈrʊkərɪ] *n. pl.* **-ies** *orn.* kolonia gawronów; *zool.* kolonia (*pingwinów, fok itp.*).

rookie [ˈrʊkɪ] *n. zwł. US t. sport, wojsk.* nowicjusz/ka, now-y/a.

room [ruːm] *n.* **1.** pokój; **~s for rent** *US*/**to let** *Br.* pokoje do wynajęcia (*w ogłoszeniu*); **dining ~** pokój jadalny *l.* stołowy, jadalnia; **double ~** pokój dwuosobowy, dwójka (*z łóżkiem dwuosobowym*); **single ~** pokój jednoosobowy, jedynka; **sitting/living ~** pokój dzienny, salon; **twin ~** pokój dwuosobowy (*z dwoma łóżkami*). **2.** sala; pomieszczenie. **3.** *U* miejsce (*for sth* na coś *l.* dla czegoś, *to do sth* do robienia czegoś); przestrzeń; **have ~ for sth** mieć dosyć miejsca na coś; **leave ~ for sth** zostawić (wolne) miejsce dla czegoś; **leg~** miejsce na nogi (*np. w samochodzie, kinie*); **make ~ for sb/sth** robić miejsce dla kogoś/czegoś; **plenty of ~** dużo miejsca; **take up too much ~** zajmować zbyt dużo miejsca. **4.** *pl. gł. Br. przest.* pokoje, mieszkanie; segment (*w akademiku*). **5.** *przen.* pole; **~ for maneuver** *US*/**maneouvre** *Br.* pole (do) manewru. **6.** *przen.* **I'd rather have his ~ than his company** wolałbym go więcej nie widzieć *l.* nie oglądać; **leave no ~ for doubt** nie pozostawiać cienia wątpliwości; **(there is) not enough ~ to swing a cat** *pot.* nie ma miejsca, żeby się obrócić; **there is (plenty of) ~ for improvement** jeszcze (sporo) można ulepszyć *l.* poprawić. – *v. US* **1.** wynajmować pokój (*in sth* gdzieś). **2. ~ with sb** dzielić z kimś pokój, wynajmować z kimś na spółkę pokój.

room and board *n. U US* zakwaterowanie z wyżywieniem.

roomer [ˈruːmər] *n. US* lokator/ka.

roomette [ˌruːˈmet] *n. US i Can. kol.* przedział sypialny.

roomful [ˈruːmfʊl] *n.* pełna sala (*ludzi*); pełny pokój (*mebli*).

roomily [ˈruːmɪlɪ] *adv.* przestronnie.

roominess [ˈruːmɪnəs] *n. U* przestronność.

rooming house [ˈruːmɪŋ ˌhaʊs] *n. zwł. US* dom z pokojami *l.* mieszkaniami do wynajęcia.

roommate [ˈruːmˌmeɪt] *n.* **1.** współlokator/ka; współmieszkan-iec/ka. **2.** kole-ga/żanka z pokoju (*zwł. w akademiku*).

room service *n. U* obsługa (kelnerska) w pokojach (*hotelowych*); **call ~** dzwonić po kelnera.

room temperature *n. U* temperatura pokojowa; **serve at ~** *kulin.* podawać w temperaturze pokojowej.

roomy [ˈruːmɪ] *a. pl.* **-ier, -iest** przestronny.

roorback [ˈrʊrˌbæk] *n. US polit.* fałszywa pogłoska, krzywdząca plotka (*opublikowana w celu zdyskredytowania kandydata*).

roost [ruːst] *n.* **1.** grzęda; kurnik. **2.** *przen. pot.* meta (= *tymczasowy nocleg*). **3. rule the ~** *przen. pot.* wodzić prym, rządzić. – *v.* **1.** *gł. orn.* siedzieć (*na grzędzie, drucie*); osiadać; nocować. **2.** *przen.* **come home to ~** mścić się (*o wcześniejszych czynach*); **sb's chicken have/will come home to ~** przyszła/przyjdzie kryska na Matyska.

rooster [ˈruːstər] *n. gł. US i Can.* kogut.

root [ruːt] *n.* **1.** *bot.* korzeń; *pl. t. przen.* korzenie; **put down ~s** zapuścić korzenie (*o osobie; w danym miejscu, środowisku*); **send out ~s** *bot., ogr.* zapuścić korzenie; **sb's ~s** czyjeś korzenie (= *pochodzenie*); **take/strike ~** *ogr., bot. l. przen.* przyjąć się (*o sadzonce, pomyśle*). **2.** *przen.* źródło; sedno, istota; podstawa; **~ cause** główna *l.* podstawowa przyczyna; **~ of the matter** istota rzeczy; **be/lie at the ~ of sth** tkwić/leżeć u źródła *l.* podłoża czegoś (*np. kłopotów, problemu*); **get to the ~ of sth** dotrzeć do sedna czegoś; **have its ~s in sth** (*także* **take its ~s from sth**) mieć (swoje) źródło w czymś; **the ~ of all evil** źródło wszelkiego zła. **3.** nasada (*np. języka, konstrukcji, kryształu*). **4.** *mat.* pierwiastek (= *potęga ułamkowa*); **square/cube ~ of two** pierwiastek kwadratowy/sześcienny z dwóch. **5.** *mat.* pierwiastek (równania). **6.** *anat.* korzeń (*zęba, nerwu*); cebulka (*włosa*). **7.** *muz.* pryma, podstawa, dźwięk podstawowy (*akordu*). **8.** *jęz.* rdzeń. **9.** *t. pl. jęz.* źródłosłów. **10.** *przen.* ~ **and branch** *form.* całkowicie, bezlitośnie (*zniszczyć, wytępić*); **have a (good) ~ round** *gł. Br. pot.* przetrząsnąć wszystko (*w poszukiwaniu czegoś*). – *v.* **1.** ryć (*o dziku*); węszyć, szperać (*for sth* za czymś *l.* w poszukiwaniu czegoś). **2.** *t. przen.* zapuszczać korzenie; ukorzeniać się; zakorzeniać się. **3.** ~ **about** szperać; ~ **for sb/sth** *sport* kibicować komuś/czemuś, dopingować kogoś/coś; *przen.* wspierać *l.* popierać kogoś/coś; **be ~ed in sth** wynikać z czegoś; wywodzić się z czegoś; ~ **out** wykorzenić (*np. źródło kłopotów, złe zjawisko*); *pot.* wygrzebać (= *wyszukać*); ~ **through sth** przetrząsać coś *l.* zawartość czegoś; ~ **up** *ogr.* wyrwać z korzeniami.

rootage ['ru:tɪdʒ] *n. U* **1.** *bot.* system korzeniowy; korzenie; ukorzenienie (się). **2.** zakorzenienie się.

root beer *n. C / U US i Can.* napój korzenny, piwo korzenne.

rootbound ['ru:tˌbaʊnd] *a. ogr.* wypełniający całą doniczkę (*korzeniami*); **be ~** wypełniać całą doniczkę, mieć za małą doniczkę.

root canal *n. dent.* **1.** *C / U* (*także* **root canal treatment/therapy**) leczenie kanałowe. **2.** *t. anat.* kanał korzenia (zębowego).

root cap *n. bot.* czapeczka (*na końcu korzenia*).

root cellar *n. US roln.* dół; piwnica (*do przechowywania roślin okopowych*).

root crop *n. roln.* roślina okopowa *l.* korzeniowa.

rooted ['ru:tɪd] *a.* **1.** zakorzeniony; **deeply ~ fear** głęboko zakorzeniony strach. **2.** *zwł. US* unieruchomiony; ~ **to the spot** *przen.* przykuty do miejsca, znieruchomiały. **3. get ~** *Austr. i NZ sl.* spieprzaj!

rooter ['ru:tər] *n.* **1.** *sport* kibic/ka. **2.** popleczni-k/czka, zwolenni-k/czka.

root hair *n. bot.* włośnik.

rooting compound ['ru:tɪŋ ˌkɑ:mpaʊnd] *n. C / U ogr.* ukorzeniacz.

rootle ['ru:tl] *n.* ~ **around/about** *Br. pot.* szperać, węszyć.

rootless ['ru:tləs] *a.* **1.** pozbawiony własnego miejsca, bez domu; błąkający się. **2.** pozbawiony korzeni.

rootlet ['ru:tlət] *n. bot.* korzonek.

root mean square, root-mean-square *mat., stat. n.* średnia kwadratowa *l.* kwadratów, średni kwadrat. – *a. attr.* średniokwadratowy (*o wartości*); średnich kwadratów (*o metodzie*).

rootstalk ['ru:tˌstɔ:k] *n. bot.* kłącze.

rootstock ['ru:tˌstɑ:k] *n.* **1.** *bot.* kłącze. **2.** *ogr.* odrost. **3.** *przen.* źródło.

root system *n. bot.* system korzeniowy.

root vegetable *n. roln.* warzywo korzeniowe *l.* okopowe.

rooty ['ru:tɪ] *a. bot.* **1.** silnie ukorzeniony. **2.** korzeniopodobny.

rope [roʊp] *n.* **1.** *C / U* lina; sznur; powróz. **2. the ~** stryczek (= *lina l. wyrok*). **3.** *pl.* **the ~s** *pot.* arkana. **4.** *pl. boks* **the ~s** liny (ringu); **on the ~s** powalony na liny; **be on the ~s** być na linach. **5.** *pl.* lasso. **6.** *U* swoboda. **7.** sznur (*pereł*); wianek (*czosnku*). **8.** nitka (*lepka, ciągnąca się w płynie*). **9.** *przen.* **be at the end of one's ~** gonić resztkami sił, być w rozpaczliwej sytuacji; **be on the ~s** mieć nóż na gardle; **give sb plenty of/enough ~** dać *l.* pozostawić komuś dużo swobody; **give sb enough ~ to hang himself/herself** pozwolić komuś samemu/samej się pogrążyć; **know the ~s** znać się na rzeczy, znać swój fach; **learn the ~s** uczyć się, poznawać fach; **show sb the ~s** wprowadzić *l.* wtajemniczyć kogoś. – *v.* **1.** przywiązywać (liną), mocować (liną), zabezpieczać (liną). **2.** *US* chwytać *l.* łapać (na lasso) (*ogiera*). **3.** ~ **sb in to do sth/into doing sth** *pot.* zwerbować kogoś do czegoś, namówić kogoś do (robienia) czegoś; wrobić kogoś w coś/robienie czegoś; ~ **off** ogrodzić *l.* odgrodzić sznurem (*teren*); ~ **together** związywać; ~ **up** ubezpieczyć się (*o wspinaczach*).

ropedancer ['roʊpˌdænsər] *n.* linoskoczek.

rope ladder *n.* drabinka sznurowa *l.* linowa; *żegl.* sztormtrap.

ropemaker ['roʊpˌmeɪkər] *n.* powroźnik.

ropewalker ['roʊpˌwɔ:kər] *n.* linoskoczek.

ropeway ['roʊpˌweɪ] *n.* wyciąg (linowy).

ropey ['roʊpɪ] *a.* = **ropy**.

ropeyarn ['roʊpˌjɑ:rn] *n. U* przędza powroźnicza, nić konopna.

ropy ['roʊpɪ], **ropey** *a.* **-ier, -iest 1.** *Br. i Austr. pot.* podły, marny (*np. o hotelu, samopoczuciu*); **feel ~** podle się czuć. **2.** ciągnący się, nitkowaty (*o cieczy*).

roque [roʊk] *n. U US sport* amerykańska gra wywodząca się z krokieta.

roquet [roʊ'keɪ] *sport v.* krokietować (= *uderzać kulę kulą*). – *n.* krokietowanie.

ro-ro ['roʊˌroʊ] *n. Br. żegl.* ro-ro, rorowiec.

rorqual ['rɔ:rkwəl] *n. zool.* płetwal (*rodzaj Balaenoptera*); (*także* **common ~**) finwal (*Balaenoptera physalus*).

Rorschach test ['rɔ:rʃɑ:k ˌtest] *n. psych.* test Rorschacha.

rort [rɔ:rt] *Austr. pot. v.* przechytrzyć (*system dla własnej korzyści*). – *n.* sposób (na przechytrzenie).

rosace ['roʊzeɪs] *n. bud.* okno rozetowe, rozeta, różyca.

rosacea [roʊ'zeɪʃɪə] *n. U pat.* trądzik różowaty.

rosaceous [roʊ'zeɪʃəs] *a. bot.* różowaty.

rosarian [roʊ'zerɪən] *n.* hodow-ca/czyni róż.

rosarium [roʊ'zerɪəm] *n. pl.* **-s** *l.* **rosaria** [roʊ'zerɪə] *ogr.* rozarium, rosarium, ogród różany.

rosary ['roʊzərɪ] *n. pl.* **-ies** *rel.* różaniec (*modlitwa l. paciorki*).

rose1 [roʊz] *v. zob.* **rise**.

rose2 *n.* **1.** *bot., ogr.* róża (*Rosa*). **2.** *U* róż, kolor różowy. **3.** *ogr.* sitko (*u konewki, węża*). **4.** *sztuka* rozetka; różyczka, róża (*ozdoba*). **5.** *bud.* rozeta, różyca. **6.** *el.* rozetka (sufitowa). **7.** *ge-*

ogr., kartogr. róża wiatrów *l.* kompasu *l.* kierunków. **8.** *jubilerstwo* = **rose cut. 9.** *pl.* kolory (*na policzkach*). **10.** *przen.* **come up ~s** iść jak z płatka; **not come out of sth smelling of ~s** *pot.* zepsuć sobie czymś opinię; **put the ~s back in sb's cheek** *pot.* przywrócić komuś siły; **sth isn't all ~s** (*także* **sth isn't a bed of ~s**) coś nie jest usłane różami; **under the ~** w zaufaniu. – *a. attr.* **1.** różowy. **2.** różany. – *v.* zaróżowić.

rosé [roʊˈzeɪ] *n. U* różowe wino, rosé.

rose acacia *n. bot.* grochodrzew akacjowy (*Robinia hispida*).

roseate [ˈroʊzɪət] *a. poet. przen.* różowy (= *w kolorze różowym l. nadmiernie optymistyczny*).

rosebay [ˈroʊzˌbeɪ] *n. bot.* **1.** (*także* **~ rhododendron**) rodendron *l.* różanecznik różowy, azalia różowa (*Rhododendron maximum*). **2.** oleander pospolity (*Nerium oleander*). **3.** (*także* **~ willowherb**) *gł. Br.* wierzbówka kiprzyca (*Chamaenerion angustifolium*).

rosebed [ˈroʊzˌbed] *n. ogr.* klomb róż.

rosebeetle [ˈroʊzˌbiːtl] *n. ent.* = **rose chafer**.

rosebud [ˈroʊzˌbʌd] *n.* **1.** pączek róży. **2.** *poet.* kwiatuszek (= *dziewczyna*).

rose bug *n. ent.* = **rose chafer**.

rosebush [ˈroʊzˌbʊʃ] *n. ogr.* krzew różany; głóg.

rose chafer *n.* (*także* **rosebeetle, rose bug**) *ent.* kruszczyca złotawka (*Cetonia aurata*).

rose cold *n. pat.* = **rose fever**.

rose-colored [ˌroʊzˈkʌlərd], *Br.* **rose-coloured** *a.* (*także* **rose-tinted**) różowy (*t. przen.* = *nadmiernie optymistyczny*); **look at/see/view sth through ~ glasses/spectacles** patrzeć na coś przez różowe okulary.

rose cut *n. U jubilerstwo* szlif brylantowy, brylant.

rose fever *n. U pat.* katar sienny.

rosehip [ˈroʊzˌhɪp] *n. U kulin.* owoc głogu *l.* róży, głóg, róża; **~ tea** herbatka z głogu *l.* róży.

rosemary [ˈroʊzˌmerɪ] *n. C/U pl.* **-ies** *bot.* rozmaryn (*Rosmarinus officinalis*).

roseola [roʊˈziːələ] *n. U pat.* **1.** wysypka (różowa). **2.** różyczka.

rose-tinted [ˌroʊzˈtɪntɪd] *n.* = **rose-colored**.

rosette [roʊˈzet] *n.* **1.** kotylion; rozetka (*ze wstążek*). **2.** *sztuka* rozetka, rozeta. **3.** *bud.* rozeta, różyca. **4.** *bot.* rozetka, rozeta (*liści*).

rosewater [ˈroʊzˌwɔːtər] *n. U* woda różana. – *a. attr. przen. gł. uj.* wydelikacony, w białych rękawiczkach.

rose window *n. bud.* okno rozetowe, rozeta.

rosewood [ˈroʊzˌwʊd] *n. C/U bot., bud.* palisander (*Dalbergia nigra*).

Rosh Hashanah [ˌroʊʃ həˈʃoʊnə] *n. U judaizm* Rosz ha-Szana, Święto Trąbek.

Rosicrucian [ˌroʊzəˈkruːʃən] *n. rel.* różokrzyżowiec.

rosily [ˈroʊzɪlɪ] *adv. t. przen.* różowo.

rosin [ˈrɑːzɪn] *n. U* kalafonia. – *v.* pocierać *l.* smarować kalafonią (*zwł. smyczek*).

Rosinante [ˌrɑːzəˈnæntɪ] *n. lit.* rosynant, szkapa.

rosiness [ˈroʊzɪnəs] *n. U* różowość.

rosin oil *n. U techn.* olej żywiczny.

ROSPA [ˈrɑːspə] *abbr.* **Royal Society for the Prevention of Accidents** *Br.* Królewskie Towarzystwo Zapobiegania Wypadkom.

roster [ˈrɑːstər] *n. US, Can. i Austr.* **1.** grafik, harmonogram; **duty ~** grafik dyżurów. **2.** lista, wykaz, spis (*uczniów, zatrudnionych, zawodników, oficerów*). – *v.* wciągać na listę *l.* do grafiku (*nazwisko, osobę*).

rostrum [ˈrɑːstrəm] *n. pl.* **-s** *l.* **rostra** [ˈrɑːstrə] **1.** trybuna, mównica; podium (*t. dyrygenta*). **2.** *hist., żegl.* rostra (*ozdoba dziobu*). **3.** *biol.* dziób.

rosy [ˈroʊzɪ] *a.* **-ier, -iest 1.** różowy (*t. przen.* = *nadmiernie optymistyczny*); **~ future** świetlana przyszłość; **paint a ~ picture of sth** *przen.* malować coś w różowych kolorach. **2.** rumiany (*o cerze*). **3.** różany.

rot [rɑːt] *v.* **-tt- 1.** *t. przen.* gnić (*o składnikach organicznych*); psuć się (*o mięsie, zębach*); butwieć, próchnieć, murszeć (*o drewnie*); rozkładać się; **~ in jail/prison** *przen.* gnić w więzieniu. **2.** rozkładać; powodować gnicie *l.* rozkład (*czegoś*); psuć (*zęby; o słodyczach*). **3.** moczyć, zmiękczać (*len, konopie*). **4. ~ away** zgnić kompletnie, przegnić na wylot. – *n. U* **1.** gnicie; próchnienie, butwienie. **2.** *gł. przen.* zgnilizna. **3.** *przen. pot.* **the ~** proces rozkładu, postępujący kryzys, upadek; **stop the ~** *pot.* powstrzymać upadek; **the ~ set in** *pot.* sprawy zaczęły się psuć. **4.** (*także* **tommy~**) *przest. pot.* bzdury. – *int. przest. pot.* bzdura.

rota [ˈroʊtə] *n.* **1.** *gł. Br.* grafik, harmonogram (*obowiązków*); **on a ~ basis** według grafiku; **weekly ~** tygodniowy grafik. **2. R~** *rz.-kat.* Rota Rzymska.

Rotarian [roʊˈterɪən] *n.* rotaria-nin/nka. – *a.* rotariański.

Rotarianism [roʊˈterɪənˌɪzəm] *n. U* ruch rotariański.

rotary [ˈroʊtərɪ] *a. mech.* obrotowy, rotacyjny; **~ press/pump** prasa/pompa rotacyjna. – *n. pl.* **-ies 1.** *US mot.* rondo, skrzyżowanie z ruchem okrężnym. **2.** *druk.* maszyna rotacyjna. **3.** *mech.* wirnik, rotor.

Rotary Club *n.* klub rotariański.

rotary plow, *Br.* **rotary plough** *n.* (*także* **rotary tiller**) *mech., roln.* glebogryzarka.

rotate [ˈroʊteɪt] *v.* **1.** *mech.* obracać (się); wirować. **2.** zmieniać (się) kolejno (*o zawodnikach, pracownikach*); rotować (*personel*). **3.** *roln.* uprawiać na zmianę (*plony*); **~ crops** stosować płodozmian. – *a. bot.* promienisty (*o kwiecie*).

rotation [roʊˈteɪʃən] *n.* **1.** *C/U mech.* obrót, wirowanie, rotacja (*about/around/on sth* wokół czegoś) (*zwł. osi*). **2.** rotacja, wymiana (*na stanowiskach*); **in ~** na zmianę (*np. pracować*); kolejno, w (określonej) kolejności (*np. używać czegoś*). **3.** (*także* **~ of crops**) *roln.* płodozmian. **4.** *mat.* obrót.

rotational [roʊˈteɪʃənl] *a.* **1.** *mech.* obrotowy, rotacyjny, wirowy (*o ruchu*). **2.** powtarzający się, kolejny.

rotative [ˈroʊteɪtɪv] *a. form.* = **rotatory**.

rotator [ˈroʊteɪtər] *n.* **1.** *el., fiz.* rotator. **2.**

mech. wirnik, rotor. **3.** *pl.* **rotatores** [ˌroutə'tɔ:ri:z] (*także* ~ **muscle**) *anat.* mięsień skręcający.

rotatory ['routəˌtɔ:rɪ] *a.* **1.** *mech.* obrotowy, rotacyjny, wirowy (*o ruchu*). **2.** *opt.* (optycznie) aktywny, skręcający (*płaszczyznę polaryzacji światła*). **3.** powtarzający się, kolejny.

ROTC [ˌɑ:r ˌou ˌti: 'si:], **R.O.T.C.** *abbr.* **Reserve Officers' Training Corps** *US* odpowiednik studium wojskowego w uczelni wyższej.

rote [rout] *n.* **1.** *U form. szkoln., psych.* metoda pamięciowa; **by** ~ na pamięć (*uczyć się, znać*); z pamięci (*mówić, recytować*); ~ **learning** uczenie się na pamięć. **2.** *muz., hist.* rota (*pierwowzór skrzypiec*). **3.** *U* szum *l.* szmer fal (*na brzegu*).

rotgut ['rɑ:tˌgʌt] *n. U sl. l. żart.* berbelucha, gołda (= *kiepski napój alkoholowy*).

rotifer ['routəfər] *n. zool.* wrotek (*gromada Rotifera*).

rotisserie [rou'tɪsərɪ] *n. kulin.* rożen (*urządzenie l. punkt gastronomiczny*). – *v.* piec na rożnie; ~**d chicken** kurczak z rożna.

rotogravure [ˌroutəgrə'vjur] *n. druk. U* rotograwiura; *C / U* wydruk rotograwiurowy.

rotor ['routər] *n. mech.* wirnik; *t. meteor.* rotor.

rototiller ['routəˌtɪlər] *n. mech., roln.* glebogryzarka.

rotten ['rɑ:tən] *a.* **1.** zgniły (*t. przen.* = *zepsuty moralnie*); zepsuty (*o mięsie, zębach*); spróchniały, zbutwiały, zmurszały (*o drewnie*); **a** ~ **apple** *przen.* zgniłe jabłko (= *osoba mająca zgubny wpływ na otoczenie*). **2.** *pot.* kiepski, beznadziejny (*np. o kucharzu, aktorze*). **3.** *pot.* podły (*np. o zachowaniu, samopoczuciu*); **feel** ~ podle się czuć (*about sth* w związku z czymś); **it was** ~ **of him to do that** podle się zachował, robiąc to. – *adv. pot.* strasznie; **fancy sb** ~ *Br. żart.* kochać się w kimś na zabój; **spoil sb** ~ zepsuć kogoś do cna (*zwł. dziecko*).

rotten borough *n. Br. hist.* zgniłe miasteczko (= *okręg wyborczy o znikomej liczbie wyborców*).

rottenness ['rɑ:tənnəs] *n. U* **1.** *t. przen.* zgnilizna; zepsucie. **2.** *pot.* beznadzieja. **3.** *pot.* podłość.

rotter ['rɑ:tər] *n. Br. przest. pot. t. żart.* kanalia.

rottweiler ['rɑ:tˌwaɪlər] *n.* **1.** *kynol.* rottweiler. **2.** ~ **politics** *żart.* drapieżna polityka.

rotund [rou'tʌnd] *a.* **1.** *t. żart.* krągły, pulchny (*o osobie*). **2.** dźwięczny; pełny (*o dźwięku*).

rotunda [rou'tʌndə] *n. bud.* **1.** rotunda (*budynek l. sala*); okrąglak (= *okrągły budynek*). **2.** hala (*na lotnisku, stacji*).

rotundity [rou'tʌndətɪ], **rotundness** [rou'tʌndnəs] *n. U t. żart.* krągłość, pulchność.

rouble ['ru:bl] *n. fin.* = **ruble**.

roué [ru'eɪ] *n. lit.* hulaka.

rouge [ru:ʒ] *n. U* **1.** *przest.* róż (do policzków). **2.** *techn.* róż polerski. – *v.* **1.** *przest.* różować, nakładać róż na (*policzki*). **2.** *arch.* spłonić się, oblać się rumieńcem.

rough [rʌf] *a.* **1.** *t. przen.* szorstki; chropowaty. **2.** wyboisty, nierówny (*o terenie, drodze*). **3.** przybliżony, pobieżny, orientacyjny (*np. o ocenie, sumie*); schematyczny (*o szkicu*); ~ **estimate** przybliżona wycena. **4.** wstępny, zgrubny (*o obróbce*). **5.** brutalny, twardy, szorstki (*o traktowaniu*); szorstki, nieokrzesany, obcesowy (*o osobie*). **6.** nieostrożny, niedelikatny (*o obchodzeniu się*). **7.** niespokojny, niebezpieczny (*o dzielnicy*). **8.** ciężki, trudny (*o okresie, przeżyciu*); **have a** ~ **night** mieć ciężką noc. **9.** niesprawiedliwy (*on sb* w stosunku do *l.* względem kogoś); przykry. **10.** gwałtowny (*o pogodzie*); wzburzony (*o morzu*). **11.** nieprzyjemny, ostry (*o głosie, dźwięku*). **12.** tymczasowy (*o schronieniu, dachu*). **13.** drastyczny (*o scenie*). **14.** cierpki (*o winie*). **15.** surowy (*o desce, wykończeniu*). **16.** gruby (*o tkaninie*). **17.** prymitywny (*o stylu*). **18.** ~ **luck** pech; ~ **stuff** przemoc; **at a** ~ **guess** na oko; **cut the** ~ **stuff!** *US* tylko spokojnie!; **feel** ~ *pot.* czuć się podle; **give sb a** ~ **idea of sth** podać coś komuś w przybliżeniu (*np. koszt, termin*); **give sb a** ~ **time/ride** *pot.* dać komuś popalić; **give sb the** ~ **side of one's tongue** *zob.* **tongue** *n.*; **go through a** ~ **patch** przechodzić *l.* mieć trudny okres; **it's** ~ **(luck) on him** siła złego na jednego; **look** ~ *zwł. Br. pot.* wyglądać okropnie; **sth is in for a** ~ **ride** nie będzie z czymś lekko; **this is going to be** ~ nie będzie lekko. – *adv. zwł. pot.* **1.** szorstko. **2.** ostro. **3.** brutalnie. **4.** prymitywnie. **5.** z grubsza, mniej więcej. **6. cut up** ~ *zob.* **cut** *v.*; **play** ~ **(with sb)** *sport* brutalnie (kogoś) atakować; *t. przen.* ostro grać *l.* zagrywać (z kimś); **sleep** ~ *Br.* spać gdzie popadnie, spać pod mostem. – *n.* **1.** nierówny teren; wyboje; **the** ~ *golf* wysoka trawa, rough. **2.** szkic. **3.** *przen.* **a bit of** ~ *Br. pot.* kochan-ek/ka z niższej sfery; **in** ~ *Br.* z grubsza, na brudno; poglądowo, w zarysie; **in the** ~ *Br.* w stanie surowym; **diamond in the** ~ *zob.* **diamond** *n.*; **take the** ~ **with the smooth** brać, co życie przynosi. – *v.* **1.** *techn.* zmatowić (*powierzchnię*). **2.** *sport* brutalnie *l.* agresywnie *l.* ostro atakować (*przeciwnika*). **3.** ~ **it** *pot.* żyć po spartańsku, żyć w prymitywnych warunkach, obywać się bez wygód; przebiedować. **4.** ~ **in/out** *Br.* naszkicować, zaplanować *l.* opracować z grubsza; ~ **up** zmierzwić, nastroszyć (*włosy, sierść, pióra*); poturbować (*kogoś*).

roughage ['rʌfɪdʒ] *n. U* **1.** *kulin.* błonnik. **2.** *roln.* pasza objętościowa.

rough-and-ready [ˌrʌfənd'redɪ] *a.* **1.** prowizoryczny (*o rozwiązaniu*). **2.** do zniesienia, do wytrzymania, nie najgorszy (*np. o warunkach, pokoju*). **3.** prosty, prostoduszny (*o osobie*).

rough-and-tumble [ˌrʌfənd'tʌmbl] *n. U l. sing.* **1.** brutalność. **2.** *polit.* przepychanki, awantura. **3.** rozrabianie (*zwł. dzieci*); szarpanina; awantura, rozróba, bijatyka. – *a. gł. attr.* brutalny.

rough breathing *n. C / U fon., jęz.* przydech mocny.

roughcast ['rʌfˌkæst] *n.* **1.** *U bud.* tynk kamyczkowy. **2.** *sztuka* wstępny model (*rzeźby*). **3.** wstępny plan, szkic. – *v.* **-cast, -cast 1.** *bud.* kryć tynkiem kamyczkowym (*ścianę budynku*). **2.** wstępnie opracowywać (*plan*). – *a. attr.* **1.**

bud. kryty tynkiem kamyczkowym. **2.** wstępny (*o planie*).

rough copy *n. pl.* **-ies** brudnopis.

rough cut *n. film* montaż roboczy.

rough-cut [ˌrʌfˈkʌt] *a.* **1.** *gł. attr. kulin.* grubo krajany. **2.** szorstki (*o osobie*).

rough diamond *n. zob.* **diamond** *n.*

rough draft *n. US* **1.** szkic, zarys. **2.** brudnopis.

rough-dry [ˈrʌfˌdraɪ] *v.* **-ied, -ying** suszyć bez prasowania (*ubranie, pranie*).

roughen [ˈrʌfən] *v.* **1.** tracić gładkość, stawać się szorstkim, chropowacieć; matowieć. **2.** matowić (*powierzchnię*); nadawać szorstkość (*powierzchni*).

rough-hew [ˌrʌfˈhjuː] *v.* **1.** *leśn.* obciosywać, ociosywać. **2.** sklecić.

rough-hewn [ˌrʌfˈhjuːn] *a.* **1.** z grubsza ciosany; nierówny. **2.** *przen.* toporny (*np. o stylu, manierach, osobie*).

roughhouse [ˈrʌfˌhaʊs], **rough-house** *v. gł. US pot.* **1.** dokazywać, rozrabiać. **2.** tarmosić (*psa*). – *n. sing. przest. pot.* burda, awantura.

rough justice *n. U* **1.** surowa kara, surowy wyrok. **2.** niesprawiedliwość.

roughly [ˈrʌflɪ] *adv.* **1.** w przybliżeniu, około, mniej więcej, z grubsza; ~ **200 people** około dwustu ludzi; ~ **speaking** z grubsza biorąc. **2.** nieostrożnie; gwałtownie (*szarpać, popychać*). **3.** pobieżnie (*wykonywać*).

roughneck [ˈrʌfˌnek] *n. pot.* **1.** pracownik platformy wiertniczej, robotnik naftowy. **2.** *US* cham, prostak.

roughness [ˈrʌfnəs] *n. U* **1.** *t. przen.* szorstkość; chropowatość. **2.** nierówność (*drogi*). **3.** brutalność. **4.** nieostrożność; brak delikatności.

rough passage *n. t. przen.* trudna przeprawa (*przez wodę l. w życiu*).

roughrider [ˈrʌfˌraɪdər] *n.* **1.** ujeżdżacz koni. **2. R~** *US hist.* kawalerzysta-ochotnik w wojnie z Hiszpanią w 1898 r.

roughshod [ˈrʌfˌʃɑːd] *a.* **1.** podkuty hacelami *l.* ocelami (*o koniu*). **2.** *przen.* brutalny. – *adv.* **1.** brutalnie. **2. ride ~ over sb/sth** (zupełnie) nie liczyć się z kimś/czymś.

rough trade *n. U* (*także* **a bit of ~**) *sl. obelż.* parówa (= *przygodny partner homoseksualisty, zwł. prosty robotnik*).

roulade [rʊˈlɑːd] *n.* **1.** *kulin.* rolada. **2.** *muz.* rulada, fiorytura, fioritura.

rouleau [rʊˈloʊ] *n. pl. t.* **-s** *l.* **rouleaux** [rʊˈloʊz] **1.** rulon (*monet*). **2.** lamówka (*przy ubraniu*).

roulette [rʊˈlet] *n.* **1.** *hazard* ruletka. **2.** radełko (= *krążek do dziurkowania*). **3.** radełkowanie, perforacja. **4.** *geom.* ruleta. – *v.* radełkować.

Roumania [rʊˈmeɪnɪə] *n. przest.* = **Romania.**

Roumanian [rʊˈmeɪnɪən] *n. i a. przest.* = **Romanian.**

round [raʊnd] *a.* **1.** *t. przen.* okrągły; *t. fon.* zaokrąglony; ~ **number/sum/hundred** okrągła liczba/sumka/setka; **in ~ figures** zaokrąglając. **2.** dobrze rozwinięty (*o postaci literackiej*). **3.** pełny (*o brzmieniu*). **4.** żwawy, żywy (*o tempie*). **5.** **a square peg in a ~ hole** *zob.* **hole** *n.* – *adv. i prep. zwł. Br.* **1.** dookoła, wokoło, wokół, dokoła (*t. czegoś*); do tyłu. **2.** (*także* **~ about**) około; **~ about six** około (godziny) szóstej; **(somewhere) ~ a hundred** (coś) około stu. **3. ~ about** w okolicy; **there are some great shops ~ about** w okolicy jest parę świetnych sklepów; **~ about (the same time)** mniej więcej (w tym samym czasie); **~ and ~** *zwł. emf.* (wciąż) dookoła, w kółko; **~ here** tutaj, tu; **how do you like it ~ here?** jak ci się tu podoba?; **~ the clock** przez całą dobę; **~ the world** dookoła świata; **all ~** wszędzie dookoła *l.* wokół; **independence all ~** niepodległość dla wszystkich; **(all) the year ~** przez cały *l.* okrągły rok; **ask sb ~** *zob.* **ask**; **be three feet ~** mieć trzy stopy w obwodzie; **change ~** zamienić, pozamieniać; **(just) ~ the corner** (zaraz *l.* tuż) za rogiem; **go ~ the back** wchodzić od tyłu; **look ~** *zob.* **look** *v.*; **there's (not) enough (beer) to go ~** (nie) dla wszystkich wystarczy (piwa); **the other/opposite way ~** w drugą/przeciwną stronę; drugą/przeciwną stroną; **show sb ~** oprowadzać kogoś; **sleep the clock ~** spać 12 godzin *l.* 24 godziny; **turn ~** *zob.* **turn** *v.*; **the first/second time ~** za pierwszym/drugim razem; **the wrong way ~** w złą stronę, złą stroną. – *n.* **1.** *t. sport* runda (*np. negocjacji, w boksie, golfie, turnieju*). **2.** runda, okrążenie (*domu*). **3.** *zw. pl.* obchód (*strażnika, ordynatora, szefa*); patrol (*policjanta, wartownika*); **be (out) on one's ~s** być na obchodzie; **do/go/make one's ~s** robić obchód. **4.** kolejka, rundka (*drinków*); **it's my ~** (tę kolejkę) ja stawiam. **5.** pocisk, nabój. **6.** seria (*wydarzeń, strzałów z broni maszynowej*). **7.** obrót. **8.** *muz.* kanon. **9.** *kulin.* talarek, krążek, plasterek. **10.** (*także* **~ of beef, ~ steak**) *kulin.* kotlet wołowy od udźca. **11. ~ of applause** owacja, oklaski; **~ of sandwiches** *zwł. Br. kulin.* (cała) kanapka (*z dwóch kawałków chleba*); **~ of toast** *zwł. Br. kulin.* tost z całej kromki, tost w całości; **do the ~s** (*także Br.* **go the ~s**) *pot.* chodzić (*np. o plotkach, wirusie, grypie*); **do the ~s of sth** obchodzić coś, biegać od czegoś do czegoś (*zwł. w poszukiwaniu pracy*); **do/have a milk/paper ~** *Br. i Austr.* roznosić *l.* rozwozić mleko/gazety; **in the ~** ze wszystkimi szczegółami (*opowiedzieć coś*); *teatr* ze sceną w środku (*wystawiać sztukę*); **the/one's daily ~** *przest.* czyjś dzień powszedni. – *v.* **1.** zaokrąglać (*usta, liczbę*). **2.** brać (*zakręt*). **3.** okrążać, objeżdżać, obchodzić (*przeszkodę*). **4. ~ the corner** skręcić za róg. **5. ~ down** zaokrąglać (w dół) (*sumę, liczbę*); **~ off** zaokrąglać (*rogi, liczbę*); **~ sth off/out/up (with sth)** zakończyć coś (czymś), uwieńczyć coś (czymś); **~ on sb/sth** zaatakować kogoś/coś; obrócić się przeciwko komuś/czemuś; **~ up** aresztować; przeprowadzić obławę na (*kogoś*); zebrać, spędzić (*ludzi*); spędzać, zaganiać (*bydło*); zorganizować (*przyjaciół, ludzi do roboty*); zaokrąglać (w górę) (*liczbę*).

roundabout [ˈraʊndəˌbaʊt] *a. gł. attr.* **1.** okrężny, niebezpośredni (*o drodze*). **2.** *przen.* zawoalowany (*o odpowiedzi*). – *n.* **1.** *Br. mot.* rondo, skrzyżowanie z ruchem okrężnym. **2.** *Br. i Austr.* karuzela. **3.** *Br. przen.* **it's swings and ~s**

na jedno wychodzi (= *sytuacja l. rozwiązanie ma tyle samo plusów, co minusów*); **lose on the swings what you make on the ~s** wyjść na swoje, nic nie zyskać, nic nie stracić.

round dance *n.* taniec wirowy.

rounded ['raʊndɪd] *a.* **1.** zaokrąglony (*o figurze, ciele*); łagodny (*o szczycie*). **2.** ~ **education** wszechstronne wykształcenie.

roundel ['raʊndl] *n.* **1.** *bud., sztuka* półkole; tarcza; ornament. **2.** *wers.* rondo; rondel. **3.** *muz.* = **roundelay** 1. **4.** *hist.* = **roundelay** 2.

roundelay ['raʊndəˌleɪ] *n.* **1.** *muz.* rondo; kuplet. **2.** *hist.* koło (*taniec*).

rounder ['raʊndər] *n.* **1.** *US pot.* menel, zakapior. **2.** *Br.* obiegnięcie wszystkich baz (*w grze w rounders*). **3.** *techn.* formiarka (*np. do bochenków*). **4.** formiarz (*pracownik*). **5.** *mech.* rozwiertak. **6.** *druk.* obijaczka.

rounders ['raʊndərz] *n. U Br. sport* (gra w) rounders (*z której wywodzi się baseball i palant*).

round hand *n.* pismo rondowe.

Roundheads ['raʊndˌhedz] *n. pl. Br. hist.* okrągłe głowy, okrągłogłowi (= *zwolennicy parlamentu w latach 1642-49*).

roundhouse ['raʊndˌhaʊs] *n.* **1.** *US kol.* hala lokomotyw. **2.** *boks sl.* (cios) zamachowy, (cios) sierpowy, swing.

rounding ['raʊndɪŋ] *n. U mat.* zaokrąglenie.

rounding error *n. mat., komp.* błąd zaokrąglenia.

roundish ['raʊndɪʃ] *a.* okrągławy.

roundlet ['raʊndlət] *n. lit.* krążek.

roundly ['raʊndlɪ] *adv.* **1.** bez ogródek (*powiedzieć prawdę*); ostro, doszczętnie (*skrytykować*); zdecydowanie, w czambuł (*potępić*); **go ~ to work** zabrać się ostro do roboty; **he was ~ applauded** oklaskiwano go gorąco. **2.** *przest.* (na) okrągło.

roundness ['raʊndnəs] *n. U* **1.** okrągłość. **2.** zaokrąglenie.

round robin *n.* **1.** *sport* (system *l.* rozgrywki) każdy z każdym. **2.** petycja z podpisami w kole. **3.** *admin.* pismo okólne.

round-shouldered [ˌraʊnd'ʃoʊldərd] *a.* przygarbiony.

roundsman ['raʊndzmən] *n. pl.* **-men 1.** dyżurny. **2.** roznosiciel. **3.** *US* oficer inspekcyjny; dowódca patroli (*policji*).

Round Table *n. mit.* Okrągły Stół (*króla Artura*).

round table, roundtable, round-table *n. gł. polit.* okrągły stół. – *a. attr.* przy okrągłym stole; ~ **talks/negotiations** rozmowy/negocjacje przy okrągłym stole.

round the clock, round-the-clock *a.* całodobowy (*o opiece*). – *adv.* **open ~** otwarty *l.* czynny 24 godziny na dobę *l.* całą dobę.

round trip *n.* podróż w obie strony, podróż tam i z powrotem.

round-trip [ˌraʊnd'trɪp] *a. i adv. US* w obie strony, tam i z powrotem; ~ **ticket** bilet w obie strony, bilet tam i z powrotem.

roundup ['raʊndˌʌp], **round-up** *n.* **1.** obława (*of sb* na kogoś) (*grupę przestępczą*); aresztowanie (*of sb* kogoś). **2.** (*także* **news ~**) *radio, telew.* skrót wiadomości. **3.** spęd (*bydła*).

roundworm ['raʊndˌwɝːm] *n. zool.* **1.** *t. pat.* glista ludzka (*Ascaris lumbricoides*). **2.** *t. wet.* glista (świńska *l.* bydlęca *l.* końska) (*Ascaris (suum l. vitulorum l. equorum)*). **3.** *t. pat., wet.* nicień (*Nematoda*). **4.** obleniec (*Nemathelminthes, Achelminthes*).

roup [ruːp] *n. U wet.* katar drobiu.

rouse [raʊz] *v. form.* **1.** ~ **sb (from their sleep)** zbudzić kogoś; ~ **o.s.** zbudzić się; ocknąć się. **2.** pobudzać, porywać; ~ **sb into action** pobudzić kogoś do działania. **3.** rozbudzać (*uczucie, gniew*) (*in sb* w kimś).

rouseabout ['raʊzəˌbaʊt] *n. Austr.* = **roustabout**.

roused [raʊzd] *a. pred.* wzburzony; **when ~** sprowokowany, kiedy się go sprowokuje.

rousing ['raʊzɪŋ] *a.* **1.** porywający, poruszający (*np. o przemówieniu, pieśni*). **2.** ożywiony (*o działaniu, handlu, koniunkturze*).

roust [raʊst] *US v.* **1.** poganiać (*kogoś*). **2.** *sl.* dokuczać (*komuś*).

roustabout ['raʊstəˌbaʊt] *n. gł. US* **1.** niewykwalifikowany robotnik (*do ciężkich prac fizycznych*). **2.** = **rouster**.

rouster ['raʊstər] *n. US* **1.** doker. **2.** marynarz pokładowy.

rout [raʊt] *n.* **1.** *t. wojsk.* pogrom; **put sb to ~** rozgromić kogoś (*w bitwie*). **2.** *wojsk.* odwrót. **3.** *uj.* zgraja. – *v.* **1.** *t. wojsk.* rozgromić. **2.** *wojsk.* zmusić do odwrotu. **3.** *mech.* żłobić, frezować (*rowek*). **4.** szperać, węszyć. **5.** ~ **out** wykurzyć, wypędzić (*osobę, zwierzę*); wyszperać, odnaleźć.

route [ruːt] *n.* **1.** *t. przen.* droga; trasa; szlak (*wspinaczki*); *wojsk.* marszruta; ~ **to success** droga do sukcesu; **R~ 66** *US mot.* droga numer 66; **en ~ to sth** w drodze gdzieś *l.* do czegoś; **be on sb's ~** być komuś po drodze; **take/follow a ~** wybrać trasę *l.* drogę. **2.** *med.* sposób podania (*leku*). – *v.* **1.** ~ **sth through/by sth** kierować *l.* przesyłać coś przez coś/jakąś drogą. **2.** *komp.* trasować.

route march *n. wojsk.* marsz ćwiczebny.

router ['ruːtər] *n.* **1.** *komp.* router (= *urządzenie trasujące l. program trasujący*). **2.** zaopatrzeniowiec, spedytor. **3.** ['raʊtər] *mech.* frez.

routine [ˌruː'tiːn] *n. C/U* **1.** rutyna; zwykła procedura; ustalony porządek; **a break in the ~** odstępstwo od ustalonego porządku, urozmaicenie; **escape from/break the ~** odejść od ustalonego porządku, wprowadzić urozmaicenie; **daily ~** codzienny porządek zajęć. **2.** *t. balet, gimnastyka* układ. **3.** skecz (*kabaretowy*). **4.** *komp.* procedura. – *a.* rutynowy (*o zajęciach, zadaniach; t. uj.* = *nudny*); zwyczajny, normalny; ~ **questioning** rutynowe przesłuchanie.

routinely [ˌruː'tiːnlɪ] *adv.* rutynowo; zwykle, na ogół (*robić coś*).

routing number ['ruːtɪŋ ˌnʌmbər] *n. fin.* numer (identyfikacyjny) banku (*zw. podawany na początku numeru rachunku*).

routinize [ˌruː'tiːnaɪz], *Br. i Austr. zw.* **routinise**

v. objąć procedurą; wypracowywać procedurę dla (*czynności*).

roux [ru:] *n. C/U pl.* **roux** *kulin.* zasmażka.

rove[1] [roʊv] *v.* **1.** wałęsać *l.* włóczyć *l.* błąkać się (po). **2.** błądzić, przebiegać (*around/over sth* po czymś) (*o wzroku*).

rove[2] *tk. n. U* niedoprzęd. – *v.* poddawać wstępnemu przędzeniu, skręcać (*włókno*).

rove[3] *v. żegl. zob.* **reeve**.

rove-over [ˌroʊvˈoʊvər] *a. i n. wers.* (stopa) przechodząca (*do następnego wiersza*).

rover[1] [ˈroʊvər] *n.* **1.** *lit.* wędrowiec; włóczęga. **2.** *łucznictwo* cel.

rover[2] *n. arch.* pirat, korsarz; statek piracki.

rover[3] *n. tk.* niedoprzędzarka.

roving[1] [ˈroʊvɪŋ] *a.* **1.** wędrowny; wędrujący; terenowy; lotny (*o kontroli*). **2. have a ~ eye** *przest.* oglądać się za osobami płci przeciwnej.

roving[2] *n. U tk.* niedoprzęd.

roving commission *n.* uprawnienia ogólne.

roving reporter *n. dzienn.* wędrowny reporter, reporter/ka w terenie.

row[1] [roʊ] *n.* **1.** rząd (*t. = seria*); rządek; **~ upon ~** wiele rzędów, rząd za rzędem; **in a ~** w rzędzie; **sit in the front ~** siedzieć w pierwszym rzędzie; **four/five times in a ~** cztery/pięć razy z rzędu *l.* pod rząd. **2.** uliczka. **3. a hard/tough ~ to hoe** *US przen.* twardy orzech do zgryzienia. – *v.* ustawiać rzędami *l.* w rzędy; ustawiać rzędem *l.* w rzędzie.

row[2] [roʊ] *v.* **1.** (*także* **~ a boat**) wiosłować. **2.** przewozić łodzią (*kogoś*). – *n. zw. sing.* przejażdżka łodzią; wiosłowanie; **go for a ~** iść popływać (łodzią).

row[3] [raʊ] *Br. i Austr. n.* kłótnia, sprzeczka; awantura; ogólna bijatyka; *polit., zwł. dzienn.* konflikt, kontrowersja (*about/over sth* o coś, *between* pomiędzy); **have a ~ (with sb)** pokłócić się (z kimś); **kick up/make a ~** zrobić awanturę. – *v. pot.* kłócić *l.* sprzeczać się; robić awanturę, awanturować się (*about/over sth* o coś).

rowan [ˈroʊən] *n. bot.* jarzębina (pospolita) (*Sorbus (aucuparia)*); **~ tree** jarzębina, jarząb.

rowanberry [ˈroʊənˌberɪ] *n. pl.* **-ies** *bot.* jarzębina, owoc jarzębiny.

rowboat [ˈroʊˌboʊt] *n.* (*także Br.* **rowing boat**) łódź wiosłowa.

rowdily [ˈraʊdɪlɪ] *adv.* awanturniczo.

rowdiness [ˈraʊdɪnəs] *n. U* awanturnictwo, awanturniczość; rozwydrzenie.

rowdy [ˈraʊdɪ] *a.* **-ier, -iest** awanturniczy; rozwydrzony. – *n. pl.* **-ies** *przest.* awanturnik.

rowdyism [ˈraʊdɪˌɪzəm] *n. U* awanturnictwo, awanturniczość.

rowel [ˈraʊəl] *n.* kółko (*u ostrogi*). – *v. Br.* **-ll-** spinać ostrogami (*konia*).

rowen [ˈraʊən] *n. roln.* potraw.

rower [ˈroʊər] *n. t. sport* wiośla-rz/rka.

row house *n. US i Can. bud.* szeregowiec; *pl.* zabudowa szeregowa.

rowing [ˈroʊɪŋ] *n. U t. sport* wioślarstwo.

rowing boat *n. Br.* = **rowboat**.

rowing machine *n. sport* ergonometr wioślarski, maszyna wioślarska.

rowlock [ˈrɑːlək] *n. gł. Br.* dulka (*pod wiosło*).

royal [ˈrɔɪəl] *a. attr.* **1.** *t. przen.* królewski; **the ~ couple** para królewska. **2.** *przen.* **a right ~ welcome** *zob.* **right** *a.*; **be a ~ pain** *pot.* być bardzo upierdliwym; **on the ~ road to sth** na najlepszej drodze do czegoś; **have a ~ time** bawić się po królewsku; **the ~ we** *jęz.* królewska liczba mnoga (*zwyczaj mówienia o sobie w pierwszej osobie l. mn., popularny zwł. wśród monarchów*). – *n.* **1.** *pot.* człon-ek/kini rodziny królewskiej. **2.** *żegl.* bombramżagiel. **3.** (*także* **~ paper**) *druk.* papier formatu 50,8 na 63,5 cm.

Royal Air Force *n.* **the ~** *Br.* Królewskie Siły Powietrzne.

royal assent *n. Br. parl.* sankcja królewska, promulgacja (= *podpis zatwierdzający ustawę*).

royal blue *n. U* błękit kobaltowy.

royal commission *n. Br. polit.* komisja królewska.

royal fern *n. bot.* długosz królewski (*Osmunda regalis*).

royal flush *n. zw. sing. karty* duży poker, poker królewski.

Royal Highness *n.* **His/Her/Your ~** Jego/Jej/ Wasza Książęca Wysokość.

royalism [ˈrɔɪəlˌɪzəm] *n. U polit.* rojalizm.

royalist [ˈrɔɪəlɪst] *n. polit.* rojalist-a/ka. – *a.* **1.** *polit.* rojalistyczny. **2. more ~ than the king** *przen.* bardziej papieski od papieża.

royalistic [ˌrɔɪəˈlɪstɪk] *a. polit.* rojalistyczny.

royally [ˈrɔɪəlɪ] *adv.* po królewsku.

Royal Navy *n.* **the ~** *Br.* Królewska Marynarka Wojenna.

royal prerogative *n. U l. sing.* przywilej królewski.

royalty [ˈrɔɪəltɪ] *n. pl.* **-ies** **1.** honorarium (autorskie); *pl.* tantiemy. **2.** *U* członkowie rodziny królewskiej. **3.** *gł. pl.* przywilej królewski. **4.** *gł. pl. zwł. górn.* opłata licencyjna (*za grunty*).

RP [ˌɑːr ˈpiː] *abbr. i n. U* = **Received Pronunciation**.

RPI [ˌɑːr ˌpiː ˈaɪ] *abbr.* = **retail price index**.

rpm [ˌɑːr ˌpiː ˈem], **r.p.m.** *abbr.* **revolutions per minute** obr/min.

rps [ˌɑːr ˌpiː ˈes], **r.p.s.** *abbr.* **revolutions per second** obr/sek.

RR, R.R. *abbr.* **1.** = **railroad**. **2.** = **rural route**.

RRP [ˌɑːr ˌɑːr ˈpiː] *abbr.* **recommended retail price** *handl.* sugerowana *l.* zalecana cena detaliczna.

RSA [ˌɑːr ˌes ˈeɪ] *abbr.* **Republic of South Africa** *geogr., polit.* RPA.

RSA [ˌɑːr ˌes ˈeɪ] *abbr.* **Royal Society of Arts** *Br.* Królewskie Towarzystwo Sztuk Pięknych.

RSI [ˌɑːr ˌes ˈaɪ] *abbr. pat.* = **repetitive strain injury**.

RSPCA [ˌɑːr ˌes ˌpiː ˌsiː ˈeɪ] *abbr.* **Royal Society for the Prevention of Cruelty to Animals** *Br.* Królewskie Towarzystwo Zapobiegania Okrucieństwu wobec Zwierząt.

RSVP [ˌɑːr ˌes ˌviː ˈpiː] *abbr.* **répondez s'il vous plaît** *Fr.* uprasza się o odpowiedź (*na zaproszeniu*).

RTA [ˌɑːr ˌtiː ˈeɪ] *abbr.* **road traffic accident** *mot.* wypadek drogowy.

rte. *abbr.* = **route.**

Rt Hon. *abbr.* = **Right Honourable.**

rub [rʌb] *v.* **-bb- 1.** trzeć; pocierać (*sth against / on sth* coś *l.* czymś o coś); ocierać się (*o kocie*) (*against sb / sth* o kogoś/coś); obcierać (*o butach*); ~ **sth sore** otrzeć *l.* obetrzeć sobie coś do krwi (*np. pięty*); ~ **sth to powder** utrzeć coś na proszek; ~ **sth together** pocierać coś o siebie. **2.** wycierać (się). **3.** polerować; pucować (*np. klamkę*). **4.** *przen. pot.* wkurzać. **5.** *przen.* ~ **sb's nose in it/in the dirt** *pot.* wypominać coś komuś (*np. gafę l. niedopatrzenie*); ~ **one's hands** *t. dosł.* zacierać ręce; ~ **salt into the wound** *pot.* pogarszać sprawę; kopać leżącego; ~ **shoulders/***US t.* **elbows with sb** *pot.* być w (dobrej) komitywie z kimś, ocierać się o kogoś (*zwł. sławnego*); ~ **sb** (*Br.* **up) the wrong way** *pot.* źle na kogoś działać (= *drażnić kogoś*). **6.** ~ **along with sb** *Br.* dobrze się z kimś zgadzać; ~ **along together** dobrze się zgadzać (ze sobą); ~ **down** wypolerować (*powierzchnię*); zrobić masaż (*komuś*), wymasować; rozmasować mięśnie (*komuś*); wytrzeć (*mokrą część ciała, osobę, zwierzę*); ~ **in** wcierać; **no need to ~ it in** *przen. pot.* nie musisz mi tego ciągle wypominać, nie musisz tego bez końca powtarzać; ~ **off** ścierać (się); ~ **off on/onto sb** udzielać się komuś (*o nastroju*); ~ **out** *zwł. Br.* wymazać, zmazać, wygumkować (*napis*); *US przest. sl.* zlikwidować, sprzątnąć (= *zabić*); ~ **over** rozcierać (*np. maść*); ~ **up** *Br.* wypolerować; ~ **up on sth** *Br.* przypomnieć *l.* powtórzyć sobie coś (*przed egzaminem*). – *n. zw. sing.* **1.** masaż; **give sb a ~** zrobić komuś masaż; **give sb a back ~** wymasować komuś plecy. **2.** potarcie; przetarcie; **give sth a ~** przetrzeć coś (*mebel*). **3.** *przen.* **sth is a ~** *pot.* coś jest wkurzające; **there's/here's the ~** *przest. lit.* w tym sęk.

rubber [ˈrʌbər] *n.* **1.** *U* guma. **2.** *U* kauczuk. **3.** *gł. Br.* gumka (*do mazania*). **4.** *baseball* wysepka (*miotacza*). **5.** ściereczka do polerowania (*mebli*). **6.** *US mot. pot.* guma (= *opona*); *U* gumy (= *ogumienie*); **burn ~** ruszać z piskiem opon. **7.** *US pot.* gumka (= *prezerwatywa*). **8.** *mech.* tarnik; równiak (*pilnik*). **9.** *pl. US i Can. przest.* (płytkie) kalosze, deszczówki, gumowce (*nakładane na zwykłe obuwie*). **10.** *karty* rober; *pot.* partyjka; *sport pot.* partia; partia rozstrzygająca.

rubber band *n.* gumka (recepturka).

rubber boots *n. pl.* kalosze, gumowce.

rubber bullet *n.* gumowa kula (*do rozpraszania demonstracji*).

rubber check *n. US fin., żart.* czek bez pokrycia.

rubber dinghy *n. pl.* **-ies** ponton.

rubberize [ˈrʌbəˌraɪz], *Br. i Austr. Zw.* **rubberise** *v. tk.* powlekać gumą, gumować.

rubberized [ˈrʌbəˌraɪzd], *Br. i Austr. Zw.* **rubberised** *n. tk.* podgumowany, powlekany gumą.

rubberneck [ˈrʌbərˌnek] *gł. US pot. zwł. pog. n.* (*także* **~necker**) **1.** ciekawsk-i/a; *pl.* gapie. **2.** turyst-a/ka. – *v.* wykręcać *l.* wyciągać szyję *l.* szyje (= *rozglądać się ciekawie*).

rubber plant *n. ogr.* fikus; *bot.* fikus sprężysty (*Ficus elastica*).

rubber stamp *n.* **1.** pieczątka. **2.** *przen.* formalność (= *zgoda niepodlegająca wątpliwości*). **3.** *przen. pog.* pionek, figurant/ka (= *ktoś zgadzający się na decyzje bez ich kwestionowania*).

rubber-stamp [ˈrʌbərˌstæmp] *v. t. uj.* zatwierdzać mechanicznie *l.* automatycznie (*decyzję*).

rubber tree *n. bot.* kauczukowiec, drzewo kauczukowe (*Hevea*).

rubbery [ˈrʌbərɪ] *a.* **1.** gumiasty (*np. o befsztyku*). **2.** jak z gumy (*o nogach, kolanach*).

rubbing [ˈrʌbɪŋ] *n.* **1.** *U* tarcie; pocieranie. **2.** odbitka (*uzyskiwana przez pocieranie, np. monety*).

rubbing alcohol *n. U US med.* spirytus skażony.

rubbish [ˈrʌbɪʃ] *n. U gł. Br.* **1.** *t. przen.* śmieci; rupiecie. **2.** *pot.* dziadostwo, tandeta; szmira, chłam. **3.** *pot.* bzdura, bzdury, brednie; **a load of ~** stek bzdur; **talk ~** gadać bzdury. – *a. attr. Br. pot.* dziadowski; szmirowaty. – *int. gł. Br. pot.* bzdura! – *v. Br. pot.* zjechać (= *skrytykować*).

rubbishy [ˈrʌbɪʃɪ] *n. Br. pot.* dziadowski; szmirowaty.

rubble [ˈrʌbl] *n. U* **1.** *t. bud.* gruz. **2.** *bud.* kamień łamany. **3.** (*także* **~work**) *bud.* mur z kamienia łamanego. **4.** *geol.* rumowisko (skalne), rumosz.

rubdown [ˈrʌbˌdaʊn] *n. sing.* **1.** *gł. US* masaż. **2.** przeszlifowanie.

rube [ruːb] *n. US sl. obelż.* ćwok, wsiok.

rubefacient [ˌruːbəˈfæʃənt] *a. i n. fizj., pat.* (środek) powodujący zaczerwienienie skóry.

rubefaction [ˌruːbəˈfækʃən] *n. U fizj., pat.* zaczerwienienie.

Rube Goldberg [ˌruːb ˈgoʊldbɜːg] *US i Can. pot. a. attr.* niepotrzebnie skomplikowany (*o urządzeniu*).

rubella [rʊˈbelə] *n. U pat.* różyczka.

rubeola [rʊˈbiːələ] *n. U pat.* **1.** odra. **2.** różyczka.

rubescent [rʊˈbesənt] *a. lit.* rumieniący się, czerwieniejący.

Rubicon [ˈruːbəˌkɑːn] *n.* **cross/pass the ~** *przen.* przekroczyć Rubikon.

rubicund [ˈruːbəkənd] *a. lit.* rumiany (*t. euf.* = *grubawy o czerwonej twarzy*).

rubidium [rʊˈbɪdɪəm] *n. U chem.* rubid.

rubiginous [rʊˈbɪdʒɪnəs] *a. form.* rdzawy (*o kolorze*).

Rubik's cube [ˈruːbɪks ˌkjuːb], **Rubik cube** *n.* kostka Rubika.

rubious [ˈruːbɪəs] *a. poet.* rubinowy.

ruble [ˈruːbl], **rouble** *n. fin.* rubel.

ruboff [ˈrʌbˌɔːf] *n. US* następstwo, konsekwencja.

rubout [ˈrʌbˌaʊt] *n. US przest. sl.* mokra robota (= *morderstwo*).

rubric [ˈruːbrɪk] *n. form.* **1.** nagłówek; kategoria; **under the ~ of sth** w kategorii czegoś, jako coś; **fall under the ~ of sth** podchodzić *l.* podpadać pod coś. **2.** instrukcja (*na formularzu, egzaminie, w modlitewniku*). **3.** procedura.

rubricate ['ru:brəˌkeɪt] *v.* **1.** drukować z nagłówkami. **2.** poprawiać *l.* zaznaczać na czerwono. **3.** uregulować (przepisami).

ruby ['ru:bɪ] *n. pl.* **-ies** **1.** *C/U min.* rubin. **2.** *U* rubin, kolor rubinowy. – *a. attr.* rubinowy.

RUC [ˌɑ:r ˌju: 'si:] *n.* **Royal Ulster Constabulary** *Br.* Policja Królewska Ulsteru (= *policja brytyjska w Irlandii Północnej*).

ruche [ru:ʃ] *n.* riuszka (= *falbanka*).

ruck[1] [rʌk] *n.* **1.** *t. przen.* tłum; szarzyzna; **get out of the ~** wybić się z tłumu, wznieść się ponad szarzyznę. **2. the ~** *sport* stawka, reszta stawki (= *zawodnicy oprócz prowadzącego*). **3.** *rugby* młyn otwarty.

ruck[2] (*także Br.* **ruckle**) *n.* zgniecenie, zmarszczka (*w tkaninie*); fałda, zawinięcie (*dywanu*). – *v.* marszczyć (się) (*o tkaninie*); podwijać (się) (*o dywanie*).

ruckle ['rʌkl] *n. i v. Br.* = **ruck**[2].

rucksack ['rʌkˌsæk] *n. gł. Br.* plecak (*turystyczny*).

ruckus ['rʌkəs] *n. sing. US pot.* raban; **kick up/raise/make a ~** podnieść raban, narobić rabanu.

ruction ['rʌkʃən] *n. gł. Br. pot.* awantura, heca; *pl.* afera, przeboje (= *kłopoty, awantury*).

rudd [rʌd] *n. pl.* **-s** *l.* **rudd** *icht.* wzdręga (*Scardinius erythrophthalmus*).

rudder ['rʌdər] *n. żegl., lotn. l. przen.* ster.

rudderless ['rʌdərləs] *a. zwł. polit., admin.* bez steru (*o kraju, organizacji*).

ruddiness ['rʌdɪnəs] *n. U* rumieńce, rumieniec.

ruddle ['rʌdl] (*także* **raddle, reddle**) *n. U* czerwona ochra (*t. do znaczenia owiec*). – *v.* **1.** barwić ochrą. **2.** *roln.* cechować, znaczyć (*owce*).

ruddy ['rʌdɪ] *a.* **-ier, -iest** **1.** rumiany (*o twarzy*). **2.** czerwonawy (*o niebie*). **3.** *Br. przest. pot. euf.* diabelski. – *v.* rumienić (się).

rude [ru:d] *a.* **1.** niegrzeczny, nieuprzejmy, grubiański (*o osobie, odpowiedzi*); **I don't mean to be ~ but...** nie chciałbym być niegrzeczny, ale...; **it was ~ (of sb) to do sth** coś było niegrzeczne *l.* nieuprzejme (z czyjejś strony). **2.** przykry, nieprzyjemny; bezceremonialny; **a ~ awakening** *przen.* przykra niespodzianka, bolesne *l.* gwałtowne przebudzenie; **it was a ~ shock** to był nieprzyjemny szok. **3.** *lit.* surowy, prosty, prymitywny. **4. in ~ health** *Br. przen.* zdrów jak ryba.

rudely ['ru:dlɪ] *adv.* **1.** niegrzecznie, nieuprzejmie; **speak to sb ~** niegrzecznie się do kogoś odezwać. **2.** bezceremonialnie. **3.** *lit.* prymitywnie.

rudeness ['ru:dnəs] *n. U* niegrzeczność, nieuprzejmość, grubiaństwo.

ruderal ['ru:dərəl] *a. i n. ekol., bot.* (roślina) ruderalna (*rosnąca na gruzach, śmietnikach*).

rudiment ['ru:dəmənt] *n.* **1.** *pl. zob.* **rudiments**. **2.** *biol.* organ szczątkowy. **3.** *biol.* zaczątek organu.

rudimentary [ˌru:də'mentərɪ] *a. form.* **1.** elementarny, podstawowy. **2.** początkowy. **3.** *biol.* szczątkowy (*o organie*). **4.** *biol.* zaczątkowy (*o organie*).

rudiments ['ru:dəmənts] *n. pl. form.* **1.** podstawy (*np. wiedzy, fizyki*). **2.** początki (*języka*). **3.** zaczątki (*planu*).

rue[1] [ru:] *v. lit.* żałować (*zwł. własnego czynu*); **rue the day (that...)** gorzko pożałować (dnia, w którym...). – *n. U arch.* żal, żałość.

rue[2] *n. bot.* ruta (*Ruta graveolens*).

rueful ['ru:fʊl] *a. lit.* **1.** smutny, smętny, zrezygnowany. **2.** skruszony.

ruefully ['ru:fʊlɪ] *adv. lit.* **1.** ze smutkiem, smętnie; żałośnie. **2.** ze skruchą.

rufescent [rʊ'fesənt] *a. bot.* czerwonawy.

ruff[1] [rʌf] *n.* **1.** *strój, gł. hist.* kreza (*rodzaj kołnierza*). **2.** (*także* **ruffle**) *orn.* kreza, obroża; *zool.* obroża, kołnierz. **3.** *orn.* (bojownik) batalion (*Machetes pugnax*).

ruff[2] *karty n.* **1.** wyjście z atu. **2.** *U* wint (*dawna gra podobna do wista*). – *v.* wychodzić z atu, atutować; bić atutem (*kartę*).

ruffed [rʌft] *a. orn., zool.* z kryzą, kołnierzem *l.* obrożą (*zwł. w nazwach taksonomicznych*); **~ grouse** jarząbek cieciornik (*Bonasa umbellus*).

ruffian ['rʌfɪən] *n. przest.* oprych, bandzior.

ruffle[1] ['rʌfl] *v.* **1.** marszczyć (się) (*o wodzie*); mierzwić (się), wichrzyć (się) (*o włosach*). **2. ~ (up)** stroszyć; jeżyć; **~ its feathers** nastroszyć pióra *l.* piórka (*o ptaku*). **3.** *krawiectwo* marszczyć, zbierać, przymarszczać (*tkaninę*). **4.** *przest.* przerzucać (*książkę, czasopismo*). **5.** *przest. karty* tasować. **6.** *przen.* **~ sb's feathers** *zob.* **feather** *n.*; **~ sb's feelings/pride** urazić kogoś, urazić czyjeś uczucia/czyjąś dumę; **get ~d** speszyć się; zostać wyprowadzonym z równowagi. – *n.* **1.** *krawiectwo* krezka. **2.** zmarszczki, fala (*na wodzie*). **3. be a ~** *przen.* być denerwującym. **4.** *orn., zool.* = **ruff**[1] *n.* 2.

ruffle[2] *n.* werbel. – *v.* bić werbel na (*bębnie*).

rufous ['ru:fəs] *a. form.* rdzawy; czerwonawy.

rug [rʌg] *n.* **1.** dywan; dywanik; skóra (*zwierzęca na podłogę*); **Persian ~** dywan perski. **2.** *Br.* pled, kocyk; koc. **3.** *US pot.* peruczka, tupecik. **4.** *przen.* **sweep sth under the ~** *zob.* **sweep** *v.*; **pull the ~ (out) from under sb's feet** *pot.* zostawić kogoś na lodzie.

rugby ['rʌgbɪ], **Rugby** *n. U* (*także* **~ football**) *sport* rugby; **R~ League/Union** Liga/Związek Rugby (= *odmiana rugby z drużynami 13/15-osobowymi*).

rugged ['rʌgɪd] *a.* **1.** nieregularny, nierówny (*o linii brzegowej*). **2.** mocno zarysowany (*o twarzy*); nieregularny (*o rysach*). **3.** surowy (*o krajobrazie, klimacie, męskiej urodzie*). **4.** solidny, wytrzymały (*o konstrukcji, obudowie, urządzeniu*). **5.** szorstki (*o wyglądzie, zachowaniu*). **6.** nieugięty, twardy (*o charakterze*). **7.** mocny, krzepki (*o sobie*). **8.** *meteor.* burzowy (*o pogodzie*).

ruggedly ['rʌgɪdlɪ] *adv.* **1.** nieregularnie, nierówno. **2.** surowo. **3.** solidnie. **4.** szorstko. **5.** twardo.

ruggedness ['rʌgɪdnəs] *n. U* **1.** nieregularność, nierówność. **2.** surowość. **3.** solidność, wytrzymałość. **4.** szorstkość. **5.** nieugiętość, twardość. **6.** krzepa.

rugger [ˈrʌgər] *n. U Br. sport pot.* rugby.

rugose [ˈru:goʊs] *a. bot.* pomarszczony.

ruin [ˈru:ɪn] *n. C/U* ruina (*t. przen = upadek*); **ancient/medieval ~s** starożytne/średniowieczne ruiny; **be/lie in ~s** *przen.* leżeć *l.* lec w gruzach; **be on the brink of ~** być u progu ruiny *l.* upadku; **be the ~ of sb** *żart.* doprowadzić kogoś do ruiny, zniszczyć kogoś (*zwł. o nałogu*); **go to/fall into ~** *przen.* popadać w ruinę; **go to rack and ~** *zob.* **rack**2; **lead to sb's ~** doprowadzić kogoś do ruiny, zrujnować kogoś; **the ~s of sth** *t. przen.* ruiny czegoś (*np. organizacji*). – *v.* **1.** rujnować (*t. przen.*); niszczyć, psuć. **2.** *arch.* zrujnować życie (*dziewczynie*).

ruination [ˌru:ɪˈneɪʃən] *n. U przest. l. żart.* ruina, upadek; zrujnowanie; zniszczenie; **be the ~ of sb** doprowadzić kogoś do ruiny, zniszczyć kogoś (*zwł. o nałogu*).

ruinous [ˈru:ɪnəs] *a.* **1.** rujnujący (*o wydatkach*). **2.** niszczący (*np. o wojnie*).

ruinously [ˈru:ɪnəslɪ] *adv.* **1.** rujnująco. **2.** niszcząco.

rule [ru:l] *n.* **1.** reguła; przepis, regulacja; zasada, prawidło; norma; **~ of three** *mat.* reguła trzech; **~ of thumb** *zob.* **thumb** *n.*; **~s are ~s** przepis to przepis; **as a (general) ~** z reguły *l.* zasady; **(be) against the ~s** (być) wbrew przepisom *l.* zasadom *l.* regułom; **be the ~** być regułą; **bend/stretch the ~s** naginać zasady *l.* przepisy; **break the ~s** łamać zasady; **by ~** automatycznie; **follow/obey/observe the ~s** przestrzegać przepisów, stosować się do zasad; **hard and fast ~** jednoznaczny przepis; **make it a rule to...** stosować się do zasady, że..., (starać się) pamiętać, żeby...; **the ~ of force** prawo siły *l.* pięści; **the ~ of law** praworządność; **the exception, not the ~** wyjątek potwierdzający regułę; **unwritten ~** niepisane prawo. **2.** *U* rządy, władza; panowanie; **during communist ~** za rządów *l.* panowania komunistów; **majority ~** rządy większościowe; **under sb's ~** pod czyimś panowaniem, za panowania *l.* władzy kogoś. **3.** *przest.* linijka; *techn.* przymiar. **4.** *prawn.* postanowienie (*sądu*). – *v.* **1.** *t. polit.* rządzić (*kimś l. czymś*) (*t. o uczuciach*); kierować (*kimś l. czymś*); zdominować (*kogoś*); panować (*over sb / sth* nad kimś/czymś). **2.** rysować, kreślić (*linię*). **3.** liniować (*zeszyt, kartkę*). **4.** *prawn.* orzekać, wydawać orzeczenie (*on sth* w jakiejś sprawie, *that* że, *against sb* przeciwko komuś, *in favor of sb* na czyjąś korzyść). **5.** **~ (sb/sth) with a rod of iron** (*także* **~ (sb/sth) with an iron fist/hand**) rządzić (kimś/czymś) żelazną ręką; **~ the roost** *zob.* **roost** *n.*; **be ~d by sb** *przest.* słuchać kogoś (*= postępować według wskazówek*); **be ~d by sth** powodować *l.* kierować się czymś; **let one's heart ~ one's head** iść za głosem serca; **London ~s (OK)** *Br. i Austr.* Londyn pany (*napis na murze*). **6.** **~ off** oddzielać (kreską); **~ out** wykluczać (*możliwość*).

rulebook [ˈru:lˌbʊk] *n.* regulamin; **go by the ~** *pot.* trzymać się regulaminu.

ruled paper [ˌru:ld ˈpeɪpər] *a. U* papier w linie.

rule-of-thumb [ˌru:ləvˈθʌm] *a. attr.* praktyczny; przybliżony.

ruler [ˈru:lər] *n.* **1.** *polit.* wład-ca/czyni. **2.** linijka.

ruling [ˈru:lɪŋ] *a. attr.* **1.** *polit.* rządzący (*o partii, koalicji, klasie*); panujący (*o monarsze*). **2.** panujący (*o obyczaju, cenach*). **3.** **~ passion** motyw naczelny (*postępowania*); **~ prices** *ekon.* ceny rynkowe; **~ principle** podstawowa zasada. – *n.* **1.** *prawn.* orzeczenie, decyzja (*sądu*) (*on sth* w sprawie czegoś). **2.** *U* linie.

rum1 [rʌm] *n.* **1.** *C/U* rum. **2.** *US przen.* gorzałka.

rum2 *a. Br. przest. pot.* dziwny, dziwaczny; **~ customer** dziwny gość; **a ~ do** dziwna sprawa.

Rumania [rʊˈmeɪnɪə] *n.* = **Romania**.

Rumanian [rʊˈmeɪnɪən] *a. i n.* = **Romanian**.

rumba [ˈrʌmbə] *n. C/U muz.* rumba (*taniec l. muzyka*).

rumble [ˈrʌmbl] *v.* **1.** grzmieć (*o burzy, głosie*); dudnić. **2.** toczyć się *l.* jechać z łoskotem; telepać się; **~ along/past** przejeżdżać z łoskotem. **3.** *Br. pot.* wywęszyć (*= wyszpiegować*). **4.** *US sl.* być w zadymie (*= uczestniczyć w bójce*). **5.** *mech.* bębnować, oczyszczać bębnowo (*odlewy, kamienie*). **6.** **sb's stomach is rumbling** komuś burczy w brzuchu. – *n.* **1.** grzmot. **2.** dudnienie. **3.** szmer (niezadowolenia). **4.** gwar. **5.** *mech.* oczyszczarka bębnowa.

rumble strip *n. mot.* tarka (*na poboczu, powierzchni drogi*).

rumbling [ˈrʌmblɪŋ] *n.* **1.** grzmot; dudnienie. **2.** *t. pl.* odgłosy *l.* szmery niezadowolenia.

rumbustious [rʌmˈbʌstʃəs] *a.* jazgotliwy.

rumen [ˈru:men] *n. pl.* **-s** *l.* **rumina** [ˈru:mɪnə] *zool.* żwacz.

ruminant [ˈru:mənənt] *n. zool.* przeżuwacz. – *a.* **1.** przeżuwający. **2.** *przen. form.* refleksyjny.

ruminate [ˈru:məˌneɪt] *v.* **1.** *form.* rozmyślać (*over / about / on sth* nad czymś). **2.** *zool.* przeżuwać.

rumination [ˌru:məˈneɪʃən] *n.* **1.** *form.* rozmyślanie; *U* rozmyślania. **2.** *U zool.* przeżuwanie.

rummage [ˈrʌmɪdʒ] *v.* **1.** przetrząsać (*around / in / through sth* coś); grzebać, szperać (*around / in / through sth* gdzieś *l.* w czymś). **2.** **~ out/up** wygrzebać, wyszperać. – *n.* **1.** **have a ~** *pot.* pogrzebać, poszperać (*gdzieś*). **2.** *U gł. US* rzeczy używane. **3.** *U* klamoty.

rummage sale *n. US* wyprzedaż rzeczy używanych (*zwł. na cel dobroczynny*).

rummer [ˈrʌmər] *n. kulin.* kielich.

rummy1 [ˈrʌmɪ] *n. U karty* remi, remik.

rummy2 *n. pl.* **-ies** *US sl.* moczymorda. – *a.* **-ier, -iest** rumowy.

rumor [ˈru:mər], *Br.* **rumour** *n. C/U* pogłoska, plotka; wieść, fama; **~ has it (that)...** krążą pogłoski, że..., wieść niesie, że... – *v. zw. pass.* **it is ~ed that...** chodzą słuchy, że...; **sb is ~ed to...** chodzą o kimś słuchy *l.* plotki, że...; **widely ~ed to be sb/sth** powszechnie uważany za kogoś/coś.

rumormonger [ˈruːmərˌmɑːŋgər] *n.* plotka-rz/rka; wielbiciel/ka sensacji. – *v.* rozsiewać *l.* rozgłaszać plotki *l.* pogłoski.

rump [rʌmp] *n.* **1.** *zool.* zad; *orn.* kuper; *żart.* zadek (= *pupa*). **2.** *kulin.* wołowina krzyżowa (= *zadni płat wołowiny*). **3.** *Br. t. polit.* trzon (*rządu, parlamentu, zwł. po rozpadzie, rozwiązaniu*), niedobitki; **R~ Parliament** *hist.* Parlament Kadłubowy (*w XVII w.*).

rumple [ˈrʌmpl] *v.* **1.** miąć (*ubranie, materiał*). **2.** mierzwić, czochrać (*fryzurę*).

rumpled [ˈrʌmpld] *a.* (*także* **~y**) **1.** pomięty, wymięty (*o ubraniu, materiale*). **2.** zmierzwiony, rozczochrany (*o fryzurze, włosach*).

rumpsteak [ˈrʌmpˌsteɪk], **rump steak** *n. C/U Br. kulin.* rumsztyk wołowy; wołowina krzyżowa, wołowina na rumsztyk.

rumpus [ˈrʌmpəs] *n. sing. pot.* awantura; **raise a ~** (*także Br.* **kick up a ~**) zrobić awanturę *l.* aferę.

rumpus room *n. US, Can., Austr. i NZ* pokój do zabaw (*zwł. głośnych, dziecięcych*).

rumpy pumpy [ˌrʌmpɪ ˈpʌmpɪ] *n. U Br. pot. żart.* damsko-męska gimnastyka (= *seks*).

run [rʌn] *v.* **ran, run, -nn- 1.** biegać; biec; pędzić; **~ in a race** biec *l.* startować w wyścigu; **~ the streets** biegać po ulicach. **2.** *pot.* skoczyć; **~ and do sth** skoczyć coś zrobić; **~ and get sth** skoczyć po coś; **~ to the market** skoczyć do sklepu. **3.** uciekać (*from sb* przed kimś *l.* od kogoś, *from sth* przed czymś). **4.** prowadzić (*firmę, restaurację*); zarządzać (*firmą*); **well/badly run** dobrze/źle zarządzany. **5.** działać, chodzić (*o urządzeniu, silniku, komputerze, programie*); **~ on sth** działać *l.* być na coś, być napędzanym *l.* zasilanym czymś; **it ~s on electricity** to jest *l.* działa na prąd, to jest zasilane *l.* napędzane prądem; **~ smoothly/fast** dobrze/szybko działać *l.* chodzić. **6.** eksploatować; **cheap to ~** tani w eksploatacji. **7.** *komp.* uruchamiać (*program*); używać (*aplikacji*); **~ a browser** uruchomić przeglądarkę. **8.** *komp.* mieć zainstalowane (jako system operacyjny) (*o komputerze, stacji, sieci, użytkowniku*); **our LAN ~s (on) Novell** nasza sieć oparta jest na Novellu; **this machine ~s Windows** ten komputer ma zainstalowane Windowsy. **9.** kursować, jeździć (*o pociągu, autobusie, połączeniu*); **~ every hour (on the hour)** kursować co godzinę (o równych godzinach); **~ on Sundays** kursować w niedziele. **10.** utrzymywać (*samochód, dom*). **11.** *pot.* podwozić; **~ sb home/to school** podwieźć kogoś do domu/szkoły. **12.** płynąć, spływać, ciec, lecieć (*o strumyku, cieczy, wodzie*); **tears ran down his face** po twarzy ciekły mu łzy. **13.** być ważnym, opiewać (*o umowie, kontrakcie*); **~ (for) (another) 3 months** być ważnym (jeszcze) (przez) 3 miesiące, opiewać na (następne) 3 miesiące. **14.** *polit.* startować (w wyborach); kandydować (*for sb/sth* na kogoś/coś, do czegoś) (*na prezydenta, stanowisko, do urzędu, parlamentu*); **~ against sb** walczyć *l.* zmierzyć się w wyborach z kimś. **15.** *film* być wyświetlanym, być na ekranach; *teatr* być wystawianym, być na afiszu. **16.** *t. film* toczyć się, mieć miejsce (*o akcji filmu, książki*). **17.** toczyć się, przebiegać; **~ according to plan** toczyć się *l.* przebiegać zgodnie z planem. **18.** przesuwać (*dłoń, wzrok, wskaźnik*) (*through* przez coś, *down/across/along sth* po czymś). **19.** biec, przebiegać (*o drodze, granicy*) (*along sth* wzdłuż czegoś coś, *through/across sth* przez coś). **20.** wykonywać, robić, przeprowadzać; **~ (a few) tests** wykonać (kilka) badania, przeprowadzić (kilka) testów (*on sth* czegoś); **~ tests on sb** *med.* zrobić komuś badania. **21.** kształtować się (*o cenach, kursach, wskaźnikach*) (*at* na poziomie); **~ from... to...** kształtować *l.* wahać się w granicach od... do... **22.** *tk.* puszczać, farbować (*o kolorze*). **23.** kapać (*o farbie*). **24.** przemycać (*broń, narkotyki*). **25.** *dzienn.* publikować, drukować (*artykuł*). **26.** *US zwł. mot.* sforsować, przejechać przez (*przeszkodę*); **~ a blockade** sforsować blokadę; **~ a (red) light** przejechać na czerwonym (świetle); **~ a stop sign** nie zatrzymać się przed znakiem stopu *l.* stopem. **27. ~ (sb) a bath** *zob.* **bath** *n.*; **~ a check on sb** sprawdzić kogoś; **~ a fever/temperature** *pat.* mieć gorączkę/(podwyższoną) temperaturę; **~ a mile** *przen. pot.* uciec jak najdalej, schować się pod stół (*ze wstydu, strachu*); **~ a risk of sth** *zob.* **risk** *n.*; **~ aground/ashore** *żegl.* osiąść na mieliźnie; **~ dry** *zob.* **dry** *a.*; **~ errands** *zob.* **errand**; **~ hot and cold** nie móc się zdecydować; **~ in the family** być cechą rodzinną; **it ~s in the family** to rodzinne, ma/mam itd. to po ojcu/matce itd.; **~ its course** zakończyć się (*np. o chorobie, kryzysie*), dobiec końca; potoczyć się normalną koleją rzeczy; wygasnąć (*o nienawiści, kłótni*); **~ o.s./sb ragged** *zob.* **ragged**; **~ rife** *zob.* **rife**; **~ riot** *zob.* **riot** *n.*; **~ sb close** *zob.* **close** *adv.*; **~ sb's life** *pot.* kierować czyimś życiem; **~ wild** *zob.* **wild** *adv.*; **be ~ning late** być spóźnionym, mieć spóźnienie *l.* opóźnienie; **be ~ning scared** bardzo się obawiać; **come ~ning** *pot.* przylecieć na zawołanie; **come ~ning to sb** przyjść *l.* przybiec do kogoś z płaczem; **feelings/tensions are ~ning high** panuje *l.* wzrasta napięcie; **her stocking ran** (*także* **she ran her stocking**) poleciało *l.* poszło *l.* puściło jej oczko (w pończosze); **how does it ~?** jak to (dalej) idzie *l.* leci? (*np. o tekście piosenki*); **sb is ~ning/~s short of sth** (*także* **sb is ~ning low on sth**) coś się komuś kończy; **sb's nose is ~ning** ktoś ma katar, komuś leci *l.* cieknie z nosa; **sth is ~ning short** coś się kończy, zaczyna czegoś brakować; **streets ran with blood** ulice spłynęły krwią; **this one will ~ and ~** *Br. żart.* to chyba nie ma końca, to się chyba nigdy nie skończy. **28. ~ about** biegać (w kółko *l.* tam i z powrotem); **~ across sb/sth** natknąć się na kogoś/coś; **~ after sb/sth** uganiać się za kimś/czymś; biegać za kimś/czymś (*t. = usługiwać l. nadskakiwać komuś*); **~ along!** *pot.* uciekaj!, zwiewaj!; **~ against sb/sth** wpaść *l.* natknąć się na kogoś/coś; **~ against sth** zderzyć się z czymś; **~ one's head against sth** uderzyć głową o *l.* w coś; **~ around** biegać (w kółko *l.* tam i z powrotem); *uj.* zadawać się z kim popadnie; **~ around with sb** widywać *l.* spotykać się z kimś; *zwł. uj.* zadawać się z kimś; **~ around in circles** ganiać w kółko (*bez skutku*); **~ away** uciekać (*from sth/sb* skądś/od czegoś/kogoś); **~ away from**

home uciec z domu; ~ **away with sb/sth** uciec z kimś/czymś (*kochankiem, łupem*); ~ **away with sb** zapanować nad kimś (*o emocjach*); ~ **away with sth** *pot.* wygrać coś bez trudu (*wybory, zawody*); ~ **away with the idea/impression that...** *pot.* myśleć sobie, że... (*błędnie*); ~ **by sb/sth** przebiegać koło *l.* obok kogoś/czegoś (*o biegaczu, autostradzie*); ~ **sth by sb** *US* sprawdzić *l.* skonsultować coś z kimś, dać komuś spojrzeć *l.* zerknąć na coś; **could I ~ these figures by you?** mogłabyś zerknąć na te dane?; ~ **down** *mot.* przejechać; potrącić (*osobę, zwierzę*); *pot.* poniżać, obgadywać, krytykować (*kogoś l. coś*); wyczerpać się (*o baterii*); przestać działać (*o mechanizmie, urządzeniu*); zlokalizować, umiejscowić; złapać (= *znaleźć*); ograniczyć (*produkcję*); ograniczyć działalność (*firmy*); zaniedbać (*budynek*); pójść śladem (*wskazówki*); przejrzeć (*artykuł*); *żegl.* staranować (*statek; o innym statku*); *baseball* wyeliminować (*gracza*); ~ **o.s. down** zaniedbać się; ~ **for cover** *zob.* **cover** *n.*; ~ **for it** *pot.* zwiewać czym prędzej, rzucić się do ucieczki; spróbować ucieczki; ~ **for one's life** ratować się ucieczką; ~ **in** *pot.* przymknąć (*podejrzanego, przestępcę*); *Br. mot.* dotrzeć (*nowy samochód, silnik*); *druk.* wstawić (*tekst*); ~ **into sb** *pot.* wpaść na kogoś, spotkać kogoś (przypadkiem); ~ **into sb/sth** *mot.* wjechać na *l.* w kogoś/coś, najechać na kogoś/coś (*np. na pieszego, latarnię*); ~ **into sth** zlewać się z czymś (*o tekście, kolorze, wzorze*); ~ **into debt/trouble** wpaść w długi/kłopoty; ~ **into difficulties/problems/obstacles** napotykać kłopoty/problemy/przeszkody; ~ **into hundreds/millions** iść w setki/miliony, sięgać kilkuset/kilku milionów; ~ **sth into the ground** zajeździć *l.* zarżnąć coś (*samochód, temat*); **days ran into weeks** z dni zrobiły się tygodnie; ~ **off** wylać (*wodę*); upuścić (*wody*); wystukać (= *napisać szybko i bez wysiłku*); pozbyć się (*zwł. tłuszczu l. kalorii bieganiem*), wypocić; rozstrzygnąć (*remisowy rezultat wyborów, meczu*); odejść (*od męża, żony*); uciec (*with sb* z kimś (z kochankiem, kochanką), *with sth* z czymś (z łupem)); ~ **off the road** zjechać z drogi (*o pojeździe*); ~ **off several copies** zrobić kilka kopii; ~ **sb/sth off** przepędzić kogoś/coś (*np. intruzów, psa*); ~ **off at the mouth** *pot.* trajkotać, paplać; **be ~ off one's feet** *zob.* **feet**; ~ **on** rozgadać się; przedłużać się (*o rozmowie, wykładzie*); *t. druk.* pisać *l.* drukować bez przerw; pisać *l.* drukować w tym samym akapicie; **time's ~ning on** czas upływa *l.* leci; ~ **out** skończyć się (*o zapasach, czasie, cierpliwości*); stracić ważność (*o dokumencie, licencji*); wypędzić, przepędzić; ~ **sb out** *krykiet* zatrzymać *l.* wykluczyć kogoś (*biegnącego zawodnika przez zburzenie bramki*); ~ **out of steam/***US* **gas** *pot.* opaść z sił; stracić energię *l.* zapał (*o osobie*); stracić na tempie (*o pracach*); **sb ran out of sth** coś się komuś skończyło *l.* wyczerpało; ~ **sb out of town** *zob.* **town**; ~ **out on sb** zostawić kogoś (*męża, żonę*); ~ **over** *mot.* przejechać; potrącić (*osobę, zwierzę*); przepełnić się (*o pojemniku*); przelać się (*o wodzie*); *pot.* skoczyć (*to sb* do kogoś, *to sth* do czegoś *l.* gdzieś); ~ **over sth** powtórzyć coś (*np. materiał, listę czynności*); rozważać coś (*np. opcje*); ~ **over time** przeciągać się, przedłużać się; ~ **one's eyes over sb/sth** *pot.* przebiec kogoś/coś wzrokiem; ~ **through** przećwiczyć, powtórzyć (*ujęcie, materiał*); przeglądać (*gazetę*); przewijać się przez (*film, książkę; o wątku*); roztrwonić, zwł. pieniądze; przenikać (*np. społeczeństwo, grupę*), dotyczyć całego (*społeczeństwa, grupy; np. o problemach, przesądach*); ~ **sb through** *lit.* przeszyć kogoś na wylot (*szpadą, mieczem*); ~ **through sb's mind/head** chodzić komuś po głowie, przychodzić komuś na myśl; **a thought/it ran through her mind that...** przyszło jej do głowy, że...; ~ **to sth** sięgać czegoś (*podanej wysokości, zwł. kwoty*); *Br.* wystarczać *l.* starczać na coś (*o pensji, oszczędnościach*); *Br.* mieć dosyć pieniędzy na coś; **the cost of repair will ~ to $1000** koszty naprawy mogą sięgać 1000 dolarów; ~ **up** zaciągać (*długi*); mnożyć, powiększać (*wydatki*); nagromadzić się; uszyć (*szybko*); wciągnąć na maszt (*flagę*); ~ **up a huge phone bill** wydzwonić mnóstwo pieniędzy; ~ **up large water bills** zużyć dużo wody, zużyć wody za dużą kwotę; ~ **sth up the flagpole** *zob.* **flagpole**; ~ **up against sth** napotykać coś (*trudności, przeszkody*). – *n.* **1.** bieg; **at a ~** biegiem; **go for a ~** iść pobiegać; przebiec się. **2.** przejażdżka (*samochodem*); wypad (*do sklepu*); kurs (*autobusu*); trasa (*autobusu, pociągu*); droga (*do pracy, szkoły*). **3.** *pl.* **the ~s** *pot.* sraczka (= *biegunka*). **4.** *zool.* wybieg (*dla zwierząt*). **5.** *zool.* ścieżka (*zwierząt, np. do wodopoju*). **6.** *US* oczko (*w rajstopach*). **7.** *narty* trasa (zjazdowa), zjazd. **8.** *ekon.* run (*on sth* na coś); masowy wykup (*on sth* czegoś). **9.** seria (*np. produktu, wydarzeń, sukcesów, porażek*); ciąg, szereg (*wydarzeń*). **10.** *zwł. US geogr.* rzeczka, strumień, potok. **11.** *techn.* cykl (roboczy *l.* pracy) (*maszyny*); praca, bieg. **12.** *baseball, krykiet* punkt (*za dobiegnięcie do bazy l. bramki*). **13.** przebieg (*of sth* czegoś). **14.** kierunek; tendencja. **15.** przepływ (*wody*). **16.** *sport* wyścig. **17.** *karty* sekwens. **18.** *muz.* pasaż (*zwł. na fortepian*). **19.** *wojsk.* nalot. **20.** *przen.* **a ~ of good/bad luck** dobra/zła passa; **be on the ~** być na wolności, ukrywać się (*o przestępcy*); być zaganianym; *wojsk.* być w odwrocie; **he's always on the ~** wiecznie gdzieś goni; **break into a ~** puścić się *l.* rzucić się biegiem *l.* pędem, zacząć biec; **dummy/dry ~** próba; **give sb a good ~ for their money** łatwo skóry nie sprzedać; **have a (good) ~ for one's money** *pot.* nie móc narzekać; **have the ~ of sth** mieć swobodny dostęp do czegoś, móc swobodnie korzystać z czegoś (*z domu, pomieszczenia*); **in the short/long ~** na krótką/dłuższą metę; **in the normal ~ of events** w normalnym przypadku; **make a ~ for it** rzucić się do ucieczki; **the play had a ~ of 100 nights** sztuka szła przez sto wieczorów; **the usual ~ of things** zwykła kolej rzeczy.

runabout [ˈrʌnəˌbaʊt] *n. pot.* **1.** *mot.* samochód miejski. **2.** *żegl.* motorówka. **3.** *lotn.* awionetka.

runaround [ˈrʌnəˌraʊnd] *n. U* **1.** *pot.* wykręty; **give sb the ~** zwodzić *l.* zbywać kogoś, wykręcać się. **2.** *druk.* zawijanie tekstu (*wokół ilustracji, wykresu*).

runaway ['rʌnəˌweɪ] *a. attr.* **1.** zbiegły (*np. o więźniu*); ~ **child** dziecko, które uciekło z domu, mały uciekinier; ~ **horse** koń, który poniósł. **2.** pędzący (*o pojeździe*). **3.** spektakularny (*o sukcesie, zwycięstwie*); dziecinnie łatwy (*np. o zwycięstwie, meczu*). **4.** *gł. ekon.* niekontrolowany, nie do opanowania; ~ **inflation** galopująca inflacja; ~ **prices** niekontrolowany wzrost cen, gwałtownie rosnące ceny. – *n.* **1.** uciekinier/ka (*zwł. = dziecko, które uciekło z domu*); zbieg. **2.** łatwa wygrana.

runcible spoon [ˌrʌnsɪbl 'spuːn] *n.* widelec turystyczny, niezbędnik.

rundown ['rʌnˌdaʊn] *n.* **1.** raport, sprawozdanie (*on sth* z czegoś); **give sb a** ~ złożyć komuś raport. **2.** *ekon.* obniżenie, spadek; *gł. Br.* redukcja (*zakresu działalności firmy*).

run-down [ˌrʌn'daʊn] *a.* **1.** zaniedbany, zapuszczony (*o budynku, dzielnicy, mieszkaniu*). **2.** osłabiony, wyczerpany (*o osobie*). **3.** wyczerpany (*o baterii*).

rune [ruːn] *n.* **1.** *pismo, hist.* znak runiczny; *pl.* runy. **2.** *przen.* czarna magia. **3.** *przen.* (tajemnicze) zaklęcie. **4.** *wers., muz.* run (*pieśń l. poemat skandynawski*). **5. read the ~s** *przen.* widzieć, na co się zanosi, (trafnie) przewidzieć kierunek zmian.

rung[1] [rʌŋ] *v. zob.* **ring.**

rung[2] *n.* **1.** *t. przen.* szczebel (*drabiny, kariery*); **the bottom/lowest** ~ najniższy szczebel. **2.** poprzeczka (*u krzesła*).

runic ['ruːnɪk] *a.* **1.** *jęz.* runiczny. **2.** staroskandynawski (*o poezji*).

run-in ['rʌnˌɪn] *n.* **1.** *pot.* scysja, dyskusja, starcie (*np. z szefową, policjantem*). **2.** *druk.* wstawka.

runlet ['rʌnlət] *n. US dial.* strumyk, potok.

runnel ['rʌnl] *n. lit.* strumyk, potok.

runner ['rʌnər] *n.* **1.** *sport* biegacz/ka; **long-distance** ~ biegacz/ka długodystansow-y/a, długodystansowiec. **2.** *polit.* kandydat/ka (*na prezydenta*). **3.** posłaniec, goniec. **4.** płoza (*u sanek l. łyżwy*); ślizg. **5.** *baseball* gracz biegnący. **6.** przemytni-k/czka; **gun** ~ przemytni-k/czka broni. **7.** statek przemytniczy. **8.** *t. ekon.* operator (*sieci handlowej*). **9.** *mech.* prowadnica (*szuflady, drzwi przesuwanych*). **10.** chodnik, dywanik. **11.** bieżnik (*rodzaj obrusu*). **12.** *bot., ogr.* rozłóg, wąs. **13.** *bot., ogr.* roślina rozłogowa; pnącze, roślina pnąca. **14.** *mech.* krążek, kółko toczne. **15.** koń startujący w wyścigu *l.* wyścigach. **16.** osoba obsługująca maszynę. **17.** *pot.* naganiacz/ka (*zwł. do hotelu, restauracji*). **18.** *metal.* wlew. **19. do a** ~ *Br. pot.* zwiać.

runner bean *n. Br. bot., kulin.* fasolka szparagowa (*Phaseolus multiflorus*).

runner-up [ˌrʌnər'ʌp] *n. pl.* **runners-up** **1.** (*także* **first** ~) zdobyw-ca/czyni drugiego miejsca; wicemiss (*w konkursie piękności*); *sport* zawodni-k/czka na drugiej pozycji. **2. second/third** ~ zdobyw-ca/czyni trzeciego/czwartego miejsca. **3.** *pl.* zdobywcy dalszych miejsc.

running ['rʌnɪŋ] *n. U* **1.** *sport* biegi; bieganie. **2.** prowadzenie (*interesu*); zarządzanie (*firmą*). **3.** organizacja (*uroczystości*). **4.** eksploatacja (*urządzenia*). **5.** bieg, praca (*urządzenia*). **6. be in the** ~ mieć szanse *l.* widoki na zwycięstwo; **be in the ~ for sth** mieć szanse *l.* widoki na coś; **be out of the** ~ nie mieć (już) szans *l.* widoków na zwycięstwo; **be out of the ~ for sth** nie mieć (już) szans *l.* widoków na coś; **make the** ~ wystartować (*w wyścigu, wyborach*); **make/take (all) the** ~ *Br.* starać się jak najlepiej; wieść prym; musieć się wszystkim zajmować. – *a. attr.* **1.** bieżący; ~ **(hot) water** bieżąca (ciepła) woda; ~ **repairs** naprawy *l.* remonty bieżące; ~ **total** bieżąca suma (*wydatków, kosztów*). **2.** *dzienn.* na żywo (*o sprawozdaniu, komentarzu*). **3.** biegowy, do biegów; ~ **shoes** obuwie *l.* buty biegowe. **4.** *t. sport* z rozbiegu, z biegu; w biegu; ~ **jump** skok z rozbiegu; skok w biegu; **take a ~ jump** *przen. pot.* zwiewać w podskokach. **5.** uciekający. **6.** sprawny, działający (*o urządzeniu, systemie*); **be up and** ~ (już) działać; **in ~ order** sprawny. **7.** (ciągle) modny *l.* popularny (*np. o dowcipie, opowieści*). **8.** ciągnący się, nieustający (*o konflikcie*). **9.** *ogr., bot.* rozłogowy. **10.** *ogr., bot.* płożący się. **11.** *ogr., bot.* pnący. **12.** *pat.* jątrzący, z wyciekiem *l.* wydzieliną; ~ **ear/nose** wyciek z ucha; ~ **sore** jątrzący wrzód. – *adv.* **1.** z rzędu; **third time** ~ trzeci raz z rzędu, po raz trzeci z rzędu. **2.** bez przerwy; **three hours** ~ trzy godziny bez przerwy.

running board *n. hist., mot.* stopień (*w dawnym samochodzie przy drzwiczkach*).

running commentary *n. pl.* **-ies** *t. sport* komentarz (na żywo).

running costs *n. pl. ekon.* koszty eksploatacji.

running hand *n. U* pismo łączone, kursywa.

running head *n.* (*także* **running title**) *druk.* żywa pagina.

running lights *n. pl. żegl., lotn.* światła pozycyjne *l.* nawigacyjne.

running mate *n. polit.* współkandydat/ka (*w wyborach*); *US zwł.* kandydat/ka na wiceprezydenta.

running order *n. U* program, porządek (*imprezy*).

running start *n.* **1.** start z biegu. **2. be off to a** ~ *przen.* zaczynać się bardzo obiecująco.

running stitch *n. U krawiectwo* ścieg prosty *l.* fastrygowy, fastryga.

running time *n.* **1.** *film* czas trwania (filmu). **2.** czas jazdy *l.* przejazdu (*pociągu, autobusu*).

running title *n.* = **running head.**

runny ['rʌnɪ] *a.* **-ier, -iest** **1.** *t. kulin.* rzadki, lejący się (*np. o budyniu, kleiku*). **2.** *pat.* załzawiony (*o oczach*); **sb has a ~ nose** ktoś ma katar, komuś leci *l.* cieknie *l.* kapie z nosa.

runoff ['rʌnˌɔːf], **run-off** *n.* **1.** (*także* ~ **election**) *polit.* druga tura (wyborów). **2.** *sport* dogrywka; rozgrywka *l.* runda rozstrzygająca; mecz *l.* bieg rozstrzygający. **3.** *U ekol.* odpływ, spływy, spływ (*wód, zanieczyszczeń*).

run-of-the-mill [ˌrʌnəvðə'mɪl] *a.* szablonowy, sztampowy.

run-on [ˈrʌnˌɔːn] *n. i a. attr.* **1.** *druk.* (tekst) ciągły. **2.** *jęz.* (podhasło) zagnieżdżone *l.* dodane (*w słowniku, zw. bez definicji na końcu hasła głównego*).

run-on sentence *n. gł. US gram.* zdania połączone bez przestankowania.

runt [rʌnt] *n.* **1.** *biol.* niedorostek; osobnik karłowaty. **2.** *US pot. obelż.* kurdupel.

run-through [ˈrʌnˌθruː] *n.* **1.** próba (*przestawienia*). **2.** przegląd (*raportu, programu*).

runty [ˈrʌntɪ] *a.* **-ier, -iest** karłowaty.

runup [ˈrʌnˌʌp], **run-up** *n.* **1. the ~ to sth** okres poprzedzający coś (*np. wybory, rocznicę*). **2.** *sport* rozbieg.

runway [ˈrʌnˌweɪ] *n.* **1.** *lotn.* pas startowy, droga startowa. **2.** wybieg (*ze sceny w publiczność; dla zwierząt*). **3.** tor. **4.** *US i Can. leśn.* ryza, ślizg (*do pni*).

rupee [ˌruːˈpiː] *n. fin.* rupia (= *jednostka monetarna Indii i Pakistanu*).

rupiah [rʊˈpɪə] *n. pl.* **-s** *l.* **rupiah** *fin.* rupia (= *jednostka monetarna Indonezji*).

rupture [ˈrʌptʃər] *n.* **1.** *C/U techn., pat.* pęknięcie (*np. wodociągu, naczynka*); przerwanie (*tamy*); rozerwanie, zerwanie. **2.** rozłam (*w partii, rodzinie*). **3.** *C/U pat.* przepuklina. – *v.* **1.** pękać. **2.** przerywać; zrywać, rozrywać. **3. ~ o.s.** *pat.* dostać przepukliny.

ruptured [ˈrʌptʃərd] *a.* pęknięty (*o naczynku, wodociągu*); przerwany (*o tamie*); zerwany.

rural [ˈrʊrəl] *a.* wiejski.

rural delivery *n. U NZ* poczta terenowa *l.* wiejska.

rural free delivery *n. U* (*także* **RFD, R.F.D.**) *US* bezpłatne przesyłki na terenach wiejskich (*dotowane przez państwo*).

rurality [rʊˈrælətɪ] *n. U* wiejskość.

ruralize [ˈrʊrəˌlaɪz], *Br. i Austr. zw.* **ruralise** *v.* **1.** nadawać wiejski charakter (*czemuś*). **2.** przenosić się na wieś.

rural route *n. US* wiejski okręg pocztowy.

ruse [ruːz] *n.* podstęp, fortel, sztuczka.

rush[1] [rʌʃ] *v.* **1.** pędzić. **2.** śpieszyć się z, nie zwlekać z (*czymś*); **~ to do sth** nie zwlekać z czymś *l.* robieniem czegoś, czym prędzej coś zrobić. **3.** natychmiast przewieźć *l.* odwieźć (*zwł. chorego do szpitala*); bezzwłocznie wysłać (*zamówiony towar*); pilnie przesłać (*niezbędne dokumenty*) (*to sb/sth* komuś/gdzieś); **the victim was ~ed to (the) hospital** ofiarę natychmiast przewieziono do szpitala. **4.** poganiać, ponaglać, przynaglać; **~ sb into doing sth** ponaglać kogoś do czegoś. **5.** płynąć wartko, tryskać. **6.** napadać na (*kogoś l. coś*). **7.** *US uniw.* prowadzić nabór, rekrutować (*kandydatów, zwł. do bractwa studentów*); starać się *l.* chcieć się dostać do (bractwa studentów). **8.** *futbol amerykański* nieść (piłkę). **9.** *przen.* **be ~ing it** (*także* **~ one's fences**) zbytnio się śpieszyć; **be ~ed off one's feet** *zob.* **feet**. **10. ~ about/around** uwijać się, krzątać się; **~ in** wdzierać się (*o wodzie, tłumie*); **~ into sth** pospieszyć się z czymś, pochopnie *l.* bez namysłu się na coś zdecydować; **~ into things** pospieszyć się z decyzją, zdecydować się pochopnie *l.* bez namysłu; **~ out** wybiec; tryskać, wylewać się, wydobywać się (*o cieczy*); *handl.* bezzwłocznie wprowadzić na rynek (*produkt*); **~ sth through** szybko coś załatwić (*np. zamówienie, sprawę*); **~ sth through (sth)** przepchnąć coś (przez coś) (*w pośpiechu; np. ustawę przez parlament, wyrób przez proces wdrożeniowy*); **~ to sth** napłynąć gdzieś (*o wodzie, krwi*); pośpieszyć gdzieś; **blood ~ed to his face** krew napłynęła *l.* nabiegła mu do twarzy; **tears ~ed to her eyes** do oczu napłynęły jej łzy. – *n.* **1.** *U l. sing.* pośpiech; **I am in a ~** śpieszy mi się; **(do sth) in a ~** (robić coś) w pośpiechu; **(there's) no ~** nie śpieszy się, nie pali się; **what's the ~?** po co ten pośpiech?. **2.** *C/U* pogoń, gonitwa, uganianie się (*to do sth* za czymś); pęd (*to do sth* do czegoś); *handl.* gwałtowny popyt. **3.** (nagły) przypływ (*uczuć, podniecenia*); **a ~ of adrenaline** zastrzyk adrenaliny (= *napływ*). **4.** *pot.* kop (*od narkotyku, alkoholu*); frajda, rozkosz. **5.** podmuch, pęd (*powietrza*); napływ (*cieczy*). **6.** *t. handl.* szczyt, okres szczytu; godziny szczytu; **Christmas ~** szczyt świąteczny. **7.** *US uniw.* nabór, rekrutacja, przyjęcia (*kandydatów do bractwa studentów*); **Phi Delta Kappa fall ~** jesienny nabór do (bractwa) Phi Delta Kappa; **~ party** przyjęcie dla nowych członków (*bractwa*). **8.** *pl.* (*także* **~ prints**) *film* kopia robocza (*z danego dnia zdjęciowego*).

rush[2] *n. zw. pl. bot.* sitowie (*Juncus*); (*także* **sweet ~**) tatarak (*Acorus*).

rushed [rʌʃt] *a.* pośpieszny, zrobiony *l.* odbyty w pośpiechu (*np. o zebraniu*).

rush hour *n.* godzina szczytu; *U* godziny szczytu; **~ traffic** ruch w godzinach szczytu.

rush job *n. zw. sing.* fuszerka, partanina.

rush matting *n. U tk.* rogoża.

rush-to-judgment [ˌrʌʃtəˈdʒʌdʒmənt], **rush-to-judgement** *a. attr.* pochopny, nieprzemyślany (*o decyzji*).

rushy [ˈrʌʃɪ] *n.* **-ier, -iest** porośnięty szuwarami.

rusk [rʌsk] *n. kulin. gł. Br.* sucharek (*dla dziecka*).

russet [ˈrʌsɪt] *n.* **1.** *U lit.* kolor rdzawy. **2.** (*także* **~ potato**) *US roln., kulin.* ziemniak czerwony. **3.** *ogr.* reneta (*jabłko*). **4.** *U hist., tk.* samodział (*w kolorze rdzawym*). – *a. lit.* rdzawy.

Russia [ˈrʌʃə] *n. geogr., polit.* Rosja; **White ~** Białoruś.

Russian [ˈrʌʃən] *n.* **1.** Rosja-nin/nka. **2.** *U* (język) rosyjski. – *a.* rosyjski.

Russian roulette *n. U* rosyjska ruletka.

Russification [ˌrʌsɪfəˈkeɪʃən] *n. U* rusyfikacja.

Russify [ˈrʌsɪˌfaɪ] *v.* **-ied, -ying** rusyfikować.

Russky [ˈrʌskɪ], **Russki** *n. pl.* **Russkis** *l.* **Russkies** *gł. US sl. t. obelż.* Rus-ek/ka, Rusk-i/a; *pl.* Ruski, Ruskie.

Russophil [ˈrʌsəfɪl], **Russophile** [ˈrʌsəfaɪl] *n.* rusofil/ka. – *a. gł. attr.* rusofilski.

Russophilism [ˌrʌsˈɑːfəlɪzəm] *n.* rusofilstwo.

Russophobe [ˈrʌsəˌfoʊb] *n.* rusofob/ka.

Russophobia [ˌrʌsəˈfoʊbɪə] *n. U* rusofobia.

rust [rʌst] *n. U* **1.** *metal., bot.* rdza. **2.** kolor rdzawy. – *v. metal. l. przen.* rdzewieć; ~ **(away)** zardzewieć.

rust bucket *n. sl. żart.* rzęch, kupa złomu (= *samochód przerdzewiały na wylot*).

rustic [ˈrʌstɪk] *a.* **1.** wiejski; rustykalny. **2.** prosty. **3.** *attr.* (wykonany) z surowych gałęzi *l.* z drzewa (*o meblu*). **4.** *attr. bud.* rustykowany (*o kamieniu, murze*); ~ **work** rustyka. – *n. czas. obelż.* wieśnia-k/czka.

rustically [ˈrʌstɪklɪ] *adv.* wiejsko; rustykalnie.

rusticate [ˈrʌstəˌkeɪt] *v.* **1.** przenosić (się) na wieś. **2.** nadawać charakter wiejski (*czemuś*); chłopieć; schłopić (*kogoś*). **3.** *Br. uniw.* zawieszać w prawach studenta. **4.** *bud.* wykańczać rustyką (*elewację*).

rusticity [ˌrʌsˈtɪsətɪ] *n. U* **1.** wiejskość, rustykalność. **2.** prostota.

rustiness [ˈrʌstɪnəs] *n. U* korozja.

rustle[1] [ˈrʌsl] *v.* **1.** szeleścić (*t. czymś*). **2.** ~ **up** *pot.* upichcić (*szybki posiłek, potrawę*); pozbierać (*przedmioty, ludzi*); skrzyknąć, zwołać naprędce (*ludzi*). – *n. gł. sing.* szelest.

rustle[2] *v. gł. US i Can.* **1.** kraść (*konie, krowy, owce*). **2.** *pot.* krzątać się.

rustler [ˈrʌslər] *n. gł. US i Can.* koniokrad; złodziej/ka bydła.

rustproof [ˈrʌstˌpruːf] *a. techn.* **1.** nierdzewny (*o wyrobie, stali*). **2.** antykorozyjny, przeciwrdzewny (*o wykończeniu, powłoce, lakierze*).

rustproofing [ˈrʌstˌpruːfɪŋ] *n. U techn.* zabezpieczenie antykorozyjne.

rusty [ˈrʌstɪ] *a.* **-ier, -iest 1.** *t. przen.* zardzewiały (*t. o umiejętnościach*); **his French is a little/pretty** ~ trochę/dużo już zapomniał z francuskiego. **2.** rdzawy. **3.** *bot.* dotknięty rdzą. **4.** wyblakły; schodzony (*o ubraniu*).

rut[1] [rʌt] *n.* **1.** koleina. **2.** rutyna; **be stuck in a** ~ popaść w rutynę. – *v.* **-tt-** pożłobić koleinami, wyjeździć (*drogę*).

rut[2] *n. U zool. myśl.* ruja; **in** ~ w rui. – *v.* **-tt-** *zool., myśl.* bukować, być w rui (*o zwierzynie*).

rutabaga [ˌruːtəˈbeɪgə] *n. C/U US kulin., roln. bot.* brukiew (*Brassica napus napobrassica*).

Ruthenia [rʊˈθiːnɪə] *n. hist.* Ruś Zakarpacka *l.* Podkarpacka, Ukraina Zakarpacka.

Ruthenian [rʊˈθiːnɪən] *a.* ruski (= *białoruski l. ukraiński; t. = dotyczący Rusi Podkarpackiej, Łemków, Hucułów, Bojków*). – *n.* **1.** Rusin/ka. **2.** *U* język ruski.

ruthenium [rʊˈθiːnɪəm] *n. U chem.* ruten.

ruthless [ˈruːθləs] *a.* bezwzględny.

ruthlessly [ˈruːθləslɪ] *adv.* bezwzględnie.

ruthlessness [ˈruːθləsnəs] *n. U* bezwzględność.

rutile [ˈruːtiːl] *n. U min.* rutyl (= *czerwony tlenek tytanu*).

rutted [ˈrʌtɪd], **rutty** *a.* **-ier, -iest** poryty koleinami; wyjeżdżony (*o drodze*).

RV [ˌɑːr ˈviː] *abbr.* **1. recreational vehicle** *US mot.* samochód kempingowy. **2. Revised Version** *Bibl.* angielskie tłumaczenie Biblii z roku 1885.

Rwanda [rʊˈɑːndə] *n.* **1.** *geogr., polit.* Ruanda, Rwanda. **2.** *U jęz.* język ruandyjski *l.* rwandyjski.

Rwandan [rʊˈɑːndən], **Rwandese** [rʊˌɑːnˈdiːz] *n.* Ruandyj-czyk/ka, Rwandyj-czyk/ka. – *a.* ruandyjski, rwandyjski.

rwd *abbr.* **rear-wheel drive** *mot.* napęd na tylne koła; z napędem na tylne koła.

Rwy, Ry *abbr.* **railway** kol. (= *kolej, kolejowy*).

rye [raɪ] *U* **1.** *roln., bot.* żyto (*Secale cereale*). **2.** (*także* ~ **bread**) *US* chleb żytni. **3.** (*także* ~ **whiskey**) *US* whisky żytnia.

rye grass, ryegrass *n. U roln., bot.* życica trwała, rajgras angielski (*trawa pastwiskowa Lolium perenne*).

S

S [es], **s** *n. pl.* **-'s** *l.* **-s** ['esɪz] S, s (*litera l. głoska*).

S [es] *n. i abbr. pl.* **S's** = **small** *handl.* S (*mały rozmiar*); (*w mowie*) eska; **is this an ~?** to jest eska?. – *abbr.* **1.** *US szkoln.* = **satisfactory**. **2.** *gram.* = **sentence**. **3.** *geogr.* = **south**; = **southern**.

's[1] [s; z; ɪz] *prep. z pl.* **s'** **1.** (*wyraża własność, źródło, pokrewieństwo, autorstwo, bliski związek, sąsiedztwo; najczęściej odpowiada polskiemu dopełniaczowi*) **John's daughter** córka Johna; **last year's vacation** zeszłoroczny urlop; **my friends' addresses** adresy moich przyjaciół; **my younger brother's picture** zdjęcie mojego młodszego brata. **2.** *zwł. Br.* (*w odniesieniu do domów, sklepów i warsztatów*) **at John's** u Johna; **to the butcher's** do rzeźnika.

's[2] *abbr.* **1.** = **is**; *zob.* **be**. **2.** = **has**; *zob.* **have** *v.* **3.** = **us** *w połączeniu "let's".* **4.** *rzad.* = **does**; *zob.* **do** *v.*

S. *abbr.* **1.** *rel.* = **Saint**. **2.** = **Saturday**. **3.** = **Sunday**. **4.** *geogr.* = **Sea**. **5.** *geogr.* = **south**; = **southern**. **6.** = **September**.

s. *abbr.* **1.** = **school**. **2.** = **section**.

SA [ˌes 'eɪ] *abbr.* **1. South Africa** *polit., geogr.* RPA. **2. South America** *geogr.* Am. Płd. **3.** = **Salvation Army**.

sabbat ['sæbət] *n.* sabat (czarownic).

Sabbatarian [ˌsæbə'terɪən] *n. rel.* **1.** *judaizm* osoba przestrzegająca sabatu. **2.** *rz.-kat.* osoba święcąca Dzień Pański. **3.** sabataria-nin/nka, sabatyst-a/ka (= *chrześcijanin święcący sobotę*). – *a. rel.* przestrzegający sabatu *l.* niedzieli.

Sabbath ['sæbəθ] *n.* **1.** *judaizm* szabat, szabas (= *sobota*). **2.** *rz.-kat.* Dzień Pański (= *niedziela*). **3. witches' ~** sabat czarownic.

sabbatical [sə'bætɪkl] *n. C/U uniw.* (*także* **~ leave**) urlop naukowy; **on ~** na urlopie naukowym.

saber ['seɪbər], *Br.* **sabre** *n.* **1.** szabla. **2. ~ rattling** *przen.* potrząsanie szabelką (= *demonstracja siły*). – *v.* pchnąć szablą (*kogoś*).

saber saw *n. techn.* wyrzynarka elektryczna.

saber-toothed tiger [ˌseɪbərˌtu:θt 'taɪgər] *n.* (*także* **saber-toothed cat**) *paleont.* tygrys szablozęby.

sable ['seɪbl] *n. pl.* **-s** *l.* **sable** **1.** *zool.* soból (*Martes zibellina*). **2.** *C/U* sobole (*futro*). **3.** *U lit. t. her.* czerń. **4.** *mal.* pędzel soboli. – *a. gł. attr. lit. t. her.* czarny.

sabot ['sæboʊ] *n.* **1.** sabot, chodak. **2.** *wojsk.* pocisk podkalibrowy.

sabotage ['sæbəˌtɑ:ʒ] *n. U* sabotaż; dywersja. – *v.* dopuszczać się sabotażu, organizować sabotaż (*czegoś*); sabotować.

saboteur [ˌsæbə'tɜ:] *n.* sabotażyst-a/ka.

sabre ['seɪbər] *n. Br.* = **saber**.

sabulous ['sæbjələs] *a. form.* piaskowaty.

sac [sæk] *n.* **1.** *anat.* pęcherzyk (*np. płucny*); woreczek (*np. zębowy, łzowy*); worek (*np. spojówkowy*). **2.** *bot.* torebka (*np. nasienna*). **3.** *pat.* worek, torba, torebka (*guza, ropnia*).

saccate ['sækeɪt] *a. bot.* woreczkowaty.

saccharic acid *n. U chem.* kwas cukrowy.

saccharify [sə'kerəˌfaɪ] *v.* **-ied, -ying** scukrzać.

saccharimeter [ˌsækə'rɪmətər] *n. opt.* sacharymetr.

saccharin ['sækərɪn] *n. U chem.* sacharyna.

saccharine ['sækəri:n] *a. form.* **1.** przesłodzony, mdły (*np. o filmie*). **2.** przymilny (*np. o uśmiechu*). **3.** *techn.* słodki.

saccharometer [ˌsækə'rɑ:mətər] *n. chem.* cukromierz.

saccharose ['sækəˌroʊs] *n. U chem.* sacharoza.

saccule ['sækju:l], **sacculus** ['sækjələs] *n. anat.* woreczek.

sacerdotal [ˌsækər'doʊtl] *a. form. rel.* kapłański, księży.

sacerdotalism [ˌsækər'doʊtlˌɪzəm] *n. U form.* **1.** *rel.* kapłaństwo. **2.** *teol.* wiara w kapłana jako namiestnika boga. **3.** *uj.* klerykalizm.

Sachalin ['sækəli:n] *n.* = **Sakhalin**.

sacharate ['sækəreɪt] *n. C/U chem.* cukrzan.

sachem ['seɪtʃəm] *n. US* wódz (indiański) (*zwł. u szczepów algonkińskich l. irokeskich*).

sachet [sæ'ʃeɪ] *n.* torebeczka, saszetka (*np. cukru, keczupu, szamponu, ziół*).

sack [sæk] *n.* **1.** worek (*t. rodzaj l. krój sukni*). **2. the ~** *gł. Br. pot.* wylanie z pracy; **get the ~** stracić pracę; **give sb the ~** wylać kogoś z pracy. **3.** *Br. pot.* = **rucksack**. **4. the ~** *US i Austr. pot.* wyrko, wyro, łóżko; **be good in the ~** być dobrym w łóżku; **hit the ~** *zob.* **hit** *v.* **5. the ~** zniszczenie; splądrowanie. **6.** *baseball pot.* baza. **7.** *futbol amerykański* atak (na quarterbacka) (*za linią środkową*). – *v.* **1.** *gł. Br. pot.* wylać (z pracy *l.* roboty). **2.** ładować do worka *l.* worków, workować. **3.** łupić, plądrować. **4. ~ out** *US pot.* walnąć się (= *iść spać*).

sackbut ['sækˌbʌt] *n. hist., muz.* trombon, sakbut (*średniowieczny pierwowzór puzonu*).

sackcloth ['sækˌklɔ:θ] *n.* **1.** *U tk.* płótno workowe. **2.** włosiennica. **3. be in/wear ~ and ashes**

przen. okazywać *l.* manifestować skruchę (*zwł. przesadnie*).

sacker [ˈsækər] *n.* **1.** *techn.* workownica. **2.** pakowacz/ka (*ładujący coś do worków*). **3.** łupieżca.

sackful [ˈsækfʊl] *n.* worek (*miara l. zawartość*).

sacking [ˈsækɪŋ] *n. U* **1.** *pot.* wylanie (z pracy). **2.** *tk.* płótno workowe. **3.** workowanie, napełnianie worków.

sackload [ˈsækˌloʊd] *n.* worek (*miara l. zawartość*).

sack race *n. sport* wyścigi w workach.

sacral [ˈseɪkrəl] *a.* **1.** *rel.* sakralny. **2.** *anat.* krzyżowy.

sacrament [ˈsækrəmənt] *n.* **1.** *rel.* sakrament; **the S~** Najświętszy Sakrament (= *eucharystia*). **2.** *przen.* świętość.

sacramental [ˌsækrəˈmentl] *a. rel.* sakramentalny.

sacramentals [ˌsækrəˈmentlz] *n. pl. rz.-kat.* sakramentalia.

sacred [ˈseɪkrɪd] *a.* **1.** *rel. l. przen.* święty; uświęcony. **2.** *sztuka* sakralny. **3. is nothing ~?** czy nic już się nie liczy?.

sacred cow *n. rel. l. przen.* święta krowa.

sacredly [ˈseɪkrɪdlɪ] *adv. gł. rel.* święcie.

sacredness [ˈseɪkrɪdnəs] *n. U gł. rel.* świętość.

sacrifice [ˈsækrəˌfaɪs] *n. C/U* **1.** poświęcenie; wyrzeczenie; **make ~s (for sb)** poświęcać się (dla kogoś). **2.** *t. rel.* ofiara (*of sth* z czegoś); składanie ofiary; **make a ~ to the gods** składać ofiarę bogom; **human ~** ofiara z ludzi; **the final/supreme ~** *lit.* najwyższa ofiara (= *poświęcenie życia, zwł. dla idei*). **3.** *sport* poświęcenie (*punktu, zawodnika, pionka*); *szachy* gambit. – *v.* **1. ~ sth (for sb/sth)** poświęcić coś (dla kogoś/czegoś), wyrzec się czegoś (dla kogoś/czegoś); **~ sth to do sth** poświęcić coś *l.* wyrzec się czegoś, żeby móc coś robić. **2.** *rel.* składać w ofierze; składać ofiarę z (*czegoś*) (*to sb* komuś).

sacrificial [ˌsækrəˈfɪʃl] *a.* **1.** *rel.* ofiarny (*np. o ołtarzu, darach*). **2.** *metal.* protektorowy (*o warstwie metalu*).

sacrilege [ˈsækrəlɪdʒ] *n. C/U rel. l. przen.* świętokradztwo.

sacrilegious [ˌsækrəˈlɪdʒəs] *a. rel.* świętokradczy.

sacrilegiously [ˌsækrəˈlɪdʒəslɪ] *adv. rel.* świętokradczo.

sacring [ˈseɪkrɪŋ] *n. U arch. kośc.* konsekracja.

sacring bell *n. rz.-kat.* dzwonek na Podniesienie (*w czasie mszy*).

sacristan [ˈsækrɪstən], **sacrist** [ˈsækrɪst] *n. kośc.* zakrystian; kościelny.

sacristy [ˈsækriːstɪ] *n. pl.* **-ies** *kośc.* zakrystia.

sacroiliac [ˌsækroʊˈɪlɪˌæk] *a. anat.* krzyżowo-biodrowy.

sacrosanct [ˈsækroʊˌsæŋkt] *a. form. l. żart.* uświęcony (tradycją) (*o obyczaju*); święty (*o miejscu*); nienaruszalny (*o przywileju*); nietykalny (*o osobie*).

sacrosanctity [ˌsækroʊˈsæŋktətɪ], **sacrosanctness** [ˈsækroʊˌsæŋktnəs] *n. U form. l. żart.* świętość; nietykalność.

sacrum [ˈsækrəm] *n. pl. t.* **-s** *l.* **sacra** [ˈsækrə] *anat.* kość krzyżowa, kość ogonowa.

sad [sæd] *a.* **-dd- 1.** smutny (*about sth* z powodu czegoś); **the ~ fact is (that)...** smutna prawda jest taka, że...; **make sb ~** smucić *l.* zasmucać kogoś, sprawiać komuś przykrość. **2.** przykry; **~ case** przykra sprawa; **~ state of affairs** przykry stan rzeczy, nieprzyjemna *l.* przykra sytuacja; **~ to say** z przykrością muszę (to) powiedzieć; **it is ~ that...** szkoda *l.* przykro, że...; **I/it was ~ to do it** przykro było (mi) to zrobić. **3.** ponury (*o kolorze, wystroju*). **4.** *uj.* żałosny; **a ~ attempt** żałosna próba; **you ~ bastard!** *pot. obelż.* (ty) żałosny sukinsynu!. **5. ~der but wiser** *zob.* **wise** *a.*

sadden [ˈsædən] *v.* **1.** zasmucać, smucić; przybijać; **it ~ed me to hear that** smutno mi się zrobiło, kiedy to usłyszalem. **2.** posmutnieć.

saddle [ˈsædl] *n.* **1.** *t. jeźdz., geol., anat.* siodło; **in the ~** *jeźdz.* w siodle. **2.** *t. dent., mech.* siodełko. **3.** *jeźdz., sport* grzbiet (*konia l. konia z łękami*). **4.** *mech.* podpora; łoże. **5.** *mech.* suport wzdłużny (*tokarki*); sanie poprzeczne (*frezarki*). **6.** *geol.* antyklina, siodło. **7.** *kulin.* comber. **8.** *przen.* **in the ~** na kierowniczym stanowisku, przy *l.* u władzy; w pracy; **put/lay/set the ~ on the right/wrong horse** skierować krytykę pod właściwym/niewłaściwym adresem. – *v.* **1.** *jeźdz.* siodłać. **2. ~ (up)** *jeźdz.* dosiadać (*konia*). **3.** *przen.* obarczać, obciążać (*sb with sth* kogoś czymś) (*np. odpowiedzialnością, obowiązkiem*); nakładać (*sth on sb* coś na kogoś) (*np. odpowiedzialność, obowiązek*).

saddleback [ˈsædlˌbæk] *n.* **1.** = **saddle roof** *n.* **2.** *geol.* siodło (*góry*). **3.** *meteor.* przerwa między wypiętrzonymi chmurami kłębiastymi. **4.** siodłate zwierzę (*np. gęś*).

saddlebacked [ˈsædlˌbækt] *a.* **1.** siodłaty (*np. o gęsi*). **2.** o siodłowatym grzbiecie (*o zwierzęciu*).

saddlebag [ˈsædlˌbæg] *n. zw. pl.* **1.** *t. jeźdz.* torba przy siodle *l.* siodełku. **2.** *pl.* juki.

saddlebill [ˈsædlˌbɪl] *n. orn.* żabiru afrykański (*Ephippiorhynchus senegalensis*).

saddleblanket [ˈsædlˌblæŋkɪt] *n. jeźdz.* podkład pod siodło (*chroniący grzbiet konia przed otarciem*).

saddlebow [ˈsædlˌboʊ] *n. jeźdz., sport* łęk (*u siodła l. na koniu z łękami*).

saddlecloth [ˈsædlˌklɔːθ] *n. jeźdz.* derka pod siodło.

saddle horse *n.* wierzchowiec, koń wierzchowy.

saddler [ˈsædlər] *n.* siodlarz.

saddle roof *n.* (*także* **saddleback**) *bud.* dach siodełkowy *l.* wiszący.

saddlery [ˈsædlərɪ] *n. pl.* **-ies 1.** *U* siodlarstwo. **2.** *U* wyroby siodlarskie. **3.** pracownia siodlarska. **4.** sklep, w którym handluje się artykułami siodlarskimi.

saddle shoe *n.* but ozdobiony paskiem skóry *l.* tkaniny w kontrastującym kolorze.

saddle soap *n. U* preparat do czyszczenia skóry.

saddle sore *n.* obtarcie powstałe w wyniku długiej jazdy (*u konia, jeźdźca, rowerzysty*).

saddle-sore ['sædlˌsɔːr] *n. pred.* obolały po długiej jeździe (*o jeźdźcu, rowerzyście*).

saddletree ['sædlˌtriː] *n. jeźdz.* rama siodła.

saddo ['sædoʊ] *n. pl.* **-s** *sl.* osoba pozbawiona gustu *l.* stylu.

Sadducean [ˌsædʒə'siːən] *a. hist., rel.* saducejski.

Sadducee ['sædʒəˌsiː] *n. hist., rel.* saduceusz.

sadism ['sædˌɪzəm] *n. U* sadyzm.

sadist ['sædɪst] *n.* sadyst-a/ka.

sadistic [sə'dɪstɪk] *a.* sadystyczny.

sadness ['sædnəs] *n. U* smutek.

sadomasochism [ˌsædoʊ'mæsəˌkɪzəm] *n. U* sadomasochizm.

sadomasochist [ˌsædoʊ'mæsəkɪst] *n.* sadomasochist-a/ka.

sadomasochistic [ˌsædoʊˌmæsə'kɪstɪk] *a.* sadomasochistyczny.

sad sack *n. US pot.* nieudacznik, ofiara losu (*zwł. o żołnierzu*).

s.a.e. [ˌesˌeɪ 'iː], **sae, SAE** *abbr.* **stamped addressed envelope** *Br.* zaadresowana koperta zwrotna ze znaczkiem.

safari [sə'fɑːrɪ] *n. C/U pl.* **-s** safari; **go on ~** jechać na safari. – *v.* jechać na safari.

safari jacket *n.* żakiet safari.

safari park *n.* safari (*teren*).

safari suit *n.* kostium safari (= *żakiet ze spodniami, szortami l. spódnicą*).

safe [seɪf] *a.* **1.** bezpieczny (*from sth / for sb* od czegoś/dla kogoś). **2.** *t. fin.* godny zaufania; pewny (*t. o obliczeniu, inwestycji*); **he is ~ to come** (on) z pewnością przyjdzie. **3.** cały; niezniszczony; bez uszczerbku. **4.** rozważny; ostrożny (*np. o kierowcy l. graczu*). **5.** *przen.* **~ and sound** zdrów i cały; **~ journey!** szczęśliwej podróży!; **as ~ as houses** *Br. emf.* pewny (*np. o inwestycji, stanowisku pracy*); **in ~ hands** w dobrych rękach, pod dobrą opieką; **it is ~ to say that...** można śmiało powiedzieć, że...; **(just) to be on the ~ side** (*także* **(just) to be ~**) (tak) na wszelki wypadek, (tak) dla pewności, żeby nie było (żadnych) niespodzianek; **play (it) ~** nie podejmować ryzyka, nie ryzykować. – *n.* **1.** sejf, kasa pancerna; skrytka bankowa; skarbiec bankowy. **2.** *przest.* szafka *l.* pojemnik (*do przechowywania żywności*). **3.** *baseball* dotarcie do bazy bez straty kolejki. **4.** *US sl.* kondom.

safebreaker ['seɪfˌbreɪkər] *n. Br. i Austr.* = **safecracker** *n.*

safe-conduct [ˌseɪf'kɑːndəkt] *n.* (*także* **safeguard**) *t. hist.* glejt, list żelazny, gwarancja bezpieczeństwa.

safecracker ['seɪfˌkrækər] *n.* (*także Br. i Austr.* **safe-breaker**) *pot.* kasiarz.

safe-deposit [ˌseɪfdɪ'pɑːzɪt] *n.* **1.** skarbiec pancerny, sejf bankowy, kasa pancerna. **2.** (*także* **~ box, safety deposit box**) skrytka (*depozytowa, sejfowa l. bankowa*).

safeguard ['seɪfˌgɑːrd] *n.* **1.** zabezpieczenie (*against sth* przed czymś); gwarancja. **2.** ochrona; eskorta. **3.** = **safe-conduct** *n.* – *v.* chronić; gwarantować; zabezpieczać (*sth against sb / sth* coś przed kimś/czymś).

safeguarding duties ['seɪfˌgɑːrdɪŋ ˌduːtɪs] *n. pl. Br. handl.* cła ochronne.

safe haven *n.* azyl, schronienie.

safe house *n.* **1.** *handl.* pewna *l.* solidna firma. **2.** kryjówka (*np. agentów, konspiratorów*).

safekeeping [ˌseɪf'kiːpɪŋ] *n. U fin.* przechowywanie (*w sejfie*); **for ~** na przechowanie; **~ of securities** *bank* przechowywanie papierów wartościowych.

safe light *n. fot.* **1.** filtr ciemniowy. **2.** lampa ciemniowa.

safe load *n. mech.* dopuszczalny ładunek, obciążenie dopuszczalne.

safely ['seɪflɪ] *adv.* **1.** bezpiecznie; pewnie; w sposób godny zaufania. **2.** dokładnie (*np. zamknąć*). **3.** spokojnie; śmiało. **4.** cało; bez uszczerbku. **5.** rozważnie; ostrożnie.

safeness ['seɪfnəs] *n. U* **1.** bezpieczeństwo (*np. mostu, maszyny*). **2.** pewność (*np. oszacowania*).

safe period *n. fizj.* okres niepłodności (*w cyklu miesiączkowym*).

safe seat *n. parl.* mandat, którego utrzymanie przez tę samą partię po wyborach jest pewne.

safe sex *n. U* bezpieczny seks.

safety ['seɪftɪ] *n. pl.* **-ies** **1.** *U* bezpieczeństwo; **~ first!** bezpieczeństwo przede wszystkim!; **assure/guarantee sb's ~** zapewnić komuś bezpieczeństwo; **fire ~** bezpieczeństwo pożarowe; **labor ~** bezpieczeństwo pracy. **2.** *U* pewność. **3.** zabezpieczenie. **4.** *rugby* tylny obrońca. **5.** = **safety catch** *n.* **6.** *US sl.* kondom. **7. be in ~** być bezpiecznym *l.* w bezpiecznym miejscu; **lead sb to ~** zabrać *l.* zaprowadzić kogoś w bezpieczne miejsce; **place of ~** kryjówka; **play for ~** *t. sport* unikać ryzyka, prowadzić ostrożną grę.

safety belt *n. mot., lotn.* pas bezpieczeństwa.

safety-boat ['seɪftɪˌboʊt] *n.* łódź ratunkowa.

safety catch *n.* zapadka zabezpieczająca (*przy drzwiach l. oknie*); *wojsk.* bezpiecznik, zatrzask magazynka.

safety curtain *n. teatr* kurtyna niepalna *l.* ogniotrwała.

safety deposit *n. bank* zdeponowanie w skarbcu bankowym.

safety-deposit box [ˌseɪftɪ dɪ'pɑːzɪt ˌbɑːks] *n.* = **safe-deposit box**.

safety film *n.* **1.** *fot.* film niepalny, film bezpieczny. **2.** *kino* taśma niepalna.

safety fund *n. fin.* fundusz gwarancyjny.

safety fuse *n.* **1.** zapalnik prosty (*bezpieczny*). **2.** lont prochowy. **3.** *el.* bezpiecznik topikowy.

safety glass *n. C/U* szkło bezpieczne, szkło bezodpryskowe *l.* nierozpryskowe.

safety glasses *n. pl.* okulary ochronne.

safety goggles *n. pl.* gogle ochronne.

safety jacket *n.* kamizelka ochronna.

safety lamp *n. górn.* lampa bezpieczeństwa.

safety match *n.* zapałka bezpieczna.

safety net *n.* **1.** siatka asekuracyjna. **2.** *przen.* zabezpieczenie.

safety pin *n.* agrafka.

safety razor *n.* maszynka do golenia.

safety valve *n. techn. l. przen.* zawór bezpieczeństwa.

saffian ['sæfɪən] *n. U* safian.

safflower ['sæflaʊər] *n.* **1.** *bot.* krokosz barwierski, szafran barwierski (*Carthamus tinctorius*). **2.** *U tk., kulin., chem.* czerwony barwnik z szafranu barwierskiego.

saffron ['sæfrən] *n.* **1.** szafran uprawny, krokus (*Crocus sativus*). **2.** *U kulin.* szafran (*przyprawa l. barwnik*). **3.** *U* kolor szafranowy. – *a.* szafranowy (*o kolorze*). – *v.* barwić na kolor szafranowy.

S. Afr. *abbr.* **South Africa** *geogr., polit.* RPA.

safranines ['sæfrəˌniːn] *n. pl. chem., tk.* safraniny.

safrole ['sæfroʊl] *n. U chem.* safrol.

sag [sæg] *v.* **-gg- 1.** zapadać się (*np. o łóżku*). **2.** uginać się (*np. o gałęziach*). **3.** zwisać; obwisać (*np. o biuście*). **4.** przechylać się; odchylać się. **5.** *t. handl.* spadać; *handl.* zniżkować (*o cenie*). **6.** *t. handl.* słabnąć (*np. o tendencji, zainteresowaniu*). **7.** *żegl.* dryfować. **8. sb's spirits ~ged** ktoś upadł na duchu; **~ged economy** gospodarka przechodząca kryzys. – *n.* **1.** zapadnięcie się. **2.** ugięcie się. **3.** wygięcie (się). **4.** opadanie; zwisanie. **5.** *t. handl.* spadek; *handl.* zniżka (*cen*). **6.** *t. handl.* osłabienie (*np. tendencji, zainteresowania*). **7.** *żegl.* dryf.

saga ['sɑːgə] *n.* **1.** *t. teor. lit.* saga. **2.** *pot. zw. uj.* długa i skomplikowana historia, dzieje.

sagacious [sə'geɪʃəs] *a. form.* **1.** bystry; przenikliwy. **2.** rozważny; rozsądny. **3.** roztropny; mądry. **4.** dalekowzroczny.

sagacity [sə'gæsətɪ] *n. U* **1.** bystrość; przenikliwość. **2.** rozwaga; rozsądek. **3.** roztropność; mądrość. **4.** dalekowzroczność.

sagamore ['sægəˌmɔːr] *n.* wódz indiański.

saga novel *n. teor. lit.* saga.

sag bag *n.* puff.

sage[1] [seɪdʒ] *lit. n.* mędrzec. – *a.* mądry.

sage[2] *n. U* **1.** *bot.* szałwia lekarska (*Salvia officinalis*). **2.** *kulin.* liście szałwii.

sagebrush ['seɪdʒˌbrʌʃ] *n. U bot.* bylica (*Artemisia*).

sage green *a. i n. U* (kolor) szałwiowy *l.* szarozielony.

sage grouse *n. orn.* głuszec ostrosterny (*Centrocercus urophasianus*).

saggar ['sægər], **sagger** *n. ceramika* osłona *l.* kapsla szamotowa (*do wypalania*).

saggy ['sægɪ] *a.* **-ier, -iest 1.** uginający się. **2.** zapadający się. **3.** zwisający; obwisły. **4.** przechylony; odchylony.

Sagitta [sə'dʒɪtə] *n. astron.* Strzała.

sagittal ['sædʒɪtl] *a.* **1.** *zool., anat.* strzałkowy. **2.** mający kształt strzałki.

Sagittarian [ˌsædʒɪ'terɪən] *n. astrol.* Strzelec.

Sagittarius [ˌsædʒɪ'terɪəs] *n. astron., astrol.* Strzelec.

sagittate ['sædʒɪˌteɪt] *a. bot.* strzałkowaty.

sago ['seɪgoʊ] *n. U gł. kulin.* sago (*mączka skrobiowa*).

sago palm *n. bot.* sagowiec (*Metroxylon sagu*).

saguaro [sə'gwɑːroʊ] *n. bot.* karnegia olbrzymia (*Carnegiea gigantea*).

Sahara [sə'herə] *n. geogr.* Sahara.

Saharan [sə'herən] *n. U* grupa języków saharyjskich. – *a.* saharyjski.

Sahel [sə'hel] *n. geogr.* Sahel.

sahib ['sɑːɪb], **saheb** *n. Anglo-Ind.* pan (*forma grzecznościowa*).

said [sed] *v. zob.* **say**. – *a. attr. t. prawn.* rzeczony, wzmiankowany, wspomniany.

saiga ['saɪgə] *n. pl.* **-s** *l.* **saiga** *zool.* saiga, suhak (*Saiga tatarica*).

Saigon [ˌsaɪ'gɑːn] *n. geogr., hist.* Sajgon.

sail [seɪl] *n. gł. żegl.* **1.** żagiel (*t. lotni*); *pl.* żagle (*t. zbiorowo = statki żaglowe l. żaglówki*); **full ~** pod pełnymi żaglami; żagiel wypełniony wiatrem; **hoist/lower the ~s** stawiać/opuszczać żagle; **make/set ~** stawiać żagle (*t. przen. = ruszać w drogę*); wypływać; **take in ~** refować (*skracać żagiel l. żagle*); **under ~** *lit.* pod żaglami. **2.** *sing.* rejs żaglowcem; przejażdżka żaglowcem; **come/ go for a ~** wybrać się na żagle. **3.** *mech.* łopatka (*w silnikach wiatrowych*). **4.** kiosk (*łodzi podwodnej*). **5.** *pot.* okręt. – *v.* **1.** *żegl.* żeglować; pływać; uprawiać żeglarstwo. **2.** *t. lotn.* szybować (*t. o ptaku, piłce*). **3.** sunąć (= *poruszać się płynnie; t. o osobie*). **4.** *żegl.* wypływać; rozpoczynać rejs; odpływać; **~ for Dover** wypływać do Dover. **5.** *żegl.* prowadzić statek. **6.** puszczać (*łódkę na wodę*). **7.** *przen.* **~ against the wind** *t. dosł.* płynąć pod wiatr; **~ close/near to the wind** *zob.* **wind**[1] *n.* **8. ~ into sb** *pot.* zjechać kogoś; **~ into sth** zabrać się energicznie *l.* ostro do czegoś; **~ through sth** *pot.* łatwo sobie z czymś poradzić; **she ~ed through the exam** śpiewająco zdała egzamin.

sailboard ['seɪlˌbɔːrd] *n. żegl.* deska surfingowa z żaglem.

sailboat ['seɪlˌboʊt], **sail boat** *n.* (*także Br.* **sailing boat**) *żegl.* żaglówka.

sailcloth ['seɪlˌklɔːθ] *n. U żegl., tk.* płótno żaglowe.

sailer ['seɪlər] *n. żegl.* żaglowiec, statek żaglowy; żaglówka.

sailfish ['seɪlˌfɪʃ] *n. pl.* **-es** *l.* **sailfish** *icht.* ryba z rodzaju *Istiophorus*.

sailing ['seɪlɪŋ] *n. U* **1.** *sport* żeglarstwo. **2. clear ~** *przen.* gładkie przejście; bułka z masłem.

sailing boat *n. Br.* = **sailboat**.

sailing master *n. żegl.* kapitan statku żaglowego; *Br.* kapitan jachtu.

sailing match *n. żegl.* wyścigi żaglówek; regaty.

sailing ship *n.* (*także* **sailing vessel**) *żegl.* żaglowiec, statek żaglowy.

sailor ['seɪlər] *n.* **1.** *żegl.* żegl-arz/arka. **2.** *żegl., handl., wojsk.* marynarz. **3. be a good/ bad ~** dobrze/źle znosić podróże morskie; **be a keen ~** pasjonować się żeglarstwem.

sailor blouse *n.* bluza z kołnierzem marynarskim.

sailor collar *n.* kołnierz marynarski.

sailor suit *n.* kostium *l.* komplet marynarski (*dla dziecka*).

sailplane ['seɪlˌpleɪn] *n. lotn.* szybowiec.
sain [seɪn] *v. arch.* znaczyć krzyżem.
sainfoin ['seɪnfɔɪn] *n. bot.* esparceta siewna (*Onobrychis viciifolia*).
saint [seɪnt] *n.* **1.** *t. przen.* święt-y/a. **2. be made a ~** *kość.* zostać kanonizowanym. – *a. t. przen.* święty; **it would provoke/try the patience of a ~** święty by nie wytrzymał. – *v.* **1.** *kość.* kanonizować, ogłosić świętym. **2.** *rzad.* uważać za świętego.
saintdom ['seɪntdəm] *n.* = **sainthood** 2.
sainted ['seɪntɪd] *a.* **1.** *kość.* kanonizowany; *t. przen.* święty. **2.** uświęcony; poświęcony.
sainthood ['seɪntˌhʊd] *n. U* **1.** (*także* **saintship**) świętość. **2.** (*także* **saintdom**) święci (*zbiorowo*). **3. confer ~ on sb** kanonizować kogoś, ogłosić kogoś świętym.
Saint John's wort *n. bot.* dziurawiec (*Hypericum*).
saintliness ['seɪntlɪnəs] *n. U* (*także* **saintship**) świątobliwość, świętość.
saintly ['seɪntlɪ] *a.* **-ier, -iest 1.** *rel.* świątobliwy, święty. **2.** *przen.* święty, anielski (*dobry, cierpliwy*).
saintship ['seɪntˌʃɪp] *n. U* **1.** = **sainthood** 1. **2.** = **saintliness.**
Saint Valentine's day, St Valentine's day *n.* dzień św. Walentego (*14 lutego*).
Saint Vitus's dance, St Vitus's dance *n. U pat.* taniec świętego Wita.
saith [seθ] *v. arch.* 3 os. l. poj. czasu teraźniejszego od „say".
sake[1] [seɪk] *n. U* **art for art's ~** sztuka dla sztuki; **for the ~ of sb/sth** (*także* **for sb's/sth's ~**) ze względu *l.* przez wzgląd na kogoś/coś; **for God's/goodness'/heaven's ~** na miłość boską; **for the ~ of argument** (czysto) teoretycznie; jako przykład, dla przykładu; **he enjoys talking for talking's ~** lubi mówić dla samego mówienia.
sake[2] ['sɑːkɪ] *n. U* (*także* **sakè, saki**) sake.
saker ['seɪkər] *n.* (*także* **~ falcon**) *orn.* raróg stepowy (*Falco cherrug*).
Sakhalin ['sækəliːn], **Sachalin** *n. geogr.* Sachalin.
saki ['sɑːkɪ] *n.* = **sake**[2] *n.*
salaam [sə'lɑːm] *int.* pokój z tobą!. – *n.* salem (*niski ukłon w krajach muzułmańskich*). – *v.* **1.** zginać się w ukłonach. **2.** pozdrawiać niskim ukłonem.
salable ['seɪləbl], *Br.* **saleable** *a. handl.* **1.** dający się sprzedać; pokupny, chodliwy, poszukiwany (*o towarze*). **2.** przystępny (*o cenie*).
salacious [sə'leɪʃəs] *a. form.* **1.** lubieżny; sprośny. **2.** słony (*o dowcipie*).
salaciously [sə'leɪʃəslɪ] *adv. form.* lubieżnie; sprośnie.
salacity [sə'læsətɪ] *n. U* (*także* **salaciousness**) *form.* **1.** lubieżność. **2.** sprośność.
salad ['sæləd] *n. C/U* **1.** *kulin.* sałatka; **green ~** (zielona) sałata (*często z dodatkiem innych zielonych warzyw*); **tomato ~** sałatka z pomidorów. **2.** *kulin.* surówka.
salad bar *n. kulin., handl.* bar sałatkowy.
salad bowl *n. kulin.* salaterka.
salad cream *n. U Br. kulin.* sos do sałatek (*na bazie majonezu*).
salad days *n. pl. przest.* cielęce lata, wiek cielęcy.
salad dressing *n. C/U kulin.* sos do sałatek, dressing.
salamander ['sæləˌmændər] *n.* **1.** *zool.* salamandra (*Caudata*). **2.** *mit., her.* jaszczur; jaszczurka. **3.** *kulin.* płyta ogniotrwała. **4.** *bud.* kosz koksowy, koksiak; żarownia. **5.** *metal.* narost, skrzep, wilk (*w piecu l. w kadzi*).
salamandrine ['sæləˌmændrən] *a.* **1.** jaszczurczy. **2.** ogniotrwały.
salami [sə'lɑːmɪ] *n. C/U kulin.* salami.
Salamis ['sæləmɪs] *n. geogr., hist.* Salamina.
sal ammoniac [ˌsæl ə'moʊnɪˌæk] *n. U* **1.** *chem.* salmiak, techniczny chlorek amonowy. **2.** *min.* salmiak.
salaried ['sælərɪd] *a.* **1.** pobierający pensję *l.* wynagrodzenie (*o pracowniku*). **2.** płatny miesięcznie; **~ position/post** stanowisko płatne miesięczne (*na podstawie umowy o pracę*).
salary ['sælərɪ] *n. pl.* **-ies** uposażenie, pobory, pensja, wynagrodzenie za pracę (*gł. umysłową, miesięczne*); **a ~ of $100,000 per annum/p.a.** uposażenie w wysokości 100 000 dolarów rocznie; **an annual ~ of $100,000 gross** roczne uposażenie w wysokości 100 000 dolarów brutto; **be on/earn/get a high/good/decent ~** dobrze/nieźle zarabiać; **put up/raise sb's ~** podnieść komuś pensję; **top ~ earners** pracownicy z najwyższym uposażeniem. – *v.* płacić pobory (*komuś*).
salary increase (*także US* **salary raise**) (*także Br.* **salary rise**) *n.* podwyżka uposażenia *l.* płacy; wzrost uposażeń *l.* płac.
sale [seɪl] *n. handl.* **1.** *C/U* sprzedaż (*of sth* czegoś); **be on ~** *Br. i Austr.* być w sprzedaży; **for ~** na sprzedaż; **put a house up for ~** wystawić dom na sprzedaż; **sb made/lost a ~** komuś udało się coś sprzedać/nie udało się czegoś sprzedać. **2.** *C/U* wyprzedaż; przecena; **be on ~** (*także Br. i Austr.* **be in the ~**) być przecenionym; **buy sth on ~** *US*/**in a ~** *Br* kupić coś na wyprzedaży; **closing-down/liquidation ~** wyprzedaż końcowa *l.* likwidacyjna. **3.** aukcja, licytacja; **hold a ~** urządzić *l.* zorganizować aukcję. **4.** *pl. zob.* **sales. 5. no ~** *US pot.* nie ma takich, nie zgadzam się.
saleable ['seɪləbl] *a.* = **salable** *a.*
sale and leaseback *n. U handl.* sprzedaż z zastrzeżeniem możliwości dalszego ich użytkowania (*przez określony czas na zasadzie wynajmu*).
sale and return *n. U* = **sale or return** *n.*
sale contract *n. U handl., prawn.* umowa kupna-sprzedaży.
sale goods *n. pl. handl.* towary przecenione.
sale of work *n. handl.* kiermasz (*zw. na cele dobroczynne*).
sale or return, sale and return *n. U handl.* sprzedaż z prawem zwrotu towaru przez nabywcę w określonym terminie.
salep ['sælep] *n. U kulin.* salep, mączka odżywcza z bulw storczyków.
saleratus [ˌsælə'reɪtəs] *n. U kulin.* soda oczyszczona.

saleroom ['seɪlˌruːm] *n. Br.* = **salesroom** *n.*

sales [seɪlz] *n. pl. handl.* **1.** obroty, ogół transakcji; zbyt; sprzedaż; ~ **were up/down** obroty wzrosły/spadły. **2.** = **sales department**. **3. the** ~ *Br.* wyprzedaż posezonowa (*w wielu sklepach naraz*).

sales assistant *n. Br. i Austr. form.* = **salesclerk**.

sales cartel *n.* (*także* **sales ring**) *handl.* kartel zbytu *l.* sprzedaży.

salesclerk ['seɪlzˌklɜːk] *n.* (*także* **salesperson**) (*także Br. i Austr. form.* **sales assistant**) *handl.* sprzedaw-ca/czyni, ekspedient/ka.

sales department *n. handl.* dział sprzedaży *l.* zbytu *l.* handlowy.

sales drive *n. U handl.* forsowanie zbytu *l.* obrotów.

sales figures *n. pl. handl.* dane *l.* liczby ilustrujące wielkość obrotów, wysokość sprzedaży.

sales force *n. U l. pl.* (*także* **sales forces/team**) *handl.* agenci handlowi.

salesgirl ['seɪlzˌgɜːl] *n. przest. handl.* sprzedawczyni, ekspedientka.

Salesian [sə'liːʒən] *kośc. n.* salezjanin. – *a.* salezjański.

salesman ['seɪlzmən] *n. pl.* **-men** *handl.* **1.** sprzedawca, ekspedient. **2.** akwizytor, agent handlowy; pośrednik handlowy.

sales manager *n. handl.* kierownik działu sprzedaży; dyrektor handlowy.

salesmanship ['seɪlzmənˌʃɪp] *n. U handl.* sztuka pozyskiwania klienta.

sales people *n. pl. handl.* sprzedawcy (*jako grupa zawodowa*).

salesperson ['seɪlzˌpɜːsən] *n.* = **salesclerk**.

sales pitch *n.* = **sales talk**.

sales rep *n. pot.* = **sales representative**.

sales representative *n. handl.* przedstawiciel/ka handlowy, przedstawiciel/ka do spraw sprzedaży.

sales resistance *n. U handl.* niechęć (konsumentów) do kupowania.

sales ring *n.* = **sales cartel**.

salesroom ['seɪlzˌruːm] *n. handl.* **1.** salon sprzedaży. **2.** (*także Br.* **saleroom**) sala *l.* hala aukcyjna.

sales slip *n. US handl.* paragon.

sales talk *n. U* **1.** *handl.* namawianie do kupna. **2.** *przen.* namawianie *l.* przekonywanie (*do czegoś*).

sales target *n. handl.* zakładana wysokość sprzedaży.

sales tax *n. US handl., fin.* podatek obrotowy.

sales team *n.* = **sales force**.

saleswoman ['seɪlzˌwʊmən] *n. pl.* **-women** *handl.* **1.** sprzedawczyni, ekspedientka. **2.** akwizytorka, pośredniczka handlowa.

salet ['sælɪt] *n.* = **sallet**.

salicaceous [ˌsælə'keɪʃəs] *a. bot.* wierzbowaty.

salicet ['sælɪsɪt] *n.* = **salicional**.

salicin ['sælɪsɪn], **salicine** *n. U chem.* salicyna.

salicional [sə'lɪʃənl] *n.* (*także* **salicet**) *muz.* salicjonał.

Salic law ['sælɪk ˌlɔː], **Salique law** *n. U hist., polit.* prawo salickie.

salicyl ['sæləsɪl] *n. U chem.* salicyl.

salicylate [sə'lɪsəˌleɪt] *n. C/U chem.* salicylan.

salicylic [ˌsælɪ'sɪlɪk] *a. chem.* salicylowy.

salicylic acid *n. U chem., med.* kwas salicylowy.

salicylous [sə'lɪsələs] *a. chem.* salicylawy.

salience ['seɪlɪəns], **saliency** ['seɪlɪənsɪ] *n. form.* **1.** *U* istotność, waga. **2.** *U* wydatność. **3.** *U* wystawanie; wysunięcie; sterczenie. **4.** uderzająca *l.* rzucająca się w oczy cecha; wydatny rys.

salient ['seɪlɪənt] *a. form.* **1.** znamienny, najistotniejszy. **2.** wydatny; (najbardziej) rzucający się w oczy; uderzający. **3.** wystający; wysunięty; sterczący. **4.** *her.* skaczący (*o zwierzęciu*). **5.** *poet.* tryskający (*o wodzie*). – *n.* **1.** *wojsk., bud.* kąt wysunięty. **2.** (*także* ~ **angle**) *geom.* kąt wypukły (*wielokąta*).

saliently ['seɪlɪəntlɪ] *adv. form.* **1.** znamiennie. **2.** wydatnie; uderzająco.

saliferous [sə'lɪfərəs] *a. geol.* solonośny.

salimeter [sə'lɪmətər] *n.* = **salinometer**.

salina [sə'laɪnə] *n.* **1.** *geol.* jezioro słone; błoto słone. **2.** słone źródło; solanka. **3.** warzelnia soli. **4.** *geol.* żupa solna, salina.

saline ['seɪlaɪn] *a.* **1.** solankowy. **2.** słony; zasolony. **3.** *chem.* solny. **4.** *med.* zawierający sól *l.* sole (*o leku*). – *n.* **1.** *geol.* słone jezioro *l.* bagno. **2.** *geol.* żupa solna, salina. **3.** *C/U chem., med.* solanka, roztwór soli w wodzie.

salinity [sə'lɪnətɪ] *n. U* słoność; zasolenie.

salinometer [ˌsælə'nɑːmətər] *n.* (*także* **salimeter, salometer**) *chem.* solomierz, areometr solankowy.

Salique law ['sælɪk ˌlɔː] *n.* = **Salic law**.

Salisbury steak ['sɔːlzˌberɪ ˌsteɪk] *n. C/U kulin.* stek wołowy (*opiekany l. smażony*).

saliva [sə'laɪvə] *n. U fizj.* ślina.

salivary [sə'lɪvˌerɪ] *a.* ślinowy.

salivary gland *n. anat.* gruczoł ślinowy, ślinianka.

salivate ['sæləˌveɪt] *v.* **1.** *t. przen.* ślinić się (*over sth* na myśl o czymś *l.* na widok czegoś). **2.** wywoływać (nadmierne) ślinienie się u (*np. u zwierzęcia laboratoryjnego*).

salivation [ˌsælə'veɪʃən] *n. U fizj., pat.* ślinienie się.

sallet ['sælɪt], **salet** *n. zbroja, hist.* lekki hełm średniowieczny.

sallow[1] ['sæloʊ] *a.* ziemisty (*zwł. o cerze*); bladożółty. – *n. U* ziemisty odcień. – *v.* nadawać ziemisty odcień (*zwł. cerze*).

sallow[2] *n. bot.* **1.** wierzba iwa (*Salix caprea*). **2.** wierzba szara, łoza, łozina (*Salix cinerea*).

sallowness ['sæloʊnəs] *n. U* ziemistość; bladożółty kolor.

sallowy ['sæloʊɪ] *a.* łozinowy; wierzbowy.

sally ['sælɪ] *n. pl.* **-ies 1.** wycieczka (*t. przen.* - *osobista, podczas dyskusji*); *t. wojsk.* wypad. **2.** wyskok; nagły ruch w przód. **3.** poryw; napad (*of sth* czegoś) (*np. gniewu*). **4.** cięta *l.* dowcipna uwaga; docinek. – *v.* **-ied, -ying 1.** ~ **(out/forth)**

t. wojsk. zrobić *l.* urządzić wypad *l.* wycieczkę. **2.** ~ **(out/forth)** nagle wyjść; wypaść; wyskoczyć.

Sally Army *n. Br. pot.* = **Salvation Army**.

Sally Lunn *n. C / U płd. US kulin.* rodzaj słodkiej bułki (*podawanej zw. na gorąco*).

sallyport ['sælɪˌpɔːrt] *n. fortyfikacje* brama wypadowa.

salmagundi [ˌsælmə'gʌndɪ], **salmagundy** *n. U* **1.** *Br. kulin.* sałatka z mięsa, jajek, ryb i warzyw (*popularna zwł. w XVIII w.*). **2.** *przen.* groch z kapustą, bigos.

salmon ['sæmən] *n. pl.* **-s** *l.* **salmon** **1.** *icht.* łosoś (szlachetny) (*Salmo salar*). **2.** *icht.* ryba oceaniczna z rodzaju *Oncorhynchus.* **3.** *U kulin.* łosoś (*mięso*). **4.** *U* = **salmon pink**.

salmonella [ˌsælmə'nelə] *n. U* **1.** *zool., pat.* salmonella. **2.** *pot.* = **salmonellosis**.

salmonellosis [ˌsælməˌne'loʊsɪs] *n. U* (*także* **salmonella poisoning**) *pat.* salmonelloza.

salmon pink *a. i n. U* (kolor) łososiowy kolor.

salmon trout *n. pl.* **-s** *l.* **trout** *icht.* troć (*Salmo trutta*).

salometer [sə'lɑːmətər] *n.* = **salinometer**.

salon [sə'lɑːn] *n. t. muz., sztuka, handl.* salon (*t. jako pokój w mieszkaniu*); **beauty** ~ salon piękności; **hair/hairdressing** ~ salon fryzjerski; **literary** ~ *gł. hist.* salon literacki.

salon music *n. U muz.* muzyka salonowa.

saloon [sə'luːn] *n.* **1.** *US i Can.* pub; bar. **2.** = **saloon bar**. **3.** = **saloon car** 1. **4.** *kol.* poczekalnia. **5.** = **saloon car** 2. **6.** salon (= *duża sala w miejscu publicznym*). **7.** salon fryzjerski dla mężczyzn (*w krajach południowoazjatyckich*).

saloon bar *n. Br. i Austr. przest.* wygodny bar (*w pubie l. hotelu*).

saloon car, saloon *n.* **1.** *Br. mot.* sedan. **2.** (*także* ~ **carriage**) *hist., kol.* salonka.

saloop [sə'luːp] *n. U hist., med.* gorący napój roślinny (*np. z aromatycznych bulw storczyków*).

salopettes [ˌsælə'pets] *n. pl.* spodnie narciarskie; spodnie ochronne *l.* robocze.

salpingectomy [ˌsælpɪn'dʒektəmɪ] *n. C / U pl.* **-ies** *chir.* wycięcie jajowodu.

salpingitis [ˌsælpɪn'dʒaɪtɪs] *n. U pat.* **1.** zapalenie jajowodu. **2.** zapalenie trąbki słuchowej.

salsa ['sɑːlsə] *n. U muz., kulin.* salsa.

salsify ['sælsəˌfaɪ] *n. C / U pl.* **-ies** *bot.* salsefia (*Tragopogon porrifolius*).

sal soda [ˌsæl 'soʊdə] *n. U chem.* soda do prania, soda krystaliczna.

SALT [sɔːlt] *abbr.* **Strategic Arms Limitation Talks/Treaty** *polit.* rokowania/układ w sprawie ograniczenia zbrojeń strategicznych.

salt [sɔːlt] *n.* **1.** *C / U t. chem.* sól; *pl.* sole (*t. mineralne, zdrowotne*); (*także* **common** ~) *kulin.* sól kuchenna; *chem.* chlorek sodowy; **in** ~ *kulin.* solony; **pinch of** ~ szczypta soli; **sea** ~ sól morska. **2.** *U przest.* cięty dowcip; pikanteria. **3.** *żegl. przen.* wilk morski. **4.** = **saltmarsh**. **5.** *pl.* napływ wody morskiej w górę rzeki. **6.** *przen.* **above/below the** ~ *hist.* wśród ważniejszych/mniej ważnych gości, na zaszczytnym/mniej zaszczytnym miejscu (*przy stole*); **eat sb's** ~ być czyimś gościem; być na czyimś utrzymaniu; **not be made of** ~ nie być z cukru (= *być odpornym na deszcz*); **(not) be worth one's** ~ (nie) pracować wydajnie i skutecznie, (nie) być dobrym pracownikiem; **put/drop a pinch of** ~ **on sb's tail** *przest.* nasypać komuś soli na ogon (= *złapać, dogonić*); **rub** ~ **into the wound** *zob.* **rub** *v.*; **take sth with a grain/pinch of** ~ traktować coś z przymrużeniem oka; podchodzić do czegoś z odpowiednią dozą krytycyzmu *l.* z rezerwą; **the** ~ **of the earth** sól ziemi. – *a. attr.* **1.** *t. przen. sl.* słony (*t. o rachunku*). **2.** *attr. kulin.* solony. **3.** *t. górn.* solny. **4.** *rzad.* cięty; słony, pikantny (*o dowcipie*). **5.** morski, nadmorski (*o roślinie*). – *v.* **1.** *t. kulin.* solić; posypywać solą (*t. ulice w zimie*). **2.** *chem.* poddawać działaniu soli. **3.** *handl. pot.* słono wyceniać (*towary*); wyśrubować (*ceny*). **4.** ~ **away** *kulin.* zasalać; *przen. pot.* ciułać (= *oszczędzać, zwł. w tajemnicy*); ~ **down** *kulin.* zasalać. **5.** ~ **out** *chem.* wysalać (*np. mydło*). **6.** *pot.* ~ **a mine** *górn.* podkładać rudę w kopalni (*celem zwabienia nabywcy*); ~ **an account** *handl.* wystawić słony rachunek; ~ **the books/accounts** *handl.* fałszować wysokość wpływów, naciągać rachunki.

salt-and-pepper [ˌsɔːltən'pepər] *a. attr. gł. US* przyprószony siwizną (*o włosach*); *tk.* w ciemne i jasne kropki *l.* plamki, cętkowany (*o materiale*).

saltarello [ˌsæltə'reloʊ] *n. pl.* **-s** *l.* **saltarelli** [ˌsæltə'reliː] *muz.* saltarello (*l. inny taniec w metrum trójdzielnym jako dopełnienie tańca w takcie parzystym*).

saltation [sæl'teɪʃən] *n. C / U* **1.** *form.* skok; przeskok. **2.** taniec; tańczenie, pląsy. **3.** *geol.* saltacja (= *skokowy ruch cząstek osadów*). **4.** *biol.* mutacja.

saltatorial [ˌsæltə'tɔːrɪəl] *a. t. zool.* **1.** skaczący. **2.** taneczny; skoczny. **3.** *t. geol.* skokowy.

salt bath *n. C / U med., techn.* kąpiel solna.

saltbox ['sɔːltˌbɑːks] *n.* **1.** pojemnik do przechowywania soli. **2.** *US bud.* budynek z dwoma piętrami w części frontowej i jednym w części tylnej (*ze spadzistym dachem*).

saltbush ['sɔːltˌbʊʃ] *n. C / U bot.* łoboda (*Atriplex*).

salt cake *n. U chem.* siarczan sodowy techniczny.

saltcat ['sɔːltˌkæt] *n. U Br.* sól zmieszana ze żwirem, moczem itd. (*używana do wabienia gołębi*).

saltcellar ['sɔːltˌselər] *n.* **1.** *Br.* = **saltshaker**. **2.** *zw. pl. Br. pot.* dołki nad obojczykami (*zwł. u bardzo szczupłej osoby*).

salt depletion *n. U pat.* utrata soli; niedobór soli.

salt dome *n. geol.* słup solny, wysad solny.

salted ['sɔːltɪd] *a.* **1.** *kulin.* solony (*np. o orzeszkach*); zasolony. **2.** *pot.* zahartowany; doświadczony (*w zawodzie, branży*).

salter ['sɔːltər] *n.* **1.** wytwórca soli; handlarz solą. **2.** robotnik w warzelni soli.

saltern ['sɔːltərn] *n.* (*także* ~**works**) **1.** żupa solna, salina. **2.** warzelnia soli.

salt flat *n. zw. pl. geol.* nizina solna.

salt-free [ˌsɔ:lt'fri:] *a.* bezsolny, niezawierający soli.

salt gland *n. zool., orn.* gruczoł solny.

salt glaze *n. U techn.* szkliwo solne.

salt grass *n. U* trawa rosnąca na słonych bagnach.

salt hay *n. U* pasza z trawy jw.

saltier ['sɔ:ltɪər] *n.* = **saltire**.

saltine [sɔ:l'ti:n] *n. kulin.* rodzaj słonego krakersa.

saltiness ['sɔ:ltɪnəs] *n. U* **1.** słoność. **2.** *przen.* pikanteria; dowcip.

salting ['sɔ:ltɪŋ] *n. U* **1.** solenie. **2.** *geol., chem.* osadzanie się soli; wykrystalizowanie się soli. **3.** szkliwienie przy pomocy chlorku sodowego. **4.** *gł. Br.* ląd zalewany regularnie przypływami.

saltire ['sɑ:lˌtaɪər] *n.* (*także* **saltier**) *her.* krzyż ukośny.

salt lake *n. geol.* słone jezioro.

salt-lick ['sɔ:ltˌlɪk], **salt lick** *n.* lizawka.

salt marsh *n. U geol.* słone błota.

salt mine *n. górn.* kopalnia soli.

saltpan ['sɔ:ltˌpæn] *n. geol.* sołonczak (*rodzaj słonej gleby*).

saltpeter [ˌsɔ:lt'pi:tər], *Br.* **saltpetre** *n. U chem.* **1.** saletra potasowa, saletra indyjska. **2.** saletra sodowa, saletra chilijska.

saltpeter rot *n. U* wykwity solne (*na ścianach*).

saltpit ['sɔ:ltˌpɪt] *n. górn.* szyb solny.

salt pond *n.* słony staw, solanka.

saltshaker ['sɔ:ltˌʃeɪkər], *Br.* **saltcellar** ['sɔ:ltˌselər] *n. kulin.* solniczka.

salt solution *n. C/U chem., med.* roztwór soli.

salt truck *n. US* solarka.

saltus ['sæltəs] *n. pl.* **-es** *form.* skok myślowy (*zwł. opuszczający ważny krok argumentu*).

saltworks ['sɔ:ltˌwɜ:ks] *n. sing. l. pl.* = **saltern**.

saltwort ['sɔ:ltˌwɜ:t] *n. bot.* **1.** solanka (*Salsola*). **2.** mlecznik nadmorski (*Glaux maritima*).

salty ['sɔ:ltɪ] *a.* **-ier, -iest** słony (*t. przest. przen. = pikantny*); słonawy.

salubrious [sə'lu:brɪəs] *a.* **1.** *form.* zdrowotny; zdrowy (*gł. o powietrzu, regionie*). **2.** *pot.* porządny (*o dzielnicy*); przyjemny.

salubrity [sə'lu:brətɪ] *n. U* zdrowotność; zdrowy charakter.

salutary ['sæljəˌterɪ] *a.* **1.** pożyteczny; zbawienny. **2.** *form.* zdrowy; zdrowotny.

salutation [ˌsæljə'teɪʃən] *n. C/U form.* **1.** pozdrowienie; przywitanie; **raise one's hand in ~** podnieść rękę w geście powitania. **2.** nagłówek (*listu*).

salutatory [sə'lu:təˌtɔ:rɪ] *a. form.* pozdrawiający; powitalny.

salute [sə'lu:t] *v.* **1.** *wojsk.* salutować (*komuś*). **2.** *form.* oddawać cześć *l.* hołd (*komuś*); wyrażać szacunek dla (*kogoś l. czegoś*). **3.** *przest.* pozdrawiać; witać (*zwł. gestem*). – *n.* **1.** *wojsk.* salut (*t. żegl., szerm.*); salwa (*honorowa*); honory (*wojskowe*); **fire a ~** oddać salut; **give a ~** zasalutować; **return a ~** odsalutować; **take the ~** przyjmować honory (*o marszałku, generale l. dostojniku państwowym*). **2.** *C/U form.* pozdrowienie (*gestem*); gest pozdrowienia.

Salvadoran [ˌsælvə'dɔ:rən], **Salvadorian** [ˌsælvə'dɔ:rɪən] *a.* salwadorski. – *n.* Salwadorczyk/ka.

salvage ['sælvɪdʒ] *v.* **1.** *t. przen.* uratować, ocalić (*sb / sth from sth* kogoś/coś od czegoś) (*np. od zatonięcia, pożaru*); **~ one's reputation** ocalić swoją reputację. **2.** wykorzystywać (*np. odpadki, złom*). – *n. U* **1.** uratowanie, ocalenie. **2.** ratunek, akcja ratownicza; ratownictwo. **3.** uratowane mienie. **4.** wykorzystanie (*odpadków*).

salvageable ['sælvɪdʒəbl] *a.* dający się ocalić *l.* uratować.

salvage operation *n.* **1.** akcja ratunkowa *l.* ratownicza. **2.** *pl.* czynności ratownicze.

salvage ship *n.* (*także* **salvage vessel**) statek *l.* okręt ratowniczy.

salvation [sæl'veɪʃən] *n. U* **1.** *rel., teol.* zbawienie. **2.** *przen.* ratunek, wybawienie.

Salvation Army *n.* **the ~** Armia Zbawienia.

Salvationist [sæl'veɪʃənɪst] *n.* człon-ek/kini Armii Zbawienia.

salve [sæv] *n. C/U med. l. przen.* maść, balsam (*to sth* na coś). – *v.* **1.** *arch. l. poet.* namaszczać, nacierać (*maścią*). **2.** *form.* łagodzić (*ból; t. przen.*); leczyć (*zranioną dumę*); uspokajać (*sumienie*). **3.** [sælv] uratować, ocalić (*statek l. mienie, np. od ognia; t. przen. np. honor*).

salver[1] ['sælvər] *n.* taca (*zwł. srebrna*).

salver[2] *n.* = **salvor**.

salvia ['sælvɪə] *n. U bot.* Szałwia błyszcząca (*Salvia splendens*).

salvific [sæl'vɪkɪk] *a. rel. l. lit.* zbawienny.

Salvo ['sælvoʊ] *n. pl.* **-s** *Austr. pot.* człon-ek/kini Armii Zbawienia.

salvo[1] ['sælvoʊ] *n. pl.* **-s** *l.* **-es** **1.** *wojsk. l. przen.* salwa; wybuch (*t. np. śmiechu, gniewu*). **2.** *przen.* atak (*słowny*).

salvo[2] *n. pl.* **-s** *rzad.* **1.** wykręt. **2.** zastrzeżenie. **3.** doraźny środek (*zwł. służący do ratowania reputacji l. uspokojenia sumienia*).

sal volatile [sæl 'vɑ:lətl] *n. U* **1.** *chem.* węglan amonowy. **2.** sól wonna *l.* aromatyzowana.

salvor ['sælvər] *n.* (*także* **salver**) ratowni-k/czka (*ratujący statek l. jego ładunek*).

SAM [sæm] *abbr.* **surface-to-air missile** *wojsk.* pocisk (klasy) ziemia-powietrze.

samara ['sæmərə] *n. bot.* skrzydlak (*typ owocu, np. klonu, jesionu*).

Samaritan [sə'merɪtən] *n.* Samarytan-in/ka; **good ~** *Bibl. l. przen.* dobry samarytanin; **the ~s** Samarytanie (*organizacja*). – *a. t. przen.* samarytański.

Samaritanism [sə'merɪtənˌɪzəm] *n. U* samarytanizm.

samarium [sə'merɪəm] *n. U chem.* samar.

samarskite ['sæmɑ:rˌskaɪt] *n. U min.* samarskit.

samba ['sæmbə] *muz. n. C/U* samba. – *v.* tańczyć sambę.

sambar ['sæmbər] *n. zool.* sambar indyjski (*Cervus unicolor*).

sambo ['sæmboʊ] *n. pl.* **-s** *obelż., pog.* bambo, bambus (= *murzyn*).

same [seɪm] *a.* **1.** ten sam; taki sam; **at the ~ time** w tym samym czasie; **his songs are all the ~** wszystkie jego piosenki są takie same; **I would do the ~ thing** zrobiłabym to samo; **is this the ~ man?** czy to ten sam człowiek?; **it all comes/amounts to the ~ thing** (to) wszystko sprowadza się do jednego (i tego samego); **later on that ~ year** jeszcze w tym samym roku; **on the ~ day** tego samego dnia; **the girls' hair was of the ~ length** dziewczynki miały włosy tej samej długości; **they're one and the ~ person** to jedna i ta sama osoba; **they're one and the ~ thing** to jedno i to samo. **2.** *przen.* **at the ~ time** jednocześnie, zarazem; **he can be very nice but at the ~ time you are never sure if he is sincere** potrafi być bardzo miły, ale jednocześnie nigdy nie wiadomo, czy jest szczery; **be in the ~ boat** *zob.* **boat** *n.*; **by the ~ token** *zob.* **token** *n.*; **in the ~ breath** *zob.* **breath**; **just/all the ~** a jednak, niemniej jednak, mimo to; jednocześnie, zarazem; **~ difference** *zob.* **difference** *n.* **3. this/that ~** *przest. l. prawn.* tenże, wyżej wspomniany; **(it's) the ~ old story** *zob.* **story**[1]. – *pron.* **1. the ~** ten sam; taki sam; to samo; **look/taste the ~** wyglądać/smakować tak samo; **much the ~** prawie taki sam; prawie tak samo; **it's all/just the ~ to me** wszystko mi jedno. **2.** *przest. l. żart.* wyżej wymieniony; **he was good at spending money but not so good at gaining ~** nieźle radził sobie z wydawaniem pieniędzy, ale gorzej mu szło ich zarabianie. **3.** *pot.* **~ here** ja też; **I hate him! ~ here!** nienawidzę go! ja też!; **you're stupid! ~ to you!** głupi jesteś! sam jesteś głupi!; **(the) ~ again!** *pot.* to samo proszę! (*np. przy zamawianiu drinka*); **the ~ to you!** wzajemnie!, nawzajem!. – *adv.* **1. the ~** tak samo (*as sb / sth* jak ktoś/coś); **her daughters are dressed just the ~ (as each other)** jej córki są ubrane (zupełnie) tak samo. **2.** *pot.* (zupełnie) tak samo (*as sb / sth* jak ktoś/coś); **I want to get decent pay for doing a good job, ~ as anyone else** tak samo jak wszyscy chcę zarabiać przyzwoite pieniądze za dobrze wykonaną pracę.

sameness ['seɪmnəs] *n. U* **1.** tożsamość; identyczność. **2.** jednostajność, monotonia.

same-sex [ˌseɪm'seks] *a. gł. attr.* homoseksualny.

samey ['seɪmɪ] *a. Br. i Austr. pot.* na jedno kopyto; jednostajny, monotonny.

Samian ['seɪmɪən] *a.* dotyczący (wyspy) Samos. – *n.* mieszkan-iec/ka Samos.

samisen ['sæmɪˌsen] *n. muz.* samisen (*trzystrunowy instrument japoński*).

samite ['sæmaɪt] *n. U tk., gł. hist.* złotogłów; lama.

samizdat ['sɑ:mi:zˌdɑ:t] *n. U hist.* samizdat.

Samoan [sə'moʊən] *a. t. jęz.* samoański. – *n.* **1.** język samoański. **2.** Samo-ańczyk/-anka.

samosa [sə'moʊsə] *n. kulin.* samosa (*pikantna hinduska przekąska w formie mięsno-warzywnego pierożka smażonego w głębokim tłuszczu*).

Samothrace ['sæməˌθreɪs] *n. geogr.* Samotraka.

samovar ['sæməˌvɑ:r] *n.* samowar.

Samoyed [sə'mɔɪed] *n.* **1.** *pl.* **-s** *l.* **Samoyed** Samojed/ka. **2.** *U* grupa języków samojedzkich. **3.** *kynol.* samojed. – *a. t. jęz.* samojedzki.

sampan ['sæmpæn] *n. żegl.* sampan (*płaskodenna łódź chińska*).

samphire ['sæmˌfaɪr] *n. bot.* **1.** kowniatek morski, koper morski (*Crithmum maritimum*). **2.** soliród (*Salicornia*).

sample ['sæmpl] *n.* **1.** *t. med., handl.* próbka (*of sth* czegoś); **blood ~** próbka krwi; **check ~** próbka kontrolna; **free ~** darmowa próbka; **take a ~** pobrać próbkę. **2.** *t. stat.* próba; **random ~** próba losowa; **representative ~** reprezentatywna próba. – *a. attr.* przykładowy; wzorcowy; **~ questions and answers** przykładowe pytania i odpowiedzi. – *v.* **1.** *kulin.* kosztować, próbować. **2.** *przen.* zakosztować. **3.** *t. muz., techn., stat.* próbować; próbkować; pobierać próbki (*czegoś*). **4.** dawać próbki (*czegoś*).

sample-and-hold unit [ˌsæmplənd'hoʊld ˌju:nɪt] *n.* (*także* **sample-and-hold circuit**) *komp., muz.* układ próbkująco-pamiętający, układ próbkowania i pamiętania.

sample card *n. techn.* wzornik.

sampler ['sæmplər] *n.* **1.** próbnik; próbkozbierak; urządzenie próbkujące; sonda do pobierania próbek z towarów workowanych. **2.** specjalist-a/ka od pobierania próbek. **3.** *haft* model, wzór. **4.** *stat.* próbka. **5.** *t. kulin.* zestaw próbek (*np. serów*).

samsara [səm'sɑ:rə] *n. U hinduizm, buddyzm* samsara, sansara (*reinkarnacja l. wędrówka duszy*).

samurai ['sæməˌraɪ] *n. pl.* **samurai** *hist.* samuraj.

sanative ['sænətɪv] *a.* (*także* **~ory**) *form.* leczący (*t. moralnie l. duchowo*); leczniczy.

sanatorium [ˌsænə'tɔ:rɪəm] *n. Br.* = **sanitarium**.

sanctification [ˌsæŋktɪfɪ'keɪʃən] *n. U* uświęcenie.

sanctified ['sæŋktɪˌfaɪd] *v.* **1.** poświęcony; uświęcony. **2.** = **sanctimonious** *a.*

sanctify ['sæŋktɪˌfaɪ] *v.* **-ied, -ying 1.** *rel.* poświęcać; uświęcać. **2.** *przen.* sankcjonować; publicznie akceptować *l.* pochwalać. **3.** *teol.* oczyszczać z grzechu, uwalniać od grzechu.

sanctimonious [ˌsæŋktə'moʊnɪəs] *a.* (*także* **sanctified**) *form.* świętoszkowaty.

sanctimoniously [ˌsæŋktə'moʊnɪəslɪ] *adv. form.* świętoszkowato.

sanctimony ['sæŋktəˌmoʊnɪ] *n. U form.* świętoszkowatość.

sanction ['sæŋkʃən] *n.* **1.** *zw. pl. prawn., ekon.* sankcja; **economic ~s** sankcje gospodarcze *l.* ekonomiczne; **impose ~s on/against sb/sth** nałożyć sankcje na kogoś/coś, zastosować sankcje wobec kogoś/czegoś; **lift ~s** znieść sankcje. **2.** *U* sankcja, usankcjonowanie, zatwierdzenie; aprobata, poparcie; **get (official) ~ for sth** uzyskać (oficjalne) poparcie dla czegoś; **give one's ~ to sth** usankcjonować coś; poprzeć coś; **moral ~** sankcja moralna. – *v. prawn.* sankcjonować, zatwierdzać; aprobować, popierać; zezwalać na.

sanctity ['sæŋktətɪ] *n. C / U pl.* **-ies** świętość; **the ~ of life/marriage** świętość życia/małżeństwa.

sanctuary ['sæŋktʃʊˌerɪ] *n. pl.* **-ies** **1.** *rel.* sanktuarium, świątynia. **2.** *kośc.* prezbiterium. **3.** *U* azyl; schronienie; prawo azylu; **find ~ somewhere** znaleźć schronienie *l.* azyl gdzieś; **seek ~** szukać schronienia; prosić o azyl; **take ~ somewhere** schronić się gdzieś. **4.** *myśl.* czas ochronny. **5.** rezerwat (*przyrody*); **bird ~** rezerwat ptasi.

sanctum ['sæŋktəm] *n. pl.* **-s** *l.* **sancta** ['sæŋktə] **1.** *t. rel.* sanktuarium (*w świątyni*); miejsce święte. **2.** ustronie; prywatne miejsce pracy *l.* odpoczynku.

sanctum sanctorum *n.* **1.** *rel.* święty przybytek; miejsce święte. **2.** *judaizm* najświętsze miejsce w świątyni żydowskiej. **3.** *przen.* prywatne miejsce pracy *l.* odpoczynku.

Sanctus bell *n. kośc.* dzwonek do mszy.

sand [sænd] *n.* **1.** *U* piasek; *pl.* piaski, piaszczysty teren; **play in/on the ~** bawić się w piasku; **shifting ~** *geol.* piasek ruchomy *l.* lotny. **2.** *U* kolor piaskowy. **3.** *U US przest. pot.* zacięcie, determinacja; siła charakteru. **4.** *przen.* **bury one's head in the ~** chować głowę w piasek; **kick ~ in sb's face** poniżać kogoś (*słabszego*); **shifting ~s** ruchome piaski; **the ~s (of time) are running out** *lit.* pozostało niewiele czasu. – *v.* **1.** wygładzać *l.* szlifować papierem ściernym. **2.** zasypywać piaskiem; posypywać piaskiem. **3.** *bud.* dodawać *l.* dosypywać piasku do (*czegoś*). – *a. attr.* piaskowy (*o kolorze*).

sandal ['sændl] *n.* **1.** sandał. **2.** rzemyk, pasek (*u buta*).

sandalwood ['sændlˌwʊd] *n.* **1.** (*także* **sandaltree**) *bot.* sandałowiec, drzewo sandałowe (*Santalum album*). **2.** *U* drewno z drzewa sandałowego. **3.** *U* (*także* **~ oil**) olejek sandałowy.

sandarac ['sændəˌræk] *n.* **1.** *bot.* sandarak, cyprzyk czteroklapowy, żywiczlin czteroklapowy (*Tetraclinis articulata*). **2.** *U* żywica z sandaraka. **3.** *U* drewno z sandaraka.

sandbag ['sændˌbæg] *n.* **1.** *bud., wojsk.* worek z piaskiem; poduszka z piaskiem. **2.** wałek uszczelniający (*np. okna l. drzwi*). – *v.* **-gg-** **1.** *wojsk., bud.* barykadować *l.* zabezpieczać workami z piaskiem. **2.** *pot.* uderzyć workiem z piaskiem; powalić uderzeniem worka z piaskiem. **3.** *zwł. US pot.* torpedować (*np. negocjacje finansowe, śledztwo*).

sandbank ['sændˌbæŋk] *n. geol.* ławica piaszczysta.

sand bar *n. geol.* mierzeja.

sandblast ['sændˌblæst] *n.* **1.** *techn.* strumień piasku. **2.** = **sandblaster** *n.* – *v. techn.* piaskować, oczyszczać strumieniem piasku.

sandblaster ['sændˌblæstər] *n.* (*także* **sandblast machine**) **1.** *techn.* piaszczarka. **2.** *dent.* piaskownica.

sand-blind ['sændˌblaɪnd] *a. arch. l. lit.* niedowidzący.

sandbox ['sændˌbɑːks] *n.* **1.** (*także Br. i Austr.* **sandpit**) piaskownica. **2.** skrzynka z piaskiem (*dla kota*).

sandboy ['sændˌbɔɪ] *n.* **(as) happy as a ~** wesoły jak szczygieł.

sand-cast ['sændˌcæst] *v. metal.* odlewać w formie piaskowej.

sand casting *n. metal.* **1.** *U* odlewanie w formach piaskowych. **2.** odlew wykonany w formie piaskowej.

sandcastle ['sændˌkæːsl] *n. t. przen.* zamek z piasku.

sand crack *n. wet.* pęknięcie kopyta (*u konia*).

sand dollar *n. zool.* dolarek piaskowy (*Echinarachnius parma*).

sand dune *n. geol.* wydma (*piaszczysta*).

sand eel *n. icht.* wężor tobijasz (*Ammodytes lanceolotus*).

sander ['sændər] *n.* **1.** (*także* **sanding machine**) *techn.* szlifierka. **2.** *techn.* piaszczarka. **3.** *kol.* piasecznica.

sanderling ['sændərlɪŋ] *n. pl.* **-s** *l.* **sanderling** *orn.* piaskowiec (*Calidris alba, Crocetia alba*).

sand flea *n. zool.* **1.** pchła piaskowa, tunga (*Tunga penetrans*). **2.** *US* = **sand hopper**.

sandfly ['sændˌflaɪ] *n. pl.* **-ies** mucha z rodzaju *Phlebotomus.*

sandglass *n.* klepsydra.

sandgrouse ['sændˌgraʊs] *n. pl.* **-s** *l.* **sandgrouse** *orn.* stepówka (*Pterocles*).

sandhi ['sændɪ] *n. U jęz., fon.* sandhi.

sandhog ['sændˌhɑːg] *n. US i Can.* robotnik pracujący pod wodą (*zwł. w kesonie*).

sand hopper *n.* (*także US* **sand flea**) *zool.* zmieraczek (*Orchestia*).

San Diego [ˌsæn dɪ'eɪgoʊ] *n. geogr.* San Diego.

sandiness ['sændɪnəs] *n. U* piaszczystość.

sanding machine ['sændɪŋ məˌʃiːn] *n.* = **sander** 1.

Sandinista [ˌsændɪ'niːstə] *n. hist., polit.* sandinista.

S & L [ˌes ənd 'el] *abbr.* **savings and loan (association)** *US fin.* kasa oszczędnościowo-budowlana.

sand leek *n. bot.* czosnek szczypiorek (*Alium scorodoprasum*).

sand lizard *n. U zool.* jaszczurka zwinka (*Lacerta agilis*).

sandlot ['sændˌlɑːt] *n. US pot.* wolny teren służący jako miejsce zabaw.

S & M [ˌes ənd 'em] *abbr. i n. U pot.* sadomasochizm.

sandman ['sændˌmæn] *n.* **the ~** *bajki* piaskowy dziadek.

sand martin *n. orn.* jaskółka brzegówka (*Riparia riparia*).

sand mould *n. metal.* forma piaskowa.

sandpail ['sændˌpeɪl] *n. US* wiaderko (*do zabawy w piasku*).

sandpaper ['sændˌpeɪpər] *techn., stol., dent. n. U* papier ścierny (*piaskowy*). – *v.* czyścić, wygładzać *l.* szlifować papierem ściernym.

sandpiper ['sændˌpaɪpər] *n. orn.* biegus; **white-rumped ~** biegus Bonapartego (*Calidris fuscicollis*).

sandpit ['sændˌpɪt] *n.* **1.** *Br. i Austr.* = **sandbox** 1. **2.** *górn.* piaskownia, odkrywka piasku.

sand shoe *n.* lekki but płócienny z gumową podeszwą.

sand spout *n. meteor.* trąba piaskowa.

sandstone ['sænd,stoun] *n. U geol.* piaskowiec.

sandstorm ['sænd,stɔ:rm] *n. meteor.* burza piaskowa.

sand table *n. wojsk.* makieta imitująca pole bitwy.

sand trap *n. golf* zagłębienie częściowo wypełnione piaskiem (*pełniące rolę przeszkody*).

sand viper *n. zool.* żmija nosoroga (*Vipera ammodytes*).

sandwich ['sændwɪtʃ] *n. kulin.* **1.** sandwicz, kanapka; **ham/cheese ~** kanapka z szynką/serem. **2.** *Br.* = **sandwich cake**. – *v.* **~ (in)** wciskać, wpychać; **be ~ed between** być wciśniętym pomiędzy (*kogoś l. coś; t. przen. między inne zajęcia*).

sandwich bar *n. Br. i Austr.* bar kanapkowy.

sandwich board *n.* tablica reklamowa (*noszona na plecach i piersiach*).

sandwich cake *n. C/U Br. kulin.* przekładaniec (*z dżemem i bitą śmietaną*).

sandwich course *n. Br. uniw., szkoln.* kurs, w którym okresy nauki przeplatają się z okresami praktyki zawodowej.

sandwich man *n. pl.* **-men** człowiek-reklama (*noszący tablice reklamowe na piersiach i plecach*).

sandwich tern *n. orn.* rybitwa czubata (*Sterna sandvicensis*).

sandwort ['sænd,wɝ:t] *n. C/U bot.* piaskowiec (*Arenaria*).

sandy ['sændɪ] *a.* **-ier, -iest 1.** piaszczysty (*np. o glebie; t. Br. o plaży*). **2.** przypominający piasek. **3.** piaskowy (*o kolorze*); rudo-blond (*o włosach*).

sane [seɪn] *a.* **1.** zdrowy psychicznie *l.* na umyśle, przy zdrowych zmysłach; **keep sb ~** utrzymywać kogoś przy zdrowych zmysłach. **2.** rozsądny (*np. o rozwiązaniu , decyzji*).

sanely ['seɪnlɪ] *adv.* **1.** zdrowo. **2.** rozsądnie.

saneness ['seɪnnəs] *n.* = **sanity**.

Sanforized ['sænfə,raɪzd] *a. tk.* sanforyzowany, wykańczany niekurczliwie.

sang [sæŋ] *v. zob.* **sing**.

sangaree [,sæŋgə'ri:] *n. U* chłodzone wino z sokiem owocowym i gałką muszkatołową.

sanger ['sæŋər] *n. Austr. kulin. pot.* kanapka, sandwicz.

sang-froid [,sɑ:ŋ'frwɑ:] *n. U przen.* zimna krew.

sangoma [,sæŋ'goumə] *n. S.Afr.* szaman.

Sangrail ['sæŋgreɪl], **Sangraal, Sangreal** ['sæŋgrɪəl] *n. rel., mit., lit.* święty Graal.

sangria [sæŋ'gri:ə], **sangría** *n. U* sangria.

sanguiferous [sæŋ'gwɪfərəs] *a. fizj.* krwionośny.

sanguinary ['sæŋgwə,nerɪ] *a. form.* **1.** krwawy. **2.** krwiożerczy. **3.** *rzad.* dotyczący krwi; splamiony krwią.

sanguine ['sæŋwɪn] *a.* **1.** optymistyczny (*o postawie*); ufny; pełen optymizmu (*o osobie*); **be ~ of/about sth** ufać w coś. **2.** rumiany (*o cerze*). **3.** *hist., fizj.* sangwiniczny (*o temperamencie*). **4.** krwistoczerwony. **5.** *arch.* = **sanguinary** 2. – *n.* **1.** sangwina (*= czerwonobrunatna kredka*). **2.** rysunek wykonany kredką jw.

sanguineness ['sæŋwɪnnəs] *n. U* optymizm; ufność.

sanguineous [sæŋ'gwɪnɪəs] *a.* **1.** *med.* dotyczący krwi; zawierający krew; krwisty. **2.** *lit.* krwistoczerwony. **3.** optymistyczny.

Sanhedrin [sæn'hedrən] *n. hist., judaizm, polit.* sanhedryn.

sanicle ['sænɪkl] *n. bot.* żankiel (*Sanicula*).

sanidine ['sænə,di:n] *n. U min.* sanidyn.

sanitarian [,sænə'terɪən] *med. form. a.* sanitarny (*dotyczący higieny publicznej*). – *n.* specjalist-a/ka w zakresie higieny publicznej.

sanitarium [,sænə'terɪəm] *n. pl.* **-s** *l.* **sanitaria** *US* sanatorium.

sanitary ['sænə,terɪ] *a.* **1.** zdrowotny; zdrowy, zapewniający zdrowie. **2.** sanitarny; higieniczny.

sanitary conditions *n. pl.* warunki sanitarne *l.* higieniczne.

sanitary engineering *n. U* inżynieria sanitarna.

sanitary fittings *n. pl. Br.* armatura wodociągowo-kanalizacyjna, wyposażenie sanitarne.

sanitary napkin *n.* (*także Br.* **sanitary towel**) (*także Austr.* **sanitary pad**) podpaska (*higieniczna*).

sanitation [,sænə'teɪʃən] *n. U* **1.** system sanitarny; urządzenia sanitarne. **2.** stan sanitarny, warunki sanitarne; higiena komunalna. **3.** służba sanitarna.

sanitation worker *n. US form.* pracownik zakładu oczyszczania miasta.

sanitize ['sænə,taɪz], *Br. i Austr. zw.* **sanitise** *v.* **1.** odkażać. **2.** *przen.* cenzurować.

sanity ['sænətɪ] *n. U* **1.** zdrowie psychiczne. **2.** rozsądek; trzeźwość sądu.

sank [sæŋk] *v. zob.* **sink** *v.*

San Marino [,sæn mə'ri:nou] *n. geogr.* San Marino.

sannyasi [sʌn'jɑ:sɪ] *n. pl.* **-n** *braminizm* sannjasin.

sans [sænz] *prep. arch. lit. l. żart.* bez.

sans-culotte [,sænzkjʊ'lɑ:t] *n.* **1.** *hist., polit.* sankiulota. **2.** *polit. przen., form.* ekstremist-a/ka, radykał.

sanserif [,sæn'serɪf], **sans serif** *druk., komp. a.* bezszeryfowy (*o typie czcionki*). – *n.* (*także* **~ typeface**) krój pisma bezszeryfowy, czcionka bezszeryfowa.

sansevieria [,sænsɪ'vi:rɪə] *n. C/U bot.* sansewiera (*Sansevieria*).

Sanskrit ['sænskrɪt] *n. U język., hist.* sanskryt.

sans serif [,sæn'serɪf] *n. i a.* = **sanserif**.

Santa ['sæntə] *n. pot.* = **Santa Claus**.

Santa Claus ['sæntə ,klɔ:z] *n.* Święty Mikołaj.

Santiago [,sɑ:ntɪ'ɑ:gou] *n. geogr.* **1.** (*także* **~ de Chile**) Santiago (*stolica Chile*). **2.** (*także* **~ de Compostela**) Santiago de Compostela (*w Hiszpanii*).

santonica [sæn'tɑ:nəkə] *n. bot.* bylica (*Artemisia cina*).

santonin ['sæntənɪn] *n. U hist., med.* santonina.

sap[1] [sæp] *n.* **1.** *U bot. l. przen.* sok (*zw. roślinny*). **2.** *U fizj.* płyn fizjologiczny. **3.** = **sap-**

wood. **4.** *U przen.* soki żywotne; witalność; wigor. **5.** *pot. pog.* frajer, naiwniak. **6.** *US sl.* pałka. – *v.* **-pp- 1.** *t. przen.* ściągać *l.* wyciskać soki z (*czegoś*). **2.** *przen.* nadwątlać, nadszarpywać. **3.** *leśn.* usuwać biel podkorową z (*drzewa*). **4.** *US sl.* uderzyć pałką.

sap2 *n.* **1.** *hist., wojsk.* okop. **2.** *U przen.* podkopywanie. – *v.* **-pp- 1.** *hist., wojsk.* kopać okop; podkopywać się (*t. pod coś*). **2.** *t. przen.* podkopywać; podmywać (*grunt*).

sapajou [ˈsæpəˌdʒuː] *n. pl.* **-s** *l.* **sapajou** *zool.* płaksa, kapucynka (*Cebus capucinus*).

saphead [ˈsæpˌhed] *n. pog. sl.* dureń.

sapheaded [ˈsæpˌhedɪd] *a. pog. sl.* durny.

saphenous [səˈfiːnəs] *a. anat.* odpiszczelowy (*o nerwie, żyle*).

sapid [ˈsæpɪd] *a.* **1.** *form.* smaczny. **2.** *arch.* przyjemny; ciekawy, interesujący.

sapience [ˈseɪpɪəns] *n. U lit.* **1.** *t. iron.* mądrość. **2.** przemądrzałość.

sapient [ˈseɪpɪənt] *a. lit.* **1.** *t. iron.* mądry. **2.** przemądrzały.

sapiential [ˌseɪpɪˈenʃl] *a. lit.* dotyczący mądrości.

sapless [ˈsæpləs] *a.* **1.** *bot.* bez soku; zwiędły. **2.** *przen.* pozbawiony soków żywotnych; pozbawiony energii *l.* chęci do życia; mdły.

sapling [ˈsæplɪŋ] *n.* **1.** *ogr.* młode drzewko; sadzonka. **2.** *lit.* młodzieniaszek; młoda osoba.

saponaceous [ˌsæpəˈneɪʃəs] *a. form.* mydlany.

saponated [ˈsæpəˌneɪtɪd] *a. form.* **1.** nasiąknięty mydłem. **2.** wymieszany z mydłem.

saponify [səˈpɑːnəˌfaɪ] *v.* **-ied, -ying** *chem.* zmydlać (się).

saponin [ˈsæpənɪn] *n. zw. pl. chem.* saponina.

saponite [ˈsæpənaɪt] *n. U min.* saponit, bowlingit.

sapor [ˈseɪpər] *n. form.* smak (*charakterystyczny*).

sapper [ˈsæpər] *n. wojsk.* saper.

Sapphic [ˈsæfɪk] *a.* **1.** *wers.* saficki. **2.** *przen., lit.* lesbijski. – *n. wers.* strofa saficka.

sapphire [ˈsæfaɪr] *n. C/U min.* szafir. – *a.* szafirowy (*t. o kolorze*); ~ **ring** pierścionek z szafirem.

sapphirine [ˈsæfərɪn] *a.* szafirowy, przypominający szafir.

sapphism [ˈsæfˌɪzəm] *n. U lit.* safizm, miłość lesbijska.

Sappho [ˈsæfoʊ] *n. hist.* Safona.

sappiness [ˈsæpɪnəs] *n. U* **1.** *bot.* soczystość. **2.** *pot. pog.* frajerstwo, naiwniactwo. **3.** *pot.* ckliwość.

sappy [ˈsæpɪ] *a.* **-ier, -iest 1.** soczysty, jędrny. **2.** pełen żywotności i energii. **3.** *pot. pog.* frajerski, naiwny. **4.** *US i Austr. pot.* ckliwy, sentymentalny.

saprobes [ˈsæproʊbz] *n. pl. biol.* saproby, saprobionty.

saprogenic [ˌsæproʊˈdʒenɪk] *a. form.* gnilny.

saprolite [ˈsæprəˌlaɪt] *n. U min.* saprolit.

sapropel [ˈsæprəˌpel] *n. U min.* sapropel.

saprophagous [sæˈprɑːfəgəs] *a. biol.* saprofagiczny.

saprophyte [ˈsæprəˌfaɪt] *n. biol.* saprofit.

saprophytic [ˌsæprəˈfɪtɪk] *a. biol.* saprofityczny.

sapsucker [ˈsæpˌsʌkər] *n. orn.* oskomik (*rodzaj Sphyrapicus*).

sapwood [ˈsæpˌwʊd] *n. U bot.* biel podkorowa.

saraband [ˈserəˌbænd] *n. muz.* sarabanda.

Saracen [ˈserəsən] *n. hist.* Saracen. – *a.* (*także* **~ic**) *hist.* saraceński.

Sarajevo [ˌserəˈjeɪvoʊ] *n. geogr.* Sarajewo.

sarangi [ˈsɑːrʌŋgɪ] *n. muz.* sarangi (*instrument indyjski*).

Saran wrap [səˌræn ˈræp] *n. U US kulin.* folia spożywcza.

Saratoga trunk [ˌserəˌtoʊgə ˈtrʌŋk] *n. hist.* duży kufer podróżny (*z wypukłym wiekiem*).

sarcasm [ˈsɑːrkˌæzəm] *n. U* sarkazm; **biting/heavy** ~ ostry sarkazm.

sarcastic [sɑːrˈkæstɪk] *a.* sarkastyczny.

sarcastically [sɑːrˈkæstɪklɪ] *adv.* sarkastycznie.

sarcenet [ˈsɑːrsnət], **sarsenet** *n. U tk.* delikatna tkanina jedwabna, używana gł. na podszewki, woalki i wstążki.

sarcodinians [ˌsɑːrkəˈdɪnɪənz] *n. pl. zool.* korzenionóżki (*Sarcodina*).

sarcoid [ˈsɑːrkɔɪd] *pat. a.* mięśniakowaty, mięsakowaty. – *n.* sarkoid.

sarcoidosis [ˌsɑːrkɔɪˈdoʊsɪs] *n. U pat.* sarkoidoza.

sarcolactic acid [ˌsɑːrkəˌlæktɪk ˈæsɪd] *n. U biol.* prawoskrętny kwas mlekowy.

sarcolemma [ˌsɑːrkəˈlemə] *n. pl.* **-s** *l.* **sarcolemmata** [ˌsɑːrkəˈlemətə] *pat.* omięsna, sarkolema.

sarcoma [sɑːrˈkoʊmə] *n. pl.* **-s** *l.* **sarcomata** [sɑːrˈkoʊmətə] *pat.* mięsak.

sarcomatosis [sɑːrˌkoʊməˈtoʊsɪs] *n. U pat.* mięsakowatość.

sarcomatous [sɑːrˈkoʊmətəs] *a. pat.* mięsakowy.

sarcomere [ˌsɑːrkəˈmer] *n. biol.* sarkomer, miomer.

sarcophagus [sɑːrˈkɑːfəgəs] *n. pl.* **-es** *l.* **sarcophagi** [sɑːrˈkɑːfəgaɪ] *hist., archeol.* sarkofag.

sarcoplasm [ˈsɑːrkəˌplæzəm] *n. U biol.* sarkoplazma.

sarcoplasmic reticulum [ˌsɑːrkəˌplæzˌmætɪk rɪˈtɪkjələm] *n. biol.* siateczka sarkoplazmatyczna.

sarcostyle [ˈsɑːrkəˌstaɪl] *n. anat.* włókienko mięśniowe.

sarcous [ˈsɑːrkəs] *a. anat.* mięśniowy (*o tkance*).

sard [sɑːrd] *n. U* (*także* **~ius**) *min.* sard.

sardine [ˌsɑːrˈdiːn] *n.* **1.** *icht.* sardynka europejska (*Sardinia pilchardus*). **2. be packed like ~s** *przen.* być stłoczonym jak sardynki w puszce.

Sardinia [sɑːrˈdɪnɪə] *n. geogr.* Sardynia.

Sardinian [sɑːrˈdɪnɪən] *a.* sardyński. – *n.* **1.** Sardy-ńczyk/nka. **2.** *U jęz.* język sardyński.

sardius [ˈsɑːrdɪəs] *n.* = **sard.**

sardonic [sɑːrˈdɑːnɪk] *a.* sardoniczny.

sardonically [sɑːrˈdɑːnɪklɪ] *adv.* sardonicznie.

sardonyx [sɑːrˈdɑːnɪks] *n. U min.* sardoniks.

saree ['sɑ:ri:] *n.* = **sari**.

sargasso [sɑ:r'gæsoʊ] *n.* (*także* ~ **weed**) *bot.* sargasso (*Sargassum*).

Sargasso Sea *n. geogr.* Morze Sargassowe.

sarge [sɑ:rdʒ] *n. pot.* sierżant.

sari ['sɑ:ri:], **saree** *n. strój* sari.

sarin ['sɑ:rɪn] *n. U chem.* sarin.

sark [sɑ:rk] *n. płn. Br. dial.* koszula.

sarky ['sɑ:rkɪ] *a.* **-ier, -iest** *Br. i Austr. pot.* sarkastyczny.

sarmentose [sɑ:r'mentoʊs] *a.* (*także* **~ous**) *bot.* wiciowaty.

sarnie ['sɑ:rnɪ] *n. Br. kulin.* kanapka, sandwicz.

sarong [sə'rɔ:ŋ] *n. strój* sarong.

saros ['serɑ:s] *n. astron.* saros.

sarrusophone [sə'ru:zəˌfoʊn] *n. muz.* sarusofon.

sarsaparilla [ˌsæsəpə'rɪlə] *n. C/U* **1.** *bot.* sarsaparyla, kolcowój lekarski (*Smilax officinalis*). **2.** *med.* korzeń rośliny jw. **3.** napój z rośliny jw. (*słodki, bezalkoholowy*).

sarsenet ['sɑ:rsnɪt] *n.* = **sarcenet**.

sartor ['sɑ:rtər] *n. lit.* krawiec.

sartorial [sɑ:r'tɔ:rɪəl] *a. form. l. żart.* **1.** krawiecki; dotyczący stroju; ~ **elegance** elegancja stroju. **2.** *anat.* krawiecki (*o mięśniu*).

sartorially [sɑ:r'tɔ:rɪəlɪ] *adv. form. l. żart.* pod względem stroju.

sartorius [sɑ:r'tɔ:rɪəs] *n. pl.* **sartorii** [sɑ:r'tɔ:rɪˌaɪ] *anat.* mięsień krawiecki.

SAS [ˌes ˌeɪ 'es] *abbr. i n.* **Special Air Service** *Br. wojsk.* jednostka do zadań specjalnych.

SASE [ˌes ˌeɪ ˌes 'i:] *abbr.* **self-addressed stamped envelope** *US* zaadresowana koperta zwrotna ze znaczkiem.

sash¹ [sæʃ] *n.* szarfa.

sash² *n. bud.* rama (*okienna l. drzwiowa*); skrzydło (*okienne*).

sashay [sæ'ʃeɪ] *v. pot.* **1.** posuwać się; iść posuwistym krokiem. **2.** *balet* robić chassé; posuwać się krokiem chassé. – *n.* **1.** *balet* chassé. **2.** wycieczka; wypad. **3.** przedsięwzięcie.

sash cord *n.* linka obciążona ciężarkiem (*stanowiącym przeciwciężar okna*).

sashimi [sɑ:'ʃi:mɪ] *n. U kulin.* sashimi (*potrawa kuchni japońskiej*).

sash saw *n. techn.* piła ramowa stolarska.

sash weight *n.* przeciwciężar okna.

sash window *n. bud.* okno przesuwne pionowo.

sasin ['seɪsɪn] *n. zool.* garna (*Antilope cervicapra*).

Saskatchewan [sæ'skætʃəˌwɑ:n] *n. Can. geogr.* Saskatchewan (*prowincja l. rzeka*).

sasquatch ['sæskwætʃ], **Sasquatch** *n. Can. mit.* wielki człekokształtny stwór, wg indiańskich legend zamieszkujący góry i lasy zach. Kanady.

sass [sæs] *gł. US pot. v.* pyskować (*komuś*). – *n.* pyskowanie.

sassaby ['sæsəbɪ] *n. pl.* **-ies** *zool.* sassebi (*Damaliscus lunatus*).

sassafras ['sæsəˌfræs] *n.* **1.** *bot.* sasfras (*Sassafras albidum*). **2.** *U t. med.* aromatyczna kora z drzewa jw.

sassafras oil *n. U* olejek sasafrasowy.

Sassanian [sæ'seɪnɪən] *a. hist.* sasanidzki (*zwł. o dynastii*).

Sassanid ['sæsənɪd] *n. l.* **-s** *pl.* **Sassanidae** [sə'sænɪdi:] *hist.* Sasanida (= *członek dynastii sasanidzkiej*).

Sassenach ['sæsənæk] *Scot., Ir. żart. l. pog. n.* Ang-lik/ielka. – *a.* angielski.

sassy ['sæsɪ] *a.* **-ier, -iest** *US* **1.** pyskaty, bezczelny (*zwł. o dziecku*). **2.** wprawiający w doskonały nastrój. **3.** szykowny; w świetnym stylu.

SAT [ˌes ˌeɪ 'ti:] *abbr.* **1. Scholastic Aptitude Test** *US* egzamin sprawdzający zdolności naukowe kandydata na studia wyższe. **2. Standard Assessment Task** *Br. szkoln.* testy sprawdzające postępy w nauce (*dla dzieci w wieku 7, 11 i 14 lat*).

sat [sæt] *v. zob.* **sit**.

Sat. *abbr.* = **Saturday**.

sat. *abbr.* **1.** = **saturated**. **2.** = **saturation**. **3.** = **satellite**.

Satan ['seɪtən] *n. Bibl. l. przen.* szatan.

satanic [sə'tænɪk] *a.* (*także* **~ical**) **1.** szatański. **2.** sataniczny.

satanically [sə'tænɪklɪ] *adv.* **1.** szatańsko. **2.** satanicznie.

Satanism ['seɪtəˌnɪzəm] *n. U* satanizm.

Satanist ['seɪtənɪst] *n.* satanist-a/ka. – *a.* satanistyczny.

satay sauce ['sɑ:teɪ ˌsɔ:s] *n. U kulin.* satay (*sos z orzeszków ziemnych*).

SATB [ˌes ˌeɪ ˌti: 'bi:] *abbr.* **soprano, alto, tenor, bass** *muz.* sopran, alt, tenor, bas.

satchel ['sætʃl] *n.* tornister; torba (*z paskiem na ramię*).

sate [seɪt] *v.* **1.** *form.* nasycać; zaspokajać (*np. apetyt*). **2.** przesycać.

sated ['seɪtɪd] *a. form.* **1.** nasycony; zaspokojony. **2.** *przen.* przesycony; **be ~ with sth** mieć przesyt czegoś.

sateen [sə'ti:n] *n. U tk.* satyna bawełniana.

satellite ['sætəˌlaɪt] *n.* **1.** *astron., telew., meteor. l. przen.* satelita; **weather** ~ satelita meteorologiczny. **2.** *komp.* terminal satelita, stacja robocza peryferyjna. **3.** *polit.* = **satellite state**. – *a. attr.* **1.** *astron., tel.* satelitarny. **2.** *komp.* peryferyjny.

satellite broadcasting *n. U telew.* transmisja satelitarna.

satellite dish *n. telew.* antena satelitarna.

satellite state *n. polit.* satelita, państwo satelickie.

satellite television *n.* (*także* **satellite TV**) *U* telewizja satelitarna.

sati ['sʌti:], **suttee** *n. gł. hist.* sati (= *hinduski obyczaj palenia wdowy na stosie wraz ze zwłokami męża*).

satiable ['seɪʃɪəbl] *a. form.* dający się zaspokoić (*zwł. o apetycie*).

satiate ['seɪʃɪˌeɪt] *form. v.* **1.** nasycać; sycić; zaspokajać. **2.** przesycać. – *a.* **1.** nasycony; zaspokojony. **2.** przesycony.

satiation [ˌseɪʃɪˈeɪʃən] *n. U form.* **1.** nasycenie; zaspokojenie. **2.** przesycenie.

satiety [səˈtaɪətɪ] *n. U form.* przesyt.

satin [ˈsætən] *n. U tk.* satyna jedwabna, atłas. – *a. attr. tk., druk.* **1.** atłasowy. **2.** z satynowym połyskiem; satynowany. – *v. druk.* satynować (*papier*).

satin bowerbird *n. orn.* budnik lśniący (*Ptilonorhynchus violaceus*).

satinet [ˌsætəˈnet], **satinette** *n. U tk.* imitacja satyny.

satin finish *n.* **1.** *metal.* bardzo gładkie wykończenie, wykończenie (blachy) na matowo. **2.** **with a ~** *stol., druk.* z połyskiem.

satin paper *n. U* papier satynowany *l.* atłasowy.

satin spar *n. U min.* kalcyt włóknisty, arapnit.

satin walnut *n. bot.* ambrowiec amerykański (*Liquidambar styraciflua*).

satin weave *n. tk.* splot satynowy.

satinwood [ˈsætənˌwud] *n.* **1.** *bot.* drzewo satynowe (*Chloroxylon swietenia*). **2.** *U* drewno satynowe.

satiny [ˈsætənɪ] *a. przen.* atłasowy, jak atłas (*np. o skórze*).

satire [ˈsætaɪr] *n. C/U t. teor. lit.* satyra (*on sb/sth* na kogoś/coś); **scathing/biting ~** zjadliwa/cięta satyra.

satirical [səˈtɪrɪkl] *a.* (*także* **satiric**) satyryczny.

satirist [ˈsætərɪst] *n.* satyry-k/czka.

satirize [ˈsætəˌraɪz], *Br. i Austr. zw.* **satirise** *v.* satyryzować na temat (*kogoś l. czegoś*); ośmieszać, wykpiwać, wyśmiewać.

satisfaction [ˌsætɪsˈfækʃən] *n. U* **1.** satysfakcja, zadowolenie; **get ~ out of/from sth** czerpać zadowolenie *l.* satysfakcję z czegoś; **have/get the ~ of being sth/doing sth** mieć satysfakcję z tego, że się kimś jest/że się coś zrobiło; **job ~** zadowolenie z pracy; **just for the ~ of doing sth** dla samej satysfakcji zrobienia czegoś; **to sb's ~** (*także* **to the ~ of sb**) w sposób, który kogoś zadowala *l.* satysfakcjonuje. **2.** *form.* satysfakcja (= *przeprosiny, przyznanie racji itp.*); zadośćuczynienie, rekompensata (*for sth* za coś); **demand ~ from sb** domagać się od kogoś satysfakcji (*np. w formie pojedynku*); domagać się *l.* żądać od kogoś zadośćuczynienia *l.* rekompensaty; **give ~ to sb** dać komuś satysfakcję (*t. np. w formie pojedynku*); zadośćuczynić komuś. **3.** zaspokojenie (*np. potrzeby, pragnienia*); spełnienie (*np. warunku, zobowiązania*). **4.** *C* powód do zadowolenia *l.* satysfakcji; **have its ~s** dawać powody do zadowolenia, być źródłem satysfakcji (*o zajęciu, pracy*).

satisfactorily [ˌsætɪsˈfæktərɪlɪ] *adv.* **1.** w satysfakcjonujący sposób, zadowalająco; dostatecznie. **2.** przekonująco.

satisfactory [ˌsætɪsˈfæktərɪ] *a.* **1.** satysfakcjonujący, zadowalający (*np. o odpowiedzi*); dostateczny (*np. o przyczynie*); udany (*np. o małżeństwie*). **2.** stanowiący zadośćuczynienie *l.* rekompensatę. **3.** przekonujący (*np. o dowodzie*). **4.** *teol.* przebłagalny; pokutny.

satisfied [ˈsætɪsˌfaɪd] *a.* **1.** usatysfakcjonowany (*with sth* czymś) zadowolony (*with sth* z czegoś); **~?** zadowolony?, wystarczy? (*do kogoś, kto irytuje nas swymi żądaniami, pytaniami itp.*). **2.** przekonany, pewny (*that* że).

satisfy [ˈsætɪsˌfaɪ] *v.* **-ied, -ying 1.** zadowalać, satysfakcjonować. **2.** zaspokajać (*np. apetyt, popyt, roszczenia, ciekawość*); *ekon.* nasycić (*rynek*). **3.** *form.* spełniać (*t. mat., np. warunki, równanie*); wypełniać (*zobowiązanie*); czynić zadość (*wymaganiom, wymogom*). **4.** *form.* wynagradzać, rekompensować (*krzywdy, straty*). **5.** *fin.* spłacać (*długi*); regulować (*zaległe rachunki*). **6.** *prawn.* wykonać (*wyrok*). **7.** *t. prawn.* przekonać (*sb that* kogoś, że, *sb of sth* kogoś o czymś) (*np. sąd o swojej niewinności*); **~ o.s. that...** upewnić się, że...

satisfying [ˈsætɪsˌfaɪɪŋ] *a.* satysfakcjonujący, dający zadowolenie.

satori [səˈtɔːrɪ] *n. U buddyzm zen* satori (*nagłe olśnienie*).

satrap [ˈsætræp] *n. hist. l. przen.* satrapa.

satrapy [ˈsætrəpɪ] *n. pl.* **-ies** *hist.* satrapia (= *prowincja w starożytnej Persji*).

satsuma [ˈsætsumə] *n.* rodzaj mandarynki.

saturable [ˈsætʃərəbl] *a. el., chem., fiz.* nasycony; nasycalny; **~ reactor** *el.* dławik nasycony *l.* sterowany.

saturant [ˈsætʃərənt] *n. C/U chem.* syciwo.

saturate *v.* [ˈsætʃəˌreɪt] **1.** *el., chem., fiz., ekon. l. przen.* nasycać (*with/in sth* czymś); **~ the/a market** *ekon.* nasycić rynek. **2.** zarzucać, zasypywać (*sb/sth with sb/sth* kogoś/coś kimś/czymś); zapełniać (*sth with sb/sth* coś kimś/czymś). **3.** *lotn., wojsk.* bombardować dywanowo; intensywnie ostrzeliwać. – *a.* [ˈsætʃərət] *arch. l. przen.* nasycony.

saturated [ˈsætʃəˌreɪtɪd] *a. el., chem., fiz., mat.* nasycony (*t. o barwie*).

saturated fat *n. C/U chem.* tłuszcz nasycony.

saturated fatty acid *n. C/U chem.* nasycony kwas tłuszczowy.

saturated set *n. mat.* zbiór nasycony.

saturated solution *n. chem.* roztwór nasycony.

saturation [ˌsætʃəˈreɪʃən] *n. U* **1.** *t. ekon., chem., fiz., meteor.* nasycenie; **demand ~** *ekon.* nasycenie popytu. **2.** *el., chem., fiz.* nasycanie; wysycanie; saturacja. **3.** *t. przen.* zarzucenie, zasypanie; zapełnienie. – *a. attr. przen.* pełny, wyczerpujący (*np. o omówieniu, sprawozdaniu*).

saturation bombing *n. C/U lotn. wojsk.* bombardowanie dywanowe *l.* zmasowane.

saturation level *n. ekon.* poziom nasycenia (*rynku*).

saturation point *n. chem.* **1.** stężenie graniczne (*roztworu stałego*). **2.** *fiz.* temperatura rosienia, punkt rosy. **3.** *ekon. l. przen.* punkt nasycenia.

saturation zone *n. geol.* strefa nasycona, strefa nasycenia *l.* saturacji.

Saturday [ˈsætərdeɪ] *n. C/U* sobota; *zob. t.* **Friday.**

Saturday-night special [ˌsætərdeɪ ˌnaɪt ˈspeʃl] *n. US* mały tani pistolet.

Saturn [ˈsætərn] *n. astron., mit.* Saturn.

saturnalia [ˌsætərˈneɪlɪə], **Saturnalia** *n. pl. hist., rel. l. przen.* saturnalia, saturnalie.

Saturnian [səˈtɜːnɪən] *a. astron., mit.* dotyczący Saturna, saturnowy.

saturnine [ˈsætərˌnaɪn] *a. lit.* **1.** posępny, ponury; sardoniczny. **2.** spokojny, opanowany. **3.** *astrol.* będący pod wpływem Saturna. **4.** *pat.* cierpiący na zatrucie ołowiem; dotyczący zatrucia ołowiem.

saturnine poisoning *n. U* (*także* **saturnism**) *pat.* zatrucie ołowiem, ołowica, saturnizm.

satyagraha [sʌtˈjɑːgrəhə] *n. U hist., polit.* bierny opór (*wobec panowania brytyjskiego w Indiach*).

satyagrahi [sʌtˈjɑːgrəhiː] *n. hist., polit.* osoba stosująca bierny opór (*jw.*).

satyr [ˈseɪtər] *n. mit. l. przen.* satyr.

satyriasis [ˌseɪtəˈraɪəsɪs] *n. U pat.* satyriaza, satyromania.

satyric [səˈtɪrɪk] *a. mit. l. przen.* satyrowy.

satyric play *n. teor. lit.* dramat satyrowy.

sauce [sɔːs] *n. C/U* **1.** *kulin.* sos; **tomato/vanilla ~** sos pomidorowy/waniliowy. **2.** *US i Can. kulin.* duszone owoce (*podawane jako dodatek do dania głównego*). **3.** *przen.* posmak; pikanteria. **4.** *gł. Br. przest. pot.* impertynencja, zuchwałość. **5.** *US sl.* alkohol. **6.** **(what's) ~ for the goose is ~ for the gander** *przest. przen.* wszystkich powinny obowiązywać te same zasady. – *v.* **1.** *kulin.* przyprawiać sosem, polewać sosem. **2.** *przen.* dodawać pikanterii *l.* posmaku (*czemuś*). **3.** *przest. pot.* stawiać się (*komuś; = zachowywać się impertynencko*).

sauceboat [ˈsɔːsˌbout] *n.* sosjerka.

saucepan [ˈsɔːsˌpæn] *n.* rondel.

saucer [ˈsɔːsər] *n.* spodek, spodeczek; podstawek, podstawka; talerzyk.

saucily [ˈsɔːsɪlɪ] *adv. przest. pot.* niegrzecznie; impertynencko, zuchwale; wyzywająco.

sauciness [ˈsɔːsɪnəs] *n. U przest. pot.* niegrzeczność; impertynencja, zuchwałość.

saucy [ˈsɔːsɪ] *a.* **-ier, -iest** **1.** *przest. pot.* niegrzeczny; impertynencki, zuchwały; wyzywający. **2.** zawadiacki; szykowny. **3.** *przen.* pikantny; seksowny (*np. o bieliźnie*).

Saudi [ˈsaʊdɪ] *n. pl.* **-s** mieszkan-iec/ka Arabii Saudyjskiej. – *a.* saudyjski.

Saudi Arabia *n. geogr., polit.* Arabia Saudyjska.

sauerbraten [ˈsaʊərˌbrɑːtən] *n. U kulin.* wołowina marynowana i gotowana w occie.

sauerkraut [ˈsaʊərˌkraʊt] *n. U kulin.* kiszona kapusta.

sauna [ˈsɔːnə] *n.* sauna (*kąpiel l. pomieszczenie*).

saunter [ˈsɔːntər] *v.* przechadzać się, spacerować. – *n. sing.* **1.** wolny krok, krok spacerowy. **2.** przechadzka, spacer.

saunterer [ˈsɔːntərər] *n.* osoba przechadzająca się.

saurel [ˈsɔːrəl] *n. US icht.* ostrobok pospolity (*Trachurus trachurus*).

saurian [ˈsɔːrɪən] *paleont. a.* **1.** jaszczurczy. **2.** jaszczurowy; jaszczurowaty. – *n.* jaszczur.

saury *n. pl.* **-ies** *icht.* makrelosz (*Scomberesox saurus*).

sausage [ˈsɔːsɪdʒ] *n.* **1.** *C/U kulin.* kiełbasa; kiełbaska. **2.** **not a ~** *Br. przest. pot.* zupełnie nic.

sausage balloon *n. lotn. pot.* balon na uwięzi w kształcie kiełbasy.

sausage dog *n. Br. pot.* jamnik.

sausage machine *n. Br. przen.* fabryka (*np. o szkole*).

sausagemeat [ˈsɔːsɪdʒˌmiːt], **sausage meat** *n. U kulin.* farsz do produkcji kiełbas.

sausage roll *n. Br. i Austr. kulin.* pasztecik z kiełbasą.

sauté [souˈteɪ] *kulin. v.* smażyć bez panierowania; podsmażać; **~ the onions until golden brown** podsmażać cebulę (aż) do zrumienienia (*w przepisie*). – *a. attr.* (*także* **sautéed**) sauté; **~ potatoes** ziemniaki sauté.

sav [sæv] *n.* **= saveloy.**

savable [ˈsævəbl], **saveable** *a.* dający się ocalić *l.* uratować.

savage [ˈsævɪdʒ] *a.* **1.** *t. obelż.* dziki. **2.** bestialski, brutalny, okrutny. **3.** srogi, ostry (*np. o głosie, krytyce, środkach*). **4.** wściekły (*rozgniewany*); zaciekły. – *n. t. obelż.* dzikus/ka. – *v.* **1.** brutalnie zaatakować; poturbować, pokiereszować. **2.** *przen.* nie zostawić suchej nitki na (*np. artyście, filmie*), odsądzić od czci i wiary (*zwł. o krytykach*).

savagely [ˈsævɪdʒlɪ] *adv.* **1.** *t. obelż.* dziko. **2.** bestialsko, brutalnie, okrutnie. **3.** srogo, ostro. **4.** wściekle; zaciekle.

savagery [ˈsævɪdʒərɪ] *n. U* **1.** bestialstwo, brutalność, okrucieństwo. **2.** *t. obelż.* dzikość. **3.** srogość. **4.** wściekłość; zaciekłość.

savanna [səˈvænə], **savannah** *n. C/U geogr.* sawanna, step tropikalny.

savant [ˈsævənt] *n. lit.* uczony; mędrzec.

save[1] [seɪv] *v.* **1.** ratować, ocalać (*sb/sth from sth* kogoś/coś przed czymś *l.* od czegoś); **~ sb from drowning** ocalić kogoś od utonięcia; **~ sb's life** *t. przen.* uratować komuś życie; **we tried to ~ our relationship** staraliśmy się uratować nasz związek. **2.** **~ (up)** oszczędzać (*for sth* na coś). **3.** chronić (*sb/sth from sth* kogoś/coś przed czymś *l.* od czegoś); **~ sb from themselves** chronić kogoś przed nim samym (*żeby sobie nie szkodził*); **~ sth from destruction** uchronić coś przed zniszczeniem; **God ~ the King/Queen!** *Br.* Boże chroń Króla/Królową!. **4.** **~ (up)** zbierać, kolekcjonować (*np. monety*). **5.** zachowywać, zostawiać (sobie); **~ sth for later** zostawić sobie coś na później. **6.** **~ sb/o.s. sth** zaoszczędzić *l.* oszczędzić komuś/sobie czegoś; **it will ~ us two hours** dzięki temu zaoszczędzimy dwie godziny; **your help ~d me a lot of work** twoja pomoc oszczędziła mi wiele pracy. **7.** zajmować, rezerwować; **~ sb a seat** (*także* **~ a seat for sb**) zająć *l.* zarezerwować komuś miejsce. **8.** *komp.* zapisywać (*na dysku*). **9.** *sport* bronić; **he ~d four goals during the match** podczas meczu obronił cztery bramki. **10.** *rel.* zbawiać (*grzeszników*). **11.** *przen.* **~ face** zachować twarz; **~ your breath** *pot.* szkoda twoich słów; ~ **one's (own)/sb's ass/butt** *wulg.* ratować (własny)/czyjś tyłek; ~ **one's own skin/hide** ratować własną skórę; ~ **o.s. for sth** oszczędzać siły na coś; ~ **sb's bacon/neck** wyciągnąć kogoś z tarapatów; ~ **the day/situation** uratować sytuację; **she is saving herself for the right man** ona czeka na odpowiedniego mężczyznę. **12.** ~ **on sth** oszczędzać coś (= *używać jak najmniej*); ~ **on electricity** oszczędzać prąd. – *n. sport* obrona (*gola*); zablokowanie (*piłki*); **make a brilliant** ~ znakomicie obronić (*bramkę, piłkę*).

save² *prep.* (*także* ~ **for**) (*także* **saving**) *form.* wyjąwszy, z wyjątkiem, poza; **all participants** ~ **one** wszyscy uczestnicy z wyjątkiem jednego. – *conj. arch.* ~ **(that)** poza tym, że, oprócz tego, że; gdyby nie to, że.

saveable [ˈseɪvəbl] *a.* = **savable**.

save-all [ˈseɪvˌɔːl] *n.* **1.** pojemnik do zbierania odpadów z przeznaczeniem na surowce wtórne. **2.** *techn.* wyławiacz włókien (*przy produkcji papieru*).

saveloy [ˈsævəˌlɔɪ] *n.* (*także* **sav**) *gł. Br. kulin.* silnie przyprawiona wieprzowa kiełbasa.

saver [ˈseɪvər] *n.* **1.** *zwł. Br.* osoba oszczędzająca *l.* gromadząca oszczędności (*w banku, kasie mieszkaniowej*). **2.** *t. kol.* tańszy bilet, bilet ze zniżką.

savin [ˈsævɪn] *n. bot.* jałowiec sabiński, sawina (*Juniperus sabina*).

saving [ˈseɪvɪŋ] *prep. zob.* **save²**. – *n.* **1.** *U* oszczędzanie. **2.** zaoszczędzona suma. **3.** uratowanie (*przed niebezpieczeństwem*). **4.** *prawn.* zastrzeżenie. **5.** *pl.* oszczędności; **make ~s** robić oszczędności.

saving grace *n.* jedyny plus, jedyna zaleta (*of sth* czegoś); **the party's (one/only)** ~ **was good food** jedynym plusem imprezy było dobre jedzenie.

savings account [ˈseɪvɪŋz əˌkaʊnt] *n. fin.* rachunek oszczędnościowy.

savings and loan association *n. US fin.* kasa oszczędnościowo-budowlana.

savings bank *n. fin.* kasa oszczędnościowa.

savings bank deposit *n. fin.* bankowy wkład oszczędnościowy.

savings bond *n. US i Can. fin.* rządowa obligacja.

savings method *n. US psych.* metoda testowania postępów w trenowaniu pamięci.

savings ratio *n. fin.* stopa oszczędności.

savior [ˈseɪvjər], *Br.* **saviour** *n.* **1.** wybawiciel/ka, zbaw-ca/czyni. **2. (the/our) S~** *rel.* Zbawiciel (= *Chrystus*).

savoir-faire [ˌsævwɑːrˈfer] *n. U Fr.* ogłada, obycie.

savoir-vivre [ˌsævwɑːrˈviːvrə] *n. U Fr.* savoir-vivre, zasady dobrego wychowania.

savor [ˈseɪvər], *Br.* **savour** *v.* **1.** delektować *l.* rozkoszować się (*czymś*). **2.** ~ **of sth** *t. przen.* mieć posmak czegoś; trącić czymś. **3.** *arch.* nadawać smak (*czemuś*), przyprawiać. – *n. U l. sing. t. przen.* smak, aromat (*of sth* czegoś) (*t. np. życia*); posmak, odcień, nuta (*charakterystyczna*).

savoriness [ˈseɪvərɪnəs] *n. U* przyjemny smak.

savory¹ [ˈseɪvərɪ] (*także Br.* **savoury**) *a.* **-ier, -iest 1.** smaczny; apetyczny; aromatyczny. **2.** *Br. kulin.* pikantny. **3. not very** ~ (*także* **none too** ~) *przen.* nie najlepszy, podejrzany (*zwł. o reputacji*). – *n. pl.* **-ies** *kulin.* pikantna przekąska podawana zw. na końcu posiłku *l.* jako przystawka.

savory² *n. bot.* cząber (*Satureia hortensis*).

savour [ˈseɪvər] *v. i n. Br.* = **savor**.

savoury [ˈseɪvərɪ] *a. i n. Br.* = **savory**.

Savoy [səˈvɔɪ] *n. geogr.* Sabaudia.

savoy [səˈvɔɪ] *n.* (*także* ~ **cabbage**) *bot., kulin.* kapusta włoska (*Brassica oleracea sabuda*).

Savoyard [ˌsævɔɪˈɑːrd] *a.* sabaudzki. – *n.* Sabaud-czyk/ka.

savvy [ˈsævɪ] *n. U pot.* spryt; wiedza praktyczna; **business** ~ głowa do interesów; **political** ~ zmysł polityczny. – *a.* **-ier, -iest** *zwł. US pot.* sprytny, zmyślny. – *v. sl.* kapować, kumać (= *rozumieć*); **no** ~ nie kumam.

SAW [ˌes ˌeɪ ˈdʌbljuː] *abbr.* **surface acoustic wave** *el.* akustyczna fala powierzchniowa, AFP.

saw¹ [sɔː] *v. zob.* **see¹** *v.*

saw² *n. techn.* piła; **buzz/circular** ~ piła tarczowa; tarczówka (*do drewna*). – *v. pp. t.* **sawn** [sɔːn] **1.** piłować, rżnąć, ciąć piłą; ~ **sth in half** przepiłować coś na pół. **2.** ~ **away** *przen.* rzępolić, pitolić (*at sth* na czymś) (*np. na skrzypcach*); ~ **down** ściąć (*np. drzewo*); ~ **off** odpiłować, oderżnąć; ~ **up** pociąć *l.* porżnąć na kawałki.

saw³ *n.* powiedzenie, przysłowie; maksyma.

sawbill [ˈsɔːˌbɪl] *n. orn.* tracz (*Mergus*).

sawbones [ˈsɔːˌboʊnz] *n. pl.* **-es** *l.* **sawbones** *sl.* rzeźnik (= *lekarz, zwł. chirurg*).

sawbuck [ˈsɔːˌbʌk] *n.* **1.** (*także Br.* **sawhorse**) kozioł do piłowania drewna. **2.** *US przest. sl.* dycha, dziesiątka (= *banknot dziesięciodolarowy*).

sawder [ˈsɔːdər] *pot. n. U* słodkie słówka, pochlebstwa, mające przekonać kogoś do czegoś. – *v.* przekonywać przy pomocy pochlebstw.

saw doctor *n. techn.* maszyna do nacinania zębów pił.

sawdust [ˈsɔːˌdʌst] *n. U* trociny.

sawed-off [ˌsɔːdˈɔːf], *Br.* **sawn-off** [ˌsɔːnˈɔːf] *a. obelż. sl.* kurduplowaty. – *n.* (*także* ~ **shotgun**) obrzyn.

sawfish [ˈsɔːˌfɪʃ] *n. pl.* **-es** *l.* **sawfish** *icht.* ryba piła (*Pristis microdon, Pristis pristis*).

sawfly [ˈsɔːˌflaɪ] *n. pl.* **-ies** *ent.* rośliniarka (*Tenthredinidae*).

sawhorse [ˈsɔːˌhɔːrs] *n. Br.* = **sawbuck** 1.

sawmill [ˈsɔːˌmɪl] *n.* tartak.

sawn-off [ˌsɔːnˈɔːf] *a. i n. Br.* = **sawed-off**.

saw-scaled viper [ˌsɔːˌskeɪld ˈvaɪpər] *n. zool.* efa piaskowa, korbacz pospolity (*Echis carinatus*).

saw set *n.* (*także* **saw wrest**) *techn.* rozwiertak do pił.

sawtooth [ˈsɔːˌtuːθ] *n. pl.* **-teeth** [ˈsɔːˌtiːθ] ząb piły. – *a.* (*także* **saw-toothed**) *el.* piłokształtny.

saw-wort [ˈsɔːˌwɜːt] *n. bot.* sierpik barwierski (*Serratula tinctoria*).

saw wrest *n.* = **saw set**.

sawyer [ˈsɔːjər] *n.* **1.** tracz. **2.** *ent.* żerdzianka krawiec (*Monochamus sartor*).

sax [sæks] *n. pot.* saks (= *saksofon*).

saxatile [ˈsæksətɪl] *a.* (*także* **saxicolous, saxicoline**) *biol.* skalny (*o roślinie l. zwierzęciu*).

saxhorn [ˈsæksˌhɔːrn] *n. muz.* sakshorn.

saxicoline [sækˈsɪkəlɪn] *a.* = **saxatile.**

saxicolous [sækˈsɪkələs] *a.* = **saxatile.**

saxifrage [ˈsæksəˌfrɪdʒ] *n. bot.* skalnica (*Saxifraga*).

Saxon [ˈsæksən] *gł. hist. n.* **1.** Anglosas. **2.** Sas. – *a.* **1.** anglosaski. **2.** saski.

Saxon blue *n. U chem.* roztwór błękitu indygowego w kwasie siarkowym.

Saxony [ˈsæksənɪ] *n. geogr.* Saksonia.

saxony [ˈsæksənɪ] *n. U tk.* **1.** delikatna trzywarstwowa przędza. **2.** delikatna tkanina wełniana.

saxophone [ˈsæksəˌfoʊn] *n. muz.* saksofon.

saxophonist [ˈsæksəˌfoʊnəst] *n. muz.* saksofonist-a/ka.

saxtuba [ˈsæksˌtuːbə] *n. muz.* bombardon (*sakshorn basowy*).

say [seɪ] *pret. i pp.* **said** *3 os. sing.* **says** [sez] **1.** mówić; powiedzieć; ~ **thank you/sorry** powiedzieć dziękuję/przepraszam; **he said he'd come** powiedział, że przyjdzie; **I heard him** ~ **(that) he was tired** słyszałam, jak mówił, że jest zmęczony; **I've got something to** ~ **to you** muszę ci coś powiedzieć, mam ci coś do powiedzenia. **2.** wypowiadać, wymawiać. **3.** wyrażać; **(the look on) her face said she wasn't pleased** jej twarz wyrażała niezadowolenie. **4.** wskazywać, pokazywać; **my watch ~s five o'clock** mój zegarek wskazuje piątą. **5. it ~s (here)** jest napisane (tu); **sth ~s** gdzieś jest napisane; **it said in the paper (that)...** w gazecie jest napisane, że...; **the label ~s to take two daily** na etykiecie jest napisane, żeby brać po dwie dziennie; **the sign on the door ~s "staff only"** na drzwiach jest napisane „tylko dla personelu". **6.** ~ **no more** nie musisz nic więcej mówić (= *wszystko jest jasne*); ~ **one's piece** *zob.* **piece** *n.*; ~ **one's prayers** *zob.* **prayer**; ~ **to o.s.** powiedzieć sobie; ~ **uncle** *zob.* **uncle**; ~ **what you like** *zwł. Br.* mów, co chcesz, możesz mówić, co chcesz (= *i tak nie uwierzę, nie zgodzę się itp.*); ~ **when** *pot.* powiedz, kiedy (mam przestać) (*zwł. nalewać alkohol*); ~ **yes/no (to sth)** zgodzić/nie zgodzić się (na coś); **~s who?** kto tak powiedział? (= *nie wierzę; nie zamierzam tego robić*); **~s you!** to ty tak twierdzisz! (= *nie wierzę*); **$5.98,** ~ **six dollars** $5,98, powiedzmy sześć dolarów; **before you can/could** ~ **Jack Robinson** *zob.* **Jack Robinson; could you** ~ **that again?** czy mógłbyś (to) powtórzyć?; **easier said than done** *zob.* **easy** *adv.*; **enough said** *zob.* **enough; have a lot to** ~ **for o.s.** gadać bez przerwy; mieć wygórowane mniemanie o sobie; **have nothing to** ~ **for o.s.** nie mieć nic do powiedzenia (= *nie brać udziału w dyskusji*); **having said that...** (ale) z drugiej strony...; **I** ~,... *przest. Br.* słuchaj/cie,...; **I** ~! *przest.* coś podobnego!; **I can't** ~ **anything against him** nie mogę powiedzieć o nim złego słowa; **(I) can't** ~ **fairer than that** *Br.* nie mogę dać więcej (= *to jest moja ostateczna oferta*); **I can't** ~ **(that) I...** nie mogę powiedzieć, żebym...; **I'll** ~ **this for him/her/them** muszę mu/jej/im to oddać (= *przyznać*); **I must** ~ muszę przyznać, mówiąc szczerze; **I wouldn't** ~ **so** nie powiedziałabym (= *nie sądzę*); **I'd rather not** ~ wolałbym nie mówić, wolałbym zachować to dla siebie; **it goes without ~ing** to się rozumie samo przez się; **(just)** ~ **the word** powiedz (tylko) słowo (*a zrobię, co zechcesz*); **let's/just** ~ **(that)...** powiedzmy *l.* załóżmy, że...; **like I said/~** *pot.* jak (już) mówiłem; **not to ~...** *zł. Br.* żeby nie powiedzieć...; **nothing you can** ~ **will make any difference** nic, co powiesz, nie zrobi różnicy; **or so she ~s/said** tak przynajmniej mówi/powiedziała; **sb/sth is said to be...** mówi się, że ktoś/coś jest..., uważa się kogoś/coś za...; **sb wouldn't** ~ **boo to a goose** *zob.* **boo** *int.*; **sb wouldn't** ~ **no to sth** ktoś nie pogardziłby czymś *l.* nie odmówiłby czegoś (*np. filiżanki kawy*); **(shall we/let's)** ~ **7 o'clock?** powiedzmy o siódmej?; **so to** ~ że tak powiem; **sth doesn't** ~ **much for sb/sth** coś nie najlepiej o kimś/czymś świadczy; **that is to** ~ to znaczy, to jest; **that's not to ~...** to *l.* co nie znaczy, że...; **that's not ~ing much** to niewiele znaczy; nie ma w tym nic dziwnego; **there's little to be said for sth** coś ma wiele minusów; **there's no ~ing when/how...** nikt nie jest w stanie powiedzieć, kiedy/jak...; **there's something/a lot to be said for sth** coś ma swoje dobre strony/wiele zalet; **to** ~ **nothing of sb/sth** nie mówiąc (już) o kimś/czymś; **to** ~ **the least** delikatnie mówiąc; **what are you ~ing exactly?** o co dokładnie ci chodzi?; **what do you ~?** co ty na to?; **what do you** ~ **we stay another week?** co ty na to, żebyśmy zostali jeszcze tydzień?; **what do/would you** ~ **to...?** co byś powiedział na...?; **what have you got to** ~ **for yourself?** co masz na swoją obronę?; **what sb ~s goes** będzie tak, jak ktoś zadecyduje; **whatever you** ~ (będzie) jak chcesz, jak sobie życzysz (*zwł. kiedy chcemy uniknąć dyskusji*); **when all is said and done** koniec końców; **who can ~?** (*także* **who's to ~?**) kto to wie?, któż to może wiedzieć?; **you can** ~ **that again!** *pot.* zgadza się!; jeszcze jak!; **you don't ~!** *iron.* co ty (nie) powiesz!; **you said it!** ty to powiedziałeś!; *US* zgoda! (= *zróbmy tak*). – *n. U l. sing.* głos, coś do powiedzenia; **it is now my** ~ teraz na mnie kolej, teraz ja chcę coś powiedzieć; **have a/some** ~ **in sth** mieć coś do powiedzenia w jakiejś sprawie (= *mieć wpływ*); **have one's** ~ wypowiedzieć się; **the final** ~ ostatnie słowo. – *int. US i Can. pot.* **1.** coś podobnego! **2.** słuchaj/cie!

saying [ˈseɪɪŋ] *n.* powiedzenie; **as the** ~ **goes** jak to mówią *l.* powiadają, jak to się mówi.

say-so [ˈseɪˌsoʊ] *n. sing. pot.* **1.** zgoda, akceptacja. **2. sb's** ~ czyjaś indywidualna opinia, czyjeś arbitralne stwierdzenie; **believe sth on sb's** ~ uwierzyć w coś tylko dlatego, że ktoś tak twierdzi.

SBA [ˌes ˌbiː ˈeɪ] *abbr.* **1. standard beam approach** *lotn.* system lądowania SBA (*na radiolatarnię kierunkową*). **2. Small Business Administration** *US admin.* urząd federalny udzielający pomocy małym i średnim przedsiębiorstwom.

3. **shared batch area** *komp.* wspólny obszar dla danych wsadowych.

S-bend ['es,bend] *n.* **1.** *Br. mot.* = **S-curve**. **2.** zgięcie w kształcie litery S (*np. rury*).

SC, SC., S.C. *abbr.* = **South Carolina**.

Sc. *abbr.* **1.** = **Scots**. **2.** = **Scottish**.

s/c *abbr.* = **self-contained**.

scab [skæb] *n.* **1.** strup (*na gojącej się ranie*). **2.** *U wet.* świerzb; *bot., pat.* parch. **3.** *obelż.* łamistrajk. **4.** *obelż. sl.* parch, zaraza (*o osobie*). – *v.* **-bb- 1.** pokrywać się strupem. **2.** kontynuować pracę podczas strajku.

scabbard ['skæbərd] *n.* pochwa (*na szablę l. pałasz*). – *v.* chować do pochwy (*szablę l. pałasz*).

scabbard fish *n. icht.* pałasz (*Trichiurus lepturus*).

scabbiness ['skæbɪnəs] *n. U* **1.** *wet.* świerzbowatość; *bot., pat.* parchatość. **2.** *sl.* parszywość.

scabble ['skæbl] *v.* obrabiać z grubsza (*kamień*).

scabby ['skæbɪ] *a.* **-ier, -iest 1.** strupowaty, pokryty strupami. **2.** *wet.* świerzbowaty; *bot., pat.* parchaty. **3.** *sl.* parszywy.

scabies ['skeɪbi:z] *n. U pat.* świerzb.

scabious ['skeɪbɪəs] *a.* **1.** *pat.* świerzbowaty. **2.** pokryty strupami. – *n. C/U bot.* driakiew (*rodzaj Scabiosa l. Knautia*).

scablands ['skæbləndz] *n. pl. geogr.* skalisty płaskowyż porozcinany na niskie pagórki.

scabrous ['skæbrəs] *a. lit.* **1.** chropowaty, szorstki. **2.** *przen.* obsceniczny, skandalizujący (*np. o filmie, książce*); śliski, delikatny (*o temacie, sytuacji*).

scad [skæd] *n. pl.* **-s** *l.* **scad** *icht.* **1.** ostrolin (*Caringidae*). **2.** ostrobok pospolity (*Trachurus trachurus*).

scads [skædz] *n. pl. pot.* góra, kupa; ~ **of money** kupa forsy.

scaffold ['skæfəld] *n.* **1.** szafot; **die on the** ~ zginąć na szafocie. **2.** rusztowanie. **3.** podwyższenie. **4.** *US techn.* kołyska (*budowniczego, myjącego okna itp.*). **5.** *biol.* zrąb. – *v.* wznieść rusztowanie przy (*budynku*).

scaffolding ['skæfəldɪŋ] *n. U* **1.** rusztowanie. **2.** elementy rusztowania.

scag [skæg] *n.* = **skag**.

scagliola [skæl'joulə] *n. U bud.* stiuk, imitacja marmuru.

scalable ['skeɪləbl] *a.* **1.** nadający się do wspinaczki. **2.** *komp.* skalowalny (*o oprogramowaniu, systemie l. procesorze*).

scalage ['skeɪlɪdʒ] *n. C/U* **1.** *US handl.* marża na zmniejszenie się ilości *l.* wielkości towaru (*np. tkaniny zbiegającej się w praniu*). **2.** *US i Can. leśn.* szacunkowa ilość drewna w klocu.

scalar ['skeɪlər] *mat., fiz. a.* skalarny. – *n.* skalar.

scalariform [skə'lerə,fɔ:rm] *a. bud.* drabinkowaty, schodkowaty.

scalawag ['skælə,wæg] *n.* (*także Br.* **scallywag**) **1.** *żart. pot.* łobuziak, nicpoń (*zwł. o dziecku*). **2.** *US hist. pog.* biały z Południa współpracujący z rządem federalnym (*po wojnie secesyjnej*).

scald¹ [skɔ:ld] *v.* **1.** oparzyć (się), poparzyć (się), sparzyć (się) (*wrzątkiem*). **2.** ~ **(out)** wyparzać (*naczynie*). **3.** sparzać (*herbatę, owoce, warzywa*). **4.** *hodowla* zaparzać (*pasze*). **5.** podgrzewać (*np. mleko*). – *n. pat.* oparzenie, oparzelina.

scald² *n.* (*także* **skald**) *hist.* skald (= *poeta staroskandynawski*).

scalding ['skɔ:ldɪŋ] *a.* **1.** wrzący, parzący; (*także* ~ **hot**) bardzo gorący (*np. o herbacie*). **2.** *przen.* palący (*o krytyce*).

scale¹ [skeɪl] *n.* **1.** *zw. pl. t. przen.* łuska (*np. ryby, kwiatowa*); **the ~s fell from sb's eyes** *przen.* łuski opadły komuś z oczu. **2.** *U dent.* kamień nazębny. **3.** *U* (*także* **lime~**) kamień kotłowy. **4.** *U metal.* zgorzelina, zendra. **5.** *ent.* = **scale insect**. **6.** *bot.* = **scale leaf**. – *v.* **1.** łuszczyć (się). **2.** obierać z łusek. **3.** *dent.* usuwać kamień z (*zębów*). **4.** *Austr. pot.* jeździć na gapę. **5.** ~ **off** schodzić (*o łuskach*); odpadać płatami; obierać z łusek; odbijać (*kamień kotłowy*); usuwać (*zgorzelinę*).

scale² *n.* **1.** szala, szalka (*wagi*). **2.** *US* waga; **kitchen** ~ waga kuchenna. **3. tip the** ~ *t. przen.* przeważyć szalę; **tip the ~ at 20 pounds** ważyć 20 funtów. – *v.* ważyć (*na wadze; t. = mieć określony ciężar*).

scale³ *n. C/U* **1.** skala; **Beaufort's** ~ *meteor., żegl.* skala Beauforta; **draw sth to** ~ rysować coś w skali; **large-~ map** mapa o dużej skali; **on a ~ from 1 to 6** na skali od 1 do 6; **on a large/small** ~ na wielką/małą skalę; **sb's ~ of values** czyjaś skala wartości. **2.** podziałka (*zbiór działek*). **3.** skala, podzielnia, podziałówka (*część przyrządu pomiarowego*). **4.** przymiar rysunkowy, linijka z podziałką. **5.** *muz.* skala. **6.** *muz. l. przen.* gama. **7.** tabela, skala (*np. płac*). **8.** *arch.* drabina. **9. economy/economies of** ~ *zob.* **economy** *n.* – *v.* **1.** *komp.* skalować (*obraz wyświetlany na ekranie monitora*), zmieniać skalę (*obrazu jw.*). **2.** *t. przen.* wspinać *l.* wdrapywać się na (*szczyt itp.*). **3.** przedstawiać w podziałce. **4.** ustalać według określonej skali. **5.** *hist.* zdobywać za pomocą drabiny oblężniczej (*mur miasta l. fortecy*). **6.** ~ **back** (*także Br.* **~down**) zmniejszać proporcjonalnie; stopniowo obniżać (*np. podatki, ceny, płace*); ~ **up** zwiększać proporcjonalnie; stopniowo podwyższać (*np. podatki, ceny, płace*).

scaleboard ['skeɪl,bɔ:rd] *n. U* fornir, okleina; plecy (*obrazu, lustra*).

scale drawing *n.* rysunek w zmniejszonej skali.

scale insect *n. ent.* owad z nadrodziny czerwców (*Coccoidea*).

scale leaf *n. bot.* liść łuskowaty (*np. u cebuli*).

scale moss *n. bot.* jungermania (*Jungermanniales*).

scalene ['skeɪli:n] *a.* **1.** *geom.* nierównoboczny (*o trójkącie*). **2.** *geom.* ukośny (*o stożku, walcu*). **3.** *anat.* pochyły (*o mięśniu*). – *n.* (*także* ~ **triangle**) *geom.* trójkąt nierównoboczny.

scaler ['skeɪlər] *n.* **1.** *el.* przelicznik. **2.** młotek do usuwania zgorzeliny; odbijak (*młotek kotlarski*).

scales [skeɪlz] *n.* **1.** *Br.* waga; **bathroom/kitchen** ~ waga łazienkowa/kuchenna. **2. S~** *astron., astrol.* Waga.

scale-winged [ˌskeɪlˈwɪŋd] *a. ent.* łuskoskrzydły.

scaling [ˈskeɪlɪŋ] *n. U* przeliczanie w skali; zmiana skali; skalowanie.

scaling hammer *n.* młotek kotlarski.

scaling ladder *n. hist.* drabina oblężnicza.

scallion [ˈskæljən] *n. bot., kulin.* **1.** szalotka (*Allium ascalonicum*). **2.** por (*Allium porrum*). **3.** *US* zielona cebulka (*niedojrzała cebula zwyczajna - Allium cepa*).

scallop [ˈskæləp], **scollop** [ˈskɑːləp] *n.* **1.** *zool.* przegrzebek (*Pectinidae*). **2.** = **scallop shell. 3.** naczynie w kształcie muszli. **4.** *zw. pl. kulin.* przegrzebek (*jako potrawa*). **5.** obrębek (*ząbkowany, jak u muszli*). **6.** *US kulin.* porcja mięsa na sznycel. **7.** *pl. Austr. kulin.* frytki smażone w panierce. – *v.* **1.** ozdabiać ząbkowanym obrębkiem. **2.** *kulin.* gotować w muszli przegrzebka *l.* w naczyniu o podobnym kształcie. **3.** zbierać przegrzebki.

scalloping [ˈskæləpɪŋ] *n.* obrębek (*ząbkowany, jak u muszli*).

scallop shell *n.* muszla przegrzebka.

scally [ˈskælɪ] *n. pl.* **-ies** *płn. Br. dial. pot.* nicpoń.

scallywag [ˈskæləˌwæg] *n. Br.* = **scalawag.**

scalp [skælp] *n.* **1.** owłosiona skóra głowy. **2.** skalp (*np. jako trofeum*). **3.** *US i Austr. handl. pot.* nieznaczny zysk (*spekulacyjny*). **4.** *US i Austr. handl. pot.* szybki zakup i sprzedaż akcji (*w celu wykorzystania m.in. nieznacznych wahań kursów*). **5. be out for/after sb's ~s** *przen. pot.* szukać sposobu na pokonanie kogoś; starać się pozbawić kogoś pracy. – *v.* **1.** skalpować. **2.** *US i Austr. handl. pot.* osiągać nieznaczny zysk (*spekulacyjny*). **3.** *US i Austr. handl. pot.* spekulować na (*biletach, kursach akcji*).

scalpel [ˈskælpl] *n. chir.* skalpel.

scalper [ˈskælpər] *n. US i Austr. pot.* konik, spekulant (*zwł. biletowy*).

scalp lock *n.* kępka włosów *l.* warkocz na ogolonej głowie (*u niektórych Indian północnoamerykańskich*).

scaly [ˈskeɪlɪ] *a.* **-ier, -est 1.** łuskowaty, pokryty łuską. **2.** łuszczący się (*o skórze*). **3.** *pat.* powodujący łuszczenie się (*o chorobie*). **4.** *bot., pat.* zaatakowany przez czerwce (*o drzewie*). **5.** *sl.* nędzny, marny.

scaly anteater *n. zool.* ssak z rzędu łuskowców (*Pholidota*).

scam [skæm] *sl. n.* szwindel, szachrajstwo. – *v.* **-mm-** wywinąć szwindel (*komuś*).

scammony [ˈskæmənɪ] *n. pl.* **-ies 1.** *C/U bot.* powój (*Convolvulus scammonia*). **2.** *U med.* środek przeczyszczający z żywicy powoju.

scamp¹ [skæmp] *n.* **1.** *pot.* łobuziak, urwis. **2.** *przest. pot.* hultaj, łotr.

scamp² *v. rzad.* = **skimp.**

scamper [ˈskæmpər] *v.* ~ **(off/away)** czmychać; truchtać. – *n.* bieganie w podskokach dla zabawy; gonitwa.

scampi [ˈskæmpɪ] *n. U l. pl. Br.* krewetka; *zool.* homarzec.

scan [skæn] *v.* **-nn- 1.** badawczo się przyglądać (*komuś l. czemuś*); badać (*wzrokiem*). **2.** *t. komp.* przeglądać (*np. gazetę l. książkę*); przeszukiwać (*np. dysk*). **3.** badać; penetrować (*np. za pomocą radaru*); analizować. **4.** *komp.* skanować. **5.** *komp.* sprawdzać (*np. łącza komunikacyjne*). **6.** *wers.* mieć rytm (*o wierszu*). **7.** *wers., ret.* skandować. **8.** *med.* badać za pomocą scyntygrafii *l.* tomografii. **9.** *telew.* składać. – *n.* **1.** badanie; analiza. **2.** *t. komp.* przeglądanie; przeszukanie. **3.** *komp.* obraz cyfrowy (*powstały w wyniku skanowania*). **4.** *med.* scyntygram; **brain** ~ obrazowanie mózgu (*za pomocą scyntygrafii l. tomografii*).

Scan. *abbr.* (*także* **Scand.**) = **Scandinavia**; = **Scandinavian.**

scandal [ˈskændl] *n. C/U* skandal; **a ~ broke** wybuchł skandal; **cause/create ~ broke** wywołać skandal; **cover/hush up a** ~ zatuszować skandal; **it's a ~ that...** to skandal, że...

scandalize [ˈskændəˌlaɪz], *Br. i Austr. zw.* **scandalise** *v. zw. pass.* gorszyć, oburzać, bulwersować.

scandalmonger [ˈskændlˌmʌŋgər] *n.* plotka-rz/rka.

scandalous [ˈskændələs] *a.* **1.** skandaliczny, gorszący, bulwersujący. **2.** oszczerczy.

scandalously [ˈskændələslɪ] *adv.* **1.** skandalicznie. **2.** oszczerczo.

scandal sheet *n. dzienn. uj.* brukowiec.

scandent [ˈskændənt] *a. bot.* pnący.

scandic [ˈskændɪk] *a. chem.* zawierający skand.

Scandinavia [ˌskændəˈneɪvɪə] *n. geogr.* Skandynawia.

Scandinavian [ˌskændəˈneɪvɪən] *a.* skandynawski. – *n.* Skandynaw/ka, mieszkan-iec/ka Skandynawii.

scandium [ˈskændɪəm] *n. U chem.* skand.

scanner [ˈskænər] *n.* **1.** *med., komp.* skaner. **2.** antena radarowa *l.* przeszukująca. **3.** teledetektor. **4.** korektor/ka (*tekstów*).

scanning electron microscope *n. opt.* mikroskop elektronowy skaningowy.

scansion [ˈskænʃən] *n. U* **1.** *wers., ret.* skandowanie. **2.** *wers., ret.* struktura rytmiczna tekstu (*gł. poetyckiego*).

scant [skænt] *a.* **1.** *attr.* niewielki, mały; skąpy, skromny; **have ~ regard for sth** mieć coś w małym poszanowaniu; **pay ~ attention to sth** prawie nie zwracać uwagi na coś. **2. ~ of sth** *form.* mający za mało czegoś; **~ of breath** zdyszany, zadyszany. – *v. gł. US arch.* skąpić (*czegoś*).

scantily [ˈskæntɪlɪ] *adv.* **1.** niewystarczająco, niedostatecznie. **2.** skąpo; **~ clad/dressed** skąpo odziany.

scantiness [ˈskæntɪnəs] *n. U* brak; niewystarczająca ilość.

scantling [ˈskæntlɪŋ] *n.* **1.** *bud.* łata. **2.** *bud.* wymiary elementów konstrukcyjnych (*stosowanych w budownictwie okrętowym*). **3.** *form.* odrobina; niezbędna ilość (*of sth* czegoś).

scantly [ˈskæntlɪ] *adv. arch.* = **scantily.**

scanty [ˈskæntɪ] *a.* **-ier, -iest** niewystarczający, niedostateczny; skąpy, skromny.

scape¹ [skeɪp] *n.* **1.** *bot.* głąbik (= *bezlistny pęd kwiatonośny*); łodyga. **2.** *orn.* stosina (*pióra*). **3.** *bud.* trzon (*kolumny*). **4.** *ent.* podstawa czułków.

scape² *v. arch.* unikać (*kogoś l. czegoś*); uciekać przed (*kimś l. czymś*).

scapegoat [ˈskeɪpˌgoʊt] *n. t. Bibl.* kozioł ofiarny. – *v.* **1.** robić kozła ofiarnego z (*kogoś*). **2.** *psych.* zrzucać odpowiedzialność na (*kogoś*).

scapegrace [ˈskeɪpˌgreɪs] *n. arch.* urwis, urwipołeć, nicpoń.

scape wheel *n.* koło wychwytowe (*w mechanizmie zegara*).

scaphoid [ˈskæfɔɪd] *anat. arch. a.* łódkowaty, czółenkowaty. – *n.* (*także* ~ **bone**) kość łódkowata (*nadgarstka*).

scapolite [ˈskæpəˌlaɪt] *n. U min.* skapolit; werneryt.

scapula [ˈskæpjələ] *n. pl.* **-s** *l.* **scapulae** [ˈskæpjəliː] *anat., zool.* łopatka.

scapular [ˈskæpjələr] *a.* **1.** *anat., zool.* barkowy; łopatkowy. **2.** ~ **arch** *zool.* pierścień barkowy. – *n.* **1.** (*także* ~ **feather**) *orn.* barkówka. **2.** *kośc.* szkaplerz. **3.** *kośc.* peleryna (*jako część habitu zakonnika*).

scar¹ [skɑːr] *n.* **1.** blizna, szrama. **2.** *przen.* piętno. **3.** (trwały) uraz (*fizyczny l. psychiczny*). **4.** *bot.* blizna. **5.** zadrapanie. – *v.* **-rr- 1.** znaczyć bliznami. **2.** wywoływać uraz u (*kogoś*); ~ **sb for life** wywołać u kogoś trwały uraz. **3.** ~ **(over)** zabliźniać się.

scar² *n. Br.* **1.** urwisko. **2.** skała (częściowo) zanurzona w morzu.

scarab [ˈskerəb] *n.* (*także* **scarabaeid, scarabaean**) **1.** (*także* ~ **beetle**) *ent.* skarabeusz, poświętnik (*Scarabaeus sacer*). **2.** amulet w kształcie *l.* z wyobrażeniem skarabeusza.

Scaramouch [ˈskerəˌmuːtʃ], **Scaramouche** *n. arch.* tchórzliwy pyszałek.

scarce [skers] *a.* **1.** skąpy, skromny; niewystarczający, niedostateczny; **food/water was** ~ brakowało jedzenia/wody. **2.** rzadki; *handl.* deficytowy. **3. make o.s.** ~ *pot.* ulotnić się. – *adv. arch. l. lit.* = **scarcely.**

scarcely [ˈskerslɪ] *adv.* **1.** prawie (wcale) nie; ~ **anybody/ever** prawie nikt/nigdy; **she has** ~ **changed** prawie (wcale) się nie zmieniła. **2.** ledwo, zaledwie; z trudem; **I can** ~ **believe it** trudno mi w to uwierzyć, ledwie mogę w to uwierzyć; **the lesson had** ~ **begun when...** (*także form.* ~ **had the lesson begun when...**) lekcja dopiero co się zaczęła, kiedy..., lekcja jeszcze się na dobre nie zaczęła, kiedy...; **there could** ~ **be a worse moment to make a comment** trudno o gorszy moment na robienie komentarzy; **this is** ~ **the time/place (to do sth)** to nie jest odpowiedni moment/odpowiednie miejsce (na robienie czegoś); **you can** ~ **blame her** trudno ją o to winić.

scarcement [ˈskersmənt] *n. bud.* odsadzka, występ (*w ścianie*).

scarcity [ˈskersətɪ] *rzad.* **scarceness** [ˈskersnəs] *n. C/U* **1.** brak, niedostatek, niedobór (*of sth* czegoś). **2.** rzadkość; *handl.* deficytowość.

scare [sker] *v.* **1.** wystraszyć, przestraszyć, nastraszyć; ~ **sb stiff/to death/out of their wits** *emf.* śmiertelnie kogoś przestraszyć. **2.** płoszyć (*ptaki*). **3.** wystraszyć się, przestraszyć się. **4.** ~ **off/away** odstraszyć; spłoszyć; ~ **up** *US i Can. pot.* wykombinować, skombinować; sklecić. – *n.* **1.** *sing.* strach (*zwł. przed wojną, inwazją*); **get/have a** ~ przestraszyć się; **give sb a** ~ napędzić komuś strachu *l.* stracha. **2.** panika; **bomb** ~ panika wywołana informacją o podłożeniu bomby.

scarecrow [ˈskerˌkroʊ] *n. t. przen.* strach na wróble; straszydło.

scared [skerd] *a.* **1.** przestraszony, wystraszony. **2. be** ~ bać się (*that* że); **be** ~ **to do sth** bać się coś zrobić; **be** ~ **stiff/to death/out of one's wits** *emf.* śmiertelnie się bać; **be** ~ **of flying** bać się latać samolotem; **be** ~ **of looking foolish** bać się, żeby nie wypaść głupio.

scaredy [ˈskerdɪ] *n.* (*także* ~**-cat**) *pot. zwł. dziec.* bojąca dusza, strachajło.

scaremonger [ˈskerˌmʌŋgər] *n.* panika-rz/ra.

scaremongering [ˈskerˌmʌŋgərɪŋ] *n. U* sianie *l.* wywoływanie paniki.

scarey [ˈskerɪ] *a. Br.* = **scary.**

scarf¹ [skɑːrf] *n. pl.* **-s** *l.* **scarves** [skɑːrvz] **1.** szal; szalik. **2.** chusta; apaszka. **3.** szarfa. – *v. lit.* przykrywać *l.* zawijać (jak) chustą *l.* szalem; ozdabiać chustą *l.* szalem.

scarf² *n. pl.* **-s 1.** (*także* ~ **joint**) *stol.* połączenie na ucios; połączenie na zamek. **2.** skos, ukos, skośne ścięcie (*krawędzi*).

scarf³ *v.* ~ **(down/up)** *US pot.* wciągać, wsuwać (= *jeść łapczywie*).

scarfskin [ˈskɑːrfˌskɪn] *n. anat.* naskórek (*zwł. u nasady paznokcia*).

scarificator [ˈskerəfəˌkeɪtər] *n. chir.* skaryfikator, nożyk do skaryfikacji.

scarifier [ˈskerɪˌfaɪər] *n.* **1.** *roln.* skaryfikator. **2.** *gł. Austr. roln.* kultywator.

scarify [ˈskerəˌfaɪ] *v.* **-ied, -ying 1.** *chir.* skaryfikować; *t. leśn., ogr.* nacinać (*korę*). **2.** *przen.* ranić. **3.** *gł. Austr. roln.* spulchniać (*ziemię*). **4.** *roln.* skaryfikować (*nasiona*).

scariness [ˈskerɪnəs] *n. U* straszny charakter, wygląd itp.

scarious [ˈskerɪəs] *a. bot.* błonkowaty.

scarlatina [ˌskɑːrləˈtiːnə] *n.* = **scarlet fever.**

scarlet [ˈskɑːrlət] *a. i n. U* (kolor) jasnoczerwony.

scarlet fever *n. U pat.* szkarlatyna, płonica.

scarlet hat *n. kośc.* kapelusz kardynalski (*jasnoczerwony, z szerokim rondem*).

scarlet ibis *n. orn.* ibis purpurowy, ibis szkarłatny (*Eudocimus ruber*).

scarlet letter *n. US hist.* jasnoczerwona litera „A" noszona jako kara za cudzołóstwo.

scarlet pimpernel *n. bot.* kurzyślad, anagalis (*Anagallis arvensis*).

scarlet runner *n. bot.* fasola wielkokwiatowa (*Phaseolus coccineus*).

scarlet tanager *n. orn.* piranga szkarłatna (*Piranga olivacea*).

scarlet woman *n. pl.* **-women** *przest.* cudzołożnica.

scarp [skɑ:rp] *n. geol.* skarpa; stok.

scarped [skɑ:rpt] *a. geol.* stromy.

scarper ['skɑ:rpər] *v. Br. i Austr. sl.* zwiewać, spadać (= *uciekać*).

scar tissue *n. U fizj.* tkanka łączna tworząca bliznę podczas gojenia się rany.

scary ['skerı], *Br. t.* **scarey -ier, -iest** *a. pot.* **1.** straszny (= *budzący strach, np. o filmie*). **2.** bojaźliwy, płochliwy (*t. o koniu*).

scat¹ [skæt] *int.* sio! (*do zwierzęcia l. dziecka*).

scat² *jazz n.* skat (= *styl wokalny polegający na naśladowaniu dźwięków instrumentu*). – *v.* **-tt-** śpiewać naśladując dźwięki instrumentu (*w muzyce jazzowej*).

scat³ *n. icht.* ryba z rodziny argusów (*Scatophagidae*).

scat⁴ *n. U* odchody (*zwierzęce*).

scathe [skeıð] *v.* **1.** *lit.* ostro krytykować. **2.** *arch.* uszkadzać; przypalać. – *n. arch.* uszczerbek, szwank; **without ~** bez uszczerbku, bez szwanku, nietknięty.

scathing ['skeıðıŋ] *a.* pogardliwy; uszczypliwy, kostyczny, zjadliwy, cięty (*np. o uwadze, osobie*); **be ~ about sth** odnosić się do czegoś pogardliwie *l.* z pogardą.

scathingly ['skeıðıŋlı] *adv.* pogardliwie; uszczypliwie, kostycznie, zjadliwie.

scatology [skæ'tɑ:lədʒı] *n. U* skatologia.

scatter ['skætər] *v.* **1.** rozrzucać; rozsypywać. **2. ~ sth with sth** posypywać *l.* obsypywać coś czymś. **3.** rozpędzać; *t. fiz., komp.* rozpraszać (*np. promieniowanie, fale*). **4.** rozpraszać się; rozbiegać się. **5.** rozwiewać (*nadzieje*). – *n.* **1.** *fiz., komp.* rozproszenie, rozrzut. **2.** *U lit.* porozrzucane przedmioty.

scatterbrain ['skætər,breın] *n. pot.* roztrzepaniec.

scatterbrained ['skætər,breınd] *a. pot.* roztrzepany.

scatter cushion *n. zw. pl. Br. i Austr.* poduszka (*na tapczan l. fotel*).

scatter diagram *n. stat.* wykres rozrzutu.

scattered ['skætərd] *a.* **1.** rozrzucony, rozproszony, rozsiany. **2.** sporadyczny; **~ showers** *meteor.* przelotne opady. **3. ~ to the four winds** *lit.* rozproszony po całym świecie.

scattergood ['skætər,gʊd] *n. arch.* rozrzutnik, marnotrawca.

scatter-gun ['skætər,gʌn] *n. US* śrutówka.

scattering ['skætərıŋ] *n.* **1.** niewielka ilość, odrobina. **2.** *fiz.* rozproszenie.

scatter rug *n.* dywanik.

scattershot ['skætər,ʃɑ:t] *a.* nieprzemyślany; nieskoordynowany.

scatty ['skætı] *a.* **-ier, -iest** *Br. i Austr. pot.* roztrzepany.

scaup [skɔ:p] *n.* (*także* **~ duck**) *orn.* ogorzałka (*Aythya marila*).

scaur [skɔ:r] *n. Scot.* urwisko.

scavenge ['skævındʒ] *v.* **1.** grzebać (w śmietnikach). **2.** *zool.* żywić się padliną i odpadkami. **3.** usuwać zanieczyszczenia z (*terenu, ulicy*), oczyszczać. **4.** *chem.* oczyszczać poprzez strącanie. **5.** *arch.* zamiatać (*ulice*).

scavenger ['skævındʒər] *n.* **1.** osoba grzebiąca w śmietnikach. **2.** *zool.* padlinożerca. **3.** *arch.* zamiatacz ulic.

scavenger beetle *n. ent.* chrząszcz z rodziny kałużnicowatych (*Hydrophilidae*).

scavenger moth *n. ent.* mól (*Tineidae*).

ScB [,es ,si: 'bi:] *abbr.* = **Bachelor of Science.**

ScD [,es ,si: 'di:] *abbr.* = **Doctor of Science**; *zob.* **doctor**.

SCE [,es ,si: 'i:] *abbr.* = **Scottish Certificate of Education.**

scena ['ʃeınə] *n. pl.* **scene** [si:n] *muz.* scena (= *część opery l. koncertu stylizowanego na operę*).

scenario [sə'nerı,oʊ] *n. pl.* **-s** *teatr, kino, telew. l. przen.* scenariusz; **worst-case ~** najgorszy z możliwych scenariuszy, najgorsze, co może się zdarzyć.

scenarist [sə'nerəst] *n. kino, telew.* scenarzysta/ka, autor/ka scenariuszy.

scend [send], **send** *żegl. v.* podnosić się na fali, ryć dziobem, zapadać się rufą (*o statku*). – *n.* podnoszenie się na fali.

scene¹ [si:n] *n.* **1.** *t. teatr, kino, telew., muz. l. przen.* scena (*fragment utworu, programu, filmu*); **crowd/outdoor ~** *kino, telew.* scena zbiorowa/plenerowa; **the political ~** *przen.* scena polityczna. **2.** miejsce (*np. akcji, wypadku*); **be on/at the ~** być na miejscu wypadku *l.* zdarzenia; **the ~ of the crime** miejsce zbrodni. **3.** *teatr* kulisa, dekoracja teatralna. **4.** *mal. l. przen.* obraz; obrazek; **a ~ of perfect harmony** obraz idealnej harmonii. **5.** *zw. sing. pot.* scena, widowisko (= *awantura*); **make a ~** urządzić scenę. **6.** *przen.* **appear on the ~** pojawić się na scenie; **bad ~** *US pot.* nieprzyjemna sytuacja; **behind the ~s** *t. teatr* za kulisami; **it's not my ~** *pot.* to mi nie odpowiada, to nie jest w moim guście; **new to the fashion ~** nowy w świecie mody; **set the ~** przedstawić sytuację *l.* okoliczności (*wydarzenia*); **set the ~ for sth** przygotować grunt pod coś; **steal the ~** *zob.* **steal** *v.*

scene² *n. pl. zob.* **scena**.

scenery ['si:nərı] *n. U* **1.** sceneria; krajobraz, widoki. **2.** *teatr, telew.* dekoracje, oprawa sceniczna.

scene shifter *n. teatr* maszynista.

scenic ['si:nık] *a.* **1.** malowniczy. **2.** *teatr, kino, muz. l. przen.* sceniczny.

scenic railway *n. przest.* kolejka górska (*w wesołym miasteczku*).

scenographer [si:'nɑ:grəfər] *n. teatr, kino, telew.* scenograf/ka.

scenographical [,si:nə'græfəkl] *a. teatr, kino, telew.* scenograficzny.

scenographically [,si:nə'græfəklı] *adv. teatr, kino, telew.* scenograficznie.

scenography [si:'nɑ:grəfı] *n. pl.* **-ies** **1.** *mal.* obraz perspektywiczny; rysunek perspektywiczny. **2.** *U teatr, kino, telew.* scenografia.

scent [sent] *n.* **1.** woń, zapach (*zwł. przyjem-*

ny). **2.** *U* węch. **3.** *C* / *U zwł. Br.* perfumy; **a bottle of ~** flakonik perfum. **4.** *myśl. l. przen.* trop; **be on the ~ of sth** być na tropie czegoś; **false ~** fałszywy trop; **throw/put sb off the ~** zbić kogoś z tropu. **5.** *przen.* **a ~ of danger** zapowiedź niebezpieczeństwa; **have a ~ for hypocrisy** intuicyjnie wyczuwać hipokryzję; **have a ~ for money** mieć nosa do pieniędzy. – *v.* **1.** *t. przen.* węszyć, wietrzyć; wyczuwać. **2.** napełniać zapachem; perfumować. **3. ~ out** *pot.* wywęszyć, zwietrzyć.

scented ['sentɪd] *a.* perfumowany; pachnący (*with sth* czymś) (*np. o mydełku, papeterii*).

scented orchid *n. bot.* gółka długoostrogowa (*Gymnadenia conopsea*).

scent gland *n. zool.* gruczoł wonny.

scent strip *n.* pasek papieru do wypróbowywania perfum (*w perfumerii*).

scepter ['septər], *Br. i Austr.* **sceptre** *gł. hist. n.* berło; *przen.* władza królewska *l.* cesarska. – *v.* oddawać berło *l.* władzę (*komuś*).

sceptic ['skeptɪk] *n. zwł. Br.* = **skeptic**.

sceptre ['septər] *n. i v. zwł. Br.* = **scepter**.

sch. *abbr.* = **school**[1] *n.*

schadenfreude ['ʃɑːdənˌfrɔɪdə], **Schadenfreude** *n. U* radość z czyjegoś niepowodzenia *l.* nieszczęścia.

schedule ['skedʒuːl] *n.* **1.** harmonogram, plan, rozkład (*zajęć*); **according to ~** zgodnie z planem; **draw up a ~** sporządzić plan; **keep/stick to a ~** trzymać się planu; **work to a tight ~** pracować według napiętego planu. **2.** *zwł. US* rozkład jazdy; **airline/bus/train ~** rozkład jazdy samolotów/autobusów/pociągów. **3.** *form.* wykaz, lista; zestawienie; taryfa. **4.** *prawn.* załącznik do ustawy. **5. ahead of ~** przed czasem (*np. przyjechać, przylecieć*); przed terminem (*np. skończyć zamówioną pracę*); **be behind ~** mieć opóźnienie; **on ~** punktualnie, na czas, według planu (*t. = zgodnie z rozkładem jazdy*). – *v.* **1.** planować; **~ a meeting for Tuesday/the afternoon** zaplanować zebranie na wtorek/na popołudnie. **2.** *form.* sporządzać wykaz (*czegoś*); umieszczać w wykazie *l.* planie, wpisywać na listę. **3. she was ~d to start working yesterday** (zgodnie z planem) miała zacząć pracę wczoraj; **the train is ~d to arrive at...** (zgodnie z rozkładem) pociąg powinien przyjechać o godzinie...

scheduled ['skedʒuːld] *a.* **1.** wyznaczony. **2.** zaplanowany, przewidziany. **3.** figurujący w rozkładzie.

scheduled flight *n. lotn.* lot rejsowy.

scheduled price *n. handl.* cena według cennika.

scheduled territories *n. pl. Br. fin.* terytoria zarejestrowane, obszar szterlingowy.

scheelite ['ʃeɪlaɪt] *n. U min.* szelit.

schema ['skiːmə] *n. pl.* **schemata** ['skiːmətə] **1.** *form.* plan, wykres, diagram. **2.** *psych., fil., log.* schemat.

schematic [skiː'mætɪk] *a.* schematyczny. – *n.* **1.** schemat, diagram, plan; rysunek. **2.** *el.* układ połączeń.

schematism ['skiːməˌtɪzəm] *n.* **1.** układ (*elementów*). **2.** *U fil., psych.* schematyzm.

schematize ['skiːməˌtaɪz], *Br. i Austr. zw.* **schematise** *v.* systematyzować.

scheme [skiːm] *n.* **1.** plan; projekt (*for sth* czegoś *l.* na coś). **2.** *Br.* program (*np. rządowy*). **3.** schemat, diagram. **4.** intryga, podstęp. **5.** *Scot.* osiedle mieszkaniowe wybudowane w ramach projektu lokalnych władz. **6. colour ~** kolorystyka; zestawienie *l.* dobór kolorów (*na obrazie, w mieszkaniu*). **7. in sb's ~ of things** według czyjegoś planu, zgodnie z czyjąś wizją; **in the great ~ of things** w ogólnym rozrachunku. – *v.* **1.** knuć, spiskować, snuć intrygi (*against sb* przeciwko komuś). **2.** planować, zamierzać (*to do sth* zrobić coś). **3.** przygotowywać schemat *l.* diagram (*czegoś*).

scheme of connections *n. el.* układ połączeń.

schemer ['skiːmər] *n.* intrygant/ka.

scheming ['skiːmɪŋ] *n. U* intryganctwo, intrygi. – *a.* intrygancki; podstępny, chytry.

scherzo ['skerˌtsoʊ] *n. pl.* **-s** *muz.* scherzo.

Schick test ['ʃɪk ˌtest] *n. med.* odczyn Schicka.

Schiff's reagent ['ʃɪfs rɪˌeɪdʒənt] *n.* (*także* **Schiff reagent**) *chem.* odczynnik Schiffa.

schiller ['ʃɪlər] *n. U min.* mienienie się, gra barw.

schilling ['ʃɪlɪŋ] *n. fin.* szyling (*austriacki*).

schipperke ['skɪpərkɪ] *n. kynol.* schipperke.

schism ['skɪzəm] *n. C* / *U* **1.** rozłam (*in* / *within sth* w ramach *l.* obrębie czegoś); *rel.* schizma; *t. rel.* odszczepieństwo. **2.** odłam, frakcja.

schismatic [skɪz'mætɪk], **schismatical** [skɪz'mætɪkl] *a.* dotyczący rozłamu; *rel.* schizmatycki; *t. rel.* odszczepieńczy. – *n.* człon-ek/kini odłamu *l.* ugrupowania frakcyjnego; *rel.* schizmaty-k/czka; *t. rel.* odszczepieniec.

schist [ʃɪst] *n. geol.* łupek.

schistocyte ['ʃɪstəsoʊˌsaɪt] *n. fizj.* czerwona komórka po rozszczepieniu.

schistose ['ʃɪstoʊs] *a. geol.* łupkowy, łupkowaty.

schistosomiasis [ˌʃɪstəsoʊ'maɪəsɪs] *n. U pat.* schistosomatoza.

schizo ['skɪtsoʊ] *obelż. sl. n. pl.* **-s** schizol (= *schizofrenik*). – *a.* (*także* **schizy**) schizofreniczny.

schizocarp ['skɪtsəˌkɑːrp] *n. bot.* rozłupka.

schizogony [skɪ'zɑːgənɪ] *n. U biol.* schizogonia.

schizoid ['skɪtsɔɪd] *a. pat.* **1.** schizoidalny. **2.** = **schizophrenic** *a.*

schizont ['skɪtsɑːnt] *n. biol.* schizont.

schizophrene ['skɪtsəˌfriːn] *n. pat.* schizofrenik/czka.

schizophrenia [ˌskɪtsə'friːnɪə] *n. U pat. l. przen.* schizofrenia.

schizophrenic [ˌskɪtsə'frenɪk] *pat. n.* schizofreni-k/czka. – *a.* (*także* **schizoid**) schizofreniczny.

schizothymia [ˌskɪtsə'θaɪmɪə] *n. U pat.* schizotymia, rozdwojenie nastroju.

schizy ['skɪtsɪ] *a.* **-ier, -iest** = **schizo** *a.*

schlemiel [ʃlə'miːl], **schlemihl, shlemiel** *n. US obelż. sl.* nieudacznik.

schlep [ʃlep], **shlep** *US pot. v.* **-pp- 1.** taszczyć, targać. **2.** wlec się. **3. ~ around** opieprzać się (=

obijać). – *n.* **1.** *obelż., pog.* niezdara, gamoń; dureń, tępak. **2.** nudna i długa podróż.

schlieren ['ʃli:rən] *n. pl. fiz., geol.* smugi (*np. na magmie*).

schlieren photography *n. C / U pl.* **-ies** *fiz.* fotografia smugowa.

schlock [ʃlɑ:k], **shlock** *gł. US sl. n.* kicz, szmira. – *a.* (*także* **~y**) kiczowaty, szmirowaty.

schmaltz [ʃmɑ:lts], **schmalz, shmaltz** *n. U pot.* **1.** ckliwe *l.* sentymentalne kawałki, sentymentalna tandeta (*o utworach muzycznych l. literackich*). **2.** sentymentalizm, ckliwość.

schmaltzy ['ʃmɑ:ltsɪ] *a.* **-ier, -iest** *pot.* ckliwy, sentymentalny.

schmatte ['ʃmɑ:tə], **shmatte** *n. US pot.* szmata.

Schmidt system ['ʃmɪt ˌsɪstəm] *n. opt.* układ Schmidta.

Schmidt telescope *n.* (*także* **Schmidt camera**) *opt.* kamera Schmidta.

Schmitt trigger [ˌʃmɪt 'trɪgər] *n.* (*także* **Schmitt circuit/limiter**) *el.* przerzutnik Schmitta.

schmo [ʃmoʊ], **schmoe, shmoe** *n. pl.* **-es** *US obelż. sl.* nudziarz; jeleń, frajer.

schmooze [ʃmu:z] *zwł. US sl. v.* **1.** gadać. **2.** spoufalać się. – *n.* pogawędka, pogaduszki.

schmuck [ʃmʌk], **shmuck** *n. US obelż. sl.* przygłup, baran.

schnapps [ʃnɑ:ps], **schnaps** *n. C / U pl.* **schnapps** sznaps.

schnauzer ['ʃnaʊtsər] *n. kynol.* sznaucer.

schnitzel ['ʃnɪtsl] *n. kulin.* sznycel.

schnook [ʃnʊk], **shnook** *n. US obelż. sl.* naiwniak, frajer.

schnorkel ['ʃnɔ:rkl] *n. Austr.* fajka, rurka oddechowa (*do nurkowania*).

schnoz [ʃnɑ:z] *n.* (*także* **schnozzle**) *US sl.* nochal, kinol.

schola cantorum [ˌskoʊlə kæn'tɔ:rəm] *n. muz.* chór (*zwł. kościelny*); szkoła chóralna.

scholar ['skɑ:lər] *n.* **1.** naukowiec; uczon-y/a. **2.** stypendyst-a/ka. **3.** *lit. l. Br. arch.* uczeń.

scholarly ['skɑ:lərlɪ] *a.* **1.** naukowy (*np. o publikacji*). **2.** uczony (*o osobie*). **3.** metodyczny.

scholarship ['skɑ:lərˌʃɪp] *n.* **1.** stypendium (naukowe); **be awarded a ~** otrzymać stypendium. **2.** *U* poziom naukowy; erudycja, uczoność. **3.** *U* osiągnięcia naukowe. **4.** *U* nauka, wiedza (*zwł. zgromadzona w określonej dziedzinie l. w określonym czasie*).

scholastic [skə'læstɪk] *a. attr. form.* **1.** akademicki; szkolny; dotyczący nauki; **~ achievements** osiągnięcia *l.* wyniki w nauce. **2.** *hist., teol.* scholastyczny. **3.** pedantyczny. – *n.* **1.** *hist., teol., fil.* scholastyk. **2.** pedant/ka. **3.** *kośc.* seminarzysta w zakonie jezuitów.

scholastically [skə'læstɪklɪ] *adv.* **1.** *teol., fil.* scholastycznie. **2.** pedantycznie.

scholasticate [skə'læstəˌkeɪt] *n. rz.-kat.* **1.** studia seminaryjne w zakonie jezuitów. **2.** seminarium jezuickie.

scholasticism [skə'læstəˌsɪzəm] *n. U* **1.** *hist., teol., fil. l.* scholastyka. **2.** scholastycyzm.

scholia ['skoʊlɪə] *n. pl. zob.* **scholium.**

scholiast ['skoʊlɪˌæst] *n. hist.* scholiasta.

scholium ['skoʊlɪəm] *n. pl.* **-ia** *hist.* scholium.

school[1] [sku:l] *n.* **1.** *C / U t. przen.* szkoła; **after ~** po szkole, po lekcjach *l.* zajęciach; **at/in ~** w szkole (= *na lekcjach, w budynku szkolnym*); **be in** *US*/**at** *Br.* **~** chodzić do szkoły (= *być w wieku szkolnym*); **attend ~** *form.* uczęszczać do szkoły; **be at ~ with sb** *Br.* chodzić z kimś do szkoły; **before ~** przed szkołą, przed lekcjami *l.* zajęciami; **go to ~** chodzić do szkoły; **leave ~** opuścić szkołę; **primary/secondary ~** szkoła podstawowa/średnia; **start/begin ~** zacząć chodzić do szkoły, pójść do szkoły, w określonym wieku; **teach ~** *US* uczyć w szkole. **2.** *uniw.* instytut; zakład; wydział; *zwł. US* akademia; uniwersytet; **S~ of English** Instytut Anglistyki; **graduate ~** studium podyplomowe; **law ~** wydział prawa; **medical ~** akademia medyczna. **3.** *hist., fil., teor. lit., sztuka* szkoła (*np. platońska, flamandzka*). **4.** *przen.* **~ of hard knocks** *przest.* ciężka szkoła; **~ of life** szkoła życia; **of the old ~** starej daty. – *v. przest. l. form.* szkolić; ćwiczyć (*sb in sth* kogoś w czymś); **~ a dog/horse** układać *l.* tresować psa/konia; **~ o.s. to be tolerant** ćwiczyć (u siebie) tolerancję; **~ o.s. in patience** ćwiczyć (u siebie) cierpliwość. – *a. attr.* szkolny.

school[2] *n.* stado (*wielorybów*); ławica (*ryb*). – *v.* tworzyć ławice *l.* stada.

schoolable ['sku:ləbl] *a.* w wieku szkolnym, podlegający obowiązkowi szkolnemu.

school age *n. U* wiek szkolny.

school board *n. US i Can.* komisja szkolna (*odpowiedzialna za zaopatrzenie i utrzymanie szkoły*).

schoolbook ['sku:lˌbʊk] *n.* podręcznik (*szkolny*).

schoolboy ['sku:lˌbɔɪ] *n.* **1.** *zwł. Br.* uczeń. **2.** **as every ~ knows** jak wiedzą nawet dzieci. – *a. attr.* uczniacki (*zwł. o poczuciu humoru*).

schoolbus ['sku:lˌbʌs] *n.* autobus szkolny.

school captain *n. Austr., Scot.* przewodniczący/a samorządu szkolnego.

schoolchild ['sku:lˌtʃaɪld] *n. pl.* **schoolchildren** **1.** uczeń, uczennica; dziecko w wieku szkolnym. **2.** **as every ~ knows** jak wiedzą nawet dzieci.

school crossing patrol *n. form.* osoba *l.* grupa osób zatrzymująca ruch uliczny (*aby umożliwić uczniom przejście przez jezdnię*).

school curriculum *n.* program szkolny.

schoolday ['sku:lˌdeɪ] *n.* dzień powszedni (*kiedy w szkole odbywają się zajęcia*).

schooldays ['sku:lˌdeɪz] *n. pl.* szkolne lata.

school district *n. US* okręg *l.* obwód szkolny.

schoolfellow ['sku:lˌfeloʊ] *n. przest.* = **schoolmate.**

school figure *n. sport* figura (*w łyżwiarstwie figurowym*).

schoolgirl ['sku:lˌgɝ:l] *n. zwł. Br.* uczennica.

schoolhouse ['sku:lˌhaʊs], **school house** *n. pl.* **-houses** ['sku:lˌhaʊzɪz] *zwł. US* **1.** budynek szkolny. **2.** budynek z mieszkaniami dla nauczycieli (*w pobliżu szkoły*).

schoolie ['sku:li:] *n. Austr. pot.* nauczyciel/ka, belfer/ka.

schoolies week ['sku:li:z ˌwi:k] *n. Austr. pot.*

tydzień zabaw i spotkań po egzaminach na zakończenie szkoły średniej.

schooling ['sku:lɪŋ] *n. U* **1.** nauka (szkolna), edukacja; wykształcenie. **2.** szkolenie (się). **3.** *jeźdz.* układanie (*konia*).

school inspector *n.* inspektor szkolny.

schoolkid ['sku:lˌkɪd] *n. pot.* uczeń, uczennica.

school-leaver ['sku:lˌli:vər] *n. Br.* absolwent/ka szkoły średniej.

schoolma'am ['sku:lˌmæm] *n.* = **schoolmarm**.

Schoolman ['sku:lˌmæn] *n. pl.* **-men** *hist., teol., fil.* scholastyk.

schoolman ['sku:lˌmæn] *n. pl.* **-men** nauczyciel; wychowawca; uczony.

schoolmarm ['sku:lˌmɑ:m], **schoolma'am** ['sku:lˌmæm] *przest. pog., pot. n.* **1.** stara panna. **2.** oficjalna i staroświecka nauczycielka.

schoolmarmish ['sku:lˌmɑ:mɪʃ] *a. pot.* bardzo oficjalny i staroświecki.

schoolmaster ['sku:lˌmæstər] *zwł. Br. n.* **1.** dyrektor *l.* kierownik szkoły. **2.** nauczyciel. – *v. przest.* być z zawodu nauczycielem.

schoolmate ['sku:lˌmeɪt] *n.* (*także przest.* **schoolfellow**) kolega szkolny, kolega ze szkolnej ławki.

schoolmistress ['sku:lˌmɪstrəs] *zwł. Br. n.* **1.** dyrektorka *l.* kierowniczka szkoły. **2.** nauczycielka.

school of arts *n. Austr.* wiejska szkoła dla dorosłych.

school of thought *n.* **1.** szkoła naukowa. **2.** teoria.

school psychologist *n.* psycholog szkolny.

schoolroom ['sku:lˌru:m] *n.* sala szkolna, klasa.

Schools [sku:lz] *n. pl.* **1.** *hist.* uniwersytety średniowieczne. **2.** *hist.* scholastycy nauczający na uniwersytetach jw. **3.** *Br.* budynek uniwersytecki, w którym odbywają się egzaminy (*na uniwersytecie w Oksfordzie*). **4.** *Br.* egzaminy licencjackie (*jw.*).

schoolteacher ['sku:lˌti:tʃər] *n.* nauczyciel/ka (*zwł. w szkole podstawowej l. gimnazjum*).

schoolteaching ['sku:lˌti:tʃɪŋ] *n. U* praca w zawodzie nauczyciela, nauczycielstwo (*zwł. w szkole podstawowej l. gimnazjum*).

school tie *n.* **1.** krawat szkolny. **2. old ~** *zob.* **old**.

schooltime ['sku:lˌtaɪm] *n. U* **1.** czas spędzony w szkole. **2.** czasy szkolne, szkolne lata.

schoolwork ['sku:lˌwɜ:k] *n. U* **1.** praca domowa, zadanie domowe. **2.** zajęcia szkolne.

schoolyard ['sku:lˌjɑ:rd] *n. gł. US* dziedziniec szkolny; boisko szkolne.

school year *n. szkoln.* rok szkolny; *uniw.* rok akademicki.

schooner ['sku:nər] *n.* **1.** *żegl.* szkuner. **2.** *Br.* kieliszek do sherry. **3.** *US, Can., Austr. i NZ* wysoka szklanka do piwa. **4.** *hist.* wóz z budą (*używany przez pierwszych osadników w Ameryce Północnej*).

schooner rig *n. żegl.* typ osprzętu z ożaglowaniem skośnym i przednim masztem wyższym od tylnego.

schorl [ʃɔ:rl] *n. U min.* skoryl.

Schottky effect ['ʃɑ:tkɪ ɪˌfekt] *n. fiz.* zjawisko Schottky'ego.

schtick [ʃtɪk] *n.* = **shtick**.

schul [ʃʊl] *n. rel.* synagoga.

schuss [ʃʊs] *narty v.* szusować, zjeżdżać szusem. – *n.* szus.

schussboomer ['ʃʊsˌbu:mər] *n. narty pot.* mistrz/yni szusowania.

schwa [ʃwɑ:], **shwa** *n. fon.* zredukowana samogłoska nieakcentowana; symbol fonetyczny samogłoski jw. (ə).

sci. *abbr.* = **science**; = **scientific**.

sciamachy [saɪ'æməkɪ], **skiamachy** *n. pl.* **-ies** *lit.* walka z wiatrakami.

sciatic [saɪ'ætɪk] *a.* **1.** *anat.* kulszowy (*o nerwie*). **2.** *pat.* ischiasowy (*o bólu*).

sciatica [saɪ'ætɪkə] *n. U pat.* rwa kulszowa, ischalgia, ischias.

sciatic nerve *n. anat.* nerw kulszowy.

science ['saɪəns] *n.* **1.** *C/U* nauka; wiedza; dyscyplina (naukowa); dziedzina wiedzy; **~ and technology** nauka i technika; **applied ~** nauka stosowana; **exact ~s** nauki ścisłe; **natural ~s** (*także* **the ~s**) nauki przyrodnicze; **medical ~** wiedza medyczna; **pure ~** czysta nauka; **social ~s** nauki społeczne; **the ~s** *szkoln.* przedmioty ścisłe. **2.** *U* umiejętność; fachowość. **3. blind sb with ~** *przen.* mydlić komuś oczy naukowym żargonem.

science fiction (*także pot.* **sci-fi**) *teor. lit. n. U* fantastyka naukowa, science fiction. – *a. attr.* fantastycznonaukowy.

science park *n. gł. Br.* park naukowy.

scienter [saɪ'entər] *n. prawn.* świadomie; umyślnie.

sciential [saɪ'enʃl] *a.* **1.** naukowy. **2.** posiadający dużą wiedzę *l.* umiejętności.

scientific [ˌsaɪən'tɪfɪk] *a.* **1.** naukowy. **2.** umiejętny. **3.** *pot.* systematyczny.

scientifically [ˌsaɪən'tɪfɪklɪ] *adv.* **1.** naukowo. **2.** umiejętnie. **3.** *pot.* systematycznie. **4. ~ (speaking)** z naukowego punktu widzenia.

scientific community *n.* **the ~** naukowcy; uczeni; środowisko naukowe.

scientific management *n. U* naukowa organizacja pracy.

scientific method *n. U* metoda naukowa.

scientific notation *n. U mat., komp.* zapis wykładniczy.

scientific revolution *n. hist.* rewolucja naukowa.

scientism ['saɪənˌtɪzəm] *n. U* **1.** użycie metody naukowej. **2.** *fil.* scjentyzm.

scientist ['saɪəntɪst] *n.* naukowiec; uczon-y/a.

scientology [ˌsaɪən'tɑ:lədʒɪ] *n. U rel.* scjentologia.

sci-fi [ˌsaɪ'faɪ] *n. i a. pot.* = **science-fiction**.

scilicet ['sɪlɪˌset] *adv. form.* mianowicie, to jest.

scilla ['sɪlə] *n. bot.* cebula morska, ckliwica (*Urginea maritima*).

Scilly Isles ['sɪlɪ ˌaɪlz] *n.* **the ~** (*także* **the Scillies**) *geogr.* Wyspy Scilly.

scimitar ['sɪmətər], **scimiter** *n. broń, hist.* bułat.

scintigram ['sɪntəˌgræm] *n.* (*także* **scintiscan**) *med.* scyntygram.

scintilla [sɪn'tɪlə] *n. zw. sing., z neg. form.* odrobina, krzta; **not a ~ of honesty** ani krzty uczciwości; **without a ~ of doubt** bez cienia wątpliwości.

scintillate ['sɪntəˌleɪt] *v.* **1.** *t. el., fiz.* iskrzyć się. **2.** *lit.* błyszczeć (*intelektem, dowcipem*).

scintillating ['sɪntəˌleɪtɪŋ] *a.* błyskotliwy, skrzący się dowcipem (*np. o rozmowie*).

scintillation [ˌsɪntə'leɪʃən] *n. U* **1.** *fiz., astron.* scyntylacja. **2.** *el.* iskrzenie. **3.** drżenie (częstotliwości) fali nośnej (*w radiotechnice i radiolokacji*). **4.** *lit.* błyskotliwość.

scintillation counter *n. energetyka jądrowa* licznik scyntylacyjny.

scintillator ['sɪntəˌleɪtər] *n. C/U energetyka jądrowa* scyntylator, materiał scyntylacyjny.

scintiscan ['sɪntəˌskæn] *n.* = **scintigram.**

scintiscanner ['sɪntəˌskænər] *n. med.* scyntygraf.

sciolism ['saɪəˌlɪzəm] *n. U form.* pseudouczoność, dyletantyzm.

sciolist ['saɪəlɪst] *n. form.* pseudouczon-y/a, dyletant/ka.

scion ['saɪən] *n.* **1.** *roln., ogr.* zraz, szczep. **2.** *lit.* latorośl, potomek (*zwł. bogatego l. sławnego rodu*).

scire facias [ˌsaɪər 'feɪʃɪəs] *n. Lat. prawn.* pismo urzędowe wzywające adresata do wykazania, dlaczego odnośne orzeczenie sądu nie powinno być wykonane.

scirocco [sɪ'rɑːkoʊ] *n.* = **sirocco.**

scirrhous ['skɪrəs] *n. pat.* stwardniały, włóknisty.

scirrhus ['skɪrəs] *n. pl.* **scirrhi** ['skɪraɪ] *pat.* nowotwór włóknisty, rak włóknisty.

scissel ['sɪsl] *n. U* ścinki, obrzynki, obcinki (*metalowe*).

scissile ['sɪsl] *a. form.* dający się krajać; podzielny; *chem.* łatwo ulegający rozszczepieniu; *min.* łamliwy.

scission ['sɪʃən] *n. form.* cięcie; podział; *chem.* rozszczepienie; *t. przen.* rozłam (*t. np. w partii*).

scissor ['sɪzər] *v.* **1.** ciąć; **~ (out)** wycinać. **2.** wykonywać nożycowate ruchy rękami *l.* nogami. **3. ~ off** odciąć; **~ up** pociąć (*na kawałki*).

scissorlike ['sɪzərˌlaɪk] *a.* nożycowaty.

scissors ['sɪzərz] *n. pl.* (*także* **a pair of ~**) nożyczki; nożyce.

scissors-and-paste [ˌsɪzərzənd'peɪst], **scissors and paste** *a. attr. uj.* kompilowany (*np. o książce, programie telewizyjnym*); **~ job** kompilacja.

scissors hold *n. zapasy* chwyt nożycowy (*w zapasach*).

scissors jump *n. sport* skok wzwyż stylem nożycowym.

scissors kick *n. pływanie, piłka nożna* nożyce, ruch nożycowy.

sciurine ['saɪjʊˌraɪn] *a. zool.* wiewiórczy, wiewiórkowaty.

sclaff [sklæf] *golf v.* przeciągnąć *kijkiem* po ziemi (*przed uderzeniem piłki*). – *n.* uderzenie z przeciągnięciem kijka po ziemi.

sclera ['skliːrə] *n.* (*także* **sclerotic**) *anat.* twardówka.

sclereid ['sklerɔɪd] *n. bot., zool.* komórka tkanki stwardniałej.

sclerenchyma [sklə'reŋkəmə] *n. U bot., zool.* tkanka stwardniała (*u roślin, korali*).

scleriasis [sklə'raɪəsɪs] *n.* = **scleroderma.**

sclerite ['skliːraɪt] *n. zool.* twarda warstwa chityny *l.* wapnia w zewnętrznej części szkieletu stawonoga.

scleritis [sklə'raɪtɪs] *n. U pat.* zapalenie twardówki.

scleroderma [ˌskliːrə'dɝːmə] *n. U* (*także* **sclerodermia, scleriasis**) *pat.* twardzina skóry.

sclerodermatous [ˌskliːrə'dɝːmətəs] *a.* **1.** *zool.* pokryty łuskami *l.* płytkami. **2.** *pat.* dotyczący twardziny skóry.

sclerodermia [ˌskliːrə'dɝːmɪə] *n.* = **scleroderma.**

scleroid ['skliːəˌrɔɪd] *a.* (*także* **sclerosed**) *pat.* stwardniały.

scleroma [sklə'roumə] *n. pl.* **-s** *l.* **scleromata** [sklə'roumətə] *pat. rzad.* twardziel.

sclerometer [sklə'rɑːmətər] *n. metal.* twardościomierz, sklerometr.

sclerophyll ['skliːrəfɪl] *n. bot.* roślina skórzastolistna.

scleroprotein [ˌskliːrə'proutiːn] *n. biochem.* skleroproteina, albuminoid.

sclerosed [sklə'roust] *a.* = **scleroid.**

sclerosis [sklə'rousɪs] *n. C/U pl.* **scleroses** [sklə'rousiːs] **1.** *pat.* stwardnienie (*tkanki*); **multiple ~** stwardnienie rozsiane. **2.** *bot.* stwardnienie ścianki komórki.

sclerotia [sklə'rouʃə] *n. pl. zob.* **sclerotium.**

sclerotic [sklə'rɑːtɪk] *a.* **1.** *pat., bot.* stwardniały. **2.** *anat.* twardówkowy. **3.** *przen.* sztywny, nieugięty, mało elastyczny. – *n.* = **sclera.**

sclerotize ['skliːrəˌtaɪz], *Br. i Austr. zw.* **sclerotise** *n.* powodować twardnienie i ciemnienie zewnętrznej części szkieletu (*stawonoga*).

sclerotomy [sklə'rɑːtəmiː] *n. C/U pl.* **-ies** *chir.* nacięcie twardówki.

sclerous ['skliːrəs] *a.* **1.** *zool.* kościsty; łuskowaty. **2.** *pat.* stwardniały.

SCM [ˌes ˌsiː 'em] *abbr. Br.* **1. State Certified Midwife** *med.* dyplomowana położna. **2. Student Christian Movement** *rel.* Chrześcijański Ruch Studencki.

scoff[1] [skɑːf] *v.* szydzić, natrząsać się (*at sth* z czegoś). – *n. zw. pl.* **1.** kpiny, drwiny, szyderstwo. **2.** przedmiot kpin, pośmiewisko.

scoff[2] *v. Br. pot.* wciągać, wsuwać (*= jeść łapczywie*). – *n. sl.* wyżerka; żarcie.

scoffer ['skɑːfər] *n.* szyderca.

scofflaw ['skɔːfˌlɔː] *n. US pot.* osobnik beztrosko naruszający prawo.

scold [skould] *v.* **1.** besztać, łajać, karcić. **2.** zrzędzić, gderać. – *n.* **1.** zrzęda. **2.** *arch. obelż.* sekutnica, megiera, jędza.

scolding ['skouldɪŋ] *n. C/U* bura, nagana, połajanka; **give sb a ~** zbesztać kogoś (*for sth* za coś).

scolex ['skouleks] *n. pl.* **scoleces** ['skɑːləˌsiːz]

l. **scolices** [skoʊ'liː,siːz] *zool.* skoleks, czerwioch (= *główka tasiemca*).

scoliosis [,skoʊlɪ'oʊsɪs] *n. U pat.* skolioza, skrzywienie boczne kręgosłupa.

scollop ['skɑːləp] *n. i v.* = **scallop.**

sconce[1] [skɑːns] *n.* świecznik ścienny wspornikowy, lichtarz kinkietowy.

sconce[2] *n. wojsk.* mały fort.

sconce[3] *Br. uniw. v.* kazać wypić dużo piwa (*studentowi za popełnioną gafę; w Oksfordzie i Cambridge*). – *n.* **1.** kara jw. **2.** naczynie do piwa (*używane w sytuacji jw.*).

sconce[4] *n. arch. żart.* **1.** głowa; czaszka. **2.** rozum; inteligencja.

scone [skoʊn] *n.* **1.** *Br. kulin.* babeczka (*spożywana z masłem l. z dżemem i śmietaną*). **2.** *Austr., NZ pot. żart.* łeb, łepetyna.

scoop [skuːp] *n.* **1.** szufla; szufelka; łopatka. **2.** *kulin.* łyżka (*do lodów itp.*). **3.** (*także* **~ful**) zawartość łyżki; gałka, kulka (*lodów*). **4.** *mech.* kubeł (*przenośnika*); łyżka (*koparki*); czerpak. **5.** zaczerpnięcie. **6.** otwór, dziura. **7.** *pot.* duży zysk (*osiągnięty dzięki szybkiemu działaniu*). **8.** *muz.* portamento. **9.** *dzienn. pot.* sensacyjna wiadomość. **10.** *pot.* najnowsza plotka, nowinka; **what's the ~?** *zwł. US* co nowego?. – *v.* **1.** ~ **(out)** wybierać (*np. ziemię z otworu łopatą*); wydłubywać (*np. pestki z owocu łyżką*). **2.** ~ **(out)** wydrążyć (*np. dziurę*). **3.** ~ **(up)** nabierać, czerpać (*np. wody do łyżki*). **4.** ~ **(up)** podnieść szybko. **5.** *dzienn.* ubiec (*inną gazetę l. reportera w opublikowaniu sensacyjnej wiadomości*). **6.** *pot.* zgarnąć (*np. główną nagrodę, większość głosów*). **7.** *golf, hokej itp.* uderzyć od dołu (*piłkę l. krążek w powietrzu*).

scoop neck *n.* okrągły dekolt.

scoosh [skuʃ] *Scot. pot. v.* tryskać; sikać; pryskać (*np. wodą*). – *n.* **1.** tryśnięcie; siknięcie; pryśnięcie. **2.** napój gazowany.

scoot [skuːt] *v. pot.* **1.** lecieć, pędzić; zwiewać, zmykać. **2.** *US* wysłać (prędko). **3.** *Scot.* tryskać; pryskać. **4.** ~ **out** wylecieć, wyprysnąć (= *wybiec*). – *n.* **1.** pęd; szybki ruch. **2.** *Scot.* tryśnięcie; pryśnięcie.

scooter ['skuːtər] *n.* **1.** hulajnoga. **2.** (*także* **motor ~**) skuter. **3.** *US i Can.* łódź ślizgowa. **4.** *roln.* mały pług.

scop [skɑːp] *n. Br. hist.* skop, bard, poeta (*staroangielski*).

scope [skoʊp] *n.* **1.** *C/U* zakres; zasięg; skala; **be beyond/outside the ~ of sth** wychodzić *l.* wykraczać poza zakres czegoś (*np. danego artykułu*); **broad/narrow in ~** o szerokim/wąskim zakresie; **broaden/widen the ~ of sth** poszerzyć zakres czegoś; **within a limited ~** w niewielkim *l.* ograniczonym zakresie; **within the ~ of sth** w ramach czegoś. **2.** *U* pole (*widzenia l. działania*); sfera, dziedzina. **3.** *U* możliwości (*for sth* czegoś) (*np. ulepszenia, usprawnienia*); miejsce (*for sth* dla czegoś) (*np. dla inicjatywy*). **4.** *U* możliwości umysłowe. **5.** *pot.* mikroskop. **6.** *pot.* lampa radaroskopowa. **7.** *el.* lampa oscyloskopowa; wskaźnik radarowy. **8.** *U żegl.* stosunek długości wydanej liny do głębokości wody (*przy zakotwiczaniu*). – *v.* ~ **(out)** *sl.* badać.

scopolamine [skə'pɑːləmiːn] *n. U biochem., med.* skopolamina.

scopula ['skɑːpjələ] *n. pl.* **-s** *l.* **scopulae** ['skɑːpjəliː] *ent.* szczoteczka, kępka owłosienia (*w tylnej części odnóży niektórych owadów*).

scopulate ['skɑːpjəleɪt] *a. ent.* szczoteczkowaty.

scorbutic [skɔːr'bjuːtɪk] *a. pat.* **1.** szkorbutowy, gnilcowy. **2.** chory na szkorbut.

scorch [skɔːrtʃ] *v.* **1.** przypiekać (się), spiekać (się), przypalać (się). **2.** wysuszać (się). **3.** *pot.* dopiec (*komuś*). **4.** *przest. pot.* pędzić, śmigać (*o kierowcy l. rowerzyście*). – *n.* **1.** *pat.* oparzelina, oparzenie (*powierzchowne*). **2.** przypalenie; ślad po przypaleniu (*np. na bluzce*). **3.** *leśn.* oparzelina, zgorzelina. **4.** *pot.* pędzenie, śmiganie.

scorched [skɔːrtʃt] *a.* wypalony, spalony (słońcem).

scorched earth policy *n. wojsk.* taktyka spalonej ziemi.

scorcher ['skɔːrtʃər] *n.* **1.** *pot.* skwarny *l.* upalny dzień. **2.** sarkastyczna uwaga. **3.** *przest. pot.* zwariowany kierowca. **4.** *Br. pot.* coś fantastycznego.

score [skɔːr] *n.* **1.** *t. sport* wynik (*zawodów, konkursu*); punkt (*np. zdobyty w grze*); zdobycie punktu; **final ~** wynik końcowy; **keep (the) ~** prowadzić punktację, zapisywać *l.* liczyć punkty. **2.** *zwł. US i Can. szkoln.* wynik, liczba zdobytych punktów (*np. na teście*). **3.** *muz.* partytura, nuty; **compressed/close/short ~** partytura skrócona; **full ~** partytura. **4.** *muz.* muzyka (*of/to sth* do czegoś) (*np. do filmu, sztuki, programu*); zapis, nagranie (*muzyki jw.*). **5.** *pl.* **-s** *l.* **score** *arch. l. form.* dwudziestka, dwadzieścia; **three ~** sześćdziesiąt; **three ~ and ten** siedemdziesiąt. **6.** *pl. zob.* **scores. 7.** karb, nacięcie; rysa; kreska. **8.** rachunek; należność, dług; **run up a ~** zaciągać długi, brać na kredyt. **9.** powód, przyczyna; **complain on the ~ of low pays** narzekać z powodu niskich płac. **10.** uraza. **11.** *pot.* sukces, powodzenie. **12.** *sl.* łup (*z udanej kradzieży l. napadu*). **13.** *sl.* zdobycie narkotyków (*w sposób nielegalny*). **14.** *pot.* podbój (*seksualny*). **15.** *żegl.* nacięcie (*do przytrzymania liny*). **16.** *sport* linia ognia, linia strzału. **17.** *przen.* **have a ~/an old ~ to settle** *pot.* mieć rachunki/stare rachunki do wyrównania (= *planować zemstę*); **know the ~** *pot.* wiedzieć, co jest grane; **on this/that ~** w tym względzie, w tej mierze; **pay off/settle a ~** wyrównać rachunki (= *zemścić się*); **what's the ~?** *pot.* co jest grane?, na czym stoimy?. – *v.* **1.** zdobyć (*punkty w grze*); uzyskać jako wynik (*w grze l. na egzaminie*); **~ eight (points) out of twelve** zdobyć osiem (punktów) na dwanaście. **2.** *Br.* prowadzić punktację, zapisywać *l.* liczyć punkty. **3.** odpowiadać, równać się (*określonej liczbie punktów*). **4.** *US i Can. szkoln.* oceniać, punktować (*odpowiedzi w teście l. egzaminie*). **5.** nacinać; karbować; znaczyć. **6.** skreślać. **7.** wycinać, wydłubywać (*napis np. w drewnie*). **8.** zaliczać w poczet długu. **9.** dobrze sobie radzić;

dobrze wychodzić (*by sth* na czymś). **10.** *muz.* orkiestrować (*for sth* na coś) (*na określone instrumenty l. głosy*). **11.** *muz.* skomponować muzykę do (*filmu, sztuki, programu*). **12.** *balet, teatr* przygotowywać choreografię (*of/to sth* do czegoś). **13.** *zwł. US i Austr. pot.* zdobyć (*np. bilety na oblegany spektakl*); ukraść (*pieniądze*); *sl.* zdobyć nielegalnie (*narkotyki*). **14.** osiągnąć sukces, wygrać; trafić; zakończyć się sukcesem. **15.** *sl.* znaleźć partner-a/kę (*do seksu*); **~ with sb** przespać się z kimś (*zwł. dopiero co poznanym*). **16.** **~ a goal** zdobyć bramkę; **~ a debt against/to sb** zapisać komuś dług; **~ a hit** trafić (w cel) (*o bombie, pocisku*); **~ a success/victory** odnieść sukces/zwycięstwo; **~ an advantage** osiągnąć korzyść, uzyskać przewagę; **~ well** osiągnąć dobry wynik. **17.** **~ against sb** zdobyć punkt *l.* bramkę w meczu z kimś; **~ (a point) off/over sb** *przen.* zrobić z kogoś głupka; **~ out/through** przekreślić; wykreślić; **~ up** zapisać na swoim koncie (*np. zwycięstwo*); **~ sth up against sb** zapisać coś na czyjąś niekorzyść.

scoreboard [ˈskɔːrˌbɔːrd] *n. sport* tablica wyników (*np. na boisku baseballowym, w hali sportowej*).

scorecard [ˈskɔːrˌkɑːrd] *n. sport* **1.** kartka do zapisywania wyników (*np. w grze w golfa*). **2.** lista graczy (*dla kibica*).

score draw *n. sport* remis (*zwł. w piłce nożnej*).

scorekeeper [ˈskɔːrˌkiːpər] *n. sport* osoba prowadząca punktację.

scoreless [ˈskɔːrləs] *a.* **1.** bez punktu (*na koncie*). **2.** *piłka nożna itp.* bezbramkowy.

scoreline [ˈskɔːrˌlaɪn] *n. sport* punktacja ogólna.

scorer [ˈskɔːrər] *n.* **1.** *sport* strzelec; zdobywca bramki *l.* punktu. **2.** *gł. Br. sport* osoba prowadząca punktację. **3.** **high/low ~** *szkoln.* osoba, która uzyskała dużą/małą liczbę punktów (*z egzaminu, testu*).

scores [ˈskɔːrz] *n. pl.* dziesiątki (*of sb/sth* kogoś/czegoś).

scoresheet [ˈskɔːrˌʃiːt] *n. gł. piłka nożna, rugby* zapis stanu gry, zapis liczby punktów zdobytych przez poszczególnych zawodników.

scoria [ˈskɔːrɪə] *n. pl.* **scoriae** [ˈskɔːrɪˌiː] **1.** *metal.* żużel. **2.** *geol.* skoria, żużel wulkaniczny.

scorifier [ˈskɔːrəˌfaɪər] *n. chem.* miseczka do próby dmuchawkowej.

scorify [ˈskɔːrəˌfaɪ] *v.* **-ied, -ying** *metal.* ożużlać.

scorn [skɔːrn] *n. U* pogarda; **feel/have nothing but ~ for sb** odczuwać tylko pogardę wobec kogoś; **fill sb with ~** napełniać kogoś pogardą; **pour/heap ~ on sth** traktować coś z pogardą; **sb is the ~ of everybody** wszyscy kimś gardzą, ktoś jest dla wszystkich przedmiotem pogardy. – *v.* **1.** gardzić, pogardzać (*kimś l. czymś*). **2.** wzgardzić (*czymś*). **3.** **~ to do sth** nie chcieć zniżyć się do (zrobienia) czegoś.

scornful [ˈskɔːrnfʊl] *a.* pogardliwy; **be ~ of sth** odnosić sie do czegoś z pogardą; pogardliwie wyrażać się o czymś.

scornfully [ˈskɔːrnfʊlɪ] *adv.* pogardliwie, z pogardą.

Scorpio [ˈskɔːrpɪoʊ] *n. pl.* **-s** **1.** (*także* **Scorpius, Scorpion**) *astron.* Skorpion. **2.** (*także* **Scorpion**) *astrol.* Skorpion.

scorpioid [ˈskɔːrpɪˌɔɪd] *n. bot.* sierpik (*typ kwiatostanu wierzchotkowego*). – *a. bot.* **1.** sierpikowaty. **2.** *zool. rzad.* skorpionowaty.

Scorpion [ˈskɔːrpɪən] *n.* = **Scorpio**.

scorpion [ˈskɔːrpɪən] *n. zool.* skorpion (*rząd Scorpionida*).

scorpion fish *n. icht.* skorpena (*rodzina Scorpaenidae*).

scorpion fly *n. pl.* **-ies** *ent.* owad z rzędu *Mecoptera.*

scorpion grass *n. bot.* niezapominajka (*Myosotis scorpioides*).

Scorpius [ˈskɔːrpɪəs] *n.* = **Scorpio** 1.

Scot [skɑːt] *n. t. hist.* Szkot/ka.

scot [skɑːt] *n. hist. arch.* podatek.

Scot. *abbr.* = **Scotland**; = **Scottish**; = **Scotch**.

scot and lot *n. U hist.* podatki samorządowe, których płacenie uprawniało do udziału w wyborach (*parlamentarnych*).

Scotch [skɑːtʃ] *n.* **1.** *C/U pl.* **-ies** (*także* **~ whisky**) (szkocka) whisky; **~ and soda/on the rocks** whisky z sodą/z lodem. **2.** *U jęz.* = **Scots**. **3.** *pl.* **the ~** *pog.* Szkoci. – *a. t. pog.* szkocki.

scotch[1] [skɑːtʃ] *v.* **1.** *form.* zdusić w zarodku (*plotki, spekulacje*); pokrzyżować (*plany*). **2.** *arch.* robić nacięcie w (*czymś*), nacinać. – *n.* **1.** linia (*na ziemi, np. przy grze w klasy*). **2.** *arch.* nacięcie.

scotch[2] *n.* podstawka klinowa (*np. pod koła*). – *v.* zaklinować (*koło l. beczkę podstawkami klinowymi*).

Scotch broth *n. U kulin.* rosół z kaszą jęczmienną (*gotowany na jagnięcinie l. wołowinie*).

Scotch catch *n.* = **Scotch snap**.

Scotch egg *n. kulin.* jajko na twardo smażone w farszu wieprzowym i panierce.

Scotch-Irish [ˌskɑːtʃˈaɪrɪʃ] *n. i a. zwł. US* = **Scottish-Irish**.

Scotchman [ˈskɑːtʃmən] *n. pl.* **-men** *arch. l. pog.* Szkot.

Scotch mist *n. C/U* **1.** mgła z mżawką. **2.** *żart.* wytwór wyobraźni.

Scotch pancake *n. kulin.* placuszek pieczony na blasze.

Scotch pine *n.* = **Scots pine**.

Scotch snap *n.* (*także* **Scotch catch**) *muz.* synkopa stosowana w muzyce szkockiej (= *nuta z kropką poprzedzona przez nutę o wartości mniejszej o połowę*).

Scotch tape *n. U US, Can. i Austr.* taśma klejąca (*przezroczysta*).

scotch tape *v. US, Can. i Austr.* kleić taśmą (*klejącą*).

Scotch terrier *n.* = **Scottish terrier**.

Scotch whisky *n.* = **Scotch** *n.* 1.

Scotchwoman [ˈskɑːtʃˌwʊmən] *n. arch. l. pog.* Szkotka.

Scotch woodcock *n. kulin.* tost z anchois i jajecznicą.

scoter ['skoutər] *n. pl.* **-s** *l.* **scoter** *orn.* uhla (*rodzaj Melanitta*).

scot-free [ˌskɑːt'friː] *a.* **1.** bezkarny. **2.** *hist.* zwolniony z podatku. **3. she got off/away ~** (*także* **she was let off ~**) uszło jej płazem *l.* na sucho, udało jej się uniknąć kary.

Scotia ['skouʃə] *n. arch. l. poet.* Szkocja.

scotia ['skouʃə] *n. bud.* skocja, wklęsek (*zwł. u bazy kolumny*).

Scotism ['skoutɪzəm] *n. U fil.* skotyzm.

Scotland ['skɑːtlənd] *n. geogr.* Szkocja.

Scotland Yard *n. z czasownikiem w liczbie pojedynczej l. mnogiej Br.* londyńska policja śledcza.

Scot Nat *polit. pot. n.* szkock-i/a nacjonalist-a/ka. – *a.* dotyczący szkockich nacjonalistów.

scotoma [skə'toumə] *n. pl.* **-s** *l.* **scotomata** [skə-'toumətə] *pat.* mroczek, ubytek pola widzenia.

scotopia [skə'toupɪə] *n. U fizj.* zdolność widzenia w słabym świetle *l.* w mroku, widzenie nocne *l.* skotopowe.

Scots [skɑːts] *a.* szkocki. – *n. U* (*także* **Scotch, Scottish, Scottish English**) *jęz.* szkocka odmiana języka angielskiego.

Scots Gaelic *n.* = **Scottish Gaelic**.

Scots Guards *n. pl. Br. wojsk.* jeden z pułków w armii brytyjskiej.

Scots-Irish [ˌskɑːts'aɪrɪʃ] *a.* = **Scottish-Irish**.

Scots Law *n. U prawn.* szkocki system prawny.

Scotsman ['skɑːtsmən] *n. pl.* **Scotsmen** Szkot.

Scots pine *n.* **1.** (*także* **Scotch pine**) *bot.* sosna zwyczajna (*Pinus sylvestris*). **2.** *U* drewno z sosny jw.

Scotswoman ['skɑːtsˌwumən] *n. pl.* **-women** Szkotka.

Scotticism ['skɑːtəˌsɪzəm] *n. jęz.* wyraz, wyrażenie *l.* idiom charakterystyczne dla szkockiej odmiany angielszczyzny.

Scottie ['skɑːtɪ] *n.* **1.** = **Scottish terrier**. **2.** *pot., obelż.* Szkot/ka.

Scottish ['skɑːtɪʃ] *a.* szkocki. – *n.* **1.** *pl.* **the ~** Szkoci. **2.** *U jęz.* = **Scots**.

Scottish Blackface *n. zool.* rasa owcy hodowanej głównie w Szkocji.

Scottish Certificate of Education *n.* (*także* **SCE**) *Scot. szkoln.* świadectwo ukończenia szkoły średniej.

Scottish English *n.* = **Scots**.

Scottish Gaelic *n. U* (*także* **Scots Gaelic**) *jęz.* język gaelicki (*używany na Hebrydach i zachodnim wybrzeżu Szkocji*).

Scottish-Irish [ˌskɑːtɪʃ'aɪrɪʃ] (*także* **Scots-Irish**) (*także US* **Scotch-Irish**) *n. pl.* **the ~** Irlandczycy pochodzenia szkockiego; Amerykanie pochodzenia irlandzkiego i szkockiego. – *a.* szkocko-irlandzki.

Scottish Nationalist *Scot. polit. n.* człon-ek/kini Szkockiej Partii Narodowej. – *a.* dotyczący Szkockiej Partii Narodowej.

Scottish National Party *n. Scot. polit.* Szkocka Partia Narodowa.

Scottish terrier *n.* (*także* **Scotch terrier**) (*także pot.* **Scottie**) *kynol.* terrier szkocki.

scoundrel ['skaundrəl] *n. przest. l. żart.* łajda-k/czka, łot-r/rzyca.

scoundrelly ['skaundrəlɪ] *a. przest. l. żart.* łajdacki, łotrowski.

scour[1] [skaur] *v.* **1.** szorować, czyścić; *tk.* prać, odtłuszczać (*wełnę*); mizdrować (*skórę*). **2.** **~ (away/off)** wycierać, ścierać (*np. rdzę, brud*). **3.** przepłukiwać (*np. kanał, rurę*). **4.** *wet.* cierpieć na biegunkę (*o bydle*). **5.** **~ out** wyczyścić; wyszorować. – *n.* **1.** *sing.* szorowanie, czyszczenie; **give sth a good ~** dobrze coś wyczyścić *l.* wyszorować (*np. podłogę, wannę*). **2.** środek czyszczący. **3.** *t. geol.* wypłukiwanie; podmywanie. **4.** miejsce czyszczone *l.* wymywane. **5.** *bud.* zacieranie (*tynku packą*). **6.** *t. pl. wet.* biegunka bydlęca.

scour[2] *v.* **1.** przeszukiwać, przetrząsać; wertować. **2.** **~ for sb/sth** gorączkowo poszukiwać kogoś/czegoś. **3.** **~ (about)** biegać na wszystkie strony.

scourer ['skaurər] *n.* **1.** (*także* **pan ~**) (*także US i Austr.* **scouring pad**) druciak (*do szorowania garnków*). **2.** *C / U* środek czyszczący.

scourge [skɝːdʒ] *n.* **1.** dopust, plaga; **the ~ of famine** plaga głodu. **2.** *hist.* bicz. – *v.* **1.** nękać. **2.** *hist.* biczować.

scouring pad ['skaurɪŋ ˌpæd] *n. US i Austr.* = **scourer 1**.

scouring rush *n. bot.* skrzyp (*Equisetum*).

scourings ['skaurɪŋz] *n. pl. roln.* odwiane plewy.

Scouse [skaus], *Br. pot. n.* **1.** (*także* **Scouser**) mieszkan-iec/ka (okolic) Liverpoolu. **2.** *U* dialekt liverpoolski. – *a.* liverpoolski (*np. o akcencie*).

scouse [skaus] *n. U Br. dial. kulin.* gulasz z resztek mięsa z warzywami.

scout[1] [skaut] *n.* **1.** *wojsk.* zwiadowca; samolot zwiadowczy; statek zwiadowczy; wywiadowca. **2.** (*także* **S~**) skaut/ka, harce-rz/rka; **boy/Boy S~** skaut, harcerz; **girl/Girl S~** *US* skautka, harcerka; **~'s honour!** słowo harcerza!. **3.** *sport* obserwator/ka (*taktyki przeciwników*). **4.** *wojsk. l. przen.* zwiady; **have a quick ~ around** *pot.* zrobić szybkie zwiady. **5.** (*także* **talent ~**) łow-ca/czyni talentów. **6.** *przest. pot.* gość, facet. – *v.* **1.** **~ (around/round)** *wojsk. l. przen.* chodzić na zwiady. **2.** **~ (around/round)** rozglądać się (*for sb / sth* za kimś/czymś). **3.** *sport, rozrywka* szukać nowych talentów. **4.** **~ (out)** uzyskać informacje o (*kimś l. czymś*).

scout[2] *v. arch.* wzgardzić (*kimś l. czymś*), odtrącić z pogardą.

Scout Association *n.* stowarzyszenie skautów.

scouter ['skautər], **Scouter** *n.* instruktor/ka drużyny skautów.

scouting ['skautɪŋ], **Scouting** *n. U* skauting, harcerstwo.

scoutmaster ['skautˌmæstər] *n.* **1.** *wojsk.* dowódca patrolu wywiadowczego. **2.** harcmistrz/yni.

Scout Movement *n.* ruch skautów, skauting.

scow [skaʊ] *n. żegl.* galar (*płaskodenna łódź wiosłowa do przewozu towarów*).

scowl [skaʊl] *v.* chmurzyć się, marszczyć brwi; patrzyć wilkiem *l.* spode łba (*at sb* na kogoś). – *n.* grymas niezadowolenia *l.* gniewu, spojrzenie spode łba.

Scrabble [ˈskræbl] *n. U* (gra w) scrabble.

scrabble [ˈskræbl] *v. pot.* **1.** ~ **(around/about)** gorączkowo szukać; macać dookoła, grzebać (*for sth* w poszukiwaniu czegoś). **2.** drapać. **3.** walczyć (*for sth* o coś). **4.** kreślić; gryzmolić, bazgrać. **5.** wymęczyć (= *wykonać z wielką trudnością l. wysiłkiem*). **6.** ~ **at sth** próbować czegoś dosięgnąć; uczepić się czegoś; ~ **through sth** gorączkowo coś przeszukiwać. – *n. zw. sing.* **1.** gorączkowe poszukiwanie. **2.** drapanie. **3.** walka. **4.** pośpieszna wspinaczka. **5.** gryzmoły, bazgroły.

scrabbler [ˈskræblər], **Scrabbler** *n.* gracz w scrabble.

scrag [skræg] *n. pot.* **1.** chudzina, chudzielec, chudziak (*o osobie l. zwierzęciu*). **2.** = **scrag end**. **3.** szyja. – *v.* **-gg-** *pot.* skręcić kark (*komuś*); udusić.

scrag end *n. U Br. t. kulin.* kark owcy *l.* jagnięcia (*np. na zupę*).

scraggly [ˈskræglɪ] *a.* **-ier, -iest** *gł. US i Austr. pot.* **1.** zaniedbany (*np. o brodzie, włosach*). **2.** nieregularny; poszarpany.

scraggy [ˈskrægɪ] *a.* **-ier, -iest** **1.** zbyt chudy, wychudły; kościsty. **2.** nieregularny; poszarpany.

scram [skræm] *v.* **-mm-** **1.** *zw. imp. pot.* zwiewać, wiać (= *uciekać*). **2.** *fiz.* wyłączyć (się) w razie awarii (*o reaktorze jądrowym*). – *n. fiz.* awaryjne wyłączenie reaktora jądrowego.

scramble [ˈskræmbl] *v.* **1.** ~ **(up)** wdrapywać się. **2.** walczyć rozpaczliwie, zabijać się (*for sth* o coś). **3.** mieszać bezładnie. **4.** *kulin.* robić jajecznicę z (*jajek*). **5.** *tel.* szyfrować (*przez mieszanie sygnałów*). **6.** *lotn., wojsk.* startować (*o samolotach myśliwskich będących w pogotowiu*). **7.** ~ **for the door** rzucić się do drzwi; ~ **into one's clothes** pośpiesznie się ubrać; ~ **sb's brains** *pot.* pomieszać komuś w głowie (*np. o narkotykach*); ~ **through sth** przedzierać się przez coś (*np. przez zarośla*); ~ **to find sth** rozpaczliwie szukać czegoś. – *n. zw. sing.* **1.** wdrapywanie się, wspinaczka. **2.** **(mad/wild)** ~ rozpaczliwa walka, zabijanie się, szamotanina (*for sth* o coś). **3.** *lotn., wojsk.* start alarmowy *l.* natychmiastowy (*samolotów myśliwskich znajdujących się w stanie pogotowia*). **4.** *sport* motokros, motocross. **5.** bezładna masa (*osób l. rzeczy*).

scrambled eggs [ˌskræmbld ˈegz] *n. U l. pl. kulin.* jajecznica.

scrambler [ˈskræmblər] *n.* **1.** *bot.* roślina pnąca. **2.** *tel.* urządzenie do szyfrowania. **3.** *mot.* motocykl terenowy.

scramjet [ˈskræmˌdʒet] *n. lotn.* silnik strumieniowy naddźwiękowy.

scran [skræn] *n. U* **1.** *Br. sl.* żarcie. **2.** **bad ~ to him!** *Ir. pot.* (a) żeby go pokręciło!.

scrannel [ˈskrænl] *a. arch.* ostry i niemelodyjny (*o dźwięku*).

scrap[1] [skræp] *n.* **1.** strzępek, skrawek; kawałek; resztka; *pl.* resztki (*jedzenia*); odpadki; ~ **of paper** świstek (papieru); ~**s of cloth** ścinki, skrawki (materiału). **2.** *przen.* strzęp; ~**s of information** strzępy informacji. **3.** *zw. z neg. przen.* odrobina, krztyna, krzta; **not a ~ of truth** ani krzty *l.* krztyny prawdy; **not make a ~ of difference** nie robić ani odrobiny różnicy. **4.** wycinek (*z gazety*). **5.** wyrób wybrakowany. **6.** *U pot.* złom; szmelc; odpadki; **sell sth for ~** sprzedawać coś na złom. – *v.* **-pp-** **1.** wybrakować. **2.** odrzucać, wycofywać. **3.** wyrzucać; przeznaczać na złom. **4.** *przen.* skasować (*np. plany*).

scrap[2] *pot. n.* bójka; utarczka, starcie; kłótnia. – *v.* bić się; kłócić się.

scrapbook [ˈskræpˌbʊk] *n.* album (*z wycinkami z gazet i zdjęciami*).

scrap dealer *n.* (*także Br.* **scrap merchant**) handlarz złomem.

scrape [skreɪp] *v.* **1.** skrobać, drapać; ~ **a hole in sth** wydrapać w czymś dziurę. **2.** ~ **(off/away)** zeskrobywać, zdrapywać. **3.** zadrapać, zadrasnąć; ocierać, obcierać; ~ **against sth** ocierać (się) o coś; ~ **one's knee** obetrzeć (sobie) kolano. **4.** szurać (*np. krzesłem po podłodze, nogą przy ukłonie*); powłóczyć nogami. **5.** szorować (*np. podłogę*); ~ **sth clean** wyszorować coś do czysta. **6.** sczesać do tyłu (*włosy*). **7.** *przen.* ~ **a living** *zob.* **living** *n.*; ~ **home** *Br. i Austr.* minimalnie wygrać, wygrać o włos (*np. w zawodach, wyborach*); ~ **(the bottom of) the barrel** *zob.* **barrel** *n.*; **bow and ~ (to sb)** *zob.* **bow**[2] *v.*; **pinch and ~** *zob.* **pinch** *v.* **8.** ~ **along/by** *przen.* ledwo wiązać koniec z końcem; ledwo sobie radzić; ~ **in** *t. przen.* wcisnąć się; ~ **into sth** *t. przen.* wcisnąć się gdzieś, z trudem dostać się gdzieś (*np. na uniwersytet*); ~ **through** przeciskać się, przepychać się; *przen.* przebrnąć (*zwł. przez egzamin*); ~ **up/together** uciułać (*daną sumę*); pozbierać, zebrać do kupy (*np. wystarczająco dużą grupę osób*). – *n.* **1.** *sing.* skrobanie, drapanie. **2.** zadrapanie, zadraśnięcie; obtarcie. **3.** *pot.* tarapaty; **get into a ~** wpaść w tarapaty. **4.** *pot.* sprzeczka, utarczka.

scraper [ˈskreɪpər] *n.* **1.** *gł. Scot.* ciułacz/ka. **2.** *t. techn., roln.* skrobaczka (*t. do butów*); skrobak; zgarniacz, zgarniarka; drapacz, drapaczka. **3.** *stol.* gładzica, cyklina.

scrap heap, scrapheap *n.* **1.** kupa złomu *l.* odpadków, złomowisko. **2.** *przen.* **be (thrown) on the ~** pójść w odstawkę; **throw sb on the ~** odstawić kogoś na bocznicę; **throw sth on the ~** odłożyć coś do lamusa, wyrzucić coś na śmietnik.

scrapie [ˈskreɪpɪ] *n. U wet.* choroba niszcząca system nerwowy owiec i kóz.

scrapings [ˈskreɪpɪŋz] *n. pl.* resztki.

scrap iron *n. U* złom żeliwny.

scrap merchant *n. Br.* = **scrap dealer**.

scrap metal *n. U* złom.

scrap paper *n. Br.* = **scratch paper**.

scrapple [ˈskræpl] *n. U US kulin.* kawałki wieprzowiny smażone w mące kukurydzianej.

scrappy[1] ['skræpɪ] *a.* **-ier, -iest 1.** niechlujny. **2.** chaotyczny, nieprzemyślany; fragmentaryczny.

scrappy[2] *a.* **-ier, -iest** *zwł. US pot.* **1.** odważny. **2.** zaczepny, zadziorny, czupurny.

scrap yard *n.* skład złomu; złomowisko.

scratch [skrætʃ] *v.* **1.** drapać (*t. np. o swetrze*); ~ **at the door** drapać w drzwi (*np. o kocie*); ~ **sb's back** podrapać kogoś w plecy. **2.** drapać się (w) (*nos itp.*). **3.** zadrapać, zadrasnąć; podrapać, porysować. **4.** wydrapać (*np. swoje inicjały na murze*). **5.** ~ **(off/away)** zdrapać, zedrzeć. **6.** zgrzytać. **7.** *przen.* skreślać (*np. z listy uczestników*); wycofywać (się) (*from sth* z czegoś) (*zwł. z gry*). **8.** odrzucać, porzucać (*np. pomysł, plan*). **9.** *muz. pot.* skreczować. **10.** bazgrać, gryzmolić; kreślić (*pośpiesznie*). **11.** *bud.* rapować (*tynk*). **12.** *bilard itp.* zrobić ruch podlegający karze; zrobić przypadkowy ruch niespodziewanie przynoszący punkt. **13.** *przen.* ~ **a living** *zob.* **living** *n.*; ~ **beneath the surface** poszukać głębiej; przyjrzeć się dokładniej (*np. czyjemuś charakterowi*); ~ **one's head** łamać sobie głowę; ~ **the surface** ślizgać się po powierzchni (= *robić coś powierzchownie l. po łebkach*); **you ~ my back and I'll ~ yours** przysługa za przysługę. **14.** ~ **out** wykreślić, skreślić; ~ **sb's eyes out** *przen.* wydrapać komuś oczy; ~ **together/up** pozbierać, zebrać do kupy (*np. wystarczająco dużą grupę osób*). – *n.* **1.** *sing.* drapanie (się); **have a ~** (*także* **give o.s. a ~**) podrapać się. **2.** zadrapanie, zadraśnięcie; **it's only/just a ~** to tylko (zwykłe) zadrapanie. **3.** rysa. **4.** bazgroły. **5.** zgrzyt, zgrzytanie. **6.** *sport* zawodnik wycofany z gry; drużyna wycofana z gry. **7.** *muz. pot.* skrecz. **8.** *golf* zerowy handicap. **9.** *bilard itp.* ruch podlegający karze; przypadkowy ruch przynoszący punkt. **10.** *U sl.* forsa; gotówka. **11. not be/come up to ~** *pot.* nie spełniać wymogów; nie być tak dobrym jak zwykle (*np. o czyjejś pracy*); **start from ~** *pot.* zaczynać od zera; **without a ~** bez uszczerbku *l.* szwanku. – *a. attr.* **1.** prowizoryczny; przypadkowy; zebrany dorywczo (*np. o załodze l. drużynie*). **2.** *golf* z zerowym handicapem. **3.** na chybił trafił (*o strzale*).

scratch-and-sniff [ˌskrætʃənd'snɪf] *a.* wydzielający zapach przy potarciu (*np. o reklamie perfum w magazynie ilustrowanym*).

scratch card *n.* (*także pot.* **scratchie**) (*także Austr.* **scratch ticket**) zdrapka.

scratch file *n. komp.* plik roboczy.

scratchie ['skrætʃɪ] *n. pot.* = **scratch card**.

scratchily ['skrætʃɪlɪ] *adv.* **1.** ze zgrzytami. **2.** dorywczo, przypadkowo.

scratchiness ['skrætʃɪnəs] *n. U* **1.** zgrzytliwość (*np. płyty*). **2.** drapiące właściwości (*np. tkaniny*). **3.** przypadkowość.

scratchings ['skrætʃɪŋz] *n. pl.* (*także* **pork ~**) *Br. kulin.* skwarki.

scratch line *n. sport* **1.** linia startu. **2.** linia faulu.

scratchpad ['skrætʃˌpæd], **scratch pad** *n.* **1.** *US* notatnik. **2.** *komp.* obszar roboczy.

scratch paper *n. U* (*także Br.* **scrap paper**) papier do pisania na brudno.

scratch test *n. med.* test alergologiczny.

scratch ticket *n. Austr.* = **scratch card**.

scratchy ['skrætʃɪ] *a.* **-ier, -iest 1.** drapiący, szorstki (*np. o tkaninie, swetrze*). **2.** zgrzytający, zgrzytliwy (*np. o płycie*). **3.** nabazgrany, nagryzmolony; naszkicowany od ręki. **4.** *przen. pot.* drażliwy.

scrawl ['skrɔ:l] *v.* gryzmolić, bazgrać. – *n. zw. sing.* gryzmoły, bazgroły.

scrawniness ['skrɔ:nɪnəs] *n. U* wątłość, cherlawość.

scrawny ['skrɔ:nɪ] *a.* **-ier, -iest** wychudzony, wątły, cherlawy.

screak [skri:k] *US v.* **1.** piszczeć; skrzeczeć. **2.** skrzypieć. – *n.* **1.** pisk; skrzeczenie. **2.** skrzypienie.

scream [skri:m] *v.* **1.** krzyczeć; wrzeszczeć; wołać; ~ **at sb** wrzasnąć na kogoś (*to do sth* żeby coś zrobił); ~ **for help** wołać o pomoc; ~ **in/with pain** krzyczeć z bólu; ~ **o.s. hoarse** *emf.* zachrypnąć od krzyku; ~ **one's head off** *emf.* krzyczeć, ile sił w płucach. **2.** ~ **(out)** wykrzykiwać; ~ **(out) insults/abuse/obscenities** wykrzykiwać obelgi/wyzwiska/brzydkie wyrazy. **3.** wyć (*o syrenie*); gwizdać (*np. o gwizdku parowym*). **4.** (*także* ~ **with laughter**) śmiać się piskliwie, zanosić się od śmiechu. **5.** poruszać się z piskiem opon (*o samochodzie*). **6.** *przen.* ~ **out at sb** być widocznym na pierwszy rzut oka, od razu rzucać się w oczy (*np. o błędach*); ~ **out for sth** wołać o coś (= *pilnie potrzebować; np. doinwestowania, remontu*). – *n.* **1.** krzyk; wrzask; **let out a piercing ~** wydać z siebie przeszywający krzyk. **2.** przenikliwy dźwięk; wycie; gwizd. **3.** (*także* **~er**) *pot.* pocieszna osoba; ubaw; **sb is a ~** ktoś jest bardzo zabawny; **sth is a ~** coś jest bardzo śmieszne.

screamer ['skri:mər] *n.* **1.** krzykacz/ka. **2.** *druk. sl.* wykrzyknik. **3.** = **scream** *n.* 3. **4.** *orn.* ptak z rodziny skrzydłoszponów (*Anhimidae*).

screamingly ['skri:mɪŋlɪ] *adv. emf.* **1.** strasznie (= *bardzo*). **2.** ~ **funny** przezabawny, pocieszny, komiczny.

scree [skri:] *n.* **1.** piarg, osypisko, usypisko. **2.** stok górski pokryty warstwą gruzu skalnego.

screech [skri:tʃ] *v.* **1.** skrzeczeć; piszczeć (*t. o osobie*). **2.** zgrzytać, skrzypieć (*np. o hamulcach*). **3.** ~ **to a halt/stop/standstill** *mot.* zatrzymać się z piskiem (opon). – *n.* **1.** skrzeczenie; pisk. **2.** zgrzyt, skrzypienie.

screech owl *n. orn.* sowa z rodzaju *Otus*.

screechy ['skri:tʃɪ] *a.* **-ier, -iest** skrzekliwy; piskliwy.

screed [skri:d] *n.* **1.** *zw. pl.* długi i nudny tekst. **2.** *bud.* pas kierunkowy, listwa kierunkowa (*przy tynkowaniu*). **3.** *bud.* deska równająca. **4.** *bud.* wierzchnia warstwa betonowej powierzchni. **5.** *Scot.* rozdarcie; odgłos rozdzierania.

screen [skri:n] *n.* **1.** *komp., telew., kino l. przen.* ekran; **adapt sth for the ~** dokonać ekranowej adaptacji czegoś (*np. powieści, opowiadania*); **on ~** *komp.* na ekranie; **the big ~** duży ekran (= *kino*); **the small ~** mały ekran (= *telewizja*); **write for the ~** pisać scenariusze filmowe; **21-inch ~** *telew.* ekran 21-calowy. **2.** *bud.* przepierzenie. **3.** zasłona; parawan; osłona; **smoke ~** *wojsk. l. przen.* zasłona dymna. **4.** *mot.* przednia szyba. **5.** *druk.* raster. **6.** *el.* ekran, osłona. **7.** siatka (*np. na okno, przeciw komarom*). **8.** sito; przesiewacz. **9.** *przen.* sito (= *system selekcji kandydatów*). **10.** *wojsk.* oddział osłonowy. **11.** *fot.* matówka. **12.** *psych.* blokada emocjonalna. – *v.* **1.** ~ **(off)** zabezpieczać, chronić (*from sth* przed czymś); zasłaniać; *t. wojsk.* osłaniać. **2.** ~ **(off)** dzielić (*na mniejsze pomieszczenia*); przedzielać. **3.** *el.* ekranować, osłaniać. **4.** *kino* wyświetlać, robić projekcję (*czegoś*). **5.** *kino* wyświetlać; *telew.* emitować. **6.** przesiewać; odsiewać; sortować. **7.** *med.* poddawać badaniom przesiewowym; ~ **sb for sth** badać *l.* monitorować kogoś pod kątem czegoś (*np. grupę kobiet pod kątem raka piersi*). **8.** ~ **(out)** sprawdzać, przesłuchiwać; selekcjonować, przesiewać (*kandydatów na określone stanowisko*).

screen door *n. US i Austr.* drzwi z siatką.

screen dump *n. komp.* wydruk (treści) ekranu.

screen editing *n. U komp.* edycja ekranowa.

screening ['skri:nɪŋ] *n.* **1.** *C/U kino* wyświetlanie, projekcja; *telew.* emisja. **2.** *U med.* badania przesiewowe, masowe badanie populacji (*w celu wykrycia określonej choroby*). **3.** *U* sprawdzanie (*zwł. pod kątem przydatności na określone stanowisko*). **4.** osłona; zasłona; parawan. **5.** *bud.* przepierzenie. **6.** siatka (*np. na okno*).

screenings ['skri:nɪŋz] *n. pl.* pozostałość na sicie, odsiew.

screen memory *n. pl.* **-ies** **1.** *U komp.* pamięć obrazu. **2.** *psych.* wspomnienie z (dzieciństwa) pełniące rolę osłony względem innego, przykrego wspomnienia.

screenplay ['skri:nˌpleɪ] *n. kino, telew.* scenariusz.

screen-print ['skri:nˌprɪnt] *n. druk.* druk sitowy, sitodruk.

screen-printing ['skri:nˌprɪntɪŋ] *n. U druk.* druk sitowy, technika sitodruku.

screen saver *n. komp.* wygaszacz ekranu (*monitora*).

screen test *n. kino, telew.* zdjęcia próbne.

screenwriter ['skri:nˌraɪtər] *n. kino, telew.* scenarzyst-a/ka.

screw [skru:] *n.* **1.** śruba; wkręt; gwint; **female/male ~** gwint wewnętrzny/zewnętrzny; **set ~** wkręt dociskowy, śruba dociskowa *l.* ustalająca. **2.** = **screw propeller**. **3.** obrót śruby; ruch śrubowy. **4.** *sl.* klawisz (*w więzieniu*). **5.** *wulg. sl.* rżnięcie, rżniątko (= *stosunek płciowy*). **6.** *wulg. sl.* dupa (= *partner/ka seksualn-y/a*). **7.** *pot.* dusigrosz. **8.** *pot.* szkapa, chabeta. **9.** *Br. przest. pot.* skręt (= *papieros*). **10.** *Br. przest. pot.* zarobki. **11.** *przen.* **have a ~ loose** *zob.* **loose** *a.*; **put/tighten the ~s on sb** *pot.* dokręcić *l.* przykręcić komuś śrubę; **put/tighten the ~s on sb to do sth** *pot.* zmusić kogoś do zrobienia czegoś (*groźbami*). – *v.* **1.** przykręcać; ~ **sth to the wall/floor** przykręcić coś do ściany/podłogi. **2.** mocować śrubą; łączyć śrubami. **3.** obracać się, kręcić się (*o śrubie*); poruszać się ruchem śrubowym. **4.** ~ **(up)** wykręcać; wykrzywiać (*np. twarz*). **5.** ~ **(up)** zmiąć, zgnieść. **6.** *wulg. sl.* pieprzyć (się), rżnąć (się), dymać (się) (*with sb* z kimś); ~ **that/him!** pieprzyć to/go!; ~ **you!** pieprz się!. **7.** *pot.* naciągnąć (= *oszukać*) (*for sth* na jakąś sumę). **8.** **have one's head ~ed on (straight)** *zob.* **head** *n.* **9.** ~ **around** *wulg. sl.* pieprzyć się z kim popadnie; opieprzać się; ~ **down/on** przyśrubować; dokręcić, przykręcić; ~ **in** wkręcić; ~ **off** odśrubować; odkręcić; ~ **sth out of/from sb** wycisnąć *l.* wydusić coś z kogoś (*np. informację, pieniądze*); ~ **up** *pot.* zawalić sprawę, dać plamę; ~ **sb up** *pot.* dobić *l.* załamać kogoś; skrzywić kogoś (*psychicznie*); ~ **sth up** zwinąć coś w kulkę (*np. kawałek papieru*); *pot.* popieprzyć *l.* pochrzanić coś (*np. czyjeś plany*); ~ **up one's courage** zdobyć się na odwagę; ~ **up one's eyes** *pot.* mrużyć oczy (*zwł. pod wpływem światła*); ~ **up one's face** *pot.* krzywić się.

screwball ['skru:ˌbɔ:l] *zwł. US n.* **1.** *pot.* narwaniec; świrus. **2.** *baseball* podkręcona piłka. – *a. attr. pot.* narwany; świrnięty.

screwdriver ['skru:ˌdraɪvər] *n.* **1.** wkrętak, śrubokręt. **2.** *pot.* wódka z sokiem pomarańczowym.

screwed [skru:d] *a.* **1.** przyśrubowany. **2.** gwintowany. **3.** przekrzywiony; wykrzywiony; wykręcony; wygięty. **4.** *wulg. sl.* po uszy w gównie (= *w kłopotach*). **5.** *Br. przest. sl.* zalany (= *pijany*).

screwed up [ˌskru:d 'ʌp] *a.* **1.** *sl.* popieprzony, popaprany, pokręcony (*o osobie*). **2.** *pot.* spieprzony, schrzaniony (*np. o robocie*).

screw eye *n. techn.* wkręt z oczkiem (*do drewna*).

screw gear *n. mech.* mechanizm śrubowy.

screw hook *n. techn.* hak nagwintowany *l.* wkręcany.

screw jack *n. techn.* dźwignik śrubowy.

screw propeller *n. t. lotn.* śruba napędowa (*t. okrętowa*), pędnik śrubowy.

screw stock *n. U* pręty na śruby.

screw tap *n. techn.* gwintownik, narzynka.

screw thread *n. techn.* gwint.

screw top *n.* nakrętka.

screwup ['skru:ˌʌp] *n. sl.* burdel (= *zamieszanie, bałagan*).

screwy ['skru:ɪ] *a.* **-ier, -iest** *przest. sl.* popieprzony, pokręcony, porąbany.

scribal ['skraɪbl] *a.* **1.** *hist.* dotyczący skrybów *l.* kopistów; ~ **error** pomyłka kopisty. **2.** urzędniczy. **3.** pisarski; dziennikarski.

scribble[1] ['skrɪbl] *v.* **1.** gryzmolić, bazgrać, skrobać; ~ **a sb note** (*także* ~ **a note to sb**) skrobnąć do kogoś parę słów. **2.** *żart.* być pismakiem, pisać byle co. – *n. U l. sing.* gryzmoły, bazgroły; pośpiesznie napisana notatka.

scribble[2] *v. tk.* zgrzeblić pobieżnie (*wełnę*).

scribbler ['skrɪblər] *n.* **1.** osoba bazgrząca *l.* gryzmoląca. **2.** *żart.* pismak.

scribe [skraɪb] *n.* **1.** *hist.* skryba, kopista. **2.** *Bibl.* uczony w Piśmie. **3.** kancelista, pisarz (*np. gminny*). **4.** *żart.* pisarz, autor; dziennikarz. **5.** *techn.* = **scriber**. – *v. techn.* trasować, rysować (*linię rysikiem*).

scriber [ˈskraɪbər] *n.* (*także* **scribe**) *techn.* rysik traserski, znacznik.

scrim [skrɪm] *n.* **1.** *teatr* kurtyna. **2.** *U tk.* płótno introligatorskie, tapicerskie i do produkcji zasłon.

scrimmage [ˈskrɪmɪdʒ] *n.* **1.** potyczka, utarczka; bójka, bijatyka, burda. **2.** *rugby arch.* = **scrum** *n.* 1. **3.** *futbol amerykański* pole gry.

scrimp [skrɪmp] *v.* **1.** oszczędzać (*on sth* na czymś). **2.** źle traktować (*kogoś*). **3.** ~ **and save** odejmować sobie od ust.

scrimpy [ˈskrɪmpɪ] *a.* **-ier, -iest 1.** skąpy (*np. o zapasach*). **2.** oszczędny.

scrimshank [ˈskrɪmˌʃæŋk] *v. przest. sl.* migać się (= *unikać pracy*), markierować.

scrimshanker [ˈskrɪmˌʃæŋkər] *n. przest. sl.* markierant.

scrimshaw [ˈskrɪmˌʃɑː] *v.* rzeźbić w zębach wieloryba, muszli *l.* kości słoniowej. – *n.* ozdoba z surowców jw.

scrip¹ [skrɪp] *n.* **1.** świstek (papieru); kwitek. **2.** *fin.* świadectwo tymczasowe (*dla akcjonariusza*). **3.** *fin.* zaświadczenie wydawane na mającą być wypłaconą dywidendę. **4.** *prawn.* dokument stwierdzający prawa majątkowe. **5.** *U US hist. fin.* tymczasowy pieniądz papierowy (*wydawany przez władze okupacyjne*).

scrip² *n. arch.* sakwa.

scrip issue *n. fin.* akcje gratisowe.

scripophily [skrɪˈpɑːfəlɪ] *n. U* kolekcjonowanie świadectw udziałowych i obligacji.

script [skrɪpt] *n.* **1.** *kino, telew., radio* scenopis, scenariusz, tekst; **keep/stick to the ~** trzymać się tekstu (*o aktorze*). **2.** *C/U* pismo (*jako system znaków*); alfabet. **3.** *U l. sing. form.* pismo odręczne. **4.** = **manuscript**. **5.** *U druk.* pisanka (= *czcionka naśladująca pismo kaligraficzne odręczne*). **6.** *Br. i Austr. uniw., szkoln.* arkusz egzaminacyjny. **7.** *prawn.* oryginał (*aktu*). – *v.* **1.** *kino, telew., radio* napisać scenariusz *l.* tekst (do) (*czegoś*). **2.** *przen.* (wcześniej) zaplanować *l.* przygotować.

Script. *abbr.* = **Scripture**.

scripted [ˈskrɪptɪd] *a.* napisany *l.* przygotowany wcześniej (*zwł. o wystąpieniu publicznym*).

scriptorium [skrɪpˈtɔːrɪəm] *n. pl.* **-s** *l.* **scriptoria** [skrɪpˈtɔːrɪə] *hist.* skryptorium.

scriptural [ˈskrɪptʃərəl] *a.* **1.** *rel.* dotyczący świętych pism (*zwł. Biblii*); opierający się na pismach świętych (*zwł. na Biblii*); biblijny. **2.** *form.* dotyczący pisma *l.* pisania.

Scripture [ˈskrɪptʃər], **scripture** *n.* **1.** (*także* **Holy ~**) (*także* **the ~s**) *rel.* Pismo Święte, Biblia. **2.** *C/U rel.* święte pisma (*różnych religii*). **3.** *rel.* fragment z Biblii. **4.** *przen.* autorytatywne stwierdzenie; autorytatywna publikacja.

scriptwriter [ˈskrɪptˌraɪtər] *n. kino, telew., radio* scenarzyst-a/ka, autor/ka scenopisu.

scrivener [ˈskrɪvənər] *n.* **1.** *hist.* skryba, kopista. **2.** *arch.* notariusz.

scrobiculate [skroʊˈbɪkjəlɪt] *a. biol.* dołkowaty, pobrużdżony.

scrod [skrɑːd], **schrod** *n. U US kulin.* młody dorsz *l.* łupacz (*zwł. przyrządzony do gotowania*).

scrofula [ˈskrɑːfjʊlə] *n. U pat.* skrofuloza, gruźlica węzłów chłonnych.

scrofulous [ˈskrɑːfjʊləs] *a.* **1.** *pat.* cierpiący na skrofulozę. **2.** *pat.* skrofuliczny. **3.** *przen.* schorowany; nędznie wyglądający; obdarty. **4.** *przen.* zepsuty moralnie.

scroll [skroʊl] *n.* **1.** zwój (*pergaminu l. papieru*). **2.** dyplom honorowy. **3.** lista; harmonogram. **4.** *bud., sztuka* woluta, ślimacznica. **5.** zakrętas, zawijas. **6.** *her.* wstęga z mottem. – *v.* **1.** zwijać (się). **2.** *bud., sztuka* ozdabiać wolutami. **3.** *komp.* przeglądać; przewijać, przesuwać (*obraz na monitorze*).

scroll bar *n. komp.* pasek przewijania *l.* przesuwania.

scroll saw *n. techn., stol.* (piła) wyrzynarka.

scrollwork [ˈskroʊlˌwɝːk] *n. U sztuka* woluta, ornamenty spiralne (*zwł. w drewnie*).

scrooge [skruːdʒ], **Scrooge** *n. pot.* sknera.

scroop [skruːp] *dial. n.* zgrzyt; szelest. – *v.* zgrzytać; szeleścić.

scrotal [ˈskroʊtl] *a. anat.* mosznowy.

scrote [skroʊt] *n. wulg., obelż.* gnój.

scrotum [ˈskroʊtəm] *n. pl.* **-tums** *l.* **scrota** [ˈskroʊtə] *anat.* moszna.

scrouge [skraʊdʒ] *v. dial. pot.* tłoczyć (się).

scrounge [skraʊndʒ] *pot. v.* **1.** ~ **sth off/from sb** wyłudzić coś od kogoś, naciągnąć kogoś na coś. **2.** żyć cudzym kosztem. **3.** ~ **around for sth** rozglądać się za czymś (= *szukać*); ~ **up** skombinować, zorganizować. – *n. U* **be on the ~** *Br. uj. l. żart.* chodzić po prośbie, żebrać.

scrounger [ˈskraʊndʒər] *n. pot.* pasożyt, darmozjad.

scroungy [ˈskraʊndʒɪ] *a.* **-ier, -iest** *pot.* **1.** pasożytniczy. **2.** niechlujny; obdarty.

scrub¹ [skrʌb] *v.* **-bb- 1.** szorować (*np. podłogę, kuchnię, garnki*); ~ **sth clean** wyszorować coś do czysta. **2.** ~ **(at) sth** próbować zetrzeć coś (*np. plamę*). **3.** *techn.* przemywać (*gaz*). **4.** *przen. pot.* odwołać; zaniechać, zrezygnować z (*czegoś*). **5.** ~ **out** wypucować (*pomieszczenie, wnętrze czegoś*); ~ **round** *Br.* ignorować; omijać (*np. przepisy*); ~ **up** *chir.* szorować ręce przed operacją. – *n.* szorowanie; **give sth a ~** *zwł. Br.* wyszorować coś.

scrub² *n.* **1.** *U* roślinność pustynna. **2.** skarłowaciałe drzewo; skarłowaciały krzew. **3.** zwierzę nierasowe; kundel. **4.** *pog., pot.* wyskrobek, pętak. **5.** *US i Can. sport* gracz nienależący do regularnego zespołu, gracz rezerwowy; drugi *l.* słabszy zespół, drużyna rezerwowa. **6.** *Austr. pot.* pipidówka, dziura. – *a. attr.* **1.** karłowaty. **2.** pośledni. **3.** *US i Can. sport* rezerwowy (*o graczu, drużynie*); między niepełnymi drużynami (*o meczu*).

scrubber [ˈskrʌbər] *n.* **1.** osoba szorująca. **2.** *techn.* skruber, płuczka wieżowa (*gazu*). **3.** *Br. i Austr. wulg. sl.* zdzira.

scrub brush *n.* (*także Br.* **scrubbing brush**) szczotka ryżowa.

scrubby ['skrʌbɪ] *a.* **-ier, -iest 1.** karłowaty. **2.** pokryty krzakami *l.* zaroślami. **3.** *Br. pot.* marny, nędzny; niechlujny; pośledni.

scrubland ['skrʌbˌlænd] *n. U* teren pokryty niskimi drzewami i krzewami, zarośla.

scrubs [skrʌbz] *n. pl. US pot.* strój chirurga (*podczas operacji*).

scrub typhus *n. U pat.* choroba tsutsugamushi.

scruff¹ [skrʌf] *n.* kark; **take/grab sb by the ~ of the neck** chwycić kogoś za kark.

scruff² *n. Br. pot.* niechluj, flejtuch.

scruffily ['skrʌfɪlɪ] *adv.* niechlujnie.

scruffiness ['skrʌfinəs] *n. U* niechlujstwo.

scruffy ['skrʌfɪ] *a.* **-ier, -iest** niechlujny.

scrum [skrʌm] *n.* **1.** (*także* **scrummage**) (*także arch.* **scrimmage**) *rugby* młyn. **2.** *sing. Br. pot.* tłok; szamotanina, przepychanka.

scrum half *n.* (*także* **scrummmager**) *rugby* łącznik młyna.

scrummage ['skrʌmɪdʒ] *n.* = **scrum** 1.

scrummager ['skrʌmɪdʒər] *n.* = **scrum half**.

scrummy ['skrʌmɪ] *a.* **-ier, -iest** *Br. pot.* = **scrumptious**.

scrump [skrʌmp] *n. Br. przest. pot.* kraść (*zwł. jabłka z czyjegoś sadu*).

scrumptious ['skrʌmpʃəs] *a.* (*także Br. pot.* **scrummy**) pyszny, wyśmienity.

scrumpy ['skrʌmpɪ] *n. U Br. pot.* mocny jabłecznik (*napój alkoholowy*).

scrunch [skrʌntʃ] *v.* **1.** chrupać, chrzęścić. **2.** **~ (up)** gnieść, miąć; miażdżyć. **3.** **~ up one's shoulders** *US* skulić ramiona. – *n.* chrupot, chrzęst.

scrunch-dry ['skrʌntʃˌdraɪ] *v.* **-ied, -ying** suszyć ugniatając (*włosy, żeby się kręciły*).

scrunchie ['skrʌntʃɪ] *n.* frotka (= *gumka do włosów obszyta luźno tkaniną*).

scruple ['skru:pl] *n.* **1.** *zw. pl.* skrupuł; **have no ~s about sth** nie mieć skrupułów odnośnie do czegoś; **without ~s** bez skrupułów. **2.** skrupuł (*jednostka apteczna masy = ok. 1,3 g*). **3.** *arch.* odrobina. – *v. lit.* mieć skrupuły; **not ~ to do sth** nie mieć skrupułów przed zrobieniem czegoś; zrobić coś bez skrupułów.

scrupulosity [ˌskru:pjə'lɑ:sətɪ] *n. U* (*także* **scrupulousness**) **1.** skrupulatność, sumienność. **2.** uczciwość.

scrupulous ['skru:pjələs] *a.* **1.** pełen skrupułów; uczciwy (*about sth* odnośnie do czegoś). **2.** skrupulatny, sumienny; ostrożny (*about sth* odnośnie do czegoś).

scrupulously ['skru:pjələslɪ] *adv.* **1.** uczciwie; sumiennie, skrupulatnie. **2.** nienagannie, nieskazitelnie (*np. czysty*). **3.** bardzo (*np. uważać*).

scrupulousness ['skru:pjələsnəs] *n.* = **scrupulosity**.

scrutable ['skru:təbl] *a. form. l. żart.* dający się zrozumieć *l.* odgadnąć.

scrutineer [ˌskru:tə'ni:r] *n.* obserwator/ka, skrutator/ka (*zwł. przy wyborach*).

scrutinize ['skru:təˌnaɪz], *Br. i Austr. zw.* **scrutinise** *v.* **1.** badać szczegółowo, analizować (*np. dane*). **2.** przypatrywać *l.* przyglądać się dokładnie (*np. obrazowi, czyjejś twarzy*).

scrutiny ['skru:tənɪ] *n. pl.* **-ies 1.** *C/U* dokładne badanie, analiza; obserwacja; **be subjected to (close/careful) ~** (*także* **come under (close/careful) ~**) zostać poddanym (dokładnej) obserwacji. **2.** *U* skrutynium, obliczanie (*głosów*). **3.** badawcze spojrzenie.

scry [skraɪ] *v.* **-ied, -ying** wróżyć ze szklanej kuli.

SCSI ['skʌzɪ] *abbr.* **small computer system interface** *komp.* interfejs *l.* złącze małych systemów komputerowych.

scuba ['sku:bə] *n.* akwalung, aparat tlenowy (*do nurkowania*).

scuba diver *n.* nurek (*uprawiający nurkowanie z aparatem tlenowym*).

scuba diving *n. U* nurkowanie z aparatem tlenowym.

scud [skʌd] *v.* **-dd-** *lit.* **1.** szybować; szybko się przesuwać; *przen.* płynąć (*np. o chmurach po niebie*). **2.** *żegl.* płynąć z wiatrem. – *n.* **1.** szybowanie; *t. przen.* płynięcie. **2.** *meteor.* lekkie obłoki, fractostratus. **3.** *meteor.* przelotny deszcz; nagły podmuch wiatru.

Scud missile *n. wojsk.* pocisk klasy ziemia-ziemia z wymienną głowicą (*konwencjonalną, nuklearną l. chemiczną*).

scuff [skʌf] *v.* **1.** porysować (*np. podłogę l. buty*). **2.** zdzierać (się) (*zwł. o butach*); wycierać (się) (*np. o torebce, teczce skórzanej*). **3.** **~ one's feet/heels** szurać nogami. – *n.* **1.** szuranie. **2.** (*także* **~ mark**) wytarte miejsce; rysa. **3.** pantofel bez pięty.

scuffed [skʌft] *a.* porysowany (*np. o podłodze*); zdarty (*np. o butach*); wytarty (*np. o torebce*).

scuffle¹ ['skʌfl] *v.* **1.** szamotać się. **2.** biec, szurając nogami. – *n.* **1.** szamotanina, utarczka, starcie. **2.** szuranie nogami.

scuffle² *n.* (*także* **~ hoe**) *ogr.* graca.

scull [skʌl] *żegl. n.* **1.** wiosło jednopiórowe. **2.** lekka łódź wyścigowa (*z jednym, dwoma l. czterema wioślarzami*). – *v.* śrubkować.

sculler ['skʌlər] *n. żegl.* **1.** śrubkujący wioślarz. **2.** bączek (= *łódź napędzana przez śrubkowanie*).

scullery ['skʌlərɪ] *n. pl.* **-ies** zmywalnia, pomywalnia.

sculling ['skʌlɪŋ] *n. U żegl.* śrubkowanie.

scullion ['skʌljən] *n. gł. hist.* pomywacz/ka.

sculp. *abbr.* = **sculptor**; = **sculptress**; = **sculpture**.

sculpin ['skʌlpɪn] *n. icht.* kur diabeł (*Myoxocephalus scorpius*).

sculpt [skʌlpt] *v.* **1.** (*także* **~ure**) rzeźbić (*out of sth* w czymś) (*np. w marmurze, skale; t. o erozji*). **2.** (*także* **sculp**) być rzeźbia-rzem/rką.

Sculptor ['skʌlptər] *n. astron.* Rzeźbiarz.

sculptor ['skʌlptər] *n.* rzeźbia-rz/rka.

sculptress ['skʌlptrəs] *n.* rzeźbiarka.

sculptural ['skʌlptʃərəl] *a.* rzeźbiarski.

sculpture ['skʌlptʃər] *n.* **1.** *C/U* rzeźba. **2.** *U* rzeźbiarstwo. **3.** *C/U geol.* rzeźba terenu, relief. **4.** *bot., zool.* naturalne wgłębienie; naturalna wypukłość (*np. na muszli, liściu*). – *v.* = **sculpt** *v.* 1.

sculptured [ˈskʌlptʃərd] *a.* **1.** rzeźbiony (*t. przen. np. o rysach twarzy, mięśniach*). **2.** *attr.* ozdobiony rzeźbami.

sculpturesque [ˌskʌlptʃəˈresk] *a.* posągowy (*np. o piękności*).

scum [skʌm] *n.* **1.** *U l. sing.* szumowiny, piana; kożuch (*np. z brudu, z glonów na stawie*); brudny osad (*np. na wannie*); *metal.* kożuch żużlowy. **2.** *U* odpady. **3.** *U l. pl. pl.* **scum** *obelż. sl.* szumowiny, męty, hołota; **the ~ of the earth** *emf.* najgorsza *l.* ostatnia hołota; **treat sb like ~** traktować kogoś jak śmiecia. **4.** *obelż. sl.* szuja, drań. – *v.* **-mm- 1.** zbierać szumowiny z (*czegoś*). **2.** *rzad.* wytwarzać pianę; pokrywać się pianą.

scumbag [ˈskʌmˌbæg] *n. obelż. sl. cz. żart.* szuja, drań.

scumble [ˈskʌmbl] *sztuka v.* tonować (*np. obraz olejny, rysunek*); laserować; rozmazywać (*kontury*). – *n.* **1.** stonowanie kolorów; laserunek; rozmazanie (*konturów*). **2.** kolor tonujący; werniks.

scummy [ˈskʌmɪ] *a.* **-ier, -iest 1.** pokryty pianą *l.* szumowinami. **2.** obrzydliwie brudny.

scunge [skʌndʒ] *Austr. i NZ sl. v.* = **scrounge**. – *n.* **1.** niechluj. **2.** *przen.* burdel (= *bałagan*).

scungies [ˈskʌndʒɪz] *n. pl. Austr. sl.* **1.** obcisłe kąpielówki. **2.** ubranie robocze.

scunner [ˈskʌnər] *n. U* **1.** *dial. pot.* odraza, wstręt. **2.** *Scot. pot.* osoba *l.* rzecz budząca odrazę. – *v. Scot. pot.* **1.** czuć wstręt do (*kogoś l. czegoś*), brzydzić się (*kimś l. czymś*). **2.** budzić wstręt.

scupper[1] [ˈskʌpər] *n.* **1.** *żegl.* szpigat (*otwór do odprowadzania wody z pokładu*). **2.** *bud.* otwór spustowy (*w dachu l. podłodze*).

scupper[2] *v. zw. pass. Br. pot.* **1.** zatopić (*statek; zwł. własny, robiąc otwory w dnie*). **2.** zrujnować (*np. szanse, plany*).

scurf [skɜːf] *n. U* **1.** *pat.* łuszczący się naskórek; łupież. **2.** łuskowata *l.* złuszczająca się powierzchnia.

scurrility [skəˈrɪlətɪ] *n. C/U pl.* **-ies** *form.* **1.** obelżywość. **2.** grubiaństwo, prostactwo. **3.** wulgarność, ordynarność; nieprzyzwoitość, sprośność.

scurrilous [ˈskɜːələs] *a. form.* **1.** obelżywy. **2.** grubiański, prostacki. **3.** wulgarny, ordynarny; nieprzyzwoity, sprośny.

scurrilously [ˈskɜːələslɪ] *adv.* **1.** obelżywie. **2.** grubiańsko, prostacko. **3.** wulgarnie, ordynarnie; nieprzyzwoicie, sprośnie.

scurry [ˈskɜːrɪ] *v.* **-ied, -ying 1.** pędzić, mknąć, pomykać (*małymi kroczkami, na krótkich kończynach*). **2. ~ off** rzucić się do ucieczki. – *n. U l. sing. pl.* **-ies** pęd, tupot.

S-curve [ˈesˌkɜːv] *n.* (*także Br.* **S-bend**) *mot.* zakręt w kształcie litery S.

scurvily [ˈskɜːvɪlɪ] *adv. form.* podle, nikczemnie.

scurviness [ˈskɜːvɪnəs] *n. U form.* podłość, nikczemność.

scurvy [ˈskɜːvɪ] *n. U pat.* szkorbut, gnilec. – *a.* **-ier, -iest** *form.* podły, nikczemny.

scurvy grass *n. U bot.* wawrzucha (*Cochlearia officinalis*).

scut [skʌt] *n.* omyk (= *krótki prosty ogon, np. u królika*).

scuta [ˈskjuːtə] *n. pl. zob.* **scutum**.

scutage [ˈskjuːtɪdʒ] *n. C/U hist.* podatek płacony panu feudalnemu przez wasala (*zwalniający od służby wojskowej*).

scutate [ˈskjuːteɪt] *a.* **1.** *bot.* tarczowaty. **2.** *zool.* pokryty tarczkami *l.* łuskami.

scutch [skʌtʃ] *v.* międlić (*zwł. len l. konopie*). – *n.* klepaczka (*do międlenia*).

scutcheon [ˈskʌtʃən] *n. arch.* = **escutcheon**.

scute [skjuːt] *n.* = **scutum** 1.

scutellate [skuːˈtelɪt], **scutellated** *a. zool.* pokryty tarczkami *l.* łuskami.

scutellation [ˌskuːtəˈleɪʃən] *n. zool.* pokrycie tarczkowe *l.* łuskowe.

scutellum [skʊˈteləm] *n. pl.* **scutella** [skʊˈtelə] *zool., bot.* tarczka; łuska (*np. nasiona trawy*).

scutiform [ˈskuːtəˌfɔːrm] *a. zool.* tarczowaty.

scutter [ˈskʌtər] *v.* biec truchtem, drobić.

scuttle[1] [ˈskʌtl] *v.* **1.** biec truchtem, drobić, dreptać. **2. ~ away/off** uciekać, zmykać. – *n.* **1.** szybki krok; trucht. **2.** ucieczka; pośpieszny wyjazd.

scuttle[2] *n.* właz; otwór zamykany pokrywą. – *v.* **1.** zatopić (*statek; zwł. własny, robiąc otwory w dnie*); dokonać samozatopienia. **2.** *przen.* porzucić, zarzucić (*plan, zamiar*).

scuttle[3] *n.* **1.** (*także* **coal ~**) wiadro na węgiel. **2.** szeroki i płytki kosz (*np. na żywność*). **3.** *mot.* belka deski rozdzielczej (*w nadwoziu*).

scuttlebutt [ˈskʌtlˌbʌt] *n.* **1.** *gł. US sl.* złośliwa plotka. **2.** pojnik automatyczny (*na statku*). **3.** *arch.* kadź na wodę (*na statku*).

Scutum [ˈskuːtəm] *n. astron.* Tarcza.

scutum [ˈskuːtəm] *n. pl.* **scuta** [ˈskuːtə] **1.** (*także* **scute**) *zool.* pancerz; tarcza; duża łuska. **2.** *broń, hist.* tarcza (*używana w starożytnym Rzymie*).

scuzz [skʌz] *n. US* **1.** *sl.* obrzydlistwo. **2.** (*także* **~ball**) *obelż. sl.* odrażający *l.* wstrętny typ, obrzydliwiec.

scuzzy [ˈskʌzɪ] *a.* **-ier, -iest** niechlujny; brudny; obrzydliwy, odrażający; podły, nędzny.

Scylla [ˈsɪlə] *n. mit.* Scylla; **between ~ and Charybdis** *przen.* między Scyllą a Charybdą.

scyphistoma [ˌsaɪfəˈstoʊmə] *n. zool.* scyfopolip.

scyphozoan [ˌsaɪfəˈzoʊən] *n. zool.* meduza z gromady krążkopławów (*Scyphozoa*).

scyphus [ˈsaɪfəs] *n. pl.* **scyphi** [ˈsaɪfaɪ] **1.** *bot.* miseczka (*typ owocnika u porostów*). **2.** *archeol.* głęboki dzban z niewielkimi uchwytami (*używany w starożytnej Grecji*).

scythe [saɪð] *n.* kosa. – *v.* kosić, ścinać.

Scythia [ˈsɪθɪə] *n. hist., geogr.* Scytia.

Scythian [ˈsɪθɪən] *hist. a.* scytyjski. – *n.* Scyt-a/yjka.

SD *n.* 1. *US* = **South Dakota.** 2. (*także* **sd**) *stat.* = **standard deviation.**

sd [ˌes 'diː] *abbr.* = **sine die.**

S.D. [ˌes 'diː] *abbr.* = **special delivery.**

SDI [ˌes ˌdiː 'aɪ] *abbr.* **Strategic Defense Initiative** *US wojsk.* Inicjatywa Obrony Strategicznej.

SDLP [ˌes ˌdiː ˌel 'piː] *abbr.* **Social Democratic and Labour Party** *Ir. polit.* Socjaldemokratyczna Partia Pracy (*w Irlandii Północnej*).

SDP [ˌes ˌdiː 'piː] *abbr.* **Social Democratic Party** *Br. polit.* Partia Socjaldemokratyczna.

SDR [ˌes ˌdiː 'ɑːr] *abbr.* (*także* **SDRS**) = **special drawing rights.**

SE [ˌes 'iː] *abbr.* = **southeast**; = **southeastern.**

sea [siː] *n. C/U* 1. morze; morza, wody słone; **across the ~s** *lit.* za morzami; **at ~** na (pełnym) morzu; **at the bottom of the ~** na dnie morza; **by ~** morzem, drogą morską; **by the ~** nad morzem; **calm/smooth ~** spokojne morze; **choppy ~** lekko wzburzone morze; **heavy/rough ~(s)** wzburzone morze; **look out to ~** spoglądać daleko w morze; **on the ~** nad morzem (*położony*); **out to ~** na pełne morze; **over the ~** przez morze; na przeciwległym brzegu morza; **swim in the ~** pływać w morzu; **the high ~s** pełne *l.* otwarte morze; **towards the open ~** w stronę otwartego morza. 2. duże jezioro. 3. *astron.* jeden z wielkich kraterów na powierzchni Księżyca *l.* Marsa. 4. fala; fale. 5. *przen.* **a ~ of sth** morze czegoś (= *ogrom, mnóstwo*); **be (all) at ~ with sth** *Br.* nie móc się w czymś połapać; **go to ~** (*także* **run away to ~**) zostać marynarzem; **put out to ~** *zob.* **put** *v.*

sea anchor *n. żegl.* dryfkotwa.

sea anemone *n. zool.* ukwiał (*Actinaria*).

sea aster *n. bot.* aster solny (*Aster tripolium*).

seabed, sea bed *a.* (*także* **seafloor**) dno morza.

sea beet *n. bot.* burak korzeniowy (*Beta vulgaris*).

sea bird *n.* (*także* **seafowl**) *orn.* ptak morski (*np. mewa l. albatros*).

sea biscuit *n.* suchar.

seablite ['siːˌblaɪt] *n. bot.* sodówka nadmorska (*Suaeda maritima*).

seaboard ['siːˌbɔːrd] *n.* 1. linia brzegowa. 2. (*także* **~coast**) wybrzeże morskie, brzeg morza; rejon przybrzeżny. – *a. attr.* nadmorski.

sea-borne ['siːˌbɔːrn] *a.* 1. przewożony drogą morską. 2. unoszący się na morzu; morski.

sea bream *n. icht.* ryba z rodziny *Sparidae.*

sea breeze *n. meteor.* bryza wiejąca od morza (*w dzień*).

sea calf *n. zool.* foka pospolita, pies morski (*Phoca vitulina*).

sea captain *n.* kapitan statku (*zw. handlowego*).

sea change *n. sing.* 1. diametralna zmiana, transformacja. 2. *arch.* zmiana spowodowana przez morze.

sea chest *n. żegl.* skrzynia *l.* kufer na rzeczy należące do żeglarza *l.* marynarza.

seacoast ['siːˌkoʊst] *n.* = **seaboard** *n.* 2.

sea cock *n.* kingston, zawór denny (*statku*).

sea cow *n. zool.* krowa morska (*ssak z rzędu Sirenia, np. mors l. diugoń*).

sea crayfish *n. zool.* langusta (*rodzina Palinuridae*).

sea cucumber *n. zool.* strzykwa, szkarłupień z gromady *Holothurioidea.*

sea devil *n. icht.* diabeł morski (*Manta birostris*).

sea dog *n. przen.* wilk morski.

seadog ['siːˌdɔːg] *n. meteor.* biała tęcza, łuk słoneczny (*we mgle*).

sea eagle *n. orn.* rybożerny orzeł zamieszkujący tereny nadmorskie (*np. bielik amerykański Haliaetus leucocephalus*).

sea elephant *n. zool.* słoń morski (*Mirounga*).

sea fan *n. zool.* koral z rodzaju *Gorgonia.*

seafarer ['siːˌferər] *n.* 1. podróżni-k/czka (*odbywający podróże morskie*). 2. *arch. l. lit.* żeglarz, marynarz.

seafaring ['siːˌferɪŋ] *a. attr.* 1. pracujący na morzu; pełniący służbę w marynarce. 2. podróżujący po morzach. 3. morski, drogą morską (*o podróży l. transporcie*). 4. żeglarski; **~ nation** naród żeglarzy. – *n. U* służba na morzu; marynarski styl życia; podróżowanie po morzach.

sea fire *n. U* świecenie morza (*światło wytwarzane przez organizmy morskie*).

seafloor ['siːˌflɔːr] *n.* = **seabed.**

seafloor spreading *n. U* (*także* **seafloor spreading hypothesis**) *geol.* teoria rozszerzania się dna oceanicznego.

seafoam ['siːˌfoʊm], **sea-foam** *n.* 1. *U min.* sepiolit, pianka morska. 2. piana morska.

seafood ['siːˌfuːd] *n. U kulin.* owoce morza.

seafowl ['siːˌfaʊl] *n. pl.* **-s** *l.* **seafowl** = **sea bird.**

seafront ['siːˌfrʌnt] *n.* nadbrzeże, ulica nadbrzeżna.

sea-girt ['siːˌgɜːt] *a. lit.* otoczony przez morze.

seagoing ['siːˌgoʊɪŋ] *a. attr.* 1. morski; pełnomorski. 2. podróżujący po morzach.

seagoing vessel *n.* statek pełnomorski.

sea green *n. U* zieleń morska. – *a.* morski zielony.

seagull ['siːˌgʌl] *n. orn.* mewa (*Larus*).

sea holly *n. bot.* mikołajek nadmorski (*Eryngium maritimum*).

sea horse, seahorse *n.* 1. *zool.* konik morski, pławikonik (*Hippocampus*). 2. *mit.* hippokampos, hippokampus. 3. *arch.* mors (*Odobenus rosmarus*).

sea-island cotton [ˌsiːˌaɪlənd 'kɑːtən] *n. U bot.* gatunek bawełny uprawiany gł. w Indiach Zachodnich (*Gossypium barbadense*).

sea kale *n. bot.* modrak morski, kapusta morska (*Crambe maritima*).

sea king *n. hist.* wódz piratów norweskich we wczesnym średniowieczu.

seal[1] [siːl] *n.* 1. uszczelnienie. 2. uszczelka. 3. pieczęć; odcisk pieczęci, stempel; **break the ~** złamać pieczęć; **impress a ~** odcisnąć pieczęć. 4. plomba. 5. cecha legalizacyjna. 6. **given under my hand and ~** *prawn.* własnoręcznie przeze mnie podpisany i opieczętowany (*o oświadczeniu l. innym dokumencie pisemnym*); **set/put**

one's/the ~ on sth potwierdzić *l.* poświadczyć coś pieczęcią; *przen.* zaaprobować coś; przypieczętować coś; **give sth one's ~ of approval** *przen.* wyrazić zgodę na coś, zaaprobować coś; **under the ~ of confession** *kośc.* pod tajemnicą spowiedzi; **under the ~ of confidence** *przen.* w tajemnicy. – *v.* **1.** ~ **(up/off)** szczelnie zamknąć. **2.** opieczętować; ostemplować; zapieczętować; zaplombować. **3.** cechować (*narzędzia*). **4.** zaklejać (*kopertę*). **5.** ratyfikować, zatwierdzać (*np. umowę, układ*). **6.** *przen.* przypieczętować (*with sth* czymś) (*np. uściskiem dłoni*); ~ **sb's fate** przypieczętować czyjś los. **7. my lips are ~ed** *zob.* **lip** *n.* **8.** ~ **off** odizolować, odgrodzić; odciąć dostęp do (*czegoś*).

seal[2] *n.* **1.** *zool.* foka (*rodzina Phocidae l. Otariidae*); **eared** ~ uchatka, otaria (*Otariidae*). **2.** *U* skóra z foki; futro z foki. – *v.* polować na foki.

sea lamprey *n. icht.* minóg morski (*Petromyzon marinus*).

sea lane *n.* droga morska, szlak morski.

sealant [ˈsiːlənt] *n. C/U techn.* szczeliwo.

sea lavender *n. U bot.* zatrawian (*rodzaj Limonium*).

sea lawyer *n. pot.* kłótliwa osoba (*zwł. marynarz*).

sealed-beam headlight [ˌsiːldˌbiːm ˈhedˌlaɪt] *a. mot.* reflektor z wkładem optycznym nierozbieralnym.

sealed orders *n. pl. wojsk.* zapieczętowane instrukcje *l.* rozkazy (*dotyczące np. celu podróży statku*).

sealed road *n. Austr. i NZ* droga o nawierzchni bitumicznej *l.* smołowanej.

sea legs *n. pl.* umiejętność chodzenia po kołyszącym się statku (*nie cierpiąc na chorobę morską*); **find/get one's** ~ nauczyć się chodzić po statku; uporać się z chorobą morską.

sealer[1] [ˈsiːlər] *n.* **1.** urzędnik sprawdzający i cechujący miary i wagi. **2.** urzędnik zajmujący się pieczętowaniem, stemplowaniem itp. **3.** *C/U* środek do gruntowania porowatych podłoży. **4.** *C/U* warstwa uszczelniająca. **5.** zgrzewarka (*do opakowań z folii*).

sealer[2] *n.* **1.** łowca fok. **2.** statek do polowania na foki.

sealery [ˈsiːlərɪ] *n. pl.* **-ies 1.** teren, gdzie hoduje się foki. **2.** teren polowania na foki. **3.** *U* (*także* **sealing**) polowanie na foki.

sea letter, sea-letter *n. wojsk.* glejt, list żelazny (*neutralnego statku podczas wojny*).

sea lettuce *n. C/U bot.* sałata morska (*Ulva*).

sea level *n. U* poziom morza; **above/below** ~ powyżej/poniżej poziomu morza; **at ~ level** na poziomie morza.

sea lily *n. pl.* **-ies** *zool.* liliowiec (*gromada Crinoidea*).

sea line *n.* horyzont (*na morzu*).

sealing [ˈsiːlɪŋ] *n. U* = **sealery** *n.* 3.

sealing wax *n. U* kit *l.* wosk próżniowy; lak (*do pieczętowania*).

sea lion *n. zool.* lew morski, uchatka, otaria (*rodzina Otariidae*).

sea loch *n. geogr.* wąska zatoka wrzynająca się w ląd.

seal point *n. zool.* gatunek kota syjamskiego.

seal ring *n.* **1.** *techn.* pierścień uszczelniający. **2.** sygnet.

sealskin [ˈsiːlˌskɪn] *n. U* selskin, futro z foki.

seam [siːm] *n.* **1.** szew. **2.** łączenie; spoina. **3.** pęknięcie powierzchniowe; rysa. **4.** szczelina, szpara; wgłębienie; fuga. **5.** blizna. **6.** *geol.* pokład, złoże. **7.** *przen.* **be bursting/bulging at the ~s** pękać w szwach; **be falling/coming apart at the ~s** rozpadać się (*np. o organizacji, małżeństwie*); rozlatywać się (*o odzieży*). – *v.* **1.** zszywać. **2.** łączyć. **3.** robić wgłębienia w (*czymś*). **4.** pokryć bliznami.

seamaid [ˈsiːˌmeɪd] *n. mit. l. poet.* syrena; nimfa morska.

seaman [ˈsiːmən] *n. pl.* **-men** marynarz; żeglarz.

seamanship [ˈsiːmənˌʃɪp] *n. U* praktyka morska; sztuka marynarska *l.* żeglarska; umiejętności nawigacyjne.

seamark [ˈsiːˌmɑːrk] *n.* znak nawigacyjny, żeglugowy znak orientacyjny.

sea mat *n. zool.* mszywioł (*Bryozoa*).

seamed [siːmd] *a.* poznaczony bruzdami (*np. o twarzy*).

seamer [ˈsiːmər] *n.* **1.** maszyna do rąbkowania. **2.** zamykarka puszek (*konserwowych*).

sea mew *n. orn.* mewa (*Larus canus*).

sea mile *n.* mila morska (= *1852 m*).

sea milkwort *n. bot.* mlecznik nadmorski (*Glaux maritima*).

seamless [ˈsiːmləs] *a.* **1.** bez szwów (*np. o pończochach*). **2.** *przen.* gładki; płynny; jednolity.

seamlessly [ˈsiːmləslɪ] *adv. przen.* gładko; płynnie.

seamount [ˈsiːˌmaʊnt] *n. geol.* góra podwodna.

sea mouse *n. pl.* **-mice** *zool.* mysz morska, złotorunka, afrodyta tęczowa (*Aphrodite aculeata*).

seamstress [ˈsiːmstrəs] *n. przest.* szwaczka.

seamy [ˈsiːmɪ] *a.* **-ier, -iest** przykry, nieprzyjemny; **the ~ side of sth** *przen.* ciemna strona czegoś.

Seanad Eireann [ˌʃænəd ˈerən] *n. Ir. parl.* senat Republiki Irlandii.

séance [ˈseɪɑːns], **seance** *n.* **1.** seans spirytystyczny. **2.** posiedzenie; sesja.

sea onion *n.* (*także* **sea squill**) *US bot.* cebula morska, urginia *l.* ckliwica morska (*Urginea maritima*).

sea otter *n. zool.* wydra morska, kałan, wydrozwierz (*Enhydra lutris*).

sea pea *n. U Br. bot.* groszek japoński (*Lathyrus japonicus*).

seapen [ˈsiːˌpen] *n. zool.* piórko morskie (*Pennatula phosphorea*).

seaplane [ˈsiːˌpleɪn] *n. lotn.* wodnosamolot, hydroplan, wodnopłat.

sea poacher *n. icht.* ryba z rodziny lisicowatych (*Agonidae*).

seaport [ˈsiːˌpɔːrt] *n.* **1.** port morski. **2.** miasto portowe.

sea power *n.* **1.** *polit.* potęga morska (*o państwie*). **2.** *U* wielkość floty (*danego państwa*).

sea purse *n. icht.* pochewka jajowa (*niektórych płaszczek i rekinów*).

seaquake ['si:ˌkweɪk] *n. geol.* podmorskie trzęsienie ziemi.

sear[1] [si:r] *v.* **1.** piec, palić (*t. np. o słońcu, upale*); parzyć (w) (*np. usta*); przypalać; wypalać. **2.** *kulin.* szybko obsmażać (*np. stek, żeby nie wysechł*). **3.** *przen.* powodować nagły ból u (*kogoś*); robić nieprzyjemne wrażenie na (*kimś*); **be ~ed into/onto/on sb's memory** nieprzyjemnie wryć się komuś w pamięć. – *n.* znak po przypaleniu *l.* oparzeniu. – *a.* (*także* **sere**) *arch. l. poet.* uschnięty, zwiędnięty.

sear[2] *n.* zaczep spustowy (*broni palnej*).

search [sɜ˞:tʃ] *v.* **1.** szukać (*for sb / sth* kogoś/czegoś); poszukiwać (*after sb / sth* kogoś/czegoś) (*t. np. szczęścia*). **2.** przeszukiwać, przetrząsać (*(through) sth* coś) (*np. szufladę*); **~ the house from top to bottom** przeszukać dom od góry do dołu. **3.** rewidować, przeszukiwać. **4.** badać, analizować (*np. akt urzędowy*). **5.** odkryć (*w wyniku analizy l. badania*). **6.** *komp.* szukać; przeszukiwać. **7.** *przen.* **~ high and low** szukać wszędzie, przeszukiwać wszystkie kąty; **~ me!** *pot.* a bo ja wiem!; **~ one's heart/conscience** zastanowić się uczciwie; **~ one's mind/memory for sth** próbować sobie coś przypomnieć. **8. ~ out** odszukać, odnaleźć; wyszukać. – *n. zw. sing.* **1.** szukanie (*for sb / sth* kogoś/czegoś); poszukiwania; poszukiwanie (*after sb / sth* kogoś/czegoś); **call off a ~** odwołać *l.* zakończyć poszukiwania (*zwł. zaginionej osoby*); **in ~ of sth** w poszukiwaniu czegoś. **2.** rewizja, przeszukanie; **body/strip ~** rewizja osobista; **carry out/conduct a ~** przeprowadzić rewizję, dokonać przeszukania; **extensive/thorough ~** gruntowna rewizja; **right of ~** prawo przeprowadzenia rewizji.

search and replace *n. U komp.* funkcja szukania i zamiany, wyszukiwanie i zastępowanie.

search and rescue *n. U* akcja poszukiwawczo-ratownicza (*np. w górach*).

search engine *n. komp.* moduł wyszukiwania.

searcher ['sɜ˞:tʃər] *n.* poszukiwacz/ka.

searching ['sɜ˞:tʃɪŋ] *a.* **1.** dociekliwy, badawczy (*np. o spojrzeniu*). **2.** wnikliwy, drobiazgowy (*np. o badaniu*). **3.** przenikliwy (*o wietrze*).

searchlight ['sɜ˞:tʃˌlaɪt] *n.* **1.** szukacz, szperacz, reflektor poszukiwawczy *l.* nastawny. **2.** światło reflektora.

search party *n. pl.* **-ies** ekipa poszukiwawcza (*ochotnicza*).

search warrant *n. prawn.* nakaz rewizji.

searing ['si:rɪŋ] *a.* **1.** piekący, palący (*np. o skwarze, bólu*). **2. ~ heat** spiekota.

sea robin *n. icht.* kurek (*Trigla*).

sea rocket *n. bot.* rukwiel (*Cakile*).

searoom ['si:ˌru:m], **sea room** *n. U żegl.* bezpieczny obszar morza.

sea rover *n. lit.* **1.** korsarz, pirat. **2.** statek korsarski *l.* piracki.

sea salt *n. U* sól morska.

seascape ['si:ˌskeɪp] *n. t. mal., fot.* pejzaż morski.

sea serpent *n.* = **sea snake** 1.

seashell ['si:ˌʃel], **sea shell** *n.* muszla, skorupa (*zwł. mięczaka morskiego*); muszelka.

seashore ['si:ˌʃɔ:r] *n. U* **1.** wybrzeże *l.* pobrzeże morskie, brzeg morski; **on the ~** nad brzegiem morza, nad morzem. **2.** *prawn.* pas przybrzeżny zalewany przez morze.

seasick ['si:ˌsɪk] *a.* **be/feel ~** cierpieć na chorobę morską.

seasickness ['si:ˌsɪknəs] *n. U pat.* choroba morska.

seaside ['si:ˌsaɪd] *zwł. Br. n. U* wybrzeże (morskie); **at the ~** nad morzem, na wybrzeżu; **go to the ~** jechać nad morze. – *a. attr.* nadmorski.

seaside resort *n.* kurort nadmorski.

sea snail *n. icht.* ryba z rodziny dennikowatych (*Liparidae*).

sea snake *n.* **1.** (*także* **sea serpent**) *zool.* wąż morski z rodziny *Hydrophiidae*. **2.** *mit.* wąż morski.

season ['si:zən] *n.* **1.** pora roku; **the four ~s** cztery pory roku. **2.** okres, pora; *t. sport, roln.* sezon; *biol.* okres *l.* sezon reprodukcyjny; *lit.* odpowiednia pora (*for sth* na coś); **asparagus/strawberry ~** sezon na szparagi/truskawki; **breeding/mating ~** *zool.* okres godowy; **closed** *US*/**close** *Br.* **~** *ekol., myśl.* okres ochronny; **dry/rainy ~** *meteor.* pora sucha/deszczowa; **high/peak ~** szczyt sezonu; **holiday ~** *Br.* okres *l.* sezon wakacyjny; **the holiday ~** *US* okres świąteczny (= *Święto Dziękczynienia, Boże Narodzenie, Nowy Rok*); **open ~** *myśl. l. przen. zob.* **open**; **planting ~** *roln.* pora sadzenia; **summer/tourist ~** sezon letni/turystyczny. **3.** *zwł. Br. i Austr. kino, teatr, sztuka* przegląd, festiwal (*of sth* czegoś). **4. ~'s greetings** (*także* **compliments of the ~**) (życzenia) Wesołych Świąt (*Bożego Narodzenia*); **in ~** w sezonie; *lit.* w porę; *biol.* w okresie rui; *myśl.* w okresie łowieckim; **in good ~** w porę; **sth is in ~** jest sezon na coś (*np. na poziomki*); **out of ~** poza sezonem, po sezonie; w martwym sezonie, w sezonie ogórkowym; *ryb.* w okresie ochronnym (*łowić*); *lit.* nie w porę; **sth is out of ~ now** minął już sezon na coś; sezon na coś jeszcze się nie zaczął; **the ~ of good will** okres świąteczny (*okolice Bożego Narodzenia*); **the busy ~** okres wzmożonej działalności (*np. zakupów, ruchu turystycznego*). – *v.* **1.** *kulin.* przyprawiać, doprawiać (*with sth* czymś); **~ to taste** doprawić do smaku; **~ with salt** posolić. **2.** *przen.* zaprawiać, przyzwyczajać (*sb to sth* kogoś do czegoś) (*np. do ciężkiej pracy*); hartować (*sb to sth* kogoś w czymś). **3.** *bud., stol.* sezonować (*zwł. drewno*). **4.** doprowadzać do właściwego stanu, kondycjonować. **5.** *przen.* uprzyjemniać; ożywiać (*np. rozmowę, styl pisania*). **6.** *lit.* łagodzić (*zwł. silne emocje*).

seasonable ['si:zənəbl] *a.* **1.** właściwy *l.* typowy dla danej pory roku (*np. o temperaturze*). **2.** na czasie, w porę (*np. o poradzie, pomocy*).

seasonably ['si:zənəblɪ] *adv.* w porę.

seasonal ['si:zənl] *a.* sezonowy (*np. o owocach, warzywach, pracy*). – *n.* **1.** pracowni-k/ca *l.* robotni-k/ca sezonow-y/a. **2.** produkt sezonowy.

seasonal affective disorder *n. U* (*także* **sea-**

sonal affective syndrome) *psych.* depresja sezonowa (*związana z niedoborem światła dziennego*).

seasonally ['si:zənlɪ] *adv.* sezonowo, okresowo; ~ **adjusted figures** *Br.* dane modyfikowane okresowo (*zwł. dotyczące poziomu bezrobocia*).

seasoned ['si:zənd] *a.* **1.** *kulin.* przyprawiony, doprawiony; ostry, pikantny. **2.** *bud., stol.* wysuszony (*zwł. o drewnie*). **3.** dojrzały (*o winie*). **4.** *przen.* wytrawny, doświadczony (*np. o podróżniku, reporterze*); zaprawiony, zahartowany. **5.** *przen.* pikantny, słony (*np. o dowcipie*).

seasoning ['si:zənɪŋ] *n. C/U kulin.* przyprawa, przyprawy.

season ticket *n.* (*także* **season pass**) *Br. i Austr. t. sport, teatr, kino* bilet sezonowy *l.* okresowy, karnet.

sea squill *n.* = **sea onion**.

sea squirt *n. zool.* żachwa (*Ascidiacea*).

sea star *n. zool.* rozgwiazda (*Asterias*).

sea swallow *n. orn.* rybitwa zwyczajna (*Sterna hirundo*).

seat [si:t] *n.* **1.** siedzenie (*t. jako cześć krzesła l. spodni; t.* = *pośladki*); miejsce; **back/front** ~ *mot.* przednie/tylne siedzenie; **book a** ~ *teatr* zarezerwować bilet (*for sth* na coś); **driver's/passenger** ~ *mot.* siedzenie kierowcy/pasażera; **have a** ~ zająć miejsce, usiąść; **is this ~ free/ taken?** czy to miejsce jest wolne/zajęte?; **keep a ~ for sb** zająć komuś miejsce; **please have/take a** ~ proszę usiąść *l.* spocząć; **please keep your ~s** *form.* proszę pozostać na miejscach; **reserve a ~ (on a train)** *kol.* kupić miejscówkę (na pociąg); **there are two empty ~s/two ~s left** są/zostały dwa wolne miejsca; **take a/one's** ~ zająć (swoje) miejsce, usiąść; **upholstered/wooden** ~ tapicerowane/drewniane siedzenie. **2.** *parl., polit.* mandat; fotel; **presidential** ~ fotel prezydencki; **win/lose a** ~ zdobyć/stracić mandat. **3.** stanowisko. **4.** *form.* siedziba (*np. rządu*); ośrodek (*np. władzy; t. określonej zdolności w mózgu*); ~ **of learning** ośrodek naukowy. **5.** *pat.* siedlisko (*choroby*). **6.** *fin.* członkostwo giełdy. **7.** (*także* **~ing**) *techn.* gniazdo. **8.** *jeźdz.* pozycja siedząca. **9.** *przen.* **be in the driver's** *US*/**driving** *Br.* ~ kontrolować sytuację; **be in the hot** ~ *zob.* **hot seat**; **do sth by the ~ of one's pants** *zob.* **pants**; **increase the number of fannies** *US*/**bums** *Br. i Austr.* **in the ~s** *telew. pot.* zwiększyć oglądalność; **take a back** ~ *zob.* **back seat**. – *v.* **1.** sadzać; wskazywać miejsce (*komuś*); umieszczać. **2.** ~ **o.s.** *form.* siadać; usiąść. **3.** *pass.* **be ~ed** siedzieć; **please, be ~ed** *form.* proszę usiąść, proszę zająć miejsca; **please remain/stay ~ed during takeoff** *lotn.* proszę pozostać na miejscach podczas startu. **4.** móc pomieścić (*np. o sali, stadionie*); **the table ~s six** to stół na sześć osób. **5.** *techn.* osadzać (*w gnieździe*). **6.** *parl.* wybierać (*kandydata*). **7.** *lit.* wprowadzać na stanowisko *l.* urząd. **8.** zaopatrywać w siedzenia. **9.** naprawiać siedzenie u (*krzesła, spodni*).

seatback ['si:tˌbæk] *n.* oparcie krzesła.

seat belt *n. mot., lotn.* pas (*bezpieczeństwa*); **be wearing one's** ~ mieć zapięty pas; **fasten your ~s!** proszę zapiąć pasy!.

seating ['si:tɪŋ] *n. U* **1.** siedzenia, miejsca; (*także* ~ **capacity**) liczba miejsc (siedzących); (*także* ~ **plan/arrangements**) rozmieszczenie (*gości przy stołach, miejsc siedzących w pomieszczeniu*); **this car has ~ for five** to jest samochód pięcioosobowy. **2.** *techn.* = **seat** *n.* 7. **3.** materiał na siedzenia (*tapicerski*).

SEATO ['si:toʊ] *abbr.* **Southeast Asia Treaty Organization** *polit.* SEATO.

seat-of-the-pants [ˌsi:təvðə'pænts] *a. attr. pot.* na wyczucie.

sea trout *n. pl.* **-s** *l.* **sea trout** *icht.* troć (*Salmo trutta*).

sea turtle *n. zool.* żółw morski (*Cheloniidae i Dermochelyidae*).

sea urchin *n. zool.* jeżowiec (*Echinoidea*).

sea wall *n.* **1.** wał nadmorski; opaska brzegowa; falochron. **2.** *geol.* ławica przybrzeżna.

seaward ['si:wərd] *adv.* (*także* **seawards**) ku morzu, w kierunku morza, w stronę morza. – *a.* **1.** zwrócony *l.* skierowany ku morzu. **2.** *meteor.* od morza (*o wietrze*).

seaware ['si:ˌwer] *n. U* wodorosty (*stosowane jako nawóz*).

sea water *n. U* woda morska.

seaway ['si:ˌweɪ] *n.* **1.** szlak morski, droga morska; *US i Can.* kanał żeglugowy (*dający wyjście na otwarte morze*). **2.** posuwanie się statku. **3.** wzburzone morze.

seaweed ['si:ˌwi:d] *n. bot. zw. pl.* wodorost morski; glon morski.

seaworthiness ['si:ˌwɜ:ðɪnəs] *n. U* zdolność żeglugowa (*statku*).

seaworthy ['si:ˌwɜ:ðɪ] *a.* **1.** zdatny do żeglugi (*o statku*). **2.** odpowiedni do transportu drogą morską (*o rodzaju opakowania*).

seawrack ['si:ˌræk] *n. U* wodorosty morskie wyrzucone na brzeg.

sebaceous [sə'beɪʃəs] *a. fizj.* łojowy.

sebaceous gland *n. anat.* gruczoł łojowy.

sebacic acid [səˌbæsɪk 'æsɪd] *n. chem.* kwas sebacynowy *l.* dekanodiowy.

seborrhea [ˌsebə'ri:ə], *Br.* **seborrhoea** *n. U pat.* łojotok.

sebum ['si:bəm] *n. U fizj.* sebum, łój.

SEC [ˌes ˌi: 'si:] *abbr.* **Securities and Exchange Commission** *US* komisja nadzorująca działalność giełdy papierów wartościowych.

sec[1] [sek] *a.* wytrawny (*o winie*).

sec[2] *n. pot.* sekunda, chwilka, momencik; **hang on/hold on/wait a ~!** zaczekaj chwilkę *l.* sekundę!; **just a ~!** (jedną) sekundę *l.* chwileczkę!.

sec[3] *n. i a.* = **secant**.

sec. *abbr.* **1.** = **second**. **2.** = **secondary**. **3.** = **secretary**. **4.** = **section**. **5.** = **sector**. **6.** = **security**.

SECAM ['si:kæm] *abbr.* SECAM, Secam (*system telewizji kolorowej*).

secant ['si:kænt] *n.* **1.** *geom.* sieczna. **2.** *mat.* sekans, secans. – *a. geom.* sieczny.

secateurs [ˌsekə'tɜ:z] *n. pl. Br. i Austr. ogr.* sekator.

secco ['sekoʊ] *n. U* **1.** *mal.* secco (*technika*).

2. *mal.* obraz wykonany techniką secco. 3. *muz.* recitativo secco (*rodzaj parlanda*). – *a. muz.* 1. bez akompaniamentu; z prostym, rytmicznym akompaniamentem. 2. staccato. – *adv.* 1. *mal.* secco, sucho. 2. *muz.* staccato.

secede [sɪˈsiːd] *v. form. polit.* odłączać się, oddzielać się (*from sth* od czegoś); występować (*from sth* z czegoś).

seceder [sɪˈsiːdər] *n.* państwo, organizacja itp. dokonujące secesji.

secession [sɪˈseʃən] *n. U l. sing. form. polit.* secesja, wystąpienie (*from sth* z czegoś); odłączenie się, oddzielenie się (*from sth* od czegoś); **S~** *US hist.* secesja.

secessionism [sɪˈseʃənˌɪzəm] *n. U hist., polit.* secesjonizm.

secessionist [sɪˈseʃənɪst] *n. hist., polit.* secesjonist-a/ka.

seclude [sɪˈkluːd] *v.* odizolowywać, odosabniać; oddzielać.

secluded [sɪˈkluːdɪd] *a.* 1. odosobniony, odizolowany; oddzielony. 2. ustronny, zaciszny, na uboczu (*o miejscu*). 3. **~ life/existence** żywot samotnika, samotnicza egzystencja.

seclusion [sɪˈkluːʒən] *n. U* 1. odosobnienie (się), odizolowanie (się); osamotnienie; **keep sb in ~** trzymać kogoś w odosobnieniu. 2. miejsce odosobnione; ustronie, zacisze; **the ~ of sth** zacisze czegoś.

seclusion cell *n.* (*także* **seclusion room**) izolatka (*więzienna*).

seclusive [sɪˈkluːsɪv] *a. lit.* lubiący odosobnienie *l.* samotność; samotniczy.

second[1] [ˈsekənd] *a. i num.* 1. drugi; **in ~ place** na drugim miejscu; **(Queen) Elizabeth the S~** (królowa) Elżbieta II; **the ~ deepest/largest** drugi co do głębokości/wielkości. 2. *attr.* jeszcze jeden; następny. 3. wtórny (*np. o przyczynie*); drugorzędny. 4. dodatkowy. 5. *attr.* **every ~ person/thing** co druga osoba/rzecz; **every ~ week/month/year** co drugi tydzień/miesiąc/rok. 6. *attr. muz.* drugi (*np. o skrzypcach, fagocie*). 7. *przen.* **be ~ only to sb/sth** ustępować jedynie komuś/czemuś; **be ~ to none** nie mieć sobie równych. – *v.* 1. *t. parl.* popierać; **~ a motion/proposal/amendment** poprzeć wniosek/popozycję/poprawkę. 2. sekundować (*komuś*). 3. *boks itp.* być sekundantem (*zawodnika*). – *adv.* 1. *t. sport* jako drugi, z drugą lokatą; **come/finish ~** zająć drugie miejsce. 2. = **secondly**. – *n.* 1. *t. sport* pomocni-k/czka. 2. *U* (*także* **~ gear**) *mot.* drugi bieg, dwójka; **shift into ~** przerzucić na drugi bieg *l.* na dwójkę. 3. *t. sport* wicemistrz/yni, zdobyw-ca/czyni drugiego miejsca. 4. *boks itp.* sekundant. 5. *parl.* zwolennik/czka; głos poparcia, poparcie. 6. *muz.* sekunda (*interwał*). 7. *baseball* = **second base**. 8. *baseball* = **second baseman**. 9. *pl. zob.* **seconds**. 10. **be/come a good ~** *gł. sport* zdobyć mocne drugie miejsce; **be/come a poor ~** *przen.* stanowić jedynie (nędzną) namiastkę; **upper/lower ~** *Br. uniw.* dyplom ukończenia studiów z wynikiem dobrym/dostatecznym.

second[2] *n.* sekunda (*jednostka miary czasu l. kąta*); chwila, moment; **for a few ~s** przez kilka *l.* parę chwil; **in a matter of ~s** w kilka sekund; **just a ~!** (jedną) sekundę *l.* chwileczkę!.

second[3] *v. Br. t. wojsk.* oddelegowywać, przenosić *l.* przesuwać czasowo (*sb to sth* kogoś do czegoś) (*zw. poza oddział l. na inne stanowisko*).

Second Advent *n.* = **Second Coming**.

secondarily [ˌsekənˈderɪlɪ] *adv.* = **secondly**.

secondary [ˈsekənˌderɪ] *a.* 1. *szkoln.* średni, ponadpodstawowy. 2. drugorzędny; *t. el., mat., pat.* wtórny (*to sth* w stosunku do czegoś); **be of ~ importance** (*także* **be a ~ consideration**) mieć drugorzędne znaczenie. 3. pochodny; *t. med.* uboczny (*np. o działaniu*). 4. *chem.* drugorzędowy. 5. *orn.* drugiego rzędu (*o lotce*). 6. *geol.* osadowy (*np. o glinie*). – *n. pl.* **-ies** 1. zastępca/czyni; delegat/ka. 2. *pat.* nowotwór wtórny. 3. *el.* cewka obwodu wtórnego; = **secondary circuit**. 4. *orn.* lotka drugiego rzędu.

secondary accent *n. fon.* 1. *C/U* akcent poboczny. 2. znak wskazujący pozycję akcentu pobocznego.

secondary cell *n. el.* ogniwo wtórne *l.* akumulatorowe.

secondary circuit *n. el.* obwód wtórny.

secondary color, *Br.* **secondary colour** *n. t. mal.* barwa pochodna.

secondary education *n. U szkoln.* szkolnictwo średnie *l.* ponadpodstawowe.

secondary electron *n. fiz.* elektron wtórny.

secondary emission *n. U fiz.* emisja wtórna.

secondary infection *n. C/U pat.* zakażenie wtórne.

secondary modern *n.* (*także* **~ school**) *Br. hist., szkoln.* szkoła średnia dla uczniów mniej zdolnych (*do roku 1960*).

secondary school *n. C/U* szkoła średnia.

secondary sexual characteristics *n. pl. biol.* drugorzędne cechy płciowe.

secondary stress *n. C/U fon.* akcent poboczny.

secondary syphilis *n. U pat.* kiła drugorzędowa.

second ballot *n. polit.* druga tura głosowania.

second base *n. baseball* druga baza.

second baseman *n. pl.* **-men** *baseball* zawodnik drugiej bazy.

second best *a.* 1. drugi w kolejności (= *ustępujący tylko najlepszemu*). 2. gorszy; **feel ~** czuć się gorszym. 3. zastępczy, stanowiący namiastkę. 4. **come off ~** zostać pokonanym. – *n.* 1. drug-i/a w kolejności. 2. *U* namiastka.

second chamber *n. parl.* izba wyższa.

second childhood *n. C/U* zdziecinnienie (*starcze*); **be in one's ~** zdziecinnieć (*na starość*).

second class *kol., poczta n. U* druga klasa. – *a.* (*także* **second-class**) drugiej klasy (*np. o bilecie kolejowym, przesyłce*). – *adv.* drugą klasą; **send sth/travel ~** wysłać coś/podróżować drugą klasą.

second-class citizen [ˌsekəndˌklæs ˈsɪtɪzən] *n.* obywatel/ka drugiej kategorii.

Second Coming *n.* (*także* **Second Advent**) *rel.* paruzja (= *powtórne przyjście Chrystusa*).

second cousin *n.* kuzyn/ka w drugiej linii.

second-degree burn [ˌsekənddɪˌgriː ˈbɜːn] *n. pat.* oparzenie drugiego stopnia.

seconde [sɪˈkɑːnd] *n. szerm.* druga zasłona.

seconder [ˈsekəndər] *n. t. parl.* osoba popierająca wniosek.

second estate *n. zob.* **estate** 5.

second fiddle *n. przen.* drugie skrzypce.

second floor *n.* **1.** *US i Can.* pierwsze piętro. **2.** *Br.* drugie piętro.

second gear *n.* = **second**[1] *n.* 2.

second generation *n.* **1.** *socjol.* pokolenie dzieci imigrantów. **2.** *t. komp.* druga generacja.

second-generation [ˌsekəndˌdʒenəˈreɪʃən] *a. attr.* **1.** *socjol.* z drugiego pokolenia; w drugim pokoleniu. **2.** *t. komp.* drugiej generacji.

second growth *n. leśn.* młodnik.

second-guess [ˌsekəndˈges] *v.* **1.** przewidywać, odgadywać, uprzedzać (*czyjeś działania, zamiary, wypowiedzi*). **2.** *US* krytykować po fakcie.

second hand[1] *n.* wskazówka sekundowa, sekundnik.

second hand[2] *n.* **at ~** *przen.* z drugiej ręki.

secondhand [ˌsekənˈhænd], **second-hand** *a.* używany (*np. o samochodzie*); z drugiej ręki (*np. o informacjach*). – *adv.* z drugiej ręki; **hear sth ~** usłyszeć o czymś z drugiej ręki; **I/we bought/got this car ~** to używany samochód.

second-hand shop *n.* sklep z rzeczami używanymi (*zwł. z odzieżą*).

secondi [sɪˈkoʊndiː] *n. pl. zob.* **secondo**.

second-in-command [ˌsekəndɪnkəˈmænd] *n.* **1.** *wojsk.* zastępca głównodowodzącego. **2.** *admin.* zastępca kierownika.

second language *n. zw. sing. jęz.* drugi język (*t. urzędowy*).

second lieutenant *n. wojsk.* **1.** *US* podporucznik. **2.** *Br.* porucznik.

secondly [ˈsekəndlɪ] *adv.* (*także* **second, secondarily**) po drugie.

second man *n. pl.* **-men** *kol.* pomocnik maszynisty.

second mate *n. żegl.* drugi oficer.

secondment [sɪˈkɑːndmənt] *n. U l. sing. Br. i Austr.* oddelegowanie; **be on ~ from... to...** zostać czasowo oddelegowanym z... do...

second name *n.* **1.** nazwisko. **2.** drugie imię.

second nature *n. U przen.* druga natura; nawyk, zwyczaj; **sth is ~ to sb** coś jest czymś nawykiem, ktoś robi coś odruchowo.

secondo [sɪˈkoʊndoʊ] *n. pl.* **secondi** [sɪˈkoʊndiː] *muz.* secondo (= *partia niższa l. basowa w utworach fortepianowych na cztery ręce*).

second opinion *n.* druga opinia; **ask for a ~** zasięgnąć drugiej opinii.

second person *n. gram.* druga osoba; **in the ~ singular/plural** w drugiej osobie liczby pojedynczej/mnogiej.

second-rate [ˌsekəndˈreɪt] *a.* podrzędny.

second reading *n. parl.* drugie czytanie (*projektu ustawy*).

seconds [ˈsekəndz] *n. pl.* **1.** *pot.* dokładka. **2.** *handl.* towary wybrakowane (*zwł. odzież*).

second sight *n. U* dar jasnowidzenia, jasnowidztwo.

second-story man [ˌsekəndˈstɔːrɪ ˌmɑːn] *n. pl.* **-men** *US pot.* włamywacz dostający się do mieszkania przez okno pierwszego piętra.

second-strike capability [ˌsekəndˌstraɪk ˌkeɪpəˈbɪlɪtiː] *n. wojsk.* zdolność retaliacji (*w razie ataku nuklearnego*).

second string *n.* **1.** *sport* ekipa rezerwowa. **2.** alternatywny plan, plan B.

second-string [ˌsekəndˈstrɪŋ] *a. attr.* **1.** *sport* rezerwowy. **2.** zastępczy.

second-stringer [ˌsekəndˈstrɪŋər] *n. sport* zawodni-k/czka rezerwow-y/a.

second thought *n. często pl.* **have second thoughts** mieć wątpliwości (*about sth* co do czegoś); **on second thought** *US*/**thoughts** *Br.* po namyśle *l.* zastanowieniu.

second unit *n. kino, telew.* pomocnicza ekipa operatorska.

second wind *n.* **get one's ~** *przen.* złapać drugi oddech.

Second World War *n. hist.* druga wojna światowa.

secrecy [ˈsiːkrəsɪ] *n. U* **1.** tajemnica; **hold sth in ~** trzymać coś w tajemnicy; **surrounded by/shrouded in ~** otoczony/okryty tajemnicą. **2.** dyskrecja; **be sworn to ~** obiecać zachowanie dyskrecji. **3.** skrytość.

secret [ˈsiːkrət] *n.* **1.** tajemnica; sekret; **closely-guarded ~** ściśle strzeżona tajemnica; **divulge a ~** wyjawić sekret *l.* tajemnicę; **in ~** w tajemnicy, potajemnie; **innermost ~s** najgłębsze sekrety; **have no ~s from sb** nie mieć przed kimś sekretów *l.* tajemnic; **keep a ~** dochować tajemnicy; **let sb in on the ~** dopuścić kogoś do tajemnicy; **make no ~ of sth** nie robić z czegoś tajemnicy; **military ~** tajemnica wojskowa; **open ~** tajemnica poliszynela; **the ~s of nature** tajemnice przyrody; **what's the ~ of being a good father?** na czym polega sekret bycia dobrym ojcem?. **2.** (*także* **S~**) *kośc.* sekreta (*jedna z modlitw kapłana podczas mszy*). – *a.* **1.** tajny (*np. o przejściu, kryjówce*). **2.** *attr.* tajemny, potajemny; cichy, sekretny; **~ admirer** *żart.* cichy wielbiciel. **3.** *pot.* skryty (*about sth* jeśli chodzi o coś). **4.** tajemniczy. **5. keep sth ~ from sb** trzymać coś w tajemnicy przed kimś.

secret agent *n.* tajn-y/a agent/ka.

secretagogue [sɪˈkriːtəˌgɑːg] *n. fizj.* substancja pobudzająca wydzielanie (*np. hormon*).

secretaire [ˌsekrəˈter] *n. Br.* = **secretary** *n.* 4.

secretarial [ˌsekrəˈterɪəl] *a.* sekretarski; **~ course** kurs dla sekretarek; **~ staff** pracownicy sekretariatu; **~ work** praca sekretarki.

secretariat [ˌsekrəˈterɪət] *n.* sekretariat (*ważnej organizacji, zwł. międzynarodowej*).

secretary [ˈsekrəˌterɪ] *n. pl.* **-ies** **1.** sekreta-rz/rka. **2.** (*także* **~ of state**) *Br. polit.* minister; **S~ of State for Foreign Affairs** minister spraw zagranicznych; **Home S~** minister spraw wewnętrznych. **3.** *Br. handl.* sekretarz spółki *l.* towarzystwa; główny księgowy; dyrektor finansowy przedsiębiorstwa. **4.** (*także Br.* **secretaire**) sekretarzyk.

secretary bird *n. orn.* sekretarz, wężojad (*Sagittarius serpentarius*).

secretary-general [ˌsekrəˌterɪ ˈdʒenərəl], **secretary general** *n. pl.* **-ies-general** sekretarz generalny.

Secretary of State *n. polit.* **1.** *US* Sekretarz Stanu, minister spraw zagranicznych. **2.** *Br. zob.* **secretary** 2.

secret ballot *n. polit.* tajne głosowanie.

secrete[1] [sɪˈkriːt] *v. fizj.* wydzielać.

secrete[2] *v. form.* ukryć.

secretin [sɪˈkriːtɪn] *n. U biochem.* sekretyna.

secretion [sɪˈkriːʃən] *n. fizj.* **1.** *C/U* wydzielina. **2.** *U* wydzielanie.

secretive [ˈsiːkrətɪv] *a.* tajemniczy; skryty.

secretively [ˈsiːkrətɪvlɪ] *adv.* tajemniczo; skrycie.

secretiveness [ˈsiːkrətɪvnəs] *n. U* tajemniczość; skrytość.

secretly [ˈsiːkrətlɪ] *adv.* **1.** w sekrecie; potajemnie, po cichu. **2. hope** ~ mieć cichą nadzieję.

secretory [sɪˈkriːtərɪ] *a. fizj.* wydzielniczy.

secret partner *n. ekon.* cichy wspólnik.

secret police *n. z czasownikiem w liczbie pojedynczej l. mnogiej* **the** ~ tajna policja.

secret service *n.* **1.** specjalne służby, tajne służby. **2. S~ S~** *US* służby odpowiedzialne za ochronę prezydenta.

secret society *n. pl.* **-ies** tajne stowarzyszenie.

sect [sekt] *n.* **1.** *rel., socjol.* sekta. **2.** *rel.* wyznanie.

sect. *abbr.* = **section**; = **sectional**.

sectarian [sekˈterɪən] *a.* **1.** sekciarski. **2.** doktrynerski. **3.** ~ **conflict/violence** konflikt/przemoc na tle różnic religijnych. – *n.* **1.** sekcia-rz/ra. **2.** doktryner/ka.

sectarianism [sekˈterɪəˌnɪzəm] *n. U* **1.** sekciarstwo. **2.** doktrynerstwo.

sectary [ˈsektərɪ] *n. pl.* **-ies** *arch.* sekciarz.

sectile [ˈsektl] *a. min.* krajalny.

section [ˈsekʃən] *n.* **1.** część (*np. pojazdu, pomieszczenia, egzaminu*); fragment, odcinek (*np. rury, drogi*). **2.** grupa, krąg; **all ~s of the community** wszystkie grupy *l.* kręgi społeczne. **3.** dział (*np. firmy*); *t. sport, wojsk., muz.* sekcja; **the brass** ~ *muz.* sekcja instrumentów dętych blaszanych; **the business** ~ *dzienn.* dział gospodarczy. **4.** ustęp, akapit; *t. prawn.* paragraf; **under ~ 5 of the 1986 Single European Act** zgodnie z paragrafem 5 Jednolitego Aktu Europejskiego z 1986 r. **5.** *druk.* = **section mark**. **6.** *C/U* przekrój; **in** ~ w *l.* na przekroju; **transverse/longitudinal/vertical** ~ przekrój poprzeczny/podłużny/pionowy. **7.** preparat (*mikroskopowy*). **8.** *C/U chir.* cięcie; nacięcie; *pot.* cesarskie cięcie. **9.** *geom.* podział (*odcinka*). **10.** *mat.* obcięcie (*funkcji*). **11.** *metal.* szlif, zgład. **12.** *metal.* kształtownik, profil (*półwyrób walcowany*). **13.** cząstka (*np. pomarańczy*). **14.** segment (*mebla składanego*). **15.** *kol.* odcinek (*toru*). **16.** *US i Can.* powierzchnia jednej mili kwadratowej (*zwł. jako część miasta*). **17.** *NZ* osiedle mieszkaniowe. – *v.* **1.** dzielić (*na części, odcinki, ustępy itp.*). **2.** przedstawiać w przekroju. **3.** *chir.* robić cięcie (*czegoś*); nacinać; wycinać. **4.** *Br.* zamykać w szpitalu dla umysłowo chorych. **5.** ~ **off** rozdzielać, oddzielać od siebie; przedzielać.

sectional [ˈsekʃənl] *a.* **1.** lokalny, partykularny (*zwł. o interesach*); dotyczący określonej grupy *l.* określonego terenu. **2.** złożony z części, odcinków itp.; składany (*o meblu*). **3.** przekrojowy, w przekroju (*np. o rysunku*). – *n. US* mebel składany (*z segmentów, które można różnie aranżować*).

sectionalism [ˈsekʃənəˌlɪzəm] *n. U* partykularyzm; prowincjonalizm, zaściankowość.

sectionalize [ˈsekʃənəˌlaɪz], *Br. i Austr. zw.* **sectionalise** *v. zwł. geogr.* dzielić (*na odcinki, części*).

section mark *n. druk.* paragraf (*znak*).

sector [ˈsektər] *n.* **1.** *t. ekon., wojsk., komp.* sektor; **public/private/financial** ~ sektor państwowy/prywatny/finansowy; **service** ~ sektor usług. **2.** *socjol.* sfera; **different ~s of society** różne sfery społeczne. **3.** *geom.* wycinek, sektor (*koła*).

sectorial [sekˈtɔːrɪəl] *a.* **1.** (*także* **~al**) dzielony; sektorowy; wycinkowy; odcinkowy. **2.** *zool.* sieczny, tnący (*o zębie*).

secular [ˈsekjələr] *a.* **1.** świecki (*t. o muzyce*). **2.** *kośc.* niepodlegający regule zakonnej (*o duchownym*). **3.** stuletni; mający miejsce raz na sto lat; wiekowy; ~ **change** *geol.* zmiana długookresowa *l.* wiekowa. – *n. kośc.* duchowny niepodlegający regule zakonnej.

secular humanism *n. U fil.* humanizm świecki.

secularise [ˈsekjələˌraɪz] *v.* = **secularize**.

secularism [ˈsekjələˌrɪzəm] *n. U szkoln., polit., fil.* sekularyzm.

secularist [ˈsekjələrɪst] *n. szkoln.* zwolenni-k/czka sekularyzmu.

secularization [ˌsekjələrəˈzeɪʃən], *Br. i Austr. zw.* **secularisation** *n. U* sekularyzacja, zeświecczenie.

secularize [ˈsekjələˌraɪz], *Br. i Austr. zw.* **secularise** *v.* sekularyzować, zeświecczać.

secund [ˈsiːkənd] *a. bot.* jednostronny (*o układzie kwiatów w kwiatostanie*).

secure [sɪˈkjʊr] *a.* **1.** bezpieczny; pewny (*np. o inwestycji, zwycięstwie*); niezawodny. **2.** dobrze umocowany; **make sth** ~ dobrze coś umocować. **3.** spokojny. **4.** zabezpieczony (*against/from sth* przed czymś); **feel financially** ~ czuć się zabezpieczonym finansowo. – *v.* **1.** mocować, umocowywać, przytwierdzać. **2.** zapewniać (sobie); osiągać; uzyskiwać (*sth for sb* coś dla kogoś). **3.** zabezpieczać (się) (*against/from sth* przed czymś) (*np. przeciw włamaniu*); ~ **a debt by mortgage** *prawn., fin.* zabezpieczyć dług hipoteką. **4.** zamykać (*np. okna i drzwi*). **5.** unieszkodliwiać; związywać (*np. przestępcę*).

secured creditor *n. fin.* wierzyciel zabezpieczony.

securely [sɪˈkjʊrlɪ] *adv.* **1.** mocno (*np. przytwierdzić*). **2.** bezpiecznie; pewnie. **3.** spokojnie.

security [sɪ'kjʊrətɪ] *n. C/U pl.* **-ies** **1.** *U* bezpieczeństwo; poczucie bezpieczeństwa; **national/state** ~ bezpieczeństwo państwa. **2.** pewność. **3.** *U* środki bezpieczeństwa; system zabezpieczeń; ochrona (*np. budynku l. instytucji*); **breaches of** ~ *t. komp.* błędy w systemie zabezpieczeń; **maximum ~ prison** więzienie o specjalnie zaostrzonych środkach bezpieczeństwa; **tight** ~ zaostrzone środki bezpieczeństwa; **tighten/increase** ~ zaostrzyć/wzmocnić środki bezpieczeństwa. **4.** *C/U fin.* zabezpieczenie, gwarancja (*np. pożyczki*); zastaw; wadium; **loan against** ~ *fin.* pożyczka za zabezpieczeniem. **5.** *fin.* rękojmia, poręka. **6.** *fin.* poręczyciel, gwarant. **7.** *zw. pl.* papier wartościowy. **8. social** ~ *zob.* **social**.

security blanket *n.* **1.** kocyk, pluszowa zabawka itp., z którą małe dziecko czuje się bezpiecznie. **2.** *przen.* gwarancja, zabezpieczenie. **3.** *Br. przen.* polityka tajenia informacji.

security clearance *n. C/U* oficjalne zezwolenie na dostęp do tajnych informacji *l.* do strzeżonego budynku.

Security Council *n. prawn.* Rada Bezpieczeństwa ONZ.

security forces *n. pl.* siły bezpieczeństwa.

security guard *n.* strażnik; pracownik ochrony, ochroniarz.

security measures *n.* (*także* **security precautions**) *pl.* środki bezpieczeństwa.

security of tenure *n. U* **1.** *prawn.* prawo lokatora do pozostawania w wynajmowanym lokalu (*aż do uzyskania przez właściciela decyzji sądu o wygaśnięciu dzierżawy*). **2.** *uniw.* stabilność zatrudnienia, zagwarantowane miejsce pracy.

security risk *n.* potencjalne zagrożenie (*osoba niepewna pod względem lojalności*).

secy, sec'y *abbr.* = **secretary**.

SED [ˌes ˌiː 'diː] *abbr.* **Scottish Education Department** *admin.* szkockie ministerstwo oświaty.

sed. *abbr.* = **sediment**; = **sedimentation**.

sedan[1] [sɪ'dæn] *n. US, Can., Austr. i NZ mot.* sedan.

sedan[2] *n.* (*także* ~ **chair**) *hist.* lektyka.

sedate [sɪ'deɪt] *a.* **1.** spokojny; opanowany; zrównoważony; stateczny. **2.** powolny (*np. o kroku, tempie przemian*). – *v. często pass. med.* podawać środki uspokajające (*komuś*).

sedated [sɪ'deɪtɪd] *a.* (znajdujący się) pod wpływem środka uspokajającego.

sedately [sɪ'deɪtlɪ] *adv.* spokojnie; statecznie.

sedation [sɪ'deɪʃən] *n. U med.* podanie środka uspokajającego; **be under (heavy)** ~ być pod wpływem (silnego) środka uspokajającego.

sedative ['sedətɪv] *med. a.* uspokajający (*o środkach, działaniu*). – *n.* środek uspokajający.

sedentary ['sedənˌterɪ] *a.* **1.** *form.* siedzący (*o postawie, zajęciu, trybie życia*); prowadzący siedzący tryb życia (*o osobie*). **2.** *zool., orn.* osiadły, prowadzący osiadły tryb życia; przymocowany do podłoża.

sedge [sedʒ] *n. U bot.* turzyca (*rodzaj Carex*).

sedge warbler *n. orn.* rokitniczka (*Acrocephalus schoenobaenus*).

sedilia [sɪ'sɪlə] *n. pl. kośc.* trzy siedzenia dla księży celebrujących mszę (*w pobliżu ołtarza*).

sediment ['sedəmənt] *n.* **1.** *U l. sing.* osad (*wytrącony z cieczy*). **2.** *U geol.* nanos, osad.

sedimentary [ˌsedə'mentərɪ] *a.* (*także* **sedimental**) *geol.* sedymentacyjny, osadowy (*np. o skale*).

sedimentation [ˌsedəmən'teɪʃən] *n. U* **1.** osadzanie (się). **2.** *geol.* sedymentacja, formowanie się skał osadowych.

sedimentation tank *n.* osadnik, odstojnik, zbiornik sedymentacyjny.

sedimentology [ˌsedəmən'tɑːlədʒɪ] *n. U geol.* sedymentologia.

sedition [sɪ'dɪʃən] *n. U* **1.** *form.* działalność wywrotowa, podżeganie do buntu. **2.** *rzad.* bunt; *hist.* rokosz.

seditious [sɪ'dɪʃəs] *a. form.* wywrotowy; buntowniczy.

seduce [sɪ'duːs] *v. często pass.* **1.** uwodzić. **2.** zwodzić; kusić, nęcić; mamić, bałamucić; namawiać (*do złego*); ~ **sb into doing sth** namówić kogoś do (zrobienia) czegoś.

seducement [sɪ'duːsmənt] *n.* **1.** = **seduction** 2. **2.** *arch.* = **seduction** 1.

seducer [sɪ'duːsər] *n.* uwodziciel/ka.

seduction [sɪ'dʌkʃən] *n.* **1.** *C/U* uwiedzenie; zbałamucenie. **2.** *zw. pl.* (*także* **seducement**) pokusa (*of sth* czegoś).

seductive [sɪ'dʌktɪv] *a.* **1.** uwodzicielski. **2.** ponętny, kuszący; atrakcyjny.

seductively [sɪ'dʌktɪvlɪ] *adv.* **1.** uwodzicielsko. **2.** ponętnie, kusząco; atrakcyjnie.

seductiveness [sɪ'dʌktɪvnəs] *n. U* **1.** uwodzicielski charakter (*np. głosu, spojrzenia*). **2.** ponętność; atrakcyjność.

seductress [sɪ'dʌktrəs] *n.* uwodzicielka.

sedulity [sɪ'duːlətɪ] *n. U* (*także* **sedulousness**) *lit.* skrzętność, sumienność, skrupulatność; gorliwość, pilność.

sedulous ['sedʒələs] *a. lit.* skrzętny, sumienny, skrupulatny; gorliwy, pilny.

sedulously ['sedʒələslɪ] *adv. lit.* skrzętnie, sumiennie, skrupulatnie; gorliwie, pilnie.

sedulousness ['sedʒələsnəs] *n.* = **sedulosity**.

sedum ['siːdəm] *n. U bot.* rozchodnik (*rodzaj Sedum*).

see[1] [siː] *v.* **saw** [sɔː], **seen** [siːn] **1.** *t. przen.* widzieć; zobaczyć, ujrzeć; ~ **for yourself** zobacz sam; ~ **sth in a different light** zobaczyć *l.* ujrzeć coś w innym świetle; ~ **who is knocking at the door** zobacz, kto puka do drzwi; ~ **you (later)!** *pot.* do zobaczenia!, cześć!; ~ **you soon/tomorrow!** do zobaczenia wkrótce/jutro!; **can you ~ this?** widzisz to?; **I don't know what she ~s in him** nie wiem, co ona w nim widzi; **I've ~n/I saw this movie** widziałem ten film; **I saw him leaving** widziałam, jak wychodził; **(so) you** ~ *pot.* (no więc) widzisz; **there was nobody to be ~n** nikogo nie było widać. **2.** oglądać; obejrzeć; **let's ~ the movie together** obejrzyjmy ten film razem. **3.** postrzegać (*sb/sth as* kogoś/coś jako). **4.** zauważyć, spostrzec. **5.** sprawdzić, zobaczyć, upewnić się (*if/whether* czy, *that* że). **6.** rozumieć; ~? *pot.* rozumiesz?; **as far as I can ~** o ile dobrze rozumiem; **(do you) ~ what I mean?** rozumiesz, o co mi chodzi?; **I ~** rozumiem, ach tak, aha. **7.** odwiedzać; **come and ~ us on Friday** odwiedź nas w piątek, przyjdź do nas w piątek; **go and ~ sb** odwiedzić kogoś. **8.** widzieć się z, zobaczyć się z (*kimś*); **he asked to ~ the manager** chciał się widzieć z kierownikiem. **9.** spotykać się z (*kimś l. czymś*); **I'm ~ing her today for lunch** spotykam się z nią dziś na lunchu; **I've never ~n a case like this before** nigdy wcześniej nie spotkałem się z takim przypadkiem; **is she ~ing anyone at the moment?** czy ona się aktualnie z kimś spotyka?, czy ona aktualnie z kimś chodzi?. **10.** odprowadzać; **~ sb home/to the door/to the station** odprowadzić kogoś do domu/do drzwi/na dworzec. **11. ~ that (sb does sth)** dopilnować, żeby (ktoś coś zrobił). **12.** przyjmować (*np. pacjentów, interesantów*); **the doctor will ~ you in a moment** pan doktor za chwilę Pan-a/ią przyjmie. **13.** *hazard* przyjmować (*zakład, stawkę*). **14.** *przen.* **~ daylight** *zob.* **daylight**; **~ eye to eye with sb** *zob.* **eye** *n.*; **~ing is believing** zobaczyć znaczy uwierzyć, należy wierzyć tylko własnym oczom; **~ no further than the end of one's ~** *zob.* **nose** *n.*; **~ reason/sense** posłuchać głosu rozsądku; opamiętać się; **~ red** wściekać się; **~ the back of sb/sth** mieć kogoś/coś z głowy; **~ the color** *US*/**colour** *Br.* **of sb's money** *zob.* **color** *n.*; **~ the light (of day)** *zob.* **light1** *n.*; **as I ~ it/things/the situation** z tego, co widzę; **be ~ing things** mieć przywidzenia *l.* zwidy; **can't ~ the forest** *US*/**wood** *Br.* **for the trees** gubić się w szczegółach; **he has ~n life** *zob.* **life**; **he saw stars** *zob.* **star** *n.*; **I can't ~ her as teacher** nie widzę jej w roli nauczycielki, nie wyobrażam jej sobie jako nauczycielki; **I can't ~ him agreeing to that** nie wierzę, że się na to zgodzi; **I have to ~ a man about a dog** *euf. pot.* muszę na chwilę wyjść (*zwł. do toalety*); **I'll/we'll ~** zobaczymy (= *muszę się zastanowić*); **it remains to be ~n if/whether/what/who...** *zob.* **remain**; **let me/let's ~** *zob.* **let1** *v.*; **make sb ~ reason/sense** przemówić komuś do rozsądku *l.* rozumu; **not ~ sb for dust** *zob.* **dust** *n.*; **not ~ the point of doing sth** *zob.* **point** *n.*; **sb wouldn't be ~n dead somewhere/in sth/with sb** *zob.* **dead** *a.*; **sth has ~n better days** *zob.* **day**; **what you ~ is what you get** *zob.* **WYSIWYG**; **you ain't ~n nothin' yet** *żart. pot.* to jeszcze nic. **15. ~ about sth** dopilnować czegoś; zająć się czymś; załatwić coś; **~ about doing sth** spróbować coś zrobić; **we'll have to ~ about that** zobaczymy (= *muszę się zastanowić*); **we'll soon ~ about that** to się wkrótce okaże (*zwł. kiedy planujemy nie dopuścić do czegoś*); **~ around sth** (*także Br.* **~ round sth**) zwiedzić coś; przejść się po czymś; **~ in** widzieć przez okno (*wnętrze czyjegoś domu*); **~ sb in** wprowadzić kogoś (do środka); **~ in the New Year** powitać Nowy Rok; **~ into sth** przejrzeć (*np. czyjeś myśli, zamiary*); przewidzieć coś (*przyszłe wydarzenia*); **~ sb off** odprowadzić kogoś; *pot.* wyprowadzić kogoś (*np. z budynku, zwł. siłą*); pokonać kogoś (*zwł. w zawodach*); *Br. sl.* załatwić kogoś (= *zabić*); **~ off the competition** wygrać zawody; **~ sb out** odprowadzić kogoś do drzwi; **~ sth out** dotrwać do konca czegoś; **~ through** przejrzeć (*kogoś, czyjeś zamiary*); doprowadzić do końca; wesprzeć (*osobę, projekt, przedsięwzięcie*); **~ sb through the night** pomóc komuś przetrwać noc; **~ to sth** dopilnować czegoś; zająć się czymś; załatwić coś.

see2 *n. kość.* **1.** biskupstwo; arcybiskupstwo. **2.** władza biskupia *l.* arcybiskupia. **3. the Holy S~** *rz.-kat.* Stolica Apostolska.

Seebeck effect ['si:bek ɪˌfekt] *n. fiz.* zjawisko Seebecka.

seed [si:d] *n.* **1.** *C/U bot.* nasienie; nasiona; ziarno; **grow sth from ~** *ogr.* wyhodować coś z nasion. **2.** *US* pestka (*np. jabłka, pomarańczy*). **3. the ~s of sth** *przen.* ziarno *l.* zalążek *l.* zarzewie czegoś; **sow (the) ~s of doubt/rebellion** zasiać ziarno wątpliwości/buntu. **4.** *U Bibl. t. lit. l. żart.* nasienie, sperma; *przen.* potomstwo (*czyjeś*). **5.** *tenis itp.* zawodni-k/czka na określonym miejscu (*w wyniku klasyfikacji*); **the number two ~** gracz rozstawiony z numerem dwa. **6.** = **seed crystal**. **7. go/run to ~** wydawać nasiona; *przen.* niedołężnieć; podupadać; brzydnąć; sypać się. – *v.* **1.** obsiewać; wysiewać; zasiewać; siać. **2.** wydawać nasienie. **3.** drylować (*owoce*). **4.** *zw. pass. tenis itp.* klasyfikować (*zawodników l. drużyny*). **5.** *handl. przen.* rozpocząć (*przedsięwzięcie, inwestując kapitał*). – *a. attr. roln.* przeznaczony na siew.

seedbed ['si:dˌbed] *n. ogr. l. przen.* rozsadnik.

seedcake ['si:dˌkeɪk] *n. C/U kulin.* ciasto z kminkiem, tartą skórką z cytryny i gałką muszkatołową (*zw. biszkoptowe*).

seed capital *n. Br.* = **seed money**.

seed coat *n. bot.* łupina (*nasienia*).

seed corn *n. U* **1.** *roln.* zboże siewne. **2.** *przen.* zalążek, punkt wyjścia (*of sth* czegoś).

seed drill *n.* (*także* **seeder**) *roln.* siewnik (*rzędowy, zbożowy*).

seedeater ['si:dˌi:tər] *n. orn.* ptak żywiący się nasionami.

seeder ['si:dər] *n.* **1.** = **seed drill**. **2.** drylownica.

seediness ['si:dɪnəs] *n. U* **1.** zapuszczenie, zaniedbanie. **2.** podejrzany charakter (*np. okolicy*).

seed leaf *n. bot.* liścień, kotyledon.

seedless ['si:dləs] *a. bot.* bezpestkowy; pozbawiony nasion.

seedling ['si:dlɪŋ] *n.* młoda roślina; *ogr., roln., leśn.* sadzonka, rozsada, siewka, flanca.

seed money *n. U* (*także Br.* **seed capital**) *fin., handl.* kapitał inwestycyjny.

seed oyster *n. zool.* młoda ostryga (*zwł. przeznaczona do rozmnażania w ławicy ostrygowej*).

seed pearl *n.* drobna perła.

seed plant *n. bot.* roślina nasienna, spermatofit.

seed plot **1.** *ogr., leśn.* rozsadnik. **2.** *przen.* wylęgarnia.

seedsman ['si:dzmən] *n. pl.* **seedmen** **1.** siewca. **2.** sprzedawca nasion.

seed tick *n. ent.* larwa kleszcza.

seedtime [ˈsiːdˌtaɪm] *n. U roln.* **1.** pora siewu. **2.** pora wzrostu.

seed vessel *n. bot.* owocnia.

seedy [ˈsiːdɪ] *a.* **-ier, -iest 1.** zapuszczony, zaniedbany; obdarty; wytarty, wyświechtany. **2.** podejrzany, ciemny (*np. o typie, okolicy*). **3.** *U pot.* niezdrów; **feel ~** czuć się nieszczególnie. **4.** *bot.* zawierający wiele nasion.

seeing [ˈsiːɪŋ] *n. U* **1.** wzrok, widzenie. **2.** *astron.* jasność i czytelność obrazu w teleskopie. – *conj.* **~ (that)** (*także pot.* **~ as**) skoro, jako że.

seeing eye dog *n. US* pies przewodnik (*niewidomego*).

seek [siːk] *v.* **sought, sought** [sɔːt] **1.** *t. przen.* szukać; **~ (sb') advice/help** *form.* szukać (u kogoś) rady/pomocy; **~ one's fortune** *lit.* szukać szczęścia; **~ refuge/asylum** szukać schronienia/azylu. **2.** poszukiwać; **~ after/for sth** *arch. l. lit.* poszukiwać czegoś. **3.** *form.* zabiegać o, starać się o (*np. poparcie, reelekcję, odszkodowanie*). **4. ~ to do sth** *form.* próbować *l.* usiłować coś robić. **5. ~ dead!** *myśl.* aport! (*do psa*). **6. ~ out** wyszukać; odszukać; **~ through** przeszukać.

seeker [ˈsiːkər] *n.* **1.** poszukiwacz/ka. **2.** *w złoż.* **asylum-~** osoba ubiegająca się o azyl; **job-~** osoba poszukująca pracy.

seel [siːl] *v.* **1.** zamykać oczy przez zeszycie powiek (*sokołowi l. jastrzębiowi*). **2.** *arch.* oślepić.

seem [siːm] *v.* wydawać się, zdawać się; **it ~s as if/though...** wydaje się, jakby...; **it ~s (to me) that...** wydaje (mi) się, że...; **sb can't/couldn't ~ to do sth** wydaje/wydawało się, że ktoś nie jest w stanie czegoś zrobić; **sb/sth is not what he/she/it ~s** ktoś nie jest taki/coś nie jest takie, jak się wydaje; **so it ~s** na to wygląda; **so it would ~** na to by wyglądało; **there ~s to be...** zdaje się, że jest...; **what ~s to be the trouble?** *zob.* **trouble** *n.*

seeming [ˈsiːmɪŋ] *a. attr. form.* pozorny; rzekomy. – *n. U poet.* pozór.

seemingly [ˈsiːmɪŋlɪ] *adv.* **1.** pozornie; rzekomo. **2.** na pozór.

seemliness [ˈsiːmlɪnəs] *n. U przest.* przyzwoitość.

seemly [ˈsiːmlɪ] *a.* **-ier, -iest** *przest.* przyzwoity; właściwy, na miejscu.

seen [siːn] *v. zob.* **see**.

seep [siːp] *v.* sączyć się, przeciekać; *t. przen.* przedostawać się, przenikać (*in / into sth* do czegoś, *through sth* przez coś). – *n.* **1.** *geol.* miejsce wycieku (*np. ropy naftowej*). **2.** *U* = **seepage**.

seepage [ˈsiːpɪdʒ] *n. U* przeciek, wyciek.

seer [ˈsiːr] *n.* **1.** *lit.* jasnowidz; wieszcz. **2.** *arch.* widz.

seersucker [ˈsiːrˌsʌkər] *n. U tk.* kora.

seesaw [ˈsiːˌsɔː] *n.* **1.** huśtawka (*pozioma*). **2.** huśtanie się na huśtawce. **3.** ruch do góry i w dół. – *v.* **1.** huśtać się. **2.** *przen.* zmieniać się, wahać się (*np. o nastrojach*); być chwiejnym. – *a. attr.* zmienny, chwiejny.

seesaw market *n. giełda* zmienne nastroje na giełdzie, huśtawka kursów.

seethe [siːð] *v.* **1.** gotować się, wrzeć. **2.** *przen.* wrzeć, kipieć; roić się; **be ~ing with anger** wrzeć *l.* kipieć gniewem; **be ~ing with people/insects** roić się od ludzi/owadów; **the house was seething with activity/noise** w domu wrzało od krzątaniny/hałasu. **3.** *arch. l. dial.* moczyć. **4.** *arch.* gotować. – *n. rzad.* wrzenie, kipienie.

seething [ˈsiːðɪŋ] *a.* **1.** kipiący gniewem; gniewny. **2.** kotłujący się (*o tłumie, masie*).

see-through [ˈsiːˌθruː], **see-thru** *a.* przejrzysty, przezroczysty (*np. o bluzce*).

segment *n.* [ˈsegmənt] **1.** część (*np. społeczeństwa*). **2.** cząstka (*np. pomarańczy*). **3.** *geom.* odcinek. **4.** *geom.* wycinek (*koła, kuli*). **5.** *zool.* człon, pierścień. **6.** *jęz.* segment (*np. fonem l. morfem*). – *v.* [ˌsegˈment] **1.** dzielić (się). **2.** dzielić (się) na odcinki.

segmental [segˈmentl] *a.* **1.** (*także* **~ary**) odcinkowy. **2.** *jęz.* segmentalny.

segmentation [ˌsegmenˈteɪʃən] *n. U* **1.** dzielenie (się). **2.** podział, segmentacja. **3.** *zool.* członowanie, segmentacja.

segmented [ˌsegˈmentɪd] *a.* podzielony, rozczłonkowany.

segregant [ˈsegrəgənt] *n. i a. biol.* (organizm) o odmiennym kodzie genetycznym (*w stosunku do rodziców, w wyniku segregacji*).

segregate *v.* [ˈsegrəˌgeɪt] **1.** *t. biol.* rozdzielać (się); oddzielać (się). **2.** *socjol.* przeprowadzać segregację (*zw. przedstawicieli odrębnych ras*). – *a.* [ˈsegrəgət] *rzad.* oddzielny.

segregation [ˌsegrəˈgeɪʃən] *n. U* **1.** segregacja, rozdział. **2.** *biol.* segregacja (= *podział alleli między poszczególne komórki*).

segregationist [ˌsegrəˈgeɪʃənɪst] *n. socjol.* segregacjonist-a/ka.

segue [ˈsegweɪ] *t. muz. v.* przechodzić niepostrzeżenie (*into sth* do czegoś) (*np. do następnej sceny, melodii*). – *n.* niezauważalne przejście (*jw.*).

seiche [seɪʃ] *n. meteor.* rytmiczne kołysanie się wody (*śródlądowej*).

seigneur [seɪnˈjɜː], **seignior** *n. hist.* pan feudalny, senior.

seigneury [ˈseɪnjərɪ] *n. pl.* **-ies = seigniory** 1, 2.

seigniorage [ˈseɪnjərɪdʒ] *n. U* **1.** przywilej królewski. **2.** opłata za bicie monet. **3.** różnica pomiędzy wartością kruszcu i kosztem wybicia monet a ich nominalną wartością.

seigniory [ˈseɪnjərɪ] *n. pl.* **-ies 1.** *U* władza feudalna. **2.** *C / U* lenno; posiadłości pana feudalnego. **3.** lordowie (*zbiorowo*).

seine [seɪn] *ryb. n.* sieć z pływakami i ciężarkami. – *v.* łowić w sieć jw.

seise [siːz] *v. prawn.* = **seize** 11.

seismic [ˈsaɪzmɪk] *a.* **1.** *geol.* sejsmiczny. **2.** *pot.* potężny; **of ~ proportions** potężnych rozmiarów.

seismically [ˈsaɪzmɪklɪ] *adv.* sejsmicznie.

seismicity [saɪzˈmɪsətɪ] *n. U geol.* sejsmiczność, aktywność sejsmiczna.

seismogram [ˈsaɪzməˌgræm] *n.* sejsmogram (= *zapis drgań*).

seismograph [ˈsaɪzməˌgræf] *a.* sejsmograf.

seismographer [saɪz'mɑ:grəfər] *n.* sejsmi-k/czka.

seismographic [ˌsaɪzmə'græfɪk] *a.* sejsmograficzny.

seismography [saɪz'mɑ:grəfɪ] *n. U* sejsmografia.

seismologic [ˌsaɪzmə'lɑ:dʒɪk], **seismological** [ˌsaɪzmə'lɑ:dʒɪkl] *a.* sejsmologiczny.

seismologist [saɪz'mɑ:lədʒɪst] *n.* sejsmolo-g/żka.

seismology [saɪz'mɑ:lədʒɪ] *n. U* sejsmologia.

seismometer [saɪz'mɑ:mətər] *n.* sejsmometr.

seize [si:z] *v.* **1.** chwytać; ~ **sb by sth** chwycić kogoś za coś. **2.** ~ **sth from sb** wyszarpnąć *l.* wyrwać coś komuś. **3.** przejmować; ~ **power/control** przejąć władzę/kontrolę (*of sth* nad czymś). **4.** *zw. pass.* ogarniać, opanowywać; **be ~d with fear/desire/panic** być ogarniętym strachem/paniką/chęcią. **5.** przechwytywać, konfiskować (*zwł. przemycane towary*). **6.** *przen.* wykorzystywać; ~ **a chance/opportunity (with both hands)** (maksymalnie) wykorzystać szansę/sposobność. **7.** zajmować, zdobywać. **8.** schwytać (*przestępcę*). **9.** pojmować (= *ogarniać rozumem*). **10.** zawładnąć (*czyjąś wyobraźnią*). **11.** *prawn.* zajmować. **12.** *często pass.* (*także* **seise**) *prawn.* przekazywać na własność; **be ~d of sth** być *l.* stać się prawnym właścicielem czegoś. **13.** *żegl.* obwiązywać (*liny*). **14.** zacinać się; zacierać się (*o maszynie*). **15.** stanąć, utknąć (*np. w martwym punkcie*). **16.** ~ **on/upon sth** wykorzystać coś; skorzystać z czegoś; ~ **up** *pot.* zacinać się; zacierać się.

seizing ['si:zɪŋ] *n. żegl.* sejzing, przewiąz.

seizure ['si:ʒər] *n.* **1.** *t. pat.* napad, atak (*np. padaczki*). **2.** *U* schwytanie, pojmanie. **3.** *U* przejęcie, przechwycenie; ~ **of power** przejęcie władzy. **4.** *U prawn.* zajęcie, konfiskata.

sejant ['si:dʒənt], **sejeant** *a. her.* siedzący z podniesionymi przednimi łapami.

seldom ['seldəm] *adv.* bardzo rzadko.

select [sə'lekt] *v.* wybierać; *sport* selekcjonować; ~ **sb to do sth** wybrać kogoś do (zrobienia) czegoś. – *a. gł. attr. form.* doborowy (*np. o towarzystwie, publiczności*); ekskluzywny (*np. o klubie*); **a ~ few** garstka wybrańców.

select committee *n. Br. parl.* komisja parlamentarna *l.* specjalna.

selectee [səˌlek'ti:] *n. US wojsk.* poborowy.

selection [sə'lekʃən] *n.* **1.** *U l. sing.* wybór, selekcja (*from sth* z czegoś); **make a ~** dokonać wyboru *l.* selekcji, wybrać. **2.** *zw. sing.* wybór, asortyment; **good/wide ~ of sth** szeroki wybór *l.* asortyment czegoś. **3.** *U biol.* dobór; **natural ~** dobór naturalny.

selection committee *n.* komisja kwalifikacyjna.

selectionist [sə'lekʃənɪst] *n. fil., biol.* selekcjonist-a/ka, zwolenni-k/czka teorii doboru naturalnego.

selection rules *n. pl. fiz.* reguły wyboru.

selective [sə'lektɪv] *a.* **1.** wybiórczy, selektywny; ograniczony. **2.** wybredny. **3.** elitarny. **4.** *radio* selektywny.

selective attention *n. U psych.* selektywna uwaga, wybiórcza reakcja na bodźce.

selectively [sə'lektɪvlɪ] *adv.* wybiórczo, selektywnie.

selective service *n. U US* obowiązkowa służba wojskowa.

selectivity [səˌlek'tɪvətɪ] *n. U t. tel.* selektywność, wybiórczość.

selectman [sə'lektmən] *n. pl.* **-men** *US* radny miejski w Nowej Anglii.

selector [sə'lektər] *n.* **1.** selekcjoner/ka. **2.** *techn.* przełącznik.

selenate ['seləˌneɪt] *n. U chem.* selenian.

selenic acid [səˌli:nɪk 'æsɪd] *n. U* kwas selenowy.

selenide ['seləˌnaɪd] *n. U chem.* selenek.

selenious acid [səˌli:nɪəs 'æsɪd] *n. U* kwas selenawy.

selenite ['seləˌnaɪt] *n. U chem.* selenit.

selenitic [ˌselə'nɪtɪk] *a. chem.* selenitowy.

selenium [sə'li:nɪəm] *n. U chem.* selen.

selenography [ˌsi:lə'nɑ:grəfɪ] *n. U astron.* selenografia.

selenology [ˌsi:lə'nɑ:lədʒɪ] *n. U astron.* selenologia.

self [self] *n. C/U pl.* **selves** [selvz] swoje *l.* własne ja; własna osoba, własna natura; *fil.* jaźń; **be/become/feel (like) one's normal/old ~** być/stać się/czuć się (znowu) sobą; **be a shadow/ghost of one's former ~** być cieniem dawnego siebie; **better ~** lepsza połowa; **consciousness of ~** samoświadomość; **sb's own/true ~** czyjaś prawdziwa natura; **sb's sense of ~** czyjeś poczucie własnego ja; **think only of ~** dbać tylko o siebie. – *pron. nonstandard* się, siebie (samego); **support ~ and family** utrzymać siebie i rodzinę. – *a. attr.* jednolity (*o kolorze, materiale itp.*).

self-abnegation [ˌselfˌæbnɪ'geɪʃən] *n. U form.* abnegacja.

self-absorbed [ˌselfæb'sɔ:rbd] *a.* pochłonięty sobą, skoncentrowany na sobie.

self-absorption [ˌselfæb'sɔ:rpʃən] *n. U* **1.** zajmowanie się sobą. **2.** *fiz.* samopochłanianie, samoabsorpcja.

self-abuse [ˌselfə'bju:s] *n. U* **1.** niedocenianie samego siebie. **2.** *uj. l. żart.* samogwałt.

self-accusation [ˌselfˌækjʊ'zeɪʃən] *n. U* samooskarżanie się.

self-acting [ˌself'æktɪŋ] *a.* samoczynny.

self-actualization [ˌselfˌæktʃʊələ'zeɪʃən], *Br. i Austr. zw.* **self-actualisation** *n. U* samorealizacja.

self-addressed [ˌselfə'drest] *a.* zaadresowany do nadawcy, zwrotny (*o kopercie*).

self-adhesive [ˌselfæd'hi:sɪv] *a.* samoprzylepny.

self-adjusting [ˌselfə'dʒʌstɪŋ] *a.* samonastawny.

self-advancement [ˌselfæd'vænsmənt] *n. U* promocja własnej osoby.

self-advocacy [ˌself'ædvəkəsɪ] *n. U* **1.** samostanowienie. **2.** *prawn.* reprezentowanie samego siebie.

self-affirmation [ˌselfˌæfərˈmeɪʃən] *n.* *U* autoafirmacja.

self-aggrandizement [ˌselfəˈgrændɪzmənt] *n.* *U* wzrost własnej wartości.

self-analysis [ˌselfəˈnælɪsɪs] *n.* *U* autoanaliza.

self-annihilation [ˌselfəˌnaɪəˈleɪʃən] *n.* *U* **1.** utrata poczucia własnej odrębności (*poprzez medytację*). **2.** samounicestwienie, samozagłada.

self-appointed [ˌselfəˈpɔɪntɪd] *a.* samozwańczy.

self-approval [ˌselfəˈpruːvl] *n.* *U* aprobata *l.* akceptacja własnej osoby.

self-assertion [ˌselfəˈsɝːʃən] *n.* *U* pewność siebie, asertywność.

self-assertive [ˌselfəˈsɝːtɪv] *a.* pewny siebie, asertywny.

self-assessment [ˌselfəˈsesmənt] *n.* *U* samoocena.

self-assurance [ˌselfəˈʃʊrəns] *n.* *U* pewność siebie.

self-assured [ˌselfəˈʃʊrd] *a.* pewny siebie.

self-awareness [ˌselfəˈwernəs] *n.* *U* samoświadomość.

self-balancing [ˌselfˈbælənsɪŋ] *a.* **1.** samorównoważący się. **2.** *fin.* zbilansowany.

self-betrayal [ˌselfbɪˈtreɪəl] *n.* *U* zdrada samego siebie.

self-binder [ˌselfˈbɪndər] *n.* *roln.* snopowiązałka.

self-catering [ˌselfˈkeɪtərɪŋ] *a.* *Br.* z wyżywieniem we własnym zakresie, z własnym wyżywieniem.

self-censorship [ˌselfˈsensərʃɪp] *n.* *U* autocenzura.

self-centered [ˌselfˈsentərd], *Br.* **self-centred** *a.* egocentryczny.

self-centeredly [ˌselfˈsentərdlɪ], *Br.* **self-centredly** *adv.* egocentrycznie.

self-centeredness [ˌselfˈsentərdnəs], *Br.* **self-centredness** *n.* *U* egocentryzm.

self-cleaning [ˌselfˈkliːnɪŋ] *a.* samoczyszczący.

self-closing [ˌselfˈkloʊzɪŋ] *a.* samozamykający się, zamykający się automatycznie.

self-collected [ˌselfkəˈlektɪd] *a.* opanowany.

self-color [ˌselfˈkʌlər], **self-colored** *Br.* **self-colour** *a.* o jednolitym kolorze; *t. bot.* o naturalnym kolorze.

self-command [ˌselfkəˈmænd] *n.* *U* samokontrola.

self-compatible [ˌselfkəmˈpætəbl] *a. bot.* samopylny.

self-condemnation [ˌselfˌkɑːndemˈneɪʃən] *n.* *U* samopotępienie.

self-confessed [ˌselfkənˈfest] *a. attr.* zdeklarowany (= *przyznający się do czegoś*).

self-confidence [ˌselfˈkɑːnfɪdəns] *n.* *U* wiara w siebie.

self-confident [ˌselfˈkɑːnfɪdənt] *a.* wierzący w siebie, ufny we własne siły.

self-congratulation [ˌselfkənˌgrætʃəˈleɪʃən] *n.* *U* *zw. iron.* samozadowolenie.

self-congratulatory [ˌselfkənˈgrætʃələˌtɔːrɪ] *a.* *zw. iron.* zadowolony z siebie.

self-conscious [ˌselfˈkɑːnʃəs] *a.* **1.** skrępowany, zakłopotany. **2.** skoncentrowany na wywoływanym przez siebie wrażeniu; świadom wywoływanego przez siebie wrażenia.

self-consciously [ˌselfˈkɑːnʃəslɪ] *adv.* **1.** z zakłopotaniem. **2.** ze świadomością wywoływanego przez siebie wrażenia.

self-consciousness [ˌselfˈkɑːnʃəsnəs] *n.* *U* **1.** skrępowanie, zakłopotanie. **2.** świadomość wywoływanego przez siebie wrażenia.

self-contained [ˌselfkənˈteɪnd] *a.* **1.** zamknięty w sobie. **2.** stanowiący zamkniętą całość (*o maszynie*). **3.** samowystarczalny. **4.** *gł. Br.* samodzielny (*o mieszkaniu*). **5.** opanowany.

self-contempt [ˌselfkənˈtempt] *n.* *U* pogarda dla samego siebie.

self-contradiction [ˌselfˌkɑːntrəˈdɪkʃən] *n.* *U* wewnętrzna sprzeczność.

self-contradictory [ˌselfˌkɑːntrəˈdɪktərɪ] *a.* wewnętrznie sprzeczny.

self-control [ˌselfkənˈtroʊl] *n.* *U* samokontrola, opanowanie.

self-controlled [ˌselfkənˈtroʊld] *a.* opanowany.

self-correcting [ˌselfkəˈrektɪŋ] *a.* **1.** samokorekcyjny. **2.** korygujący własne błędy.

self-critical [ˌselfˈkrɪtɪkl] *a.* samokrytyczny.

self-deceiving [ˌselfdɪˈsiːvɪŋ] *a.* oszukujący samego siebie.

self-deception [ˌselfdɪˈsepʃən] *n.* *U* oszukiwanie samego siebie.

self-defeating [ˌselfdɪˈfiːtɪŋ] *a.* *U* daremny, bezskuteczny.

self-defense [ˌselfdɪˈfens], *Br.* **self-defence** *n.* *U* samoobrona; **in ~** w obronie własnej, w samoobronie.

self-delusion [ˌselfdɪˈluːʒən] *n.* *U* samooszukiwanie się.

self-denial [ˌselfdɪˈnaɪəl] *n.* *U* wyrzekanie się przyjemności, wyrzeczenia.

self-depreciating [ˌselfdɪˈpriːʃɪˌeɪtɪŋ] *a.* niewierzący we własne siły; umniejszający swoją wartość.

self-destruct [ˌselfdɪˈstrʌkt] *v.* **1.** dokonywać samozniszczenia. **2.** rujnować *l.* marnować sobie życie.

self-destruction [ˌselfdɪˈstrʌkʃən] *n.* *U* autodestrukcja, samozniszczenie, samozagłada; **be bent ~** uparcie dążyć do samozagłady.

self-destructive [ˌselfdɪˈstrʌktɪv] *a.* autodestrukcyjny.

self-determination [ˌselfdɪˌtɝːməˈneɪʃən] *n.* *U* **1.** *polit.* samostanowienie. **2.** wolna wola.

self-determined [ˌselfdɪˈtɝːmɪnd] *a.* zdeterminowany.

self-discipline [ˌselfˈdɪsəplɪn] *n.* *U* samodyscyplina, dyscyplina wewnętrzna.

self-discovery [ˌselfdɪˈskʌvərɪ] *n.* *U* samopoznanie.

self-doubt [ˌselfˈdaʊt] *n.* *U* brak wiary w siebie.

self-educated [ˌselfˈedʒəˌkeɪtɪd] *a.* **be ~** być samoukiem.

self-effacement [ˌselfɪˈfeɪsmənt] *n.* *U* skromność, unikanie rozgłosu.

self-effacing [ˌselfɪˈfeɪsɪŋ] *a.* skromny, unikający rozgłosu.

self-employed [ˌselfɪmˈplɔɪd] *a.* pracujący na własny rachunek, niezależny; **be ~** prowadzić własną działalność.

self-esteem [ˌselfɪˈsti:m] *n. U* poczucie własnej wartości, samouznanie.

self-evaluation [ˌselfɪˌvæljʊˈeɪʃən] *n. U* samoocena.

self-evident [ˌselfˈevɪdənt] *a.* oczywisty, zrozumiały sam przez się.

self-examination [ˌselfɪgˌzæməˈneɪʃən] *n. U* **1.** rachunek sumienia. **2.** samobadanie (*np. piersi przez kobietę*).

self-excited [ˌselfɪkˈsaɪtɪd] *a. el.* samowzbudny.

self-executing [ˌselfˈeksəˌkju:tɪŋ] *a. prawn., form.* działający automatycznie (*np. o układzie, klauzuli*).

self-exile [ˌselfˈegzaɪl] *n.* **1.** dobrowolny wygnaniec. **2.** *U* samowygnanie, dobrowolne wygnanie.

self-existent [ˌselfɪgˈzɪstənt] *a.* **1.** samoistny. **2.** istniejący niezależnie.

self-explanatory [ˌselfɪkˈsplænəˌtɔ:rɪ] *a.* niewymagający wyjaśnień, zrozumiały sam przez się.

self-expression [ˌselfɪkˈspreʃən] *n. U* autoekspresja.

self-faced [ˌselfˈfeɪst] *a.* nieobrobiony (*o kamieniu*).

self-feeder [ˌselfˈfi:dər] *n. gł. roln.* podajnik samoczynny.

self-fertilization [ˌselfˌfɜ:tləˈzeɪʃən], *Br. i Austr. zw.* **self-fertilisation** *n. U biol.* samozapłodnienie.

self-financing [ˌselfˈfaɪnænsɪŋ] *a.* samofinansujący się.

self-flagellation [ˌselfˌflædʒəˈleɪʃən] *n. U* **1.** samobiczowanie. **2.** *przen.* ostra samokrytyka.

self-flattery [ˌselfˈflætərɪ] *n. U* samouwielbienie.

self-forgetful [ˌselffərˈgetfʊl] *a. arch.* bezinteresowny.

self-fulfilling [ˌselffʊlˈfɪlɪŋ] *a.* samorealizujący się; **~ prophesy** *US*/**prophecy** *Br.* samospełniająca się przepowiednia.

self-fulfillment [ˌselffʊlˈfɪlmənt] *n. U* samorealizacja, zaspokajanie własnych dążeń.

self-generating [ˌselfˈdʒenəˌreɪtɪŋ] *a.* samorodny.

self-giving [ˌselfˈgɪvɪŋ] *a.* poświęcający się, altruistyczny.

self-glorification [ˌselfˌglɔ:rəfəˈkeɪʃən] *n. U* samouwielbienie.

self-governed [ˌselfˈgʌvərnd] *a.* (*także* **self-governing**) **1.** autonomiczny. **2.** samorządowy.

self-government [ˌselfˈgʌvərnmənt] *n.* **1.** autonomia. **2.** samorząd.

self-hardening [ˌselfˈhɑ:rdənɪŋ] *a.* **1.** *metal.* samohartujący się. **2.** samoutwardzalny.

self-harming [ˌselfˈhɑ:rmɪŋ] *a.* samookaleczający się (*zw. na skutek choroby psychicznej*).

self-hatred [ˌselfˈheɪtrɪd] *n.* (*także* **self-hate**) *U* nienawiść do samego siebie.

selfheal [ˈselfˌhi:l] *n. bot.* **1.** głowienka pospolita (*Prunella vulgaris*). **2.** żankiel zwyczajny (*Sanicula europaea*).

self-help [ˌselfˈhelp] *n. U* radzenie sobie samemu; samopomoc, wzajemna pomoc; **~ group** grupa wzajemnej pomocy.

selfhood [ˈselfhʊd] *n. U form.* **1.** indywidualność, indywidualna odrębność. **2.** samoświadomość. **3.** osobowość.

self-hypnosis [ˌselfhɪpˈnoʊsɪs] *n. U* autohipnoza.

self-identity [ˌselfaɪˈdentətɪ] *n. U* poczucie własnej odrębności.

self-image [ˌselfˈɪmɪdʒ] *n. U* własny wizerunek, wyobrażenie siebie.

self-immolation [ˌselfˌɪməˈleɪʃən] *n. U form.* samounicestwienie (*jako ofiara l. na znak protestu*).

self-importance [ˌselfɪmˈpɔ:rtəns] *n. U* poczucie własnej ważności, zarozumialstwo.

self-important [ˌselfɪmˈpɔ:rtənt] *a.* zarozumiały, ważny.

self-imposed [ˌselfɪmˈpoʊzd] *a.* narzucony (samemu) sobie; podjęty dobrowolnie.

self-improvement [ˌselfɪmˈpru:vmənt] *n. U* samodoskonalenie.

self-induced [ˌselfɪnˈdu:st] *a.* **1.** będący wynikiem własnych poczynań. **2.** *el.* samowzbudny.

self-induction [ˌselfɪnˈdʌkʃən] *n. U el.* samoindukcja.

self-indulgence [ˌselfɪnˈdʌldʒəns] *n. U* **1.** dogadzanie sobie. **2.** brak umiaru.

self-indulgent [ˌselfɪnˈdʌldʒənt] *a.* **1.** dogadzający sobie. **2.** niepohamowany.

self-inflicted [ˌselfɪnˈflɪktɪd] *a.* **1.** będący wynikiem własnych poczynań. **2.** zadany samemu sobie (*o ranie*).

self-insurance [ˌselfɪnˈʃʊrəns] *n. U* samoubezpieczenie.

self-interest [ˌselfˈɪntərəst] *n. U* interesowność.

self-interested [ˌselfˈɪntərəstɪd], **selfinterested** *a.* interesowny.

selfish [ˈselfɪʃ] *a.* samolubny, egoistyczny.

selfishly [ˈselfɪʃlɪ] *adv.* samolubnie, egoistycznie.

selfishness [ˈselfɪʃnəs] *n. U* samolubstwo, egoizm.

self-justification [ˌselfˌdʒʌstəfəˈkeɪʃən] *n. U* usprawiedliwianie się.

self-justifying [ˌselfˈdʒʌstəˌfaɪɪŋ] *a.* **1.** usprawiedliwiający się. **2.** *komp.* automatycznie wyrównujący tekst (*do marginesów*). **3.** logicznie zasadny.

self-knowledge [ˌselfˈnɑ:lɪdʒ] *n. U* samowiedza.

selfless [ˈselfləs] *a.* bezinteresowny.

selflessly [ˈselfləslɪ] *adv.* bezinteresownie.

selflessness [ˈselfləsnəs] *n. U* bezinteresowność.

self-limited [ˌselfˈlɪmɪtɪd] *a.* **1.** samoograniczający się. **2.** *pat.* samoistnie ustępujący.

self-liquidating [ˌselfˈlɪkwɪˌdeɪtɪŋ] *a. fin.* **1.** umarzający się automatycznie (*o pożyczce*). **2.** na warunkach samospłaty.

self-loading [ˌselfˈloʊdɪŋ] *a. broń* ładujący się automatycznie.

self-love [ˌselfˈlʌv] *n. U* **1.** miłość własna. **2.** troska o własny interes.

self-made [ˌselfˈmeɪd] *a.* zawdzięczający wszystko samemu sobie.

self-mastery [ˌselfˈmæstərɪ] *n. U* samokontrola.

self-medication [ˌselfˌmedəˈkeɪʃən] *n. U* samolecznictwo, zażywanie leków bez konsultacji z lekarzem.

self-mortification [ˌselfˌmɔːrtəfəˈkeɪʃən] *n. U* umartwianie się (*z pobudek religijnych*).

self-motivated [ˌselfˈmoʊtɪˌveɪtɪd] *a.* ambitny.

self-moving [ˌselfˈmuːvɪŋ] *a.* samoczynny.

self-murder [ˌselfˈmɝːdər] *n. C/U arch.* samobójstwo.

self-mutilation [ˌselfˌmjuːtəˈleɪʃən] *n. U* samookaleczenie.

self-occupied [ˌselfˈɑːkjəpaɪd] *a.* zajmujący się tylko sobą, egoistyczny.

self-opinion [ˌselfəˈpɪnjən] *n. U rzad.* wygórowana opinia na własny temat, zarozumialstwo.

self-opinionated [ˌselfəˈpɪnjəˌneɪtɪd] *a.* (*także* **self-opinioned**) **1.** przekonany o własnej racji. **2.** zarozumiały.

self-ordained [ˌselfɔːrˈdeɪnd] *a.* autorytatywny, autorytarny; uważający się za autorytet.

self-pity [ˌselfˈpɪtɪ] *n. U* użalanie *l.* rozczulanie się nad (samym) sobą.

self-pollinating [ˌselfˈpɑːləˌneɪtɪŋ] *a. bot.* samopylny.

self-pollination [ˌselfˌpɑːləˈneɪʃən] *n. U bot.* samopylność, samozapylenie.

self-portrait [ˌselfˈpɔːrtrət] *n. t. mal., fot.* autoportret.

self-possessed [ˌselfpəˈzest] *a.* opanowany, panujący nad sobą.

self-possession [ˌselfpəˈzeʃən] *n. U* opanowanie, panowanie nad sobą.

self-preservation [ˌselfˌprezərˈveɪʃən] *n. U biol. l. przen.* samozachowawczość; **instinct for ~** instynkt samozachowawczy.

self-proclaimed [ˌselfprəˈkleɪmd] *a.* samozwańczy.

self-promotion [ˌselfprəˈmoʊʃən] *n. U* promocja własnej osoby; przebojowość.

self-propelled [ˌselfprəˈpeld] *a.* (*także* **self-propelling**) **1.** *mech., mot.* o własnym napędzie. **2.** *t. wojsk.* samobieżny, samojezdny.

self-propelled gun, SP gun *n. wojsk.* działo samobieżne.

self-protection [ˌselfprəˈtekʃən] *n. U* samoobrona.

self-published [ˌselfˈpʌblɪʃt] *a.* wydany nakładem własnym.

self-raising flour [ˌselfˌreɪzɪŋ ˈflaʊər] *n. Br. i Austr.* = **self-rising flour**.

self-realization [ˌselfˌriːələˈzeɪʃən], *Br. i Austr. zw.* **selfrealisation** *n. U* samorealizacja.

self-regard [ˌselfrɪˈgɑːrd] *n. U* **1.** samolubstwo. **2.** poczucie własnej wartości.

self-regulating [ˌselfˈregjəˌleɪtɪŋ] *a.* (*także* **self-regulatory**) **1.** samoregulujący się. **2.** samoczynny, automatyczny.

self-reliance [ˌselfrɪˈlaɪəns] *n. U* poleganie na samym sobie, samodzielność, niezależność.

self-reliant [ˌselfrɪˈlaɪənt] *a.* polegający na samym sobie, samodzielny, niezależny.

self-renunciation [ˌselfrɪˌnʌnsɪˈeɪʃən] *n. U* wyrzeczenie się własnych praw (*na korzyść innych*).

self-reproach [ˌselfrɪˈproʊtʃ] *n. U* **1.** samokrytyka. **2.** wyrzuty sumienia.

self-respect [ˌselfrɪˈspekt] *n. U* szacunek dla samego siebie.

self-respecting [ˌselfrɪˈspektɪŋ] *a. attr.* szanujący się.

self-restraint [ˌselfrɪˈstreɪnt] *n. U* powściągliwość, opanowanie, samokontrola.

self-righteous [ˌselfˈraɪtʃəs] *a.* zadufany w sobie.

self-righteously [ˌselfˈraɪtʃəslɪ] *adv.* z zadufaniem, arogancko.

self-righteousness [ˌselfˈraɪtʃəsnəs] *n. U* zadufanie (w sobie), przekonanie o własnej wyższości.

self-rising flour [ˌselfˌraɪzɪŋ ˈflaʊər] *n. U* (*także Br. i Austr.* **self-raising flour**) *kulin.* mąka z dodatkiem proszku do pieczenia.

self-sacrifice [ˌselfˈsækrəˌfaɪs] *n. U* wyrzeczenie, poświęcenie.

self-sacrificing [ˌselfˈsækrəˌfaɪsɪŋ] *a.* poświęcający się.

selfsame [ˈselfˌseɪm] *a. attr. lit.* ten sam, identyczny.

self-satisfaction [ˌselfˌsætɪsˈfækʃən] *n. U* samozadowolenie.

self-satisfied [ˌselfˈsætɪsˌfaɪd] *a.* zadowolony z siebie (*o osobie*); pełen samozadowolenia (*np. o uśmiechu*).

self-sealing [ˌselfˈsiːlɪŋ] *a.* **1.** samoklejący (*o kopercie*). **2.** samouszczelniający się (*np. o przebitej oponie*).

self-seeded [ˌselfˈsiːdɪd] *a.* = **self-sown**.

self-seeker [ˌselfˈsiːkər] *n.* **1.** samolub. **2.** *radio* automatyczny tuner, urządzenie samodostrajające.

self-seeking [ˌselfˈsiːkɪŋ] *a.* samolubny. – *n. U* samolubstwo.

self-service [ˌselfˈsɝːvɪs] *n. U* samoobsługa. – *a.* samoobsługowy.

self-serving [ˌselfˈsɝːvɪŋ] *a.* dbający o własne interesy.

self-shifter [ˌselfˈʃɪftər] *n. mot.* samochód z automatyczną skrzynią biegów.

self-sown [ˌselfˈsoʊn] *a.* (*także* **self-seeded**) *bot.* samosiewny.

self-starter [ˌselfˈstɑːrtər] *n.* **1.** osoba z inicjatywą. **2.** *mot.* rozrusznik automatyczny.

self-starting [ˌselfˈstɑːrtɪŋ] *a. mot.* samoczynny, automatyczny.

self-stimulation [ˌselfˌstɪmjəˈleɪʃən] *n. U* **1.** *fizj.* autostymulacja. **2.** *euf.* masturbacja.

self-styled [ˌselfˈstaɪld] *a. attr.* samozwańczy.

self-sufficiency [ˌselfsəˈfɪʃənsɪ] *n. U* samowystarczalność.

self-sufficient [ˌselfsəˈfɪʃənt] *a.* (*także* **self-sufficing**) **1.** samowystarczalny. **2.** zarozumiały.

self-sufficiently [ˌselfsəˈfɪʃəntlɪ] *adv.* w sposób samowystarczalny.

self-suggestion [ˌselfsəgˈdʒestʃən] *n.* *U* autosugestia.

self-support [ˌselfsəˈpɔːrt] *n.* *U* samowystarczalność; niezależność.

self-supporting [ˌselfsəˈpɔːrtɪŋ] *a.* **1.** samowystarczalny. **2.** *ekon.* samofinansujący się. **3.** *bud.* samonośny.

self-surrender [ˌselfsəˈrendər] *n.* *U* poddanie się.

self-sustaining [ˌselfsəˈsteɪnɪŋ] *a.* samowystarczalny; niezależny.

self-talk [ˈselfˌtɔːk] *n.* *U* rozmowa z samym sobą (*w myślach*).

self-taught [ˌselfˈtɔːt] *a.* bez formalnego wykształcenia; domorosły; ~ **computer scientist** informatyk samouk.

self-tender [ˌselfˈtendər] *n.* *ekon.* skup własnych akcji od akcjonariuszy (*celem uniknięcia przejęcia przez obce przedsiębiorstwo*).

self-test [ˈselfˌtest] *n.* *komp.* autotest.

self-treatment [ˌselfˈtriːtmənt] *n.* *U* leczenie się samemu (*bez konsultacji z lekarzem*).

self-understanding [ˌselfˌʌndərˈstændɪŋ] *n.* *U* świadomość własnych możliwości.

self-will [ˌselfˈwɪl] *n.* *U* upór.

self-willed [ˌselfˈwɪld] *a.* uparty.

self-winding [ˌselfˈwaɪndɪŋ] *a.* *mech.* nakręcany automatycznie, z naciągiem samoczynnym.

Seljuk [ˌselˈdʒuːk] (*także* **Seljukian**) *a.* seldżucki. – *n.* Seldżuk.

sell [sel] *v.* *pret. i pp.* **sold** [sould] **1.** *t.* *handl.* sprzedawać (*t. przen., np. pomysły*); ~ **sb sth** (*także* ~ **sth to sb**) sprzedać coś komuś; ~ **sth for 50 dollars** sprzedać coś za 50 dolarów; ~ **at/for** być sprzedawanym po, kosztować (*ileś*); ~ **sth at a profit/loss** sprzedać coś z zyskiem/ze stratą; ~ **sth at a reduction** sprzedać coś po obniżonej cenie *l.* z rabatem; ~ **wholesale** sprzedawać hurtem *l.* hurtowo. **2.** *handl.* sprzedawać się; rozchodzić się (*o towarach*); ~ **well/badly** dobrze/źle się sprzedawać. **3.** *przen.* *pot.* chwycić (*o idei, pomyśle*). **4.** *przen.* ~ **like hot cakes** *zob.* **hot** *a.*; ~ **one's soul (to the devil)** *zob.* **soul**; ~ **o.s.** sprzedać się (= *sprzeniewierzyć się własnym zasadom dla korzyści*); promować siebie; ~ **o.s. short** nisko się cenić; ~ **sb a pup** *zob.* **pup** *n.*; ~ **sb down the river** *zob.* **river** *n.*; ~ **sb/sth short** nie doceniać kogoś/czegoś; **be sold on sth/doing sth** być zachwyconym czymś/pomysłem robienia czegoś. **5.** ~ **off** wyprzedać; ~ **out** wyprzedać; wyzbyć się (*np. akcji*), odsprzedać; *przen.* zdradzić, porzucić (*przekonania*); wydać, zdradzić (*przyjaciela*); **sorry, we have sold out of coffee** niestety, skończyła nam się kawa (= *sprzedaliśmy cały zapas*); **the concert is (completely) sold out** bilety na koncert zostały wyprzedane, biletów na koncert już nie ma; ~ **out of** pozbyć się (*czegoś*), wyprzedać; ~ **up** *Br. i Austr.* sprzedać wszystko, wyprzedać się. – *n.* *pot.* **1.** *U* sprzedaż, techniki sprzedaży; reklama, techniki reklamy; **hard/soft** ~ nachalna/dyskretna reklama. **2.** *sing.* *Br.* oszustwo. **3.** *Ir.* zawód, rozczarowanie.

sell-by date [ˈselbaɪ ˌdeɪt] *n.* *Br.* **1.** *handl.* data ważności, data przydatności do spożycia. **2. be past its** ~ *pot.* przeżyć *l.* zdezaktualizować się (*np. o idei, metodzie, systemie*).

seller [ˈselər] *n.* **1.** sprzedający-y/a. **2.** sprzedaw-ca/czyni (*zwł. na ulicy*), handla-rz/rka, przekup-ień/ka; **flower** ~ kwiaciarka; **newspaper** ~ gazeciarz. **3.** *gł. w złoż.* towar; **best/top/hot** ~ rozchwytywany towar; **good/bad** ~ toward dobrze/źle się sprzedający.

sellers' market [ˈselərz ˌmɑːrkət] *n.* *ekon.* rynek sprzedającego *l.* sprzedawcy.

selling [ˈselɪŋ] *n.* *U* *handl.* sprzedaż; zbyt.

selling plate *n.* = **selling race**.

selling plater *n.* **1.** koń biorący udział w wyścigu, którego zwycięzcę sprzedaje się na aukcji. **2.** *przen.* osoba o ograniczonych zdolnościach *l.* umiejętnościach; rzecz o ograniczonej wartości *l.* przydatności.

selling point *n.* *handl.* cecha decydująca o atrakcyjności (*danego towaru*).

selling price *n.* *handl.* cena zbytu.

selling race *n.* (*także* **selling plate**) wyścig, po którym zwycięski koń zostaje sprzedany na aukcji.

selling value *n.* *U* *ekon.* wartość sprzedaży, wartość rynkowa.

sell-off [ˈselˌɔːf] *n.* *ekon.* **1.** wyprzedaż (*zwł. akcji*). **2.** *Br.* sprzedaż prywatnemu inwestorowi (*gałęzi przemysłu, zw. przez rząd*).

sellotape [ˈseləˌteɪp], *Br.* *n.* *U* (*także* **S**~) taśma klejąca. – *v.* sklejać taśmą klejącą.

sellout [ˈselˌaʊt] *n.* **1.** *US* wyprzedaż. **2.** impreza, na którą wszystkie bilety zostały wyprzedane. **3.** *pot.* zaprzedanie się (*np. polityka*).

seltzer [ˈzeltsər] *n.* *U* (*także* ~ **water**) **1.** woda mineralna naturalnie gazowana. **2.** *przest.* woda sodowa.

selvage [ˈselvɪdʒ], **selvedge** *n.* **1.** krajka, wzmocniony brzeg (*tkaniny*). **2.** rąbek, szlak (*zw. ozdobny*). **3.** brzeg. **4.** płytka z otworem na rygiel (*w zamku*).

selves [selvz] *n.* *pl.* *zob.* **self**.

Sem. *abbr.* **1.** = **Semitic**. **2.** = **Seminary**.

sem. *abbr.* **1.** = **semester**. **2.** = **semicolon**. **3.** = **seminary**.

semantic [səˈmæntɪk] *a.* *jęz.* semantyczny (*t. log.*), znaczeniowy.

semantically [səˈmæntɪklɪ] *adv.* semantycznie, znaczeniowo.

semanticist [səˈmæntəsɪst] *n.* *jęz.* semanty-k/czka.

semantics [səˈmæntɪks] *n.* *U* **1.** *jęz.* semantyka. **2. the** ~ **of sth** *form.* znaczenie czegoś.

semaphore [ˈseməˌfɔːr] *n.* semafor (*t. wojsk., żegl.* = *system sygnalizacji za pomocą rąk i chorągiewek*). – *v.* sygnalizować (*jw.*).

semasiology [səˌmeɪzɪˈɑːlədʒɪ] *n.* *U* semazjologia.

sematic [səˈmætɪk] *a.* *biol.* ochronny (*o barwach*).

semblable ['sembləbl] *arch. a.* **1.** *form.* podobny. **2.** pozorny. – *n.* podobieństwo.

semblance ['sembləns] *n. U i sing. form.* **1.** znamiona; pozory; **give sth a/some ~ of sth** nadawać czemuś znamiona czegoś. **2.** *lit.* podobieństwo.

semé [sə'meɪ], **semee** *a. her.* pokryty drobnymi gwiazdkami, kwiatami itp.

semeiology [ˌsi:mɪ'ɑ:lədʒɪ] *n.* = **semiology**.

semeiotic [ˌsi:mɪ'ɑ:tɪk] *a.* = **semiotic**.

sememe ['si:mi:m] *n. jęz.* semem.

semen ['si:mən] *n. U* nasienie, sperma.

semester [sə'mestər] *n. zwł. US, Can. i Austr. uniw., szkoln.* semestr.

semestral [sə'mestrəl] *a.* semestralny.

semi ['semɪ] *n. pot.* **1.** *US* duża ciężarówka z przyczepą. **2.** *Br. i Austr. bud. pot.* bliźniak. **3.** *sport* = **semifinal**.

semiannual [ˌsemɪ'ænju:əl] *a.* **1.** copółroczny, odbywający się co pół roku. **2.** półroczny, trwający pół roku.

semiaquatic [ˌsemɪə'kwɑ:tɪk] *n. gł. zool.* wodno-lądowy (*gł. o zwierzęciu*).

semiarid [ˌsemɪ'erɪd] *a. geogr.* stepowy (*o klimacie*).

semiautobiographical [ˌsemɪˌɔ:təˌbaɪə'græfɪkl] *a.* na pół autobiograficzny.

semiautomatic [ˌsemɪˌɔ:tə'mætɪk] *a.* półautomatyczny. – *n.* półautomat, broń półautomatyczna.

semiautonomous [ˌsemɪɔ:'tɑ:nəməs] *a. polit.* o ograniczonej autonomii.

semibreve ['semɪˌbri:v] *n. Br. i Austr. muz.* cała nuta.

semicentennial [ˌsemɪsen'tenɪəl] *a.* **1.** pięćdziesiąty (*o rocznicy*). **2.** zdarzający się raz na pół wieku. – *n.* pięćdziesiąta rocznica.

semicircle ['semɪˌsɜ:kl] *n. t. geom.* **1.** półkole. **2.** półokrąg.

semicircular [ˌsemɪ'sɜ:kjələr] *a.* **1.** półkolisty. **2.** półokrągły.

semicolon ['semɪˌkoʊlən] *n. interpunkcja* średnik.

semicoma [ˌsemɪ'koʊmə] *n. U pat.* stan przedśpiączkowy, półśpiączka.

semicomatose [ˌsemɪ'kɑ:məˌtoʊs] *a. pat.* będący w stanie półśpiączki.

semiconducting [ˌsemɪkən'dʌktɪŋ] *a. el.* półprzewodnikowy.

semiconduction [ˌsemɪkən'dʌkʃən] *n. U el.* półprzewodnictwo.

semiconductor [ˌsemɪkən'dʌktər] *n. el.* półprzewodnik.

semiconscious [ˌsemɪ'kɑ:nʃəs] *a.* półprzytomny, półświadomy.

semiconsciously [ˌsemɪ'kɑ:nʃəslɪ] *adv.* półprzytomnie.

semiconsciousness [ˌsemɪ'kɑ:nʃəsnəs] *n. U* półprzytomność.

semidarkness [ˌsemɪ'dɑ:rknəs] *n. U* półmrok.

semidesert [ˌsemɪ'dezərt] *n. C/U geogr.* półpustynia.

semi-detached [ˌsemɪdɪ'tætʃt], **semidetached** *a. Br. i Austr. bud.* bliźniaczy.

semi-detached house *n. Br. i Austr. bud.* dom bliźniaczy, bliźniak.

semidiurnal [ˌsemɪdaɪ'ɜ:nl] *a. form.* półdobowy (*np. o cyklu*).

semidocumentary [ˌsemɪˌdɑ:kjə'mentərɪ] *n. pl.* **-ies** *gł. telew.* film *l.* program oparty na faktach.

semidome ['semɪˌdoʊm] *n. bud.* półkopuła.

semidomesticated [ˌsemi:də'mestəˌkeɪtɪd] *a.* na pół udomowiony *l.* oswojony.

semifinal [ˌsemɪ'faɪnl] *gł. sport n.* półfinał. – *a. attr.* półfinałowy.

semifinalist [ˌsemɪ'faɪnəlɪst] *n. gł. sport* półfinalist-a/ka.

semifinished [ˌsemɪ'fɪnɪʃt] *a. form.* niedokończony.

semifluid [ˌsemɪ'flu:ɪd] *a.* (*także* **~liquid**) *form.* półpłynny.

semiformal [ˌsemɪ'fɔ:rml] *a.* półoficjalny.

semigloss [ˌsemɪ'glɔ:s] *n. U* półmat (*farba l. lakier*).

semihard [ˌsemɪ'hɑ:rd] *a.* półtwardy.

semiliquid [ˌsemɪ'lɪkwɪd] *a.* = **semifluid**.

semiliterate [ˌsemɪ'lɪtərɪt] *a.* nieumiejący dobrze pisać; nieumiejący dobrze czytać.

semilunar [ˌsemɪ'lu:nər] *a. t. anat.* półksiężycowaty.

semimetal [ˌsemɪ'metl] *n. chem.* półmetal, pierwiastek półmetaliczny.

semimonthly [ˌsemɪ'mʌnθlɪ] *adv.* dwa razy w miesiącu. – *n. pl.* **-ies** *dzienn.* dwutygodnik.

seminal ['semənl] *a.* **1.** *form.* wpływowy (*np. o książce*); brzemienny (w skutki) (*np. o decyzji*). **2.** *attr. biol.* nasienny.

seminal fluid *n. U fizj.* płyn nasienny, nasienie, sperma.

seminal vesicle *n. anat.* pęcherzyk nasienny.

seminar ['seməˌnɑ:r] *n. t. uniw.* seminarium.

seminarian [ˌsemə'nerɪən] *n.* (*także* **seminarist**) *szkoln., kośc.* kleryk.

seminary ['seməˌnerɪ] *n. pl.* **-ies** *szkoln.* **1.** *kośc.* seminarium (duchowne). **2.** *arch.* szkoła (*zwł. prywatna dla dziewcząt*). – *a. attr.* seminaryjny.

semination [ˌsemə'neɪʃən] *n. U rzad.* **1.** *bot.* zasiewanie. **2.** *przen.* propagowanie.

seminiferous [ˌsemɪ'nɪfərəs] *a.* **1.** *biol.* zawierający nasienie; przewodzący nasienie. **2.** *bot.* wytwarzający nasienie; przenoszący nasienie.

seminoma [ˌsemə'noʊmə] *n. U pat.* nasieniak.

seminomadic [ˌsemɪnoʊ'mædɪk] *a.* na pół koczowniczy.

seminude [ˌsemɪ'nu:d] *a.* półnagi (*zw. = w bieliźnie*).

semiofficial [ˌsemɪə'fɪʃl] *a.* półurzędowy, półoficjalny.

semiology [ˌsi:mɪ'ɑ:lədʒɪ], **semeiology** *n. U* semiologia.

semiopaque [ˌsemɪoʊ'peɪk] *a.* półmatowy.

semiotic [ˌsi:mɪ'ɑ:tɪk], **semeiotic** *a.* **1.** *jęz., fil.* semiotyczny. **2.** *med.* symptomatologiczny.

semiotics [ˌsi:mɪ'ɑ:tɪks] *n. U* semiotyka.

semipalmate [ˌsemɪ'pælmeɪt] *a. orn.* z częściową błoną pławną.

semipermeable [ˌsemɪ'pɜ:mi:əbl] *a.* półprzepuszczalny.

semiporcelain [ˌsemɪ'pɔ:rsəlɪn] *n. U* fajans.

semiprecious [ˌsemɪ'preʃəs] *a.* półszlachetny (*o kamieniu*).

semiprivate [ˌsemɪ'praɪvɪt] *a.* półoficjalny, na pół prywatny.

semiquaver ['semɪˌkweɪvər] *n. Br. i Austr. muz.* szesnastka.

semiretired [ˌsemɪrɪ'taɪrd] *a.* pracujący na część etatu (*po przejściu na emeryturę*).

semiskilled [ˌsemɪ'skɪld] *a.* przyuczony, nie w pełni wykwalifikowany.

semiskimmed milk [ˌsemɪˌskɪmd 'mɪlk] *n. U Br. handl.* mleko półtłuste.

semisubmersible [ˌsemɪsəb'mɜ:səbl] *a.* półzanurzony (*o platformie wiertniczej*).

semisynthetic [ˌsemɪsɪn'θetɪk] *a. chem., tk.* półsyntetyczny.

Semite ['semaɪt] *n.* Semit-a/ka.

semiterrestial [ˌsemɪtə'restɪəl] *a.* wodno-lądowy (*o zwierzęciu*).

Semitic [sə'mɪtɪk] *a.* semicki. – *n. U* grupa języków semickich.

Semiticist [sə'mɪtəsɪst] *n.* (*także* **~ist**) semitolo-g/żka, semityst-a/ka.

Semitics [sə'mɪtɪks] *n. U* semitologia, semitystyka.

Semitism ['seməˌtɪzəm] *n. U* semityzm.

semitone ['semɪˌtoʊn] *n. Br. i Austr. muz.* półton.

semitrailer ['semɪˌtreɪlər] *n. US* **1.** naczepa. **2.** ciężarówka z naczepą.

semitransparent [ˌsemɪtrænz'perənt] *a.* półprzezroczysty, półprzejrzysty.

semitropical [ˌsemɪ'trɑ:pɪkl] *a.* subtropikalny.

semivowel ['semɪˌvaʊəl] *n. fon.* samogłoska niesylabiczna.

semiweekly [ˌsemɪ'wi:klɪ] *adv.* co pół tygodnia, dwa razy w tygodniu. – *a.* copółtygodniowy; *dzienn.* ukazujący się dwa razy na tydzień.

semolina [ˌsemə'li:nə] *n. U t. kulin.* kasza manna, grysik.

sempervivum [ˌsempər'vaɪvəm] *n. bot.* rojnik (*rodzaj Sempervivum*).

sempiternal [ˌsempɪ'tɜ:nl] *a. lit.* odwieczny, wieczny.

sempstress ['sempstrəs] *n. arch.* = **seamstress**.

Semtex ['semteks] *n. U* semteks (*materiał wybuchowy*).

sen¹ [sen] *n. fin.* sen (*jednostka monetarna w Kambodży, Indonezji, Japonii i Malezji*).

sen² *abbr.* (*także* **sen.**) **1.** = **senator**. **2.** = **senate**. **3.** = **senior**.

senary ['si:nərɪ] *a. mat.* szóstkowy.

senate ['senət], **Senate** *n. parl., uniw.* **1.** senat (*t. hist. w starożytnym Rzymie*). **2.** budynek senatu.

senator ['senətər] *n. parl.* senator/ka.

senatorial [ˌsenə'tɔ:rɪəl] *a. form.* **1.** senatorski (*np. o godności*); **~ candidate** kandydat/ka na senatora. **2.** senacki (*np. o komisji*).

send¹ [send] *v.* **sent, sent 1.** wysyłać, posyłać; **~ sb sth** (*także* **~ sth to sb**) wysłać coś komuś; **~ sb for sth** wysłać *l.* posłać kogoś po coś; **~ sb for a check-up** wysłać kogoś na badania kontrolne; **~ sb home** odesłać kogoś do domu; **~ sb on sth** wysłać kogoś na coś (*np. na szkolenie*); **~ sb to do sth** wysłać kogoś, żeby coś zrobił; **~ sth by air/sea** wysłać coś drogą lotniczą/morską; **~ sth by mail** wysłać coś pocztą. **2.** przesyłać; **~ a signal** przesłać sygnał (*t. radiowy*); **~ one's love/best wishes** przesyłać pozdrowienia/najlepsze życzenia. **3.** rzucać, posyłać (*piłkę*). **4.** zsyłać (*np. deszcz, zarazę*); zrządzać (*zwł. o Bogu*). **5.** *przest. sl.* ekscytować; wprawiać w dobry nastrój. **6.** **~ sb crazy/mad/wild** (*także* **~ sb round the bend**) *zwł. Br. pot.* doprowadzać kogoś do szału; **~ sb (off) to sleep** usypiać kogoś (*np. o muzyce*); **~ sb packing** *zob.* **pack** *v.*; **~ sb to Coventry** *zob.* **Coventry**; **~ sb's spirits soaring** *zob.* **soar** *v.*; **~ sth flying** cisnąć czymś; **~ the prices plummeting/soaring** sprawić, że ceny gwałtownie spadły/wzrosły; **~ word** *zob.* **word** *n.* **7.** **~ sb away** odesłać *l.* odprawić kogoś; **~ away for sth** zamówić coś (pocztą); **~ sb back** odesłać kogoś; **~ sth back** odesłać coś, zwrócić coś; **~ sb down** *Br. uniw.* wydalić *l.* relegować kogoś (*zwł. dyscyplinarnie*); *Br. pot.* posłać kogoś za kratki; **~ sth down** obniżyć coś (*np. temperaturę, ceny*); **~ for sb/sth** wezwać kogoś/coś, posłać po kogoś/coś (*np. po lekarza, pomoc*); **~ for sth** zamówić coś (pocztą); **~ forth** *przest. zob.* **send out**; **~ sth forward** przesłać *l.* wysłać coś dalej; **~ sb in** wprowadzić kogoś (*do pomieszczenia*); wysłać kogoś (*np. wojsko, policję, ekipę ratunkową*); **~ sth in** nadesłać *l.* przysłać coś (*np. podanie*); **~ sb off** odprawić kogoś; odprowadzić kogoś; **~ the children off to school** wyprawić dzieci do szkoły; (*także* **~ sb off the field**) *Br. i Austr. sport* usunąć kogoś (z boiska), wykluczyć kogoś (z gry); **~ sb off with a flea in their ear** *zob.* **flea**; **~ sth off** wysłać coś (*pocztą*); **~ off for sth** zamówić coś (pocztą); **~ sth on** *US* przesłać coś dalej; *gł. Br.* przesłać coś na nowy adres; **~ sth out** (*także przest.* **~ sth forth**) wysyłać coś (*np. sygnał radiowy*); rozsyłać coś (*np. zaproszenia*); wypuszczać coś (*np. liście, parę*); wydzielać coś (*np. zapach*); **~ out for sth** zamówić coś (*jedzenie z restauracji*); **~ sb round** przysłać kogoś; **~ sth round** *zwł. Br.* rozesłać coś; puścić coś w obieg; **~ sb up** *US pot.* posłać kogoś za kratki; **~ sth up** podnieść coś (*np. temperaturę, ceny*); *Br. pot.* parodiować coś.

send² *n. i v.* = **scend**.

sender ['sendər] *n.* **1.** *poczta* nadawca; **return to ~** zwrócić nadawcy, zwrot (*napis na paczce*). **2.** aparat nadawczy, nadajnik.

send-off ['sendˌɔ:f] *n.* **1.** *pot.* pożegnanie, impreza pożegnalna; **give sb a good ~** ładnie kogoś pożegnać. **2.** początek (*zwł. dobrze wróżący*).

send-up ['sendˌʌp] *n. Br. pot.* parodia.

senega ['senəgə] *n.* (*także* **~ root**) *bot.* krzyżownica wirginijska (*Polygala senega*).

Senegalese [ˌsenɪgə'li:z] *n.* Senegal-czyk/ka. – *a.* senegalski.

senescence [sə'nesəns] *n. U form.* starzenie się.

senescent [sə'nesənt] *a. form.* starzejący się.
seneschal ['senɪʃl] *n. hist.* seneszal, majordomus.
sengreen ['sen,gri:n] *n. bot.* rojnik murowy (*Sempervivum tectorum*).
senile ['si:naɪl] *a. pat.* zniedołężniały; otępiały.
senile dementia *n. U pat.* otępienie starcze.
senility [sə'nɪlətɪ] *n. U pat.* zniedołężnienie, senilizm.
senior ['si:njər] *a.* **1.** *attr.* starszy (*np. o uczniach*); wysoki rangą (*np. o urzędnikach, politykach*). **2.** starszy, wyższy rangą (*to sb* od kogoś). – *n.* **1.** senior; **be two/three years sb's ~** (*także* **be sb's ~ by two/three years**) *form.* być od kogoś (o) dwa/trzy lata starszym; **John Smith, ~** John Smith senior *l.* starszy. **2.** *US uniw.* student/ka ostatniego roku; *szkoln.* ucze-ń/nnica ostatniej klasy (*szkoły średniej*). **3.** osoba wyższa rangą. **4.** osoba na wysokim stanowisku. **5.** *US i Can.* = **senior citizen.**
senior citizen *n.* emeryt/ka.
senior high *n.* (*także* **senior high school**) *US szkoln.* liceum (*dla młodzieży w wieku 14-18 lat*).
seniority [si:n'jɔ:rətɪ] *n. U* **1.** starszeństwo. **2.** staż pracy, wysługa lat.
senior lecturer *n. uniw.* starszy wykładowca.
senior nursing officer *n. Br. i Austr. med.* przełożona pielęgniarek.
senna ['senə] *n. bot.* **1.** strączyniec, senes (*rodzaj Cassia*). **2.** *U med.* liście senesu; strączki senesu (*jako środek przeczyszczający*).
sennet ['senɪt] *n. teatr, hist.* sygnał na trąbce (*na wejście aktorów w dramacie elżbietańskim*).
sennight ['senaɪt] *n. arch.* tydzień.
sennit ['senɪt] *n. U* **1.** *żegl.* linka pleciona, plecionka. **2.** plecionka (*do wyrobu kapeluszy*).
señor ['seɪnjɔ:r] *n. pl.* **-s** *l.* **-es** *Sp.* señor, pan.
señora [seɪn'jɔ:rə] *n. Sp.* señora, pani.
señorita [,seɪnjə'ri:tə] *n. Sp.* señorita, panna.
sensate ['senseɪt] *a. form.* postrzegalny zmysłowo.
sensation [sen'seɪʃən] *n.* **1.** *U* czucie; **lose ~ in one's legs** stracić czucie w nogach. **2.** uczucie (*of sth* czegoś); **burning ~** uczucie pieczenia. **3.** wrażenie, poczucie (*of sth* czegoś, *that* że). **4.** *zw. sing.* sensacja; **cause/create a ~** wzbudzać sensację.
sensational [sen'seɪʃənl] *a.* **1.** sensacyjny. **2.** *pot.* rewelacyjny, fantastyczny, bombowy. **3.** *fizj.* czuciowy.
sensationalism [sen'seɪʃənə,lɪzəm] *n. U* **1.** pogoń za sensacją. **2.** *fil.* sensualizm.
sensationalist [sen'seɪʃənəlɪst] *n.* **1.** osoba goniąca za sensacją. **2.** *fil.* sensualist-a/ka.
sensationalize [sen'seɪʃənə,laɪz], *Br. i Austr. zw.* **sensationalise** *v.* nadawać posmak sensacji (*czemuś*).
sensationally [sen'seɪʃənlɪ] *n. U* **1.** sensacyjnie. **2.** *pot.* rewelacyjnie.
sense [sens] *n.* **1.** zmysł; **the ~ of hearing/sight/smell/taste/touch** zmysł słuchu/wzroku/węchu/smaku/dotyku; **sharpen/dull the ~s** wyostrzać/stępiać zmysły; **sixth ~** szósty zmysł. **2.** *U* rozsądek, rozum; **common ~** zdrowy rozsądek. **3.** *U* sens (= *cel*). **4.** *t. jęz., log.* sens, znaczenie (*of sth* czegoś). **5.** uczucie, wrażenie (*of sth* czegoś) (*np. zimna*); **have the ~ that...** mieć wrażenie, że... **6.** *sing.* wyczucie; **~ of direction/rhythm** wyczucie kierunku/rytmu. **7.** *sing.* poczucie; **~ of humor** *US*/**humour** *Br.* poczucie humoru; **~ of occasion** *Br. i Austr.* poczucie wagi *l.* wyjątkowości sytuacji; **~ of timing/beauty** poczucie czasu/piękna; **innate ~ of sth** wrodzone poczucie czegoś. **8.** przeważająca opinia; panujące nastroje; **the ~ of the meeting** nastroje zebranych. **9.** *geom.* zwrot. **10.** *przen.* **bring sb to their ~s** przemówić komuś do rozsądku *l.* rozumu; **come to one's ~s** opamiętać się, pójść po rozum do głowy; **have the (good) ~ to do sth** (*także* **have enough ~ to do sth**) mieć na tyle (zdrowego) rozsądku, żeby coś zrobić; **in a/one ~** (*także* **in some ~s**) w pewnym sensie; pod pewnymi względami; **in every ~ of the word** w każdym tego słowa znaczeniu; **in no ~** w żadnym razie, w żaden sposób (*np. nie usprawiedliwiać czegoś*); **in the literal ~ of the word** w dosłownym tego słowa znaczeniu; **make ~** mieć sens (= *być zrozumiałym l. sensownym*); **make ~ of sth** zrozumieć coś, połapać się w czymś; **make no ~** nie mieć sensu; **see ~** posłuchać głosu rozsądku; opamiętać się; **take leave of one's ~s** (*także* **be out of one's ~s**) postradać zmysły; **talk ~** mówić rozsądnie *l.* do rzeczy *l.* z sensem; **talk/knock some ~ into sb** przemówić komuś do rozsądku *l.* rozumu; **there is no ~ in sth/doing sth** coś/robienie czegoś nie ma sensu; **what's/where's the ~ in sth/doing sth?** jaki sens ma coś/robienie czegoś?. – *v.* **1.** wyczuwać. **2.** *pot.* czuć, rozumieć.
sense data *n. pl. gł. fil.* dane zmysłowe.
senseless ['sensləs] *a.* **1.** bezsensowny; bezmyślny. **2.** nieprzytomny.
senselessly ['sensləslɪ] *adv.* **1.** bezsensownie; bezmyślnie. **2.** nieprzytomnie.
senselessness ['sensləsnəs] *n. U* **1.** bezsens; bezmyślność. **2.** nieprzytomność.
sense organ *n.* organ zmysłu *l.* zmysłowy.
sense perception *n. U* postrzeganie zmysłowe, percepcja zmysłowa.
sensibility [,sensə'bɪlətɪ] *n. pl.* **-ies** **1.** *U* wrażliwość (*to sth* na coś); **artistic/literary ~** wrażliwość artystyczna/literacka. **2.** *pl.* uczucia; **offend/wound sb's ~ies** urazić *l.* zranić czyjeś uczucia.
sensible ['sensəbl] *a.* **1.** rozsądny; sensowny. **2.** *form.* odczuwalny, wyraźny, znaczny (*np. o zmianie*). **3.** *fil.* poznawalny zmysłami; postrzegalny. **4.** *zwł. Br.* praktyczny (*np. o butach, odzieży*). **5.** przytomny. **6.** **~ of sth** *przest. l. lit.* świadom czegoś.
sensibly ['sensəblɪ] *adv.* **1.** rozsądnie; sensownie. **2.** *form.* odczuwalnie, znacznie.
sensitive ['sensətɪv] *a.* **1.** wrażliwy (*to* na coś); *t. chem., fot.* czuły (*about sth* na punkcie czegoś); **light-~** światłoczuły; **touch-~** wrażliwy na dotyk. **2.** delikatny, drażliwy (*np. o kwestii, temacie*). **3.** *fin.* zdolny do szybkiej reakcji (*o rynku*). – *n.* osoba wrażliwa *l.* podatna (*np. na hipnozę*); osoba o zdolnościach parapsychicznych.

sensitively ['sensətɪvlɪ] *adv.* **1.** wrażliwie. **2.** drażliwie.

sensitiveness ['sensətɪvnəs] *n. U* **1.** wrażliwość. **2.** drażliwość. **3.** *fot.* czułość.

sensitive plant *n.* **1.** *bot.* mimoza wstydliwa (*Mimosa pudica*). **2.** *przen.* mimoza (*osoba*).

sensitivity [ˌsensə'tɪvətɪ] *n.* **1.** *U t. fizj., psych.* wrażliwość; *t. chem., fot.* czułość. **2.** *pl. pl.* **-ies** uczucia.

sensitization [ˌsensətə'zeɪʃən], *Br. i Austr. zw.* **sensitisation** *n. U* uczulanie.

sensitize ['sensəˌtaɪz], *Br. i Austr. zw.* **sensitise** *v.* **1.** *t. przen.* uczulać. **2.** *fot.* zwiększać czułość (*filmu, błony*).

sensor ['sensər] *n.* czujnik.

sensoria [sen'sɔːrɪə] *n. pl. zob.* **sensorium**.

sensorial [sen'sɔːrɪəl] *a.* = **sensory**.

sensorimotor [ˌsensərɪ'moʊtər] *a. fizj.* sensomotoryczny, czuciowo-ruchowy.

sensorium [sen'sɔːrɪəm] *n. pl.* **sensoria** [sen'sɔːrɪə] **1.** *anat.* ośrodek mózgu koordynujący wrażenia zmysłowe. **2.** ogół wrażeń zmysłowych.

sensory ['sensərɪ] *a.* (*także* **sensorial**) *fizj.* sensoryczny, czuciowy.

sensory deprivation *n. U psych.* deprywacja sensoryczna.

sensual ['senʃʊəl] *a.* zmysłowy, sensualny.

sensualism ['senʃʊəˌlɪzəm] *n. U* **1.** zmysłowość. **2.** *fil.* sensualizm.

sensualist ['senʃʊəlɪst] *n. fil.* sensualist-a/ka.

sensualistic [ˌsenʃʊə'lɪstɪk] *a. fil.* sensualistyczny.

sensuality [ˌsenʃʊ'ælətɪ] *n. U* zmysłowość.

sensually ['senʃʊəlɪ] *adv.* zmysłowo.

sensuous ['senʃʊəs] *a.* **1.** zmysłowy. **2.** przyjemny w dotyku (*np. o tkaninie*).

sensuously ['senʃʊəslɪ] *adv.* zmysłowo.

sensuousness ['senʃʊəsnəs] *n. U* zmysłowość.

sent [sent] *v. zob.* **send.**

sentence ['sentəns] *n.* **1.** *gram., log.* zdanie (*t. muz.*); **affirmative/declarative** ~ zdanie twierdzące; **exclamatory/interrogative/negative** ~ zdanie wykrzyknikowe/pytające/przeczące. **2.** *C/U prawn.* wyrok; kara; **death** ~ wyrok *l.* kara śmierci; **execute a** ~ *prawn.* wykonać wyrok; **heavy/light** ~ surowy/łagodny wyrok; **life** ~ wyrok *l.* kara dożywocia; **pass** ~ **on sb** wydać na kogoś wyrok; **pronounce** ~ ogłaszać wyrok; **serve a** ~ odbywać karę; **suspend a** ~ zawiesić karę *l.* wykonanie wyroku; **suspended/non-custodial** ~ wyrok w zawieszeniu. **3.** *arch.* sentencja. – *v. często pass. prawn.* wydawać wyrok na (*kogoś*); skazywać (*sb to sth* kogoś na coś).

sentence adverb *n. gram.* przysłówek zdaniowy.

sentence stress *n. U fon.* akcent zdaniowy.

sentencing ['sentənsɪŋ] *n. U prawn.* ogłoszenie wyroku, orzeczenie kary.

sententia [sen'tenʃə] *n. pl.* **sententiae** [sen'tenʃiːˌiː] *form.* sentencja.

sentential [sen'tenʃl] *a. gram.* zdaniowy.

sententious [sen'tenʃəs] *a. form.* **1.** sentencjonalny. **2.** moralizujący (*o człowieku*). **3.** afektowany, pompatyczny (*o stylu, rozprawie*). **4.** zwięzły, treściwy.

sentience ['senʃəns], **sentiency** ['senʃənsɪ] *n. U form.* **1.** zdolność odczuwania zmysłami. **2.** odczuwanie czysto zmysłowe.

sentient ['senʃənt] *a.* **1.** *fizj.* czujący zmysłami, odbierający wrażenia. **2.** rozumny; ~ **being** istota rozumna.

sentiment ['sentəmənt] *n.* **1.** *cz. pl. form.* opinia, zapatrywanie, zdanie; odczucie; **express a similar** ~ wyrazić podobną opinię; **it is my ~ that...** jestem zdania, że..., moim zdaniem,...; **my ~s exactly!** jestem dokładnie tego samego zdania!; **popular/public** ~ powszechna opinia; **prevailing** ~ przeważająca opinia; **share sb's ~s** podzielać czyjąś opinię *l.* czyjeś zdanie. **2.** *U zw. uj.* sentymenty. **3.** uczucie (*of sth* czegoś). **4.** *U* nastroje; **patriotic/revolutionary** ~ nastroje patriotyczne/rewolucyjne. **5.** *U* wrażliwość (*artystyczna*).

sentimental [ˌsentə'mentl] *a.* **1.** sentymentalny (*t. uj.*); ~ **journey** podróż sentymentalna; **for ~ reasons** z powodów *l.* przyczyn sentymentalnych; **have ~ value** mieć znaczenie sentymentalne (*for sb* dla kogoś). **2.** uczuciowy. **3. be/get** ~ roztkliwiać się (*about sth* nad czymś).

sentimentalism [ˌsentə'mentəˌlɪzəm] *n. U* sentymentalizm.

sentimentalist [ˌsentə'mentəlɪst] *n.* sentymentalist-a/ka.

sentimentality [ˌsentəmen'tælətɪ] *n. U* **1.** sentymentalność. **2.** uczuciowość.

sentimentalize [ˌsentə'mentəˌlaɪz], *Br. t.* **sentimentalise** *v.* **1.** roztkliwiać się (*about/over sth* nad czymś); bawić się w sentymenty. **2.** czynić sentymentalnym.

sentimentally [ˌsentə'mentlɪ] *adv.* **1.** sentymentalnie. **2.** uczuciowo, z uczuciem.

sentinel ['sentənl] *arch. l. lit. n.* **1.** wartownik. **2.** *U* warta; **stand** ~ stać na warcie *l.* straży, trzymać straż. – *v. t.* **-ll-** pilnować, strzec (*czegoś*).

sentry ['sentrɪ] *n. pl.* **-ies** **1.** wartowni-k/czka. **2.** *U* warta; **keep** ~ stać na warcie; **stand** ~ wystawić wartę.

sentry box *n.* budka wartownicza.

sentry duty *n. U* warta; **be on** ~ mieć wartę, być na warcie.

Sep. *abbr.* **1.** = **September**. **2.** *Bibl.* = **Septuagint**.

sep. *abbr.* **1.** = **sepal**. **2.** = **separate**; = **separation**.

sepals ['seplz] *n. pl. bot.* działki kielicha.

separable ['sepərəbl] *a.* dający się oddzielić (*from sth* od czegoś); dający się rozdzielić.

separate *a.* ['sepərət] oddzielny, osobny; odrębny (*from sth* od czegoś); różny (*np. o znaczeniach danego słowa*); **go their ~ ways** rozjechać *l.* rozejść się każdy w innym kierunku; *przen.* pójść każdy w swoją stronę (= *rozstać się;* = *o byłych partnerach, kochankach*); **keep X and Y** ~ rozdzielać X i Y (*np. życie prywatne i zawodowe*); **keep sth ~ from sth** oddzielać coś od czegoś (*np. moralność od polityki*); **under ~ cover** *zob.* **cover** *n.* – *v.* ['sepəreɪt] **1.** rozdzielać (się); rozłączać (się); oddzielać (się) (od siebie). **2.** dzielić (się); ~ **sth into sth** podzielić coś na coś. **3.** rozstawać się, rozchodzić się (*zwł. o małżonkach*); *prawn.* brać separację. **4.** odseparowywać (się). **5.** uniezależniać się. **6.** *przen.* ~ **the men from the boys** *zob.* **man**[1] *n.*; ~ **the wheat from the chaff** (*także Br. i Austr.* ~ **the sheep from the goats**) oddzielić ziarno od plew. **7.** ~ **out** oddzielić (się).

separated [ˈsepəreɪtɪd] *a. pred.* (pozostający) w separacji (*o małżonkach*); **be** ~ żyć w separacji.

separately [ˈsepərətlɪ] *adv.* oddzielnie, osobno.

separateness [ˈsepərətnəs] *n. U* oddzielność, osobność; odrębność.

separates [ˈsepərəts] *n. pl.* odzież damska, którą można nosić w różnych zestawach (*zwł. spodnie, spódnice i bluzki*).

separation [ˌsepəˈreɪʃən] *n. C/U* **1.** oddzielenie (się); rozdzielenie (się); rozłączenie (się). **2.** podział; ~ **of powers** *polit.* podział władzy (*na ustawodawczą, wykonawczą i sądowniczą*). **3.** rozłąka. **4.** *prawn.* separacja. **5.** *US* zwolnienie, odejście (*z wojska l. pracy*). **6.** *astronautyka* oddzielenie się tylnej części rakiety.

separationist [ˌsepəˈreɪʃənɪst] *n.* = **separatist**.

separatism [ˌsepəˈreɪʃəˌnɪzəm] *n. U polit., rel.* separatyzm.

separatist [ˈsepərətɪst] *n. polit., rel.* (*także* **separationist**) separatyst-a/ka; **S~** *Can.* separatyst-a/ka domagając-y/a się oddzielenia Quebeku od Kanady.

separatistic [ˌsepərəˈtɪstɪk] *a. polit., rel.* separatystyczny.

separative [ˈsepəˌreɪtɪv] *a. techn.* separacyjny, rozdzielający.

separator [ˈsepəˌreɪtər] *n.* **1.** *techn.* separator, oddzielacz. **2.** *komp.* znak rozdzielający, separator.

sepd. *abbr. US* = **separated**.

Sephardi [sɪˈfɑːrdɪ] *a.* (*także* **Sephardic**) sefardyjski. – *n. pl.* **Sephardim** [sɪˈfɑːrdɪm] sefardyjczyk/ka; **the** ~ Żydzi sefardyjscy.

sepia [ˈsiːpɪə] *n.* **1.** *U* sepia (*barwnik l. kolor*); *C* sepia (*rysunek l. fotografia*). **2.** *zool.* mątwa (zwyczajna) (*Sepia (officinalis)*). – *a. attr.* koloru sepii, w kolorze sepii.

sepiolite [ˈsiːpɪəˌlaɪt] *n. U min.* sepiolit, pianka morska.

sepoy [ˈsiːpɔɪ] *n. pl.* **-s** *hist.* sipaj (= *żołnierz hinduski służący w Kompanii Wschodnioindyjskiej*).

sepsis [ˈsepsɪs] *n. U pat.* posocznica, sepsa.

sept [sept] *n. antrop., hist.* klan (*zwł. w średniowiecznej Szkocji l. Irlandii*).

Sept., Sept *abbr.* **1.** = **September**. **2.** *Bibl.* = **Septuagint**.

septa [ˈseptə] *n. pl. zob.* **septum**.

septal [ˈseptl] *a. anat., bot.* przegrodowy.

septangle [ˈseptæŋgl] *n. geom.* siedmiokąt.

septangular [ˌsepˈtæŋgələr] *a. geom.* siedmiokątny.

septarium [sepˈterɪəm] *n. pl.* **septaria** [sepˈterɪə] *geol.* septarium (= *kulista konkrecja ilasta*).

septate [ˈsepteɪt] *a. anat., bot.* z przegrodą *l.* przegrodami, przedzielony przegrodą *l.* przegrodami.

September [sepˈtembər] *n. C/U* wrzesień; *zob. t.* **February**.

septenary [ˈseptəˌnerɪ] *a.* **1.** *mat.* siódemkowy. **2.** *form.* = **septennial**. – *n. pl.* **-ies** *form.* **1.** siódemka (*t. jako grupa*). **2.** siedmiolecie. **3.** *wers.* wiersz siedmiostopowy.

septennial [sepˈtenɪəl] *form. a.* **1.** siedmioletni. **2.** odbywający się raz na siedem lat. – *n.* siedmiolecie.

septennium [sepˈtenɪəm] *n. pl.* **-s** *l.* **septennia** [sepˈtenɪə] *form.* siedmiolecie.

septet [sepˈtet], *Br. t.* **septette** *n. t. muz.* septet.

septic [ˈseptɪk] *a. pat.* **1.** septyczny, zakaźny. **2.** *zwł. Br.* zakażony, zainfekowany; **go** ~ ulec zakażeniu (*np. o ranie, części ciała*).

septicemia [ˌseptɪˈsiːmɪə], *Br.* **septicaemia** *n. U pat.* posocznica.

septic sore throat *n. U pat.* paciorkowcowe zapalenie gardła.

septic tank *n.* dół gnilny; komora fermentacyjna.

septilateral [ˌseptəˈlætərəl] *a. form.* siedmioboczny.

septillion [sepˈtɪljən] *n. pl.* **-s** *l.* **septillion** *mat.* septylion, kwadrylion (*US* = 10^{24}; *Br. przest. t.* = 10^{42};).

septimal [ˈseptəml] *a. mat.* siódemkowy.

septime [ˈseptiːm] *n. szerm.* septyma.

septuagenarian [ˌseptʃʊədʒəˈnerɪən] *a.* siedemdziesięcioletni; siedemdziesięcioparoletni. – *n.* siedemdziesięcioparolat-ek/ka.

Septuagesima [ˌseptʃʊəˈdʒesəmə] *n. kość.* trzecia niedziela przed Wielkim Postem.

Septuagint [ˈseptʃʊəˌdʒɪnt] *n. Bibl.* Septuaginta.

septum [ˈseptəm] *n. pl.* **septa** [ˈseptə] *anat., bot., mech.* przegroda.

septuple [ˈseptəpl] *form. a.* siedmiokrotny. – *n.* siedmiokrotność (*of sth* czegoś). – *v.* **1.** zwiększać siedmiokrotnie. **2.** wzrastać siedmiokrotnie.

septuplets [ˈseptəplət] *n. pl.* siedmioraczki.

sepulcher [ˈsepəlkər], *Br.* **sepulchre** *arch. l. lit. n.* grobowiec. – *v.* składać do grobu.

sepulchral [səˈpʌlkrəl] *a. lit.* grobowy; *t. przen., np. o głosie, ciszy* nagrobny.

sepulture [ˈsepəltʃər] *n.* **1.** *arch. l. form.* pogrzebanie, złożenie do grobu. **2.** *arch.* grobowiec.

seq. *abbr.* = **sequel**.

sequacious [sɪˈkweɪʃəs] *a.* **1.** *form.* konsekwentny; logiczny. **2.** *arch.* skłonny pójść za kimś; niesamodzielny, niewolniczy.

sequacity [sɪˈkwæsətɪ] *n. U* **1.** *form.* konsekwencja. **2.** *arch.* brak samodzielności.

sequel [ˈsiːkwəl] *n.* **1.** dalszy ciąg, kontynuacja (*of/to sth* czegoś) (*filmu, sztuki, książki*). **2.** *zw. sing.* następstwo.

sequela [sɪˈkwiːlə] *n. pl.* **sequelae** [sɪˈkwiːliː] *med.* następstwo (*choroby*).

sequence [ˈsiːkwəns] *n.* **1.** *C/U* kolejność, porządek; **in** ~ w kolejności; **out of** ~ w złej kolejności, nie po kolei. **2.** *C/U* seria, ciąg, łańcuch; ~ **of events** ciąg zdarzeń. **3.** *U* następstwo; ~ **of**

tenses *gram.* następstwo czasów. **4.** *karty* sekwens. **5.** *muz.* progresja. **6.** *biochem., kośc., kino* sekwencja. **7.** *mat.* ciąg.

sequencing [ˈsi:kwənsɪŋ] *n.* *U* **1.** *form.* uporządkowanie. **2.** (*także* **protein ~**) *biochem.* określanie sekwencji aminokwasów (*w łańcuchu białkowym*). **3.** (*także* **gene ~**) *biol.* określanie sekwencji nukleotydów (*w łańcuchu polinukleotydowym kwasów nukleinowych*).

sequent [ˈsi:kwənt] *form. a.* kolejny. – *n.* następstwo.

sequential [sɪˈkwenʃl] *a. form.* **1.** kolejny. **2.** *komp.* sekwencyjny. **3.** będący wynikiem *l.* następstwem (*czegoś*).

sequential access *n.* *U komp.* dostęp sekwencyjny.

sequential link *n.* ogniwo łączące.

sequentially [sɪˈkwenʃlɪ] *adv.* **1.** *form.* kolejno, po kolei. **2.** *komp.* sekwencyjnie.

sequential scanning *n.* *U telew.* wybieranie kolejnoliniowe (*elementów obrazu*).

sequester [sɪˈkwestər] *v.* **1.** odosabniać, odizolować (*zwł. US prawn. - członków ławy przysięgłych*). **2.** *prawn.* konfiskować. **3.** **~ o.s. somewhere** zaszyć się gdzieś. **4.** = **sequestrate**.

sequestrate [sɪˈkwestreɪt] *v.* *prawn.* sekwestrować, nakładać sekwestr na.

sequestration [ˌsi:kwəˈstreɪʃən] *n.* *U* **1.** odosobnienie, izolacja. **2.** *prawn.* sekwestr. **3.** *prawn.* konfiskata. **4.** *chem.* sekwestracja.

sequestrator [ˈsi:kwəˌstreɪtər] *n.* *prawn.* sekwestrator/ka.

sequestrum [sɪˈkwestrəm] *n. pl.* **sequestra** [sɪˈkwestrə] *pat.* martwak.

sequin [ˈsi:kwɪn] *n.* **1.** cekin. **2.** (*także* **zechin, zecchino**) *hist., fin.* cekin (*dawna moneta włoska*).

sequined [ˈsi:kwɪnd] *a.* ozdobiony cekinami.

sequoia [sɪˈkwɔɪə] *n. pl.* **-s** *l.* **sequoia** *bot.* sekwoja (*Sequoia*).

sera [ˈsi:rə] *n. pl. zob.* **serum**.

serac [seˈræk] *n. geol.* serak (= *bryła lodu powstała na skutek pękania lodowca*).

seraglio [səˈræljoʊ], **serail** [səˈraɪ] *n.* **1.** harem. **2.** *gł. hist.* seraj.

serai [səˈraɪ] *n.* karawanseraj.

serape [səˈrɑ:pɪ], **sarape** *n.* poncho, ponczo (*zwł. meksykańskie*).

seraph [ˈserəf] *n. pl.* **-s** *l.* **seraphim** [ˈserəfɪm] *Bibl., teol.* serafin.

seraphic [səˈræfɪk] *a. Bibl., teol.* seraficki, serafIczny.

Serb [sɜ:b] *n.* Serb/ka.

Serb. *abbr.* = **Serbia**; = **Serbian**.

Serbia [ˈsɜ:bɪə] *n. geogr.* Serbia.

Serbian [ˈsɜ:bɪən] *a.* serbski. – *n.* *U* (język) serbski.

Serbo-Croatian [ˌsɜ:boʊkroʊˈeɪʃən], **Serbo-Croat** [ˌsɜ:boʊˈkroʊæt] *a. hist.* serbsko-chorwacki. – *n.* *U* (język) serbsko-chorwacki.

sere[1] [si:r] *a.* = **sear**[1] *a.*

sere[2] *n. ekol.* szereg populacji zajmujących określone siedlisko i wytwarzających stabilny ekosystem w procesie wymiany pokoleń.

serein [səˈræn] *n.* *U meteor.* deszcz z pozornie bezchmurnego nieba.

serenade [ˌserəˈneɪd] *muz. n.* serenada. – *v.* śpiewać serenady *l.* serenadę (*t. komuś*).

serendipitous [ˌserənˈdɪpətəs] *a. form.* **1.** przypadkowy (*o odkryciu*). **2.** posiadający dar dokonywania przypadkowych odkryć.

serendipity [ˌserənˈdɪpətɪ] *n.* *U form.* serendipity (= *dar dokonywania przypadkowych odkryć*).

serene [səˈri:n] *a.* **1.** *t. przen.* spokojny (*t. o morzu*); pogodny (*t. o niebie*); błogi (*np. o nastroju*). **2.** **His/Her S~ Highness** *form.* Jego/Jej Książęca Wysokość.

serenely [səˈri:nlɪ] *adv.* spokojnie; pogodnie; błogo.

sereneness [səˈri:nnəs] *n.* *U rzad.* = **serenity** 1.

serenity [səˈrenətɪ] *n.* *U* **1.** spokój; pogoda ducha; pogodne usposobienie. **2.** **His/Her S~** *form.* Jego/Jej Książęca Wysokość.

serf [sɜ:f] *n.* **1.** *hist.* chłop/ka pańszczyźnian-y/a. **2.** niewolni-k/ca.

serfdom [ˈsɜ:fdəm] *n.* *U hist.* pańszczyzna.

serfhood [ˈsɜ:fhʊd] *n.* *U hist.* chłopi pańszczyźniani (*zbiorowo*).

serge [sɜ:dʒ] *n.* *U tk.* materiał na garnitury, płaszcze itp. (*zw. wełniany*).

sergeant [ˈsɑ:rdʒənt] *n.* *wojsk., policja* sierżant; **first ~** *US* sierżant sztabowy; **master ~** *US* starszy sierżant; **staff ~** *US* sierżant.

sergeant at arms *n. pl.* **-s at arms** *gł. Br.* funkcjonariusz porządkowy (*w sądzie, parlamencie, klubie rotariańskim*).

sergeant-major [ˌsɑ:rdʒəntˈmeɪdʒər] *n.* *wojsk.* sierżant sztabowy; **regimental ~** *Br.* sierżant do pomocy adiutanta pułku *l.* batalionu.

Sergt. *abbr.* = **sergeant**.

serial [ˈsi:rɪəl] *n.* **1.** *telew.* serial. **2.** *dzienn.* periodyk. **3.** *dzienn.* powieść w odcinkach. – *a. attr.* **1.** seryjny. **2.** *dzienn.* periodyczny (*o publikacji*). **3.** *dzienn.* odcinkowy, w odcinkach (*o powieści*). **4.** *komp.* szeregowy.

seriality [ˌsi:rɪˈælətə] *n.* *U* seryjność.

serialization [ˌsi:rɪələˈzeɪʃən], *Br. i Austr. zw.* **serialisation** *n.* *U* **1.** *dzienn.* publikowanie w odcinkach. **2.** *telew.* nadawanie w odcinkach.

serialize [ˈsi:rɪəˌlaɪz], *Br. i Austr. zw.* **serialise** *v. często pass.* **1.** *dzienn.* publikować w odcinkach. **2.** *telew.* nadawać w odcinkach.

serial killer *n.* (*także* **serial murderer**) wielokrotny *l.* seryjny morderca.

serial monogamy *n.* *U zw. żart.* seryjna monogamia.

serial number *n.* numer seryjny *l.* serii (*komputera, samochodu, banknotu*).

serial rights *n. pl.* prawa autorskie do publikacji w odcinkach.

seriate [ˈsi:rɪət] *a. form.* **1.** ułożony po kolei. **2.** seryjny.

seriatim [ˌsi:rɪˈeɪtɪm] *adv. form.* jeden po drugim.

sericeous [sɪˈrɪʃəs] *a.* **1.** *biol.* pokryty jedwabistym meszkiem. **2.** *form.* jedwabisty.

sericin [ˈserəsɪn] *n. U biochem.* serycyna (*białko jedwabiu*).

sericulture [ˈserəˌkʌltʃər] *n. U* hodowla jedwabników, jedwabnictwo.

series [ˈsi:ri:z] *n. pl.* **series** **1.** seria (*t. np. wydawnicza*) (*of sth* czegoś); cykl. **2.** *radio, telew.* serial; **comedy** ~ serial komediowy. **3.** *mat.* rząd, szereg. **4.** *el.* układ szeregowy; **connected in** ~ połączony szeregowo. **5.** *sport* kolejka, seria (*spotkań, meczów między tymi samymi drużynami*). **6.** *geol.* oddział, seria.

series motor *n. el.* silnik szeregowy.

serif [ˈserɪf] *rzad.* **seriph** *n. druk., komp.* szeryf, zdobnik (*u litery*).

serin [ˈserɪn] *n. pl.* **-s** *l.* **serin** *orn.* dziki kanarek (*Serinus canarius*); kulczyk (*Serinus serinus*).

serine [ˈseri:n] *n. U biochem.* seryna.

seringa [səˈrɪŋgə] *n. bot.* kauczukowiec brazylijski (*Hevea brasiliensis*).

seriocomic [ˌsɪrɪoʊˈkɑ:mɪk], **seriocomical** [ˌsɪrɪoʊˈkɑ:mɪkl] *a. form.* tragikomiczny.

serious [ˈsi:rɪəs] *a.* **1.** poważny (*we wszystkich znaczeniach*); **are you ~?** mówisz poważnie?; **be** ~ mówić poważnie *l.* serio, nie żartować; **be ~ about sb/sth** traktować kogoś/coś (na) poważnie *l.* serio; **be ~ about doing sth** poważnie myśleć o zrobieniu czegoś; **deadly** ~ *emf.* śmiertelnie poważny; **you can't be** ~ chyba nie mówisz serio. **2.** *attr. pot.* znakomity; niesamowity (*np. = bardzo duży, bardzo mocny*).

seriously [ˈsi:rɪəslɪ] *adv.* **1.** poważnie; **take sb/sth** ~ brać kogoś/coś (na) poważnie *l.* serio. **2.** (*na początku zdania*) mówiąc poważnie. **3.** naprawdę. **4.** *pot.* niesamowicie.

seriousness [ˈsi:rɪəsnəs] *n. U* **1.** powaga. **2.** waga (*np. problemu*).

seriph [ˈserɪf] *n. rzad.* = **serif**.

serjeant [ˈsɑ:rdʒənt] *n. form.* = **sergeant**.

serjeant at law *n. pl.* **-s at law** *gł. Br. arch.* prawnik wysokiej rangi.

sermon [ˈsɜ˞:mən] *n. kośc. l. przen.* kazanie; **preach/deliver a** ~ wygłosić kazanie (*on sth* na jakiś temat); **S~ on the Mount** *Bibl.* Kazanie na Górze.

sermonize [ˈsɜ˞:məˌnaɪz], *Br. i Austr. zw.* **sermonise** *v.* **1.** *kośc.* wygłaszać kazanie *l.* kazania. **2.** *t. przen.* prawić kazanie *l.* kazania (*komuś*).

seroconversion [ˌsi:rəkənˈvɜ˞:ʒən] *n. U biol.* serokonwersja.

seroconvert [ˌsi:rəkənˈvɜ˞:t] *v. biol.* przechodzić serokonwersję.

serologic [ˌsi:rəˈlɑ:dʒɪk] *a. med.* serologiczny.

serology [sɪˈrɑ:lədʒɪ] *n. U med.* serologia.

seronegative [ˌsi:roʊˈnegətɪv] *a. med.* surowiczo-ujemny (*o próbie serologicznej*).

seropositive [ˌsi:roʊˈpɑ:zətɪv] *a. med.* surowiczo-dodatni (*jw.*).

serosa [sɪˈroʊsə] *n. pl.* **-s** *l.* **serosae** [sɪˈroʊsi:] *anat.* błona surowicza, surowicówka.

serositis [ˌsi:roʊˈsaɪtɪs] *n. U pat.* zapalenie błony surowiczej.

serotinal [sɪˈrɑ:tənl] *a.* = **serotinous**.

serotine [ˈserətaɪn] *n. zool.* mały nietoperz z rodzaju *Eptesicus*. – *a.* = **serotinous**.

serotinous [sɪˈrɑ:tənəs] *a.* późny (*zwł. o roślinie*).

serotonin [ˌsi:rəˈtoʊnən] *n. U biochem.* serotonina.

serous [ˈsi:rəs] *a.* surowiczy.

serous fluid *n. U fizj.* płyn surowiczy.

serous membrane *n. anat.* błona surowicza.

serow [ˈseroʊ] *n. pl.* **-s** *l.* **serow** *zool.* serau, goral (*rodzaj Capricornis*).

serpent [ˈsɜ˞:pənt] *n.* **1.** *lit.* wąż (*zwł. większy*). **2.** *przen.* żmija (*o osobie*). **3.** *hist., muz.* serpent. **4. the S~** *Bibl.* wąż (*w Księdze Rodzaju*); *t. przen.* Szatan.

serpent charmer *n.* zaklinacz węży.

serpent eater *n.* **1.** *orn.* sępolan wężojad (*Serpentarius secretarius*). **2.** *zool.* markur, koza śruboroga (*Capra falconeri*).

serpentine [ˈsɜ˞:pənˌti:n] *a.* **1.** wijący się; zygzakowaty. **2.** *lit.* wężowy. **3.** *przen.* zawiły. **4.** *przen.* przebiegły, podstępny. – *n. U min.* serpentyn.

serpiginous [sərˈpɪdʒənəs] *a. pat.* pełzający (*o owrzodzeniu, wykwicie*).

serpigo [sərˈpaɪgoʊ] *n. U pat.* pełzający wykwit; opryszczka; grzybica dermafitowa.

serrate [ˈserˌeɪt] *a.* ząbkowany. – *v.* ząbkować, nacinać w ząbki.

serrated [ˈsereɪtɪd] *a.* ząbkowany, karbowany; ~ **knife** nóż z piłką.

serration [seˈreɪʃən] *n.* (*także* **serrature**) **1.** ząbki. **2.** ząbek. **3.** *U* ząbkowanie.

serried [ˈserɪd] *a. lit.* zwarty, w zwartym szeregu.

serriform [ˈserəˌfɔ:rm] *a. form.* ząbkowany, karbowany.

serrulate [ˈserjəlɪt], **serrulated** [ˈserjəleɪtɪd] *a.* drobno ząbkowany.

serrulation [ˌserjəˈleɪʃən] *n. U* drobne ząbkowanie.

serum [ˈsi:rəm] *n. C/U pl.* **-s** *l.* **sera** [ˈsi:rə] **1.** *fizj.* surowica krwi. **2.** *biol.* płyn surowiczy. **3.** *med.* surowica odpornościowa. **4.** *arch.* serwatka.

serum albumin *n. U biol.* albumina surowicy.

serum globulin *n. U biol.* globulina odpornościowa surowicy.

serum hepatitis *n. U pat.* wirusowe zapalenie wątroby typu B, wszczepienne wirusowe zapalenie wątroby.

serum sickness *n. U pat.* choroba posurowicza.

serval [ˈsɜ˞:vl] *n. pl.* **-s** *l.* **serval** *zool.* serwal (*Felis serval*).

servant [ˈsɜ˞:vənt] *n.* **1.** służąc-y/a; *t. przen.* sługa (*of sb / sth* kogoś/czegoś). **2. civil** ~ urzędnik administracji państwowej, urzędnik państwowej służby cywilnej.

serve [sɜ˞:v] *v.* **1.** służyć (*t. do mszy*); ~ **as/for sth** posłużyć jako/za coś; ~ **in the army** służyć w wojsku; ~ **sb well** dobrze komuś służyć; ~ **to do sth** posłużyć do zrobienia czegoś; ~ **the country/God** służyć krajowi/Bogu; ~ **under sb** służyć pod kimś. **2.** obsługiwać (*klientów, gości; t. np. dany rejon - o szpitalu, lotnisku itp.*); **are you being ~d?** czy ktoś Pan-a/ią obsługuje?. **3.** podawać, serwować (*sth with sth* coś z czymś); **~ sth hot/cold** podawać coś na ciepło/zimno; **breakfast is ~d between 7 and 9:30** śniadanie podaje się między siódmą a dziewiątą trzydzieści; **dinner is ~d** podano do stołu; **sb was ~d (with) sth** (*także* **sth was ~d to sb**) komuś podano coś. **4.** sprawować (urząd), pełnić (funkcję); **~ an office** sprawować urząd; **~ as a minister** sprawować urząd ministra; **~ for three years** pełnić funkcję *l.* sprawować urząd przez trzy lata; **~ on a committee/jury** pełnić funkcję członka komisji/ławnika, zasiadać w komisji/ławie przysięgłych. **5.** *sport* serwować. **6.** zaopatrywać (*sb with sth* kogoś w coś) (*np. w wodę l. gaz*). **7.** *prawn. form.* doręczać, dostarczać; **~ a writ/summons on sb** (*także* **~ sb with a writ/summons**) doręczyć komuś nakaz sądowy/wezwanie. **8.** pokrywać (*np. klacz*). **9.** *żegl.* obowiązywać (*linę w celu wzmocnienia jej*). **10.** nadawać się; **it will ~** to się nada. **11.** **~ a purpose** służyć jakiemuś celowi; **~ a useful purpose/function** spełniać pożyteczną rolę *l.* funkcję; **~ its purpose** spełnić (swoje) zadanie; **~ the purpose** nadać się. **12.** **~ an/one's apprenticeship** terminować, odbywać praktykę; **~ a sentence** odsiadywać wyrok; **~ sb well** przydać się komuś, wyjść komuś na dobre; **~ sb's needs** zaspokajać czyjeś potrzeby; **~ time** *zob.* **time** *n.*; **all recipes ~ four/six** wszystkie przepisy na cztery osoby/sześć osób (*np. w książce kucharskiej*); **if (my) memory ~s (me)** *zob.* **memory**; **it ~s him/them right!** *pot.* dobrze mu/im tak!. **13.** **~ out** odsiedzieć (*karę, wyrok*); odsłużyć (*swoją kadencję*); (*także* **~ up**) nakładać na talerze (*danie*). – *n. sport* serw, serwis; **whose ~ is it?** kto serwuje?

server ['sɜ:vər] *n.* **1.** *komp.* serwer. **2.** *sport* osoba serwująca. **3.** *kość.* ministrant. **4.** łyżka do nakładania; widelec do nakładania. **5.** taca.

service¹ ['sɜ:vɪs] *n.* **1.** *C / U* służba (*t. publiczna, państwowa*); **be in ~** być na służbie (*u kogoś*); **be on active ~** *wojsk.* być w czynnej służbie; **diplomatic/public ~** służba dyplomatyczna/publiczna; **domestic ~** służba domowa; **enter ~** zaciągnąć się na służbę; **go into ~** iść na służbę; **national ~** powszechna służba wojskowa; **National Health S~** *Br.* państwowa służba zdrowia; **secret ~** służby specjalne; **take ~ with sb** wstąpić na służbę do kogoś; **take sb into ~** przyjąć kogoś do służby; **the ~s** *wojsk.* siły zbrojne. **2.** usługa; *U* usługi; **public ~s** usługi komunalne; **telephone/postal ~** usługi telekomunikacyjne/pocztowe. **3.** *U* obsługa (*t. np. działa*); **customer ~** obsługa klientów; **room ~** obsługa (kelnerska) w pokojach. **4.** *U* opłata za obsługę; **is ~ included?** czy opłata za obsługę jest wliczona w rachunek?. **5.** przysługa; **do sb a (great) ~** wyświadczyć komuś (wielką) przysługę. **6.** *mot.* przegląd; **put one's car in for a ~** oddać samochód do przeglądu. **7.** serwis; **television ~** serwis RTV. **8.** *kość.* nabożeństwo; **full/plain ~** nabożeństwo śpiewane/ciche; **hold/conduct a ~** odprawiać nabożeństwo. **9.** *kość.* ceremonia; **burial/funeral ~** ceremonia pogrzebowa. **10.** *sport* serwis, serw. **11.** serwis, zastawa; **breakfast/dinner ~** serwis śniadaniowy/obiadowy; **tea ~** serwis do herbaty. **12.** *zw. sing.* połączenie; **bus/train ~** połączenie autobusowe/kolejowe. **13.** *C / U* krycie (*samicy*). **14.** **at your ~** *form. l. żart.* do usług, na pańskie usługi; **be of ~ to sb** przydawać się komuś; służyć komuś pomocą; **for ~s rendered** *zob.* **render** *v.*; **sth has seen ~** (*także* **sth has given good ~**) coś się wysłużyło. – *v.* **1.** *mot.* dokonywać przeglądu, robić przegląd (*samochodu*). **2.** obsługiwać (*Br. t. fin. - dług*). **3.** zaopatrywać (*np. w wodę, gaz*). **4.** kryć (*samicę*). – *a.* **1.** *attr.* służbowy. **2.** użyteczności publicznej. **3.** serwisowy.

service² *n.* = **service tree**.

serviceable ['sɜ:vɪsəbl] *a.* **1.** użyteczny, przydatny. **2.** zdatny do użytku. **3.** do noszenia na co dzień; mocny. **4.** *przest.* usłużny.

service ammunition *n. U wojsk.* amunicja bojowa *l.* ostra.

service area *n.* **1.** *Br.* punkt gastronomiczno-usługowy (*przy autostradzie*). **2.** *radio* obszar zasięgu.

service book, service-book *n. kość.* książeczka do nabożeństwa.

service cap *n. wojsk.* czapka służbowa.

service ceiling *n. lotn.* pułap praktyczny.

service centre *n. Br. mot.* **1.** stacja obsługi (pojazdów). **2.** punkt serwisowy.

service charge *n.* opłata za obsługę (*doliczana do rachunku w restauracji; t. np. za obsługę konta w banku*).

service club *n. US* organizacja społeczna.

service court *n. tenis* kort serwisowy.

service elevator *n.* winda służbowa.

service engineer *n.* serwisant.

service entrance *n.* wejście służbowe.

service flat *n. Br.* mieszkanie, w którym w koszty wynajmu wliczone są usługi (*np. pranie, sprzątanie*).

service hatch *n. Br.* okienko do wydawania posiłków.

service industry *n. pl.* **-ies** **1.** usługowa gałąź przemysłu. **2.** *U* = **service sector**.

service line *n. tenis* linia serwisowa.

serviceman ['sɜ:vɪsˌmæn] *n. pl.* **-men** **1.** *wojsk.* żołnierz. **2.** serwisant.

service pipe *n.* rura doprowadzająca (*wodę, gaz*).

service provider *n. komp.* dostawca usług (*gł. internetowych*).

service record *n.* **1.** *wojsk.* zapis przebiegu służby wojskowej. **2.** zapis przebiegu pracy zawodowej.

service road *n.* droga dojazdowa.

service routine *n. komp.* program usługowy.

service sector *n.* **the ~** (*także* **the service industry**) sektor usług *l.* usługowy.

service station *n.* (*także Br.* **services**) *mot.* stacja obsługi (pojazdów).

service tree *n. bot.* jarząb domowy (*Sorbus domestica*).

service uniform *n. wojsk.* mundur polowy.

servicewoman ['sɜːvɪsˌwʊmən] *n. pl.* **-women** kobieta-żołnierz, żołnierka.
serviette [ˌsɜːvɪ'et] *n. gł. Br. i Can.* serwetka (*z tkaniny l. papierowa*).
servile ['sɜːvl] *a.* **1.** *t. przen.* niewolniczy. **2.** służalczy, uniżony.
servile insurection *n.* powstanie niewolników.
servilely ['sɜːvəlɪ] *adv.* **1.** niewolniczo. **2.** służalczo.
servility [ˌsɜː'vɪlətɪ] *n. U* **1.** niewolniczość. **2.** służalczość.
serving ['sɜːvɪŋ] *n.* **1.** *U* podawanie. **2.** porcja.
serving dish *n.* półmisek.
serving hatch *n.* okienko do wydawania posiłków.
serving man *n. pl.* **-men** *Br. arch.* służący.
serving spoon *n.* łyżka do nakładania.
servitor ['sɜːvɪtər] *a. arch. l. poet.* sługa.
servitude ['sɜːvəˌtuːd] *n. U* **1.** *t. przen.* niewolnictwo; niewola. **2.** (*także* **penal ~**) *prawn.* ciężkie roboty, katorga. **3.** *prawn.* serwitut.
servo ['sɜːvoʊ] *n. pl.* **-s** *pot.* = **servomechanism.** – *a.* wspomagający, ze wspomaganiem.
servo brake *n. gł. mot.* hamulec ze wspomaganiem, serwohamulec.
servomechanism ['sɜːvoʊˌmekəˌnɪzəm] *n. techn.* serwomechanizm.
servomotor ['sɜːvoʊˌmoʊtər] *n. techn.* serwomotor (*siłownik*).
servo tab *n. lotn.* klapka sterownicza.
sesame ['sesəmɪ] *n. U* **1.** *bot.* sezam indyjski (*Sesamum indicum*). **2.** nasiona sezamu. **3. open ~** *mit.* sezamie otwórz się.
sesame oil *n. U kulin.* olej sezamowy.
sesamoid ['sesəˌmɔɪd] *anat. a.* trzeszczkowaty. – *n.* (*także* **~ bone**) trzeszczka.
sesquicentennial [ˌseskwɪsen'tenɪəl] (*także* **sesquicentenary**) *form. a.* stupięćdziesięcioletni. – *n.* stopięćdziesięciolecie.
sesquipedalian [ˌseskwɪpɪ'deɪlɪən] *a. lit.* **1.** mierzący półtorej stopy. **2.** *przen.* tasiemcowaty (*o słowie*); używający tasiemcowatych słów. – *n.* tasiemcowate słowo, słowo-tasiemiec.
sess *abbr.* = **session.**
sessile ['sesaɪl] *a.* **1.** *bot.* siedzący (*o liściu*). **2.** *biol.* na stałe przytwierdzony do podłoża (*o niektórych skorupiakach*).
session ['seʃən] *n.* **1.** sesja (*t. muz. - nagraniowa*); posiedzenie; obrady; **be in ~** obradować; **plenary/working ~** sesja plenarna/robocza. **2.** *gł. US i Scot. uniw.* półrocze, semestr. **3.** *pl. zob.* **sessions.**
sessional ['seʃənl] *a.* sesyjny.
sessions ['seʃənz] *n. pl.* **1.** = **petty sessions. 2.** = **quarter sessions.**
sesterce ['sestɜːs] *n. hist., fin.* sestercja (*moneta rzymska*).
sestet [ˌses'tet] *n.* **1.** *wers.* sestet (= *ostatnie sześć wierszy sonetu*). **2.** *muz.* = **sextet.**
sestina [se'stiːnə] *n. wers.* sekstyna, sestyna.
set [set] *v.* **set, set 1.** stawiać; kłaść; położyć; układać; umieszczać; ustawiać (*sth on/above/below sth* coś na/pod/nad czymś). **2.** nastawiać (*np. zegar, złamaną kończynę, kość*); **~ the alarm for six o'clock** nastawić budzik na szóstą. **3.** wyznaczać; ustalać; **~ a price on/for sth** wyznaczyć cenę na/za coś; **~ a time/date** ustalić *l.* wyznaczyć czas/datę (*for sth* czegoś); **~ guidelines/norms** ustalać wytyczne/normy; **~ sb/o.s. a task/goal** wyznaczyć komuś/sobie zadanie/cel. **4.** ustanawiać; **~ a (legal) precedent** *prawn.* ustanowić precedens (prawny); **~ a record** *sport* ustanowić rekord. **5.** zapoczątkowywać; **~ the trend for sth** zapoczątkować modę na coś. **6.** nadawać; **~ the pace/tone** nadawać tempo/ton. **7.** zastawiać; **~ a trap** *t. przen.* zastawić pułapkę (*for sb/sth* na kogoś/coś). **8.** *zw. pass.* umieszczać akcję (*np. filmu, książki*); **the film is ~ in Venice** akcja filmu rozgrywa się w Wenecji. **9.** *zwł. Br. i Austr. szkoln., uniw.* zadawać; **~ sb sth** zadać komuś coś (*np. ćwiczenie, pracę domową, lekturę*). **10.** *zwł. Br. i Austr. szkoln., uniw.* układać, przygotowywać (*egzamin, pytania*). **11.** (*także* **~ to music**) skomponować muzykę do (*czegoś*). **12. ~ (up)** *druk.* składać (*tekst*). **13.** osadzać (*sth in/into sth* coś w czymś); *jubilerstwo* oprawiać (*sth in/into sth* coś w coś) (*np. diamenty w złoto*). **14.** wysadzać (*sth with sth* coś czymś) (*np. klejnotami, cekinami*). **15.** układać (*włosy, zwł. na mokro*). **16.** zachodzić (*o słońcu*). **17.** ustalać się (*np. o pogodzie, charakterze*). **18.** tężeć, zastygać (*np. o galaretce, betonie; t. przen. np. o twarzy*); wysychać (*np. o kleju*). **19.** *fizj.* zrastać się (*o kościach*). **20.** *lit.* zmierzać ku końcowi. **21.** utrwalać (*barwnik, kolor*); utrwalać się (*np. o kolorze po farbowaniu*). **22.** *bot.* wiązać, zawiązywać (*np. pączki, owoce; o roślinie*); wiązać się, zawiązywać się (*np. o pączkach, owocach*). **23.** *hodowla* sadzać (*kwokę na jajkach*); podkładać (*jajka kwoce*). **24.** *roln.* sadzić (*nasiona, rośliny*). **25.** *myśl.* wystawiać (*zwierzynę; o psie*). **26.** wbijać (*np. pale, gwoździe*). **27.** leżeć (*o ubraniu*); **~ well/badly** dobrze/źle leżeć. **28.** *kulin.* zostawiać do wyrośnięcia (*ciasto*). **29.** ostrzyć (*np. brzytwę*). **30.** tańczyć z twarzą zwróconą do partnera (*zwł. w tańcach ludowych*). **31. ~ sb/sth doing sth** sprawić, że ktoś zacznie coś robić/coś zacznie się dziać; **~ sb laughing** wywołać u kogoś śmiech, rozśmieszyć kogoś; **~ sb thinking** dać komuś do myślenia; **~ sth going** puścić *l.* wprawić coś w ruch. **32. ~ a high value on sth** (*także* **~ great store by sth**) przywiązywać dużą wagę *l.* duże znaczenie do czegoś; **~ a pattern (for sth)** *zob.* **pattern** *n.*; **~ an example** dawać (dobry) przykład; **~ eyes on sb/sth** *zob.* **eye** *n.*; **~ fire to sth** (*także* **~ sth on fire**) (*także* **~ sth alight/ablaze**) podpalić coś, podłożyć ogień pod coś; **~ foot in** *zob.* **foot** *n.*; **~ one's heart on sth** *zob.* **heart** *n.*; **~ one's mind at ease** *zob.* **ease** *n.*; **~ one's mind to sth** *zob.* **mind** *n.*; **~ one's (own) house in order** *zob.* **house** *n.*; **~ one's sights on sth** *zob.* **sight** *n.*; **~ one's teeth** *zob.* **teeth**; **~ sail** *zob.* **sail** *n.*; **~ sb at (their) ease** *zob.* **ease** *n.*; **~ sb by the ears** *zob.* **ear[1]** *n.*; **~ sb free/loose** (*także* **~ sb at liberty**) uwolnić *l.* wypuścić kogoś; **~ sb on a pedestal** *zob.* **pedestal** *n.*; **~ sb right/straight** wyprowadzić kogoś z błędu; **~ sb's/one's mind at rest** uspokoić kogoś/się; **~ sb's**

teeth on edge *zob.* **teeth**; ~ **sth in motion** *zob.* **motion** *n.*; ~ **sth in train** *zob.* **train** *n.*; ~ **sth right** (*także* ~ **sth in order**) doprowadzić coś do porządku, uporządkować coś; naprawić coś; ~ **sth to/on one side** odkładać coś na potem; rezerwować (sobie) coś (*np. czas*); odkładać coś na bok (*np. żale, nieporozumienia, różnice poglądów*); ~ **the record straight** *zob.* **record** *n.*; ~ **the stage (for the third act)** *teatr* ustawić dekoracje (do trzeciego aktu); ~ **the stage/scene for sth** *przen.* przygotować grunt pod coś; ~ **the table** nakrywać do stołu; ~ **the table for dinner** nakrywać do obiadu; ~ **to work** zabrać się do pracy; **not ~ a foot wrong** *zob.* **foot** *n.* **33.** ~ **about (doing) sth** zabierać się *l.* przystępować do (robienia) czegoś; ~ **about sb** *lit.* rzucić się na kogoś (= *zaatakować*); ~ **sth about** rozpowszechniać coś (*np. informacje, plotki*); ~ **sth above sth** *przen.* przedkładać coś nad *l.* ponad coś; ~ **sth above everything** stawiać *l.* przedkładać coś ponad wszystko; ~ **sb against sb** nastawiać kogoś przeciwko komuś, napuszczać kogoś na kogoś; ~ **sth (off) against sth** ustawiać coś na tle czegoś; *przen.* przedstawiać *l.* rozważać coś na tle *l.* w kontekście czegoś; ~ **one's face against sth** *zob.* **face** *n.*; ~ **o.s. against sb/sth** przeciwstawić się komuś/czemuś; ~ **sth ahead** przyspieszyć coś; wyznaczyć *l.* ustalić coś z wyprzedzeniem; przesunąć coś do przodu (*zegarek, wskazówki*); ~ **sb/sth apart** wyróżniać kogoś/coś (*from sb/sth* na tle *l.* spośród kogoś/czegoś); ~ **sth apart** rezerwować coś (*for sth* na coś) (*np. czas na jakiś cel*); ~ **sth aside** odstawiać coś; odkładać coś (*zwł. pieniądze*) (*for sth* na coś); rezerwować coś (*zwł. czas*) (*for sb/sth* dla kogoś/na coś); *przen.* odkładać coś na bok (*np. żale, nieporozumienia, różnice poglądów*); *prawn.* odrzucić *l.* unieważnić coś (*np. decyzję, postanowienie*); ~ **sth back** hamować coś; opóźniać coś; przekładać coś; cofać coś (*zwł. wskazówki zegara*); ~ **sth back by a week/year** opóźnić coś o tydzień/rok; ~ **sb back 1000 dollars** *pot.* kosztować kogoś 1000 dolarów; ~ **back the clock** *przen.* cofnąć czas; ~ **down** postawić; położyć; zapisać, zanotować; zaznaczyć (*na planie, mapie*); *lotn.* posadzić (*samolot*); ~ **sb down** *Br.* wysadzić kogoś (*np. z samochodu*); ~ **sb down as/for sth** brać *l.* uważać kogoś za coś; ~ **sth down** *przen.* ustalać *l.* określać coś (*zwł. zasady, warunki*); ~ **sth down for** ustalić coś na (*konkretny dzień*); ~ **sth down to sth** przypisywać coś czemuś; ~ **sth down on paper** przelać coś na papier; ~ **forth** *lit.* wyruszać (w drogę); ~ **sth forth** *form.* przedstawiać *l.* wyłuszczać *l.* wysuwać coś (*np. argumenty, teorię*); ~ **in** nadchodzić, nadciągać (*np. o zimie, kryzysie*); zapadać (*o ciemnościach*); wdawać się (*o zakażeniu*); wiać w kierunku brzegu (*o wietrze*); płynąć w kierunku brzegu (*o prądzie*); ~ **sth in** *krawiectwo* wszywać coś (*zwł. rękawy*); *druk.* robić wcięcie w czymś (*w tekście, akapicie*); *jubilerstwo* oprawiać coś (*kamień*); ~ **off** wyruszać; ~ **sb off** *pot.* pobudzać kogoś (*np. do śmiechu, płaczu*); ~ **off to do sth** zamierzać coś zrobić; ~ **sth off** zdetonować coś (*bombę*); odpalić coś (*fajerwerki*); uruchomić coś (*np. alarm; zwł. niechcący*); wywołać coś (*np. gwałtowną reakcję*); podkreślać *l.* uwydatniać coś (*np. czyjąś cerę, opaleniznę; o biżuterii, stroju*); równoważyć coś; ~ **on** *przest.* ruszać (*t. do ataku*); ~ **on sb** zaatakować kogoś; ~ **sb on/onto sb** podjudzać kogoś przeciwko komuś; ~ **a dog on/onto sb** poszczuć kogoś psem; ~ **out** wyruszać (*for sth* w kierunku czegoś); ~ **sth out** układać coś (*np. kwiaty w wazonie*); rozkładać coś (*np. towary na straganie*); rozplanować coś (*np. ogród*); przedstawić *l.* wyłuszczyć coś (*argumenty, racje*); wytyczyć coś (*np. kierunki rozwoju*); ~ **out on a career** rozpocząć karierę; ~ **out to do sth** zabrać się do robienia czegoś; ~ **to** *zwł. Br. pot.* wziąć się do roboty; wziąć się za łby; ~ **up** urządzać się; ustawiać się (*np. na scenie*); ~ **up as sth** urządzić się jako ktoś, rozpocząć pracę jako ktoś; ~ **up for sth** pretendować do jakiejś roli, pozować na kogoś; ~ **up in business** założyć (własny) interes; ~ **sb up** ustawić kogoś (*finansowo*); urządzić kogoś; zaopatrzyć kogoś (*in/with sth* w coś); *pot.* wrobić kogoś; postawić kogoś na nogi; mianować kogoś; umówić kogoś (*with sb* z kimś); ~ **sb up for life** ustawić kogoś na całe życie; ~ **sth up** ustawiać coś (*np. przeszkody, barykady*); wznieść coś (*np. budynek, pomnik*); zmontować *l.* złożyć coś (*np. komputer*); przygotować coś (*np. planszę do gry, scenę*); założyć coś (*np. szkołę, organizację*); zorganizować coś; rozpocząć coś; wszczynać coś (*np. hałas, wrzawę*), podnosić coś (*np. krzyk*); wywoływać coś (*np. ból, uczucie*); wysuwać coś (*np. teorię*); *żegl.* wybierać *l.* naprężać coś (*zwł. linę*); ~ **up a record** *sport* ustanowić rekord; ~ **up a tent** rozbić namiot; ~ **up camp** *t. przen.* rozbić obóz; ~ **up house/home (with sb/together)** zamieszkać (z kimś/razem); ~ **up shop** *zob.* **shop** *n.* – *a.* **1.** *attr.* nieruchomy (*o wzroku, oczach*); zastygły (*o uśmiechu*); zaciśnięty (*o zębach, szczękach*); niewzruszony (*o zamiarze*); ustalony, stały (*np. o czasie pracy, menu, poglądach*); ~ **book/text** *Br. i Austr. szkoln., uniw.* lektura obowiązkowa; ~ **phrase** utarty zwrot. **2.** *pred.* położony, umiejscowiony (*gdzieś l. jakoś*); **deep-~ eyes** głęboko osadzone oczy. **3.** *pred.* gotowy, przygotowany (*for sth* na coś *l.* do czegoś); ~ **to do sth** gotowy coś zrobić *l.* do (zrobienia) czegoś; **all ~** *pot.* gotowy; **get ~ (to do sth)** przygotowywać się (do zrobienia czegoś); **ready, get ~, go!** *sport* na miejsca, gotowi, start!. **4.** *pred.* zdecydowany, zdeterminowany; **be ~ on/upon doing sth** być zdeterminowanym coś zrobić; **be dead ~ against sth** być zdecydowanie *l.* absolutnie przeciwnym czemuś. **5. be ~ in one's ways/habits** mieć swoje nawyki *l.* przyzwyczajenia; być mało elastycznym; **have one's heart ~ on sth** *zob.* **heart** *n.*; **sth is ~ to happen** coś najprawdopodobniej się stanie. – *n.* **1.** komplet (*t. narzędzi*); zestaw; **chess ~** komplet szachów; **dinner ~** zastawa obiadowa; **toilet ~** komplet przyborów toaletowych. **2.** grupa, zespół; ~ **of problems/features** zespół problemów/cech. **3.** *t. mat.* zbiór. **4.** *tenis itp.* set. **5.** odbiornik; **radio/TV ~** odbiornik radiowy/telewizyjny, radio/telewizor. **6.** *teatr* dekoracje. **7.** *kino* plan (*filmowy*); **on the ~** na planie. **8.** *ogr.* sadzonka, sadzeniak. **9.** *bot.* zawiązek owocu. **10.** kierunek (*np. prądu, wiatru, przypływu*). **11.** *poet.* zachód. **12.** *U psych.* nastawienie. **13.** predyspozycja. **14.** ustawienie; układ. **15.** *zw. sing.* ułożenie, modelowanie (*włosów*); **shampoo and ~** mycie i ułożenie. **16.** dopasowanie, wygląd (*ubrania, zwł. na kimś*). **17.** pozycja, ułożenie (*np. głowy, ramion*). **18.** *żegl.* układ, typ (*ożaglowania*). **19.** rozwarcie (*zębów piły*). **20.** *U* twardnienie, tężenie. **21.** *druk.* rozstęp (*czcionek*); szerokość (*kolumny, strony*). **22.** *myśl.* stójka (*psa myśliwskiego*). **23.** *bud.* ostatnia warstwa tynku. **24.** *metal.* odkształcenie. **25. make a dead ~ at sb** *przen.* przypuścić zdecydowany atak na kogoś.

seta ['si:tə] *n. pl.* **setae** ['si:ti:] *biol.* szczecinka, włos szczeciniasty.

setaceous [sɪ'teɪʃəs] *a. biol.* szczeciniasty.

setback ['setˌbæk] *n.* **1.** komplikacja; niepowodzenie; krok w tył, cofnięcie (się), regres. **2.** zatrzymanie, zahamowanie. **3.** (*także* **setoff**) *bud.* odsadzka.

set ball *n. tenis itp.* piłka setowa.

set chisel *n. techn.* przecinak (*ślusarski*).

set-hammer ['setˌhæmər] *n. techn.* gładzik kowalski.

setiferous [sɪ'tɪfərəs], **setigerous** [sɪ'tɪdʒərəs] *a. biol.* szczeciniasty.

setiform ['si:təˌfɔ:rm] *a.* w kształcie szczecinki.

set-in ['setˌɪn] *a. attr.* wszywany (*np. o rękawie*).

setoff ['setˌɔ:f] *n.* **1.** przeciwwaga; kontrastujące tło; **be a ~ to/for sth** stanowić przeciwwagę dla czegoś; uwydatniać *l.* podkreślać coś (*przez kontrast*). **2.** *bud.* = **setback**. **3.** *druk.* = **offset**. **4.** *fin.* kompensata; potrącanie wzajemnych roszczeń.

seton ['si:tən] *n. chir.* seton, sączek z gazy.

setose ['si:tous] *a. biol.* szczeciniasty, pokryty szczeciną.

set piece *n.* **1.** ustalone działanie, ustalona procedura. **2.** scena pokazowa. **3.** *muz.* najlepszy kawałek. **4.** obraz mający robić wrażenie. **5.** *sport* wyuczone zagranie. **6.** *teatr* dekoracja wolnostojąca (= *niewymagająca podparcia*). **7.** pokaz sztucznych ogni.

set point *n.* **1.** *tenis itp.* punkt kończący set. **2.** *fizj.* naturalna waga ciała (*danej osoby*).

set screw *n. techn.* wkręt dociskowy; śruba dociskowa *l.* ustalająca.

set square *n.* ekierka.

sett [set], **set** *n.* **1.** nora borsucza. **2.** kostka brukowa (*pojedyncza*). **3.** *tk.* krata tartanu (*pojedyncza*); *U* wzór tartanu.

settee [se'ti:] *n.* **1.** *zwł. Br.* kanapa, sofa. **2.** *US* drewniana ławka z oparciem.

setter ['setər] *n.* **1.** *kynol.* seter. **2.** *w złoż.* **exam ~** osoba układająca egzamin; **trend~** twórca nowych trendów (*zwł. w modzie; o osobie l. instytucji*); pionier (*zmian*).

setterwort ['setəˌwɜ:t] *n. bot.* ciemiernik cuchnący (*Helleborus foetidus*); ciemiernik zielony (*Helleborus viridis*).

set theory *n. U mat.* teoria mnogości.

setting ['setɪŋ] *n.* **1.** otoczenie, miejsce; tło, sceneria. **2.** miejsce akcji (*np. książki, filmu*). **3.** *teatr* oprawa sceniczna. **4.** *jubilerstwo l. przen.* oprawa. **5.** *muz.* muzyka do słów (*wiersza, hymnu*). **6.** ustawienie (*np. pokrętła, piekarnika*). **7.** (*także* **place ~**) nakrycie (*dla jednej osoby*). **8.** liczba jaj w gnieździe (*zwł. kurzym*).

setting board *n. ent.* rozpinadło (= *deseczka do preparowania owadów*).

setting device *n.* urządzenie nastawne.

setting lotion *n. U* płyn do układania włosów.

setting rule *n.* (*także* **setting stick**) *druk.* kątownik, wierszownik.

settle[1] ['setl] *v.* **1.** sadowić (się); **~ (o.s.) in an armchair** usadowić się w fotelu. **2.** zasiedlać; kolonizować. **3.** **~ (down)** osiedlić się, osiąść, zamieszkać (*gdzieś*). **4.** ustalać, uzgadniać (*sth with sb* coś z kimś); **~ the price/terms** uzgodnić cenę/warunki; **~ the details** uzgodnić szczegóły. **5.** załatwiać; **~ sth once and for all** załatwić coś raz na zawsze; **it's ~d then!** no to załatwione!; **that ~s it** to (nam) załatwia sprawę. **6.** rozstrzygać; **~ a quarrel/dispute** rozstrzygnąć kłótnię/spór. **7.** osadzać się (*on / in sth* na/w czymś) (*np. o kurzu*), opadać (*t. na dno*). **8.** osiadać (*np. o ptaku, kurzu; t. o budowli, fundamencie*); osiąść na dnie (*o statku*). **9.** ustać *l.* uleżeć się; pozwolić się ustać *l.* uleżeć (*czemuś*). **10.** **~ (down)** ustatkować się. **11.** zatrzymywać się (*on sb / sth* na kimś/czymś) (*o wzroku, spojrzeniu*). **12.** zalegać (*over sth* nad czymś) (*np. o ciemnościach, mgle, milczeniu*). **13.** *pot.* załatwić, uciszyć (*t.* = *zabić*). **14.** *fin.* regulować; **~ an account/a bill** uregulować rachunek; **~ one's debts** uregulować długi. **15.** *biol.* zajść w ciążę (*o zwierzęciu*). **16.** *przen.* **~ a score/an account (with sb)** wyrównać (z kimś) rachunki, porachować się z kimś; **~ one's affairs** uporządkować swoje sprawy; **~ out of court** *prawn.* *zob.* **court** *n.*; **~ sb's hash** *zob.* **hash**[1] *n.*; **~ sb's nerves** uspokoić czyjeś nerwy; **~ sb's stomach** dobrze komuś zrobić na żołądek (*np. o leku*); **~ with sb** dojść do porozumienia z kimś; rozprawić *l.* policzyć się z kimś; **they've ~d their differences** *zob.* **difference** *n.* **17.** **~ down** ustatkować się; uspokoić się; ustać; (*także* **~ o.s. down**) usadowić się; **~ sb down** uspokoić kogoś; **~ down to sth** zasiadać do czegoś (*np. do obiadu*); **~ for sth** zadowolić się czymś, poprzestawać na czymś; **~ in** zadomowić się, zaadaptować się; zainstalować się (*gdzieś*); **~ sb in** wprowadzić *l.* zainstalować kogoś (*np. w nowym miejscu pracy*); **~ in for sth** przygotować się na coś (*np. na długie oczekiwanie*); **~ into sth** przyzwyczaić się do czegoś (*zwł. do nowego miejsca, nowej pracy l. szkoły*); **~ on/upon sth** usiąść na czymś; osiąść na czymś; uzgodnić coś (*np. datę*); zdecydować się na coś (*np. na imię dla dziecka*); **~ sth on sb** *Br. prawn.* przekazać *l.* zapisać coś komuś (*pieniądze, majątek*); **~ up** rozliczyć się (*with sb* z kimś).

settle[2] *n. gł. Br.* ławka z wysokim oparciem i poręczami (*często ze skrzynią*).

settled ['setld] *a.* **1.** ustalony, stały. **2.** uregulowany, zapłacony. **3. feel/be ~** czuć się/być na swoim miejscu *l.* u siebie (*zwł. w nowym miejscu pracy l. zamieszkania*).

settlement ['setlmənt] *n.* **1.** osada, osiedle; kolonia. **2.** *U* zasiedlanie, osadnictwo; kolonizacja. **3.** *U* załatwienie; uporządkowanie. **4.** *C / U t. prawn.* porozumienie; ugoda; umowa; rozstrzygnięcie; **amicable ~** ugoda polubowna *l.* za porozumieniem stron; **marriage ~** umowa przedmałżeńska; **negotiate a ~** wynegocjować porozumienie; **out-of-court ~** ugoda bez przekazywania sprawy do sądu; **peaceful/political ~** rozstrzygnięcie pokojowe/polityczne; **reach/achieve a ~** osiągnąć porozumienie. **5.** *C / U fin.* spłata; rozliczenie; **~ of one's account** pokrycie należności; **in ~** w/przy rozliczeniu. **6.** odszkodowanie. **7.** *prawn.* darowizna. **8.** (*także* **~ house**) instytucja opieki społecznej (*w ubogim okręgu*). **9.** *U bud.* osiadanie (*budowli*).

settler ['setlər] *n.* osadni-k/czka; kolonizator/ka.

settling ['setlɪŋ] *n. U* **1.** osiadanie; osadzanie się. **2.** rozrachunek.

settling day *n.* **1.** dzień rozliczeniowy. **2.** *giełda* termin obrachunkowy.

settlings ['setlɪŋz] *n. pl.* osad.

settling tank *n. techn.* odstojnik, osadnik.

settlor ['setlər] *n. prawn.* darowując-y/a.

set-to ['setˌtuː] *n. pot.* sprzeczka; walka (*zwł. na pięści*).

setup ['setˌʌp] *n. zw. sing.* **1.** organizacja, sposób organizacji (*of sth* czegoś). **2.** *t. przen.* układ; układy (*np. polityczne, personalne*). **3.** *t. komp.* ustawienia. **4.** ustawienie kamery; *kino* ustawienie ujęcia; *teatr* ustawienie sceny. **5.** *pot.* pułapka, zasadzka; blef, oszustwo. **6.** *gł. US pot.* ukartowane *l.* ustawione zawody. **7.** *US* nakrycie (*dla jednej osoby*).

setwall ['setˌwɔːl] *n. bot.* kozłek (*Valeriana pyrenaica*).

seven ['sevən] *num.* siedem; siedmioro; siedmiu. – *n.* **1.** siódemka (*numer, grupa, karta*). **2.** *U* **~ (o'clock)** (godzina) siódma; **at ~** o siódmej. **3.** (*także* **~-a-side**) *rugby* siódemka (= *amatorska odmiana rugby z siedmioma zawodnikami w drużynie*). **4.** *przen.* **at sixes and ~s** *zob.* **six** *n.*; **the ~-year itch** *zob.* **itch** *n.*

seven deadly sins *n. pl. rel.* siedem grzechów głównych.

sevenfold ['sevənˌfoʊld] *a.* **1.** siedmiokrotny. **2.** złożony z siedmiu części. – *adv.* siedmiokrotnie.

seven-inch ['sevənˌɪntʃ] *n. muz.* singel analogowy.

seven-league boots [ˌsevənˌliːg 'buːts], **seven-leagued boots** *n. pl. bajki* siedmiomilowe buty.

seven seas *n. pl.* (wszystkie) oceany świata.

Seven Sisters *n. pl. astron.* Plejady.

seventeen [ˌsevən'tiːn] *num.* **1.** siedemnaście; siedemnaścioro; siedemnastu. **2.** **in the ~ twenties/thirties** w latach dwudziestych/trzydziestych XVIII wieku. – *n.* siedemnastka.

seventeenth [ˌsevən'tiːnθ] *num.* siedemnasty. – *n.* jedna siedemnasta.

seventh ['sevənθ] *a.* **1.** siódmy. **2.** **be in ~ heaven** *przen.* w siódmym niebie. – *n.* **1.** jedna siódma. **2.** *muz.* septyma.

Seventh-Day Adventist [ˌsevənθˌdeɪ 'ædventɪst] *n. rel.* adwentyst-a/ka Dnia Siódmego.

seventieth ['sevəntɪəθ] *a.* siedemdziesiąty. – *n.* jedna siedemdziesiąta.

seventy ['sevəntɪ] *num. pl.* **-ies** siedemdziesiąt. – *n. pl.* **-ies** siedemdziesiątka; **be in one's seventies** mieć siedemdziesiąt parę lat; **in the seventies** powyżej 70°F (*o temperaturze powietrza*); **the (nineteen) seventies** lata siedemdziesiąte (dwudziestego wieku).

seventy-eight [ˌsevəntɪ'eɪt] *n. muz.* płyta gramofonowa na 78 obrotów.

seventy-five [ˌsevəntɪ'faɪv] *n. wojsk.* działo o kalibrze 75 mm.

seven-up [ˌsevən'ʌp] *n. U* rodzaj gry w karty.

sever ['sevər] *v. form.* **1.** przerywać; rozcinać; rozdzielać, rozłączać; odcinać. **2.** zrywać (*np. związek, stosunki*). **3.** *t. prawn.* oddzielać (*from sth* od czegoś).

severable ['sevərəbl] *a. t. prawn.* dający się rozdzielić *l.* podzielić.

several ['sevərəl] *a. attr.* **1.** kilka; kilku; kilkoro; **~ people/times** kilka osób/razy. **2.** *form. t. prawn.* poszczególny; osobisty; indywidualny (*np. o odpowiedzialności, zobowiązaniu*). **3.** **they went their ~ ways** *form. l. lit.* poszli każdy w swoją stronę. – *pron.* kilka; kilku; kilkoro; **~ of us/them** kilkoro z nas/nich.

several estate *n. prawn.* majątek indywidualny.

severally ['sevərəlɪ] *adv. form. l. lit.* **1.** osobno, oddzielnie. **2.** indywidualnie. **3.** odpowiednio (= *po kolei*).

severalty ['sevərəltɪ] *n. U prawn.* indywidualne *l.* niepodzielne posiadanie (*majątku*).

severance ['sevərəns] *n. U form.* **1.** zerwanie; **~ of diplomatic relations** zerwanie stosunków dyplomatycznych. **2.** *t. prawn.* podział. **3.** rozdzielenie, rozłączenie; oddzielenie; odłączenie. **4.** (*także* **~ pay**) odprawa (*dla zwalnianego pracownika*).

severe [sɪ'viːr] *a.* **1.** surowy (*np. o osobie, prawach, karach, wyrazie twarzy, wyroku, klimacie, stylu*); srogi (*np. o zimie, klimacie*); ostry (*np. o zimie, krytyce*); ostry, zacięty (*np. o rywalizacji*). **2.** poważny (*np. o chorobie, ranach, brakach, szkodach*); ciężki (*np. o chorobie, ranach, upośledzeniu, depresji, próbie*); głęboki (*np. o upośledzeniu, stresie*).

severely [sɪ'viːrlɪ] *adv.* **1.** surowo, ostro (*np. karać, krytykować*). **2.** poważnie (*np. upośledzony, ranny, chory; uszkodzić, ograniczać*); ciężko (*np. upośledzony, ranny, chory*).

severity [sɪ'verətɪ] *n. U* **1.** surowość (*np. kary, klimatu*); srogość (*np. zimy, klimatu*); ostrość (*np. krytyki*). **2.** powaga (*t. problemu, sytuacji*); ciężkość (*przebiegu choroby, przypadku medycznego*).

severy ['sevərɪ] *n. pl.* **-ies** *bud.* przęsło *l.* odcinek sklepienia.

Seville [sə'vɪl] *n. geogr.* Sewilla.

Seville orange *n. Br. bot., kulin.* pomarańcza gorzka (*Citrus aurantium*).

sew [soʊ] *v. pp.* **sewed** *l.* **sewn** **1.** szyć; zszywać. **2.** ~ **in** wszyć; ~ **on** przyszyć; ~ **up** zaszyć; zszyć; *przen. pot.* mieć pod kontrolą; *zw. pass. pot.* dopiąć na ostatni guzik; ~ **up a deal** dobić targu; **that ~s it up!** *pot.* dobra nasza!, to załatwia sprawę!.

sewage ['suːɪdʒ] *n. U* (*także* **sewerage**) ścieki. – *v. rzad.* = **sewer**[1] *v.*

sewage plant *n.* (*także Br.* **sewage farm**) oczyszczalnia ścieków.

sewer[1] ['suːər] *n.* kanał ściekowy, ściek. – *v.* kanalizować, zaopatrywać w kanalizację.

sewer[2] ['soʊər] *n.* szwacz/ka.

sewer[3] ['suːər] *n. hist.* krajczy (= *służący podający do stołu*).

sewerage ['suːərɪdʒ] *n. U* **1.** system kanalizacyjny, kanalizacja. **2.** odprowadzanie ścieków. **3.** = **sewage**.

sewin ['suːɪn], **sewen** *n. pl.* **-s** *l.* **sewin** *icht.* odmiana łososiopstrąga (*Salmo cambricus l. Salmo eriox*).

sewing ['soʊɪŋ] *n. U* szycie.

sewing kit *n.* igielnik.

sewing machine *n.* maszyna do szycia.

sewing-room ['soʊɪŋˌruːm] *n.* szwalnia.

sewn [soʊn] *pp. zob.* **sew**. – *a. gł. w złoż.* szyty; **hand-/machine-~** szyty ręcznie/maszynowo.

sex [seks] *n.* **1.** *U* seks; **have ~** uprawiać seks, kochać się (*with sb* z kimś); **casual ~** przygodny seks; **extramarital/premarital ~** seks pozamałżeński/przedmałżeński; **group ~** seks grupowy *l.* zbiorowy; **oral/anal ~** seks oralny/analny; **unprotected ~** seks bez zabezpieczenia. **2.** *C/U* płeć; **~ discrimination** dyskryminacja płciowa; **the battle of the ~es** wojna płci; **the fair ~** *przest.* płeć piękna *l.* nadobna; **the opposite ~** płeć przeciwna; **what ~ is your dog?** jakiej płci jest twój pies?. – *v.* określać płeć (*zwierzęcia*).

sex act *n.* akt *l.* stosunek płciowy.

sexagenarian [ˌseksədʒə'neriən] *a.* sześćdziesięcioletni; sześćdziesięcioparoletni. – *n.* sześćdziesięcioparolat-ek/ka.

sexagenary [sek'sædʒəˌnerɪ] *a.* sześćdziesiątkowy. – *n. pl.* **-ies** = **sexagenarian**.

Sexagesima [ˌseksə'dʒesəmə] *n. kośc.* druga niedziela przed wielkim postem, niedziela mięsopustna.

sexagesimal [ˌseksə'dʒesəml] *a. mat. l. form.* **1.** sześćdziesiąty. **2.** sześćdziesiętny. – *n. mat.* ułamek sześćdziesiętny.

sex aid *n.* (*także* **sexual aid**) gadżet z sex shopu.

sexangle ['seksˌæŋgl] *n. arch.* = **hexagon**.

sexangular ['seksˌæŋgld] *a. arch.* = **hexagonal**.

sex appeal *n. U* seksapil.

sex bomb *n.* seksbomba.

sexcapade ['seksəˌpeɪd] *n. gł. US pot.* skok w bok.

sexcentenary [ˌseksen'tenərɪ] *form. a.* **1.** sześćsetny. **2.** sześćsetletni. – *n. pl.* **-ies** sześćsetlecie.

sex change *n. zw. sing. med.* zmiana płci.

sex chromatin *n. biol.* chromatyna płciowa, ciałko Barra.

sex chromosome *n. biol.* chromosom płciowy.

sex crime *n.* przestępstwo na tle seksualnym.

sex drive *n. fizj.* popęd płciowy.

sexed [sekst] *a.* **1.** *w złoż.* **over~** nadpobudliwy seksualnie; **under~** oziębły (*seksualnie*). **2.** *attr. biol.* posiadający cechy płciowe.

sex education *n. U szkoln.* wychowanie seksualne.

sexennial [sek'senɪəl] *a. form.* sześcioletni.

sex gland *n. biol.* gruczoł płciowy, gonada.

sex hormone *n. biol.* hormon płciowy.

sexism ['seksˌɪzəm] *n. U* seksizm.

sexist ['seksɪst] *a.* seksistowski. – *n.* seksist-a/ka.

sexivalent ['seksɪˌveɪlənt] *a. chem.* sześciowartościowy.

sexless ['seksləs] *a.* **1.** mało seksowny, nieseksowny. **2.** *t. biol.* bezpłciowy.

sex life *n.* życie seksualne *l.* płciowe.

sex linkage *n. U biol.* sprzężenie z płcią.

sex-linked [ˌseks'lɪŋkt] *a. biol.* sprzężony z płcią.

sex maniac *n.* mania-k/czka seksualn-y/a.

sex object *n.* przedmiot pożądania.

sex offender *n.* przestępca seksualny.

sexoholic [ˌseksə'hɑːlɪk] *n. pat.* osoba uzależniona od seksu, seksoholi-k/czka.

sexologist [sek'sɑːlədʒɪst] *n. med.* seksuolo-g/żka.

sexology [sek'sɑːlədʒɪ] *n. U med.* seksuologia.

sex organs *n. pl. biol.* narządy płciowe.

sexpartite [seks'pɑːrtaɪt] *a.* **1.** *gł. bud.* sześciodzielny. **2.** mający sześciu uczestników.

sexpert ['sekspɜːt] *n. pot.* ekspert/ka w sprawach seksu, znaw-ca/czyni seksu.

sexploitation [ˌsekspləɪ'teɪʃən] *n. U pot., uj.* propagowanie seksu, epatowanie seksem (*w mediach, reklamie*).

sexpot ['seksˌpɑːt] *n. pot.* seksbomba.

sex shop *n.* sex-shop.

sex symbol *n.* uosobienie *l.* symbol seksu.

sext [sekst] *n. kośc.* seksta.

sextain ['sekstein] *n. wers.* sekstyna, sestyna.

sextan ['sekstən] *a. pat.* występujący co szósty dzień (*o ataku zimnicy*).

sextant ['sekstənt] *n. opt., geom.* sekstans.

sextet [ˌseks'tet], *Br.* **sextette** *n. t. muz.* sekstet.

sex therapy *n. U med.* terapia seksuologiczna.

sextile ['sekstaɪl] *n. astron.* kąt 60°: pomiędzy dwoma ciałami niebieskimi (*widzianymi z ziemi*).

sextillion [seks'tɪljən] *n. pl.* **-s** *l.* **sextillion** **1.** *US i Can.* tryliard (10^{21}). **2.** *Br. przest.* sekstylion (10^{36}).

sextodecimo [ˌsekstoʊ'desəˌmoʊ] *n. pl.* **-s** *druk.* szesnastka (*format książki*).

sexton ['sekstən] *n.* **1.** *kośc.* kościelny (*często pełniący t. funkcję grabarza*). **2.** (*także* ~ **beetle**) *ent.* grabarz (*Necrophorus*).

sextuple [sek'stuːpl] *a.* **1.** sześciokrotny. **2.** *muz.* szóstkowy (*o takcie*). – *n.* sześciokrotność.

– *v.* **1.** mnożyć przez sześć; zwiększać sześciokrotnie. **2.** wzrastać sześciokrotnie.

sextuplets [sek'stʌpləts] *n. pl.* sześcioraczki.

sexual ['sekʃʊəl] *a.* płciowy; seksualny.

sexual abuse *n. U* wykorzystywanie seksualne.

sexual assault *n.* napaść na tle seksualnym.

sexual harassment *n. U* napastowanie seksualne.

sexual intercourse *n. U form.* stosunek płciowy; **have ~** mieć *l.* odbyć stosunek (płciowy); współżyć (płciowo) (*with sb* z kimś).

sexuality [ˌsekʃʊ'ælətɪ] *n. U* **1.** płciowość; seksualność. **2.** aktywność seksualna.

sexually ['sekʃʊəlɪ] *adv.* **1.** seksualnie; płciowo. **2.** według płci (*np. dzielić*).

sexually transmitted disease *n. C/U pat.* choroba przenoszona drogą płciową.

sexual orientation *n. U* orientacja seksualna.

sexual relations *n. pl.* współżycie płciowe.

sexual reproduction *n. U biol.* rozmnażanie płciowe.

sexual revolution *n. hist.* rewolucja seksualna (*na Zachodzie w latach 60. XX w.*).

sexvalent ['seksˌveɪlənt] *a.* = **hexavalent**.

sex worker *n. euf.* **1.** prostytutka. **2.** osoba zajmująca się pornografią.

sexy ['seksɪ] *a.* **-ier, -iest 1.** seksowny; pociągający, zmysłowy. **2.** *pot.* ekscytujący, podniecający; atrakcyjny.

Seychelles [seɪ'ʃelz] *n. pl.* **the ~** *geogr.* Seszele.

SF [ˌes 'ef], **sf** *abbr.* = **science fiction**.

sferics ['sfi:rɪks] *n. pl. US* = **spherics** 2.

sfx [ˌes ˌef 'eks] *abbr.* = **special effects**.

SG *abbr.* **1.** *prawn.* = **solicitor general**. **2.** *gram.* = **singular**.

Sg *abbr.* = **Song of Songs**.

sg *abbr.* = **specific gravity**; *zob.* **specific** *a.*

sgd *abbr.* = **signed**; *zob.* **sign** *v.*

SGML [ˌes ˌdʒi: ˌem 'el] *abbr. komp.* = **Standard Generalized Markup Language**.

Sgt. *abbr.* = **sergeant**.

Sgt Maj. *abbr.* = **sergeant major**.

sh [ʃ], **shh** *int.* cii!, cyt!, sza!

sh. *abbr.* **1.** = **sheep**. **2.** = **sheet**. **3.** = **shilling**. **4.** = **share**.

shabbily ['ʃæbɪlɪ] *adv.* nędznie.

shabbiness ['ʃæbɪnəs] *n. U* nędza, nędzny stan.

shabby ['ʃæbɪ] *a.* **-ier, -iest 1.** wytarty, sfatygowany. **2.** odrapany. **3.** obdarty. **4.** nędzny. **5.** skąpy. **6.** nikczemny, podły (*np. o sztuczce, chwycie*); niesprawiedliwy (*o traktowaniu*).

shabby-genteel [ˌʃæbɪdʒen'ti:l] *a.* pozujący na zamożnego.

Shabuoth [ʃə'vu:ˌoʊt] *n.* = **Shavuoth**.

shack [ʃæk] *n.* chałupa, buda. – *v. pot.* **~ up** żyć na kocią łapę (*with sb* z kims); (*także* **~ up together**) zamieszkać razem (*o kochankach*).

shackle ['ʃækl] *n.* **1.** łącznik; klamra; ogniwo łącznikowe; ucho (*u kłódki*). **2.** szekla. **3.** *pl.* kajdany; pęta (*dla zwierząt*); *przen.* pęta, okowy; **the ~s of convention** okowy konwencji. – *v. zw. pass. t. przen.* pętać, krępować; ograniczać; **be ~d by sth** *przen.* być ograniczonym czymś, mieć czymś związane ręce.

shad [ʃæd] *n. pl.* **-s** *l.* **shad** *icht.* aloza (*Alosa*).

shadbush ['ʃædˌbʊʃ] *n. bot.* świdośliwka (*Amelanchier*).

shaddock ['ʃædək] *n. US bot.* pomarańcza olbrzymia, pompela (*Citrus grandis*).

shade [ʃeɪd] *n.* **1.** *U t. przen.* cień; **in the ~** w cieniu; **in/under the ~ of a tree** w cieniu drzewa; **light and ~** *mal. l. przen.* światło i cień; **put/leave sb/sth in the ~** usunąć kogoś/coś w cień, przyćmić kogoś/coś. **2.** *t. przen.* odcień (*np. barwy, szminki, znaczenia*). **3. a ~** *form.* odrobinę, trochę; **a ~ too large/small** odrobinę za duży/mały; **a ~ over two hours** trochę ponad dwie godziny. **4.** (*także* **lamp~**) abażur; klosz. **5.** (*także* **window ~**) *US* roleta. **6.** *lit.* duch, cień, widmo. **7.** *pl. zob.* **shades**. **8. have it made in the ~** *US pot.* mieć forsy jak lodu. – *v.* **1.** zacieniać, ocieniać; *t. przen.* osłaniać, przysłaniać (*sth with sth* coś czymś). **2. ~ (in)** cieniować (*rysunek*). **3.** zmieniać (się); przechodzić (*from sth to sth* od czegoś do czegoś). **4.** nieznacznie obniżać cenę (*czegoś*). **5. ~ (off/away) into sth** (stopniowo) przechodzić w coś.

shades [ʃeɪdz] *n. pl.* **1.** *pot.* okulary słoneczne. **2.** *przen.* cień, wspomnienie; **~ of the old days** cień *l.* wspomnienie dawnych dni.

shading ['ʃeɪdɪŋ] *n.* **1.** *U* cieniowanie. **2.** *pl. przen.* odcienie, subtelne różnice.

shadoof [ʃə'du:f], **shaduf** *n. hist.* żuraw studzienny (*zwł. w starożytnym Egipcie*).

shadow ['ʃædoʊ] *n.* **1.** *t. mal., med. l. przen.* cień (*t. = widmo, odbicie, skaza, nieodłączny towarzysz, szpieg*); **~s under sb's eyes** cienie pod oczami; **be a ~ of one's former self** być cieniem dawnego siebie; **be afraid/frightened/scared of one's own ~** bać się własnego cienia; **be worn to a ~** wyglądać jak cień; **cast a ~ over/on sth** *lit.* rzucać cień na coś; **in/under the ~ of sth** w cieniu czegoś; **grow up in sb's ~** dorastać w cieniu kogoś; **throw a ~ over/on sth** rzucać cień na coś; **without/beyond a ~ of a doubt** bez cienia wątpliwości. **2.** *U l. pl.* ciemność, mrok; **in ~** w ciemności *l.* mroku; **lurk in the ~s** czaić się w ciemnościach. **3.** *przen.* osłona; **under the ~ of sth** pod osłoną czegoś. – *v.* **1.** chodzić jak cień za (*kimś*); śledzić. **2.** *zw. pass. poet.* zacieniać, ocieniać; zasłaniać. **3.** zarysowywać. **4.** *arch.* osłaniać.

shadowbox ['ʃædoʊˌbɑ:ks], **shadow-box** *v. boks* boksować się z cieniem.

shadow boxing *n. U boks* walka z cieniem.

shadow cabinet *n. polit.* gabinet cieni.

shadow dance *n.* taniec cieni.

shadowgraph ['ʃædoʊˌgræf] *n.* **1.** cień rzucony na ekran *l.* ścianę (*zw. w formie złożonych rąk imitujących jakiś kształt*). **2.** *med.* = **radiograph**.

shadow-mask tube ['ʃædoʊˌmæsk ˌtu:b] *n. techn.* kineskop maskowy.

shadow prices *n. pl. ekon.* ceny dualne.

shadow puppet *n.* kukiełka w teatrze cieni.

shadow theater, *Br.* **shadow theatre** *n.* teatr cieni.

shadowy ['ʃædoʊɪ] *a.* **-ier, -iest 1.** tajemniczy; ~ **figure** tajemnicza postać. **2.** cienisty, zacieniony; pogrążony w cieniu. **3.** niewyraźny (*np. o fotografii*).

shady ['ʃeɪdɪ] *a.* **-ier, -iest 1.** cienisty, zacieniony. **2.** *pot.* podejrzany, ciemny; ~ **character/deal** podejrzany typ/interes.

shaft ['ʃæft] *n.* **1.** drzewce (*sztandaru, dzidy, strzały*). **2.** *t. górn.* szyb; **elevator~** szyb windy; **ventilation** ~ szyb wentylacyjny. **3.** *lit.* strzała. **4.** *przen.* ostrze (*np. satyry, dowcipu*). **5.** trzon (*t. kolumny, drzewa, kości*). **6.** *bud.* kolumna (*jedna z podpierających łuk*). **7.** rękojeść, trzonek (*t. narzędzia*). **8.** *mech.* wał, wałek. **9.** *mech.* wrzeciono. **10.** snop; promień; ~ **of light** snop światła; ~ **of sunlight** promień słońca. **11.** oś (*pióra, krzyża*). **12.** dyszel (*jeden z pary*). **13.** *anat.* łodyga (*włosa*). **14.** *US pot.* **get the** ~ dostać ochrzan; **give sb the** ~ ochrzanić kogoś. – *v.* *sl.* **1.** wycykać (= *oszukać*). **2.** zerżnąć (= *odbyć stosunek seksualny z*).

shaft horsepower *n. U mech.* moc na wale.

shafting ['ʃæftɪŋ] *n. U mech.* zespół wałów, pędnia.

shag¹ [ʃæg] *n.* **1.** kołtun (*włosów l. wełny*). **2.** *U* gruba tkanina dywanowa o długim włosie. **3.** *U* drobno posiekane grube liście tytoniu. **4.** *Br.* cieniowane włosy. – *v.* **-gg- 1.** mierzwić. **2.** zwisać niechlujnie (*o włosach*). **3.** *baseball* gonić i łapać (*piłki na treningu*).

shag² *n. orn.* kormoran czubaty (*Phalacrocorax aristotelis*).

shag³ *Br. i Austr. obsc. sl. v.* bzykać (się). – *n.* bzykanie, bzykanko (= *stosunek płciowy*).

shag⁴ *n.* rodzaj tańca z lat 30.

shagbark ['ʃægˌbɑːrk] *n.* (*także* **shellbark**) *bot.* orzesznik pięciolistkowy (*Carya ovata*).

shagged [ʃægd] *a. gł. pred.* (*także* ~ **out**) *Br. i Austr. sl.* wykończony (= *zmęczony*).

shagginess ['ʃægɪnəs] *n. U* włochatość.

shaggy ['ʃægɪ] *a.* **-ier, -iest 1.** włochaty; kudłaty. **2.** zmierzwiony. **3.** zarośnięty (*t. o osobie*).

shaggy dog story *n.* długi dowcip z bezsensowną pointą.

shaggymane ['ʃægɪˌmeɪn] *n. bot.* czernidlak kołpakowaty (*Coprinus comatus*).

shagreen ['ʃægriːn] *n. U* **1.** szagryn, skóra groszkowana, jaszczur. **2.** skóra rekina z brodawkami (*do drapania i polerowania*).

shah [ʃɑː], **Shah** *n.* szach (*perski*).

shake [ʃeɪk] *v.* **shook, shaken 1.** trząść się, drżeć (*t. o głosie, rękach*); ~ **like a leaf** *emf.* trząść się jak listek *l.* trzcina (na wietrze); ~ **with anger/laughter** trząść się ze złości/śmiechu. **2.** potrząsać (*czymś*); *t. przen.* wstrząsać (*kimś l. czymś*); ~ **well before use** przed użyciem wstrząsnąć; **be ~n** być wstrząśniętym. **3.** strząsać; strzepywać, otrząsać; ~ **pears from a tree** strząsać gruszki z drzewa; ~ **the sand (loose) from one's feet** strzepać *l.* otrząsnąć piasek z nóg. **4.** mieszać (*przez potrząsanie*). **5.** *muz.* wykonywać tryle na (*nucie*). **6.** *US i Can. pot.* zgubić (*pościg, ścigającego*). **7.** *Austr. sl.* podpieprzyć (= *ukraść*). **8.** ~ **a habit** wyrwać się z nałogu; ~ **a leg!** *pot.* ruszać się!, do roboty!; ~ **hands with sb** (*także* ~ **sb's hand,** ~ **sb by the hand**) uścisnąć czyjąś rękę *l.* dłoń, podać komuś rękę; ~ **in one's shoes/boots** *pot.* trząść portkami (*ze strachu*); ~ **on it** *pot.* przyklepać, przybić (= *dobić interesu l. pogodzić się, ściskając sobie dłonie*); ~ **one's fist (at sb)** wygrażać (komuś) pięścią; ~ **one's head** kręcić głową; ~ **o.s. free from sth** otrząsnąć się z czegoś; ~ **o.s. loose from sb's grasp** wyrwać się z czyjegoś uścisku; ~ **sb out of sth** wyrwać kogoś z czegoś, uwolnić kogoś od czegoś; ~ **sb's confidence/faith** zachwiać czyjąś pewnością siebie/wiarą. **9.** ~ **down** osiąść; ubić się; *Br. pot.* otrzaskać się (= *przyzwyczaić, dostosować*); *Br. pot.* przekimać (= *przespać się na prowizorycznym posłaniu*); ~ **sb down** *US pot.* wyciągnąć forsę od kogoś (*groźbami, szantażem*); ~ **sth down** strząsać coś (*np. owoce*); *Br.* testować coś (*zwł. statek l. samolot*); *gł. US pot.* przetrząsać coś; ~ **sth off** strząsnąć coś; strzepnąć coś; *przen.* otrząsnąć się z czegoś; pozbyć się czegoś, uwolnić się od czegoś; ~ **out** *wojsk.* rozciągać szyki; ~ **sth out** wytrzepać coś; opróżnić coś; rozpostrzeć coś (*np. prześcieradło, sztandar*); ~ **sb up** potrząsnąć kimś; *przen.* wstrząsnąć kimś; ~ **sth up** wymieszać coś (*przez potrząsanie*); *pot.* kompletnie coś przebudować *l.* zreorganizować. – *n.* **1.** potrząśnięcie; **give sth a good** ~ dobrze czymś potrząsnąć. **2.** *pot.* wstrząs (*sejsmiczny*). **3.** (*także* **milk~**) *kulin.* koktajl mleczny. **4.** drżenie, drganie. **5. the ~s** *pot.* drgawki; **get the ~s** dostać drgawek. **6.** *przen.* **give sb the** ~ pozbyć się kogoś; **give sb/get a fair** ~ *zob.* **fair shake; in two ~s (of a lamb's tail)** (*także* **in a couple of ~s**) *przest. pot.* w try miga; **no great ~s** nic nadzwyczajnego *l.* specjalnego.

shakedown ['ʃeɪkˌdaʊn] *n.* **1.** *US pot.* wymuszenie (*pieniędzy*). **2.** *US pot.* przetrząśnięcie, przeszukanie. **3.** test, próba; ~ **cruise/flight** próbny rejs/lot. **4.** *sing. Br. pot.* prowizoryczne posłanie.

shaken ['ʃeɪkən] *a. gł. pred.* (*także* ~ **up**) wstrząśnięty.

shake-out ['ʃeɪkˌaʊt] *n.* **1.** *Br.* kryzys giełdowy (*podczas którego drobni spekulanci zostają usunięci z rynku*). **2.** = **shakeup.**

shaker ['ʃeɪkər] *n.* **1.** pojemnik z dziurkami w wieczku (*np. solniczka*). **2.** (*także* **cocktail** ~) shaker. **3.** *przen. pot.* reformator/ka. **4. movers and ~s** *zob.* **mover.**

Shakespearian [ʃeɪk'spiːrɪən], **Shakespearean** *a.* szekspirowski. – *n.* znaw-ca/czyni Szekspira.

Shakespearian sonnet *n. wers.* sonet szekspirowski.

shake-up ['ʃeɪkˌʌp] *n.* (*także* **shake-out**) *pot.* kompletna przebudowa *l.* reorganizacja.

shaking palsy ['ʃeɪkɪŋ ˌpɔːlzɪ] *n. U przest. pat.* choroba Parkinsona.

shako ['ʃeɪkoʊ] *n. pl.* **-s** *l.* **-es** czako.

shaky ['ʃeɪkɪ] *a.* **-ier, -iest 1.** trzęsący się, drżący. **2.** chwiejny, niepewny. **3.** słaby, niepełny (*o* *wiedzy*). **4.** mglisty, niewyraźny. **5.** nieśmiały, niepewny (*o początku, starcie*).

shale [ʃeɪl] *n. U geol.* łupek; **oil ~** olej łupkowy (*otrzymywany z łupków bitumicznych*).

shall [ʃæl] *v. pret.* **should** [ʃʊd] *abbr.* **'ll** *neg.* **shall not = shan't** [ʃænt] *gł. Br.* **1.** *przest.* (*z pierwszą osobą tworzy czas przyszły*) **I ~ come tomorrow** przyjdę jutro; **we ~ be in New York next week** w przyszłym tygodniu będziemy w Nowym Jorku. **2.** (*z pierwszą osobą wyraża zdecydowanie, determinację*) **I ~ be there** będę tam; **we ~ fight** będziemy walczyć. **3.** (*wyraża sugestię, propozycję l. pytanie*) **~ I switch off the computer?** czy mam wyłączyć komputer?; **~ we go?** idziemy?; **let's open it, ~ we?** otwórzmy to, dobrze?. **4.** *przest. l. form.* (*wyraża powinność l. zakaz; t. np. w ustawach i postanowieniach*) **all members ~ sign this document** wszyscy członkowie powinni podpisać ten dokument; **the fine ~ not exceed $50** grzywna nie może przekroczyć 50 dolarów; **you ~ not kill** (*także arch.* **thou shalt not kill**) nie zabijaj (*przykazanie*). **5. we ~ see** zobaczymy (= *poczekajmy, przekonamy się*).

shalloon [ʃæ'luːn] *n. U tk.* lekka wełniana tkanina podszewkowa.

shallop ['ʃæləp] *n.* szalupa.

shallot [ʃə'lɑːt] *n. bot.* szalotka, czosnek askaloński (*Allium ascalonicum*).

shallow ['ʃæloʊ] *a. t. przen.* płytki (*t. np. o oddechu, osobie*). – *n. pl.* **the ~s** mielizna, płycizna. – *v. rzad.* **1.** stawać się płytkim. **2.** spłycać.

shallowly ['ʃæloʊlɪ] *adv. t. przen.* płytko.

shallowness ['ʃæloʊnəs] *n. U t. przen.* płytkość.

shalom [ʃɑː'loʊm] *int.* szalom (*pozdrowienie żydowskie*).

shalt [ʃælt] *v.* **thou shalt** *arch.* = **you shall**; *zob.* **shall**.

sham [ʃæm] *n.* **1.** *sing.* blaga, fikcja. **2.** *sing.* oszust/ka, uzurpator/ka. **3.** *U* pozór, pozory, udawanie. **4. pillow ~** *zob.* **pillow**. – *a. attr.* **1.** fałszywy, fikcyjny. **2.** udawany, pozorowany. **3.** sztuczny (*o biżuterii*). **4.** podrabiany. – *v.* **-mm-** udawać.

shaman ['ʃɑːmən] *n. pl.* **-s** szaman.

shamanic [ʃə'mænɪk] *a.* szamański.

shamanism ['ʃɑːməˌnɪzəm] *n. U* szamanizm.

shamble ['ʃæmbl] *v.* człapać; leźć; powłóczyć nogami. – *n.* człapanie; powłóczenie nogami.

shambles ['ʃæmblz] *n. sing. pot.* chaos, bałagan, zamieszanie; **degenerate into/be reduced to a ~** przerodzić się w chaos; **make a ~ of sth** kompletnie coś spartaczyć; **sth is (in) a (complete/total) ~** gdzieś panuje (totalny) bałagan *l.* chaos.

shambolic [ʃæm'bɑːlɪk] *a. pot.* chaotyczny.

shame [ʃeɪm] *n.* **1.** *U* wstyd; zawstydzenie; **~ on you!** wstydź się!, jak ci nie wstyd!; **be without ~** nie mieć wstydu; **bring ~ on sb** przynosić komuś wstyd; **burn with ~** palić się ze wstydu; **hang/bow one's head in ~** zwiesić/pochylić głowę ze wstydu; **have no (sense of) ~** nie mieć (poczucia) wstydu; **put sb to ~** zawstydzać kogoś (*zwł. swoją wyższością*); **there is no ~ in (working hard)** (ciężka praca) to nie (jest) powód do wstydu; **to one's ~** ze wstydem, ku swemu zawstydzeniu (*np. zdać sobie sprawę z czegoś*); **what a ~!** co za wstyd!. **2.** szkoda; **it's a ~ (that)...** szkoda, że...; **it's a ~ to waste so much time** szkoda marnować tyle czasu; **what a ~!** jaka szkoda! – *v.* **1.** zawstydzać. **2.** przynosić wstyd (*komuś*). **3. ~ sb into doing sth** nakłonić kogoś do (zrobienia) czegoś (*poprzez wywołanie uczucia wstydu*). **4. it ~s me that...** wstyd mi, że...; **it ~s me to say it, but...** wstyd mi to mówić, ale...

shamefaced [ˌʃeɪm'feɪst] *a.* **1.** zawstydzony. **2.** wstydliwy.

shameful ['ʃeɪmfʊl] *a.* haniebny, karygodny; przynoszący wstyd.

shamefully ['ʃeɪmfʊlɪ] *adv.* haniebnie, karygodnie.

shamefulness ['ʃeɪmfʊlnəs] *n. U* haniebność, karygodność.

shameless ['ʃeɪmləs] *a.* bezwstydny.

shamelessly ['ʃeɪmləslɪ] *adv.* bezwstydnie.

shamelessness ['ʃeɪmləsnəs] *n. U* bezwstydność, bezwstyd.

shammy ['ʃæmɪ] *n. pl.* **-ies 1.** *U* (*także* **~ leather**) ircha. **2.** kawałek irchy.

shampoo [ʃæm'puː] *n.* **1.** *C/U* szampon. **2.** *C/U* płyn do (czyszczenia) dywanów. **3.** *zw. sing.* mycie (*włosów, zwł. u fryzjera*); **~ and set** mycie i ułożenie. – *v.* **1.** myć (szamponem). **2.** czyścić na mokro (*zwł. dywan*).

shampooer [ʃæm'puːər] *n.* dozownik szamponu.

shamrock ['ʃæmrɑːk] *n.* **1.** koniczyna (*jako godło narodowe Irlandii*). **2.** *bot.* koniczyna biała (*Trifolium repens*). **3.** *bot.* szczawik zajęczy, zajęcza kapusta (*Oxalis acetosella*). **4.** *bot.* lucerna nerkowata, lucerna chmielowa (*Medicago lupulina*).

shamus ['ʃɑːməs] *n. US sl.* **1.** glina (= *policjant*). **2.** prywatny detektyw.

shandy ['ʃændɪ] *n. C/U pl.* **-ies** *Br. i Austr.* piwo z lemoniadą (*l. z napojem imbirowym*).

shandygaff ['ʃændɪˌgæf] *n. C/U US* piwo z napojem imbirowym.

shanghai ['ʃæŋˌhaɪ] *v.* **1.** zmusić (*sb into doing sth* kogoś do czegoś) (*podstępem l. siłą*). **2.** *żegl.* zaokrętować siłą.

Shangri-La [ˌʃæŋrɪ'lɑː], **Shangri-la** *n.* ziemski raj, ziemia obiecana.

shank [ʃæŋk] *n.* **1.** *anat.* podudzie; goleń (*t. u ptaków*). **2.** *zw. pl. przest. pot.* gira (= *noga*). **3.** *U kulin.* goleń. **4.** trzonek; uchwyt, rączka; rękojeść. **5.** trzon (*np. śruby, gwoździa*). **6.** *żegl.* trzon kotwicy. **7.** wąska środkowa część podeszwy. **8.** obrączka pierścionka. **9.** podstawa guzika (*z dziurką do przyszywania*). **10.** *sl.* nóż własnej roboty (*zwł. zrobiony przez więźnia*). **11. ~'s mare** *US*/**pony** *Br. przest. pot. żart.* chodzenie na piechotę. – *v.* **1.** *bot. pat.* odpadać od łodygi; ulegać przebarwieniu. **2.** *golf* uderzyć piętką (*piłkę, posyłając ją w złym kierunku*).

shanny ['ʃænɪ] *n. pl.* **-ies** *l.* **shanny** *icht.* ślizg z rodziny ostropłetwcowatych (*Blennius pholis*).

shan't [ʃænt] *v. gł. Br.* = **shall not**; *zob.* **shall**.

shantung [ˌʃænˈtʌŋ] *n. U tk.* szantung (*rodzaj jedwabiu*).

shanty[1] [ˈʃæntɪ] *n. pl.* **-ies** (*także* **sea ~**) (*także* **shantey, chanty**) *żegl., muz.* szanta.

shanty[2] *n. pl.* **-ies** chałupa, buda.

shantytown [ˈʃæntɪˌtaʊn] *n.* slumsy, dzielnica slumsów.

SHAPE [ʃeɪp] *abbr.* **Supreme Headquarters Allied Powers Europe** Naczelne Dowództwo Połączonych Sił Zbrojnych (NATO) w Europie.

shape [ʃeɪp] *n.* **1.** *C/U* kształt; **give ~ to sth** nadawać czemuś kształt; **in/of all ~s and sizes** wszelkich kształtów i rozmiarów; **in the ~ of sth** w kształcie czegoś; **lose its ~** stracić kształt; **square/spherical in ~** w kształcie kwadratu/kuli; **take ~** nabierać kształtu. **2.** forma, kondycja (*t. fizyczna*); stan; **be in no ~ to do sth** nie być w stanie czegoś robić; **get (o.s.) into ~** dojść do formy; **in good/bad ~** w dobrej/złej formie, w dobrym/złym stanie; **keep (o.s.) in ~** trzymać się w formie; **out of ~** bez formy *l.* kondycji. **3.** *zw. sing.* postać; charakter, kształt; **in any ~ or form** w jakiejkolwiek postaci; **in the ~ of sb** w postaci kogoś; **take the ~ of sth** przybrać postać *l.* kształt czegoś; **the ~ of American economy** charakter amerykańskiej gospodarki. **4.** figura (= *sylwetka*). **5.** *geom.* kształt geometryczny. **6.** zarys, niewyraźna sylwetka. **7.** zjawa. **8.** forma; szablon; kształtownik. **9.** *przen.* **knock/lick/whip sb/sth into ~** *pot.* doprowadzić kogoś/coś do jakiej takiej formy; **(people/dogs/cars) come in all ~s and sizes** są różne rodzaje ludzi/psów/samochodów; **the ~ of things to come** to, co nas czeka. – *v.* **1.** formować; **~ sth into sth** uformować coś w coś. **2.** kształtować (*np. opinie, charaktery*); nadawać kształt (*czemuś*). **3.** formułować (*np. odpowiedź*); obmyślać (*np. plan, strategię*). **4.** dostosowywać (*sth to sth* coś do czegoś). **5.** kierować (*np. biegiem wypadków, życiem*). **6. ~ up** *pot.* kształtować, rozwijać; dobrze się układać; radzić sobie; poprawiać się; nabierać formy (*fizycznej*); **~ up or ship out** *US pot.* do roboty albo wynocha; **he/it is ~ing up well** dobrze się zapowiada; **it's ~ing up to be a disaster** zanosi się na katastrofę; **you'd better ~ up** (lepiej) weź się za siebie.

shaped [ʃeɪpt] *a.* **~ like sth** w kształcie czegoś; **be ~ like sth** mieć kształt czegoś; *przen.* mieć zadatki na coś; **be perfectly/unusually ~** mieć idealny/dziwny kształt; **heart-~** w kształcie serca.

shapeless [ˈʃeɪpləs] *a.* bezkształtny, nieforemny.

shapelessly [ˈʃeɪpləslɪ] *adv.* bez kształtu.

shapelessness [ˈʃeɪpləsnəs] *n. U* brak kształtu.

shapeliness [ˈʃeɪplɪnəs] *n. U* kształtność, zgrabność.

shapely [ˈʃeɪplɪ] *a.* **-ier, -iest** kształtny, zgrabny (*zwł. o nogach*).

shaper [ˈʃeɪpər] *n.* **1.** przyrząd do modelowania. **2.** strugarka poprzeczna.

shape-shifter [ˈʃeɪpˌʃɪftər] *n.* rzecz zmieniająca kształt.

shape-up [ˈʃeɪpˌʌp], **shapeup** *n. US* wybieranie robotników spośród osób, które zgłoszą się rano (*zwł. robotników do pracy w dokach*).

shard [ʃɑːrd], **sherd** [ʃɝːd] *n.* **1.** skorupa (*gliniana*); kawałek, odłamek (*np. szkła*). **2.** *archeol.* = **potsherd**. **3.** *zool.* pancerz; skorupa; łuska. **4.** *ent.* pokrywa (= *zewnętrzne skrzydło żuka*).

share[1] [ʃer] *v.* **1.** dzielić (się); **~ sth between/among sb** dzielić coś pomiędzy kogoś; **~ sth with sb** dzielić coś z kimś; dzielić się czymś z kimś (*t. przen.* = *mówić*); **~ and ~ alike** *pot.* dzielić po równo. **2.** podzielać; **~ sb's concern/sb's point of view** podzielać czyjąś troskę/czyjś punkt widzenia. **3. ~ (out)** rozdzielać. **4. ~ in sth** dzielić coś (*np. smutek, radość*); uczestniczyć w czymś; mieć udział *l.* partycypować w czymś. – *n.* **1.** część; **do one's ~** zrobić swoją część; **get one's (fair) ~** dostać swoją część; **the lion's ~ (of sth)** lwia część (czegoś). **2.** udział; **fall to sb's ~** przypaść komuś w udziale; **have a ~ in sth** mieć udział w czymś. **3.** *zw. pl. gł. Br. fin.* akcja, udział; **call in ~s** wykupywać *l.* wycofywać akcje; **deferred ~s** akcje odroczone (*od których dywidenda wypłacana jest po pewnym czasie l. po spełnieniu określonych warunków*); **earnings per ~** zysk z akcji; **issue ~s** emitować akcje; **ordinary ~s** akcje zwyczajne; **preferred/preference ~s** akcje uprzywilejowane; **stocks and ~s** *zob.* **stock** *n.*; **subscription ~s** akcje pozyskane drogą regularnie dokonywanych płatności; **voting ~s** akcje uprawniające do głosowania (*na walnym zgromadzeniu akcjonariuszy*). **4. ~ of the pie** *zob.* **pie**[1]; **go ~s with sb** podzielić się z kimś.

share[2] *n. roln.* **1.** lemiesz. **2.** radlica (*siewnika*). **3.** radliczka, radełko (*kultywatora*).

share-beam [ˈʃerˌbiːm] *n. roln.* odkładnica (*pługa*).

share bonus *n. fin.* **1.** dodatkowa wypłata w formie akcji. **2.** superdywidenda.

share capital *n. U fin.* kapitał akcyjny.

share certificate *n. fin.* świadectwo udziałowe.

sharecropper [ˈʃerˌkrɑːpər] *n. US* połownik (= *dzierżawca płacący czynsz częścią plonów*).

shared [ʃerd] *a.* wspólny (*np. o interesach, przeżyciach; Br. t. o mieszkaniu l. domu*).

shared ownership *n. U Br.* ograniczona własność (*w której kupuje się część budynku, a pozostała część należy do spółdzielni l. towarzystwa budowlanego*).

shareholder [ˈʃerˌhoʊldər] *n. gł. Br. fin.* akcjonariusz/ka, udziałowiec.

share holding *n. fin.* pakiet akcji.

share index *n.* = **share price index**.

share issue *n. fin.* emisja akcji.

share market *n. fin.* rynek akcji.

share option *n. fin.* prawo zakupu akcji po niższej cenie (*dla pracowników przedsiębiorstwa, które akcje emituje*).

share-out [ˈʃerˌaʊt] *n.* rozdział.

share price *n. fin.* kurs akcji.

share price index *n. fin.* wskaźnik kursów akcji.

shareware [ˈʃerˌwer] *n. komp.* shareware (= *darmowe l. tanie oprogramowanie*).

sharia [ʃə'ri:ə], **shariah**, **sheria** *n. U rel., prawn.* szariat.

shark [ʃɑ:rk] *n.* **1.** *pl.* **-s** *l.* **shark** *zool.* rekin (*gromada Chondrichthyes*); **blue ~** żarłacz błękitny (*Prionace glauca*); **great white ~** żarłacz biały, żarłacz *l.* rekin ludojad (*Carcharodon carcharias*); **hammerhead ~** młot (*Sphyrnax zygaena*). **2.** *pot.* oszust/ka; **card ~** oszust/ka karcian-y/a; **loan ~** lichwia-rz/rka. **3.** *bot.* kapturnica (*Cucullia*). – *v.* żyć z oszustwa.

shark net *n.* (*także Austr.* **shark fence**) siatka zabezpieczająca przed rekinami (*w zatoce itp.*).

sharkskin ['ʃɑ:rk,skın] *n. U* **1.** *tk.* błyszczący sztuczny jedwab (*np. na odzież sportową*). **2.** skóra z rekina.

sharp [ʃɑ:rp] *a.* **1.** *t. przen.* ostry (*np. o nożu, piasku, smaku, bólu, rysach, powietrzu, walce*); **~ bend/turn** ostry zakręt; **~ frost** ostry mróz; **~ wit** ostry dowcip; **be ~ with sb** traktować kogoś ostro; **have a ~ tongue** mieć ostry *l.* cięty język; **razor ~** *emf.* ostry jak brzytwa; **take a ~ right/left** *mot.* skręcić ostro w prawo, wziąć ostry zakręt w prawo. **2.** bystry (*np. o wzroku, osobie*); **~ mind/intellect** bystry umysł. **3.** gwałtowny (*np. o ruchu, wzroście, powiewie wiatru*). **4.** przeszywający (*o chłodzie, dźwięku, wietrze*). **5.** wyraźny (*np. o konturze, rysunku, kontraście*). **6.** czujny; baczny; **keep a ~ eye on sb** bacznie kogoś obserwować. **7.** *US pot.* elegancki; **look ~** wyglądać elegancko. **8.** *muz.* o pół tonu za wysoki. **9.** *muz.* z krzyżykiem; **C ~** cis. **10.** *przen.* **be at/on the ~ end (of sth)** być narażonym na największy stres (związany z czymś) (*np. z pracą w danej firmie*); **have a ~ eye for detail** zauważać najdrobniejsze szczegóły. – *adv.* **1.** ostro; **turn ~ left/right** *mot.* skręcić ostro w lewo/prawo. **2.** gwałtownie. **3.** punktualnie; **at 10 o'clock ~** punktualnie o dziesiątej. **4.** *muz.* powyżej tonacji. **5. look ~!** *US* uważaj!; *Br.* pospiesz się!. – *n.* **1.** *muz.* krzyżyk; nuta z krzyżykiem. **2.** *pot.* oszust/ka; **card~** oszust/ka karcian-y/a. **3.** bardzo cienka igła. **4.** *zw. pl.* plewki (*pszenicy*). **5.** *chir.* ostrze. – *v. US i Can. muz.* **1.** podwyższać o pół tonu. **2.** śpiewać powyżej tonacji; grać powyżej tonacji.

sharpbill ['ʃɑ:rp,bıl] *n. orn.* ostrodziób (*Oxyruncus cristatus*).

sharp-eared [,ʃɑ:rp'i:rd] *a.* mający świetny słuch.

sharpen ['ʃɑ:rpən] *v.* **1.** ostrzyć. **2.** zaostrzać (się). **3.** nabierać ostrości. **4.** *Br. muz.* = **sharp** *v.* **5. ~ up** poprawiać, ulepszać.

sharpener ['ʃɑ:rpənər] *n.* **1.** (*także* **pencil ~**) temperówka. **2.** ostrzarka (*t. do noży*).

sharper ['ʃɑ:rpər] *n. Br.* = **sharpie**.

sharp-eyed [,ʃɑ:rp'aıd] *a.* (*także* **sharp-sighted**) bystrooki, spostrzegawczy.

sharp gas *n. U górn.* gaz kopalniany zapalny.

sharpie ['ʃɑ:rpı], **sharpy** *n. pl.* **-ies** *pot.* (*także Br.* **sharper**) szuler/ka, oszust/ka.

sharpish ['ʃɑ:rpıʃ] *adv. Br. pot.* szybko.

sharply ['ʃɑ:rplı] *adv.* **1.** ostro. **2.** szorstko. **3.** gwałtownie. **4.** wyraźnie.

sharpness ['ʃɑ:rpnəs] *n. U* **1.** ostrość. **2.** wyrazistość.

sharp practices *n. pl.* nieuczciwe praktyki.

sharp-set [,ʃɑ:rp'set] *a.* **1.** wygłodniały. **2.** ochoczy.

sharpshooter ['ʃɑ:rp,ʃu:tər] *n.* strzelec wyborowy.

sharp-sighted [,ʃɑ:rp'saıtıd] *a.* = **sharp-eyed**.

sharp-tempered [,ʃɑ:rp'tempərd] *a.* pobudliwy, wybuchowy.

sharp-tongued [,ʃɑ:rp'tʌŋgd] *a.* mający cięty język.

sharp-witted [,ʃɑ:rp'wıtıd] *a.* bystry, rozgarnięty.

sharpy ['ʃɑ:rpı] *a.* = **sharpie**.

shashlik ['ʃɑ:ʃ,lık], **shashlick** *n. kulin.* szaszłyk.

Shasta daisy [,ʃæstə 'deızı] *n. pl.* **-ies** *bot.* złocień wielki (*Chrysanthemum maximum*).

shatter ['ʃætər] *v.* **1.** roztrzaskiwać (się); **~ into small pieces** roztrzaskać na kawałki *l.* w drobny mak. **2.** *przen.* rujnować (*np. zdrowie, nerwy, spokój*); obracać wniwecz, niweczyć (*np. nadzieje*); rozwiewać (*np. złudzenia*); **their dreams/hopes have been ~d** ich marzenia/nadzieje legły w gruzach. **3.** *pot.* wykańczać (= *męczyć*).

shattered ['ʃætərd] *n. pred. pot.* **1.** zdruzgotany. **2.** wykończony.

shattering ['ʃætərıŋ] *a.* **1.** druzgocący. **2.** wstrząsający. **3.** wykańczający.

shatterproof ['ʃætər,pru:f] *a.* nietłukący.

shatters ['ʃætərz] *n. pl.* odłamki, kawałki (*np. potłuczonego szkła*).

shave [ʃeıv] *v.* **1.** golić (się); **~ one's beard** zgolić brodę; **~ one's head/legs** ogolić głowę/nogi. **2.** strzyc, obcinać krótko (*t. trawnik*). **3.** heblować, strugać. **4.** otrzeć się o, musnąć. **5. ~ (off)** nieznacznie obniżać (*np. cenę*); nieznacznie skracać (*np. czas trwania podróży*); **~ the price by 5 percent** obniżyć cenę o 5 procent. **6.** *US fin.* nabywać z dyskontem wyższym od urzędowego (*np. weksle*). **7. ~ off** zgolić (*np. brodę*); ostrzyc. – *n.* **1.** *zw. sing.* golenie; **have a ~** ogolić się. **2.** skrobaczka stolarska; ośnik. **3.** *US fin.* wygórowane dyskonto. **4.** = **shaving** 1. **5. it was a close ~** *zob.* **close**[1] *a.*

shaveling ['ʃeıvlıŋ] *n.* **1.** *uj. l. pog.* wygolony ksiądz *l.* zakonnik. **2.** młodzik.

shaven ['ʃeıvən] *a.* ogolony; wygolony; **clean-~** gładko ogolony.

shaver ['ʃeıvər] *n.* **1.** (*także* **electric ~**) golarka elektryczna, maszynka do golenia. **2.** strugacz. **3.** *US pot.* oszust/ka, naciągacz/ka. **4.** *przest. pot.* młodzik.

shaver outlet *n.* (*także Br.* **shaver point**) gniazdko na maszynkę do golenia.

shavetail ['ʃeıv,teıl] *n. US* **1.** *wojsk. sl.* podporucznik (*zwł. świeżo mianowany*). **2.** *pot.* żółtodziób.

Shavian ['ʃeıvıən] *a.* **1.** napisany przez G.B. Shawa. **2.** dotyczący G.B. Shawa. – *n.* specjalist-a/ka od twórczości G.B. Shawa.

shaving ['ʃeıvıŋ] *n.* **1.** *zw. pl.* (*także* **shave**) wiór, strużyna. **2.** *U* golenie.

shaving bag *n. US* kosmetyczka.

shaving brush *n.* pędzel do golenia.

shaving cream *n. U* krem do golenia.

shaving foam *n. U* pianka do golenia.

Shavuoth [ʃəˈvuːˌoʊt], **Shabuoth, Shavuot** *n. U judaizm* Szawuot, Święto Tygodni, Święto Żniw.

shaw [ʃɔː], **shaugh** *n. Br. l. dial. US* gąszcz, las.

shawl [ʃɔːl] *n.* szal; chusta. – *v.* okrywać szalem.

shawm [ʃɔːm] *n. hist., muz.* średniowieczny obój.

she [ʃiː] *pron.* ona (*t. cz. w odniesieniu do państw, samochodów, statków itp., do których mówiący ma stosunek emocjonalny*). – *n. sing. pot.* kobieta; dziewczyna; dziewczynka; *zw. w złoż.* samica; **~-bear** niedźwiedzica; **~-devil** diablica; **is it a he or a ~?** czy to mężczyzna czy kobieta?; czy to chłopiec czy dziewczynka?; czy to samiec czy samica?

s/he [ˌʃiːɔːrˈhiː] *pron.* on/a (*używane tylko w piśmie*).

shea [ʃiː] *n.* = **shea tree**.

shea butter *n. U kulin., kosmetyki* masło z masłosza.

sheaf [ʃiːf] *n. pl.* **sheaves** [ʃɪvz] **1.** snop (*zboża*). **2.** plik (*papierów, notatek*). **3.** pęk (*zwł. dwudziestu czterech strzał w kołpaku*). – *v.* wiązać w snopy.

shear [ʃiːr] *v. pp.* **sheared** *l.* **shorn** [ʃɔːrn] **1.** strzyc (*np. owce, sukno; t. lit. włosy*). **2.** *techn.* odkształcać (się) (*skutkiem naprężenia*). **3. be shorn of sth** *przen.* zostać pozbawionym czegoś (*np. władzy, wpływów*). **4. ~ (off/away)** *techn.* ścinać. – *n.* **1.** strzyżenie. **2.** ostrzyżona wełna. **3.** = **shear legs**. **4.** *U fiz.* naprężenie (*wywołane w strukturze substancji przez ciśnienie*).

shearer [ˈʃiːrər] *n.* (*także* **sheep ~**) postrzygacz.

shear legs, shearlegs *n. techn.* dźwig nożycowy.

shearling [ˈʃiːrlɪŋ] *n.* **1.** owca raz strzyżona. **2.** *U* ostrzyżona wełna.

shear modulus *n. fiz.* moduł sprężystości poprzecznej *l.* postaciowej, moduł Kirchhoffa.

shear pin *n. mech.* kołek bezpiecznikowy ścinany.

shears [ˈʃiːrz] *n. pl.* (*także* **a pair of ~**) nożyce, sekator.

shear steel *n. U metal.* stal nożowa.

shear strain *n. U fiz.* odkształcenie przy ścinaniu.

shear stress *n. U fiz.* naprężenie styczne *l.* ścinające.

shearwater [ˈʃiːrˌwɔːtər] *n. pl.* **-s** *l.* **shearwater** *orn.* burzyk (*Puffinus*).

sheatfish [ˈʃiːtˌfɪʃ] *n. pl.* **-es** *l.* **sheatfish** *icht.* sum pospolity (*Silurus glanis*).

sheath [ʃiːθ] *n.* **1.** pochwa (*miecza, noża*). **2.** *biol.* otoczka; osłonka; pochewka. **3.** *bot.* pochwa. **4.** *ent.* pokrywa skrzydeł (*u żuków*). **5.** obcisła sukienka. **6.** *Br.* prezerwatywa.

sheathe [ʃiːð] *v.* **1.** wkładać do pochwy. **2.** *zw. pass.* powlekać, szczelnie pokrywać; **be ~d in sth** być powleczonym czymś. **3.** *biol.* otaczać osłonką. **4.** chować (*pazury*). **5.** *lit.* zatapiać (*np. nóż w ciele*).

sheathing [ˈʃiːðɪŋ] *n. zw. sing.* osłona, powłoka.

sheath knife *n.* nóż fiński, finka.

shea tree *n. bot.* masłosz (*Butytrospermum parkii*).

sheave[1] [ʃɪv] *n. mech.* koło pasowe klinowe *l.* rowkowe.

sheave[2] *v.* wiązać w snopy.

sheaves [ʃɪvz] *n. pl. zob.* **sheaf**.

shebang [ʃɪˈbæŋ] *n. zwł. US, Can. i Austr. pot.* **1.** sprawa, interes; **be tired of the whole ~** mieć tego wszystkiego dość. **2.** buda (= *sklep, bar, teatr itp.*).

shebeen [ʃɪˈbiːn] *n. Ir., Scot., S.Afr.* nielegalny wyszynk.

shed[1] [ʃed] *v.* **shed, shed, -dd- 1.** wylewać; **~ tears** *lit.* wylewać *l.* ronić łzy. **2.** przelewać; **~ blood** przelewać krew. **3.** rzucać; **~ light on sth** *t. przen.* rzucać światło na coś. **4.** *t. zool., bot.* zrzucać (*rogi, skórę, skorupę, sierść, liście*); tracić (*włosy, zęby, liście, sierść*); **~ a few kilos/pounds** zrzucić parę kilogramów/funtów. **5.** zrzucać z siebie (*części garderoby*). **6.** *zool.* linieć. **7.** pozbywać się (*t. np. pracowników*); **~ one's inhibitions** pozbyć się (swoich) zahamowań. **8. sth ~s water** woda spływa po czymś, coś nie przyjmuje wody. **9. ~ its load** *Br.* zgubić ładunek (*o ciężarówce*). **10. ~ one's hair** *Scot.* robić (sobie) przedziałek we włosach, czesać się z przedziałkiem. – *n. Scot.* przedziałek.

shed[2] *n.* **1.** szopa. **2.** *lotn.* hangar. **3.** *kol.* zajezdnia.

she'd [ʃiːd] *abbr.* **1.** = **she had**. **2.** = **she would**.

she-devil [ˈʃiːˌdevl] *n.* diablica.

sheen [ʃiːn] *n. U l. sing.* **1.** połysk. **2.** *lit.* olśniewający wygląd (*zw. będący efektem eleganckiego stroju*). – *v. dial.* błyszczeć.

sheeny [ˈʃiːnɪ] *n. pl.* **-ies** *przest. pog. sl.* żydek.

sheep [ʃiːp] *n. pl.* **sheep 1.** owca (*zool.* = *Ovis*); **flock of ~** stado owiec. **2.** *pl. przen. uj.* owce, barany (= *ludzie bezmyślnie naśladujący zachowanie innych*); *rel.* owieczki (= *wierni*). **3.** *U* wyprawiona skóra owcza. **4.** *przen.* **a wolf in ~'s clothing** wilk w owczej skórze; **black ~** czarna owca; **count ~** liczyć barany; **make ~'s eyes at sb** *zob.* **eye** *n.*; **separate the ~ from the goats** *zob.* **separate** *v.*; **(we/you might) as well be hanged for a ~ as for a lamb** *zob.* **lamb** *n.*

sheepberry [ˈʃiːpˌberɪ] *n. pl.* **-ies** *bot.* kalina (*Viburnum lentago*).

sheepcote [ˈʃiːpˌkoʊt] *n. gł. Br.* = **sheepfold**.

sheep-dip [ˈʃiːpˌdɪp] *n.* **1.** *U* środek odkażający dla owiec. **2.** kąpiel odkażająca dla owiec (*z użyciem środka jw.*).

sheepdog [ˈʃiːpˌdɔːg] *n.* owczarek.

sheep farmer *n.* hodowca owiec.

sheepfold [ˈʃiːpˌfoʊld] *n.* (*także* **~cote**) zagroda dla owiec.

sheepish [ˈʃiːpɪʃ] *a.* **1.** zmieszany, zażenowany. **2.** potulny, łagodny.

sheepishly [ˈʃiːpɪʃlɪ] *adv.* ze zmieszaniem, z zażenowaniem.

sheepishness [ˈʃiːpɪʃnəs] *n.* *U* zmieszanie, zażenowanie.

sheep ked *n.* = **sheep tick.**

sheep laurel *n.* *bot.* kalmia wąskolistna (*Kalmia angustifolia*).

sheep ranch *n.* (*także Br.* **sheepwalk**) pastwisko dla owiec.

sheep run *n.* *zwł. Austr.* rozległe pastwisko dla owiec.

sheepshank [ˈʃiːpˌʃæŋk] *n.* *żegl.* węzeł dla (chwilowego) skrócenia liny.

sheepshearer [ˈʃiːpˌʃiːrər] *n.* postrzygacz owiec.

sheepshearing [ˈʃiːpˌʃiːrɪŋ] *n.* **1.** *U* strzyżenie owiec. **2.** okres strzyżenia owiec.

sheepskin [ˈʃiːpˌskɪn] *n.* **1.** *U* skóra owcza wyprawiona. **2.** (*także* ~ **coat**) kożuch. **3.** *U* pergamin (*z owczej skóry*). **4.** *US uniw. pot.* dyplom ukończenia studiów (*tradycyjnie wypisywany na pergaminie jw.*).

sheep sorrel, *Br.* **sheep's sorrel** *n.* *U bot.* szczaw polny (*Rumex acetosella*).

sheep tick *n.* (*także* **sheep ked**) *ent.* kleszcz owczy (*Melophagus ovinus*).

sheepwalk [ˈʃiːpˌwɔːk] *n.* *Br.* = **sheep ranch.**

sheer[1] [ʃiːr] *a. attr.* **1.** czysty, najzwyklejszy; ~ **nonsense/stupidity** czysty nonsens/czysta głupota; **by ~ chance** przez czysty przypadek. **2.** *emf.* sam; **by ~ willpower** samą (tylko) siłą woli; **the ~ size/scale** sama wielkość/skala (*of sth* czegoś). **3.** pionowy, stromy. **4.** prawie przezroczysty (*np. o jedwabiu, pończochach*). – *adv.* **1.** zupełnie, kompletnie. **2.** pionowo, stromo. – *n.* *C/U tk.* prawie przezroczysta tkanina.

sheer[2] *v.* **1.** *żegl.* ~ **(off/away)** zbaczać *l.* schodzić z kursu (*o statku*); powodować zboczenie z kursu (*statku*). **2.** ~ **off/away from sb/sth** *przen.* unikać kogoś/czegoś (*niemiłego*). – *n.* *żegl.* **1.** zboczenie z kursu, odchylenie od kursu. **2.** wznios pokładu. **3.** położenie statku z dala od kotwicy.

sheerlegs [ˈʃiːrˌlegz] *n. pl.* = **shearlegs.**

sheerness [ˈʃiːrnəs] *n.* *U rzad.* **1.** prostota. **2.** przezroczystość.

sheet[1] [ʃiːt] *n.* **1.** prześcieradło; **change the ~s** zmieniać pościel; **fitted ~** prześcieradło z gumką. **2.** kartka; arkusz (*t. blachy*); ~ **of paper** kartka papieru. **3.** płyta (*np. szklana*). **4.** tafla (*np. wody, lodu*); ściana (*np. deszczu, ognia*). **5.** *dzienn.* płachta (= *gazeta*). **6.** *geol.* warstwa, pokład. **7.** **(as) white as a ~** *emf.* blady jak ściana; **clean ~** *zob.* **clean**; **cookie ~** *zob.* **cookie**; **flow ~** *zob.* **flow**; **fly~** *zob.* **flysheet**; **rap ~** *zob.* **rap**; **scandal ~** *zob.* **scandal**; **the rain was coming down in ~s** deszcz lał strugami *l.* strumieniami. – *v.* **1.** przykrywać prześcieradłem. **2.** zawijać w prześcieradło. **3.** pokrywać cienką warstwą (*np. lodu*). **4.** ~ **(down)** lać strugami *l.* strumieniami (*o deszczu*).

sheet[2] *n.* **1.** *żegl.* szot. **2.** **three ~s in/into the wind** *US pot.* zalany w pestkę (= *pijany*). – *v.* *żegl.* wybierać; ~ **(a sail) home** wybierać szoty.

sheet anchor *n.* **1.** *żegl.* kotwica zapasowa (*używana w sytuacjach awaryjnych*). **2.** *przen.* ostatnia deska ratunku.

sheet feeder *n.* podajnik papieru (*np. w drukarce*).

sheet glass *n.* *U* szkło płaskie, szkło okienne.

sheeting [ˈʃiːtɪŋ] *n.* *U tk.* **1.** płótno pościelowe. **2.** tkanina na pokrycia.

sheet knot *n.* *żegl.* węzeł szotowy.

sheet lightning *n.* *U meteor.* poświata od niewidocznej błyskawicy.

sheet metal *n.* *U* blacha cienka.

sheet music *n.* *U muz.* nuty (*na papierze*).

sheet pile *n.* *bud.* grodzica, pal ścianki szczelnej.

sheetrock [ˈʃiːtˌrɑːk] *n.* *bud.* płyta kartonowo-gipsowa.

sheik [ʃeɪk], **sheikh, shaikh** *n.* szejk.

sheika [ˈʃeɪkɑː], **sheikha, shaikha** *n.* żona szejka.

sheikdom [ˈʃeɪkdəm], **sheikhdom, shaikhdom** *n.* szejkanat.

shekel [ˈʃekl] *n.* szekel (= *waluta l. moneta izraelska; t. hist.* = *starożytna żydowska moneta l. jednostka wagi*).

shekels [ˈʃeklz] *n. pl. sl.* mamona.

sheldrake [ˈʃelˌdreɪk] *n. pl.* **-s** *l.* **sheldrake** **1.** (*także* **shelduck**) *orn.* ohar (*Tadorna tadorna*). **2.** tracz nurogęś (*Mergus merganser*); tracz długodzióbowy (*Mergus serrator*).

shelf [ʃelf] *n. pl.* **shelves** [ʃelvz] **1.** półka. **2.** *geol.* szelf. **3.** ławica piaskowa. **4.** *łucznictwo* wypukła część dłoni przy nadgarstku (*o którą opiera się koniec strzały*). **5.** *przen.* **off-the-~** *zob.* **off-the-shelf**; **(left) on the ~** *przest.* odłożony na półkę, odstawiony do kąta (= *bezużyteczny*); niemający szans na małżeństwo (*z powodu zbyt zaawansowanego wieku*).

shelf catalog, *Br.* **shelf catalogue** *n.* (*także* **shelf list**) *bibl.* katalog, spis książek (*według pozycji na półkach*).

shelf ice *n.* = **ice shelf.**

shelf life *n.* *zw. sing.* **1.** *handl.* okres przechowywania. **2.** *przen. pot.* okres popularności (*kogoś l. czegoś*).

shelf list *n.* = **shelf catalog.**

shelf mark, shelf-mark *n.* *bibl.* sygnatura.

shell [ʃel] *n.* **1.** *t. zool.* skorupa (*skorupiaka*); muszla (*zwł. mięczaka morskiego*); muszelka (*na plaży, jako ozdoba*); (*także* **egg~**) skorupka (*jajka*). **2.** *bot.* łupina, skorupka (*np. orzecha*); łuska (*nasienia; t. wojsk. - naboju*); strąk, strączek (*grochu*). **3.** *ent.* szkielet zewnętrzny, egzoszkielet. **4.** *kulin.* ciasto do wypełnienia nadzieniem; **pasta ~s** (makaron) muszelki. **5.** *bud., żegl.* szkielet. **6.** pokrywa (*t. kotła*). **7.** *fiz.* powłoka elektronowa. **8.** *komp.* powłoka (*w systemie operacyjnym Unix*). **9.** *ekon.* = **shell company.** **10.** *wojsk.* pocisk (*artyleryjski*). **11.** *zwł. US wojsk.* nabój. **12.** *sport* lekka łódź wyścigowa (*wioślarska*). **13.** *strój* wiatrówka. **14.** *US strój* bluzka *l.* sweterek bez rękawów. **15.** *US* mały kufel (*do piwa*). **16.** *przen.* **come out of one's ~** wyleźć *l.* wyjść ze swojej skorupy; **crawl/retire/retreat into one's ~** zamknąć się w (swojej) skorupie. – *v.* **1.** łuskać (*np. groch*); obierać z łupiny (*np. orzechy*); obierać ze skorupki (*jajko*). **2.** łuszczyć się. **3.** *wojsk.* ostrzeliwać. **4.** *US* zbierać muszelki. **5.** ~ **out** *pot.* wybulić (*for sth* za coś).

she'll [ʃi:l] *abbr.* = **she will**.

shellac [ʃəˈlæk] *n. U* (*także* ~ **varnish**) szelak. – *v.* **-ck- 1.** pokrywać szelakiem. **2.** *US i Austr. sl.* spuścić wpierdol (*komuś; = zbić l. pokonać*).

shellacking [ʃəˈlækɪŋ] *n. sing. US i Austr. sl.* wpierdol.

shellback [ˈʃelˌbæk] *n. żegl.* stary wilk morski (*zwł. taki, który przepłynął równik*).

shellbark [ˈʃelˌbɑ:rk] *n.* = **shagbark**.

shell company *n. pl.* **-ies** *ekon.* spółka holdingowa dysponująca pakietem akcji kontrolnych innych firm.

shell crater *n.* = **shell hole**.

shellfire [ˈʃelˌfaɪr] *n. U wojsk.* ogień artyleryjski.

shellfish [ˈʃelˌfɪʃ] *n. pl.* **-s** *l.* **shellfish 1.** *zool.* mięczak (*okryty muszlą*); skorupiak. **2.** *U kulin.* małże; skorupiaki; owoce morza.

shell heap *n.* (*także* **shell mound**) *archeol.* warstwa ziemi zawierająca kawałki ceramiki (*w osadach prehistorycznych*).

shell hole *n.* (*także* **shell crater**) *wojsk.* lej (*po pocisku*).

shelling [ˈʃelɪŋ] *n. wojsk.* ostrzał artyleryjski.

shell jacket *n. wojsk.* kurtka (oficerska) sięgająca do pasa.

shell-like [ˈʃelˌlaɪk] *a.* podobny do muszli *l.* muszelki. – *n. żart. pot.* ucho.

shell mound *n. archeol.* = **shell heap**.

shellproof [ˈʃelˌpru:f] *a. wojsk.* odporny na ostrzał artyleryjski.

shellshock [ˈʃelˌʃɑ:k] *n. U pat.* nerwica frontowa, zespół wyczerpania walką.

shell shocked *a.* **1.** *pot.* wykończony (= *wyczerpany*); ogłupiały. **2.** *pat.* cierpiący na nerwicę frontową.

shell suit *n. Br.* lekki dres (*zw. jaskrawy, z poliestru*).

shell work *n. U* muszelki zatopione w cemencie *l.* drewnie (*jako element dekoracyjny*).

shelter [ˈʃeltər] *n.* **1.** *U* schronienie; **give sb** ~ dać komuś schronienie, udzielić komuś schronienia; **run for** ~ szukać schronienia; **take/find** ~ znaleźć schronienie, schronić się (*somewhere* gdzieś, *from sth* przed czymś). **2.** schronisko (*np. dla bezdomnych*); *US* schronisko dla zwierząt. **3.** (*także* **air-raid** ~) *wojsk.* schron (*przeciwlotniczy*). **4.** wiata; zadaszenie; **bus** ~ wiata autobusowa. **5.** osłona, ochrona. – *v.* **1.** osłaniać, chronić; ~ **sb/sth from sth** osłaniać kogoś/coś przed czymś. **2.** chronić się, chować się (*from sth* przed czymś). **3.** udzielać schronienia (*komuś*).

shelter belt *n.* ochronny pas lasu (*dający osłonę przed wiatrem l. śniegiem*).

sheltered [ˈʃeltərd] *n.* **1.** osłonięty (*o miejscu*). **2.** *attr.* pod kloszem (*np. o życiu, dzieciństwie, wychowaniu*).

sheltered housing *n. U* (*także* **sheltered accommodation**) *Br.* dom z całodobową opieką (*dla osób starszych l. niepełnosprawnych*).

sheltered workshop *n. Br. i Austr.* miejsce pracy chronionej.

shelter tent *n. US gł. wojsk.* namiot dwuosobowy.

sheltie [ˈʃeltɪ], **shelty** *n. pl.* **-ies** *pot.* **1.** kucyk szetlandzki. **2.** owczarek szetlandzki.

shelve[1] [ʃelv] *v.* **1.** odkładać na półkę; kłaść na półce. **2.** *przen.* odkładać do szuflady *l.* ad acta. **3.** *przen.* podziękować za służbę *l.* pracę (*komuś*). **4.** zaopatrywać w półki.

shelve[2] *v.* opadać łagodnie *l.* stopniowo (*o terenie*).

shelver [ˈʃelvər] *n.* robotnik rozładowujący wozy.

shelves [ʃelvz] *n. pl. zob.* **shelf**.

shelving [ˈʃelvɪŋ] *n. U* **1.** półki. **2.** materiał na półki.

shenanigans [ʃəˈnænɪgənz] *n. pl. pot.* sztuczki, intrygi.

shend [ʃend] *v. arch.* **1.** zawstydzić (*zwł. robiąc coś lepiej*). **2.** strofować. **3.** zniszczyć (*kogoś l. coś*).

shepherd [ˈʃepərd] *n.* **1.** paste-rz/rka. **2.** *przen., rel.* pasterz. – *v.* **1.** paść, wypasać (*owce*), pilnować (*owiec; o pasterzu*); zaganiać (*owce; o psie*). **2.** *przen.* prowadzić; ~ **sb around sth** oprowadzać kogoś po czymś (*np. turystów po mieście*); ~ **sb into/out of the room** wprowadzić kogoś do/wyprowadzić kogoś z pokoju.

shepherdclock [ˈʃepərdˌklɑ:k] *n. bot.* = **shepherd's-clock**.

shepherd dog *n.* owczarek.

shepherdess [ˈʃepərdəs] *n. przest.* pasterka.

shepherd's check [ˌʃepərdz ˈtʃek] *n.* (*także* **shepherd's plaid**) **1.** *C/U* biało-czarna krata (*wzór*). **2.** *U tk.* materiał w biało-czarną kratę.

shepherd's-clock [ˌʃepərdzˈklɑ:k] *n. U* (*także* **shepherd clock**) *bot.* **1.** kozibród łąkowy (*Tragopogon pratensis*). **2.** parzydło leśne (*Aruncus sylvester*).

shepherd's club *n. U bot.* dziewanna drobnokwiatowa (*Verbascum thapsus*).

shepherd's crook *n.* kij pasterski, laska pasterska.

shepherd's needle *n. U bot.* czechrzyca grzebieniowa (*Scandix pecten-veneris*).

shepherd's pie *n. U kulin.* zapiekanka z ziemniaków i mielonego mięsa.

shepherd's plaid *n.* = **shepherd's check**.

shepherd's purse *n. U bot.* tasznik pospolity (*Capsella bursa-pastoris*).

shepherd's-rod [ˌʃepərdzˈrɑ:d] *n. U bot.* szczeć owłosiona (*Dipsacus pilosus*).

sherbet [ˈʃɝ:bət] *n.* **1.** *C/U* (*także* **sherbert**) *US i Can.* sorbet. **2.** *U Br. i Austr.* oranżada w proszku.

sherd [ʃɝ:d] *n.* = **shard**.

sherif [ʃəˈri:f], **shereef**, **sharif** *n.* szarif, szeryf (*muzułmański*).

sheriff [ˈʃerɪf] *n.* szeryf (*t. w Anglii i Walii = wyższy urzędnik administracyjny w hrabstwie; t. w Szkocji = sędzia przewodniczący sądowi hrabstwa*).

sherlock [ˈʃɜːlɑːk] *n. pot.* **1.** *żart. l. iron.* Sherlock Holmes. **2.** prywatny detektyw.

Sherpa [ˈʃɜːpə] *n. pl.* **-s** *l.* **Sherpa** **1.** Szerp-a/ijka. **2.** (*także* **s~**) Szerpa (= *przewodnik w Himalajach*). **3.** *przen. polit.* doradca przygotowujący głowę państwa do spotkań na szczycie.

sherpa [ˈʃɜːpə] *n.* **1.** *U tk.* tkanina wełniana na podpinki. **2.** = **Sherpa** 2.

sherry [ˈʃerɪ] *n. C/U pl.* **-ies** sherry.

she's [ʃiːz] *abbr.* **1.** = **she is.** **2.** = **she has.**

Shetland [ˈʃetlənd] *n.* **1.** (*także* ~ **sheepdog**) *kynol.* owczarek szetlandzki. **2.** *U* (*także* ~ **wool**) *tk.* szetland, wełna szetlandzka. **3.** szetland (= *wyrób z wełny szetlandzkiej, np. sweter*). – *a.* szetlandzki, z szetlandu.

Shetland Islands *n. pl. geogr.* Szetlandy.

Shetland pony *n. pl.* **-ies** kucyk szetlandzki.

Shetland sheepdog *n.* = **Shetland** 1.

Shetland wool *n. U* = **Shetland** 2.

shew [ʃoʊ] *v. arch.* = **show** *v.*

she-wolf [ˈʃiːˌwʊlf] *n. pl.* **-wolves** *zool.* wilczyca.

Shia [ˈʃiːə], **Shi'a**, **Shi'ah** *rel. n. pl.* **-s** *l.* **Shia(h)** **1.** (*także* **Shiite**) szyit-a/ka. **2.** *U* **the** ~ (*także* **Shiism**) szyizm, szyityzm. – *a.* (*także* **Shiite, Shiitic**) szyicki.

shibboleth [ˈʃɪbəlɪθ] *n. form.* **1.** szybolet, znak rozpoznawczy (*np. = czyjś akcent, charakterystyczny zwyczaj, sposób zachowania; zwł. przestarzały*). **2.** przesąd.

shied [ʃaɪd] *v. zob.* **shy** *v.*

shield [ʃiːld] *n.* **1.** *t. broń, hist., szerm., her.* tarcza. **2.** *przen.* osłona, tarcza. **3.** *el., fiz.* ekran. **4.** *t. wojsk.* osłona metalowa (*na działo*). **5.** *górn.* osłona (*przed zawaleniem się*). **6.** (*także* **dress** ~) *gł. hist.* potnik (*wszywany w rękawy w celu zabezpieczenia przed poceniem się*). **7.** *zool.* skorupa; pancerz. **8.** *geol.* kraton (= *warstwa skały prekambryjskiej w skorupie ziemskiej*). **9.** *sport* odznaka (*w kształcie tarczy*). **10.** *US* odznaka policyjna. **11.** medal; emblemat. **12.** *bot.* apotecjum, miseczka (= *owocnik grzybów z klasy workowców*). – *v.* **1.** osłaniać (*sb/sth against/from sth* kogoś/coś przed czymś). **2.** zasłaniać. **3.** chronić.

shielding [ˈʃiːldɪŋ] *n. U techn.* osłanianie; ekranowanie.

Shield of David *n.* = **Star of David**; *zob.* **star** *n.*

shield volcano *n. geol.* wulkan tarczowy.

shieling [ˈʃiːlɪŋ] *n. Scot.* **1.** hala. **2.** bacówka.

shift [ʃɪft] *v.* **1.** *t. przen.* przemieszczać (się); przesuwać (się) (*np. meble, fundusze; np. o zainteresowaniu*); przenosić (się) (*np. wzrok; o wzroku*) (*from sb/sth to sb/sth* z kogoś/czegoś na kogoś/coś); ~ **the attention/emphasis (from sth) to/onto sth** przesunąć uwagę/nacisk (z czegoś) na coś. **2.** zmieniać (się) (*np. o wietrze, opinii, nastawieniu; t. fon. - o dźwiękach w toku rozwoju historycznego*); ~ **jobs** zmieniać pracę. **3.** zmieniać pozycję; wiercić *l.* kręcić się; ~ **from one foot to the other** przestępować z nogi na nogę. **4.** *Br. i Austr.* usuwać (*plamy*). **5.** *zwł. US mot.* ~ **gear(s)** zmieniać bieg(i); ~ **into third gear** włączyć *l.* wrzucić trzeci bieg. **6.** *kol.* przetaczać (*wagony*). **7.** *pot.* zasuwać (= *pędzić*). **8.** *Br. i Austr. handl. pot.* opylać (= *sprzedawać pospiesznie l. w dużych ilościach, zwł. zalegający l. kradziony towar*), pozbywać się (*towaru jw.*). **9.** *komp.* przyciskać klawisz Shift. **10.** *przen.* ~ **for o.s.** *przest.* radzić sobie (samemu); ~ **one's ground** *zob.* **ground**[1] *n.*; ~ **o.s.** ruszyć się (= *pospieszyć się; wziąć się do roboty*); ~ **the blame/responsibility onto sb** zrzucić winę/odpowiedzialność na kogoś. – *n.* **1.** zmiana (*t. robocza*); przestawienie się (*from sth to sth* z czegoś na coś); ~ **away from sth** odwrócenie się *l.* odwrót od czegoś; **(abrupt/dramatic/radical)** ~ (nagły/dramatyczny/radykalny) zwrot (*in sth* w czymś) (*np. w nastawieniu, opinii*); **do/work a day/night** ~ pracować na dzienną/nocną zmianę. **2.** *t. geol.* przesunięcie, przemieszczenie. **3.** *t. komp.* zamiana. **4.** *komp.* = **shift key**. **5.** *strój* prosta luźna sukienka. **6.** *strój hist.* halka (*zwł. noszona w XVII i XVIII wieku*). **7.** *fon. hist.* przesuwka; **consonant/vowel** ~ przesuwka spółgłoskowa/samogłoskowa. **8.** *fiz.* zmiana częstości drgań (*np. wywołana zjawiskiem Dopplera*). **9.** *brydż* zmiana koloru (*podczas licytacji*). **10.** *arch.* kruczek, wybieg.

shiftily [ˈʃɪftɪlɪ] *adv.* chytrze, przebiegle.

shiftiness [ˈʃɪftɪnəs] *n. U* **1.** zmienność. **2.** chytrość, przebiegłość.

shifting [ˈʃɪftɪŋ] *a. attr.* nieustannie zmieniający się, niestabilny (*np. o świecie, warunkach*).

shift key *n. komp.* klawisz Shift.

shiftless [ˈʃɪftləs] *a.* niemrawy.

shiftlessly [ˈʃɪftləslɪ] *adv.* niemrawo.

shiftlessness [ˈʃɪftləsnəs] *n. U* niemrawość.

shift work *n. U* praca zmianowa.

shifty [ˈʃɪftɪ] *a.* **-ier, -iest** **1.** niebudzący zaufania; chytry, przebiegły. **2.** pomysłowy. **3.** *US* nieuchwytny, zmienny.

shigella [ʃɪˈgelə] *n. pl.* **-s** *l.* **shigellae** [ʃɪˈgeliː] *biol., pat.* pałeczka *Shigella.*

shigellosis [ˌʃɪgəˈloʊsɪs] *n. U pat.* zakażenie pałeczkami *Shigella.*

Shiism [ˈʃiːˌɪzəm], **Shi'ism** *n. U* = **Shia** *n.* 2.

Shiite [ˈʃiːaɪt], **Shi'ite** *n.* = **Shia** *n.* 1. – *a.* (*także* **Shiitic**) = **Shia** *a.*

shikaree [ʃɪˈkɑːrɪ], **shikari** *n. gł. Anglo-Ind.* **1.** myśliwy. **2.** tubylczy pomocnik myśliwego.

shiksa [ˈʃɪksə], **shikse** *n. obelż. sl.* siksa (= *nie-Żydówka*).

shill [ʃɪl] *US sl. n.* wabik, przynęta (*osoba*). – *v.* **1.** robić za wabik *l.* przynętę (*o osobie*). **2.** reklamować *l.* sprzedawać na wabia (*towar*).

shillelagh [ʃɪˈleɪlə], **shillalah** *n. Ir.* kij (*zw. z tarniny l. dębu*).

shilling [ˈʃɪlɪŋ] *n. fin.* szyling (*US, Br. i Austr. hist.; t. = aktualna jednostka monetarna Kenii, Ugandy, Tanzanii i Somalii*).

shilly-shally [ˈʃɪlɪˌʃælɪ] *pot. v.* **-ied, -ying** chcieć i nie chcieć, nie móc się zdecydować. – *n. C/U pl.* **-ies** wahanie (się). – *a.* niezdecydowany. – *adv.* z niezdecydowaniem.

shily [ˈʃaɪlɪ] *adv.* = **shyly**.

shim [ʃɪm] *mech. n.* podkładka regulacyjna *l.*

ustalająca. – *v.* **-mm-** mocować za pomocą podkładki jw.

shimmer ['ʃɪmər] *v.* migotać, skrzyć się. – *n. U l. sing.* **1.** migotanie. **2.** migoczący *l.* drżący obraz (*zwł. spowodowany wysoką temperaturą powietrza*).

shimmery ['ʃɪmərɪ] *a.* migotliwy, skrzący się.

shimmy ['ʃɪmɪ] *n. pl.* **-ies 1.** *mot.* telepanie, chybotanie (*zwł. kół samochodu*). **2.** shimmy (*taniec jazzowy popularny w latach 20. XX w.*). **3.** *pot.* = **chemise**. – *v.* **1.** *mot.* telepać. **2.** tańczyć shimmy. **3.** chwiać się (*na nogach*).

shin [ʃɪn] *n.* **1.** *anat.* goleń; przednia powierzchnia goleni. **2.** *Br. kulin.* pręga (*wołowa*). – *v.* **-nn- 1.** ~ **(up)** wdrapywać się na (*słup, obejmując go nogami*); wdrapywać się po (*linie, sznurze*). **2.** kopać po goleniach.

shinbone ['ʃɪnˌboʊn] *n. anat. pot.* piszczel, kość piszczelowa.

shindig ['ʃɪndɪg] *n. przest. pot.* **1.** ubaw, głośna impreza. **2.** = **shindy**.

shindy ['ʃɪndɪ] *n. pl.* **-ies** *pot.* **1.** zadyma (= *awantura*). **2.** = **shindig**.

shine [ʃaɪn] *v.* **shone, shone** [ʃoʊn] **1.** świecić (*t. czymś*); ~ **in sb's eyes** świecić komuś w oczy; ~ **the flashlight over here!** poświeć tu latarką!; **the sun shone all day** słońce świeciło cały dzień. **2.** jaśnieć; lśnić (*t. czystością*), świecić się; błyszczeć (*t. przen. = być bardzo dobrym, wyróżniać się*); **his face shone with joy** jego twarz jaśniała radością; **she ~s at/in languages** błyszczy z języków. **3.** *pret. i pp.* **shined** polerować, czyścić do połysku. **4.** ~ **(through)** rzucać się w oczy, być widocznym na pierwszy rzut oka. – *n.* **1.** *U l. sing.* połysk. **2.** *sing.* polerowanie, czyszczenie; **give sth a** ~ wypolerować *l.* wyczyścić coś. **3.** *U US pot.* = **moonshine** *n.* 2. **4.** *t. przen.* **(come) rain or (come)** ~ *zob.* **rain** *n.*; **take a ~ to sb** *pot.* zapałać do kogoś natychmiastową sympatią.

shiner ['ʃaɪnər] *n.* **1.** *icht.* ryba ze srebrzystą łuską (*z rodzaju Notropis*). **2.** *pot.* śliwa, limo (= *podbite oko*); **give sb a** ~ podbić komuś oko.

shingle¹ ['ʃɪŋgl] *n.* **1.** *C / U* gont. **2.** *US i Can.* wywieszka, tabliczka (*zwł. lekarza l. adwokata*). **3.** *hist.* krótka fryzura damska (*modna w latach 20. XX w.*). **4.** *przen.* **hang out one's** ~ *US i Can.* rozpocząć własną praktykę (*zwł. lekarską l. adwokacką*); **sb is a ~ short** *Austr. pot.* komuś brak piątej klepki. – *v.* **1.** pokrywać gontem. **2.** przycinać krótko (*włosy*).

shingle² *n. U* kamyki nadmorskie; kamienista plaża.

shingles ['ʃɪŋglz] *n. U pat.* półpasiec.

shin guard *n.* = **shin pad**.

shininess ['ʃɪnɪnəs] *n. U* blask; połysk.

shining ['ʃaɪnɪŋ] *a.* **1.** błyszczący. **2.** *attr.* godny naśladowania; godny podziwu; ~ **example** doskonały przykład.

shinny¹ ['ʃɪnɪ] *US sport n.* **1.** *U* odmiana hokeja. **2.** *pl.* **-ies** kijek do gry jw. – *v.* grać w grę jw.

shinny² *v. US pot.* ~ **up** wdrapywać się (*np. na słup, drzewo*); ~ **down** złazić (*np. ze słupa, drzewa*).

shin pad *n.* (*także* **shin guard**) nagolennik.

shinplaster ['ʃɪnˌplæstər] *n. US hist., fin.* banknot o niskim nominale (*zwł. w czasie wojny secesyjnej*).

shin splints *n. pl. pat.* bolesność i obrzęk mięśni piszczelowych (*w zespole przeciążenia*).

Shinto ['ʃɪntoʊ] *n. U* (*także* **Shintoism**) *rel.* shinto, szintoizm, sintoizm.

shinty ['ʃɪntɪ] *n. i v. gł. Scot.* = **shinny¹**.

shiny ['ʃaɪnɪ] *a.* **-ier, -iest 1.** błyszczący, lśniący, świecący się. **2.** wypolerowany.

ship [ʃɪp] *n.* **1.** statek (*t. żaglowy; t. = załoga statku*); okręt; **by** ~ statkiem; **board a** ~ wsiadać na statek; **cruise/merchant/passenger** ~ statek wycieczkowy/handlowy/pasażerski; **on board** ~ na pokładzie statku *l.* okrętu; **sailing/steam** ~ żaglowiec/parowiec. **2.** statek kosmiczny. **3.** samolot (*duży*). **4.** *przen.* **~s that pass in the night** przelotna znajomość (*ludzi, którzy nigdy więcej się nie spotkają*); **leave a sinking** ~ uciekać z tonącego okrętu; **run a tight** ~ *zob.* **tight** *a.*; **when my ~ comes home/in** gdy zrobię majątek. – *v.* **-pp- 1.** ładować; brać na statek. **2.** przewozić, transportować (*drogą morską l. w inny sposób*). **3.** wysyłać (*statkiem l. innym środkiem transportu*). **4.** zaokrętować (się). **5.** *handl.* trafić na rynek *l.* do sklepów (*o towarze*). **6.** ~ **oars** wciągać wiosła (do łodzi); ~ **water** nabierać wody (*o statku, łodzi, jachcie*). **7.** ~ **sb off/out** *przen.* wyprawić *l.* wysłać kogoś; ~ **out** zaciągnąć się na statek; **shape up or ~ out** *zob.* **shape** *v.*

ship biscuit *n.* suchar (*wojskowy*).

shipboard ['ʃɪpˌbɔːrd] *n. U* pokład; **on** ~ na pokładzie (statku).

shipborne ['ʃɪpˌbɔːrn] *a.* przewożony statkiem; (znajdujący się) na pokładzie statku.

shipbroker ['ʃɪpˌbroʊkər], **ship broker, shipbroker** *n.* makler okrętowy; agent sprzedaży statków; agent od ubezpieczeń morskich.

shipbuilder ['ʃɪpˌbɪldər] *n.* **1.** przedsiębiorstwo budowy okrętów, stocznia. **2.** budowniczy okrętów.

shipbuilding ['ʃɪpˌbɪldɪŋ] *n. U* budownictwo okrętowe, budowa okrętów.

ship canal *n.* kanał morski *l.* żeglowny.

ship carpenter *n.* cieśla okrętowy.

ship chandler *n. gł. Br.* dostawca okrętowy (*osoba l. firma*).

ship handling *n. U* manewrowanie statkiem.

shipload ['ʃɪpˌloʊd] *n.* ładunek okrętowy; cały statek (*of sth* czegoś).

shipman ['ʃɪpmən] *n. pl.* **-men** *arch.* marynarz.

shipmaster ['ʃɪpˌmɑːstər] *n.* kapitan statku.

shipmate ['ʃɪpˌmeɪt] *n.* marynarz z tego samego statku.

shipment ['ʃɪpmənt] *n. gł. handl.* **1.** dostawa, partia (*towaru*). **2.** *U* transport, przewóz; *U* wysyłka. **3.** *U* załadunek (*towarów na statek*). **4.** *U* zaokrętowanie (*pasażerów*).

ship money *n. U hist.* podatek na budowę floty.

shipowner ['ʃɪpˌoʊnər] *n.* armator/ka, właściciel/ka statku.

shipper ['ʃɪpər] *n.* **1.** spedytor, przedsiębiorstwo spedycyjne. **2.** nadawca ładunku.

shipping [ˈʃɪpɪŋ] *n. U* **1.** statki (*zbiorowo*), flota handlowa (*np. danego państwa*). **2.** wysyłka, spedycja. **3.** przewozy morskie. **4.** transport morski. **5.** tonaż. **6.** załadunek. **7. closed to all ~** zamknięty dla żeglugi.

shipping agent *n.* **1.** agent okrętowy. **2.** spedytor portowy.

shipping articles *n.* = **ship's articles.**

shipping book *n.* rejestr spedycyjny.

shipping clerk *n.* urzędnik zajmujący się wysyłką.

shipping company *n. pl.* **-ies** towarzystwo żeglugowe, linia żeglugowa.

shipping forecast *n. Br.* rybacka prognoza pogody.

shipping invoice *n.* faktura wysyłkowa.

shipping lane *n.* morski szlak handlowy.

shipping master *n.* urzędnik nadzorujący rolę zaciągową statku.

shipping office *n.* biuro okrętowe *l.* spedycyjne.

shipping room *n.* magazyn wysyłkowy.

ship-rigged [ˈʃɪpˌrɪgd] *a.* **1.** *żegl.* z ożaglowaniem rejowym, rejowy. **2.** z osprzętem jak statek żaglowy.

ship's articles *n. pl.* (*także* **shipping articles**) rola zaciągowa statku.

ship's biscuit *n. przest.* = **ship biscuit.**

ship's documents *n. pl.* = **ship's papers.**

shipshape [ˈʃɪpˌʃeɪp] *a. pred.* we wzorowym porządku, tip-top. – *adv.* wzorowo, porządnie.

ship's husband *n. rzad.* agent okrętowy.

shipside [ˈʃɪpˌsaɪd] *n.* burta. – *adv.* wzdłuż burty.

ship's papers *n. pl.* (*także* **ship's documents**) papiery okrętowe.

shipway [ˈʃɪpˌweɪ] *n.* **1.** pochylnia stoczniowa. **2.** kanał żeglowny.

shipworm [ˈʃɪpˌwɝːm] *n. zool.* świdrak okrętowy (*Teredo navalis*).

shipwreck [ˈʃɪpˌrek] *n.* **1.** *C/U* rozbicie się statku; katastrofa morska. **2.** wrak (*statku*). **3.** *lit.* klęska, zniweczenie (*of sth* czegoś) (*np. czyichś nadziei*). – *v.* **1.** *zw. pass.* **be ~ed** rozbić się (*o statku*); ocaleć z katastrofy morskiej (*o pasażerach*). **2.** zatopić (*statek*); zatonąć (*o statku*). **3.** *lit.* zniszczyć, zniweczyć.

shipwright [ˈʃɪpˌraɪt] *n.* budowniczy statków *l.* okrętów.

shipyard [ˈʃɪpˌjɑːrd] *n.* stocznia.

shire [ʃaɪr] *n. Br.* **1.** *hist., admin.* hrabstwo; **the ~s** pas hrabstw w Anglii środkowej (*o nazwach kończących się na -shire*). **2.** (*także* **~ horse**) silny koń pociągowy (*hodowany w Anglii środkowej*).

shirk [ʃɝːk] *v.* **1.** wykręcać *l.* wymigiwać się od (*czegoś*); **~ one's duties/obligations** wymigiwać się od obowiązków/zobowiązań. **2.** migać się. – *n.* (*także* **shirker**) miglanc.

shirr [ʃɝː] *v. US* **1.** marszczyć przy pomocy równoległych ściegów (*tkaninę*). **2.** *kulin.* robić sadzone z (*jajek*).

shirt [ʃɝːt] *n.* **1.** koszula (*męska*); bluzka (*zwł. koszulowa*); **T/tee ~** koszulka z krótkim rękawem, t-shirt. **2.** koszula nocna. **3.** *hist.* podkoszulek męski z długimi rękawami. **4.** *przen. pot.* **get sb's ~ out** działać komuś na nerwy; **have the ~ off sb's back** zedrzeć z kogoś ostatnią koszulę; **keep your ~ on!** *zob.* **keep** *v.*; **put one's ~ on sth** *Br.* postawić ostatni grosz na coś.

shirtdress [ˈʃɝːtˌdres] *n. US* szmizjerka.

shirt front *n.* gors (= *przednia część koszuli*).

shirting [ˈʃɝːtɪŋ] *n. U tk.* szerting.

shirtsleeve [ˈʃɝːtˌsliːv] *n.* **1.** rękaw koszuli. **2. in one's ~s** bez marynarki, w (samej) koszuli.

shirt-tail [ˈʃɝːtˌteɪl] *n.* poła koszuli.

shirtwaist [ˈʃɝːtˌweɪst] *n. US i Can.* **1.** bluzka koszulowa. **2.** szmizjerka.

shirt-waister [ˈʃɝːtˌweɪstər] *n. Br.* szmizjerka.

shirty [ˈʃɝːtɪ] *a.* **-ier, -iest** *Br. i Austr. pot.* wkurzony; opryskliwy.

shish kebab *n. kulin.* szaszłyk.

shit [ʃɪt] *wulg. sl. int.* **(oh) ~!** (o) cholera!. – *n.* **1.** *U i sing.* gówno, kupa; **dog ~** psie kupy; **take** *US*/**have** *Br.* **a ~** wysrać się. **2.** *pl.* (*także* **the ~s**) sraczka; **get the ~s** dostać sraczki; **have the ~s** mieć sraczkę. **3.** *U przen.* gówno, badziewie; **don't eat/read that ~** nie jedz/nie czytaj tego gówna. **4.** *U przen.* kit, bzdety (= *nieprawda, przesada, bzdury*); **a load of ~** kupa bzdetów. **5.** *zw. sing. przen.* gn-ój/ojówa; **little ~** gnojek. **6.** *przen.* **beat/kick/knock the ~ out of sb** wpieprzyć komuś (= *pobić*); **be in deep ~** (*także* **be in the ~**) *Br.* tkwić po uszy w gównie; **be full of ~** pieprzyć od rzeczy (= *mówić głupio l. nieprawdę*); **feel/look like ~** czuć się/wyglądać do dupy; **get one's ~ together** zebrać się do kupy; **give sb ~** przypieprzać się do kogoś (= *krytykować, zwł. niesprawiedliwie*); **have ~ for brains** *gł. US* być kompletnym debilem; **I don't give/care a ~** gówno mnie to obchodzi; **no ~** *iron.* co ty (nie) powiesz?; **scare/frighten/terrify the ~ out of sb** napędzić komuś cholernego stracha; **tough ~** cholerny pech; **the ~ will hit the fan the ~ will fly** będzie gnój (= *zrobi się nieprzyjemnie*). – *v. pp.* **shit** *l.* **shat, -tt- 1.** srać; **~ o.s.** zesrać się (*zwł. ze strachu*); **be ~ting o.s.** (*także* **be ~ting bricks**) *zwł. US przen.* robić w portki *l.* gacie (= *bać się*). **2.** *US* robić w konia *l.* ciula (= *oszukiwać*). **3. ~ on sb** *przen.* robić komuś gnój (= *źle traktować*). – *a. attr. Br.* **1.** gówniany. **2. up ~ creek (without a paddle)** *zob.* **creek.**

shite [ʃaɪt] *wulg. sl. int. Br.* = **shit** *int.* – *n. dial.* = **shit** *n.*

shitface [ˈʃɪtˌfeɪs] *n. wulg. sl.* gnojek, zasraniec.

shitfaced [ˈʃɪtˌfeɪst] *a. wulg. sl.* narąbany, zalany w trzy dupy.

shithead [ˈʃɪtˌhed] *n. wulg. sl.* **1.** dupek. **2.** gnojek.

shithole [ˈʃɪtˌhoʊl], **shit hole** *n. wulg. sl.* zadupie, zasrana dziura.

shit-hot [ˌʃɪtˈhɑːt] *a. wulg. sl.* cholernie dobry.

shithouse [ˈʃɪtˌhaʊs] *n. wulg. sl.* sracz, kibel.

shitless [ˈʃɪtləs] *a.* **scare sb ~** *wulg. sl.* napędzić komuś cholernego stracha.

shitlist [ˈʃɪtˌlɪst] *n.* **be on sb's ~** *wulg. sl.* mieć u kogoś przesrane *l.* przerąbane.

shitload [ˈʃɪtˌloʊd] *n. US wulg.* cała kupa (*of sth* czegoś).

shit-scared [ˌʃɪtˈskerd] *a. wulg.* cholernie wystraszony.

shitty [ˈʃɪtɪ] *a.* **-ier, -iest** *wulg. sl.* gówniany, zasrany (= *kiepski, nieprzyjemny*).

shiv [ʃɪv] *n. US sl.* nóż.

Shiva [ˈʃiːvə], **Siva** *n. hinduizm* Sziwa, Siwa.

shivaree [ˌʃɪvəˈriː] *n.* = **charivari**.

shiver[1] [ˈʃɪvər] *v.* **1.** drżeć, trząść się, dygotać; **~ at the thought of sth** drżeć na (samą) myśl o czymś; **~ with cold** trząść się *l.* drżeć z zimna. **2.** *żegl.* drgać (*o żaglu*). – *n.* dreszcz, drżenie; *żegl.* drganie (*żagla*); *pl.* dreszcze; ciarki; **a ~ ran through sb/sth** ktoś zadrżał/coś zadrżało; **give sb the ~s** *pot.* przejmować kogoś dreszczem, przyprawiać kogoś o ciarki; **have the ~s** mieć dreszcze (*np. z gorączki*); **send ~s (up and down) sb's spine** *pot.* sprawiać, że ciarki chodzą komuś po plecach.

shiver[2] *lit. n.* kawałek, odłamek. – *v.* roztrzaskać (się), rozbić (się) na kawałki.

shivery[1] [ˈʃɪvərɪ] *a.* **-ier, -iest 1.** drżący; **be/feel ~** mieć dreszcze (*np. z zimna, gorączki*). **2.** przejmujący dreszczem.

shivery[2] *a.* kruchy.

shlemiel [ʃləˈmiːl] *n.* = **schlemiel**.

shlep [ʃlep], **shlepp** *n.* = **schlep**.

shmaltz [ʃmɑːlts] *n.* = **schmaltz**.

shmatte [ˈʃmɑːtə] *n.* = **schmatte**.

shmo [ʃmoʊ] *n.* = **schmo**.

shmuck [ʃmʌk] *n.* = **schmuck**.

shoal[1] [ʃoʊl] *n.* **1.** ławica (*zwł. ryb*). **2.** *pot.* chmara, tłum (*ludzi*); masa, powódź (*np. listów*); **in ~s** tłumnie; masowo. – *v.* tworzyć ławice.

shoal[2] *n.* mielizna; płycizna. – *a.* (*także* **shoaly**) *rzad.* płytki. – *v.* **1.** stawać się płytszym; czynić płytszym. **2.** wpływać na mieliznę.

shoat [ʃoʊt], **shote** *n. US* młody warchlak.

shock[1] [ʃɑːk] *n.* **1.** *t. pat. l. przen.* szok; wstrząs (*t. sejsmiczny*); **be in (a state of) ~** być w szoku; **come as/be a ~ to sb** zaszokować kogoś, być dla kogoś szokiem; **cultural/emotional ~** szok kulturowy/emocjonalny; **get a ~** doznać szoku *l.* wstrząsu; **give sb a ~** wstrząsnąć kimś; **insulin ~** *pat.* wstrząs insulinowy *l.* hipoglikemiczny; **suffer from ~** *pat.* być w szoku. **2.** (*także* **electric ~**) porażenie (prądem); **get a ~** doznać porażenia. **3.** *US* = **shock absorber**. – *v.* **1.** szokować (*kogoś*). **2.** wstrząsnąć (*np. osobą, społecznością*). **3.** dawać się szokować; **sb ~s easily** łatwo kogoś zaszokować. **4.** *el.* porażać (*prądem*).

shock[2] *roln. n.* snopek (*zboża*). – *v.* ustawiać w snopki (*zboże*).

shock[3] *a. attr.* bujny (*o włosach*); kudłaty. – *n.* (*także* **~ of hair**) bujna czupryna.

shock absorber *n. mot.* amortyzator.

shock action *n. wojsk.* siła pierwszego rażenia, frontalny *l.* zmasowany atak.

shock brigade *n. hist.* brygada przodowników pracy (*w byłym Związku Radzieckim*).

shocked [ʃɑːkt] *a.* zaszokowany; wstrząśnięty; **sb was ~ to see/hear sth** widok czegoś/wiadomość o czymś kogoś zaszokował/a.

shocker [ˈʃɑːkər] *n. zw. sing. pot.* **1.** szokująca wiadomość; szokująca książka; szokujący film. **2.** ktoś, kto szokuje.

shock front *n.* czoło fali uderzeniowej.

shock-headed [ˈʃɑːkˌhedɪd] *a.* z bujną czupryną.

shocking [ˈʃɑːkɪŋ] *a.* **1.** szokujący; wstrząsający. **2.** *Br. pot.* fatalny, okropny. **3.** *attr.* wściekły (*o kolorze*). – *adv.* wściekle (*np. żółty*).

shockingly [ˈʃɑːkɪŋlɪ] *adv.* szokująco.

shockingness [ˈʃɑːkɪŋnəs] *n. U* szokujący charakter.

shocking pink *n. U* wściekły róż *l.* różowy. – *a.* wściekle różowy.

shock jock *n. sl.* prezenter radiowy *l.* dyskdżokej posługujący się szokującym językiem i głoszący ekstremalne poglądy.

shockproof [ˈʃɑːkˌpruːf] *a.* odporny na wstrząsy.

shock stall *n. U lotn.* oderwanie opływu (*spowodowane falą uderzeniową*).

shock tactics *n. pl.* działanie przez zaskoczenie.

shock therapy *n. U* (*także* **shock treatment**) *med.* terapia wstrząsowa, leczenie elektrowstrząsami.

shock troops *n. pl. wojsk.* oddziały szturmowe.

shock wave *n.* **1.** *C/U* fala uderzeniowa (*np. po wybuchu l. trzęsieniu ziemi*). **2. send shock waves through sth** *przen.* wstrząsnąć czymś (*np. społecznością*).

shock worker *n. hist.* przodowni-k/czka pracy (*np. w byłym Związku Radzieckim*).

shod [ʃɑːd] *v. zob.* **shoe** *v.* – *a. lit.* obuty; **elegantly ~** elegancko obuty, w eleganckim obuwiu.

shoddily [ˈʃɑːdɪlɪ] *adv.* **1.** lipnie, tandetnie, byle jak. **2.** nieuczciwie.

shoddiness [ˈʃɑːdɪnəs] *n. U* tandeta, bylejakość.

shoddy [ˈʃɑːdɪ] *a.* **-ier, -iest 1.** lipny, tandetny, byle jaki. **2.** nieuczciwy (*o sztuczkach, traktowaniu*). – *n. pl.* **-ies 1.** *U* przędza odpadkowa *l.* wtórna. **2.** bubel, tandeta.

shoe [ʃuː] *n.* **1.** but; **a pair of ~s** para butów; **do/lace up one's ~s** zawiązywać buty; **high-heeled ~s** buty na wysokim obcasie. **2.** (*także* **horse~**) podkowa. **3.** okucie (*t. np. płozy*). **4.** *mech.* klocek hamulcowy; szczęka hamulcowa. **5.** *bud.* nasada (*dachu, mostu*). **6.** *mot.* bieżnik (*opony*). **7.** *el., kol.* kontakt (*lokomotywy*). **8.** *przen.* **be in sb's ~s** *pot.* być w czyjejś skórze *l.* na czyimś miejscu; **die with one's ~s on** *zob.* **die**[1] *v.*; **fill sb's ~s** (*także* **step into sb's ~s**) zająć czyjeś miejsce (= *zastąpić kogoś*); **hang up one's ~s** *zob.* **hang** *v.*; **if the ~ fits(, wear it)** *US pot.* uderz w stół(, a nożyce się odezwą); **put o.s. in sb's ~s** postawić się w czyjejś sytuacji; **that's where the ~ pinches** w tym sęk. – *v.* **shod, shod 1.** podkuwać (*konia*). **2.** obuwać. **3.** zaopatrywać w okucie *l.* okucia (*np. płozy sań*).

shoebill ['ʃu:ˌbɪl] *n. orn.* butodziób (*Balaeniceps rex*).

shoeblack ['ʃu:ˌblæk] *n.* pucybut.

shoe box *n.* **1.** pudełko na buty. **2.** *pot.* klitka.

shoebrake ['ʃu:ˌbreɪk] *n. mech.* hamulec klockowy.

shoe brush *n.* szczotka do butów.

shoe factory *n. pl.* **-ies** fabryka obuwia.

shoehorn ['ʃu:ˌhɔ:rn] *n.* łyżka do butów. – *v. zw. pass. pot.* wciskać (*between* pomiędzy).

shoelace ['ʃu:ˌleɪs] *n.* sznurowadło, sznurówka.

shoeleather ['ʃu:ˌleðər] *n. U* skóra na buty.

shoeless ['ʃu:ləs] *a.* bez butów.

shoemaker ['ʃu:ˌmeɪkər] *n.* szewc.

shoeshine ['ʃu:ˌʃaɪn] *n. C/U* **1.** czyszczenie butów. **2.** połysk na butach.

shoeshine stand *n. US* stoisko pucybuta.

shoe shop *n.* sklep obuwniczy.

shoestring ['ʃu:ˌstrɪŋ] *n.* **1.** *US* sznurowadło, sznurówka. **2. on a ~** *przen. pot.* małym nakładem środków; przy niewielkim budżecie.

shoetree ['ʃu:ˌtri:] *n.* prawidło (*do butów*).

shofar ['ʃoʊfɑ:r] *n. pl.* **-s** *l.* **shofroth** ['ʃoʊfroʊt] *judaizm* szofar (= *róg barani używany podczas święta Rosz ha-Szana*).

shogun ['ʃoʊˌgʌn] *n. hist.* szogun, siogun.

shogunate ['ʃoʊgəneɪt] *n. hist.* szogunat.

shone [ʃoʊn] *v. zob.* **shine**.

shoo [ʃu:] *int.* sio!, a kysz!. – *v.* **~ (away/out)** przegonić, odpędzić; przepłoszyć.

shoofly pie [ˌʃu:flaɪ 'paɪ] *n. US kulin.* ciasto wypełnione karmelowym syropem.

shoo-in ['ʃu:ˌɪn] *n. US i Can. pot.* pewniak (*np. w wyścigach, wyborach*).

shook¹ [ʃʊk] *v. zob.* **shake**. – *a.* (*także* **~ up**) *US pot.* wstrząśnięty.

shook² *n. US* komplet klepek (*na beczkę*); komplet desek.

shoon [ʃu:n] *n. pl. Scot. dial. zob.* **shoe**.

shoot [ʃu:t] *v.* **shot, shot 1.** *t. sport* strzelać (*at sb / sth* do kogoś/czegoś); zestrzelić; postrzelić; zastrzelić; rozstrzelać; **~ an arrow** wystrzelić strzałę; **~ a cannon/gun** strzelać z armaty/pistoletu; **~ on sight** strzelać bez ostrzeżenia; **~ o.s.** zastrzelić się; **~ sb (dead)** zastrzelić kogoś; **~ sb/o.s. (in the head/arm)** postrzelić kogoś (w głowę/ramię); **~ the winning goal** strzelić zwycięską bramkę; **~ to kill** strzelać, żeby zabić. **2.** *t. przen.* rzucać (*t. kości, kostką*); wyrzucać (*np. strzały, kule*); zrzucać (*jeźdźca; o koniu*); **~ a look/glance at sb** rzucić komuś spojrzenie; **~ sth into the air** wyrzucić coś w powietrze. **3.** wysyłać, emitować (*promienie*). **4.** *myśl., sport* polować; polować na (*zwierzęta*). **5.** wyrzucać, opróżniać (*np. pojemnik na śmieci*). **6.** *bot.* wypuszczać (*np. pączki, gałęzie*). **7.** *bot.* puszczać (*o pędach*); kiełkować. **8.** *film* kręcić, filmować. **9.** fotografować. **10.** *US i Can.* grać w; **~ billiards/pool** grać w bilard. **11.** mknąć; **~ across the sky** przemknąć przez niebo, przeciąć niebo (*np. o błyskawicy, komecie*); **~ past sb/sth** przemknąć obok kogoś/czegoś; **it shot through his mind that...** przemknęło mu przez myśl, że... **12.** przemykać się (*np. w łodzi pod mostem*). **13.** sunąć po ziemi (*o piłce*). **14.** gwałtownie wzrosnąć (*o cenach, sprzedaży*). **15.** rwać, przeszywać (*o bólu*). **16.** wystawać. **17.** zasuwać (*rygiel*). **18.** mierzyć (*za pomocą sekstansu*); **~ the sun** *żegl.* mierzyć wysokość słońca na niebie. **19.** *gł. US i Can. sport* zdobyć (*określoną ilość punktów*). **20.** rozciągać; **~ a fishing net** rozciągać sieć. **21.** *gł. górn.* powodować wybuch (*czegoś*), detonować. **22.** wywijać; **~ one's cuffs** wywijać mankiety (*na rękawy marynarki*). **23.** urozmaicać (*np. tkaninę kolorową nitką*). **24.** *stol.* strugać (*brzeg deski*). **25.** krystalizować się (*o roztworze soli*). **26.** *przen.* **~!** *US i Can. pot.* strzelaj!, wal! (= *mów*); **~ a line** *pot.* przechwalać się; **~ ahead** wystrzelić na czoło *l.* na prowadzenie; **~ darts at sb** *zob.* **dart** *n.*; **~ from the hip** *zob.* **hip¹** *n.*; **~ one's bolt** (*także US* **~ one's wad**) *pot.* wykorzystać wszystkie (dostępne) środki, wyczerpać (wszystkie) możliwości; **~ one's load** (*także US* **~ one's wad**) *obsc. sl.* spuścić się (*o mężczyźnie*); **~ o.s. in the foot** ukręcić bicz na samego siebie; **~ questions at sb** bombardować *l.* zasypywać kogoś pytaniami; **~ the breeze/ bull** *US pot.* uciąć sobie pogawędkę; **~ the cat** *pot.* jechać do Rygi (= *wymiotować*); **~ the lights** *Br. mot. pot.* przelatywać na czerwonym (świetle); **~ the messenger** *zob.* **messenger**; **~ the works** *US* wydać wszystko (*on sth* na coś); **~ to fame/stardom** zdobyć sławę; **~ to the top of the list/table** wysunąć się na czoło listy/tabeli; **I'll be shot if...** *przest.* niech mnie kule biją, jeżeli...; **well shot!** *t. sport* świetny strzał. **27. ~ at sth** = **shoot for sth**; **~ away** strzelać bez przerwy; *przen.* popędzić, pognać; **~ sb down** zastrzelić kogoś; **~ sb/sth down** zestrzelić kogoś/coś; **~ sb/sth down in flames** *przen. pot.* zetrzeć kogoś/coś na proch (*w dyskusji*); **~ for/at sth** *zwł. US pot.* uganiać się za czymś; postawić sobie coś za cel; **~ off** *Br. pot.* wypaść, wyprysnąć (*z pomieszczenia*); **~ one's mouth off** (*także* **~ at the mouth**) *US i Can. pot.* rozpuścić język; **~ it out** rozstrzygnąć spór (*zwł. strzelaniną*); **~ through** *zwł. Austr. pot.* wypaść, wyprysnąć (*z pomieszczenia*); zawinąć się (= *umrzeć*); **~ up** wystrzelić w górę (*np. o fontannie, płomieniu, rosnącym dziecku*); podskoczyć (*t. o cenach*); wyskoczyć (*np. o numerze*); *pot.* strzelać na oślep; *sl.* dawać sobie w żyłę. – *n.* **1.** *bot.* pęd; kiełek. **2.** *fot.* sesja zdjęciowa. **3.** strzelanie. **4.** polowanie. **5.** *gł. Br.* wyprawa myśliwska. **6.** *Br.* teren łowiecki. **7.** wartki nurt (*w rzece*). **8.** zsyp (*na śmieci*). **9.** ślizg, zsuwnia. **10.** *geol.* cienka żyła rudy. – *int. US i Can. pot.* psia kość!, a niech to!

shooter ['ʃu:tər] *n.* **1.** *sport* strzelec. **2.** *sl.* spluwa; *w złoż.* **five/six-~** broń pięcio-/sześciostrzałowa.

shooting ['ʃu:tɪŋ] *n.* **1.** strzelanina. **2.** zastrzelenie; postrzelenie. **3.** *U* polowanie (*jako sport*). **4.** *Br.* prawo polowania (*na danym obszarze*). **5.** teren łowiecki. **6.** *U* zdjęcia, kręcenie zdjęć; **outdoor/underwater ~** zdjęcia plenerowe/podwodne.

shooting box *n.* (*także* **shooting lodge**) domek myśliwski.

shooting coat *n.* = **shooting jacket**.

shooting gallery *n. pl.* **-ies** **1.** strzelnica. **2.** *sl.* opuszczony budynek, w którym narkomani wstrzykują sobie heroinę.

shooting iron *n. gł. US pot.* żelastwo, gnat.

shooting jacket *n.* (*także* **shooting coat**) kurtka myśliwska.

shooting lodge *n.* = **shooting box**.

shooting party *n. pl.* **-ies** uczestnicy polowania.

shooting range *n.* strzelnica.

shooting script *n. film, telew.* scenopis.

shooting star *n.* spadająca gwiazda.

shootout [ˈʃuːtˌaʊt], **shoot-out** *n.* **1.** strzelanina. **2.** = **penalty shootout**.

shop [ʃɑːp] *n.* **1.** *zwł. Br.* sklep; **corner ~** sklepik (za rogiem); **shoe/toy ~** sklep obuwniczy/zabawkarski, sklep z butami/zabawkami; **go to the ~s** iść do sklepu, iść po zakupy (*zwł. codzienne, w okolicznych sklepach*). **2.** *U pot.* interes; **close up ~** (*także Br. i Austr.* **shut up ~**) zwinąć *l.* zlikwidować interes; **set up ~** otworzyć *l.* założyć (własny) interes. **3.** *US* dział (*w domu towarowym*). **4.** zakład (*pracy*); **barber's/tailor's ~** zakład fryzjerski/krawiecki; **closed ~** zakład, którego pracownicy muszą należeć do określonego związku zawodowego; **open ~** zakład pracy zatrudniający pracowników bez względu na przynależność do związków zawodowych. **5.** oddział, dział (*w fabryce*). **6.** warsztat; *US* warsztat szkolny; **repair/paint ~** warsztat naprawczy/lakierniczy. **7.** pracownia. **8.** *U US szkoln.* warsztaty; zajęcia praktyczno-techniczne. **9.** *U Br. i Austr. pot.* zakupy (*zwł. żywności i artykułów gospodarstwa domowego*); **do the weekly ~** robić cotygodniowe zakupy. **10.** *przen.* **all over the ~** *Br. pot.* gdzie się (tylko) da *l.* dało, gdzie popadnie *l.* popadło; w rozsypce (= *niezorganizowany; o osobie*); **come to the wrong ~** trafić pod zły adres; **talk ~** *pot.* rozmawiać o pracy, rozmawiać o sprawach zawodowych. – *v.* **-pp- 1.** robić zakupy, kupować (*at sth* w jakimś sklepie); (*także* **go shopping**) iść na zakupy (*np. żeby kupić coś do ubrania, płyty, książki itp.*); chodzić po sklepach. **2.** *Br. pot.* zadenuncjować, donieść na (*kogoś; policji*). **3.** *US handl.* usiłować sprzedać, zwracając się bezpośrednio do potencjalnych klientów. **4. ~ around** porównywać ceny w różnych sklepach; rozglądać się (*for sth* za czymś); **~ for sth** kupować coś.

shop assistant *n. Br. i Austr.* sprzedawca/czyni, eskpedient/ka.

shop-bought [ˌʃɑːpˈbɔːt] *a. Br. i Austr.* kupny.

shop fitter *n. Br. i Austr.* osoba montująca urządzenia sklepowe.

shop fitting *n. U Br. i Austr.* **1.** montaż urządzeń sklepowych. **2.** wyposażenie sklepu.

shop floor *n.* **the ~** *Br.* hala produkcyjna; załoga zakładu (*w odróżnieniu od kierownictwa*).

shop front *n. Br. i Austr.* witryna, wystawa sklepowa.

shopkeeper [ˈʃɑːpˌkiːpər] *n. Br. i Austr.* **1.** właściciel/ka sklepu, sklepika-rz/rka. **2.** kupiec.

shoplift [ˈʃɑːpˌlɪft] *v.* kraść w sklepie.

shoplifter [ˈʃɑːpˌlɪftər] *n.* złodziej/ka sklepow-y/a.

shoplifting [ˈʃɑːpˌlɪftɪŋ] *n. U* kradzież sklepowa.

shoppe [ʃɑːp] *n. arch. l. żart.* sklep.

shopper [ˈʃɑːpər] *n.* **1.** kupując-y/a, klient/ka. **2.** wózek sklepowy. **3.** torba na zakupy (*zwł. duża*). **4.** *US* lokalna gazeta (*darmowa*).

shopping [ˈʃɑːpɪŋ] *n. U* zakupy; **do the ~** *Br.* robić zakupy (*zwł. codzienne*); **go ~** *zob.* **shop** *v.*; **window ~** oglądanie wystaw sklepowych (*bez zamiaru kupowania*).

shopping bag *n. US* reklamówka (= *plastikowa torba na zakupy*); *Br.* torba na zakupy (*z dowolnego surowca*).

shopping basket *n. Br.* koszyk na zakupy.

shopping cart *n.* (*także Br.* **shopping trolley**) wózek sklepowy.

shopping center, *Br.* **shopping centre** *n.* (*także US* **shopping mall**) centrum handlowe.

shopping list *n.* **1.** lista zakupów. **2.** lista potrzebnych rzeczy.

shopping mall *n. US* = **shopping center**.

shopping precinct *n. Br.* dzielnica handlowa *l.* sklepowa.

shopping street *n.* ulica handlowa.

shopping trolley *n. Br.* = **shopping cart**.

shop-soiled [ˈʃɑːpˌsɔɪld] *n. Br. i Austr.* **1.** = **shopworn**. **2.** *przen.* oklepany, wyświechtany.

shop steward *n.* związkowy mąż zaufania, rzecznik *l.* przedstawiciel robotników (*w fabryce*).

shoptalk [ˈʃɑːpˌtɔːk] *n. U* **1.** *US* żargon zawodowy. **2.** rozmowa o sprawach zawodowych (*zwł. po godzinach pracy*).

shopwalker [ˈʃɑːpˌwɔːkər] *n. Br. handl.* nadzorca w domu towarowym; ekspedient/ka odpowiedzialn-y/a za dany dział.

shopwindow [ˈʃɑːpˌwɪndoʊ] *n.* wystawa sklepowa, witryna.

shopworn [ˈʃɑːpˌwɔːrn] *a.* (*także Br. i Austr.* **~-soiled**) *handl.* niepełnowartościowy (*wskutek długiego leżenia w sklepie*).

shore[1] [ʃɔːr] *n. C/U* **1.** brzeg; wybrzeże; ląd; **along the ~** wzdłuż brzegu; **on ~** na lądzie (= *nie na statku*). **2.** *prawn.* obszar objęty przypływem. **3. these/our ~s** *zwł. Br. lit.* ten/nasz kraj.

shore[2] *n.* podpora. – *v.* **~ (up)** podpierać.

shore[3] *v. arch. zob.* **shear**.

shore-based [ˈʃɔːrˌbeɪst] *a.* nabrzeżny.

shore bird *n.* **1.** ptak nabrzeżny. **2.** *orn.* ptak z rodziny siewkowatych (*Charadrii*).

shore crab *n. zool.* raczyniec jadalny (*Carcinus maenas*).

shore dinner *n. US* posiłek z ryb i owoców morza.

shore lark *n. Br. orn.* górniczka (*Eremophila alpestris*).

shore leave *n. U* przepustka na ląd.

shoreless [ˈʃɔːrləs] *a.* **1.** bezbrzeżny. **2.** nieposiadający miejsca do cumowania.

shoreline [ˈʃɔːrˌlaɪn] *n.* linia brzegowa.

shore patrol *n. wojsk.* patrol straży przybrzeżnej.

shoreward [ˈʃɔːrwərd] *a.* przybrzeżny, nadbrzeżny. – *adv.* (*także* **~wards**) do brzegu, w kierunku brzegu.

shoreweed [ˈʃɔːrˌwiːd] *n. U bot.* brzeżyca jednokwiatowa (*Litorella uniflora*).

shoring [ˈʃɔːrɪŋ] *n. U bud.* podpora, system podpór.

shorn [ʃɔːrn] *v. zob.* **shear**.

short [ʃɔːrt] *a.* **1.** krótki (*t. o piłce; t. fon. o dźwięku*). **2.** niski (*o osobie*). **3.** zwięzły. **4.** zbyt krótki. **5.** za niski. **6.** *t. fin.* krótkoterminowy. **7.** *kulin.* kruchy (*o cieście*). **8.** *pot.* mocny, nierozcieńczony (*o alkoholu*). **9.** *fin.* niepokryty (*o umowie, sprzedaży*). **10.** *pred.* **be ~ for sth** być skrótem od czegoś; być zdrobnieniem od czegoś (*od imienia*); **be ~ of/on sth** mieć za mało czegoś; **be ~ with sb** być ciętym na kogoś; **be a bit ~** *Br.* być bez pieniędzy; **be nothing/little ~ of a miracle** graniczyć z cudem; **I'm $2 ~** brakuje mi dwóch dolarów, mam (o) dwa dolary za mało; **not ~ of a bob or two** *Br. i Austr. pot.* nadziany (= *bogaty*); **our turnover will be just ~ of $2,000** nasz obrót wyniesie prawie dwa tysiące dolarów; **sb is ~ of breath** komuś brakuje tchu; **sb is a brick ~ of a load** *Br. pot.* komuś brakuje piątej klepki; **we are ~ of cash** brakuje nam gotówki, nie mamy gotówki. **11. ~ and sweet** *pot. zw. iron.* krótki i zwięzły; **a ~ time ago** niedawno (temu); **have a ~ fuse/temper** mieć porywczy temperament, łatwo wpadać w złość; **food/gas is in ~ supply** brakuje żywności/benzyny; **get the ~ end (of the stick)** *zob.* **end** *n.*; **give sb ~ measure** dać *l.* odważyć komuś za mało (*zwł. w sklepie*); **have a ~ memory** mieć krótką pamięć; **have but a ~ life** mieć krótki żywot, być krótkotrwałym; **have (got) sb by the ~ hairs** (*także* **have (got) sb by the ~ and curlies**) *sl.* mieć *l.* trzymać kogoś w garści; **in ~ order** *zwł. US* bezzwłocznie, natychmiast; **in the ~ run/term** na krótką metę; **make ~ work of sth** *pot.* szybko się z czymś uwinąć, rozprawić się z czymś w okamgnieniu; **of ~ duration** krótkotrwały; **on** *US*/**at** *Br.* **~ notice** niemal bez uprzedzenia; **sb drew/got the ~ straw** *zob.* **straw** *n.*; **to make** *US*/**cut** *Br.* **a long story ~** krótko mówiąc, w kilku słowach; **within a ~ space of time** w krótkim odstępie czasu. – *adv.* **1.** nagle, gwałtownie. **2.** krótko, zwięźle. **3.** szorstko, obcesowo. **4.** za blisko; **the shell fell (5 yards) ~** pocisk padł (o 5 jardów) za blisko. **5.** *fin.* bez pokrycia; **sell ~** sprzedawać bez pokrycia (= *nie mając jeszcze towaru*). **6. ~ of (doing) sth** bez posuwania się do (robienia) czegoś; **cut sb/sth ~** *zob.* **cut** *v.*; **everything ~ of...** wszystko z wyjątkiem...; **fall ~ of expectations/hopes** *zob.* **fall** *v.*; **pull up ~** *zob.* **pull** *v.*; **pull/bring sb up ~** powstrzymać kogoś (*zwł. nagle l. w ostatniej chwili*); **sb (never) goes ~ of sth** komuś (nigdy nie) brakuje czegoś (*zwł. jedzenia l. pieniędzy*); **sb is running/runs ~ of sth** *zob.* **run** *v.*; **sth is running ~** *zob.* **run** *v.*; **sell o.s. ~** *zob.* **sell** *v.*; **sell sb/sth ~** *zob.* **sell** *v.*; **stop ~** *zob.* **stop** *v.*; **stop ~ of (doing) sth** *zob.* **stop** *v.*; **sb was taken/caught ~** *Br. pot.* nagle kogoś przycisnęło, nagle się komuś zachciało (*do toalety*). – *n.* **1.** *U* **for ~** w skrócie (*zwł. mówić na coś, nazywać coś*); zdrobniale; **in ~** krótko mówiąc, jednym słowem. **2.** *fon.* krótka samogłoska; krótka sylaba. **3.** *alfabet Morse'a* kropka. **4.** skrót. **5.** krótkie opowiadanie. **6.** krótki artykuł. **7.** *handl.* rozmiar na niską osobę. **8.** *giełda* spekulant grający na zniżkę. **9.** *wojsk.* zbyt krótki strzał. **10.** *film* film krótkometrażowy, krótkometrażówka. **11.** *el.* = **short circuit**. **12.** *Br. pot.* mocny drink. **13.** *pl. zob.* **shorts**. – *v.* **~ (out)** = **short-circuit** 1.

short account *n. fin.* **1.** suma sprzedanych kontraktów terminowych. **2.** konto klienta u maklera (*za pomocą którego następuje rozliczenie wszelkich sprzedaży bez pokrycia*).

short-acting [ˌʃɔːrtˈæktɪŋ] *a.* o krótkotrwałym działaniu.

shortage [ˈʃɔːrtɪdʒ] *n. C/U* brak, niedobór (*of sth* czegoś).

short-arse [ˈʃɔːrtˌɑːrs] *n. Br. sl.* kurdupel.

short bill *n. fin.* weksel krótkoterminowy.

short black *n. Austr. i NZ* mała czarna (*kawa*).

shortbread [ˈʃɔːrtˌbred] *n. U kulin.* herbatnik maślany.

shortcake [ˈʃɔːrtˌkeɪk] *n. U kulin.* **1.** *US* kruche ciasto z owocami i bitą śmietaną. **2.** *Br.* = **shortbread**.

shortchange [ˌʃɔːrtˈtʃeɪndʒ], **short-change** *v. zw. pass.* **1.** wydać za mało reszty (*komuś*). **2.** *przen.* oszukać, wystawić do wiatru.

short circuit *n. el.* zwarcie, krótkie spięcie.

short-circuit [ˌʃɔːrtˈsɝːkət] *v.* **1.** *el.* powodować zwarcie w (*czymś*), zwierać (*np. obwód*); ulegać zwarciu. **2.** *przen.* omijać (*przepisy, procedury*). **3.** *US* pokrzyżować (*plany*).

shortcoming [ˈʃɔːrtˌkʌmɪŋ] *n. zw. pl.* niedociągnięcie, niedostatek, mankament (*in sth* w czymś).

short covering *n. U ekon.* zakup w celu pokrycia sprzedaży in blanco.

shortcrust pastry [ˌʃɔːrtkrʌst ˈpeɪstrɪ] *n. U Br. kulin.* kruche ciasto.

shortcut [ˈʃɔːrtˌkʌt], **short cut** *n.* **1.** skrót (*to sth* prowadzący dokądś); **take a ~** pójść na skróty. **2.** *przen.* ułatwienie; szybsza metoda (*to sth* prowadząca do czegoś).

short date *n.* krótki termin.

short-dated [ˌʃɔːrtˈdeɪtɪd] *a.* krótkoterminowy.

short-day plants [ˌʃɔːrtˌdeɪ ˈplænts] *n. pl. bot.* rośliny krótkiego dnia, rośliny długiej nocy.

short division *n. U mat.* dzielenie przez liczbę jednocyfrową.

short drink *n. pot.* mocny drink, jeden głębszy.

short-eared owl [ˌʃɔːrtˌiːrd ˈaʊl] *n. orn.* sowa błotna (*Asio flammeus*).

shorten [ˈʃɔːrtən] *v.* **1.** skracać (się). **2.** *kulin.* dodawać tłuszczu do (*ciasta*). **3.** *żegl.* refować (*żagiel*).

shortening [ˈʃɔːrtənɪŋ] *n. U kulin.* tłuszcz piekarski (*dodawany do ciasta dla kruchości*).

shortfall [ˈʃɔːrtˌfɔːl] *n.* niedobór (*in/of sth* czegoś).

short-haired [ˌʃɔːrtˈherd] *a.* krótkowłosy (*np. o kocie, jamniku*).

shorthand [ˈʃɔːrtˌhænd] *zwł. Br. i Austr. n. U* **1.** stenografia; **take sth down in ~** stenografować coś. **2. be ~ for sth** *przen.* być skrótem od czegoś (*o zwrocie l. wyrażeniu użytym zamiast dłuższego zwrotu l. wyrażenia*). – *a. attr.* stenograficzny.

short-handed [ˌʃɔːrtˈhændɪd] *a.* mający za mało ludzi do pracy.

short-handedness [ˌʃɔːrtˈhændɪdnəs] *n. U* brak rąk do pracy.

shorthand notebook *n.* (*także* **shorthand pad**) *Br. i Austr.* notes stenograficzny.

shorthand typist *n. Br. i Austr.* stenotypist-a/ka.

shorthaul [ˈʃɔːrtˌhɔːl], **short-haul** *a. attr. lotn.* krótkodystansowy, na krótki dystans.

short head *n. wyścigi konne* odległość mniejsza od długości końskiej głowy.

short-headed [ˌʃɔːrtˈhedɪd] *a. antrop.* krótkogłowy.

shorthorn [ˈʃɔːrtˌhɔːrn] *n. pl.* **-s** *l.* **shorthorn** *hodowla* krowa rasy krótkorogiej.

shortie [ˈʃɔːrtɪ] *n.* = **shorty**. – *a. attr.* krótki (*o płaszczu, żakiecie*).

short interest *n.* **1.** *U fin.* dochód z lokat krótkoterminowych. **2.** *giełda* pozycja krótka.

shortish [ˈʃɔːrtɪʃ] *a.* **1.** krótkawy, przykrótki. **2.** raczej *l.* dość krótki.

short list, shortlist *n. zwł. Br.* ostateczna lista kandydatów.

short-list [ˈʃɔːrtˌlɪst] *v. zw. pass. zwł. Br.* umieszczać na liście kandydatów (*for sth* do czegoś) (*np. do nagrody*).

short-lived [ˌʃɔːrtˈlɪvd] *a.* krótkotrwały.

shortly [ˈʃɔːrtlɪ] *adv.* **1.** niebawem, wkrótce; **~ after** wkrótce *l.* zaraz potem; **~ before** (na) krótko przedtem; **~ after/before sth** krótko po/przed czymś. **2.** pokrótce, w skrócie. **3.** lakonicznie; szorstko.

shortness [ˈʃɔːrtnəs] *n. U* **1.** krótkość. **2.** brak, niedobór (*of sth* czegoś). **3.** *kulin.* kruchość.

short order *n.* **1.** *US i Can.* szybkie danie (*wykonywane w krótkim czasie od złożenia zamówienia*). **2. in ~** *zob.* **short** *a.*

short-order [ˈʃɔːrtˌɔːrdər] *a. attr. US i Can.* **1.** szybki (*w przygotowaniu; o daniach*). **2. ~ cook** kucha-rz/rka realizując-y/a zamówienia na szybkie dania.

short position *n. giełda* pozycja krótka.

short radius *n. geom.* promień okręgu wpisanego, apotema.

short-range [ˌʃɔːrtˈreɪndʒ] *a. attr.* **1.** bliskiego *l.* krótkiego zasięgu (*o broni*). **2.** krótkoterminowy (*np. o planach, celach. prognozach*).

shorts [ʃɔːrts] *n. pl.* **1.** szorty. **2.** *gł. US i Can.* slipy. **3.** *roln.* pozostałość na sicie, odsiew. **4.** króciaki (*rodzaj tarcicy*).

short sale *n. ekon.* sprzedaż niepokryta *l.* in blanco.

short shrift *n. U* **get ~** przejść niezauważonym (*np. o uwadze*); **give sb/sth ~** nie poświęcić komuś/czemuś zbyt wiele uwagi; **make ~ of sth** szybko się z czymś rozprawić.

short-sighted [ˌʃɔːrtˈsaɪtɪd], **short sighted** *a. zwł. Br. t. przen.* krótkowzroczny.

short-sightedly [ˌʃɔːrtˈsaɪtɪdlɪ] *adv. t. przen.* krótkowzrocznie.

shortsightedness [ˌʃɔːrtˈsaɪtɪdnəs] *n. U t. przen.* krótkowzroczność.

short-sleeved [ˌʃɔːrtˈsliːvd] *a.* z krótkim rękawem.

short-spoken [ˌʃɔːrtˈspoʊkən] *a.* zwięzły, wyrażający się zwięźle.

short-staffed [ˌʃɔːrtˈstæft] *a. pred.* posiadający zbyt mało personelu, cierpiący na braki *l.* niedobory kadrowe.

short-stay [ˌʃɔːrtˈsteɪ] *a. attr.* na krótki okres.

shortstop [ˈʃɔːrtˌstɑːp] *n. baseball* łącznik (= *fielder pomiędzy drugą i trzecią bazą*).

short story *n. pl.* **-ies** opowiadanie, nowela.

short subject *n. US kino* film krótkometrażowy, krótkometrażówka.

short suit *n. brydż* krótki kolor.

short-tempered [ˌʃɔːrtˈtempərd] *a.* zapalczywy, porywczy, krewki.

short-term [ˌʃɔːrtˈtɜːm] *a. attr.* krótkoterminowy.

short-termism [ˌʃɔːrtˈtɜːmˌɪzəm] *n. U zw. uj.* planowanie krótkoterminowe; myślenie krótkoterminowe.

short-term memory *n. U psych.* pamięć krótka.

short time *n. U* niepełny wymiar godzin; **work on ~** (*także Br.* **be on ~**) pracować w niepełnym wymiarze godzin.

short ton *n.* = **ton** 1.

short-waisted [ˌʃɔːrtˈweɪstɪd] *a. strój* z podwyższoną talią.

short wave *n. U radio* fale krótkie.

short-wave [ˈʃɔːrtweɪv] *a. radio* krótkofalowy.

short-winded [ˌʃɔːrt ˈwɪndɪd] *a.* **1.** zdyszany. **2.** *przen.* zwięzły.

shorty [ˈʃɔːrtɪ] *n. pl.* **-ies** (*także* **shortie**) *pog., pot.* kurdupel.

Shoshone [ʃoʊˈʃoʊnɪ], **Shoshoni** *n. pl.* **-s** *l.* **Shoshone** *l.* **Shoshoni** **1.** Szoszon/ka (= *członek jednego z plemion indiańskich w Ameryce Północnej*). **2.** *U* język szoszoński (*należący do grupy języków uto-azteckich*).

Shoshonian [ʃoʊˈʃoʊnɪən] *n.* = **Shoshone** 1. – *a.* szoszoński.

shot¹ [ʃɑːt] *n.* **1.** strzał (*t. przen.* = *próba odgadnięcia*); wystrzał; **fire a ~** oddać strzał (*at sb / sth* do kogoś/czegoś); **take a ~ at sb** strzelić do kogoś. **2.** *sport* strzał. **3.** strzelec; **good/poor/bad ~** dobry/kiepski/zły strzelec. **4.** *gł. US* uderzenie (*zwł. nagłe*). **5.** pocisk, kula. **6.** *t. med.* zastrzyk; wstrzyknięcie (*t. narkotyku*); szczepienie; **flu ~** szczepienie przeciwko grypie. **7.** *U* śrut. **8.** *sport* kula (*używana w pchnięciu kulą*). **9.** *fot.* zdjęcie; *t. film* ujęcie. **10.** *U* zasięg (*t. kamery*); **out of ~** poza zasięgiem. **11.** *górn.* ładunek wybuchowy. **12.** *pot.* kieliszek (*czegoś mocniejszego*). **13.** tor lotu (*pocisku*). **14.** wystrzelenie (*rakiety, sondy*). **15.** *arch.* zaległy rachunek (*w gospodzie*). **16.** *przen.* **a ~ across the bows** *zwł. Br.* poważne ostrzeżenie; **a ~ in the arm** zastrzyk wiary we własne siły; **a ~ in the dark** strzał w ciemno; **big ~** *US pot.* gruba ryba, szycha; **call the ~s** *zob.* **call** *v.*; **cheap ~** chwyt poniżej pasa (= *niepotrzebnie złośliwa uwaga*); **have/take a ~ (at sth)** *pot.* spróbować (czegoś), spróbować swoich sił (w czymś); **it's a 10 to 1 ~ that he'll find out** stawiam dziesięć do jednego, że on się dowie; **like a ~** migiem, w lot, piorunem; **long ~** *zob.* **long shot; not by a long ~** *zob.* **long** *a.*; **mug ~** *zob.* **mug shot; parting ~** *zob.* **parting** *a.* – *v.* **1.** ładować śrutem. **2.** obciążać śrutem.

shot² *v. zob.* **shoot.** – *a. pred.* **1.** *pot.* zużyty, skończony (*np. o tubce, opakowaniu czegoś*); wykończony, zmachany (= *zmęczony*); do niczego; **~ to pieces** w strzępach (*zwł. o nerwach*); **be/get ~ of sb/sth** *Br.* pozbyć się kogoś/czegoś. **2.** mieniący się (*o tkaninie, kolorze*). **3. ~ through with sth** *form.* przetykany czymś; *przen.* przeplatany czymś.

shote [ʃout] *n.* = **shoat.**

shot-firer [ˈʃɑːtˌfaɪrər] *n. górn.* strzałowy.

shot glass *n. US* miarka (*do alkoholu*).

shotgun [ˈʃɑːtˌgʌn] *n.* śrutówka. – *a. attr. gł. US* **1.** pod przymusem; z musu. **2.** oparty na spekulacjach *l.* przypuszczeniach, eksperymentalny (*np. o terapii*).

shotgun wedding *n.* (*także* **shotgun marriage**) *przest.* małżeństwo *l.* ślub z musu (= *z powodu ciąży*).

shot hole *n.* **1.** otwór po pocisku. **2.** *górn.* otwór strzałowy. **3.** *pot.* wygryziona dziura (*np. przez owada*).

shot-put [ˈʃɑːtˌput], **shot put** *n. sport* **1.** pchnięcie kulą. **2.** kula.

shot-putter [ˈʃɑːtˌputər] *n. sport* miotacz/ka (kulą).

shot-putting [ˈʃɑːtˌputɪŋ] *n. U sport* pchnięcie kulą.

shotten [ˈʃɑːtən] *a.* **1.** *icht.* taki, który świeżo złożył ikrę (*zwł. o śledziu*). **2.** *pat.* zwichnięty.

shot tower *n. hist.* wieża, w której wytwarzano śrut ołowiany.

should [ʃud] *v. abbr.* **'d** [d] *neg.* **should not = shouldn't** [ˈʃudənt] **1.** (*wyraża opinię mówiącego na temat tego, jak być powinno*) **he ~ marry her** powinien się z nią ożenić; **she ~n't have left him alone** nie powinna była zostawiać go samego; **you ~ have told me** powinieneś był mi powiedzieć. **2.** (*wyraża przypuszczenie*) **he ~ be back soon** powinien niedługo wrócić; **the show ~ be good - it had such good reviews** przedstawienie powinno być dobre - miało takie dobre recenzje. **3.** (*wyraża sugestię, radę l. prośbę o nią*) *zwł. Br.* **I ~ phone her if I were you** na twoim miejscu zadzwoniłbym do niej; **I suggest we ~ talk about it** proponuję, żebyśmy o tym porozmawiali; **you ~ read this book - it's very good** powinieneś przeczytać tę książkę - jest bardzo dobra; **what ~ I wear?** co powinnam *l.* mam założyć?. **4.** (*wyraża ewentualność*) *zwł. Br. form.* **~ anyone phone** na wypadek gdyby ktoś dzwonił, gdyby przypadkiem ktoś dzwonił; **if it ~ be true** gdyby to było prawdą, gdyby to miało być prawdą. **5.** (*w mowie zależnej*) *zwł. Br.* **I said I ~ try** powiedziałam, że spróbuję; **we promised we ~ contact her** obiecaliśmy, że się z nią skontaktujemy. **6.** (*wyraża życzenie*) *zwł. Br. form.* **I ~ like a campari** poproszę o campari; **we ~ like to thank our host** chcielibyśmy podziękować naszemu gospodarzowi. **7.** (*wyraża przypuszczenie*) *zwł. Br.* **I ~ have thought...** *cz. żart.* wydawałoby się, że...; **I ~ have thought it was obvious** to chyba jasne *l.* oczywiste; **I ~(n't) think (that)...** (nie) wydaje mi się, że *l.* żeby...; **I ~ think so/not** wydaje mi się, że tak/nie; *emf.* no myślę (*zgadzając się z przedmówcą*). **8.** (*wyraża emocjonalny stosunek mówiącego*) **(and then) who should appear but...** *żart.* (a wtedy) któż się pojawia, jak nie...; **he/she ~ worry!** *iron.* jakież on/ona może mieć zmartwienia!; **how ~ I know?** skąd mam wiedzieć?, a bo ja wiem? (*zw. ze zniecierpliwieniem, oburzeniem*); **you/I ~ be (so) lucky!** *iron.* chciał-byś/bym! (= *wątpię, czy ci / mi się uda*).

shoulder [ˈʃouldər] *n.* **1.** *t. przen.* ramię; **~ to ~** ramię w ramię; **look/glance over one's ~** spojrzeć przez ramię; **shrug one's ~s** wzruszyć ramionami. **2.** *anat.* bark. **3.** *kulin.* łopatka. **4.** plecy (*t. w ubraniu*). **5.** grzbiet (*góry, czcionki*). **6.** występ; próg. **7.** *sing. US, Can. i Austr. mot.* utwardzone pobocze. **8.** *przen.* **be head and ~s above the rest/others** *zob.* **head** *n.*; **cry on sb's ~** *zob.* **cry** *v.*; **give sb the cold ~** *zob.* **cold** *v.*; **have a chip on one's ~ (about sth)** *zob.* **chip** *n.* 1; **put one's ~ to the wheel** *zob.* **wheel** *n.*; **rest on sb's ~s** spoczywać na czyichś barkach (*np. o odpowiedzialności*); **rub ~s with sb** *zob.* **rub** *v.*; **straight from the ~** *zob.* **straight** *adv.* – *v.* **1.** popychać ramieniem. **2.** pchać się; **~ one's way through the crowd** przepychać się przez tłum. **3.** *t. przen.* dźwigać; brać na swoje barki *l.* na siebie; **~ a responsibility/duty** wziąć na swoje barki odpowiedzialność/obowiązek. **4. ~ arms!** *wojsk.* na ramię broń!.

shoulder bag *n.* torba na ramię.

shoulder blade *n. anat.* łopatka.

shoulder board *n.* (*także Br.* **shoulder strap**) *wojsk.* naramiennik.

shoulder flash *n.* = **shoulder patch.**

shoulder girdle *n. anat.* obręcz barkowa.

shoulder-high [ˌʃouldərˈhaɪ] *a.* do (wysokości) ramion. – *adv.* na wysokość ramienia.

shoulder holster *n.* kabura noszona pod pachą.

shoulder joint *n. anat.* staw barkowy.

shoulder-length [ˈʃouldərˌleŋkθ] *a.* do ramion (*zwł. o włosach*).

shoulder pad *n.* **1.** *krawiectwo* poduszka (*np. w żakiecie damskim*). **2.** *rugby itp.* ochraniacz na ramię.

shoulder patch *n.* (*także* **shoulder flash**) tarcza na ramię.

shoulder screw *n.* śruba pasowana.

shoulder strap *n.* **1.** ramiączko (*sukienki, bluzki*). **2.** pasek (*przy torbie*). **3.** *Br.* = **shoulder board.**

shouldn't [ˈʃudənt] *v.* = **should not.**

should've [ˈʃʊdəv] *v.* = **should have.**

shout [ʃaʊt] *v.* **1.** krzyczeć (*at sb* na kogoś, *that* że); krzyknąć (*to sb* do kogoś); wołać; ~ **above sth** przekrzykiwać coś (*np. hałas*); ~ **for help** wołać o pomoc; ~ **for joy/in pain** krzyczeć z radości/z bólu; ~ **o.s. hoarse** zachrypnąć od krzyku. **2.** *Austr. i NZ pot.* postawić (*kolejkę*); postawić kolejkę (*komuś*). **3.** *przen.* ~ **sth from the rooftops** *zob.* **rooftop; be all over bar the ~ing** *Br. pot.* być właściwie przesądzonym; **nothing to ~ about** nie ma się czym chwalić. **4.** ~ **sb down** zakrzyczeć kogoś; ~ **(sth) out** wykrzykiwać (coś). – *n.* **1.** krzyk, okrzyk; wołanie; **give a ~** wydać okrzyk; **give sb a ~** krzyknąć na kogoś, zawołać kogoś. **2. sb's ~** *Br., Austr. i NZ pot.* czyjaś kolejka *l.* kolej (*żeby postawić drinka*).

shouter [ˈʃaʊtər] *n.* osoba krzycząca *l.* wołająca; krzykacz/ka.

shove [ʃʌv] *v.* **1.** popychać; pchać; ~ **sb aside** odepchnąć kogoś na bok; ~ **sth in/into sth** wepchnąć coś do czegoś; ~ **sth out of the way** zepchnąć coś z drogi. **2.** pchać się. **3.** ~ **off** *żegl.* odbijać (*od brzegu*); ~ **off!** *pot.* spadaj!, spływaj!; ~ **up/over** *zwł. Br. pot.* posunąć się (*robiąc komuś miejsce*). – *n.* **1.** pchnięcie; popchnięcie; **give sb/sth a ~** popchnąć kogoś/coś. **2. if/when push comes to ~** *zob.* **push** *n.*

shovel [ˈʃʌvl] *n.* **1.** łopata, szufla. **2.** *mech.* koparka; **convertible ~** koparka z osprzętem wymiennym; **face ~** koparka przedsiębierna; **pull/drag ~** koparka podsiębierna. **3.** *pot.* = **shovel hat.** – *v. Br.* **-ll- 1.** przerzucać łopatą, szuflować. **2.** *US* odśnieżać (*np. ulicę, przejście; łopatą*). **3.** pracować łopatą. **4.** *pot.* ładować, pakować (*sth into sth* coś do czegoś) (*np. jedzenie do ust*).

shoveler [ˈʃʌvələr], *Br. t.* **shoveller** *n.* **1.** osoba używająca łopaty *l.* szufli. **2.** *orn.* płaskonos (*Anas clypeata*).

shovelful [ˈʃʌvlfʊl] *n.* (pełna) szufla *l.* łopata (*of sth* czegoś).

shovel hat *n. hist.* kapelusz wywinięty po bokach (*noszony dawniej przez duchownych anglikańskich*).

shovel-nosed [ˌʃʌvlˈnoʊzd] *a.* z płaskim *l.* spłaszczonym nosem.

show [ʃoʊ] *v.* **showed, shown 1.** pokazywać; ~ **o.s.** pokazywać się (publicznie); ~ **sb sth** (*także* ~ **sth to sb**) pokazać coś komuś; ~ **sb how to do sth** pokazać komuś, jak się coś robi; ~ **sb the door** *przen.* pokazać komuś drzwi (= *wyrzucić kogoś za drzwi*); ~ **sb who's boss** *pot.* pokazać komuś, kto jest szefem *l.* kto tu rządzi. **2.** demonstrować. **3.** ukazywać, przedstawiać; ~ **sb in a favorable light** ukazywać *l.* przedstawiać kogoś w korzystnym świetle. **4.** okazywać (*t. dokumenty*); ~ **mercy** okazać litość; ~ **sb some respect** okazać komuś trochę szacunku; ~ **o.s. to be sth** *form.* okazać się (być) kimś (*np. zręcznym politykiem, negocjatorem*). **5.** wskazywać; ~ **the way** *t. przen.* wskazywać drogę; **the thermometer ~s 5 below zero** termometr wskazuje 5 stopni poniżej zera. **6.** wykazywać; ~ **a profit/loss** wykazywać zysk/stratę; ~ **a rising tendency** wykazywać tendencję zwyżkową; ~ **an interest in sth** wykazywać zainteresowanie czymś; ~ **signs of sth** wykazywać oznaki czegoś. **7.** *t. teatr, sztuka* wystawiać (*np. przedstawienie, obrazy, rzeźby*); być wystawianym. **8.** *kino* wyświetlać; być wyświetlanym, lecieć; **what's ~ing at the Odeon?** co leci w Odeonie?. **9.** prowadzić; ~ **sb in** wprowadzić kogoś (do środka); ~ **sb out** wyprowadzić kogoś; odprowadzić kogoś (do drzwi *l.* do wyjścia); ~ **sb up** zaprowadzić kogoś na górę. **10.** być widocznym; malować się; **anger ~ed in his face** na jego twarzy malował się gniew; **it ~s** to widać; **this stain won't ~** tej plamy nie będzie widać. **11.** *zwł. US pot.* pokazać się, zjawić *l.* pojawić się (= *przyjść*). **12.** zgłaszać do konkursu (*zwierzę*). **13.** prezentować się (*w określony sposób*). **14.** *US sport* zająć jedno z pierwszych trzech miejsc (*zwł. w wyścigach konnych*). **15.** ~ **a clean pair of heels** *zob.* **heel**[1] *n.*; ~ **a leg!** *Br. pot.* wstawaj! (*z łóżka*); ~ **fight** *zob.* **fight** *n.*; ~ **one's hand** *zob.* **hand** *n.*; ~ **one's teeth** *zob.* **teeth; have something/nothing to ~ for it** mieć/nie mieć się czym pochwalić; **how dare you ~ your face here?** jak śmiesz się tu pokazywać?; **I'll ~ you/him!** ja ci/mu (jeszcze) pokażę!; **it just/only ~s (that)...** (*także* **it just/only goes to ~ (that)...**) to tylko świadczy o tym, że...; **that'll ~ him/her!** *pot.* to go/ją nauczy moresu!. **16.** ~ **sb around (sth)** oprowadzać kogoś (po czymś); ~ **off** popisywać się; ~ **sth off** chwalić się czymś; uwydatniać *l.* podkreślać coś (*np. czyjąś urodę, opaleniznę*); ~ **sb over sth** *zwł. Br.* oprowadzać kogoś po czymś; ~ **sb round (sth)** *Br.* = **show sb around (sth)**; ~ **through** przebijać (*np. o farbie*), być widocznym; ~ **up** *pot.* pokazać się, pojawić *l.* zjawić się (= *przyjść*); być widocznym; uwydatniać (się); ujawniać (się); uwidaczniać (się); ~ **sb up** *zwł. Br.* przynosić komuś wstyd (*zachowując się nieodpowiednio*); ośmieszać kogoś; zawstydzać kogoś (= *być lepszym*). – *n.* **1.** *t. teatr* przedstawienie, widowisko, spektakl. **2.** *telew., radio* show, program (*zwł. rozrywkowy*); **game/quiz ~** teleturniej; **talk ~** (*także Br. i Austr.* **chat ~**) talk-show. **3.** *kino* seans (*filmowy*). **4.** wystawa; **be on ~** być wystawionym; **dog/flower ~** wystawa psów/kwiatów; **hold/put on/stage a ~** urządzić wystawę. **5.** pokaz; **air ~** pokazy lotnicze; **fashion ~** pokaz mody. **6.** *sing.* pokaz, demonstracja, manifestacja; ~ **of force/strength** pokaz *l.* demonstracja *l.* manifestacja siły. **7.** wyraz, przejaw (*of sth* czegoś) (*zwł. uczuć*). **8.** *US, Austr. i NZ pot.* szansa; **have/stand a ~** mieć szansę; **give sb a ~** dać komuś szansę. **9.** *fizj.* krwawienie surowiczo-śluzowe (*poprzedzające poród*). **10. for ~** na pokaz; **give the ~ away** wydać całą sprawę, zdradzić sekret; **(jolly) good ~** *Br. przest. pot.* dobra robota; **let's get the/this ~ on the road** *pot.* (no to) jazda z tym koksem (= *zaczynajmy*); **put on/make a ~ of sth** stwarzać pozory czegoś, udawać coś; **put up a good/poor ~** *pot.* dobrze/kiepsko się spisać; **run the ~** *pot.* być szefem; **steal the ~** *zob.* **steal** *v.*; **the ~ must go on** przedstawienie musi trwać (= *życie musi toczyć się dalej*); **under a ~ of sth** pod pretekstem *l.* pozorem czegoś.

show-and-tell [ˌʃoʊəndˈtel], **show and tell** *n. U*

szkoln. US zajęcia, podczas których uczniowie opisują przyniesione z domu przedmioty.

show bill *n.* afisz.

showbiz [ˈʃoʊbɪz] *n. U pot.* show-biznes, przemysł rozrywkowy.

showboat [ˈʃoʊˌboʊt] *n.* statek do przedstawień teatralnych.

show business *n. U* przemysł rozrywkowy, show-biznes.

showcard [ˈʃoʊˌkɑːrd] *n. t. szkoln.* karta tekturowa (*używana podczas prezentacji l. jako pomoc dydaktyczna*).

showcase [ˈʃoʊˌkeɪs] *n.* **1.** gablota, gablotka. **2.** *przen.* wizytówka (*for sth* czegoś). – *v.* **1.** wystawiać na pokaz. **2.** *przen.* promować.

showdown [ˈʃoʊˌdaʊn] *n. zw. sing.* **1.** *poker* wyłożenie kart. **2.** *przen.* ostateczna rozgrywka, rozstrzygające starcie (*with sb* z kimś).

shower [ˈʃaʊər] *n.* **1.** prysznic (*urządzenie*); (*także* **~ bath**) prysznic (*kabina*); **in the ~** pod prysznicem; **take** *US*/**have** *Br.* **a ~** brać prysznic. **2.** *meteor.* przelotny deszcz; *pl.* przelotne opady; **heavy ~s** obfite opady (deszczu). **3.** *zw. sing. przen.* grad (*np. kamieni, kul, strzał*); deszcz (*np. meteorów, iskier, nagród, zaszczytów*). **4.** *fiz.* ulewa (*cząstek*). **5.** *US, Can., Austr. i NZ* przyjęcie, na którym obdarowuje się prezentami honorowego gościa (*zw. kobietę wychodzącą za mąż l. spodziewającą się dziecka*). **6.** *Br. pot.* tałatajstwo. – *v.* **1.** brać prysznic. **2.** *meteor.* padać przelotnie. **3.** *przen.* sypać gradem (*np. pocisków*); sypać się gradem (*np. o pociskach*). **4.** *przen.* lać się strumieniem. **5. ~ sb with sth** obrzucać kogoś czymś (*np. kamieniami, obelgami*); zasypywać kogoś czymś (*np. listami*); (*także* **~ sth on/upon sb**) obsypywać kogoś czymś (*np. prezentami, pochwałami*).

shower cap *n.* czepek pod prysznic.

shower cubicle *n.* kabina prysznicowa.

shower gel *n. U* (*także* **shower cream**) *zwł. Br.* żel pod prysznic.

showerhead [ˈʃaʊərˌhed] *n.* sitko natryskowe.

showerproof [ˈʃaʊərˌpruːf] *a.* przeciwdeszczowy.

showery [ˈʃaʊərɪ] *a. meteor.* deszczowy, z przelotnymi opadami.

showgirl [ˈʃoʊˌgɝːl] *n.* tancerka rewiowa.

showground [ˈʃoʊˌgraʊnd] *n. Br.* teren wystawowy.

showily [ˈʃoʊɪlɪ] *adv.* **1.** na pokaz. **2.** ostentacyjnie, krzykliwie.

showiness [ˈʃoʊɪnəs] *n. U* ostentacyjność, krzykliwość.

showing [ˈʃoʊɪŋ] *n.* **1.** *t. kino* pokaz, projekcja. **2.** przestawienie (*t. np. faktów, dowodów*). **3.** *sing.* **make a good/poor ~** dobrze/słabo się zaprezentować; **sb's current/present ~** czyjeś aktualne/obecne notowania *l.* wyniki (*t. np. w sondażach przedwyborczych*); **on sb's present ~** sądząc z czyichś obecnych notowań.

show jumper *n. jeźdz.* skoczek (*typ konia*).

show jumping *n. U jeźdz.* konkurs hipiczny, zawody w skokach przez przeszkody.

showman [ˈʃoʊmən] *n. pl.* **-men** **1.** kierownik widowiska *l.* przedstawienia. **2.** artysta cyrkowy. **3.** kuglarz. **4.** showman.

showmanship [ˈʃoʊmənˌʃɪp] *n. U* **1.** kierownictwo widowiska. **2.** talent showmana.

shown [ʃoʊn] *v. zob.* **show**.

show-off [ˈʃoʊˌɔːf] *n.* osoba popisująca się; **be a ~** lubić się popisywać.

show of hands *n.* głosowanie przez podniesienie ręki.

showpiece [ˈʃoʊˌpiːs] *n.* **1.** eksponat. **2.** *przen.* wzór, model; sztandarowe *l.* pokazowe osiągnięcie; **this school is a ~** to jest pokazowa *l.* modelowa szkoła.

showplace [ˈʃoʊˌpleɪs] *n.* **1.** osobliwość. **2.** atrakcyjne miejsce.

showroom [ˈʃɔːˌruːm] *n.* salon wystawowy; salon sprzedaży.

showstopping [ˈʃɔːˌstɑːpɪŋ] *a.* wyśmienity, wywołujący burzę oklasków (*o przedstawieniu*).

show trial *n.* proces pokazowy.

show window *n.* okno wystawowe.

showy [ˈʃoʊɪ] *a.* **-ier, -iest** **1.** okazały. **2.** *uj.* ostentacyjny, krzykliwy.

shoyu [ˈʃaʊuː] *n. U kulin.* japoński sos sojowy.

shp, s.h.p. *abbr.* = **shaft horsepower**.

shpt. *abbr.* = **shipment**.

shr. *abbr.* = **share**.

shrank [ʃræŋk] *v. zob.* **shrink**.

shrapnel [ˈʃræpnl] *n.* **1.** szrapnel. **2.** *U* odłamki.

shred [ʃred] *n.* **1.** *zw. pl.* strzęp, strzępek; **in ~s** w strzępach, postrzępiony; *przen.* w gruzach (*np. o karierze*); **tear/rip sth to ~s** podrzeć/porwać coś na strzępy. **2.** *sing.* odrobina; cień; krztyna; **not a ~ of evidence/doubt** ani cienia dowodu/wątpliwości. – *v.* **-dd-** **1.** drzeć na strzępy, strzępić. **2.** *kulin.* szatkować. **3.** niszczyć, ciąć na kawałki (*używając niszczarki dokumentów*).

shredder [ˈʃredər] *n. kulin.* **1.** szatkownica. **2.** niszczarka dokumentów.

shrew [ʃruː] *n.* **1.** *arch.* złośnica, sekutnica. **2.** (*także* **~mouse**) *zool.* sorek, ryjówka (*Sorex*).

shrewd [ʃruːd] *a.* **1.** przebiegły, sprytny. **2.** wnikliwy (*o obserwatorze*). **3.** bystry.

shrewdly [ˈʃruːdlɪ] *adv.* przebiegle, sprytnie.

shrewdness [ˈʃruːdnəs] *n. U* przebiegłość, spryt.

shrewish [ˈʃruːɪʃ] *a.* złośliwy, kłótliwy (*gł. o kobiecie*).

shrewmouse [ˈʃruːˌmaʊs] *n. pl.* **-mice** *zool.* = **shrew**[2].

shriek [ʃriːk] *n.* pisk, wrzask; **with a ~** z piskiem. – *v.* **1.** piszczeć, wrzeszczeć; **~ with joy/laughter** piszczeć z uciechy *l.* radości/ze śmiechu. **2.** gwizdać przeraźliwie (*np. o wietrze*). **3. ~ out** wrzasnąć.

shrieval [ˈʃriːvl] *a. gł. hist.* odnoszący się do szeryfa.

shrievalty [ˈʃriːvltɪ] *n. pl.* **-ies** *gł. hist.* **1.** urząd szeryfa. **2.** kadencja szeryfa. **3.** obwód szeryfa.

shrift [ʃrɪft] *n.* **1.** *arch.* spowiedź. **2.** *arch.* rozgrzeszenie. **3. short ~** *zob.* **short**.

shrike [ʃraɪk] *n. orn.* dzierzba srokosz (*Lanius excubitor*).

shrill [ʃrɪl] *a.* **1.** ostry, przenikliwy; piskliwy (*o głosie, dźwięku, śmiechu*). **2.** *przen.* natarczywy. – *v.* **1.** piszczeć, mówić piskliwym głosem. **2.** *poet.* rozlegać się (*o pisku*).

shrillness [ˈʃrɪlnəs] *n. U* piskliwość.

shrilly [ˈʃrɪlɪ] *adv.* piskliwie.

shrimp [ʃrɪmp] *n.* **1.** *zool. pl.* **shrimp** krewetka (*Crangon*). **2.** *żart. pot. pl.* **-s** kurdupel. – *v.* łowić krewetki.

shrimper [ˈʃrɪmpər] *n.* **1.** łódź do połowu krewetek. **2.** rybak łowiący krewetki.

shrine [ʃraɪn] *n. rel.* **1.** świątynia (*np. szintoistyczna*), chram; sanktuarium, miejsce kultu. **2.** relikwiarz. **3.** grób świętego. **4.** kapliczka. – *v. lit.* chronić.

shrink [ʃrɪŋk] *v.* **shrank, shrunk 1.** kurczyć (się). **2.** maleć. **3.** ~ **from (doing) sth** *t. przen.* wzbraniać się przed czymś; cofać się przed czymś; ~ **from the sight of sth** wzdragać się na widok czegoś. – *n.* **1.** kurczenie się. **2.** *żart. pot.* psychiatra; psychoanality-k/czka.

shrinkable [ˈʃrɪŋkəbl] *a.* kurczliwy.

shrinkage [ˈʃrɪŋkɪdʒ] *n. U* **1.** kurczenie się; skurczenie się. **2.** ubytek (*na wadze, wartości*). **3.** deprecjacja. **4.** *techn.* skurcz.

shrinkage allowance *n. metal.* naddatek na skurcz.

shrink fit *n. metal.* pasowanie skurczowe.

shrinking violet *n. pot.* osoba bardzo nieśmiała.

shrink-wrap [ˈʃrɪŋkˌræp] *v.* pakować próżniowo. – *n. U* kurczliwa folia przezroczysta (*używana przy pakowaniu próżniowym*).

shrink-wrapped [ˈʃrɪŋkˌræpt] *a.* pakowany próżniowo.

shrive [ʃraɪv] *v. t.* **shrove, shriven** *arch.* **1.** rozgrzeszać. **2.** zadawać pokutę (*komuś*). **3.** spowiadać (się).

shrivel [ˈʃrɪvl] *v. Br.* **-ll-** (*także* ~ **up**) **1.** kurczyć (się), marszczyć (się). **2.** wysychać, usychać.

shriven [ˈʃrɪvən] *v. zob.* **shrive.**

shroff [ʃrɑːf] *fin. n.* **1.** bankier (*w Indiach*). **2.** rzeczoznawca do wykrywania fałszywych monet (*na Dalekim Wschodzie*). – *v.* badać (*monety*).

shroud [ʃraʊd] *n.* **1.** *t. przen.* całun. **2.** *zw. pl. żegl.* wanta. **3.** linka (*spadochronu*). **4.** osłona, obudowa. **5.** powłoka (*statku kosmicznego*). – *v.* **1.** okrywać całunem. **2.** *t. przen.* spowijać, osłaniać; **~ed in mist** spowity mgłą; **~ed in mystery** owiany tajemnicą.

shroud-laid [ˈʃraʊdˌleɪd] *a.* czteropokrętkowy (*o linie*).

shroud lines *n. pl. lotn.* linki podwieszenia, olinowanie (*spadochronu*).

shrove [ʃroʊv] *v. zob.* **shrive.**

Shrovetide [ˈʃroʊvˌtaɪd] *n. U* ostatki, zapusty (= *trzy ostatnie dni karnawału*).

Shrove Tuesday *n.* ostatki (= *ostatni dzień karnawału*).

shrub[1] [ʃrʌb] *n.* krzew, krzak.

shrub[2] *n. U* sok owocowy z rumem (*l. innym alkoholem*).

shrubbery [ˈʃrʌbərɪ] *n. C/U pl.* **-ies** krzaki, krzewy, zarośla.

shrubby [ˈʃrʌbɪ] *a.* **-ier, -iest** krzaczasty.

shrug [ʃrʌg] *v.* **-gg- 1.** (*także* ~ **one's shoulders**) wzruszać ramionami. **2.** ~ **off** zbyć wzruszeniem ramion; nic sobie nie robić z (*czegoś*). – *n.* wzruszenie ramion.

shrunk [ʃrʌŋk] *v. zob.* **shrink.**

shrunken [ˈʃrʌŋkən] *a. attr.* skurczony.

sht *abbr.* **= sheet.**

shtg. *abbr.* **= shortage.**

shtick [ʃtɪk], **shtik, schtick** *n. U US pot.* **1.** sztuczka, chwyt (*zwł. artysty estradowego*). **2.** *sl.* atrybut (*czyjś; zwł. hobby l. talent*).

shuck [ʃʌk] *n.* **1.** łuska. **2.** skorupa. **3.** *US pot.* chłam, tandeta; **not worth ~s** niewart funta kłaków. – *v.* **1.** łuskać, łuszczyć. **2.** *US* zrzucać, pozbywać się; ~ **one's clothes off** zrzucić ubranie.

shucks [ʃʌks] *int. US przest.* kurczę!, holender!.

shudder [ˈʃʌdər] *v.* **1.** *t. przen.* drżeć, dygotać; ~ **to think of sth** drżeć na (samą) myśl o czymś. **2.** wzdrygać się; ~ **at the sight of sth** wzdrygnąć się na widok czegoś; ~ **at the thought of sth** wzdrygać się na myśl o czymś. **3.** trząść się, telepać się (*o maszynie, pojeździe*). – *n.* dreszcz; **give sb the ~s** *pot.* przyprawiać kogoś o dreszcze; **send ~s through sth** *przen.* wstrząsnąć czymś.

shuffle [ˈʃʌfl] *v.* **1.** szurać *l.* powłóczyć nogami. **2.** wlec się. **3.** przekładać; przesuwać; mieszać. **4.** *karty* tasować. **5.** ~ **(around)** wiercić się, kręcić się (*np. na krześle*). **6.** *przen.* kręcić (= *odpowiadać wymijająco*). **7.** ~ **one's feet** przestępować z nogi na nogę. **8.** ~ **off** powlec się; **he ~d off to bed** *pot.* powlókł się do łóżka; ~ **sb off** *pot.* pozbyć się kogoś; ~ **sth off** pozbyć się czegoś; ściągnąć coś z siebie; zrzucić coś (*skórę - o zwierzęciu*); ~ **off responsibility upon sb** *pot.* zrzucić odpowiedzialność na kogoś; ~ **off (this mortal coil)** *żart. pot.* przekręcić się (= *umrzeć*); ~ **out of sth** *pot.* wyskoczyć z czegoś (*z ubrania*); *przen.* migać się od czegoś; ~ **sth on** naciągnąć coś na siebie (*ubranie*). – *n. zw. sing.* **1.** szuranie *l.* powłóczenie nogami. **2.** wleczenie (się). **3.** krok suwany (*w tańcu*). **4.** *karty* tasowanie. **5.** krętactwo.

shuffleboard [ˈʃʌflˌbɔːrd] *n. US* **1.** *U* gra polegająca na przesuwaniu kijkiem krążków na ponumerowane pola. **2.** plansza, kawałek podłogi itp. z polami do gry jw.

shuffler [ˈʃʌflər] *n.* **1.** osoba tasująca karty. **2.** *przen.* krętacz/ka.

shufti [ˈʃʊftɪ], **shufty** *n.* **-ies** *Br. przest. pot.* rzut oka; **have a** ~ rzucić okiem (*at sth* na coś).

shul [ʃuːl], **schul** *n. judaizm* synagoga.

shun [ʃʌn] *v.* **-nn-** unikać, stronić od (*kogoś l. czegoś*).

'shun [ʃʌn] *int. wojsk.* **= attention!**

shunt [ʃʌnt] *v.* **1.** przesuwać, odkładać na bok. **2.** *kol.* przetaczać, przestawiać (*na inny tor*). **3.** przenosić, przesuwać, przerzucać (*np. pracownika, zwł. często l. bez powodu*); ~ **sb around** (*także* ~ **sb from place to place**) przerzucać kogoś z miejsca na miejsce; ~ **sb aside** odsunąć kogoś; ~ **sb off** przenieść *l.* przesunąć kogoś. **4.** zrzucać, spychać (*np. odpowiedzialność, obowiązki*). **5.** odkładać. **6.** *el.* bocznikować (*prąd*). **7.** *wyścigi samochodowe pot.* rozwalić (*samochód*). **8.** *chir.* zmieniać kierunek przepływu (*krwi l. płynu mózgowo-rdzeniowego*). – *n.* **1.** *kol.* przetaczanie. **2.** odkładanie na bok. **3.** *el.* odgałęzienie, odnoga, bocznik. **4.** *kol.* zwrotnica. **5.** *wyścigi samochodowe* stłuczka. **6.** *chir.*, *pat.* przetoka.

shunt coil *n. el.* cewka uzwojenia bocznikowego.

shunter ['ʃʌntər] *n. kol.* **1.** kolejarz przetaczający wagony. **2.** lokomotywa przetokowa *l.* manewrowa.

shunting yard ['ʃʌntɪŋ ˌjɑːrd] *n. kol.* stacja rozrządowa.

shunt machine *n.* (*także* ~ **motor**) *el.* silnik bocznikowy.

shush [ʃʌʃ] *int.* cii!, sza! – *v. pot.* uciszać.

shut [ʃʌt] *v.* **shut, shut, -tt- 1.** zamykać (się); ~ **o.s. in one's room** zamknąć się w swoim pokoju; **the banks ~ at six** banki zamyka się o szóstej. **2.** zamykać, likwidować. **3.** *pot.* przyciąć *l.* przytrzasnąć (sobie); ~ **sth in the door** przyciąć sobie coś drzwiami. **4.** zapinać. **5.** składać (*np. parasol*). **6.** *przen.* ~ **it!** *Br. pot.* zamknij się!; ~ **one's ears/eyes to sth** nie chcieć czegoś słuchać/na coś patrzeć; ~ **sb's mouth** zatkać komuś usta, uciszyć kogoś; ~ **a/the door on/to sth** *pot.* zamknąć drogę do czegoś; odrzucić coś; ~ **your mouth/trap/face/gob!** *sl.* zamknij gębę *l.* dziób!, stul pysk!. **7.** ~ **sb away** zamknąć kogoś (*in sth* w czymś *l.* gdzieś); ~ **o.s. away** odizolować się (*from sb / sth* od kogoś/czegoś); ~ **down** zostać zamkniętym (*np. o fabryce*); ~ **sb down** *US sport pot.* zablokować kogoś; ~ **sth down** zamknąć coś; zlikwidować coś; wyłączyć coś; odciąć dopływ czegoś (*np. prądu, gazu*); ~ **sb in** zamknąć kogoś (*np. w pokoju, więzieniu*); *zw. pass.* ~ **sth in** otaczać coś; powstrzymywać coś; ~ **sb off** wykluczyć kogoś (*from sth* z czegoś) (*np. z towarzystwa*); ~ **sth off** zamknąć coś (*np. wodę, gaz*); wyłączyć coś; zasłaniać coś (*np. widok*); ~ **o.s. off from sb** stronić od kogoś; ~ **sb out** nie wpuszczać kogoś (*do środka*); *sport zwł. US* nie dopuścić kogoś do zdobycia punktu; ~ **sth out** zasłaniać coś (*np. widok*); wykluczać coś; tłumić coś; ~ **sth to** domknąć coś; ~ **up** *pot.* zamknąć się, uciszyć się; ~ **up!** *pot.* zamknij się!; ~ **o.s. up** zamknąć się (*in sth* w czymś *l.* gdzieś); ~ **sb up** zamknąć kogoś (*in sth* gdzieś) (*t. w więzieniu*); *przen.* uciszyć kogoś; ~ **sth up** zamknąć coś (*np. sklep, dom, pudełko*); ~ **up shop** *zob.* **shop** *n.* – *a. zw. pred.* **1.** zamknięty (*Br. t.* = *nieczynny*); ~ **for the summer/winter** zamknięty w okresie letnim/zimowym; **kick sth** ~ zamknąć coś kopniakiem; **the door slammed/banged** ~ drzwi zamknęły się z trzaskiem. **2. be/get ~ of sb/sth** *sl.* pozbyć się kogoś/czegoś. – *n. metal.* szew spawalniczy, linia spojenia dwu metali.

shutdown ['ʃʌtˌdaʊn] *n.* **1.** przerwa, przestój (*w pracy*); wstrzymanie (*produkcji*). **2.** zamknięcie (*np. zakładu pracy*). **3.** wyłączenie (*reaktora*).

shuteye ['ʃʌtˌaɪ] *n. pot.* drzemka.

shut-in ['ʃʌtˌɪn] *n. US i Can.* chor-y/a nie wychodząc-y/a z domu.

shut-off ['ʃʌtˌɔːf] *n.* **1.** zamknięcie, wyłącznik; zawór. **2.** zamknięcie, odcięcie (*dopływu*).

shutout ['ʃʌtˌaʊt], **shut-out** *n.* **1.** lokaut. **2.** *US i Can. sport* gra, w której pokonana drużyna nie zdobyła ani jednego punktu.

shutout bid *n. brydż* zapowiedź zamykająca licytację.

shutter ['ʃʌtər] *n.* **1.** okiennica. **2.** żaluzja; roleta. **3.** *fot.* migawka; **focal plane** ~ migawka szczelinowa. **4.** *muz.* regulator (*w organach*). **5.** klapka. **6. put up the ~s** *Br. pot.* zamykać interes (*na noc*); zwijać *l.* likwidować interes (*na stałe*). – *v.* **1.** zamykać okiennice w (*oknach, budynku*); spuszczać żaluzje w (*jw.*). **2.** zaopatrywać w okiennice.

shutterbug ['ʃʌtərˌbʌg] *n. gł. US pot.* namiętny fotograf.

shuttered ['ʃʌtərd] *a.* **1.** z zamkniętymi okiennicami. **2.** zaopatrzony w okiennice.

shuttering ['ʃʌtərɪŋ] *n. U bud.* szalowanie; deskowanie.

shutter release *n. fot.* wyzwalacz migawki.

shutter speed *n. fot.* czas otwarcia migawki.

shuttle ['ʃʌtl] *n.* **1.** autobus, pociąg itp. kursujący wahadłowo. **2.** (*także* ~ **service**) regularne połączenie (*autobusowe, kolejowe itp.*). **3.** (*także* **space** ~) wahadłowiec, prom kosmiczny. **4.** *tk.* czółenko (*t. w maszynie do szycia*). **5.** = **shuttlecock**. – *v.* **1.** kursować tam i z powrotem (*between X and Y* pomiędzy X i Y). **2.** wozić tam i z powrotem.

shuttle bombing *n. C / U wojsk.* bombardowanie wahadłowe.

shuttle car *n. górn.* wóz przodkowy.

shuttlecock ['ʃʌtlˌkɑːk] *n. sport* lotka.

shuttlecraft ['ʃʌtlˌkræft] *n. pl.* **shuttlecraft** wahadłowiec, prom kosmiczny.

shuttle diplomacy *n. U* dyplomacja, w której mediator podróżuje pomiędzy państwami, uzgadniając np. warunki rozejmu.

shuttle service *n. zob.* **shuttle** *n.* 1.

shy[1] [ʃaɪ] *a.* **-er, -est** *l.* **-ier, -iest 1.** nieśmiały; wstydliwy; **be ~ of/with sb** wstydzić się kogoś; **be too ~ to do sth** być zbyt nieśmiałym, żeby coś zrobić; **go all** ~ zawstydzić się; **painfully** ~ niesamowicie nieśmiały. **2.** płochliwy (*o zwierzęciu*). **3.** nieufny, ostrożny (*of sb* w stosunku do kogoś). **4.** *biol.* mający trudności z rozmnażaniem się (*o zwierzęciu, roślinie*). **5. sb is $50/12 votes ~ (of sth)** *zwł. US i Can.* komuś brakuje 50 dolarów/30 głosów (do czegoś) (*np. do wymaganej sumy, do wygrania wyborów*). **6.** *przen.* **fight ~ of (doing) sth** *zob.* **fight** *v.*; **once bitten twice ~** *zob.* **bitten**. – *v.* **-ied, -ying 1.** płoszyć się (*at sth* na widok czegoś) (*zwł. o koniu*). **2. ~ away from sth/doing sth** wzbraniać się przed czymś/zrobieniem czegoś, unikać czegoś/robienia czegoś. – *n. pl.* **-ies** spłoszenie się (*zwł. konia*).

shy[2] *v.* rzucać, ciskać (*at sb / sth* w kogoś/coś).

– *n. pl.* **-ies** **1.** rzut. **2.** *pot.* docinek, przytyk. **3.** **have a ~ at sth** *pot.* spróbować czegoś.

shyer ['ʃaɪər] *n.* **1.** osoba nieśmiała. **2.** płochliwy koń.

shyly ['ʃaɪlɪ] *adv.* nieśmiało.

shyness ['ʃaɪnəs] *n. U* nieśmiałość.

shyster ['ʃaɪstər] *n. US pot.* krętacz/ka (*zwł. o prawniku l. polityku*).

SI [ˌes 'aɪ] *abbr.* układ SI, międzynarodowy układ jednostek miar.

sial ['ʃaɪəl] *n. U geol.* sial.

sialagogue [saɪ'æləˌgɑ:g] *n.* = **sialogog**.

sialic acid [saɪˌælɪk 'æsɪd] *n. U biochem.* kwas sialowy.

sialogog [saɪ'æləˌgɑ:g], **sialagogue, sialogogue** *n. C/U med.* środek ślinopędny.

sialogogic [saɪˌælə'gɑ:dʒɪk] *a. med.* ślinopędny.

sialoid ['saɪəˌlɔɪd] *a.* ślinopodobny.

siamang ['si:əˌmæŋ] *n. zool.* gibbon (*Hylobates syndactylus*).

Siamese [ˌsaɪə'mi:z] *a. przest.* syjamski. – *n. pl.* **Siamese** **1.** *przest.* Syjam-czyk/ka. **2.** = **Siamese cat**.

Siamese cat *n.* kot syjamski.

Siamese twins *n. pl.* bliźnięta syjamskie.

Sib *abbr.* = **Siberia**; = **Siberian**.

sib [sɪb] *n.* **1.** brat; siostra; *genetyka* potomek tego samego rodzica. **2.** *antrop.* grupa rodowa (*wywodząca się od wspólnego ojca l. matki*). **3.** *pl.* krewni. – *a.* blisko spokrewniony (*to sb* z kimś).

Siberia [saɪ'bi:rɪə] *n. geogr.* Syberia; (*jako miejsce zesłania*) Sybir.

Siberian [saɪ'bi:rɪən] *a.* syberyjski. – *n.* Sybira-k/czka (= *mieszkan-iec/ka Syberii*).

Siberian tiger *n. zool.* tygrys syberyjski (*Panthera tigris altaica*).

sibilant ['sɪbɪlənt] *a. t. fon.* syczący. – *n. fon.* spółgłoska sycząca.

sibilate ['sɪbəˌleɪt] *v. fon.* wymawiać (się) sycząco.

sibling ['sɪblɪŋ] *n. form.* brat; siostra; *pl.* rodzeństwo.

sibling rivalry *n. U* rywalizacja pomiędzy rodzeństwem (*o względy rodziców*).

sibyl ['sɪbɪl] *n.* **1.** *hist., mit.* sybilla. **2.** czarownica; wróżka.

sibylline ['sɪbəˌlaɪn], **sibyllic** *a.* **1.** *hist., mit.* sybiliński. **2.** proroczy.

sic[1] [sɪk] *adv. Lat. form.* sic!.

sic[2] *v.* **-cc-** *l.* **-ck-** (*także* **sick**) **1.** rzucić się na (*kogoś*). **2.** szczuć. **3.** **~!** bierz go! (*do psa*).

Sic. *abbr.* = **Sicilian**; = **Sicily**.

siccative ['sɪkətɪv] *a. i n. med.* (środek) wysuszający *l.* osuszający.

Sichuan [ˌsɪtʃ'wɑ:n] *n. geogr.* Seczuan.

Sicilian [sɪ'sɪlɪən] *a.* sycylijski. – *n.* Sycylij-czyk/ka.

Sicily ['sɪsəlɪ] *n. geogr.* Sycylia.

sick[1] [sɪk] *a.* **-er, -est** **1.** chory (*t. przen. np. o umyśle; t. = wymagający naprawy, np. o gospodarce*); **~ as a dog** *emf. pot.* strasznie chory; **be off ~** być na zwolnieniu lekarskim; **call in ~** zadzwonić do pracy z informacją, że jest się chorym; **get ~** *US* zachorować; **take ~** *przest.* zachorować. **2.** *pred.* **be ~** wymiotować; **feel ~** (*także* **be/feel ~ to one's stomach**) mieć mdłości; **sb feels ~** komuś jest *l.* robi się niedobrze; **make sb ~** przyprawiać kogoś o mdłości; **it makes me ~** *gł. przen.* niedobrze mi się robi na myśl o tym. **3.** *pot.* niesmaczny (*np. o żarcie*). **4.** chorowity (*o wyglądzie*); blady (*o cerze*). **5.** *pog. pot.* nienormalny, stuknięty. **6.** *roln.* mało urodzajny, jałowy (*o glebie*). **7.** *med.* szkodliwy dla zdrowia. **8.** *przen.* **~ as a parrot** *Br. żart. pot.* bardzo rozczarowany; **~ at heart** *zob.* **heart** *n.*; **~ for sth** stęskniony za czymś, spragniony czegoś; **be ~ (and tired) of sth** (*także* **be ~ to death of sth**) mieć czegoś (serdecznie) dosyć *l.* dość, mieć czegoś powyżej uszu; **be worried ~** (*także* **be ~ with worry**) zamartwiać się na śmierć. – *n.* **1.** **the ~** chorzy (*zbiorowo*). **2.** *U Br. pot.* wymiociny. – *v.* **~ up** *Br. pot.* zwymiotować (*t. coś*).

sick[2] *v.* = **sic[2]**.

sick allowance *n.* = **sick benefit**.

sickbag ['sɪkˌbæg] *n. lotn. pot.* torebka chorobowa.

sick bay *n.* **1.** *żegl.* szpital pokładowy. **2.** izba chorych.

sickbed ['sɪkˌbed] *n.* łóżko chorego *l.* szpitalne.

sick benefit *n.* (*także* **sick allowance,** *Br. i Austr.* **sickness benefit**) zasiłek chorobowy.

sick building syndrome *n. U pat.* zespół objawów chorobowych wywołany przez toksyczne materiały budowlane *l.* złą wentylację.

sick call *n.* (*także Br.* **sick parade**) *wojsk.* raport *l.* wezwanie do raportu dla chorych.

sicken ['sɪkən] *v.* **1.** napawać obrzydzeniem. **2.** odczuwać obrzydzenie. **3.** *przest.* zachorować. **4.** **be ~ing for sth** *zwł. Br.* mieć pierwsze objawy czegoś; **sb ~ed of sth** *zwł. lit.* coś komuś zbrzydło.

sickener ['sɪkənər] *n. pot.* komplikacja.

sickening ['sɪkənɪŋ] *a.* **1.** obrzydliwy, napawający obrzydzeniem. **2.** nieprzyjemny (*zwł. o huku, trzasku*). **3.** *Br. pot.* wkurzający (= *budzący zazdrość*).

sickeningly ['sɪkənɪŋlɪ] *adv.* obrzydliwie.

sick headache *n.* migrena.

sickie ['sɪkɪ] *n. pot.* **1.** *Br. i Austr.* lewe zwolnienie (lekarskie). **2.** = **sicko**.

sickle ['sɪkl] *n. roln.* **1.** sierp. **2.** *mech.* ostrze (*część maszyny rolniczej*). – *v.* **1.** *roln.* ciąć sierpem. **2.** *pat.* wytwarzać krwinki czerwone sierpowate. – *a. attr.* sierpowaty.

sick leave *n. U* zwolnienie lekarskie *l.* chorobowe; **on ~** na zwolnieniu.

sickle cell *n. pat.* krwinka czerwona sierpowata, drepanocyt.

sickle cell anemia, sickle cell anaemia *n. U pat.* niedokrwistość sierpowata, sierpowica.

sickle feather *n. orn.* pióro sierpowe (*w ogonie koguta*).

sickle medick *n. U bot.* lucerna sierpowata, dzięcielina (*Medicago falcata*).

sickliness ['sɪklɪnəs] *n. U* chorowitość.

sick list *n.* lista chorych.

sickly ['sɪklɪ] *a.* **-ier, -iest 1.** chorowity. **2.** chorobliwy. **3.** niezdrowy (*o klimacie*). **4.** mdły, mdlący (*np. o zapachu*). **5.** ckliwy. **6.** słaby (*o świetle, kolorze*). – *adv.* słabo. – *v.* pokrywać chorobliwym odcieniem.

sickly-sweet [ˌsɪklɪ'swiːt] *a.* ckliwy, przesłodzony.

sick-making ['sɪkˌmeɪkɪŋ] *a. t. przen.* przyprawiający o mdłości.

sickness ['sɪknəs] *n.* **1.** *C / U pat. l. przen.* choroba; **sea ~** choroba morska. **2.** *U* nudności; **morning ~** *pat.* mdłości poranne, wymioty ciężarnych.

sickness benefit *n. Br. i Austr.* = **sick benefit.**

sickness insurance *n. U ubezp.* ubezpieczenie chorobowe *l.* na wypadek choroby.

sick note *n. Br. szkoln.* zwolnienie (*lekarskie l. od rodziców*).

sicko ['sɪkoʊ] *n. pl.* **-s** (*także* **sickie**) *zwł. US pot. obelż.* świr.

sickout ['sɪkˌaʊt] *n. US* grupowa nieobecność w pracy pod pretekstem choroby (*rodzaj strajku*).

sick parade *n. Br.* = **sick call.**

sick pay *n. U* zasiłek chorobowy.

sickroom ['sɪkˌruːm] *n.* **1.** pokój chorego. **2.** izba chorych (*np. w szkole*).

siddur ['sɪdʊr] *n. pl.* **-s** *l.* **-im** *judaizm* sidur (*modlitewnik*).

side [saɪd] *n.* **1.** *t. przen.* strona (*t. kasety, w sporze*); **be on sb's ~** być *l.* stać po czyjejś stronie *l.* po stronie kogoś; **change ~s** zamienić się stronami (*np. o drużynach*); **from all ~s** ze wszystkich stron; **her grandfather on her father's/mother's ~** jej dziadek ze strony ojca/matki; **his mother's ~ of the family** jego rodzina ze strony matki; **neither ~** żadna ze stron (*np. w negocjacjach*); **on ~s** (*także* **on each/either ~**) po obu stronach; **on the far/other ~** po drugiej stronie (*of sth* czegoś); **on this ~ of the Alps** po tej stronie Alp; **take ~s** opowiedzieć się po którejś ze stron (= *zająć stanowisko w sporze*); **take sb's ~** wziąć czyjąś stronę, stanąć po czyjejś stronie; **take sb to one ~** wziąć kogoś na stronę; **the financial/technical ~ of sth** strona finansowa/techniczna czegoś (*np. przedsięwzięcia*); **the funny ~ of sth** zabawna strona czegoś; **the other ~ of the coin** druga strona medalu; **the right/wrong ~** właściwa/niewłaściwa strona; **there was no malice on my ~** nie było żadnej złośliwości z mojej strony; **two ~s of the same coin** dwie strony medalu; **whose ~ are you on?** po czyjej jesteś stronie?. **2.** *t. geom. l. przen.* bok (*t. osoby, zwierzęcia*); **a ~ of beef/pork** pół tuszy wołowej/wieprzowej; **at the ~ of the road** na poboczu drogi; **by the ~ of sth** obok czegoś, przy czymś; **four-~d** czworoboczny; **from ~ to ~** z boku na bok; **on the ~** na boku (*t. przen. = ukradkiem*); **put/set sth to one ~** odłożyć coś na bok. **3.** *t. geom., bud.* ściana (*bryły, budynku*). **4.** zbocze. **5.** brzeg; **on the other ~ of the river** na drugim brzegu rzeki. **6.** część; **in the north ~ of the town** w północnej części miasta. **7.** *żegl.* burta. **8.** *Br.* strona, stronica (*zapisana, do zapisania*). **9.** *Br. sport* drużyna. **10.** *zw. sing. Br. telew. przest. pot.* kanał. **11.** *U Br. pot.* poczucie wyższości; arogancja. **12.** *przen.* **~ by ~** obok siebie; ramię w ramię, wspólnie; **be a thorn in sb's ~** *zob.* **thorn; be by/at sb's ~** być *l.* trwać przy kimś *l.* u czyjegoś boku; **be/come from the wrong ~ of the tracks** *zob.* **track** *n.*; **change ~s** przejść do innego obozu, zmienić front; **criticize/scold sb up one ~ and down** *US pot.* solidnie kogoś objechać; **err on the ~ of caution** *zob.* **err; get on the right ~ of sb** *pot.* odpowiednio kogoś podejść; **get on the wrong ~ of sb** *pot.* zaleźć komuś za skórę; **get up on the wrong ~ of the bed** (*także Br.* **get out of bed (on) the wrong ~**) wstać (z łóżka) lewą nogą; **have sb on the ~** mieć kogoś na boku (= *mieć z kimś romans*); **(just) to be on the safe ~** *zob.* **safe** *a.*; **let the ~ down** *zob.* **let**[1] *v.*; **never leave sb's ~** zawsze być u czyjegoś boku, nigdy kogoś nie opuszczać; **on the ~** *zwł. US kulin.* na przystawkę; na osobnym talerzyku; **(a bit) on the long/short ~** (cokolwiek) przydługi/przykrótki; **on the right/wrong ~ of thirty** przed trzydziestką/po trzydziestce; **the grass is (always) greener on the other ~ (of the fence)** *zob.* **grass** *n.*; **split one's ~s (laughing/with laughter)** *zob.* **split** *v.*; **time is on our ~** czas działa na naszą korzyść. – *a. attr.* **1.** boczny (*np. o kieszeni, ulicy*). **2.** uboczny (*np. o skutkach*). – *v.* **1.** *US i Can. bud.* deskować ściany zewnętrzne (*budynku*). **2.** **~ with sb** stanąć po czyjejś stronie.

side altar *n.* ołtarz boczny.

side arms *n. pl. wojsk.* broń boczna (*szabla, bagnet*).

sidebar ['saɪdˌbɑːr] *n. dzienn.* krótki artykuł (*uzupełniający dłuższy na ten sam temat*).

sideboard ['saɪdˌbɔːrd] *n.* niski kredens (*w jadalni*).

sideboards ['saɪdbɔːrdz] *n. pl. Br.* = **sideburns.**

side-box ['saɪdˌbɑːks] *n. teatr* loża boczna.

sideburns ['saɪdˌbɝːnz] *n. pl.* (*także Br.* **~boards**) baczki, bokobrody.

sidecar ['saɪdˌkɑːr] *n.* **1.** *mot.* przyczepa (*motocyklowa*). **2.** koktajl z brandy, likieru pomarańczowego i soku cytrynowego.

side chain *n. chem.* łańcuch boczny.

side chapel *n. kość.* kaplica boczna.

side deal *n.* umowa dodatkowa.

side dish *n. kulin.* przystawka, dodatek (*do dania głównego*).

side door *n.* drzwi boczne.

side drum *n. muz.* werbel.

side effect *n.* **1.** skutek uboczny. **2.** *med.* działanie uboczne.

side entrance *n.* (*także* **side entry**) wejście boczne.

sidefoot ['saɪdˌfʊt], **side-foot** *v. piłka nożna pot.* kopnąć wewnętrzną stroną stopy (*piłkę*).

side-glance ['saɪdˌglæns] *n.* **1.** spojrzenie z ukosa. **2.** *przen.* luźna uwaga; aluzja.

side issue *n. Br.* sprawa uboczna, kwestia drugorzędna.

sidekick ['saɪdˌkɪk] *n. US pot.* pomagier.

sidelight ['saɪdˌlaɪt] *n.* **1.** światło boczne (*t. na* *statku*). **2.** *Br. mot.* światło postojowe *l.* pozycyjne. **3.** *przen.* dodatkowa informacja.

sideline [ˈsaɪdˌlaɪn] *n.* **1.** *sport* linia boczna. **2.** dodatkowe zajęcie (*zarobkowe*). **3.** *handl.* dział dodatkowy *l.* pomocniczy. **4. stay on the ~s** *przen.* stać z boku. – *v. zw. pass.* **1.** odsuwać na bok, wykluczać. **2.** *sport* odsyłać na ławkę rezerwowych.

sidelong [ˈsaɪdˌlɔːŋ] *a.* **1.** ukośny. **2.** *przen.* niebezpośredni (*o uwadze, aluzji*). **3.** *przen.* **a ~ glance/look** ukradkowe spojrzenie; **exchange ~ glances** wymienić porozumiewawcze spojrzenia; **take a ~ look at sth** patrzeć na coś z przymrużeniem oka; traktować coś z przymrużeniem oka. – *adv.* ukośnie, z ukosa.

sideman [ˈsaɪdˌmæn] *n. pl.* **-men** *muz.* muzyk towarzyszący (*soliście; zwł. w zespole jazzowym*).

side notes *n. pl.* marginalia, uwagi na marginesie.

side-on [ˌsaɪdˈɑːn] *a.* boczny (*np. o zderzeniu*). – *adv.* bokiem.

side order *n. kulin.* przystawka, dodatek (*zamawiany do dania głównego*).

side plate *n.* talerzyk na sałatkę.

side reaction *n. chem.* reakcja uboczna.

sidereal [saɪˈdiːrɪəl] *a. astron. form.* **1.** gwiezdny. **2.** gwiazdowy.

sidereal clock *n. astron.* zegar gwiazdowy.

sidereal day *n. astron.* doba gwiazdowa.

sidereal hour *n. astron.* godzina gwiazdowa.

sidereal month *n. astron.* miesiąc gwiazdowy.

sidereal time *n. U astron.* czas gwiazdowy.

sidereal year *n. astron.* rok gwiazdowy.

siderite [ˈsɪdəˌraɪt] *n.* **1.** *U min.* syderyt, szpat żelazny. **2.** syderyt (*meteoryt*).

side road, sideroad *n.* droga boczna.

siderolite [ˈsɪdərəˌlaɪt] *n. U min.* syderolit.

siderosis [ˌsɪdəˈroʊsɪs] *n. U pat.* **1.** pylica żelazowa, żelazica. **2.** nadmiar żelaza we krwi.

sidesaddle [ˈsaɪdˌsædl] *n.* siodło damskie. – *adv.* **ride/sit ~** jeździć/siedzieć na koniu po damsku.

side salad *n. kulin.* sałatka na przystawkę.

sideseat [ˈsaɪdˌsiːt] *n. gł. mot.* siedzenie boczne.

side shoot *n. bot.* pęd boczny, odrośl.

sideshow [ˈsaɪdˌʃoʊ] *n.* **1.** dodatkowa atrakcja (*np. w wesołym miasteczku*); impreza towarzysząca (*np. występom cyrkowym*). **2.** *przen.* sprawa uboczna; wydarzenie mniejszej wagi.

sideslip [ˈsaɪdˌslɪp] *n.* **1.** poślizg w bok. **2.** *mot., lotn.* zarzucenie (*samochodu, samolotu*). **3.** *narty* trawers zbocza. – *v.* **-pp- 1.** ześlizgiwać się w bok. **2.** *mot., lotn.* zarzucać (*o samochodzie l. samolocie*). **3.** trawersować (*zbocze na nartach*).

sidesman [ˈsaɪdzmən] *n. pl.* **-men** (*także* **sidesperson**) *Br. kośc.* pomocnik kościelnego (*w kościele anglikańskim*).

sidesplitting [ˈsaɪdˌsplɪtɪŋ] *a.* śmieszny, że boki zrywać.

sidestep [ˈsaɪdˌstep] *v.* **-pp- 1.** omijać, obchodzić szerokim łukiem (*np. problem, trudne pytanie*). **2.** uskoczyć, zrobić unik. **3.** odskoczyć w bok przed, usunąć się przed (*czymś*). – *n.* krok w bok; uskok.

side street *n.* boczna uliczka.

sidestroke [ˈsaɪdˌstroʊk] *n. sport* pływanie na boku.

sideswipe [ˈsaɪdˌswaɪp] *n.* **1.** potrącenie, uderzenie z boku. **2.** *pot.* docinek, przycinek. – *v.* uderzyć w bok (*czegoś*); uderzyć z boku (*np. inny samochód*).

side tone *n. tel.* efekt lokalny.

sidetrack [ˈsaɪdˌtræk] *n.* **1.** *US i Can. kol.* boczny tor, bocznica. **2.** *przen.* rzecz odwracająca uwagę. – *v.* **1.** *US i Can. kol.* odstawiać na boczny tor. **2.** *zw. pass.* odwracać uwagę (*czyjąś*); get ~ed, oddalić się *l.* odbiec od tematu.

side valve *n. mech.* zawór boczny (*w silniku*).

side view *n.* widok z boku.

sidewalk [ˈsaɪdˌwɔːk] *n. US i Can.* chodnik.

sidewalk artist *n. US i Can.* artyst-a/ka malując-y/a na chodniku.

sideward [ˈsaɪdwərd] *a.* boczny. – *adv.* (*także* **~s**) na bok.

sideways [ˈsaɪdˌweɪz] *a. attr.* **1.** boczny (*np. o ustawieniu*). **2.** bokiem (*np. o skoku*). **3.** z boku (*np. o podejściu*). **4.** z ukosa (*np. o spojrzeniu*). – *adv.* **1.** w bok, na bok (*np. uskoczyć*). **2.** bokiem (*np. zmieścić się, wnieść*). **3.** z ukosa (*np. spojrzeć*).

side wheel *a.* koło łopatkowe (*parowca*).

side-wheeler [ˈsaɪdˌwiːlər] *n.* parowiec napędzany kołem łopatkowym.

side whiskers *n. pl.* bokobrody (*zwł. długie*).

sidewinder [ˈsaɪdˌwaɪndər] *n.* **1.** *zool.* grzechotnik rogaty (*Crotalus cerastes*). **2.** *US boks* boczny sierpowy. **3.** *US wojsk.* rodzaj pocisku powietrze-powietrze.

sidewise [ˈsaɪdˌwaɪz] *a. i adv.* = **sideways.**

siding [ˈsaɪdɪŋ] *n.* **1.** *kol.* boczny tor, bocznica. **2.** *US i Can. bud.* deskowanie ścian zewnętrznych.

sidle [ˈsaɪdl] *v.* **1. ~ (up/over)** podchodzić ukradkiem, zbliżać się chyłkiem (*to/toward sb/sth* do kogoś/czegoś); **~ off** oddalić się chyłkiem. **2.** przesuwać (się) bokiem.

SIDS [ˌes ˌaɪ ˌdiː ˈes] *abbr.* = **sudden infant death syndrome.**

siege [siːdʒ] *n.* **1.** *C/U wojsk. l. przen.* oblężenie; **be under ~** być oblężonym (*np. o mieście*); być obleganym (*t. o osobie, np. przez fotoreporterów, fanów*); **lay ~ to sth** przystąpić do oblężenia czegoś; zacząć oblegać coś (*t. np. o dziennikarzach*); **raise a ~** zakończyć oblężenie. **2.** długi męczący okres (*np. choroby*). **3.** *arch.* tron. – *v. zw. pass.* oblegać.

siege economy *n. U ekon.* antyimportowa polityka gospodarcza.

siege gun *n. wojsk.* działo oblężnicze.

siege mentality *n. U pot.* mania prześladowcza (*zwł. u grupy, społeczności*).

siege works *n. pl. wojsk.* umocnienia oblężnicze.

Siegfried line [ˈsiːgfriːd ˌlaɪn] *n. wojsk., hist.* linia Zygfryda.

siemens ['si:mənz] *n. pl.* **siemens** *fiz.* simens (= *jednostka przewodności elektrycznej*).

sienna [sɪ'enə] *n. U* sjena, siena (*barwnik l. kolor*); **burnt/raw ~** sjena palona/naturalna.

sierra [sɪ'erə] *n.* sierra (= *pasmo górskie, zwł. w Hiszpanii l. Ameryce Płd.*).

siesta [sɪ'estə] *n.* sjesta; **have/take a ~** robić sobie sjestę.

sieve [sɪv] *n.* **1.** sito; sitko; przetak; rzeszoto; **put sth through a ~** *gł. kulin.* przesiewać coś (*przez sito l. sitko*); przecierać coś (*jw.*). **2.** *rzad.* papla, gaduła (= *osoba niedyskretna*). **3. have a memory like a ~** *zob.* **memory.** – *v.* **~ (out)** przesiewać; odsiewać.

sieve cell *n. bot.* komórka sitowa.

sieve plate *n. bot., zool.* blaszka sitowa.

sievert ['si:vərt] *n. fiz.* siwert (= *jednostka dawki pochłoniętej*).

sieve tissue *n. bot.* tkanka sitowa, łyko.

sieve tubes *n. pl. bot.* rurki sitowe.

sift [sɪft] *v.* **1.** *t. przen.* przesiewać. **2.** segregować, oddzielać (*sth from sth* coś od czegoś). **3.** posypywać (*czymś, np. cukrem*) (*onto sth* coś). **4.** przelatywać (jak) przez sito. **5.** sączyć się (*np. o świetle*). **6. ~ (through)** przeglądać uważnie; segregować. **7. ~ out** oddzielać (*sth from sth* coś od czegoś).

sifter ['sɪftər] *n.* **1.** przesiewacz. **2.** sito.

siftings ['sɪftɪŋz] *n. pl.* przesiew (= *to, co pozostaje po przesianiu l. eliminacji*).

sigh [saɪ] *v.* wzdychać (*o osobie*); szeptać, wzdychać (*o wietrze*); **~ deeply/heavily** westchnąć głęboko/ciężko; **~ for sth** *przen.* wzdychać za czymś (*minionym l. bezpowrotnie straconym*); **~ with relief** (*także* **~ one's relief**) odetchnąć z ulgą. – *n.* westchnienie; poszept, westchnienie (*wiatru*); **breathe/heave/let out/give a ~ of relief** odetchnąć z ulgą.

sight [saɪt] *n.* **1.** *U* wzrok; **lose one's ~** stracić wzrok. **2.** *U l. sing.* widok. **3.** *pl.* **the ~s** atrakcje turystyczne. **4.** *często pl. broń* celownik. **5. a ~ for sore eyes** balsam dla oczu (= *przyjemny widok*); **a ~ more/better** *pot.* o wiele więcej/lepszy; **at first ~** od pierwszego wejrzenia; na pierwszy rzut oka; **at the ~ of sth** na widok czegoś (*np. zemdleć, roześmiać się*); **at/on ~** bez uprzedzenia, natychmiast (*np. strzelać*); **payable at ~** *fin.* płatny za okazaniem; **be a sorry ~** wyglądać żałośnie; **be/look a (real) ~** wyglądać jak półtora nieszczęścia (*o osobie*); wyglądać jak *l.* przypominać pobojowisko (*o miejscu*); **buy sth ~ unseen** *przen.* kupować kota w worku; **can't stand the ~ of sb** (*także* **hate the ~ of sb**) (*także* **be sick of the ~ of sb**) nie móc na kogoś patrzeć; **catch ~ of sb/sth** zauważyć *l.* dostrzec kogoś/coś; **come in ~ of sth** dotrzeć do miejsca, z którego widać coś; **come into ~** pojawić się; **disappear from ~** zniknąć (z oczu); **get out of my ~!** zejdź mi z oczu!; **hidden from ~** niewidoczny; **in the ~ of the law** w obliczu prawa, z prawnego punktu widzenia; **in/within ~** w zasięgu wzroku, widoczny; w pobliżu, nieopodal; **sth is in/within ~** *przen.* są widoki na coś, jest szansa na coś; **there is (still) no end in ~** *przen.* (nadal) nie widać końca; **it was quite a ~** to był niezły widok, było na co popatrzeć; **keep ~ of sb/sth** nie tracić kogoś/czegoś z oczu, mieć kogoś/coś na oku; **know sb by ~** znać kogoś z widzenia; **lose ~ of sth** *t. przen.* stracić coś z oczu; **not a pretty ~** *zw. żart.* nieciekawy widok; **not let sb out of one's ~** nie spuszczać kogoś z oka (= *pilnować*); **out of ~** poza zasięgiem wzroku, niewidoczny; nieosiągalny; *sl.* odjazdowy, odlotowy (= *świetny*); **out of ~, out of mind** co z oczu, to i z serca; **raise/lower one's ~s** *przen.* podnosić/obniżać poprzeczkę; **set/have one's ~s on sth** upatrzyć sobie coś; postawić sobie coś za cel; **second ~** dar jasnowidzenia, jasnowidztwo. – *v.* **1.** dojrzeć, dostrzec; zobaczyć, zauważyć; widzieć; **sb was ~ed somewhere** kogoś widziano gdzieś (*np. osobę poszukiwaną*). **2.** dokonywać obserwacji (*np. gwiazdy*). **3.** celować (do) (*czegoś; przy pomocy celownika*). **4.** nastawiać celownik (*broni*). **5.** wyposażać w celownik.

sight deposit *n. bank* wkład wypłacany na każde żądanie, wkład a vista.

sight draft *n.* (*także* **sight bill**) *fin.* weksel *l.* trata a vista.

sighted ['saɪtɪd] *a.* **1.** widzący; **partially ~** niedowidzący. **2.** *w złoż.* **long-~** (*także US* **far-~**) *t. przen.* dalekowzroczny; **short-~** (*także US* **near-~**) *t. przen.* krótkowzroczny; **be long-~** (*także US* **be far-~**) być dalekowidzem; **be short-~** (*także US* **be near-~**) być krótkowidzem.

sighter ['saɪtər] *n. strzelanie, łucznictwo* strzał próbny.

sight glass *n. techn.* wziernik z szybką (*umożliwiający kontrolę poziomu cieczy w zbiorniku*).

sight-hole ['saɪtˌhoul] *n. US* wizjer, judasz.

sighting ['saɪtɪŋ] *n.* pojawienie się; zaobserwowanie (*np. UFO*).

sightless ['saɪtləs] *a. lit.* **1.** niewidomy. **2.** niewidoczny.

sightline ['saɪtˌlaɪn], **sight line** *n.* linia wzroku.

sightly ['saɪtlɪ] *a.* **-ier, -iest 1.** przyjemny *l.* miły dla oka. **2.** *US* dający dobry widok.

sight-read ['saɪtˌri:d], **sightread** *v.* **1.** czytać bez przygotowania (*zwł. tekst w języku obcym*). **2.** *muz.* grać z nut bez przygotowania; śpiewać z nut bez przygotowania.

sight-reader ['saɪtˌri:dər] *n.* **1.** osoba czytająca bez przygotowania (*jw.*). **2.** *muz.* muzyk grający z nut bez przygotowania; śpiewa-k/czka śpiewając-y/a z nut bez przygotowania.

sight rhyme *n. wers.* rym wzrokowy *l.* optyczny.

sightsee ['saɪtˌsi:] *v.* zwiedzać.

sightseeing ['saɪtˌsi:ɪŋ] *n. U* zwiedzanie; **go ~** wybrać się na zwiedzanie.

sightseer ['saɪtˌsi:r] *n.* zwiedzając-y/a, turyst-a/ka.

sight test *n. med.* badanie wzroku.

sigil ['sɪdʒɪl] *n.* **1.** pieczęć. **2.** sygnet. **3.** magiczny znak.

sigma ['sɪgmə] *n.* **1.** *mat., alfabet grecki* σ sigma. **2.** *fiz.* = **sigma hyperon.**

sigma hyperon *n.* (*także* **sigma particle**) *fiz.* hiperon sigma.

sigmate ['sɪgmeɪt] *a.* w kształcie sigmy; w kształcie (litery) S.

sigmoid ['sɪgmɔɪd] *a.* **1.** w kształcie (litery) S. **2.** *anat.* esowaty.

sigmoid colon *n. anat.* esica.

sigmoidoscope [ˌsɪg'mɔɪdəˌskoʊp] *n. med.* wziernik esiczy.

sigmoidoscopy [ˌsɪgmɔɪ'dɑːskəpɪ] *n. C/U pl.* **-ies** *med.* wziernikowanie esicy.

sign [saɪn] *n.* **1.** *t. mat., muz. l. przen.* znak (*t. = gest, omen*); **a ~ of the times** znak czasów; **give/make a ~** dać znak; **good/bad ~** dobry/zły znak; **(make) the ~ of the cross** *rel.* (robić) znak krzyża; **plus/minus ~** znak dodawania/odejmowania; (*także* **road/traffic ~**) znak drogowy. **2.** oznaka (*of sth* czegoś, *that* że); **a ~ of life** oznaka *l.* znak życia; **every ~ of sth** (*także* **all ~s of sth**) wszelkie oznaki czegoś; **show ~s of improvement** wykazywać oznaki poprawy. **3.** (*także* **star/zodiacal ~**) znak zodiaku; **be born under the ~ of Leo** urodzić się pod znakiem Lwa. **4.** napis; wywieszka. **5.** szyld. **6.** *med.* objaw, symptom. **7.** *U* trop, ślad (*dzikiego zwierzęcia*). **8.** *U* = **sign language**. **9.** **~ and countersign** *gł. wojsk.* hasło i odzew; **telltale ~** wiele mówiący znak; znak ostrzegawczy; charakterystyczny objaw (*czegoś złego*); **there is no ~ of sb doing sth** nic nie wskazuje na to, żeby ktoś miał coś zrobić; **there was no ~ of sb/sth** nie było po kimś/czymś śladu. – *v.* **1.** podpisywać (się); **~ a check** podpisać czek, podpisać się na czeku; **~ an agreement/a contract/a petition** podpisać porozumienie/umowę/petycję; **~ in blank** podpisać in blanco; **~ one's name** podpisać się; **~ sth with sb** podpisać coś z kimś (*np. umowę*). **2.** **~ sb** podpisać z kimś kontrakt, pozyskać kogoś. **3.** pokazywać (*to sb to do sth* komuś, żeby coś zrobił); dawać znak (*for sb to do sth* komuś, żeby coś zrobił). **4.** wyrażać znakiem. **5.** *zw. pass.* znakować, oznaczać (*np. trasę*). **6.** wskazywać na, oznaczać. **7.** znaczyć (*zwł. znakiem krzyża*). **8.** **all ~ed and sealed** wszystko załatwione *l.* ustalone; **~ on the dotted line** *zob.* **dotted line**. **9.** **~ sth away** zrzec się czegoś; **~ for sth** pokwitować odbiór czegoś; **~ in** podpisać się, zameldować się; **~ sb in** wpisać kogoś (*do księgi l. na listę gości*); **~ off** zakończyć (*np. emisję programu, list*); zrezygnować z pracy; *US pot.* przestać gadać; **~ on** zgłosić się (*do pracy*); zaciągnąć się (*do wojska, na statek*); zapisać się (*for sth* na coś) (*np. na kurs*); rozpocząć (*emisję programu*); *Br.* zarejestrować się jako bezrobotny; **~ sb on** przyjąć kogoś (*do pracy*); wcielić kogoś do wojska; **~ out** podpisać się; wymeldować się; **~ sth over** przepisać coś (*to sb* na kogoś); **~ up** zaciągnąć się *l.* wstąpić do wojska; zapisać się (*for sth* na coś) (*np. na kurs, do klubu*); **~ sb up** pozyskać *l.* zwerbować kogoś; **~ with** podpisać kontrakt z (*wytwórnią płytową; US t. z klubem sportowym*).

signal ['sɪgnl] *n.* **1.** *t. el., radio, tel., telew.* sygnał; **~ to do sth** sygnał, żeby coś zrobić; **at a ~ from sb** na czyjś sygnał; **broadcasting ~s** sygnały radiowe; **clear ~ that...** jasny *l.* wyraźny sygnał, że...; **give/send a ~** dać sygnał; **pick up/receive ~s** dostawać *l.* odbierać sygnały; **smoke ~s** sygnały dymne; **transmit a ~ to sb/sth** wysyłać *l.* przekazywać sygnał do kogoś/czegoś; **warning ~** sygnał ostrzegawczy. **2.** *kol.* semafor. – *v. Br.* **-ll- 1.** sygnalizować. **2.** dawać znak *l.* znaki (*to sb to do sth* komuś, żeby coś zrobił). **3.** oznaczać, zapowiadać. **4.** *mot.* włączać kierunkowskaz *l.* migacz. – *a. attr. form.* **1.** znamienity. **2.** charakterystyczny, rzucający się w oczy. **3.** sygnałowy. **4.** sygnalizacyjny; ostrzegawczy.

signal box *n. Br.* = **signal tower**.

signal code *n.* kodeks sygnalizacyjny.

signal electrode *n. telew.* elektroda sygnałowa.

signaler ['sɪgnələr], *Br.* **signaller** *n.* sygnalizator.

signal flag *n.* chorągiewka sygnalizacyjna; *żegl.* flaga sygnałowa.

signal generator *n. el.* generator sygnałów wzorcowych.

signalization [ˌsɪgnələ'zeɪʃən], *Br. i Austr. zw.* **signalisation** *n. U* sygnalizacja, sygnalizowanie.

signalize ['sɪgnəˌlaɪz], *Br. i Austr. zw.* **signalise** *v. form.* **1.** sygnalizować; wskazywać na; oznaczać. **2.** zaznaczać.

signal light *n.* sygnalizator świetlny, światło sygnałowe.

signally ['sɪgnlɪ] *adv. form.* **1.** wyraźnie, niewątpliwie. **2.** znacząco, wybitnie.

signalman ['sɪgnlmən] *n. pl.* **-men 1.** sygnalizator, sygnalista. **2.** *kol.* nastawniczy.

signalment ['sɪgnlmənt] *n. US* rysopis (*zwł. przestępcy*).

signal officer *n. wojsk.* oficer łączności.

signal-to-noise ratio [ˌsɪgnltə'nɔɪz ˌreɪʃoʊ] *n. tel.* względny wskaźnik szumów.

signal tower *n.* (*także Br.* **signal box**) *kol.* nastawnia.

signatory ['sɪgnəˌtɔːrɪ] *n. pl.* **-ies** sygnatariusz/ka (*to/of sth* czegoś). – *a. attr.* będący sygnatariuszem.

signature ['sɪgnətʃər] *n.* **1.** podpis; **authentic/autograph ~** autentyczny/własnoręczny podpis; **hand sth to sb for ~** dać coś komuś do podpisu; **put one's ~ to/on sth** *form.* złożyć swój podpis na *l.* pod czymś; **specimen ~** wzór podpisu; **verify ~s** sprawdzać podpisy. **2.** *druk.* sygnatura. **3.** *druk.* arkusz drukarski. **4.** *US med.* sygnatura, sposób użycia (*na recepcie*). **5.** *muz.* = **key signature**. **6.** *muz.* = **time signature**.

signature tune *n. radio, telew.* sygnał programu.

signboard ['saɪnˌbɔːrd] *n.* **1.** wywieszka. **2.** szyld. **3.** godło.

signee [ˌsaɪ'niː] *n. prawn.* podpisan-y/a (= *osoba, która podpisała dokument*).

signer ['saɪnər] *n.* **1.** sygnatariusz (*zwł. Deklaracji Niepodległości*). **2.** wystawca (*dokumentu*). **3.** podpisany.

signet ['sɪgnɪt] *n.* **1.** oczko sygnetu. **2.** odcisk sygnetu. **3.** pieczątka. – *v.* pieczętować (*zwł. za pomocą sygnetu*).

signet ring *n.* sygnet.

significance [sɪg'nɪfəkəns] *rzad.* **significancy**

n. U **1.** znaczenie, waga (*of sth* czegoś); **of great ~** wielkiej wagi; **of no ~** bez znaczenia. **2.** *mat.* istotność.

significant [sɪg'nɪfəkənt] *a.* **1.** znaczący, ważny, istotny; znamienny; **highly ~** wielce istotny (*for sb / sth* dla kogoś/czegoś); **it is ~ that...** znamienne jest, że... **2.** znaczący, porozumiewawczy; **exchange ~ glances** wymienić znaczące spojrzenia. **3.** znaczny; **~ difference/number** znaczna różnica/liczba. **4.** mający jakieś znaczenie.

significant digits *n. pl.* (*także Br.* **significant figures**) *mat.* cyfry znaczące.

significantly [sɪg'nɪfəkəntlɪ] *adv.* **1.** znacząco, istotnie. **2.** znacznie; **~ better/worse** znacznie lepszy/gorszy. **3.** znacząco, porozumiewawczo (*np. spojrzeć, uśmiechnąć się*).

significant other *n.* **1.** ważna osoba (*dla kogoś*). **2.** druga połowa (= *mąż, żona, partner / ka*).

signification [ˌsɪgnəfə'keɪʃən] *n. U form.* **1.** *gł. jęz.* znaczenie. **2.** istota, sens.

significative [sɪg'nɪfəˌkeɪtɪv] *a. rzad.* **1.** znaczący. **2.** dowodzący (*of sth* czegoś).

signified ['sɪgnəˌfaɪd] *n. jęz.* znaczenie, idea.

signifier ['sɪgnəˌfaɪər] *n. jęz.* forma, postać (*wyrazu*).

signify ['sɪgnəˌfaɪ] *v.* **-ied, -ying 1.** *t. jęz.* znaczyć, oznaczać. **2.** *form.* wyrażać (*np. zgodę; np. gestem, skinieniem głowy*); dawać do zrozumienia (*sth to sb* coś komuś). **3.** mieć znaczenie.

signing ['saɪnɪŋ] *n.* **1.** *U* podpisanie (*np. umowy*). **2.** podpisywanie (*zwł. książki przez autora*). **3.** *U* pozyskanie (*np. nowego zawodnika*). **4.** *Br.* nabytek (= *nowo pozyskana osoba*). **5.** *U* = **sign language**.

sign language *n. U* język migowy.

sign manual *n. form.* własnoręczny podpis (*zwł. monarchy na oficjalnym dokumencie*).

signor ['si:njɔ:r], **signior** *n. pl.* **-s** *l.* **-i** *It.* signor, pan.

signora [si:n'jɔ:rə] *n. pl.* **-s** *l.* **signore** [si:n'jɔ:reɪ] *It.* signora, pani.

signore [sɪn'jɔ:reɪ] *n. pl.* **signori** [si:n'jɔ:ri:] *It.* signore (*tytuł szlachecki*).

signorina [ˌsi:njɔ:'ri:nə] *n. It.* signorina, panna.

signpainter ['saɪnˌpeɪntər] *n.* (*także Br.* **signwriter**) malarz szyldów.

sign painting *n. U* (*także Br.* **signwriting**) malowanie *l.* wykonywanie szyldów.

signpost ['saɪnˌpoʊst] *n.* **1.** drogowskaz. **2.** wskazówka. – *v. Br.* **1.** wskazywać drogę (*komuś*). **2.** *zw. pass.* znakować; **sth is ~ed** droga dokądś jest oznakowana; **well/badly ~ed** dobrze/źle oznakowany. **3.** zaznaczać, oznaczać.

Sikh [si:k] *rel. n.* Sikh/ijka. – *a.* sikhijski.

silage ['saɪlɪdʒ] *n. U roln.* kiszonka, pasza kiszona.

silane ['saɪleɪn] *n. U* (*także* **silicane**) *chem.* silan, krzemometan.

sild [sɪld] *n. pl.* **-s** *l.* **sild** młody śledź (*zwł. w puszce*).

silence ['saɪləns] *n. C / U* cisza; milczenie; **~!** cisza!; **~ fell on/upon sth** cisza zapadła *l.* zapanowała nad czymś; **awkward/embarrassed ~** niezręczne milczenie, niezręczna cisza; **break the ~** zmącić ciszę; przerwać milczenie; **complete/dead ~** kompletna *l.* głucha cisza; **one-minute ~** minuta ciszy; **in ~** w milczeniu *l.* ciszy; **keep one's ~ on sth** zachowywać milczenie w jakiejś sprawie *l.* w sprawie czegoś; **reduce sb to ~** uciszyć kogoś, zmusić kogoś do milczenia (*zwł. w dyskusji*); **stony ~** grobowa cisza; **take sb's ~ for sth** uznać czyjeś milczenie za znak czegoś. – *v.* uciszać; zamykać usta (*komuś*).

silencer ['saɪlənsər] *n. t. mot.* tłumik.

silene [saɪ'li:nɪ] *n. bot.* lepnica (*Silene*).

silent ['saɪlənt] *a.* **1.** milczący; **be ~** milczeć; **be (as) ~ as the grave** *emf.* milczeć jak grób; **fall ~** zamilknąć; **remain ~** zachowywać milczenie (*on / about sth* w jakiejś sprawie). **2.** cichy (*t. np. o pragnieniu, zgodzie*). **3.** małomówny. **4.** niemy (*o filmie; t = niewymawiany, o literze*). – *n.* = **silent movie**.

silent auction *n.* aukcja, na którą nadsyła się oferty w zapieczętowanych kopertach.

silently ['saɪləntlɪ] *adv.* **1.** cicho, po cichu. **2.** w milczeniu *l.* ciszy.

silent majority *n.* milcząca większość.

silent movie *n.* (*także* **silent film**) *kino* film niemy.

silent partner *n. zwł. US i Can. ekon.* cichy wspólni-k/czka.

silenus [saɪ'li:nəs] *n. pl.* **sileni** [saɪ'li:ni:] *mit.* sylen.

Silesia [saɪ'li:ʒə] *n. geogr.* Śląsk.

silesia [saɪ'li:ʒə] *n. U tk.* wytrzymała tkanina bawełniana (*używana zwł. na kieszenie i podszewki*).

Silesian [saɪ'li:ʒən] *a.* śląski. – *n.* Ślązа-k /czka.

silex ['saɪleks] *n. U* krzemionka, dwutlenek krzemu.

silhouette [ˌsɪlʊ'et] *n.* sylwetka, zarys, kontury. – *v. zw. pass.* przedstawiać w formie sylwetki; zarysowywać.

silica ['sɪləkə] *n. U chem.* krzemionka, dwutlenek krzemu.

silica gel *n. U* żel krzemionkowy, silikażel.

silica glass *n. U* szkło kwarcowe.

silicane ['sɪləkeɪn] *n. U* = **silane**.

silicate ['sɪləkɪt] *n. chem.* krzemian.

siliceous [sɪ'lɪʃəs], **silicious** *a.* krzemionkowy.

silicic [sɪ'lɪsɪk] *a. geol.* krzemowy.

silicic acid *n. U chem.* kwas krzemowy.

silicide ['sɪləsaɪd] *n. chem.* krzemek.

silicify [sɪ'lɪsəˌfaɪ] *v.* **-ied, -ying 1.** nasycać krzemionką. **2.** zamieniać (się) w krzemionkę.

silicious [sɪ'lɪʃəs] *a.* = **siliceous**.

silicon ['sɪləkən] *n. U chem.* krzem.

silicon carbide *n. U* węglik krzemu, karborund.

silicon chip *n.* obwód scalony.

silicon dioxide *n. U chem.* dwutlenek krzemu, krzemionka.

silicone ['sɪləˌkoʊn] *n. U* silikon, polimer krzemoorganiczny.

silicone implant *n. med.* wkładka silikonowa, implant silikonowy.

Silicon Valley *n.* Dolina Krzemowa.

silicosis [ˌsɪlə'koʊsɪs] *n. U pat.* krzemica płuc.

silique [sɪ'li:k], **siliqua** *n. pl.* **siliquae** [sɪ'li:kwi:] *l.* **siliquas** *bot.* strąk (*roślin krzyżowych*).

siliquose [sɪ'li:kwoʊs], **siliquaceous, siliquous** *a. bot.* strąkowy.

silk [sɪlk] *n.* **1.** *U tk.* jedwab; **artificial** ~ sztuczny jedwab. **2.** *U* oprzęd. **3.** *U* nić jedwabna; nić jedwabnika. **4.** *U zool.* nić pajęcza. **5.** *Br.* jedwabna toga radcy królewskiego; *pot.* radca królewski; **take** ~ zostać radcą królewskim. **6.** *pl.* strój dżokeja (*z jedwabiu l. podobnej tkaniny*). – *a.* **1.** jedwabny. **2.** jedwabisty.

silk cotton *n. U* kapok (*włókno nasienne*).

silk-cotton tree ['sɪlkˌkɑ:tən ˌtri:] *n. bot.* puchowiec pięciopręcikowy, drzewo kapokowe (*Ceiba pentandra*).

silken ['sɪlkən] *a.* **1.** jedwabny. **2.** *t. przen.* jedwabisty. **3.** ubrany w jedwabie. **4.** *przen.* delikatny. **5.** *przest.* wystawny, okazały.

silk gland *n. zool.* gruczoł przędny.

silk hat *n.* cylinder (*kapelusz*).

silk moth *n. ent.* motyl jedwabnika (*Bombyx mori*).

silk screen *n. U* (*także* **silk screen printing**) sitodruk, druk sitowy.

silk-screen ['sɪlkˌskri:n] *v.* drukować metodą sitodruku.

silkworm ['sɪlkˌwɝ:m] *n. ent.* jedwabnik (*Bombyx mori*).

silkworm moth *n. ent.* motyl jedwabnika.

silky ['sɪlkɪ] *a.* **-ier, -iest** **1.** *t. przen.* jedwabisty. **2.** *przen.* aksamitny. **3.** pokryty delikatnym meszkiem.

sill [sɪl] *n.* **1.** (*także* **window** ~) parapet (okienny). **2.** próg. **3.** *bud.* podwalina. **4.** *kol.* belka; **end** ~ czołownica, belka zderzakowa (*wagonu*); **side** ~ ostojnica, podłużnica boczna (*wagonu*). **5.** *geol.* sil, sill, żyła pokładowa.

sillabub ['sɪləˌbʌb] *n. przest.* = **syllabub**.

siller ['sɪlər] *n. Scot. arch.* **1.** srebro. **2.** pieniądze.

sillily ['sɪlɪlɪ] *adv.* **1.** głupio. **2.** głupkowato.

silliness ['sɪlɪnəs] *n. U* **1.** głupota. **2.** głupkowatość.

silly ['sɪlɪ] *a.* **-ier, -iest** **1.** głupi; niemądry; głupkowaty; **feel/look** ~ czuć się/wyglądać głupio; **it was** ~ **of you** to było niemądre z twojej strony; **it was a** ~ **thing to do** głupio zrobił-em/eś itd. **2.** *emf. pot.* **bore sb** ~ śmiertelnie kogoś znudzić; **drink o.s.** ~ upić się w sztok; **laugh o.s.** ~ zaśmiewać się, śmiać się do rozpuku. – *n. pl.* **-ies** głuptas.

silly billy *n. pl.* **silly billies** *gł. Br. pot.* głupek, głupol; głuptas.

silly season *n.* **the** ~ *Br. pot.* sezon ogórkowy (*zwł. w prasie*).

silo ['saɪloʊ] *n. pl.* **-s** **1.** *roln.* silos. **2.** *wojsk.* podziemna wyrzutnia rakietowa, podziemny silos. – *v. roln.* składować w silosie.

siloxane [sɪ'lɑ:kseɪn] *n. chem.* siloksan.

silt [sɪlt] *n. U* muł, osad wodny. – *v.* ~ **(up)** zatykać (się) mułem, zamulać się.

siltstone ['sɪltˌstoʊn] *n. U* piaskowiec drobnoziarnisty.

silty ['sɪltɪ] *a.* **-ier, -iest** mulisty.

Silurian [saɪ'lʊrɪən] *geol. n.* **the** ~ sylur. – *a.* dotyczący syluru; pochodzący z syluru.

silvan ['sɪlvən] *a.* = **sylvan**.

silver ['sɪlvər] *n. U* **1.** *t. chem.* srebro. **2.** srebra; **family** ~ srebra rodowe. **3.** *C sport pot.* srebro (= *srebrny medal*). **4.** kolor srebrny. **5.** *Br. przest.* bilon, monety (*zwł. srebrne*), srebrniki. **6.** *fot.* azotan srebrowy. – *a.* **1.** srebrny. **2.** srebrzysty. **3.** *attr.* posrebrzany. **4.** *przen.* **born with a** ~ **spoon in one's mouth** *zob.* **born; every cloud has a** ~ **lining** *zob.* **cloud** *n.* – *v.* **1.** *t. przen.* srebrzyć, posrebrzać. **2.** nadawać srebrny *l.* srebrzysty kolor (*np. włosom*); przybierać srebrny *l.* srebrzysty kolor (*np. o włosach*).

silver anniversary *n.* = **silver wedding**.

silverback ['sɪlvərˌbæk] *n. zool.* dorosły samiec goryla (*z pasmem siwych włosów na grzbiecie*).

silverbell ['sɪlvərˌbel] *n.* (*także* ~ **tree**) *bot.* ośnieża (*Halesia carolina*).

silverberry ['sɪlvərˌberɪ] *n. pl.* **-ies** *bot.* oliwnik (*Elaeagnus commutata*).

silver birch *n. bot.* brzoza brodawkowata (*Betula pendula*).

silver bromide *n. U chem.* bromek srebrowy.

silver chloride *n. U chem.* chlorek srebrowy.

silver disc *n.* srebrna płyta (*przyznawana za sprzedaż określonej liczby płyt*).

silver dollar *n. US hist.* srebrna jednodolarówka.

silver fern *n. NZ zwł. sport* srebrny liść paproci (*godło Nowej Zelandii*).

silver fir *n. bot.* jodła pospolita (*Abies alba*).

silver fish *n. pl.* **-es** *l.* **silver fish** **1.** *ent.* rybik cukrowy (*Lepisma saccharina*). **2.** *icht.* ryba srebrnołuska.

silver foil *n. U Br.* **1.** folia aluminiowa. **2.** cynfolia.

silver fox *n.* **1.** *zool.* srebrny lis (*Vulpes fulva*). **2.** *U* skóra *l.* futro srebrnego lisa.

silver frost *n. U meteor.* gołoledź.

silver-gilt ['sɪlvərˌgɪlt], **silver gilt** *n. U* **1.** srebro pozłacane. **2.** posrebrzanie.

silver glance *n. U min.* błyszcz srebra.

silver gray, *Br.* **silver-grey** *a. i n. U* (kolor) srebrnoszary.

silver groundsel *n. bot.* starzec popielny (*Senecio cineraria*).

silver hake *n. icht.* morszczuk (*Merluccius bilinearis*).

silvering ['sɪlvərɪŋ] *n. U* srebrzenie, posrebrzanie.

silver iodide *n. chem., fot.* jodek srebrowy.

silver jubilee *n. zwł. Br.* srebrny jubileusz, dwudziestopięciolecie, 25. rocznica (*zwł. koronacji*).

silver leaf *n. U* **1.** *bot., pat.* srebrzystość liści (*choroba śliw*). **2.** listek srebra.

silver maple *n. bot.* klon cukrowy (*Acer saccharinum*).

silver medal *n.* srebrny medal.

silver medalist, *Br.* **silver medallist** *n.* srebrny medalist-a/ka.

silver mine *n.* kopalnia srebra.

silvern ['sɪlvərn] *a. arch. l. poet.* srebrny.

silver nitrate *n. U chem.* azotan srebrowy.

silver paper *n. U gł. Br.* cynfolia.

silver plate *n. U* **1.** plater. **2.** platery.

silver-plate ['sɪlvərˌpleɪt] *v.* platerować.

silver-plated ['sɪlvərˌpleɪtɪd] *a.* platerowany.

silverpoint ['sɪlvərˌpɔɪnt] *n. C/U* rysunek za pomocą ołówka ze srebrną końcówką (*dzieło l. technika*).

silver screen *n.* **the** ~ *przest.* srebrny ekran (= *kino, przemysł filmowy*).

silver service *n. U* najwyższej jakości obsługa w restauracji (*polegająca m.in. na nakładaniu przez kelnera potraw na talerz*).

silverside ['sɪlvərˌsaɪd] *n. U Br. kulin.* wołowina zrazowa *l.* krzyżowa.

silversmith ['sɪlvərˌsmɪθ] *n.* rzemieślnik pracujący w srebrze; złotnik.

silver solder *n. U* lut srebrny.

silver thaw *n. Can. meteor.* szron.

silver-tongued [ˌsɪlvər'tʌŋd] *a. zwł. lit.* złotousty.

silver tree *n. bot.* srebrzan (*Leucadendron anserina*).

silverware ['sɪlvərˌwer] *n. U* **1.** srebra stołowe. **2.** *US* sztućce (*z dowolnego metalu*).

silver wedding *n.* (*także* **silver (wedding) anniversary**) srebrne wesele *l.* gody.

silverweed ['sɪlvərˌwiːd] *n. U bot.* srebrnik, pięciornik gęsi (*Potentilla anserina*).

silvery ['sɪlvərɪ] *a.* srebrzysty (*t. przen., np. o śmiechu*).

silvicolous [sɪl'vɪkələs] *a. form.* leśny.

silviculture ['sɪlvəˌkʌltʃər] *n. U form.* leśnictwo, gospodarka leśna.

sim. *abbr.* = **similar.**

sima ['saɪmə] *n. U geol.* sima, piętro bazaltowe.

Simchat Torah [ˌsɪmkɑːs 'toʊrə], **Simchas Torah, Simchath Torah** *n. judaizm* Simchat Tora (*święto*).

simian ['sɪmɪən] *form. a.* małpi. – *n.* małpa.

similar ['sɪmələr] *a. t. geom.* podobny (*to sb / sth* do kogoś/czegoś).

similarity [ˌsɪmə'lerətɪ] *n. C/U pl.* **-ies** podobieństwo (*to / with sth* do czegoś, *between X and Y* pomiędzy X i Y).

similarly ['sɪmələrlɪ] *adv.* podobnie.

simile ['sɪməlɪ] *n.* porównanie (*literackie*).

similitude [sɪ'mɪlɪˌtjuːd] *n. U form.* **1.** podobieństwo. **2.** *arch.* = **simile.**

simmer ['sɪmər] *v.* **1.** *kulin.* gotować (się) na wolnym ogniu. **2.** *przen.* kipieć (*with sth* czymś) (*np. gniewem*); burzyć się (*w duchu l. wewnętrznie*). **3.** ~ **down** *kulin.* wygotować się; *przen.* ochłonąć; uspokoić się. – *n. sing. kulin.* gotowanie (się) na wolnym ogniu; **bring sth to a** ~ zagotować coś; doprowadzić coś do wrzenia.

simnel ['sɪmnl] *n.* (*także* ~ **cake**) *Br. kulin.* ciasto z bakaliami i marcepanem (*przygotowywane tradycyjnie w okresie postu i Wielkanocy*).

simoniac [sɪ'moʊnɪˌæk] *hist., kośc. a.* (*także* **~al**) **1.** winny symonii. **2.** o charakterze symonii. – *n.* osoba winna symonii.

simonize ['saɪməˌnaɪz] *v. US mot.* polerować; woskować.

simon-pure [ˌsaɪmən'pjʊr] *a. form.* autentyczny, prawdziwy.

simony ['saɪmənɪ] *n. U hist., kośc.* symonia.

simoom [sɪ'muːm], **simoon** *n. meteor.* samum.

simp [sɪmp] *n. US pot.* = **simpleton.**

simpatico [sɪm'pɑːtɪˌkoʊ] *a. US pot.* **1.** sympatyczny. **2. be** ~ mieć takie same poglądy, zgadzać się (*about sth* co do czegoś).

simper ['sɪmpər] *v.* uśmiechać się głupawo. – *n.* głupawy uśmiech.

simple ['sɪmpl] *a.* **1.** *t. bot., chem., mat., gram.* prosty (= *łatwy, nieskomplikowany, skromny, niezłożony, zwyczajny*); ~ **present/past** *gram.* czas teraźniejszy/przeszły prosty; **deceptively/relatively** ~ złudnie/względnie prosty; **for the** ~ **reason that...** z tego prostego powodu *l.* z tej prostej przyczyny, że...; **it's not as** ~ **as that** to nie takie proste; **the** ~ **life** proste życie; **the** ~ **truth/fact is...** (prosta) prawda jest taka, że... **2.** podstawowy. **3.** prostoduszny, szczery; naiwny. **4.** *pred.* ograniczony (*umysłowo*). **5. pure and** ~ *zob.* **pure.** – *n. arch.* **1.** prosta-k/czka. **2.** prosta rzecz. **3.** *med.* roślina lekarska; lekarstwo roślinne *l.* ziołowe.

simple contract *n. ekon.* **1.** umowa ustna. **2.** umowa pisemna niezobowiązująca.

simple equation *n. mat.* równanie proste.

simple eye *n. ent.* oko proste *l.* pojedyncze, przyoczko.

simple fraction *n. mat.* ułamek zwykły.

simple fracture *n. pat.* złamanie proste *l.* niepowikłane.

simple fruit *n. bot.* owoc pojedynczy.

simple harmonic motion *n. U mech.* ruch harmoniczny prosty.

simple-hearted [ˌsɪmpl'hɑːrtɪd] *a.* prostoduszny.

simple interest *n. U fin.* odsetki proste *l.* zwykłe.

simple machine *n. mech.* maszyna prosta.

simple majority *n.* zwykła większość (*głosów*).

simpleminded [ˌsɪmpl'maɪndɪd], **simple-minded** *a.* naiwny, ograniczony.

simplemindedly [ˌsɪmpl'maɪndɪdlɪ] *adv.* naiwnie.

simplemindedness [ˌsɪmpl'maɪndɪdnəs] *n. U* naiwność.

simpleness ['sɪmplnəs] *n. U* **1.** prostota. **2.** skromność. **3.** prostoduszność. **4.** ograniczoność.

simple pendulum *n. mech.* wahadło matematyczne *l.* proste.

simple protein *n. biochem.* białko proste, proteina.

simple sentence *n. gram.* zdanie pojedyncze *l.* proste.

simple sugar *n. chem.* cukier prosty.

simple tense *n. gram.* czas prosty.

simple time *n. U muz.* takt podstawowy (*na 2/2 l. 4/4*).

simpleton ['sɪmpltən] *n. przest.* prosta-k/czka.

simplex ['sɪmpleks] *a.* **1.** pojedynczy. **2.** *tel.* simpleksowy. – *n.* **1.** *jęz.* wyraz niezłożony. **2.** *mat.* sympleks. **3.** *US* mieszkanie jednopoziomowe.

simplicity [sɪm'plɪsətɪ] *n. U* prostota.

simplification [ˌsɪmpləfə'keɪʃən] *n. C/U* uproszczenie.

simplified ['sɪmpləˌfaɪd] *a.* uproszczony.

simplify ['sɪmpləˌfaɪ] *v.* **-ied, -ying** *t. mat.* upraszczać.

simplistic [sɪm'plɪstɪk] *a.* naiwnie prosty, zbyt uproszczony.

simply ['sɪmplɪ] *adv.* **1.** po prostu. **2.** prosto. **3.** naiwnie. **4.** skromnie. **5. to put it ~** ujmując to najprościej.

simulacrum [ˌsɪmjə'leɪkrəm] *n. pl.* **simulacra** [ˌsɪmjə'leɪkrə] *form.* **1.** wizerunek. **2.** pozór.

simulant ['sɪmjələnt] *a.* **~ of sth** *form.* wyglądem przypominający coś.

simular ['sɪmjələr] *arch. n.* imitacja. – *a.* imitujący, udający (*of sb/sth* kogoś/coś).

simulate ['sɪmjəˌleɪt] *v.* **1.** *t. komp.* symulować. **2.** *form.* udawać (*np. entuzjazm, zainteresowanie*); symulować (*chorobę*); pozorować (*np. ucieczkę*). **3.** *form.* naśladować, imitować.

simulated ['sɪmjəˌleɪtɪd] *a.* **1.** symulowany. **2.** udawany, pozorowany. **3.** podrabiany, sztuczny.

simulation [ˌsɪmjə'leɪʃən] *n. C/U* **1.** *t. komp.* symulacja. **2.** *form.* udawanie, pozorowanie. **3.** *form.* naśladowanie.

simulative ['sɪmjəˌleɪtɪv] *a. form.* **1.** udawany. **2.** symulacyjny.

simulator ['sɪmjəˌleɪtər] *n.* **1.** *t. komp.* symulator. **2.** symulant/ka.

simulator program *n. komp.* program symulujący, symulator.

simulcast ['saɪməlˌkæst] *US radio, telew. v. zw. pass.* **1.** nadawać *l.* transmitować jednocześnie w radiu i telewizji. **2.** nadawać *l.* transmitować jednocześnie na kilku kanałach. – *n.* program nadawany *l.* transmitowany jw.

simultaneity [ˌsaɪməltə'niːətɪ] *n. U* równoczesność, jednoczesność.

simultaneous [ˌsaɪməl'teɪnɪəs] *a.* **1.** równoczesny, jednoczesny. **2.** symultaniczny, równoległy. **3.** *mat.* równoważny. – *n. szachy* gra symultaniczna, symultanka.

simultaneous equations *n. pl. mat.* równania równoważne.

simultaneously [ˌsaɪməl'teɪnɪəslɪ] *adv.* **1.** równocześnie, jednocześnie. **2.** symultanicznie.

simultaneousness [ˌsaɪməl'teɪnɪəsnəs] *n. U* **1.** równoczesność, jednoczesność. **2.** symultaniczność.

simultaneous translation *n. U* tłumaczenie symultaniczne *l.* równoległe.

sin[1] [sɪn] *rel. l. przen. n. C/U* **1.** grzech (*against sth* przeciwko czemuś); **~ of omission** grzech niedopatrzenia; **absolve sb of ~s** odpuszczać komuś grzechy; **commit a ~** popełnić grzech, dopuścić się grzechu; **confess one's ~s** wyznawać grzechy; **deadly** grzech śmiertelny; **for my ~s** *zwł. Br. żart.* za moje grzechy (= *jakby za karę*); **it's a ~ to do sth** grzechem jest coś robić; **it would be a ~ not to do sth** byłoby grzechem nie zrobić czegoś; **live in ~** *przest.* żyć w grzechu (= *na kocią łapę*); **mortal ~** grzech śmiertelny; **original ~** grzech pierworodny; **venial ~** grzech powszedni. **2.** *emf.* **(as) guilty as ~** winny jak wszyscy diabli; **(as) ugly as ~** brzydki jak noc. – *v.* **-nn- 1.** grzeszyć (*against sth* przeciwko czemuś). **2. more ~ned against than ~ning** *Br. przest.* bardziej ofiara cudzych grzechów niż grzesznik.

sin[2] *abbr.* = **sine.**

Sinaitic [ˌsaɪnɪ'ɪtɪk] *a.* synajski.

sinapism ['sɪnəˌpɪzəm] *n. med.* synapizm, plaster gorczyczny, gorczycznik.

sin bin *n. Br. i Austr. sport sl.* ławka kar.

since [sɪns] *conj.* **1.** od czasu jak, odkąd; **ever ~ we met** od momentu, kiedy się poznaliśmy; **he has never written ~ he left** od czasu jak wyjechał, ani razu nie napisał. **2.** skoro, ponieważ; **~ you ask** skoro (już) pytasz. – *prep.* od; **~ Friday** od piątku; **~ then** od tego czasu, do tej pory; **~ when?** odkąd to?, od kiedy? – *adv.* **1.** od tego czasu, do tej pory. **2.** potem. **3. ever ~** od tego czasu, do tej pory. **4. long ~** dawno temu, już dawno.

sincere [sɪn'siːr] *a.* szczery.

sincerely [sɪn'siːrlɪ] *adv.* **1.** szczerze. **2. ~ (yours)** (*także* **(yours) ~**) z poważaniem (*w zakończeniu listu*).

sincerity [sɪn'serətɪ] *n. U* **1.** szczerość. **2. in all ~** *form.* całkiem szczerze; z ręką na sercu (*np. przyznać*).

sincipital [sɪn'sɪpɪtl] *a. anat.* ciemieniowy.

sinciput ['sɪnsəˌpʌt] *n. pl.* **-s** *l.* **sincipita** [ˌsɪn'sɪpətə] *anat.* okolica czołowo-ciemieniowa, ciemię.

sine [saɪn] *n. mat.* sinus.

sinecure ['saɪnəˌkjʊr] *n.* synekura.

sinecurist ['saɪnəˌkjʊrɪst] *n.* osoba mająca intratną posadę.

sine curve *n. geom.* sinusoida.

sine die [ˌsaɪnɪ'daɪˌiː] *adv. form.* bezterminowo.

sine prole [ˌsaɪnə'proʊleɪ] *adv. prawn.* bezdzietnie, bez potomstwa.

sine qua non [ˌsɪnɪ ˌkwɑː 'nɑːn] *n. form.* warunek sine qua non *l.* konieczny (*for/of sth* czegoś).

sinew ['sɪnjuː] *n. C/U* **1.** *anat. pot.* ścięgno. **2.** *t. pl. lit.* mięśnie, muskulatura. **3.** *t. pl. przen. lit.* siła, moc, wytrzymałość; źródło siły *l.* wytrzymałości; **the ~s of war** *zwł. Br.* machina wojenna (= *pieniądze, uzbrojenie, dostawy itp.*). – *v. lit.* dawać siłę (*komuś l. czemuś*), podtrzymywać.

sine wave *n.* fala sinusoidalna.

sinewy ['sɪnjuːɪ] *a.* **1.** muskularny (*o osobie, ramionach*). **2.** żylasty (*o mięsie*). **3.** *lit.* krzepki.

sinfonia [ˌsɪnfə'niːə] *n. pl.* **-s** *l.* **sinfonie** [ˌsɪnfə'niːeɪ] *muz.* **1.** sinfonia. **2.** symfonia.

sinfonietta [ˌsɪnfən'jetə] *n. pl.* **-s** *muz.* **1.** sinfonietta, mała symfonia. **2.** mała orkiestra symfoniczna.

sinful ['sɪnfʊl] *a.* **1.** *rel. l. lit.* grzeszny. **2.** niemoralny, moralnie naganny.

sinfully ['sɪnfʊlɪ] *adv.* grzesznie.

sinfulness ['sɪnfʊlnəs] *n. U* grzeszność.

sing [sɪŋ] *v. pret.* **sang** *US t.* **sung** *pp.* **sung** **1.** śpiewać (*t. przen. sl. o przesłuchiwanym w śledztwie*); ~ **sb sth** (*także* ~ **sth to sb**) zaśpiewać coś komuś; ~ **a song** zaśpiewać piosenkę (*for sb* dla kogoś); ~ **sb to sleep** śpiewać komuś do snu; ~ **to a guitar** śpiewać przy akompaniamencie gitary; ~ **Turandot/Carmen** śpiewać partię Turandot/Carmen. **2.** *gł. rel.* intonować (*pieśń l. hymn*). **3.** ~ **(of)** *lit.* opiewać, sławić (*zwł. w poezji*). **4.** *lit.* radować się. **5.** *przen.* świstać (*np. o kulach, strzałach*); świszczeć, wyć, zawodzić (*o wietrze*); gwizdać, syczeć (*o czajniku*); **sb's ears are ~ing** komuś dzwoni w uszach. **6.** *przen.* ~ **a different tune/song** zmienić śpiewkę; ~ **from the same hymn-sheet/song-sheet** *pot.* śpiewać jednym głosem (= *głosić identyczne poglądy; działać w identyczny sposób*); ~ **sb's/sth's praises** (*także* ~ **the praises of sb/sth**) wychwalać kogoś/coś; ~ **small** *rzad.* cienko śpiewać (= *zachowywać się pokornie*). **7.** ~ **along** śpiewać wspólnie *l.* razem; przyłączyć się do śpiewu; ~ **out** *US* śpiewać głośniej; *pot.* głośno wołać *l.* krzyczeć (*zwł. ostrzegawczo*); ~ **sth out** pożegnać coś śpiewem (*zwł. stary rok*); ~ **up** *Br. i Austr.* śpiewać głośniej. – *n.* **1.** *pot.* śpiew, śpiewanie. **2.** świst (*np. kul, strzał*).

sing. *abbr.* = **singular**.

singable ['sɪŋəbl] *a.* dający się zaśpiewać.

sing-along ['sɪŋəˌlɔːŋ] *n.* (*także Br. przest.* **sing-song**) wspólne *l.* zbiorowe śpiewanie.

Singapore ['sɪŋgəˌpɔːr] *n. geogr.* Singapur.

Singaporean [ˌsɪŋgə'pɔːrɪən] *a.* singapurski. – *n.* Singapur-czyk/ka.

singe [sɪndʒ] *v.* **singeing** **1.** przypalać (się). **2.** opalać (*drób, tkaninę*). – *n.* **1.** przypalenie. **2.** lekkie oparzenie.

singer ['sɪndʒər] *n.* **1.** śpiewa-k/czka. **2.** piosenka-rz/rka.

singer-songwriter [ˌsɪndʒər'sɔːŋˌraɪtər] *n.* piosenka-rz/rka i wykonaw-ca/czyni w jednej osobie.

Singh. *abbr.* = **Singhalese**.

Singhalese [ˌsɪŋgə'liːz] *a.* = **Sinhalese**.

singing ['sɪŋɪŋ] *n. U* śpiew; śpiewanie.

singing telegram *n.* śpiewany telegram.

single ['sɪŋgl] *a. gł. attr.* **1.** jeden; pojedynczy; jedyny; **every ~ day** każdego dnia; **every ~ time** za każdym razem; **not a ~ person** *emf.* ani jedna osoba; **the ~ most important cause** najważniejsza przyczyna. **2.** *t. pred.* samotny; z nikim niezwiązany; nieżonaty; niezamężna. **3.** jednoosobowy (*o łóżku, pokoju*). **4.** *Br.* w jedną stronę (*o bilecie*). **5.** jeden na jednego (*np. o walce*). **6.** *bot.* pojedynczy (*o okwiacie*). **7.** *rzad.* szczery. **8.** *Br. arch.* słaby (*np. o piwie*). – *n.* **1.** *hotelarstwo* jedynka, pokój jednoosobowy. **2.** = **single ticket**. **3.** *muz.* singel. **4.** *baseball* uderzenie doprowadzające wybijającego do pierwszej bazy. **5.** *US i Can.* banknot jednodolarowy. **6.** *Br. przest.* banknot jednofuntowy. **7.** *pl. zob.* **singles**. – *v.* **1.** ~ **out** wybierać; wyróżniać. **2.** *baseball* zrobić uderzenie doprowadzające wybijającego do pierwszej bazy. **3.** *jeźdz.* = **single-foot**.

single act *n. teatr* jednoaktówka.

single-acting [ˌsɪŋgl'æktɪŋ] *a.* jednostronny, o działaniu jednostronnym (*o maszynie*).

single-action [ˌsɪŋgl 'ækʃən] *a.* jednostrzałowy. – *n.* broń jednostrzałowa.

single bed *n.* pojedyncze *l.* jednoosobowe łóżko.

single bond *n. chem.* wiązanie pojedyncze *l.* proste.

single-breasted [ˌsɪŋgl'brestɪd] *a.* jednorzędowy (*np. o marynarce*).

single-cell [ˌsɪŋgl'sel] *a. attr. biol.* jednokomórkowy.

single-cell protein [ˌsɪŋglˌsel 'proʊtiːn] *n. U biochem.* białko organizmów jednokomórkowych.

single combat *n.* walka jeden na jednego; samotna walka.

single competition *n.* gra pojedyncza, rozgrywka pomiędzy dwoma graczami.

single cream *n. U Br. kulin.* chuda śmietana.

single cross *n. hodowla* pierwsze pokolenie po procesie hybrydyzacji.

single currency *n. fin.* wspólna waluta.

single-cut file [ˌsɪŋglˌkʌt 'faɪl] *a.* pilnik nacięciami w jednym kierunku.

single decker *n. gł. Br.* autobus jednopoziomowy.

single-ended [ˌsɪŋgl'endɪd] *a. el.* **1.** jednostronny. **2.** jednoprzewodowy.

single entry *n. gł. księgowość* pojedyncza pozycja.

Single European Market *n. ekon.* Wspólny Rynek (Europejski).

single father *n.* samotny ojciec, ojciec samotnie wychowujący dziecko *l.* dzieci.

single file *n. U* rządek; **walk in ~** iść gęsiego *l.* rzędem. – *adv.* gęsiego.

single-foot [ˌsɪŋgl'fʊt] *jeźdz. n.* krok pomiędzy kłusem a krótkim galopem. – *v.* iść krokiem jw. (*o koniu*).

single-handed [ˌsɪŋgl'hændɪd] *a. gł. attr.* **1.** samodzielny. **2.** *żegl.* samotny; ~ **voyage** samotny rejs. **3.** jednoręczny, na jedną rękę. – *adv.* (*także* **single-handedly**) **1.** samodzielnie, bez niczyjej pomocy. **2.** *żegl.* samotnie (*np. żeglować, przepłynąć Atlantyk*).

single-handedness [ˌsɪŋgl'hændɪdnəs] *n. U* samodzielność.

single-hearted [ˌsɪŋgl'hɑːrtɪd] *a.* szczery, prostoduszny.

single honours degree *n. Br. uniw.* dyplom z wyróżnieniem w zakresie jednego przedmiotu.

single lane road *n.* (*także Br.* **single track road**) *mot.* droga jednopasmowa, jednopasmówka.

single-lens reflex [ˌsɪŋglˌlenz rɪ'fleks] *n. fot.* lustrzanka jednoobiektywowa.

single malt *n. C/U* (*także* **single malt whisky**) whisky jednosłodowa (*szkocka*).

single market *n.* = **Single European Market**.

single-minded [ˌsɪŋgl'maɪndɪd] *a.* nakierowany (wyłącznie) na jeden cel (*np. o podejściu*); **be ~** mieć tylko jeden cel.

single-mindedly [ˌsɪŋgl'maɪndɪdlɪ] *adv.* z jednym celem na oku.

single-mindedness [ˌsɪŋgl'maɪndɪdnəs] *n. U* koncentracja *l.* skoncentrowanie na jednym celu.

single mother *n.* samotna matka, matka samotnie wychowująca dziecko *l.* dzieci.

singleness ['sɪŋglnəs] *n. U form.* **1.** bycie samotnym; bycie kawalerem; bycie panną. **2.** **~ of/mind purpose** koncentracja *l.* skoncentrowanie na jednym celu.

single parent *n.* samotny rodzic, rodzic samotnie wychowujący dziecko *l.* dzieci.

single-phase [ˌsɪŋgl'feɪz] *a. el.* jednofazowy.

single room *n. hotelarstwo* pokój pojedynczy *l.* jednoosobowy.

singles ['sɪŋglz] *n. pl.* **1.** *tenis, badminton* singel, gra pojedyncza. **2.** osoby samotne (= *nieżonate l. niezamężne*).

singles bar *n.* bar dla samotnych.

singles club *n.* klub dla samotnych.

single-sex [ˌsɪŋgl'seks] *a. szkoln.* niekoedukacyjny.

singles match *n. tenis, badminton* gra singlowa.

singlestick ['sɪŋglˌstɪk] *n. hist.* **1.** kij z rękojeścią, drewniany miecz (*używany dawniej w szermierce*). **2.** *U* szermierka z użyciem kija jw.

singlet ['sɪŋglət] *n. Br. i Austr.* **1.** podkoszulek bez rękawów (*bielizna*). **2.** *sport* koszulka bez rękawów.

single tax *n. C / U US* jednolity podatek gruntowy.

single ticket *n. Br. gł. kol.* bilet (na przejazd) w jedną stronę.

singleton ['sɪŋgltən] *n.* **1.** pojedynczy okaz. **2.** *karty* singel, singelton; **~ lead** wyjście singlem.

single-track [ˌsɪŋgl'træk] *a.* **1.** jednotorowy, ograniczony (*o myśleniu, umyśle*). **2.** *kol.* jednotorowy. **3.** *mot.* jednopasmowy.

single-track road *n. Br.* = **single lane road**.

single-tree ['sɪŋglˌtriː] *n. roln.* orczyk.

single yellow line *n. Br.* pojedyncza żółta linia (*oznaczająca ograniczone parkowanie*).

singly ['sɪŋglɪ] *adv.* **1.** pojedynczo. **2.** samodzielnie. **3.** oddzielnie.

singsong ['sɪŋˌsɔːŋ] *n. zw. sing.* **1.** śpiewna mowa *l.* intonacja. **2.** *wers.* śpiewny rytm. **3.** *Br. przest.* = **sing-along**. – *a. attr.* śpiewny (*o głosie, intonacji*).

singular ['sɪŋgjələr] *a.* **1.** *gram.* pojedynczy. **2.** *form.* wyjątkowy, niezwykły. **3.** *form.* osobliwy, szczególny. **4.** jedyny. **5.** *mat.* osobliwy, singularny. – *n. gram.* **1.** *U* liczba pojedyncza. **2.** forma liczby pojedynczej; wyraz w liczbie pojedynczej.

singularity [ˌsɪŋgjə'lerətɪ] *n. pl.* **-ies** **1.** *U* wyjątkowość, niezwykłość; jednostkowość, niepowtarzalny charakter. **2.** osobliwość. **3.** niezwykła osoba; niezwykła rzecz. **4.** *mat.* osobliwość; punkt osobliwy.

singularize ['sɪŋgjələˌraɪz], *Br. i Austr. zw.* **singularise** *v.* **1.** *gram.* tworzyć liczbę pojedynczą (od) (*wyrazu*). **2.** *form.* wyróżniać.

singularly ['sɪŋgjələrlɪ] *adv. form.* **1.** wyjątkowo, szczególnie. **2.** *przest.* osobliwie, dziwnie.

singular matrix *n. mat.* macierz osobliwa.

singular point *n. mat.* punkt osobliwy (*funkcji*).

singular solution *n. mat.* rozwiązanie osobliwe (*zwł. równania różniczkowego*).

sinh [sɪnʃ] *n. mat.* sinus hiperboliczny.

Sinhalese [ˌsɪnhə'liːz], **Singhalese** *a.* syngaleski. – *n.* **1.** Syngalez/ka. **2.** *U* (język) syngaleski.

sinister ['sɪnɪstər] *a.* **1.** złowieszczy, złowróżbny. **2.** złowrogi, groźny (*np. o wyglądzie, twarzy, wzroku*). **3.** zbrodniczy (*o zamiarze*). **4.** *her.* po lewej stronie tarczy (= *prawej dla patrzącego*). **5.** *arch.* lewy.

sinistral ['sɪnɪstrəl] *a. form.* **1.** lewostronny. **2.** leworęczny. **3.** *zool.* lewoskrętny (*o muszli*).

sinistrality [ˌsɪnɪ'strælətɪ] *n. U form.* **1.** lewostronność. **2.** leworęczność. **3.** *zool.* lewoskrętność.

sinistrorse ['sɪnɪˌstrɔːrs], **sinistrorsal** *a. bot.* lewoskrętny (*o łodydze*).

sinistrous ['sɪnɪstrəs] *a. arch.* złowieszczy, złowróżbny.

sink [sɪŋk] *v. pret.* **sank** *l.* **sunk** *pp.* **sunk** **1.** tonąć (*o statku, łodzi*); *t. przen.* topić się. **2.** zatapiać; *t. przen.* topić; **~ money into sth** utopić pieniądze w czymś. **3.** zanurzać się. **4.** opadać (*t. o rzece, wzniesieniu*); **~ into a chair** opaść na fotel; zagłębić się w fotelu; **her head sank on her chest** głowa opadła jej na piersi. **5.** osiadać. **6.** gasnąć (*o płomieniach*). **7.** spuszczać (*oczy, wzrok, głowę*). **8.** *t. przen.* zapadać (się); **~ into sb's heart/mind** zapaść komuś w serce/pamięć; **~ through the floor** zapaść się pod ziemię (*ze wstydu*). **9.** zachodzić (*o słońcu, księżycu*). **10.** osuwać się; **feel the ground ~ing beneath one's feet** czuć, jak ziemia usuwa się komuś spod nóg. **11.** popadać, pogrążać się; zapadać; **~ into a coma/sleep** zapaść w śpiączkę/sen; **~ into decay/despair** popaść w ruinę/rozpacz; **sunk in thought** pogrążony w myślach. **12.** zagłębiać (się), zatapiać (się); **~ one's teeth/claws into sth** zatopić zęby/pazury w czymś; **the sword sank into his heart** miecz zagłębił się w jego sercu. **13.** spadać, obniżać się (*np. o cenach, standardach*). **14.** tracić (*na sile, wartości*). **15.** obniżać (*t. głos, ceny*); obniżać poziom (*rzeki*). **16.** słabnąć, opadać z sił. **17.** zanikać. **18.** uspokajać się (*o wietrze, burzy*). **19.** *t. przen.* znikać; **~ out of sight** zniknąć z oczu *l.* widoku; **~ without (a) trace** zniknąć bez śladu, przepaść bez wieści. **20.** wbijać (*w ziemię*). **21.** *bilard, golf pot.* wbijać (*piłkę do dołka*). **22.** wpuszczać (*np. rurę, słup w ścianę*). **23.** kopać, wykopywać (*dziurę, studnię*); wiercić (*szyb*). **24.** *pot.* zgubić, zniszczyć, pogrążyć; **this could ~ the government** to mogłoby zgubić *l.* pogrążyć rząd; **we are sunk** jesteśmy zgubieni, już po nas. **25.** *Br. pot.* wlewać w siebie (*alkohol*). **26.** *przen.* **~ like a lead balloon** *zob.* **balloon** *n.*; **~ one's differences** *Br.*

zapomnieć o tym, co dzieli (*zwł. w obliczu zagrożenia z zewnątrz*); ~ **or swim** raz kozie śmierć, wóz albo przewóz; ~ **so low** (*także* ~ **to such depths/such a level**) upaść tak nisko, zniżyć się do takiego poziomu; ~ **to doing sth** zniżyć się do (robienia) czegoś; ~ **to one's knees** paść na kolana; **be ~ing fast** niknąć w oczach (*o umierającym*); **he sank in my estimation** stracił w moich oczach; **sb's spirits/heart sank** ktoś upadł na duchu; **that ~ing feeling** to nieprzyjemne *l.* niewyraźne uczucie (*zwiastujące coś złego*). **27.** ~ **back** wycofywać się (*z obawy przed czymś*); ~ **in** wsiąkać (*o cieczy, farbie*); zapadać się (*o oczach, policzkach, drodze*); (*także* ~ **into sb's head**) *przen. pot.* docierać do kogoś; **it took a while for his words to** ~ **in** dopiero po pewnym czasie dotarło do mnie, co powiedział. – *n.* **1.** zlew, zlewozmywak. **2.** *US* umywalka. **3.** szambo. **4.** *przen.* rynsztok, bagno; ~ **of corruption** bagno zepsucia. **5.** *geol.* zbiornik wodny wysychający. **6.** *fiz.* urządzenie pochłaniające (*np. energię*). **7.** *górn.* szyb. **8.** *Br. teatr* zapadnia (*do podnoszenia i opuszczania dekoracji*). **9. everything but/except the kitchen** ~ *zob.* **everything.**

sinkable [ˈsɪŋkəbl] *a.* zatapialny.

sinkage [ˈsɪŋkɪdʒ] *n. U* **1.** tonięcie. **2.** zatopienie.

sinker [ˈsɪŋkər] *n.* **1.** ciężarek (*u wędki, sondy*). **2.** *US kulin. pot.* pączek. **3. hook, line and** ~ *zob.* **hook** *n.*

sinkhole [ˈsɪŋkˌhoʊl] *n.* **1.** otwór ściekowy. **2.** *gł. US* otwór odpływowy (*w skale*).

sinking fund [ˈsɪŋkɪŋ ˌfʌnd] *n. fin.* fundusz amortyzacyjny.

sink unit *n.* zlewozmywak z obudową.

sinless [ˈsɪnləs] *a.* bezgrzeszny.

sinlessly [ˈsɪnləslɪ] *adv.* bezgrzesznie.

sinlessness [ˈsɪnləsnəs] *n. U* bezgrzeszność.

sinner [ˈsɪnər] *n. zwł. Bibl.* grzeszni-k/ca; **as I am a** ~ klnę się na mą grzeszną duszę.

Sinn Fein [ˌʃɪn ˈfeɪn] *n. Ir. polit.* irlandzka partia republikańska (*walcząca o zjednoczenie Irlandii*).

sinoatrial [ˌsaɪnoʊˈætrɪəl] *n. anat.* zatokowo-przedsionkowy.

sinoatrial node *n. anat.* węzeł zatokowo-przedsionkowy.

sin offering *n. rel.* ofiara za grzechy.

Sinological [ˌsaɪnəˈlɑːdʒəkl] *a.* sinologiczny.

Sinologist [saɪˈnɑːlədʒɪst] *n.* (*także* **Sinologue**) sinolo-g/żka.

Sinology [saɪˈnɑːlədʒə] *n. U* sinologia.

Sino-Tibetan [ˌsaɪnoutɪˈbetən] *n. U jęz.* rodzina języków chińsko-tybetańskich.

sinsemilla [ˌsɪnsəˈmiːlə] *n. U* mocna odmiana marihuany.

sin tax *n. C/U pot.* podatek od używek (*zwł. od alkoholu i papierosów*).

sinter [ˈsɪntər] *n. U* **1.** *geol.* nawar. **2.** *metal.* spiek. – *v. metal.* spiekać.

sinuate [ˈsɪnjuːɪt] *a.* **1.** *bot.* o falistym brzegu (*o liściu*). **2.** = **sinuous.** – *v. rzad.* wić się.

sinuation [ˌsinjuːˈeɪʃən] *n. form.* **1.** *U* skręcanie. **2.** zakręt.

sinuosity [ˌsɪnjʊˈɑːsətɪ] *n. pl.* **-ies** *form.* **1.** zakręt (*zwł. rzeki, drogi*). **2.** *U* krętość. **3.** *U przen.* zawiłość.

sinuous [ˈsɪnjʊəs] *a. form.* **1.** *t. przen.* kręty. **2.** falisty (*o ruchach*). **3.** wężykowaty.

sinus [ˈsaɪnəs] *n.* **1.** zagłębienie. **2.** *anat.* zatoka; **frontal/maxillary** ~ zatoka czołowa/szczękowa. **3.** *pat.* kanał przetoki. **4.** *bot.* wrąb, wcięcie (*liścia*).

sinusitis [ˌsaɪnəˈsaɪtɪs] *n. U pat.* zapalenie zatok.

sinusoid [ˈsaɪnəˌsɔɪd] *n.* **1.** *anat.* zatoka (*np. trzustki, śledziony*). **2.** *mat.* sinusoida.

sinus rhythm *n. med.* rytm zatokowy.

sinus venosus [ˌsaɪnəs vɪˈnoʊsəs] *n. pl.* **sinus venosi** [ˌsaɪnəs vɪˈnoʊsˌaɪ] *zool.* komora żylna.

Siouan [ˈsuːən] *n.* **1.** *U jęz.* rodzina języków siuańskich. **2.** osoba mówiąca językiem jw. – *a.* dotyczący Siuksów.

Sioux [suː] *n. pl.* **Sioux** Siuks/yjka.

sip [sɪp] *v.* **-pp-** ~ **(at) sth** popijać coś (*małymi łykami*), sączyć coś. – *n.* łyk, łyczek; **take a** ~ **of sth** wypić łyk czegoś.

sipe [saɪp] *n. mot.* rowek (*w bieżniku opony*).

siphon [ˈsaɪfən], **syphon** *n.* **1.** syfon. **2.** (*także US* ~ **bottle**) (*także Br.* **soda** ~) syfon (*do wody sodowej*). **3.** *zool.* kanał (*zwł. u jamochłonów*). **4.** *ent.* ssawka. – *v.* **1.** ~ **(off/out)** odciągać, odprowadzać (*ciecz*). **2.** ~ **(off)** ciągnąć (*nielegalne zyski*); podbierać, podkradać (*pieniądze*) (*from sth* skądś) (*np. z konta*).

siphonage [ˈsaɪfənɪdʒ] *n. U* odciąganie (cieczy) za pomocą syfonu.

siphon barometer *n.* barometr z rurką wygiętą u dołu.

sipper [ˈsɪpər] *n. US pot.* słomka (*do picia*).

sippet [ˈsɪpɪt] *n. przest. kulin.* grzanka *l.* kawałek smażonego chleba (*do maczania w sosie*).

sippingly [ˈsɪpɪŋlɪ] *adv.* małymi łyczkami.

si quis [sɪ ˈkwiː] *n. kośc.* wezwanie do zgłaszania znanych przeszkód (*przy wyświęcaniu kapłana l. zapowiedziach*).

sir [sɜː] *n.* **1.** *gł. voc. form.* pan (*forma grzecznościowa*); **~!** *zwł. US* proszę pana! (*starając się zwrócić uwagę nieznajomego*); **can I help you, ~?** czym mogę Panu służyć?; **Dear** ~ Szanowny Panie (*w nagłówku listu*); **yes, ~!** *t. Br. szkoln.* tak, proszę pana!; *wojsk.* tak jest!. **2. S~** Sir (*tytuł szlachecki*); **S~ John Adams** Sir John Adams; **S~ Robert** Sir Robert (*forma poufała*). **3. no ~!** (*także* **no siree!**) *US przest. pot.* o nie!, co to, to nie!.

sirdar [ˈsɜːdɑːr] *n.* **1.** *wojsk.* wysoki dowódca; *polit.* wysokiej rangi przywódca (*w Indiach l. Pakistanie*). **2.** *hist.* brytyjski naczelny dowódca armii egipskiej.

sire [saɪr] *n.* **1.** *hodowla* samiec (*zwł. = ogier rozpłodowy*); ojciec (*w odniesieniu do ssaków*). **2.** *poet.* ojciec, przodek. **3.** *voc.* (*także* **S~**) *arch.* Wasza Królewska Wysokość; Wasza Lordowska Mość. – *v.* spłodzić (*zwł. o ogierze; t. przest. l. żart. o mężczyźnie*), być ojcem (*czyimś; jw.*).

siren [ˈsaɪrən] *n.* **1.** *t. mit.* syrena (*t. policyjna, strażacka; t. przen. = atrakcyjna, lecz niebezpie-*

czna kobieta). **2.** *zool.* płaz z rodziny syrenowatych (*Sirenidae*).

siren call *n.* = **siren song.**

sirenian [saɪˈriːnɪən] *n. zool.* syrena, krowa morska (*rząd Sirenia*).

siren song *n.* (*także* **siren call**) *lit.* syreni śpiew.

siren suit *n.* kombinezon.

Sirius [ˈsɪrɪəs] *n. astron.* Syriusz.

sirloin [ˈsɜːlɔɪn] *n. C/U* (*także* ~ **steak**) *kulin.* befsztyk z polędwicy.

sirocco [sɪˈrɑːkoʊ], **scirocco** *n. pl.* **-s** *meteor.* sirocco.

sirrah [ˈsɪrə] *n. arch. pog.* forma zwracania się do mężczyzny *l.* chłopca (*zwł. o niższym statusie społecznym*).

sirup [ˈsɪrəp] *n. US rzad.* = **syrup.**

sis [sɪs] *n. US pot.* siostrzyczka.

sisal [ˈsaɪsl] *n.* (*także* ~ **hemp**) **1.** *bot.* agawa sizalowa (*Agave sisalana*). **2.** *U* sizal, włókno sizalowe.

siskin [ˈsɪskɪn] *n. orn.* czyżyk (*Carduelis spinus*).

sissified [ˈsɪsəˌfaɪd] *a. pog. pot.* zniewieściały.

sissy [ˈsɪsɪ], **cissy** *pog. pot. n. pl.* **-ies** baba, dziewucha (*o chłopcu*), maminsynek. – *a.* zachowujący się jak dziewucha.

sister [ˈsɪstər] *n. t. przen., kośc.* siostra; *Br. med.* (siostra) oddziałowa; *voc. US pot.* siostro (*forma zwracania się do kobiet, zwł. wśród Afroamerykanów*); **S~ Agnes** *kośc.* Siostra Agnieszka; ~ **of mercy** siostra miłosierdzia; **the fatal/three ~s** *mit.* Parki. – *a. attr. t. biol.* siostrzany (*t. o firmie, organizacji*); bliźniaczy.

sister chromatid *n. biol.* chromatyda siostrzana.

sister city *n. pl.* **-ies** miasto partnerskie *l.* bliźniacze.

sisterhood [ˈsɪstərˌhʊd] *n.* **1.** *U* siostrzeństwo. **2.** *U* solidarność kobieca. **3.** grupa kobiet (*np. o tych samych poglądach*). **4.** *kośc.* zakon żeński.

sister-in-law [ˈsɪstərɪnˌlɔː] *n. pl.* **sisters-in-law** *l.* **sister-in-laws** szwagierka; bratowa.

sisterly [ˈsɪstərlɪ] *a.* siostrzany.

sister organization *n.* organizacja siostrzana.

sister ship *n.* statek bliźniaczy.

Sistine [ˈsɪstiːn] *a.* **1.** sykstyński. **2.** dotyczący Kaplicy Sykstyńskiej.

Sisyphean [ˌsɪsəˈfiːən] *a. mit.* syzyfowy.

Sisyphus [ˈsɪsəfəs] *n. mit.* Syzyf.

sit [sɪt] *v.* **sat, sat, -tt- 1.** siedzieć (*t. bezczynnie*); ~ **at a desk/in an armchair/on a chair/in front of the TV** siedzieć przy biurku/w fotelu/na krześle/przed telewizorem; ~ **out** *zwł. Br.* siedzieć na dworze; ~ **still** siedzieć nieruchomo. **2.** siadać; usiąść. **3.** sadzać; posadzić. **4.** leżeć (*o przedmiotach, np. na biurku l. półce*); stać (*jw.; t. o samochodzie w garażu*). **5.** zasiadać (*in/on sth* w czymś) (*np. w komisji*). **6.** *t. parl., prawn.* obradować. **7.** *parl., prawn.* zajmować stanowisko (*okresowo; np. o parlamentarzyście, sędzi*). **8.** *mal., fot.* pozować (*for sb* komuś, *for sth* do czegoś). **9.** ~ **(for) an exam** *Br. i Austr.* przystępować do egzaminu, zdawać egzamin. **10.** *pot.* = **babysit. 11.** pomieścić (*np. o sali, stole*). **12.** pasować (*with sth* do czegoś). **13.** *zwł. Br.* siedzieć na jajkach, wysiadywać jajka (*o kwoce*). **14.** *jeźdz.* siedzieć na (*koniu*), dosiadać (*konia*). **15.** *arch.* wiać (*w określonym kierunku*). **16.** *przen.* ~ **in judgment on/over sb/sth** *zob.* **judgment**; ~ **on one's ass** *US*/**arse** *Br.*/**bum** *Austr. sl.* siedzieć na dupie *l.* na tyłku; ~ **on one's hands** siedzieć z założonymi rękami; ~ **on sb's tail** siedzieć komuś na ogonie; ~ **on the fence** *zob.* **fence** *n.*; ~ **(heavy) on sb's stomach** leżeć *l.* stanąć komuś na żołądku; ~ **tight** nie ruszać się z miejsca; czekać cierpliwie; nie podejmować żadnych działań; trwać przy swoim (*stanowisku, postanowieniu*); ~ **well on sb** *przest.* dobrze na kimś leżeć (*o ubraniu*); ~ **well/right with sb** *US* odpowiadać *l.* pasować komuś (= *przypaść do gustu; np. o decyzji*); **be ~ting pretty** być w komfortowej sytuacji. **17.** ~ **around** (*także Br.* ~ **about**) przesiadywać; siedzieć bezczynnie; ~ **back** rozsiąść się, usiąść wygodnie; *przen.* siedzieć z założonymi rękami; ~ **by** siedzieć bezczynnie; nie angażować się; ~ **down** siadać; usiąść; *wojsk.* rozkładać się obozem, obozować; ~ **sb down** posadzić kogoś; **be ~ting down** siedzieć; ~ **down to sth** zasiąść do czegoś (*np. do posiłku, rozmów*); ~ **down under sth** *pot.* znosić coś, przełykać coś (*np. zniewagi*); ~ **in** stosować strajk okupacyjny; brać udział w strajku okupacyjnym; ~ **in for sb** *przest.* zastępować kogoś; ~ **in on sth** przysłuchiwać się czemuś, uczestniczyć w czymś w charakterze obserwatora (*np. w wykładzie, zebraniu*); ~ **on sb** *pot.* wziąć kogoś w ryzy; ~ **on sth** *pot.* przetrzymywać coś (= *zbyt długo rozpatrywać, nie ujawniać itp.*); ~ **out** przesiedzieć (*taniec*), przeczekać (*np. wojnę, innych gości*); ~ **through sth** wysiedzieć do końca na czymś, doczekać do końca czegoś (*np. zebrania, przedstawienia*); ~ **under sb** *zwł. US* pobierać nauki u kogoś (*np. u uczonego, duchownego*); ~ **up** podnosić się (*do pozycji siedzącej*), siadać; wyprostowywać się; siadać na tylnych łapach (*o zwierzęciu*); nie kłaść się (spać), przesiadywać po nocy; ~ **sb up** podnieść kogoś, pomóc komuś usiąść; ~ **up and take notice** *pot.* obudzić się (= *nagle się zainteresować l. zdziwić*); **make sb ~ up** zadziwić kogoś; poruszyć kogoś.

sitar [sɪˈtɑːr] *n. muz.* sitar (*instrument indyjski*).

sitcom [ˈsɪtˌkɑːm] *n. C/U telew., radio* sitkom, komedia sytuacyjna, serial komediowy.

sit-down [ˈsɪtˌdaʊn] *a. attr.* **1.** przy stole (*o posiłku*). **2.** okupacyjny (*o strajku*). – *n.* **1.** *pot.* krótki odpoczynek na siedząco. **2.** = **sit strike. 3.** = **sit-in.**

sit-down strike *n.* strajk włoski *l.* okupacyjny.

site [saɪt] *n.* **1.** miejsce (*of sth* czegoś) (*t. np. bitwy, wypadku*); teren; **archaelogical** ~ teren wykopalisk. **2.** plac; **building/construction** ~ plac budowy; **on** ~ na budowie, na placu budowy. **3.** parcela. **4.** *ekol.* siedlisko. **5.** **camping/caravan** ~ (*także* **campsite**) kemping, pole namiotowe. **6.** *komp.* = **website.** – *v.* często *pass.*

t. wojsk. rozmieszczać; umieszczać; lokować; **be ~d somewhere** mieścić *l.* znajdować się gdzieś.

site value *n.* wartość parceli *l.* gruntu.

sitfast ['sɪtˌfɑ:st] *n. wet., jeźdz.* odparzenie (od siodła) (*na końskim grzbiecie*).

sith [sɪθ] *conj., prep. i adv. arch. l. poet.* = **since**.

sit-in ['sɪtˌɪn] *n.* (*także* **sit-down**) strajk włoski *l.* okupacyjny; **hold/stage a ~** urządzić strajk okupacyjny.

siting ['sɪtɪŋ] *n. C/U* lokalizacja.

sitka spruce ['sɪtkə ˌspru:s] *n. bot.* świerk sitkajski (*Picea sitchensis*).

sitology [saɪ'tɑ:lədʒɪ] *n. U* dietetyka.

sitomania [ˌsaɪtə'meɪnɪə] *n. U pat.* obżarstwo, żarłoczność.

sitosterol [saɪ'tɑ:stəˌrɔ:l] *n. U biochem.* sitosterol.

sitotoxin [ˌsaɪtə'tɑ:ksɪn] *n. C/U med.* toksyna pokarmowa.

sitotropism [ˌsaɪtə'trɑ:pˌɪzəm] *n. U biol.* sitotropizm (= *ruch komórki do l. od pożywienia*).

sit spin *n. łyżwiarstwo figurowe* pistolet.

sitter ['sɪtər] *n.* **1.** *t. mal., fot.* model/ka. **2.** *zwł. US* = **baby-sitter**. **3.** *med.* opiekun/ka chorego. **4.** *roln.* kura siedząca na jajkach. **5.** *sport pot.* łatwy strzał. **6.** *pot.* łatwizna.

sitting ['sɪtɪŋ] *n.* **1.** *t. polit., prawn.* posiedzenie; **at/in one ~** za jednym posiedzeniem (*np. przeczytać książkę*). **2.** zmiana (*np. w stołówce*); **dinner is served in two ~s** obiad podajemy na dwie zmiany. **3.** *mal., fot.* sesja (= *czas pozowania*). **4.** *roln.* jajka pod kwoką. **5.** *roln.* okres wysiadywania jaj. – *a. attr.* **1.** siedzący. **2.** do siedzenia. **3.** urzędujący. **4.** *roln.* wysiadujący (*o kwoce*).

sitting area *n.* miejsca do siedzenia.

sitting duck *n.* (*także* **sitting target**) *t. przen.* łatwy cel.

sitting member *n.* (*także* **sitting MP**) *parl.* pos-eł/łanka bieżącej kadencji.

sitting position *n.* pozycja siedząca.

sitting room *n. zwł. Br.* salon, pokój dzienny.

sitting target *n.* = **sitting duck**.

sitting tenant *n. zwł. Br.* lokator/ka bezterminow-y/a.

sitting trot *n. jeźdz.* kłus ćwiczebny *l.* wysiadywany.

situate ['sɪtʃʊˌeɪt] *v. często pass. form.* umieszczać, sytuować (*sth in sth* cos w czymś *l.* gdzieś).

situated ['sɪtʃʊˌeɪtɪd] *a. pred.* **1.** położony, usytuowany; **be ~ somewhere** być położonym *l.* usytuowanym gdzieś, znajdować się gdzieś; **beautifully/conveniently ~** pięknie/dogodnie położony. **2.** *przen.* sytuowany; **well/badly ~** dobrze/źle sytuowany (*o osobie*); w dobrym/złym położeniu (*zwł. finansowym; np. o firmie*). **3. how are you ~ (for time)?** jak u ciebie z czasem? (= *ile masz czasu*).

situation [ˌsɪtʃʊ'eɪʃən] *n.* **1.** sytuacja; **crisis/emergency ~** sytuacja kryzysowa; **economic/political ~** sytuacja gospodarcza/polityczna; **in the present ~** w obecnej sytuacji; **no-win ~** sytuacja bez wyjścia; **put sb in an awkward ~** postawić kogoś w niezręcznej sytuacji. **2.** *form.* położenie (*budynku; t. osoby*); usytuowanie. **3.** *przest. l. form.* posada. **4. if/when/as the ~ arises** jeśli/gdy/jak będzie *l.* zajdzie taka potrzeba.

situation comedy *n. form.* = **sitcom**.

situation ethics *n. U* etyka określająca, co jest dobre, a co złe w zależności od zaistniałych okoliczności.

situations vacant, Situations V~ *n. Br. i Austr. dzienn.* (rubryka) praca (*w ogłoszeniach*).

sit-up ['sɪtˌʌp] *n. sport* skłon tułowia z pozycji leżącej do siedzącej.

situs ['saɪtəs] *n. pl.* **situs** *t. biol., med.* położenie (*organu, płodu*).

situs inversus [ˌsaɪtəs ɪn'vɝ:səs] *n. U pat.* położenie odwrotne trzewi.

sitz bath ['sɪts ˌbɑ:θ] *n. t. med.* **1.** nasiadówka. **2.** wanna do nasiadówek.

Siva ['ʃi:və] *n.* = **Shiva**.

six [sɪks] *num.* **1.** sześć; sześcioro; sześciu. **2.** *przen.* **it is ~ of one and half a dozen of the other** *zob.* **dozen**; **knock sb for ~** *zob.* **knock** *v.* – *n.* **1.** szóstka (*numer, grupa, karta; t. w sporcie*). **2. at ~es and sevens** *pot.* do góry nogami, w nieładzie.

sixfold ['sɪksˌfoʊld] *a.* sześciokrotny. – *adv.* sześciokrotnie.

six-footer [ˌsɪks'fʊtər] *n. pot.* osoba o wzroście sześciu stóp (= *ok. 183 cm*).

six-gun ['sɪksˌgʌn] *n.* = **six-shooter**.

six-pack ['sɪksˌpæk] *n.* **1.** sześciopak (*np. piwa*). **2.** *anat. pot.* dobrze rozwinięte mięśnie brzucha.

sixpence ['sɪkspəns] *n. C/U Br. hist., fin.* sześć pensów, sześciopensówka (*używana do 1971 r.*).

sixpenny nail ['sɪkspənɪ ˌneɪl] *n.* gwóźdź o długości 5,2 cm (*dawniej w cenie 6 pensów za 100 sztuk*).

six-shooter ['sɪksˌʃu:tər] *n.* (*także* **six-gun**) *zwł. US pot. przest.* rewolwer sześciostrzałowy.

sixteen [ˌsɪks'ti:n] *num.* szesnaście; szesnaścioro; szesnastu. – *n.* szesnastka.

sixteenmo [ˌsɪks'ti:nmoʊ] *n. pl.* **-s** *druk.* szesnastka (*format książki*).

sixteenth [ˌsɪks'ti:nθ] *num.* szesnasty. – *n.* jedna szesnasta.

sixteenth note *n. US i Can. muz.* szesnastka (*nuta*).

sixth [sɪksθ] *a.* szósty. – *n.* **1.** *t. muz.* jedna szósta. **2.** *muz.* seksta.

sixth form *n. Br. szkoln.* ostatnia *l.* przedostatnia klasa szkoły średniej (*w Anglii i Walii*).

sixth-form college [ˌsɪksθˌfɔ:rm 'kɑ:lɪdʒ] *n. Br. szkoln.* szkoła dla osób w wieku 16-18 lat przygotowująca do egzaminów A levels (*jw.*).

sixth former *n. Br. szkoln.* ucze-ń/nnica ostatniej *l.* przedostatniej klasy szkoły średniej (*jw.*).

sixthly ['sɪksθlɪ] *adv.* po szóste.

sixth sense *n. sing. przen.* szósty zmysł.

sixth year *n. Scot. szkoln.* **1.** ostatnia klasa szkoły średniej. **2.** ucze-ń/nnica ostatniej klasy szkoły średniej.

sixtieth ['sɪkstɪəθ] *num.* sześćdziesiąty. – *n.* jedna sześćdziesiąta.

sixty ['sɪkstɪ] *num.* **1.** sześćdziesiąt. **2. like ~**

pot. biegiem, migiem. – *n. pl.* **-ies** sześćdziesiątka; **be doing ~** *mot. pot.* jechać sześćdziesiątką; **be in one's sixties** mieć sześćdziesiąt parę lat; **in the sixties** powyżej 60°F (*o temperaturze powietrza*); **the (nineteen) sixties** lata sześćdziesiąte (dwudziestego wieku).

sixty-four-thousand-dollar question *n. przen. pot.* pytanie za sto punktów (= *ważne l. takie, na które nikt nie zna odpowiedzi*).

sixty-nine [ˌsɪkstɪˈnaɪn] *n. wulg. sl.* (pozycja) sześć na dziewięć (= *wzajemny seks oralny*).

sixty-yard box [ˌsɪkstɪˈjɑːrd ˌbɑːks] *n. piłka nożna* pole bramkowe.

sizable [ˈsaɪzəbl], **sizeable** *a.* spory, pokaźny.

size[1] [saɪz] *n.* **1.** *C/U* wielkość, rozmiary; wymiary; **be the ~ of sth** być wielkości *l.* rozmiarów czegoś; **be twenty acres in ~** mieć wielkość dwudziestu akrów; **of a ~** tej samej wielkości, tych samych rozmiarów; **sth is a good/nice ~** coś jest całkiem duże *l.* spore; **this/that ~** tej wielkości; **to ~** na wymiar, do żądanych rozmiarów (*np. przyciąć*). **2.** *t. handl.* rozmiar; numer; format; **~ 8 shoes** buty numer 8; **what ~ are you?** (*także* **what ~ do you wear** *US*/**take** *Br.*) jaki jest Pan-a/i rozmiar?, jaki rozmiar Pan/i nosi?. **3. cut sb down to ~** *zob.* **cut** *v.*; **in/of all shapes and ~s** *zob.* **shape** *n.*; **that's about the ~ of it** *pot.* do tego to się mniej więcej sprowadza; **try sth (on) for ~** *zob.* **try** *v.* – *v.* **1.** sortować według wielkości *l.* rozmiarów. **2.** robić na wymiar; przycinać na wymiar; *wojsk.* kalibrować. **3. ~ up** zmierzyć wzrokiem; ocenić (*osobę, sytuację*).

size[2] *n. U* (*także* **sizing**) klejonka. – *v.* pokrywać klejonką.

sizeable [ˈsaɪzəbl] *a.* = **sizable**.

sized [saɪzd] *a. gł. w złoż.* **good-~** sporych rozmiarów, spory; **large-/medium-~** dużych/średnich rozmiarów; **pocket-~** rozmiaru kieszonkowego, kieszonkowy.

size paint *n. C/U* farba klejowa.

sizing [ˈsaɪzɪŋ] *n. U* **1.** = **size[2]**. **2.** zaklejanie, pokrywanie klejonką (*papieru l. tkaniny*).

sizy [ˈsaɪzɪ] *a.* **-ier, -iest** kleisty.

sizzle [ˈsɪzl] *v.* **1.** *kulin.* skwierczeć. **2.** *pot.* być bardzo gorącym, parzyć. **3.** *pot.* kipieć złością. **4.** *pot.* być bardzo pociągającym; być bardzo popularnym (*o osobie*). – *n. U l. sing.* **1.** skwierczenie. **2.** *radio* trzaski. **3.** *pot.* namiętność, pasja.

sizzler [ˈsɪzlər] *n. pot.* **1.** upalny dzień. **2.** pikantny kawałek (*np. film*).

sizzling [ˈsɪzlɪŋ] *a.* **1.** skwierczący. **2.** *zwł. US* potwornie gorący, upalny (*np. o dniu*); potworny (*o upale*). **3.** *pot.* pociągający. **4.** *pot.* pikantny.

sjambok [ʃæmˈbɑːk] *S.Afr. n.* batog ze skóry nosorożca. – *v.* bić batogiem.

SJC [ˌes ˌdʒeɪ ˈsiː] *abbr.* **Supreme Judicial Court** *US* Sąd Najwyższy.

SJD [ˌes ˌdʒeɪ ˈdiː] *abbr.* **Doctor of Juridical Science** doktor nauk prawniczych.

SK *abbr. Can.* = **Saskatchewan**.

ska [skɑː] *n. U muz.* muzyka taneczna z Jamajki (*popularna w latach 60. XX w., podobna do reggae*).

skag [skæg], **scag** *n. U sl.* hera (= *heroina*).

skald [skɔːld] *n.* = **scald[2]**.

skank [skæŋk] *v.* tańczyć reggae.

skat [skɑːt] *n. U karty* skat.

skate[1] [skeɪt] *n.* **1.** (*także* **ice ~**) łyżwa. **2.** (*także* **roller ~**) wrotka. **3.** przejazd na łyżwach *l.* wrotkach. **4. get/put your ~s on!** *Br. przen. pot.* pospiesz się!. – *v.* **1.** jeździć na łyżwach, ślizgać się. **2.** jeździć na wrotkach. **3.** *przen.* **~ around/over sth** prześlizgiwać się nad *l.* po czymś; **be skating on thin ice** *zob.* **ice** *n.*

skate[2] *n. pl.* **-s** *l.* **skate** *icht.* płaszczka (*rodzina Rajidae*).

skate[3] *n. US sl.* gość, facet.

skateboard [ˈskeɪtˌbɔːrd] *n.* deskorolka, skateboard. – *v.* jeździć na deskorolce.

skateboarder [ˈskeɪtˌbɔːrdər] *n.* osoba jeżdżąca na deskorolce.

skateboarding [ˈskeɪtˌbɔːrdɪŋ] *n. U* jazda na deskorolce.

skater[1] [ˈskeɪtər] *n.* **1.** łyżwia-rz/rka. **2.** wrotka-rz/rka.

skater[2] *n. ent.* = **water strider**.

skating [ˈskeɪtɪŋ] *n. U* jazda na łyżwach; *sport* łyżwiarstwo; **figure ~** łyżwiarstwo figurowe, jazda figurowa na lodzie; **go ~** iść na łyżwy.

skating rink *n.* **1.** lodowisko. **2.** miejsce do jazdy na wrotkach.

skean [ʃkiːn] *n. Scot. hist.* sztylet celtycki.

skean-dhu [ˌʃkiːnˈduː], **sgian-dhu** *n. Scot.* sztylet zatykany za skarpetę (*element tradycyjnego stroju szkockiego*).

skedaddle [skɪˈdædl] *sl. v.* wiać, brać nogi za pas. – *n.* ucieczka na łeb na szyję.

skeet [skiːt] *n. U* (*także* **~ shooting**) *sport* skit (*strzelanie do rzutków*).

skeg [skeg] *n. żegl.* płetwa denna.

skein [skeɪn] *n.* **1.** *tk.* pasmo (*przędzy*). **2.** klucz (*dzikich gęsi itp.*). **3.** *przen.* gmatwanina, plątanina (*np. włosów*).

skeletal [ˈskelɪtl] *a.* **1.** *anat.* szkieletowy. **2.** wychudzony, kościsty; wyglądający jak szkielet *l.* kościotrup. **3.** *przen.* ogólny, w zarysie (*np. o relacji*).

skeleton [ˈskelɪtən] *n.* **1.** *anat., zool.* szkielet, kościec. **2.** *techn.* szkielet, zrąb (*konstrukcji*). **3.** zarys. **4.** *pot.* szkielet, kościotrup (= *chudzielec*). **5. ~ in the closet** *US*/**cupboard** *Br. przen.* trup w szafie (= *wstydliwie skrywana tajemnica*).

skeleton construction *n. bud.* konstrukcja szkieletowa.

skeleton crew *n.* podstawowa załoga.

skeletonize [ˈskelɪtəˌnaɪz], *Br. i Austr. zw.* **skeletonise** *v.* **1.** redukować do minimum. **2.** szkicować, zarysowywać.

skeleton key *n.* klucz uniwersalny, wytrych.

skeleton staff *n.* niezbędny personel, podstawowa kadra.

skelf [skelf] *n. płn. Br. dial.* drzazga.

skell [skel] *n. US sl.* dziad, bezdomny.

skelly [ˈskelɪ] *Scot. a.* (*także* **~-eyed**) zezowaty. – *v.* **-ied, -ying** zezować.

skelp [skelp] *gł. Scot. n.* **1.** klepnięcie, plaśnięcie. **2.** *sl.* bandzior. – *v.* **1.** klepnąć, plasnąć. **2.** pędzić, śmigać.

skep [skep] *n.* **1.** ul (*słomiany l. wiklinowy*). **2.** *dial.* kosz (*zwł. wiklinowy*).

skeptic [ˈskeptɪk], *zwł. Br.* **sceptic** *n. t. fil.* scepty-k/czka.

skeptical [ˈskeptɪkl] *a.* sceptyczny.

skeptically [ˈskeptɪklɪ] *adv.* sceptycznie.

skepticism [ˈskeptɪˌsɪzəm] *n. U t. fil.* sceptycyzm.

skerry [ˈskerɪ] *n. pl.* **-ies** *Scot.* skalista wysepka.

sketch [sketʃ] *n.* **1.** *mal., rysunek* szkic. **2.** *t. teatr* skecz, scenka. **3.** *przen.* szkic, zarys. – *v.* **1.** szkicować. **2.** ~ **in** dodać, dorzucić (*np. kilka szczegółów, dodatkową informację*); ~ **out** naszkicować, nakreślić, zarysować.

sketchable [ˈsketʃəbl] *a.* **1.** nadający się do szkicowania. **2.** dający się naszkicować.

sketch-block [ˈsketʃˌblɑːk] *n.* = **sketchpad.**

sketchbook [ˈsketʃˌbʊk] *n.* szkicownik.

sketcher [ˈsketʃər] *n.* szkicowni-k/czka (*artysta*).

sketchily [ˈsketʃɪlɪ] *adv.* **1.** szkicowo, w ogólnych zarysach. **2.** pobieżnie, powierzchownie.

sketchiness [ˈsketʃɪnəs] *n. U* **1.** szkicowość. **2.** pobieżność, powierzchowność.

sketch map *n. kartogr.* mapa szkicowa.

sketchpad [ˈsketʃˌpæd] *n.* (*także* ~**block**) **1.** szkicownik. **2.** blok rysunkowy.

sketchy [ˈsketʃɪ] *a.* **-ier, -iest** **1.** szkicowy. **2.** pobieżny, powierzchowny.

skew [skjuː] *a.* **1.** przekrzywiony. **2.** *mech., bud.* skośny, ukośny (*t. o moście, łuku*); pochyły. **3.** *stat.* niesymetryczny (*o rozkładzie danych*). **4.** *mat.* skośny, ukośny. – *n.* **1.** skos, ukos; **on the** ~ ukosem. **2.** skrzywienie. **3.** *stat.* niesymetryczność (*w rozkładzie danych*). **4.** *bud.* ukośna ława szczytowa. – *v.* **1.** zniekształcać, wypaczać; naciągać (*np. wyniki eksperymentu*). **2.** odchylać (się). **3.** skręcać. **4.** zezować.

skew arch *n. bud.* łuk ukośny.

skewback [ˈskjuːˌbæk] *n. bud.* **1.** wezgłowie sklepienia. **2.** wspora sklepienia, kliniec wezgłowiowy.

skewbald [ˈskjuːˌbɔːld] *a.* srokaty (*o koniu*). – *n.* koń srokaty, srokacz.

skewed [skjuːd] *a.* **1.** zniekształcony, wypaczony. **2.** przekrzywiony.

skewer [ˈskjuːər] *n. t. kulin.* szpikulec, szpilka (*np. do szaszłyków*). – *v.* **1.** *t. kulin.* nabijać *l.* nadziewać na szpikulec. **2.** nakłuwać. **3.** przekłuwać, przebijać (*np. mieczem*).

skewness [ˈskjuːnəs] *n. U* odchylenie.

skew-whiff [ˈskjuːˌwɪf], **skewwhiff** *a. Br. pot.* przekrzywiony, na bakier.

ski [skiː] *t. sport n. pl.* **-s** **1.** narta (*t. wodna*). **2.** płoza. – *v. part.* **skiing** *pret. i pp.* **skied** *l.* **ski'd** jeździć na nartach.

skiable [ˈskiːəbl] *a.* nadający się do jazdy na nartach (*o zboczu, śniegu*).

ski binding *n.* wiązanie narciarskie.

ski boat *n. sport* motorówka wykorzystywana w narciarstwie wodnym.

skibob [ˈskiːˌbɑːb] *n. sport* skibob.

skibobbing [ˈskiːˌbɑːbɪŋ] *n. U sport* jazda na skibobach.

ski boot *n.* but narciarski.

skid [skɪd] *n.* **1.** poślizg; **go into a** ~ wpaść w poślizg. **2.** *US i Can.* belka do przetaczania. **3.** *mech.* klin, klocek hamujący. **4.** *lotn.* płoza. **5.** paleta (*ładownicza*). **6.** *zw. pl. żegl.* rusztowanie ochronne (*przy ładowaniu*); rusztowanie montażowe. **7.** *przen. pot.* **be on the ~s** staczać się (jak) po równi pochyłej; **put the ~s under sb/sth** *Br. i Austr.* doprowadzić do upadku kogoś/czegoś. – *v.* **1.** ślizgać się. **2.** *t. lotn.* zarzucać; **the bus ~ed** zarzuciło autobusem. **3.** *US* przetaczać na belkach. **4.** *przen.* spadać. **5.** hamować.

skid lid, skidlid *n. Br. przest. pot.* kask ochronny.

skid marks *n. pl.* ślady poślizgu.

skidpad [ˈskɪdˌpæd] *n.* (*także Br.* ~**pan**) *mot.* śliska nawierzchnia do ćwiczenia kontrolowanych poślizgów.

skidproof [ˈskɪdˌpruːf] *a.* przeciwślizgowy, antypoślizgowy.

skid row *n.* (*także* **skid road**) *US pot.* podła dzielnica, dzielnica nędzy; **be on** ~ *przen.* staczać się.

skied[1] [skiːd] *v. zob.* **ski.**

skied[2] [skaɪd] *v. zob.* **sky.**

skier [ˈskiːər] *n.* narcia-rz/rka.

skies [skaɪz] *n. pl. zob.* **sky.**

skiff [skɪf] *n. żegl.* skif.

skiffle [ˈskɪfl] *n. U muz.* muzyka skiflowa.

ski-flying [ˈskiːˌflaɪɪŋ] *n. U sport* loty narciarskie.

skiing [ˈskiːɪŋ] *n. U* jazda na nartach; *sport* narciarstwo; **go** ~ wybrać się na narty.

ski instructor *n.* instruktor/ka narciarski.

ski-joring [ˈskiːˌdʒɔːrɪŋ] *n. U sport* skikjöring (= *jazda na nartach za koniem lub motocyklem*).

ski jump *n. sport* **1.** skoki narciarskie. **2.** skocznia (narciarska).

ski-jump [ˈskiːˌdʒʌmp] *v.* skakać na nartach.

ski jumper *n. sport* skoczek narciarski.

skilful [ˈskɪlfʊl] *a. Br.* = **skillful.**

skilfully [ˈskɪlfʊlɪ] *a. Br.* = **skillfully.**

ski lift *n.* wyciąg narciarski.

skill [skɪl] *n.* **1.** *U* zręczność, wprawa (*at/in sth* w czymś); **with great** ~ z dużą wprawą. **2.** umiejętność; *U* umiejętności; **computer ~s** umiejętność obsługi komputera; **writing ~s** umiejętności pisarskie.

skilled [skɪld] *a.* **1.** zręczny, wprawny; umiejętny; **be ~ at/in sth** mieć wprawę w czymś, robić coś umiejętnie. **2.** wykwalifikowany; **highly** ~ wysoko wykwalifikowany. **3.** *attr.* wymagający kwalifikacji (*o pracy, zadaniu*).

skillet [ˈskɪlɪt] *n. kulin.* **1.** *US* patelnia. **2.** mała patelnia z długą rączką. **3.** *zwł. Br.* garnek.

skillful [ˈskɪlfʊl], *Br.* **skilful** *a.* **1.** zręczny, umiejętny. **2.** wprawny.

skillfully [ˈskɪlfʊlɪ] *adv.* **1.** zręcznie, umiejętnie. **2.** wprawnie.

skilly ['skılı] *n. C/U pl.* **-ies** *Br. kulin., gł. hist.* cienka zupa.

skim [skım] *v.* **-mm- 1.** ~ **(off)** *gł. kulin.* zbierać (*np. tłuszcz, szumowiny*) (*from sth* z czegoś); ~ **milk** zbierać śmietankę z mleka. **2.** ślizgać się po (*powierzchni, falach*); muskać, ocierać się o. **3.** ~ **(through)** przebiegać wzrokiem, przeglądać pobieżnie. **4.** pokrywać (się) cienką warstwą (*czegoś; np. lodu, szumowin*). **5.** *US pot.* ukrywać (*zyski, zwł. żeby nie płacić od nich podatków*). **6.** ~ **stones/pebbles** *Br.* puszczać kaczki. **7.** ~ **off** podbierać (*np. pieniądze, zawodników*). – *n. zw. sing.* **1.** cienka warstwa (*na powierzchni czegoś*). **2.** przejrzenie (*over sth* czegoś) rzut oka (*over sth* na coś). **3.** zbieranie (*np. tłuszczu, szumowin*). **4.** zebrana substancja.

ski mask *n.* kominiarka.

skimble-scamble [ˌskımbl'skæmbl] *arch. a.* pomieszany, poplątany (= *bezsensowny*). – *n.* bezsensowna paplanina.

skimmer ['skımər] *n. kulin.* łyżka cedzakowa.

skim milk *n. U* (*także* **skimmed milk**) chude mleko, mleko odtłuszczone.

skimmings ['skımıŋz] *n. pl.* **1.** *kulin.* szumowiny. **2.** *metal.* żużle.

skimp [skımp] *v.* **1.** skąpić, oszczędzać (*on sth* na czymś). **2.** robić byle jak.

skimpily ['skımpılı] *adv.* skąpo.

skimpiness ['skımpınəs] *n. U* **1.** skąpstwo. **2.** braki.

skimpingly ['skımpıŋlı] *adv.* skąpo.

skimpy ['skımpı] *a.* **-ier, -iest 1.** skąpy (= *oszczędny l. niewystarczający*). **2.** kusy (*np. o spódniczce*).

skin [skın] *n.* **1.** *U t. anat.* skóra. **2.** *U* cera; **fair/dark** ~ jasna/śniada cera. **3.** *C/U* skóra (*zwierzęca*); **tiger ~s** skóry tygrysie. **4.** *C/U t. bot.* skórka; **banana/tomato** ~ skórka od banana/pomidora. **5.** *U* flak (*na kiełbasie*). **6.** *U* kożuch (*np. na mleku, farbie*). **7.** bukłak. **8.** *U żegl., lotn.* poszycie (*statku l. samolotu*). **9.** = **skinflint**. **10.** *zw. pl. pot.* perkusja (*zwł. jazzowa*). **11.** *Br. pot.* = **skinhead**. **12.** *pot.* bibułka (*do robienia skrętów*). **13.** *przen.* **by the ~ of one's teeth** *zob.* **teeth**; **get under sb's** ~ *pot.* działać komuś na nerwy; **get soaked/wet/drenched to the** ~ przemoknąć do suchej nitki; **have thick/thin** ~ być gruboskórnym/wrażliwym; **it's no ~ off my nose/back** mnie tam wszystko jedno; **jump/leap out of one's** ~ *pot.* podskoczyć, wzdrygnąć się; **(nothing but) ~ and bone(s)** *pot.* (sama) skóra i kości; **save one's/sb's** ~ uratować *l.* ocalić swoją/czyjąś skórę; **to the** ~ do naga. – *v.* **-nn- 1.** zdejmować skórę z (*czegoś; zwł. ze zwierzęcia*), obdzierać ze skóry, skórować. **2.** *kulin.* obierać (ze skórki) (*owoce, warzywa*). **3.** zedrzeć sobie skórę *l.* naskórek z (*kolana itp.*), obetrzeć (sobie). **4.** ~ **(over)** pokrywać (się) naskórkiem; zabliźniać (się) (*o ranie*). **5.** *US pot.* złoić skórę (*komuś; = pokonać*). **6.** *sl.* okantować (= *oszukać*). **7.** *przen.* ~ **sb alive** *żart.* obedrzeć kogoś ze skóry (= *ukarać*); **keep one's eyes ~ned** *US pot.* mieć oczy szeroko otwarte. **8.** ~ **up** *Br. sl.* zrobić (sobie) skręta. – *a. attr.* **1.** do skóry (*np. o kremie, maści*); *t. pat.* skórny, dotyczący skóry. **2.** *gł. US sl.* pornograficzny (*np. o piśmie*).

skin beetle *n. ent. gł. US* chrząszcz z rodziny skórnikowatych (*Dermestidae*).

skin cancer *n. U pat.* rak skóry.

skincare ['skınˌker] *n. U* pielęgnacja skóry (*zwł. twarzy*). – *a.* do pielęgnacji skóry (*jw.*).

skin-deep [ˌskın'di:p] *a. pred.* powierzchowny. – *adv.* powierzchownie.

skin depth *n. U el.* głębokość naskórkowa.

skin disease *n. pat.* choroba skóry *l.* skórna.

skin diver *n.* płetwonurek (*nurkujący bez kombinezonu*).

skin diving *n. U sport* płetwonurkowanie (*bez kombinezonu*).

skin drying *n. U metal.* suszenie powierzchniowe.

skin effect *n. U el.* naskórkowość, zjawisko Kelvina.

skin flick, skinflick *n. sl.* pornos (= *film pornograficzny*).

skinflint ['skınˌflınt] *n. pot.* skąpiec, kutwa.

skin friction *n. U fiz.* tarcie powierzchniowe.

skinful ['skınfʊl] *n.* **1.** pełen bukłak (*of sth* czegoś). **2. have a** ~ *Br. pot.* urżnąć się (= *upić*).

skin game *n. sl.* przekręt, szwindel.

skin graft *n. chir.* przeszczep skóry.

skin grafting *n. U chir.* przeszczepianie *l.* przeszczepy skóry.

skinhead ['skınˌhed] *n. t. socjol.* skin, skinhead.

skink [skıŋk] *n. zool.* scynk (*rodzina Scincidae*).

skin magazine *n. gł. US pot.* pornos, świerszczyk.

skinner ['skınər] *n.* skórnik.

skinniness ['skınınəs] *n. U* chudość, wychudzenie.

skinny ['skını] *a.* **-ier, -iest 1.** *pot.* chudy, wychudzony. **2.** *pot.* z chudym mlekiem (*np. o kawie*).

skinny-dip ['skıni:ˌdıp] *v. pot.* pływać na golasa.

skinny-dipping ['skıni:ˌdıpıŋ] *n. U pot.* pływanie na golasa.

skin plating *n. U żegl.* zewnętrzne poszycie kadłuba.

skin-pop ['skınˌpɑ:p] *sl. v.* szprycować się podskórnie (*t. czymś*). – *n.* podskórna szpryca.

skint [skınt] *a. pred. Br. pot.* spłukany, bez grosza.

skin test *n. med.* próba skórna.

skintight [ˌskın'taıt], **skin-tight** *a.* obcisły.

skin tonic *n. C/U* tonik do twarzy.

skip[1] [skıp] *v.* **-pp- 1.** podskakiwać; przeskakiwać z nogi na nogę. **2.** (*także US* ~ **rope**) skakać przez skakankę. **3.** *t. przen.* przeskakiwać; ~ **a year/grade** *szkoln.* przeskoczyć rok/klasę. **4.** pomijać, opuszczać (*np. rozdział, fragment tekstu*). **5.** odskakiwać, odbijać się (*od powierzchni*). **6.** *pot.* zwiać, ulotnić się. **7.** ~ **breakfast/lunch** nie jeść śniadania/lunchu; ~ **school** *zwł. US pot.* nie chodzić do szkoły, opuszczać lekcje; ~ **stones/ rocks** *US* puszczać kaczki; ~ **the country/town** *zwł. US i Can. pot.* uciec z kraju/miasta (*w po-*

śpiechu l. ukradkiem); **(let's) ~ it!** *pot.* zostawmy to!, nieważne!; **sb's heart ~ped a beat** serce komuś mocniej *l.* żywiej zabiło. **8.** **~ out/off** *pot.* zwiać, dać nogę; **~ out on sb** *US pot.* porzucić *l.* zostawić kogoś (*zwł. potrzebującego pomocy*); **~ over sth** przeskoczyć (przez) coś; *przen.* przeskoczyć *l.* opuścić coś; **~ through sth** *pot.* przebiec po czymś wzrokiem, przejrzeć coś pobieżnie. – *n.* **1.** podskok. **2.** przeskok, pominięcie. **3.** *Br. i Austr.* kontener (*na śmieci, gruz*). **4.** *górn.* kubeł skipowy (*w kopalni l. kamieniołomie*).

skip2 *n. pot.* **1.** *żegl.* szyper, kapitan. **2.** *sport* kapitan drużyny (*w grze w kule l. curling*).

ski pants *n. pl.* spodnie narciarskie, narciarki.

skip area *n. radio* obszar uskokowy.

skip distance *n. radio* uskok.

skipjack ['skɪpˌdʒæk] *n. pl.* **-s** *l.* **skipjack** **1.** *icht.* ryba latająca (*np. bonito*). **2.** *ent.* owad z rodziny sprężykowatych (*Elateridae*). **3.** *US żegl.* łódź żaglowa o prostych burtach i dnie w kształcie litery V.

ski plane, skiplane *n. lotn.* samolot z płozami.

ski pole *n.* (*także* **ski stick**) kijek do nart *l.* narciarski.

skippable ['skɪpəbl] *a.* dający się opuścić *l.* pominąć.

skipper1 ['skɪpər] *pot. n.* **1.** *żegl.* szyper. **2.** *sport* kapitan. – *v.* być kapitane (*statku, samolotu, drużyny*), dowodzić (*statkiem, samolotem*).

skipper2 *n.* **1.** skoczek (*t. owad*). **2.** *ent.* owad z rodziny warcabnikowatych (*Hesperiidae*). **3.** *icht.* makrelosz (*Scomberesox saurus*).

skippet ['skɪpɪt] *n. hist.* kasetka na pieczęć (*przy dokumencie*).

skipping rhyme ['skɪpɪŋ ˌraɪm] *n.* wierszyk *l.* wyliczanka do skakania na skakance.

skipping rope *n. Br.* skakanka.

ski resort *n.* ośrodek narciarski.

skirl [skɜ˞:l] *zwł. Scot. v.* piszczeć przenikliwie (*np. o dudach, mewie*). – *n.* przenikliwy pisk.

skirmish ['skɜ˞:mɪʃ] *n.* **1.** *wojsk.* potyczka. **2.** utarczka (*słowna*). – *v.* prowadzić utarczki (*with sb* z kimś).

skirmisher ['skɜ˞:mɪʃər] *n. wojsk.* żołnierz biorący udział w potyczce.

skirr [skɜ˞:] *v.* mknąć, pędzić. – *n.* zgrzytanie; furkot.

skirret ['skɪrɪt] *n. bot.* marek kucmerka (*Sium sisarum*).

skirt [skɜ˞:t] *n.* **1.** *strój* spódnica, spódniczka. **2.** *t. pl. strój* poła (*od pasa w dół, np. sukni, płaszcza*). **3.** *zw. pl.* skraj, brzeg, obrzeża (*of sth* czegoś) (*np. lasu, wioski*). **4.** *techn.* osłona. **5.** *lotn.* osłona boczna (*poduszkowca*). **6.** (*także* **saddle ~**) *jeźdz.* tybinka. **7.** *żegl.* lik (*żagla*). **8.** (*także* **~ of beef**) *Br. kulin.* błony i ścięgna (*wołowe*); dolna część krzyżowa (*tuszy wołowej*). **9.** **a bit of ~** *Br. obelż. sl.* niezła laska (*o kobiecie*). – *v.* **1.** **~ (around)** biec dookoła *l.* skrajem (*czegoś; np. o drodze*); okrążać (*np. o pociągu*). **2.** leżeć na skraju (*czegoś*). **3.** *przen.* obchodzić, omijać (*sprawę, temat*), unikać podjęcia (*tematu*). **4.** *techn.* wykańczać brzegiem.

skirt chaser, skirt-chaser *n. obelż. sl.* facet uganiający się za spódniczkami.

skirting ['skɜ˞:tɪŋ] *n.* **1.** *C / U* (*także Br.* **~ board**) listwa przypodłogowa. **2.** *tk.* materiał na spódnice.

ski run *n.* trasa narciarska.

ski runner *n. t. sport* narcia-rz/rka biegow-y/a.

ski school *n.* szkółka narciarska.

ski slope *n.* stok narciarski.

ski stick *n.* = **ski pole**.

ski suit *n.* kombinezon narciarski.

skit [skɪt] *n.* **1.** *teatr* skecz (*on sth* na jakiś temat). **2.** *teor. lit.* satyra (*on sth* na coś).

ski tow *n.* wyciąg orczykowy.

ski troops *n. wojsk.* oddziały na nartach.

skitter ['skɪtər] *v.* **1.** truchtać (= *biec, przebierając szybko nogami*). **2.** lecieć (*zwł. po wodzie*), ślizgać się. **3.** *ryb.* łowić na przynętę wleczoną po powierzchni wody.

skittish ['skɪtɪʃ] *a.* **1.** płochliwy, niespokojny (*o koniu*). **2.** beztroski; nieodpowiedzialny, niepoważny (*o osobie*). **3.** żywy, energiczny.

skittishly ['skɪtɪʃlɪ] *adv.* **1.** płochliwie, niespokojnie. **2.** beztrosko; nieodpowiedzialnie. **3.** żywo, z życiem.

skittishness ['skɪtɪʃnəs] *n. U* **1.** płochliwość. **2.** beztroska.

skittle ['skɪtl] *n. zwł. Br.* kręgiel.

skittle alley *n.* (*także* **skittle ground**) kręgielnia.

skittle-pin ['skɪtlˌpɪn] *n.* kręgiel.

skittles ['skɪtlz] *n. pl. Br.* **1.** *z czasownikiem w liczbie pojedynczej* (gra w) kręgle. **2.** **(not) all beer and ~** *zob.* **beer**.

skive1 [skaɪv] *v.* **~ (off)** *Br. pot.* bumelować; urywać się z (*z pracy*).

skive2 *v. garbarstwo* rozszczepiać, obrzynać (*skórę*).

skiver1 ['skaɪvər] *n. Br. pot.* bumelant/ka.

skiver2 *n.* **1.** nóż szewski. **2.** skórka introligatorska.

skivvies ['skɪvɪz] *n. pl. US* bielizna męska.

skivvy ['skɪvɪ] *n. pl.* **-ies** **1.** *Br. pot.* popychadło, wół roboczy (*hist.* = *służąca*). **2.** (*także* **~ shirt**) *Austr. i NZ* koszulka z długim rękawem. – *v.* **-ied, -ying** *Br. pot.* tyrać, harować.

skiwear ['ski:ˌwer] *n. U* ubrania dla narciarzy.

skoal [skoʊl], **skol** *int.* na zdrowie! (*toast*). – *v.* **-ll-** *Austr. pot.* wypić duszkiem (*zwł. piwo*).

skookum ['sku:kəm] *a. US pot.* silny, krzepki.

skookum house *n. US pot.* ciupa, pudło (= *więzienie*).

Skr., Skt. *abbr.* = **Sanskrit**.

skua ['skju:ə] *n. orn.* wydrzyk (*Stercorarius*); **great ~** skua, wydrzyk wielki (*Stercorarius skua*).

skulduggery [ˌskʌl'dʌgərɪ], **skullduggery** *n. U żart. pot.* szwindle, machlojki.

skulk [skʌlk] *v.* **1.** **~ (around/about)** czaić się; przyczaić się, przycupnąć. **2.** zakradać się, podkradać się. **3.** migać się (*od obowiązków, pracy*). – *n.* **1.** = **skulker**. **2.** *zool.* stado lisów.

skulker ['skʌlkər] *n.* osoba czająca się *l.* przyczajona.

skull [skʌl] *n.* **1.** *t. anat.* czaszka. **2.** *przen. pot.* łepetyna, łeb (= *głowa l. rozum*); **get into sb's (thick)** ~ dotrzeć do kogoś (= *stać się zrozumiałym*).

skull and crossbones *n.* trupia czaszka (ze skrzyżowanymi piszczelami) (*na fladze pirackiej l. opakowaniu z niebezpieczną substancją*).

skullcap [ˈskʌlˌkæp], **skull cap** *n.* **1.** czapeczka; *rz.-kat.* piuska; *judaizm* jarmułka, mycka. **2.** *anat.* szczytowa część czaszki. **3.** *bot.* tarczyca (*Scutellaria*).

skunk [skʌŋk] *n. pl.* **-s** *l.* **skunk** **1.** *zool.* skunks; **striped** ~ skunks zwyczajny (*Mephitis mephitis*). **2.** *U* futro skunksa. **3.** *obelż. pot.* skunks, śmierdziel. – *v. US i Can. pot.* rozgromić (*w grze*).

skunkweed [ˈskʌŋkˌwi:d] *n. C/U* (*także* ~ **cabbage**) *bot.* żmijownik amerykański (*Lysichiton americanum*).

sky [skaɪ] *n. C/U pl.* **-ies** **1.** niebo, nieboskłon; **the skies** niebo (*np. nad miastem*); *poet.* niebiosa; *przen.* warunki pogodowe, pogoda; **clear/cloudy** ~ bezchmurne/zachmurzone niebo; **strip/patch of** ~ skrawek nieba. **2.** *przen.* **out of a clear (blue)** ~ jak grom z jasnego nieba; **pie in the** ~ *zob.* **pie**[1]; **praise sb/sth to the skies** wychwalać kogoś/coś pod niebiosa; **the** ~ **is the limit** *pot.* nie ma ograniczeń, nie ma górnej granicy. – *v.* **-ied, -ying** **1.** *wioślarstwo* podnosić (*wiosła*) zbyt wysoko. **2.** *pot.* podbijać wysoko (*piłkę*).

sky-blue [ˌskaɪˈblu:] *n. U* błękit. – *a.* błękitny.

skycap [ˈskaɪˌkæp] *n. US* bagażowy (*na lotnisku*).

skydive [ˈskaɪˌdaɪv] *n. sport* wykonywać akrobatyczne skoki spadochronowe.

skydiving [ˈskaɪˌdaɪvɪŋ], **sky diving** *n. U sport* akrobatyczne skoki spadochronowe, skoki powietrzne.

Skye [skaɪ] *n. geogr.* (Wyspa) Skye.

skyey [ˈskaɪɪ] *a. gł. poet.* niebieski.

sky-high [ˌskaɪˈhaɪ] *a.* wygórowany (*np. o cenach*). – *adv.* **1.** aż pod niebo. **2. blow sth** ~ *t. przen. pot.* obrócić coś w perzynę (*t. np. plany*).

skyhook [ˈskaɪˌhʊk] *n.* **1.** lina z hakiem (*używana przez alpinistów*). **2.** helikopter z dźwigiem linowym.

skyjack [ˈskaɪˌdʒæk] *v. lotn.* uprowadzić, porwać (*samolot*).

skyjacker [ˈskaɪˌdʒækər] *n.* porywacz/ka samolotu.

skyjacking [ˈskaɪˌdʒækɪŋ] *n. U* uprowadzenie *l.* porwanie samolotu.

skylark [ˈskaɪˌlɑ:rk] *n. orn.* skowronek polny (*Alauda arvensis*). – *v. przest. pot.* dokazywać.

skylight [ˈskaɪˌlaɪt] *n. bud.* świetlik (*okno*).

skyline [ˈskaɪˌlaɪn], **sky line** *n.* linia nieba (*budynków l. gór*); linia horyzontu (*zwł. utworzona przez wysokie budynki l. góry*).

sky pilot *n. obelż. sl. pot.* kapelan lotnictwa.

skyrocket [ˈskaɪˌrɑ:kət] *n.* **1.** raca, rakieta. **2.** fajerwerk. – *v. pot.* rosnąć w zawrotnym tempie.

skysail [ˈskaɪˌseɪl] *n. żegl.* topżagiel, topsel.

skyscape [ˈskaɪˌskeɪp] *n. mal.* pejzaż przedstawiający niebo.

skyscraper [ˈskaɪˌskreɪpər] *n.* drapacz chmur.

skywalk [ˈskaɪˌwɔ:k] *n.* = **skyway** 2.

skyward [ˈskaɪwərd] *a.* pod niebo, podniebny. – *adv.* (*także* **skywards**) pod niebo, ku niebu.

skywatch [ˈskaɪˌwɑ:tʃ] *v.* obserwować niebo *l.* nieboskłon.

sky wave *n. radio* fala jonosferyczna.

skyway [ˈskaɪˌweɪ] *n.* **1.** *lotn.* korytarz powietrzny. **2.** (*także* **skywalk**) *gł. US bud.* łącznik (*między budynkami*). **3.** *gł. US mot.* autostrada napowietrzna *l.* na wspornikach.

skywriter [ˈskaɪˌraɪtər] *n. lotn.* samolot piszący słowa na niebie.

skywriting [ˈskaɪˌraɪtɪŋ] *n. U* **1.** pismo na niebie (*dymem z samolotu*). **2.** pisanie po niebie.

SL [ˌesˈel] *abbr.* **1.** *geogr.* = **sea level**. **2.** *jęz.* = **source language**. **3.** *geogr.* = **south latitude**.

sl. *abbr.* **1.** = **slightly**. **2.** = **slow**.

slab [slæb] *n.* **1.** *t. bud.* płyta. **2.** kawał (*np. placka, czekolady*). **3.** blat, deska (*do przygotowywania żywności*). **4.** deska okorkowa, okorek. **5.** *geol.* płyta skały. **6.** *zwł. Br. pot.* stół w kostnicy. **7.** *Austr. pot.* dwudziestoczteropak (= *opakowanie zawierające 24 puszki l. butelki piwa*). – *v.* **-bb-** **1.** ciąć na płyty. **2.** pokrywać płytami. **3.** piłować (*kloc l. drzewo przed pocięciem na deski*).

slabber [ˈslæbər] *v. i n. dial.* = **slobber**.

slabbing [ˈslæbɪŋ] *n. U* **1.** układanie płyt (*np. chodnikowych*). **2.** płyty. **3.** *techn.* slabing, zgniatacz.

slack[1] [slæk] *a.* **1.** luźny, zwisający (luźno). **2.** obwisły (*np. o spodniach*). **3.** rozluźniony (*np. o dyscyplinie*). **4.** niedbały (*in sth* w czymś); leniwy. **5.** ospały, powolny. **6.** martwy, w zastoju; **business was** ~ w interesach panował zastój. **7.** *fon. rzad.* = **lax**. – *adv.* luźno (*np. wisieć na kimś*). – *n. C/U* **1.** luz, luźna część (*t. liny*). **2.** rezerwa, nadwyżka. **3.** zastój (*t. w rzece*); przestój. **4.** *pl. zob.* **slacks**. **5. cut sb some** ~ *US pot.* dać komuś trochę luzu; **have a good** ~ poleniuchować sobie; **hold on the** ~ obijać się; **take up the** ~ *t. żegl.* wybierać luzy; (*także* **pick up the** ~) *przen.* poszukać rezerw; *przen.* przejąć pałeczkę. – *v.* **1.** luzować, popuszczać. **2.** rozluźniać. **3.** słabnąć. **4.** ~ **(off)** *Br. pot.* obijać się, wałkonić się. **5.** *chem.* = **slake** 2. **6.** ~ **up** *przen.* zwolnić, wziąć na wstrzymanie; ~ **sth up** zmniejszyć coś (*np. prędkość*).

slack[2] *n. U* węgiel odpadowy.

slack[3] *n. płn. Br. dial.* zagłębienie, dolinka.

slacken [ˈslækən] *v.* **1.** poluźniać, poluzowywać, popuszczać. **2.** rozluźniać (się). **3.** osłabiać. **4.** słabnąć. **5.** zwalniać, spowalniać. **6.** ~ **(off)** słabnąć (*t. o deszczu*); tracić na sile; *przen.* popuszczać sobie, dawać sobie luz; obijać się, wałkonić się.

slacker [ˈslækər] *n.* **1.** *pog. pot.* wałkoń, obibok. **2.** osoba uchylająca się od służby wojskowej.

slackness [ˈslæknəs] *n. U* **1.** rozluźnienie. **2.** niedbałość. **3.** spowolnienie. **4.** powolność, ospałość.

slacks [slæks] *n. pl.* spodnie.

slack season *n.* martwy sezon; okres zastoju.

slack water *n. U* woda martwa, przesilenie pływu.

slag [slæg] *n.* **1.** *U* żużel (*t. wulkaniczny*); szlaka. **2.** *obelż. sl.* dziwka. **3.** *obelż. sl.* szmata (*zwł. o mężczyźnie*). – *v.* **-gg- 1.** zamieniać na szlakę. **2.** tworzyć szlakę; zbijać się w żużle. **3.** *Austr. sl.* pluć, spluwać. **4.** ~ **sb off (behind their back)** *Br. sl.* obrabiać kogoś (za plecami), obrabiać komuś tyłek (= *obgadywać*).

slag heap *n. zwł. Br.* hałda.

slag wool *n. U* wełna *l.* wata żużlowa.

slain [sleɪn] *v. zob.* **slay.**

slàinte ['slɑːnʃə], **slàinte mhath** [ˌslɑːnʃə 'vɑː] *int. Scot.* na zdrowie! (*toast*).

slake [sleɪk] *v.* **1.** *lit.* gasić (*np. płomienie*); zaspokajać (*np. potrzebę*); ~ **one's thirst** zaspokoić *l.* ugasić pragnienie. **2.** (*także* **slack**) *chem.* gasić, lasować (*wapno*). **3.** *arch.* słabnąć.

slaked lime *n. U t. bud.* wapno gaszone.

slalom ['slɑːləm] *n. t. sport* slalom. – *v.* poruszać się slalomem.

slalomer ['slɑːləmər] *n. sport* slalomist-a/ka.

slam¹ [slæm] *v.* **-mm- 1.** trzaskać; ~ **the door** trzasnąć drzwiami. **2.** zatrzaskiwać (się); ~ **shut** zamknąć (się) z trzaskiem, zatrzasnąć (się); ~ **the door in sb's face** *t. przen.* zatrzasnąć komuś drzwi przed nosem. **3.** ~ **(down)** *pot.* ciskać, rzucać; ~ **the phone/receiver down** trzasnąć słuchawką. **4.** *pot.* zjechać, objechać (*sb for sth* kogoś za coś). **5.** *pot.* spuścić cięgi (*komuś; = pokonać z łatwością*). **6.** ~ **out of/into sth** wybiec skądś/wbiec gdzieś. **7.** ~ **into sth** *pot.* walnąć w coś (*zwł. samochodem*); ~ **sth on** narzucić coś (na siebie); ~ **the brakes on** (*także* ~ **on the brakes**) *mot.* gwałtownie nacisnąć na hamulce. – *n.* **1.** *sing.* trzask; zatrzaśnięcie; **close sth with a** ~ zamknąć coś z trzaskiem; **give sth a** ~ trzasnąć czymś. **2.** *pot.* ostra krytyka. **3. the** ~ *sl.* pudło, paka (= *więzienie*).

slam² *n. karty* szlem; **grand** ~ wielki szlem; **little/small** ~ szlemik.

slam-bang [ˌslæm'bæŋ] *adv. US pot.* **1.** z hukiem *l.* trzaskiem. **2.** raz-dwa (= *szybko*). **3.** na chybcika; byle jak. **4.** prosto, równo; ~ **in the middle** w samiutki środek. – *a.* **1.** hałaśliwy. **2.** byle jaki, niedbały (*t. o podejściu*). **3.** bombowy (= *interesujący, podniecający*).

slam dunk *v.* **1.** *koszykówka* wrzucić z dużą siłą (*piłkę do kosza*). **2.** *US pot.* przeforsować (*np. projekt*). – *n. koszykówka* **1.** wrzut do kosza (*z dużą siłą*). **2.** *pot.* łatwizna, pestka. – *a. attr. US* zapewniający sukces.

slammer ['slæmər] *n. sl.* pudło, paka (= *więzienie*).

slander ['slændər] *n.* **1.** oszczerstwo, pomówienie. **2.** *U prawn.* zniesławienie. – *v.* rzucać oszczerstwa na, oczerniać; zniesławiać.

slanderer ['slændərər] *n.* oszczer-ca/czyni.

slanderous ['slændərəs] *a.* oszczerczy.

slanderously ['slændərəslɪ] *adv.* oszczerczo.

slang [slæŋ] *n. U jęz.* slang (*t.* = *żargon*); **army/schoolboy** ~ wojskowy/uczniowski slang. – *v. Br. i Austr. pot.* obrzucać wyzwiskami. – *a. attr. jęz.* slangowy.

slanging match ['slæŋɪŋ ˌmætʃ] *n. Br. i Austr. pot.* obrzucanie się wyzwiskami.

slangy ['slæŋɪ] *a. pot.* slangowy.

slant [slænt] *v.* **1.** pochylać (się), odchylać (się); iść skośnie; padać skośnie (*np. o promieniach*). **2.** *przen.* skłaniać się (*toward sth* ku czemuś) (*o opinii, stanowisku*); *uj.* być tendencyjnym. – *n.* **1.** *zw. sing.* pochyłość, nachylenie; **at/on a** ~ pod kątem, skośnie, pochyło. **2.** *przen.* punkt widzenia, spojrzenie (*on sth* na coś); *uj.* uprzedzenie, tendencyjność. – *a.* (*także* **~ing, ~y**) skośny; pochyły.

slanted ['slæntɪd] *a.* **1.** pochyły, nachylony. **2.** *uj.* tendencyjny.

slant-eyed ['slæntˌaɪd] *a. obelż.* skośnooki (*np. o Japończyku, Chińczyku*).

slanting ['slæntɪŋ] *a.* = **slant**.

slantingly ['slæntɪŋlɪ] *n.* pod kątem; z ukosa.

slant rhyme *n. wers.* konsonans.

slantwise ['slɑːntˌwaɪz], *US t.* **slantways** *adv.* skośnie, pochyło, pod kątem. – *a. attr.* skośny, pochyły.

slanty ['slɑːntɪ] *a.* = **slant**.

slap [slæp] *v.* **-pp- 1.** uderzyć (*otwartą dłonią*); dać klapsa (*komuś*); klepnąć; ~ **sb in/across the face** uderzyć kogoś w twarz, spoliczkować kogoś; ~ **sb on the back** poklepać kogoś po plecach; *przen.* pogratulować komuś. **2.** uderzać (*against sth* o coś) (*np. o brzeg; o falach*). **3.** ~ **(down)** rzucić, cisnąć (*niedbale, z hałasem*); ~ **the money on the table** rzucić pieniądze na stół. **4.** *pot.* nakładać (*np. grzywnę, embargo*). **5.** ~ **around** *pot.* poniewierać (*kimś*), bić; ~ **down** *pot.* utemperować (*kogoś*); zdusić, stłamsić (*coś*); ~ **on** nałożyć w pośpiechu (*np. makijaż*); pacnąć (*np. trochę farby na ścianę*). – *n. zw. sing.* **1.** uderzenie; klaps; klepnięcie; **give sb a** ~ dać komuś klapsa; klepnąć kogoś. **2.** uderzanie (*np. fal o brzeg*). **3.** *U Br. sl.* makijaż (*zwł. niedbały*). **4. a** ~ **in the face** policzek (*gł. przen.* = *zniewaga*); **a** ~ **on the wrist** *pot.* łagodna reprymenda; **give sb a** ~ **on the back** poklepać kogoś po ramieniu; *przen.* pochwalić kogoś. – *adv.* = **slap-bang**.

slap-bang ['slæpˌbæŋ] *adv. gł. Br. pot.* **1.** nagle, gwałtownie. **2.** z hałasem. **3.** na łeb na szyję. **4.** prościutko, równo; ~ **in the middle** w samiutki środek.

slapdash ['slæpˌdæʃ] *a.* **1.** niedbały (*o osobie*). **2.** machnięty, odwalony, na odczepnego (*o robocie*). – *adv.* byle jak, na odczepnego. – *n. U* **1.** byle jaka robota. **2.** *bud.* tynk kamyczkowy.

slaphappy ['slæpˌhæpɪ] *a. pot.* **1.** beztroski. **2.** ogłuszony, otumaniony.

slaphead ['slæpˌhed] *n. obelż. sl.* łysa pała, łysol.

slapjack ['slæpˌdʒæk] *n.* **1.** *karty* prosta gra karciana. **2.** *US kulin.* naleśnik.

slapper ['slæpər] *n. Br. sl.* puszczalska, zdzira.

slap shot *n. hokej* uderzenie z kija.

slapstick ['slæpˌstɪk] *n.* **1.** *U* komedia slapstickowa, slapstick. **2.** *hist.*, *teatr* laska arlekina.

slap-up [ˈslæpˌʌp] *a.* ~ **meal/dinner** *Br. i Austr. pot.* fantastyczna wyżerka.

slash [slæʃ] *v.* **1.** ciąć, ciachać; kiereszować, haratać; ~ **one's wrists** podciąć sobie żyły; ~ **the upholstery** pociąć tapicerkę. **2.** *krawiectwo* rozcinać (*ubranie, tak by widoczna była podszewka*). **3.** walić na oślep (*at sth* w coś). **4.** *często pass. pot.* obcinać, drastycznie obniżać (*np. ceny*). **5.** *leśn.* ścinać, wycinać (*krzaki, poszycie*). **6.** *arch.* chłostać, smagać (*batem*). **7.** *arch. przen.* zjechać (= *skrytykować*). – *n.* **1.** cięcie. **2.** rozcięcie (*t. w stroju; t.* = *rana*). **3.** (*także* ~ **mark**) *druk.* ukośnik. **4.** *leśn.* drobnica zrębowa; teren leśny pokryty drobnicą zrębową. **5.** *zw. pl. US* moczar porosły krzakami *l.* drzewami. **6.** 25 ~ 17 25 łamane przez 17. **7.** *Br. i Austr. sl.* **go for a** ~ iść się odlać; **have/take a** ~ odlać się.

slash-and-burn [ˌslæʃəndˈbɜːn] *a. attr.* **1.** *roln.* polegający na wyrębie i paleniu drzew (*o sposobie użyźniania gleby*). **2.** *przen.* bezkompromisowy, po trupach; ~ **approach/tactics** podejście/taktyka typu wszystko albo nic.

slasher [ˈslæʃər] *n.* **1.** nożownik. **2.** miecz. **3.** nóż. **4.** narzędzie do cięcia (*drewna*). **5.** *US sport* szybki zawodnik, błyskawica. **6.** (*także* ~ **movie**) *pot.* krwawy horror.

slashing [ˈslæʃɪŋ] *a. attr. pot.* **1.** bezlitosny, ostry (*o krytyce*). **2.** drastyczny (*o obniżce*). **3.** żywy, pełen wigoru. **4.** gwałtowny. **5.** *gł. Austr.* ogromny (*o majątku, sukcesie*). – *n.* **1.** *hokej* nieprzepisowy zamach (*kijkiem*). **2.** atak ostrym narzędziem. **3.** *Br.* ulewa.

slash pocket *n. krawiectwo* kieszeń rozcinana.

slat[1] [slæt] *n.* **1.** listewka (*np. w żaluzji*). **2.** *lotn.* skrzele, slot. – *v.* **-tt-** zaopatrywać w listewki.

slat[2] *v.* **-tt-** *dial.* trzepotać, łopotać (*np. o żaglach, linach*).

slate[1] [sleɪt] *n.* **1.** *U geol.* łupek. **2.** *bud.* płytka łupkowa (*dachowa*). **3.** tabliczka (*do pisania*). **4.** *US, Can. i Austr. polit.* lista kandydatów, lista wyborcza (*zwł. danej partii*). **5.** *kino* klaps. **6.** *U* kolor ciemnoszary. **7.** *przen.* **clean** ~ czyste konto; **have a** ~ **loose** *Br. pot.* nie mieć piątej klepki; **(put sth) on the** ~ *Br. i Austr. pot.* (zapisać coś) na krechę *l.* na kredyt; **wipe the** ~ **clean** *pot.* zapomnieć o dawnych urazach. – *v.* **1.** *bud.* pokrywać płytkami łupkowymi (*dach*). **2.** *zw. pass. US* umieszczać na liście (*zwł. kandydata w wyborach*). **3.** *zw. pass. US, Can. i Austr.* **be ~d for sth** być przeznaczonym do czegoś (*np. do rozbiórki; o budynku*); być wyznaczonym na jakiś termin (*np. o zebraniu, wyborach*); **sb is ~d to do/become sth** zanosi się na to, że ktoś coś zrobi/zostanie kimś. – *a.* ciemnoszary.

slate[2] *v. Br. i Austr. pot.* zjechać, zmieszać z błotem (*np. autora, książkę*).

slate pencil *n.* rysik.

slater [ˈsleɪtər] *n.* **1.** dekarz. **2.** *US, Scot., Austr. i NZ* = **woodlouse**.

slather [ˈslæðər] *n. zw. pl. US pot.* mnóstwo. – *v. US i Can.* **1.** ~ **sth on sth** rozsmarować coś grubą warstwą na czymś (*np. krem na ciele*); ~ **sth with sth** grubo posmarować coś czymś (*np. chleb masłem*). **2.** *pot.* marnować, trwonić.

slating [ˈsleɪtɪŋ] *n. U bud.* **1.** płytki łupkowe. **2.** krycie płytkami (*dachu*).

slatted [ˈslætɪd] *a.* zrobiony z listewek.

slattern [ˈslætərn] *n. przest. obelż. pot.* flejtuch (*o kobiecie*).

slatternly [ˈslætərnlɪ] *a. przest. obelż. pot.* flejtuchowaty, niechlujny.

slaty [ˈsleɪtɪ] *a.* **-ier, -iest** łupkowy; przypominający łupek (*zwł. barwą*).

slaughter [ˈslɔːtər] *n. U* **1.** ubój. **2.** rzeź. **3.** *przen. pot.* sromotna klęska. – *v.* **1.** dokonywać uboju (*zwierząt*), ubijać. **2.** dokonać rzezi na (*kimś*), wymordować. **3.** *pot.* zdziesiątkować, rozgromić (= *pokonać*).

slaughterer [ˈslɔːtərər] *n. t. przen.* rzeźnik.

slaughterhouse [ˈslɔːtərˌhaʊs] *n.* rzeźnia.

slaughterman [ˈslɔːtərˌmæn] *n. pl.* **-men** rzeźnik, pracownik rzeźni.

slaughterous [ˈslɔːtərəs] *a.* morderczy.

Slav [slɑːv] *n.* Słowian-in/ka.

Slav. *abbr.* = **Slav(on)ic**.

slave [sleɪv] *n.* **1.** *t. przen.* niewolni-k/ca; **be a** ~ **to/of sth** być niewolni-kiem/cą czegoś (*t. np. mody*). **2.** *techn.* urządzenie podporządkowane (*w stosunku do głównego*). – *v.* **1.** harować; ~ **(away) at sth** męczyć się nad czymś; **be slaving over a hot stove** *żart. pot.* stać przy garach (= *gotować*). **2.** *arch.* = **enslave**.

slave ant *n. ent.* (mrówka) niewolnica.

slave-dealer [ˈsleɪvˌdiːlər] *n. gł. hist.* handlarz niewolnikami.

slave-drive [ˈsleɪvˌdraɪv] *v.* **-drove, -driven** **1.** zmuszać do niewolniczej pracy. **2.** dużo wymagać od (*pracowników*).

slave driver *n.* **1.** *gł. hist.* dozorca *l.* poganiacz niewolników. **2.** *przen.* gnębiciel. **3.** *przen.* bardzo wymagając-y/a przełożon-y/a.

slaveholder [ˈsleɪvˌhoʊldər] *n. gł. hist.* właściciel/ka niewolników.

slave labor, *Br.* **slave labour** *n. U* **1.** praca niewolników *l.* niewolnicza. **2.** *przen. pot.* niewolnicza praca, harówka; wyzysk.

slaver[1] [ˈslævər] *v.* **1.** ślinić się; toczyć ślinę (z pyska). **2.** ~ **over sb/sth** *przen. pot.* rozpływać się (z zachwytu) nad kimś/czymś; podniecać się na widok kogoś/czegoś. – *n. U* **1.** ślina (*cieknąca z ust*). **2.** *pot.* brednie, bzdury.

slaver[2] [ˈsleɪvər] *n. hist.* **1.** = **slave ship**. **2.** handlarz niewolników.

slavery [ˈsleɪvərɪ] *n. U t. przen.* **1.** niewolnictwo. **2.** niewola; **sell sb into** ~ sprzedać kogoś do niewoli. **3.** niewolnicza praca, harówka.

slave ship *n.* (*także* **slaver**) statek z niewolnikami.

Slave State, slave state *n. US hist.* stan niewolniczy (*jeden z 15; przed wojną secesyjną*).

slave trade *n. U gł. hist.* handel niewolnikami.

slave trader *n. gł. hist.* handlarz niewolnikami.

slavey [ˈsleɪvɪ] *n. Br. przest. pot.* niewolnica, służąca.

Slavic [ˈslævɪk] (*także* **Slavonic**) *a.* słowiański. – *n. U* grupa języków słowiańskich.

slavish [ˈsleɪvɪʃ] *a.* **1.** niewolniczy; ~ **devotion/imitation** niewolnicze oddanie/naśladownictwo. **2.** dosłowny, słowo w słowo (*np. o tłumaczeniu*).

slavishly [ˈsleɪvɪʃlɪ] *adv.* niewolniczo.

Slavism [ˈslɑːvˌɪzəm] *n. t. jęz.* slawizm, cecha słowiańska.

Slavonia [sləˈvoʊnɪə] *n. geogr.* Slawonia.

Slavonian [sləˈvoʊnɪən] *a.* slawoński. – *n.* mieszkan-iec/ka Slawonii.

Slavonic [sləˈvɑːnɪk] *n. i a.* **1.** = **Slavic**. **2. Old Church** ~ *jęz., hist.* (język) staro-cerkiewno-słowiański.

Slavophil [ˈslɑːvoʊˌfaɪl], **Slavophile** *n.* słowianofil/ka. – *a.* słowianofilski.

Slavophilism [sləˈvɑːfəˌlɪzəm] *n. U* słowianofilstwo.

slaw [slɔː] *n. US, Can. i Austr.* = **coleslaw**.

slay [sleɪ] *v.* **slew, slain 1.** *form. l. lit.* zgładzić, uśmiercić. **2.** *US przen. pot.* rozwalać, rozkładać (= *śmieszyć*).

slayer [ˈsleɪər] *n. form. l. lit.* zabój-ca/czyni.

slaying [ˈsleɪɪŋ] *n. form. l. lit.* zabójstwo, uśmiercenie.

SLBM [ˌes ˌel ˌbiː ˈem] *abbr. wojsk.* = **submarine-launched ballistic missile**.

SLCM [ˌes ˌel ˌsiː ˈem] *abbr. wojsk.* = **sea-launched cruise missile**.

sld *abbr.* **1.** = **sailed**. **2.** = **sealed**. **3.** = **sold**.

sleave [sliːv] *n.* **1.** *tk.* delikatna nitka jedwabna odłączona od grubszej nici; jedwab nieskręcany. **2.** *przen. gł. poet.* gmatwanina. – *v.* rozplątywać.

sleaze [sliːz] *n. U* **1.** korupcja. **2.** = **sleazebag**.

sleazebag [ˈsliːzˌbæg] *n.* (*także* ~**ball**) *pog. sl.* szmata (= *osoba do cna skorumpowana*).

sleazily [ˈsliːzɪlɪ] *adv.* obskurnie.

sleaziness [ˈsliːzɪnəs] *n. U* **1.** obskurność. **2.** skorumpowanie.

sleazy [ˈsliːzɪ] *a.* **-ier, -iest 1.** obskurny (*np. o dzielnicy, barze*). **2.** podejrzany, ciemny (*np. o typach*). **3.** cienki (*gł. o tkaninie*).

sled [sled] (*także Br.* **sledge**) *n.* **1.** sanki; *t. sport* saneczki. **2.** sanie. – *v.* **-dd- 1.** zjeżdżać na sankach; *t. sport* saneczkować. **2.** jechać saniami; przewozić saniami.

sledder [ˈsledər] (*także Br.* **sledger**) *n.* **1.** *t. sport* saneczka-rz/rka. **2.** osoba jadąca saniami. **3.** zwierzę ciągnące sanie.

sled dog *n.* pies w zaprzęgu (*ciągnący sanie*).

sledge[1] [sledʒ] *n. i v.* = **sled**.

sledge[2] *n.* **1.** = **sledgehammer**. **2.** *sport* młot.

sledgehammer [ˈsledʒˌhæmər] *n.* **1.** młot kowalski (*dwuręczny*). **2.** *przen.* **use a ~ to crack a nut** strzelać z armaty do much; **with a** ~ z grubej rury. – *v.* uderzać (jak) młotem. – *a. attr.* **1.** potężny, silny (*np. o ciosie*). **2.** *przen.* bezlitosny, bezwzględny.

sleek [sliːk] *a.* **1.** lśniący (*o włosach, futrze, skórze*); ulizany, przylizany (*o włosach, fryzurze*). **2.** elegancki, wytworny. **3.** *uj.* (zbyt) gładki (*z wyglądu l. w mowie; = podejrzany*). – *v.* przygładzić, przylizać (*np. włosy*).

sleekly [ˈsliːklɪ] *adv.* **1.** lśniąco. **2.** elegancko. **3.** *uj.* (zbyt) gładko.

sleekness [ˈsliːknəs] *n. U* **1.** lśnienie, połysk. **2.** elegancja. **3.** *uj.* (zbytnia) gładkość.

sleeky [ˈsliːkɪ] *a.* **-ier, -iest** = **sleek**.

sleep [sliːp] *v. pret. i pp.* **slept 1.** spać (*t. przen., t. poet. = spoczywać*); sypiać; ~ **late** spać do późna; dłużej pospać; ~ **lightly** spać lekko, mieć lekki sen; ~ **like a log/top** *przen. pot.* spać jak kłoda; ~ **rough** *Br.* spać gdzie popadnie, spać pod mostem; ~ **round the clock** (*także* ~ **the clock round**) spać całą dobę, spać na okrągło; ~ **tight!** śpij dobrze!, kolorowych *l.* słodkich snów!; ~ **well/soundly** dobrze/mocno spać; ~ **with one eye open** mieć lekki sen; **not ~ a wink** nie zmrużyć oka. **2.** nocować (*t. kogoś*); ~ **the night** *Br.* zostać na noc, przenocować (*u kogoś*); **I can ~ two** mogę przenocować dwie osoby; **the caravan ~s four** w przyczepie mogą nocować cztery osoby. **3.** *przen.* ~ **on it** prześpij się z tym (= *przemyśl to przez noc*); **let ~ing dogs lie** *zob.* **dog** *n.* **4.** ~ **around** *pot.* sypiać z kim popadnie; ~ **sth away** odespać coś; przespać coś; ~ **in** pospać (sobie) dłużej; zaspać; *Br.* spać na miejscu (*pracy*); ~ **sth off** przespać coś (*np. zmartwienie, zły humor*); odespać coś; ~ **out** spać pod gołym niebem; nocować poza domem; *Br.* nocować w domu (*a nie w pracy*); ~ **sth out** przespać coś; ~ **over** *zwł. US* nocować (*at sb's* u kogoś); ~ **through sth** przespać coś (*nie budząc się*); ~ **together** *pot.* sypiać ze sobą (= *uprawiać seks*); ~ **with sb** *pot.* spać *l.* sypiać z kimś (*zwł. z kim innym niż współmałżonek*). – *n. U l. sing.* **1.** sen; **do sth in one's ~** robić coś we śnie; *przen.* robić coś z zamkniętymi oczami; **fall into a deep ~** zapaść w głęboki sen; **get some ~** przespać się; **get to ~** zasnąć; **go to ~** iść spać; zasnąć; *pot.* ścierpnąć, zdrętwieć (*np. o nodze*); **have a good night's ~** dobrze się wyspać; **hypnotic ~** sen hipnotyczny; **light/deep ~** lekki/głęboki *l.* twardy sen; **lose ~ over sth** nie spać z powodu czegoś (= *martwić się*); **put to ~** uśpić (*zwierzę; t. pot. pacjenta przed operacją*); **send sb to ~** usypiać kogoś (*np. nudnym gadaniem*); **sing/rock a baby to ~** ukołysać dziecko (śpiewem) do snu; **talk in one's ~** mówić przez sen; **the ~ of the just** *form.* sen sprawiedliwego. **2.** *pot.* śpiochy (= *wydzielina gromadząca się podczas snu w kącikach oczu*).

sleep disorder *n. pat.* zaburzenie snu.

sleeper [ˈsliːpər] *n.* **1.** osoba śpiąca; **be a light/heavy ~** mieć lekki/mocny sen. **2.** *bud.* dźwigar poprzeczny, legar, belka. **3.** *kol.* wagon sypialny; pociąg z wagonami sypialnymi. **4.** *Br. kol.* podkład kolejowy. **5.** *US* rzecz, która nagle nabrała rozgłosu (*zwł. książka, film l. sztuka*). **6.** *pot.* = **sleeper agent**. **7.** *US* kanapa rozkładana. **8.** = **sleeping pill**. **9.** *gł. Br.* prosty złoty kolczyk (*noszony po to, żeby nie zarosła dziurka w uchu*).

sleeper agent *n.* tajny agent prowadzący normalne życie, z wyjątkiem okresów, kiedy powoływany jest do służby.

sleeper cab *n. mot.* kabina sypialna (*kierowcy ciężarówki*).

sleepers [ˈsliːpərz] *n.* (*także Br.* **sleepsuit**) śpioszki.

sleeper seat *n. kol.* miejsce do spania, kuszetka.

sleepily [ˈsliːpɪlɪ] *adv.* sennie, śpiąco.

sleepiness [ˈsliːpɪnəs] *n. U* senność.

sleeping bag [ˈsliːpɪŋ ˌbæg] *n.* śpiwór.

sleeping car *n.* (*także* **sleeping carriage/coach**) *kol.* wagon sypialny.

sleeping draught *n. przest.* środek nasenny (*napój*).

sleeping partner *n. gł. Br. ekon.* cichy wspólnik.

sleeping pill *n.* (*także* **sleeping tablet**) *med.* tabletka nasenna.

sleeping policeman *n. Br. mot.* garb spowalniający.

sleeping sickness *n. U pat.* **1.** (*także* **sleepy sickness**) śpiączka. **2.** śpiączka afrykańska.

sleep-learning [ˈsliːpˌlɜːnɪŋ] *n. U* uczenie się w trakcie snu (*poprzez słuchanie nagrania*).

sleepless [ˈsliːpləs] *a.* **1.** bezsenny. **2.** czujny. **3.** *gł. poet.* niestrudzony.

sleeplessly [ˈsliːpləslɪ] *adv.* bezsennie.

sleeplessness [ˈsliːpləsnəs] *n. U* bezsenność.

sleepover [ˈsliːpˌoʊvər] *n. US* piżama-party (*dla dzieci*).

sleepsuit [ˈsliːpˌsuːt] *n. Br.* = **sleepers**.

sleepwalk [ˈsliːpˌwɔːk] *v.* **1.** *pat.* chodzić we śnie, lunatykować. **2.** *pot.* zachowywać się nieprzytomnie.

sleepwalker [ˈsliːpˌwɔːkər] *n. pat.* lunaty-k/czka, somnambulik.

sleepwalking [ˈsliːpˌwɔːkɪŋ] *pat. n. U* somnambulizm. – *a. attr. pat.* somnambuliczny, lunatyczny.

sleepwear [ˈsliːpˌwer] *n. U* odzież do spania; strój nocny.

sleepy [ˈsliːpɪ] *a.* **-ier, -iest** **1.** *t. przen.* śpiący, senny. **2.** usypiający.

sleepyhead [ˈsliːpɪˌhed] *n. pot.* śpioch.

sleepy lizard *n. zool.* scynk krótkoogonowy (*Trachylosaurus rugosus*).

sleepy sickness *n. U* = **sleeping sickness** 1.

sleet [sliːt] *meteor. n. U* **1.** deszcz ze śniegiem. **2.** *gł. US* gołoledź. – *v.* **it's ~ing** pada deszcz ze śniegiem.

sleety [ˈsliːtɪ] *a.* **-ier, -iest** ze śniegiem (*o deszczu*); z deszczem i śniegiem (*o pogodzie, wietrze*).

sleeve [sliːv] *n.* **1.** rękaw; **long-/short-~d** z długim/krótkim rękawem. **2.** *mech.* cylinder. **3.** *mech.* nasadka; tuba; tuleja; mufka złączowa. **4.** (*także* **record/album ~**) *zwł. Br.* okładka (*płyty*). **5. have sth up one's ~** *przen. pot.* mieć coś w zanadrzu; **laugh up one's ~** *przen.* śmiać się w kułak; **roll up one's ~s** (*także* **roll one's ~s up**) podwinąć rękawy; *przen.* zakasać rękawy.

sleeve bearing *n. mech.* łożysko tulejowe.

sleeve board *n.* deska do prasowania rękawów.

sleeve coupling *n. mech.* **1.** sprzęgło tulejowe. **2.** połączenie rurowe nasuwkowe *l.* tulejowe.

sleeve joint *n. mech.* połączenie rurowe nasuwkowe *l.* tulejowe.

sleeveless [ˈsliːvləs] *a.* bez rękawów.

sleeve link *n. Br. przest.* spinka do koszuli *l.* mankietów.

sleeve notes *n. pl. Br.* tekst na okładce płyty.

sleeve nut *n. mech.* nakrętka tulejowa.

sleeve valve *n. mech.* zawór *l.* suwak tulejowy.

sleeve-valve engine [ˈsliːvˌvælv ˌendʒən] *n. mech.* silnik spalinowy suwakowy.

sleeving [ˈsliːvɪŋ] *n. U Br.* izolacja, osłona izolująca (*przewodów*).

sleigh [sleɪ] *n.* sanie. – *v.* jechać saniami.

sleighbell [ˈsleɪˌbel], **sleigh bell** *n.* dzwoneczek u sań.

sleight [slaɪt] *n. arch.* **1.** sztuczka, fortel. **2.** *U* zręczność. **3.** *U* spryt.

sleight of hand *n. U* **1.** zręczność (*zwł. przy wykonywaniu sztuczek magicznych*). **2.** *przen.* sprytne sztuczki. **3. by ~** wprawnym ruchem, zręcznie; *przen.* za pomocą sztuczek.

slender [ˈslendər] *a.* **1.** smukły, szczupły. **2.** skromny (*np. o dochodzie*). **3.** słaby, nikły (*np. o szansie, nadziei, dźwięku*). **4.** niewielki, nieznaczny; **win by/with a ~ majority** wygrać niewielką większością głosów.

slenderize [ˈslendəˌraɪz] *v. gł. US* **1.** wysmuklać, wyszczuplać. **2.** odchudzać się; chudnąć. **3.** *przen.* odchudzać, zmniejszać.

slender loris *n. zool.* lori wysmukły (*Loris tardigradus*).

slenderly [ˈslendərlɪ] *adv.* **1.** nieznacznie. **2.** nikle, słabo.

slenderness [ˈslendərnəs] *n. U* **1.** wysmukłość, szczupłość. **2.** nikłość.

slept [slept] *v. zob.* **sleep**.

sleuth [sluːθ] *przest. n.* detektyw. – *v.* śledzić.

sleuthhound [ˈsluːθˌhaʊnd] *n.* **1.** tropowiec, pies tropiciel. **2.** *pot.* detektyw.

slew[1] [sluː] *v. pret. zob.* **slay**.

slew[2] (*także* **slue**) *n. US i Can. pot.* kupa, masa (*of sth* czegoś).

slew[3] (*także* **slue**) *v.* gwałtownie skręcać, obracać się (*np. na skutek poślizgu*). – *n.* gwałtowny skręt, obrót.

slew[4] *n. zwł. US* = **slough**.

slice [slaɪs] *n.* **1.** plasterek; **~ of ham** plasterek szynki; **lemon ~s** plasterki cytryny. **2.** kromka; kawałek; **~ of bread** kromka chleba; **~ of cake** kawałek ciasta. **3.** *kulin.* łopatka; **cake/fish ~** łopatka do ciasta/ryb. **4.** *pot.* udział, część; **~ of the profits** część zysku. **5.** *golf, tenis* uderzenie z boku. **6.** *przen.* **~ of the pie** *zob.* **pie**[1]; **a ~ of life** z życia wzięte, samo życie. – *v.* **1. ~ (up)** kroić (*na kawałki, w plasterki*); **~ sth in two/half** przekroić coś na pół. **2.** przecinać (*powietrze*); ciąć (*wodę; t. wiosłem*). **3.** *kulin.* wyjmować łopatką. **4.** *golf, tenis* uderzać z boku (*piłkę*). **5. any way you ~ it** *US pot.* jak by (na to) nie patrzeć. **6. ~ off** odciąć, odkroić.

sliceable [ˈslaɪsəbl] *a.* dający się pokroić.

sliced bread [ˌslaɪst ˈbred] *n.* *U* **1.** (*także* **sliced loaf**) krojony chleb. **2. the best thing since ~** *zob.* **bread** *n.*

slicer [ˈslaɪsər] *n.* **1.** *mech.* krajarka; krajalnica. **2. bread-~** krajalnica do chleba.

slick [slɪk] *a.* **1.** *zw. uj.* sprytny (*np. o osobie*); gładki, bez zająknienia (*np. o odpowiedzi, usprawiedliwieniu*). **2.** zręcznie *l.* wprawnie *l.* zgrabnie zrobiony (*np. o przedstawieniu; zw. uj.* = *pozbawiony głębszych wartości*); wprawny, sprawny (*np. o organizacji*). **3.** *gł. US i Can.* śliski (*o powierzchni*). **4.** ulizany, przylizany (*o włosach*). **5.** *US przest.* świetny, super. – *n.* **1.** (*także* **oil ~**) plama ropy. **2.** (*także* **~ magazine**) *US* czasopismo ilustrowane (*drukowane na lśniącym papierze*). **3.** (*także* **~ chisel**) *stol.* dłuto stolarskie płaskie. **4.** *zwł. Br. mot.* opona bezbieżnikowa (*samochodu rajdowego*). – *v.* **1.** *t. przen.* wygładzać. **2. ~ back/down** przygładzić (*włosy, używając wody, brylantyny, żelu itp.*).

slickenside [ˈslɪkənˌsaɪd] *n.* *geol.* skała wygładzona.

slicker [ˈslɪkər] *n.* **1.** (*także* **city ~**) *pot.* mieszczuch. **2.** *pot.* cwania-k/czka, sprycia-rz/ra. **3.** *US i Can.* płaszcz nieprzemakalny. **4.** *techn.* gładzik.

slickly [ˈslɪklɪ] *adv.* **1.** sprytnie, zręcznie. **2.** *rzad.* gładko.

slick magazine *n.* *US* = **slick** 2.

slickness [ˈslɪknəs] *n.* *U* **1.** spryt. **2.** zręczność, zgrabność. **3.** *rzad.* gładkość.

slide [slaɪd] *v.* *pret. i pp.* **slid** **1.** przesuwać (się); **~ a hand into one's pocket** wsunąć rękę do kieszeni; **~ a pen the table** przesunąć długopis po stole. **2.** ślizgać (się) (*np. na lodzie, na wypastowanej podłodze*); sunąć; **~ out of the room** wyślizgnąć się z pokoju. **3.** poślizgnąć się. **4.** *ekon.* spadać, zniżkować (*o cenach, kursach*). **5.** *muz.* łączyć nuty, płynnie przechodzić od nuty do nuty. **6.** *przen.* staczać się. **7.** *przen.* **~ into a bad habit** popaść w nałóg; **let things ~** pozostawić sprawy własnemu biegowi, zaniedbać sprawy. – *n.* **1.** zjeżdżalnia. **2.** *fot.* przeźrocze, slajd. **3.** (*także* **hair~**) *Br.* spinka (*do włosów*). **4.** *sing.* ślizganie się; poślizg; **go into a ~** wpaść w poślizg. **5.** *sing. ekon.* spadek (*cen, kursów, poziomu życia*). **6.** *gł. US* zrzutnia. **7.** *geol.* osuwisko, obsunięcie. **8.** *sing. przen.* staczanie się. **9.** *mech.* suwak; wodzik; ślizgacz. **10.** prowadnica. **11.** *mech.* sanie (*obrabiarki*). **12.** suwak (*w zamku błyskawicznym*). **13.** (*także* **microscope ~**) szkiełko (*w mikroskopie*); preparat (*na szkiełku*). **14.** *fot.* kaseta; **dark ~** zasuwa kasety. **15.** *muz.* suwak (*trąby*). **16.** *muz.* ozdobnik. **17.** zamek (*w pistolecie*).

slide bar *n.* *mech.* szyna ślizgowa, prowadnica.

slide fastener *n.* *gł. US* suwak, zamek błyskawiczny.

slide projector *n.* rzutnik.

slider [ˈslaɪdər] *n.* *Scot. i Ir. pot.* porcja lodów podawana pomiędzy dwoma wafelkami.

slide rule *n.* (*także* **sliding rule**) suwak (*logarytmiczny*).

slide show *n.* pokaz przeźroczy *l.* slajdów.

slide trombone *n.* *muz.* puzon z suwakiem.

slide valve *n.* zawór suwakowy.

sliding bowsprit [ˌslaɪdɪŋ ˈbaʊsprɪt] *n.* *żegl.* bukszpryt ruchomy.

sliding contact *n.* *el.* styk ślizgowy.

sliding cover *n.* pokrywa *l.* zakrywka odsuwana.

sliding door *n.* drzwi przesuwane *l.* rozsuwane.

sliding friction *n.* *U fiz.* tarcie posuwiste, tarcie ślizgowe.

sliding gear *n.* *mech.* koło zębate przesuwne.

sliding hatch cover *n.* *żegl.* klapa lukowa zasuwana.

sliding hernia *n.* *U pat.* przepuklina wślizgowa.

sliding joint *n.* połączenie przesuwne.

sliding keel *n.* *żegl.* miecz (*łodzi żaglowej*).

sliding motion *n.* *U* ruch ślizgowy, ślizganie się.

sliding parity *n.* *ekon.* parytet pełzający *l.* ruchomy.

sliding roof *n.* *mot.* dach przesuwany.

sliding rule *n.* = **slide rule**.

sliding scale *n.* *ekon.* skala ruchoma (*np. podatków, płac*).

sliding seat *n.* siedzenie przesuwane *l.* ruchome.

sliding surface *n.* powierzchnia ślizgowa, gładź.

sliding wage *n.* *ekon.* ruchoma płaca.

sliding weight *n.* **1.** ciężarek przesuwany. **2.** *muz.* regulator tempa (*w metronomie mechanicznym*).

sliding window *n.* **1.** okno spuszczane. **2.** okno przesuwne.

slight [slaɪt] *a.* **1.** niewielki, nieznaczny. **2.** drobny, drobnej budowy. **3.** lekki (*np. o bólu*). **4.** mało znaczący. **5. I haven't the ~est idea** nie mam najmniejszego pojęcia; **not in the ~est** ani trochę, zupełnie nie; **the ~est doubt/difference** najmniejsza wątpliwość/różnica. – *v.* **1.** lekceważyć, ignorować. **2.** *US* zaniedbywać (*pracę, obowiązki*). – *n.* *form.* zniewaga, afront.

slighted [ˈslaɪtɪd] *a.* **1.** zlekceważony. **2.** urażony, dotknięty.

slightly [ˈslaɪtlɪ] *adv.* **1.** trochę, lekko, odrobinę. **2. ~ built** drobnej budowy.

slightness [ˈslaɪtnəs] *n.* *U* **1.** szczupłość. **2.** znikomość.

slily [ˈslaɪlɪ] *adv.* = **slyly**.

slim [slɪm] *a.* **-mm-** **1.** smukły, szczupły (*np. o osobie, figurze, talii*). **2.** nikły, znikomy (*np. o szansie, nadziei*). **3.** cienki (*np. o tomie*). **4.** wąski, wyszczuplający (*np. o spodniach*). **5.** *S.Afr.* chytry. – *v.* **-mm-** **1.** wyszczuplać. **2.** odchudzać się. **3.** zmniejszać. **4. ~ down** zeszczupleć, schudnąć; **~ sth down** zredukować coś (*np. zatrudnienie*).

slime [slaɪm] *n.* *U* **1.** muł, szlam. **2.** płynna smoła ziemna. **3.** *biol.* śluz (*ryby, ślimaka, grzyba*). – *v.* **1.** pokrywać mułem. **2.** usuwać muł z (*czegoś*). **3.** *kulin.* usuwać śluz z (*ryby*).

slime mold, *Br.* **slime mould** *n.* (*także* **slime fungus**) *bot.* śluzowiec (*Myxomycetes*).

slimline [ˈslɪmˌlaɪn] *a. gł. handl.* **1.** niskokaloryczny (*o napoju*). **2.** mały (*np. o zmywarce, pralce*).

slimmer [ˈslɪmər] *n. Br.* osoba na diecie.

slimming [ˈslɪmɪŋ] *n. U* odchudzanie. – *a.* **1.** odchudzający. **2.** *pot.* nietuczący.

slimness [ˈslɪmnəs] *n. U* szczupłość.

slimsy [ˈslɪmzɪ] *a.* **-ier, -iest** *US pot.* mały, drobny.

slimy [ˈslaɪmɪ] *a.* **-ier, -iest 1.** mulisty. **2.** zamulony. **3.** *pot.* oślizgły; obleśny. **4.** *gł. Br. pot.* lizusowaty.

sling¹ [slɪŋ] *v. pret. i pp.* **slung 1.** *pot.* rzucać, ciskać. **2.** narzucać, zarzucać (*sth on / over sth* coś na coś) (*np. płaszcz na ramiona*); przerzucać (*sth on / over sth* coś przez coś) (*np. torbę przez ramię*). **3.** wieszać, rozwieszać (*np. pranie, flagi*). **4.** podnosić; przenosić (*za pomocą liny l. zawiesia*). **5.** *pot.* ~ **sb into sth** wpakować kogoś gdzieś (*np. do więzienia*); ~ **sb out of sth** wylać *l.* wywalić kogoś skądś (*np. z pracy, szkoły*). **6.** ~ **one's hook** *Br. sl.* zmyć się (= *odejść*). **7.** ~ **off at sb** *Austr. i NZ pot.* czepiać się kogoś, najeżdżać na kogoś. – *n.* **1.** *med.* temblak; **have one's arm in a ~** mieć *l.* nosić rękę na temblaku. **2.** pasek, lina; strop, zawiesie (*do podnoszenia ciężarów*). **3.** nosidełko (*dla niemowlęcia*). **4.** *broń, hist.* proca. **5.** rzemień (*np. u karabinu*). **6.** rzut. **7.** *żegl.* lina poruszająca reję *l.* gafel. **8.** *pl. alpinizm* pętla na końcu liny (*do zaczepiania o skałę itp.*).

sling² *n. US* drink z dodatkiem cukru i soku z cytryny.

slingback [ˈslɪŋˌbæk] *n.* but damski z odkrytą piętą.

slingshot [ˈslɪŋˌʃɑːt] *n. US i Can.* proca (*dziecięca*).

sling yoke *n. żegl.* wieszak rei.

slink [slɪŋk] *v. pret. i pp.* **slunk 1.** przemykać (się); ~ **away/off** oddalić się chyłkiem; ~ **out** wymknąć się chyłkiem. **2.** poruszać się uwodzicielsko. **3.** *wet.* urodzić przed czasem (*zwł. cielę*). – *n. wet.* wcześniak (*zwł. cielę*). – *a. wet.* urodzony przed czasem (*zwł. o cielęciu*).

slinkily [ˈslɪŋkɪlɪ] *adv.* zmysłowo (*przylegający do ciała; o ubraniu*).

slinkiness [ˈslɪŋkɪnəs] *n. U* ukradkowość.

slinky [ˈslɪŋkɪ] *a.* **-ier, -iest 1.** ukradkowy. **2.** zmysłowy, uwodzicielski. **3.** obcisły (*np. o sukience*).

slip¹ [slɪp] *v.* **-pp- 1.** poślizgnąć się; ~ **on the stairs** poślizgnąć się na schodach. **2.** wyślizgiwać się, wymykać się; ~ **into the room** wślizgnąć się do pokoju; ~ **out of the room** wymknąć *l.* wyślizgnąć się z pokoju; ~ **out of/from sb's hand** wyślizgnąć się komuś z ręki. **3.** ~ **(by)** szybko mijać, uciekać (*o czasie, życiu*). **4.** ~ **(away/out)** wymknąć się niepostrzeżenie *l.* ukradkiem. **5.** zrzucać (*skórę*). **6.** podupadać (*na siłach*). **7.** zapominać się, robić głupstwa. **8.** ~ **one's arm around sb** objąć kogoś ramieniem. **9.** ~ **sb sth** (*także* ~ **sth to sb**) podać coś komuś ukradkiem, wsunąć coś komuś do ręki (*np. napiwek*). **10.** mylić się. **11.** obniżać się, spadać (*np. o koniunkturze, standardach*). **12.** *pat.* przemieszczać się (*o kości, dysku*); **I ~ped my disc** dysk mi wyskoczył. **13.** *mot.* nie zaskakiwać (*o sprzęgle*). **14.** przekładać bez przerabiania (*oczko w robótce na drutach*). **15.** rozwiązywać (*węzeł*). **16.** poronić (*o zwierzęciu*). **17.** spuszczać (*np. psy*); uwalniać; ~ **anchor** *żegl.* odczepiać kotwicę; ~ **the moorings** *żegl.* oddawać cumy. **18.** *przen.* ~ **sb's memory/mind** wylecieć komuś z pamięci/głowy; ~ **sb's notice** ujść czyjejś uwadze; **he let it ~ that...** wymknęło mu się, że...; **let a chance ~ (through one's fingers)** przepuścić okazję. **19.** ~ **by** *euf.* odejść (= *umrzeć*); ~ **back** ześlizgnąć się; obniżyć się, spaść; pogorszyć się; ~ **by/past** przemykać; ~ **by/past sb** ujść czyjeś uwadze; **let a chance to do sth ~ by** przepuścić szansę zrobienia czegoś; ~ **down** poślizgnąć się i upaść; spaść; ~ **in a remark** wtrącić uwagę; ~ **into sth** poślizgnąć się i wpaść na coś; zakraść *l.* wkraść się do czegoś (*o błędzie*); ~ **into a bad habit** popaść w nałóg; ~ **into evil ways** zejść na złą drogę; ~ **into sth** wskoczyć w coś, narzucić coś (na siebie) (*ubranie*); ~ **into the sheets** wskoczyć pod kołdrę; ~ **into sleep/a coma** zapaść w sen/śpiączkę; ~ **sth off** zrzucić coś (*ubranie*); ~ **on one's coat** narzucić płaszcz; ~ **on one's shoes** wciągnąć buty; ~ **out** wymknąć się (*o uwadze*); **it just ~ped out** tak mi się (tylko) wymknęło; ~ **out of sth** wyskoczyć z czegoś (*np. ze spodni, z butów*), zrzucić coś; *pot.* wymigać się od czegoś; ~ **over sth** przechodzić przez coś (*np. przez głowę; o swetrze*); ~ **one over sb** *US pot.* wykiwać kogoś; ~ **sth over on sb** *zwł. US pot.* nabrać kogoś na coś; ~ **past** = **slip by**; ~ **through** przemknąć (się); *t. przen.* przejść niezauważonym; ~ **through sth** przemknąć przez coś, przedostać się przez coś; ~ **sb through sth** przemycić kogoś przez coś; **they ~ped through our fingers/net** wymknęli się nam; ~ **up** *pot.* pomylić się. – *n.* **1.** poślizg, pośliźnięcie się. **2.** pomyłka; przejęzyczenie; ~ **of the pen** błąd w pisowni; ~ **of the tongue** przejęzyczenie; **Freudian ~** Freudowskie przejęzyczenie; **make a ~** przejęzyczyć się; pomylić się. **3.** *strój* halka. **4.** *dial.* fartuszek dziecięcy. **5.** poszewka. **6.** pokrowiec (*np. na meble*). **7.** *myśl.* smycz do spuszczania; spuszczenie (*psa myśliwskiego*). **8.** spust. **9.** pochylnia (*do lądowania, do budowy l. naprawy statków*), slip. **10.** *lotn.* utrata szybkości (*zależna od rodzaju powietrza*). **11.** *lotn.* ślizg (*boczny*). **12.** *mech.* ślizganie się (*wada*); poślizg. **13.** spadek (*in sth* czegoś) (*np. wartości, wydajności*); ~ **in stock prices** *giełda* spadek kursów akcji. **14.** *U geol.* przesunięcie się (*uskoku*). **15.** *geol.* osuwisko, osunięcie się ziemi. **16.** *krykiet* biegacz. **17.** *przen.* **give sb the ~** *pot.* wymknąć się *l.* zwiać komuś; **there's many a ~ 'twixt (the) cup and (the) lip** *przest.* niejedno może się wydarzyć pomiędzy ustami a brzegiem pucharu, nie mów hop, dopóki nie przeskoczysz.

slip² *n.* **1.** kawałek, kartka, świstek (*papieru*); pasek (*papieru, tkaniny*). **2.** odcinek; **salary ~** odcinek wynagrodzenia. **3.** formularz, druk;

call ~ *bibl.* rewers; (*także* **sales ~**) *przest.* paragon, odcinek kasowy. **4.** skrawek (*t. ziemi*). **5.** listewka. **6.** *introl.* falc. **7.** *ogr.* szczepek, odrośl. **8.** *US* wąska ławka kościelna. **9. a ~ of a girl/boy/lad** *przest.* chuchro, chucherko. – *v. ogr.* odcinać szczepek z (*rośliny*).

slip³ *n. U garncarstwo* gliniana masa ciekła *l.* lejna, gęstwa (*do powlekania l. dekoracji naczynia*).

slipcase [ˈslɪpˌkeɪs], **slip case** *n.* pudełko na książkę *l.* książki (*otwarte z jednej strony tak, że widać grzbiet*).

slip casting *n. U garncarstwo* odlewanie z gęstwy.

slip cover, slipcover *n. US i Can.* pokrowiec (*na mebel*).

slip crew *n. lotn.* druga załoga (*zmieniająca pierwszą podczas międzylądowania*).

slip edition *n. dzienn.* dodatek lokalny (*do głównego wydania gazety*).

slip joint *n. techn.* połączenie przesuwne.

slip joint pliers *n. pl. techn.* szczypce nastawne.

slip knot, slipknot *n.* **1.** węzeł przesuwany, węzeł ławkowy. **2.** węzeł dający się rozwiązać przez pociągnięcie.

slip noose, slipnoose *n.* pętla przesuwana.

slip-on [ˈslɪpˌɑːn] *a.* **1.** wsuwany. **2.** wciągany (przez głowę). – *n. zw. pl.* (*także* **slip-on shoes**) buty wsuwane, wsuwanki.

slipover [ˈslɪpˌoʊvər] *n.* = **pullover**.

slippage [ˈslɪpɪdʒ] *n. C/U* **1.** ślizganie się; poślizg. **2.** *mech.* strata na wydajności skutkiem ślizgania się części.

slipped disk [ˌslɪpt ˈdɪsk] *n. pat.* dyskopatia.

slipper [ˈslɪpər] *n.* pantofel, kapeć.

slipper bath *n.* **1.** częściowo zakryta wanna. **2.** *przest.* łaźnia publiczna.

slippered [ˈslɪpərd] *a.* w pantoflach *l.* kapciach.

slipper flower *n.* = **slipperwort**.

slipperiness [ˈslɪpərɪnəs] *n. U* **1.** śliskość. **2.** *pot.* nieobliczalność; nierzetelność.

slipper orchid *n. bot.* obuwik (*Cypripedium*).

slipper socks *n. pl.* grube skarpety ze skórzaną podeszwą (*używane jako pantofle domowe*).

slipperwort [ˈslɪpərˌwɜːt] *n.* (*także* **slipper flower**) *bot.* pantofelnik (*Calceolaria*).

slippery [ˈslɪpərɪ] *a.* **-ier, -iest 1.** śliski. **2.** niepewny (*np. o sytuacji, położeniu*). **3.** *pot.* nieobliczalny; nierzetelny; podejrzany; **~ character/customer** podejrzany typ. **4. be on the ~ slope** *Br. przen. pot.* być na równi pochyłej, staczać się.

slippery dip *n. Austr.* długa zjeżdżalnia.

slippery elm *n. bot. US* wiąz amerykański (*Ulmus fulva*).

slippy [ˈslɪpɪ] *a.* **-ier, -iest** *pot.* **1.** śliski. **2. look/be ~** *Br. przest.* uwijać się.

slip ramp *n.* (*także Br.* **slip road**) *mot.* wjazd (*na autostradę*); zjazd (*z autostrady*).

slip ring *n. el.* pierścień ślizgowy.

slip road *n. Br.* = **slip ramp**.

slip sheet *druk. n.* wkładka (*pomiędzy świeżo drukowane arkusze*). – *v.* wkładać papier pomiędzy (*arkusze jw.*).

slipshod [ˈslɪpˌʃɑːd] *a.* **1.** zaniedbany, niechlujny. **2.** byle jaki, niedbały.

slipslop [ˈslɪpˌslɑːp] *n. arch.* **1.** sama woda (= *wodnisty napój l. potrawa*). **2.** niedbała pisanina. **3.** gadanina.

slip stitch *tk. n.* niewidoczny ścieg (*łączący dwie warstwy tkaniny*). – *v.* zszywać niewidocznym ściegiem.

slip stream *n. sing.* **1.** *lotn.* strumień zaśmigłowy. **2.** *mot.* strumień powietrza za szybko poruszającym się pojazdem.

slip-up [ˈslɪpˌʌp] *n. pot.* potknięcie, wpadka.

slipware [ˈslɪpˌwer] *n. U* ceramiczne wyroby odlewane.

slipway [ˈslɪpˌweɪ] *n.* **1.** pochylnia okrętowa. **2.** wyciąg statków, slip.

slit [slɪt] *v. pret. i pp.* **slit, -tt-** rozcinać; przecinać; nacinać; ciąć; **~ sb's throat** poderżnąć komuś gardło; **~ sth open** rozciąć coś. – *n.* **1.** rozcięcie (*np. w spódnicy*); przecięcie; nacięcie. **2.** szpara, szczelina (*np. w drzwiach*).

slither [ˈslɪðər] *v.* **1.** ślizgać (się). **2.** wić się, pełzać zygzakiem (*o wężu*). – *n. sing.* **1.** ślizganie (się). **2.** pełzanie.

slithery [ˈslɪðərɪ] *a.* oślizgły.

slit lamp *n. med.* lampa szczelinowa.

slit pocket *n. krawiectwo* kieszeń rozcinana.

slit trench *n. wojsk.* wąski płytki rów.

sliver [ˈslɪvər] *n. form.* **1.** drzazga, odłamek (*zwł. szkła*). **2.** cienki kawałek (*np. ciasta*). **3.** *tk.* nieskręcone jeszcze pasmo przędzy. – *v.* odrywać (się) w formie drzazgi; łamać (się) na drzazgi.

slivovitz [ˈslɪvəvɪts] *n. U* śliwowica.

slob [slɑːb] *n. pot.* niechluj. – *v.* **~ around** *Br. sl.* opierdalać się (= *obijać się*).

slobber [ˈslɑːbər] *v.* **1.** ślinić się. **2.** poślinić, oślinić. **3. ~ over sb/sth** rozczulać *l.* roztkliwiać się nad kimś/czymś. – *n. U* **1.** ślina. **2.** roztkliwianie się.

slobbery [ˈslɑːbərɪ], **slobbish** *a.* **1.** ośliniony. **2.** oślizgły.

sloe [sloʊ] *n.* **1.** *bot.* śliwa tarnina, tarnina (*Prunus spinosa*). **2.** *bot.* śliwa amerykańska (*Prunus americana*). **3.** tarka (*owoc*).

sloe-eyed [ˌsloʊˈaɪd] *a. lit.* o oczach jak tarki, ciemnooki.

sloe gin *n. U* tarniówka.

slog [slɑːg] *zwł. Br. pot. v.* **-gg- 1.** wlec się, brnąć (*through sth* przez coś) (*np. przez błoto*). **2.** grzmocić *l.* walić w kogoś *l.* coś. **3. ~ (away) at sth** (*także* **~ through sth**) tyrać *l.* harować przy czymś. **4. ~ it out** *zwł. Br. t. przen.* walczyć do upadłego; **~ one's guts out** *przen.* wypruwać sobie flaki. – *n. U l. sing.* **1.** kawał ciężkiej roboty, harówa. **2.** mozolna wędrówka. **3.** grzmotnięcie, walnięcie.

slogan [ˈsloʊgən] *n.* **1.** hasło, slogan (*t. reklamowy*). **2.** *Scot. hist.* okrzyk bojowy (*górali szkockich*).

sloganeer [ˌsloʊgəˈnɪːr] *zwł. US n.* autor/ka sloganów; osoba posługująca się sloganami (*zwł. w mowie*). – *v*. tworzyć slogany; posługiwać się sloganami.

sloganeering [ˌslouɡəˈniːrɪŋ] *n. U zwł. US* posługiwanie się sloganami.

sloop [sluːp] *n. żegl.* slup (*żaglowiec*); ~ **of war** *hist.* korweta.

sloop rig *n. żegl.* ożaglowanie typu slup.

sloot [sluːt] *n.* = **sluit**.

slop [slɑːp] *n. U l. pl.* **1.** rozlany płyn, plama cieczy. **2.** odpadki, pomyje (*zwł. jako karma dla zwierząt*); pomyje, popłuczyny; zlewki. **3.** otręby z wodą (*karma dla zwierząt*). **4.** lura, papka bez smaku. **5.** zacier (= *odpadki po destylacji alkoholu*). **6.** błoto; rozmokły śnieg. **7.** *Br.* odchody. **8.** *Br.* ckliwości, sentymenty. – *v.* **-pp- 1.** rozlewać (się); ~ **sth over sth** oblać coś czymś, rozlać coś na coś. **2.** wylewać się. **3.** pochlapać. **4.** brodzić, człapać. **5.** rozwodzić się (*over sth* nad czymś). **6.** karmić odpadkami (*zwierzęta*). **7.** podawać niedbale (*potrawy*). **8.** ~ **about/around** *Br. pot.* obijać się; babrać się (*w błocie*); ~ **about the house** snuć się po domu; ~ **out** opróżniać kubeł (*o więźniu*); ~ **over sb/sth** *zwł. US* rozczulać się nad kimś/czymś; ~ **over sth** *zwł. US* mazgaić się z powodu czegoś.

slop bowl *n.* (*także Br.* **slop basin**) wiadro *l.* pojemnik na zlewki.

slop chest *n. żegl.* sklep pokładowy (*na statku handlowym, z tytoniem i odzieżą dla marynarzy*).

slope [sloup] *n.* **1.** zbocze, stok; **gentle/steep** ~ łagodne/strome zbocze; **ski** ~ stok narciarski. **2.** wzniesienie. **3.** ukos; spad, spadek. **4.** *U l. sing.* pochylenie; pochyłość; nachylenie; **at a** ~ **of 20°** pod kątem 20°. **5.** *geom.* nachylenie; tangens kąta nachylenia. – *v.* **1.** nachylać (się), być nachylonym; ~ **up/down** wznosić się/opadać. **2.** ~ **off** *Br. i Austr. pot.* ulotnić się (= *odejść*).

sloping [ˈsloupɪŋ] *a.* pochylony, pochyły; ~ **handwriting** pochyłe pismo.

sloppily [ˈslɑːpɪlɪ] *adv.* niechlujnie; byle jak, niedbale.

sloppiness [ˈslɑːpɪnəs] *n. U* niechlujstwo; bylejakość, niedbałość.

sloppy [ˈslɑːpɪ] *a.* **-ier, -iest 1.** byle jaki (*o pracy*). **2.** *pot.* niedbały, nieporządny, niechlujny; niedbale ubrany. **3.** źle leżący (*o ubraniu*). **4.** *pot.* łzawy, ckliwy. **5.** mokry, podmokły (*np. o gruncie*). **6.** rozmoknięty. **7.** pochlapany. **8.** *pot.* wzburzony (*o morzu*).

sloppy Joe *n.* **1.** *US kulin.* hamburger z sosem pomidorowym. **2.** *Br. pot.* długi workowaty sweter.

slopwork [ˈslɑːpˌwɜːk] *n. U* **1.** byle jaka robota. **2.** *przest.* tania odzież; produkcja taniej odzieży.

slosh [slɑːʃ] *n.* **1.** = **slush**. **2.** plusk. **3.** *pot.* grzmotnięcie. – *v.* **1.** ~ **(about/around)** rozchlapywać się; chlupać. **2.** *pot.* taplać się (*about/around sth* w czymś). **3.** chlapać (*czymś*), rozchlapywać. **4.** mieszać (*płyn*). **5.** *pot.* zamaczać. **6.** *pot.* walić, grzmocić.

sloshed [slɑːʃt] *a. pot.* zalany (= *pijany*).

slot¹ [slɑːt] *n.* **1.** otwór (*zwł. na monetę*). **2.** okienko (*np. w planie, harmonogramie*). **3.** *radio, telew.* czas antenowy. **4.** *techn.* szczelina; rowek. **5.** *lotn.* szczelina skrzelowa, slot. **6.** stanowisko. **7.** *komp.* gniazdo na kartę. – *v.* **-tt- 1.** robić *l.* wycinać otwór w (*czymś*). **2.** wkładać (się), wchodzić (*in sth* w coś *l.* do czegoś). **3.** pasować (*in sth* do czegoś). **4.** ~ **sth in** wrzucić coś (*np. monetę*); *pot.* wcisnąć coś (*np. w grafik, harmonogram*).

slot² *n. leśn., myśl.* trop (*zwł. jelenia*).

slot antenna *n.* (*także Br.* **slot aerial**) antena szczelinowa.

sloth [slɔːθ] *n.* **1.** *U lit.* opieszałość; lenistwo. **2.** *zool.* leniwiec; **three-toed** ~ leniwiec trójpalczasty (*Bradypus tridactylus*); **two-toed** ~ leniwiec dwupalczasty (*Choloepus didactylus*).

sloth bear *n. zool.* wargacz (*Melursus ursinus*).

slothful [ˈslɔːθful] *a. lit.* opieszały; leniwy.

slothfully [ˈslɔːθfulɪ] *adv. lit.* opieszale; leniwie.

slothfulness [ˈslɔːθfulnəs] *n. U lit.* opieszałość; lenistwo.

slot machine *n.* **1.** automat do gry. **2.** *Br.* automat (do sprzedaży) (*np. napojów, papierosów*).

slot meter *n. Br.* licznik samoinkasujący.

slotted spatula [ˌslɑːtɪd ˈspætʃələ] *n. US kulin.* łopatka do ryb.

slotted spoon *n. kulin.* łyżka cedzakowa.

slouch [slautʃ] *v.* **1.** garbić się. **2.** zwisać niedbale. **3.** iść niedbałym krokiem. **4.** ~ **about/around** *pot.* snuć się. – *n.* **1.** niedbała postawa. **2.** przygarbienie. **3.** niedbały chód. **4. be no** ~ **at sth** *przen.* mieć żyłkę *l.* smykałkę do czegoś.

sloucher [ˈslautʃər] *n.* ślamazara.

slouch hat *n.* miękki kapelusz ze spuszczonym brzegiem.

slouchy [ˈslautʃɪ] *a.* **-ier, -iest 1.** przygarbiony. **2.** niedbały. **3.** niechlujny.

slough¹ [sluː] *n.* **1.** duża kałuża. **2.** (*także* **slue**) *US* bagno; teren podmokły, trzęsawisko. **3.** *US i Can.* ujście (*np. rzeki*). **4.** *US i Can.* zagłębienie w ziemi wypełnione wodą (*zwł. na prerii*). **5.** *U przen.* dołek (*psychiczny*). **6.** *U* bagno moralne.

slough² [slʌf] *n. U* **1.** *zool.* zrzucona łuska wężowa, wylinka. **2.** *pat.* tkanka martwicza. **3.** *karty* zrzucona karta. – *v.* **1.** ~ **sth off** zrzucić coś (*np. skórę, łuskę*); *przen.* pozbyć się czegoś, porzucić coś; ~ **off bad habits** porzucać złe nawyki *l.* przyzwyczajenia. **2.** ignorować, nie zwracać uwagi na. **3.** odpadać (*jak łuska*). **4.** *pat.* oddzielać się *l.* odpadać od zdrowej tkanki. **5.** *brydż* zrzucać (kartę).

Slovak [ˈslouvæk], **Slovakian** [slouˈvækɪən] *n.* **1.** Słowa-k/czka. **2.** *U* (język) słowacki. – *a.* słowacki.

Slovakia [slouˈvækɪə] *n. geogr.* Słowacja.

sloven [ˈslʌvən] *n. obelż.* niechluj, flejtuch.

Slovene [ˈslouviːn], **Slovenian** [slouˈviːnɪən] *n.* **1.** Słowen-iec/ka. **2.** *U* (język) słoweński. – *a.* słoweński.

Slovenia [slouˈviːnɪə] *n. geogr.* Słowenia.

slovenliness ['slʌvənlınəs] *n. U* **1.** niechlujstwo. **2.** niedbałość (*w pracy*).

slovenly ['slʌvənlı] *a.* **1.** niechlujny, flejtuchowaty. **2.** niedbały.

slow [sloʊ] *a.* **1.** wolny, powolny; długi; spowolniony; spowalniający; opieszały; **at a ~ speed** w wolnym tempie; **be (5 minutes) ~** spóźniać się (o 5 minut) (*o zegarku*); **be ~ in doing sth** (*także* **be ~ to do sth**) zwlekać ze zrobieniem czegoś, nie śpieszyć się z robieniem czegoś; **painfully ~** strasznie wolny; **sb was ~ to realize/see (that)...** długo trwało, zanim ktoś zdał sobie sprawę/zauważył, że... **2.** nudny, dłużący się. **3.** tępy, nierozgarnięty; (*także* **~ on the uptake**) (*także* **~ off the mark**) wolno myślący *l.* kojarzący. **4.** mały, wolny (*o ogniu*); **cook in a ~ oven** *kulin.* piec na małym *l.* wolnym ogniu. **5.** *fot.* o długim czasie naświetlania. **6.** *fot.* o małym otworze (*o soczewce*). – *adv.* powoli, wolno; **go ~** *mot.* jechać wolno *l.* powoli. – *v.* **1.** zwalniać, zmniejszać prędkość. **2.** spowalniać. **3.** zmniejszać. **4.** przyhamowywać. **5.** zwalniać tempo pracy (*na znak protestu*). **6. ~ down/up** zwalniać (*t. tempo życia*); przyhamowywać; **~ sb down** spowalniać kogoś; **~ sth down/up** zwalniać coś; spowalniać coś; zmniejszać coś (*np. produkcję*).

slow-acting [ˌsloʊ'æktıŋ] *a. pred.* o powolnym działaniu.

slow burn *n.* (*także* **slow boil**) *pot.* stopniowe narastanie gniewu; **do a ~** denerwować się coraz bardziej.

slow coach *n. Br. i Austr.* = **slowpoke**.

slow disease *n. pat.* choroba o długim okresie inkubacji.

slowdown ['sloʊˌdaʊn] *n. zw. sing.* **1.** zwolnienie, spowolnienie; *t. ekon.* zastój. **2.** spadek; zastopowanie. **3.** *US* zwolnienie tempa pracy (*jako forma strajku*).

slow handclap *n. t. teatr* wolne brawa (*oznaka dezaprobaty*).

slow lane *n. mot.* pas wolniejszego ruchu.

slow loris *n. zool.* lori kukang (*Nycticebus coucang*).

slowly ['sloʊlı] *adv.* **1.** wolno, powoli. **2.** stopniowo.

slowmatch ['sloʊlˌmætʃ] *n.* lont wolno się spalający, knot wolnopalny.

slow-mo [ˌsloʊ'moʊ], **slo-mo** *n. US pot.* = **slow motion**.

slow motion *gł. film n. U* zwolnione tempo; **in ~** w zwolnionym tempie. – *a. attr.* zwolniony, w zwolnionym tempie.

slow motion effect *n. film* efekt zwolnionego ruchu.

slowness ['sloʊnəs] *n. U* **1.** powolność. **2.** opieszałość. **3.** tępota. **4.** nuda.

slow neutron *n. fiz.* neutron powolny.

slowpoke ['sloʊˌpoʊk] *n.* (*także Br. i Austr.* **~ coach**) *pot.* guzdrała, ślamazara.

slow reactor *n. fiz.* reaktor powolny, reaktor na neutrony powolne.

slow sales *n. pl. handl.* powolna sprzedaż, powolny zbyt.

slow-scan ['sloʊˌskæn] *a. attr. telew.* o powolnym wybieraniu.

slow-speed [ˌsloʊ'spi:d] *a. attr.* **1.** powolny. **2.** wolnobieżny (*np. o silniku*).

slow train *n. kol.* pociąg osobowy.

slow virus *n. pat.* wirus o długim okresie inkubacji.

slow-witted [ˌsloʊ'wıtıd] *a.* wolno myślący, tępy.

slow-wittedly [ˌsloʊ'wıtıdlı] *adv.* tępo.

slow-wittedness [ˌsloʊ'wıtıdnəs] *n. U* tępota.

slow worm *n. zool.* padalec zwyczajny (*Anguis fragilis*).

SLP [ˌes ˌel 'pi:] *abbr.* = **Scottish Labour Party**.

SLR [ˌes ˌel 'ɑ:r] *abbr.* = **single-lens reflex**.

slub [slʌb] *tk. n. U* przędza wstępna. – *v.* **-bb-** poddawać wstępnemu przędzeniu.

sludge [slʌdʒ] *n. U* **1.** muł; szlam (*t. przy wierceniu*); maź. **2.** osad (*t. w kotle*). **3.** odpadki, osad (*przy rafinacji ropy*). **4.** ścieki; osad kanalizacyjny. **5.** *meteor.* śryż; szkliwo lodowe.

sludgy ['slʌdʒı] *a.* mazisty.

slue [slu:] *n. i v.* = **slew**[2, 3].

slug[1] [slʌg] *n.* **1.** *zool.* ślimak nagi. **2.** *ent.* larwa protopodialna (*zwł. błonkówek*). **3.** *biol.* śluźnia, plazmodium. **4.** *zwł. US i Can. przen.* ślimak, żółw.

slug[2] *n.* **1.** *pot.* kulka (= *nabój*). **2.** *gł. US i Can. pot.* żeton (*do automatu wrzutowego*). **3.** *pot.* łyk (*alkoholu*). **4.** *druk.* wiersz linotypowy; firet (*do chwilowego wypełnienia wiersza*). **5.** bryła metalu. **6.** *t. metal.* przedkuwka, odkuwka wstępna. **7.** techniczna jednostka masy (= *ok. 14,594 kg*). – *v.* **-gg-** *pot.* żłopać, wlewać w siebie (*alkohol*).

slug[3] *pot. v.* **-gg- 1.** przywalić (*komuś*). **2.** *Austr. i NZ* zedrzeć skórę z (*kogoś; = zażądać wygórowanej ceny*). **3. ~ it out** *zwł. US* walczyć do upadłego. – *n.* przywalenie (*pięścią l. kijem baseballowym*).

slugabed ['slʌgəˌbed] *n. arch.* osoba wylegująca się w łóżku.

slugfest ['slʌgˌfest] *n. US pot.* ciężka walka.

sluggard ['slʌgərd] *arch. n.* leń. – *a.* leniwy.

sluggardly ['slʌgərdlı] *a.* leniwy.

sluggardness ['slʌgərdnəs], **sluggardliness** *n. U* lenistwo, opieszałość.

slugger ['slʌgər] *n. gł. US boks* zawodnik mocno walący pięściami; *baseball* gracz mocno odbijający piłki.

sluggish ['slʌgıʃ] *a.* **1.** leniwy. **2.** ospały, ociężały. **3.** powolny. **4.** *ekon.* w zastoju (*o rynku, interesach*).

sluggishness ['slʌgıʃnəs] *n. U* **1.** ospałość, ociężałość. **2.** powolność.

sluice [slu:s] *n. gł. hydrol.* **1.** śluza. **2.** (*także* **~ gate**) wrota śluzy. **3.** *U* woda wypływająca ze śluzy. **4.** (*także* **~way**) kanał wodny. **5.** kanał odprowadzający. **6.** *górn.* koryto (*do oddzielania rudy złota*). – *v.* **1.** wypuszczać za pomocą śluzy (*wodę*). **2.** spływać ze śluzy (*o wodzie*). **3.** *górn.* płukać (*rudy złota*). **4.** spławiać (*drzewo*). **5. ~ down** spłukiwać; **~ out** wypłukiwać; przepłukiwać; **~ sth over sth** polewać coś czymś.

sluice gate *n.* = **sluice** 2.

sluiceway [ˈsluːsˌweɪ] *n.* = **sluice** 4.

sluit [sluːt], **sloot** *n. S.Afr.* wąski kanał wodny.

slum [slʌm] *n.* **1. the ~s** slumsy. **2.** *pot.* chlew (= *nieposprzątany pokój itp.*). – *v.* **-mm- 1.** chodzić po slumsach. **2. ~ it** *pot. zw. żart.* przebiedować (*gdzieś*).

slumber [ˈslʌmbər] *lit. n. U l. sing.* **1.** (*także* **~s**) sen. **2.** spokój, bezczynność. **3.** uśpienie. – *v.* **1.** spać. **2.** *przen.* być uśpionym. **3.** spoczywać (*w grobie*).

slumberland [ˈslʌmbərˌlænd] *n. lit.* kraina snów.

slumberless [ˈslʌmbərləs] *a. lit.* bezsenny.

slumberous [ˈslʌmbərəs] *lit. a.* (*także* **slumbrous**) **1.** *t. przen.* senny. **2.** usypiający.

slumberously [ˈslʌmbərəslɪ] *adv. lit.* **1.** sennie. **2.** spokojnie. **3.** cicho.

slumberousness [ˈslʌmbərəsnəs] *n. U lit.* senność.

slumber party *n. US* piżama-party (*dla dzieci*).

slumlord [ˈslʌmˌlɔːrd] *n. US* właściciel rudery (*wynajmujący ją za wysoką cenę*).

slummer [ˈslʌmər] *n.* **1.** mieszkan-iec/ka slumsów. **2.** osoba chodząca po slumsach.

slummy [ˈslʌmɪ] *a.* **-ier, -iest** slumsowaty; **~ area/quarter** dzielnica slumsów.

slump [slʌmp] *n.* **1.** gwałtowne załamanie, gwałtowny spadek; *ekon.* recesja, slump; **~ in demand/prices** gwałtowny spadek popytu/cen; **~ in stocks** gwałtowny spadek kursów akcji. **2.** przygarbienie. **3.** *zwł. US sport* spadek *l.* zniżka formy; **be in a ~** być w dołku, źle grać. **4.** *geol.* zapadnięcie się; zapadlina. – *v.* **1.** *ekon.* gwałtownie spaść (*o cenach, popycie, sprzedaży*). **2.** załamać się, ulec gwałtownemu pogorszeniu (*np. o gospodarce; t. np. o formie zawodnika, stanie zdrowia*). **3.** opaść ciężko *l.* bezwładnie (*o osobie - np. na krzesło; o głowie - na piersi*); **be/sit ~ed over sth** leżeć bezwładnie na czymś (*np. na biurku, kierownicy*).

slumpflation [ˌslʌmpˈfleɪʃən] *n. U ekon.* slumpflacja (= *jednoczesne występowanie recesji i inflacji*).

slung [slʌŋ] *v. zob.* **sling**[1].

slunk [slʌŋk] *v. zob.* **slink**[1].

slur [slɜːː] *v.* **-rr- 1.** (*także* **~ one's words/speech**) mówić niewyraźnie, bełkotać. **2.** oczerniać, obrażać. **3.** *muz.* grać legato. **4.** *muz.* znaczyć legato. **5.** tuszować, zacierać (*winę, fakt*). **6.** rozmazywać (się) (*o atramencie, tuszu*). **7. ~ over sth** ignorować coś (*np. czyjeś protesty*). – *n.* **1.** obelga, potwarz; **cast/throw a ~ on sb** rzucić obelgę pod czyimś adresem. **2.** plama, ujma, skaza; **~ on sb's reputation** plama na honorze. **3.** *sing.* niewyraźna mowa, bełkot; **speak with a ~** mówić niewyraźnie. **4.** *muz.* znak legato. **5.** *druk.* zamazane miejsce.

slurp [slɜːp] *v.* siorbać (*t. coś*). – *n. zw. sing.* **1.** siorbnięcie, siorbanie; **with a ~** siorbiąc. **2.** *pot.* łyk, łyczek (*of sth* czegoś).

slurred [slɜːd] *a.* niewyraźny; zamazany.

slurry [ˈslɜːɪ] *n. U* **1.** *bud.* zaczyn (*cementowy l. gliniany*). **2.** *ceramika* gęstwa. **3.** szlam.

slush [slʌʃ] *n. U* **1.** chlapa (= *topniejący śnieg*); błoto, breja. **2.** *żegl.* odpadki tłuszczowe (*z kuchni na statku*). **3.** smar. **4.** *przen.* sentymentalne bzdury. **5.** *zwł. US kulin.* sok z kruszonym lodem. – *v.* **1.** smarować (*części maszyn*). **2.** *bud.* pokrywać zaprawą *l.* cementem. **3.** chlupać, rozpryskiwać się (*np. o błocie*). **4. ~ through the mud** brnąć przez błoto.

slush fund *n.* **1.** pieniądze na łapówki. **2.** fundusz rozrywkowy. **3.** *żegl.* pieniądze na uciechy (*pochodzące ze sprzedaży odpadków kuchennych*).

slush pile *n. pot.* sterta niewykorzystanych rękopisów (*w wydawnictwie*).

slushy [ˈslʌʃɪ] *a.* **-ier, -iest 1.** rozmokły. **2.** pokryty rozmokłym śniegiem. **3.** *przen.* ckliwy, łzawy.

slut [slʌt] *n.* **1.** *obelż.* dziwka. **2.** *obelż.* flejtuch (*o kobiecie*). **3.** *arch.* suka.

sluttery [ˈslʌtərɪ] *n. U rzad.* niechlujstwo.

sluttish [ˈslʌtɪʃ], **slutty** *a.* niechlujny, flejtuchowaty.

sly [slaɪ] *a.* **slyer, slyest** *l.* **slier, sliest 1.** chytry, przebiegły, szczwany. **2.** filuterny, szelmowski. – *n. U* **on the ~** ukradkiem, po kryjomu.

slyboots [ˈslaɪˌbuːts] *n. sing. pot.* cwana sztuka, szczwany lis.

slyly [ˈslaɪlɪ] *adv.* **1.** przebiegle. **2.** po kryjomu, ukradkiem.

slyness [ˈslaɪnəs] *n. U* **1.** przebiegłość. **2.** *rzad.* ukradkowość.

slype [slaɪp] *n. bud., kośc.* przejście z transeptu katedry do kapituły *l.* dziekanówki.

SM [ˌesˈem] *abbr.* **1.** *wojsk.* = **sergeant-major.** **2.** *pat.* = **sclerosis multiplex**; *zob.* **multiple sclerosis.**

sm. *abbr.* = **small.**

S/M [ˌesˈem], **S-M** *abbr.* = **sadomasochism.**

smack[1] [smæk] *n.* **1.** klaps; klapnięcie; klepnięcie; **give sb a ~ (on the bottom)** *pot.* dać komuś klapsa (w pupę). **2.** uderzenie (*otwartą dłonią*). **3.** *Br. pot.* uderzenie pięścią. **4.** cmoknięcie; **give sb a ~ on the cheek** *pot.* cmoknąć kogoś w policzek. **5.** trzaśnięcie z bicza. **6. have a ~ at sth** *Br. pot.* spróbować czegoś. – *v.* **1.** dać klapsa (*komuś*). **2.** uderzyć (*otwartą dłonią*). **3.** *Br. pot.* uderzyć pięścią. **4. ~ one's lips** cmokać; mlaskać. **5.** *zwł. US* trzasnąć, walnąć (= *uderzyć mocno; t. piłkę*). **6.** trzaskać z bicza. – *adv. pot.* **1.** prościutko, dokładnie; **~ in the middle** w samiuteńki środek. **2.** z całej siły, z hukiem (*np. uderzyć*).

smack[2] *n.* **1.** *t. przen.* posmak; **have a ~ of sth** mieć posmak czegoś, trącić *l.* zalatywać czymś. **2.** odrobina (*of sth* czegoś). – *v.* **~ of sth** *przen.* trącić *l.* zalatywać czymś, mieć posmak czegoś.

smack[3] *n.* żaglowiec jednomasztowy (*zwł. do połowu ryb*).

smack[4] *n. U sl.* hera (= *heroina*).

smack-dab [ˌsmækˈdæb] *adv.* (*także Br.* **smack-bang**) prościutko, dokładnie.

smacker [ˈsmækər] *n. sl.* **1.** (*także* **smackeroo**) głośne cmoknięcie, głośny całus. **2.** *US* dolec, zielony. **3.** *Br.* funciak.

smacking [ˈsmækɪŋ] *a.* **1.** żywy, raźny (*t. o wietrze*). **2.** *Br. dial.* potężny (= *bardzo wielki*).

small [smɔːl] *a.* **1.** mały (*t. o literze*); niewielki; nieduży; ~ **for one's age** mały (jak) na swój wiek; ~ **proportion/percentage** mały *l.* niewielki odsetek (*of sb/sth* kogoś/czegoś); **get/grow ~er** zmniejszać się, maleć; **in ~ quantities** w małych *l.* niewielkich ilościach; **make sth ~er** zmniejszyć coś; **relatively ~** stosunkowo *l.* względnie mały. **2.** drobny (*np. o budowie ciała; t. np. o rolniku, przedsiębiorcy*). **3.** nieistotny, mało znaczący. **4.** pomniejszy, pośledni. **5.** cichy (*o głosie*). **6.** skromny; ~ **beginnings** skromne początki. **7.** *przest.* niskoprocentowy, słaby (*np. o piwie*). **8.** *przen.* ~ **fortune** (cała) fortuna; **be grateful for ~ mercies** *zob.* **mercy**; **feel ~** czuć się głupio; **look ~** wyjść na głupka; **in a/some ~ way** *zob.* **way**; **it's a ~ world!** jaki ten świat mały!; **liberal/republican with a ~ "l"/"r"** *pot.* liberał/republikanin przez małe „l"/„r" (= *nie do końca przekonany, niezbyt aktywny itp.*). – *n.* **1. the ~ of the back** *anat.* krzyż. **2.** *handl.* mały rozmiar. **3.** *pl.* *zob.* **smalls**. **4. the ~** dzieci; *przen.* maluczcy. – *adv.* **1.** drobno (*np. kroić*). **2.** na małą skalę. **3.** *żegl.* ostro (*na wiatr*). **4.** *arch.* cicho. **5. sing ~** *przen.* cienko śpiewać.

small ad *n. Br. dzienn.* ogłoszenie drobne.

small arms *n. pl.* broń strzelecka.

small beer *n. U Br.* **1.** *pot.* = **small potatoes**. **2.** *przest.* słabe piwo.

small-bore [ˌsmɔːlˈbɔːr] *a. broń* małokalibrowy.

small business *n. U* drobna przedsiębiorczość.

small calorie *n.* = **calorie**.

small capitals *n. pl.* (*także* **small caps**) *druk.* kapitaliki.

small change *n. U* **1.** drobne, bilon. **2.** *przen.* drobnostka, błahostka.

small circle *n. geom.* małe koło (*kuli*).

small claims court *n. prawn.* sąd drobnych spraw cywilnych.

small-clothes [ˈsmɔːlˌkloʊz] *n. pl. arch.* krótkie spodenki.

small coal *n. U* miał węglowy.

small fry *n.* **1.** *ryb.* narybek, młódź, drobiazg. **2.** *przen.* płotki (= *osoby bez znaczenia*). **3.** *US przen. pot.* drobiazg, dzieciarnia.

small game *n. U myśl.* drobna zwierzyna.

small goods *n. pl. Austr. i NZ handl.* wędliny.

small gravel *n. U* drobny żwir, grysik.

small holder *n.* chłop małorolny.

small holding *n.* małe gospodarstwo rolne.

small hours *n. pl.* **the ~** wczesne godziny ranne; **into/until the ~** do białego rana.

small intestine *n. anat.* jelito cienkie.

smallish [ˈsmɔːlɪʃ] *a. pot.* przymały.

small letter *n.* mała litera; *druk.* minuskuła.

small-minded [ˌsmɔːlˈmaɪndɪd] *a.* małostkowy.

small-mindedly [ˌsmɔːlˈmaɪndɪdlɪ] *adv.* małostkowo.

small-mindedness [ˌsmɔːlˈmaɪndɪdnəs] *n. U* małostkowość.

smallmouth [ˈsmɔːlˌmaʊθ] *n.* (*także* ~ **bass**) *icht.* bass słoneczny (*Micropterus dolomieu*).

small potatoes *n. U* (*także Br.* **small beer**) *przen. pot.* małe piwo, pestka.

smallpox [ˈsmɔːlˌpɑːks] *n. U pat.* ospa.

small print *n. U* adnotacje drobnym drukiem (*w umowie, dokumencie*).

smalls [smɔːlz] *n. pl. Br. przest. pot.* bielizna.

small-scale [ˌsmɔːlˈskeɪl] *a.* na małą skalę, drobny.

small screen *n.* **the ~** mały ekran (= *telewizja*).

small slam *n.* = **little slam**.

small stores *n. pl. handl.* drobne towary (*sprzedawane na statku l. w bazie marynarki wojennej*).

smallsword [ˈsmɔːlˌsɔːrd] *n. hist.* rapier; szabla (*zwł. w XVII i XVIII w. do pojedynkowania się*).

small talk *n. U* rozmowa towarzyska, rozmowa (o wszystkim i) o niczym.

small-time [ˌsmɔːlˈtaɪm] *a. attr.* drobny (*np. o gangsterze, oszuście*).

small-timer [ˌsmɔːlˈtaɪmər] *n. przen.* płotka.

small-town [ˌsmɔːlˈtaʊn] *a. attr.* **1.** małomiasteczkowy; (pochodzący) z małego miasteczka. **2.** *zwł. US* prowincjonalny, zaściankowy.

small-towner [ˌsmɔːlˈtaʊnər] *n.* prowincjusz/ka, mieszkan-iec/ka małego miasteczka.

smalt [smɔːlt] *n. U* smalta (*szkło l. barwnik*).

smaragd [sməˈrægd] *n. pl.* **-s** *l.* **-es** *min. arch.* szmaragd.

smaragdite [sməˈrægdaɪt] *n. U min.* szmaragdyt.

smarm [smɑːrm] *v. pot.* **1.** podlizywać się. **2.** ~ **one's hair (down)** przygładzić *l.* ulizać włosy (*np. za pomocą żelu*). – *n. U pot.* wazeliniarstwo, lizusostwo.

smarmy [ˈsmɑːrmɪ] *a.* **-ier, -iest** *pot.* wazeliniarski, lizusowski.

smart [smɑːrt] *a.* **1.** *zwł. US* bystry, rozgarnięty. **2.** *zwł. US uj.* przemądrzały; sprytny; cwany. **3.** *zwł. Br.* elegancki, szykowny. **4.** *attr. t. wojsk.* inteligentny (*np. o pocisku, sygnalizacji świetlnej*); samonaprowadzający; samosterujący. **5.** ostry (*o bólu*). **6.** silny (*o uderzeniu, ciosie*). **7.** szybki, żwawy; **at a ~ pace** w żwawym tempie. **8.** *Br. przest.* świetny. – *v.* **1.** piec, szczypać (*np. o ranie, oczach*). **2.** czuć piekący ból. **3.** odczuwać zażenowanie. **4. be ~ing from sth** cierpieć z powodu czegoś (*np. złośliwej uwagi*). – *n. sing.* **1.** piekący *l.* palący ból. **2.** *przen.* dotkliwy ból, cierpienie.

smart aleck, smart alec *n. pot.* mędrek, mądrala.

smart-aleck [ˈsmɑːrtˌælɪk] *a. attr.* (*także* **smart-alecky**) *pot.* mądraliński.

smart ass, *Br. i Austr. t.* **smart arse** *n. pot.* przemądrzały dupek.

smart bomb *n. wojsk.* bomba samonaprowadzająca się.

smart card *n.* karta magnetyczna.

smarten [ˈsmɑːrtən] *v.* ~ **(up)** (*także* ~ **o.s. up**) *zwł. Br.* ogarnąć się; ~ **sth up** odświeżyć *l.* odnowić coś (*np. pokój*).

smartly [ˈsmɑːrtlɪ] *adv.* **1.** *zwł. US* bystrze. **2.** *zwł. US uj.* sprytnie; cwanie. **3.** *zwł. Br.* elegancko, wytwornie.

smart money *n. U fin.* **1.** mądrze zainwestowane pieniądze. **2.** *przen.* mądrzy inwestorzy. **3.** *US prawn.* wygórowane odszkodowanie (*zasądzone na rzecz powoda w celu ukarania pozwanego*).

smartness ['smɑːrtnəs] *n. U* **1.** *zwł. US* bystrość. **2.** *zwł. US uj.* spryt; cwaniactwo. **3.** *zwł. Br.* elegancja, wytworność.

smarts [smɑːrts] *n. U US pot.* rozum.

smart set *n. z czasownikiem w liczbie pojedynczej l. mnogiej* elegancki świat, wytworne towarzystwo.

smartweed ['smɑːrtˌwiːd] *n. bot.* rdest ostrogorzki, pieprz wodny (*Polygonum hydropiper*).

smarty ['smɑːrtɪ] *n. pl.* **-ies** (*także* ~ **pants**) *US pot.* mędrek, mądrala.

smash [smæʃ] *v.* **1.** roztrzaskać (się); rozbić (się). **2.** *przen.* rozbić (*np. gang*). **3.** roznieść, rozgromić (*drużynę przeciwnika*). **4.** walnąć (*against / into sth* w coś). **5.** zbankrutować; doprowadzić do bankructwa. **6.** obalić (*np. teorię, ustrój*). **7.** zrujnować (*np. czyjąś karierę*). **8.** pobić (*rekord*). **9.** *tenis itp.* smeczować, ścinać (*piłkę*). **10.** ~ **down** rozwalić (*np. ścianę*); wyważyć (*drzwi*); ~ **in** wgnieść (*uderzeniem*); ~ **sb's face/head in** *pot.* rozkwasić komuś twarz/rozwalić komuś łeb; ~ **up** rozbić, roztrzaskać (*np. samochód*); zrujnować (*np. pomieszczenie*). – *n.* **1.** *sing.* odgłos tłuczenia (się) (*of sth* czegoś) (*np. talerzy*); trzask; **with a** ~ z trzaskiem. **2.** (*także* ~-**up**) *zwł. Br. mot. pot.* kraksa. **3.** *ekon.* krach; plajta. **4.** trzaśnięcie, walnięcie (= *uderzenie*). **5.** (*także* ~ **hit**) przebój, hit; **box-office** ~ *kino, teatr* przebój kasowy. **6.** *tenis itp.* smecz. – *adv.* z trzaskiem.

smash and grab *n.* (*także* **smash raid/robbery**) *Br. i Austr.* wybicie okna i kradzież z wystawy.

smashed [smæʃt] *n. pred. sl.* **1.** zalany w trupa. **2.** naćpany.

smasher ['smæʃər] *n. Br. przest. pot.* **1.** bomba, bombowa rzecz. **2.** bombowa laska; bombowy facet.

smash hit *n.* = **smash** *n.* 5.

smashing ['smæʃɪŋ] *a. Br. pot.* bombowy, kapitalny.

smash-up ['smæʃˌʌp] *n.* = **smash** *n.* 2.

smatter ['smætər] *n.* = **smattering**. – *v. arch.* bawić się w (*literaturę itp.; = zajmować się po amatorsku*).

smattering ['smætərɪŋ] *n. sing.* **1.** odrobina (*of sth* czegoś). **2.** powierzchowna znajomość, liźnięcie (*of sth* czegoś); **sb has a** ~ **of French** ktoś tylko liznął francuskiego, ktoś zna francuski tylko po łebkach.

smear [smiːr] *v.* **1.** rozmazywać (się). **2.** smarować, mazać; ~ **sth with sth** usmarować coś czymś. **3.** rozsmarowywać (*np. krem*). **4.** *pot.* obsmarowywać (= *oczerniać*). **5.** *zw. pass. US pot.* rozgromić (*drużynę przeciwnika*). – *n.* **1.** plama. **2.** smuga. **3.** oszczerstwo, potwarz. **4.** *med.* wymaz, rozmaz. **5.** *med. pot.* = **smear test**.

smear campaign *n. zwł. polit.* kampania oszczerstw.

smear test *n. med.* wymaz z szyjki macicy, badanie cytologiczne.

smeary ['smiːrɪ] *a.* **-ier**, **-iest** **1.** rozmazujący się, brudzący. **2.** usmarowany.

smectic ['smektɪk] *a. chem., fiz.* smektyczny.

smeech [smiːtʃ] *n. U Br. dial.* swąd.

smegma ['smegmə] *n. U fizj.* mastka (= *wydzielina z gruczołów napletka*).

smell [smel] *n.* **1.** *U* węch, powonienie; **sense of** ~ zmysł węchu *l.* powonienia. **2.** zapach, woń (*of sth* czegoś). **3.** smród, odór. **4.** *zw. sing.* wąchanie; **have a** ~ **of sth** (*także* **give sth a** ~) powąchać coś. **5.** *przen.* wrażenie (*of sth* czegoś). – *v. pret. i pp. zwł. Br. t.* **smelt** **1.** pachnieć (*of sth* czymś, *like sth* czymś *l.* jak coś); mieć zapach (*of sth* czegoś); ~ **nice/sweet** ładnie/słodko pachnieć. **2.** śmierdzieć (*of sth* czymś); ~ **to high heaven** *emf. pot.* śmierdzieć jak diabli. **3.** wąchać; obwąchiwać. **4.** czuć zapach (*t. czegoś*); **I can't** ~ nic nie czuję, straciłem węch (*np. z powodu przeziębienia*). **5.** *t. przen.* zwęszyć; czuć, wyczuwać (*that* że); ~ **a rat** *pot.* wyczuć *l.* poczuć pismo nosem; ~ **trouble/danger** zwęszyć kłopoty/niebezpieczeństwo. **6.** *t. przen.* trącić (*of sth* czymś). **7.** *przen. pot.* ~ **fishy/odd** wyglądać *l.* brzmieć podejrzanie/dziwnie; **not come out of sth ~ing of roses** *zob.* **rose**[2] *n.* **8.** ~ **around/about** węszyć, niuchać; ~ **out** *t. przen.* wywęszyć, zwęszyć, wywąchać, wyniuchać; (*także US* ~ **up**) zasmrodzić (*pomieszczenie*), nasmrodzić w (*pomieszczeniu*).

smeller ['smelər] *n. pot.* **1.** *zool.* czułek. **2.** nochal, kinol. **3.** śmierdziel. **4.** fanga (*zwł. w nos*).

smelling bottle ['smelɪŋ ˌbɑːtl] *n. gł. hist.* flakonik z solami trzeźwiącymi.

smelling salts *n. pl.* sole trzeźwiące.

smelly ['smelɪ] *a.* **-ier**, **-iest** śmierdzący; smrodliwy.

smelt[1] [smelt] *v. zob.* **smell**.

smelt[2] *v. metal.* **1.** wytapiać (*rudę, metal*). **2.** topić się (*o rudzie, metalu*).

smelt[3] *n. pl.* **-s** *l.* **smelt** *icht.* stynka (*Osmerus eperlanus*).

smelter ['smeltər] *n. metal.* **1.** wytapiacz (*rudy, metalu*). **2.** (*także* **smeltery**) huta. **3.** piec hutniczy (*do wytapiania rudy*).

smew [smjuː] *n. orn.* tracz bielaczek (*Mergus albellus*).

smidgen ['smɪdʒən], **smidgin**, **smidgeon** *n. sing. pot.* odrobina, kapka.

smilax ['smaɪlæks] *n. U bot.* kolcorośl (*rodzaj Smilax*).

smile [smaɪl] *v.* **1.** uśmiechać się (*at sb / sth* do kogoś/czegoś); ~ **at the thought of sth** uśmiechać się na myśl o czymś; ~ **benignly/broadly** uśmiechać się dobrodusznie/szeroko; ~ **to o.s.** uśmiechać się do siebie *l.* pod nosem; ~ **to think/remember...** uśmiechać się na myśl/wspomnienie... **2.** wyrażać uśmiechem (*np. aprobatę*); ~ **a welcome** uśmiechnąć się na powitanie. **3.** *przen.* ~ **at sth** spoglądać na coś przychylnym okiem; **fortune/luck ~d on sb** szczęście uśmiechnęło się do kogoś. – *n.* uśmiech; **be all ~s** być całym w uśmiechach; **bring a** ~ **to sb's face** wywołać uśmiech na czyjejś twarzy; **broad/enigmatic** ~

szeroki/zagadkowy uśmiech; **exchange knowing ~s** wymienić porozumiewawcze uśmiechy; **flicker of a ~** cień uśmiechu; **give sb a ~** uśmiechnąć się do kogoś; **satisfied ~** uśmiech zadowolenia; **wipe the ~ off sb's face** *zob.* **wipe** *v.*

smiley ['smaılı] *a.* **-ier, -iest** *pot.* uśmiechnięty; często się uśmiechający. – *n. pl.* **-s** (*także* **~ face**) *komp.* uśmiechnięta buźka, smiley.

smiling ['smaılıŋ] *a.* uśmiechnięty.

smilingly ['smaılıŋlı] *adv.* z uśmiechem.

smirch [smɜ˞:tʃ] *v.* **1.** wysmarować, pomazać. **2.** zszargać (*reputację, dobre imię*). **3.** *arch. l. lit.* zniszczyć. – *n.* plama (*t. przen., na honorze*).

smirk [smɜ˞:k] *v.* uśmiechać się złośliwie *l.* pogardliwie, uśmiechać się z wyższością. – *n.* uśmieszek.

smit [smıt] *v. pret. zob.* **smite**.

smite [smaıt] *v.* **smote, smitten** *l. arch.* **smit, smit** *arch. l. lit.* **1.** walnąć, grzmotnąć. **2.** powalić; zabić; porazić. **3.** *Bibl.* rozgromić, pobić; zadać sromotną klęskę (*komuś*). **4.** *Bibl.* ukarać. **5.** *zw. pass.* nawiedzić, dotknąć (*o nieszczęściu, chorobie*). **6.** *zw. pass. często żart.* oczarować; zawrócić w głowie (*komuś*).

smith [smıθ] *n. gł. w złoż.* (*także* **black~**) kowal; **gold~** złotnik; **word~** *form.* mistrz/yni słowa (*zwł. o pisarzu l. dziennikarzu*). – *v.* kuć, odkuwać.

smithereens [ˌsmıðə'ri:nz] *n. pl. pot.* kawałeczki, drobne kawałki; **blow/smash sth to ~** rozbić/roztrzaskać coś w drobny mak.

smithery ['smıθərı] *n.* **1.** *U* kowalstwo. **2.** = **smithy**.

smithy ['smıðı] *n. pl.* **-ies** kuźnia.

smitten ['smıtən] *a. pred.* **1.** oczarowany (*with sb / sth* kimś/czymś); zakochany. **2.** owładnięty, przejęty (*with sth* czymś); **~ with a desire to do sth** ogarnięty *l.* owładnięty żądzą *l.* pragnieniem zrobienia czegoś; **~ with terror** zdjęty strachem.

smock [smɑ:k] *n. strój* **1.** bluzka koszulowa (*długa i luźna*). **2.** kitel (*lekarza, malarza*). **3.** (*także* **~ frock**) *hist.* bluza robocza (*robotnika rolnego*). – *v.* ozdabiać ściegiem typu „wafelki".

smocking ['smɑ:kıŋ] *n. U* ścieg typu „wafelki".

smog [smɑ:g] *n. U* smog.

smoggy ['smɑ:gı] *a.* spowity smogiem.

smoke [smoʊk] *n.* **1.** *U* dym; **cigarette/tobacco ~** dym papierosowy/tytoniowy; **pall/plume/puff/wisp of ~** chmura/słup/kłąb/smuga dymu. **2.** *pot.* ćmik, fajka (= *papieros*); skręt; **have a ~** zapalić (sobie); **time for a ~** czas na papierosa. **3.** *U* spaliny. **4.** *U* opary. **5.** *U* kolor błękitnoszary. **6. the ~/S~** *zwł. Br. i Austr. pot.* miasto (*duże, zwł. w odróżnieniu od wsi*). **7. go up in ~** pójść z dymem; *przen.* spalić na panewce, spełznąć na niczym; **there's no ~ without fire** (*także* **where there's ~, there's fire**) nie ma dymu bez ognia; **vanish in a puff of ~** ulotnić się jak kamfora. – *v.* **1.** palić (papierosy). **2.** dymić się. **3.** dymić, kopcić. **4.** okopcić. **5.** okadzać. **6.** *kulin.* wędzić. **7.** przyciemniać (*szkło*). **8.** *sl.* gnać aż się kurzy. **9.** *Br. arch.* dworować sobie z (*kogoś*). **10. ~ like a chimney** *emf.* kopcić *l.* dymić jak komin *l.* lokomotywa (= *dużo palić*). **11. ~ out** wykurzyć; *przen.* zdemaskować.

smoke alarm *n.* = **smoke detector**.

smoke ball *n. wojsk.* pocisk dymny.

smoke blanket *n.* = **smoke screen**.

smoke bomb *n.* bomba dymna.

smoke bush *n. bot.* = **smoke tree**.

smoke candle *n.* świeca dymna.

smoke consumer *n.* pochłaniacz dymu.

smoked [smoʊkt] *a. kulin.* wędzony.

smoke detector *n.* (*także* **smoke alarm**) wykrywacz dymu.

smoked glass *n. U* szkło zadymione.

smoke-dried ['smoʊkˌdraıd] *a. kulin.* wędzony.

smoked salmon *n. U* łosoś wędzony.

smoke-filled ['smoʊkˌfıld] *a. attr.* zadymiony.

smoke-free [ˌsmoʊk'fri:] *a.* **1.** bez dymu. **2.** dla niepalących.

smokehouse ['smoʊkˌhaʊs] *n.* wędzarnia.

smokejack ['smoʊkˌdʒæk] *n. hist.* rożen obracany gorącym powietrzem.

smokeless ['smoʊkləs] *n.* bezdymny (*t. o prochu*).

smoker ['smoʊkər] *n.* **1.** palacz/ka, paląc-y/a; **heavy ~** nałogow-y/a palacz/ka. **2.** *kol.* wagon dla palących; przedział dla palących. **3.** męskie spotkanie towarzyskie. **4.** *kulin.* urządzenie do wędzenia.

smoke ring *n.* kółko z dymu papierosowego.

smoke room *n. Br.* = **smoking room**.

smoker's cough ['smoʊkərz ˌkɔ:f] *n. pat.* przewlekły kaszel palaczy.

smoke screen, smokescreen *n.* (*także* **smoke blanket**) *t. przen.* zasłona dymna.

smoke shrub *n. bot.* = **smoke tree**.

smoke signal *n.* znak dymny.

smokestack ['smoʊkˌstæk] *n.* **1.** *US* komin. **2.** wysoki komin (*fabryczny, na statku*).

smokestack industries *n. pl. zwł. US* tradycyjny przemysł ciężki.

smoke tree *n.* (*także* **smoke shrub/bush**) *bot.* perukowiec podolski (*Cotinus coggygria*).

smokiness ['smoʊkınəs] *n. U* zadymienie.

smoking ['smoʊkıŋ] *n. U* **1.** palenie; **give up/quit ~** rzucić palenie; **no ~** palenie wzbronione (*napis*); **passive ~** bierne palenie. **2.** *kulin.* wędzenie. – *a. attr.* dla palących.

smoking compartment *n. kol.* przedział dla palących.

smoking gun *n. przen. pot.* obciążający dowód.

smoking jacket *n. strój, gł. hist.* bonżurka.

smoking room *n.* (*także Br.* **smoke room**) palarnia.

smoking tobacco *n. U* tytoń fajkowy.

smoko ['smoʊkoʊ] *a. pl.* **-s** *Austr. i NZ pot.* przerwa (*na papierosa, herbatę itp.*).

smoky ['smoʊkı] *a.* **-ier, -iest** **1.** dymiący. **2.** zadymiony. **3.** przyćmiony, przydymiony (*o barwie, odcieniu*). **4.** okopcony. **5.** pachnący dymem (*np. o serze, whisky*).

smolder ['smoʊldər], *Br.* **smoulder** *v.* **1.** *t. przen.* tlić się. **2. ~ with anger/passion** *przen.* pałać gniewem/namiętnością. – *n.* **1.** gęsty dym. **2.** tlący się ogień.

smolt [smoʊlt] *n. icht.* młody łosoś (*schodzący do morza po raz pierwszy*).

smooch [smu:tʃ] *pot. v.* **1.** całować się, migdalić się. **2.** *Br.* tulić się (do siebie) w tańcu. – *n.* **1.** całowanie się, migdalenie się. **2.** *Br.* tulenie się w tańcu.

smoochy ['smu:tʃɪ] *a.* **-ier, -iest** *Br. pot.* pościelowy (*o muzyce*).

smooth [smu:ð] *a.* **1.** gładki (*t. przen.* = *bezproblemowy, łatwy, spokojny; t. uj.* = *ugrzeczniony*); **as ~ as silk/as a baby's bottom** *emf.* gładki jak jedwab/jak pupcia niemowlęcia. **2.** równy, gładki (*np. o drodze, powierzchni*). **3.** *attr.* płynny (*np. o ruchach, przejściu*). **4.** delikatny, łagodny (*zwł. o smaku*). **5.** *fon.* bez przydechu, nieaspirowany. – *v.* **1.** wygładzać. **2.** *przen.* ułatwiać. **3. ~ away/out** wygładzić; *przen.* usunąć (*np. problem, różnice*); osłodzić (*np. starość*); **~ down** wygładzić (się); **~ sth over** umniejszać coś, udawać, że się czegoś nie dostrzega; **~ things over** załagodzić sytuację. – *adv.* gładko. – *n.* **1.** wygładzanie. **2.** gładka część.

smoothbore ['smu:ðˌbɔ:r], **smooth bore, smooth-bore** *broń n.* gładki przewód lufy. – *a.* gładki, bez gwintów (*o lufie*).

smooth breathing *n. U fon.* przydech słaby.

smoothen ['smu:ðən] *v.* wygładzać (się).

smooth-faced [ˌsmu:ð'feɪst] *a.* **1.** wygolony. **2.** o gładkiej powierzchni. **3.** *przen.* ugrzeczniony; nieszczery.

smoothie ['smu:ðɪ], **smoothy** *n. pl.* **-ies** **1.** *pot.* elegancik. **2.** *pot.* wazeliniarz. **3.** *gł. US* koktajl mleczny.

smoothing circuit ['smu:ðɪŋ ˌsɜ:kɪt] *n. el.* układ *l.* obwód prostujący.

smoothing iron *n. arch.* żelazko.

smoothing plane *n. stol.* strug gładzik.

smoothly ['smu:ðlɪ] *adv.* **1.** *t. przen.* gładko; **go/run ~** iść gładko *l.* bez przeszkód. **2.** spokojnie.

smooth muscle *n. anat.* mięsień gładki.

smoothness ['smu:ðnəs] *n. U t. przen.* gładkość.

smooth snake *n. zool.* gniewosz (*Coronella austriaca*).

smooth-spoken [ˌsmu:ð'spoʊkən] *a.* (*także* **smooth-tongued**) gładki (*o mowie*); ugrzeczniony (*o osobie*).

smooth talking *a.* **1.** ugrzeczniony. **2.** pochlebczy.

smoothy ['smu:ðɪ] *n.* = **smoothie**.

smorgasbord ['smɔ:gəsˌbɔ:rd], **smögasbord** *n. C/U* **1.** *kulin.* stół szwedzki, zimny bufet. **2.** *przen.* rozmaitość, wielki wybór (*of sth* czegoś).

smote [smoʊt] *v. zob.* **smite**.

smother ['smʌðər] *v.* **1.** udusić (się). **2.** *t. przen.* pokrywać; obsypywać; **~ sth with/in sth** pokryć coś czymś; **~ sb with kisses** obsypać kogoś pocałunkami. **3.** przytłaczać, tłamsić; **~ sb with love** przytłaczać kogoś swoją miłością. **4.** dusić, tłumić; **~ all opposition** stłumić wszelki opór; **~ one's irritation/jealousy** stłumić (w sobie) podenerwowanie/zazdrość. **5.** przydusić, zdusić (*ogień*). **6.** *kulin.* dusić. – *n.* **1.** duszący dym. **2.** chmura (*np. dymu, pyłu*).

smothery ['smʌðərɪ] *a.* duszący.

smoulder ['smoʊldər] *v. Br.* = **smolder**.

SMS [ˌes ˌem 'es] *n. i abbr.* **Short Message System** *tel.* SMS, wiadomość tekstowa.

SMTP [ˌes ˌem ˌti: 'pi:] *abbr.* **Simple Mail Transfer Protocol** *komp.* SMTP.

smudge [smʌdʒ] *n.* **1.** smuga. **2.** plama. **3.** *US i Can. roln.* dymiące ognisko (*np. dla odpędzenia owadów*). – *v.* **1.** zacierać (się), rozmazywać (się), zamazywać (się) (*o piśmie, rysunku*). **2.** poplamić, pomazać (*sth with sth* coś czymś). **3.** *US i Can. roln.* okadzać dymem.

smudgy ['smʌdʒɪ] *a.* **-ier, -iest** **1.** zaplamiony. **2.** rozmazany, zamazany, niewyraźny.

smug [smʌg] *a.* **-gg-** **1.** zadowolony z siebie. **2.** *arch.* schludny; gładki.

smuggle ['smʌgl] *v. t. przen.* przemycać, szmuglować; **~ sb/sth in** przemycić *l.* przeszmuglować kogoś/coś; **~ sb/sth out of/into** przemycić kogoś/coś z/do (*kraju, budynku*); **~ sth past/through customs** przemycić coś przez kontrolę celną.

smuggler ['smʌglər] *n.* przemytni-k/czka, szmugler.

smuggling ['smʌglɪŋ] *n. U* przemyt, szmugiel.

smugly ['smʌglɪ] *adv.* z samozadowoleniem, z wyższością (*np. uśmiechać się*).

smugness ['smʌgnəs] *n. U* samozadowolenie, zadowolenie z siebie.

smut [smʌt] *n.* **1.** pyłek sadzy; plama z sadzy; *U* sadza. **2.** *U przen.* sprośności. **3.** *bot., pat.* śnieć zbożowa. – *v.* **-tt-** **1.** poplamić *l.* usmarować (się) sadzą. **2.** *bot.* zarażać (się) śniecią.

smutch [smʌtʃ] *n.* smuga brudu; plama; *U Br. t. przen.* brud. – *v.* **1.** powalać, pobrudzić. **2.** *Br.* kalać.

smutchy ['smʌtʃɪ] *a.* **-ier, -iest** powalany, poplamiony.

smuttiness ['smʌtɪnəs] *n. U* **1.** sprośność, nieprzyzwoitość. **2.** *bot.* porażenie śniecią.

smutty ['smʌtɪ] *a.* **-ier, -iest** **1.** wybrudzony sadzą, czarny od sadzy. **2.** *przen.* sprośny; lubiący sprośności. **3.** *bot., pat.* zarażony śniecią.

snack [snæk] *n.* **1.** przekąska; **have a ~** przekąsić coś. **2.** *rzad. pot.* udział; **go ~s** dzielić się. – *v.* pojadać (*między posiłkami*).

snack bar *n.* bar szybkiej obsługi.

snaffle[1] ['snæfl] *jeźdz. n.* (*także* **~ bit**) uzda wędzidłowa. – *v.* **1.** nakładać uzdę (*koniowi*). **2.** prowadzić za uzdę.

snaffle[2] *v. Br. pot.* zwędzić.

snaffle reins *n. pl. jeźdz.* wodze wędzidłowe.

snafu [snæ'fu:] *US, Can. i Austr. pot. n.* galimatias, rozgardiasz. – *a. pred.* zabałaganiony. – *v.* zabałaganić *l.* namieszać (w) (*czymś*).

snag [snæg] *n.* **1.** szkopuł; problem (*with sth* z czymś, *for sb* dla kogoś); przeszkoda; **run into/hit a ~** natrafić na przeszkodę; **the ~ is (that)...** szkopuł *l.* problem w tym, że... **2.** wyciągnięta *l.* zahaczona nitka. **3.** wystająca ostra część (*np. ułamanego zęba, ułamanej gałęzi*). **4.** *żegl.* podwodny pień *l.* korzeń (*utrudniający żeglugę*). **5.**

Austr. i NZ sl. kiełbasa. – *v.* **1.** zaczepić (się), zahaczyć (się) (*on sth* o coś) (*np. o gałąź, gwóźdź*); rozedrzeć (się) (*on sth* na czymś *l.* o coś). **2.** *US pot.* złapać (*np. piłkę; t. przen. np. okazję*); załapać się na (*nagrodę, dobrą posadę itp.*); zahaczyć (*np. osobę przechodzą obok*). **3.** *US* stanowić przeszkodę dla (*czegoś*), hamować (*np. postęp*). **4.** *US i Can.* oczyszczać z pni (*np. dno rzeki*). **5.** *US* stanąć w obliczu problemu.

snaggletooth ['snægl,tu:θ] *n. pl.* **-teeth** wystający ząb; ząb rosnący z dala od innych.

snaggy ['snægɪ] *a.* **-ier, -iest 1.** pełen ostrych występów, najeżony. **2.** *przen.* najeżony trudnościami. **3.** *żegl.* zawalony przeszkodami utrudniającymi żeglugę (*o rzece*). **4.** sterczący.

snail [sneɪl] *n.* **1.** *zool. l. przen.* ślimak (*gromada Gastropoda*); **garden/marine** ~ ślimak ogrodowy/morski. **2.** krzywka stopniowa (*mechanizmu zegara*). – *v.* **1.** wlec się. **2.** oczyszczać ze ślimaków. **3.** łowić ślimaki.

snail mail *n. U* tradycyjna poczta (*w odróżnieniu od elektronicznej*).

snail's pace [,sneɪlz 'peɪs] *n. przen.* ślimacze tempo; **at a** ~ w ślimaczym tempie.

snake [sneɪk] *n.* **1.** *zool.* wąż (*Serpentes*). **2.** (*także* ~ **in the grass**) *przen. pot.* żmija (= *fałszywa osoba, zwł. fałszywy przyjaciel*). **3.** (*także* **plumber's** ~) spirala (*do czyszczenia rur*). – *v.* **1.** (*także* ~ **its way**) wić się (*through / along sth* przez coś/wzdłuż czegoś) (*np. o drodze, kolejce*). **2.** *US* wlec, ciągnąć po ziemi (*trzymając za jeden z końców*). **3.** ~ **(out)** *US* szarpnąć (za).

snakebird ['sneɪk,bɜ:d] *n. orn.* wężówka (*Anhinga*); wężówka amerykańska (*Anhinga anhinga*).

snakebite ['sneɪk,baɪt] *n. C/U* **1.** ukąszenie węża. **2.** *Br.* piwo jasne z jabłecznikiem.

snake charmer *n.* zaklinacz węży.

snake dance *n.* **1.** taniec węża. **2.** taniec z wężem.

snake fence *n.* (*także* **snake-rail fence**) **1.** *US* płot ze sztachet przecinających się zygzakowato. **2.** *Br.* płot z poziomych pni ułożonych zygzakowato (*z zachodzącymi na siebie końcami*).

snake fly *n. pl.* **-ies** *ent.* wielbłądka (*Raphidia*).

snakeroot ['sneɪk,ru:t] *n. bot.* korzeń wężowy (*roślina i jej korzeń służący jako odtrutka*); **Virginian** ~ kokornak (*Aristolochia serpentaria*); **white** ~ sadziec (*Eupatorium rugosum*).

snakes and ladders *n. U Br.* gra planszowa.

snake's head [,sneɪks 'hed] *n. bot.* szachownica kostkowata, tulipanek (*Fritillaria meleagris*).

snakeskin ['sneɪk,skɪn] *n. U* **1.** skóra węża. **2.** wężowa skóra *l.* skórka (*na buty, torebki*).

snake venom *n. U* jad węża.

snakeweed ['sneɪk,wi:d] *n. bot. przest.* rdest wężownik (*Polygonum bistorta*).

snaky ['sneɪkɪ] *a.* **-ier, -iest 1.** wężowy. **2.** wijący się. **3.** *przen.* podstępny, fałszywy. **4.** pełen węży (*np. o lesie*).

snap [snæp] *v.* **-pp- 1.** łamać się (*z trzaskiem*); pękać. **2.** łamać; ~ **sth in two/half** przełamać coś na pół. **3.** urywać (się). **4.** trzaskać; ~ **open** otworzyć (się) z trzaskiem; ~ **shut** zamknąć (się) z trzaskiem. **5.** zatrzaskiwać się (*o zamku*). **6.** strzelać z (*pistoletu, bicza*), trzaskać z (*bicza*). **7.** błysnąć (*o oczach*). **8.** *fot. pot.* zrobić zdjęcie (*komuś*), sfotografować. **9.** warknąć (*at sb* na kogoś). **10.** *pot.* stracić panowanie (nad sobą). **11.** kłapać zębami. **12.** *pot.* capnąć, chapnąć (= *porwać*). **13.** przeprowadzić pośpiesznie (*np. uchwałę, ustawę*). **14.** ~ **at sb's heels** próbować kogoś chapnąć (*o psie*); *przen.* deptać komuś po piętach; ~ **one's fingers** pstrykać (palcami) (*at sb* na kogoś) (*np. na kelnera*); *przen.* pstryknąć (*i ktoś natychmiast coś zrobi*); **sb's mind ~ped** *przest. pot.* ktoś postradał zmysły; **sb's patience ~ped** *pot.* czyjaś cierpliwość wyczerpała się; ~ **to attention** stanąć na baczność; ~ **to it** (*także US* ~ **it up**) *pot.* wziąć się do roboty, ruszyć z kopyta. **15.** ~ **back** odskoczyć; *pot.* odpyskować; *pot.* wrócić do normy; ~ **off** odłamać (się); nagle zgasnąć (*o świetle*); nagle wyłączyć (*światło*); ~ **sb's head/nose off** *Br. przen. pot.* urwać komuś głowę; ~ **on** zatrzasnąć (się); ~ **the light on** pstryknąć światło; ~ **out of sth** otrząsnąć *l.* wygrzebać się z czegoś (*np. z depresji*); ~ **out of it!** otrząśnij się!; ~ **sth up** rzucić się na coś (*np. na okazję*). – *n.* **1.** *sing.* trzask; **shut sth with a** ~ zamknąć coś z trzaskiem. **2.** *sing.* pstryknięcie; ~ **of one's fingers** pstryknięcie palcami. **3.** *zwł. Br. pot.* fotka, zdjęcie. **4.** *US* zatrzask, napa. **5.** chapnięcie; kłapnięcie (*zębami*). **6.** ugryziony kawałek. **7.** *kulin.* kruchy herbatnik; pierniczek. **8.** *U pot.* żywość (*t. stylu*); życie; ruchliwość. **9.** *U* gra karciana. **10.** *przen.* **a** ~ *US pot.* łatwizna, pestka; **cold** ~ *meteor.* nagłe ochłodzenie. **11. not a** ~ ani trochę, wcale nie. – *a. attr.* **1.** pochopny (*np. o ocenie, decyzji*). **2.** nagły. **3.** prosty, łatwy. – *adv.* z trzaskiem.

snapback ['snæp,bæk] *n.* nagła zmiana kierunku.

snap bean *n. bot.* fasola zwykła (*Phaseolus vulgaris*).

snap bolt *n.* zatrzask (*u drzwi*).

snap brim *n.* brzeg kapelusza (*dający się opuszczać*).

snapdragon ['snæp,drægən] *n.* **1.** *bot.* wyżlin wielki, lwia paszcza (*Antirrhinum majus*). **2.** *U* wybieranie rodzynków z półmiska z palącą się wódką (*zabawa bożonarodzeniowa*).

snap fastener *n.* zatrzask, napa.

snap hook *n.* haczyk zatrzaskowy; karabińczyk.

snap link *n.* ogniwo zatrzaskowe, karabińczyk.

snaplock ['snæp,lɑ:k] *n.* zatrzask (*np. u drzwi*).

snap-on ['snæp,ɑ:n] *a. attr.* (zapinany) na zatrzask.

snapper ['snæpər] *n.* **1.** *zool.* = **snapping turtle**. **2.** *pot.* fotograf. **3.** *futbol amerykański* środkowy napastnik.

snapping beetle ['snæpɪŋ ,bi:tl] *n. US ent.* chrząszcz z rodziny sprężykowatych (*Elateridae*).

snapping turtle *n. zool.* (*także* **snapper**) żółw jaszczurowaty *l.* kajmanowy (*Chelydra serpentina*).

snappish ['snæpɪʃ] *a.* 1. cięty; zgryźliwy. 2. złośliwy (*o psie*).

snappishly ['snæpɪʃlɪ] *adv.* zgryźliwie.

snappishness ['snæpɪʃnəs] *n. U* zgryźliwość.

snappy ['snæpɪ] *a.* **-ier, -iest** 1. cięty; zgryźliwy, opryskliwy (*np. o odpowiedzi, uwadze*). 2. chwytliwy (*np. o tytule, powiedzonku*). 3. *Br. pot.* modny, na fali; elegancki; ~ **dresser** elegant/ka. 4. trzaskający (*o ogniu*). 5. żywy, ruchliwy; **make it ~!** (*także* **look ~!**) *pot.* ruszaj się!, z życiem!

snap ring *n.* karabińczyk.

snap roll *n. lotn.* beczka szybka *l.* autorotacyjna.

snapshot ['snæpˌʃɑ:t] *n.* 1. *pot.* zdjęcie, fotka. 2. *przen.* migawka, wycinek.

snare[1] [sner] *n.* 1. sidła, wnyki. 2. *przen.* pułapka. 3. *chir.* pętla (*do usuwania migdałków l. polipów*). – *v.* 1. złapać w sidła. 2. *przen.* schwytać w pułapkę.

snare[2] *n. zw. pl. muz.* sprężyny rezonujące.

snare drum *n. muz.* werbel.

snarl[1] [snɑ:rl] *v.* 1. warczeć (*at sb / sth* na kogoś/coś). 2. warknąć, odburknąć. – *n.* warknięcie.

snarl[2] *n.* 1. plątanina. 2. zamieszanie. – *v.* 1. poplątać (się); wplątać, zaplątać. 2. *metal.* ozdabiać techniką trybowania. 3. ~ **sb up** *pot.* zmylić kogoś, wywieść kogoś w pole; ~ **sth up** pokrzyżować coś (*np. plany*); zatrzymać *l.* zablokować coś (*zwł. ruch drogowy*); namieszać w czymś.

snarlingly ['snɑ:rlɪŋlɪ] *adv.* opryskliwie.

snarl-up ['snɑ:rlˌʌp] *n.* 1. blokada. 2. zator, korek.

snatch [snætʃ] *v.* 1. porwać, wyrwać (*np. czyjąś torebkę, portfel; o złodzieju*). 2. szybko przegryźć, przekąsić. 3. *przen.* chwytać, łapać (*np. okazję*). 4. *US pot.* porwać, uprowadzić. 5. ~ **a few hours of rest** urwać kilka godzin odpoczynku; ~ **a look at sb/sth** rzucić ukradkowe spojrzenie na kogoś/coś; ~ **an hour's sleep** przespać się godzinkę; ~ **victory (from the jaws of defeat)** odnieść niespodziewane zwycięstwo. 6. ~ **at sth** próbować złapać *l.* chwycić coś; *przen.* skwapliwie skorzystać z czegoś; ~ **at every chance to do sth** chwytać każdą okazję, żeby coś zrobić. – *n.* 1. złapanie, chwycenie. 2. urywek, strzępek (*of sth* czegoś); **~es of conversation** urywki rozmowy; **~es of sleep** chwile snu, przerywany sen; **~es of sunshine** przebłyski słońca; **by/in ~es** z przerwami, dorywczo.

snatch block *n. mech., żegl.* zblocze otwierane.

snatch squad *n.* oddział policjantów *l.* żołnierzy do wyłapywania agresywnych demonstrantów.

snatchy ['snætʃɪ] *a.* **-ier, -iest** 1. przerywany. 2. dorywczy.

snath [snæθ], **snathe** [sneɪð] *n. roln.* kosisko, kosidło (= *uchwyt kosy*).

snazzy ['snæzɪ] *a.* **-ier, -iest** *pot.* odlotowy, odjazdowy (*zwł. o ciuchach*); elegancki, z klasą.

sneak [sni:k] *v. pret. i pp. US t.* **snuck** 1. przemykać chyłkiem. 2. przemycać; ~ **sth by/past sb/sth** przemycić coś obok *l.* pod nosem kogoś/czegoś; ~ **sth through sth** przemycić coś przez coś. 3. *pot.* podbierać, podprowadzać (*sth from sb* coś komuś). 4. *pot.* wiać, zwiewać. 5. ~ **a look at sb/sth** zerknąć ukradkiem na kogoś/coś. 6. ~ **away/off** wykraść się, ulotnić się; ~ **in** zakraść się; ~ **sb in** przemycić kogoś, wpuścić kogoś ukradkiem; ~ **sth in** wtrącić coś niepostrzeżenie; ~ **on sb** *zwł. szkoln. pot.* donosić na kogoś, skarżyć na kogoś; ~ **out** wykraść *l.* wymknąć się; ~ **out of one's duties** wymigiwać się od obowiązków; ~ **up on sb** *przen. pot.* spaść na kogoś (*np. o nieszczęściu*); ~ **up on sth** *pot.* zakraść *l.* podkraść się do czegoś. – *n.* 1. nędzny tchórz. 2. osoba skradająca się. 3. wymknięcie się, ulotnienie się. 4. *Br. zwł. szkoln. pot.* skarżypyta. 5. **on the ~** ukradkiem, po kryjomu. – *a. attr.* 1. potajemny. 2. nieoficjalny. 3. znienacka (*np. o ataku*).

sneak boat *n.* (*także* **sneakbox**) *US* mała łódź używana do polowań na dzikie ptactwo.

sneaker ['sni:kər] *n.* osoba przemykająca się chyłkiem.

sneakers ['sni:kərz] *n. pl.* (*także US* **sneaks**) *pot.* tenisówki.

sneakily ['sni:kɪlɪ] *adv.* podstępnie.

sneakiness ['sni:kɪnəs] *n. U* podstępność.

sneaking ['sni:kɪŋ] *a.* 1. działający chyłkiem *l.* skrycie. 2. skryty, potajemny. 3. ukryty. 4. nędzny, marny. 5. podstępny. 6. **have a ~ admiration for sb** skrycie kogoś podziwiać; **have a ~ suspicion** *zob.* **suspicion**.

sneak preview *n. kino* pokaz przedpremierowy.

sneaks [sni:ks] *n. pl. US pot.* = **sneakers**.

sneak thief *n.* złodziej kradnący, kiedy nadarzy się okazja.

sneaky ['sni:kɪ] *a.* **-ier, -iest** podstępny.

sneck [snek] *gł. Scot. n.* zatrzask, zamek. – *v.* 1. zatrzaskiwać. 2. zakładać zamek na (*drzwi*).

sneer [sni:r] *v.* 1. uśmiechać się szyderczo (*at sth* na coś). 2. drwić, kpić (*at sb / sth* z kogoś/czegoś). 3. ~ **away** ośmieszyć kpinami; ~ **down** wykpić. – *n.* 1. drwina, szyderstwo. 2. szyderczy *l.* drwiący uśmiech. 3. szydercze spojrzenie.

sneerer ['sni:rər] *n.* szyder-ca/czyni.

sneering ['sni:rɪŋ] *a. attr.* szyderczy, drwiący (*np. o liście, tonie*).

sneeringly ['sni:rɪŋlɪ] *adv.* szyderczo.

sneeze [sni:z] *v.* 1. kichać. 2. **not to be ~ed at** *przen. pot.* nie do pogardzenia. – *n.* kichnięcie.

sneeze-box ['sni:zˌbɑ:ks] *n.* tabakiera.

sneeze gas *n. U* gaz wywołujący kichanie.

sneezer ['sni:zər] *n.* 1. osoba kichająca. 2. *pot.* nochal. 3. *pot.* smarkatka (= *chusteczka do nosa*).

sneezeweed ['sni:zˌwi:d] *n. U bot.* helenka (*Helenium*).

sneezewort ['sni:zˌwɜ:t] *n. bot.* 1. krwawnik

kichawiec (*Achillea ptarmica*). **2.** = **sneezeweed.**

sneezing ['sni:zɪŋ] *n. U* kichanie.

sneezy ['sni:zɪ] *a.* **-ier, -iest** kichający; mający skłonności do kichania; wywołujący kichanie.

snell [snel] *a. Scot.* przerażająco zimny.

snick [snɪk] *v.* **1.** nacinać. **2.** uderzać mocno. **3.** kłapać, klikać. **4.** *krykiet* uderzać z boku (*piłkę*). – *n.* **1.** nacięcie. **2.** kłapnięcie, kliknięcie, trzask (*np. zamka*). **3.** *krykiet* uderzenie piłki z boku.

snicker[1] ['snɪkər] *v.* (*także Br.* **snigger**) chichotać, podśmiewać się (*at sth* z czegoś). – *n.* chichot.

snicker[2] *v.* rżeć. – *n.* rżenie.

snickersnee [ˌsnɪkər'sni:] *n. arch.* długi nóż (*zwł. jako broń*).

snide [snaɪd] *a.* **1.** złośliwy, sarkastyczny. **2.** *US* fałszywy; przebiegły. – *n.* **1.** kłamca, oszust/ka. **2.** *U Br.* podrobiona biżuteria. **3.** *U Br.* fałszywe pieniądze.

sniff [snɪf] *v.* **1.** pociągać nosem. **2.** wciągać nosem (*kokainę*). **3.** wąchać (*t. klej*). **4.** obwąchiwać (*(at) sb/sth* kogoś/coś). **5.** *t. przen.* węszyć (*np. kłopoty*). **6.** krzywić się, kręcić nosem (*at sth* na coś); prychać (*t. na znak pogardy*); **not to be ~ed at** *przen.* nie do pogardzenia. **7.** **~ out** wywęszyć; *przen.* wyczuć, zwęszyć. – *n.* **1.** pociągnięcie nosem. **2.** prychnięcie. **3.** przeczucie (*zwł. czegoś złego*).

sniffer dog ['snɪfər ˌdɔ:g] *n.* pies policyjny.

sniffing ['snɪfɪŋ] *n. U* wąchanie; **glue ~** wąchanie kleju.

sniffle ['snɪfl] *v.* pociągać nosem. – *n.* pociągnięcie nosem.

sniffles ['snɪflz] *n. pl. pot.* katar; **have the ~** mieć katar.

sniffy ['snɪfɪ] *a.* **-ier, -iest** *pot.* **1.** kręcący nosem. **2.** pogardliwy, lekceważący. **3.** pociągający nosem.

snifter ['snɪftər] *n.* **1.** koniakówka (*kieliszek*). **2.** *pot.* kieliszeczek, naparstek (= *bardzo mała ilość alkoholu*).

snigger ['snɪgər] *n. i v. Br.* = **snicker** 1.

sniggle ['snɪgl] *ryb. v.* łowić węgorze (*przez wkładanie przynęty do kryjówki*). – *n.* haczyk na węgorze.

snip [snɪp] *v.* **-pp- 1.** ciąć nożyczkami (*zwł. drobno i szybko*). **2.** **~ (off)** obciąć. – *n.* **1.** cięcie, ciachnięcie. **2.** (*także* **snipping**) obcinek, skrawek. **3.** *pl.* nożyce ręczne blacharskie. **4.** *Br. pot.* krawiec. **5.** *onomat.* ciach. **6.** **a ~** *Br. pot.* okazja, dobry interes. **7.** *pot.* pewniak. **8.** *pot.* drobnostka. **9.** *US pot.* smarkacz; pętak. – *int.* ciach, ciach.

snipe [snaɪp] *n.* **1.** *pl.* **-s** *l.* **snipe** (*także* **common ~**) *orn.* kszyk (*Gallinago gallinago*); **lesser/jack ~** *orn.* bekasik (*Limnocryptes minimus*). **2.** strzał z ukrycia. **3.** *US pot.* pet. – *v.* **1.** *wojsk.* strzelać z ukrycia; trafić z ukrycia; zabić z ukrycia. **2.** **~ at sb** *pot.* nalatywać *l.* naskakiwać na kogoś; dogadywać komuś.

snipe fly *n. pl.* **-ies** *ent.* kobyliczka (*Rhagio*).

sniper ['snaɪpər] *n.* **1.** strzelec z ukrycia. **2.** snajper, strzelec wyborowy. **3.** *US* poszukiwacz (*zwł. złota*).

snippet ['snɪpɪt] *n.* **1.** obcinek, skrawek, obrzynek. **2.** strzęp (*of sth* czegoś) (*zwł. informacji*). **3.** urywek.

snipping ['snɪpɪŋ] *n.* = **snip** *n.* 2.

snippy ['snɪpɪ] *a.* **-ier, -iest 1.** *pot.* krótki, oschły (*zwł. w niegrzeczny sposób*). **2.** fragmentaryczny, luźny. **3.** *dial.* skąpy.

snit [snɪt] *n. US i Austr. pot.* irytacja, podenerwowanie; **put sb in a ~** zirytować kogoś.

snitch[1] [snɪtʃ] *v. sl.* zwędzić, buchnąć.

snitch[2] *sl. v.* donosić (*on sb* na kogoś). – *n.* **1.** (*także* **snitcher**) donosiciel/ka, szpicel. **2.** *przest. pot.* nochal.

snivel ['snɪvl] *v. Br.* **-ll- 1.** mazać się, mazgaić się. **2.** chlipać, pochlipywać; wychlipać (= *powiedzieć chlipiąc*). **3.** pociągać nosem. **4.** smarkać, mieć katar. – *n.* **1.** mazgajenie się. **2.** pociąganie nosem.

sniveler ['snɪvlər] *n.* **1.** osoba pociągająca nosem. **2.** zimny wiatr.

sniveling ['snɪvlɪŋ] *a.* pochlipujący.

snob [snɑ:b] *n.* **1.** snob/ka. **2.** *w złoż.* koneser/ka; **wine ~** koneser/ka win.

snobbery ['snɑ:bərɪ] *n. U* snobizm.

snobbish ['snɑ:bɪʃ] *a.* snobistyczny.

snobbishness ['snɑ:bɪʃnəs] *n. U* snobizm.

snobbism ['snɑ:bˌɪzəm] *n. rzad.* = **snobbery**.

snobby ['snɑ:bɪ] *a.* **-ier, -iest** *pot.* snobistyczny.

snog [snɑ:g], *Br. pot. v.* całować (się). – *n. zw. sing.* całowanie się.

snood [snu:d] *n.* **1.** siatka na włosy. **2.** *Scot. hist.* przepaska *l.* wstążka na włosy (*noszona przez niezamężne kobiety*). – *v.* zakładać siatkę na (*włosy*).

snook [snʊk] *n. Br.* granie na nosie (*gest*).

snooker ['snʊkər] *n. U sport* snooker (*gra l. układ kul*). – *v.* **1.** zmuszać do strzału z pozycji snooker. **2.** **be ~ed** *Br. przen. pot.* mieć związane ręce.

snoop [snu:p] *v.* **1.** **~ (around/about)** myszkować, węszyć. **2.** **~ on sb** wtykać nos w czyjeś sprawy. – *n.* **1.** *sing.* myszkowanie, węszenie. **2.** (*także* **snooper**) osoba wtykająca nos w nie swoje sprawy.

snoopy ['snu:pɪ] *a.* **-ier, -iest** wtykający nos w nie swoje sprawy, wścibski.

snoot [snu:t] *n. zwł. US pot.* kinol, nochal.

snootily ['snu:tɪlɪ] *adv.* przemądrzale.

snootiness ['snu:tɪnəs] *n. U* przemądrzałość.

snooty ['snu:tɪ] *a.* **-ier, -iest** *pot.* **1.** przemądrzały, nadęty, zadzierający nosa. **2.** snobistyczny.

snooze [snu:z] *pot. n.* drzemka. – *v.* drzemać.

snooze alarm *n.* budzik włączający się co kilka minut (*pozwalający na dodatkową chwilę drzemki*).

snooze button *n.* przycisk budzika jw.

snoozer ['snu:zər] *n. pot.* osoba drzemiąca.

snoozy ['snu:zɪ] *a.* **-ier, -iest** *pot.* śpiący, senny.

snore [snɔ:r] *v.* chrapać. – *n.* chrapanie; pochrapywanie.

snorer [ˈsnɔːrər] *n.* ktoś, kto chrapie; **be a (terrible) ~** (strasznie) chrapać.

snorkel [ˈsnɔːrkl] *n.* **1.** fajka (*do nurkowania*). **2.** *wojsk.* chrapy (*w okręcie podwodnym, amfibii*). – *v. Br.* **-ll-** (*także* **go ~ing**) nurkować (z fajką).

snorkeler [ˈsnɔːrklər], *Br.* **snorkeller** *n.* płetwonurek (*nurkujący z fajką*).

snorkeling [ˈsnɔːrklɪŋ], *Br.* **snorkelling** *n. U* nurkowanie (z fajką).

snort [snɔːrt] *v.* **1.** parskać (*o koniu, silniku, osobie*) (*with sth* czymś) (*np. śmiechem*) ((*with*) *sth* z czymś) (*np. z dezaprobatą*). **2.** *pot.* wciągać, ładować (= *wdychać nosem; zwł. kokainę*). – *n.* **1.** parsknięcie. **2.** *pot.* działka (*zwł. kokainy*). **3.** (*także* **short ~**) *pot.* kieliszeczek. **4.** *wojsk. sl.* chrapy (*łodzi podwodnej*).

snot [snɑːt] *n. pot.* **1.** *U* smarki; **~ rag** smarkatka (= *chusteczka do nosa*). **2.** *obelż.* zarozumialec.

snotty [ˈsnɑːtɪ] *a.* **-ier, -iest** *pot.* **1.** zasmarkany. **2.** *obelż.* zarozumiały; nadęty.

snotty-nosed [ˌsnɑːtɪˈnoʊzd] *a. Br. pot.* = **snotty** 1.

snout [snaʊt] *n.* **1.** *zool.* ryj, ryjek; pysk, pyszczek; morda, mordka. **2.** *sl.* kinol, nochal. **3.** *Br. pot.* wtyczka (*policji w światku przestępczym*). **4.** *techn.* wylot (*rury, przewodu, lufy*); dysza; wylewka (*kranu*).

snout beetle *n. ent.* ryjkowiec (*Rhynchophora*).

snow [snoʊ] *n.* **1.** *C/U* śnieg; **fresh-fallen/newly-fallen ~** świeży *l.* świeżo spadły śnieg. **2.** *U sl.* koka (= *kokaina*); hera (= *heroina*). **3.** *U kulin.* pianka (owocowa). **4.** *U telew.* śnieg, śnieżenie. – *v.* **1. it ~s** pada śnieg. **2.** ośnieżyć (*drzewa, szczyty*). **3.** *US i Can. pot.* czarować, bajerować (*kogoś piękną gadką*); **~ sb into (doing) sth** namówić kogoś do (zrobienia) czegoś (*zwł. z pomocą kłamstwa*). **4.** *pass.* **sb/sth is ~ed in/under/up** kogoś/coś zasypało (*śniegiem, tak że nie można wyjechać*); **sb is ~ed under** *przen.* ktoś jest zawalony pracą (*zwł. papierkową*).

snowball [ˈsnoʊˌbɔːl] *n.* **1.** śnieżka; kula śniegowa (*na bałwana*). **2.** *kulin.* advocat z lemoniadą; *gł. płd. US* sok z kruszonym lodem. **3. not have a ~'s chance in hell (of sth)** *gł. US i Austr. pot.* nie mieć cienia szansy (na coś), być bez szans (na coś). – *v.* **1.** narastać (lawinowo), rozrastać się, rozszerzać się; kumulować się (*o kłopotach, długach*). **2.** rozwijać się, rozkręcać się (*o interesie*). **3.** rozwijać; powodować *l.* stymulować rozwój (*czegoś*). **4.** rzucać się śnieżkami; obrzucać śnieżkami (*kogoś*).

snowball effect *n. przen.* efekt lawinowy (= *gwałtowny wzrost wielkości l. znaczenia*).

snowbank [ˈsnoʊˌbæŋk] *n.* zaspa (śnieżna).

Snowbelt [ˈsnoʊˌbelt], **Snow belt** *n. US geogr.* stany północne, pas stanów północnych (*z dużymi opadami śniegu*).

snowberry [ˈsnoʊˌberɪ] *n. pl.* **-ies** *bot.* śnieguliczka (*Symphoricarpos*).

snowbird [ˈsnoʊˌbɜːd] *n.* **1.** *orn.* ptak przylatujący na zimę *l.* zimujący. **2.** (*także* **~ bunting**) *orn.* śnieguła (*Plectrophenax nivalis*). **3.** *US pot.* osoba wyjeżdżająca sezonowo w cieplejsze strony.

snow-blind [ˈsnoʊˌblaɪnd] *a.* oślepiony śniegiem; *pat.* cierpiący na ślepotę śniegową.

snow-blindness [ˈsnoʊˌblaɪndnəs] *n. U pat.* ślepota śniegowa.

snow blower, snowblower *n.* odśnieżarka, pług (turbinowy); dmuchawa śnieżna *l.* do śniegu.

snowboard [ˈsnoʊˌbɔːrd] *sport n.* deska (snowboardowa), snowboard. – *v.* zjeżdżać na desce (snowboardowej), zjeżdżać na snowboardzie.

snowboarder [ˈsnoʊˌbɔːrdər] *n. sport* snowboardzist-a/ka.

snowboarding [ˈsnoʊˌbɔːrdɪŋ] *n. U sport* snowboard.

snow-bound [ˈsnoʊˌbaʊnd], **snowbound** *a.* zasypany śniegiem; **sb/sth is ~** kogoś/coś zasypało.

snow bunting *n.* = **snowbird** 2.

snowcap [ˈsnoʊˌkæp] *n.* czapa śnieżna.

snow-capped [ˈsnoʊˌkæpt] *a. attr. lit.* ośnieżony (*zwł. o szczytach*).

snow chains *n. pl. mot.* łańcuchy przeciwślizgowe.

snowdrift [ˈsnoʊˌdrɪft] *n.* zaspa (śnieżna).

snowdrop [ˈsnoʊˌdrɑːp] *n. bot.* przebiśnieg, śnieżyczka (przebiśnieg) (*Galanthus nivalis*).

snowfall [ˈsnoʊˌfɔːl] *n. C/U meteor.* opady *l.* opad śniegu.

snow fence *n.* płotek przeciwśniegowy.

snowfield [ˈsnoʊˌfiːld] *n. geogr.* pole śniegowe.

snowflake [ˈsnoʊˌfleɪk] *n.* płatek śniegu, śnieżynka.

snow goose *n. pl.* **snow geese** *orn.* gęś śnieżyca (*Anser caerulescens*).

snow job *n. US pot.* bajer.

snow leopard *n. zool.* irbis, pantera śnieżna (*Panthera uncia*).

snow line *n. geogr.* granica *l.* linia wiecznego śniegu.

snowmaking [ˈsnoʊˌmeɪkɪŋ] *n. U* naśnieżanie (*stoku*).

snowman [ˈsnoʊˌmæn] *n. pl.* **-men 1.** bałwan. **2. abominable ~** *mit.* człowiek śniegu, yeti.

snowmobile [ˈsnoʊməˌbiːl] *n.* skuter śnieżny.

snow pea *n. US, Can., Austr. i NZ bot., kulin.* groch *l.* groszek cukrowy (*Pisum sativum saccharatum*).

snowplow [ˈsnoʊˌplaʊ], *Br.* **snowplough** *n.* **1.** pług (śnieżny), odśnieżarka. **2.** *sport* pług (*w narciarstwie*).

snowshed [ˈsnoʊˌʃed] *n. kol.* zadaszenie przeciwśniegowe (*torów*).

snowshoe [ˈsnoʊˌʃuː] *n. zw. pl.* rakieta (śnieżna).

snow shovel *n.* szufla do (odgarniania) śniegu.

snowstorm [ˈsnoʊˌstɔːrm] *n. meteor.* śnieżyca, zamieć (śnieżna).

snowsuit [ˈsnoʊˌsuːt] *n.* kombinezon zimowy (*dziecięcy*).

snow tire *n. gł. pl. US mot.* opona zimowa.

Snow White *n.* Królewna Śnieżka.

snow-white [ˌsnoʊˈwaɪt] *a.* śnieżnobiały.

snowy ['snoʊɪ] *a.* **-ier, -iest** **1.** śnieżny (*np. o dniu, miesiącu, świętach*). **2.** zaśnieżony, ośnieżony (*np. o górach, drzewach*). **3.** *lit.* śnieżnobiały, biały jak śnieg (*o włosach*).

SNP [ˌes ˌen 'pi:] *abbr.* **Scottish National Party** *polit.* Narodowa Partia Szkocji.

Snr *abbr.* = **senior.**

snub [snʌb] *v.* **-bb-** **1.** ignorować, lekceważyć, traktować niegrzecznie *l.* lekceważąco; robić afront (*komuś*). **2.** zablokować (*linę*); zamocować (*łódź*); uwiązać (*konia*). – *n.* afront, niegrzeczność. – *a.* perkaty; zadarty (*o nosie*).

snubby ['snʌbɪ] *a.* **-ier, -iest** **1.** opryskliwy, wyniosły. **2.** perkaty; zadarty (*o nosie*).

snub-nosed [ˌsnʌb'noʊzd] *a. attr.* **1.** z zadartym nosem (*o osobie*). **2.** *broń* krótkolufowy.

snub-nosed pliers *n. pl. techn.* cążki.

snuck [snʌk] *v. US zob.* **sneak.**

snuff [snʌf] *v.* **1.** ~ **(out)** *t. przen.* zgasić (*świecę palcami lub pokrywką; czyjś zapał, radość*); pozbyć się (*niewygodnej opozycji*); *pot.* załatwić (= *zamordować*). **2.** przycinać (*knot*). **3.** węszyć, niuchać; obwąchiwać (*zwł. o zwierzętach*). **4.** wciągać *l.* wdychać nosem. **5.** zażywać tabakę *l.* tabaki. **6.** ~ **it** *zwł. Br. i Austr. przest. pot.* kopnąć w kalendarz (= *umrzeć*). – *n.* **1.** *U* tabaka. **2.** końcówka knota (*świecy*). **3.** węszenie; odgłos węszenia; sapanie. **4. up to** ~ *pot.* na poziomie; *Br.* nie w ciemię bity.

snuffbox ['snʌfˌbɑ:ks] *n.* tabakierka.

snuffer ['snʌfər] *n.* gasidło (*do świecy*).

snuffle ['snʌfl] *v.* **1.** pociągać nosem (*z przeziębienia l. płacząc*). **2.** mówić przez nos. **3.** mazgaić się. – *n.* **1.** pociąganie nosem. **2.** mówienie przez nos. **3.** *pl.* **the ~s** katar.

snuffly ['snʌflɪ] *a.* **-ier, -iest** pociągający nosem.

snuff movie *n. pot.* film porno z autentyczną sceną zabójstwa.

snuffy ['snʌfɪ] *a.* **-ier, -iest** **1.** drażliwy, kłótliwy. **2.** tabaczkowy (= *jasnobrązowy wpadający w zieleń*). **3.** pobrudzony tabaką (*o ubraniu*).

snug [snʌg] *a.* **1.** przytulny (*o pokoju*). **2.** wygodny (*o łóżku, fotelu*); **sb is/feels** ~ komuś jest wygodnie. **3.** obcisły, opinający, (dobrze) dopasowany (*o ubraniu*). **4.** przyciasny, ciasny (*o ubraniu*). **5.** bezpieczny (*zwł.* = *mający dobre schronienie; o osobie, statku*). **6.** wystarczający (*o środkach na utrzymanie*). – *v.* **1.** tulić się. **2.** leżeć (sobie) wygodnie. **3.** ułożyć się wygodnie, umościć się. **4.** ułożyć wygodnie. **5.** ~ **(down)** *żegl.* mocować na sztormowo (*osprzęt*). – *n.* **1.** *Br.* salka boczna (*w pubie*). **2.** *techn.* klin kontrujący (*łba śruby*).

snuggery ['snʌgərɪ] *n. pl.* **-ies** **1.** gniazdko, przytulny kącik (*zwł.* = *pokoik*). **2.** *Br.* salka boczna (*w pubie*).

snuggle ['snʌgl] *v.* ~ **(down/up)** tulić się, przytulać się; tulić, przytulać (*kogoś*); ~ **down (in bed)** opatulić się kołdrą; ~ **into sth** wtulić się w coś; ~ **up to sb** przytulić się do kogoś.

snugly ['snʌglɪ] *adv.* **1.** przytulnie; wygodnie. **2.** bezpiecznie. **3.** ciasno; **fit** ~ dobrze pasować, pasować *l.* wchodzić na styk (*o meblu*); **fit sb** ~ opinać kogoś; pasować na kogoś jak ulał (*o ubraniu*).

SO [ˌes 'oʊ] *n. fin., wojsk.* = **standing order.**

so[1] [soʊ] *adv. i a.* **1.** tak (= *do tego stopnia, w ten sposób*); ~ ~ jako tako, tak sobie; ~ **be it** niech tak będzie, niech już będzie; ~ **big/complicated** (aż) tak duży/skomplikowany; ~ **help me God** *form. rel.* tak mi dopomóż Bóg; **and** ~ **on/forth** i tak dalej; **and** ~ **on, and** ~ **forth** itd., itp.; i tak dalej bez końca; **do it** ~ zrób tak; **don't run** ~ **fast** nie biegnij tak prędko; **he is not** ~ **stupid** nie jest (aż) taki głupi; **I have never seen** ~ **tall a person** *form.* nigdy nie widziałem tak wysokiej osoby; **I'm ever** ~ **pleased!** *Br.* (tak) strasznie się cieszę!. **2.** też, tak samo; ~ **are you/is he** (i) ty/on też; **you were wrong and** ~ **was I** myliłeś się i ja też; **I lied, but** ~ **did you** ja skłamałam, ale ty też. **3.** (a) więc, (a) zatem, w takim razie; ~! (*wprowadzając nowy temat rozmowy*) to co?; **(and)** ~ wobec czego *l.* tego; ~ **that's that** a więc to tak; ~ **(what)?** (no) i co z tego?, no to co?. **4.** to; ~ **how long are you staying?** no to jak długo będziesz?; **how** ~? jak to?; **why** ~? dlaczego?, dlaczegóż to?. **5.** ~ **far** (jak) do tej pory, jak dotąd *l.* dotychczas; ~ **far as I know** o ile wiem, o ile się orientuję; ~ **far as possible** w miarę możliwości; ~ **far** ~ **good** *pot.* oby tak dalej; **(in)** ~ **far as** *form.* o ile; ~ **I see** właśnie widzę; ~ **long!** *US pot.* na razie!, tymczasem!; ~ **long as** o ile (tylko); ~ **much/many** tyle, tak wiele, tak dużo; ~ **much for sb/sth** *iron.* tyle, jeśli chodzi o kogoś/coś (*o osobie l. rzeczy niewartej dyskusji*); ~ **much for buying cheap things** tak to bywa, jak się kupuje tanie rzeczy; **he didn't** ~ **much as move** nawet nie drgnął; ~ **much the better** (to) tym lepiej; ~ **much so that...** do tego stopnia, że...; **$100 or** ~ jakieś sto dolarów, sto dolarów czy coś koło tego; **I do/can** ~! (*także* **it is** ~!) *US dziec.* (a) właśnie że tak!; **like** ~ w ten sposób (*demonstrując coś*); **you are** ~ **kind** to bardzo miło z Pan-a/i strony. – *a. pred.* **be just/exactly** ~ być w idealnym porządku, być jak trzeba; **even more** ~ jeszcze bardziej; **is that** ~? czyżby?, doprawdy?; **so much** ~ **that...** do tego stopnia, że...; **too much** ~ za bardzo. – *conj.* (*także* ~ **that**) **1.** żeby, ażeby, aby; ~ **as to do sth** żeby coś zrobić; ~ **as not to be late** żeby się nie spóźnić; **he died** ~ **(that) we might live** zginął, abyśmy (my) mogli żyć; **I closed the door** ~ **as not to disturb her** zamknęłam okno, żeby jej nie przeszkadzać. **2.** więc, tak że; **she didn't call,** ~ **I left** nie zadzwoniła, więc poszedłem sobie; **we were running out of gas,** ~ **(that) we had to stop at a station** kończyła nam się benzyna, tak że musieliśmy się zatrzymać na stacji.

so[2] *n.* (*także* **soh**) *muz.* sol.

soak [soʊk] *v.* **1.** moczyć (się); namaczać (*pranie, śledzie*); **leave the dishes to** ~ zalać *l.* namoczyć naczynia (*przed myciem*). **2.** zmoczyć, przemoczyć (*o deszczu*); **we were ~ed (through)** przemokliśmy (do suchej nitki). **3.** *pot.* zaglądać do kieliszka. **4.** *pot.* upijać (*kogoś*). **5.** *pot.* zdzierać skórę z, wyciągać pieniądze od (*kogoś*). **6.** ~ **in** wsiąkać; ~ **into sth** wsiąkać w coś; ~ **through** przemoknąć; ~ **up** wchłaniać (*ciecz, wiedzę*); delektować się (*nastrojem, widokiem*); ~ **up the sun**

wygrzewać się na słońcu; ~ **out** wyciągać (*plamy, ciecz*). – *n.* **1.** *gł. sing.* moczenie (się); kąpiel; roztwór (do zamaczania); **have a** ~ wymoczyć się (*w wannie, basenie*); **give sth a (good)** ~ namoczyć coś (porządnie). **2.** *gł. Br. przest. sl.* moczymorda; **old** ~ stary ochlapus.

soakage [ˈsoukɪdʒ] *n. U gł. techn.* **1.** wsiąkanie, wsączanie. **2.** wchłonięta *l.* wsączona ciecz.

soaked [soukt] *a. pred.* **1.** przemoczony; ~ **through** (*także* ~ **to the skin**) przemoczony do suchej nitki; ~ **in sweat** mokry od potu (*o koszulce, ciele*). **2.** ~ **in sth** *przen.* przepełniony czymś (*jakąś cechą*).

soaking [ˈsoukɪŋ] *a.* (*także* ~ **wet**) *pot.* przemoczony (do suchej nitki). – *n. gł. sing.* **1.** = **soak** *n.* 1. **2.** przemoczenie (*na deszczu*).

soaking solution *n. C / U opt.* płyn do soczewek (kontaktowych).

so-and-so [ˈsouən ˌsou] *n. pl.* **so-and-sos** *pot.* taki a taki; **Mr** ~ pan taki a taki (= *nieokreślona osoba*); przedmiot X (= *nieokreślona rzecz*); **he's a real/right** ~ *euf.* to prawdziwy gnojek; **you** ~! *obelż.* ty taki owaki!.

soap [soup] *n.* **1.** *C / U t. chem.* mydło; **bar of** ~ kostka mydła, mydełko. **2.** *telew. pot.* = **soap opera**. **3.** *U sl.* łapówa. **4. no** ~ *US i Can. sl.* nic z tego, nie ma mowy. – *v.* **1.** namydlić (*np. plecy*). **2.** *sl.* bajerować (*kogoś*).

soapberry [ˈsoupˌberɪ] *n. pl.* **-ies** *bot.* drzewo mydlane, mydleniec *l.* zapian (właściwy) (*Sapindus (saponaria)*); owoc drzewa jw.

soap boiler *n.* mydlarz; wytwórca mydła.

soapbox [ˈsoupˌbɑːks] *n.* **1.** podium (*zwł. prowizoryczne*). **2.** skrzynia. **3. get on one's** ~ *pot.* wsiąść na swojego konika (= *na ulubiony temat*), zacząć (i nie móc skończyć). – *v. pot.* przemawiać, wygłaszać mowę (*zwł. spontanicznie*).

soap bubble *n.* bańka mydlana.

soap flakes *n. pl.* płatki mydlane.

soap opera *n. telew.* telenowela.

soap powder *n. U Br.* mydło w proszku (*do prania*).

soapstone [ˈsoupˌstoun] *n. U min.* **1.** steatyt. **2.** saponit.

soapsuds [ˈsoupˌsʌdz] *n. pl.* mydliny.

soapy [ˈsoupɪ] *a.* **-ier, -iest** **1.** mydlany; ~ **water** mydliny, woda z mydłem. **2.** namydlony (*np. o ręce, ciele*). **3.** przypominający mydło, mdły (*w smaku, zapachu*). **4.** *gł. US pot.* lizusowski. **5.** *Br. pot.* cukierkowy, przesłodzony.

soar [sɔːr] *v.* **1.** rosnąć (gwałtownie), wzrastać (*o cenach, temperaturze*). **2.** wzbijać się, wzlatywać; unosić się, szybować (*o ptaku*). **3.** wznosić się, górować (*np. o budowli*). – *n. sing.* **1.** wznoszenie się. **2.** (wysoki) lot; szybowanie.

soaring [ˈsɔːrɪŋ] *a.* **1.** gwałtownie rosnący (*o cenach, wskaźnikach*). **2.** górujący, bardzo wysoki (*o budowli*). **3. send sb's spirits** ~ *przen.* przyprawić kogoś o dobry humor, wprawić kogoś w znakomity nastrój.

SOB [ˌes ˌou ˈbiː], **S.O.B.** *n. i abbr.* **son of a bitch** *gł. US sl. euf. obelż.* taki syn.

sob [sɑːb] *v.* **-bb-** szlochać; ~ **out** wyszlochać (= *powiedzieć, szlochając*); ~ **o.s. to sleep** wypłakać się i zasnąć (*o dziecku*). – *n. zw. pl.* szloch, łkanie.

sober [ˈsoubər] *a.* **1.** trzeźwy (*t.* = *rozsądny, pragmatyczny*); niepijący; **stay** ~ nie pić; zachowywać trzeźwość. **2.** poważny (*o minie, twarzy*). **3.** spokojny, stonowany (*o kolorach*). – *v.* **1.** ~ **(down)** spoważnieć (z wiekiem). **2.** ~ **up** wytrzeźwieć, otrzeźwieć; otrzeźwić (*kogoś; np. o kawie*).

sobering [ˈsoubərɪŋ] *a.* otrzeźwiający, trzeźwiący; przygnębiający.

soberly [ˈsoubərlɪ] *adv.* trzeźwo.

soberness [ˈsoubərnəs] *n. U* trzeźwość.

sober-sides [ˈsoubərˌsaɪdz] *n. sing.* poważna *l.* zrównoważona osoba.

sobriety [səˈbraɪətɪ] *n. U form.* trzeźwość (= *niepicie, rozsądek, pragmatyzm*); powaga; wstrzemięźliwość.

sobriquet [ˈsoubrəˌkeɪ], **soubriquet** *n. lit.* przydomek.

sob sister *n. US pot. dzienn.* redaktor/ka działu porad w piśmie kobiecym *l.* dla młodzieży.

sob story *n. pl.* **-ies** *pot.* historyjka obliczona na wywołanie współczucia (*zwł. jako wymówka*).

sob stuff *n. U pot.* łzawe opowieści.

Soc., soc. *abbr.* = **society**.

socage [ˈsɑːkɪdʒ], **soccage** *n. hist.* tenuta, dzierżawa na prawie lennym.

so-called [ˌsouˈkɔːld] *a. attr.* tak zwany.

soccer [ˈsɑːkər] *n. sport zwł. US* piłka nożna.

sociability [ˌsouʃəˈbɪlətɪ] *n. U* towarzyskość.

sociable [ˈsouʃəbl] *a.* towarzyski (*o osobie, wieczorze*). – *n.* = **social** *n.*

sociably [ˈsouʃəblɪ] *adv.* towarzysko.

social [ˈsouʃl] *a.* **1.** społeczny; socjalny. **2.** towarzyski; ~ **club** klub towarzyski; ~ **life** życie towarzyskie. **3.** *zool.* stadny. – *n.* (*także* **sociable**) *przest.* spotkanie towarzyskie.

social assistance *n. U Can.* pomoc społeczna.

social class *n. polit.* klasa społeczna.

social climber *n.* snob/ka.

social conscience *n.* wrażliwość społeczna.

social democracy *n. C / U pl.* **-ies** *polit.* socjaldemokracja.

social democrat *n. polit.* socjaldemokrat-a/ka.

social disease *n. pat.* **1.** *euf.* choroba weneryczna. **2.** choroba społeczna.

social engineering *n. U socjol.* inżynieria społeczna, socjotechnika.

social insurance *n. U* ubezpieczenia społeczne.

socialism [ˈsouʃəˌlɪzəm] *n. U polit.* socjalizm.

socialist [ˈsouʃəlɪst] *polit. a.* socjalistyczny. – *n.* socjalist-a/ka.

socialistic [ˌsouʃəˈlɪstɪk] *n. polit.* lewicujący.

socialist realism *n. U sztuka* socrealizm, realizm socjalistyczny.

socialite [ˈsouʃəˌlaɪt] *n.* osoba z towarzystwa, bywal-ec/czyni salonów.

sociality [ˌsouʃɪˈælətɪ] *n. U form.* towarzyskość.

socialization [ˌsouʃələˈzeɪʃən], *Br. i Austr. zw.* **socialisation** *n. U socjol.* socjalizacja, przystosowanie do życia w społeczeństwie.

socialize [ˈsoʊʃəˌlaɪz], *Br. i Austr. zw.* **socialise** *v.* **1.** udzielać się towarzysko; ~ **with sb** spotykać się *l.* widywać się z kimś, utrzymywać kontakty (towarzyskie) z kimś. **2.** *socjol.* socjalizować. **3.** *ekon.* uspołeczniać, nacjonalizować.

socialized medicine [ˌsoʊʃəˌlaɪzd ˈmedɪsən] *n. U US* uspołeczniona opieka zdrowotna.

socially [ˈsoʊʃlɪ] *adv.* **1.** towarzysko (*spędzać czas*); w celach towarzyskich (*spotykać się*). **2.** społecznie (*np. słuszny, akceptowany*).

social science *n. U* nauki społeczne; *C* nauka społeczna (*np. socjologia*).

social scientist *n.* badacz/ka z dziedziny nauk społecznych.

social security *n. U* **1.** *US* **S~ S~** (federalny) system ubezpieczeń społecznych; **S~ S~ (Number)** numer ubezpieczenia (= *odpowiednik polskiego numeru PESEL*). **2.** *zwł. Br.* zasiłek; **be on ~** być na zasiłku.

social service *n.* **1.** *socjol.* opieka społeczna. **2.** *ekon.* usługa publiczna. **3.** *pl.* świadczenia socjalne.

social studies *n. pl.* nauki społeczne.

social work *n. U socjol.* praca socjalna; opieka społeczna.

social worker *n.* pracowni-k/ca opieki społecznej.

societal [səˈsaɪətl] *n. form.* społeczny.

society [səˈsaɪətɪ] *n. pl.* **-ies** **1.** *U* społeczeństwo; **classless/consumer/multiracial ~** społeczeństwo bezklasowe/konsumpcyjne/wielorasowe; **sectors of ~** sfery społeczne. **2.** społeczność. **3.** towarzystwo, stowarzyszenie. **4.** (*także* **high ~**) elita towarzyska, socjeta, eleganckie towarzystwo.

socioeconomic [ˌsoʊsɪoʊˌekəˈnɑːmɪk] *a.* społeczno-ekonomiczny (*np. o czynnikach, przyczynach*).

sociological [ˌsoʊsɪəˈlɑːdʒɪkl] *a.* socjologiczny.

sociologist [ˌsoʊsɪˈɑːlədʒɪst] *n.* socjolo-g/żka.

sociology [ˌsoʊsɪˈɑːlədʒɪ] *n. U* socjologia.

sociometry [ˌsoʊsɪˈɑːmətrɪ] *n. U* socjometria.

sociopath [ˈsoʊsɪoʊˌpæθ] *n. psych.* socjopat-a/ka.

sociopathy [ˌsoʊsɪˈɑːpəθə] *n. U psych.* socjopatia, psychopatia socjopatyczna.

sociopolitical [ˌsoʊsɪoʊpəˈlɪtəkl] *n.* społeczno-polityczny (*np. o sytuacji, uwarunkowaniach*).

sock [sɑːk] *n. US pl. t. rz.* **sox** **1.** *zw. pl.* skarpetka, skarpeta; **odd/mismatched ~s** skarpetki nie do pary; **thermal ~s** ciepłe skarpety. **2.** *sl.* piącha (= *cios*); **give sb a ~** *pot.* przywalić komuś (z piąchy). **3.** *meteor.* rękaw (*do pomiaru prędkości wiatru na lotnisku*). **4.** *przen. pot.* **knock sb's ~s off** *zob.* **knock** *v.*; **pull one's ~s up** *zob.* **pull** *v.*; **put a ~ in it!** *Br.* zatkaj się! (= *bądź cicho*). – *v. pot.* **1.** walnąć (*sb on/in sth* kogoś w coś); przywalić (*sb on/in sth* komuś w coś). **2.** ~ **it to sb** *przest.* wygarnąć komuś, walnąć komuś prosto z mostu; przyłożyć komuś. **3.** ~ **away** *gł. US* odkładać (*zwł. pieniądze*); ~ **in** *US lotn.* zamknąć (z powodu złej pogody) (*lotnisko*).

sockdolager [sɑːkˈdɑːlɪdʒər], **sockdologer** *n. sing. US przest. sl.* **1.** fanga (= *decydujący cios*); numer nie do przebicia (= *ostateczny argument*). **2.** przebój, szlagier (= *świetna rzecz*).

sockeroo [ˌsɑːkəˈruː] *n. sing. US sl.* bomba (= *coś świetnego*).

socket [ˈsɑːkət] *n.* **1.** *el.* gniazdko (*sieciowe*); gniazdo; **double/wall ~** gniazdko podwójne/ścienne; **mains ~** *Br.* gniazdko sieciowe. **2.** *anat.* panewka (*stawu*); dół; ~ **joint** staw kulisty; **eye ~** oczodół; **tooth ~** *dent.* zębodół; **pull sb's arm out of its ~** wyrwać komuś rękę ze stawu (= *mocno pociągnąć*). **3.** *mech.* gniazdo; oprawa, oprawka. **4.** *komp.* gniazdo (*protokołu internetowego*).

socket wrench *n. mech.* klucz nasadowy.

sockeye [ˈsɑːkˌaɪ] *n.* (*także* ~ **salmon**) *icht.* nerka (*łosoś Oncorhynchus nerka*); *U kulin.* łosoś czerwony.

socking great [ˌsɑːkɪŋ ˈgreɪt] *a. Br. pot.* wielgachny.

socko [ˈsɑːkoʊ] *a. US pot.* zabójczy (= *imponujący, duży, silny*).

socle [ˈsoʊkl] *n. bud.* cokół.

Socrates [ˈsɑːkrəˌtiːz] *n. hist.* Sokrates.

Socratic [səˈkrætɪk] *fil. a.* sokratyczny. – *n.* sokratyk.

sod [sɑːd] *n.* **1.** *C/U bot.* darń. **2.** *C/U lit.* grunt, ląd. **3.** *Br. wulg. sl. obelż.* palant; gnojek. **4.** *Br. wulg. sl.* **a ~ (of a...)** kawał skurczybyka (= *coś trudnego, kłopotliwego*); **poor ~** (biedna) sierota; **not give/care a ~ about sth** mieć coś w dupie. – *v.* **-dd-** **1.** pokrywać darnią *l.* trawą. **2.** *Br. wulg. sl.* chrzanić, pieprzyć; ~ **it/that!** chrzanić to (wszystko)!; ~ **off!** *obelż.* spieprzaj!

soda [ˈsoʊdə] *n. C/U* **1.** (*także* ~ **pop**) *US i Can.* napój gazowany. **2.** (*także* ~ **water**) woda sodowa. **3.** *U chem.* soda. **4.** *US kulin.* = **ice-cream soda**.

soda cracker *n. US kulin.* krakers.

soda fountain *n. US i Can. handl.* **1.** stoisko z napojami i lodami. **2.** *przest.* saturator.

soda lime *n. U chem.* wapno sodowane.

sodality [soʊˈdælətɪ] *n. pl.* **-ies** *rz.-kat.* sodalicja.

sod all *n. U Br. wulg. sl.* (wielkie) gówno (= *nic*).

soda pop *n.* = **soda** 1.

soda siphon *n.* syfon (*do wody sodowej*).

soda water *n.* = **soda** 2.

sodden [ˈsɑːdən] *a.* **1.** przemoczony (*o ubraniu*). **2.** rozmokły (*o gruncie, podłożu*). **3.** przepity; zapity. **4.** zakalcowaty (*o chlebie*). – *v.* **1.** przemoczyć (się). **2.** namoknąć.

sodium [ˈsoʊdɪəm] *n. U chem.* sód.

sodium benzoate *n. U chem.* benzoesan sodowy.

sodium bicarbonate *n. U chem.* wodorowęglan sodowy, kwaśny węglan sodowy.

sodium chloride *n. U chem.* chlorek sodowy.

sodium glutamate *n. chem. U* glutaminian sodu *l.* sodowy.

sodium pump *n. fizj.* pompa sodowa.

sodium-vapor lamp [ˌsoʊdɪəmˈveɪpər ˌlæmp] *n. el.* lampa sodowa.

Sodom [ˈsɑːdəm] *n. Bibl.* Sodoma; ~ **and Go-**

morrah Sodoma i Gomora; *przen.* sodoma i gomora (= *bałagan, rozpusta*).

sodomite [ˈsɑːdəˌmaɪt] *n. przest. obelż.* sodomit-a/ka.

sodomy [ˈsɑːdəmɪ] *n. U przest. l. prawn.* sodomia.

Sod's law [ˌsɑːdz ˈlɔː] *n. U Br. żart.* prawo Murphy'ego, złośliwość rzeczy martwych.

soever [soʊˈevər] *adv. lit.* jakkolwiek.

sofa [ˈsoʊfə] *n.* kanapa, sofa.

sofa bed, sofabed *a.* kanapa rozkładana, kanapo-tapczan, wersalka.

soffit [ˈsɑːfət] *n. bud.* podbicie, spód; deska wiatrowa (*na spodzie dachu*); podniebienie (*łuku*).

soft [sɔːft] *a.* **1.** miękki; **get/go ~** zmięknąć; **cook until ~** *kulin.* gotować do miękkości. **2.** gładki, delikatny (*np. o skórze*). **3.** delikatny, łagodny (*np. o świetle, podejściu, powiewie*). **4.** *pot.* lekki, łatwy (*o obowiązkach, pracy*); **~ option** pójście na łatwiznę. **5.** cichy (*o głosie, dźwięku, muzyce*). **6.** *t. polit.* miękki, mało stanowczy, (zbyt) pobłażliwy *l.* tolerancyjny; niezdecydowany; **be ~ on crime/drugs** przejawiać brak zdecydowania w zwalczaniu przestępczości/narkotyków; tolerować przestępczość/narkotyki; **take a ~ line on sb** tolerować czyjeś wybryki; **take a ~ line on sth** reagować niezdecydowanie na coś, tolerować coś. **7.** *pot.* wymiękły (= *słaby; o ciele, osobie*); **be going/getting ~** wymiękać. **8.** (*także* **~ in the head**) *pot.* przygłupi; **be going ~ in the head** głupieć (na starość). **9.** *fon.* miękki (*o głosce w jęz. słowiańskich*); frykatyzowany (*o głosce*); wymawiany jako spółgłoska trąca (*o literze*). **10. be ~ on sb** *zwł. US przest.* bujać się w kimś (= *podkochiwać*); **have a ~ spot for sb** mieć słabość do kogoś. – *n. U* **the ~ (of sth)** miękka część (czegoś). – *adv. pot.* = **softly**.

softball [ˈsɔːftˌbɔːl] *n. sport* **1.** *U* softball (*lżejsza odmiana baseballu*). **2.** piłka do softballu.

soft-boiled [ˌsɔːftˈbɔɪld] *a. pot.* litościwy; wyrozumiały; pobłażliwy.

soft-boiled egg *n. C / U kulin.* jajko na miękko.

soft coal *n. U górn.* węgiel miękki *l.* bitumiczny.

soft copy *n. U komp.* postać *l.* wersja elektroniczna; kopia nietrwała.

soft-core pornography [ˌsɔːftˌkɔːr pɔːrˈnɑːgrəfɪ] *n.* = **soft porn**.

softcover [ˌsɔːftˈkʌvər] *a. gł. attr. bibl.* w miękkiej oprawie (*o wydaniu, książce*).

soft currency *n. pl.* **-ies** *C / U ekon.* waluta miękka *l.* słaba; waluta niewymienialna.

soft drink *n.* napój bezalkoholowy.

soft drug *n.* narkotyk miękki.

soften [ˈsɔːfən] *v.* **1.** zmiękczać; rozmiękczać; mięknąć. **2.** łagodzić; łagodnieć. **3.** osłabiać; słabnąć. **4.** zmniejszać (się).

softener [ˈsɔːfənər] *n. C / U* zmiękczacz, środek zmiękczający; (*także* **fabric ~**) płyn do płukania tkanin.

soft focus *n. U fot.* filtr zmiękczający; rozmycie ostrości.

soft fruit *n. U* owoce miękkie; *handl.* owoce nietrwałe.

soft goods *n. pl.* (*także Br.* **soft furnishings**) *handl.* tkaniny dekoracyjne (*na zasłony, obicia itp.*).

soft hail *n. U meteor.* krupa (*śnieżna l. lodowa*).

soft-headed [ˌsɔːftˈhedɪd] *a. pot.* przygłupi.

soft-hearted [ˌsɔːftˈhɑːrtɪd] *a.* litościwy; wyrozumiały; pobłażliwy; **be ~** mieć miękkie serce.

softie [ˈsɔːftɪ] *n.* = **softy**.

soft landing *n. zwł. astronautyka* miękkie lądowanie.

softly [ˈsɔːftlɪ] *adv.* **1.** miękko. **2.** delikatnie, łagodnie. **3.** cicho (*mówić*).

softly-softly approach [ˌsɔːftlɪˈsɔːftlɪ əˌproʊtʃ] *n. U Br. i Austr.* (największa) delikatność.

softly-spoken [ˌsɔːftlɪˈspoʊkən] *a.* = **soft-spoken**.

softness [ˈsɔːftnəs] *n. U* **1.** miękkość. **2.** delikatność, łagodność.

soft palate *n. anat.* podniebienie miękkie.

soft pedal *n. muz.* pedał lewy (*tłumiący brzmienie w pianinie*).

soft-pedal [ˌsɔːftˈpedl] *v. przen. pot.* **1.** bagatelizować (*problem*); pomijać milczeniem (*drażliwą kwestię*). **2.** brać na wstrzymanie (*on sth* z czymś) (= *nie podejmować działań w sprawie*).

soft porn *n. U* (*także* **soft-core pornography**) pornografia miękka.

soft roe *n. U icht.* mlecz (*rybi*).

soft sell *n. U handl.* dyskretna reklama.

soft shoulder *n. mot.* miękkie pobocze.

soft soap *n. U* **1.** szare mydło. **2.** *przen. pot.* pochlebstwa.

soft-soap [ˌsɔːftˈsoʊp] *v. pot.* **1.** przymilać się do (*kogoś*). **2. ~ sth out of sb** wyciągnąć coś od kogoś.

soft sore *n. pat.* wrzód weneryczny miękki.

soft-spoken [ˌsɔːftˈspoʊkən] *a.* **1.** o łagodnym głosie. **2.** wygadany.

soft top *n. mot.* kabriolet (*z dachem z tkaniny*).

soft touch *n. przen.* łatwowierna dusza.

soft toy *n. Br.* pluszowa zabawka.

software [ˈsɔːftˌwer] *n. U komp.* oprogramowanie, software; **~ house** producent oprogramowania; **~ interrupt** przerwanie programowe; **~ package** pakiet oprogramowania *l.* programów.

software engineering *n. U komp.* technika programowania.

software piracy *n. U komp.* piractwo komputerowe.

softwood [ˈsɔːftˌwʊd] *n. U stol.* drewno drzew iglastych, drewno miękkie.

softy [ˈsɔːftɪ], **softie** *n. pl.* **-ies** *pot.* naiwnia-k/czka.

sogginess [ˈsɑːgɪnəs] *n. U* rozmokłość; wilgotność.

soggy [ˈsɑːgɪ] *a.* **-ier, -iest** rozmokły (*o ziemi*); rozmiękły, wilgotny (*t. np. o cieście*).

soh [soʊ] *n. muz.* = **so**[2].

SoHo [ˈsoʊˌhoʊ], **SOHO** *abbr.* **Small Office, Home Office** *komp.* systemy komputerowe dla drobnych przedsiębiorców (*zwł. związane z prowadzeniem biura w domu*).

Soho ['souhou] *n.* **1.** *US* dzielnica Nowego Jorku znana z licznych galerii sztuki. **2.** *Br.* popularna dzielnica rozrywki w Londynie.

soigné [ˌswa:n 'jeɪ] *a. form.* elegancki.

soignée [ˌswa:n 'jeɪ] *a. form.* elegancka.

soil[1] [sɔɪl] *n.* **1.** *C / U roln.* gleba; **sandy/loamy ~s** gleby piaszczyste/ilaste. **2.** *U lit.* ziemia; **on foreign ~** na obczyźnie, na obcej ziemi; **on Polish ~** na polskiej ziemi; **sb's native ~** czyjaś ziemia ojczysta; **the ~** uprawa roli.

soil[2] *form. v.* **1.** brudzić (się), walać (się), plamić (się). **2.** *przen.* kalać, brukać, plamić; **~ one's hands with sth** kalać sobie czymś ręce. – *n.* **1.** *U* zabrudzenia, plamy (*na ubraniach*); *t. przen.* brud. **2.** *U* nieczystości, odchody.

soilage ['sɔɪlɪdʒ] *n. U roln.* zielonki.

soiled [sɔɪld] *a.* brudny (*t. o pieluszkach*), zabrudzony; **heavily/lightly ~** mocno/lekko zabrudzony (*o rzeczach do prania*).

soil science *n. U roln.* gleboznawstwo.

soiree [swa:'reɪ], **soirée** *n. przest. form.* wieczorek (towarzyski) (*z programem artystycznym*).

soixante-neuf [ˌswa:sa:nt'nʌf] *n. U sl.* (pozycja) sześć na dziewięć (= *wzajemny seks oralny*).

sojourn [sou'dʒɜ:n] *lit. n.* pobyt (*zwł. za granicą*). – *v.* przebywać (*in / at sth* gdzieś).

sol[1] [soul] *n. muz.* sol.

sol[2] *n. C / U chem.* zol (= *roztwór koloidalny*).

solace ['sa:ləs] *form. l. lit. n. U l. sing.* pocieszenie, ukojenie, pociecha; **be a ~ to sb** być dla kogoś pociechą *l.* pocieszeniem; **find ~ in sth** znajdować w czymś ukojenie; **seek ~ in sth** szukać w czymś pocieszenia. – *v.* dawać *l.* przynosić pocieszenie (*komuś*); pocieszać.

solan ['soulən] *n.* (*także* **solan goose**) *orn. przest.* głuptak, gap (*Morus bassanus*).

solanaceous [ˌsa:lə'neɪʃəs] *a. bot.* psiankowaty.

solar ['soulər] *a.* słoneczny.

solar battery *n. pl.* **-ies** *el.* bateria słoneczna.

solar cell *n. el.* bateria słoneczna; ogniwo słoneczne.

solar day *n. astron.* doba słoneczna.

solar eclipse *n. astron.* zaćmienie słońca.

solar energy *n. U el.* energia słoneczna.

solar flare *n. astron.* rozbłysk słoneczny.

solarium [sou'lerɪəm] *n. pl.* **-s** *l.* **solaria** [sou'lerɪə] **1.** solarium. **2.** *US bud.* oszklona weranda.

solarize ['souləˌraɪz], *Br. i Austr. zw.* **solarise** *v. fot.* solaryzować (= *stosować technikę solaryzacji*).

solar panel *n. el.* panel słoneczny, kolektor słoneczny, bateria słoneczna.

solar plexus *n. anat.* splot słoneczny.

solar power *n. U el.* energia słoneczna.

solar system *n.* **the ~** *astron.* układ słoneczny.

solar year *n. astron.* rok zwrotnikowy.

solatium [sou'leɪʃɪəm] *n. pl.* **solatia** [sou'leɪʃɪə] *gł. US prawn.* wynagrodzenie strat moralnych.

sold [sould] *v. zob.* **sell**.

solder ['sa:dər] *v.* **1.** *gł. el.* lutować. **2.** *przen.* scementować (*związek*). – *n. U* **1.** lut, lutowie. **2.** *przen.* spoiwo.

soldering iron ['sa:dərɪŋ ˌaɪərn] *n. el.* lutownica.

soldier ['souldʒər] *n.* **1.** żołnierz; wojskowy; wojak. **2.** *przen.* bojowni-k/czka. **3.** (*także* **~ ant**) *ent.* żołnierz (*w kolonii mrówek*). – *v.* **1.** służyć w wojsku; wojować. **2.** markierować, bumelować. **3. ~ on** *zwł. Br.* nie poddawać się.

soldiering ['souldʒərɪŋ] *n. U* żołnierka; wojaczka.

soldierly ['souldʒərlɪ] *a.* żołnierski.

soldier of fortune *n. lit.* najemnik.

soldiery ['souldʒərɪ] *n. U l. sing.* **1.** *pog.* sołdateria, żołdactwo. **2.** wojsko. **3.** żołnierka.

sold-out [ˌsould'aut] *a.* wyprzedany; *zob. t.* **sell** *v.*

sole[1] [soul] *a. attr.* **1.** jedyny. **2.** wyłączny; **~ right to sth** wyłączne prawo do czegoś. **3.** *prawn.* nieżonaty; niezamężna. **4.** *arch.* samotny.

sole[2] *n.* **1.** podeszwa (*buta l. stopy*); zelówka; stopa (*skarpety, pończochy*). **2.** *mech.* nasada, podstawa, spód. **3.** *roln.* płóz (*pługa*). **4.** *golf* spód *l.* podstawa kijka. – *v.* **1.** zelować (*buty*). **2.** *golf* opierać na ziemi (*kijek*).

sole[3] *n. pl.* **-s** *l.* **sole** *icht.* sola (*Solea solea*).

solecism ['sa:lɪˌsɪzəm] *n. form.* solecyzm.

solely ['soulɪ] *adv.* **1.** wyłącznie; jedynie. **2. be ~ responsible** ponosić pełną *l.* całkowitą odpowiedzialność.

solemn ['sa:ləm] *a.* uroczysty (*np. o okazji, przysiędze*); solenny (*np. o obietnicy, przyrzeczeniu*); poważny (*np. o muzyce, wyrazie twarzy*).

solemnify [sə'lemnəˌfaɪ] *v.* **-ied, -ying** *form.* nadawać uroczysty charakter (*czemuś*).

solemnity [sə'lemnətɪ] *n. pl.* **-ies** **1.** *U* uroczysty charakter; solenność; powaga. **2.** *pl.* uroczystości. **3.** *prawn.* dopełnienie formalności.

solemnize ['sa:ləmˌnaɪz], *Br. i Austr. zw.* **solemnise** *v.* **1.** uroczyście obchodzić (*okazję, święto*). **2.** nadawać uroczysty charakter (*czemuś*). **3. ~ a marriage** wziąć ślub kościelny.

solemnly ['sa:ləmlɪ] *adv.* uroczyście; solennie; poważnie.

solenoid ['souləˌnɔɪd] *n. el. przest.* solenoid (= *cewka*).

sol-fa [ˌsoul'fa:] *muz. n.* solmizacja; system solmizacyjny. – *v. US* solmizować.

solfeggio [sa:l'fedʒou] *n. pl.* **-s** *l.* **solfeggi** [sa:l'fedʒi:] *muz.* solfeż.

soli ['souli:] *n. pl. zob.* **solo**.

solicit [sə'lɪsɪt] *v.* **1.** *form.* zabiegać o (*sth from sb* coś u kogoś) starać się uzyskać (*sth from sb* coś od kogoś). **2.** *uj.* nagabywać klientów (*o prostytutce*). **3.** *US uj.* uprawiać handel (*w miejscach publicznych, przez telefon*); **no ~ing** zakaz działalności handlowej (*napis*). **4.** *prawn.* namawiać do czynu występnego.

solicitation [səˌlɪsə'teɪʃən] *n. C / U* **1.** zabiegi, starania. **2.** nagabywanie. **3.** *US* uprawianie handlu. **4.** *prawn.* namawianie do czynu występnego.

solicitor [sə'lɪsɪtər] *n.* **1.** *US prawn.* radca

prawny (*instytucji publicznej*). **2.** *US ubezp.* akwizytor/ka. **3.** *Br. prawn.* radca prawny, notariusz; adwokat (*o ograniczonych uprawnieniach*).

Solicitor General *n. pl.* **Solicitors General** *prawn.* **1.** *US* naczelny prokurator odwoławczy. **2.** *Br.* zastępca prokuratora generalnego. **3.** *NZ* prokurator generalny.

solicitous [sə'lɪsətəs] *a. form.* **1.** troskliwy. **2.** zatroskany, niespokojny (*of / for / about sb / sth* o kogoś/coś). **3.** chętny, gotowy (*to do sth* do czegoś). **4.** skrupulatny.

solicitously [sə'lɪsətəslɪ] *adv. form.* **1.** troskliwie. **2.** z zatroskaniem *l.* troską, niespokojnie. **3.** chętnie. **4.** skrupulatnie.

solicitude [sə'lɪsəˌtu:d], **solicitousness** [sə'lɪsətəsnəs] *n. U form.* troska (*for sb / sth* o kogoś/coś).

solid ['sɑ:ləd] *a.* **1.** stały; ~ **foods/fuel** pokarmy/paliwo stałe. **2.** twardy; **(as) ~ as a rock** *emf.* twardy jak skała; **frozen ~** zamarznięty na kość *l.* kamień. **3.** solidny (= *mocny, pokaźny, rzetelny, dobry, uczciwy*); ~ **basis/foundation/grounds** solidne podstawy; ~ **education** solidne wykształcenie. **4.** *attr.* konkretny; ~ **evidence** konkretne dowody. **5.** masywny; zwarty. **6.** lity; ~ **gold/wood** lite złoto/drewno. **7.** zestalony (*o materiale*). **8.** pełny; ~ **hour** bita *l.* pełna godzina. **9.** jednolity (*np. o barwie, strukturze*). **10.** pewny (*o poparciu*). **11.** solidarny; życzliwy, przyjazny, godny zaufania (*o przyjacielu, przyjaźni*). **12.** *geom.* przestrzenny, trójwymiarowy, bryłowy. **13.** *Br.* jednomyślny (*on sth* w jakiejś sprawie); ~ **vote** jednomyślne głosowanie; **be ~ for/against sth** jednomyślnie *l.* zdecydowanie opowiadać się za czymś/przeciwko czemuś. **14.** *jęz.* łączny (*o pisowni wyrazów*). **15.** *druk.* ciągły, bez interlinii (*o druku*). – *adv.* **1.** ciasno; **packed ~** zapchany po brzegi (*o sali, pociągu*); **booked ~** cały zarezerwowany, bez jednego wolnego miejsca (*o hotelu*). **2.** *pot.* bez przerwy; **(for) two weeks ~** przez całe *l.* bite dwa tygodnie. **3.** solidnie. – *n.* **1.** *fiz.* ciało stałe. **2.** *geom.* bryła. **3.** *pl. zob.* **solids.**

solid angle *n. geom.* kąt przestrzenny.

solidarity [ˌsɑ:lə'derətɪ] *n. U* solidarność (*with sb* z kimś); **Solidarity** *hist., polit.* Solidarność (*ruch związkowo-polityczny w Polsce*).

solidary ['sɑ:ləˌderɪ] *a. rzad.* solidarny.

solid geometry *n. U geom.* geometria przestrzenna, stereometria.

solidi ['sɑ:lədaɪ] *n. pl. zob.* **solidus.**

solidification [səˌlɪdəfə'keɪʃən] *n. U* **1.** *fiz.* krzepnięcie; zestalanie (się). **2.** umocnienie; utrwalenie (*np. przyjaźni*). **3.** krystalizacja (*poglądów*).

solidify [sə'lɪdəˌfaɪ] *v.* **-ied, -ying 1.** *fiz.* krzepnąć; zestalać (się); tężeć. **2.** *fiz.* powodować krzepnięcie (*cieczy*). **3.** *przen.* umacniać; utrwalać (*związek, przyjaźń*). **4.** *przen.* krystalizować (się) (*o poglądach*).

solidity [sə'lɪdətɪ], **solidness** ['sɑ:lədnəs] *n. U* **1.** stałość. **2.** solidność. **3.** pewność. **4.** zwartość.

solidly ['sɑ:lədlɪ] *adv.* **1.** solidnie. **2.** pewnie.

solid of revolution *n. geom.* bryła obrotowa.

solids ['sɑ:lədz] *n. pl.* **1.** pokarm stały, pokarmy stałe. **2.** *fiz.* części stałe (*z zawiesiny, roztworu*).

solid state *n. U fiz.* stan stały (*skupienia*).

solid-state [ˌsɑ:lɪd'steɪt] *a. attr.* **1.** *fiz.* stanu *l.* ciała stałego; stały; ~ **laser** laser stały; ~ **physics** fizyka ciała stałego. **2.** *el.* półprzewodnikowy (*o elementach elektronicznych*).

solidus ['sɑ:lədəs] *n. pl.* **solidi** ['sɑ:lədaɪ] *druk.* ukośnik.

soliloquize [sə'lɪləˌkwaɪz], *Br. i Austr. zw.* **soliloquise** *v. form.* monologować.

soliloquy [sə'lɪləkwɪ] *n. pl.* **-ies** *teatr* monolog sceniczny, solilokwium.

solipsism ['sɑ:ləpˌsɪzəm] *n. U fil.* solipsyzm.

solipsist ['sɑ:ləpsɪst] *n. fil.* solipsyst-a/ka.

solitaire ['sɑ:ləˌter] *n.* **1.** *U US karty* pasjans. **2.** *U Br.* samotnik (*gra planszowa*). **3.** *jubilerstwo* soliter. **4.** *orn.* klarnetnik (*Myadestes*).

solitarily [ˌsɑ:lə'terəlɪ] *adv.* samotnie.

solitariness ['sɑ:ləˌterɪnəs] *n. U* samotność.

solitary ['sɑ:ləˌterɪ] *a. attr.* **1.** samotny. **2.** jedyny; pojedynczy. **3.** samotniczy (*o trybie życia*). **4.** odosobniony (*o przypadku*). **5.** odludny, opustoszały, pusty (*o domu, pomieszczeniu*). – *n. pl.* **-ies 1.** samotni-k/czka, odludek; pustelni-k/ca. **2.** *U pot.* = **solitary confinement.**

solitary confinement *n. U* izolatka (więzienna); pobyt w izolatce, odosobnienie.

solitude ['sɑ:ləˌtu:d] *n.* **1.** *U* samotność; odosobnienie. **2.** *lit.* pustelnia.

solitudinarian [ˌsɑ:ləˌtu:də'nerɪən] *n. lit.* samotni-k/czka (*z wyboru*).

solitudinous [ˌsɑ:lə'tu:dənəs] *a. lit.* samotniczy.

solmization [ˌsɑ:lmə'zeɪʃən], *Br. i Austr. zw.* **solmisation** *n. U muz.* solmizacja.

solo ['soulou] *n. pl.* **-s** *l.* **soli** ['souli:] **1.** *muz.* solo. **2.** (*także* ~ **flight**) *lotn.* lot w pojedynkę; *żegl.* samotny rejs. – *a. attr.* **1.** solowy (*o partii, występie*). **2.** w pojedynkę (*o locie*); samotny (*o rejsie, wspinaczce*). – *adv.* **1.** solo. **2.** w pojedynkę (*lecieć*); samotnie (*żeglować*). **3. go ~** działać samotnie *l.* samemu. – *v.* działać samotnie *l.* samemu.

soloist ['soulouɪst] *n. muz.* solist-a/ka.

Solomon ['sɑ:ləmən] *n. Bibl. l. przen.* Salomon.

Solomonic [ˌsɑ:lə'mɑ:nɪk] *a.* salomonowy (*o sądzie, wyroku*).

Solomon's seal *n.* **1.** gwiazda Salomona (*sześcioramienna*). **2.** kokoryczka wielokwiatowa (*Polygonatum multiflorum*).

solon ['soulən] *n. US lit.* mąż stanu (*polityk l. parlamentarzysta*); mędrzec.

solstice ['sɑ:lstəs] *n. astron.* przesilenie; punkt przesilenia.

solstitial [sɑ:l'stɪʃl] *a. astron.* solstycjalny; ~ **points** punkty przesileń.

solubility [ˌsɑ:ljə'bɪlətɪ] *n. U fiz., chem.* rozpuszczalność.

soluble ['sɑ:ljəbl] *a.* **1.** *fiz., chem.* rozpuszczalny; **water-~** rozpuszczalny w wodzie. **2.** *med.*

rozpuszczalny, do rozpuszczania (*o tabletce, leku*). **3.** *form.* rozwiązalny, rozwiązywalny (możliwy) do rozwiązania (*o problemie, zagadce*).

soluble glass *n. U chem.* szkło wodne.

soluble RNA *n. U genetyka* RNA transferowy.

solus ['soʊləs] *a. i adv. teatr* sam (*uwaga w didaskaliach*).

solute ['sɑːljuːt] *a.* **1.** *chem.* rozpuszczony. **2.** *bot.* oddzielny. – *n. U chem.* substancja rozpuszczona.

solution [sə'luːʃən] *n.* **1.** *t. mat.* rozwiązanie (*to/for sth* czegoś) (*problemu, zagadki, zadania*). **2.** *C/U chem.* roztwór; **aqueous ~ of salts** wodny roztwór soli; **sugar in ~** roztwór cukru, cukier w stanie rozpuszczonym. **3.** *U chem.* rozpuszczanie (się).

solution set *n. mat.* zbiór rozwiązań (*równania*).

solvable ['sɑːlvəbl] *a.* rozwiązalny, rozwiązywalny, (możliwy) do rozwiązania (*o problemie, zagadce*).

solve [sɑːlv] *v.* **1.** rozwiązywać (*problemy, równania, zagadki*); znaleźć rozwiązanie (*problemu, równania, zagadki*), rozwiązać. **2. ~ (an equation) for x** *mat.* wyznaczyć x (z równania).

solvency ['sɑːlvənsɪ] *n. U fin.* wypłacalność.

solvent ['sɑːlvənt] *a.* **1.** *fin.* wypłacalny. **2.** *chem.* rozpuszczający. – *n. C/U chem.* rozpuszczalnik, solwent.

solvent abuse *n. U form.* odurzanie się chemikaliami.

soma ['soʊmə] *n. pl.* **-s** *l.* **somata** ['soʊmətə] *biol. form.* soma (= *ciało*).

Somali [sə'mɑːlɪ], **Somalian** [sə'mɑːlɪən] *n.* **1.** *pl.* **-s** *l.* **Somali** Somalij-czyk/ka. **2.** *U jęz.* język somalijski. – *a.* somalijski.

Somalia [sə'mɑːlɪə] *n. geogr.* Somalia.

Somaliland [sə'mɑːlɪˌlænd] *n. geogr.* Somali.

somatic [soʊ'mætɪk] *a.* **1.** *biol.* somatyczny. **2.** *form.* cielesny.

somatic cell *n. biol.* komórka somatyczna.

somatology [ˌsoʊmə'tɑːlədʒɪ] *n. U biol.* somatologia.

somber ['sɑːmbər], *Br.* **sombre** *a.* **1.** ponury, posępny. **2.** ciemny; mroczny.

somberly ['sɑːmbərlɪ] *adv.* ponuro, posępnie.

sombrero [sɑːm'breroʊ] *n. pl.* **-s** sombrero.

sombrous ['sɑːmbrəs] *a. arch.* posępny.

some [sʌm] *indef. art. i pron.* **1.** trochę, nieco; odrobina; **~ bread/coffee/water** trochę chleba/kawy/wody; **~ was left over** trochę zostało; **can we get ~ (more) ice?** możemy dostać trochę (więcej) lodu?; **"Got any money?" "Yes, I have ~."** „Masz jakieś pieniądze?" „Tak, trochę (mam)". **2.** kilka; kilku; parę; paru; **~ trees** kilka *l.* parę drzew; **~ policemen** kilku policjantów; **and then ~** *gł. US pot.* a nawet więcej. **3.** niektóre; niektórzy; **~ books** niektóre książki; **~ (of them) are good** niektóre (z nich) są dobre; **~ people are lucky** niektórzy (ludzie) mają szczęście. **4.** jakiś; pewien; **~ child** jakieś dziecko; **~ day** pewnego dnia, kiedyś. **5.** jakieś, mniej więcej, około; **~ ten people** około dziesięciu osób; **for ~ two hours** przez jakieś dwie godziny. **6.** *emf. pot.* niczego sobie, nie byle jaki; **~ friend!** *iron.* też mi przyjaciel!; **~ hopes!** akurat!, jak sobie namalujesz!; **this is ~ tea!** to się nazywa herbata!, taką herbatę to ja rozumiem!. **7.** *pot.* **~ place or other/another** gdzieś (tam), tam czy siam; **~ time or other/another** kiedyś (tam). – *adv. gł. US pot.* trochę, nieco; sporo; **~ better** trochę lepiej; **dance ~** trochę potańczyć.

somebody ['sʌmbədɪ] *pron.* ktoś; **~ else** ktoś inny; **~ else's car** samochód (należący do) kogoś innego, cudzy samochód; **~ new** ktoś nowy; **or ~** czy ktoś taki *l.* w tym stylu. – *n. pl.* **-ies** ktoś (= *osoba znacząca*); **be ~** być kimś.

someday ['sʌmˌdeɪ] *adv.* pewnego dnia, kiedyś.

somehow ['sʌmˌhaʊ] *adv.* jakoś; **~, he forgot** tak się (jakoś) złożyło, że zapomniał; **~ or other** jakoś, w taki czy inny sposób; **we'll do it ~** jakoś to zrobimy.

someone ['sʌmˌwʌn] *pron. i n.* = **somebody**.

someplace ['sʌmˌpleɪs] *adv. US i Can. pot.* = **somewhere**.

somersault ['sʌmərˌsɔːlt] *n.* **1.** fikołek; koziołek; **turn ~s** fikać koziołki; **turn/do a ~** fiknąć koziołka. **2.** *sport* przewrót; salto. – *v.* **1.** fikać koziołki; obracać się (w powietrzu). **2.** *sport* wykonywać salto.

something ['sʌmθɪŋ] *pron.* coś; **~ cheaper/new** coś tańszego/nowego; **~ else** coś innego; *pot.* coś wyjątkowego *l.* niesamowitego (*t. o osobie*); **~ for nothing** coś za nic; **~ like 100** jakieś sto, ze sto, około stu; **~ like that** *pot.* coś w tym rodzaju; **~ of a...** coś w rodzaju... (*czegoś*); **~ of a meal** niczego sobie posiłek; **~ or other** coś tam; **~ over/under $100** trochę ponad/poniżej 100 dolarów; **~ stronger** *żart.* coś mocniejszego (= *alkohol*); **~ to eat/drink/do** coś do jedzenia/picia/roboty; **be ~ of a writer** być po trosze pisarzem, zajmować się trochę pisarstwem; **little ~** (mały) drobiazg, coś małego (*zwł. upominek*); **do ~ about sb/sth** zrobić coś z kimś/czymś; **have ~ of sb/sth** mieć coś wspólnego z czymś, mieć coś z kogoś/czegoś; **have/be ~ to do with sth** mieć związek z czymś; **it's (quite/really) ~!** to nie byle co!; **or ~** *pot.* czy coś w tym rodzaju, czy coś takiego; **sb has ~ going with sb** coś jest między kimś a kimś (= *mają romans, kochają się*); **that's ~** to już *l.* zawsze coś; **there is ~ about/in sb/sth** coś w kimś/czymś jest; **there is ~ unusual/strange about sb/sth** w kimś/czymś jest coś niezwykłego/dziwnego; **there's ~ wrong (with sth)** coś jest nie w porządku (z czymś); **we need to do ~ about him** musimy coś z nim zrobić; **we used to see ~ of him** widywaliśmy go od czasu do czasu. – *adv.* **1.** trochę; **look/sound ~ like...** wyglądać/brzmieć trochę jak..., wyglądać/ brzmieć podobnie do... **2.** *pot.* bardzo; **it hurts ~ awful** strasznie *l.* okropnie boli, boli jak nie wiem co. **3.** *po num. pot.* ponad; **thirty/forty ~** trzydzieści/czterdzieści ileś *l.* parę.

sometime ['sʌmˌtaɪm] *adv.* **1.** kiedyś; **~ soon** niedługo, niebawem; **~ next year** kiedyś (tam) w przyszłym roku; **I'll do it ~** kiedyś to zrobię. **2.** *gł. US* czasami. **3.** *form.* ongiś, dawniej. – *a. attr.* **1.** *form.* były. **2.** *US przest.* niekiedy, dorywczo, sporadycznie.

sometimes [ˈsʌmˌtaɪmz] *adv.* czasem, czasami, niekiedy.

someway [ˈsʌmˌweɪ] *pot.* **someways, some ways** *adv. gł. US* = **somehow**.

somewhat [ˈsʌmwət] *adv.* trochę, odrobinę, nieco; ~ **strange/bigger** trochę dziwny/większy; ~ **to my surprise** ku memu niejakiemu/pewnemu zaskoczeniu; **more than** ~ *Br. form.* ponad miarę, niezwykle. – *pron.* coś; ~ **of a sb/sth** po trosze ktoś/coś; **he's** ~ **of a snob** jest trochę snobem.

somewhere [ˈsʌmˌwer] *t. US pot.* **somewheres** [ˈsʌmˌwerz] *adv.* **1.** gdzieś (*t.* = *w przybliżeniu*); **I have it** ~ **(here)** gdzieś (tutaj) to mam; ~ **around noon/5** gdzieś około południa/piątej; ~ **between 100 and 200** gdzieś między 100 a 200; ~ **else** gdzieś *l.* gdzie indziej; ~ **in the region of $500** w okolicach 500 dolarów; **or** ~ czy gdzieś (tam). **2.** ~ **safe/cheap** bezpieczne/niedrogie miejsce; ~ **to live** mieszkanie; ~ **to sleep** nocleg, kwatera; **have** ~ **to live/sleep** mieć gdzie mieszkać/spać. **3. be getting** ~ *przen.* robić (jakieś) postępy.

somite [ˈsoʊmaɪt] *n. biol.* somit.

somnambulate [sɑːmˈnæmbjəˌleɪt] *v. pat.* lunatykować.

somnambulism [sɑːmˈnæmbjəˌlɪzəm] *n. U pat.* somnambulizm, lunatyzm.

somnambulist [sɑːmˈnæmbjəlɪst] *n. pat.* somnambuli-k/czka, lunaty-k/czka.

somniferous [sɑːmˈnɪfərəs] *a. form.* nasenny, usypiający.

somnolence [ˈsɑːmnələns], **somnolency** [ˈsɑːmnələnsɪ] *n. U lit.* senność.

somnolent [ˈsɑːmnələnt] *a. lit.* senny; usypiający.

son [sʌn] *n.* **1.** *t. przen.* syn; **like father, like** ~ jaki ojciec, taki syn, niedaleko pada jabłko od jabłoni. **2.** *voc.* chłopcze, synu; **my** ~ *gł. rel.* mój synu.

sonance [ˈsoʊnəns] *n. U fon.* dźwięczność.

sonant [ˈsoʊnənt] *fon. n.* **1.** głoska dźwięczna. **2.** sonant, spółgłoska półotwarta. – *a.* **1.** dźwięczny. **2.** sonantyczny.

sonar [ˈsoʊnɑːr] *n. żegl.* sonar, hydrolokator (akustyczny).

sonata [səˈnɑːtə] *n. muz.* sonata.

sonatina [ˌsɑːnəˈtiːnə] *n. muz.* sonatina.

son et lumière [ˌsɑːn eɪ luːmˈjer] *n. U l. sing. Fr.* (widowisko typu) światło i dźwięk.

song [sɔːŋ] *n.* **1.** piosenka; pieśń; **drinking/sacred** ~ pieśń biesiadna/religijna. **2.** *U* śpiew (*t. ptasi*); **break/burst into** ~ zacząć śpiewać (*zwł. ni stąd, ni zowąd*). **3.** *przen.* **a** ~ **and dance (about sth)** *gł. US* pokrętne wyjaśnienie (czegoś); *gł. Br.* ceregiele (z czegoś); **nothing to make a** ~ **and dance about** *gł. Br.* niewarte gadania; **for a** ~ *pot.* za bezcen, za pół darmo (*kupić l. sprzedać*); **go for a** ~ *pot.* pójść za bezcen.

songbird [ˈsɔːŋˌbɝːd] *n. orn.* ptak śpiewający, śpiewak.

song book *n.* śpiewnik.

songfest [ˈsɔːŋˌfest] *n. US* śpiewy.

Song of Songs *n.* (*także* **Song of Solomon**) *Bibl.* Pieśń nad pieśniami, Pieśń Salomonowa.

songster [ˈsɔːŋstər] *n.* **1.** pieśnia-rz/rka. **2.** *orn.* śpiewak. **3.** *lit.* piew-ca/czyni.

songstress [ˈsɔːŋstrəs] *n. przest.* pieśniarka, śpiewaczka.

songwriter [ˈsɔːŋˌraɪtər] *n.* autor/ka piosenek.

sonic [ˈsɑːnɪk] *a. akustyka* dźwiękowy, akustyczny.

sonic barrier *n. t. lotn.* bariera dźwięku.

sonic boom *n.* (*także Br.* **sonic bang**) *t. lotn.* uderzenie dźwiękowe, grom dźwiękowy (*przy przekraczaniu bariery dźwięku*).

sonics [ˈsɑːnɪks] *n. U fiz.* akustyka techniczna.

soniferous [səˈnɪfərəs] *a. form.* **1.** wytwarzający dźwięk. **2.** przenoszący *l.* przewodzący dźwięk.

son-in-law [ˈsʌnɪnˌlɔː] *n. pl.* **sons-in-law** *l.* **son-in-laws** zięć.

sonnet [ˈsɑːnɪt] *n. wers.* sonet.

sonneteer [ˌsɑːnəˈtiːr] *n.* **1.** autor/ka sonetów. **2.** *pog.* wierszoklet-a/ka.

sonny [ˈsʌnɪ] *n. zw. voc. pl.* **-ies** (*także* ~ **boy**) *przest.* synek; **listen here,** ~ posłuchaj no, synku; **S~ Jim** *żart. Br.* kolego.

son of a bitch, sonofabitch *zwł. US wulg. sl. n.* **1.** skurwysyn. **2. sth is a** ~ coś jest cholernie upierdliwe. – *int.* cholera jasna!.

son of a gun *zwł. US przest. pot. n.* **1.** *t. żart.* skurczybyk, drań. **2.** *żart.* cholerstwo. – *int.* jasny gwint!.

Son of God *n. rel.* Syn Boży.

sonorant [səˈnɔːrənt] *n. fon.* spółgłoska sonorna.

sonority [səˈnɔːrətɪ] *n. U* **1.** dźwięczność (*głosu*). **2.** *fon.* sonorność.

sonorous [səˈnɔːrəs] *a.* **1.** dźwięczny (*o głosie*). **2.** *przen.* górnolotny, szumny (*o mowie, stylu*). **3.** *fon.* sonorny.

sonship [ˈsʌnˌʃɪp] *n. U form.* synostwo.

soon [suːn] *adv.* **1.** wkrótce, niebawem; ~ **after sth** wkrótce po czymś; ~ **afterwards/after** niedługo potem, wkrótce; **quite** ~ już wkrótce. **2.** wcześnie; szybko; **all too** ~ przedwcześnie, wcześniej, niż by się chciało; **arrive** ~ przyjechać (za) wcześnie (*o pociągu, gościu*); **as** ~ **as** jak *l.* skoro *l.* gdy tylko; **as** ~ **as you can** najszybciej jak możesz; **as** ~ **as possible** jak najszybciej; **how** ~**?** jak szybko?; **how** ~ **can you finish this?** na kiedy (najwcześniej) możesz to skończyć?; **not a moment too** ~ (*także* **none too** ~) w samą porę. **3. sb would (just) as** ~ **do sth** ktoś wolałby (już raczej) coś zrobić; **I'd just as** ~ **you didn't use my computer** wolałabym, żebyś nie używał mojego komputera.

sooner [ˈsuːnər] *adv.* **1.** szybciej, prędzej; wcześniej; ~ **or later** prędzej czy później; **no** ~**... than...** ledwo..., gdy...; jak *l.* gdy tylko..., (to)...; **no** ~ **had she come in than the phone rang** jak tylko weszła, zadzwonił telefon; **no** ~ **said than done** już się robi; **the** ~**, the better** im wcześniej, tym lepiej. **2.** raczej; **sb would/had** ~ **do sth** ktoś wolałby (już raczej) coś zrobić.

soot [sʊt] *n. U* sadza. – *v.* pokrywać sadzą; przyciemniać, przyczerniać.

sooth [su:θ] *arch. l. poet. n. U* prawda; **in (good) ~** zaprawdę. – *a.* **1.** prawdziwy. **2.** gładki.

soothe [su:ð] *v.* **1.** uspokajać. **2.** koić, łagodzić, uśmierzać (*ból, cierpienie*).

soothing ['su:ðɪŋ] *a.* **1.** kojący (*np. o muzyce*). **2.** *gł. med.* uśmierzający (*np. o maści*).

soothingly ['su:ðɪŋlɪ] *adv.* kojąco (*działać*).

soothsay ['su:θˌseɪ] *v. arch.* prorokować.

soothsayer ['su:θˌseɪər] *n. arch.* wieszcz/ka, prorok/ini.

sooty ['sʊtɪ] *a.* **-ier, -iest 1.** pokryty sadzą; okopcony. **2.** czarny (jak sadza).

SOP [ˌes ˌoʊ 'pi:] *abbr.* = **standard operating procedure.**

sop [sɑ:p] *n.* **1.** *sing.* mało znaczący gest, pozorne *l.* drobne ustępstwo (*to sb* na czyjąś rzecz); coś na odczepkę *l.* odczepnego. **2.** *pog. pot.* sierota, ofiara. **3.** *t. pl. kulin.* maczanka (*np. chleb maczany w sosie*). – *v.* **-pp- 1.** przemoczyć, zmoczyć. **2. ~ with rain** ociekać deszczem. **3.** maczać (*chleb*). **4. ~ in** wsiąkać; **~ up** wchłaniać, wsączać (*wodę*).

soph [sɑ:f] *n. pot.* = **sophomore** 1.

sophism ['sɑ:fˌɪzəm] *n. fil., log.* sofizmat.

sophist ['sɑ:fɪst] *n. fil.* sofist-a/ka.

sophistic [sə'fɪstɪk], **sophistical** *a. fil., log.* sofistyczny.

sophisticate [sə'fɪstəˌkeɪt] *form. v.* **1.** kształtować (*osobę*). **2.** udoskonalać (*urządzenie*). **3.** uprawiać sofistykę. – *n.* osoba wyrafinowana *l.* wyrobiona.

sophisticated [sə'fɪstəˌkeɪtɪd] *a.* **1.** wyrafinowany, wyrobiony (*np. o osobie, guście, publiczności*). **2.** wyszukany (*np. o muzyce, sztuce*). **3.** skomplikowany, złożony; wymyślny (*np. o mechanizmie, urządzeniu*).

sophistication [səˌfɪstə'keɪʃən] *n. U* **1.** wyrobienie, wyrafinowanie (*osoby, publiczności*). **2.** skomplikowanie, złożoność, stopień skomplikowania *l.* złożoności (*mechanizmu*).

sophistry ['sɑ:fɪstrɪ] *n. pl.* **-ies** *form.* **1.** *U* sofistyka. **2.** sofizmat.

Sophocles ['sɑ:fəˌkli:z] *n. hist.* Sofokles.

sophomore ['sɑ:fəˌmɔ:r] *n. US i Can.* **1.** *uniw.* student/ka drugiego roku. **2.** *szkoln.* drugoklasist-a/ka, ucze-ń/nnica drugiej klasy (*szkoły średniej*).

sophomoric [ˌsɑ:fə'mɔ:rɪk] *a. US i Can.* **1.** *uj.* naiwny, niedojrzały. **2.** *uniw.* (z) drugiego roku. **3.** *szkoln.* (z) drugiej klasy (*szkoły średniej*).

soporific [ˌsɑ:pə'rɪfɪk] *a. form.* **1.** *t. med.* nasenny. **2.** senny. – *n. med.* środek nasenny.

soporifically [ˌsɑ:pə'rɪfɪklɪ] *adv. t. med.* nasennie.

sopping ['sɑ:pɪŋ] *a. i adv.* **~ (wet)** przemoczony do suchej nitki.

soppy ['sɑ:pɪ] *a.* **-ier, -iest 1.** przemoczony (*np. o kurtce*). **2.** deszczowy (*o pogodzie*). **3.** *Br. pot.* ckliwy, sentymentalny. **4. be ~ about sb/sth** *pot.* mieć bzika na punkcie kogoś/czegoś (= *darzyć nadmiernym uczuciem*).

soprano [sə'prænoʊ] *n. pl.* **-s** *l.* **soprani** [sə'præni:] *muz.* sopran (*głos, śpiewaczka, śpiewak, saksofon*); sopranist-a/ka.

Sorb [sɔ:rb] *n.* Łużycza-nin/nka.

sorb [sɔ:rb] *n. bot.* **1.** jarzębina, jarząb domowy (*Sorbus domestica*). **2.** (*także* **~ apple**) owoc jarzębiny, jarzębina.

sorbet ['sɔ:rbət] *n. C/U kulin.* sorbet.

Sorbian ['sɔ:rbɪən] *a.* łużycki. – *n. U* (język) łużycki.

sorbic acid [ˌsɔ:rbɪk 'æsɪd] *n. U chem.* kwas sorbinowy.

sorbitol ['sɔ:rbəˌtɔ:l] *n. chem., kulin.* sorbit (*substytut cukru*).

sorcerer ['sɔ:rsərər] *n.* czarnoksiężnik, czarodziej, czarownik.

sorceress ['sɔ:rsərəs] *n.* czarodziejka.

sorcery ['sɔ:rsərɪ] *n. U* czarnoksięstwo, czarna magia, czary.

sordid ['sɔ:rdɪd] *a.* **1.** ohydny, obrzydliwy, plugawy (*np. o motywach*); brudny, nieczysty (*np. o zyskach*); **~ details** obrzydliwe szczegóły. **2.** brudny, obskurny (*o pomieszczeniu*).

sordidly ['sɔ:rdɪdlɪ] *adv.* **1.** ohydnie. **2.** brudno, obskurnie.

sordidness ['sɔ:rdɪdnəs] *n. U* **1.** ohyda. **2.** brud.

sordino [sɔ:r'di:noʊ] *n. pl.* **sordini** [sɔ:r'di:ni:] *muz.* tłumik.

sore [sɔ:r] *a.* **1.** bolesny, obolały; **~ throat** ból gardła; **I have a ~ throat** boli mnie gardło; **I'm ~ all over** wszystko mnie boli; **my legs are ~** bolą mnie nogi. **2.** wrażliwy; podrażniony; *t. przen.* czuły; **~ point/spot** *przen.* czuły punkt. **3.** *pred. US pot.* zły, wkurzony (*at/with sb* na kogoś, *about sth* z powodu czegoś); **get ~ with sb** wkurzyć się na kogoś. **4.** drażliwy (*o temacie*). **5.** *attr.* dotkliwy (*o braku*); **be in ~ need of sth** pilnie czegoś potrzebować. **6.** *przen.* **a sight for ~ eyes** *zob.* **sight** *n.*; **be a ~ loser** nie umieć przegrywać; **sb is like a bear with a ~ head** ktoś zachowuje się, jakby go osa ugryzła; **stick out like a ~ thumb** *zob.* **thumb** *n.* – *n.* **1.** *pat.* owrzodzenie, wrzód; zakażona rana; bolesne miejsce; **cold ~** opryszczka, febra. **2.** *przen.* rana. – *adv. arch.* boleśnie.

sorehead ['sɔ:rˌhed] *n. US pot. uj.* przyjemniaczek.

sorely ['sɔ:rlɪ] *adv.* **1.** *form.* ogromnie, bardzo; **sb is ~ tempted to do sth** kogoś bardzo korci, żeby coś zrobić; **you'll be ~ missed** będzie nam cię ogromnie brakowało. **2.** *przest.* boleśnie; dotkliwie.

soreness ['sɔ:rnəs] *n. U pat.* bolesność; obolałość.

sorghum ['sɔ:rgəm] *n. U* **1.** *bot., roln.* sorgo (*Sorghum*). **2.** *kulin.* syrop z sorgo.

Soroptimist [sə'rɑ:ptɪmɪst] *n.* członkini dobroczynnego stowarzyszenia kobiet sukcesu Soroptimist International.

sorority [sə'rɔ:rətɪ] *n. pl.* **-ies** *US i Can. uniw.* stowarzyszenie studentek (*zw. elitarne i zrytualizowane, oznaczane trzema greckimi literami*).

sorosis [sə'roʊsɪs] *n. pl.* **soroses** [sə'roʊsi:z] *bot.* owocostan jagodowy, jagodostan.

sorption ['sɔ:rpʃən] *n. U fiz.* sorpcja.

sorrel[1] ['sɔ:rəl] *n. U bot.* szczaw (*rodzaj Rumex*).

sorrel[2] *n.* **1.** *U* kolor kasztanowy. **2.** kasztan (*koń*).

sorrily ['sɔ:rɪlɪ] *adv.* żałośnie; niewesoło.

sorriness ['sɔ:rɪnəs] *n. U* żałosność.

sorrow ['sɔ:roʊ] *n.* **1.** *U* smutek, żal (*over/at sth* z powodu czegoś); *pl.* smutki, żale; **drown one's ~s** topić żale; **more in ~ than in anger** z żalem, lecz bez złości. **2.** powód do zmartwienia; **be a (great) ~ to sb** martwić kogoś (niezmiernie). – *v. lit.* troskać się, martwić się (*for sb* o kogoś, *at/over/for sth* czymś).

sorrowful ['sɔ:roʊfʊl] *a. lit.* **1.** zgnębiony, smutny. **2.** przygnębiający; przykry.

sorrowfully ['sɔ:roʊfʊlɪ] *adv. lit.* **1.** ze smutkiem; smutno. **2.** z przykrością.

sorry ['sɑ:rɪ] *a. i int.* **-ier, -iest 1.** *pred.* **(I'm) ~!** przepraszam; przykro mi; **~?** *zwł. Br. i Austr.* słucham? (*prosząc o powtórzenie*); **~ about that** przepraszam; **~ to bother you/interrupt** przepraszam, że niepokoję/przerywam; **be ~ for o.s.** użalać się nad sobą; **I am/feel ~ for him/her** żal mi go/jej, współczuję mu/jej; **sb is ~ about sth/for sth** komuś jest przykro z jakiegoś powodu; **I'm ~ to hear that** przykro mi to słyszeć; **I'm ~ to say** przykro (mi to) powiedzieć; **I was ~ to see her leave** przykro mi było, że musiała wyjechać; **say (you are) ~ (to him/her)!** przeproś (go/ją)!; **you'll be ~** będziesz żałować, (jeszcze) pożałujesz. **2.** *attr.* opłakany, żałosny; przykry, smutny; **~ state of affairs** przykra *l.* smutna sytuacja; **be a ~ sight** wyglądać żałośnie; **in a ~ state** w opłakanym stanie.

sort [sɔ:rt] *n.* **1.** *zwł. Br. t. handl.* rodzaj (*of sth* czegoś); gatunek, klasa; marka; *handl.* sort. **2.** *sing. gł. Br. przest.* rodzaj *l.* typ człowieka; **a good/bad ~** dobry/zły człowiek; **it takes all ~s (to make a world)** są ludzie i ludziska (= *ludzie bywają różni*). **3.** *sing. komp.* sortowanie; **ascending/alphabetic ~** sortowanie w porządku rosnącym/alfabetycznym. **4.** *druk.* asortyment czcionek. **5. ~ of** *pot.* tak *l.* coś jakby; poniekąd; **~ of green/small** tak jakby zielonkawy/przymały; **I ~ of knew** poniekąd wiedziałem (= *domyślałem się, wyczuwałem*); **~ of like** *pot.* coś w rodzaju, coś jakby; że tak powiem; **after a ~** (dość) byle jak; **all ~s of** wszelkiego rodzaju; **all ~s (of things)** najróżniejsze rzeczy; **nothing of the ~** nic z tych rzeczy, nic podobnego; **of ~s** (*także* **of a ~**) coś w rodzaju; **a government of ~s** coś w rodzaju rządu (= *namiastka rządu*); **of some ~** (*także* **some ~ of**) pewnego *l.* swego rodzaju, jakiś; **a disease of some ~** (*także* **some ~ of disease**) jakaś choroba; **(feel/be) out of ~s** *przest.* (być) nie w sosie; **(that) ~ of thing** *pot.* coś w tym stylu; **what ~ of...?** *gł. Br.* jakiego rodzaju...?; co to za...? (*w złości*). – *v.* **1.** sortować (*t. komp.*); segregować, układać (*by* według, *into* na). **2.** (*także* **get ~ed**) *Br.* załatwić (*sprawę*); naprawić (*zepsute urządzenie*); **get o.s. ~ed** zorganizować się. **3. ~ out** segregować, układać; porządkować; oddzielać (*sth from sth* coś od czegoś); wydzielać (*sth from sth* coś z czegoś); rozwiązywać (*problemy*); **~ o.s. out** zorganizować się; **~ sb out** *Br. pot.* policzyć się z kimś (= *ukarać*); **get sth ~ed out** *gł. Br.* załatwić coś (*sprawę*); **it will ~ itself out** to się samo rozwiąże; **~ through sth** przeszukiwać coś.

sorter ['sɔ:rtər] *n.* **1.** sortownik (*urządzenie*). **2.** sortowacz/ka.

sortie ['sɔ:rtɪ] *n.* **1.** *wojsk.* wypad. **2.** *wojsk., lotn.* nalot, lot bojowy. **3.** *wojsk.* grupa zwiadowcza. **4.** *żart.* wypad, wyprawa; **go on a ~** zrobić wypad, wyprawić się (*np. do miasta, sklepu*). **5.** *przen.* próba; **~ into sth** próba zaistnienia gdzieś (*np. na scenie, w świecie literatury*). – *v. wojsk.* przeprowadzać wypad.

sortilege ['sɔ:rtəlɪdʒ] *n. U* **1.** wróżenie (*zwł. przez losowanie*). **2.** wróżby; czary.

sorting ['sɔ:rtɪŋ] *n. U* sortowanie, segregacja.

sorting office *n. t. poczta* rozdzielnia przesyłek, dział sortowania przesyłek.

SOS [ˌes ˌoʊ 'es] *n. sing.* **1.** (*także* **~ message/call**) *żegl., lotn.* (sygnał) SOS. **2.** *przen.* SOS, wołanie o pomoc.

so-so ['soʊˌsoʊ], **so so** *pot. a.* taki sobie. – *adv.* tak sobie.

sot [sɑ:t] *n. przest. pog. pot.* pijaczyna, pijus.

sottish ['sɑ:tɪʃ] *a. przest. pog. pot.* zapijaczony.

sotto voce [ˌsɑ:toʊ 'voʊtʃɪ] *form. It. adv.* szeptem, po cichu. – *a.* cichy.

sou [su:] *n.* **1.** *hist., fin.* su, sou (*dawna drobna moneta francuska*). **2.** *sing., zw. z neg. Br. przest.* grosz; **not have a ~** być bez grosza, nie mieć ani grosza.

soubrette [su:'bret] *n. teatr* subretka.

soubriquet ['su:brəˌkeɪ] *n.* = **sobriquet**.

souchong [su:'tʃɑ:ŋ] *n. U* herbata chińska.

souffle ['su:fl] *n. pat.* podmuch (*w płucach*).

soufflé [su:'fleɪ] *kulin. n.* suflet. – *a.* (*także* **souffléd**) puszysty (*o cieście*).

sough [saʊ] *v. arch.* szeleścić, szumieć (*o liściach, drzewach*); zawodzić (*o wietrze*). – *n.* szelest; zawodzenie.

sought [sɔ:t] *v. zob.* **seek**.

sought-after [ˌsɔ:t'æftər] *a.* poszukiwany; **much/highly ~** bardzo poszukiwany, rozchwytywany.

souk [su:k] *n.* suk (= *bazar w krajach arabskich*).

soul [soʊl] *n.* **1.** *C/U rel., fil. l. przen.* dusza; duch. **2.** *U muz.* = **soul music**. **3. bare one's ~ (to sb)** *zob.* **bare** *v.*; **be the ~ of discretion/honor** być wcieleniem *l.* uosobieniem dyskrecji/honoru; **be the captain of one's ~** być sobie sterem, żeglarzem, okrętem, być panem własnego losu; **bless my ~!** (*także* **upon my ~!**) *przest.* o, nieba! (*wyraża zdziwienie*); **don't tell a ~** nie mów nikomu; **good ~** poczciwa dusza, dusza człowiek; **good for the ~** *żart.* zdrowy dla ducha; **heart and ~** *zob.* **heart** *n.*; **in one's ~** w (głębi) duszy; **my husband, God rest his ~** mój świętej pamięci małżonek, mój mąż, świeć Panie nad jego duszą; **not a (living) ~** (*także* **not a ~ (to be seen)**) ani żywej duszy; **poor (old) ~** biedactwo; biedaczysko; **sell one's ~ (to the devil)** zaprzedać duszę (diabłu); **the life (and ~) of the party** *zob.* **life**.

soul brother *n. US przest.* czarnoskóry brat (*używane przez czarnoskórych mężczyzn*).

soul-destroying [ˈsouldɪˌstrɔɪɪŋ] *a.* przytłaczający, przygnębiający.

soul food *n. U US kulin.* potrawy *l.* kuchnia czarnego Południa.

soulful [ˈsoulful] *a.* pełen uczucia (*np. o występie*); przepełniony smutkiem (*np. o spojrzeniu, balladzie*).

soulfully [ˈsoulfulɪ] *adv.* z uczuciem.

soulfulness [ˈsoulfulnəs] *n. U* uczuciowy charakter.

soulless [ˈsoulləs] *a.* bezduszny.

soullessly [ˈsoulləslɪ] *adv.* bezdusznie.

soullessness [ˈsoulləsnəs] *n. U* bezduszność.

soul mate *n.* bratnia dusza.

soul music *n. U muz.* muzyka soulowa, soul.

soul-searching [ˈsoulˌsɜːtʃɪŋ] *n. U* głęboki namysł, rachunek sumienia (*przen.*).

soul sister *n. US przest.* czarnoskóra siostra (*używane przez czarnoskóre kobiety*).

sound¹ [saund] *n.* **1.** *C/U t. fiz., fon.* dźwięk. **2.** odgłos; brzmienie; **~s of nature** odgłosy przyrody. **3.** *U telew.* głos; **turn the ~ down!** ścisz głos!. **4.** *pl. Br. pot.* muzyczka (*zwł. = płyty l. kasety*). **5.** *med.* szmer; ton. **6. by/from the ~ of it/things...** wygląda na to, że..., z tego, co mówią,...; **I don't like the ~ of it** nie podoba mi się to; **not make a ~** ani nie pisnąć; **within the ~ of sth** w miejscu, z którego słychać coś. – *v.* **1.** dźwięczeć, brzmieć (*o instrumencie, dźwięku, dzwonie*). **2.** brzmieć; pobrzmiewać; **~ good/strange/true** brzmieć dobrze/dziwnie/prawdziwie; **~s like fun** *pot.* brzmi nieźle. **3.** wydawać się, wyglądać, sprawiać wrażenie; **~ tired/happy** sprawiać wrażenie zmęczonego/szczęśliwego; **it ~s like/as if/as though...** wygląda na to, że... **4.** *muz.* grać na (*trąbce*); wydawać (*ton*); zagrać (*nutę*). **5.** *zw. pass.* wymawiać (*literę*). **6.** wyrażać (*wątpliwości*); wygłaszać, głosić (*opinię*). **7. ~ the alarm** *zob.* **alarm** *n.*; **~ one's horn** *zob.* **horn** *n.*; **~ the retreat** *zob.* **retreat** *n.* **8. ~ off** *US wojsk.* odliczać; *pot.* pomstować (*about sth* na coś).

sound² *a.* **1.** rozsądny (*np. o radzie, decyzji, argumencie*). **2.** *gł. fin.* bezpieczny (*o inwestycji*). **3.** solidny, porządny (*np. o osobie, instytucji*). **4.** zdrowy (*o osobie*). **5.** w dobrym stanie (*np. o budowli, konstrukcji, podłodze*). **6. ~ beating** porządne *l.* zdrowe lanie; **a ~ mind in a ~ body** *przest.* w zdrowym ciele zdrowy duch; **(as) ~ as a bell** *zob.* **bell¹** *n.*; **be a ~ sleeper** mieć mocny sen; **be of ~ mind** *zob.* **mind** *n.*; **safe ~** zdrów i cały; **sb is ~ on sth** można zaufać czyjejś opinii, jeśli chodzi o coś. – *adv.* mocno; **be ~ asleep** spać twardo, spać mocnym *l.* głębokim snem.

sound³ *v.* **1.** *żegl., med.* sondować (*zbiornik, żołądek*). **2.** *zool.* zanurzać się (*o wielorybie, rybie*). **3.** *med., mech.* opukiwać (*część ciała, koło*). **4. ~ out** sondować (*osobę*), badać (*opinie*). – *n.* **1.** *med.* sonda, zgłębnik. **2.** *żegl.* sonda.

sound⁴ *n.* **1.** *geogr.* cieśnina (*zwł. w nazwach*); **the S~** Sund (*cieśnina pomiędzy Płw. Skandynawskim a Zelandią*). **2.** *icht.* pęcherz pławny.

sound-alike [ˈsaundəˌlaɪk] *n. gł. muz.* naśladow-ca/czyni (*piosenkarza, zespołu*); **Beatles ~** zespół o brzmieniu przypominającym Beatlesów.

sound barrier *n. lotn.* bariera dźwięku; **break the ~** przekroczyć barierę dźwięku.

sound bite *n. zwł. polit.* chwytliwe hasło.

sound-board [ˈsaundˌbɔːrd] *n.* = **sounding board**.

soundbox [ˈsaundˌbaːks] *n. muz.* pudło rezonansowe (*gitary, skrzypiec*).

sound card *n. komp.* karta dźwiękowa.

sound check *n.* test nagłośnienia (*przed koncertem, transmisją*).

sound effects *n. pl. zwł. film* efekty dźwiękowe.

sounder [ˈsaundər] *n. żegl.* sonda.

soundhole [ˈsaundˌhoul] *n. muz.* otwór rezonansowy (*w skrzypcach, gitarze*).

sounding [ˈsaundɪŋ] *n.* **1.** *C/U żegl., meteor.* sondowanie. **2.** *pl. zob.* **soundings**. – *a. lit.* = **resounding**.

sounding board *n.* (*także* **soundboard**) **1.** *muz.* płyta rezonansowa. **2.** *akustyka* reflektor akustyczny. **3.** *przen.* dorad-ca/czyni; **use sb as a ~ for sth** testować coś na kimś, przedstawiać komuś coś (do oceny) (*zwł. nowe pomysły*).

sounding line *n. żegl.* sondolina, sonda.

soundings [ˈsaundɪŋz] *n. pl.* **1.** *żegl.* punkt sondowania. **2. take/make some ~** *przen.* (wstępnie) wybadać opinie, zorientować się w nastrojach (*about sth* na temat czegoś).

soundless [ˈsaundləs] *a.* bezgłośny.

soundlessly [ˈsaundləslɪ] *adv.* bezgłośnie.

soundlessness [ˈsaundləsnəs] *n. U* bezgłośność.

soundly [ˈsaundlɪ] *adv.* **1.** rozsądnie. **2.** solidnie; zdrowo; mocno; **sleep ~** spać głęboko *l.* mocno.

sound mixer *n. akustyka* **1.** mikser. **2.** operator/ka dźwięku.

soundness [ˈsaundnəs] *n. U* **1.** rozsądek. **2.** solidność.

soundpost [ˈsaundˌpoust] *n. muz.* podpórka rezonansowa (*pod mostek*).

soundproof [ˈsaundˌpruːf] *a.* dźwiękoszczelny (*o kabinie*); dźwiękochłonny (*o materiale*); wygłuszony (*o pomieszczeniu, drzwiach*). – *v. bud.* wygłuszać, izolować akustycznie (*pomieszczenie, drzwi*).

soundproofing [ˈsaundˌpruːfɪŋ] *n. U bud.* wygłuszenie, izolacja akustyczna.

sound ranging *n. U akustyka* namierzanie akustyczne.

sound shadow *n. akustyka* cień akustyczny.

sound shift *n. fon., hist.* przesuwka (dźwiękowa).

sound spectrograph *n. akustyka, fon.* spektrograf dźwiękowy.

sound stage *n. film* studio dźwiękowe; hala zdjęciowa.

sound system *n.* **1.** sprzęt nagłaśniający (*na koncercie*). **2.** zestaw audio *l.* hi-fi, wieża audio *l.* hi-fi (*w domu*). **3.** *fon.* system dźwiękowy (*danego języka*).

sound track, soundtrack *n.* *kino* ścieżka dźwiękowa.

sound truck *n. US i Can.* **1.** samochód z nagłośnieniem. **2.** *film* wóz dźwiękowy.

sound wave *n. fiz.* fala akustyczna.

soup [su:p] *n.* **1.** *C / U kulin.* zupa; **~ of the day** zupa dnia; **instant ~** (*także Br. i Austr.* **packet ~**) zupa w proszku *l.* błyskawiczna; **tomato/vegetable ~** zupa pomidorowa/jarzynowa. **2.** *U sl.* nitro (= *nitrogliceryna*). **3. in the ~** *przen. pot.* w opałach. – *v. często pass.* **~ up** *pot.* podrasować, podkręcić (*silnik, samochód, komputer*).

soupçon [ˈsu:psɑ:n] *n. sing. form. l. żart. t. przen.* odrobina, szczypta (*of sth* czegoś).

soup kitchen *n.* stołówka dla bezdomnych; garkuchnia.

soup plate *n. kulin.* głęboki talerz.

soup spoon, soupspoon *n.* łyżka (do zupy).

soupy [ˈsu:pɪ] *a.* **-ier, -iest** **1.** jak zupa (*t. np. o mgle*). **2.** *pot.* ckliwy.

sour [saʊr] *a.* **1.** kwaśny; kwaskowy; cierpki. **2.** *przen.* skwaszony, kwaśny (*o minie*); zgorzkniały (*o osobie*). **3. go/turn ~** skwaśnieć, skisnąć, zwarzyć się (*o mleku*); *przen.* popsuć się (*o stosunkach*). **4. go ~ on sb** *US przen.* obrócić się przeciwko komuś. – *v.* **1.** kwaśnieć, kisnąć, warzyć się (*o mleku*); powodować kwaśnienie (*czegoś*). **2.** *przen.* psuć się (*o stosunkach*); psuć (*stosunki*). **3. ~ sb (on sth)** *US przen.* zniechęcić kogoś (do czegoś). – *n. gł. US* = **whiskey sour**.

source [sɔ:rs] *n. t. przen.* źródło (*np. rzeki, informacji, minerałów, witamin, funduszy, inspiracji*); **at ~** u źródła (*Br. i Austr. t. o opodatkowaniu*); **have its ~ in sth** mieć (swoje) źródło w czymś (*np. o tradycji*); **heat/energy/light ~** źródło ciepła/energii/światła; **reliable ~s** *dzienn.* źródła dobrze poinformowane; **track down/trace/locate the ~ of sth** znaleźć *l.* zidentyfikować źródło czegoś. – *v. często pass.* **1.** podawać źródła do (*pracy naukowej, artykułu prasowego*). **2.** wyszukiwać źródło (*zaopatrzenia w coś*).

source code *n. U komp.* kod źródłowy.

source language *n.* *C / U* język wyjściowy *l.* źródłowy (= *ten, z którego się tłumaczy*).

sour cherry *n. pl.* **-ies** *bot.* wiśnia (*Prunus cerasus*).

sour cream *n. U* (*także Br.* **soured cream**) *kulin.* kwaśna śmietana.

sourdine [ˌsʊrˈdi:n] *n. muz.* **1.** *hist.* surdynka (*dawny instrument*). **2.** surdyna, tłumik.

sourdough [ˈsaʊrdoʊ] *n.* **1.** *U US kulin.* zakwas (chlebowy). **2.** *US i Can. hist.* poszukiwacz złota.

sourdough bread *n.* *C / U kulin.* chleb na zakwasie.

sour-faced [ˌsaʊrˈfeɪst] *a.* z kwaśną miną.

sour grapes *n. sing. przen.* kwaśne winogrona (= *coś, co krytykujemy, bo jest dla nas niedostępne*).

sourish [ˈsaʊrɪʃ] *a.* kwaskowaty.

sourly [ˈsaʊrlə] *adv.* kwaśno; kwaskowato; cierpko.

sourness [ˈsaʊrnəs] *n. U* kwaśność; kwaskowatość; cierpkość.

sourpuss [ˈsaʊrˌpʊs] *n. przest. żart. pot.* smutas; maruda.

soursop [ˈsaʊrˌsɑ:p] *n. bot.* flaszowiec miękkociernisty (*Annona muricata*).

souse [saʊs] *v.* **1.** *kulin.* marynować; solić (*śledzie*); peklować (*mięso*). **2.** zanurzać (się) (*into sth* w czymś); moczyć (się) (*in sth* w czymś); moknąć. **3.** zalewać. **4.** *sl.* ululać (= *upić*). – *n.* **1.** *U kulin.* zalewa (*kwaśna l. słona*). **2.** *U kulin.* wieprzowina peklowana. **3.** *U kulin.* rosół wieprzowy (*karaibski*). **4.** *sl.* gazer (= *pijak*). **5.** *sl.* trzydniówka (*okres pijaństwa*).

soused [saʊst] *a.* **1.** *kulin.* marynowany (*o śledziu*). **2.** *kulin.* peklowany (*o mięsie*). **3.** *sl.* ululany (= *pijany*).

soutache [sʊˈtæʃ] *n. U krawiectwo* sutasz.

soutane [sʊˈtɑ:n] *n. kośc.* sutanna, rewerenda.

south [saʊθ], **South** *n. U* **the ~** południe; **to the ~ of sth** na południe od czegoś; **the S~** Południe (*w sensie polit. l. kulturalno-rel.*); *US* stany południowe, (amerykańskie) Południe. – *a. attr.* południowy; **~ wind** wiatr południowy. – *adv.* **1.** na południe (*of sth* od czegoś); w kierunku południowym; **~ by east/west** *żegl.* południe do wschodu (*kierunki kompasowe*); **down ~** *zwł. Br.* na południe; na południu; **way down ~** daleko na południe; na głębokim południu. **2.** *arch.* z południa (*o kierunku wiatru*). **3. go ~** *US przen. pot.* schodzić na psy.

South Africa *n. geogr., polit.* Afryka Południowa, Republika Południowej Afryki, RPA.

South African *a.* południowoafrykański. – *n.* Południowoafryka-ńczyk/nka.

South America *n. geogr.* Ameryka Południowa.

South American *a.* *geogr.* południowoamerykański.

South Asia *n. geogr.* Azja Południowa.

South Asian *a.* południowoazjatycki.

southbound [ˈsaʊθˌbaʊnd] *a.* zmierzający na południe, w kierunku południowym; zdążający na południe (*o ruchu*); prowadzący na południe (*o trasie, drodze*); *żegl.* idący na południe.

South Carolina *n. US* Południowa Karolina.

South Dakota *n. US* Południowa Dakota.

southeast [ˌsaʊθˈi:st] *geogr. n. U* południowy wschód; **the ~** południowy wschód *l.* południowo-wschodnia część kraju. – *a. attr.* południowo-wschodni. – *adv.* na południowy wschód (*of sth* od czegoś).

southeaster [ˌsaʊθˈi:stər] *n. meteor.* wiatr południowo-wschodni; *żegl.* sztorm z południowego wschodu.

southeasterly [ˌsaʊθˈi:stərlɪ] *a.* południowo-wschodni (*o wietrze*). – *adv.* na południowy wschód. – *n. pl.* **-ies** *meteor.* wiatr południowo-wschodni.

southeastern [ˌsaʊθˈi:stərn] *a.* południowo-wschodni.

southeastward [ˌsaʊθˈi:stwərd] *a.* (*także* **~ly**) południowo-wschodni. – *adv.* (*także* **~ly, ~s**) na południowy wschód.

souther ['saʊðər] *n. meteor.* silny wiatr z południa.

southerly ['sʌðərlɪ] *a.* południowy. – *adv.* na południe. – *n. pl.* **-ies** *meteor.* wiatr południowy; *żegl.* sztorm z południa.

southern ['sʌðərn] *a.* południowy.

Southern Cross *n. astron.* Krzyż Południa.

southerner ['sʌðərnər] *n.* południowiec, mieszkan-iec/ka południa.

southern hemisphere *n. sing.* półkula południowa.

Southern Lights *n. pl.* **the ~** zorza polarna południowa.

southernmost ['sʌðərn,moʊst] *a. geogr.* wysunięty najdalej na południe.

southernwood ['sʌðənwʊd] *n. bot.* bylica boże drzewko (*Artemisia abrotanum*).

southing ['saʊðɪŋ] *n.* **1.** *astron., kartogr.* odchylenie na południe. **2.** *żegl.* kurs południowy; droga przebyta kursem południowym.

South Korea *n. geogr., polit.* Korea Południowa.

southpaw ['saʊθ,pɔː] *n. sl. zwł. sport* mańkut.

South Pole *n.* **the ~** Biegun Południowy.

Southron ['sʌðrən] *n. US i Scot. przest.* południowiec.

South Sea Islands *n. pl. geogr.* Oceania.

South Seas *n. pl. geogr.* Południowy Pacyfik.

southward ['saʊθwərd] *a.* (*także* **~ly**) południowy. – *adv.* (*także* **~ly, ~s**) na południe. – *n. U* południe.

southwest [,saʊθ'west] *n. U* **the ~** południowy zachód; **the S~** Południowy Zachód (*Stanów Zjednoczonych, Kanady, Anglii*). – *a. attr.* południowo-zachodni. – *adv.* na południowy zachód (*of sth* od czegoś).

southwester [,saʊθ'westər] *n.* **1.** *meteor.* wiatr południowo-zachodni; *żegl.* sztorm z południowego zachodu. **2.** (*także* **sou'wester**) zydwestka, kapelusz rybacki.

southwesterly [,saʊθ'westərlɪ] *a.* południowozachodni (*o wietrze*). – *adv.* na południowy wschód. – *n. pl.* **-ies** *meteor.* wiatr południowozachodni.

southwestern [,saʊθ'westərn] *a.* południowozachodni.

southwestward [,saʊθ'westwərd] *a.* (*także* **~ly**) południowo-zachodni. – *adv.* (*także* **~ly, ~s**) na południowy zachód.

souvenir [,suːvə'niːr] *n.* pamiątka (*of sth* skądś); **~ shop** sklep z pamiątkami.

sou'wester [saʊ'weɪstər] *n.* = **southwester** 2.

sovereign ['sɑːvrən] *n.* **1.** *polit.* monarch-a/ini, wład-ca/czyni, suweren. **2.** *Br. hist., fin.* suweren (*moneta*). – *a.* **1.** *polit.* suwerenny (*o państwie*). **2.** *polit.* najwyższy (*o władcy, panu feudalnym*). **3.** *przen.* niezrównany, niezastąpiony; **~ remedy** *przest.* niezrównany środek, panaceum (*for sth* na coś).

sovereignty ['sɑːvrəntɪ] *n. U polit.* suwerenność.

Soviet ['soʊvɪ,et] *a. attr. polit., hist.* sowiecki; radziecki. – *n.* Sowiet/ka; *pl.* Sowieci.

soviet ['soʊvɪ,et] *n. hist.* sowiet (*rada*).

Sovietologist [,soʊvɪə'tɑːlədʒɪst] *n.* sowietolo-g/żka.

Soviet Union *n.* **the ~** *hist., polit., geogr.* Związek Radziecki.

sow[1] [soʊ] *v. pp. t.* **sown** **1.** siać (*ziarno*). **2.** obsiewać (*sth with sth* coś czymś) (*pole zbożem*). **3.** *przen.* usiać (*niebo gwiazdami*). **4.** *przen.* **~ one's (wild) oats** *zob.* **oats**; **~ the seeds of sth** zasiać ziarno czegoś (*np. niepewności, nienawiści*).

sow[2] [saʊ] *n.* **1.** *roln., wet.* maciora; *myśl.* locha; *zool.* samica (*np. niedźwiedzia, borsuka, jeża*). **2.** *metal.* gęś (*surówki*); kanał spustowy. **3.** **get the wrong ~ by the ear** *przen.* źle trafić.

sowback ['saʊ,bæk] *n. geol.* wał morenowy.

sowbread ['saʊ,bred] *n. pl.* **-s** *l.* **sowbread** *bot.* cyklamen (*Cyclamen*).

sowbug ['saʊ,bʌg] *n. ent. pot.* szczypawka.

sower ['soʊər] *n. roln.* **1.** siewnik (*maszyna*). **2.** siewca (*osoba*).

sown [soʊn] *v. zob.* **sow**[1].

sow thistle ['saʊ ,θɪsl] *n. bot.* mlecz (zwyczajny) (*Sonchus (oleraceus)*).

sox [sɑːks] *n. pl. zob.* **sock**.

soy [sɔɪ], *Br.* **soya** ['sɔɪə] *n. U bot., kulin.* soja (*Glycine max*).

soybean ['sɔɪ,biːn] (*także Br.* **soya bean**) *n. U bot., kulin.* soja (*Glycine max*). – *a. attr. gł. kulin.* sojowy.

soymilk ['sɔɪ,mɪlk] *n. U* (*także Br.* **soya milk**) *kulin.* mleczko sojowe.

soy sauce *n. U kulin.* sos sojowy.

sozzled ['sɑːzld] *a. Br. i Austr. przest. żart. pot.* ululany (= *pijany*).

spa [spɑː] *n.* **1.** uzdrowisko. **2.** *US* wanna z hydromasażem.

space [speɪs] *n.* **1.** *C/U* przestrzeń (*t. czasowa*); miejsce (*do mieszkania, do życia, w szafie; t. komp. na dysku*); **clear a ~ for sth** przygotować miejsce na coś; **in/within/during the ~ of** na przestrzeni (*np. lat, godzin*); **in/within a short ~ of time** w krótkim czasie; **leave ~ for sth** zarezerwować *l.* przewidzieć *l.* zostawić miejsce na coś; **living ~** przestrzeń życiowa; **look/stare into ~** patrzeć przed siebie (niewidzącym wzrokiem); **make ~** zrobić miejsce (*for sb/sth* dla kogoś/na coś); posunąć się; **office ~** pomieszczenia biurowe; **parking ~** miejsce parkingowe *l.* do parkowania; **save ~** oszczędzać miejsce; **storage ~** przestrzeń magazynowa; **take up ~** zajmować miejsce (*niepotrzebnie*), zajmować dużo miejsca; **wide open ~s** otwarte przestrzenie. **2.** *U* (*także* **outer ~**) *astron.* przestrzeń kosmiczna, kosmos; **creatures from outer ~** przybysze z kosmosu. **3.** szpara. **4.** *komp.* spacja (*t.* = *klawisz spacji*); *druk.* odstęp, spacja. – *v.* **1.** **~ (out)** robić odstępy między (*np. sadzonkami, słowami*); oddzielać; rozstawiać (*meble, ludzi*); **evenly ~d** w równych odstępach. **2.** *druk.* spacjować. **3.** *US pot.* odpływać, odlatywać (= *tracić kontakt z rzeczywistością*).

Space Age *n. U* era kosmiczna.

space-age ['speɪs,eɪdʒ] *a. attr. pot.* ultranowoczesny.

space bar *n. komp.* klawisz spacji, spacja.

space cadet *n. sl.* ciężka artyleria (= *ktoś, kto wolno kojarzy*).

space capsule *n.* kabina statku kosmicznego.

spacecraft ['speɪsˌkræft] *n.* statek *l.* pojazd kosmiczny.

spaced out [ˌspeɪst 'aʊt], **spaced-out** *a. sl.* przymulony, niekontaktowy; nabuzowany (*on sth* czymś) (*narkotykami*).

space flight *n.* lot kosmiczny.

space heater *n.* grzejnik przenośny.

spaceman ['speɪsˌmæn] *n. pl.* **-men** **1.** *pot.* kosmonauta, astronauta. **2.** kosmita.

space probe *n.* sonda kosmiczna.

spacer ['speɪsər] *n. mech.* **1.** tulejka *l.* podkładka dystansowa. **2.** wkładka rozporowa.

spaceship ['speɪsˌʃɪp] *n.* statek kosmiczny.

space shuttle *n.* prom kosmiczny.

space station *n.* stacja kosmiczna.

spacesuit ['speɪsˌsuːt] *n.* skafander kosmiczny.

space-time [ˌspeɪs'taɪm] *n. U* (*także* ~ **continuum**) *fiz.* czasoprzestrzeń.

space travel *n. U* loty kosmiczne.

spacewalk ['speɪsˌwɔːk] *n.* spacer w przestrzeni kosmicznej.

spacewoman ['speɪsˌwʊmən] *n. pl.* **-women** **1.** *pot.* kosmonautka, astronautka. **2.** kosmitka.

space writer *n.* autor/ka płatn-y/a od wiersza.

spacey ['speɪsɪ], **spacy** *a.* **-ier, -iest** *sl.* przymulony, niekontaktowy.

spacing ['speɪsɪŋ] *n. U druk., komp.* odstęp (*między wierszami, słowami, literami*); **single/double** ~ odstęp pojedynczy/podwójny.

spacious ['speɪʃəs] *a.* przestronny (*o pokoju*); rozległy (*o przestrzeni*).

spaciously ['speɪʃəslɪ] *adv.* przestronnie; rozlegle.

spaciousness ['speɪʃəsnəs] *n. U* przestronność; rozległość.

spade [speɪd] *n.* **1.** łopata; łopatka. **2.** *karty* pik, wino; *pl.* piki; **queen of ~s** dama pik. **3.** *przest. obelż.* czarnuch. **4.** *przen.* **call a ~ a ~** nazywać rzeczy po imieniu; **in ~s** *gł. US pot.* z nawiązką. – *v.* kopać (łopatą).

spadeful ['speɪdfʊl] *n.* (pełna) łopata (*of sth* czegoś).

spadework ['speɪdˌwɜːk] *n. U* **1.** *przen.* czarna robota. **2.** kopanie.

spag bol [ˌspaːg 'boʊl] *n. Br. pot. kulin.* = **spaghetti bolognese**.

spaghetti [spə'getiː] *n. U kulin.* spaghetti.

spaghetti bolognese [spəˌgetiː 'boʊlənˌiːz] *n. U kulin.* spaghetti z sosem bolońskim.

spaghetti junction *n. Br. mot.* skrzyżowanie wielopoziomowe.

spaghetti western *n. film* spaghetti western (= *włoski western*).

Spain [speɪn] *n. geogr.* Hiszpania.

spake [speɪk] *v. arch. zob.* **speak**.

spall [spɔːl] *n.* odłamek, odprysk (*kamienia, cegły*). – *v.* rozbijać (*skałę*).

spalpeen [spæl'piːn] *n. Ir.* **1.** gałgan, gagatek. **2.** robotnik rolny, wyrobnik.

spam [spæm] *n. U* **1.** *kulin., handl.* mielonka (*w puszce*). **2.** *komp.* spam (= *niezamawiane masowe przesyłki elektroniczne, zwł. reklamowe*). – *v. komp.* spamować (*sieć*).

span[1] [spæn] *n. zw. sing.* **1.** okres, przedział (*czasu*); **attention/concentration** ~ okres *l.* czas koncentracji; **life** ~ długość życia; **over a (time)** ~ **of twenty years** na przestrzeni *l.* w okresie dwudziestu lat. **2.** rozpiętość (*np. mostu, skrzydeł, palców pianisty*). **3.** przęsło (*mostu*). **4.** *arch.* piędź (= *długość rozpostartej dłoni*). – *v.* **-nn- 1.** obejmować (*dany obszar, okres*). **2.** rozciągać się nad (*rzeką; o moście*), łączyć brzegi (*rzeki; jw.*). **3.** obejmować (*dłońmi*). **4.** *arch.* odmierzać piędzią.

span[2] *n.* para (*koni l. wołów w zaprzęgu*).

span[3] *v. arch. l. dial. zob.* **spin**.

spandex ['spændeks] *n. U tk.* spandex.

spandrel ['spændrəl] *n. bud.* pachwina łuku.

spang [spæŋ] *adv. US i Can. pot.* akurat, idealnie.

spangle ['spæŋgl] *n.* **1.** cekin. **2.** błyskotka, świecidełko. – *v.* **1.** ozdabiać cekinami. **2.** mienić się.

Spanglish ['spæŋglɪʃ] *n. U gł. US jęz.* mieszanka angielsko-hiszpańska (*używana przez hiszpańskojęzycznych imigrantów*).

Spaniard ['spænjərd] *n.* Hiszpan/ka.

spaniel ['spænjəl] *n.* **1.** *kynol.* spaniel. **2.** *przen.* lizus.

Spanish ['spænɪʃ] *a.* hiszpański. – *n.* **1.** *U* (język) hiszpański. **2. the** ~ Hiszpanie.

Spanish-American [ˌspænɪʃə'merɪkən] *n. i a. US* (Ameryka-nin/nka) pochodzenia latynoskiego.

Spanish fly *n. U* hiszpańska mucha (*środek podniecający*).

Spanish guitar *n. muz.* gitara klasyczna.

Spanish Main *n. geogr.* Morze Karaibskie.

Spanish moss *n. U US* mech hiszpański, oplątwa brodaczkowata (*Tillandsia usneoides*).

Spanish omelet, *gł. Br.* **Spanish omelette** *n. kulin.* omlet po hiszpańsku (z pomidorami, papryką i cebulą).

spank[1] [spæŋk] *v.* dać klapsa (*zwł. dziecku*). – *n.* klaps; lanie.

spank[2] *v.* ruszać się żwawo.

spanker ['spæŋkər] *n. żegl.* bezan, bezan-żagiel.

spanking[1] ['spæŋkɪŋ] *n. sing.* lanie; **get a** ~ dostać lanie.

spanking[2] *a. attr. pot.* **1.** szybciutki; żywy (*zwł. o wietrze*); **at a ~ pace/rate** szybciutko, migiem. **2.** świetny. – *adv. przest. pot. emf.* zupełnie, całkiem; ~ **clean** świecący czystością, czyściuteńki; ~ **new** nowiuteńki; ~ **white** bielutki.

spanner ['spænər] *n.* **1.** *Br. mech.* klucz (*do nakrętek*). **2. put/throw a ~ in the works** *Br. i Austr. przen. pot.* pokrzyżować komuś szyki.

span roof *n. bud.* dach dwuspadowy (symetryczny).

spar[1] [spɑːr] *n. boks* **1.** sparing. **2.** uderzenie. – *v.* **-rr- 1.** *boks* rozgrywać *l.* odbywać sparing (*with sb* z kimś *l.* przeciwko komuś). **2.** boksować. **3.** *przen.* polemizować, spierać się (*with sb* z kimś).

spar[2] *n.* **1.** *żegl.* drzewce (*zwł. masztu*). **2.** *lotn., mech.* dźwigar.

spar[3] *n. U min.* szpat.

spar buoy *n. żegl.* pława drążkowa, wiecha, tyka.

spar deck *n. żegl.* spardek (= *górny l. środkowy pokład nadbudówki*).

spare [sper] *a.* **1.** zapasowy (*np. o kole, kluczu, baterii, żarówce*). **2.** wolny (*np. o chwili, gotówce*); ~ **change** drobne; ~ **time** czas wolny. **3.** skromny, oszczędny (*np. o wystroju, dekoracjach*). **4.** *lit.* szczupły, drobny (*o sylwetce, osobie*). **5. be going** ~ nie być używanym *l.* potrzebnym, marnować się; **go** ~ *Br. pot.* dostawać szału (= *wściekać się*). – *n.* **1.** część zamienna *l.* zapasowa; *pl. Br.* części zamienne *l.* zapasowe. **2.** *mot.* koło zapasowe. – *v.* **1.** oszczędzić, uratować (*np. życie, dzieci*); ~ **sb sth** oszczędzić komuś czegoś (*np. kłopotu, bólu*); ~ **sb the details** oszczędzić komuś szczegółów; **not** ~ **o.s.** nie oszczędzać się. **2.** *z neg.* szczędzić, żałować; ~ **no effort/efforts** nie szczędzić wysiłków; ~ **no expense (on sth)** nie żałować pieniędzy (na coś). **3.** *z pyt.* **can you** ~ **a few minutes?** czy możesz mi poświęcić parę minut?; **can you** ~ **your car for a couple of hours?** czy możesz mi na parę godzin pożyczyć samochód? **4. to** ~ w zapasie; **enough and to** ~ aż zanadto; **have money to** ~ mieć pieniędzy pod dostatkiem *l.* jak lodu; **sb has time to** ~ ktoś dysponuje (wolnym) czasem; **there's no time to** ~ nie ma chwili do stracenia; **we have an hour to** ~ mamy (wolną) godzinę (*do zagospodarowania*). **5.** ~ **a thought for sb** pomyśleć o kimś (*ze współczuciem*); ~ **sb's blushes** *Br.* zaoszczędzić komuś wstydu; ~ **sb's feelings** uszanować czyjeś uczucia.

spare part *n. techn.* część zamienna *l.* zapasowa.

spare-part surgery [ˌsperˌpɑ:rt 'sɜ:dʒərɪ] *n. U Br. chir.* przeszczep; **undergo** ~ poddać się przeszczepowi.

spareribs ['sperˌrɪbz] *n. pl. kulin.* żeberka.

spare room *n.* pokój gościnny.

spare tire, *Br.* **spare tyre** *n.* **1.** *mot.* koło zapasowe. **2.** *przen. pot.* wałeczek (tłuszczu) (*w talii*).

spare wheel *n. mot.* koło zapasowe.

sparge [spɑ:rdʒ] *v. techn.* zraszać.

sparger ['spɑ:rdʒər] *n. techn.* zraszacz.

sparing ['sperɪŋ] *a.* **1.** oszczędny (*with/in/of sth* w czymś) (*np. w pochwałach, wydatkach*). **2.** *med.* oszczędzający (*o trybie życia, leczeniu*). **3.** skromny, szczupły. **4.** pobłażliwy; litościwy.

sparingly ['sperɪŋlɪ] *adv.* **1.** oszczędnie. **2.** skromnie. **3.** pobłażliwie; litościwie.

spark[1] [spɑ:rk] *n.* **1.** iskra (*z ogniska, elektryczna, t. przen.* = *przyczyna*). **2.** *sing.* błysk (*np. złości w oku, nadziei, inteligencji*); przebłysk (*np. zainteresowania*). **3.** *U* werwa, wigor, życie. **4.** *przen.* ~**s were flying** iskry leciały *l.* szły (*w trakcie zażartej kłótni*); **strike** ~**s out of sb** rozruszać kogoś. – *v.* **1.** ~ **(off)** powodować (*kłopoty*); wywoływać (*protesty*); rozniecać (*ogień, emocje*). **2.** *t. el.* iskrzyć (się). **3.** ~ **sb's imagination** pobudzać czyjąś wyobraźnię; ~ **sb's interest** wzbudzać czyjeś zainteresowanie; ~ **sb into action** pobudzać kogoś do działania.

spark[2] *n.* **1.** *przest. pot.* zalotnik. **2.** *arch.* galant. **3. bright** ~ *zob.* **bright** *a.* – *v. zwł. US przest.* zalecać się do (*kogoś*).

spark arrester *n. el.* odiskrownik, iskrochron; gasik.

spark chamber *n. fiz.* komora iskrowa.

spark coil *n. mot.* cewka zapłonowa.

spark gap *n.* **1.** *mot.* szczelina (między elektrodami) (*świecy*). **2.** *el.* iskiernik.

sparking plug *n. Br. mot.* = **spark plug**.

sparkle ['spɑ:rkl] *v.* **1.** mienić się, skrzyć się, połyskiwać (*with sth* czymś). **2.** iskrzyć (się). **3.** musować (*o napoju*). – *n.* **1.** iskra, iskierka. **2.** *U przen.* werwa, wigor, życie. **3.** *U* bąbelki (*w szampanie*).

sparkler ['spɑ:rklər] *n.* **1.** (mały) fajerwerk. **2.** *zwł. pl. pot.* brylant; klejnot.

sparkling ['spɑ:rklɪŋ] *a.* **1.** skrzący się, połyskujący. **2.** gazowany; musujący; ~ **water** woda gazowana; ~ **wine** wino musujące. **3.** *przen.* błyskotliwy (*o dowcipie*).

spark plug *n.* (*także Br.* **sparking plug**) *mot.* świeca zapłonowa (*w silniku*).

sparks [spɑ:rks] *n. sing. żegl., lotn. pot.* radio (= *oficer l. operator radiowy*).

sparky ['spɑ:rkɪ] *n.* **-ier, -iest** pełen werwy.

sparling ['spɑ:rlɪŋ] *n. icht.* stynka (*Osperus eperlanus*).

sparring match ['spɑ:rɪŋ ˌmætʃ] *n.* **1.** *boks* spotkanie sparingowe, mecz sparingowy. **2.** *przen.* potyczka słowna.

sparring partner *n.* **1.** *boks* partner/ka sparingow-y/a. **2.** partner/ka do dyskusji.

sparrow ['sperou] *n. orn.* wróbel (*Passer*); *US* jeden z licznych łuszczaków przypominających wróbla.

sparrowgrass ['sperouˌgræs] *n. U US dial.* szparagi.

sparrow hawk *n. orn.* **1.** krogulec (*Accipiter nisus*). **2.** *US* pustułeczka amerykańska (*Falco sparverius*).

sparry ['spɑ:rɪ] *a. min.* szpatowy.

sparse [spɑ:rs] *a.* rzadki (*np. o zaludnieniu, drzewach, włosach*); skąpy (*np. o opadach, danych*).

sparsely ['spɑ:rslɪ] *adv.* rzadko; skąpo; ~ **populated areas** obszary o niskim zaludnieniu.

sparseness ['spɑ:rsnəs] *n. U* (*także* **sparsity**) rzadkość; skąpość.

Sparta ['spɑ:rtə] *n. hist.* Sparta.

Spartan ['spɑ:rtən] *a.* **1.** *hist.* spartański. **2.** (*także* **s~**) spartański (*np. o warunkach*). – *n. hist.* Sparta-nin/nka.

spar varnish *n. U stol.* lakier zewnętrzny (*do drewna*).

spasm ['spæzəm] *n.* **1.** *C/U pat.* skurcz, kurcz, spazm; **sb's leg went into** ~ *Br. i Austr.* kogoś złapał skurcz w nogę, ktoś dostał skurczu w nodze. **2.** *sing.* atak, napad (*of sth* czegoś) (*np. śmiechu, rozpaczy, kaszlu, bólu*).

spasmodic [spæz'mɑ:dɪk] *a.* **1.** *pat.* spazmatyczny, kurczowy, skurczowy; napadowy. **2.** *przen.* sporadyczny; nieregularny.

spasmodically [spæz'mɑ:dɪklɪ] *adv.* **1.** *pat.* spazmatycznie, kurczowo, skurczowo. **2.** *przen.* sporadycznie; nieregularnie.

spastic ['spæstɪk] *a.* **1.** *przest. pat.* spastyczny, kurczowy. **2.** *przest. obelż. sl.* paralityczny (= *nieskładny*). – *n.* **1.** *przest. pat.* osoba z porażeniem mózgowym. **2.** *obelż. sl.* paralityk/czka (= *niezgrabna osoba*).

spastic colon *n. U pat.* zespół wrażliwego jelita.

spastic paralysis *n. U przest. pat.* porażenie mózgowe.

spat[1] [spæt] *n.* **1.** *pot.* sprzeczka, nieporozumienie; **have a ~ with sb (about sth)** posprzeczać *l.* poprztykać się z kimś (o coś). **2.** *przest.* klaps. – *v. US, Can. i Austr. pot.* sprzeczać się.

spat[2] *v. zob.* **spit**.

spat[3] *n. zool.* młoda ostryga; młody mięczak.

spatchcock ['spætʃˌkɑ:k] *n. kulin.* kurczak na ruszt. – *v.* **1.** *kulin.* przygotowywać na ruszt (*kurczaka*). **2.** *przen.* wpychać na siłę (*zwł. niepasujący ustęp do tekstu*).

spate [speɪt] *n.* **1. a ~ of sth** seria czegoś (*np. wypadków, włamań*); fala czegoś (*np. krytyki*); potok czegoś (*zwł. słów*). **2. be in (full) ~** *Br.* wzbierać; wylewać (*o rzece, potoku*).

spathe [speɪð] *n. bot.* pochwa (*kwiatu*).

spathic ['spæθɪk] *a.* (*także* **spathose**) *min.* szpatowy.

spatial ['speɪʃl] *a.* przestrzenny.

spatiality [ˌspeɪʃɪ'ælətɪ] *n. U form.* przestrzenność.

spatially ['speɪʃlɪ] *adv.* przestrzennie.

spatiotemporal [ˌspeɪʃɪoʊ'tempərəl] *a. form.* czasoprzestrzenny.

spats [spæts] *n. pl.* getry (*z tkaniny l. skórzane*).

spatter ['spætər] *v.* **1.** rozpryskiwać (się); pryskać (*np. o wodzie, tłuszczu z patelni*). **2. ~ sb/sth with sth** (*także* **~ sth on/over sb/sth**) opryskać kogoś/coś czymś. **3.** kapać (*o kroplach deszczu, farby*). **4. ~ sb with sth** *przen.* obrzucać kogoś czymś (*zwł. oszczerstwami*). – *n.* **1.** pryskanie. **2.** kapanie; plusk (*deszczu*). **3.** kropla (*deszczu, farby*).

spatula ['spætʃələ] *n.* **1.** *kulin.* łopatka. **2.** *med.* szpatułka. **3.** szpachla, szpachelka.

spavin ['spævɪn] *n. U wet.* włogacizna (*choroba stawu skokowego konia*).

spawn [spɔ:n] *n. U* **1.** *zool.* ikra; skrzek. **2.** *lit. l. uj.* nasienie (= *potomstwo*); **~ of Satan** diabelskie nasienie. **3.** *bot.* grzybnia. – *v.* **1.** *zool.* składać ikrę; składać skrzek. **2.** *przen.* dawać początek (*czemuś*), zapoczątkowywać; doprowadzać do powstania, powodować powstanie (*np. nowych przedsiębiorstw, biurokracji*). **3.** wylęgać się; rozmnażać się. **4.** płodzić.

spay [speɪ] *v. wet.* sterylizować (*samicę*).

SPCA [ˌes ˌpi: ˌsi: 'eɪ] *abbr.* **Society for the Prevention of Cruelty to Animals** *US* Towarzystwo Zapobiegania Okrucieństwu wobec Zwierząt.

SPCC [ˌes ˌpi: ˌsi: 'si:] *abbr.* **Society for the Prevention of Cruelty to Children** *US* Towarzystwo Zapobiegania Okrucieństwu wobec Dzieci.

speak [spi:k] *v. pret.* **spoke** *arch.* **spake** *pp.* **spoken 1.** mówić (*to sb* do kogoś, *of/about sb/sth* o kimś/czymś); rozmawiać (*to/with sb* z kimś, *about/of sb/sth* o kimś/czymś); przemawiać (*to sb/sth* do kogoś/na forum czegoś, *at sth* gdzieś *l.* na forum czegoś); wypowiadać się, mówić, zabierać głos (*as* jako); **~ in a whisper** mówić szeptem; **~ in favor of sth/against sth** opowiadać się za czymś/przeciwko czemuś; **~ well/badly of sb** dobrze/źle o kimś mówić; **~ with a foreign accent** mówić z obcym akcentem. **2.** mówić (*danym językiem*); **~ English/Polish** mówić po angielsku/polsku; **~ the same language** *przen.* mówić tym samym językiem (= *dobrze się rozumieć*). **3.** wydawać dźwięk (*o przedmiotach*). **4.** *żegl.* nawiązywać łączność z (*innym statkiem*). **5.** *przen.* **~ one's mind** *zob.* **mind** *n.*; **~ out of turn** *zob.* **turn** *n.*; **~ too soon** pospieszyć się (= *powiedzieć coś, co za chwilę okaże się nieprawdziwe l. nieaktualne*); zapeszyć; **~ volumes** *zob.* **volume**; **~ when you are spoken to!** nie odzywaj się niepytany! (*zwł. do dziecka*); **actions ~ louder than words** *zob.* **action** *n.*; **generally ~ing** ogólnie rzecz biorąc, mówiąc ogólnie; **in a manner of ~ing** *zob.* **manner**; **know sb to ~ to** znać kogoś osobiście; **nothing/none to ~ of** nic godnego uwagi, nic ciekawego; **personally ~ing** osobiście (uważam); **so to ~** że tak powiem, że się tak wyrażę; **strictly ~ing** ściśle (rzecz) biorąc, ściśle *l.* ściślej mówiąc; **they are not ~ing** nie rozmawiają ze sobą, nie odzywają się do siebie. **6. ~ for itself** mówić samo za siebie; **~ for sb** mówić w czyimś imieniu *l.* w imieniu kogoś; **~ for yourself!** mów za siebie!; **~ing for myself,...** jeśli o mnie chodzi, (to)...; **~ well for sb** dobrze o kimś świadczyć; **~ of sth** *lit.* zdradzać coś, wskazywać na coś, sugerować coś; **~ing of...** skoro już mowa o...; **~ out/up** odważyć się wypowiedzieć, wypowiadać się otwarcie (*about sth* na temat czegoś); **~ out against sth** wystąpić przeciwko czemuś; **~ to sb** *pot.* rozmówić się *l.* porozmawiać z kimś; **~ to sth** *form.* traktować o czymś, być poświęconym czemuś (*o przemówieniu, dyskusji*); **~ up** *zob.* **speak out**; **~ up!** mów głośniej!; **~ up for sb** popierać kogoś.

speakeasy ['spi:kˌi:zɪ] *n. pl.* **-ies** *US hist.* melina (*w czasach prohibicji*).

speaker ['spi:kər] *n.* **1.** mówiąc-y/a; **English/Polish ~** osoba mówiąca po angielsku/polsku, użytkowni-k/czka języka angielskiego/polskiego; **are you a Polish ~?** czy mówisz po polsku? **2.** mów-ca/czyni; prelegent/ka; **guest ~** zaproszon-y/a prelegent/ka; **keynote ~** główn-y/a prelegent/ka; **previous ~** przedmów-ca/czyni. **3.** głośnik; kolumna (*głośnikowa*). **4. the S~** *parl.* marszałek, przewodnicząc-y/a (*sejmu, senatu*).

speakerphone ['spi:kərˌfoʊn] *n. tel.* telefon głośnomówiący.

speaking ['spi:kɪŋ] *a.* **1.** *gł. w złoż.* mówiący; **French-~ population** ludność frankofońska *l.* francuskojęzyczna *l.* mówiąca po francusko. **2.** *gł. w złoż.* mówiony; **~ part** *film, teatr* rola z kwestią. **3.** *attr. gł. form.* wygadany, elokwentny.

4. *attr.* uderzający (*o podobieństwie*); ~ **acquaintance** powierzchowna znajomość (*odpowiednia na niezobowiązującą rozmowę*); ~ **proof (of sth)** wymowny dowód (na coś); **(not) be on ~ terms** (nie) rozmawiać ze sobą, (nie) odzywać się do siebie; **the ~ image of sb** kropka w kropkę ktoś.

speaking clock *n. tel.* zegarynka.

speaking in tongues *n. U rel.* dar języków, glosolalia (*np. u zielonoświątkowców*).

speaking tube *n. zwł. hist.* rura głosowa; telefon tubowy.

spear¹ [spi:r] *n.* 1. *hist., wojsk.* włócznia; dzida. 2. *ryb.* oścień. 3. = **spearman.** 4. **on the ~ side** *przest. lit.* po mieczu (*o pokrewieństwie*). – *v.* 1. dźgnąć *l.* pchnąć włócznią *l.* dzidą. 2. nadziewać, nabijać (*np. na widelec*).

spear² *n. bot.* (młody) pęd, kiełek (*szparaga*); źdźbło (*trawy*); **asparagus ~s** *kulin.* szparagi.

spear carrier *n.* 1. *teatr* epizodyst-a/ka. 2. *pot.* pionek, płotka (= *osoba mało znacząca*).

spearhead ['spi:rˌhed] *n.* 1. *t. wojsk.* czołówka (*t. przen.* = *inicjator l. inicjatorzy*). 2. *broń* grot włóczni. – *v.* stać na czele (*czegoś*), przewodzić (*czemuś; np. strajkowi*); prowadzić (*np. akcję, kampanię*).

spearman ['spi:rmən] *n. pl.* **-men** włócznik.

spearmint ['spi:rmɪnt] *n. U bot.* mięta ogrodowa *l.* kłosowa (*Mentha spicata*); *kulin.* mięta. – *a. gł. attr. kulin.* miętowy, o smaku miętowym (*np. o gumie do żucia*).

spec [spek] *pot. n.* 1. *U Br.* **on ~** w ciemno; **buy/go on ~** kupować/iść w ciemno. 2. *bud., techn.* = **specification.** – *v.* **spec'd, specked, specced, spec'ing, specking, speccing** *US* projektować.

spec. *abbr.* 1. = **special.** 2. = **speculation.**

spec builder *n. gł. Austr. bud. pot.* przedsiębiorstwo budowlane budujące domy na sprzedaż (*nie na kontrakt*).

special ['speʃl] *a.* 1. specjalny. 2. szczególny, wyjątkowy, jedyny (w swoim rodzaju); ~ **case** szczególny przypadek; ~ **friend** wyjątkow-y/a przyjaci-el/ółka; ~ **occasion** szczególna *l.* wyjątkowa okazja; **anything ~?** coś szczególnego *l.* ciekawego?; **something/nothing ~** coś/nic szczególnego *l.* nadzwyczajnego; **someone ~** ktoś szczególny, ktoś szczególnie (bliski). – *n.* 1. *gł. US handl. pot.* promocja, oferta specjalna (*w sklepie*); danie dnia (*w restauracji*); **on ~** w promocji. 2. *telew., dzienn.* wydanie nadzwyczajne (*dziennika*); wydanie specjalne (*programu, książki*). 3. *kol.* pociąg dodatkowy.

special agent *n. US* agent/ka specjaln-y/a (*FBI*).

Special Branch *n. Br. policja* Wydział Specjalny (*chroniący organa państwowe*).

special constable *n. Br.* policjant/ka w rezerwie (= *osoba uprawiająca inny zawód należąca do rezerw policji*).

special delivery *n. C/U* ekspres, przesyłka ekspresowa; **send sth (by) ~** wysłać coś ekspresem.

special edition *n.* 1. *dzienn.* wydanie nadzwyczajne (*gazety*). 2. *handl.* seria specjalna (*produktu*).

special education *n. U szkoln.* nauczanie specjalne.

special effects *n. pl. film* efekty specjalne.

special forces *n. pl. wojsk.* siły specjalne.

special interest *n.* (*także* **special interest group**) *polit.* grupa o zbieżnych *l.* wspólnych interesach; grupa wpływów *l.* nacisku.

specialism ['speʃəˌlɪzəm] *n. C/U zwł. uniw.* specjalność; specjalizacja.

specialist ['speʃəlɪst] *n. t. med.* specjalist-a/ka (*in sth* w jakiejś dziedzinie).

speciality [ˌspeʃɪ'ælətɪ] *n. pl.* **-ies** *gł. Br.* = **specialty** 1.

specialization [ˌspeʃələ'zeɪʃən], *Br. i Austr. zw.* **specialisation** *n. U* specjalizacja.

specialize ['speʃəˌlaɪz], *Br. i Austr. zw.* **specialise** *v.* 1. *t. med., uniw.* specjalizować się (*in sth* w czymś). 2. dostosowywać (*np. narzędzie, organ*). 3. precyzować, określać.

specialized ['speʃəˌlaɪzd], *Br. i Austr. zw.* **specialised** *a.* specjalistyczny, fachowy; wyspecjalizowany; ~ **knowledge** wiedza specjalistyczna *l.* fachowa; **highly ~** wysoko wyspecjalizowany.

specially ['speʃlɪ] *adv.* 1. specjalnie. 2. szczególnie, wyjątkowo; zwłaszcza.

special needs *n. szkoln.* szczególne wymagania (pedagogiczne); ~ **children** (*także* **children with ~**) dzieci specjalnej troski.

Special Olympics *n. z czasownikiem w liczbie pojedynczej l. mnogiej sport* olimpiada specjalna, paraolimpiada.

special school *n. szkoln.* szkoła specjalna.

specialty ['speʃəltɪ] *n. pl.* **-ies** 1. (*także Br.* **speciality**) specjalność (*naukowca, lekarza, kuchni*). 2. wyróżnik, cecha szczególna. 3. *prawn.* akt opatrzony pieczęcią.

speciation [ˌspi:ʃɪ'eɪʃən] *n. U biol.* specjacja (= *rozwój gatunków*).

specie ['spi:ʃɪ] *n. U fin.* monety; bilon; pieniądz kruszcowy; **in ~** gotówką (*o płatności*); w naturze (*o świadczeniach*).

species ['spi:ʃi:z] *n. pl.* **species** 1. *biol. l. przen.* gatunek (*of sth* czegoś); **endangered ~** *ekol.* gatunek zagrożony (wymarciem); **rare/extinct/protected ~** *ekol.* rzadki/wymarły/chroniony gatunek. 2. **the/our ~** *form.* rodzaj ludzki. 3. *kośc.* postać (*chleba i wina*).

species-specific [ˌspi:ʃi:zspə'sɪfɪk] *a. biol.* właściwy dla (danego) gatunku, gatunkowy (*o cesze*).

specif. *abbr.* = **specific**; = **specifically.**

specifiable ['spesəˌfaɪəbl] *a. form.* dający się określić *l.* ustalić, określony, konkretny (*zwł. o przyczynach*).

specific [spə'sɪfɪk] *a.* 1. *attr.* określony, konkretny; ~ **person/thing** określona *l.* konkretna osoba/rzecz. 2. szczegółowy, dokładny, ścisły (*np. o określeniu, wskazówkach*); **could you be a bit more ~?** czy mógłbyś podać trochę więcej szczegółów?. 3. *pred.* specyficzny, swoisty, właściwy (*to sb/sth* dla kogoś/czegoś). 4. *attr. fiz.* właściwy. 5. *biol.* gatunkowy; ~ **difference** różnica gatunkowa. **6.** *med., pat.* swoisty (*o leczeniu, chorobie*); ~ **cause/immunity** przyczyna/odporność swoista. **7.** *ekon.* jednostkowy, specyficzny (*o cłach*). – *n.* **1.** *med.* lek swoisty, specyfik. **2.** *pl. zob.* **specifics.**

specifically [spə'sɪfɪklɪ] *adv.* **1.** głównie, w szczególności, szczególnie. **2.** wyraźnie, konkretnie (*np. zażądać, poprosić*). **3.** specjalnie. **4. (or) more** ~,... a konkretnie..., a dokładniej (mówiąc),...

specification [ˌspesəfɪ'keɪʃən] *n.* **1.** *techn.* opis techniczny, specyfikacja; *pl.* wymagania techniczne. **2.** opis, charakterystyka; określenie; wyszczególnienie; **job** ~ wyszczególnienie zakresu obowiązków. **3.** wymaganie. **4.** opis szczegółowy (*w podaniu patentowym*).

specific gravity *n. U fiz.* ciężar właściwy.

specific heat *n.* (*także US* **specific heat capacity**) *fiz.* ciepło właściwe.

specificity [ˌspesə'fɪsətɪ] *n. U* swoistość, specyficzność, szczególny charakter.

specific resistance *n. U fiz.* opór właściwy.

specifics [spə'sɪfɪks] *n. pl.* szczegóły, detale; **get down to** ~ przejść do szczegółów; **without going into** ~ bez wdawania się w szczegóły *l.* detale.

specify ['spesəˌfaɪ] *v.* **-ied, -ying** określać, precyzować; wyszczególniać; **rules** ~ **that...** przepisy mówią, że...

specimen ['spesəmən] *n.* **1.** *biol. t. form. l. żart.* okaz (*np. owada, rzadkiego dzieła sztuki, człowieka*); osobnik. **2.** *form.* próbka (*np. krwi, moczu, pisma*). **3.** przykład; wzór (*t. napis na przykładowym dokumencie, banknocie itp., który nie ma prawdziwej wartości*); ~ **copy** egzemplarz okazowy *l.* próbny *l.* bezpłatny (*książki, czasopisma*); ~ **signature** *bank* wzór podpisu.

specious ['spiːʃəs] *a. form.* fałszywy, pozornie *l.* z pozoru słuszny *l.* prawdziwy (*zwł. o rozumowaniu, stwierdzeniu*); ~ **promises** fałszywe obietnice.

speciously ['spiːʃəslɪ] *adv. form.* fałszywie, z pozoru słusznie *l.* prawdziwie.

speciousness ['spiːʃəsnəs] *n. U form.* fałszywość.

speck [spek] *n.* **1.** cętka; plamka, punkcik; ~ **of light** plamka światła. **2.** drobina (*kurzu*). **3.** *sing.* odrobina (*of sth* czegoś). – *v.* cętkować, znaczyć kropkami.

specked [spekt] *a.* w kropki, cętkowany, nakrapiany.

speckle ['spekl] *n.* kropka, cętka; plamka. – *v.* cętkować, znaczyć kropkami.

speckled ['spekld] *a.* nakrapiany, cętkowany, w kropki.

specs [speks] *n. pl. pot.* **1.** szkła, okulary. **2.** wymagania.

spectacle ['spektəkl] *n. t. przen.* widowisko; **make a** ~ **of o.s.** zrobić z siebie widowisko.

spectacles ['spektəklz] *n. pl.* **1.** *form.* okulary. **2. look at/see/view sth through rose-colored** ~ *zob.* **rose-colored.**

spectacular [spek'tækjələr] *a.* widowiskowy, efektowny, okazały; spektakularny (*np. o wyczynie, zwycięstwie, wzroście*). – *n.* widowisko (*zwł. imponujące*).

spectacularly [spek'tækjələrlɪ] *adv.* efektownie, okazale; spektakularnie.

spectate ['spekteɪt] *v.* oglądać widowisko sportowe.

spectator ['spekteɪtər] *n.* widz.

spectator sport *n.* sport widowiskowy.

specter ['spektər], *Br.* **spectre** *n.* **1.** widmo; **the** ~ **of bankruptcy/unemployment** widmo bankructwa/bezrobocia. **2.** *lit.* widziadło, widmo.

spectral ['spektrəl] *a.* **1.** *fiz., opt.* widmowy, spektralny. **2.** *lit.* upiorny.

spectral analysis *n. U fiz.* analiza widmowa *l.* spektroskopowa.

spectral line *n. opt.* linia spektrum *l.* widma *l.* widmowa.

spectral type *n. astron.* typ widmowy (*gwiazdy*).

spectrogram ['spektrəˌgræm] *n. fiz.* spektrogram.

spectrograph ['spektrəˌgræf] *n. fiz.* spektrograf.

spectrometer [spek'trɑːmətər] *n. fiz.* spektrometr.

spectroscope ['spektrəˌskoup] *n. fiz.* spektroskop.

spectroscopic [ˌspektrə'skɑːpɪk] *a. fiz.* spektroskopowy.

spectroscopy [spek'trɑːskəpɪ] *n. U fiz.* spektroskopia.

spectrum ['spektrəm] *n. pl.* **-s** *l.* **spectra** ['spektrə] **1.** spektrum (*polityczne*); **wide** ~ **of opinion** szerokie spektrum poglądów. **2.** *fiz., opt.* widmo, spektrum; **visible** ~ widmo światła widzialnego; **electromagnetic** ~ widmo elektromagnetyczne.

spectrum analysis *n. fiz.* = **spectral analysis.**

specula ['spekjələ] *n. pl. zob.* **speculum.**

specular ['spekjələr] *a.* **1.** *opt.* zwierciadlany. **2.** *med.* wziernikowy; za pomocą wziernika (*o badaniu, oględzinach*).

speculate ['spekjəˌleɪt] *v.* **1.** snuć domysły (*on / about sth* na temat czegoś); spekulować; rozmyślać (*on / about sth* nad czymś); ~ **that...** podejrzewać, że... **2.** *fin.* spekulować (*in sth* czymś) (*walutą, akcjami, złotem*).

speculation [ˌspekjə'leɪʃən] *n. C/U* **1.** domysły, podejrzenia, spekulacje; spekulacja, podejrzenie; **fuel/prompt** ~ podsycać domysły; **idle/pure** ~ czyste domysły; **there is wild** ~ **that...** istnieje nawet podejrzenie, że...; **widespread** ~ panujące powszechnie podejrzenie. **2.** *fin.* spekulacja.

speculative ['spekjəˌleɪtɪv] *a.* **1.** hipotetyczny (*np. o przewidywaniach, szacunkach*); spekulatywny (*np. o rozważaniach*). **2.** *fin.* spekulacyjny.

speculator ['spekjəˌleɪtər] *n. fin.* spekulant/ka.

speculum ['spekjələm] *n. pl. t.* **-s** *l.* **specula** ['spekjələ] **1.** *med.* wziernik; **ear/vaginal** ~ wziernik uszny/pochwowy. **2.** *opt.* zwierciadło. **3.** *orn.* plamka, smuga (*na skrzydle*).

sped [sped] *v. zob.* **speed.**

speech [spiːtʃ] *n.* **1.** *U fizj., jęz.* mowa; **human**

~ mowa ludzka; **the power/gift of ~** zdolność/dar mowy. **2.** *polit.* mowa, przemówienie, przemowa; **deliver/give/make a ~** wygłosić mowę *l.* przemówienie. **3.** *U t. fon.* wymowa; **slurred/slow ~** niewyraźna/wolna wymowa. **4.** *arch.* pogłoska. **5. freedom of ~** (*także* **free ~**) *polit.* wolność słowa.

speech bubble *n.* (*także* **speech balloon**) *komiks* dymek (dialogowy).

speech community *n. pl.* **-ies** *jęz.* wspólnota językowa.

speech day *n. Br. szkoln.* doroczne wręczanie nagród.

speech disorder *n.* (*także* **speech impediment**) *pat.* zaburzenie mowy.

speechifier [ˈspiːtʃɪfaɪr] *n. pot. uj.* moralist-a/ka.

speechify [ˈspiːtʃɪˌfaɪ] *v.* **-ied, -ying** *pot.* perorować, rozprawiać (*about sth* o czymś).

speechless [ˈspiːtʃləs] *a.* **1.** oniemiały (*with sth* z czegoś) (*wrażenia, gniewu*); **sb was left ~** komuś odbrało mowę, ktoś zaniemówił. **2.** milczący. **3.** *form.* niewymowny, nieopisany.

speechlessly [ˈspiːtʃləslɪ] *adv.* **1.** bez słowa, milcząco. **2.** *form.* niewymownie.

speechlessness [ˈspiːtʃləsnəs] *n. U* **1.** niemożność wyduszenia z siebie słowa. **2.** milczenie.

speed [spiːd] *n.* **1.** *C/U* szybkość, prędkość; tempo (*np. rozwoju, reform*); **at ~** *Br.* szybko; **at breakneck ~** na złamanie karku; **at full/top ~** z maksymalną szybkością, przy *l.* na najwyższej szybkości; **at high ~** z dużą prędkością; **at the ~ of light** z prędkością światła; **at twice the ~ (of sth)** dwa razy szybciej (niż coś); **gather/pick up ~** przyspieszyć; **get up to ~** nabrać szybkości; **reduce ~** zwolnić; **travel at a ~ of 100 kph** jechać z szybkością 100 km/h; **typing/reading ~** szybkość pisania/czytania; **with ~** *form.* szybko (*zareagować*); **what ~ are we doing?** jak szybko jedziemy?. **2.** *fot.* czułość (*filmu*). **3.** *fot.* czas naświetlania. **4.** *U sl.* amfa (= *amfetamina*). **5.** *mech.* przełożenie, bieg; **five-~** dziesięciobiegowy (*o przerzutce, skrzyni biegów*). **6.** *przen.* **(not) my ~** *US pot.* coś (nie) dla mnie; **up to ~** na (odpowiednim) poziomie. – *v. pret. i pp. t.* **sped 1.** (*także* **be ~ing**) *mot.* przekraczać (dozwoloną) prędkość, jechać z nadmierną prędkością; **be caught ~ing** zostać zatrzymanym za przekroczenie prędkości. **2. ~ (along)** pędzić. **3.** *sl.* brać amfę. **4. God ~ you!** *arch.* szczęść Boże! **5. ~ by** przemknąć (obok); przelecieć (*np. o czasie, tygodniu*); **~ up** przyspieszyć.

speedball [ˈspiːdˌbɔːl] *n. U sl.* hera z amfą *l.* koką (*mieszanka narkotyków*).

speedboat [ˈspiːdˌbout] *n. żegl.* ślizgacz.

speed bump *n. mot.* garb spowalniający.

speed demon *n. mot. pot.* amator/ka szybkiej jazdy.

speed dial *n. tel.* pamięć (numeru).

speeder [ˈspiːdər] *n. mot.* kierowca jadący z nadmierną prędkością.

speed freak *n. sl.* ćpun/ka (*biorący amfetaminę*).

speedily [ˈspiːdɪlɪ] *adv. form.* szybko, prędko; niezwłocznie, pośpiesznie.

speediness [ˈspiːdɪnəs] *n. U form.* szybkość, prędkość.

speeding [ˈspiːdɪŋ] *n. U mot.* jazda z nadmierną prędkością, przekroczenie dozwolonej prędkości; **be fined for ~** dostać mandat za przekroczenie szybkości.

speed limit *n. mot.* ograniczenie prędkości.

speedo [ˈspiːdou] *n. pl.* **-s** *mot. pot.* zegar (= *szybkościomierz*).

speedometer [spɪˈdɑːmətər] *n. mot.* szybkościomierz.

speed reading *n. U* szybkie czytanie.

speed skates *n. pl. sport* panczeny (= *łyżwy do jazdy szybkiej*).

speed skating *n. U sport* łyżwiarstwo szybkie, jazda szybka na lodzie.

speedster [ˈspiːdstər] *n. mot., przest. pot.* wyścigówka (= *szybki samochód, zwł. sportowy*).

speed trap *n. mot.* (radarowy) punkt kontroli szybkości.

speed-up [ˈspiːdˌʌp], **speedup** *n.* **1.** przyspieszenie. **2.** *ekon.* zwiększenie wydajności.

speed walking *n. U sport* chód.

speedway [ˈspiːdˌweɪ] *n.* **1.** *U sport* wyścigi na żużlu, żużel. **2.** *sport* tor żużlowy. **3.** *US i Can. mot.* droga szybkiego ruchu, autostrada.

speedwell [ˈspiːdˌwel] *n. bot.* przetacznik (*Veronica*).

speedy [ˈspiːdɪ] *a.* **-ier, -iest** szybki (*np. o samochodzie, powrocie do zdrowia*); pospieszny (*np. o zaprzeczeniu*); niezwłoczny (*o doręczeniu*).

spelean [spɪˈliːən], **spelaean** *a. form.* jaskiniowy.

speleologist [ˌspiːlɪˈɑːlədʒɪst] *n.* **1.** speleolo-g/żka. **2.** *Br.* grotołaz/ka.

speleology [ˌspiːlɪˈɑːlədʒɪ] *n. U* **1.** *geol.* speleologia, jaskinioznawstwo. **2.** *Br.* turystyka jaskiniowa.

spell1 [spel] *v. Br. i Austr. pret. i pp. t.* **spelt 1.** pisać; pisać ortograficznie *l.* poprawnie *l.* bez błędów; **~ sth wrong/wrongly** napisać coś z błędem, zrobić w czymś błąd (ortograficzny); **in British English 'honor' is spelt with an 'ou'** w brytyjskiej angielszczyźnie 'honor' pisze się przez 'ou'; **how do you ~ it?** jak to się pisze?; **sb can't ~** ktoś nie umie pisać bez błędów, ktoś robi błędy ortograficzne. **2. ~ (out)** literować; **can you ~ your name (for me)?** może (mi) Pan/i przeliterować swoje nazwisko? **3.** tworzyć słowo, układać się w słowo; **c-a-t ~s cat** litery c-a-t układają się w słowo 'cat'. **4.** *przen.* grozić (*np. niebezpieczeństwem*); wróżyć (*np. nieszczęście*); oznaczać; **~ disaster/trouble** oznaczać katastrofę/kłopoty (*for sb / sth* dla kogoś/czegoś). **5. ~ backward** czytać od tyłu; pisać od tyłu; *przen.* przekręcać; **~ out** rozwinąć (*skrót*); sylabizować, dukać; *przen.* szczegółowo wytłumaczyć; rozwikłać (*tajemnicę, zagadkę*).

spell2 *n.* zaklęcie; *t. przen.* urok, czar; *przen.* zauroczenie; **break a ~** *zob.* **break1** *v.*; **cast a ~ on/over sb/sth** (*także* **put a ~ on sb/sth**) *t. przen.* rzucić urok *l.* czar na kogoś/coś; **under a ~** zaczarowany; *przen.* oczarowany, zauroczony; **under sb's ~** zauroczony kimś; **fall under sb's ~** ulec zauroczeniu kimś.

spell3 *n.* **1.** okres; **a ~ of bad luck** pechowy okres; **a brief ~ as sb** krótki okres w roli kogoś *l.* jako ktoś; **cold/hot/wet ~** *meteor.* okres *l.* fala chłodów/upałów/suszy/opadów; **sunny ~s** *meteor.* przejaśnienia. **2.** *pat.* napad; **dizzy ~s** zawroty głowy. **3.** *gł. sing.* chwila, moment; **come over for a ~** wpadnij na chwilę. **4.** *gł. sing. gł. US pot.* kawałek; **down the road a ~** kawałek dalej. **5.** *US i Austr.* zmiana (*przy pracy*); **take ~s** zmieniać się (*(with) doing sth* przy czymś *l.* przy robieniu czegoś). – *v. US i Austr.* zmieniać (*kogoś w obowiązkach*); **~ sb at the wheel** zmienić kogoś za kierownicą.

spellbind [ˈspelˌbaɪnd] *v.* **-bound** oczarować.

spellbinder [ˈspelˌbaɪndər] *n. pot.* ktoś porywający (*zwł. mówca l. artysta*); coś porywającego (*zwł. lektura, występ*).

spellbound [ˈspelˌbaʊnd] *a.* oczarowany, urzeczony; **hold sb ~** oczarować kogoś (*zwł. publiczność*).

spell check *n. komp.* sprawdzenie pisowni; **run a ~ on sth** sprawdzić pisownię czegoś.

spell-check [ˈspelˌtʃek] *v. komp.* sprawdzać pisownię (*dokumentu*).

spell checker *n. komp.* funkcja *l.* opcja sprawdzania pisowni; program sprawdzający pisownię.

speller [ˈspelər] *n.* **1. be a good ~** pisać bez błędów (ortograficznych), pisać poprawnie; **be a bad/poor ~** robić błędy (ortograficzne). **2.** *US* podręcznik pisowni *l.* ortografii.

spelling [ˈspelɪŋ] *n.* **1.** *U* ortografia (= *umiejętność pisania zgodnie z konwencjami ortograficznymi*). **2.** pisownia (*wyrazu*).

spelling bee *n. zwł. US* konkurs ortograficzny.

spelling pronunciation *n. fon.* wymowa pod wpływem pisowni.

spelt1 [spelt] *v. zob.* **spell**.

spelt2 *n. U bot., roln.* (pszenica) orkisz (*Triticum spelta*).

spelter [ˈspeltər] *n. U metal.* cynk (handlowy).

spelunker [spɪˈlʌŋkər] *n. US* grotołaz/ka.

spelunking [spɪˈlʌŋkɪŋ] *n. U US* turystyka jaskiniowa.

spencer [ˈspensər] *n.* **1.** *strój, hist.* spencer (*kaftanik l. kurtka*). **2.** *żegl.* żagiel gaflowy.

spend [spend] *v. pret. i pp.* **spent** **1.** wydawać (*pieniądze*) (*on sth* na coś); **~ $10/a fortune** wydać 10 dolarów/fortunę; **how much can we ~?** ile możemy wydać?. **2.** spędzać (*czas, życie*); **~ time doing sth** spędzać czas na czymś *l.* robieniu czegoś; **~ the night with sb** *euf.* spędzić z kimś noc. **3.** *przest. l. lit.* zużyć (się); wyczerpać (się). **4. ~ a penny** *zob.* **penny**; **~ its force** *lit.* osłabnąć (*o burzy*); **money well spent** *zob.* **money**.

spender [ˈspendər] *n.* **be a big ~** nie liczyć się z pieniędzmi.

spending [ˈspendɪŋ] *n. U fin.* wydatki (*on sth* na coś); **defense ~** wydatki na obronność; **government/public ~** wydatki rządowe/publiczne.

spending money *n. U* pieniądze na drobne wydatki; kieszonkowe.

spending power *n. U fin.* siła nabywcza.

spendthrift [ˈspendˌθrɪft] *n.* rozrzutni-k/ca. – *a. attr.* rozrzutny.

spent [spent] *v. zob.* **spend**. – *a.* **1.** zużyty; wyczerpany; pusty. **2.** *lit.* wyczerpany, wykończony (*o osobie*).

sperm [spɝːm] *n.* **1.** *pl.* **-s** *l.* **sperm** *fizj.* plemnik; *U* nasienie, sperma. **2.** *zool.* = **sperm whale**. **3.** *U chem.* = **sperm oil**. **4.** *U chem.* = **spermaceti**.

spermaceti [ˌspɝːməˈsetiː] *n. U chem.* olbrot.

spermary [ˈspɝːmərɪ] *n. pl.* **-ies** *anat.* organ wytwarzający plemniki.

spermatic [spɝːˈmætɪk] *a. anat.* nasieniowy, nasienny; **~ cord** powrózek nasienny.

spermatozoon [ˌspɝːmətəˈzoʊən] *n. pl.* **spermatozoa** [ˌspɝːmətəˈzoʊə] *fizj.* plemnik.

sperm bank *n. med.* bank nasienia *l.* spermy.

sperm count *n. med.* liczba plemników (*w objętości jednostkowej nasienia*).

spermicidal [ˌspɝːməˈsaɪdl] *a.* plemnikobójczy; **~ jelly** żel plemnikobójczy.

spermicide [ˈspɝːməˌsaɪd] *n. C/U* środek plemnikobójczy.

sperm whale *n. zool.* kaszalot (*Physeter catodon*).

spew [spjuː] *v.* **1. ~ (out/forth)** tryskać; buchać (*t. czymś*); wypuszczać, wyrzucać; wylewać; wypluwać, wyrzucać z siebie (*ciecz, słowa*). **2. ~ (up)** *zwł. Br. sl.* rzygać.

SPF [ˌes ˌpiː ˈef] *abbr. i n. handl.* **sun protection factor** faktor (*filtru słonecznego*); **~ 12 sunscreen/sun lotion** filtr/emulsja z faktorem 12.

SP gun [ˌes ˈpiː ˌgʌn] *abbr.* = **self-propelled gun**.

sphagnum [ˈsfægnəm] *n. U bot.* (mech) torfowiec (*Sphagnum*).

sphenoid [ˈsfiːnɔɪd] *gł. anat. a.* klinowy; **~ bone** kość klinowa. – *n.* kość klinowa.

spheral [ˈsfiːrəl] *a. form.* **1.** sferyczny; kulisty. **2.** symetryczny.

sphere [sfiːr] *n.* **1.** *t. geom.* kula. **2.** *geom., astron.* sfera. **3.** sfera, dziedzina; strefa; **~ of activity** sfera działalności; **~ of influence** *t. polit.* strefa wpływów; **in every ~ of life** w każdej dziedzinie życia; **in the cultural/economic ~** w dziedzinie kultury/gospodarki. **4.** *lit.* nieboskłon. **5.** *lit.* ciało niebieskie. – *v. poet.* **1.** otaczać. **2.** unosić w niebiosa.

spherical [ˈsferɪkl], **spheric** [ˈsfiːrɪk] *a. t. geom.* sferyczny, kulisty.

spherical aberration *n. opt.* aberracja sferyczna.

sphericity [sfɪˈrɪsətɪ] *n. U t. geom.* sferyczność, kulistość.

spherics [ˈsferɪks] *n.* **1.** *U geom.* sferyka, geometria *l.* trygonometria sferyczna. **2.** *pl.* (*także US* **sferics**) atmosferyki, zakłócenia atmosferyczne. **3.** *U* sferyka (= *nauka o zakłóceniach atmosferycznych*).

spheroid [ˈsfiːrɔɪd] *n. geom.* elipsoida obrotowa, sferoida.

spheroidal [sfɪˈrɔɪdl] *n. geom.* sferoidalny, kulisty; *astron.* eliptyczny (*o galaktyce*).

spherule [ˈsferuːl] *n. form.* kuleczka, kulka.

spherulite [ˈsferʊˌlaɪt] *n. geol.* sferulit.

sphincter [ˈsfɪŋktər] *n. anat.* zwieracz.

sphinx [ˈsfɪŋks] *n. pl.* **-es** *l.* **sphinges** [ˈsfɪndʒiːz] *mit.* Sfinks; *przen.* sfinks.

sphinxlike [ˈsfɪŋksˌlaɪk] *n. zwł. lit.* enigmatyczny.

sphragistics [sfrəˈdʒɪstɪks] *n. U hist.* sfragistyka (= *nauka o pieczęciach*).

sphygmometer [sfɪgˈmɑːmətər] *n.* (*także* **sphygmomanometer**) *med.* ciśnieniomierz (lekarski) (*z jednoczesnym pomiarem tętna*).

spic [spɪk], **spik** *n. US obelż. sl.* latynos/ka (*zwł. = imigrant/ka z Ameryki Łacińskiej*).

spica [ˈspaɪkə] *n. pl.* **-s** *l.* **spicae** [ˈspaɪkiː] *chir.* opatrunek *l.* bandaż kłosowy.

spicate [ˈspaɪkeɪt] *a. bot.* kłosowaty; gronowy (*o kwiatostanie*).

spice [spaɪs] *n.* **1.** *C/U kulin.* przyprawa; korzenie (*do wina grzanego*). **2.** *U l. sing.* urozmaicenie (*życia codziennego*). **3. sugar and ~** *zob.* **sugar** *n.*; **variety is the ~ of life** *zob.* **variety**. – *v.* **1. ~ (up)** *kulin.* przyprawiać (*potrawę*) (*with sth* czymś). **2. ~ (up)** ubarwiać, urozmaicać.

spicebush [ˈspaɪsˌbʊʃ] *n. US bot.* aromatyczny krzew północnoamerykański z rodziny wawrzynowatych (*Lindera benzoin*).

spiciness [ˈspaɪsnəs] *n. U* **1.** *kulin.* ostrość, pikantność (*potrawy*). **2.** *przen.* pikantność (*opowieści, wydarzenia*).

spick-and-span [ˌspɪkəndˈspæn] *a.* lśniący czystością, wychuchany, jak spod igły.

spicule [ˈspɪkjuːl] *n.* **1.** *astron.* bryzga chromosferyczna, spikula (*na Słońcu*). **2.** *zool.* kolec (*w szkielecie gąbki, korala*).

spicy [ˈspaɪsɪ] *a.* **-ier, -iest 1.** *kulin.* ostry, pikantny (*o potrawie*). **2.** *kulin.* korzenny (*o smaku*). **3.** *przen.* pikantny (*o opowieści, wydarzeniu*).

spider [ˈspaɪdər] *n.* **1.** *ent.* pająk. **2.** *komp.* pająk, robot. **3.** trójnóg. **4.** *mech.* krzyżak; jarzmo. **5.** *żegl.* kołkownica (*do mocowania lin*).

spider crab *n. U zool.* krab długonogi (*różne gatunki*).

spiderman [ˈspaɪdəˌmæn] *n. pl.* **-men** robotnik wysokościowy.

spider monkey *n. zool.* czepiak (*rodzaj Ateles*).

spider plant *n. bot.* zielistka (*Chlorophytum elatum*).

spiderweb [ˈspaɪdərˌweb] *n. US* pajęczyna.

spiderwort [ˈspaɪdərˌwɜːt] *n. bot.* trzykrotka (*Tradescantia*).

spidery [ˈspaɪdərɪ] *a.* **1.** koślawy, nieczytelny (*o piśmie, literach*). **2.** pajęczy. **3.** zapajęczony.

spiel [ʃpiːl] *pot. n. C/U* gadka, gładka mowa (*np. akwizytora*). – *v.* **1.** odstawić gadkę *l.* mowę. **2. ~ off** wyrecytować.

spiffing [ˈspɪfɪŋ] *a. Br. przest. pot.* klawy.

spiff up [ˌspɪf ˈʌp] *v. gł. US pot.* uatrakcyjniać.

spiffy [ˈspɪfɪ] *a.* **-ier, -iest** *US i Can. pot.* zgrabny, elegancki (*t. o samochodzie*); świetny; **~ dresser** elegancik, elegantka.

spigot [ˈspɪgət] *n.* **1.** *US* kran (*zwł. na zewnątrz budynku*). **2.** kranik (*przy beczce*). **3.** czop, zatyczka, korek.

spik [spɪk] *n.* = **spic**.

spike [spaɪk] *n.* **1.** ostry koniec, ostrze, szpikulec (*zwł. w zwieńczeniu ogrodzenia*); kolec. **2.** *techn.* bretnal, ćwiek, (duży) gwóźdź. **3.** *el.* iglica (*napięcia, t. na wykresie*). **4.** *sport* kolec (*w podeszwie butów sprinterskich*); *pl. sport* kolce (*buty*). **5.** *roln.* kłos. **6.** *bot.* kłos; grono. **7.** *pl. pot.* szpilki (*buty*). **8.** *fin.* skok (*kursów, cen*). **9.** *siatkówka* atak (przy siatce). **10.** *futbol amerykański* uderzenie piłką o ziemię (*w geście zwycięstwa po zdobyciu punktu*). **11.** *myśl.* parostek. **12.** *muz.* podpórka, nóżka (*np. u wiolonczeli*). **13.** *Br. przest. sl.* noclegownia. – *v.* **1.** nadziewać (na ostrze *l.* kij) (*papiery*). **2.** zakropić, doprawić (*czyjś napój alkoholem l. środkiem odurzającym, zwł. potajemnie*). **3.** *polit.* zablokować (*artykuł, materiał filmowy przed opublikowaniem*); zatuszować (*skandal*); zdementować (*pogłoski, oskarżenie*). **4.** *sport* zranić kolcem (*od buta*). **5.** *pot.* skoczyć (= *chwilowo gwałtownie wzrosnąć*). **6.** *siatkówka* ścinać (*piłkę*). **7.** zaopatrzyć w kolce *l.* szpikulce. **8.** *przest. wojsk.* zagwoździć (*działo; = zatkać*). **9. ~ sb's guns** *Br. przen.* pokrzyżować komuś szyki.

spike heel *n.* szpilka (*obcas*); *pl.* szpilki (= *buty na szpilkach*).

spike lavender *n. U bot.* lawenda szerokolistna (*Lavandula latifolia*).

spikenard [ˈspaɪknərd] *n.* **1.** *bot.* spikanard (*Nardostachys Jatamansi*). **2.** *U* nard (*olejek*).

spiky [ˈspaɪkɪ] *a.* **-ier, -iest 1.** ostro zakończony. **2.** *pot.* wybuchowy, drażliwy (*o osobie*).

spile [spaɪl] *n.* **1.** *bud.* pal. **2.** czop, zatyczka, korek. **3.** *US i Can. leśn.* sączek (*do pozyskiwania soku klonowego*). – *v.* **1.** *bud.* wspierać *l.* wznosić na palach (*konstrukcję*). **2.** *US i Can. leśn.* pozyskiwać sok z (*klonu*).

spill[1] [spɪl] *v. Br. pret. i pp. t.* **spilt 1.** rozlewać (się); rozsypywać (się) (*on/over sth* na coś). **2. ~ (out)** wysypywać *l.* wylewać się (*o tłumie*) (*from/into sth* skądś/gdzieś) (*np. z kina na ulicę*). **3.** *pot.* wygadać, wyśpiewać. **4.** *żegl.* tracić (*wiatr z żagla*). **5.** *przest.* spadać (*z roweru, konia*). **6.** *przen.* **~ blood** *lit.* przelewać krew; **~ one's guts (to sb)** *US pot.* wywnętrzać się (przed kimś); **~ money** trwonić pieniądze; **~ the beans** *pot.* wygadać się; **there's no use crying over spilt milk** co się stało, to się nie odstanie. **7. ~ over** rozszerzyć *l.* rozprzestrzenić się (*into sth* gdzieś *l.* na coś) (*o konflikcie*); zaczynać wpływać (*into sth* na coś) (*o problemach*). – *n.* **1.** *C/U* wyciek (*oleju, ropy, kwasu*). **2.** *przest.* upadek (*z konia, roweru*). **3.** = **spillway**.

spill[2] *v.* **1.** fidybus, patyczek do zapalania (*kominka, świecy, lampy naftowej*). **2.** czop, zatyczka, korek.

spillage [ˈspɪlɪdʒ] *n. C/U* **1.** wyciek. **2.** rozlanie; rozsypanie.

spillway ['spɪlˌweɪ] *n. hydrol.* przelew spływowy (*w tamie*).

spilt [spɪlt] *v. zob.* **spill**.

spin [spɪn] *v. pret. i pp.* **spun** *Br. pret. t.* **span**, **-nn- 1.** wirować; obracać się. **2.** obracać; pokręcać (*monetą, kołem*). **3.** prząść (*nić, pajęczynę*). **4.** tkać. **5.** wirować, odwirowywać (*pranie*). **6.** snuć (*historię, opowieść*). **7.** ~ **(along/past)** *gł. mot.* śmigać (*samochodem*). **8.** *lotn.* wchodzić w korkociąg; wykonywać korkociąg. **9.** *mech.* toczyć (*obrabiany przedmiot*). **10.** *pot.* puszczać (*płytę, piosenkę*). **11.** *sl. zwł. polit.* manipulować (*wypowiedzią*); kręcić (= *oszukiwać*). **12.** *ryb.* łowić na spinning. **13.** *przen.* ~ **a line** *zob.* **line** *n.*; ~ **a yarn** *zob.* **yarn** *n.*; ~ **one's wheels** trudzić się bez potrzeby; ~ **out of control** wymykać się spod kontroli; **sb's head ~s** komuś się kręci w głowie (*with sth* od czegoś). **14.** ~ **around** odwrócić się; ~ **off** *telew., handl.* zrodzić (*następny serial, produkt*); *ekon.* wydzielać (*fragment firmy*); ~ **out** przeciągać, przedłużać; oszczędnie gospodarować (*funduszami, zapasami*); *mot.* wpaść w poślizg. – *n.* **1.** *C/U* obrót; wirowanie; rotacja (*t. piłki w sportach*); *mech.* ruch wirowy. **2.** *mot.* przejażdżka. **3.** wirowanie, odwirowywanie (*prania*); **give sth a ~** *Br.* odwirować coś. **4.** *sing. gł. US pot.* manipulacja, naciąganie; tendencyjność; **put a positive/favorable ~ on sth** przedstawiać coś w korzystnym świetle. **5.** *fiz.* spin. **6.** *lotn.* korkociąg, ruch wirowy; **go into a ~** wpadać w korkociąg. **7.** *pat.* zawrót głowy. **8.** (*także* ~ **of the coin**) losowanie monetą (*przez pokręcenie na stole, nie przez rzut*). **9.** *sing.* popłoch; **fall/go into a (flat) ~** wpaść w popłoch; **send sb/sth into a ~** wywołać popłoch wśród kogoś/gdzieś.

spina bifida [ˌspaɪnə ˈbɪfɪdə] *n. U pat.* rozszczep kręgosłupa.

spinach ['spɪnɪtʃ] *n. U bot., kulin.* szpinak (*Spinacia oleracea*).

spinal ['spaɪnl] *a. anat., med., pat.* kręgowy; rdzeniowy; ~ **injury** *pat.* uraz kręgosłupa. – *n. med.* znieczulenie rdzeniowe.

spinal anesthesia, spinal anaesthesia *n. U* **1.** *med.* znieczulenie rdzeniowe. **2.** *pat.* znieczulica po urazie kręgosłupa.

spinal canal *n. anat.* kanał kręgowy.

spinal column *n. anat.* kręgosłup.

spinal cord *n. anat.* rdzeń kręgowy.

spinal meningitis *n. U pat.* zapalenie opon rdzenia.

spinal nerve *n. anat.* nerw rdzeniowy.

spin control *n. U gł. polit. pot.* manipulowanie informacją, wykorzystywanie informacji dla celów propagandowych.

spindle ['spɪndl] *n.* **1.** *mech., tk., biol.* wrzeciono. **2.** *mech.* trzpień, wał, oś (*t. klamki*); tuleja piasty (*w rowerze*). **3.** *stol.* (toczony) słupek (*balustrady*); (toczona) noga (*stołu, krzesła*). **4.** nakłuwacz (= *szpikulec na deseczce do zbierania luźnych karteczek, zwł. kwitków*). **5.** *żegl.* pława wrzecionowata. – *v.* **1.** nakłuwać (*karteczkę*). **2.** *bot.* wydłużać się, rosnąć (*o łodydze*).

spindle cell *n. pat.* komórka wrzecionowata (*obecna w przebiegu niektórych chorób nowotworowych*).

spindlelegs ['spɪndlˌlegz] *n. pl.* **1.** nogi jak patyki. **2.** *sing. pot.* żyrafa (= *osoba o długich i chudych nogach*).

spindle-shaped [ˌspɪndl'ʃeɪpt] *a.* wrzecionowaty.

spindletree ['spɪndlˌtriː] *n. bot.* trzmielina (*Euonymus*).

spindly ['spɪndlɪ] *a.* **-ier, -iest** (*także* **spindling**) chudy, wiotki, rachityczny (*o nogach, osobie*).

spin doctor *n. pot. polit.* spec od propagandy.

spindrift ['spɪnˌdrɪft] *n.* **1.** *żegl.* rozbryzg (= *krople wznoszone przez wiatr z fal*). **2.** (*także* **spoondrift**) *meteor.* piasek *l.* śnieg niesiony przez wiatr.

spin-dry [ˌspɪn'draɪ] *v.* **-ied, -ying** wirować, odwirowywać (*pranie*).

spin-dryer [ˌspɪn'draɪər], **spin-drier** *n. gł. Br.* wirówka.

spine [spaɪn] *n.* **1.** *anat. t. przen.* kręgosłup. **2.** *druk., geogr., zool.* grzbiet (*książki, górski, kości, płetwy*). **3.** ostra krawędź. **4.** *bot.* kolec, cierń. **5.** *zool.* kolec. **6. send shivers (up and) down sb's ~** *zob.* **shiver**[1] *n.*

spine-chiller ['spaɪnˌtʃɪlər] *n.* (prawdziwy) horror (*książka, film, opowieść*).

spine-chilling ['spaɪnˌtʃɪlɪŋ] *a.* mrożący krew w żyłach (*o filmie, opowieści*).

spinel [spɪ'nel] *n. U min.* spinel.

spineless ['spaɪnləs] *a.* **1.** tchórzliwy, bojaźliwy; słaby. **2.** *zool.* bezkręgowy.

spinelessly ['spaɪnləslɪ] *adv.* tchórzliwie, bojaźliwie.

spinelessness ['spaɪnləsnəs] *n. U* tchórzliwie, bojaźliwie.

spinet [spɪ'net] *n. muz.* szpinet.

spine-tingling ['spaɪnˌtɪŋglɪŋ] *a.* mrożący krew w żyłach; wywołujący dreszczyk emocji.

spinnaker ['spɪnəkər] *n. żegl.* spinaker.

spinner ['spɪnər] *n.* **1.** prządka; przędzarz. **2.** *tk.* przędzarka. **3.** *ryb.* błystka. **4.** *sport* podkręcona piłka. **5.** *sport* zawodni-k/czka podkręcając-y/a piłkę. **6.** *lotn.* kołpak, osłona piasty śmigła. **7.** *lotn.* rakieta stabilizowana ruchem obrotowym.

spinney ['spɪnɪ] *n. Br.* zagajnik.

spinning ['spɪnɪŋ] *n. U* przędzalnictwo, przędzenie.

spinning frame *n. tk.* przędzarka.

spinning jenny *n. hist., tk.* przędzarka.

spinning top *n.* bąk (*zabawka*).

spinning wheel *n. tk.* kołowrotek.

spin-off ['spɪnˌɔːf], **spinoff** *n.* **1.** (korzystny) efekt uboczny. **2.** produkt uboczny. **3.** *telew.* kontynuacja (pomysłu) (*poprzedniego podobnego programu, t. książki*). **4.** *ekon.* spółka wydzielona ze spółki macierzystej przez emisję akcji pomiędzy udziałowców spółki macierzystej.

spinose ['spaɪnoʊs], **spinous** ['spaɪnəs] *a. bot.* kolczasty, ciernisty.

spinster ['spɪnstər] *n. przest.* stara panna.

spinsterhood ['spɪnstərhʊd] *n. U przest.* staropanieństwo.

spin the bottle, spin-the-bottle *n. U* butelka, gra w butelkę (*z całowaniem*).

spinule ['spaɪnjuːl] *n. bot.* mały cierń; *t. zool.* mały kolec.

spiny ['spaɪnɪ] *a.* **-ier, -iest** **1.** *bot.* kolczasty, ciernisty. **2.** *zool.* kolczasty. **3.** *przen.* kłopotliwy, drażliwy.

spiracle ['spaɪrəkl] *n.* **1.** *ent.* przetchlinka. **2.** *icht.* szczelina oddechowa. **3.** *zool.* nozdrze (*delfina, wieloryba*).

spiral ['spaɪrəl] *a. gł. attr.* spiralny. – *n. geom. ekon.* spirala; **downward/upward** ~ *zwł. ekon.* (niepohamowany *l.* niekontrolowany) spadek/wzrost; **inflationary** ~ *ekon.* spirala inflacyjna. – *v. Br.* **-ll-** **1.** *zwł. ekon.* rosnąć w sposób niekontrolowany. **2.** poruszać się ruchem spiralnym; ~ **to the ground** opadać, kręcąc się w kółko (*np. o lisciach*).

spiral binding *n. U druk.* oprawa spiralna *l.* w spiralę.

spiral-bound ['spaɪrəlˌbaʊnd] *a. druk.* w oprawie spiralnej, oprawiony w spiralę.

spiral galaxy *n. pl.* **-ies** *astron.* galaktyka spiralna.

spiral staircase *n. bud.* schody kręcone *l.* kręte.

spirant ['spaɪrənt] *fon. n.* spółgłoska szczelinowa, spirant. – *a.* szczelinowy, spirantyczny.

spire [spaɪr] *n.* **1.** *bud., kośc.* iglica (*wieży*). **2.** szpic; (ostry) szczyt. **3.** *bot.* źdźbło (*trawy*); (chudy) pęd. **4.** spirala. **5.** zwój. – *v.* **1.** wznosić się ostro *l.* strzeliście, strzelać w górę. **2.** *bud., kośc.* wieńczyć iglicą (*wieżę*).

spirit ['spɪrɪt] *n.* **1.** *t. rel.* duch; **evil ~s** złe duchy; **the (Holy) S~** *rel.* Duch Święty. **2.** *gł. rel.* dusza. **3.** *U l. sing.* duch; ~ **of freedom/the law** duch wolności/prawa; **break sb's** ~ złamać czyjegoś ducha; **community/fighting/team** ~ duch wspólnoty/walki/współpracy; **free/independent** ~ wolny duch (*osoba*); **get into/enter the ~ (of sth)** *Br.* wczuć się (w coś); **in (the) ~ of compromise/friendship** w duchu kompromisu/przyjaźni; **in** ~ duchem (*być gdzieś, łączyć się z kimś*); **strong in** ~ silny duchem; **it's the ~ that counts** liczą się dobre chęci; **that's the ~!** to mi się podoba!, tak trzymać!; **the ~ of the age/times** duch epoki/czasu; **when/as the ~ moves you** kiedy/jak dusza zapragnie. **4.** *zob.* **spirits**. – *v.* ~ **sb away/off** wyprowadzić kogoś ukradkiem *l.* potajemnie; uprowadzić kogoś; ~ **sth away/off** wynieść coś ukradkiem *l.* potajemnie.

spirited ['spɪrɪtɪd] *a.* **1.** żarliwy, zagorzały (*o mowie, obronie*); ożywiony (*o dyskusji*). **2.** pełen wigoru *l.* werwy (*o osobie*). **3.** porywający (*o wykonaniu artystycznym*). **4.** *w złoż.* **high-~** pogodny; **mean-~** złośliwy.

spiritism ['spɪrɪtˌɪzəm] *n. U* spirytyzm.

spiritist ['spɪrɪtɪst] *n.* spirytyst-a/ka.

spirit lamp *n. Br.* lampka spirytusowa.

spiritless ['spɪrɪtləs] *a.* **1.** apatyczny. **2.** posępny.

spirit level *n. techn., bud.* poziomnica, libella.

spirits ['spɪrɪts] *n. pl.* **1.** nastrój, humor; **in good/high/low** ~ w dobrym/świetnym/złym nastroju *l.* humorze; **keep sb's ~ up** podtrzymywać kogoś na duchu; **lift/raise sb's** ~ podnieść kogoś na duchu; **out of** ~ nie w sosie; **sb's ~ lifted/rose** nastrój *l.* humor się komuś poprawił; **sb's ~ sank** ktoś upadł na duchu; **send sb's ~ soaring** *zob.* **soar** *v.* **2.** *gł. Br. handl.* napoje alkoholowe, alkohol. **3.** *gł. Br. chem.* spirytus; ~ **of camphor** spirytus kamforowy; ~ **of turpentine** terpentyna.

spiritual ['spɪrɪtʃʊəl] *a.* **1.** duchowy. **2.** uduchowiony. **3.** **Lords S~** *Br. parl.* duchowni członkowie Izby Lordów. – *n.* **1.** *muz.* spirituals (*utwór chóralny, o tematyce religijnej*). **2.** *U* **the** ~ sfera duchowa, sprawy duchowe.

spiritualism ['spɪrɪtʃʊəˌlɪzəm] *n. U* **1.** spirytyzm. **2.** *fil.* spirytualizm.

spiritualist ['spɪrɪtʃʊəlɪst] *n.* **1.** spirytyst-a/ka. **2.** *fil.* spirytualist-a/ka.

spiritualistic [ˌspɪrɪtʃʊə'lɪstɪk] *a.* **1.** spirytystyczny. **2.** *fil.* spirytualistyczny.

spirituality [ˌspɪrɪtʃʊ'ælətɪ] *n. pl.* **-ies** **1.** *U* duchowość. **2.** *pl. kośc.* dobra kościelne.

spiritualize ['spɪrɪtʃʊəˌlaɪz], *Br. i Austr. zw.* **spiritualise** *v.* uduchawiać.

spiritually ['spɪrɪtʃʊəlɪ] *adv.* duchowo.

spirituel [ˌspɪrɪtʃʊ'el] *a. lit.* dowcipny; subtelny.

spirituelle [ˌspɪrɪtʃʊ'el] *a. lit.* dowcipna; subtelna.

spirituous ['spɪrɪtʃʊəs] *a. attr. chem.* alkoholowy.

spirochete ['spaɪrəˌkiːt], **spirochaete** *n. biol., pat.* krętek.

spirometer [spaɪ'rɑːmətər] *n. med.* spirometr.

spiry[1] ['spaɪrɪ] *a. lit.* spiralny.

spiry[2] *a. lit.* strzelisty.

spit[1] [spɪt] *v. pret. i pp.* **spat** *US t.* **spit**, **-tt-** **1.** pluć; ~ **blood** pluć krwią; ~ **at/on sb/sth** napluć na kogoś/coś, opluć kogoś/coś; ~ **out** wypluć (*pestkę, jedzenie*). **2.** ~ **(out)** wypalić (= *powiedzieć w zdenerwowaniu*); ~ **it out!** *pot.* wyduś to z siebie! (= *powiedz wreszcie*). **3.** miotać (*przekleństwa, groźby*). **4.** prychać, parskać (*zwł. o kocie*). **5.** kropić (*o deszczu*); **it's ~ting** kropi, pokapuje. **6.** sypać się (*o iskrach, kamieniach spod kół*); pryskać (*o oleju*); skwierczeć (*o tłuszczu na patelni*); trzaskać (*o ognisku*). **7.** *przen. pot.* **be the ~ting image of sb** *Br.* wyglądać kropka w kropkę jak ktoś, być łudząco podobnym do kogoś; **be within ~ting distance** być o rzut kamieniem; **I could just** ~ chyba się wścieknę. **8.** ~ **up** odkrztuszać, odpluwać. – *n.* **1.** *U* ślina, plwocina. **2.** plucie. **3.** mżawka. **4.** *przen. pot.* ~ **and polish** idealny porządek; generalne porządki; ~ **and sawdust** *Br.* prosty, wiejski (*o pubie*); **be the (dead) ~ of sb** (*także* **be the ~ and image of sb**) *Br.* wyglądać kropka w kropkę jak ktoś.

spit[2] *n.* **1.** *kulin.* rożen. **2.** *geogr.* cypel; mierzeja. – *v. kulin.* nadziewać (*na rożen*).

spitchcock ['spɪtʃkɑːk] *n. kulin.* węgorz z grilla.

spit curl *n. US i Can. pot.* przylizany loczek.

spite [spaɪt] *n. U* **1.** złośliwość; złość; **(do sth) out of** ~ (zrobić coś) na złość *l.* przez złośliwość;

pure/sheer ~ czysta złośliwość. **2. in ~ of sth** pomimo czegoś; **in ~ of o.s.** wbrew sobie; **in ~ of the fact that...** pomimo tego, że... – *v. tylko w inf.* **1.** robić na złość (*komuś*). **2. cut off one's nose to ~ one's face** *przen.* na złość babci odmrozić sobie uszy.

spiteful ['spaɪtfʊl] *a.* złośliwy; mściwy.

spitefully ['spaɪtfʊlɪ] *adv.* złośliwie; mściwie.

spitefulness ['spaɪtfʊlnəs] *n. U* złośliwość; mściwość.

spitfire ['spɪtˌfaɪr] *n.* raptus, osoba w gorącej wodzie kąpana.

spittle ['spɪtl] *n. U przest.* ślina, plwocina.

spittoon [spɪ'tu:n] *n.* spluwaczka.

spitz dog ['spɪts ˌdɔ:g] *n. kynol.* szpic.

spiv [spɪv] *n. Br. przest. pot.* niebieski ptak, kombinator.

splanchnic ['splæŋknɪk] *a. anat.* trzewny.

splash [splæʃ] *v.* **1.** chlapać; pluskać (*o wodzie*); spadać z pluskiem (*o kroplach deszczu*); **~ against/on/over sth** rozbijać *l.* rozpryskiwać się o coś (*o kroplach deszczu*); **~ sb/sth with sth** (*także* **~ sth on/over sb/sth**) ochlapać kogoś/coś czymś (*np. twarz wodą*). **2. ~ (about/around)** pluskać *l.* chlapać się (*w basenie, wannie*). **3.** *dzienn. pot.* wydrukować na całą stronę (*zdjęcie, artykuł*). **4. ~ down** wodować (*o kapsule kosmicznej*); **~ out on sth** *pot.* wykosztować się na coś. – *n.* **1.** plusk. **2.** plama; rozprysk. **3.** *dzienn. pot.* artykuł *l.* tytuł *l.* fotografia na całą stronę. **4.** *sing.* **a ~ of sth** *gł. Br. kulin.* kropelka *l.* odrobina czegoś (*np. mleka w kawie, cytryny w drinku*); **a ~ of color** kolorowa plamka, odrobina koloru. **5. make a ~** *przen. pot.* stać się wielkim sukcesem, odbić się szerokim echem (*o występie, wystawie*); wybić się, wypłynąć (*o artyście*). – *int.* plusk, chlup.

splashboard ['splæʃˌbɔ:rd] *n.* **1.** (*także Br.* **~back**) wykafelkowana ściana; osłona ściany (*nad umywalką, zlewem, wanną*). **2.** *gł. mot.* błotnik. **3.** *żegl.* klepka skrajna.

splashdown ['splæʃˌdaʊn] *n. C/U* wodowanie (*kapsuły lądowniczej*).

splasher ['splæʃər] *n.* osłona; błotnik.

splashguard ['splæʃˌgɑ:rd], **splash guard** *n. mot.* fartuch (*koła*).

splashily ['splæʃɪlɪ] *adv. US uj.* krzykliwie; na pokaz.

splashiness ['splæʃɪnəs] *n. U US uj.* krzykliwość.

splashy ['splæʃɪ] *a.* **-ier, -iest 1.** *US uj.* krzykliwy; na pokaz. **2.** chlapiący.

splat[1] [splæt] *n. i int.* plusk. – *v.* pluskać.

splat[2] *n. stol.* listwa; listwa oparcia; oparcie (*krzesła*).

splatter ['splætər] *v.* ochlapywać; chlapać (na); rozpryskiwać *l.* rozbryzgiwać (się) (*against sth* o coś). – *n.* chlapnięcie; rozprysk.

splatterpunk ['splætərˌpʌŋk] *n. U sl.* bij zabij (*typ literatury, filmu, komiksów, gier*).

splay [spleɪ] *v.* **1. ~ (out/apart)** rozcapierzać (się), rozczapierzać (się) (*o palcach*); rozkładać (się) szeroko (*o nogach*). **2.** *bud.* ukosować (*okno*). **3.** *wet.* zwichnąć (*kość*). – *n. bud.* glif, ukos. – *a.* **1.** rozcapierzony, rozczapierzony; rozchylony szeroko. **2.** szeroki. **3.** wykręcony na zewnątrz; koślawy; niezgrabny.

splayed [spleɪd] *a. bud.* zukosowany; **~ jamb** ościeże zukosowane.

splayfoot ['spleɪdˌfʊt] *n. pl.* **-feet** *pat.* **1.** płaska stopa. **2.** koślawa stopa. **3.** *U* płaskostopie, platfus. **4.** *U* koślawość.

splay footed, splayfooted *a. pat.* **1.** platfusowaty. **2.** koślawy.

spleen [spli:n] *n.* **1.** *anat.* śledziona. **2.** *U form. przen.* żółć, gorycz; **vent one's ~ on sb** wylewać na kogoś żółć. **3.** *U arch. przen.* splin, chandra.

spleenful ['spli:nfʊl] *a.* (*także* **~ish, ~y**) *lit.* rozgoryczony; rozdrażniony.

spleenwort ['spli:nˌwɜ:t] *n. U bot.* zanokcica (= *paproć z rodzaju Asplenium*).

splendent ['splendənt] *a. lit.* **1.** świetny, znamienity. **2.** błyszczący.

splendid ['splendɪd] *a. zwł. form.* wspaniały, okazały, świetny; doskonały. – *int. gł. Br.* doskonale.

splendidly ['splendɪdlɪ] *adv. form.* wspaniale, okazale; doskonale.

splendiferous [splen'dɪfərəs] *a. Br. żart. pot.* wspaniały.

splendor ['splendər], *Br.* **splendour** *n. US zwł. form. U* przepych, świetność, splendor; *pl.* wspaniałości.

splendorous ['splendərəs] *a. form.* świetny.

splenetic [splə'netɪk] *a.* (*także* **splenetical**) *lit.* rozdrażniony; rozgoryczony.

splenic ['splenɪk] *a. anat., med., pat.* śledzionowy.

splenius ['spli:nɪəs] *n.* (*także* **~ of the neck**) *anat.* mięsień płatowy (szyi).

splice [splaɪs] *v.* **1.** splatać (*liny*). **2.** *film* sklejać (*taśmę filmową*). **3.** *stol.* łączyć na zakładkę (*listwy, belki*). **4.** *biochem.* łączyć (*łańcuchy DNA*). **5. get ~d** *Br. przest. pot.* zaobrączkować się (= *pobrać się*). **6. ~ the mainbrace** *zwł. żegl.* pokrzepić się (*alkoholem*). – *n.* **1.** splot (*lin*). **2.** połączenie.

splicer ['splaɪsər] *n. film* sklejarka.

spliff [splɪf] *n. sl.* skręt (*z marihuany*).

spline [splaɪn] *n.* **1.** krzywik. **2.** *mech.* wypust. **3.** *mech.* rowek. **4.** listwa.

splint [splɪnt] *n.* **1.** *chir.* szyna. **2.** *t. stol.* listewka (*cienka, np. na plecione koszyki, siedzenie krzesła*). **3.** drzazga; odprysk, odłamek. **4.** podpałka; zapałka (*do kominka, świecy*). **5.** *wet.* kostniak. **6. = splint bone**. – *v.* **~ (up)** *chir.* wkładać w szynę; *przen.* wzmacniać, wspierać.

splint bone *n. zool., wet.* kość rysikowa (*u konia, osła, zebry*).

splinter ['splɪntər] *n.* **1.** drzazga; odłamek, odprysk. **2. = splinter group**. – *v.* **1.** rozszczepiać się; rozłupywać się; odłamywać się; kruszyć się. **2.** *polit.* ulegać rozłamowi, rozpadać się. **3.** *polit.* dokonywać rozłamu w (*partii*); rozbijać.

splinter group *n.* (*także* **splinter organization**) *polit.* odłam, frakcja.

splintery ['splɪntərɪ] *a.* **1.** pełen drzazg *l.* odłamków. **2.** rozpadający się.

split [splɪt] *v. pret. i pp.* **split**, **-tt- 1.** ~ **(up)** dzielić (się) (*into sth* na coś, *over / on sth* z powodu czegoś); ~ **sth down the middle** podzielić coś na połowę. **2.** dzielić (pomiędzy siebie); ~ **sth three/four ways** podzielić coś na trzy/cztery części; ~ **the cost** podzielić się kosztami. **3.** ~ **(apart)** pękać, rozszczepiać się (*o pniu, desce*); rozszczepiać, rozłupywać (*listwę, drzewo*). **4.** (*także* ~ **open**) rozłupać (*orzech, głowę*); przeciąć (sobie) (*wargę*). **5.** rozchodzić się (*o drogach*). **6.** *sl.* zwiewać (= *uciekać*). **7.** *fiz.* rozbijać (*cząstki, atomy*). **8.** *przen.* ~ **the difference** pójść na kompromis, załatwić sprawę krakowskim targiem; ~ **hairs** dzielić włos na czworo; ~ **one's sides (laughing/with laughter)** zrywać boki (ze śmiechu); ~ **one's vote** *US polit.* głosować na kandydatów dwu partii; **sb's head is ~ting** głowa komuś pęka (*z bólu*). **9.** ~ **off** odłupać (się); *przen.* oddzielić się (*from sb / sth* od kogoś/czegoś); ~ **on sb** *Br. sl.* zakapować kogoś; ~ **up** podzielić na mniejsze grupki (*grupę*); rozstać *l.* rozejść się (*o parze, małżeństwie*); rozejść się (= *pójść w różnych kierunkach*); ~ **up with sb** zerwać z kimś, rozstać *l.* rozejść się z kimś. – *n.* **1.** pęknięcie; szczelina; rozdarcie, dziura (*np. w spodniach*). **2.** podział (*głosów*). **3.** *gł. polit.* rozłam (*in / within sth* w łonie czegoś). **4.** część, działka; **three-way/four-way** ~ trzecia/czwarta część, jedna trzecia/czwarta. **5.** *często pl. gimnastyka* szpagat; **do the ~(s)** zrobić szpagat. **6.** *fiz.* rozszczepienie (*atomu*). **7.** *kulin.* deser owocowo-lodowy. **8.** połówka (*butelki, szklanki*). **9.** łozina (*do wyrobu plecionek, koszy*). – *a.* **1.** podzielony; ~ **in half** podzielony na pół, przepołowiony. **2.** pęknięty.

split ends *n. pl.* rozdwajające się końcówki (*włosów*).

split infinitive *n. gram.* rozszczepiony bezokolicznik (*np. "to boldly go"*).

split-level [ˌsplɪt'levl] *a. gł. attr. bud.* wielopoziomowy (*o domu, mieszkaniu, pokoju*).

split peas *n. pl. kulin.* groszek *l.* groch łuskany.

split personality *n. C / U pl.* **-ies** *pat.* rozdwojenie jaźni.

split pin *n. mech.* zawleczka.

split ring *n.* kółko (*do kluczy*); *mech.* pierścień rozcięty.

split screen *n. kino, telew.* podzielony ekran; ujęcie z podzielonym ekranem.

split second *n. sing.* ułamek sekundy; **for a** ~ przez ułamek sekundy.

split-second [ˌsplɪt'sekənd] *a. attr.* momentalny, natychmiastowy (*np. o decyzji*).

split shift *n.* zmiana z przerwą; **work/do a** ~ pracować z przerwą (*zwł. w środku dnia*).

split ticket *n.* (*także* **split-ticket voting**) *US polit.* głosowanie na dwie różne partie; głos podzielony (*między obie partie*).

splitting ['splɪtɪŋ] *a. attr.* bardzo silny (*o bólu głowy*); **sb has a ~ headache** głowa komuś pęka (*z bólu*).

split-up ['splɪtˌʌp] *n.* rozstanie, rozejście się (*pary*).

splodge [splɑːdʒ] *n. Br.* = **splotch**.

splodgy ['splɑːdʒɪ] *a. Br.* = **splotchy**.

splosh [splɑːʃ] *Br. pot. v.* chlupać. – *n.* plusk.

splotch [splɑːtʃ] *n.* plama. – *v.* **1.** plamić (*odzież*). **2.** pokrywać się plamami (*o twarzy*).

splotchy ['splɑːtʃɪ] *a.* **-ier, -iest 1.** poplamiony. **2.** w plamach, plamisty (*o twarzy*).

splurge [splɝːdʒ] *pot. v.* zaszaleć; ~ **(money) on sth** wykosztować się na coś. – *n.* szaleństwo (= *wydawanie dużych pieniędzy*).

splutter ['splʌtər] *v.* **1.** jąkać się, bełkotać (*with sth* z czegoś) (*np. z nerwów, pośpiechu*); wyjąkać, wybełkotać. **2.** prychać; parskać. **3.** terkotać. **4.** pryskać (*o oleju na patelni*); strzelać (*o iskrach z ogniska*). – *n.* **1.** bełkot. **2.** prychanie, parskanie. **3.** terkot (*silnika*).

spoil [spɔɪl] *v. Br. pret. i pp. t.* **spoilt 1.** psuć, popsuć, zepsuć (*np. urlop, widok*); ~ **one's/sb's appetite** popsuć sobie/komuś apetyt. **2.** psuć się (*o żywności*). **3.** rozpieszczać, psuć (*dziecko*) (*with sth* czymś). **4.** *polit.* zmarnować (*kartkę do głosowania*). **5.** ~ **o.s.** nie żałować sobie, dogadzać sobie; **be ~ing for a fight/an argument** rwać się do walki/kłótni. – *n.* **1.** *U górn.* skała płonna, odpady (górnicze); *bud.* odkład, odwał (*po wykopach*). **2.** *pl. zob.* **spoils**.

spoilage ['spɔɪlɪdʒ] *n. U* **1.** psucie (się). **2.** braki (= *wadliwe produkty*).

spoiled ['spɔɪld] *a.* (*także Br.* **spoilt**) **1.** rozpieszczony, zepsuty; ~ **brat** rozpieszczony bachor; ~ **rotten** niemożliwie rozpieszczony, zepsuty do cna. **2. be ~ for choice** *zob.* **choice** *n.*

spoiler ['spɔɪlər] *n.* **1.** *mot.* spoiler, odchylacz strugi. **2.** *lotn.* interceptor, spoiler. **3.** konkurencyjna publikacja. **4.** bruździciel/ka. **5.** przykry zgrzyt, przykrość. **6.** *US* ktoś, kto psuje szanse na zwycięstwo (*odbierając innym punkty l. głosy, choć sam jest bez szans*).

spoils [spɔɪlz] *n. pl. form.* łup, łupy, zdobycze.

spoilsport ['spɔɪlˌspɔːrt] *n. pot.* smutas/ka; **be a** ~ psuć innym zabawę.

spoils system *n. US polit.* podział łupów (= *oddawanie urzędów publicznych zwycięskiej partii*).

spoilt [spɔɪlt] *v. zob.* **spoil**.

spoke[1] [spoʊk] *v. zob.* **speak**.

spoke[2] *n.* **1.** *mech.* szprycha. **2.** szczebel (*drabiny*). **3.** *żegl.* rączka (*koła sterowego*). **4. put a ~ in sb's wheel** *Br.* pokrzyżować komuś szyki.

spoken ['spoʊkən] *v. zob.* **speak**. – *a.* **1.** mówiony (*w odróżnieniu od pisanego*); ~ **language** język mówiony. **2.** ~ **for** *pot. handl.* sprzedany; zajęty (*o kandydacie na partnera*). **3.** *w złoż. zob.* **soft-spoken**; *zob.* **well-spoken**.

spokeshave ['spoʊkˌʃeɪv] *n. stol.* ośnik, skrobak.

spokesman ['spoʊksmən] *n. pl.* **-men** rzecznik (*for sb / sth* czyjś/czegoś); **government/press** ~ rzecznik rządu/prasowy.

spokesperson ['spoʊksˌpɝːsən] *n.* rzeczni-k/czka.

spokeswoman [ˈspoʊksˌwʊmən] *n. pl.* **-women** rzeczniczka.

spoliation [ˌspoʊlɪˈeɪʃən] *n. U form.* **1.** destrukcja. **2.** rabunek, grabież (*zwł. statków*). **3.** *prawn.* sfałszowanie; zniszczenie (*dokumentu*).

spondaic [spɑːnˈdeɪɪk] *a. wers.* spondeiczny (*o wierszu*).

spondee [ˈspɑːndiː] *n. wers.* spondej.

spondulicks [spɑːnˈduːlɪks], **spondulix** *n. pl. Br. przest. pot. żart.* forsa.

spondylitis [ˌspɑːndəˈlaɪtɪs] *n. U pat.* zapalenie kręgów *l.* kręgosłupa, spondyloza.

sponge [spʌndʒ] *n.* **1.** *C/U t. zool.* gąbka (*gromada Porifera*). **2.** *sing. Br.* mycie (gąbką); **give sb/sth a ~** umyć kogoś/coś (gąbką). **3.** *pot.* ochlapus. **4.** *pot.* = **sponger** 1. **5.** *C/U Br. kulin.* = **sponge cake**. **6.** *chir.* gazik, wacik. **7. throw in/up the ~** *boks l. przen.* poddać się. – *v.* **1.** myć (gąbką); **~ (down/off)** przetrzeć (gąbką) (*ścianę*); **~ sth off/out/up** zetrzeć coś (gąbką) (*np. z ubrania, stołu*). **2. ~ (up)** chłonąć (*wodę*). **3.** *przen.* **~ off sb/sth** pasożytować na kimś/czymś; **~ sth off sb** wyciągnąć *l.* wyłudzić coś od kogoś.

sponge bag *n. Br. i Austr.* kosmetyczka.

sponge bath *n.* mycie (gąbką) (*bez zanurzania ciała, zwł. osoby unieruchomionej*).

sponge cake *n. C/U kulin.* biszkopt, ciasto biszkoptowe.

sponge mushroom *n. biol.* smardz (*rodzaj Morchella*).

sponger [ˈspʌndʒər] *n.* **1.** poławiacz gąbek. **2.** *przen. pot.* pasożyt, pijawka (*osoba*).

sponge rubber *n. U US techn.* guma piankowa.

spongiform encephalopathy [ˌspʌndʒɪfɔːrm enˌsefəˈlɑːpəθɪ] *n. U pat., wet.* gąbczaste zwyrodnienie mózgu; *pat.* choroba Creutzfeldta-Jakoba.

spongy [ˈspʌndʒɪ] *a.* **-ier, -iest** gąbczasty.

sponson [ˈspɑːnsən] *n.* **1.** *żegl.* (boczna) komora powietrzna (*w kajaku*). **2.** *lotn.* pływak przykadłubowy (*hydroplanu*). **3.** *hist., wojsk.* burtowa (boczna) wieżyczka działowa (*okrętów i czołgów*). **4.** *hist., żegl.* barbeta burtowa (= *platforma na działo*).

sponsor [ˈspɑːnsər] *n.* **1.** sponsor/ka. **2.** *prawn.* poręczyciel/ka. **3.** *parl.* inicjator/ka (*ustawy*). **4.** *kość.* ojciec chrzestny; matka chrzestna. – *v.* **1.** sponsorować (*imprezę, program, osobę*). **2.** *parl.* inicjować; popierać (*ustawę*). **3.** ręczyć *l.* poręczać za (*kogoś l. coś*). **4. ~ed guest** gość wprowadzony (*np. przez członka klubu*); **~ed walk/run** *Br.* marsz/bieg dobroczynny.

sponsorship [ˈspɑːnsərˌʃɪp] *n. U* sponsorowanie; patronat; sponsoring.

spontaneity [ˌspɑːntəˈniːətɪ] *n. U* **1.** spontaniczność. **2.** samorzutność.

spontaneous [ˌspɑːnˈteɪnɪəs] *a.* **1.** spontaniczny. **2.** samorzutny. **3.** samoistny.

spontaneous abortion *n. C/U pat.* poronienie samoistne.

spontaneous combustion *n. U* (*także* **spontaneous ignition**) **1.** samozapalenie się. **2.** *mot.* samozapłon, zapłon samoczynny.

spontaneous generation *n. U biol.* samorództwo, abiogeneza.

spontaneously [ˌspɑːnˈteɪnɪəslɪ] *adv.* **1.** spontanicznie. **2.** samorzutnie. **3.** samoistnie.

spontoon [spɑːnˈtuːn] *n. hist., wojsk.* szponton (*rodzaj halabardy*).

spoof [spuːf] *n.* **1.** parodia (*of/on sth* czegoś) (*np. filmu, książki*). **2.** kawał (= *psikus*). – *v.* **1.** parodiować (*film, książkę*). **2.** nabierać (*osobę*).

spook [spuːk] *n.* **1.** *pot.* duch. **2.** *sl.* szpieg. – *v. gł. US* **1.** straszyć (*o duchu*). **2.** przestraszyć; przepłoszyć, spłoszyć.

spooky [ˈspuːkɪ] *a.* **-ier, -iest** *pot.* **1.** upiorny, niesamowity; straszny, przerażający; **~ house** dom, w którym straszy, nawiedzony dom. **2.** niesamowity, niewiarygodny. **3.** bojaźliwy.

spool [spuːl] *n.* szpulka (*nici*); szpula (*filmu*); cewka; rolka. – *v.* **1. ~ (up)** nawijać, na szpulkę itp. **2.** *komp.* buforować (*dane na nośniku przy przesyle*).

spoon [spuːn] *n.* **1.** łyżka; łyżeczka. **2.** *ryb.* błystka. **3.** *sl.* działka (*zwł. heroiny*). **4. born with a silver ~ in one's mouth** *przen.* w czepku urodzony. – *v.* **1. ~ (up/out)** nabierać *l.* nakładać *l.* nalewać łyżką *l.* łyżeczką (*sth in/into sth* coś do czegoś); jeść łyżką *l.* łyżeczką. **2.** drążyć. **3.** *sport* podbijać (*piłkę*). **4.** *ryb.* łowić na błystkę. **5.** *przest. pot.* obłapiać się, pieścić się.

spoonbill [ˈspuːnˌbɪl] *n. orn.* warzęcha (*Platalea leucorodia*); warzęcha różowa (*Ajaia ajaja*).

spoon bread *n. U płd. US kulin.* pieczona mamałyga.

spoondrift [ˈspuːnˌdrɪft] *n.* = **spindrift** 2.

spoonerism [ˈspuːnəˌrɪzəm] *n. jęz.* gra półsłówek (= *zamiana początków różnych wyrazów*).

spoon-feed [ˈspuːnˌfiːd] *v.* **-fed** **1.** karmić łyżeczką *l.* łyżką. **2.** *przen.* podawać wszystko (jak) na tacy (*zwł. uczniom, studentom*). **3.** *przen.* hołubić.

spoonful [ˈspuːnfʊl] *n.* (pełna) łyżka; (pełna) łyżeczka (*of sth* czegoś).

spoony [ˈspuːnɪ] *a.* **-ier, -iest** *przest.* **1.** kochliwy. **2.** płaczliwy, sentymentalny.

spoor [spʊr] *myśl. n.* trop, ślad (*zwierzyny*). – *v.* iść tropem (*zwierzyny*).

sporadic [spəˈrædɪk] *a.* sporadyczny.

sporadically [spəˈrædɪklɪ] *adv.* sporadycznie.

sporangium [spəˈrændʒɪəm] *n. pl.* **sporangia** *bot.* zarodnia.

spore [spɔːr] *n.* **1.** *bot.* zarodnik, spora. **2.** *zool.* spora. – *v. bot.* wytwarzać zarodniki.

spore case *n. bot.* zarodnia.

sporran [ˈspɔːrən] *n. Scot.* sakwa (*w tradycyjnym szkockim stroju z przodu kiltu*).

sport [spɔːrt] *n. C/U* **1.** sport; **for ~** dla sportu (*np. polować*); **good at ~s** wysportowany; **indoor/winter ~s** sporty halowe/zimowe. **2.** *pl. Br.* zawody sportowe; (*także* **school ~s**) *szkoln.* dzień sportu. **3.** *pot.* hazardzist-a/ka. **4.** *lit.* zabawka (*w czyichś rękach*). **5.** *przest.* zabawa; rozrywka; **just for ~** (*także* **for the ~ of it**) dla zabawy; **make ~ of sb** wyśmiewać się z kogoś. **6.** *przest.* pośmiewisko. **7.** (*także* **good/old ~**)

Austr. l. przest. równy gość; *voc.* chłopie, człowieku; **be a ~!** *pot.* nie bądź żyła! (*w prośbach*). **8.** *biol.* wybryk natury, mutant. **9. blood ~** krwawy sport (*polowanie na lisa, walki kogutów itp.*); **the ~ of kings** wyścigi konne. – *v.* **1. ~ sth** (*także* **be ~ing sth**) paradować w czymś *l.* z czymś (*np. w modnym stroju, z torebką*); obnosić się z czymś, popisywać się czymś. **2.** *lit.* swawolić, figlować; baraszkować, dokazywać. **3.** *biol.* mutować. **4. ~ (away)** przepuszczać (*pieniądze*). – *a. US* = **sports**.

sporting ['spɔːrtɪŋ] *a.* **1.** *attr.* sportowy; **~ event** impreza sportowa; **~ goods** *gł. US handl.* artykuły sportowe. **2.** *attr. Br.* uprawiający sport (*t. polowania i hazard*). **3.** *gł. sport* fair, uczciwy, w porządku (*of sb* ze strony kogoś). **4. have a ~ chance** *przen.* mieć spore szanse (*of doing sth* na coś).

sportive ['spɔːrtɪv] *a. lit.* **1.** wesoły. **2.** żartobliwy. **3.** wysportowany; aktywny fizycznie. **4.** *arch.* aktywny seksualnie.

sportively ['spɔːrtɪvlɪ] *adv. lit.* **1.** wesoło. **2.** żartobliwie.

sportiveness ['spɔːrtɪvnəs] *n. U lit.* **1.** wesołość. **2.** żartobliwość.

sports [spɔːrts], *US t.* **sport** *a. attr.* sportowy; **~ car/center** samochód/ośrodek sportowy; **~ drink/supplement** napój/odżywka dla sportowców; **~ ground** boisko (sportowe); **~ jacket/shirt** sportowa marynarka/koszula.

sportscast ['spɔːrtsˌkæst] *n. gł. US radio, telew.* sprawozdanie sportowe.

sportscaster ['spɔːrtsˌkæstər] *n. gł. US radio, telew.* sprawozdawca sportowy.

sports day *n. gł. Br. szkoln.* dzień sportu.

sportsman ['spɔːrtsmən] *n. pl.* **-men** **1.** sportowiec, sportsmen. **2.** amator polowań *l.* łowów *l.* wędkarstwa. **3.** prawdziwy sportowiec; prawdziwy dżentelmen.

sportsmanlike ['spɔːrtsmənlaɪk] *a.* sportowy (= *honorowy*).

sportsmanship ['spɔːrtsmənˌʃɪp] *n. U* sportowe zachowanie; **bad ~** niesportowe zachowanie.

sports medicine *n. U med.* medycyna sportowa.

sportsperson ['spɔːrtsˌpɝːsən] *n. gł. form.* sport-owiec/smenka.

sports scholarship *n. gł. US uniw.* stypendium sportowe.

sportswear ['spɔːrtsˌwer] *n. U handl.* odzież sportowa; *US* strój sportowy.

sportswoman ['spɔːrtsˌwʊmən] *n. pl.* **-women** sportsmenka.

sportswriter ['spɔːrtsˌraɪtər] *n. dzienn.* dziennikarz sportowy.

sporty ['spɔːrtɪ] *a.* **-ier, -iest** *pot.* **1.** sportowy (*o samochodzie; t. o ubraniu = nie odświętny*). **2.** *gł. Br.* wysportowany.

spot [spɑːt] *n.* **1.** miejsce (*for sth* na coś, *to do sth* żeby coś zrobić); (*także* **parking ~**) *mot.* miejsce do parkowania; **second/third ~** drugie/trzecie miejsce (*w zawodach*); **sunny/shady ~** nasłonecznione/zacienione miejsce; **swimming ~** miejsce do kąpieli; **tender/sore ~** *t. przen.* czułe miejsce; **the exact/same/very ~** (dokładnie) to samo miejsce. **2.** plamka; łatka, cętka (*u zwierzęcia*). **3.** *Br.* pryszcz, krosta (*zwł. trądzikowa*); **pick one's ~s** wyciskać (sobie) pryszcze. **4.** plama (*na ubraniu*). **5.** *przen.* plama, skaza. **6.** *radio, telew.* reklama, spot (reklamowy). **7.** *zw. w złoż. US pot.* banknot; **ten ~** dycha, dziesiątka (= *banknot dziesięciodolarowy*). **8.** *karty* oczko, punkt. **9.** *ogr.* stanowisko (*dla rośliny*); **sunny/shady ~** nasłonecznione/zacienione stanowisko. **10.** *pl. Br. tk.* kropki (*deseń*). **11.** = **spotlight**. **12. a ~ of sth** *Br. pot.* odrobina czegoś (*np. alkoholu, mleka w kawie*); **a ~ of trouble/bother** *Br. pot.* mały problem *l.* kłopot; **(a few) ~s of rain** *Br.* parę kropli (deszczu); **come out (all) in ~s** dostać wysypki; **guest ~** *telew.* gościnny występ (*on sth* w czymś) (*w programie*); **have a soft ~ for sb** *zob.* **soft** *a.*; **high ~** *zob.* **high**; **hit the ~** *US pot.* trafić w dziesiątkę; **hit the high ~s** *US pot.* nie rozdrabniać się, skoncentrować się na najważniejszym; **in a ~** *pot.* w kropce; **in a tight ~** *zob.* **tight** *a.*; **knock ~s off sb/sth** *zob.* **knock** *v.*; **not change one's ~s** *zob.* **change** *v.*; **put sb in a ~** *pot.* wpakować kogoś w tarapaty, narobić komuś kłopotów; **on the ~** na miejscu (*być*); w miejscu (*np. skakać*); z miejsca (= *od razu*); w kłopocie; **put sb on the ~** przyprzeć kogoś do muru, postawić kogoś w trudnej sytuacji; **rooted to the ~** *zob.* **rooted**; **weak ~** słaby punkt; *zwł. US* słabość (*for sb/sth* do kogoś/czegoś); **the (only/one) bright ~ (of sth)** (jedyna) dobra strona (czegoś); **trouble ~** *zob.* **trouble**. – *v.* **-tt-** **1.** zauważyć, dostrzec, dojrzeć; odkryć; **~ sb doing sth** zauważyć, jak *l.* że ktoś coś robi; **~ sb's potential** zauważyć *l.* odkryć czyjś talent; **sth is difficult/easy to ~** trudno/łatwo coś zauważyć; **well ~ted!** ale masz oko!. **2.** poplamić (się). **3.** splamić (*np. honor, opinię*). **4.** zakropkować; wykropkować. **5.** odplamiać (*powierzchnię, materiał*). **6.** rozmieszczać (*w odstępach*); **~ted at random** rozrzucony. **7.** *US pot.* dawać fory (*komuś w grze*); **~ sb five points** dać komuś pięć punktów jako fory. **8.** *US sl.* odpalić (= *pożyczyć, dać l. kupić komuś*). **9.** *wojsk.* ustawiać *l.* lokalizować (cel) (*z pomocą obserwacji wzrokowej*). – *a. attr. fin.* na miejscu, od ręki, loco; kasowy.

spot cash *n. U fin.* gotówka na miejscu.

spot check *n.* wyrywkowa kontrola.

spotless ['spɑːtləs] *a.* nieskazitelny.

spotlessly ['spɑːtləslɪ] *adv.* nieskazitelnie.

spotlessness ['spɑːtləsnəs] *n. U* nieskazitelność.

spotlight ['spɑːtˌlaɪt] *n.* **1.** *el., opt., teatr* reflektor (punktowy), jupiter; *el.* spot. **2.** *sing. teatr* światło reflektora; światło rampy. **3. in the ~** *przen.* w centrum uwagi *l.* zainteresowania. – *v. pret. i pp. t.* **spotlit** **1.** oświetlać (*np. reflektorem*). **2.** *przen.* kierować *l.* zwracać uwagę na (*problem itp.; np. o artykule prasowym*).

spot market *n. fin.* rynek kasowy.

spot-on [ˌspɑːt'ɑːn] *Br. i Austr. pot. a. pred.* bezbłędny; **be ~** trafić w dziesiątkę *l.* w samo sedno. – *int.* dokładnie!.

spot price *n. fin.* cena loco (*z natychmiastową dostawą*).

spotted [ˈspɑːtɪd] *a. gł. attr.* **1.** nakrapiany, cętkowany, plamisty; łaciaty. **2.** poplamiony (*with sth* czymś). **3.** w kropki (*np. o sukience*).

spotted dick *n. U Br. kulin.* pudding z bakaliami.

spotted fever *n. U pat.* **1.** *gł. US* gorączka plamista (Gór Skalistych). **2.** tyfus plamisty.

spotted salamander *n. zool.* salamandra plamista (*Ambystoma maculatum*).

spotter [ˈspɑːtər] *n.* **1.** *t. wojsk., meteor.* obserwator/ka. **2.** *pot.* wtyczka, wtyka (= *szpieg*). **3.** *zw. w złoż. gł. Br.* amator/ka, pasjonat/ka (*obserwujący dane zwierzęta, zjawiska itp.*); kolekcjoner/ka; **bird ~** ornitolog amator; **train ~** *zob.* **train**. **4.** *dzienn.* asystent/ka sprawozdawcy (sportowego). **5.** (*także* **talent ~**) łow-ca/czyni talentów. **6.** (*także* **~ plane**) *wojsk.* samolot obserwacyjny.

spottiness [ˈspɑːtɪnəs] *n. U* plamistość.

spotty [ˈspɑːtɪ] *a.* **-ier, -iest 1.** *US* nierówny, nieregularny (*np. o poziomie, jakości*). **2.** *Br. i Austr. pot.* pryszczaty. **3.** nakrapiany, cętkowany, plamisty; łaciaty.

spot weld *metal. v.* zgrzewać punktowo. – *n.* zgrzeina punktowa.

spot welding *n. U metal.* zgrzewanie punktowe.

spousal [ˈspaʊzl] *a. prawn. l. form.* małżeński.

spousal equivalent *n.* (*także* **spouse equivalent**) *prawn.* konkub-ent/ina (*na prawach małżonka, t. tej samej płci*).

spouse [spaʊz] *n. form.* małżon-ek/ka.

spout [spaʊt] *n.* **1.** dziobek, dzióbek (*czajniczka*); wylot (*rury, węża*); wylew, spust, rynna. **2.** strumień, słup (*wody*); *zool.* fontanna (*wydmuchiwana przez wieloryba*). **3.** (*także* **water ~**) *meteor.* trąba wodna. **4.** *Br. i Austr. sl.* **be up the ~** być do niczego; *przest.* chodzić z brzuchem (= *być w ciąży*); **sth went up the ~** coś diabli wzięli. – *v.* **1.** tryskać, chlustać (*np. o krwi, wodzie*) (*from sth* z czegoś *l.* skądś); **~ (off) sth** tryskać czymś; *t. przen. pot.* wyrzucać coś z siebie (*np. masę liczb, faktów, wątpliwych mądrości*). **2. ~ (off)** *pot.* przynudzać, mędrkować (*about sth* o czymś). **3.** *zool.* tryskać (fontanną) (*o wielorybie*).

sprag [spræg] *n. mot.* klin (*do blokowania kół stojącego pojazdu*).

sprain [spreɪn] *pat. v.* skręcić (sobie) (*staw*); naderwać (sobie) (*wiązadło*); **~ one's ankle/wrist** skręcić (sobie) nogę w kostce/rękę w nadgarstku. – *n.* skręcenie (*stawu*); naderwanie (*wiązadła*).

sprang [spræŋ] *v. zob.* **spring**.

sprat [spræt] *n.* **1.** *pl.* **-s** *l.* **sprat** *icht.* szprotka, szprot (*Clupea spratus*). **2.** *przen. pog.* szczeniak (= *młoda osoba*).

sprawl [sprɔːl] *v.* **1. ~ (out)** rozwalać się; rozsiadać się; rozkładać się (*on / in sth* na/w czymś) (*np. na trawniku, kanapie, w fotelu*). **2.** rozkładać (*kończyny*). **3.** rozciągać się (*o zabudowaniach, mieście*). **4.** rozrastać się (*o roślinności*). **5. send sb ~ing** powalić kogoś (ciosem), zwalić kogoś z nóg. – *n.* **1.** *U l. sing.* = **urban sprawl**. **2.** *sing.* niedbała poza; **in a ~** w niedbałej pozie.

sprawling [ˈsprɔːlɪŋ] *a. uj.* ciągnący się kilometrami *l.* bez końca (*o mieście, dzielnicy*).

spray¹ [spreɪ] *n.* **1.** *C / U zwł. handl.* aerozol, spray; **hair ~** lakier do włosów (w sprayu); **insect ~** spray na owady. **2.** *U* pył wodny, mgiełka, kropelki wody (*niesione wiatrem*). **3.** (*także* **garden ~**) *ogr.* opryskiwacz (ogrodowy). **4.** *sing.* **~ of bullets** grad kul; **~ of dust** obłok *l.* chmura kurzu. – *v.* **1.** rozpylać; rozpryskiwać; opryskiwać (*sb / sth with sth, sth on / over sb / sth* kogoś/coś czymś); **~ crops/plants** *roln.* dokonywać oprysku *l.* oprysków (upraw/roślin). **2.** rozpryskiwać się (*np. o odłamkach*). **3.** malować sprayem; sprayować (*wagony, mury*). **4.** *zool.* znaczyć terytorium (*oddając mocz*). **5. ~ sb/sth with bullets** *wojsk.* ostrzelać kogoś/coś.

spray² *n.* **1.** gałązka (*rośliny ozdobnej*). **2.** stroik (*z gałązek*). **3.** artykuł biżuterii z motywem roślinnym.

spray can *n.* spray, aerozol, pojemnik aerozolowy.

spray deodorant *n. C / U* dezodorant w sprayu.

sprayer [ˈspreɪər] *n.* rozpylacz, spryskiwacz; *ogr.* opryskiwacz (ogrodowy).

spray gun *n. techn.* pistolet (natryskowy).

spray paint *n. U* lakier w sprayu.

spray-paint [ˈspreɪˌpeɪnt] *v.* malować lakierem jw.

spread [spred] *v. pret. i pp.* **spread 1. ~ (out)** *t. przen.* rozkładać (*np. mapę, obrus, palce, spłaty kredytu*); rozkładać się (*np. o mapie, ludności na jakimś terenie*). **2.** rozprzestrzeniać się, rozszerzać się (*np. o pożarze, epidemii, roślinności*) (*through / across / over sth* na coś). **3.** rozprzestrzeniać; *pat.* roznosić (*chorobę, zarazki*). **4.** zawędrować, dotrzeć (*o zwierzętach, ludach*) (*to sth* gdzieś *l.* dokądś). **5.** rozchodzić się; wędrować (*o wieściach*); **the word ~ that...** rozeszła się wieść, że...; **~ like wildfire** *emf.* rozejść się lotem błyskawicy. **6. ~ (out)** rozpościerać się, roztaczać się (*np. o widoku, dolinie*). **7.** rozgłaszać, rozpowiadać; rozpowszechniać; **~ gossip/rumors** rozpuszczać plotki/pogłoski; **~ the word** rozpowszechnić wiadomość. **8.** *kulin.* rozsmarowywać (się); **~ bread with butter** (*także* **~ butter over/on bread**) smarować chleb masłem. **9.** *bud.* nakładać, kłaść (*szpachlówkę, farbę*); pokrywać, kryć (*sth with sth* coś czymś) (*ścianę szpachlówką, farbą*). **10.** rozlewać się (*o plamie*). **11.** rozdzielać, rozkładać (*obowiązki*). **12.** *roln.* rozsiewać (*nasiona*); rozwozić (*nawóz po polu*). **13. ~ its wings** rozpościerać skrzydła (*o ptaku, ważce*); **~ one's wings** *zob.* **wing** *n.*; **~ a/the table** *przest.* nakryć do stołu; **~ a/the table with sth** *przest.* podać coś na stół; **~ o.s. too thin** *zob.* **thin** *a.* **14. ~ out** rozdzielać się, rozchodzić się w różne strony (*np. o grupie poszukiwawczej*). – *n.* **1.** *U l. sing.* rozprzestrzenianie (się), szerzenie (się) (*ideologii*); upowszechnianie (się) (*osiągnięć techniki*). **2.** *C / U kulin.* pasta; **fish/cheese ~** pasta rybna/serowa. **3.** *sing.* zróżnicowanie, rozpiętość; **a good ~ of ages** spora rozpiętość wieku. **4.** (*także*

double-page/center ~) *dzienn.* rozkładówka. **5.** *dzienn.* ogłoszenie *l.* artykuł na (prawie) całą stronę. **6.** *U* rozpiętość (*skrzydeł, dłoni, ramion*). **7.** *US* narzuta. **8.** *US* obrus. **9.** *U* tycie; *zob. t.* **middle-age spread**. **10.** *gł. giełda* rozpiętość (*cen*); różnica (*kursów, stawek*); rozrzut (*wartości*). **11.** *Br. przest. pot.* wyżerka (= *suty poczęstunek*). **12.** *US i Can. dial.* ranczo, gospodarstwo (*zwł. duże*). **13.** *US dial.* połać lądu.

spreadable ['spredəbl] *a. kulin.* do smarowania.

spread eagle *n.* **1.** *gł. her.* orzeł (z rozpostartymi skrzydłami). **2.** *łyżwiarstwo* orzeł (*figura*). **3.** pozycja z rozłożonymi rękami i nogami.

spread-eagle ['spred,i:gl] *a.* **1.** z rozłożonymi rękami i nogami. **2.** *US pot.* hurapatriotyczny. – *v.* **1.** ustawić *l.* ułożyć w pozycji z rozłożonymi rękami i nogami (*aresztanta*); stanąć *l.* położyć się z rozłożonymi rękami i nogami. **2.** *łyżwiarstwo* wykonać orła.

spread-eagled ['spred,i:gld] *a. Br.* = **spread-eagle**.

spread-eagleism [,spred'i:gə,lızəm] *n. U US pot.* hurapatriotyzm.

spreader ['spredər] *n.* **1.** *kulin.* nóż do smarowania. **2.** *roln.* siewnik; roztrząsarka (*do nawozu*). **3.** *mech.* rozpórka.

spreadsheet ['spred,ʃi:t] *n.* (*także* ~ **package**) *komp.* arkusz kalkulacyjny.

spree [spri:] *n.* szaleństwo; **drinking** ~ pijaństwo, popijawa; **killing/shooting** ~ masakra; **shopping/spending** ~ szaleństwo zakupów; **go (off) on a shopping/spending** ~ ruszyć między półki.

sprig [sprıg] *n.* **1.** *bot.* gałązka; ~**s of parsley** *kulin.* natka pietruszki. **2.** wzór *l.* motyw roślinny (*na tapecie, ścianie*). **3.** *przest. żart.* młokos. **4.** *mech.* sztyft. – *v.* **1.** ozdabiać motywem roślinnym. **2.** robić stroik z (*gałązek*). **3.** *mech.* przybijać (sztyftami).

sprightliness ['spraıtlınəs] *n. U* żwawość, dziarskość.

sprightly ['spraıtlı] *a.* **-ier, -iest** żwawy, dziarski.

spring [sprıŋ] *v. pret.* **sprang** *US t.* **sprung** *pp.* **sprung** **1.** skakać; zrywać się; wyskakiwać; ~ **out of bed** wyskoczyć *l.* zerwać się z łóżka; ~ **to attention** stanąć na baczność; ~ **to one's feet** zerwać się na (równe) nogi. **2.** przeskakiwać (*przeszkodę*). **3.** pojawiać się (*o uśmiechu, grymasie*); napływać (*o łzach, krwi*); **tears sprang to/into his face** łzy napłynęły mu do oczu, oczy nabiegły mu łzami. **4.** *przen. pot.* wyskakiwać z (*pomysłem, decyzją*). **5.** *mech.* zwalniać (*mechanizm, zapadkę, zatrzask*). **6.** *pot.* wydobyć *l.* uwolnić z więzienia (*zwł.* = *pomóc w ucieczce*). **7.** *wojsk.* detonować (*minę*). **8.** *stol.* paczyć (się), wypaczać (się) (*o drewnie*). **9.** *myśl.* wypłaszać (*zwierzynę z ukrycia, zwł. o psie*). **10.** ~ **a surprise** zgotować niespodziankę; ~ **a trap** złapać się (w sidła *l.* pułapkę) (*o zwierzęciu*); *przen.* usidlić kogoś; ~ **a leak** zacząć przeciekać (*o łodzi, zbiorniku, rurze*); ~ **into action** zacząć działać, podjąć działania; ożyć; ~ **into existence** powstać; ~ **open/shut** otworzyć/zamknąć się gwałtownie; ~ **to life** ożywać (*o mieście*); ~ **to sb's defense** stanąć w czyjejś obronie; ~ **to mind** przychodzić do głowy, nasuwać się. **11.** ~ **from sth** (*także* ~ **out of sth**) wynikać z czegoś, mieć źródło *l.* przyczynę w czymś; **where did he/this ~ from?** a ten/to skąd się tu wziął/wzięło?; ~ **sth on sb** zaskoczyć kogoś czymś; ~ **the news on sb** zaskoczyć kogoś wiadomością; ~ **up** powstawać (*np. o kłopotach*); wyrastać jak grzyby po deszczu (*np. o nowych budynkach, sklepach*). – *n.* **1.** *C/U* wiosna; **in (the)** ~ wiosną, na wiosnę. **2.** *techn.* sprężyna; *mot.* resor. **3.** *U l. sing.* sprężystość, elastyczność; sprężynowanie; **there's little ~ left in the mattress** materac stracił sprężystość; **walk with a ~ in one's step** chodzić sprężystym krokiem. **4.** *sing.* skok. **5.** *przen. form.* siła napędowa (= *motywacja*). **6.** *t. pl. geol. l. przen.* źródło; źródełko; zdrój; **hot/thermal** ~ terma, źródło termalne, cieplica; **limestone/salt** ~ źródło krasowe/słone; **rising** ~ wywierzysko. **7.** *stol.* wypaczenie, spaczenie. **8.** *geogr.* = **spring tide**. – *a. attr.* **1.** wiosenny; ~ **break** *gł. US uniw.* ferie wiosenne, przerwa wiosenna; ~ **training** *gł. US sport* (wiosenne) przygotowanie do sezonu. **2.** *mech.* sprężynowy; ~ **balance/scale** waga sprężynowa. **3.** *zwł. US* sprężysty, sprężynowany; na sprężynach (*o materacu*); amortyzowany (*o podłodze*).

springboard ['sprıŋ,bɔ:rd] *n.* **1.** *sport* trampolina. **2.** *przen.* odskocznia (*for sth* dla czegoś).

springbok ['sprıŋ,bɑ:k] *n. pl.* **-s** *l.* **springbok** (*także* **springbuck**) *zool.* gazela południowoafrykańska (*Antidorcas marsupialis*).

spring chicken *n.* **1.** (*także* **springer**) *gł. US i Can. kulin.* młody kurczak. **2. be no** ~ *żart.* być nie pierwszej młodości; nie mieć już osiemnastu lat.

spring-clean *v.* [,sprıŋ'kli:n] robić wiosenne porządki. – *n.* ['sprıŋ,kli:n] *U l. sing.* wiosenne porządki.

spring-cleaning [,sprıŋ'kli:nıŋ] *n. U l. sing.* wiosenne porządki; **do the** ~ robić wiosenne porządki.

springe [sprındʒ] *myśl. n.* sidła. – *v.* **1.** łapać w sidła. **2.** zastawiać sidła.

springer ['sprıŋər] *n.* **1.** *bud.* kliniec (*łuku*). **2.** *kulin.* = **spring chicken** 1. **3.** *hodowla* cielna krowa. **4.** skoczek (*osoba l. zwierzę*). **5.** (*także* ~ **spaniel**) *kynol.* springer.

spring fever *n. U* wiosenne ożywienie, wiosenny przypływ energii.

springhalt ['sprıŋ,hɔ:lt] *n. U wet.* = **stringhalt**.

springhead ['sprıŋ,hed] *n. t. przen.* źródło.

spring hook *n. mech.* karabinek, karabińczyk.

springiness ['sprıŋınəs] *n. U* sprężystość.

spring-loaded ['sprıŋ,loudıd] *a. mech.* na sprężynę, ze sprężyną, dociskany sprężyną.

springlock ['sprıŋ,lɑ:k] *n. mech.* zatrzask *l.* zamek sprężynowy.

spring onion *n. Br. i Austr. kulin.* zielona cebulka.

spring roll *n. kulin.* sajgonka, krokiet wiosenny (*potrawa kuchni orientalnej*).

spring tide *n. geogr.* pływ syzygijny.

springtime ['sprɪŋˌtaɪm] *n. U* wiosna, pora wiosenna, okres wiosenny; **in (the) ~** wiosną, wiosenną porą.

springy ['sprɪŋɪ] *a.* **-ier, -iest 1.** sprężysty, elastyczny (*o podłożu, kroku, substancji*). **2.** *pot.* podskakujący.

sprinkle ['sprɪŋkl] *v.* **1.** skrapiać; posypywać; **~ water on/over sth** (*także* **~ sth with water**) skropić *l.* zrosić *l.* pokropić coś wodą; **~ sugar/salt on/over sth** (*także* **~ sth with sugar/salt**) posypać coś cukrem/solą. **2.** *US* kropić (*o deszczu*); **it is ~ing** kropi. **3. be ~ed with sth** *przen.* być usianym czymś (*np. aluzjami, dowcipami*). – *n. sing.* **1.** odrobina; *kulin.* szczypta (*of sth* czegoś) (*np. soli, cukru*). **2.** *US* kapuśniaczek, mżawka.

sprinkler ['sprɪŋklər] *n.* (*także* **~ system**) **1.** *ogr., roln.* zraszacz, spryskiwacz. **2.** instalacja tryskaczowa *l.* sprinklerowa.

sprinkling ['sprɪŋklɪŋ] *n. sing.* odrobina; *kulin.* szczypta (*of sth* czegoś) (*np. soli, cukru*).

sprint [sprɪnt] *n.* **1.** *sport* sprint; bieg *l.* wyścig krótkodystansowy; **put on/make a ~** *zwł. Br.* pobiec sprintem; **the 100 meters ~** bieg na 100 metrów. **2.** *przen.* zryw (= *krótki wysiłek*). – *v.* biec (sprintem).

sprinter ['sprɪntər] *n. sport* sprinter/ka.

sprit [sprɪt] *n. żegl.* rozprza (*żagla*).

sprite [spraɪt] *n.* **1.** *dom.* chochlik, elf, duszek. **2.** *przen.* krasnal (= *drobna osoba*). **3.** *komp.* (swobodny) obiekt graficzny (*zwł. w grach, animacjach*).

spritz [sprɪts] *US v.* spryskiwać, zraszać; **~ water on/over sth** (*także* **~ sth with water**) skrapiać *l.* zraszać coś wodą. – *n.* pryśnięcie.

spritzer ['sprɪtsər] *n. C/U kulin.* szprycer (= *białe wino z wodą sodową*).

sprocket ['sprɑːkət] *n.* **1.** (*także* **~ wheel**) *mech.* koło *l.* kółko zębate (*łańcuchowe*); *fot.* bęben zębaty (*prowadzący kliszę*). **2.** *mech.* ząb, ząbek (*koła, bębna*).

sprout [spraʊt] *v.* **1.** *bot.* kiełkować (*o liściach, pączkach*). **2.** *bot.* puszczać *l.* wypuszczać (pędy) (*o roślinach*). **3. ~ (up)** wyrastać (jak grzyby po deszczu) (*o budynkach*). **4.** dostawać (*np. rogów, wąsów*); **he ~ed a beard** wyrosła mu broda. – *n.* **1.** *bot.* kiełek; odrost, odrośl; pęd. **2.** (*także* **Brussels ~(s)**) *bot., kulin.* brukselka. **3.** *pl. zwł. US kulin.* kiełki (*soi, fasoli, lucerny, rzodkiewki*).

spruce[1] [spruːs] *n. bot.* świerk (*Picea*); *U* świerk, drewno świerkowe.

spruce[2] *a.* schludny; elegancki. – *v.* **~ (up)** *pot.* wystroić (się); przyozdobić.

sprucely ['spruːslɪ] *adv.* schludnie; elegancko.

sprue [spruː] *n.* **1.** *techn.* nadlew; *metal.* wlew główny. **2.** *U pat.* biegunka tropikalna.

sprung [sprʌŋ] *v. zob.* **spring.** – *a. attr.* sprężynowy, na sprężynach (*o materacu*).

sprung rhythm *n. U wers.* rytm enklityczny *l.* toniczny (*stosowany przez Gerarda Manleya Hopkinsa*).

spry [spraɪ] *a.* **-er, -est** *l.* **-ier, -iest** żwawy, dziarski (*zwł. o starszej osobie*).

spryly ['spraɪlɪ] *adv.* żwawo, dziarsko.

spryness ['spraɪnəs] *n. U* żwawość, dziarskość.

spud [spʌd] *n.* **1.** *zwł. pl. kulin. pot.* pyra (= *ziemniak*). **2.** *ogr.* łopatka; opielacz. **3.** *leśn.* zdzierak (*do okorowywania drzew*). – *v.* **1.** *ogr.* pielić. **2.** *leśn.* zdzierać (*korę*). **3.** *górn.* nawiercać.

spume [spjuːm] *lit. n.* piana. – *v.* pienić się.

spumescent ['spjuːmesənt], **spumous** ['spjuːməs], **spumy** ['spjuːmɪ] *a. lit.* pieniący się, spieniony.

spumoni [spə'moʊnɪ], **spumone** *n. U kulin.* **1.** lody bakaliowe. **2.** pianka, mus (*deser*).

spun [spʌn] *v. zob.* **spin.**

spun cotton *n. U tk.* przędza bawełniana.

spun glass *n. U* włókno szklane.

spunk [spʌŋk] *n. U* **1.** *pot.* ikra (= *energia*); śmiałość. **2.** *Br. obsc. sl.* sperma. **3.** chrust, susz; hubka (*na rozpałkę*).

spunky ['spʌŋkɪ] *a.* **-ier, -iest** *pot.* z ikrą, z jajem.

spur [spɝː] *n.* **1.** *jeźdz., anat., bot., zool., geogr.* ostroga. **2.** *przen.* bodziec, zachęta. **3.** *mot.* boczna droga; odgałęzienie. **4.** (*także* **~ track**) *kol.* tor boczny; bocznica. **5.** *bud.* rozpórka. **6.** *geogr.* odnoga (*górska*). **7.** listwa skalna. **8.** *hydrol.* falochron. **9. on the ~ of the moment** pod wpływem impulsu; bez namysłu; **win/gain one's ~s** zdobywać ostrogi (*hist.* = *miano rycerza; przen.* = *uznanie*). – *v.* **-rr- 1. ~ (on)** zachęcać (*sb to sth* kogoś do czegoś). **2.** *zwł. ekon.* napędzać (*rozwój, inwestycje*); sprzyjać (*inwestycjom*). **3.** *jeźdz.* spinać ostrogami (*konia*). **4.** *jeźdz.* poranić *l.* pokłuć ostrogami (*konia*). **5.** *lit.* gnać.

spurge [spɝːdʒ] *n. bot.* wilczomlecz, ostromlecz (*Euphorbia*).

spurious ['spjʊrɪəs] *a.* **1.** fałszywy; błędny, oparty na błędnych przesłankach (*o argumentach, rozumowaniu, twierdzeniu*); złudny (*o wierzeniu*). **2.** fałszywy, udawany (*o uczuciach, gestach*). **3.** *zwł. biol.* rzekomy, pozorny (*o organie*). **4.** *radio* pasożytniczy; niepożądany; fałszywy (*o sygnale*). **5.** *arch.* nieślubny (*o dziecku*).

spuriously ['spjʊrɪəslɪ] *adv.* fałszywie; błędnie.

spuriousness ['spjʊrɪəsnəs] *n. U* fałszywość; błędność.

spurn [spɝːn] *v. lit.* odtrącać (z pogardą) (*pomoc, zaloty*); gardzić (*uczuciami, osobą*); lekceważyć, odrzucać (*propozycję*). – *n. arch.* odtrącenie, wzgardzenie.

spurned [spɝːnd] *a.* wzgardzony, odtrącony (*zwł. o kochanku*).

spur-of-the-moment [ˌspɝːəvðə'moʊmənt] *a. attr.* instynktowny, odruchowy, momentalny.

spurred [spɝːd] *a.* **1.** *jeźdz.* w ostrogach. **2.** *zwł. bot.* ostrogowy.

spurry ['spɝːɪ] *n. pl.* **-ies** (*także* **spurrey**) *bot.* sporek większy (*Spergula arvensis*); muchotrzew (*Spergularia*).

spurt [spɝːt] *v.* **1.** tryskać (*o cieczy*); wydobywać się (*o cieczy, gazie, płomieniach*) (*from/out of sth* skądś); tryskać (*cieczą*); strzelać (*płomieniami*). **2.** *zwł. ekon.* zwyżkować. **3.** pędzić;

sport szpurtować. – *n.* **1.** struga (*cieczy, gazu*); wytrysk (*cieczy*). **2.** *przen.* (nagły) przypływ (*energii, sił*); (nagły) poryw (*uczuć*); zryw (*wysiłku*); **in ~s** zrywami (*pracować*).

spur wheel *n. mech.* koło zębate czołowe.

sputnik [ˈsputnɪk] *n. astronautyka* sputnik.

sputter [ˈspʌtər] *v.* **1.** prychać, parskać (*o osobie*). **2.** terkotać, trzeszczeć (*o silniku*). **3.** pluć (*np. przy jedzeniu, śmiejąc się*). **4.** jąkać się, bełkotać (*z nerwów, pośpiechu*); wyjąkać, wybełkotać. **5.** pryskać (*o oleju na patelni*); strzelać (*o ogniu, iskrach*). – *n. C/U* **1.** prychanie, parskanie. **2.** terkot, trzeszczenie (*silnika*). **3.** bełkot. **4.** ślina; kawałki jedzenia (*wyplute*).

sputum [ˈspjuːtəm] *n. U fizj.* plwocina.

spy [spaɪ] *n. pl.* **-ies** **1.** szpieg. **2.** szpiegowanie. – *v.* **-ied, -ying** **1.** szpiegować, być szpiegiem. **2.** ~ **on sb/sth** szpiegować kogoś/coś; podglądać kogoś/coś. **3.** *gł. lit.* zoczyć; dostrzec, dojrzeć. **4.** ~ **out** wyszpiegować; *zwł. pot.* wybadać; ~ **out the land** wybadać teren. – *a. attr.* szpiegowski.

spyglass [ˈspaɪˌglɑːs] *n.* lunetka.

spyglasses [ˈspaɪˌglɑːsɪz] *n. pl.* lornetka.

spy-hole [ˈspaɪˌhoʊl] *n. Br. i Austr.* judasz (*w drzwiach*).

spying [ˈspaɪɪŋ] *n. U* szpiegostwo; szpiegowanie.

spymaster [ˈspaɪˌmæstər] *n.* as wywiadu.

sq., sq *abbr.* **square** kw., ² (= *kwadratowy*).

squab [skwɑːb] *n.* **1.** *pl.* **-s** *l.* **squab** pisklę; gołąbek (= *nieopierzony gołąb*). **2.** *przen.* baryłka (= *mały grubasek*). **3.** kanapa. **4.** (tapicerowane) siedzisko. – *a.* **1.** przysadzisty (*o osobie*). **2.** nieopierzony (*o ptaku*).

squabble [ˈskwɑːbl] *v.* wykłócać się, sprzeczać się, handryczyć się (*with sb* z kimś, *about sth* o coś) (*zwł. o drobiazgi*). – *n.* sprzeczka, kłótnia.

squabby [ˈskwɑːbɪ] *a.* **-ier, -iest** przysadzisty.

squad [skwɑːd] *n.* **1.** *t. wojsk.* oddział. **2.** wydział (*policji*); **drug/fraud/vice** ~ wydział do spraw narkotyków/oszustw/obyczajowych. **3.** *sport* zespół, drużyna. **4.** grupa, grupka (*ludzi*). **5.** (*także* **cheerleading** ~) *US i Can. sport* grupa cheerleaderek (*występujących w przerwach meczów*). **6.** **firing** ~ *wojsk.* pluton egzekucyjny; kompania reprezentacyjna; **flying** ~ lotny patrol.

squad car *n.* radiowóz, wóz *l.* samochód patrolowy *l.* policyjny.

squadron [ˈskwɑːdrən] *n.* **1.** *wojsk.* dywizjon (*lotniczy*). **2.** *wojsk.* szwadron (*artylerii, kawalerii*). **3.** *wojsk.* eskadra (*lotnicza, okrętów*).

squadron leader *n. Br. wojsk.* major lotnictwa.

squalid [ˈskwɑːləd] *a.* **1.** nędzny (*np. o warunkach, mieszkaniu*). **2.** ohydny, obrzydliwy (*zwł. = niemoralny*).

squalidly [ˈskwɑːlədlɪ] *n.* **1.** nędznie. **2.** ohydnie.

squalidness [ˈskwɑːlədnəs] *n. U* **1.** nędza. **2.** ohyda.

squall [skwɔːl] *n.* **1.** *meteor.* szkwał, nawałnica; **snow** ~ śnieżyca. **2.** wrzask, krzyk. **3.** wybuch (*gniewu*). **4.** awantura. – *v.* **1.** *meteor.* wiać (porywiście). **2.** wrzeszczeć, drzeć się, krzyczeć.

squall line *n. meteor.* linia nawałnic.

squalor [ˈskwɑːlər] *n. U* **1.** nędza. **2.** plugawość.

squama [ˈskweɪmə] *n. pl.* **squamae** [ˈskweɪmiː] *biol.* łuska.

squamose [ˈskweɪmoʊs], **squamous** [ˈskweɪməs] *a. biol.* łuskowaty.

squander [ˈskwɑːndər] *v.* trwonić, marnować, marnotrawić (*pieniądze, czas*). – *n. U* rozrzutność, marnotrawstwo.

squanderer [ˈskwɑːndərər] *n.* rozrzutni-k/ca, utracjusz/ka.

square [skwer] *a.* **1.** *geom., mat.* kwadratowy; ~ **mile** mila kwadratowa; ~ **root of two** pierwiastek kwadratowy z dwóch; **10 feet** ~ w kształcie kwadratu o boku 10 stóp. **2.** prosty, równy; równoległy; ~ **with the floor** poziomy, równoległy do podłogi. **3.** prostokątny. **4.** *przest. pot.* niedzisiejszy, nie na czasie. **5.** *muz.* prosty. **6.** wyraźny (*zwł. o odmowie*). **7.** ~ **deal** uczciwy układ; **give sb a** ~ **deal** traktować kogoś uczciwie; ~ **meal** solidny *l.* porządny posiłek; **a** ~ **peg (in a round hole)** *pot. zob.* **hole** *n.*; **(all)** ~ *pot.* (no to) jesteśmy kwita; **be all** ~ *sport* remisować, mieć (po) tyle samo punktów; **get** ~ **with sb** *pot.* rozliczyć się z kimś, załatwić z kimś rachunki. – *n.* **1.** *geom., mat.* kwadrat; **the** ~ **of 4 is 16** 4 do kwadratu daje 16. **2.** plac (*t. w nazwach, adresach*); skwer. **3.** kwartał (*w mieście*). **4.** pole (*w grach planszowych*). **5.** ekierka; kątownik; *miern.* węgielnica. **6.** *hist., wojsk.* czworobok. **7.** *przest. pot.* wapnia-k/czka (= *osoba nie na czasie*). **8.** *pot.* wyżerka. **9.** **be back to** ~ **one** wrócić do punktu wyjścia, zaczynać od (samego) początku; **be on the** ~ *przest.* być całkowicie szczerym *l.* uczciwym; **by the** ~ *przen.* od linijki, dokładnie; **on the** ~ pod kątem prostym; *przen.* uczciwie, otwarcie (*mówić*); sprawiedliwie, traktować; **out of** ~ krzywo; **be out of** ~ kłócić się (ze sobą) (*o niepasujących rzeczach*). – *adv.* **1.** prosto; równo (*układać się*); prostopadle (*to sth* do czegoś). **2.** *pot.* prosto; **he drove** ~ **into the post** wjechał prosto w słup; **look sb** ~ **in the eye** spojrzeć komuś prosto w oczy. **3.** *pot.* solidnie. **4.** *pot.* uczciwie, otwarcie. **5.** **fair and** ~ *zob.* **fair**[1] *adv.* – *v.* **1.** *mat.* podnosić do kwadratu (*liczbę*). **2.** *sport* remisować (*mecz*); wyrównywać (*wynik*). **3.** wyrównywać (*deskę, obrus*); poprawiać (*obrus, reputację*). **4.** spłacać (*długi*); wyrównywać (*rachunki*). **5.** *pot.* przekupywać, przepłacać (*urzędnika*). **6.** ~ **one's shoulders** ściągnąć ramiona, wyprostować plecy; *przen.* nie poddawać się; **(attempt/try to)** ~ **the circle** *zob.* **circle** *n.* **7.** ~ **sth away** *US* sfinalizować coś, dokończyć coś; ~ **off** *US* stanąć do walki; ~ **sth off** wyrównywać coś, prostować coś; ~ **up** rozliczyć się, wyrównać rachunki (*with sb* z kimś); *Br.* stanąć do walki; ~ **up to sb/sth** podchodzić do kogoś/czegoś (*w jakiś sposób*); ~ **with sth** pasować do czegoś, zgadzać się z czymś, pokrywać się z czymś, przystawać do czegoś; ~ **sth with sth** godzić coś z czymś; ~ **sth with one's conscience** zgodzić się *l.* przystać na coś (= *pokonać* *obiekcje moralne*); ~ **sth with sb** *gł. pot.* załatwić coś z kimś (= *dostać czyjąś zgodę*); **I don't know if I can ~ it with her** nie wiem, czy się na to zgodzi.

square-bashing [ˈskwerˌbæʃɪŋ] *n. U Br. wojsk. pot.* musztra.

square bracket *n. zw. pl. Br. druk.* nawias kwadratowy, klamra (kwadratowa).

square-built [ˌskwerˈbɪlt] *a.* krępy, barczysty.

squared [skwerd] *a.* **1.** w kratkę (*o papierze, deseniu*). **2.** *pred. mat.* do kwadratu, kwadrat; **three ~ equals/is/makes nine** trzy do kwadratu (to) jest/będzie dziewięć; **x ~d** x kwadrat, x do kwadratu.

square dance *n. US i Can.* taniec ludowy podobny do kadryla (*tańczony z wodzirejem w dużych zespołach*).

square knot *n. US* węzeł płaski.

squarely [ˈskwerlɪ] *adv.* **1.** prosto; równo. **2.** całkowicie; jednoznacznie. **3.** wprost, uczciwie, otwarcie. **4.** prostopadle, pod kątem prostym.

square measure *n. mat.* miara powierzchni.

squareness [ˈskwernəs] *n. U* uczciwość, otwartość.

square number *n. mat.* liczba kwadratowa.

square-rigged [ˌskwerˈrɪgd] *a. żegl.* rejowy, z osprzętem rejowym.

square root *n. mat.* pierwiastek kwadratowy.

square shooter *n. US pot.* szczery facet; **be a ~** walić prosto z mostu.

square-shouldered [ˌskwerˈʃoʊldərd] *a.* barczysty.

squash[1] [skwɑːʃ] *n. C/U US i Can. kulin.* (*także* **summer ~**) kabaczek; (*także* **winter ~**) dynia; *bot.* roślina dyniowata (*Cucurbita*).

squash[2] *n.* **1.** *U* (*także* **~ racquets/rackets/tennis**) *sport* squash (= *gra podobna do tenisa, w której piłkę odbija się od ścian zamkniętej sali*). **2.** *sing.* ścisk, tłok; **it's a ~** jest ciasno. **3.** *zw. w złoż. Br. kulin.* napój owocowy (*z koncentratu l. syropu, z dodatkiem wody*); **orange ~** napój pomarańczowy. **4.** miazga. – *v.* **1.** zgniatać (się); rozgniatać (się); ściskać (się); ugniatać (się). **2.** wciskać (się) (*into sth* gdzieś). **3.** stłumić (*np. powstanie, rewolucję*); zmiażdżyć (*kogoś odpowiedzią*). **4.** ukrócić (*praktyki, działania*); storpedować (*propozycję, inicjatywę*).

squashy [ˈskwɑːʃɪ] *a.* **-ier, -iest 1.** delikatny (= *wrażliwy na zgniecenie*). **2.** przejrzały, rozmiękły (*o owocu*). **3.** papkowaty. **4.** rozgnieciony. **5.** podmokły (*o gruncie*).

squat [skwɑːt] *v.* **-tt- 1. ~ (down)** kucać, siedzieć w kucki; *t. sport* robić przysiad. **2.** kulić się. **3.** mieszkać na dziko (*in sth* gdzieś); *prawn.* samowolnie *l.* bezprawnie zajmować grunt *l.* lokal. – *a.* **1.** przysadzisty (*o osobie, budynku*). **2.** skulony (*o postaci*). – *n.* **1.** przykucnięcie, kucki; przysiad. **2.** (*także* **~-thrust**) *sport* przysiad (*ćwiczenie, t. ze sztangą*); siad skulny; podnoszenie *l.* dźwig z przysiadu. **3.** *Br.* squat (= *teren zasiedlony na dziko*); *prawn.* bezprawnie zajmowany lokal *l.* grunt. **4.** *myśl.* nora (*zająca*).

squatter [ˈskwɑːtər] *n.* **1.** *zwł. Br.* dzik-i/a lokator/ka. **2.** *US i Can. hist.* osadni-k/czka.

squatty [ˈskwɑːtɪ] *a.* **-ier, -iest** przysadzisty.

squaw [skwɔː] *n. obelż.* **1.** *przest.* squaw (= *Indianka*). **2.** *sl.* stara (= *żona*); babka (= *kobieta*).

squawk [skwɔːk] *v.* **1.** skrzeczeć (*o ptaku, osobie*). **2.** *pot.* jęczeć (= *narzekać, zawodzić*). – *n.* **1.** skrzeczenie, skrzek. **2.** *pot.* jęczenie, jęk (= *narzekanie, zawodzenie*).

squawk box *n. US przest. sl.* megafon.

squaw man *n. pl.* **squaw men** *przest. obelż.* biały ożeniony z Indianką.

squeak [skwiːk] *v.* **1.** piszczeć (*np. o myszy, pisklęciu, osobie, zabawce*); skrzypieć (*o drzwiach*). **2.** *sl.* kapować, sypać (= *zdradzać*). **3. ~ through/by** *pot.* ledwo się udać; **~ through sth** prześlizgnąć się z trudem przez coś (*np. przez egzamin, eliminacje*). – *n.* **1.** pisk. **2.** skrzypienie. **3. it was narrow/close/near ~** *przen.* niewiele brakowało (*a stałoby się coś złego*).

squeaker [ˈskwiːkər] *n.* **1.** pisklę (*zwł. gołąbek*). **2.** *zwł. US pot.* fuks (= *powodzenie l. wygrana wbrew szansom*). **3.** *sl.* kapuś. **4.** zabawka piszcząca.

squeaky [ˈskwiːkɪ] *a.* **-ier, -iest** piskliwy (*o głosie*); skrzypiący (*o drzwiach, zawiasach*); **~ toy** zabawka piszcząca.

squeaky clean *a. pot.* czysty jak łza (*fizycznie l. moralnie*).

squeal [skwiːl] *v.* **1.** piszczeć (*o osobie, oponach przy hamowaniu*); kwiczeć (*o świni*). **2.** *sl.* sypać, kapować. **3.** *Br. pot.* marudzić, jęczeć (= *narzekać*). – *n.* pisk (*opon, hamulców*); kwik (*świni*).

squealer [ˈskwiːlər] *n. sl.* kapuś.

squeamish [ˈskwiːmɪʃ] *a.* **1.** wrażliwy, delikatny (*t. o żołądku*); przewrażliwiony, przeczulony; *żart.* obrzydliwy (= *brzydzący się*). **2.** wybredny.

squeamishly [ˈskwiːmɪʃlɪ] *adv.* w sposób przewrażliwiony.

squeamishness [ˈskwiːmɪʃnəs] *n.* wrażliwość, delikatność (*zwł. nadmierna*); przewrażliwienie, przeczulenie.

squeegee [ˈskwiːdʒiː] (*także* **squilgee**) *n.* **1.** zmywak do szyb; gumka, zbierak (do wody) (*gumowy na rączce, do mycia szyb*). **2.** (*także* **~ mop**) mop z gąbki. **3.** *fot.* wałek (gumowy). – *v.* myć, zmywać (*szybę, podłogę*); zbierać wodę.

squeezable [ˈskwiːzəbl] *a.* miękki, elastyczny (*o zabawce, butelce*).

squeeze [skwiːz] *v.* **1.** ściskać (*dłoń, poręcz, przyjaciela*). **2. ~ (out)** wyciskać (*klej, pastę, keczup, cytrynę*) (*on/onto sth* na coś). **3.** *fin.* nadwerężyć (*budżet*). **4.** przyciskać, wywierać nacisk na (*kogoś*). **5.** *przen.* doić (= *wyciskać pieniądze z*). **6.** wykonywać odcisk (*czegoś w wosku*). **7.** kurczyć się (*pod wpływem nacisku*). **8.** *karty* przycisnąć; zmusić (*kogoś do zrzucenia dobrej karty*). **9. ~ by** przecisnąć się; *przen.* prześlizgnąć się, przebrnąć (*przez eliminacje, egzamin*); **~ in** wcisnąć (się); **~ into sth** wcisnąć się gdzieś *l.* do czegoś *l.* w coś (*np. do samochodu, w spodnie*); **~ sb in** wcisnąć kogoś (*na termin przy braku czasu*); **~ sth into sth** wcisnąć coś gdzieś *l.* do czegoś *l.* w coś; **~ off** nacisnąć spust (*broni*); ~ **sth out of sb** wycisnąć coś z kogoś (*np. pieniądze, zeznanie*); ~ **sb/sth out (of the market)** wypierać kogoś/coś (z rynku); ~ **through** przecisnąć się; *przen.* prześlizgnąć się, przebrnąć (*przez eliminacje, egzamin*); ~ **through sth** przecisnąć się przez coś; prześlizgnąć się przez coś; ~ **sth through sth** przeciskać coś przez coś. – *n.* **1.** *sing.* ścisk, ciasnota, tłok; **it'll be a (tight) ~** będzie (bardzo) ciasno. **2.** uściśnięcie, uścisk (*dłoni*); objęcie; **give sth a ~** ścisnąć coś (*np. gąbkę*), uścisnąć coś (*np. dłoń*); **give sb a ~** uściskać *l.* objąć kogoś. **3.** *sing. kulin.* parę kropel, odrobina; **a ~ of lemon** parę kropel soku z cytryny. **4.** odcisk (*monety, pieczęci*). **5.** haracz. **6.** *przen.* **credit/wage ~** *fin.* restrykcje kredytowe/płacowe, ograniczenie kredytu/płac; **in a tight ~** w (niezłych) tarapatach; **put the ~ on sb** wywierać na kogoś nacisk; **sb's main ~** *US pot.* czyj-ś/aś ukochan-y/a.

squeeze bottle *n.* butelka plastikowa, miękka butelka; bidon.

squeezebox [ˈskwiːzˌbɑːks] *n. muz. pot.* harmonia (= *akordeon*).

squeezer [ˈskwiːzər] *n.* **1.** *kulin.* wyciskacz (do soku) (*z cytryn, pomarańczy*). **2.** *techn.* wytłaczarka, prasa.

squelch [skweltʃ] *v.* **1.** chlupać, chlupotać (*o błocie, nogach w błocie*). **2.** ~ **(through/along/up)** brnąć. **3.** *US* zdusić (*inwencję, osobowość*). **4.** *US sl.* wyciszyć, zatuszować (*aferę*). – *n.* **1.** chlupot, chlupanie. **2.** *US sl.* = **squelcher**. **3.** *el.* (automatyczny) ogranicznik wzmocnienia *l.* amplitudy.

squelcher [ˈskweltʃər] *n. US sl.* (ostra) odzywka.

squelchy [ˈskweltʃɪ] *a.* **-ier, -iest** chlupiący, chlupoczący (*o błocie*); rozmokły, błotnisty (*o gruncie*).

squib [skwɪb] *n.* **1.** petarda. **2.** (*także* **damp ~**) niewypał (*petardy, t. przen.*). **3.** *teor. lit.* paszkwil. **4.** *dzienn.* notka. **5.** *techn.* odpalacz (*rakiety*). – *v.* **-bb- 1.** *sport* kopnąć po ziemi *l.* szczurem (*piłkę*). **2.** wyśmiewać w paszkwilu (*kogoś*). **3.** strzelać, odpalać petardę.

squid [skwɪd] *n.* **1.** *U kulin.* kalmary. **2.** *pl.* **-s** *l.* **squid** *zool.* kałamarnica (*Theutoidea*).

squidgy [ˈskwɪdʒɪ] *a.* **-ier, -iest** *Br.* rozmokły, błotnisty (*o gruncie*).

squiffy [ˈskwɪfɪ] *a.* **-ier, -iest** *Br. przest. pot.* podchmielony.

squiggle [ˈskwɪgl] *n.* **1.** zawijas, zakrętas, robaczek (*w piśmie*). **2.** bazgranina (= *nieczytelne pismo*).

squiggly [ˈskwɪglɪ] *a.* **-ier, -iest** zakręcony (*o linii na papierze, podpisie, piśmie*).

squilgee [ˈskwɪldʒiː] *n. i v.* = **squeegee**.

squill [skwɪl] **1.** *bot.* cebula morska, ckliwica, oszloch morski (*Urginea maritima*); cebulica, oszloch (*Scilla*). **2.** *U hist., med.* susz z cebuli morskiej (*używany dawniej jako środek wykrztuśny i moczopędny*).

squinch [skwɪntʃ] *n. bud.* wrożnik. – *v.* **1.** ściągać (*twarz, brwi*). **2.** kulić się.

squint [skwɪnt] *v.* **1.** mrużyć oczy. **2.** zezować. **3.** zerkać (*at sth / sb* na coś/kogoś). **4.** *przen.* niechętnie spoglądać (*at sth* na coś). – *n. sing.* **1.** *pat.* zez. **2.** *pot.* zerknięcie, spojrzenie, rzut oka; **have/take a ~ at sth** rzucić na coś okiem. **3.** mrużenie (oczu *l.* oka). – *a.* **1.** zezujący, zezowaty. **2.** *pot.* krzywy.

squint-eyed [ˈskwɪntˌaɪd] *a.* **1.** zezujący, zezowaty. **2.** mrużący oczy, patrzący przez zmrużone oczy. **3.** *przen.* zawistny.

squire [ˈskwaɪr] *n.* **1.** *gł. Br.* dziedzic, ziemianin. **2.** *hist.* giermek. **3.** *voc. Br. pot.* szefie.

squirearchal [ˌskwaɪəˈrɑːrkl], **squirearchic** [ˌskwaɪəˈrɑːrkɪk] *a. gł. Br.* ziemiański.

squirearchy [ˈskwaɪəˌrɑːrkɪ] *n. U gł. Br.* ziemiaństwo.

squirm [skwɝːm] *v.* **1.** wiercić się, kręcić się. **2.** *t. przen.* skręcać się, wić się, zwijać się; ~ **with shame** wić się ze wstydu. **3.** ~ **free** wyrwać się, wyślizgnąć się (*z uścisku, więzów*). – *n. gł. sing.* zwijanie się, skręcanie się; **give a ~ of shame/embarrassment** zwijać się ze wstydu/z zakłopotania.

squirmy [ˈskwɝːmɪ] *a.* **-ier, -iest** wiercący się.

squirrel [ˈskwɝːəl] *n. zool.* **1.** wiewiórka (*Sciurus*); **grey/red ~** wiewiórka szara/pospolita (*Sciurus carolinensis / vulgaris*). **2.** *przen. pot.* chomik (*osoba*). **3.** *US sl.* ptaszek (= *podejrzana osoba*). – *v.* ~ **away** *US pot.* chomikować, odkładać (na później) (*pieniądze, jedzenie*).

squirrel cage *n.* **1.** karuzela (*dla chomika, szczura*); klatka dla gryzonia (*z karuzelą*). **2.** *przen.* sztampa, rutyna (*w życiu, pracy*). **3.** *el.* klatka (silnika).

squirrely [ˈskwɝːəlɪ] *a.* **1.** wiewiórkowaty. **2.** *US pot.* wiercący się; **be ~** być wiercipiętą; wiercić się. **3.** *US pot.* pokręcony (= *ekscentryczny*).

squirt [skwɝːt] *v.* **1.** tryskać, strzykać, sikać (*t. czymś*); wtryskiwać (*sth in / into sth* coś do czegoś). **2.** opryskiwać; ~ **sb with water/with a hose** opryskać kogoś wodą/wężem. – *n.* **1.** strumień; wytrysk (*cieczy*). **2.** (*także* **little ~**) *obelż. pot.* pętak. **3.** *techn.* strzykawka.

squirt gun *n. US i Can.* pistolet na wodę.

squish [skwɪʃ] *v.* **1.** kląskać; chlupotać. **2.** *US pot.* gnieść (się). – *n.* **1.** kląskanie; chlupot (*błota*). **2.** *obelż. sl.* mięczak (*osoba*).

Sr, Sr. *abbr.* **1. senior** senior, starszy; ojciec; **John Smith, Sr** John Smith senior *l.* starszy *l.* ojciec. **2. sister** siostra (*zakonna, Br. t. pielęgniarka*). **3.** = **Señor**.

Sra, Sra. *abbr.* = **Señora**.

SRAM [ˌes ˈræm] *abbr. U* (*także* ~ **memory**) *komp.* **static random access memory** (pamięć) SRAM.

SRC [ˌes ˌɑːr ˈsiː] *abbr.* **Students' Representative Council** *Br. uniw.* Samorząd Studentów.

Sri Lanka [ˌsriː ˈlɑːnkə] *n. geogr.* Sri Lanka.

Sri Lankan [ˌsriː ˈlɑːnkən] *n.* Lankij-czyk/ka. – *a.* lankijski.

SRN [ˌes ˌɑːr ˈen] *abbr.* **State Registered Nurse** *Br. przest. med.* pielęgnia-rz/rka dyplomowan-y/a.

SRO [ˌes ˌɑːr ˈoʊ] *abbr. US* **1. single room occupancy** zakwaterowanie w pokojach jednoosobowych; pokój jednoosobowy (*zwł. w ośrodkach pomocy społecznej*). **2. standing room only** tylko miejsca stojące.

SS [ˌes ˈes], **S.S.** *abbr.* **1.** *US* = **Social Security**. **2.** = **supersonic**. **3. steamship** *żegl.* S/S, SS (*w nazwach statków parowych*).

SSA [ˌes ˌes ˈeɪ] *abbr.* **Social Security Administration** *US* Nadzór Ubezpieczeń Społecznych.

SSE [ˌes ˌes ˈiː] *abbr.* **south-southeast** *geogr.* płd.-płd.-wsch.

ssh [ʃ] *int.* ćśś!.

SST [ˌes ˌes ˈtiː] *abbr.* **supersonic transport** *lotn.* samolot naddźwiękowy (transportowy).

SSW [ˌes ˌes ˈdʌbljuː] *abbr.* **south-southwest** *geogr.* płd.-płd.-zach.

ST [ˌes ˈtiː] *abbr.* **Standard Time** *US* czas urzędowy.

St, St. *abbr.* **1. street** ul. (= *ulica; zwł. w nazwach*). **2. saint** *gł. rel.* św. (= *święt-y/a*).

st *abbr.* = **stone**.

Sta. *abbr. kol.* = **station**.

stab [stæb] *v.* **-bb- 1.** v. **2.** ugodzić, pchnąć, dźgnąć (*zwł. nożem, t. palcem*); ~ **sb in the back** *zwł. przen.* wbić komuś nóż w plecy; ~ **sb to death** zadźgać kogoś. – *n.* **1.** dźgnięcie, pchnięcie nożem (*at sb/sth* w kogoś/coś); ~ **in the back** *zwł. przen.* cios w plecy; ~ **wound** *pat.* rana kłuta. **2.** *sing.* ukłucie (*np. bólu, żalu*). **3.** *sing. pot.* próba; **have/make a ~ at sth** spróbować czegoś.

stabbing [ˈstæbɪŋ] *n.* atak (z) nożem, napaść z nożem; zranienie nożem. – *a. attr.* **1.** kłujący, rozdzierający (*o bólu*). **2.** dogłębny, przenikliwy (*o krytyce*).

stabile [ˈsteɪbaɪl] *n. sztuka* stabile (*rzeźba abstrakcyjna*). – *a. form.* stały; *chem.* stabilny.

stability [stəˈbɪlətɪ] *n. U* **1.** *t. polit., ekon.* stabilizacja. **2.** stałość; trwałość. **3.** *techn.* stabilność. **4.** *lotn., żegl.* stateczność.

stabilization [ˌsteɪbələˈzeɪʃən], *Br. i Austr. zw.* **stabilisation** *n. U* stabilizacja (*t. waluty*).

stabilize [ˈsteɪbəˌlaɪz], *Br. i Austr. zw.* **stabilise** *v.* stabilizować (się).

stabilizer [ˈsteɪbəˌlaɪzər] *n.* **1.** *techn.* stabilizator. **2.** *kulin., handl.* środek stabilizujący. **3.** *lotn.* statecznik.

stable [ˈsteɪbl] *a.* **1.** stabilny, trwały (*np. o konstrukcji, związku*). **2.** opanowany (*o osobie*). **3.** *med.* w stanie stabilnym (*o pacjencie*). – *n. t. pl. jeźdz.* stajnia; *roln.* obora; *przen.* zespół, ekipa, drużyna. – *v.* trzymać w stajni (*zwł. konie*); zaprowadzić do stajni (*jw.*).

stableboy [ˈsteɪblˌbɔɪ] *n.* (*także Br.* ~ **lad**) stajenny.

stablemate [ˈsteɪblˌmeɪt] *n.* **1.** *jeźdz.* koń z tej samej hodowli *l.* stadniny. **2.** *przen.* kuzyn/ka (= *osoba l. rzecz o cechach wspólnych*).

stabling [ˈsteɪblɪŋ] *n. U jeźdz.* stajnia.

stably [ˈsteɪblɪ] *adv.* stabilnie.

staccato [stəˈkɑːtoʊ] *adv., a. i n. muz.* staccato.

stack [stæk] *n.* **1.** stos, sterta, kupa. **2. a ~ of sth** (*także* **~s of sth**) *gł. Br. pot.* kupa czegoś (= *mnóstwo*). **3.** *roln.* stóg; kopa. **4.** *pl. bibl.* zbiór, zbiory; magazyn; półki. **5.** *bud., techn.* komin; przewód (*grzewczy, wentylacyjny*). **6.** *komp.* stos. **7.** *Austr. mot. pot.* kraksa. **8.** *lotn.* kolejka do lądowania (*samolotów nad lotniskiem*). **9.** *geol.* ostaniec (*zwł. na wybrzeżu*). **10.** *wojsk.* kozioł (= *piramida z karabinów*). **11. blow one's ~** *zob.* **blow** *v.* – *v.* **1.** ~ **(up)** ustawiać *l.* układać w stos, ustawiać *l.* układać jedno na drugim. **2.** zastawiać (*półkę*); załadowywać (*pojemnik*); **the floor was ~ed with boxes** podłoga była zastawiona kartonami. **3.** ~ **(up)** *lotn.* oczekiwać w kolejce (do lądowania) (*o samolotach nad lotniskiem*); kazać oczekiwać w kolejce (do lądowania) (*samolotom; o kontroli lotów*). **4.** ~ **the deck** *US*/**cards** *Br. karty* oszukiwać przy tasowaniu; ~ **the odds/deck** *US*/**cards** *Br.* **against sb** *przen.* postawić kogoś na straconej pozycji; **sb has the odds ~ed against them** ktoś stoi na straconej pozycji, ktoś nie ma (najmniejszych) szans. **5.** ~ **up (well/badly)** *gł. US pot.* wypadać (dobrze/źle) (*against sb/sth* w porównaniu z kimś/czymś).

stacked [stækt] *a.* **1.** nieuczciwy, zafałszowany. **2.** *US obelż. pot.* cycata.

stacker [ˈstækər] *n.* **1.** układacz/ka (*osoba*). **2.** (*także* ~ **truck**) sztaplarka, wózek widłowy.

stacking [ˈstækɪŋ] *n. lotn.* separacja wysokościowa.

stack system *n.* wieża (hi-fi).

stack-up [ˈstækˌʌp], **stackup** *n.* **1.** *Austr. mot. pot.* karambol. **2.** *lotn.* kolejka do lądowania (*samolotów nad lotniskiem*).

stadium [ˈsteɪdɪəm] *n. pl.* **-s** *l.* **stadia** [ˈsteɪdɪə] **1.** *sport* stadion. **2.** *hist.* stadion (*starogrecka miara długości = 184 m*). **3.** *pat.* stadium (*choroby*).

staff [stæf] *n.* **1.** *z czasownikiem w liczbie pojedynczej l. mnogiej* pracownicy, personel, kadra; **be on the ~ of sth** być pracownikiem czegoś, być zatrudnionym gdzieś; **editorial ~** zespół redakcyjny; **member of ~** pracowni-k/ca; (*także* **teaching ~**) *szkoln.* grono pedagogiczne *l.* nauczycielskie; ~ **meeting** zebranie pracowników; *szkoln.* rada pedagogiczna. **2.** *z czasownikiem w liczbie pojedynczej l. mnogiej* grupa doradców, doradcy (*dyrektora, ministra, posła*); *polit.* sztab (*wyborczy*). **3.** *wojsk.* sztab. **4.** służba (*zwł. w dużym domu*). **5.** *pl. t.* **staves** [steɪvz] drzewce (*flagi, bandery*); *gł. hist.* buława, berło; *przest.* laska; kij; *miern.* łata (miernicza). **6.** *U US bud.* zaprawa gipsowo-włókninowa. **7.** (*także* **stave**) *muz.* pięciolinia. **8.** *lit.* opoka, podpora; **the ~ of life** chleb powszedni (= *podstawa pożywienia*). – *a. attr.* **1.** kadrowy (*np. o brakach*). **2.** *wojsk.* sztabowy; ~ **officer/sergeant** oficer/sierżant sztabowy. – *v. zw. pass.* obsadzać (*stanowiska pracy*) (*with sb* kimś).

staffer [ˈstæfər] *n.* pracowni-k/ca (etatow-y/a).

staff nurse *n. Br. med.* pielęgnia-rz/rka.

stag [stæg] *n.* **1.** *zool.* rogacz, jeleń. **2.** *roln.* kastrat (= *wykastrowany dorosły samiec*). **3.** *pot.* facet bez pary *l.* bez partnerki (*na imprezie towarzyskiej*). **4.** *Br. giełda* spekulant (*spekulujący nowo emitowanymi walorami*). – *a. attr. pot.* **1.** męski (*t. = związany z ekscesami seksualnymi*); kawalerski (*o wieczorze*); bez partnerki. **2.** erotyczny; porno. – *adv. pot.* bez partnerki; **come/go** ~ *US* przyjść/pójść samemu *l.* bez partnerki (*na imprezę*). – *v.* **1.** ~ **it** *pot.* iść samemu *l.* bez partnerki (*na imprezę*). **2.** *Br. giełda* spekulować (*nowo emitowanymi akcjami*).

stag beetle *n. ent.* jelonek rogacz (*Lucanus cervus*).

stage [steɪdʒ] *n.* **1.** stadium, etap, faza, okres; *biol.* stadium; **at a later** ~ na późniejszym etapie, w późniejszej fazie; **at this** ~ na obecnym *l.* tym etapie; **by/in ~s** (*także* ~ **by** ~) stopniowo; **by easy ~s** powoli; **in the final ~s** w ostatniej fazie; **go through a (difficult)** ~ przechodzić trudny okres. **2.** *C/U teatr l. przen.* scena; ~ **left/right** po lewej/prawej stronie sceny (*patrząc od strony aktorów*); **on** ~ na scenie; **on the world** ~ na światowej scenie; **the** ~ *przen.* teatr, deski (= *aktorstwo*); **go on the** ~ zostać aktorem; **set the** ~ **for sth** *przen.* przygotować grunt pod coś; **take center** ~ (*także* **be at the center of the** ~) *gł. przen.* być na pierwszym planie. **3.** *film* plan (zdjęciowy); studio; hala zdjęciowa. **4.** estrada; podium. **5.** pomost, platforma; rusztowanie. **6.** *astronautyka* stopień, człon (*rakiety*). **7.** *el.* stopień (*układu elektronicznego*). **8.** *geol.* piętro (*osadów skalnych*). **9.** *hydrol.* poziom wody (*w rzece*). **10.** = **stagecoach**. – *v.* **1.** organizować, urządzać (*koncert, imprezę, strajk, protest*). **2.** *teatr* wystawiać, inscenizować. **3.** *teatr, film* umiejscawiać (*akcję gdzieś*). **4.** ~ **a comeback** *przen.* odzyskać dawną popularność *l.* świetność; powrócić *l.* wrócić do łask.

stagecoach [ˈsteɪdʒˌkoʊtʃ], **stage coach** *n. gł. hist.* dyliżans.

stagecraft [ˈsteɪdʒˌkræft] *n. U teatr* scenopisarstwo; technika sceniczna.

stage direction *n. teatr* wskazówka reżyserska, tekst poboczny; *pl.* didaskalia.

stage door *n. teatr* wejście dla aktorów.

stage fright *n. U* trema.

stagehand [ˈsteɪdʒˌhænd] *n. teatr, film* pracowni-k/ca obsługi sceny *l.* planu; inspicjent/ka.

stage-manage [ˈsteɪdʒˌmænɪdʒ] *v.* **1.** zaaranżować, wyreżyserować (*przebieg czegoś*). **2.** *teatr, film, telew.* kierować planem (*t. czegoś*), reżyserować (*t. coś*).

stage manager *n. teatr, film, telew.* kierownik planu, realizator/ka; reżyser.

stage name *n. teatr, film* pseudonim artystyczny.

stage-struck [ˈsteɪdʒˌstrʌk] *a.* **1.** rozkochany w teatrze. **2. be** ~ pragnąć za wszelką cenę zostać aktor-em/ką.

stage whisper *n. t. teatr* szept sceniczny.

stagey [ˈsteɪdʒɪ] *a.* = **stagy**.

stagflation [ˌstægˈfleɪʃən] *n. U ekon.* stagflacja.

staggard [ˈstægərd] *n. myśl.* jeleń czteroletni.

stagger [ˈstægər] *v.* **1.** zataczać się, słaniać się (na nogach), iść zataczając się *l.* chwiejnym krokiem; ~ **into a room** wejść do pokoju chwiejnym krokiem; ~ **to one's feet** z trudem powstać, z trudem stanąć na nogi. **2.** stracić równowagę; zachwiać się. **3.** *przen.* zszokować, wprawić w osłupienie (*kogoś; o wydarzeniu, wiadomości*); wstrząsnąć (*kimś*); ~ **the imagination/mind** przechodzić ludzką wyobraźnię, nie mieścić się w głowie. **4.** oszołomić (*o ciosie*). **5.** wahać się. **6.** planować *l.* układać naprzemiennie *l.* kolejno (*urlopy, dyżury, zajęcia, aby nie zachodziły na siebie*); rozmieszczać naprzemiennie (*przedmioty*). – *n.* **1.** *zw. sing.* chwiejny krok; zataczanie się; **walk with a** ~ iść zataczając się, zataczać się, słaniać się. **2.** *lotn.* przodowanie płatów (*dwupłatowca*); układ schodkowy.

staggered [ˈstægərd] *a. pred.* oszołomiony, zszokowany (*by / at sth* czymś); oniemiały (*by / at sth* z powodu czegoś); **be ~ to hear/find/learn sth** osłupieć na wieść o czymś.

staggered junction *n. Br. mot.* skrzyżowanie z przesunięciem.

staggered start *n. sport* start przesunięty (*na bieżni, dla wyrównania różnicy w długości torów*).

staggering [ˈstægərɪŋ] *a.* zatrważający, niewiarygodny (*np. o kosztach, deficycie*); szokujący, oszałamiający (*np. o szczerości*); zdumiewający (*np. o postępach*).

staggeringly [ˈstægərɪŋlɪ] *adv.* niewiarygodnie.

staggers [ˈstægərz] *n. U* **1.** (*także* **blind** ~) *wet.* kołowacizna. **2.** *pat.* choroba kesonowa; zawroty głowy (*w chorobie kesonowej*).

staghorn [ˈstægˌhɔːrn] *n.* = **stag's horn**.

staging [ˈsteɪdʒɪŋ] *n.* **1.** *teatr* inscenizacja, wystawienie (*sztuki*). **2.** *bud.* rusztowanie. **3.** *astronautyka* stopniowanie (*rakiety*).

staging area *n. wojsk.* punkt zborny.

staging post *n.* przystanek (*w podróży, zwł. lotniczej*).

stagnancy [ˈstægnənsɪ] *n. U* stagnacja, zastój.

stagnant [ˈstægnənt] *a.* **1.** stojący (*o wodzie*); zastały (= *nieruchomy*). **2.** *t. ekon.* w zastoju; niezmienny, niezmieniony (*o produkcji, dochodach*). **3.** *giełda* bierny, leniwy (*o okresie*).

stagnate [ˈstægneɪt] *v.* stać (w miejscu); trwać w zastoju; ulegać zastojowi.

stagnation [ˌstægˈneɪʃən] *n. U* stagnacja, zastój; ~ **point** martwy punkt.

stag party *n. pl.* **-ies** (*także Br.* **stag night**) wieczór kawalerski.

stag's horn [ˈstægz ˌhɔːrn] *n.* (*także* **staghorn**) **1.** *U* róg jelenia (*tworzywo*). **2.** *bot.* widłak (*mech Lycopodium, Platycerium*).

stagy [ˈsteɪdʒɪ] *a.* **-ier, -iest** (*także* **stagey**) sztuczny (*o zachowaniu*); teatralny (*o geście*).

staid [steɪd] *a.* stateczny.

stain [steɪn] *n.* **1.** *t. przen.* plama; **blood** ~ plama (z) krwi, krwawa plama; **fruit/wine** ~ plama z owoców/wina; ~ **on sb's honor/reputation** *t. przen.* plama na czyimś honorze/czyjejś reputacji. **2.** *C/U chem.* barwnik, farba; (*także* **wood** ~) bejca. – *v.* **1.** plamić (się) (*with sth* czymś). **2.** barwić, farbować; bejcować. **3.** ~ **sb's name/character/reputation** *lit.* splamić czyjeś imię/czyjś honor/czyjąś reputację.

stained glass [ˌsteɪnd ˈglæs] *n. U bud.* witraż.

stained-glass [ˌsteɪndˈglæs] *a. attr.* witrażowy; ~ **windows** witraże, okna witrażowe.

stainless ['steɪnləs] *a.* nieskazitelny (*o reputacji, krysztale*); nieskalany (*o reputacji*).

stainless steel *n. U metal.* stal nierdzewna.

stair [ster] *n.* **1.** *zob.* **stairs**. **2.** stopień, schodek. **3.** *lit.* schody.

staircase ['ster,keɪs] *n. bud.* klatka (schodowa), schody.

stair rod *n.* pręt przytrzymujący (*dywanik na schodach*).

stairs [sterz] *n. pl.* **1.** schody; **up/down the ~** (po schodach) do góry/na dół (*wchodzić/schodzić*); na górze/dole (*znajdować się*); **foot of the ~** dół schodów; **head/top of the ~** góra schodów; **flight of ~** odcinek schodów; kondygnacja, piętro (*przy określaniu różnicy wzniesień w budynku*); *bud.* bieg schodowy. **2.** *zob.* **stair**.

stairway ['ster,weɪ] *n. bud.* schody (*zwł. okazałe*); klatka schodowa.

stairwell ['ster,wel] *n. bud.* klatka schodowa; szyb klatki schodowej.

stake [steɪk] *n.* **1.** *bud.* pal, słup, kołek. **2.** kłonica. **3.** *hist.* słup na stosie; **the ~** stos (*do palenia ludzi*); **be burned at the ~** spłonąć na stosie; **go to the ~** trafić na stos. **4.** *t. pl.* stawka; **human life is at ~** stawką jest ludzkie życie; **play for high ~s** *t. przen.* grać o wysoką stawkę. **5.** *fin. l. przen.* udział; **have a ~ in sth** mieć w czymś udział *l.* interes, być czymś żywotnie zainteresowanym; **hold a 30% ~ in the company** *fin.* mieć 30% udziałów w spółce; **majority/minority ~** *fin.* udział większościowy/mniejszościowy. **6.** *US i Can. górn.* = **grubstake**. **7.** *przen.* **(be prepared to) go to the ~ for/over sth** (być gotowym) dać sobie głowę obciąć za coś (= *ręczyć za coś*); **raise ~s** (*także US* **pull up ~s**) (*także Br.* **up ~s**) *pot.* zwijać manatki; **(score highly) in the popularity ~s** (mieć dobrą pozycję) w rankingu popularności. – *v.* **1.** stawiać (*sth on sb / sth* coś na kogoś/coś); ryzykować (*pieniądze*); *ekon.* lokować, inwestować (*fundusze*); **~ one's hopes on sb** pokładać w kimś nadzieje, lokować w kimś swoje nadzieje. **2.** ~ **(up)** wzmacniać; podpierać (*słupkami, palikami*). **3.** ~ **(off)** ograniczać, wytyczać (*teren*). **4.** ~ **(out) a claim to sth** zgłaszać roszczenia wobec czegoś, rościć sobie prawo do czegoś. **5.** przywiązywać do słupa *l.* pala (*zwierzę*). **6.** ~ **sth out** ograniczać coś, wytyczać coś (*teren*); *gł. US pot.* obserwować coś z ukrycia, mieć coś na oku (*t. o policji*).

stakeholder ['steɪk,hoʊldər] *n.* **1.** *fin.* udziałowiec. **2.** osoba (bezpośrednio) zainteresowana. **3.** *hazard* osoba przyjmująca stawki *l.* zakłady; krupier (*w kasynie*). **4.** *prawn.* komisarz, zarządca.

stake-out ['steɪk,aʊt] *n. gł. US pot.* zasadzka (*zwł. policyjna*).

Stakhanovite [stə'kɑːnə,vaɪt] *n. hist.* stachanowiec.

stalactite [stə'læktaɪt] *n. geol.* stalaktyt.

stalactitic [,stæləg'tɪtɪk] *a. geol.* stalaktytowy.

stalag ['stɑːlɑːg] *n. hist.* stalag.

stalagmite [stə'lægmaɪt] *n. geol.* stalagmit.

stalagmitic [,stæləg'mɪtɪk] *a. geol.* stalagmitowy.

stale¹ [steɪl] *a.* **1.** nieświeży, stary (*zwł. o żywności*); czerstwy (*o chlebie*); zwietrzały (*o piwie*); stęchły, zatęchły (*o powietrzu*); **go ~** tracić świeżość, starzeć się; czerstwieć (*o chlebie*). **2.** *przen.* stary, nieświeży, przebrzmiały (*np. o anegdocie, argumencie*); skostniały (*o osobie*); **get/go/feel ~** popadać w rutynę (*zwł. w pracy*). **3.** *prawn., fin.* przedawniony (*o roszczeniu, czeku*). – *v. form.* **1.** tracić na atrakcyjności. **2.** starzeć się, tracić świeżość.

stale² *v.* oddawać mocz (*o koniach, bydle*). – *n. U form.* uryna, mocz (*koński l. krowi*).

stalemate ['steɪl,meɪt] *n. C/U* **1.** *szachy* pat. **2.** martwy punkt, sytuacja patowa, pat; **break a ~** ruszyć *l.* wyjść z martwego punktu; **end in ~** utknąć *l.* stanąć w martwym punkcie; **locked in ~** w martwym punkcie. – *v.* **1.** *szachy* dawać pata (*przeciwnikowi*). **2.** zablokować (*zwł. negocjacje*). **3.** utknąć *l.* stanąć w martwym punkcie.

staleness ['steɪlnəs] *n. U* **1.** nieświeżość; czerstwość. **2.** rutyna.

stalk¹ [stɔːk] *n.* **1.** *bot.* łodyga; łodyżka; ogonek, nóżka (*liścia, kwiatu, grzyba*); szypułka (*owocu*). **2.** nóżka (*kieliszka*), . **3.** *zool.* słupek; nóżka (*zwł. w pierwotnych organizmach*). **4.** **sb's eyes are out on ~s** *Br. i Austr. pot.* komuś oczy wyszły na wierzch, ktoś zrobił takie oczy (*ze zdziwienia*).

stalk² *v.* **1.** *t. myśl.* śledzić, tropić; podchodzić (*zwierzynę, ofiarę*). **2.** chodzić krok w krok za (*kimś; często za obiektem uwielbienia*), prześladować. **3.** kroczyć (dumnie *l.* sztywno). **4.** kręcić się po (*ulicach, parku*); *przen.* grasować po, szerzyć się w (*danej okolicy; np. o epidemii, zarazie, głodzie*). – *n.* **1.** skradanie się; śledzenie, tropienie. **2.** dumny *l.* sztywny krok.

stalker ['stɔːkər] *n.* **1.** myśliwy, tropiciel/ka. **2.** *t. prawn.* prześladow-ca/czyni (*śledzący ofiarę l. nagabujący ją telefonami itp.*).

stalk-eyed [,stɔːk'aɪd] *a. zool.* z oczyma na słupkach (*o zwierzęciu*).

stalking ['stɔːkɪŋ] *n. U t. prawn.* prześladowanie (*przez śledzenie, pogróżki, telefony*).

stalking horse *n.* **1.** pretekst. **2.** *gł. US polit.* podstawiony kandydat, figurant. **3.** *myśl.* koń maskujący (*obecność myśliwego*).

stall¹ [stɔːl] *n.* **1.** *handl.* stragan, kiosk, budka; stoisko; **vegetable ~** stragan z warzywami. **2.** *roln.* stanowisko, przegroda (*konia w stajni, krowy w oborze*). **3.** kabina (*z toaletą, prysznicem*). **4.** *mot.* miejsce (do parkowania). **5.** *kośc.* stalle. **6.** *pl.* **the ~s** *Br. i Austr. teatr, kino* parter, miejsca na parterze. **7.** *mot.* zgaśnięcie silnika. **8.** *lotn.* przeciągnięcie. **9.** *chir.* palec (= *osłona na palec*). – *v.* **1.** *mot.* zgasnąć (*o silniku*); zadusić (*silnik przez nadmierne obciążenie*); **my car ~ed (on me)** (*także* **I ~ed the car**) zgasł mi silnik. **2.** *lotn.* przeciągnąć (*samolot*). **3.** trzymać *l.* umieszczać w oborze *l.* stajni (*krowy, konie*).

stall² *v. gł. pot.* grać na zwłokę, ociągać się, zwlekać (*t. sport - z podaniem piłki*); przeciągać, celowo opóźniać (*czynność, wykonanie czegoś*); ociągać się z (*czymś*); zatrzymywać, zajmować, zagadywać (*kogoś*); opóźniać się (*o pracach*); ~ **for time** grać na zwłokę. – *n.* pretekst, unik (*dla odwrócenia uwagi*).

stallage ['stɔːlɪdʒ] *n. U handl.* opłata targowa.

stall-feed ['stɔːlˌfiːd] *v.* **-fed, -fed** tuczyć (*bydło*).

stallholder ['stɔːlˌhouldər] *n. Br. handl.* straganiarz/rka.

stallion ['stæljən] *n. jeźdz., wet. t. przen.* ogier.

stalwart ['stɔːlwərt] *a.* **1.** lojalny, oddany (*o sojuszniku, zwolenniku*). **2.** *form.* krzepki; solidny (*zwł. o osobie*). – *n. gł. polit.* lojaln-y/a zwolenni-k/czka (*partii, ideologii, lidera*); **party** ~ lojaln-y/a człon-ek/kini partii.

stamen ['steɪmɪn] *n. pl.* **-s** *l.* **stamina** ['steɪmənə] *bot.* pręcik.

stamina¹ ['stæmənə] *n. U* wytrzymałość, wytrwałość; **test of** ~ sprawdzian wytrzymałości.

stamina² ['steɪmənə] *n. pl. bot. zob.* **stamen**.

staminal ['stæmənl] *a. bot.* pręcikowy, pręcika.

staminate ['stæmɪnət] *a. bot.* z pręcikami, męski (*o kwiecie*).

stammer ['stæmər] *v.* **1.** jąkać się. **2.** ~ **(out)** wyjąkać. – *n. gł. sing.* jąkanie się; **have a (bad)** ~ (mocno) się jąkać.

stammerer ['stæmərər] *n.* osoba jąkająca się; jąkała (*pot.*).

stammeringly ['stæmərɪŋlɪ] *adv.* jąkając się.

stamp [stæmp] *n.* **1.** (*także* **postage** ~) znaczek (pocztowy); **book/sheet of ~s** karnet znaczków; **stick/put a ~ on (a letter)** przykleić znaczek (na list). **2.** (*także* **rubber** ~) pieczątka, stempel, pieczęć (*urządzenie l. odcisk, t. opłaty skarbowej, celnej*). **3.** *handl.* kupon. **4.** *przen.* cecha; piętno; znamiona; **bear the ~ of sth** nosić znamiona czegoś; **leave one's ~ on sth** pozostawić na czymś swoje piętno; **the ~ of truth** znamiona prawdy. **5.** *form.* pokrój, rodzaj; **a man/woman of his/her** ~ mężczyzna/kobieta jego/jej pokroju. **6.** tupnięcie. **7.** *górn.* stępor, tłuczek, kruszarka (*do rudy*). – *v.* **1.** ~ **(around/about)** ciężko stąpać *l.* chodzić; (*także* ~ **one's foot**) tupać (nogą); ~ **one's feet** przytupywać (*z zimna, do rytmu*). **2.** stemplować (*dokument, paszport*); wybijać, wbijać (*datę*); ~ **a date on a letter** wybić datę na liście; ~ **a passport with a date** wbić datę do paszportu. **3.** tłoczyć, odciskać, wyciskać (*znak na czymś*). **4.** *górn.* kruszyć (*rudę*). **5.** ~ **sb as sth** *przen.* zdemaskować kogoś jako kogoś (*kłamcę, oszusta*); ~ **the snow off one's shoes** strząsnąć śnieg z butów. **6.** ~ **on sth** rozdeptać coś; *Br. pot.* ukrócić coś (*krytykę*); ~ **on sb** *Br. pot.* pohamować czyjeś zapędy; **be ~ed on sb's memory** wryć się komuś w pamięć; ~ **out** zadeptać (*niedopałek, ognisko*); *przen.* wyplenić (*np. kradzieże*); wyeliminować (*np. biedę*); ~ **sb/sth with sth** wycisnąć piętno czegoś na kimś/czymś; ~ **sb with sth** przydawać komuś czegoś (*zwł. pewności siebie*), napełniać kogoś czymś (*jw.*).

Stamp Act *n. hist.* ustawa stemplowa (*parlamentu brytyjskiego z 1765, która przyczyniła się do wybuchu wojny o niepodległość USA*).

stamp album *n.* album na znaczki, album filatelistyczny.

stamp collecting *n. U* filatelistyka, zbieranie znaczków.

stamp collector *n.* filatelist-a/ka, kolekcjoner/ka znaczków.

stamp duty *n. U* (*także* **stamp tax**) *Br. fin.* opłata skarbowa *l.* stemplowa.

stamped [stæmpt] *a.* **1.** opatrzony znaczkiem. **2.** ostemplowany.

stamped addressed envelope *n.* (*także* **SAE**) *Br.* zaadresowana koperta ze znaczkiem, koperta zwrotna ze znaczkiem.

stampede [ˌstæm'piːd] *n.* **1.** panika, popłoch, paniczna ucieczka (*stada zwierząt, tłumu ludzi*). **2.** *przen.* pęd na oślep, owczy pęd; ~ **for tickets** pogoń za biletami. **3.** *US i Can.* festyn (z) rodeo. – *v.* **1.** rzucać się do panicznej ucieczki, uciekać w popłochu; wpadać w popłoch *l.* panikę; wprawiać w popłoch *l.* panikę. **2. be/get ~d into sth** zdecydować się na coś pochopnie *l.* niewiele myśląc (*zwł. w obliczu stresu*). **3.** rzucać się (*do sklepów*).

stamper ['stæmpər] *n.* **1.** stemplowacz/ka. **2.** *techn.* stemplownica, znakownica. **3.** *górn.* stępor, tłuczek, kruszarka (*do rudy*). **4.** *muz.* matryca (*płyty*).

stamping ground ['stæmpɪŋ ˌgraʊnd] *n.* **sb's** ~ *pot.* czyjeś ulubione miejsce.

stamp mill *n. górn.* kruszarka stęporowa, tłuczarka (*do rudy*).

stance [stæns] *n.* **1.** *t. polit.* stanowisko (*on sth* w jakiejś sprawie); **take/adopt a ~ on sth** zająć stanowisko w jakiejś sprawie. **2.** *form.* postawa (*ciała l. moralna*); pozycja (*ciała*).

stanch [stɔːntʃ] *v. i a. US* = **staunch**.

stanchion ['stæntʃən] *n.* **1.** *techn., bud.* wspornik, filar; podpora; słup; słupek (*w ramie okna*). **2.** *kol.* kłonica (*w wagonie towarowym*). **3.** *roln.* bramka (*do krępowania głowy krowy przy dojeniu*). – *v. techn., bud.* podpierać; zabezpieczać.

stand [stænd] *v.* **stood, stood 1.** stać (*t. o wodzie*); stawać; stanąć; ~ **in line** *US i Can.* stać w kolejce; ~ **in sb's way/path** *gł. przen.* stać komuś na drodze; ~ **on one's toes/head/hands** stać na palcach/głowie/rękach; ~ **to attention** *t. wojsk.* stać na baczność. **2.** *zwł. Br.* nastąpić, stanąć (*on sth* na coś); wdepnąć (*in sth* w coś). **3.** ~ **(up)** wstawać; *form.* powstawać; **please** ~ proszę wstać, proszę o powstanie. **4.** ustawiać, stawiać (*coś l. kogoś gdzieś l. na czymś*); ~ **a child (up) on a chair** postawić dziecko na krześle. **5.** *zwł. z can, could i z neg.* znosić, tolerować; **can't/cannot ~ sb/sth/sb doing sth** nie móc znieść kogoś/czegoś/jak ktoś coś robi; **can't/cannot ~ the sight of sb** nie móc znieść czyjegoś widoku; **how can you ~ that?** jak ty to możesz znieść?, jak ty to znosisz?; **I can't ~ to see food going to waste** nie mogę patrzeć, jak się marnuje jedzenie; **I won't ~ any of that** nie będę tego tolerować. **6.** wytrzymać, przetrwać; ~ **close scrutiny/examination** wytrzymać drobiazgową kontrolę/drobiazgowe badanie (= *okazać się dostatecznie dobrym*); ~ **the test of time** wytrzymać próbę czasu. **7.** znajdować się, być, pozostawać (*w jakimś stanie*); ~ **alone in sth** być odosobnionym w czymś (*w decyzji, poglądzie*); ~ **empty** stać *l.* być pustym (*o mieszkaniach, pomieszczeniach*); ~ **in relation to sth** mieć się do czegoś (*jakoś*); ~ **prepared/ready** być gotowym (*for sth* na coś, *to do sth* zrobić coś); ~ **together** trzymać się razem; ~ **united/divided (on sth)** zgadzać się/nie zgadzać się (co do czegoś). **8.** przedstawiać się (*o sprawach, sytuacji*). **9.** wznosić się; ~ **20 feet high/tall** wznosić się na wysokość 20 stóp. **10.** *polit.* kandydować; ~ **for parliament** kandydować do parlamentu; ~ **for reelection** kandydować ponownie, stanąć ponownie do wyborów. **11.** obowiązywać, być aktualnym; **the law still ~s** prawo nadal obowiązuje; **the same remark ~s (good) for the other proposal** ta sama uwaga odnosi się do drugiej propozycji; **what I said still ~s** to, co powiedziałem, jest wciąż aktualne. **12.** stawiać (= *fundować*); **I'll ~ you a drink** postawię ci drinka. **13.** *prawn.* ~ **accused of sth** być oskarżonym o coś; ~ **bail (for sb)** *zob.* **bail**[1] *n.*; ~ **surety (for sb)** *zob.* **surety**; ~ **trial** *zob.* **surety** *n.* **14.** ~ **a chance/hope** mieć szansę (*of (doing) sth* na coś); ~ **clear of sth** odsuwać się od czegoś; ~ **clear of the door!** proszę odsunąć się od drzwi!; ~ **firm/fast** nie ruszać się z miejsca; *przen.* nie ustępować (*on sth* w jakiejś sprawie); ~ **firm/fast against sth** zdecydowanie sprzeciwiać się czemuś; ~ **guard (over sth)** *zob.* **guard** *n.*; ~ **in the way** stać na przeszkodzie; ~ **one's ground** *zob.* **ground**[1] *n.*; ~ **or fall on/by sth** zależeć (wyłącznie) od czegoś; ~ **pat** *zob.* **pat**[2] *adv.*; ~ **sb in good stead** *zob.* **stead**; ~ **sth on its head** *zob.* **head** *n.*; ~ **still** *zob.* **still**[2] *adv.*; ~ **tall** *US przen.* nosić głowę wysoko, nie dać się (złamać); ~ **to gain/lose/win (from sth)** móc zyskać/przegrać/wygrać (na czymś); **as it ~s** w tej *l.* w (swojej) obecnej formie (*np. o prawie, przepisie*); **as things ~** *zob.* **thing**; **from where I ~** z mojego punktu widzenia; **I ~ corrected** *form.* przyznaję się do pomyłki; **I could stand...** *US żart.* nie powiedziałbym nie na...; **I could do it ~ing on my head** *zob.* **head** *n.*; **if you can't ~ the heat, get out of the kitchen** *pot.* nie ma co się zmuszać, nic na siłę; **it could ~ another look** przydałoby się jeszcze raz na to spojrzeć; **it ~s to reason that...** *zob.* **reason** *n.*; **leave sb ~ing** *zob.* **leave** *v.*; **make sb's hair ~ on end** *zob.* **hair**; **not have a leg to ~ on** *zob.* **leg** *n.*; **sb could ~ to do sth** *iron.* ktoś mógłby coś zrobić, komuś przydałoby się coś zrobić; **where/how do things ~?** jak się rzeczy *l.* sprawy mają?, jak wygląda sytuacja?; **where sb ~s** jaka jest czyjaś opinia (*on sth* na temat czegoś); **you know where/how you ~ (with him/her)** (z nim/nią to) wiesz, na czym stoisz. **15.** ~ **against sb/sth** sprzeciwiać się komuś/czemuś; ~ **around** stać bezczynnie; wystawać (*np. pod domem*); ~ **aside** odsunąć się (na bok); ~ **at** wynosić; **inflation ~s at ten percent** inflacja wynosi 10%; ~ **back** cofnąć się, odsunąć się (do tyłu); *przen.* stać w tyle, zachowywać rezerwę; ~ **by** przyglądać się (biernie), stać (bezczynnie); być w pogotowiu *l.* gotowości (*o systemie, oddziale*); ~ **by sb** trwać przy kimś, nie opuszczać kogoś; stanąć po czyjejś stronie; ~ **by sth** podtrzymywać coś (*dane słowo, opinię*); dotrzymać czegoś (*zwł. obietnicy, słowa*); ~ **by for sth/to do sth** być gotowym na coś, oczekiwać na coś; przygotowywać się do czegoś; ~ **down** ustąpić (*ze stanowiska*); wycofać się; *prawn.* opuścić miejsce dla świadka; *gł. Br. wojsk.* odmeldować się; ~ **sb down** *gł. Br. wojsk.* zwolnić kogoś (*żołnierza po wykonaniu zadania*); ~ **for sth** oznaczać coś, znaczyć coś; być skrótem od czegoś; reprezentować *l.* przedstawiać coś (sobą); wierzyć w coś (*w zasady*); pozwalać sobie na coś, tolerować coś, znosić coś; *polit.* ubiegać się o coś (*o urząd, mandat*); *żegl.* wytyczyć kurs na coś, ruszyć kursem na coś; ~ **in for sb** zastępować kogoś; ~ **off** odsuwać się, trzymać się z dala; ~ **sb off** zawiesić kogoś (*pracownika*); ~ **on** *żegl.* utrzymywać kurs; ~ **on sth** kłaść nacisk na coś; ~ **on ceremony** *zob.* **ceremony**; ~ **on one's dignity** *zob.* **dignity**; ~ **on one's head to do sth** stawać na głowie, żeby coś zrobić; ~ **on one's own (two) feet** *zob.* **feet**; ~ **out** wyróżniać się (*from / among / above sb / sth* wśród kogoś/czegoś, *as sb / sth* jako ktoś/coś); rzucać się w oczy, być dobrze widocznym; wystawać, sterczeć; opierać się, upierać się, obstawać przy swoim; ~ **out a mile** *zob.* **mile**; ~ **out in a crowd** *zob.* **crowd** *n.*; ~ **out against sth** zdecydowanie przeciwstawić się czemuś; ~ **over sb** stać komuś nad głową; ~ **to** *Br. wojsk.* zajmować pozycję (*o żołnierzach*); *Br. wojsk.* wydać rozkaz do zajęcia pozycji (*żołnierzom*); ~ **up** wstać; *form.* powstać; *przen.* ostać się, wytrzymać krytykę (*np. o argumentach*); ~ **up in court** rokować szanse na pozytywny wyrok (*np. o dowodach, zarzutach*); ~ **up and be counted** *przen.* nie bać się wyrazić własnego zdania, odważnie wyrazić własne zdanie; ~ **up straight** wyprostować się; ~ **sb up** *pot.* wystawić kogoś do wiatru (= *nie przyjść na umówione spotkanie*); ~ **up for sb/sth** stanąć w obronie kogoś/czegoś, ująć się za kimś/czymś; ~ **up for one's opinions** bronić swoich poglądów; ~ **up for sb** *US* być świadkiem na czyimś ślubie (*pana młodego*); ~ **up to sth** znosić coś, wytrzymywać coś (*np. mróz, wiatr*); ~ **up to/under sth** wytrzymać coś (*np. analizę, krytykę*); ~ **up to sb/sth** stawić komuś/czemuś czoło. – *n.* **1.** stojak; wieszak; **coat/hat-~** wieszak na ubrania/kapelusze; **microphone ~** statyw (mikrofonu). **2.** *gł. handl.* stoisko; budka; **hot-dog ~** budka z hot dogami. **3.** *gł. sing.* stanowisko; **take a ~** zająć stanowisko (*on sth* w jakiejś sprawie). **4.** postój; stanowisko; **taxi ~** postój taksówek. **5.** stanie (*w kolejce, na rękach*); stanięcie; *sport* stójka; **hand/head ~** stanie *l.* stójka na rękach/głowie. **6.** zatrzymanie; **come/be brought to a ~** zatrzymać się, stanąć. **7.** *sport* trybuna; *pl.* trybuny; **grand ~** trybuna główna. **8.** *leśn.* drzewostan. **9.** opozycja, obrona, opór; **the last ~** ostatnia linia obrony; **make a ~** stawiać opór; **make/mount/take a ~ against sth** przeciwstawiać się czemuś. **10.** *US prawn.* miejsce dla świadka (*w sądzie*); **take the ~** zajmować miejsce (dla świadka); zeznawać. **11.** *US* cykl występów (*artystycznych*); cykl *l.* seria spotkań (*sportowych*); wizyta (*teatru, drużyny*). **12.** *krykiet* runda. **13.** **one-night ~** *zob.* **one-night**.

stand-alone [ˈstændəˌloʊn] *a. attr. zwł. techn.* samodzielny, autonomiczny; *komp.* wolno stojący.

standard [ˈstændərd] *n.* **1.** poziom; standard; wymaganie; norma; **~ of living** poziom *l.* standard życia, stopa życiowa; **~ of teaching** poziom nauczania; **air quality/pollution ~** *ekol.* norma jakości/zanieczyszczenia powietrza; **below ~** poniżej wymagań, na niewystarczającym poziomie; **emission ~** *ekol.* norma emisji; **industrial ~** *techn.* norma przemysłowa; **let ~s slip/fall/drop** doprowadzić *l.* dopuścić do obniżenia standardów; **meet/attain/reach a ~** osiągnąć poziom; **maintain ~s/a ~** utrzymywać poziom; **of a high/low ~** na wysokim/niskim poziomie; **set ~s** ustalać *l.* dyktować normy; **set high ~s (for sb)** stawiać (przed kimś) wysokie wymagania; **raise/lower ~s** podnieść/obniżyć wymagania *l.* normy; **(up) to ~** na odpowiednim poziomie. **2.** *pomiary* wzorzec, etalon; próba (*złota, srebra*); *t. przen.* miernik, wskaźnik, wyznacznik; miara; **double ~** podwójna miara (= *inne traktowanie, krzywdzące dla pewnej grupy, zwł. płci*); **moral double ~** podwójny kodeks moralny (*zwł. dla mężczyzn i kobiet*). **3.** *muz.* standard; **jazz ~** standard jazzowy. **4.** *fin.* standard; **currency ~** system walutowy, waluta; **gold/paper ~** waluta złota/papierowa. **5.** sztandar. **6.** *bot.* żagielek (*w kwiecie roślin strączkowych*). **7.** *Br. bud.* stojak, podpora; pion (*gazu, wody*). – *a. zwł. attr.* **1.** standardowy; znormalizowany; zwykły, rutynowy, normalny; **~ model** *mot.* model podstawowy *l.* standardowy; **(this is) ~ practise/procedure** (to) standardowa *l.* zwykła praktyka/procedura. **2.** typowy (*o rozmiarze, kształcie*). **3.** klasyczny, standardowy, wzorcowy (*o podręczniku, pracy naukowej*). **4.** *Br. jęz.* standardowy, zgodny z normą (językową). **5.** *pomiary* normalny, wzorcowy; **~ air/cell** powietrze/ogniwo normalne; **~ clock** zegar wzorcowy; **~ time** czas urzędowy; norma czasu.

standard amenities *n. Br. prawn.* minimalny standard sanitarny (*wymagany prawem*).

standard-bearer [ˈstændərdˌberər] *n. wojsk.* chorąży, niosący sztandar.

standard deduction *n. US fin.* kwota (przychodu) zwolniona od podatku *l.* opodatkowania.

standard deviation *n. stat.* odchylenie standardowe.

standard error *n. stat.* błąd standardowy (*próby*).

standard-issue [ˌstændərdˈɪʃuː] *a. gł. attr. wojsk.* przydziałowy; wojskowy (*o odzieży, sprzęcie*).

standardization [ˌstændərdəˈzeɪʃən], *Br. i Austr. zw.* **standardisation** *n. U* ujednolicenie, unormowanie (*prawa*); normowanie, cechowanie (*przyrządu pomiarowego*); *stat.* standaryzacja.

standardize [ˈstændərˌdaɪz], *Br. i Austr. zw.* **standardise** *v.* ujednolicać (*prawo, pisownię*); dostosowywać do norm *l.* normy, unormować, normalizować; *stat.* standaryzować; cechować (*przyrząd pomiarowy*); **~d test** *szkoln.* test standaryzowany.

standard lamp *n.* **1.** *Br.* lampa podłogowa *l.* stojąca. **2.** *opt.* wzorzec fotometryczny, lampa wzorcowa.

standard operating procedure *n.* (*także* **SOP**) *US* normalny tryb postępowania.

standby [ˈstændˌbaɪ], **stand-by** *n. pl.* **-ies** **1.** *U* pogotowie, stan pogotowia; **on ~** w pogotowiu, w gotowości. **2.** rezerwa; środek awaryjny; osoba w rezerwie. **3.** *lotn.* pasażer na liście rezerwowej. – *a.* **1.** awaryjny, rezerwowy (*o agregacie, obwodzie, załodze*). **2.** *zwł. lotn.* standby; **~ ticket** bilet bez rezerwacji miejsca. – *adv.* **fly ~** *zwł. lotn.* lecieć bez rezerwacji.

standee [stænˈdiː] *n.* pasażer/ka stojąc-y/a (*np. w autobusie*).

stand-in [ˈstændˌɪn] *n.* **1.** zastęp-ca/czyni. **2.** *film* dubler/ka. – *a. attr.* zastępujący; zastępczy, rezerwowy.

standing [ˈstændɪŋ] *a. attr.* **1.** stojący (*o osobie, pozycji, wodzie*); **~ jump** skok z miejsca. **2.** stały (*np. o zleceniu, komisji*). **3.** ustalony (*np. o porządku obrad*). – *n. U* **1.** pozycja (*zwł. społeczna*), stanowisko; **of high (social) ~** zajmujący wysoką pozycję (społeczną). **2. in good ~** ważny, aktualny (*o dokumencie, pozwoleniu*); bez zobowiązań (*o osobie, zwł. członku organizacji*); **of long ~** długotrwały, wieloletni; **of three/many years' ~** trzyletni/wieloletni.

standing army *n. wojsk.* stała armia, stałe siły zbrojne.

standing committee *n. parl.* stała komisja.

standing crop *n. roln.* niezebrany plon, niezebrane zboże.

standing joke *n.* źródło nieustającej radości, ciągły *l.* stały powód do żartów; **become a ~** stać się pośmiewiskiem (wszystkich).

standing order *n. Br. bank* zlecenie stałe.

standing ovation *n.* owacja na stojąco, huczne oklaski *l.* brawa; **give sb a ~** sprawić komuś owację na stojąco, nagrodzić kogoś hucznymi oklaskami *l.* brawami; **receive a ~** zostać nagrodzonym owacją na stojąco.

standing room *n. U* miejsca stojące; **standing room only** brak miejsc siedzących, wszystkie miejsca wyprzedane (*wywieszka w kasie*).

standings [ˈstændɪŋz] *n. pl. zwł. sport* lista rankingowa.

standoff [ˈstændˌɔːf], **stand-off** *n.* **1.** *zwł. dzienn., polit.* impas, sytuacja patowa *l.* bez wyjścia. **2.** *sport* remis, gra nierozstrzygnięta; równowaga. **3. ~ (insulator)** *el.* izolator (wsporczy).

standoffish [ˌstændˈɔːfɪʃ], **stand-offish** *a. pot.* sztywny, nieprzystępny.

standoffishly [ˌstændˈɔːfɪʃlɪ] *a. pot.* sztywno.

standoff missile *n. wojsk.* pocisk lotniczy dalekiego zasięgu.

standout [ˈstændˌaʊt], **stand-out** *US i Can. n.* wybitna *l.* wyróżniająca się jednostka; *U* wybitność. – *a. attr.* wybitny, wyróżniający się.

standover [ˈstændˌoʊvər] *n. Austr. pot.* szantaż; **~ man** szantażysta.

standpatter [ˈstændˌpætər] *n. US* konserwatyst-a/ka. – *a. attr.* konserwatywny.

standpipe [ˈstændˌpaɪp] *n. hydrol.* pion (wodny), rura pionowa; rura ciśnień; kolumna wodna.

standpoint [ˈstændˌpɔɪnt] *n.* **1.** punkt widzenia; **from sb's ~** z czyjegoś punktu widzenia;

from the ~ of sb/sth z czyjegoś/jakiegoś punktu widzenia. **2.** punkt obserwacyjny.

standstill [ˈstændˌstɪl] *n. gł. sing.* zastój, przerwa; **at a ~** nieruchomy; zablokowany; *przen.* w martwym punkcie; **come to a ~** zatrzymać się, stanąć; **bring sth to a ~** zatrzymać coś.

standup [ˈstændˌʌp], **stand-up** *n. pot.* = **stand-up comedy**. – *a. attr.* **1.** na stojąco (*np. o poczęstunku, spotkaniu*). **2.** stojący (*np. o telefonie, kołnierzu*). **3.** *pot.* swojski; poczciwy; uczciwy. **4.** gwałtowny, zajadły (*o kłótni, sprzeczce*); bezwzględny (*o walce*).

stand-up comedy *n. U* monolog satyryczny; występy satyryczne, kabaret jednoosobowy; **do ~** występować w krótkich monologach satyrycznych, pracować jako satyryk.

stand-up comic *n.* komi-k/czka, satyry-k/czka (*występujący samodzielnie w krótkich monologach*).

stanhope [ˈstænˌhoʊp] *n. hist.* karykiel (= *lekki odkryty powóz*).

Stanislavsky method [ˌstænɪˈslɑːvskɪ ˌmeθəd] *n. U teatr* metoda Stanisławskiego.

stank [stæŋk] *v. zob.* **stink**.

Stanley knife [ˈstænlɪ ˌnaɪf] *n. Br. i Austr.* nóż do tapet.

stannary [ˈstænərɪ] *n. pl.* **-ies** *górn.* **1.** zagłębie cynowe. **2.** kopalnia cyny.

stannate [ˈstæneɪt] *n. C/U chem.* cynian.

stannic [ˈstænɪk] *a. chem.* cynowy; **~ sulfide** siarczek cynowy.

stannite [ˈstænaɪt] *n. U min.* stanit.

stannous [ˈstænəs] *a. chem.* cynawy.

stanza [ˈstænzə] *n. wers.* zwrotka, strofa.

stanzaic [ˌstænˈzeɪɪk] *a. wers.* stroficzny.

staph [stæf] *n. pot.* = **staphylococcus**.

staphylococcus [ˌstæfələˈkɑːkəs] *n. pl.* **-cocci** [ˌstæfələˈkɑːksaɪ] *pat.* gronkowiec.

staple¹ [ˈsteɪpl] *n.* **1.** zszywka (*do papieru*). **2.** *bud.* klamra; skobel. – *v.* **1. ~ (together)** zszywać (*zszywaczem*). **2.** mocować klamrą *l.* skoblem.

staple² *n.* **1.** (*także* **~ food**) podstawowy artykuł żywnościowy. **2.** podstawowy produkt *l.* towar (eksportowy) (*danego kraju, terenu*). **3.** główny surowiec. **4.** główny temat (*artykułów, plotek*). **5.** *U tk.* włókno (przędne), stapel. **6.** *tk.* sortować (*wełnę itp. według włókna*). – *a. attr.* podstawowy, główny (*o produkcie, surowcu*); **~ diet** podstawa pożywienia; *przen.* chleb powszedni (*np. typowa tematyka programu telewizyjnego*); **sb's ~ excuse** czyjaś tradycyjna *l.* standardowa wymówka.

staple gun *n.* (*także* **staple tool**) *stol.* zszywacz tapicerski, taker.

stapler [ˈsteɪplər] *n.* zszywacz (biurowy).

star [stɑːr] *n.* **1.** *t. astron., film, muz.* gwiazda; **~ of the show** gwiazda programu; **film/movie ~** gwiazda filmowa; gwiazdor filmowy; **pop ~** gwiazda muzyki pop, gwiazda popu; **rising ~** wschodząca gwiazda (*kina*); **shining ~** *przen.* gwiazda (*osoba*); **shooting ~** spadająca gwiazda. **2.** *pl. lit.* gwiazdy, los; *pot.* horoskop; **it is/was (written) in the ~s** *lit.* tak było zapisane w gwiazdach, los tak chciał; **read one's ~s** *pot.* czytać swój horoskop. **3.** *t. w złoż. t. druk., wojsk.* gwiazdka; **three-~ hotel** hotel trzygwiazdkowy; **two-~/four-~ (petrol)** *Br. mot.* benzyna dwugwiazdkowa/czterogwiazdkowa (= *średniooktanowa / wysokooktanowa*). **4.** *przen.* **have ~s in one's eyes** wyobrażać sobie nie wiadomo co; **sb saw ~s** ktoś zobaczył gwiazdy, gwiazdy się komuś pokazały (*od uderzenia w głowę*); **you're a ~!** *pot.* jesteś aniołem!. – *a. attr.* wybitny, czołowy, najlepszy; pokazowy; **the ~ part (of sth)** pokazowa część (czegoś); **~ player** czołowy gracz; **~ quality** predyspozycja do bycia gwiazdą; **~ turn/attraction** główna atrakcja. – *v.* **-rr- 1.** *film* grać (główną rolę), występować (*in sth* w czymś); **the movie ~s Meg Ryan** (główną rolę) w tym filmie gra Meg Ryan; **~ring:** w rolach głównych:, obsada:; **~ring role** główna rola. **2.** *druk.* oznaczać gwiazdką *l.* gwiazdkami; **~red items** pozycje oznaczone gwiazdkami (*na liście*). **3. ~ (out)** *druk.* zastępować gwiazdkami (*literki, hasło, nieprzyzwoite słowo w druku*). **4.** ozdabiać gwiazdkami. **5.** przyznawać gwiazdki (*hotelowi, restauracji*); **~red hotel** hotel z kategorią (*o dowolnej liczbie gwiazdek*).

star apple *n. bot.* drzewo tropikalne (*Chrysophyllum cainito*); owoc drzewa jw.

starboard [ˈstɑːrbərd] *żegl. l. lotn. n. U* prawa burta *l.* strona, sterburta; **to ~** na prawą burtę *l.* stronę, na sterburtę. – *a. i adv.* na prawą burtę *l.* stronę, na sterburtę; na prawej burcie *l.* stronie, na sterburcie. – *v.* sterować na prawą burtę *l.* stronę, sterować na sterburtę.

starburst [ˈstɑːrˌbɝːst] *n.* **1.** promieniście rozchodzące się linie (*motyw graficzny*). **2.** *film* eksplodująca gwiazda (*sekwencja filmowa*).

starch [stɑːrtʃ] *n. zw. U* **1.** *chem.* skrobia. **2.** *t. pl. kulin.* żywność bogata w skrobię, potrawy bogate w skrobię. **3.** *chem.* krochmal. **4.** *przen.* sztywność (*w zachowaniu*). **5.** *US* energia; siła przebicia. – *v.* krochmalić.

Star Chamber *n.* (*także* **Court of ~**) *Br. hist.* Izba Gwiaździsta, Sąd Izby Gwiaździstej (*znany ze stronniczości*).

star chamber *n. przen.* sąd kapturowy.

starched [stɑːrtʃt] *a.* wykrochmalony (*o obrusie, koszuli*).

starchy [ˈstɑːrtʃɪ] *a.* **-ier, -iest 1.** bogaty w skrobię (*o żywności*). **2.** *biochem.* skrobiowy. **3.** *przen.* sztywny (*o zachowaniu, osobie*).

star connection *n. el.* połączenie w gwiazdę.

star-crossed [ˈstɑːrˌkrɔːst] *n. lit.* nieszczęśliwy, pokrzywdzony przez los (*zwł. o kochankach*).

stardom [ˈstɑːrdəm] *n. U* **1.** gwiazdorstwo; sława; **rise/shoot to ~** zdobyć *l.* osiągnąć sławę. **2.** gwiazdy filmowe (*zbiorowo*).

stardust [ˈstɑːrˌdʌst] *n. U* **1.** gwiazdki (*wokół czarodziejskiej różdżki*). **2.** *astron.* gwiezdny pył (= *ledwie widoczne odległe gwiazdy i mgławice*). **3.** *przen.* rozmarzenie; niebieskie migdały.

stare [ster] *v.* **1. ~ (at sb/sth)** przyglądać się (komuś/czemuś), patrzeć (na kogoś/coś); wpatrywać się (w kogoś/coś), przypatrywać się (komuś/czemuś); *uj.* gapić się (na kogoś/coś); ~ **into space** patrzeć przed siebie (niewidzącym wzrokiem); ~ **out the window** wyglądać *l.* gapić się przez okno. **2.** być wpatrzonym (*o wzroku, oczach*). **3.** *przen.* ~ **sb into silence** uciszyć kogoś spojrzeniem; **sth is staring sb in the face** coś się samo komuś narzuca (*np. konkluzja, odpowiedź*); coś zagląda komuś w oczy (*np. bieda, śmierć*). **4.** ~ **sb down** *US*/**out** *Br. i Austr.* patrzeć na kogoś przeciągle (*aż odwróci wzrok*); wygrać (z kimś) pojedynek na spojrzenia; *przen.* zastraszyć kogoś; **be ~d down** nie wytrzymać spojrzenia; odwrócić wzrok, spuścić oczy. – *n.* spojrzenie; **hold sb's** ~ wytrzymać czyjeś spojrzenie.

starer [ˈsterər] *n.* gap; *pl.* gapie.

starfish [ˈstɑːrˌfɪʃ] *n. pl.* **-es** *l.* **starfish** *zool.* rozgwiazda (*Asterias*).

starflower [ˈstɑːrˌflaʊər] *n. bot.* = **star-of-Bethlehem.**

star fruit *n.* karambola (*owoc*).

stargaze [ˈstɑːrˌgeɪz] *v.* **1.** obserwować gwiazdy. **2.** snuć marzenia.

stargazer [ˈstɑːrˌgeɪzər] *n.* **1.** *lit. l. żart.* badacz/ka gwiazd; astronom; astrolog. **2.** marzyciel/ka.

star jump *n. zwł. pl. Br.* pajacyk (*ćwiczenie gimnastyczne*).

stark [stɑːrk] *a. gł. attr.* **1.** surowy (*np. o krajobrazie, wystroju*). **2.** nagi; trudny do zaakceptowania (*np. o faktach*); **the ~ reality/realities** naga rzeczywistość (*of sth* czegoś). **3.** ostry (*o kontraście*); zupełny, całkowity, kompletny (*np. o przeciwieństwie*); **be in ~ contrast to sth** ostro kontrastować z czymś; **it's ~ nonsense** to kompletna bzdura. **4.** pierwotny, nieokiełznany (*o emocjach, uczuciach*). **5.** ~ **choice** trudny wybór. – *adv.* zupełnie, całkowicie, kompletnie; ~ **naked** zupełnie nagi; ~ **raving mad** (*także Br.* ~ **staring mad**) kompletnie pomylony.

starkly [ˈstɑːrklɪ] *adv.* surowo.

starkness [ˈstɑːrknəs] *n. U* surowość.

starless [ˈstɑːrləs] *a.* bezgwiezdny (*o nocy, niebie*).

starlet [ˈstɑːrlət] *n. czas. pog.* gwiazdka (filmowa).

starlight [ˈstɑːrˌlaɪt] *n. U* światło gwiazd; **by** ~ przy *l.* w świetle gwiazd.

starling [ˈstɑːrlɪŋ] *n.* **1.** *orn.* szpak (*Sturnus*). **2.** *hydrol.* izbica (*z pali*).

starlit [ˈstɑːrlɪt] *a. lit.* rozgwieżdżony, usiany gwiazdami (*o niebie*); gwiaździsty (*o nocy*); oświetlony gwiazdami.

star-of-Bethlehem [ˌstɑːrəvˈbeθlɪhem] *n.* (*także* **starflower**) *bot.* gwiazda betlejemska (*Ornithogalum umbellatum*).

Star of David *n.* gwiazda Dawida.

starry [ˈstɑːrɪ] *a.* **-ier, -iest 1.** gwiaździsty (*o nocy, wzorze*); rozgwieżdżony, usiany gwiazdami (*o niebie*). **2.** błyszczący (*jak gwiazda*).

starry-eyed [ˌstɑːrɪˈaɪd] *a. pot.* naiwny; marzycielski; rozmarzony.

Stars and Stripes *n. sing. gł. US* flaga amerykańska.

star sapphire *n. min.* szafir gwiaździsty.

starshell [ˈstɑːrˌʃel] *n. wojsk.* raca, rakieta oświetlająca.

starship [ˈstɑːrˌʃɪp] *n.* statek (kosmiczny *l.* międzygwiezdny).

star sign *n. astrol.* znak zodiaku.

star-spangled [ˌstɑːrˈspæŋgld] *a.* **1.** rozgwieżdżony, usiany gwiazdami (*o niebie*). **2.** pełen gwiazd *l.* wybitnych osobistości (*o przyjęciu*).

Star-Spangled Banner *a. gł. US* **1.** hymn Stanów Zjednoczonych. **2.** *lit.* amerykańska flaga narodowa.

starstruck [ˈstɑːrˌstrʌk] *a. często uj.* zafascynowany gwiazdami (*filmowymi*).

star-studded [ˈstɑːrˌstʌdɪd] *n. film* pełen gwiazd; ~ **cast** obsada pełna gwiazd.

START [stɑːrt] *abbr.* **Strategic Arms Reduction Talks** *polit.* rokowania START.

start [stɑːrt] *v.* **1.** zaczynać; rozpoczynać (*from/with sth* od czegoś); ~ **again/afresh/anew** zacząć od nowa *l.* od początku; ~ **by doing sth** zacząć od (zrobienia) czegoś; ~ **doing sth** zacząć coś (robić); ~ **from scratch** zaczynać od początku *l.* od nowa; ~ **(off) the day with a cup of tea** zaczynać dzień od filiżanki herbaty; ~ **(off/out) as...** zaczynać od... (*np. gońca; w przebiegu kariery*); ~ **school/work** zaczynać zajęcia/pracę; **get ~ed** zaczynać się; **get ~ed (with sth)** zaczynać (coś). **2.** zaczynać się, rozpoczynać się (*with sth* czymś *l.* od czegoś); ~ **(off/out) as sth** zaczynać się jako coś *l.* od czegoś; **(at) what time does the game ~?** o której zaczyna się mecz?. **3.** zapoczątkowywać, powodować; ~ **a war** wywołać wojnę, doprowadzić do wojny; ~ **sb doing sth** sprawić *l.* spowodować, że ktoś zacznie coś robić; **that ~ed me thinking** to mi dało do myślenia. **4.** ~ **(up)** zakładać (*firmę*). **5.** ~ **(off/out)** wyruszać, ruszać; ~ **on a journey/trip/voyage** wyruszyć w podróż *l.* drogę (*from sth* skądś). **6.** mieć *l.* brać początek, mieć źródło (*o rzece*). **7.** *sport* startować. **8.** ruszać (*t. o samochodzie*); zaskoczyć (*o silniku*). **9.** ~ **(up)** uruchomić, zastartować (*silnik, samochód*); **get the car/engine ~ed** *mot.* uruchomić samochód/silnik. **10.** *fin.* zaczynać się (*at/from* od) (*danej sumy; o cenach*). **11.** zrywać się (*we śnie, ze snu, na nogi, z krzesła*); wzdrygać się, podskakiwać. **12.** wydostawać się, wyciekać (*o cieczy*). **13.** wychodzić na wierzch (*o oczach*). **14.** *ogr.* posiać, zasiać; posadzić, zasadzić; zaprowadzić (*rośliny*). **15.** *myśl.* wypłoszyć (*zwierzynę*). **16.** ~ **a family** założyć rodzinę; ~ **a fight/argument** wszcząć bójkę/kłótnię; ~ **a fire** rozpalić *l.* rozniecić ogień; ~ **a rumor** rozpuścić plotkę; **~ing from now/tomorrow** począwszy *l.* poczynając od teraz/jutra; ~ **something/anything** kombinować coś; ~ **young** wcześnie zaczynać, zaczynać w dzieciństwie *l.* za młodu; **don't (you) ~!** *Br. pot.* (tylko znowu) nie zaczynaj!; **to ~ with** z początku; na początek; po pierwsze; **we're back where we ~ed** znaleźliśmy się w punkcie wyjścia, wróciliśmy do punktu wyjścia; **you ~ed it!** sam zacząłeś!. **17.** ~ **off** zacząć (się); rozpocząć (się); wyruszyć, ruszyć (*w drogę*); ~ **sb off** pomóc komuś zacząć; *pot.* sprowokować kogoś (*do śmie-*

chu, gadania); *pot.* rozśmieszyć kogoś; *pot.* wkurzyć kogoś; ~ **sb off laughing/crying** doprowadzić kogoś do śmiechu/łez; ~ **on sth** zabrać się do czegoś, zacząć coś; ~ **on (at) sb** *pot.* wsiąść na kogoś (= *zacząć narzekać*); ~ **sb on sth** zachęcić kogoś do czegoś; zacząć kogoś karmić czymś (*zwł. niemowlę*), wprowadzić coś do czyjegoś jadłospisu; wprowadzić kogoś w coś; ~ **out** zacząć (się); rozpocząć (się); wyruszyć, ruszyć (*w drogę*); ~ **up** zacząć; założyć (*firmę*); uruchomić (*silnik*); zerwać się (*z krzesła*); ~ **over** *US* zacząć (wszystko) od początku *l.* od nowa. – *n.* **1.** początek; **the ~ of the day/week** początek dnia/tygodnia; **at the ~** na początku (*of sth* czegoś); **from ~ to finish** od początku do końca; **(right) from the ~** od (samego) początku. **2.** *t. sport* start (*t. przen. - życiowy*). **3.** wyjazd; wymarsz; wyruszenie (*w drogę*). **4.** przewaga; fory. **5.** poderwanie się; wzdrygnięcie (się). **6. by/in fits and ~s** *zob.* **fit**[2] *n.*; **for a ~** na początek; po pierwsze; **get off to a good/bad ~** dobrze/źle się zacząć; **give sb a ~** przestraszyć kogoś; **make an early ~** wcześnie zacząć; **stops and ~s** *zob.* **stop** *n.*; **with a ~** nagle, gwałtownie (*np. przebudzić się*).

starter ['stɑːrtər] *n.* **1.** *sport* uczestni-k/czka, startując-y/a (*w zawodach*). **2.** *zwł. Br. kulin.* przystawka; **for ~s** na przystawkę; *pot.* na początek. **3.** (*także* ~ **motor**) *mot.* rozrusznik; *el.* silnik rozruchowy. **4.** *el.* starter, zapłonnik (*świetlówki*). **5.** *sport* starter; **under ~'s orders** gotowy do startu. **6.** *sport* zawodni-k/czka rozpoczynając-y/a (grę).

starter home *n. Br.* pierwsze mieszkanie; pierwszy dom.

starter pack *n. handl.* zestaw początkowy.

starter's pistol *n. sport* pistolet startowy.

starting ['stɑːrtɪŋ] *a. attr.* **1.** początkowy; ~ **pay/salary** pensja początkowa *l.* na początek. **2.** *sport* startowy. **3.** wytrzeszczony, wybałuszony (*o oczach*).

starting block *n. biegi* blok startowy; *pływanie* słupek startowy.

starting gate *n. jeźdz.* barierka *l.* bramka (startowa).

starting line *n. wyścigi* linia startu.

starting point *n.* punkt wyjścia.

starting price *n.* **1.** *fin.* kurs otwarcia; cena wyjściowa *l.* wywoławcza. **2.** *jeźdz.* stawka tuż przed wyścigiem (*w zakładach*).

startle ['stɑːrtl] *v.* **1.** przestraszyć, wystraszyć. **2.** zaskoczyć.

startled ['stɑːrtld] *a.* zaskoczony; **sb was ~ to see/hear sth** ktoś był zaskoczony, kiedy coś zobaczył/usłyszał.

startling ['stɑːrtlɪŋ] *a.* niepokojący; przerażający.

startlingly ['stɑːrtlɪŋlɪ] *adv.* niepokojąco.

startup ['stɑːrtˌʌp], **start-up** *n.* **1.** nowicjusz/ka (*zwł. = nowa firma*). **2.** rozruch; początek. – *a. attr. gł. fin.* początkowy (*np. kosztach, budżecie*).

starvation [ˌstɑːr'veɪʃən] *n. U* głód; śmierć głodowa; głodowanie, głodówka, głodzenie się; **die of/from ~** umrzeć *l.* zginąć z głodu; ~ **diet** *pot.* głodowa dieta; ~ **wages** *ekon.* głodowa płaca.

starve [stɑːrv] *v.* **1.** głodować, przymierać głodem; umierać z głodu; głodzić się; ~ **to death** umrzeć z głodu; **I'm starving/~d!** *gł. przen. emf.* umieram z głodu!. **2.** głodzić, morzyć głodem. **3.** *przen.* ~ **sb of sth** pozbawiać kogoś czegoś; **~d of funds** pozbawiony środków (finansowych). **4.** *przen.* łaknąć (*for sth* czegoś); **sb is ~d for sth** *US* komuś brakuje czegoś. **5.** ~ **sb into sth** zmusić kogoś głodem do czegoś; ~ **sb out** zmusić kogoś głodem do wyjścia (*np. wroga, okupujących budynek*).

starveling ['stɑːrvlɪŋ] *arch. n.* chudzina, chudzinka. – *a. attr.* zabiedzony.

stash [stæʃ] *pot. v.* **1.** ~ **(away)** chować, ukrywać; przechowywać, odkładać na później. **2.** *US* odkładać (na miejsce). – *n.* **1.** *gł. US i Can.* schowek; kryjówka. **2.** *sl.* zapasik (*narkotyków*).

stasis ['steɪsɪs] *n. U* **1.** bezruch; zastój. **2.** *pat.* zastój (*płynu krążącego*).

stat[1] [stæt] *adv. i a. med.* (na) cito.

stat[2] *abbr. pot.* **1.** = **statistic** 1. **2.** *techn.* = **thermostat**.

state [steɪt] *n.* **1.** *t. fiz.* stan; ~ **of affairs** stan rzeczy; ~ **of mind** stan ducha; ~ **of repair** stan (techniczny); ~ **of war** *polit.* stan wojny; **(be) in a bad/good ~** (być) w złym/dobrym stanie; **declare a ~ of emergency** ogłosić stan wyjątkowy; **not be in a fit ~ to do sth** nie być w stanie czegoś zrobić. **2.** *C/U polit.* państwo; władza (państwowa); **democratic/totalitarian ~** państwo demokratyczne/totalitarne; **head of ~** głowa państwa; **matters of ~** sprawy państwowe, sprawy wagi państwowej; **member ~** państwo członkowskie; **offices of ~** urzędy państwowe; **powers of the ~** uprawnienia państwa. **3.** *US polit., admin.* stan; **the (United) S~s** Stany (Zjednoczone). **4.** *zwł. biol.* stadium. **5.** *pot.* **be in a ~** być zdenerwowanym *l.* roztrzęsionym; **get into a ~** zdenerwować się. **6.** **the ~ of play** *sport* stan gry, aktualny wynik *l.* rezultat; *przen.* aktualna sytuacja. **7.** *U* **in ~** uroczyście, z całym ceremoniałem; **lie in ~** być wystawionym na widok publiczny (*o zwłokach na pogrzebie*). – *a. attr.* **1.** państwowy; ~ **capitalism/socialism** *ekon.* kapitalizm/socjalizm państwowy; ~ **ceremony/occasion** uroczystość państwowa; ~ **visit** wizyta oficjalna *l.* państwowa; **be under ~ control** znajdować się pod nadzorem państwowym. **2.** *US* stanowy. – *v.* **1.** *form.* stwierdzać; oświadczać (*(that)* że); ~ **the obvious** stwierdzać rzeczy oczywiste. **2.** podawać (*np. cenę na bilecie*); określać (*np. zasady*). **3.** wyrażać (*coś w jakiś sposób*). **4.** *muz.* podawać (*temat*).

state attorney *n.* (*także* **State's attorney**) *US prawn.* prokurator stanowy.

state benefit *n. Br.* zasiłek społeczny.

state court *n. US prawn.* sąd stanowy.

statecraft ['steɪtˌkræft] *n. U form.* umiejętność rządzenia państwem.

stated ['steɪtɪd] *a. attr.* podany (*np. o powodzie*); określony (*np. o celu*).

State Department *n. US polit.* Departament Stanu (= *ministerstwo spraw zagranicznych*).

statehood ['steɪthʊd] *n. U polit.* **1.** państwowość; status (samodzielnego) państwa. **2.** *gł. US* statut stanu *l.* stanowy.

Statehouse ['steɪtˌhaʊs], **State house** *n. US polit.* kapitol stanowy (= *budynek parlamentu stanowego*).

stateless ['steɪtləs] *a.* bezpaństwowy, bez obywatelstwa.

statelessness ['steɪtləsnəs] *n. U* bezpaństwowość.

stateliness ['steɪtlɪnəs] *n. U* majestatyczność.

stately ['steɪtlɪ] *a.* majestatyczny; okazały.

stately home *n. Br.* rezydencja (wiejska).

statement ['steɪtmənt] *n.* **1.** oświadczenie; *t. przen.* deklaracja (*ideologii*); **get/take a ~ (from sb)** uzyskać oświadczenie (od kogoś); **make/issue a ~** złożyć oświadczenie (*about sth* w jakiejś sprawie); **official ~** oficjalne oświadczenie. **2.** wypowiedź. **3.** *fin.* sprawozdanie, zestawienie (*finansowe*); (*także* **bank ~**) wyciąg (z konta). **4.** *U form.* wyrażenie, stwierdzenie, sformułowanie. **5.** *prawn.* zeznanie. **6.** *muz.* podanie (*tematu*). **7.** *komp.* wyrażenie, instrukcja. **8. make a ~** *przen.* przekazywać *l.* wyrażać coś (*ubiorem*). – *v. Br. szkoln.* dofinansowywać (*ucznia: o kuratorium*).

state of the art *n.* aktualny *l.* współczesny stan wiedzy.

state-of-the-art [ˌsteɪtəvðɪ'ɑ:rt] *a.* najnowocześniejszy.

state-operated [ˌsteɪt'ɑ:pəreɪtɪd] *a. ekon.* państwowy; zarządzany publicznie, zarządzany przez państwo (*o przedsiębiorstwie*).

state-owned [ˌsteɪt'oʊnd] *a. ekon.* państwowy (*o przedsiębiorstwie, sektorze gospodarki*).

state park *n. US ekol.* park stanowy (*rekreacyjny, przyrodniczy, krajobrazowy*).

state prayers *n. pl. Br. kośc.* modlitwy za rządzących (państwem) (*w kościele anglikańskim*).

state prison *n. US prawn.* więzienie stanowe.

stateroom ['steɪtˌru:m] *n.* **1.** *żegl.* prywatna kabina; *kol.* prywatny przedział. **2.** *gł. Br.* sala recepcyjna (*w pałacu itp.*).

state school *n. Br.* szkoła państwowa.

state secret *n.* tajemnica państwowa.

State's evidence *n. U US prawn.* zeznanie obciążające współoskarżonego (*w zamian za obietnicę ułaskawienia*); **turn ~** złożyć zeznanie jw.

States General *n. pl. parl.* Stany Generalne (*ciało ustawodawcze Holandii; t. hist. we Francji*).

Stateside ['steɪtˌsaɪd], **stateside** *US pot. a.* amerykański. – *adv.* w Stanach (*być*); do Stanów (*jechać*).

statesman ['steɪtsmən] *n. pl.* **-men** *polit.* mąż stanu.

statesmanlike ['steɪtsmənlaɪk] *a. polit.* właściwy mężowi stanu (*o postępowaniu*).

statesmanship ['steɪtsmənˌʃɪp] *n. U polit.* zalety właściwe mężowi stanu; dojrzałość polityczna.

stateswoman ['steɪtsˌwʊmən] *n. pl.* **-women** *polit.* szanowany polityk (*kobieta*).

state tax *n. C / U US fin.* podatek stanowy.

state trooper *n. US* policjant/ka stanow-y/a.

state university *n. pl.* **-ies** *US* uniwersytet stanowy, uczelnia stanowa (*finansowana z funduszy publicznych stanu*).

statewide [ˌsteɪt'waɪd] *a. US* stanowy; obejmujący cały stan (*np. o programie, epidemii*); obowiązujący na terenie całego stanie (*np. o przepisie*). – *adv.* w całym stanie (*obowiązywać, poszukiwać*); na cały stan (*rozprzestrzeniać się*).

static ['stætɪk] *a.* **1.** statyczny, nieruchomy. **2.** *fiz.* statyczny. **3.** *el.* elektrostatyczny. – *n. U* **1.** *radio* zakłócenia (atmosferyczne). **2.** *el.* ładunek elektrostatyczny. **3.** *US pot.* narzekania, sprzeciwy, opór.

statically ['stætɪklɪ] *adv.* statycznie, nieruchomo.

static electricity *n. U el.* ładunek elektrostatyczny.

statics ['stætɪks] *n. U fiz., mech.* statyka.

station ['steɪʃən] *n.* **1.** *kol.* dworzec; stacja; **train** *gł. US*/**railway** *gł. Br.* **~** dworzec kolejowy; **subway** *US*/**underground** *gł. Br.* **~** stacja metra. **2.** posterunek; **fire ~** posterunek straży pożarnej; **police ~** posterunek *l.* komisariat policji. **3.** *radio, telew.* stacja; rozgłośnia; **pick up/get a ~** odbierać stację. **4.** posterunek, punkt (*do obserwacji*). **5.** *t. wojsk.* placówka. **6.** *żegl.* stanowisko (*bojowe, manewrowe statku*). **7.** *Austr. i NZ* farma hodowlana (*owiec l. bydła*). **8.** (*także* **~ of the Cross**) *rz.-kat.* stacja drogi krzyżowej, stacja męki Pańskiej. **9.** *biol., ekol.* stanowisko (*roślin, zwierząt*). **10.** *miern.* punkt pomiarowy. **11.** *przest.* stan, pozycja społeczna; **above one's ~** ponad stan. **12.** *w złoż.* **gas** *US*/**petrol** *Br.* **~** *mot.* stacja benzynowa, stacja paliw; **polling ~** *polit.* lokal wyborczy; **power ~** *el.* elektrownia; **research ~** stacja badawcza; **space ~** stacja kosmiczna. – *v. zw. pass.* rozmieszczać (*wojska, pracowników, strażników*); umieszczać (*urządzenie*); **be ~ed in sth** stacjonować gdzieś.

stationary ['steɪʃəˌnerɪ] *a.* **1.** *t. mech., astron.* nieruchomy; stały (*t. = nieprzenośny*); stacjonarny; *mot., fiz.* niebędący w ruchu (*o pojeździe, ciele*). **2.** *ekon.* niezmienny, stabilny (*np. o cenach, wskaźnikach*). **3.** *pat.* stacjonarny (*o objawach, chorobie*).

stationary bicycle *n. sport, med.* rower treningowy, ergonometr, cykloergonometr.

stationary orbit *n. astron.* orbita stacjonarna (*satelity stacjonarnego*).

stationary state *n. fiz.* stan ustalony *l.* stacjonarny.

stationary wave *n. fiz.* fala stojąca *l.* stacjonarna.

station break *n. US radio, telew.* przerwa w programie (*na reklamy, wiadomości lokalne itp.*).

stationer ['steɪʃənər] *n. Br.* **1. = stationer's. 2.** papiernik, sprzedawca artykułów papierniczych *l.* piśmiennych. **3.** *arch.* wydawca.

stationer's ['steɪʃənərz] *n. U* (*także* **~ shop**) *Br.* sklep papierniczy *l.* z artykułami piśmiennymi.

stationery [ˈsteɪʃəˌnerɪ] *n. U* **1.** artykuły papiernicze *l.* piśmienne. **2.** papeteria.

station hall *n.* hala dworcowa *l.* dworca, hol dworca.

station house *n. US przest.* posterunek *l.* komisariat policji; posterunek straży pożarnej.

station master *n. kol.* naczelnik stacji.

station wagon *n. US, Can., Austr. i NZ mot.* kombi.

statism [ˈsteɪtˌɪzəm] *n. U polit., ekon.* etatyzm.

statistic [stəˈtɪstɪk] *n.* **1.** *stat., socjol.* dana statystyczna; *pl.* statystyki. **2.** *stat.* parametr statystyczny; funkcja statystyczna; (*także* **test** ~) test statystyczny. **3. vital ~s** *zob.* **vital**.

statistical [stəˈtɪstɪkl] *a.* statystyczny.

statistically [stəˈtɪstɪklɪ] *adv.* statystycznie; ~ **significant** *stat.* statystycznie znaczący (*o różnicy*).

statistician [ˌstætəˈstɪʃən] *n.* statysty-k/czka.

statistics [stəˈtɪstɪks] *n. U* statystyka.

stator [ˈsteɪtər] *n. el.* stojan.

statuary [ˈstætʃʊˌerɪ] *sztuka n. U* **1.** posągi. **2.** wykonywanie posągów. – *a.* posągowy.

statue [ˈstætʃuː] *n.* posąg, statua; **the S~ of Liberty** Statua Wolności.

statuesque [ˌstætʃʊˈesk] *a.* posągowy.

statuette [ˌstætʃʊˈet] *n.* posążek, statuetka.

stature [ˈstætʃər] *n. form.* **1.** *zw. sing.* postura; wzrost; **large** ~ wysoki wzrost; **short in** ~ niskiego wzrostu, niskiej postury. **2.** *U przen.* pozycja, renoma.

status [ˈsteɪtəs] *n. C/U* **1.** *t. prawn., socjol.* status; pozycja; **high/low social** ~ wysoka/niska pozycja społeczna; **legal** ~ status prawny. **2.** stan; **current** ~ aktualny stan (*np. rokowań, dochodzenia*); **marital** ~ *prawn. l. form.* stan cywilny.

status line *n. komp.* wiersz stanu *l.* statusu.

status quo *n. U Lat.* status quo, (istniejący) stan rzeczy; **maintain the** ~ zachować istniejący stan rzeczy.

status symbol *n. socjol.* symbol statusu (społecznego).

statutable [ˈstætʃʊtəbl] *a. prawn.* ustawowy.

statute [ˈstætʃuːt] *n.* **1.** *parl.* ustawa; *prawn.* prawo. **2.** zasada (wynikająca z regulaminu) (*przyjęta w jakiejś instytucji*). **3.** *pl. zob.* **statutes**.

statute book *n. parl.* dziennik ustaw; *prawn.* ogół obowiązujących praw; **be on the** ~ obowiązywać (*o prawie, przepisie*).

statute law *n. U prawn.* prawo pisane.

statute mile *n.* mila lądowa (= *1609,3 m*).

statute of association *n. prawn.* statut spółki.

statute of limitations *n. US prawn.* zasada przedawnienia; przedawnienie.

statutes [ˈstætʃuːts] *n. pl.* statut; regulamin.

statutory [ˈstætʃʊˌtɔːrɪ] *a. gł. prawn.* **1.** ustawowy, gwarantowany ustawą; ~ **holiday** święto ustawowe; ~ **rights** ustawowe prawa. **2.** regulaminowy; zgodny ze statutem.

statutory meeting *n.* zgromadzenie założycielskie.

statutory offense, *Br.* **statutory offence** *n. US prawn.* naruszenie (obowiązującego) prawa, wykroczenie (w świetle prawa).

statutory rape *n. US prawn.* kontakt seksualny z osobą nieletnią.

staunch [stɔːntʃ], *US t.* **stanch** *a.* **1.** zagorzały; oddany, lojalny (*o zwolenniku idei, sympatyku partii*). **2.** solidny (*o konstrukcji*). – *v. t. med.* **1.** tamować (*zwł. krwotok*). **2.** powstrzymywać *l.* tamować krwawienie z (*rany*).

staunchly [ˈstɔːntʃlɪ] *adv.* **1.** zagorzale, lojalnie, z oddaniem. **2.** solidnie (*zbudowany*).

staunchness [ˈstɔːntʃnəs] *n. U* **1.** zagorzałość; lojalność, oddanie. **2.** solidność.

stave [steɪv] *n.* **1.** (*także* **staff**) *muz.* pięciolinia. **2.** *stol.* klepka. **3.** (*także* **staff**) *stol.* szczebel (*drabiny*); poprzeczka (*krzesła*). **4.** (*także* **staff**) buława, berło. **5.** *wers.* strofa. – *v.* **1.** ~ **off** odeprzeć (*atak*); oddalić (*niebezpieczeństwo, groźbę*); (chwilowo) powstrzymać (*zagrożenie*); zapobiec (*katastrofie*); ~ **off hunger** oszukać głód. **2.** *pret. t.* **stove** ~ **(in)** wgnieść, przedziurawić (*burtę, beczkę*); przedziurawić się, wgnieść się. **3.** *stol.* wzmocnić poprzeczką (*krzesło*); zamontować szczeble w (*drabinie*).

staves [steɪvz] *n. pl.* **1.** *zob.* **stave**. **2.** *zob.* **staff**.

stavesacre [ˈsteɪvzˌeɪkər] *n. bot.* ostróżka grecka (*Delphinium staphisagria*).

stay[1] [steɪ] *v. pret. i pp. t. rzad.* **staid** **1.** pozostawać; zostawać; ~! zostań! (*do psa*); ~ **a while (longer)** zostać (jeszcze) trochę; ~ **after school** zostawać po szkole (*za karę*); ~ **at home** (*także US gł.* ~ **home**) zostawać w domu, nie wychodzić z domu; ~ **(for) an hour** zostać godzinę; ~ **late** zostać dłużej; ~ **the night/overnight** zostać na noc; ~ **to/for lunch/dinner/supper** zostać na lunch/obiad/kolację. **2.** zatrzymać się, mieszkać; ~ **with friends/at a hotel** zatrzymać się *l.* mieszkać u znajomych/w hotelu. **3.** przebywać (*np. w danym mieście*). **4.** *lit.* powstrzymywać (się). **5.** *prawn.* wstrzymywać, odraczać, zawieszać (*wykonanie wyroku, decyzję*). **6.** wytrzymywać (*zwł. w wyścigu*). **7.** opóźniać (*prace*). **8.** kłaść kres (*prośbom, kłótni*). **9.** zaspokoić chwilowo *l.* tymczasowo, oszukać (*głód, pragnienie*). **10.** *żegl.* robić zwrot. **11.** ~ **calm/quiet** zachować spokój/ciszę; ~ **cool!** *pot.* bez paniki!; głowa do góry!; ~ **the course (of sth)** *zob.* **course** *n.*; ~ **on the sidelines** stać z boku; ~ **open** być otwartym (*o sklepach*); ~ **put** *zob.* **put** *adv.*; ~ **single** pozostać kawalerem, nie ożenić się; pozostać panną, nie wyjść za mąż; ~ **the pace** *zob.* **pace** *n.*; ~ **the same** nie zmieniać się, utrzymywać się na stałym poziomie (*o cenach, temperaturze*); ~ **tuned** *zob.* **tune** *v.*; ~ **warm** trzymać się ciepło (*o osobie*); **it's going to** ~ **warm** nadal będzie ciepło (*o pogodzie*); **be here to** ~ (*także* **have come to** ~) rozgościć się na dobre, stać się codziennością; **it's going to** ~ **cold/warm** nadal będzie zimno/ciepło. **12.** ~ **around** zostawać, nie odchodzić; ~ **away (from sb/sth)** trzymać się z dala *l.* daleka (od kogoś/czegoś); (*także* ~ **away in (their) droves**) nie dopisać (*o publiczności, klienteli*); ~ **behind** zostać (dłużej) (*po lekcjach, po godzinach*); ~ **down**

utrzymywać się na niskim poziomie, nie wzrastać (*o cenach, kursach*); ~ **in** zostać w domu, nie wychodzić z domu; ~ **in sth** trzymać się czegoś (*zwł. posady*); ~ **on** pozostać (*na stanowisku, na studiach*); ~ **out** przebywać *l.* być poza domem; ~ **out of sth** nie mieszać się do czegoś, nie brać udziału w czymś; ~ **up** nie spać, nie kłaść się (do łóżka); utrzymywać się na wysokim poziomie, nie spadać (*o cenach, kursach*). – *n.* **1.** *gł. sing.* pobyt. **2.** zatrzymanie. **3.** przerwa. **4.** *prawn.* zawieszenie, wstrzymanie, odroczenie; ~ **of execution** zawieszenie *l.* wstrzymanie wykonania wyroku.

stay[2] *n.* **1.** odciąg (*masztu*); linka; *żegl.* sztag. **2.** podpora. **3.** usztywnienie (*np. kołnierzyka, gorsetu*). **4.** *pl. zob.* **stays**. – *v.* ~ **(up)** *t. przen.* wspierać, podpierać.

stay-at-home [ˌsteɪətˈhoʊm] *pot. n.* domator/ka. – *a.* domatorski.

stayer [ˈsteɪər] *n.* **1.** *zwł. Br. sport l. przen.* wytrwał-y/a zawodni-k/czka (*t. o koniu wyścigowym*). **2. be a (frequent) ~ at/in...** (często) przebywać w...

staying power [ˈsteɪɪŋ ˌpaʊər] *n. U* wytrzymałość, wytrwałość.

stays [steɪz] *n. pl.* gorset (*usztywniany*).

staysail [ˈsteɪˌseɪl] *n. żegl.* sztaksel.

STD [ˌes ˌtiː ˈdiː] *abbr.* **1. sexually transmitted disease** *pat.* choroba przenoszona drogą płciową. **2. subscriber trunk dialling** *Br. tel.* automatyczne połączenie międzymiastowe.

std., std *abbr.* = **standard.**

stead [sted] *n. form.* **1. (do sth) in sb's ~** (robić coś) w zastępstwie kogoś *l.* zamiast kogoś. **2. stand sb in good ~** bardzo się komuś przydawać, dobrze komuś służyć.

steadfast [ˈstedˌfæst] *rzad.* **stedfast** *a. lit.* niewzruszony, niezachwiany (*o wierze*); konsekwentny, zdecydowany (*o poglądach*); trwały (*o związku, przyjaźni*); nieruchomy (*o spojrzeniu*); **remain ~ in sth** nie ustawać w czymś.

steadfastly [ˈstedˌfæstlɪ] *adv. lit.* niewzruszenie, niezachwianie; konsekwentnie, zdecydowanie; wytrwale; nieruchomo.

steadfastness [ˈstedˌfæstnəs] *n. U lit.* konsekwencja, zdecydowanie; wytrwałość.

steadily [ˈstedɪlɪ] *adv.* **1.** pewnie; mocno, silnie (*trzymać coś*). **2.** stale; systematycznie (*rosnąć, posuwać się*). **3.** równo, równomiernie, miarowo (*oddychać*); statecznie (*kroczyć*). **4.** uważnie, bacznie (*przyglądać się*).

steadiness [ˈstedɪnəs] *n. U* **1.** pewność (*chwytu*). **2.** stałość (*cen*). **3.** równość, miarowość (*oddechu, kroku*). **4.** stateczność, stałość (*charakteru*).

steading [ˈstedɪŋ] *n. Br. roln.* gospodarstwo.

steady [ˈstedɪ] *a.* **-ier, -iest 1.** pewny (*o chwycie*); mocny (*o chwycie, nerwach*). **2.** ciągły, nieprzerwany, stały (*o tendencji, ruchu, wietrze*). **3.** równy, równomierny, miarowy (*o oddechu, pulsie, kroku*). **4.** stateczny; solidny (*o osobie, charakterze*). **5.** opanowany (*o głosie*). **6. ~ boyfriend/girlfriend** chłopak/dziewczyna (na poważnie *l.* na stałe); ~ **hand** pewna ręka; ~ **income** stały dochód; ~ **job/work** stała posada/praca, stałe zatrudnienie; ~ **relationship** trwały związek; ~ **stream of complaints** nieprzerwany potok skarg; **be ~** nie chwiać się; **move at a ~ pace** poruszać się *l.* przemieszczać się ze stałą prędkością. – *adv.* **go ~** chodzić ze sobą (*o parze*); **go ~ with sb** chodzić z kimś. – *int. Br.* **1. ~!** *pot.* ostrożnie!; (tylko) spokojnie!, bez paniki! **2. ~ (on)!** *żegl.* tak trzymać!. **3. ~ on!** *pot.* hola!, bez przesady!. **4. ready, ~, go!** na miejsca, gotowi, start!. – *v.* **-ied, -ying 1.** przytrzymywać (*kogoś l. coś, żeby się nie przewrócił/o*); przywracać równowagę (*komuś l. czemuś*); ~ **o.s.** podpierać się, przytrzymywać się (*żeby nie stracić równowagi*). **2.** ustabilizować się (*np. o kursie, poziomie ozonu*). **3. ~ one's nerves** uspokoić się. – *n. pl.* **-ies 1.** podpórka. **2. sb's ~** *US pot.* czyjś chłopak; czyjaś dziewczyna (*zwł. w dłuższym związku*).

steady state *n. fiz.* stan ustalony; stan równowagi; stan stacjonarny.

steady state theory *n. pl.* **-ies** *astron.* teoria stanu stacjonarnego.

steak [steɪk] *n. kulin.* **1.** *C / U* stek (*wołowy l. z innego mięsa, t. mielonego*); befsztyk; **salmon ~** stek z łososia. **2.** *U* wołowina na befsztyk; *Br.* wołowina (*różnych gatunków*); **stewing ~** *Br.* wołowina gulaszowa.

steakhouse [ˈsteɪkˌhaʊs] *n. kulin.* steakhouse, stekhouse (*restauracja specjalizująca się w stekach*).

steak tartare *n. U kulin.* tatar, befsztyk tatarski.

steal [stiːl] *v.* **stole, stolen 1.** *t. przen.* kraść; wykradać (*np. pomysły*); ~ **sth from sb** ukraść *l.* skraść coś komuś; **sb (has) had sth stolen** komuś ukradli *l.* ukradziono coś. **2.** skradać się; zakradać się. **3.** *baseball* zdobyć (bazę) (*gdy pałkarz nie trafi w piłkę*). **4. ~ attention** zyskać wielkie *l.* największe powodzenie, cieszyć się wielkim *l.* największym powodzeniem; ~ **a glance/look at sb/sth** zerknąć na kogoś/coś ukradkiem, rzucić ukradkowe spojrzenie na kogoś/coś; ~ **a kiss (from sb)** ukraść (komuś) całusa; ~ **a march on sb** ubiec *l.* uprzedzić kogoś; ~ **a nap** zdrzemnąć się (krótko); ~ **sb's heart** *lit.* zniewolić czyjeś serce; ~ **the limelight** być przebojem (*np. pokazu, wystawy*), przyćmić wszystko *l.* wszystkich; ~ **sb's thunder** ukraść komuś pomysł; ubiec *l.* uprzedzić kogoś; ~ **the show/scene** zelektryzować publiczność, zaskarbić sobie serca publiczności. **5. ~ away/out** wykraść się, wyślizgnąć się; ~ **by** *lit.* przemijać; **years ~ by** *lit.* lata mijają niepostrzeżenie; ~ **in** zakraść się. – *n. pot.* **1.** *gł. US* coś za friko *l.* za frajer; **be a ~** być jak za darmo. **2.** *baseball* zdobycie bazy (*gdy pałkarz nie trafi w piłkę*). **3.** kradzież.

stealth [stelθ] *n. U* podstęp, podstępne działania; **by ~** ukradkiem; podstępnie. – *a. attr.* ~ **bomber/plane** *lotn., wojsk.* bombowiec/samolot typu stealth (*trudny do wykrycia radarem*).

stealthily [ˈstelθɪlɪ] *adv.* ukradkiem; podstępnie.

stealthiness [ˈstelθɪnəs] *n. U* ukradkowość; podstępność.

stealthy [ˈstelθɪ] *a.* **-ier, -iest** ukradkowy.

steam [stiːm] *n. U* **1.** para (*z czajnika, na szybie, w silniku parowym*). **2.** *mech.* napęd parowy. **3.** *przen. pot.* **go full ~ ahead with sth** przystąpić do czegoś *l.* zabrać się za coś pełną parą; **get/pick up ~** rozkręcać się, nabierać rozmachu *l.* rozpędu *l.* impetu; **let off ~** wyładować się, wyładować gniew *l.* złość, ulżyć sobie; rozładować nadmiar energii; **run out of ~** stracić energię *l.* siły (*o osobie*); zwolnić tempo (*o przedsięwzięciu*); **under one's own ~** o własnych siłach; we własnym zakresie. – *a. attr.* parowy. – *v.* **1.** parować, dymić (*o gorącym napoju*). **2.** *kulin.* gotować na parze. **3.** płynąć (*parowcem*); jechać (*pociągiem*); *przen. pot.* pędzić. **4.** zaparowywać (się) (*o szybie*). **5.** *pot.* wściekać się. **6.** **~ sth open** otworzyć *l.* rozkleić coś nad parą (*kopertę, list*). **7.** **~ ahead** *przen. pot.* pracować pełną parą; **~ off** odkleić nad parą (*gł. znaczek*); **~ up** zaparować (się) (*o szybie, okularach*). **8.** *techn.* poddawać działaniu pary.

steam bath *v.* łaźnia parowa.

steamboat [ˈstiːmˌboʊt] *n. żegl.* parowiec.

steam-clean [ˈstiːmˌkliːn] *v.* czyścić parą (*wykładzinę, tapicerkę*).

steamed [stiːmd] *a.* **1.** *kulin.* gotowany na parze. **2.** *US pot.* wściekły, wkurzony; podniecony, przejęty.

steamed-up [ˌstiːmdˈʌp], **steamed up** *a.* **1.** zaparowany (*o szybie, okularach*). **2.** *pot.* wkurzony (*over sth* z powodu czegoś); podniecony, przejęty (*over sth* czymś); **he was all ~** był cały wściekły, cały się gotował.

steam engine *n. mech.* maszyna parowa, silnik parowy.

steamer [ˈstiːmər] *n.* **1.** *żegl.* parowiec. **2.** *kulin.* garnek do gotowania na parze. **3.** *techn., roln.* parownik.

steam heating *n. U* ogrzewanie parowe.

steam iron *n.* żelazko z nawilżaczem (parowym).

steamroll [ˈstiːmˌroʊl] *v.* (*także Br.* **steamroller**) **1.** wyrównywać (walcem) (*nawierzchnię*). **2.** *przen.* zmiażdżyć, zniszczyć (*kogoś l. coś*); zmusić (siłą); **~ sb into (doing) sth** zmusić kogoś do czegoś. **3.** *gł. parl.* przeforsować, przepchnąć (*projekt ustawy*).

steamroller [ˈstiːmˌroʊlər] *n.* **1.** walec (drogowy). **2.** *przen.* miażdżąca siła *l.* potęga. – *v. Br.* = **steamroll**.

steamship [ˈstiːmˌʃɪp] *n. żegl.* statek *l.* okręt parowy, parowiec, parostatek.

steam shovel *n. gł. US* koparka, czerparka.

steamy [ˈstiːmɪ] *a.* **-ier, -iest** **1.** parny (*o dniu, pogodzie*). **2.** zaparowany (*o szybie*); pełen pary (*o pomieszczeniu*). **3.** *gł. attr. przen.* pikantny (*np. o scenie, szczegółach*); gorący (*o romansie*).

stearate [ˈstiːəreɪt] *n. chem.* stearynian.

stearic [stɪˈerɪk] *a. chem.* stearynowy; **~ acid** kwas stearynowy.

stearin [ˈstiːərɪn] *n. U chem.* stearyna.

steatite [ˈstiːəˌtaɪt] *n. U min.* steatyt.

stedfast [ˈstedˌfæst] *a. rzad.* = **steadfast**.

steed [stiːd] *n. poet.* rumak.

steel [stiːl] *n.* **1.** *U* stal; **stainless ~** stal nierdzewna; **nerves of ~** *przen.* stalowe nerwy, nerwy ze stali. **2.** *U* = **steel industry**. **3.** *U* broń biała. **4.** ostrzałka (do noży) (*z pręta stalowego*). **5.** *przest.* stalka (*do gorsetu*). – *v.* **1.** **~ o.s.** zebrać się (w sobie); **~ o.s. for sth/to do sth** przygotować się na coś/do zrobienia czegoś (*nieprzyjemnego, niebezpiecznego*). **2.** *techn.* pokrywać stalą.

steel band *n. muz.* steel band (= *karaibski zespół grający na blaszanych bębnach*).

steel blue *a. i n. U* (kolor) stalowy.

steel drum *n.* **1.** *muz.* steeldrum, blaszany bęben (*z baryłki po ropie naftowej*). **2.** *chem., techn.* bęben stalowy.

steel engraving *n. sztuka* staloryt (*rycina*); *U* starolytnictwo, staloryt (*technika*).

steel gray *a. i n. U* (kolor) stalowoszary.

steel guitar *n. muz.* gitara hawajska.

steel industry *n. U* przemysł stalowy, hutnictwo stali.

steel mill *n.* stalownia, huta stali.

steel wool *n. U zwł. techn.* wełna *l.* wata stalowa (*do szorowania*).

steelwork [ˈstiːlˌwɜːk] *n. U* **1.** wyroby stalowe. **2.** stalowa konstrukcja (*budynku*).

steelworks [ˈstiːlˌwɜːks] *n. pl.* **steelworks** stalownia, huta stali.

steely [ˈstiːlɪ] *a.* **-ier, -iest** *przen.* **1.** żelazny (*o woli, determinacji*). **2.** stalowy (*o niebie*).

steelyard [ˈstiːlˌjɑːrd] *n.* bezmian, waga rzymska.

steenbok [ˈstiːnˌbɑːk] *n.* (*także* **steinbok**) *zool.* stenbok (*Raphicerus campestris*).

steep[1] [stiːp] *a.* **1.** stromy; spadzisty; urwisty. **2.** gwałtowny (*np. o wzroście, spadku*). **3.** *pot.* wygórowany (*o cenie, stawce*). **4.** *pot.* trudny (*o zadaniu*). **5.** *Br. pot.* przesadzony; **that's/it's a bit ~** to już lekka przesada. – *n.* stromizna; urwisko.

steep[2] *v.* **1.** moczyć (się); zamaczać. **2.** *przen.* **be ~ed in history/tradition** być zanurzonym w historii/tradycji, być przesiąkniętym historią/tradycją; **sb's hands are ~ed in blood** ktoś ma krew na (swoich) rękach (= *jest odpowiedzialny za śmierć*). – *n.* **1.** moczenie. **2.** roztwór *l.* płyn (do zamaczania).

steepen [ˈstiːpən] *v.* **1.** stawać się (bardziej) stromym; wznosić się (ostrzej). **2.** *bud.* podnosić, wznosić (*schody*); zwiększać stromość (*schodów, drogi*).

steeper [ˈstiːpər] *n.* dzieża.

steeple [ˈstiːpl] *n. bud.* **1.** wieża (kościelna); wieżyczka. **2.** iglica (*wieży*).

steeplechase [ˈstiːplˌtʃeɪs] *n.* **1.** *jeźdz.* wyścig z przeszkodami. **2.** *sport* bieg z przeszkodami.

steeplechaser [ˈstiːplˌtʃeɪsər] *n.* **1.** *jeźdz.* koń *l.* jeździec startujący w wyścigu z przeszkodami. **2.** *sport* zawodnik startujący w biegu z przeszkodami.

steepled [ˈstiːpld] *n. bud.* zwieńczony wieżyczką.

steeplejack [ˈstiːplˌdʒæk] *n. bud.* robotnik pracujący na wysokości (*zwł. na wieżach, kominach*).

steeply [ˈstiːplɪ] *adv.* **1.** stromo (*wznosić się*). **2.** gwałtownie (*narastać, spadać*).

steepness [ˈstiːpnəs] *n. U* stromość.

steer[1] [stiːr] *v.* **1.** sterować, być u steru. **2.** *t. przen.* sterować (*statkiem, jachtem*); kierować (*pojazdem, organizacją*); prowadzić (*pojazd, osobę*); ~ **around sth** omijać coś; ~ **sb away from sth** odciągać kogoś od czegoś; ~ **the conversation away from sth** unikać jakiegoś tematu (*w rozmowie*); ~ **for sth** skierować się na coś, udać się w kierunku czegoś; *żegl.* wziąć kurs na coś; ~ **sb/sth into sth** wprowadzić kogoś/coś gdzieś; ~ **sb/sth through sth** przeprowadzić kogoś/coś przez coś; ~ **sb/sth to sth** doprowadzić kogoś gdzieś/coś do czegoś; ~ **sb towards sth** naprowadzić kogoś na coś; ~ **the conversation towards sth** naprowadzić *l.* skierować rozmowę na coś. **3.** ~ **a middle course** *zob.* **course** *n.*; ~ **clear of** *żegl.* przejść czysto obok (*przeszkody*); *pot.* trzymać się z daleka od (*kogoś l. czegoś*), omijać z daleka (*kogoś l. coś*); ~ **left/right** *mot.* ściągać w lewo/prawo (*o pojeździe*). – *n.* **bum** ~ *US pot.* zły cynk; zmyłka.

steer[2] *n. hodowla* młody wół.

steerage [ˈstiːrɪdʒ] *n. U* **1.** *hist., żegl.* pomieszczenie ogólne (*dla pasażerów bez kabin*). **2.** *żegl., mot.* sterowność. **3.** *żegl.* sterowanie.

steerageway [ˈstiːrɪdʒˌweɪ] *n. żegl.* szybkość sterowna.

steering [ˈstiːrɪŋ] *n. U* **1.** *mot.* układ kierowniczy; **power** ~ wspomaganie kierownicy, układ kierowniczy ze wspomaganiem. **2.** *mot.* kierowanie; *żegl.* sterowanie. – *a. attr.* **1.** *mot.* kierowniczy. **2.** *żegl.* sterowy.

steering column *n. mot.* kolumna kierownicy.

steering committee *n.* komisja koordynacyjna.

steering gear *n.* **1.** *mot.* układ kierowniczy; przekładnia kierownicza. **2.** *żegl.* urządzenie sterowe.

steering wheel *n.* **1.** *mot.* kierownica. **2.** *żegl.* koło sterowe.

steersman [ˈstiːrzmən] *n. pl.* **-men** *żegl.* sternik.

steeve [stiːv] *żegl. n.* **1.** wytyk sztauerski (*z blokiem*). **2.** kąt wzniesienia bukszprytu. – *v.* **1.** sztauować (*ładunek, zwł. w belach*). **2.** wznosić się (*o bukszprycie*). **3.** podnosić (*bukszpryt*).

stein [staɪn] *n.* kufel (*do piwa; zwł. ceramiczny*).

steinbok [ˈstaɪnbɑːk] *n. zool.* = **steenbok**.

stele [ˈstiːliː], **stela** [ˈstiːlə] *n. pl.* **stelae** [ˈstiːliː] **1.** *archeol.* stela (*nagrobna*). **2.** *bud.* płyta *l.* tablica pamiątkowa (*zwł. w ścianie budynku*). **3.** *bot.* walec osiowy, stela (= *tkanka przewodząca łodygi l. korzenia*).

stellar [ˈstelər] *a. gł. attr.* **1.** *astron.* gwiezdny. **2.** *zwł. US pot.* świetny, doskonały, wyśmienity (*np. o występie, drużynie, grze*); pełen gwiazd (*o filmie*).

stellate [ˈsteleɪt] *a.* (*także* **stellated**) *form.* gwiaździsty; promienisty (*o kształcie, budowie*).

stellular [ˈsteljələr] *a.* **1.** w gwiazdki (*o wzorze*). **2.** w kształcie gwiazdki.

stem [stem] *n.* **1.** *bot.* łodyga; pień (*drzewa, krzewu*); ogonek, szypułka (*liścia, kwiatu, owocu*). **2.** nóżka (*kieliszka*). **3.** cybuch (*fajki*). **4.** *jęz.* temat (*wyrazu*). **5.** *muz.* pałeczka (*nuty*). **6.** pień (*drzewa genealogicznego*). **7.** *mech.* pokrętło (*zegarka*). **8.** (*także* ~ **turn**) *narty* pług (*ułożenie, manewr*). **9.** *żegl.* stewa (dziobowa); **from ~ to stern** od dziobu po rufę; *przen.* na całej długości. – *v.* **-mm- 1.** powstrzymywać; ~ **the flow of sth** powstrzymać napływ czegoś (*np. narkotyków*); ~ **the tide of sth** zahamować *l.* powstrzymać falę czegoś (*np. histerii, protestów*). **2.** *form.* tamować; ~ **the flow of blood** zatamować upływ krwi. **3.** *narty* płużyć; hamować *l.* zakręcać pługiem. **4.** ~ **from sth** mieć (swoje) źródło *l.* przyczynę w czymś, brać się z czegoś (*zwł. o problemach*); wywodzić się skądś (*np. o zwyczaju, tradycji*).

stem cell *n. biol.* komórka macierzysta.

stem christie *n. narty* krystiania z pługu.

stemma [ˈstemə] *n. pl.* **stemmata** [ˈstemətə] **1.** drzewo genealogiczne. **2.** *teor. lit.* tablica chronologiczna.

stemmed [stemd] *a.* **1.** *bot.* z łodygą, obdarzony łodygą. **2.** bez ogonków *l.* ogonka, bez szypułek *l.* szypułki (*wskutek usunięcia*). **3.** *gł. w złoż.* **short/long-~** *bot.* długołodygi/krótkołodygi (*o kwiecie, roślinie*); wysoki/niski, na wysokiej/niskiej nóżce (*o kieliszku*).

stem-winder [ˈstemˌwaɪndər] *n.* zegar *l.* zegarek z pokrętłem (*do nakręcania*).

stench [stentʃ] *n. zw. sing.* **1.** smród, fetor. **2.** *przen.* posmak, atmosfera (*of sth* czegoś) (*np. skandalu, przekupstwa*).

stencil [ˈstensl] *n.* **1.** szablon. **2.** napis *l.* rysunek *l.* dekoracja od szablonu. – *v. Br.* **-ll-** nanosić przez szablon (*napis, literę*); ozdabiać szablonem (*ścianę*).

stengah [ˈsteŋgə] *n.* = **stinger**[2].

Sten gun [ˈsten ˌgʌn] *n. hist., wojsk.* sten (*typ pistoletu maszynowego*).

steno [ˈstenoʊ] *abbr. pot.* = **stenographer**; = **stenography**.

stenograph [ˈstenəˌgræf] *n.* **1.** znak stenograficzny. **2.** maszyna stenograficzna.

stenographer [stəˈnɑːgrəfər] *n.* (*także* **~ist**) *zwł. US* stenograf/ka, stenografist/ka.

stenographic [ˌstenəˈgræfɪk], **stenographical** [ˌstenəˈgræfɪkl] *a. zwł. US* stenograficzny; ~ **record** zapis stenograficzny, stenogram.

stenography [stəˈnɑːgrəfɪ] *n. U zwł. US* stenografia.

stent [stent] *n. chir.* stent (= *proteza rozszerzająca naczynie*).

stentorian [stenˈtɔːrɪən] *a. lit.* tubalny (*zwł. o głosie*).

step [step] *n.* **1.** *t. przen.* krok; **dance** ~ krok taneczny. **2.** *t. przen.* stopień; schodek; *pl.* schody, stopnie. **3.** *sport* step (= *szeroki przenośny stopień do aerobiku*). **4.** *U pot.* = **step aerobics**. **5.** chód. **6.** odcisk stopy. **7.** odgłos kroków. **8.** *US muz.* stopień (*skali*). **9.** *pl. Br.* = **stepladder**. **10.** ~ **by** ~ krok po kroku, stopniowo; ~ **forward/backward** krok naprzód/wstecz (= *postęp / regres*); ~ **in the right direction** krok we właściwym kierunku; ~ **toward sth** krok w kierunku czegoś (*np. pojednania*); ~ **up** awans; **be a ~ from sth** znajdować się o krok od czegoś; **be/keep in ~** iść równym krokiem, iść w nogę, równać krok; *przen.* być w zgodzie (*with sb / sth* z kimś/czymś); **be out of ~** mylić krok; odstawać (*with sb / sth* od kogoś/czegoś); **be one ~ ahead of sb/sth** wyprzedzać kogoś/coś; **bend/direct one's ~s** *lit.* kierować swoje kroki, podążać (*gdzieś*); **every ~ of the way** przez cały czas; **fall into ~** wyrównać krok; **go a ~ further** pójść o jeden krok dalej; **march in/out of ~ (with sth)** maszerować w takt/nie w takt (czegoś); **mind the ~** *Br.* uwaga! stopień (*napis*); **retrace one's ~s** *zob.* **retrace**; **take a ~** *t. przen.* zrobić *l.* uczynić krok (*toward sb / sth* w kierunku kogoś/czegoś); **take (necessary/decisive) ~s** podjąć *l.* przedsięwziąć (stosowne/zdecydowane) kroki; **take one's first ~s** stawiać pierwsze kroki (= *uczyć się chodzić*); **the first ~ is the only difficulty** najtrudniej jest zacząć; **unusual/unprecented ~** niespotykany krok; **watch one's ~** (*także Br.* **mind one's ~**) iść ostrożnie; *przen.* uważać, pilnować się; **watch your ~!** (*także Br.* **mind your ~!**) uważaj!; **with every ~** z każdym krokiem. – *v.* **-pp- 1.** robić krok (*back / forward* do przodu/tyłu); kroczyć, stąpać. **2.** odmierzać krokami (*odległość*). **3. ~ lively!** *Br.* żwawo!; **~ this way** proszę tędy. **4. ~ back** cofać się; **~ down** obniżać (się), zmniejszać (się) (*stopniowo*); *el.* redukować (*napięcie*); (*także* **~ aside**) *polit.* ustępować (*from sth* z czegoś) (*ze stanowiska*); **~ down as prime minister** ustąpić ze stanowiska premiera; **~ forward** występować (*z szeregu, tłumu*); zgłaszać się (*do pomocy, na ochotnika*); **~ in** wstępować, wchodzić (*do domu*); *przen.* wkraczać, interweniować; włączać się; **~ into sth** wchodzić *l.* wsiadać do czegoś (*do wagonu*); **~ into sb's boots/shoes** *przen.* zająć czyjeś miejsce (= *zastąpić kogoś*); **~ off (the bus/train)** wysiadać (z autobusu/pociągu); **~ on sth** nastąpić *l.* nadepnąć *l.* stanąć na coś; **~ on it** (*także* **~ on the gas**) *US pot.* dodać gazu; **~ on sb's toes** *zob.* **toe** *n.*; **~ out** wyjść (na chwilę) (*z pokoju, przed dom*); wyskoczyć (na chwilę); wycofywać się (*z działalności, polityki*); *przest.* wyciągać nogi (= *spieszyć się*); **~ out of line** zachowywać się niestosownie *l.* nieodpowiednio; **~ out on sb** *US pot.* zdradzać kogoś (*partnera*); **~ out with sb** *US pot.* umawiać się z kimś, chodzić z kimś; **~ outside** wychodzić (*z pokoju, przed dom*); **~ over sth** przestąpić (przez) coś (*np. przez próg, kłodę*); **~ all over sb** *przen.* poniewierać kimś; **~ up** zwiększać (*produkcję*); wzmagać (*presję, wysiłki*); przyspieszać (*tempo prac*); *el.* podwyższać (*napięcie*); zgłaszać się.

step aerobics *n. U sport* step (aerobik), aerobik *l.* ćwiczenia ze stepem.

stepbrother [ˈstepˌbrʌðər] *n.* brat przyrodni.

step-by-step [ˌstepbaɪˈstep] *a. attr.* krok po kroku (*np. o planie, metodzie*).

stepchild [ˈstepˌtʃaɪld] *n.* pasierb/ica.

stepdaughter [ˈstepˌdɔːtər] *n.* pasierbica.

step-down transformer [ˌstepdaʊn trænsˈfɔːrmər] *n. el.* reduktor napięcia, transformator obniżający napięcie.

stepfather [ˈstepˌfɑːðər] *n.* ojczym.

step-in [ˈstepˌɪn] *a.* bez zapięcia (*np. o sukience wkładanej przez nogi*); wsuwany (*o butach*). – *n. pl. przest.* majtki z szerokimi nogawkami.

stepladder [ˈstepˌlædər] *n.* (*także Br.* **steps**) drabinka *l.* drabina składana.

stepmother [ˈstepˌmʌðər] *n.* macocha.

stepparent [ˈstepˌperənt] *n. zw. pl.* rodzic przybrany.

steppe [step] *n. U l. pl. geogr.* step; **the ~s** stepy, step.

stepper [ˈstepər] *n. sport* steper (*do ćwiczeń*).

stepping stone [ˈstepɪŋ ˌstoʊn], **steppingstone, stepping-stone** *n.* **1.** kamień (*w strumieniu, do stąpania*). **2.** *przen.* odskocznia (*to sth* do czegoś).

stepsister [ˈstepˌsɪstər] *n.* siostra przyrodnia.

stepson [ˈstepˌsʌn] *n.* pasierb.

step-up transformer [ˌstepʌp trænsˈfɔːrmər] *n. el.* transformator podwyższający napięcie.

stepwise [ˈstepˌwaɪs] *a.* stopniowy; schodkowy. – *adv.* stopniowo; w schodki.

steradian [stəˈreɪdɪən] *n. geom.* steradian.

stercoraceous [ˌstɜːkəˈreɪʃəs] *a. fizj., pat.* kałowy.

stere [stiːər] *n. zwł. leśn.* kubik, metr sześcienny.

stereo [ˈsterɪoʊ] *n.* **1.** wieża (stereo), zestaw (stereo). **2. personal ~** przenośny odtwarzacz (*płyt, kaset*); walkman. **3.** *U* stereo, stereofonia; **in ~** (w) stereo (*o programie, transmisji*). **4.** *U fot.* stereoskopia. **5.** *druk.* stereotyp. – *a. attr.* **1.** stereofoniczny (*o nagraniu, sprzęcie, transmisji*). **2.** *opt.* stereoskopowy.

stereogram [ˈsterɪəˌgræm] *n. fot.* zdjęcie trójwymiarowe, stereogram.

stereophonic [ˌsterɪəˈfɑːnɪk] *a. muz.* stereofoniczny (*o nagraniu*).

stereoscope [ˈsterɪəˌskoʊp] *n. opt.* stereoskop.

stereotype [ˈsterɪəˌtaɪp] *t. psych., socjol. n.* **1.** stereotyp; **conform to/fit/fill the ~ of sb/sth** pasować do stereotypu kogoś/czegoś; **ethnic/gender/racial ~s** stereotypy etniczne/płciowe/rasowe. **2.** *U pat.* stereotypia. – *v. zw. pass.* **1.** powielać stereotyp (*kogoś l. czegoś*), przedstawiać w sposób stereotypowy (*as* jako). **2.** *druk.* stereotypować (= *drukować z matryc stereotypowych*).

stereotyped [ˈsterɪəˌtaɪpt] *a.* stereotypowy.

stereotyping [ˈsterɪəˌtaɪpɪŋ] *n. U t. socjol.* powielanie stereotypów; **sexual ~** powielanie stereotypów płciowych.

stereotypy [ˈsterɪəˌtaɪpɪ] *n. U pat.* stereotypia.

sterile [ˈsterəl] *a.* **1.** *pat., biol.* niepłodny, bezpłodny. **2.** *t. med.* sterylny, jałowy, wyjałowiony. **3.** *roln.* jałowy (*o glebie*). **4.** *przen.* jałowy, bezproduktywny (*np. o dyskusji*).

sterility [stəˈrɪlətɪ] *n. U* **1.** *pat., biol.* niepłodność, bezpłodność. **2.** *t. med.* sterylność, jałowość. **3.** *roln.* jałowość (*gleby*). **4.** *przen.* jałowość, bezproduktywność (*dyskusji*).

sterilization [ˌsterələˈzeɪʃən], *Br. i Austr. zw.* **sterilisation** *n. C / U chir., roln.* sterylizacja.

sterilize [ˈsterəˌlaɪz], *Br. i Austr. zw.* **sterilise** *v. chir., roln.* sterylizować (*narzędzia, ranę, zwierzę*).

sterilizer [ˈsterəˌlaɪzər], *Br. i Austr. zw.* **steriliser** *n. chir.* sterylizator, urządzenie do sterylizacji narzędzi.

sterlet [ˈstɝːlət] *n. icht.* czeczuga, sterlet (*Acipenser ruthenus*).

sterling [ˈstɝːlɪŋ] *n.* **1.** (*także* **pound** ~) *fin.* funt szterling, funt brytyjski. **2.** standard czystości (*srebra, złota*). **3.** *U* (*także* ~ **gold/silver**) złoto/srebro standardowe (*o wysokiej zawartości czystego kruszcu*). – *a. gł. attr.* **1.** standardowy, najwyższej próby (*o srebrze, złocie*). **2.** *przen. gł. Br.* najwyższej próby (*np. o dziele, kunszcie*).

stern1 [stɝːn] *a.* surowy (*o dyscyplinie, karze, minie, spojrzeniu, osobie*).

stern2 *n.* **1.** *żegl.* rufa. **2.** tył. – *a. attr. żegl.* rufowy.

sternal [ˈstɝːnl] *a. anat.* mostkowy.

stern chase *n. żegl.* pościg za statkiem.

stern chaser *n. żegl., wojsk.* działo rufowe.

sternly [ˈstɝːnlɪ] *adv.* surowo (*np. patrzeć, wyglądać, traktować*).

sternness [ˈstɝːnnəs] *n. U* surowość (*np. spojrzenia, wyglądu, charakteru*).

sternpost [ˈstɝːnˌpoʊst] *n. żegl.* tylnica, stewa tylna.

sternsheets [ˈstɝːnˌʃiːts] *n. pl. żegl.* rufa (*łodzi wiosłowej z ławkami dla pasażerów*).

sternum [ˈstɝːnəm] *n. pl.* **-s** *l.* **sterna** [ˈstɝːnə] *anat.* mostek.

sternutation [ˌstɝːnjəˈteɪʃən] *n. U fizj. form.* kichanie.

sternutatory [stərˈnuːtəˌtɔːrɪ] *a. i n. pl.* **-ies** *med.* (środek) wywołujący kichanie.

sternway [ˈstɝːnˌweɪ] *n. U żegl.* ruch (statku) wstecz.

steroid [ˈsterɔɪd] *n. biochem., med.* steroid, steryd; **anabolic** ~ steroid *l.* steryd anaboliczny.

steroidal [stəˈrɔɪdl] *a.* steroidowy, sterydowy.

sterol [ˈstiːrɑːl] *n. biochem.* sterol.

stertor [ˈstɝːtər] *a. U pat.* oddech chrapliwy; chrapanie.

stertorous [ˈstɝːtərəs] *a. pat.* chrapliwy, charczący (*o oddechu*).

stet [stet] *druk. v.* **-tt-** kasować poprawkę (*w korekcie wskazówką "stet"*). – *n.* stet (= *wskazówka korektorska unieważniająca poprawkę*).

stethoscope [ˈsteθəˌskoʊp] *n. med.* stetoskop, słuchawka (lekarska).

stetson [ˈstetsən], **Stetson** *n.* (*także* ~ **hat**) stetson (*kapelusz kowbojski*).

stevedore [ˈstiːvəˌdɔːr] *zwł. US n.* doker, sztauer. – *v.* **1.** pracować przy przeładunkach. **2.** pracować przy załadunku *l.* rozładunku (*statku*).

stew [stuː] *n.* **1.** *C / U kulin.* gulasz; mięso duszone z jarzynami. **2.** *przen.* mieszanka, mieszanina. **3.** *arch.* lupanar, zamtuz. **4.** *sing. przen. pot.* **be in a** ~ nie wiedzieć, co począć (*about / over sth* z czymś); być wkurzonym; być w tarapatach; **get in a** ~ wkurzyć się (*about / over sth* z powodu czegoś); **get sb in a** ~ wpakować kogoś w tarapaty. – *v.* **1.** *kulin.* dusić (*mięso, warzywa*); dusić się (*o potrawie*). **2.** *kulin.* gotować (*owoce*); robić kompot z (*owoców*). **3.** *przen.* zamartwiać się. **4.** *przen.* gotować się (*z gorąca; o osobie*). **5.** ~ **in one's own juice** *przen. pot.* samemu wypić piwo, którego się nawarzyło.

steward [ˈstuːərd] *n.* **1.** *lotn., żegl.* steward. **2.** zarządca, gospodarz (*posiadłości, domu, majątku*). **3.** kierowni-k/czka (*np. sali w restauracji, obsługi w hotelu*). **4.** intendent/ka. **5.** gospodarz/yni (*np. balu, wyścigów, wystawy*). **6.** (*także* **shop** ~) mąż zaufania (*związku zawodowego*). – *v.* zarządzać (*majątkiem*).

stewardess [ˈstuːərdəs] *n. lotn., żegl.* stewardesa, stewardessa.

stewardship [ˈstuːərdʃɪp] *n. U* zarządzanie (*of sth* czymś); zarząd; **under the** ~ **of sb** pod czyimś zarządem.

stewed [stuːd] *a.* **1.** *kulin.* duszony (*o mięsie, warzywach*). **2.** *kulin.* gotowany (*o owocach*); ~ **apples** kompot z jabłek; ~ **fruit** kompot. **3.** *Br. i Austr.* zbyt mocny (*o herbacie*). **4.** *pred. pot.* zalany (= *pijany*).

stewing [ˈstuːɪŋ] *a. attr. kulin.* **1.** ~ **steak** *Br.* wołowina gulaszowa. **2.** ~ **apples/pears** jabłka/gruszki na kompot.

St. Ex. *abbr.* **Stock Exchange** *fin.* giełda, GPW (= *Giełda Papierów Wartościowych*).

stg *abbr. fin.* = **sterling** *n.* 1.

stick1 [stɪk] *n.* **1.** kij, kijek; patyk, patyczek; pręt; tyczka. **2.** (*także* **walking** ~) laska (*do podpierania się*). **3.** *hokej itp.* laska. **4.** laseczka; pałeczka; laska (*dynamitu*); kawałek (*kredy, gumy do żucia*). **5.** sztyft. **6.** *kulin.* łodyga (*selera, rabarbaru*); patyczek (*np. z marchwi, jako zakąska*). **7.** (*także* **cocktail** ~) wykałaczka (*do nabijania zakąsek*). **8.** *muz.* pałeczka (*dyrygenta*). **9.** *US mot. pot.* = **stick shift**. **10.** (*także* **control/joy** ~) *lotn.* drążek sterowy, dźwignia. **11.** *wojsk.* ładunek *l.* seria bomb. **12.** *lotn.* grupa spadochroniarzy. **13.** *żart.* grat (= *mebel*). **14.** *przen. pot.* stary nudziarz. **15.** *przest. sl.* skręt (*z marihuaną*). **16.** (*także* **composing** ~) *druk.* kątnik, kątownik, wierszownik. **17.** *przen.* **any** ~ **to beat a dog** *przest.* kto chce psa uderzyć, ten kij znajdzie; **carrot and** ~ metoda kija i marchewki; **get (hold of) the wrong end of the** ~ *zob.* **end** *n.*; **get the short end of the** ~ *zob.* **end** *n.*; **give sb** ~ *Br. pot.* zjechać kogoś; **old** ~ *Br. przest. żart.* staruszek (*familiarne określenie osoby*); **(out) in the** ~**s** *pot.* gdzie diabeł mówi dobranoc; **up** ~**s** *Br. pot.* zwijać manatki (= *przeprowadzać się*). – *v. ogr.* podpierać (tyczką) (*roślinę*).

stick2 *v.* **stuck, stuck** **1.** wkładać, wsadzać, wtykać, wciskać (*sth in sth* coś do czegoś); wbijać, wkłuwać (*np. igły, pinezki*). **2.** przymocowywać, przypinać (*kartkę pinezką*). **3.** przekłuwać. **4.** przyklejać (się); kleić się (*to sth* do czegoś); naklejać (*sth on sth* coś na coś). **5.** *pot.* rzucić, położyć (*sth somewhere* coś gdzieś). **6.** zacinać się (*o szufladzie, zamku, drzwiach*); **be stuck fast**

zaciąć *l.* zakleszczyć się. **7.** tkwić (*in sth* w czymś). **8.** przyjąć się (*o nazwie*); przylgnąć; **the nickname stuck (to him)** przezwisko przylgnęło (do niego). **9.** być łatwym do zapamiętania, dawać się zapamiętać (*o faktach, nazwach*); ~ **in sb's mind** utkwić komuś w pamięci. **10.** *zw. z neg. Br. i Austr. pot.* znosić; wytrzymywać; **can't ~ sb/sth** nie znosić kogoś/czegoś, nie móc kogoś/czegoś znieść; **can't ~ sb doing sth** nie znosić, jak ktoś coś robi; **I couldn't ~ it** nie mogłem tego znieść *l.* wytrzymać. **11.** *karty* pasować, zostawać przy swoich kartach. **12.** zarżnąć (*świnię*). **13.** *komp. pot.* mieć ulubioną stronę (*w Internecie*). **14.** *przen.* ~ **in sb's craw** *US*/**throat** *Br.* stać komuś kością *l.* ością w gardle, być dla kogoś nie do przełknięcia (*o fakcie, sytuacji, czyimś zachowaniu*); uwięznąć komuś w gardle, nie móc komuś przejść przez gardło (*o słowach*); ~ **to the/one's ribs** wypełniać żołądek, sycić (*o potrawie*); **make sth ~** *pot.* pozbierać coś w sensowną całość (*zwł. dowody winy, oskarżenia*); **you can ~ it!** *wulg. sl.* możesz to sobie wsadzić (gdzieś)!. **15.** ~ **around (for a while)** *pot.* zostać (jeszcze trochę); ~ **at sth** *Br.* wytrwać w *l.* przy czymś; ~ **at it** *Br.* wytrwać, nie poddawać się (*zwł. = nie przestawać się uczyć l. ciężko pracować*); ~ **at nothing** *Br. pot.* nie cofać się przed niczym; ~ **by sb** nie opuszczać kogoś, pozostawać komuś wiernym; ~ **by sth** trzymać się czegoś (*decyzji, postanowienia*), trwać przy czymś (*decyzji, postanowieniu*); ~ **by one's word** dotrzymywać słowa; **be stuck for sb/sth** *pot.* potrzebować kogoś/czegoś; ~ **sth on** włożyć coś (*kapelusz*); ~ **sth on sb** *pot.* wrobić kogoś w coś; **be stuck on sb** *sl.* podkochiwać się w kimś; ~ **out** wystawać, sterczeć (*of/from/through sth* z czegoś); odstawać (*o uszach*); wystawić (*rękę, nogę, język*); ~ **out a mile** *zob.* **mile**; ~ **out like a sore thumb** *zob.* **thumb** *n.*; ~ **it out (till the end)** *pot.* wytrzymać *l.* wytrwać (do końca); ~ **one's neck out** *zob.* **neck** *n.*; ~ **out for sth** *Br. i Austr. pot.* upierać się *l.* obstawać przy czymś; ~ **to sth** trzymać się czegoś, przestrzegać czegoś (*decyzji, postanowienia*); trwać przy czymś, pozostawać wiernym czemuś (*decyzji, postanowieniu, wyborze*); ograniczać się do czegoś; ~ **to it** wytrwać, nie rezygnować; ~ **to sb's fingers** *przen.* kleić się komuś do palców (*o kradzionych przedmiotach*); ~ **to soft drinks** unikać alkoholu; ~ **to the facts** trzymać się faktów, ograniczać się do faktów; ~ **to one's guns** *pot.* obstawać przy swoim; ~ **to the point/subject** trzymać się tematu; ~ **to the road/path** trzymać się drogi/ścieżki; ~ **to the rules** *pot.* trzymać się przepisów; ~ **to one's word/promise** dotrzymywać słowa; **that's my story and I'm ~ing to it** *zw. żart.* tej wersji się będę trzymać (*zwł. kiedy wiadomo, że to nieprawda*); ~ **together** *pot.* trzymać się razem; ~ **up** sterczeć, wystawać (*pionowo*) (*out of/from/through sth* z czegoś); *pot.* obrobić (*bank*); obrabować (*kogoś*); ~**'em up!** *sl.* ręce do góry!; ~ **up for o.s.** *pot.* dbać o własne interesy; ~ **up for sb** *pot.* wstawić się za kimś, stanąć w czyjejś obronie; ~ **with sb** *pot.* trzymać się kogoś; pozostać komuś w pamięci, wryć się komuś w pamięć; ~ **with sth** *pot.* pozostawać przy czymś (*pierwotnych planach*); trzymać się czegoś (*programu*); trwać przy czymś (*decyzji, postanowieniu*); ~ **with it** wytrwać, nie rezygnować. – *n. U* przylepność.

stickball [ˈstɪkˌbɔːl] *n. U US* palant (*gra uliczna*).

sticker [ˈstɪkər] *n.* **1.** naklejka, nalepka; (*także* **price ~**) *zwł. US handl.* metka (*z ceną*). **2.** naklejacz/ka (*afiszów*). **3. be a ~** *zwł. Br. pot.* nie dawać za wygraną, być niezmordowanym *l.* wytrwałym. **4.** *bot.* rzep; kolec, cierń.

sticker price *n. US handl.* cena katalogowa *l.* detaliczna.

stickiness [ˈstɪkɪnəs] *n. U* **1.** lepkość. **2.** gorąca wilgoć, parność (*w powietrzu*).

sticking plaster [ˈstɪkɪŋ ˌplæstər] *n. U Br. chir.* plaster, przylepiec.

sticking point *n. sing.* kwestia sporna.

stick insect *n. ent.* patyczak (*Phasmidae*).

stick-in-the-mud [ˈstɪkənðəˌmʌd] *n. pl.* **sticks-in-the-mud** *pot.* konserwa (= *osoba konserwatywna*).

stickleback [ˈstɪklˌbæk] *n. icht.* ciernik (*Gasterosteus aculeatus*).

stickler [ˈstɪklər] *n.* **1.** pedant/ka (*for sth* na punkcie czegoś) (*dyscypliny, punktualności*); służbist-a/ka (*for/about sth* w kwestii czegoś). **2.** trudność, problem.

stick-on [ˈstɪkˌɑːn] *a. attr.* samoprzylepny.

stickpin [ˈstɪkˌpɪn], **stick pin** *n. US* szpilka do krawatu.

stick shift *n. US mot.* **1.** ręczna zmiana biegów, ręczna przekładnia. **2.** samochód z ręczną zmianą biegów *l.* przekładnią. **3.** dźwignia zmiany biegów.

stickup [ˈstɪkˌʌp], **stick-up** *n. pot.* skok, napad (*rabunkowy z bronią w ręku*).

sticky [ˈstɪkɪ] *a.* **-ier, -iest 1.** lepki, lepiący. **2.** parny, duszny (*o pogodzie, powietrzu*). **3.** *Br. i Austr.* samoprzylepny, klejący; ~ **label** etykieta samoprzylepna; ~ **tape** taśma klejąca. **4.** *pot.* nieprzyjemny, kłopotliwy (*o sytuacji*). **5.** *Br. pot. uj.* łzawy. **6.** *Br.* niechętny (do pomocy). **7.** ~ **end** *Br. pot.* smutny koniec; **come to/meet a ~ end** *Br. pot.* smutno skończyć; **(have) ~ fingers** *przen. pot.* (mieć) lepkie paluszki (= *kraść*); ~ **wicket** *zwł. Br. pot.* niezły gips (= *kłopotliwa sytuacja*); **be on a ~ wicket** *zwł. Br. pot.* być w kropce.

stiff [stɪf] *a.* **1.** sztywny (*o materiale, konstrukcji, karku; t przen. o osobie, sposobie bycia*). **2.** zesztywniały (*o stawie*). **3. be ~** ciężko chodzić (*np. o szufladzie, drzwiach*). **4.** gęsty (*o cieście, mieszance*); sztywny (*o pianie*); **beat until ~** *kulin.* ubić na sztywną pianę. **5.** mocny (*o drinku*). **6.** silny (*o wietrze, dawce leku*). **7.** zacięty (*o konkurencji, oporze*). **8.** wysoki (*o cenach*). **9.** surowy, ciężki (*o karze, wyroku*); wysoki (*o mandacie, grzywnie*). **10.** *żegl.* sztywny, odporny na przechyły (*o statku*). **11.** *sl.* ululany (= *pijany*). **12. keep a ~ upper lip** *zob.* **lip** *n.* – *adv. emf. pot.* **1.** śmiertelnie; **bore/scare sb ~** śmiertelnie kogoś nudzić/przestraszyć; **be scared/bored ~** śmiertelnie się bać/nudzić. **2.** na kość; **frozen ~**

zmarznięty na kość (*o osobie*); zamarznięty na kość (*o mięsie*). – *n. sl.* **1.** umarlak, sztywniak, truposz. **2.** *US* facet; **working** ~ normalny facet. **3.** *obelż.* sztywniak (= *osoba wyniosła*). **4.** *US obelż.* żyła, sknera (*zwł.* = *klient niedający napiwku*). **5.** *US* klapa (= *niepowodzenie*). – *v. US pot.* **1.** pożałować napiwku (*kelnerce, taksówkarzowi*). **2.** oszwabić (*kogoś*).

stiff-arm [ˈstɪfˌɑːrm] *v. i n.* = **straight-arm**.

stiffen [ˈstɪfən] *v.* **1.** sztywnieć (*o osobie, kończynie, stawach*). **2.** usztywniać (*tkaninę, konstrukcję*). **3.** *t. przen.* wzmacniać; umacniać; ~ **sb's resolve** umocnić czyjeś postanowienie.

stiffener [ˈstɪfənər] *n.* usztywniacz, sztywnik (*do kołnierzyka, butów*).

stiffly [ˈstɪflɪ] *adv.* sztywno.

stiff-necked [ˌstɪfˈnekt] *a.* uparty; krnąbrny.

stiffness [ˈstɪfnəs] *n. U* sztywność; zesztywnienie.

stifle[1] [ˈstaɪfl] *v.* **1.** dusić (się). **2.** tłumić (*bunt, odruch*); tłamsić (*inicjatywę*); dławić (*szloch, inflację*); zdusić (w sobie) (*okrzyk, uśmieszek*).

stifle[2] *n.* (*także* ~ **joint**) *wet.* kolano, staw kolanowy (*konia, psa*).

stifling [ˈstaɪflɪŋ] *a.* **1.** duszący (*o zapachu*). **2.** ograniczający, utrudniający życie (*o przepisach, biurokracji*).

stigma [ˈstɪgmə] *n. pl.* **-s** *l.* **stigmata** [ˈstɪgmətə] **1.** *U l. sing. socjol.* piętno. **2.** *anat., zool., bot., pat.* znamię; *ent.* plamka (*na skrzydle motyla*). **3.** *ent.* przetchlinka (*u stonogi*).

stigmata [ˈstɪgmətə] *n. pl.* **1.** *rel.* stygmaty. **2.** *zob.* **stigma**.

stigmatic [stɪgˈmætɪk] *a.* **1.** *socjol.* napiętnowany (społecznie). **2.** *opt.* stygmatyczny, anastygmatyczny (*o soczewce*). – *n. rel.* stygmatyk/czka (= *osoba ze stygmatami*).

stigmatize [ˈstɪgməˌtaɪz], *Br. i Austr. zw.* **stigmatise** *v. socjol.* piętnować; **socially ~d** napiętnowany społecznie (*o postawie, grupie, cesze*).

stilbite [ˈstɪlbaɪt] *n. U min.* stylbit, desmin.

stile [staɪl] *n.* **1.** przełaz (= *stopień itp. ułatwiający przechodzenie przez płot*). **2.** = **turntile**. **3.** *stol.* słupek; ramiak pionowy (*futryny*); belka policzkowa (*drabiny*).

stiletto [stɪˈletoʊ] *n. pl.* **-s** *l.* **-es** **1.** (*także* ~ **heel**) szpilka (*obcas*). **2.** *pl.* szpilki (*buty*). **3.** sztylet. **4.** *tk.* przebijak, dziurkarka (*do skóry, płótna*).

still[1] [stɪl] *adv.* **1.** nadal, wciąż, ciągle; **he ~ loves her** on ją nadal *l.* wciąż kocha; **I'm ~ waiting** ciągle czekam. **2.** jeszcze; ~ **another** jeszcze jeden; ~ **more/other** jeszcze więcej; ~ **to come** *telew.* jeszcze w programie; **it'll be ~ colder tomorrow** (*także* **it'll be colder ~ tomorrow**) jutro będzie jeszcze zimniej. **3.** mimo to; ~**, she deserves a mention** mimo to zasługuje na wzmiankę. **4.** ~ **and all** mimo wszystko; ~ **and all, she's wonderful** mimo wszystko jest cudowna. **5.** *arch. l. lit.* wiecznie, zawsze.

still[2] *a.* **1.** nieruchomy; ~ **camera** *fot.* aparat fotograficzny (*w odróżnieniu od kamery*); ~ **picture** *fot.* obraz nieruchomy; ~ **photography** fotografia (*w odróżnieniu od filmu*). **2.** cichy; spokojny. **3.** *zwł. Br.* niegazowany, niemusujący; ~ **wine** wino niemusujące. **4.** ~ **waters run deep** *przen.* cicha woda brzegi rwie. – *adv.* **1.** nieruchomo, bez ruchu; **keep** ~ nie ruszać się; **stand** ~ stać nieruchomo *l.* bez ruchu; zatrzymać się, stanąć w miejscu; **time stood** ~ czas stanął w miejscu. **2.** cicho; spokojnie. – *n.* **1.** *U lit.* cisza; spokój; **in the ~ of the evening/night** w ciszy wieczoru/nocy. **2.** (*także* ~ **frame**) *film, telew.* fotos; scena, klatka (*z filmu, programu*). – *v.* uspokajać (się), uciszać (się); *lit.* koić (*ból, cierpienie*).

still[3] *n.* **1.** *chem.* aparat destylacyjny. **2.** destylarnia.

stillbirth [ˈstɪlˌbɜːθ] *n. C / U pat.* martwy poród, poród martwego płodu.

stillborn [ˈstɪlˌbɔːrn] *a.* **1.** *pat.* martwo urodzony. **2.** *przen.* (z góry) skazany na porażkę *l.* niepowodzenie (*o przedsięwzięciu*); poroniony (*o pomyśle*).

still hunt *n. myśl. l. przen.* podchodzenie (zwierzyny).

still life *n. pl.* **still lifes** *C / U mal.* martwa natura.

stillness [ˈstɪlnəs] *n. U* **1.** bezruch. **2.** cisza.

stilt [stɪlt] *n.* **1.** szczudło; **walk on ~s** chodzić na szczudłach. **2.** *bud.* pal. **3.** (*także* ~ **bird/plover/walker**) *orn.* szczudłak (*Himantopus*). – *v. bud.* wznosić na palach (*dom*).

stilted [ˈstɪltɪd] *a.* **1.** sztywny, koturnowy (*o języku, stylu*). **2.** ~ **arch** *bud.* łuk na filarach.

stimulant [ˈstɪmjələnt] *n.* **1.** środek pobudzający (*to sth* coś) (*zwł. apetyt*). **2.** bodziec (*to sth* do czegoś) (*np. do pracy, nauki*). – *a.* pobudzający; ~ **effects/properties** działanie/właściwości pobudzające.

stimulate [ˈstɪmjəˌleɪt] *v.* **1.** pobudzać, stymulować (*np. aktywność, rozwój gospodarczy, eksport*); ~ **plant growth** pobudzać rośliny do wzrostu. **2.** pobudzać do działania; inspirować (*sb to do sth* kogoś do (zrobienia) czegoś). **3.** *fizj.* pobudzać, drażnić (*np. strefę erogenną, zakończenia nerwowe*).

stimulating [ˈstɪmjəˌleɪtɪŋ] *a.* **1.** stymulujący, inspirujący (*np. o dyskusji, obradach*). **2.** ożywczy (*np. o klimacie, powietrzu*).

stimulation [ˌstɪmjəˈleɪʃən] *n. U* **1.** stymulacja, pobudzenie (*np. wzrostu, rozwoju*); **intellectual** ~ stymulacja intelektualna. **2.** *fizj.* pobudzanie, drażnienie (*strefy erogennej, zakończeń nerwowych*); **electric** ~ pobudzanie *l.* drażnienie prądem; **oral** ~ pobudzanie oralne *l.* ustami.

stimulative [ˈstɪmjəˌleɪtɪv] *a.* **1.** pobudzający. **2.** inspirujący.

stimulus [ˈstɪmjələs] *n. pl.* **stimuli** [ˈstɪmjəlaɪ] *t. fizj., psych.* bodziec; ~ **to sth** bodziec do (rozwoju) czegoś (*np. badań*).

sting [stɪŋ] *v.* **stung, stung** **1.** użądlić, ukłuć (*o osie, pszczole*); uciąć, pociąć (*o komarach*); ukąsić, pokąsać (*o żmii*); oparzyć, poparzyć (*o pokrzywach, meduzie*). **2.** szczypać (*o oczach, cebuli*); piec, szczypać (*o ranie, jodynie*); palić (*o papryce*); **my eyes are ~ing** szczypią mnie oczy. **3.** gryźć (*o sumieniu*). **4.** urazić (*czyjąś dumę, kogoś*); dotknąć, ubóść (*kogoś*). **5.** ~ **sb into (do-**

ing) **sth** pobudzić kogoś do (zrobienia) czegoś (*zwł. krytyką*). **6.** ~ **sb for £500** *gł. Br. pot.* naciągnąć kogoś na 500 funtów; zażyczyć sobie od kogoś 500 funtów (= *za dużo policzyć*). – *n.* **1.** ukąszenie; użądlenie; ukłucie; oparzenie. **2.** *sing.* pieczenie, szczypanie; palenie. **3.** *Br.* = **stinger** 1. **4.** *US pot.* wyłudzenie, oszustwo. **5.** *US pot.* zasadzka; prowokacja (*metoda operacyjna policji, zwł.* = *zakup kontrolowany*). **6.** uszczypliwa uwaga; szpila. **7. take the ~ out of sth** *przen.* złagodzić coś (*np. bolesną wiadomość, słowa*).

stingaree [ˈstɪŋəˌriː] *n. gł. US icht.* = **stingray**.

stinger[1] [ˈstɪŋər] *n.* **1.** (*także Br.* **sting**) *zool.* żądło; parzydełko; *zool., bot.* kolec. **2.** *przen.* uszczypliwa uwaga, szpila. **3.** *pot.* fanga (= *cios*). **4.** *pot.* wtyczka, agent (= *policjant penetrujący szajkę*).

stinger[2] *n.* (*także* **stengah**) **1.** whisky z wodą sodową. **2.** whisky z likierem miętowym.

stingily [ˈstɪŋɪlɪ] *adv.* skąpo.

stinginess [ˈstɪŋɪnəs] *n. U* skąpstwo.

stinging [ˈstɪŋɪŋ] *a.* wściekły, zaciekły (*o ataku*); ostry (*o reprymendzie, sarkazmie*).

sting nettle *n.* (*także* **stinging nettle**) *bot.* pokrzywa (*Urtica*).

stingray [ˈstɪŋˌreɪ] *n. icht.* raja, płaszczka (*Dasyatidae*).

stingy[1] [ˈstɪndʒɪ] *a.* **-ier, -iest** skąpy (*o osobie, zapasach*).

stingy[2] [ˈstɪŋɪ] *a.* **-ier, -iest** kłujący; parzący.

stink [stɪŋk] *v. pret.* **stank** *l.* **stunk** *pp.* **stunk** **1.** *t. przen.* śmierdzieć; cuchnąć (*of sth* czymś); ~ **to high heaven** *emf.* cuchnąć jak diabli; **it ~s of onion here** śmierdzi tu cebulą. **2.** *pot.* być do niczego; **it ~s** kompletne dno; **the whole thing ~s** to wszystko jest do niczego. **3.** ~ **up***US*/**out***Br. pot.* zasmradzać (*mieszkanie, pokój*). – *n.* **1.** smród (*of sth* czegoś). **2.** *sing. pot.* afera; **raise/make/kick up/cause a** ~ zrobić aferę (*awanturę*). **3. work/run/go like** ~ *Br. sl.* zapieprzać jak mały samochodzik (= *ciężko pracować, szybko biec itp.*).

stink bomb *n.* bomba cuchnąca (= *kapsuła ze smrodliwą substancją używana do robienia dowcipów*).

stinkbug [ˈstɪŋkˌbʌg] *n. US ent.* pluskwa.

stinker [ˈstɪŋkər] *n.* **1.** *pot.* koszmar (= *coś okropnego*); **a ~ of a day** koszmarny dzień. **2.** *pot.* aparat/ka (= *osoba skłonna do wybryków*). **3.** *pot.* śmierdziel (= *śmierdząca osoba l. zwierzę*). **4.** *sl.* dziadostwo, chłam. **5.** *sl.* leń śmierdzący. **6.** *orn. pot.* burzyk; nawałnik; petrel (*t. inne ptaki morskie żywiące się padliną*).

stinkhorn [ˈstɪŋkˌhɔːrn] *n. bot.* sromotnik (bezwstydny) (*grzyb Phallus impudicus*).

stinking [ˈstɪŋkɪŋ] *a.* **1.** śmierdzący, cuchnący. **2.** *emf. pot.* cholerny. **3.** *gł. Br. emf. pot.* beznadziejny, okropny, fatalny; ~ **cold** paskudne przeziębienie. **4.** *sl.* zalany w trupa. **5.** ~ **letter** *Br.* list w ostrym tonie. – *adv. emf. pot.* **1.** cholernie. **2.** ~ **rich** nadziany (= *bogaty*).

stinko [ˈstɪŋkoʊ] *a. US* **1.** *pot.* dziadowski. **2.** *pred. przest. sl.* ubzdryngolony (= *pijany*).

stinkpot [ˈstɪŋkˌpɑːt] *n.* **1.** *pog. pot.* śmierdziel (= *śmierdząca osoba l. zwierzę; nielubiana osoba*). **2.** *zool.* żółw wonny (*Sternotherus odoratus*). **3.** *przest. wojsk.* bomba cuchnąca.

stinkstone [ˈstɪŋkˌstoʊn] *n. U geol.* wapień cuchnący.

stinktrap [ˈstɪŋkˌtræp] *n. Br. bud.* kolanko (*w odpływie z wanny, zlewu*).

stinky [ˈstɪŋkɪ] *a.* **-ier, -iest** *pot.* śmierdzący.

stint[1] [stɪnt] *n.* **1.** okres (zatrudnienia *l.* pobytu); **do a ~ in the army** być przez jakiś czas w wojsku; **do one's ~** zrobić *l.* odwalić swój kawałek roboty. **2. without ~** *form.* nie szczędząc niczego, ofiarnie.

stint[2] *v. gł. z neg.* żałować, szczędzić, skąpić, odmawiać (*on sth* czegoś); ~ **o.s.** odmawiać *l.* żałować sobie; **not ~ money on sth** nie żałować pieniędzy na coś.

stint[3] *n. orn.* biegus (*Calidris*).

stinting [ˈstɪntɪŋ] *n.* oszczędny (*in sth* w czymś) (*np. w pochwałach*).

stipe [staɪp] *n.* **1.** *bot.* nóżka, trzonek (*grzyba*); łodyżka, nóżka (*paproci*). **2.** *zool.* = **stipes** 1.

stipel [ˈstaɪpl] *n. bot.* przylistek.

stipend [ˈstaɪpend] *n. fin.* pobory, uposażenie (*zwł. Br. duchownego*); *uniw.* stypendium (*studenta*).

stipendiary [staɪˈpendɪˌerɪ] *a.* pobierający uposażenie (*o osobie*); płatny, opłacany (*o pracy*); ~ **magistrate** *Br. prawn.* płatny urzędnik w funkcji sędziego pokoju. – *n. uniw.* stypendyst-a/ka.

stipes [ˈstaɪpiːz] *n. pl.* **stipites** [ˈstɪpəˌtiːz] **1.** *zool., ent.* słupek (*oka raka, kraba*); szczęka dolna *l.* wtórna (*u niektórych owadów i skorupiaków*). **2.** *bot.* = **stipe** 1.

stipple [ˈstɪpl] *v.* **1.** *sztuka* punktować; *mal.* malować punktami. **2.** *bud.* matowić (*farbę, tynk*). – *n.* **1.** *U bud.* mat, faktura matowa. **2.** *sztuka, mal.* dzieło wykonane techniką punktową; *U* (*także* **stippling**) technika punktowa, pointylizm.

stipulate[1] [ˈstɪpjəˌleɪt] *v. form.* **1.** zastrzegać (sobie) (*zwł. w kontrakcie*) (*for sth* coś, *that sth be done* żeby coś zostało zrobione). **2.** przewidywać (*o kontrakcie, przepisie*). **3.** określać. **4.** zobowiązywać się. **5.** *prawn.* przyjmować za prawdziwy (*fakt*); uznawać prawdziwość (*faktu*).

stipulate[2] [ˈstɪpjələt] *a. bot.* z przylistkami (*o łodydze*).

stipulation [ˌstɪpjəˈleɪʃən] *n. C/U form.* **1.** klauzula, warunek, zastrzeżenie. **2.** *prawn.* uznanie prawdziwości (faktu).

stipule [ˈstɪpjuːl] *n. bot.* przylistek.

stir[1] [stɝː] *v.* **-rr-** **1.** mieszać (*herbatę, zupę, farbę*); mącić (*wodę*); ~ **sth in** dodać coś, mieszając; ~ **sth into sth** dodać coś do czegoś, mieszając. **2.** *lit.* poruszać (*wyobraźnię, uczucia*); wywoływać (*wspomnienia*). **3.** kręcić się (*leżąc l. siedząc*). **4.** ruszać się, poruszać się; poruszyć się, drgnąć; ~ **yourself!** *Br.* rusz się!. **5.** ruszać, poruszać (*czymś*). **6.** *Br. pot.* mącić, spiskować. **7.** *pot.* dziać się. **8.** ~ **sb's blood** *lit.* sprawić, że komuś żywiej zabije serce; ~ **sb into action** pobudzać *l.* dopingować kogoś do działania. **9.** ~ **up** wzbijać (*np. kurz*); wzniecać (*kłótnie, konflikty*);

~ things up mącić, snuć intrygi. – *n. gł. sing.* **1.** mieszanie (*herbaty, zupy*); **give sth a ~** zamieszać coś. **2.** poruszenie, podniecenie; zamieszanie; **create/cause a ~** wywoływać poruszenie. **3.** drgnięcie. **4.** *Austr. pot.* draka.

stir[2] *n. U US sl.* pudło, kryminał, paka (= *więzienie*); **in ~** w pudle.

stir-about ['stɜ:əˌbaʊt] *n.* **1.** *pot.* niespokojny duch; wiercipięta. **2.** *U arch. Ir. kulin.* owsianka.

stir-crazy [ˌstɜ:'kreɪzɪ] *a.* **be ~** *pot.* miotać się z kąta w kąt, chodzić jak lew po klatce.

stir-fried [ˌstɜ:'fraɪd] *a. kulin.* smażony (*jw.*).

stir-fry [ˌstɜ:'fraɪ] *kulin. v.* (krótko) smażyć (ciągle) mieszając, podsmażać (*jak w kuchni chińskiej*). – *n. pl.* **-ies** danie chińskie (*smażone*); **vegetable ~** warzywa smażone w paskach.

stirps [stɜ:ps] *n. pl.* **stirpes** ['stɜ:pi:z] **1.** *her.* ród. **2.** *prawn.* wstępny; przodek. **3.** *bot.* odmiana.

stirrer ['stɜ:ər] *n.* **1.** *Br. pot.* mąciciel/ka, wichrzyciel/ka. **2.** *techn.* mieszadło.

stirring ['stɜ:ɪŋ] *a.* poruszający (*emocjonalnie*). – *n. sing.* drgnienie (*np. dumy*); **~s of interest/rebellion** (pierwsze) oznaki zainteresowania/buntu.

stirrup ['stɜ:əp] *n.* **1.** *t. jeźdz.* strzemię. **2.** *żegl.* szelka perty.

stirrup bone *n. anat.* strzemiączko (*w uchu*).

stirrup cup *n.* strzemienne (= *toast na pożegnanie*).

stirrup pump *n. techn.* hydropult (*ręczna pompa gaśnicza*).

stitch [stɪtʃ] *n.* **1.** ścieg. **2.** *t. chir.* szew; **put a ~/~es in** założyć szew/szwy. **3.** *dziewiarstwo* oczko; **drop a ~** zgubić oczko. **4.** *sing. pat.* kolka, kłucie (*w boku*). **5.** *roln.* bruzda. **6.** *przen.* **a ~ in time (saves nine)** co masz zrobić jutro, zrób dzisiaj; **be in ~es** pokładać się *l.* pękać ze śmiechu; **have/leave sb in ~es** rozśmieszyć kogoś do łez; **he hasn't a dry ~ on him** przemókł do suchej nitki; **not have a ~ on** świecić golizną; **not have a ~ to wear** nie mieć co na siebie włożyć. – *v. t. chir.* szyć; zszywać; **~ sth onto sth** naszyć coś na coś; przyszyć coś do czegoś; **~ together** zszyć; *przen.* zmontować; **~ up** zaszyć, zszyć; pozszywać; **~ sb up** *Br. sl.* wrobić kogoś; **~ sth up** *przen.* dopiąć coś na ostatni guzik, sfinalizować coś (*np. kontrakt, porozumienie*).

stitchery ['stɪtʃərɪ] *n. U* szycie; dziewiarstwo; dzierganie; szydełkowanie; wyszywanie.

stitchwort ['stɪtʃˌwɜ:t] *n. bot.* gwiazdnica (*Stellaria*).

stoat [stoʊt] *n. pl.* **-s** *l.* **stoat** *zool.* gronostaj (*Mustela erminea*).

stock [stɑ:k] *n.* **1.** *t. pl.* zapas, zasób, zapasy, zasoby; **~ of words/knowledge** zasób słownictwa/wiedzy; **build a ~ of sth** zgromadzić zapasy czegoś; **housing ~** zasoby mieszkaniowe. **2.** *C / U handl.* skład, stan (magazynu); **in ~** na składzie *l.* stanie, w magazynie; **out of ~** wyprzedany, wyczerpany; **take ~** przeprowadzać inwentaryzację; **while ~s last** do wyczerpania zapasów. **3.** *fin. zwł. US* akcja; *pl.* akcje. **4.** *U fin.* kapitał akcyjny. **5.** *fin.* walor, papier wartościowy; obligacja (skarbowa); *pl.* (*także* **~s and shares**) walory. **6.** *U kulin.* wywar; bulion, rosołek; **vegetable ~** wywar z warzyw. **7.** *U* surowiec. **8.** *roln.* = **livetock**. **9.** *U* pochodzenie; ród; **be of peasant/Irish ~** wywodzić się z chłopskiego/irlandzkiego rodu. **10.** *pl. hist.* dyby. **11.** *pl. t.* **stock** *ogr.* lewkonia. **12.** *ogr.* podkładka (*do szczepienia*); roślina macierzysta, materiał do szczepienia. **13.** *t. biol., jęz.* rodzina (*organizmów, języków*). **14.** *U* (*także* **rolling ~**) *kol.* tabor (kolejowy). **15.** *bot., leśn.* pień. **16.** *mech., techn.* podstawa; trzon, trzonek. **17.** *wojsk.* korpus (*karabinu*). **18.** *bud.* belka (*zwł. dzwonu*). **19.** *bud.* wspornik; filar. **20.** *żegl.* poprzeczka (kotwicy). **21.** *Br. mech.* piasta (*koła*). **22.** *geol.* górotwór. **23.** *metal.* wsad. **24.** *pl. roln.* zagroda. **25.** *pl. żegl.* podbudowa pochylniowa (*w stoczni*). **26.** (*także* **~ company**) *US teatr* sezonowa grupa dramatyczna *l.* aktorska *l.* teatralna; **do ~** grać w grupie jw.; **summer ~** letnia grupa dramatyczna *l.* aktorska *l.* teatralna. **27.** *strój* plastron (= *przodzik, zwł. w stroju jeźdźca l. duchownego*). **28.** *U film* surowiec (= *czysta taśma filmowa*). **29.** *karty* kupka, talion (*do dobierania*). **30.** *przen.* **~s and stones** przedmioty nieożywione; **laughing ~** *zob.* **laughing**; **lock, ~, and barrel** *zob.* **barrel** *n.*; **on the ~s** w przygotowaniu; **put (much) ~ in sth** przykładać (wielką) wagę do czegoś; **sb's ~ is high/low** ktoś się cieszy dobrą/złą opinią; ktoś się cieszy wysoką/niską popularnością; **take ~ of sth** zastanowić się nad czymś, ocenić coś. – *a. attr.* **1.** *handl.* będący na składzie *l.* stanie. **2.** utarty, oklepany; szablonowy, sztampowy (*np. o odpowiedzi, wymówce*). – *v.* **1.** *handl.* prowadzić (*dany asortyment, markę*). **2.** zapełniać (*sth with sth* coś czymś) (*np. lodówkę jedzeniem*); zaopatrywać (*sth with sth* coś w coś) (*np. sklep w towry*). **3.** zarybiać; **~ a river/pond with trout** zarybić rzekę/staw pstrągiem. **4.** *roln.* dostarczać inwentarz do (*gospodarstwa*), zaopatrywać w inwentarz (*gospodarstwo*). **5.** *ogr.* puszczać pędy (*o roślinie*). **6.** *hist.* zakuwać w dyby. **7.** **~ up on sth** robić zapasy czegoś.

stockade [stɑ:'keɪd] *n.* **1.** *hist., wojsk.* palisada, ostrokół, częstokół. **2.** obozowisko (*otoczone palisadą*). **3.** *US wojsk.* obóz jeniecki. – *v.* otaczać palisadą, obwarowywać.

stock book *n. handl.* księga magazynowa *l.* inwentarzowa.

stockbreeder ['stɑ:kˌbri:dər] *n. roln.* hodowca bydła.

stockbroker ['stɑ:kˌbroʊkər] *n. fin.* makler (giełdowy).

stock car *n.* **1.** *mot.* samochód seryjny przygotowany do wyścigów (*zwł. wzmocniony mechanicznie*). **2.** *US kol.* wagon do przewozu bydła, wagon bydlęcy.

stock certificate *n. gł. US fin.* świadectwo udziałowe *l.* posiadania akcji.

stock company *n. pl.* **-ies** **1.** *ekon.* spółka akcyjna. **2.** *teatr* sezonowa grupa dramatyczna *l.* aktorska *l.* teatralna.

stock control *n. U handl.* inwentaryzacja (zapasów).

stock cube *n. Br. kulin.* kostka rosołowa *l.* bulionowa; *pl.* rosół *l.* bulion w kostkach.

stock dove *n. orn.* (gołąb) siniak (*Columba oenas*).

stock exchange *n. fin.* giełda (papierów wartościowych); **on the ~** na giełdzie.

stock farm *n. roln.* gospodarstwo hodowlane.

stock farmer *n. roln.* hodowca bydła.

stockfish ['stɑːkˌfɪʃ] *n. C / U kulin.* sztokfisz (= *patroszony suszony dorsz*).

stockholder ['stɑːkˌhoʊldər] *n. gł. US fin.* akcjonariusz/ka, udziałowiec.

Stockholm ['stɑːkˌhoʊm] *n.* Sztokholm.

stockiness ['stɑːkɪnəs] *n. U* krępość; przysadzistość.

stockinette [ˌstɑːkɪ'neɪt], **stockinet** *n. U tk.* trykot.

stockinette stitch *n.* (*także Br.* **stocking stitch**) ścieg pończochowy.

stocking ['stɑːkɪŋ] *n.* **1.** pończocha (*t. na prezenty gwiazdkowe*); *pl.* pończochy. **2.** *zool.* skarpetka, skarpeta (= *odmienne ubarwienie końca łapy l. nogi*). **3.** *przest.* skarpetka. **4. in one's ~ed feet** bez butów, w (samych) pończochach *l.* skarpetkach.

stocking cap *n. US* czapka z pomponem.

stocking filler *n. Br.* = **stocking stuffer**.

stocking mask *n.* maska z pończochy.

stocking stitch *n. Br.* = **stockinette stitch**.

stocking stuffer *n.* (*także Br.* **stocking filler**) prezent gwiazdkowy wkładany do pończochy.

stock-in-trade [ˌstɑːkɪn'treɪd] *n. U* **1. sb's ~** czyjś chleb powszedni, czyjś (stały) repertuar (*wypowiedzi, zachowań*). **2.** *przest.* warsztat (= *potrzebne narzędzia*).

stockist ['stɑːkɪst] *n. Br. i Austr. handl.* sklep firmowy; **~ of sth** sklep sprzedający coś, sklep z czymś; **health food ~** sklep ze zdrową żywnością.

stockjobber ['stɑːkˌdʒɑːbər] *n. fin.* **1.** *US przest.* makler giełdowy; spekulant giełdowy. **2.** *Br. hist.* pośrednik giełdowy.

stockman ['stɑːkmən] *n. pl.* **-men 1.** hodowca bydła. **2.** dozorca bydła. **3.** *US i Can.* magazynier.

stock market *n. fin.* **1.** rynek papierów wartościowych, rynek giełdowy. **2.** = **stock exchange**.

stock phrase *n.* utarty zwrot.

stockpile ['stɑːkˌpaɪl] *v.* **1.** gromadzić zapasy (*broni, żywności*). **2. ~ nuclear arms** *polit.* rozbudowywać arsenał jądrowy. – *n. U* **1.** skład, zapasy (*żywności*). **2.** arsenał (*broni*).

stockpot ['stɑːkˌpɑːt] *n. zwł. Br. kulin.* garnek do (gotowania i przechowywania) wywaru.

stock raising *n. U roln.* hodowla bydła.

stockroom ['stɑːkˌruːm] *n.* magazyn, skład.

stock-still [ˌstɑːk'stɪl] *a.* nieruchomy jak skała *l.* kamień *l.* głaz.

stocktaking ['stɑːkˌteɪkɪŋ] *n. U* **1.** (*także Br.* **stocktake**) *handl.* inwentaryzacja, remanent. **2.** *przen.* ocena sytuacji.

stocky ['stɑːkɪ] *a.* **-ier, -iest** krępy; przysadzisty.

stockyard ['stɑːkˌjɑːrd] *n. roln.* zagroda (dla bydła).

stodge [stɑːdʒ] *n. U Br. i Austr. pot.* **1.** zapychacz, wypełniacz (= *sycące, ale mało wartościowe jedzenie*). **2.** flaki z olejem (= *coś nudnego*).

stodginess ['stɑːdʒɪnəs] *n. U pot.* **1.** *Br. i Austr.* ciężkość (*kuchni, potrawy*). **2.** drętwota, czerstwość (*stylu, atmosfery*).

stodgy ['stɑːdʒɪ] *a.* **-ier, -iest** *Br. i Austr. pot.* **1.** ciężki, ciężko strawny (*o potrawie*). **2.** drętwy, czerstwy (*o książce, stylu, osobie*).

stoep [stuːp] *n. S.Afr.* weranda.

stogy ['stoʊgɪ], **stogey**, **stogie** *n. pl.* **-ies** *US pot.* tanie cygaro.

stoic ['stoʊɪk], **Stoic** *t. fil. n.* stoik. – *a.* stoicki.

stoical ['stoʊɪkl] *a.* stoicki.

stoically ['stoʊɪklɪ] *adv.* ze stoicyzmem.

stoicism ['stoʊəˌsɪzəm] *n. U t. fil.* stoicyzm.

stoke [stoʊk] *v.* **1. ~ (up)** dokładać do ognia. **2.** palić w palenisku *l.* piecu; pracować jako palacz. **3. ~ the furnace with sth** dokładać czegoś do paleniska. **4. ~ sth up** *przen.* rozpalać coś (mocniej) (*ogień, nienawiść, emocje*); **~ up on/with sth** najadać *l.* opychać się czymś (na zapas); robić zapasy czegoś (*odzieży, żywności*).

stoked [stoʊkt] *a. US pot.* podekscytowany.

stokehold ['stoʊkˌhoʊld] *n. żegl.* kotłownia (*na parowcu*).

stokehole ['stoʊkˌhoʊl] *n.* **1.** *żegl.* kotłownia (*na parowcu*). **2.** *techn.* gardziel (*pieca, paleniska*).

stoker ['stoʊkər] *n.* **1.** palacz (*przy piecu, palenisku*). **2.** *techn.* ruszt mechaniczny, stoker.

STOL [stɑːl] (*także* **~ aircraft**) *abbr. i n.* **short take-off and landing (aircraft)** *lotn.* samolot krótkiego startu i lądowania.

stole¹ [stoʊl] *v. zob.* **steal**.

stole² *n.* **1.** etola. **2.** *kośc.* stuła. **3.** stola (*rzymska*).

stolen ['stoʊlən] *v. zob.* **steal**.

stolid ['stɑːləd] *a.* powściągliwy; beznamiętny; bezduszny, obojętny.

stolidity [stə'lɪdətɪ], **stolidness** ['stɑːlədnəs] *n. U* powściągliwość; beznamiętność.

stolidly ['stɑːlədlɪ] *adv.* powściągliwie; beznamiętnie.

stolon ['stoʊlɑːn] *n.* **1.** *bot.* rozłóg, stolon. **2.** *zool.* odrost (*zwł. u morskich zwierząt osiadłych*).

stoma ['stoʊmə] *n. pl.* **stomata** ['stoʊmətə] **1.** *bot.* aparat szparkowy, szparka; *biol.* przetchlinka. **2.** *chir.* przetoka.

stomach ['stʌmək] *n.* **1.** *t. anat.* żołądek; **have a delicate ~** mieć delikatny żołądek. **2.** brzuch; **lie on one's ~** leżeć na brzuchu. **3.** *przen.* **be sick to one's ~** *gł. US* mieć mdłości; **(do/eat sth) on an empty ~** (robić/jeść coś) na pusty żołądek *l.* na czczo; **have a strong ~** mieć mocne nerwy (= *móc oglądać drastyczne sceny itp.*); **have no ~ for sth** nie mieć ochoty na coś (*nieprzyjemnego*); **sb's ~ is churning** żołądek się komuś przewraca, żołądek podchodzi komuś do gardła; **sb's ~ is growling/rumbling** komuś burczy w brzuchu; **sb's ~**

turns kogoś mdli, komuś jest niedobrze; **the very sight (of it) turns my ~** na sam widok robi mi się niedobrze; **settle sb's ~** *zob.* **settle**[1]; **sth goes against sb's ~** ktoś czegoś nie cierpi *l.* nie toleruje *l.* nie znosi. – *v. gł. z neg. i pyt.* **1.** znosić (*coś nieprzyjemnego*); **can't ~ sth** nie znosić *l.* nie trawić *l.* nie cierpieć czegoś; **hard/difficult to ~** trudny do zniesienia *l.* wytrzymania. **2.** tolerować, móc jeść (*określone potrawy, produkty*).

stomachache ['stʌmək,eɪk], **stomach ache** *n. C / U pat.* ból brzucha *l.* żołądka.

stomach crunch *n. sport* spięcie brzucha (*ćwiczenie*).

stomacher ['stʌməkər] *n. przest.* gors, przodzik.

stomachic [stə'mækɪk] *a. form.* żołądkowy.

stomach pump *n. med.* odsysacz treści żołądkowej.

stomach tooth *n. dent.* dolny kieł mleczny (*u niemowląt*).

stomach tube *n. med.* sonda żołądkowa, zgłębnik żołądkowy.

stomach ulcer *n. pat.* wrzód żołądka.

stomata ['stoumətə] *n. pl. zob.* **stoma**.

stomatitis [,stoumə'taɪtɪs] *n. U pat.* zapalenie jamy ustnej.

stomatological [,stoumətə'lɑːdʒəkl] *a.* stomatologiczny.

stomatology [,stoumə'tɑːlədʒɪ] *n. U* stomatologia.

stomatopod ['stoumətə,pɑːd] *n. zool.* ustonóg (*rząd Stomatopoda*).

stomp [stɑːmp] *v.* **1.** (*także* **~ one's feet**) tupać; **~ (on) sth** tupać w coś (*w podłogę*). **2.** deptać; **~ (on) sb/sth** deptać po kimś/czymś; *przen.* zadeptać kogoś/coś. **3.** chodzić ciężko; **~ in/out** wejść/wyjść ciężkim krokiem. – *n. muz.* stomp (= *szybki utwór jazzowy l. taniec*).

stomping ground ['stɑːmpɪŋ ,graund] *n.* **sb's ~** czyjeś ulubione miejsce (*spacerów, zabaw, pobytu*).

stone [stoun] *n.* **1.** *C / U* kamień; głaz; kamyk; kamyczek. **2.** *Br.* pestka (*wiśni, śliwki, brzoskwini*). **3.** *pl. t.* **stone** *Br.* kamień (*jednostka masy = 6,35 kg*). **4.** *U* jasny beż; kolor jasnoszary. **5.** *druk.* stół zecerski. **6. precious ~** (*także* **gemstone**) kamień szlachetny. **7. gall/kidney ~s** *pat.* kamienie żółciowe/nerkowe. **8.** *przen.* **a ~'s throw (away)** o rzut kamieniem (= *bardzo blisko*); **be made of ~** (*także* **have a heart of ~**) mieć serce z kamienia; **cast/throw the first ~** *Bibl.* rzucić pierwszy kamień; **leave no ~ unturned** poruszyć niebo i ziemię; **sth is set/carved/cast in (tablets of) ~** bardzo trudno jest coś zmienić. – *v.* **1.** obrzucać kamieniami. **2.** kamienować; **~ sb to death** ukamienować kogoś. **3.** *Br.* drylować (*np. wiśnie*). **4.** *mech.* szlifować *l.* ostrzyć na kamieniu. **5.** *bud.* brukować; wykładać kamieniami. – *a. attr.* **1.** kamienny. **2.** jasnobeżowy; jasnoszary. – *adv. gł. w złoż. emf.* **1.** jak kamień *l.* głaz. **2.** *sl.* jak cholera; **~ tired** cholernie zmęczony.

Stone Age *n. archeol.* epoka kamienia *l.* kamienna; **Old/New ~** epoka kamienia łupanego/gładzonego.

stone-age ['stoun,eɪdʒ], **Stone-Age** *a. attr.* z epoki kamiennej (*t. przen. = staromodny, zacofany*).

stone-blind [,stoun'blaɪnd] *a. obelż.* ślepy jak kura.

stone-broke [,stoun'brouk] *a. pot.* bez grosza przy duszy.

stonechat ['stoun,tʃæt] *n. orn.* kląskawka (*Saxicola torquata*).

stone-cold [,stoun'kould] *a.* zimny jak lód.

stonecrop ['stoun,krɑːp] *n. C / U bot.* rozchodnik (*Sedum*).

stonecurlew [,stoun'kɝːluː] *n. orn.* kulon (*Burhinus oedicnemus*).

stonecutter ['stoun,kʌtər] *n.* **1.** kamieniarz. **2.** maszyna do cięcia i obróbki kamienia.

stoned [stound] *a.* **1.** *Br.* drylowany, bez pestek. **2.** *sl.* naćpany, na haju (= *pod wpływem narkotyków*). **3.** *sl.* urżnięty (= *pijany*).

stone-dead [,stoun'ded] *a. emf.* martwy jak kłoda.

stone-deaf [,stoun'def] *a. emf.* głuchy jak pień *l.* głaz.

stone fruit ['stoun ,fruːt] *n. bot., handl.* owoc pestkowy.

stone-ground ['stoun,graund] *a. roln.* mielony na żarnach (*o ziarnach, mące*).

stone marten *n. zool.* kuna domowa, kamionka (*Martes foina*).

stonemason ['stoun,meɪsən] *n.* kamieniarz.

stone pit *n.* kamieniołom.

stonewall ['stoun,wɔːl] *v.* **1.** grać na zwłokę; *parl.* stosować obstrukcję (parlamentarną). **2.** *pot.* wykręcać się od odpowiedzi.

stoneware ['stoun,wer] *n. U* **1.** wyroby kamionkowe *l.* z kamionki. **2.** kamionka.

stone-washed ['stoun,wɑːʃt] *n. tk.* marmurkowy (*o tkaninie, dżinsach*).

stonework ['stoun,wɝːk] *n. U* **1.** *bud.* kamieniarka; konstrukcja kamienna *l.* z kamienia. **2.** kamieniarstwo.

stonily ['stounɪlɪ] *adv.* jak kamień; **~ silent** milczący jak grób.

stony ['stounɪ], **stoney** *a.* **1.** kamienisty (*o gruncie*). **2.** *bud.* z kamienia, kamienny (*o ścianie, fundamencie*). **3.** *przen.* kamienny (*o twarzy, ciszy, wzroku*). **4.** *przen.* **fall on ~ ground** trafić w pustkę (*o propozycji*).

stony-faced [,stounɪ'feɪst] *a.* o kamiennej twarzy, z kamienną twarzą.

stood [stud] *v. zob.* **stand**.

stooge [stuːdʒ] *n.* **1.** partner satyryka (*służący jako pretekst do żartów*). **2.** *pot.* pośmiewisko (*osoba*). **3.** *pog. sl.* popychadło; frajer, fagas. **4.** *US sl.* wtyka (*policji w grupie przestępczej*). – *v. pot.* dać się robić (= *dać się wykorzystywać*).

stookie ['stuːkɪ] *n. Scot.* **1.** gips (*na złamanej kończynie*). **2.** posąg (gipsowy). **3.** *U bud.* stiuk, sztukateria.

stool [stuːl] *n.* **1.** taboret; stołek; **bar ~** stołek barowy. **2.** podnóżek. **3.** *fizj.* stolec; **pass ~s** oddawać stolce. **4.** *sl.* kibelek (= *sedes*). **5.** *bot., ogr.*

podstawa, pniak (*wypuszczający pędy*); wiązka pędów. **6.** *gł. US myśl.* wabik. **7.** *hist.* stolec (= *tron*). **8. sb fell between two ~s** *przen.* komuś nie udało się ani jedno, ani drugie. – *v.* **1.** *bot., ogr.* wypuszczać pędy. **2.** *fizj.* wypróżniać się. **3.** *myśl.* polować z wabikiem.

stool pigeon *n.* **1.** *US sl.* wtyka (*policji w grupie przestępczej*). **2.** *sl.* wabik (= *przestępca odwracający uwagę policji od właściwej działalności przestępczej*). **3.** *myśl.* wabik (*zwł. gołąb*).

stoop[1] [stu:p] *v.* **1.** ~ **(down)** schylać się, pochylać się; schylać, pochylać (*głowę*). **2.** garbić się. **3.** zniżać się; poniżać się; ~ **so low** poniżyć się do tego stopnia; ~ **to (doing) sth** zniżyć się do czegoś (*np. do kłamstwa, oszustwa, żebrania*). **4.** *orn.* spadać (*o drapieżniku; na ofiarę*). – *n.* **1.** *sing.* okrągłe plecy, garbienie się, zgarbienie; **have a** ~ garbić się; **develop a** ~ zacząć się garbić. **2.** zniżenie się. **3.** spadnięcie (*np. jastrzębia*).

stoop[2] *n.* **1.** *US i Can.* taras, weranda (*przy wejściu*). **2.** *kośc.* = **stoup**.

stooped [stu:pt] *a.* (*także* **~ing**) przygarbiony, zgarbiony.

stop [stɑ:p] *v.* **-pp- 1.** przestawać; ~ **doing sth** przestać coś robić; zaprzestać czegoś; ~ **it/that!** przestań!. **2.** zatrzymywać się, stawać (*o pieszym, pojeździe*); ~ **to do sth** zatrzymać się, żeby coś zrobić; ~ **for a drink** zatrzymać się na drinka. **3.** zatrzymywać (*samochód, przechodnia*). **4.** przerywać (*np. walkę, pojedynek*). **5.** powstrzymywać (*np. inflację, wzrost przestępczości, krwotok, szaleńca*); ~ **sb (from) doing sth** powstrzymywać kogoś przed czymś *l.* zrobieniem czegoś; ~ **sth (from happening)** powstrzymać coś, zapobiec czemuś. **6.** położyć kres (*samowoli, korupcji*). **7.** ustawać (*o deszczu*); kończyć się (*o drodze, ulewie*). **8.** *Br. pot.* wstąpić, zajść (*do kogoś*); zatrzymać się, zostać (*z wizytą*); ~ **for a chat** wstąpić na plotki. **9.** ~ **(up)** zatykać (*rurę, szparę*). **10.** *fin.* blokować, wstrzymywać (*wypłatę*); odciągać (*koszty, opłaty*); ~ **a check** zastrzec czek. **11.** *mot.* parkować (*samochód*). **12.** *muz.* przytrzymywać, przyciskać (*strunę gitary, skrzypiec*). **13.** *muz.* tłumić (*trąbkę*). **14.** ~ **a tooth** zaplombować ząb; ~ **a wound** zatamować krwawienie (z rany); ~ **at nothing (to do sth)** nie cofać się przed niczym (w dążeniu do czegoś); ~ **a blow** *boks* sparować cios; ~ **a bullet** (*także sl.* ~ **one**) dostać kulkę w łeb; ~ **dead/short** (*także* ~ **in one's tracks**) (*także US* ~ **on a dime**) zatrzymać się w miejscu, stanąć jak wryty; urwać nagle (= *przestać mówić*); ~ **short of (doing) sth** nie posunąć się do czegoś, nie zdecydować się na coś; ~ **to consider sth** rozważyć coś (spokojnie); ~ **to think** zastanowić się; ~ **sb's mouth** *t. przen.* zatkać komuś usta; **there's nothing to ~ him/her** nic go/jej nie powstrzyma. **15.** ~ **back (later)** *US* przyjść *l.* wpaść później (*powtórnie*); ~ **by** *pot.* wstąpić, wpaść, zajść; ~ **by sb/sth** *pot.* wstąpić *l.* wpaść *l.* zajść do kogoś/gdzieś; ~ **down** *fot.* zmniejszyć (przysłonę); ~ **in** *pot.* wstąpić, wpaść, zajrzeć (*at* do); *Br.* zostać w domu; ~ **off** zatrzymać się (*po drodze*) (*in / at sth* gdzieś); ~ **out** *Br. pot.* zabawić dłużej (*poza domem*); *techn.* zabezpieczać, zakrywać (*fragmenty płyty przed trawieniem, tkaniny przed bieleniem*); ~ **over** zatrzymać się (*po drodze*); *lotn.* mieć międzylądowanie; ~ **up** zatkać (*otwór, przewód, uszy*); *Br. pot.* nie kłaść się, siedzieć (*długo wieczorem*). – *n.* **1.** przerwa, przystanek, postój (*w podróży*); **make a** ~ zatrzymać się, zrobić (sobie) przerwę. **2.** przystanek (*autobusowy, tramwajowy, kolejowy*); stacja (*kolejowa*). **3.** kres; **put a ~ to sth** położyć czemuś kres, ukrócić coś, skończyć z czymś. **4.** zatrzymanie (się); **come/roll to a** ~ zatrzymać się; **come to a full** ~ zatrzymać się całkowicie; ustać zupełnie. **5.** (*także* **full** ~) *Br.* kropka. **6.** *muz.* rejestr; klucz rejestrowy (*w organach*). **7.** *muz.* przytrzymanie (*struny*). **8.** *fon.* (spółgłoska) zwarta *l.* wybuchowa; zwarcie; **glottal** ~ zwarcie krtaniowe. **9.** zatyczka; korek. **10.** niedrożność (*w rurze*). **11.** *mech.* ogranicznik, zderzak, blokada; hamulec. **12.** *fot.* przysłona; ustawienie *l.* nastawa przysłony. **13.** *fin.* zastrzeżenie (*czeku*); **put a ~ on a check** zastrzec czek. **14.** *żegl.* chwytka, troczyna (= *krótka linka mocująca*). **15.** *przen.* **~s and starts** zahamowania; **be at a** ~ utknąć; **pull out all the ~s** dwoić się i troić, stawać na głowie; nastawić maksymalną głośność.

stop-and-go [ˌstɑ:pənd'goʊ] *a. US* przerywany; **traffic was** ~ samochody posuwały się (kawałek) po kawałku.

stop bath *n. fot.* przerywacz (= *kąpiel przerywająca wywoływanie*).

stopcock ['stɑ:pˌkɑ:k] *n. techn.* zawór *l.* kurek odcinający.

stope [stoʊp] *górn. n.* przodek wybierkowy. – *v.* urabiać metodą wybierkową (*rudę*).

stopgap ['stɑ:pˌgæp] *a.* tymczasowy, prowizoryczny; ~ **measure** środek tymczasowy. – *n.* **1.** środek tymczasowy; rozwiązanie prowizoryczne. **2.** substytut. **3.** zastępstwo, zastęp-ca/czyni.

stop-go [ˌstɑ:p'goʊ] *a. Br. ekon.* zmienny, wahający się (*o koniunkturze*); charakteryzujący się gwałtownymi wahaniami koniunktury (*o gospodarce*); ~ **cycle** cykl koniunkturalny.

stoplight ['stɑ:pˌlaɪt] *n. gł. US mot.* **1.** światło stopu (*w samochodzie*). **2.** *t. pl.* światła (uliczne) (*na skrzyżowaniu*). **3.** czerwone światło.

stop order *n. fin.* zlecenie (typu) stop (*na dokonanie transakcji z chwilą osiągnięcia zadanego kursu*).

stopover ['stɑ:pˌoʊvər] *n.* przerwa w podróży; *lotn.* międzylądowanie.

stoppage ['stɑ:pɪdʒ] *n.* **1.** (*także* **work** ~) przestój, przerwa w pracy (*zwł. na znak protestu*). **2.** niedrożność; zatrzymanie; **intestinal** ~ *pat.* niedrożność jelitowa. **3.** *Br.* przerwa; wstrzymanie (*np. produkcji*). **4.** *pl. Br. fin.* potrącenia (*z pensji*).

stoppage time *n. Br. piłka nożna* doliczony *l.* dodatkowy czas (*dla odrobienia przerw w grze*).

stop payment *n. fin.* zablokowanie wypłaty; zastrzeżenie czeku.

stopper ['stɑ:pər] *n.* **1.** zatyczka; korek. **2.** *żegl.* stoper (*liny, łańcucha*). **3.** *brydż* przytrzymanie. **4.** *baseball pot.* miotacz-as (*wprowadzany do gry w wyjątkowo ważnych meczach l. momentach*). **5. crime ~** czynnik przeciwdziałający przestępczości; osoba *l.* rzecz przeciwdziałająca przestępczości. **6. put a ~ on sth** ukrócić coś, położyć czemuś kres. – *v.* zatykać; korkować, zakorkowywać.

stopping ['stɑːpɪŋ] *n. Br. dent. pot.* plomba.

stopping distance *n. C/U mot.* droga hamowania.

stopple ['stɑːpl] *n.* zatyczka; korek. – *v.* zatykać; korkować, zakorkowywać.

stop press *n. Br. dzienn.* wiadomość z ostatniej chwili (*dodawana po zamknięciu numeru*).

stop sign *n. mot.* znak stopu, (znak) stop; **run a ~ sign** przejechać znak stopu, nie zatrzymać się na stopie.

stop valve *n. techn.* zawór odcinający.

stopwatch ['stɑːpˌwɑːtʃ] *n.* stoper.

storage ['stɔːrɪdʒ] *n.* **1.** *U* magazynowanie, przechowywanie; gromadzenie (*t. danych*); **put sth in ~** oddać coś na przechowanie. **2.** przestrzeń magazynowa. **3.** magazyn; skład; przechowalnia. **4.** opłata za przechowanie; opłata składowa, składowe, magazynowe. **5.** *U komp.* pamięć.

storage battery *n. pl.* **-ies** *gł. US el.* akumulator.

storage capacity *n. U* pojemność (*magazynu, pojemnika, dysku*).

storage device *n. komp.* nośnik danych, urządzenie pamięciowe.

storage heater *n. Br. el.* grzejnik akumulacyjny.

storage medium *n. komp.* nośnik danych.

storage space *n. U* schowki, przechowalnia.

store [stɔːr] *n.* **1.** *US, Can. i Austr.* sklep; **book ~** księgarnia; **grocery/shoe ~** sklep spożywczy/obuwniczy. **2.** market, supermarket. **3.** (*także* **department ~**) dom towarowy. **4.** zapas; *pl.* zapasy. **5.** *t. pl. zwł. wojsk.* magazyn; skład. **6.** *sing.* mnóstwo; **a rich ~ of memories** mnóstwo wspomnień, wielki bagaż wspomnień. **7. in ~** *gł. Br. i Austr.* na przechowaniu, w magazynie (*np. o meblach*); *przen.* w zapasie; w zanadrzu; **be in ~ for sb** czekać kogoś; **have a surprise in ~** mieć niespodziankę w zanadrzu; **set/lay great ~ by sth** przywiązywać duże znaczenie do czegoś. – *v.* **1. ~ (away/up)** odkładać, magazynować; przechowywać (*t. dane*). **2.** przetrwać (*o marchwi w kopcu itp.*). **3. ~ up** mieć *l.* trzymać w zapasie; **~ up memories** pielęgnować wspomnienia; **~ up trouble/problems** stwarzać sobie problemy (na przyszłość).

store-bought [ˌstɔːr'bɔːt] *a. US, Can. i Austr.* kupny.

store brand *n. US, Can. i Austr. handl.* własna marka (sieci *l.* sklepu); **store brand products** artykuły własnej marki (*naśladujące znane wyroby, lecz tańsze od nich*).

store detective *n. handl.* pracowni-k/ca ochrony, ochroniarz (*w supermarkecie*).

storefront ['stɔːrˌfrʌnt] *n. gł. US* **1.** przód sklepu; wystawa (sklepowa), okno wystawowe. **2.** pomieszczenie użytkowe na parterze od ulicy (*w większym budynku*); **~ office/church/school** biuro/kościół/szkoła w pomieszczeniu jw.

storehouse ['stɔːrˌhaʊs] *n.* **1. a ~ of information/memories** *przen.* kopalnia wiedzy/wspomnień. **2.** *przest.* magazyn; skład.

storekeeper ['stɔːrˌkiːpər] *n.* **1.** *US, Can. i Austr.* sklepika-rz/rka, kupiec. **2.** intendent/ka; magazynier/ka.

storeroom ['stɔːrˌruːm] *n.* składzik; pomieszczenie gospodarcze.

storeship ['stɔːrˌʃɪp] *n. Br.* statek zaopatrujący.

storey ['stɔːrɪ] *n. Br. i Austr.* = **story²**.

storeyed ['stɔːrɪd] *a. Br. i Austr.* = **storied¹**.

storiated ['stɔːrɪˌeɪtɪd] *a. druk.* ozdobny (*o inicjałach, ilustracji*).

storied¹ ['stɔːrɪd] (*także Br. i Austr.* **storeyed**) *a. gł. w złoż.* piętrowy; **two-~** piętrowy, dwukondygnacyjny; **three-~** dwupiętrowy, trzykondygnacyjny; **multi-~** wielopietrowy.

storied² *a. lit.* **1.** legendarny. **2.** ilustrowany *l.* ozdobiony scenkami (z historii).

stork [stɔːrk] *n. orn.* bocian (*Ciconia*).

storm [stɔːrm] *n.* **1.** *meteor.* burza (*t. przen.*); nawałnica; (*także* **sea ~**) sztorm; (*także* **dust/sand ~**) burza piaskowa; (*także* **ice/silver ~**) lodowica, (silne) oblodzenie; (*także* **hail ~**) gradobicie; (*także* **rain ~**) ulewa; (*także* **snow ~**) śnieżyca; (*także* **wind ~**) (gwałtowna) wichura; **a ~ broke** rozpętała się burza; **a ~ rages** burza szaleje. **2.** *t. wojsk.* szturm. **3.** *pot.* = **storm window**. **4.** *przen.* **a ~ in a teacup** *Br. i Austr.* burza w szklance wody, wiele hałasu o nic; **a ~ of laughter** salwa śmiechu; **a ~ of protests** fala protestów; **after a ~ comes a calm** po burzy przychodzi *l.* nastaje cisza; **dance/sing/party up a ~** *US pot.* tańczyć/śpiewać/bawić się na całego; **political ~** burza polityczna; **take sth by ~** wziąć coś szturmem (*t. wojsk.*); zrobić furorę gdzieś. – *v.* **1.** *wojsk. l. przen.* szturmować; brać szturmem; przypuszczać szturm na (*twierdzę, polityka*). **2.** szaleć (*np. o wietrze, wichurze*). **3.** *lit.* miotać gromy (*at sb/sth* na kogoś/coś). **4. ~ into/out of the room** wpaść/wypaść jak burza do/z pokoju; **~ off** wypaść jak burza.

storm belt *n. meteor., geogr.* pas burz *l.* sztormów.

stormbound ['stɔːrmˌbɔɪnd] *a.* uwięziony przez burzę; zatrzymany przez sztorm (*o statku*).

storm cellar *n. US bud.* schron przeciwhuraganowy (*zw. pod domem*).

storm center, *Br.* **storm centre** *n.* 1. *meteor.* ośrodek burzowy. **2.** *przen.* główny przedmiot kontrowersji.

storm cloud *n.* **1.** *meteor.* chmura burzowa. **2.** *pl. przen.* czarne chmury (*zwiastujące wojnę, katastrofę*).

storm cone *n. Br. meteor.* rękaw (*wskazujący siłę wiatru*).

storm door *n. US* drzwi zewnętrzne (wejściowe), zewnętrzne drzwi werandowe.

storm drain *n. bud.* kanał burzowy, burzowiec.

stormily [ˈstɔːrmɪlɪ] *adv.* burzliwie.

storminess [ˈstɔːrmɪnəs] *n. U* burzliwy charakter.

storm lantern *n.* latarnia sztormowa, nietoperz.

storm petrel *n.* (*także* **stormy petrel**) *orn.* nawałnik burzowy (*Hydrobates pelagicus*).

stormproof [ˈstɔːrmˌprʊf] *a.* odporny na burze.

storm trooper, stormtrooper *n. hist., wojsk.* żołnierz oddziału szturmowego.

storm troops *n. pl. hist., wojsk.* oddział szturmowy.

stormwind [ˈstɔːrmˌwɪnd] *n. meteor.* (gwałtowna) wichura.

storm window *n. US bud.* okno zimowe (*zewnętrzne*).

stormy [ˈstɔːrmɪ] *a.* **-ier, -iest 1.** sztormowy (*o pogodzie*). **2.** *przen.* burzliwy (*np. o związku, spotkaniu*).

stormy petrel *n.* **1.** *orn.* = **storm petrel. 2.** *przen.* zły omen (*zwł. = osoba przynosząca kłopoty*).

story[1] [ˈstɔːrɪ] *n. pl.* **-ies 1.** historia; opowiadanie; opowieść (*about / of sb / sth* o kimś/czymś); **ghost/love** ~ opowieść o duchach/miłości. **2.** *dzienn.* artykuł; **run a** ~ opublikować artykuł; **cover** ~ artykuł wiodący (*związany ze zdjęciem na okładce pisma*). **3.** *teor. lit., film, teatr* fabuła. **4.** (*także* **short** ~) *teor. lit.* opowiadanie. **5.** (*także* **children's** ~) bajka; książka *l.* książeczka dla dzieci; **bedtime** ~ bajka (na dobranoc); **tell/read sb a** ~ opowiadać/czytać komuś bajkę. **6.** *przen.* bajeczka, historyjka (= *wymówka*). **7.** zeznanie (*świadka, oskarżonego*); wersja wydarzeń (*przedstawiana przez kogoś*). **8. (but) that's another** ~ (ale) to już (zupełnie) inna historia; **cock and bull** ~ *pot.* bajeczka (= *nieprawdopodobna wymówka*); **end of** ~ *Br. pot.* i tyle, i już; koniec, kropka; koniec dyskusji; **hard-luck** ~ (*także* **sob** ~) *pot.* historyjka obliczona na wywołanie współczucia (*zwł. jako wymówka*); **it's a long** ~ to długa historia, długo by opowiadać; **(or) so the** ~ **goes** tak (przynajmniej) mówią; **sb's side/half of the** ~ czyjaś wersja wydarzeń; **success** ~ *zob.* **success; (that's) a likely** ~! *zob.* **likely** *a.*; **that's my** ~ **and I'm sticking to it** *zob.* **stick**[2] *v.*; **that's not the whole** ~ to jeszcze nie wszystko; **that's the** ~ **of my life** ze mną zawsze tak jest (= *nigdy nic mi się nie udaje*); **the same old** ~ *pot.* stara śpiewka; **it's the same old** ~ *pot.* ciągle to samo; **tell stories** *zwł. dziec.* zmyślać; **to make** *US*/**cut** *Br.* **a long** ~ **short** krótko mówiąc.

story[2] *n. pl.* **-ies** (*także Br. i Austr.* **storey**) *bud.* kondygnacja, piętro.

storybook [ˈstɔːrɪˌbʊk] *n.* książeczka z opowiadaniami *l.* bajkami; książeczka dla dzieci. – *a. attr.* jak w bajce, jak z bajki; ~ **ending** zakończenie jak w bajce; ~ **romance** romans jak z bajki.

story line *n. teor. lit., film, teatr* fabuła (*filmu, książki, sztuki*).

storyteller [ˈstɔːrɪˌtelər] *n.* **1.** baja-rz/rka (*t. przen.* = *kłamczuch / a*); gawędzia-rz/rka. **2. great/wonderful** ~ mistrz/yni fabuły (*o pisarzu*).

stoup [stuːp], **stoop** *n.* **1.** *kośc.* kropielnica. **2.** (*także* **stowp**) *płn. Br. dial.* puchar (*do napojów*).

stout [staʊt] *a.* **1.** tęgi, korpulentny (*o budowie ciała, osobie*). **2.** *lit.* solidny (*np. o gałęzi, butach*). **3.** *form.* niezłomny; wytrwały; zaciekły; ~ **defender of sth** zaciekł-y/a obroń-ca/czyni czegoś; ~ **resistance** zaciekły opór; ~ **support** niezłomne wsparcie. – *n. U* porter (*mocne piwo*).

stout-hearted [ˌstaʊtˈhɑːrtɪd] *a. lit.* mężny.

stoutly [ˈstaʊtlɪ] *adv. form.* niezłomnie; wytrwale.

stoutness [ˈstaʊtnəs] *n. U form.* niezłomność.

stove[1] [stoʊv] *n.* **1.** piec; piecyk. **2.** *zwł. US* kuchenka (*w kuchni*). **3.** *US* płyta kuchenna. – *v. techn.* wypiekać, wygrzewać (*warstwę lakieru, element konstrukcyjny*).

stove[2] *v. zob.* **stave.**

stovepipe [ˈstoʊvˌpaɪp] *n.* **1.** rura kominowa (*pieca*). **2.** (*także* ~ **hat**) *US hist.* cylinder (*kapelusz*).

stover [ˈstoʊvər] *n. U roln. Br.* pasza; *US* pędy kukurydzy (*jako pasza*).

stow [stoʊ] *v.* **1.** ~ **(away)** układać, rozmieszczać (*ładunek*); składać; odkładać (*rzeczy na przechowanie, do szafy*); chować (*np. bagaż pod siedzenie fotela w samolocie*); przechowywać. **2.** przenocować, przechować (*kogoś tymczasowo*). **3.** mieścić (*o pomieszczeniu*). **4.** *żegl.* sztauować. **5.** *sl.* darować sobie (*gadanie, narzekanie*). **6.** ~ **away** podróżować na gapę (*statkiem l. samolotem*).

stowage [ˈstoʊɪdʒ] *n.* **1.** przechowalnia (bagażu). **2.** *U* opłata za przechowanie. **3.** *U żegl.* sztauowanie, sztauerka. **4.** *U* rzeczy; bagaż.

stowaway [ˈstoʊəˌweɪ] *n.* pasażer/ka na gapę (*na statku lub w samolocie*).

stowp [stoʊp] *n.* = **stoup**[2].

strabismus [strəˈbɪzməs] *n. U pat.* zez.

straddle [ˈstrædl] *v.* **1.** siedzieć okrakiem na (*desce, gałęzi*); stać okrakiem nad (*linią, murkiem*); siedzieć w rozkroku; stać w rozkroku; rozkraczać się. **2.** rozkraczać (*nogi*). **3.** rozciągać się po obu stronach (*granicy, rzeki; o mieście*). **4.** obejmować (*różne dziedziny, odcinki czasu*). **5.** *wojsk.* wstrzeliwać się w (*cel*). **6.** *US i Can. zwł. polit.* ~ **an issue** nie mieć jasnego zdania w jakiejś sprawie; ~ **(the fence)** *przen.* siedzieć na dwóch stołkach. – *n.* **1.** rozkrok. **2.** *polit.* niejasne stanowisko (*w jakiejś kwestii*). **3.** *fin.* transakcja stelażowa *l.* różniczkowa; opcja podwójna.

strafe [streɪf] *lotn. wojsk. v.* ostrzeliwać (*cel naziemny z niskiego lotu*). – *n.* ostrzeliwanie, ostrzał (*z nisko lecącego samolotu*).

straggle [ˈstrægl] *v.* **1.** wlec się *l.* zostawać z tyłu (*za grupą*); ~ **back/in** wracać/przybywać pojedynczo. **2.** rozchodzić się, rozłazić się (*o grupie*). **3.** sterczeć na wszystkie strony, rosnąc we wszystkie strony (*np. o włosach, brwiach*). **4.** *ogr.* rozrastać się (na boki) (*o roślinie*). – *n.* nieregularna grupka (*ludzi, krzaków, budynków*).

straggler [ˈstræglər] *n.* maruder/ka.

straggly [ˈstræglɪ] *a. pl.* **-ies** niesforny, nieokiełznany (*o kosmyku*); sterczący na wszystkie strony, rosnący we wszystkie strony (*np. o brodzie*).

straight [streɪt] *adv.* **1.** prosto; wprost; ~ **ahead** prosto, wprost przed siebie (*np. jechać, patrzeć*); **go ~ home** iść prosto do domu; **(keep) ~ on** (jechać *l.* iść) prosto; **sit/stand up ~** siedzieć/stać prosto. **2.** (*także Br.* ~ **away/off**) od razu, zaraz, natychmiast; ~ **after sth** zaraz *l.* bezpośrednio po czymś; **get ~ to the point** przejść od razu do rzeczy *l.* sedna sprawy. **3.** pod rząd, bez przerwy, ciągiem; **for three days ~** przez trzy dni pod rząd. **4.** normalnie; **see ~** widzieć normalnie; **I can't think ~** nie jestem w stanie normalnie *l.* trzeźwo myśleć, nie mogę zebrać myśli. **5.** (*także* ~ **out**) (*także* ~ **to sb's face**) prosto w oczy; **tell sb ~** powiedzieć *l.* wypalić komuś prosto w oczy. **6.** ~ **from the shoulder** *US pot.* prosto z mostu; ~ **up** *Br. przest. sl.* poważnie, naprawdę; **damn ~** *US pot.* naprawdę, rzeczywiście. – *a.* **1.** prosty (*t. o włosach*); równy; wyprostowany; **(as) ~ as a pin** *US*/**die** *Br. i Austr. emf.* prosty jak strzała; **in a ~ line** w linii prostej, prosto (*np. iść*). **2.** jasny (*np. o odpowiedzi*). **3.** bezpośredni (*np. o drodze, sposobie*); ~ **fight** bezpośrednia walka (*zwł. pomiędzy dwoma kandydatami w wyborach*). **4.** *pred.* porządny, czysty, posprzątany; **get/put/set a room ~** posprzątać pokój. **5.** szczery, otwarty (*to sb* w stosunku do kogoś); ~ **answer/talk** szczera odpowiedź/rozmowa. **6.** w porządku; rzetelny (*o osobie, danych*); uczciwy (*o interesach*). **7.** *pot.* normalny, zwyczajny (*o życiu, zawodzie, odpowiedzi*). **8.** czysty (*o trunku*). **9.** *sl.* drętwy, sztywny (= *konwencjonalny, nudny*). **10.** celny (*o uderzeniu, strzale*). **11.** *teatr* dramatyczny (*o roli, sztuce; = nie komediowy*). **12.** *pot.* hetero (= *heteroseksualny*). **13.** *sl.* czysty (= *niebiorący narkotyków*). **14.** *przen.* **(as) ~ as a die** *zob.* **die**[2]; **get ~ A's** dostawać same piątki, mieć piątki od góry do dołu; **get this/it ~** (dobrze) zrozumieć; ustalić fakty, wyjaśnić sobie, powiedzieć sobie wprost; **get/put/set things ~** wyjaśnić sobie wszystko, nie pozostawić (żadnych) niedomówień; **go ~** *pot.* sporządnieć, stać się uczciwym człowiekiem (*np. o przestępcy*); **in ~ succession** bez przerwy; jeden za drugim; **keep a ~ face** *zob.* **face** *n.*; **set/put sb ~ about/on sth** wyjaśnić coś komuś; **set/put the record ~** *zob.* **record** *n.*; **tread the ~ and narrow path** *gł. żart.* żyć uczciwie *l.* przyzwoicie; **we're ~** *pot.* jesteśmy kwita. – *n.* **1. the ~** *geom.* (linia) prosta; **out of the ~** wykrzywiony, krzywy. **2.** *sing. gł. Br.* prosta (= *prosty odcinek toru, trasy*). **3.** *sl.* hetero (= *heteroseksualist-a/ka*). **4.** *sl.* nienarkoman/ka. **5.** *karty* strit. **6.** *przen. gł. żart.* **keep to the ~ and narrow** żyć uczciwie *l.* przyzwoicie; **stray from the ~ and narrow** zejść z uczciwej drogi.

straight angle *n. geom.* kąt półpełny.

straight-arm [ˈstreɪtˌɑːrm] *v.* **1.** *futbol amerykański, rugby* odpychać (wyprostowaną ręką) (*przeciwnika*). **2.** *przen.* odtrącać. – *n. gł. sing.* **1.** *futbol amerykański, rugby* odepchnięcie (wyprostowaną ręką). **2.** *przen.* odtrącenie.

straight arrow *n. US pot.* **1.** osoba na wskroś porządna *l.* uczciwa. **2.** *uj.* suchar (= *ktoś, kto nigdy nie robi nic niezwykłego ani ciekawego*).

straightaway *adv.* [ˌstreɪtəˈweɪ] od razu, zaraz. – *n.* [ˈstreɪtəˌweɪ] *US* prosta (= *prosty odcinek toru, drogi*).

straightedge [ˈstreɪtˌedʒ] *n. techn.* liniał (mierniczy *l.* krawędziowy).

straight-edge [ˌsreɪtˈedʒ] *a.* **1.** prosty; *techn.* liniowy; prostoliniowy. **2.** *przen.* zasadniczy; wyznający sztywne zasady moralne (*o osobie*).

straighten [ˈstreɪtən] *v.* **1.** ~ **(out)** wyprostowywać (się); prostować (się); wyrównywać (się) (*np. o terenie, ubraniach, zgnieceniach*). **2.** ~ **(up)** prostować (się); wyprostowywać (się) (= *prostować plecy*). **3.** ~ **(up)** posprzątać (*pokój*). **4.** ~ **out** *przen.* wyjaśnić (*nieporozumienie*); uporządkować (*sprawy*); ~ **o.s. out** wrócić na uczciwą *l.* dobrą drogę; ~ **sb out** przywołać kogoś do porządku; ~ **up** *US* poprawić się (*w zachowaniu*).

straight-faced [ˌstreɪtˈfeɪst], **straightfaced** *adv.* (*także* **straight-facedly**) z poważną miną, z kamienną twarzą. – *a.* **be ~** zachowywać powagę, powstrzymywać się od śmiechu.

straightforward [ˌstreɪtˈfɔːrwərd] *a.* **1.** szczery, otwarty, prostolinijny (*o osobie*). **2.** prosty (*o czynności, zadaniu*). **3.** *attr.* zwykły, zwyczajny. – *adv.* (*także* **~s**) *zwł. US* prosto, na wprost (*jechać*).

straightforwardly [ˌstreɪtˈfɔːrwərdlɪ] *adv.* **1.** szczerze, otwarcie, prostolinijnie. **2.** prosto, w prosty sposób.

straightforwardness [ˌstreɪtˈfɔːrwərdnəs] *n. U* **1.** szczerość, otwartość, prostolinijność. **2.** prostota.

straightjacket [ˈstreɪtˌdʒækɪt] *n.* = **straitjacket**.

straight line *n. geom.* (linia) prosta.

straight-line [ˈstreɪtˌlaɪn] *a. t. geom.* prostoliniowy.

straight man *n. pl.* **straight men** partner satyryka (*służący jako pretekst do żartów*).

straightness [ˈstreɪtnəs] *n. U* **1.** prostość; równość. **2.** jasność (*tekstu, instrukcji*). **3.** prostolinijność; uczciwość.

straight-out [ˌstreɪtˈaut] *a. gł. attr. US emf. pot.* **1.** kompletny (*o idiocie*). **2.** bezpardonowy (*o odmowie*).

straight razor *n. US* brzytwa.

straight shooter *n. US pot.* uczciwy facet *l.* gość.

straight stitch *n. krawiectwo* ścieg prosty.

straight ticket *n. US polit., parl.* głosowanie na listę (partyjną) (*bez wyróżniania poszczególnych kandydatów*).

straightway [ˈstreɪtˌweɪ] *adv. przest.* = **straightaway**.

strain [streɪn] *v.* **1.** *t. pat.* nadwerężać (*mięsień, zasoby*); przemęczać (*wzrok*); ~ **o.s.** przemęczać się. **2.** wysilać (się); wytężać; ~ **for air** z trudem łapać oddech; ~ **one's eyes/ears** (*także* ~ **to see/ hear**) wytężać wzrok/słuch; ~ **o.s.** wysilać się. **3.** wystawiać na próbę (*cierpliwość, przyjaźń, związek*); powodować napięcie w (*stosunkach wzajemnych*). **4.** *kulin.* odcedzać (*maka-*

ron). **5.** prężyć się; naprężać się. **6.** naciągać (*linę*). **7.** szarpać (*at sth* za coś) (*np. za powróz*). **8.** uginać się (*under sth* pod ciężarem czegoś). **9.** przyciskać (do piersi), przytulać mocno (*kogoś*). **10.** *mech.* odkształcać (*ciało*). **11.** *przen.* ~ **a point** przeciągać strunę; ~ **at the leash** rwać się, niecierpliwić się; ~ **every nerve** wytężać siły, starać się ze wszystkich sił; ~ **for effect** (*także Br.* ~ **after effect**) silić się na dowcip; ~ **the truth** naginać fakty, koloryzować. – *n.* **1.** *C/U* napięcie (*nerwowe, emocjonalne, w stosunkach dwustronnych*); stres; obciążenie (*t. psychiczne*); **be under (a)** ~ żyć w napięciu; **put a** ~ **on sb** stanowić dla kogoś duże obciążenie; **stresses and ~s** *zob.* **stress** *n.*; **under severe mental** ~ w stanie silnego napięcia emocjonalnego. **2.** *U mech.* naprężenie (*liny*); odkształcenie; **under the** ~ pod wpływem naprężenia (*np. pęknąć*). **3.** *C/U pat.* nadwerężenie (*mięśnia*); przemęczenie (*wzroku*). **4.** *C/U* wysiłek. **5.** *biol.* szczep (*wirusa*); odmiana (*zboża*); rasa (*królika*). **6.** *sing.* skłonność, tendencja (*of sth* do czegoś) (*zwł. dziedziczna*). **7.** ton, nuta (*np. utworu, przemówienia*). **8.** *pl. lit.* dźwięki (*muzyki*). **9. give sth a** ~ *gł. kulin.* odcedzić *l.* przecedzić coś. **10. put a (serious/lot of)** ~ **on sth** stanowić (poważne) obciążenie *l.* wyzwanie dla czegoś (*np. dla energetyki, transportu, układu krążenia*); powodować problemy z czymś (*np. z dostawami*); zagrażać czemuś (*np. mostowi*).

strained [streɪnd] *a.* **1.** napięty (*np. o stosunkach, atmosferze*). **2.** przemęczony. **3.** wymuszony (*np. o śmiechu, przeprosinach*). **4.** naciągany (*np. o interpretacji, wyjaśnieniu*).

strainer [ˈstreɪnər] *n.* **1.** cedzak, durszlak; sitko. **2.** *techn.* filtr.

strain hardening *n. U mech.* utwardzanie *l.* umacnianie przez zgniot.

straining beam [ˈstreɪnɪŋ ˌbiːm] *n.* (*także* **straining piece**) *bud.* rozpora.

strait [streɪt] *n.* **1.** *t. pl. geogr.* (*w nazwach*) cieśnina; **the S~ of Gibraltar** Cieśnina Gibraltarska. **2. in dire/desperate ~s** w tarapatach.

straitened [ˈstreɪtənd] *a. form.* ciężki, trudny; utrudniony; **in** ~ **circumstances** w trudnym położeniu, w ciężkiej sytuacji (*finansowej*).

straitjacket [ˈstreɪtˌdʒækɪt], **straightjacket** *n.* **1.** kaftan bezpieczeństwa. **2.** *przen.* kaganiec, gorset (*ideologiczny*).

strait-laced [ˌstreɪtˈleɪst] *a. uj.* purytański.

strake [streɪk] *n. żegl.* pas poszycia (*kadłuba*).

stramonium [strəˈmoʊnɪəm] *n.* **1.** *bot.* bieluń dziędzierzawa (*Datura stramonium*). **2.** *U hist., med.* susz z bielunia (*używany dawniej jako lek*).

strand[1] [strænd] *n.* **1.** *tk.* włókno (*przędzy, sznurka*). **2.** wątek (*sprawy, opowieści*). **3.** kosmyk (*włosów*). **4.** *el.* żyła (*kabla*). **5.** sznur (*korali*). – *v.* splatać (*linę*).

strand[2] *v.* **1.** *żegl.* wyrzucać na brzeg (*statek*); wchodzić na mieliznę (*o statku*). **2.** *zw. pass.* pozostawiać samemu sobie *l.* bez pomocy. – *n. lit.* brzeg, pobrzeże.

stranded [ˈstrændɪd] *a.* **1.** pozostawiony samemu sobie *l.* bez pomocy (*zwł. o turyście*); **be (left)** ~ znaleźć się w tarapatach *l.* trudnej sytuacji (*bez dachu nad głową, pieniędzy, możliwości powrotu*). **2.** *żegl.* wyrzucony na brzeg (*o statku, meduzie*); na mieliźnie (*o statku*).

strange [streɪndʒ] *a.* **1.** dziwny; ~ **to say,...** *Br.* to dziwne, ale...; **it's** ~ **that/how...** to dziwne, że/jak...; **feel** ~ dziwnie się czuć; **that's (really)** ~ to (naprawdę) dziwne; **there's something** ~ **about sb** ktoś jest trochę dziwny. **2.** obcy; ~ **to sth** obcy w czymś/gdzieś (*w miejscu, sytuacji*); nieprzyzwyczajony do czegoś (*do warunków, obyczajów*); ~ **city** obce miasto. **3.** *fiz.* dziwny; ~ **particle** cząstka dziwna. – *adv. zwł. US pot.* dziwnie; **act** ~ dziwnie się zachowywać.

strangely [ˈstreɪndʒlɪ] *adv.* **1.** dziwnie (*np. zachowywać się*); ~ **familiar** dziwnie znajomy. **2.** obco (*wyglądać*). **3.** ~ **enough,...** co dziwne,...

strangeness [ˈstreɪndʒnəs] *n. U* **1.** *t. fiz.* dziwność. **2.** obcość.

stranger [ˈstreɪndʒər] *n.* **1.** obc-y/a; nieznajom-y/a; nieznana osoba. **2.** *prawn.* osoba postronna *l.* trzecia. **3. be a perfect/complete/total** ~ być zupełnie obcym; **hello,** ~! *żart.* kogo to widzimy! (*po długim niewidzeniu*); **I am a** ~ **here (myself)** (też) nie jestem stąd, (też) jestem nietutejsz-y/a; nikogo tu nie znam; **little** ~ *żart.* nowy członek rodziny (= *noworodek*); **sb is no/a** ~ **to poverty** komuś nieobca/obca jest bieda.

strangle [ˈstræŋgl] *n.* **1.** dusić (się); udusić (się). **2.** zdusić, zdławić (*chichot*). **3.** tłumić, tłamsić (*rozwój, aktywność, twórczość*). **4. sb should have been ~d at birth** *gł. żart.* kogoś należało udusić w kołysce.

strangled [ˈstræŋgld] *a. gł. attr.* zduszony (*o okrzyku, westchnieniu*).

stranglehold [ˈstræŋglˌhoʊld] *n.* **1.** pełna kontrola (*on sth* nad czymś); *t. ekon.* monopol; **break the** ~ **of sb** przełamać czyjś monopol; **have a** ~ **on sth** trzymać łapę na czymś; mieć pełną kontrolę nad czymś (*np. nad rynkiem*). **2.** chwyt *l.* trzymanie za gardło; duszenie (= *niedozwolony chwyt duszący w zapasach*).

strangler [ˈstræŋglər] *n.* dusiciel/ka.

strangles [ˈstræŋglz] *n. U wet.* zołzy (*choroba koni*).

strangling [ˈstræŋglɪŋ] *a.* zduszony (*o dźwięku*).

strangulate [ˈstræŋgjəˌleɪt] *v.* **1.** dusić. **2.** *pat.* odciąć dopływ krwi *l.* powietrza do (*organu*); zadzierzgnąć (*organ, naczynie*); tamować, blokować (*przepływ krwi*); **~d hernia** przepuklina uwięźnięta.

strangulation [ˌstræŋgjəˈleɪʃən] *n. U* **1.** *t. prawn.* uduszenie. **2.** *pat.* odcięcie dopływu krwi *l.* powietrza, zadzierzgnięcie.

strangury [ˈstræŋgjərɪ] *n. U pat.* dyzuria (= *bolesne i upośledzone oddawanie moczu*).

strap [stræp] *n.* **1.** (*także* **shoulder** ~) pasek (*torby, plecaka*); ramiączko (*sukni, stanika*); (*także* **watch** ~) pasek (do *l.* od zegarka); **adjustable ~s** regulowane paski *l.* ramiączka. **2.** rączka, uchwyt (*w autobusie, tramwaju*). **3.** zapięcie (*u buta, w formie paska*). **4.** rzemień, rzemyk, pasek skórzany (*zwł. do ostrzenia brzytwy l. bicia*). **5.** taśma (*parciana, plastikowa*). – *v.* **-pp- 1.** ~ **(in/on)** przypinać; **be ~ped in** *mot.* mieć zapięty pas, być przypiętym pasem. **2.** ~ **(up/down)** opinać (taśmą); obwiązywać (taśmą); przymocowywać (taśmą). **3.** ~ **(up)** *Br. i Austr. chir.* bandażować, opatrywać. **4.** zapinać (*buty, zegarek*). **5.** ostrzyć (na pasku) (*brzytwę*). **6.** bić (paskiem).

straphanger ['stræp,hæŋər] *n. gł. Br. pot.* pasażer/ka stojąc-y/a.

straphanging ['stræp,hæŋıŋ] *n. U gł. Br. pot.* jazda na stojąco (*autobusem, tramwajem*).

strapless ['stræpləs] *n.* bez ramiączek (*o sukni, staniku*).

strappado [strə'pɑ:doʊ] *n. pl.* **-es** *gł. hist.* podciąganie na linie (*tortura*).

strapped [stræpt] *a.* (*także* ~ **for cash**) *pot.* spłukany, goły (= *bez pieniędzy*).

strapper ['stræpər] *n. pot.* dryblas.

strapping ['stræpıŋ] *a. attr. pot. często żart.* rosły, postawny.

strass [stræs] *n. U* stras (= *szkło imitujące kamienie szlachetne*).

strata ['streıtə] *n.* **1.** *pl. zob.* **stratum. 2.** *pot.* = **stratum.**

stratagem ['strætədʒəm] *n. form.* fortel, wybieg.

stratal ['streıtl] *a. form.* warstwowy.

strategic [strə'ti:dʒık], **strategical** [strə'ti:dʒıkl] *a. t. wojsk.* strategiczny (*o manewrze, lokalizacji, momencie*); ~ **arms/weapons** *wojsk.* broń strategiczna.

strategically [strə'ti:dʒıklı] *adv. t. wojsk.* strategicznie (*umiejscowiony, zaplanowany*).

strategist ['strætədʒıst] *n. gł. wojsk.* strateg.

strategy ['strætədʒı] *n. C/U pl.* **-ies** *t. wojsk., biol.* strategia; **development** ~ *gł. ekon.* strategia rozwoju.

strath [stræθ] *n. Scot. geogr.* dolina (*rzeki, zwł. rozległa*).

stratification [,strætəfə'keıʃən] *n. C/U* **1.** *socjol.* rozwarstwienie, stratyfikacja (*społeczeństwa*). **2.** *zwł. geol., t. meteor.* nawarstwianie (się); stratyfikacja, uwarstwienie. **3.** *roln., leśn.* stratyfikacja (*nasion*).

stratified ['strætə,faıd] *a.* **1.** *socjol.* rozwarstwiony (*o społeczeństwie*). **2.** *zwł. geol.* uwarstwiony.

stratiform ['strætə,fɔ:rm] *a.* **1.** *geol.* warstwowy; uwarstwiony. **2.** *meteor.* stratusowy, stratusopodobny (*o chmurze*).

stratify ['strætə,faı] *v.* **-ied, -ying 1.** układać (się) warstwami. **2.** *socjol.* rozwarstwiać się, ulegać stratyfikacji (*o społeczeństwie*). **3.** *roln., leśn.* poddawać stratyfikacji (*nasiona*).

stratigraphy [strə'tıgrəfı] *n. pl.* **-ies** *geol.* **1.** przekrój (stratygraficzny). **2.** *U* stratygrafia.

stratocumulus [,streıtoʊ'kju:mjələs] *n. pl.* **-cumuli** [,streıtoʊ'kju:mjəlaı] *meteor.* chmura kłębiasto-warstwowa, stratocumulus.

stratosphere ['strætə,sfi:r] *n.* **1.** *U geogr., meteor.* stratosfera. **2.** *przen.* olimp (*np. świata mody, muzyki*).

stratum ['streıtəm] *n. pl.* **strata** ['streıtə] warstwa (*skały, społeczeństwa, atmosfery, komórek, znaczenia*); **social** ~ *socjol.* warstwa społeczna.

straw [strɔ:] *n.* **1.** *U* słoma; słomka (*do wyrobów słomianych*). **2.** źdźbło (słomy); słomka (*t. do napojów*); **drink sth through a** ~ pić coś przez słomkę. **3.** wyrób ze słomy (*kapelusz, kosz*). **4.** ~ **in the wind** *Br.* znak, omen; **catch/clutch/grasp at ~s/at a** ~ *przen.* chwytać się brzytwy, wykonywać rozpaczliwe gesty *l.* ruchy; **a drowning man catches at a** ~ *przen.* tonący brzytwy się chwyta; **draw ~s** ciągnąć słomki *l.* zapałki (*przy losowaniu*); **sb drew/got the short** ~ *przen.* padło na kogoś (= *ktoś musi zrobić coś niewdzięcznego*); **make bricks without** ~ *zob.* **brick** *n.*; **man of** ~ *zob.* **man; the last** ~ *zob.* **last straw.** – *a. attr.* słomkowy (*np. o kapeluszu*); słomiany, ze słomy.

strawberry ['strɔ:,berı] *n. pl.* **-ies 1.** *ogr., bot., kulin.* (*także* **garden** ~) truskawka (*Fragaria ananassa*); (*także* **wild** ~) poziomka (*Fragaria vesca*). **2.** *U* kolor truskawkowy. – *a. kulin.* **1.** truskawkowy, o smaku truskawkowym. **2.** (*także* ~ **mark**) *fizj.* malinka (= *znamię naczyniowe*).

strawberry blonde *n.* **1.** rudawa blondynka. **2.** *U* truskawkowy blond. – *a. attr.* w kolorze truskawkowy blond (*o włosach*).

strawberry tree *n. bot.* drzewo truskawkowe, chróścina jagodowa (*Arbutus unedo*).

strawboard ['strɔ:,bɔ:rd] *n. U* tektura słomowa.

straw boater *n. Br.* kapelusz słomkowy.

straw boss *n. US pot.* zastępca szefa.

straw color, *Br.* **straw colour** *n. U* kolor słomkowy.

straw colored, *Br.* **straw coloured** *a.* w kolorze słomkowym.

straw man *n. gł. US* = **man of straw.**

straw poll *n.* (*także* **straw vote**) *polit.* sondaż opinii publicznej.

stray [streı] *v.* **1.** zabłądzić; *t. przen.* zbłądzić; zboczyć (z drogi); zejść na manowce; uciec (*o zwierzęciu hodowlanym*); zapędzić się, zapuścić się (*gdzieś, gdzie się być nie powinno*). **2.** błąkać się; wałęsać się. **3.** błądzić (*o myślach*). **4.** czynić dygresje; (*także* ~ **(from the subject/point/question)**) zbaczać z tematu; ~ **into/onto sth** schodzić na coś (*na temat niebędący przedmiotem dyskusji*). **5.** ~ **from the straight and narrow** *zob.* **straight** *n.* – *n.* **1.** bezpańskie zwierzę. **2.** zbłąkane *l.* zagubione dziecko; zbłąkana osoba. – *a. attr.* **1.** bezpański (*o psie, kocie*); zbłąkany, zabłąkany (*np. o owieczce*); zabłąkany, przypadkowy (*o kuli, iskrze*); niesforny (*o kosmyku*). **2.** luźny, niepowiązany (ze sobą) (*o faktach*).

stray capacitance *n. U el.* pojemność rozproszona.

stray current *n. el.* prąd błądzący.

strays [streız] *n. pl.* **1.** *radio* zakłócenia atmosferyczne. **2.** *el.* = **stray capacitance.**

streak [stri:k] *n.* **1.** smuga; smużka; pasek; prążek; pręga; zaciek (*farby*); pasemko (*włosów*); pasmo (*mgły*). **2.** *geol.* żyła (*minerału*). **3.** *zw. sing.* skłonność, ciągoty (*zwł. do czegoś złego*); cecha; **nasty** ~ nieprzyjemna cecha (*chara-*

kteru). **4.** *zw. sing.* wątek, motyw; **a ~ of racial hatred running through sth** wątek nienawiści rasowej przewijający się przez coś (*twórczość, powieść, artykuł*). **5.** *sing.* passa; **a ~ of good/bad luck** dobra/zła passa; **a winning/losing ~** pasmo zwycięstw/porażek; **be on a winning/losing ~** mieć dobrą/złą passę (*t. w grze*); **be on a winning ~** być na fali. **6.** *przen.* **like a ~ (of lightning)** (*także* **like a blue ~**) jak błyskawica; **talk a blue ~** *zob.* **talk** *v.* – *v.* **1.** przemykać, śmigać. **2.** tworzyć smugi na (*czymś*); smużyć. **3.** robić (sobie) pasemka we (*włosach*). **4.** *pot.* przebiec nago (*w miejscu publicznym, zwł. w proteście l. dla hecy*).

streaker [ˈstriːkər] *n.* osoba przebiegająca nago (*jw.*).

streaking [ˈstriːkɪŋ] *n.* *U* streaking (= *publiczne przebieganie nago jw.*).

streaky [ˈstriːkɪ] *a.* **-ier, -iest 1.** pełen zacieków; pokryty smugami; pomazany (*o koszuli, prześcieradle, szybach, lustrach*). **2.** nierówny (*o formie, poziomie*). **3.** *Br. kulin.* poprzerastany *l.* przerośnięty (tłuszczem).

streaky bacon *n. U Br. kulin.* boczek.

stream [striːm] *n.* **1.** strumień; potok; rzeczka. **2.** *t. przen.* prąd, nurt (*wody, rzeki, myśli filozoficznej*); prąd (*powietrza*). **3.** *przen.* potok (*łez, telefonów*); rzeka (*ludzi*); **~ of abuse/traffic** potok wyzwisk/samochodów; **constant/steady ~ of sth** nieprzerwany potok czegoś. **4. blood ~** *fizj.* krwiobieg. **5.** *gł. Br. szkoln.* poziom; klasa (*w ramach rocznika dzielonego według zdolności uczniów*). **6. come on ~** przechodzić rozruch (*o generatorze, hali produkcyjnej*); **go/swim against/with the ~** *zwł. przen.* iść/płynąć pod prąd/z prądem; **up/down ~** w górę/dół rzeki. – *v.* **1.** płynąć; wypływać, wyciekać, tryskać (*out of sth* z czegoś, *on sth* na coś); wpływać, wciekać (*in / into sth* do czegoś). **2.** przemieszczać się (*o tłumie*). **3.** powiewać (*o fladze, płaszczu*); rozwiewać się (*o włosach*). **4.** ociekać, tryskać (*with sth* czymś); wylewać z siebie (*with sth* coś); łzawić (*o oczach*). **5.** *gł. Br. szkoln.* dzielić (na klasy) według poziomu *l.* zdolności (*uczniów*). **6. ~ing cold** *Br.* silny katar; **tears were ~ing down his face** po twarzy płynęły mu łzy; **with ~ing hair** z rozwianym włosem.

streamer [ˈstriːmər] *n.* **1.** wstęga; serpentyna (*do ozdabiania pomieszczeń*). **2.** chorągiew, proporzec; bandera. **3.** *meteor.* wstęga (*zorzy polarnej*). **4.** *dzienn.* tytuł na całą stronę. **5.** *komp.* streamer (*pamięć taśmowa*).

streamlet [ˈstriːmlət] *n.* strumyczek, potoczek.

streamline [ˈstriːmˌlaɪn] *v.* **1.** nadawać opływowy kształt (*pojazdowi*). **2.** usprawniać, optymalizować (*organizację*). **3.** skracać (*tekst*). – *n.* **1.** opływowy kształt. **2.** *mech.* linia prądu.

streamlined [ˈstriːmˌlaɪnd] *a.* **1.** opływowy (*o kształcie*). **2.** optymalny, efektywny (*o organizacji*).

stream of consciousness *n. U teor. lit., psych.* strumień świadomości.

streamy [ˈstriːmɪ] *a.* **-ier, -iest 1.** *lit.* poprzecinany strumieniami (*o terenie*). **2.** płynący potokiem *l.* strumieniem.

street [striːt] *n.* **1.** ulica; **cross the ~** przechodzić przez ulicę; **on** *US*/**in** *Br.* **Roosevelt ~** na ulicy Roosevelta; **(out) on/in the ~** na ulicy; **one-way/two-way ~** ulica jednokierunkowa/dwukierunkowa; **side ~** boczna uliczka. **2.** *przen.* **be ~s ahead of sb** *Br. pot.* być o niebo lepszym od kogoś; **be dancing in the ~s** skakać z radości; **be on easy ~** *US pot.* żyć sobie spokojnie (= *mieć dosyć pieniędzy*); **be on the ~s** mieszkać na ulicy (= *być bezdomnym*); stać pod latarnią, pracować na ulicy (= *uprawiać prostytucję*); **live on the ~s** być na bruku (= *być bezdomnym*); **the man/woman in the ~** przeciętny *l.* szary człowiek; **one-way/two-way ~** kwestia *l.* sprawa indywidualna/porozumienia *l.* kompromisu; **sth (right) up sb's ~** *pot.* coś w sam raz dla kogoś; **take to the ~s** wyjść na ulice (= *demonstrować*); **walk the ~s** *przest. euf.* pracować na ulicy, stać pod latarnią (= *uprawiać prostytucję*).

streetcar [ˈstriːtˌkɑːr] *n. US i Can.* tramwaj.

street credibility *n. U* (*także pot.* **street cred**) *Br.* popularność wśród młodzieży.

street credible *a. Br.* popularny wśród młodzieży (*o osobie*); młodzieżowy (*o wyglądzie, wizerunku*).

street door *n.* drzwi od ulicy.

street fashion *n. U* moda uliczna.

street furniture *n. U* infrastruktura uliczna.

street lamp *n.* latarnia uliczna.

street lighting *n. U* oświetlenie uliczne.

street map *n.* plan miasta.

street market *n.* targ uliczny.

street name *n.* **1.** nazwa ulicy. **2.** *przen.* nazwa potoczna, określenie gwarowe (*zwł. narkotyku*).

street people *n. pl. US* bezdomni.

street plan *n.* plan miasta.

streetscape [ˈstriːtˌskeɪp] *n.* *sztuka* pejzaż miejski.

street-smart [ˈstriːtˌsmɑːrt] *a. US* cwany, oblatany.

street smarts *n. US U* umiejętność radzenia sobie w mieście (*zwł. w niebezpiecznych dzielnicach*).

street style *n. U* styl młodzieżowy.

street theater, *Br.* **street theatre** *n. C / U* teatr uliczny.

street value *n. C / U* wartość handlowa (*zwł. narkotyku*).

street vendor *n.* sprzedaw-ca/czyni uliczn-y/a.

street walker *n. przest.* ulicznica.

streetwise [ˈstriːtˌwaɪz] *a. pot.* oblatany, cwany.

strength [streŋkθ] *n.* **1.** *U t. przen.* siła (*np. osoby, związku, organizacji, wiary, wojska, waluty, wiatru*); siły; **~ of character** siła charakteru; **from a position of ~** z pozycji siły; **gather ~** zbierać siły; **gain ~** nabierać sił; **inner ~** siła wewnętrzna; **have the ~ to do sth** mieć wystarczająco dużo siły, by coś zrobić; **physical ~** siła fizyczna; **show of ~** pokaz *l.* demonstracja *l.* manifestacja siły; **with all one's ~** z całej siły. **2.** *C / U* moc (*t. roztworu, lekarstwa, oświetlenia*); **full ~**

nierozcieńczony (*o kwasie, alkoholu*); **maximum** ~ najwyższa dawka; w najwyższej dawce (*o leku dopuszczonym do sprzedaży bez recepty*). **3.** *U* potęga (*t. militarna*). **4.** *U* wytrzymałość (*konstrukcji, osoby*). **5.** mocna strona (*osoby*); dobra strona, zaleta (*planu, sposobu postępowania*). **6.** *U* liczba (*ludzi*); skład (= *liczebność grupy*); **at full** ~ w pełnym składzie; **below** ~ w niepełnym składzie; **in** ~ licznie (*przybyć*). **7.** ~ **of purpose** determinacja; **give me** ~! *gł. Br.* nie wytrzymam!, nie mogę! (*reakcja na coś irytującego, zwł. głupotę*); **go from** ~ **to** ~ rosnąć w siłę, odnosić sukces za sukcesem; **on the** ~ **of sth** na mocy czegoś (*przepisu, prawa*); kierując się czymś (*osiągnięciami*); opierając się na czymś (*na opinii*); **outgrow one's** ~ *Br.* zbyt szybko rosnąć (*o dziecku*); **sb doesn't know his own** ~ ktoś sam nie wie, jaka w nim drzemie moc.

strengthen ['streŋkθən] *v. t. przen.* wzmacniać (*konstrukcję, mięśnie, uczucie, wiarę*); wzmacniać się (*o rekonwalescencie, mięśniach*); umacniać (*pozycję, walutę, związki*); umacniać się (*o walucie, demokracji, władzy*); wzmagać się (*o wietrze*); ~ **sb's hand/resolve** wzmacniać czyjąś pozycję/determinację; ~ **sb's powers** rozszerzać czyjeś uprawnienia.

strenuous ['strenjuəs] *a.* **1.** forsowny (*o ćwiczeniach, wspinaczce*); intensywny (*o wysiłku*). **2.** usilny, niestrudzony; **make** ~ **efforts** czynić usilne starania. **3.** niezłomny, zacięty; ~ **opposition** zacięty opór.

strenuously ['strenjuəslı] *adv.* **1.** intensywnie (*ćwiczyć*). **2.** uparcie, usilnie; **deny sth** ~ uparcie czemuś zaprzeczać.

strep [strep] *n. pat. pot.* = **streptococcus.**

strep throat *n. C / U zwł. pot. pat.* angina (ropna).

streptococcus [ˌstreptə'kɑːkəs] *n. pl.* **streptococci** [ˌstreptə'kɑːksaı] *pat., biol.* paciorkowiec.

streptomycin [ˌstreptə'maısın] *n. U med.* streptomycyna.

stress [stres] *n.* **1.** *C / U* stres; napięcie (emocjonalne); **~es and strains** stresy i napięcia; **~-related** (*także* **due to** ~) spowodowany *l.* wywołany stresem (*np. o chorobie*); **under** ~ zestresowany; pod wpływem stresu; **under a lot of** ~ w stanie silnego napięcia (emocjonalnego), w dużym stresie. **2.** *U* nacisk; **put/lay (great)** ~ **on sth** kłaść na coś (wielki) nacisk. **3.** *C / U t. mech.* nacisk; napór. **4.** *C / U mech.* naprężenie. **5.** *C / U jęz. fon., muz., wers.* akcent, przycisk. – *v.* **1.** podkreślać, akcentować, zwracać uwagę na (*aspekt sprawy*); ~ **the importance of sth** podkreślać znaczenie czegoś; ~ **the need for sth** zwracać uwagę na potrzebę czegoś. **2.** *fon., jęz.* akcentować (*sylabę, słowo*). **3.** ~ **(out)** stresować (*kogoś*); *zwł. US pot.* stresować się. **4.** *mech.* poddawać naprężeniom (*element konstrukcji, materiał*).

stressed [strest] *a.* (*także pot.* ~ **out**) zestresowany.

stress fracture *n. C / U pat.* złamanie przeciążeniowe *l.* zmęczeniowe.

stressful ['stresful] *a.* stresujący (*o pracy, zadaniu, warunkach*); stresowy (*o sytuacji*).

stress mark *n. pismo, druk.* akcent (*znak graficzny*).

stretch [stretʃ] *v.* **1.** rozciągać, naciągać (*np. gumkę, sweter, mięśnie*); rozciągać się, naciągać się (*np. o materiale, spodniach*). **2.** *pat.* naciągnąć sobie (*ścięgno*). **3.** (*także* ~ **o.s.**) przeciągać się. **4.** (*także* ~ **tight**) napinać, naciągać, naprężać (*linę, membranę*). **5.** rozpinać (*linkę*). **6.** rozciągać się, ciągnąć się (*to* do, *as far as* aż do/po) (*np. o równinie, morzu*); ~ **the length of sth** rozciągać się na długość czegoś, zajmować całą długość czegoś. **7.** trwać; przeciągać się, przedłużać się; ~ **indefinitely** trwać w nieskończoność; ~ **over several years** potrwać kilka lat. **8.** naginać, naciągać (*zasady, fakty, definicję*). **9.** wystawiać na próbę (*cierpliwość, zaufanie*). **10.** zmuszać do wysiłku (*uczniów, pracowników*). **11.** wykorzystywać w pełni (*fundusze, umiejętności*); wykorzystywać pełnię możliwości (*kogoś*). **12.** *przen.* ~ **a point** *zob.* **point** *n.*; ~ **one's dollar** *US* dobrze gospodarować pieniędzmi; ~ **one's legs** *pot.* rozprostować nogi (*przejść się*); ~ **one's luck** przeciągać strunę; ~ **sb's patience to the limit** wystawić czyjąś cierpliwość na ciężką próbę; ~ **the truth** naciągać *l.* naginać fakty; **~ed to breaking point** napięty do granic wytrzymałości (*t. o budżecie*); **be ~ed (to the limit)** ciężko prząść, być w (bardzo) trudnej sytuacji (*finansowej*); **not** ~ **to sth** nie wystarczać na coś (*o pieniądzach*); **this is ~ing it (a bit)** to (lekka) przesada. **13.** ~ **out** *pot.* wyciągnąć się (= *położyć się na chwilkę*); wyciągać (*rękę, nogę*); rozkładać (*ramiona*); *fin.* rozkładać (*płatności*); roztaczać się (*o widoku*). – *n.* **1.** obszar, połać (*lądu, wody*); akwen; **a beautiful** ~ **of countryside** uroczy zakątek. **2.** odcinek (*drogi, rzeki, wybrzeża*); **home/final/finishing** ~ *sport* końcowy odcinek (*trasy wyścigu*). **3.** okres; **a** ~ **of two weeks** okres dwóch tygodni. **4.** *zw. sing.* przeciągnięcie; **have a** ~ przeciągnąć się. **5.** *sport* ćwiczenie rozciągające. **6.** *U tk.* elastyczność. **7.** *zw. sing. pot.* odsiadka (= *okres odbywania kary więzienia*). **8.** *pot.* trudna sprawa (= *wyzwanie*). **9.** *przen.* **at a** ~ bez przerwy; **at full** ~ *Br.* całą parą (*pracować*); **by no** ~ **of the imagination** (*także* **not by any** ~ **of the imagination**) jak by (na to) nie patrzeć; nijak, żadną miarą; **down the** ~ *US sport* pod koniec gry. – *a. attr.* elastyczny, rozciągliwy; ze stretchu.

stretchable ['stretʃəbl] *a.* elastyczny, rozciągliwy.

stretcher ['stretʃər] *n.* **1.** nosze. **2.** *mal.* blejtram, krosna malarskie. **3.** *stol.* rozpórka, poprzeczka. **4.** *bud.* rozpora. **5.** *Austr.* łóżko polowe. **6.** *bud.* wozówka (*cegła, kamień*). **7.** *sl.* przegięcie; kit (= *mocno przesadzona relacja*).

stretcher bearer *n.* noszow-y/a; sanitariusz/ka.

stretch fabric *n. U tk.* stretch.

stretch knit *n. U tk.* ściągacz.

stretch limo *n.* (*także* **stretch limousine**) *mot.* przedłużana *l.* długa limuzyna.

stretchmark ['stretʃˌmɑːrk], **stretch mark** *n. zwł. pl. fizj.* rozstęp (*skóry*); *pl.* rozstępy.

stretchy ['stretʃɪ] *a.* **-ier, -iest** elastyczny, rozciągliwy (*gł. o tkaninie, odzieży*).

streusel ['stru:sl] *n. U gł. US kulin.* kruszonka.

strew [stru:] *v. pp. t.* **strewn 1.** rozrzucać (*np. papiery*); sypać (*kwiaty, piasek, mąkę*); rozsypywać (*ziemię, piasek*). **2.** posypywać (*sth with sth* coś czymś). **3.** *lit.* pokrywać (*np. ścieżkę; o rozsypanych kwiatach itp.*).

strewn [stru:n] *a.* ~ **with sth** obsypany czymś (*np. papierami, confetti*); naszpikowany czymś (*np. przekleństwami, makaronizmami; o mowie*); ~ **with flowers** ukwiecony, usiany kwiatami; **be ~n with mines** jeżyć się od min.

strewth [stru:θ] *int. Austr. l. przest. Br.* na Boga!

stria ['straɪə] *n. pl.* **striae** ['straɪi:] **1.** *t. biol.* prążek; pasek. **2.** *t. sztuka* rowek (*np. ozdobny w kolumnie*). **3.** *geol.* rysa (*zwł. lodowcowa*).

striated ['straɪˌeɪtɪd], **striate** ['straɪˌeɪt] *a. form.* **1.** prążkowany. **2.** *przen.* przeplatany (*with sth* czymś).

striated muscle *n. anat.* mięsień prążkowany.

striation [ˌstraɪ'eɪʃən] *n. form.* **1.** *t. anat.* prążek; *U* prążkowanie. **2.** *geol.* rysa (*zwł. lodowcowa*).

stricken ['strɪkən] *a.* **1.** *form.* dotknięty klęską *l.* nieszczęściem; ~ **by/with sth** dotknięty czymś; cierpiący na coś, złożony czymś (*chorobą*); ~ **in years** uginający się pod ciężarem wieku; **grief** ~ pogrążony w bólu *l.* żalu; **panic** ~ ogarnięty paniką; **poverty** ~ dotknięty biedą *l.* ubóstwem. **2.** *US gł. kulin.* płaski (*o łyżce, miarce w przepisach*). **3.** trafiony, uderzony (*pociskiem, piorunem*). – *v. zob.* **strike**.

strickle ['strɪkl] *n. techn.* **1.** wzornik (*do odlewu*). **2.** strychulec, listwa zgarniająca.

strict [strɪkt] *a.* **1.** surowy (*np. o nauczycielu, dyscyplinie, regułach, wychowaniu*) (*with sb* w stosunku do kogoś, *about sth* w kwestii czegoś); restrykcyjny (*o przepisach*). **2.** ścisły, dosłowny (*o znaczeniu*); precyzyjny, jednoznaczny, wyraźny (*o poleceniu*). **3.** *gł. rel.* ortodoksyjny. **4.** ~ **vegetarian** ścisł-y/a wegetarian-in/ka; **in the ~ sense (of the word)** w ścisłym *l.* dosłownym (tego słowa) znaczeniu; **in the ~est confidence** w najgłębszej tajemnicy (*powiedzieć coś komuś*).

strictly ['strɪktlɪ] *adv.* **1.** surowo, bezwzględnie (*np. karać, egzekwować*); **smoking ~ forbidden** palenie surowo wzbronione (*napis*). **2.** ściśle; precyzyjnie (*np. określony*); ~ **confidential** ściśle poufne, ściśle tajne (*adnotacja na dokumencie*); ~ **speaking** ściśle (rzecz) biorąc, ściśle *l.* ściślej mówiąc. **3.** wyłącznie; ~ **between ourselves** wyłącznie między nami; ~ **for you** wyłącznie dla ciebie. **4.** ~ **for the birds** *zob.* **bird** *n.*

strictness ['strɪktnəs] *n. U* **1.** surowość (*np. dyscypliny, przepisów*). **2.** ścisłość; precyzja (*sformułowania*).

stricture ['strɪktʃər] *n. form.* **1.** zarzut; *pl.* zarzuty, krytyka. **2.** ograniczenie (*on / against sth* czegoś). **3.** *pat.* zwężenie.

stride [straɪd] *v.* **strode, stridden** kroczyć (zamaszyście *l.* energicznie). – *n. C / U t. przen.* krok; **hit one's ~** (*także Br.* **get into one's ~**) złapać (właściwy) rytm, nabrać wprawy; **make great/big/giant ~s in sth** poczynić wielkie postępy w czymś; **match sb ~ for ~** nie ustępować komuś (ani na krok); **put sb off their ~** zbić kogoś z pantałyku; **take sth in (one's) ~** przyjmować coś ze spokojem, nie zrażać się czymś; **without breaking ~** *gł. US* bez zająknięcia.

strident ['straɪdənt] *a.* **1.** ostry, przenikliwy (*o dźwięku*); piskliwy (*o głosie*). **2.** *przen.* głośny; natarczywy; niecierpliwy (*o żądaniach, apelach*). **3.** *fon.* tnący (*dźwięk*).

stridently ['straɪdəntlɪ] *adv.* **1.** ostro, przenikliwie. **2.** *przen.* głośno; natarczywie.

strides ['straɪdz] *n. pl. Austr. pot.* galoty (= *spodnie*).

stridor ['straɪdər] *n.* **1.** *pat.* świst (krtaniowy *l.* oddechowy) (*przy oddychaniu*). **2.** *form.* zgrzyt, skrzyp; pisk.

stridulate ['strɪdʒəˌleɪt] *v. ent.* ćwierkać (*o świerszczu*).

stridulous ['strɪdʒələs] *a.* **1.** *form.* zgrzytliwy, skrzypliwy. **2.** *pat.* świszczący.

strife [straɪf] *n. U form.* spory, niesnaski; **civil/political ~** niesnaski polityczne.

strigose ['straɪgous] *a. biol.* szorstki; szczeciniasty; *zool.* drobno prążkowany.

strike [straɪk] *v. pret.* **struck** *pp.* **struck** *l. rzad.* **stricken 1.** uderzać (*sth* w coś, *sb / sth with sth* kogoś/coś czymś, *(sth) against sth* (czymś) o coś, *sb / sth in / on sth* kogoś/coś w coś). **2.** uderzyć (*o piorunie, terroryście, mordercy, drapieżniku*); zaatakować (*o drapieżniku, mordercy*); wydarzyć się (*o tragedii, nieszczęściu*). **3.** nawiedzić (*określone miejsce; np. o klęsce żywiołowej*). **4.** strajkować (*for sth* o coś) (*np. o wyższe płace*). **5.** *przen.* uderzać (*kogoś*), wydawać się (*komuś*); **it ~s sb (that)...** uderza kogoś, że...; **sb is struck by sth** kogoś uderza coś; **sth ~s sb as strange/funny** coś wydaje się komuś dziwne/śmieszne; **she ~s me as being extremely intelligent** robi wrażenie niesłychanie inteligentnej; **this struck me as a great idea** wydało mi się, że to świetny pomysł. **6.** *mot.* potrącić (*pieszego, rowerzystę*); zderzyć się z (*samochodem*); uderzyć *l.* wjechać w (*latarnię, drzewo, dom*); **be struck by a car** zostać potrąconym przez samochód. **7.** wybijać (godzinę), bić (*o zegarze*); ~ **the hour** wybijać (równą) godzinę; **the clock struck six** zegar wybił (godzinę) szóstą. **8.** uderzać w, naciskać (*klawisze*). **9.** wybijać (*monety, medale*). **10.** znajdować, natrafiać *l.* napotykać na; ~ **gold** natrafić na złoto/ropę. **11.** *t. fiz.* padać na (*powierzchnię, przedmiot; o świetle, promieniowaniu*). **12.** *form. t. prawn.* wykreślać, skreślać, usuwać (*sb / sth from / off sth* kogoś/coś z czegoś) (*np. z listy, protokołu*); ~ **sth from the record** wykreślić *l.* skreślić coś z protokołu. **13.** *t. przen.* przybierać, przyjmować (*postawę, pozę*). **14.** *ryb.* brać (*o rybach*). **15.** ~ **a balance (between A and B)** znaleźć kompromis (pomiędzy A i B); ~ **the right balance** zachowywać właściwe proporcje; ~ **a blow** *t. przen.* zadać *l.* wymierzyć cios (*to sb / sth* komuś/czemuś); ~ **a blow at/against sth** *przen.*

zadać cios czemuś; ~ **a blow for sb/sth** zdecydowanie pomóc komuś/czemuś; ~ **a chord/note** *muz.* zagrać akord/nutę; ~ **a deep chord with sb** *przen.* uderzyć w czyjąś czułą strunę; ~ **a (familiar) chord** brzmieć znajomo; ~ **a cheerful/cautious note** *przen.* uderzyć w wesoły/ostrożny ton; ~ **the right chord/note** *przen.* trafić *l.* uderzyć we właściwą strunę; ~ **a deal/bargain** zawrzeć układ/porozumienie, dobić targu, ubić interes (*with sb* z kimś, *over sth* w jakiejś sprawie); ~ **a match** zapalić zapałkę; ~ **camp** zwijać obóz; ~ **gold** *sport* zdobyć złoto (= *złoty medal*); ~ **home** trafić, zadać celny cios; trafić w samo sedno; ~ **(it) lucky** *pot.* mieć fart; ~ **me dead!** *pot.* niech mnie piorun (trzaśnie)!; ~ **root** *zob.* **root** *n.*; ~ **sb blind** oślepić kogoś; ~ **terror/fear/a chill into sb's heart** napawać kogoś przerażeniem/strachem/trwogą; ~ **the eye** rzucać się w oczy; ~ **while the iron is hot** *zob.* **iron** *n.*; **sb struck it rich** ktoś się (nagle) wzbogacił; **be struck dumb** *zob.* **dumb** *a.*; **lightning never ~s/doesn't ~ twice** *zob.* **lightning** *a.* **16.** ~ **at sb/sth** uderzać w kogoś/coś (*o prawie*); ~ **at the heart of sth** uderzać prosto w coś, burzyć podwaliny czegoś; ~ **at the root of sth** *przen.* podcinać korzenie czegoś; ~ **back** kontratakować, odpowiadać na atak; *przen.* rewanżować się, odgrywać się; ~ **down** powalić (*ciosem; t. o chorobie*); **be struck down in one's prime** *lit.* odejść w kwiecie wieku (= *umrzeć młodo*); ~ **off** przekreślić, wykreślić; *druk.* odbijać (*egzemplarze*); *Br.* pozbawić prawa wykonywania zawodu (*lekarza, prawnika*); **be struck off** *Br.* stracić licencję (*o lekarzu, prawniku*); ~ **on/upon sth** wpaść na coś (*na pomysł*); **be struck on sth** *Br. pot.* przepadać za czymś; ~ **out** przekreślić, wykreślić (*słowo, zdanie*); wyruszać (w drogę); *US i Can. pot.* zawalić sprawę; *baseball* zostać wyeliminowanym (*po trzech nieudanych uderzeniach; o pałkarzu*); *baseball* wyeliminować (*pałkarza*); zacząć od nowa; ~ **out on one's own** uniezależnić się; **sb struck out** *US i Can. pot.* komuś się nie udało *l.* nie powiodło *l.* nie wyszło; ~ **through** przekreślić, wykreślić; ~ **up** zacząć grać (*utwór*); zaintonować (*melodię*); ~ **up a conversation/relationship** nawiązać rozmowę/zawrzeć znajomość (*with sb* z kimś); ~ **up the band** wystukać rytm (*na rozpoczęcie utworu*). – *n.* **1.** strajk; ~ **action** akcja strajkowa; **be (out) on** ~ strajkować; **call a** ~ ogłosić strajk; **call off a** ~ odwołać strajk; **general** ~ strajk generalny; **hunger** ~ strajk głodowy, głodówka; **go (out) on** ~ (*także* **come out on** ~) zastrajkować. **2.** *t. wojsk.* atak, uderzenie; (*także* **air** ~) nalot (*against / on sth* na coś); **launch a** ~ podjąć atak; dokonać nalotu. **3.** uderzenie, cios. **4.** *kręgle* zbicie (*zwł. jednym rzutem*). **5.** *baseball* nieudane odbicie (*piłki przez pałkarza*). **6.** *geol.* bieg (warstw). **7.** seria (*monet*). **8.** *ryb.* branie. **9.** *techn.* strychulec, listwa zgarniająca. **10.** odkrycie; **oil/gold** ~ odkrycie ropy/złota. **11. have two ~s against o.s.** *US przen.* być w podbramkowej sytuacji.

strikebound [ˈstraɪkˌbaund] *a.* nieczynny *l.* zamknięty z powodu strajku (*o zakładzie pracy, porcie*).

strikebreaker [ˈstraɪkˌbreɪkər] *n.* łamistrajk.

strikeout [ˈstraɪkˌaut] *n.* *baseball* wyeliminowanie pałkarza (*po trzech nieudanych odbiciach*).

strike pay *n.* zasiłek strajkowy, wypłata z funduszu strajkowego (*związku zawodowego*).

striker [ˈstraɪkər] *n.* **1.** strajkując-y/a. **2.** *zwł. piłka nożna* napastni-k/czka. **3.** młoteczek (*dzwonka*); młotek (*dzwonu*). **4.** *mech., wojsk.* grot iglicy (*w broni palnej*).

striking [ˈstraɪkɪŋ] *a.* **1.** uderzający (*o podobieństwie, różnicy, kontraście*); niezwykły (*o urodzie, cechach*); uderzająco piękny. **2. within ~ distance** *t. przen.* w zasięgu ręki; **within ~ distance of sth** *przen.* o włos od czegoś.

strikingly [ˈstraɪkɪŋlɪ] *adv.* uderzająco (*piękny*).

string [strɪŋ] *n.* **1.** *C/U* sznurek; sznur. **2.** sznur (*np. pereł, korali, samochodów*). **3.** wianek (*czosnku, cebuli*). **4.** *ekon.* sieć (*klubów, sklepów*). **5.** seria, szereg (*np. nieszczęść, wypadków, pytań*). **6.** *muz.* struna; *pl.* smyczki (*w orkiestrze*); instrumenty strunowe. **7.** *komp.* łańcuch, ciąg (*znaków, cyfr, alfanumeryczny*); **search** ~ poszukiwany łańcuch. **8.** *sport* naciąg (*w rakiecie*). **9.** cięciwa. **10.** łyko, włókno (*w fasoli, szparagu*). **11.** *fiz.* struna. **12. first/second** ~ *sport* pierwszy/drugi skład (*według aktualnej formy*). **13.** *bud.* = **stringcourse**. **14.** *bud.* = **stringboard**. **15.** *przen.* **have two ~s/a second ~ to one's bow** *zob.* **bow[1]** *n.*; **have sb on a ~** *pot.* wodzić kogoś za nos; **play out the ~** grać do końca; **pull (the) ~s** *zob.* **pull** *v.*; **(with) no ~s (attached)** bez (żadnych) zobowiązań; bez (dodatkowych) warunków. – *v.* **strung, strung 1.** nawlekać (*np. korale, grzyby*). **2.** ~ **(up)** rozwieszać (*np. lampki, sznur do bielizny*). **3.** *muz.* zakładać struny w (*gitarze, harfie*). **4.** *tenis itp.* zakładać naciąg w (*rakiecie*). **5.** wiązać. **6.** *kulin.* usuwać łyka *l.* włókna z (*fasoli, szparagów*), skubać. **7.** napinać (*łuk, linę, ścięgna, nerwy*). **8.** *bilard* grać o kolejność. **9.** ~ **along** *pot.* zwodzić (*kogoś*); ~ **along with sb** *Br.* przyłączyć się do kogoś, zabrać się z kimś (*zwł. z braku innych zajęć*); zgadzać się z kimś; ~ **out** *pot.* przeciągać, przedłużać; **be strung out along sth** ciągnąć się wzdłuż czegoś (*o wyspach, domach, drzewach*); ~ **together** *pot.* sklecić, złożyć do kupy (*kilka słów, zdanie*); ~ **up** *pot.* powiesić (*kogoś*).

string band *n. muz.* zespół smyczkowy.

string bass *n. muz.* kontrabas.

string bean *n.* **1.** *gł. US bot., kulin.* fasolka *l.* fasola szparagowa (*Phaseolus vulgaris*). **2.** *pot.* drągal, tyka (= *wysoka osoba*).

stringboard [ˈstrɪŋˌbɔːrd] *n.* (*także* **stringer**) *bud.* policzek, belka policzkowa (*schodów*).

stringcourse *n. bud.* gzyms.

stringed instrument *a. muz.* instrument smyczkowy.

stringency [ˈstrɪndʒənsɪ] *n.* *U* **1.** surowość, ostrość. **2.** *fin.* ciasnota (*na rynku pieniężnym*).

stringent [ˈstrɪndʒənt] *a.* **1.** surowy (*o prawach, ograniczeniach, normach, wymaga-*

niach); **(undergo) ~ testing** (przechodzić) surowe testy. **2.** *fin.* ciasny (*o rynku*).

stringently ['strɪndʒəntlɪ] *adv.* surowo.

stringer ['strɪŋər] *n.* **1.** *dzienn.* (stał-y/a) współpracowni-k/czka (*gazety*). **2. first/second ~** *sport* gracz z pierwszego/drugiego składu. **3.** *bud.* dźwigar. **4.** *bud.* = **stringboard**. **5.** *żegl.* wzdłużnik, podłużnica. **6.** *lotn.* podłużnica.

stringhalt ['strɪŋˌhɔ:lt] *n.* (*także* **springhalt**) *wet.* przykurcz zadniej nogi (*u konia*).

string line *n.* = **balkline** 1.

stringpiece ['strɪŋˌpi:s] *n. bud.* przycieś (= *belka podpierająca konstrukcję*).

string quartet *n. muz.* kwartet smyczkowy.

string theory *n. U fiz.* supersymetria, teoria strun.

string tie *n.* aksamitka, krawatka (*u szyi, zwł. w stroju kowbojów*).

stringy ['strɪŋɪ] *a.* **-ier, -iest 1.** łykowaty, włóknisty (*o fasolce, szparagach*). **2.** żylasty (*o osobie, mięsie*). **3.** w strąkach (*o włosach, brodzie*). **4.** ciągnący się, kleisty (*o cieczy*).

strip[1] [strɪp] *v.* **-pp- 1. ~ (down)** (*także* ~ *Br.* **off**) rozbierać się; **~ (down) to one's underwear** rozebrać się do bielizny; **~ naked** (*także* **~ to the skin**) rozebrać się do naga; **~ped to the waist** rozebrany do pasa *l.* od pasa w górę. **2. ~ (off)** zdejmować (*np. koszulę, spódnicę*). **3.** rozbierać (*kogoś*). **4.** usuwać, zdrapywać, zdzierać (*np. tapetę, farbę, korę*); **~ a wall of paint** usuwać farbę ze ściany. **5.** ogałacać (*np. łąkę z trawy, dom ze sprzętów*). **6.** wyczyścić (= *okraść doszczętnie; dom, mieszkanie*). **7.** *mech.* rozbierać (*urządzenie*); demontować (*części*); **~ down** rozbierać na części. **8. ~ sb of sth** pozbawić kogoś czegoś (*np. tytułu, przywileju*). **9.** uprawiać striptiz, pracować jako striptizer/ka. **10.** *mech.* zerwać (*gwint śruby, zębatkę*); zerwać się (*o śrubie, gwincie, zębatce*). **11.** *ogr.* wykarczować (*grządkę, rośliny*). **12. ~ away** ograniczać (*wpływy, przywileje*). – *n.* striptiz; **do a ~** robić striptiz.

strip[2] *n.* **1.** pasek (*papieru, magnetyczny w karcie*); skrawek (*papieru, tkaniny*). **2.** pas (*lądu, wody*). **3.** *US* ulica handlowo-rozrywkowa. **4.** *Br. zwł. piłka nożna* stroje, kostiumy (*danej drużyny*). **5.** = **comic strip**. **6.** *lotn.* = **air strip**. **7. tear sb off a ~** (*także* **tear a ~ off sb**) *zob.* **tear[2]** *v.*

strip cartoon *n. Br.* = **comic strip**.

strip club *n.* (*także pot.* **strip joint**) lokal ze striptizem.

stripe [straɪp] *n.* **1.** pasek (*w innym kolorze*). **2.** *wojsk.* belka (*na ramieniu munduru*); **earn one's ~s** *wojsk.* awansować; *przen.* zasłużyć sobie na coś. **3.** *tk.* pasiasty materiał, materiał w paski. **4.** bat, raz. **5.** *US i Can.* rodzaj, typ; **of every ~** wszelkiego autoramentu.

striped [straɪpt] *a.* pasiasty, w paski *l.* pasy.

striped muscle *n. anat.* mięsień prążkowany.

striper ['straɪpər] *n. w złoż.* **two/three-~** *wojsk. sl.* oficer z dwiema/trzema belkami.

stripey ['straɪpɪ] *a.* = **stripy**.

strip joint *n. pot.* = **strip club**.

strip lighting *n. U Br. el.* świetlówki, oświetlenie świetlowe *l.* fluorescencyjne.

stripling ['strɪplɪŋ] *n. lit.* młodzieniec.

strip mall *n. US* ciąg sklepów (*przy drodze*).

strip mine *n. US górn.* kopalnia odkrywkowa, odkrywka.

strip mining *n. U US górn.* eksploatacja odkrywkowa; górnictwo odkrywkowe.

stripped-down [ˌstrɪpt'daʊn] *a.* zredukowany, ograniczony (*o wersji urządzenia, programu*); oszczędnościowy (*o budżecie*).

stripper ['strɪpər] *n.* **1.** striptizer/ka; **male ~** striptizer. **2. wallpaper/paint ~** *bud., techn.* przyrząd *l.* preparat do usuwania tapet/farb.

strip poker *n. U karty* poker rozbierany.

strip search *n.* kontrola osobista. – *v.* brać na kontrolę osobistą (*kogoś*); robić kontrolę osobistą (*komuś*).

strip show *n.* striptiz.

striptease ['strɪpˌti:z] *n. C/U* striptiz. – *v.* robić striptiz; uprawiać striptiz, pracować jako striptizer/ka.

stripteaser ['strɪpˌti:zər] *n.* striptizer/ka.

stripy ['straɪpɪ], **stripey** *n.* **-ier, -iest** *gł. Br.* = **striped**.

strive [straɪv] *v.* **strove, striven** ['strɪvən] *form.* **~ against sb/sth** walczyć z kimś/czymś, zmagać się z kimś/czymś (*np. z losem*); **~ for/after sth** dążyć do czegoś (*np. do doskonałości*); walczyć o coś (*np. o wolność, niepodległość*); **~ to do sth** usiłować coś osiągnąć.

strobe [stroʊb] *n.* **1.** = **strobe light**. **2.** = **stroboscope**. **3.** *el.* sygnał strobujący, strob.

strobe light *n. opt.* światło stroboskopowe; migające światło (*w dyskotece*).

strobile ['strɑ:bl] *n. bot.* szyszka.

stroboscope ['stroʊbəˌskoʊp] *n. opt.* stroboskop.

strode [stroʊd] *v. zob.* **stride**.

stroke [stroʊk] *n.* **1.** *pat.* wylew; udar; **suffer/have a ~** mieć wylew *l.* udar, dostać wylewu *l.* udaru. **2.** ruch (*wiosła, ręki, skrzydła*); pociągnięcie (*wiosła, pędzla, pióra*). **3.** uderzenie (*bata, serca, piłki, zegara, pioruna*). **4.** *zw. sing.* głaskanie; **give sb/sth a ~** pogłaskać kogoś/coś. **5.** *pływanie* styl; **back/breast ~** styl grzbietowy/klasyczny. **6.** *Br.* kreska (ukośna), ukośnik; **ten ~ five** dziesięć łamane przez pięć (*przy głośnym czytaniu numerów*). **7.** *mech., mot.* suw, takt (*tłoka*); skok (*tłoka*). **8.** słowo zachęty, zachęta. **9. a ~ of lightning** błyskawica; piorun; **a ~ of luck/fortune** szczęśliwy traf, zrządzenie losu; **a ~ of genius** przebłysk geniuszu, genialny pomysł; **at a/one ~** za jednym zamachem; **a bold ~** odważne posunięcie; **finishing ~** ostateczny cios; *pl.* ostatnie poprawki; **not do a ~ (of work)** *pot.* nie kiwnąć *l.* nie ruszyć palcem (= *nic nie zrobić*); **on the ~ of five** równo z wybiciem piątej, punktualnie o piątej; **put sb off their ~** *pot.* wybić kogoś z rytmu; **with/at a ~ of the pen** jednym podpisem (*podpisując dokument*). – *v.* **1.** głaskać; **~ sb's cheek/hair** pogłaskać kogoś po policzku/włosach. **2.** popychać (*delikatnie dłonią*). **3.** *sport* uderzać (*piłkę*). **4.** *US i Can. pot.* komplementować (*kogoś*); przymilać się do (*kogoś*). **5.** wykreślać (*słowo*). **6. ~ sb the wrong way** (*także*

~ **sb's hair the wrong way**) *przen.* głaskać kogoś pod włos (= *drażnić*). **7.** ~ **sb down** udobruchać *l.* ugłaskać kogoś.

stroke play *n.* *U* (*także* **medal play**) *golf* (gra) stroke play (*na jak najmniejszą liczbę uderzeń*).

stroll [stroʊl] *v.* przechadzać się, spacerować. – *n.* spacer, przechadzka.

stroller ['stroʊlər] *n.* **1.** *US, Can. i Austr.* spacerówka, wózek spacerowy. **2.** spacerowicz/ka.

strolling ['stroʊlɪŋ] *a. attr. Br.* wędrowny (*o artyście*).

stroma ['stroʊmə] *n. pl.* **stromata** ['stroʊmətə] **1.** *biol.* podścielisko, zrąb. **2.** *bot.* stroma, matrix (*w chloroplastach*).

strong [strɔːŋ] *a.* **1.** *t. przen.* silny (*np. o osobie, charakterze, zespole, walucie, obcym akcencie*); mocny (*np. o tkaninie, alkoholu, zdrowiu, związku, argumencie, walucie*); solidny (*np. o konstrukcji, materiale*); ostry (*np. o smaku, serze, naganie*); dobry (*np. o wzroku, pamięci*). **2.** wysoki (*o prawdopodobieństwie*); duży (*o szansach*); **there's a ~ possibility/probability/chance that...** istnieje wysokie *l.* duże prawdopodobieństwo, że...; **there's a ~ possibility/probability/chance of sth** coś jest wysoce prawdopodobne. **3.** wydatny (*o nosie, podbródku*). **4.** umocniony, obronny (*o fortecy*). **5.** ~ **drinks** mocne napoje alkoholowe, napoje wyskokowe; ~ **language** mocny *l.* dosadny język; **(sb's) ~ suit** *US*/**point** *Br.* czyjaś mocna strona, czyjś mocny punkt; ~ **sense of duty** silne poczucie obowiązku; **be ~ on sth** być mocnym *l.* dobrym z czegoś; **have a ~ constitution** mieć silny organizm; **have a ~ stomach** (*także* **have ~ nerves**) mieć mocne nerwy (= *móc oglądać drastyczne sceny itp.*); **math has always been her ~ subject** zawsze była mocna *l.* dobra z matematyki; **...is a bit ~** *gł. Br. pot.* ...to lekka przesada; **50 ~** w sile *l.* liczbie 50; **be 50 ~** liczyć 50 osób. – *adv.* **come back ~** *zob.* **come** *v.*; **come on ~** *pot.* narzucać się (*to sb* komuś); czepiać się kogoś, wsiadać na kogoś; **be going ~** *pot.* świetnie się trzymać; **still going ~**! ciągle nieźle!.

strong-arm ['strɔːŋˌɑːrm] *pot. a. attr.* siłowy; ~ **method/tactic** metoda/taktyka silnej *l.* twardej ręki, metoda/taktyka siłowa. – *v.* ~ **sb** wywierać nacisk *l.* presję na kogoś; szantażować kogoś; używać siły w stosunku do kogoś.

strongbox ['strɔːŋˌbɑːks] *n.* kasa pancerna, sejf; kaseta pancerna.

stronghold ['strɔːŋˌhoʊld] *n.* **1.** ostoja, bastion (*zwł. konserwatyzmu*). **2.** *przest.* twierdza.

strongly ['strɔːŋlɪ] *adv.* **1.** silnie; mocno. **2.** solidnie (*wykonany*). **3.** zdecydowanie (*nie zgadzać się, bronić*). **4. sb feels (very) ~ about sth** coś (bardzo) leży komuś na sercu; komuś (bardzo) na czymś zależy; ktoś jest czemuś (zdecydowanie) przeciwny; ktoś nie ustąpi w jakiejś sprawie.

strongman ['strɔːŋˌmæn] *n. pl.* **-men** **1.** siłacz, atleta. **2.** *polit.* lider *l.* polityk twardej ręki; dyktator.

strong-minded [ˌstrɔːŋ'maɪndɪd] *a.* **1.** zdecydowany, stanowczy. **2.** błyskotliwy.

strongroom ['strɔːŋˌruːm] *n.* skarbiec.

strong-willed [ˌstrɔːŋ'wɪld] *a.* zdeterminowany, uparty.

strontia ['strɑːnʃɪə] *n. U chem.* tlenek strontowy.

strontian ['strɑːnʃɪən] *n.* *U chem.* **1.** tlenek strontowy. **2.** stront. **3.** stroncjanit.

strontianite ['strɑːnʃɪəˌnaɪt] *n.* *U chem.* stroncjanit.

strontium ['strɑːnʃɪəm] *n. U chem.* stront.

strop [strɑːp] *n.* **1.** rzemień, rzemyk, pasek skórzany (*do ostrzenia brzytwy*). **2.** *żegl.* strop (= *lina do podnoszenia ładunku*). **3. be in a ~** *Br. i Austr. pot.* być w złym humorze. – *v.* **-pp-** ostrzyć (na pasku) (*brzytwę*).

strophe ['stroʊfɪ] *n. wers., teor. lit.* strofa (*t. w greckim dramacie*).

strophic ['strɑːfɪk] *a. wers., teor. lit.* stroficzny.

stroppily ['strɑːpɪlɪ] *adv. Br. i Austr. pot.* z rozdrażnieniem.

stroppiness ['strɑːpɪnəs] *n. U Br. i Austr. pot.* rozdrażnienie; drażliwość.

stroppy ['strɑːpɪ] *a.* **-ier, -iest** *Br. i Austr. pot.* rozdrażniony, w złym humorze; drażliwy.

strove [stroʊv] *v. zob.* **strive**.

struck [strʌk] *v. zob.* **strike**. – *a. gł. US i Can.* nieczynny *l.* zamknięty z powodu strajku (*o zakładzie pracy, porcie*).

structural ['strʌktʃərəl] *a.* **1.** strukturalny. **2.** budowlany, konstrukcyjny. **3.** ~ **damage** uszkodzenie konstrukcji *l.* struktury.

structural engineer *n.* inżynier budownictwa (przemysłowego).

structural engineering *n. U* inżynieria budowlana.

structural formula *n. chem.* wzór strukturalny.

structuralism ['strʌktʃərəˌlɪzəm] *n. U fil.* strukturalizm.

structuralist ['strʌktʃərəlɪst] *n. U fil.* strukturalist-a/ka.

structurally ['strʌktʃərəlɪ] *adv.* strukturalnie.

structural steel *n. U* stal budowlana *l.* konstrukcyjna.

structure ['strʌktʃər] *n.* **1.** *U* struktura, budowa (*np. organizmu, zdania, wypracowania*); struktura, układ, rozmieszczenie (*elementów składowych*); struktura, ustrój (*organizacji, władzy*). **2.** konstrukcja; budowla; budynek; **parking ~** budynek parkingu; **steel ~** konstrukcja stalowa. **3.** *biol., anat.* twór. **4.** *C/U* plan, organizacja (*np. dnia, postępowania*). **5.** *tk.* splot, wiązanie. – *v.* **1.** tworzyć strukturę (*organizacji*). **2.** konstruować (*wywód*).

strudel ['struːdl] *n. C/U kulin.* strudel; **apple ~** strudel z jabłkami.

struggle ['strʌgl] *v.* **1.** wysilać się; starać się (usilnie), usiłować (*to do sth* coś zrobić). **2.** walczyć (*for sth* o coś); zmagać się (*with/against sb/sth* z kimś/czymś); borykać się (*with/against sth* z czymś) (*np. z chorobą, przeciwnościami losu*). **3.** szamotać się, przepychać się (*with sb* z kimś). **4.** ~ **for breath** z trudem łapać powietrze, nie móc złapać tchu; ~ **into a car** z trudem wgramolić się do samochodu; ~ **on** walczyć dalej, nie przestawać walczyć; nie ustawać w wysiłkach; ~ **out of a car** wygramolić się z samochodu; ~ **through sth** brnąć *l.* przedzierać się *l.* przebijać się przez coś (*np. przez nudną lekturę, chaszcze*). – *n.* **1.** walka; ~ **for existence** *gł. biol.* walka o byt; **power** ~ *zwł. polit.* walka o władzę. **2.** bójka, szamotanina, przepychanka. **3.** zmaganie się, borykanie się (*z trudnościami*). **4. be a ~ (for sb)** stanowić (dla kogoś) duży wysiłek *l.* dużą trudność.

strum [strʌm] *v.* **-mm-** brzdąkać (na) (*gitarze itp.*). – *n.* brzdąkanie.

strumpet ['strʌmpɪt] *n. przest. obelż.* ladacznica.

strung [strʌŋ] *v. zob.* **string**. – *a.* = **high-strung**.

strung out, strung-out *a. pred.* **1.** *sl.* naćpany (*on sth* czymś). **2.** *sl.* na głodzie (*narkotykowym*). **3.** *pot.* wybuchowy, drażliwy (*z przemęczenia*); przemęczony; przepracowany.

strung up, strung-up *a. gł. pred. Br. pot.* cały w nerwach; **sb is (all)** ~ ktoś cały chodzi.

strut [strʌt] *v.* **-tt- 1.** kroczyć (dumnie); przechadzać się z dumą (*across/about sth* po czymś/gdzieś). **2.** *bud., mech.* rozpierać. **3.** ~ **one's stuff** *pot.* tańczyć wyzywająco; popisywać się. – *n.* **1.** *sing.* dumny krok. **2.** *mech., bud.* zastrzał; rozpórka, rozpora.

struthious ['stru:θɪəs] *a. orn.* strusiowaty.

strychnine ['strɪknaɪn] *n. U chem.* strychnina.

stub [stʌb] *n.* **1.** końcówka (*ołówka*); niedopałek (*papierosa*); pozostałość, resztka. **2.** odcinek (dla posiadacza *l.* kontrolny) (*biletu, czeku*); odcinek dla pasażera (*biletu za przejazd*). **3.** ogarek (*świecy*). **4.** pniak (*po drzewie*). **5.** kikut (*ogona*). – *v.* **-bb- 1.** ~ **one's toe** uderzyć się w palec (u nogi); ~ **one's toe against sth** potknąć się o coś (boleśnie). **2.** ~ **(out)** gasić (*papierosa*). **3.** *ogr.* wykopywać (z korzeniami) (*drzewo, krzew*). **4.** *roln.* karczować (*teren*).

stubble ['stʌbl] *n. U* **1.** lekki *l.* krótki *l.* kilkudniowy zarost; szczecina (*na brodzie*); **designer** ~ *zob.* **designer**. **2.** *roln.* rżysko, ściernisko.

stubbly ['stʌblɪ] *a.* porośnięty krótkim zarostem (*o brodzie*).

stubborn ['stʌbərn] *a.* **1.** uparty; **(as) ~ as a mule** *emf.* uparty jak osioł. **2.** uporczywy (*o problemie, oporze, sprzeciwie*); ~ **stains** trudne do usunięcia *l.* uporczywe plamy.

stubbornly ['stʌbərnlɪ] *adv.* **1.** uparcie, z uporem. **2.** uporczywie.

stubbornness ['stʌbərnnəs] *n. U* **1.** upór. **2.** uporczywość.

stubby ['stʌbɪ] *a.* **-ier, -iest 1.** pękaty; krótki i gruby (*o palcach, kończynach*). **2.** krępy. **3.** szczeciniasty (*o brodzie*).

stucco ['stʌkoʊ] *bud. n. U* stiuk, sztukateria. – *v.* pokrywać stiukiem, zdobić sztukaterią (*ścianę*).

stuck [stʌk] *v. zob.* **stick**. – *a. pred.* zacięty, zablokowany (*o części mechanizmu*); **be** ~ zaciąć się, nie dać się ruszyć, utknąć (w miejscu); nie móc ruszyć (z miejsca) (*o osobie, samochodzie*); **be ~ with sb/sth** być skazanym na kogoś/coś; nie móc się kogoś/czegoś pozbyć; **be ~ on sb** *pot.* być zadurzonym w kimś; **get** ~ utknąć (w miejscu) (*o samochodzie, osobie, t. = nie móc dalej uczyć się, pracować*); **get ~ in** *Br. i Austr. pot.* zabierać się (porządnie) do roboty.

stuck-up [ˌstʌk'ʌp] *a. pot.* nadęty, zadzierający nosa.

stud [stʌd] *n.* **1.** (*także* ~ **farm**) stadnina (ogierów *l.* koni). **2.** (*także* ~ **horse**) ogier (rozpłodowy). **3.** *pog.* ogier (*o mężczyźnie*). **4.** ćwiek (*w kurtce, kufrze*). **5.** wkrętka (= *mały prosty kolczyk*). **6.** (*także* **press** ~) napa; zatrzask. **7.** *Br. i Austr.* korek (*w podeszwie buta sportowego*). **8.** *US mot.* kolec (*na oponie zimowej*). **9.** zapięcie (*koszuli, kołnierzyka*); spinka. **10.** *mech.* śruba dwustronna. **11.** *US bud.* słup szkieletowy; słupek, stojak. **12.** *karty* = **stud poker**. **13. at** ~ do rozpłodu (*o ogierze*); **put (out) to** ~ przeznaczać do rozpłodu (*ogiera*). – *v.* **-dd- 1.** nabijać ćwiekami. **2.** *lit.* usiać (*with sth* czymś). **3.** podpierać słupem *l.* słupami.

studbook ['stʌdˌbʊk] *n. jeźdz.* księga stadna; *kynol.* księga rodowodowa.

studded ['stʌdɪd] *a.* **1.** nabijany ćwiekami; wysadzany kamieniami; nabijany, wysadzany (*with sth* czymś). **2.** *przen.* usiany (*with sth* czymś) (*zwł. gwiazdami*).

student ['stu:dənt] *n.* **1.** *uniw.* student/ka; *szkoln.* ucze-ń/nnica; słuchacz/ka (*np. kolegium, studium zawodowego*); ~ **teacher/nurse/pilot** słuchacz/ka szkoły pedagogicznej/pielęgniarskiej/pilotażu; **A** ~ ucze-ń/nnica piątkow-y/a; **law/medical** ~ student/ka prawa/medycyny. **2.** badacz/ka (*of sth* czegoś) (*np. literatury*). **3. be a ~ of sth** studiować coś; pasjonować *l.* parać się czymś. – *a. attr.* studencki.

student body *n. pl.* **-ies** *US gł. sing. uniw.* (wszyscy) studenci (*uczelni*); *szkoln.* (wszyscy) uczniowie (*szkoły, zwł. średniej*).

student council *n. US szkoln.* samorząd uczniowski.

student government *n. US uniw.* samorząd studencki *l.* studentów.

student lamp *n.* lampka biurkowa *l.* na biurko (*z wyginaną nóżką*).

student loan *n. fin.* kredyt dla studentów.

students' union *n. Br.* **1.** = **student union**. **2.** zrzeszenie studentów.

student union *n.* (*także Br.* **students' union**) *uniw.* klub studencki.

stud farm *n.* stadnina (ogierów *l.* koni).

stud horse *n.* ogier (rozpłodowy).

studied ['stʌdɪd] *a.* wystudiowany (*o ruchu, grzeczności*).

studio ['stu:dɪoʊ] *n. pl.* **-s 1.** *telew., radio, film* studio; *t. pl. film* wytwórnia filmowa. **2.** *sztuka* pracownia, atelier (*malarza, fotografa*). **3.** (*także US* ~ **apartment**) (*także Br.* ~ **flat**) kawalerka. **4.** (*także* **dance** ~) studio tańca.

studio audience *n. telew., radio* publiczność w studiu.

studio recording *n. muz.* nagranie studyjne.

studious ['stu:dɪəs] *a.* pilny; skrupulatny, staranny.

studiously ['stu:dɪəslɪ] *adv.* pilnie (*uczyć się*); skrupulatnie, starannie; **they ~ avoided each other** omijali *l.* obchodzili się z daleka.

studiousness ['stu:dɪəsnəs] *n. U* pilność; skrupulatność, staranność.

studmuffin ['stʌdˌmʌfɪn] *n. US sl.* niezły towar (= *atrakcyjny mężczyzna*).

stud poker *n. U karty* poker w otwarte karty.

study ['stʌdɪ] *n. pl.* **-ies 1.** badanie, studium (*of/into sth* czegoś) (*gł. naukowe*); **carry out/make/ conduct a ~** przeprowadzić badanie. **2.** gabinet, pracownia, pokój do pracy. **3.** *U szkoln.* nauka. **4.** *pl. uniw.* studia; **English studies** filologia angielska; **social studies** nauki społeczne. **5.** *sztuka* studium; *t. muz.* etiuda. **6.** *przen.* **a ~ in sth** typowy przykład czegoś; **be a quick ~** *teatr* szybko się uczyć kwestii *l.* roli; **in a brown ~** *przest.* zatopiony w myślach, zadumany. – *v.* **-ied, -ying 1.** uczyć się (*t. czegoś*); **~ for an exam** uczyć się do egzaminu. **2.** studiować (*t. dany przedmiot*); **~ under sb** studiować pod kierunkiem *l.* okiem kogoś. **3.** kształcić się; **~ to be a doctor/lawyer** kształcić się na lekarza/prawnika. **4.** badać (*o naukowcach*); studiować, analizować (*np. propozycje, materiał dowodowy, mapę*). **5. ~ up** uczyć się (*do egzaminu*).

study hall *n. szkoln. US* **1.** *U* nauka własna, czas na naukę własną. **2.** pokój *l.* sala *l.* salka cichej nauki, pokój *l.* sala *l.* salka do nauki (własnej).

stuff [stʌf] *n. U* **1.** *pot.* coś; rzecz; **nice/stupid ~** coś miłego/głupiego. **2.** *z pyt.* co; **what ~ do you like to read/watch?** co lubisz czytać/oglądać?; **what ~ is this made of?** z czego to jest zrobione?. **3.** materiał; substancja. **4.** *pot.* rzeczy (= *ubrania, książki, sprzęty, wyposażenie*); rupiecie, klamoty; **sb's ~** czyjeś rzeczy; **skiing ~** sprzęt narciarski. **5.** *pot.* rzeczy, sprawy; **~ to do** rzeczy do zrobienia; **so much ~ to take care of** tyle spraw do załatwienia. **6. sb's ~** *pot.* czyjeś książki/filmy/piosenki etc. (= *czyjaś twórczość*). **7.** *przen.* glina (*z której ulepiony jest człowiek*); charakter, siła charakteru; **I thought you were made of sterner ~** myślałem, że jesteś z twardszej gliny (ulepiony), myślałem, że masz więcej charakteru; **the right ~** silny charakter. **8.** *sl.* prochy (= *narkotyki, zwł. twarde*). **9.** *sl.* szmal, forsa (= *pieniądze*). **10.** *sport* (dobry) rzut (*zwł. w baseballu*); (dobre) uderzenie (*piłki*). **11.** treść, esencja; **the very ~ of sth** prawdziwa treść *l.* esencja czegoś; **the ~ of life** prawdziwe życie; **the ~ of dreams** (coś) jak marzenie, (coś) jak ze snu; **the ~ of politics** prawdziwa polityka; **become the ~ of legends** stać się legendą. **12. ~ (and nonsense)** *pot.* bzdury, brednie; **a bit of ~** *pot. obelż.* niezły towar (= *atrakcyjna dziewczyna*); **do/show your ~!** *pot.* pokaż, co potrafisz!; **do one's ~** *pot.* robić swoje; **hot ~** *zob.* **hot; kid ~** (*także Br.* **kid's ~**) *zob.* **kid; (really) know one's ~** (naprawdę) znać się na rzeczy; **strut one's ~** *zob.* **strut** *v.*; **that's the ~!** *pot.* to mi się podoba!, to ja rozumiem!; **this is powerful ~!** *pot.* to jest mocne!. – *v.* **1.** *gł. pot.* wkładać, wpychać; upychać (*sth in/into sth* coś do czegoś). **2.** wtłaczać (*sth/sb into sth* coś/kogoś gdzieś); **~ sth with sth** wypychać coś czymś (*torbę rzeczami, poszwę pierzem*); **~ one's locker full of sth** zapchać czymś całą szafkę. **3.** wkładać, wsuwać (*list do koperty*). **4.** *kulin.* nadziewać, faszerować (*indyka, dynię*). **5.** wypychać (*ptaka, zwierzę*). **6.** preparować (*skórę*). **7.** *sport pot.* rozłożyć (= *pokonać zdecydowanie*). **8. ~ (up)** zapychać (*nos przy katarze*). **9. ~ o.s.** (*także* **~ one's face**) *pot.* opychać się (*with sth* czymś). **10.** *obsc. sl.* posuwać, popychać (= *odbywać stosunek z*). **11. ~ the ballot box/boxes** *polit.* fałszować wybory; **~ that/it/him!** *Br. i Austr. wulg. sl.* chrzanić to/go!; **get ~ed!** *Br. i Austr. obelż. sl.* wypchaj się!; **you can ~ it!** *Br. i Austr. obelż. sl.* możesz to sobie wsadzić!.

stuffed [stʌft] *a.* **1.** wypchany (*o ptaku, zwierzęciu*). **2.** *pot.* pełny (= *najedzony*).

stuffed animal *n. US* zabawka pluszowa.

stuffed shirt *n. przen. pot.* nadęty ważniak.

stuffed-up [ˌstʌft'ʌp] *a.* zapchany (*o nosie*); **sound ~** mówić przez nos.

stuffiness ['stʌfɪnəs] *n. U* **1.** duszność (*powietrza, pomieszczenia*). **2.** nadętość. **3.** staroświeckość. **4.** *pat.* niedrożność (*w nosie*); (*także* **~ in one's nose**) zatkany nos.

stuffing ['stʌfɪŋ] *n. U* **1.** *kulin.* nadzienie, farsz. **2.** wypełnienie (*poduszki, mebla tapicerowanego*); wyściółka (*tapicerska*). **3.** *przen. pot.* **knock/beat the ~ out of sb** sprać/zbić kogoś na kwaśne jabłko; **knock/take the ~ out of sb** zdołować kogoś (= *odebrać wiarę w siebie*); wymęczyć kogoś (*o chorobie*).

stuffing box *n. mech.* dławnica.

stuffy ['stʌfɪ] *a.* **-ier, -iest 1.** duszny; zatęchły (*o pomieszczeniu, powietrzu*); ciężki (*o powietrzu*). **2.** nadęty (*o osobie*). **3.** staroświecki (*o osobie, poglądach*). **4.** nudny. **5. ~ nose** zatkany nos.

stull [stʌl] *n. górn.* stempel.

stultification [ˌstʌltəfə'keɪʃən] *n. U form.* **1.** ogłupienie. **2.** ośmieszenie. **3.** *prawn.* uznanie za niepoczytalnego.

stultify ['stʌltəˌfaɪ] *v.* **-ied, -ying** *form.* **1.** ogłupiać (*o bezmyślnej czynności, pracy*). **2.** ośmieszać (*kogoś l. coś*). **3.** *prawn.* uznawać za niepoczytalnego.

stultifying ['stʌltəˌfaɪɪŋ] *a. form.* ogłupiający (*o bezmyślnej czynności, pracy*).

stum [stʌm] *n. U* moszcz (*z winogron*). – *v.* **-mm-** regulować fermentację (*wina przez dodanie moszczu*).

stumble ['stʌmbl] *v.* **1.** potykać się (*over/on sth* o coś). **2.** zataczać się, iść zataczając się. **3.** zacinać się (*over/at sth* na czymś) (*zwł. na trudnym słowie czytając*). **4. ~ across/on sb** wpaść na kogoś, natknąć się na kogoś; **~ across/on sth** natknąć się na coś; **~ through sth** z trudem przebrnąć przez coś. – *n.* **1.** potknięcie się. **2.** potknięcie, zająknięcie (*przy czytaniu, mówieniu*).

stumbling block ['stʌmblɪŋ ˌblɑ:k] *n.* przeszkoda, zawada.

stump [stʌmp] *n.* **1.** (*także* **tree ~**) pniak, pieniek (*po ściętym drzewie*). **2.** kikut (*kończyny, zęba*). **3.** końcówka; pozostałość, resztka. **4.**

krykiet palik (*bramki*). **5.** *sztuka* fiszorek, wiszor (*do rozcierania linii rysunku*). **6.** *U* tupanie, ciężki krok. **7.** *US i Can. polit.* kampania (wyborcza *l.* polityczna); trasa (będąca częścią) kampanii; **be on the ~** odbywać kampanię (*jeżdżąc i wygłaszając przemówienia*); **go on the ~** ruszać w trasę (*w ramach kampanii*); **~ speech** przemówienie wyborcze *l.* w ramach kampanii. **8.** *pl. żart. pot.* kulasy (= *nogi*); **stir one's ~s** ruszyć się. – *v.* **1.** tupać, iść ciężkim krokiem; **~ up the stairs** wchodzić tupiąc *l.* ciężkim krokiem po schodach. **2. be ~ed** nie znać odpowiedzi, nie mieć pojęcia; **get/have sb ~ed** nurtować kogoś (*o trudnym pytaniu, zagadnieniu, zagadce*); **it ~s me completely** nie mam zielonego pojęcia; nic z tego nie rozumiem; **sth has/gets sb ~ed** ktoś nie ma na coś odpowiedzi. **3.** karczować (*obszar lasu*). **4.** ścinać, obcinać (*drzewo*). **5.** *US pot.* wyzywać kogoś. **6.** *US i Can. polit.* prowadzić kampanię wyborczą; **~ for sth** agitować za czymś. **7.** *krykiet* wyeliminować (*gracza wybijającego piłkę przez dotknięcie piłką bramki*). **8.** *US dial.* = **stub** 1. **9. ~ up** *Br. pot.* wybulić (= *zapłacić*); wysupłać (*podaną sumę*).

stumpage [ˈstʌmpɪdʒ] *n. U US i Can. leśn.* **1.** drzewo (budulcowe) (*rosnące*). **2.** wartość drzewa.

stumper [ˈstʌmpər] *n. pot.* nie lada pytanie (= *trudne pytanie*).

stumpy [ˈstʌmpɪ] *a.* **-ier, -iest** przysadzisty; pękaty.

stun [stʌn] *v.* **-nn- 1.** wprawiać w zdumienie *l.* osłupienie *l.* zachwyt; oszałamiać. **2.** ogłuszać (*o dźwięku, uderzeniu*). – *n.* oszołomienie.

stung [stʌŋ] *v. zob.* **sting.**

stun gun *n.* **1.** pistolet obezwładniający (*prądem*). **2.** *roln.* przyrząd do ogłuszania (*zwierzęcia przed ubojem*).

stunk [stʌŋk] *v. zob.* **stink.**

stunned [stʌnd] *a.* osłupiały, oniemiały; **~ silence** cisza pełna osłupienia.

stunner [ˈstʌnər] *n. przest. pot.* wyjątkowa piękność (*zwł. o kobiecie*).

stunning [ˈstʌnɪŋ] *a. pot.* **1.** świetny; oszałamiający; oszałamiająco piękny (*o osobie, stroju*); zapierający dech w piersiach (*o widoku*); **you look ~** wyglądasz świetnie. **2.** niewiarygodny (*o wiadomości*).

stunningly [ˈstʌnɪŋlɪ] *adv.* **1.** oszałamiająco (*piękny*). **2.** niewiarygodnie.

stunt [stʌnt] *n.* **1.** wyczyn kaskaderski. **2.** *gł. uj.* wyczyn, popis; (*także* **publicity ~**) działanie medialne, działanie dla rozgłosu; chwyt reklamowy. **3.** *biol.* osobnik karłowaty. **4. pull a ~** *pot.* wykręcić numer. – *v.* hamować, upośledzać (*zwł. wzrost l. rozwój*); **~ (the growth of) sth** hamować wzrost czegoś (*rośliny, osobnika*).

stunted [ˈstʌntɪd] *n. zwł. biol.* karłowaty, skarłowaciały.

stunt man, stuntman *n. pl.* **-men** *film* kaskader.

stunt woman, stuntwoman *n. pl.* **-women** *film* kaskaderka.

stupe [stuːp] *n.* **1.** *med.* gorący okład *l.* kompres. **2.** *US obelż. sl.* jełop.

stupefacient [ˌstuːpəˈfeɪʃənt] *a. i n. C/U med.* (środek) odurzający.

stupefaction [ˌstuːpəˈfækʃən] *n. U* **1.** ogłupienie, otępienie. **2.** *lit.* osłupienie.

stupefied [ˈstuːpəˌfaɪd] *a.* ogłupiały, otępiały (*ze zmęczenia, nudów*); oniemiały (*ze zdziwienia*).

stupefy [ˈstuːpəˌfaɪ] *v.* **-ied, -ying** wprawiać w otępienie *l.* osłupienie.

stupendous [stʊˈpendəs] *a.* zdumiewający, niezwykły.

stupid [ˈstuːpɪd] *a.* **1.** głupi; **it was ~ of sb to do sth** coś było głupie z czyjejś strony, ktoś głupio zrobił, że... **2. ~ with cold/tiredness/pain** nieprzytomny z zimna/zmęczenia/bólu. – *int. obelż.* głupku.

stupidity [stʊˈpɪdətɪ] *n.* **1.** *U* głupota. **2.** *t. pl.* bezsens, bezsensowność.

stupidly [ˈstuːpɪdlɪ] *adv.* **1.** głupio (*zachować się*). **2. ~,...** przez (własną) głupotę..., z głupoty...

stupor [ˈstuːpɔːr] *n. C/U* **1.** zamroczenie, odurzenie (*alkoholem, narkotykiem*); **in a drunken ~** pijany do nieprzytomności. **2.** apatia, otępienie. **3.** osłupienie.

sturdily [ˈstɜːdɪlɪ] *adv.* solidnie (*skonstruowany, zbudowany*).

sturdiness [ˈstɜːdɪnəs] *n. U* solidność.

sturdy [ˈstɜːdɪ] *a.* **-ier, -iest 1.** solidny (*o opakowaniu, przedmiocie*). **2.** krzepki, solidny (*o osobie*). **3.** nieugięty. – *n. U wet.* kołowacizna.

sturgeon [ˈstɜːdʒən] *n. pl.* **-s** *l.* **sturgeon** *icht.* jesiotr (*Acipenser*).

stutter [ˈstʌtər] *pat. v.* **1.** jąkać się; **~ out** wyjąkać (= *powiedzieć, jąkając się*). **2.** zacinać się (*o mechanizmie*). – *n. sing.* jąkanie się; **develop a ~** zacząć się jąkać; **have a ~** jąkać się.

stutterer [ˈstʌtərər] *n.* osoba jąkająca się; jąkała.

sty[1] [staɪ] *n. pl.* **sties** *roln. l. przen.* chlew; *przen.* bagno (= *ognisko zepsucia, korupcji*). – *v.* **-ied, -ying** *roln.* trzymać (w chlewie) (*prosiaki*).

sty[2] *n. pl.* **sties** (*także* **stye**) *pat.* jęczmień (*na oku*).

Stygian [ˈstɪdʒɪən] *a.* **1.** *mit.* styksowy. **2.** *lit.* posępny. **3.** *lit.* nieodwołalny.

style [staɪl] *n.* **1.** *C/U* styl (*bycia, pracy, gry, muzyki, twórczości, ubioru*); **country ~** w wiejskim stylu, po wiejsku; **in true Polish ~** w prawdziwie polskim stylu, prawdziwie po polsku, uczesanie; **it's not my/her ~** to nie w moim/jej stylu; **sth is more sb's ~** coś komuś bardziej odpowiada, coś jest komuś bliższe; coś jest bardziej do kogoś podobne; **Old/New S~** *rachuba czasu* stary/nowy styl (= *kalendarz juliański/gregoriański*). **2.** *U* fason, szyk, styl; **have ~** mieć styl; **in ~** w dobrym stylu, z fasonem. **3.** *druk.* format, styl (formatowania) (*publikacji*); **house/company ~** własny styl publikacji (*organizacji, firmy*). **4.** *form.* tytuł. **5.** rylec. **6.** *bot.* szyjka (*słupka*). **7.** *zool., ent.* kolec. **8.** wskazówka (*zegara słonecznego*). **9. cramp sb's ~** *zob.* **cramp** *v.* – *v.* **1.** projektować (*ubrania, meble*). **2.** stylizować, układać (*fryzurę*); **have one's hair ~ed** czesać się, chodzić do fryzjera. **3.** *form.* tytułować, nazywać; ~ **o.s. (as)...** przedstawiać się jako..., kazać się nazywać...; tytułować się..., nazywać się...

stylebook [ˈstaɪlˌbuk] *n.* zbiór zasad pisania (*dla pisarzy, redaktorów*).

stylet [ˈstaɪlət] *n.* **1.** *chir.* mandryn (*cewnika, igły*); zgłębnik, sonda (*o małym przekroju*). **2.** *zool., ent.* kolec.

styli [ˈstaɪlaɪ] *n. pl. zob.* **stylus.**

styling brush [ˈstaɪlɪŋ ˌbrʌʃ] *n.* suszarko-lokówka elektryczna.

styling gel *n. U* żel do układania włosów.

styling mousse *n. U* pianka do układania włosów.

stylish [ˈstaɪlɪʃ] *a.* stylowy; modny; elegancki, wytworny, szykowny.

stylishly [ˈstaɪlɪʃlɪ] *adv.* modnie; stylowo; elegancko, wytwornie, szykownie.

stylishness [ˈstaɪlɪʃnəs] *n. U* stylowość; elegancja, wytworność.

stylist [ˈstaɪlɪst] *n.* **1.** (*także* **hair ~**) stylist-a/ka, fryzjer/ka. **2.** *teor. lit., sztuka* stylist-a/ka. **3.** plasty-k/czka.

stylistic [staɪˈlɪstɪk] *a.* stylistyczny.

stylistically [staɪˈlɪstɪklɪ] *adv.* stylistycznie.

stylistics [staɪˈlɪstɪks] *a. U jęz.* stylistyka.

stylite [ˈstaɪlaɪt] *n. hist., rel.* słupnik (*asceta*).

stylization [ˌstaɪləˈzeɪʃən], *Br. i Austr. zw.* **stylisation** *n. C/U* stylizacja.

stylize [ˈstaɪlaɪz], *Br. i Austr. zw.* **stylise** *v.* stylizować.

stylized [ˈstaɪlaɪzd], *Br. i Austr. zw.* **stylised** *a.* stylizowany.

stylobate [ˈstaɪləˌbeɪt] *n. bud.* stylobat (= *cokół kolumnady*).

styloid [ˈstaɪlɔɪd] *a.* rylcowaty. – *n.* (*także* **~ process**) *anat.* wyrostek rylcowaty.

stylus [ˈstaɪləs] *n. pl.* **-es** *l.* **styli** [ˈstaɪlaɪ] **1.** *hist.* igła (gramofonowa). **2.** *techn., komp.* pióro (*plotera*). **3.** *gł. hist.* rylec.

stymie [ˈstaɪmɪ], **stymy** *v.* **-ied, -ieing, -ying** *pot.* przeszkadzać (*komuś*); przeszkadzać w (*czymś*); torpedować, niweczyć (*wysiłki*); blokować, hamować (*działanie, rozwój*).

styptic [ˈstɪptɪk] *a. i n. med.* (środek) hamujący krwawienie; ~ **pencil** ałun (w sztyfcie) (*do smarowania zacięć przy goleniu*).

styrene [ˈstaɪriːn] *n. U chem.* styren.

Styrofoam [ˈstaɪrəˌfoum] *US n. U* styropian. – *a. attr.* styropianowy; ~ **cup** kubek styropianowy.

Styx [stɪks] *n. mit.* Styks.

suable [ˈsuːəbl] *a. prawn.* **1.** podlegający zaskarżeniu, zaskarżalny (*o czynie*). **2.** mogący odpowiadać przed sądem (*o osobie*).

suasion [ˈsweɪʒən] *n. U form.* perswazja.

suave [swɑːv] *a.* uprzedzająco grzeczny; uprzejmy do przesady.

suavely [ˈswɑːvlɪ] *adv.* z uprzedzającą grzecznością; uprzejmie do przesady.

suavity [ˈswɑːvətɪ], **suaveness** [ˈswɑːvnəs] *n. U* uprzedzająca grzeczność.

sub [sʌb] *pot. abbr. i n.* **1. submarine** *żegl., wojsk.* okręt podwodny. **2. submarine (sandwich)** *US kulin.* kanapka (*z długiej bułki*). **3. substitute** *sport* (zawodni-k/czka *l.* gracz/ka) rezerwow-y/a. **4.** = **substitute teacher. 5. subsistence allowance** *Br.* zaliczka. **6. subtitle** *US dzienn.* podtytuł. **7.** *Br. dzienn.* = **subeditor. 8.** *Br. wojsk.* = **subaltern. 9.** *Br. i Austr. pot.* = **subscription.** – *v.* **-bb- 1.** zastępować (*for sb* kogoś). **2.** *gł. US szkoln.* mieć zastępstwo (*for sb* za kogoś). **3.** *Br.* dawać zaliczkę (*pracownikowi*); ~ **sb 500 pounds** dać *l.* wypłacić komuś 500 funtów tytułem zaliczki. **4.** *Br. dzienn.* adiustować, przeprowadzać adiustację *l.* korektę (*tekstu, artykułu*).

subacid [sʌbˈæsɪd] *a. lit.* cierpki (= *lekko krytyczny*).

subacute [ˌsʌbəˈkjuːt] *n. pat.* podostry (*o stanie*).

subalpine [sʌbˈælpaɪn] *a. geogr.* podalpejski, subalpejski.

subaltern [səˈbɔːltərn] *n.* **1.** *gł. Br. wojsk.* młodszy oficer (*poniżej kapitana*); subaltern. **2.** podwładny. **3.** *przest. log.* subalternacja, sąd podporządkowany; *U* subalternacja, podporządkowanie. – *a. form.* podrzędny.

subalternate [sʌbˈɔːltərnət] *a.* **1.** *bot.* skrętoległy; przeciwległo-naprzemianległy (*o układzie liści*). **2.** *form.* podrzędny.

subaqueous [sʌbˈeɪkwɪəs] *a. form.* podwodny.

subarctic [sʌbˈɑːrktɪk] *a. geogr.* subarktyczny.

subassembly [ˌsʌbəˈsemblɪ] *a. pl.* **-ies** *techn.* podzespół (*urządzenia*).

subatomic [ˌsʌbəˈtɑːmɪk] *a. fiz.* subatomowy; ~ **particle** cząstka subatomowa, cząstka elementarna atomu.

subaudition [ˌsʌbɔːˈdɪʃən] *n. C/U form.* implikacja.

subbasement [ˈsʌbˌbeɪsmənt] *n. bud.* piwnica niższa; dolna suterena.

subcaliber [sʌbˈkæləbər] *a. gł. attr. wojsk.* podkalibrowy (*o amunicji*).

subcategory [sʌbˈkætəˌgɔːrɪ] *n. pl.* **-ies** podkategoria.

subclass [ˈsʌbˌklæs] *n.* podklasa.

subclavian [sʌbˈkleɪvɪən] *anat. a.* podobojczykowy. – *n.* tętnica *l.* żyła podobojczykowa.

subcommittee [ˈsʌbkəˌmɪtɪ] *n. zwł. parl.* podkomisja; podkomitet.

subcompact [sʌbˈkɑːmpækt] *n. US mot.* samochód klasy subcompact (*zw. najmniejszy produkowany model marki*).

subconscious [sʌbˈkɑːnʃəs] *a.* podświadomy. – *n. U* **the ~** podświadomość.

subconsciously [sʌbˈkɑːnʃəslɪ] *adv.* podświadomie.

subconsciousness [sʌbˈkɑːnʃəsnəs] *n. U* podświadomość.

subcontinent [sʌbˈkɑːntənənt] *n. geogr.* subkontynent; **the (Indian) ~** subkontynent indyjski, Półwysep Indyjski.

subcontinental [sʌbˌkɑːntəˈnentl] *n. geogr.* subkontynentalny.

subcontract *v.* [ˌsʌbkənˈtrækt] podzlecać, zlecać podwykonawcy (*prace*). – *n.* [sʌbˈkɑːntrækt] podzlecenie.

subcontractor [sʌbˈkɑːntræktər] *n.* podwykonawca.

subcortical [sʌbˈkɔːrtɪkl] *a. anat.* podkorowy.

subcranial [sʌbˈkreɪnɪəl] *a. anat.* podczaszkowy.

subculture [ˈsʌbˌkʌltʃər] *n. socjol.* subkultura.

subcutaneous [ˌsʌbkjuːˈteɪnɪəs] *a. anat., med.* podskórny (*np. o zastrzyku*).

subdivide [ˌsʌbdɪˈvaɪd] *v.* dzielić (się) na mniejsze części; dzielić (się) dalej.

subdivision [ˈsʌbdɪˌvɪʒən] *n.* **1.** oddział; sekcja, pododdział (*instytucji*); część składowa, element składowy. **2.** *U* (dalszy) podział. **3.** *US i Can. bud.* teren pod zabudowę (*podzielony na działki*).

subdominant [sʌbˈdɑːmənənt] *n. muz.* subdominanta.

subdue [sʌbˈduː] *v.* **1.** ujarzmiać, poskramiać (*rozwścieczony tłum*); obezwładniać (*napastnika*); tłumić (*demonstrację, pożar*); hamować (*inicjatywę*). **2.** *form.* skrywać, tłumić (*emocje*). **3.** *form.* podbijać (*kraj, teren, lud*).

subdued [sʌbˈduːd] *a.* **1.** zgaszony, markotny (*o osobie*). **2.** przygaszony, przytłumiony (*o świetle, kolorach, dźwięku*).

subdural [sʌbˈdurəl] *a. anat.* podtwardówkowy; ~ **haematoma** *pat.* krwiak podtwardówkowy.

subeditor [sʌbˈedɪtər] *n. dzienn. zwł. US* zastęp-ca/czyni redaktora; adiustator/ka; *zwł. Br.* korektor/ka.

subfamily [ˈsʌbˌfæmlɪ] *n. pl.* **-ies** *biol., jęz.* podrodzina.

subgenus [ˈsʌbˌdʒiːnəs] *n. pl.* **subgenera** [ˈsʌbˌdʒenərə] *biol.* podrodzaj.

subgroup [ˈsʌbˌgruːp] *n.* podgrupa.

subhead [ˈsʌbˌhed] *n.* (*także* **subheading**) *druk., dzienn.* tytuł podrozdziału (*książki*); śródtytuł, nagłówek akapitu (*artykułu*); podtytuł.

subhuman [sʌbˈhjuːmən] *a.* **1.** nieludzki (*o traktowaniu, okrucieństwach*). **2.** niedorównujący człowiekowi (*o inteligencji*). **3.** *biol.* antropoidalny, człekopodobny.

subindex [sʌbˈɪndeks] *n. pl.* **-indexes** *l.* **-indices** [sʌbˈɪndəsiːz] **1.** *mat., druk.* indeks *l.* wskaźnik dolny. **2.** *druk.* indeks rozdziału *l.* części (*nie całej publikacji*).

subirrigation [sʌbˌɪrəˈgeɪʃən] *n. U roln.* nawadnianie podglebia.

subj. *abbr. gram.* **1.** = **subject**. **2.** = **subjective**. **3.** = **subjunctive**.

subjacent [sʌbˈdʒeɪsənt] *a. form.* położony *l.* leżący pod spodem *l.* niżej.

subject *n.* [ˈsʌbdʒekt] **1.** temat (*dyskusji, książki, opracowania*); przedmiot, obiekt (*zainteresowania, plotek*); zagadnienie; **be a ~ of/for debate/discussion** być przedmiotem dyskusji (*o kwestii*); **be on the ~ of sth** być przy jakimś temacie; **change the ~** zmieniać temat; **get onto the ~ of sth** zaczynać jakiś temat, wchodzić na jakiś temat; **get off the ~ of sth** zakończyć jakiś temat. **2.** *gram., log., fil.* podmiot. **3.** *nauka* osoba badana. **4.** *szkoln.* przedmiot. **5.** *sztuka* podmiot, obiekt (*artysty*). **6.** *muz.* temat. **7.** *polit.* poddan-y/a (*monarchy*). – *a.* [ˈsʌbdʒekt] **1.** *pred.* podatny, narażony (*to sth* na coś) (*np. na wiatry, wilgoć*); ulegający (*to sth* czemuś) (*np. gniciu, histerii*). **2.** podlegający, mogący ulec (*to sth* czemuś) (*np. kontroli, konfiskacie*); **prices are ~ to change** ceny mogą ulec zmianie. **3.** *attr. form. polit.* podległy (*o państwie*). – *adv.* ~ **to sth** z zastrzeżeniem czegoś. – *v.* [səbˈdʒekt] **1.** *polit. form.* podporządkowywać sobie (*naród*). **2.** ~ **sb/sth to sth** poddawać kogoś/coś czemuś (*np. kontroli, testom*); narażać kogoś/coś na coś (*np. na śmieszność, głód, zmoknięcie*).

subject catalogue *n. bibl.* katalog rzeczowy.

subjection [sʌbˈdʒekʃən] *n. U form.* **1.** podporządkowanie, uzależnienie; zależność; **in ~ (to sb/sth)** podporządkowany komuś/czemuś. **2.** poddanie się (*to sth* czemuś).

subjective [səbˈdʒektɪv] *a.* **1.** subiektywny. **2.** *gram.* podmiotowy.

subjectively [səbˈdʒektɪvlɪ] *adv.* subiektywnie.

subjectivism [səbˈdʒektəˌvɪzəm] *n. U* subiektywizm.

subjectivity [ˌsʌbdʒekˈtɪvətɪ] *n. U* subiektywność.

subject matter *n. U* tematyka, temat (*twórczości*); treść (*filmu, książki*); przedmiot (*umowy*).

subjoin [sʌbˈdʒɔɪn] *n. form.* dodawać (*sth to sth* coś do czegoś *l.* na końcu czegoś) (*zdanie do wypowiedzi*).

sub judice [ˌsʌb ˈdʒuːdəsɪ] *a. pred. prawn.* w toku postępowania (sądowego) (*o sprawie*).

subjugate [ˈsʌbdʒəˌgeɪt] *v. form.* podbijać, podporządkowywać sobie.

subjugation [ˌsʌbdʒəˈgeɪʃən] *n. U form.* podporządkowanie (sobie), podbój; niewola, jarzmo.

subjunctive [sʌbˈdʒʌŋktɪv] *a. i n. U gram., jęz.* (tryb) łączący.

sublease *prawn. n.* [ˈsʌbˌliːs] podnajem, poddzierżawa. – *v.* [sʌbˈliːs] podnajmować, poddzierżawiać.

sublessee [ˌsʌbleˈsiː] *n. prawn.* poddzierżawca, podnajemca.

sublessor [sʌbˈlesɔːr] *n. prawn.* poddzierżawiający, podnajmujący.

sublet [ˌsʌbˈlet] *prawn. v.* **-tt-** podnajmować (*mieszkanie, dom*). – *n.* podnajem.

sublieutenant [ˌsʌbluˈtenənt] *n. Br. wojsk.* podporucznik (marynarki wojennej).

sublimate [ˈsʌbləmeɪt] *v. psych., chem., fiz.* sublimować. – *n. chem.* produkt sublimacji.

sublimation [ˌsʌbləˈmeɪʃən] *n. U psych., chem., fiz.* sublimacja.

sublime [səˈblaɪm] *a. zwł. lit.* **1.** wzniosły; wysublimowany, podniosły. **2.** zachwycający (*np. o widoku*). **3.** *t. żart.* świetny, wyśmienity. **4.** wyjątkowy (*zwł. o nieczułości, ignorancji*). – *n. U* **the ~** *zwł. lit.* wzniosłość; **from the ~ to the ridiculous** od wzniosłości do śmieszności. – *v. chem., fiz. l. lit.* sublimować.

Sublime Porte [səˌblaɪm ˈpɔːrt] *n. hist.* Wysoka Porta, Porta Otomańska (= *państwo tureckie*).

subliminal [sʌbˈlɪmənl] *a. psych.* podprogowy; podświadomy; ~ **advertising** reklama wpływająca na podświadomość, reklama podprogowa; ~ **message** przekaz podprogowy; wiadomość rejestrowana przez podświadomość; ~ **perception** postrzeganie podprogowe, percepcja podprogowa; ~ **self** podświadomość.

sublimity [sə'blɪmətɪ] *n. U lit.* wzniosłość.

sublingual [sʌb'lɪŋgwəl] *a. anat., med.* podjęzykowy (*o śliniance, tabletce*).

sublunary [sʌb'lu:nərɪ] *a.* **1.** *astron.* podksiężycowy. **2.** *arch. l. lit.* ziemski.

submachine gun [ˌsʌbmə'shi:n ˌgʌn] *n. wojsk.* pistolet maszynowy.

submarginal [sʌb'mɑ:rdʒənl] *a. ekon.* nieopłacalny, poniżej granicy opłacalności (*o przedsięwzięciu, inwestycji*).

submarine ['sʌbməˌri:n] *n.* **1.** *żegl., wojsk.* okręt podwodny, łódź podwodna. **2.** *gł. US* = **submarine sandwich**. – *a.* podmorski, podwodny.

submarine chaser *n. żegl., wojsk.* ścigacz okrętów podwodnych.

submariner ['sʌbməˌri:nər] *n. żegl., wojsk.* marynarz łodzi podwodnej, członek załogi okrętu podwodnego.

submarine sandwich *n. gł. US* kanapka (*z długiej bułki*).

submerge [sʌb'mɝ:dʒ] *v.* **1.** zanurzać (się); schodzić pod wodę *l.* w zanurzenie (*o nurku, okręcie podwodnym*); zatapiać, zalewać. **2.** *przen.* ukrywać (*uczucia, fakty*). **3.** *przen.* ~ **o.s. in thought** zatopić się w myślach; ~ **o.s. in work** rzucić się w wir zajęć *l.* pracy.

submerged [sʌb'mɝ:dʒd] *a.* podwodny (*o skałach, roślinach*); zanurzony, przykryty wodą.

submergence [sʌb'mɝ:dʒəns] *n. U form.* zanurzenie.

submerse [sʌb'mɝ:s] *v. rzad.* = **submerge**.

submersed [sʌb'mɝ:st] *n. bot.* podwodny (*o roślinach*).

submersible [sʌb'mɝ:səbl] *n.* pojazd zanurzalny.

submersion [sʌb'mɝ:ʒən] *n. U* zanurzenie.

submission [sʌb'mɪʃən] *n.* **1.** *U* uległość, posłuszeństwo; **force sb into** ~ zmusić kogoś do uległości, wymóc na kimś posłuszeństwo; **frighten/starve sb into** ~ zmusić kogoś groźbami/głodem do uległości. **2.** zgłoszenie, złożony *l.* składany wniosek; złożona *l.* składana praca (*konkursowa*); *U* złożenie, przedłożenie (*pracy, wniosku, projektu*); **deadline for ~s** termin składania wniosków *l.* prac. **3.** *U form.* zdanie, opinia; **in my** ~ w moim mniemaniu. **4.** *prawn.* wniosek (*zwł. obrony*).

submissive [sʌb'mɪsɪv] *a.* uległy.

submissively [sʌb'mɪsɪvlɪ] *adv.* ulegle.

submissiveness [sʌb'mɪsɪvnəs] *n. U* uległość.

submit [sʌb'mɪt] *v.* **-tt- 1.** składać (*wniosek, dokumenty*); oddawać (*prace*); przedkładać (*propozycje*). **2.** *form.* poddawać się; podporządkowywać się (*to sb / sth* komuś/czemuś). **3.** ~ **that...** *form.* utrzymywać, że...; *prawn.* wnosić, że...

submontane [sʌb'mɑ:nteɪn] *a. geogr.* podgórski.

subnormal [sʌb'nɔ:rml] *a.* **1.** poniżej normy, niższy niż normalnie (*o temperaturach*). **2.** o ilorazie inteligencji poniżej 70.

suborbital [sʌb'ɔ:rbɪtl] *a.* **1.** *astron.* podorbitalny, suborbitalny (*o locie, torze ruchu*). **2.** *anat.* podgałkowy.

suborder ['sʌbˌɔ:rdər] *n. biol.* podrząd.

subordinate *a.* [sə'bɔ:rdənət] **1.** podrzędny (*np. o roli*). **2.** podległy, podporządkowany (*to sb / sth* komuś/czemuś); **be ~ to sb/sth** podlegać komuś/czemuś. – *n.* [sə'bɔ:rdənət] podwładn-y/a. – *v.* [sə'bɔ:rdəneɪt] podporządkowywać (*sth to sb / sth* coś komuś/czemuś); podporządkowywać sobie.

subordinate clause *n. gram.* zdanie podrzędne.

subordination [səˌbɔ:rdə'neɪʃən] *n. U* **1.** podporządkowanie, subordynacja. **2.** *gram.* podrzędność.

suborn [sə'bɔ:rn] *v. form. gł. prawn.* **1.** nakłaniać do przestępstwa. **2.** skłaniać do składania fałszywych zeznań.

suboxide [sʌb'ɑ:ksaɪd] *n. chem.* podtlenek.

subphylum [sʌb'faɪləm] *n. pl.* **-phyla** [sʌb'faɪlə] *biol.* podgromada.

subplot ['sʌbˌplɑ:t] *n. teor. lit., film* wątek poboczny *l.* drugoplanowy.

subpoena [sə'pi:nə], **subpena** *prawn. n.* wezwanie do sądu (*zw. w charakterze świadka*). – *v.* **-aed, -aing 1.** doręczać wezwanie do sądu (*komuś*). **2.** wzywać do okazania *l.* przedstawienia (*dokumentów*).

subpolar [sʌb'poulər] *a. geogr.* podbiegunowy.

sub-post office [ˌsʌb'poust ˌɔ:fəs] *n. Br.* punkt pocztowy.

subrogation [ˌsʌbrə'geɪʃən] *n. C/U prawn.* subrogacja; nabycie prawa *l.* praw.

sub rosa [ˌsʌb 'rouzə] *a. attr. Lat. form.* w zaufaniu, w tajemnicy.

subroutine ['sʌbru:ˌti:n] *n. komp.* podprogram, podprocedura.

subscribe [səb'skraɪb] *v.* **1.** ~ **(to sth)** prenumerować (coś) (*czasopismo*); wykupić subskrypcję (na coś) (*np. na encyklopedię*). **2.** ~ **to sth** *Br.* łożyć na coś, wspierać coś finansowo (*zw. instytucję*). **3.** *form.* składać, umieszczać (*podpis*); ~ **one's name to sth** podpisać się pod czymś. **4.** ~ **to a belief/idea** wyznawać *l.* reprezentować pogląd, podpisywać się pod poglądem.

subscriber [səb'skraɪbər] *n.* **1.** prenumerator/ka (*czasopisma*); subskrybent/ka (*encyklopedii*). **2.** *tel.* abonent/ka.

subscript ['sʌbskrɪpt] *n. mat., druk.* indeks *l.* wskaźnik dolny.

subscription [səb'skrɪpʃən] *n.* **1.** prenumerata; **take out a ~ to sth** wykupić prenumeratę na coś, zaprenumerować coś. **2.** przedpłata, subskrypcja. **3.** *Br.* składka (członkowska). **4.** *form.* aprobata. **5.** *prawn.* podpis; podpisanie.

subsection [sʌb'sekʃən] *n.* ustęp (*tekstu*).

subsequence[1] ['sʌbˌsi:kwəns] *n. form.* następstwo.

subsequence[2] ['sʌbsɪkwəns] *n. mat.* podciąg.

subsequent *form. a.* następny (*np. o pokole-*

niach); późniejszy (*np. o skutkach*). – *adv.* ~ **to sth** w następstwie czegoś; po czymś.

subsequently ['sʌbˌsɪkwəntlɪ] *adv. form.* następnie, później.

subserve [sʌb'sɜːv] *v. form.* służyć (*zamiarowi, celowi*).

subservience [sʌb'sʌrvɪəns] *n. U* podporządkowanie.

subservient [sʌb'sɜːvɪənt] *a.* **1.** *uj.* służalczy. **2.** *form.* drugorzędny, podrzędny; ~ **to sth** podporządkowany czemuś; służący czemuś (*np. zamiarowi, celowi*).

subset ['sʌbˌset] *n. mat.* podzbiór.

subside [səb'saɪd] *v.* **1.** opadać, obniżać się (*o wodzie, temperaturze*). **2.** ustępować (*o obrzęku, bólu*). **3.** uspokajać się, cichnąć (*o wietrze, śmiechu*). **4.** osiadać (*o terenie, budynku, statku, zawiesinie*); osuwać się, obsuwać się (*o ziemi*); zapadać się (*o drodze*). **5.** *chem.* osadzać się. **6.** *lit.* osuwać się, opadać (*na krzesło, łóżko, podłogę*).

subsidence [səb'saɪdəns] *n. C/U bud.* osiadanie (*gruntu, budynku*).

subsidiarity [səbˌsɪdɪ'erətɪ] *n. U polit.* subsydiarność (= *delegowanie uprawnień, zwł. państwom członkowskim Unii Europejskiej*).

subsidiary [sʌb'sɪdɪˌerɪ] *n. pl.* **-ies** (*także* ~ **company**) *ekon.* przedsiębiorstwo kontrolowane *l.* zależne; filia (spółki). – *a.* **1.** drugorzędny (*o przyczynie*). **2.** *Br. szkoln.* dodatkowy (*o przedmiocie*). **3.** pomocniczy.

subsidization [ˌsʌbsədə'zeɪʃən], *Br. i Austr. zw.* **subsidisation** *n. U fin., ekon.* dotowanie, subsydiowanie, subwencjonowanie.

subsidize ['sʌbsəˌdaɪz], *Br. i Austr. zw.* **subsidise** *v. U fin., ekon.* dotować, subsydiować, subwencjonować.

subsidy ['sʌbsədɪ] *n. pl.* **-ies** *fin.* **1.** *ekon.* dotacja, subwencja, subsydium. **2.** wsparcie (finansowe), pomoc finansowa (*zwł. na pokrycie wydatków*).

subsist [sʌb'sɪst] *v. form.* **1.** utrzymywać się przy życiu (*on sth* dzięki czemuś) (*np. datkom, pomocy*). **2.** *form.* utrzymywać (*kogoś l. coś*). **3.** *fil.* subsystować (*o ideach*). **4.** ~ **in sth** *form.* sprowadzać się do czegoś.

subsistence [sʌb'sɪstəns] *n. U form.* **1.** egzystencja, przetrwanie, utrzymywanie się przy życiu; ~ **diet** minimalna ilość żywności (*potrzebna do przeżycia*). **2.** utrzymanie. **3.** *form.* istnienie. **4.** *fil.* subsystencja.

subsistence allowance *n.* **1.** zasiłek na zagospodarowanie; wypłata zaliczkowa, zaliczka (*dla nowego pracownika*). **2.** dieta (*w delegacji*).

subsistence crop *n. roln.* uprawa na własne potrzeby.

subsistence farmer *n. roln.* rolnik produkujący tylko na własne potrzeby.

subsistence level *n. ekon.* minimum socjalne, poziom minimum socjalnego.

subsistence wage *n.* głodowa pensja.

subsoil ['sʌbˌsɔɪl] *n. U roln.* podglebie, podłoże glebowe. – *v. roln.* orać pogłębiaczem, pogłębiać (*pole*). – *a. hydrol.* podskórny, zaskórny (*o wodach, zbiornikach*).

subsoil plow, *Br.* **subsoil plough** *n.* (*także* **subsoiler**) *roln.* pogłębiacz (= *pług do głębokiej orki*).

subsonic [sʌb'sɑːnɪk] *a.* **1.** *fiz., lotn.* poddźwiękowy (*o prędkości, samolocie*); ~ **flight** lot z prędkością poddźwiękową. **2.** *akustyka* infradźwiękowy, podsłyszalny (*o drganiu, częstotliwościach*).

subspecies ['sʌbˌspiːʃiːz] *n. pl.* **subspecies** *biol.* podgatunek.

substance ['sʌbstəns] *n.* **1.** substancja; materiał. **2.** *U l. sing. form.* istota, sedno (*of sth* czegoś). **3.** *U* znaczenie, waga; **of** ~ *form.* istotny, ważki; **matters/issues of** ~ sprawy istotne. **4.** *U* **in** ~ zasadniczo; w kwestiach zasadniczych; **lack** ~ być pozbawionym podstaw (*np. o rozumowaniu, plotce*); być pozbawionym treści (*np. o książce*); **man/woman of** ~ *lit.* osoba majętna *l.* wpływowa; **without** ~ nieprawdziwy; bezpodstawny; *t. fil.* bezcielesny, niematerialny.

substance abuse *n. U* uzależnienie (*zwł. od narkotyków l. alkoholu*).

substandard [sʌb'stændərd] *a.* **1.** niespełniający norm, nie odpowiadający normom, niskiej jakości (*o towarach, pomieszczeniach, usługach*). **2.** *jęz.* niezgodny z normą językową.

substantial [sʌb'stænʃl] *a.* **1.** znaczny, znaczący, spory; poważny; pokaźny (*o kwocie*); obfity (*o posiłku*). **2.** solidny (*o szafie, domu, posiłku*). **3.** zasadniczy; ważny, istotny (*o kwestiach, powodach*); ~ **agreement** zgoda w kwestiach zasadniczych. **4.** *form.* wpływowy. **5.** *form.* zamożny, zasobny. **6.** *fil.* substancjalny, cielesny, materialny.

substantialism [sʌb'stænʃəˌlɪzəm] *n. U fil.* substancjalizm.

substantiality [sʌbˌstænʃɪ'ælətɪ] *n. U fil.* substancjalność, cielesność, materialność.

substantialize [sʌb'stænʃəˌlaɪz], *Br. i Austr. zw.* **substantialise** *v. form.* materializować, ucieleśniać.

substantially [sʌb'stænʃlɪ] *adv.* **1.** znacznie. **2.** zasadniczo.

substantiate [sʌb'stænʃɪˌeɪt] *v. form.* **1.** potwierdzać prawdziwość (*czegoś*); uzasadniać; dowodzić, udowadniać. **2.** materializować.

substantiation [sʌbˌstænʃɪ'eɪʃən] *n. U form.* potwierdzenie (prawdziwości) (*czegoś*); uzasadnienie; dowód.

substantival [ˌsʌbstən'taɪvl] *a. gram.* rzeczownikowy.

substantive ['sʌbstəntɪv] *a. form.* **1.** poważny (*o badaniach*); merytoryczny, rzeczowy; ~ **discussions** poważne *l.* rzeczowe rozmowy. **2.** zasadniczy; istotny (*o kwestii*). **3.** znaczący; znaczny. **4.** rzeczywisty. **5.** *prawn.* materialnoprawny. **6.** *gram.* wyrażający istnienie (*np. o czasowniku „być"*). **7.** *gram.* rzeczownikowy. **8.** *wojsk.* stały (*o stopniu, stanowisku*). – *n. gram.* rzeczownik.

substantive dye *n. tk.* barwnik bezpośredni *l.* substantywny.

substitute ['sʌbstəˌtuːt] *n.* **1.** zastęp-ca/czyni. **2.** *sport* zawodni-k/czka rezerwow-y/a. **3.** *chem.* zamiennik; **fat** ~ zamiennik tłuszczu, substancja zastępująca tłuszcz; **sugar ~** słodzik. **4. be no ~ for sth** nie móc zastąpić czegoś. **5.** *US szkoln.* = **substitute teacher.** – *v.* **1.** zastępować; **~ margarine for butter** (*także* **~ butter with margarine**) zastępować masło margaryną. **2. ~ for sb** zastępować kogoś; *szkoln.* brać zastępstwo za kogoś. **3.** *mat.* podstawiać; **~ x+5 for y** podstawić x+5 za y.

substitute teacher *n. US szkoln.* nauczyciel/ka na zastępstwie; **have a ~** mieć zastępstwo (*o klasie, uczniach*).

substitution [ˌsʌbstə'tu:ʃən] *n. C/U* **1.** zastąpienie. **2.** zastępstwo. **3.** *sport* zmiana (*zawodnika*). **4.** *mat.* podstawienie. **5.** *jęz., fon.* substytucja.

substitutional [ˌsʌbstə'tu:ʃənl] *a.* substytucyjny; zastępczy.

substitution therapy *n. U med.* terapia substytucyjna (*zwł. hormonalna po menopauzie*).

substrate ['sʌbstreɪt] *n.* **1.** *chem.* substrat (*reakcji*). **2.** *el.* podłoże (*elementu półprzewodnikowego*). **3.** *biol.* podłoże (*próbki*).

substratum ['sʌbˌstreɪtəm] *n. pl.* **substrata 1.** *geol., roln., biol.* podłoże; *techn.* podkład; *roln.* podglebie. **2.** *jęz., chem., fil.* substrat. **3.** *przen. form.* ukryty element (*prawdy*).

substructure ['sʌbˌstrʌktʃər] *n.* **1.** *bud.* podbudówka, podbudowa. **2.** *form. przen.* podbudowa, baza.

subsume [səb'su:m] *v.* **~ sb/sth into/under sth** *form.* podciągać kogoś/coś pod coś (*pod kategorię, regułę*); zaliczać kogoś/coś do czegoś (*do kategorii*).

subsystem ['sʌbˌsɪʃtəm] *n.* podsystem.

subteen [ˌsʌb'ti:n] *n. i a.* = **preteen.**

subtenant [sʌb'tenənt] *n.* sublokator/ka; *prawn.* podnajemca; poddzierżawca.

subtend [səb'tend] *v.* **1.** *geom.* być przeciwległym do, leżeć naprzeciwko (*kąta, boku*). **2.** *bot.* obejmować od spodu (*pączek; o liściu, przylistku*).

subterfuge ['sʌbtərˌfju:dʒ] *n. C/U form.* podstęp, wybieg; **by ~** podstępnie, podstępem.

subterranean [ˌsʌbtə'reɪnɪən] *a.* (*także* **subterraneous**) *t. przen.* podziemny (*o korytarzach, organizacji*).

subtext ['sʌbˌtekst] *n.* podtekst.

subtile ['sʌtl] *a. arch.* = **subtle.**

subtilize ['sʌtəˌlaɪz], *Br. i Austr. zw.* **subtilise** *v. form.* **1.** rozważać szczegółowo. **2.** czynić subtelne rozróżnienia (*w dyskusji*). **3.** wysubtelniać.

subtitle ['sʌbˌtaɪtl] *n.* **1.** *pl. film, telew.* napisy; **with Polish ~s** z napisami w języku polskim. **2.** podtytuł. – *v.* **1.** *film* wykonać napisy do (*filmu*); *telew.* nadawać napisy do (*programu*). **2.** dawać *l.* nadawać podtytuł (*książce, filmowi*).

subtitled ['sʌbˌtaɪtld] *a.* **1.** *film, telew.* z napisami; **~ in Polish** z podpisami w języku polskim. **2. ~ "..."** o podtytule „...".

subtle ['sʌtl] *a.* subtelny.

subtlety ['sʌtltɪ] *n. pl.* **-ies 1.** *U* subtelność. **2.** drobny szczegół; *pl.* subtelności.

subtly ['sʌtlɪ] *adv.* subtelnie.

subtotal ['sʌbˌtoʊtl] *n. mat.* suma częściowa *l.* pośrednia, podsuma. – *v.* obliczać *l.* wyliczać sumę częściową.

subtract [səb'trækt] *v. gł. mat.* odejmować (*sth from sth* coś od czegoś).

subtraction [səb'trækʃən] *n. C/U gł. mat.* odejmowanie.

subtractive [səb'træktɪv] *a. opt., chem., techn.* substraktywny, substrakcyjny, eliminacyjny.

subtrahend ['sʌbtrəˌhend] *n. mat.* odjemnik.

subtropical [sʌb'trɑ:pɪkl] *a. geogr., meteor.* podzwrotnikowy, subtropikalny.

subtropics [sʌb'trɑ:pɪks] *n. pl. geogr.* obszary podzwrotnikowe.

subtype ['sʌbˌtaɪp] *n.* podtyp.

subulate ['su:bjəlɪt] *a. bot.* szydłowaty.

subunit ['sʌbˌju:nɪt] *n. biochem.* podjednostka.

suburb ['sʌbɝ:b] *n.* przedmieście; **the ~s** przedmieścia, peryferie.

suburban [sə'bɝ:bən] *a.* **1.** podmiejski. **2.** *uj.* zaściankowy.

suburbanite [sə'bɝ:bəˌnaɪt] *n.* mieszkan-iec/ka przedmieść.

suburbia [sə'bɝ:bɪə] *n. U* **1.** *zwł. socjol.* przedmieścia; mieszkańcy przedmieść. **2.** życie mieszkańców przedmieść.

subvention [səb'venʃən] *n. C/U fin. form.* subwencja, dotacja.

subversion [səb'vɝ:ʒən] *n. U polit.* działalność wywrotowa.

subversive [səb'vɝ:sɪv] *a.* wywrotowy. – *n.* wywrotowiec.

subvert [səb'vɝ:t] *v. form.* **1.** *polit.* obalić (*władzę*). **2.** podkopać (*zaufanie*); podważyć (*wiarę*).

subvocalization [sʌbˌvoʊkələ'zeɪʃən], *Br. i Austr. zw.* **subvocalisation** *n. U jęz.* subwokalizacja.

subway ['sʌbˌweɪ] *n.* **1.** *t. pl. US i Can.* metro. **2.** *Br. i Austr.* przejście podziemne.

subzero temperatures [sʌbˌzi:roʊ 'tempərətʃərz] *n. pl. meteor.* temperatury ujemne *l.* poniżej zera.

succeed [sək'si:d] *v.* **1.** odnieść sukces, osiągnąć powodzenie *l.* sukces (*in doing sth* w czymś); **sb ~ed in doing sth** komuś się coś udało (zrobić); **you've only ~ed in upsetting your mother** jedyne, co ci się udało, to zdenerwować matkę. **2.** udać się, powieść się, zakończyć się powodzeniem *l.* sukcesem. **3.** przejmować obowiązki po, obejmować urząd po (*prezesie, premierze*); zastępować (*sb as* kogoś na stanowisku, *sth as* coś jako); następować po (*czymś*). **4. nothing ~s like success** sukces rodzi sukces.

succeeding [sək'si:dɪŋ] *a. attr.* następny, kolejny (*np. o latach, miesiącach*).

success [sək'ses] *n. C/U* sukces, powodzenie; **big/great/huge ~** wielki sukces; **be a ~** odnieść sukces (*in sth* w czymś, *as sb* jako ktoś); (bardzo) dobrze sobie radzić (*in sth* z czymś, *as sb* jako ktoś); **have ~ in doing sth** (*także* **make a ~ of sth**) osiągnąć w czymś powodzenie *l.* sukces; **prove a ~** zakończyć się powodzeniem *l.* sukcesem; **without ~** bez powodzenia.

successful [sək'sesful] *a.* **1.** udany, pomyślny.

2. *polit.* zwycięski. **3.** odnoszący *l.* osiągający sukcesy (*in sth* w czymś); **sb was/is ~ in doing sth** komuś się coś udało/udaje (z/robić). **4.** cieszący się powodzeniem, mający powodzenie; wzięty (*np. o pisarzu*); dobrze prosperujący (*np. o spółce*). **5. the ~ candidate** poszukiwan-y/a kandydat/ka (*w ogłoszeniu o pracy*).

successfully [sək'sesfulı] *adv.* pomyślnie, z powodzeniem; udanie.

succession [sək'seʃən] *n.* **1.** *U* **in ~** po kolei; **(four/five times) in ~** (cztery/pięć razy) z rzędu; **in close/quick/rapid ~** jeden po drugim, raz za razem. **2.** seria (*wydarzeń*); szereg (*osób, wydarzeń*). **3.** *C / U* kolejność, następstwo. **4.** *U polit.* sukcesja; dziedziczenie (*zwł. prawa do tronu*). **5.** *U ekol., biol.* sukcesja (*roślinności*).

succession crop *n. roln.* poplon.

successive [sək'sesıv] *a.* kolejny, następujący po sobie; **on four ~ nights** cztery noce z rzędu, przez cztery kolejne noce.

successively [sək'sesıvlı] *adv.* kolejno.

successor [sək'sesər] *n.* **1.** następ-ca/czyni (*to sb* kogoś, *as sb / sth* na jakimś stanowisku); *form.* sukcesor/ka, dziedzi-c/czka; **~ to the throne** następ-ca/czyni tronu. **2.** *form. przen.* następca (= *nowy produkt, nowa technologia itp.*).

success story *n. pl.* **-ies** **1.** *przen.* wielki sukces (*przedsięwzięcie l. osoba*). **2. sb's ~** historia czyjegoś sukcesu *l.* czyjejś kariery.

succinct [sək'sıŋkt] *a.* zwięzły.

succinctly [sək'sıŋktlı] *adv.* zwięźle.

succinctness [sək'sıŋktnəs] *n.* *U* zwięzłość.

succinic acid *n.* *U chem.* kwas bursztynowy.

succor ['sʌkər], *Br.* **succour** *lit. n.* *U* pomoc, wsparcie. – *v.* przychodzić w sukurs *l.* z pomocą, nieść pomoc *l.* wsparcie (*komuś*).

succory ['sʌkərı] *n.* = **chicory**.

succotash ['sʌkəˌtæʃ] *n.* *U US i Can. kulin.* (gotowana) kukurydza z fasolą.

Succoth ['sukəs] *n.* = **Sukkoth**.

succour ['sʌkər] *n. i v. Br.* = **succor**.

succubus ['sʌkjəbəs] *n. pl.* **-es** *l.* **succubi** ['sʌkjəbaı] (*także* **succuba**) *mit.* sukub.

succulence ['sʌkjələns], **succulency** ['sʌkjələnsı] *n.* *U* soczystość (*zwł. potrawy*).

succulent ['sʌkjələnt] *a.* **1.** soczysty (*o potrawie*). **2.** *bot.* mięsisty. – *n. bot.* sukulent, roślina mięsista *l.* gruboszowata.

succumb [sə'kʌm] *v. form.* ulegać, poddawać się (*to sth* czemuś).

succursal [sə'kɝ:sl] *a. kośc.* filialny (*o kaplicy*).

succuss [sə'kʌs] *v. med.* wstrząsać, potrząsać (*pacjentem przy badaniu*).

such [sʌtʃ] *a. i pron.* taki; **~ a thing/person** taka rzecz/osoba; **~ a lot of money!** tyle pieniędzy!; **~ nice people** tacy mili ludzie; **in ~ a situation** w takiej sytuacji; **~ as...** taki jak... (*podając przykłady*); **~... as...** *form.* taki..., który...; **~... as/that...** *gł. form.* taki..., że (aż)...; tego typu..., że...; **~ as it is/they are** o ile się na coś przyda/przydadzą; **and ~** i tak dalej; **as ~** jako taki; **not... as ~, just/but...** nie tyle..., co..., nie... jako taki, tylko...; **or some ~ person/thing** czy ktoś/coś w tym rodzaju; **I said no ~ thing** nic podobnego nie powiedziałam; **there's no ~ thing/person (as...)** nie ma czegoś/kogoś takiego (jak...).

such and such, such-and-such *a. i pron. pot.* taki a taki.

suchlike ['sʌtʃˌlaık] *a. i pron.* **(and) ~** *pot.* (i) temu podobne.

suck [sʌk] *v.* **1.** ssać ((*on / at*) *sth* coś); **~ (up)** wysysać; wysysać, wciągać (*in / into sth* do czegoś). **2. sb/sth ~s** *US sl.* ktoś/coś jest do chrzanu *l.* do bani; **~ at sth** być w czymś do niczego (*w grze, czynności*). **3. ~ it and see** *Br. i Austr. pot.* przekonaj się sam; **~ sb's brains** wyzyskiwać czyjąś wiedzę; **~ sb/sth dry** *t. przen.* wyssać kogoś/coś do ostatniej kropli. **4. ~ back** połykać (*napój*); wciągać (*o wirze*); **~ in** wciągać (*powietrze, pływaka*); wsysać; wchłaniać (*wodę, przedsiębiorstwo*); *sl.* wycykać (= *oszukać*); **~ sb into sth** wciągnąć kogoś do czegoś *l.* w coś; **~ in one's cheeks** wciągać policzki; **~ in knowledge** chłonąć wiedzę; **~ under** wciągać (*o wirze*); **~ sb off** *obsc. sl.* wylizać *l.* possać kogoś (= *zaspokoić oralnie*); **~ up to sb** *pot.* podlizywać się komuś. – *n.* **1.** ssanie; **have a ~ of sth** possać coś. **2.** łyk (*napoju*). **3.** ciąg (*wiru*). **4. give ~ to sb/sth** karmić kogoś/coś piersią (*dziecko, młode*).

sucker ['sʌkər] *n.* **1.** *pog. pot.* frajer/ka. **2. sb is a ~ for sth** *pot.* ktoś jest łasy na coś. **3.** *zool.* przyssawka (*np. ośmiornicy, Br. t. gumowa*). **4.** *bot., ogr.* odrost (korzeniowy); wilk (= *dziki odrost*). **5.** *biol.* osesek; młode przy piersi. **6.** *zool., ent.* ssawka; ryjek. **7.** *mech.* tłok ssący. – *v.* **1.** *pot.* wrabiać (*sb into sth* kogoś w coś). **2.** *ogr., bot.* wypuszczać odrosty (*o krzewie*). **3.** *ogr.* obrywać odrosty *l.* wilki z (*rośliny*).

sucking ['sʌkıŋ] *n.* *U zwł. fizj.* ssanie. – *a. attr.* **1.** ssący mleko (*o młodym ssaku*); **~ child** osesek. **2.** *przen.* raczkujący (*zwł. o adwokacie*).

suckle [sʌkl] *v.* **1.** karmić piersią (*dziecko, młode*). **2.** ssać pierś (matki). **3.** *lit.* wykarmić własną piersią.

suckling ['sʌklıŋ] *n. lit.* **1.** osesek. **2. out of the mouths of babes (and ~s)** *zob.* **babe**. – *a. attr.* ssący mleko (*o młodym ssaku*).

suckling pig *n. zwł. kulin.* prosię (*młode*).

sucrose ['su:krous] *n.* *U chem.* sacharoza.

suction ['sʌkʃən] *n.* *U* ssanie; *techn.* zasysanie.

suction cup *n.* (*także Br.* **suction cap**) przyssawka (*gumowa*).

suction pump *n. mech.* pompa ssąca.

suctorial [sək'tɔ:rıəl] *a. zool.* **1.** ssący; przyssawkowy, przyssawkowaty (*o organie*). **2.** zaopatrzony w przyssawki *l.* przyssawkę (*o organie, organizmie*).

Sudan [su'dæn] *n.* **the ~** *geogr.* Sudan.

Sudanese [ˌsu:də'ni:s] *a.* sudański. – *n.* Sudańczyk/nka.

Sudanic [su'dænık] *n.* *U* grupa języków sudańskich.

sudatorium [ˌsu:də'tɔ:rıəm] *n. pl.* **sudatoria** [ˌsu:də'tɔ:rıə] *hist.* łaźnia parowa (*w starożytnym Rzymie*).

sudatory ['su:dəˌtɔ:rɪ] *a. i n. pl.* **-ies** **1.** *med.* = **sudorific** *a. i n.* **2.** = **sudatorium** *n.*

sudd [sʌd] *n. U żegl.* pływająca roślinność (*utrudniająca żeglugę na rzekach tropikalnych*).

sudden ['sʌdən] *a.* nagły; gwałtowny (*o ruchu*); nieoczekiwany (*o zmianie*); **all of a ~** ni stąd, ni zowąd.

sudden death *n.* **1.** *C/U t. pat.* nagła śmierć. **2.** *U sport* dogrywka do pierwszej przewagi (*rozstrzygająca w przypadku remisu*).

sudden infant death syndrome *n. U* (*także* **SIDS**) *pat.* zespół nagłej śmierci niemowląt.

suddenly ['sʌdənlɪ] *adv.* nagle.

suddenness ['sʌdənəs] *n. U* nagłość.

Sudeten [sʊ'deɪtən] *n. pl.* (*także* **Sudeten Mountains**) *geogr.* Sudety.

sudoriferous [ˌsu:də'rɪfərəs] *a. anat.* potowy, potny.

sudorific [ˌsu:də'rɪfɪk] *a. i n. med.* (środek) napotny.

suds [sʌdz] *n. pl.* **1.** (*także* **soap~**) mydliny. **2.** *US i Can. sl.* browar (= *piwo*); piana (*na piwie*).

sudsy ['sʌdzɪ] *a.* **-ier, -iest** *gł. US* mydlany; pienisty; **(all) ~** (cały) w mydlinach *l.* pianie.

sue [su:] *v.* **1.** *t. prawn.* pozywać, skarżyć, podawać do sądu (*sb for sth* kogoś o coś); wytoczyć proces (*sb for sth* komuś o coś); **~ sb for libel** skarżyć kogoś o zniesławienie. **2. ~ for sth** *form.* błagać o coś.

suede [sweɪd], **suède** *n. U* zamsz. – *a. attr.* zamszowy.

suet ['su:ɪt] *n. U t. kulin.* łój.

suety ['su:ɪtɪ] *a.* łojowy.

Suez Canal [su:ˌez kə'næl] *n. geogr.* Kanał Sueski.

suffer ['sʌfər] *v.* **1.** cierpieć; **~ the effects of sth** cierpieć z powodu *l.* na skutek czegoś; **~ in silence** cierpieć w milczeniu; **~ pain** cierpieć ból. **2.** ucierpieć (*np. o osobie, gospodarce, reputacji, bezpieczeństwie*). **3.** doznawać (*np. zniszczeń, szoku*); ponosić (*np. klęskę*); doświadczać (*np. bólu*); **~ a defeat** doznać porażki, ponieść porażkę; **~ damage/injury** ucierpieć (*o samochodzie l. osobie w wypadku*); **~ injuries** doznać obrażeń; **~ heavy losses** ponieść duże straty (*w ludziach*); **~ the consequences** ponieść konsekwencje. **4.** (móc) ścierpieć, tolerować, znosić; **not ~ fools gladly** nie móc ścierpieć *l.* nie cierpieć głupoty. **5. ~ sb to do sth** *przest.* pozwalać komuś na coś. **6. ~ from sth** chorować na coś (*np. na raka, astmę*); cierpieć na coś (*np. na depresję*); **I/you will ~ for it** będę/będziesz musiał to odchorować; będę/będziesz musiał za to odpokutować (*np. złym samopoczuciem po nadmiernym wysiłku, nadużyciu alkoholu itp.*).

sufferable ['sʌfərəbl] *a.* znośny.

sufferance ['sʌfərəns] *n. U form.* **1.** niechętna zgoda; tolerowanie; **on ~** niechętnie, z łaski (*zgodzić się*); **be somewhere on ~** być gdzieś (zaledwie) tolerowanym; **under ~** *przest.* pod przymusem, z niechęcią. **2.** *rzad.* cierpienie, ból. **3.** *arch.* cierpliwość.

sufferer ['sʌfərər] *n.* cierpiąc-y/a; **cancer ~s** osoby cierpiące na raka.

suffering ['sʌfərɪŋ] *n. C/U* cierpienie.

suffice [sə'faɪs] *v. form.* **1.** wystarczać (*t. komuś*). **2. ~ (it) to say (that)...** wystarczy powiedzieć, że..., powiem tylko *l.* jedynie, że...

sufficiency [sə'fɪʃənsɪ] *n. U l. sing. form.* dostateczna *l.* wystarczająca ilość (*of sth* czegoś).

sufficient [sə'fɪʃənt] *a.* wystarczający, dostateczny; **be ~** wystarczać, starczać (*for sb* komuś *l.* dla kogoś); **be ~ for everyone** wystarczyć dla wszystkich.

sufficient condition *n.* (*także* **sufficient reason**) *log.* warunek wystarczający.

sufficiently [sə'fɪʃəntlɪ] *adv.* wystarczająco, dostatecznie.

sufficient reason *n.* **1.** *C/U fil., log.* racja dostateczna; (*także* **law of ~**) zasada racji dostatecznej. **2.** = **sufficient condition**.

suffix ['sʌfɪks] *gram. n.* przyrostek, sufiks. – *v.* dołączać (jako przyrostek).

suffixation [ˌsʌfɪk'seɪʃən] *n. U gram.* sufiksacja.

suffocate ['sʌfəˌkeɪt] *v.* **1.** *t. pat.* udusić (się). **2.** dusić (się) (*z braku powietrza l. gorąca*); **I'm ~ing** duszę się, duszno mi; **it's ~ing** jest duszno. **3.** *przen.* zdusić, dławić (*wolność*). **4.** *przen.* dusić się (*z braku swobody*).

suffocation [ˌsʌfə'keɪʃən] *n. U pat.* uduszenie.

suffragan ['sʌfrəgən] *n. i a. attr.* **~ (bishop)** *kośc.* (biskup) sufragan.

suffrage ['sʌfrɪdʒ] *n. U* **1.** *polit.* (czynne) prawo wyborcze. **2.** głosowanie; głos. **3.** *rel.* prośba o wstawiennictwo (*w modlitwie*); modlitwa (błagalna).

suffragette [ˌsʌfrə'dʒet] *n. hist., polit.* sufrażystka.

suffragist ['sʌfrədʒɪst] *n. hist., polit.* sufrażyst-a/ka.

suffuse [sə'fju:z] *v. zw. pass. lit.* wypełniać (*o świetle, słońcu, zapachu, emocji*); przepełniać (*o emocjach*); zalewać (*o łzach*); oblewać (*o rumieńcu*); **~d with color** *US*/**colour** *Br.* oblany rumieńcem (*o twarzy, policzkach*); **~d with love** przepełniony miłością; **~d with sunlight** skąpany w słońcu.

suffusion [sə'fju:ʒən] *n. U* **1.** *lit.* przepełnienie. **2.** *pat.* podbiegnięcie krwią; wynaczynienie; zaczerwienienie.

sufi ['su:fɪ], **Sufi** *n. rel.* sufi (*mistyk muzułmański*). – *a.* (*także* **~c**) sufi.

sufism ['su:fˌɪzəm] *n. U rel.* sufizm.

sugar ['ʃʊgər] *n.* **1.** *U kulin.* cukier. **2.** *C/U chem.* cukier; **simple/compound ~** cukier prosty/złożony. **3.** łyżeczka cukru; kostka cukru. **4.** *voc. zwł. US i Can. pot.* skarbie. **5.** *U przest. sl.* prochy (= *LSD l. heroina*). **6. ~ and spice** *przen.* sama słodycz. – *int.* **(oh) ~!** *Br.* (o) cholera! – *v.* **1.** *kulin.* słodzić (cukrem); cukrzyć (*zwł. herbatę*); dodawać cukru do (*potrawy, ciasta*). **2.** scukrzać się (*o syropie, miodzie*). **3.** *przen.* złagodzić (*coś przykrego*); osłodzić (*przykrość*); uprzyjemniać, umilać (*coś nieprzyjemnego*). **4. to ~ the pill** *zob.* **pill**[1] *n.*

sugar basin *n. Br.* cukierniczka.

sugar beet *n. U bot., roln.* burak cukrowy (*Beta vulgaris saccharifera*).

sugar bowl *n. US* cukierniczka.

sugarcane [ˈʃʊɡərˌkeɪn], **sugar cane** *n. U roln., bot.* trzcina cukrowa (*Saccharum officinarum*).

sugar-coat [ˈʃʊɡərˌkoʊt], **sugarcoat** *v.* **1.** powlekać cukrem (*zwł. tabletkę*); lukrować. **2.** *przen.* złagodzić (nieco) (*złe wiadomości*); upiększać (*słowa, obietnice*).

sugar-coated [ˌʃʊɡərˈkoʊtɪd] *a.* **1.** *zwł. med.* powlekany (cukrem) (*o tabletce*); ~ **pill/tablet** drażetka. **2.** *kulin.* w cukrze (*o płatkach śniadaniowych*); w lukrze, lukrowany (*o pierniczkach, pączkach*); ~ **sweet** *Br.* drażetka (*cukierek*). **3.** *przen.* pięknie brzmiący *l.* wyglądający (*o obietnicach*).

sugar cube *n.* kostka cukru.

sugar daddy *n. pl.* **-ies** *pot.* przyjaciel (= *starszy i bogaty, zwł. partner seksualny*).

sugar diabetes *n. U pat.* cukrzyca insulinozależna.

sugar-free [ˌʃʊɡərˈfriː] *a.* bez cukru.

sugarhouse [ˈʃʊɡərˌhaʊs] *n.* cukrownia (*zwł. produkująca syrop klonowy i cukier klonowy*).

sugarless [ˈʃʊɡərləs] *a.* bez cukru.

sugar loaf *n. kulin., geogr.* głowa cukru.

sugar lump *n. gł. Br.* kostka cukru.

sugar maple *n. bot.* klon cukrowy (*Acer saccharinus*).

sugar peas *n. pl. Br. bot., kulin.* groszek cukrowy (*Pisum sativum*).

sugar pine *n. bot.* sosna kalifornijska (*Pinus lambertiana*).

sugar refinery *n. pl.* **-ies** *techn.* rafineria cukru.

sugar tongs *n. pl.* szczypce do cukru.

sugary [ˈʃʊɡərɪ] *a.* **1.** słodki; słodkawy (*o jedzeniu, smaku*). **2.** cukrowy. **3.** *przen.* przesłodzony (= *fałszywie pozytywny*); cukierkowy (= *nadmiernie sentymentalny*).

suggest [səɡˈdʒest] *v.* **1.** proponować, sugerować, poddawać (*rozwiązanie, kandydata*) (*to sb* komuś); podsuwać (*pomysł*); **can/may I suggest...** jeśli mogę coś zaproponować,...; **he ~ed going by car** zaproponował, żeby pojechać samochodem. **2.** polecać (*hotel, restaurację, kandydata*); doradzać; ~ **sb for the post/position of...** polecić kogoś na stanowisko... **3.** wskazywać na (*przyczynę*); **there was nothing to ~ that...** nic nie wskazywało na to, że... **4.** przypominać, przywodzić na myśl (*o okolicznościach, otoczeniu*). **5.** dawać do zrozumienia, sugerować, chcieć (przez to) powiedzieć; **I am not ~ing (that)...** nie chcę przez to powiedzieć, że...

suggestibility [səɡˌdʒestəˈbɪlətɪ] *n. U form.* podatność (na sugestie *l.* wpływy) (*zwł. u dziecka*).

suggestible [səɡˈdʒestəbl] *n. gł. form.* **1.** podatny (na sugestie *l.* wpływy); **highly/very** ~ wysoce podatny (na wpływy). **2.** nadający się do zaproponowania; sensowny (*o propozycji*).

suggestion [səɡˈdʒestʃən] *n.* **1.** propozycja; **have/make a** ~ mieć/przedstawić propozycję, zaproponować coś; **open to ~s** otwarty na propozycje. **2.** sugestia, rada, wskazówka; **at sb's** ~ za czyjąś radą *l.* namową. **3. a** ~ **of sth** ślad czegoś (*np. wątpliwości*); oznaka czegoś (*np. znudzenia, zniecierpliwienia*); posmak czegoś (*np. cytryny, kminku*). **4.** *U psych.* sugestia.

suggestive [səɡˈdʒestɪv] *a.* **1.** niedwuznaczny (*np. o uwadze, zachowaniu, geście*). **2.** sugestywny (*np. o obrazie, przekazie*). **3.** *pred. form.* ~ **of sth** przypominający coś, przywodzący coś na myśl; **be** ~ **of sth** przypominać coś, przywodzić coś na myśl.

suggestively [səɡˈdʒestɪvlɪ] *adv.* **1.** niedwuznacznie. **2.** sugestywnie.

suggestiveness [səɡˈdʒestɪvnəs] *n. U* **1.** niedwuznaczny charakter. **2.** sugestywność.

suicidal [ˌsuːɪˈsaɪdl] *a. t. przen.* **1.** samobójczy; ~ **attempt** próba samobójcza *l.* samobójstwa; ~ **tendencies** skłonności samobójcze. **2. be** ~ mieć nastroje samobójcze (*o osobie*); *przen.* być równoznacznym z samobójstwem (*np. politycznym; o działaniu*).

suicide [ˈsuːɪˌsaɪd] *n.* **1.** *C/U t. przen.* samobójstwo; ~ **attempt/bid** próba samobójcza *l.* samobójstwa; **attempt** ~ usiłować popełnić samobójstwo; **commit** ~ popełnić samobójstwo; **mass** ~ zbiorowe samobójstwo; **political** ~ *przen.* samobójstwo polityczne. **2.** samobój-ca/czyni.

suicide bomber *n.* zamachowiec samobójca.

suicide bombing *n.* zamach samobójczy.

suicide pact *n.* zbiorowe samobójstwo.

sui generis [ˌsuːaɪ ˈɡenərɪs] *a. attr. Lat. form.* swego rodzaju, sui generis.

suit [suːt] *v.* **1.** odpowiadać, pasować (*komuś; np. o kolorze, terminie*); służyć (*komuś; np. o klimacie, jedzeniu*); leżeć na (*kimś; o ubraniu*), pasować na (*kogoś; jw.*); pasować do (*czegoś; np. o stroju, tapecie, meblach*); **sth ~s sb** komuś jest w *l.* z czymś do twarzy (*np. w kapeluszu, czerwieni; z parasolem*). **2. be ~ed** nadawać się (*to/for sb/sth* na coś/dla kogoś); **be ideally/best/well ~ed** idealnie/najlepiej/dobrze się nadawać. **3.** ~ **sb (right) down to the ground** *Br. pot.* idealnie komuś odpowiadać *l.* pasować; ~ **sb fine** odpowiadać komuś; ~ **sb's book** *pot.* odpowiadać *l.* pasować komuś; ~ **yourself** jak (sobie) chcesz, rób jak chcesz. **4.** ~ **sth to sth** *form.* dopasowywać *l.* dostosowywać coś do czegoś; ~ **the action to the word** poprzeć słowo czynem, obrócić słowo w czyn. **5.** ~ **up** wkładać skafander (*o nurku, kosmonaucie*). – *n.* **1.** (*także* **business** ~) garnitur; **evening** ~ garnitur wieczorowy; **three-piece** ~ garnitur trzyczęściowy. **2.** kostium (*damski*). **3.** strój, ubiór; kostium; **jogging** ~ dres; **ski** ~ kombinezon narciarski; **space** ~ skafander kosmiczny; **swim** ~ kostium kąpielowy. **4.** *karty* kolor. **5.** *prawn.* proces; pozew, powództwo; **bring/file (a) ~ (against sb)** wytoczyć (komuś) proces, wnieść pozew (przeciw komuś). **6.** komplet (*np. żagli, uzbrojenia*). **7. follow** ~ *zob.* **follow**; **sb's strong** ~ *gł. US* czyjaś mocna strona; **press/plead one's ~ (with sb)** *przest.* prosić (kogoś) o rękę; **wearing/in one's birthday** ~ *zob.* **birthday** *a.*

suitability [ˌsuːtəˈbɪlətɪ] *n. U* przydatność (*of sb/sth for sth* kogoś na coś/czegoś do czegoś); nadawanie się; odpowiedniość, stosowność (*zachowania*).

suitable [ˈsu:təbl] *a.* odpowiedni, właściwy, nadający się (*o kandydacie*); pasujący (*o wystroju*); stosowny (*o zachowaniu*); **be ~ for sb/sth** nadawać się dla kogoś/do czegoś.

suitably [ˈsu:təblɪ] *adv.* **1.** odpowiednio, właściwie (*wyposażony, przygotowany, ubrany*); stosownie (*ubrany*). **2. he was ~ impressed** był pod wrażeniem, jak można było oczekiwać.

suit bag *n. Br.* torba na garnitur; pokrowiec na garnitur.

suitcase [ˈsu:tˌkeɪs] *n.* walizka.

suite [swi:t] *n.* **1.** (*także* **~ of rooms**) apartament (*gł. w hotelu*); **honeymoon ~** apartament dla nowożeńców. **2.** *zwł. Br.* zestaw, komplet (*mebli*); **three-piece ~** zestaw wypoczynkowy. **3.** *muz.* suita. **4.** *polit.* orszak, świta. **5.** *komp.* pakiet *l.* zestaw (programów); **office ~** pakiet biurowy.

suiting [ˈsu:tɪŋ] *n. U tk.* materiał ubraniowy.

suitor [ˈsu:tər] *n.* **1.** *ekon.* spółka zainteresowana przejęciem (*innej spółki*). **2.** *prawn.* powód/ka. **3.** *przest.* konkurent, zalotnik.

sukiyaki [ˌsu:kɪˈjɑ:kɪ] *n. U kulin.* sukiyaki (*potrawa kuchni japońskiej*).

Sukkoth [ˈsʊkəs], **Sukkot**, **Succoth** *n. U judaizm* Święto Szałasów, Sukkot, Kuczki.

sulcate [ˈsʌlkeɪt] *a. bot.* rowkowany, żłobkowany (*o łodydze*); *anat.* bruzdkowany, rowkowany (*o powierzchni narządu*).

sulcus [ˈsʌlkəs] *n. pl.* **sulci** [ˈsʌlsaɪ] *anat.* bruzdka, rowek (*na mózgu*).

sulfa drug [ˈsʌlfə ˌdrʌg] *n. med.* sulfonamid.

sulfate [ˈsʌlfeɪt] *n. C/U chem.* siarczan. – *v. chem.* **1.** *t. el.* pokrywać (się) siarczanem ołowiu (*w procesie zużycia akumulatora ołowiowego*). **2.** siarkować.

sulfide [ˈsʌlfaɪd] *n. C/U chem.* siarczek.

sulfite [ˈsʌlfaɪt] *n. C/U chem.* siarczyn.

sulfur [ˈsʌlfər], *Br.* **sulphur** *US chem. n. U* siarka. – *a. attr.* siarkowy; **~ bacteria** *biol.* bakterie siarkowe; **~ spring** *geogr.* źródło siarkowe.

sulfurate [ˈsʌlfəreɪt] *v. chem.* siarkować.

sulfur dioxide *n. U chem.* dwutlenek siarki.

sulfuret [ˈsʌlfjəˌret] *chem. n. C/U przest.* siarczek. – *v. Br.* **-tt-** siarkować; **~ed hydrogen** siarkowodór.

sulfuric [sʌlˈfjʊrɪk] *a. chem.* siarkowy; **~ acid** kwas siarkowy.

sulfurize [ˈsʌlfjəˌraɪz], *Br. i Austr. zw.* **sulfurise** *v. chem.* siarkować.

sulfurous [ˈsʌlfərəs] *a.* **1.** *chem.* siarkawy. **2.** *techn.* siarkowy (= *dotyczący siarki*); siarczany. **3.** *lit.* piekielny. **4.** *lit.* siarczysty (*o języku*).

sulk [sʌlk] *v.* dąsać się; nie mieć humoru. – *n.* **1.** *zwł. Br.* zły humor; **be in the ~s/a ~** dąsać się; **go into a ~** nadąsać się. **2.** ponurak.

sulkily [ˈsʌlkɪlɪ] *adv.* ponuro; z nadąsaną miną.

sulkiness [ˈsʌlkɪnəs] *n. U* nadąsanie.

sulky [ˈsʌlkɪ] *a.* **-ier, -iest** nadąsany (*o osobie*); ponury (*o osobie, pogodzie*). – *n. jeźdz.* sulki (= *lekka bryczka*).

sullage [ˈsʌlɪdʒ] *n. U* **1.** *ekol.* ścieki; nieczystości. **2.** *hydrol., geogr.* namuł, muł, szlam (*rzeczny*).

sullen [ˈsʌlən] *a.* **1.** nadąsany; urażony, obrażony (*o osobie, minie*). **2.** *lit.* posępny, ponury (*o niebie*). **3.** *lit.* leniwy (*o strumieniu*).

sullenly [ˈsʌlənlɪ] *adv.* **1.** z nadąsaną miną. **2.** ponuro, posępnie.

sullenness [ˈsʌlənnəs] *n. U* **1.** nadąsanie. **2.** posępność.

sully [ˈsʌlɪ] *form. v.* **-ied, -ying** kalać; rzucać cień na (*honor, reputację*). – *n. pl.* **-ies** skaza, piętno.

sulphur [ˈsʌlfər] *n. Br.* = **sulfur**.

sultan [ˈsʌltən] *n.* **1.** (*także* **S~**) *polit.* sułtan. **2.** *przen.* pan i władca, książę.

sultana [sʌlˈtænə] *n.* **1.** *zw. pl. gł. Br. kulin.* sułtanka, rodzynka sułtańska. **2.** (*także* **S~**) (*także* **sultaness**) sułtanka (= *żona, nałożnica l. krewna sułtana*).

sultanate [ˈsʌltəneɪt], **Sultanate** *n. polit.* sułtanat, Sułtanat.

sultaness [ˈsʌltənəs] *n.* = **sultana** 2.

sultry [ˈsʌltrɪ] *a.* **-ier, -iest** **1.** duszny, parny (*o powietrzu, pogodzie, dniu*). **2.** ponętny (*o kobiecie, spojrzeniu, głosie*).

sum [sʌm] *n.* **1.** suma, kwota; **large/small ~ of money** duża/mała suma *l.* kwota pieniędzy; **for the ~ of $20** za sumę *l.* kwotę 20 dolarów; **princely ~** *iron., żart.* zabójcza kwota (= *bardzo mała*); **substantial ~** *gł. form.* znacząca kwota; **tidy ~** ładna *l.* okrągła sumka. **2.** *mat.* suma (= *wynik dodawania*); **~ total** ogólna suma. **3.** *Br.* obliczenie, rachunek; *szkoln.* słupek. **4. do one's ~s** *Br. pot.* policzyć pieniądze (*żeby sprawdzić, czy nas na coś stać*); **get one's ~s wrong** *Br. pot.* pomylić się w rachunkach *l.* obliczeniach; **in ~** *form.* w sumie, jednym słowem; **greater/more than the ~ of its parts** (coś) więcej niż (prosta *l.* zwykła) suma składników. – *v.* **-mm-** **1.** *form.* dodawać, sumować (*liczby*). **2. ~ up** podsumowywać (*wypowiedź*); dodawać, sumować (*liczby*); oceniać (*osobę, sytuację*); **to ~ up,...** podsumowując,...; **that (about) ~s it up** *pot.* (i) to by było wszystko (na ten temat).

sumac [ˈʃu:mæk], **sumach** *n. U* **1.** *bot.* sumak (*Rhus*). **2.** *chem., tk.* sumak (*garbnik do skór*).

Sumer [ˈsu:mər] *n. geogr., hist.* Sumer.

Sumerian [sʊˈmerɪən] *n.* **1.** Sumeryj-czyk/ka, Sumer/ka. **2.** *U* (język) sumeryjski. – *a.* sumeryjski.

summa cum laude [ˌsʌmə kum ˈlaudeɪ] *a. i adv. Lat. US uniw.* z najwyższym wyróżnieniem (*dyplom; ukończyć studia*).

summarily [səˈmerəlɪ] *adv. form.* **1.** w trybie natychmiastowym (*zwł. zwolnić kogoś z pracy*); bezzwłocznie, natychmiastowo. **2.** bez sądu (*np. rozstrzelać, ukarać*). **3.** *prawn.* w trybie doraźnym *l.* przyspieszonym (*orzekać, skazywać*).

summarize [ˈsʌməˌraɪz], *Br. i Austr. zw.* **summarise** *v.* streszczać.

summary [ˈsʌmərɪ] *n. pl.* **-ies** streszczenie; skrót; **in ~** streszczając. – *a. attr.* **1.** bez sądu (*o egzekucji*). **2.** sumaryczny; streszczony. **3.**

prawn. przyspieszony, doraźny (*o trybie postępowania*).

summation [sə'meɪʃən] *n. form.* **1.** *prawn.* rekapitulacja, podsumowanie. **2.** streszczenie. **3.** suma. **4.** *U* dodawanie.

summer[1] ['sʌmər] *n. C/U* **1.** lato; **in (the) ~** w lecie, latem; **it's ~ (again)** (znowu) jest lato; **high ~** pełnia lata; **high ~ season** szczyt wakacyjny; **last ~** zeszłego lata. **2.** *zw. pl. lit.* wiosna (= *rok życia*); **his 40 ~s** jego 40 wiosen. **3.** *C/U przen.* najlepszy okres. – *a. attr.* letni; **~ camp** *gł. US* obóz letni; kolonia letnia; **~ clothes** odzież letnia; **~ vacation** (*także Br.* **~ holidays**) *szkoln.* wakacje letnie. – *v.* **1.** spędzać lato (*gdzieś; t. o roślinach doniczkowych*). **2.** *roln.* wypasać, paść (*bydło latem*).

summer[2] *n. bud.* **1.** (*także* **~tree**) podciąg (= *belka podstropowa*). **2.** kliniec nasadowy, nóżka, stopka (= *kamień u podstawy łuku*). **3.** nadproże, belka nadproża.

summerhouse ['sʌmərˌhaʊs] *n.* **1.** altana. **2.** *US* domek (letniskowy).

summer pudding *n. C/U Br. kulin.* pudding owocowy.

summersault ['sʌmərˌsɔːlt] *n. i v.* = **somersault**.

summer savory *n. U bot.* cząber ogrodowy (*Satureja hortensis*).

summer school *n. C/U zwł. uniw.* szkoła letnia, kurs letni *l.* wakacyjny.

summer solstice *n. astron.* przesilenie letnie.

summer time *n. U gł. Br.* czas letni.

summertime ['sʌmərˌtaɪm] *n. U* lato, pora letnia, okres letni; **in (the) ~** latem, letnią porą.

summertree ['sʌmərˌtriː] *n. bud.* = **summer**[2] *n.* 1.

summery ['sʌmərɪ] *a.* letni (*np. o sukience, pogodzie*).

summing-up [ˌsʌmɪŋ'ʌp] *n. pl.* **summings-up** *prawn.* mowa podsumowująca (*zwł. sędziego do przysięgłych*).

summit ['sʌmɪt] *n.* **1.** *geogr.* szczyt, wierzchołek (*góry*). **2.** *polit.* szczyt; **~ conference** konferencja na szczycie; **~ meeting** szczyt, spotkanie na szczycie. **3.** *form. przen.* szczyt (*np. kariery, artyzmu, perfekcji*).

summiteer [ˌsʌmɪ'tiːr] *n. polit.* uczestni-k/czka szczytu.

summitry ['sʌmɪtrɪ] *n. U US polit.* spotkania (międzynarodowe) na szczycie; polityka na najwyższym szczeblu.

summon ['sʌmən] *v. form.* **1.** wzywać (*sb to (do) sth* kogoś do czegoś l. na coś) (*np. do sądu, stawienia się, na spotkanie*). **2.** zwoływać (*posiedzenie, zebranie, parlament*). **3. ~ (up)** zbierać (*odwagę, siły*); zdobywać *l.* zbierać się na (*odwagę*).

summons ['sʌmənz] *n. pl.* **-es** ['sʌmənzɪz] *form. zwł. prawn.* wezwanie (do stawienia się), nakaz stawiennictwa (*zwł. przed sądem*); **serve a ~ on sb** doręczyć komuś wezwanie (do stawienia się). – *v.* wzywać do stawiennictwa (*świadka l. oskarżonego*).

sumo ['suːmoʊ] *n. U* (*także* **~ wrestling**) *sport* (zapasy) sumo.

sumo wrestler *n. sport* zapaśnik sumo.

sump [sʌmp] *n. techn.* **1.** studzienka ściekowa. **2.** szambo. **3.** (*także* **oil ~**) *Br. mot.* miska olejowa. **4.** (*także* **shaft ~**) *górn.* rząp, rząpie. **5.** *górn.* nawiert wstępny.

sumpter ['sʌmptər] *n. arch.* koń juczny; zwierzę juczne.

sumptuary ['sʌmptʃʊˌerɪ] *a. form. zwł. prawn.* **1.** regulujący wydatki (*o przepisie, prawie*). **2.** normujący zachowanie (*o przepisie, prawie*).

sumptuous ['sʌmptʃʊəs] *a. form.* okazały, wspaniały (*np. o dekoracjach, ubiorach*); wystawny (*np. o uczcie, bankiecie*).

sumptuously ['sʌmptʃʊəslɪ] *adv. form.* okazale.

sun [sʌn] *n.* **1.** *astron.* słońce (*dowolnego układu planetarnego*); **the S~** Słońce. **2.** *U* słońce (*w odróżnieniu od cienia*); słoneczko; **in the ~** w *l.* na słońcu (*przebywać*); **get the ~** (*także Br.* **catch the ~**) złapać trochę słońca *l.* opalenizny, lekko się opalić; być słonecznym (*o pomieszczeniu*); **shoot/take the ~** *żegl.* mierzyć wysokość słońca na niebie; **take the ~** przebywać na słońcu (*dla zdrowia*). **3.** *przen.* **from ~ to ~** *przest.* przez cały boży dzień; **hold the candle to the ~** wyważać otwarte drzwi; **make hay while the ~ shines** kuć żelazo póki gorące; **place in the ~** wygodna posadka; **touch of the ~** udar słoneczny; **under/beneath the ~** pod słońcem (= *na Ziemi*); **everything under the ~** wszystko, co można sobie wyobrazić; **I've tried everything under the ~** próbowałam już wszystkiego. – *v.* **-nn- 1. ~ o.s.** wygrzewać się na słońcu. **2.** wystawiać na słońce; suszyć na słońcu.

Sun. *abbr.* = **Sunday**.

sunbake ['sʌnˌbeɪk] *v. Austr. pot.* opalać się.

sunbaked ['sʌnˌbeɪkt] *a.* **1.** spieczony słońcem, spękany od słońca (*o ziemi*). **2.** suszony na słońcu (*o cegle*).

sunbath ['sʌnˌbæθ], **sun bath** *n. pl.* **sunbaths** ['sʌn-ˌbæðz] kąpiel słoneczna.

sunbathe ['sʌnˌbeɪð] *v.* opalać się.

sunbather ['sʌnˌbeɪðər] *n.* opalając-y/a się; miłośni-k/czka opalania *l.* kąpieli słonecznych.

sunbeam ['sʌnˌbiːm] *n.* promień słońca.

sunbed ['sʌnˌbed] *n.* **1.** łóżko do opalania (*w solarium*). **2.** (*także* **sun bed**) leżak.

Sunbelt ['sʌnˌbelt], **sunbelt, Sun Belt, sun belt** *n. US geogr.* słoneczny pas (*płd. i płd.-zach. stany USA*).

sunbird ['sʌnˌbɜːd] *n. orn.* nektarnik (*Nectarinia*).

sunblind ['sʌnˌblaɪnd] *n. Br.* żaluzja.

sunblock ['sʌnˌblɑːk] *n. C/U* krem *l.* emulsja z filtrem (ochronnym) (*do opalania*); filtr (ochronny) (*blokujący promienie UV*).

sunbonnet ['sʌnˌbɑːnɪt] *n.* czapeczka *l.* kapelusik od słońca (*dla dziecka*); *hist.* czepiec *l.* czepek od słońca (*damski*).

sunbow ['sʌnˌboʊ] *n.* tęcza (*na wodospadzie, fontannie*).

sunburn ['sʌnˌbɜːn] *n. U* **1.** przypalenie (*od słońca*); *pat.* oparzenie słoneczne. **2.** opalenizna. – *v.* **1.** przypalić się, spalić się (*na słońcu*);

pat. doznać oparzenia słonecznego. **2.** opalać (się).

sunburned [ˈsʌnˌbɜːnd], **sunburnt** [ˈsʌnˌbɜːnt] *a.* **1.** spalony, przypalony (*o ramionach, twarzy*); *pat.* poparzony słońcem. **2.** ogorzały, brązowy (*o twarzy*).

sunburst [ˈsʌnˌbɜːst] *n.* **1.** przebłysk słońca. **2.** *sztuka* słoneczko (= *wzór przedstawiający słońce z promieniami*); broszka *l.* ozdoba ze słoneczkiem.

sun cream *n. C/U Br.* krem *l.* emulsja do opalania.

sundae [ˈsʌndeɪ] *n. US kulin.* deser lodowy.

Sunday [ˈsʌndeɪ] *n. C/U* niedziela; *zob. t.* **Friday; not/never in a month of ~s** *pot.* nigdy w życiu. – *a. attr.* niedzielny; **~ driver** *zw. pog.* niedzielny kierowca; **~ trading** handel w niedziele.

Sunday best *n. U* odświętne ubranie; **in one's ~** odświętnie ubrany, wystrojony; **wear one's ~** ubrać się odświętnie, wystroić się.

Sunday-go-to-meeting [ˌsʌndeɪˌgoʊtəˈmiːtɪŋ] *a. attr. US pot.* odświętny (*o ubraniu*).

Sundays [ˈsʌndeɪz] *adv. gł. US* w niedziele.

Sunday school *adv. rel.* szkółka niedzielna.

sundeck [ˈsʌnˌdek], **sun deck** *n.* **1.** *żegl.* pokład słoneczny. **2.** *US, Austr. i NZ* taras.

sunder [ˈsʌndər] *v. lit.* zrywać (*więzy*).

sundew [ˈsʌnˌduː] *n. bot.* rosiczka (*Drosera*).

sundial [ˈsʌnˌdaɪl] *n.* zegar słoneczny.

sundog [ˈsʌnˌdɔːg] *n. meteor.* halo przysłoneczne, parhelion.

sundown [ˈsʌnˌdaʊn] *n. U gł. US* zachód (słońca).

sundowner [ˈsʌnˌdaʊnər] *n. Br. i S.Afr. pot.* kieliszeczek przed snem.

sundrenched [ˈsʌnˌdrentʃt] *a.* skąpany w słońcu.

sundress [ˈsʌnˌdres] *n.* sukienka na ramiączkach, letnia sukienka.

sun-dried [ˈsʌnˌdraɪd] *a.* suszony na słońcu (*np. o pomidorach*).

sundries [ˈsʌndriːz] *n. pl. gł. form.* **1.** inne (*w wyliczeniach, zwł. jako pozycja na rachunku*). **2.** inne drobiazgi. **3.** różności, różne rzeczy.

sundry [ˈsʌndrɪ] *form. a. attr.* różny, rozmaity. – *n. pl.* **all and ~** wszyscy (bez wyjątku).

sunfast [ˈsʌnˌfæst] *a. tk.* niepłowiejący (na słońcu).

sunfish [ˈsʌnˌfɪʃ] *n. pl.* **-es** *l.* **sunfish** *icht.* **1.** *Br.* mola (samogłów), samogłów (*Mola mola*). **2.** *US* jeden z wielu gatunków słodkowodnych ryb z rodziny bassowatych, rzędu okoniokształtnych (*Centrarchidae*).

sunflower [ˈsʌnˌflaʊər] *n. bot.* słonecznik (*Helianthus*).

sunflower oil *n. U kulin.* olej słonecznikowy.

sung [sʌŋ] *v. zob.* **sing.**

sunglass [ˈsʌnˌglæs] *n. opt.* soczewka, lupa (*do rozniecania ognia*).

sunglasses [ˈsʌnˌglæsɪz] *n. pl.* okulary przeciwsłoneczne *l.* słoneczne, ciemne okulary.

sunglow [ˈsʌnˌgloʊ] *n. C/U meteor.* poświata słoneczna (*od słońca będącego pod horyzontem*).

sun god *n. rel.* Słońce, bóg-słońce; bóg Słońca; *teol.* bóstwo solarne.

sun hat *n.* kapelusz od słońca.

sunk [sʌŋk] *v. zob.* **sink.** – *a. pred. pot.* ugotowany (= *nie do uratowania*).

sunken [ˈsʌŋkən] *a. attr.* **1.** podwodny (*o skałach*). **2.** zatopiony (*np. o statku, skarbie*). **3.** *bud.* wpuszczany (w podłogę) (*o wannie*); wpuszczony (w ziemię) (*o zbiorniku, ogrodzeniu*). **4.** zapadnięty (*o policzkach, oczach*). **5.** obniżony (*względem gruntu; o ogrodzie*).

sunlamp, sun lamp **1.** lampa (kwarcowa), kwarcówka (*w solarium*). **2.** *med.* soluks. **3.** *kino* jupiter.

sunless [ˈsʌnləs] *a.* pochmurny, bezsłoneczny (*o niebie*); wiecznie ciemny (*o miejscu*).

sunlight [ˈsʌnˌlaɪt] *n. U* światło słoneczne, słońce.

sunlit [ˈsʌnˌlɪt] *a. gł. attr.* nasłoneczniony.

sun lotion *n. C/U* emulsja do opalania.

sun lounge *n. Br.* (oszklona) weranda.

sun lounger *n.* leżak.

sunn [sʌn] *n. U* (*także* **sunn hemp**) *bot., tk.* krotolaria, konopie sun (*Crotalaria juncea*).

Sunna [ˈsʌnə], **Sunnah** *n.* **the ~** *rel.* Sunna (*zbiór przepisów prawa islamskiego*).

Sunni [ˈsʊnɪ] *n. pl.* **-s** *l.* **Sunni** *rel.* sunnit-a/ka.

sunny [ˈsʌnɪ] *a.* **-ier, -iest** **1.** słoneczny (*o dniu, niebie*); *t. przen.* pogodny (*o dniu, uśmiechu, osobie*). **2. on the ~ side of forty/fifty** *przen.* przed czterdziestką/pięćdziesiątką.

sunny-side up [ˌsʌnɪˌsaɪd ˈʌp] *a. US kulin.* sadzony (*o jajkach*).

sun parlor *n. US* (oszklona) weranda.

sunrise [ˈsʌnˌraɪz] *n. C/U* wschód (słońca); **at ~** o wschodzie (słońca), o świcie. – *a. attr.* nowy; wschodzący; **~ industry** nowa gałąź przemysłu.

sunroof [ˈsʌnˌruːf] *n.* **1.** *mot.* szyberdach. **2.** taras (*na dachu*).

sunroom [ˈsʌnˌruːm] *n. US, Austr. i NZ* (oszklona) weranda.

sunscreen [ˈsʌnˌskriːn], **sun screen** *n. C/U* krem *l.* emulsja z filtrem ochronnym; filtr ochronny (*absorbujący promienie UV*).

sunset [ˈsʌnˌset] *n. C/U* **1.** zachód (słońca); **at ~** o zachodzie (słońca), o zmierzchu. **2.** *przen.* zmierzch (*imperium*). – *a. attr.* **1.** stary, tradycyjny (*o przemyśle*); przestarzały, ustępujący (*o technologii*). **2.** *prawn.* wygasający automatycznie (*o regulacji, przepisie*).

sunshade [ˈsʌnˌʃeɪd] *n.* **1.** parasolka (od słońca). **2.** markiza.

sunshine [ˈsʌnˌʃaɪn] *n. U* **1.** słońce; (słoneczna *l.* piękna) pogoda; światło słoneczne; **in the ~** na *l.* w słońcu (*siedzieć, przebywać*); **periods of ~** *meteor.* okresowe przejaśnienia; **ray of ~** *zwł. przen.* promyk słońca. **2.** *przen. pot.* słońce, słoneczko (= *szczęście l. źródło szczęścia w czyimś życiu*). **3.** *voc. Br. pot.* słonko, słoneczko.

sunspot [ˈsʌnˌspɑːt] *n.* **1.** *astron.* plama słoneczna. **2.** *przen.* (popularny) kurort.

sunstroke [ˈsʌnˌstroʊk] *n. U pat.* udar słoneczny, porażenie słoneczne.

suntan [ˈsʌnˌtæn] *n.* opalenizna. – *v.* opalać (się).

suntan cream *n. C/U* krem do opalania.

suntan lotion *n. C/U* emulsja do opalania.

suntanned [ˈsʌntænd] *n.* opalony.

suntan oil *n. C/U* olejek do opalania.

suntrap [ˈsʌnˌtræp] *n.* silnie nasłonecznione miejsce.

sunup [ˈsʌnˌʌp] *n. U gł. US* wschód (słońca).

sun visor *n.* daszek od słońca.

sunward [ˈsʌnwərd] *a.* zwrócony do słońca *l.* ku słońcu; słoneczny (*o ścianie, stronie*). – *adv.* (*także* **~s**) w stronę słońca.

sun worship *n. U rel.* kult słońca.

sun worshipper *n.* **1.** *pot. żart.* fanaty-k/czka opalania *l.* słońca. **2.** *rel.* czciciel/ka słońca.

sup¹ [sʌp] *v.* **-pp- 1.** popijać, pić łyczkami. **2.** jeść (*łyżką*). – *n.* łyczek.

sup² *arch. v.* wieczerzać; przyjmować wieczerzą (*kogoś*). – *n.* wieczerza.

super [ˈsuːpər] *a. pot.* super, świetny. – *adv. US pot.* szalenie, strasznie (= *niezwykle*). – *int. pot.* super! – *n.* **1.** *US pot.* cieć, gospod-arz/yni (domu). **2.** *Br. pot.* nadinspektor. **3.** *pot.* szef/owa. **4.** *U mot.* benzyna super. **5.** *teatr pot.* statyst-a/ka.

superable [ˈsuːpərəbl] *a. form.* do pokonania (*o trudnościach*).

superabound [ˌsuːpərəˈbaʊnd] *v. form.* być w nadmiarze; **~ in/with sth** obfitować w coś.

superabundance [ˌsuːpərəˈbʌndəns] *n. sing. form.* nadmiar (*of sth* czegoś).

superabundant [ˌsuːpərəˈbʌndənt] *a. form.* w nadmiarze.

superannuate [ˌsuːpərˈænjʊˌeɪt] *v. form.* **1.** wycofywać (*przestarzały sprzęt*). **2.** odchodzić na emeryturę; wysyłać na emeryturę (*pracownika*).

superannuated [ˌsuːpərˈænjʊˌeɪtɪd] *a. form.* **1.** przestarzały (*o sprzęcie*). **2.** przechodzony (*o sprzęcie*). **3.** na emeryturze (*o pracowniku*).

superannuation [ˌsuːpərˌænjʊˈeɪʃən] *n. U Br. i Austr. ubezp.* **1.** emerytura pracownicza (*z zakładowego funduszu emerytalnego*). **2.** składka emerytalna (*w ramach zakładowego funduszu emerytalnego*).

superannuation scheme *n. Br. i Austr. ubezp.* zakładowy fundusz emerytalny.

superb [sʊˈpɝːb] *a.* pierwszorzędny, znakomity.

superbly [sʊˈpɝːblɪ] *adv.* pierwszorzędnie, znakomicie.

Super Bowl *n.* **the ~** *futbol amerykański* wielki finał (*ligi zawodowej*).

superbug [ˈsuːpərˌbʌg] *n.* (*także* **supergerm**) bakteria-mutant (*odporna na antybiotyki*).

supercargo [ˌsuːpərˈkɑːrgoʊ] *n. pl.* **-s** *żegl.* opiekun ładunku.

supercharge [ˈsuːpərˌtʃɑːrdʒ] *v. zw. pass.* **1.** *mot.* doładowywać (*silnik*). **2.** *przen.* przepełniać (*emocjami, np. nastrój, wypowiedź*).

supercharged [ˈsuːpərˌtʃɑːrdʒd] *a.* **1.** *mot.* z doładowaniem (*o silniku, samochodzie*). **2.** *przen.* przesycony emocjami, napięty (*o atmosferze*); *pred.* przepełniony, przesycony (*with sth* czymś) (*np. emocjami, wrogością*).

supercharger [ˈsuːpərˌtʃɑːrdʒər] *n. mot.* doładowanie.

superciliary [ˌsuːpəˈsɪlɪərɪ] *a. anat.* brwiowy; **~ arch** łuk brwiowy.

supercilious [ˌsuːpərˈsɪlɪəs] *a.* zarozumiały; wyniosły.

superciliously [ˌsuːpərˈsɪlɪəslɪ] *adv.* zarozumiale; wyniośle.

superciliousness [ˌsuːpərˈsɪlɪəsnəs] *n. U* zarozumiałość; wyniosłość.

supercluster [ˈsuːpərˌklʌstər] *n. astron.* supergromada (*galaktyk*).

supercomputer [ˌsuːpərkəmˈpjuːtər] *n. komp.* superkomputer.

superconductive [ˌsuːpərkənˈdʌktɪv] *a. fiz.* nadprzewodzący.

superconductivity [ˌsuːpərˌkɑːndəkˈtɪvətɪ] *a. U fiz.* nadprzewodnictwo.

superconductor [ˌsuːpərˈkʌndəktər] *a. fiz.* nadprzewodnik.

supercool [ˌsuːpərˈkuːl] *v. fiz.* przechładzać (*ciecz*).

super-duper [ˌsuːpərˈduːpər] *a. przest. pot.* bombowy, kapitalny.

superego [ˌsuːpərˈiːgoʊ] *n. psych.* superego, nadjaźń.

superelevation [ˌsuːpərˌeləˈveɪʃən] *n. techn., kol.* przechyłka (*toru, drogi*).

supererogation [ˌsuːpərˌerəˈgeɪʃən] *n. U* **1.** *form.* praca nadobowiązkowa. **2.** (*także* **acts/works of ~**) *rz.-kat.* dobre uczynki niewymagane do zbawienia.

supererogatory [ˌsuːpərɪˈrɑːgəˌtɔːrɪ] *a. form.* **1.** nadobowiązkowy. **2.** *uj.* zbyteczny. **3.** *rz.-kat.* ponad potrzebę (*o dobrych uczynkach, modlitwach*).

superfamily [ˈsuːpərˌfæmlɪ] *n. pl.* **-ies** *biol.* nadrodzina.

superficial [ˌsuːpərˈfɪʃl] *a.* **1.** powierzchowny (*np. o podobieństwie, zmianie, ranie, badaniu, wiedzy*). **2.** wierzchni (*o warstwie*). **3.** *uj.* płytki (*o osobie, fabule*).

superficiality [ˌsuːpərˌfɪʃɪˈælətɪ] *n. U* powierzchowność.

superficially [ˌsuːpərˈfɪʃlɪ] *adv.* **1.** na pierwszy rzut oka. **2.** powierzchownie.

superfine [ˈsuːpərˌfaɪn] *a.* **1.** *techn.* bardzo drobny (*o papierze ściernym, ziarnie*). **2.** najwyższej jakości. **3.** *uj.* przesadnie wyrafinowany.

superfluid [ˈsuːpərˌfluːɪd] *n. fiz.* nadciecz.

superfluidity [ˌsuːpərfluˈɪdətɪ] *n. U fiz.* nadciekłość.

superfluity [ˌsuːpərˈfluːətɪ] *n. gł. sing. form.* nadmiar (*of sth* czegoś).

superfluous [sʊˈpɝːfluəs] *a. form.* zbyteczny.

superfluously [sʊˈpɝːfluəslɪ] *adv. form.* zbytecznie.

supergerm [ˈsuːpərˌdʒɝːm] *n.* = **superbug**.

supergiant [ˈsuːpərˌdʒaɪənt] *n. astron.* nadolbrzym.

superglue [ˈsuːpərˌgluː] *n. U* klej błyskawiczny

l. szybkowiążący. – *v.* przyklejać (klejem błyskawicznym) (*sth to sth* coś do czegoś); sklejać (klejem błyskawicznym).

supergrass [ˈsu:pər͵græs] *n. Br.* kluczow-y/a informator/ka (*policji*).

supergroup [ˈsu:pər͵gru:p] *n. muz.* supergrupa.

superheat *fiz. n.* [ˈsu:pər͵hi:t] *U* ciepło przegrzania. – *v.* [͵su:pərˈhi:t] przegrzewać (*parę, ciecz*); **~ed steam** para przegrzana.

superheater [͵su:pərˈhi:tər] *n. techn.* przegrzewacz (*pary*).

superheavy [ˈsu:pər͵hevɪ] *a. fiz.* superciężki (*o pierwiastku*).

superheavyweight [͵su:pərˈhevɪ͵weɪt] *sport n.* zawodni-k/czka wagi superciężkiej (*w podnoszeniu ciężarów, zapasach, boksie*); *U* waga superciężka. – *a.* superciężki.

superhero [ˈsu:pər͵hi:roʊ] *n. pl.* **-es** superman.

superhighway [͵su:pərˈhaɪ͵weɪ] *n.* **1.** *US mot.* autostrada (wielopasmowa). **2. information ~** *tel., komp.* infostrada.

superhuman [͵su:pərˈhju:mən] *a.* nadludzki (*o wysiłku, sile*).

superimpose [͵su:pərɪmˈpoʊz] *v.* **1.** nakładać (*sth on / onto sth* coś na coś) (*np. obraz na tło*). **2.** łączyć (*sth on / onto sth* coś z czymś) (*np. z inną kulturą, ideologią*).

superintend [͵su:pərɪnˈtend] *v. form.* nadzorować, kontrolować (*czynność, proces*); doglądać (*czynności*); kierować (*pracami*).

superintendence [͵su:pərɪnˈtendəns], **superintendency** [͵su:pərɪnˈtendənsɪ] *n. U* kontrola, nadzór; kierownictwo.

superintendency [͵su:pərɪnˈtendənsɪ] *n. pl.* **-ies** **1.** stanowisko inspektora *l.* kierownika *l. US* kuratora; *US* posada gospodarza domu. **2.** *U* = **superintendence**.

superintendent [͵su:pərɪnˈtendənt] *n.* **1.** inspektor (nadzoru); kierownik (*robót*). **2.** (*także* **~ of schools**) *US szkoln.* kurator (oświaty). **3.** *US* gospod-arz/yni domu; dozor-ca/czyni. **4.** *Br.* inspektor (*policji*).

superior [səˈpi:rɪər] *a.* **1.** zwierzchni, nadrzędny (*o urzędzie, urzędniku*); starszy (rangą) (*o oficerze*); **~ court** *prawn.* sąd wyższej instancji. **2.** nieprzeciętny, wyjątkowy (*o umiejętnościach, cechach produktu*); *handl.* wyborowy. **3.** lepszy (*to sb / sth* od kogoś/czegoś, *in sth* pod względem czegoś); **be ~ to sb/sth** przewyższać kogoś/coś, górować nad kimś/czymś (*in sth* pod jakimś względem). **4.** wywyższający się, wyniosły; **with a ~ air** z nutą wyższości, z wyższością (*zachowywać się, mówić*). **5.** *anat., biol., druk., astron., techn.* górny (*o części ciała, rośliny, frakcji, kulminacji*). **6. ~ in number/strength** liczniejszy/silniejszy; **~ number** przeważająca liczba; przewaga liczebna; **~ planet** *astron.* planeta zewnętrzna; **~ vena cava** *anat.* żyła główna górna. – *n.* **1.** przełożon-y/a, zwierzchni-k/czka; **sb's immediate ~** czyj-ś/aś bezpośredni/a przełożon-y/a. **2.** *kośc.* przełożony, superior; **Father S~** przeor; **Mother S~** matka przełożona, przeorysza. **3.** *druk.* frakcja górna.

superiority [sə͵pi:rɪˈɔ:rətɪ] *n. U* wyższość (*over sb / sth* nad kimś/czymś, *in sth* w jakiejś dziedzinie); **with an air of ~** z nutą wyższości, z wyższością (*zachowywać się, mówić*).

superiority complex *n. t. psych.* kompleks wyższości.

superlative [səˈpɝ:lətɪv] *a.* **1.** pierwszorzędny, znakomity, doskonały; niebywały. **2.** *gram.* najwyższy (*o stopniu przymiotnika l. przysłówka*); w stopniu najwyższym (*o formie przymiotnika l. przysłówka*). – *n.* **1. the ~** *gram.* stopień najwyższy. **2.** *zw. pl.* superlatyw (*pochwała*); **a string of ~s** same superlatywy. **3.** znakomitość.

superlatively [səˈpɝ:lətɪvlɪ] *adv.* pierwszorzędnie, znakomicie, doskonale; niebywale.

superlunar [͵su:pərˈlu:nər], **superlunary** [͵su:pərˈlu:nərɪ] *a.* **1.** *rel.* pozaziemski; niebieski. **2.** *astron.* nadksiężycowy (*o orbicie*); pozaksiężycowy (*o obiekcie; = poza orbitą Księżyca*).

superman [ˈsu:pər͵mæn] *n. pl.* **-men** superman; nadczłowiek.

supermarket [ˈsu:pər͵mɑ:rkɪt] *n. handl.* supermarket.

supermodel [ˈsu:pər͵mɑ:dl] *n.* supermodel/ka.

supermom [ˈsu:pər͵mɑ:m] *n. pot.* mama-tytan (= *taka, która znajduje czas na wszystko*).

supernal [sʊˈpɝ:nl] *a. lit.* niebiański; boski.

supernatant [͵su:pərˈneɪtənt] *fiz., chem. a.* unoszący się na powierzchni (*o cieczy na innej cieczy, nad osadem*). – *n.* nadsącz, supernatant.

supernatural [͵su:pərˈnætʃərəl] *a.* nadprzyrodzony, nadnaturalny (*o zjawiskach, siłach*). – *n. U* **the ~** zjawiska *l.* siły nadprzyrodzone; świat nadprzyrodzony.

supernormal [͵su:pərˈnɔ:rml] *a.* **1.** nadzwyczajny. **2.** paranormalny.

supernova [͵su:pərˈnoʊvə] *n. astron.* supernowa.

supernumerary [͵su:pərˈnu:mə͵rerɪ] *form. a.* **1.** dodatkowy. **2.** nadetatowy, nadliczbowy (*o pracowniku*). – *n. pl.* **-ies** **1.** osoba dodatkowa; rzecz dodatkowa. **2.** pracowni-k/ca nadetatow-y/ a. **3.** *teatr* statyst-a/ka.

superordinate [͵su:pərˈɔ:rdənət] *a.* nadrzędny. – *n.* **1.** *fil., log.* pojęcie nadrzędne *l.* ogólniejsze; *jęz.* hiperonim. **2.** *form.* jednostka *l.* osoba nadrzędna; rzecz nadrzędna.

superphosphate [͵su:pərˈfɑ:sfeɪt] *n. C / U chem., roln.* superfosfat.

superpose [͵su:pərˈpoʊz] *v.* **1.** *geom.* dokonywać złożenia (*figury*). **2.** nakładać.

superposition [ˈsu:pərpəˈzɪʃən] *n. C / U* **1.** *fiz.* superpozycja (*sił*); **~ theorem** zasada superpozycji. **2.** *geom.* złożenie (*figur*). **3.** *U geol.* nadległość (*warstw*).

superpower [ˈsu:pər͵paʊər] *n. polit.* mocarstwo, supermocarstwo.

supersaturated [͵su:pərˈsætʃə͵reɪtɪd] *a. chem., fiz.* przesycony (*o roztworze, parze*).

supersaver [ˈsu:pər͵seɪvər] *n.* (*także* **~ ticket**) *lotn.* bilet (lotniczy) po najniższej cenie (*z wczesną datą wykupu*).

superscribe [ˈsu:pər͵skraɪb] *v.* dopisać u góry *l.*

z boku (*słowo, uwagę*); dopisać *l.* napisać (*na istniejącym napisie*).

superscript [ˈsuːpərˌskrɪpt] *n. C / U mat., druk., komp.* indeks górny; *druk.* frakcja górna; **in ~** w indeksie górnym, nad linią pisma; u góry. – *a. druk., komp., mat.* w indeksie górnym (*o znaku, cyfrze*).

superscription [ˌsuːpərˈskrɪpʃən] *n.* dopisek; napis.

supersede [ˌsuːpərˈsiːd] *v.* wypierać (*technologię, obyczaj*); zastępować (*technologię, prezesa*); **~ sb as sth** zastąpić kogoś na jakimś stanowisku; **be ~d by sb** ustąpić miejsca komuś (*as sth* na jakimś stanowisku); **be ~d by sth** zostać wypartym *l.* zastąpionym przez coś, ustąpić miejsca czemuś.

supersedeas [ˌsuːpərˈsiːdɪəs] *n. pl.* **supersedeas** *prawn.* nakaz wstrzymania postępowania (*sądu wyższej instancji dla sądu podległego*).

superserver [ˈsuːpərˌsɜːvər] *n. komp.* superserwer.

supersession [ˌsuːpərˈseʃən] *n. U form.* wyparcie; zastąpienie.

supersonic [ˌsuːpərˈsɑːnɪk] *a. fiz., lotn.* naddźwiękowy (*o prędkości, samolocie*); **~ flight** lot z prędkością naddźwiękową; **~ transport** naddźwiękowy samolot transportowy, transportowiec naddźwiękowy.

superstar [ˈsuːpərˌstɑːr] *n.* supergwiazda (*ekranu, piosenki, sportu*).

superstition [ˌsuːpərˈstɪʃən] *n.* przesąd, zabobon; *U* przesądy, zabobony.

superstitious [ˌsuːpərˈstɪʃəs] *a.* przesądny, zabobonny.

superstitiously [ˌsuːpərˈstɪʃəslɪ] *adv.* przesądnie, zabobonnie.

superstore [ˈsuːpərˌstɔːr] *n. handl.* hipermarket, megamarket; **food/furniture ~** hipermarket spożywczy/meblowy.

superstratum [ˈsuːpərˌstrɑːtəm] *n. pl.* **superstrata** [ˈsuːpərˌstrɑːtə] **1.** *geol.* warstwa górna. **2.** *jęz.* superstrat.

superstring [ˈsuːpərˌstrɪŋ] *n. fiz.* superstruna.

superstructure [ˈsuːpərˌstrʌktʃər] *n.* **1.** *żegl., wojsk.* nadbudówka. **2.** *bud.* część nadziemna (*budowli*). **3.** *U l. sing. t. fil., polit., socjol.* nadbudowa (*ideologiczna*).

supertanker [ˈsuːpərˌtæŋkər] *n. żegl.* supertankowiec.

supertax [ˈsuːpərˌtæks] *n. fin. U l. sing.* podatek wyrównawczy (*zwł. od wyższych dochodów*); *zwł. Br.* domiar (podatkowy).

supertitles [ˈsuːpərˌtaɪtl] *n. pl. US* = **surtitles**.

Super Tuesday *n. US polit.* wielki wtorek (*dzień prawyborów prezydenckich w większości stanów*).

supervene [ˌsuːpərˈviːn] *v. form.* pojawiać się, następować, zachodzić (*o wydarzeniu l. okolicznościach, zwł. utrudniających coś l. prowadzących do zmiany planów*).

supervention [ˌsuːpərˈvenʃən] *n. U form.* pojawienie się, zajście (*okoliczności, wydarzenia*).

supervise [ˈsuːpərˌvaɪz] *v.* **1.** nadzorować (*prace, pracowników*); kierować (*pracami, zespołem*). **2.** pilnować, doglądać (*prac, dzieci*); opiekować się, zajmować się (*dziećmi*). **3.** koordynować (*działania, US przedmiot nauczania*). **4.** *Br. uniw.* opiekować się (*studentami, pracą naukową*); promować (*pracę dyplomową*).

supervision [ˌsuːpərˈvɪʒən] *n. U* **1.** nadzór; kierownictwo; **under sb's ~** (*także* **under the ~ of sb**) pod czyimś nadzorem *l.* kierownictwem, pod nadzorem *l.* kierownictwem kogoś. **2.** opieka (*nad dziećmi*). **3.** *Br. uniw.* opieka (*naukowa*).

supervisor [ˈsuːpərˌvaɪzər] *n.* **1.** kierownik (*prac, projektu, zespołu*). **2.** inspektor (nadzoru) (*np. na budowie*). **3.** osoba odpowiedzialna. **4.** opiekun/ka (*dziecka*). **5.** *US admin.* przewodniczący (*obieralny w radzie miasta, gminy*). **6.** *Br. uniw.* opiekun/ka (naukow-y/a) (*studentów, projektu*); promotor/ka (*pracy*).

supervisory [ˌsuːpərˈvaɪzərɪ] *a.* nadzorczy; kontrolny; **~ board** *ekon.* rada nadzorcza; **~ body** *admin.* organ kontrolny; **in a ~ capacity** w funkcji nadzorczej *l.* kontrolnej (*występować*).

superwoman [ˈsuːpərˌwʊmən] *n. pl.* **-women** [ˈsuːpərˌwɪmɪn] **1.** *pot.* kobieta sukcesu (*zwł. umiejąca pogodzić wiele ról społecznych*). **2.** superkobieta (= *żeński superman w filmie rysunkowym, komiksie*).

supinate [ˈsuːpəˌneɪt] *v. fizj.* **1.** supinować, odwracać (*stopę spodem do góry, rękę dłonią do góry*). **2.** kłaść się na wznak; leżeć na wznak.

supine [ˈsuːpaɪn] *a.* **1.** *form. l. fizj.* leżący na wznak. **2.** *fizj.* odwrócony (*o kończynie*). **3.** *form.* bierny, bezczynny; obojętny. – *n. gram.* supinum.

supinely [ˈsuːpaɪnlɪ] *a. form.* biernie, bezczynnie; obojętnie.

supp. *abbr.* = **supplement**; = **supplementary**.

supper [ˈsʌpər] *n. C / U* **1.** kolacja; **have ~** jeść kolację. **2. sing for one's ~** *przen.* zapracować na coś; pracować na chleb *l.* utrzymanie (*zwł. za samo wyżywienie i zakwaterowanie*).

supper club *n. US i Can. kulin.* **1.** restauracja-klub (*serwująca wykwintne kolacje*). **2.** klub smakoszy (*spotykających się w wykwintnych restauracjach na kolacjach*).

suppertime [ˈsʌpərˌtaɪm] *n. U* pora kolacji.

supplant [səˈplænt] *v.* wypierać (*np. przestarzałe technologie*); zajmować miejsce *l.* stanowisko (*innej osoby, zwł. bez jej zgody*); zastępować (*kogoś na stanowisku, w jakiejś roli*).

supple [ˈsʌpl] *a.* giętki, gibki (*o ciele*); giętki (*o umyśle*); elastyczny, giętki (*o materiale*).

supplement *n.* [ˈsʌpləmənt] **1.** uzupełnienie; dodatek. **2.** (*także* **dietary ~**) *med.* suplement, uzupełnienie pożywienia *l.* diety; preparat wspomagający, paralek; *sport* odżywka, suplement; **vitamin ~** zestaw witamin *l.* witaminowy, preparat *l.* suplement witaminowy. **3.** *fin.* dodatek, opłata dodatkowa. **4.** *dzienn.* dodatek (*do gazety: sportowy, gospodarczy, kulturalny*). **5.** *druk., bibl.* suplement. **6.** *geom.* kąt dopełniający; dopełnienie kąta. – *v.* [ˈsʌpləˌment] uzupełniać (*sth by / with sth* coś czymś) (*np. dochód zleceniami, dietę witaminami*).

supplemental [ˌsʌplə'mentl] *a. form.* dodatkowy, uzupełniający.

supplementary [ˌsʌplə'mentərı] *a.* dodatkowy, uzupełniający (*o dochodzie, zapasie*); ~ **angle** *geom.* kąt dopełniający.

supplementation [ˌsʌpləmen'teıʃən] *n. U gł. form.* uzupełnienie (*dochodu, diety*); *med., sport* suplementacja (*diety preparatami*).

suppleness ['sʌplnəs] *n. U* gibkość, giętkość (*ciała*); elastyczność (*materiału*).

suppliant ['sʌplıənt] (*także* **supplicant**) *form. l. rel. a.* błagający; błagalny, proszalny. – *n.* suplikant/ka.

supplicate ['sʌpləˌkeıt] *v. form. lit. l. rel.* błagać, upraszać, suplikować.

supplication [ˌsʌplə'keıʃən] *n. U form. l. rel.* suplikacja, prośby, błaganie.

supplicatory ['sʌpləkəˌtɔ:rı] *a. form. l. rel.* błagalny, proszalny.

supplier [sə'plaıər] *n. t. pl. zwł. handl.* dostawca.

supply [sə'plaı] *v.* **-ied, -ying** **1.** *t. handl.* dostarczać (*sth to sb* coś komuś); zaopatrywać (*sb / sth with sth* kogoś/coś w coś). **2.** *form.* zaspokajać, spełniać (*potrzeby, wymagania*). **3.** *form.* zastępować. – *n.* **1.** *C / U t. pl.* zapasy; zasoby (*żywności, paliw*). **2.** *C / U t. pl.* dostawa, dostarczanie, zaopatrywanie; doprowadzanie; zasilanie; dostawy; ~ **of oxygen** zasilanie w tlen, dostarczanie tlenu (*do komórek*); **electricity/gas/water** ~ zasilanie w energię (elektryczną)/gaz/wodę, dostawy energii (elektrycznej)/gazu/wody; **food/medical supplies** dostawy żywności/środków medycznych, zaopatrzenie w żywność/środki medyczne. **3.** *U ekon.* podaż (*towarów, pieniądza*); ~ **and demand** podaż i popyt. **4.** *pl. handl.* artykuły, materiały; **office supplies** materiały biurowe. **5.** *form.* zastęp-ca/czyni. **6.** **come supplied with sth** być dostarczanym w komplecie z czymś; **sth is in short** ~ brakuje czegoś. – *a. attr.* **1.** *handl. wojsk.* zaopatrzeniowy, dostawczy; ~ **point** punkt zaopatrzenia; ~ **route** trasa zaopatrzeniowa; ~ **ship** okręt zaopatrzeniowy, statek dostawczy; ~ **truck** samochód dostawczy. **2.** *el., techn.* zasilający; ~ **network** sieć zasilająca; ~ **pump** pompa zasilająca; ~ **unit/system** zasilacz; ~ **voltage** napięcie zasilania.

supply-side economics [səˌplaıˌsaıd ˌi:kə'nɑ:mıks] *n. U ekon.* gospodarka *l.* teoria gospodarcza oparta na stymulowaniu podaży.

supply teacher *n. Br. i Austr. szkoln.* nauczyciel zastępca (*zw. obsługujący kilka szkół*).

support [sə'pɔ:rt] *v.* **1.** popierać (*osobę, pogląd, ustawę*). **2.** podpierać, podtrzymywać (*konstrukcję*); podtrzymywać (*osobę*); ~ **o.s.** podpierać się. **3.** utrzymywać (*rodzinę, małżonka*); żywić (*o gospodarstwie, ziemi, osobie zarobkującej*); ~ **o.s.** utrzymywać się. **4.** wspierać (*finansowo, duchowo*); pomagać (*osobie, instytucji*). **5.** pokrywać koszty (*czegoś*). **6.** potwierdzać (*teorię, hipotezę; o wynikach badań, zeznaniach*); przemawiać za (*teorią*); dostarczać dowodów na poparcie (*teorii, zeznania*). **7.** *sport gł. Br.* kibicować (*drużynie*); dopingować (*zawodników*). **8.** *zw. z neg. form.* znosić, wytrzymywać (*np. presję, upał*). **9.** *film, teatr* partnerować (*odtwórcy głównej roli*). – *n.* **1.** *U t. polit.* poparcie (*for sb / sth* dla kogoś/czegoś); **drum up** ~ pozyskać poparcie; **in** ~ **of sb** na znak poparcia dla kogoś (*strajkować*); **in** ~ **of sth** na rzecz czegoś (*o petycji, demonstracji*). **2.** *U* wsparcie; oparcie; pomoc; **moral** ~ wsparcie psychiczne *l.* moralne. **3.** *C / U* podpora; podpórka; oparcie; **arm** ~ podłokietnik; **back** ~ oparcie (*pod plecy*). **4.** *U* utrzymanie (*rodziny*). **5.** *zwł. muz.* występ towarzyszący (= *grupa l. artysta występujący przed główną atrakcją*). **6.** *med.* opaska (podtrzymująca) (*odciążająca chorą część ciała*); gorset. **7.** *mech., techn.* rama; wspornik; dźwigar; łożysko; suport (*tokarki*). **8.** *mal.* podłoże, podobrazie.

supportable [sə'pɔ:rtəbl] *a. zw. z neg. form.* do zaakceptowania *l.* zniesienia, dający się tolerować.

supporter [sə'pɔ:rtər] *n.* **1.** *t. polit.* zwolennik/czka, stronni-k/czka, poplecznik/czka. **2.** *zwł. Br. sport* kibic, fan/ka. **3.** żywiciel/ka; **family** ~ żywiciel/ka rodziny. **4.** *sport* suspensorium. **5.** *her.* figura stojąca (*ludzka l. zwierzęca, podtrzymująca tarczę herbową l. stojąca obok niej*).

support group *n. psych., socjol.* grupa wsparcia.

supporting [sə'pɔ:rtıŋ] *a. attr.* **1.** *film, teatr* drugoplanowy (*o roli, aktorze*). **2.** *bud., mech.* nośny (*o belce, ścianie*).

supportive [sə'pɔ:rtıv] *a.* **1.** pomocny (*of sb* w stosunku do kogoś); oferujący wsparcie (*of sb* komuś). **2.** popierający (*of sb / sth* kogoś/coś) (*np. reformy, rząd*); pozytywnie nastawiony (*of sb / sth* do kogoś/czegoś).

suppose [sə'pouz] *v.* **1.** sądzić, myśleć, przypuszczać (*that* że); **I** ~ **(so)** myślę, że tak, chyba tak; tak sądzę, tak przypuszczam; **I don't** ~ **so** (*także* **I** ~ **not**) raczej nie; myślę, że nie, nie sądzę; **sb is (generally) ~d to have done sth** (powszechnie) uważa się, że ktoś coś zrobił; **there is no reason to** ~ **(that)...** nie ma powodu sądzić, że...; **who do you** ~ **could have done a thing like that?** jak sądzisz, kto mógł coś takiego zrobić?. **2.** **I** ~ pewnie, chyba; **I** ~ **he thought he was being funny** pewnie myślał, że jest dowcipny; **I** ~ **it's too late now?** pewnie teraz już jest za późno? (*z nadzieją, że nie jest*); **she was upset, I** ~ pewnie była zmartwiona. **3.** **be ~d to do sth** mieć coś zrobić; **sb is ~d to do sth** ktoś powinien coś zrobić; **sb is not ~d to do sth** komuś nie wolno czegoś robić, ktoś nie powinien czegoś robić; **he was ~d to wait for me** miał na mnie zaczekać; **sth is ~d to be...** coś ma (podobno *l.* niby) być...; **this was not ~d to happen** to się nie powinno (było) zdarzyć; **what's that ~d to mean?** co to ma znaczyć?, co to w ogóle znaczy?. **4.** **I don't** ~ **you could...?** *gł. Br.* czy zechciał-by/aby Pan/i...?, czy był-by/aby Pan/i skłonn-y/a...?. **5.** *form.* zakładać (*np. wzrost gospodarczy, inflację*). – *conj.* (*także* **supposing**) *pot.* **1.** załóżmy *l.* przypuśćmy, że...; a co, jeśli...; gdyby...; ~ **the train is late** a co, jeśli pociąg się spóźni?. **2.** (a) może by (tak)...; ~ **we go to the movies** a może byśmy (tak) poszli do kina.

supposed [sə'poʊzd] *a. attr.* rzekomy (*np. o korzyściach*); domniemany (*o sprawcy*).

supposedly [sə'poʊzɪdlɪ] *adv.* jakoby, rzekomo; podobno.

supposing [sə'poʊzɪŋ] *conj.* = **suppose.**

supposition [ˌsʌpə'zɪʃən] *n. C/U* przypuszczenie.

suppositious [ˌsʌpə'zɪʃəs] *a. form.* domniemany, hipotetyczny, oparty na domniemaniu.

supposititious [səˌpɑːzɪ'tɪʃəs] *a. form.* podstawiony, fałszywy.

suppository [sə'pɑːzɪˌtɔːrɪ] *n. pl.* **-ies** *med.* czopek.

suppress [sə'pres] *v.* **1.** *t. polit., psych., mech., el.* tłumić (*powstanie, bunt, śmiech, gniew, drgania*). **2.** kłaść kres (*działalności, skargom*). **3.** zatuszować (*aferę*); zablokować, wycofać (z druku) (*publikację, artykuł*); uniemożliwić nadanie (*audycji*); zdjąć z anteny (*program*); ukryć, zataić (*kompromitujące dokumenty*). **4.** *pat.* upośledzać (*odporność*); upośledzać działanie (*układu immunologicznego*); *fizj., pat.* zatrzymywać (*krwotok, miesiączkę*). **5.** *biol.* maskować (*inny gen; o genie supresorze*).

suppressant [sə'presənt] *n. C/U med.* supresant, substancja tłumiąca, środek tłumiący (*np. apetyt, reakcję immunologiczną*).

suppression [sə'preʃən] *n. U* **1.** *t. psych., mech., el.* tłumienie; *t. polit.* stłumienie. **2.** zatuszowanie (*afery*); zablokowanie (*publikacji, artykułu*); zdjęcie z anteny (*programu*); zatajenie (*dokumentów*). **3.** *pat.* upośledzenie (działania); *fizj., pat.* zatrzymanie (*krwotoku, miesiączki*). **4.** *biol.* supresja (*genu*).

suppressor [sə'presər] *n.* **1.** *biol.* supresor; ~ **(T) cell** limfocyt supresyjny. **2.** *el., mech., techn.* tłumik; *el.* filtr przeciwzakłóceniowy.

suppurate ['sʌpjəˌreɪt] *v. pat.* ropieć.

suppuration [ˌsʌpjə'reɪʃən] *n. U pat.* ropienie.

suppurative ['sʌpjəˌreɪtɪv] *a. pat.* ropiejący; ropny.

supra ['suːprə] *adv. form. ret.* powyżej (= *wcześniej w niniejszym tekście*).

supraglottal [ˌsuːprə'glɑːtl] *a. anat., fon.* nadgłośniowy; *fon.* nasadowy, w nasadzie (*o artykulacji*).

supraliminal [ˌsuːprə'lɪmənl] *n. psych.* nadprogowy (*o bodźcu, postrzeganiu*).

supranational [ˌsuːprə'næʃənl] *a.* ponadnarodowy.

supraorbital [ˌsuːprə'ɔːrbɪtl] *a. anat.* nadoczodołowy; ~ **ridge** łuk brwiowy.

suprarenal [ˌsuːprə'riːnl] *a. anat.* nadnerczowy; nadnerkowy; ~ **gland** nadnercze.

suprasegmental [ˌsuːprəseg'mentl] *a. jęz., fon.* prozodyczny (*o opisie, cechach*).

supremacist [sə'preməsɪst] *n. polit.* głosiciel/ka wyższości (*zwł. rasy białej*); rasist-a/ka.

supremacy [sə'preməsɪ] *n. U* supremacja, dominacja.

supreme [sə'priːm] *a.* **1.** *wojsk.* naczelny, najwyższy; ~ **commander** naczelny dowódca, głównodowodzący. **2.** nadzwyczajny, niezwykły (*o sukcesie, wysiłku*). **3. make the ~ sacrifice** *form.* ponieść najwyższą ofiarę (= *oddać życie za idee, ojczyznę itp.*); **of ~ importance** najwyższej wagi; **reign ~** panować niepodzielnie.

suprême [sʊ'priːm] *kulin. n. U* (*także* **suprême ~**) sos suprême (*z bulionu, śmietany i żółtek*). – *a. tylko po n.* w sosie suprême; **chicken ~** kurczak w sosie suprême.

Supreme Being *n. rel. l. lit.* Najwyższa Istota.

Supreme Court *n. zwł. US polit., prawn.* Sąd Najwyższy.

supremely [sə'priːmlɪ] *adv.* nadzwyczaj, niezwykle.

supremo [sʊ'priːmoʊ] *n. pl.* **-s** *Br. i Austr. pot.* as, potentat.

Supt., supt. *abbr.* = **superintendent.**

sura ['sʊrə] *n. islam* sura (= *rozdział Koranu*).

sural ['sʊrəl] *a. anat.* łydkowy.

surcharge ['sɝːˌtʃɑːrdʒ] *n.* **1.** *fin.* opłata dodatkowa; dopłata (*on sth* do czegoś). **2.** nadruk; stempel (*na znaczku zmieniający nominał*). – *v.* **1.** pobierać dodatkową opłatę od (*kogoś*) (*on sth* za coś). **2.** pobierać zawyżoną opłatę od (*kogoś*) (*on sth* za coś). **3.** obciążać (*kogoś*). **4.** przestemplować (*znaczek na nowy nominał*). **5.** *lit.* przeciążać (*osobę, statek*).

surcingle ['sɝːˌsɪŋgl] *n.* **1.** *jeźdz.* popręg. **2.** *strój, hist., kość.* pas (*u sutanny*). – *v. jeźdz.* opasać popręgami (*konia*).

surcoat ['sɝːkoʊt] *n. zbroja, hist.* kasak.

surd [sɝːd] *n.* **1.** *mat.* wyrażenie niewymierne; liczba niewymierna. **2.** *fon.* spółgłoska bezdźwięczna. – *a. attr.* **1.** *mat.* niewymierny (*o wyrażeniu*). **2.** *fon.* bezdźwięczny (*o głosce*).

sure [ʃʊr] *a.* **1.** pewny, pewien (*of/about sth* czegoś, *that* że); przekonany; **I'm not ~** nie jestem pewny (*if* czy, *what/where/why* co/gdzie/dlaczego); ~ **of o.s.** pewny siebie; **pretty ~** raczej pewny. **2.** *attr.* pewny, niezawodny (*np. o sposobie, urządzeniu*); ~ **sign/indication of sth** pewna oznaka czegoś. **3. be ~ to do sth** nie zapomnieć coś zrobić; **be ~ to lock the door!** nie zapomnij zamknąć drzwi na klucz!; **be ~ of sth** zapewnić sobie coś (*zwycięstwo*). **4. make ~ (of sth)** upewnić się (co do czegoś); **make ~ of sth** zapewnić sobie coś (*np. zwycięstwo*); **make ~ (that)/if...** upewnić się, że/czy...; sprawdzić, że/czy...; **make ~ (that)...** postarać się, żeby... **5. ~ of o.s.** pewny siebie; **~ thing!** *US i Can. pot.* jasne!, pewnie!; **have/get a ~ hold (of sth)** złapać się pewnie (czegoś); **have/get a ~ footing** pewnie postawić stopę *l.* stopy; **sb is ~ to do sth** ktoś na pewno coś zrobi; **sth is ~ to happen** coś z pewnością się stanie; **to be ~, ...** *Br. zwł. form.* naturalnie,..., oczywiście,...; **well, I'm ~!** *przest.* coś takiego! – *int. zwł. US i Can. pot.* **1.** jasne!, pewnie! **2.** nie ma za co. – *adv.* **1.** *US i Can. pot.* na pewno, z pewnością; jak nic; jasne, faktycznie. **2. ~ enough,...** jak można było oczekiwać,..., jak można się było spodziewać,... **3.** *emf. pot.* **~ as eggs are/is eggs** *Br. przest.* jak amen w pacierzu; **(as) ~ as hell** *gł. US* na pewno; **I'm (as) ~ as hell not going in there** za nic w świecie tam nie wejdę. – *n. U* **for ~** na pewno; **one thing's for ~** jedno jest pewne; **that's for ~** bez wątpienia, z pewnością.

surefire [ˈsʊrˌfaɪr] *a. attr.* niezawodny, pewny (*o sposobie*); gwarantowany, pewny (*o powodzeniu*).

surefooted [ˈsʊrˌfʊtɪd], **sure-footed** *a.* **1.** stojący *l.* trzymający się pewnie na nogach; **be ~** pewnie trzymać się na nogach. **2.** *przen.* pewny (siebie).

surefootedly [ˈsʊrˌfʊtɪdlɪ] *adv.* **1.** pewnym krokiem, na pewnych nogach (*maszerować*). **2.** *przen.* z dużą pewnością siebie (*działać*).

surely [ˈʃʊrlɪ] *adv.* **1.** chyba; pewnie. **2.** na pewno, z pewnością; **~ not** na pewno nie. **3. ~ to God/goodness** *Br. przest. pot.* na pewno.

sureness [ˈʃʊrnəs] *n. U* **1.** pewność. **2. ~ of touch** *przen.* pewna ręka.

surety [ˈʃʊrətɪ] *n. pl.* **-ies** **1.** *C/U prawn.* gwarant/ka, poręczyciel/ka; *fin.* żyrant; **stand ~ for sb** poręczyć za kogoś; *fin.* żyrować komuś. **2.** *przen.* poręka, kaucja, gwarancja. **3.** *U form.* pewność.

suretyship [ˈʃʊrətɪˌʃɪp] *n. U prawn.* poręka; *fin.* żyrowanie.

surf [sɝːf] *v.* **1.** (*także* **go ~ing**) *sport* pływać na desce (surfingowej), surfować (*t. gdzieś*). **2.** (*także* **~ the net/web**) *komp.* szperać *l.* buszować *l.* surfować po internecie/w sieci. **3.** (*także* **~ the channels, channel-~**) *telew.* przełączać programy, skakać po programach. – *n. U* grzywacze; spienione fale; piana (*na wzburzonej wodzie*); grzywa (fali), grzbiet fali.

surface [ˈsɝːfəs] *n.* **1.** powierzchnia (*lądu, wody, mebla, patelni, bryły*); **bring to the ~** wydobyć na powierzchnię (*np. wrak, górników*). **2.** *bud.* nawierzchnia (*drogi*). **3.** blat (*stołu, kuchenny*). **4.** *przen.* **below/beneath/under the ~** przy bliższym poznaniu; **come/rise to the ~** ujawniać się (w pełni), wychodzić na jaw (*o niekorzystnych następstwach l. zjawiskach*); **on the ~** z pozoru, na pozór; **scratch/scrape the ~** ślizgać się po powierzchni (*= robić coś powierzchownie l. po łebkach*). – *a. attr.* **1.** powierzchniowy; **~ tension** *fiz.* napięcie powierzchniowe. **2.** powierzchowny (*np. o wrażeniu, uczuciu, wiedzy*). – *v.* **1.** wypływać *l.* wynurzać się (na powierzchnię). **2.** pojawiać się; odnajdować się. **3.** wychodzić na jaw, wypływać (*o faktach*). **4.** *bud.* pokrywać nawierzchnią (*drogę*). **5.** wykańczać (*powierzchnię czegoś*).

surface-active [ˌsɝːfəsˈæktɪv] *a. chem.* powierzchniowo czynny (*o substancji*).

surface area *n. geom.* pole powierzchni, powierzchnia.

surface lift *n. narty* wyciąg orczykowy *l.* zaczepowy.

surface mail *n. U* poczta zwykła (*w odróżnieniu od lotniczej*).

surface structure *n. jęz.* struktura powierzchniowa.

surface-to-air missile [ˌsɝːfəstəˈer ˌmɪsl] *n. wojsk.* pocisk przeciwlotniczy, pocisk (klasy) ziemia-powietrze *l.* woda-powietrze.

surface-to-surface missile [ˌsɝːfəstəˈsɝːfəs ˌmɪsl] *n. wojsk.* pocisk (klasy) ziemia-ziemia *l.* ziemia-woda *l.* woda-ziemia *l.* woda-woda.

surfactant [sərˈfæktənt] *n. C/U chem.* środek powierzchniowo czynny, surfaktant; *t. fizj.* substancja powierzchniowo czynna.

surfboard [ˈsɝːfˌbɔːrd] *n. sport* deska surfingowa.

surfboat [ˈsɝːfˌboʊt] *n. żegl.* łódź przybojowa.

surfeit [ˈsɝːfət] *form. n.* **1.** *sing.* nadmiar (*of sth* czegoś). **2.** *U* przesyt. – *v.* przekarmiać (*sb with sth* kogoś czymś) (*t. przen., np. faktami*).

surfing [ˈsɝːfɪŋ] *n. U sport* surfing, pływanie na desce.

surfy [ˈsɝːfɪ] *a.* **-ier, -iest** spieniony (*o falach, wodzie*).

surg. *abbr. med.* = **surgeon**; = **surgery**; = **surgical**.

surge [sɝːdʒ] *v.* **1.** rzucać się, ruszać (*o tłumie*); **~ forward** rzucić się (do przodu), ruszyć (do przodu); **~ through the gates** ruszyć (tłumnie) przez bramy. **2. ~ (up)** wzbierać (*in/within sb* w kimś) (*o gniewie, emocjach*). **3.** falować (*o wodzie*); kołysać się (*o łodzi*); wznosić się (*o falach*). **4.** napływać (gwałtownie) (*o krwi, wodzie*). **5.** wytrysnąć (*o wodzie z otworu*). **6.** *zwł. ekon.* gwałtownie wzrastać (*o cenach, kursach, zainteresowaniu*); skoczyć (*o cenach, kursach*). **7.** *żegl.* spadać (*o zwoju liny l. łańcucha z windy l. kabestanu*). **8. ~ into the lead** *sport* wysunąć się na prowadzenie. – *n. zw. sing.* **1.** *t. przen.* fala (*przypływu, emocji, emigrantów*). **2.** przypływ (*uczuć*). **3.** tłum (*kibiców*); (gwałtowny) napór (*tłumu*). **4.** *zwł. ekon.* nagły wzrost, skok (*in sth* czegoś) (*np. obrotów, cen, kursów*). **5.** gwałtowny napływ (*uchodźców*). **6.** falowanie (*wody*). **7.** pofalowanie (*terenu*). **8.** *el.* skok napięcia, udar; **power ~** skok napięcia (sieciowego). **9.** *astron.* protuberancja wybuchowa (*towarzysząca rozbłyskowi słonecznemu*).

surgeon [ˈsɝːdʒən] *n.* **1.** chirurg. **2.** *wojsk.* lekarz wojskowy. **3.** *żegl.* oficer medyczny; lekarz okrętowy. **4. dental ~** lekarz stomatolog; **veterinary ~** lekarz weterynarii.

surgeon general, Surgeon G~ *n. pl.* **-s general** **1.** *US* lekarz naczelny (*stanu l. kraju*). **2.** *wojsk.* naczelny lekarz wojskowy.

surgery [ˈsɝːdʒərɪ] *n. pl.* **-ies** **1.** *U t. chir.* operacja, zabieg operacyjny *l.* chirurgiczny (*on sth* czegoś *jakiegoś narządu*) (*to...* mający na celu); leczenie operacyjne, operacje; **have ~** mieć operację; **minor/major ~** drobny/poważny zabieg (operacyjny); **perform ~** przeprowadzić operację, operować; **undergo ~** zostać poddanym operacji, przejść operację. **2.** *C/U US i Can. chir.* sala operacyjna. **3.** *U chir.* chirurgia. **4.** *Br. med.* gabinet (*lekarski, dentystyczny l. weterynaryjny*). **5.** *U Br. med.* godziny przyjęć (*lekarza*). **6.** *Br. parl.* dyżur poselski.

surgical [ˈsɝːdʒɪkl] *a. attr.* **1.** *chir.* chirurgiczny (*o leczeniu, sprzęcie*); chirurgiczny, operacyjny (*o zabiegu*). **2.** *med.* ortopedyczny (*o obuwiu, pasie, gorsecie*). **3.** *t. wojsk.* precyzyjny; **~ attack/strike** precyzyjny nalot.

surgical spirit *n. U Br. med.* spirytus skażony.

suricate [ˈsʊrəˌkeɪt] *n. zool.* surykatka (*Suricata suricata*).

Suriname [ˈsʊrənɑːm] *n. geogr.* Surinam.

surliness [ˈsʊrlɪnəs] *n. U* opryskliwość.

surly [ˈsʊrlɪ] *a.* **-ier, -iest** opryskliwy.

surmise [sərˈmaɪz] *form. v.* zgadywać, domniemywać, domyślać się (*that* że); domyślać się (*czegoś*); **as we ~d** (tak,) jak podejrzewaliśmy. – *n. C / U* domysł, przypuszczenie; domysły, przypuszczenia; **it is my ~ that...** jestem skłonny przypuszczać, że...; **wild ~** nieuzasadnione domysły.

surmount [sərˈmaʊnt] *v. form.* **1.** przezwyciężać, pokonywać (*trudności, przeszkody*). **2.** pokonywać (*górę, mur*). **3.** wznosić się ponad (*czymś l. coś*); górować nad (*czymś*). **4.** *zw. pass. zwł. bud.* wieńczyć, zwieńczać; **~ed by sth** zwieńczony czymś (*iglicą*).

surmountable [sərˈmaʊntəbl] *a. form.* do pokonania (*o przeszkodzie*).

surmullet [sərˈmʌlɪt] *n. pl.* **-s** *l.* **surmullet** *icht.* barwena (*Mullus surmulletus*).

surname [ˈsɜːˌneɪm] *n.* nazwisko.

surpass [sərˈpæs] *v. form.* **1.** przewyższać (*osiągnięcie, wynik, rekord*) (*by* o); przekraczać (*zamierzenia, nadzieje*); przechodzić (*oczekiwania*); **~ o.s.** przechodzić samego siebie (*np. w kunszcie, głupocie*). **2.** przerastać (*kogoś; o zadaniu*).

surpassing [sərˈpæsɪŋ] *a. attr. lit.* nieopisany; niebywały, niesłychany; **~ beauty** nieopisana uroda (*osoby*); nieopisane piękno (*miejsca*).

surplice [ˈsɜːpləs] *n. kość.* komża.

surpliced [ˈsɜːpləst] *a. attr. kośc.* w komży, ubrany w komżę.

surplus [ˈsɜːplʌs] *n. C / U* nadmiar; *zwł. ekon.* nadwyżka; **budget/budgetary ~** nadwyżka budżetowa; **(cash) ~** *handl.* superata (kasowa); **trade ~** dodatni bilans płatniczy, nadwyżka eksportowa. – *a.* **1.** ponadplanowy, nadmiarowy, nadliczbowy. **2. ~ to requirements** *Br.* zbyteczny, niepotrzebny.

surplusage [ˈsɜːplʌsɪdʒ] *n. U form.* **1.** *prawn.* materia nie związana ze sprawą. **2.** nadmiar słów. **3.** nadmiar.

surplus value *n. ekon.* wartość dodatkowa.

surprint [ˈsɜːˌprɪnt] *druk. v.* nadrukować. – *n. U* nadruk.

surprise [sərˈpraɪz] *n.* **1.** niespodzianka; **~!** niespodzianka!; a kuku!; **~, ~** *zw. iron.* kto by się spodziewał, co za niespodzianka; **full of ~s** pełen niespodzianek; **there is a ~ in store for sb** kogoś czeka niespodzianka. **2.** *C / U* zaskoczenie; zdziwienie (*at sth* z powodu czegoś); **an element of ~** element zaskoczenia; **come as a ~ (to sb)** stanowić dla kogoś zaskoczenie, zaskoczyć kogoś; **come as no ~** nie być (dla nikogo) zaskoczeniem; **express ~ (at sth)** wyrażać zaskoczenie *l.* zdziwienie (z powodu czegoś); **get/have a ~** zostać zaskoczonym; **in/with ~** ze zdziwieniem; **(much) to my ~** ku mojemu (wielkiemu) zaskoczeniu; **spring ~s on sb** zaskakiwać kogoś (ciągle); **take sb by ~** zaskoczyć kogoś; **take sth by ~** *wojsk.* zdobyć coś przez zaskoczenie. – *v.* **1.** dziwić (*kogoś*); **it doesn't ~ me (at all)** to mnie (wcale) nie dziwi. **2.** zaskakiwać (*kogoś*); robić niespodzianki (*komuś*); **~ sb doing sth** zaskoczyć kogoś przy czymś, złapać kogoś na czymś; **it ~d sb to see/find (that)...** ktoś był zaskoczony, gdy zobaczył/odkrył, że... – *a. attr.* niespodziewany, nieoczekiwany (*np. o gościu, wizycie, ataku*); **~ move** nieoczekiwane posunięcie; **in a ~ move** nieoczekiwanie; **~ party** przyjęcie-niespodzianka.

surprised [sərˈpraɪzd] *a.* zaskoczony; zdziwiony (*at sth* czymś); **~ expression** zdziwiony wyraz twarzy; **be ~ to learn (that)...** ze zdziwieniem dowiedzieć się, że...; **don't be ~ if...** nie zdziw się, jeżeli...; **I wouldn't be (at all) ~ (if...)** wcale bym się nie zdziwiła (gdyby...); **sb is/was (very) ~ to see/hear...** ktoś (zupełnie) nie spodziewał się zobaczyć/usłyszeć...

surprising [sərˈpraɪzɪŋ] *a.* zaskakujący; nieoczekiwany, niespodziewany; **it is ~ (that)/how/what...** (to) zaskakujące, że/jak/co...; **it is hardly/scarcely ~ (that)...** nic dziwnego, że...

surprisingly [sərˈpraɪzɪŋlɪ] *adv.* **1.** zaskakująco; nieoczekiwanie, niespodziewanie. **2. not ~, ...** nic dziwnego, że...

surra [ˈsʊrə] *n. U wet.* nagana, trypanosomatoza (*śpiączka afrykańska zwierząt*).

surreal [səˈriːl] *a.* surrealistyczny; surrealny. – *n. U* **the ~** surrealizm, atmosfera surrealizmu.

surrealism [səˈriːəˌlɪzəm] *n. U sztuka* surrealizm.

surrealist *sztuka n.* surrealist-a/ka. – *a.* surrealistyczny.

surrealistic [səˌriːəˈlɪstɪk] *a. sztuka* surrealistyczny.

surrebutter [ˌsɜːrɪˈbʌtər] *n. prawn.* (druga) duplika (*powoda w odpowiedzi na drugą replikę pozwanego*).

surrejoinder [ˌsʌrɪˈdʒɔɪndər] *n. prawn.* duplika (*powoda w odpowiedzi na replikę pozwanego*).

surrender [səˈrendər] *v.* **1.** *zwł. wojsk.* poddawać się; poddawać (*sth to sb* coś komuś) (*np. miasto nieprzyjacielowi*). **2.** oddawać się (*to sb* w ręce kogoś); **~ to the police** oddać się w ręce policji. **3.** *przen.* ulegać, poddawać się (*to sth* czemuś) (*np. presji, nałogowi, uczuciom*). **4.** wyrzekać się, być zmuszonym zrezygnować z (*czegoś*). **5.** *form.* oddawać (*sth to sb* coś w czyjeś ręce); przekazywać (*sth to sb* coś komuś). **6.** *form.* ustępować (*sth to sb* czegoś *l.* coś komuś) (*np. miejsca*). **7.** *prawn.* zrzekać się (*sth to sb* czegoś na rzecz kogoś) (*tytułu, prawa*). – *n. U l. sing.* **1.** *zwł. wojsk.* kapitulacja; poddanie (się) (*to sb / sth* komuś/czemuś); **unconditional ~** bezwarunkowa kapitulacja. **2.** oddanie się w ręce policji *l.* władz. **3.** wyrzeczenie się. **4.** *prawn.* zrzeczenie się. **5.** *form.* oddanie, przekazanie; wydanie (*dokumentów*).

surrender value *n. C / U ubezp.* suma wykupu (*polisy*).

surreptitious [ˌsɜːəpˈtɪʃəs] *a.* potajemny, ukradkowy.

surreptitiously [ˌsɜːəpˈtɪʃəslɪ] *adv.* potajemnie, ukradkiem.

surreptitiousness [ˌsɜːəpˈtɪʃəsnəs] *n. U* potajemność, ukradkowość.

surrey [ˈsɜːɪ] *n. hist.* jednokonny powóz czterokołowy.

surrogacy [ˈsɜːədʒəsɪ] *n. U med., socjol.* macierzyństwo zastępcze.

surrogate *a.* [ˈsɜːəgət] *attr.* zastępczy. – *n.* [ˈsɜːəˌgeɪt] **1.** *t. psych., ekon., handl.* surogat; *handl.* namiastka. **2.** = **surrogate mother**. **3.** zastęp-ca/czyni. **4.** *US prawn.* sędzia do spraw spadkowych i opiekuńczych (*w niektórych stanach*). – *v.* [ˈsɜːəˌgeɪt] mianować zastęp-cą/czynią *l.* następ-cą/czynią.

surrogate mother [ˌsɜːəgət ˈmʌðər] *n. med., socjol.* matka zastępcza.

surround [səˈraʊnd] *v. t. wojsk.* otaczać; ~ **o.s. with sb** otaczać się kimś. – *n.* **1.** *gł. Br.* obwódka. **2.** *US myśl.* obława. **3.** *pl. zob.* **surroundings**.

surrounding [səˈraʊndɪŋ] *n.* okoliczny.

surroundings [səˈraʊndɪŋz] *n. pl.* **1.** otoczenie; środowisko. **2.** okolica, okolice.

surround sound *n. U akustyka* system surround (*dający wrażenie otoczenia dźwiękiem*).

surtax [ˈsɜːˌtæks] *fin. n. U l. sing.* **1.** podatek wyrównawczy (*zwł. od wyższych dochodów*). **2.** podatek dodatkowy. – *v.* obciążyć dodatkowym podatkiem (*dobro*).

surtitles [ˈsɜːˌtaɪtlz] *n. pl.* (*także US* **supertitles**) *opera* tłumaczenie libretta (*wyświetlane podczas przedstawienia*).

surveillance [sərˈveɪləns] *n. U* obserwacja (*zwł. przez policję*); inwigilacja; **under** ~ pod obserwacją; **keep sb/sth under** ~ obserwować *l.* inwigilować kogoś/coś.

survey *n.* [ˈsɜːˌveɪ] **1.** *stat.* badanie (ankietowe); ankieta; **carry out/conduct a** ~ przeprowadzić badanie (*of sth* czegoś); **public opinion** ~ badanie opinii publicznej. **2.** przegląd (*zwł. w formie artykułu l. książki*). **3.** analiza (*sytuacji, przyczyn*). **4.** oględziny; inspekcja. **5.** *Br. bud.* ekspertyza (budowlana) (*on sth* czegoś). **6.** *miern.* pomiar (*gruntu, terenu*). **7.** *miern.* protokół pomiaru. **8. geological** ~ państwowy instytut geologiczny. – *v.* [ˌsərˈveɪ] **1.** *zw. pass.* ankietować (*osoby*); badać (*osoby, fakty przy pomocy ankiety*); **80% of those ~ed** 80% ankietowanych. **2.** przyglądać się (*komuś l. czemuś*). **3.** dokonywać przeglądu (*zagadnienia, sytuacji*). **4.** oglądać (*teren*). **5.** dokonywać oględzin *l.* ekspertyzy (*czegoś*); *Br. bud.* dokonywać ekspertyzy (budowlanej) (*domu*). **6.** *miern.* dokonywać pomiarów (*terenu, gruntu*).

survey course [ˈsɜːˌveɪ ˌkɔːrs] *n. US uniw.* kurs przeglądowy *l.* wprowadzający.

surveying [sərˈveɪɪŋ] *n. U* geodezja, miernictwo.

surveyor [sərˈveɪər] *n.* **1.** *miern.* geodet-a/ka, mierniczy. **2.** *zwł. Br.* inspektor, rzeczoznawca (*budowlany, żeglugowy*).

surveyor's level [sərˌveɪərz ˈlevl] *n. miern.* niwelator.

survival [sərˈvaɪvl] *n.* **1.** *U t. biol., ekol. l. przen.* przetrwanie; przeżycie; ~ **of the fittest** *biol.* (ewolucja przez) dobór naturalny; **fight for** ~ walka o byt *l.* przetrwanie. **2.** *gł. Br.* relikt.

survival course *n.* szkoła *l.* kurs przetrwania.

survival instinct *n. biol.* instynkt samozachowawczy.

survivalist [sərˈvaɪvəlɪst] *n. US* osoba zabezpieczająca się na wypadek katastrofy.

survival kit *n.* zestaw ratunkowy, wyposażenie ratunkowe.

survival rate *n. med.* współczynnik przeżycia.

survive [sərˈvaɪv] *v.* **1.** przeżyć (*np. katastrofę, chorobę; t. partnera o kilka lat*); przetrwać (*np. suszę, zimę*). **2.** uniknąć śmierci, przeżyć. **3.** uniknąć zniszczenia (*o starych dokumentach*). **4.** *zwł. pot.* trzymać się; wytrzymać; **(still) surviving** *pot.* jakoś się trzymam (*w odpowiedzi na pytanie o zdrowie*). **5. be ~ed by sb** pozostawić *l.* osierocić kogoś (*o osobie zmarłej, np. w nekrologu*). **6.** ~ **on sth** wyżyć z czegoś (*z emerytury, zasiłku*).

survivor [sərˈvaɪvər] *n.* **1.** ocalał-y/a, osoba pozostała przy życiu; cancer ~, osoba wyleczona z raka; **the sole ~ of the catastrophe/crash** jedyna osoba ocalała z katastrofy/wypadku. **2.** osoba odporna psychicznie; **be a** ~ nie poddawać się. **3. sb's ~s** *US* osoby, które przeżyły kogoś (= *najbliżsi krewni zmarłego*); **her ~s include her husband and two children** pozostawiła męża i dwoje dzieci (*umierając*).

susceptance [səˈseptəns] *n. C/U el.* susceptancja, przewodność bierna.

susceptibility [səˌseptəˈbɪlətɪ] *n. C/U pl.* **-ies** **1.** podatność (*to sth* na coś). **2.** wrażliwość (*to sth* na coś). **3.** skłonność (*to sth* do czegoś). **4.** *pl. form.* uczucia. **5.** *fiz., el.* podatność; **electric/magnetic** ~ podatność dielektryczna/magnetyczna.

susceptible [səˈseptəbl] *a.* **1.** *gł. pred.* podatny (*to sth* na coś) (*np. na chorobę, stres*). **2.** *gł. pred.* wrażliwy (*to sth* na coś) (*np. na czyjeś wdzięki*). **3.** *gł. pred.* mający skłonność (*to sth* do czegoś) (*np. do zapominania, nałogów*). **4.** *lit.* wrażliwy (*o osobie*). **5.** ~ **of sth** *gł. Br. form.* umożliwiający coś (*np. interpretację, zmiany*).

susceptive [səˈseptɪv] *a. form.* **1.** otwarty. **2.** = **susceptible** 1, 2, 3.

sushi [ˈsuːʃɪ] *n. U kulin.* sushi (*potrawa kuchni japońskiej*).

suspect *v.* [səˈspekt] **1.** podejrzewać (*that* że, *sb of (doing) sth* kogoś o coś). **2.** powątpiewać w, wątpić w (*czyjąś niewinność, uczciwość*). – *n.* [ˈsʌspekt] podejrzan-y/a. – *a.* [ˈsʌspekt] podejrzany; **highly** ~ mocno podejrzany.

suspected [səˈspektɪd] *a. attr.* **1.** podejrzany, domniemany; ~ **terrorists** podejrzani o terroryzm, domniemani terroryści. **2.** ~ **fracture/heart attack** *pat.* podejrzenie złamania/zawału.

suspend [səˈspend] *v.* **1.** zawieszać (*np. ucznia, pracownika, transmisje, obrót artykułem, przywileje*); odraczać, wstrzymywać (*wypłaty*); zatrzymywać (*prawo jazdy*); ~ **sb from school** zawiesić kogoś w prawach ucznia (*for sth* za coś). **2.** *zw. pass. form.* ~ **sth from sth** wieszać coś na czymś; **be ~ed from sth (by sth)** zwisać z czegoś (na czymś) (*np. z sufitu na drucie*). **3.** *zw. pass. fiz., chem.* zawieszać (*cząsteczki w ośrodku*). **4.** ~ **judgment (on sth)** powstrzymać się od osądów (w jakiejś sprawie).

suspended animation [səˌspendɪd ˌænəˈmeɪʃən] *n. U* **1.** *fizj., pat.* zawieszenie czynności życiowych. **2.** *przen.* zawieszenie, stan zawieszenia.

suspended sentence *n. prawn.* wyrok w zawieszeniu.

suspender [səˈspendər] *n.* **1.** *bud.* wieszak (*mostu wiszącego*). **2.** *pl. zob.* **suspenders**.

suspender belt *n. Br. i Austr.* pas do pończoch.

suspenders [səˈspendərz] *n. pl.* **1.** *US i Can.* szelki. **2.** *Br. i Austr.* podwiązki.

suspense [səˈspens] *n. U* niepewność; zawieszenie, stan zawieszenia; napięcie; *t. film* suspens; **build-up of** ~ rosnące napięcie; **keep sb in** ~ trzymać kogoś w niepewności *l.* napięciu *l.* zawieszeniu; **the** ~ **is killing me** dłużej nie wytrzymam tego napięcia.

suspense account *n. fin.* rachunek przejściowy.

suspenseful [səˈspensfʊl] *a.* trzymający w napięciu (*o filmie, książce*).

suspension [səˈspenʃən] *n. C/U* **1.** zawieszenie (*np. członkostwa, praw, ucznia, pracownika*); wstrzymanie (*np. wypłat, sprzedaży, działalności*); zatrzymanie (*prawa jazdy*); **be under** ~ być zawieszonym. **2.** *mot.* zawieszenie. **3.** *fiz., chem.* zawiesina.

suspension bridge *n. bud.* most wiszący.

suspension cable *n. bud.* kabel nośny (*mostu, kolejki*).

suspension points *n. pl. zwł. US druk.* wielokropek.

suspension railway *n. Br. kol.* kolej linowa (*wisząca*).

suspension system *n. mot.* zawieszenie.

suspensive [səˈspensɪv] *a. form.* **1.** *t. prawn.* suspensywny, zawieszający, wstrzymujący (*o działaniu, decyzji*). **2.** trzymający w napięciu *l.* zawieszeniu. **3.** niezdecydowany.

suspensoid [səˈspensɔɪd] *n. C/U fiz., chem.* zawiesina koloidowa, suspensoid.

suspensory [səˈspensərɪ] *n. pl.* **-ies** **1.** *anat.* wieszadło (*mięsień l. wiązadło*). **2.** *chir.* opatrunek podtrzymujący; opaska podtrzymująca; temblak. – *a. form. l. prawn.* suspensywny, zawieszający, wstrzymujący.

suspicion [səˈspɪʃən] *n. C/U* **1.** podejrzenie; podejrzenia; **arouse sb's** ~ budzić czyjeś podejrzenia; **be above/beyond** ~ być poza podejrzeniami; **have one's ~s** mieć pewne podejrzenia; **look upon/regard sb with** ~ patrzeć na kogoś podejrzliwie, traktować kogoś podejrzliwie; **on** ~ **of murder/fraud** pod zarzutem morderstwa/oszustwa (*aresztować*); **sb has a sneaking/nagging/lurking** ~ **(that)...** ktoś podejrzewa, że..., komuś mocno wydaje się, że...; **under** ~ podejrzany; **come/fall under** ~ stać się podejrzanym, dołączyć do kręgu podejrzanych. **2.** *sing.* cień (*np. ryzyka, uśmiechu, drwiny*); ślad (*np. nacjonalizmu*).

suspicious [səˈspɪʃəs] *a.* **1.** podejrzliwy (*np. o osobie, spojrzeniu*) (*of/about sb/sth* względem kogoś/czegoś *l.* jeśli chodzi o kogoś/coś); nieufny (*of sb/sth* w stosunku do kogoś/czegoś); **be** ~ **about/of sb/sth** mieć podejrzenia co do *l.* względem kogoś/czegoś. **2.** podejrzany (*np. o przedmiocie, osobie, okolicznościach*); **in** ~ **circumstances** w podejrzanych okolicznościach.

suspiciously [səˈspɪʃəslɪ] *adv.* **1.** podejrzliwie (*patrzeć*). **2.** podejrzanie (*zachowywać się*); **look/sound** ~ **like sth** *t. żart.* podejrzanie coś przypominać.

suss [sʌs] *pot. v.* ~ **(out)** *Br. i Austr.* skapować się (= *zorientować się*) (*(that)* że); rozgryźć, rozpracować; wybadać; wykombinować; **get sth ~ed** skapować coś (= *zrozumieć*). – *a. Austr.* podejrzany.

sussed [sʌst] *a.* **be** ~ *Br. pot.* znać się na rzeczy.

sustain [səˈsteɪn] *v.* **1.** podtrzymywać (*np. rozmowę, zaangażowanie, ducha, pretensje, ciężar czegoś*). **2.** dodawać sił (*komuś*); krzepić (*kogoś*); trzymać *l.* utrzymywać przy życiu. **3.** *form.* doznawać (*porażki, niepowodzenia*); odnosić (*rany, obrażenia*); ponosić (*porażkę, klęskę, straty*). **4.** potwierdzać (*zarzut, teorię*). **5.** wytrzymywać (*atak, porównanie, ciężar*). **6.** *zwł. muz.* podtrzymywać, przedłużać (*dźwięk*). **7. (objection) ~ed** *prawn.* podtrzymuję (sprzeciw). – *n. muz.* dźwięk podtrzymany; *U* podtrzymanie (*dźwięku*).

sustainable [səˈsteɪnəbl] *a.* **1.** dający się utrzymać; (wciąż) aktualny (*o poglądzie*). **2.** *ekol., ekon.* bezpieczny *l.* nieszkodliwy dla środowiska; ~ **growth/development** rozwój bezpieczny dla środowiska.

sustained [səˈsteɪnd] *a.* ciągły, nieprzerwany (*o czynności, procesie*); długotrwały, długi; wytężony (*o wysiłku*).

sustaining pedal [səˈsteɪnɪŋ ˌpedæl] *n. muz.* prawy pedał (*w pianinie, fortepianie*).

sustaining program *n. radio, telew.* program bez reklam i sponsorów (*finansowany wyłącznie przez nadającą stację*).

sustenance [ˈsʌstənəns] *n. U* **1.** *form.* pożywienie. **2.** wartość odżywcza; pożywność. **3.** *form.* wsparcie, oparcie; **draw** ~ **from sth** czerpać wsparcie z czegoś; **find** ~ **in sb/sth** znajdować wsparcie *l.* oparcie w kimś/czymś. **4.** *form.* utrzymanie.

susurration [ˌsu:səˈreɪʃən] *n. U lit.* szmer (*wody*); szelest (*liści*); szept.

sutler [ˈsʌtlər] *n. hist.* markietan/ka.

sutra [ˈsu:trə] *n. hinduizm, buddyzm* sutra.

suttee [ˈsʌti:] *n. U Anglo-Ind.* sati (= *obyczaj palenia na stosie wdowy razem ze zwłokami męża*).

suture [ˈsu:tʃər] *n. chir., anat., zool., bot.* szew; *U chir.* szycie. – *v. chir.* zszywać, szyć (*ranę, cięcie*).

SUV [ˌes ˌju: ˈvi:] *n.* **sport-utility vehicle** *mot.* dżip, jeep; samochód klasy SUV.

suzerain [ˈsu:zəreɪn] *n.* **1.** *polit.* państwo *l.* mocarstwo zwierzchnie (*kontrolujące politykę zagraniczną państw podległych*). **2.** *hist.* suzeren.

suzerainty [ˈsu:zəˌreɪntɪ] *n. U* **1.** *polit.* zwierzchnictwo (*państwa nad innym*). **2.** *hist.* władza suzerena.

svelte [sfelt] *a.* smukły (*o sylwetce, osobie*).

Svengali [sfen'gɑːlɪ] *n.* zły czarownik.

SW, S.W. *abbr.* **1.** *geogr.* = **southwest(ern)**. **2.** *radio* = **short wave**.

swab [swɑːb], **swob** *n.* **1.** *chir.* tampon; wacik; gazik. **2.** *med.* wymaz. **3.** *wojsk.* wycior. **4.** myjka, zmywak. **5.** *gł. żegl.* pomywacz/ka. **6.** *sl. przen.* wilk morski. – *v.* **-bb- 1.** ~ **(down)** zmywać, szorować (*zwł. pokład*). **2.** ~ **(out)** *chir., med.* przecierać (*ranę wacikiem*). **3.** *med.* pędzlować (*gardło*). **4.** *med.* pobierać wymaz z (*gardła, nosa*).

Swabia ['sweɪbɪə] *n. geogr.* Szwabia.

Swabian ['sweɪbɪən] *geogr. a.* szwabski. – *n.* Szwab/ka.

swaddle ['swɑːdl] *v. przest.* opatulać (*niemowlę*) (*in sth* w coś); owijać (*kończynę bandażem*).

swaddling clothes ['swɑːdlɪŋ ˌkloʊz] *n. pl. arch.* **1.** powijaki. **2.** *przen.* prowadzenie za rączkę.

swag [swæg] *n.* **1.** *U przest. sl.* łup. **2.** girlanda. **3.** *Austr. przest.* tobołek, tłumoczek (*wędrowca, włóczęgi*). **4.** *sing.* kołysanie się; chwianie się. – *v.* **-gg-** kołysać się; chwiać się.

swagbelly ['swægˌbelɪ] *n. pl.* **-ies** *US pot.* bandzioch.

swage [sweɪdʒ] *metal. n.* **1.** kształtownik. **2.** (*także* ~ **block**) dziurkownica; foremnik, matryca. – *v.* wybijać (*na dziurkownicy, matrycy*).

swagger ['swægər] *v.* **1.** kroczyć (dumnie *l.* zawadiacko); ~ **(about)** paradować. **2.** *przest.* pysznić się, chełpić się, przechwalać się (*about sth* czymś); zadzierać nosa. – *n. U l. sing.* pewny siebie *l.* dumny *l.* zawadiacki krok; (zbytnia) pewność siebie.

swaggerer ['swægərər] *n. przest.* fanfaron, pyszałek.

swagger stick *n.* (*także Br.* **swagger cane**) *wojsk.* laska oficerska.

Swahili [swə'hiːlɪ] *a.* suahilijski. – *n.* **1.** *pl.* **-s** *l.* **Swahili** Suahilij-czyk/ka. **2.** *U* (język) suahili.

swain [sweɪn] *n. arch. l. poet.* **1.** amant (*zwł. na wsi*). **2.** wiejski chłopak.

SWAK [swæk] *abbr.* **sealed with a kiss** zaklejone pocałunkiem (*napis na kopercie listu miłosnego*).

swale [sweɪl] *n. gł. US geogr.* mokradło.

SWALK [swɔːlk] *abbr.* **sealed with a loving kiss** zaklejone gorącym pocałunkiem (*napis na kopercie listu miłosnego*).

swallow[1] ['swɑːloʊ] *v.* **1.** łykać, połykać (*np. jedzenie, picie, tabletkę, ślinę, słowa, końcówki*); przełykać; ~ **hard** z trudem przełknąć ślinę. **2.** przełknąć (*zniewagę, łzy*). **3.** *pot.* łyknąć (*wymówkę, kłamstwo*). **4.** pochłaniać (*o tłumie, mieście*). **5.** stłumić w sobie (*gniew*). **6.** *przen.* ~ **one's pride** *zob.* **pride** *n.*; ~ **one's words** odwołać to, co się powiedziało; ~ **sth whole** (*także* ~ **sth hook, line, and sinker**) dać się nabrać na coś; ~ **the bait** połknąć haczyk; **a bitter pill (to ~)** gorzka pigułka; **hard to** ~ trudny do przyjęcia *l.* uwierzenia; *zw. pass.* ~ **up** wchłonąć (*np. spółkę*); pochłonąć (w całości) (*np. pensję, oszczędności*). – *n.* łyk (*picia, jedzenia*); kęs (*jedzenia*).

swallow[2] *n.* **1.** *orn.* jaskółka (*Hirundo*). **2. one ~ does not make a summer** *przen.* jedna jaskółka nie czyni wiosny.

swallow dive *n. Br. sport* = **swan dive**.

swallow hole *n. geol.* ponor (= *miejsce wpływu potoku pod ziemię*).

swallowtail ['swɑːloʊˌteɪl] *n.* **1.** *orn.* jaskółczy ogon. **2.** *ent.* paź królowej (*Papilio machaon*). **3.** = **swallow-tailed coat**.

swallow-tailed coat [ˌswɑːloʊˌteɪld 'koʊt] *n.* frak.

swallowwort ['swɑːloʊˌwɜːt] *n. bot.* (glistnik) jaskółcze ziele (*Chelidonium maius*).

swam [swæm] *v. zob.* **swim**.

swamp [swɑːmp] *n. C/U* bagno, trzęsawisko; obszar podmokły, moczary. – *v.* **1.** zalewać (*teren*). **2.** *zw. pass.* zasypywać (*sb with sth* kogoś czymś) (*np. listami, petycjami*); **be ~ed with work** być zawalonym pracą, uginać się pod nawałem pracy. **3.** *żegl.* zatapiać (*statek, łódź*); tonąć.

swampy ['swɑːmpɪ] *a.* **-ier, -iest** bagnisty; podmokły.

swan [swɑːn] *n. orn.* łabędź (*Cygnus*). – *v.* **-nn-** *Br. i Austr. pot.* ~ **(around/about)** obijać się; ~ **off** wymknąć się, wybyć (*gdzieś*).

swan dive *n.* (*także Br.* **swallow dive**) *skoki do wody* jaskółka.

swank [swæŋk] *pot. v. gł. Br.* szpanować. – *n.* **1.** *U* szpan. **2.** szpaner/ka. – *a. gł. US* bajerancki (= *elegancki*).

swankily ['swæŋkɪlɪ] *adv.* bajerancko.

swanky ['swæŋkɪ] *a.* **-ier, -iest** *pot.* **1.** bajerancki (= *elegancki*). **2.** *gł. Br.* szpanujący.

swanlike ['swɑːnˌlaɪk] *a.* łabędzi.

swannery ['swɑːnərɪ] *n. pl.* **-ies** łabędziarnia, hodowla łabędzi.

swan's-down ['swɔːnzˌdaʊn], **swansdown** *n. U* **1.** łabędzi puch. **2.** *tk.* wełenka; flanelka.

swanskin ['swɑːnˌskɪn] *n.* **1.** *U tk.* flanela. **2.** skóra łabędzia (*z piórami*).

swansong ['swɑːnˌsɔːŋ] *n. przen.* łabędzi śpiew.

swap [swɑːp], *Br. t.* **swop** [swɑːp] *v.* **-pp-** *gł. pot.* **1.** zamieniać (się), wymieniać (się) ((*sth*) *with sb* z kimś (na coś *l.* czymś)); ~ **seats** *US*/**places** *Br. i Austr.* (*także Br.* **over/round**) zamienić się miejscami *l.* na miejsca. **2.** ~ **spit/tobacco (juice)** *wulg. sl.* lizać się (= *całować się*). – *n.* **1.** *zw. sing. pot.* wymiana, zamiana; **do a ~** zamienić się. **2.** (*także* **swap option, swaption**) *fin.* transakcja swapowa.

swap meet *n. US* wyprzedaż rzeczy używanych.

sward [swɔːrd] *n.* murawa; trawnik. – *v.* porastać trawą.

swarf [swɔːrf] *n. U* **1.** *metal.* opiłki. **2.** *astron. pot.* śmieci kosmiczne.

swarm [swɔːrm] *n.* rój (*np. pszczół, meteorów*); mrowie (*ludzi*). – *v.* **1.** tłoczyć się (*o ludziach*). **2.** *ent.* wyroić się (*o pszczołach*). **3. be ~ing with sb/sth** roić się od kogoś/czegoś. **4.** drapać się, wspinać się *l.* wchodzić na czworakach.

swarthy [ˈswɔːrðɪ] *a.* **-ier, -iest** ogorzały, śniady, smagły.

swash [swɑːʃ] *n.* **1.** ławica, łacha (*piaszczysta na brzegu*). **2.** rynna (*w ławicy*). **3.** plusk, chlupot. **4.** = **swashbuckler**. – *v.* **1.** pluskać (*o wodzie*). **2.** ochlapywać, opryskiwać (*o wodzie*); omywać (*o fali*).

swashbuckler [ˈswɑːʃˌbʌklər] *n.* **1.** zawadiaka. **2.** film przygodowy; powieść przygodowa.

swashbuckling [ˈswɑːʃˌbʌklɪŋ] *a.* zawadiacki.

swash letter *n. druk.* (ozdobny) inicjał.

swastika [ˈswɑːstɪkə] *n.* swastyka.

SWAT [swɑːt], **S.W.A.T.** *abbr. US* **Special Weapons and Tactics** antyterroryści; ~ **team** brygada antyterrorystyczna.

swat [swɑːt] *pot. v.* **-tt-** pacnąć, trzepnąć (*zwł. muchę, komara*). – *n. zwł. sing.* pacnięcie, trzepnięcie; **give sb/sth a** ~ trzepnąć kogoś/coś.

swatch [swɑːtʃ] *n. handl., tk.* próbka (*materiału, obicia, wykładziny*).

swath [swɑːθ] *n.* (*także* **swathe**) **1.** *roln.* pokos. **2.** połać, pas; obszar (*lądu*). **3.** *przen.* **cut a** ~ **through sth** dokonać spustoszenia w czymś, ogołocić coś (*zwł. o pożarze, gradobiciu*); **cut a (wide)** ~ wiele wskórać *l.* zdziałać; popisywać się.

swathe [sweɪð] *n.* **1.** zwój (*materiału, bandaża*); opatrunek, bandaż. **2.** = **swath**. – *v. zw. pass. lit.* owijać, zawijać; spowijać; **~ed in bandage** obandażowany.

swatter [ˈswɑːtər] *n.* **1.** packa (na muchy). **2.** *baseball* wytrawny pałkarz.

sway [sweɪ] *v.* **1.** kołysać się; chwiać się. **2.** kołysać (*czymś*). **3.** zataczać się. **4.** wahać się. **5.** wpływać na (*decyzję, osobę, wynik głosowania*); przekonywać, nakłaniać (*kogoś*); sterować (*kimś*); ~ **sb into sth** nakłonić *l.* przekonać kogoś do czegoś; **be ~ed by sb** dać się komuś przekonać; **be ~ed by sth** zmienić zdanie pod wpływem czegoś. **6.** ~ **(up)** *żegl.* podnosić (*maszt*). – *n. U* **1.** kołysanie (się); *żegl.* kołysanie burtowe. **2.** *zwł. lit.* władza; wpływy; wpływ; **hold** ~ **(over sb/sth)** rządzić (kimś/czymś), mieć władzę (nad kimś/czymś); **under the** ~ **of sth** pod wpływem czegoś (*zwł. ideologii*).

swayback [ˈsweɪˌbæk] *n. U pat.* przednie wygięcie kręgosłupa, lordoza; *wet.* zapadnięcie grzbietu (*u konia*).

sway-backed [ˈsweɪˌbækt] *a. wet.* z zapadłym grzbietem (*o koniu*).

sway bar *n. mot.* stabilizator poprzeczny.

Swazi [ˈswɑːzɪ] *a.* suazyjski. – *n.* **1.** *pl.* **-s** *l.* **Swazi** Suazyj-czyk/ka. **2.** *U jęz.* (język) suazi.

Swaziland [ˈswɑːzɪˌlænd] *n. polit.* Suazi, Suaziland.

swear [swer] *v.* **swore, sworn 1.** przeklinać; kląć (*at sb / sth* na kogoś/coś); ~ **a blue streak** *US emf.* kląć na czym świat stoi; ~ **like a trooper** *emf.* kląć jak szewc. **2.** przysięgać (*(that)* że, *on / by / to sth* na coś); ~ **an oath** składać przysięgę; ~ **allegiance to sb/sth** ślubować *l.* przysięgać wierność komuś/czemuś; ~ **blind** *gł. Br. pot.* przysięgać na wszystko, zaklinać się; ~ **to God** przysięgać na Boga; ~ **sb to secrecy/silence** zobowiązać kogoś do tajemnicy/milczenia (*pod przysięgą*); **I could have sworn (that)...** mogłabym przysiąc, że...; **I couldn't/wouldn't** ~ **to it** *pot.* nie dam głowy (= *nie mam pewności*). **3.** ~ **by sb** powoływać się na kogoś (*zwł. na autorytet*); ~ **by sb/sth** *pot.* wierzyć święcie w kogoś/coś (*np. w lekarstwo, autorytet*); ~ **sb in** *zwł. pass. polit.* zaprzysiąc kogoś (*to sth* na coś) (*np. na urząd*); ~ **off** zerwać z (*nałogiem*); ~ **out** *prawn.* uzyskać na drodze zeznania pod przysięgą (*nakaz aresztowania*).

swear word, swearword *n.* przekleństwo.

sweat [swet] *v.* **1.** pocić się (*t. o powierzchniach przedmiotów*); ~ **heavily/profusely** mocno się pocić; ~ **buckets/bullets** (*także* ~ **like a pig**) *emf. pot.* pocić się jak mysz. **2.** *pot.* harować. **3.** *pot.* wykorzystywać (*pracowników*). **4.** *zwł. Br. kulin.* podduszać; dusić (na wolnym ogniu). **5.** *el.* roztapiać (*cynę, lutowie*). **6.** *przen. pot.* ~ **blood** wypruwać z siebie żyły; **don't** ~ **it!** *US* bez paniki!; **don't** ~ **the small stuff** *US* nie przejmuj się byle czym. **7.** ~ **off** *pot.* wypocić, zrzucić (*zbędne kilogramy przez ćwiczenia l. w saunie*); ~ **out** wypocić (*chorobę, truciznę z organizmu*); przepocić (*koszulę*); niecierpliwie *l.* nerwowo oczekiwać (*wyników*); przetrzymać (*trudny okres*); ~ **it out** wytrzymać (jakoś); ostro ćwiczyć; ~ **one's guts out** *pot.* wypruwać z siebie żyły; ~ **sth out of sb** *US pot.* wydostać coś z kogoś, wyciągnąć coś komuś z gardła (*informację, zeznanie*); ~ **over sth** *przen.* pocić się nad czymś. – *n.* **1.** *U l. sing.* pot; poty; pocenie (się); **beads of** ~ krople potu; **be dripping/pouring with** ~ ociekać potem; **cold** ~ zimny pot; **covered in** ~ (cały) spocony; **in a** ~ spocony; **sb broke out in a** ~ ktoś się cały spocił; **work up a** ~ spocić się (*z wysiłku*). **2.** *sing. przest.* harówka, harówa. **3.** *t. techn.* skroplina (*na powierzchni*). **4.** (*także* **old** ~) *przest.* stary wyga, star-y/a wyjadacz/ka. **5.** *jeźdz.* rozgrzewka, zaprawa; bieg próbny. **6.** *pl. US pot.* = **sweat suit**; = **sweatpants**; = **sweatshirt**. **7.** *przen.* **get in/into a** ~ **about sth** *pot.* panikować z powodu czegoś; **no** ~! *pot.* spoko! (= *żaden problem*); **the** ~ **of sb's brow** *lit.* owoc czyjejś ciężkiej pracy.

sweatband [ˈswetˌbænd] *n.* **1.** *zwł. sport* opaska (na czoło). **2.** potnik (*w kapeluszu*).

sweatbox [ˈswetˌbɑːks] *n.* **1.** suszarnia (*tytoniu, owoców, skór*). **2.** *pot.* klitka (*zwł. miejsce uwięzienia*). **3.** *przen. pot.* łaźnia (parowa) (= *gorące pomieszczenie*).

sweated labor, *Br.* **sweated labour** *n. U ekon.* **1.** wyzysk taniej siły roboczej. **2.** wyzyskiwana tania siła robocza.

sweater [ˈswetər] *n.* **1.** sweter. **2.** osoba mająca skłonności do pocenia się; **be a (profuse)** ~ pocić się (mocno).

sweat gland *n. anat.* gruczoł potowy.

sweatpants [ˈswetˌpænts], **sweat pants** *n. pl. US* spodnie od dresu (*bawełniane*).

sweatshirt [ˈswetˌʃɝːt] *n.* bluza (*bawełniana l. od dresu*).

sweatshop [ˈswetˌʃɑːp] *n. ekon.* warsztat wyzyskujący robotników.

sweat socks *n. pl.* grube skarpety; skarpety sportowe (*grube, wchłaniające pot*).

sweat suit *n. US* dres (*bawełniany*).

sweaty ['swetɪ] *a.* **-ier, -iest** **1.** spocony (*o osobie, dłoniach, t. powierzchni przedmiotu*); **sb got all ~** ktoś cały się spocił. **2.** przepocony (*o odzieży*). **3.** upalny (*o pogodzie*). **4.** męczący, żmudny (*o pracy, czynności*). **5.** wilgotny (*o serze*); *techn.* pokryty skropliną (*o powierzchni*).

Swede [swi:d] *n.* Szwed/ka.

swede [swi:d] *n. C / U Br. i Austr. bot., kulin., roln.* brukiew (jadalna) (*Brassica napus napobrassica*).

Sweden ['swi:dən] *n. geogr.* Szwecja.

Swedish ['swi:dɪʃ] *a.* szwedzki. – *n.* **1. the ~** Szwedzi. **2.** *U* (język) szwedzki.

sweep [swi:p] *v.* **swept, swept** **1.** zamiatać (*ulicę, podłogę*); zmiatać (*śmieci*); czyścić (*komin*); (*także* **~ clean**) wymiatać. **2.** zgarniać. **3.** wpadać (*np. do pomieszczenia, na zebranie*); przemykać (*through sth* przez coś); sunąć; śmigać. **4.** ogarniać, obejmować (*dany obszar; o wiatrach, burzach, powodziach, pożarach*); ogarniać (*społeczeństwo, grupę ludzi; o panice, modzie, ideologii*). **5.** wiać (*o wiatrach*). **6.** ocierać (się) o (*powierzchnię*). **7.** machać (*ręką*). **8.** przebiegać po (*kimś l. czymś; o spojrzeniu*); **sb's eyes swept (over/across/around) sth** ktoś przebiegł po czymś wzrokiem. **9.** zataczać (łagodny) łuk (*o horyzoncie, krajobrazie*); **~ down to the coast** obniżać się łagodnym łukiem w kierunku wybrzeża. **10. ~ sth for sb/sth** przeszukiwać coś w poszukiwaniu kogoś/czegoś (*np. w poszukiwaniu bomby, podsłuchu, przestępców*). **11.** *gł. US pot.* wygrać (*np. serię pojedynków, większość głosów*) (*from sb / sth* z kimś/czymś); **~ the board** zgarnąć całą pulę (*w kasynie*); zdobyć wszystkie możliwe nagrody; **~ the polls** *polit.* zdobyć prawie wszystkie głosy; **~ to power** *polit.* objąć *l.* przejąć władzę; **~ to victory** odnieść triumfalne zwycięstwo. **12. ~ along/away** unieść, porwać (*kogoś l. coś; o tłumie, fali, zapale, idei*); **~ aside** ignorować, bagatelizować (*ostrzeżenia*); **~ aside/away** odgarniać; odsuwać (na bok); odpędzać; **~ away** zmiatać (*śmieci*); usuwać, likwidować (*przeszkody*); zrównać z ziemią, znieść z powierzchni ziemi (*domy; o powodzi*); **~ back** odgarniać (*włosy*); upinać, spinać; **~ one's hair into a bun** upiąć włosy w kok; **~ sb into one's arms** wziąć kogoś w objęcia *l.* ramiona; **~ sb off their feet** *zwł. przen.* zwalić kogoś z nóg; **be swept off one's feet (by sb)** stracić głowę (dla kogoś), zakochać się (w kimś) po uszy; **he swept her off her feet** straciła dla niego głowę, zakochała się w nim po uszy; **~ sb/sth out to sea** unieść kogoś/coś w morze, odepchnąć kogoś/coś od brzegu (*łódź, pływaka*); **~ through sth** przeczesywać coś (*teren*); **~ through sb/sth** ogarniać kogoś/coś (*o epidemii, panice, ogniu*); **~ sth under the rug** (*także Br.* **~ sth under the carpet**) (*także Austr.* **~ sth under the mat**) przymykać oczy na coś; starać się coś ukryć; zatuszować coś; **~ up** pozamiatać, zamiatać; porwać, pochwycić; odgarniać; upinać (*włosy*). – *n.* **1.** zamach; machnięcie; zamaszysty ruch. **2.** *sing. zwł. Br.* zamiatanie; sprzątanie; **give sth a ~** zamieść coś; **the kitchen needs a good ~** kuchnia prosi się o porządne sprzątanie. **3.** łuk; zakręt; wygięcie. **4.** rozmach (*akcji, działania*); zakres (*ruchu*); głębia (*twórczości*). **5.** połać (*lądu*). **6.** przeszukiwanie (*of sth* czegoś); poszukiwanie, poszukiwania, akcja poszukiwawcza (*of sth* na obszarze *l.* terenie czegoś). **7.** frontalny atak. **8.** (bezapelacyjne) zwycięstwo, triumf. **9.** *przest. pot.* = **chimney sweep**. **10.** *el.* odchylanie (poziome); przemiatanie, ruch zamiatający (*wiązki elektronów w kineskopie*). **11.** *żegl.* (długie) wiosło. **12.** łopata (*wiatraka*). **13.** żuraw (studzienny). **14.** = **sweepstake**. **15.** *przen.* **a clean ~** *zob.* **clean** *a.*; **(sb's) ~ to victory** (czyjeś) zwycięstwo.

sweepback ['swi:pˌbæk] *n. lotn.* skos do tyłu (*płata skrzydła*); skrzydło skośne, płat skośny.

sweeper ['swi:pər] *n.* **1.** zamiatacz/ka (*ulic*); zamiatarka; maszyna do zamiatania *l.* zmywania (*ulic, podłóg*). **2.** *Br. piłka nożna pot.* libero, wymiatacz (= *cofnięty obrońca*).

sweeping ['swi:pɪŋ] *a. gł. attr.* **1.** radykalny, daleko idący (*o zmianach, reformach, propozycjach*); gruntowny, głęboki (*o zmianach*). **2.** imponujący (*o zwycięstwie*). **3.** *uj.* (nadmiernie) uogólniający *l.* generalizujący; zbyt daleko idący (*o stwierdzeniu, zarzutach*); pobieżny, ogólnikowy (*o ocenie*); **~ statement/generalization** zbyt daleko idące twierdzenie/uogólnienie.

sweepings ['swi:pɪŋz] *n. pl.* śmieci.

sweeps [swi:ps] *n. U l. pl.* **1.** zakłady (*w wyścigach, meczach, loterii*). **2.** *US telew.* badanie oglądalności.

sweep saw *n. Br. stol.* (piła) wyrzynarka, laubzega.

sweepstakes ['swi:pˌsteɪks] *n. U l. pl.* (*także Br.* **sweepstake**) totalizator.

sweet [swi:t] *a.* **1.** *t. przen.* słodki. **2.** świeży (*o mleku*); *US* niesolony (*o maśle*). **3.** słodki, kochany, rozkoszny (*zwł. o dziecku*); miły, przyjemny (*o osobie, geście*); **look ~** wyglądać słodko *l.* rozkosznie; **that's (really/very) ~ of you!** to (bardzo) miłe z twojej strony!. **4.** *przen.* **~ deal** *US* świetny *l.* złoty interes; **~ FA** (*także* **~ Fanny Adams**) *Br. sl.* wielkie gie *l.* g (= *nic*); **~ nothings** czułe słówka; **be ~ on sb** *przest. pot.* durzyć się w kimś; **(do sth) in one's own ~ way** (robić coś) po swojemu; **I'll do it in my own ~ time** zrobię to, kiedy mi się będzie podobało; **have a ~ tooth** lubić słodycze; **home ~ home** nie ma (to) jak w domu; **keep sb ~** *pot.* żyć z kimś w przyjaźni *l.* na dobrej stopie; **short and ~** *zob.* **short** *a.*; **the ~ smell of success** słodycz zwycięstwa. – *n.* **1.** *Br. i Austr.* cukierek. **2.** *pl.* słodycze. **3.** *C / U Br. i Austr. kulin.* deser. **4.** *U t. przen.* słodycz (*czegoś*). **5.** *voc.* (*także* **my ~**) *przest.* kochanie. **6.** = **sweet potato**.

sweet-and-sour [ˌswi:tənd'saʊr] *a. attr. kulin.* słodko-kwaśny; **~ pork** wieprzowina w sosie słodko-kwaśnym.

sweetbread ['swi:tˌbred] *n. kulin.* trzustka *l.* grasica cielęca *l.* jagnięca.

sweet cherry *n. pl.* **-ies** *bot., kulin.* czereśnia (*Prunus avium*).

sweet corn, sweetcorn *n. C/U bot., kulin.* kukurydza (cukrowa) (*Zea mays rugosa*).

sweeten ['swi:tən] *v.* **1.** słodzić. **2.** *przen.* uatrakcyjniać (*ofertę*). **3.** *lit.* złagodzić charakter (*czyjś*). **4.** *chem.* odsiarczać (*paliwo*). **5.** *roln.* zmniejszać kwaśność (*gleby*). **6.** zwiększać (*stawkę w grze, gwarancje finansowe*). **7.** ~ **sb up** *pot.* podlizywać się komuś; zjednywać sobie czyjąś przychylność.

sweetened condensed milk *n. U gł. US kulin.* mleko skondensowane (słodzone) (*w puszce*).

sweetener ['swi:tənər] *n.* **1.** *C/U kulin., chem.* słodzik. **2.** *euf. pot.* łapówka (*zwł. pochodząca od rządu, władz organizacji itp.*); **pre-election** ~ kiełbasa wyborcza.

sweet gum *n. bot.* ambrowiec amerykański (*Liquidambar styraciflua*).

sweetheart ['swi:tˌhɑ:rt] *n.* **1.** *voc.* kochanie, słoneczko. **2.** *voc. czas. obelż.* ślicznotko. **3.** *przest.* ukochan-y/a. **4.** cacko.

sweetheart contact *n.* (*także* **sweetheart agreement**) tajne porozumienie, umowa za plecami (*dyrekcji z pracownikami z pominięciem związków*).

sweetie ['swi:tɪ] *n. pot.* **1.** *voc.* (*także US* ~ **pie**) kochanie, słoneczko. **2.** *Br. dziec.* cukierek, cukiereczek. **3.** *Br. pot. zwł. dziec.* cudeńko; **isn't he/she/it a ~?** czy nie jest słod-ki/ka/kie *l.* kochan-y/a/e? (*o zwierzątku, przedmiocie, osobie*).

sweeting ['swi:tɪŋ] *n. kulin., ogr.* jabłko słodkie (*jedna z odmian*).

sweetish ['swi:tɪʃ] *a.* słodkawy.

sweetly ['swi:tlɪ] *adv.* słodko.

sweetmeat ['swi:tˌmi:t] *n. Br. przest.* słodycz; cukierek.

sweetness ['swi:tnəs] *n. U* **1.** słodycz (*t. przen.*); słodkość. **2. be all ~ and light** *przen.* rozpływać się w uprzejmościach.

sweet pea *n. bot., ogr.* groszek pachnący (*Lathyrus odoratus*).

sweet pepper *n. bot., kulin.* papryka (*Capsicum frutescens grossum*).

sweet potato *n. pl.* **-es** *bot., kulin.* batat, patat, słodki ziemniak (*Ipomoea batatas*).

sweet roll *n. US kulin.* drożdżówka.

sweet-scented [ˌswi:t'sentɪd] *a.* wonny.

sweet shop *n. gł. Br.* sklep ze słodyczami.

sweetsop ['swi:tˌsɑ:p] *n. bot.* flaszowiec łuskowaty, cukrowe jabłko (*Annona squamosa*).

sweet talk *n. U pot.* piękne słówka.

sweet-talk ['swi:tˌtɔ:k] *v. pot.* mydlić oczy (*komuś*); ~ **sb into doing sth** namówić kogoś do (zrobienia) czegoś.

sweet-tempered [ˌswi:t'tempərd] *a.* łagodny (*o osobie*).

sweet william *n. C/U bot.* goździk brodaty (*Dianthus barbatus*).

swell [swel] *v. pp. zw.* **swollen 1.** ~ **(up)** *t. pat.* puchnąć (*o stawie, kończynie*). **2.** pęcznieć; wzdymać (się); nadymać (się), rozdymać (się), wydymać (się). **3.** rosnąć, wzrastać (*o cenach*); narastać (*o emocjach*); powiększać (się); zwiększać (się); potęgować (się) (*o odczuciu*); nasilać się (*o dźwięku*). **4.** piętrzyć się (*o falach*); wzbierać (*o wodzie*). **5.** *przen.* ~ **the ranks of the unemployed/the party** zasilić rzeszę bezrobotnych/szeregi partii; ~ **to sth** urastać do (rangi) czegoś; ~ **with sth** wzbierać czymś (*uczuciem*); ~ **with pride/anger** pękać z dumy/złości (*o osobie*); **sb has a ~ed** *US*/**swollen** *Br.* **head** komuś woda sodowa uderza do głowy. – *n. gł. sing.* **1.** fala (*na morzu*); wzburzone morze; *hydrol., żegl.* fala martwa. **2.** wzrost; przyrost; wzbieranie; *zwł. muz.* narastanie, wzmaganie (się) (*głośności*). **3.** krągłość; wypukłość. **4.** wzniesienie (*terenu*). **5.** spęcznienie (*płyty, blatu*). **6.** *t. pat.* obrzęk; wydęcie, wzdęcie. **7.** *przest. pot.* elegant/ka. **8.** *przest. pot.* figura; szycha. **9.** (*także* ~ **organ/box**) *muz.* pozytyw górny. **10.** (*także* ~ **pedal**) *muz.* pedał żaluzji (*w organach*). – *a. US przest. pot.* klawy, byczy. – *adv. US przest. pot.* klawo, byczo.

swellfish ['swelˌfɪʃ] *n. pl.* **-es** *l.* **swellfish** *icht.* najeżka, jeżówka, rybojeż (*Diodon*).

swellhead ['swelˌhed] *n. pot.* mądralińsk-i/a, przemądrzalec.

swellheaded ['swelˌhedɪd] *a. pot.* przemądrzały.

swelling ['swelɪŋ] *n. C/U* opuchlizna; *zwł. pat.* obrzęk.

swelter ['sweltər] *v.* pocić się, dusić się (= *cierpieć z gorąca*). – *n. U* żar, upał; gorąco.

sweltering ['sweltərɪŋ] *a.* skwarny, parny, duszny; **it's ~** można się udusić.

swept [swept] *v. zob.* **sweep**.

sweptback [ˌswept'bæk] *a. attr. lotn.* skośny (*o płacie, skrzydle*).

swept volume *n. C/U mech.* pojemność skokowa (*cylindra*).

swept wing *n. lotn.* skrzydło skośne, płat skośny.

swerve [swɜ:v] *v.* **1.** *zwł. mot.* (gwałtownie) skręcać *l.* zakręcać (*zwł. żeby ominąć przeszkodę, pieszego*). **2.** *t. przen.* zbaczać (*from sth* z czegoś) (*z drogi, wytyczonego celu*). **3.** *sport* dryblować (*o piłkarzu*); lecieć łukiem (*o piłce*); zawijać, zakręcać (*piłkę*). – *n. zwł. sing. mot.* (gwałtowny) skręt; zboczenie (z drogi), skręcenie; odchylenie (*toru ruchu*).

swift [swɪft] *a. form.* **1.** śpieszny; prędki; bezzwłoczny, niezwłoczny (*o reakcji, odpowiedzi*); **be ~ to do sth** bezzwłocznie *l.* niezwłocznie *l.* pospiesznie coś zrobić. **2.** żwawy (*o osobie*); zwinny (*o zwierzęciu*); bystry, wartki (*o potoku*). **3.** (*także* ~ **of foot**) *lit.* chyży, rączy. – *adv. gł. w złoż. form.* prędko, szybko; żwawo; **~-flowing stream** wartki potok. – *n.* **1.** *orn.* jerzyk (*Apus*). **2.** *zool.* legwan (*Iguana*). **3.** *gł. tk.* kołowrotek; motowidło; wiatraczek motarski.

swiftly ['swɪftlɪ] *adv. form.* prędko, szybko; żwawo.

swiftness ['swɪftnəs] *n. U form.* prędkość; zwinność (*zwierzęcia*).

swig [swɪg] *pot. v.* **-gg-** żłopać. – *n.* haust.

swill [swɪl] *v.* **1.** ~ **(down/out)** spłukiwać, płukać; zmywać (*np. taras*). **2.** ~ **(out)** przepłukiwać (*np. wiadro, garnek*). **3.** *pot.* żłopać, trąbić (*piwo*). **4.** *roln.* karmić (pomyjami) (*trzodę*). – *n.* **1.** *U t. przen.* pomyje. **2.** *gł. sing.* przepłukanie (*wiadra*); spłukanie (*tarasu, pomostu*). **3.** *U uj.* lura. **4.** łyk, haust. **5.** *U pot.* banialuki (= *bzdury*).

swim [swɪm] *v.* **swam, swum, swimming 1.** pływać; ~ **crawl/breaststroke/backstroke** płynąć kraulem/żabką/na plecach; **go swimming** iść popływać; ~ **with/against the tide** *gł. przen.* płynąć z prądem/pod prąd. **2.** przepłynąć (*określony dystans, kanał, rzekę*). **3.** tańczyć (przed oczami) (*o literkach, obrazie*). **4.** *przen.* **sb's head is ~ming** komuś wiruje *l.* kręci się w głowie; **sink or ~** *zob.* **sink** *v.* **5.** ~ **in sth** pławić się w czymś; ~ **with sth** ociekać czymś, kapać od czegoś. – *n.* **1.** *gł. sing.* pływanie; kąpiel; **go for a ~** iść popływać; **have a ~** popływać (sobie). **2.** *ryb.* (dobre) miejsce na ryby. **3.** *przen.* **be in the ~** *pot.* być na bieżąco; **in a ~** zamroczony; **his head was in a ~** wirowało mu przed oczami.

swim bladder *n. icht., bot.* pęcherz pławny.

swimmable [ˈswɪməbl] *a.* nadający się do pływania *l.* kąpieli (*o akwenie, wodzie*); do przepłynięcia (*o dystansie*).

swimmer [ˈswɪmər] *n.* pływa-k/czka; **be a good/strong ~** (umieć) dobrze pływać.

swimmeret [ˈswɪməˌret] *n. zool.* odnóże pływne (*u mięczaków*).

swimmers [ˈswɪmərz] *n. pl. Austr. pot.* kąpielówki.

swimming [ˈswɪmɪŋ] *n. U t. sport* pływanie.

swimming bath *n. Br. przest.* pływalnia, basen (kryty).

swimming cap *n.* czepek (pływacki).

swimming costume *n. Br. i Austr.* = **swimsuit**.

swimming hole rozlewisko (*strumyka nadające się do kąpieli*).

swimmingly [ˈswɪmɪŋlɪ] *adv.* **go ~** *przest.* iść jak po maśle.

swimming pool *n.* pływalnia, basen (kąpielowy *l.* pływacki); **indoor ~** pływalnia kryta, basen kryty; **oudoor ~** pływalnia odkryta *l.* na powietrzu, basen odkryty *l.* na powietrzu.

swimming suit *n. US i Can.* = **swimsuit**.

swimming trunks *n. pl. Br.* kąpielówki.

swimsuit [ˈswɪmˌsuːt] *n.* (*także US i Can.* **swimming suit**) (*także Br. i Austr.* **swimming costume**) kostium *l.* strój kąpielowy (*zwł. jednoczęściowy*).

swimwear [ˈswɪmˌwer] *n. U gł. handl.* kostiumy *l.* stroje kąpielowe.

swindle [ˈswɪndl] *v.* **1.** *pot.* oszukiwać; *pot.* kantować. **2.** ~ **sb out of sth** (*także* ~ **sth from/out of sb**) wyłudzić coś od kogoś. – *n.* oszustwo (finansowe); wyłudzenie; *pot.* kant.

swindler [ˈswɪndlər] *n.* oszust/ka; *pot.* kanciarz.

swine [swaɪn] *n.* **1.** *pl.* **-s** *l.* **swine** *przen. obelż. l. przest.* świnia. **2.** *pl.* **swine** *roln.* wieprz; *z czasownikiem w liczbie mnogiej* trzoda (chlewna).

swineherd [ˈswaɪnˌhɝːd] *n.* świniopas.

swine pox *n. U wet.* pomór świń, cholera świń.

swing [swɪŋ] *v.* **swung, swung 1.** huśtać się, kołysać się, bujać się; wahać się (*t. o nastrojach*). **2.** huśtać, kołysać, bujać (*czymś*). **3.** machać (*ręką, kijem*). **4.** wisieć. **5.** wieszać (*hamak*). **6.** *przest. pot.* zawisnąć (= *umrzeć na szubienicy*); *przen.* beknąć (= *ponieść karę*) (*for sth* za coś). **7.** *muz.* swingować. **8.** *pot.* przepchnąć (*umowę*). **9.** (*także* **be ~ing**) iść na całego *l.* całą parą (*o zabawie*). **10.** *przest. pot.* bawić się w kolejkę (= *uprawiać seks na zmianę po kolei*); uprawiać wolny seks. **11.** *przest. pot.* być na topie (= *interesować się nowościami, modą*). **12.** ~ **both ways** *pot.* być biseksem (= *biseksualist-ą / ką*); ~ **open** otwierać (się) (*o drzwiach*); ~ **sth for sb** załatwić coś komuś; ~ **the car (around/round)** *mot.* zawracać; ~ **the lead** *zob.* **lead²** *n.*; **no room to ~ a cat** (*także* **(there's) not enough room to ~ a cat**) nie ma się jak obrócić (= *jest bardzo ciasno*); **sb can ~ it** komuś się uda. **13.** ~ **around/round** odwrócić (się), obrócić (się); zawrócić, zmienić kierunek (*o wietrze*); ~ **at sb** zamierzyć *l.* zamachnąć się na kogoś; ~ **by** *US pot.* wpaść; ~ **by sb/sth** *US pot.* wpaść do kogoś/gdzieś; ~ **into action** przystąpić do działania; ~ **the car into the drive** *mot.* zajechać na podjazd; ~ **to** zamykać (się) (*o drzwiach*); ~ **o.s. up** podciągać się. – *n.* **1.** huśtawka (*wisząca; t. przen., np. cen, nastrojów*). **2.** *zw. sing.* zamach; **take a ~ at sb/sth** zamachnąć się na kogoś/coś. **3.** zwrot, (gwałtowna *l.* radykalna) zmiana (*w nastroju, opinii, kursie t. politycznym*). **4.** *golf, baseball* zamach, uderzenie, technika uderzenia. **5.** *U muz.* swing. **6.** *U* huśtanie (się), kołysanie (się); wahanie, ruch wahadłowy; *C* wahnięcie. **7.** *U* rozpęd. **8.** *US i Can.* objazd (*zwł. w ramach kampanii*). **9.** *przen.* ~ **of the pendulum** radykalny zwrot; **~s and roundabouts** *zob.* **roundabout** *n.*; **(be) in full ~** (iść) pełną parą (*o pracach, procesie*); (pracować) na pełnych obrotach (*o firmie, linii produkcyjnej*); **the party was in full ~** zabawa szła w najlepsze, zabawa rozkręciła się na dobre; **work is in full ~** praca wre, praca idzie pełną parą; **get into the ~ of sth** *Br.* nabrać wprawy *l.* orientacji w czymś; **go with a ~** *Br.* iść w najlepsze (*o zabawie, interesie*); mieć wyraźny rytm (*o muzyce*); **have free ~** mieć pełną swobodę.

swing-boat [ˈswɪŋˌboʊt] *n.* huśtawka w kształcie łódki.

swing bridge *n. Br. bud.* most obrotowy.

swing-by [ˈswɪŋˌbaɪ] *n. astron.* wykorzystanie grawitacji masywnego ciała dla zwiększenia prędkości (*przez statek kosmiczny*).

swing door *n. Br. bud.* drzwi wahadłowe.

swingeing [ˈswɪndʒɪŋ] *a. Br. form.* surowy; drastyczny (*np. o cięciach w budżecie*).

swinger [ˈswɪŋər] *n. przest. pot.* **1.** hulaka. **2.** wytworn-y/a amator/ka imprez.

swinging [ˈswɪŋɪŋ] *a. pot.* **1.** szalony (*o zabawie, prywatce*); **the ~ sixties** szalone lata sześćdziesiąte. **2.** *przest.* hulaszczy.

swinging door *n. US bud.* drzwi wahadłowe.

swingletree [ˈswɪŋglˌtriː] *n. roln.* orczyk.

swingman [ˈswɪŋˌmæn] *n. pl.* **-men** *sport* gracz uniwersalny *l.* wszechstronny (*mogący grać na różnych pozycjach*).

swingometer [ˌswɪŋˈgɑːmɪtər] *n. Br. telew. pot.*

głosomierz (= *wskaźnik rozkładu głosów używany w telewizyjnych programach wyborczych*).

swing set *n. US* huśtawki.

swing shift *n. US i Can. pot.* druga zmiana, zmiana popołudniowa (*zw. do ok. północy*).

swing state *n. gł. pl. US polit.* stan o trudnym do przewidzenia podziale głosów (*mogący zadecydować o wyniku wyborów*).

swing voter *n. gł. pl. US polit.* wyborca niezdecydowany (*jw.*).

swinish [ˈswaɪnɪʃ] *a. Br. przest. pot.* świński (*o postępowaniu*); wredny (*o problemie*).

swipe [swaɪp] *v.* **1.** przeciągnąć (*kartę magnetyczną*). **2.** zamachnąć się na (*kogoś l. coś*); walnąć, uderzyć (*kogoś*). **3.** *pot.* zwinąć, zwędzić (= *ukraść*). – *n.* zamach; cios; **take a ~ at sb/sth** zamachnąć się na kogoś/coś; *przen.* przypuścić atak na kogoś/coś (*w artykule, wypowiedzi*).

swipe card *n.* karta magnetyczna.

swirl [swɜːl] *v.* **1.** wirować (*np. o wodzie, tancerzu, liściach, mgle*). **2.** mieszać (*płyn w szklance*). **3. sb's head is ~ing** komuś kręci się w głowie. – *n.* **1.** wirowanie; wir. **2.** zawijas (*na wzorze*). **3.** *zw. sing.* zamieszanie. **4.** luźny kok.

swish [swɪʃ] *v.* **1.** szeleścić (*tkaniną*). **2.** świsnąć (*ogonem, szpadą*). **3.** smagać (*rózgą*). – *n. zw. sing.* **1.** szelest (*tkaniny*). **2.** świst (*szpady*); smagnięcie (*rózgą*). **3.** *US sl. obelż.* ciota (= *homoseksualista*). – *a.* **1.** *US sl. obelż.* = **swishy**. **2.** *Br. pot.* wytworny. – *int.* szur; szast.

swishy [ˈswɪʃɪ] *a. pl.* **-er, -est** *US obelż. sl.* ciotowaty (= *zniewieściały, homoseksualny*).

Swiss [swɪs] *a.* szwajcarski. – *n.* Szwajcar/ka; **the ~** Szwajcarzy.

Swiss army knife *n.* scyzoryk wielofunkcyjny.

Swiss chard *n. U bot., kulin.* = **chard**.

Swiss cheese *n. U* ser szwajcarski.

Swiss French *a. polit.* dotyczący francuskojęzycznej części *l.* ludności Szwajcarii.

Swiss German *a. polit.* dotyczący niemieckojęzycznej części *l.* ludności Szwajcarii.

Swiss Guard *n. rz.-kat.* gwardia szwajcarska; członek gwardii szwajcarskiej; *pl.* gwardia szwajcarska.

Swiss roll *n. C/U gł. Br. kulin.* rolada (= *ciasto z dżemem, kremem itp.*).

Swiss steak *n. C/U US kulin.* stek wołowy panierowany (w mące).

switch [swɪtʃ] *n.* **1.** *t. el.* wyłącznik; przełącznik; *el.* łącznik; **light ~** wyłącznik światła *l.* świateł; **throw a ~** przełączyć przełącznik. **2.** *t. el.* przełączenie. **3.** przejście (*(from sth) to sth* (z czegoś) na coś); zmiana (*t. zawodnika*); zwrot; **that's a ~!** *US* co za zmiana!. **4.** podmiana; **make the ~** dokonać podmiany. **5.** *Br. fin.* = **switch card**. **6.** rózga (= *witka l. uderzenie*). **7.** treska. **8.** *zool.* pędzel, kosmyk (*na końcu ogona*). **9.** *tel.* łącze. **10.** *US i Can. kol.* zwrotnica. **11.** *US i Can. kol.* bocznica. **12.** *komp.* przełącznik, zwrotnica (*w programie*). – *v.* **1.** zmieniać (*np. upodobania, temat*) (*to sth* na coś); przerzucać się (*to sth* na coś). **2.** przekładać, przenosić (*termin, spotkanie*) (*from... to...* z... na...). **3.** *t. el.* przełączać (się); **~ into standby** przełączyć (się) w stan gotowości. **4.** podmieniać, zamieniać. **5.** zamieniać się (*with sb* z kimś). **6.** smagać (*kogoś rózgą*). **7.** poruszać się (tam i z powrotem). **8.** machać (*czymś*). **9.** *kol.* przetaczać, rozrządzać (*wagony*). **10. ~ one's attention to sth** zwrócić uwagę na coś, spojrzeć na coś. **11. ~ off** wyłączać (*światło, silnik*); wyłączać się (*t. przen.* = *przestawać uważać*); **~ on** włączać; **~ over** przechodzić, przerzucać się (*from sth to sth* z czegoś na coś); *Br. telew., radio* przełączać się, zmieniać program; **~ over/round** zamienić (się) miejscami.

switchback [ˈswɪtʃˌbæk] *n.* **1.** *mot.* serpentyna; kręta droga; *kol.* kręty tor. **2.** *Br.* = **rollercoaster**.

switchblade [ˈswɪtʃˌbleɪd] *n. US i Can.* sprężynowiec; **~ knife** nóż sprężynowy.

switchboard [ˈswɪtʃˌbɔːrd] *n.* **1.** *tel.* centrala *l.* łącznica (telefoniczna); **jam the ~** przeciążyć centralę *l.* łącza, spowodować przeciążenie centrali. **2.** *el.* tablica rozdzielcza.

switchboard operator *n. tel.* telefonist-a/ka, operator/ka centrali telefonicznej.

switch card *n. Br. fin.* karta (elektroniczna *l.* płatnicza), elektroniczna karta płatnicza.

switched-on [ˌswɪtʃtˈɑːn] *n. Br. przest. sl.* nowoczesny, na czasie (*o osobie*).

switch-hitter [ˈswɪtʃˌhɪtər] *n. US i Can.* **1.** *baseball* gracz oburęczny. **2.** *sl.* biseks (= *biseksualist-a/ka*).

switchman [ˈswɪtʃmən] *n. pl.* **-men** *US i Can. kol.* zwrotniczy.

switch yard *n. US i Can. kol.* stacja rozrządowa.

Switzer [ˈswɪtsər] *a.* **1.** *rz.-kat.* członek gwardii szwajcarskiej, szwajcar. **2.** *arch.* Szwajcar/ka.

Switzerland [ˈswɪtsərlənd] *n. geogr.* Szwajcaria.

swivel [ˈswɪvl] *v. Br.* **-ll- 1. ~ (around/round)** obracać (się); okręcać (się). **2.** *mech.* mocować obrotowo. – *n.* **1.** *mech.* połączenie obrotowe; oś, ośka; sworzeń; trzpień. **2.** (*także* **~ gun**) *wojsk.* działko obrotowe; karabin maszynowy obrotowy.

swivel chair *n. stol.* fotel obrotowy; krzesło obrotowe.

swiz [swɪz], **swizz** *n.* **what a ~!** *Br. pot.* ale granda!.

swizzle [ˈswɪzl] *kulin. n.* koktajl (*pieniący się, na rumie z lodem*). – *v.* mieszać (*koktajl*).

swizzle stick *n. kulin.* pałeczka do (mieszania) koktajli.

swob [swɑːb] *n. i v. arch.* = **swab**.

swollen [ˈswoʊlən] *v. zob.* **swell**. – *a.* **1.** *t. pat.* spuchnięty, nabrzmiały, obrzmiały (*o kostce, palcu, stawie*). **2.** wezbrany (*o rzece, wodach*). **3. sb has a ~ head** *Br. przen.* komuś woda sodowa uderza do głowy.

swollen-headed [ˌswoʊlən ˈhedɪd] *a. Br.* przemądrzały.

swoon [swuːn] *v.* omdlewać, mdleć (*zwł. z zachwytu, rozkoszy*). – *n. przest.* omdlenie; **fall down in ~s** zemdleć.

swoop [swuːp] *v.* **1. ~ (down)** nurkować (*o pta-*

ku, samolocie); pikować (*o samolocie*); spadać (*on / upon sb / sth* na kogoś/coś) (*o ptaku drapieżnym*). **2.** ~ **(in)** *przen.* przeprowadzić *l.* zrobić nalot (*on sb / sth* na kogoś/cos) (*o policji*). – *n.* **1.** nurkowanie; lot nurkowy, pikowanie. **2.** nalot (*policyjny*) (*on sth / sb* na coś/kogoś). **3. at/in one fell** ~ za jednym zamachem.

swoosh [swu:ʃ] *v.* świstać; szeleścić; szemrać. – *n. gł. sing.* świst; szelest; szmer. – *int.* świst; szast.

swop [swɑ:p] *n. i v. Br.* = **swap**.

sword [sɔ:rd] *n.* szpada; miecz; ~ **at the carry!** *wojsk.* na ramię broń!; ~ **of Damocles** *zwł. lit.* miecz Damoklesa *l.* Damoklesowy; **beat/turn ~s into ploughshares** *lit.* przekuć miecze na lemiesze (= *przestać wojować*); **cross/measure ~s** *t. przen.* skrzyżować szpady (*with sb* z kimś); **draw one's** ~ dobyć szpady *l.* miecza; **put sb to the** ~ *przest. l. lit.* wyciąć kogoś w pień; przeszyć kogoś szpadą (*osobę*); **be put to the** ~ *przest.* zginąć od miecza; **throw one's ~ into the scale** rzucić miecz na szalę.

sword bayonet *n. wojsk.* (długi) bagnet.

swordbearer [ˈsɔ:rdˌberər] *n. hist.* miecznik.

sword dance *n. Scot.* taniec z mieczami.

swordfish [ˈsɔ:rdˌfɪʃ] *n. pl.* **-es** *l.* **swordfish** *icht.* miecznik, włócznik (*Xiphias gladius*).

sword knot *n.* temblak (= *pętla na dłoń u rękojeści szabli*).

sword lily *n. pl.* **-ies** *bot.* mieczyk, gladiola (*Gladiolus*).

swordplay [ˈsɔ:rdˌpleɪ] *n. U* szermierka (*t. słowna*).

swordsman [ˈsɔ:rdzmən], **swordman** [ˈsɔ:rdmən] *n. pl.* **-men** szermierz.

swordsmanship [ˈsɔ:rdmənˌʃɪp] *n. U* szermierka.

swore [swɔ:r] *v. zob.* **swear**.

sworn [swɔ:rn] *v. zob.* **swear**. – *a. attr.* **1.** zaprzysięgły; ~ **enemies** zaprzysięgli wrogowie. **2.** *prawn.* (złożony) pod przysięgą (*o zeznaniu, oświadczeniu*); zaprzysiężony (*o świadku, zeznaniu*). **3.** przysięgły (*o tłumaczu*); ~ **interpreter/translator** tłumacz przysięgły (słowa żywego/języka pisanego).

swot[1] *n. i v.* = **swat**.

swot[2] *Br. i Austr. pot. zwł. szkoln. v.* **-tt-** wkuwać, kuć (*for sth* do czegoś) (*do testu, egzaminu*); ~ **up** wkuwać, zakuwać (*on sth* coś). – *n.* kujon/ka.

swotty [ˈswɑ:tɪ] *a.* **-ier**, **-iest** *Br. i Austr. pot. zwł. szkoln.* kujonowaty.

swum [swʌm] *v. zob.* **swim**.

swung [swʌŋ] *v. zob.* **swing**.

swung dash *n. druk.* tylda (*znak* ~).

sybarite [ˈsɪbəˌraɪt], **Sybarite** *n. form.* sybaryt-a/ka.

sybaritic [ˌsɪbəˈrɪtɪk] *a. U form.* sybarycki.

sybaritism [ˈsɪbəˌraɪˌtɪzəm] *n. U form.* sybarytyzm.

Sybil [ˈsɪbl] *n.* **1.** *mit.* Sybilla. **2.** (*także* **s~**) *przen.* wieszczka.

sycamore [ˈsɪkəˌmɔ:r] *n. bot.* **1.** *US i Can.* platan (zachodni) (*Platanus occidentalis*). **2.** (klon) jawor (*Acer pseudoplatanus*). **3.** sykomora, figa morwowata (*Ficus sycomorus*).

sycophant [ˈsɪkəfənt] *n. form.* pochleb-ca/czyni.

sycophantic [ˌsɪkəˈfæntɪk] *a. form.* służalczy; schlebiający.

sycosis [saɪˈkoʊsɪs] *n. U pat.* figówka, ropne zapalenie mieszków włosowych (*zwł. brody*).

syenite [ˈsaɪənaɪt] *n. U geol.* sjenit (*skała magmowa*).

syl., syll. *abbr.* **1.** = **syllable**. **2.** = **syllabus**.

syllabary [ˈsɪləˌberɪ] *n. pl.* **-ies** *jęz.* sylabariusz, sylabar, pismo sylabiczne.

syllabi [ˈsɪləˌbaɪ] *n. pl. zob.* **syllabus**.

syllabic [sɪˈlæbɪk] *a. jęz., wers.* sylabiczny, zgłoskowy.

syllabicate [sɪˈlæbəˌkeɪt] *v.* = **syllabify**.

syllabication [sɪˌlæbəˈkeɪʃən] *n. U* = **syllabification**.

syllabification [sɪˌlæbəfɪˈkeɪʃən] *n. U jęz.* podział na sylaby *l.* zgłoski.

syllabify [sɪˈlæbəˌfaɪ] *v.* **-ied**, **-ying** *jęz.* dzielić na sylaby *l.* zgłoski (*wyraz*).

syllable [ˈsɪləbl] *n.* **1.** *jęz., wers.* sylaba, zgłoska. **2.** *z neg.* słowo; **not a** ~ ani słowa; **don't speak a/another** ~ nie mów ani słowa. – *v.* sylabizować.

syllabub [ˈsɪləˌbʌb], **sillabub** *n. C / U kulin.* **1.** koktajl mleczno-alkoholowy. **2.** *Br.* bita śmietana z alkoholem (*deser*).

Syllabus [ˈsɪləbəs] *n.* (*także* ~ **of Errors**) *rz.-kat.* syllabus (= *spis poglądów sprzecznych z doktryną Kościoła*).

syllabus [ˈsɪləbəs] *n. pl.* **-es** *l.* **syllabi** [ˈsɪləˌbaɪ] **1.** *uniw.* program *l.* plan zajęć; *szkoln.* program nauczania; wykaz zagadnień; **on the** ~ w programie *l.* planie. **2.** *prawn.* podsumowanie wyroku (*na piśmie*).

syllepsis [sɪˈlepsɪs] *n. pl.* **syllepses** [sɪˈlepsi:z] *ret., gram.* syllepsis (= *celowa niespójność gramatyczna lub logiczna*).

syllogism [ˈsɪləˌdʒɪzəm] *n. log.* sylogizm.

syllogistic [ˌsɪləˈdʒɪstɪk] *a. log.* sylogistyczny.

syllogize [ˈsɪləˌdʒaɪz], *Br. i Austr. zw.* **syllogise** *v. log.* wnioskować (z użyciem sylogizmów).

sylph [sɪlf] *n.* **1.** *mit.* sylfida; sylf. **2.** *lit.* sylfida, gazela (= *smukła dziewczyna*).

sylphic [ˈsɪlfɪk] *a. lit.* smukły.

sylva [ˈsɪlvə], **silva** *n. pl.* **-s** *l.* **silvae** [ˈsɪlvi:] *leśn.* drzewostan.

sylvan [ˈsɪlvən], **silvan** *a. lit.* **1.** leśny. **2.** wiejski. – *n.* **1.** leśny duszek. **2.** mieszkaniec lasu (*osoba l. zwierzę*).

sylvanite [ˈsɪlvəˌnaɪt], **silvanite** *n. U min.* sylwanit.

sylvine [ˈsɪlvɪn], **silvite** [ˈsɪlvaɪt] *n. U min.* sylwin.

symbiosis [ˌsɪmbaɪˈoʊsɪs] *n. U biol. l. przen.* symbioza.

symbiotic [ˌsɪmbaɪˈɑ:tɪk] *a. gł. biol.* symbiotyczny.

symbol [ˈsɪmbl] *n.* symbol; **sex** ~ (*także* ~ **of sex**) symbol seksu.

symbolic [sɪmˈbɑ:lɪk], **symbolical** [sɪmˈbɑ:lɪkl]

a. symboliczny (*t. np. o geście*); **be ~ of sth** symbolizować coś.

symbolically [sɪm'bɑːlɪklɪ] *adv.* symbolicznie.

symbolic language *n. t. komp.* język symboliczny.

symbolic logic *n. U log.* logika symboliczna.

symbolism ['sɪmbəˌlɪzəm] *n. U* symbolizm.

symbolist ['sɪmbəlɪst] *n.* symbolist-a/ka. – *a.* symbolistyczny.

symbolization [ˌsɪmbələ'zeɪʃən], *Br. i Austr. zw.* **symbolisation** *n. U* symbolizacja.

symbolize ['sɪmbəˌlaɪz], *Br. i Austr. zw.* **symbolise** *v.* symbolizować.

symmetrical [sɪ'metrɪkl] *a.* (*także mat., log. i anat.* **symmetric**) symetryczny.

symmetrically [sɪ'metrɪklɪ] *adv.* symetrycznie.

symmetric matrix *n. mat.* macierz symetryczna.

symmetry ['sɪmətrɪ] *n. C/U pl.* **-ies** symetria.

sympathetic [ˌsɪmpə'θetɪk] *a.* **1.** współczujący, pełen współczucia (*about sth* w związku z czymś l. z powodu czegoś). **2.** życzliwy (*to/toward sb/sth* w stosunku do kogoś/czegoś); sprzyjający (*to/toward sb/sth* komuś/czemuś) (*o osobie, warunkach*); pozytywnie nastawiony; **~ ear** życzliwy słuchacz; **~ look** życzliwe spojrzenie; **be ~ to/towards sth/sb** sprzyjać czemuś/komuś. **3. ~ figure/character** *teor. lit., film* postać pozytywna, bohater pozytywny. **4.** *anat.* współczulny. **5.** *akustyka* pobudzony (przez rezonans); wtórny (*o drganiach*); sprzężony (*o drganiach, strunie*); współdrgający (*o strunie*).

sympathetically [ˌsɪmpə'θetɪklɪ] *adv.* **1.** współczująco. **2.** życzliwie. **3.** pozytywnie. **4.** *akustyka* w wyniku rezonansu (*drgać*).

sympathetic ink *n. U* atrament sympatyczny.

sympathetic nervous system *n. anat.* układ nerwowy współczulny *l.* sympatyczny.

sympathize ['sɪmpəˌθaɪz], *Br. i Austr. zw.* **sympathise** *v.* współczuć (*with sb/sth* komuś/czemuś); solidaryzować się; sympatyzować (*with sb/sth* z kimś/czymś); **~ (with sb) in sth** dzielić (z kimś) coś (*np. żal, radość*).

sympathizer ['sɪmpəˌθaɪzər] *n.* sympaty-k/czka.

sympathomimetic [ˌsɪmpəθoʊmɪ'metɪk] *med. n.* sympatykomimetyk. – *a.* sympatykomimetyczny.

sympathy ['sɪmpəθɪ] *n. pl.* **-ies 1.** *U* współczucie (*for sb* dla kogoś); **expression of ~** wyraz współczucia; **have/feel ~ for sb** mieć dla kogoś współczucie, współczuć komuś; **message/letter of ~** list z kondolencjami *l.* z wyrazami współczucia; **tea and ~** *zob.* **tea**; **(you have) my deepest ~** serdeczne wyrazy współczucia. **2.** solidarność (*with sb* z kimś); **~ strike** strajk solidarnościowy; **come out in ~** przeprowadzić *l.* ogłosić strajk solidarnościowy; **come out in ~ with sb** przeprowadzić *l.* ogłosić strajk na znak solidarności z kimś. **3.** *U* zrozumienie (*for sb/sth* dla kogoś/czegoś). **4.** *U* poparcie; **be in ~ with sb/sth** popierać kogoś/coś; **have ~ for sth** popierać coś. **5.** *U* sympatia (*for sb/sth* dla kogoś/czegoś). **6.** *pl.* sympatie (*polityczne*); **sb's sympathies lie with sb/sth** czyjeś sympatie leżą po stronie kogoś/czegoś. **7.** *pl.* kondolencje, wyrazy współczucia; **offer one's sympathies** składać kondolencje *l.* wyrazy współczucia.

sympathy vote *n. C/U* poparcie (wynikające) z litości (*w głosowaniu*).

symphonic [sɪm'fɑːnɪk] *a.* **1.** *muz.* symfoniczny. **2.** *form.* harmonijny; harmonizujący.

symphonic poem *n. muz.* poemat symfoniczny.

symphony ['sɪmfənɪ] *n. pl.* **-ies** *muz.* **1.** *t. przen.* symfonia (*t. barw*). **2.** (*także* **~ orchestra**) orkiestra symfoniczna.

symphysis ['sɪmfɪsɪs] *n. pl.* **symphyses 1.** *bot., anat.* spojenie. **2.** *pat.* zrośnięcie, zrost.

symposium [sɪm'poʊzɪəm] *n. pl.* **-s** *l.* **symposia 1.** sympozjum (*on sth* na temat czegoś). **2.** *form.* sympozjon (= *zbiór esejów*). **3.** *hist.* sympozjon (= *dyskusja pod koniec uczty*).

symptom ['sɪmptəm] *n.* **1.** *pat.* symptom, objaw. **2.** *socjol.* symptom, przejaw (*procesu, zjawiska*).

symptomatic [ˌsɪmptə'mætɪk] *a.* **1.** *pat.* objawowy; **~ treatment** leczenie objawowe. **2.** *form.* symptomatyczny, charakterystyczny (*of sth* dla czegoś) (*np. dla choroby, wieku, zjawiska*).

symptomatology [ˌsɪmptəmə'tɑːlədʒɪ] *n. U med.* symptomatologia.

syn. *abbr.* = **synonym.**

synaesthesia [ˌsɪnəs'θiːʒə] *n.* = **synesthesia.**

synagogue ['sɪnəˌgɑːg] *rzad.* **synagog** *n. bud., kość.* synagoga, bóżnica.

synapse ['sɪnæps] *n.* **1.** *anat.* synapsa. **2.** *biol., fizj.* koniugacja mejotyczna chromosomów.

synaptic [sɪ'næptɪk] *a. anat.* **1.** synaptyczny; **~ gap** szczelina synaptyczna. **2.** *biol., fizj.* koniugacyjny.

sync [sɪŋk], **synch** *pot. abbr.* = **synchronization**; = **synchronize.** – *n. U pot.* **in ~** w jednym rytmie *l.* tempie, zgodnie; **be in ~ (with sth)** zgadzać się (z czymś), pokrywać się (z czymś); pasować (do czegoś); **out of ~** nie w jednym rytmie *l.* tempie; **be out of ~ (with sth)** nie zgadzać się (z czymś), nie pokrywać się (z czymś); nie pasować (do czegoś); **get out of ~** rozjechać się, rozstroić się (*o dźwięku, obrazie*).

synchromesh ['sɪŋkroʊˌmeʃ] *mot. n. U* synchronizacja biegów; przekładnia *l.* skrzynia biegów z synchronizacją. – *a. attr.* z synchronizacją (biegów) (*o przekładni*).

synchronic [sɪn'krɑːnɪk] *n. mech., el., fiz., jęz.* synchroniczny.

synchronicity [ˌsɪŋkrə'nɪsətɪ] *n. U* **1.** synchronizm, synchroniczność. **2.** *fil.* synchronia (= *koincydencja zdarzeń w filozofii Junga*).

synchronism ['sɪŋkrəˌnɪzəm] *n.* **1.** *U* synchronizm, synchroniczność. **2.** tablica synchroniczna.

synchronization [ˌsɪŋkrənə'zeɪʃən], *Br. i Austr. zw.* **synchronisation** *n. U* synchronizacja; **in ~ (with sth)** synchronicznie (z czymś); zsynchronizowany (z czymś).

synchronize ['sɪŋkrəˌnaɪz], *Br. i Austr. zw.* **synchronise** *v.* **1.** synchronizować (*np. działania,* *zegarki, dźwięk z obrazem*). **2.** być zsynchronizowanym, dziać się równocześnie (*with sth* z czymś). **3.** pokazywać jednakowy czas (*o zegarach*). **4.** przedstawiać w formie *l.* postaci tabeli synchronicznej (*wydarzenia, okres*).

synchronized swimming [ˌsɪŋkrəˌnaɪzd ˈswɪmɪŋ] *n. U sport* pływanie synchroniczne.

synchronizer [ˈsɪŋkrəˌnaɪzər] *n.* synchronizator.

synchronous [ˈsɪŋkrənəs] *a.* **1.** *fiz., mech., techn., el.* synchroniczny. **2.** *form.* równoczesny (*with sth* z czymś).

synchronous motor *n. el.* silnik synchroniczny.

synchronous orbit *n. astron.* orbita synchroniczna *l.* geostacjonarna.

synchronous protocol *n. tel., komp.* protokół synchroniczny.

synchrony [ˈsɪŋkrənɪ] *n. C/U pl.* **-ies** *form.* synchronia.

synchrotron [ˈsɪŋkrəˌtrɑːn] *n. fiz.* synchrotron.

synchrotron radiation *n. U fiz.* promieniowanie synchrotronowe.

synclinal [ˌsɪŋˈklaɪnl] *a. geol.* synklinalny, łękowy, nieckowaty.

syncline [ˈsɪnklaɪn] *n. geol.* synklina, łęk, niecka.

Syncom [ˈsɪnkɑːm] *n. tel.* stacjonarny satelita telekomunikacyjny.

syncopate [ˈsɪŋkəˌpeɪt] *v.* **1.** *muz.* synkopować (*utwór, rytm*). **2.** *fon., jęz.* redukować przez synkopę (*sylabę, wyraz*).

syncopated [ˈsɪŋkəˌpeɪtɪd] *a. muz.* synkopowany (*o rytmie*).

syncopation [ˌsɪŋkəˈpeɪʃən] *n. U muz., fon., jęz.* synkopa.

syncope [ˈsɪŋkəpɪ] *n.* **1.** *pat.* omdlenie. **2.** *fon., jęz.* synkopa.

syncretism [ˈsɪŋkrəˌtɪzəm] *n. C/U gram., fil., teol.* synkretyzm.

syndactyl [sɪnˈdæktɪl] *a. zool., pat.* zrosłopalczasty.

syndetic [sɪnˈdetɪk] *a. gram.* spójnikowy.

syndic [ˈsɪndɪk] *n. prawn., admin.* syndyk.

syndicalism [ˈsɪndɪkəˌlɪzəm] *n. U polit.* syndykalizm.

syndicalist [ˈsɪndɪkəlɪst] *polit. a.* syndykalistyczny. – *n.* syndykalist-a/ka.

syndicate *n.* [ˈsɪndɪkət] **1.** *ekon.* syndykat, konsorcjum. **2.** *ekon., dzienn.* koncern prasowy. **3.** *dzienn.* agencja prasowa. **4.** *hist., polit.* syndykat. – *v.* [ˈsɪndɪkeɪt] **1.** *dzienn.* publikować (*artykuły w wielu pismach jednocześnie za łączną opłatę*); *US telew., radio* retransmitować, nadawać (*programy w wielu stacjach jednocześnie za łączną opłatę*). **2.** *ekon.* łączyć (się) (*w konsorcjum*); tworzyć konsorcjum. **3.** *ekon.* kontrolować (*dziedzinę, rynek*).

syndication [ˌsɪndɪˈkeɪʃən] *n. U ekon.* syndykalizacja.

syndrome [ˈsɪndroʊm] *n. C/U pat. l. form.* syndrom (*zwł. w nazwach*).

syne [saɪn] *adv. Scot.* **1.** temu; **3 years ~** 3 lata temu. **2.** potem, później.

synecdoche [sɪˈnekdəkɪ] *n. C/U teor. lit., ret.* synekdocha.

synecius [sɪˈniːʃəs], **synoecius** *a. bot.* obupłciowy.

synecology [ˌsɪnəˈkɑːlədʒɪ] *n. U ekol.* synekologia.

synergism [ˈsɪnəˌdʒɪzəm] *n.* **1.** *U form.* synergizm, synergia, współdziałanie. **2.** *C/U med.* synergizm, efekt synergiczny, działanie synergiczne (*leków*). **3.** *U teol.* synergizm.

synergy [ˈsɪnərdʒɪ] *n. pl.* **-ies** *C/U form. med.* = **synergism** 1, 2.

synesthesia [ˌsɪnəsˈθiːʒə], **synaesthesia** *n. U fizj., psych., teor. lit.* synestezja.

synfuel [ˈsɪnˌfjuːəl] *n. C/U chem.* paliwo syntetyczne.

synod [ˈsɪnəd] *n. kośc.* synod.

synodal [ˈsɪnədl] *a. kośc.* synodalny.

synodic [sɪˈnɑːdɪk], **synodical** *a. gł. attr. astron.* synodyczny; **~ month/period** miesiąc/obieg synodyczny.

synoecious [sɪˈniːʃəs] *a. bot.* = **synecious**.

synonym [ˈsɪnənɪm] *n.* **1.** *jęz.* synonim, wyraz bliskoznaczny. **2.** *biol.* synonim.

synonymic [ˌsɪnəˈnɪmɪk] *a. jęz.* synonimiczny, bliskoznaczny.

synonymity [ˌsɪnəˈnɪmɪtɪ] *n. U* **1.** równoznaczność. **2.** *jęz.* synonimiczność, bliskoznaczność.

synonymous [sɪˈnɑːnəməs] *a.* **1.** równoznaczny (*with sth* z czymś). **2.** *jęz.* synonimiczny, bliskoznaczny (*o wyrażeniach, wyrazach*).

synonymy [sɪˈnɑːnɪmɪ] *n. C/U pl.* **-ies** synonimia; synonimika.

synopsis [sɪˈnɑːpsɪs] *n. pl.* **synopses** streszczenie (*akcji filmu, odcinka serialu*); podsumowanie (*argumentacji*).

synoptic [sɪˈnɑːptɪk] *a.* **1.** *form.* synoptyczny, poglądowy, przeglądowy. **2.** *meteor., Bibl.* synoptyczny. – *n. zw. pl.* (*także* **synoptist**) *Bibl.* synoptyk (= *jeden z ewangelistów: Łukasz, Mateusz l. Marek*).

synovia [sɪˈnoʊvɪə] *n. U anat.* maź stawowa.

synovial [sɪˈnoʊvɪəl] *a. anat.* maziowy; maziówkowy; **~ fluid** maź stawowa.

synovitis [ˌsɪnəˈvaɪtɪs] *n. U pat.* zapalenie błony maziowej.

syntactic [sɪnˈtæktɪk], **syntactical** [sɪnˈtæktɪkl] *a. jęz., komp., log.* składniowy, syntaktyczny; **~ structure** struktura składniowa.

syntagm [ˈsɪntæm] *n. jęz.* syntagma.

syntagma [sɪnˈtægmə] *n. pl.* **-s** *l.* **syntagmata** [sɪnˈtægmətə] *jęz.* syntagma.

syntax [ˈsɪntæks] *n. U jęz., log., komp.* składnia.

syntax error *n. komp.* błąd składni *l.* składniowy *l.* syntaktyczny.

synth [sɪnθ] *n. muz. pot.* syntezator; **play the ~** grać na syntezatorze.

synthesis [ˈsɪnθəsɪs] *n. C/U pl.* **syntheses** [ˈsɪnθəsiːz] *form. gł. chem.* synteza.

synthesize [ˈsɪnθəˌsaɪz], *Br. i Austr. zw.* **synthesise** *v. gł. chem.* syntetyzować; *form.* dokonywać syntezy (*faktów*).

synthesizer [ˈsɪnθəˌsaɪzər] *n. muz., techn.* syntezator.

synthetic [sɪn'θetɪk] *a.* **1.** *t. chem.* syntetyczny, sztuczny (*o produkcie, tworzywie*); ~ **fuel** paliwo syntetyczne; ~ **resin** żywica syntetyczna; ~ **rubber** kauczuk syntetyczny. **2.** *log., jęz.* syntetyczny (*o zdaniu*). **3.** *jęz.* syntetyczny, fleksyjny (*o języku, systemie morfologicznym*). **4.** *przen.* sztuczny, nieszczery (*np. o podziękowaniach*). – *n.* syntetyk (= *tworzywo sztuczne*).

synthetical [sɪn'θetɪkl] *a. rzad.* = **synthetic**.

synthetically [sɪn'θetɪklɪ] *adv.* syntetycznie.

synthetism ['sɪnθəˌtɪzəm] *n. U mal.* syntetyzm.

synthetist ['sɪnθətɪst] *n. zwł. mal.* syntety-k/czka.

syphilis ['sɪfələs] *n. U pat.* kiła, syfilis.

syphilitic [ˌsɪfə'lɪtɪk] *a. pat.* kiłowy, syfilityczny. – *n. obelż.* syfility-k/czka.

syphon ['saɪfən] *n. i v.* = **siphon**.

Syracuse ['saɪrəˌkju:z] *n. geogr.* Syrakuzy.

Syria ['sɪrɪə] *n. geogr.* Syria.

Syriac ['sɪrɪˌæk] *n. U hist.* (język) syryjski.

Syrian ['sɪrɪən] *a.* syryjski. – *n.* Syryjczyk/ka.

syringe [sə'rɪndʒ] *gł. med. n.* strzykawka. – *v.* wstrzykiwać (*lek*); płukać strzykawką (*ucho*).

syrinx ['sɪrɪŋks] *n. pl.* **-es** *l.* **syringes** [sɪ'rɪndʒi:z] **1.** *muz.* fletnia Pana, syringa. **2.** *orn.* krtań dolna. **3.** *anat.* trąbka słuchowa *l.* Eustachiusza. **4.** *pat.* jama rdzenia.

syrup ['sɪrəp], *US rzad.* **sirup** *n. U kulin., med., techn.* syrop. – *v.* **1.** zagęszczać (*do postaci syropu*). **2.** słodzić syropem.

syrupy ['sɪrəpɪ] *n.* **-ier, -iest** **1.** lepki; syropowaty. **2.** *przen.* przesłodzony; ckliwy.

syst. *abbr.* = **system**.

system ['sɪstəm] *n.* **1.** system (*np. polityczny, transportu, oświaty, komputerowy, alarmowy, gry, gwiezdny, klasyfikacji, postępowania*); *techn. t.* instalacja; *fizj. t.* układ (*krwionośny, oddechowy*); organizm; *geol. t.* formacja. **2.** *U* systematyczność. **3. get sth out of one's** ~ wydalić coś (*toksyny*); *pot.* pozbyć się czegoś (*złości*); **the** ~ *pot.* system, machina (biurokratyczna).

system administrator *n. komp.* administrator (systemu).

systematic [ˌsɪstə'mætɪk], **systematical** [ˌsɪstə'mætɪkl] *a.* systematyczny.

systematically [ˌsɪstə'mætɪklɪ] *adv.* systematycznie.

systematization [ˌsɪstəmətə'zeɪʃən], *Br. i Austr. zw.* **systematisation** *n. C/U* systematyzacja, usystematyzowanie.

systematize ['sɪstəməˌtaɪz], *Br. i Austr. zw.* **systematise** *v.* systematyzować.

system building *n. U bud.* budownictwo wielkopłytowe.

system built, system-built *a. bud.* wielkopłytowy.

system disk *n. komp.* dysk systemowy.

systemic [sɪ'stemɪk] *a.* **1.** *biol., roln.* systemiczny, układowy (*o pestycydach*). **2.** *form.* systemowy (*np. o zmianach*). **3.** *pat., fizj.* ogólnoustrojowy, układowy, uogólniony, ogólny (*o objawach, infekcji*). – *n. gł. pl. roln.* preparat systemiczny *l.* układowy.

systemically [sɪ'stemɪklɪ] *adv. form.* systemowo; układowo; ogólnie.

systemic circulation *n. U fizj.* krążenie duże.

systems analysis *n. U komp.* analiza systemów.

systems analyst *n. komp.* anality-k/czka systemów.

systems engineer *n. techn.* projektant/ka systemów.

systems engineering *n. U techn.* projektowanie systemów.

system software *n. U komp.* oprogramowanie systemowe.

systole ['sɪstəlɪ] *n. fizj.* skurcz (serca).

systolic [sɪ'stɑ:lɪk] *a. fizj.* skurczowy; ~ **pressure** ciśnienie skurczowe.

syzygy ['sɪzədʒɪ] *n. pl.* **-ies** **1.** *astron.* syzygium (= *ustawienie trzech ciał w jednej linii*). **2.** *wers.* syzygia (= *połączenie dwóch stóp*).

T

T [tiː], **t** *n. pl.* **-'s** *l.* **-s** [tiːz] **1.** T, t (*litera l. głoska*). **2.** *przen.* **cross the ~** *hist. żegl.* przecinać drogę (*jako manewr taktyczny*); **cross the ~'s** stawiać kropkę nad i; dzielić włos na czworo; **to a ~** (*także* **to a tee**) *pot.* w każdym szczególe; pierwszorzędnie, wyśmienicie; **fit sb to a ~** leżeć na kimś jak ulał (*o części garderoby*); pasować do kogoś jak ulał (*np. o opisie*); **suit sb to a ~** idealnie komuś odpowiadać.

T *abbr.* **1.** *t. fiz.* = **temperature**. **2.** *fiz.* = **tesla**. **3.** *kulin.* = **tablespoon**. **4.** *biochem.* = **thymine**. **5.** = **Tuesday**. **6.** *geogr.* = **Thailand**.

t *abbr.* **1.** = **tare**[2]. **2.** = **target**. **3.** *kulin.* = **teaspoon**. **4.** = **technical**. **5.** = **tempo**. **6.** = **tenor**. **7.** = **tense**. **8.** = **tension**. **9.** = **time**. **10.** = **ton**. **11.** *gram.* = **transitive**. **12.** = **troy**.

't [t] *abbr.* = **it**.

T.[1] *n. U US pot.* maryśka, marycha (= *marihuana*).

T.[2] *abbr.* **1.** *kulin.* = **tablespoon**. **2.** = **Tuesday**.

t. *abbr.* **1.** *kulin.* = **teaspoon**. **2.** *t. fiz.* = **temperature**. **3.** = **time**. **4.** = **ton**. **5.** *gram.* = **transitive**.

TA [ˌtiː ˈeɪ] *abbr.* **1.** *Br. wojsk.* = **Territorial Army**. **2.** *psych.* = **transactional analysis**.

ta [tɑː] *n. Br. pot.* dzięki.

Taal [tɑːl] *n. U* (język) afrikaans.

tab [tæb] *n.* **1.** język, języczek (*do trzymania l. otwierania czegoś*). **2.** igliczka (*sznurowadła*). **3.** patka (*t. na kołnierzu oficera sztabowego*); naszywka; wieszak (*przy płaszczu*). **4.** przywieszka (*np. na bagażu*). **5.** etykieta. **6.** zakładka (*np. przy fiszce*). **7.** *lotn.* klapka (*na sterze*). **8.** = **tabulator**. **9.** *pot.* = **tablet**. **10.** *sl.* ćmik, fajka (= *papieros*). **11.** *sl.* LSD w postaci brykietu. **12.** *US, Can. i Austr. pot.* rachunek (*np. w restauracji*); **pick up the ~ for sth** zapłacić za coś; **put sth on sb's ~** zapisać coś na czyjś rachunek. **13. keep ~s on sb/sth** *przen. pot.* mieć kogoś/coś na oku. – *v.* **-bb- 1.** przyszywać wieszak, patkę, naszywkę itp. do (*czegoś*). **2.** = **tabulate**.

tabanid [ˈtæbənɪd] *n. ent.* bąk (*rodzina Tabanidae*).

tabard [ˈtæbərd] *n. strój hist.* **1.** luźna tunika (*kobieca*). **2.** krótki płaszcz (*z rękawami l. bez, noszony na zbroję*). **3.** płaszcz herolda (*z herbem królewskim*).

tabaret [ˈtæbərɪt] *n. U* tkanina na obicia (*na przemian z paskami atłasu i jedwabiu*).

Tabasco [təˈbæskoʊ] *n. U* (*także* **~ sauce**) tabasco, sos tabasco.

tabby [ˈtæbɪ] *n. pl.* **-ies 1.** (*także* **~ cat**) pręgowany kot (*zw. szarobury l. biało-rudy*). **2.** kotka (*zwł. domowa*). **3.** *pot. obelż.* stara plotkara. **4.** *U tk.* mora. – *a.* **1.** pręgowany. **2.** *tk.* morowy.

tabernacle [ˈtæbərˌnækl] *n.* **1.** (*także* **T~**) *judaizm* namiot, szałas (*w którym umieszczano Arkę Przymierza*); **(Feast of) T~s** Święto Szałasów, Sukkot, Kuczki. **2.** (*także* **T~**) *judaizm* świątynia żydowska. **3.** *rz.-kat.* tabernakulum. **4.** *bud., kość.* nisza (*na ikonę*). **5.** *żegl.* nożyce masztu. **6.** *lit.* przybytek (*zwł.* = *ciało jako mieszkanie duszy*).

tabes [ˈteɪbiːz] *n. U pat.* **1.** wyniszczenie. **2.** (*także* **~ dorsalis**) tabes, wiąd rdzenia.

tabinet [ˈtæbəˌnet] *n. U tk.* mora jedwabno-wełniana.

tablature [ˈtæblətʃər] *n.* **1.** *muz.* tabulatura. **2.** grawerowana tabliczka. **3.** *arch.* obraz myślowy. **4.** *arch.* malowniczy opis.

table [ˈteɪbl] *n.* **1.** *t. techn., chir., brydż* stół (*t. przen.* = *jedzenie na stole, osoby siedzące za stołem*); stolik; stoliczek; **at the ~** (*także Br.* **at ~**) przy stole (= *w trakcie posiłku*); **clear the ~** sprzątać ze stołu; **coffee ~** (*także* **coctail ~**) stolik, ława; **drawing ~** deska kreślarska; **dressing ~** toaletka; **folding ~** stół składany; **kitchen ~** stół kuchenny; **reserve/book a ~** zarezerwować stolik (*w restauracji*); **round ~** *t. przen.* okrągły stół; **set the ~** (*także gł. Br.* **lay the ~**) nakrywać do stołu; **sit down to ~** siadać do stołu. **2.** tablica; tabliczka; **four/six times ~** mnożenie przez cztery/sześć; **multiplication ~** tabliczka mnożenia; **periodic ~** tablica Mendelejewa. **3.** tabela; **~ of contents** spis treści; **conversion ~** tabela przeliczeniowa. **4.** *geol.* = **tableland**. **5.** tafla (*t. jubilerstwo* = *płaska powierzchnia kamienia szlachetnego*). **6.** płyta (*np. drewniana, kamienna*). **7.** (*także* **tablet**) *bud.* gzyms. **8.** plansza do triktraka. **9.** *jubilerstwo* kamień rżnięty o dwu płaszczyznach. **10.** *anat.* blaszka (*kości płaskiej*). **11.** *muz.* przednia płyta pudła rezonansowego. **12.** *chiromancja* dłoń. **13.** *przen.* **drink sb under the ~** *pot.* spić kogoś; **lay sth on the ~** *US* odłożyć rozpatrzenie czegoś (*np. pomysłu, propozycji*); **put/lay sth on the ~** *zwł. Br.* przedłożyć coś do dyskusji; **set** *US*/**keep** *Br.* **a good ~** dobrze karmić (gości); **under the ~** *pot.* ukradkiem, cichcem (*zwł. przekazywać pieniądze*); **turn the ~s** odwrócić role *l.* sytuację; **the ~s have turned** sytuacja się odwróciła, role się odwróciły. – *v.* **1.** *US* odkładać rozpatrzenie (*wniosku, propozycji*). **2.** *Br.* przedstawiać, przedkładać (*wniosek, propo-*

zycję). **3.** kłaść na stole. **4.** sporządzać tabelę (*czegoś*). **5.** sporządzać wykaz *l.* spis (*czegoś*).

tableau [ˈtæbloʊ] *n. pl.* **-s** *l.* **tableaux** [ˈtæbloʊz] **1.** żywy opis. **2.** = **tableau vivant**. **3.** sytuacja pełna dramatycznego napięcia.

tableau curtains *n. pl. teatr* kurtyna rozciągana.

tableau vivant [ˌtæbloʊ viːˈvɑːŋ] *n. pl.* **tableaux vivants** [ˌtæbloʊ viːˈvɑːŋ] żywy obraz.

table-board [ˈteɪblˌbɔːrd] *n. U US* wyżywienie (*bez zakwaterowania*).

tablecloth [ˈteɪblˌklɔːθ] *n.* obrus.

table-cut [ˈteɪblˌkʌt] *a. jubilerstwo* szlifowany z płaskim wierzchem (*o kamieniu szlachetnym*).

table d'hôte [ˌtɑːbl ˈdoʊt] *n. zw. pl.* stałe menu (= *ograniczona liczba dań o stałej cenie*).

table football *n. U* piłkarzyki (*gra*).

table-hop [ˈteɪblˌhɑːp] *v.* **-pp-** *US pot.* skakać od stolika do stolika.

tablehopper [ˈteɪblˌhɑːpər] *n. US pot.* osoba skacząca od stolika do stolika.

table lamp *n.* lampka na stolik.

tableland [ˈteɪblˌlænd] *n. geol.* płaskowyż.

tableleaf [ˈteɪblˌliːf] *n.* klapa, dodatkowy blat (*rozkładanego stołu*).

table licence *n. Br.* koncesja na sprzedaż alkoholu (*w restauracji*).

table linen *n. U* bielizna stołowa.

table manners *n. pl.* zachowanie (się) przy stole.

table mat *n.* podkładka (*pod nakrycie*).

table money *n. U Br. gł. wojsk.* dieta żywieniowa (*dla wyższych oficerów*).

tablemount [ˈteɪblˌmaʊnt] *n. geol.* gujot (= *podwodna góra o płaskim wierzchołku*).

table-rapping [ˈteɪblˌræpɪŋ] *n. U* pukanie w stolik, stoliki pukające (*w seansie spirytystycznym*).

table salt *n. U kulin.* sól kuchenna.

tablespoon [ˈteɪblˌspuːn] *n. kulin.* **1.** łyżka stołowa (*przedmiot*). **2.** (*także* **~spoonful**) łyżka stołowa (*miara* = ½ *uncji l. 3 łyżeczki do herbaty*).

tablet [ˈtæblət] *n.* **1.** *med.* tabletka. **2.** tabliczka (*do pisania, z napisem*). **3.** tablica (*z napisem*). **4.** kostka (*np. mydła*). **5.** notatnik. **6.** *bud.* = **table** *n.* 7.

table tennis *n. U sport* tenis stołowy.

tabletop [ˈteɪblˌtɑːp] *n.* blat stołu.

table-turning [ˈteɪblˌtɝːnɪŋ] *n. U* **1.** wirowanie stolika, wirujące stoliki (*podczas seansu spirytystycznego*). **2.** *zw. pog.* seanse spirytystyczne, spirytyzm.

tableware [ˈteɪblˌwer] *n. U* zastawa stołowa.

table wine *n. U* wino stołowe.

tabloid [ˈtæblɔɪd] *zwł. Br. n. dzienn.* gazeta małoformatowa; brukowiec; **the ~s** (*także* **the ~ press**) prasa brukowa. – *a. attr.* goniący za sensacją.

taboo [təˈbuː] *n. C/U pl.* **-s** *t. rel.* tabu (*about/on/against sth* związane z czymś). – *a.* tabu, zakazany; ~ **subject** temat tabu. – *v.* **1.** *t. rel.* nakładać tabu na. **2.** zakazywać (*czegoś*).

tabor [ˈteɪbər] *n. muz., gł. hist.* bębenek (*zwł. taki, w który uderza się jedną ręką, drugą grając na fujarce*).

taboret [ˌtæbəˈret], **tabouret** *n.* **1.** taboret. **2.** tamborek (*do haftowania*). **3.** (*także* **taborin, tabourin**) bębenek.

tab stop *n. komp.* klawisz Tab.

tabular [ˈtæbjələr] *a.* **1.** tabelaryczny. **2.** szeroki i płaski. **3.** o płaskiej powierzchni. **4.** płytkowy.

tabula rasa [ˌtæbjələ ˈrɑːzə] *n. fil.* tabula rasa.

tabulate *v.* [ˈtæbjəˌleɪt] **1.** układać w tabelę, zestawiać w formie tabeli. **2.** spłaszczać. – *a.* [ˈtæbjəlɪt] **1.** o płaskiej powierzchni. **2.** *zool.* złożony z cienkich płytek.

tabulation [ˌtæbjəˈleɪʃən] *n. U* układ tabelaryczny.

tabulator [ˈtæbjəˌleɪtər] *n.* tabulator.

tabun [ˈtɑːbuːn] *n. U chem.* tabun, gelan (*gaz bojowy*).

tach [tæk] *n. US pot.* = **tachometer**.

tache1 [tætʃ] *n.* (*także* **tach**) *arch.* sprzączka, klamra.

tache2 [tæʃ] *n.* (*także* **tash**) *pot.* wąsy.

tachina fly [ˈtækənə ˌflaɪ] *n. pl.* **-ies** *ent.* rączyca (*rodzina Tachinidae*).

tachinid [ˈtækənɪd] *n. ent.* = **tachina fly**. – *a. ent.* rączycowaty.

tachistoscope [təˈkɪstəˌskoʊp] *n. psych., techn.* tachystoskop, tachistoskop (= *przyrząd do badania pamięci, uwagi i spostrzegawczości*).

tachogram [ˈtækəˌgræm] *n.* tachogram, zapis tachografu.

tachograph [ˈtækəˌgræf] *n.* tachograf, obrotomierz piszący.

tachometer [tæˈkɑːmətər] *n.* tachometr, obrotomierz.

tachometry [tæˈkɑːmətrɪ] *n. U* tachometria (*dział metrologii*).

tachycardia [ˌtækɪˈkɑːrdɪə] *n. U pat.* częstoskurcz, tachykardia.

tachycardiac [ˌtækɪˈkɑːrdɪˌæk] *a. pat.* częstoskurczowy.

tachygraph [ˈtækɪˌgræf] *n.* **1.** znak skrótu. **2.** stenograf (*t. starożytny*).

tachygrapher [tæˈkɪgrəfər], **tachygraphist** [tæˈkɪgrəfɪst] *n.* stenograf (*t. starożytny*).

tachygraphy [tæˈkɪgrəfɪ] *n. U* **1.** tachygrafia, pismo skrótowe. **2.** *arch.* stenografia.

tachylyte [ˈtækɪˌlaɪt] *n. U geol.* tachylit, szkliwo bazaltowe.

tachymeter [tæˈkɪmɪtər] *n. miern.* **1.** tachymetr. **2.** tachometr, obrotomierz.

tachymetry [tæˈkɪmɪtrɪ] *n. U* tachymetria (*metoda używana w geodezji*).

tachypnea [ˌtækɪpˈniːə], *Br.* **tachypnoea** *n. U pat.* szybkie oddychanie.

tachysterol [tæˈkɪstəˌroʊl] *n. U biochem.* tachysterol.

tacit [ˈtæsɪt] *a.* **1.** milczący, cichy (*np. o zgodzie*). **2.** *arch.* niemy (*o widzu*).

tacitly [ˈtæsɪtlɪ] *adv.* milcząco.

tacitness [ˈtæsɪtnəs] *n. U rzad.* milczenie.

taciturn [ˈtæsəˌtɝːn] *a.* małomówny.

taciturnity [ˌtæsəˈtɝːnətɪ] *n. U* małomówność.

taciturnly [ˈtæsəˌtɝːnlɪ] *adv.* małomównie.
Tacitus [ˈtæsətəs] *n. hist.* Tacyt.
tack[1] [tæk] *n.* **1.** gwoździk z szeroką główką. **2.** *US* pinezka. **3.** *zwł. Br.* fastryga. **4.** *żegl.* hals (= *lina, kurs żaglowca względem wiatru*). **5.** *żegl.* halsowanie. **6.** *żegl.* róg halsowy. **7.** *U* kleistość. **8.** *przen.* kurs, taktyka; **change ~** (*także* **try a different ~, go off on a fresh ~**) zmienić kurs *l.* taktykę. – *v.* **1.** przybijać (*gwoździkami*). **2.** przypinać (*pinezką*). **3.** *zwł. Br.* fastrygować. **4.** przyczepiać, dołączać (*to / onto sth* do czegoś). **5.** **~ (about)** *żegl.* halsować. **6.** **~ on** *pot.* dodać (*np. parę słów na końcu listu, punkt do programu*).
tack[2] *n. U jeźdz.* takt jeździecki.
tack[3] *n. U pot.* tandeta, chłam.
tack[4] *n. U sl.* żarcie, żarło.
tackiness[1] [ˈtækɪnəs] *n. U* lepkość.
tackiness[2] *n. U pot.* tandeta.
tackle [ˈtækl] *n.* **1.** sprzęt; **fishing ~** sprzęt wędkarski. **2.** *sport* blok (*np. w hokeju, rugby, futbolu amerykańskim*). **3.** *C / U* wyciąg (wielokrążkowy); *żegl.* talia, wielokrążek. **4.** *Br. sl.* przyrodzenie (*męskie*). – *v.* **1.** stawić czoło (*komuś l. czemuś*); zabrać się do (*czegoś*); uporać się z (*czymś*). **2.** **~ sb about sth** przycisnąć kogoś w jakiejś sprawie. **3.** *sport* blokować. **4.** mocować przy pomocy wielokrążka. **5.** zaprzęgać (*konia*).
tackler [ˈtæklər] *n. sport* zawodni-k/czka blokując-y/a.
tacky[1] [ˈtækɪ] *a.* **-ier, -iest** lepki, klejący się.
tacky[2] *a.* **-ier, -iest** **1.** tandetny. **2.** zapuszczony, zaniedbany.
tacnode [ˈtæknoʊd] *n. geom.* punkt samostyczności.
taco [ˈtæcoʊ] *n. pl.* **-s** *kulin.* taco (*danie kuchni meksykańskiej*).
taconite [ˈtækəˌnaɪt] *n. U min.* takonit, rogowiec żelazisty.
tact [tækt] *n. U* **1.** takt. **2.** *arch.* dotyk.
tactful [ˈtæktfʊl] *a.* taktowny.
tactfully [ˈtæktfʊlɪ] *adv.* taktownie.
tactfulness [ˈtæktfʊlnəs] *n. U* taktowność, takt.
tactic [ˈtæktɪk] *n.* **1.** taktyka. **2.** *pl. zob.* **tactics**.
tactical [ˈtæktɪkl] *a. t. wojsk.* taktyczny; **~ error/mistake** błąd taktyczny; **~ missile** pocisk taktyczny; **~ weapon** broń taktyczna.
tactically [ˈtæktɪklɪ] *adv.* taktycznie.
tactical voting *n. U polit.* głosowanie taktyczne (*na partię, której się nie popiera, aby uniemożliwić zwycięstwo innej*).
tactician [tækˈtɪʃən] *n.* takty-k/czka.
tactics [ˈtæktɪks] *n. pl. t. wojsk.* taktyka.
tactile [ˈtæktl] *a.* **1.** dotykowy. **2.** *rzad.* dotykalny, namacalny. **3.** przyjemny w dotyku. **4.** lubiący dotykać innych (*np. w czasie rozmowy*).
tactile corpuscle *n. anat.* (*także* **tactile bud**) ciałko dotykowe, ciałko Meissnera.
taction [ˈtækʃən] *n. U arch.* dotyk, kontakt dotykowy.
tactless [ˈtæktləs] *a.* nietaktowny.
tactlessly [ˈtæktləslɪ] *adv.* nietaktownie.
tactlessness [ˈtæktləsnəs] *n. U* brak taktu.
tactual [ˈtæktʃʊəl] *a.* dotykowy.
tad [tæd] *n.* **1.** *US i Can.* chłopaczek. **2.** **a ~** *Br. pot.* kapka, ociupinka (*of sth* czegoś).
tadpole [ˈtædpoʊl] *n. zool.* kijanka.
Tadzhik [tɑːˈdʒiːk] *n.* = **Tajik.**
Tadzhiki [tɑːˈdʒiːkɪ] *n. i a.* = **Tajiki.**
Tadzhikistan [tæˈdʒiːkɪˌstɑːn] *n.* = **Tajikistan.**
tael [teɪl] *n.* tael (= *uncja chińska l. dawna jednostka monetarna*).
taenia [ˈtiːnɪə] *n.* = **tenia.**
tafferel [ˈtæfərɪl], **taffarel** *n. żegl.* **1.** górna część rufy. **2.** = **taffrail.**
taffeta [ˈtæfətə] *n. U tk.* tafta.
taffrail [ˈtæfˌreɪl] *n. żegl.* reling rufowy.
Taffy [ˈtæfɪ] *n. pl.* **-ies** *pog. sl.* Walij-czyk/ka.
taffy [ˈtæfɪ] *n. U US i Can.* **1.** = **toffee.** **2.** *pot.* wazelina (= *pochlebstwa*).
tafia [ˈtæfɪə] *n. U* tafia (= *rum z trzciny cukrowej niepoddawany leżakowaniu*).
tag[1] [tæg] *n.* **1.** przywieszka; kartka (*zwł. do przywiązania*); (*także* **name ~**) identyfikator; (*także* **price ~**) metka. **2.** *komp.* znacznik, tag. **3.** *US pot.* mandat. **4.** igliczka (*sznurowadła*). **5.** ucho (*buta*). **6.** luźny koniec (*np. materiału, wstążki*). **7.** *ryb.* błystka, błyszczyk. **8.** zamknięcie, konkluzja. **9.** morał. **10.** dodatek. **11.** *teatr* końcowe przemówienie (*skierowane do publiczności*). **12.** zakrętas (*przy podpisie*). **13.** *pot.* podpis, logo (*w formie graffiti*). **14.** utarte wyrażenie; frazes. **15.** przydomek. **16.** refren. **17.** kołtun, splątana wełna (*u owcy*). **18.** koniuszek ogona. **19.** *gram.* = **tag question**. – *v.* **-gg-** **1.** przyczepiać kartkę *l.* przywieszkę *l.* metkę do (*czegoś*). **2.** oznaczać, znakować. **3.** dołączać (*to / at sth* do czegoś). **4.** *komp.* oznaczać, tagować. **5.** nadawać przydomek (*komuś*); przezywać. **6.** *US prawn.* wręczać mandat (*komuś*). **7.** *zw. pass. US prawn.* oskarżać (*sb with sth* kogoś o coś). **8.** układać (*wiersze, rymy*). **9.** chodzić za (*kimś*). **10.** **~ along** *pot.* przyłączyć się (*with / after / behind sb* do kogoś); **~ on** dodać (*np. parę zdań, kawałek tekstu*).
tag[2] *n.* **1.** *U* (*także* **tig**) berek; **play ~** bawić się w berka. **2.** *baseball* dotknięcie. – *v.* **-gg-** **1.** (*także* **tig**) dotykać (*w zabawie w berka*). **2.** *baseball* eliminować (*gracza przez dotknięcie*).
tag day *n. US* dzień zbiórki (*na jakiś cel*).
tag end *n.* **1.** luźny koniec. **2.** pozostałość, resztka.
tagetes [tæˈdʒiːtiːz] *n. bot.* aksamitka (*Tagetes*).
tagged atom [ˈtægd ˌætəm] *n. fiz.* atom znaczony.
tagger[1] [ˈtægər] *n.* goniąc-y/a w zabawie w berka.
tagger[2] *n. pl.* cienka blacha.
tagger[3] *n. sl.* graficia-rz/ra.
tagliatelle [ˌtɑːljəˈtelɪ] *n. U kulin.* makaron wstążki.
tag line *n. gł. US pot.* **1.** pointa; morał. **2.** slogan.
tagmeme [ˈtægmiːm] *n. jęz.* tagmem.
tagmemics [tægˈmiːmɪks] *n. U jęz.* tagmemika.

tag question *n. gram.* pytanie rozłączne.

tag sale *n. US* wyprzedaż (*rzeczy używanych*).

tag team *n. sport* zapaśnicy z jednej pary biorący udział przemiennie w tej samej walce.

tag wrestling *n. U sport* zapasy parami.

tahini [tə'hi:nɪ], **tahina** [tə'hi:nə] *n. U kulin.* pasta sezamowa.

Tahiti [tə'hi:tɪ] *n. geogr.* Tahiti.

Tahitian [tə'hi:ʃən] *a.* tahitański. – *n.* **1.** *U* (język) tahitański. **2.** Tahita-ńczyk/nka.

tahsil [tɑ:'si:l] *n.* okręg administracyjny (*w Indiach*).

tahsildar [ˌtɑ:si:l'dɑ:r] *n.* poborca podatkowy (*w Indiach*).

Tai [taɪ] *a.* tajski. – *n. U* (język) tajski.

tai chi [ˌtaɪ 'tʃi:] *n. U* tai chi.

taiga ['taɪgə] *n. U* tajga.

tail[1] [teɪl] *n.* **1.** *t. przen.* ogon (*t. komety, samolotu, latawca*); **wag a ~** merdać *l.* machać ogonem. **2.** poła. **3.** tył; koniec; **~ of a convoy/procession/queue** koniec konwoju/procesji/kolejki; **~ of a gale/storm** koniec wichury/burzy; **~ of a stream** spokojna partia wody; **~ of slate/tile** wystająca część gontu/dachówki. **4.** *gł. US pot.* tyłek, zadek. **5.** ogonek, kolejka. **6.** (*także* **~ unit**) *lotn.* usterzenie ogonowe. **7.** *pl. zob.* **tails**. **8.** = **horseail**. **9.** długi warkocz. **10.** *pot.* ogon, cień (= *osoba, która śledzi*); **put a ~ on sb** kazać kogoś śledzić. **11.** *pot.* ślad, trop (*pozostawiany przez uciekającego*). **12.** świta. **13.** *druk.* dolny brzeg (*strony*); dolny margines. **14.** *wulg sl.* dupa (*o kobiecie*). **15.** *wulg. sl.* cipa. **16.** *przen.* **chase one's own ~** gonić własny ogon, gonić w piętkę; **get off one's ~** *US pot.* wziąć się do roboty; **sit/be on sb's ~** *Br. pot.* siedzieć komuś na ogonie; **the ~ is wagging the dog** *pot.* ogon kręci psem (= *rzecz mniej ważna nadaje ton sytuacji*); **turn ~** *pot.* dać nogę (= *uciec*); **with one's ~ between one's legs** z podwiniętym *l.* podkulonym ogonem. – *v.* **1.** zaopatrywać w ogon. **2.** zamykać (*np. pochód*). **3.** *pot.* chodzić krok w krok za (*kimś*), śledzić. **4.** obrywać ogonki (*owoców*). **5.** *wet.* obcinać ogony (*np. psom rasowym*). **6.** łączyć końcami. **7.** formować kolejkę. **8.** *żegl.* kołysać się (*o zakotwiczonym statku*); **~ to the tide** (*także* **~ up and down**) kołysać się na fali. **9.** **~ away/off** zmniejszać się stopniowo; zanikać, słabnąć, zamierać; **~ back** *gł. Br.* ciągnąć się (*o kolejce, sznurze samochodów*); **~ in** *bud.* wmurowywać, wpuszczać w mur (*jeden z końców np. cegły, belki*); **~ off = ail away**.

tail[2] *prawn. n.* ograniczone prawo własności. – *a. attr.* o ograniczonym prawie własności.

tailback ['teɪlˌbæk] *n. Br.* korek (*uliczny*).

tail beam *n.* = **tailpiece** 4.

tailboard ['teɪlˌbɔ:rd] *n.* (*także* **~gate**) *mot.* tylna klapa skrzyni ładunkowej (*na zawiasach*).

tailbone ['teɪlˌboʊn] *n. anat.* kość ogonowa.

tail boom *n. lotn.* belka ogonowa, kadłub belkowy.

tailcoat ['teɪlˌkoʊt], **tail coat** *n.* frak.

tail coverts *n. pl. orn.* **1.** pióra pokrywowe nadogonowe. **2.** pióra pokrywowe podogonowe.

tail end *n.* **1.** końcówka (*np. zebrania*). **2.** pośladki.

tail fin *n. icht.* płetwa ogonowa.

tailfirst [ˌteɪl'fɜ˞:st] *adv.* (*także* **tailforemost**) tyłem do przodu.

tail gas *n. U* gaz resztkowy *l.* wydmuchowy.

tailgate ['teɪlˌgeɪt] *n.* **1.** = **tailboard**. **2.** (*także* **tail gate**) śluza. **3.** (*także* **~ party**) *US* piknik na parkingu (*przed meczem futbolowym*). – *v. mot.* **1.** siedzieć na ogonie (*pojazdowi jadącemu z przodu*). **2.** jechać zbyt blisko, nie zachowywać bezpiecznej odległości.

tailgater ['teɪlˌgeɪtər] *n. mot.* kierowca podjeżdżający zbyt blisko.

tail gun *n. wojsk.* karabin maszynowy *l.* działko w ogonie samolotu.

tailing ['teɪlɪŋ] *n.* **1.** *bud.* koniec kamienia, cegły *l.* belki ukryty w murze. **2.** *pl.* odpadki (*np. ziarna, rudy*). **3.** *U tk.* zamazanie (*przy drukowaniu perkali*).

taillamp ['teɪlˌlæmp] *n.* (*także* **taillight**) *mot.* tylne światło.

tailless ['teɪlləs] *a.* bez ogona.

tail-off ['teɪlˌɔ:f] *n. sing.* stopniowy spadek.

tailor ['teɪlər] *n.* krawiec (*zwł. męski*). – *v.* **1.** szyć; kroić. **2.** pracować jako krawiec. **3.** *przen.* dopasowywać, dostosowywać; **~ sth to one's needs** dostosować coś do własnych potrzeb.

tailored ['teɪlərd] *a.* **1.** szyty (przez krawca *l.* na miarę); **well ~ed** dobrze uszyty *l.* skrojony. **2.** dopasowany.

tailoring ['teɪlərɪŋ] *n. U* **1.** krawiectwo. **2.** krój.

tailor-made [ˌteɪlər'meɪd] *a.* **1.** szyty na miarę. **2.** wykonany na zamówienie. **3.** *przen.* wymarzony, idealny (*for sb* dla kogoś).

tail ornament *n. druk.* winieta końcowa.

tailor's chalk *n. U* kreda krawiecka.

tailor's shop *n.* zakład krawiecki.

tailor's twist *n. U* mocna jedwabna nić krawiecka.

tailpiece ['teɪlˌpi:s] *n.* **1.** dodatek. **2.** *druk.* winieta końcowa. **3.** *muz.* strunnik. **4.** (*także* **tail beam**) *bud.* belka umocowana końcem w murze (*i podparta główką*).

tailpipe ['teɪlˌpaɪp] *n. US mot.* rura wydechowa.

tail plane *n. lotn.* statecznik poziomy, usterzenie poziome *l.* wysokości.

tailrace ['teɪlˌreɪs] *n. górn.* kanał odpływowy (*t. pod kołem młyńskim*).

tailrhyme ['teɪlˌraɪm] *n. rzad.* rym końcowy.

tail rotor *n. lotn.* śmigło ogonowe (*śmigłowca*).

tails [teɪlz] *n. pl.* **1.** frak. **2.** *U* orzeł, rewers (*monety*).

tail skid *n.* **1.** *lotn.* płoza tylna *l.* ogonowa. **2.** *mot.* poślizg tylnego koła.

tail slide *n. lotn.* śliz do tyłu *l.* ogonowy.

tail spin, tailspin *n.* **1.** *lotn.* korkociąg. **2.** *przen. pot.* załamanie, spadek (*np. koniunktury*); paraliż; **go into a ~** załamywać się, popadać w chaos. – *v.* paraliżować.

tailstock ['teɪlˌstɑ:k] *n. techn.* konik tokarski.

tailwheel [ˈteɪlˌwiːl] *n. lotn.* koło ogonowe *l.* tylne.

tail wind *n.* wiatr z tyłu *l.* w plecy.

tain [teɪn] *n. U* cienka płyta cynowa (*zwł. w lustrze*).

taint [teɪnt] *n. sing. t. przen.* skaza, plama (*on sth* na czymś) (*np. na reputacji*). – *v.* **1.** *zw. pass.* splamić, zbrukać (*dobre imię*), nadszarpnąć (*reputację*); **be ~ed by/with sth** splamić się czymś (*o osobie, organizacji*). **2.** skazić, zanieczyścić. **3.** psuć się, gnić.

tainted [ˈteɪntɪd] *a.* **1.** *zwł. US* zepsuty (*o produktach spożywczych*). **2.** skażony, zanieczyszczony. **3. ~ money** brudne pieniądze.

taipan[1] [ˈtaɪpæn] *n.* tajpan (= *zagraniczny biznesmen w Chinach*).

taipan[2] *n. zool.* tajpan (*Oxyuranus scutellatus*).

Taiwanese [ˌtaɪwəˈniːz] *n.* **1.** Tajwa-ńczyk/nka. **2.** *U* (język) tajwański. – *a.* tajwański.

Tajik [tɑːˈdʒiːk], **Tadzhik** *n.* **1.** *pl.* **-s** *l.* **Tajik** Tadży-k/jka. **2.** *U* (język) tadżycki. – *a.* tadżycki.

Tajiki [tɑːˈdʒiːkɪ], **Tadzhiki** *n. U* (język) tadżycki. – *a.* tadżycki.

Tajikistan [tæˈdʒiːkɪˌstɑːn], **Tadzhikistan** *n. geogr.* Tadżykistan.

taka [ˈtɑːkɑː] *n. fin.* taka (= *jednostka monetarna Bangladeszu*).

takable [ˈteɪkəbl] *a.* = **takeable**.

take [teɪk] *v.* **took, taken 1.** brać, wziąć; **~ a bath/ shower** brać kąpiel/prysznic; **~ a deep breath** wziąć głęboki oddech; **~ a holiday/vacation** wziąć urlop; **~ sb by the arm/in one's arms** wziąć kogoś pod rękę/w ramiona; **~ sth into account/consideration** brać coś pod uwagę/rozwagę. **2.** zabierać (*t. o śmierci; t.* = *kraść*); **~ sb to school/the doctor** zabrać kogoś do szkoły/lekarza; **~ sb/sth with one** zabrać kogoś/coś ze sobą. **3.** zażywać, brać (*leki, narkotyki*). **4.** przyjmować (*napoje, pokarmy; t. np. posadę*); **~ fifty students a year** przyjmować pięćdziesięciu studentów rocznie. **5.** chwytać (*t. np. farbę*), łapać; **~ sth by the handle** chwycić coś za rączkę *l.* uchwyt. **6.** zajmować; **~ a seat** zająć miejsce; **~ a stand** zająć stanowisko (*on sth* w jakiejś sprawie); **~ first/third place** zająć pierwsze/trzecie miejsce; **it's ~n her far too long** zajęło jej to o wiele za długo; **it won't ~ long** to nie zajmie dużo czasu, to nie potrwa długo. **7.** przyjmować, akceptować, honorować; **~ checks/credit cards** honorować czeki/karty kredytowe. **8.** obejmować; **~ control/command/office** objąć kontrolę/dowodzenie/urząd; **~ the lead** objąć prowadzenie. **9.** porwać, ująć (*gł. przen.* = *oczarować*). **10.** wymagać; potrzebować (*czegoś*); **certain verbs ~ an object** pewne czasowniki wymagają dopełnienia; **it ~s the bus 50 minutes to get there** potrzeba 50 minut, żeby się tam dostać autobusem; **it took a lot of courage** to wymagało wielkiej odwagi. **11.** mieścić; **my car can ~ five people** mój samochód może pomieścić pięć osób; **the tank ~s forty liters** zbiornik mieści czterdzieści litrów. **12.** znosić (*t. ból*); **~ sb's arrogance/insults** znosić czyjąś arogancję/zniewagi; **~ sth badly/well** źle/dobrze coś znosić; **be hard to ~** być ciężkim do zniesienia; **I will not ~ this kind treatment** nie zniosę takiego traktowania. **13.** kierować, prowadzić; **this road will ~ you downtown** ta ulica zaprowadzi cię do centrum, tą ulicą dojdziesz do centrum. **14.** przyjmować się (*np. o roślinie, szczepionce*). **15.** odejmować; **~ two from five** odejmij dwa od pięciu. **16.** *szachy itp.* bić (*pionka*). **17.** *Br. szkoln.* uczyć; **she took them for chemistry last year** w zeszłym roku uczyła ich chemii. **18.** zakładać; **I ~ him/her to mean...** zakładam, że ma na myśli...; **I ~ it that...** zakładam, że... **19.** *ryb.* brać (*o rybach*). **20.** zaskoczyć (*o urządzeniu*). **21.** *US pot.* nabierać, oszukiwać. **22. ~ a break** zrobić (sobie) przerwę; **~ a bus/train** pojechać autobusem/pociągiem; **~ a call** *US* odebrać telefon; *teatr zob.* **call** *n.* 15; **~ a chance** zaryzykować; **~ a decision** *zob.* **decision** *n.*; **~ a degree in sth** *zob.* **degree**; **~ a fall** *zob.* **fall**; **~ a fancy to sth** polubić coś; **~ a glance/look** spojrzeć, rzucić okiem (*at sb / sth* na kogoś/coś); **~ a hike!** *zob.* **hike** *n.*; **~ a lot of punishment** *zob.* **punishment**; **~ a lot of/ some doing** wymagać (wiele/trochę) wysiłku; **~ a taxi** wziąć taksówkę, pojechać taksówką; **~ action** *zob.* **action**; **~ advantage of sb/sth** *zob.* **advantage** *n.*; **~ aim (at sth)** *zob.* **aim** *n.*; **~ a leap** dać susa; **~ a newspaper/magazine** prenumerować gazetę/czasopismo; **~ a vow** *zob.* **vow** *n.*; **~ an exam/a test** zdawać egzamin/test, podchodzić do egzaminu/testu; **~ an interest in sth** *zob.* **interest** *n.*; **~ an oath** *zob.* **oath**; **~ a walk** *zob.* **walk** *n.*; **~ care (of sb/sth)** *zob.* **care** *n.*; **~ effect** *zob.* **effect** *n.*; **~ five/ten** *gł. US i Can.* zrobić (sobie) pięć/dziesięć minut przerwy; **~ French/German (at university)** mieć (na uniwersytecie) zajęcia z francuskiego/niemieckiego; **~ heart** *zob.* **heart** *n.*; **~ hold of sth** *zob.* **hold**[1] *n.*; **~ it/things easy** nie przejmować się; **~ it from me** wierz mi, możesz mi wierzyć; **~ it or leave it** *pot.* możesz się zgodzić albo nie (= *ja nie zmienię zdania*); **~ it upon o.s. to do sth** wziąć na siebie zrobienie czegoś; **~ its present form** przyjąć obecną formę; **~ legal/medical advice** zasięgnąć porady prawnej/lekarskiej; **~ me/John (for example)** weźmy (dla przykładu) mnie/Johna; **~ notes** *zob.* **note** *n.*; **~ no notice of sb/sth** *zob.* **notice** *n.*; **~ offense at sth** *zob.* **offense**; **~ one's (own) life** *zob.* **life**; **~ one's time** nie spieszyć się; **~ part in sth** *zob.* **part** *n.*; **~ pictures/photographs** robić zdjęcia; **~ pity on sb** *zob.* **pity** *n.*; **~ place** *zob.* **place** *n.*; **~ pleasure in (doing) sth** *zob.* **pleasure**; **~ possession of sth** *zob.* **possession**; **~ pride in sth** *zob.* **pride** *n.*; **~ sb by surprise** zaskoczyć kogoś; **~ sb for a doctor/student** wziąć kogoś za lekarza/studenta; **~ sb for a fool** uważać *l.* mieć kogoś za głupca; **~ sb for granted** *zob.* **grant** *v.*; **~ sb's advice** *zob.* **advice**; **~ sb's fancy** *zob.* **fancy** *n.*; **~ sb's point** *zob.* **point** *n.*; **~ sb's temperature/blood pressure** mierzyć komuś temperaturę/ciśnienie; **~ sb's word for it** wierzyć komuś na słowo; **~ shape** *zob.* **shape** *n.*; **~ sides** *zob.* **side** *n.*; **~ size 5 shoes** nosić buty w rozmiarze 5; **~ sth amiss** *zob.* **amiss**; **~ sth as a compliment** uznać coś za komplement; **~ sth for granted** (*także* **~ sth as read**) przyjąć coś za pewnik; ~ **it into one's head to do sth** *zob.* **head** *n.*; ~ **sth on the chin** *zob.* **chin** *n.*; ~ **sth seriously** brać *l.* traktować coś poważnie; ~ **the air** *zob.* **air** *n.*; ~ **(the) credit for sth** *zob.* **credit** *n.*; ~ **the crown/throne** zasiąść na tronie; ~ **the ditch/fence** wziąć *l.* przeskoczyć rów/płot; ~ **the Fifth (Amendment)** *US prawn.* powoływać się na piątą poprawkę (*do Konstytucji*); ~ **the floor** *zob.* **floor** *n.*; ~ **the minutes** *zob.* **minute[1]** *n.*; ~ **the opportunity to do sth** *zob.* **opportunity**; ~ **the trouble to do sth** *zob.* **trouble** *n.*; ~ **the veil** *zob.* **veil** *n.*; ~ **things/people as one finds them** przyjmować rzeczy/ludzi takimi, jakie/jacy są; ~ **turns** *zob.* **turn** *n.*; **be ~n aback** być zaskoczonym *l.* skonsternowanym (*by sth* czymś); **be ~n with/by sb/sth** być pod urokiem kogoś/czegoś; **be ~n ill/sick** zachorować; **be ~n prisoner** dostać się do niewoli; **be ~n with a fit** dostać napadu (*of sth* czegoś); **can I ~ a message?** *zob.* **message** *n.*; **have what it ~s** *zob.* **have** *v.*; **it ~s all sorts (to make a world)** *zob.* **sort** *n.*; **I don't ~ sugar** nie słodzę; **the fire took rapidly** ogień szybko się rozprzestrzenił; **the play did not ~** sztuka nie chwyciła; **this/that (really) ~s the cake!** *zob.* **cake** *n.*; **what do you ~ me for?** za kogo mnie masz *l.* bierzesz?; **you must ~ the first street on the right** musisz skręcić w pierwszą ulicę w prawo. **23.** ~ **after sb** przypominać kogoś, być podobnym do kogoś; iść w czyjeś ślady; pognać za kimś; ~ **against sb** uprzedzić się do kogoś; ~ **sb apart** *pot.* rozgromić kogoś; zjechać kogoś (= *skrytykować*); ~ **sth apart** rozkładać coś na kawałki, rozbierać coś na części; ~ **sb aside** brać kogoś na bok *l.* na stronę; ~ **sb/sth away** zabierać kogoś/coś; ~ **sb's breath away** zapierać komuś dech w piersiach; ~ **away from sth** umniejszać coś; **chicken/pizza to ~ away** kurczak/pizza na wynos; ~ **sb back** odwieźć kogoś; odprowadzić kogoś; przyjąć kogoś z powrotem; przenosić kogoś w przeszłość, budzić w kimś wspomnienia (*np. o muzyce, starych fotografiach*); **this ~s me to my childhood** to przypomina mi moje dzieciństwo; ~ **sth back** cofnąć *l.* odwołać coś (*słowa, obietnicę*); odnieść coś (*zwł. nieudany zakup do sklepu*); przyjąć coś z powrotem (*zwł. wadliwy towar*); *zwł. US* wziąć coś w zastaw (*np. hipotekę*); ~ **sth down** ściągnąć coś; zapisywać *l.* notować coś; rozbierać *l.* demontować coś; burzyć coś; opuścić coś (*np. spodnie*); przełknąć coś; ~ **sb down a peg (or two)** *zob.* **peg** *n.*; ~ **sb for sth** *pot.* wyłudzić coś od kogoś; ~ **from sth** umniejszać coś; ~ **sb in** wprowadzić kogoś (*do środka*); przygarnąć kogoś; przyjąć kogoś (*t. do pracy*); *pot.* nabrać kogoś; **be ~n in** dać się nabrać *l.* zwieść; ~ **sth in** wnieść coś (*do środka*); nabrać czegoś (*np. wody, powietrza*); brać coś do domu (*zwł. pracę*); zbierać coś (*np. plony, pieniądze*); wchłaniać coś; obejmować coś; zawierać coś; zrozumieć coś, zdać sobie sprawę z czegoś, uświadomić sobie coś; przyjąć coś do wiadomości; zwęzić coś (*np. spódnicę*); połknąć coś; ~ **in a movie/show** *US* pójść zobaczyć film/spektakl; ~ **in a paper** *Br.* prenumerować gazetę; ~ **in a reef** *żegl.* refować; ~ **in the sail** *żegl.* refować *l.* zwijać żagiel; ~ **off** startować (*o samolocie*); *pot.* wyjechać (*for sth* dokądś); *pot.* wyjść (*zwł. nagle, bez uprzedzenia*); odnieść sukces (*np. o firmie, spektaklu*); gwałtownie rosnąć (*o cenach, kosztach*); słabnąć (*np. o deszczu*); ~ **sb off** zabić kogoś (*o chorobie*); zabrać kogoś (*o śmierci*); *pot.* przedrzeźniać kogoś; ~ **sb off the case** odsunąć kogoś od sprawy (*np. policjanta*); ~ **sb/sth off the list** usunąć *l.* skreślić kogoś/coś z listy; ~ **sth off** zdjąć coś; usuwać coś (*t. makijaż*); wstrzymać coś; odciąć coś; amputować coś (*kończynę*); wycofać coś (*np. autobus z rozkładu*); wypić coś jednym haustem; ~ **two days off** wziąć dwa dni wolnego *l.* urlopu; ~ **10% off sth** obniżyć coś *l.* cenę czegoś o 10%; ~ **on** przyjmować się, chwytać (*np. o modzie*); *przest.* przejmować się, martwić się; ~ **on sth** przyjmować coś (*t. np. określoną wartość*); wynajmować coś; ~ **sb on** zatrudnić *l.* przyjąć kogoś; stanąć w szranki z kimś, stanąć do rywalizacji *l.* zawodów z kimś; ~ **sb/sth on** zabrać kogoś/coś na pokład; ~ **sth on** brać coś na siebie, podejmować się czegoś; przybierać coś; nabierać czegoś; ~ **sb out** zaprosić *l.* zabrać kogoś (*do restauracji, kina itp.*); *pot.* zlikwidować kogoś (= *zabić*); *karty* przelicytować kogoś; ~ **sth out** wyjąć *l.* wyciągnąć coś; wynieść coś (*na zewnątrz*); usunąć coś (*t. ząb*); *fin.* uzyskać *l.* dostać coś (*np. pożyczkę, kredyt*); *US* wziąć coś na wynos; *pot.* zniszczyć coś; wypożyczyć coś (*zwł. książkę*); wywabić coś (*plamę*); ~ **out in sth** *zwł. US* spłacić czymś dług; ~ **sb/sth out of sth** wyprowadzić kogoś/coś skądś *l.* z czegoś; ~ **it out of sb** *pot.* wyczerpać *l.* wykończyć kogoś (*np. o chorobie*); ~ **it out on sb** wyładowywać *l.* wyżywać się na kimś; ~ **over from sb** zastąpić kogoś, przejąć czyjeś obowiązki; ~ **sth over** przejąć coś; ~ **sb through sth** przerobić coś z kimś; ~ **sth through** przeforsować coś (*np. ustawę*); ~ **sth through to completion** doprowadzić coś do końca; ~ **to sb/sth** polubić kogoś/coś; ~ **to doing sth** zacząć coś robić, nabrać zwyczaju robienia czegoś; ~ **to the air** wzbić się w powietrze; ~ **to one's bed** *zob.* **bed** *n.*; ~ **sth to heart** *zob.* **heart** *n.*; ~ **sth to pieces** *zob.* **piece** *n.*; ~ **up sb** wziąć kogoś pod opiekę, przygarnąć kogoś; wspierać kogoś (*jako protektor*); zabierać kogoś (*pasażerów*); ~ **up sth** zainteresować się czymś, zająć się czymś; objąć coś; zająć coś; zabierać coś, pochłaniać coś (*np. dużo czasu l. pieniędzy*); zacieśniać coś; ~ **sth up with sb** przedyskutować *l.* omówić coś z kimś; ~ **sb up** zaprowadzić kogoś na górę; przerwać komuś (*zwł. mówcy*); poprawić kogoś; ~ **sb/sth up** podnieść kogoś/coś; ~ **sth up** zanieść coś na górę; podjąć coś; podchwycić coś; poruszyć coś (*np. temat, problem*); kontynuować coś (*po przerwie*); pochłaniać coś (*o wodzie*); przyjmować coś; skrócić coś (*np. spódnicę, nogawki*); *US fin.* spłacić coś (*np. hipotekę, weksel*); ~ **up arms** *zob.* **arms**; ~ **up residence somewhere** *form.* zamieszkać gdzieś; ~ **up the slack** *żegl.* wybierać luzy; ~ **sb up on an invitation/an offer** skorzystać z czyjegoś zaproszenia/czyjejś oferty; ~ **up with sb** przestawać z kimś; **be ~n up with sb/sth** być pochłoniętym *l.* zaabsorbowanym kimś/czymś. – *n.* **1.** *film* ujęcie. **2.** *zw. sing.* połów (*np. ryb, zwierzyny*). **3.** *zw. sing.* utarg, wpływy. **4.** *kino, teatr gł. US* wpływy ze sprzedaży biletów, wpływy kasowe. **5.** udział, działka. **6.** *muz.* sesja nagraniowa. **7.** *druk.* jednorazowy skład. **8.** *med.* przyjęcie się (*np. przeszczepu*). **9.** *przen.* **be on the ~** *pot.* być opłacanym, brać łapówki; **sb's ~ on sth** czyjś pogląd na coś.

takeable [ˈteɪkəbl], **takable** *a.* nadający się do zabrania.

takeaway [ˈteɪkəˌweɪ] *n. Br.* = **take-out.**

take-down [ˈteɪkˌdaʊn] *n.* **1.** *zapasy* rzut na matę (*z pozycji stojącej*). **2.** *pot.* nalot (*policyjny*). **3.** *pot.* upokorzenie. **4.** broń palna dająca się szybko rozłożyć. – *a.* rozbieralny.

take-home pay [ˈteɪkˌhoʊm ˌpeɪ] *a. U* płaca na czysto *l.* na rękę.

take-in [ˈteɪkˌɪn] *n. pot.* szwindel, oszustwo.

taken [ˈteɪkən] *v. zob.* **take.**

takeoff [ˈteɪkˌɔːf], **take-off** *n.* **1.** *lotn.* start. **2.** skok. **3.** blok startowy; *jeźdz.* dok startowy. **4.** *przen.* odskocznia. **5.** *pot.* parodia, karykatura. **6.** *krokiet* uderzenie posuwające naprzód własną kulę przy dotknięciu, lecz nie poruszeniu, cudzej.

takeout [ˈteɪkˌaʊt] (*także Br.* **takeaway**) *n.* **1.** danie na wynos. **2.** restauracja specjalizująca się w daniach na wynos. – *a. attr.* na wynos.

takeover [ˈteɪkˌoʊvər] *n.* **1.** *ekon.* przejęcie. **2.** zajęcie; przejęcie (*t. władzy*).

taker [ˈteɪkər] *n.* **1.** osoba przyjmująca (*zwł. zakład l. ofertę*). **2.** akceptant.

take-up [ˈteɪkˌʌp] *n.* **1.** *U* popyt. **2.** *mech.* urządzenie nawijające.

taking [ˈteɪkɪŋ] *a.* **1.** ujmujący, miły. **2.** *pot.* zaraźliwy.

takings [ˈteɪkɪŋz] *n. pl.* utarg, wpływy.

talaria [təˈlerɪə] *n. pl. mit.* uskrzydlone sandały (*zwł. Hermesa*).

talc [tælk] *n. U* talk. – *v.* posypywać talkiem.

talcosis [ˌtælˈkoʊsɪs] *n. U pat.* talkoza, pylica talkowa płuc.

talcum [ˈtælkəm] *n. U* (*także* **~ powder**) talk. – *v.* posypywać talkiem.

tale [teɪl] *n.* **1.** opowieść; (*także* **fairy ~**) baśń. **2.** historia. **3.** wymysł. **4.** plotka. **5.** *arch.* ogólna liczba *l.* ilość; wyliczanie, liczenie. **6.** **~ of misery/woe** smutna historia; **live/survive to tell the ~** *żart.* przeżyć, aby móc wnukom opowiadać; **old wives' ~** *zob.* **old; sth tells its own ~** coś mówi samo za siebie; **tell ~s** *zwł. Br.* zmyślać, opowiadać niestworzone historie; przechwalać się; (*także* **tell ~s out of school**) skarżyć, donosić; **that tells a ~** to coś mówi, to o czymś świadczy.

talebearer [ˈteɪlˌberər] *n.* plotka-rz/rka; donosiciel/ka.

talebearing [ˈteɪlˌberɪŋ] *n. U* plotkarstwo; donosicielstwo. – *a.* plotkarski; donosicielski.

talent [ˈtælənt] *n.* **1.** talent; uzdolnienie (*for sth* do czegoś); **a person of many ~s** osoba wszechstronnie utalentowana. **2.** *U* talenty; **footballing/singing ~** talenty piłkarskie/piosenkarskie. **3.** *US sl.* zręczni oszuści, wytrawni gracze (*przyjmujący zakłady na wyścigach*). **4.** *hist.* talent (*jednostka wagi l. monetarna*). **5.** *U Br. sl.* towar (= *atrakcyjne seksualnie osoby*).

talent contest *n.* (*także* **talent show, talent competition**) konkurs talentów.

talented [ˈtæləntɪd] *a.* utalentowany; uzdolniony.

talent scout *n.* (*także* **talent spotter**) łowca/czyni talentów.

talent show *n.* = **talent contest.**

taler [ˈtɑːlər] *n.* = **thaler.**

tales [ˈteɪliːz] *n. prawn.* **1.** wezwanie do sądu celem uzupełnienia składu ławy przysięgłych; **pray a ~** domagać się uzupełnienia składu ławy przysięgłych. **2.** *z czasownikiem w liczbie mnogiej* rezerwowi sędziowie przysięgli.

tales-book [ˈteɪliːzˌbʊk] *n. prawn.* lista uzupełniająca sędziów przysięgłych.

talesman [ˈteɪliːzmən] *n. pl.* **-men** *prawn.* osoba powołana celem uzupełnienia składu ławy przysięgłych.

taleteller [ˈteɪlˌtelər] *n.* **1.** narrator/ka, opowiadając-y/a. **2.** plotka-rz/rka; donosiciel/ka.

tali [ˈteɪlaɪ] *n. pl. zob.* **talus.**

talion [ˈtælɪən] *n. prawn.* talion, prawo odwetu.

taliped [ˈtæləˌped] *pat. a.* mający zniekształconą *l.* zdeformowaną stopę. – *n.* osoba ze zniekształconą stopą.

talipes [ˈtæləˌpiːz] *n. U pat.* wrodzone zniekształcenie *l.* deformacja stopy.

talipot [ˈtælɪˌpɑːt] *n. bot.* palma wachlarzowata (*Corypha umbraculifera*).

talisman [ˈtælɪsmən] *n. pl.* **-s** talizman.

talk [tɔːk] *v.* **1.** rozmawiać (*to/with sb* z kimś, *about/of sth* o czymś); **~ politics/business** rozmawiać o polityce/interesach; **can we ~?** czy możemy porozmawiać? (*w cztery oczy*). **2.** mówić; przemawiać. **3.** gadać (= *plotkować*); **people will ~/are ~ing** *pot.* ludzie będą gadać/gadają (*ostrzegając kogoś*). **4.** dawać wykład. **5.** **~ a blue streak** (*także Br. i Austr.* **~ nineteen to the dozen**) *pot.* gadać jak najęty, mleć językiem; **~ about lucky!** *pot.* to się nazywa mieć szczęście!; **~ big** *pot.* przechwalać się; mówić napuszonym językiem; **~ dirty** *pot.* świntuszyć; **~ Greek/Hebrew** mówić po chińsku (= *niezrozumiale*); **~ nonsense/rubbish** opowiadać bzdury, mówić od rzeczy; **~ of the devil** o wilku mowa; **~ o.s. hoarse** zachrypnąć *l.* ochrypnąć od gadania; **~ over/above sb's head** mówić w sposób niezrozumiały dla kogoś; **~ sb's ear off** *US pot.* przegadać kogoś; **~ sb's head off** *zob.* **head** *n.*; **~ sense** mówić do rzeczy *l.* z sensem; **~ sense into sb** przemówić komuś do rozsądku; **~ shop** rozmawiać o sprawach zawodowych; **~ the hind leg(s) of a donkey** *zob.* **hind**[1] *a.*; **~ tough** *pot.* mówić bez ogródek *l.* prosto z mostu; **~ through one's ass** *US*/**arse** *Br. wulg. pot.* pieprzyć głupoty; **~ turkey** *US pot.* mówić uczciwie i otwarcie (*zwł. o interesach*); **~ing of...** skoro (już) mowa o...; **be ~ing through one's hat** *zob.* **hat** *n.*; **do all the ~ing** nie dawać nikomu dojść do słowa; **(it's) like ~ing to a brick wall** (to tak,) jakby mówić do ściany; **I know what I'm ~ing about** wiem, co mówię; **I'm ~ing to you!** do ciebie mówię! (*z irytacją*); **money ~s** *zob.* **money; now you are ~ing!** wreszcie mówisz do rzeczy!; **refuse to ~**

nie chcieć mówić; odmawiać zeznań; **we are ~ing big money here** *pot.* mówimy *l.* rozmawiamy tu o dużych pieniądzach; **we are not ~ing** *pot.* nie rozmawiamy ze sobą, nie odzywamy się do siebie; **what are you ~ing about?!** co ty wygadujesz *l.* opowiadasz *l.* pleciesz?!; **you can('t)/should ~!** (*także* **you're a fine one to ~!**) (*także* **look who's ~ing!**) i kto to mówi!. **6.** **~ around sth** mówić dokoła czegoś, unikać czegoś (*tematu*); **~ sb around** przekonać kogoś; **~ at sb** robić komuś wykład (= *mówić, nie słuchając rozmówcy*); **~ away** mówić bez przerwy; **~ sth away** przegadać coś (*np. noc*); **~ away sb's doubts** rozwiać czyjeś wątpliwości; **~ back** pyskować, odpowiadać bezczelnie, odcinać się (*to sb* komuś); **~ sb down** przegadać kogoś; zagłuszyć kogoś; przekonać kogoś, żeby zszedł na dół (*zwł. skoczka-samobójcę*); **~ sb/sth down** sprowadzić kogoś/coś bezpiecznie na ziemię (*pilota l. samolot*); **~ sth down** umniejszać znacznie czegoś; **~ down to sb** mówić do kogoś protekcjonalnym tonem; rozmawiać z kimś, zniżając się do jego poziomu; **~ into** mówić do (*np. mikrofonu*); **~ sb into (doing) sth** namówić kogoś do (zrobienia) czegoś; **~ on** mówić bez przerwy; **~ sth out** omówić coś dokładnie; *Br.* spowodować odroczenie czegoś (*przez przeciąganie obrad*); **~ sb out of (doing) sth** odwieść kogoś od (zrobienia) czegoś; **~ one's way out of sth** *pot.* wymigać się od czegoś; **be ~ed out** być zmęczonym mówieniem; **~ sb over** przekonać kogoś; **~ sth over** omówić *l.* obgadać coś (*with sb* z kimś); **~ round** *Br.* = **talk around**; **~ sth through** omówić *l.* przedyskutować coś szczegółowo; **~ sth up** *zwł. US pot.* wyrażać się entuzjastycznie o czymś (*w celu wzbudzenia zainteresowania*). – *n.* **1.** rozmowa; **have a ~** porozmawiać (*with sb* z kimś). **2.** wykład; prelekcja; pogadanka; **give a ~** wygłosić wykład *l.* prelekcję. **3.** *pl.* rozmowy, dyskusje; negocjacje; **peace ~s** rozmowy *l.* negocjacje pokojowe. **4.** *U* język, mowa; **baby ~** język dzieci *l.* dziecięcy; prosty język. **5.** *U* **big ~** przechwałki; **it's just/only ~** *pot.* to tylko (takie) gadanie; **sb is all ~ (and no action)** *pot.* ktoś potrafi tylko (dużo) gadać; **the ~ of the town** temat wszystkich plotek, sensacja; **there is ~ of...** mówi się o... (*czymś, co być może nastąpi*).

talkathon [ˈtɔːkəˌθɑːn] *n. US pot.* przydługa debata, maraton gadania.

talkative [ˈtɔːkətɪv] *a.* rozmowny; gadatliwy.

talkatively [ˈtɔːkətɪvlɪ] *adv.* rozmownie; gadatliwie.

talkativeness [ˈtɔːkətɪvnəs] *n. U* rozmowność; gadatliwość.

talkback [ˈtɔːkˌbæk] *n. tel.* interkom.

talker [ˈtɔːkər] *n.* **1.** mówiąc-y/a. **2.** rozmówca/czyni. **3.** mów-ca/czyni. **4.** gaduła.

talkie [ˈtɔːkɪ] *n. przest. kino* film dźwiękowy.

talking book [ˈtɔːkɪŋ ˌbʊk] *n.* nagrana książka, książka audio.

talking head *n. telew. pot.* spiker/ka, prezenter/ka (= *osoba mówiąca wprost do kamery*).

talking picture *n.* (*także* **talking movie/film**) film dźwiękowy.

talking point *n.* przedmiot dyskusji *l.* rozmów.

talking-to [ˈtɔːkɪŋˌtuː] *n. pot.* bura, reprymenda; **give sb a ~** zbesztać kogoś, nagadać komuś.

talk radio *n. U gł. US radio* stacja nadająca programy z udziałem słuchaczy.

talk show *n.* talk-show.

talktime [ˈtɔːkˌtaɪm] *n. U tel.* czas, w którym telefon komórkowy jest włączony.

talky [ˈtɔːkɪ] *a.* **-ier, -iest** przegadany (*np. o filmie*).

tall [tɔːl] *a.* **1.** wysoki (*t. o cenie*); **how ~ are you?** ile masz wzrostu?; **two meters ~** wysoki na dwa metry. **2.** *attr.* niezwykły, przesadny. **3.** trudny, niemożliwy. **4.** *pot.* pompatyczny, szumny. – *adv.* **1.** dumnie. **2.** **talk ~** *pot.* przechwalać się. – *n. handl.* duży rozmiar (*dla osób wysokich*).

tallage [ˈtælɪdʒ] *Br. hist. n.* **1.** podatek nakładany na dzierżawców przez właściciela majątku. **2.** podatek nakładany na miasta królewskie i ziemie koronne przez króla. – *v.* nakładać podatek na (*dzierżawców, miasta*).

tallboy [ˈtɔːlˌbɔɪ] *n.* **1.** *Br.* wysoka komoda. **2.** wysoka nakładka kominowa. **3.** *dial.* kieliszek z wysoką nóżką.

tall copy *n. introl.* nieobcięta książka.

tall drink *n. US* koktail.

tallith [ˈtælɪθ], **tallis** [ˈtælɪs] *n.* tałes.

tallness [ˈtɔːlnəs] *n. U* wysokość; wzrost; wielkość.

tall oil *n. U* olej talowy, smolej.

tall order *n.* przesadne *l.* wygórowane żądanie.

tallow [ˈtæloʊ] *n. U* łój (*do wyrobu świec, mydła itp.*). – *v.* smarować łojem.

tallowy [ˈtæloʊɪ] *a.* **1.** łojowy. **2.** tłusty.

tall ship *n. żegl.* żaglowiec rejowy z postawionymi stengami.

tall tale *n.* (*także Br.* **tall story**) nieprawdopodobna historia.

tall talk *n. U* przechwałki.

tally [ˈtælɪ] *n. pl.* **-ies** **1.** rejestr, zapis; **keep a ~ (of sth)** prowadzić rejestr (czegoś), zapisywać *l.* notować (coś). **2.** zestawienie. **3.** rachunek. **4.** znak (*przy liczeniu l. jako jednostka, tuzin, setka itp.*). **5.** etykietka. **6.** odpowiednik; duplikat. **7.** *hist.* kij karbowany (*w którym liczba nacięć stanowiła zapis długu*). – *v.* **1.** notować, zapisywać. **2.** liczyć. **3.** zestawiać. **4.** zaopatrywać w etykietkę. **5.** zgadzać się (*with sth* z czymś) (*np. o rachunkach, relacjach*). **6.** **~ (up)** podliczać. **7.** **~ on** *żegl.* wybierać ręcznie (*szoty*).

tally clerk *n.* kontroler ilościowy ładunków.

tally-ho [ˌtælɪˈhoʊ] *gł. Br. int.* **1.** *myśl.* bierz go!. **2.** *przest. l. żart.* do dzieła!. – *n. pl.* **-s** **1.** *myśl.* okrzyk myśliwego, który dostrzegł lisa. **2.** pojazd czterokonny. – *v. myśl.* szczuć psy.

tallyman [ˈtælɪmən] *n. pl.* **-men** **1.** liczman. **2.** *dial.* domokrążca sprzedający towar na raty *l.* kredyt.

Talmud [ˈtɑːlmʊd] *n.* **the ~** *judaizm* Talmud.

Talmudic [tɑːlˈmʊdɪk], **Talmudical** *a.* talmudyczny.

Talmudist [ˈtɑːlmʊdɪst] *n.* talmudysta.

talon [ˈtælən] *n.* **1.** szpon (*zwł. ptaka drapież-*

nego). **2.** pazur. **3.** część rygla naciskana przez klucz przy obracaniu się. **4.** *bud.* cyma, esownica. **5.** *karty* karty pozostałe po rozdaniu (*np. w pasjansie, pikiecie*).

taluk [ˈtɑːlʊk] *n. pl.* **-a** *l.* **talooka** *Ind.* **1.** okręg podatkowy. **2.** ziemia dziedziczna (*posiadana na własność*).

talus¹ [ˈteɪləs] *n. pl.* **tali** [ˈteɪlaɪ] *anat.* kość skokowa.

talus² *n.* **1.** nachylenie skarpy. **2.** *geol.* osypisko, piarg.

tam [tæm] *n.* = **tam-o'-shanter**.

tamale [təˈmɑːlɪ] *n. C / U kulin.* mielone mięso i papryka w cieście z mąki kukurydzianej (*potrawa meksykańska*).

tamandua [təˈmændʊə], **tamandu** [ˈtæmənˌduː] *n. zool.* tamandua, mrówkojad czteropalczasty (*Tamandua tetradactyla*).

tamarack [ˈtæməˌræk] *n. bot.* **1.** modrzew amerykański (*Larix laricina*). **2.** *U* drewno z modrzewia amerykańskiego.

tamarillo [ˌtæməˈriːloʊ] *n. US bot.* cyfomandra, pomidor drzewiasty (*Cyphomandra betacea*).

tamarind [ˈtæməriːnd] *n.* **1.** *bot.* tamaryndowiec indyjski, powidlnik indyjski (*Tamarindus indica*). **2.** owoc tamaryndowca. **3.** *U* drewno tamaryndowca.

tamarisk [ˈtæmərɪsk] *n. bot.* tamaryszek (*Tamarix*).

tambour [ˈtæmbʊr] *n.* **1.** *muz.* bęben (*zwł. basowy*). **2.** tamborek (*do haftowania*). **3.** tkanina haftowana na tamborku. **4.** *bud.* bęben (*część trzonu kolumny*). **5.** *bud.* bęben, tambur (*mur podtrzymujący kopułę*). – *v.* haftować na tamborku.

tambourin [ˈtæmbʊrɪn] *n. muz.* **1.** długi wąski bęben prowansalski. **2.** taniec przy akompaniamencie bębna jw. **3.** *C / U* muzyka na bęben jw.

tambourine [ˌtæmbəˈriːn] *n. muz.* tamburyno.

tame [teɪm] *a.* **1.** oswojony. **2.** potulny, uległy. **3.** *pot.* blady, mdły; nudny (*np. o opisie*); nienadzwyczajny (*np. o filmie*). **4.** jednostajny (*o ruchu*). – *v.* **1.** oswajać. **2.** poskromić, ujarzmić, okiełznać. **3.** przytłumiać, łagodzić.

tameable [ˈteɪməbl], **tamable** *n.* **1.** dający się oswoić. **2.** dający się poskromić *l.* ujarzmić.

tameless [ˈteɪmləs] *a.* **1.** nieoswojony. **2.** nieposkromiony.

tamely [ˈteɪmlɪ] *adv.* ulegle, potulnie.

tameness [ˈteɪmnəs] *n. U* uległość, potulność.

tamer [ˈteɪmər] *n.* poskramiacz/ka, pogromca/czyni (*dzikich zwierząt*).

Tamil [ˈtæmɪl] *n.* **1.** *pl.* **-s** *l.* **Tamil** Tamil/ka. **2.** *U* (język) tamilski. – *a.* tamilski.

Tammany Hall [ˈtæmənɪ ˌhɔːl] *n. US polit.* nowojorska machina Partii Demokratycznej (*symbol korupcji w latach 20.*).

tammy¹ [ˈtæmɪ] *n. pot.* = **tam-o'-shanter**.

tammy² *n. pl.* **-ies** (*także* ~ **cloth**) **1.** *U tk.* rodzaj samodziału. **2.** *hist.* cedzak z samodziału. – *v. hist.* przecedzać (*cedzakiem jw.*).

tam-o'-shanter [ˌtæməˈʃæntər] *n.* (*także* **tam, tammy**) beret szkocki (*z pomponem*).

tamp [tæmp] *v.* **1.** napychać (*otwór z ładunkiem wybuchowym gliną itp. celem zwiększenia siły wybuchu*). **2.** nabijać (*fajkę*). **3.** ubijać (*materiał drogowy itp.*). – *n. US* ubijak do fajki.

Tampax [ˈtæmpæks] *n. pl.* **Tampax** tampon (*menstruacyjny*).

tamper¹ [ˈtæmpər] *n.* **1.** ubijak. **2.** *Br.* = **tamp**. **3.** *wojsk.* reflektor neutronów (*w broni nuklearnej*).

tamper² *v.* ~ **with sth** manipulować *l.* majstrować przy czymś; sfałszować coś (*np. dokument*); zmieniać coś (*np. tekst*); ~ **with sb** manipulować kimś; wpłynąć na kogoś; przekupić kogoś.

tamperer [ˈtæmpərər] *n.* manipulator/ka.

tamper-evident [ˌtæmpərˈevɪdənt] *a. Br.* = **tamper-resistant**.

tamper-proof [ˈtæmpərˌpruːf] *a. handl.* zabezpieczony przed otwarciem przed sprzedażą (*o opakowaniu*).

tamper-resistant [ˌtæmpər rɪˈzɪstənt] *a.* (*także Br.* **tamper-evident**) *handl.* umożliwiający sprawdzenie, czy opakowanie było naruszone przed sprzedażą.

tampion [ˈtæmpɪən], **tompion** *n. wojsk.* zatyczka (*do działa*).

tampon [ˈtæmpɑːn] *t. chir. n.* tampon. – *v.* tamponować (*ranę*).

tamponade [ˌtæmpəˈneɪd] *n. U chir.* tamponada; **cardiac** ~ tamponada serca.

tamtam [ˈtæmˌtæm] *n.* **1.** tam-tam, gong. **2.** = **tom-tom**. – *v.* grać na tam-tamie.

tan¹ [tæn] *v.* **-nn- 1.** opalać (się) (*na słońcu*). **2.** garbować. **3.** ~ **sb's hide** *pot.* wygarbować *l.* złoić *l.* przetrzepać komuś skórę. – *n.* **1.** (*także* **sun**~) opalenizna; **get a** ~ opalić się. **2.** *U* kolor jasnobrązowy. **3.** = **tanbark**. **4.** = **tannin**. – *a.* **1.** *US* opalony. **2.** jasnobrązowy. **3.** garbowany.

tan² *abbr.* = **tangent**.

tanager [ˈtænədʒər] *n. orn.* **1.** tangary (*rodzina Thraupidae*). **2.** **scarlet** ~ piranga szkarłatna (*Piranga erythromelas*).

tanbark [ˈtænˌbɑːrk] *n. U* kora garbarska.

tandem [ˈtændəm] *n.* **1.** tandem (*powóz, rower*). **2.** *U* **in** ~ jeden za drugim; w parze, razem; **work in** ~ **with sb** współpracować z kimś. – *adv.* jeden za drugim, gęsiego; **ride** ~ jechać gęsiego.

tandem bicycle *n. US* tandem.

tandoori [tɑːnˈdʊrɪ] *n. U kulin.* hinduska metoda zapiekania potraw w glinianym naczyniu.

tang¹ [tæŋ] *n.* **1.** ostry smak. **2.** posmak. **3.** intensywny zapach. **4.** znamienna właściwość. **5.** chwyt; trzpień (*narzędzia*).

tang² *v.* dźwięczeć, brzęczeć; dzwonić. – *n.* dźwięk, brzęk.

tangelo [ˈtændʒəˌloʊ] *n. pl.* **-s** *ogr., kulin.* tangela (= *krzyżówka tangerynki z grejpfrutem*).

tangency [ˈtændʒənsɪ] *n. U geom.* styczność.

tangent [ˈtændʒənt] *a.* **1.** *geom.* styczny. **2.** *przen.* niezwiązany z tematem. – *n.* **1.** *geom.* styczna (*prosta, krzywa, powierzchnia*). **2.** *mat.* tangens. **3.** *muz.* tangent. **4.** **go off on** *US*/**at** *Br.* **a** ~ (*także Br. i Austr.* **fly off at a** ~) *przen.* nagle zmienić temat.

tangent balance *n.* waga uchylna.

tangent galvanometer *n. el.* galwanometr tangensowy.

tangential [tæn'dʒenʃl] *a.* **1.** *geom.* styczny. **2.** *mat.* tangensowy. **3.** *form.* marginalny (*to sth* w stosunku do czegoś) niezwiązany bezpośrednio (*to sth* z czymś) (*z tematem, problemem*).

tangerine [ˌtændʒə'ri:n] *n.* **1.** mandarynka (*owoc*). **2.** *bot.* mandarynka (*Citrus reticulata*); tangerynka (*amerykańska odmiana mandarynki*). **3.** *U* kolor pomarańczowy. – *a.* pomarańczowy.

tangibility [ˌtændʒə'bɪlətɪ] *n. U* (*także* **tangibleness**) namacalność.

tangible ['tændʒəbl] *a.* **1.** dotykalny, namacalny (*form. t. dosł.*); konkretny; ~ **benefits/results** konkretne korzyści/rezultaty; ~ **proof/evidence** namacalny dowód. **2.** *prawn.* rzeczowy.

tangible assets *n. pl. prawn.* rzeczowy majątek trwały.

tangibleness ['tændʒəblnəs] *n.* = **tangibility**.

tangibly ['tændʒəblɪ] *adv.* namacalnie, dotykalnie.

tangle ['tæŋgl] *n.* **1.** plątanina, gąszcz (*np. gałęzi, drutów*); **get in a** ~ *t. przen.* zaplątać się. **2.** *przen.* mętlik; **be in a** ~ mieć mętlik w głowie. **3.** *pot.* sprzeczka; bójka (*with sb* z kimś). – *v.* **1.** plątać (się); ~ **sth (up)** poplątać coś. **2.** ~ **with sb** *pot.* wdać się w sprzeczkę z kimś; wdać się w bójkę z kimś.

tangled ['tæŋgld] *a.* (*także* ~ **up**) **1.** splątany, poplątany. **2.** *t. przen.* powikłany, zagmatwany.

tangly ['tæŋlɪ] *a.* **-ier, -iest** poplątany.

tango ['tæŋoʊ] *n. pl.* **-s** tango. – *v.* **1.** tańczyć tango. **2. it takes two to** ~ *przen.* do tanga trzeba dwojga.

tangy ['tæŋɪ] *a.* **-ier, -iest 1.** o ostrym smaku; kwaskowaty. **2.** orzeźwiający (*t. np. o wietrze*).

tanist ['tænɪst] *n. Br. hist.* następca wodza celtyckiego (*wybierany za jego życia*).

tanistry ['tænɪstrɪ] *n. U Br. hist.* celtycki system wyboru następcy wodza.

tank [tæŋk] *n.* **1.** zbiornik (*dial. t. wodny*). **2.** (*także* **gas** ~) (*także Br. i Austr.* **petrol** ~) *mot.* bak, zbiornik na benzynę. **3.** cysterna. **4.** *wojsk.* czołg. **5.** (*także* **fish** ~) akwarium. **6.** *fot.* kuweta. **7.** *pot.* ciupa (= *więzienie*). **8.** (*także* ~-**up**) *US pot.* moczymorda. – *v.* **1.** magazynować w zbiorniku. **2.** *pot.* zasuwać (= *iść szybko*). **3.** *pot.* dołożyć (*komuś;* = *pokonać*). **4.** ~ **up** *zwł. US mot.* zatankować; *sl.* natankować się (= *upić*).

tankage ['tæŋkɪdʒ] *n. U* **1.** pojemność zbiornika. **2.** przechowywanie w zbiorniku. **3.** opłata za przechowywanie w zbiorniku. **4.** *roln.* nawóz z odpadków poubojowych.

tankard ['tæŋkərd] *n.* kufel.

tank buster *n. wojsk. pot.* **1.** działo przeciwczołgowe ciężkiego kalibru. **2.** samolot zaopatrzony w działa przeciwczołgowe ciężkiego kalibru.

tank car *n.* (*także Br.* **tank wagon**) *kol.* wagon cysterna, wagon zbiornikowy.

tank destroyer *n. wojsk.* działo przeciwpancerne samobieżne, niszczyciel czołgów.

tanked [tæŋkt] *a.* (*także* ~ **up**) *sl.* nawalony, natankowany (= *pijany*).

tank engine *n.* **1.** *kol.* silnik czołgowy. **2.** = **tank locomotive**.

tanker ['tæŋkər] *n.* **1.** zbiornikowiec; *t. lotn.* tankowiec. **2.** *kol.* cysterna kolejowa. **3.** samochód cysterna, autocysterna.

tank farm *n.* teren, na którym rozmieszczone są duże zbiorniki (*np. z ropą naftową*).

tank farming *n. U roln.* hydroponika.

tankful ['tæŋkfʊl] *n.* pełen bak (*of sth* czegoś).

tank locomotive *n.* (*także* **tank engine**) *kol.* parowóz tendrzak, lokomotywa kusa.

tank top *n.* **1.** *US* podkoszulek bez rękawów. **2.** *Br.* kamizelka wełniana (*zw. z wycięciem w szpic*).

tank trap *n. wojsk.* rów przeciwczołgowy.

tank truck *n.* samochód cysterna, autocysterna.

tank-up ['tæŋkˌʌp] *n.* = **tank** *n.* 8.

tank wagon *n. Br.* = **tank car**.

tannage ['tænɪdʒ] *n. U* **1.** garbowanie. **2.** wygarbowana skóra.

tannate ['tæneɪt] *n. U chem.* taninian.

tanned [tænd] *a. Br.* opalony.

tanner[1] ['tænər] *n.* garbarz.

tanner[2] *n. Br. pot.* sześciopensówka.

tannery ['tænərɪ] *n.* **1.** *U* garbarstwo. **2.** *pl.* **-ies** garbarnia.

tannic ['tænɪk] *a. chem.* garbnikowy; ~ **acid** = **tannin**.

tannin ['tænɪn] *n. U* tanina, kwas garbnikowy.

tanning bed ['tænɪŋ ˌbed] *n. US* łóżko z kwarcówką.

tannoy ['tænɔɪ] *n.* (*także* **Tannoy**) *Br.* system nagłaśniający; **over the** ~ przez megafony.

tanrec ['tænrek] *n.* = **tenrec**.

tansy ['tænzɪ] *n. pl.* **-ies** *bot.* wrotycz pospolity (*Tanacetum vulgare*).

tantalic [tæn'tælɪk] *a. chem.* tantalowy.

tantalite ['tæntəˌlaɪt] *n. U min.* tantalit, kolumbit.

tantalize ['tæntəˌlaɪz], *Br. i Austr. zw.* **tantalise** *v. często pass.* zwodzić; kusić.

tantalizing ['tæntəˌlaɪzɪŋ] *a.* zwodniczy; kuszący.

tantalizingly ['tæntəˌlaɪzɪŋlɪ], *Br. i Austr. zw.* **tantalisingly** *adv.* zwodniczo; kusząco; ~ **close** boleśnie blisko (*np. zwycięstwa*).

tantalum ['tæntələm] *n. U chem.* tantal.

Tantalus ['tæntələs] *n. mit.* Tantal.

tantalus ['tæntələs] *n. Br.* przeszklony barek (*zamykany na klucz*).

tantamount ['tæntəˌmaʊnt] *a. pred.* ~ **to sth** równoznaczny z czymś.

tantara [ˌtæntə'rɑ:] *n.* tratata (*na trąbce l. rogu*).

tantivy [tæn'tɪvɪ] *arch. n. pl.* **-ies 1.** pęd, galop. **2.** okrzyk myśliwski. – *a.* chyży. – *adv.* galopem. – *v.* pędzić.

tant mieux [ˌtɑ:ŋ 'mjɜ:] *int. Fr.* tym lepiej.

tant pis [ˌtɑ:ŋ 'pi:] *int. Fr.* tym gorzej.

Tantra ['tʌntrə] *n. pl. rel.* tantry (= *święte księgi tantryzmu*).

Tantric ['tʌntrɪk] *a. rel.* dotyczący tantryzmu.

Tantrism ['tʌntˌrɪzəm] *n. U rel.* tantryzm (*jeden z kierunków w hinduizmie i buddyzmie*).

tantrum ['tæntrəm] *n. pot.* napad złości; **have/throw a ~** wpaść w złość.

Tanzania [ˌtænzə'nɪə] *n. geogr.* Tanzania.

Tanzanian [ˌtænzə'nɪən] *n.* Tanza-ńczyk/nka. – *a.* tanzański.

Tao [taʊ] *n. U fil.* tao.

Taoiseach ['tiːʃək] *n. Ir. polit.* premier Republiki Irlandii.

Taoism ['taʊˌɪzəm] *n. U fil.* taoizm.

Taoist ['taʊɪst] *n. fil.* taoist-a/ka.

tap[1] [tæp] *v.* **-pp- 1.** stukać (*sth on / against sth* czymś w/o coś). **2.** klepać; **~ sb on the shoulder** klepnąć kogoś w ramię. **3.** nabić flek na (*obcas*). **4.** = **tap-dance. 5. ~ sb to do sth** *US* wyznaczyć kogoś do zrobienia czegoś. **6. ~ sth in** wklepywać *l.* wstukiwać coś (*np. dane do komputera*). – *n.* **1.** stuknięcie. **2.** klepnięcie. **3.** flek; metalowe podbicie (*butów do stepowania*). **4.** *U* (*także* **~ dancing**) *pot.* stepowanie. **5.** *fon.* spółgłoska uderzeniowa.

tap[2] *n.* **1.** *gł. Br.* kran; zawór, kurek; **cold/hot ~** kran z zimną/ciepłą wodą; **dripping ~** cieknący kran; **turn on the ~** odkręcić kran. **2.** czop. **3.** *U* piwo beczkowe *l.* z beczki. **4.** *Br.* = **taproom. 5.** *tel.* podsłuch. **6.** *chir.* nakłucie. **7.** *techn.* gwintownik. **8.** (*także Br.* **tapping**) *el.* zaczep. **9. on ~** z beczki (*o piwie*); *przen. pot.* pod ręką. – *v.* **-pp- 1. ~ (into)** wykorzystywać (*np. zasoby naturalne, doświadczenie*); docierać do (*informacji itp.*). **2.** *gł. tel.* podsłuchiwać (*rozmowy*); podłączać się do (*np. telefonu, przewodów; zw. nielegalnie*); **~ sb's telephone** założyć komuś *l.* u kogoś podsłuch. **3.** montować zawór w (*czymś*). **4.** napoczynać (*beczkę*). **5.** spuszczać płyn z (*beczki*). **6.** *chir.* nakłuwać. **7.** *leśn.* nacinać (*drzewa w celu spuszczania żywicy*). **8.** gwintować. **9. ~ sb for sth** *Br. pot.* wyżebrać *l.* wyłudzić coś od kogoś (*zwł. pieniądze*).

tapas ['tæpæs] *n. pl. Sp. kulin.* przystawki, zakąski.

tapdance ['tæpˌdæns], **tap dance** *n.* stepowanie.

tap-dance ['tæpˌdæns] *v.* stepować.

tap-dancer ['tæpˌdænsər] *n.* stepując-y/a tance-rz/ rka.

tap-dancing ['tæpˌdænsɪŋ] *n. U* stepowanie.

tape [teɪp] *n.* **1.** *C / U* taśma (*t. klejąca, na mecie, w maszynie do pisania, miernicza*); **magnetic ~** taśma magnetyczna; **sticky ~** (*także US* **scotch ~**) (*także Br.* **sellotape**) taśma klejąca. **2.** *C / U* kaseta, taśma (*wideo l. audio*); **blank ~** pusta *l.* nienagrana kaseta; **on ~** nagrany (na kasecie *l.* taśmie). **3.** = **tape recording. 4.** *C / U* tasiemka. **5.** *Br. wojsk. pot.* pasek. **6. hit** *US*/**breast** *Br.* **the ~** *sport* przerwać taśmę (= *przekroczyć linię mety*); **red ~** *przen.* biurokracja. – *v.* **1.** (*także* **~ record**) nagrywać. **2.** zaopatrywać w taśmę. **3.** wiązać taśmą. **4.** przyklejać taśmą. **5.** mierzyć; obliczać. **6. have sb/sth ~d** *Br. przen. pot.* poznać się na kimś/czymś, rozpracować kogoś/coś. **7. ~ (up)** *zwł. US* bandażować.

tape deck *n.* magnetofon (*bez wzmacniacza*).

tape grass *n. U bot.* walisneria spiralna, nurzaniec spiralny (*Vallisneria spiralis*).

tape machine *n.* dalekopis.

tape measure *n.* miara taśmowa, centymetr.

taper ['teɪpər] *v.* **~ (off)** zwężać (się) (*ku dołowi l. końcowi*); słabnąć (*np. o deszczu, zainteresowaniu*); zamierać (*np. o głosie*). – *n.* **1.** przewężenie. **2.** długa cienka świeca. **3.** knot (*do zapalania świec*). **4.** stożek.

tape record, tape-record *v.* nagrywać.

tape recorder *n.* magnetofon.

tapescript ['teɪpˌskrɪpt] *n.* zapis nagrania.

tapestry ['tæpɪstrɪ] *n. pl.* **-ies 1.** *C / U* gobelin, arras. **2.** *przen.* kalejdoskop (*of sth* czegoś). **3.** = **point lace.** – *v.* **-ied, -ying** obwieszać gobelinami.

tapestry moth *n. ent.* mól kobierzycznik (*Trichophaga tapetzella*).

tapetum [tə'piːtəm] *n. pl.* **tapeta** [tə'piːtə] **1.** *zool.* warstwa błoniasta. **2.** *anat.* nabłonek irydyzujący naczyniówki.

tapeworm ['teɪpˌwɜːm] *n. zool.* tasiemiec (*gromada Cestoda*).

taphole ['tæpˌhoʊl] *n. metal.* otwór spustowy.

taphonomy [tə'fɑːnəmɪ] *n. U* tafonomia (= *nauka o skamielinach*).

taphouse ['tæpˌhaʊs] *n. arch.* **1.** bar, bufet. **2.** *Br.* gospoda.

tap-in ['tæpˌɪn] *n. piłka nożna, golf* strzał z bliskiej odległości.

tapioca [ˌtæpɪ'oʊkə] *n. U kulin.* tapioka.

tapir ['teɪpər] *n. pl.* **-s** *l.* **tapir** *zool.* tapir (*Tapirus*).

tapis ['tæpɪ] *n. pl.* **tapis 1.** *arch.* dywan, kobierzec. **2. on the ~** *przen.* na tapecie (= *aktualnie omawiany*).

tapper[1] ['tæpər] *n.* **1.** *kol.* kolejarz stukający w koła wagonu. **2.** szewc przybijający fleki. **3.** młoteczek (*dzwonka elektrycznego*). **4.** przycisk telegrafu.

tapper[2] *n.* **1.** osoba zakładająca podsłuch. **2.** *leśn.* leśnik nacinający drzewa. **3.** *hodowla* dojarka. **4.** *pot.* żebra-k/czka.

tappet ['tæpɪt] *n. mech.* popychacz.

tapping ['tæpɪŋ] *n. Br.* = **tap[2]** *n.* 8.

taproom ['tæpˌruːm] *n. Br.* bufet, bar (*np. w hotelu*).

taproot ['tæpˌruːt] *n. bot.* korzeń główny.

taps [tæps] *n. z czasownikiem w liczbie pojedynczej gł. US wojsk.* **1.** sygnał gaszenia świateł (*w koszarach*). **2.** capstrzyk.

tapster ['tæpstər] *n. arch.* barman/ka.

tapstress ['tæpstrəs] *n. arch.* barmanka.

tap water *n. U* woda z kranu, kranówka.

tar[1] [tɑːr] *n. U* **1.** smoła; dziegieć; **coal ~** smoła węglowa. **2.** ter (= *mieszanina smoły, kalafonii i tłuszczu używana jako smar ochronny*). **3.** substancja smolista; **low/high ~ (cigarettes)** papierosy o niskiej/wysokiej zawartości substancji smolistych. – *v.* **-rr- 1.** smołować. **2. ~ and feather** *hist.* smarować smołą i pokrywać pierzem (*za karę*). **3.** *przen.* **be/get ~red with the same brush** być wrzucanym do jednego worka (*as sb* z kimś); **beat/knock/whale the ~ out of sb** *US pot.* sprać kogoś na kwaśne jabłko. – *a. attr.* **1.** smołowy. **2.** smolisty. **3.** smołowany, pokryty smołą.

tar² *n. pot. arch.* majtek.

taradiddle [ˈterəˌdɪdl] *n. pot.* = **tarradiddle.**

taramasalata [ˈtɑːrəməsəˌlɑːrtə] *n. U kulin.* grecka pasta z kawioru.

tarantass [ˌtɑːrənˈtɑːs] *n.* tarantas (*wóz rosyjski*).

tarantella [ˌterənˈtelə] *n.* tarantela (*taniec l. muzyka do niego*).

tarantism [ˈterənˌtɪzəm] *n. U pat.* tarantyzm (= *niekontrolowane ticki nerwowe*).

tarantula [təˈræntʃələ] *n. pl.* **-s** *l.* **tarantulae** [təˈræntʃəliː] *zool.* tarantula apulijska (*Lycosa tarentula*).

taraxacum [təˈræksəkəm] *n. U* **1.** *bot.* mniszek lekarski (*Taraxacum officinale*). **2.** *med.* wyciąg z mniszka lekarskiego.

tarboosh [tɑːrˈbuːʃ], **tarbush, tarbouche** *n.* tarbusz, fez.

tardigrade [ˈtɑːrdəˌgreɪd] *n. zool.* rodzaj wodnego bezkręgowca (*gromada Tardigrada*). – *a. form.* powolny, ociężały.

tardily [ˈtɑːrdɪlɪ] *adv. form.* **1.** wolno, ociężale. **2.** późno, z opóźnieniem.

tardiness [ˈtɑːrdɪnəs] *n. U form.* **1.** powolność, opieszałość. **2.** opóźnienie, spóźnienie.

tardy [ˈtɑːrdɪ] *a.* **-ier, -iest** *form.* **1.** powolny, ociężały. **2.** późny, spóźniony. **3.** ociągający się; opieszały.

tare¹ [ter] *n.* **1.** *U bot.* wyka (*Vicia*). **2.** nasiono wyki. **3.** *Bibl.* chwast.

tare² *n.* **1.** tara, ciężar opakowania. **2.** masa pojazdu (*bez paliwa i ładunku*). – *v.* tarować.

targe [tɑːrdʒ] *n. zbroja hist.* puklerz (*zwł. u Szkotów*).

target [ˈtɑːrgət] *n.* **1.** tarcza strzelnicza. **2.** *t. wojsk. l. przen.* cel; obiekt; ~ **practice** strzelanie do celu, ćwiczenia na strzelnicy; **civilian/military ~s** cele *l.* obiekty cywilne/wojskowe; **easy/soft ~** łatwy cel *l.* łup; **meet/reach ~s** osiągnąć założone cele; **be on ~** mieć szanse na osiągnięcie celu, posuwać się zgodnie z planem *l.* założeniami. **3.** przedmiot, obiekt (*of sth* czegoś) (*np. pogardy, krytyki*). **4.** tarcza kolejowa. **5.** *miern.* przesuwny celownik na tyczce niwelacyjnej. **6.** antykatoda (*np. lampy rentgenowskiej*). **7.** *fiz.* tarcza. **8.** *fiz.* elektroda bombardowana. **9.** *hist.* puklerz. – *v.* **1.** celować (*sth on / at sth* coś w coś). **2.** obierać (sobie) za cel, obierać za cel swoich działań (*np. osobę, instytucję*). **3.** ~ **sth on/at sb** *przen.* adresować coś do kogoś (*np. produkt, pomoc, kampanię*), kierować coś pod czyimś adresem. – *a. attr.* docelowy.

target area *n. sport* pole bramkowe.

targetcast [ˈtɑːrgətˌkæst] *v. komp.* adresować stronę internetową do określonej grupy odbiorców.

target cell *n. biol.* **1.** komórka docelowa (*na którą działa dany hormon*). **2.** krwinka tarczowata.

target date *n.* data ukończenia, termin.

target group *n.* grupa docelowa.

target language *n. C/U* **1.** język docelowy (= *taki, na który się tłumaczy l. którego się uczy*). **2.** *komp.* język wynikowy.

target man *n. pl.* **-men** *sport* napastnik (*przyjmujący podania przed polem bramkowym*).

target organ *n. med.* narząd docelowy (*na który działa dany hormon*).

tariff [ˈterɪf] *n.* **1.** taryfa (*t. celna*). **2.** cło. **3.** cennik. **4.** taryfa opłat za usługi (*np. gaz, prąd*). **5.** *Br.* menu z cenami. – *v.* **1.** ustalać taryfę celną na. **2.** nakładać cło. **3.** szacować według taryfy.

tariff barriers *n. pl.* bariery celne.

tariff legislation *n. U* ustawodawstwo celne.

tariff office *n. ubezp.* ubezpieczyciel należący do centralnego związku ubezpieczycieli i stosujący się do jego wytycznych (*przy ustalaniu składek i wystawianiu polis*).

tariff preferences *n. pl.* preferencje celne.

tariff protection *n. U* ochrona celna.

tariff reform *n. U* reforma celna.

tariff regulations *n. pl.* przepisy celne.

tariff wall *n.* bariera celna.

tariff war *n.* wojna celna.

tarlatan [ˈtɑːrlətən] *n. U tk.* tarlatan.

tarmac [ˈtɑːrmæk] *n.* **1.** (*także* **tarmacadam**) nawierzchnia tłuczniowa smołowana; asfalt. **2.** *lotn.* płyta lotniska; **on the ~** w kolejce do startu.

tarn [tɑːrn] *n.* staw górski.

tarnal [ˈtɑːrnl] *a. US dial.* diabelny; przeklęty.

tarnation [tɑːrˈneɪʃən] *int. euf.* niech to diabli (wezmą)!.

tarnish [ˈtɑːrnɪʃ] *v.* **1.** powodować matowienie (*czegoś*), matowić. **2.** matowieć, tracić połysk, ciemnieć. **3.** *przen.* zbrukać, zszargać, splamić (*reputację, dobre imię*). – *n. U* zmatowienie; skaza.

taro [ˈtɑːroʊ] *n. pl.* **-s** **1.** *bot.* kleśnica jadalna, taro (*Colocasia esculenta*). **2.** taro (*jadalna bulwa rośliny jw.*).

tar oil *n. U* olej smołowy.

tarot [ˈteroʊ], **taroc** [ˈterɑːk] *n. U l. sing.* tarot, tarok.

tarp [tɑːrp] *n. pot.* = **tarpaulin.**

tarpan [tɑːrˈpæn] *n. zool.* tarpan (*Equus caballus gomelini*).

tarpaper [ˈtɑːrˌpeɪpər] *n. U bud.* papier smołowany.

tarpaulin [tɑːrˈpɔːlɪn] *n.* **1.** *U* brezent impregnowany. **2.** *hist.* nieprzemakalna czapka marynarska. **3.** *arch.* majtek.

tarpon [ˈtɑːrpɑːn] *n. pl.* **-s** *l.* **tarpon** *icht.* tarpon (*Megalops atlanticus*).

tarradiddle [ˌterəˈdɪdl], **taradiddle** *n. pot.* **1.** *U* bzdury, brednie. **2.** kłamstewko.

tarragon [ˈterəgən] *n. U* **1.** *bot.* (bylica) estragon (*Artemisia dracunculus*). **2.** *kulin.* estragon.

tarras [təˈræs] *n. przest.* = **trass.**

tarrock [ˈterək] *n. orn.* **1.** rybitwa popielata (*Sterna paradisaea; nazwa używana na Szetlandach*). **2.** mewa trójpalczasta (*Rissa tridac-*

tyla). **3.** mewa pospolita (*Larus canus; gł. w odniesieniu do piskląt*).

tarry[1] ['terı] *v.* **-ied, -ying** *lit.* **1.** ociągać się, zwlekać. **2.** przebywać, mieszkać (*tymczasowo*). **3.** czekać (*for sth* na coś). – *n. arch. l. lit.* krótki pobyt.

tarry[2] ['tɑ:rı] *a.* **-ier, -iest** smołowy; smołowany; smolisty.

tarsal ['tɑ:rsl] *anat. a.* **1.** stępowy. **2.** tarczkowy (= *dotyczący tarczki powieki*). – *n.* **1.** (*także* ~ **bone**) kość stępu. **2.** (*także* ~ **joint**) staw międzystępowy.

tarsier ['tɑ:rsıər] *n. zool.* wyrak, tarsjusz (*Tarsius tarsius*).

tarsus ['tɑ:rsəs] *n. pl.* **tarsi** ['tɑ:rsaı] *anat.* **1.** stęp. **2.** tarczka powiekowa. **3.** *ent.* stopa (*owada*). **4.** (*także* **tarsometatarsus**) *orn.* skok (= *kość łącząca palce z nogawicą*).

tart[1] [tɑ:rt] *a.* **1.** cierpki (*np. o smaku, jabłku*). **2.** *przen.* cięty, ostry (*np. o odpowiedzi, uwadze*).

tart[2] *n.* **1.** *kulin.* tarta (*na słodko*); ciastko z owocami. **2.** *pot.* dziwka (*t. = wyzywająco zachowująca się l. ubrana kobieta*); *przest.* kokota. – *v. gł. Br. pot.* ~ **up** odpicować (*np. wnętrze, budynek*); ~ **o.s. up** *często żart.* odstawić się (= *elegancko ubrać*).

tartan[1] ['tɑ:rtən] *n. C/U* tartan (*tkanina, deseń l. strój*). – *a.* **1.** tartanowy, w szkocką kratę. **2.** *pot.* szkocki.

tartan[2] *n. żegl.* tartana (= *śródziemnomorski statek jednomasztowy*).

Tartar ['tɑ:rtər], **Tatar** *n.* **1.** Tatar/ka. **2.** *U* (język) tatarski. – *a.* tatarski.

tartar[1] ['tɑ:rtər] *n. pot. cz. pog.* dzikus/ka; wiedźma, herod-baba.

tartar[2] *n. U* **1.** *dent., pat.* kamień nazębny. **2.** osad (*w beczkach po winie*); (*także* **cream of** ~) wodorowinian potasowy.

tartare sauce, tartar sauce *n. U kulin.* sos tatarski.

Tartarian [tɑ:r'terıən] *a.* tatarski.

tartaric acid [tɑ:rˌterık 'æsıd] *n. U chem.* kwas winowy.

tartarize ['tɑ:rtəˌraız], *Br. i Austr. zw.* **tartarise** *v.* zaprawiać wodorowinianem potasowym.

tartar sauce *n.* = **tartare sauce**.

tartar steak *n. U* (*także* **steak tartare**) *kulin.* befsztyk tatarski, tatar.

Tartarus ['tɑ:rtərəs] *n.* **1.** *mit.* Tartar. **2.** *przen.* piekło.

tartly ['tɑ:rtlı] *adv.* ostro (*np. odpowiedzieć*).

tartness ['tɑ:rtnəs] *n. U* ostrość (*wypowiedzi*).

tartrate ['tɑ:rtreıt] *n. U chem.* winian.

tarty ['tɑ:rtı] *a.* **-ier, -iest dress/look** ~ *zwł. Br. sl.* ubierać się/wyglądać jak dziwka.

TAS [ˌti: ˌeı 'es] *abbr.* = **true airspeed**.

tash [tæʃ] *n. pot.* wąs.

tasimeter [tə'sımıtər] *n.* tasymetr.

task [tæsk] *n.* **1.** zadanie; zadanie specjalne; **perform a** ~ wykonać zadanie; **set/give sb a** ~ dać komuś zadanie; **thankless** ~ niewdzięczne zadanie, niewdzięczna robota; **unenviable** ~ zadanie nie do pozazdroszczenia. **2. take sb to** ~ *przen.* zmyć komuś głowę, zbesztać kogoś. – *v.* **1.** obciążać (*zadaniami, pracą*). **2.** wystawiać na próbę (*np. siły, intelekt*). **3.** wyznaczać zadanie (*komuś*).

task force *n.* **1.** *wojsk.* oddział specjalny. **2.** grupa specjalna, specgrupa.

taskmaster ['tæskˌmæstər], **task master** *n.* wymagający-y/a przełożon-y/a; **be a hard/tough** ~ być bardzo wymagającym.

taskwork ['tæskˌwɝ:k] *n. U* ciężka praca.

Tasmania [tæz'meınıə] *n. geogr.* Tasmania.

Tasmanian [tæz'meınıən] *n.* Tasma-ńczyk/nka. – *a.* tasmański.

Tasmanian wolf *n.* (*także* **Tasmanian tiger**) *zool.* wilk workowaty (*Thylacinus cynocephalus*).

tass [tæs] *n.* (*także* **tassie**) *płn. Br. dial.* **1.** szklaneczka. **2.** łyk.

tassel[1] ['tæsl] *n.* **1.** frędzel. **2.** *bot.* wiecha (*zwł. u wierzchu łodygi kukurydzianej*). **3.** *arch.* = **torsel**. – *v. Br.* **-ll- 1.** ozdabiać frędzlami. **2.** usuwać wiechy z (*kukurydzy*). **3.** wypuszczać wiechę (*o kukurydzy*).

tassel[2] *n.* = **tercel**.

tasseled ['tæsld], *Br.* **tasselled** *a.* z frędzlami.

taste [teıst] *v.* **1.** smakować, próbować, kosztować (*czegoś l. coś*). **2.** smakować, mieć smak; ~ **delicious** smakować wyśmienicie, mieć wyśmienity smak; ~ **of sth** (*także* ~ **like sth**) smakować czymś, mieć smak czegoś. **3. can** ~ **sth** czuć smak czegoś. **4.** *przen.* zasmakować, zaznać, zakosztować (*czegoś*); poczuć smak (*czegoś*); ~ **blood** *pot.* poczuć smak emocji *l.* niebezpieczeństwa, poczuć krew w żyłach; ~ **freedom** zasmakować wolności. **5.** *arch.* znajdować przyjemność w (*czymś*). – *n.* **1.** *U l. sing. t. przen.* smak; **a** ~ **of fame/success** smak sławy/sukcesu; **acquire a** ~ **for sth** zasmakować w czymś; **leave a bad/nasty** ~ **in one's mouth** *przen.* pozostawiać niesmak; **to** ~ do smaku (*przyprawiać*). **2.** *U fizj.* zmysł smaku, smak. **3.** *U* gust; dobry smak; **a question of** ~ kwestia gustu *l.* smaku; **have no** ~ nie mieć gustu; **in bad/poor** ~ w złym guście; **in (good)** ~ w dobrym guście; **it's not in the best (possible)** ~ to nie jest w najlepszym guście; **there is no accounting for** ~ o gustach się nie dyskutuje, gusty nie podlegają dyskusji; **to sb's** ~ w czyimś guście. **4.** *sing.* odrobina (*na spróbowanie*); **have a** ~ **of sth** spróbować *l.* skosztować czegoś. **5.** upodobanie (*for sth* do czegoś); **acquired** ~ upodobanie wykształcone z biegiem czasu; **get/lose one's** ~ **for sth** polubić/przestać lubić coś; nabrać ochoty/stracić ochotę do czegoś; **have no** ~ **for sth** nie przepadać za czymś.

taste buds *n. pl. anat.* kubki smakowe.

tasteful ['teıstful] *a.* **1.** pełen smaku, gustowny. **2.** *rzad.* smaczny.

tastefully ['teıstfulı] *adv.* gustownie, ze smakiem.

tasteless ['teıstləs] *a.* **1.** bez smaku. **2.** *t. przen.* niesmaczny. **3.** niegustowny.

tastelessly ['teıstləslı] *adv.* bez gustu, niegustownie.

tastelessness ['teıstləsnəs] *n. U* **1.** brak smaku. **2.** brak gustu, bezguście.

tastemaker ['teıstˌmeıkər] *n. US* arbiter mody.

taster [ˈteɪstər] *n.* **1.** degustator/ka; (*także* **wine ~**) kiper/ka. **2.** *hist.* osoba kosztująca potraw (*czy nie są zatrute*). **3.** *t. przen.* próbka (*t. jedzenia*). **4.** kieliszek do kosztowania wina. **5.** przyrząd do pobierania próbki z sera.

tastily [ˈteɪstɪlɪ] *adv.* gustownie, z gustem.

tastiness [ˈteɪstɪnəs] *n.* *U* gustowność.

tasting [ˈteɪstɪŋ] *n.* *C / U* degustacja.

tasty [ˈteɪstɪ] *a.* **-ier, -iest** *pot.* **1.** smaczny. **2.** *pot.* pikantny (*np. o plotkach*). **3.** *Br. pot.* apetyczny, smakowity (*o atrakcyjnej seksualnie osobie*).

tat[1] [tæt] *v.* **-tt-** wiązać (*koronkę, makramę*).

tat[2] *n.* *zob.* **tit**[2].

tat[3] *n.* *U Br. pot.* tandeta, chłam.

ta-ta [ˌtɑːˈtɑː] *int. pot.* pa, pa.

Tatar [ˈtɑːtər] *n.* = **Tartar**.

tater [ˈteɪtər] *n.* *dial.* pyra, kartofel.

Tatra Mountains [ˌtɑːtrə ˈmaʊntənz] *n. pl. geogr.* Tatry.

tatter [ˈtætər] *n.* strzęp. – *v.* strzępić (się).

tatterdemalion [ˌtætərdɪˈmeɪlɪən] *a.* obdarty. – *n.* obdartus, oberwaniec.

tattered [ˈtætərd] *a.* **1.** postrzępiony; podarty. **2.** obdarty. **3.** *przen.* zszargany (*o reputacji*).

tatters [ˈtætərz] *n. pl.* **1.** strzępy; łachmany. **2.** *przen.* ruina. **3. in ~** w strzępach; *przen.* zszargany (*o reputacji*).

tatting [ˈtætɪŋ] *n.* *U* **1.** koronka wiązana. **2.** wiązanie koronki.

tattle [ˈtætl] *v.* **1.** *przest.* gadać, paplać. **2.** skarżyć; **~ on sb** skarżyć *l.* donosić na kogoś. – *n.* **1.** gadanina, paplanina. **2.** plotki.

tattler [ˈtætlər] *n.* **1.** *przest.* gaduła. **2.** skarżypyta.

tattletale [ˈtætlˌteɪl] *n. gł. US* **1.** plotka-rz/rka. **2.** skarżypyta. – *v.* **1.** plotkować. **2.** skarżyć. – *a.* plotkarski.

tattoo[1] [tæˈtuː] *v.* tatuować. – *n. pl.* **-s** tatuaż.

tattoo[2] *n.* **1.** *wojsk.* capstrzyk (*t. jako rozrywka*). **2.** bębnienie. – *v.* bębnić palcami.

tattooist [tæˈtuːɪst] *n.* (*także* **tattoo artist**) tatuażyst-a/ka.

tatty [ˈtætɪ] *a.* **-ier, -iest** *gł. Br. pot.* sfatygowany (*np. o odzieży, meblu*).

taught [tɔːt] *v.* *zob.* **teach**.

taunt[1] [tɔːnt] *v.* **1.** dokuczać (*komuś*); wyśmiewać się z, drwić z (*kogoś*); **they ~ed her about/over her red hair** dokuczali jej z powodu rudych włosów. **2.** drażnić się z (*kimś; zwł. odmawiając wyjawienia sekretu*). **3. ~ sb with sth** zarzucać coś komuś (*np. tchórzostwo*). – *n.* *często pl.* drwina; prześmiewki.

taunt[2] *a.* *żegl.* niezwykle wysoki (*o maszcie*).

taunter [ˈtɔːntər] *n.* prześmiewca, kpiarz.

tauntingly [ˈtɔːntɪŋlɪ] *adv.* drwiąco.

taupe [toʊp] *a. i n.* *U* (kolor) brązowoszary.

taurine[1] [ˈtɔːraɪn] *a.* *lit.* byczy.

taurine[2] [ˈtɔːriːn] *n.* *U chem.* tauryna.

tauromachy [tɔːˈrɑːməkɪ] *n.* *U form.* tauromachia, walka byków.

Taurus [ˈtɔːrəs] *n.* *astron., astrol.* Byk.

taut [tɔːt] *a.* **1.** naprężony, napięty (*np. o mięśniach, strunach*). **2.** *przen.* spięty, napięty (*np. o twarzy, rysach*). **3.** pełen napięcia (*np. o filmie, książce*). **4.** zwięzły (*o stylu*). **5.** w dobrym stanie.

tauten [ˈtɔːtən] *v.* naprężać (się), napinać (się).

tautness [ˈtɔːtnəs] *n.* *U* naprężenie, napięcie.

tautological [ˌtɔːtəˈlɑːdʒɪkl], **tautologic** [ˌtɔːtəˈlɑːdʒɪk], **tautologous** [tɔːˈtɑːləgəs] *a.* *log., jęz.* tautologiczny.

tautology [tɔːˈtɑːlədʒɪ] *n.* *C / U pl.* **-ies** *log., jęz.* tautologia.

tavern [ˈtævərn] *n.* *Br. arch.* (*l. w nazwach*) gospoda; tawerna.

taverna [təˈvɜːnə] *n.* tawerna (*w Grecji*).

taverner [ˈtævərnər] *n.* *arch.* właściciel/ka tawerny.

taw[1] [tɔː] *n.* **1.** gra w kulki. **2.** duża kulka (*w grze jw.*). **3.** linia graniczna (*w grze jw.*).

taw[2] *v.* garbować na biało (*skórę*).

tawdriness [ˈtɔːdrɪnəs] *n.* *U* **1.** tandetność. **2.** pretensjonalność.

tawdry [ˈtɔːdrɪ] *a.* **-ier, -iest** **1.** tandetny. **2.** pretensjonalny.

tawniness [ˈtɔːnɪnəs] *n.* *U* śniadość.

tawny [ˈtɔːnɪ] *a.* **-ier, -iest** **1.** złotawobrązowy. **2.** śniady, ogorzały. **3.** ponaddziesięcioletni (*o porto*).

tawny owl *n.* *orn.* puszczyk (*Strix aluco*).

tawny pipit *n.* *orn.* świergotek polny (*Anthus campestris*).

taws [tɔːz], **tawse** *Scot. hist., szkoln. n.* pasek, rzemień (*do bicia*). – *v.* bić paskiem.

tax [tæks] *n.* *C / U* **1.** podatek; **before/after ~** przed/po opodatkowaniu; **capital gains ~** *US* podatek od zysków kapitałowych; *Br.* podatek od przyrostu wartości majątku; **corporation ~** podatek od spółek zarobkowych; **corporation income ~** podatek dochodowy od osób prawnych; **direct/indirect ~** podatek bezpośredni/pośredni; **excise ~** akcyza; podatek od spożycia; **income ~** podatek dochodowy; **property ~** podatek majątkowy; *Br.* podatek od nieruchomości; **real estate ~** podatek gruntowy; **sales/turnover ~** podatek obrotowy; **value added ~** podatek od wartości dodanej, VAT **2.** składka członkowska. **3.** *sing. form.* obciążenie, ciężar. – *v.* **1.** opodatkowywać. **2.** *Br. mot.* płacić podatek za (*np. samochód, motocykl*). **3.** wystawiać na próbę; nadwerężać; **~ sb's patience/strength** wystawiać na próbę czyjąś cierpliwość/wytrzymałość. **4.** *prawn.* szacować, ustalać (*koszty postępowania*). **5. ~ sb with sth** oskarżać kogoś o coś.

taxable [ˈtæksəbl] *a.* podlegający opodatkowaniu.

taxable income *n.* *U* dochód podlegający opodatkowaniu.

tax allowance *n.* ulga podatkowa.

tax assessor *n.* *US* osoba wymierzająca podatek.

taxation [tækˈseɪʃən] *n.* *U* **1.** opodatkowanie; **multiple ~** wielokrotne opodatkowanie. **2.** podatki; wpływy z podatków.

tax avoidance *n.* *U* obchodzenie przepisów podatkowych.

tax base *n.* podstawa opodatkowania.

tax bracket *n.* grupa podatkowa, przedział podatkowy.

tax break *n. pot.* okresowe zwolnienie od płacenia podatków (*zw. dla umożliwienia szybszego rozwoju danej grupy przedsiębiorstw*).

tax burden *n.* obciążenie podatkowe.

tax cart *n.* = **taxed cart**.

tax collector *n.* poborca podatkowy.

tax-deductible [ˌtæksdɪˈdʌktəbl] *n.* potrącalny z wymiaru podatku.

tax deduction *n. gł. US* odpis, odliczenie (*od dochodu*).

tax deferred *a.* o odroczonym opodatkowaniu.

tax disc *n. mot. Br.* nalepka na szybę świadcząca o zapłaceniu podatku.

tax dodge *n.* legalne uchylanie się od płacenia podatku.

taxed cart, tax cart *n. Br.* wóz drabiniasty.

tax evasion *n. U* uchylanie się od płacenia podatków.

tax-exempt [ˌtæksɪgˈzempt] *a.* (*także* **tax-free**) zwolniony *l.* wolny od podatku.

tax exemption *n. U* zwolnienie od podatku.

tax exile *n.* wychodźca podatkowy.

tax form *n.* formularz podatkowy.

tax-free [ˌtæksˈfriː] *a.* **1.** = **tax-exempt**. **2.** bezcłowy.

tax gatherer *n.* poborca podatkowy.

tax haven *n.* oaza podatkowa, raj podatkowy.

tax holiday *n.* czasowe zwolnienie od płacenia podatków.

taxi [ˈtæksɪ] *n. pl.* **-s** *l.* **-es** taksówka; **flag (down)/hail a ~** przywołać *l.* zatrzymać taksówkę. – *v.* **1.** *lotn.* kołować. **2.** jechać taksówką. **3.** wieźć taksówką. **4.** *pot.* wozić, podwozić.

taxicab [ˈtæksɪˌkæb] *n.* taksówka.

taxi dancer *n.* fordanser/ka.

taxidermist [ˈtæksəˌdɜːməst] *n.* preparator/ka zwierząt.

taxidermy [ˈtæksəˌdɜːmɪ] *n. U* preparowanie zwierząt.

taxi driver *n.* taksówka-rz/rka.

taximeter [ˈtæksɪˌmiːtər] *n.* licznik (*taksówki*), taksometr.

tax incentive *n.* ulga podatkowa (*mająca zachęcać do inwestycji*).

taxing [ˈtæksɪŋ] *n. U* **1.** opodatkowanie; nałożenie podatku. **2.** otaksowanie. – *a.* **1.** wyczerpujący, męczący. **2.** wymagający.

tax inspector *n.* inspektor podatkowy.

taxiplane [ˈtæksɪˌpleɪn] *n.* samolot-taksówka, taksówka powietrzna.

taxi rank *n. Br.* = **taxi stand**.

taxis [ˈtæksɪs] *n. pl.* **taxes** **1.** *biol.* taksja. **2.** *U chir.* ręczne odprowadzenie przepukliny. **3.** *U chir.* nastawienie zwichnięcia.

taxi squad *n. piłka nożna US* drużyna zawodników rezerwowych, zawodnicy rezerwowi.

taxi stand *n.* (*także Br.* **taxi rank**) postój taksówek.

taxi truck *n. gł. Austr.* taksówka bagażowa (*zwł. do przeprowadzki*).

taxiway [ˈtæksɪˌweɪ] *n. lotn.* droga do kołowania.

tax law *n. U* prawo podatkowe.

tax liability *n. pl.* **-ies** zobowiązanie podatkowe.

tax loss *n.* zmniejszenie należności podatkowych *l.* zobowiązania podatkowego.

taxon [ˈtæksɑːn] *n. pl.* **taxa** [ˈtæksə] *biol.* jednostka taksonomiczna.

taxonomic [ˌtæksəˈnɑːmɪk], **taxonomical** [ˌtæksəˈnɑːmɪkl] *a.* taksonomiczny.

taxonomically [ˌtæksəˈnɑːmɪklɪ] *adv.* taksonomicznie.

taxonomist [tækˈsɑːnəmɪst] *n.* taksonomist-a/ka.

taxonomy [tækˈsɑːnəmɪ] *n. C/U pl.* **-ies** taksonomia.

taxpayer [ˈtæksˌpeɪər] *n.* podatni-k/czka.

taxpaying [ˈtæksˌpeɪɪŋ] *n. U* płacenie podatków.

tax rate *n.* stopa *l.* stawka podatkowa.

tax rebate *n.* zwrot nadpłaconego podatku.

tax relief *n.* ulga podatkowa.

tax return *n.* zeznanie podatkowe, deklaracja podatkowa.

tax revenue *n.* dochód do opodatkowania.

tax roll *n.* lista podatkowa; spis podatkowy.

tax sale *n. US* licytacja organizowana w celu ściągnięcia długu podatkowego.

tax schedule *n.* tabela podatkowa.

tax shelter *n.* możliwość uzyskania ulgi podatkowej dzięki inwestycjom.

tax threshold *n.* próg podatkowy.

tax title *n. prawn.* tytuł własności nabyty na licytacji organizowanej w celu ściągnięcia długu podatkowego.

tax year *n.* rok podatkowy.

TB [ˌtiː ˈbiː] *abbr.* **1.** (*także* **tb**) *pat.* = **tuberculosis**. **2.** *wojsk.* = **torpedo boat**.

t.b.a. [ˌtiː ˌbiː ˈeɪ] *abbr.* **to be announced** zostanie podany w terminie późniejszym.

T-bar [ˈtiːˌbɑːr] *n.* teownik.

T-bone [ˈtiːˌboʊn] *n.* **~ steak** *kulin.* stek z kostką.

tbs., tbsp. *abbr.* = **tablespoon**.

T cell [ˈtiː ˌsel] *n. fizj.* limfocyt T.

TCP [ˌtiː ˌsiː ˈpiː] *n. U Br.* środek odkażający.

TD [ˌtiː ˈdiː] *abbr.* **1.** *wojsk.* = **tank destroyer**. **2.** (*także* **td**) *futbol amerykański* = **touchdown**. **3.** = **technical drawing**. **4.** *admin.* = **Treasury Department**.

te [tiː] *n. muz.* = **ti**.

tea [tiː] *n.* **1.** *U* herbata; *bot.* herbata chińska (*Camellia sinensis*); **black/green ~** herbata czarna/zielona; **China/Indian ~** herbata chińska/indyjska; **mint/herbal/jasmine ~** herbata miętowa/ziołowa/jaśminowa. **2.** *zwł. Br.* filiżanka herbaty, herbata. **3.** *U t. med.* napar ziołowy. **4.** (*także* **afternoon ~**) *zwł. Br.* podwieczorek, herbatka (*t. = przyjęcie*). **5.** *Br., Austr. i NZ* późny obiad, obiadokolacja. **6.** = **high tea**. **7.** *przen.* **~ and sympathy** życzliwość i współczucie, słowa otuchy; **it's not my cup of ~** *zob.* **cup** *n.*; **not for all the ~ in China** *przest. pot.* za Chiny, za żadne skarby świata.

tea bag, teabag *n.* torebka herbaty (*ekspresowej*).

tea ball *n.* (*także* **tea egg, tea maker**) zaparzaczka do herbaty.

tea biscuit *n. zwł. Br.* herbatnik.

tea bread *n. U* słodkie pieczywo.

tea break *n. zwł. Br. i Austr.* przerwa na herbatę.

tea caddy *n. pl.* **-ies** puszka na herbatę.

teacake [ˈtiːˌkeɪk] *n. C/U Br.* słodka bułka z rodzynkami.

tea cart *n.* (*także US i Can.* **tea wagon**) (*także Br. i Austr.* **tea trolley**) wózek do podawania potraw.

tea ceremony *n. pl.* **-ies** ceremonia herbaty (*zwł. w Japonii*).

teach [tiːtʃ] *v.* **taught, taught 1.** uczyć (*sb sth / sth to sb* kogoś czegoś, *sb (how) to do sth* kogoś robić coś); nauczać; **~ physics/geography** uczyć fizyki/geografii; **~ school** *zwł. US* uczyć w szkole. **2.** *przen. pot.* **~ an old dog new tricks** *zob.* **dog** *n.*; **~ sb a lesson** dać komuś nauczkę; być dla kogoś nauczką; **don't ~ your grandmother to suck eggs** *zob.* **grandmother; that'll ~ you/him (not) to do sth** to cię/go nauczy, żebyś/żeby czegoś nie robił, będziesz/będzie miał nauczkę, żeby czegoś nie robić.

teachable [ˈtiːtʃəbl] *a.* dający się nauczyć (*o osobie l. przedmiocie*).

teacher [ˈtiːtʃər] *n.* nauczyciel/ka.

teacher's pet [ˌtiːtʃərz ˈpet] *n.* pupil-ek/ka (*nauczyciel-a / ki*).

teacher training college *n.* kolegium nauczycielskie.

tea chest *n.* drewniana skrzynia (*zw. najpierw z herbatą, a później używana do przewożenia np. porcelany przy przeprowadzkach*).

teach-in [ˈtiːtʃˌɪn] *n. uniw.* seria wykładów, przemówień, dyskusji itp. jako forma protestu politycznego.

teaching [ˈtiːtʃɪŋ] *n. U* **1.** uczenie, nauczanie. **2.** = **teachings**. **3. student ~** (*także Br.* **~ practice**) praktyka nauczycielska (*odbywana przez studentów*).

teaching aids *n. pl.* pomoce naukowe.

teaching assistant *n.* (*także* **TA, teaching fellow**) *uniw.* doktorant prowadzący zajęcia, *Br.* pomocnik nauczyciela.

teaching assistantship *n. C/U* (*także* **teaching fellowship**) *uniw.* stanowisko jw.

teaching hospital *n. med.* szpital kliniczny.

teaching practice *n. Br.* = **student teaching**; *zob.* **teaching** 3.

teachings [ˈtiːtʃɪŋz] *n. pl.* nauki, nauczanie (*np. mędrca, papieża*).

teaching staff *n. szkoln.* grono nauczycielskie, personel dydaktyczny.

tea cloth *n. Br.* **1.** (*także* **teatowel**) ściereczka do naczyń. **2.** obrusik.

tea cosy *n. pl.* **-ies** pokrowiec na dzbanek z herbatą (*zapobiegający jej stygnięciu*).

teacup [ˈtiːˌkʌp] *n.* **1.** filiżanka do herbaty. **2. a storm in a ~** *przen.* burza w szklance wody.

tea dance *n.* popołudniowa zabawa taneczna, herbatka z tańcami.

tea egg *n.* = **tea ball**.

tea garden *n.* **1.** herbaciarnia w ogródku. **2.** = **tea plantation**.

teahouse [ˈtiːˌhaʊs], **tea-house** *n.* herbaciarnia (*zwł. w Chinach l. Japonii*).

teak [tiːk] *n.* **1.** *bot.* teczyna wielka, drzewo tekowe (*Tectona grandis*). **2.** *U* (*także* **~wood**) tek, drewno tekowe. **3.** *U* kolor żółtobrązowy.

teakettle [ˈtiːˌketl] *n.* czajnik.

teal [tiːl] *n. pl.* **-s** *l.* **teal 1.** *orn.* cyraneczka (*Anas crecca*). **2.** *U* (*także* **tealblue**) kolor zielononiebieski.

tea leaf *n.* **1.** liść herbaty. **2.** *Br. i Austr. sl.* złodziej.

tea leaves *n. pl.* fusy herbaciane.

team [tiːm] *n.* **1.** *Br. t. z czasownikiem w liczbie mnogiej sport* drużyna; **be on** *US*/**in** *Br.* **a ~** być w drużynie; **make the ~** *US* dostać się do drużyny l. reprezentacji; **our ~ is winning** (*także Br.* **our ~ are winning**) nasza drużyna prowadzi, nasi prowadzą; **play for a (national) ~** grać w drużynie *l.* reprezentacji (narodowej). **2.** zespół. **3.** zaprzęg. – *v.* **1.** formować *l.* tworzyć drużynę. **2.** *US i Can.* przewozić zaprzęgiem; powozić zaprzęgiem. **3. ~ up** łączyć siły, tworzyć zespół (*with sb* z kimś).

tea maker *n.* **1.** ekspres do herbaty. **2.** = **tea ball**.

team effort *n.* zbiorowy wysiłek.

team games *n. pl.* gry zespołowe.

team leader *n. med.* przełożona pielęgniarek.

teammate [ˈtiːmˌmeɪt], *Br. t.* **team-mate** *n.* kolega/żanka z drużyny.

team spirit *n. U* duch współpracy.

teamster [ˈtiːmstər] *n.* **1.** woźnica. **2.** *US i Can.* kierowca ciężarówki.

teamwork [ˈtiːmˌwɝːk] *n. U* praca zespołowa.

tea party *n. pl.* **-ies** herbatka (*jako spotkanie towarzyskie*).

tea plantation *n.* (*także* **tea garden**) plantacja herbaty.

teapot [ˈtiːˌpɑːt] *n.* dzbanek do herbaty, czajniczek, imbryczek.

teapoy [ˈtiːpɔɪ] *n.* stoliczek (*zw. ozdobny, na trzech nogach*).

tear1 [tiːr] *n.* **1.** (*także* **~drop**) łza, łezka; kropla, kropelka (*t. np. bursztynu*). **2.** *pl.* łzy, płacz; **~s of joy** łzy radości; **~s run/roll down sb's cheeks** łzy spływają komuś po twarzy; **be close to ~s** (*także* **be on the verge of ~s**) być bliskim łez *l.* płaczu; **bore sb to ~s** zanudzać kogoś na śmierć (*o osobie*); śmiertelnie kogoś nudzić (*np. o wykładzie, książce*); **bring ~s to sb's eyes** wzruszyć kogoś do łez; **burst into ~s** wybuchnąć płaczem; **fight back ~s** powstrzymywać łzy, powstrzymywać się od płaczu; **in ~s** we łzach, zalany łzami; **it'll (all) end in ~s** *Br. pot.* to się źle skończy; **reduce sb to ~s** doprowadzić kogoś do łez *l.* płaczu; **sb's eyes fill with ~s** łzy napływają komuś do oczu; **shed ~s** ronić łzy; **shed crocodile ~s** ronić krokodyle łzy. – *v.* łzawić.

tear2 [ter] *v.* **tore, torn 1.** drzeć; rozdzierać,

rozrywać; wyrywać; odrywać; ~ **a hole in sth** wydrzeć *l.* zrobić dziurę w czymś; ~ **sth across** przedrzeć coś na pół; ~ **sth on sth** podrzeć *l.* rozedrzeć coś o coś; ~ **sth open** rozerwać coś (= *otworzyć, rozdzierając*); ~ **sth to pieces/shreds** podrzeć *l.* porwać coś na kawałki/strzępy; ~ **the door from its hinges** wyrwać drzwi z zawiasów (*np. o wietrze*). **2.** drzeć się. **3.** zerwać; naderwać (*np. ścięgno, wiązadło*). **4.** ~ **along** *pot.* pędzić, gnać, rwać, wyrywać (*across sth* przez coś); ~ **ahead** wyrywać do przodu. **5.** *przen.* ~ **loose** wyrwać się, uwolnić się; ~ **sb limb from limb** rozedrzeć *l.* rozerwać kogoś na strzępy; ~ **sb to pieces/shreds** *t. przen.* rozszarpać kogoś na strzępy; **be torn by sth** być targanym czymś (*np. sprzecznymi emocjami, wojną*); **he was torn between two feelings** walczyły *l.* ścierały się w nim dwa uczucia; **that's torn it!** *Br. pot.* no to klops! (= *katastrofa*). **6.** ~ **apart** rozrywać, rozdzierać; przetrząsać (*np. dom w poszukiwaniu czegoś*); rozdzierać wewnętrznie (*t. np. organizację*); dobijać psychicznie; **be torn apart** być rozdartym wewnętrznie; być podzielonym (*by sth* przez coś); ~ **at sth** szarpać za coś; ~ **at sb's heart** = **tear sb's heart out**; ~ **away** oderwać (się); *pot.* pognać, popędzić; ~ **o.s. away from sth** oderwać się od czegoś (*np. od telewizji*); ~ **down** zburzyć (*np. budynek*); rozebrać na części; ~ **into sb** napaść na kogoś, zaatakować kogoś (*fizycznie l. werbalnie*); ~ **into sth** wbić w coś zęby, rzucić się na coś (*na jedzenie*); ~ **off** *pot.* popędzić, pognać; ~ **sth off** oderwać coś; zerwać *l.* zedrzeć coś z siebie (*np. płaszcz, sweter*); *Br. pot.* machnąć, trzasnąć (= *zrobić szybko i byle jak*); ~ **sb off a strip** (*także* ~ **a strip off sb**) *Br. pot.* zrugać kogoś; ~ **out** wydrzeć; wyrwać; ~ **one's hair out** *pot.* rwać *l.* wyrywać włosy z głowy; ~ **sb's heart out** (*także* ~ **at sb's heart**) rozdzierać komuś serce; ~ **up** podrzeć (na kawałki); zdemolować. – *n.* **1.** dziura, rozdarcie. **2.** rozdarcie (*czynność*). **3.** *pot.* pośpiech. **4. wear and** ~ *zob.* **wear**.

tearaway [ˈterəˌweɪ] *n. Br. i Austr. pot.* narwaniec.

tear bomb *n.* bomba łzawiąca.

teardrop [ˈtiːrˌdrɑːp] *n.* = **tear**[1] *n.* 1.

tear duct *n. anat.* kanalik łzowy.

tearful [ˈtiːrfʊl] *a.* **1.** zapłakany; płaczliwy; pełen łez. **2.** łzawy; wyciskający łzy z oczu. **3.** bolesny; smutny.

tearfully [ˈtiːrfʊlɪ] *adv.* z płaczem; płaczliwie; ze łzami w oczach.

tearfulness [ˈtiːrfʊlnəs] *n. U* płaczliwość; łzawość.

tear gas *n. U* gaz łzawiący.

tearing [ˈterɪŋ] *a. attr.* **1.** niepohamowany, gwałtowny (*np. o wściekłości*). **2.** zamaszysty (*o kroku*).

tear-jerker [ˈtiːrˌdʒɝːkər], **tearjerker** *n. pot.* wyciskacz łez (*zwł. książka l. film*).

tear-off [ˈterˌɔːf] *a. attr.* z kartkami do wyrywania.

tearoom [ˈtiːˌruːm], **tea room** *n.* **1.** (*także* **teashop**) *Br.* herbaciarnia (*w której podaje się też lekkie posiłki*). **2.** *S.Afr.* sklepik spożywczy (*t. z prasą i drobnymi artykułami gospodarstwa domowego*).

tea rose *n. bot.* róża herbaciana (*Rosa odorata*).

tear sheet *n.* kartka do wyrwania (*perforowana; zwł. w czasopiśmie*); wyrwana kartka (*zwł. z czasopisma, dla udokumentowania, że reklama została opublikowana*).

tearstained [ˈtiːrˌstreɪnd] *a.* ze śladami łez.

teary [ˈtiːrɪ] *a.* **-ier, -iest 1.** łzawy; załzawiony. **2.** zapłakany.

teary-eyed [ˌtiːrɪˈaɪd] *a.* **1.** z oczami pełnymi łez, ze łzami w oczach. **2.** zalany łzami.

tease [tiːz] *v.* **1.** dokuczać (*sb about sth* komuś z powodu czegoś); żartować sobie z (*kogoś*). **2.** drażnić, prowokować (*zwł. seksualnie*); droczyć się z (*kimś*). **3.** *US i Can.* tapirować (*włosy*). **4.** drapać, czesać (*np. wełnę, len*). **5.** *biol.* rozdzielać igłą na włókna (*tkankę*). **6.** ~ **out** rozplątywać (*np. włosy, wełnę*); ~ **sth out of sb** *przen.* wydobyć coś z kogoś (*informacje, tajemnicę*). – *n.* **1.** (*także* **teaser**) *pot.* kpiarz. **2.** *pot.* osoba zachowująca się prowokująco. **3.** prowokująca uwaga. **4.** dokuczanie.

teasel [ˈtiːzl], **teazel, teazle** *n.* **1.** *bot.* szczeć (*Dipsacus*); **fullers'** ~ szczeć sukiennicza *l.* barwierska, drapacz sukienniczy (*Dipsacus sativus*). **2.** *tk.* draparka.

teaser [ˈtiːzər] *n.* **1.** = **tease** *n.* 1. **2.** (*także* **brainteaser**) *pot.* łamigłówka (= *trudny problem*).

tea service *n.* (*także* **tea set**) serwis do herbaty.

tea shop *n.* = **tearoom** 1.

teaspoon [ˈtiːˌspuːn] *n.* łyżeczka (do herbaty).

teaspoonful [ˈtiːˌspuːnfʊl] *n.* łyżeczka (*jako miara objętości*).

tea strainer *n.* sitko do herbaty.

teat [tiːt] *n.* **1.** *zool.* brodawka sutkowa; wymię. **2.** *Br.* smoczek na butelkę.

tea table *n.* stolik, ława.

tea-time [ˈtiːˌtaɪm], **teatime** *n. U gł. Br.* pora podwieczorku.

teatowel [ˈtiːˌtaʊəl] *n.* = **tea cloth**.

tea tray *n.* tacka.

tea tree *n. bot.* drzewo herbaciane (*Leptospermum*).

tea tree oil *n. kosmetyki* olejek z drzewa herbacianego.

tea trolley *n. Br. i Austr.* = **tea car**.

tea urn *n.* termos bufetowy.

tea wagon *n. US i Can.* = **tea cart**.

teazel [ˈtiːzl], **teazle** *n.* = **teasel**.

tec. *abbr.* = **technician**.

tech [tek] *n. pot.* **1.** *Br. szkoln.* technikum. **2.** *teatr* próba techniczna.

tech. *abbr.* = **technical**; = **technician**; = **technology**.

techie [ˈtekɪ], **tekkie** *n. pot.* ekspert/ka w sprawach elektroniki.

technetium [tekˈniːʃɪəm] *n. U chem.* technet.

technic [ˈteknɪk] *n.* **1.** = **technics**. **2.** *rzad.* = **technique**.

technical [ˈteknɪkl] *a.* **1.** techniczny (*t. np. o postępie, trudnościach*). **2.** fachowy, techniczny (*np. o języku, terminach*). **3.** formalny; **on ~ grounds** ze względów formalnych. **4.** proceduralny. **5.** *giełda* spekulacyjny. **6.** zaawansowany technologicznie.

technical college *n. Br. szkoln.* technikum.

technical drawing *n. C/U* rysunek techniczny.

technical foul *n. koszykówka* błąd taktyczny.

technicality [ˌteknɪ'kælətɪ] *n. pl.* **-ies 1.** szczegół techniczny. **2.** uchybienie formalne; **on a ~** z powodu uchybienia (*np. przegrać mecz*).

technically ['teknɪklɪ] *adv.* **1.** formalnie rzecz biorąc. **2.** technicznie, z technicznego punktu widzenia. **3.** warsztatowo, pod względem warsztatowym.

technical rehearsal *n. teatr* próba techniczna.

technical sergeant *n. US wojsk.* podoficer sił powietrznych (*wyższy rangą od sierżanta sztabowego*).

technical support *n. U* **1.** fachowe doradztwo (*zwł. komputerowe*). **2.** pomoc techniczna.

technician [tek'nɪʃən] *n.* techni-k/czka.

Technicolor ['teknɪˌkʌlər], *Br. i Austr. t.* **technicolour** *n. U film* technikolor. – *a. attr.* jaskrawy, krzykliwy.

technics ['teknɪks], **technic** *n. U* technika.

technique [ˌtek'ni:k] *n.* **1.** technika (= *sposób, metoda*). **2.** *U* technika, warsztat (*t. artystyczny*).

techno ['teknoʊ] *n. U muz.* (muzyka) techno.

technobabble ['teknoʊˌbæbl] *n. U* (*także* **~speak**) *pot.* żargon fachowy.

technocracy [tek'nɑ:krəsɪ] *n. C/U pl.* **-ies** technokracja.

technocrat ['teknəˌkræt] *n.* technokrat-a/ka.

technofreak ['teknoʊˌfri:k] *n.* mania-k/czka na punkcie elektroniki.

technol. *abbr.* = **technology**.

technologic [ˌteknə'lɑ:dʒɪk] *a. rzad.* techniczny.

technological [ˌteknə'lɑ:dʒɪkl] *a.* **1.** techniczny. **2.** technologiczny.

technologically [ˌteknə'lɑ:dʒɪklɪ] *adv.* **1.** technicznie. **2.** technologicznie.

technologist [tek'nɑ:lədʒɪst] *n.* technolo-g/żka.

technologization [tekˌnɑ:lədʒə'zeɪʃən], *Br. i Austr. zw.* **technologisation** *n. U* modernizacja, unowocześnianie.

technologize [tek'nɑ:lədʒaɪz], *Br. i Austr. zw.* **technologise** *v.* modernizować, unowocześniać.

technology [tek'nɑ:lədʒɪ] *n. C/U pl.* **-ies 1.** technika; **computer ~** technika komputerowa; **science and ~** nauka i technika. **2.** technologia; **modern technologies** nowoczesne technologie.

technology transfer *n. U* wymiana nowoczesnych technologii.

technophile ['teknoʊˌfaɪl] *n.* zwolenni-k/czka postępu technicznego (*zwł. w dziedzinie komputeryzacji*).

technophobe ['teknoʊˌfoʊb] *n.* przeciwni-k/czka postępu technicznego (*jw.*).

technophobia [ˌteknoʊ'foʊbɪə] *n. U* strach przed postępem technicznym.

technospeak ['teknoʊˌspi:k] *n. U pot.* = **technobabble**.

technostructure ['teknoʊˌstrʌktʃər] *n. C/U* technostruktura.

technothriller ['teknoʊˌθrɪlər] *n.* dreszczowiec oparty na nowinkach technicznych.

techy ['tetʃɪ] *a.* = **tetchy**.

tecta ['teɪktə] *n. pl. zob.* **tectum**.

tectonic [tek'tɑ:nɪk] *a.* **1.** *geol.* tektoniczny. **2.** *bud.* architektoniczny.

tectonic plate *n. geol.* płyta tektoniczna.

tectonics [tek'tɑ:nɪks] *n. U* **1.** *geol.* tektonika. **2.** *bud.* architektonika.

tectorial [tek'tɔ:rɪəl] *a. anat.* pokrywkowy, pokrywowy, nakrywkowy.

tectum ['teɪktəm] *n. pl.* **tecta** ['teɪktə] *anat.* pokrywa, nakrywa.

ted [ted] *v.* **-dd-** *roln.* przewracać (*siano*).

tedder ['tedər] *n. roln.* przetrząsacz siana, maszyna do przewracania siana.

teddy ['tedɪ] *n. pl.* **-ies 1.** (*także* **~ bear**) miś (pluszowy). **2.** *strój* rodzaj bielizny damskiej typu body.

teddy boy *n. Br. hist.* członek brytyjskiej grupy młodzieżowej z lat 50.

tedious ['ti:dɪəs] *a.* nużący.

tediously ['ti:dɪəslɪ] *adv.* nużąco.

tediousness ['ti:dɪəsnəs] *n. U* nużący charakter, nuda.

tedium ['ti:dɪəm] *n. U* nuda.

tee[1] [ti:] *n.* **1.** T, t (*litera*). **2.** *US pot.* = **T-shirt**. **3.** trójnik. **4.** *sport* cel (*np. w curlingu*). **5. to a ~** = **to a T**; *zob.* **T** *n.* 2.

tee[2] *n.* **1.** *golf* podstawka, kołeczek tee. **2.** (*także* **~ing ground**) *golf* rzutnia, obszar tee. **3.** *piłka nożna, rugby* podstawka (*pod piłkę*). – *v.* **1. ~ (up)** *golf* stawiać (piłkę) na podstawce. **2. ~ off** *t. przen.* zaczynać; **~ sb off** *US pot.* wkurzać kogoś; **~ off on sb** *US pot.* wściekać się na kogoś.

teed off [ˌti:d 'ɔ:f] *a. US pot.* wkurzony (*at sb/sth* na kogoś/coś).

tee-hee [ˌti:'hi:], **te-hee** *n.* chichot. – *int.* hi, hi, hi. – *v.* chichotać.

teeing ground ['ti:ɪŋ ˌgraʊnd] *n. golf* = **tee**[2] *n.* 2.

teem[1] [ti:m] *v.* **~ with sb/sth** roić się od kogoś/czegoś; **the streets were ~ing with people** na ulicach roiło się od ludzi.

teem[2] *v.* **1.** opróżniać; wylewać. **2. it's ~ing down** (*także* **it's ~ing with rain**) *zwł. Br.* leje jak z cebra.

teeming ['ti:mɪŋ] *a. attr.* tętniący życiem (*np. o ulicach, mieście*).

teen[1] [ti:n] *pot. a. attr.* dla nastolatków, młodzieżowy. – *n. zwł. US* nastolat-ek/ka, małolat/a.

teen[2] *n. Br. arch.* zgryzota, ból.

teenage ['ti:nˌeɪdʒ], **teenaged** ['ti:nˌeɪdʒd] *a. attr.* **1.** nastoletni (*np. o córce, synu*). **2.** młodzieżowy (*np. o stylu*).

teenager ['ti:nˌeɪdʒər] *n.* nastolat-ek/ka.

teens [ti:nz] *n. pl.* **be in one's ~** być nastolatkiem/ą.

teeny ['ti:nɪ] *a.* **-ier, -iest** *pot.* tyci, tyciuteńki.

teenybopper ['ti:nɪˌbɑ:pər] *n. przest. pot.* zwariowana małolata (*na punkcie muzyki pop, mody itp.*).

teeny-weeny [ˌtiːnɪˈwiːnɪ], **teensy-weensy** [ˌtiːnsɪˈwiːnsɪ] *a. pot.* tyciuteńki, maciupeńki.

teepee [ˈtiːpiː] *n.* = **tepee**.

tee shirt *n.* = **T-shirt**.

teeter [ˈtiːtər] *v.* **1.** chwiać się; zataczać się, iść chwiejnym krokiem. **2.** *gł. US* huśtać (się), kołysać (się). **3. be ~ing on the brink/edge of sth** być/balansować na krawędzi czegoś (*np. wojny, rewolucji*). – *n.* (*także* **teeter-totter**) *US* huśtawka.

teeth [tiːθ] *n. pl.* **1.** *zob.* **tooth**; **a set of ~** uzębienie; **bare one's ~** obnażyć zęby (*zw. o zwierzęciu*). **2.** *przen.* **armed to the ~** uzbrojony po zęby; **be fed up to the (back) ~ with sth** mieć czegoś po dziurki w nosie; **by the skin of one's ~** jakimś cudem, o mały włos (*np. uniknąć nieszczęścia*); **cast/throw sth in sb's ~** wypominać coś komuś; **cut one's ~ on sth** *zob.* **cut** *v.*; **get one's ~ into sth** *pot.* zabrać się za coś z zapałem; **gnash/grind one's ~** zgrzytać zębami; **grit one's ~** *zob.* **grit** *v.*; **in the ~ of sth** wbrew czemuś; w obliczu czegoś; **kick sb in the ~** *zob.* **kick**[1] *v.*; **lie through one's ~** *zob.* **lie**[2] *v.*; **put ~ in/into sth** *US pot.* zaostrzyć coś (*np. prawo, ustawę*); **put/set sb's ~ on edge** działać komuś na nerwy; **set one's ~** zacisnąć zęby (*biorąc się do roboty*); **show one's ~** pokazywać zęby *l.* pazurki; **take the bit between one's ~** *zob.* **bit**[2] *n.*; **throw sth in sb's ~** = **cast sth in sb's teeth**.

teethe [tiːð] *v.* **be teething** *fizj.* ząbkować.

teething [ˈtiːðɪŋ] *n. U fizj.* ząbkowanie.

teething ring *n.* gryzaczek, krążek do gryzienia (*dla ząbkującego dziecka*).

teething troubles *n. pl.* (*także* **teething problems**) *Br. i Austr. przen.* początkowe problemy *l.* trudności.

teetotal [tiːˈtoʊtl] *a.* **1.** abstynencki; niepijący. **2.** *pot.* całkowity.

teetotaler [tiːˈtoʊtlər], *Br.* **teetotaller** *n.* abstynent/ka, niepijąc-y/a.

teetotalism [tiːˈtoʊtəˌlɪzəm] *n. U* abstynencja.

teetotum [tiːˈtoʊtəm] *n.* bąk (*zabawka*).

teff [tef], **tef** *n. bot.* (miłka) tef (*Eragrostis tef*).

tefillin [təˈfɪlɪn] *n. judaizm* tefilin, filakterie.

TEFL [ˈtefl] *abbr. i n. U* **Teaching of English as a Foreign Language** nauczanie języka angielskiego jako obcego.

Teflon [ˈteflɑːn] *n. U* teflon. – *a.* teflonowy.

teg [teg] *n. Br. hodowla* owca w drugim roku życia (*przed pierwszym strzyżeniem*).

tegmen [ˈtegmən] *n. pl.* **tegmina** [ˈtegmənə] **1.** *bot.* osłona zalążka. **2.** *orn.* pokrywa. **3.** *anat., zool.* pokrywka.

tegu [təˈguː] *n. zool.* teju brazylijski (*Tupinambis*).

tegular [ˈtegjələr] *a.* (*także* **tegulated**) *biol.* dachówkowy; dachówkowaty (*np. o ułożeniu łusek*).

tegument [ˈtegjəmənt] *n. zool., bot.* powłoki, pokrycie.

te-hee [ˌtiːˈhiː] *n., int. i v.* = **tee-hee**.

Tehran [teˈrɑːn], **Teheran** *n. geogr.* Teheran.

teind [tiːnd] *n. Scot. hist.* dziesięcina.

tel. *abbr.* **1.** = **telegram**. **2.** = **telegraph**; = **telegraphic**. **3.** = **telephone**; = **telephone number**.

telaesthesia [ˌtelɪˈsθiːzɪə] *n.* = **telesthesia**.

telautograph [telˈɔːtəˌgræf] *n.* dalekopis.

Tel Aviv [ˌteləˈviːv] *n. geogr.* Tel-Awiw.

telebanking [ˌteləˈbæŋkɪŋ] *n. U bank* obsługa konta za pomocą sieci telekomunikacyjnej.

telebridge [ˈteləˌbrɪdʒ] *n.* telekonferencja.

telecast [ˈteləˌkæst] *telew. v.* transmitować. – *n.* teletransmisja, transmisja telewizyjna.

telecephalon [ˌteləˈsefəˌlɑːn] *n. anat.* kresomózgowie.

telecom [ˈteləˌkɑːm] *n. U pot.* = **telecommunication**.

telecommunication [ˌteləkəˌmjuːnəˈkeɪʃən], **telecommunications** [ˌteləkəˌmjuːnəˈkeɪʃənz] *n. U* telekomunikacja.

telecommunication network *n.* sieć telekomunikacyjna (*transmisji danych*).

telecommunications satellite *n.* satelita telekomunikacyjny.

telecommute [ˌteləkəˈmjuːt] *v.* pracować w domu na komputerze (*połączonym z komputerem w miejscu pracy*).

telecommuter [ˌteləkəˈmjuːtər] *n.* (*także* **~worker**) osoba pracująca jw.

teleconference [ˌteləˈkɑːnfərəns] *n.* telekonferencja. – *v.* uczestniczyć w telekonferencji.

telefax [ˈteləˌfæks] *n.* (*także form.* **telefacsimile**) faks, telefaks.

telefilm [ˈteləˌfɪlm] *n.* film telewizyjny.

teleg. *abbr.* **1.** = **telegraph**; = **telegraphic**; = **telegraphy**. **2.** = **telegram**.

telegenic [ˌteləˈdʒenɪk] *a.* telegeniczny, korzystnie wyglądający w telewizji.

telegram [ˈteləˌgræm] *n.* telegram.

telegraph [ˈteləˌgræf] *n.* **1.** telegraf. **2.** = **telegram**. **3.** = **telegraph board**. – *v.* **1.** telegrafować. **2.** przekazywać telepatycznie.

telegraph board *n.* tablica z liczbą koni biorących udział w wyścigach; tablica z wynikami sportowymi (*widoczna z daleka*).

telegrapher [təˈlegrəfər] *n.* telegrafist-a/ka.

telegraphese [ˌteləgræˈfiːz] *a. i n. U Br.* (styl) telegraficzny.

telegraphic [ˌteləˈgræfɪk] *a.* **1.** telegraficzny. **2.** zwięzły.

telegraphist [təˈlegrəfɪst] *n. zwł. Br.* telegrafist-a/ka.

telegraph key *n.* przycisk do nadawania alfabetem Morse'a.

telegraph line *n.* = **telegraph wire**.

telegraph pole *n.* (*także Br.* **telegraph post**) słup telegraficzny.

telegraph wire *n.* (*także* **telegraph line**) drut telegraficzny.

telegraphy [təˈlegrəfɪ] *n. U* telegrafia.

telekinesis [ˌteləkaɪˈniːsɪs] *n. U* telekineza.

telekinetic [ˌteləkɪˈnetɪk] *a.* telekinetyczny.

telemark [ˈteləˌmɑːrk] *n. narty* telemark.

telemarketer [ˈteləˌmɑːrkətər] *n.* osoba oferująca towary przez telefon.

telemarketing [ˈteləˌmɑːrkətɪŋ] *n. U* (*także Br.* **~ sales**) sprzedaż *l.* promocja towarów przez telefon.

telemedicine [ˌtelə'medəsən] *n.* *U* leczenie na odległość.

telemeter [tə'lemɪtər] *n.* telemetr, dalmierz, odległościomierz. – *v.* przesyłać za pomocą satelity (*dane*).

telemetric [ˌtelə'metrɪk], **telemetrical** [ˌtelə'metrɪkl] *a.* telemetryczny.

telemetry [tə'lemətrɪ] *n.* *U* telemetria (= *zdalne mierzenie wielkości fizycznych*).

telenovela [ˌtelə'nɑːvələ] *n.* *telew.* telenowela (*zwł. południowoamerykańska*).

teleological [ˌtiːlɪə'lɑːdʒɪkl] *a.* *fil.* teleologiczny.

teleological argument *n.* *fil.* argument teleologiczny (*dotyczący istnienia Boga*).

teleologist [ˌtiːlɪ'ɑːlədʒɪst] *n.* *fil.* teleolog.

teleology [ˌtiːlɪ'ɑːlədʒɪ] *n.* *U* *fil.* teleologia.

teleost ['telɪˌɑːst] (*także* **teleostean**) *icht.* *a.* kostnoszkieletowy. – *n.* ryba kostnoszkieletowa.

telepath ['teləˌpæθ] *n.* telepat-a/ka.

telepathic [ˌtelə'pæθɪk] *a.* telepatyczny; **be ~** mieć *l.* posiadać zdolności telepatyczne.

telepathically [ˌtelə'pæθɪklɪ] *adv.* telepatycznie.

telepathy [tə'lepəθɪ] *n.* *U* telepatia.

telephone ['teləˌfoʊn] *n.* telefon (*urządzenie l. rozmowa*); **the ~** telefon (*system*); **answer the ~** odebrać telefon; **be on the ~** rozmawiać przez telefon; *zwł. Br.* mieć telefon; **by ~** przez telefon, telefonicznie; **cordless ~** telefon bezprzewodowy; **French ~** *US* telefon-słuchawka; **over the ~** przez telefon, telefonicznie; **wireless ~** radiotelefon. – *v.* **1.** *Br. form.* telefonować do (*kogoś*). **2.** przekazywać przez telefon *l.* telefonicznie (*wiadomości*).

telephone answering machine *n.* *form.* automatyczna sekretarka.

telephone book *n.* (*także* **telephone directory**) książka telefoniczna.

telephone booth *n.* (*także Br.* **telephone box**) budka telefoniczna.

telephone call *n.* rozmowa telefoniczna.

telephone cord *n.* przewód od telefonu.

telephone dial *n.* tarcza telefonu.

telephone directory *n.* = **telephone book**.

telephone exchange *n.* centrala telefoniczna.

telephone extension *n.* dodatkowy aparat telefoniczny.

telephone line *n.* linia telefoniczna.

telephone number *n.* numer telefonu.

telephone operator *n.* telefonist-a/ka.

telephone pad *n.* notes przy telefonie.

telephone pole *n.* *US* słup telegraficzny.

telephoner ['teləˌfoʊnər] *n.* *form.* telefonujący/a.

telephone set *n.* aparat telefoniczny, telefon.

telephone tag *n.* *U* *pot.* berek telefoniczny (= *sytuacja, w której dzwoniący zostawiają sobie nawzajem wiadomości na sekretarce*).

telephone tapping *n.* *U* podsłuch telefoniczny.

telephone token *n.* żeton do telefonu.

telephone wire *n.* kabel telefoniczny.

telephonic [ˌtelə'fɑːnɪk] *a.* **1.** telefoniczny. **2.** na odległość.

telephonist [tə'lefənɪst] *n.* *Br.* telefonist-a/ka.

telephony [tə'lefənɪ] *n.* *U* telefonia.

telephoto [ˌtelə'foʊtoʊ] *fot.* *n.* **1.** (*także* **~ lens**) teleobiektyw. **2.** zdjęcie wykonane za pomocą teleobiektywu. – *a.* *attr.* powiększający.

telephotography [ˌteləfə'tɑːgrəfɪ] *n.* *U* *fot.* telefotografia, telegrafia kopiowa.

teleplay ['teləˌpleɪ] *n.* *telew.* **1.** sztuka telewizyjna. **2.** scenariusz filmu telewizyjnego.

teleport ['teləˌpɔːrt] *v.* teleportować.

teleportation [ˌteləpɔːr'teɪʃən] *n.* *U* teleportacja (*zwł. w filmach science fiction*).

teleprinter ['teləˌprɪntər] *n.* *Br.* = **teletypewriter**.

teleprocessing [ˌtelə'prɑːsesɪŋ] *n.* *U* *komp.* teleprzetwarzanie, zdalne przetwarzanie danych.

teleprompter ['teləˌprɑːmptər] *n.* *telew.* monitor tekstu, czytnik telewizyjny.

telerecord ['telərɪˌkɔːrd] *v.* nagrywać podczas transmisji.

telerecording ['telərɪˌkɔːrdɪŋ] *n.* *U* telerekording, telerecording.

telesales ['teləˌseɪlz] *n.* *Br.* = **telemarketing**.

telescope ['teləˌskoʊp] *n.* **1.** *opt.* teleskop; **reflecting ~** teleskop zwierciadlany. **2.** *opt.* luneta; **refracting ~** luneta astronomiczna. **3.** = **radio telescope**. – *v.* **1.** składać (się) teleskopowo; składać (się) w harmonijkę. **2.** wsuwać się. **3.** zrobić harmonijkę z (*pojazdu*), zmiażdżyć. **4.** *przen.* skracać.

telescopic [ˌtelə'skɑːpɪk] *a.* **1.** teleskopowy. **2.** wsuwany; składany (*np. o nogach stolika*). **3.** widzialny tylko przez teleskop. **4.** daleko sięgający (*o wzroku*).

telescopically [ˌtelə'skɑːpɪklɪ] *adv.* teleskopowo.

telescopic lens *n.* teleobiektyw.

telescopic rifle *n.* karabin z celownikiem teleskopowym.

telescopic sight *n.* celownik teleskopowy.

telescopy [tə'leskəpɪ] *n.* *U* *astron.* teleskopia.

telescreen ['teləˌskriːn] *n.* ekran telewizyjny.

telescript ['teləˌskrɪpt] *n.* scenariusz programu telewizyjnego.

teleshopping ['teləˌʃɑːpɪŋ] *n.* *U* telezakupy (= *kupowanie towarów reklamowanych w telewizji przez telefon l. Internet*).

telesthesia [ˌtelɪs'θiːʒə], **telaesthesia** *n.* *U* telestezja.

telestich [tə'lestɪk] *n.* *wers.* telestych (= *wiersz, w którym końcowe litery wersów tworzą wyraz*).

Teletext ['teləˌtekst], **teletext** *n.* *U* *telew.* teletekst, napisy; telegazeta.

telethon ['teləˌθɑːn] *n.* *telew.* maraton telewizyjny.

Teletype ['teləˌtaɪp] *n.* dalekopis (*urządzenie l. wiadomość*).

teletype ['teləˌtaɪp] *v.* nadawać dalekopisem.

teletypesetter [ˌtelə'taɪpˌsetər] *n.* *druk.* telelinotyp.

teletypewriter [ˌteləˈtaɪpˌraɪtər] *n.* (*także Br.* **~printer**) dalekopis.

teleutospores [tɪˈlu:təˌspɔ:rz] *n.* = **teliospores**.

televangelism [ˌteləɪˈvændʒəˌlɪzəm] *n. U* kaznodziejstwo telewizyjne.

televangelist [ˌteləɪˈvændʒəlɪst] *n.* kaznodzieja telewizyjny.

teleview [ˈteləˌvju:] *v. rzad.* oglądać telewizję.

televiewer [ˈteləˌvju:ər] *n.* telewidz.

televiewing [ˈteləˌvju:ɪŋ] *n. U* oglądanie telewizji. – *a. attr.* oglądający telewizję.

televise [ˈteləˌvaɪz] *v.* nadawać *l.* transmitować w telewizji.

television [ˈteləˌvɪʒən] *n.* **1.** (*także form.* **~ set**) telewizor, odbiornik telewizyjny. **2.** *U* telewizja; **be on ~** występować w telewizji; **cable/satellite ~** telewizja kablowa/satelitarna; **educational ~** telewizja edukacyjna; **local/national ~** telewizja lokalna/ogólnokrajowa; **watch ~** oglądać telewizję; **what's on (the) ~?** co jest *l.* leci w telewizji?; **work in ~** pracować w telewizji.

television channel *n.* kanał telewizyjny.

television commercial *n.* reklama telewizyjna.

television licence *n.* abonament telewizyjny.

television program, Br. **television programme** *n.* program telewizyjny.

television reporter *n.* reporter/ka telewizyjny/a.

television set *n. form.* = **television** 1.

television station *n.* stacja telewizyjna.

television tube *n.* kineskop.

television viewer *n. form.* telewidz.

televisual [ˌteləˈvɪʒuəl] *a.* telewizyjny.

teleworker [ˈteləˌwɜ:kər] *n.* = **telecommuter**.

telex [ˈteleks] *n. C / U* teleks; **by ~** teleksem. – *v.* **1.** teleksować. **2.** teleksować do (*kogoś*).

telfer [ˈtelfər] *n.* = **telpher**.

telia [ˈti:lɪə] *n. pl. zob.* **telium**.

teliospores [ˈti:lɪəˌspɔ:rz] *n. pl.* (*także* **teleutospores**) *bot.* teleutospory, zarodniki zimowe (*rdzy*).

telium [ˈti:lɪəm] *n. pl.* **telia** [ˈti:lɪə] *bot.* telium (= *skupienie strzępek u rdzy*).

tell [tel] *v.* **told, told** **1.** mówić; powiedzieć (*that* że, *sb sth* komuś coś, *sb about / of sth* komuś o czymś). **2.** opowiadać. **3.** kazać (*~ sb to do sth* kazać komuś coś zrobić). **4.** informować (*t. np. o wskazaniu urządzenia, odczycie*). **5.** liczyć (*t. np. głosy*). **6.** **can ~** wiedzieć; widzieć; **as far as one can ~** o ile wiadomo; **how can you ~?** skąd wiesz?; **I could ~ she was nervous** widziałam, że się denerwuje; **you can ~ he is in love** widać, że jest zakochany; **you can never ~ with them** z nimi (to) nigdy nic nie wiadomo. **7.** **~ a joke** opowiedzieć kawał; **~ a lie** skłamać; **~ a rosary** (*także* **~ one's beads**) odmawiać różaniec; **~ a secret** wyjawić *l.* zdradzić tajemnicę *l.* sekret; **~ it like it is** *pot.* powiedzieć coś wprost; **~ me about it!** (*także* **you're ~ing me!**) *pot.* jakbym nie wiedział/a! (= *mnie tego nie musisz mówić!*); **~ o.s.** powtarzać sobie; **~ me another (one)** *iron.* mów do mnie jeszcze (= *nie wierzę*); **~ sb where to get off** *zob.* **get** *v.*; **~ sb where to put sth** *zob.* **put** *v.*; **~ sth to sb's face** powiedzieć coś komuś prosto w twarz; **~ stories** *zob.* **story**[1]; **~ tales** *zob.* **tale**; **~ that to the Marines** *zob.* **marine** *n.*; **~ the difference** *zob.* **difference** *n.*; **~ the future** przepowiadać przyszłość; **~ the truth** mówić prawdę; **~ the world** powiedzieć całemu światu; **~ time** (*także Br.* **~ the time**) podawać czas; znać się na zegarku; **all told** w sumie, koniec końców; **do as one is told** słuchać się, być posłusznym; **don't ~ me!** (poczekaj,) niech zgadnę!; **hear ~ of sth** słyszeć o czymś; **I can ~ you!** (*także* **I'm ~ing you!**) mówię ci!; **I couldn't ~ you** nie mogę ci powiedzieć, nie mam pojęcia; **(I'll) ~ you what** wiesz co (ci powiem), mam pomysł; **I'm not ~ing (you)** nie powiem (ci); **I told you (so)** a nie mówiłem?; **live/survive to ~ the tale** *zob.* **tale**; **sth ~s its own story/tale** coś mówi samo za siebie; **that ~s a tale** *zob.* **tale**; **that would be ~ing** tego nie mogę zdradzić; **there's no ~ing** nie wiadomo, trudno powiedzieć; **time will ~** czas pokaże; **to ~ (you) the truth** prawdę mówiąc *l.* powiedziawszy; **you never can ~** (*także* **you can never ~**) nigdy nie wiadomo. **8.** **~ against sb** *zwł. Br. form.* przemawiać przeciwko komuś, świadczyć na czyjąś niekorzyść; **~ apart** odróżniać, rozróżniać; **~ X and Y apart** (*także* **~ X apart from Y**) odróżniać X od Y; **he can't ~ them apart** nie rozróżnia ich, nie potrafi ich rozróżnić; **~ by/from sth** poznać po czymś; **~ of** *lit.* mówić *l.* opowiadać o (*kimś l. czymś*); świadczyć o (*czymś*), wskazywać na; **~ sb off** zbesztać kogoś (*for sth* za coś); **~ sb off to do sth** *wojsk. l. form.* oddelegować kogoś do zrobienia czegoś; **~ on sb** *pot.* skarżyć na kogoś; donosić na kogoś; **~ on sb/sth** odbijać się na kimś/czymś.

teller [ˈtelər] *n.* **1.** *zwł. US bank* kasjer/ka. **2.** skrutator/ka, osoba licząca głosy. **3.** narrator/ka. **4.** *gł. US pot.* bankomat.

telling [ˈtelɪŋ] *a.* **1.** wymowny, wiele mówiący. **2.** znaczący. **3.** skuteczny (*np. o ciosie*).

tellingly [ˈtelɪŋlɪ] *adv.* **1.** wymownie. **2.** znacząco. **3.** skutecznie.

telling-off [ˌtelɪŋˈɔ:f] *n.* reprymenda, bura; **give sb a ~** udzielić komuś reprymendy, zbesztać kogoś.

telltale [ˈtelˌteɪl] *a.* wiele mówiący; charakterystyczny; ostrzegawczy (*np. o znakach, symptomach*). – *n.* **1.** skarżypyta. **2.** wiele mówiąca okoliczność. **3.** urządzenie ostrzegawcze. **4.** wskaźnik (*np. poziomu cieczy, ciśnienia*); kontrolka. **5.** zegar (*odnotowujący obecność pracownika*). **6.** *żegl.* wskaźnik odchylenia steru.

tellurate [ˈteljəˌreɪt] *n. U chem.* telluran.

tellurian [teˈlʊrɪən] *form. l. poet. a.* ziemski. – *n.* ziemian-in/ka (*zwł. w literaturze science fiction*).

telluric[1] [teˈlʊrɪk] *a.* = **tellurian**.

telluric[2] *a. chem.* tellurowy.

telluric acid *n. U chem.* kwas tellurowy *l.* ortotellurowy.

tellurion [təˈlʊrɪˌɑ:n] *n. astron.* tellurium.

tellurium [teˈlʊrɪəm] *n. U chem.* tellur.

tellurometer [ˌteljəˈrɑ:mətər] *n.* tellurometr, dalmierz radiolokacyjny.

tellurous [ˈteljərəs] *a. chem.* tellurawy.

telly [ˈtelɪ] *n. pl.* **-ies** *Br. i Austr. pot.* **1.** *U* telewizja; **on ~** w telewizji. **2.** telewizor.
TELNET [ˈtelˌnet], **telnet** *n. U komp.* telnet.
telogen [ˈteləˌdʒen] *n. U fizj.* telogen, faza spoczynkowa włosa.
telolecithal [ˌteloʊˈlesɪθl] *n. biol.* telolecytalny.
telomere [ˈteləˌmiːr] *n. biol.* telomer.
telophase [ˈteləˌfeɪz] *n. biol.* telofaza (= *końcowa faza mitozy*).
telpher [ˈtelfər], **telfer** *n.* wagonik kolejki linowej. – *v.* transportować kolejką linową.
telpherage [ˈtelfərɪdʒ] *n. U* transport kablowy.
telpheric [ˈtelfərɪk] *a.* kablowy, linowy.
telson [ˈtelsən] *n. zool.* zaodwłok (*u niektórych stawonogów*).
temblor [ˈtemblər] *n. pl.* **-s** *l.* **-es** *US* trzęsienie ziemi, wstrząs.
temerarious [ˌteməˈrerɪəs] *a. lit.* lekkomyślny.
temerity [təˈmerɪtɪ] *n. U form.* czelność; **have the ~ to do sth** mieć czelność coś zrobić.
temp [temp] *pot. n.* tymczasowa pomoc biurowa. – *v.* pracować jako tymczasowa pomoc biurowa.
temp. *abbr.* **1.** = **temperance**. **2.** = **temperate**. **3.** = **temperature**. **4.** = **template**. **5.** = **temporal**. **6.** = **temporary**.
temper [ˈtempər] *n.* **1.** *C/U* charakter, usposobienie; wybuchowy charakter, wybuchowe usposobienie; **have a quick ~** łatwo wpadać w złość, łatwo się unosić; **have quite a ~** mieć (niezły) charakterek. **2.** *U l. sing.* humor, nastrój; zły humor, zły nastrój; złość, gniew; **be in a (bad) ~** być nie w humorze, być w złym nastroju *l.* humorze; być rozgniewanym; **be in a good/foul ~** być w dobrym/podłym nastroju; **fly into a ~** wpadać w złość; **keep/control one's ~** panować nad sobą, trzymać nerwy na wodzy; **lose one's ~** tracić panowanie nad sobą; **out of ~** *przest.* zły, rozzłoszczony; **say sth in a fit of ~** powiedzieć coś w napadzie *l.* przypływie złości; **show ~** pokazywać humory. **3.** domieszka. **4.** *U metal.* hartowność, stopień twardości stali. – *v.* **1.** *form.* łagodzić. **2.** urabiać (*np. glinę*). **3.** *metal. l. przen.* hartować. **4.** *muz.* temperować.
tempera [ˈtempərə] *n. C/U mal.* tempera.
temperament [ˈtempərəmənt] *n. C/U* **1.** temperament, usposobienie; **choleric/melancholic/phlegmatic/sanguine ~** temperatment choleryczny/melancholiczny/flegmatyczny/sangwiniczny. **2.** *muz.* system temperowany; skala temperowana.
temperamental [ˌtemprəˈmentl] *a.* **1.** pełen temperamentu, z temperamentem. **2.** zmienny, ulegający nastrojom; pobudliwy, wybuchowy. **3.** *przen.* kapryśny (*np. o samochodzie*). **4.** dotyczący usposobienia.
temperamentally [ˌtemprəˈmentlɪ] *adv.* z natury.
temperance [ˈtempərəns] *n. U form.* **1.** umiarkowanie; powściągliwość. **2.** wstrzemięźliwość. **3.** abstynencja.
temperate [ˈtempərət] *a.* **1.** umiarkowany (*o klimacie, pogodzie*). **2.** *form.* powściągliwy; wstrzemięźliwy (*o zachowaniu*).
temperately [ˈtempərətlɪ] *adv.* **1.** umiarkowanie, z umiarkowaniem. **2.** powściągliwie; wstrzemięźliwie.
temperateness [ˈtempərətnəs] *n. U* **1.** łagodność (*klimatu*). **2.** powściągliwość; wstrzemięźliwość.
Temperate Zone, temperate z~ *n. meteor.* strefa umiarkowana.
temperature [ˈtempərətʃər] *n.* **1.** temperatura; ciepłota (*of sth* czegoś); **air/water ~** temperatura powietrza/wody; **high/low ~s** wysokie/niskie temperatury; **rise/fall/change in ~** wzrost/spadek/zmiana temperatury; **room ~** temperatura pokojowa; **take sb's ~** mierzyć komuś temperaturę; **the ~ drops/falls** temperatura spada; **the ~ goes up/rises** temperatura rośnie *l.* wzrasta. **2.** *pat.* (podwyższona) temperatura, gorączka; **have/run a ~** mieć (podwyższoną) temperaturę, mieć gorączkę. **3.** *przen.* atmosfera, temperatura (*np. dyskusji*).
temperature change *n. meteor.* zmiana *l.* wahnięcie temperatury.
temperature chart *n. med.* karta gorączkowa.
temperature coefficient *n. fiz.* współczynnik temperaturowy.
temperature gradient *n. meteor.* gradient temperatury.
temperature-humidity index [ˌtempərətʃər hjʊˈmɪdətɪ ˌɪndeks] *n. meteor.* wskaźnik temperatury i wilgotności powietrza.
temperature inversion *n. U meteor.* inwersja temperatury.
tempered [ˈtempərd] *a.* **1.** *w złoż.* **bad-~** choleryczny, wybuchowy, popędliwy; w złym humorze; **even-~** zrównoważony, spokojny. **2.** *metal.* hartowany. **3.** *muz.* temperowy.
tempest [ˈtempɪst] *gł. lit. n.* burza (*t. przen. uczuć*). – *v.* wzburzać; zaburzać.
tempestuous [temˈpestʃʊəs] *a.* **1.** *lit.* wzburzony (*np. o morzu*); burzowy (*np. o nocy*). **2.** *przen.* burzliwy (*np. o romansie*).
tempestuously [temˈpestʃʊəslɪ] *adv.* burzliwie.
tempestuousness [temˈpestʃʊəsnəs] *n. U t. przen.* burzliwość.
Templar [ˈtemplər] *n.* **1.** (*także* **Knight ~**) *hist.* templariusz. **2.** *Br.* prawnik londyński (*z kancelarią w Temple*).
template [ˈtempleɪt] *n.* **1.** *t. komp.* szablon. **2.** *techn.* wzornik, model, forma, szablon. **3.** *bud.* podkładka dźwigarowa *l.* pod belkę. **4.** *biol.* matryca. **5.** klin pod stępką (*przy budowie statku*).
template RNA *n. U biol.* RNA matrycowy, matrycowy kwas rybonukleinowy.
temple¹ [ˈtempl] *n. rel.* **1.** *t. przen.* świątynia. **2.** *US* synagoga. **3.** miejsce modlitwy mormonów. **4.** miejsce spotkań masonów.
temple² *n.* **1.** *t. anat.* skroń. **2.** *US* ucho (*przy okularach*).
temple³ *n. tk.* rozpinka (*na krośnie*).
templet [ˈtemplət] *n. arch.* = **template**.
tempo [ˈtempoʊ] *n. pl.* **-s** *l.* **tempi** [ˈtempiː] *t. muz.* tempo.
temporal¹ [ˈtempərəl] *a.* **1.** *t. gram.* czasowy. **2.** *form.* świecki; **Lords Spiritual and T~** *Br. parl.*

duchowni i świeccy członkowie Izby Lordów. **3.** *rel.* doczesny. **4.** *form.* tymczasowy, krótkotrwały.

temporal² *a.* skroniowy.

temporal bone *n. anat.* kość skroniowa.

temporalities [ˌtempəˈrælətɪz] *n. pl.* posiadłości i dochody kościoła.

temporality [ˌtempəˈrælətɪ] *n. U* **1.** doczesność. **2.** tymczasowość.

temporal lobe *n. anat.* płat skroniowy.

temporally [ˈtempərəlɪ] *adv.* **1.** czasowo. **2.** *rzad.* tymczasowo.

temporarily [ˌtempəˈrerəlɪ] *adv.* tymczasowo, chwilowo.

temporariness [ˈtempəˌrerɪnəs] *n. U* tymczasowość, chwilowość.

temporary [ˈtempəˌrerɪ] *a.* tymczasowy, chwilowy; przejściowy. – *n. pl.* **-ies** pracowni-k/ca zatrudnion-y/a okresowo.

temporary teeth *n. pl. dent.* zęby mleczne.

temporize [ˈtempəˌraɪz], *Br. i Austr. zw.* **temporise** *v. form.* **1.** grać na zwłokę, starać się zyskać na czasie. **2.** chwilowo dostosowywać się do sytuacji. **3.** iść na ugodę (*with sth* z kimś). **4.** doprowadzać do ugody (*between / with sb* pomiędzy/z kimś).

temporizer [ˈtempəˌraɪzər] *n.* kunktator/ka, gracz na zwłokę.

temporomandibular joint [ˌtempəroʊmænˈdɪbjələr ˌdʒɔɪnt] *n. anat.* staw skroniowo-żuchwowy.

temporomandibular syndrome *n. U pat.* artropatia skroniowo-żuchwowa.

tempt [tempt] *v.* **1.** kusić; przyciągać, nęcić. **2.** nakłaniać; **~ sb to do sth** (*także* **~ sb into doing sth**) nakłaniać kogoś do (zrobienia) czegoś. **3. ~ fate/providence** kusić los; **I am ~ed to do it** kusi mnie, żeby to zrobić, mam wielką ochotę to zrobić.

temptation [tempˈteɪʃən] *n. C / U* pokusa (*t. rzecz*); **~ to do sth** pokusa *l.* chęć, żeby coś zrobić; **give in to (the) ~** ulec pokusie; **overcome/resist (the) ~** oprzeć się pokusie; **strong/irresistible ~** silna/nieodparta pokusa.

tempter [ˈtemptər] *n.* kusiciel/ka.

temptress [ˈtemptrəs] *n. przest.* kusicielka.

tempura [temˈpʊrə] *n. U kulin.* tempura (*danie kuchni japońskiej*).

ten [ten] *num.* **1.** dziesięć; dziesięcioro; dziesięciu. **2.** *przen. pot.* **~ a penny** *Br.* na pęczki; **~ out of ~** *Br. często żart.* dziesięć na dziesięć (*= najwyższa ocena*); **~ to one he'll be late** stawiam dziesięć do jednego, że się spóźni; **nine times out of ~** dziewięć razy na dziesięć, w dziewięćdziesięciu procentach przypadków. – *n.* **1.** dziesiątka (*t. pot. = banknot dziesięciodolarowy*). **2.** *U* **~ (o'clock)** (godzina) dziesiąta; **at ~** o dziesiątej. **3.** (*także* **~'s place**) *mat.* miejsce dziesiętne *l.* dziesiątek.

tenability [ˌtenəˈbɪlətɪ] *n. U* (*także* **tenableness**) możliwość obrony (*argumentu*).

tenable [ˈtenəbl] *a.* **1.** dający się utrzymać *l.* obronić (*o argumencie, stanowisku*). **2.** *form.* mogący być piastowanym (*o urzędzie*).

tenably [ˈtenəblɪ] *adv.* w sposób możliwy do obronienia.

tenace [ˈtenˌeɪs] *n. brydż* nożyce (*= niepełny sekwens*).

tenacious [təˈneɪʃəs] *a.* **1.** nieustępliwy; wytrwały. **2.** mocny (*o uścisku*). **3.** głęboko zakorzeniony (*np. o prawach, zasadach*). **4.** pojemny (*o pamięci*). **5.** lepki. **6.** zwarty, spoisty.

tenaciously [təˈneɪʃəslɪ] *adv.* **1.** z uporem, nieustępliwie. **2.** mocno, ściśle.

tenaciousness [təˈneɪʃəsnəs] *n. U* **1.** upór. **2.** spoistość, przyleganie.

tenacity [tɪˈnæsɪtɪ] *n. U* **1.** wytrwałość. **2.** zwartość, spoistość. **3.** pojemność (*pamięci*).

tenaculum [təˈnækjələm] *n. pl.* **-s** *l.* **tenacula** [təˈnækjələ] *chir.* ostry haczyk chirurgiczny (*do podtrzymywania naczyń krwionośnych*).

tenail [teˈneɪl], **tenaille** *n. wojsk.* kleszcze (*w fortyfikacjach*).

tenancy [ˈtenənsɪ] *n. pl.* **-ies** **1.** *U* dzierżawa, najem. **2.** okres dzierżawy *l.* najmu.

tenancy agreement *n.* umowa najmu *l.* dzierżawy.

tenant [ˈtenənt] *n.* **1.** dzierżawca, najemca. **2.** lokator/ka; sublokator/ka; użytkowni-k/czka (lokalu); **sitting ~** zasiedziały lokator/ka. **3.** *prawn.* prywatn-y/a właściciel/ka nieruchomości. – *v.* **1.** dzierżawić. **2.** zamieszkiwać (*in sth* w czymś).

tenant farmer *n.* dzierżawca rolny.

tenant-in-chief [ˌtenəntɪnˈtʃiːf] *n. pl.* **-s-in-chief** *hist.* lennik.

tenantry [ˈtenəntrɪ] *n. U* **1.** dzierżawcy. **2.** dzierżawa.

tenants' association *n.* związek dzierżawców.

tench [tentʃ] *n. pl.* **-es** *l.* **tench** *icht.* lin (*Tinca tinca*).

Ten Commandments *n. pl. Bibl.* Dziesięcioro Przykazań.

tend¹ [tend] *v.* **1. ~ to do sth** mieć zwyczaj *l.* w zwyczaju coś robić; **it ~s to be very humid here in the summer** zwykle jest tu w lecie bardzo wilgotno. **2. ~ toward sth** mieć tendencję do czegoś. **3.** *form.* zmierzać, prowadzić (*to / toward sth* do czegoś *l.* ku czemuś).

tend² *v.* **1. ~ (to) sb/sth** *przest.* doglądać kogoś/czegoś, zajmować się kimś/czymś. **2.** służyć (*on / upon sb* komuś). **3. ~ bar** *US i Can.* obsługiwać klientów (*np. w sklepie, barze*).

tendance [ˈtendəns] *n. U arch.* opieka.

tendencious [tenˈdenʃəs] *a.* = **tendentious.**

tendency [ˈtendənsɪ] *n. pl.* **-ies** **1.** skłonność, predyspozycja (*to / toward sth* do czegoś). **2.** zwyczaj; **have a ~ to do sth** mieć zwyczaj *l.* w zwyczaju coś robić. **3.** tendencja, trend. **4.** *Br. polit.* ugrupowanie, odłam (*partii*).

tendentious [tenˈdenʃəs], **tendencious** *a. form.* tendencyjny.

tendentiously [tenˈdenʃəslɪ] *adv. form.* tendencyjnie.

tendentiousness [tenˈdenʃəsnəs] *n. U form.* tendencyjność.

tender¹ [ˈtendər] *a.* **1.** *kulin.* miękki, kruchy (*np. o mięsie, warzywach*). **2.** obolały, bolący (*o *miejscu, części ciała*). **3.** czuły, wrażliwy (*t. o sumieniu*); ~ **loving care** czuła opieka. **4.** delikatny (*np. o zdrowiu, roślinach, świetle*). **5.** drażliwy (*np. o temacie, pytaniu*). **6.** *zw. żart.* **at a ~ age** w młodym wieku; **at the ~ age of nine** w wieku zaledwie dziewięciu lat. **7.** wywrotny (*o statku*). **8.** *arch.* dbały (*of sth* o coś) (*np. o swój honor, dobre imię*).

tender2 *v.* **1.** *form.* składać; przedkładać, przedstawiać; ~ **a proposal** przedłożyć *l.* przedstawić propozycję; ~ **one's resignation** złożyć dymisję *l.* rezygnację. **2.** składać ofertę (*for sth* na coś); ~ **for a contract** uczestniczyć w przetargu. **3.** *prawn.* spłacać (*dług, roszczenia*). – *n.* **1.** *t. handl.* oferta; **accept/submit a ~** przyjąć/przedłożyć ofertę. **2.** *giełda* oferta przetargowa *l.* subskrypcyjna. **3.** *handl.* przetarg; **put sth out to ~** ogłaszać przetarg na coś; **win the ~** wygrać przetarg. **4. plea of ~** *prawn.* powoływanie się na to, że poznany był zawsze gotów zaspokoić roszczenia powoda i obecnie przyniósł żądaną kwotę do sądu. **5. legal ~** *zob.* **legal**.

tender3 *n.* **1.** pracowni-k/ca nadzorując-y/a (*pracę urządzenia*). **2.** statek pomocniczy. **3.** *kol.* tender.

tenderee [ˌtendəˈriː] *n. handl.* oblat, zamawiający (*w przetargu*).

tenderer [ˈtendərər] *n. handl.* **1.** oferent. **2.** submitent.

tenderfoot [ˈtendərˌfʊt] *n. pl.* **-s** *l.* **-feet** *pot.* nowicjusz/ka.

tender-hearted [ˌtendərˈhɑːrtəd] *a.* tkliwy, czuły, o miękkim sercu.

tender-heartedly [ˌtendərˈhɑːrtədlɪ] *adv.* czule.

tender-heartedness [ˌtendərˈhɑːrtədnəs] *n. U* czułość, miękkie serce.

tenderize [ˈtendəˌraɪz], *Br. i Austr. zw.* **tenderise** *v. kulin.* zmiękczać.

tenderizer [ˈtendəˌraɪzər] *n. kulin.* **1.** substancja zmiękczająca. **2.** tłuczek do mięsa.

tenderloin [ˈtendərˌlɔɪn] *n. U kulin.* polędwica.

tenderly [ˈtendərlɪ] *adv.* czule.

tenderness [ˈtendərnəs] *n. U* **1.** czułość. **2.** *kulin.* miękkość, kruchość.

tendinitis [ˌtendəˈnaɪtəs], **tendonitis** *n. U pat.* zapalenie ścięgna.

tendinous [ˈtendənəs] *a. anat.* ścięgnisty, ścięgnowy.

tendon [ˈtendən] *n. anat.* ścięgno; **Achilles'/heel ~** ścięgno Achillesa *l.* piętowe.

tendonitis [ˌtendəˈnaɪtəs] *n.* = **tendinitis**.

tendril [ˈtendrəl] *n.* **1.** *bot.* wąs, wić. **2.** *lit.* kosmyk.

Tenebrae [ˈtenəˌbreɪ], **tenebrae** *n. pl. rz.-kat.* ciemna jutrznia.

tenebrous [ˈtenəbrəs] *a.* (*także* **tenebrious**) *lit.* posępny; mroczny.

tenement [ˈtenəmənt] *n.* **1.** (*także* ~ **building/house**) kamienica czynszowa (*zwł. w uboższej dzielnicy*). **2.** *gł. Br.* wynajmowane mieszkanie. **3.** *prawn.* użytkowanie własności zwierzchnika.

tenements [ˈtenəmənts] *n. pl. prawn.* własność osobista.

tenesmus [tɪˈnezməs] *n. U pat.* **1.** bolesne parcie na mocz. **2.** bolesne zaparcie.

tenet [ˈtenɪt] *n. form.* zasada, doktryna.

tenfold [ˈtenfoʊld] *a.* dziesięciokrotny. – *adv.* dziesięciokrotnie.

ten-four [ˌtenˈfɔːr], **10-4** *int. US pot.* potwierdzam odbiór! (*wiadomości*); potwierdzam!, tak jest!.

ten-gallon hat [ˌtenˌgælən ˈhæt] *n.* kapelusz kowbojski.

tenia [ˈtiːnɪə], **taenia** *n.* **1.** *anat.* taśma. **2.** *zool.* tasiemiec. **3.** *bud.* wyskok. **4.** *strój hist.* przepaska na włosy (*w starożytnej Grecji*).

Tenn. *abbr.* = **Tennessee**.

tenner [ˈtenər] *n. pot.* dziesiątka, dziesiątak, dycha (= *10 dolarów l. funtów*).

Tennessee [ˌtenəˈsiː] *n. US* stan Tennessee.

tennis [ˈtenɪs] *n. U sport* tenis; **lawn/table ~** tenis ziemny/stołowy.

tennis ball *n.* piłka *l.* piłeczka tenisowa.

tennis court *n.* kort tenisowy.

tennis elbow *n. U pat.* łokieć tenisisty, zapalenie nadkłykcia kości ramiennej.

tennis match *n.* mecz tenisowy *l.* tenisa.

tennis player *n.* tenisist-a/ka.

tennis racket *n.* rakieta tenisowa.

tennis shoes *n. pl.* adidasy.

tennis skirt *n.* spódniczka do tenisa.

tenon [ˈtenən] *stol. n.* czop (*drewniany*); **mortise-and-~ joint** połączenie na czopy. – *v.* **1.** łączyć (*zwł. na czopy*). **2.** wycinać gniazdo czopa w (*kawałku drewna*).

tenon saw *n. stol.* grzbietnica, czopnica (*rodzaj piły*).

tenor [ˈtenər] *n.* **1.** *muz.* tenor (*śpiewak, głos l. partia*). **2.** *form.* wydźwięk, wymowa; ustalony *l.* zasadniczy bieg *l.* kierunek (*of sth* czegoś). **3.** *prawn.* prawdziwy zamiar. **4.** *prawn.* dokładny odpis; dokładne brzmienie (*dokumentu*). **5.** *fin.* termin płatności (*np. weksla*).

tenorite [ˈtenəˌraɪt] *n. U min.* tenoryt, melakonit.

tenotomy [təˈnɑːtəmɪ] *n. C/U pl.* **-ies** *chir.* przecięcie ścięgna; nacięcie ścięgna.

tenpenny [ˌtenˈpenɪ] *a. attr.* **1.** dziesięciopensowy. **2.** trzycalowy (*o gwoździu*).

tenpin [ˈtenˌpɪn] *n. sport* kręgiel.

tenpin bowling *n. U Br. sport* kręgle.

tenpins [ˈtenˌpɪnz] *n. U sport* kręgle.

tenrec [ˈtenrek], **tanrec** [ˈtænrek] *n. pl.* **-s** *l.* **tenrec** *zool.* kretojeż, tenrek (*Tenrecidae*); **common/tailess ~** tenrek zwyczajny (*Tenrec ecaudatus*).

tense1 [tens] *a.* **1.** napięty, naprężony. **2.** *przen.* spięty (*o osobie*); napięty (*np. o atmosferze*); ~ **moment** chwila napięcia. – *v.* ~ **(up)** naprężać (się), napinać (się).

tense2 *n. gram.* czas; **future/present/past ~** czas przyszły/teraźniejszy/przeszły; **sequence of ~s** następstwo czasów.

tensed up [ˌtenst ˈʌp] *a.* spięty (*o osobie*).

tensely [ˈtenslɪ] *adv.* **1.** w napięciu. **2.** mocno (*np. zaciśnięty*).

tenseness [ˈtensnəs] *n. U t. przen.* napięcie.

tensibility [ˌtensəˈbɪlətɪ] *n. U* rozciągliwość.
tensible [ˈtensəbl] *a.* rozciągliwy.
tensile [ˈtensl] *a.* **1.** dotyczący napięcia. **2.** rozciągliwy.
tensile strength *n. U techn.* wytrzymałość na rozciąganie.
tensile test *n. techn.* próba rozciągania.
tensility [tenˈsɪlətɪ] *n. U* rozciągliwość.
tension [ˈtenʃən] *n.* **1.** *C / U* napięcie; ~ **mounted** napięcie rosło *l.* wzmagało się; **racial ~s** napięcia na tle rasowym; **defuse/reduce ~** rozładować/zmniejszyć napięcie. **2.** *sing.* konflikt (interesów) (*between X And Y* pomiędzy X i Y). **3.** *U* naprężenie, napięcie, naciąg; **chain ~** naciąg łańcucha. **4.** *U el.* napięcie. **5.** *U fiz.* rozciąganie. **6.** *U fiz.* prężność (*gazu, pary*). **7.** *U med.* ciśnienie (*tętnicze*).
tensioner [ˈtenʃənər] *n. mech.* napinacz, naprężacz.
tensity [ˈtensɪtɪ] *n. U* **1.** napięcie. **2.** naprężenie.
tensive [ˈtensɪv] *a. med.* napięciowy, odnoszący się do napięcia.
tensor [ˈtensər] *n.* **1.** *anat.* napinacz (*mięsień*). **2.** *mat.* tensor.
ten-strike [ˈtenˌstraɪk] *n. kręgle* zwalenie wszystkich dziesięciu kręgli (*za jednym razem*).
tent¹ [tent] *n.* namiot; **oxygen ~** *med.* namiot tlenowy; **put up/pitch a ~** rozbijać namiot. – *v.* **1.** obozować, mieszkać pod namiotem. **2.** umieszczać pod namiotem. **3.** nakrywać jak namiotem.
tent² *med. n.* tampon rozszerzający. – *v.* rozszerzać przy pomocy tamponu.
tentacle [ˈtentəkl] *n.* **1.** *zool.* macka; czułek. **2.** *bot.* włosek wydzielniczy (*na skórce liścia*). **3.** *przen.* macka. **4.** *przen.* okowa.
tentacled [ˈtentəkld] *a. zool.* posiadający macki; posiadający czułki.
tentacular [tenˈtækjələr] *a. zool.* czułkowy.
tentage [ˈtentɪdʒ] *n. U form.* namioty.
tentative [ˈtentətɪv] *a.* **1.** wstępny (*np. o dacie, wniosku*), tymczasowy, próbny (*np. o planie*); niezobowiązujący (*np. o umowie, sugestii*). **2.** niepewny (*np. o uśmiechu, kroku*).
tentatively [ˈtentətɪvlɪ] *adv.* **1.** tytułem próby, wstępnie; niezobowiązująco. **2.** niepewnie.
tentativeness [ˈtentətɪvnəs] *n. U* **1.** tymczasowość; niezobowiązujący charakter. **2.** niepewność.
tenter [ˈtentər] *tk. n.* rama do rozpinania sukna. – *v.* rozpinać na ramie jw.
tenterhook [ˈtentərˌhʊk] *n.* **1.** *tk.* haczyk przy ramie do rozpinania sukna. **2. be on ~s** *przen.* siedzieć jak na szpilkach.
tenth [tenθ] *num.* dziesiąty. – *n.* (jedna) dziesiąta (*zwł. w określeniach ułamków*).
tent peg *n.* kołek namiotowy.
tent pole *n.* maszt namiotowy.
tenuity [tɪˈnjuːɪtɪ] *n. U* = **tenuousness**.
tenuous [ˈtenjʊəs] *a.* **1.** słaby; nieprzekonujący (*np. o dowodach, argumentach*); ~ **connection/link/relationship** słaby związek. **2.** *lit.* cienki; delikatny, subtelny (*t. przen. np. o różnicy, rozróżnieniu*). **3.** *fiz.* rzadki (*np. o powietrzu, cieczy*).
tenuously [ˈtenjʊəslɪ] *adv.* **1.** słabo. **2.** *lit.* subtelnie.
tenuousness [ˈtenjʊəsnəs] *n. U* (*także* **tenuity**) **1.** słabość. **2.** *lit.* cienkość; *t. przen.* subtelność. **3.** *fiz.* rzadkość.
tenure [ˈtenjər] *n. U* **1.** *uniw.* stała posada, etat. **2.** posiadanie. **3.** *form.* urzędowanie, piastowanie urzędu. **4.** *form.* kadencja. **5.** *prawn.* prawo *l.* tytuł posiadania własności. **6.** okres posiadania. **7.** czynsz dzierżawny.
tepal [ˈtepl] *n. bot.* listek okwiatu.
tepary bean [ˈtepərɪ ˌbiːn] *n. bot.* fasola ostrolistna (*Phaseolus acutifolius*).
tepee [ˈtiːpiː], **teepee**, **tipi** *n.* tipi (*namiot indiański*).
tepefy [ˈtepɪfaɪ] *v.* **-ied**, **-ying** *form.* robić (się) letnim.
tephra [ˈtefrə] *n. U geol.* materiał piroklastyczny.
tephrite [ˈtefraɪt] *n. U min.* tefryt.
tephrochronology [ˌtefrəkrəˈnɑːlədʒɪ] *n. U geol.* określanie czasu erupcji wulkanu poprzez badanie materiału piroklastycznego.
tepid [ˈtepɪd] *a.* **1.** letni. **2.** *przen.* chłodny, powściągliwy (*np. o reakcji*).
tepidity [tɪˈpɪdɪtɪ] *n. U* (*także* **~ness**) **1.** letniość. **2.** *przen.* chłód, powściągliwość.
tepidly [ˈtepɪdlɪ] *adv.* **1.** letnio. **2.** *przen.* chłodno, powściągliwie.
tequila [təˈkiːlə] *n. U* tequila.
ter. *abbr.* **1.** = **territory**; = **territorial**. **2.** = **terrace**.
terai [təˈraɪ] *n.* (*także* **~ hat**) kapelusz filcowy z szerokim rondem (*często z podwójnym denkiem, noszony w klimacie podzwrotnikowym*).
teratocarcinoma [ˌterətoʊˌkɑːrsəˈnoʊmə] *n. pl.* **-s** *l.* **teratocarcinomata** [ˌterətoʊˌkɑːrsəˈnoʊmətə] *pat.* potworniak złośliwy.
teratogen [ˈterətəgən] *n. pat.* teratogen.
teratogenesis [ˌterətoʊˈdʒenɪsɪs] *n. U pat.* powstawanie ciężkich wad rozwojowych płodu.
teratology [ˌterəˈtɑːlədʒɪ] *n. U med.* teratologia.
teratoma [ˌterəˈtoʊmə] *n. pl.* **-s** *l.* **teratomata** [ˌterəˈtoʊmətə] *pat.* potworniak, nowotwór wielotkankowy.
terbium [ˈtɜːbiəm] *n. U chem.* terb.
terce [tɜːs] *n. rz.-kat.* tercja.
tercel [tərˈsel], **tiercel** *n. gł. myśl.* samiec sokoła.
tercentenary [ˌtɜːsenˈtiːnərɪ] (*także* **tercentennial, tricentenary, tricentennial**) *a.* trzechsetletni. – *n. pl.* **-ies** trzechsetlecie.
tercet [ˈtɜːsət] *n.* **1.** *muz.* tercet. **2.** *wers.* tercet, tercyna; trójwiersz.
terebinth [ˈterəbɪnθ] *n. bot.* drzewo terpentynowe (*Pistacia terebinthus*).
terebinthine [ˌterəˈbɪnθɪn] *a.* terpentynowy.
terete [təˈriːt] *a.* obły (*zwł. o częściach roślin*).
terga [ˈtɜːgə] *n. pl. zob.* **tergum**.
tergal [ˈtɜːgl] *a. zool.* grzbietowy.

tergeminate [tər'gemɪnət] *a. bot.* trzy razy parzysty (*o liściu*).

tergiversate [tɜː'dʒɪvərˌseɪt] *v. form.* **1.** zmieniać front. **2.** wikłać się, plątać się.

tergiversation [ˌtɜːdʒɪvər'seɪʃən] *n. U form.* **1.** zmiana frontu. **2.** wykręty.

term [tɜːm] *n.* **1.** *jęz.* termin; **legal/medical/scientific ~** termin prawniczy/medyczny/naukowy. **2.** *log.* term. **3.** *form.* okres; **~ of imprisonment** okres pozbawienia wolności. **4.** sesja (*np. sądu, parlamentu*). **5.** *uniw., szkoln.* semestr; trymestr; **in ~ time** w trakcie semestru. **6.** *sport pot.* sezon. **7.** (*także* **~ of/in office**) kadencja. **8.** *U ekon.* termin wykonania zobowiązań. **9.** *U* (*także* **full ~**) *med.* koniec ciąży, czas porodu. **10.** *pl.* warunki; **~s of sale** warunki sprzedaży; **credit ~s** warunki kredytu; **on easy ~** na dogodnych warunkach; **on one's (own) ~s** na swoich *l.* własnych warunkach. **11.** *mat.* składnik (*wyrażenia*). **12.** (*także* **terminal, terminus**) *bud.* filar zwieńczony popiersiem *l.* posągiem. **13.** **~ of abuse** *zob.* **abuse** *n.*; **~ of endearment** *zob.* **endearment**; **~s of reference** kompetencje, zakres pełnomocnictw (*zwł. komisji mającej coś zbadać*); **be on good/bad ~s with sb** być z kimś w dobrych/złych stosunkach; **come to ~s with sb/sth** *zob.* **come** *v.*; **contradiction in ~s** *zob.* **contradiction**; **in ~s of sth** pod względem czegoś, z punktu widzenia czegoś; **in ~s of money** przeliczając na pieniądze; **in economic/financial ~s** w kategoriach ekonomicznych/finansowych; **in glowing ~s** w samych superlatywach; **in no uncertain ~s** bez ogródek; **in real ~s** *ekon.* w wyrażeniu realnym, realnie; **in sb's ~s** w czyjejś opinii, według kogoś; **be thinking/talking in ~s of doing sth** zastanawiać się, czy czegoś nie zrobić, rozważać zrobienie czegoś; **in the short/long ~** na krótką/dłuższą metę; **on equal ~s** *zob.* **equal** *a.*; **they are not on speaking ~s** nie rozmawiają ze sobą. – *v.* określać, nazywać; nadawać nazwę (*czemuś*).

term. *abbr.* = **terminal.**

termagant ['tɜːməgənt] *zwł. lit. n.* jędza. – *a. attr.* jędzowaty.

term assurance *n.* = **term insurance.**

termer1 ['tɜːmər] *n. w złoż.* **second-~** *polit.* osoba piastująca urząd przez drugą kadencję; **short-~** osoba odbywająca krótką karę.

termer2 *n.* = **termor.**

terminable ['tɜːmənəbl] *a.* **1.** *form.* podlegający zakończeniu *l.* przerwaniu *l.* wypowiedzeniu; **the contract is ~ at any time** umowa może w każdej chwili zostać wypowiedziana. **2.** *ubezp.* wypłacany do określonego terminu, terminowy (*o rencie*).

terminal ['tɜːmənl] *a.* **1.** nieuleczalny (*o chorobie, schorzeniu*). **2.** nieuleczalnie chory, umierający (*o osobie*). **3.** *attr.* ostateczny; krańcowy; graniczny; końcowy; schyłkowy. **4.** *pot. żart.* śmiertelny (*np. o nudzie*). **5.** terminowy. **6.** *attr. bot.* szczytowy. **7.** *el.* zaciskowy. **8.** terminalowy (*np. o opłatach*). **9.** *szkoln. form.* semestralny. – *n.* **1.** *t. komp., lotn.* terminal; **air ~** terminal lotniczy. **2.** *US kol.* stacja końcowa; **bus ~** pętla autobusowa, końcowy przystanek autobusu. **3.** *el.* zacisk, końcówka. **4.** *anat.* zakończenie (*np. włókna nerwowego*). **5.** *bud.* = **term** *n.* 12.

terminal bud *n. bot.* pączek szczytowy.

terminally ['tɜːmənələ] *adv.* **1.** nieuleczalnie (*chory*). **2.** *bot.* szczytowo. **3.** *pot. żart.* śmiertelnie (*np. nudny*).

terminal moraine *n. geol.* morena czołowa.

terminal tackle *n. ryb.* przypon.

terminal velocity *n. C/U pl.* **-ies** *fiz.* prędkość graniczna.

terminate ['tɜːməˌneɪt] *v. form.* **1.** kończyć (się); upływać; **~ in sth** kończyć (się) czymś. **2.** rozwiązywać (*np. umowę*). **3.** *med.* przerywać (*ciążę*). **4.** kończyć bieg (*np. o pociągu*).

terminating decimal [ˌtɜːməˌneɪtɪŋ 'desəml] *n. mat.* ułamek (dziesiętny) skończony.

termination [ˌtɜːmə'neɪʃən] *n. C/U form.* **1.** zakończenie (się), koniec. **2.** wygaśnięcie; rozwiązanie (*umowy, kontraktu*); zerwanie (*np. kontaktów*); *gł. US* wypowiedzenie (*umowy o pracę*). **3.** *med.* przerwanie ciąży. **4.** *gram.* końcówka.

terminator ['tɜːməˌneɪtər] *n. astron.* terminator.

termini ['tɜːməˌnaɪ] *n. pl. zob.* **terminus.**

terminological [ˌtɜːmənə'lɑːdʒɪkl] *a.* terminologiczny.

terminologically [ˌtɜːmənə'lɑːdʒɪklɪ] *adv.* terminologicznie.

terminologist [ˌtɜːmə'nɑːlədʒɪst] *n.* specjalist-a/ka w dziedzinie terminologii.

terminology [ˌtɜːmə'nɑːlədʒɪ] *n. C/U pl.* **-ies** terminologia.

term insurance *n.* (*także* **term assurance**) *ubezp.* ubezpieczenie krótkoterminowe *l.* na czas określony.

terminus ['tɜːmənəs] *n. pl.* **-es** *l.* **termini** ['tɜːmənaɪ] **1.** przystanek końcowy; *Br. kol.* stacja końcowa. **2.** kres, koniec; granica. **3.** kamień graniczny. **4.** *biochem.* koniec łańcucha (*polinukleotydowego l. polipeptydowego*). **5.** *bud.* = **term** *n.* 12.

termitarium [ˌtɜːmə'terɪəm] *n. pl.* **termitaria** [ˌtɜːmə'terɪə] termitiera.

termite ['tɜːmaɪt] *n. ent.* termit (*rząd Isoptera*).

termless ['tɜːmləs] *a.* **1.** *poet.* bezgraniczny. **2.** *form.* bezwarunkowy.

termly ['tɜːmlɪ] *a.* **1.** *zwł. Br. uniw., szkoln.* semestralny; trymestralny. **2.** *form.* okresowy. – *adv. rzad.* co pewien okres, okresowo.

termor ['tɜːmər], **termer** *n. prawn.* właściciel/ka ziemi na określoną liczbę lat *l.* dożywotni/a.

term paper *n. zwł. US uniw., szkoln.* praca semestralna.

terms of trade *n. pl. ekon.* bilans w handlu zagranicznym (= *stosunek cen eksportu do cen importu*).

tern1 [tɜːn] *n. pl.* **-s** *l.* **tern** *icht.* rybołówka (*Sterna*).

tern2 *n.* **1.** *hazard* terno (= *trzy numery w lo-*

terii zapewniające wygraną w jednym ciągnieniu). **2.** *żegl.* szkuner trzymasztowy (*gaflowy*).

ternary [ˈtɜːnərɪ] *a.* **1.** potrójny. **2.** *t. mat.* trójkowy. **3.** *chem.* złożony z trzech pierwiastków; złożony z trzech atomów. **4.** *mat.* z trzema zmiennymi. **5.** *metal.* trójskładnikowy. – *n. pl.* **-ies** *mat.* trójka, triada.

ternary alloy *n. metal.* stop potrójny *l.* trójskładnikowy.

ternary form *n. muz.* kompozycja trzyczęściowa.

ternary system *n.* (*także* **ternary number system**) *mat.* układ trójkowy.

ternate [ˈtɜːnɪt] *a.* **1.** *bot.* trójlistny; potrójny (*o liściu*). **2.** *form.* ułożony trójkami.

terne [tɜːn] *n. U metal.* **1.** (*także* ~ **metal**) stop ołowiu i cyny. **2.** (*także* ~**plate**) blacha biała matowa.

ternion [ˈtɜːnɪən] *n. druk.* trzy arkusze drukarskie tworzące po jednokrotnym złożeniu 12 stron.

terotechnology [ˌterətekˈnɑːlədʒɪ] *n. U* terotechnika (= *nauka o racjonalnej eksploatacji i konserwacji środków produkcji*).

terpenes [ˈtɜːrˌpiːnz] *n. pl. chem.* węglowodory terpenowe, terpeny.

terpineol [tɜːˈpɪnɪˌoʊl] *n. U chem.* terpineol.

terpolymer [tɜːˈpɑːləmər] *n. chem.* terpolimer.

Terpsichore [tɜːpˈsɪkərɪ] *n. mit.* Terpsychora.

terpsichorean [ˌtɜːpsəkəˈriːən] *a.* (*także* **terpsichoreal**) *lit.* dotyczący tańca.

Terr. *abbr.* (*w nazwach ulic*) = **Terrace.**

terr. *abbr.* **1.** = **territory**; = **territorial. 2.** = **terrace.**

terra [ˈterə] *n. pl.* **terrae** [ˈteriː] góra na księżycu (*l. innym ciele niebieskim*).

terra alba [ˌterə ˈælbə] *n. U* biała glinka, kaolin.

terrace [ˈterəs] *n.* **1.** *bud.* taras (*t. na dachu*). **2.** *bud.* patio. **3.** *zwł. Br. bud.* rząd szeregowców; ulica zabudowana szeregowcami; **T~** (*w nazwach*) ulica. **4.** *geol.* terasa. **5.** *roln.* taras. – *v. roln.* zamieniać *l.* przekształcać w taras (*ziemię*).

terraced [ˈterəst] *a.* **1.** szeregowy (*o układzie domów*). **2.** tarasowy.

terraced house *n.* (*także* **terrace house**) *Br. bud.* szeregowiec.

terraces [ˈterəsɪz] *n. pl.* **the** ~ *Br.* trybuny stojące (*na meczu piłki nożnej*).

terra cotta [ˌterə ˈkɑːtə], *Br.* **terracotta** *n.* **1.** *U* terakota. **2.** figurka z terakoty. **3.** *U* kolor terakoty. – *a.* z terakoty; terakotowy (*t. o kolorze*).

terra firma [ˌterə ˈfɜːmə] *n. Lat. lit. l. żart.* stały ląd.

terrain [təˈreɪn] *n.* **1.** teren. **2.** = **terrane.**

terra incognita [ˌterə ˌɪnkɑːgˈniːtə] *n. pl.* **terrae incognitae** [ˌteriː ˌɪnkɑːgˈniːtiː] *Lat.* nieznany ląd; *t. przen.* terra incognita, niezbadany obszar.

Terramycin [ˌterəˈmaɪsɪn] *n. U med.* terramycyna.

terrane [təˈreɪn], **terrain** *n. geol.* warstwa o charakterystycznej stratygrafii, strukturze i historii.

terrapin [ˈterəpɪn] *n. pl.* **-s** *l.* **terrapin 1.** *US* żółw zamieszkujący słonawe wody płn.-wsch. USA (*Malaclemys terrapin*). **2.** żółw słodkowodny.

terraqueous [terˈeɪkwɪəs] *a. arch. l. lit.* lądowo-wodny.

terrarium [teˈrerɪəm] *n. pl.* **-s** *l.* **terraria** [teˈrerɪə] terrarium.

terrazzo [təˈræzoʊ] *n. U bud.* lastryko.

terrene [ˈteriːn] *arch. l. lit. a.* **1.** ziemny. **2.** ziemski. – *n.* **1.** ziemia. **2.** kraj; obszar.

terreplein [ˈterəˌpleɪn] *n. wojsk.* równia działowa.

terrestrial [təˈrestrɪəl] *a.* **1.** *form.* ziemski. **2.** *t. biol.* lądowy (*np. o zwierzęciu, roślinie*). **3.** *telew.* naziemny. – *n.* Ziemian-in/ka (*zwł. w literaturze science fiction*).

terrestrial guidance *n. U wojsk.* kierowanie inercyjne, sterowanie naziemne (*pociskami*).

terrestrial planet *n. astron.* planeta zbliżona do Ziemi (= *Mars, Wenus l. Merkury*).

terrestrial radiation *n. U* promieniowanie elektromagnetyczne Ziemi.

terrestrial telescope *n. opt.* luneta ziemska.

terret [ˈterɪt] *n.* **1.** kółko na lejce. **2.** kółko przy obroży (*do zaczepienia smyczy*).

terrible [ˈterəbl] *a.* okropny, straszny.

terribleness [ˈterəblnəs] *n. U* okropność, okropieństwo.

terribly [ˈterəblɪ] *adv.* okropnie, strasznie.

terricolous [teˈrɪkələs] *a. zool.* żyjący na *l.* w ziemi; *bot.* rosnący na *l.* w ziemi.

Terrier [ˈterɪər] *n. pot.* = **Territorial.**

terrier[1] [ˈterɪər] *n. kynol.* terier.

terrier[2] *n. prawn.* **1.** kataster gruntowy. **2.** *Br. hist.* zbiór dokumentów z uznaniem zwierzchnika przez wasali *l.* dzierżawców.

terrific [təˈrɪfɪk] *a.* **1.** *pot.* świetny, wspaniały. **2.** straszny, okropny, niesamowity (*np. o huku, szoku*); zawrotny (*o prędkości*). **3.** przerażający.

terrifically [təˈrɪfɪklɪ] *adv. pot.* strasznie, niesamowicie (= *bardzo*).

terrified [ˈterəˌfaɪd] *a.* przerażony; **be ~ of sth/(that) sth will happen** strasznie się bać czegoś/że coś się stanie.

terrify [ˈterəˌfaɪ] *v.* **-ied, -ying 1.** przerażać. **2.** zastraszać.

terrifying [ˈterəˌfaɪɪŋ] *a.* przerażający.

terrifyingly [ˈterəˌfaɪɪŋlɪ] *adv.* przerażająco.

terrigenous [teˈrɪdʒənəs] *a. geol.* terygeniczny, pochodzenia ziemnego (*o osadzie*).

Territorial [ˌterəˈtɔːrɪəl] *n.* (*także pot.* **Terrier**) *Br. wojsk.* członek ochotniczej rezerwy Królewskich Sił Zbrojnych.

territorial [ˌterəˈtɔːrɪəl] *a. t. zool.* terytorialny.

Territorial Army *n.* (*także* **TA**) *Br. wojsk.* ochotnicza rezerwa Królewskich Sił Zbrojnych.

territorial imperative *n. zool., psych.* potrzeba oznaczania (swojego) terytorium.

territorialise [ˌterəˈtɔːrɪəˌlaɪz] *v.* = **territorialize.**

territorialism [ˌterəˈtɔːrɪəˌlɪzəm] *n. U* **1.** *polit.* rządy ziemiaństwa. **2.** *kośc.* supremacja władzy świeckiej.

territoriality [ˌterəˌtɔːrɪ'ælətɪ] *n. U* **1.** *polit.* status terytorium. **2.** *zool.* obrona terytorium.

territorialize [ˌterə'tɔːrɪəˌlaɪz], *Br. i Austr. zw.* **territorialise** *v. polit.* **1.** organizować na zasadzie terytorialnej, dzielić na terytoria. **2.** nadawać status terytorium (*danemu regionowi*). **3.** rozszerzać przez dodanie terytorium (*państwo*).

territorial waters *n. pl. prawn.* wody terytorialne.

territory ['terəˌtɔːrɪ] *n. pl.* **-ies** **1.** *C / U t. polit., zool. l. przen.* terytorium; **occupied ~** terytorium okupowane. **2.** (*także* **T~**) *US, Can. i Austr. polit.* terytorium (= *autonomiczny obszar niemający statusu stanu ani prowincji*). **3.** *handl.* region, rejon (*działalności*). **4.** *t. przen.* obszar, teren; sfera, zakres; **be outside sb's ~** być *l.* pozostawać poza sferą czyichś zainteresowań; **come/go with the ~** wchodzić w zakres czyjejś pracy *l.* czyichś obowiązków; **uncharted/unfamiliar/virgin ~** nieznany *l.* niezbadany obszar.

terror ['terər] *n.* **1.** *U* przerażenie, paniczny strach; **in ~ of one's life** w strachu *l.* obawie o własne życie; **live/go/be in ~ of sb/sth** żyć w strachu przed kimś/czymś; **scream in ~** krzyczeć z przerażenia; **strike ~ into sb's heart** napełniać kogoś trwogą *l.* przerażeniem. **2.** *U polit.* terror; **reign of ~** rządy terroru. **3.** (*także* **holy ~**) *pot.* postrach, diabeł wcielony (*o dziecku*); **sth holds/has no ~s for sb** *form.* coś nie jest komuś straszne, coś kogoś nie przeraża.

terrorism ['terəˌrɪzəm] *n. U polit.* terroryzm.

terrorist ['terərɪst] *n.* terroryst-a/ka.

terroristic [terə'rɪstɪk] *a.* terrorystyczny.

terrorize ['terəˌraɪz], *Br. i Austr. zw.* **terrorise** *v.* **1.** terroryzować. **2.** przerażać.

terror-stricken [ˌterər'strɪkən] *a.* (*także* **terror-struck**) ogarnięty przerażeniem.

terry ['terɪ] *n.* **1.** *U* (*także* **~ cloth/toweling**) *tk.* tkanina frotté. **2.** *pl.* **-ies** oczko w tkaninie jw. **3.** (*także* **~ nappy**) *Br.* pieluszka tetrowa.

terse [tɝːs] *a.* **1.** lakoniczny, zdawkowy. **2.** zwięzły, rzeczowy.

tersely ['tɝːslɪ] *adv.* **1.** lakonicznie, zdawkowo. **2.** zwięźle, rzeczowo.

terseness ['tɝːsnəs] *n. U* **1.** lakoniczność, zdawkowość. **2.** zwięzłość, rzeczowość.

tertial ['tɝːʃl] *a. i n. orn.* (lotka) trzeciego rzędu.

tertian ['tɝːʃən] *a.* powtarzający się co drugi dzień. – *n. U* (*także* **~ fever**) *pat.* (gorączka) trzeciaczka.

tertiary ['tɝːʃɪˌerɪ] *a.* **1.** *form.* trzeciorzędny. **2.** *chem.* trzeciorzędowy. **3.** (*także* **T~**) *geol.* trzeciorzędowy. **4.** *orn.* trzeciego rzędu. – *n. pl.* **-ies** **1.** *orn.* lotka trzeciego rzędu. **2.** (*także* **the T~**) *geol.* trzeciorzęd. **3.** (*także* **T~**) *rel.* tercja-rz/rka (*człon-ek / kini trzeciego zakonu świeckich*).

tertiary education *n. U Br.* szkolnictwo wyższe.

tertiary industry *n. U ekon.* usługi.

tervalent [tɝː'veɪlənt] *a. chem.* trójwartościowy.

Terylene ['terɪˌliːn] *n. U Br. tk.* torlen.

terza rima [ˌtertsə 'riːmə] *n. wers.* tercyna.

terzetto [tert'setoʊ] *n. pl.* **-s** *l.* **terzetti** *muz.* trio (*wokalne l. instrumentalne*).

TESL [tesl] *abbr. i n. U* **Teaching (of) English as a Second Language** nauczanie języka angielskiego jako drugiego *l.* obcego.

tesla ['teslə] *n. fiz.* tesla.

tesla coil *n. fiz.* transformator Tesli.

TESOL ['tiːsɑːl] *abbr. i n. U* **Teaching (of) English to Speakers of Other Languages** *zwł. US* nauczanie angielskiego dla obcokrajowców.

tessellate ['tesəˌleɪt] *v.* **1.** *bud.* ozdabiać mozaiką. **2.** *geom.* ściśle (do siebie) przylegać.

tessellated ['tesəˌleɪtɪd] *a. bud.* mozaikowy; w kostki.

tessera ['tesərə] *n. pl.* **tesserae** ['tesəriː] **1.** *bud.* kostka mozaikowa. **2.** *hist.* kostka do gry (*w Grecji l. Rzymie*).

test[1] [test] *n.* **1.** *szkoln., uniw.* test, sprawdzian (*on sth* z czegoś); **fail a ~** nie zaliczyć testu, oblać test; **pass a ~** zaliczyć *l.* zdać test; **take/do a ~** podchodzić do testu, zdawać test; pisać sprawdzian. **2.** egzamin; **driving ~** *mot.* egzamin na prawo jazdy. **3.** *chem., med.* test, analiza (*for sth* na obecność *l.* zawartość czegoś); **allergy ~** test alegologiczny, próba alegologiczna; **run a ~** przeprowadzić analizę, wykonać test. **4.** *med.* badanie. **5.** *chem.* odczynnik. **6.** próba; **~ of character** próba charaketru; **put sb/sth to the ~** podać kogoś/coś próbie; **stand/withstand the ~ of time** wytrzymać próbę czasu. **7.** *krykiet, rugby* = **test match**. – *v.* **1.** testować, wypróbowywać; **tried and ~ed** wypróbowany, sprawdzony. **2.** *szkoln.* testować (*sb on sth* kogoś z czegoś); sprawdzać (*wiedzę*). **3.** poddawać próbie. **4.** *t. med.* przeprowadzać test *l.* analizę (*czegoś*), badać; **~ sth for sth** badać coś na obecność *l.* zawartość czegoś. **5.** *chem.* badać przy pomocy odczynnika. **6. ~ the water** *przen.* badać grunt (= *sondować gusty l. nastroje*).

test[2] *n.* **1.** *zool.* skorupa. **2.** *bot.* = **testa**.

Test. *abbr.* = **Testament**.

testa ['testə] *n. pl.* **testae** ['testiː] *bot.* łupina nasienna.

testacean [te'steɪʃən] *zool. n.* skorupiak. – *a.* skorupiakowy.

testaceous [te'steɪʃəs] *a.* **1.** skorupiakowy. **2.** o twardej skorupie. **3.** *gł. ent.* ceglasty.

testacy ['testəsɪ] *n. U prawn.* pozostawienie testamentu.

testae ['testiː] *n. pl. zob.* **testa**.

testament ['testəmənt] *n.* **1. a ~ to sth** *form.* świadectwo czegoś, dowód na coś. **2.** (*także* **last will and ~**) *prawn.* testament. **3. Old/New T~** *Bibl.* Stary/Nowy Testament.

testamentary [ˌtestə'mentərɪ] *a.* **1.** *t. Bibl.* testamentowy. **2.** *prawn.* zapisany w testamencie.

testate ['testeɪt] *prawn. n.* testator/ka. – *a.* dotyczący testator-a/ki.

testator ['testeɪtər] *n. prawn.* testator.

testatrix [te'steɪtrɪks] *n. pl.* **testatrices** [te'steɪtrɪˌsiːz] *prawn.* testatorka.

test ban *n.* zakaz prób jądrowych.

test bed *n. techn.* stoisko do prób.

test card *n.* = **test pattern**.

test case *n. prawn.* precedens sądowy.

testcross [ˈtestˌkrɔ:s] *bot. n.* krzyżówka. – *v.* krzyżować.

test drive *n. mot.* jazda próbna.

test-drive [ˈtestˌdraɪv] *v. mot.* wypróbowywać (*samochód*), dokonywać jazdy próbnej (*samochodem*).

tester[1] [ˈtestər] *n.* **1.** *handl.* próbka (*perfum l. innego kosmetyku*). **2.** osoba testująca nowe produkty. **3.** rzeczoznawca przeprowadzający badanie. **4.** przyrząd do badań; przyrząd probierczy; próbnik. **5.** *kulin.* patyczek do sprawdzania, czy ciasto jest upieczone.

tester[2] *n.* baldachim (*nad łóżkiem l. amboną*).

tester[3] *n.* (*także* **teston**) *Br. hist., fin.* szyling Henryka VIII.

testes [ˈtesti:z] *n. pl. zob.* **testis**.

test flight *n. lotn.* lot próbny.

test glass *n. chem.* probówka.

testicle [ˈtestɪkl] *n. anat.* jądro.

testicular [teˈstɪkjələr] *a.* jądrowy.

testiculate [teˈstɪkjələt] *a. bot.* moszenkowaty, w kształcie bulwiastych worków (*o niektórych odmianach storczyków*).

testifier [ˈtestəˌfaɪər] *n.* świadek.

testify [ˈtestəˌfaɪ] *v.* **-ied, -ying 1.** *prawn.* zeznawać (*that* że); ~ **against sb** zeznawać przeciwko komuś; ~ **for sb** zeznawać po czyjejś stronie (*np. po stronie oskarżenia*); ~ **under oath** zeznawać pod przysięgą. **2.** *form.* świadczyć (*to sth* o czymś). **3.** zaświadczać, poświadczać (*to sth* coś). **4.** *zwł. US rel.* dawać świadectwo (wierze) (*opowiadając grupie współwyznawców o swoich przeżyciach religijnych*).

testily [ˈtestɪlɪ] *adv.* gniewnie, z irytacją (*w głosie*).

testimonial [ˌtestəˈmoʊnɪəl] *n.* **1.** referencje; rekomendacja, list polecający. **2.** zaświadczenie. **3.** dowód uznania. – *a. prawn.* **1.** dotyczący zeznań. **2.** dowodowy.

testimonial proof *n. prawn.* dowód uzyskany na podstawie zeznań świadka.

testimony [ˈtestəˌmoʊnɪ] *n. C/U pl.* **-ies 1.** *prawn.* zeznanie; **call sb in** ~ powołać kogoś na świadka; **contradictory/false** ~ sprzeczne/fałszywe zeznania; **expert** ~ opinia *l.* zeznanie biegłego sądowego *l.* rzeczoznawcy; **give** ~ składać zeznania, zeznawać; **hear** ~ wysłuchiwać zeznań; **refute sb's** ~ zaprzeczyć czyimś zeznaniom; **retract one's** ~ wycofać *l.* odwołać swoje zeznania; **sworn** ~ zeznanie złożone pod przysięgą, zaprzysiężone zeznanie; **take** ~ **from sb** odbierać od kogoś zeznania; spisywać czyjeś zeznania. **2.** *form.* świadectwo (*to / of sth* czegoś); **bear** ~ **to sth** świadczyć o czymś. **3.** *rel.* świadectwo wiary.

testiness [ˈtestɪnəs] *n. U* drażliwość.

testing [ˈtestɪŋ] *a.* trudny, stanowiący wyzwanie.

testing ground *n. wojsk. l. przen.* poligon doświadczalny.

testis [ˈtestɪs] *n. pl.* **testes** [ˈtesti:z] *anat.* jądro.

test marketing *n. U handl.* testowanie rynku.

test match *n. krykiet, rugby* mecz reprezentacji narodowych.

testosterone [teˈstɑ:stəˌroʊn] *n. U fizj.* testosteron.

test paper *n.* **1.** *uniw. szkoln.* arkusz egzaminacyjny, test; arkusz odpowiedzi. **2.** *chem.* papierek lakmusowy.

test pattern *n.* (*także Br.* **test card**) *telew.* plansza kontrolna.

test pilot *n. lotn.* oblatywacz.

test pit *n.* dół próbny (*do badań gruntu*).

test-screening [ˈtestˌskri:nɪŋ] *n. film* pokaz próbny.

test tube *n. chem.* probówka.

test-tube baby [ˌtestˌtu:b ˈbeɪbɪ] *n. pot.* dziecko z probówki.

testudinal [teˈstu:dənl] *a.* (*także* **testitudinary**) *form.* **1.** żółwi, żółwiowy. **2.** podobny do skorupy żółwia.

testy [ˈtestɪ] *a.* **-ier, -iest** drażliwy, krewki.

tetanic [teˈtænɪk] *a. pat.* **1.** tężcowy. **2.** *t. med.* wywołujący skurcze mięśni.

tetanus [ˈtetənəs] *n. U pat.* **1.** tężec. **2.** skurcz.

tetched [tetʃt] *a. US pot.* lekko pomylony *l.* stuknięty.

tetchily [ˈtetʃɪlɪ] *adv.* (*także* **techily**) popędliwie.

tetchiness [ˈtetʃɪnəs] *n. U* (*także* **techiness**) popędliwość.

tetchy [ˈtetʃɪ], **techy** *a.* **-ier, -iest** popędliwy, pobudliwy.

tête-à-tête [ˌteɪtəˈteɪt] *Fr. n.* tête-à-tête, rozmowa w cztery oczy. – *a. attr. i adv. tylko po v.* tête-à-tête, sam na sam, we dwoje.

tether [ˈteðər] *n.* **1.** postronek; łańcuch (*do pasania zwierząt*). **2. be at the end of one's** ~ *przen.* być u kresu wytrzymałości, gonić resztkami sił. – *v.* **1.** wiązać, pętać (*zwierzęta*). **2.** *przen.* ograniczać.

tethered [ˈteðərd] *a.* uwiązany, na uwięzi.

tetrabasic [ˌtetrəˈbeɪsɪk] *a. chem.* czterozasadowy.

tetrachloride [ˌtetrəˈklɔ:raɪd] *n. U chem.* czterochlorek.

tetrachloromethane [ˌtetrəˌklɔ:roʊˈmeθeɪn] *n. U chem.* czterochlorometan, czterochlorek węgla.

tetracid [tɪˈtræsɪd] *n. chem.* **1.** zasada mogąca tworzyć sól. **2.** alkohol z czterema grupami wodorotlenowymi.

tetracyclic [ˌtetrəˈsɪklɪk] *a. chem.* czteropierścieniowy.

tetracycline [ˌtetrəˈsaɪkli:n] *n. U med.* tetracyklina.

tetrad [ˈtetræd] *n.* **1.** *form.* czwórka. **2.** *biol.* tetrada (*powstająca podczas mejozy*). **3.** *chem.* pierwiastek czterowartościowy.

tetradactylous [ˌtetrəˈdæktɪləs] *a.* (*także Br.* **~dactyl**) *zool.* czteropalczasty.

tetradymite [teˈtrædəˌmaɪt] *n. U min.* tetradymit.

tetradynamous [ˌtetrəˈdaɪnəməs] *a. bot.* czterosilny (*o pręciku*).

tetraethyl lead [ˌtetrəˈeθl ˌled], **tetraethyllead** *n. U chem.* czteroetyloołów, czteroetylek ołowiu.

tetragon [ˈtetrəˌgɑːn] *n. geom.* czworokąt.
tetragonal [teˈtrægənl] *a. geom.* **1.** czworokątny. **2.** *krystal.* tetragonalny.
tetrahedral [ˌtetrəˈhiːdrəl] *adv. geom.* czworościenny.
tetrahedrite [ˌtetrəˈhiːdraɪt] *n. U min.* tatraedryt, ruda płowa.
tetrahedron [ˌtetrəˈhiːdrən] *n. pl.* **-s** *l.* **terahedra** [ˌtetrəˈhiːdrə] *geom.* czworościan.
tetrahydroxy [ˌtetrəhaɪˈdrɑːksɪ] *a. chem.* czterowodorowy.
tetralogy [teˈtrælədʒɪ] *n. pl.* **-ies** *teatr, muz.* tetralogia.
tetramerous [tɪˈtræmərəs] *a. form.* czterodzielny.
tetrameter [teˈtræmətər] *n. wers.* tetrametr.
tetrapetalous [ˌtetrəˈpetələs] *a. bot.* czteropłatkowy.
tetraphyllous [teˈtrɑːfələs] *a. bot.* czterolistny.
tetraploid [ˈtetrəˌplɔɪd] *n. biol.* tetraploida. – *a.* tetraploidalny.
tetrapod [ˈtetrəˌpɑːd] *n. zool.* czworonóg, zwierzę czteronożne.
tetrapterous [teˈtræptərəs] *n. ent.* czteroskrzydły.
tetrarch [ˈtetrɑːrk] *n. hist.* tetrarcha.
tetrarchy [ˈteˌtrɑːrkɪ] *n. pl.* **-ies** *hist.* tetrarchia.
tetraspores [ˈtetrəˌspɔːrz] *n. pl. bot.* tetrasporowce.
tetrastich [ˈtetrəˌstɪk] *n. wers.* czterowiersz.
tetrastichous [teˈtræstəkəs] *a. bot., zool.* czterorzędowy.
tetrasyllabic [ˌtetrəsɪˈlæbɪk] *a. wers., jęz.* czterozgłoskowy.
tetrathlon [teˈtræθlən] *n. sing. sport* czwórbój.
tetratomic [ˌtetrəˈtɑːmɪk] *a. chem.* czteroatomowy.
tetravalent [ˌtetrəˈveɪlənt] *a. chem.* czterowartościowy.
tetrode [ˈtetroʊd] *n. fiz.* tetroda, lampa czteroelektrodowa.
tetrose [ˈtetroʊz] *n. U chem.* tetroza.
tetroxide [teˈtrɑːksaɪd], **tetroxid** *n. chem.* czterotlenek.
tetryl [ˈtetrɪl] *n. U* tetryl (*materiał wybuchowy*).
tetter [ˈtetər] *n. U pat.* liszaj, łuszczyca (*popularna nazwa wielu chorób skóry*).
Teuton [ˈtuːtən] *n.* **1.** *hist.* Teuton/ka. **2.** *pot. l. żart.* German-in/ka (= *osoba niemieckojęzyczna, zwł. z Niemiec, Austrii l. Szwajcarii*). – *a. arch. jęz.* = **Germanic** *n.*
Teutonic [tʊˈtɑːnɪk] *a.* **1.** *hist.* teutoński. **2.** *pot. l. żart.* germański.
Teutonic Knights *n. pl. hist.* Krzyżacy.
Teutonic Order *n. hist.* Zakon Krzyżacki.
Teutonism [ˈtuːtəˌnɪzəm] *n. C/U* teutonizm, germanizm.
Teutonize [ˈtuːtəˌnaɪz], *Br. i Austr. zw.* **Teutonise** *v. form. l. żart.* germanizować (się).
Tex. *abbr.* = **Texas;** = **Texan.**
Texan [ˈteksən] *a.* teksański. – *n.* Teksańczyk/nka.
Texas [ˈteksəs] *n.* Teksas.
Texas fever *n. U wet.* zakaźna choroba bydła.
Texas Rangers *n. pl.* teksańska policja konna.
Tex-Mex [ˌteksˈmeks], **Tex-mex** *a. US pot.* teksańsko-meksykański (*np. o muzyce, kuchni*).
text [tekst] *n.* **1.** *U t. komp.* tekst. **2.** *szkoln.* = **textbook**. **3.** *Bibl.* czytanie, tekst biblijny. **4. set** ~ *szkoln., uniw.* lektura obowiązkowa (*do egzaminu*). – *a. attr. komp.* tekstowy.
textbook [ˈtekstˌbʊk] *n. szkoln.* podręcznik. – *a. attr.* podręcznikowy (*t. przen.* = *typowy, klasyczny*); ~ **example/case** *przen.* podręcznikowy przykład/przypadek.
text editor *n. komp.* edytor tekstu.
text file *n. komp.* plik tekstowy.
textile [ˈtekstl] *n.* **1.** tkanina. **2.** włókno. – *a.* **1.** włókienniczy, tkacki. **2.** tekstylny.
textile industry *n. U* przemysł włókienniczy *l.* tekstylny.
textiles [ˈtekstlz] *n. pl.* **1.** tekstylia, wyroby włókiennicze. **2.** włókiennictwo, przemysł włókienniczy *l.* tekstylny.
text processing *n. U komp.* obróbka tekstu.
textual [ˈtekstʃʊəl] *a.* tekstowy.
textual analysis *n. C/U* analiza tekstu.
textual criticism *n. U* **1.** filologiczna analiza tekstu. **2.** krytyka literacka opierająca się głównie na tekście.
textualist [ˈtekstʃʊəlɪst] *n.* **1.** osoba ściśle trzymająca się tekstu. **2.** *Bibl.* uczony w Piśmie.
textural [ˈtekstʃərəl] *a.* strukturalny.
texture [ˈtekstʃər] *n. C/U* **1.** faktura (*np. tkaniny, papieru; t. przen. utworu literackiego*). **2.** struktura (*np. gleby*); *geol.* tekstura (*skały*).
textured [ˈtekstʃərd] *a.* **1.** chropowaty; wypukły (*np. o wzorze tkaniny*); tłoczony, wytłaczany (*np. o tapecie*); *w złoż.* **coarse/smooth-**~ o chropowatej/gładkiej fakturze. **2.** *biol.* upostaciowany.
textured vegetable protein *n. U* białko roślinne upostaciowane (*stosowane zamiast mięsa*).
TG [ˌtiː ˈdʒiː] *abbr.* = **transformational grammar**.
TGIF [ˌtiː ˌdʒiː ˌaɪ ˈef], **T.G.I.F.** *abbr. pot.* = **Thank God It's Friday**; *zob.* **thank** *v.*
Th. *abbr.* **1.** *Bibl.* = **Thessalonians**. **2.** = **Thursday**.
Thai [taɪ] *n.* **1.** *pl.* **-s** *l.* **Thai** Tajland-czyk/ka. **2.** *U* (język) tajski. – *a.* **1.** tajlandzki. **2.** tajski.
thalamus [ˈθæləməs] *n. pl.* **thalami** [ˈθæləmaɪ] *anat.* wzgórze wzrokowe.
thalassemia [ˌtæləˈsiːmɪə], **thalassaemia** *n. U pat.* talasemia.
thalassic [θəˈlæsɪk] *a. biol. l. poet.* morski.
thalassography [ˌθæləˈsɑːgrəfɪ] *n. U* oceanografia.
thalassophobia [θəˌlæsəˈfoʊbɪə] *n. U pat.* lęk przed morzem.
thalassotherapy [θəˌlæsəˈθerəpɪ] *n. U med.* leczenie klimatem morskim.
thaler [ˈtɑːlər], **taler** *n. pl.* **-s** *l.* **thaler** *hist.* talar.
thalidomide [θəˈlɪdəˌmaɪd] *n. U med.* talidomid.
thallium [ˈθælɪəm] *n. U chem.* tal.
thallous [ˈθæləs] *a.* (*także* **thallic**) *chem.* talowy.
thallus [ˈθæləs] *n. pl.* **-es** *l.* **thalli** [ˈθælaɪ] *bot.* strzępka.

thalweg [ˈtɑːlveg], **talweg** *n. geol.* talweg, linia rzeki.

Thames [temz] *n.* **the ~** *geogr.* Tamiza.

than [ðæn; ðən] *conj.* niż; **he came later ~ I did** przyszedł później niż ja *l.* ode mnie; **I'd rather/sooner walk ~ go by taxi** wolę się przejść niż jechać taksówką; **no sooner/hardly/scarcely had sb done sth ~...** jak tylko ktoś coś zrobił, to (natychmiast)...; **other ~** *pot.* jak tylko, niż; **I was left with no option other ~ to resign** nie miałem innego wyjścia jak tylko zrezygnować; **sooner ~ you think** wcześniej niż myślisz. – *prep.* niż; od; **less/more ~...** mniej/więcej niż...; **more expensive/cheaper ~ sth** droższy/tańszy od czegoś *l.* niż coś; **he is older ~ I/me** jest starszy niż ja *l.* ode mnie; **it's more ~ likely** to więcej niż prawdopodobne; **it won't last longer ~ an hour** to nie potrwa dłużej niż godzinę; **more ~ once** nie raz, niejeden raz; **no/none other ~ X** *zob.* **other pron.**

thanage [ˈθeɪnɪdʒ] *n. U hist.* **1.** ranga lennika królewskiego. **2.** lenno.

thanatology [ˌθænəˈtɑːlədʒɪ] *n. U* tanatologia.

thanatophobia [ˌθænətəˈfoʊbɪə] *n. U psych.* tanatofobia.

Thanatos [ˈθænəˌtɑːs] *n. mit.* Tanatos.

thane [θeɪn], **thegn** *n. Br. hist.* **1.** lennik królewski (*w czasach anglosaskich*). **2.** wódz szkocki.

thank [θæŋk] *v.* dziękować (*sb for sth* komuś za coś, *sb for doing sth* komuś, że coś zrobił *l.* za zrobienie czegoś); **~ God/goodness/heavens** Bogu dzięki, dzięki Bogu; **~ God it's Friday** (*także* **TGIF**) *pot.* dzięki Bogu już piątek; **~ you very much (indeed)** dziękuję bardzo; **have sb to ~ for sth** być komuś wdzięcznym za coś; **he has only himself to ~ for that** *iron.* sam sobie może za to podziękować (= *sam jest sobie winien*); **I'll ~ you to leave me alone** *form.* będę wdzięczny, jeśli zostawisz mnie w spokoju; **you should ~ your lucky stars that...** powinieneś dziękować *l.* być wdzięczny losowi, że...; **you'll ~ me** *pot.* jeszcze mi podziękujesz.

thankful [ˈθæŋkfʊl] *a. pred.* wdzięczny (*for sth* za coś).

thankfully [ˈθæŋkfʊlɪ] *adv.* **1.** z wdzięcznością. **2.** na szczęście, dzięki Bogu.

thankfulness [ˈθæŋkfʊlnəs] *n. U* wdzięczność.

thankless [ˈθæŋkləs] *a.* niewdzięczny (*t. o zadaniu*).

thanklessly [ˈθæŋkləslɪ] *adv.* niewdzięcznie.

thanklessness [ˈθæŋkləsnəs] *n. U* niewdzięczność.

thank offering *n.* **1.** dowód wdzięczności. **2.** *rel.* ofiara dziękczynna.

thanks [θæŋks] *n. pl.* **1.** podziękowanie, podziękowania; **give ~ to sb** składać komuś podziękowania; dziękować komuś (*t. Bogu*); **without a word of ~** bez słowa podziękowania. **2.** *form.* wdzięczność (*of sb* czyjaś *l.* z czyjejś strony). **3.** **~ to sb/sth** dzięki komuś/czemuś; **no ~ to you** *pot.* nie dzięki tobie (= *mimo że nie pomogłeś*). – *int.* dziękuję, dzięki (*for sth* za coś); **~ a lot** (*także* **many ~**) *pot.* wielkie *l.* stokrotne dzięki; (*także* **~ a bunch**) (*także* **~ for nothing**) *iron.* dziękuję bardzo!; **~ for asking** dziękuję, że zapytałeś; **fine ~** dziękuję, dobrze (*odpowiadając na pytanie o samopoczucie*); **no ~** nie, dziękuję (*odmawiając poczęstunku itp.*).

Thanksgiving [ˌθæŋksˈgɪvɪŋ] *n. U* (*także* **~ Day**) Święto Dziękczynienia (*US = czwarty czwartek listopada; Can. = drugi poniedziałek października*).

thanksgiving [ˌθæŋksˈgɪvɪŋ] *n.* **1.** *U* dziękczynienie. **2.** *Bibl.* ofiara dziękczynna.

thank-you [ˈθæŋkˌjuː] *n.* podziękowanie, wyraz wdzięczności (*t. w formie upominku*). – *a. attr.* **~ letter/note** liścik z podziękowaniami.

thar [tɑːr] *n. zool.* antylopa nepalska (*Capricornis bubalina l. Nemorhaedus bubalina*).

that [ðæt; ðət] *a.* **1.** tamten; tamta; tamto; **~ one over there** tamten/tamta/tamto; ten/ta/to tam. **2.** ten; ta; to; **~ boy/girl/child** ten chłopiec/ta dziewczyna/to dziecko; **~ friend of yours** ten twój przyjaciel; **~ one** ten/ta/to; tamten/tamta/tamto. – *pron.* **1.** *pl.* **those** ten; ta; to; **~ is (to say)** to znaczy; **is ~ you?** czy to ty?; **who told you ~?** kto ci to powiedział?; **who's ~?** kto to (jest)?. **2.** który; **the books ~ he wrote** książki, które napisał; **the girl ~ I told you about** dziewczyna, o której ci mówiłem. **3.** jaki; **she's the most fascinating person ~ I've ever met** to najbardziej fascynująca osoba, jaką kiedykolwiek spotkałem. **4.** co; **all ~ we have** wszystko, co mamy. **5.** kiedy, gdy; **the day ~ they left** tego dnia, kiedy *l.* gdy wyjechali, w dniu, kiedy wyjechali. **6.** **~'s a good boy/girl!** zuch chłopak/dziewczyna!; **~'s all there is to it** *pot.* i to wszystko, i tyle; **~'s it** (*także* **~'s ~**) *pot.* na tym koniec; **~'s life** takie jest życie; **~'s manners/justice ~ you!** *pot. iron.* oto jak wygląda dobre wychowanie/sprawiedliwość!; **~'s why** to dlatego; oto dlaczego; **and (all) ~** *Br.* i inne takie; **at ~** na dodatek, w dodatku; **with ~** po czym. – *conj.* **1.** że, iż; **I said that...** powiedziałem, że...; **now ~...** skoro...; **the house is so big ~ ...** dom jest tak(i) duży, że... **2.** *lit., emf.* gdyby; **oh, ~ I could be there** o, gdybym (tylko) mógł tam być. – *adv.* (aż) tak; do tego stopnia; **don't shout like ~** nie krzycz tak; **I didn't know he was ~ ill** nie wiedziałam, że jest (aż) tak chory; **not all ~ much** nie tak znowu dużo; **the book isn't all ~ good** ta książka wcale nie jest taka dobra; **10 times ~ many** 10 razy tyle.

thatch [θætʃ] *n. U* **1.** (*także* **~ing**) strzecha. **2.** czupryna. – *v.* pokrywać strzechą.

thatched [θætʃt] *a.* kryty strzechą.

thatching [ˈθætʃɪŋ] *n. U* **1.** krycie strzechą (*rzemiosło*). **2.** = **thatch** 1.

thaumatology [ˌθɔːməˈtɑːlədʒɪ] *n. U* nauka o cudach.

thaumaturge [ˌθɔːməˈtɝːdʒ] *n.* (*także* **~ist**) *form.* cudotwór-ca/czyni.

thaumaturgic [ˌθɔːməˈtɝːdʒɪk], **thaumaturgical** [ˌθɔːməˈtɝːdʒɪkl] *a. form.* cudotwórczy, magiczny.

thaumaturgy [ˈθɔːməˌtɝːdʒɪ] *n. U form.* taumaturgia, moc czynienia cudów.

thaw [θɔː] *v.* **1.** **~ (out)** topić się, tajać; **it's ~ing** (*także* **it ~s**) jest odwilż. **2.** **~ (out)** *kulin.* rozmrażać (się). **3.** *przen.* ocieplać się (*o stosunkach*). **4.** *przen.* rozkrochmalić się. – *n. t. przen.* odwilż, ocieplenie.

the [ðɪ; ðə] *def. art.* **1.** (*przed rzeczownikiem określonym*) ~ **door on** ~ **right** drzwi po prawej (stronie); ~ **man I was talking to** mężczyzna, z którym rozmawiałem; ~ **sun is shining** świeci słońce; **I went to** ~ **post office** poszedłem na pocztę; **she is** ~ **best student** jest najlepszą studentką; **this is** ~ **place** *emf.* to (jest) właśnie to miejsce; **we've just crossed** ~ **equator** właśnie przekroczyliśmy równik. **2.** (*przed rzeczownikiem w znaczeniu ogólnym*) ~ **whale is on the brink of extinction** wielorybom grozi wyginięcie; **she plays** ~ **piano** gra na pianinie. **3.** (*przed przymiotnikiem oznaczającym grupę osób*) ~ **deaf/blind** głusi/niewidomi; ~ **British/Japanese** Brytyjczycy/Japończycy. **4.** (*przed niektórymi nazwami własnymi*) ~ **Alps** Alpy; ~ **Atlantic** Atlantyk; ~ **Hague** Haga; ~ **Middle East** Bliski Wschód; ~ **Mississippi** Missisipi (*rzeka*); ~ **National Gallery** Galeria Narodowa; ~ **Philadelphia Orchestra** Orkiestra Filadelfijska; ~ **Rolling Stones** Rolling Stonesi; ~ **South Pole** biegun południowy; ~ **United States** Stany Zjednoczone; ~ **Washington Post** Washington Post (*gazeta*). **5.** (*przed tytułami*) ~ **Duchess of York** księżna Yorku; ~ **King of Spain** król Hiszpanii; ~ **President of** ~ **United States** prezydent Stanów Zjednoczonych; **Richard** ~ **Lionheart** Ryszard Lwie Serce. **6.** (*przed nazwiskiem określającym całą rodzinę*) ~ **Bushes** Bushowie, państwo Bush, rodzina Bushów. **7.** (*przed nazwami części ciała*) **pains in** ~ **chest** bóle w klatce piersiowej; **take sb by** ~ **arm** wziąć kogoś pod rękę. **8.** (*przed nazwami niektórych chorób*) ~ **flu/measles** grypa/odra. **9.** (*przy podawaniu dat i okresów*) **in** ~ **1980s** w latach 80.; **Monday** ~ **first of June** poniedziałek 1 czerwca. **10.** [ðiː] *emf.* ten (prawdziwy); **this can't be** ~ **Pavarotti!** to nie może być ten (prawdziwy) Pavarotti! **11.** (*w zwrotach wyrażających gniew, irytację itp.*) **for** ~ **love of God** na miłość boską; **what** ~ **hell** co u diabła. **12.** jeden (*zwykle nie tłumaczy się*); **I was paid by** ~ **hour** płacono mi od godziny. – *adv.* **1.** *z sup.* **who do you like** ~ **best?** kogo lubisz najbardziej? **2.** *z comp.* ~ **sooner** ~ **better** im wcześniej, tym lepiej; **none** ~ **better/worse** wcale/bynajmniej nie lepiej/gorzej; **be none** ~ **better/worse for sth** nic nie zyskać/nie stracić na czymś; **I'm still none** ~ **wiser** nadal nic nie rozumiem.

theat. *abbr.* = **theater**; = **theatrical.**

theater [ˈθiːətər], *Br.* **theatre** *n.* **1.** teatr (*budynek*); *U* (*także* **the** ~) teatr (*dziedzina sztuki*). **2.** *t. przen.* widownia. **3.** (*także* **lecture** ~) sala wykładowa. **4.** (*także* **operating** ~) sala operacyjna. **5.** (*także* **movie** ~) *US, Can. i Austr.* kino (*budynek*). **6.** *gł. wojsk.* teren działań.

theatergoer [ˈθiːətərˌgouər], *Br.* **theatregoer** *n.* teatroman/ka.

theater-in-the-round [ˌθiːətərɪnðəˈraund], *Br.* **theatre-in-the-round** *n.* teatr, w którym widzowie siedzą dookoła sceny.

theater of operations, *Br.* **theatre of operations** *n.* (*także* **theater of war**) *wojsk.* teatr działań wojennych, teatr operacyjny.

theater of the absurd *n. U teor. lit.* teatr absurdu.

theater weapons *n. pl. wojsk.* broń krótkiego zasięgu *l.* rażenia.

theatrical [θɪˈætrɪkl] *a. t. przen.* teatralny. – *n.* aktor/ka teatraln-y/a.

theatricality [θɪˌætrɪˈkælətɪ] *n. U* (*także* ~**ness**) teatralność.

theatrically [θɪˈætrɪklɪ] *adv.* teatralnie.

theatricals [θɪˈætrɪklz] *n. pl.* (*także* **theatrics**) **1.** przedstawienia teatralne (*zw. amatorskie*). **2.** *przen.* teatralne gesty.

thebaine [ˈθiːbəˌiːn] *n. U chem.* tebaina, paramorfina.

Theban [ˈθiːbən] *hist. a.* tebański. – *n.* Tebańczyk/nka.

Thebes [θiːbz] *n. hist.* Teby.

theca [ˈθiːkə] *n. pl.* **thecae** [ˈθiːsiː] *ent., bot.* osłonka.

thecodont [ˈθiːkəˌdɑːnt] *a. zool.* posiadający zęby osadzone w zębodole. – *n. zool., paleont.* tekodont.

thee [ðiː] *pron.* **1.** *arch.* ciebie, cię. **2.** *rel.* ty (*u kwakrów*).

theft [θeft] *n. C / U* kradzież.

thegn [θeɪn] *n.* = **thane.**

theine [ˈθiːiːn] *n. U* teina.

their [ðer; ðər] *a.* **1.** ich; ~ **house/car** ich dom/samochód. **2.** swój; **they spent** ~ **last holidays together** ostatnie swoje wakacje spędzili razem; **everyone should have** ~ **own book** każdy powinien mieć (swoją) własną książkę.

theirs [ðerz] *pron.* ich; **a friend of** ~ ich przyjaciel; **this is** ~ to jest ich.

theism [ˈθiːˌɪzəm] *n. U fil.* teizm.

theist [ˈθiːɪst] *n.* teist-a/ka.

theistic [ˌθiːˈɪstɪk] *a.* teistyczny.

them [ðem; ðəm] *pron. pl.* **1.** ich, nich; je, nie; im; nimi; **a few of** ~ kilka z nich; **don't tell** ~ nie mów im; **I haven't seen** ~ **since Monday** nie widziałem ich od poniedziałku; **with** ~ z nimi. **2.** oni; **it's** ~ to oni. **3.** go; mu; nim; **if anyone should call, thell** ~ **I'm out** gdyby ktoś dzwonił, powiedz (mu), że mnie nie ma; **when a new customer arrives, we ask** ~ **to fill a form** gdy przychodzi nowy klient, prosimy go o wypełnienie formularza. – *a. nonstandard* te; ci; **give me** ~ **keys** daj mi te klucze.

thematic [θɪˈmætɪk] *a.* **1.** *t. gram.* tematyczny. **2.** tematowy.

thematically [θɪˈmætɪklɪ] *adv.* tematycznie, według tematu *l.* tematów (*np. ułożony*).

theme [θiːm] *n.* **1.** *t. muz., gram.* temat; **variations on the same** ~ (*także* **variations on a** ~) wariacje na (ten sam) temat. **2.** myśl przewodnia, motyw przewodni. **3.** *gł. US szkoln.* wypracowanie.

theme park *n.* park rozrywki (*poświęcony konkretnemu tematowi, epoce itp.*).

theme song *n.* (*także* **theme tune**) melodia przewodnia, motyw przewodni.

Themis ['θemɪs] *n. mit.* Temida.

themselves [ðəm'selvz] *pron. pl.* **1.** siebie; sobie; sobą; **in ~** same w sobie; **they bought ~ a new house** kupili sobie nowy dom. **2.** się; **they enjoyed ~** dobrze się bawili. **3.** *emf.* sami; same; **(all) by ~** (zupełnie) sami; (całkowicie) samodzielnie; **they are actors ~** sami są aktorami; **they said so ~** sami tak powiedzieli.

then [ðen] *adv.* **1.** wtedy, wówczas. **2.** potem, następnie. **3.** w takim razie; więc, zatem; **what shall I do ~?** co w takim razie mam zrobić?. **4.** poza tym, w dodatku; **and ~ there's the shopping to do** a poza tym trzeba jeszcze zrobić zakupy. **5. ~ and only ~** wtedy i tylko wtedy; **~ and there** (*także* **there and ~**) z miejsca, od razu; **and ~ some** *zwł. US* i jeszcze *l.* wiele więcej; **and ~ what?** i co wtedy *l.* potem?; **back ~** dawno temu; **but ~ (again)** *zob.* **but**[1] *conj.*; **(every) now and ~** *zob.* **now**; **just ~** właśnie wtedy; **right/now ~** a więc, a zatem; no dobrze. – *conj.* to; **if you want to leave ~ leave** jeśli chcesz wyjść, to wychodź. – *a. attr.* ówczesny; **the ~ governor/senator** ówczesny gubernator/senator. – *n.* tamten czas, tamta pora; **before ~** przedtem; **by/until ~** dotąd, do tej pory; **from ~ on** (*także* **since ~**) od tego czasu, od tej pory *l.* chwili.

thenar ['θi:na:r] *anat. n.* **1.** dłoń. **2.** kłąb kciuka. – *a.* kłębowy.

thence [ðens] *adv. form.* **1.** stąd, skutkiem tego. **2.** stamtąd.

thenceforth [ˌðens'fɔ:rθ] *adv.* (*także* **~forward**) *form.* odtąd, od tego miejsca.

theobromine [θi:ə'broumi:n] *n. U chem.* teobromina.

theocentric [ˌθi:ə'sentrɪk], **theocentrical** [ˌθi:ə'sentrɪkl] *a.* teocentryczny.

theocentrism [ˌθi:ə'sentˌrɪzəm] *n. U* teocentryzm.

theocracy [θɪ'a:krəsɪ] *n. C/U pl.* **-ies** *polit.* teokracja.

theocrasy [θɪ'a:krəsɪ] *n. U* **1.** synkretyzm religijny. **2.** *mistycyzm* zespolenie się duszy z Bogiem.

theocrat ['θɪəˌkræt] *n.* teokrat-a/ka.

theocratic [ˌθi:ə'krætɪk] *a.* teokratyczny.

theocratically [θi:ə'krætɪklɪ] *adv.* teokratycznie.

Theocritus [θɪ'a:krɪtəs] *n. hist.* Teokryt.

theodicy [θɪ'a:dɪsɪ] *n. pl.* **-ies** *fil., rel.* teodycea.

theodolite [θɪ'a:dˌlaɪt] *n. opt.* teodolit.

theogonic [ˌθi:ə'ga:nɪk] *a. mit.* teogoniczny.

theogony [θɪ'a:gənɪ] *n. pl.* **-ies** *mit.* teogonia.

theol. *abbr.* = **theologian**; = **theological**; = **theology**.

theologian [θi:ə'loudʒɪən] *n.* teolo-g/żka.

theological [ˌθi:ə'la:dʒɪkl] *a.* (*także* **theologic**) teologiczny.

theologically [ˌθi:ə'la:dʒɪklɪ] *adv.* teologicznie.

theological seminary *n. pl.* **-ies** (*także Br.* **theological college**) seminarium duchowne.

theology [θɪ'a:lədʒɪ] *n. U* teologia.

theomachy [θɪ'a:məkɪ] *n. pl.* **-ies** *mit.* **1.** walka z bóstwem. **2.** walka bogów.

theophany [θɪ'a:fənɪ] *n. pl.* **-ies** *rel.* teofania.

theophobia [ˌθi:ə'foubɪə] *n. U pat.* lęk przed bóstwem.

theophylline [ˌθi:ə'fɪli:n] *n. U chem.* teofilina.

theorbo [θɪ'ɔ:rbou] *n. pl.* **-s** *muz.* teorban.

theorem ['θi:ərəm] *n. fil., mat.* teoremat, twierdzenie.

theoretical [θi:ə'retɪkl] *a.* (*także* **theoretic**) teoretyczny.

theoretically [θi:ə'retɪklɪ] *adv.* teoretycznie.

theoretician [ˌθi:ərə'tɪʃən] *n.* teorety-k/czka (*w odróżnieniu od praktyka*).

theorist ['θi:ərɪst] *n.* teorety-k/czka (*np. danej gałęzi wiedzy*).

theorize ['θi:əraɪz], *Br. i Austr. zw.* **theorise** *v.* teoretyzować.

theorizer ['θi:əraɪzər] *n.* teorety-k/czka (*w odróżnieniu od praktyka*), osoba teoretyzująca.

theory ['θi:ərɪ] *n. C/U pl.* **-ies** teoria; **~ of relativity** (*także* **relativity ~**) *fiz.* teoria względności; **in ~** w teorii, teoretycznie.

theory of games *n.* = **game theory**.

theos. *abbr.* = **theosophical**; = **theosophy**.

theosophic [θi:ə'sa:fɪk], **theosophical** [θi:ə'sa:fɪkl] *a. fil.* teozoficzny.

theosophist [θɪ'a:səfɪst] *n.* teozof/ka.

theosophy [θɪ'a:səfɪ] *n. U* teozofia.

therap., therapeut. *abbr.* = **therapeutic**; = **therapeutics**.

therapeutic [ˌθerə'pju:tɪk], **therapeutical** *a. med.* leczniczy; *t. przen.* terapeutyczny, działający terapeutycznie (*np. o spacerze, rozrywce*).

therapeutically [ˌθerə'pju:tɪklɪ] *adv. med.* leczniczo; *t. przen.* terapeutycznie.

therapeutic dose *n. med.* dawka lecznicza.

therapeutic index *n. med.* wskaźnik skuteczności leku.

therapeutics [ˌθerə'pju:tɪks] *n. U* lecznictwo, terapeutyka.

therapeutist [ˌθerə'pju:tɪst] *n.* terapeut-a/ka.

therapist ['θerəpɪst] *n. psych.* psychoterapeut-a/ka, terapeut-a/ka.

therapy ['θerəpɪ] *n. C/U pl.* **-ies** **1.** *med.* terapia; leczenie; **physical ~** fizykoterapia, fizjoterapia. **2.** *psych.* psychoterapia, psychoanaliza; **be in ~** chodzić na psychoterapię.

there [ðer] *adv.* **1.** tam; **~ and back** tam i z powrotem; **are you ~?** jesteś tam?, halo?; **over ~** tam; **they weren't ~** nie było ich tam. **2.** wtedy; **and she stopped ~** i wtedy się zatrzymała. **3. ~ and then** (*także* **then and ~**) od razu, z miejsca; **~ it is, you see** i w tym (cały) kłopot; **~ or thereabouts** coś koło tego; **~ she is!** oto i ona!; **~ you are** a widzisz?, a nie mówiłem?; (*także pot.* **~ you go**) proszę (bardzo) (*podając coś*); tak to już (w życiu) jest *l.* bywa (*pocieszając*); **~ you/they go again!** i znowu się zaczyna!, i znowu to samo!; **be not all ~** *pot.* być trochę pomylonym, mieć nie wszystko po kolei (w głowie); **get ~** dotrzeć na miejsce; *przen.* odnieść sukces; **I finally got ~** w końcu mi się udało; **I don't agree with you ~** w tym względzie się z tobą nie zgadzam; **I have you ~** tu cię mam, złapałem cię (*na błędzie, niekonsekwencji*); **I've been ~ before** *przen.* znam to z własnego doświadczenia; **she's always ~ for me**

zawsze jest, kiedy jej potrzebuję; **so ~!** i tyle!, i już! (*zwł. odmawiając komuś*). – *pron.* **~ is/are...** jest/są...; **~ is no hope** nie ma nadziei; **~'s a good boy/dog!** zuch chłopak/dobry piesek! (*chwaląc*); **~ once lived three sisters** były (raz) sobie trzy siostry; **~ remains the possibility that...** *form.* pozostaje jeszcze możliwość, że...; **~ seems to be/have been...** zdaje się, że jest/było...; **~ was nothing there** niczego tam nie było. – *int.* a widzisz! (*triumfująco*); **~, ~!** no już dobrze (*uspokajająco*); **~! it's done!** no! zrobione!; **~! what did I tell you?** a co? nie mówiłem ci?. – *n. U* tamto miejsce; **by ~** tamtędy; **from ~** stamtąd.

thereabout [ˈðerəˌbaʊt], *zwł. Br.* **thereabouts** [ˈðerəˌbaʊts] *adv.* **1.** w pobliżu, gdzieś tam, w okolicy. **2. (or) ~** (czy) coś koło tego.

thereafter [ˌðerˈæftər] *adv. form.* **1.** potem; **shortly ~** wkrótce *l.* krótko potem. **2.** od tego czasu *l.* momentu; **~, there were three similar incidents** od tego czasu miały miejsce trzy podobne zajścia.

thereat [ˌðerˈæt] *adv. arch.* **1.** tam. **2.** wtedy. **3.** dlatego.

thereby [ˌðerˈbaɪ] *adv. form.* **1.** tym samym, w ten sposób, przez to. **2.** w związku z tym. **3. ~ hangs a tale** to dopiero początek; **come ~** *prawn.* wejść w posiadanie tego.

therefor [ðerˈfɔːr] *adv. arch.* do tego, w tym celu, dlatego.

therefore [ˈðerˌfɔːr] *adv. form.* dlatego też, zatem.

therefrom [ˌðerˈfrʌm] *adv. arch.* stąd.

therein [ˌðerˈɪn] *adv. form.* **1.** w tym; **~ lies the cause/problem** w tym tkwi przyczyna/(cały) problem. **2.** *zwł. prawn.* tamże, w niniejszym.

therein after *adv. zwł. prawn.* poniżej.

therein before *adv. zwł. prawn.* powyżej.

thereinto [ˌðerˈɪntuː] *adv. arch.* tam.

thereof [ˌðerˈʌv] *adv. form.* **1.** tegoż. **2.** z tegoż.

thereon [ˌðerˈɑːn] *adv. form.* na tym.

thereout [ˌðerˈaʊt] *adv. arch.* stąd.

therethrough [ðerˈθruː] *adv. arch.* przez to.

thereto [ðerˈtuː] *adv. arch.* do tego.

theretofore [ˌðertəˈfɔːr] *adv. form.* dotąd.

thereunder [ˌðerˈʌndər] *adv.* **1.** *zwł. prawn.* poniżej, od tego miejsca w dół. **2.** *arch.* pod tym. **3.** *arch.* zgodnie z tym.

thereunto [ðerˈʌntʊ] *adv. arch.* do tego.

thereupon [ˈðerəˌpɑːn] *adv.* **1.** *form.* następnie. **2.** *arch.* wtedy, w następstwie tego. **3.** *arch.* na to.

therewith [ˌðerˈwɪð] *adv.* (*także* **therewithal**) **1.** *form. l. prawn.* ponadto. **2.** po czym.

theriac [ˈθiːrɪˌæk] *n. U arch.* driakiew, antidotum (*zwł. na ukąszenia węża*).

theriomorphic [ˌθiːrɪəˈmɔːrfɪk] *a. form.* teriomorficzny, przypominający zwierzę, zwierzęcy.

therm [θɝːm], **therme** *n. fiz.* **1.** jednostka ilości ciepła (= *100 000 brytyjskich jednostek cieplnych*). **2.** mała kaloria. **3.** duża kaloria. **4.** 1000 dużych kalorii.

therm. *abbr.* = **thermometer.**

thermae [ˈθɝːmiː] *n. pl.* termy.

thermal [ˈθɝːml] *a. attr.* **1.** (*także* **thermic**) cieplny. **2.** ocieplany, ciepły (*o odzieży*). **3.** termiczny. – *n. meteor.* prąd termiczny.

thermal barrier *n. lotn.* bariera cieplna.

thermal capacity *n. U fiz.* pojemność cieplna.

thermal conductivity *n. U fiz.* przewodnictwo cieplne.

thermal diffusivity *n. U fiz.* przewodność temperaturowa, dyfuzyjność cieplna.

thermal efficiency *n. U* sprawność cieplna.

thermal energy *n. U* energia cieplna.

thermal imaging *n. U* sporządzanie termogramu.

thermally [ˈθɝːmlɪ] *adv.* **1.** cieplnie. **2.** termicznie.

thermal neutron *n. fiz.* neutron termiczny.

thermal noise *n. U el.* szumy termiczne *l.* Johnsona.

thermal paper *n. U* papier termiczny.

thermal pollution *n. U ekol.* zanieczyszczenie środowiska gorącymi ściekami.

thermal printer *n. komp.* drukarka termiczna.

thermal reactor *n.* **1.** reaktor termiczny. **2.** *chem.* reaktor ogrzewany.

thermals [ˈθɝːmlz] *n. pl.* odzież ocieplana.

thermal shock *n. U techn.* wstrząs *l.* szok termiczny (*w tworzywie*).

thermal spring *n.* terma, źródło termalne, cieplica.

thermal underwear *n. U* ciepła bielizna.

therme [θɝːm] *n.* = **therm.**

thermesthesia [ˌθɝːmɪsˈθiːʒə], **thermaesthesia** *n. U pat.* czucie ciepła, wrażliwość na zmiany temperatury.

thermic [ˈθɝːmɪk] *a.* = **thermal** 1.

thermion [ˈθɝːmɪən] *n. fiz.* termojon.

thermionic [ˌθɝːmɪˈɑːnɪk] *a. fiz.* termoelektronowy.

thermionic current *n. fiz.* prąd termoelektronowy.

thermionic emission *n. U fiz.* emisja termoelektronowa, termoemisja.

thermionics [ˌθɝːmɪˈɑːnɪks] *n. U* termoelektronika.

thermionic tube *n.* (*także Br.* **thermionic valve**) *fiz.* lampa elektronowa z termokatodą.

thermistor [θɝːˈmɪstər] *n.* termistor.

thermit [ˈθɝːmət], **thermite** [ˈθɝːmaɪt] *n. U chem.* termit.

thermobarometer [ˌθɝːməbəˈrɑːmətər] *n.* hipsotermometr; termobarometr.

thermocautery [ˌθɝːməˈkɔːtərɪ] *n. U* termokauteryzacja, przyżeganie żegadłem.

thermochemistry [ˌθɝːməˈkemɪstrɪ] *n. U* termochemia.

thermocline [ˈθɝːməˌklaɪn] *n. geol., fiz.* metalimnion, termoklina.

thermocouple [ˈθɝːməˌkʌpl] *n.* termoogniwo, termopara, ogniwo termoelektryczne.

thermoduric [ˌθɝːməˈdʊrɪk] *a.* wytrzymujący temperaturę pasteryzacji, odporny na wysokie temperatury (*np. o bakteriach*).

thermodynamic [ˌθɝːmədaɪˈnæmɪk] *a.* termodynamiczny.

thermodynamics [ˌθɜːmədaɪˈnæmɪks] *n. U* termodynamika.

thermoelectric [ˌθɜːməɪˈlektrɪk] *a.* termoelektryczny.

thermoelectricity [ˌθɜːməɪlekˈtrɪsɪtɪ] *n. U* termoelektryczność.

thermoelectron [ˌθɜːmərˈlektrɑːn] *n. fiz.* termoelektron, termojon ujemny.

thermoforming [ˌθɜːməˈfɔːrmɪŋ] *n. U* kształtowanie termiczne.

thermogenesis [ˌθɜːməˈdʒenəsɪs] *n. U biol.* termogeneza, wytwarzanie ciepła.

thermogram [ˈθɜːməˌgræm] *n. fiz., med.* termogram, zapis temperatury.

thermograph [ˈθɜːməˌgræf] *n. fiz., med.* termograf, termometr piszący.

thermography [θərˈmɑːgrəfɪ] *n. U* **1.** *fiz.* termografia, termokopiowanie. **2.** *med.* termografia, wykonywanie mapy temperatury ciała.

thermojunction [ˌθɜːməˈdʒʌŋkʃən] *n. techn.* spoina termoelementu.

thermolabile [ˌθɜːməˈleɪbaɪl] *a.* termicznie nietrwały.

thermolysis [θərˈmɑːləsɪs] *n. U chem.* termoliza, piroliza.

thermomagnetic [ˌθɜːməmægˈnetɪk] *a.* termomagnetyczny.

thermometer [θərˈmɑːmətər] *n.* termometr.

thermometry [θərˈmɑːmətrɪ] *n. U* termometria.

thermonasty [ˈθɜːməˌnsætɪ] *n. U bot.* termonastia (= *ruch organów roślinnych pod wpływem temperatury*).

thermonuclear [ˌθɜːməˈnuːklɪər] *a.* termonuklearny, termojądrowy.

thermophile [ˈθɜːməˌfaɪl], **thermophil** *n. biol.* organizm ciepłolubny.

thermophilic [ˌθɜːməˈfɪlɪk] *a.* (*także* **~philous**) *biol.* ciepłolubny.

thermopile [ˈθɜːməˌpaɪl] *n. fiz.* stos termoelektryczny, termostos.

thermoplastic [ˌθɜːməˈplæstɪk] *a.* termoplastyczny.

Thermopylae [θərˈmɑːpəlɪ] *n. hist.* Termopile.

thermoreceptor [ˌθɜːmərɪˈseptər] *n. biol.* termoreceptor, receptor ciepła.

thermoregulation [ˌθɜːməˌregjəˈleɪʃən] *n. U biol.* termoregulacja, regulowanie temperatury ustroju.

thermos [ˈθɜːməs] *n.* (*także* **~ bottle**) (*także Br.* **~ flask**) termos.

thermoscope [ˈθɜːməˌskoʊp] *n.* termoskop, wskaźnik temperaturowy.

thermosetting [ˌθɜːmoʊˈsetɪŋ] *a.* termoutwardzalny.

thermosphere [ˈθɜːməˌsfiːr] *n. fiz.* termosfera.

thermostable [ˌθɜːməˈsteɪbl] *a.* termostabilny.

thermostat [ˈθɜːməˌstæt] *n.* termostat.

thermostatic [ˌθɜːməˈstætɪk] *a.* termostatyczny.

thermostatically [ˌθɜːməˈstætɪklɪ] *adv.* termostatycznie.

thermotaxis [ˌθɜːməˈtæksɪs] *n. U biol.* termotaksja (= *ruch do l. od źródła ciepła*).

thermotherapy [ˌθɜːməˈθerəpɪ] *n. U med.* leczenie ciepłem.

thermotropism [θɜːˈmɑːtrəˌpɪzəm] *n. C/U biol.* termotropizm (= *ruch do l. od źródła ciepła*).

thesaurus [θɪˈsɔːrəs] *n. pl.* **-es** *l.* **thesauri** [θɪˈsɔːraɪ] **1.** tezaurus; słownik wyrazów bliskoznacznych. **2.** *rzad.* skarbiec.

these [ðiːz] *a. i pron. pl.* **1.** te; ci; **~ women/children/cats/chairs** te kobiety/dzieci/koty/krzesła; **~ men** ci mężczyźni; **I want ~** chcę te. **2. ~ days** *zob.* **day**; **one of ~ days** *zob.* **day**. **3.** *zob. t.* **that**.

Theseus [ˈθiːsɪəs] *n. mit.* Tezeusz.

thesis [ˈθiːsɪs] *n. pl.* **theses** [ˈθiːsiːs] **1.** teza (*t. fil. w dialektyce Hegla*). **2.** *uniw.* rozprawa, dysertacja. **3.** *szkoln.* wypracowanie, esej. **4.** *muz.* akcentowana miara taktu. **5.** *wers.* sylaba nieakcentowana (*w poezji klasycznej*).

thesp [θesp] *n. pot. pog.* aktor/ka.

thespian [ˈθespɪən] *form. l. żart. a.* dramatyczny, teatralny; aktorski. – *n.* aktor/ka.

Thessalian [θeˈseɪlɪən] *a.* tesalski. – *n.* Tesalczyk/ka.

Thessalonian [ˌθesəˈloʊnɪən] *n.* mieszkaniec/ka Salonik.

Thessalonians [ˌθesəˈloʊnɪənz] *n. sing. Bibl.* List (św. Pawła Apostoła) do Tesaloniczan.

Thessaloniki [ˌθesələˈniːkiː] *n. geogr.* Saloniki.

Thessaly [ˈθesəlɪ] *n. geogr.* Tesalia.

thetic [ˈθetɪk], **thetical** [ˈθetɪkl] *a.* **1.** *wers.* akcentowany (*w poezji klasycznej*). **2.** *form.* arbitralny, umowny.

Thetis [ˈθetɪs] *n. mit.* Tetyda.

theurgy [ˈθiːɜːdʒɪ] *n. U* **1.** *hist.* teurgia (*dawna forma magii*). **2.** dobra magia.

thew [θuː] *n. U lit.* siła, tężyzna.

they [ðeɪ] *pron.* **1.** oni; one; **~ say that...** mówią, że..., mówi się, że... **2.** on; ona; **somebody said ~ saw him** ktoś powiedział, że go widział.

they'd [ðeɪd] *abbr.* **1.** = **they had**. **2.** = **they would**.

they'll [ðeɪl] *abbr.* = **they will**.

they're [ðeɪr] *abbr.* = **they are**.

they've [ðeɪv] *abbr.* = **they have**.

thiamine [ˈθaɪəmiːn], **thiamin** *n. U biochem.* tiamina, witamina B1.

thiazole [ˈθaɪəˌzoʊl] *n. U chem.* tiazol.

Thibet [tɪˈbet] *n.* = **Tibet**.

thick [θɪk] *a.* **1.** gruby; **be three inches ~** mieć trzy cale grubości, być grubym na trzy cale. **2.** gęsty (*t. o włosach*); **air ~ with mosquitos** powietrze gęste od komarów. **3.** *Br. pot.* tępy, głupi; **(as) ~ as two short planks** głupi jak but. **4.** mętny. **5.** stłumiony (*o głosie*). **6.** *pred.* zaprzyjaźniony, spoufalony; **be (as) ~ as thieves** znać się jak łyse konie; **be ~ with sb** być z kimś na stopie przyjacielskiej. **7. ~ accent** *zob.* **accent** *n.*; **give sb/get a ~ ear** *zob.* **ear**[1]; **have a ~ skin** być gruboskórnym; **it's a bit ~** *Br. przest.* to już przesada, tego już za wiele; **sb's speech is ~** komuś plącze się język. – *adv.* **1.** grubo. **2.** gęsto. **3.** *przen.* **~ and fast** często gęsto, często i w dużych ilościach; **lay it on (a bit) ~** *zob.* **lay**[2] *v.* – *n.* **be in the ~ of sth** *przen.* być w samym środku czegoś; być pochłoniętym czymś; **in the ~ of the fight** w wirze walki; **through ~ and thin** na dobre i na złe, w doli i niedoli.

thicken ['θɪkən] *v.* **1.** gęstnieć. **2.** *t. kulin.* zagęszczać. **3. the plot ~s** *zw. żart.* intryga zagęszcza *l.* wikła się, sprawy się komplikują.

thickener ['θɪkənər] *n. C / U* (*także* **~ing**) *gł. kulin.* środek zagęszczający, zagęszczacz.

thickening ['θɪkənɪŋ] *n.* **1.** *U* zagęszczanie. **2.** zgrubienie. **3.** = **thickener**.

thicket ['θɪkɪt] *n.* gąszcz, gęstwina, zarośla.

thickfilm technology ['θɪkˌfɪlm tekˌnɑːlədʒɪ] *n. U el.* technika grubowarstwowa.

thickhead ['θɪkˌhed] *n. pot. pog.* tępak.

thickheaded ['θɪkˌhedɪd] *a. pot. pog.* tępy.

thickie ['θɪkɪ], **thicky** *n. pl.* **-ies** (*także* **thicko**) *pot. pog.* tępak.

thickly ['θɪklɪ] *adv.* **1.** grubo. **2.** gęsto.

thickness ['θɪknəs] *n.* **1.** *U* grubość. **2.** *U* gęstość. **3.** *zw. sing.* warstwa (*of sth* czegoś).

thicko ['θɪkoʊ] *n. pl.* **-s** *zob.* **thickie**.

thickset [ˌθɪk'set], **thick-set** *a.* **1.** przysadzisty. **2.** gęsty; gęsto rosnący; **~ hedge** gęsty żywopłot. – *n.* gąszcz, gęstwina.

thick-skinned [ˌθɪk'skɪnd] *a. t. przen.* gruboskórny.

thick-witted [ˌθɪk'wɪtɪd] *a.* tępy, ciężko myślący.

thicky ['θɪkɪ] *n.* = **thickie**.

thief [θiːf] *n. pl.* **thieves** [θiːvz] **1.** złodziej/ka. **2.** *bot.* dziki pęd. **3. be as thick as thieves** *zob.* **thick** *a.*

thieve [θiːv] *v.* kraść.

thievery ['θiːvərɪ] *n.* **1.** *U* (*także* **thieving**) złodziejstwo, kradzieże. **2.** *pl.* **-ies** kradzież (*pojedyncza*).

thievish ['θiːvɪʃ] *a.* złodziejski.

thigh [θaɪ] *n. anat.* udo.

thighbone ['θaɪˌboʊn] *n. anat.* kość udowa.

thigh-high [ˌθaɪ'haɪ] *a.* sięgający do ud, na wysokość uda.

thigmotaxis [ˌθɪgmə'tæksɪs] *n. U biol.* tigmotaksja (= *reakcja tkanki na dotyk*).

thigmotropism [θɪg'mɑːtrəˌpɪzəm] *n. U bot.* tigmotropizm, tigmotaksja.

thill [θɪl] *n. hist.* hołobla.

thiller ['θɪlər] *n. hist.* koń w hołoblach.

thimble ['θɪmbl] *n.* **1.** *krawiectwo* naparstek. **2.** krótka metalowa rurka. **3.** *t. żegl.* chomątko.

thimbleful ['θɪmblˌfʊl] *n.* naparstek, odrobina (*of sth* czegoś).

thimblerig ['θɪmblˌrɪg] *n. U* gra w trzy kubki i groszek (*polegająca na zgadywaniu, pod którym kubkiem znajduje się groszek*). – *v.* **-gg-** oszukiwać.

thimblerigger ['θɪmblˌrɪgər] *n.* oszust/ka.

thin [θɪn] *a.* **-nn- 1.** cienki (*t. o głosie*). **2.** chudy, szczupły. **3.** rzadki (*t. o włosach, roślinności*). **4.** rozrzedzony (*o powietrzu*). **5.** słaby (*np. o kolorze, świetle*). **6.** nieprzekonujący, kiepski (*np. o wymówce*). **7.** ogólny (*np. o informacjach*). **8.** *US* bez wyrazu, blady. **9.** *fot.* niekontrastowy. **10.** *przen.* **~ on top** *pot.* łysiejący, łysawy; **appear/come out of ~ air** *zob.* **air** *n.*; **as ~ as a rail** *US*/**rake** *Br. emf.* chudy jak szczapa; **be ~ on the ground** *zob.* **ground**[1] *n.*; **be (walking/skating/treading) on ~ ice** *zob.* **ice** *n.*; **have a ~ time (of it)** przeżywać ciężki *l.* trudny okres; **spread o.s. too ~** ciągnąć dziesięć srok za ogon; **the ~ end of the wedge** *zob.* **end** *n.*; **vanish/disappear into ~ air** *zob.* **air** *n.* – *adv.* **1.** cienko (*np. kroić chleb*). **2. wear ~** *przen.* wyczerpywać się (*o cierpliwości*); tracić efekt, przestawać działać (*o argumencie, wymówce*). – *v.* **-nn- 1.** *ogr.* przerzedzać (*drzewa, krzewy*); **~ (out)** przerywać (*młode rośliny*). **2. ~ (down)** rozcieńczać, rozrzedzać. **3.** *przen.* przerzedzać (się); **~ the ranks** przerzedzać szeregi. **4. ~ out** przerzedzać się (*np. o tłumie*).

thine [ðaɪn] *pron. i a. arch.* twój.

thing [θɪŋ] *n.* rzecz (*t. np. = czyn, sprawa, temat*); coś; *pl.* rzeczy (*t. = ubrania*); sprawy; okoliczności; **~s are getting out of hand** sprawy wymykają się spod kontroli; **~s are going really well** sprawy układają się naprawdę dobrze; **~s could be worse** mogło być gorzej; **all ~s considered** wziąwszy wszystko pod uwagę, w ogólnym rozrachunku; **among other ~s** między innymi; **and ~s** i coś w tym stylu, i tak dalej, i tym podobne; **and another ~** i jeszcze jedno, i jeszcze coś; **and that kind of ~** i tym podobne; **be a ~ of the past** należeć do przeszłości; **be all ~s to all men** umieć dostosować się do wszystkich; **be hearing/seeing/imagining/hearing ~s** mieć omamy słuchowe/przywidzenia/urojenia; **be onto a good ~** *zob.* **onto**; **be the next best ~ to sth** *zob.* **next** *a.*; **breakfast/dinner/tea ~s** *zwł. Br.* naczynia i sztućce; **do one's own ~** *pot.* robić swoje; **do the right ~** postąpić właściwie; **do you know how to turn this ~ off?** wiesz, jak to (coś) wyłączyć?; **don't worry about a ~** o nic się nie martw; **first ~ (in the morning)** z samego rana; **for one ~** po pierwsze; **have a ~ about sb/sth** *pot.* mieć obsesję na czyimś/jakimś punkcie; **how are ~s (with you)?** co (u ciebie) słychać?, jak się sprawy mają?; **it's a good ~ that...** dobrze (się stało), że...; **it's (just) one of those ~s** to się zdarza, tak (to już w życiu) bywa; **it was a stupid ~ to do** to było niemądre posunięcie; **it's (just) one ~ after another** jak nie jedno, to drugie; **it's one ~ to know, it's another ~ to understand** wiedzieć to jedno, a rozumieć to drugie; **just the ~** (*także* **the very ~**) właśnie *l.* dokładnie to, czego potrzeba; **know a ~ or two** wiedzieć to i owo; **last ~ (at night)** przed samym pójściem spać; **make ~s difficult** pogarszać sprawę; **make a (big) ~ (out) of sth** robić z czegoś wielkie halo; **no such ~** nic podobnego, nic z tych rzeczy; **I said no such ~** nic podobnego *l.* takiego nie powiedziałam; **of all ~s** ze wszystkich rzeczy na ziemi, ze wszystkiego; **not feel/see a ~** nic *l.* niczego nie czuć/nie widzieć; **not know the first ~ about sth** *zob.* **first** *a.*; **poor/little ~** biedactwo/maleństwo; **sth is not the done ~** *pot.* czegoś się nie robi (*bo nie wypada, nie jest w dobrym tonie*); **sweat ~s** słodkie rzeczy, słodycze; **taking one ~ with another** *Br. pot.* po rozważeniu wszystkich za i przeciw; **that kind/sort of ~** coś w tym rodzaju; **the ~** rzecz właściwa; rzecz zasadnicza; (*także* **the latest ~**) ostatni krzyk mody; **the ~ is...** rzecz w tym, że...; **the ~ with sb (is that...)** problem z kimś (polega na tym, że...); **the best ~ since sliced bread** *zob.* **bread** *n.*; **the best ~ will be to...** najlepiej będzie, jeśli...; **the last ~ sb wants/expects** ostatnia rzecz, jakiej ktoś potrzebuje/się spodziewa; **the shape of ~s to come** to, co nas czeka; **the way ~s are** (*także* **as ~s stand**) w tej sytuacji, w tych okolicznościach; **there is no such ~ as X** nie ma czegoś takiego jak X, coś takiego jak X (po prostu) nie istnieje; **there's only one ~ for it** jest (z tego) tylko jedno wyjście; **what with one ~ and another, (I forgot to call them)** miałem tyle rzeczy na głowie, że (zapomniałem do nich zadzwonić).

thingamabob [ˈθɪŋəməˌbɑːb], **thingummy** [ˈθɪŋəmɪ], **thingamajig** [ˈθɪŋəməˌdʒɪg], **thingumajig** *n. pot.* dynks, dings, wihajster.

think [θɪŋk] *v.* **thought, thought 1.** myśleć (*about / of sb / sth* o kimś/czymś, *that* że); sądzić, być zdania (*that* że); uważać (*that* że, *sb / sth to be sth* kogoś/coś za kogoś/coś); zastanawiać się (*of / about sth* nad czymś, *of / about doing sth* czy czegoś nie zrobić); **~ again** zastanowić się (dobrze); **~ aloud** głośno myśleć, myśleć na głos; **~ badly of sb** źle o kimś myśleć; **~ better of it** rozmyślić się, zmienić zdanie; **~ big** *pot.* mieć ambitne plany; **~ for o.s** myśleć samodzielnie; **~ hard/twice** dobrze się zastanowić; **~ highly/well of sb/sth** być dobrego zdania o kimś/czymś; **~ nothing of doing sth** nie mieć nic przeciwko czemuś; **he ~s nothing of killing a man** zabić człowieka to dla niego drobnostka; **~ (sth) to o.s.** pomyśleć (coś) sobie; **~ the best/worst of sb** mieć jak najlepsze/najgorsze zdanie o kimś; **~ the world of sb** nie widzieć świata poza kimś; **do as you ~ fit** rób, co uważasz za stosowne; **I ~ I'll do it** chyba to zrobię; **I ~ so/not** sądzę *l.* myślę, że tak/nie; **I can't ~ what/where...** nie mam pojęcia, co/gdzie...; **I'll ~ about it** zastanowię się (nad tym); **just/only ~!** tylko pomyśl!; **not ~ much of sb/sth** (*także* **~ little of sb/sth**) nie być zachwyconym kimś/czymś; **what did you ~ of him?** jakie zrobił na tobie wrażenie?; **what do you ~ of...?** co myślisz o...?, jak się zapatrujesz na...?; **when I come to ~ of it** (*także* **when you ~ about it**) jeśli *l.* kiedy się nad tym (dobrze) zastanowić; **who would have thought?** (i) kto by pomyślał?. **2. ~ back to/on sth** cofać się myślą *l.* myślami do czegoś; **~ of** wymyślić; pomyśleć o (*kimś l. czymś; = wziąć pod uwagę*); przypomnieć sobie; **~ out** zaplanować; **~ over** przemyśleć, rozważyć; **~ through** przemyśleć, rozważyć; **~ up** wymyślić; obmyślić; wpaść na (*pomysł itp.*). – *n. sing. pot.* **have a ~** pomyśleć, zastanowić się; **(if you think I'm going to help you), you've got another ~ coming** (jeśli sądzisz, że ci pomogę,) to się grubo mylisz.

thinkable [ˈθɪŋkəbl] *a.* **1.** wyobrażalny, do pomyślenia. **2.** prawdopodobny, możliwy.

thinker [ˈθɪŋkər] *n.* myśliciel/ka.

thinking [ˈθɪŋkɪŋ] *n. U* **1.** myślenie; **I'll have to do do some ~** będę musiała dobrze pomyśleć *l.* się zastanowić; **sth requires careful ~** coś wymaga dokładnego przemyślenia. **2.** poglądy; przemyślenia; rozumowanie; sposób myślenia *l.* rozumowania; **to my way of ~** według mnie, moim zdaniem; **what's the ~ behind this decision?** jakie rozumowanie kryje się za tą decyzją?. – *a. attr.* **1.** myślący; rozumny. **2. put on one's ~ cap** *przen. pot.* wysilać (swoje) szare komórki.

think tank *n.* (*także* **think factory**) *pot.* grono *l.* zespół *l.* sztab ekspertów.

thinly [ˈθɪnlɪ] *adv.* **1.** cienko. **2.** rzadko; **~ populated** rzadko zaludniony. **3.** ledwie.

thinner [ˈθɪnər] *n. U* rozcieńczalnik.

thinness [ˈθɪnnəs] *n. U* **1.** cienkość. **2.** chudość. **3.** rzadkość.

thin-skinned [ˌθɪnˈskɪnd] *a.* **1.** o cienkiej skórce (*np. o owocu*). **2.** *przen.* drażliwy, łatwo się obrażający, źle znoszący krytykę.

thiocarbamide [ˌθɪəˈkɑːrbəmaɪd] *n. U chem.* tiomocznik, tiokarbamid.

thiocyanate [ˌθɪəˈsaɪənaɪt] *n. C / U chem.* tiocyjanian.

thiol [ˈθaɪɑːl] *n. U chem.* tiol, tioalkohol.

thionic [θaɪˈɑːnɪk] *a. chem.* siarkowy.

thionyl [ˈθaɪəˌnɪl] *n. U chem.* tionyl, sulfinyl.

thiophen [ˈθaɪəˌfen], **thiophene** *n. U chem.* tiofen.

thiosulfate [ˌθaɪəˈsʌlfeɪt], *Br.* **thiosulphate** *n. chem.* tiosiarczan.

thiouracil [ˌθaɪoʊˈjʊrəsɪl] *n. U biol.* tiouracyl.

thiourea [ˌθaɪoʊjʊˈriːə] *n. U chem.* tiomocznik, tiokarbamid.

third [θɝːd] *num.* **1.** trzeci. **2. ~ time lucky** do trzech razy sztuka. – *n.* **1.** jedna trzecia. **2.** *muz.* tercja. **3.** *mot.* trzeci bieg, trójka. **4.** *Br. uniw.* licencjat *l.* dyplom (licencjacki) stopnia 3. (*najniższego; na trójkę*).

third-class [ˌθɝːdˈklæs] *n. U* (*także* **third class**) **1.** *kol., żegl., gł. hist.* trzecia klasa (*t. na statku*). **2.** *US poczta* trzecia kategoria (*przesyłek*). – *a.* trzeciorzędny, podrzędny. – *adv.* **(travel) ~** (podróżować) trzecią klasą.

third degree *n. pot.* **the ~** *policja* trzeci stopień przesłuchiwania (*przewlekły i wyczerpujący*); **give sb the ~** *t. przen.* wymaglować kogoś (*= wypytać dokładnie*).

third degree burn *n. pat.* oparzenie trzeciego stopnia.

third dimension *n.* **1.** trzeci wymiar. **2.** głębia.

third estate *n. zob.* **estate** 5.

third force *n.* **1.** siły rozjemcze. **2.** grupa mediatorów.

thirdhand [ˌθɝːdˈhænd] *a. i adv.* **1.** z trzeciej ręki (*o informacjach*). **2.** używany (*np. o samochodzie*).

thirdly [ˈθɝːdlɪ] *adv.* po trzecie.

third party *n. pl.* **-ies** *gł. prawn.* osoba trzecia; osoba postronna.

third-party insurance [ˌθɝːdˌpɑːrtɪ ɪnˈʃʊrəns] *n. ubezp.* ubezpieczenie od odpowiedzialności cywilnej.

third person *n. gram.* **the ~** trzecia osoba; **in the ~** w trzeciej osobie.

third rail *n. kol.* trzecia szyna, szyna prądowa.

third-rate [ˌθɝːdˈreɪt] *a.* trzeciorzędny, podrzędny.

third reading *n. parl.* trzecie czytanie.

Third Reich *n. hist.* Trzecia Rzesza.

third ventricle *n. anat.* komora trzecia (*mózgu*).

Third World, third world *n.* **the** ~ *polit., socjol., ekon.* Trzeci Świat. – *a. attr.* ~ **countries/problems** kraje/problemy Trzeciego Świata; ~ **economy** gospodarka państw Trzeciego Świata.

thirst [θɜ:st] *n. U l. sing.* **1.** *t. przen.* pragnienie; **quench/slake one's** ~ zaspokoić *l.* ugasić pragnienie; **raging** ~ dokuczliwe pragneinie. **2.** *lit.* **a** ~ **for knowledge** głód wiedzy; **a** ~ **for power** żądza władzy. – *v.* **1.** *arch.* być spragnionym. **2.** ~ **for/after sth** *lit.* pragnąć *l.* łaknąć czegoś, być spragnionym *l.* złaknionym czegoś.

thirstily ['θɜ:stɪlɪ] *adv.* łapczywie (*zwł. pić*).

thirsty ['θɜ:stɪ] *a.* **-ier, -iest** **1.** spragniony; **I am/feel** ~ chce mi się pić; **make sb** ~ wywoływać u kogoś pragnienie. **2.** *lit.* spragniony, złakniony; łaknący (*for sth* czegoś); ~ **for knowledge/power** spragniony *l.* złakniony wiedzy/władzy. **3.** suchy (*np. o glebie, porze roku*). **4.** ~ **work** *przen. pot.* praca, przy której chce się pić.

thirteen [θɜ:'ti:n] *num.* trzynaście; trzynaścioro; trzynastu. – *n.* trzynastka.

thirteenth [ˌθɜ:'ti:nθ] *num.* trzynasty. – *n.* **1.** jedna trzynasta. **2.** *t. muz.* trzynastka.

thirtieth ['θɜ:tɪəθ] *num.* trzydziesty. – *n.* jedna trzydziesta.

thirty ['θɜ:tɪ] *num.* trzydzieści; trzydzieścioro; trzydziestu. – *n. pl.* **-ies** trzydziestka; **be in one's ~ies** być po trzydziestce, mieć trzydzieści parę lat; **in his/her ~ies** trzydziestoparoletni/a; **in the ~ies** powyżej 30°C (*o temperaturze powietrza*); **the (nineteen) ~ies** lata trzydzieste (dwudziestego wieku).

thirty-second note [ˌθɜ:tɪ'sekənd ˌnoʊt] *n. US i Can. muz.* trzydziestka dwójka.

thirtysomething [ˌθɜ:tɪ'sʌmθɪŋ] *pot. n.* trzydziestoparolat-ek/ka. – *a. attr.* trzydziestoparoletni (*zw. wykształcony i dobrze sytuowany*).

this [ðɪs] *pron.* **1.** *pl.* **these** ten; ta; to; ~ **boy/dog/table** ten chłopiec/pies/stół; ~ **girl/duck/book** ta dziewczyna/kaczka/książka; ~ **child/egg/pen** to dziecko/jajko/pióro; ~ **minute/second** natychmiast; ~ **one (here)** ten/ta/to (tutaj); ~ **week/year** w tym tygodniu/roku. **2.** to; ~ **and that** to i owo; ~ **is where I work** (to) tu właśnie pracuję; **listen to** ~ posłuchaj tego; ~ **is Mark** to jest Mark; *tel.* mówi Mark, tu Mark, Mark przy telefonie; **what's ~?** co to jest?; **what's all ~ (about)?** co (tu) się dzieje?; w czym problem?; co to ma znaczyć?. **3.** *pot.* taki (jeden), jeden (taki) (*zwł. o kimś, kogo personaliów nie znamy; t. w dowcipach*); ~ **guy says to his pal:...** jeden facet mówi do kumpla:...; **I met ~ girl on the train...** w pociągu spotkałem taką jedną dziewczynę... – *adv. pot.* tak; ~ **big/high** tak *l.* taki duży/wysoki; ~ **much/many** tak dużo; tyle.

thistle ['θɪsl] *n. C/U bot.* oset (*Carduum*).

thistle butterfly *n. pl.* **-ies** *ent.* rusałka osetnik (*Vanessa cardui*).

thistledown ['θɪslˌdaʊn] *n. U* **1.** *bot.* puch kielichowy (*na kwiecie ostu*). **2.** *przen.* puch, puszek.

thistly ['θɪslɪ] *a.* **-ier, -iest** **1.** pełen ostów. **2.** *przen.* niezręczny; trudny.

thither ['θɪðər] *arch. l. form. adv.* tam. – *a.* tamten (dalszy).

tho [ðoʊ], **tho'** *adv. pot. l. lit.* = **though**.

thole[1] [θoʊl] *n.* (*także* **~pin,** ~ **pin**) *żegl.* dulka.

thole[2] *v. płn. Br. dial.* znosić, cierpieć.

Thomism ['toʊmˌɪzəm] *n. U fil.* tomizm.

Thomist ['toʊmɪst] *n. fil.* tomist-a/ka.

Thomistic [toʊ'mɪstɪk], **Thomistical** [toʊ'mɪstɪkl] *a. fil.* tomistyczny.

thong [θɔ:ŋ] *n.* **1.** rzemień; rzemyk. **2.** bicz. **3.** pasek. **4.** *pl. zob.* **thongs**. – *v.* **1.** zaopatrywać w rzemień. **2.** bić rzemieniem.

thongs [θɔ:ŋz] *n. pl.* **1.** *US, Can. i Austr.* japonki (*klapki*). **2.** stringi (*typ majtek*).

thoracentesis [ˌθɔ:rəsen'ti:sɪs] *n. U chir.* nakłucie klatki piersiowej.

thoracic [θoʊ'ræsɪk] *a. anat.* piersiowy, dotyczący klatki piersiowej; ~ **duct/vertebra** przewód/kręg piersiowy.

thoracolumbar [ˌθɔ:rəkoʊ'lʌmbər] *a. anat.* piersiowo-lędźwiowy.

thoracotomy [ˌθɔ:rə'kɑ:təmɪ] *n. C/U pl.* **-ies** *chir.* torakotomia, otworzenie klatki piersiowej.

thorax ['θɔ:ræks] *n. pl.* **-es** *l.* **thoraces** ['θɔ:rəˌsi:z] **1.** *anat., zool.* klatka piersiowa. **2.** *ent.* tułów.

thoria ['θɔ:rɪə] *n.* = **thorium dioxide**.

thorianite ['θɔ:rɪəˌnaɪt] *n. U min.* torianit.

thorite ['θɔ:raɪt] *n. U min.* toryt.

thorium ['θɔ:rɪəm] *n. U chem.* tor.

thorium dioxide *n.* (*także* **thoria**) *chem.* dwutlenek toru, tlenek torowy.

thorn [θɔ:rn] *n.* **1.** cierń, kolec. **2.** (*także* ~ **bush**) krzak ciernisty. **3.** *pismo hist.* nazwa litery Þ w alfabecie runicznym. **4. be a** ~ **in sb's flesh/side** *przen.* być komuś solą w oku.

thorn apple *n. bot.* bieluń dziędzierzawa (*Datura stramonium*).

thornback ['θɔ:rnˌbæk] *n. icht.* płaszczka nabijana (*Raja clavata*).

thorny ['θɔ:rnɪ] *a.* **-ier, -iest** **1.** ciernisty, kolczasty. **2.** *przen.* problematyczny, trudny; najeżony trudnościami.

thorough ['θɜ:oʊ] *a.* **1.** gruntowny. **2.** dokładny, skrupulatny; sumienny. **3.** całkowity, zupełny. – *prep. arch.* = **through**.

thoroughbass ['θɜ:oʊˌbeɪs] *n. muz.* **1.** bas cyfrowany. **2.** kompozycja harmonijna.

thorough brace *n. gł. US* rzemień pomiędzy resorami powozu.

thoroughbred ['θɜ:oʊˌbred] *a. i n.* (koń) czystej krwi.

thoroughfare ['θɜ:oʊˌfer] *n. mot.* **1.** arteria komunikacyjna. **2. no** ~ nie ma przejazdu, przejazd wzbroniony (*napis*).

thoroughgoing ['θɜ:oʊˌgoʊɪŋ] *a.* **1.** gruntowny. **2.** dokładny, skrupulatny. **3.** *attr.* całkowity, zupełny. **4.** *attr.* skończony (*np. o łajdaku*).

thoroughly ['θɜ:oʊlɪ] *adv.* **1.** dokładnie; skrupulatnie; gruntownie. **2.** całkowicie. **3.** bardzo; **I** ~ **enjoyed it** bardzo mi się podobało.

thoroughness ['θɜ:oʊnəs] *n. U* gruntowność; dokładność.

thoroughpaced ['θɜːoʊˌpeɪst] *a.* **1.** *jeźdz.* wyćwiczony we wszystkich chodach (*o koniu*). **2.** *arch.* = **thoroughgoing**.

thoroughpin ['θɜːoʊˌpɪn] *n. U wet.* opój.

thorp [θɔːrp], **thorpe** *n. arch.* (*z wyj. w nazwach*) wieś.

those [ðoʊz] *a. i pron. pl.* **1.** te; ci. **2.** tamte; tamci. **3.** *zob. t.* **that**.

thou[1] [ðaʊ] *pron. arch. poet. l. Br. dial.* ty.

thou[2] [θaʊ] *n. pl.* **-s** *l.* **thou** *pot.* = **thousand**.

though [ðoʊ] *conj.* chociaż, choć; mimo że; **as ~** jak gdyby, jakby; **even ~** pomimo że, chociaż; **tired ~ he was...** mimo że był zmęczony,... – *adv.* **1.** jednak; tylko że; **it's not easy ~** nie jest to jednak łatwe, tylko że to niełatwe. **2.** *z pyt.* tylko czy; **is it true ~?** tylko czy to prawda?.

thought[1] [θɔːt] *n.* **1.** myśl (*of sth* o czymś, *that* że); **a/the ~ occurred to me that...** przyszło mi na myśl, że...; **cannot bear the ~ of sth** nie móc znieść *l.* ścierpieć myśli o czymś; **dark ~s** ponure myśli; **don't give it another ~** nie myśl już o tym; nie przejmuj się (*reakcja na przeprosiny*); **have second ~s** rozmyślić się; **not give sth a second ~** nie zastanawiać się nad czymś ani przez chwilę; **I'm bothered by the ~ that...** niepokoi mnie myśl, że...; **it's the ~ that counts** liczą się dobre chęci; **perish the ~!** *zob.* **perish**; **spare a ~ for sb** pomyśl o kimś (*zw. nieszczęśliwym, w gorszej sytuacji*); **the ~ crossed my mind** przeszło mi przez myśl; **the very ~ of sth** sama myśl o czymś; **what are your ~s on the subject?** co myślisz na ten temat?; **you are often in my ~s** często o tobie myślę. **2.** pomysł, myśl; sugestia; **do you have any ~s on how to do it?** czy masz jakiś pomysł, jak to zrobić?; **it's just a ~** *pot.* to tylko taki pomysł, to tylko sugestia; **that's a ~!** *pot.* to jest myśl!, świetny pomysł!; **we've just had a ~** właśnie przyszedł nam do głowy pewien pomysł. **3.** *U* namysł, zastanowienie; myślenie; **after much ~** po długim namyśle *l.* długich namysłach; **give sth some ~** (*także* **give some ~ to sth**) przemyśleć coś, zastanowić się nad czymś; **lost/deep in ~** pogrążony w myślach; **on second ~(s)** po zastanowieniu *l.* namyśle; **take ~** *przest.* zastanowić się. **4.** *U* poglądy; myśl; **philosophical ~ of the 18th century** myśl filozoficzna osiemnastego wieku; **sb's religious/scientific ~** czyjeś poglądy religijne/naukowe. **5.** *U* zamiar; **have no ~ of doing sth** nie mieć zamiaru czegoś robić. **6.** *U* troska, dbałość; **give no ~ to sth** nie troszczyć się o coś, nie dbać o coś (*np. o swój wygląd*); **with no ~ for sb/sth** nie troszcząc się o kogoś/coś. **7.** *sing. pot.* trochę, odrobinę; **could you be a ~ quieter?** mógłbyś być odrobinę ciszej?.

thought[2] *v. zob.* **think**.

thought disorder *n. U psych.* zaburzenia procesu myślowego.

thoughtful ['θɔːtfʊl] *a.* **1.** zamyślony. **2.** pełen oryginalnych myśli. **3.** dbały, troskliwy; **be ~ of sb** dbać *l.* troszczyć się o kogoś. **4.** uważający, uprzejmy.

thoughtfully ['θɔːtfʊlɪ] *adv.* **1.** w zamyśleniu. **2.** troskliwie.

thoughtfulness ['θɔːtfʊlnəs] *n. U* **1.** zamyślenie. **2.** troskliwość, troska.

thoughtless ['θɔːtləs] *a.* bezmyślny.

thoughtlessly ['θɔːtləslɪ] *adv.* bezmyślnie.

thoughtlessness ['θɔːtləsnəs] *n. U* bezmyślność.

thought-out [ˌθɔːt'aʊt] *a.* przemyślany; **carefully/well ~** starannie/dobrze przemyślany.

thought process *n.* proces myślowy.

thousand ['θaʊzənd] *num. i n. pl.* **-s** *l.* **thousand** **1.** tysiąc; **two/three ~** dwa/trzy tysiące; **five ~ dollars** pięć tysięcy dolarów. **2.** (*także* **~'s place**) *mat.* miejsce tysięczne *l.* tysięcy. **3.** *pl. pot.* tysiące (= *mnóstwo*); **~ of copies/people** tysiące egzemplarzy/ludzi.

Thousand Island dressing *n. U kulin.* sos sałatkowy Tysiąca Wysp.

thousandth ['θaʊzəndθ] *a.* tysięczny. – *n.* jedna tysięczna.

Thrace [θreɪs] *n. geogr.* Tracja.

Thracian ['θreɪʃən] *a.* tracki. – *n.* **1.** mieszkan-iec/ka Tracji. **2.** *U hist.* (język) tracki.

thrall [θrɔːl] *n. lit. przen.* **1.** niewolni-k/ca (*of/to sth* czegoś). **2.** *U* niewola; **in ~** w niewoli; na uwięzi, na wodzy.

thralldom ['θrɔːldəm], *Br.* **thraldom** *n. U lit.* niewola.

thrash [θræʃ] *v.* **1.** bić, lać. **2.** walić. **3.** **~ (about/around)** rzucać się, miotać się; **~ around in pain** wić się z bólu. **4.** uderzać nogami w wodę (*podczas pływania*). **5.** *przen. pot.* rozgromić, pobić na głowę. **6.** *żegl.* zmagać się *l.* walczyć z (*wiatrem, falami itp.*). **7.** *gł. US* młócić. **8.** **~ out** *pot.* rozpracować (*problem*); wypracować, znaleźć w końcu (*rozwiązanie*). – *n.* **1.** cięgi, bicie. **2.** walenie. **3.** uderzanie nogami (*np. przy crawlu*). **4.** *muz.* = **thrash metal**.

thrasher ['θræʃər] *n.* = **thresher**.

thrashing ['θræʃɪŋ] *n. t. przen.* lanie, cięgi (*t. sport = dotkliwa porażka*); **give sb/get a ~** sprawić komuś/dostać lanie.

thrash metal *n. U muz.* odmiana muzyki heavymetalowej.

thread [θred] *n.* **1.** *C/U* nić; nitka. **2.** *t. przen.* wątek. **3.** *zool.* nić pajęcza. **4.** *mit. l. przen.* nić życia. **5.** *lit.* smuga (*dymu, światła*). **6.** *geol.* żyła (*kruszcu*). **7.** gwint (*śruby*). **8.** *komp.* ciąg *l.* wymiana wiadomości (*w grupie dyskusyjnej*). **9.** *pl. zob.* **threads**. **10.** *przen.* **hang by a ~** wisieć na włosku; **lose the ~** stracić wątek; **pick up the ~s of sth** *zob.* **pick**[1] *v.* – *v.* **1.** nawlekać; nizać; **~ a needle** nawlekać igłę. **2.** *t. przen.* przetykać; **hair ~ed with grey** włosy przetykane siwizną. **3.** narzynać gwint w (*czymś*). **4.** *kulin.* tworzyć nitki (*np. o gęstej polewie*). **5.** **~ one's way through sth** przemykać *l.* posuwać się przez coś.

threadbare ['θredˌber] *a.* **1.** wytarty, przetarty (*np. o dywanie*). **2.** obdarty (*o ubraniu*). **3.** *przen.* wytarty, wyświechtany (*np. o argumentach*). **4.** *przen.* skromny, pospolity (*np. o żywocie*).

threader ['θredər] *n.* **1.** igliczka (*do przewlekania nitki*). **2.** gwintownica.

threadiness ['θredɪnəs] *n. U* nitkowatość.

thread mark *n.* filigran z niteczek (*w banknocie*).

threads [θredz] *n. pl. US przest. pot.* ciuchy, szmatki.

threadworm [ˈθredˌwɜːm] *n. zool.* owsik (*Oxyuris*).

thready [ˈθredɪ] *a.* **-ier, -iest 1.** nitkowaty. **2.** ciągnący się. **3.** *przen.* słaby (*np. o pulsie, głosie*).

threat [θret] *n. C/U* **1.** groźba; **carry out a ~** spełnić groźbę; **give in to ~s** poddać się *l.* ulec groźbom; **make/issue a ~ against sb** zagrozić komuś; **under ~ of sth** pod groźbą czegoś. **2.** pogróżka; **empty ~** czcza *l.* pusta pogróżka. **3.** *t. przen.* zagrożenie (*to sth* dla czegoś); niebezpieczeństwo; **be under ~ of sth** być zagrożonym czymś; **pose a ~** stanowić zagrożenie.

threaten [ˈθretən] *v.* **1.** grozić (*sb with sth* komuś czymś); **~ to do sth** grozić zrobieniem czegoś, grozić, że się coś zrobi. **2. ~ sth** grozić *l.* zagrażać czymś; stwarzać niebezpieczeństwo czegoś; **the disease ~s to spread to other cities** istnieje niebezpieczeństwo, że choroba rozprzestrzeni się na inne miasta.

threatened [ˈθretənd] *a.* zagrożony; **~ species** zagrożony gatunek; **feel ~** czuć się zagrożonym.

threatening [ˈθretənɪŋ] *a.* **1.** groźny (*np. o głosie*). **2.** z pogróżkami (*np. o liście*).

three [θriː] *num.* **1.** trzy; troje; trzech; **~ women/tables/chairs** trzy kobiety/stoły/krzesła; **~ children** troje dzieci; **~ men** trzech mężczyzn. **2. ~ sheets in/into the wind** *zob.* **sheet**[2] *n.*; **the ~ R's** (*reading, writing and (a)rithmetic*) *szkoln. przest.* czytanie, pisanie i rachunki. – *n.* **1.** trójka. **2.** *U* **~ (o'clock)** (godzina) trzecia; **at ~** o trzeciej.

three-bagger [ˌθriːˈbægər] *n.* (*także* **three-base hit**) *baseball* uderzenie pozwalające wybijającemu dotrzeć do trzeciej bazy.

three-color [ˌθriːˈkʌlər], *Br.* **three-colour** *a.* trójbarwny.

three-color reproduction *n. U* druk trójbarwny.

three-cornered [ˌθriːˈkɔːrnərd] *a.* **1.** trójkątny. **2.** pomiędzy trzema grupami *l.* osobami (*np. o zawodach*).

three-D [ˌθriːˈdiː], **3-D** *a.* trójwymiarowy. – *n. U* trójwymiar; **in ~** w trójwymiarze.

three-day event [ˌθriːˌdeɪ ɪˈvent] *n. Br. jeźdz.* trzydniowe zawody jeździeckie.

three-decker [ˌθriːˈdekər] *n.* **1.** *żegl.* trójpokładowiec. **2.** *kulin.* kanapka złożona z trzech warstw. – *a. attr.* **1.** trójpokładowy. **2.** trójwarstwowy. **3.** *pot.* w trzech tomach (*np. o powieści*).

three-dimensional [ˌθriːdəˈmenʃənl] *a.* **1.** trójwymiarowy. **2.** *przen.* dogłębny (*np. o charakterystyce postaci*).

three-dimensionality [ˌθriːdəˌmenʃəˈnælətɪ] *n. U* trójwymiarowość.

three-dimensionally [ˌθriːdəˈmenʃənlɪ] *a.* trójwymiarowo.

threefold [ˈθriːˌfoʊld] *a.* potrójny, trzykrotny (*np. o wzroście*). – *adv.* potrójnie, trzykrotnie (*np. wzrosnąć*).

three-halfpence [ˌθriːˈheɪpəns] *n. Br. hist.* półtora pensa.

three-leaved [ˌθriːˈliːvd] *a.* trójlistny.

three-leaved ivy *n. C/U bot.* sumak jadowity (*Rhus toxicodendron*).

three-legged race [ˌθriːˈlegɪd ˌreɪs] *n.* wyścigi w workach.

three-line whip [ˌθriːˌlaɪn ˈwɪp] *n. Br. parl.* wezwanie potrójnie podkreślone (*wzywające członków klubu parlamentarnego do głosowania w określony sposób*).

three-mast [ˌθriːˈmæst] *a. żegl.* trójmasztowy.

three-master [ˌθriːˈmæstər] *n. żegl.* trójmasztowiec.

three-mile limit [ˌθriːˌmaɪl ˈlɪmɪt] *n.* strefa trzy milowa (*wód terytorialnych*).

threepence [ˈθrɪpəns] *n. Br. przest.* trzy pensy.

threepenny [ˈθrepənɪ] *n. pl.* **-ies** (*także* **~ bit**) *Br. hist.* trzypensówka. – *a.* **1.** trzypensowy. **2.** *przen.* tani.

three-phase [ˌθriːˈfeɪz] *a. t. el.* trójfazowy.

three-piece [ˌθriːˈpiːs] *a.* trzyczęściowy. – *n.* (*także* **~ suit**) garnitur trzyczęściowy.

three-piece suite *n. zwł. Br.* komplet *l.* zestaw wypoczynkowy (*kanapa i dwa fotele*).

three-ply [ˌθriːˈplaɪ] *a.* **1.** potrójny (*np. o splocie wełny*). **2.** trójwarstwowy (*np. o sklejce*).

three-point landing [ˌθriːˌpɔɪnt ˈlændɪŋ] *n.* **1.** *lotn.* idealne lądowanie (*na wszystkich trzech kółkach od razu*). **2.** *przen.* sukces.

three-point turn [ˌθriːˌpɔɪnt ˈtɜːn] *n. mot.* zawracanie w trzech etapach (*do przodu, do tyłu i znów do przodu*).

three-quarter [ˌθriːˈkwɔːrtər] *a. attr.* (długości) trzy czwarte (*np. o spódnicy, płaszczu*).

three-quarters [ˌθriːˈkwɔːrtərz] *n. pl.* trzy czwarte; **~ of an hour** trzy kwadranse.

three-ring circus [ˌθriːˌrɪŋ ˈsɜːkəs] *n. sing. US przen. pot.* cyrk na kółkach.

threescore [ˌθriːˈskɔːr] *arch. num.* sześćdziesiąt. – *n.* sześćdziesiątka.

threesome [ˈθriːsəm] *pot. n.* **1.** *zw. sing.* trójka; troje; **in a/as a ~** we trójkę, we troje. **2.** gra dla trzech osób. – *a.* **1.** potrójny. **2.** wykonywany *l.* grany przez trzy osoby.

three-square [ˌθriːˈskwer] *a.* o przekroju trójkątnym (*np. o dłucie*).

three-star [ˌθriːˈstɑːr] *a. attr.* trzygwiazdkowy (*o hotelu, restauracji*).

three-way [ˌθriːˈweɪ] *a. attr.* **1.** dotyczący trzech osób. **2.** *mot.* potrójny (*o skrzyżowaniu*).

three-wheeler [ˌθriːˈwiːlər] *n. mot.* samochód na trzech kołach.

threnody [ˈθrenədɪ] *n. pl.* **-ies** (*także* **threnode**) *teor. lit.* tren.

threonine [ˈθriːəˌniːn] *n. U biochem.* treonina.

thresh [θreʃ] *v.* **1.** *roln.* młócić. **2.** bić, lać. **3. ~ (about)** rzucać się, miotać się. **4. ~ (out/over)** roztrząsać (= *omawiać gruntownie*). – *n. roln.* młócka.

thresher [ˈθreʃər] *n.* **1.** *roln.* młoca-rz/ka. **2.** (*także* **threshing machine**) *roln.* młockarnia, młocarnia. **3.** (*także* ~ **shark**) *icht.* lis morski (*Alopias vulpinus*).

threshing floor ['θreʃɪŋ ˌflɔːr] *n.* klepisko.

threshold ['θreʃoʊld] *n. fizj., psych. l. przen.* próg, granica; ~ **of consciousness** próg świadomości; **on the** ~ **of sth** u progu czegoś; **pain** ~ granica bólu; **have a high/low pain** ~ być wytrzymałym/niewytrzymałym na ból.

threshold agreement *n. ekon.* porozumienie progowe.

threw [θruː] *v. zob.* **throw.**

thrice [θraɪs] *adv.* **1.** *arch. l. lit.* trzy razy, trzykrotnie; potrójnie. **2.** *arch.* wielce.

thrift [θrɪft] *n. U* **1.** *form.* oszczędność, zapobiegliwość. **2.** *bot.* zawciąg (*Armeria*). **3.** *biol.* wspaniały wzrost. **4.** *arch.* dobrobyt.

thriftily ['θrɪftɪlə] *adv.* oszczędnie, zapobiegliwie.

thriftiness ['θrɪftɪnəs] *n. U* oszczędność, zapobiegliwość.

thrift institutions *n. pl. US fin.* kasy oszczędności.

thriftless ['θrɪftləs] *a.* rozrzutny.

thrift shop *n. US* sklep z rzeczami używanymi, przeznaczający dochody na cele dobroczynne.

thrifty ['θrɪftɪ] *a.* **-ier, -iest 1.** oszczędny, zapobiegliwy. **2.** *biol.* wspaniale rosnący, wspaniale się rozwijający. **3.** *arch.* dobrze prosperujący, kwitnący.

thrill [θrɪl] *v.* **1.** zachwycać; ekscytować, podniecać; ~ **to sth** ekscytować się czymś. **2.** drgać. – *n.* **1.** dreszczyk emocji, emocje; dreszcz (*np. wzruszenia*); ~**s and spills** emocje (*zwł. związane z uprawianiem niebezpiecznego sportu*); **do sth for the** ~ **of it** robić coś po to, by poczuć dreszczyk emocji; **the** ~ **of (doing) sth** emocje związane z czymś. **2.** podnieta; źródło podniecenia *l.* ekscytacji; **cheap** ~ tania *l.* łatwo dostępna podnieta; **get a** ~ **out of sth** ekscytować się czymś; **give sb a** ~ ekscytować *l.* podniecać kogoś. **3.** *pat.* szmery (*w sercu*). **4.** *arch.* drganie.

thrilled [θrɪld] *a. pred.* podekscytowany, przejęty; zachwycony (*with sth* czymś); **be** ~ **to bits** nie posiadać się z zachwytu.

thriller ['θrɪlər] *n.* dreszczowiec, thriller.

thrilling ['θrɪlɪŋ] *a.* porywający, ekscytujący.

thrillingly ['θrɪlɪŋlɪ] *adv.* porywająco.

thrive [θraɪv] *v. pret.* **throve, thrived** *pp.* **thriven, thrived 1.** *form.* prosperować, kwitnąć; **sb** ~**s on sth** coś komuś służy *l.* dobrze robi. **2.** dobrze się rozwijać, dobrze rosnąć (*o dziecku, zwierzęciu, roślinie*).

thriving ['θraɪvɪŋ] *a.* kwitnący, dobrze prosperujący.

thro [θruː], **thro'** *adv. i prep. pot. l. lit.* = **through.**

throat [θroʊt] *n.* **1.** *t. anat.* gardło; **cut/slit sb's** ~ poderżnąć komuś gardło; **sore** ~ ból gardła; **sb has a sore** ~ kogoś boli gardło. **2.** szyjka (*np. butelki*). **3.** *żegl.* pięta gafla, róg gaflowy. **4.** *przen.* **a lump in one's** ~ ściskanie w gardle; **be at each other's** ~**s** skakać sobie do gardeł; **clear one's** ~ odchrząknąć; **cut one's (own)** ~ podcinać gałąź, na której się siedzi; **fill sth up to the** ~ napełnić coś po brzegi; **force/ram/thrust sth down sb's** ~ *pot.* wciskać coś komuś (= *na siłę przekonywać do czegoś*); **grab/seize/take sb by the** ~ chwytać kogoś za serce; **grab/seize/take sth by the** ~ zapanować nad czymś; **have a frog in one's** ~ *pot.* mieć chrypkę, mieć kluchy w gardle; **have sb/sth by the** ~ trzymać kogoś/coś za gardło (= *mieć pod całkowitą kontrolą*); **jump down sb's** ~ skoczyć komuś do gardła; **stick in sb's** ~ *zob.* **stick**[2] *v.*

throatily ['θroʊtɪlɪ] *adv.* gardłowo.

throatiness ['θroʊtɪnəs] *n. U* gardłowe brzmienie.

throatlash ['θroʊtˌlæʃ] *n.* (*także* ~**latch**) *jeźdz.* podgardle, zaciąg gardłowy (*część uździenicy*).

throat microphone *n.* mikrofon krtaniowy, laryngofon.

throat painting *n. U med.* pędzlowanie gardła.

throat wash *n. med.* płukanka do gardła.

throaty ['θroʊtɪ] *a.* **-ier, -iest** gardłowy; chrypiący, chrapliwy (*o głosie*).

throb [θrɑːb] *v.* **-bb- 1.** walić, dudnić (*np. o sercu*). **2.** *t. przen.* pulsować; tętnić; ~ **with life** tętnić życiem. **3.** rwać; ~ **with pain** rwać z bólu; **my head is** ~**bing** głowa mi pęka. **4.** warczeć (*o maszynie*). **5.** drgać. – *n.* **1.** silne bicie (*serca, dzwonów*). **2.** pulsowanie. **3.** rwanie. **4.** warkot.

throe [θroʊ] *rzad. n.* gwałtowny ból, spazm. – *v.* wić się z bólu.

throes [θroʊz] *n. pl. t. przen.* bóle (*zwł. porodowe*); agonia; **be in the** ~ **of sth** być w samym środku czegoś (*nieprzyjemnego, trudnego*), być pogrążonym w czymś (*np. w kryzysie*); **death** ~ drgawki przedśmiertne; *przen.* ostatnie podrygi; **in the** ~ **of passion** *żart.* w objęciach *l.* porywach namiętności.

thrombi ['θrɑːmbaɪ] *n. pl.* = **thrombus.**

thrombin ['θrɑːmbɪn] *n. U biochem.* trombina.

thrombocyte ['θrɑːmbəˌsaɪt] *n. fizj.* trombocyt, płytka krwi.

thrombocytopenia [ˌθrɑːmboʊˌsaɪtoʊ'piːnɪə] *n. U pat.* małopłytkowość.

thromboembolism [ˌθrɑːmboʊ'embəˌlɪzəm] *n. pat.* zakrzep z zatorami.

thrombogen ['θrɑːmbəgɪn] *n. U biochem.* protrombina.

thrombokinase [ˌθrɑːmboʊ'kaɪneɪs] *n. U biochem.* = **thromboplastin.**

thrombolysis [θrɑː'm'bɑːləsɪs] *n. U med.* rozpuszczenie skrzepliny.

thrombophlebitis [ˌθrɑːmboʊflɪ'baɪtɪs] *n. U pat.* zakrzepowe zapalenie żył.

thromboplastin [ˌθrɑːmboʊ'plæstɪn] *n. U* (*także* **thrombokinase**) *biochem.* tromboplastyna, trombokinaza, trombozym.

thrombosis [θrɑːm'boʊsəs] *n. U pat.* zakrzepica; **coronary** ~ zakrzepica tętnicy wieńcowej.

thrombotic [θrɑːm'bɑːtɪk] *a. pat.* zakrzepowy.

thromboxane [θrɑːm'bɑːkseɪn] *n. U biochem.* tromboksan.

thrombus ['θrɑːmbəs] *n. pl.* **thrombi** ['θrɑːmbaɪ] skrzeplina.

throne [θroʊn] *n.* tron (*t. żart. pot.* = *toaleta*); **be next in line to the** ~ być następnym w linii do tronu; **be on the ~** zasiadać na tronie, tronować; **come to the ~** wstąpić na tron; **heir to the ~** dziedzic korony. – *v.* **1.** wprowadzać na tron. **2.** zasiadać na tronie, tronować.

throng [θrɔːŋ] *n. lit.* tłum, rzesza; **get lost in the ~** zgubić się w tłumie. – *v.* **1.** tłoczyć się. **2.** *zw. pass.* zatłaczać, wypełniać (*ulice*); **the streets were ~ed with tourists** na ulicach tłoczno było od turystów. **3. ~ (to)** walić *l.* ciągnąć do (*np. klubu, kina*); **~ to see/hear sth** walić tłumnie, żeby coś zobaczyć/usłyszeć (*np. przedstawienie, koncert*).

throstle [ˈθrɑːsl] *n.* **1.** *Br. lit.* drozd śpiewak. **2.** (*także* **~ frame**) *hist.* przędzarka (*do wełny l. bawełny*).

throttle [ˈθrɑːtl] *n.* **1.** *arch. l. dial.* gardziel. **2.** *mech.* przepustnica; zawór dławiący; **cut/chop the ~** zamykać zawór (*celem zmniejszenia prędkości*). **3. at full ~** na pełnym gazie (*jechać*); *przen.* na pełnych obrotach (*pracować*); **at half ~** na pół gwizdka (*jw.*). – *v.* **1.** dusić (*trzymając za gardło*). **2.** *przen.* dławić, dusić w zarodku (*np. inicjatywę*). **3.** *mech.* regulować zaworem dławiącym; **~ (back/down)** zmniejszać obroty przy pomocy zaworu dławiącego.

throttler [ˈθrɑːtlər] *n. mech.* zawór dławiący.

through [θruː] *prep.* **1.** przez; poprzez; **a road ~ the forest** droga przez las; **watch sb ~ the window** obserwować kogoś przez okno. **2.** przez cały; **~ the day** przez cały dzień; **all ~ my life** przez całe moje życie. **3.** po; **travel ~ France** podróżować po Francji. **4.** na; **drive ~ a red light** przejechać na czerwonym świetle. **5.** z powodu; dzięki; **~ his help** dzięki jego pomocy; **~ error** skutkiem *l.* z powodu omyłki; **succeed ~ hard work** odnieść sukces dzięki ciężkiej pracy. **6.** do; **(from) Monday ~ Saturday** *US i Can.* od poniedziałku do soboty włącznie. **7.** (*odpowiada przedrostkowi przez-*) **get ~ sth** *zob.* **get** *v.*; **go ~ sth** *zob.* **go** *v.*; **let sb/sth ~** *zob.* **let¹** *v.*; **look ~ sth** *zob.* **look** *v.*; **search ~ sth** przeszukać *l.* przetrząsnąć coś. – *adv.* **1.** (*odpowiada przedrostkowi przez-*) **read sth ~** przeczytać coś od deski do deski; **talk sth ~** przedyskutować coś; **wet/soaked ~** przemoczony do suchej nitki. **2.** bezpośrednio, prosto. **3.** na drugą stronę; **walk/drive ~** przejść/przejechać na drugą stronę. **4. ~ and ~** na wskroś, w każdym calu; **all ~** *pot.* skończony; **are you ~?** *pot.* skończyłeś?; **be ~** *tel. Br.* mieć połączenie; **carry the matter ~** doprowadzić sprawę do końca; **get ~** *zob.* **get** *v.*; **put sb ~** *zob.* **put** *v.* – *a.* **1.** *attr.* bezpośredni (*np. o pociągu*). **2.** *attr.* idący na wskroś, przecinający. **3.** *pred.* zakwalifikowany; **be ~ to sth** dostać *l.* zakwalifikować się do czegoś. **4.** *attr.* skończony; **be ~ with sb/sth** *t. przen. pot.* skończyć z kimś/ czymś; **you and I are ~** między nami wszystko skończone.

throughly [ˈθruːlɪ] *adv. arch.* = **thoroughly**.

throughout [θruːˈaʊt] *prep.* **1.** przez cały; **~ the war** przez całą wojnę. **2.** na całym; w całym; **~ the world** na całym świecie. – *adv.* **1.** wszędzie. **2.** przez cały czas. **3.** od początku do końca.

throughput [ˈθruːˌpʊt] *n. U* **1.** przerób (*np. materiału*). **2.** przepustowość (*t. informacji*).

throughway [ˈθruːˌweɪ] *n.* (*także* **thruway**) *US mot.* **1.** droga szybkiego ruchu. **2.** autostrada.

throve [θroʊv] *v. zob.* **thrive.**

throw [θroʊ] *v.* **threw, thrown** **1.** *t. przen.* rzucać; **~ sb sth** (*także* **~ sth to sb**) rzucić coś komuś; **~ sth at sb/sth** rzucić czymś w kogoś/coś; **~ a dice** rzucać kostką; **~ a light/shadow** rzucać światło/cień; **~ a remark** rzucić uwagę; **~ a two/five** wyrzucić dwójkę/piątkę (*kostką*). **2.** wyrzucać; **~ sb/sth overboard** wyrzucić kogoś/coś za burtę. **3.** zrzucać (*np. jeźdźca, płaszcz; t. o wężu - skórę*). **4.** gubić (*np. pióra, podkowę*). **5.** rozrzucać. **6.** *pot.* zbijać z tropu. **7.** *t. zapasy* powalać; **~ sb to the ground** powalić kogoś na ziemię. **8.** narzucać (*on sth* na coś); zarzucać (*over / about sth* na coś); **~ sth about one's shoulders** zarzucić coś na ramiona; **~ sth over sb** narzucić coś na kogoś, przykryć kogoś czymś. **9.** zarzucać (*np. sieć, przynętę*). **10.** *mech.* podnosić (*np. dźwignię*); włączać; wyłączać. **11.** *hodowla, roln.* wydawać na świat (*młode; zwł. cielęta*); **~ a good crop** wydać dobry plon. **12.** *pot.* przegrywać umyślnie. **13.** *tk.* skręcać w nitki, nitkować (*zwł. jedwab*). **14.** *garncarstwo* toczyć, modelować. **15.** *przen.* **~ a fit** dostać napadu *l.* szału; **~ a monkey wrench** *US*/**a spanner** *Br* **in/into the works** *pot.* pokrzyżować *l.* pomieszać szyki; **~ a party** wydać *l.* urządzić przyjęcie; **~ a punch** wymierzyć cios; **~ blame/responsibility on sb** zrzucać winę/odpowiedzialność na kogoś; **~ (all) caution to the winds** *zob.* **caution** *n.*; **~ cold water on** *zob.* **cold** *a.*; **~ doubt on sth** rzucić podejrzenie na coś; **~ dust in sb's eyes** *zob.* **dust** *n.*; **~ good money after bad** *zob.* **money**; **~ light on sth** rzucać światło na coś; **~ mud at sb** obrzucać kogoś błotem; **~ o.s. at sb** *pot.* narzucać *l.* naprzykrzać się komuś; **~ o.s. at sth** rzucić się na coś *l.* do czegoś; **~ o.s. into sth** rzucić się w wir czegoś; **~ o.s. on the mercy of sb/sth** *zob.* **mercy**; **~ o.s. on/upon sb/sth** zdać się na kogoś/coś; **~ one's hat in** *zob.* **hat** *n.*; **~ one's weight behind sb** *zob.* **weight** *n.*; **~ open** otworzyć nagle; otworzyć na oścież; **~ sth open to sb** udostępnić coś komuś; **~ sb a glance/smile** rzucić komuś spojrzenie/uśmiech; **~ sb a warning look** rzucić *l.* posłać komuś ostrzegawcze spojrzenie; **~ sb for a loop** *zob.* **loop¹** *n.*; **~ sb into prison/jail** wtrącić kogoś do więzienia; **~ sb out of office** usunąć kogoś z urzędu; **~ sb to the dogs** *zob.* **dog** *n.*; **~ sb to the wolves** *zob.* **wolf** *n.*; **~ sth in sb's face/teeth** rzucić coś komuś w twarz; **~ sth into confusion** narobić zamieszania w czymś; **~ the book at sb for sth** *zob.* **book** *n.*; **~ troops into action** rzucić wojsko do akcji; **be ~n into a dilemma** stanąć przed dylematem. **16. ~ about/around** rozrzucać; **~ one's money about/around** *pot.* szastać pieniędzmi na prawo i lewo; **~ one's weight about/around** *zob.* **weight** *n.*; **~ across** *zob.* **throw over**; **~ aside** odrzucić na bok; porzucić; **~ sb aside** odtrącić kogoś; **~ away** odrzucić; zmarnować (*np. szansę*); **~ one's money away on sth** trwonić *l.* przepuszczać pieniądze na coś; **~ o.s. away on sb** marnować *l.* tracić czas na kogoś; **~ back** odrzucić (*np. piłkę*); odrzucić do tyłu (*np. głowę*); opóźnić; **~ back at sb** wracać do kogoś (*o *wspomnieniach*); ~ **back to sb** dziedziczyć czyjeś cechy; ~ **one's mind back to sth** cofać się *l.* wracać pamięcią *l.* myślami do czegoś; **be ~n back on sth** być zdanym na coś; **be ~n back on one's own resources** być zdanym na własne siły; ~ **down** rzucić (*sth on sth* coś na coś); zrzucić; ~ **sb down** powalić kogoś; obalić kogoś; zniszczyć kogoś; ~ **down one's arms** złożyć *l.* rzucić broń; ~ **down one's tools** odłożyć narzędzia, przerwać pracę (*na znak protestu*); ~ **o.s. down on the sofa** rzucić się na kanapę; ~ **in** wrzucić (*do środka*); dorzucić; wtrącić (*np. o słowo, uwagę*); zaniechać (*czegoś*), porzucić; ~ **in one's cards/hand** rzucić *l.* złożyć karty; *przen. pot.* dać za wygraną; ~ **in the towel/sponge** *t. boks pot.* poddać się; ~ **in with sb** *US* (*także Br.* ~ **in one's lot with sb**) związać swój los z kimś; **be ~n in at the deep end** zostać rzuconym (od razu) na głęboką wodę; ~ **off** strząsnąć; zrzucić (*t. np. ubranie*); odrzucić; pozbyć się (*czegoś*); emitować (*np. zapach*); szybko mówić *l.* wypowiadać (*słowa*); ~ **sb off** wymknąć się komuś; pozbyć się kogoś; pokonać kogoś; *zwł. US* wywieść kogoś w pole, zmylić kogoś; ~ **sb off guard** zaskoczyć kogoś (*with sth* czymś); ~ **sb off their balance** wytrącić kogoś z równowagi; ~ **sb off the track/trail** wywieść kogoś w pole; ~ **on** narzucać (*np. płaszcz*); ~ **o.s. on sth** zdać się na coś; ~ **out** wyrzucać (*sb/sth out of sth* kogoś coś/skądś); odrzucać (*np. pomysł, projekt ustawy*); powiedzieć mimochodem; rzucić (*pomysł, sugestię*); zrujnować (*np. czyjąś koncentrację*); emitować (*dym, spaliny*); *wojsk.* wysyłać (*oddziały*); *bud.* dobudowywać (*coś wystającego, np. nowe skrzydło budynku*); ~ **sb out** *przen.* zbić kogoś z tropu; wytrącić kogoś z równowagi; ~ **sb out on the street** wyrzucić kogoś na ulicę; ~ **out the baby with the bathwater** *przen.* wylać dziecko wraz z kąpielą; ~ **over** rzucić, porzucić (*np. nawyk, kochanka*); ~ **a bridge over/across the river** przerzucić most przez rzekę; ~ **together** pozbierać do kupy; sklecić; upichcić, upitrasić; ~ **sb and sb together** zetknąć kogoś z kimś; ~ **up** wymiotować; wypłynąć (*o sprawie*); ~ **sb up** *przen.* wydać kogoś na świat; ~ **sth up** podrzucić coś (w górę); zwymiotować coś; *przen. pot.* odrzucić coś (*np. szansę*); rzucić coś (*np. pracę*); porzucić coś (*np. zamiar, dotychczasowe życie*); sklecić coś; ~ **up one's hands in despair** załamywać ręce w rozpaczy. – *n.* **1.** *t. sport* rzut; **free** ~ *koszykówka* rzut wolny; **hammer** ~ rzut młotem; **shoulder** ~ *zapasy* rzut przez ramię. **2.** długość rzutu. **3.** (*także* ~ **of a dice**) rzut kostką. **4.** wyrzucona liczba (*przy rzucie kostką*). **5.** *ryb.* zarzucenie wędki *l.* sieci. **6.** ryzyko; szansa. **7.** *mech.* wykorbienie (*wału*); **crank** ~ promień wykorbienia. **8.** *mech.* płaszczyzna wykorbienia. **9.** szal (*do zarzucenia na plecy*), narzutka; boa. **10.** narzuta (*np. na łóżko*). **11.** *geol.* uskok. **12.** *geol.* zrzut *l.* wysokość uskoku. **13.** *pot.* sztuka; **$5 a** ~ po pięć dolarów za sztukę. **14.** wychylenie wskaźnika (*przyrządu pomiarowego*). **15.** *kino* odległość między projektorem a ekranem.

throwaway [ˈθroʊəˌweɪ] *a. attr.* **1.** rzucony od niechcenia *l.* mimochodem (*np. o uwadze, komentarzu*). **2.** jednorazowy, jednorazowego użytku. – *n.* rzecz jednorazowego użytku.

throwback [ˈθroʊˌbæk] *n.* **1.** odrzucenie. **2.** cofnięcie się, powrót; **it's a** ~ **to the 1970s** to powrót do *l.* przypomnienie lat siedemdziesiątych. **3.** wstrzymanie. **4.** *biol.* atawizm. **5.** *biol.* osobnik wykazujący cechy przodków.

throw-in [ˈθroʊˌɪn] *n. sport* wrzut z autu.

throwing mill [ˈθroʊɪŋ ˌmɪl] *n.* **1.** przędzalnia. **2.** przędzarka.

throwing stick *n.* (*także* **throw-stick**) bumerang.

throwing wheel *n.* krążek garncarski.

thrown [θroʊn] *v. zob.* **throw**.

throw pillow *n. US i Can.* poduszka ozdobna (*na kanapę*).

throw rug *n. US i Can.* dywanik.

throwster [ˈθroʊstər] *n. tk.* przędzalnik (*jedwabiu*).

throwstick [ˈθroʊˌstɪk] *n.* = **throwing stick**.

throw weight *n. U wojsk.* ciężar użytkowy pocisku (*obejmujący głowicę i system naprowadzający*).

thru [θruː] *prep., adv., a. gł. US pot.* = **through**.

thrum[1] [θrʌm] *v.* **-mm- 1.** ~ **(on) sth** brzdąkać na czymś; bębnić po czymś. **2.** mamrotać. – *n.* **1.** brzdąkanie. **2.** bębnienie.

thrum[2] *n.* **1.** *tk.* nitka na krośnie (*po odcięciu osnowy*). **2.** strzęp. **3.** nitka po odcięciu; luźna nitka, kłaczek. **4.** *żegl.* krótkie kawałki liny używane na kwacze. – *v.* **-mm- 1.** robić z nitek. **2.** pokrywać nitkami.

thrush[1] [θrʌʃ] *n. orn.* drozd (*Turdus*); **song** ~ drozd śpiewak (*Turdus philomelus*).

thrush[2] *n. U* **1.** (*także* **vaginal** ~) *pat.* drożdżyca, grzybica pochwy. **2.** *pat.* pleśniawka (*u niemowląt*). **3.** *wet.* gnicie strzałki (*choroba koni*).

thrust [θrʌst] *v.* **thrust, thrust 1.** wsadzać, wpychać, wtykać (*sth into sth* coś w coś, *sth at sb* coś komuś do rąk); wrażać, wbijać (*sth into sth* coś w coś). **2.** *przen.* narzucać (*sth/o.s. upon sb* coś/się komuś); **sb had sth thrust upon them** komuś coś narzucono. **3.** przebić (*sth with sth* coś czymś). **4.** ~ **(at sb with sth)** pchnąć kogoś czymś (*np. sztyletem*); rzucić się (na kogoś z czymś). **5.** (*także* ~ **one's way**) przepychać się (*through sth* przez coś (np. przez tłum, krzaki), *past sth* obok czegoś). **6.** ~ **aside** *przen.* lekceważyć, ignorować (*np. skargi*); ~ **sb away** odepchnąć kogoś; ~ **out** *lit.* wystawać (*of sth* skądś); ~ **up** *lit.* sterczeć. – *n.* **1.** pchnięcie. **2.** parcie, napór. **3.** *wojsk.* natarcie, ofensywa. **4.** *bud.* nacisk. **5.** *mech.* siła posuwająca (*śruby okrętowej, śmigła*). **6.** *lotn.* ciąg; siła ciągu (*np. wirnika*). **7.** *geol.* = **thrust fault**. **8. the** ~ **of sth** *przen.* sedno *l.* istota czegoś (*np. argumentu, czyichś działań*).

thrust augmentation *n. U lotn.* dopalanie.

thrust bearing *n. mech.* łożysko oporowe *l.* wzdłużne.

thrust brake *n. lotn.* hamulec odrzutowy.

thrust coefficient *n. lotn.* współczynnik ciągu.

thruster [ˈθrʌstər] *n.* **1.** *lotn.* silnik sterujący (*rakietowy*). **2.** *żegl.* ster strumieniowy, pędnik sterujący.

thrust fault *n. geol.* uskok odwrócony *l.* wsteczny *l.* nasunięty.

thrust line *n.* **1.** *wojsk.* oś *l.* kierunek natarcia. **2.** *lotn.* kierunek siły ciągu.

thruway ['θruːˌweɪ] *n.* = **throughway**.

Thu *abbr.* = **Thursday**.

Thucydides [θʊ'sɪdəˌdiːz] *n. hist.* Tucydydes, Tukidydes.

thud [θʌd] *n.* głuchy łomot *l.* łoskot. – *v.* **-dd- 1.** wydać łoskot *l.* łomot; załomotać. **2.** upaść z łoskotem *l.* łomotem.

thug [θʌg] *n.* zbir, bandzior.

thuja ['θuːdʒə], **thuya** *n. bot.* tuja (*Thuja*).

thulium ['θuːlɪəm] *n. U chem.* tul.

thumb [θʌm] *n.* **1.** *t. anat.* kciuk (*t. u rękawiczki*). **2.** *przen.* **be all (fingers and) ~s** *zwł. Br. i Austr. pot.* mieć dwie lewe ręce; **be under sb's ~** być pod czyjąś kontrolą; **give sth the ~s up/down** *pot.* wyrazić aprobatę/dezaprobatę dla czegoś; **rule of ~** praktyczna zasada; **as a rule of ~** z grubsza, w przybliżeniu; **by rule of ~** na zdrowy rozum, zdroworozsądkowo; **stick out like a sore ~** *pot.* pasować jak kwiatek do kożucha; **twiddle one's ~s** *zob.* **twiddle** *v.* – *v.* **1.** robić ośle uszy w (*książce, przez częste kartkowanie*); brudzić palcami; **well-~ed** zaczytany (*o książce*). **2.** grać niezgrabnie na (*np. na gitarze*); obchodzić się niezgrabnie z (*np. z klawiszami*). **3.** *pot.* **~ a ride** *US*/**lift** *Br.* łapać okazję (= *autostop*); **~ one's way** przejechać autostopem (*to sth* dokądś). **4. ~ one's nose at sb** *zob.* **nose** *n.* **5. ~ sb out** wyprosić kogoś z pokoju (*gestem kciuka*); **~ through sth** kartkować coś.

thumb index *n.* indeks alfabetyczny (*w postaci wcięć na marginesie słownika itp.*).

thumb knot *n. żegl.* węzeł zwykły.

thumbnail ['θʌmˌneɪl] *n. anat.* paznokieć kciuka. – *a. attr. przen.* zwięzły; **~ description/sketch** zwięzły opis/szkic.

thumbnut ['θʌmˌnʌt] *n. mech.* nakrętka skrzydełkowa *l.* motylkowa *l.* radełkowana.

thumbscrew [ˌθʌm'skruː] *n.* **1.** *mech.* śruba radełkowana (*np. w kluczu nastawnym*). **2.** *hist.* śruba do zgniatania kciuków (*przy torturach*).

thumbs-down [ˌθʌmz'daʊn] *n. przen. pot.* brak aprobaty, dezaprobata; **give sth the ~** wyrazić dezaprobatę dla czegoś; **receive a ~** nie spodobać się; nie przejść (*np. o projekcie*).

thumbstall ['θʌmˌstɔːl] *n.* ochraniacz na kciuk.

thumbs-up [ˌθʌmz'ʌp] *n. przen. pot.* aprobata, zielone światło; **give sth the ~** wyrazić aprobatę dla czegoś, zaaprobować coś; **receive a ~** zyskać aprobatę, dostać zielone światło.

thumbtack ['θʌmˌtæk] *n. US, Can. i Austr.* pinezka.

thump [θʌmp] *v.* **1.** grzmotnąć, walnąć (*pięścią*) (*sb* kogoś, *sth* w coś); rzucić z rozmachem (*onto sth* na coś). **2.** łomotać (*o krokach, pięściach*); walić (*o sercu*); **~ into the ground** walnąć o ziemię (*o przedmiocie*). – *n.* grzmotnięcie; głuche uderzenie.

thumper ['θʌmpər] *n.* **1.** grzmotnięcie. **2.** *pot.* grzmot (= *ogromny przedmiot*); olbrzym.

thumping ['θʌmpɪŋ] *a. attr. zwł. Br. pot.* potężny (*np. o bólu głowy*); **~ big/great** ogromniasty; **~ majority** przygniatająca większość; **~ victory** miażdżące zwycięstwo.

thunder ['θʌndər] *n. U* **1.** *meteor.* grzmot; *t. przen.* piorun, grom; **~ and lightning** piorun; **clap/crash/rumble of ~** uderzenie pioruna, grzmot. **2.** *przen.* **face like ~** (*także* **face as black as ~**) pociemniała z gniewu twarz; **blood-and-~** melodramatyczny (*np. o powieści*); **steal sb's ~** *zob.* **steal** *v.* – *v.* **1.** *meteor. l. przen.* grzmieć; huczeć (*t. o wodospadzie*); **it ~s** grzmi. **2.** jechać z łoskotem *l.* hukiem (*o pojeździe*). **3.** *przen.* rzucać gromy (*against sb / sth* na kogoś/coś).

thunderbird ['θʌndərˌbɜːd] *n. mit.* legendarny ptak mogący sprowadzić burzę z piorunami (*u Indian amerykańskich*).

thunderbolt ['θʌndərˌboʊlt] *n.* **1.** piorun, grom. **2.** *przen.* grom z jasnego nieba. **3.** *geol.* strzałka piorunowa.

thunderbox ['θʌndərˌbɑːks] *n. przest. pot. żart.* przenośna toaleta (*np. na jachcie*).

thunderclap ['θʌndərˌklæp] *n.* **1.** grzmot. **2.** *przen.* grom z jasnego nieba.

thundercloud ['θʌndərˌklaʊd] *n. meteor.* chmura burzowa.

thunderer ['θʌndərər] *n. mit.* gromowładca (= *Jowisz*).

thunderhead ['θʌndərˌhed] *n. US i Can. meteor.* czoło burzy.

thundering ['θʌndərɪŋ] *a.* **1.** *t. przen.* grzmiący, huczący (*np. o wodospadzie*). **2.** *attr. Br. przest. pot.* kolosalny; piekielny.

thunderingly ['θʌndərɪŋlɪ] *adv. Br. przest. pot.* kolosalnie; piekielnie.

thunderous ['θʌndərəs] *a. attr.* **1.** gromki (*np. o głosie, brawach*), ogłuszający (*np. o brawach, hałasie*). **2.** piorunujący (*np. o spojrzeniu*).

thunderously ['θʌndərəslɪ] *adv.* piorunująco (*np. spojrzeć*).

thundershower ['θʌndərˌʃaʊər] *n.* ulewa z piorunami.

thunderstone ['θʌndərˌstoʊn] *n.* **1.** spiczasta skamielina kojarzona dawniej z piorunem. **2.** *arch.* = **thunderbolt**.

thunderstorm ['θʌndərˌstɔːrm] *n. meteor.* burza z piorunami.

thunderstruck ['θʌndərˌstrʌk], **thunderstricken** ['θʌndərˌstrɪkən] *a. pred.* (jak) rażony piorunem.

thundery ['θʌndərɪ] *a.* **-ier, -iest** burzowy (*o pogodzie*).

thurible ['θʊrəbl] *n. kośc.* kadzielnica, trybularz.

thurifer ['θʊrəfər] *n. kośc.* ministrant z kadzielnicą.

Thuringia [θʊ'rɪndʒɪə] *n. geogr.* Turyngia.

Thurs. *abbr.* = **Thursday**.

Thursday ['θɜːzdeɪ] *n. C/U* czwartek; *zob. t.* **Friday**.

thus [ðʌs] *adv. form.* **1.** tym samym. **2.** w ten sposób, tak. **3.** tak więc. **4. ~ far** jak dotąd *l.* dotychczas.

thwack [θwæk] *v. i n.* = **whack.**

thwaite [θweɪt] *n. Br. arch.* (*z wyj. w nazwach*) zaorany ugór.

thwart [θwɔːrt] *v. form.* **1.** pokrzyżować (*np. plany, zamiary*). **2.** popsuć szyki (*komuś*). – *n.* poprzeczna ława wioślarska; poprzeczka (*w kajaku, łodzi*). – *a.* **1.** poprzeczny. **2.** *arch.* uparty. **3.** przeciwny; niepomyślny. – *adv. i prep. arch.* w poprzek.

thy [ðaɪ] *a. arch.* twój.

thylacine [ˈθaɪləˌsiːn] *n. zool.* wilk workowaty *l.* tasmański (*Thylacinus cynocephalus*).

thyme [taɪm] *n. U bot., kulin.* tymianek (*Thymus*).

thymic [ˈθaɪmɪk] *a. anat.* grasicowy.

thymidine [ˈθaɪmɪdiːn] *n. U biochem.* tymidina.

thymine [ˈθaɪmiːn] *n. U biochem.* tymina.

thymol [ˈθaɪmoʊl] *n. U chem.* tymol.

thymoma [θaɪˈmoʊmə] *n. pl.* **-s** *l.* **thymomata** [θaɪˈmoʊmətə] *pat.* grasiczak.

thymosin [ˈθaɪməsɪn] *n. U biochem.* tymozyna.

thymus [ˈθaɪməs] *n. pl.* **-es** *l.* **thymi** [ˈθaɪmaɪ] *anat.* grasica.

thyroid [ˈθaɪrɔɪd] *anat. a.* tarczycowy. – *n.* = **thyroid gland.**

thyroid cartilage *n. anat.* chrząstka tarczycowa.

thyroidectomy [ˌθaɪrɔɪˈdektəmɪ] *n. C/U pl.* **-ies** *chir.* wycięcie tarczycy, tyroidektomia.

thyroid gland *n. anat.* gruczoł tarczycowy, tarczyca.

thyrotropin [ˌθaɪroʊˈtroʊpɪn], **thyrotrophin** [ˌθaɪroʊˈtroʊfɪn] *n. U biochem.* tyreotropina, hormon tyreotropowy.

thyrotropin-releasing hormone *n. U biochem.* hormon uwalniający tyreotropinę.

thyroxine [θaɪˈrɑːksiːn], **thyroxin** *n. U biochem.* tyroksyna.

thyrsus [ˈθɝːsəs] *n. pl.* **thyrsi** [ˈθɝːsaɪ] *mit.* tyrs (= *laska Dionizosa*).

thysanuran [ˌθaɪsəˈnʊrən] *n. ent.* szczeciogonek (*rząd Thysanura*).

thyself [ðaɪˈself] *pron. arch.* = **yourself.**

ti [tiː], **te** *n. muz.* si (= *siódmy dźwięk na skali C-dur*).

tiara [tɪˈerə] *n.* **1.** diadem. **2.** *rz.-kat.* tiara.

tiaraed [tɪˈerəd] *a.* ozdobiony diademem *l.* tiarą (*o głowie*); noszący diadem *l.* tiarę (*o osobie*).

Tiber [ˈtaɪbər] *n. geogr.* Tyber.

Tiberius [taɪˈbiːrɪəs] *n. hist.* Tyberiusz.

Tibet [tɪˈbet] *n. geogr.* Tybet.

Tibetan [tɪˈbetən] *a.* tybetański. – *n.* **1.** Tybeta-ńczyk/nka. **2.** *U* (język) tybetański.

tibia [ˈtɪbɪə] *n. pl.* **tibiae** [ˈtɪbɪiː] *anat.* kość piszczelowa, piszczel; goleń.

tibial [ˈtɪbɪəl] *a. anat.* piszczelowy; goleniowy.

tic [tɪk] *n. pat.* tik, kurcz (*zwł. twarzy*).

tic douloureux [ˌtɪk ˌduːləˈruː] *n. pat.* nerwoból mięśnia trójdzielnego.

tichy [ˈtɪtʃɪ] *a.* = **titchy.**

tick¹ [tɪk] *n.* **1.** tykanie; tyknięcie (*zegara*). **2.** *Br. pot.* chwileczka, momencik; **hang on a** ~ jedną chwileczkę; **in two** ~**s** w trymiga. **3.** *Br. i Austr.* ptaszek, haczyk (*znak*). **4. on** ~ *Br. przest. pot.* na kredę *l.* krechę (*kupować*). – *v.* **1.** tykać (*o zegarze*). **2.** *Br. i Austr.* stawiać ptaszek przy (*zwł. przy odpowiedzi, sprawdzając test*). **3. I don't know what makes him** ~ *przen. pot.* nie mogę go wyczuć. **4.** ~ **away** odliczać tykaniem (*czas*); ~ **away/by** upływać, mijać (*o czasie*); ~ **off** *Br. i Austr. pot.* odhaczać, odfajkowywać (*na liście*); ~ **sb off** *US pot.* wkurzać kogoś; *Br. i Austr. pot.* ochrzanić kogoś; ~ **out** wystukiwać (*o telegrafie*); ~ **over** *Br. t. przen.* pracować na wolnych obrotach.

tick² *n. tk.* wsypa, inlet; pokrycie materaca.

tick³ *n. ent.* kleszcz.

tick-bird [ˈtɪkˌbɝːd] *n. orn.* bąkojad czerwonodzioby (*Buphagus africanus l. erythrorhynchus*).

tick-borne [ˈtɪkˌbɔːrn] *a. pat.* przenoszony przez kleszcze.

ticker [ˈtɪkər] *n.* **1.** *pot.* zegarek. **2.** *przest. pot.* serce. **3.** (*także* **stock** ~) *US tel.* aparat odbiorczy taśmowy (*zwł. na giełdzie*).

ticker tape *n. U US* wydruk taśmowy.

ticker tape parade *n. US* pochód triumfalny, w którym fetowanego obrzuca się papierkami (*zw. pociętą taśmą*).

ticket [ˈtɪkɪt] *n.* **1.** bilet; **admission by** ~ **only** wstęp wyłącznie za okazaniem biletu; **bus/train/plane** ~ bilet autobusowy/kolejowy/lotniczy; **concert/cinema** ~ bilet na koncert/do kina; **season** ~ bilet okresowy. **2.** (*także* **lottery** ~) los (*loterii*). **3.** *handl.* metka (*na towarze*); **price** ~ metka z ceną. **4.** karta (*np. biblioteczna*); kartka (*np. żywnościowa*); bon (*np. obiadowy*). **5.** *policja, mot.* mandat; **parking/speeding** ~ mandat za nieprzepisowe parkowanie/za przekroczenie dozwolonej prędkości. **6.** *US parl.* lista wyborcza; **run on the Democratic** ~ ubiegać się o mandat z listy Demokratów. **7.** *Br. parl.* platforma wyborcza, program wyborczy; **run on the anti-EU** ~ startować z hasłami antyunijnymi. **8.** *handl.* tymczasowe potwierdzenie transakcji. **9.** *pot.* licencja (*np. pilota, kapitana*). **10.** *Br. wojsk. sl.* zwolnienie (*z wojska*). **11. have** ~**s on o.s.** *Austr. pot.* być nadętym; **just the** ~ *przest. pot.* dokładnie to, co chodzi *l.* chodziło, dokładnie to, czego potrzeba. – *v.* **1.** *handl.* metkować (*towar*). **2.** zaopatrywać w bilet *l.* bilety. **3.** *US* dawać mandat za nieprzepisowe parkowanie (*komuś*). **4. be** ~ **ed for sth** być przeznaczonym na coś *l.* do czegoś.

ticket day *n. Br. giełda* dzień ujawnienia maklerom tożsamości nabywców.

ticket office *n. US* kasa biletowa.

ticket of leave *n. Br. hist.* przedterminowe zwolnienie (*z więzienia*).

ticket porter *n. Br.* koncesjonowany bagażowy.

ticket punch *n.* przyrząd do dziurkowania biletów.

ticket tout *n. Br. pot.* konik (*sprzedający bilety*).

ticket window *n.* kasa biletowa.

tickety-boo [ˌtɪkətɪˈbuː] *a. Br. i Can. przest. pot.* cacy, że mucha nie siada.

tick fever *n. U pat.* gorączka przenoszona przez kleszcze.

ticking ['tɪkɪŋ] *n. U* materiał na wsypy *l.* pokrycie materaców.

ticking off *n. sing. Br. pot.* ochrzan; **give sb a ~** ochrzanić kogoś.

tickle ['tɪkl] *v.* **1.** łaskotać; *t. przen.* łechtać. **2.** swędzieć; **my palm ~s/is tickling** swędzi mnie dłoń. **3.** drapać (*np. o kocu, swetrze*). **4.** bawić (*np. o sytuacji, opisie*); wprawiać w dobry nastrój. **5.** *ryb.* chwytać ręką (*pstrągi*). **6.** *przen.* **~ sb's fancy** *zob.* **fancy** *n.*; **~ the ivories** *zob.* **ivory** *n.*; **be ~d pink/silly** (*także* **be ~d to death**) *pot.* być zachwyconym *l.* wniebowziętym. – *n. sing.* **1.** łaskotanie, łechtanie; **give sb a ~** połaskotać kogoś. **2.** drapanie (*np. w gardle*).

tickler ['tɪklər] *n.* **1.** *gł. Br. przen. pot.* delikatna sprawa. **2.** (*także* **~ file**) *US* notatnik; raptularz. **3.** *US rachunkowość* księga płatności.

ticklish ['tɪklɪʃ] *a.* **1. be ~** mieć łaskotki. **2.** *przen.* drażliwy, delikatny (*o problemie, sprawie*). **3.** *żegl.* wywrotny (*o łodzi*).

ticktack ['tɪkˌtæk], **tick-tack, tictac** *n.* **1.** *sing. US* tik-tak (*zegara*). **2.** *U Br.* migowy język bukmacherów.

tick-tack-toe [ˌtɪkˌtæk'toʊ], **tic-tac-toe** *n. U US i Can.* (gra w) kółko i krzyżyk.

tick-tock ['tɪkˌtɑːk], **ticktock** *n.* = **tick-tack** 1. – *v.* tykać.

tick trefoil *n. bot.* desmodium (*Desmodium*).

tidal ['taɪdl] *a.* dotyczący przypływu i odpływu; *oceanologia* pływowy.

tidal air *n. U fizj.* powietrze wdychane i wydychane.

tidal basin *n.* basen pływowy.

tidal day *n. oceanologia* doba pływowa.

tidal harbor, *Br.* **tidal harbour** *n.* port pływowy.

tidal power *n. U hydrol.* energia pływów.

tidal river *n. hydrol.* rzeka z pływami.

tidal wave *n.* **1.** fala pływowa (*często niszcząca, wywołana np. trzęsieniem ziemi*). **2.** *przen.* fala (*np. niepokojów*), burza (*np. protestów*).

tidbit ['tɪdˌbɪt], *Br.* **titbit** *n. t. przen.* smaczny kąsek (*t. np. o sensacyjnej wiadomości*).

tiddler ['tɪdlər] *a. Br. pot.* **1.** mała rybka. **2.** maleństwo (*zwł. = dziecko mniejsze od rówieśników*).

tiddly[1] ['tɪdlɪ] *a.* **-ier, -iest** *Br.* maciupki.

tiddly[2] *a.* **-ier, -iest** *Br. i Can. pot.* zawiany, podchmielony.

tiddlywinks ['tɪdlɪˌwɪŋks] *n. U* (gra w) pchełki.

tide[1] [taɪd] *n. zw. sing.* **1. the ~** *oceanologia* pływ; **full/high ~** przypływ; **low ~** odpływ; **at low ~** w czasie odpływu; **the ~ is in/out** jest przypływ/odpływ. **2.** *t. przen.* fala; **rising ~ of violence** rosnąca fala przemocy; **stem the tide ~ of sth** zahamować *l.* powstrzymać falę czegoś (*np. histerii, protestów*). **3.** *przen.* prąd, trend; **~ of fashion** prądy *l.* tendencje w modzie; **~ of opinion** panujące poglądy; **go/swim against/with the ~** iść/płynąć pod prąd/z prądem; **turn the ~** zmienić bieg wydarzeń; zmienić nastawienie (*ludzi*). **4.** *przen.* punkt zwrotny, krytyczny punkt (*np. w karierze, losach*). **5.** *w złoż. l. arch.* pora, czas; **Christmas~/yule~** okres Bożego Narodzenia, pora świąt; **morning~/evening~** poranna/wieczorowa pora. – *v.* **1.** przypływać falą. **2.** płynąć z falą; być unoszonym przez przypływ i odpływ morza. **3. ~ sb over** *przen.* umożliwić komuś przetrwanie *l.* przeżycie, pożyczając pieniądze.

tide[2] *v. arch.* wydarzyć się.

tidegate ['taɪdˌgeɪt] *n. hydrol.* śluza przypływowa.

tide gauge *n. hydrol.* pływomierz, mareograf.

tide-generating force ['taɪdˌdʒenəˌreɪtɪŋ ˌfɔːrs] *n. U fiz.* siła pływotwórcza.

tideland ['taɪdˌlænd] *n. hydrol.* obszar zalewowy.

tidelock ['taɪdˌlɑːk] *n.* śluza portowa.

tidemark ['taɪdˌmɑːrk] *n. hydrol.* znak zasięgu wód pływowych.

tide race *n. oceanologia* bystrze pływu.

tiderip ['taɪdˌrɪp] *n. oceanologia* stłoczenie fal; *żegl.* przybój, prąd odpływowy.

tide table *n. hydrol.* tabela pływów.

tidewaiter ['taɪdˌweɪtər] *n. hist.* urzędnik celny dokonujący inspekcji statku.

tidewater ['taɪdˌwɔːtər] *n. U* **1.** *geofizyka* wody przypływu. **2.** *hydrol.* tereny o zmiennym stanie wód (*zależnym od pływów*). **3.** *US geogr.* wschodnie wybrzeże (*zwł. Wirginii*).

tideway ['taɪdˌweɪ] *n.* **1.** *hydrol.* kanał *l.* tor wodny podlegający pływom. **2.** *oceanologia* strumień główny prądu pływowego.

tidily ['taɪdɪlɪ] *adv.* schludnie, czysto; porządnie.

tidiness ['taɪdɪnəs] *n. U* schludność; czystość; zamiłowanie do porządku.

tidings ['taɪdɪŋz] *n. pl. arch. l. lit.* wieść, wieści; **glad/good ~** dobre wieści; **sad ~** złe wieści.

tidy ['taɪdɪ] *a.* **-ier, -iest** *zwł. Br.* **1.** schludny, czysty, zadbany; porządny. **2.** *attr. pot.* ładny, okrągły (*o sumce*). – *n. pl.* **-ies** **1.** *gł. US i Can.* ozdobny pokrowiec (*na fotel*). **2.** *Br.* pudełeczko na drobiazgi (*pomagające utrzymać porządek na biurku, w samochodzie itp.*). **3. sink ~** sitko (*w zlewie*). – *v.* **1. ~ (up)** *zwł. Br.* sprzątać (*after sb* po kimś). **2. ~ away** *Br.* sprzątnąć, uprzątnąć (= *pochować, np. zabawki, papiery*); **~ out** *Br.* wysprzątać (*np. kredens, pokój, szafę*); **~ o.s. up** oporządzić się.

tie [taɪ] *v.* **tying** **1.** wiązać (*ze sobą*). **2.** wiązać (*np. krawat, muszkę*); sznurować (*buty*); zawiązywać (*np. sznurowadła, węzeł*). **3.** przywiązywać (*sth to sth* coś do czegoś); *przen.* powiązać (*sth to / into sth* coś z czymś). **4.** *przen. pot.* połączyć węzłem małżeńskim. **5.** *el.* sprzęgać. **6.** *muz.* łączyć (*nuty*). **7.** (*także* **be ~d**) *sport* zremisować (*with sb* z kimś). **8.** *przen.* **~ one on** *sl.* upić się; **~ o.s. (up) in knots** *zob.* **knot** *n.*; **~ the knot** *zob.* **knot** *n.*; **our hands are ~d** mamy związane ręce; **be fit to be ~d** *sl.* być kompletnie wyprowadzonym z równowagi. **9. ~ sb down** krępować *l.* ograniczać kogoś; **~ in with sth** wpasowywać się w coś, pasować do czegoś; pokrywać się z czymś; zbiegać się w czasie z czymś; **~ up** uwiązać (*np. konia, psa*); zawiązać; obwiązać;

przen. zamrozić (*np. pieniądze w jakimś przedsięwzięciu*), zainwestować; obwarować zastrzeżeniami (*np. własność*); (*także* **be ~d up**) wiązać się (*with sth* z czymś); **~ sb up** związać kogoś (*np. sznurem*); **~ up the loose ends** *zob.* **loose end**; **be ~d up** być zajętym, nie mieć czasu. – *n.* **1.** (*także zwł. US* **neck~**) krawat. **2.** wiązadło, trok, troczek; sznurek; tasiemka; wstążka. **3.** *zw. pl. przen.* więź; powiązanie; **economic ~s** powiązania gospodarcze; **family ~s** więzy rodzinne. **4.** *przen.* ograniczenie (*t. prawne*). **5.** *zw. sing. sport* remis; **end in a ~** zakończyć się remisem; **play/shoot off a ~** rozstrzygnąć grę (zakończoną remisem) przez zagranie jeszcze jednej partii. **6.** *Br. sport* rozgrywka. **7.** *US i Can. kol.* podkład. **8.** uwiąz (*zwierzęcia*). **9.** *bud.* więzar. **10.** *muz.* ligatura; łuk. **11.** *pl.* półbuty. **12. the old school ~** *zob.* **old school tie**.

tieback [ˈtaɪˌbæk] *n.* tasiemka do drapowania firanek *l.* kotar przy ścianie.

tie beam *n. bud.* ściąg.

tie-break [ˈtaɪˌbreɪk] *n.* (*także* **tie-breaker**) **1.** *sport* rozstrzygająca dodatkowa runda; *tenis* tie-break. **2.** rozstrzygające pytanie dodatkowe (*w quizie*).

tie clasp *n.* (*także* **tie clip**) spinka do krawata.

tied [taɪd] *a. attr.* **1. ~ cottage/house** *Br.* służbówka. **2. ~ house** *Br. i Austr.* pub mający umowę z jednym browarem.

tie-dye [ˈtaɪˌdaɪ] *v.* barwić po uprzednim zawiązaniu w supły (*np. podkoszulki*).

tie-in [ˈtaɪˌɪn] *handl. a. attr.* wiązany; **~ sale** sprzedaż wiązana. – *n.* artykuł sprzedawany wyłącznie w sprzedaży wiązanej.

tiepin [ˈtaɪˌpɪn], **tie-pin** *n.* (*także US* **tie tack**) szpilka do krawata.

tier [ˈtiːr] *n.* **1.** rząd (*siedzeń, krzeseł*). **2.** kondygnacja, piętro (*np. w teatrze*). **3.** poziom (*np. na diagramie, w organizacji*). – *v.* **~ (up)** układać (się) poziomami; spiętrzać (się).

tierce [tiːrs] *n.* **1.** *rz.-kat.* **= terce**. **2.** *szerm.* tercja. **3.** *karty* sekwens z trzech figur; **~ major/minor** sekwens z trzech figur z asem/waletem. **4.** *hist.* półbeczka (*miara objętości*).

tiered [tiːrd] *n. gł. w złoż.* **two-/three-~** dwu-/trójpoziomowy.

tie-rod [ˈtaɪˌrɑːd] *n.* **1.** *mot.* drążek kierowniczy (*poprzeczny*). **2.** *bud.* ściąg, kotwa.

tie-up [ˈtaɪˌʌp] *n. pot.* **1.** *US i Can.* korek (*uliczny*). **2.** *US i Can. przen.* zastój. **3.** *Br.* ścisły związek (*between X and Y* pomiędzy X i Y). **4.** *ekon.* połączenie, fuzja.

tiff[1] [tɪf] *n.* **1.** sprzeczka. **2.** napad złego humoru. – *v.* **1.** sprzeczać się. **2.** być w złym humorze.

tiff[2] *n. arch.* łyczek, kieliszeczek.

tiffany [ˈtɪfənɪ] *n. C/U pl.* **-ies** *tk.* rodzaj muślinu.

tiffin [ˈtɪfɪn] *n. Anglo-Ind.* drugie śniadanie.

tig [tɪg] *n.* **= tag**[2] *n.* 1. – *v.* **= tag**[2] *v.* 1.

tiger [ˈtaɪgər] *n.* **1.** *zool.* tygrys (*Panthera tigris; t. pot. lampart, jaguar itp.*). **2.** *przen.* zabijaka, zawadiaka. **3.** *ent.* **= tiger moth**. **4.** *przen. pot.* **get off the ~('s back)** wybronić się, wyjść obronną ręką; **have a ~ by the tail** być w tarapatach; **ride the ~** narażać się.

tiger balm *n. U med.* balsam tygrysi.

tiger beetle *n. ent.* trzyszcz (*Cicindela*).

tiger bird *n. orn.* **1.** tropikalny ptak z rodziny brodaczy (*Capitoninae*). **2.** bengalik (*Sporaeginthus amandava*).

tiger bittern *n. orn.* słonecznica (*Eurypyga helias*).

tiger cat *n. zool.* **1.** kot tygrysi (*Felis tigrina*). **2.** mały drapieżnik przypominający tygrysa (*np. margaj, ocelot l. serwal*).

tiger chop *n. bot.* gatunek przypołudnika (*Mesembryanthemum tigrinum*).

tiger cowry *n.* **= tiger shell**.

tigereye [ˈtaɪgərˌaɪ] *n.* **= tiger's-eye**.

tiger fish *n. icht.* ryba-tygrys (*Hydrocyon lineatus*).

tiger flower *n. bot.* tygrysówka pawia (*Tigrida pavonia*).

tigerish [ˈtaɪgərɪʃ] *a.* tygrysi, tygrysowaty.

tiger lily *n. pl.* **-ies** *bot.* lilia tygrysia (*Lilium tigrinum*).

tiger lizard *n. zool.* gatunek południowoafrykańskiej jaszczurki (*Nucras delalandi*).

tiger moth *n. ent.* niedźwiedziówka (*Arctia*).

tiger python *n. zool.* pyton tygrysi (*Python molurus*).

tiger salamander *n. zool.* ambystoma tygrysia (*Ambystoma tigrinum*).

tiger's-eye [ˈtaɪgərzˌaɪ] *n. U* (*także* **tigereye**) *min.* tygrysie oczko (*ozdobna odmiana kwarcu*).

tiger's foot *n. bot.* wilec (*Ipomaea, Convolvulus*).

tiger shark *n. icht.* **1.** żarłacz tygrysi (*Galeocerdo cuvieri*). **2.** rekin brodaty (*Stegostoma tigrinum*).

tiger shell *n.* (*także* **tiger cowry**) *zool.* porcelanka tygrysia (*Cypraea tigris*).

tiger snake *n. zool.* wąż tygrysi (*Notechis scutatus*).

tiger wolf *n. zool.* wilk workowaty *l.* tasmański (*Thylacinus cynocephalus*).

tight [taɪt] *a.* **1.** ciasny (*np. o przestrzeni, ubraniu*). **2.** mocny (*t. o śnie*); **~ hold/grip** mocny uścisk *l.* uchwyt. **3.** dokręcony, zaciśnięty (*np. o śrubie, nakrętce*). **4.** szczelny. **5.** *t. przen.* napięty (*np. skórze, sznurze, wodzach*); **~ deadline/schedule** napięty termin/harmonogram. **6.** zaciśnięty (*np. o ustach*); ściśnięty (*np. o gardle, głosie, żołądku*); **her throat was ~ with emotion** wzruszenie ściskało ją za gardło. **7.** wyśrubowany (*np. o budżecie, planie produkcyjnym*); ścisły, zaostrzony (*np. o kontroli*); **~ security** zaostrzone środki bezpieczeństwa. **8.** *mot.* ostry (*o zakręcie*); **go round a ~ bend** wziąć ostry zakręt; **make a ~ turn** ostro zakręcić. **9.** zwarty (*o grupie ludzi*). **10.** zgrany (*o zespole*). **11.** *t. sport* wyrównany (*np. o biegu, meczu*). **12.** *pot.* skąpy. **13.** dobrze wykonany; dobrze zagrany (*zwł. zespołowo*). **14.** *pred. przest. pot.* zalany (= *nietrzeźwy*). **15.** *przen.* **be a ~ fit** być za ciasnym, być zbyt opiętym (*o odzieży*); **it was a ~ fit/squeeze** ledwo się pomieściliśmy (*np. w samochodzie*); **be**

on a ~ **budget** liczyć się z każdym groszem; **in a ~ corner/spot** *pot.* w opałach; **keep a ~ rein on sb** trzymać kogoś krótko; **money is ~** (*także* **things are ~**) *pot.* jest krucho z pieniędzmi; **run a ~ ship** *US* być wymagającym szefem; **weapons ~!** *wojsk.* strzelać dopiero po rozpoznaniu celu!. – *adv.* **1.** mocno; **hold ~** trzymać się mocno. **2.** szczelnie; **keep sth ~ shut** trzymać coś szczelnie zamknięte; **packed ~** szczelnie wypełniony. **3.** **sit ~** *zob.* **sit**; **sleep ~!** *zob.* **sleep** *v.* – *n. pl. zob.* **tights**.

tighten ['taıtən] *v.* **1.** zaciskać (się). **2.** dociągać (*np. pasek*). **3.** napinać, naprężać (*np. łańcuch*). **4.** ~ **(up)** dokręcać (*np. nakrętkę, śrubkę*). **5.** uszczelniać (*np. granice*). **6.** zaostrzać (*np. rygory*). **7.** ściskać się (*o żołądku*). **8.** napinać się, naprężać się (*np. o łańcuchu, sznurze*). **9.** stężeć (*o twarzy*). **10.** ~ **one's grip/hold on sth** zacisnąć uścisk na czymś, ścisnąć *l.* chwycić coś mocniej; ~ **one's belt** *przen.* zaciskać pasa.

tightener ['taıtənər] *n. techn.* **1.** klucz (*dociskający, zaciskający*). **2.** pasek (*dociągający*).

tight-fisted [ˌtaıt'fıstıd] *a. pot.* sknerowaty, skąpy.

tightknit [ˌtaıt'nıt] *a. attr.* **1.** *socjol.* zwarty, dobrze zintegrowany (*np. o grupie, społeczności*). **2.** *US* precyzyjny (*zwł. o planie*); precyzyjnie zorganizowany *l.* zaplanowany.

tight-lipped [ˌtaıt'lıpt] *a.* **1.** z zaciśniętymi wargami *l.* ustami. **2.** *przen.* skryty, milczący.

tightly ['taıtlı] *adv.* **1.** ciasno (*np. dokręcony, skupiony*). **2.** mocno (*np. powiązany*). **3.** szczelnie (*np. zamknięty*). **4.** ściśle (*np. kontrolowany*).

tightness ['taıtnəs] *n. U* **1.** szczelność. **2.** ściskanie (*w żołądku*). **3.** naprężenie, napięcie (*np. skóry, sznura*).

tightrope ['taıtˌroʊp] *n.* **1.** lina akrobatyczna. **2.** **walk (on) a ~** *przen.* balansować, lawirować.

tightrope walker *n.* linoskocz-ek/ka.

tights [taıts] *n. pl.* **1.** *Br.* rajstopy. **2.** trykoty.

tightwad ['taıtˌwɑːd] *n. US, Can. i Austr. sl.* sknera, kutwa.

tigon ['taıgən], **tiglon** ['taıglən] *n. zool.* potomek tygrysa i lwicy.

tigress ['taıgrəs] *n.* tygrysica.

Tigris ['taıgrıs] *n. geogr.* Tygrys.

tike [taık] *n.* = **tyke**.

til [tıl] *n. U bot.* sezam (*Sesamum indicum*).

tilbury ['tılˌberı] *n. pl.* **-ies** lekki pojazd dwukołowy na dwie osoby.

tilde ['tıldə] *n. druk.* tylda.

tile [taıl] *n.* **1.** płytka (*ceramiczna*), kafelek. **2.** *C/U* dachówka. **3.** rura do drenowania. **4.** *Br. przest. sl.* kapelusz. **5.** **be (out) on the ~s** (*także* **have a night out on the ~s**) *pot.* hulać. – *v.* **1.** wykładać płytkami, kafelkować. **2.** pokrywać dachówką. **3.** *komp.* sterować (oknami) (*na ekranie komputera*).

tiler ['taılər] *n.* **1.** płytkarz, kafelkarz. **2.** dekarz (*kryjący dachówkami*). **3.** *wolnomularstwo* dozorca *l.* strażnik loży.

tiling ['taılıŋ] *n. U* **1.** płytki, kafelki. **2.** dachówki, dachówka. **3.** dachówkarstwo. **4.** *komp.* sterowanie oknami.

till[1] [tıl] *prep. i conj.* = **until**.

till[2] *v. roln.* uprawiać (*ziemię*).

till[3] *n.* **1.** szuflada na pieniądze (*w ladzie, kasie*); *zwł. Br.* kasa (*sklepowa*). **2.** **be caught with one's fingers in the ~** *zob.* **finger** *n.*

till[4] *n. U geol.* glina morenowa *l.* zwałowa.

tillable ['tıləbl] *a. roln.* orny.

tillage ['tılıdʒ] *n. U roln.* **1.** uprawa ziemi. **2.** ziemia uprawna.

tiller[1] ['tılər] *n. roln.* **1.** rolnik. **2.** pług.

tiller[2] *n. żegl.* rumpel.

tiller[3] *n. ogr.* **1.** pęd u spodu łodygi. **2.** młode drzewko. – *v. ogr.* rodzić pędy u spodu łodygi.

tilt[1] [tılt] *v.* **1.** przechylać (się); ~ **back** odchylać się (do tyłu); ~ **forwards** pochylać się (do przodu); ~ **one's head forwards** pochylić głowę do przodu; ~ **one's head to one side** przechylić głowę na bok. **2.** *przen.* zmieniać (się) (*np. o nastawieniu, opinii, sytuacji*) (*towards/against sth* na korzyść/niekorzyść czegoś); ~ **the balance/scales in favor of/against sth** przechylić szalę na korzyść/niekorzyść czegoś. **3.** *hist.* brać udział w turnieju. **4.** *techn.* kuć młotem parowym. **5.** ~ **at sb** *hist.* nacierać na kogoś (*kopią*); *przen.* atakować kogoś (*w mowie l. piśmie*); ~ **at windmills** *przen. pot.* walczyć z wiatrakami. – *n. U l. sing.* **1.** przechył, przechylenie; **at a ~** przechylony. **2.** *hist.* kruszenie kopii. **3.** *zwł. US* stronniczość. **4.** **at full ~** najszybciej jak się da (*jechać*); co sił w nogach (*biec*); **run/ride/drive at full ~** pędzić, gnać.

tilt[2] *n.* buda (*na wozie, ciężarówce*).

tilth [tılθ] *n. U roln.* **1.** uprawa ziemi. **2.** warstwa ornej ziemi.

tilt hammer *n. techn.* młot hydrauliczny *l.* parowy.

tilting ['tıltıŋ] *a.* odchylany (*o urządzeniu*).

tilting wagon *n.* wóz z budą.

tiltyard ['tıltˌjɑːrd] *n. hist.* szranki, = dziedziniec turniejowy.

timbal ['tımbl], **tymbal** *n.* **1.** *muz.* kocioł. **2.** *ent.* błona głosowa.

timbale ['tımbl] *n. kulin.* **1.** zapiekanka. **2.** naczynie do zapiekanek.

timber ['tımbər] *n.* **1.** *U zwł. Br.* drewno, drzewo (*jako budulec*). **2.** *U* las (*hodowany na budulec*). **3.** *U US* las; obszar leśny. **4.** *U bud., żegl.* drewniana część konstrukcji. **5.** *bud.* belka. **6.** *żegl.* wręga. **7.** *Br. jeźdz.* przeszkoda. **8.** *her.* klejnot. **9.** **be managerial/executive ~** *przen.* być dobrym materiałem na menadżera/dyrektora (*o osobie*). – *v. bud.* podpierać belkami, stemplować. – *a. gł. attr. bud.* z drewna, drewniany. – *int. pot.* uwaga, drzewo spada! (*okrzyk drwali*).

timbered ['tımbərd] *a. bud.* **1.** z drewna, drewniany. **2.** **half-~** z muru pruskiego.

timberhead ['tımbərˌhed] *n. żegl.* pachołek, poler.

timberland ['tımbərˌlænd] *n. U US* obszar lasu budulcowego.

timber limit *n. Can.* = **timber line**.

timber line, timberline *n. US* granica lasu (*w górach l. w okolicy podbiegunowej*).

timberman ['tɪmbə,mæn] *n. pl.* **-men** (*także* **timberman beetle**) *ent.* chrząszcz - szkodnik lasów.

timber mill *n.* tartak.

timber rattlesnake *n. zool.* grzechotnik leśny (*Crotalus horridus*).

timber wolf *n. zool.* wielki szary wilk amerykański (*Canis lupus occidentalis*).

timberwork ['tɪmbər,wɜ:k] *n. U bud.* drewniana konstrukcja; drewniane elementy konstrukcji.

timberyard ['tɪmbər,jɑ:rd] *n. Br.* skład drewna.

timbre ['tæmbər] *n.* **1.** *muz.* tembr, timbre, barwa tonu. **2.** *fon.* barwa (*głosu, samogłoski*).

timbrel ['tɪmbrəl] *n. muz., gł. Bibl.* tamburyn.

time [taɪm] *n.* **1.** *U* czas; ~ **goes by/passes** czas mija; **free/spare** ~ wolny czas; **5 p.m. local** ~ piąta po południu czasu miejscowego; **summer** ~ czas letni. **2.** raz; **each/every**~ za każdym razem; **four/many**~ cztery/wiele razy; **many a** ~ niejeden raz, nieraz, niejednokrotnie; **one** ~ pewnego *l.* jednego razu; **ten ~s as much/many** dziesięć razy więcej, dziesięć razy tyle; **the last** ~ ostatnim razem; **this/next** ~ tym/następnym razem; **two/three at a** ~ po dwa/trzy naraz. **3.** *C / U* godzina; **arrival/departure ~s** godziny przylotów/odlotów; **do you have the ~?** (*także Br.* **have you got the~?**) czy ma Pan/i zegarek? (= *która godzina?*); **opening ~s** *gł. handl.* godziny otwarcia; **tell (the)** ~ znać się na zegarku; **what ~ is it?** (*także* **what is the ~?**) która (jest) godzina?; **what ~ do you have?** (*także Br.* **what ~ do you make it?**) którą ma Pan/i godzinę?. **4.** pora; ~ **of day/year** pora dnia/roku; **lunch/dinner** ~ pora lunchu/obiadu; **this ~ tomorrow/next week** jutro/za tydzień o tej porze. **5.** *często pl.* czasy; **ancient/Roman ~s** czasy starożytne/rzymskie; **hard ~s** ciężkie czasy; **in Kościuszko's ~(s)** za czasów Kościuszki; **our ~(s)** nasze czasy. **6.** *U muz.* takt; tempo; **beat/keep** ~ wybijać takt; **in** ~ w tempie; **out of** ~ nie w tempie. **7.** ~ **after** ~ (*także* ~ **and (~) again**) raz za razem, ustawicznie; ~ **heals all wounds** czas leczy rany; ~ **is money** czas to pieniądz; **~'s up** czas minął, czas dobiegł końca (*np. na egzaminie, w teleturnieju*); ~ **was (when)...** był czas, kiedy...; ~ **will tell** czas pokaże; **a long ~ ago** dawno temu; **about ~ (too)** (*także* **not before** ~) *pot.* rychło w czas; **against** ~ w największym pośpiechu; w morderczym tempie; **ahead of** ~ za wcześnie, przed czasem; **all in good** ~ wszystko w swoim czasie, na wszystko przyjdzie czas; **all the** ~ (przez) cały czas; ciągle, stale; **at ~s** niekiedy, czasami; **at all ~s** *form.* zawsze, w każdych okolicznościach; **at any** ~ kiedykolwiek, w każdym momencie; **at (any) one** ~ w tym samym czasie, równocześnie, jednocześnie; **at no** ~ nigdy; **at one** ~ dawniej, swego czasu; **at the** ~ wówczas, wtedy; **at the best of ~s** nawet w najbardziej sprzyjających okolicznościach (*np. ktoś jest niemiły, coś jest nieatrakcyjne*); **at the same** ~ równocześnie; zarazem; **at this** ~ w tej chwili, w tym momencie; **be ahead of one's** ~ (*także* **be in advance of one's** ~) wyprzedzać swoją epokę; **before one's** ~ przedwcześnie (*np. starzeć się*); **before your** ~ kiedy cię jeszcze nie było na świecie; **behind** ~ spóźniony; **behind the ~s** przestarzały (*np. o poglądach, prawie*); nienowoczesny, staromodny (*o osobie*); **bide one's** ~ *zob.* **bide**; **big** ~ *pot.* szczyt kariery; **by the** ~ zanim; **call** ~ *Br.* informować klientów, że zbliża się pora zamknięcia pubu; **do/serve** ~ odsiadywać wyrok, odbywać karę (*więzienia*); **for a** ~ przez jakiś czas; **for any length of** ~ przez dłuższy czas; **for hours/weeks at a** ~ całymi godzinami/tygodniami; **for old ~s' sake** *zob.* **old** *a.*; **for some** ~ dość długo; od dość dawna, od dłuższego czasu; **for the ~ being** na razie; **from ~ to** ~ od czasu do czasu; **from ~ immemorial** (*także* ~ **out of mind**) *lit.* od niepamiętnych czasów; **gain** ~ zyskiwać na czasie; śpieszyć się (*o zegarku*); **half the** ~ przez większość czasu; najczęściej (*zwł. robić coś irytującego*); **have ~ to kill** mieć dużo wolnego czasu; **have a good/fantastic** ~ dobrze/fantastycznie się bawić; **have all the ~ in the world** mieć pod dostatkiem czasu; **have no ~ for sb** nie mieć do kogoś cierpliwości; **have the ~ of one's life** użyć sobie (za wszystkie czasy); **in good** ~ przed czasem; **in** ~ z czasem; na czas, w porę (*for sth* żeby zdążyć na coś, *to do sth* żeby coś zrobić); **in a week's/in two months'** ~ za tydzień/za dwa miesiące; **in good** ~ w odpowiednim *l.* krótkim czasie; **in no ~ (at all)** w okamgnieniu, migiem; **in one's own** ~ *Br.* w wolnych chwilach; **in the nick of** ~ w samą porę; **in/over the course of** ~ *zob.* **course** *n.*; **it's high** ~ (*także* **it's about** ~) najwyższy czas; **it's (only) a matter/question of** ~ to (tylko) kwestia czasu; **it's ~ we were going** (*także* **it's ~ we went**) czas na nas; **keep (good)** ~ dobrze chodzić (*o zegarku*); **kill** ~ zabijać czas; **lose** ~ spóźniać się (*o zegarze*); **make good** ~ mieć dobry czas (*np. = szybko jechać*); **make ~ for sth** znajdować czas na coś; **make ~ with sb** *US pot.* Zacząć z kimś sypiać; **make up for lost** ~ nadrabiać stracony czas; **mark** ~ *zob.* **mark**[1] *v.*; **most of the** ~ najczęściej, przeważnie; **move with the ~s** być nowoczesnym; **of all** ~ wszech czasów; **on** ~ punktualnie; **on one's own** ~ *US* po godzinach, w wolnym czasie; **once upon a** ~ dawno, dawno temu; **out of** ~ nie na czasie, nie w porę; **over** ~ w miarę upływu czasu; **pass the** ~ zabijać czas; **pass the ~ of day with sb** zamienić z kimś parę słów; **play for** ~ grać na zwłokę *l.* na czas; **she is near her** ~ (*także* **she is far on in her** ~) *przest.* jest już na ostatnich nogach (= *tuż przed rozwiązaniem*); **some ~ ago** jakiś czas temu; **take** ~ trochę potrwać; **take one's** ~ nie spieszyć się (*doing sth* z robieniem czegoś); **the whole** ~ przez cały czas, bez przerwy (*zwł. robić coś irytującego*); **there is a ~ for all things** na wszystko jest odpowiednia pora; **there's no ~ like the present** najlepiej zrobić to teraz; **there's no ~ to lose/to be lost** nie ma czasu do stracenia; **third ~ lucky** do trzech razy sztuka; **waste (precious)** ~ tracić (cenny) czas; **what a ~ I had!** ileż ja się namęczyłem!; **when the ~ comes** kiedy przyjdzie czas *l.* pora; **with** ~ (*także* **given** ~) z czasem; **with ~ to spare** z zapasem czasu (*dotrzeć gdzieś*). – *v.* **1.** obliczać czas (*np. zawodnikowi*). **2.** ~ **sth**

ustalać czas czegoś (*for... o'clock* na godzinę...); mierzyć czas czegoś; wybierać (odpowiednią) porę na coś; ~ **sth well** zrobić coś w odpowiednim momencie; ~ **one's words badly** powiedzieć coś w nieodpowiedniej chwili. **3.** *mot.* ustawiać (*rozrząd*). **4.** *mot.* regulować (*zapłon*).

time and motion study *n.* analiza ergonomiczna.

time bomb *n.* **1.** bomba zegarowa. **2.** *przen.* bomba z opóźnionym zapłonem.

time capsule *n.* kapsuła czasowa (= *pojemnik z dokumentacją przeznaczony dla przyszłych pokoleń*).

timecard [ˈtaɪmˌkɑːrd] *n.* karta kontrolna (*pracownika*).

time clock *n.* zegar kontrolny (*w zakładzie pracy*).

time code *n.* kod czasowy (*na taśmie wideo*).

time-consuming [ˈtaɪmkənˌsuːmɪŋ] *a.* czasochłonny.

time deposit *n. bank* lokata terminowa.

time dilation *n. U* (*także* **time dilatation**) *fiz.* paradoks zegarowy.

time exposure *n. U fot.* ekspozycja czasowa.

time frame *n.* ramy czasowe.

time fuse *n.* zapalnik czasowy.

time-honored [ˈtaɪmˌɑːnərd], *Br.* **time-honoured** *a.* uświęcony tradycją.

timekeeper [ˈtaɪmˌkiːpər] *n.* **1.** *sport* osoba mierząca czas. **2.** czasomierz. **3. be a good/poor** ~ być punktualnym/spóźnialskim.

time lag *n.* (*także* **time lapse**) **1.** przedział czasowy; upływ czasu. **2.** zwłoka, opóźnienie.

timeless [ˈtaɪmləs] *a.* **1.** ponadczasowy. **2.** *lit.* wieczny.

timelessly [ˈtaɪmləslɪ] *adv.* **1.** ponadczasowo. **2.** *lit.* wiecznie.

timelessness [ˈtaɪmləsnəs] *n. U* ponadczasowość.

time limit *n.* termin; ostateczny limit czasu.

time loan *n. fin.* pożyczka zwrotna w ustalonym terminie.

timely [ˈtaɪmlɪ] *a.* **-ier, -iest 1.** na czasie; w (samą) porę. **2.** *arch.* wczesny.

time machine *n.* wehikuł czasu (*zwł. w literaturze science fiction*).

timeous [ˈtaɪməs] *a. Scot.* = **timely**.

time out *n. US* przerwa (*np. w pracy, studiach*); **take** ~ *pot.* zrobić sobie przerwę.

time-out [ˈtaɪmˌaʊt], **timeout** *n.* **1.** *sport* czas dla drużyny (*podczas meczu*). **2.** *komp.* czas przerwy.

timepiece [ˈtaɪmˌpiːs] *n. arch. form.* czasomierz; zegar; zegarek.

timer [ˈtaɪmər] *n.* **1.** zegar (*jako część urządzenia*). **2.** *techn.* przekaźnik *l.* regulator czasowy. **3.** osoba rejestrująca czas.

times [taɪmz] *prep.* razy, pomnożony przez; **five ~ four** pięć razy cztery.

timesaving [ˈtaɪmˌseɪvɪŋ] *a.* czasooszczędny; pozwalający na zaoszczędzenie czasu (*o urządzeniu*).

time scale, timescale *n.* skala czasowa.

timeserved [ˈtaɪmˌsɝːvd] *a.* wyzwolony (*o terminatorze, czeladniku*).

timeserver [ˈtaɪmˌsɝːvər] *n. pot.* oportunist-a/ka.

timeserving [ˈtaɪmˌsɝːvɪŋ] *a.* oportunistyczny. – *n. U* oportunizm.

time-share [ˈtaɪmˌʃer] *n.* domek wakacyjny kupiony na spółkę i używany na zmianę.

time-sharing [ˈtaɪmˌʃerɪŋ] *n. U* **1.** system wspólnego użytkowania domku wakacyjnego. **2.** *komp.* system podziału czasu.

time sheet *n.* lista obecności (*w zakładzie pracy*).

time signal *n. radio* sygnał czasu.

time signature *n. muz.* oznaczenie taktu.

times sign *n. pot.* znak mnożenia.

times table *n. pot.* tabliczka mnożenia.

time study *n.* = **time and motion study**.

time switch *n. techn.* włącznik czasowy; wyłącznik czasowy.

timetable [ˈtaɪmˌteɪbl] *Br. i Austr. n.* **1.** *kol.* rozkład jazdy. **2.** *szkoln.* plan lekcji. **3.** program; rozkład zajęć. – *v. zw. pass.* **1.** ustalać czas (*czegoś*) (*for...* na godzinę...). **2.** *szkoln.* układać plan (lekcji).

time-tested [ˈtaɪmˌtestɪd] *a. US* wypróbowany (*przez czas*).

time trial *n. sport* próba czasowa (*np. w kolarstwie*).

time value *n. muz.* wartość (*nuty*).

time warp *n.* pętla czasu (*zwł. w literaturze science fiction*).

timework [ˈtaɪmˌwɝːk] *n. U* praca płatna od godziny.

timeworn [ˈtaɪmˌwɔːrn] *a.* wyświechtany (*np. o dowcipie, zwrocie*).

time zone *n. geogr.* strefa czasowa.

timid [ˈtɪmɪd] *a.* bojaźliwy; nieśmiały.

timidity [tɪˈmɪdətɪ] *n. U* (*także* **~ness**) bojaźliwość; nieśmiałość.

timidly [ˈtɪmɪdlɪ] *adv.* bojaźliwie; nieśmiało.

timing [ˈtaɪmɪŋ] *n. U* **1.** wybrany *l.* ustalony czas (*of sth* czegoś *l.* na coś). **2.** synchronizacja. **3.** wyczucie czasu. **4.** *mot.* wyprzedzenie (*zapłonu*).

timorous [ˈtɪmərəs] *a. lit.* bojaźliwy.

timorously [ˈtɪmərəslɪ] *adv. lit.* bojaźliwie.

timorousness [ˈtɪmərəsnəs] *n. U lit.* bojaźliwość.

timothy [ˈtɪməθɪ] *n. U* (*także* **~-grass**) *bot.* tymotka łąkowa, brzanka pastewna (*Phleum pratense*).

timpani [ˈtɪmpənɪ], **tympani** *n. pl. muz.* kotły.

tin [tɪn] *n.* **1.** *U chem.* cyna. **2.** (*także* ~ **can**) *Br. i Austr.* puszka. **3.** *Br. kulin.* blacha, forma (*do pieczenia*). **4.** *U Br. i Austr.* blacha. **5.** *U przest. pot.* flota (= *pieniądze*). – *a. attr.* cynowy; blaszany. – *v.* **-nn- 1.** pokrywać cyną, cynować. **2.** *Br. i Austr.* pakować do puszek, puszkować.

tincal [ˈtɪŋkɑːl] *n. U min.* tynkal, boraks (*nieczyszczony*).

tin can *n.* = **tin** *n.* 2.

tinctorial [tɪŋk'tɔːrɪəl] *a.* barwnikowy, farbiarski; ~ **power** *fot.* zdolność barwienia.

tincture ['tɪŋktʃər] *n. C/U* **1.** *med.* nalewka, tynktura. **2.** *t. przen.* posmak. **3.** *t. przen.* zabarwienie. **4.** *her.* kolor, metal *l.* futro (*w herbie*). – *v. t. przen.* lekko zabarwiać.

tinder ['tɪndər] *n. U* huba, hubka.

tinderbox ['tɪndərˌbɑːks] *n.* **1.** *hist.* pudełko na hubkę. **2.** *zw. sing. przen.* punkt zapalny.

tinder-dry ['tɪndərˌdraɪ] *a. emf.* suchy jak pieprz.

tine [taɪn] *n.* ząb (*np. rogu zwierzęcego, brony, wideł*).

tinea ['tɪnɪə] *n. U pat.* grzybica skóry i jej przydatków.

tin ear *n. US pot.* brak słuchu; **have a ~ (for music)** nie mieć słuchu (muzycznego).

tinfoil ['tɪnˌfɔɪl] *n. U* folia aluminiowa.

ting [tɪŋ] *n. onomat.* dzyń. – *v.* **1.** dzwonić (*t. czymś*). **2.** robić dzyń-dzyń.

ting-a-ling [ˌtɪŋə'lɪŋ] *n. pot. onomat.* dzyń-dzyń.

tinge [tɪŋ] *n.* odcień (*t. przen.*), nuta, zabarwienie. – *v. t. przen.* lekko zabarwiać (*with sth* czymś).

tingle ['tɪŋgl] *v.* **1.** cierpnąć, mrowić (*np. o ręce, stopie*); szczypać, kłuć (*o twarzy; z zimna*); piec (*o twarzy; od uderzenia*); **sb's spine ~d** ciarki komuś przeszły po krzyżu, przeszły kogoś ciarki. **2.** *przen.* trząść się (*wewnętrznie*), drżeć (*with sth* z czegoś) (*np. z podniecenia*). – *n.* mrowienie, ciarki.

tingling ['tɪŋglɪŋ] *n. zw. sing.* mrowienie.

tingly ['tɪŋglɪ] *a.* **-ier, -iest 1.** ~ **feeling/sensation** uczucie mrowienia. **2. feel** ~ czuć mrowienie *l.* ciarki.

tin god *n.* **1.** ważniak. **2.** fałszywy święty.

tin hat *n. wojsk. pot.* hełm.

tinhorn ['tɪnˌhɔːrn] *US sl. n.* szpaner/ka. – *a.* szpanerski.

tininess ['taɪnɪnəs] *n. U* maleńkość.

tinker ['tɪŋkər] *n.* **1.** *Br. hist.* druciarz. **2.** majsterkowicz/ka, majster-klepka; *uj.* partacz/ka. **3.** *Br. przest. pot.* łobuz (*o dziecku*). **4.** *Scot. i Ir.* Cygan/ka. **5.** *icht.* młoda makrela (*zwł. z gatunków żyjących na atlantyckim wybrzeżu USA*). **6. have a** ~ *Br.* pomajstrować (*at/with sth* przy czymś). **7. I don't give a ~'s damn** (*także Br.* **I don't give a ~'s cuss/curse**) *pot.* mam to w nosie. – *v.* **1.** ~ **(about)** majstrować, grzebać, dłubać (*with sth* w *l.* przy czymś). **2.** *hist.* drutować *l.* naprawiać garnki.

tinkerer ['tɪŋkərər] *n.* majsterkowicz/ka.

tinkle ['tɪŋkl] *v.* **1.** dzwonić (*dzwoneczkiem*). **2.** dzwonić na (*kogoś*), przywoływać dzwonkiem. **3.** *zwł. Br. pot.* siusiać, robić siusiu. – *n. zw. sing.* **1.** dzwonienie. **2.** *Br. przest. pot.* telefon (*rozmowa*); **give sb a** ~ zadzwonić do kogoś. **3. have a** ~ *zwł. dziec.* wysiusiać się, zrobić siusiu.

tin lizzy, tin lizzie *n. pl.* **-ies** *pot.* rzęch, gruchot (*o samochodzie*).

tinman ['tɪnmən] *n. pl.* **-men** (*także* **tinner**) blacharz (*nie samochodowy*).

tinned [tɪnd] *a. Br. i Austr.* konserwowy, z puszki.

tinner ['tɪnər] *n.* **1.** pracowni-k/ca kopalni cyny. **2.** pracowni-k/ca fabryki konserw. **3.** fabryka konserw. **4.** = **tinsmith**.

tinnie ['tɪnɪ], **tinny** *n. pl.* **-ies** *Austr. pot.* puszka piwa.

tinniness ['tɪnɪnəs] *n. U* metaliczność (*dźwięku*).

tinnitus [tə'naɪtəs] *n. U pat.* szum *l.* brzęczenie w uszach.

tinny ['tɪnɪ] *a.* **-ier, -iest 1.** blaszany, metaliczny (*o dźwięku*). **2.** lichy, tandetny. – *n.* = **tinnie**.

tin opener *n. Br. i Austr.* otwieracz do konserw.

Tin Pan Alley *n. U przest. pot.* biznes muzyczny (= *kompozytorzy, wykonawcy itp.*).

tin plate, tinplate *n. U* blacha biała *l.* ocynowana.

tin-plate ['tɪnˌpleɪt] *v.* pokrywać cyną.

tinpot ['tɪnˌpɑːt] *a. attr. pot. pog.* nędzny, lichy (*np. o rządzie, dyktatorze*).

tinsel ['tɪnsl] *n. U* **1.** lameta. **2.** sreberko; złotko. **3.** *przen.* efektowna tandeta; tani blichtr. – *a.* **1.** ozdobiony błyskotkami. **2.** *przen.* efektowny, ale tandetny. – *v. Br.* **-ll-** ozdabiać błyskotkami.

tinsellike ['tɪnslˌlaɪk] *a.* (*także* **tinselly**) tandetnie błyszczący.

Tinseltown ['tɪnslˌtaʊn] *n. pot. uj.* Hollywood (*t. przen.* = *amerykański przemysł filmowy*).

tinsmith ['tɪnˌsmɪθ] *n.* (*także* **tinner**) blacharz (*nie samochodowy*).

tin soldier *n.* ołowiany *l.* cynowy żołnierzyk.

tinstone ['tɪnˌstoʊn] *n. U min.* kasyteryt.

tint [tɪnt] *n.* **1.** delikatne zabarwienie. **2.** *przen.* ślad (*czegoś w czymś*). **3.** odcień. **4.** płukanka koloryzująca (*do włosów*). **5.** *sztuka* szrafowana płaszczyzna (*sztychu*). – *v.* **1.** zabarwiać. **2.** *przen.* modyfikować.

tinted ['tɪntɪd] *a. attr.* barwiony, przyciemniany (*o szkle*).

tintinnabulation [ˌtɪntɪˌnæbjə'leɪʃən] *n. U lit.* **1.** dźwięk dzwonków. **2.** dzwonienie (*dzwonkami*).

tintinnabulum [ˌtɪntɪ'næbjələm] *n. pl.* **tintinnabula** [ˌtɪntɪ'næbjələ] *lit.* dzwonek.

tintype ['tɪnˌtaɪp] *n. fot.* **1.** ferrotyp, żelazotyp. **2.** *U* ferrotypia, żelazotypia.

tinware ['tɪnˌwer] *n. U* naczynia cynowe *l.* blaszane.

tinwork ['tɪnˌwɜːk] *n. U* wyroby z cyny.

tinworks ['tɪnˌwɜːks] *n. pl.* **tinworks** cynownia.

tiny ['taɪnɪ] *a.* **-ier, -iest** malutki, maleńki.

tip[1] [tɪp] *n.* **1.** koniuszek, czubek (*np. języka, skrzydła, palca, cygara*). **2.** szczyt, wierzchołek. **3.** zakończenie, końcówka (*np. wędki*); skuwka (*np. laski*). **4.** pędzelek do złocenia. **5.** *przen.* **(be sth) to the ~ of one's fingers** (być czymś) w każdym calu (*np. profesjonalistą*); **on the ~ of one's tongue** na końcu języka; **the ~ of the iceberg** wierzchołek góry lodowej. – *v.* **-pp- 1.** *zw. pass.* zakańczać (= *zaopatrzyć w końcówkę*); **be**

~**ped with sth** być zakończonym czymś. **2.** stanowić zakończenie (*czegoś*).

tip[2] *v.* **-pp- 1.** ~ **(over/up)** przechylać (się); przewracać się. **2.** ~ **(out)** wysypywać; rozsypywać; wylewać; rozlewać; ~ **sth into sth** nasypać czegoś do czegoś (*np. płatków do talerza*); nalać czegoś do czegoś (*np. płynu do szklanki*). **3.** *Br.* wyrzucać (*śmieci*). **4.** *przen.* ~ **fives** *US sl.* uścisnąć sobie ręce; ~ **one's hat** uchylić kapelusza; ~ **one's hat to sb** *US przen.* chylić przed kimś czoło; ~ **one's mitt** *sl.* wyciągnąć grabę (= *rękę*); ~ **the scales at** ważyć (...*lb*/*kg* ...funtów/kg); ~ **the scales/balance** *przen.* przeważyć, przechylić szalę (*towards sb* ku komuś, *in favor of sb* na czyjąś korzyść); **it's** ~**ing down** *Br. pot.* leje jak z cebra. – *n.* **1.** przechył. **2.** *Br. i Austr.* wysypisko (*śmieci*). **3.** *Br. przen. pot.* chlew (*brudne pomieszczenie*). **4.** *Br.* hałda.

tip[3] *n.* napiwek. – *v.* **-pp-** dawać napiwek (*komuś*).

tip[4] *n.* **1.** dobra rada, wskazówka (*about sth* dotycząca czegoś) recepta (*about sth* na coś); **give sb a** ~ dać komuś dobrą radę. **2.** *pot.* cynk (= *poufna informacja*); typ (*na wyścigach konnych*). **3. miss one's** ~ *pot.* mieć pecha. – *v.* **-pp- 1.** *zw. pass. zwł. Br. i Austr.* typować (*sb as*/*for sth* kogoś na kogoś/do czegoś). **2.** ~ **sb the wink** *zob.* **wink** *n.* **3.** ~ **sb off** udzielić komuś poufnej informacji.

tip[5] *n.* trącenie; lekkie uderzenie. – *v.* **-pp-** lekko dotykać *l.* trącać.

tipcart [ˈtɪpˌkɑːrt] *n.* wózek z uchylną skrzynią.

tipcat [ˈtɪpˌkæt] *n. U* klipa (*gra dziecięca*).

tip-in [ˈtɪpˌɪn] *n. koszykówka, hokej* gol przez dopchnięcie (*piłki l. krążka*).

tip-off [ˈtɪpˌɔːf], **tipoff** *n. pot.* cynk (= *poufna informacja*).

tippable [ˈtɪpəbl] *a. techn.* uchylny.

tipper[1] [ˈtɪpər] *n.* = **tipper lorry**.

tipper[2] *n.* osoba dająca napiwki; **a generous** ~ ktoś, kto daje duże napiwki.

tipper lorry *n. pl.* **-ies** (*także* **tipper truck**) *Br. mot.* wywrotka.

tippet [ˈtɪpɪt] *n.* **1.** kołnierz futrzany (*damski, np. z lisa*); futrzana narzutka. **2.** *kośc.* stuła (*noszona w kościele anglikańskim*).

Tipp-Ex [ˈtɪpeks] *n. U Br.* korektor, płyn korekcyjny (*do poprawiania błędów w tekście*).

tipple[1] [ˈtɪpl] *n.* urządzenie przechylne (*w wywrotkach*).

tipple[2] *zwł. Br. pot. n.* **(sb's favorite)** ~ (czyjś ulubiony) trunek; **what's your** ~**?** co pijesz?. – *v.* popijać (*regularnie*).

tippler [ˈtɪplər] *n. zwł. Br. pot.* osoba lubiąca wypić.

tipsiness [ˈtɪpsɪnəs] *n. U pot.* podchmielenie.

tipstaff [ˈtɪpˌstæf] *n. pl.* **-s** *l.* **tipstaves** [ˈtɪpˌsteɪvz] **1.** *prawn.* woźny (*sądowy*). **2.** *hist.* okuta laska (*jako oznaka urzędu*).

tipster [ˈtɪpstər] *n. pot.* osoba sprzedająca poufne informacje (*o wyścigach, giełdzie*).

tipsy [ˈtɪpsɪ] *a.* **-ier, -iest 1.** podchmielony, podpity. **2.** lekko przekrzywiony.

tip-tilted [ˈtɪpˌtɪltɪd] *a.* lekko zadarty (*o nosie*).

tiptoe [ˈtɪpˌtoʊ] *n.* **on** ~**(s)** na paluszkach *l.* palcach (*chodzić*); na palcach (*stać*); *przen.* wyczekująco; ostrożnie; cichcem, ukradkiem. – *v.* **1.** chodzić na paluszkach. **2.** skradać się. – *a. attr.* **1.** poruszający się na palcach. **2.** *przen.* ostrożny. – *adv.* = **on tiptoe**.

tiptop [ˌtɪpˈtɑːp], **tip-top** *pot. a.* pierwszorzędny, wyśmienity; pierwsza klasa; **in** ~ **condition** w pierwszorzędnym stanie (*np. o budynku, samochodzie*); **in** ~ **shape** w świetnej formie *l.* kondycji (*o osobie*). – *adv.* pierwszorzędnie, wyśmienicie. – *n.* koniuszek.

tip-up seat *n.* krzesełko podnoszone (*w teatrze, kinie*).

tirade [ˈtaɪreɪd] *n.* tyrada.

tire[1] [taɪr] *v.* **1.** męczyć; nużyć. **2.** męczyć się; ~ **easily** łatwo się męczyć. **3.** ~ **of sth** znudzić się czymś; **sb never** ~**s of doing sth** komuś nigdy nie nudzi się robienie czegoś. **4.** ~ **sb out** zmęczyć *l.* wymęczyć *l.* wyczerpać kogoś.

tire[2] *n. US* opona. – *v.* zakładać oponę na (*koło*).

tire[3] *n. i v. arch. l. lit.* = **attire**.

tired [taɪrd] *a.* **1.** zmęczony; znużony. **2.** ~ **of sth** znudzony czymś. **3.** ~ **out** umęczony, wymęczony, wykończony. **4.** *attr.* ~ **(old)** wyświechtany (*np. o zwrocie, żarcie, sloganie*); zużyty (*o temacie*); **the same** ~ **(old) people/faces** ciągle ci sami ludzie/te same twarze. **5.** ~ **and emotional** *zwł. Br. euf.* na lekkim gazie (= *podpity*); **be (sick and)** ~ **of sth** mieć czegoś (serdecznie) dosyć *l.* dość, mieć czegoś powyżej uszu.

tiredly [ˈtaɪrdlɪ] *adv.* zmęczonym głosem, ze zmęczeniem w głosie.

tiredness [ˈtaɪrdnəs] *n. U* zmęczenie.

tireless [ˈtaɪrləs] *a.* niestrudzony, niezmordowany (*in sth* w czymś).

tirelessly [ˈtaɪrləslɪ] *adv.* niestrudzenie, niezmordowanie.

tiresome [ˈtaɪrsəm] *a.* irytujący, denerwujący; nudny.

tiresomely [ˈtaɪrsəmlɪ] *adv.* irytująco (*np. długi*).

tirewoman [ˈtaɪrˌwʊmən] *n. pl.* **-women** *arch.* służąca; garderobiana.

tiring [ˈtaɪrɪŋ] *n.* męczący.

tiro [ˈtaɪroʊ] *n.* = **tyro**.

Tirol [tɪˈroʊl] *n.* = **Tyrol**.

'tis [tɪz] *v. arch. l. poet.* = **it is**.

tisane [tɪˈzæn] *n. C*/*U kulin.* napar (*zwł. z liści l. kwiatów*); herbatka ziołowa.

tissue [ˈtɪʃuː] *n.* **1.** chusteczka higieniczna *l.* papierowa. **2.** *U biol.* tkanka; **bone/muscular** ~ tkanka kostna/mięśniowa. **3.** *U* = **tissue paper**. **4.** *sing. przen.* sieć, siatka; **a** ~ **of lies** pajęczyna kłamstw. **5. bathroom/toilet** ~ papier toaletowy.

tissue culture *n. U biol., med.* hodowla tkankowa.

tissue paper *n. U* **1.** bibułka. **2.** *fot.* papier płótnowany.

tit[1] [tɪt] *n. orn.* sikora (*Parus*).

tit[2] *wulg. n.* **1.** cyc, cycek. **2.** = **teat**. **3.** *obelż. sl.* dupka (*o dziewczynie l. młodej kobiecie*). **4.**

Br. obelż. sl. ciul. **5. get on sb's ~s** *Br. sl.* wpieprzać kogoś (= *denerwować*).

Titan ['taɪtən] *n.* **1.** *mit., astron.* Tytan. **2.** (*także* **t~**) *przen.* tytan; gigant; **~ of industry** potentat przemysłowy.

Titaness ['taɪtənəs] *n. mit.* Tytanka.

titanic[1] [taɪ'tænɪk] *a.* tytaniczny (*np. o walce*); nadludzki (*np. o wysiłku*); gigantyczny (*np. o górach*); monumentalny (*np. o dziele*).

titanic[2] *a. chem.* tytanowy.

titanium [taɪ'teɪnɪəm] *n. U chem.* tytan.

titanous [taɪ'teɪnəs] *a. chem.* tytanawy.

titbit ['tɪtˌbɪt] *n. gł. Br.* = **tidbit**.

titch [tɪtʃ] *a. Br. pot. żart. cz. obelż.* kurdupel.

titchy ['tɪtʃɪ], **tichy** *a.* **-ier, -iest** *Br. pot.* maciupeńki, malusieńki.

titfer ['tɪtfər] *n. Br. przest. pot.* kapelusz (*męski*).

tit for tat *n. U* wet za wet.

tithe [taɪð] *hist. n. zw. pl.* dziesięcina. – *v.* **1.** nakładać dziesięcinę na (*kogoś l. coś*). **2.** płacić dziesięcinę.

tither ['taɪðər] *n. hist.* **1.** płatnik dziesięciny. **2.** kolektor *l.* poborca dziesięciny.

tithing ['taɪðɪŋ] *n.* **1.** *U hist.* płacenie dziesięciny; pobieranie dziesięciny. **2.** *Br. hist.* dziesięć domostw odpowiedzialnych zbiorowo za zachowanie porządku publicznego (*w średniowiecznej Anglii*). **3.** *form.* dziesiąta część, jedna dziesiąta.

titian ['tɪʃən], **Titian** *a. i n. U* (*także* **~ red**) (czerwień) tycjanowska (*zwł. o kolorze włosów*).

titillate ['tɪtəˌleɪt] *v.* **1.** przyjemnie podniecać. **2.** łaskotać, łechtać.

titillating ['tɪtəˌleɪtɪŋ] *n.* przyjemnie podniecający.

titillatingly ['tɪtəˌleɪtɪŋlɪ] *adv.* podniecająco.

titillation [ˌtɪtə'leɪʃən] *n. U* przyjemne podniecenie.

titivate ['tɪtəˌveɪt], **tittivate** *v. pot.* **1.** wysztafirować *l.* odpicować się (= *wystroić*). **2.** odpicować (*np. pomieszczenie*).

title ['taɪtl] *n.* **1.** tytuł (*t. = książka, publikacja; t. honorowy, naukowy*). **2.** *U l. sing. prawn.* tytuł, prawo (*to sth* do czegoś). **3.** *prawn.* rozdział, ustęp (*np. statutu*). **4.** *pl. zob.* **titles**. **5.** *kośc.* ustalony zakres pracy i źródła dochodu (*jako warunek wyświęcenia w kościele anglikańskim*). **6.** *rz.-kat.* tytularna parafia (*w Rzymie*). – *v.* tytułować.

titled ['taɪtld] *a.* **1.** utytułowany (= *posiadający tytuł arystokratyczny*). **2.** zatytułowany, pod tytułem.

title deed *n. prawn.* tytuł *l.* prawo własności.

titleholder ['taɪtlˌhoʊldər] *n. sport* obrońca/czyni tytułu.

title page *n.* strona tytułowa.

title role *n. film, teatr* rola tytułowa.

titles ['taɪtlz] *n. pl. film* **1.** (*także* **subtitles**) napisy (*w filmie obcojęzycznym*). **2.** (*także* **credit titles**) napisy (*czołowe l. końcowe*).

title track *n. muz.* tytułowa ścieżka, tytułowe nagranie.

titmouse ['tɪtˌmaʊs] *n. pl.* **-mice** ['tɪtˌmaɪs] *orn.* sikora, sikorka (*Parus*).

titrate ['taɪtreɪt] *v. chem.* miareczkować.

titration [taɪ'treɪʃən] *n. U chem.* miareczkowanie.

titter ['tɪtər] *v.* chichotać (*zwł. nerwowo*). – *n.* chichot.

tittivate ['tɪtəˌveɪt] *v.* = **titivate**.

tittle ['tɪtl] *n.* **1.** *druk.* kropka (*np. nad literą*). **2.** odrobina.

tittle-tattle ['tɪtlˌtætl] *przest. pot. n. U* plotki. – *v.* plotkować.

tittup ['tɪtəp] *v. Br.* **-pp-** **1.** iść tanecznym krokiem. **2.** hasać. – *n.* **1.** taneczny krok. **2.** stukot wysokich obcasów.

titty ['tɪtɪ] *v. pl.* **-ies** *sl.* cycek.

titubation [ˌtɪtʃə'beɪʃən] *n. U pat.* chwiejny krok.

titular ['tɪtʃələr], **titulary** ['tɪtʃəˌlerɪ] *a. attr.* tytularny. – *n. pl.* **-s** *l.* **-ies** **1.** posiadacz/ka tytułu. **2.** osoba zajmująca urząd tytularnie.

Titus ['taɪtəs] *n. Bibl., hist.* Tytus.

tizzy ['tɪzɪ] *n. sing.* (*także* **tizz**) *pot.* zdenerwowanie; **be in a ~** denerwować się.

T-junction ['tiːˌdʒʌŋkʃən] *n. Br. mot.* skrzyżowanie w kształcie litery T.

TKO [ˌtiː ˌkeɪ 'oʊ] *abbr.* **technical knock-out** *boks* nokaut techniczny.

TLC [ˌtiː ˌel 'siː], **T.L.C.**, **t.l.c.** *abbr.* **thin-layer chromatography** *fiz.* chromatografia cienkowarstwowa.

TM [ˌtiː 'em] *abbr.* **1.** *handl.* = **trademark**. **2.** = **transcendental meditation**. **3.** *wojsk.* = **tactical missile**; *zob.* **tactical**.

TN *abbr.* = **Tennessee**.

TNT [ˌtɪˌen'tiː] *abbr. i n. U* **trinitrotoluene** trotyl.

to [tuː; tə] *prep.* **1.** do; **A is ~ B as C is ~ D** A ma się (tak) do B, jak C do D; **come ~ me!** chodź do mnie!; **from four ~ six** od czwartej do szóstej; **drive sb ~ despair/tears** doprowadzać kogoś do rozpaczy/łez; **go ~ church/school** chodzić do kościoła/szkoły; **have nothing ~ hide** nie mieć nic do ukrycia; **have sth ~ say** mieć coś do powiedzenia; **three ~ one** *sport* trzy do jednego (*np. prowadzić, przegrywać*); **up ~ now** do tej pory; **wet ~ the skin** przemoczony do (suchej) nitki. **2.** na; **~ the left/right** na lewo/prawo; **~ sb's advantage** na czyjąś korzyść; **from east ~ west** ze wschodu na zachód; **sentence sb ~ death/prison** skazać kogoś na karę śmierci/więzienia; **switch over ~ sth** przejść na coś (*np. na inny system*); **tear sth ~ pieces/ shreds** podrzeć coś na kawałki/strzępy; **there are 12 inches ~ the foot** na stopę przypada 12 cali; **translate from Polish ~ English** tłumaczyć z polskiego na angielski. **3.** (*przy podawaniu czasu*) za; **ten (minutes) ~ six** za pięć (minut) szósta. **4.** przy; **cheek ~ cheek** policzek przy policzku, twarz przy twarzy; **dance ~ music** tańczyć przy muzyce. **5.** w; **face ~ face** twarzą w twarz; **there's something ~ it** coś w tym jest; **turn sth ~ sth** obrócić coś w coś (*np. pytanie w żart*). **6.** ku; **~ sb's horror/surprise** ku czyjemuś przerażeniu/zdziwieniu. **7.** dla; **~ some people this is a lot of money** dla niektórych (ludzi) to dużo pieniędzy; **dangerous ~ one's health** niebezpieczny dla zdrowia;

have sth ~ o.s. mieć coś (tylko) dla siebie. **8.** z; **what have you done ~ this room?!** coś ty zrobił z tym pokojem?!. **9.** (*odpowiada polskiemu celownikowi*) **give it ~ me** daj mi to; **he's always been a friend ~ us** zawsze był nam przyjacielem; **what did you say ~ him?** co mu powiedziałaś?. **10.** (*odpowiada polskiemu dopełniaczowi*) **assistant ~ the editor** asystent/ka redaktora; **secretary ~ the director** sekreta-rz/rka dyrektora. **11.** (*z czasownikiem tworzy bezokolicznik*) **~ be or not ~ be** być albo nie być; **~ fly/swim/run** latać/pływać/biegać. **12.** (*odpowiada polskiemu (a)by, żeby*) **I want you ~ read this book** chcę, żebyś przeczytał tę książkę; **live ~ ride, ride ~ live** żyć, by jeździć, jeździć, by żyć (*hasło harleyowców*); **the water is warm enough/too cold ~ swim in** woda jest wystarczająco ciepła/zbyt zimna, aby w niej pływać. **13. ~ and fro** *zob.* **fro**; **~ my knowledge** *zob.* **knowledge**; **drink ~ sb's health** wypić (za) czyjeś zdrowie; **go ~ sleep** iść spać; **here's ~ you** twoje zdrowie. – *adv.* **the door is ~** drzwi są przymknięte; **come ~** przyjść do siebie, odzyskać przytomność.

toad [toud] *n. zool.* ropucha (*rodzina Bufonidae*).

toadeater ['toudˌiːtər] *n. arch.* lizus/ka.

toadfish ['toudˌfɪʃ] *n. pl.* **-es** *l.* **toadfish** *icht.* żaboryba (*rodzina Batrachoididae*).

toadflax ['toudˌflæks] *n. bot.* lnica pospolita (*Linaria vulgaris*).

toad-in-the-hole [ˌtoudɪnðə'houl] *n. U Br. kulin.* kiełbaski w cieście.

toadish ['toudɪʃ] *a.* (*także* **~like**) ropuchowaty.

toad lily *bot. n. pl.* **-ies** szachownica *l.* korona kostkowata (*Fritillaria meleagris*).

toadspit ['toudˌspɪt] *n.* (*także* **~spittle**) pienista substancja na roślinach, będąca wydzieliną larw żywiących się nimi.

toadstone ['toudˌstoun] *n.* **1.** *U geol.* rodzaj bazaltu występujący w Derbyshire (*w Wielkiej Brytanii*). **2.** *hist.* kamień używany jako amulet (*rzekomo powstały w ciele ropuchy*).

toadstool ['toudˌstuːl] *n.* muchomor.

toady ['toudɪ] *n. pl.* **-ies** **1.** lizus/ka. **2.** *Austr.* = **toadfish**. – *v.* **-ied, -ying** podlizywać się (*to sb* komuś).

toast [toust] *n.* **1.** *U kulin.* grzanki, tosty; **slice/piece of ~** grzanka; **cheese on ~** grzanki z serem. **2.** toast; **propose a ~** wznieść toast (*to sb* za kogoś *l.* za czyjeś zdrowie). **3.** *przest. przen.* osoba fetowana; ulubieni-ec/ica; **be the ~ of the town** być ulubie-ńcem/nicą całego miasta. – *v.* **1.** *kulin.* opiekać (*pieczywo*). **2.** grzać (przy ogniu) (*np. nogi, ręce*). **3.** przypiekać się (*np. na słońcu*). **4.** wznosić toasty. **5. ~ sb** wznieść toast na czyjąś cześć, wypić za czyjeś zdrowie.

toaster ['toustər] *n.* opiekacz (*do grzanek*), toster.

toastmaster ['toustˌmæstər] *n.* osoba wznosząca za toasty, mistrz ceremonii (*na bankiecie*).

toast rack *n.* stojak na grzanki (*na stole*).

toasty ['toustɪ] *a.* **-ier, -iest** *US pot.* cieplutki, przyjemnie nagrzany (*np. o łóżku*).

tobacco [tə'bækou] *n. C/U pl.* **-es** *l.* **-s** tytoń.

tobacco heart *n. U pat.* zaburzenia sercowe spowodowane nadużyciem tytoniu.

tobacconist [tə'bækənɪst] *n. gł. Br.* **1.** sprzedawca wyrobów tytoniowych. **2.** (*także* **~'s**) trafika, sklep z wyrobami tytoniowymi.

to-be [tə'biː] *a. w złoż.* przyszły; **mother~** przyszła matka.

toboggan [tə'bɑːgən] *n. sport* tobogan. – *v.* **-nn-** jeździć na toboganie.

toboggan chute *n.* = **toboggan slide**.

tobogganer [tə'bɑːgənər], **tobogganist** [tə'bɑːgənɪst] *n. sport* saneczka-rz/rka.

toboggan slide *n.* (*także* **toboggan chute**) *sport* tor saneczkowy.

toby ['toubɪ] *n. pl.* **-ies** (*także* **~ jug**) dzbanek *l.* kufel w kształcie mężczyzny w trójgraniastym kapeluszu.

toccata [tə'kɑːtə] *n. muz.* toccata.

Tocharian [tə'kerɪən], **Tokharian** *hist. n.* **1.** Tochar/ka. **2.** *U* (język) tocharski. – *a.* tocharski.

tocopherol [tou'kɑːfəˌrɔːl] *n. U biochem.* tokoferol.

tocsin ['tɑːksən] *n. lit.* **1.** alarm (*zwł. bicie w dzwony*). **2.** dzwon alarmowy.

tod¹ [tɑːd] *n. Br.* **1.** jednostka wagi wełny (*zw. = 28 funtów*). **2.** *U* gęste listowie.

tod² *n. płn. Br. dial.* lis.

tod³ *n.* **be on one's ~** *Br. sl.* być samemu.

today [tə'deɪ] *adv.* **1.** dzisiaj, dziś. **2. ~ week** (*także* **a week ~**) *zwł. Br.* od dziś za tydzień. – *n. U* **1.** dzień dzisiejszy. **2.** dzisiejsze czasy. **3. ~'s world** (*także* **the world of ~**) dzisiejszy świat.

toddle ['tɑːdl] *v.* **1.** drobić nóżkami, dreptać (*zwł. o dziecku l. jak dziecko*). **2. ~ off/over somewhere** *pot. żart.* przespacerować się gdzieś. – *n.* **1.** niepewny krok. **2.** *pot. żart.* spacerek.

toddler ['tɑːdlər] *n.* szkrab, maluch.

toddy ['tɑːdɪ] *n. pl.* **-ies** **1.** słodzony drink z dodatkiem gorącej wody i cytryny. **2.** *U* sok z niektórych rodzajów palmy, służący do wyrobu araku.

to-do [tə'duː] *n. sing. pot.* rwetes, zamieszanie; kłótnia (*about sth* o coś).

tody ['toudɪ] *n. pl.* **-ies** *orn.* płaskodziobek (*Todus*).

toe [tou] *n.* **1.** *anat.* palec u nogi; **big ~** paluch, duży palec u nogi; **touch one's ~s** dotknąć rękami palców stóp. **2.** palce (= *przednia część pończochy, skarpetki l. buta*). **3.** *zool.* przednia część kopyta. **4.** *bud.* występ u spodu (*np. przypory*). **5.** *mech.* stopa wału. **6.** *przen.* **dip one's ~(s) in** *pot.* ruszać (= *zaczynać*); **from head/top to ~** od stóp do głów; **on one's ~s** czujny; **make sb's ~s curl** zawstydzać kogoś; wprawiać kogoś w zakłopotanie; **step** *US*/**tread** *Br.* **on sb's ~s** nadepnąć komuś na odcisk; **turn up one's ~s** *pot.* wyciągnąć kopyta *l.* nogi (= *umrzeć*). – *v.* **1.** kopać czubkiem buta; zaznaczać czubkiem buta (*np. przed startem*). **2.** wbijać ukośnie (*gwóźdź*); przybijać ukośnie gwoździami. **3. ~ in(ward)/out(ward)** stawiać palce do wewnątrz/na zewnątrz (*przy chodzeniu*). **4. ~ the line** *przen.* pilnować się, nie wychylać się.

toecap ['touˌkæp] *n.* nosek (*buta*).

toe dance *n.* taniec na palcach; *balet* taniec na pointach. – *v.* (*także* **toe-dance**) tańczyć na palcach; *balet* tańczyć na pointach.

toehold [ˈtoʊˌhoʊld] *n.* **1.** *wspinaczka* oparcie dla stopy. **2.** *przen.* punkt zaczepienia, zaczepienie; **gain/get a ~** znaleźć punkt zaczepienia, zaczepić *l.* zahaczyć się (*in sth* gdzieś *l.* w czymś). **3.** *zapasy* wykręcenie nogi przeciwnikowi (*chwyt*).

toenail [ˈtoʊˌneɪl] *n.* **1.** paznokieć u nogi. **2.** *stol.* gwóźdź wbijany ukośnie (*np. przez koniec deski*). **3.** *druk. sl.* nawias. – *v. stol.* zbijać ukośnie gwoździami.

toerag [ˈtoʊˌræg] *n. Br. obelż. sl.* lump, śmieć (*o człowieku*).

toey [ˈtoʊɪ] *a. Austr. pot.* podminowany.

toff [tɑːf] *n. Br. i Austr. przest.* osoba z wyższych sfer.

toffee [ˈtɔːfɪ], **toffy** *n.* **1.** *C/U* toffi. **2. sb can't do sth for ~** *Br. pot.* ktoś nie ma bladego pojęcia o robieniu czegoś.

toffee apple *n. Br. kulin.* kandyzowane jabłko na patyku.

toffee-nosed [ˈtɔːfɪˌnoʊzd] *a. Br. pot.* snobowaty.

toft [tɑːft] *n. Br. hist.* **1.** domostwo, obejście domowe. **2.** gospodarstwo (*łącznie z domostwem*).

tofu [ˈtoʊfuː] *n. U kulin.* tofu.

tog [tɑːg] *v. zw. pass.* **-gg- ~ (out/up)** *pot.* odstrzelić *l.* odpicować (się) (= *wystroić*). – *n. pl. zob.* **togs**.

toga [ˈtoʊgə] *n. pl.* **-s** *l.* **togae** [ˈtoʊgiː] *strój hist.* toga.

togaed [ˈtoʊgəd] *a.* odziany w togę.

together [təˈgeðər] *adv.* **1.** razem; **~ with sb/sth** razem *l.* wraz z kimś/czymś; **all ~ (now)** a teraz (wszyscy) razem (*zwł. wzywając do wspólnego śpiewu*); **put ~** razem wzięci. **2.** jednocześnie (*dziać się*). **3.** wspólnie (*pracować*). **4. for hours/months ~** *przest.* całymi godzinami/miesiącami. **5. get ~** *zob.* **get** *v.*; **get one's act ~** *zob.* **act** *n.*; **go ~** *zob.* **go** *v.*; **hold ~** *zob.* **hold**[1] *v.*; **piece ~** *zob.* **piece** *v.*; **pull ~** *zob.* **pull** *v.* – *a. pot.* poukładany, zorganizowany (*o osobie*).

togetherness [təˈgeðərnəs] *n. U* poczucie wspólnoty, poczucie bycia razem.

toggery [ˈtɑːgərɪ] *n. pot.* **1.** *U* ciuchy. **2.** *pl.* **-ies** *US* sklep z ciuchami.

toggle [ˈtɑːgl] *n.* **1.** kołek, kołeczek (*rodzaj zapięcia*). **2.** przełącznik; *mech.* dźwignia kolanowa. – *v. mech.* zaopatrywać w połączenie kolanowo-dźwigniowe.

toggle joint *n. mech.* połączenie kolanowo-dźwigniowe, przegub nożycowy.

toggle switch *n. el.* przełącznik dwustabilny, przełącznik migowy przechylny.

Togo [ˈtoʊgoʊ] *n. geogr.* Togo.

togs [ˈtɑːgz] *n. pl. pot.* **1.** ciuchy. **2.** *Austr., NZ i Ir.* strój kąpielowy. **3. long ~** *żegl.* mundur wyjściowy.

toil[1] [tɔɪl] *lit. n.* mozół, trud, znój. – *v.* **1. ~ (away)** trudzić się, mozolić się (*at/over sth* z/nad czymś). **2. ~ one's way** (*także* **~ along**) posuwać się mozolnie.

toil[2] *n. często pl. arch. l. lit. t. przen.* sidła; pułapka, zasadzka; **the ~s of fortune** *przen.* zasadzki losu.

toilet [ˈtɔɪlət] *n.* **1.** muszla klozetowa, sedes, klozet. **2.** *zwł. Br.* toaleta, ubikacja; **men's/public ~** toaleta męska/publiczna. **3.** (*także lit.* **toilette**) *przest. form.* toaleta (*np. poranna*). **4.** *arch.* toaletka (*mebel*). **5. go to the ~** *euf.* załatwiać się.

toilet bag *n. Br.* kosmetyczka (*pojemnik*).

toilet brush *n.* szczotka do WC.

toilet paper *n. U* (*także* **toilet tissue**) papier toaletowy.

toiletries [ˈtɔɪlətrɪz] *n. pl.* przybory toaletowe.

toilet roll *n. Br. i Austr.* rolka papieru toaletowego.

toilet seat *n.* klapa od sedesu.

toilet set *n.* zestaw *l.* komplet przyborów toaletowych.

toilet soap *n. C/U* mydło toaletowe.

toilette [twɑːˈlet] *n. lit.* = **toilet** 3.

toilet tissue *n.* = **toilet paper**.

toilet-trained [ˈtɔɪlɪtˌtreɪnd] *a.* umiejący korzystać z nocnika (*o dziecku*).

toilet-training [ˈtɔɪlɪtˌtreɪnɪŋ] *n. U* nauka korzystania z nocnika.

toilet water *n. U* woda toaletowa.

toilsome [ˈtɔɪlsəm] *a. lit.* mozolny.

toilworn [ˈtɔɪlˌwɔːrn] *a.* zniszczony pracą.

to-ing and fro-ing [ˌtuːɪŋ ənd ˈfroʊɪŋ], **toing and froing** *n. U* kursowanie w tę i z powrotem.

Tokay [toʊˈkeɪ] *n. C/U* tokaj.

tokay [toʊˈkeɪ] *n. zool.* gekkon toke (*Gekko gecko*).

toke [toʊk] *Br. sl. n.* sztach, sztachnięcie (się). – *v.* sztachnąć się.

token [ˈtoʊkən] *n.* **1.** *C/U form.* znak, symbol, dowód; **as a ~ of sth** na znak czegoś, w dowód czegoś (*np. wdzięczności, uznania*); **in ~ of respect for sb** *form.* na znak szacunku dla kogoś. **2.** żeton (*np. do automatu*). **3.** pamiątka (*przedmiot*). **4.** *Br. i Austr.* bon (*towarowy*); **book ~** bon książkowy. **5.** *jęz.* realizacja, reprezentant (*klasy*); wystąpienie, użycie. **6. by the same ~** z tych samych powodów; w ten sam sposób, tak samo; tym samym. – *a. attr.* symboliczny (*np. o geście, pojawieniu się*).

tokenism [ˈtoʊkəˌnɪzəm] *n. U* działania pozorne (*zwł. = zatrudnienie jednego przedstawiciela mniejszości, demonstrujące rzekomą otwartość i zróżnicowanie etniczne w ramach firmy, a w rzeczywistości będące wyłącznie spełnieniem minimalnego wymogu prawnego*).

token money *n. U ekon.* pieniądz zdawkowy.

token payment *n. fin.* zaliczka (*na poczet spłaty długu*).

token strike *n.* strajk ostrzegawczy.

token vote *n. parl.* przyznana w wyniku głosowania kwota, której wysokość nie jest wiążąca.

Tokyo [ˈtoʊkɪˌoʊ] *n. geogr.* Tokio.

told [toʊld] *v. zob.* **tell**.

Toledo [təˈliːdoʊ] *n. geogr.* Toledo.

tolerable [ˈtɑːlərəbl] *a.* znośny.

tolerably [ˈtɑːlərəblɪ] *adv.* znośnie.

tolerance [ˈtɑːlərəns] *n. U* **1.** tolerancja (*of / toward sb / sth* dla kogoś/czegoś). **2.** *C / U* tolerancja, odporność (*of / to sth* na coś) (*np. na ból, zimno*). **3.** *C / U mech.* luz, tolerancja.

tolerant [ˈtɑːlərənt] *a.* **1.** tolerancyjny. **2. be ~ of sb/sth** tolerować kogoś/coś.

tolerantly [ˈtɑːlərəntlɪ] *adv.* tolerancyjnie.

tolerate [ˈtɑːləˌreɪt] *v.* **1.** tolerować (*t. leki*). **2.** znosić.

toleration [ˌtɑːləˈreɪʃən] *n. U* **1.** znoszenie, tolerowanie (*of sth* czegoś). **2.** tolerancja (*religijna*); **Act of T~** *Br. hist.* edykt tolerancyjny (*z 1689 r.*).

toll[1] [toʊl] *n.* **1.** *mot.* opłata za przejazd; *hist.* myto (*rogatkowe l. mostowe*). **2.** *przen.* żniwo; **death ~** liczba ofiar (śmiertelnych); **take a heavy ~ of lives** zebrać obfite żniwo w ludziach; **take its/a ~ on sth** (*także* **exact a ~ on sth**) odcisnąć swoje piętno na czymś; odbić się (niekorzystnie) na czymś; spowodować nieodwracalne szkody w czymś. **3.** = **tollbooth**. – *v.* pobierać opłatę (za) (*przejazd autostradą itp.*).

toll[2] *v.* **1.** bić (powoli i jednostajnie) w (*dzwon l. dzwony*). **2.** bić (powoli i jednostajnie) (*o dzwonach*). – *n.* dzwonienie.

toll bar *n.* rogatka (*w postaci szlabanu*).

tollbooth [ˈtoʊlˌbuːθ] *n.* budka na rogatce.

toll call *n. US tel.* rozmowa długodystansowa (*o wyższej taryfie*).

toll-free [ˌtoʊlˈfriː] *tel. a.* darmowy (*o połączeniu, numerze*). – *adv.* za darmo, bez opłaty (*dzwonić*).

tollgate [ˈtoʊlˌgeɪt] *n.* rogatka (*w postaci bramy*).

tollhouse [ˈtoʊlˌhaʊs] *n. hist.* komora celna; dom akcyzy miejskiej.

tollkeeper [ˈtoʊlˌkiːpər] *n. hist.* poborca myta *l.* akcyzy.

toll line *n. tel.* linia telefoniczna długodystansowa.

toll road *n.* (*także US* **tollway**) autostrada płatna.

toll thorough *n. Br. prawn.* myto miejskie.

toll traverse *n. Br. prawn.* myto prywatne.

tolly [ˈtɑːlɪ] *n. pl.* **-ies** *S.Afr.* wykastrowane cielę.

tom [tɑːm] *n.* **1.** *pot.* = **tomcat** 1. **2.** samiec; **~ turkey** indor.

tomahawk [ˈtɑːməˌhɔːk] *n.* **1.** tomahawk. **2.** *Austr. i NZ* toporek, siekierka. – *v.* uderzyć *l.* zabić toporkiem.

tomalley [təˈmælɪ], **tomally** *n. U kulin.* tłuszcz z homara.

Tom and Jerry *n. kulin.* gorący koktajl zawierający m.in. rum, brandy, jajko i przyprawy.

tomatillo [ˌtoʊməˈtiːoʊ] *n. pl.* **-s** *bot.* miechunka pomidorowa (*Physalis ixocarpa*).

tomato [təˈmeɪtoʊ] *n. C / U pl.* **-es** pomidor (*bot. = Lycopersicon esculentum*). – *a. attr. gł. kulin.* pomidorowy; **~ puree/sauce** przecier/sos pomidorowy.

tomb [tuːm] *n.* **1.** grobowiec. **2.** nagrobek. – *v. rzad.* pochować.

tombac [ˈtɑːmbæk] *n. U metal.* tombak.

tombola [tɑːmˈboʊlə] *n. Br. i Austr.* loteria fantowa.

tomboy [ˈtɑːmˌbɔɪ] *n.* chłopczyca.

tombstone [ˈtuːmˌstoʊn] *n.* nagrobek, kamień nagrobny.

tomcat [ˈtɑːmˌkæt] *n.* **1.** kocur. **2.** *obelż.* dziwkarz.

Tom Collins *n. kulin.* koktajl z dżinu, soku cytrynowego, cukru i wody sodowej.

Tom, Dick and Harry, Tom, Dick or Harry *n.* **any/every ~** *pot.* każdy jeden.

tome [toʊm] *n. form.* księga, tom, wolumin; *żart.* tomisko, tomiszcze.

tomfool [ˌtɑːmˈfuːl] *przest. pot. n.* głupek. – *a. attr.* głupi.

tomfoolery [ˌtɑːmˈfuːlərɪ] *pot. n.* **1.** *U* wygłupy, błazenada. **2.** *pl.* **-ies** *przest.* bzdura, głupota.

tomfoolish [ˌtɑːmˈfuːlɪʃ] *a. przest. pot.* głupawy, głupkowaty.

tommy bar [ˈtɑːmɪˌbɑːr] *n. mech.* przetyczka (*do śrub*); dźwignia.

Tommy gun, tommy gun *n. pot.* rozpylacz (= *pistolet maszynowy Thompsona*).

tommyrot [ˈtɑːmɪˌrɑːt] *n. U przest. pot.* bzdury.

tomogram [ˈtoʊməˌgræm] *n. med.* tomogram.

tomography [təˈmɑːgrəfɪ] *n. U med.* tomografia.

tomorrow [təˈmɑːroʊ] *adv.* jutro (*t. przen.* = *w przyszłości*); **~ morning/night** jutro rano/wieczorem; **~ week** (*także* **a week ~**) od jutra za tydzień; **the day after ~** pojutrze. – *n. C / U* jutro (*t. przen.* = *przyszłość*), jutrzejszy dzień; ~'s peformance, jutrzejsze przedstawienie; **a better ~** *przen.* lepsze jutro; **like there is/was/were no ~** (*także* **as if there was/were no ~**) *przen. pot.* w zapamiętaniu; na potęgę.

tompion [ˈtɑːmpɪən] *n.* = **tampion**.

Tom Thumb *n. bajki, folklor* Tomcio Paluch, Tomcio Paluszek.

tomtit [ˈtɑːmˌtɪt] *n. Br. orn.* sikora (*zwł. modra, Parus Caeruleus*).

tomtom [ˈtɑːmˌtɑːm], **tom-tom** *n. muz.* tam-tam.

ton [tʌn] *n. pl.* **-s** *l.* **ton** **1.** (*także* **net/short ~**) *US* tona amerykańska (= *2000 funtów*). **2.** (*także* **long ~**) *Br.* tona brytyjska (= *2240 funtów*). **3.** (*także* **metric ~**) = **tonne**. **4.** (*także* **freight ~**) *żegl.* tona frachtowa (*przestrzenna* = *często 40 stóp sześc. l. 1 m³; ciężarowa* = *często 1000 kg*). **5.** (*także* **measurement ~**) tona pojemnościowa *l.* przestrzenna (= *US 1,13267 m³; Br. 1,1893 m³*). **6.** (*także* **register ~**) *żegl.* tona rejestrowa (= *100 stóp sześc., tzn. 2,83 m³*). **7.** (*także* **displacement ~**) *żegl.* tona wypornościowa (= *35 stóp sześc. wody morskiej, lub 2240 funtów*). **8.** *pl. zwł. Br. pot.* masa, mnóstwo; **~s of sth** masa czegoś. **9.** *przen. pot.* **come down on sb like a ~ of bricks** *zob.* **brick** *n.*; **do a ~** *przest.* jechać setką, robić setkę (*mil na godzinę*); **weigh a ~** *emf.* ważyć (z) tonę.

tonal [ˈtoʊnl] *a. muz., jęz.* tonalny.

tonality [toʊˈnælətɪ] *n. pl.* **-ies** **1.** *muz.* tonacja. **2.** *U muz., jęz.* tonalność.

tonally [ˈtoʊnlɪ] *adv.* tonalnie.

to-name [ˈtu:ˌneɪm] *n. Scot.* przydomek.

tone [toʊn] *n.* **1.** *t. muz., jęz. l. przen.* ton; ~ **of voice** ton głosu; **don't take that ~ with me!** (*także* **don't speak to me in that ~ of voice!**) nie mów do mnie takim tonem!; **set the ~** nadawać ton (*for sth* czemuś). **2.** dźwięk, brzmienie (*zwł. instrumentu*). **3.** *tel.* sygnał; **dial ~** sygnał wybierania. **4.** odcień (*koloru*). **5.** *U fizj.* napięcie (*zwł. mięśnia*). **6.** *muz.* = **tone color**. **7.** *przen.* standard, poziom; **lower/raise the ~ of sth** obniżyć/podnieść standard czegoś. – *v.* **1.** *sztuka, fot. l. przen.* tonować. **2.** ~ **(in)** harmonizować, współgrać (*kolorystycznie*) (*with sth* z czymś). **3.** ~ **down** tonować, łagodzić (*zwł. krytykę*); ~ **(up)** wzmacniać (*np. mięśnie*).

tone arm *n.* ramię gramofonu.

tone cluster *n. muz.* klaster.

tone color, *Br.* **tone colour** *n. muz.* barwa tonu, tembr.

tone control *n.* regulator barwy dźwięku (*np. w odbiorniku radiowym*).

tone-deaf [ˈtoʊnˌdef] *n.* pozbawiony słuchu (*muzycznego*).

tone deafness *n. U* brak słuchu (*muzycznego*).

tone language *n. jęz.* język toniczny.

toneless [ˈtoʊnləs] *a.* bezbarwny (*o głosie*).

tonelessly [ˈtoʊnləslɪ] *adv.* bezbarwnym głosem.

toneme [ˈtoʊni:m] *n. fon.* tonem.

tone poem *n. muz.* poemat muzyczny.

toner [ˈtoʊnər] *n. C/U* **1.** *fot., druk.* toner. **2.** *kosmetyki* tonik.

tone row *n.* (*także* **tone series**) *muz.* seria.

tong[1] [tɑ:ŋ] *v.* **1.** chwytać *l.* trzymać obcęgami. **2.** zakręcać lokówką nożycową (*włosy*). – *n. pl. zob.* **tongs**.

tong[2] *n. hist.* tajne stowarzyszenie w Chinach (*podejrzewane o działalność mafijną*).

Tonga [ˈtɑ:ŋə] *n. geogr.* Tonga.

tonga [ˈtɑ:ŋə] *n.* lekka dwukółka (*używana w płd.-wsch. Azji*).

tongs [tɑ:ŋz] *n. pl.* **1.** obcęgi, kleszcze. **2.** lokówka nożycowa. **3. go/be at it hammer and ~** *zob.* **hammer** *n.*

tongue [tʌŋ] *n.* **1.** *t. anat.* język (*t. część buta*); **stick out one's ~** wystawić język; **with one's ~ hanging out** z wywieszonym językiem. **2.** *lit. l. form.* język, mowa; **mother/native ~** język ojczysty, mowa ojczysta. **3.** *U kulin.* ozór, ozorek. **4.** serce (*dzwonu*). **5.** *muz.* stroik (*instrumentu*). **6.** dyszel. **7.** występ, wystająca część; *geogr.* cypel. **8.** *stol.* pióro (*w desce*). **9.** *przen.* ~ **in cheek** (*także* **with (one's) ~ in (one's) cheek**) żartem; **~s of fire** języki ognia; **be too free with one's ~** mieć niewyparzoną gębę; **bite one's ~** ugryźć się w język; **(has the) cat got your ~?** (*także* **(have you) lost your ~?**) zapomniałeś języka (w gębie)?; **feel the rough side of sb's ~** *Br. przest.* usłyszeć od kogoś parę przykrych słów; **find one's ~** odzyskać mowę *l.* głos; **gift of ~s** *zob.* **gift** *n.*; **give sb the rough side of one's ~** *Br. przest.* powiedzieć komuś coś do słuchu; **give/throw ~** *gł. Br.* dawać głos (*o psie*); **have a sharp ~** mieć ostry język; **hold one's ~** trzymać język za zębami; **get one's ~ around/round sth** *pot.* potrafić coś wymówić (*trudne słowo*); **keep a civil ~ in your head!** *przest.* licz się ze słowami!; **loosen sb's ~** *zob.* **loosen** *v.*; **on the tip of one's ~** na końcu języka; **set/start ~s wagging** *pot.* sprawić, że ludzie zaczną gadać, dać powód do plotek; **slip of the ~** przejęzyczenie; **speak with forked ~** *zob.* **forked**; **trip/roll off the ~** być łatwym do wymówienia; **watch your ~!** nie wyrażaj się! – *v.* **1.** dotykać językiem (*czegoś*). **2.** *pot.* całować z języczkiem. **3.** *muz.* grać staccato na *flecie itp.* przy pomocy języka. **4.** *geogr.* tworzyć cypel (*o kawałku lądu*). **5.** *stol.* zaopatrywać w pióro. **6.** *przest.* łajać.

tongue-and groove joint [ˌtʌŋənd'gru:v ˌdʒɔɪnt] *n. stol.* połączenie na pióro i wpust.

tongued [tʌŋd] *a. w złoż.* **sharp-~** mający ostry język, o ostrym języku; **silver-~** złotousty.

tongue depressor *n. US med.* szpatułka (*do zaglądania do gardła*).

tongue-in-cheek [ˌtʌŋɪn'tʃi:k] *a.* żartobliwy. – *adv.* żartem.

tongue-lashing [ˈtʌŋˌlæʃɪŋ] *n. zw. sing.* łajanie, połajanka.

tongue-tie [ˈtʌŋˌtaɪ] *n. pat.* przyrośnięcie języka (= *krótkie wędzidełko*).

tongue-tied [ˈtʌŋˌtaɪd] *a.* **be ~** zapomnieć języka w gębie.

tongue twister *n.* łamaniec językowy.

tonic [ˈtɑ:nɪk] *n.* **1.** *C/U* (*także* **~ water**) tonik; **gin and ~** dżin z tonikiem. **2.** *med.* środek wzmacniający *l.* tonizujący. **3.** *zw. sing. muz.* tonika. **4.** *fon.* sylaba akcentowana. **5.** *zw. sing. Br. przen.* zastrzyk energii. – *a.* **1.** *med.* wzmacniający, tonizujący. **2.** dodający energii; dający bodźca. **3.** *muz., fizj.* toniczny. **4.** *fon.* akcentowany.

tonic accent *n. C/U fon.* akcent toniczny.

tonically [ˈtɑ:nɪklɪ] *adv. muz., jęz.* tonicznie.

tonicity [toʊ'nɪsətɪ] *n. U* **1.** *muz.* toniczność. **2.** *fizj.* napięcie mięśniowe, tonus.

tonic water *n.* = **tonic** *n.* 1.

tonight [tə'naɪt] *adv.* dziś wieczór *l.* wieczorem; dziś w nocy. – *n. U* dzisiejszy wieczór; dzisiejsza noc.

tonnage [ˈtʌnɪdʒ], **tunnage** *n. C/U* **1.** *żegl.* tonaż (*okrętu l. ładunku*). **2.** *żegl.* opłata od tonażu okrętu lub tony ładunku. **3.** łączny ciężar (*w tonach*).

tonnage deck *n. żegl.* drugi pokład od dołu.

tonne [tʌn] *n. pl.* **-s** *l.* **tonne** (*także* **metric ton**) tona metryczna (= *1000 kg l. 2204,6 funtów*).

tonneau [tə'noʊ] *n. pl.* **-s** *l.* **tonneaux** [tə'noʊz] *hist., mot.* buda nad siedzeniami pasażerów.

tonometer [toʊ'nɑ:mətər] *n.* **1.** *muz.* widełki stroikowe. **2.** *techn.* przyrząd do mierzenia ciśnienia (*np. krwi*).

tons [tʌnz] *adv. pot.* o niebo; **I feel ~ better** czuję się o niebo lepiej. – *n. pl. zob.* **ton**.

tonsil [ˈtɑ:nsl] *n. anat.* migdałek.

tonsillary [ˈtɑ:nsəˌlerɪ] *a. anat.* migdałkowy.

tonsillectomy [ˌtɑ:nsə'lektəmɪ] *n. C/U pl.* **-ies** *med.* wycięcie migdałków.

tonsillitis [ˌtɑːnsəˈlaɪtɪs] *n. U pat.* zapalenie migdałków.

tonsorial [tɑːnˈsɔːrɪəl] *a. form. l. żart.* golarski; fryzjerski.

tonsure [ˈtɑːnʃər] *kośc. n.* **1.** *U* golenie czubka głowy (*w niektórych zakonach*). **2.** tonsura. – *v.* robić tonsurę (*komuś*).

tontine [ˈtɑːntiːn] *n.* **1.** *fin.* grupowy system emerytalny, w którym renty wzrastają w miarę wymierania poszczególnych subskrybentów. **2.** *ubezp.* ubezpieczenie-lokata terminowa (*gdzie ubezpieczeni nie pobierają żadnych świadczeń przed upływem określonego terminu*).

tony [ˈtoʊnɪ] *a.* **-ier, -iest** *US i Can. pot.* szykowny, z klasą.

too [tuː] *adv.* **1.** (*zw. na końcu zdania*) też, także; **I want some ~** ja też chcę trochę. **2.** (*zw. na końcu zdania*) w dodatku, ponadto, do tego; **it's an excellent record - and a debut ~!** to świetna płyta - a w dodatku debiut!. **3.** za, zbyt, zbytnio, zanadto; **~ big/slowly** zbyt duży/zbyt wolno; **~ good to last/to be true** zbyt dobry, aby mógł trwać/być prawdziwy; **~ little (and) ~ late** zbyt mało i zbyt późno (*np. zrobić w jakiejś sprawie*); **~ much of a good thing** za dużo dobrego; **~ much of one thing is not good** co za dużo, to niezdrowo; **a bridge ~ far** o jeden most za daleko; **all ~ soon/often** o wiele za wcześnie/za często; **all/only ~ well** aż za dobrze (*np. znać coś*); **it's ~ much like hard work** za dużo się trzeba wysilać; **none/not ~ clever/wise** niezbyt bystry/mądry. **4.** *emf.* **~ right!** *Br., Austr. i NZ* święta prawda!; **about time ~!** rychło w czas!; **and a good thing (it is) ~** *Br.* i bardzo dobrze; **I am/he was ~!** *zwł. US i Can. pot.* a właśnie że jestem/był!, a właśnie że tak! (*nie zgadzając się z czyimś stwierdzeniem*); **it's ~ bad (that...)** szkoda (że...); **(that's) ~ bad** *pot. zw. iron.* a to pech; **thank you, you're ~ kind** *form.* dziękuję, jest Pan/i niezwykle uprzejm-y/a.

toodle-oo [ˌtuːdlˈuː] *int. przest. pot. l. żart.* pa pa (*na pożegnanie*).

took [tʊk] *v. zob.* **take** *v.*

tool [tuːl] *n.* **1.** *t. przen.* narzędzie; **~s of the trade** narzędzia pracy; **he was merely a ~ of the organization** był jedynie narzędziem w rękach organizacji. **2.** (*także* **machine ~**) obrabiarka. **3.** *introl.* tłok; tłoczenie. **4.** *introl.* wzór (*przy tłoczeniu okładki książki*). **5.** *wulg. sl.* kutas. **6.** *Br. sl.* spluwa, kopyto (*= pistolet l. rewolwer*). **7.** **down ~s** *zob.* **down**¹ *v.* – *v.* **1.** obrabiać (*za pomocą narzędzia l. maszynowo*). **2.** obrabiać dłutem, obciosywać (*kamień*). **3.** *introl.* wytłaczać (*np. wzór, okładkę*). **4.** **~ (up)** wyposażać *l.* zaopatrywać (się) w narzędzia *l.* sprzęt (*zwł. na dużą skalę; np. całą gałąź przemysłu*). **5.** **~ (along)** *US mot. sl.* jechać sobie (*zwł. z dużą prędkością*).

tool bar *n. komp.* pasek narzędzi.

tool box *n.* skrzynka na narzędzia.

tooled [tuːld] *a.* tłoczony, wytłaczany (*o okładce, skórze*).

tooled up [ˌtuːld ˈʌp] *a. sl.* ze spluwą.

tooler [ˈtuːlər] *n.* szerokie dłuto (*kamieniarskie*).

tooling [ˈtuːlɪŋ] *n. C/U introl.* tłoczenie.

tool kit *n.* zestaw narzędziowy, komplet narzędzi.

toolmaker [ˈtuːlˌmeɪkər] *n.* ślusarz narzędziowy.

tool room *n.* narzędziownia.

tool shed *n.* szopa na narzędzia.

tool steel *n. U metal.* stal narzędziowa.

toon¹ [tuːn] *n. film pot.* **1.** kreskówka. **2.** postać z kreskówki.

toon² *n. bot.* gatunek cedrzyka (*Cedrela toona*).

toonie [ˈtuːnɪ] *n. Can.* moneta dwudolarowa.

toorie [ˈtuːrɪ], **tourie** *n. Scot.* **1.** pompon (*na berecie*). **2.** (*także* **~ bonnet**) beret z pomponem.

toot [tuːt] *v.* **1.** *zwł. Br. mot.* trąbić (*o klaksonie*); **~ one's horn** zatrąbić (*klaksonem; o kierowcy*). **2.** *sl.* pierdzieć głośno. – *n.* **1.** *zwł. Br.* trąbienie; *mot.* sygnał dźwiękowy. **2.** *US i Can. sl.* popijawa. **3.** *Austr. sl.* kibel, klop.

tooth [tuːθ] *n. pl.* **teeth** [tiːθ] **1.** *t. anat., dent., mech.* ząb (*t. np. w grzebieniu, pile*); **baby/milk ~** ząb mleczny; **have a ~ pulled** (*także Br. i Austr.* **have a ~ out**) dać sobie wyrwać ząb; **molar/wisdom ~** ząb trzonowy/mądrości. **2.** *przen.* **be long in the ~** *pot.* mieć swoje lata; **fight ~ and nail** walczyć zaciekle *l.* zajadle; **have a sweet ~** lubić słodycze. **3.** *pl. zob.* **teeth.** – *v.* **1.** zaopatrywać w zęby (*np. piłę, koło zębate*). **2.** zazębiać się (*o kołach zębatych*).

toothache [ˈtuːθˌeɪk] *n. C/U pat.* ból zęba *l.* zębów.

toothbrush [ˈtuːθˌbrʌʃ] *n.* szczoteczka do zębów.

toothed [tuːθt] *a. w złoż.* **fine-~** gęsty (*o grzebieniu, pile*); **gap-~** z przerwami między zębami; **saber-~** szablozęby (*o tygrysie*); **six-~** sześciozębny, z sześcioma zębami.

toothed whale *n. zool.* zębowiec, waleń uzbrojony (*Odontocetus*).

tooth fairy *n. pl.* **-ies** *folklor* wróżka, która w zamian za mleczny ząb zostawiony pod poduszką przynosi dziecku pieniążek.

toothily [ˈtuːθɪlɪ] *adv.* **smile ~** szczerzyć zęby w uśmiechu.

toothless [ˈtuːθləs] *a.* **1.** bezzębny. **2.** *przen.* nieskuteczny (*zwł. o prawie, przepisie*).

toothless whale *n. zool.* fiszbinowiec (*Mysticetus*).

toothpaste [ˈtuːθˌpeɪst] *n. U* pasta do zębów.

toothpick [ˈtuːθˌpɪk] *n.* **1.** wykałaczka. **2.** *sl.* nóż myśliwski.

tooth powder *n. U* proszek do czyszczenia zębów.

toothsome [ˈtuːθsəm] *a. zw. żart.* apetyczny, smakowity (*t. przest. przen. = atrakcyjny seksualnie*).

toothsomeness [ˈtuːθsəmnəs] *n. U* apetyczność, smakowitość.

toothy [ˈtuːθɪ] *a.* **-ier, -iest** **1.** mający duże *l.* wystające zęby; pokazujący *l.* szczerzący zęby. **2.** **~ grin/smile** wyszczerzony uśmiech.

tootle [ˈtuːtl] *Br. v.* **1.** *przest. pot.* jechać spacerkiem. **2.** pogrywać (*np. na flecie, klarnecie*).

– *n.* 1. *przest. pot.* spokojna przejażdżka. 2. delikatna gra (*np. na flecie, klarnecie*).

toots [tʊts] *n. gł. US przest. pot.* kochanie.

tootsy ['tʊtsɪ], **tootsie** *n. pl.* **-ies** 1. *pot. dziec.* nóżka, nózia; paluszek (*u nogi*). 2. *gł. US pot.* kochanie.

top[1] [tɑ:p] *n.* 1. góra, górna część (*czegoś*); wierzchołek, szczyt, górny koniec; wierzch, górny brzeg; **at the ~** *t. przen.* na samej górze, u samej góry (*of sth* czegoś) (*np. organizacji*); **on ~ of sth** na wierzchu czegoś, na czymś. 2. blat (*stołu, biurka*). 3. korona (*drzewa*). 4. nać (*np. pietruszki, marchwi*). 5. pokrywka, przykrywka (*np. rondla*); wieczko (*np. pudełka*); zakrętka (*butelki, słoja, tubki*); nakrętka (*pióra, długopisu*). 6. góra (*np. piżamy; t. = bluzka*). 7. odkrywany dach (*samochodu*). 8. (*także* **~ gear**) *Br.* najwyższy bieg (*w samochodzie*). 9. pierwsze miejsce (*np. w klasie, szkole*). 10. *żegl.* mars. 11. *chem.* najbardziej lotna część mieszanki. 12. *sport* uderzenie piłki powyżej środka. 13. *pl. zob.* **tops**. 14. *przen.* **at the ~ of one's lungs/voice** na cały głos, na całe gardło, co sił w płucach; **be at the ~ of the tree** *zob.* **tree** *n.*; **be getting thin on ~** łysieć; **be on ~ of sb's agenda** *zob.* **agenda**; **be on ~ of sth** być na bieżąco z czymś (*np. z pracą*), mieć coś pod kontrolą; **blow one's ~** *pot.* wpaść w szał; **come out on ~** zwyciężyć w rywalizacji; wyjść na swoje; **feel/be on ~ of the world** *pot.* być w siódmym niebie; **from ~ to bottom** od góry do dołu (*np. wysprzątać l. przeszukać dom*); **from ~ to toe** od stóp do głów; **get on ~ of sb** przygnębiać kogoś; dawać się komuś we znaki (*np. o trudach*); **go over the ~** posunąć się za daleko; *wojsk. pot.* ruszyć do ataku (*z okopów*); **it's over the ~** to przesada *l.* przegięcie; **live on ~ of each other** mieszkać jeden na drugim (*w ciasnocie*); **not have very much up ~** być niezbyt bystrym; **off the ~ of one's head** bez zastanowienia *l.* namysłu; **on ~ of everything (else)** na dokładkę, na domiar wszystkiego, jakby tego było mało; **the ~ of the morning (to you)!** *Ir.* dzień dobry!. – *a. attr.* 1. górny (*np. o brzegu, szufladzie, guziku*). 2. najwyższy (*np. o stopniu schodów, biegu, priorytecie*). 3. maksymalny (*np. o prędkości*). 4. wiodący, najlepszy (*np. o specjaliście*). 5. *przest. pot.* z najwyższych sfer. 6. **be on ~ form** być w szczytowej formie. – *v.* **-pp-** 1. zwieńczać (*sth with sth* coś czymś). 2. stanowić wierzch (*czegoś*). 3. prowadzić w (*klasyfikacji*); **~ the charts** znajdować się na szczycie listy przebojów. 4. przekroczyć (*jakąś wartość; np. o sumie, wadze*). 5. przebić, przelicytować (*np. ofertę*). 6. *kulin.* przybierać, dekorować (*np. tort bitą śmietaną, owocami*); polewać (*np. lody syropem*). 7. usuwać wierzchołek (*np. drzewa, krzewu*); obcinać nać (*np. pietruszki*). 8. przeskoczyć przez (*np. poprzeczkę, płot*). 9. *lit.* osiągnąć szczyt (*np. góry*). 10. *sl.* zlikwidować (*kogoś; zwł. przez powieszenie*). 11. *sport* uderzać powyżej środka (*piłkę*). 12. *chem.* destylować najbardziej lotną część (*mieszanki*). 13. **~ o.s.** *Br. sl.* popełnić samobójstwo. 14. **to ~ it all** na dodatek *l.* dokładkę. 15. **~ off** uwieńczyć, spuentować (*sth with sth* coś czymś); **~ out** *fin.* osiągnąć maksimum (*np. o cenach, stopach procentowych*); *bud.* zawiesić wiechę nad (*budynkiem*); **~ up** dopełniać (*coś opróżnionego*); **~ sb up** (*także* **~ up sb's drink/glass**) *zwł. Br.* dolewać komuś.

top[2] *n.* 1. bąk (*zabawka*). 2. **sleep like a ~** spać jak kamień.

topaz ['toʊpæz] *n. C/U min.* topaz.

top banana *n. zwł. US sl.* boss, szef.

top boot *n.* but z cholewą (*zwł. wykończoną odmiennym kolorem*).

top brass *n. pl. pot.* **the ~** wierchuszka, szefostwo; *wojsk.* wysokie szarże.

top-class [ˌtɑ:p'klæs] *a.* pierwszorzędny, pierwsza klasa.

topcoat ['tɑ:pˌkoʊt] *n.* 1. *C/U* wierzchnia *l.* zewnętrzna warstwa (*farby*). 2. *przest.* ciepły płaszcz.

topcrossing ['tɑ:pˌkrɔ:sɪŋ] *n. U hodowla* krzyżowanie końcówkowe *l.* szczytowe.

top dog *n. pot.* najważniejsza osoba; boss, szef; zwycięzca.

top-down [ˌtɑ:p'daʊn] *a. Br.* 1. odgórny (*np. o inicjatywie*). 2. od ogółu do szczegółu (*np. o rozumowaniu, planie*).

top drawer *n. przen. pot.* elita, śmietanka.

top-drawer [ˌtɑ:p'drɔ:r] *a. pot.* elitarny.

top-dress ['tɑ:pˌdres] *v. roln.* nawozić powierzchniowo.

top dressing *n. U* 1. *roln.* nawożenie powierzchniowe. 2. *bud.* warstwa tłucznia na powierzchni drogi.

tope[1] [toʊp] *v. arch. l. lit.* ostro pić.

tope[2] *n. zool.* 1. żarłacz szary (*Galeorhinus galeus*). 2. odmiana małego rekina.

tope[3] *n. bud., kośc.* stupa (= *kapliczka buddyjska zwieńczona kopułą*).

topee ['toʊpi:] *n.* = **topi**.

toper ['toʊpər] *n. lit. l. pot.* pija-k/czka.

topflight [ˌtɑ:p'flaɪt] *a.* pierwszorzędny (*np. o wykonawcy*).

topgallant [ˌtɑ:p'gælənt] *żegl. n.* 1. (*także* **~ mast**) bramstenga. 2. (*także* **~ sail**) bramsel, bramżagiel. – *a. attr.* wyższy (*o maszcie, bramstendze, żaglu*).

top gear *n. U mot.* najwyższy bieg; **in ~** na najwyższym biegu; *przen.* na najwyższych obrotach.

top-hamper ['tɑ:pˌhæmpər] *n. żegl.* górny osprzęt.

top hat *n.* cylinder (*kapelusz*).

top-heaviness [ˌtɑ:p'hevɪnəs] *n. U* złe wyważenie.

top-heavy [ˌtɑ:p'hevɪ] *a.* 1. źle wyważony, przeciążony u góry. 2. *przen.* z przerostem kadry kierowniczej.

top-hole [ˌtɑ:p'hoʊl] *a. Br. przest. pot.* kapitalny.

tophus ['toʊfəs] *n. pl.* **tophi** ['toʊfaɪ] *pat.* guzek dnawy.

topi[1] ['toʊpɪ] *n. pl.* **-s** *l.* **topi** *zool.* sassebi (*Damaliscus lunatus*).

topi[2] *n.* (*także* **topee**) hełm tropikalny.

topiary ['toʊpɪˌerɪ] *ogr. a.* strzyżony, przycięty

w ozdobne kształty. – *n.* **1.** *U* sztuka przycinania drzew i krzewów w ozdobne kształty. **2.** *pl.* **-ies** ogród z drzewami i krzewami przyciętymi jw.

topic [ˈtɑːpɪk] *n.* **1.** temat (*np. dyskusji, rozmowy, wypracowania*). **2.** *log., ret.* topika.

topical [ˈtɑːpɪkl] *a.* **1.** aktualny (*np. o kwestiach, wiadomościach*); ~ **composition** utwór okolicznościowy. **2.** miejscowy; lokalny. **3.** *med.* stosowany miejscowo.

topicality [ˌtɑːpəˈkælətɪ] *n. U* aktualność.

topically [ˈtɑːpɪklɪ] *adv. med.* miejscowo.

topic sentence *n.* zdanie kluczowe (*na początku akapitu*).

topknot [ˈtɑːpˌnɑːt] *n.* **1.** kok. **2.** kokarda (*na czubku głowy*). **3.** *orn.* czub. **4.** *icht.* ryba z rodziny skarpiowatych (*Bothidae*).

topless [ˈtɑːpləs] *a. i adv.* toples, w toplesie, w stroju toples; ~ **bar/show** bar z kelnerkami/pokaz z tancerkami w stroju toples.

top-level [ˌtɑːpˈlevl] *a. attr. przen.* na najwyższym szczeblu (*np. o decyzjach, negocjacjach, rozmowach*).

toplofty [ˌtɑːpˈlɔːftɪ] *a. pot.* nadęty.

topmast [ˈtɑːpˌmæst] *n. żegl.* stenga (*masztu*).

topmost [ˈtɑːpˌmoʊst] *a. attr.* najwyższy, górny (*np. o gałęziach*).

top-notch [ˌtɑːpˈnɑːtʃ] *a. pot.* pierwszorzędny.

topographer [təˈpɑːgrəfər] *n. geol.* topograf.

topographic [ˌtɑːpəˈgræfɪk], **topographical** *a. geol.* topograficzny.

topography [təˈpɑːgrəfɪ] *n. C/U pl.* **-ies** *geol.* topografia.

topoi [ˈtoʊpɔɪ] *n. pl. zob.* **topos**.

topological [ˌtɑːpəˈlɑːdʒɪkl] *n. t. mat.* topologiczny.

topology [təˈpɑːlədʒɪ] *n. U t. mat.* topologia.

toponym [ˈtɑːpənɪm] *n. jęz.* **1.** toponimikon, nazwa miejscowości. **2.** nazwisko pochodzące od nazwy miejscowości.

toponymic [ˌtɑːpəˈnɪmɪk] *a. jęz.* toponomastyczny, toponimiczny.

toponymy [təˈpɑːnəmɪ] *n. U jęz.* toponomastyka, toponimia.

topos [ˈtoʊpoʊs] *n. pl.* **topoi** [ˈtoʊpɔɪ] *mit., ret.* topos.

topper [ˈtɑːpər] *n.* **1.** *pot.* cylinder (*kapelusz*). **2.** *Br. sl.* równy gość.

topping [ˈtɑːpɪŋ] *n.* **1.** *C/U* przykrycie; zwieńczenie. **2.** *C/U kulin.* polewa, sos; przybranie; dodatek (*np. do pizzy*). **3.** *pl.* obcięte gałęzie *l.* górne pędy. – *a. gł. Br. przest. pot.* pierwszorzędny.

topple [ˈtɑːpl] *v.* **1.** ~ **(over)** wywrócić *l.* przewrócić (się) (*od nadmiernego przechylenia*). **2.** *przen.* obalić (*np. rząd*).

top-ranking [ˌtɑːpˈræŋkɪŋ] *a.* wysoko postawiony.

top-rated [ˌtɑːpˈreɪtɪd] *a. pot.* cieszący się wielką popularnością.

top round *n. U US kulin.* wołowina ekstra.

TOPS [tɑːps] *abbr.* **Training Opportunities Scheme** *Br.* kursy kształcenia zawodowego.

tops [tɑːps] *n. pot.* **1.** (*także* **top whack**) *Br.* maks, najwyżej; **100, 150** ~ sto, najwyżej sto pięćdziesiąt. **2. be (the)** ~ *przest.* być najlepszym.

topsail [ˈtɑːpˌseɪl] *n. żegl.* marszagiel, marsel.

top-secret [ˌtɑːpˈsiːkrɪt] *a. gł. wojsk.* ściśle tajny.

top-security [ˌtɑːpsɪˈkjʊrətɪ] *a.* **1.** = **top-secret**. **2.** ~ **prison** *Br.* więzienie o zaostrzonych środkach bezpieczeństwa.

topside [ˈtɑːpˌsaɪd] *n.* **1.** górna część. **2.** *U Br. i NZ kulin.* wołowina ekstra. **3.** (*także* **topsides**) *US żegl.* część kadłuba nad powierzchnią wody. – *adv.* (*także* **topsides**) *US żegl.* na głównym pokładzie; w kierunku głównego pokładu.

topsoil [ˈtɑːpˌsɔɪl] *roln. n. U* górna warstwa gleby. – *v.* **1.** przykrywać warstwą gleby. **2.** usuwać górną warstwę gleby z (*czegoś*).

topsy-turvy [ˌtɑːpsɪˈtɝːvɪ] *pot. adv. t. przen.* do góry nogami. – *a.* **1.** wywrócony do góry nogami. **2.** postawiony na głowie (*np. o priorytetach*). – *n. U* rozgardiasz, galimatias.

top table *n. Br.* główny stół (*na przyjęciu, weselu*).

top-up [ˈtɑːpˌʌp] *n. sing.* dolewka; **would you like a ~?** *Br.* dolać ci?.

top whack *n.* = **tops** 1.

toque [toʊk] *n.* toczek (*nakrycie głowy*).

tor [tɔːr] *n. Br.* skalisty szczyt.

Torah [ˈtɔːrə] *n.* **the** ~ *judaizm* Tora.

torc [tɔːrk] *n.* = **torque** 2.

torch [tɔːrtʃ] *n.* **1.** *Br. i Austr.* latarka. **2.** *t. przen.* pochodnia; znicz; kaganek, kaganiec; **the Olympic** ~ znicz olimpijski. **3.** *US techn.* palnik spawalniczy. **4. carry a ~ for sb** *przest. przen. pot.* podkochiwać się w kimś (*zwł. w tajemnicy i bez wzajemności*); **put sth to the** ~ puścić coś z dymem; podpalić coś. – *v. pot.* puścić z dymem; podpalić (*np. o terrorystach*).

torchbearer [ˈtɔːrtʃˌberər] *n.* **1.** osoba niosąca pochodnię *l.* znicz. **2.** *przen.* przywód-ca/czyni; ~ **of democracy** trybun/ka *l.* głosiciel/ka demokracji.

torchère [ˈtɔːrʃər] *n.* wysoki stojak pod wieloramienny świecznik.

torchier [ˈtɔːrtʃɪər], **torchiere** *n.* lampa stojąca rzucająca światło w górę.

torchlight [ˈtɔːrtʃˌlaɪt] *n. U* **1.** światło pochodni. **2.** *Br. i Austr.* światło latarki *l.* latarek.

torch race *n.* bieg z pochodniami.

torchsinger [ˈtɔːrtʃˌsɪŋər] *n.* piosenkarka śpiewająca rzewne utwory.

torch slaying *n. C/U US* zabójstwo z podpaleniem ofiary.

torch song *n.* rzewna piosenka (*zwł. śpiewana przez kobietę; popularna zwł. w latach 30. XX w.*).

torch thistle *n. bot.* pałczak (*Cereus*).

tore[1] [tɔːr] *v. zob.* **tear**[2] *v.*

tore[2] *n. pl. zob.* **torus**.

toreador [ˈtɑːrɪəˌdɔːr] *n.* torreador, toreador.

toreador pants *n. pl. strój* rybaczki.

toreutics [təˈruːtɪks] *n. U* artystyczna obróbka metali; kowalstwo artystyczne.

torment *n.* [ˈtɔːrment] *C/U* męka, udręka, męczarnie; **be in** ~ znosić męki, cierpieć katusze. –

v. [tɔ:r'ment] **1.** dręczyć, męczyć (*t. np. o wyrzutach sumienia*). **2.** znęcać się nad (*np. psem*); drażnić (*celowo*).

tormentil ['tɔ:rməntɪl] *n. pl.* **-s** *l.* **tormentil** *bot.* (pięciornik) kurze ziele, pięciornik leśny *l.* czteropłatkowy (*Potentilla tormentilla*).

tormentor [tɔ:r'mentər], **tormenter** *n.* **1.** dręczyciel/ka, gnębiciel/ka. **2.** *teatr* maskująca kurtyna *l.* zasłona z boku sceny. **3.** *kino* ekran wygłuszający.

torn [tɔ:rn] *v.* *zob.* **tear**2 *v.*

tornado [tɔ:r'neɪdoʊ] *n. pl.* **-s** *l.* **-es** *meteor. l. przen.* tornado.

torose ['tɔ:roʊs], **torous** *a.* **1.** *bot.* ze zgrubieniami, sękaty (*o kształcie cylindrycznym*). **2.** *zool.* gałkowaty.

torpedo [tɔ:r'pi:doʊ] *n. pl.* **-es** **1.** *wojsk.* torpeda; **aerial ~** torpeda lotnicza. **2.** *US i Can.* petarda; *kol.* petarda ostrzegawcza. **3.** (*także* **~ fish**) *icht.* drętwa (*Torpedo*). – *v. t. przen.* torpedować.

torpedo boat *n. wojsk.* kuter torpedowy.

torpedo boat destroyer *n. wojsk.* niszczyciel.

torpedo bomber *n. wojsk.* bombowiec torpedowy.

torpedo tube *n. wojsk.* wyrzutnia torpedowa.

torpid ['tɔ:rpəd] *a.* **1.** *form.* odrętwiały, apatyczny; senny; nieruchawy. **2.** *zool.* pogrążony we śnie zimowym.

torpidity [tɔ:r'pɪdətɪ] *n.* *U* odrętwienie, apatyczność; senność.

torpidly ['tɔ:rpədlɪ] *adv.* apatycznie; sennie.

torpor ['tɔ:rpər] *n.* *U l. sing.* odrętwienie, apatia; senność; nieruchawość.

torquate ['tɔ:rkweɪt] *a.* *zool.* z kołnierzykiem *l.* obrączką na szyi (*np. z piór, sierści l. innego koloru*).

torque [tɔ:rk] *n.* **1.** *mech.* moment obrotowy. **2.** (*także* **torc**) *hist.* torques (*metalowy naszyjnik celtycki*).

torques ['tɔ:rks] *n.* *zool.* kołnierzyk, obrączka (*na szyi; np. z piór, sierści l. innego koloru*).

torque wrench *n. mech.* klucz dynamometryczny.

torrefy ['tɔ:rəˌfaɪ] *v.* **-ied**, **-ying** *metal.* prażyć, wypalać.

torrent ['tɔ:rənt] *n.* **1.** potok, strumień; **come down/fall in ~s** lać strumieniami (*o deszczu*); **rushing/raging ~** rwący strumień *l.* potok. **2.** *przen.* potok; fala; **~ of abuse** potok wyzwisk; **~ of criticism/protest** fala krytyki/protestów; **come in ~s** napływać falami *l.* masowo (*np. o listach, skargach*).

torrential [tɔ:'renʃl] *a.* **1.** ulewny (*o deszczu*). **2.** rwący (*jak potok*). **3.** przelewający się; obfity.

torrid ['tɔ:rɪd] *a.* **1.** *form.* skwarny, upalny (*o dniu, pogodzie*); prażący (*o słońcu*); spieczony, spalony słońcem (*o ziemi*). **2.** *przen.* żarliwy, gorący (*np. o romansie, scenie miłosnej*).

torridity [tɔ:'rɪdətɪ] *n.* (*także* **~ness**) *U* spiekota, żar.

torridly ['tɔ:rɪdlɪ] *adv.* gorąco, żarliwie.

Torrid Zone *n. geogr.* gorąca strefa klimatyczna.

torsade ['tɔ:rsɑ:d] *n.* plecionka ze sznura, koralików itp. (*jako ozdoba np. kapelusza*).

torsion ['tɔ:rʃən] *n.* *C/U mech.* skręcanie; skręt (*stan*).

torsional strength ['tɔ:rʃənl ˌstreŋkθ] *n.* *U mech.* wytrzymałość na skręcanie.

torsk [tɔ:rsk] *n. pl.* **-s** *l.* **torsk** *icht.* brosma (*Brosmius brosme*).

torso ['tɔ:rsoʊ] *n. pl.* **-s** *rzad.* **torsi** ['tɔ:rsi:] *anat.* **1.** tułów, tors. **2.** popiersie.

tort [tɔ:rt] *n. prawn.* czyn niedozwolony, delikt.

torte ['tɔ:rtə] *n. kulin.* tort.

tortellini ['tɔ:rtəˌli:nɪ] *n.* *U kulin.* tortellini.

torticollis [ˌtɔ:rtə'kɑ:ləs] *n.* *U pat.* kręcz szyi.

tortile ['tɔ:rtɪl] *a. rzad.* skręcony.

tortilla [tɔ:r'ti:ə] *n. kulin.* placuszek kukurydziany.

tortious ['tɔ:rʃəs] *a. prawn.* dotyczący deliktu.

tortoise ['tɔ:rtəs] *n. zool.* **1.** żółw lądowy (*Testudo*); **water ~** żółw błotny (*Emys*). **2.** *przen.* żółw, ślimak.

tortoiseshell ['tɔ:rtəsˌʃel] *n.* **1.** *U* szylkret. **2.** (*także* **~ turtle**) *zool.* żółw szylkretowy (*Eretmochelys imbricata*). **3.** (*także* **~ cat**) tygrysek (= *kot w żółte, brązowe i czarne pręgi*). **4.** *ent.* rusałka (*rodzaj Nymphalinae*). – *a.* szylkretowy.

tortuous ['tɔ:rtʃuəs] *a.* **1.** kręty, wijący się (*np. o drodze, strumieniu*). **2.** *przen.* zawiły, skomplikowany (*np. o procesie, fabule*).

tortuously ['tɔ:rtʃuəslɪ] *adv.* **1.** wijąc się. **2.** *przen.* zawile.

tortuousness ['tɔ:rtʃuəsnəs] *n.* *U* **1.** krętość. **2.** *przen.* zawiłość.

torture ['tɔ:rtʃər] *n.* *C/U t. przen.* tortury; tortura, męka, męczarnia; **instruments of ~** narzędzia tortur; **under ~** pod wpływem tortur. – *v.* **1.** *t. przen.* torturować, męczyć; **~ sb to death** zamęczyć kogoś na śmierć. **2.** dręczyć (*t. np. o uczuciu*). **3.** powykręcać (*w dziwne kształty*).

torture chamber *n.* sala tortur.

tortured ['tɔ:rtʃərd] *a.* usłany cierpieniami, pełen cierpień *l.* nieszczęść (*np. o historii, przeszłości*).

torturer ['tɔ:rtʃərər] *n.* opraw-ca/czyni, dręczyciel/ka.

torturous ['tɔ:rtʃərəs] *a.* **1.** zadający tortury *l.* męki. **2.** dręczący.

torus ['tɔ:rəs] *n. pl.* **tori** ['tɔ:raɪ] *bud., geom.* torus.

Tory ['tɔ:rɪ] *polit. n. pl.* **-ies** torys (*t. Br. hist.*); *Br. i Can.* człon-ek/kini Partii Konserwatywnej; zwolenni-k/czka Partii Konserwatywnej. – *a. attr.* **1.** torysowski; dotyczący Partii Konserwatywnej. **2.** konserwatywny.

Toryism ['tɔ:rɪˌɪzəm] *n.* *U Br. polit.* konserwatyzm.

Tory Party *n.* **the ~** (*także* **the Tories**) *Br. polit.* Partia Torysów, Torysi.

tosh [tɑ:ʃ] *n.* *U gł. Br. przest. pot.* bzdury.

toss [tɑ:s] *v.* **1.** rzucać; podrzucać; **~ one's head (back)** odrzucić głowę do tyłu; **~ sb sth** (*także* **~ sth to sb**) rzucić komuś coś. **2.** **~ (up)** (*także* **~ a coin**) *Br.* rzucać monetą (*losując*); **let's ~ for it**

(*także* **I'll ~ you for it**) rzućmy monetą, zagrajmy w orła i reszkę. **3.** *kulin.* mieszać (*np. sałatę w sosie*). **4.** *kulin.* przewracać w locie (*naleśniki*). **5.** *Br. pot. jeźdz.* zrzucać (*o koniu*); **be ~ed** spaść, zostać zrzuconym (*z konia*). **6.** brać na rogi (*o byku*). **7.** *tenis* podbijać wysoko (*piłkę*). **8.** (*także* **~ and turn**) przewracać się z boku na bok, rzucać się (*w łóżku*). **9.** być podrzucanym (*na fali*). **10. ~ one's cookies** *zob.* **cookie. 11. ~ off** *pot.* machnąć, trzasnąć (= *zrobić szybko i bez wysiłku*); *przest.* wypić duszkiem; *Br. i Austr. obsc. sl.* masturbować (się); **~ out** wypaść, wybiec nagle (*np. z pokoju*); **~ up** upichcić, przygotować naprędce (*jedzenie*). – *n.* **1.** rzut; podrzucenie (*t. głową*). **2.** *zwł. Br.* rzut monetą, losowanie; **sb has won/lost the ~** losowanie wypadło na czyjąś korzyść/niekorzyść. **3. argue the ~** *zob.* **argue**; **I don't give a ~** *Br. pot.* guzik mnie to obchodzi; **take a ~** *Br. jeźdz. pot.* spaść z konia.

tosser [ˈtɑːsər] *n. obelż. sl.* ciul.

toss-pot [ˈtɔːsˌpɑːt] *n. arch.* moczymorda.

toss-up [ˈtɔːsˌʌp] *n.* **1.** *zw. sing. Br.* rzut monetą (*przy losowaniu*). **2.** *przen. pot.* loteria (= *rzecz niepewna*).

tot¹ [tɑːt] *n.* **1.** *pot.* brzdąc, berbeć. **2.** *gł. Br.* ociupinka, odrobina (*of sth* czegoś); kropelka (*zwł. mocnego alkoholu*).

tot² *v.* **-tt-** *pot.* **1. ~ (up)** zliczać, sumować. **2. ~ up to...** wynosić (w sumie)...

total [ˈtoʊtl] *a. attr.* **1.** ogólny, całkowity (*np. o liczbie, sumie, koszcie*). **2.** zupełny (*np. o klęsce, katastrofie*); całkowity (*np. o zakazie, klęsce, zaćmieniu*); totalny (*np. o klęsce, wojnie*). – *n.* **1.** suma; ogólna liczba; **a ~ of (25 people)** w sumie (25 osób); **(40 people) in ~** w sumie (40 osób); **the sum ~** ogólna suma *l.* liczba. **2. grand ~** *zob.* **grand total.** – *v. Br.* **-ll- 1.** wynosić ogółem *l.* w sumie. **2. ~ (up)** zliczać, sumować. **3.** *US pot.* skasować (*samochód*).

totalitarian [toʊˌtæləˈterɪən] *a. polit.* totalitarny (*o systemie, ustroju*).

totalitarianism [toʊˌtæləˈterɪəˌnɪzəm] *n. U polit.* totalitaryzm, totalizm.

totality [toʊˈtælɪtɪ] *n. C/U pl.* **-ies 1.** *form.* całość; ogół; całokształt; **in its ~** całościowo, jako całość (*rozważać coś*). **2.** *astron.* czas całkowitego zaćmienia.

totalizator [ˈtoʊtələˌzeɪtər], *Br. i Austr. zw.* **totalisator** *n.* **1.** *US i Can.* sumator. **2.** *Br.* totalizator (*na wyścigach konnych*).

totalize [ˈtoʊtəˌlaɪz], *Br. i Austr. zw.* **totalise** *v.* zbierać razem, zliczać.

totalizer [ˈtoʊtəˌlaɪzər], *Br. i Austr. zw.* **totaliser** *n.* = **totalizator.**

totally [ˈtoʊtlɪ] *adv.* **1.** całkowicie, zupełnie. **2.** *emf. pot.* totalnie, absolutnie.

total recall *n. U psych.* pamięć absolutna.

tote¹ [toʊt] *v.* **~ (around/along)** *zwł. US pot.* targać *l.* taszczyć ze sobą (= *stale nosić; zwł. coś ciężkiego l. nieporęcznego*). – *n.* duży ciężar (*przenoszony l. przewożony*).

tote² *n.* **the ~** *Br. pot.* totek (*na wyścigach konnych*).

tote bag *n. zwł. US* duża torba (*mocna, z rączkami*).

tote box *n.* skrzynka narzędziowa.

totem [ˈtoʊtəm] *n. rel.* totem.

totemic [toʊˈtemɪk] *a. rel.* totemiczny.

totemism [ˈtoʊtəˌmɪzəm] *n. U rel.* totemizm.

totem pole *n.* **1.** *rel.* słup totemiczny. **2.** *US przen. pot.* hierarchia (*zwł. w firmie, organizacji*).

tother [ˈtʌðər], **t'other** *a. i pron. dial.* = **the other**; *zob.* **other** *pron.*

totter [ˈtɑːtər] *v.* zataczać się, iść chwiejnym krokiem; *t. przen.* chwiać się (*np. o systemie politycznym*). – *n.* chwianie się, zataczanie się; chwiejny krok.

tottering [ˈtɑːtərɪŋ] *a. attr.* **1.** chwiejny (*o kroku*). **2.** *t. przen.* chwiejący się, t. w posadach.

tottery [ˈtɑːtərɪ] *a.* **1.** chwiejny, chybotliwy (*np. o krześle*). **2.** chwiejący się, trzęsący się, o osobie, np. ze starości.

toucan [ˈtuːkən] *n. orn.* tukan (*Ramphastos*).

touch [tʌtʃ] *v.* **1.** *t. przen.* dotykać (*kogoś l. czegoś*). **2.** tykać. **3.** stykać się. **4.** poruszać (*t. emocjonalnie*); wzruszać; **be ~ed** wzruszyć się (*by sth* czymś). **5.** *żegl.* zawijać (*at* do) (*portu*). **6.** *przest.* cechować (*metal*). **7.** *przen.* **~ a (raw) nerve** *zob.* **nerve** *n.*; **~ bottom** sięgnąć dna; **~ wood!** *zwł. Br.* odpukać (w niemalowane drewno)!; **I wouldn't ~ it/him with a ten-foot pole** *US*/**with a bargepole** *Br. pot.* za żadne skarby nie chcę mieć z tym/nim do czynienia; **not ~ sth** nie tknąć czegoś (*np. pracy*); trzymać się z daleka od czegoś; **never/not ~ the stuff** nigdy nie pić (*alkoholu*); **(there's) no-one/nothing to ~ sb/sth** ktoś/coś nie ma sobie równych, nikt/nic nie może się z kimś/czymś równać. **8. ~ down** *lotn.* przyziemiać, lądować; **~ sb for sth** *pot.* naciągnąć kogoś na coś; **~ in** domalowywać (*szczegóły w obrazie*); **~ off** odpalać (*np. fajerwerki*); *przen.* wywoływać, prowokować (*np. zamieszki, protesty*); **~ on/upon sth** poruszać coś (*temat, kwestię*); graniczyć z czymś (*np. z litością*); **~ up** retuszować, wygładzać; **~ sb up** *Br. pot.* obmacywać kogoś. – *n.* **1.** *U* dotyk; **to the ~** w dotyku. **2.** *zw. sing.* dotknięcie. **3.** *U* kontakt; **be/keep/stay in ~ with sb** być *l.* pozostawać w kontakcie z kimś; **be in ~ with sth** być na bieżąco z czymś; **be out of ~ with sth** nie mieć z czymś kontaktu; nie być z czymś na bieżąco; **get in ~ with sb** skontaktować się z kimś; **I'll be in ~** skontaktuję *l.* odezwę się (*zwł. telefonicznie*); **lose ~ with sb/sth** stracić z kimś/czymś kontakt; **put sb in ~ with sb** skontaktować kogoś z kimś. **4.** odrobina (*of sth* czegoś); **it's a ~ expensive** to jest odrobinę *l.* ciut za drogie. **5.** pociągnięcie ołówka *l.* pędzla. **6.** *sing.* podejście; **personal ~** osobiste *l.* indywidualne podejście. **7.** poprawka; **put/add/give the finishing ~(es) to/on sth** dokonać ostatecznych poprawek w czymś, wykończyć coś (ostatecznie). **8.** *sing.* nuta (*np. sarkazmu w głosie*). **9.** *sing.* akcent; **the flowers were a nice ~** kwiaty stanowiły miły akcent. **10.** *muz.* uderzenie; **piano with a heavy ~** fortepian o ciężkim uderzeniu. **11.** probierz; próba (*np. metalu*). **12.**

szerm. trafienie. **13.** *przen.* **a soft ~** *US sl.* jeleń, frajer; **at the ~ of a button** za naciśnięciem guzika; **be an easy ~ for sb** *US pot.* dawać się komuś łatwo nabierać; **in ~** *sport* na aucie; **lose one's ~** stracić wyczucie; **put sth to the ~** poddać coś próbie; **put the ~ on sb** *US sl.* próbować kogoś naciągnąć (*for sth* na coś); **the common ~** *zob.* **common** *a.*

touch-and-go [ˌtʌtʃənd'goʊ] *a. pot.* niepewny, ryzykowny; wiszący na włosku; **it is ~ whether he will survive the surgery** nie jest pewne, czy przeżyje operację, istnieje ryzyko, że może nie przeżyć operacji.

touchback ['tʌtʃˌbæk] *n. futbol amerykański* zdobycie 2 punktów przez zatrzymanie przeciwnika z piłką w jego strefie końcowej.

touchdown ['tʌtʃˌdaʊn] *n.* **1.** *rugby* przyłożenie (*we własnym polu punktowym*). **2.** *futbol amerykański* zdobycie 6 punktów przez dotknięcie piłką ziemi poza linią bramki przeciwnika. **3.** *lotn.* przyziemienie, lądowanie.

touché [tuː'ʃeɪ] *int.* **1.** *szerm.* trafiony! **2.** *żart.* masz rację!, poddaję się! (*gdy ktoś wytyka nam niekonsekwencję itp.*).

touched [tʌtʃt] *a.* **1.** wzruszony (*by sth* czymś). **2.** *przen.* zabarwiony, ożywiony (*with sth* czymś (np. innym kolorem)). **3.** *pot.* pomylony; **a bit/little ~ (in the head)** lekko stuknięty.

touchhole ['tʌtʃˌhoʊl] *n. hist.* otwór zapałowy, zapał (*w armacie, muszkiecie*).

touchily ['tʌtʃɪlɪ] *adv.* z rozdrażnieniem *l.* obrazą w głosie.

touchiness ['tʌtʃɪnəs] *n. U* **1.** drażliwość (*osoby*). **2.** delikatność (*tematu, sytuacji*).

touching ['tʌtʃɪŋ] *a.* poruszający, wzruszający. – *prep. form.* dotyczący.

touchingly ['tʌtʃɪŋlɪ] *adv.* wzruszająco.

touch-in-goal [ˌtʌtʃɪn'goʊl] *n. rugby* pole punktowe.

touch judge *n. rugby* sędzia liniowy.

touchline ['tʌtʃˌlaɪn] *n. sport* linia boczna boiska.

touchmark ['tʌtʃˌmɑːrk] *n.* znak probierczy.

touch-me-not ['tʌtʃmiːˌnɑːt] *n. bot.* niecierpek pospolity (*Impatiens noli-me-tangere*).

touchpaper ['tʌtʃˌpeɪpər], **touch paper** *n.* papierowy lont (*np. petardy, fajerwerku*).

touchscreen ['tʌtʃˌskriːn], **touch screen** *n. komp.* ekran sensorowy.

touchstone ['tʌtʃˌstoʊn] *n.* kamień probierczy, probierz.

touch-tone phone ['tʌtʃˌtoʊn ˌfoʊn] *n. tel.* aparat z tonowym wybieraniem numerów.

touch-type ['tʌtʃˌtaɪp] *v.* pisać na maszynie bez patrzenia na klawisze.

touch-up ['tʌtʃˌʌp] *n.* **1.** renowacja (*np. obrazu*). **2.** *fot.* retusz.

touchwood ['tʌtʃˌwʊd] *n. U* próchno; hubka.

touchy ['tʌtʃɪ] *a.* **-ier, -iest 1.** drażliwy, przewrażliwiony (*o osobie*). **2.** delikatny (*np. o sytuacji, temacie*). **3.** łatwopalny.

tough [tʌf] *a.* **1.** *t. przen.* twardy (*np. o mięsie, skórze; t. o osobie*). **2.** ciężki, trudny (*np. o życiu, walce, zadaniu*); **it's always ~ on the children when the parents split up** dzieciom zawsze jest ciężko, kiedy rodzice się rozstają. **3.** wytrzymały (*np. o zwierzęciu*). **4.** surowy; wymagający; **be ~ on sb** traktować kogoś surowo, być wobec kogoś bardzo wymagającym. **5.** hardy. **6.** niebezpieczny (*np. o dzielnicy*). **7.** trudny (*np. o młodzieży, problemie*). **8.** *przen.* **~ cookie/customer/nut** *pot.* twarda sztuka (*o osobie*); **~ luck!** *zob.* **luck** *n.*; **as ~ as old boots** (*także* **as ~ as nails**) *emf.* nie do zdarcia (*o osobie*); **get ~ with sb** wziąć się ostro za kogoś, zastosować wobec kogoś politykę silnej *l.* twardej ręki (*zwł. wobec przestępców*). – *n. przest.* chuligan. – *v.* **~ it out** *pot.* jakoś wytrzymać (= *przetrwać trudną sytuację*). – *adv.* **act ~** *pot.* zachowywać się agresywnie. – *int.* trudno!, a to pech! (*kiedy uważamy, że ktoś sam jest sobie winien*).

toughen ['tʌfən] *v.* (*także* **~ up**) **1.** uodparniać (się), hartować (się). **2.** utwardzać, hartować (*szkło*). **3.** twardnieć.

toughie ['tʌfɪ] *n. pot.* **1.** zagwozdka (= *trudne pytanie, skomplikowany problem itp.*). **2.** gagatek (*zwł. o dziecku*).

toughly ['tʌflɪ] *adv.* **1.** twardo. **2.** surowo.

toughness ['tʌfnəs] *n. U* **1.** twardość. **2.** wytrzymałość. **3.** trudność, zadania, problemu.

toupée [tuː'peɪ], **toupee** *n.* peruczka, tupecik.

tour [tʊr] *n.* **1.** wycieczka, objazd. **2.** zwiedzanie (*of sth* czegoś); **give sb a ~ of sth** oprowadzić kogoś po czymś; **guided ~** zwiedzanie z przewodnikiem. **3.** *teatr, muz., sport* tournée, trasa; **concert ~** trasa koncertowa; **on ~** na tournée, w trasie; **go on ~** jechać na tournée *l.* w trasę. **4.** przejażdżka; przechadzka (*of sth* po czymś). **5.** (*także* **~ of duty**) *t. wojsk., dyplomacja* służba (*w określonej placówce, zwł. zagranicznej*). **6.** **grand ~** *zob.* **grand tour.** – *v.* **1.** objeżdżać; zwiedzać. **2.** *teatr, muz., sport* brać udział w tournée.

tour de force [ˌtʊr də 'fɔːrs] *n. pl.* **tours de force** *Fr.* genialne pociągnięcie.

Tourette's syndrome [tʊ'rets ˌsɪndroʊm] *n. U pat.* syndrom Tourette'a.

tourie ['tʊrɪ] *n.* = **toorie.**

touring company ['tʊrɪŋ ˌkʌmpənɪ] *n. pl.* **-ies** *teatr* trupa wędrowna.

tourism ['tʊrˌɪzəm] *n. U* turystyka.

tourist ['tʊrɪst] *n.* **1.** turyst-a/ka. **2.** = **tourist class.** – *a. attr.* turystyczny; **popular ~ destination** miejsce chętnie odwiedzane przez turystów. – *adv.* **travel ~** *lotn., żegl.* podróżować klasą turystyczną.

tourist attraction *n.* atrakcja turystyczna.

tourist class *lotn., żegl. n. U* klasa turystyczna. – *adv.* klasą turystyczną, w klasie turystycznej (*podróżować*).

tourist office *n.* (*także* **tourist information office**) biuro informacji turystycznej.

tourist season *n.* sezon turystyczny.

tourist trap *n.* miejsce nastawione na wyciąganie pieniędzy od turystów.

tourist visa *n.* wiza turystyczna.

touristy ['tʊrɪstɪ] *a. pot. zw. pog.* **1.** pełen turystów. **2.** dla turystów.

tourmaline [ˈturməˌli:n] *n. C / U min.* turmalin.

tournament [ˈturnəmənt] *n. sport, hist.* turniej; **chess/tennis** ~ turniej szachowy/tenisowy.

tourney [ˈturnɪ] *n.* turniej (*rycerski; US t. sportowy*). – *v. hist.* potykać się w turnieju.

tourniquet [ˈtɝ:nəkət] *n. med.* krępulec, opaska uciskowa.

tour of duty *n.* = **tour** *n.* 5.

tour operator *n. Br.* organizator wycieczki *l.* wycieczek.

tousle [ˈtaʊzl] *v.* **1.** czochrać, mierzwić, targać. **2.** szarpać. – *n.* rozczochrane *l.* zmierzwione włosy.

tousled [ˈtaʊzld] *a.* zmierzwiony, potargany, rozczochrany.

tout [taʊt] *v.* **1.** nachalnie reklamować *l.* zachwalać; **be ~ed as sth** być reklamowanym jako coś. **2.** *zwł. Br. pot.* wciskać (*towar klientom*); naganiać (*klientów*); ~ **for business/custom** nagabywać (potencjalnych) klientów. **3.** *US* sprzedawać typy na wyścigach. – *n.* **1.** nachalny sprzedawca. **2.** (*także* **ticket** ~) *Br.* konik (*sprzedający bilety*).

tow¹ [toʊ] *mot. v.* **1.** holować. **2.** ~ **away/off** odholować. – *n.* **1.** holowanie, hol; **in** *US*/**on** *Br.* ~ (*także Austr.* **under** ~) na holu, holowany (*o pojeździe*); **give sb a** ~ wziąć kogoś na hol, podholować kogoś; **take sth in** ~ wziąć coś na hol. **2.** rzecz holowana. **3.** hol (*np. giętki, sztywny*). **4.** **with sb in** ~ *przen. pot.* w towarzystwie kogoś, ciągnąć kogoś za sobą (*np. przyjść z wizytą*).

tow² *n. U* pakuły.

towage [ˈtoʊɪdʒ] *n. C / U* **1.** opłata za holowanie. **2.** holowanie.

toward¹ [tɔ:rd] *prep.* (*także zwł. Br.* **towards**) **1.** w stronę, ku, w kierunku; ~ **the south** w stronę południa, na południe; **walk ~ the house** iść w stronę domu. **2.** wobec, do; **attitude ~ the question** stanowisko wobec sprawy; **feel friendly ~ sb** czuć do kogoś sympatię. **3.** koło, około; w okolicach; ~ **four o'clock** około *l.* w okolicach czwartej, krótko przed czwartą; ~ **the end of the year** pod koniec roku; ~ **the middle** w okolicach środka. **4.** na, na rzecz; **donations ~ sth** datki na coś. **5.** dla (*uczynienia czegoś*); **do sth ~ promoting the cause** zrobić coś dla dobra sprawy.

toward² *a. arch.* **1.** obiecujący; zdolny. **2.** nadchodzący, nadciągający; grożący.

towardly [ˈtɔ:rdlɪ] *a. arch.* **1.** odpowiedni. **2.** podatny, powolny; uległy.

towards [tɔ:rdz] *prep. zwł. Br.* = **toward¹**.

tow-away [ˈtoʊəˌweɪ] *n.* odholowanie (*nielegalnie zaparkowanego pojazdu*).

tow-away zone *n.* (*także* **tow-away area**) *mot.* strefa zakazu parkowania (*którego złamanie jest karane odholowaniem pojazdu*).

towboat [ˈtoʊˌboʊt] *n.* holownik.

tow-colored [ˌtoʊˈkʌlərd], *Br.* **tow-coloured** *a.* pszeniczny, lniany.

towel [ˈtaʊəl] *n.* **1.** ręcznik; **bath/hand** ~ ręcznik kąpielowy/do rąk; **paper/kitchen ~s** ręczniki papierowe/kuchenne. **2.** (*także* **tea** ~) *Br.* ściereczka do naczyń. **3.** **chuck/throw in the** ~ *przen.* uznać się za pokonanego, poddać się, dać za wygraną. – *v.* **-ll-** *Br.* **1.** wycierać ręcznikiem; ~ **o.s. (down)** wytrzeć się (*ręcznikiem*). **2.** ~ **(up)** *Austr. sl.* sprać (*kogoś*).

towelette [ˌtaʊəˈlet] *n. US* chusteczka nawilżająca (*do przetarcia twarzy i rąk*).

toweling [ˈtaʊəlɪŋ], *Br.* **towelling** *n. U tk.* tkanina frotté.

towel rack *n.* (*także Br. i Austr.* **towel rail**) wieszak na ręczniki (*w łazience*).

tower¹ [ˈtaʊər] *n.* **1.** wieża. **2.** *przen.* ~ **of strength** opoka, wsparcie (*to sb* dla kogoś); **ivory** ~ wieża z kości słoniowej. – *v.* **1.** wznosić się, piętrzyć się, sterczeć (*above / over sth* nad czymś). **2.** ~ **above/over sb** być dużo wyższym od kogoś; *przen.* górować nad kimś. **3.** *sokolnictwo* wzbijać się pionowo (*o ptaku drapieżnym*).

tower² [ˈtoʊər] *n.* **1.** osoba holująca. **2.** pojazd holujący.

tower block *n. Br.* wieżowiec.

tower computer *n. komp.* komputer w obudowie typu wieża.

tower crane *n. techn.* żuraw wieżowy.

towered [ˈtaʊərd] *a. gł. bud.* **1.** posiadający wieże, zaopatrzony w wieże. **2.** *w złoż.* **high-~** o wysokiej wieży; **two-~** dwuwieżowy, o dwóch wieżach.

towering [ˈtaʊərɪŋ] *a. attr.* **1.** wyniosły; strzelisty; niebotyczny. **2.** *przen.* wybitny (*np. o geniuszu, kreacji aktorskiej*). **3.** ~ **rage** *przen.* wściekły *l.* niepohamowany gniew.

Tower of Babel *n. Bibl. l. przen.* Wieża Babel.

towhaired [ˌtoʊˈherd] *n.* z blond włosami.

towhead [ˈtoʊˌhed] *n.* **1.** blondyn/ka. **2.** blond głowa.

towhee [təˈwi:] *n. orn.* pipil (*Pipilo*).

towline [ˈtoʊˌlaɪn] *n.* = **towrope**.

town [taʊn] *n. C / U* **1.** miasto; **in** ~ w mieście; **leave** ~ wyjechać z miasta; **out of** ~ za *l.* poza miastem; **the whole** ~ całe miasto (= *wszyscy mieszkańcy*). **2.** *przen.* ~ **and gown** *zob.* **gown** *n.*; **blow** ~ *zob.* **blow** *v.*; **go/be (out) on the** ~ *pot.* iść w miasto, iść się zabawić; **go to** ~ *pot.* zaszaleć, pójść na całego (*on sth* z czymś); **man about** ~ *zob.* **man**; **paint the ~ (red)** *zob.* **paint** *v.*; **run sb out of** ~ *przest.* zmusić kogoś do odejścia.

town centre *n. Br.* centrum miasta, śródmieście.

town clerk *n.* **1.** *US* archiwariusz *l.* sekretarz rady miejskiej. **2.** *Br. hist.* prezydent miasta (*do 1974 r.*).

town council *n.* rada miejska.

town crier *n. hist.* herold miejski.

townee [ˈtaʊnɪ] *n.* = **townie**.

town hall *n.* ratusz, magistrat.

town house *n.* **1.** dom w mieście, miejska rezydencja (*osoby mieszkającej na wsi*). **2.** *US bud.* szeregowiec.

townie [ˈtaʊnɪ], **townee**, **towny** *n. pl.* **-ies** *pot.* **1.** mieszczuch, miastow-y/a. **2.** *Br.* mieszkaniec miasta (*w odróżnieniu od campusu uniwersyteckiego*).

town meeting *n. US* zgromadzenie mieszkańców miasta (*t. uprawnionych do głosowania*).

town planner *n.* urbanist-a/ka.

town planning *n. U* urbanistyka, planowanie przestrzenne.

townsfolk ['taunz,fouk] *n.* = **townspeople**.

township ['taun,ʃɪp] *n.* **1.** miasteczko. **2.** *US i Can.* część hrabstwa. **3.** *S.Afr.* miasto *l.* osiedle ludności czarnej. **4.** *Br. hist.* obszar dworski; parafia.

townsman ['taunzmən] *n. pl.* **-men** **1.** mieszkaniec miasta. **2. sb's ~** czyjś krajan (= *mężczyzna pochodzący z tego samego miasta*).

townspeople ['taunz,pi:pl] *n. pl.* (*także* **townsfolk**) mieszkańcy miasta.

townswoman ['taunz,wumən] *n. pl.* **-women** **1.** mieszkanka miasta. **2. sb's ~** czyjaś krajanka (= *kobieta pochodząca z tego samego miasta*).

towny ['taunɪ] *n.* = **townie**.

towpath ['tou,pæθ] *n.* ścieżka holownicza, szlak holowniczy.

towrope ['tou,roup] *n.* (*także* **~line**) lina holownicza.

tow truck *n. US i Can.* samochód pomocy drogowej.

toxemia [tɑ:k'si:mɪə], **toxaemia** *n. U pat.* toksemia, zatrucie krwi.

toxic ['tɑ:ksɪk] *a.* toksyczny, trujący.

toxicant ['tɑ:ksɪkənt] *n.* toksyna, substancja toksyczna. – *a.* toksyczny.

toxicity [tɑ:k'sɪsətɪ] *n. U* toksyczność.

toxicologist [,tɑ:ksə'kɑ:lədʒɪst] *n.* toksykolo-g/żka.

toxicology [,tɑ:ksə'kɑ:lədʒɪ] *n. U* toksykologia.

toxicosis [,tɑ:ksə'kousɪs] *n. U pat.* toksykoza, zatrucie.

toxic shock syndrome *n. U pat.* zespół wstrząsu toksycznego.

toxic waste *n. U* odpady toksyczne.

toxin ['tɑ:ksən] *n. pat.* toksyna.

toxophilite [tɑ:k'sɑ:fə,laɪt] *lit. l. żart n.* łuczni-k/czka. – *a.* łuczniczy.

toxoplasmosis [,tɑ:ksəplæz'mousɪs] *n. U pat.* toksoplazmoza.

toy [tɔɪ] *n.* zabawka; **soft/cuddly ~s** *Br.* zabawki pluszowe. – *v.* **~ with** bawić się (bezmyślnie) (*np. scyzorykiem, monetą, jedzeniem na talerzu*); **~ with sb** *przen.* bawić się kimś, igrać z czyimiś uczuciami; **~ with the idea idea of doing sth** *przen.* luźno rozważać możliwość zrobienia czegoś. – *a. attr.* **1. ~ car/boat** samochodzik/okręcik (*zabawka*); **~ soldier** żołnierzyk (*ołowiany*). **2.** *gł. kynol.* miniaturowy; **~ poodle** miniaturowy pudel/spaniel.

toy boy *n. pog. pot.* żigolak.

tr. *abbr.* **1.** = **transitive**. **2.** = **translated**.

trabeated ['treɪbɪ,eɪtɪd] *a. bud.* belkowy (*o stropie*).

trabeation [,treɪbɪ'eɪʃən] *n. C/U bud.* belkowanie, konstrukcja belkowa (*stropu*).

trabecula [trə'bekjələ] *n. pl.* **trabeculae** [trə'bekjəli:] *biol.* beleczka.

trabecular [trə'bekjələr] *a.* (*także* **trabeculate**) *biol.* beleczkowaty; beleczkowany.

trace[1] [treɪs] *n.* **1.** *C/U t. przen.* ślad; trop; **all ~** wszelki ślad; **disappear/vanish/sink without ~** zniknąć *l.* przepaść bez śladu; **there was no ~ of sth** nie było śladu czegoś. **2.** *sing.* śladowa ilość (*of sth* czegoś). **3.** *sing. przen.* cień (*of sth* czegoś) (*np. uśmiechu*); nuta (*np. smutku w głosie*). **4.** *techn.* wykres (*w aparaturze*). **5.** *gł. US* dróżka. **6.** odwzorowanie kalką. **7.** *geom.* rzut na płaszczyznę współrzędnych. **8.** *mat.* ślad (*macierzy*). **9.** (*także* **memory ~**) *psych., fizj.* ślad pamięciowy, engram. **10.** *arch.* trasa. – *v.* **1.** podążać śladem (*kogoś l. czegoś*). **2.** *t. przen.* śledzić (*t. np. rozwój, postęp*); szukać (*np. początków, korzeni*). **3.** wyśledzić, zlokalizować, odszukać (*np. zagubioną rzecz l. osobę*); zidentyfikować (*źródło, przyczynę*); **~ a call** *policja* namierzyć numer (*z którego dzwoniono*). **4.** odrysowywać, kalkować; **~d design** rysunek przez kalkę. **5.** obrysowywać kontur (*czegoś; np. palcem, stopą*). **6. ~ sth** *arch.* podążać czymś *l.* wzdłuż czegoś (*np. ścieżką*). **7. ~ (back)** odtwarzać (*np. historię, genealogię*); **~ sth (back) to sb** przypisywać coś komuś (*np. autorstwo dzieła*); **sth can be ~d back to sb** coś wywodzi się od kogoś. **8. ~ (out)** zaznaczać wyraźnie; wykreślać; nakreślać (*ustnie*).

trace[2] *n.* **1.** postronek (*uprzęży*); **in the ~s** w zaprzęgu. **2.** *ryb.* przypon. **3. kick over the ~s** *zob.* **kick**[1] *v.*

traceable ['treɪsəbl] *a.* dający się prześledzić *l.* wyśledzić; dający się odszukać; dający się odtworzyć.

trace element *n. chem.* pierwiastek śladowy.

tracer ['treɪsər] *n.* **1.** osoba zajmująca się poszukiwaniem (*np. zgubionej własności*). **2.** reklamacja w sprawie zagubionej własności. **3.** *wojsk.* smugacz; przymieszka dymna (*do pocisku*). **4.** *med.* wskaźnik izotopowy. **5.** *bud.* dłuto kamieniarskie.

tracer atom *n. fiz.* atom znaczony.

tracer bullet *n. wojsk.* pocisk smugowy (*do broni ręcznej*).

tracery ['treɪsərɪ] *n. C/U pl.* **-ies** **1.** *bud.* maswerk, maswerki. **2.** ażur.

trachea ['treɪkɪə] *n. pl.* **-s** *l.* **tracheae** ['treɪkɪ,i:] **1.** *anat., zool.* tchawica. **2.** *ent.* tchawka. **3.** *bot.* szparka oddechowa.

tracheal ['treɪkɪəl] *a.* (*także* **tracheate**) **1.** *anat., zool.* tchawicowy. **2.** *ent.* tchawkowy. **3.** *bot.* szparkowy.

tracheitis [,treɪkɪ'aɪtɪs] *n. U pat.* zapalenie tchawicy.

tracheoscopy [,treɪkɪ'ɑ:skəpɪ] *n. C/U pl.* **-ies** *med.* tracheoskopia, wziernikowanie tchawicy.

tracheostomy [,treɪkɪ'ɑ:stəmɪ] *n. C/U pl.* **-ies** *chir.* tracheostomia.

tracheotomy [,treɪkɪ'ɑ:təmɪ] *n. C/U pl.* **-ies** *chir.* tracheotomia.

trachoma [trə'koumə] *n. U pat.* jaglica, trachoma.

trachyte ['treɪkaɪt] *n. U min.* trachit.

tracing ['treɪsɪŋ] *n.* **1.** odbicie *l.* odwzorowanie na kalce. **2.** *techn.* dane zarejestrowane przez instrument samopiszący.

tracing paper *n. U* kalka techniczna.

track [træk] *n.* **1.** *t. astron., fiz., kol., sport* tor. **2.** droga gruntowa; wydeptana ścieżka; koleina. **3.** *t. przen.* trop; ślad. **4.** *sport* bieżnia. **5.** *U US* *i Can. sport* biegi (*jako dyscyplina*); (*także* ~ **and field**) lekkoatletyka. **6.** *muz.* nagranie, utwór (*na płycie l. taśmie*). **7.** (*także* **sound** ~) *film* ścieżka (dźwiękowa). **8.** *mot.* gąsienica. **9.** *film* jazda (*kamery na wózku*). **10.** *techn.* rozstaw kół *l.* osi. **11.** *przen.* **be on** ~ **for sth** *pot.* mieć szanse coś zrobić *l.* osiągnąć (*np. ukończyć pracę w terminie*); **be on the** ~ **of sb** być na tropie kogoś; śledzić *l.* poszukiwać kogoś (*zw. przestępcy*); **be on the right/wrong** ~ być na dobrym/złym tropie, zmierzać we właściwym/w niewłaściwym kierunku; **be/come from the wrong side of the ~s** *US pot.* pochodzić z dołów społecznych; **cover/hide one's ~s** zacierać (za sobą) ślady; **keep** ~ **of sb/sth** śledzić losy kogoś/czegoś; **keep** ~ **of sth** nadążać za czymś; **live on the wrong side of the ~s** *pot.* mieszkać w gorszej dzielnicy; **lose** ~ **of sb** stracić kogoś z oczu; **lose** ~ **of sth** stracić orientację w czymś; **make ~s** *pot.* znikać (= *ruszać w drogę*); **off the** ~ na niewłaściwym tropie; *przen.* nie na temat; **off the beaten** ~ *zob.* **beaten**; **stop (dead) in one's ~s** stanąć jak wryty; **stop sb dead in their ~s** wprawić kogoś w osłupienie. – *v.* **1.** tropić; śledzić (*t. np. na radarze*); ~ **sb/sth to sth** wytropić kogoś/coś gdzieś. **2.** pokonywać (*przestrzenie, trasę*). **3.** ~ **(up)** zadeptać (*np. dywan błotem, śniegiem*); powalać, zabłocić (*podłogę*). **4.** *US kol.* zaopatrywać w szyny, pokrywać torem. **5.** *film* robić ujęcie z wózka. **6.** ~ **down** wytropić, wyśledzić, odnaleźć; ~ **in** *film* zrobić najazd, najechać; ~ **out** *film* zrobić odjazd, odjechać.

trackable [ˈtrækəbl] *a.* **1.** do wyśledzenia. **2.** dający się prześledzić.

trackage [ˈtrækɪdʒ] *n. C/U kol.* **1.** sieć torów. **2.** prawo do korzystania z cudzych torów. **3.** opłata za prawo do korzystania z cudzych torów.

track and field *n.* = **track** *n.* 5.

trackball [ˈtrækˌbɔːl] *n. komp.* kula sterująca kursorem.

tracked vehicle [ˌtrækt ˈviːəkl] *n. mot.* pojazd gąsienicowy.

tracker [ˈtrækər] *n.* tropiciel/ka.

tracker dog *n. Br.* pies tropiący *l.* gończy.

track event *n. US i Can. sport* konkurencja biegowa.

tracking [ˈtrækɪŋ] *n. U techn.* śledzenie ścieżki (*w magnetowidach*).

tracking shot *n.* (*także* **track shot**) *film* ujęcie z wózka.

tracking station *n. wojsk.* stacja nasłuchu.

tracklayer [ˈtrækˌleɪər] *n.* (*także* **trackman**) *US i Can. kol.* robotnik torowy.

trackless [ˈtrækləs] *a.* **1.** bezdrożny. **2.** *mot.* nieszynowy. **3.** *mot.* kołowy (= *bez gąsienic*).

track lighting *n. U t. teatr* oświetlenie ruchome (*na szynie*).

trackman [ˈtrækmən] *n. pl.* **-men** *US i Can. kol.* **1.** = **tracklayer**. **2.** = **trackwalker**.

track meet *n. US i Can. sport* mityng lekkoatletyczny.

track record *n. sing.* osiągnięcia (*in sth* w jakiejś dziedzinie).

track shoes *n. pl. sport* kolce (*buty*).

track shot *n.* = **tracking shot**.

tracksuit [ˈtrækˌsuːt] *n. Br.* dres.

tracksuited [ˈtrækˌsuːtɪd] *n. Br.* w dresie.

trackwalker [ˈtrækˌwɔːkər] *n. US i Can. kol.* toromistrz.

tract[1] [trækt] *n.* **1.** *anat.* przewód, drogi; **alimentary/digestive** ~ przewód pokarmowy; **respiratory** ~ drogi oddechowe; **urinary** ~ drogi moczowe. **2.** *anat.* pasmo; **olfactory/optic** ~ pasmo węchowe/wzrokowe. **3.** szmat; połać; **vast ~s of woodland** rozległe połacie lasów. **4.** *arch.* okres.

tract[2] *n. form.* rozprawa, traktat; broszura (*propagandowa*).

tractable [ˈtræktəbl] *a. form.* **1.** karny, uległy, potulny. **2.** łatwy do obróbki. **3.** rozwiązywalny (*o problemie*).

tractably [ˈtræktəblɪ] *adv.* karnie, potulnie.

Tractarian [ˌtrækˈteriən] *hist., kośc. n.* zwolenni-k/czka ruchu oksfordzkiego. – *a.* związany z ruchem oksfordzkim.

Tractarianism [trækˈteriəˌnɪzəm] *n. U hist. kośc.* ruch oksfordzki (= *katolicyzujący nurt w kościele anglikańskim 1833-1841*).

tractate [ˈtrækteɪt] *n. form.* rozprawka, traktat.

tractile [ˈtræktl] *a.* ciągliwy.

traction [ˈtrækʃən] *n. U* **1.** *med.* naciąganie zwichniętych *l.* złamanych kończyn (*na wyciągu*); wyciąg (*chirurgiczny*); **be in/on** ~ być *l.* leżeć na wyciągu. **2.** *techn., geol.* trakcja. **3.** *mot.* przyczepność.

tractional [ˈtrækʃənl] *a.* = **tractive**.

traction engine *n. techn.* lokomobila (*przejezdna*).

traction rope *n. C/U techn.* lina pociągowa (*kolejki linowej*).

tractive [ˈtræktɪv] *a.* (*także* **tractional**) pociągowy; trakcyjny.

tractive adhesion *n. U mot.* przyczepność (*kół napędowych*).

tractive force *n. C/U kol.* siła pociągowa.

tractor [ˈtræktər] *n.* **1.** *mech., roln.* traktor, ciągnik. **2.** *lotn.* samolot ze śmigłem ciągnącym. **3.** *komp.* urządzenie przesuwające papier (*z dziurkami prowadzącymi*).

tractor engine *n. lotn.* silnik ze śmigłem ciągnącym.

tractor feed *n. U komp.* przesuwanie papieru (*z dziurkami prowadzącymi*).

tractor propeller *n. lotn.* śmigło ciągnące.

trad [træd] *n. U gł. Br. pot.* jazz tradycyjny. – *abbr.* = **traditional**.

trade [treɪd] *n.* **1.** *U* handel (*in sth* czymś); **be in** ~ zajmować się handlem; **foreign** ~ handel zagraniczny; **the arms** ~ handel bronią. **2.** zawód; fach; rzemiosło; praca; **by** ~ z zawodu; **tools of the** ~ narzędzia pracy; **tricks of the** ~ *zob.* **trick** *n.* 1. **3.** *U pot. t. przen.* branża; **the hotel/tourist** ~ branża hotelowa/turystyczna; **work in the** ~ pracować w branży. **4.** *U* klientela, klienci (*firmy*); **passing** ~ przygodni klienci. **5.** wymiana, handel; **make a** ~ dokonać wymiany. **6.** *pl.* = **trade wind**. **7.** *sl.* partner (*homoseksualny*); *U* partnerzy (*jw.*). – *v.* **1.** handlować (*in sth* czymś). **2.** *zwł. US* zamieniać się; ~ **(off) (sth for sth)** dokonać wymiany (czegoś na coś), zamienić (coś na coś); **do you want to ~?** chcesz się zamienić?. **3.** ~ **sth down** *zwł. US* wymienić coś na tańsze (*zwł. samochód*); ~ **sth in** wymienić coś na nowe za dopłatą; ~ **on/upon sth** wykorzystywać coś (*zwł. bez skrupułów*); ~ **sth up** wymienić coś na droższe.

trade book *n.* (*także* **trade edition**) książka wydana w wersji popularnej, wydanie popularne (*w odróżnieniu od luksusowego*).

trade cycle *n. Br. ekon.* cykl gospodarczy *l.* koniunkturalny.

trade deficit *n.* (*także* **trade gap**) *ekon.* deficyt obrotów bieżących.

trade discount *n. handl.* rabat detaliczny.

trade edition *n.* = **trade book.**

trade fair *n.* (*także US* **trade show**) *handl.* targi (*handlowe*).

trade gap *n.* = **trade deficit.**

trade-in ['treɪdˌɪn] *n. US handl.* **1.** wymiana starego artykułu na nowy za dopłatą (*zwł. samochodu*). **2.** artykuł wymieniany w transakcji jw.

trade journal *n.* (*także* **trade magazine**) czasopismo branżowe *l.* fachowe.

trade-last [ˌtreɪd'læst] *n. US pot.* komplement powtórzony komuś (*w rewanżu za komplement, który ta osoba nam powtórzy*).

trademark ['treɪdˌmɑːrk] *n.* **1.** *handl.* znak towarowy. **2. sb's** ~ *przen.* czyjś znak rozpoznawczy *l.* charakterystyczny (*np. artysty*). – *v.* **1.** umieszczać znak towarowy na (*czymś*). **2.** rejestrować znak towarowy (*czegoś*).

trade name *n.* marka; znak firmowy *l.* towarowy.

trade-off ['treɪdˌɔːf], **tradeoff** *n. przen.* **1.** kompromis. **2.** bilans.

trade plate *n. Br. mot.* próbna tablica rejestracyjna.

trade price *n. handl.* cena hurtowa.

trader ['treɪdər] *n.* **1.** handlarz. **2.** statek handlowy. **3.** *US* giełdziarz pracujący na własny rachunek.

trade route *n. hist.* szlak handlowy.

tradescantia [ˌtrædɪ'skænʃɪə] *n. bot.* trzykrotka (*Tradescantia*).

trade school *n. US szkoln.* szkoła zawodowa.

trade secret *n.* **1.** tajemnica handlowa. **2.** *przen. pot.* tajemnica.

trade show *n.* = **trade fair.**

tradesman ['treɪdzmən] *n. pl.* **-men** **1.** *zwł. Br.* kupiec, handlowiec. **2.** *zwł. Br.* domokrążca. **3.** *zwł. US* robotnik wykwalifikowany.

tradespeople ['treɪdzˌpiːpl] *n. pl. gł. Br. przest.* kupiectwo, stan kupiecki.

Trades Union Congress *n.* (*także* **TUC**) *Br.* Zrzeszenie Związków Zawodowych.

trade surplus *n. ekon.* dodatni bilans płatniczy, nadwyżka eksportowa.

trade union *n.* (*także* **trades union**) *Br.* związek zawodowy.

trade unionism *n. U* (*także* **trades unionism**) *Br.* ruch związkowy.

trade unionist *n.* (*także* **trades unionist**) *Br.* związkowiec, działacz/ka związkow-y/a.

trade wind *n.* (*także* **trades**) *geogr.* pasat.

trading card ['treɪdɪŋ ˌkɑːrd] *n.* karta na wymianę (*np. z wizerunkiem popularnego sportowca*).

trading estate *n. gł. Br.* dzielnica przemysłowa.

trading post *n. US i Can. hist.* faktoria.

trading stamp *n. handl.* znaczek otrzymywany przy zakupie jako premia (*i wymieniany w większej ilości na towar*).

tradition [trə'dɪʃən] *n. C/U* **1.** tradycja; **be in the ~ of...** mieścić się w tradycji...; **break with ~** zerwać z tradycją; **by ~** tradycyjnie, zgodnie z tradycją; **deeply rooted in ~** głęboko zakorzeniony w tradycji; **have a long ~ of sth** mieć długą tradycję czegoś. **2.** *Scot. prawn.* formalne przekazanie własności.

traditional [trə'dɪʃənl] *a.* tradycyjny; **it is ~ for sb to do sth** ktoś tradycyjnie coś robi.

traditionalism [trə'dɪʃənəˌlɪzəm] *n. U* tradycjonalizm.

traditionalist [trə'dɪʃənəlɪst] *n.* tradycjonalist-a/ka.

traditionally [trə'dɪʃənlɪ] *adv.* tradycyjnie.

traduce [trə'duːs] *v. form.* oczerniać.

traffic ['træfɪk] *n. U* **1.** *mot.* ruch (uliczny); *t. lotn., żegl., kol.* ruch; **air/rail/freight** ~ ruch lotniczy/kolejowy/towarowy; **heavy** ~ duży ruch. **2.** handel (*zw. nielegalny*) (*in sth* czymś). **3.** *przen.* wymiana (*poglądów, idei*). – *v.* **-ck-** handlować (*in sth* czymś) (*nielegalnym*).

trafficator ['træfəˌkeɪtər] *n. Br. arch.* wychylany kierunkowskaz (*na samochodzie*).

traffic calming *n. U Br. mot.* spowolnienie ruchu (drogowego) (*przy użyciu m.in. garbów spowalniających*).

traffic circle *n. US i Can. mot.* rondo.

traffic cone *n. mot.* pachołek (*zwł. pomarańczowy l. w pasy, wskazujący miejsce robót drogowych*).

traffic cop *n. Br. pot.* funkcjonariusz/ka drogówki.

traffic court *n. US prawn.* kolegium ds. wykroczeń w ruchu drogowym.

traffic engineering *n. U* inżynieria drogowa.

traffic island *n. mot.* wysepka (*np. na skrzyżowaniu*).

traffic jam *n. mot.* korek (uliczny).

trafficker ['træfɪkər] *n.* handla-rz/ka (*in sth* czymś) (*nielegalnym*).

trafficking ['træfɪkɪŋ] *n. U* handel, handlowanie; **arms/drug** ~ handel bronią/narkotykami.

traffic lights *n. pl.* (*także* **traffic signal**) *mot.* światła, sygnalizacja świetlna.

traffic offence *n. Br.* = **traffic violation.**

traffic officer *n. NZ* funkcjonariusz służby drogowej.

traffic pattern *n. lotn.* układ dozwolonych korytarzy powietrznych (*nad lotniskiem*).

traffic school *n. US* kurs przepisów ruchu drogowego (*za karę, zamiast mandatu*).

traffic sign *n.* znak drogowy.

traffic signal *n.* = **traffic lights.**

traffic violation *n. US* wykroczenie drogowe.

traffic warden *n. Br.* funkcjonariusz/ka służby drogowej *l.* parkingowej.

tragacanth [ˈtrægəˌkænθ] *n. bot.* traganek (*Astragalus*).

tragedian [trəˈdʒiːdɪən] *n. form.* **1.** *teatr* tragik/czka, aktor/ka tragiczn-y/a. **2.** tragediopisarz/rka.

tragedienne [trəˌdʒiːdɪˈen] *n. przest. teatr* tragiczka, aktorka tragiczna.

tragedy [ˈtrædʒədɪ] *n. C/U pl.* **-ies 1.** *teatr, teor. lit. l. przen.* tragedia; ~ **struck** wydarzyła się tragedia; **avert a** ~ zapobiec tragedii. **2. it's a** ~ **that...** *pot.* to straszne, że...; **personal** ~ osobisty dramat.

tragic [ˈtrædʒɪk], **tragical** [ˈtrædʒɪkl] *a.* **1.** tragiczny. **2. it's ~ that...** to bardzo smutne, że...

tragically [ˈtrædʒɪklɪ] *adv.* tragicznie; **die** ~ zginąć tragicznie *l.* śmiercią tragiczną.

tragic flaw *n. teor. lit.* wina tragiczna.

tragic hero *n. teor. lit.* bohater tragiczny.

tragic irony *n. C/U teor. lit.* ironia tragiczna.

tragicomedy [ˌtrædʒɪˈkɑːmədɪ] *n. C/U pl.* **-ies** *teatr, teor. lit. l. przen.* tragikomedia.

tragicomic [ˌtrædʒɪˈkɑːmɪk] *a.* tragikomiczny.

tragus [ˈtreɪgəs] *n. pl.* **tragi** [ˈtreɪdʒaɪ] *anat.* skrawek ucha.

trail [treɪl] *n.* **1.** szlak (*zwł. w trudnym terenie*); **mountain/forest** ~ szlak górski/leśny. **2.** *myśl. l. przen.* trop; **be on sb's** ~ być na czyimś tropie; **lose the** ~ stracić trop; **while the ~ is still hot/warm** dopóki trop jest jeszcze świeży. **3.** ślady; **a ~ of footprints/blood** ślady stóp/krwi. **4.** smuga; **vapor** ~ *lotn.* smuga kondensacyjna. **5.** ogon (*np. sukni*). **6.** *wojsk.* łoże dolne działa, ogon. **7. at the** ~ *wojsk.* z karabinem trzymanym w jednej ręce równolegle do ziemi, lufą do przodu; **be hard/hot on sb's** ~ deptać komuś po piętach; **blaze a** ~ *zob.* **blaze2** *v.*; **hit the** ~ *zob.* **hit** *v.*; **leave a ~ of broken hearts/unpaid bills** *żart.* pozostawić za sobą szereg złamanych serc/stosy niezapłaconych rachunków; **on the ~ of sb** w poszukiwaniu kogoś/czegoś. – *v.* **1.** iść za tropem (*kogoś l. czegoś*), tropić. **2.** wlec *l.* ciągnąć (za sobą). **3.** ~ **(along)** wlec (się), ciągnąć (się) (*o osobie; t. np. o ogonie sukni*). **4.** *bot.* płożyć się. **5.** *t. sport, polit.* przegrywać z (*kimś; np. w rozgrywkach, sondażach*); **they were ~ing by three goals to nil** przegrywali trzy do zera. **6.** ~ **arms** *wojsk.* trzymać karabin w jednej ręce równolegle do ziemi, lufą do przodu; ~ **one's coat** *przen. przest.* szukać zaczepki. **7.** ~ **away/off** słabnąć, zamierać (*zwł. o głosie*); ~ **behind** wlec się z tyłu; *t. przen.* pozostawać w tyle.

trail bike *n.* lekki motocykl terenowy.

trailblazer [ˈtreɪlˌbleɪzər] *n.* **1.** osoba znacząca *l.* przecierająca szlak. **2.** *t. przen.* pionier/ka.

trailer [ˈtreɪlər] *n.* **1.** *US i Can. mot.* przyczepa; przyczepa kempingowa; dom na kółkach. **2.** *Br. mot.* naczepa; przyczepka dwukołowa. **3.** *zwł. Br. kino, telew.* zwiastun (*for sth* czegoś) (*nowego filmu, programu*). **4.** *bot.* roślina płożąca się.

trailer park *n.* (*także* **trailer camp, trailer court**) *US i Can.* **1.** pole dla przyczep kempingowych. **2.** osiedle domów na kółkach.

trailing arbutus *n.* = **arbutus** 2.

trailing edge *n. lotn.* krawędź spływu (*płata*).

trailing vortex *n. lotn.* wir spływowy.

trailing wheel *n. kol.* koło zestawu tocznego.

trail man *n. pl.* **-men** *US* kowboj-poganiacz bydła podczas spędu.

trail mix *n. C/U* mieszanka studencka (= *orzechy, bakalie itp.*).

trail rope *n.* **1.** *wojsk.* lina do holowania lawety działa. **2.** *lotn.* wleczka (*lina cumownicza balonu l. sterowca*).

train [treɪn] *n.* **1.** *kol.* pociąg; **by** ~ pociągiem (*jechać, podróżować*); **catch a** ~ złapać pociąg; **express/fast/slow** ~ pociąg ekspresowy/pospieszny/osobowy; **freight** ~ (*także Br.* **goods** ~) pociąg towarowy; **get on/off the** ~ wsiadać do/wysiadać z pociągu; **miss the** ~ spóźnić się na pociąg; **on a** ~ w pociągu; **passenger** ~ pociąg pasażerski. **2.** sznur (*pojazdów*); **camel** ~ karawana (*wielbłądów*). **3.** orszak, świta. **4.** *wojsk.* tabory. **5.** *zw. sing.* ~ **of sth** łańcuch czegoś (*np. wydarzeń*); seria czegoś (*np. katastrof, nieszczęść*). **6.** tren (*sukni*); ogon (*t. np. komety*). **7.** *mech.* układ, zespół (*np. kół l. części*). **8.** *przen.* ~ **of thought** tok myślowy; **bring sth in its** ~ *form.* pociągać coś za sobą (*np. o decyzji - konsekwencje*); **in** ~ *form.* w trakcie realizacji; **in good** ~ w najlepszym porządku; **in the ~ of sth** *form.* w następstwie czegoś; **put/set sth in** ~ *form.* wdrażać coś. – *v.* **1.** szkolić (się) (*in sth* w czymś); ćwiczyć (się) (*t. np. umiejętności, umysł*); ~ **sb to do sth** wyszkolić kogoś w robieniu czegoś. **2.** tresować (*zwierzęta*). **3.** *t. sport* trenować (*t. kogoś*); ~ **for sth** trenować przed czymś (*zawodami, olimpiadą*). **4.** *ogr.* nadawać odpowiedni kształt (*drzewu, roślinie*). **5.** ~ **sth upon/at sb/sth** skierować coś na kogoś/coś (*np. teleskop, wzrok*); wycelować coś w kogoś/coś (*broń*). **6.** *pot.* jechać koleją.

trainable [ˈtreɪnəbl] *a.* nadający się do szkolenia.

trainbearer [ˈtreɪnˌberər] *n.* osoba niosąca tren (*sukni*).

trained [treɪnd] *a.* wykwalifikowany; **highly** ~ posiadający wysokie kwalifikacje.

trainee [treɪˈniː] *n.* **1.** stażyst-a/ka; praktykant/ka; ~ **reporter** reporter/ka na stażu. **2.** terminator, uczeń. **3.** *wojsk.* rekrut; żołnierz (*służby czynnej*).

trainer [ˈtreɪnər] *n.* **1.** *sport* trener/ka; instruktor/ka. **2.** treser/ka. **3.** *zw. pl.* (*także* **training shoe**) *Br.* but sportowy, adidas. **4.** *lotn.* samolot szkoleniowy.

training [ˈtreɪnɪŋ] *n.* **1.** *U l. sing.* szkolenie, praktyka; staż; **undergo** ~ odbywać praktykę *l.* staż; przechodzić szkolenie. **2.** *U sport* trening; **be in** ~ trenować (*for sth* przed czymś); *przen.* być w formie; **be out of** ~ *przen.* być nie w formie *l.* bez formy, nie mieć formy; **good ~ for sth** *przen.* dobry trening przed czymś, dobre przygotowanie do czegoś.

training aid *n.* pomoc szkoleniowa.

training college *n. szkoln.* **1.** *Br.* kolegium (*np. nauczycielskie*). **2.** *US hist.* szkoła pomaturalna.

training ship *n. żegl.* statek szkolny.

training shoe *n.* = **trainer** 3.

training wall *n. bud.* tama regulacyjna.

training wheels *n. pl.* boczne kółka (*rowerka dziecięcego*).

trainline [ˈtreɪnˌlaɪn] *n.* = **trainpipe**.

trainman [ˈtreɪnmən] *n. pl.* **-men** *kol.* pomocnik konduktora; hamulcowy.

trainmaster [ˈtreɪnˌmæstər] *n. kol.* kierownik ruchu.

train oil *n. U* tran wielorybi.

trainpipe [ˈtreɪnˌpaɪp] *n.* (*także* **~line**) *kol.* przewód hamulcowy (*w pociągu*).

train spotter *n. Br.* **1.** kolekcjoner/ka numerów lokomotyw w ruchu. **2.** *pot.* nudzia-rz/ra.

train spotting *n. U* **1.** *Br.* kolekcjonowanie numerów lokomotyw w ruchu. **2.** *sl.* szukanie żyły (*do wkłucia narkotyku*).

traipse [treɪps], **trapes** *pot. v.* włóczyć się, wędrować. – *n.* mozolna wędrówka.

trait [treɪt] *n.* cecha, rys; **personality ~** cecha charakteru.

traitor [ˈtreɪtər] *n.* zdraj-ca/czyni (*to sth* czegoś) (*np. ideałów, sprawy*); **turn ~** zdradzić.

traitorous [ˈtreɪtərəs] *a. lit.* zdradziecki.

traitorously [ˈtreɪtərəslɪ] *a. lit.* zdradziecko.

traitress [ˈtreɪtrəs] *n. przest.* zdrajczyni.

trajectory [trəˈdʒektərɪ] *n. pl.* **-ies** **1.** tor lotu (*np. pocisku*). **2.** *geom., mat.* trajektoria.

tram¹ [træm] *n.* **1.** *Br. i Austr.* tramwaj; linia tramwajowa. **2.** *górn.* wózek kopalniany. **3.** wózek kolejki wiszącej. – *v.* **-mm-** *górn.* **1.** przewozić wózkiem na szynach. **2.** jechać wózkiem na szynach.

tram² *mech. n.* poprawne położenie. – *v.* **-mm-** nastawiać.

tram³ *n. tk.* trama (= *podwójna nić jedwabna do wyrobu aksamitu i jedwabi*).

tramcar [ˈtræmˌkɑːr] *n.* **1.** *Br. i Austr.* wagon tramwajowy. **2.** *górn.* wózek kopalniany.

tramline [ˈtræmˌlaɪn] *n.* **1.** *Br. i Austr.* tor tramwajowy; linia tramwajowa. **2.** *tenis* boczne linie kortu. **3.** *pl.* zasady (*postępowania*).

trammel [ˈtræml] *n.* **1.** *pl. zob.* **trammels**. **2.** *geom.* cyrkiel drążkowy (*do rysowania elips*). **3.** (*także* **~ net**) drygawica, sieć trójścienna. **4.** *rzad.* sieć na ptaki. **5.** hak w kominie (*na kociołek*). **6.** *jeźdz.* pęta do uczenia konia inochodu. – *v. Br.* **-ll-** *form. zw. przen.* pętać, krępować; **be ~ed** być skrępowanym (*by sth* przez coś).

trammel gear *n. mech.* mechanizm jarzmowy (*z jarzmem przesuwnym*).

trammel net *n.* = **trammel** 3.

trammels [ˈtræmlz] *n. pl. form.* pęta, więzy.

trammel wheel *n. mech.* mechanizm korbowy ze zmiennym wykorbieniem.

tramontane [trəˈmɑːnteɪn] *form. a.* (*także* **transmontane**) **1.** transalpejski (*dla Włochów*). **2.** *przen.* obcy, barbarzyński. **3.** *meteor.* z gór (*o wietrze*). – *n.* **1.** osoba zza gór. **2.** (*także* **tramontana**) *meteor.* tramontana. **3.** *rzad.* cudzoziem-iec/ka; barbarzyńca.

tramp [træmp] *v.* **1.** brnąć, stąpać ciężko. **2.** przemierzać (*np. ulice*). **3.** deptać (*across / over / up sth* coś) (*np. podłogę, dywan*). **4.** leźć (*through sth* przez coś). **5.** płynąć trampem (*frachtowcem żeglugi nieregularnej*). **6.** włóczyć się, wałęsać się. – *n.* **1.** włóczęga, wagabunda, tramp. **2.** piesza wędrówka; **go for a ~** iść na długą wycieczkę. **3.** *US i Can. przest. pog.* dziwka. **4.** ciężkie stąpanie. **5.** (*także* **~ steamer**) *żegl.* tramp, frachtowiec kursujący bez stałego planu. **6.** metalowe okucie podeszwy (*buta roboczego*).

trample [ˈtræmpl] *v.* **1.** deptać (*on / upon / over sth* po czymś); (*także* **~ underfoot**) zadeptać, podeptać. **2.** (*także* **~ to death**) stratować. **3.** **~ on** podeptać (*t. przen. - czyjeś prawa, uczucia*), pogwałcić; **~ out** rozdeptać, zadeptać (*np. ogień*). – *n.* **1.** stąpanie. **2.** deptanie.

trampoline [ˌtræmpəˈliːn] *sport n.* batut. – *v.* ćwiczyć na batucie.

tramroad [ˈtræmˌroʊd] *n. górn.* tor kolejki.

tramway [ˈtræmˌweɪ] *n.* **1.** tor tramwajowy. **2.** kolejka (*np. górnicza, linowa*). **3.** *Br.* sieć tramwajowa. **4.** *Br.* przedsiębiorstwo tramwajowe.

trance [træns] *n. t. przen.* trans; **be in a ~** być (jak) w transie; **hypnotic ~** trans *l.* stan hipnotyczny. – *v. lit.* wprawiać w trans.

tranche [trɑːnʃ] *n. fin.* transza (*pożyczki państwowej*).

trannie [ˈtrænɪ], **tranny** *n. pl.* **-ies** **1.** *Br. pot.* tranzystor (*radio*). **2.** *sl.* transseksualist-a/ka. **3.** *sl.* transwestyt-a/ka.

tranquil [ˈtræŋkwɪl] *a. lit.* spokojny (*np. o osobie, śnie, wodach*).

tranquility [træŋˈkwɪlətɪ], *Br.* **tranquillity** *n. U* spokój.

tranquilize [ˈtræŋkwəˌlaɪz], *Br. i Austr. zw.* **tranquillize** *v.* **1.** *med.* uspokajać (*farmakologicznie*); usypiać. **2.** wyciszać.

tranquilizer, *Br. i Austr. zw.* **tranquilliser** *n. med.* środek uspokajający.

tranquilly [ˈtræŋkwɪlɪ] *adv. lit.* spokojnie.

trans. *abbr.* **1.** = **translated**; = **translator**. **2.** = **transitive**. **3.** = **transferred**. **4.** = **transaction**. **5.** = **transparent**. **6.** = **transport(ation)**. **7.** = **transverse**. **8.** = **transpose**.

transact [trænˈsækt] *v. form.* załatwiać (*interesy*) (*with sb* z kimś); zawierać (*np. transakcje, umowy*); dokonywać (*np. sprzedaży*); prowadzić (*np. negocjacje*).

transaction [trænˈsækʃən] *n.* **1.** transakcja; **business ~** transakcja handlowa. **2.** *prawn.* czynność; **legal ~** czynność prawna. **3.** *U* zawieranie (*transakcji*); wykonywanie (*obowiązków*). **4.** *pl.* sprawozdania (*naukowe*).

transactor [trænˈsæktər] *n. form.* uczestni-k/czka transakcji.

transalpine [trænsˈælpaɪn] *a.* transalpejski (*zwł. z punktu widzenia Włochów*). – *n.* osoba żyjąca po drugiej stronie Alp (*jw.*).

transaminase [trænsˈæməneɪs] *n. biochem.* transaminaza, aminotransferaza.

transamination [træns,æmə'neɪʃən] *n. U biochem.* transaminacja.

transatlantic [,trænsət'læntɪk] *a.* transatlantycki.

transceiver [træn'si:vər] *n.* **1.** *radio* aparat nadawczo-odbiorczy. **2.** *komp.* nadajnik-odbiornik, terminal nadawczo-odbiorczy.

transcend [træn'send] *v. form.* **1.** przekraczać, wykraczać poza (*np. granice*). **2.** przewyższać, prześcigać.

transcendence [træn'sendəns] *n. U* **1.** wykraczanie poza granice. **2.** *fil.* transcendencja. **3.** *mat.* przestępność.

transcendent [træn'sendənt] *a. form.* **1.** wybitny. **2.** wykraczający poza granice. **3.** *fil.* transcendentny.

transcendental [,trænsen'dentl] *a.* **1.** *fil.* transcendentalny. **2.** *mat.* przestępny. – *n.* **1.** (*także* ~ **number**) *mat.* liczba przestępna. **2.** *fil.* kategoria transcendentalna.

transcendental function *n. mat.* funkcja przestępna.

transcendentalism [,trænsen'dentə,lɪzəm] *n. U* **1.** *fil.* transcendentalizm. **2.** transcendentalność.

transcendentally [,trænsen'dentlɪ] *adv. fil.* transcendentalnie.

transcendental meditation *n. U rel.* medytacja transcendentalna.

transcontinental [,træns,kɑ:ntə'nentl] *a.* transkontynentalny.

transcribe [træn'skraɪb] *v.* **1.** *form.* przepisywać (*z notatek*); kopiować, spisywać (*z taśmy*). **2.** *t. fon.* transkrybować (*into sth* na coś) (*np. na inny alfabet*). **3.** *muz.* transkrybować (*sth for sth* coś na coś) (*utwór na inny instrument*). **4.** *radio* przegrywać (*np. z CD na kasetę*).

transcriber [træn'skraɪbər] *n.* przepisywacz/ka.

transcript ['trænskrɪpt] *n.* **1.** transkrypt, odpis tekstu (*z taśmy*). **2.** kopia. **3.** *US i Can. szkoln., uniw.* wypis (*np. ocen z protokołu*).

transcriptase [,træn'skrɪpteɪz] *n. biochem.* transkryptaza.

transcription [træn'skrɪpʃən] *n.* **1.** *U muz., fon.* transkrypcja; **phonetic** ~ transkrypcja fonetyczna. **2.** *U* transkrybowanie; spisywanie (*z taśmy*). **3.** = **transcript** 1, 2. **4.** *U* przegrywanie.

transcultural [træns'kʌltʃərəl] *a.* transkulturowy.

transcurrent [træns'kɜ:ənt] *a. form.* biegnący poprzecznie.

transdermal [træns'dɜ:ml] *a.* (*także* **transcutaneous**) *med.* przezskórny.

transducer [træns'du:sər] *n. fiz.* przetwornik.

transect [træn'sekt] *v. form.* dzielić *l.* przecinać poprzecznie.

transection [,træn'sekʃən] *n. C/U* przekrój poprzeczny.

transept ['trænsept] *n. bud. kośc.* transept, nawa poprzeczna.

transfer ['trænsfər] *v.* **-rr- 1.** przenosić (*np. obiekt, pracownika, poparcie*); ~ **one's affections to sb** przenieść (swoje) uczucia na kogoś. **2.** przekazywać (*np. odpowiedzialność, władzę*) (*to sb* komuś). **3.** *sport* dokonywać transferu (*zawodnika*). **4.** *bank* przelewać (*pieniądze*) (*into sth* na coś) (*na rachunek, konto*). **5.** *gł. lotn.* przesiadać się. **6.** przenosić się (*np. do innego działu, hotelu, klubu sportowego*). **7.** *prawn.* cedować, zbywać. **8.** *t. komp., muz.* przegrywać (*na inny nośnik*). **9.** odwzorowywać (*np. rysunek*); kalkować. – *n.* **1.** *C/U* przekazanie; ~ **of power** przekazanie władzy. **2.** *C/U* przeniesienie (*np. na inne stanowisko, do innego działu*). **3.** *lotn.* przesiadka. **4.** *bank* przelew. **5.** *C/U prawn.* cesja, zbycie; przeniesienie (*tytułu, prawa*); ~ **of ownership** przewłaszczenie. **6.** *sport, jęz.* transfer. **7.** *U* przenoszenie; przewożenie. **8.** *zwł. Br.* kalkomania. **9.** *US i Can* bilet umożliwiający podróżowanie z przesiadką (*autobusowy, kolejowy*). **10.** *Br. wojsk.* żołnierz przeniesiony (*do innej jednostki*).

transferable ['trænsfərəbl], **transferrable** *a.* **1.** dający się przenieść, przekazać itp. **2.** *prawn.* zbywalny (*t. o losie loteryjnym, bilecie*). **3. not** ~ bilet nie może być odstępowany (*napis na bilecie*).

transferable ticket *n.* bilet na okaziciela.

transferable vote *n. polit.* głos ze wskazaniem rezerwowego kandydata.

transferase ['trænsfə,reɪz] *n. biochem.* transferaza.

transfer-book ['trænsfər,bʊk] *n. prawn.* księga cesji.

transferee [,trænsfə'ri:] *n.* **1.** *prawn.* nabywca/czyni, cesjonariusz/ka; beneficjent/ka. **2.** osoba przeniesiona.

transference ['trænsfərəns] *n. U form.* **1.** (*także* **transferral**) przeniesienie. **2.** *psych.* przeniesienie (*emocji na psychoanalityka*).

transfer fee *n. Br. sport* należność za transfer.

transfer list *n. Br. sport* lista transferowa.

transferor ['trænsfərər], **transferrer** *n. prawn.* zbywca, cedent.

transferrable ['trænsfərəbl] *a.* = **transferable**.

transferrin [træns'ferɪn] *n. biochem.* transferyna.

transfer RNA *n. U genetyka* RNA transferowy.

transfiguration [,trænsfɪgjə'reɪʃən] *n. U* **1.** *lit.* przemiana, przeobrażenie; odmiana (*np. w wyrazie twarzy*). **2. T~** *rel.* Przemienienie Pańskie.

transfigure [træns'fɪgər] *v. lit.* **1.** przemieniać, przeobrażać (*into sth* w coś); odmieniać (*wygląd*). **2. become ~d (with joy/tenderness)** rozjaśnić się (radością/czułością) (*o twarzy*).

transfix [træns'fɪks] *v. zw. pass. lit.* **1.** przykuwać do miejsca, unieruchamiać. **2.** przeszywać *l.* przekłuwać na wylot (*np. włócznią*).

transfixed [træns'fɪkst] *a. pred.* zmartwiały, skamieniały; jak zamurowany; **be** ~ zmartwieć, znieruchomieć (*np. ze strachu*).

transfixion [træns'fɪkʃən] *n. U lit.* przeszycie, przekłucie.

transform [træns'fɔ:rm] *v.* **1.** *t. mat.* przekształcać. **2.** *t. el.* przetwarzać. **3.** zmieniać, przemieniać (*into sth* w coś); transformować. **4.**

przekształcać *l.* przeobrażać się; ulegać transformacji.

transformable [træns'fɔːrməbl] *a. mat.* przekształcalny.

transformation [ˌtrænsfər'meɪʃən] *n.* **1.** *C/U t. mat.* przekształcenie; *t. jęz., biol.* transformacja; *t. ent., fiz.* przemiana. **2.** *U* przekształcanie.

transformational [ˌtrænsfə'meɪʃənl] *a. jęz.* transformacyjny.

transformational-generative grammar *n. C/U jęz.* gramatyka transformacyjno-generatywna.

transformational grammar *n. C/U jęz.* gramatyka transformacyjna.

transformational rule *n. jęz.* reguła transformacyjna, transformacja.

transformer [træns'fɔːrmər] *n.* **1.** *el.* transformator. **2.** figurka-zabawka o zmiennym kształcie.

transformism [træns'fɔːrmɪzəm] *n. U biol.* transformizm, teoria ewolucji.

transformist [træns'fɔːrmɪst] *n. biol.* transformist-a/ka, ewolucjonist-a/ka.

transfuse [træns'fjuːz] *v.* **1.** *form.* nabiegać do (*twarzy; np. o rumieńcu*). **2.** *med.* przetaczać (*krew, płyn*). **3.** *med.* robić transfuzję (*komuś*). **4.** *techn.* przelewać.

transfusion [træns'fjuːʒən] *n. C/U med.* transfuzja, przetaczanie (*krwi, płynu*).

transgenic [træns'dʒenɪk] *a. biol.* transgeniczny.

transgress [træns'gres] *v. form.* **1.** przekraczać (*np. granice*); łamać (*np. prawo, przykazanie*). **2.** wykraczać (*against sth* przeciwko czemuś).

transgression [træns'greʃən] *n. form.* **1.** wykroczenie (*against sth* przeciwko czemuś); występek. **2.** *C/U* przekroczenie (*np. granic*); złamanie (*np. prawa, przykazania*).

transgressor [træns'gresər] *n. form.* przestępca/czyni.

tranship [træns'ʃɪp] *n.* = **transship.**

transhumance [træns'hjuːməns] *n. C/U* sezonowa wędrówka bydła (*w poszukiwaniu paszy*).

transience ['trænzɪəns], **transiency** ['trænzɪənsɪ] *n. U form.* tymczasowość.

transient ['trænzɪənt] *form. a.* **1.** przemijający, chwilowy (*np. o nastroju*); przelotny (*np. o związku*); *t. fiz.* przejściowy (*np. o fazie, władzach*). **2.** przejezdny (*o gościu, turyście*). **3.** *fiz.* nietrwały, nieustalony. – *n.* **1.** tymczasowy mieszkaniec. **2.** przejezdny gość. **3.** *US* bezdomny włóczęga.

transiently ['trænzɪəntlɪ] *adv. form.* chwilowo; przelotnie; przejściowo.

transilluminate [ˌtrænsɪ'luːməˌneɪt] *v. med.* wykonywać diafanoskopię (*jam ciała*).

transillumination [ˌtrænsɪˌluːmə'neɪʃən] *n. C/U med.* diafanoskopia.

transistor [træn'zɪstər] *n.* **1.** *el.* tranzystor. **2.** (*także* ~ **radio**) radio tranzystorowe, tranzystor.

transit ['trænsət] *n.* **1.** *U* przejazd; **in** ~ przejazdem, w podróży (*o ludziach*). **2.** *U* przewóz, tranzyt; **in** ~ podczas transportu (*np. ulec zniszczeniu*). **3.** *C/U t. astron.* przejście (*skądś dokądś*). – *v.* **1.** *t. astron.* przechodzić przez (*np. tarczę słoneczną*). **2.** *miern.* obracać o 180° w płaszczyźnie pionowej (*teleskop*).

transit camp *n.* obóz przejściowy.

transit instrument *n. miern.* teodolit.

transition [træn'zɪʃən] *n. C/U form. t. muz.* przejście; ~ **from sth to sth** przejście z czegoś w coś (*np. z jednego stanu w inny*); przejście od czegoś do czegoś (*np. od dyktatury do demokracji*); **in** ~ w okresie *l.* stadium przejściowym.

transitional [træn'zɪʃənl] *a.* **1.** przejściowy (*np. o stadium, okresie, stylu*). **2.** *attr.* tymczasowy (*np. o rządzie*).

transitionary [træn'zɪʃəˌnerɪ] *a. lit.* = **transitional.**

transitive ['trænsətɪv] *a. gram., log., mat.* przechodni. – *n.* (*także* ~ **verb**) *gram.* czasownik przechodni.

transitively ['trænsətɪvlɪ] *adv. gram.* przechodnio, w funkcji przechodniej (*używać czasownika*).

transitivity [ˌtrænsə'tɪvətɪ] *n. U* (*także* **transitiveness**) *gram., log., mat.* przechodniość.

transit lounge *n. lotn.* hala tranzytowa.

transitory ['trænsəˌtɔːrɪ] *a.* przemijający, przelotny; krótkotrwały, nietrwały; przejściowy.

transitory action *n. prawn.* powództwo niezależne od kraju pochodzenia.

transit time *n.* czas przejazdu (= *długość podróży*).

transit visa *n.* wiza tranzytowa.

transl. *abbr.* = **translated;** = **translation;** = **translator.**

translate ['trænsˌleɪt] *v.* **1.** przekładać, tłumaczyć (*tekst*); ~ **(sth) from Polish into English** tłumaczyć (coś) z polskiego na angielski; **~d from the Italian** tłumaczenie z włoskiego. **2.** dawać się przetłumaczyć, tłumaczyć się; **her prose ~s well** jej proza dobrze się tłumaczy. **3.** *przen.* przekładać (*np. emocje na słowa, deklaracje na konkretne działania*); przekładać się (*np. na postawę; o poglądach*); ~ **ideas into action/reality** wcielać *l.* wprowadzać pomysły w czyn/życie, przekuwać pomysły na czyny. **4.** *form.* odczytywać, interpretować (*np. czyn, gest, symbol*). **5.** *kośc.* przenosić (*duchownego, stolicę, relikwie*). **6.** *mech.* nadawać ruch prostolinijny (*ciału*). **7.** przetelegrafować (*dalej*). **8.** *teol.* brać do nieba. **9.** *arch.* wprawiać w zachwyt.

translation [træns'leɪʃən] *n. C/U* **1.** przekład, tłumaczenie (*tekstu*) (*from... into...* z... na...); translacja; **in** ~ w tłumaczeniu *l.* przekładzie (*np. czytać, zagubić się*). **2.** przetwarzanie, przekształcanie. **3.** *geom., fiz.* przesunięcie równoległe, translacja. **4.** *tel., genetyka* translacja.

translator [træns'leɪtər] *n.* **1.** tłumacz/ka (*tekstów pisanych*). **2.** *tel.* translator, przenośnik telegraficzny. **3.** *komp.* program tłumaczący, translator.

transliterate [træns'lɪtəˌreɪt] *v. jęz.* transliterować.

transliteration [trænsˌlɪtə'reɪʃən] *n. C/U jęz.* transliteracja.

translocate ['trænzˌloukeɪt] *v.* **1.** przemieszczać. **2.** *biol.* translokować.

translocation [ˌtrænzlou'keɪʃən] *n.* *C/U* **1.** przemieszczanie. **2.** *biol.* translokacja.

translucence [træns'lu:səns] *n.* *U* przepuszczanie światła, półprzezroczystość.

translucent [træns'lu:sənt] *a.* **1.** przepuszczający światło, półprzezroczysty. **2.** *przen.* przeświecający; podświetlony.

transmarine [ˌtrænsmə'ri:n] *a.* *rzad.* zamorski.

transmigrant [træns'maɪgrənt] *form.* *a.* będący w przejeździe, przejezdny. – *n.* emigrant/ka w drodze do kraju docelowego.

transmigrate [træns'maɪgreɪt] *v.* *form.* **1.** przemieszczać się. **2.** przechodzić (*z jednego stanu w inny*). **3.** *rel.* odbywać wędrówkę (*o duszy; np. w hinduizmie*).

transmigration [ˌtrænsmaɪ'greɪʃən] *n.* *U rel.* wędrówka dusz.

transmissible [træns'mɪsəbl] *a.* (*także* **transmittable, transmittible**) **1.** przekazywalny. **2.** *pat.* zakaźny.

transmission [træns'mɪʃən] *n.* **1.** *U form.* przekazywanie, przesyłanie. **2.** *U pat.* przenoszenie (*chorób, zakażeń*). **3.** *mech.* przekładnia; napęd. **4.** *mot.* skrzynia biegów. **5.** *C/U radio, telew.* transmisja, nadawanie.

transmission line *n.* *el.* linia przesyłowa.

transmission shaft *n.* *mot.* wał napędowy.

transmit [træns'mɪt] *v.* **-tt- 1.** przekazywać (*np. podania, legendy*). **2.** przesyłać (*np. fale, prąd*). **3.** *t. mot., pat.* przenosić (*np. napęd, choroby*). **4.** przepuszczać (*np. światło, dźwięk*). **5.** *radio, telew.* transmitować, nadawać.

transmittable [træns'mɪtəbl], **transmittible** *a.* = **transmissible**.

transmittal [træns'mɪtl] *n.* = **transmission**.

transmittance [træns'mɪtəns] *n.* **1.** = **transmission**. **2.** *fiz.* transmitancja.

transmitter [træns'mɪtər] *n.* **1.** *radio, telew.* nadajnik. **2.** *el.* przekaźnik. **3.** *biol.* mediator, przenośnik.

transmogrification [trænsˌmɑ:grəfɪ'keɪʃən] *n.* *C/U form. l. żart.* metamorfoza, przemienienie.

transmogrify [træns'mɑ:grəˌfaɪ] *v.* **-ies, -ying** *form. l. żart.* przekształcać, przemieniać (*into sth* w coś) (*zwł. w groteskowy kształt, (jak) za pomocą magii*).

transmontane [træns'mɑ:nteɪn] *a.* = **tramontane**.

transmutable [træns'mju:təbl] *a.* dający się przekształcić; dający się przemienić (*np. w złoto*).

transmutation [ˌtrænsmju:'teɪʃən] *n.* *C/U* **1.** *t. geom.* przekształcenie. **2.** przemienianie; przemiana. **3.** *biol., fiz.* transmutacja.

transmute [træns'mju:t] *v.* *form.* przemieniać (się) (*t. hist. za pomocą alchemii - w złoto*); *t. fiz., chem.* przekształcać (się), przeobrażać (się), przechodzić; **be ~d** przemienić się, przejść (*into sth* w coś).

transnational [træns'næʃənl] *a.* ponadnarodowy.

transoceanic [ˌtrænsouʃɪ'ænɪk] *a.* transoceaniczny.

transom ['trænsəm] *n.* **1.** *bud.* ślemię; pozioma belka poprzeczna (*między drzwiami a okienkiem*). **2.** *bud.* rygiel, poprzecznica. **3.** *żegl.* pawęż. **4.** (*także* ~ **window/light**) *US bud.* naświetle (drzwiowe).

transonic [træn'sɑ:nɪk] *a.* *techn.* bliski szybkości dźwięku.

transonic barrier *a.* *techn.* bariera dźwięku.

transp. *abbr.* = **transport(ation)**.

transpacific [ˌtrænspə'sɪfɪk] *a.* transoceaniczny; transpacyficzny.

transparency [træns'perənsɪ] *n.* *pl.* **-ies 1.** *fot.* foliogram; przezrocze, slajd. **2.** *U* (*także* **transparence**) przezroczystość, przejrzystość.

transparent [træns'perənt] *a.* **1.** przezroczysty, przejrzysty. **2.** *przen.* jawny, oczywisty, ewidentny (*np. o kłamstwie, oszustwie*). **3.** *przen. form.* jasny, przejrzysty (*np. o tekście*).

transparently [træns'perəntlɪ] *adv.* **1.** jawnie, ewidentnie. **2.** przejrzyście.

transpierce [træns'pi:rs] *v.* *lit.* przekłuwać, przebijać.

transpiration [ˌtrænspə'reɪʃən] *n.* *U biol.* wydzielanie (*przez skórę, liście*); transpiracja; pocenie się.

transpire [træn'spaɪr] *v.* **1.** okazać się, wyjść na jaw. **2.** wydarzyć się, zdarzyć się. **3.** *biol.* wydzielać (*przez skórę, liście*).

transplant *v.* [træns'plænt] **1.** *t. chir. l. przen.* przeszczepiać, transplantować. **2.** *ogr.* przesadzać; nadawać się do przesadzenia. – *n.* ['trænsˌplænt] *chir.* **1.** *C/U* przeszczep, transplantacja; **heart** ~ przeszczep serca. **2.** przeszczep, transplant (*narząd l. tkanka*).

transplantation [ˌtrænsplæn'teɪʃən] *n.* *U chir.* transplantacja, przeszczepianie.

transplanter [træns'plæntər] *n.* *roln.* maszyna do przesadzania.

transponder [træn'spɑ:ndər], **transpondor** *n.* *radio, tel.* transponder.

transpontine [træns'pɑ:ntaɪn] *a.* *form.* **1.** (położony) po drugiej stronie mostu. **2.** *Br. arch.* (położony) na prawym brzegu Tamizy; prawobrzeżny.

transport *v.* [træns'pɔ:rt] **1.** przewozić, transportować; przenosić. **2.** zsyłać (*przestępców*). **3.** *przen.* porywać, ogarniać (*o emocjach*). **4.** *przen.* **be ~ed (back/into)** przenieść się (w czasie/do) (*np. wskutek lektury*); **be ~ed with joy/delight** *lit.* nie posiadać się z radości/zachwytu. – *n.* ['trænsˌpɔ:rt] **1.** *U* przewóz, transport (*of sth* czegoś). **2.** *U zwł. Br.* transport; komunikacja; **do you have your own ~?** czy masz własny transport?; (*także* **means of** ~) środek transportu; środki transportu; **public** ~ komunikacja miejska *l.* publiczna. **3.** = **transport plane**. **4.** = **transport ship**. **5.** *hist.* zesłaniec. **6. be in a ~ of joy/delight** *lit.* nie posiadać się z radości/zachwytu.

transportable [træns'pɔ:rtəbl] *a.* **1.** przewoźny. **2.** *prawn.* karalny deportacją.

transportation [ˌtrænspər'teɪʃən] *n.* **1.** przewożenie, transportowanie; transport, przewóz. **2.** *zwł. US* transport; komunikacja. **3.** środek transportu. **4.** koszt transportu. **5.** *zwł. US* bilet *l.* zezwolenie na transport *l.* podróż. **6.** *hist.* zesłanie.

transport café *n. Br.* przydrożny bar (*dla kierowców*).

transporter [træns'pɔ:rtər] *n. techn.* przenośnik.

transporter bridge *n. techn.* most suwnicowy.

transport plane *n. wojsk.* transportowiec, samolot transportowy.

transport ship *n. wojsk.* transportowiec, okręt transportowy.

transpose [træns'poʊz] *v. form.* **1.** przestawiać (*t. słowa*). **2.** *muz., teatr, mat.* transponować. **3.** *mat.* przenosić na drugą stronę równania. – *n. mat.* macierz transponowana.

transposition [ˌtrænspə'zɪʃən] *n. C/U* **1.** *form.* przenoszenie; przestawianie. **2.** *muz., teatr, mat., el.* transpozycja. **3.** *mat.* przeniesienie na drugą stronę równania.

transsexual [træns'sekʃʊəl] *n.* transseksualist-a/ka. – *a.* transseksualny.

transsexualism [træns'sekʃʊəlˌɪzəm] *n. U* transseksualizm.

transship [træns'ʃɪp], **tranship** [træn'ʃɪp] *v.* **-pp- 1.** *handl.* przeładowywać (*ze statku na statek*). **2.** przesiadać się (*jw.*).

transshipment [træns'ʃɪpmənt] *n.* **1.** *handl.* przeładunek (*ze statku na statek*). **2.** przesiadka (*jw.*).

trans-Siberian [ˌtrænssaɪ'bi:rɪən] *a.* transsyberyjski.

transubstantiate [ˌtrænsəb'stænʃɪˌeɪt] *v. gł. teol.* przeistaczać (się).

transubstantiation [ˌtrænsəbˌstænʃɪ'eɪʃən] *n. U gł. teol.* przeistoczenie, transsubstancjacja.

transudate ['trænsjʊˌdeɪt] *n.* **1.** płyn przesączony. **2.** *fizj.* przesięk.

transudation [ˌtrænsjʊ'deɪʃən] *n. U* **1.** przesączanie się. **2.** *fizj.* przesiąkanie (*przez surowicówkę*).

transude [træn'sju:d] *v.* **1.** przesączać się. **2.** *fizj.* przesiąkać.

transuranic [ˌtrænsjʊ'rænɪk] *n. chem.* transuraniczny.

transuranic elements *n. pl. chem.* transuranowce.

Transvaal [træns'vɑ:l] *n. geogr.* Transwal.

transvaluation [trænsˌvælju:'eɪʃən] *n. C/U* przewartościowanie.

transvalue [træns'vælju:] *v. form.* przewartościowywać.

transversal [træns'vɝ:sl] *geom. n.* linia poprzeczna. – *a.* transwersalny.

transverse [træns'vɝ:s] *a. techn.* poprzeczny.

transversely [træns'vɝ:slɪ] *adv. techn.* poprzecznie.

transversion [træns'vɝ:ʒən] *n. C/U dent.* przemieszczenie (*zęba*).

transvestism [træns'vestˌɪzəm] *n. U* (*także* **~itism**) transwestytyzm.

transvestite [træns'vestaɪt] *n.* transwestyt-a/ka.

Transylvania [ˌtrænsɪl'veɪnɪə] *n. geogr., hist.* Transylwania, Siedmiogród.

Transylvanian [ˌtrænsɪl'veɪnɪən] *a.* transylwański, siedmiogrodzki.

trap¹ [træp] *n.* **1.** sidła, wnyki; *t. przen. l. fiz.* pułapka; *t. przen.* potrzask; **fall/walk into a ~** *przen.* wpaść w pułapkę; **lay a ~** *przen.* zastawić pułapkę; **set a ~** zastawić sidła *l.* wnyki. **2.** = **trapdoor**. **3.** *sl.* gęba, morda, pysk; **keep your ~ shut** gęba na kłódkę; **shut your ~** stul pysk. **4.** syfon (*w kanalizacji*). **5.** *pl.* instrumenty perkusyjne (*np. zespołu jazzowego*). **6.** *strzelanie* urządzenie do wystrzeliwania rzutków. **7.** *golf* przeszkoda. **8.** *wyścigi chartów* klatka w urządzeniu startowym. **9.** = **trapball**. **10.** *gł. Br.* resorowana lekka dwukółka. – *v.* **-pp- 1.** chwytać *l.* łapać w sidła *l.* pułapkę. **2.** *t. przen.* uwięzić (= *nie dać możliwości ruchu*); **be ~ped** być *l.* zostać uwięzionym (*np. w płonącym pojeździe, nieudanym małżeństwie*). **3.** łapać (*np. wodę do wiadra, żeby się nie rozlewała*). **4.** zastawiać pułapki w (*w czymś*). **5.** zaopatrywać w syfon (*np. dren*).

trap² *n.* ozdobny rząd (*koński*). – *v.* **~ (out)** przybierać, ozdabiać; pokrywać czaprakiem.

trap³ *n.* = **traprock**.

trap⁴ *n. Scot. dial.* schodki (*zwł. przenośne*).

trapdoor ['træpˌdɔ:r], **trap-door** *n.* drzwi spustowe (*w podłodze l. suficie*); klapa; *teatr* zapadnia.

trapes [treɪps] *v.* = **traipse**.

trapeze [trə'pi:z] *n. sport, cyrk* trapez.

trapeze artist *n.* akrobat-a/ka cyrkow-y/a.

trapezium [trə'pi:zɪəm] *n. pl.* **-s** *l.* **trapezia** [trə'pi:zɪə] **1.** *US i Can. geom.* trapezoid. **2.** *Br. i Austr. geom.* trapez. **3.** *anat.* ciało czworoboczne.

trapezoid ['træpɪˌzɔɪd] *n.* **1.** *US i Can. geom.* trapez. **2.** *Br. i Austr. geom.* trapezoid. **3.** *anat.* kość czworoboczna.

trapezoidal [ˌtræpɪ'zɔɪdl] *a. geom.* **1.** *US i Can.* trapezowaty. **2.** *Br. i Austr.* trapezoidalny.

trappean ['træpɪən] *a. geol.* trapowy.

trapper ['træpər] *n.* **1.** traper. **2.** *górn.* dozorca szybów powietrznych w kopalni.

trappings ['træpɪŋz] *n. pl.* **1.** dodatkowe korzyści, przywileje (*związane ze stanowiskiem, pozycją*); **~ of success/fame** atrybuty sukcesu/sławy, zewnętrzne znamiona powodzenia/sławy. **2.** ozdobny rząd (*koński*).

Trappist ['træpɪst] *n.* (*także* **~ monk**) *kośc.* trapista.

Trappistine ['træpɪstɪn] *n. kośc.* trapistka.

traprock ['træpˌrɑ:k] *n. U geol.* trap (*wylewna skała magmowa, gł. bazaltowa*).

trapshooter ['træpˌʃu:tər] *n. sport* strzelec do rzutków.

trapshooting ['træpˌʃu:tɪŋ] *n. U sport* trap; *pot.* rzutki.

trash [træʃ] *n. U* **1.** *US i Can.* śmieci, odpadki. **2.** *pot.* chłam, tandeta. **3.** *pot.* bzdury. **4.** *US pot. obelż.* hołota; **white ~** biała hołota (*zwł.* = *uboga biała ludność Południa*). **5.** odpady roślinne (*zwł. z trzciny cukrowej*). – *v.* **1.** *pot.* demolować. **2.** odzierać z zewnętrznych liści (*trzcinę cukrową*). **3.** *ogr.* odzierać z niepotrzebnych gałązek.

trash can *n.* *US i Can.* kubeł na śmieci.

trashy [ˈtræʃɪ] *a.* **-ier, -iest** *pot.* lichy, szmatławy; badziewiasty; tandetny.

trass [træs] *n.* *U geol.* tras.

trauma [ˈtraʊmə] *n. pl.* **-s** *l.* **traumata** **1.** bolesne doświadczenie. **2.** *psych.* trauma, uraz. **3.** *pat.* uraz.

traumatic [trəˈmætɪk] *a.* **1.** bolesny (*np. o doświadczeniu, skutkach*). **2.** *psych.* traumatyczny. **3.** *med.* urazowy.

traumatism [ˈtraʊməˌtɪzəm] *n.* *U pat.* **1.** urazowość. **2.** *pot.* = **trauma** 3.

traumatize [ˈtraʊməˌtaɪz], *Br. i Austr. zw.* **traumatise** *v. zw. pass.* **1.** *psych.* wywoływać uraz u (*kogoś*). **2.** *pat.* uszkadzać (*np. tkanki*).

traumatized [ˈtraʊməˌtaɪzd] *a.* *psych.* znerwicowany (*by sth* przez coś l. po czymś) (*np. po przebytym urazie*).

traumatology [ˌtraʊməˈtɑːlədʒɪ] *n.* *U* traumatologia.

travail [ˈtræveɪl] *n.* *U arch. l. lit.* **1.** (*także* **~s**) mozół, trudy. **2.** bóle porodowe; **be in ~** rodzić. – *v.* **1.** *lit.* mozolić *l.* trudzić się. **2.** *arch.* rodzić.

trave [treɪv] *n.* **1.** *bud.* rozpora; belka poprzeczna. **2.** klatka do kucia trudnego konia.

travel [ˈtrævl] *v. Br.* **-ll-** **1.** podróżować; jeździć; **~ to work by car/train** jeździć do pracy samochodem/pociągiem; **~ light** podróżować z małym bagażem; **~ widely** dużo podróżować. **2.** objeżdżać; jeździć po (*kraju itp.*); **~ the world** objechać *l.* zjechać cały świat. **3.** przebyć; przejechać (*odcinek drogi*). **4.** jechać (*o osobie, pojeździe*); biec (*np. o koniu; t. o świetle*) (*at...* z prędkością...). **5.** *t. mech.* poruszać się, przesuwać się. **6.** rozchodzić się (*np. o wieściach, dźwięku*). **7.** błądzić (*np. o oczach, myślach*) (*over sth* po czymś). **8.** znosić transport (*o żywności, napojach*); nadawać się na prowiant; **~ well/badly** dobrze/źle znosić transport (*np. o winie*). **9.** *handl.* pracować jako komiwojażer (*for sth* w czymś) (*w jakiejś firmie*). **10.** *koszykówka* robić kroki (*z piłką*). **11.** *pot.* jechać szybko, zasuwać; **the car was really ~ing** samochód jechał naprawdę szybko. **12.** *pot.* kolegować się (*with sb* z kimś). – *n.* *U* **1.** podróż (*zwł. daleka l. zagraniczna*); podróże; podróżowanie. **2.** ruch (*pojazdów*). **3.** *mech.* suw. **4.** *pl.* *zob.* **travels**.

travel agency *n. pl.* **-ies** (*także* **travel bureau, travel agent**) biuro podróży.

travel agent *n.* **1.** właściciel/ka biura podróży; agent/ka biura podróży. **2.** = **travel agency**.

travelator [ˈtrævəˌleɪtər] *n.* = **travolator**.

travel bureau *n.* = **travel agency**.

traveled [ˈtrævld], *Br.* **travelled** *a.* **1.** (*także* **widely ~, well-~**) bywały (w świecie). **2.** uczęszczany (*o drodze*). **3.** *geol.* przesunięty z pierwotnego miejsca (*o kamieniu*).

traveler [ˈtrævlər], *Br.* **traveller** *n.* **1.** podróżni-k/czka. **2.** podróżn-y/a. **3.** *Br.* komiwojażer. **4.** *Br.* Rom/ka, Cygan/ka (*l. inna osoba prowadząca wędrowny tryb życia*). **5.** *tk.* biegacz (*przędzarki obrączkowej*). **6.** *żegl.* ucho przesuwne, ślizgacz.

traveler's check, *Br.* **traveller's cheque** *n.* *fin.* czek podróżny.

traveler's joy, *Br.* **traveller's joy** *n.* *U bot.* powojnik pnący *l.* wyniosły *l.* zwyczajny (*Clematis vitalba*).

travel expenses *n. pl.* koszty podróży.

traveling [ˈtrævlɪŋ], *Br.* **travelling** *n.* *U* podróżowanie. – *a. attr.* wędrowny (*np. o aktorze, muzyku, cyrku*); objazdowy (*np. o bibliotece*); podróżny (*np. o torbie, budziku*).

traveling folk *n. pl.* (*także* **traveling people**) Romowie, Cyganie.

traveling salesman *n. pl.* **-men** *handl.* agent handlowy, komiwojażer.

travelog [ˈtrævəlɔːg], *Br.* **travelogue** *n.* film, ilustrowana prelekcja *l.* wydawnictwo o tematyce podróżniczej.

travels [ˈtrævlz] *n. pl.* podróże; **be off on one's ~** *pot.* podróżować sobie (*dla przyjemności*).

travel-sick [ˈtrævlˌsɪk] *a.* *pat.* cierpiący na chorobę lokomocyjną.

travel sickness *n.* *U pat.* choroba lokomocyjna.

traverse *v.* [trəˈvɜːs] *form.* **1.** przemierzać (*przestrzenie*). **2.** przecinać (= *iść l. jechać w poprzek*). **3.** przesuwać w bok. **4.** oglądać, przeglądać (*dokładnie*). **5.** przeciwstawić się (*czemuś*), pokrzyżować. **6.** *prawn.* formalnie zaprzeczać (*stwierdzeniu*). **7.** *wspinaczka* trawersować. **8.** *wojsk.* obracać (*działo*). **9.** obracać się na osi (*np. o igle magnetycznej; t. wojsk. o dziale*). – *n.* [ˈtrævɜːs] **1.** przejście, przebycie (*w poprzek*). **2.** przeszkoda. **3.** *geom.* linia poprzeczna. **4.** galeria poprzeczna (*np. w kościele*). **5.** *bud.* poprzecznica, trawersa (= *belka poprzeczna*). **6.** *żegl.* trawers (= *linia zygzakowata kursu*). **7.** *fortyfikacje* poprzecznica. **8.** *wojsk.* obrót w poziomie (*działa*). **9.** *miern.* poligon; ciąg poligonowy. **10.** *mech.* ruch boczny. **11.** *masz.* przesuw; dosuw; skok. **12.** *prawn.* formalne zaprzeczenie. – *a. arch.* poprzeczny.

traverser [trəˈvɜːsər] *n.* *kol.* przesuwnica, = platforma do przesuwania lokomotyw.

traverse rod *n.* *US* karnisz.

traversing fire [trəˈvɜːsɪŋ ˌfaɪr] *n.* *U wojsk.* ogień poszerzany.

traversing gear *n.* *U* **1.** *mech.* mechanizm ruchu poprzecznego. **2.** *wojsk.* mechanizm kierunkowy (*działa*).

traversing pulley *n.* *techn.* blok biegnący po linie.

traversing table *n.* **1.** *żegl.* tabela do obliczania odległości w prostej linii przy kursie zygzakowatym. **2.** = **traverser**.

travertin [ˈtrævərtiːn], **travertine** *n.* *U geol.* trawertyn.

travesty [ˈtrævəstɪ] *n. pl.* **-ies** **1.** *uj.* parodia; **a ~ of justice** parodia sprawiedliwości. **2.** *sztuka* trawestacja. – *v.* **-ied, -ying** być parodią *l.* trawestacją (*czegoś*).

travolator [ˈtrævəˌleɪtər], **travelator** *n.* ruchomy chodnik (*np. na lotnisku*).

trawl [trɔːl] *n.* **1.** = **trawl net**. **2.** = **trawl line**. **3.** *ryb.* trałowanie. **4.** *przen.* intensywne szukanie (*for sb* kogoś) (*np. kandydata*); zbieranie (*for sth* czegoś) np. danych, informacji o kimś. – *v.* **1.** *ryb.* łowić włokiem (*ryby*). **2.** *ryb.* trałować, ciągnąć trał. **3.** *ryb.* nastawiać sznur haczykowy (*np. węgorzowy*). **4.** *przen.* intensywnie szukać (*for sb* kogoś) (*np. kandydata*); zbierać (*for sth* coś) np. dane, informacje o kimś.

trawler [ˈtrɔːlər] *n. ryb.* **1.** trawler. **2.** osoba łowiąca włokiem *l.* na sznur haczykowy.

trawl line *n. ryb.* sznur haczykowy (*np. węgorzowy*).

trawl net *n. ryb.* włok; trał, tuka.

tray [treɪ] *n.* taca; tacka; **in/out** ~ *Br.* tacka na korespondencję przychodzącą/wychodzącą (*w biurze*).

tray table *n.* stolik składany (*np. w samolocie*).

treacherous [ˈtretʃərəs] *a.* **1.** zdradziecki. **2.** zdradliwy (*np. o lodzie, pogodzie, toni*). **3.** *przen.* zawodny (*o pamięci*).

treacherously [ˈtretʃərəslɪ] *adv.* zdradziecko.

treacherousness [ˈtretʃərəsnəs] *n.* *U* zdradliwość.

treachery [ˈtretʃərɪ] *n.* *C/U pl.* **-ies** zdrada.

treacle [ˈtriːkl] *n.* **1.** (*także* **black** ~) *Br.* melasa. **2.** *Br.* = **golden treacle**. **3.** ulepek.

tread [tred] *v. pret.* **trod** *US t.* **treaded** *pp.* **trodden** *US i Austr. t.* **trod** **1.** deptać (*np. kapustę, winogrona; t. o ptakach - samicę*); ~ **on sth** deptać po czymś; nadepnąć na coś; ~ **sth into sth** wdeptać coś w coś. **2.** kroczyć *l.* stąpać (*czymś; np. drogą, ścieżką*). **3.** *przen.* ~ **a measure** wybijać takt nogą (*w tańcu*); ~ **carefully/lightly/warily** działać ostrożnie; ~ **on air** nie posiadać się ze szczęścia; ~ **on sb's corns/toes** nadepnąć komuś na odcisk; ~ **the board** *żart.* występować na scenie, być aktor-em/ką; ~ **the path of sth** *form.* pójść drogą czegoś (*np. kompromisu*); ~ **water** utrzymywać się pionowo w wodzie; dreptać *l.* stać w miejscu (*np. = nie awansować w pracy*). – *n.* **1.** chód, krok; stąpanie. **2.** = **treadboard**. **3.** *mot.* bieżnik; *kol.* powierzchnia toczna (*koła*). **4.** *kol.* część szyny dotykana przez koła. **5.** spodnia część podeszwy. **6.** odstęp pomiędzy pedałami (*roweru*). **7.** *orn.* deptanie (*samiczki*).

treadboard [ˈtredˌbɔːrd] *n.* **1.** powierzchnia stopnia *l.* schodów. **2.** stopień kieratu.

treadle [ˈtredl] *n. mech.* pedał (*np. w maszynie do szycia, krosnach*). – *v.* pedałować (*krosnami, maszyną do szycia*).

treadmill [ˈtredˌmɪl] *n. t. przen.* kierat (*mech. - w kształcie koła ze stopniami*).

treas. *abbr.* = **treasurer**.

treason [ˈtriːzən] *n.* *U* zdrada (*against sth* czegoś); **commit** ~ dopuścić się zdrady; **high** ~ *prawn.* zdrada stanu.

treasonable [ˈtriːzənəbl] *a. prawn.* mający znamiona zdrady.

treasure [ˈtreʒər] *n.* *C/U t. przen.* skarb (*t. przest. pot. = niezastąpiona osoba*). – *v.* przechowywać jak(o) skarb, pieczołowicie przechowywać (*t. wspomnienia*); pielęgnować (*np. przyjaźń*).

treasure chest *n.* skrzynia ze skarbami (*zwł. zakopana*).

treasure flower *n. bot.* pawica (*Gazania*).

treasure hunt *n.* podchody, w których szuka się ukrytego skarbu.

treasurer [ˈtreʒərər] *n.* skarbni-k/czka.

treasure trove *n. Br. prawn. l. przen.* ukryty skarb.

treasury [ˈtreʒərɪ] *n. pl.* **-ies** **1.** skarbiec. **2. the T~** *Br. polit.* ministerstwo skarbu; **T~ Board** (*także* **Lords Commissioners of the T~**) rada polityki pieniężnej; **First Lord of the T~** premier.

Treasury Bench *n. Br. parl.* ława rządowa (*w Izbie Gmin*).

Treasury bill *n. Br. fin.* weksel skarbowy (= *nieoprocentowana 3-miesięczna obligacja skarbowa*).

treasury bond *n. US fin.* obligacja skarbowa długoterminowa.

treasury certificate *n. US fin.* bon skarbowy (= *krótkoterminowa, 12-miesięczna obligacja skarbowa*).

treasury note *n. fin.* **1.** *US* średnioterminowa obligacja skarbowa. **2.** *Br.* zdawkowy banknot (*z 1914 r.*).

treat [triːt] *v.* **1.** traktować (*sb/sth as/like...* kogoś/coś jak...); obchodzić się z (*kimś*); ~ **sb like dirt/a dog** *emf.* traktować kogoś jak śmiecia/psa; ~ **sb with respect** traktować kogoś z szacunkiem; ~ **sth seriously** potraktować coś poważnie. **2.** *med.* leczyć (*sb for sth* kogoś na coś). **3.** ~ **sb/o.s. to sth** zafundować komuś/sobie coś. **4.** *form.* pertraktować. **5.** ~ **of** *form.* traktować o (*czymś*); ~ **with** *chem.* poddawać działaniu (*czegoś*). – *n.* **1.** poczęstunek; uczta; prezent; **as a birthday** ~ w ramach prezentu urodzinowego (*np. zaprosić kogoś gdzieś*); **this is my** ~ ja stawiam *l.* płacę. **2.** *sing.* przyjemność, radość (*zwł. niespodziewana*); **what a** ~! co za radość!. **3.** *Br. pot.* **go down a** ~ **(with sb)** zrobić furorę (wśród kogoś); **look/work a** ~ wyglądać/działać świetnie. **4. trick or** ~ *zob.* **trick** *n.*

treatable [ˈtriːtəbl] *a.* **1.** *med.* nadający się do leczenia. **2.** *t. chem.* nadający się do impregnowania itp.

treatise [ˈtriːtəs] *n.* traktat, rozprawa (*on sth* na temat czegoś).

treatment [ˈtriːtmənt] *n.* **1.** *C/U med.* leczenie, terapia (*for/of sth* czegoś); **give sb/receive** ~ poddawać kogoś/być poddawanym leczeniu; **respond to** ~ reagować na leczenie. **2.** *U med.* pomoc lekarska. **3.** *U* traktowanie (*of sb/sth* kogoś/czegoś); **give sb the full** ~ *Br. pot.* potraktować kogoś z wszelkimi honorami *l.* szykanami; **special** ~ specjalne traktowanie. **4.** *C/U* potraktowanie (*np. tematu*). **5.** *U* poddawanie działaniu (*with sth* czegoś) (*np. środka chemicznego*), traktowanie (*with sth* czymś).

treaty [ˈtriːtɪ] *n. pl.* **-ies** **1.** *polit.* traktat, układ; **peace** ~ traktat pokojowy; **ratify/sign/conclude a** ~ ratyfikować/podpisać/zawrzeć układ; **the T~ of Versailles** *hist.* traktat wersalski. **2.** *U prawn.* umowa kupna-sprzedaży.

treaty port *n. hist.* port otwarty dla zachodniego handlu na mocy umowy (*w Chinach, Japonii i Korei na przełomie XIX i XX w*).

treble [ˈtrebl] *a. attr.* **1.** potrójny (*t. np. o whisky*); ~ **0** trzy zera (*np. w numerze telefonicznym*); ~ **the size of...** trzy razy większy niż... **2.** *muz.* sopranowy. **3.** wysoki (*t. o tonach*); *t. przen.* przenikliwy, ostry. – *n.* **1.** *muz.* sopran (*zwł. chłopięcy*); sopranist-a/ka. **2.** *U radio* wysokie tony. **3.** potrójna porcja (*alkoholu*). – *v.* potroić (się).

treble clef *a. muz.* klucz wiolinowy.

trebuchet [ˈtrebjʊˌʃet] *n. hist., wojsk.* katapulta.

tree [triː] *n.* **1.** *t. przen.* drzewo; **Christmas** ~ choinka; **family/genealogical** ~ drzewo genealogiczne. **2.** (*także* **shoe~**) kopyto, forma. **3.** (*także* **saddle~**) terlica (= *rama siodła*). **4.** *mat.* drzewo (*graf*). **5.** *arch.* szubienica. **6.** *arch. l. poet.* drzewo krzyżowe. **7.** *przen.* **a ~ is known by its fruit** *przest.* po owocach ich poznacie; **bark up the wrong ~** *zob.* **bark2** *v.*; **be at the top of the ~** *zwł. Br. pot.* osiągnąć szczyt kariery, zdobyć wszystko; **be up a ~** (*także Br.* **be up a gum ~**) *przest. pot.* być w kropce; **money/it doesn't grow on ~s** *zob.* **grow; not see the wood for the ~s** *zob.* **wood.** – *v.* **1.** zapędzić na drzewo. **2.** *US i Can. przen. pot.* zapędzić w kozi róg. **3.** wsadzać na kopyto (*but*).

tree creeper *n. orn.* pełzacz (*Certhia*).

tree farm *n. leśn.* szkółka leśna (*nastawiona na sprzedaż drzewek*).

tree frog *n.* = **tree toad.**

treehouse [ˈtriːˌhaʊs] *n.* domek na drzewie (*dla dzieci*).

tree kangaroo *n. zool.* drzewiak (*Dendrolagus*).

treeless [ˈtriːləs] *a.* bezdrzewny.

tree line *n.* granica lasu (*w górach l. w okolicy podbiegunowej*).

tree-lined [ˈtriːˌlaɪnd] *a.* wysadzany drzewami (*o drodze, alejce*).

tree mallow *n. bot.* gatunek ślazówki (*Lavatera*).

treen [ˈtriːn] *a. arch.* drewniany, z drewna. – *n.* = **treenware.**

treenail [ˈtriːˌneɪl] *n.* (*także* **trenail**) *stol.* kołek drewniany.

treenware [ˈtriːnˌwer] *n. U* naczynia drewniane.

tree of heaven *n. bot.* bożodrzew *l.* ailant gruczołowaty (*Ailanthus glandulosa / altissima*).

tree of knowledge *n. Bibl.* drzewo wiadomości (dobrego i złego).

tree of life *n. Bibl.* drzewo życia.

tree pipit *n. orn.* świergotek drzewny (*Anthus trivialis*).

tree ring *n. bot.* słój przyrostu rocznego.

tree snake *n. zool.* wąż nadrzewny (*rodzaj Chlorophis*).

tree sparrow *n. orn.* (wróbel) mazurek (*Passer montanus*).

tree surgery *n. U leśn.* leczenie drzew.

tree toad *n.* (*także* **tree frog**) *zool.* rzekotka (*Hyla*).

tree tomato *n. bot.* pomidor drzewiasty, cyfomandra (*Cyphomandra betacea*).

treetop [ˈtriːˌtɑːp], **tree-top** *n. zw. pl.* wierzchołek drzewa.

tref [treɪf], **treif** *a. judaizm* trefny (= *niekoszerny*).

trefoil [ˈtrefɔɪl] *n.* **1.** *bot.* koniczyna (*Trifolium*). **2.** *bot.* komonica (*Lotus*). **3.** *bud.* rozeta trójlistna, laskowanie trójlistne.

trek [trek] *v.* **-kk- 1.** wędrować, odbywać dłuższą wędrówkę. **2.** *S.Afr.* podróżować wozem zaprzężonym w woły. **3.** *S.Afr.* ciągnąć (wóz) (*o wole*). – *n.* **1.** trekking, zorganizowana dłuższa wędrówka. **2.** *S.Afr.* podróż wozem zaprzężonym w woły.

trekker [ˈtrekər] *n.* uczestni-k/czka trekkingu.

trellis [ˈtrelɪs] *ogr. n.* treliaż, trejaż. – *v.* **1.** zaopatrywać w treliaż (*np. winną latorośl*). **2.** splatać w treliaż (*np. kawałki drewna, metalu*).

trematode [ˈtreməˌtoʊd] *n. pat.* przywra.

trematodiasis [ˌtremətoʊˈdaɪəsɪs] *n. U pat.* przywrzyca, zakażenie przywrą.

tremble [ˈtrembl] *v.* drżeć, trząść się (*with sth* z czegoś) (*zwł. ze strachu l. gniewu*); ~ **to think that...** (*także* ~ **at the prospect of...**) drżeć na myśl (o tym), że...; **his voice ~d** głos mu drżał. – *n.* drżenie.

trembler [ˈtremblər] *n. el.* przerywacz automatyczny, brzęczyk.

trembles [ˈtremblz] *n. U* **1.** *wet.* drżączka (*bydlęca*). **2.** *pat. pot.* choroba Parkinsona.

trembling poplar [ˈtremblɪŋ ˌpɑːplər] *n. bot. pot.* (topola) osika (*Populus tremula*).

trembly [ˈtremblɪ] *a.* **-ier, -iest** drżący.

tremendous [trəˈmendəs] *a.* **1.** ogromny. **2.** fantastyczny, wspaniały.

tremendously [trəˈmendəslɪ] *adv.* **1.** ogromnie. **2.** fantastycznie, wspaniale.

tremolant [ˈtremələnt] *a. muz.* z wibrującym dźwiękiem (*o piszczałce organowej*).

tremolite [ˈtreməˌlaɪt] *n. U min.* tremolit.

tremolo [ˈtreməˌloʊ] *n. pl.* **-s** *muz.* tremolo.

tremolo arm *n. muz.* tremolo, wibrator (*w gitarze*).

tremor [ˈtremər] *n.* **1.** drżenie (*np. liścia, ciała; t. w głosie*). **2.** drganie (*dźwięku, światła*). **3.** (*także* **earth ~**) wstrząs (*sejsmiczny*). **4.** *przen.* dreszcz (*np. podniecenia*).

tremulous [ˈtremjələs] *a.* drżący (*np. o głosie*).

tremulously [ˈtremjələslɪ] *adv.* drżąco.

tremulousness [ˈtremjələsnəs] *n. U* drżenie.

trenail [ˈtriːˌneɪl] *n.* = **treenail.**

trench [trentʃ] *n.* **1.** rów (*np. melioracyjny, pod rurociąg*). **2.** *wojsk.* okop; **the T~es** *hist.* pola bitew I wojny światowej (*w płn. Francji i Belgii*); **mount the ~es** wystawić wartę w okopach; **open the ~es** zacząć kopać rowy (*celem dotarcia do oblężonych*). **3.** głęboka bruzda; głębokie wcięcie. – *v.* **1.** otaczać rowem *l.* rowami. **2.** kopać rów w (*czymś*). **3.** pokrywać rowami (*np. pole*). **4.** umieszczać w rowie. **5.** żłobić (*np. drewno*). **6.** ~ **on/upon sth** graniczyć z czymś (*np. z bezczelnością*); naruszać coś (*np. prawa*).

trenchancy [ˈtrentʃənsɪ] *n. U* **1.** ostrość; ciętość. **2.** stanowczość. **3.** wyrazistość.

trenchant [ˈtrentʃənt] *a.* **1.** ostry (*np. o krytyce, słowach*); cięty (*np. o dowcipie*). **2.** stanowczy (*np. o polityce*). **3.** wyrazisty; ostro zarysowany (*np. o konturach*). **4.** *arch. l. poet.* ostry (*np. o mieczu*).

trenchantly [ˈtrentʃəntlɪ] *adv.* **1.** ostro. **2.** stanowczo. **3.** wyraziście.

trench coat *n. strój* trencz.

trencher[1] [ˈtrentʃər] *n.* kopacz rowów.

trencher[2] *n.* **1.** *gł. hist.* deska do krajania; drewniana taca. **2.** (*także* ~ **cap**) *uniw.* czapka uniwersytecka z kwadratowym, płaskim denkiem.

trencherman [ˈtrentʃərmən] *n. pl.* **-men** **1.** osoba lubiąca dobrze zjeść. **2.** *arch.* pieczeniarz.

trench fever *n. U pat.* gorączka okopowa *l.* wołyńska.

trench foot *n. U pat.* stopa okopowa, odmroziny stóp.

trench knife *n. wojsk.* nóż bojowy.

trench mouth *n. U pat.* wrzodziejące zapalenie jamy ustnej.

trench warfare *n. U wojsk.* wojna okopowa.

trend [trend] *n.* trend (*toward sth* ku czemuś); tendencja (*toward sth* do czegoś); kierunek (*in sth* w czymś); kierunek rozwoju (*in sth* czegoś); ~ **away from sth** tendencja do odchodzenia od czegoś, odchodzenie od czegoś; **downward/falling** ~ tendencja zniżkowa; **fashion** ~ tendencja *l.* trend w modzie, moda; **reverse a** ~ odwrócić tendencję; **rising/upward** ~ tendencja zwyżkowa; **set the** ~ **for sth** zapoczątkować modę na coś; **underlying** ~ ogólna tendencja, ogólny kierunek (rozwoju). – *v.* przejawiać tendencję (*toward sth* w kierunku *l.* do czegoś).

trendily [ˈtrendɪlɪ] *adv.* modnie, zgodnie z (najnowszą) modą.

trendiness [ˈtrendɪnəs] *n. U* popularność (= *bycie w modzie*); moda.

trendsetter [ˈtrendˌsetər] *n.* twórca nowych trendów (*zwł. w modzie; o osobie l. instytucji*); pionier (*zmian*).

trendy [ˈtrendɪ] *a.* **-ier, -iest** modny; podążający za modą. – *n. pl.* **-ies** *Br. pot.* szpaner/ka.

trepan [trɪˈpæn] *v.* **-nn-** **1.** *chir.* trepanować (*czaszkę*). **2.** *mech., górn.* wiercić (*otwór wiertłem rurowym*). – *n.* **1.** *mech., górn.* wiertło rurowe *l.* trepanacyjne. **2.** *hist., chir.* trepan.

trepanation [ˌtrepəˈneɪʃən] *n. C / U chir.* trepanacja.

trephination [ˌtrefɪˈneɪʃən] *n. C / U chir.* trepanacja.

trephine [trɪˈfiːn] *chir. v.* trepanować (*czaszkę*). – *n.* trepan.

trepidation [ˌtrepɪˈdeɪʃən] *n. U form.* trwoga; obawa; **in** ~ pełen trwogi; **with** ~ z trwogą, trwożnie; **with some** ~ z pewną obawą, z niejakimi obawami.

trespass [ˈtrespəs] *v.* **1.** *t. prawn.* wkraczać (nielegalnie), wtargnąć (*on / upon sth* na coś) (*na teren prywatny*). **2.** *gł. prawn.* naruszać dobra osobiste (*on sb* kogoś) (*zwł. przez pogwałcenie praw własności*). **3.** *Bibl.* ~ **against sb/sth** grzeszyć przeciwko komuś/czemuś (*Bogu, bliźnim, przykazaniom*); *arch.* zwracać się przeciwko komuś/czemuś (*np. władcy, prawom*); ~ **on/upon sth** *form.* nadużywać czegoś (*np. czyjejś gościnności, uprzejmości*). – *n.* **1.** *C / U t. prawn.* bezprawne wkroczenie, wtargnięcie (*na teren prywatny*). **2.** *C / U gł. prawn.* naruszenie dóbr osobistych (*zwł. przez pogwałcenie praw własności*). **3.** *Bibl. l. arch.* wina, grzech; **forgive us our ~es as we forgive those who ~ against us** odpuść nam nasze winy, jako i my odpuszczamy naszym winowajcom.

trespasser [ˈtrespəsər] *n.* **1.** intruz/ka (*na czyimś terenie*). **2.** *prawn.* winn-y/a naruszenia dóbr osobistych (*zwł. przez pogwałcenie praw własności*). **3.** (*w napisach*) **no ~s** teren prywatny: wstęp wzbroniony; **~s will be prosecuted** wstęp surowo wzbroniony, wstęp pod karą wzbroniony.

trespassing [ˈtrespəsɪŋ] *n. U* **1.** *t. prawn.* bezprawne wkroczenie, wtargnięcie (*na teren prywatny*). **2.** *gł. prawn.* naruszenie dóbr osobistych (*zwł. przez pogwałcenie praw własności*).

tress [tres] *arch. n.* **1.** warkocz. **2.** *pl. zob.* **tresses**. – *v.* zaplatać (*włosy*).

tresses [ˈtresɪz] *n. pl. lit.* loki (= *włosy*).

trestle [ˈtresl] *n.* **1.** *techn., bud.* kozioł. **2.** *bud.* = **trestle bridge**.

trestle bridge *n.* (*także* **trestlework**) *bud.* estakada.

trestle table *n. stol.* stół na kozłach.

trews [truːz] *n. pl.* **1.** *Br. przest. żart.* galoty (= *spodnie*). **2.** *Scot. hist. wojsk.* wąskie spodnie z tartanu.

trey [treɪ] *n. karty, kości, domino* trójka.

triable [ˈtraɪəbl] *a.* (*także* ~ **by law**) *prawn.* podlegający osądzeniu.

triad [ˈtraɪæd] *n.* **1.** *gł. form.* trójca, triada, trójka. **2.** *muz., teor. lit., wojsk.* triada. **3.** *chem.* pierwiastek *l.* rodnik trójwartościowy. **4.** *chem.* triada (*pierwiastków*).

triage [trɪˈɑːʒ] *n. C / U pat., zwł. wojsk.* selekcja rannych (*do leczenia po bitwie l. wypadku*).

trial [ˈtraɪəl] *n.* **1.** *C / U prawn.* proces (*sądowy*); rozprawa; ~ **by jury** rozprawa przed ławą przysięgłych; **be on/go on/stand ~ (for sth)** stanąć przed sądem (za coś), być oskarżonym (o coś), być sądzonym (za coś); **be on/go on/stand ~ on charges of sth** być oskarżonym *l.* sądzonym (w sprawie) o coś; **come/go to** ~ znaleźć się *l.* stanąć na wokandzie, wejść na wokandę; **go on/stand** ~ stanąć przed sądem (*jako oskarżony*); **murder** ~ proces o zabójstwo. **2.** próba; **(a process of) ~ and error** metoda prób i błędów; **by ~ and error** metodą *l.* drogą prób i błędów; **on a ~ basis** (*także gł. Br.* **on ~**) na próbę (*t. kupić*). **3.** *gł. med.* badanie, test, próba; **undergoing clinical ~s** w fazie badań klinicznych (*o leku, metodzie leczenia*). **4.** utrapienie, zmartwienie; ciężka próba; **be a (great) ~ to sb** być dla kogoś prawdziwym utrapieniem. **5.** *gł. Br. sport* rozgrywka eliminacyjna *l.* kwalifikacyjna; *pl.* rozgrywki eliminacyjne *l.* kwalifikacyjne, eliminacje. **6.** *mat.*

próba (*w rachunku prawdopodobieństwa*). **7. ~s and tribulations** *lit. l. żart.* perypetie, przejścia. – *v. Br.* **-ll-** testować, wypróbowywać (*np. nowe techniki, leki, metody*).

trial balance *n. fin.* bilans próbny.

trial balloon *n. przen.* sonda (= *propozycja na próbę*).

trial by fire *n.* próba ogniowa.

trial court *n. prawn.* sąd pierwszej instancji (*w odróżnieniu od apelacyjnego*).

trial jury *n. pl.* **-ies** *prawn.* sąd *l.* ława przysięgłych.

trial lawyer *n. prawn.* adwokat/ka.

trial period *n.* okres próbny.

trial run *n.* test, próba (*nowych urządzeń, nowej metody, technologii*).

triangle [ˈtraɪˌæŋgl] *n.* **1.** *t. geom., muz.* trójkąt (*t. małżeński*). **2.** *US* ekierka.

triangular [traɪˈæŋgjələr] *a.* **1.** *gł. geom.* trójkątny. **2.** trójstronny (*np. o stosunkach, handlu, porozumieniu*).

triangulate *v.* [traɪˈæŋgjəˌleɪt] *miern., geom.* triangulować. – *a.* [traɪˈæŋgjəlɪt] *form. zwł. biol.* trójkątny, o przekroju trójkątnym.

triangulation [traɪˌæŋgjəˈleɪʃən] *n. U miern., geom.* triangulacja.

triangulation station *n.* (*także* **triangulation point**) *miern.* punkt triangulacyjny.

Triassic [traɪˈæsɪk] *geol. n.* **the ~** trias. – *a.* triasowy.

triathlete [traɪˈæθliːt] *n. sport* triatlonist-a/ka.

triathlon [traɪˈæθlən] *n. sing. sport* triatlon.

triatomic [ˌtraɪəˈtɑːmɪk] *a. chem.* trójatomowy (*o cząsteczce*).

triaxial [traɪˈæksɪəl] *a. geom.* trójosiowy.

tribadism [ˈtrɪbəˌdɪzəm] *n. U* trybadyzm (= *seks genitalny w miłości lesbijskiej*).

tribal [ˈtraɪbl] *a.* **1.** *socjol.* plemienny (*np. o obyczajach, tańcu, waśniach*). **2.** *biol.* szczepowy.

tribalism [ˈtraɪbəˌlɪzəm] *n. U socjol.* **1.** rozbicie plemienne. **2.** organizacja plemienna *l.* szczepowa. **3.** przynależność plemienna.

tribe [traɪb] *n.* **1.** *socjol. t. przen.* plemię; szczep. **2.** *biol.* szczep. **3.** *żart.* rodzinka (*zwł. duża*).

tribesman [ˈtraɪbzmən] *n. pl.* **-men** *socjol.* współplemieniec; członek szczepu.

tribespeople [ˈtraɪbzˌpiːpl] *n. pl. socjol.* współplemieńcy; członkowie szczepu.

tribeswoman [ˈtraɪbzˌwʊmən] *n. pl.* **-women** *socjol.* współplemiennica; członkini szczepu.

tribrach [ˈtrɪbræk] *n. wers.* trybrach.

tribulation [ˌtrɪbjəˈleɪʃən] *n. C/U form.* **1.** udręka. **2. trials and ~s** *zob.* **trial** *n.*

tribunal [traɪˈbjuːnl] *n. prawn.* trybunał.

tribune [ˈtrɪbjuːn] *n.* **1.** *hist. l. przen.* trybun. **2.** trybuna. **3.** *bud.* eksedra. **4.** *kośc.* stolec, tron biskupi.

tributary [ˈtrɪbjəˌterɪ] *n. pl.* **-ies** **1.** *geogr., hydrol.* dopływ (*rzeki*). **2.** *hist.* lennik; hołdownik. – *a.* **1.** *geogr., hydrol.* dopływowy; zasilający. **2.** *form.* lenny, lenniczy (*np. o państwie, zależności*).

tribute [ˈtrɪbjuːt] *n. C/U* **1.** hołd; wyrazy uznania; **be a ~ to sb/sth** wystawiać znakomite świadectwo komuś/czemuś; **pay ~ to sb** składać *l.* oddawać komuś hołd; wyrażać uznanie dla kogoś. **2.** *hist.* hołd (*lenny*), lenno; danina. **3.** haracz. **4. floral ~** *zob.* **floral**.

tricar [ˈtraɪkɑːr] *n. mot.* samochód trzykołowy.

trice [traɪs] *n.* **in a ~** *Br. lit.* w okamgnieniu. – *v.* **~ (up)** *żegl.* podnosić (*na linie*); mocować (*liną*).

tricentenary [ˌtraɪsenˈtiːnərɪ] *a. i n.* = **tercentenary**.

tricentennial [ˌtraɪsenˈtenɪəl] *a. i n.* = **tercentenary**.

triceps [ˈtraɪseps] *n. pl.* **-es** *l.* **triceps** *anat.* triceps, mięsień trójgłowy (ramienia).

triceratops [ˌtraɪˈserəˌtɑːps] *n. pl.* **triceratops** *paleont.* triceratops.

trichina [trɪˈkaɪnə] *n. pl.* **trichinae** [trɪˈkaɪniː] *pat., zool.* włosień (kręty), trychina (*Trichinella spiralis*).

trichinosis [ˌtrɪkəˈnoʊsɪs] *n. U pat.* włośnica, trychinoza.

trichloride [traɪˈklɔːraɪd] *n. C/U chem.* trójchlorek.

trichome [ˈtraɪkoʊm] *n. bot.* trychoma, włosek roślinny.

trichotomy [traɪˈkɑːtəmɪ] *n. pl.* **-ies** *form.* trychotomia, potrójny podział, trójdzielność.

tricity [ˌtraɪˈsɪtɪ] *n. pl.* **-ies** *gł. US* trójmiasto.

trick [trɪk] *n.* **1.** sztuczka, trik; **~s of the trade** chwyty *l.* sztuczki (zawodowe) (*w wykonaniu doświadczonego profesjonalisty*); **card ~** sztuczka karciana, sztuczka z kartami; **dirty/mean/rotten ~** podła sztuczka. **2.** podstęp; wybieg, fortel. **3.** kawał, psikus, figiel; **play a ~ on sb** spłatać komuś figla (*t. przen. o pamięci*); zrobić komuś kawał. **4.** *karty* lewa. **5.** tik; zwyczaj, maniera (*of doing sth* polegając-y/a na czymś). **6.** *US sl.* facet, klient (*prostytutki*); numer, numerek (= *stosunek prostytutki z klientem*); **turn a ~** zaliczyć numer *l.* numerek (= *odbyć stosunek*). **7.** *sl.* odsiadka (= *okres kary więzienia*). **8.** *zwł. żegl.* służba, dyżur. **9. ~ of fate** złośliwość losu; **~ of the light** złudzenie optyczne, przywidzenie; **be up to one's (old) ~s** *pot.* (znowu) coś kombinować, (znowu) kombinować po swojemu; **do the ~** *pot.* poskutkować, podziałać, zadziałać; nadać się; wystarczyć; **how's ~s?** *przest. pot.* jak leci?; **sb can teach/show you a ~ or two** *pot.* nie dorastasz (jeszcze) komuś do pięt; **sb can't take a ~** *Austr. pot.* nic komuś nie wychodzi *l.* nie idzie; **sb never misses a ~** *pot.* nic się przed kimś nie ukryje; ktoś nie przepuści żadnej okazji; **use every ~ in the book** nie cofnąć się przed niczym; wykorzystać wszystkie sposoby. – *v.* **1.** oszukiwać, nabierać; **~ sb into doing sth** wrobić kogoś w coś, podstępem zmusić kogoś do (zrobienia) czegoś; **~ sb out of sth** wyłudzić coś od kogoś. **2. ~ out/up** *gł. lit.* wystroić; przyozdobić. – *a. attr.* **1.** trikowy; **~ photography** *film* zdjęcia trikowe; *fot.* fotografia trikowa; **~ shot** *film, fot.* zdjęcie trikowe. **2.** podstępny, podchwytliwy (*o pytaniu*). **3.** *US* osłabiony; dokuczający od czasu do czasu, felerny (*zwł. o stawie*); **I have a ~ knee** czasem odzywa mi się kolano.

tricker ['trɪkər] *n.* = **trickster.**

trickery ['trɪkərɪ] *n. C / U pl.* **-ies** oszustwo, podstęp.

trickily ['trɪkɪlɪ] *adv.* podstępnie (*t. skonstruowany*); chytrze (*postąpić*).

trickiness ['trɪkɪnəs] *n. U* **1.** podstępność; przebiegłość, chytrość. **2.** trudność (*zadania*).

trickle ['trɪkl] *v.* **1.** kapać (*o wodzie, deszczu, pocie*); ciurkać, ciec, ściekać (*o wodzie, krwi*); **tears ~d down his cheeks** po policzkach ciekły mu łzy. **2.** ~ **away/out** znikać (*o tłumie, gościach*); rozchodzić się (*piechotą*); rozjeżdżać się (*samochodami*); ~ **down** ściekać, skapywać (*t. przen. o korzyściach*); ~ **in** napływać (powoli) (*o datkach, gościach, listach*); spływać (*o wynikach*); ~ **into sth** schodzić się gdzieś (*piechotą*); zjeżdżać się gdzieś (*samochodami*); ~ **out** wyciekać (*o cieczy*); przeciekać, wydostawać się (*o informacjach, tajemnicach*); ~ **out of sth** opuszczać coś (*np. o gościach*). – *n.* **1.** strużka (*cieczy*). **2.** *przen.* odrobina; znikoma liczba *l.* ilość; **be reduced to a ~** zmniejszyć się prawie do zera.

trickle charge *n. U el.* podładowywanie (*akumulatorów małym prądem*).

trickle charger *n.* **1.** *mot.* prostownik (do akumulatora). **2.** *el.* ładowarka (niskoprądowa) (*do akumulatorów; t. w telefonie, komputerze*).

trickle-down economy ['trɪkl͵daʊn ɪ͵kɑːnəmɪ] *n. C / U pl.* **-ies** *gł. US ekon.* gospodarka *l.* polityka gospodarcza oparta na stymulowaniu przedsiębiorczości; stymulowanie przedsiębiorczości (*w nadziei, że korzyści spłyną na pracowników i całe społeczeństwo*).

trickle-down effect *n. sing. gł. US ekon.* korzyści wynikające ze stymulowania przedsiębiorczości (*dla całego społeczeństwa*).

trickle-down theory *n. C / U pl.* **-ies** *gł. US ekon.* teoria gospodarcza zalecająca stymulowanie przedsiębiorczości (*i zakładająca, że korzyści spłyną na pracowników i całe społeczeństwo*).

trick or treat [͵trɪk ər 'triːt] *zwł. US i Can. int.* cukierek albo figielek! (*tradycyjny okrzyk dzieci zbierających po domach słodycze w Halloween (31 października)*). – *n. U* obyczaj chodzenia po domach w Halloween i proszenia o słodycze.

trick-or-treat ['trɪkər͵triːt] *v. zwł. US i Can.* **go ~-ing** chodzić po domach i prosić o słodycze (*w Halloween*).

trickster ['trɪkstər] *n.* (*także* **tricker**) oszust/ka, naciągacz/ka.

tricksy ['trɪksɪ] *a.* **-ier, -iest** *pot.* = **tricky.**

tricktrack ['trɪk͵træk] *n.* = **trictrac.**

tricky ['trɪkɪ] *a.* **-ier, -iest** **1.** trudny, skomplikowany (*np. o problemie*); delikatny (*np. o sytuacji*). **2.** *uj.* fikuśny (*t. o konstrukcji, urządzeniu*); podstępny, chytry, sprytny, przebiegły (*o osobie*).

tricolor ['traɪ͵kʌlər], *Br.* **tricolour** *n.* (*także* **T~**) trójkolorowa flaga, trójkolorowy sztandar (*zwł. Francji l. Irlandii*). – *a. attr.* (*także* **~ed**) trójkolorowy, trójbarwny.

tricorn ['traɪ͵kɔːrn] *n.* **1.** trykorn, tricorne, pieróg (= *trójkątny kapelusz*). **2.** *mit.* trójrożec. – *a. attr.* **1.** trójkątny. **2.** trzyrogi.

tricot ['triːkoʊ] *n. U tk.* trykot.

trictrac ['trɪk͵træk], **tricktrak** *n. U* tryk-trak (*gra*).

tricuspid [͵traɪ'kʌspɪd] *a.* (*także* **~al, ~ate**) *gł. anat.* trójdzielny.

tricuspid tooth *n. dent.* ząb trójguzkowy.

tricuspid valve *n. anat.* zastawka trójdzielna (*serca*).

tricycle ['traɪsɪkl] *n.* **1.** rowerek trzykołowy *l.* trójkołowy (*dziecięcy*); *gł. hist.* trycykl, rower trzykołowy *l.* trójkołowy. **2.** *mot.* trójkołowiec, samochód trzykołowy (*zwł. inwalidzki*). – *v.* jeździć na rowerku (*trzykołowym*).

Trident ['traɪdənt] *n. wojsk.* pocisk *l.* rakieta Trident.

trident ['traɪdənt] *n. gł. mit.* trójząb (*zwł. Neptuna*). – *a. gł. attr. form.* trójzębny.

Tridentine [trɪ'dentaɪn] *a. hist.* trydencki (*zwł. = dotyczący soboru trydenckiego*). – *n. teol.* trydentyst-a/ka (= *konserwatywny katolik opierający się na doktrynach soboru trydenckiego*).

tridimensional [͵traɪdɪ'menʃənl] *a. form.* trójwymiarowy.

tried [traɪd] *v. zob.* **try.** – *a.* **1.** (*także* ~ **and tested/true/trusted**) sprawdzony, wypróbowany (*np. o metodzie, pracowniku*). **2.** umęczony, wymęczony; doświadczony przez los.

triennia [traɪ'enɪə] *n. pl. zob.* **triennium.**

triennial [traɪ'enɪəl] *a.* trzyletni (= *trwający l. odbywający się co trzy lata*). – *n.* **1.** trzecia rocznica. **2.** *form.* okres trzyletni, trzylatka, trzylecie.

triennially [traɪ'enɪəlɪ] *adv.* co trzy lata.

triennium [traɪ'enɪəm] *n. pl.* **triennia** *form.* okres trzyletni, trzylatka, trzylecie.

trier ['traɪər] *n.* **1.** *pot.* osoba wytrwała; **be a ~** nie poddawać się. **2.** tester, kontroler/ka, braka-rz/rka. **3.** urządzenie testujące *l.* kontrolne (*zwł. do kontroli jakości*). **4.** *techn.* próbnik.

triffid ['trɪfɪd] *a. science fiction* tryfid (= *roślina-gigant*).

trifid ['traɪfɪd] *a. bot., zool.* trójdzielny.

trifle ['traɪfl] *n.* **1. a ~** *form.* odrobinę, nieco. **2.** *przest.* błahostka, drobnostka, drobiazg. **3.** *C / U kulin.* deser biszkoptowo-owocowy z bitą śmietaną. **4.** *U metal.* stop cynowo-ołowiowy. – *v.* ~ **away** marnować (*np. czas, wysiłek, pieniądze*); ~ **with sb/sth** igrać z kimś/czymś, bawić się kimś/czymś.

trifling ['traɪflɪŋ] *a. form.* **1.** drobny (*np. o kwocie*); błahy (*np. o sprawie, problemie*). **2.** niepoważny (*o osobie*).

trifocal [traɪ'foʊkl] *a. opt.* trójogniskowy, trzyogniskowy (*o soczewkach, okularach*).

trifocals [traɪ'foʊklz] *n. pl. opt.* okulary *l.* szkła trójogniskowe *l.* trzyogniskowe.

trifoliate [traɪ'foʊlɪət], **trifoliolate** [traɪ'foʊlɪoʊ͵leɪt], **trifoliated** [traɪ'foʊlɪ͵eɪtɪd] *a. bot.* trójlistny (*np. o koniczynie*); trójlistkowy (*o liściu*).

triforium [traɪ'fɔːrɪəm] *n. pl.* **triforia** [traɪ'fɔːrɪə] *bud., kośc.* tryforium (= *galeryjka nad nawą*).

triform [ˈtraɪˌfɔːrm] *n. form.* trójpostaciowy.

trifurcate *form. a.* [ˌtraɪˈfɜːkeɪt] trójdzielny. – *v.* [ˈtraɪfərkeɪt] rozgałęziać się potrójnie.

trig[1] [trɪg] (*także* **trig.**) *abbr. i n. pot. gł. szkoln.* = **trigonometry**.

trig[2] *mech. l. dial. n.* blokada, klin. – *v.* **-gg-** blokować, klinować (*koło*).

trigeminal [traɪˈdʒemənl] *a. anat.* trójdzielny.

trigeminal nerve *n. anat.* nerw trójdzielny.

trigeminal neuralgia *n. U pat.* nerwoból nerwu trójdzielnego.

trigger [ˈtrɪgər] *n.* **1.** *mech.* spust, cyngiel (*zwł. broni*); **pull/squeeze the** ~ pociągnąć za spust. **2.** *przen.* przyczyna (*for sth* czegoś) (*zw. niekorzystnego*); pretekst (*for sth* do czegoś); **be the** ~ **for sth** sprowokować *l.* wywołać *l.* spowodować coś. **3.** *techn., el.* wyzwalacz; impuls wyzwalający. **4.** *przen.* **quick on the** ~ pochopny; **be quick on the** ~ działać pochopnie. – *v.* **1.** ~ **(off)** wywoływać (*np. rozruchy*); wyzwalać (*np. wspomnienia, uczucie*). **2.** odpalić (*broń*); pociągnąć za spust (*broni*). **3.** *el., techn.* wyzwalać.

trigger finger *n.* **1.** palec na spuście (*broni*); palec wskazujący. **2.** *U pat.* palec trzaskający, zespół trzaskającego palca.

trigger-happy [ˈtrɪgərˌhæpɪ] *n. pot.* **1.** łatwo sięgający po broń, strzelający bez namysłu. **2.** *przen.* pochopny.

triggerman [ˈtrɪgərˌmæn] *n. pl.* **-men** *pot.* zawodowy zabójca (*członek gangu*); goryl (= *obstawa, zwł. przestępcy*).

triglyceride [traɪˈglɪsəˌraɪd] *n. biochem.* trójgliceryd.

triglyph [ˈtrɪglɪf] *n. bud., hist.* tryglif.

trigonometric [ˌtrɪgənəˈmetrɪk] *a.* (*także* **trigonometrical**) *mat.* trygonometryczny.

trigonometric function *n. mat.* funkcja trygonometryczna.

trigonometry [ˌtrɪgəˈnɑːmətrɪ] *n. U mat.* trygonometria.

trigonous [ˈtrɪgənəs] *a. bot.* trójkątny, o przekroju trójkątnym (*o łodydze, korzeniu*).

trig point *n. miern.* punkt triangulacyjny.

trigraph [ˈtraɪgræf] *n. jęz.* trójznak (= *grupa trzech liter oznaczająca jeden dźwięk*).

trihedral [traɪˈhiːdrəl] *geom. n.* trójścian. – *a.* trójścienny.

trihedron [traɪˈhiːdrən] *n. geom.* trójścian.

trijet [ˈtraɪdʒet] *n. lotn.* odrzutowiec trzysilnikowy, samolot odrzutowy trzysilnikowy.

trike [traɪk] *n. pot.* = **tricycle**.

trilateral [traɪˈlætərəl] *a.* **1.** *gł. polit.* trójstronny (*o porozumieniu, układzie*). **2.** *geom.* trójboczny.

trilby [ˈtrɪlbɪ] *n. pl.* **-ies** (*także* ~ **hat**) *gł. Br.* kapelusz filcowy.

trilingual [traɪˈlɪŋgwəl] *a. jęz.* trójjęzyczny.

triliteral [traɪˈlɪtərəl] *jęz. a.* **1.** trójliterowy. **2.** trójspółgłoskowy. – *n.* pień trójspółgłoskowy (*w językach semickich*).

trill [trɪl] *n.* **1.** *orn.* trele, trel. **2.** *muz.* tryl. **3.** *fon.* spółgłoska drżąca. – *v.* **1.** *orn.* trelować. **2.** *muz.* śpiewać trylem. **3.** *przen.* szczebiotać. **4.** *fon.* wymawiać jako spółgłoskę drżącą.

trillion [ˈtrɪljən] *num. i n. pl.* **-s** *l.* **trillion 1.** tysiąc miliardów (= *1 000 000 000 000*), bilion (*w tradycyjnym polskim znaczeniu*); trylion (*w nowym polskim znaczeniu*). **2.** *t. pl. przen. pot.* miliardy, tryliony (= *wielkie ilości*). **3.** *Br. przest.* trylion (*w tradycyjnym polskim znaczeniu* = *1 000 000 000 000 000 000*), miliard miliardów.

trillionth [ˈtrɪljənθ] *a.* bilionowy (*w tradycyjnym polskim znaczeniu*); trylionowy (*w nowym polskim znaczeniu*). – *n.* **(one)** ~ (jedna) trylionowa.

trilobate [traɪˈloʊbeɪt] *a. bot.* trójklapowy (*o liściu*).

trilobite [ˈtraɪləˌbaɪt] *n. paleont.* trylobit.

trilogy [ˈtrɪlədʒɪ] *n. pl.* **-ies** *teor. lit.* trylogia.

trim [trɪm] *v.* **-mm- 1.** przycinać, przystrzygać (*np. włosy, wąsy, trawę, żywopłot*). **2.** ~ **(down)** okroić, uszczuplić (*np. budżet*); ograniczać, redukować (*np. koszty, wydatki*); dokonywać cięć w (*budżecie, filmie, tekście*); skracać (*tekst*); ciąć (*film*). **3.** przybierać, przystrajać, ozdabiać, dekorować (*sth with sth* coś czymś) (*np. suknię koronką*). **4.** *t. kulin.* odkrawać tłuszcz z (*mięsa*); obkrawać (*mięso z tłuszczu*). **5.** *żegl.* trymować, ustawić (*żagle*); trymować (*ładunek*). **6.** *lotn.* wyrównywać (*lot, samolot*). **7.** dopasowywać, naginać (*opinię*). **8.** zachowywać neutralność (*w sporze*). **9.** *pot.* roznieść, rozgromić (*przeciwnika w grze*). **10.** *pot.* przytrzeć nosa (*komuś*). **11.** *pot.* nabrać (*kogoś*). **12.** ~ **one's sails** *przen. pot.* przyhamować *l.* przystopować z wydatkami. **13.** ~ **off/away** przycinać (*np. gałęzie, nierówny brzeg*). – *a.* **1.** szczupły (*o osobie, sylwetce, ciele*); wysportowany, w (dobrej) formie (*o osobie*); **keep** ~ trzymać figurę *l.* formę. **2.** zadbany (*zwł. o trawniku*); schludny. – *n.* **1.** *sing.* przycięcie, przystrzyżenie (*włosów, wąsów, trawy*); **need a** ~ wymagać przycięcia *l.* przystrzyżenia; **give sth a** ~ przyciąć *l.* przystrzyc coś. **2.** *U pot.* forma; **in (good)** ~ w (dobrej) formie; **in** ~ **for sth** *pot.* (dobrze) przygotowany do czegoś (*zwł. do zawodów*); **out of** ~ nie w formie. **3.** *C / U* ozdoba; dodatek; *mot.* (*zwł. z przymiotnikiem określającym kolor l. materiał*) tapicerka; wnętrze, wystrój kabiny (*tapicerka, podłoga, podsufitka*); elementy ozdobne, dodatki (*karoserii*); *krawiectwo* dodatki, wykończenia; lamówka; *bud.* elementy wykończeniowe (*t. stolarskie*); wykończenie *l.* obramienia otworów (*drzwiowych i okiennych*). **4.** *U handl.* dekoracja, wystawa. **5.** *U lotn.* wyrównanie (lotu), trym; równowaga (*samolotu*); wyważenie (*samolotu*). **6.** *U żegl.* przegłębienie, trym (*statku*). **7.** *U żegl.* stan (*jednostki, osprzętu*); stan gotowości, gotowość; **in** ~ w porządku. **8.** *U żegl.* ustawienie, trym (*żagli*).

trimaran [ˈtraɪməˌræn] *n. żegl.* trimaran (= *jednostka trójkadłubowa*).

trimerous [ˈtrɪmərəs] *a. bot. l. form.* trójdzielny.

trimester [traɪˈmestər] *n. fizj. US t. szkoln.* trymestr (*ciąży l. nauki*).

trimeter [ˈtrɪmɪtər] *n. wers.* trymetr.

trimmer [ˈtrɪmər] *n.* **1.** *ogr.* strzygarka; podcinarka, podkaszarka (*do trawy, żywopłotu*); **line**

~ podcinarka *l.* podkaszarka żyłkowa. **2.** *fryzjerstwo* podstrzygarka, maszynka, trymer (*do wąsów, brody*). **3.** *el.* trymer. **4.** *bud.* przejma, wymian. **5.** trymer (= *robotnik portowy*).

trimming [ˈtrɪmɪŋ] *n.* **1.** *U* przystrajanie, ozdabianie. **2.** *pot.* lanie. **3.** *pl.* *zob.* **trimmings**.

trimmings [ˈtrɪmɪŋz] *n. pl.* **1.** *t. kulin.* dodatki (*t. krawieckie*); przybranie; **with all the ~** *gł. Br.* ze wszystkimi dodatkami. **2.** resztki; ścinki, skrawki.

trimness [ˈtrɪmnəs] *n. U* **1.** szczupła sylwetka. **2.** dobra kondycja *l.* forma.

trimonthly [traɪˈmʌnθlɪ] *a.* kwartalny. – *adv.* kwartalnie, co kwartał, co trzy miesiące.

trinal [ˈtraɪnl] *a.* (*także* **trinary**) *form.* troisty.

trine [traɪn] *a.* **1.** *astrol.* trygonalny (*o ciałach niebieskich; = wykazujący odległość kątową ok. 120°*). **2.** *form.* troisty. – *n.* **1.** *astrol.* aspekt trygonalny (= *odległość kątowa ciał zbliżona do 120°*). **2.** *form.* trójka, triada, trójca.

Trinidad [ˈtrɪnɪˌdæd] *n. geogr.* Trynidad.

Trinidad and Tobago *n. geogr.* Trynidad i Tobago.

Trinidadian [ˌtrɪnɪˈdædɪən] *a.* trynidadzki. – *n.* Trynidad-czyk/ka.

Trinitarian [ˌtrɪnəˈterɪən] *n.* **1.** *teol.* zwolennik/czka trynitarianizmu. **2.** *hist.* trynitarz (*członek zakonu*). – *a. teol., hist.* trynitarski, trynitarny.

trinity [ˈtrɪnətɪ] *n. zw. U l. sing. pl.* **-ies** **1.** *form.* trójca. **2.** *form.* troistość. **3.** **the (Holy) T~** *rel.* Trójca Święta.

trinket [ˈtrɪŋkɪt] *n.* **1.** świecidełko, błyskotka; ozdóbka, bibelot. **2.** *przen.* błahostka.

trinomial [traɪˈnoʊmɪəl] *n.* **1.** *mat.* trójmian. **2.** *biol.* nazwa trzyczęściowa (*taksonomiczna, z wyszczególnieniem podgatunku l. odmiany*). – *a.* **1.** *mat.* trójmianowy (*o wyrażeniu*). **2.** *biol.* trzyczęściowy (*o nazwie*).

trio [ˈtriːoʊ] *n. pl.* **-s** **1.** *muz.* trio; tercet. **2.** *t. karty* trójka.

triode [ˈtraɪoʊd] *n. el.* trioda.

triolet [ˈtriːəlet] *n. wers.* triolet.

trioxide [traɪˈɑːksaɪd] *n. C / U chem.* trójtlenek.

trip [trɪp] *n.* **1.** wycieczka; podróż (*from... to...* z... do...); wyjazd; przejażdżka; **boat ~** rejs; **bus/coach ~** wycieczka autokarowa; **business ~** wyjazd służbowy, delegacja (służbowa); **day ~** wycieczka jednodniowa (*bez noclegu*); **field ~** wycieczka terenowa; *szkoln.* lekcja w terenie; **fishing/skiing ~** wyjazd na ryby/narty; **go on a ~** pojechać na wycieczkę *l.* przejażdżkę; wyruszyć w podróż; **have a good ~!** miłej podróży!; **school ~** wycieczka szkolna; **take a ~ to sth** pojechać gdzieś; przejechać się gdzieś. **2.** jazda; **round ~** *US* jazda tam i z powrotem. **3.** *żegl.* rejs. **4.** *gł. sing. sl.* jazda, odjazd (= *halucynacja po narkotyku*); **LSD ~** jazda na kwasie. **5.** kurs (= *przebycie krótkiej trasy*); **make several ~s** obrócić kilka razy (*do samochodu, sklepu*). **6.** *t. przen.* potknięcie (się). **7.** *el., techn.* wyzwalacz; wyłącznik samoczynny. **8.** *sing. zwł. US pot.* odjazd (= *niezwykłe przeżycie, niezwykła rzecz l. osoba*); przeżycie; fascynacja, okres fascynacji; **power ~** fascynacja władzą. **9.** **sb's ~** *US pot.* czyjś konik (= *ulubione zajęcie, ulubiona rzecz*). **10.** *lit.* pląs. – *v.* **-pp-** **1.** **~ (up)** potknąć się (*over sth* o coś); *przen.* pomylić się (*over sth* przy czymś *l.* robiąc coś); **~ and fall** potknąć się i upaść; **~ down the stairs** spaść ze schodów, potknąć się na schodach i spaść. **2.** **~ sb (up)** podstawić komuś nogę; przewrócić kogoś; *przen.* złapać kogoś na błędzie. **3.** *el., mech.* zadziałać (*o wyłączniku, czujniku, zapadni*). **4.** *el., mech.* wyzwolić (*wyłącznik*); uruchomić (*alarm, zapadnię*). **5.** **~ (out)** *sl.* odjeżdżać, być na kopie (= *mieć halucynacje*) (*on sth* po czymś) (*po narkotyku*). **6.** podróżować. **7.** *lit.* pląsać; drobić. **8.** *żegl.* odczepiać (*kotwicę od dna*). **9.** **~ the light fantastic** *żart.* tańczyć. **10.** **~ off the tongue** *zob.* **tongue** *n.*

tripartite [traɪˈpɑːrtaɪt] *a. form.* **1.** *zwł. polit.* trójstronny (*o rozmowach, porozumieniu*). **2.** *t. bot.* trójdzielny.

tripartition [ˌtraɪpɑːrˈtɪʃən] *n. C / U form.* trójpodział, podział na trzy części.

tripe [traɪp] *n. U* **1.** *kulin.* flaki, flaczki. **2.** *przen. pot.* brednie, bzdury.

tripetalous [traɪˈpetələs] *a. bot.* trójpłatkowy.

triphammer [ˈtrɪpˌhæmər], **trip hammer** *n. mech.* kafar, młot spadowy.

triphibian [traɪˈfɪbɪən] *n.* **1.** pojazd lądowo-wodno-powietrzny. **2.** *sport* triatlonist-a/ka. – *a.* = **triphibious**.

triphibious [traɪˈfɪbɪəs] *a. gł. wojsk.* na lądzie, wodzie i w powietrzu.

triphthong [ˈtrɪfθɔːŋ] *n. fon.* tryftong, trójgłoska.

triplane [ˈtraɪˌpleɪn] *n. lotn.* trójpłatowiec.

triple [ˈtrɪpl] *a. attr.* **1.** potrójny; **~ murder/killing** potrójne morderstwo; **~ murderer/killer** potrójny morderca. **2.** trzyczęściowy. **3.** trzykrotny. **4.** *muz.* na trzy; **~ time/measure** rytm na trzy; **in ~ time/measure** (w rytmie) na trzy. – *n.* **1.** trójka. **2.** potrójna ilość. **3.** *kulin.* potrójny drink. **4.** *baseball* wybicie na trzecią bazę (*pozwalające osiągnąć trzecią bazę*). – *v.* **1.** potrajać (się). **2.** *baseball* wykonać wybicie na trzecią bazę. – *adv.* **~ the distance/cost** trzy razy dalej/drożej; **(at) ~ the price** za potrójną cenę.

Triple Alliance *n. U hist.* Trójprzymierze.

triple bill *n. film* potrójny seans.

Triple Entente *n. U hist.* Trójporozumienie.

triple glazing *n. U bud.* potrójne szyby.

triple header *n. sport* impreza z trzema spotkaniami *l.* meczami.

triple jump *n. U l. sing. sport* trójskok.

triple jumper *n. sport* trójskocz-ek/kini.

triplet [ˈtrɪplət] *n.* **1.** trojaczek; *pl.* trojaczki. **2.** *form.* trójka. **3.** *muz.* triola. **4.** *chem., fiz., biochem.* tryplet. **5.** *wers.* trójwiersz, trójwers, tercet.

Triplex [ˈtrɪpleks] *n. U Br. mot.* szyba (potrójnie) klejona.

triplex [ˈtrɪpleks] *n.* **1.** *US bud.* mieszkanie trzypoziomowe; segment trzypoziomowy (*mieszkalny*); budynek *l.* dom trójrodzinny (*z trzema mieszkaniami na trzech kondygnacjach*). **2.** *US* kino trzysalowe; teatr o trzech scenach. **3.** *form.* trójka. – *a. attr. form.* potrójny.

triplicate *n.* [ˈtrɪplәkәt] *C/U* tryplikat, jedna z trzech kopii, jeden z trzech egzemplarzy; **in ~** w trzech kopiach *l.* egzemplarzach. – *a.* [ˈtrɪplәkәt] w trzech kopiach *l.* egzemplarzach (*o dokumencie*); potrójny (*o kopii*). – *v.* [ˈtrɪplәˌkeɪt] *form.* potrajać.

triplicity [trɪˈplɪsәtɪ] *n. pl.* **-ies** *form.* **1.** *U* troistość. **2.** triada, trójka. **3.** *astrol.* trygon (= *grupa trzech znaków zodiaku*).

triply [ˈtrɪplɪ] *adv.* potrójnie.

tripod [ˈtraɪpɑ:d] *n.* trójnóg; *fot.* statyw.

Tripoli [ˈtrɪpәlɪ] *n. geogr.* Trypolis.

tripoli [ˈtrɪpәlɪ] *n. U min.* trypla, łupek polerski.

tripper [ˈtrɪpәr] *n.* **1.** *Br. przest. pot.* turyst-a/ka; **day ~** wycieczkowicz/ka. **2.** *sl.* ćpun. **3.** *el., mech.* mechanizm wyzwalający, wyzwalacz; wyłącznik samoczynny.

trippet [ˈtrɪpɪt] *n. mech.* bijak, młoteczek.

tripping [ˈtrɪpɪŋ] *a.* lekki (*np. o kroku, rytmie*).

trippy [ˈtrɪpɪ] *n.* **-ier, -iest** *sl.* dający (dobrego) kopa (= *silnie halucynogenny*).

trip switch *n. el.* wyłącznik automatyczny *l.* awaryjny.

triptych [ˈtrɪptɪk] *n. sztuka* tryptyk.

tripwire [ˈtrɪpˌwaɪr] *n.* **1.** (ukryta) linka *l.* żyłka (*uruchamiająca pułapkę, bombę, karabin itp.*). **2.** sznurek w poprzek drogi (*żeby ktoś się potknął*).

tripy [ˈtraɪpɪ] *n.* **-ier, -iest** *pot.* szmirowaty.

triquetrous [trɪˈkwi:trәs] *a. bot.* trójkątny, o przekroju trójkątnym (*o łodydze, korzeniu*).

trireme [ˈtraɪri:m] *n. hist. żegl.* triera, trirema (= *starożytna łódź o wiosłach w trzech rzędach*).

trisect [traɪˈsekt] *v. form.* dzielić na trzy części; *geom.* dokonywać trójsekcji (*odcinka, kąta*).

trisection [traɪˈsekʃәn] *n. C/U form.* trójpodział, podział na trzy (części); *geom.* trójsekcja (*kąta*).

tristate [ˈtraɪˌsteɪt] *n. US geogr.* trzy stany, grupa trzech stanów (*sąsiadujących, zwł. tworzących region*).

trisyllabic [ˌtraɪsɪˈlæbɪk] *a. jęz.* trzysylabowy, trzyzgłoskowy.

trisyllable [traɪˈsɪlәbl] *n. jęz.* wyraz trzysylabowy, trzyzgłoskowiec.

trite [traɪt] *a.* banalny, oklepany, wyświechtany.

tritely [ˈtraɪtlɪ] *adv.* banalnie.

triteness [ˈtraɪtnәs] *n. U* banalność.

Triton [ˈtraɪtәn] *n. mit., astron.* Tryton.

triton [ˈtraɪtɑ:n] *n.* **1.** *zool.* róg trytona, tryton (*Charonia*). **2.** *fiz.* tryton (= *jądro trytu*).

tritone [ˈtraɪtoʊn] *n. muz.* tryton.

triturate [ˈtrɪtʃәˌreɪt] *form. v.* rozcierać na proszek, sproszkować. – *n. U* proszek.

triumph [ˈtraɪʌmf] *n.* triumf, tryumf (*over sb/sth* nad kimś/czymś). – *v.* triumfować, tryumfować (*over sb/sth* nad kimś/czymś).

triumphal [traɪˈʌmfl] *a. attr.* triumfalny; **~ procession** marsz zwycięstwa.

triumphal arch *n. bud.* łuk triumfalny.

triumphalism [traɪˈʌmfәˌlɪzәm] *n. U* triumfalizm.

triumphalist [traɪˈʌmfәlɪst] *a.* triumfalistyczny. – *n.* triumfalist-a/ka.

triumphant [traɪˈʌmfәnt] *a.* **1.** zwycięski (*o drużynie, armii*). **2.** triumfalny, triumfujący (*o okrzyku, uśmiechu*).

triumphantly [traɪˈʌmfәntlɪ] *adv.* **1.** triumfalnie, triumfująco. **2.** zwycięsko.

triumvir [traɪˈʌmvәr] *n. pl.* **-s** *l.* **triumviri** [traɪˈʌmvәraɪ] *gł. hist.* triumwir.

triumvirate [traɪˈʌmvәrәt] *n. gł. hist.* triumwirat.

triune [ˈtraɪju:n] *a.* **1.** *fil.* trójjedyny. **2.** *rel.* w Trójcy jedyny (*o Bogu*). – *n.* **1.** *fil.* trójjednia. **2.** (*także* **T~**) *rel.* trójca, Trójca.

trivalent [traɪˈveɪlәnt] *a. chem.* trójwartościowy.

trivet [ˈtrɪvɪt] *n.* **1.** podstawka pod garnek *l.* czajnik (*metalowa, stawiana na palniku*). **2.** *techn.* trójnóg. **3. (as) right as a ~** *emf.* zdrów jak ryba.

trivia [ˈtrɪvɪә] *n. pl.* **1.** błahostki. **2.** pytania teleturniejowe; pytania z wiedzy codziennej; **~ quiz** *zwł. Br. telew.* teleturniej (wiedzy).

trivial [ˈtrɪvɪәl] *a.* **1.** błahy; trywialny; banalny; płytki. **2.** *mat.* trywialny, zerowy (*o rozwiązaniu układu równań*).

triviality [ˌtrɪvɪˈælәtɪ] *n.* **1.** *U* błahość; trywialność; banalność; płytkość. **2.** *pl.* **-ies** błahostka, drobiazg.

trivialization [ˌtrɪvɪәlәˈzeɪʃәn], *Br. i Austr. zw.* **trivialisation** *n. U* trywializacja.

trivialize [ˈtrɪvɪәˌlaɪz], *Br. i Austr. zw.* **trivialise** *n.* trywializować (*problem, zagadnienie*).

trivial name *n. sing.* **1.** *biol., chem.* nazwa popularna. **2.** *biol.* nazwa gatunkowa.

Trivial Pursuit *n. U* 1000 pytań (*gra planszowa*).

trivium [ˈtrɪvɪәm] *n. sing. hist., szkoln.* trivium (= *gramatyka, retoryka i logika w edukacji średniowiecznej*).

triweekly [traɪˈwi:klɪ] *a.* **1.** cotrzytygodniowy. **2.** odbywający się trzy razy w tygodniu. – *adv.* **1.** co trzy tygodnie, raz na trzy tygodnie. **2.** trzy razy w tygodniu *l.* na tydzień. – *n. pl.* **-ies** *dzienn.* **1.** publikacja cotrzytygodniowa. **2.** publikacja ukazująca się trzy razy w tygodniu *l.* na tydzień.

trocar [ˈtroʊkɑ:r] *n. chir.* trokar, trójgraniec.

trochaic [troʊˈkeɪɪk] *wers. a.* trocheiczny. – *n.* **1.** trochej. **2.** wiersz trocheiczny; strofa trocheiczna.

troche [ˈtroʊki:] *n. med.* pastylka (*do ssania*).

trochee [ˈtroʊki:] *n. wers.* trochej.

trochoid [ˈtroʊkɔɪd] *n. geom.* trochoida. – *a.* **1.** *anat.* obrotowy; **~ joint** staw obrotowy. **2.** *geom.* trochoidalny.

trod [trɑ:d] *v. zob.* **tread.**

trodden [ˈtrɑ:dәn] *v. zob.* **tread.**

troglodyte [ˈtrɑ:glәˌdaɪt] *n.* **1.** *paleont.* troglodyta, jaskiniowiec. **2.** *przen.* odludek, pustelnik.

troika ['trɔɪkə] *n.* **1.** *hist.* trojka (= *zaprzęg trzykonny*). **2.** *zwł. polit.* triumwirat.

Trojan ['troʊdʒən] *a.* trojański. – *n.* **1.** Trojanin/nka, Trojańczyk. **2. work like a** ~ *emf.* harować jak wół.

Trojan Horse *a. mit., komp. l. przen.* koń trojański.

troll[1] [troʊl] *n. mit.* troll.

troll[2] *n.* **1.** *ryb.* połów na wędkę ciągnioną *l.* holowaną, troling. **2.** *ryb.* błystka. **3.** *muz.* kanon. – *v.* **1.** *ryb.* łowić na wędkę ciągnioną *l.* holowaną, łowić na troling (*coś l. gdzieś*); ciągnąć, holować (*wędkę*). **2.** obracać się, kręcić się; obracać (*czymś*). **3.** *Br. pot.* przechadzać się *l.* spacerować (po) (*czymś*). **4.** *sl.* iść na pikietę (*gdzieś; = poszukiwać partnera; gł. o homoseksualiście*).

trolley ['trɑːlɪ] *rzad.* **trolly** *n.* **1.** (*także* ~ **car**) *US i Can.* tramwaj. **2.** (*także* ~**bus**) *Br.* trolejbus. **3.** (*także US* ~ **cart**) wózek (*np. w sklepie, na lotnisku, dworcu, w samolocie, pociągu*). **4.** pantograf; *el.* odbierak drążkowy. **5.** *Br. med.* wózek (= *nosze na kółkach*). **6.** *górn., techn.* wózek; przenośnik wózkowy. **7. be off one's** ~ *Br. żart.* mieć nie po kolei w głowie.

trollop ['trɑːləp] *n. przest. obelż.* flądra (= *kobieta niechlujna l. rozwiązła*).

trolly ['trɑːlɪ] *n. pl.* **-ies** = **trolley**.

trombone [trɑːm'boʊn] *n. muz.* puzon.

trombone player *n.* (*także* **trombonist**) *muz.* puzonist-a/ka.

trommel ['trɑːml] *n. górn.* przesiewacz bębnowy.

tromp [trɑːmp] *v. US* **1.** zdeptać; nadepnąć; podeptać. **2.** tupać; stąpać ciężko. **3.** *przen.* roznieść, zmiażdżyć (*przeciwnika*).

troop [truːp] *n.* **1.** *zw. pl., wojsk.* wojska, wojsko, armia; pluton (*pancerny, zmotoryzowany l. kawalerii*); oddział; ~ **concentration/movements** koncentracja/ruchy wojsk; **airborne ~s** wojska powietrzno-desantowe; **deploy ~s** wysyłać wojska; **enemy ~s** wojska nieprzyjaciela; **ground ~s** wojska lądowe. **2.** gromada, grupa (*ludzi*); stado (*zwierząt*); grupa (*przedmiotów*). **3.** *pl.* mnóstwo (*osób, rzeczy*). **4.** drużyna (harcerska). – *v.* **1.** gromadzić się. **2.** maszerować; paradować. **3.** ~ **the colour** *Br. wojsk.* odbywać paradę (wojskową). **4.** ~ **away/off** odmaszerować; ~ **down** przemaszerować; *przen.* pofatygować się (*somewhere* gdzieś).

troop carrier *n. wojsk., mot.* transporter; transportowiec, samolot *l.* okręt; **armored** ~ transporter opancerzony.

trooper ['truːpər] *n.* **1.** *wojsk.* żołnierz (*wojsk pancernych l. kawalerii*). **2.** *hist.* kawalerzysta. **3.** (*także* **state** ~) *US* policjant/ka. **4.** *US i Austr.* policjant/ka konn-y/a. **5.** koń kawaleryjski. **6.** *Br. wojsk. pot.* transportowiec (*okręt*). **7.** *przen.* **swear like a** ~ kląć jak szewc; **sb is a (real)** ~ można na kimś polegać.

trooping the colour [ˌtruːpɪŋ ðə 'kʌlər] *n. U Br.* parada wojskowa.

troopship ['truːpˌʃɪp] *n. wojsk.* transportowiec (*okręt*).

trope [troʊp] *n. ret., teor. lit., rz.-kat.* trop.

trophic ['troʊfɪk] *a. biol., ekol.* troficzny.

trophy ['troʊfɪ] *n. pl.* **-ies** **1.** *sport, myśl., wojsk.* trofeum. **2.** ~ **wife/girlfriend** żona/dziewczyna na pokaz (*jako symbol statusu znacznie starszego partnera*).

tropic ['trɑːpɪk] *n.* **1.** *geogr., astron.* zwrotnik; **T~ of Cancer/Capricorn** Zwrotnik Raka/Koziorożca. **2. the ~s** *geogr.* strefa międzyzwrotnikowa, tropik, tropiki. – *a. attr.* zwrotnikowy, tropikalny.

tropical ['trɑːpɪkl] *a. geogr. meteor.* tropikalny, zwrotnikowy (*o obszarach, klimacie*); ~ **cyclone/storm** *meteor.* cyklon/sztorm tropikalny; ~ **diseases** *pat.* choroby tropikalne; ~ **forest** *ekol.* las tropikalny; ~ **medicine** *med.* medycyna tropikalna; ~ **rainforest** *ekol.* (tropikalny) las deszczowy, dżungla tropikalna.

tropism ['troʊpˌɪzəm] *n. U biol.* tropizm.

troposphere ['trɑːpəˌsfiːr] *n. U geogr., meteor.* troposfera.

troppo ['trɑːpoʊ] *a. gł. pred. Austr. pot.* stuknięty (= *nienormalny*).

trot [trɑːt] *v.* **-tt-** **1.** *jeźdz.* kłusować; biec kłusem. **2.** ~ **(out)** *jeźdz.* puszczać kłusem (*konia*). **3.** truchtać, biec truchtem *l.* truchcikiem. **4.** *pot.* pędzić (*zwł. gdzieś*). **5.** ~ **out** *pot.* zasłaniać się (*kimś l. czymś*); wyrecytować (*starą śpiewkę*); wyciągać z lamusa (*stary argument, pomysł*); wysyłać (*kogoś do rozwiązania trudnej sytuacji*). – *n.* **1.** *sing. jeźdz.* kłus; **at a** ~ kłusem. **2.** *sing.* trucht; **at a** ~ kłusem; truchtem; **break into a** ~ puścić się truchtem (= *zacząć biec*). **3.** *jeźdz.* przejażdżka. **4.** *US szkoln. pot.* ściąga, bryk. **5. the ~s** *pot. żart.* biegunka; **sth gave sb the ~s** ktoś dostał od czegoś biegunki. **6.** *przen.* **a quick** ~ **through sth** rzut oka na coś; **on the** ~ *Br. pot.* bez przerwy, z rzędu, po kolei; na chodzie, na nogach, w biegu (= *zajęty*).

troth [trɔːθ] *n. U arch.* **1.** przysięga, słowo; **by my** ~ daję słowo; **plight one's** ~ dać słowo; złożyć obietnicę (*zwł. = obiecać małżeństwo*). **2.** prawda; **in** ~ zaprawdę, w istocie.

Trotskyism ['trɑːtskɪˌɪzəm] *n. U polit.* trockizm.

Trotskyist ['trɑːtskɪɪst] (*także* ~**ite**) *polit. n.* trockist-a/ka. – *a.* trockistowski.

trotter ['trɑːtər] *n. jeźdz.* kłusak (*koń*).

trotters ['trɑːtərz] *n. pl. kulin.* nóżki (*wieprzowe*).

troubadour ['truːbəˌdɔːr] *n. hist.* trubadur.

trouble ['trʌbl] *n.* **1.** kłopot; trudność (*with sb / sth* z kimś/czymś); zmartwienie (*with sb / sth* z powodu kogoś/czegoś); *U* kłopoty; tarapaty; trudności; **be in** ~ mieć kłopoty, być w tarapatach; **be heading/asking for** ~ (*także* **go looking for** ~) pakować się w tarapaty; **be in** ~ **with the police/IRS** mieć kłopoty *l.* problemy z policją/urzędem skarbowym; **get/run into** ~ wpaść w kłopoty *l.* tarapaty; **get sb into** ~ narobić komuś kłopotów, wpędzić kogoś w tarapaty (*t. przest. euf. = zrobić komuś dziecko*); **have** ~ **doing sth** mieć trudności z czymś (*np. z zaśnięciem, koncentracją*); **if it's not too much** ~ jeśli to nie za duży kłopot; **in (big/deep/serious) ~** w (poważnych) kłopotach *l.* tarapatach; **(it's) no ~ (at all)!** (to) żaden kłopot!; **keep sb out of ~** pilnować, żeby ktoś nie robił głupstw; **land sb in ~** narobić komuś kłopotów; **sb/sth is no ~** ktoś nie sprawia kłopotu (*np. o dziecku, psie*); **stay out of ~** nie robić głupstw, dobrze się sprawować; **teething ~s** *przen.* początkowe trudności; **(the) ~ is...** kłopot w tym, że...; **what's the ~?** (*także* **what seems to be the ~?**) w czym kłopot?; co się stało? (*zwł. do dziecka*); *med.* co Pan-u/i dolega?. **2.** *U* trud, wysiłek; fatyga, kłopot; **go to/take a lot of ~** zadać sobie dużo trudu; **go to/take the ~ to do sth** zadać sobie trud, żeby coś zrobić; **put sb to a lot of ~** fatygować *l.* kłopotać kogoś; **save sb the ~ (of doing sth)** zaoszczędzić komuś wysiłku *l.* trudu (robienia czegoś); **save yourself the ~!** nie fatyguj się!; daruj sobie!; **sth is more ~ than it's worth** coś nie jest warte zachodu. **3.** kłopoty, dolegliwości; **stomach/heart ~** dolegliwości żołądkowe/sercowe, kłopoty żołądkowe/sercowe *l.* z żołądkiem/sercem; **what's the ~?** (*także* **what seems to be the ~?**) co Pan-u/i dolega? (*u lekarza*). **4.** *U* zamieszanie; **cause/make ~** narobić zamieszania. **5.** *U l. pl. polit.* niepokoje; zamieszki; konflikt; **cause/make ~** wywoływać niepokoje; **get into ~ with the law/police** wejść w konflikt z prawem. **6.** *techn., mech.* awaria, uszkodzenie, defekt; niedomaganie. – *v.* **1.** martwić (*kogoś; o problemach, sytuacji*). **2.** *zwł. form.* trudzić, kłopotać; niepokoić; prosić; **may/can I ~ you to.../for...** czy mogę prosić o...; **may I ~ you to open the window?** czy mogę prosić o otwarcie okna?; **may I ~ you for salt?** czy był-by/aby Pan/i uprzejm-y/a podać sól?; **sorry to ~ you, but...** najmocniej przepraszam,... **3.** *zw. pass.* nękać (*o dolegliwościach*). **4.** *zw. z neg.* zadawać sobie trud, trudzić się; **he didn't even ~ to call** nawet nie zadał sobie trudu, żeby zadzwonić; **without troubling to...** nie próbując nawet... **5. ~ o.s. about sth** zawracać sobie czymś głowę, przejmować się czymś. **6.** wzburzać, mącić (*wodę*).

troubled [ˈtrʌbld] *a.* **1.** zmartwiony, stroskany; zaniepokojony. **2.** *attr.* trudny (*o czasach, okresie*); burzliwy (*o przeszłości, okresie*). **3.** *polit.* targany konfliktami (*o regionie*). **4.** *t. psych.* niezrównoważony; zaburzony (*o osobowości, psychice*). **5.** wzburzony (*o morzu*); wartki (*o wodzie w rzece*). **6.** *pred.* **~ by sth** nękany czymś (*chorobami, dolegliwościami*); borykający się z czymś (*np. z trudnościami finansowymi*). **7. pour oil on ~ waters** *zob.* **oil** *n.*

trouble-free [ˌtrʌblˈfriː] *a.* bezproblemowy (*np. o podróży, negocjacjach*); bezawaryjny (*np. o działaniu urządzenia, eksploatacji*); beztroski (*o życiu*).

troublemaker [ˈtrʌblˌmeɪkər] *n.* wichrzyciel/ka, mąciciel/ka; awanturni-k/ca.

troubleshoot [ˈtrʌblˌʃuːt] *v.* **-shot, -shot** dokonywać analizy (*problemu, konfliktu*); badać, analizować (*problem*); diagnozować (*problem, urządzenie*).

troubleshooter [ˈtrʌblˌʃuːtər] *n.* **1.** specjaln-y/a konsultant/ka, ekspert (*od rozwiązywania nietypowych problemów; zwł. w firmie, organizacji*). **2.** *polit.* mediator/ka; specjaln-y/a wysłanni-k/czka.

troubleshooting [ˈtrʌblˌʃuːtɪŋ] *n. U* rozwiązywanie problemów; *techn.* diagnozowanie i usuwanie usterek; *komp.* testowanie, usuwanie błędów (*w programie*).

troublesome [ˈtrʌblsəm] *a.* kłopotliwy, sprawiający trudność *l.* trudności (*o zadaniu*); nieznośny (*o dziecku*); dokuczliwy (*o dolegliwości*).

trouble spot *n.* **1.** *polit.* punkt zapalny, ognisko zapalne. **2.** miejsce potencjalnie niebezpieczne. **3.** *mot.* miejsce, w którym występuje *l.* wystąpiło utrudnienie w ruchu.

trough [trɔːf] *n.* **1.** (*także* **feeding ~**) koryto; żłób; (*także* **drinking/watering ~**) poidło. **2.** *geogr.* niecka; rynna; koryto. **3.** *geol.* łęk, synklina. **4.** *techn.* koryto; *t. bud.* rynna. **5.** *żegl., fiz.* dolina fali (*morskiej, elektromagnetycznej*). **6.** *meteor.* bruzda; (*także* **a ~ of low pressure**) klin niżowy, niż. **7.** dołek (*psychiczny*). **8.** *ekon.* dno (*cyklu koniunkturalnego*). **9.** *przen.* **get one's snout in the ~** *zwł. polit.* dorwać się do koryta *l.* żłobu; **feed at the public ~** *US polit.* czerpać zyski z publicznej kasy.

trounce [traʊns] *v.* **1.** *zwł. pot.* rozgromić (*przeciwnika, rywala*). **2.** *przest.* porachować kości (*komuś*).

troupe [truːp] *zwł. teatr n.* trupa (*aktorów, cyrkowców*). – *v.* podróżować z trupą.

trouper [ˈtruːpər] *n.* **1.** człon-ek/kini trupy. **2.** wypróbowan-y/a (współ)pracowni-k/ca. **3.** *teatr* weteran/ka sceny.

trouser [ˈtraʊzər] *a. attr.* **1.** od spodni; w spodniach; **~ button** guzik od spodni; **~ pocket** kieszeń spodni *l.* w spodniach. **2.** do spodni; **~ press** prasownica do spodni. **3. ~ leg** nogawka.

trousers [ˈtraʊzərz] *n. pl. zwł. Br.* **1.** spodnie; **pair of ~** para spodni; **short ~** krótkie spodenki, szorty. **2.** *przen.* **catch sb with their ~ down** *pot.* zaskoczyć kogoś w najbardziej nieodpowiednim momencie; **wear the ~** *pot.* nosić spodnie (= *rządzić w rodzinie; zwł. o kobiecie*).

trouser suit *n. Br.* kostium ze spodniami (*damski*).

trousseau [truːˈsoʊ] *n. pl.* **-s** *l.* **trousseaux** *przest.* wyprawa (*panny młodej*).

trout [traʊt] *n.* **1.** *pl.* **-s** *l.* **trout** *icht.* pstrąg (*Salmo*). **2. old ~** *Br. pot. obelż.* stara wiedźma *l.* jędza.

trove [ˈtroʊv] *n.* = **treasure trove**.

trow [troʊ] *v. arch.* mniemać.

trowel [ˈtraʊəl] *n.* **1.** *bud.* kielnia. **2.** *ogr.* łopatka (ogrodnicza). **3. lay it on with a ~** *zob.* **lay**[2] *v.* – *v. Br.* **-ll- 1.** *bud.* nakładać kielnią (*tynk, zaprawę*); obrzucać (*ścianę*); wyrównywać (kielnią) (*ścianę*). **2.** *ogr.* kopać (łopatką).

Troy [trɔɪ] *n. hist.* Troja.

troy [trɔɪ] *jubilerstwo n.* (*także* **~ weight**) układ troy. – *a. attr.* w układzie troy.

truancy [ˈtruːənsɪ] *n. szkoln.* **1.** *U* absencja; wagary. **2.** *pl.* **-ies** nieobecność (nieusprawiedliwiona).

truant [ˈtruːənt] *n.* **1.** *szkoln.* wagarowicz/ka,

ucze-ń/nnica opuszczając-y/a lekcje. **2.** *przest.* miglanc, obibok. – *a.* **1.** *szkoln.* opuszczający lekcje, wagarujący, chodzący na wagary; na wagarach (*o uczniu*); **play ~** *Br.* wagarować, chodzić na wagary, opuszczać lekcje. **2.** *przest.* obijający się (*o pracowniku*). – *v.* **1.** *szkoln.* wagarować, chodzić na wagary, opuszczać lekcje. **2.** *przen.* obijać się.

truce [truːs] *n. polit. l. przen.* rozejm; zawieszenie broni; **call a ~** ogłosić zawieszenie broni; zawrzeć rozejm.

truck[1] [trʌk] *n.* **1.** *gł. US i Can. mot.* ciężarówka, samochód ciężarowy; tir. **2.** *Br. kol.* platforma, wagon-platforma, wagon towarowy (wózkowy). **3.** wózek (*t. ręczny, bagażowy*). **4.** *kol.* wózek, zestaw kołowy (*wagonu*). **5.** truck (= *zespół kół deskorolki*). **6.** *żegl.* jabłko (= *krążek prowadzący na topie masztu*). – *v.* **1.** transportować (*tirami*); przewozić (*ciężarówką, wózkiem*). **2.** *gł. US i Can. pot.* pracować jako kierowca (ciężarówki *l.* tira); prowadzić ciężarówkę. **3.** *przen. pot.* kulać się (= *jechać l. iść, zwł. powoli*); **get ~ing** ruszyć się (= *wyjść l. wyjechać*); **keep on ~ing** nie poddawać się.

truck[2] *n. U* **1.** *pot.* konszachty; **have no ~ with sb** nie (chcieć) mieć nic wspólnego *l.* nic do czynienia z kimś. **2.** *US* warzywa i owoce. **3.** *handl.* drobne towary. **4.** *ekon.* wymiana towarowa. **5.** *pot.* graty, manele. **6.** *handl.* zapłata w naturze. – *v.* **1.** wymieniać się, handlować (*czymś*). **2.** utrzymywać konszachty (z) (*kimś*).

truckage [ˈtrʌkɪdʒ] *n.* **1.** *U* przewóz *l.* transport (samochodowy *l.* drogowy). **2.** przewoźne, opłata przewozowa.

truck driver *n. mot.* kierowca ciężarówki *l.* tira.

trucker [ˈtrʌkər] *n. gł. US i Can.* **1.** = **truck driver**. **2.** przedsiębiorstwo przewozowe *l.* transportowe. **3.** = **truck farmer**.

truck farm *n. US i Can. roln., ogr.* gospodarstwo owocowo-warzywne *l.* warzywne *l.* warzywnicze.

truck farmer *n. roln., ogr.* hodowca warzyw (i owoców); ogrodnik.

trucking [ˈtrʌkɪŋ] *n. U* transport samochodowy *l.* drogowy.

trucking company *n. U* przedsiębiorstwo przewozowe *l.* transportowe.

truckle[1] [ˈtrʌkl] *v. przest.* **~ to sb** zgadzać się potulnie z kimś; **~ to sth** zgadzać się potulnie na coś, przyjmować coś potulnie.

truckle[2] *n.* **1.** kółko (*u mebla*). **2.** *kulin.* krąg sera.

truckle bed *n. Br.* = **trundle bed**.

truckload [ˌtrʌkˈloʊd] *n.* (pełna) ciężarówka (*czegoś*).

truculence [ˈtrʌkjələns] *rzad.* **truculency** *n. U* zaczepność, zadziorność; wojowniczość.

truculent [ˈtrʌkjələnt] *a. U* zaczepny, zadziorny; wojowniczy.

truculently [ˈtrʌkjələntlɪ] *adv.* zaczepnie, zadziornie; wojowniczo.

trudge [trʌdʒ] *v.* wlec się; brnąć; iść powłócząc nogami; **~ home/up the stairs** powlec się do domu/na górę; **~ through the snow** brnąć przez zaspy. – *n. sing.* ciężki *l.* męczący marsz.

true [truː] *a.* **1.** prawdziwy (*np. o historii, uczuciach, miłości, przyjacielu*). **2.** wierny (*to sb / sth* komuś/czemuś). **3.** *fiz., techn.* rzeczywisty (*o wartości*). **4.** *pred. bud.* prosty, równy (*zwł. = poziomy l. pionowy*); **be ~** trzymać poziom; trzymać poziom (*o podłodze / ścianie*). **5.** *muz.* czysty (*o stroju, dźwięku, głosie*). **6.** *lit.* szczery, uczciwy (*o sercu, zamiarach*). **7.** **~, but...** to prawda, ale...; **~ nature** prawdziwa natura; rzeczywisty charakter; **~ owner** prawowit-y/a właściciel/ka; **~ to sth** zgodny z czymś; **~ to form/type,...** (tak) jak zwykle,...; **~ to life** realistyczny (*np. o opisie, opowiadaniu*); **be ~ to life** wiernie oddawać *l.* odzwierciedlać rzeczywistość; **~ to one's word** zgodnie z obietnicą; **be ~ to one's word** dotrzymać słowa; **be ~ to one's beliefs/principles** pozostawać wiernym swoim poglądom/zasadom; **be ~ to o.s.** pozostawać *l.* żyć w zgodzie z samym sobą; **come ~** spełniać się, ziszczać się (*o marzeniach, życzeniach*); sprawdzać się, stawać się faktem *l.* rzeczywistością (*o przepowiedni, przypuszczeniach*); **a dream come ~** spełnienie marzeń; **hold ~ for sb/sth** (*także* **be ~ of sb/sth**) odnosić się do *l.* dotyczyć kogoś/czegoś, mieć miejsce w przypadku kogoś/czegoś; **it's true that...** to prawda, że..., prawdą jest, że...; **it's not true that...** to nieprawda, że..., nieprawdą jest, że *l.* jakoby...; **it's only (too) ~ that...** prawdą jest (niestety), że..., to (niestety) prawda, że...; **sb's aim is ~** ktoś celnie rzuca *l.* strzela; **(show one's) ~ colors** (ukazać swoje) prawdziwe oblicze; **there's many a ~ word spoken in jest** w każdym żarcie jest trochę prawdy; **(this is) too good to be ~** (to) zbyt piękne, żeby mogło być prawdziwe; **turn out to be ~** okazać się prawdą *l.* prawdziwym. – *adv.* **1.** prosto (*np. lecieć, jechać*); dokładnie (*np. trafić*). **2.** *przest.* szczerze (*powiedzieć*). **3.** *biol.* czysto (*rozmnażać się*). – *v.* **~ (up)** poprawiać, prostować (*np. framugę, obraz na ścianie*); *bud.* poziomować (*podłogę*); pionować (*ścianę*). – *n. U* **1.** **in ~** prosty, równy; prosto, równo; **out of ~** krzywy, nierówny; krzywo, nierówno. **2.** *t. log.* prawda.

true bill *n. gł. US prawn.* akt oskarżenia zatwierdzony przez sąd przysięgłych.

true-blue [ˌtruːˈbluː] *a.* **1.** *US* oddany (*o przyjacielu*). **2.** *Br. polit. pot.* bezkrytycznie oddany; bezkrytyczny; **~ Tory/Conservative** konserwatyst-a/ka z krwi i kości.

true-born [ˌtruːˈbɔːrn] *a. gł. attr.* z krwi i kości; czystej krwi; **~ aristocrat** arystokrat-a/ka z krwi i kości; **~ Russian** czystej krwi Rosjan-in/ka.

true-false test [ˌtruːˈfɔːls ˌtest] *n. szkoln.* test wyboru (*w którym do wyboru są tylko dwie odpowiedzi, tak lub nie*).

true-hearted [ˌtruːˈhɑːrtɪd] *a. lit.* oddany.

true-life [ˌtruːˈlaɪf] *a. attr.* z życia wzięty, oparty na faktach (*o fabule, opowieści*).

truelove [ˈtruːˌlʌv] *n. poet.* ukochan-y/a.

truelove knot *n.* (*także* **true lovers' knot**) podwójny węzeł (*symbol nierozerwalnej miłości*).

true north *n. U geogr.* północ geograficzna.

true rib *n. anat.* żebro prawdziwe.

truffle ['trʌfl] *n. kulin.* **1.** *bot.* trufla (*Tuber*). **2.** *zwł. Br.* trufla (*wyrób czekoladowy*).

trug [trʌg] *n. Br. ogr.* kosz, kobiałka.

truism ['tru:ˌɪzəm] *n. form.* truizm, komunał, banał.

truly ['tru:lɪ] *adv.* **1.** naprawdę; doprawdy; **I am ~ sorry** *form.* jest mi naprawdę przykro; **really and ~** *emf.* naprawdę; **well and ~** na dobre, z kretesem; **yours ~** *form.* z poważaniem (*w podpisie listu*); *żart.* mówiąc-y/a te słowa, moja skromna osoba. **2.** prawdziwie, zgodnie z prawdą (*np. opisywać, przedstawiać*).

trump[1] [trʌmp] *n.* **1.** *karty* (*także* **~ card**) karta atutowa, atut, atu; (*także* **~ suit, ~s**) kolor atutowy, atut, atu; **have ~(s)** być atutem (*o kolorze*); **no ~(s)** bez atu. **2.** *przen.* (*także* **~ card**) as atutowy; **come up/turn up ~s** *Br.* rozwiązać problem (*zwł. nieoczekiwanie*), znaleźć (dobre) rozwiązanie; **play one's ~ card** wyciągnąć asa z rękawa. **3.** *przen. pot.* w porządku gość (= *ktoś godny zaufania*). – *v.* **1.** *karty* bić *l.* przebijać atutem (*kartę*); przebijać atutem (*przeciwnika*). **2.** *przen.* przebijać, pokonywać, przewyższać (*kogoś*). **3. ~ up** spreparować, sfabrykować, sfałszować (*np. zarzuty, dowody*).

trump[2] *n. arch. l. lit.* trąba; *U* trąby, trąbienie (*dźwięk*).

trumped-up [ˌtrʌmpt'ʌp] *a. zwł. attr.* spreparowany, sfabrykowany, sfałszowany (*o zarzutach, dowodach, oskarżeniu*); **arrested on ~ charges** aresztowany na podstawie spreparowanych zarzutów.

trumpery ['trʌmpərɪ] *przest. l. lit. a.* lichy. – *n. pl.* **-ies 1.** tandeta, lichota; blichtr. **2.** *U* androny, brednie. **3.** *U* matactwa.

trumpet ['trʌmpət] *n.* **1.** *muz., anat.* trąbka. **2.** *sing.* trąbienie (*t. słoni*). **3. blow one's own ~** *zob.* **blow** *v.* – *v.* trąbić (= *rozgłaszać; t. lit. trąbką; t. trąbą: o słoniu*); trąbić o (*czymś*); roztrąbić (*coś*).

trumpet creeper *n. bot.* milin amerykański (*Campsis radicans*).

trumpeter ['trʌmpətər] *n.* **1.** *muz.* trębacz/ka. **2.** *orn.* gruchacz (*Psophidae*). **3.** *orn.* perukarz (*gołąb hodowlany*).

trumpet flower *n. bot.* milin amerykański (*Campsis radicans l. podobna roślina l. kwiat*).

truncate ['trʌŋˌkeɪt] *v. gł. form.* skracać, przycinać (*t. tekst*); obcinać (*t. mat. – miejsca w ułamku dziesiętnym*); ścinać. – *a. zwł. bot.* ścięty (*o liściu*).

truncated ['trʌŋkeɪtɪd] *a.* **1.** skrócony; przycięty; *gł. geom.* ścięty (*o stożku, ostrosłupie; t. o krysztale*). **2.** *wers.* niepełny (*o układzie rytmicznym wiersza*).

truncation [trʌŋ'keɪʃən] *n. U gł. form.* skrócenie; obcięcie; ścięcie.

truncheon ['trʌntʃən] *n.* **1.** *gł. Br.* pałka (*policjanta*). **2.** buława. **3.** trzonek (*włóczni*). – *v.* okładać *l.* bić pałką.

trundle ['trʌndl] *v.* **1.** toczyć się (*o wozie, kole, zwł. powoli*). **2.** toczyć, popychać, pchać (*wózek, zwł. powoli i z trudem*). **3. ~ along** wlec się; **~ by** przetoczyć się (obok); **~ on** wlec się (*t. przen. np. o negocjacjach, rozmowach*); **~ out** wywlekać, wyciągać z lamusa (*np. stare filmy, programy*). – *n.* **1.** rolka, kółko. **2.** toczenie (się). **3.** wózek. **4.** *gł. US* = **trundle bed**.

trundle bed *a. US* dostawka (na kółkach), łóżko polowe (na kółkach) (*dla gości, wsuwane pod duże łóżko*).

trundler ['trʌndlər] *n. zwł. dial.* wózek (*na zakupy, spacerowy dziecięcy, na sprzęt do golfa*).

trunk [trʌŋk] *n.* **1.** (*także* **tree ~**) pień (*drzewa*). **2.** *US i Can. mot.* bagażnik. **3.** *anat.* tułów, tors, korpus. **4.** *zool.* trąba (*słonia*). **5.** kufer. **6.** *bud.* trzon (*kolumny*). **7.** trzon, oś (*sieci transportowej, energetycznej*). **8.** *anat.* pień (*nerwu, tętnicy*); **brain ~** pień mózgu. **9.** *techn.* szyna, magistrala. **10.** *bud.* przewód; pion (*wentylacyjny, rurowy*). **11.** *żegl.* część pokładowa kabiny. **12.** *pl. zob.* **trunks**.

trunk call *n. Br. przest. tel.* rozmowa zamiejscowa *l.* międzymiastowa.

trunk hose *n. strój hist.* pludry.

trunk road *n. Br. mot.* droga główna, magistrala.

trunks [trʌŋks] *n. pl.* (*także* **swimming ~**) kąpielówki, spodenki kąpielowe.

trunnel ['trʌnl] *n. stol.* kołek.

trunnion ['trʌnɪən] *n. mech.* czop.

truss [trʌs] *v.* **1. ~ (up)** wiązać, związywać, krępować (*kogoś*). **2.** *kulin.* podwiązywać, związywać (*drób do pieczenia*). **3.** *bud.* wspierać (*konstrukcję*). **4.** *med.* podtrzymywać (*przepuklinę pasem*). – *n.* **1.** *med.* pas przepuklinowy. **2.** *bud.* dźwigar (kratowy); kratownica (*mostu*); konstrukcja nośna; więźba (*dachowa*); wiązar, jętka (*dachu*). **3.** *żegl.* więźba (*rei*). **4.** *bot.* pęk (*kwiatów, owoców*). **5.** *roln.* snopek (*siana*).

truss bridge *n. bud.* most kratowy.

trust [trʌst] *n.* **1.** *U* zaufanie (*in sb / sth* do kogoś/czegoś); ufność, wiara (*in sth* w coś); **betray/gain sb's ~** zdradzić/zyskać czyjeś zaufanie; **breach of ~** nadużycie zaufania; **put/place one's ~ in sb/sth** pokładać w kimś/czymś zaufanie; **position of ~** odpowiedzialne stanowisko; **take sth on ~** uwierzyć w coś na słowo, przyjąć coś na wiarę. **2.** *U prawn.* powiernictwo, zarząd powierniczy; **hold sth in ~** zarządzać czymś w zastępstwie (*majątkiem*). **3.** *fin.* fundacja (*dobroczynna*). **4.** *U* przechowanie; opieka; **leave sth in sb's ~** zostawić coś pod czyjąś opieką, zostawić coś komuś na przechowanie. **5.** *U* depozyt. **6.** *zwł. US ekon.* trust. **7.** *U fin.* kredyt; **on ~** na kredyt. – *v.* **1.** ufać, wierzyć (*komuś l. czemuś*); zdawać się na (*kogoś l. coś*); polegać na (*kimś l. czymś*); **~ sb to do sth** ufać *l.* wierzyć, że ktoś coś zrobi; **I ~ (that)...** *form.* ufam, że..., mam nadzieję, że...; **sb is not to be ~ed** nie można komuś ufać *l.* wierzyć. **2.** *pot.* **~ him/you to...** można się (było) po nim/tobie spodziewać, że...; **I wouldn't ~ him/her as far as/(any) further than I could throw him/her** (*także Br.* **I wouldn't ~ him/her an inch**) nie mam do niego/niej za grosz zaufania. **3. ~ in sb** *zwł. form.* pokładać w kimś zaufanie, darzyć kogoś zaufaniem; **~ in sth** *zwł. form.* wierzyć *l.*

ufać w coś; ~ **to luck/chance/fate** zdawać się na los (szczęścia); ~ **sb with sth** powierzyć *l.* zawierzyć komuś coś.

trustbuster [ˈtrʌstˌbʌstər] *n. pot.* urzędnik antymonopolowy; urząd antymonopolowy.

trustbusting [ˈtrʌstˌbʌstɪŋ] *n. U pot.* działania antymonopolowe (*administracyjne*).

trust company *n. pl.* **-ies** *fin.* bank powierniczy; spółka powiernicza.

trust deed *n. prawn.* umowa powiernicza.

trusted [ˈtrʌstɪd] *a. gł. attr.* zaufany (*o współpracowniku, wspólniku*); ~ **friend** blisk-i/a *l.* zaufan-y/a przyjaci-el/ółka; **tried and** ~ *zob.* **tried** *a.*

trustee [ˌtrʌˈstiː] *n. zwł. prawn.* **1.** zarządca, administrator (*majątku*); kurator; syndyk (masy upadłościowej); powiernik. **2.** człon-ek/kini zarządu *l.* rady zarządzającej (*instytucji, organizacji*). **3.** *polit.* państwo powiernicze (*zarządzające terytorium podległym*).

trusteeship [ˌtrʌˈstiːˌʃɪp] *n.* **1.** *prawn., polit.* zarząd powierniczy. **2.** ~ **agreement** *polit.* układ powierniczy.

trustful [ˈtrʌstfʊl] *a.* ufny.

trustfully [ˈtrʌstfʊlɪ] *adv.* z ufnością, ufnie.

trustfulness [ˈtrʌstfʊlnəs] *n. U* ufność.

trust fund *n. fin.* majątek *l.* fundusz powierniczy.

trusting [ˈtrʌstɪŋ] *a.* ufny.

trust territory *n. pl.* **-ies** *polit.* obszar powierniczy.

trustworthiness [ˈtrʌstˌwɜːðɪnəs] *n. U* spolegliwość.

trustworthy [ˈtrʌstˌwɜːðɪ] *a.* godny zaufania, spolegliwy.

trusty [ˈtrʌstɪ] *a. attr.* **-ier, -iest** *przest. l. żart.* stary dobry, wierny (*np. o samochodzie, psie*). – *n. pl.* **-ies** więzień nadzorca.

truth [truːθ] *n. C/U* prawda (*about sb/sth* o kimś/czymś); prawdziwość (*of sth* czegoś); ~ **will prevail** *form.* prawda zwycięży; **a grain of** ~ ziarno prawdy; **get to the** ~ dotrzeć do *l.* dociec prawdy, odkryć prawdę; **gospel** ~ święta prawda; **home ~s** gorzkie prawdy; **if (the) ~ be known/told,...** prawdę mówiąc,...; **in (all)** ~ *przest. l. form.* w rzeczywistości; **it's the** ~ to prawda; **moment of** ~ *zob.* **moment; nothing could be further from the** ~ nic podobnego, wręcz przeciwnie; **tell the** ~ mówić prawdę; **the ~ of the matter (is that...)** *zob.* **matter** *n.*; **the ~, the whole ~, and nothing but the** ~ prawdę, całą prawdę, i tylko prawdę (*w przysiędze sądowej*); **the ~ will out** *przest.* prawda wyjdzie na wierzch *l.* na jaw; **the greater the ~, the greater the libel** prawda w oczy kole; **to tell (you) the ~,...** (*także form.* ~ **to tell**) prawdę mówiąc,...

truth condition, truth-condition *n. log.* warunek prawdziwościowy.

truth-conditional [ˈtruːθkənˌdɪʃənl] *a. log., jęz.* prawdziwościowy (*o funkcji, teorii znaczenia*).

truth drug *n. C/U Br.* eliksir prawdy.

truthful [ˈtruːθfʊl] *a.* **1.** prawdomówny (*o osobie*). **2.** prawdziwy (*o stwierdzeniu*). **3.** szczery (*o wypowiedzi*).

truthfully [ˈtruːθfʊlɪ] *adv.* zgodnie z prawdą.

truthfulness [ˈtruːθfʊlnəs] *n.* **1.** prawdomówność (*osoby*). **2.** prawdziwość (*wypowiedzi*).

truthless [ˈtruːθləs] *a. form.* **1.** nieprawdziwy, niezgodny z prawdą. **2.** niewierny. **3.** niesłowny.

truth serum *n. C/U US* eliksir prawdy.

try [traɪ] *v.* **-ied, -ying 1.** próbować (*t. czegoś*); ~ **to do sth** (*także Br. i Austr. pot.* **and do sth**) próbować coś zrobić; ~ **doing sth** próbować coś zrobić, próbować czegoś (*zwł. żeby osiągnąć określony cel*). **2.** wypróbowywać, testować (*sth on sth/sb* coś na czymś/kimś). **3.** starać się. **4.** próbować, kosztować (*potrawy, napoju*). **5.** *zwł. pass. prawn.* sądzić (*sprawę, oskarżonego*); **he was tried for murder** był sądzony w procesie o zabójstwo, miał proces o zabójstwo. **6.** wystawiać na próbę (*np. czyjąś cierpliwość, nerwy*). **7.** ~ **and** ~ wciąż próbować, nie ustawać w wysiłkach; ~ **as I/you/we might** pomimo wysiłków; ~ **hard/desperately** bardzo/rozpaczliwie się starać; ~ **one's hand at sth** popróbować swoich sił w czymś; ~ **one's luck** spróbować szczęścia (*at sth* w czymś); ~ **sb** spróbować zapytać *l.* poprosić kogoś; ~ **something new/different** spróbować czegoś nowego/innego; ~ **sth (***US* **on) for size** przymierzać coś; *przen.* sprawdzać, czy coś nam odpowiada; ~ **the door/window/lock/drawer** próbować otworzyć drzwi/okno/zamek/szufladę; **it's enough to ~ the patience of a saint** nawet święty by tego nie wytrzymał; **not for lack/want of ~ing** nie z (powodu) braku starań, nie z powodu lenistwa; **sb tried their best/hardest** ktoś starał się, jak mógł; **sb couldn't do sth if they tried** ktoś nie ma do czegoś ręki. **8.** ~ **for sth** *Br.* ubiegać *l.* starać się o coś (*np. o posadę, rolę*); ~ **on** przymierzać (*np. sukienkę*); ~ **it on** *Br.* próbować, na ile można sobie pozwolić; ~ **it on with sb** *Br.* wyczuwać *l.* testować kogoś, próbować na kimś swoich sztuczek; ~ **out** wypróbowywać, testować (*sth on sb/sth* coś na kimś/czymś); ~ **out for sth** *US* ubiegać *l.* starać się o coś (*np. o miejsce w drużynie, rolę filmową*). – *n. pl.* **-ies 1.** *gł. sing.* próba; **have a ~ at sth** (*także* **give sth a ~**) spróbować czegoś *l.* coś zrobić; **give it a ~!** spróbuj!; **give sb a ~** dać komuś szansę; **it's worth a ~** warto *l.* nie zaszkodzi spróbować. **2.** *rugby* przyłożenie (*w polu punktowym przeciwnika*).

trying [ˈtraɪɪŋ] *a.* męczący, uciążliwy; przykry (*o czynności*); irytujący, denerwujący (*o osobie*).

tryout [ˈtraɪˌaʊt] *n. US* **1.** *film, teatr* przesłuchanie (*do roli*); *sport* test kwalifikacyjny, kwalifikacja. **2.** *teatr* próba.

try-out [ˈtraɪˌaʊt] *n. Br.* okres próbny, próba.

trypan blue [ˌtrɪpən ˈbluː] *n. U chem., biol.* błękit trypanowy.

trypsin [ˈtrɪpsɪn] *n. U biochem.* trypsyna.

trysail [ˈtraɪˌseɪl] *n. żegl.* trajsel.

try square *n.* kątownik.

tryst [trɪst] *arch. l. żart. n.* **1.** schadzka. **2.** miejsce schadzki. – *v.* spotykać się potajemnie (*zwł. o kochankach*).

tsaddik [ˈtsɑːdɪk] *n. pl.* **tsaddik** *l.* **tsaddikim** [tsɑːˈdɪkɪm] *t. rel.* = **tzaddik.**

tsar [zɑːr], **tzar** *n.* = **czar.**

tsardom [ˈzɑːrdəm] *n.* = **czardom.**

tsarevitch [ˈzɑ:rəvɪtʃ] *n.* = **czarevitch**.
tsarevna [zɑ:ˈrevnə] *n.* = **czarevna**.
tsarina [zɑ:ˈri:nə] *n.* = **czarina**.
tsarism [ˈzɑ:rˌɪzəm] *n.* = **czarism**.
tsarist [ˈzɑ:rɪst] *a. i n.* = **czarist**.
tsetse fly [ˈtetsɪ ˌflaɪ], **tzetze fly** *n. pl.* **-ies** *ent.* mucha tse-tse (*rodzaj Glossina*).
T-shirt [ˈti:ˌʃɜ:t], **tee shirt** *n.* koszulka z krótkim rękawem, t-shirt.
tsimmes [ˈtsɪmɪs] *n.* = **tzimmes**.
tsk [tsk], **tsk tsk** *int. przest.* = **tut(-tut)**.
tsp. *abbr.* = **teaspoon**.
T-square [ˈti:ˌskwer] *n.* przykładnica.
tsunami [tsʊˈnɑ:mɪ] *n. meteor.* tsunami.
TT [ˌti: ˈti:] *abbr.* **1.** = **teetotal**; = **teetotaller**. **2. telegraphic transfer** przekaz telegraficzny (*pieniężny*).
t-test [ˈti:ˌtest] *n. stat.* test Studenta.
TTL [ˌti: ˌti: ˈel] *abbr.* **1. transistor-transistor logic** *el.* układ TTL. **2. through-the-lens** *fot.* TTL (= *z pomiarem światła przez obiektyw*).
TU [ˌti: ˈju:] *abbr.* = **trade union**.
Tu, Tu. *abbr.* = **Tuesday**.
tub [tʌb] *n.* **1.** pudełko (*np. margaryny, lodów*); kubek (*np. jogurtu*). **2.** balia. **3.** (*także* **bathtub**) *US* wanna. **4.** *pot.* kąpiel. **5.** *żegl. żart.* balia (= *powolna l. niezgrabna jednostka*). **6.** *US pot.* baryłka, grubasek. **7.** *techn.* kadź. **8.** *górn.* wózek. – *v.* **-bb- 1.** *pot.* kąpać (się). **2.** pakować (*np. margarynę, lody*).
tuba [ˈtu:bə] *n. muz.* tuba.
tubal [ˈtu:bl] *a.* **1.** *form.* rurkowy, rurkowaty. **2.** *anat., med.* jajowodowy.
tubal ligation *n. C/U chir.* podwiązanie jajowodów.
tubby [ˈtʌbɪ] *a.* **-ier, -iest** *pot. czas. obelż.* okrąglutki, pulchniutki, tłuściutki.
tube [tu:b] *n.* **1.** rura (*wodociągowa, gazowa*); rurka; przewód (*hydrauliczny, gazowy, kroplówki*). **2.** tubka (*z pastą, kremem*); tuba (= *duża tubka*). **3.** *U* **the** ~ *Br.* metro (*londyńskie*); **by** ~ (*także* **on the** ~) metrem. **4.** *anat.* przewód, kanalik, cewka; **bronchial ~s** oskrzela; **Eustachian** ~ trąbka słuchowa; **fallopian ~s** jajowody; **have one's ~s tied** *pot.* dać sobie podwiązać jajowody. **5.** *US telew., el.* kineskop, lampa obrazowa *l.* kineskopowa. **6.** (*także* **inner** ~) dętka. **7.** *US przest. el.* lampa (elektronowa). **8.** *muz.* rezonator, tuba (*instrumentu dętego*). **9.** *pot.* **go down the ~(s)** *zob.* **down** *prep.*; **the** ~ *gł. US* telewizja, telewizor; **the boob** ~ ogłupiacz (= *telewizor*). – *v.* **1.** pakować (w tubki) (*pastę*). **2.** wyposażać *l.* zaopatrywać w rurkę *l.* rurę.
tubectomy [tu:ˈbektəmɪ] *n. C/U pl.* **-ies** *chir.* wycięcie jajowodu.
tubeless [ˈtu:bləs] *a. zwł. mot.* bezdętkowy (*o oponie*).
tuber [ˈtu:bər] *n.* **1.** *bot.* bulwa. **2.** *anat.* guz.
tubercle [ˈtu:bərkl] *n.* **1.** *anat., biol.* guzek. **2.** *pat.* gruzełek (gruźliczy).
tubercle bacillus *n. pl.* **-bacilli** *pat., biol.* prątek gruźlicy.
tubercular [tʊˈbɜ:kjələr] *a.* (*także* **tuberculous**) **1.** *pat.* gruźliczy. **2.** *anat.* guzkowy. **3.** *pat.* gruzełkowaty.
tuberculate [tʊˈbɜ:kjələt] *a. anat.* guzkowaty.
tuberculosis [tʊˌbɜ:kjəˈloʊsɪs] *n. U pat.* gruźlica.
tuberculous [tʊˈbɜ:kjələs] *a. pat., anat.* = **tubercular**.
tuberose[1] [ˈtu:bəˌroʊs] *n. bot.* tuberoza (*Polianthes tuberosa*).
tuberose[2] [ˈtu:bərəs] *a.* = **tuberous**.
tuberous [ˈtu:bərəs] *a.* **1.** *bot.* bulwiasty. **2.** *anat., biol.* guzowaty.
tube top *n. US pot.* obcisła bluzka bez ramion.
tubing [ˈtu:bɪŋ] *n. U* **1.** rura, rury; rurka, rurki; przewód rurowy, przewody rurowe; instalacja (rurowa); rurociąg. **2.** lamówka (*przy ubraniu*).
tub-thumper [ˈtʌbˌθʌmpər] *n. pot. pog.* awanturni-k/ca.
tub-thumping [ˈtʌbˌθʌmpɪŋ] *pot. a. attr.* bezceremonialny, agresywny, napastliwy (*o wypowiedzi, tonie, osobie*). – *n. U* awanturnictwo.
tubular [ˈtu:bjələr] *a.* **1.** wykonany z rurek *l.* rur (*o przewodzie*). **2.** rurkowaty; okrągły w przekroju; okrągły (*o nogach stołu, przewodzie*). **3.** *US pot.* zabójczy (= *fajny*).
tubular bells *n. pl. muz.* dzwony rurowe.
tubular steel *n. U* rury stalowe.
tubulate [ˈtu:bjəˌleɪt] *a. form.* rurkowaty.
tubule [ˈtu:bju:l] *n. biol., anat.* kanalik, cewka, przewód.
tubulous [ˈtu:bjələs] *a.* = **tubular** 1, 2.
TUC [ˌti: ˌju: ˈsi:] *abbr.* = **Trades Union Congress**.
tuck [tʌk] *v.* **1.** wsuwać, wpychać, wsadzać; upychać (*sth into sth* coś do czegoś *l.* w coś, *sth under / behind sth* coś pod/za coś); ~ **the sheet under the mattress** zawijać *l.* podwijać prześcieradło pod materac; **he ~ed his knees under him** usiadł z podwiniętymi nogami. **2.** *krawiectwo* robić zaszewkę *l.* zakładkę w (*spodniach, płaszczu*). **3.** *chir.* naciągać (*skórę w ramach operacji plastycznej*). **4.** ~ **away** *pot.* odkładać (*pieniądze*); *pot.* wcinać, wsuwać, pałaszować; schować (*przedmiot*); **~ed (away)** zaszyty, ukryty (*gdzieś; np. o wiosce, chatce w trudno dostępnym miejscu*); ukryty głęboko, dobrze schowany (*o przedmiocie*); ~ **in** *gł. Br. pot.* wcinać, wsuwać, pałaszować; zawijać, podwijać (*brzeg prześcieradła, obrusu, kartki*); wsuwać (*koszulę do spodni l. spódnicy, krzesło pod stół*); wciągać (*brzuch*); przyciągać (do siebie *l.* ciała) (*ręce, kolana*); ~ **sb in/up** opatulić kogoś (przed snem), otulić *l.* utulić kogoś (do snu); ~ **into sth** *pot.* brać się za coś (= *zaczynać jeść*); wsuwać *l.* pałaszować coś; ~ **sb up** = **tuck sb in**; **be ~ed up** *pot.* leżeć sobie wygodnie. – *n.* **1.** *krawiectwo* zaszewka, fałda, fałdka. **2.** zakładka. **3.** *sport* pozycja kuczna. **4.** *chir.* naciągnięcie skóry; operacja *l.* zabieg naciągnięcia skóry; operacja plastyczna. **5.** *U Br. przest. szkoln. pot.* cuksy (= *słodycze*). **6.** *muz.* fanfara; werbel. **7.** *żegl.* koncha (*rufy*).
tucker [ˈtʌkər] *v. zw. pass.* ~ **(out)** *US pot.* wykończyć (= *zmęczyć*); **we were ~ed out** byliśmy

wykończeni *l.* skonani. – *n.* **1.** *U Austr. i NZ pot.* papu (= *jedzenie*). **2.** *gł. hist.* przodzik (*do sukni z dekoltem*). **3.** zawijarka (*w maszynie do szycia*). **4. one's best bib and ~** *zob.* **bib.**

tuck shop *n. Br. przest. szkoln. pot.* sklepik ze słodyczami; sklepik szkolny *l.* przyszkolny.

Tudor ['tu:dər] *gł. Br. n. hist.* Tudor; **Henry ~** Henryk Tudor; **the ~s** Tudorowie. – *a. attr. bud., sztuka* w stylu Tudorów.

Tue., Tues. *abbr.* = **Tuesday.**

Tuesday ['tu:zdeɪ] *n. C/U* wtorek; *zob. t.* **Friday.**

tufa ['tu:fə] *a. U geol.* tuf; (*także* **calc-~**) tuf wapienny.

tufaceous [tʊ'feɪʃəs] *a. geol.* tufowy.

tuff [tʌf] *n. U geol.* tuf wulkaniczny.

tuft [tʌft] *n.* **1.** kępa, kępka (*trawy, krzaków, drzew*); kępka (*włosów*); pęk (*piór*); *wet., myśl.* pędzel, chwost, kitka (*na ogonie*). **2.** przeszycie, pikowanie (*w tapicerce, kołdrze*). – *v.* **1.** rosnąć kępkami *l.* w kępkach. **2.** przeszywać, pikować (*tapicerkę, kołdrę*).

tufted ['tʌftɪd] *a. zool., orn.* czubaty (*w nazwach*).

tufted duck *a. orn.* czernica (*Aythya fuligula*).

tufty ['tʌftɪ] *a.* **-ier, -iest** kępkowaty.

tug [tʌg] *v.* **-gg- 1.** szarpać, ciągnąć, pociągać (*(at) sth* za coś). **2.** *żegl.* holować (*statek*). **3.** *form.* mozolić się, trudzić się. – *n.* **1.** *żegl.* = **tugboat. 2.** szarpnięcie, pociągnięcie; **give sth a ~** szarpnąć *l.* pociągnąć za coś. **3.** zmaganie, walka. **4.** pojazd holujący. **5.** lina holownicza.

tugboat ['tʌg,boʊt] *n. żegl.* holownik.

tug-of-love [,tʌgəv'lʌv], **tug of love** *n. sing. Br. pot. gł. dzienn.* walka o dziecko (= *dochodzenie praw rodzicielskich*).

tug-of-war [,tʌgəv'wɔ:r], **tug of war** *n. sing.* **1.** *sport* przeciąganie liny, zawody w przeciąganiu liny. **2.** *przen.* próba sił; walka, zmaganie.

tui ['tu:i:] *n. orn.* tui (*Prosthemadera novaeseelandiae*).

tuition [tʊ'ɪʃən] *n. U* **1.** (*także Br.* **~ fee**) *szkoln., uniw.* czesne, opłata za naukę *l.* studia. **2.** *gł. Br.* nauka (*zwł. indywidualna l. w małych grupach*); lekcje (prywatne); kursy (*prywatne*).

tularemia [,tu:lə'ri:mɪə], **tularaemia** *n. U pat., wet.* tularemia.

tulip ['tu:ləp] *n. bot., ogr.* tulipan (*rodzaj Tulipa*).

tulip tree *n.* (*także* **tulip poplar**) *bot.* **1.** tulipanowiec amerykański (*Liriodendron tulipifera*). **2.** magnolia (*Magnolia; t. inne podobne drzewa*).

tulle [tu:l] *n. U tk.* tiul.

tumble ['tʌmbl] *v.* **1.** spaść, runąć, zwalić się, upaść; stoczyć się; przewrócić się, wywracić się; przekoziołkować. **2.** *fin.* gwałtownie spadać (*o cenach, kursach*). **3. ~ (around/about)** koziołkować, brykać, fikać. **4.** zrobić przewrót *l.* obrót. **5.** opadać *l.* układać się falami (*o włosach*). **6.** *przest. pot.* skapować się, kapnąć się (*that* że); **~ to sth** skapować coś; **sb ~ed to sth** *pot.* ktoś pokapował się w czymś, coś do kogoś dotarło. **7.** spływać (*o wodach rzeki*). **8.** suszyć (się) (*w suszarce bębnowej*). **9.** polerować (*kamienie szlachetne*); *metal.* oczyszczać (*odlew*). **10. ~ from power** *polit.* utracić władzę (*zwł. gwałtownie*). **11. ~ backwards** wywrócić *l.* przewrócić się do tyłu, upaść na plecy; **~ down** runąć, zawalić się (*o budynku*); **~ out of sth** wysypywać się skądś (*z pomieszczenia; np. o grupce dzieci*); wygramolić się skądś (*z łóżka*); **~ over** przewrócić się, upaść. – *n.* **1.** upadek; **have/take a ~** przewrócić się, upaść, runąć jak długi. **2.** *fin.* gwałtowny spadek (*cen, kursów*); **take a ~** gwałtownie spaść. **3.** koziołek, fikołek; przewrót; obrót. **4.** bezładny stos, kupa. **5.** bałagan, zamieszanie.

tumblebug ['tʌmbl,bʌg] *n. ent.* żuk gnojak (*Geotrupes stercorarius*).

tumbledown ['tʌmbl,daʊn], **tumble-down** *a. attr.* podstarzały; walący się, rozwalający się, rozpadający się, chylący się ku ruinie; zmurszały (*o domu, szopie*); **~ place** zapadła dziura.

tumble-dry [,tʌmbl'draɪ] *n.* **-dried, -drying** suszyć (w suszarce) (*pranie*).

tumble-dryer [,tʌmbl'draɪər], **tumble-drier, tumble dryer, tumble drier** *n. zwł. Br.* suszarka (bębnowa).

tumbler ['tʌmblər] *n.* **1.** szklanka; szklaneczka; kubek. **2.** *hist.* kulawiak (= *szklanka z zaokrąglonym dnem*); szklanica. **3.** *przest.* akrobat-a/ka, gimnasty-k/czka. **4.** *mech.* zapadka. **5.** wańka-wstańka (*lalka*). **6.** *orn.* fajfer, wywrotek (= *gołąb koziołkujący w powietrzu*).

tumbler gear *n. mech.* przekładnia zapadkowa; mechanizm zapadkowy.

tumbleweed ['tʌmbl,wi:d] *n. U US* toczące się ziele (*jedna z wielu roślin jednorocznych z rodziny szarłatowatych l. ostowatych, które jesienią toczą się po ziemi*).

tumbling barrel ['tʌmblɪŋ ,berəl] *n.* (*także* **tumbling box**) *mech.* oczyszczarka bębnowa, bęben.

tumbrel ['tʌmbrəl], **tumbril** *n.* **1.** *roln.* fura do obornika (*zwł. z wywrotką*). **2.** *hist.* wóz drewniany *l.* drabiniasty (*przewożący skazańców na gilotynę w czasach Rewolucji Francuskiej*). **3.** *hist., wojsk.* jaszcz (= *wóz do przewozu amunicji*).

tumefaction [,tu:mə'fækʃən] *n. U pat.* obrzęk, obrzmienie.

tumefy ['tu:mə,faɪ] *v.* **-ied, -ying** *pat.* obrzękać, obrzmiewać; *t. fizj.* nabrzmiewać.

tumescence [tʊ'mesəns] *n. U pat.* obrzmienie, obrzęk.

tumescent [tʊ'mesənt] *a. pat.* obrzmiały, obrzękły; *t. fizj.* nabrzmiały.

tumid ['tu:məd] *a.* **1.** *pat.* obrzmiały, obrzękły; *t. fizj.* nabrzmiały. **2.** *przen. form.* nadęty, napuszony (*o stylu, języku*).

tumidity [tʊ'mɪdətɪ] *n. U* **1.** *pat.* obrzęk. **2.** *przen. form.* nadętość, napuszoność.

tummy ['tʌmɪ] *n. pl.* **-ies** *pot. zwł. dziec.* brzuch, brzuszek.

tummy bug *n.* (*także* **tummy upset**) *pot.* sensacje żołądkowe (= *rozstrój żołądka*).

tummy button *n. Br. pot. zwł. dziec.* pępek.

tummy tuck *n. chir. pot.* operacja plastyczna brzucha, zmniejszenie brzucha.

tummy upset *n. gł. pot.* = **tummy bug.**

tumor [ˈtu:mər], *Br.* **tumour** *n. pat.* guz, nowotwór; **brain ~** guz mózgu; **malignant/benign ~** guz *l.* nowotwór złośliwy/łagodny.

tumorous [ˈtu:mərəs] *a. pat.* guzowaty.

tumular [ˈtu:mjələr] *a. archeol.* kurhanowy, kopcowy.

tumult [ˈtu:mʌlt] *n. C/U form.* zgiełk, tumult; zamęt, chaos; poruszenie, niepokój; **in ~** w zamęcie, w chaosie.

tumultuous [tʊˈmʌltʃʊəs] *a.* burzliwy; hałaśliwy; **~ applause** gromkie brawa.

tumultuously [tʊˈmʌltʃʊəslɪ] *a.* burzliwie.

tumulus [ˈtu:mjələs] *n. pl.* **-es** *l.* **tumuli** [ˈtu:mjəlaɪ] *archeol.* kurhan, kopiec.

tun [tʌn] *n.* **1.** beczka (*piwa l. wina, zwł. o znormalizowanej pojemności 955 litrów*). **2.** kadź (*do fermentacji piwa, zacieru*).

tuna [ˈtu:nə] *n.* **1.** *pl.* **-s** *l.* **tuna** *icht.* tuńczyk (*Thunnus*). **2.** *U* (*także* **~ fish**) *kulin.* tuńczyk.

tundra [ˈtʌndrə] *n. U geogr., leśn.* tundra.

tune [tu:n] *n.* **1.** melodia; **in ~** *muz.* (dobrze *l.* prawidłowo) nastrojony (*o instrumencie*); *techn.* dostrojony, wstrojony (*o przyrządzie*); **out of ~** *muz., techn.* rozstrojony, nienastrojony; **name that ~** jaka to melodia? (*nazwa teleturnieju*); **play/sing in ~** grać/śpiewać czysto; **play/sing out of ~** fałszować. **2.** *przen.* **be in ~ with sb/sth** dobrze kogoś/coś rozumieć; **be out of ~ with sb/sth** (zupełnie) nie rozumieć kogoś/czegoś; **be out of ~ with sth** nie mieć pojęcia o czymś (*o sytuacji*); mijać się z czymś (*z potrzebami*); **call the ~** *zob.* **call** *v.*; **change one's ~** (*także* **sing/whistle a different/another ~**) zmienić śpiewkę; **dance to sb's ~** *zob.* **dance** *v.*; **that's an old ~** to stara śpiewka; **to the ~ of...** na sumę *l.* kwotę...; rzędu ...; w wysokości ... – *v.* **1.** *muz.* stroić, nastrajać (*instrument*). **2.** *gł. radio* nastrajać, nastawiać (*odbiornik*) (*to sth* na coś) (*na daną stację, częstotliwość*). **3.** *przen. mot.* regulować (*silnik, urządzenie*). **4. finely ~d** wrażliwy, czuły (*np. o poczuciu sprawiedliwości, zmysłach*); **stay ~d!** *telew., radio* zostańcie (Państwo) z nami!; **(please) stay ~d for...** *telew., radio* za chwilę..., po przerwie... **5. ~ in** nastawiać (*stację*); dostrajać (*radio, urządzenie*); *przen.* uważać; **~ in to sth** *gł. radio* nastawiać (radio *l.* odbiornik na) coś (*na stację, częstotliwość*); słuchać czegoś (*stacji*); **be ~d in (to sth)** orientować się (w czymś), być zorientowanym (w czymś); **~ out** *gł. US pot.* wyłączać się (= *nie słuchać*); **~ sb/sth out** *gł. US pot.* zignorować kogoś/coś, nie zwracać uwagi na kogoś/coś (*np. na ostrzeżenia*); **~ sth out** zagłuszyć coś (*zwł. poczucie winy*); eliminować coś (*np. hałas, zakłócenia*); **~ up** *muz.* stroić, nastrajać (*instrument*); *mot.* regulować (*silnik*); robić przegląd (*silnika*); *muz.* zestrajać się, stroić się, stroić instrumenty (*o orkiestrze*); *przen.* przygotowywać (się).

tuneful [ˈtu:nfʊl] *a.* melodyjny.

tunefully [ˈtu:nfʊlɪ] *adv.* melodyjnie.

tunefulness [ˈtu:nfʊlnəs] *n. U* melodyjność.

tuneless [ˈtu:nləs] *a.* **1.** niemelodyjny. **2.** bezgłośny, milczący (*o instrumencie*).

tunelessly [ˈtu:nləslɪ] *adv.* **1.** niemelodyjnie (*np. nucić*). **2.** bezgłośnie, milcząco.

tuner [ˈtu:nər] *n.* **1.** tuner (= *odbiornik bez wzmacniacza*); *el.* obwód *l.* moduł strojenia. **2.** *muz.* stroiciel; **piano ~** stroiciel fortepianów.

tuner amplifier *n.* amplituner.

tune-up [ˈtu:nˌʌp] *n. mot.* przegląd (z regulacją).

tung oil [ˈtʌŋ ˌɔɪl] *n. U chem., stol.* olej drzewny *l.* chiński *l.* tungowy.

tungsten [ˈtʌŋstən] *n. U chem.* wolfram. – *a. attr.* wolframowy; **~ filament** włókno wolframowe (*w żarówce*).

tunic [ˈtu:nɪk] *n.* **1.** *strój, t. hist.* tunika. **2.** *Br. wojsk. policja* bluza (= *góra munduru*). **3.** (*także* **tunica**) *biol.* tunika; osłonka.

tunicate [ˈtu:nɪkət] *n. zool.* osłonica. – *a.* **1.** *bot.* wielowarstwowy (*o cebulce*). **2.** *zool.* osłonicowaty. **3.** *biol.* pokryty osłonką.

tunicle [ˈtu:nɪkl] *n. kośc.* tunicela (*rodzaj tuniki*).

tuning [ˈtu:nɪŋ] *n. U muz.* strój (*instrumentu*); zestrojenie (*instrumentów w zespole*).

tuning fork *n. muz.* kamerton, widełki stroikowe.

tuning peg *n.* (*także* **tuning pin**) *muz.* kołek strojeniowy (*w gitarze, skrzypcach, pianinie*).

Tunis [ˈtu:nəs] *n. geogr.* Tunis.

Tunisia [tʊˈni:ʒə] *n. geogr.* Tunezja.

Tunisian [tʊˈni:zən] *a.* tunezyjski. – *n.* Tunezyj-czyk/ka.

tunnage [ˈtʌnɪdʒ] *n.* = **tonnage**.

tunnel [ˈtʌnl] *n.* **1.** tunel (*kolejowy, drogowy*); przejście podziemne (*na stacji*). **2.** korytarz (*kreta*). **3.** *górn.* sztolnia. **4.** *anat., pat.* kanał; **carpal ~** *pat.* kanał nadgarstka. **5. wind ~** *techn.* tunel aerodynamiczny. – *v. Br.* **-ll- 1.** przekopywać *l.* kopać tunel, przekopywać się (*through/under sth* przez coś/pod czymś); (*także* **~ one's way**) wykonywać podkop, podkopywać się; uciekać podkopem. **2.** *el.* tunelować (*o elektronach*).

tunnel diode *n. el.* dioda tunelowa.

tunnel disease *n. U pat.* **1.** choroba tęgoryjcowa. **2.** choroba kesonowa.

tunnel effect, *US t.* **tunneling** *Br. t.* **tunnelling** *n. U el.* tunelowanie, efekt tunelowy.

tunnel vision *n. U* **1.** *pat.* widzenie tunelowe. **2.** *przen.* klapki na oczach; brak szerszego spojrzenia.

tunny [ˈtʌnɪ] *n. pl.* **-ies** *C/U Br. icht.* tuńczyk (*Thunnus*).

tup [tʌp] *n.* **1.** *gł. Br.* tryk, baran. **2.** *mech.* bijak (*młota, kafara*). – *v.* **-pp-** kryć (*owcę; o tryku*).

tuppence [ˈtʌpəns] *n. C/U Br.* = **twopence**.

tuppenny [ˈtʌpənɪ] *a. attr. Br.* = **twopenny**.

Tupperware [ˈtʌpərˌwer] *kulin. n. U* pojemniki plastikowe (*do żywności*). – *a. attr.* plastikowy (*o pudełku, pojemniku na żywność*).

tuque [tu:k] *n. Can.* czapka wełniana.

turban [ˈtɝ:bən] *n.* turban.

turbary [ˈtɝ:bərɪ] *n. pl.* **-ies 1.** torfowisko. **2.** *U* (*także* **common of** ~) *Br. prawn.* prawo do pozyskiwania torfu (*z terenów publicznych*).

turbid ['tɜ:bɪd] *a. form.* **1.** mętny, zmącony (*o wodzie*). **2.** gęsty (*o mgle*). **3.** mętny, bezładny (*o myślach*).

turbinate ['tɜ:bɪnət] *a.* **1.** *anat.* małżowinowy. **2.** *form. l. zool.* spiralny (*zwł. o muszli*). – *n.* **1.** *anat.* małżowina nosowa. **2.** *zool.* muszla spiralna.

turbine ['tɜ:baɪn] *n. mech., el.* turbina; ~ **engine** silnik turbinowy, turbina; **gas** ~ turbina gazowa; **jet** ~ **(engine)** *mech., lotn.* silnik turboodrzutowy.

turbit ['tɜ:bɪt] *n. orn.* gołąb czubaty (*hodowlany*).

turbo ['tɜ:boʊ] *n. mot. gł. pot.* **1.** turbo (= *samochód z turbodoładowaniem*). **2.** turbodoładowanie, turbodoładowarka.

turbocharged ['tɜ:boʊˌtʃɑ:rdʒd] *a. mot.* z turbodoładowaniem (*o silniku, modelu*).

turbocharger ['tɜ:boʊˌtʃɑ:rdʒər] *n. mech., mot.* turbodoładowanie, turbodoładowarka, turbosprężarka.

turbofan ['tɜ:boʊˌfæn] *n. mech., lotn.* silnik turboodrzutowy dwuprzepływowy.

turbojet ['tɜ:boʊˌdʒet] *n. mech., lotn.* **1.** (*także* ~ **engine**) silnik turboodrzutowy. **2.** samolot turboodrzutowy, turboodrzutowiec.

turboprop ['tɜ:boʊˌprɑ:p] *n. mech., lotn.* **1.** (*także* ~ **engine**) silnik turbośmigłowy. **2.** samolot turbośmigłowy, turbośmigłowiec.

turbosupercharger [ˌtɜ:boʊ'su:pərˌtʃɑ:rdʒər] *n. mech., mot.* = **turbocharger**.

turbot ['tɜ:bət] *n. pl.* **-s** *l.* **turbot** *icht.* turbot, skarp (*Scophthalmus maximus*).

turbulence ['tɜ:bjələns] *n. U* **1.** *meteor.* turbulencje; *mech.* turbulencja, burzliwość. **2.** *zwł. polit.* niepokoje, niepokój, zamieszanie.

turbulent ['tɜ:bjələnt] *a.* **1.** *zwł. polit.* burzliwy (*o okresie*). **2.** wzburzony, niespokojny (*o wodach, tłumie*); rwący (*o wodach*). **3.** *meteor.* niestabilny. **4.** *mech.* turbulentny, burzliwy, zaburzony (*o przepływie*).

turbulently ['tɜ:bjələntlɪ] *adv.* **1.** *zwł. polit.* burzliwie. **2.** niespokojnie (*płynąć*). **3.** *mech.* turbulentnie, burzliwie.

Turcoman ['tɜ:kəˌmen] *n. i a.* = **Turkmen**.

turd [tɜ:d] *n. pot.* **1.** *obsc.* kupa, gówno. **2.** *obelż.* gnojek.

turdine ['tɜ:daɪn] *a. orn.* drozdowaty.

tureen [tə'ri:n] *n. kulin.* waza (*na zupę*).

turf [tɜ:f] *n. pl.* **turfs** *l.* **turves** [tɜ:rvz] **1.** *C/U* darń, trawa. **2. the** ~ *przen.* wyścigi (konne); tor (wyścigów konnych). **3.** *U US pot.* teren, grunt, terytorium (*t. kraju, grupy przestępczej, drużyny*); ~ **war** walka o swoje; **on one's/sb's (own)** ~ na swoim/czyimś terenie, u siebie/kogoś. **4.** *U US pot.* działka, specjalność; **this isn't my** ~ to nie moja działka. **5.** *C/U US i Ir.* torf. – *v.* **1.** pokrywać darnią *l.* trawą, obsiewać trawą. **2.** ~ **sb out** *Br. pot.* wykopać kogoś (= *wyrzucić*); *sl.* sprzątnąć kogoś (= *zabić*); ~ **sth out** skasować coś (= *wyrzucić*).

turf accountant *n. Br. form. wyścigi konne* bukmacher.

turfy ['tɜ:fɪ] *a.* **-ier, -iest** trawiasty.

turgid ['tɜ:dʒɪd] *a.* **1.** napuszony, pompatyczny (*np. o stylu, mowie*); ciężki w odbiorze, mętny (*np. o tekście*). **2.** *pat.* obrzmiały, obrzękły, spuchnięty.

turgidity [tɜ:'dʒɪdətɪ] *n. pl.* **-ies** **1.** *U* napuszoność, pompatyczność (*stylu, mowy*). **2.** *C/U pat.* obrzęk, opuchlizna.

turgidly ['tɜ:dʒɪdlɪ] *adv.* pompatycznie; mętnie.

turgor ['tɜ:gər] *n. U bot.* turgor.

Turin [tʊ'rɪn] *n. geogr.* Turyn.

Turing machine ['tu:rɪŋ məˌʃi:n] *n. komp.* maszyna Turinga.

Turing test *n. komp.* test Turinga (*badający stopień uczłowieczenia maszyny*).

Turk [tɜ:k] *n.* Turek, Turczynka.

Turkey ['tɜ:kɪ] *n. geogr.* Turcja.

turkey ['tɜ:kɪ] *n.* **1.** *orn., hodowla* indyk (*Meleagris gallopavo*). **2.** *U kulin.* indyk, mięso indycze. **3.** *gł. US i Can. sl.* klapa (*np. film, książka, sztuka*); złom (*samochód*). **4.** *US i Can. obelż. sl.* palant. **5.** *przen.* **cold** ~ *zob. t.* **cold turkey**; **talk** ~ *gł. US i Can. pot.* rozmawiać poważnie (*zwł. o interesach*).

turkey buzzard *n. orn.* = **turkey vulture**.

turkey cock *n.* **1.** *orn.* indor. **2.** *przen. obelż.* kogut (= *arogancki osobnik*).

turkey hen *n. orn.* indyczka.

Turkey red *a.* jaskrawoczerwony.

turkey shoot *n.* **1.** strzelanie do ruchomego celu. **2.** *przen. sl.* łatwizna.

turkey vulture *n.* (*także* **turkey buzzard**) *orn.* urubu zwyczajny *l.* różowogłowy (*Cathartes aura*).

Turkic ['tɜ:kɪk] *jęz. n. U* języki tureckie. – *a.* turecki.

Turkish ['tɜ:kɪʃ] *a.* turecki. – *n. U* (język) turecki.

Turkish bath *n. t. przen.* łaźnia turecka.

Turkish coffee *n. C/U* kawa po turecku (*mała, słodka, mocna*).

Turkish delight *n. U kulin.* rachatłukum (*deser*).

Turkish towel *n.* ręcznik kąpielowy.

Turkistan [ˌtɜ:kə'stæn] *n. geogr.* Turkiestan.

Turkmen ['tɜ:kmen] *n. pl.* **-s** *l.* **Turkmen** **1.** Turkmen/ka. **2.** *U* (język) turkmeński. – *a.* turkmeński.

Turkmenistan [ˌtɜ:kmenɪ'stæn] *n. geogr.* Turkmenistan.

Turkoman ['tɜ:kəmən] *n. i a.* = **Turkmen**.

turmeric ['tɜ:mərɪk] *n. bot.* kurkuma, ostryż długi (*Curcuma longa*); *U kulin.* kurkuma.

turmoil ['tɜ:mɔɪl] *n. C/U* chaos, zamieszanie; niepokój; *pl.* chaos; przejścia; **~(s) of war** chaos wojny; **political** ~ chaos polityczny; **the country is in (a)** ~ w kraju panuje chaos; **thrown into (a)** ~ pogrążony w chaosie (*o kraju*); zdezorientowany (*o osobie, grupie*).

turn [tɜ:n] *v.* **1.** ~ **(around/away)** odwracać się; obracać się, kręcić się (*o kole, śmigle*); kręcić (*korbą*); przekręcać (*klucz*); odwracać, obracać (*np. wazon*); przewracać (*np. kartkę, kotlet*). **2.** skręcać (*o drodze, samochodzie*); wić się (*o rzece*); ~ **a corner** pokonać zakręt, skręcić; ~ **the corner** skręcić (za róg); ~ **(to the) left/right** skręcić w lewo/w prawo. **3.** zmieniać się; przeistaczać się (*from sth into / to sth* z czegoś w coś). **4.** zmieniać kolor; żółknąć (*o liściach*); ~ **gray/grey/white** siwieć (*o włosach*); ~ **red/yellow** poczerwienieć/zżółknąć; ~ **white/pale** pobladnąć, zblednąć. **5.** stać się (*jakimś*); zostać (*kimś*); ~ **cold** ochłodzić się; ~ **green/conservative** zostać ekologiem/konserwatystą; ~ **informer/traitor** zostać donosicielem/zdrajcą, donieść/zdradzić; ~ **nasty/violent/unpredictable** stać się nieprzyjemnym/gwałtownym/nieprzewidywalnym; ~ **twenty/forty** skończyć dwadzieścia/czterdzieści lat; **it ~ed three/four** minęła (godzina) trzecia/czwarta; **journalist ~ed politician** były *l.* kiedyś dziennikarz, obecnie polityk. **6.** skręcić (sobie) (*kostkę*). **7.** (*także* ~ **sour**) kwaśnieć (*o mleku*). **8.** *mech., stol.* toczyć (*na tokarce*). **9.** przekopywać (*grządkę*). **10.** zmieniać kierunek (*np. o prądach, pływach oceanicznych, wiatrach, emigracji*). **11. twist and** ~ wić się (*o drodze, osobie, wężu*). **12.** *przen.* ~ **a blind eye (to sth)** *zob.* **blind** *a.*; ~ **a deaf ear (to sth)** *zob.* **deaf** *n.*; ~ **a/the corner** *zob.* **corner** *n.*; ~ **(people's) heads** *zob.* **head** *n.*; ~ **sb's head** *zob.* **head** *n.*; ~ **the other cheek** *zob.* **cheek** *n.*; ~ **a phrase** ładnie się wyrazić; ~ **a somersault** fiknąć *l.* wywinąć koziołka; ~ **(over) in one's grave** przewracać się w grobie; ~ **sour** popsuć się (*o stosunkach*); ~ **tail** *pot.* dać nogę (= *uciec*); ~ **the tide** *zob.* **tide**[1] *n.*; ~ **turtle** *zob.* **turtle** *n.*; **not ~ a hair** *zob.* **hair**; **sb's head is ~ing** komuś kręci się w głowie; **sb's stomach ~s** *zob.* **stomach** *n.* **13.** ~ **about** odwracać się, obracać się; ~ **against sb** zwrócić się przeciwko komuś; odwrócić się od kogoś; ~ **sb against sb/sth** nastawiać kogoś wrogo do kogoś/czegoś, podpuszczać *l.* szczuć kogoś przeciwko komuś/czemuś; ~ **around** (*także Br.* ~ **round**) odwracać się, obracać się; wyprodukować, wykonać (*określoną ilość produktów, usług*); wyprowadzić na prostą (*spółkę z długów*); zawracać (*samochód*); ~ **around and say/tell...** prosto w oczy *l.* bezczelnie powiedzieć... (*coś krzywdzącego*); ~ **away** odwracać się (tyłem); odwracać (*wzrok*); odprawiać z kwitkiem, odsyłać (*np. petentów*); ~ **away from sb** odwrócić się od kogoś (*potrzebującego pomocy*); ~ **away from sth** zaniechać czegoś, zarzucić coś; ~ **back** zawracać (*t. kogoś l. coś*); zawijać (*mankiety, kołdrę*); ~ **back the clock** cofać wskazówki (*na zegarze, w zegarku*); *przen.* cofnąć czas, cofnąć wskazówki zegara, cofnąć zegar historii; *przen. gł. uj.* cofnąć się *l.* wrócić do dawnych *l.* starych czasów; ~ **down** skręcać, przykręcać (*np. ogrzewanie, grzejnik*); ściszać, przyciszać (*radio, telewizor*); ściemniać, przyciemniać (*światło*); odrzucić (*propozycję, ofertę, kandydaturę*); zawijać (*kołnierz*); zaginać (*kartkę*); ~ **sb down** odmówić komuś; ~ **sb down flat** zdecydowanie komuś odmówić; ~ **in** oddawać (*zadanie domowe, zgubę, kwitek*); *pot.* iść spać, kłaść się (spać *l.* do łóżka); wydać (*przestępcę policji*); ~ **in** zawijać (się), zaginać (się); zaowocować (*danym wynikiem*); ~ **o.s. in** oddać się w ręce policji, zgłosić się na policję (*o poszukiwanym*); ~ **in on o.s.** zamknąć się w sobie; ~ **inside out** wywracać na lewo *l.* na drugą stronę (*płaszcz, poszwę*); przetrzepać, przetrząsnąć (*pomieszczenie w poszukiwaniu czegoś*); ~ **into sb/sth** zamienić *l.* zmienić się w kogoś/coś, przekształcić się w kogoś/coś; ~ **into sth** przechodzić w coś (*stopniowo*); ~ **sb/sth into sb/sth** zamienić kogoś/coś w kogoś/coś; ~ **sth into sth** obrócić coś w coś (*np. pytanie w żart*); ~ **into a pumpkin** *żart.* opaść z sił, mieć dosyć (*zwł. pod koniec dnia*); **winter ~ed into spring** po zimie nastąpiła wiosna; **days ~ed into weeks** mijały dni i tygodnie; ~ **off** wyłączać (*światło, telewizor, prąd*); zakręcać (*wodę*); odgałęziać się (*o drodze*); *mot.* zjeżdżać, skręcać (*o kierowcy, samochodzie*); ~ **off sth** zjeżdżać z czegoś (*z autostrady*); ~ **sb off** *zwł. pot.* zniechęcić kogoś, zdeprymować kogoś; odstręczać kogoś, odstraszać kogoś; odbierać komuś ochotę (*zwł. na seks*); ~ **on** włączać (*światło, telewizor*); odkręcać (*wodę*); *sl.* (zacząć) brać *l.* ćpać (*narkotyki*); ~ **sb on** *pot.* podniecać kogoś; interesować kogoś; ~ **on sth** zależeć od czegoś; **everything ~s on the court's ruling** wszystko zależy od decyzji sądu; ~ **on sb** napaść *l.* naskoczyć na kogoś; ~ **on a dime** *US* zawrócić w miejscu; ~ **on the charm** *pot.* czarować, robić piękne *l.* słodkie oczy; ~ **one's back on sb/sth** odwracać się tyłem *l.* plecami do kogoś/czegoś; ~ **one's back on sb** *przen.* odwrócić się od kogoś (= *odmówić pomocy*); ~ **one's back on sth** *przen.* zaniechać czegoś, zarzucić coś; ~ **sb on to sth** namówić kogoś do czegoś; ~ **sth on its head** *przen.* postawić coś na głowie; ~ **the spotlight on sth** zwrócić uwagę opinii publicznej na coś; ~ **the tables on sb** *zob.* **table** *n.*; **anything that/whatever ~s you on** *pot.* każdy lubi co innego; ~ **out** okazać się (*to be sb / sth* kimś/czymś, *that* że); wyjść; stać się; zakończyć się (*dobrze l. źle; np. po zabiegu, upływie czasu*); wyłączać (*światło*); wyrzucić, wygonić, wypędzić (*kogoś, zwł. z domu*); przychodzić, przybywać (*for sth* po coś, *to do sth* żeby coś zrobić); wylegać na ulice; *polit.* oddawać głos *l.* głosy, zagłosować; wyprodukować, wykonać (*określoną liczbę produktów*); wypuszczać (*absolwentów*); wywijać, zawijać (*np. brzeg koca*); wywracać (na lewą stronę) (*np. kaptur, kieszenie*); *pot.* wyłazić z łóżka (= *wstawać*); **well/badly ~ed out** dobrze/źle ubrany; ~ **over** przewracać się (na brzuch/plecy/drugi bok); *Br.* przewracać (*kartkę*); *Br. telew.* przełączać na inny kanał *l.* program; *ekon.* wypracować, uzyskać (*zysk, obrót*); *pot.* obrobić (= *okraść; sklep, mieszkanie, osobę*); *pot.* rozgromić (*drużynę*); ~ **sb/sth over to sb** przekazać kogoś/coś w czyjeś ręce (*np. przestępcę, władzę*); ~ **sth over to sb** zwrócić coś komuś (*zgubę, skradziony przedmiot*); ~ **sth over in one's mind** roztrząsać *l.* rozważać coś; ~ **over a new leaf** *zob.* **leaf** *n.*; ~ **round** *Br.* = **turn around**; ~ **round and round** obracać się w kółko; ~ **to** *przest.* wziąć się do roboty, zakasać rękawy; ~ **to sb (for help)** zwracać się do kogoś (o pomoc); ~ **to sth** sięgać po coś (*np. po alkohol*); uciekać się do czegoś (*np. do podstępu*); obrócić się w coś (*w przerażenie*); ~ **sth to sth** obrócić coś w coś (*pytanie w żart*); ~ **sth to sb** kierować coś do kogoś (*zapytanie*); ~ **one's attention/efforts/thoughts to sth** kierować uwagę/wysiłki/myśli na coś, koncentrować *l.* skupiać uwagę/wysiłki/myśli na czymś; ~ **one's hand to sth** *zob.* **hand** *n.*; ~ **sth to face sb/sth** obracać coś przodem do kogoś/czegoś; ~ **to page...** otworzyć książkę na stronie..., spojrzeć *l.* popatrzeć na stronę...; ~ **to music** zainteresować się muzyką; ~ **sth to good account** *zob.* **account**; ~ **up** podkręcać (*grzanie, radio*); podgłaśniać (*radio, muzykę*); zwiększać (*wydajność*); pojawiać się, zjawiać się (*o rzeczy, osobie*); przybywać, przychodzić; nadarzać się (*o okazji*); wydarzać się; odkrywać (*fakty*); znajdować (*dowody, ślady*); *zwł. Br.* podwijać, skracać (*spodnie, rękawy*); ~ **up like a bad penny** *zob.* **penny** *n.*; ~ **up one's nose at sth** *zob.* **nose** *n.*; ~ **up one's toes** *zob.* **toe** *n.*; ~ **upon sb** napaść *l.* naskoczyć na kogoś; ~ **sth upside down** *zob.* **upside down**. – *n.* **1.** kolej; kolejność; ~ **and** ~ **about** *Br.* po kolei, w kolejności, kolejno; **by ~s** kolejno; **in** ~ z kolei; po kolei, kolejno; **it's my** ~ **(now)** teraz ja, (teraz) moja kolej; **miss a** ~ stracić kolejkę (*w grze*); **out of** ~ poza kolejnością; **sb's** ~ **to do sth** czyjaś kolej, żeby coś zrobić; **whose** ~ **is it?** czyja kolej?; kto następny?. **2.** *t. przen.* obrót; **give sth a** ~ obrócić czymś *l.* coś, pokręcić czymś; **take a favorite/new** ~ przybierać pomyślny/nowy obrót. **3.** zakręt; *mot.* przecznica; **make a left/right** ~ skręcić w lewo/prawo; **no left/right** ~ *mot.* zakaz skrętu w lewo/prawo (*napis*). **4.** zmiana; **a** ~ **for the better/worse** zmiana na lepsze/gorsze; **take ~s** (*także Br.* **take it in ~s**) zmieniać się (*doing sth* robiąc coś, *to do sth* przy czymś); **take a** ~ **for the better/worse** polepszyć/pogorszyć się. **5.** punkt zwrotny (*w karierze, sytuacji*). **6.** *przest.* przechadzka; przejażdżka; **take a** ~ przejść się. **7.** *gł. Br. przest.* niedyspozycja; **have a** ~ (trochę) niedomagać. **8.** *gł. Br.* numer, występ (*część programu artystycznego*). **9.** *muz.* obiegnik (*rodzaj ozdobnika*). **10.** *fin.* transakcja (giełdowa). **11.** przysługa; **a good** ~ przysługa, grzeczność; **a bad** ~ wątpliwa przysługa, złośliwość; **do sb a good** ~ zrobić komuś przysługę; **one good** ~ **deserves another** przysługa za przysługę. **12.** *przen.* ~ **of events** rozwój wydarzeń; ~ **of mind** *lit.* usposobienie; ~ **of phrase** *zob.* **phrase** *n.*; **another** ~ **of the screw** kolejna *l.* następna trudność *l.* przeszkoda; **at every** ~ na każdym kroku; **at the** ~ **of the century** na przełomie wieków; **be full of twists and ~s** wić się (*o drodze*); **be on the** ~ zmieniać się, odwracać się (*o losie*); *gł. Br.* zaczynać się psuć (*o jedzeniu*); **done/cooked to a** ~ *kulin.* idealnie wypieczony *l.* ugotowany *l.* wysmażony; **give sb a** ~ *przest.* napędzić komuś pietra (= *wystraszyć kogoś*); **it gave me quite a** ~ zupełnie mnie to zaskoczyło; **right/left/about** ~ ! *wojsk.* w prawo/w lewo/w tył zwrot!; **speak out of** ~ odezwać się w niewłaściwym momencie, powiedzieć coś niestosownego *l.* niewłaściwego.

turnabout [ˈtɜːnəˌbaʊt] *n. zw. sing.* **1.** zwrot o 180 stopni, całkowity *l.* gwałtowny *l.* nieoczekiwany zwrot (*w poglądach, opiniach*). **2.** zwrot (*zawrócenie*).

turnaround [ˈtɜːnəˌraʊnd] *n.* **1.** *zwł. ekon.* (nieoczekiwany) zwrot; gwałtowna poprawa (sytuacji); szczęśliwa odmiana (losu). **2.** całkowity *l.* gwałtowny *l.* nieoczekiwany zwrot (*w poglądach, opiniach*). **3.** cykl przewozowy, czas przewozu; cykl *l.* czas przeładunku. **4.** *ekon.* cykl zamówienia. **5.** *US i Can. mot.* zatoczka (do zawracania).

turnbuckle [ˈtʌrnˌbʌkl] *n. mech.* nakrętka rzymska (*do regulacji napięcia cięgła, linki*).

turncoat [ˈtɜːnˌkoʊt] *n. zwł. polit.* farbowany lis, zdrajca, renegat.

turndown [ˈtɜːnˌdaʊn] *n.* **1.** odmowa. **2.** *ekon.* zastój. – *a. attr.* opuszczany (*o kołnierzu*).

turner [ˈtɜːnər] *n.* tokarz.

turnery [ˈtɜːnərɪ] *n. pl.* **-ies 1.** warsztat tokarski. **2.** *U* tokarstwo.

turning [ˈtɜːnɪŋ] *n.* **1.** *Br. mot.* zakręt; przecznica. **2.** zboczenie (*z trasy, linii prostej*). **3.** *U* tokarstwo. **4.** *krawiectwo* zakładka.

turning circle *n. gł. Br. mot.* koło skrętu.

turning point *n.* **1.** punkt zwrotny (*np. w historii, karierze*). **2.** *geom.* punkt zwrotu, ekstremum (*krzywej*).

turning radius *n. gł. US mot.* promień skrętu.

turnip [ˈtɜːnɪp] *n. C/U bot., kulin., roln.* rzepa (*Brassica rapa*).

turnkey [ˈtɜːnˌkiː] *a. attr. handl.* pod klucz; do natychmiastowego zasiedlenia (*o mieszkaniu*); gotowy do eksploatacji *l.* użytku (*o systemie, urządzeniu*). – *n. arch.* strażnik (*więzienny*).

turn-off [ˈtɜːnˌɔːf], **turnoff** *n.* **1.** *mot.* skręt, przecznica; zjazd (*z autostrady*). **2. be a** ~ **for sb** *pot.* odbierać komuś ochotę (*zwł. na seks*); odrzucać kogoś.

turnout [ˈtɜːnˌaʊt] *n.* **1.** *sing.* frekwencja (*w wyborach, na zebraniu*); **high/low** ~ wysoka/niska frekwencja. **2.** *sing.* widownia, publika (*na koncercie, meczu*). **3.** *US mot.* mijanka; *kol.* rozjazd. **4.** *sing. ekon.* wydajność; produkcja. **5.** ubranie, strój. **6.** wyposażenie.

turnover [ˈtɜːnˌoʊvər] *n.* **1.** *sing. ekon., handl.* obrót, obroty. **2.** *sing. ekon.* fluktuacja kadrowa. **3.** *kulin.* ciastko zawijane z owocami; **apple** ~ ciastko z jabłkiem. **4.** *US koszykówka, futbol amerykański* utrata piłki (*w wyniku nieprzepisowego zagrania*). – *a. attr.* wywijany (*o kołnierzu*).

turnpike [ˈtɜːnˌpaɪk] *n.* **1.** *US mot.* płatna autostrada. **2.** *gł. Br. hist.* droga z mytem; zapora, rogatka (*przy której pobierano myto*).

turnround [ˈtɜːnˌraʊnd] *n. Br.* = **turnaround** 1, 2, 3.

turn signal *n. US mot.* kierunkowskaz.

turnsole [ˈtɜːnˌsoʊl] *n.* **1.** *bot.* kroton barwierski (*Croton tinctoria*). **2.** *Br. bot.* heliotrop, roślina heliotropowa. **3.** *U chem.* barwnik krotonowy.

turnstile [ˈtɜːnˌstaɪl] *n.* bramka (obrotowa), kołowrót (*przy wejściu*).

turnstone [ˈtɜːnˌstoʊn] *n. orn.* kamusznik (*Arenaria interpres*).

turntable [ˈtɜːnˌteɪbl] *n.* **1.** *kol.* obrotnica. **2.** talerz (obrotowy) (*gramofonu*). **3.** gramofon.

turnup [ˈtɜːnˌʌp], **turn-up** *n.* **1.** *Br.* mankiet (*nogawki*). **2.** poprawa. **3. that's a ~ for the book(s)!** *zob.* **book** *n.* – *a. attr.* stawiany (*o kołnierzu*); **~ collar** stójka.

turpentine [ˈtɜːpənˌtaɪn] *n. U* (*także* **oil/spirits of ~**) *chem.* terpentyna, olejek terpentynowy.

turpitude [ˈtɜːpəˌtuːd] *n. U lit.* podłość, niegodziwość.

turps [tɜːps] *n. U Br. pot.* = **turpentine**.

turquoise [ˈtɜːkwɔɪz] *n.* **1.** *C/U min.* turkus. **2.** *U* (*także* **~ blue**) kolor turkusowy, turkus.

turret [ˈtɜːət] *n.* **1.** *wojsk.* wieżyczka, wieża działowa (*w czołgu, samolocie, okręcie*). **2.** *bud. hist.* wieżyczka, wieża (*w murze obronnym zamku*). **3.** *mech.* głowica rewolwerowa. **4.** *hist.* wieża oblężnicza.

turret lathe *n. mech.* tokarka rewolwerowa.

turtle [ˈtɜːtl] *n.* **1.** *zool. US* żółw; *Br.* żółw morski *l.* wodny (*Chelonia*). **2. turn ~** *żegl. pot.* zrobić grzyba (= *wywrócić się dnem do góry*). – *v.* polować na żółwie.

turtledove [ˈtɜːtlˌdʌv] *n. orn.* **1.** turkawka (*Streptopelia turtur*). **2.** (*także* **mourning dove**) *US* gołąb karoliński (*Zenaida macroura*).

turtleneck [ˈtɜːtlˌnek] *n. zwł. US* golf (*kołnierz*); (*także* **~ sweater**) golf (*sweter*).

turtlenecked [ˈtɜːtlˌnekt] *a. attr.* z golfem.

turtle shell *n. U* szylkret.

turves [tɜːvz] *n. pl. zob.* **turf**.

Tuscan [ˈtʌskən] *a. geogr.* toskański (*t. bud.* – *o stylu*). – *n.* **1.** Toska-ńczyk/nka. **2.** *U* dialekt toskański (*włoskiego*).

Tuscany [ˈtʌskənɪ] *n. geogr.* Toskania.

tush[1] [tʊʃ] *n.* (*także* **tushy**) *US sl.* pupa, pupcia.

tush[2] [tʌʃ] *int. arch.* phi (*wyraża oburzenie l. pogardę*).

tushy [ˈtʊʃɪ] *n. pl.* **-ies** = **tush**[1].

tusk [tʌsk] *n.* **1.** *zool.* kieł, cios (*słonia, morsa*); kieł, szabla (*dzika*). **2.** *stol.* ząb (*czopu*); (*także* **~ tenon**) czop z zębem. – *v.* brać na kły, atakować kłami; pokłuć (kłami).

tusked [tʌskt] *a. zool.* zaopatrzony *l.* uzbrojony w kły.

tusker [ˈtʌskər] *n. myśl. pot.* słoń *l.* dzik z dobrze rozwiniętymi kłami.

tussah [ˈtʌsə] *n.* (*także Br.* **tussore**) **1.** *ent.* jedwabnik dębowy *l.* chiński, tussor (*Antheraea paphia*). **2.** *U tk.* jedwab (tussowy).

tussis [ˈtʌsɪs] *n. U pat.* kaszel.

tussive [ˈtʌsɪv] *a. pat.* kaszlowy.

tussle [ˈtʌsl] *zwł. pot. v.* przepychać się; szamotać się (*with sb* z kimś, *over/for sth* o coś). – *n.* przepychanka, szamotanina.

tussock [ˈtʌsək] *n.* **1.** kępka *l.* kępa (trawy). **2.** *U* (*także* **~ grass**) *zwł. Austr. bot.* wiechlina (*Poa*).

tussocky [ˈtʌsəkɪ] *a.* kępiasty.

tussore [ˈtʌsər] *n. Br.* = **tussah**.

tut [tʌt] *int., v. i n.* **-tt-** = **tut-tut**.

tutee [ˌtuːˈtiː] *n. form.* podopieczn-y/a, ucze-ń/nnica.

tutelage [ˈtuːtəlɪdʒ] *n. U form.* **1.** *szkoln. l. prawn.* opieka, kuratela; troskliwe oko (*np. nauczyciela, guwernantki*); **under sb's ~** pod czyjąś kuratelą, pod czyimś troskliwym okiem. **2.** nauki, nauka.

tutelar [ˈtuːtələr], **tutelary** [ˈtuːtələrɪ] *lit. a.* opiekuńczy. – *n. pl.* **-ies** opiekun/ka (*zwł. święt-y/a*).

tutor [ˈtuːtər] *n.* **1.** (prywatn-y/a) nauczyciel/ka; korepetytor/ka. **2.** *US uniw.* asystent/ka. **3.** *Br. uniw.* opiekun/ka naukow-y/a; tutor (*w Oksfordzie i Cambridge*). **4.** *US szkoln.* nauczyciel/ka prowadząc-y/a zajęcia wyrównawcze. **5.** *Scot. prawn.* opiekun/ka. – *v.* **1.** *szkoln.* **~ sb in sth** uczyć kogoś czegoś; dawać komuś lekcje *l.* korepetycje z czegoś; **~ in sth** prowadzić zajęcia z czegoś; udzielać korepetycji z czegoś; *US szkoln.* brać lekcje (z) czegoś. **2.** *Br. uniw.* mieć zajęcia ze (*studentami*); być opiekun-em/ką naukow-ym/ą (*studentów*).

tutorial [tuːˈtɔːrɪəl] *n.* **1.** lekcja (*w podręczniku, programie edukacyjnym*). **2.** *szkoln., uniw.* fakultet, zajęcia fakultatywne, zajęcia (uzupełniające) w grupach; konsultacje (indywidualne). **3.** *Br. uniw.* zajęcia. – *a. uniw.* konsultacyjny, indywidualny (*o organizacji studiów*); prowadzący, opiekuńczy (*o funkcji*).

tutorship [ˈtuːtərˌʃɪp] *n.* **1.** *U* nauczanie; konsultacje. **2.** *uniw.* stanowisko wykładowcy.

Tutsi [ˈtʊtsɪ] *n. pl.* **-s** *l.* **Tutsi** Tutsi.

tutti frutti [ˌtuːtɪˈfruːtɪ], **tutti-frutti** *n. U kulin.* tutti frutti (= *lody z owocami l. deser owocowy*).

tut-tut [ˌtʌtˈtʌt] *int.* no-no (*wyraża dezaprobatę*). – *v.* **-tt-** mlaskać (*at sb/sth* na kogoś/coś) (*z dezaprobatą*). – *n.* mlaskanie (*z dezaprobatą*).

tutu [ˈtuːtuː] *n.* spódniczka *l.* spódnica baletnicy.

tut-work [ˈtʌtˌwɜːk] *n. U Br. górn.* praca akordowa.

tu-whit tu-whoo [təˌwɪttəˈwuː] *onomat. int.* uhu! – *n.* uhu, hukanie (puszczyka *l.* sowy).

tux [tʌks] *n. pot.* = **tuxedo**.

tuxedo [tʌkˈsiːdoʊ] *n. pl.* **-s** *l.* **-es** *US* smoking; marynarka od smokingu.

tuyere [tuːˈjer], **tuyère** *n. metal.* dysza (powietrzna *l.* nawiewna) (*w piecu*).

TV [ˌtiː ˈviː] *n. i abbr.* **1.** *C/U* telewizja; **on ~** w telewizji. **2.** (*także* **~ set**) telewizor. – *a. attr.* telewizyjny; **~ channel** kanał, program; **~** *US* **program**/*Br.* **programme** program telewizyjny; **~ series** serial telewizyjny; **~ star** gwiazda telewizji *l.* telewizyjna.

TV dinner *n. kulin.* mrożony posiłek, danie gotowe (*do odgrzania w mikrofalówce*).

TV game *n. el.* gra telewizyjna.

TVP [ˌtiː ˌviː ˈpiː] *abbr.* **textured vegetable protein** *kulin.* proteina sojowa (modyfikowana), kostka sojowa.

twaddle [ˈtwɑːdl] *pot. n. U* brednie, bzdury. – *v. przest.* pleść bzdury *l.* brednie, bredzić.

twain [tweɪn] *num. i n. arch. l. poet.* dwa; para;

never the ~ shall meet *poet.* są jak ogień i woda; **split sth in ~** rozłupać coś na pół.

twang [twæŋ] *n. zw. sing.* **1.** nosowość, nosowy ton (*w wymowie*). **2.** brzęk, brzęknięcie (*napiętej struny*). – *v.* **1.** brzęczeć (*o strunie, drucie*). **2.** brzdąkać; **~ (on) the guitar** brzdąkać na gitarze. **3.** mówić przez nos.

'twas [twʌz], **twas** *abbr. arch. l. poet.* = **it was.**

twat [twɑːt] *n. zwł. Br. obsc. sl.* **1.** cipa (*t. obelż. = głupia l. nielubiana osoba*), pizda. **2.** *obelż.* cipka, cipencja (= *dziewczyna l. kobieta jako obiekt seksualny*).

twayblade ['tweɪˌbleɪd] *n. ogr., bot.* orchidea *l.* listera (dwuliściowa), storczyk (dwuliściowy) (*Listera, Liparis, Ophrys, etc.*).

tweak [twiːk] *v.* **1.** pociągnąć za (*nos, ucho, ogon*); uszczypnąć w (*nos, ucho*); szarpnąć za (*linkę, ogon*). **2.** pociągnąć za nos (*kogoś*). **3.** naciągnąć (sobie) (*mięsień*). **4.** *gł. pot.* podkręcić, podregulować (*silnik, komputer*); poprawić (*program, projekt*). **5. ~ out** wyrwać (*włos*). – *n. zw. sing.* **1.** pociągnięcie; szarpnięcie; uszczypnięcie. **2.** *gł. pot.* podregulowanie; małe ulepszenie.

twee [twiː] *n. Br. pot. uj.* landszaftowy; cukierkowy.

tweed [twiːd] *n.* **1.** *U tk.* tweed. **2.** *pl. zob.* **tweeds.** – *a. attr.* tweedowy.

Tweedledum and Tweedledee [ˌtwiːdl'dʌm ənd ˌtwiːdl'diː] *n.* jedno i to samo, jeden diabeł (*o rzeczach l. opcjach różniących się tylko z pozoru*); Jacek i Placek (*o podobnych osobach*).

tweeds [twiːdz] *n. pl.* tweedowy garnitur *l.* kostium, tweedowe ubranie.

tweedy ['twiːdɪ] *n. pl.* **-ier, -iest** **1.** tweedowy. **2.** *Br. przen. zw. uj.* arystokratyczny, wielkopański (*zwł. = lubiący polowania, jazdę konną i tweedowe ubrania*).

'tween [twiːn], **tween** *prep. arch. l. poet.* = **between.**

tweet [twiːt] *onomat. int.* ćwir. – *v.* ćwierkać, świergotać. – *n.* ćwierkanie, świergot.

tweeter ['twiːtər] *n.* głośnik wysokotonowy (*w kolumnie*).

tweeze [twiːz] *v.* wyrywać (pincetą).

tweezer ['twiːzər] *v. US* pinceta.

tweezers ['twiːzərz] *n. pl.* (*także* **pair of ~**) pinceta.

twelfth [twelfθ] *num.* dwunasty. – *n.* jedna dwunasta; **five ~s** pięć dwunastych.

Twelfth Day *n. rel.* (święto) Trzech Króli, Objawienie Pańskie (= *6 stycznia*).

Twelfth Night *n. rel.* wigilia Trzech Króli (= *5 stycznia*); wieczór Trzech Króli (= *6 stycznia; t. tytuł sztuki Szekspira*).

twelve [twelv] *num.* dwanaście; dwanaścioro; dwunastu; **the T~ Apostles** (*także* **the T~**) *Bibl.* dwunastu Apostołów. – *n.* **1.** dwunastka (*numer, grupa*). **2.** *U* **~ (o'clock)** (godzina) dwunasta; **~ a.m./midnight** północ, dwunasta w nocy; **~ p.m./noon** południe, dwunasta w południe; **at ~** o dwunastej.

twelvemo ['twelvmoʊ] *n. U bibl., druk.* duodecimo (*format książki*).

twelve-month ['twelvˌmʌnθ], **twelvemonth** *n. Br. arch. l. dial.* rok.

twelve-tone [ˌtwelv'toʊn] *a. muz.* dwunastotonowy (*o gamie*).

twentieth ['twentɪəθ] *num.* dwudziesty. – *n.* (jedna) dwudziesta.

twenty ['twentɪ] *num.* dwadzieścia; dwadzieścioro; dwudziestu. – *n. pl.* **-ies** dwudziestka; **be in one's twenties** mieć dwadzieścia parę lat; **in his/her twenties** dwudziestoparoletni/a; **the (nineteen) twenties** lata dwudzieste (dwudziestego wieku); **Roaring Twenties** *zob.* **Roaring.**

twenty-first [ˌtwentɪ'fɜːst] *n.* dwudzieste pierwsze urodziny (*symbolizujące wejście w dorosłe życie jak osiemnastka w Polsce*).

twentyfold ['twentɪˌfoʊld] *a.* dwudziestokrotny. – *adv.* dwudziestokrotnie.

twenty-four/seven [ˌtwentɪˌfɔːr'sevən], **24/7** *a.* całodobowy (*o serwisie*). – *adv.* całodobowo (*świadczyć usługi*).

twenty-one [ˌtwentɪ'wʌn] *n. karty* dwadzieścia jeden, oczko.

twenty questions *n. U* (gra w) dwadzieścia pytań.

twenty-twenty vision [ˌtwentɪˌtwentɪ 'vɪʒən], **20/20 vision** *n. U* sokoli wzrok; *med.* pełna ostrość widzenia, prawidłowy wzrok.

twenty-two [ˌtwentɪ'tuː], **.22** *n. broń* kaliber 22.

'twere [twɜː], **twere** *abbr. arch. l. poet.* = **it were.**

twerp [twɜːp], **twirp** *n. obelż. sl.* jełop, pacan.

twibill ['twaɪˌbɪl] *n.* **1.** oskard; motyka. **2.** *hist.* czekan, toporek dwusieczny.

twice [twaɪs] *adv.* dwa razy; dwukrotnie; **~ a month/week** dwa razy w miesiącu/tygodniu; **~ as big as sb/sth** dwa razy większy od kogoś/czegoś; **~ as much/many** dwa razy więcej; **~ daily/a day** dwa razy dziennie; **~ sb's age/size** dwa razy starszy/większy od kogoś; **at ~ the price** za podwójną cenę; **once bitten, ~ shy** *zob.* **bitten; once or ~** raz czy dwa, parę razy; **think ~ (before...)** dobrze pomyśleć (zanim...); **I'd think ~** dobrze bym się zastanowił/a.

twice-laid [ˌtwaɪs'leɪd] *a.* z odzysku (*gł. o linach: = skręcone ze starych rozplecionych lin*).

twice-told [ˌtwaɪs'toʊld] *a. przest.* oklepany, powtarzany do znudzenia.

twiddle ['twɪdl] *v.* **1. ~ (with) sth** obracać coś w palcach, bawić się czymś. **2.** pokręcić, obracać (*gałką*). **3. ~ one's thumbs** przebierać palcami; *przen.* siedzieć z założonymi rękami (= *nie mieć nic do roboty*). – *n.* **1.** obrót (*pokrętła*). **2.** *zwł. Br.* zawijas.

twiddly ['twɪdlɪ] *zwł. Br. pot. a.* **-ier, -iest** **1.** zakręcony, z zawijasem. **2.** *uj.* przeładowany (*ozdobami*). – *n.* (*także* **~ bit**) ustrojstwo, wichajster, dynks.

twig¹ [twɪg] *n.* **1.** gałązka. **2.** *anat., el.* odgałęzienie (*naczynka, ścieżki drukowanej*).

twig² *v.* **-gg-** *pot.* **1.** *Br.* skapować się, zajarzyć (= *domyślić się*) (*what / how* co/jak). **2. ~ to sth** *gł. US* pokapować się w czymś.

twiggy ['twɪgɪ] *a.* **-ier, -iest** **1.** rozgałęziony; pokryty gałązkami. **2.** chudy jak patyk (*zwł. o nogach*).

twilight [ˈtwaɪˌlaɪt] *n. U* **1.** zmierzch, zmrok. **2.** półmrok; **in the ~** w półmroku. **3.** *przen.* zmierzch, schyłek; **T~ of the Gods** *t. mit.* zmierzch bogów; **in the ~ of one's career** u schyłku kariery; **sb's ~ years** schyłek czyjegoś życia; **the ~ world (of sth)** *lit.* tajemniczy świat (czegoś).

twilight sleep *n. U hist. med.* lekka narkoza (*stosowana dawniej w czasie porodu*); półsen (*w wyniku narkozy jw.*).

twilight zone *n.* **1.** szara strefa (*between sth and sth* pomiędzy czymś a czymś). **2.** *hydrol.* granica strefy fotycznej (*w zbiorniku wodnym*).

twilit [ˈtwaɪlɪt] *a. gł. attr. lit.* w poświacie zmierzchu.

twill [twɪl] *n. U tk.* diagonal, twill. – *a. attr.* z diagonalu *l.* twillu (*np. o spodniach, marynarce*). – *v. tk.* tkać splotem ukośnym.

'twill [twɪl] *abbr. arch. l. poet.* = **it will.**

twin [twɪn] *n.* **1.** *t. przen.* bliźnia-k/czka; **~ brother** brat bliźniak; **~ sister** siostra bliźniaczka; **identical/fraternal ~s** bliźniaki *l.* bliźnięta jednojajowe/dwujajowe; **Siamese ~s** bliźniaki *l.* bliźnięta syjamskie; **T~s** *astrol. astron.* Bliźnięta. **2.** = **twin room. 3.** *krystal.* bliźniak, kryształ bliźniaczy. – *a. attr.* **1.** bliźniaczy. **2.** powiązany, nierozerwalnie związany (*np. o zagadnieniach, celach*). **3.** podwójny (*np. o wieży, dźwigu*); zdwojony (*o silniku*). **4.** sprzężony (*o armatkach, urządzeniach*). **5.** *US* na łóżko jednoosobowe (*o kołdrze, prześcieradle*). – *v.* **-nn- 1.** łączyć (się) w pary. **2.** *fizj.* urodzić bliźnięta *l.* bliźniaki. **3.** *pass.* **be ~ned with sb/sth** współpracować z kimś/czymś; **Middlesborough is ~ned with Szczecin** *Br.* Middlesborough jest miastem siostrzanym Szczecina.

twin bed *n.* **1.** łóżko jednoosobowe (*zw. szerokości 100 cm*). **2.** = **twin room.**

twin-bedded room [ˌtwɪnˌbedɪd ˈruːm] *n.* = **twin room.**

twin bill *n. pot.* **1.** *kino* seans podwójny. **2.** *sport* dwa mecze (*jeden po drugim w ramach jednego wejścia*).

twin-carburetor [ˌtwɪnˈkɑːrbəˌreɪtər], *Br.* **twin-carburettor** *a. attr. mot.* dwugaźnikowy (*o silniku, modelu samochodu*).

Twin Cities *n. pl. US* dwumiasto, dwa miasta (*tworzące konurbację, zwł. = Minneapolis i St. Paul w stanie Minnesota*).

twine [twaɪn] *n. U* **1.** szpagat, sznurek. **2.** skrętka. **3.** splot; zwój. – *v.* **1.** splatać (*szpagat*). **2.** wić się (*about / around / round sth* wokół czegoś (o pnączu), *through sth* przez coś) (*o ścieżce, drodze*). **3. ~ one's fingers around sth** objąć coś (*palcami*), uchwycić coś.

twin-engined [ˌtwɪnˈendʒənd] *a. gł. attr. lotn.* dwusilnikowy.

twinflower [ˈtwɪnˌflaʊər] *n. bot.* zimoziół północny (*Linnaea borealis*).

twinge [twɪndʒ] *n.* **1.** kłucie, ukłucie, nagły ból. **2.** *sing.* nagłe uczucie, nagłe poczucie (*np. żalu, winy, zazdrości, strachu*); **a ~ of conscience** wyrzuty sumienia. – *v.* **1.** ukłuć (*o bólu*). **2.** odczuć ukłucie *l.* kłucie. **3.** być szarpanym (*emocjami*).

twinighter [ˈtwaɪˌnaɪtər] *n.* (*także* **twinight doubleheader**) *US baseball* podwójne spotkanie, podwójny mecz (*tych samych drużyn*).

twinkle [ˈtwɪŋkl] *v.* **1.** migotać, skrzyć się (*np. o gwiazdach*); migać, mrugać (*o światełku*). **2.** błyszczeć, jarzyć się; zabłysnąć, zaświecić się (*o oczach*). – *n. zw. sing.* **1.** błysk, iskierka; **a ~ in sb's eye** błysk *l.* iskierka w oczach *l.* oku; **a mischievous ~ in sb's eye** szelmowska iskierka w oku. **2.** migoczące *l.* mrugające światełko; światełko w oddali. **3.** migotanie; miganie; mignięcie. **4.** *przen.* **when sth was a ~ in sb's eye** kiedy pomysł na coś (po raz pierwszy) zrodził się w czyjejś głowie; **when you were just a ~ in your father's eye** *dziec. l. żart.* zanim sie urodził-eś/aś.

twinkling [ˈtwɪŋklɪŋ] *n.* **in the ~ of an eye** w mgnieniu oka, w okamgnieniu.

twin-lens reflex [ˌtwɪnˌlenz ˈriːˌfleks], **twin-lens reflex camera** *n. fot.* lustrzanka dwuobiektywowa.

twin paradox *n. fiz.* paradoks bliźniąt (*w teorii względności*).

twin set *n. Br.* bliźniak, komplet (z dzianiny) (*bluzka i sweterek*).

twin town *n. Br.* miasto siostrzane.

twin tub *n. Br.* pralko-wirówka (*z oddzielnymi bębnami*).

twirl [twɜːl] *v.* **1. ~ (around/round)** wirować, kręcić się; obrócić się w miejscu *l.* na pięcie. **2. ~ (around/round)** kręcić, obracać (*kimś l. czymś*); skręcać *l.* obracać (w palcach) (*papierek*). **3.** *baseball* rzucać (*piłkę*). **4. ~ one's fingers** kręcić młynek palcami; **~ one's mustache** *US*/**moustache** *Br.* podkręcać wąsa. – *n.* **1.** obrót. **2.** wirowanie, kręcenie się. **3.** zakrętas, zawijas.

twirler [ˈtwɜːlər] *n. US* **1.** (*także* **baton ~**) majoretka (= *dziewczyna żonglująca batutą w pochodzie*); tamburmajor (= *dyrygent orkiestry w marszu*). **2.** *baseball pot.* miotacz.

twirp [twɜːp] *n.* = **twerp.**

twist [twɪst] *v.* **1.** wyginać (*ciało, drut*). **2.** skręcać (*sznurek, tułów*). **3.** odwracać się. **4.** odwracać (*głowę*). **5.** obracać (*pokrętło l. pokrętłem*); kręcić (*nakrętką, pokrętłem*); odkręcać (*pokrywkę, nakrętkę*). **6.** odkręcać się (*o pokrywce, nakrętce*). **7.** wić się (*o ścieżce, strumyku*) (*through sth* przez coś l. wśród czegoś). **8.** wiercić się, wić się (*o osobie, wężu*). **9.** wypaczać, przekręcać (*wypowiedź, słowa*). **10.** splatać, skręcać (*sznurek*). **11.** skręcić (sobie), wykręcić (sobie) (*np. nogę, nadgarstek*); **~ sb's arm** wykręcić komuś rękę. **12.** tańczyć twista. **13. ~ and turn** wić się (*o drodze, osobie, wężu*). **14.** *przen.* **~ sb's arm** *pot.* przycisnąć kogoś (= *zmusić, bardzo nalegać*); **~ my arm!** *żart.* jeśli mi każesz, jeśli nie mam wyboru *l.* innego wyjścia; **~ the knife** *zob.* **knife** *n.* **15. ~ sth around/round sth** okręcać *l.* owijać coś wokół *l.* dookoła czegoś; **~ sb around/round one's little finger** *zob.* **finger**; **~ off** odkręcić (*zakrętkę, nakrętkę*); wyrwać (*chwast*); **~ on** dokręcić (*zakrętkę, nakrętkę*); **~ sth together** skręcać coś, splatać coś (*kawałki liny*); **~ sth up** skręcać coś (*papier, sznurek*). – *n.* **1.** skręt (*ciała*); obrót (*ciała, śruby*); rotacja. **2.** nieoczekiwany zwrot (*wydarzeń, akcji*). **3.** (*także* **new ~**) urozmaicenie, nowość, (oryginalna) innowacja (*to sth* w czymś). **4.** wygięcie; skręcenie. **5.** zwój (*liny*). **6.** zwitek (*papieru*). **7.** kosmyk, lok (*włosów*). **8.** (ostry) zakręt (*drogi, strumienia*). **9.** *pat.* skręcenie (*kostki, ręki*). **10.** dziwactwo, narów (*charakteru*). **11.** szarpnięcie. **12. the ~** twist (*taniec*). **13.** *tk.* nić wzmocniona; skrętka. **14.** *gł. baseball* rotacja (*piłki*). **15.** *mech.* skręcenie (*rodzaj przeciążenia l. odkształcenia*). **16.** *kulin.* warkocz, plecionka (*pieczywo*); **a ~ of lemon** plasterek cytryny (*w drinku*); **pasta ~s** (makaron) świderki. **17.** *przen.* (*także* **~ of fate/fortune**) zrządzenie losu, zbieg okoliczności; **by a (strange/amazing) ~ (of fate)** dziwnym zrządzeniem losu, w wyniku niezwykłego zbiegu okoliczności; **~s and turns** zakręty, zakrętasy; gmatwanina (*faktów, wydarzeń*); **~s and turns of fate** (różne) koleje losu; **be in a ~** nie wiedzieć, co zrobić *l.* począć; **be round the ~** *Br. przest. pot.* mieć nie po kolei w głowie; **go round the ~** *Br. przest. pot.* zbzikować; **drive/send sb round the ~** *Br. przest. pot.* doprowadzać kogoś do szału; **get one's knickers in a ~** *Br. pot.* głupio wyglądać (= *skompromitować się*); **in a strange ~ (to the story)...** całkiem niespodziewanie *l.* nieoczekiwanie...

twisted ['twɪstɪd] *n.* **1.** poskręcany, skręcony, pogięty, powyginany (*o korzeniu, pręcie*); pokręcony. **2.** pokrętny (*o logice, argumentach*). **3.** *pat.* skręcony (*o kostce, ręce*). **4.** *przen.* skrzywiony (*o psychice*); **~ mind** chory umysł, chora wyobraźnia; **product of a ~ mind** wytwór chorej wyobraźni; **bitter and ~** *Br.* obrażony na cały świat; **mentally ~** skrzywiony psychicznie.

twisted pair *n.* (*także* **twisted-pair cable, twisted cable**) *tel.* skrętka (dwużyłowa).

twister ['twɪstər] *n.* **1.** *US pot.* tornado, cyklon, trąba powietrzna. **2.** *Br. pot.* krętacz/ka. **3.** *sport pot.* podkręcona piłka. **4.** *zwł. tk.* skręcarka (*do włókien, lin*).

twit [twɪt] *n. pot. obelż.* pacan, przygłup. – *v.* **-tt-** *przest.* żartować sobie z (*kogoś*).

twitch [twɪtʃ] *v.* **1.** drgać (*np. o powiece, mięśniu*). **2.** szarpać, pociągać (*(at) sth* za coś). **3.** szarpać, kłuć (= *boleć*). – *n.* **1.** *zw. sing.* tik, drganie (*powieki*). **2.** szarpnięcie, pociągnięcie. **3.** *wet.* pętla (*do krępowania konia przy zabiegu*). **4.** *C / U* (*także* **~ grass**) *bot.* perz (*Agropyron repens*).

twitchy ['twɪtʃɪ] *a.* **-ier, -iest** niespokojny, nerwowy, zdenerwowany; **be ~** kręcić się, wiercić się (*niespokojnie*).

twitter ['twɪtər] *v.* **1.** ćwierkać, świergotać (*o ptaku*). **2.** chichotać. **3.** paplać. – *n.* **1.** *sing.* ćwierkanie, świergot (*ptaka*). **2. in a ~** (*także* **all of a ~**) *przen.* cały podekscytowany.

twittery ['twɪtərɪ] *a.* podekscytowany, niespokojny.

'twixt [twɪkst], **twixt** *prep. arch. l. poet.* = **betwixt.**

two [tu:] *num.* **1.** dwa; dwoje; dwie; dwóch; **~ tables/chairs** dwa stoły/krzesła; **~ children** dwoje dzieci; **~ women/couples/books** dwie kobiety/pary/książki; **~ men** dwóch mężczyzn; **~ for the price of one** *handl.* dwa za cenę jednego; **by/in ~s** dwójkami, parami; **cut/break sth in ~** przeciąć/przełamać coś na dwoje *l.* na pół. **2.** *przen.* **~ a penny** *zob.* **penny**; **~ can play at that game** jeśli ty tak możesz, to i ja też (*zw. z wyrzutem*); **~'s company, three's a crowd** *zob.* **company** *n.*; **be ~ of a kind** *zob.* **kind** *n.*; **be of** *US*/**in** *Br.* **~ minds (about sth)** *zob.* **mind** *n.*; **for ~ cents, I'd...** *zob.* **cent**; **get/put/throw in one's ~ cents' worth** *zob.* **cent**; **give sb ~ fingers** *zob.* **finger** *n.*; **it takes ~ to tango** *zob.* **tango** *v.*; **one or ~** parę; **put ~ and ~ together** skojarzyć jedno z drugim; **put ~ and ~ together, (and) make/get five** *pot. żart.* wyciągnąć pochopne wnioski, przekombinować; **that makes ~ of us** ja też, to tak samo jak ja; **(there are) no ~ ways about it** sprawa jest prosta *l.* oczywista. – *n.* **1.** dwójka. **2.** *U* **~ (o'clock)** (godzina) druga; **at ~** o drugiej.

two-base hit [ˌtu:ˌbeɪs 'hɪt] *n.* (*także sl.* **two-bagger**) *baseball* wybicie na drugą bazę (*umożliwiające dobiegnięcie do drugiej bazy*).

two-bit ['tu:ˌbɪt] *a. US* **1.** *pot. uj.* podrzędny (*o aktorze, roli, filmie*). **2.** *przest.* za ćwierć dolara, ćwierćdolarowy.

two bits *n. US pot.* ćwierć dolara, 25 centów, dwudziestopięciocentówka.

two-by-four ['tu:baɪˌfɔ:r] *n. bud., stol.* bal (*o przekroju 5×10cm*).

two-cycle engine [ˌtu:ˌsaɪkl 'endʒən] *n. US mot.* silnik dwusuwowy.

two-dimensional [ˌtu:də'menʃənl] *n.* **1.** *t. geom.* dwuwymiarowy, płaski. **2.** *przen.* papierowy, płaski (*o postaci*).

two-door [ˌtu:'dɔ:r] *n. mot.* dwudrzwiowy (*o modelu samochodu*).

two-edged [ˌtu:'edʒd] *a.* obosieczny (*np. o argumentach, metodach; t. dosł. o ostrzu, szabli*); **~ sword** *przen.* broń obosieczna.

two-faced [ˌtu:'feɪst] *a.* **1.** dwulicowy (= *zakłamany*). **2.** o dwu obliczach.

two-facedly [ˌtu:'feɪsɪdlɪ] *adv.* dwulicowo (*postępować*).

twofer ['tu:fər] *n. handl. pot.* kupon podwójny, kupon „dwa za cenę jednego" (*przy zakupie jednego artykułu*); wstęp dla drugiej osoby za darmo (*przy zakupie jednego biletu*).

two-fisted [ˌtu:'fɪstɪd] *a. US* **1.** dwuręczny, oburęczny (*o uderzeniu, np. rakietą tenisową*). **2.** *pot.* zapalony, gorliwy (*np. o graczu, amatorze zabaw, alkoholu*).

twofold ['tu:fould] *a.* **1.** dwukrotny, podwójny (*np. o wzroście*). **2.** dwojaki; **the reasons are ~** powody są dwojakiej natury, istnieją dwa powody. – *adv.* dwukrotnie, podwójnie.

two-four time ['tu:ˌfɔ:r ˌtaɪm] *n. U muz.* rytm na dwie czwarte; **in ~** w rytmie na dwie czwarte.

two-handed [ˌtu:'hændɪd] *a.* **1.** dwuręczny, oburęczny (*o uderzeniu, np. rakietą tenisową; t. o narzędziu*). **2.** dwuosobowy, dla dwóch osób (*o narzędziu*); dla dwóch osób *l.* zawodników (*o *grze*). **3.** oburęczny (= *bez dominującej ręki*). **4.** dwuręczny (= *mający obie l. dwie ręce*).

two-hander [ˈtu:ˌhændər] *n. Br. teatr* sztuka na dwóch aktorów.

two-line whip [ˌtu:ˌlaɪn ˈwɪp] *n. Br. parl.* wezwanie podwójnie podkreślone (*wzywające członków klubu parlamentarnego do głosowania w określony sposób*).

two-man [ˌtu:ˈmæn] *a. attr.* dwuosobowy (*np. o namiocie, kajaku*).

two-name paper [ˌtu:ˈneɪm ˌpeɪpər] *n. fin.* weksel z dwoma podpisami, weksel indosowany (*przez drugiego wierzyciela*).

two-one [ˌtu:ˈwʌn], **2-1** *n. Br. uniw.* licencjat *l.* dyplom (licencjacki) stopnia 2-1 (*drugiego z kolei; na czwórkę*).

two-pack [ˈtu:ˌpæk] *n. handl.* opakowanie podwójne, dwupak (*piwa*).

two-party system [ˌtu:ˈpɑ:rtɪ ˌsɪstəm] *n. polit.* system dwupartyjny.

twopence [ˈtʌpəns] *n. C/U* (*także* **tuppence**) *Br. fin.* dwa pensy; *hist.* dwupensówka, moneta dwupensowa; **not care/give** ~ *przest.* nie dbać za grosz.

twopenny [ˈtʌpənɪ] *a. attr.* (*także* **tuppeny**) *Br. przest.* **1.** za dwa pensy, dwupensowy. **2.** = **twopenny-halfpenny**.

twopenny-halfpenny [ˌtʌpənɪˈheɪpənɪ] *a. attr. Br. przest.* nic niewart, tandetny.

two-percent milk [ˌtu:pərˈsent ˌmɪlk] *n. U US handl.* mleko dwuprocentowe.

two-phase [ˌtu:ˈfeɪz] *a. attr. el., fiz., chem., metal.* dwufazowy (*o prądzie, układzie, stopie*).

two-piece [ˈtu:ˌpi:s] *n.* **1.** (*także* ~ **suit**) kostium (*żakiet i spodnie*); garnitur. **2.** (*także* ~ **swimsuit**) strój (kąpielowy) dwuczęściowy.

two-ply [ˈtu:ˌplaɪ] *a.* dwuwarstwowy, podwójny (*o chusteczkach higienicznych, papierze toaletowym, sklejce*).

two-seater [ˌtu:ˈsi:tər] *n. mot.* samochód dwumiejscowy; pojazd dwumiejscowy; *lotn.* samolot dwumiejscowy.

two-sided [ˌtu:ˈsaɪdɪd] *a. t. przen.* dwustronny (*np. o wydruku, debacie*); mający dwie strony (*o problemie*); obosieczny (*o argumencie*).

twosome [ˈtu:səm] *n. zw. sing.* para, dwójka.

two-spot [ˈtu:ˌspɑ:t] *n.* **1.** *karty, domino* dwójka. **2.** *US sl.* dwa dolce.

two-star [ˈtu:ˌstɑ:r] *a. attr.* dwugwiazdkowy (*o hotelu, restauracji*).

two-step [ˈtu:ˌstep] *n. U* two step (*taniec*).

two-stroke engine [ˌtu:ˌstroʊk ˈendʒən] *n. Br. mot.* silnik dwusuwowy.

two-tailed [ˌtu:ˈteɪld] *a. stat.* dwustronny, dwuśladowy (*o teście, hipotezie*).

two-tier [ˌtu:ˈti:r] *n.* dwupoziomowy, dwuwarstwowy.

two-time [ˈtu:ˌtaɪm] *v. pot.* zdradzać, oszukiwać (*partnera, małżonka*).

two-timer [ˈtu:ˌtaɪmər] *n. pot.* niewiern-y/a partner/ka.

two-tone [ˈtu:ˌtoʊn] *a.* **1.** *zwł. handl.* dwubarwny, dwukolorowy; w dwóch odcieniach. **2.** dwutonowy (*o syrenie, klaksonie*).

two-two [ˌtu:ˈtu:], **2-2** *n. Br. uniw.* licencjat *l.* dyplom (licencjacki) stopnia 2-2 (*trzeciego z kolei; na trójkę plus*).

'twould [twʊd] *abbr. arch. l. poet.* = **it would**.

two-way [ˌtu:ˈweɪ] *a. gł. attr.* **1.** *mot.* dwukierunkowy (*o ruchu, ulicy*). **2.** *radio, tel.* dupleksowy (= *umożliwiający jednoczesną rozmowę obu rozmówców*). **3.** obustronny, dwustronny, wzajemny (*np. o stosunkach, współpracy, szacunku*). **4.** *sport* z dwoma uczestnikami (*o rozgrywkach, zawodach*).

two-way mirror *n.* lustro weneckie.

two-way radio *n.* aparat nadawczo-odbiorczy.

two-way speaker *n.* kolumna dwudrożna *l.* dwugłośnikowa.

two-way street *n. zw. sing. US przen. pot.* wzajemność.

twp. *abbr. US* = **township**.

TX *abbr. US* = **Texas**.

tycoon [taɪˈku:n] *n. ekon.* magnat, potentat (*finansowy, prasowy*).

tying [ˈtaɪɪŋ] *v. zob.* **tie** *v.*

tyke [taɪk], **tike** *n. pot.* **1.** *zwł. US* brzdąc, berbeć; *zwł. Br.* urwis, diabełek (= *psotny chłopiec*). **2.** kundelek, kundel. **3.** (*także* **Yorkshire** ~) *Br. t. obelż.* osoba z Yorkshire.

tympan [ˈtɪmpən] *n.* **1.** *druk.* tympan, płyta dociskowa, przekładka. **2.** *bud., fiz.* = **tympanum**.

tympani [ˈtɪmpənɪ] *n. pl.* = **timpani**.

tympanic [tɪmˈpænɪk] *a. anat.* bębenkowy; ~ **bone/membrane** kość/błona bębenkowa.

tympanist [ˈtɪmpənɪst] *n. muz.* kotlist-a/ka.

tympanites [ˌtɪmpəˈnaɪti:z] *n. U pat.* bębnica, wzdęcie.

tympanitis [ˌtɪmpəˈnaɪtɪs] *n. U pat.* zapalenie błony bębenkowej.

tympanum [ˈtɪmpənəm] *n. pl.* **-s** *l.* **tympana** [ˈtɪmpənə] **1.** *anat.* błona bębenkowa; jama bębenkowa, ucho środkowe. **2.** (*także* **tympan**) *bud.* tympanon. **3.** (*także* **tympan**) *fiz.* membrana.

Tynwald [ˈtɪnwəld] *n.* (*także* ~ **Court**) *Br. polit.* Tynwald (= *parlament Wyspy Man*).

type [taɪp] *n.* **1.** typ (*t. biol., jęz., fil.*); rodzaj (*np. człowieka, urządzenia, wyrobu*); ~ **A/B (personality)** *psych.* osobowość typu A/B; ~ **I/II error** *stat.* błąd pierwszego/drugiego rodzaju; **and that** ~ **of thing** *pot.* i takie tam, i podobne rzeczy; **blood** ~ *med., biochem.* grupa krwi; **he's not my** ~ on nie jest w moim typie; **he's not that** ~ **of person** on nie jest osobą tego typu, on nie jest taki; **nerdy** ~ typ mola książkowego; **what** ~ **of clothes do you like?** jakie lubisz ubrania?. **2.** *C/U druk.* czcionka; **bold** ~ czcionka tłusta *l.* pogrubiona; **in italic** ~ kursywą (*pisać, drukować*). **3.** *U* druk, pismo *l.* litery drukowane. **4.** wyobrażenie (*na monecie l. medalu*). – *v.* **1.** pisać na komputerze *l.* maszynie; ~ **(up)** przepisywać (na komputerze *l.* maszynie). **2.** *med.* badać (*krew w celu ustalenia grupy*); badać *l.* ustalać grupę (*krwi*); badać *l.* ustalać grupę krwi (*próbki*). **3.** *bot., med.* klasyfikować (*roślinę, chorobę*). **4.** *film, te-*

atr = **typecast**. **5.** ~ **in** *komp.* wprowadzać, wpisywać (*hasło*); wklepywać (*tekst*).

typecase [ˈtaɪpˌkeɪs] *n. druk.* kaszta, szuflada zecerska.

typecast [ˈtaɪpˌkæst] *v.* **typecast, typecast** *film, teatr* obsadzać (*sb as* kogoś jako) (*aktora w określonych rolach*); *zw. uj. t. przen.* szufladkować; **be ~ as...** zostać zaszufladkowanym jako...

typeface [ˈtaɪpˌfeɪs] *n. druk., komp.* krój pisma *l.* czcionki.

type metal *n. U druk., metal.* stop czcionkowy.

typescript [ˈtaɪpˌskrɪpt] *n.* maszynopis.

typeset [ˈtaɪpˌset] *n. druk., komp.* składać (do druku) (*tekst*).

typesetter [ˈtaɪpˌsetər] *n. druk.* **1.** zecer, składacz. **2.** składarka.

type size *n. komp.* rozmiar czcionki; *druk.* stopień pisma *l.* czcionki.

type specimen *n. biol.* typowy okaz, holotyp.

typewrite [ˈtaɪpˌraɪt] *v.* **-wrote, -written** *przest.* pisać *l.* przepisywać na maszynie.

typewriter [ˈtaɪpˌraɪtər] *n.* maszyna do pisania.

typewriting [ˈtaɪpˌraɪtɪŋ] *n. U* **1.** maszynopisanie, pisanie na maszynie. **2.** maszynopis; pismo maszynowe.

typewritten [ˈtaɪpˌrɪtən] *a.* przepisany *l.* napisany na maszynie; w maszynopisie, w formie maszynopisu.

typhlitis [tɪfˈlaɪtɪs] *n. U pat.* zapalenie jelita ślepego.

typhoid [ˈtaɪfɔɪd] *pat. n. U* (*także* ~ **fever**) dur *l.* tyfus brzuszny. – *a.* durowy.

typhoon [taɪˈfuːn] *n. meteor.* tajfun.

typhous [ˈtaɪfəs] *a. pat.* durowy, tyfusowy.

typhus [ˈtaɪfəs] *n. U* (*także* ~ **fever**) *pat.* dur *l.* tyfus plamisty, dur osutkowy.

typical [ˈtɪpɪkl] *a.* typowy (*of sb/sth* dla kogoś/czegoś); **it is/was ~ of him (to...)** *uj.* to do niego podobne (żeby...). – *int. pot.* jak zwykle! (*z rozdrażnieniem*).

typically [ˈtɪpɪklɪ] *adv.* **1.** typowo. **2.** zwykle.

typification [ˌtɪpəfəˈkeɪʃən] *n. U form.* uosobienie.

typify [ˈtɪpəˌfaɪ] *v. gł. form.* **-ied, -ying** być typowym *l.* znamiennym *l.* charakterystycznym dla (*kogoś l. czegoś*); być uosobieniem (*kogoś l. czegoś*), uosabiać.

typing [ˈtaɪpɪŋ] *n. U* maszynopisanie, pisanie na maszynie *l.* komputerze; **touch ~** pisanie bezwzrokowe.

typing error *n.* błąd maszynowy, literówka.

typing pool *n.* hala maszyn (*w biurze*).

typist [ˈtaɪpɪst] *n.* maszynistka; **be a poor/slow ~** słabo/wolno pisać na maszynie.

typo [ˈtaɪpoʊ] *n. pl.* **-s** *pot.* literówka; błąd maszynowy *l.* drukarski.

typographer [taɪˈpɑːgrəfər] *n. druk.* **1.** zecer, składacz. **2.** typograf.

typographic [ˌtaɪpəˈgræfɪk], **typographical** *a. druk.* typograficzny; drukarski.

typographically [ˌtaɪpəˈgræfɪklɪ] *adv. druk.* typograficznie.

typography [taɪˈpɑːgrəfɪ] *n. U* **1.** typografia. **2.** układ typograficzny, szata typograficzna.

typology [taɪˈpɑːlədʒɪ] *n. C/U pl.* **-ies** *form.* typologia; **language ~** *jęz.* typologia języków.

typw. *abbr.* = **typewritten (by)**.

tyrannical [tɪˈrænɪkl] *a.* tyrański, despotyczny.

tyrannically [tɪˈrænɪklɪ] *adv.* tyrańsko, despotycznie.

tyrannicide [tɪˈrænɪˌsaɪd] *n. form.* **1.** tyranobójca. **2.** tyranobójstwo.

tyrannize [ˈtɪrənaɪz], *Br. i Austr. zw.* **tyrannise** *v.* tyranizować (*(over) sb* kogoś).

tyrannosaurus [tɪˌrænəˈsɔːrəs] *n.* (*także* **tyrannosaurus rex, tyrannosaur**) *paleont.* tyranozaur.

tyranny [ˈtɪrənɪ] *n. C/U pl.* **-ies** **1.** *polit. l. przen.* tyrania. **2.** okrucieństwo. **3. the ~ of fashion** *przen.* dyktat mody.

tyrant [ˈtaɪrənt] *n. polit. l. przen.* tyran, despot-a/ka.

tyre [taɪr] *n. i v. Br.* = **tire**[2].

Tyrian [ˈtɪrɪən] *a. hist., geogr.* tyryjski.

tyro [ˈtaɪroʊ], **tiro** *n. gł. US* żółtodziób, nowicjusz/ka.

Tyrol [tɪˈroʊl] *n. geogr.* Tyrol.

Tyrolean [tɪrəˈliːən], **Tyrolese** [ˌtɪrəˈliːz] *a.* tyrolski. – *n.* Tyrol-czyk/ka.

Tyrrhenian Sea [tɪˌriːnɪən ˈsiː] *a. geogr.* Morze Tyrreńskie.

tzaddik [tsɑːˈdiːk] *n. pl.* **tzaddik** *l.* **tzaddikim** [tsɑːdɪˈkiːm] *t. rel.* cadyk.

tzar [zɑːr] *n.* = **czar**.

tzarina [zɑːˈriːnə] *n.* = **czarina**.

tzarism [ˈzɑːrˌɪzəm] *n.* = **czarism**.

tzarist [ˈzɑːrɪst] *a.* = **czarist**.

tzatziki [tɑːtˈsiːkɪ] *n. U kulin.* tzatziki, cacyki (*grecki sos jogurtowy*).

tzetze fly [ˈtetsɪ ˌflaɪ] *n. pl.* **-ies** *ent.* = **tsetse fly**.

Tzigane [tsɪˈgɑːn] *n.* Cygan/ka (*zwł. z Węgier*). – *a.* cygański.

tzimmes [ˈtsɪmɪs] *n. C/U pl.* **tzimmes** **1.** *kulin.* cymes (*zapiekanka mięsno-warzywna*). **2.** *US przen. pot.* galimatias.

U

U [ju:], **u** *n. pl.* **-'s** *l.* **-s** [ju:z] U, u (*litera l. głoska*).

U, U. *abbr. i n. pl.* **-'s** *l.* **-s** **1.** (*także* ~ **bar**) *techn.* ceownik. **2. university** uniw. (= *uniwersytet*). **3. united** zjedn. (= *zjednoczony*). **4. union** zjedn. (= *zjednoczenie*). **5. unit** jedn. (= *jednostka*). **6. unsatisfactory** *szkoln.* ndst (= *niedostateczny*); *Br.* nieklasyfikowany (*o pracy nie spełniającej minimalnych standardów*). **7. universal** *Br. film* b/o, b.o. (= *bez ograniczeń*). – *a. Br. przest. pot.* arystokratyczny (*zwł. o wymowie*).

UAE [ˌju: ˌeɪ ˈi:] *abbr.* **United Arab Emirates** *polit.* Zjednoczone Emiraty Arabskie.

UAW [ˌju: ˌeɪ ˈdʌblju:] *abbr.* **United Automobile Workers** *US* Związek Zawodowy Pracowników Przemysłu Motoryzacyjnego.

UB40 [ˌju: ˌbi: ˈfɔ:rtɪ] *abbr. i n. pl.* **-'s** *l.* **-s** **Unemployment Benefit Form 40** *Br.* karta rejestracyjna bezrobotnego; *pot.* bezrobotn-y/a (*zarejestrowan-y/a*).

U-bend [ˈju:ˌbend] *n. techn.* syfon, kolanko (*pod zlewem, wanną*).

ubiety [ju:ˈbaɪətɪ] *n. U lit.* obecność.

ubiquitous [ju:ˈbɪkwətəs] *a. form.* wszechobecny; *żart.* wszędobylski.

ubiquitously [ju:ˈbɪkwətəslɪ] *adv. form.* wszechobecnie; *żart.* wszędobylsko.

ubiquity [ju:ˈbɪkwətɪ] *n. U form.* wszechobecność; *żart.* wszędobylstwo.

U-boat [ˈju:ˌboʊt] *n. hist., wojsk.* niemiecka łódź podwodna.

U-bolt [ˈju:ˌboʊlt] *n. mech.* obejma.

UC [ˌju: ˈsi:] *abbr.* **University College** Uniw. (= *część np. Uniwersytetu Londyńskiego*).

u.c. *abbr. druk.* **uppercase** wlk. lit. (= *wielką literą*).

UCCA [ˈʌkə] *abbr.* **Universities Central Council on Admissions** *Br.* Centralna Rada d/s Rekrutacji (*na studia*).

UDA [ˌju: ˌdi: ˈeɪ] *n.* **Ulster Defence Association** *Br. polit.* Stowarzyszenie Obrony Ulsteru.

udal [ˈju:dl] *n. U Br. gł. hist., prawn.* dziedziczne prawo własności (*przed wprowadzeniem feudalizmu, do dziś na Orkadach i Wyspach Szetlandzkich*).

UDC [ˌju: ˌdi: ˈsi:] *abbr.* **Urban District Council** *gł. Ir. polit.* rada miejska.

udder [ˈʌdər] *n.* wymię.

UDI [ˌju: ˌdi: ˈaɪ] *abbr.* **Unilateral Declaration of Independence** *Br. polit.* jednostronna deklaracja niepodległości.

udometer [ju:ˈdɑ:mətər] *n. techn.* pluwiometr, deszczomierz.

UDR [ˌju: ˌdi: ˈɑ:r] *abbr.* **Ulster Defence Regiment** *Br.* Pułk Obrony Ulsteru (*jednostka armii brytyjskiej*).

UEFA [ˌju: ˈeɪfə] *abbr. piłka nożna* **Union of European Football Associations** UEFA; ~ **Cup** puchar UEFA.

UFO [ˌju: ˌef ˈoʊ] *abbr. i n. pl.* **-'s** *l.* **-s** **Unidentified Flying Object** UFO, NOL (= *Niezidentyfikowany Obiekt Latający*).

ufologist [ˌju:ˈfɑ:lədʒɪst] *n.* ufolo-g/żka.

ufology [ˌju:ˈfɑ:lədʒɪ] *n. U* ufologia, badania nad UFO.

Uganda [jʊˈgændə] *n. geogr.* Uganda.

Ugandan [jʊˈgændən] *a.* ugandyjski. – *n.* Ugandyj-czyk/ka.

UGC [ˌju: ˌdʒi: ˈsi:] *abbr.* **University Grants Committee** *Br. hist.* Komitet Grantów (*przyznający fundusze na działalność uniwersytetów*).

ugh [ʊh] *int.* **1.** fuj!, fu! (*wyraża obrzydzenie*). **2.** łaa! (*wyraża przerażenie*).

uglification [ˌʌglɪfəˈkeɪʃən] *n. U* zeszpecenie.

uglify [ˈʌglɪfaɪ] *v.* **-ied, -ying** zeszpecić.

ugliness [ˈʌglɪnəs] *n. U* brzydota, szpetota.

ugly [ˈʌglɪ] *a.* **-ier, -iest** **1.** brzydki. **2.** nieprzyjemny, przykry (*np. o osobie, tonie, wydarzeniu*); paskudny. **3.** brudny (*o interesach*). **4.** *przen.* ~ **American** *US uj.* Amerykan-in/ka za granicą (= *turysta obraźliwy dla miejscowych*); ~ **as sin** *emf.* brzydki jak noc; ~ **duckling** brzydkie kaczątko; **before things turn** ~ zanim poleje się krew; **rear its** ~ **head** dawać o sobie znać, wracać jak zły sen (*o czymś nieprzyjemnym*).

Ugrian [ˈu:grɪən] *n.* Ugryj-czyk/ka. – *a.* ugryjski.

Ugric [ˈu:grɪk] *jęz. a.* ugryjski. – *n. U* języki ugryjskie.

uh [ə] *int.* ee, hmm (*wyraża wahanie, wypełnia pauzę w wypowiedzi*).

UHF [ˌju: ˌeɪtʃ ˈef], **uhf** *abbr.* **ultrahigh frequency** *radio* UKF (*fale l. pasmo ultrakrótkie*); *fiz., radio* (pasmo *l.* częstotliwość) UHF.

uh-huh [əˈhʌ] *int.* aha (*wyraża potwierdzenie*).

uhlan [ˈu:lɑ:n] *n. hist., wojsk.* ułan.

uh-oh [ˈʌˌoʊ] *int.* o-o, o-ho (*wyraża nieprzyjemne zaskoczenie*).

UHT [ˌju: ˌeɪtʃ ˈti:] *abbr.* **ultra heat treated** *techn., handl.* UHT; ~ **milk/cream** *handl.* mleko/śmietana UHT.

uh-uh [ˈʌˌʌ] *int. US* e-e (*wyraża przeczenie*).

UI [ˌjuː ˈaɪ] *abbr.* **user interface** *komp.* interfejs użytkownika (*programu*).

Uigur [ˈwiːgʊr] *n. pl. t.* **Uigur** **1.** Ujgur/ka. **2.** *U jęz.* (język) ujgurski.

Uigurian [wiːˈgʊrɪən] *a.* ujgurski.

uitlander [ˈaɪtˌlændər], **Uitlander** *n. S.Afr.* cudzoziem-iec/ka, obc-y/a.

UK [ˌjuː ˈkeɪ], **U.K.** *abbr.* **United Kingdom** *polit.* UK, Wlk. Bryt. (= *Zjednoczone Królestwo*).

ukase [juːˈkeɪz] *n. gł. hist.* ukaz (*w carskiej Rosji*).

uke [juːk] *n. muz. pot.* = **ukulele**.

ukelele [ˌjuːkəˈleɪlɪ], **ukulele** *n. muz.* ukulele.

Ukraine [jʊˈkreɪn] *n. geogr.* Ukraina.

Ukrainian [jʊˈkreɪnɪən] *a.* ukraiński. – *n.* **1.** Ukrai-niec/nka. **2.** *U* (język) ukraiński.

ukulele [ˌjuːkəˈleɪlɪ] *n. muz.* ukulele.

ulan [ˈuːlɑːn] *n. hist.* = **uhlan**.

ulcer [ˈʌlsər] *n. pat. l. przen.* wrzód; **duodenal/peptic/stomach** ~ wrzód dwunastnicy/trawienny/żołądka; **mouth** ~ afta.

ulcerate [ˈʌlsəˌreɪt] *v. pat.* wrzodzieć.

ulcerated [ˈʌlsəˌreɪtɪd] *a. pat.* owrzodziały, pokryty wrzodami.

ulceration [ˌʌlsəˈreɪʃən] *n. C/U pat.* owrzodzenie.

ulcerative [ˈʌlsəˌreɪtɪv] *a. pat.* wrzodziejący.

ulcerous [ˈʌlsərəs] *a. pat.* wrzodowy, wrzodziejący.

ullage [ˈʌlɪdʒ] *n. U form.* niedobór objętości; ubytek (*płynu*).

ulna [ˈʌlnə] *n. pl.* **-s** *l.* **ulnae** [ˈʌlniː] *anat.* kość łokciowa.

ulnar [ˈʌlnər] *a. anat.* łokciowy; ~ **nerve** nerw łokciowy.

ulotrichous [juːˈlɑːtrəkəs] *a. zwł. antrop.* o gęsto skręconych włosach (*o typie człowieka*).

Ulster [ˈʌlstər] *n. geogr., polit.* Ulster.

ulster [ˈʌlstər] *n.* ulster (*męski płaszcz wełniany*).

ult. *abbr.* **1.** = **ultimate**. **2.** **ultimo** *form.* ub. mies. (= *ubiegłego miesiąca*).

ulterior [ʌlˈtiːrɪər] *a.* **1.** *gł. uj.* ukryty; ~ **motives** ukryte pobudki *l.* motywy; ~ **purpose/reason** ukryty cel/powód. **2.** *form.* oddalony. **3.** *form.* przyszły.

ultimata [ˌʌltəˈmeɪtə] *n. pl. zob.* **ultimatum**.

ultimate [ˈʌltəmət] *a. attr.* **1.** ostateczny (*o celu, decyzji, rozwiązaniu, nabywcy*). **2.** najwyższy (*np. o władzy, szczęściu*); najważniejszy (*np. o kryterium*). **3.** *zwł. pot.* najlepszy; **the** ~ **toaster** najlepszy z tosterów, toster nad tostery, król tosterów. **4.** *form.* elementarny. **5.** *gł. form.* ostatni, końcowy, krańcowy. **6.** *form.* najdalszy. – *n. U* szczyt; **the** ~ **in luxury/stupidity/technology** szczyt luksusu/głupoty/techniki.

ultimately [ˈʌltəmətlɪ] *adv.* ostatecznie, w końcu; w ostatecznym rozrachunku.

ultimate strength *n. U l. sing. mech.* wytrzymałość, granica wytrzymałości.

ultimatum [ˌʌltəˈmeɪtəm] *n. pl.* **-s** *l.* **ultimata** [ˌʌltəˈmeɪtə] *zwł. polit.* ultimatum; **give sb an** ~ postawić komuś ultimatum; **issue an** ~ *form.* wystosować ultimatum; **present sb with an** ~ przedstawić komuś ultimatum.

ultimo [ˈʌltəˌmoʊ] *adv. form.* ubiegłego miesiąca; **your letter of 5th** ~ Pańskie/Pani/Państwa pismo z 5 ubiegłego miesiąca.

ultimogeniture [ˌʌltəmoʊˈdʒenətʃər] *n. U prawn.* ultimogenitura (= *dziedziczenie przez najmłodszego syna*).

ultra [ˈʌltrə] *a.* **1.** *polit.* ekstremistyczny. **2.** *gł. pred. sl.* super (= *doskonały*). **3.** *uj.* przesadny. – *n. polit.* ekstremist-a/ka, ultras.

ultraconservative [ˌʌltrəkənˈsɜːvətɪv] *polit. a.* ultrakonserwatywny. – *n.* ultrakonserwatyst-a/ka.

ultrahigh [ˌʌltrəˈhaɪ] *a.* niezwykle *l.* wyjątkowo *l.* niespotykanie wysoki.

ultrahigh frequency *n. U radio* fale *l.* pasmo UKF *l.* ultrakrótkie; *radio, fiz.* częstotliwości ultrawysokie (*od 300 do 3000 MHz*).

ultraism [ˈʌltrəˌɪzəm] *n. U polit. form.* ekstremizm, radykalizm.

ultraist [ˈʌltrəɪst] *n.* ekstremist-a/ka, radykał/ka, ultras.

ultramarine [ˌʌltrəməˈriːn] *n. C/U* ultramaryna (*barwnik l. kolor*). – *a.* **1.** *attr.* ultramarynowy, soczystoniebieski. **2.** *lit.* zamorski.

ultramodern [ˌʌltrəˈmɑːdərn] *a.* ultranowoczesny.

ultramontane [ˌʌltrəˈmɑːnteɪn] *a.* **1.** *hist.* zaalpejski. **2.** *rz.-kat.* ultramontański, propapieski. – *n.* **1.** *hist.* mieszkan-iec/ka zaalpejskich prowincji Italii. **2.** *rz.-kat.* ultramontan-in/ka, papist-a/ka.

ultramundane [ˌʌltrəˈmʌndeɪn] *a. form.* **1.** pozaziemski. **2.** zaświatowy.

ultranationalism [ˌʌltrəˈnæʃənəˌlɪzəm] *n. U polit.* ultranacjonalizm.

ultranationalist [ˌʌltrəˈnæʃənəlɪst] *polit. n.* ultranacjonalist-a/ka. – *a.* ultranacjonalistyczny.

ultranationalistic [ˌʌltrəˌnæʃənəˈlɪstɪk] *a. polit.* ultranacjonalistyczny.

ultrasonic [ˌʌltrəˈsɑːnɪk] *a.* **1.** *zwł. lotn.* naddźwiękowy, ponaddźwiękowy (*o samolocie, prędkości*); z prędkością naddźwiękową (*o locie*). **2.** *techn., fiz.* ultradźwiękowy (*o czujniku, sondzie, częstotliwości*); ~ **cleaning** oczyszczanie ultradźwiękowe; ~ **testing** defektoskopia ultradźwiękowa.

ultrasonically [ˌʌltrəˈsɑːnɪklɪ] *adv.* **1.** *techn.* ultradźwiękowo, ultradźwiękami (*np. badać, prześwietlać*). **2.** z prędkością naddźwiękową (*przemieszczać się*).

ultrasound [ˈʌltrəˌsaʊnd] *n.* **1.** *med.* USG; (*także* ~ **examination/scan**) badanie ultradźwiękowe *l.* USG; **give sb an** ~ zrobić komuś USG. **2.** *U fiz.* ultradźwięki. – *a. attr.* **1.** *med.* ultradźwiękowy (*o badaniu*); ultradźwiękami (*o leczeniu, naświetlaniu*). **2.** *fiz., techn.* ultradźwiękowy (*o czujniku, sondzie, częstotliwości*).

ultraviolet [ˌʌltrəˈvaɪələt] *a. opt.* ultrafioletowy, nadfioletowy; ~ **light/radiation** promieniowanie ultrafioletowe. – *n.* **1.** *U* promieniowanie ultrafioletowe *l.* nadfioletowe. **2.** lampa kwarcowa *l.* ultrafioletowa.

ululate [ˈjuːljəˌleɪt] *v. lit.* zawodzić.

ululation [ˌjuːljəˈleɪʃən] *n. U lit.* zawodzenie.

Ulyssess [jʊˈlɪsiːz] *n. mit.* Ulisses.

um [ʌm] *int.* hmm (*wyraża wahanie, wypełnia pauzę w wypowiedzi*).

umbel [ˈʌmbl] *n. bot.* baldach; baldaszek.

umbellate [ˈʌmbəlɪt] *a. bot.* baldaszkowy.

umbelliferous [ˌʌmbəˈlɪfərəs] *a. bot.* baldaszkowaty.

umber [ˈʌmbər] *n. U geol., chem.* umbra; **burnt ~** umbra palona. – *a.* brunatnoczerwony. – *v.* barwić umbrą.

umbilical [əmˈbɪlɪkl] *a.* **1.** *anat.* pępkowy. **2.** *anat.* pępowinowy. **3.** *biol.* pępkowaty. **4.** *przen.* życiodajny; krytyczny. – *n. anat.* pępowina.

umbilical cord *n.* **1.** *anat.* pępowina. **2.** *astronautyka* przewód startowy. **3.** *żegl.* przewód tlenowy (*nurka*).

umbilicate [əmˈbɪləkɪt] *a. biol.* pępkowaty.

umbilicus [əmˈbɪləkəs] *n. pl.* **umbilici** [əmˈbɪləsaɪ] *anat., biol.* pępek; *biol.* pępkowate zagłębienie.

umble pie [ˌʌmbl ˈpaɪ] *n. przest.* = **humble pie**.

umbra [ˈʌmbrə] *n. pl.* **-s** *l.* **umbrae** [ˈʌmbriː] *astron.* cień.

umbrage [ˈʌmbrɪdʒ] *n.* **1.** *form.* uraza, obraza; **give ~** być obraźliwym; **take ~ (at sth)** poczuć się (czymś) urażonym; obrazić się (o coś). **2.** *poet.* parasol *l.* wachlarz listowia (*dający cień*).

umbrella [əmˈbrelə] *n.* **1.** parasol. **2.** *t. wojsk.* parasol (ochronny). **3.** (*także* **~ organization**) organizacja nadrzędna. **4.** przewodnictwo, patronat, egida, auspicje; **under the ~ of sth** pod egidą *l.* patronatem *l.* auspicjami czegoś (*np. ONZ*).

umbrella stand *n.* stojak na parasole.

umbrella term *n.* (*także* **umbrella word**) pojęcie ogólne, termin ogólny.

Umbria [ˈʌmbrɪə] *n. geogr.* Umbria (*region Włoch*).

Umbrian [ˈʌmbrɪən] *n.* **1.** Umbryj-czyk/ka. **2.** *U jęz. hist.* (język) umbryjski. – *a.* umbryjski.

umiak [ˈuːmɪˌæk] *n.* umiak (= *duża łódź eskimoska*).

umlaut [ˈʊmlaʊt] *n.* **1.** *U fon.* przegłos, umlaut. **2.** *pismo* znak umlautu, dwie kropki (*nad literą*). – *v.* **1.** *fon.* ulegać przegłosowi (*o samogłosce*); powodować przegłos (*samogłoski*). **2.** *pismo* stawiać znak umlautu nad (*literą*).

ump [ʌmp] *abbr., n. i v. US sport pot.* = **umpire** 1.

umpirage [ˈʌmpaɪrɪdʒ] *n. U form.* rozjemstwo, arbitraż.

umpire [ˈʌmpaɪr] *n.* **1.** *sport* sędzia (*w baseballu, krykiecie, tenisie*). **2.** *prawn.* rozjemca, arbiter; superarbiter. – *v.* **1.** *sport* sędziować (*mecz*). **2.** rozstrzygać (*spór*).

umpteen [ʌmpˈtiːn] *num. pot.* setki, en; **~ times** setki razy.

umpteenth [ʌmpˈtiːnθ] *num.* setny, enty, któryś (z kolei *l.* z rzędu); **for the ~ time** po raz setny *l.* enty *l.* któryś (z rzędu).

UN [ˌjuː ˈen], **U.N.** *abbr.* **United Nations** ONZ (= *Organizacja Narodów Zjednoczonych*).

'un [ən] *pron. Br. pot. abbr. od* **one**; **big/young/little ~** duży/młody/mały.

una [ˈjuːnə] *n. Br. żegl.* mały jacht żaglowy.

unabashed [ˌʌnəˈbæʃt] *a.* niespeszony; niezrażony; *uj.* bezwstydny; **be/seem ~** nie wstydzić się; nie dać się zbić z tropu.

unabashedly [ˌʌnəˈbæʃɪdlɪ] *adv.* bez (śladu) zażenowania; bez wstydu.

unabated [ˌʌnəˈbeɪtɪd] *a.* niesłabnący (*np. o wietrze, zaciekłości, ambicji*); **continue ~** nie słabnąć. – *adv.* z niesłabnącą siłą (*wiać*).

unable [ʌnˈeɪbl] *a.* **~ to do sth** nie będący w stanie czegoś zrobić, niezdolny do (zrobienia) czegoś; **be ~ to do sth** nie być w stanie *l.* nie móc czegoś zrobić.

unabridged [ˌʌnəˈbrɪdʒd] *a.* pełny, kompletny, bez skrótów (*o wydaniu książki*); najobszerniejszy (*o słowniku*).

unacceptable [ˌʌnəkˈseptəbl] *a.* **1.** nie do przyjęcia (*np. o propozycji, jakości usługi, cenie*); niedopuszczalny (*np. o zachowaniu*). **2. the ~ face of sth** *Br. i Austr.* zła strona czegoś.

unacceptably [ˌʌnəkˈseptəblɪ] *adv.* niedopuszczalnie (*np. niechlujny*); w sposób niedopuszczalny (*np. zachować się*); nie do przyjęcia; **~ high/low** stanowczo zbyt wysoki/niski.

unaccompanied [ˌʌnəˈkʌmpənɪd] *a. i adv.* **1.** sam; samodzielnie; bez towarzystwa; bez asysty (*np. poruszać się, przybyć*). **2.** bez opieki (*np. o dziecku*); bez właściciela (*np. o bagażu, torbie*); **leave sb/sth ~** pozostawić kogoś/coś bez opieki. **3.** *muz.* bez akompaniamentu (*grać*); a capella (*śpiewać*).

unaccountable [ˌʌnəˈkaʊntəbl] *a. form.* **1.** niewytłumaczalny, trudny do wyjaśnienia, tajemniczy (*o przyczynie*). **2. be ~ (to sb/anybody)** nie ponosić odpowiedzialności (przed kimś/nikim).

unaccountably [ˌʌnəˈkaʊntəblɪ] *adv. form.* z niewyjaśnionych przyczyn (*np. zaginąć*); niewytłumaczalnie (*np. niski, wysoki*).

unaccounted for [ˌʌnəˈkaʊntɪd ˌfɔːr] *a. pred.* **sb is ~** czyjś los nie jest znany; **sb remains ~** czyjś los w dalszym ciągu nie jest znany, czyjś los pozostaje tajemnicą *l.* nieznany; **sth is ~** nie wiadomo, co się z czymś stało; brakuje czegoś.

unaccustomed [ˌʌnəˈkʌstəmd] *a.* **1.** *pred.* **~ to sth** nienawykły *l.* nieprzyzwyczajony do czegoś (*np. do trudów, obyczajów*); **be ~ to sth** nie być przyzwyczajonym do czegoś. **2.** *attr. zwł. form.* niezwykły, niespotykany.

unachievable [ˌʌnəˈtʃiːvəbl] *a.* niemożliwy do osiągnięcia (*o celu, pokoju*).

unacknowledged [ˌʌnəkˈnɑːlɪdʒ] *a.* **1.** niezauważony; **go ~** pozostawać niezauważonym. **2.** nieoficjalny (*np. o przywódcy, zwycięzcy*).

unacquainted [ˌʌnəˈkweɪntɪd] *a. pred. gł. form.* **be ~ with sth** nie być zaznajomionym z czymś (*zwł. z określoną problematyką*); **be ~ with sb** nie (mieć przyjemności) znać kogoś.

unadopted [ˌʌnəˈdɑːptɪd] *a.* **1.** *Br.* nieutrzymywany z publicznych funduszy, pozostający pod opieką osób prywatnych (*o drodze*). **2.** nieadopcyjny, nieadoptowany, biologiczny (*o dziecku*).

unadorned [ˌʌnəˈdɔːrnd] *a.* niezdobiony, prosty.

unadulterated [ˌʌnəˈdʌltəˌreɪtɪd] *a.* *gł.* *form.* nieskażony (*o substancji*); *t. przen.* czysty; **~ nonsense** czysta bzdura.

unadvised [ˌʌnædˈvaɪzd] *a. form. zwł. euf.* nierozważny.

unaffected [ˌʌnəˈfektɪd] *a.* **1.** *pred.* **sb was/remained ~ by sth** coś nie wywarło na kimś (większego) wrażenia; **sb/sth was/remained (largely) ~ by X** X nie wpłynęło (zasadniczo) na kogoś/coś, X nie miało (większego) wpływu na kogoś/coś; **the south was ~ by the floods/fires** południe nie ucierpiało wskutek powodzi/pożarów. **2.** *attr.* skromny (*np. o osobie, stylu bycia*); naturalny (*o zachowaniu*).

unafraid [ˌʌnəˈfreɪd] *a.* **be ~ of sb/sth** *form.* nie obawiać się kogoś/czegoś.

unaided [ʌnˈeɪdɪd] *a. i adv.* samodzielny (*np. o wyprawie*); sam, samemu, samodzielnie; bez (niczyjej *l.* żadnej) pomocy (*np. chodzić*); **with the ~ eye** nieuzbrojonym *l.* gołym okiem.

unalterable [ʌnˈɔːltərəbl] *a.* *form.* ostateczny (*np. o decyzji, wyniku*).

unalterably [ʌnˈɔːltərəblɪ] *adv.* *form.* ostatecznie.

unambiguous [ˌʌnæmˈbɪgjʊəs] *a.* jednoznaczny (*o sformułowaniu*).

unambiguously [ˌʌnæmˈbɪgjʊəslɪ] *adv.* jednoznacznie; **~ positive** jednoznacznie pozytywny.

un-American [ˌʌnəˈmerɪkən] *a.* **1.** nieamerykański. **2.** antyamerykański; **~ activities** działania wymierzone przeciw Stanom Zjednoczonym.

unanimity [ˌjuːnəˈnɪmɪtiː] *n.* *U* jednomyślność.

unanimous [juːˈnænəməs] *a.* *t. parl.* jednomyślny, jednogłośny (*o głosowaniu*); **be ~ that...** jednomyślnie twierdzić, że...

unanimously [juːˈnænəməslɪ] *adv.* *t. parl.* jednomyślnie, jednogłośnie.

unannounced [ˌʌnəˈnaʊnst] *a.* niezapowiedziany, bez zapowiedzi (*np. o wizycie, kontroli*). – *adv.* bez zapowiedzi; **arrive ~** przybyć bez zapowiedzi; przyjść nieoczekiwanie (*np. o chłodach*).

unanswerable [ʌnˈænsərəbl] *a.* **1.** *form.* bezsporny, oczywisty; niekwestionowany, niemożliwy do zakwestionowania, niepodlegający dyskusji. **2.** bez odpowiedzi (*o pytaniu*).

unanswered [ʌnˈænsərd] *a. i adv.* bez odpowiedzi; **be/go/remain ~** pozostawać bez odpowiedzi (*o pytaniach, wątpliwościach, prośbach, apelach, modlitwach*).

unappealing [ʌnˈpiːlɪŋ] *a.* mało atrakcyjny, mało zachęcający, nieatrakcyjny (*np. o perspektywie, alternatywie*); nieapetyczny (*o potrawie*).

unappetizing [ʌnˈæpɪˌtaɪzɪŋ] *a.* *t. przen.* nieapetyczny (*o potrawie*); niesmaczny (*o żarcie*); jałowy (*o lekturze*).

unapproachable [ˌʌnəˈproʊtʃəbl] *a.* **1.** nieprzystępny (*o osobie*). **2.** trudno dostępny, niedostępny (*o zakątku*). **3.** niezrównany.

unappropriated [ˌʌnəˈproʊprɪˌeɪtɪd] *a.* **1.** *fin.* nierozdzielony (*o zyskach*); niewykorzystany (*o funduszach*). **2.** *form.* nieobjęty w posiadanie (*o dobrach*).

unarguable [ʌnˈɑːrgjʊəbl] *a.* bezdyskusyjny, bezsporny, bezsprzeczny.

unarguably [ʌnˈɑːrgjʊəblɪ] *a.* bezspornie, bezsprzecznie.

unarm [ʌnˈɑːrm] *v.* *wojsk.* rozbrajać.

unarmed [ʌnˈɑːrmd] *a. i adv.* nieuzbrojony, bez broni (*o policjancie; walczyć, chodzić*); nieuzbrojony (*o pocisku; t. o organizmie: = bez kolców, kłów itp..*); **~ combat** walka wręcz.

unary [ˈjuːnərɪ] *a.* *mat.* jednoargumentowy (*o funkcji, operacji*).

unashamed [ˌʌnəˈʃeɪmd] *a.* bezwstydny.

unashamedly [ˌʌnəˈʃeɪmɪdlɪ] *adv.* bezwstydnie, bez wstydu.

unasked [ʌnˈæskt] *a. i adv.* **1.** niezadany, niewypowiedziany (*o pytaniu*). **2.** nieproszony (*o gościu, wizycie*); bez zaproszenia (*przychodzić*). **3.** bez proszenia (*zrobić coś*). **4. ~ for** spontaniczny (*o darach, pomocy*); spontanicznie (*pomagać*).

unassailable [ˌʌnəˈseɪləbl] *a.* *form.* **1.** niepodważalny (*np. o argumencie, fakcie*). **2.** nie do zdobycia (*o twierdzy*).

unassisted [ˌʌnəˈsɪstɪd] *a. i adv.* samodzielny (*np. o wyprawie*); sam, samemu, samodzielnie; bez (niczyjej *l.* żadnej) pomocy (*np. chodzić*).

unassuming [ˌʌnəˈsuːmɪŋ] *a.* skromny, bezpretensjonalny, nierzucający się w oczy; nienarzucający się.

unattached [ˌʌnəˈtætʃt] *a.* **1.** samotny, wolny (*= bez partnera l. małżonka*). **2.** swobodny, nieprzymocowany (*o końcu liny*); luźny, luzem (*o kartce*). **3.** niezależny. **4.** *prawn.* niezajęty.

unattainable [ˌʌnəˈteɪnəbl] *a.* niemożliwy do osiągnięcia (*o celu*).

unattended [ˌʌnəˈtendɪd] *a. i adv.* **1.** bez opieki; **leave sb/sth ~** pozostawiać kogoś/coś bez opieki (*np. bagaże, dzieci*). **2.** bez obsługi, bezobsługowy (*np. o stanowisku, kasie*). **3.** *form.* bez uczestników (*o zebraniu*). **4.** *form.* bez asysty (*poruszać się*).

unattractive [ˌʌnəˈtræktɪv] *a.* nieatrakcyjny, mało atrakcyjny (*np. o osobie, propozycji, wyglądzie*).

unauthorized [ʌnˈɔːθəˌraɪzd], *Br. i Austr. zw.* **unauthorised** *a.* bez pozwolenia *l.* zgody *l.* upoważnienia, nieuprawniony, bezprawny, nielegalny (*o działaniach*); nieautoryzowany (*o wersji*); nieupoważniony (*o osobie*).

unavailability [ˌʌnəˌveɪləˈbɪlətɪ] *n.* *U* nieosiągalność (*kogoś l. czegoś*).

unavailable [ˌʌnəˈveɪləbl] *a. pred.* nieosiągalny (*o osobie l. rzeczy*); **the prime minister was ~ for comment** *dzienn.* nie udało się porozmawiać z premierem.

unavailing [ˌʌnəˈveɪlɪŋ] *a.* *lit.* bezowocny, bezskuteczny (*o wysiłkach*).

unavailingly [ˌʌnəˈveɪlɪŋlɪ] *adv.* *lit.* na próżno, bezowocnie, bez skutku.

unavoidable [ˌʌnəˈvɔɪdəbl] *a.* nieuchronny, nieunikniony, nie do uniknięcia.

unavoidably [ˌʌnəˈvɔɪdəblɪ] *adv.* nieuchronnie.

unaware [ˌʌnəˈwer] *a.* nieświadomy (*of sth* czegoś, *that...* że...). – *adv.* = **unawares**.

unawares [ˌʌnəˈwerz] *adv.* **1.** znienacka; **take/catch sb ~** zaskoczyć kogoś (znienacka). **2.** *form.* nieświadomie, mimowolnie.

unbacked [ʌnˈbækt] *a.* **1.** bez wsparcia (*zwł. finansowego*); bez poparcia. **2.** *stol.* bez oparcia (*o stołku*). **3.** *zakłady* nieobstawiony (*np. o koniu, psie, drużynie*). **4.** *jeźdz.* nieujeżdżony (*o koniu*).

unbalance [ʌnˈbæləns] *v.* wytrącać z równowagi. – *n. U* brak równowagi.

unbalanced [ʌnˈbælənst] *a.* **1.** niezrównoważony (*psychicznie*). **2.** jednostronny, stronniczy (*np. o artykule, reportażu*). **3.** nierówny, krzywdzący dla jednej strony (*o związku*). **4.** *mech.* niewyważony (*np. o wadze, kole*). **5.** *fin.* niezbilansowany (*o saldzie*).

unbar [ʌnˈbɑːr] *v.* **-rr-** *form.* otwierać (*t. przen.*); odryglowywać.

unbearable [ʌnˈberəbl] *a.* nieznośny, nie do zniesienia.

unbearably [ʌnˈberəblɪ] *adv.* nieznośnie, nie do zniesienia.

unbeatable [ʌnˈbiːtəbl] *a.* **1.** *handl.* bezkonkurencyjny (*o cenach*). **2.** bezkonkurencyjny, niepokonany, nie do pokonania (*np. o graczu, drużynie*). **3.** niezwyciężony, niepokonany (*np. o armii*).

unbeaten [ʌnˈbiːtən] *a.* **1.** niepokonany, niezwyciężony (*np. o armii, drużynie*). **2.** niepobity (*o rekordzie*).

unbecoming [ˌʌnbɪˈkʌmɪŋ] *a. przest.* **1.** nietwarzowy, nie do twarzy (*o ubraniu, biżuterii*). **2.** niestosowny (*o zachowaniu*); **~ to sb** nie przystojący komuś.

unbeknown [ˌʌnbɪˈnoʊn], **unbeknownst** [ˌʌnbɪˈnoʊnst] *adv.* **~ to sb** *form.* bez czyjejś wiedzy.

unbelief [ˌʌnbɪˈliːf] *n. U form.* niewiara.

unbelievable [ˌʌnbɪˈliːvəbl] *a.* niewiarygodny, nie do wiary.

unbelievably [ˌʌnbɪˈliːvəblɪ] *adv.* niewiarygodnie.

unbeliever [ˌʌnbɪˈliːvər] *n.* **1.** *rel.* niewierząc-y/a, niewiern-y/a. **2.** niedowiarek.

unbelt [ʌnˈbelt] *v. przest.* **1.** rozpiąć pas (*spodni*). **2.** odpasać (*miecz*).

unbend [ʌnˈbend] *v.* **-bent, -bent** **1.** rozluźniać się, odprężać się. **2.** rozluźniać, odprężać (*o czynności, rozrywce, wypoczynku*). **3.** prostować (się), odginać (się). **4.** łagodnieć. **5.** *żegl.* odwiązywać, rozwiązywać (*żagle, linę*).

unbending [ʌnˈbendɪŋ] *a.* nieugięty (*o osobie, postawie*).

unbent [ʌnˈbent] *v. zob.* **unbend**.

unbiased [ʌnˈbaɪəst], **unbiassed** *a.* **1.** bezstronny. **2.** *stat.* nieobciążony (*o próbie, estymatorze*).

unbidden [ʌnˈbɪdn] *adv. lit.* **1.** sam z siebie, samoistnie (*zrobić coś*). **2.** bez zaproszenia (*przybyć*).

unbind [ʌnˈbaɪnd] *v.* **-bound, -bound** *form.* rozwiązywać (*np. liny, supeł, ręce, osobę*).

unbleached [ʌnˈbliːtʃt] *a.* niebielony (*o mące, tkaninie, papierze*).

unblemished [ʌnˈblemɪʃt] *n.* nieskazitelny, nieposzlakowany, nieskalany (*o opinii, reputacji, charakterze*).

unblessed [ʌnˈblest], **unblest** *a.* **1.** *rel.* nieświęcony. **2.** *lit.* nieszczęsny.

unblock [ʌnˈblɑːk] *v.* udrażniać (*np. nos, rury*); przepychać, przetykać (*np. rury, komin*).

unblushing [ʌnˈblʌʃɪŋ] *a.* bezwstydny.

unblushingly [ʌnˈblʌʃɪŋlɪ] *adv.* bezwstydnie.

unbolt [ʌnˈboʊlt] *v.* otworzyć; odryglować (*drzwi*).

unboned [ʌnˈboʊnd] *a.* **1.** *kulin.* z kością (*o mięsie*); niefiletowany, z ośćmi (*o rybie*). **2.** *zool.* bezkostny.

unborn [ʌnˈbɔːrn] *a.* nienarodzony; **~ generations** przyszłe pokolenia; **the ~** dzieci nienarodzone.

unbosom [ʌnˈbʊzəm] *v.* **~ o.s. to sb** *lit.* otworzyć się przed kimś, otworzyć przed kimś duszę.

unbound [ʌnˈbaʊnd] *a.* **1.** *chem.* niezwiązany (*o elektronie, atomie*). **2.** rozwiązany; **come ~** rozwiązać się. **3.** *bibl., druk.* nieoprawiony (*o publikacji*). **4.** *jęz.* swobodny (*o morfemie*).

unbounded [ʌnˈbaʊndɪd] *a.* bezgraniczny; *t. geom.* nieograniczony.

unbowed [ʌnˈbaʊd] *a. form.* **1.** nieugięty. **2.** prosty; wyprostowany.

unbreakable [ʌnˈbreɪkəbl] *a.* nietłukący (*o naczyniu, szkle*); niełamliwy (*o tworzywie*); niezniszczalny, wieczny (*o nożu, nożyczkach*); niepsujący się (*o urządzeniu*).

unbridle [ʌnˈbraɪdl] *v. przest.* rozkiełznać (*konia*).

unbridled [ʌnˈbraɪdld] *a. lit.* nieokiełznany; niepohamowany (*o rozwoju, apetycie*); **~ optimism** niepoprawny optymizm; **~ passion** nieokiełznana pasja.

unbroken [ʌnˈbroʊkən] *a.* **1.** *attr.* nieprzerwany (*o okresie, ciszy*); niezmącony (*o ciszy*). **2.** cały, nienaruszony, nieuszkodzony. **3.** niepobity (*o rekordzie*). **4.** *jeźdz.* nieokiełznany, nieujeżdżony.

unbuckle [ʌnˈbʌkl] *v.* rozpinać (*pasek, buty na klamrę*).

unbundle [ʌnˈbʌndl] *v. handl., komp.* wydzielać (*część produktu l. pakietu jako oddzielny produkt l. program*).

unburden [ʌnˈbɝːdn] *v. lit.* **1.** odciążać, uwalniać od ciężaru (*np. tragarza, muła*). **2.** ulżyć (*komuś*). **3.** **~ o.s./one's heart/one's conscience** zwierzać się (*of sth to sb* z czegoś komuś); wywnętrzać się (*to sb* przed kimś).

unbusinesslike [ʌnˈbɪznəsˌlaɪk] *a.* nieprofesjonalny (*o zachowaniu*).

unbutton [ʌnˈbʌtn] *v.* **1.** rozpinać (*np. koszulę, bluzkę, kołnierz*). **2.** *pot.* wyluzować się, rozluźnić się.

unc [ʌŋk] *n. gł. voc. pot.* wujku.

uncalled-for [ʌnˈkɔːldˌfɔːr] *a.* niestosowny, nie

na miejscu (*o uwadze, zachowaniu*); niczym nieusprawiedliwiony (*np. o grubiaństwie*).

uncannily [ʌn'kænɪlɪ] *adv.* niesamowicie (*podobny*).

uncanny [ʌn'kænɪ] *a.* **-ier, -iest** niesamowity, nieprawdopodobny (*np. o podobieństwie, zbiegu okoliczności, zdolnościach*).

uncap [ʌn'kæp] *v.* **-pp- 1.** zdejmować pokrywę z (*pojemnika*); odkorkowywać (*butelkę*). **2.** *zwł. fin.* znosić ograniczenia (*wydatków, obrotu*).

uncared-for [ʌn'kerd,fɔːr], **uncared for** *a.* zaniedbany, zapomniany (*o domu*); bez opieki, pozostawiony samemu sobie (*o osobie, zwierzęciu*).

uncaring [ʌn'kerɪŋ] *a.* obojętny, nieczuły.

unceasing [ʌn'siːsɪŋ] *a.* nieustanny, bezustanny, nieustający.

unceasingly [ʌn'siːsɪŋlɪ] *adv.* nieustannie.

unceremonious [,ʌnserə'moʊnɪəs] *a.* bezceremonialny, obcesowy.

unceremoniously [,ʌnserə'moʊnɪəslɪ] *adv.* bezceremonialnie, obcesowo.

unceremoniousness [,ʌnserə'moʊnɪəsnəs] *n. U* bezceremonialność, obcesowość.

uncertain [ʌn'sɝːtən] *a. gł. pred.* **1.** niepewny (*o osobie, przyszłości, wygranej, planach*); **be ~ about sth** nie być czegoś pewnym, nie mieć pewności co do czegoś. **2. in no ~ terms** bez ogródek (*powiedzieć*).

uncertainly [ʌn'sɝːtənlɪ] *adv.* niepewnie; z niepewnością.

uncertainty [ʌn'sɝːtəntɪ] *n.* **1.** *U* niepewność. **2.** rzecz niepewna.

uncertainty principle *n. sing. fiz.* zasada nieoznaczoności (Heisenberga).

unchain [ʌn'tʃeɪn] *v.* rozkuwać (*więźnia*); uwalniać (*więźnia, reakcję, proces, duszę*).

unchallenged [ʌn'tʃælɪndʒd] *a.* **1.** niekwestionowany (*np. o liderze, autorytecie, zwycięstwie*); **the court's ruling went ~** decyzja sądu nie była podważana *l.* kwestionowana. **2.** niezatrzymywany (przez nikogo) (*np. oddalić się, wejść do strzeżonego budynku*).

unchanged [ʌn'tʃeɪndʒd] *a.* niezmieniony; **remain ~** nie zmienić się.

unchanging [ʌn'tʃeɪndʒɪŋ] *a.* niezmienny.

uncharacteristic [ʌn,kerəktə'rɪstɪk] *a.* nietypowy, dziwny (*of sb / sth* dla kogoś/czegoś).

uncharacteristically [ʌn,kerəktə'rɪstɪklɪ] *adv.* dziwnie; **she was ~ quiet** była dziwnie małomówna.

uncharitable [ʌn'tʃerɪtəbl] *a.* niesprawiedliwy; nieżyczliwy, nieprzychylny.

uncharitably [ʌn'tʃerɪtəblɪ] *adv.* niesprawiedliwie; nieżyczliwie.

uncharted [ʌn'tʃɑːrtɪd] *a. lit.* nieznany; **~ territory/waters/sea** *przen.* niezbadane obszary (*wiedzy*); **be in ~ territory/waters/sea** *przen.* stąpać po niepewnym gruncie.

unchecked [ʌn'tʃekt] *a. i adv.* **1.** niekontrolowany; w sposób niekontrolowany (*rozwijać się*). **2.** bez kontroli *l.* sprawdzenia.

unchurch [ʌn'tʃɝːtʃ] *v. rel. przest.* **1.** ekskomunikować, wykluczać z kościoła. **2.** dekonsekrować (*budynek*).

uncial ['ʌnʃl] *hist. a.* uncjalny. – *n. U* pismo uncjalne, uncjała.

uncinate ['ʌnsɪnət] *a. biol.* haczykowaty.

uncircumcised [ʌn'sɝːkəm,saɪzd] *a.* nieobrzezany.

uncivil [ʌn'sɪvl] *a.* nieuprzejmy.

uncivilized [ʌn'sɪvəlaɪzd], *Br. i Austr. zw.* **uncivilised** *a.* **1.** *antrop., socjol.* niecywilizowany (*o kulturze*). **2.** barbarzyński (*o zachowaniu*). **3. at an ~ hour** *pot.* o dzikiej godzinie, o nieprzyzwoitej porze (= *bardzo wcześnie*).

unclad [ʌn'klæd] *a. lit.* nieodziany.

unclasp [ʌn'klæsp] *v.* **1.** odpinać, rozpinać (*klamrę*). **2.** rozplatać (*ręce*). **3.** *lit.* puszczać (*np. przedmiot, czyjąś rękę*).

uncle ['ʌŋkl] *n.* **1.** wujek, wuj; stryj, stryjek. **2.** *przen.* **(and) Bob's your ~!** *zob.* **Bob; I'll be a monkey's ~!** *pot.* chyba się przewrócę! (*wyrażając zaskoczenie*); **(old) U~ Tom Cobleigh and all** *przest. pot.* wszyscy co do jednego; **say/cry ~** *US zwł. dziec.* poddać się; **talk (to sb) like a Dutch ~** *zob.* **Dutch** *a.*

unclean [ʌn'kliːn] *a. Bibl., rel.* nieczysty.

unclear [ʌn'kliːr] *a.* **1.** niejasny. **2. be ~ about sth** nie do końca coś rozumieć, nie mieć jasności co do czegoś.

unclench [ʌn'klentʃ] *v.* rozluźniać (*uścisk, mięśnie, zaciśnięte pięści*).

Uncle Sam *n. pot.* Wuj Sam (= *personifikacja Stanów Zjednoczonych l. rządu USA*).

Uncle Tom *n. US pog.* Wuj Tom (= *czarnoskóry ugrzeczniony w stosunku do białych*).

unclog [ʌn'klɑːg] *v.* **-gg-** przepychać, przetykać, udrażniać (*rury*).

unclose [ʌn'kloʊz] *v. przest.* otwierać (się); ujawniać.

unclothe [ʌn'kloʊð] *v. przest.* rozdziewać.

unclothed [ʌn'kloʊðd] *a. form.* nieodziany.

unco ['ʌŋkə] *Scot. a.* **1.** dziwaczny. **2.** niesamowity. **3. the ~ guid** *pog.* świętoszki. – *adv.* niezwykle (= *bardzo*).

uncoil [ʌn'kɔɪl] *v.* rozwijać (się).

uncomfortable [ʌn'kʌmftəbl] *a.* **1.** niewygodny (*np. o meblu, pozycji, położeniu, ciszy*). **2.** niezręczny (*zwł. o ciszy, milczeniu*). **3. be/feel ~** czuć się niezręcznie *l.* nieswojo *l.* niepewnie.

uncomfortably [ʌn'kʌmftəblɪ] *adv.* **1.** niewygodnie. **2.** niewyraźnie (*np. wyglądać, uśmiechać się*).

uncommitted [,ʌnkə'mɪtɪd] *a. t. polit.* niezdecydowany (*o elektoracie*); **be ~ on sth** nie mieć stanowiska w jakiejś sprawie, nie być zdecydowanym co do czegoś.

uncommon [ʌn'kɑːmən] *a.* **1.** nieczęsty, rzadki; **it is not ~...** nie jest rzadkością..., nie należy do rzadkości... **2.** *przest.* niezwykły (*np. o dobroci*).

uncommonly [ʌn'kɑːmənlɪ] *adv. przest.* niezwykle (*np. uprzejmy*).

uncommunicative [,ʌnkə'mjuːnə,keɪtɪv] *a.* małomówny, milczący, niekomunikatywny.

uncomplaining [,ʌnkəm'pleɪnɪŋ] *a.* cierpliwy, nie skarżący się.

uncomplainingly [ˌʌnkəmˈpleɪnɪŋlɪ] *adv.* cierpliwie, nie narzekając.

uncomplicated [ʌnˈkɑːmpləˌkeɪtɪd] *a.* nieskomplikowany (*np. o życiu, osobowości, urządzeniu, procedurze*).

uncomplimentary [ʌnˌkɑːmpləˈmentərɪ] *a.* niepochlebny.

uncomprehending [ˌʌnkɑːmprəˈhendɪŋ] *a. form.* (nic) nierozumiejący.

uncomprehendingly [ˌʌnkɑːmprəˈhendɪŋlɪ] *adv. form.* nie rozumiejąc (*np. przyglądać się*).

uncompromising [ʌnˈkɑːmprəˌmaɪzɪŋ] *a.* bezkompromisowy (*o postawie, osobie*).

uncompromisingly [ʌnˈkɑːmprəˌmaɪzɪŋlɪ] *a.* bezkompromisowo.

unconcealed [ˌʌnkənˈsiːld] *a.* nieukrywany (*np. o radości, uczuciach*).

unconcern [ˌʌnkənˈsɜːn] *n. U* beztroska.

unconcerned [ˌʌnkənˈsɜːnd] *a.* **1.** niezainteresowany (*about sth* czymś); **be ~ about sth** nie przejawiać zainteresowania czymś; nie przejmować się czymś. **2.** *zwł. uj.* beztroski.

unconditional [ˌʌnkənˈdɪʃənl] *a.* **1.** bezwarunkowy; **~ surrender** bezwarunkowa kapitulacja. **2.** bezgraniczny; **~ devotion** bezgraniczne oddanie.

unconditionally [ˌʌnkənˈdɪʃənlɪ] *adv.* bezwarunkowo; bez warunków wstępnych.

unconditioned [ˌʌnkənˈdɪʃənd] *a.* **1.** *psych.* bezwarunkowy; **~ reflex/stimulus** bodziec bezwarunkowy; **~ response** odruch bezwarunkowy. **2.** niczym nieuwarunkowany.

unconfirmed [ˌʌnkənˈfɜːmd] *n. zwł. dzienn.* niepotwierdzony (*o informacjach, plotkach*).

unconformable [ˌʌnkənˈfɔːrməbl] *a.* **1.** *form.* niezgodny (*to sth* z czymś). **2.** *geol.* nieciągły, niezgodny (*o warstwach*).

unconformity [ˌʌnkənˈfɔːrmɪtɪ] *n. pl.* **-ies** **1.** *U form.* niezgodność. **2.** *C/U geol.* nieciągłość, niezgodność.

unconnected [ˌʌnkəˈnektɪd] *a.* **1.** niepowiązany, niezwiązany ze sobą (*o wydarzeniach*). **2.** chaotyczny (*o relacji*).

unconscionable [ʌnˈkɑːnʃənəbl] *a. form.* **1.** horrendalny (*o cenach, kosztach*); szalenie długi (*o czasie*); niewyobrażalny (*o cierpieniach*); skandaliczny (*o stanie*). **2.** pozbawiony skrupułów (*o osobie*).

unconscionably [ʌnˈkɑːnʃənəblɪ] *adv.* **1.** szalenie, skandalicznie (*wysoki, długi*); niewyobrażalnie (*okrutny, krzywdzący*). **2.** bez skrupułów (*postępować*).

unconscious [ʌnˈkɑːnʃəs] *a.* **1.** nieprzytomny; **beat sb ~** pobić kogoś do nieprzytomności; **knock sb ~** pozbawić kogoś przytomności (*o ciosie*). **2.** *t. psych.* podświadomy, nieuświadomiony (*o uczuciach, potrzebach*); nieświadomy, niezamierzony (*o działaniu*); **be ~ of sth** nie być świadomym czegoś, nie zdawać sobie z czegoś sprawy. – *n. U* **the/sb's ~** *psych.* podświadomość.

unconsciously [ʌnˈkɑːnʃəslɪ] *adv.* **1.** nieprzytomnie (*np. leżeć, bredzić*). **2.** podświadomie (*np. wyczuwać, pragnąć*). **3.** nieświadomie, bezwiednie (*robić coś*).

unconsciousness [ʌnˈkɑːnʃəsnəs] *n. U* nieprzytomność, utrata przytomności.

unconsidered [ˌʌnkənˈsɪdərd] *a. form.* **1.** nieprzemyślany (*o decyzji, kroku*). **2.** nieistotny.

unconstitutional [ˌʌnkɑːnstɪˈtuːʃənl] *a. polit., prawn.* niekonstytucyjny, sprzeczny *l.* niezgodny z konstytucją.

uncontemplated [ʌnˈkɑːntəmˌpleɪtɪd] *a. form.* niespodziewany, nieoczekiwany.

uncontested [ˌʌnkənˈtestɪd] *a.* **1.** bezsporny (*np. o zwycięstwie*). **2.** *prawn.* za zgodą obu stron (*o rozwodzie*). **3.** *polit.* bez kontrkandydatur (*o wyborach*).

uncontrollable [ˌʌnkənˈtroʊləbl] *a.* **1.** niepohamowany (*np. o emocjach, odruchu, wybuchu*). **2.** niekontrolowany (*np. o wzroście cen*). **3.** nieokiełznany, nieposkromiony (*np. o osobie, dzikim zwierzu*).

uncontrollably [ˌʌnkənˈtroʊləblɪ] *adv.* **1.** niepohamowanie; **sob ~** płakać jak bóbr. **2.** niekontrolowanie, w sposób niekontrolowany (*np. rosnąć: o cenach*).

uncontrolled [ˌʌnkənˈtroʊld] *a.* niepohamowany (*np. o emocjach, odruchu*).

unconventional [ˌʌnkənˈvenʃənl] *a.* niekonwencjonalny.

unconventionally [ˌʌnkənˈvenʃənlɪ] *adv.* niekonwencjonalnie.

unconvinced [ˌʌnkənˈvɪnst] *a.* nieprzekonany; **she remained/was ~** nie dała się przekonać.

unconvincing [ˌʌnkənˈvɪnsɪŋ] *a.* mało przekonujący, nieprzekonujący.

unconvincingly [ˌʌnkənˈvɪnsɪŋlɪ] *adv.* mało przekonująco.

uncool [ʌnˈkuːl] *a.* **1.** *sl.* obciachowy, wieśniacki (= *niemodny, nie na czasie*). **2.** *pot.* sztywny; nie na luzie; **be/feel ~** nie móc się wyluzować.

uncooperative [ˌʌnkoʊˈɑːpərətɪv] *a.* niechętny do współdziałania *l.* współpracy.

uncoordinated [ˌʌnkoʊˈɔːrdəˌneɪtɪd] *a.* **1.** mało zgrabny, niezgrabny; **be ~** mieć złą koordynację (ruchów). **2.** nieskoordynowany (*o operacji, działaniach*).

uncork [ʌnˈkɔːrk] *v.* **1.** odkorkowywać (*butelkę, wino*). **2.** *przen.* dawać upust (*nagromadzonym uczuciom*).

uncorroborated [ˌʌnkəˈrɑːbəˌreɪtɪd] *a.* niepotwierdzony (*o doniesieniach, zeznaniach*).

uncountable [ʌnˈkaʊntəbl] *a.* **1.** *gram.* niepoliczalny. **2.** niezliczony.

uncounted [ʌnˈkaʊntɪd] *a.* **1.** niezliczony. **2.** niepoliczony (*o głosach*).

uncouple [ʌnˈkʌpl] *v. kol.* rozprzęgać, rozłączać (*wagony*); odprzęgać, odłączać (*lokomotywę*); *przen.* oddzielać (*sth from sth* coś od czegoś).

uncouth [ʌnˈkuːθ] *a.* **1.** nieokrzesany (*o osobie, języku*). **2.** niezgrabny, niezręczny.

uncover [ʌnˈkʌvər] *v. t. przen.* odkrywać (*np. zasłonięte meble, spisek, przemyt, prawdę*); ujawniać (*np. spisek, przemyt*); odsłaniać (*np. pomnik, szczegóły afery*).

uncritical [ʌnˈkrɪtɪkl] *a.* bezkrytyczny (*of sb/sth* w stosunku do kogoś/czegoś).

uncritically [ʌn'krɪtɪklɪ] *adv.* bezkrytycznie, w sposób bezkrytyczny.

uncross [ʌn'krɔːs] *v.* rozkrzyżować (*nogi, ręce*).

uncrowned [ʌn'kraʊnd] *a. t. przen.* niekoronowany; **the ~ king/queen of the blues/ice-skating** niekoronowan-y/a król/owa blusa/łyżew.

uncrushable [ʌn'krʌʃəbl] *a.* **1.** *tk.* niemnący (się). **2.** niepokonany (*o osobie*); nieugięty (*o woli*).

unction ['ʌŋkʃən] *n. C/U* **1.** *zwł. rel.* namaszczenie (*t. = powaga*). **2.** *lit.* balsam, ukojenie. **3.** *form.* pochlebstwa. **4. extreme ~** *rz.-kat. przest.* ostatnie namaszczenie.

unctuous ['ʌŋktʃʊəs] *a.* **1.** *form.* obłudny. **2.** *techn.* oleisty, mazisty (*o substancji*).

unctuously ['ʌŋktʃʊəslɪ] *adv. form.* obłudnie.

unctuousness ['ʌŋktʃʊəsnəs] *n. U form.* obłuda.

uncultivated [ʌn'kʌltəˌveɪtɪd] *a. roln.* nieuprawny (*o terenach, ziemi*).

uncurl [ʌn'kɜːl] *v.* wyprostować (się).

uncut [ʌn'kʌt] *a.* **1.** nieocenzurowany (*o filmie, książce*); niepocięty (*o filmie*). **2.** *jubilerstwo* nieszlifowany, nieoszlifowany, nieobrobiony.

undamaged [ʌn'dæmɪdʒd] *a.* nieuszkodzony.

undaunted [ʌn'dɔːntɪd] *a. form.* niezrażony (*by sth* czymś).

undeceive [ˌʌndɪ'siːv] *v. form.* wyprowadzać z błędu.

undecided [ˌʌndɪ'saɪdɪd] *a.* **1.** *gł. pred.* niezdecydowany (*np. o elektoracie*); **be ~ about sth** nie być zdecydowanym w jakiejś sprawie. **2.** nierozstrzygnięty (*np. o kwestii, zawodach*).

undemanding [ˌʌndɪ'mændɪŋ] *a.* niewymagający (*np. o dziecku, nauczycielu, roślinie*); mało wymagający (*np. o zadaniu, nauczycielu*).

undemonstrative [ˌʌndɪ'mɑːnstrətɪv] *a.* powściągliwy.

undemonstratively [ˌʌndɪ'mɑːnstrətɪvlɪ] *adv.* powściągliwie.

undeniable [ˌʌndɪ'naɪəbl] *a.* niezaprzeczalny (*np. o prawdzie, dowodzie*).

undeniably [ˌʌndɪ'naɪəblɪ] *adv.* niezaprzeczalnie, w sposób niezaprzeczalny.

under ['ʌndər] *prep.* **1.** pod; **~ the table** pod stołem (*leżeć*); pod stół (*wleźć*); **~ attack/fire** *t. przen.* pod ostrzałem (*t. słownym*); **~ oath** pod przysięgą; **~ sb's control** pod czyjąś kontrolą; **~ sb's influence** pod czyimś wpływem; **~ sb's rule** pod czyimiś rządami; **~ sb's supervision** pod czyimś nadzorem; **~ the baton of sb** *muz.* pod czyjąś batutą; **~ the name of...** pod nazwiskiem...; **~ water** pod wodą; **born ~ Aries** urodzony pod znakiem Barana; **file it ~ "unknown"** zaszereguj to pod „nieznane"; **that'll be ~ "Art"** to będzie pod „Sztuka" (*w katalogu tematycznym, encyklopedii*). **2.** poniżej, do; **~ $50** poniżej *l.* do pięćdziesięciu dolarów (*o kwocie, wydatku*); **hit ~ the belt** *t. przen.* uderzać poniżej pasa; **people ~ 30** osoby poniżej *l.* do trzydziestego roku życia. **3.** w; **~ anesthesia/anesthetic** w znieczuleniu *l.* narkozie; **~ construction/repair** w budowie/naprawie; **~ the present circumstances** w obecnych warunkach. **4.** w trakcie; **~ discussion/treatment** w trakcie dyskusji/leczenia. **5.** *polit.* pod rządami, za rządów; za (czasów) (*np. króla, prezydenta*); **~ Kohl/the communists** pod rządami Kohla/komunistów, za Kohla/komunistów. **6.** *prawn.* w świetle (*przepisu, artykułu*); zgodnie z (*kodeksem, konstytucją*); w myśl (*prawa*); **~ the provisions of the treaty** zgodnie z postanowieniami traktatu. **7.** *roln.* **~ beetroot** obsadzony burakami; **~ wheat** obsiany pszenicą. **8. ~ age** niepełnoletni; **~ sedation** na środkach uspokajających; **~ sentence of death** skazany na śmierć; **~ way** *zob.* **way** *n.*; **be/get ~ way** *zob.* **way** *n.*; **be ~ the impression that...** odnosić *l.* mieć wrażenie, że...; **be ~ orders to do sth** mieć rozkaz coś zrobić. – *adv.* **1.** pod spodem; pod powierzchnią; **go ~** zanurzać się (pod wodę); *przen.* pogrążać się. **2.** mniej; **children aged ten and ~** dzieci mające 10 lat lub mniej, dzieci w wieku do 10 lat. – *a. attr.* **1.** dolny (*np. o wardze, blacie*). **2.** *med.* zaniżony (*o dawce leku*).

underachieve [ˌʌndərə'tʃiːv] *v.* nie spełniać oczekiwań; osiągać słabe wyniki.

underachiever [ˌʌndərə'tʃiːvər] *n.* **1.** *szkoln.* ucze-ń/nnica osiągając-y/a słabe wyniki; *uniw.* student/ka osiągając-y/a słabe wyniki. **2.** osoba nie spełniająca oczekiwań.

underact [ˌʌndər'ækt] *v. film, teatr* **1.** *uj.* zagrać bezbarwnie *l.* słabo. **2.** zagrać subtelnie.

underage ['ʌndərɪdʒ] *a.* **1.** niepełnoletni (*o osobie*). **2.** *attr.* **~ drinking/smoking** picie/palenie wśród młodzieży.

underarm ['ʌndərˌɑːrm] *a. attr.* **1.** pod pachę; **~ deodorant/thermometer** dezodorant/termometr pod pachę. **2.** dotyczący ramienia. **3.** *Br. sport* od dołu (*o serwisie, rzucie piłki*). – *adv. Br.* **1.** od dołu (*serwować, rzucać piłkę*). **2.** pod pachą, pod pachami (*golić się*). – *n.* pacha.

underbelly ['ʌndərˌbelɪ] *n. pl.* **-ies** **1.** (*także* **soft ~**) *zwł. lit.* pięta achillesowa; czuły punkt. **2.** (*także* **sordid ~**) *lit.* zgnilizna. **3.** *zool., icht.* podbrzusze; brzuch. **4.** spód; *lotn.* spód kadłuba. **5.** *anat.* podbrzusze.

underbid [ˌʌndər'bɪd] *v.* **-bid, -bid, -dd-** **1.** *fin.* złożyć korzystniejszą ofertę (niż) (*konkurent*); przebijać ofertę (*konkurencji*). **2.** *fin.* przedstawiać zbyt niską ofertę; przebijać (*konkurencję*). **3.** (*także* **~ one's hand**) *karty* licytować za nisko. – *n. fin.* zbyt niska oferta.

underbite [ˌʌndər'baɪd] *n. dent., pat.* przodozgryz (*wystająca szczęka*).

underbred [ˌʌndər'bred] *a.* **1.** niepełnej krwi (*o koniu*). **2.** źle wychowany (*o osobie*).

underbrush ['ʌndərˌbrʌʃ] *n. U gł. US i Can. leśn.* podszycie.

underbuy ['ʌndərˌbaɪ] *v.* **-bought, -bought** *fin.* **1.** podkupować. **2.** kupować poniżej wartości.

undercapitalize [ˌʌndər'kæpɪtəˌlaɪz], *Br. i Austr. zw.* **undercapitalise** *v. fin.* niedokapitalizować, niedoinwestować.

undercapitalized [ˌʌndər'kæpɪtəˌlaɪz], *Br. i Austr. zw.* **undercapitalised** *a. fin.* niedokapitalizowany, niedoinwestowany (*o firmie, gałęzi przemysłu*).

undercarriage [ˈʌndərˌkerɪdʒ] *n. lotn., mot.* podwozie.

undercharge *v.* [ˌʌndərˈtʃɑːrdʒ] **1.** *handl.* policzyć za mało, zaniżyć rachunek (*sb for sth* komuś za coś, *by* o). **2.** *el.* nie doładować (*akumulatora*). – *n.* [ˈʌndərˌtʃɑːrdʒ] *handl.* zaniżony rachunek.

underclassman [ˌʌndərˈklæsmən] *n. pl.* **-men** *US uniw.* student/ka pierwszego *l.* drugiego roku (studiów); *szkoln.* ucze-ń/nnica klasy pierwszej *l.* drugiej (*szkoły średniej*); *pl.* uczniowie klas młodszych.

underclothes [ˈʌndərˌkloʊz] *n. pl. zwł. handl.* bielizna.

underclothing [ˈʌndərˌkloʊðɪŋ] *n. U zwł. handl.* bielizna.

undercoat [ˈʌndərˌkoʊt] *n.* **1.** podkład, powłoka *l.* warstwa podkładowa *l.* gruntowa (*farby, lakieru*). **2.** *U* farba podkładowa. **3.** (*także* **~ing**) *US mot.* powłoka antykorozyjna (podwozia), zabezpieczenie antykorozyjne (podwozia). **4.** *zool.* puch. – *v. US mot.* zabezpieczać przed korozją, pokrywać powłoką antykorozyjną (*podwozie*).

undercover [ˌʌndərˈkʌvər] *a. attr.* tajny (*o agencie, operacji*). – *adv.* w ukryciu (*pracować, zwł. jako agent*).

undercroft [ˈʌndərˌkrɔːft] *n.* krypta.

undercurrent [ˈʌndərˌkɜːənt] *n.* **1.** (ukryta) nuta (*np. goryczy, rasizmu*); (ukryta *l.* groźna) tendencja (*w społeczeństwie*). **2.** podwodny prąd; *hydrol.* prąd dolny *l.* głębinowy.

undercut [ˈʌndərˌkʌt] *v.* **-cut, -cut, -tt- 1.** *ekon.* przebijać ofertę (cenową) (*konkurencji*); przebijać (*konkurencję*). **2.** podcinać (*gałąź, korzeń*). **3.** podkopywać (*wysiłki*). **4.** *sport* podcinać, plasować (*piłkę*). – *n.* **1.** *t. leśn.* podcięcie (*gałęzi, pnia przy wyrębie*). **2.** *sport* plas, uderzenie plasowane, podcięcie (piłki). **3.** *gł. Br. kulin.* polędwica (wołowa).

underdeveloped [ˌʌndərdɪˈveləpt] *a.* **1.** *ekon., polit.* słabo rozwinięty, rozwijający się (*o kraju, regionie*). **2.** niedorozwinięty. **3.** *fot.* niedowołany (*o kliszy*).

underdog [ˈʌndərˌdɔːg] *n.* **the ~** *przen.* chłopiec do bicia; *sport* słabeusz (= *potencjalny przegrany*).

underdone [ˌʌndərˈdʌn] *a. kulin.* niedosmażony; niedogotowany; niedopieczony; *Br.* lekko wysmażony (*celowo*).

underdrain *roln. v.* [ˌʌndərˈdreɪn] drenować (*glebę*). – *n.* [ˈʌndərˌdreɪn] dren.

underdressed [ˌʌndərˈdrest] *a.* **1.** ubrany za mało uroczyście, ubrany zbyt swobodnie (*na daną okazję*). **2.** zbyt lekko ubrany.

underemployed [ˌʌndərɪmˈplɔɪd] *a.* **1.** zatrudniony w zbyt niskim wymiarze (*w stosunku do potrzeb*). **2.** zatrudniony na zbyt niskim stanowisku (*w stosunku do kwalifikacji*). **3.** niewykorzystywany w pełni (*o urządzeniu, systemie*).

underestimate *v.* [ˌʌndərˈestəˌmeɪt] **1.** nie doceniać (*np. wagi problemu, osoby*); lekceważyć (*np. osobę, trudność*). **2.** *zwł. ekon.* niedoszacować (*deficyt, stopę bezrobocia*). – *n.* [ˌʌndərˈestəmət] *zwł. ekon.* zaniżone oszacowanie, niedoszacowanie, zaniżona prognoza (*deficytu*); zaniżona *l.* za niska liczba (*prognozowana*).

underestimation [ˌʌndərˌestəˈmeɪʃən] *n.* = **underestimate**.

underexpose [ˌʌndərɪkˈspoʊz] *v.* **1.** *fot.* niedoświetlić. **2.** niedostatecznie eksponować *l.* nagłaśniać (*sprawę*).

underexposed [ˌʌndərɪkˈspoʊzd] *a. fot.* niedoświetlony (*o filmie, klatce*).

underfed [ˌʌndərˈfed] *a.* niedożywiony.

underfelt [ˈʌndərˌfelt] *n. U Br. bud.* warstwa izolująca (*pod wykładziną*).

underfinanced [ˌʌndərfəˈnænst] *a. fin.* niedofinansowany (*np. o szkole, służbie zdrowia*).

underfloor [ˌʌndərˈflɔːr] *a. attr. gł. Br. bud.* podpodłogowy; **~ heating** ogrzewanie podpodłogowe *l.* w podłodze.

underflow [ˈʌndərˌfloʊ] *n.* **1.** *komp.* niedomiar, wartość resztkowa (= *bardzo mała wartość zaokrąglona błędnie do zera l. błąd z tego wynikający*). **2.** *hydrol.* ciek podziemny.

underfoot [ˌʌndərˈfʊt] *adv.* pod stopami, pod nogami; **get ~** plątać się pod nogami; **trample/crush sb/sth ~** stratować kogoś/coś, zadeptać kogoś/coś; *przen.* doszczętnie zniszczyć kogoś/coś.

underfur [ˈʌndərˌfɜː] *n. U zool.* puch.

undergarment [ˈʌndərˌgɑːrmənt] *n. przest.* bielizna.

undergo [ˌʌndərˈgoʊ] *v.* **-went, -gone 1.** ulegać (*zmianie*); przeżywać (*zmianę na lepsze l. gorsze*); przechodzić przez (*okres zmian*). **2.** *med., chir.* przechodzić (*operację, zabieg*); poddawać się (*operacji*); być *l.* zostawać poddanym (*badaniu*).

undergrad [ˈʌndərˌgræd] *abbr. pot.* = **undergraduate**.

undergraduate [ˌʌndərˈgrædʒʊət] *uniw. n.* student/ka (*przed uzyskaniem dyplomu licencjackiego l. magisterskiego, w zależności od organizacji studiów*). – *a.* pierwszego *l.* niższego szczebla, licencjacki (*o studiach*); **~ courses** kursy podstawowe; **~ school** studia licencjackie.

underground *a.* [ˌʌndərˈgraʊnd] *attr.* **1.** *t. przen.* podziemny (*o przejściu, organizacji*). **2.** *sztuka* undergroundowy, alternatywny. – *adv.* [ˌʌndərˈgraʊnd] **1.** pod ziemią; **go ~** zejść pod ziemię. **2.** *przen.* w podziemiu; **go ~** zejść do podziemia. – *n.* [ˈʌndərˌgraʊnd] *U* **1.** *t. przen.* podziemie. **2. the U~** *Br.* metro.

undergrown [ˈʌndərˌgroʊn] *a.* **1.** niewyrośnięty (*o osobniku*). **2.** *leśn.* porośnięty podszyciem.

undergrowth [ˈʌndərˌgroʊθ] *n. U* **1.** *leśn.* podszycie. **2.** zahamowanie wzrostu, niedorozwój. **3.** *zool.* puch.

underhand [ˈʌndərˌhænd] *a.* **1.** podstępny (*o praktykach*); zakulisowy, potajemny (*o układzie*). **2.** *US sport* od dołu (*o serwisie, rzucie piłki*). – *adv. US* **1.** od dołu (*serwować, rzucać piłkę*). **2.** podstępnie (*knuć*); potajemnie (*układać się*).

underhanded [ˌʌndərˈhændɪd] *US a.* = **underhand** 1. – *adv.* = **underhand** 2.

underhandedly [ˌʌndərˈhændɪdlɪ] *adv. US* = **underhand** 2.

underhung [ˌʌndərˈhʌŋ] *a.* **1.** *pat.* wysunięty, wystający (*o szczęce*). **2.** *mech.* na szynach (*o drzwiach przesuwanych*).

underinsured [ˌʌndərɪnˈʃʊrd] *a. ubezp.* niedoubezpieczony, ubezpieczony poniżej wartości.

underlay *v.* [ˌʌndərˈleɪ] **-laid, -laid** podkładać. – *n.* [ˈʌndərˌleɪ] *bud.* warstwa izolująca (*pod wykładziną*).

underlet [ˌʌndərˈlet] *v.* **-let, -let, -tt-** *prawn.* **1.** wynajmować poniżej wartości. **2.** podnajmować (*lokal*).

underlie [ˌʌndərˈlaɪ] *v.* **-lay, -lain** *form.* **1.** leżeć u podstaw (*zjawiska*); stanowić podstawę (*decyzji*). **2.** leżeć pod (*czymś, zwł. warstwą*); być położonym poniżej (*czegoś*). **3.** *fin.* wyprzedzać; mieć pierwszeństwo przed (*innym roszczeniem*).

underline *v.* [ˌʌndərˈlaɪn] *t. przen.* podkreślać (*np. wyraz, wagę, aspekt*). – *n.* [ˈʌndərˌlaɪn] **1.** podkreślenie. **2.** *druk.* podpis (*pod ilustracją*).

underling [ˈʌndərlɪŋ] *n. pog.* sługus, pomagier, fagas.

underlying [ˌʌndərˈlaɪɪŋ] *a.* **1.** prawdziwy, właściwy, rzeczywisty; pierwotny; ukryty; ~ **cause** rzeczywista *l.* prawdziwa *l.* ukryta przyczyna. **2.** fundamentalny, podstawowy, naczelny (*np. o założeniach ideologicznych, zasadach*). **3.** położony niżej (*o warstwie*); *geol.* podściełający. **4.** *fin.* posiadający pierwszeństwo (*o roszczeniu*).

undermanning [ˌʌndərˈmænɪŋ] *n. U ekon.* niedobory kadrowe.

undermentioned [ˌʌndərˈmenʃənd] *a. attr. form.* niżej wymieniony, wymieniony poniżej *l.* niżej (*w tekście*).

undermine [ˌʌndərˈmaɪn] *v.* **1.** podkopywać (*np. zaufanie, zdrowie, autorytet*); osłabiać (*np. pewność siebie, nadzieję*). **2.** podkopywać (*wał, konstrukcję*). **3.** podmywać (*brzeg; o rzece, falach*); powodować erozję (*skały; o wietrze, wodzie*).

undermost [ˈʌndərˌmoʊst] *form. a.* najniższy. – *adv.* najniżej.

underneath [ˌʌndərˈniːθ] *prep.* **1.** pod; poniżej; ~ **the road** pod drogą. **2.** *polit.* za (rządów); ~ **Bush** za (rządów) Busha. – *adv.* **1.** pod spodem (*np. znajdować się, tkwić, przechodzić*); u dołu (*podpisać*); poniżej, niżej; w dole (*roztaczać się*). **2.** w głębi duszy, w rzeczywistości. – *a. attr.* dolny, spodni (*o warstwie, powierzchni*). – *n. U* **the** ~ *gł. Br.* spód, dół; dolna *l.* spodnia powierzchnia.

undernourished [ˌʌndərˈnʌrɪʃt] *a.* niedożywiony.

undernourishment [ˌʌndərˈnʌrɪʃtmənt] *n. U* niedożywienie.

underpaid [ˌʌndərˈpeɪd] *a.* źle opłacany (*o pracownikach*).

underpants [ˈʌndərˌpænts] *n. pl.* majtki (*US męskie l. damskie, Br. tylko męskie*).

underpass [ˈʌndərˌpɑːs] *n.* przejście podziemne; *mot.* tunel, przejazd podziemny.

underpay [ˌʌndərˈpeɪ] *v.* **-paid, -paid** *fin.* **1.** źle opłacać (*pracowników*). **2.** zalegać z (*podatkami*).

underpin [ˌʌndərˈpɪn] *v.* **-nn- 1.** przemawiać za (*np. teorią, wyjaśnieniem*); wspierać, popierać (*np. stanowisko*). **2.** stanowić *l.* tworzyć podwaliny *l.* oparcie (*systemu*). **3.** *bud.* podpierać, podtrzymywać (*ścianę*); wzmacniać, umacniać (*konstrukcję*). **4.** *fin.* wzmacniać, umacniać (*walutę*). **5.** zwiększać atrakcyjność (*np. filmu, książki*).

underpinning [ˌʌndərˈpɪnɪŋ] *n.* **1.** *zwł. pl.* podwaliny (*systemu, społeczeństwa*). **2.** *bud.* podpora.

underplay [ˌʌnderˈpleɪ] *v.* **1.** umniejszać, bagatelizować (*np. znaczenie, powagę sytuacji*); umniejszać *l.* pomniejszać znaczenie (*czegoś*). **2.** (*także* ~ **one's hand**) nie ujawniać wszystkich atutów, zachować asa w rękawie; *karty* puszczać lewę, zagrywać niższą kartą (*mając do dyspozycji wyższą*). **3.** *film, teatr* zagrać subtelnie (*rolę*).

underplot [ˈʌndərˌplɑːθ] *n. film, teor. lit.* wątek poboczny *l.* uboczny.

underpopulated [ˌʌndərˈpɑːpjəˌleɪtɪd] *a. geogr.* słabo zaludniony (*o obszarach, regionie*).

underprice [ˌʌndərˈpraɪs] *v. handl.* **1.** zaniżać ceny (*towaru*). **2.** przebijać ceny (*konkurencji*).

underprivileged [ˌʌndərˈprɪvəlɪdʒd] *socjol., ekon. a.* upośledzony społecznie (*o grupach*); z biednych rodzin (*o dzieciach*). – *n. U* **the** ~ najbiedniejsze warstwy społeczeństwa.

underproduction [ˌʌndərprəˈdʌkʃən] *n. C/U ekon.* deficyt produkcji; produkcja z niepełną wydajnością.

underproof [ˌʌndərˈpruːf] *a.* z zaniżoną zawartością alkoholu (*o napoju alkoholowym*).

underprop [ˌʌndərˈprɑːp] *v.* **-pp-** *bud.* podstemplowywać; podpierać (*strop*).

underpropper [ˌʌndərˈprɑːpər] *n. bud.* stempel; podpora.

underquote [ˌʌndərˈkwoʊt] *v. fin.* **1.** przebijać ofertę cenową (*konkurencji*). **2.** stosować zaniżone ceny (na) (*towar, usługi*).

underrate [ˌʌndərˈreɪt] *v.* nie doceniać (*kogoś l. czegoś*).

underreport [ˌʌndərɪˈpɔːrt] *v.* zaniżać (*oficjalne wartości*); wykazywać zaniżoną wielkość *l.* wartość (*np. bezrobocia, deficytu*).

underrepresent [ˌʌndərˌreprɪˈzent] *v.* **1.** *polit., stat.* niedostatecznie reprezentować, niedoreprezentować (*np. w parlamencie l. w próbie*). **2.** *uj.* zaniżać (*dane*).

underrepresented [ˌʌndərˌreprɪˈzentɪd] *a. polit., stat.* niedostatecznie reprezentowany, niedoreprezentowany.

underrun [ˌʌndərˈrʌn] *n. ekon.* **1.** deficyt produkcji. **2.** oszczędność (*na wydatkach w stosunku do założeń*).

underscore *gł. US v.* [ˌʌndərˈskɔːr] *t. przen.* podkreślać (*np. wyraz, istotność, aspekt*). – *n.* [ˈʌndərˌskɔːr] **1.** podkreślenie. **2.** *film* podkład muzyczny.

undersea [ˌʌndərˈsiː] *a. attr.* podmorski, oceaniczny (*np. o roślinności, wyprawie*). – *adv.* pod wodą, pod powierzchnią wody *l.* morza *l.* oceanu.

underseal [ˈʌndərˌsiːl] *Br. mot. n.* powłoka antykorozyjna (podwozia), zabezpieczenie antykorozyjne (podwozia). – *v.* zabezpieczać przed korozją, pokrywać powłoką antykorozyjną (*podwozie*).

underseas [ˌʌndərˈsiːz] *adv.* = **undersea.**

undersecretary [ˌʌndərˈsekrəˌterɪ] *n. pl.* **-ies** *polit.* podsekretarz; ~ **of state** podsekretarz stanu.

undersell [ˌʌndərˈsel] *v.* **-sold, -sold 1.** *fin., handl.* przebijać ofertę (*konkurencji*); przebijać (*konkurencję*); przebijać ofertę cenową (*innego oferenta*). **2.** *fin., handl.* sprzedawać poniżej kosztów (*towar*). **3.** przedstawiać nie dość pozytywnie *l.* entuzjastycznie (*kandydata, program*), być zbyt powściągliwym w pochwałach (*kandydata, programu*). **4.** ~ **o.s.** przesadzać ze skromnością.

under-served [ˌʌndərˈsɜːvd] *a. US* zaniedbany (*przez władze; np. o terenach, dziedzinach*).

underset *n.* [ˈʌndərˌset] *hydrol.* prąd powrotny (przyboju). – *v.* [ˌʌndərˈset] **-set, -set, -tt-** podpierać (*konstrukcję*).

undersexed [ˌʌndərˈsekst] *a.* oziębły (*seksualnie*).

undershirt [ˈʌndərˌʃɜːt] *n. gł. US i Can.* podkoszulek.

undershoot [ˌʌndərˈʃuːt] *v.* **-shot, -shot 1.** (*także* ~ **the runway**) *lotn.* wylądować za blisko *l.* przed pasem startowym. **2.** *wojsk.* nie dosięgnąć (*celu*).

undershorts [ˈʌndərˌʃɔːrts] *n. pl.* bokserki.

undershot [ˈʌndərˌʃɑːt] *a.* **1.** *hydrol.* podsiębierny (*o kole wodnym*). **2.** *pat.* wysunięty, wystający (*o szczęce*).

undershrub [ˈʌndərˌʃrʌb] *n. bot.* półkrzew, roślina krzaczasta.

underside [ˈʌndərˌsaɪd] *n. U* **the** ~ spód, dół; dolna *l.* spodnia powierzchnia.

undersigned [ˈʌndərˌsaɪnd] *prawn. a.* niżej podpisany. – *n.* **the** ~ niżej podpisan-y/a.

undersize [ˌʌndərˈsaɪz] *a.* (*także* **undersized**) mniejszy niż przeciętny; mały; niewyrośnięty, drobny, niskiego wzrostu (*o osobie*); karłowaty (*o osobniku*).

underskirt [ˈʌndərˌskɜːt] *n.* półhalka, halka (*pod spódnicę*).

underslung [ˌʌndərˈslʌŋ] *a. mot.* podwieszony (*o podwoziu*).

undersoil [ˈʌndərˌsɔɪl] *n. U roln., geol.* podglebie.

undersold [ˌʌndərˈsoʊld] *v. zob.* **undersell.**

understaffed [ˌʌndərˈstæft] *a.* cierpiący na braki *l.* niedobory kadrowe.

understand [ˌʌndərˈstænd] *v.* **-stood, -stood 1.** rozumieć; ~ **English/Polish** rozumieć po angielsku/polsku; **do you ~?** rozumiesz?; (*w gniewie*) rozumiesz, co do ciebie mówię?; **I ~ perfectly** doskonale rozumiem; **I ~ that...** *zwł. form.* rozumiem, że..., o ile mi wiadomo, to...; **I can make myself understood in English/Polish** potrafię się dogadać po angielsku/polsku; **I don't ~ how that happened** nie rozumiem, jak to się stało; **I fully ~ your concerns** *form.* w pełni rozumiem Pana/Pani/Państwa obawy; **I thought it was understood that...** *form.* wydawało mi się, że istnieje zgoda co do tego, że...; **I thought we understood each other/one another** myślał-em/am, że się rozumiemy; **give sb to ~** *form.* dać komuś do zrozumienia; **sth is understood to mean...** coś rozumie się jako... **2.** znać się na (*czymś*); ~ **cars** znać się na samochodach. **3.** ~ **about sth** rozumieć coś, zdawać sobie sprawę z czegoś.

understandable [ˌʌndərˈstændəbl] *a.* zrozumiały (*np. o tekście, wymowie, gniewie*); **it's ~ that...** to zrozumiałe, że..., nie należy się dziwić, że...

understandably [ˌʌndərˈstændəblɪ] *adv.* **1.** zrozumiale (*tłumaczyć*). **2.** (*na początku zdania*) trudno się dziwić, że..., nic dziwnego, że... **3.** (*w środku zdania*) czemu trudno się dziwić, co (jest) zrozumiałe.

understanding [ˌʌndərˈstændɪŋ] *n.* **1.** *U* zrozumienie; wyrozumiałość; **mutual** ~ wzajemne zrozumienie. **2.** *gł. sing.* porozumienie; **come to/reach an** ~ osiągnąć porozumienie. **3.** *U l. sing.* znajomość (*zagadnienia, przedmiotu, języka*); **have an ~ of sth** rozumieć coś; **have a good/poor ~ of sth** dobrze/słabo coś rozumieć. **4.** rozumienie, sposób rozumienia. **5.** *U* możliwości intelektualne, zdolność pojmowania; **be beyond the ~ of a small child** przerastać możliwości intelektualne małego dziecka. **6. on the ~ that...** pod warunkiem, że...; przy założeniu, że...; **with this ~** pod tym warunkiem. – *a.* wyrozumiały.

understate [ˌʌndərˈsteɪt] *v.* **1.** nie doceniać (*np. powagi sytuacji*). **2.** pomniejszać, umniejszać (*czyjś udział, zasługi, znaczenie*). **3.** wyrażać oględnie *l.* powściągliwie *l.* ostrożnie (*wątpliwości, krytykę*). **4.** podawać zaniżoną wielkość *l.* wartość (*bezrobocia, deficytu*); zaniżać (*dane*).

understated [ˌʌndərˈsteɪtɪd] *a.* **1.** niedoceniony, niedoceniany, lekceważony (*o zagrożeniu*). **2.** oględny, powściągliwy (*o krytyce, ocenie*). **3.** subtelny. **4.** zaniżony (*o danych*).

understatement [ˌʌndərˈsteɪtmənt] *n. C/U* niedomówienie, niedopowiedzenie; ~ **of the year/month/century** grube niedopowiedzenie; **that's an ~!** to (za) mało powiedziane!.

understeer *mot. n.* [ˈʌndərˌstiːr] *U* podsterowność. – *v.* [ˌʌndərˈstiːr] wykazywać podsterowność, być podsterownym (*o samochodzie*).

understock [ˌʌndərˈstɑːk] *v. zw. pass.* **be ~ed** *handl.* cierpieć na braki w zaopatrzeniu *l.* dostawach.

understood [ˌʌndərˈstʊd] *a.* **1.** przyjęty, ustalony (*o konwencjonalnym znaczeniu*). **2.** uznany za oczywisty, zrozumiały sam przez się (= *niewymagający dodatkowych uzgodnień*).

understudy [ˈʌndərˌstʌdɪ] *n. pl.* **-ies 1.** *teatr* dubler/ka. **2.** *przen.* zastęp-ca/czyni. – *v. teatr* dublować (*rolę*); zastępować (*aktora*).

undersubscribed [ˌʌndərsəbˈskraɪbd] *a.* **be ~** cieszyć się niewielkim zainteresowaniem.

undertake [ˌʌndərˈteɪk] *v.* **-took, -taken 1.** podejmować, przedsiębrać (*kroki, działania*). **2.** podejmować się ((*to do*) *sth* (zrobienia) czegoś).

3. przyjmować (na siebie) (*odpowiedzialność*). **4.** zobowiązywać się (*to do sth* coś zrobić *l.* do (zrobienia) czegoś).

undertaker [ˌʌndərˈteɪkər] *n. Br.* przedsiębiorca pogrzebowy.

undertaking [ˌʌndərˈteɪkɪŋ] *n.* **1.** przedsięwzięcie. **2.** *form.* zobowiązanie (*to do sth* do (zrobienia) czegoś, *that* że); **give an ~** podjąć zobowiązanie. **3.** *U* usługi pogrzebowe.

under-the-counter [ˌʌndərðəˈkaʊntər] *a. handl. pot.* nielegalny (*o transakcji*); nielegalnie nabyty (*o towarze*); spod lady (*o towarze*).

under-the-table [ˌʌndərðəˈteɪbl] *a. pot.* nielegalny, pokątny (*o transakcji, układzie*).

underthings [ˈʌndərˌθɪŋz] *n. pl.* bielizna (*zwł. damska*).

undertint [ˈʌndərˌtɪnt] *n.* lekkie zabarwienie, podbarwienie; lekki odcień; półton.

undertone [ˈʌndərˌtoʊn] *n.* **1.** *t. pl.* domieszka, odcień, nuta (*np. groźby, okrucieństwa*); posmak (*np. niebezpieczeństwa*). **2. in an ~** (*także* **in ~s**) półgłosem. **3.** odcień; półton.

undertook [ˌʌndərˈtʊk] *v. zob.* **undertake**.

undertow [ˈʌndərˌtoʊ] *n. hydrol.* prąd powrotny (przyboju), prąd przydenny.

underused [ˌʌndərˈjuːzd] *a.* niewystarczająco wykorzystywany *l.* wykorzystany (*o zasobach, metodach*).

undervaluation [ˌʌndərˌvæljuːˈeɪʃən] *n. U* **1.** *fin.* niedoszacowanie (*akcji, waluty*). **2.** niedocenianie (*kogoś l. czegoś*).

undervalue [ˌʌndərˈvæljuː] *v.* **1.** nie doceniać (*kogoś l. czegoś*). **2.** *fin.* niedoszacować (*akcje, walutę*).

undervote [ˌʌndərˈvoʊt] *n. US polit.* głos pusty.

underwater [ˌʌndərˈwɔːrtər] *a. gł. attr.* podwodny; **~ camera** *film* kamera podwodna *l.* do zdjęć podwodnych; *fot.* aparat do zdjęć podwodnych. – *adv.* pod wodą, pod powierzchnią wody (*płynąć, rosnąć, kręcić film*).

underwear [ˈʌndərˌwer] *n. U* bielizna.

underweight [ˌʌndərˈweɪt] *a.* z niedowagą, mający niedowagę (*o osobie*); **be ~** mieć niedowagę.

underwent [ˌʌndərˈwent] *v. zob.* **undergo**.

underwhelmed [ˌʌndərˈwelmd] *a.* **be ~ by sth** *żart.* nie być czymś zachwyconym.

underwing [ˈʌndərˌwɪŋ] *n.* **1.** *ent.* skrzydło tylne. **2.** *orn.* spodnia strona skrzydła, powierzchnia podskrzydłowa.

underwired [ˌʌndərˈwaɪrd] *a.* na fiszbinach (*o biustonoszu*).

underwood [ˈʌndərˌwʊd] *n. U leśn.* podszycie.

underworld [ˈʌndərˌwɜːld] *n. U* **1.** półświatek; (*także* **criminal ~**) świat *l.* światek przestępczy. **2. the ~** zaświaty; *mit.* Hades. – *a. attr.* przestępczy (*o powiązaniach, porachunkach*); z półświatka (*o osobie*).

underwrite [ˌʌndərˈraɪt] *v.* **-wrote, -written** *form.* **1.** *fin., prawn.* gwarantować (finansowo), poręczać; udzielać gwarancji na (*przedsięwzięcie; o rządzie*); finansować; sponsorować (*przedsięwzięcie*). **2.** popierać (*akcję*). **3.** *ubezp.* ubezpieczać (*kogoś l. coś*). **4.** *ubezp.* wystawiać (*polisę*). **5.** *giełda* subskrybować (*papiery wartościowe*). **6.** *t. przen.* podpisywać się pod (*deklaracją*). **7.** podpisać (*porozumienie, oświadczenie*).

underwriter [ˌʌndərˈraɪtər] *n.* **1.** *ubezp.* ubezpieczyciel; agent/ka ubezpieczeniow-y/a; *pl.* towarzystwo ubezpieczeniowe. **2.** *giełda* subskrybent.

undescended [ˌʌndɪˈsendɪd] *a. pat.* niezstąpiony (*o jądrach*).

undeserved [ˌʌndɪˈzɝːvd] *a.* niezasłużony (*np. o karze, awansie, opinii*).

undeserving [ˌʌndɪˈzɝːvɪŋ] *a. form.* niezasługujący (*of sth* na coś).

undesigning [ˌʌndɪˈzaɪnɪŋ] *a. lit.* prostolinijny (*o osobie*).

undesirable [ˌʌndɪˈzaɪrəbl] *a. form.* **1.** niepożądany (*np. o konsekwencjach*); **~ aliens** *polit.* osoby niepożądane (= *nielegalni imigranci*); **~ elements** *zwł. żart.* element (= *osoby godne pogardy*). **2.** mało atrakcyjny (*np. o dzielnicy, posesji, osobie*). – *n.* osoba *l.* rzecz niepożądana.

undetermined [ˌʌndɪˈtɝːmɪnd] *a.* **1.** nieznany (*o liczbie*). **2.** nierozstrzygnięty (*o wyniku*).

undeveloped [ˌʌndɪˈveləpt] *a.* **1.** niezagospodarowany, niezainwestowany (*o obszarach*); niezabudowany (*o terenie*). **2.** *t. pat.* nierozwinięty (*o organie*).

undid [ʌnˈdɪd] *v. zob.* **undo**.

undies [ˈʌndɪz] *n. pl. pot.* bielizna (*zwł. damska*).

undignified [ʌnˈdɪgnəˌfaɪd] *a.* niezgrabny (*np. o czyimś wejściu, wyjściu, upadku*).

undiluted [ˌʌndaɪˈluːtɪd] *a.* **1.** *lit.* niekłamany, szczery (*np. o radości, podziwie*). **2.** *chem.* nierozcieńczony (*o roztworze*).

undine [ˈʌndiːn] *n. mit.* nimfa (wodna), rusałka, wodnica.

undirected [ˌʌndɪˈrektɪd] *a.* **1.** bez wyraźnego celu. **2.** *poczta* bez adresu (*o przesyłce*).

undischarged [ˌʌndɪsˈtʃɑːrdʒd] *a. fin.* nieuregulowany (*o długu*); **~ bankrupt** dłużnik (upadły) o niespłaconych zobowiązaniach.

undisciplined [ʌnˈdɪsəplɪnd] *a.* niezdyscyplinowany.

undisclosed [ˌʌndɪsˈkloʊzd] *a. form.* będący tajemnicą, nieujawniony (*np. o dochodzie*); anonimowy (*np. o źródle informacji*); **be/remain ~** być/pozostawać tajemnicą.

undisguised [ˌʌndɪsˈgaɪzd] *a.* nieskrywany (*np. o niechęci, ochocie*).

undisputed [ˌʌndɪˈspjuːtɪd] *a.* niekwestionowany (*np. o faktach, przywódcy*).

undistinguished [ˌʌndɪˈstɪŋwɪʃt] *a.* niewyróżniający się, przeciętny.

undistributed [ˌʌndɪˈstrɪbjuːtɪd] *a. ekon.* nierozdzielony (*o zyskach*).

undivided [ˌʌndɪˈvaɪdɪd] *a.* **1.** niepodzielny (*np. o uwadze*); pełny, całkowity (*np. o lojalności*). **2.** niepodzielony, w całości.

undo [ʌnˈduː] *v.* **-did, -done 1.** rozpinać (*zamek, guzik*); rozwiązywać (*sznurowadło*); rozpinać się (*o guziku, rozporku*); rozwiązywać się (*o sznurowadle*). **2.** rozpakowywać, rozwijać (*paczkę*). **3.** odwracać (*skutek*); odwoływać, unieważniać (*decyzję*). **4.** niweczyć (*wysiłki*). **5.** *komp.* cofnąć (*operację*). **6.** *przest. l. lit.* zgubić (= *pogrążyć*). **7.** ~ **the damage** naprawić szkodę *l.* szkody, zminimalizować straty; **I undid all the good work** wszystko poszło na marne; **what's done cannot/can't be** ~ co się stało, to się nie odstanie.

undock [ʌn'dɑ:k] *v. astronautyka* odłączyć się (*o module*).

undoing [ʌn'du:ɪŋ] *n. U lit.* zguba; **be sb's** ~ zgubić kogoś, doprowadzić kogoś do zguby.

undone [ʌn'dʌn] *a. pred.* **1.** rozpięty (*o guziku, zamku*); rozwiązany (*o sznurowadle*); **come** ~ rozpiąć się; rozwiązać się; **your fly's** ~ masz rozpięty rozporek; **your shoe/lace/shoelace is** ~ rozwiązało ci się sznurowadło. **2. leave sth** ~ nie dokończyć czegoś; zostawić *l.* rzucić coś. **3.** *przest. l. lit.* zgubiony.

undoubted [ʌn'daʊtɪd] *a.* niewątpliwy.

undoubtedly [ʌn'daʊtɪdlɪ] *adv.* niewątpliwie, bez wątpienia.

undraw [ʌn'drɔ:] *v.* **-drew, -drawn** odsłaniać, odsuwać (*zasłonę*); rozsuwać (*zasłony*).

undreamed-of [ʌn'dri:md əv], **undreamed of, undreamt-of** [ʌn'dremt əv], **undreamt of** *a.* niewyobrażalny.

undress [ʌn'dres] *v.* **1.** rozbierać (się). **2.** *chir.* zdejmować opatrunek z (*rany*). – *n. U* **1.** *form. l. żart.* negliż; **in a state of** ~ w negliżu. **2.** *form.* strój codzienny.

undressed [ʌn'drest] *a.* **1.** rozebrany; nieubrany; **get** ~ rozbierać się. **2.** *chir.* nieopatrzony (*o ranie*). **3.** *kulin.* bez sosu (*o sałatce*).

undrew [ʌn'dru:] *v. zob.* **undraw.**

undue [ˌʌn'du:] *a. attr. form.* **1.** nadmierny; zbytni; nieuzasadniony. **2.** niewłaściwy. **3.** *fin.* nienależny, niepłatny (*o należności*).

undulant ['ʌndʒələnt] *a. lit.* falujący, falisty.

undulant fever *n. U pat.* gorączka falista, bruceloza.

undulate *form. v.* ['ʌndʒəleɪt] **1.** falować (*o powierzchni, dźwięku*); być pofałdowanym (*o terenie*). **2.** wić się (*o wężu*). **3.** kołysać (*biodrami*). – *a.* ['ʌndʒələt] falisty, pofałdowany.

undulating ['ʌndʒəleɪtɪŋ] *a. attr. form.* **1.** pofałdowany (*o terenie*). **2.** falujący (*o ruchu*); kołyszący się, rozkołysany (*o biodrach*).

undulation [ˌʌndʒə'leɪʃən] *n. U* pofałdowanie (*terenu*); falowanie.

undulatory ['ʌndʒələˌtɔ:rɪ] *a. form.* falisty; falujący.

unduly [ˌʌn'du:lɪ] *adv. form.* **1.** nadmiernie; zbytnio. **2.** niewłaściwie.

undying [ˌʌn'daɪɪŋ] *a. attr. form.* dozgonny, wieczny (*o miłości, wdzięczności*); nieśmiertelny (*o sławie*).

unearned [ʌn'ɝ:nd] *a.* **1.** niezasłużony (*np. o krytyce, pochwałach*). **2.** *fin.* ze źródeł niezarobkowych *l.* pozazarobkowych (*o dochodzie: z kapitału, wynajmu*).

unearned increment *n. ekon.* przyrost wartości niewypracowany (*wynikający z czynników zewnętrznych, np. popytu*).

unearth [ʌn'ɝ:θ] *v.* **1.** wydobywać na światło dzienne *l.* na jaw, ujawniać (*fakty, prawdę*). **2.** wydobywać, wykopywać, odkopywać, odgrzebywać (*coś z ziemi, coś zapomnianego, zagubionego*).

unearthly [ʌn'ɝ:θlɪ] *a.* **1.** nieziemski. **2.** niebiański. **3.** ~ **hour/time** *pot.* dzika godzina, nieprzyzwoita pora; **at some** ~ **hour** o dzikiej godzinie, o nieprzyzwoitej porze.

unease [ʌn'i:z], **uneasiness** [ʌn'i:zɪnəs] *n. U* **1.** niepokój (*at / over sth* związany *l.* w związku z czymś); **growing** ~ rosnący niepokój. **2.** zażenowanie, skrępowanie. **3.** niepewność.

uneasily [ʌn'i:zɪlɪ] *adv.* **1.** z zażenowaniem (*np. odwracać wzrok*); niepewnie (*np. uśmiechać się*). **2.** niespokojnie (*np. spać, kręcić się*).

uneasiness [ʌn'i:zɪnəs] *n. U* = **unease.**

uneasy [ʌn'i:zɪ] *a.* **1.** skrępowany, zażenowany; zaniepokojony. **2.** niespokojny (*o śnie*). **3.** niepewny (*o pokoju*). **4.** nie dający spokoju (*o myśli*). **5.** krępujący, nieprzyjemny (*o ciszy*). **6. feel/be** ~ krępować się; niepokoić się; **make sb** ~ krępować kogoś; niepokoić kogoś.

uneatable [ʌn'i:təbl] *a.* niejadalny.

uneconomic [ʌnˌi:kə'nɑ:mɪk] *a.* **1.** nierentowny (*o zakładzie*). **2.** = **uneconomical.**

uneconomical [ʌnˌi:kə'nɑ:mɪkl] *a.* nieopłacalny (*o inwestycji*); nieekonomiczny (*np. o samochodzie*).

unedge [ʌn'edʒ] *v. form.* stępiać.

unedifying [ʌn'edəfaɪɪŋ] *a. form.* żenujący.

uneducated [ʌn'edʒʊˌkeɪtɪd] *a.* niewykształcony, bez wykształcenia (*o osobie*); ~ **opinion** opinia laika.

unemotional [ˌʌnɪ'moʊʃənl] *a.* beznamiętny.

unemployable [ˌʌnɪm'plɔɪəbl] *a.* bez szans na zatrudnienie, niemający szans na zatrudnienie.

unemployed [ˌʌnɪm'plɔɪd] *a.* bezrobotny. – *n.* **the** ~ bezrobotni.

unemployment [ˌʌnɪm'plɔɪmənt] *n. U* **1.** bezrobocie; **high/low** ~ wysokie/niskie bezrobocie. **2.** *US pot.* zasiłek (*dla bezrobotnych*), bezrobocie.

unemployment benefit *n. Br.* = **unemployment compensation.**

unemployment compensation *n. U* (*także* **unemployment insurance**) *US* zasiłek dla bezrobotnych.

unemployment rate *n. ekon.* stopa *l.* wskaźnik bezrobocia.

unending [ʌn'endɪŋ] *a.* wieczny, (nigdy) niekończący się, ciągnący się w nieskończoność (*np. o dyskusjach, kłopotach*).

unendurable [ˌʌnɪn'dʊrəbl] *a. form.* nie do zniesienia, nie do wytrzymania (*np. o bólu, cierpieniu*).

unenforceable [ˌʌnɪn'fɔ:rsəbl] *a. prawn.* niegzekwowalny, nie do wyegzekwowania (*o przepisie, prawie*).

un-English [ʌn'ɪŋglɪʃ] *a.* **1.** nieangielski (*o obyczajach*). **2.** *jęz.* niespotykany w języku angielskim (*o formie*); niepoprawny (*dla języka angielskiego*).

unenlightened [ˌʌnɪn'laɪtənd] *a. form.* mało oryginalny.

unenviable [ʌn'enviəbl] *a.* nie do pozazdroszczenia (*o sytuacji, zadaniu*).

unequal [ʌn'i:kwəl] *a.* **1.** nierówny; ~ **in length/size** (*także* **of ~ length/size**) nierównej długości/wielkości. **2.** nierówny, niesprawiedliwy; ~ **battle** nierówna walka; ~ **pay** zróżnicowanie płac (*zwł. w zależności od płci*); **on ~ terms** na nierównych zasadach. **3.** *form.* niezdolny; **be ~ to sth** nie być w stanie sprostać czemuś (*zadaniu*); nie być zdolnym do czegoś, nie nadawać się do czegoś, nie mieć predyspozycji do czegoś. – *n. zwł. pl.* **1.** *form.* osoba drugiej nierówna; **they were ~s** nie byli sobie równi. **2.** *mat.* różna wartość; **two ~s** dwie różne wartości.

unequaled [ʌn'i:kwəld], *Br.* **unequalled** *a.* niezrównany; **be ~** nie mieć sobie równych.

unequally [ʌn'i:kwəlɪ] *adv.* nierówno; niesprawiedliwie.

unequivocal [ˌʌnɪ'kwɪvəkl] *a. form.* jednoznaczny.

unequivocally [ˌʌnɪ'kwɪvəklɪ] *adv. form.* jednoznacznie.

unerring [ʌn'ɝ:ɪŋ] *a.* nieomylny, niezawodny.

unerringly [ʌn'ɝ:ɪŋlɪ] *adv.* nieomylnie, niezawodnie.

UNESCO [ju:'neskoʊ], **Unesco** *abbr.* **United Nations Educational, Scientific, and Cultural Organization** *polit.* UNESCO (= *Organizacja Narodów Zjednoczonych do spraw Oświaty, Nauki i Kultury*).

unethical [ʌn'eθɪkl] *a.* nieetyczny.

unethically [ʌn'eθɪklɪ] *adv.* nieetycznie.

uneven [ʌn'i:vən] *a.* nierówny (*np. o powierzchni, tętnie, walce, przedstawieniu*).

unevenly [ʌn'i:vən] *adv.* nierówno.

unevenness [ʌn'i:vənnəs] *n. U* nierówność.

uneventful [ˌʌnɪ'ventfʊl] *a.* bezbarwny, bez niespodzianek (*o wydarzeniu, życiu*).

uneventfully [ˌʌnɪ'ventfʊlɪ] *adv.* bezbarwnie, bez niespodzianek (*toczyć się, odbywać się*).

unexampled [ˌʌnɪg'zɑ:mpld] *a. form.* bezprzykładny.

unexceptionable [ˌʌnɪk'sepʃənəbl] *a. form.* nienaganny, bez zarzutu.

unexceptional [ˌʌnɪk'sepʃənl] *a. zwł. form.* przeciętny, nie wybijający się.

unexciting [ˌʌnɪk'saɪtɪŋ] *a.* bezbarwny, bez charakteru, nieciekawy.

unexpected [ˌʌnɪk'spektɪd] *a.* nieoczekiwany, niespodziewany.

unexpectedly [ˌʌnɪk'spektɪdlɪ] *adv.* nieoczekiwanie, niespodziewanie.

unexpectedness [ˌʌnɪk'spektɪdnəs] *n. U* nieoczekiwany charakter.

unexplained [ˌʌnɪk'spleɪnd] *a.* niewytłumaczalny, niewyjaśniony.

unexploded [ˌʌnɪk'sploʊdɪd] *a.* ~ **bomb/shell** *wojsk.* niewybuch.

unexpurgated [ʌn'ekspərˌgeɪtɪd] *a.* nieocenzurowany, pełny (*np. o tekście książki, sztuki*).

unfailing [ʌn'feɪlɪŋ] *a.* niezawodny (*np. o urządzeniu, optymizmie*); niewyczerpany (*np. o energii, zapale*).

unfailingly [ʌn'feɪlɪŋlɪ] *adv.* niezawodnie; ~ **polite** nienagannie uprzejmy.

unfair [ʌn'fer] *a.* niesprawiedliwy (*np. o systemie, osobie, wyroku*) (*to sb / sth* w stosunku do kogoś/czegoś); nieuczciwy (*np. o przewadze*); ~ **dismissal** nieuzasadnione zwolnienie (*z pracy*); **it's ~ that...** to niesprawiedliwe, że...

unfairly [ʌn'ferlɪ] *adv.* niesprawiedliwie (*np. zdecydować, ocenić*); niesłusznie (*np. ukarać*); nieuczciwie (*np. wygrać*).

unfaithful [ʌn'feɪθfʊl] *a.* niewierny; **be ~ to sb** zdradzać kogoś.

unfaithfully [ʌn'feɪθfʊlɪ] *adv.* niewiernie.

unfaithfulness [ʌn'feɪθfʊlnəs] *n. U* niewierność.

unfaltering [ʌn'fɔ:ltərɪŋ] *a. form.* niesłabnący (*np. o poparciu*); nieugięty (*np. o spojrzeniu*).

unfamiliar [ˌʌnfə'mɪljər] *a.* **1.** nieznany (*to sb* komuś); **this is ~ to me** to nie jest mi znane, to dla mnie nowość. **2.** nieobeznany (*with sth* z czymś); **I am ~ with this** nie spotkałem się z tym.

unfamiliarity [ˌʌnfəˌmɪl'jerətɪ] *n. U* nieznajomość (*with sth* czegoś) (*np. przepisów, obyczajów*).

unfashionable [ʌn'fæʃənəbl] *a.* niemodny (*np. o strojach, przedmiotach*); niepopularny (*np. o poglądach*).

unfashionably [ʌn'fæʃənəblɪ] *adv.* niemodnie; niepopularnie.

unfasten [ʌn'fæsən] *v.* rozpinać (*np. guzik, pasek*); rozpinać się (*np. o spódnicy, guziku*).

unfathomable [ʌn'fæðəməbl] *a. lit.* niezgłębiony.

unfavorable [ʌn'feɪvərəbl], *Br.* **unfavourable** *a.* **1.** niesprzyjający (*np. o okolicznościach, pogodzie*). **2.** nieprzychylny (*np. o opinii, stanowisku*).

unfavorably [ʌn'feɪvərəblɪ], *Br.* **unfavourably** *adv.* **1.** niekorzystnie (*wypadać*); **compare ~ with sb/sth** wypadać niekorzystnie na tle kogoś/czegoś *l.* w porównaniu z kimś/czymś. **2.** nieprzychylnie (*odnosić się*).

unfazed [ʌn'feɪzd] *a. pot.* niespeszony, niezrażony; **be/remain ~** nie tracić pewności siebie.

unfeasible [ʌn'fi:zəbl] *a.* nierealny, niemożliwy do przeprowadzenia (*o planie*).

unfeeling [ʌn'fi:lɪŋ] *a.* bezduszny (*np. o biurokracji, osobie*).

unfeelingly [ʌn'fi:lɪŋlɪ] *adv.* bezdusznie.

unfeigned [ʌn'feɪnd] *a.* autentyczny (*np. o zdziwieniu*).

unfettered [ʌn'fetərd] *a. form.* (niczym) nieskrępowany (*np. o działalności, handlu*).

unfinished [ʌn'fɪnɪʃt] *a.* niedokończony; ~ **business** niedokończone sprawy.

unfit [ʌn'fɪt] *a.* **1.** w słabej formie *l.* kondycji (*o osobie*). **2.** ~ **for sth** niezdolny do czegoś; nie nadający się do czegoś *l.* na coś; ~ **for human consumption** nienadający się do spożycia; ~ **for human habitation** nie nadający się do zamieszkania; ~ **for work/military service** niezdolny do pracy/służby wojskowej.

unflagging [ʌn'flægɪŋ] *a.* niesłabnący (*np. o zapale, energii, zainteresowaniu*).

unflappable [ʌn'flæpəbl] *a. pot.* niezrażony, niespeszony; **be/remain ~** nie tracić pewności siebie.

unfledged [ʌn'fledʒd] *a. orn. l. przen.* nieopierzony.

unflinching [ʌn'flɪntʃɪŋ] *a. form.* niezachwiany (*np. o postanowieniu, odwadze*); odważny, bezkompromisowy (*np. o reportażu*).

unfocused [ʌn'foʊkəst], **unfocussed** *a.* **1.** nie na temat (*np. o dyskusji*); nieukierunkowany (*np. o działaniach*); **be ~** omijać temat, zbaczać z tematu (*o dyskusji*). **2.** tępy (*o spojrzeniu*); niewidzący (*o oczach*).

unfold [ʌn'foʊld] *v.* **1.** rozkładać (*np. mapę, parasol, stół, skrzydła, ramiona*); rozwijać (*np. transparent, flagę*). **2.** rozkładać się (*np. o parasolu*). **3.** rozwijać się (*np. o wątku, fabule, umiejętnościach, rulonie, płatkach*).

unforeseeable [ˌʌnfɔːr'siːəbl] *a. zwł. form.* nieprzewidziany, nie do przewidzenia (*o wydarzeniu*).

unforeseen [ˌʌnfɔːr'siːn] *a.* nieprzewidziany; **~ circumstances** nieprzewidziane okoliczności.

unforgettable [ˌʌnfər'getəbl] *a.* niezapomniany (*np. o przeżyciach, widoku*).

unforgettably [ˌʌnfər'getəblɪ] *adv.* niebywale (*piękny*); **she sang ~** jej śpiew pozostawił niezatarte wrażenie.

unforgivable [ˌʌnfər'gɪvəbl] *a.* niewybaczalny (*zwł. o błędzie*).

unforgivably [ˌʌnfər'gɪvəblɪ] *adv.* niewybaczalnie, w sposób niewybaczalny.

unforgiving [ˌʌnfər'gɪvɪŋ] *a.* pamiętliwy; surowy.

unformatted [ʌn'fɔːrmætɪd] *a. zwł. komp.* niesformatowany (*o tekście, dyskietce*).

unformed [ʌn'fɔːrmd] *a.* nieukształtowany; bezkształtny.

unfortunate [ʌn'fɔːrtʃənət] *a.* nieszczęśliwy (*o wypadku*); pechowy (*o osobie*); *form.* niefortunny (*np. o zachowaniu, uwadze, doborze słów l. muzyki*); **it is (most) ~ that...** *form.* (ogromna) szkoda, że... – *n. lit.* nieszczęśliwiec, bieda-k/czka.

unfortunately [ʌn'fɔːrtʃənətlɪ] *adv.* **1.** niestety. **2.** pechowo (*np. upaść*); niefortunnie (*np. odezwać się, upaść*).

unfounded [ʌn'faʊndɪd] *a.* bezpodstawny (*np. o oskarżeniach, twierdzeniach, obawach*); **be ~** być pozbawionym podstaw, okazać się bezpodstawnym.

unfrequented [ˌʌnfrɪ'kwentɪd] *a. form.* nieuczęszczany, mało uczęszczany (*o miejscu*).

unfriendliness [ʌn'frendlɪnəs] *n. U* wrogość.

unfriendly [ʌn'frendlɪ] *a.* **-ier, -iest** nieprzyjazny.

unfrock [ʌn'frɑːk] *v. kośc.* suspendować, ukarać suspensą (*duchownego*).

unfrocked [ʌn'frɑːkt] *a. kośc.* ukarany suspensą (*o duchownym*).

unfulfilled [ˌʌnfʊl'fɪld] *a.* niespełniony (*np. o marzeniu, ambicji; t. o osobie*).

unfurl [ʌn'fɜːl] *v.* **1.** rozpościerać (*np. flagę, żagle*); rozkładać (*np. parasol*); rozwijać, np. transparent, prześcieradło, żagiel. **2.** rozpościerać się; rozkładać się; rozwijać się.

unfurnished [ʌn'fɜːnɪʃt] *a.* nieumeblowany (*o mieszkaniu, pokoju, domu*).

ungainliness [ʌn'geɪnlɪnəs] *n. U* niezgrabność.

ungainly [ʌn'geɪnlɪ] *a.* **-ier, -iest** niezgrabny (*zwł. o ruchach l. w ruchach*).

ungenerous [ʌn'dʒenərəs] *a.* **1.** skąpy. **2.** niemiły.

unglued [ʌn'gluːd] *a.* **come ~** odkleić się (*np. o znaczku*); *US przen. pot.* wkurzyć się; zawalić się, runąć w gruzach (*o planach*).

ungodly [ʌn'gɑːdlɪ] *a.* **-ier, -iest 1.** *pot.* piekielny (*o hałasie*); nieprzyzwoity (*o porze*); **at some ~ hour** o nieprzyzwoitej porze. **2.** *rel.* bezbożny.

ungovernable [ʌn'gʌvərnəbl] *a. form.* **1.** nie dający się rządzić (*o kraju*). **2.** trudny do opanowania (*o grupie ludzi*). **3.** nieopanowany, niekontrolowany (*o nastroju*).

ungracious [ʌn'greɪʃəs] *a.* nieprzyjemny, nieuprzejmy, niemiły.

ungrateful [ʌn'greɪtfʊl] *a.* niewdzięczny (*o osobie, zadaniu*).

ungratefully [ʌn'greɪtfʊlɪ] *adv.* niewdzięcznie.

ungratefulness [ʌn'greɪtfʊlnəs] *n. U* niewdzięczność, brak wdzięczności.

ungual ['ʌŋgwəl] *a. anat., zool.* paznokciowy; *zool. t.* pazurowy; szponowy; kopytowy.

unguarded [ʌn'gɑːrdɪd] *a.* **1.** niestrzeżony, niepilnowany; bez nadzoru. **2.** nieopatrzny; **in an ~ moment** w chwili nieuwagi. – *adv.* nieopatrznie; **say sth ~** powiedzieć coś, niewiele myśląc.

unguent ['ʌŋgwənt] *n. lit.* mazidło, smarowidło, maść.

unguis ['ʌŋwɪs] *n. pl.* **ungues** ['ʌŋwiːz] **1.** *zool.* kopyto; paznokieć; pazur. **2.** *bot.* ostra nasada (*płatka*).

ungulate ['ʌŋgjəleɪt] *zool. a.* kopytny. – *n.* zwierzę kopytne; *pl.* (zwierzęta) kopytne.

unhand [ʌn'hænd] *v. arch. l. żart.* puszczać (*kogoś*); **~ me!** precz z łapami!.

unhandy [ʌn'hændɪ] *a.* **-ier, -iest 1.** niezręczny (*o osobie*). **2.** nieporęczny (*o narzędziu*).

unhappily [ʌn'hæpɪlɪ] *adv.* **1.** nieszczęśliwie. **2.** *przest.* niestety.

unhappiness [ʌn'hæpɪnəs] *n. U* nieszczęście.

unhappy [ʌn'hæpɪ] *a.* **-ier, -iest 1.** nieszczęśliwy (*about/with sth* z powodu czegoś). **2.** *form.* niefortunny, nieszczęśliwy (*o chwili, sformułowaniu, uwadze*).

unharmed [ʌn'hɑːrmd] *a. pred.* bez szwanku, zdrowy i cały, bez uszczerbku; **escape ~** ujść cało.

unharness [ʌn'hɑːrnɪs] *v.* **1.** uwalniać (*np. emocje, moce*). **2.** wyprzęgać, rozprzęgać (*konia*).

UNHCR [ˌjuː ˌen ˌeɪtʃ ˌsiː 'ɑːr] *abbr. polit.* **United Nations High Commissioner for Refugees** Wysoki Komisarz ONZ do spraw Uchodźców; **United Nations High Commission for Refugees** Wysoka Komisja ONZ do spraw Uchodźców; **Office of the United Nations High Commissioner for Refugees**

Urząd Wysokiego Komisarza ONZ do spraw Uchodźców.

unhealthily [ʌn'helθɪlɪ] *adv.* niezdrowo; chorobliwie.

unhealthiness [ʌn'helθɪnəs] *n. U* chorobliwość.

unhealthy [ʌn'helθɪ] *a.* **-ier, -iest** **1.** niezdrowy (*np. o diecie, nawykach, warunkach, osobie, cerze*); chorobliwy (*np. o skłonności*); ~ **interest in death/sex** niezdrowe *l.* chorobliwe zainteresowanie śmiercią/seksem. **2.** *pot.* niebezpieczny, ryzykancki.

unheard [ʌn'hɝ:d] *a. pred.* **go** ~ przejść bez echa, nie zostać usłyszanym (*o skargach, prośbach*).

unheard-of [ʌn'hɝ:dəv] *a.* **1.** niespotykany. **2.** niesłychany. **3.** zupełnie nieznany (*np. o zespole, polityku*).

unheated [ʌn'hi:tɪd] *a.* nieogrzewany (*o pomieszczeniu*).

unheeded [ʌn'hi:dɪd] *a. i adv. lit.* zlekceważony (*o radzie, przestrodze*); nie wysłuchany (*o modlitwie*); **go** ~ nie zostać wysłuchanym.

unhelpful [ʌn'helpful] *a.* niezbyt pomocny (*o osobie*); mało *l.* niezbyt przydatny, nieprzydatny (*o radzie*).

unheralded [ʌn'herəldɪd] *a. form.* niezapowiedziany.

unhesitating [ʌn'hezɪˌteɪtɪŋ] *a.* **1.** niezachwiany (*np. o wierze, lojalności*). **2.** zdecydowany, stanowczy (*np. o reakcji, odpowiedzi*).

unhesitatingly [ʌn'hezɪˌteɪtɪŋlɪ] *adv.* **1.** niezachwianie. **2.** bez wahania.

unhinge [ʌn'hɪndʒ] *v.* **1.** zdejmować z zawiasów (*drzwi*). **2.** zakłócać (*np. proces*). **3.** rozstrajać (*kogoś umysłowo*).

unhinged [ʌn'hɪndʒd] *a.* niezrównoważony (*zwł. pod wpływem silnego przeżycia*).

unhip [ʌn'hɪp] *a. przest. sl.* obciachowy, nie na czasie.

unhitch [ʌn'hɪtʃ] *v.* **1.** odczepiać (*przyczepę*). **2.** (*także* **get ~ed**) *pot.* odzyskać wolność (= *rozwieść się*).

unholy [ʌn'houlɪ] *a.* **-ier, -iest** **1.** *pot.* piekielny, straszliwy, niemożliwy (*np. o hałasie, bałaganie*). **2.** *rel.* bezbożny. **3.** *rel.* niepoświęcony. **4.** ~ **alliance** *uj.* ponury sojusz; ~ **hour/time** *pot.* dzika godzina, nieprzyzwoita pora.

unhook [ʌn'huk] *v.* **1.** zdejmować z wieszaka *l.* haka. **2.** rozpinać (*np. biustonosz*).

unhoped-for [ʌn'houptˌfɔ:r] *a.* nieoczekiwany, niespodziewany (*zwł. o sukcesie, wygranej, awansie*).

unhorse [ʌn'hɔ:rs] *v.* **1.** wysadzić z siodła (*polityka*). **2.** zrzucać z konia (*jeźdźca; o wojowniku*); zrzucać (*jeźdźca; o koniu*).

unhurried [ʌn'hɝ:ɪd] *a. form.* nieśpieszny.

unhurriedly [ʌn'hɝ:ɪdlɪ] *adv. form.* niespiesznie.

unhurt [ʌn'hɝ:t] *a. pred.* bez szwanku, zdrowy i cały, bez uszczerbku; **be** ~ nie doznać obrażeń.

unhusk [ʌn'hʌsk] *v.* łuskać.

unhygienic [ʌnˌhaɪ'dʒenɪk] *a.* niehigieniczny; urągający higienie (*np. o warunkach, pomieszczeniu*).

uni ['ju:nɪ] *n. Br. i Austr. pot.* uniwerek.

Uniat ['ju:nɪˌæt], **Uniate** ['ju:nɪɪt] *rel. n.* unit-a/ka. – *a.* unicki.

unicameral [ˌju:nə'kæmərəl] *a. parl.* jednoizbowy.

UNICEF ['ju:nɪˌsef], **Unicef** *abbr.* **United Nations Children's Fund** *polit.* UNICEF (= *Fundusz Narodów Zjednoczonych Pomocy Dzieciom*).

unicellular [ˌju:nɪ'seljələr] *a. biol.* jednokomórkowy (*o organizmie*).

unicolor [ˌju:nə'kʌlər], *Br.* **unicolour** *a.* jednobarwny.

unicorn ['ju:nəˌkɔ:rn] *n. mit.* jednorożec.

unicycle ['ju:nɪˌsaɪkl] *n.* monocykl, rower jednokołowy.

unidentified [ˌʌnaɪ'dentəˌfaɪd] *a.* **1.** niezidentyfikowany; ~ **flying object** (*także* **UFO**) niezidentyfikowany obiekt latający. **2.** bliżej nieokreślony. **3.** *zwł. dzienn.* anonimowy (*o źródle*).

unidirectional [ˌju:nɪdɪ'rekʃənl] *a. zwł. techn.* jednokierunkowy.

unification [ˌju:nəfeɪ'keɪʃən] *n. U* **1.** *polit.* zjednoczenie (*Niemiec*). **2.** unifikacja, ujednolicenie (*przepisów*).

Unification Church *n. rel.* Kościół Zjednoczeniowy (*Moona*).

unified ['ju:nəˌfaɪd] *a.* **1.** *techn.* zunifikowany; ~ **screw thread** *mech.* gwint calowy zunifikowany. **2.** *fiz.* jednolity; ~ **field theory** jednolita teoria pola.

unifloral [ˌju:nə'flɔ:rəl], **uniflorous** [ˌju:nə'flɔ:rəs] *a. bot.* jednokwiatowy.

unifoliate [ˌju:nə'foulɪət] *a. bot.* jednolistny.

uniform ['ju:nəˌfɔ:rm] *n. C/U* mundur (*żołnierza, policjanta*); uniform; strój (*pielęgniarki*); **in** ~ w mundurze *l.* mundurach; umundurowany. – *a.* **1.** jednolity (*np. o powierzchni, grubości, zabarwieniu*); jednorodny (*np. o strukturze*). **2.** jednakowy (*o produktach w serii*). **3.** równomierny (*np. o rozmieszczeniu, warstwie farby*). **4.** jednostajny (*o prędkości*). – *v. form.* **1.** ujednolicać. **2.** wyposażać *l.* zaopatrywać w mundur *l.* mundury.

uniformed ['ju:nəˌfɔ:rmd] *a.* umundurowany.

uniformitarianism [ˌju:nəˌfɔ:rmə'terɪəˌnɪzəm] *n. U geol., fil.* uniformitaryzm, aktualizm.

uniformity [ˌju:nə'fɔ:rmɪtɪ] *n. U* **1.** jednakowość. **2.** jednolitość; jednorodność. **3.** równomierność. **4.** jednostajność.

uniformly ['ju:nəˌfɔ:rmlɪ] *adv.* **1.** jednakowo (*np. wyglądać, myśleć*); zgodnie (*np. przyznawać*). **2.** jednolicie; jednorodnie (*np. zbudowany*). **3.** równomiernie (*np. pokrywać, rozmieszczony*). **4.** jednostajnie (*np. poruszać się*).

Uniform Resource Locator *n. zob.* **URL**.

unify ['ju:nəˌfaɪ] *v.* **-ied, -ying** **1.** jednoczyć (*np. kraj, organizację*). **2.** ujednolicać, unifikować (*zwł. zasady*).

unilateral [ˌju:nɪ'lætərəl] *a. form. t. polit., prawn., med., pat., bot.* jednostronny; *polit. t.* unilateralny; ~ **ceasefire** *polit.* jednostronne zawieszenie broni; ~ **declaration of independence** *polit.* jednostronne ogłoszenie niepodległości; ~ **disarmament** *polit.* jednostronne rozbrojenie.

unilateralism [ˌjuːnɪˈlætərəˌlɪzəm] *n. U polit.* unilateralizm.

unilateralist [ˌjuːnɪˈlætərəlɪst] *n. polit.* unilateralist-a/ka.

unilaterally [ˌjuːnɪˈlætərəlɪ] *adv. form.* jednostronnie.

unilocular [ˌjuːnɪˈlɑːkjələr] *a. bot.* jednokomorowy (*zwł. o zalążni l. pylniku*).

unimaginable [ˌʌnɪˈmædʒənəbl] *a.* niewyobrażalny.

unimaginative [ˌʌnɪˈmædʒənətɪv] *a.* **1.** pozbawiony wyobraźni, bez wyobraźni (*o osobie, planie*). **2.** niewyszukany (*np. o wystawie, ozdobie*); mało oryginalny (*np. o pomysłach*).

unimpaired [ˌʌnɪmˈperd] *a.* nienaruszony; nieuszkodzony.

unimpeachable [ˌʌnɪmˈpiːtʃəbl] *a. form.* nienaganny (*zwł. o moralności, uczciwości*).

unimportant [ˌʌnɪmˈpɔːrtənt] *a.* nieważny, nieistotny.

unimpressed [ˌʌnɪmˈprest] *a.* niewzruszony; **sb was/remained ~ by sth** coś kogoś nie zachwyciło.

unimpressive [ˌʌnɪmˈpresɪv] *a.* całkiem przeciętny; mało spektakularny; nienadzwyczajny.

uninflammable [ˌʌnɪnˈflæməbl] *a. techn.* niepalny.

uninformed [ˌʌnɪnˈfɔːrmd] *a.* wynikający z niewiedzy; świadczący o niewiedzy (*np. o stwierdzeniu, krytyce*); nieświadomy (*o osobie*).

uninhabitable [ˌʌnɪnˈhæbɪtəbl] *a.* nienadający się do zamieszkania (*o lokalu, terenach*).

uninhabited [ˌʌnɪnˈhæbɪtɪd] *a.* niezamieszkały (*o kontynencie, wyspie, planecie*); bezludny (*o wyspie*).

uninhibited [ˌʌnɪnˈhɪbɪtɪd] *a.* pozbawiony zahamowań, bez zahamowań (*o osobie*); swobodny (*o zachowaniu*).

uninitiated [ˌʌnɪˈnɪʃɪˌeɪtɪd] *n. pl.* **the ~** *zwł. żart.* niewtajemniczeni; **for/to the ~** dla niewtajemniczonych. – *a.* niewtajemniczony.

uninjured [ʌnˈɪndʒərd] *a. pred.* bez obrażeń, bez szwanku, zdrowy i cały; **be/escape ~** nie doznać obrażeń, wyjść cało.

uninspired [ˌʌnɪnˈspaɪrd] *a.* bezbarwny, przeciętny (*np. o grze, przemówieniu*).

uninspiring [ˌʌnɪnˈspaɪrɪŋ] *a.* niebudzący zachwytu.

uninstall [ˌʌnɪnˈstɔːl] *v. komp.* odinstalować, usunąć (*program*).

uninstructed [ˌʌnɪnˈstrʌktɪd] *a.* **1.** niewykształcony. **2.** *US polit.* głosujący według własnego sumienia, kierujący się własnym sumieniem, niezwiązany instrukcją (*o przedstawicielu na konwencję wyborczą*).

unintelligent [ˌʌnɪnˈtelɪdʒənt] *a.* **1.** nieinteligentny. **2.** nierozumny (*o gatunku*).

unintelligible [ˌʌnɪnˈtelɪdʒəbl] *a.* niezrozumiały (*np. o tekście, wypowiedzi*); nieartykułowany (*np. o dźwiękach, mowie*).

unintelligibly [ˌʌnɪnˈtelɪdʒəblɪ] *adv.* niezrozumiale (*mamrotać*).

unintended [ˌʌnɪnˈtendɪd] *a.* niezamierzony (*o skutku*).

unintentional [ˌʌnɪnˈtenʃənl] *a.* niezamierzony (*np. o geście, krzywdzie*).

unintentionally [ˌʌnɪnˈtenʃənlɪ] *adv.* niechcący (*np. urazić*).

uninterested [ʌnˈɪntərəstɪd] *a.* niezainteresowany; **be ~ in sth** nie być czymś zainteresowanym, nie interesować się czymś.

uninteresting [ʌnˈɪntrəstɪŋ] *a.* nieciekawy (*np. o filmie, kandydacie*).

uninterestingly [ʌnˈɪntrəstɪŋlɪ] *adv.* nieciekawie.

uninterrupted [ˌʌnɪntəˈrʌptɪd] *a.* nieprzerwany. – *adv.* bez przerwy, nie przerywając (*np. mówić*).

uninterruptedly [ˌʌnɪntəˈrʌptɪdlɪ] *adv.* bez przerwy.

uninvited [ˌʌnɪnˈvaɪtɪd] *a.* nieproszony (*o gościu*); **arrive ~** przybyć bez zaproszenia.

uninviting [ˌʌnɪnˈvaɪtɪŋ] *a.* niezachęcający, mało atrakcyjny (*np. o perspektywach, okolicy*).

union [ˈjuːnjən] *n.* **1.** *t. polit., admin.* związek (*np. zawodowy, polityczny, małżeński*); unia; zjednoczenie, zrzeszenie; **labor** *US*/**trade** *Br.* ~ związek zawodowy. **2.** *U l. sing.* połączenie (*różnych elementów*). **3.** *U l. sing.* harmonia, zgoda. **4.** (*także* **student's ~**) *uniw.* zrzeszenie *l.* związek studentów; klub studencki. **5.** *fizj.* zbliżenie, stosunek. **6.** *techn.* złączka, złącze. **7.** *mat.* suma (*mnogościowa*); **~ of sets** suma zbiorów. **8.** *polit.* **the U~** *zwł. hist.* Unia (*US = Stany Zjednoczone; Br. = Wielka Brytania*); **Soviet U~** *hist.* Związek Radziecki; **U~ of Soviet Socialist Republics** *hist.* Związek Socjalistycznych Republik Radzieckich. – *a. attr.* związkowy.

union card *n.* legitymacja związkowa.

union catalog *n. bibl.* katalog centralny.

unionism [ˈjuːnjəˌnɪzəm] *n. U* **1.** ruch związkowy; idee związkowe. **2. U~** *polit., hist.* wierność Unii (*US: Północy w wojnie secesyjnej; Br.: przynależności Irlandii Płn. do Wielkiej Brytanii*).

unionist [ˈjuːnjənɪst] *n.* **1.** związkowiec, działacz/ka związkow-y/a. **2. U~** *hist.* unionist-a/ka, zwolenni-k/czka Unii (*US: w wojnie secesyjnej; Br.: przynależności Irlandii Płn. do Wielkiej Brytanii*).

unionize [ˈjuːnjəˌnaɪz], *Br. i Austr. zw.* **unionise** *v.* **1.** wprowadzać obowiązkową przynależność do związku zawodowego w (*zakładzie, resorcie*). **2.** zrzeszać (się) w związek zawodowy; wstępować do związku zawodowego.

unionized[1], *Br. i Austr. zw.* **unionised** [ˈjuːnjəˌnaɪzd] *a.* zrzeszony w związku zawodowym (*o sile roboczej, pracownikach*); *zwł. uj.* kontrolowany przez związki (*o zakładzie, resorcie*).

unionized[2] [ʌnˈaɪəˌnaɪzd] *a. chem.* niezjonizowany.

Union Jack *n.* (*także* **union flag**) *Br.* flaga brytyjska.

union shop *n.* zakład pracy z obowiązkową przynależnością do związku.

union suit *n. US przest.* kombinezon (wełniany) (*jako bielizna*).

uniparous [juːˈnɪpərəs] *a.* **1.** *zool.* rodzący jedno młode. **2.** *bot.* o jednej osi *l.* gałązce. **3.** *med.*

będąca jednoródką, taka, która urodziła jedno dziecko.

unipersonal [ˌju:nə'pɜ:sənl] *a.* **1.** *form.* jednoosobowy. **2.** *gram.* (występujący) w jednej formie osobowej.

uniplanar [ˌju:nə'pleɪnər] *a. geom.* położony *l.* leżący w jednej płaszczyźnie (*o prostych*); płaski (*o torze ruchu, wymiarach*).

unipolar [ˌju:nə'poʊlər] *a. el., fiz.* jednobiegunowy; ~ **transistor** *el.* tranzystor unipolarny.

unique [jʊ'ni:k] *a.* **1.** jedyny w swoim rodzaju, niepowtarzalny, wyjątkowy, niezwykły (*np. o egzemplarzu, okazji*); unikalny, unikatowy. **2.** *t. mat., komp.* jednoznaczny, niepowtarzający się (*o numerze, identyfikatorze*). **3.** ~ **to sth** ograniczony do czegoś, spotykany jedynie gdzieś *l.* u czegoś (*np. o cesze, roślinie, zwierzęciu, obyczaju*).

uniquely [jʊ'ni:klɪ] *adv.* wyjątkowo (*np. nadający się*).

uniqueness [jʊ'ni:knəs] *n. U* niepowtarzalność, wyjątkowość; unikalność.

uniserial [ˌju:nɪ'si:rɪəl] *a.* (*także* **uniseriate**) *form.* jednorzędowy.

unisex ['ju:nɪˌseks] *a.* dla obu płci, uniseks, uniseksowy (*np. o strojach, kroju, fryzurze*); damsko-męski (*o fryzjerze*); koedukacyjny (*np. o saunie, toalecie*); ~ **clothes** odzież uniseks.

unisexual [ˌju:nɪ'sekʃʊəl] *a. biol.* jednopłciowy.

UNISON ['ju:nɪsən] *abbr. i n. Br.* federacja wolnych związków zawodowych.

unison ['ju:nɪsən] *n. U muz.* unisono; **in** ~ *muz.* unisono (*śpiewać*); *przen.* zgodnie (*działać*); chórem, zgodnie (*odpowiedzieć*).

unit ['ju:nɪt] *n.* **1.** jednostka (*t. np. społeczna, wojska*); ~ **of currency/measure** jednostka monetarna/miary; **research** ~ jednostka badawcza. **2.** *med.* oddział (*szpitalny*). **3.** *szkoln.* część, segment (*kursu*); lekcja, jednostka lekcyjna; rozdział, część (*w podręczniku*). **4.** *zwł. handl.* segment (*= jedna szafka, regał*); **kitchen/sink** ~ szafka kuchenna/pod zlewozmywak. **5.** *techn.* układ; urządzenie; instalacja; moduł, zespół (*urządzenia*); **air-conditioning** ~ klimatyzator; **cooling/supply** ~ moduł chłodzenia/zasilania, moduł chłodzący/zasilający. **6.** egzemplarz (*produktu*). **7.** *US form.* lokal mieszkalny, mieszkanie. **8.** *mat.* jednostka; jedność. – *a. attr.* jednostkowy.

unitarian [ˌju:nɪ'terɪən] *n.* **1.** *polit.* unitarian-in/ka. **2.** (*także* **U~**) *teol.* unitaria-nin/nka, unitariusz/ka. – *a.* **1.** *polit.* unitarny. **2.** (*także* **U~**) *teol.* unitariański.

unitarianism [ˌju:nɪ'terɪənˌɪzəm] *n. U* **1.** *polit.* unitaryzm. **2.** (*także* **U~**) *teol.* unitarianizm.

unitary ['ju:nəˌterɪ] *a. form.* **1.** jednostkowy. **2.** jednolity. **3.** *polit.* centralny (*o rządzie, systemie administrowania*).

unit cost *n. ekon.* koszt jednostkowy.

unite [jʊ'naɪt] *v.* jednoczyć (się), łączyć (się) (*in sth* w czymś, *against sth* przeciwko czemuś); ~ **behind sb** jednoczyć się pod czyimś przywództwem.

united [jʊ'naɪtɪd] *a. zwł. polit.* zjednoczony; **U~ Arab Emirates** Zjednoczone Emiraty Arabskie; **U~ Kingdom** Zjednoczone Królestwo; **U~ Nations** Narody Zjednoczone, Organizacja Narodów Zjednoczonych; **U~ States (of America)** Stany Zjednoczone (Ameryki Północnej).

unitedly [jʊ'naɪtɪdlɪ] *adv.* wspólnie, wspólnymi siłami.

unitive ['ju:nɪtɪv] *a. form.* jednoczący.

unit price *n. handl.* cena jednostkowa (*za sztukę, kilogram, litr*).

unit process *n. chem.* proces jednostkowy.

unit rule *n. US polit.* zasada jedności, zasada „zwycięzca bierze wszystko" (*nakazująca głosowanie wszystkim delegatom na wybranego kandydata*).

unit trust *n. Br. fin.* fundusz powierniczy.

unity ['ju:nətɪ] *n. zw. U l. sing. zwł. form.* **1.** jedność (*np. polityczna, fizyczna, duchowa, poglądów, doznań, dramatyczna*). **2.** *mat.* jedność. **3.** ~ **of thought** jednomyślność; ~ **of action/time/place** *teatr* jedność akcji/czasu/miejsca; **in** ~ w zgodzie.

Univ., Univ *abbr.* Uniw. (= *Uniwersytet*).

univalent [ˌju:nə'veɪlənt] *a. chem.* jednowartościowy.

universal [ˌju:nə'vɜ:sl] *a.* **1.** powszechny (*np. o zasadzie, zgodzie, obowiązku, nauczaniu*). **2.** uniwersalny (*np. o narzędziu, rozwiązaniu, prawdzie*); wszechstronny (*np. o zainteresowaniach, zastosowaniach*). **3.** światowy (*np. o pokoju, problemie*); ogólnoludzki (*np. o potrzebach, problemie*). – *n. form. zwł. fil., log.* cecha ogólna; pojęcie ogólne, sąd ogólny; powszechnik; *pl.* uniwersalia.

universal beam *n. metal., bud.* dwuteownik.

universal donor *n. med.* dawca uniwersalny (*zwł. krwi*).

universal grammar *n. U jęz.* gramatyka uniwersalna.

universalism [ˌju:nə'vɜ:səˌlɪzəm] *n. U form.* **1.** uniwersalizm. **2.** uniwersalność.

universalist [ˌju:nə'vɜ:səlɪst] *n. form.* uniwersalist-a/ka.

universalistic [ˌju:nəˌvɜ:sə'lɪstɪk] *a. form.* uniwersalistyczny.

universality [ˌju:nəvɜ:'sælətɪ] *n. U form.* **1.** powszechność (*np. zasady, obowiązku, nauczania*). **2.** uniwersalność (*np. rozwiązania*); wszechstronność (*np. zainteresowań, zastosowania*).

universal joint *n. mech.* przegub Cardana, przegub uniwersalny.

universally [ˌju:nə'vɜ:slɪ] *adv.* powszechnie (*np. stosowany, uznawany*); uniwersalnie (*np. prawdziwy*).

Universal Product Code *n. US handl.* Uniwersalny Kod Produktu; numer SWW (*zw. zapisany kodem paskowym*).

universal quantifier *n. log.* kwantyfikator ogólny.

universal recipient *n. med.* biorca uniwersalny (*zwł. krwi*).

universal time *n. U* (*także* **universal time coordinated**) *geogr.* czas uniwersalny.

universe [ˈjuːnəˌvɜːs] *n. C/U* **1. the ~** wszechświat. **2.** otoczenie (*czyjeś*). **3.** ludzkość; świat. **4.** przestrzeń, dziedzina; (*także* **~ of discourse**) *log.* uniwersum. **5.** *stat.* populacja (generalna).

university [ˌjuːnəˈvɜːsətɪ] *n. C/U pl.* **-ies** uniwersytet; **~ degree** wykształcenie wyższe, dyplom uniwersytetu; **~ education** wykształcenie wyższe; **~ student** student/ka uniwersytetu; **~ year** rok akademicki; **go to ~** iść na studia *l.* uniwersytet; studiować (na uniwersytecie), uczęszczać na uniwersytet.

univocal [jʊˈnɪvəkl] *form. a.* jednoznaczny. – *n.* termin *l.* wyraz jednoznaczny.

UNIX [ˈjʊnɪks] *komp. n.* UNIX, Unix (*system operacyjny*). – *a. attr.* uniksowy (*o systemie*); na *l.* pod Uniksa *l.* Unix (*o oprogramowaniu*); **~ account** konto na Uniksie.

unjust [ʌnˈdʒʌst] *a.* niesprawiedliwy, krzywdzący (*np. o decyzji, prawach*).

unkempt [ʌnˈkempt] *a.* **1.** zaniedbany (*np. o ogródku, trawniku, osobie, wyglądzie*); niezadbany (*o osobie*). **2.** rozczochrany, nieuczesany, w nieładzie (*o włosach*).

unkind [ʌnˈkaɪnd] *a.* nieżyczliwy, nieuprzejmy (*o osobie*) (*to sb* dla *l.* w stosunku do kogoś); niełaskawy (*o czasie*) (*to sb* dla kogoś).

unkindly [ʌnˈkaɪndlɪ] *adv.* nieżyczliwie, nieuprzejmie; niełaskawie.

unkindness [ʌnˈkaɪndnəs] *n. U* nieuprzejmość, nieżyczliwość, brak uprzejmości *l.* życzliwości.

unknowable [ʌnˈnoʊəbl] *a. form.* niepoznawalny; niewiadomy.

unknowing [ʌnˈnoʊɪŋ] *a. attr. form.* nieświadomy.

unknowingly [ʌnˈnoʊɪŋlɪ] *adv. form.* nieświadomie.

unknown [ʌnˈnoʊn] *a.* nieznany (*to sb* komuś); nieznajomy (*o osobie*); niewiadomy; **~ quantity** *mat. l. przen.* niewiadoma; **be an ~ quantity** być *l.* stanowić niewiadomą. – *n.* **1.** *U* **the ~** nieznane, niewiadome; **fear of the ~** strach przed nieznanym; **journey into the ~** podróż w nieznane. **2.** *mat.* niewiadoma. **3. Tomb of the U~ Soldier/Warrior** grób nieznanego żołnierza.

unlace [ʌnˈleɪs] *v.* **1.** rozwiązywać, rozsznurowywać (*np. gorset, but*). **2.** *przest.* rozbierać (się).

unladen [ʌnˈleɪdən] *a. żegl.* bez ładunku (*o statku, rejsie*); rozładowany (*o ładunku, statku*).

unlash [ʌnˈlæʃ] *v.* odwiązywać, rozwiązywać.

unlatch [ʌnˈlætʃ] *v.* otwierać (*drzwi z zasuwy l. rygla*); otwierać się (*o drzwiach jw.*).

unlawful [ʌnˈlɔːfʊl] *a. prawn.* **1.** nielegalny; bezprawny, nieprawny; **~ assembly** nielegalne zgromadzenie; **~ arrest** bezprawne aresztowanie. **2.** nieślubny (*o dziecku*).

unlawfully [ʌnˈlɔːfʊlɪ] *adv. prawn.* nielegalnie; bezprawnie.

unlawfulness [ʌnˈlɔːfʊlnəs] *n. U prawn.* nielegalność; bezprawność.

unlay [ʌnˈleɪ] *v.* **-laid, -laid** rozplatać (*linę*).

unleaded [ʌnˈledɪd] *a.* **1.** bezołowiowy (*o benzynie*). **2.** *druk.* bez interlinii. – *n. U mot.* benzyna bezołowiowa.

unlearn [ʌnˈlɜːn] *v. pot.* oduczyć się (*czegoś*).

unlearned [ʌnˈlɜːnɪd] *a.* **1.** bez wykształcenia, niewykształcony (*o osobie*). **2.** niewyuczony (*o umiejętności*).

unleash [ʌnˈliːʃ] *v.* **1.** rozpętać (*np. batalię, wojnę, emocje*). **2.** spuszczać ze smyczy (*psa*).

unleavened [ʌnˈlevənd] *a. kulin.* przaśny, bez drożdży (*o wypieku*).

unless [ənˈles] *conj.* jeżeli nie, jeśli nie, o ile nie; (*nie na początku zdania*) chyba że; **~ he objects** o ile nie zaprotestuje, chyba że zaprotestuje; **~ I am mistaken/wrong** o ile się nie mylę; **~ you want to** chyba że chcesz.

unlettered [ʌnˈletərd] *a.* **1.** *form.* nieuczony, niewykształcony. **2.** bez podpisu *l.* napisu (*o nagrobku*).

unlicenced [ʌnˈlaɪsənst] *a.* **1.** nielicencjonowany, bez licencji (*o restauracji, instytucji*). **2.** bez pozwolenia (*o handlu, broni*).

unlike [ʌnˈlaɪk] *prep.* **1.** w przeciwieństwie do; inaczej niż; **~ his father,...** w przeciwieństwie do (swojego) ojca...; **~ in Florida, in Texas...** inaczej niż na Florydzie, w Teksasie... **2.** niepodobny do; **it is ~ John to...** to niepodobne do Johna, żeby... – *a. zwł. lit.* niepodobny, różny, różniący się; **~ accounts** różniące się relacje; **be (very) ~** różnić się (bardzo).

unlikelihood [ʌnˈlaɪklɪˌhʊd] *n. U* małe *l.* znikome prawdopodobieństwo.

unlikely [ʌnˈlaɪklɪ] *a.* **-ier, -iest** nieprawdopodobny; mało prawdopodobny; **~ couple** dziwna para; **in the ~ event of/that...** w mało prawdopodobnym przypadku...; gdyby..., co (jest) mało prawdopodobne,...; **it is (highly) ~ that...** jest (bardzo) mało prawdopodobne, żeby...

unlimited [ʌnˈlɪmɪtɪd] *a.* **1.** nieograniczony; bez ograniczeń. **2.** olbrzymi, ogromny (*np. o wyborze, liczbie, ilości*).

unlink [ʌnˈlɪŋk] *v.* odłączać (się).

unlisted [ʌnˈlɪstɪd] *a.* **1.** *ekon.* nienotowany na giełdzie (*o spółce*). **2.** *US i Can. tel.* zastrzeżony (*o numerze*).

unlit [ʌnˈlɪt] *a.* nieoświetlony (*np. o ulicy, klatce schodowej*).

unlive [ʌnˈlɪv] *v.* otrząsnąć się z (*szoku, przejścia, przeżycia*).

unload [ʌnˈloʊd] *v.* **1.** wyładowywać (*towar*); rozładowywać (*statek, ciężarówkę, ładunek*); wysadzać (*pasażerów*). **2.** rozładowywać (*broń*). **3.** *fot.* wyjmować film z (*aparatu*). **4.** *pot.* pozbywać się (*gorącego towaru*), upłynniać. **5. ~ sth on/onto sb** *pot.* zrzucać *l.* zwalać coś na kogoś *l.* na czyjeś barki (*kłopot, odpowiedzialność*).

unlock [ʌnˈlɑːk] *v.* **1.** otwierać (*np. drzwi kluczem, sejf szyfrem; t. umysł*). **2.** *przen.* odsłaniać, odkrywać; **~ the secret of sth** odkryć tajemnicę *l.* sekret czegoś. **3.** *t. komp.* udostępniać (*pliki*).

unlooked-for [ʌnˈlʊkt ˌfɔːr] *a. attr. pot.* nieoczekiwany.

unloose [ʌnˈluːs] *v.* (*także* **unloosen**) *form.* **1.** rozluźniać (*np. węzeł, chwyt, krawat*); rozpinać, rozpuszczać (*włosy*). **2.** uwalniać (*więźnia, zwierzę*).

unloved [ʌn'lʌvd] *a.* niekochany.

unlovely [ʌn'lʌvlɪ] *a.* **-ier, -iest** *lit.* szpetny.

unluckily [ʌn'lʌkɪlɪ] *adv.* **1.** nieszczęśliwie. **2.** (jak) na nieszczęście; niestety.

unluckiness [ʌn'lʌkɪnəs] *n. U* pech, nieszczęście.

unlucky [ʌn'lʌkɪ] *a.* **-ier, -iest 1.** pechowy; nieszczęśliwy; feralny; **be ~** mieć pecha, nie mieć szczęścia (*with sth* w *l.* z czymś) (*np. w grze, z pogodą*); **be ~ enough to...** mieć akurat takiego pecha, że...; **it was ~ for him that...** miał pecha, że... **2.** nieszczęsny.

unmade [ʌn'meɪd] *a.* niepościelony, niezasłany (*o łóżku*).

unmake [ʌn'meɪk] *v.* **-made, -made 1.** niweczyć (*szanse*); niszczyć (*reputację*). **2.** dymisjonować.

unman [ʌn'mæn] *v.* **-nn-** *form.* **1.** pozbawiać męskości. **2.** odbierać odwagę (*komuś*). **3.** pozbawiać załogi (*statek*).

unmanageable [ʌn'mænɪdʒəbl] *a.* **1.** wymykający się spod kontroli, trudny do opanowania, nie do opanowania (*o sytuacji*); **become ~** (zacząć) wymykać się spod kontroli. **2.** nieporęczny (*o narzędziu*).

unmanly [ʌn'mænlɪ] *a.* **-ier, -iest** *przest.* zniewieściały (*o mężczyźnie*).

unmanned [ʌn'mænd] *a. zwł. astronautyka* bezzałogowy.

unmannerly [ʌn'mænərlɪ] *a. form.* źle wychowany, bez ogłady.

unmarked [ʌn'mɑːrkt] *a.* **1.** nieoznakowany (*np. o szlaku*); **~ police car** samochód policyjny bez oznakowań. **2.** *szkoln.* niepoprawiony (*o pracach, klasówkach*). **3.** *jęz.* nienacechowany (*o formie*).

unmarried [ʌn'merɪd] *n.* nieżonaty (*o mężczyźnie*); niezamężna (*o kobiecie*); samotny, stanu wolnego; **~ mother** samotna matka.

unmask [ʌn'mæsk] *v.* demaskować (*kogoś l. coś*).

unmatched [ʌn'mætʃt] *a. lit.* niezrównany.

unmeaning [ʌn'miːnɪŋ] *a.* **1.** niezamierzony. **2.** bez znaczenia, nic nieznaczący (*np. o geście, wypowiedzi*). **3.** bez wyrazu (*o twarzy*).

unmeant [ʌn'ment] *a.* niezamierzony (*o geście, znaczeniu*).

unmeasured [ʌn'meʒərd] *a.* **1.** *lit.* niezmierzony, bezkresny. **2.** *lit.* niepohamowany. **3.** *muz.* bez oznaczenia taktów.

unmentionable [ʌn'menʃənəbl] *a.* **1.** nieprzechodzący przez gardło, niecenzuralny (*o słowie*). **2.** zakazany, tabu (*o temacie*).

unmentionables [ʌn'menʃənəblz] *n. pl. euf. żart.* inekspyrmable (= *majtki*).

unmerciful [ʌn'mɜːsɪfʊl] *a.* **1.** bezlitosny. **2.** nie do wytrzymania *l.* zniesienia (*np. o nudnym filmie, wykładzie*).

unmercifully [ʌn'mɜːsɪfʊlɪ] *adv.* **1.** bezlitośnie, bez litości. **2.** nieznośnie (*np. długi, nudny*).

unmindful [ʌn'maɪndfʊl] *a. form.* niepomny (*of sth* na coś); **be ~ of sth** nie zważać na coś (*zwł. na przestrogi*).

unmissable [ʌn'mɪsəbl] *a. pot.* obowiązkowy, nie do przegapienia; **sth is ~** czegoś nie można przegapić; **sth is not ~** coś można sobie darować; **this movie is (just) ~** ten film (po prostu) trzeba zobaczyć.

unmistakable [ˌʌnmɪ'steɪkəbl], **unmistakeable** *a.* wyraźny, niewątpliwy, niedwuznaczny.

unmistakably [ˌʌnmɪ'steɪkəblɪ] *adv.* wyraźnie, niewątpliwie, niedwuznacznie.

unmitigated [ʌn'mɪtəˌgeɪtɪd] *a. attr.* **1.** totalny, kompletny; **~ disaster/failure** totalna katastrofa/klęska. **2.** *lit.* nieukojony (*o żalu, bólu*).

unmoor [ʌn'mʊr] *v. żegl.* odcumowywać.

unmoral [ʌn'mɔːrəl] *a. form.* niepodlegający ocenie moralnej.

unmoved [ʌn'muːvd] *a. pred.* **1.** niewzruszony (*o osobie*). **2.** na miejscu (*np. o krześle*).

unmuzzle [ʌn'mʌzl] *v.* **1.** zdejmować kaganiec (*psu*). **2.** przywrócić swobodę wypowiedzi (*komuś l. czemuś*).

unnamable [ʌn'neɪməbl] *a. lit.* niewypowiedziany.

unnamed [ʌn'neɪmd] *a.* **1.** *zwł. dzienn.* anonimowy (*o źródle*). **2.** bez nazwy, nienazwany.

unnatural [ʌn'nætʃərəl] *a.* nienaturalny.

unnaturally [ʌn'nætʃərəlɪ] *adv.* nienaturalnie.

unnecessarily [ˌʌnˌnesə'serəlɪ] *adv.* **1.** niepotrzebnie, zbytecznie. **2.** zbyt, zbytnio (*np. złożony, surowy*).

unnecessary [ʌn'nesəˌserɪ] *a.* niepotrzebny, zbyteczny; **~ suffering** niepotrzebne cierpienia.

unnerve [ʌn'nɜːv] *v.* wytrącać z równowagi; denerwować.

unnerving [ʌn'nɜːvɪŋ] *a.* denerwujący.

unnoticed [ʌn'noʊtɪst] *a. i adv. form.* niezauważony; **go/pass ~** pozostawać niezauważonym; **your efforts have not gone ~** Pańskie/Pani wysiłki nie uszły naszej uwadze *l.* nie pozostały niezauważone.

unnumbered [ʌn'nʌmbərd] *a.* **1.** *lit.* niezliczony. **2.** bez numeru; nienumerowany, nieponumerowany.

UNO [ˌjuː ˌen 'oʊ] *abbr. polit.* ONZ (= *Organizacja Narodów Zjednoczonych*).

unobservant [ˌʌnəb'zɜːvənt] *a.* mało spostrzegawczy.

unobserved [ˌʌnəb'zɜːvd] *a.* niezauważony; **remain ~** pozostać niezauważonym, nie zostać zauważonym. – *adv.* niepostrzeżenie, niespostrzeżenie; **slip out ~** wymknąć się niepostrzeżenie.

unobtainable [ˌʌnəb'teɪnəbl] *a. form. zwł. handl.* niedostępny (*o modelu*); *tel.* nieosiągalny (*o abonencie, numerze*).

unobtrusive [ˌʌnəb'truːsɪv] *a.* nierzucający się w oczy, dyskretny.

unobtrusively [ˌʌnəb'truːsɪvlɪ] *adv.* dyskretnie, nie rzucając się w oczy; niepostrzeżenie.

unobtrusiveness [ˌʌnəb'truːsɪvnəs] *n. U* dyskrecja.

unoccupied [ʌn'ɑːkjəˌpaɪd] *a.* **1.** niezamieszkały (*o lokalu*). **2.** niezajęty (*o osobie*). **3.** *polit., wojsk.* nieokupowany (*o terytorium*). **4.** wolny (*o toalecie*).

unoffending [ʌnə'fendɪŋ] *a. form.* nieszkodliwy.

unofficial [ʌnə'fɪʃl] *a.* nieoficjalny (*np. o wynikach, wizycie, danych*).

unopened [ʌn'oupənd] *a.* nieotwarty (*o paczce, liście*); nierozcięty (*o czasopiśmie, książce*).

unorganized [ʌn'ɔ:rgəˌnaɪzd], *Br. i Austr. zw.* **unorganised** *a.* **1.** niezorganizowany (= *niezrzeszony; t. = bezładny*). **2.** *biol.* nieuorganizowany (= *nietworzący organizmu*).

unorthodox [ʌn'ɔ:rθəˌdɑ:ks] *a.* **1.** niekonwencjonalny, oryginalny, nietypowy (*np. o podejściu, metodach*). **2.** *rel.* nieortodoksyjny.

unpack [ʌn'pæk] *v.* **1.** rozpakowywać się. **2.** rozpakowywać (*walizkę, plecak*); odpakowywać (*paczkę*); wypakowywać (*zawartość*). **3.** wyjaśniać (*np. trudne sformułowanie, dokument*). **4.** *komp.* rozpakowywać (*archiwum, plik*). **5.** rozładowywać (*zwierzę juczne*).

unpaged [ʌn'peɪdʒd] *a.* bez paginacji, bez numerów stron (*o książce, wydruku*).

unpaid [ʌn'peɪd] *a.* **1.** niezapłacony (*o rachunku*); niespłacony (*o długu*). **2.** bez wynagrodzenia (*o pracy, urlopie*).

unpalatable [ʌn'pælətəbl] *n.* **1.** *form.* gorzki, trudny do przełknięcia (*zwł. o prawdzie*). **2.** niesmaczny (*o potrawie, jedzeniu*).

unparalleled [ʌn'perəˌleld], *Br.* **unparallelled** *a.* niezrównany.

unpardonable [ʌn'pɑ:rdənəbl] *a. form.* niewybaczalny (*o zachowaniu*).

unpatriotic [ˌʌnpætrɪ'ɑ:tɪk] *a.* niepatriotyczny.

unpeg [ʌn'peg] *v.* **-gg- 1.** *ekon.* uwalniać (*ceny*). **2.** *mech.* odblokowywać (*mechanizm*).

unpeople [ʌn'pi:pl] *v.* wyludniać.

unpeopled [ʌn'pi:pld] *a. form.* niezamieszkały (*o terenie*).

unperson ['ʌnˌpɝ:sən] *n. polit.* osoba skompromitowana (*zwł. = były decydent w państwie totalitarnym*).

unpick [ʌn'pɪk] *v.* **1.** wypruwać (*np. nić, szew*). **2.** *przen.* zniweczyć (*dzieło, wysiłki*); rozmontować (*struktury*).

unpin [ʌn'pɪn] *v.* **-nn-** odczepiać, odpinać.

unplait [ʌn'pleɪt] *v.* rozplatać (*warkocze*).

unplanned [ʌn'plænd] *a.* **1.** niezaplanowany (*np. o postoju*). **2.** chaotyczny (*np. o działaniach*).

unpleasant [ʌn'plezənt] *a.* nieprzyjemny, niemiły.

unpleasantly [ʌn'plezəntlɪ] *adv.* nieprzyjemnie, niemiło.

unpleasantness [ʌn'plezəntnəs] *n.* **1.** *U* arogancja, impertynencja, opryskliwość. **2.** *U* kłótnie, awantury; *C* nieporozumienie, sprzeczka. **3.** *U* przykrości, nieprzyjemności; *C* przykrość, nieprzyjemność, niegrzeczność; przytyk.

unplug [ʌn'plʌg] *v.* **-gg- 1.** wyłączać z sieci *l.* gniazdka (*telewizor, komputer*); wyciągać z gniazdka (*wtyczkę, przewód*). **2.** wyjmować zatyczkę *l.* korek z (*wanny, zlewu*). **3.** odetkać (*odpływ*).

unplugged [ʌn'plʌgd] *muz. a.* akustyczny; bez wzmacniaczy, bez prądu (*o nagraniu, płycie*). – *adv.* bez wzmacniaczy, bez prądu, akustycznie (*grać*).

unplumbed [ʌn'plʌmd] *a. lit.* niezmierzony, bezdenny; **the ~ depths of the ocean** niezmierzone głębie oceanu.

unpolluted [ˌʌnpə'lu:tɪd] *a. ekol.* nieskażony, niezanieczyszczony.

unpopular [ˌʌn'pɑ:pjələr] *a.* niepopularny (*np. o polityku, reformach*); nielubiany (*o osobie*); **make o.s. ~ with sb** narazić się komuś, podpaść komuś.

unpopularity [ˌʌnpɑ:pjə'lerətɪ] *n. U* niepopularność (*np. reform*); niska popularność (*np. polityka*).

unprecedented [ʌn'presɪˌdentɪd] *a.* niespotykany; bezprecedensowy (*np. o kroku*); bezprzykładny (*np. o odwadze*); **on an ~ scale** na niespotykaną skalę.

unpredictable [ˌʌnprɪ'dɪktəbl] *a.* **1.** nieprzewidywalny; trudny do przewidzenia, niedający się przewidzieć (*np. o skutkach, deficycie*). **2.** kapryśny, zmienny (*o pogodzie*). **3.** nieobliczalny (*o osobie, kroku*).

unprejudiced [ʌn'predʒədɪst] *a.* bezstronny, obiektywny, nieuprzedzony.

unprepared [ˌʌnprɪ'perd] *a.* **1.** nieprzygotowany (*np. o uczniu, kandydacie, aktorze*); **be ~ for sth** nie być przygotowanym na coś *l.* do czegoś; nie spodziewać się czegoś. **2.** zaimprowizowany, bez przygotowania (*o wystąpieniu*). – *adv.* bez przygotowania (*np. przemawiać*).

unpreparedness [ˌʌnprɪ'perɪdnəs] *n. U* brak przygotowania, nieprzygotowanie.

unprepossessing [ˌʌnˌpri:pə'zesɪŋ] *a. form.* nieatrakcyjny, nieciekawy.

unpretentious [ˌʌnprɪ'tenʃəs] *a.* bezpretensjonalny.

unpretentiously [ˌʌnprɪ'tenʃəslɪ] *adv.* bezpretensjonalnie.

unpretentiousness [ˌʌnprɪ'tenʃəsnəs] *n.* bezpretensjonalność.

unpriced [ʌn'praɪst] *a.* **1.** *handl.* bez ceny (*o towarze*). **2.** *poet.* bezcenny.

unprincipled [ʌn'prɪnsəpld] *a. form.* pozbawiony zasad, bez zasad (*o osobie*); pozbawiony skrupułów (*o osobie, postępowaniu*); niepryncypialny, sprzeczny z zasadami (*o decyzji*).

unprintable [ʌn'prɪntəbl] *a.* niecenzuralny (*o słowie, tekście*).

unproductive [ˌʌnprə'dʌktɪv] *a.* jałowy (*np. o dyskusji, glebie*); bezproduktywny (*np. o negocjacjach*).

unprofessional [ˌʌnprə'feʃənl] *a.* **1.** nieprofesjonalny (*o metodach*). **2.** sprzeczny *l.* niezgodny z etyką zawodową (*o postępowaniu*).

unprofitable [ʌn'prɑ:fɪtəbl] *a.* **1.** *ekon.* nieopłacalny, nierentowny, nie przynoszący zysku. **2.** *form.* jałowy; bezcelowy.

unpromising [ʌn'prɑ:mɪsɪŋ] *a.* mało obiecujący.

unprompted [ʌn'prɑ:mptɪd] *a. form.* spontaniczny, samorzutny, z własnej inicjatywy (*o działaniach*).

unpronounceable [ˌʌnprəˈnaʊnsəbl] *a.* nie do wymówienia, trudny do wymówienia.

unprotected [ˌʌnprəˈtektɪd] *a.* bez zabezpieczenia (*np. o niebezpiecznym narzędziu, skoku, pracy, stosunku płciowym*).

unproven [ʌnˈpruːvən] *a.* nieudowodniony (*np. o zarzutach, teorii*).

unprovided for [ˌʌnprəˈvaɪdɪd ˌfɔːr] *a. pred.* bez środków do życia.

unprovoked [ˌʌnprəˈvoʊkt] *a.* niczym niesprowokowany (*np. o napaści, agresji*).

unpublishable [ʌnˈpʌblɪʃəbl] *a.* nienadający się do opublikowania (*o artykule, książce*).

unqualified [ʌnˈkwɑːləˌfaɪd] *a.* **1.** bez kwalifikacji, nieposiadający kwalifikacji (*o kandydacie*); niewykwalifikowany (*o pracowniku*); **be ~ for sth/to do sth** nie posiadać *l.* nie mieć kwalifikacji do czegoś *l.* ku czemuś. **2.** *attr.* pełny, absolutny (*np. o sukcesie, poparciu*); całkowity, kompletny (*np. o fiasku*); **be an ~ success** osiągnąć pełny sukces. **3.** bez zastrzeżeń.

unquestionable [ʌnˈkwestʃənəbl] *a.* niewątpliwy, bezsporny, bezsprzeczny.

unquestionably [ʌnˈkwestʃənəblɪ] *a.* niewątpliwie, bezspornie, bezsprzecznie.

unquestioned [ʌnˈkwestʃənd] *a.* niekwestionowany.

unquestioning [ʌnˈkwestʃənɪŋ] *a.* niezachwiany (*np. o wierze, zaufaniu*); bezwzględny, bezwarunkowy (*np. o poparciu*); *uj.* ślepy; **~ loyalty/obedience** ślepe posłuszeństwo.

unquestioningly [ʌnˈkwestʃənɪŋlɪ] *adv.* niezachwianie; *uj.* ślepo (*np. wierzyć, ufać*).

unquiet [ʌnˈkwaɪət] *a. lit.* niepokojący; niespokojny.

unquote [ʌnˈkwoʊt] *v. i adv.* koniec cytatu, zamknąć cudzysłów (*na zakończenie cytatu*); **officials said they were, quote, 'extremely worried', ~** władze stwierdziły, że są, cytuję, 'w najwyższym stopniu zaniepokojone', koniec cytatu; **quote, ~** cytuję (*przed cytatem*).

unravel [ʌnˈrævl] *v. Br.* **-ll-** **1.** pruć się (*np. o swetrze*); spruć (*np. źle zrobiony rękaw*); strzępić się (*np. o obrusie*); rozplątywać (*węzeł*); rozwiązywać się (*o węźle*). **2.** *przen.* rozwikłać (*zagadkę*); odkrywać (*np. tajemnice nauki*). **3.** *przen.* obracać w niwecz (*wysiłki, osiągnięcia*).

unread [ʌnˈred] *a.* **1.** nieprzeczytany (*np. o gazecie*). **2.** nieoczytany (*o osobie*) (*in sth* w jakiejś dziedzinie).

unreadable [ʌnˈriːdəbl] *a.* **1.** niestrawny (*o lekturze*). **2.** nieczytelny (*o charakterze pisma*). **3.** niezgłębiony (*o wyrazie twarzy*).

unreal [ʌnˈriːl] *a.* **1.** zmyślony, wyimaginowany; nierealny, nierzeczywisty (*o wydarzeniach, przeżyciach*); **it all seemed ~** wszystko to wydawało się nierealne. **2.** nieprawdziwy, sztuczny (*t. np. o diamencie*); udawany. **3.** sztuczny, nierealistyczny (*o przykładzie*). **4.** *pot.* niesamowity (= *świetny l. trudny do uwierzenia*).

unrealistic [ˌʌnriːəˈlɪstɪk] *a.* nierealistyczny; **you're being ~** nie patrzysz realistycznie.

unreason [ʌnˈriːzən] *n. U przest. l. form.* **1.** bezsens. **2.** brak rozsądku.

unreasonable [ʌnˈriːzənəbl] *a.* **1.** nieuzasadniony, nieusprawiedliwiony, niemający uzasadnienia, nie dający się usprawiedliwić (*np. o decyzji, zachowaniu*); pozbawiony (racjonalnych) podstaw (*np. o decyzji*). **2.** nierozsądny; nieracjonalny (*o osobie*); **sb is being ~** ktoś zachowuje się bezsensownie *l.* nieracjonalnie. **3.** bezsensowny, niedorzeczny (*o pomyśle*). **4.** nie do przyjęcia (*np. o cenach, warunkach, czasie oczekiwania*); wygórowany, zbyt wysoki (*o wymaganiach, cenach*); zbyt długi (*o terminie, okresie oczekiwania*); **make ~ demands** stawiać zbyt wysokie wymagania.

unreasonableness [ʌnˈriːzənəblnəs] *n. U* **1.** brak uzasadnienia *l.* usprawiedliwienia, brak (racjonalnych) podstaw (*of sth* dla czegoś). **2.** brak rozsądku, nieracjonalność. **3.** bezsensowność, niedorzeczność.

unreasonably [ʌnˈriːzənəblɪ] *adv.* **1.** bez uzasadnienia *l.* usprawiedliwienia; bez (racjonalnych) podstaw (*decydować*); nierozsądnie (*postępować*); nieracjonalnie (*rozumować*). **2.** zbyt (*np. wysoki, długi, drogi*).

unreasoning [ʌnˈriːzənɪŋ] *a. form.* irracjonalny (*o strachu*).

unrecognizable [ʌnˈrekəgˌnaɪzəbl], *Br. i Austr. zw.* **unrecognisable** *a.* nie do poznania *l.* rozpoznania (*np. o okolicy, osobie, twarzy*).

unrecognized [ʌnˈrekəgˌnaɪzd], *Br. i Austr. zw.* **unrecognised** *a.* **1.** niedoceniany, niedoceniony (*np. o artyście, naukowcu, zasługach*); niezauważany, niezauważony (*np. o problemie*); **go ~** pozostawać niezauważonym, uchodzić uwadze. **2.** nieuznawany (*o roszczeniach*).

unreconstructed [ˌʌnriːkənˈstrʌktɪd] *a.* **1.** *zwł. polit. żart.* niepoprawny; konserwatywny. **2.** *bud.* nieodbudowany, niezrekonstruowany (*o zabytku l. jego części*).

unrecorded [ˌʌnrɪˈkɔːrdɪd] *a.* **1.** nienotowany; nieudokumentowany; **sth went ~** brak (jest) zapisów *l.* danych o czymś. **2.** niezarejestrowany (*np. o obrazie, dźwięku, wydarzeniu*); nienagrany.

unreel [ʌnˈriːl] *v.* rozwijać (się), odwijać (się).

unreeve [ʌnˈriːv] *v. żegl.* wyciągać, wywlekać (*linę z bloku*).

unrefined [ˌʌnrɪˈfaɪnd] *a.* **1.** *chem.* nieoczyszczony, nierafinowany (*o ropie, cukrze*); surowy (*o parafinie*). **2.** pozbawiony ogłady, bez ogłady (*o osobie, manierach*); prostacki (*o manierach*). **3.** niewybredny (*o guście*).

unregenerate [ˌʌnrɪˈdʒenərət] *a. form.* niepoprawny (*np. o kłamcy, grzeszniku*).

unrehearsed [ˌʌnrɪˈhɜːst] *a.* **1.** zaimprowizowany, improwizowany, bez przygotowania; spontaniczny (*o występie, wystąpieniu*). **2.** *teatr* bez próby (*o przedstawieniu*).

unrelated [ˌʌnrɪˈleɪtɪd] *a.* **1.** niezwiązany, niepowiązany (*o wydarzeniach, faktach*). **2.** niespokrewniony (*o osobach*).

unrelenting [ˌʌnrɪˈlentɪŋ] *a. form.* **1.** nieustający, niesłabnący, uporczywy (*np. o wysiłkach, deszczu*). **2.** bezlitosny, nieubłagany, nieugięty (*o osobie*).

unreliable [ˌʌnrɪ'laɪəbl] *n.* niesolidny (*np. o wykonawcy, pracowniku*); zawodny (*np. o urządzeniu, samochodzie*); niepewny (*np. o metodzie, pogodzie*).

unrelieved [ˌʌnrɪ'li:vd] *a. form.* **1.** nieustający, nieprzerwany (*np. o biedzie, kłopotach*). **2.** nieukojony (*np. o bólu, cierpieniu*). **3.** beznadziejny, nieurozmaicony (*o monotonii*).

unrelievedly [ˌʌnrɪ'li:vdlɪ] *adv. form.* niezmiennie (*np. smutny*); beznadziejnie (*monotonny*).

unremarkable [ˌʌnrɪ'mɑ:rkəbl] *a. form.* bezbarwny, nieciekawy; nienadzwyczajny, przeciętny; nie wyróżniający się.

unremitting [ˌʌnrɪ'mɪtɪŋ] *a. form.* nieustający, niestrudzony (*zwł. o wysiłkach*).

unremittingly [ˌʌnrɪ'mɪtɪŋlɪ] *adv. form.* niestrudzenie, bez ustanku.

unrepeatable [ˌʌnrɪ'pi:təbl] *a.* **1.** nienadający się do powtórzenia, niecenzuralny, nieparlamentarny; **be ~** nie nadawać się do powtórzenia. **2.** trudny do powtórzenia (*o osiągnięciu, sukcesie*).

unrepentant [ˌʌnrɪ'pentənt] *a. form.* nieskruszony (*o przestępcy, złoczyńcy*); bezkompromisowy (*o ekstremiście, fundamentaliście*); bez skrupułów (*o postępku*).

unrepresentative [ˌʌnreprɪ'zentətɪv] *a.* **1.** niereprezentatywny, nietypowy (*of sb/sth* dla kogoś/czegoś). **2.** *polit.* mało reprezentatywny, niereprezentatywny (*o władzach*).

unrequited [ˌʌnrɪ'kwaɪtɪd] *a. form. l. żart.* bez wzajemności, nieodwzajemniony (*o uczuciu*); **~ love** nieszczęśliwa miłość, miłość bez wzajemności.

unreserved [ˌʌnrɪ'zɝ:vd] *a.* **1.** zupełny, całkowity, bezgraniczny (*np. o oddaniu, zaufaniu*); szczery (*np. o pochwale, przeprosinach, podziwie*). **2.** otwarty, szczery (*o osobie*). **3.** nierezerwowany, bez rezerwacji; niezarezerwowany (*o miejscach, stoliku*).

unreservedly [ˌʌnrɪ'zɝ:vɪdlɪ] *a.* **1.** zupełnie, całkowicie, bezgranicznie (*np. ufać*); szczerze (*np. przepraszać, podziwiać*). **2.** bez zastrzeżeń (*np. polecać*).

unresolved [ˌʌnrɪ'zɑ:lvd] *a.* bez odpowiedzi (*np. o wątpliwościach*); bez rozwiązania, nierozwiązany (*np. o kwestiach, konflikcie*); **remain ~** pozostawać bez odpowiedzi *l.* rozwiązania.

unresponsive [ˌʌnrɪ'spɑ:nsɪv] *a.* **1.** obojętny; **be ~ (to sth)** nie reagować (na coś). **2.** *pat.* niewrażliwy (*to sth* na coś) (*zwł. na terapię; o chorobie*).

unresponsively [ˌʌnrɪ'spɑ:nsɪvlɪ] *adv.* obojętnie.

unresponsiveness [ˌʌnrɪ'spɑ:nsɪvnəs] *n. U* obojętność; brak reakcji.

unrest [ʌn'rest] *n. U* **1.** *polit.* niepokoje, zamieszki; destabilizacja; **social ~** niepokoje społeczne; **political ~** zamieszki na tle politycznym. **2.** *psych.* niepokój.

unrestrained [ˌʌnrɪ'streɪnd] *a.* gwałtowny, niepohamowany (*np. o śmiechu*).

unrestrainedly [ˌʌnrɪ'streɪnɪdlɪ] *adv.* niepohamowanie.

unrestraint [ˌʌnrɪ'streɪnt] *n. U form.* swoboda, brak zahamowań.

unrestricted [ˌʌnrɪ'strɪktɪd] *a.* nieograniczony (*np. o swobodzie, dostępie*).

unrewarded [ˌʌnrɪ'wɔ:rdɪd] *a.* bez wynagrodzenia, niewynagrodzony.

unrewarding [ˌʌnrɪ'wɔ:rdɪŋ] *a.* niewdzięczny, mało wdzięczny, nie dający *l.* nieprzynoszący satysfakcji (*zwł. o pracy*).

unriddle [ʌn'rɪdl] *v. form.* rozwiązać (*zagadkę, tajemnicę*).

unrig [ʌn'rɪg] *v.* **-gg-** *żegl.* rozbroić (*łódź*).

unrip [ʌn'rɪp] *v.* **-pp-** *form.* rozpruwać.

unripe [ʌn'raɪp] *a.* niedojrzały (*o owocu*).

unrivaled [ʌn'raɪvld], *Br.* **unrivalled** *a. form.* niezrównany, niemający sobie równych.

unroll [ʌn'roʊl] *v.* **1.** rozwijać (się). **2.** *przen.* otwierać (się) (*t. o widoku*).

unrounded [ʌn'raʊndɪd] *a. fon.* niezaokrąglony (*o głosce, ustach*).

unruffled [ʌn'rʌfld] *a.* **1.** niespeszony, niezrażony; **be/remain ~** nie tracić pewności siebie. **2.** gładki (*o włosach, piórach*).

unruliness [ʌn'ru:lɪnəs] *n. U* niesforność.

unruly [ʌn'ru:lɪ] *a.* **-ier, -iest** niesforny (*o dzieciach, fryzurze*).

unsaddle [ʌn'sædl] *v. jeźdz.* **1.** rozsiodłać, rozkulbaczyć (*konia*). **2.** zrzucać (z siodła) (*jeźdźca*).

unsafe [ʌn'seɪf] *a.* **1.** niebezpieczny. **2.** zagrożony, w niebezpieczeństwie. **3. ~ to eat/drink** niezdatny do spożycia.

unsafely [ʌn'seɪflɪ] *adv.* niebezpiecznie.

unsaid [ʌn'sed] *a.* (głośno) niewypowiedziany, przemilczany; **leave sth ~** przemilczeć coś; **some things are better left ~** niektóre rzeczy lepiej przemilczeć. – *v. pret. i pp. zob.* **unsay**.

unsanitary [ʌn'sænəˌterɪ] *a. zwł. US* niehigieniczny; urągający higienie (*o warunkach, pomieszczeniach*).

unsatisfactory [ˌʌnˌsætɪs'fæktərɪ] *a.* niezadowalający (*np. o wynikach*); niedostateczny (*np. o ochronie, ocenach*).

unsatisfied [ʌn'sætɪsˌfaɪd] *a.* **1.** niezadowolony, nieusatysfakcjonowany (*np. o kliencie*). **2.** niezaspokojony (*o potrzebach*).

unsatisfying [ʌn'sætɪsˌfaɪɪŋ] *a.* niezadowalający, niesatysfakcjonujący, niedający zadowolenia *l.* satysfakcji.

unsaturated [ʌn'sætʃəˌreɪtɪd] *a. chem.* nienasycony (*o roztworze, tłuszczach, kwasach tłuszczowych*).

unsavory [ʌn'seɪvərɪ], *Br.* **unsavoury** *a.* **1.** żenujący, kompromitujący, niesmaczny (*o sprawie*); **(show sb/sth) in an ~ light** (przedstawić kogoś/coś) w niekorzystnym świetle; **~ character** nieciekawy *l.* podejrzany typ. **2.** *form.* niesmaczny (*o potrawie*).

unsay [ʌn'seɪ] *v.* **-said, -said** *form.* odwoływać, wycofywać, cofać (*stwierdzenie*).

unscathed [ʌn'skeɪðd] *a. pred.* nietknięty, zdrowy i cały.

unscheduled [ʌn'skedʒu:ld] *a.* nieplanowany, (wcześniej) niezapowiedziany (*np. o zebraniu, kontroli*).

unschooled [ʌn'sku:ld] *a.* **1.** bez wykształcenia, niewykształcony (*o osobie*). **2.** niewyuczony (*o umiejętności*).

unscientific [ˌʌnˌsaɪən'tɪfɪk] *a.* nienaukowy (*np. o podejściu, metodzie*).

unscramble [ʌn'skræmbl] *v.* **1.** *telew., tel., el.* rozkodować (*zakodowany sygnał*). **2.** rozszyfrować (*znaczenie*).

unscrew [ʌn'skru:] *v.* **1.** odkręcić (*zakrętkę*). **2.** zdemontować, zdjąć (*pokrywę przykręconą wkrętami l. śrubami*).

unscrupulous [ʌn'skru:pjələs] *a.* pozbawiony skrupułów, bez skrupułów (*np. o polityku*); nieuczciwy (*np. o machinacjach*).

unscrupulously [ʌn'skru:pjələslɪ] *adv.* bez skrupułów.

unscrupulousness [ʌn'skru:pjələsnəs] *n.* *U* brak skrupułów.

unseal [ʌn'si:l] *v.* rozpieczętować; otworzyć (*list*).

unsealed [ʌn'si:ld] *a.* niezaklejony (*o liście*); niezapieczętowany (*o kopercie*).

unsealed road *n. Austr. mot.* droga nieutwardzona *l.* gruntowa.

unseam [ʌn'si:m] *v.* pruć (*np. koszulę, spodnie*).

unseasonable [ʌn'si:zənəbl] *a. meteor.* niespotykany o tej porze roku, nietypowy dla tej pory roku (*o pogodzie*).

unseasonably [ʌn'si:zənəblɪ] *adv.* ~ **cold/warm weather** *meteor.* niespotykanie niskie/wysokie temperatury (jak na tę porę roku).

unseat [ʌn'si:t] *v.* **1.** *jeźdz.* zrzucać (z siodła) (*jeźdźca*). **2.** *przen. zwł. polit.* wysadzać z siodła.

unsecured [ˌʌnsɪ'kjʊrd] *a.* **1.** *t. ubezp.* nieubezpieczony (*t. np. o alpiniście, trasie wspinaczkowej*). **2.** *fin.* niezabezpieczony, bez zabezpieczenia (*o pożyczce, wierzycielu*). **3.** *tel.* zwykły (*o linii telefonicznej niezabezpieczonej przed podsłuchem*).

unseeded [ʌn'si:dɪd] *a. sport* nierozstawiony (*o uczestniku turnieju, zwł. tenisowego*).

unseeing [ʌn'si:ɪŋ] *a. lit.* niewidzący (*o oczach, osobie*).

unseemly [ʌn'si:mlɪ] *a. form.* niestosowny, niewłaściwy (*np. o zachowaniu, geście, porze*).

unseen [ʌn'si:n] *a.* **1.** niewidoczny (*o obiekcie*); niewidzialny (*o siłach*); ukryty (*o niebezpieczeństwie*); niezauważony (*o osobie*). **2.** wcześniej niewidziany (*o tekście*); bez przygotowania (*o tłumaczeniu*). – *adv.* niezauważenie, niepostrzeżenie (*np. wyjść, wymknąć się*). – *n. gł. Br. szkoln.* tekst do tłumaczenia bez przygotowania (*na egzaminie językowym*).

unselfish [ʌn'selfɪʃ] *a.* bezinteresowny.

unset [ʌn'set] *a.* **1.** niezwiązany (*o betonie*). **2.** nieoprawiony (*o kamieniu*).

unsettle [ʌn'setl] *v.* **1.** niepokoić, wytrącać z równowagi; wstrząsać (*kimś*). **2.** zachwiać (*np. przekonaniami, rynkiem*); destabilizować (*rynek*).

unsettled [ʌn'setld] *a.* **1.** niespokojny (*o okresie*). **2.** rozkojarzony; wytrącony z równowagi (*o osobie*). **3.** nierozstrzygnięty (*o sporze, kwestii*). **4.** niepewny (*o przyszłości*). **5.** *meteor.* zmienny, niestabilny (*o pogodzie*). **6.** rozstrojony (*o żołądku*).

unsettling [ʌn'setlɪŋ] *a.* niepokojący.

unshackle [ʌn'ʃækl] *v. form.* rozkuwać (*więźnia*).

unshakable [ʌn'ʃeɪkəbl], **unshakeable** *a.* niewzruszony, niezachwiany (*zwł. o poglądach, wierze*).

unshapen [ʌn'ʃeɪpən] *a. form.* bezkształtny.

unshaven [ʌn'ʃeɪvən] *a.* nieogolony.

unsheathe [ʌn'ʃi:ð] *v. lit.* wyjmować z pochwy, obnażać (*miecz*).

unship [ʌn'ʃɪp] *v.* **-pp-** *żegl.* **1.** wyładowywać, rozładowywać (*ładunek*); być w trakcie rozładunku (*o ładunku*); wysadzać (na ląd) (*pasażerów*); schodzić ze statku *l.* na ląd (*o pasażerach*). **2.** zdejmować ze statku (*element wyposażenia*); wyjmować (*wiosła z łodzi*).

unshod [ʌn'ʃɑ:d] *a. przest.* **1.** nieobuty. **2.** *jeźdz.* niepodkuty (*o koniu*).

unsighted [ʌn'saɪtɪd] *a.* bez celownika (*o broni, strzale*).

unsightly [ʌn'saɪtlɪ] *a.* **-ier, -iest** *form.* nieatrakcyjny, mało atrakcyjny, szpetny (*o widoku*).

unskilled [ʌn'skɪld] *a.* niewykwalifikowany; ~ **job/work** praca niewykwalifikowana l. niewymagająca kwalifikacji; ~ **labor** niewykwalifikowana siła robocza, pracownicy niewykwalifikowani; ~ **worker** pracownik niewykwalifikowany.

unskillful [ʌn'skɪlful], *Br. zw.* **unskilful** *a.* niezręczny (*o osobie*); nieumiejętny (*o działaniach, czynnościach*).

unsliced [ʌn'slaɪst] *n.* w kawałku (*o wędlinie, serze*); niekrojony (*o chlebie*).

unsnap [ʌn'snæp] *v.* odpinać (*np. kurtkę, zatrzask*).

unsnarl [ʌn'snɑ:rl] *v.* rozplątywać, rozsupływać (*np. supeł, splątaną linę*).

unsociable [ʌn'souʃəbl] *a.* (*także* **unsocial**) **1.** nietowarzyski (*o osobie*). **2.** niesprzyjający życiu towarzyskiemu (*o godzinach pracy*); **work ~ hours** pracować popołudniami *l.* nocami.

unsold [ʌn'sould] *a. handl.* niesprzedany.

unsolder [ʌn'sɑ:dər] *v. el.* wylutować (*opornik, tranzystor*); rozlutować (*połączenie*).

unsolicited [ˌʌnsə'lɪsɪtɪd] *a. form.* **1.** niezamówiony (*o materiałach informacyjnych, przesyłkach pocztowych*). **2.** niechciany, nieproszony; ~ **advice** rady, o które się nie prosiło. **3.** dobrowolny, spontaniczny (*zwł. o pomocy*).

unsolved [ʌn'sɑ:lvd] *a.* nierozwiązany, bez odpowiedzi (*o zagadce*).

unsophisticated [ˌʌnsə'fɪstəˌkeɪtɪd] *a.* **1.** niewyrobiony (*np. o publiczności*). **2.** niewyszukany, prosty (*np. o ozdobach*). **3.** nieskomplikowany, stosukowo prymitywny (*np. o narzędziach, metodach*).

unsound [ʌn'saʊnd] *a.* **1.** nielogiczny (*o argumentach*); błędny (*o decyzji*). **2.** niepewny (*np. o podstawach, wniosku, inwestycji*); wątpliwy (*o* *dowodach*). **3.** walący się, zapuszczony (*o budynku*). **4.** *form.* niezdrowy (*o osobie*); **of ~ mind** nie w pełni władz umysłowych. **5.** niespokojny (*o śnie*).

unsparing [ʌn'sperɪŋ] *a. form.* **1.** szczodry; **be ~ in one's efforts** nie szczędzić wysiłków. **2.** niekryjący *l.* nieobawiający się (niewygodnej) prawdy; bezkompromisowy (*in sth* w czymś) (*zwł. w krytyce*); **in ~ detail** nie kryjąc niczego, ze wszystkimi szczegółami (*opisywać*).

unspeakable [ʌn'spi:kəbl] *a.* **1.** niewyobrażalny, nie do opisania (*np. o okrucieństwach, cierpieniach*). **2.** *lit.* nieopisany, niewypowiedziany (*np. o radości, przerażeniu*).

unspeakably [ʌn'spi:kəblɪ] *adv.* **1.** niewyobrażalnie. **2.** *lit.* nieopisanie, niewypowiedzianie.

unspecified [ʌn'spesəˌfaɪd] *a.* bliżej nieokreślony.

unspectacular [ˌʌnspek'tækjələr] *a. euf.* niebudzący zachwytu (= *żałosny*).

unspoiled [ʌn'spɔɪld] *a.* **1.** *gł. Br.* dziewiczy (*np. o krajobrazie, wiosce, puszczy*). **2.** niezepsuty (*o żywności*). **3.** skromny, niezepsuty (*o sławnej osobie*); **she remained ~ by success** powodzenie jej nie zepsuło, powodzenie nie uderzyło jej do głowy.

unspoken [ʌn'spoukən] *a.* **1.** niepisany, cichy (*o umowie*). **2.** niewypowiedziany (*o słowach*).

unstable [ʌn'steɪbl] *a.* **1.** *t. fiz., chem., ekon., med.* niestabilny (*np. o związku, sytuacji, rynku, stanie pacjenta*). **2.** chwiejny (*o meblu*). **3.** niezrównoważony (*o osobie*).

unsteadily [ʌn'stedɪlɪ] *adv.* niepewnie (*np. stać, iść*).

unsteady [ʌn'stedɪ] *a.* **-ier, -iest 1.** niepewny (*np. o kroku, drabinie, ręce*). **2.** *ekon.* niestabilny (*o kursie, rynku*). **3.** nierówny, niemiarowy (*o pulsie, rytmie*).

unsteel [ʌn'sti:l] *v. lit.* zmiękczyć (*czyjeś serce, uczucia*).

unstick [ʌn'stɪk] *v.* **-stuck, -stuck** odklejać.

unstinting [ʌn'stɪntɪŋ] *a. form.* hojny, szczodry (*o pomocy, osobie*); **be ~ in sth** nie szczędzić czegoś (*np. wsparcia, pochwał*).

unstop [ʌn'stɑ:p] *v.* **-pp- 1.** odtykać, przetykać (*np. zatkany odpływ, zlew*). **2.** odkorkowywać (*słój, butelkę*); wyjmować korek *l.* zatyczkę z (*butelki, karafki*). **3.** *muz.* wyłączać rejestry w (*organach*).

unstoppable [ʌn'stɑ:pəbl] *a.* niepowstrzymany; nie do powstrzymania; **sb is ~** kogoś nie da się powstrzymać.

unstrap [ʌn'stræp] *v.* **-pp-** rozwiązywać; odwiązywać; odpinać (*pakunek*).

unstring [ʌn'strɪŋ] *v.* **-strung, -strung 1.** *muz.* zdejmować struny z (*gitary, skrzypiec*). **2.** zdejmować z żyłki (*korale*). **3.** *przest.* rozwiązywać; rozchylać (*sakiewkę*). **4.** rozkojarzyć (*kogoś*).

unstructured [ʌn'strʌktʃərd] *a.* **1.** bezładny, chaotyczny (*o tekście, wypowiedzi*). **2.** luźny, o luźnym kroju (*o ubraniach*).

unstrung [ʌn'strʌŋ] *a.* rozkojarzony. – *v. pret. i pp. zob.* **unstring.**

unstuck [ʌn'stʌk] *a.* **come ~** odkleić się; *przen.* ponieść porażkę (*np. o osobie, drużynie, negocjacjach*); zawieść (*np. o planie*); **this is where I came ~** *Br. przen. pot.* i tu zaczęły się schody.

unstudied [ʌn'stʌdɪd] *a. form.* niewystudiowany (= *naturalny*).

unsubstantial [ˌʌnsəb'stænʃl] *a. form.* **1.** słaby; skromny (*np. o posiłku*). **2.** niematerialny. **3.** nieoparty na faktach.

unsubstantiated [ˌʌnsəb'stænʃɪˌeɪtɪd] *a. form.* niepotwierdzony (*np. o plotce*); bezpodstawny (*np. o oskarżeniu*).

unsuccessful [ˌʌnsək'sesfʊl] *a.* **1.** nieudany (*np. o próbie, związku*). **2.** nieprzyjęty, odrzucony (*np. o kandydaturze, podaniu*). **3. sb was ~** komuś się nie udało; **he was ~ in his exam** nie powiodło mu się na egzaminie; **she was ~ as a writer** nie osiągnęła powodzenia jako pisarka.

unsuccessfully [ˌʌnsək'sesfʊlɪ] *adv.* bez powodzenia.

unsuitable [ʌn'su:təbl] *a.* (*także* **unsuited**) nieodpowiedni, nienadający się (*for/to sth* do czegoś); **be ~ for/to sth** nie nadawać się do czegoś.

unsullied [ʌn'sʌlɪd] *a. lit.* dziewiczy.

unsung [ʌn'sʌŋ] *a. zwł. lit.* niedoceniany, niedoceniony, niezauważany, niezauważony; **~ hero** anonimowy bohater; **go ~** pozostawać w cieniu.

unsure [ʌn'ʃʊr] *a.* niepewny; **~ of o.s./the future** niepewny siebie/przyszłości; **be ~** nie mieć pewności, nie być pewnym.

unsurpassed [ˌʌnsər'pæst] *a. zwł. form.* niedościgniony, niezrównany (*np. o umiejętnościach, wiedzy*).

unsuspected [ˌʌnsə'spektɪd] *a.* nieoczekiwany.

unsuspecting [ˌʌnsə'spektɪŋ] *a.* niczego niepodejrzewający; niewinny.

unsweetened [ʌn'swi:tənd] *a. kulin.* niesłodzony.

unswerving [ʌn'swɝ:vɪŋ] *a.* niezachwiany (*np. o lojalności, wierze, poparciu*); wytrwały, pełny determinacji (*in sth* w czymś) (*o osobie*).

unsympathetic [ʌnˌsɪmpə'θetɪk] *a.* **1.** nieprzychylny, nieżyczliwy (*to/towards sb/sth* w stosunku do kogoś/czegoś). **2.** niesympatyczny, antypatyczny. **3.** obojętny; **be ~** być obojętnym, nie wykazywać zrozumienia *l.* współczucia.

unsympathetically [ʌnˌsɪmpə'θetɪklɪ] *adv.* **1.** nieprzychylnie, nieżyczliwie. **2.** obojętnie.

untangle [ʌn'tæŋgl] *v.* **1.** rozplątać (*sznurek, włosy*). **2.** rozwikłać (*skomplikowaną sytuację*). **3.** wyplątać (*kogoś*).

untapped [ʌn'tæpt] *a.* niewykorzystany (*o zasobach, możliwościach*).

untaught [ʌn'tɔ:t] *a.* **1.** nieuczony (*o osobie*). **2.** niewyuczony (*o umiejętności*).

untaxed [ʌn'tækst] *a. fin.* nieopodatkowany (*o dochodach*).

untenable [ʌn'tenəbl] *a.* nie do utrzymania *l.* obrony (*np. o teorii*); **~ position** stanowisko nie do utrzymania.

unthankful [ʌn'θæŋkfʊl] *a.* niewdzięczny.

unthinkable [ʌn'θɪŋkəbl] *a.* nie do pomyślenia. – *n. U* **the ~** rzecz nie do pomyślenia.

unthinking [ʌn'θɪŋkɪŋ] *a. form.* bezmyślny (*o osobie, postępowaniu*).

unthought-of [ʌn'θɔːtəv] *a.* niesłychany, nie do pomyślenia.

untidy [ʌn'taɪdɪ] *a.* **-ier, -iest** *zwł. Br.* **1.** nieposprzątany (*np. o pokoju*). **2.** nieporządny (*o osobie*). **3.** zaniedbany (*o wyglądzie, ubiorze, osobie*). **4.** nieuporządkowany (*np. o planie*).

untie [ʌn'taɪ] *v.* **1.** *t. przen.* rozwiązywać (*np. węzeł, pakunek, problem*); rozwiązywać się (*np. o sznurowadle*). **2.** odwiązywać (*konia*). **3.** uwalniać z więzów. **4.** pokonywać, usuwać (*np. trudności, przeszkody*).

untied [ʌn'taɪd] *a.* rozwiązany (*o sznurowadle, kokardzie*).

until [ʌn'tɪl] *prep. i conj.* **1.** (aż) do; aż; (aż) do chwili *l.* czasu; (aż) do chwili, kiedy; przed; **~ 5 p.m.** do (godziny) 17.00, przed (godziną) 17.00; **~ dawn** do (samego) świtu; **~ his recovery** aż wyzdrowieje, do czasu, kiedy wyzdrowieje; **~ now** dotychczas, do tej pory; **~ she died** (aż) do śmierci; **~ then** do tego czasu; **~ the end of time** *zwł. lit.* po wszystkie czasy; **up ~** aż do; **wait ~ he's done** poczekaj, aż skończy; **wait ~ it's done** poczekaj, aż się skończy; poczekaj do końca; **you have ~ tomorrow (to do sth)** masz czas do jutra (na zrobienie czegoś). **2.** (*po zdaniu z przeczeniem*) (tak długo,) aż nie; dopóki nie; dopiero; **don't stop ~ you're finished** pracuj, aż *l.* dopóki nie skończysz; **they didn't water the plants ~ the next day** kwiatki podlali dopiero następnego dnia.

untimely [ʌn'taɪmlɪ] *a.* **-ier, -iest** **1.** nie w porę, w złym *l.* nieodpowiednim momencie (*np. o przyjeździe, dymisji*). **2.** niedogodny (*o momencie*). **3.** przedwczesny (*np. o śmierci, końcu*).

untiring [ʌn'taɪrɪŋ] *a.* niestrudzony, niezmordowany (*o osobie, wysiłkach*).

untiringly [ʌn'taɪrɪŋlɪ] *adv.* niestrudzenie, niezmordowanie.

unto ['ʌntuː] *prep. arch.* = **to.**

untold [ʌn'tould] *a.* **1.** nieopisany; niewymowny, niewysłowiony, niewypowiedziany; ogromny; **~ damage** ogromne straty (*materialne l. duchowe*); **~ misery** niewysłowione cierpienia. **2.** nieprzeliczony. **3. the ~ story (of sth)** kulisy (czegoś).

untouchable [ʌn'tʌtʃəbl] *a.* **1.** nietykalny (*np. o polityku*); nie do ruszenia (*np. o systemie*). **2.** *sport* poza zasięgiem, niepokonany (*o liderze*). **3.** *zw. żart.* niedotykalski (*o osobie stroniącej od kontaktu fizycznego*). **4.** *hist. pog.* niedotykalny, z najniższej kasty. **5. sth is ~** czegoś nie wolno dotykać (*np. w muzeum*). – *n.* **1.** *zwł. pl. hist. pog.* niedotykalny, parias (*w Indiach*). **2.** (*także* **Mr/Miss ~**) *zwł. żart.* niedotykalsk-i/a.

untouched [ʌn'tʌtʃt] *a.* **1.** nietknięty (*o potrawie*). **2.** nietknięty, bez szwanku (*o osobie*); **escape ~** wyjść bez szwanku. **3.** nieskażony; **~ by civilization** nieskażony cywilizacją. **4.** obojętny, nieczuły (*by sth* na coś) (*np. na biedę, cierpienia*). **5.** nieporuszony (*o zagadnieniu, temacie*).

untoward [ʌn'tɔːrd] *a. form.* **1.** nieoczekiwany, nieprzewidziany; **anything/nothing ~** coś/nic nieoczekiwanego; **if nothing ~ happens** jeśli nie nastąpi nic nieoczekiwanego. **2.** niewłaściwy, niepożądany. **3.** niefortunny; niesprzyjający.

untrammeled [ʌn'træmld], *Br.* **untrammelled** *a. form.* nieskrępowany (*np. przepisami, ograniczeniami; o działaniach, handlu*).

untranslatable [ˌʌnˌtræns'leɪtəbl] *a.* nieprzetłumaczalny (*np. o zwrocie*).

untraveled [ʌn'trævld], *Br.* **untravelled** *a.* **1.** mało światowy (*o osobie*). **2.** nieuczęszczany (*o szlaku*); położony na uboczu (*o miejscowości*).

untreated [ʌn'triːtɪd] *a.* **1.** *pat.* nieleczony (*o dolegliwości, chorobie*). **2.** *ekol.* nieoczyszczony (*o ściekach*); niezneutralizowany (*o odpadach*).

untried [ʌn'traɪd] *a.* **1.** niewypróbowany, dotychczas *l.* do tej pory niestosowany (*o metodzie*); bez doświadczenia (*o osobie*). **2.** *prawn.* niesądzony (*o skazańcu*).

untrodden [ʌn'trɑːdən] *a. lit.* nietknięty ludzką stopą (*o terenach*).

untrue [ʌn'truː] *a.* **1.** nieprawdziwy, niezgodny z prawdą. **2.** *lit.* niewierny; **be ~ to sb/sth** zdradzać kogoś/coś. **3.** niedokładny, nieprecyzyjny (*o wartości*).

untrustworthy [ʌn'trʌstˌwɜːðɪ] *a.* niegodny zaufania (*o osobie*); niepewny (*o źródle*).

untruth [ʌn'truːθ] *n. C/U form.* nieprawda.

untruthful [ʌn'truːθful] *a.* nieprawdziwy (*o stwierdzeniu*); nieprawdomówny (*o osobie*).

untruthfully [ʌn'truːθfulɪ] *adv.* nieprawdziwie; nieprawdomównie.

untruthfulness [ʌn'truːθfulnəs] *n.* *U* nieprawdziwość; nieprawdomówność.

untuck [ʌn'tʌk] *v.* rozkopywać (*zwł. kołdrę*).

untutored [ʌn'tuːtərd] *a.* **1.** nieuczony, niewykształcony. **2.** prosty, naiwny.

unused[1] [ʌn'juːzd] *a.* nieużywany (= *niewykorzystywany l. nowy*).

unused[2] [ʌn'juːsd] *a.* nieprzyzwyczajony, nienawykły (*to (doing) sth* do (robienia) czegoś); **be ~ to (doing) sth** nie być przyzwyczajonym do (robienia) czegoś.

unusual [ʌn'juːʒuəl] *a.* niezwykły, niecodzienny, niespotykany (*np. o wydarzeniach, widoku, smaku, budynku*); **it is ~ to...** rzadko się zdarza, żeby...; **it is ~ for sb to do sth** rzadko się zdarza, żeby ktoś coś zrobił.

unusually [ʌn'juːʒuəlɪ] *adv.* **1.** niezwykle (*np. trudny*). **2.** wyjątkowo (*np. cichy, spokojny*).

unutterable [ʌn'ʌtərəbl] *a. form.* niewymowny, niewypowiedziany (*zwł. o żalu*).

unutterably [ʌn'ʌtərəblɪ] *adv. form.* niewymownie, niewypowiedzianie.

unvarnished [ʌn'vɑːrnɪʃt] *a.* **1.** nagi; **~ truth** szczera *l.* naga prawda; **~ facts** suche *l.* nagie *l.* gołe fakty. **2.** *stol.* nielakierowany (*o meblu, blacie*).

unvarying [ʌn'verɪɪŋ] *a.* niezmienny.

unvaryingly [ʌn'verɪɪŋlɪ] *adv.* niezmiennie.

unveil [ʌn'veɪl] *v.* **1.** odsłaniać (*np. pomnik, tablicę pamiątkową*). **2.** *przen.* ujawniać (*np. plan, projekt, prototyp*).

unveiling [ʌn'veɪlɪŋ] *n.* **1.** odsłonięcie (*pomnika*). **2.** *przen.* ujawnienie (*planu*).

unversed [ʌn'vɜːst] *a. form.* nieobeznany (*in sth* z czymś).

unvoice [ʌn'vɔɪs] *v. fon.* ubezdźwięczniać.

unvoiced [ʌn'vɔɪst] *a. form.* **1.** niewypowiadany głośno, cichy (*np. o obawach*). **2.** *fon.* bezdźwięczny.

unwaged [ʌn'weɪdʒd] *Br. n. pl.* **the ~** *euf.* bezrobotni. – *a.* **1.** *euf.* bezrobotny. **2.** niezatrudniony na etat *l.* etacie.

unwanted [ʌn'wɑːntɪd] *a.* **1.** niechciany (*np. o ciąży, dziecku*). **2.** niepotrzebny (*np. o przedmiotach, reformach*).

unwariness [ʌn'werɪnəs] *n. U* nieświadomość.

unwarranted [ʌn'wɔːrəntɪd] *a.* (*także przest.* **unwarrantable**) niczym nieuzasadniony, nieusprawiedliwiony (*o kroku*).

unwary [ʌn'werɪ] *a.* nieświadomy (*of sth* czegoś). – *n. pl.* **the ~** nieświadomi ludzie.

unwashed [ʌn'wɑːʃt] *a.* nieumyty, niewymyty. – *n. pl.* **the great ~** *pot. pog.* motłoch.

unwelcome [ʌn'welkəm] *a.* niepożądany, niemile widziany (*np. o zmianach, gościu*); niewygodny (*np. o faktach*); **feel ~** czuć się jak obcy *l.* intruz.

unwell [ʌn'wel] *a. pred. form.* niezdrowy, chory; **feel ~** źle się czuć.

unwholesome [ʌn'hoʊlsəm] *a.* niezdrowy (*np. o trybie życia, diecie, wyglądzie*).

unwieldy [ʌn'wiːldɪ] *a.* **1.** nieporęczny (*np. o narzędziu, przedmiocie*); niewygodny (*zwł. w noszeniu*). **2.** niewydolny, niesprawny (*np. o systemie, biurokracji*).

unwilling [ʌn'wɪlɪŋ] *a. pred.* niechętny; **be ~ to do sth** nie chcieć czegoś zrobić, opierać się przed zrobieniem czegoś.

unwillingly [ʌn'wɪlɪŋlɪ] *adv.* niechętnie.

unwillingness [ʌn'wɪlɪŋnəs] *n. U* niechęć.

unwind [ʌn'waɪnd] *v.* **unwound, unwound 1.** odprężać się, relaksować się. **2.** odwijać (się), rozwijać (się) (*np. o taśmie, sznurku*).

unwinking [ʌn'wɪŋkɪŋ] *a. form.* baczny, czujny.

unwise [ʌn'waɪz] *a.* nierozsądny, niemądry (*o decyzji, osobie*).

unwished [ʌn'wɪʃt] *a. form.* niepożądany (*o skutku*).

unwitting [ʌn'wɪtɪŋ] *a. attr. form.* przypadkowy, nieumyślny; nieświadomy.

unwittingly [ʌn'wɪtɪŋlɪ] *a. form.* nieumyślnie, przypadkowo, niechcący; nieświadomie.

unwonted [ʌn'wɔːntɪd] *a. attr. form.* niecodzienny, niespotykany.

unworkable [ʌn'wɜːkəbl] *a.* nierealistyczny, nie do przeprowadzenia *l.* zrealizowania (*o planie*); **be ~** nie dawać się przeprowadzić *l.* zrealizować.

unworldly [ʌn'wɜːldlɪ] *a.* **1.** oderwany od świata, (żyjący) z głową w chmurach. **2.** nieżyciowy. **3.** niematerialistyczny; idealistyczny. **4.** nieświatowy; zaściankowy. **5.** nieziemski, nie z tej ziemi.

unworthy [ʌn'wɜːðɪ] *a.* **-ier, -iest** niegodny (*of sth* czegoś) (*np. zaufania*); **be ~ of sth/to do sth** nie zasługiwać na coś/by coś zrobić; **sth is ~ of sb** coś komuś nie przystoi.

unwound [ʌn'waʊnd] *v. pret. i pp. zob.* **unwind.**

unwrap [ʌn'ræp] *v.* **-pp-** otwierać (*prezenty*); odwijać, rozwijać (*pakunki*).

unwritten [ʌn'rɪtn] *a.* **1.** niepisany; **~ law/rule** niepisane prawo. **2.** niezapisany (*o kartce*); nienapisany (*o książce*).

unyielding [ʌn'jiːldɪŋ] *a.* **1.** nieustępliwy, bezkompromisowy (*o osobie, stanowisku*). **2.** sztywny (*o substancji*).

unyoke [ʌn'joʊk] *v.* **1.** rozprzęgać, wyprzęgać (*zwierzęta pociągowe*). **2.** rozdzielać.

unzip [ʌn'zɪp] *v.* **1.** rozpinać (*np. zamek błyskawiczny, rozporek, spodnie, kurtkę, torebkę*); rozpinać się (*np. o zamku, spodniach*). **2.** *komp.* rozpakowywać (*plik, archiwum*).

up [ʌp] *adv., prep. i a.* **1.** do góry; w górę; ku górze; w górze; **~ in the sky** na niebie; **~ the river** w górę rzeki; **~ the stairs** na piętrze, na górze (*być*); (w górę) po schodach (*wchodzić*); **~ there** tam w *l.* na górze; **go ~** wchodzić (pod górę *l.* do góry); rosnąć (*o cenach*); **look ~** spoglądać w górę, podnosić wzrok; **move ~** podnosić się, przesuwać się ku górze; **stand ~** wstawać. **2.** wyżej; **several floors ~** kilka pięter wyżej *l.* nad nami. **3.** (*odpowiada przedrostkowi*) po-; pod-; roz-; wy-; z-; **add ~** pododawać; **beat ~** pobić; **clear ~** rozchmurzyć się; **come ~** podchodzić; **dig ~** wykopywać; **divide ~** podzielić; **hurry ~** pospieszyć się; **lift ~** podnosić; **lighten ~** rozjaśnić (się); **make ~** zrekompensować; **turn ~** podkręcić (*głośność*). **4.** (*także* **~ North**) na północ; na północy; **fly ~ to Canada** lecieć (na północ) do Kanady; **move ~ North** przeprowadzić się (bardziej) na północ; **they live ~ North** mieszkają na północy. **5.** do miasta *l.* centrum; **~ train** *Br. przest. kol.* pociąg w kierunku miasta. **6.** *sport* po; **the score is ten ~** obie strony mają po 10 punktów, jest remis 10 do 10. **7.** *Br. pot.* w; **see you ~ the pub** spotkamy się w pubie. **8.** *Br. pot.* do; **go ~ the club** wybierać się do klubu. **9.** **~ and down** w górę i w dół; tam i z powrotem (*chodzić*); wszędzie (dookoła) (*być*); **~ and down the country** w całym kraju; **be ~ and down** popadać w depresję; **look sb ~ and down** zmierzyć kogoś wzrokiem; **~ front** z przodu; *gł. US pot.* od razu, z miejsca, na samym początku; bez owijania w bawełnę (*powiedzieć*); z góry (*płacić*); **sit ~ front** *gł. US* siedzieć z przodu (*zwł. w samochodzie koło kierowcy*); **~ the...!** niech żyj-e/ą...!; **~ till/until** do (*jakiegoś momentu*); **~ till five** do piątej; **~ to** do; **~ to date = up-to-date**; **~ to now** do tej pory; **~ to 100 people** do stu ludzi (*móc pomieścić*); **~ you come!** hopla! (*przy podnoszeniu do góry, zwł. dziecka*); **~ yours!** *wulg., obelż., pot.* kij ci w dupę!, pieprz się!; **be ~** być na nogach; skończyć się, upłynąć (*np. o terminie, okresie*); stać (*np. o budynku*); *Br.* być w remoncie (*o drodze*); **be ~ (on last year)** wzrosnąć *l.* skoczyć (w stosunku do roku ubiegłego) (*np. o cenach*); **he's not ~ yet** jeszcze nie wstał; **time's ~** czas się skończył; **be ~ and about/around** *pot.* stanąć na nogi (*po chorobie*); **be ~ against sth/sb**

zmagać *l.* mierzyć się z czymś/kimś; **sb will be ~ against it** kogoś czeka ciężka przeprawa; **be ~ and running** działać, funkcjonować; **be ~ before sth/sb** stanąć przed czymś/kimś (*np. sądem, sędzią*); **be ~ for sth** odpowiadać (w sądzie) za coś, stanąć przed sądem za coś; **be ~ for grabs** *pot.* być do wzięcia; **be ~ for promotion** mieć dostać awans; **be ~ for sale** być na sprzedaż; **be ~ for doing sth** *pot.* być gotowym podjąć się czegoś, móc coś zrobić; **be ~ on murder charges** stanąć przed sądem za zabójstwo; **be ~ there with sb** *pot.* nie ustępować komuś, nie być gorszym od kogoś; **be ~ to here with sth** *pot.* mieć czegoś potąd *l.* po dziurki w nosie; **be ~ to no good** być do niczego, nie nadawać się do niczego; **be ~ to one's ears/elbows/eyes/eyeballs/neck in trouble/debt** *pot.* być po uszy w kłopotach/długach; **be ~ to sb** zależeć od kogoś; **be ~ to scratch** *pot.* być na poziomie; **your results are not ~ to scratch** *pot.* twoje wyniki nie są takie, jak trzeba; **in the ~ position** w położeniu włączonym (*o wyłączniku*); **it's ~ to you** to zależy od ciebie; jak chcesz; sam decyduj *l.* decydujesz; **it's not ~ to her to decide** to nie ona (tu) decyduje; **be ~ to speed** być zorientowanym (*on sth* w czymś); **get sb ~ to speed** poinformować kogoś (*on sth* o czymś); **be ~ to sth** kombinować *l.* knuć coś; sprostać czemuś, podołać czemuś, poradzić sobie z czymś; spełniać coś (*zwł. wymagania*); odpowiadać czemuś (*np. normom, oczekiwaniom*); **he's ~ to his old tricks** *pot.* kręci jak zwykle; **be ~ a tree** być na drzewie; *przen. pot.* być w tarapatach; **be ~ with the clock** mieścić się w czasie; **sth isn't ~ to much** *pot.* coś nie jest wiele warte, coś jest nienadzwyczajne; **this side ~** góra, tą stroną do góry (*napis na kartonie*); **sb's (blood) pressure is ~** komuś skacze ciśnienie; **(so,) what have you two been ~ to?** (i) co (tam) u was słychać?, co porabiacie?, co u was ciekawego?; **what's ~?** co się stało?; *gł. US pot.* jak leci?, co słychać?; **what's ~ with him?** co mu jest *l.* dolega?, co mu się stało?. – *n. pot.* dobra wiadomość; **~s and downs** *pot.* wzloty i upadki; **I have my ~s and downs** *pot.* różnie to ze mną bywa; **be on an ~** *pot.* dobrze się mieć, być w dobrej formie; **be on the ~ (and ~)** *zwł. Br.* poprawiać się, rosnąć; **on the ~ and ~** *gł. US pot.* w porządku (*o osobie*). – *v.* **-pp- 1.** podnosić (*np. cenę, ofertę*). **2.** awansować (*pracownika*) (*to...* na stanowisko...). **3. ~ and do sth** *pot.* wziąć i coś zrobić, ni stąd, ni zowąd coś zrobić; **he just ~ped and left** po prostu wstał *l.* wziął i wyszedł.

up-and-coming [ˌʌpənd'kʌmɪŋ] *a. attr.* obiecujący, dobrze zapowiadający się (*np. o muzyku, aktorze*).

up-and-down [ˌʌpən'daʊn] *a.* **1.** w górę i w dół; tam i z powrotem (*o ruchu*). **2.** skaczący, nierówny. **3.** pionowy (*o wzorze*).

up-and-over [ʌpənd'oʊvər] *a. Br.* podnoszony (*o bramie od garażu*).

upas ['ju:pəs] *n.* **1.** *bot.* upas (*Antiaris toxicaria*). **2.** *U* trujący sok z drzewa jw.

upbeat ['ʌpˌbi:t] *a. pot.* optymistyczny (*np. o nastroju, zakończeniu*); **be ~ about sth** zapatrywać się na coś optymistycznie. – *n.* **1.** *muz.* słaba część taktu, nieakcentowana miara taktu; pałeczka w górze (*dyrygenta*); ruch w górę (*pałeczki dyrygenta*). **2.** poprawa.

upbow ['ʌpˌboʊ] *n. muz.* pociągnięcie w górę (*smyczka*).

upbraid [ʌp'breɪd] *v. form.* karcić (*sb for sth* kogoś za coś).

upbringing ['ʌpˌbrɪŋɪŋ] *n. sing.* wychowanie.

UPC [ˌju: ˌpi: 'si:] *abbr.* **Universal Product Code** *US handl.* kod SWW (*identyfikujący wyrób*).

upcast ['ʌpˌkæst] *n.* **1.** *techn.* wyrzut. **2.** *górn.* szyb (wentylacyjny) wylotowy *l.* wydechowy. – *a.* **1.** wylotowy, wydechowy (*o szybie*). **2.** wznoszący się (*o prądzie powietrza*).

upchuck ['ʌpˌtʃʌk] *v. US pot.* haftować, rzygać (*t. czymś*).

upcoming ['ʌpˌkʌmɪŋ] *a. attr. zwł. US* zbliżający się (*np. o wydarzeniu, rocznicy*).

upcountry [ˌʌp'kʌntrɪ] *t. geogr. a. gł. attr.* z prowincji, z terenów wiejskich; z głębi kraju (*o ludności*); *t. pog.* prowincjonalny. – *n. U* prowincja; centralne regiony kraju.

update *v.* [ˌʌp'deɪt] uaktualniać (*np. dane, stronę internetową*); unowocześniać (*np. sprzęt, wyposażenie*). – *n.* ['ʌpˌdeɪt] **1.** *zwł. dzienn.* najświeższe informacje, ostatnie doniesienia (*on sth* na jakiś temat). **2.** uaktualnienie.

updraft ['ʌpˌdræft], *Br.* **updraught** *n.* ciąg (*w kominie*); *meteor.* prąd wstępujący.

upend [ʌp'end] *v. pot.* **1.** przewrócić (*np. osobę, mebel, samochód w wypadku*). **2.** załatwić (= *pokonać*).

upfront [ʌp'frʌnt], **up-front** *gł. US pot. a.* **1.** *pred.* szczery, otwarty (*np. o osobie, propozycji*); **be ~ about sth** nie robić z czegoś tajemnicy. **2.** z góry, zaliczkowy (*o zapłacie*). – *adv.* **1.** z góry (*płacić*). **2.** szczerze, prosto z mostu (*powiedzieć*).

upgrade *v.* [ˌʌp'greɪd] **1.** wymieniać (na nowy) (*np. komputer, urządzenia, wyposażenie*) (*to sth* na coś). **2.** awansować (*pracownika*) (*to sth* na jakieś stanowisko). **3.** podnosić (*pensję*). **4.** *komp.* uaktualniać (*oprogramowanie, wersję*). **5.** wymieniać na miejsce *l.* bilet wyższej klasy (*za dopłatą l. w ramach promocji*); **I was ~d to business class** przenieśli mnie do klasy business. **6.** podnosić standard (*lokalu*). – *n.* ['ʌpˌgreɪd] **1.** wymiana (na nowy), unowocześnienie (*np. sprzętu, wyposażenia*). **2.** awans. **3.** podwyżka. **4.** *komp.* uaktualnienie (*oprogramowania*). **5.** awans do wyższej klasy (*zwł. biletu*); **complimentary ~ to first class** bilet pierwszej klasy bez dodatkowej dopłaty (*w ramach promocji*). **6.** podwyższenie standardu (*mieszkalnego*). **7.** *US i Can.* wzniesienie, pochyłość. – *a. US i Can.* wznoszący się, pochyły. – *adv. US i Can.* pod górę.

upgrowth ['ʌpˌgroʊθ] *n. U* wzrost; rozwój.

upheaval [ʌp'hi:vl] *n. C/U* **1.** zamieszanie; wstrząs (*emocjonalny*). **2.** *polit.* niepokoje, wrzenie, zajścia. **3.** *geol.* wypiętrzenie, wyniesienie.

upheave [ʌp'hi:v] *v. form.* wznosić (się), podnosić (się); *geol.* wypiętrzać się.

uphill [ˌʌp'hɪl] *a.* **1.** pod górę (*np. o drodze, marszu*). **2.** *przen.* trudny, żmudny, ciężki, mozolny; **an ~ battle/struggle** trudne zmagania. – *adv.* pod górę.

uphold [ʌp'hoʊld] *v.* **-held, -held 1.** przestrzegać (*np. konstytucji, prawa, przepisów*). **2.** *prawn.* podtrzymywać (*np. decyzję, werdykt niższego sądu*). **3.** kultywować (*np. tradycję, wartości*). **4.** wspierać (*kogoś moralnie*).

upholder [ʌp'hoʊldər] *n.* strażni-k/czka, obroń-ca/czyni (*np. wartości, praw*).

upholster [ʌp'hoʊlstər] *v.* tapicerować (*meble*).

upholstered [ʌp'hoʊlstərd] *a.* tapicerowany (*o meblach*).

upholsterer [ʌp'hoʊlstərər] *n.* tapicer.

upholstery [ʌp'hoʊlstərɪ] *n.* *U* tapicerka, obicie; tapicerstwo. – *a. attr.* tapicerski (*o materiałach*).

upkeep ['ʌpˌki:p] *n.* *U* utrzymanie; koszty utrzymania.

upland ['ʌplənd] *geogr. n.* wyżyna; *t. pl.* tereny *l.* obszary wyżynne; centralne regiony kraju. – *a.* wyżynny; centralny (*o obszarach*); położony na obszarach wyżynnych *l.* centralnych (*o lasach, terenach*); mieszkający na obszarach wyżynnych *l.* centralnych (*o ludności*).

uplift [ʌp'lɪft] *n.* *U* **1.** *geol.* wypiętrzenie, wyniesienie; podnoszenie, podniesienie. **2.** *przen. form.* poprawa nastroju; **moral ~** wsparcie duchowe. – *v.* **1.** *form.* podtrzymywać *l.* podnosić na duchu (*kogoś*). **2.** *form.* podnosić, unosić, wznosić (*ramiona*). **3.** *dial.* odbierać (*przesyłki, pasażerów*).

uplifted [ʌp'lɪftɪd] *a.* **1.** *form.* wzniesiony (*o ramionach*). **2.** pocieszony, pokrzepiony.

uplifting [ʌp'lɪftɪŋ] *a.* pocieszający, krzepiący (serce), podtrzymujący *l.* podnoszący na duchu (*np. o rozmowie, widoku*).

upmarket [ʌp'mɑ:rkət] *a.* ekskluzywny.

upon [ə'pɑ:n] *prep. gł. form.* **1.** *form.* = **on. 2.** na; **the responsibility rests ~ everyone** odpowiedzialność spoczywa na wszystkich. **3.** po; **~ arrival** po przybyciu; **~ hearing the news** po usłyszeniu nowiny. **4. ~ us** za pasem, tuż tuż; **with the holidays ~ us** gdy święta za pasem. **5. once ~ a time** *zob.* **once** *adv.*

upper ['ʌpər] *a. attr.* **1.** górny; wyższy (*np. poziomem, rangą*). **2.** północny. **3.** *geol.* górny (*o okresie*); **U~ Carboniferous/Paleolithic** karbon/paleolit górny. **4. ~ atmosphere** *geogr.* górne warstwy atmosfery; **~ deck** *żegl.* pokład górny; **~ echelons** *zob.* **echelon** *n.*; **~ limit (of sth)** górna granica (czegoś); **~ reaches** *geogr.* górny bieg (*rzeki*); **~ respiratory system** *anat.* górne drogi oddechowe; **get the ~ hand** *zob.* **hand** *n.*; **have the ~ hand (over sb)** *zob.* **hand** *n.* – *n.* **1.** *zw. pl.* wierzch, cholewka (*buta*); **leather ~s** skórzane wierzchy. **2.** *t. pl. sl.* amfa (*t. inny narkotyk dający poczucie euforii*). **3.** *sl.* haj, odlot (= *euforia, zwł. po narkotyku*). **4.** *zw. pl.* górny ząb; *pl.* sztuczna szczęka (*górna*). **5. on one's ~s** *Br. przest.* bez grosza przy duszy.

upper arm *n. anat.* ramię ((*nad łokciem*)).

upper bound *n. mat. zob.* **bound**[1] *n.* 3.

uppercase [ˌʌpər'keɪs], **upper-case, upper case** *n.* *U* wielkie *l.* duże litery; *druk.* majuskuły; **in ~** wielkimi *l.* dużymi literami. – *a.* (wydrukowany) wielkimi *l.* dużymi literami (*np. o fragmencie tekstu, tytule*); wielki, duży (*o literze*); *druk.* majuskułowy; **~ letter** wielka *l.* duża litera; *druk.* majuskuła. – *v.* pisać *l.* drukować wielkimi *l.* dużymi literami.

upper chamber *n. parl.* izba wyższa.

upper class *n.* **1. the ~** *socjol.* klasa *l.* warstwa wyższa. **2.** *US uniw.* starsze *l.* wyższe lata (*trzeci i czwarty studiów*); *szkoln.* klasy starsze (*trzecia i czwarta szkoły średniej*).

upper-class [ˌʌpər'klæs] *a.* z wyższych sfer (*np. o akcencie*); ekskluzywny (*np. o dzielnicy*); arystokratyczny (*o rodzie*).

upperclassman [ˌʌpər'klæsmən] *n. pl.* **-men** *US uniw.* student/ka ostatnich dwóch lat (studiów); *szkoln.* ucze-ń/nnica klasy trzeciej *l.* czwartej (*szkoły średniej*); *pl.* uczniowie klas starszych.

upper crust *n. socjol. pot.* = **upper class** 1.

uppercut ['ʌpərˌkʌt] *boks n.* hak. – *v.* uderzać hakiem.

upper house *n. parl.* izba wyższa.

uppermost ['ʌpərˌmoʊst] *a.* (*także* **upmost**) **1.** najwyższy; znajdujący się na (samej) górze. **2.** *przen.* najważniejszy; **safety is ~ in our minds** przede wszystkim myślimy o bezpieczeństwie, przede wszystkim zwracamy uwagę na bezpieczeństwo. – *adv.* **1.** do góry, ku górze; **with the lids ~** zakrętkami do góry. **2.** na górze, na wierzchu.

Upper Peninsula *n. US geogr.* północny półwysep stanu Michigan.

upper school *n. Br. szkoln.* klasy starsze (*dla uczniów w wieku 14-18 lat*).

Upper Silesia *n. geogr.* Górny Śląsk.

Upper Volta *n. hist., geogr., polit.* Górna Wolta (*obecnie Burkina Faso*).

upper works *n. pl. żegl.* część nadwodna kadłuba.

uppity ['ʌpətɪ] *a.* (*także Br* **uppish**) *pot.* przemądrzały.

upraise [ʌp'reɪz] *v. lit.* wznosić (*np. ramiona, głos*).

upright ['ʌpˌraɪt] *a.* **1.** pionowy. **2.** prosty, wyprostowany. **3.** prawy (= *uczciwy*). – *adv.* **1.** pionowo. **2.** prosto; **sit/stand ~** siedzieć/stać prosto. **3. ~ upright** prosto, sztywno, jakby kij połknął; **sit/stand bolt ~** zamierać w bezruchu. – *n.* **1.** stojak; podpora; słup; *zw. pl. piłka nożna* słupek (*bramki*). **2.** (*także* **~ piano**) *muz.* pianino.

uprise [ʌp'raɪz] *v.* **-rose, -risen 1.** *lit.* wschodzić (*o słońcu, gwieździe*). **2.** *arch.* powstawać, wznosić się. – *n.* pochyłość.

uprising ['ʌpˌraɪzɪŋ] *n. polit.* powstanie.

upriver [ˌʌp'rɪvər] *adv.* w górę rzeki.

uproar ['ʌpˌrɔ:r] *n.* *U l. sing.* poruszenie, wrzawa; hałas, zgiełk; **be in an ~** wrzeć, kotłować się; **throw sb/sth into an ~** wywołać poruszenie wśród kogoś/czegoś.

uproarious [ʌp'rɔ:rɪəs] *a.* huczny, grzmiący, burzliwy; **~ laughter** gromki śmiech.

uproariously [ʌp'rɔːrɪəslɪ] *adv.* hucznie, burzliwie; gromko.

uproot [ʌp'ruːt] *v.* **1.** *ogr.* wyrywać z korzeniami. **2.** przesiedlać, wysiedlać. **3.** wykorzeniać (*np. przywary, ekstremizm*).

uprush ['ʌpˌrʌʃ] *n.* **1.** nagły przypływ. **2.** *psych.* nagłe olśnienie.

UPS [ˌjuː ˌpiː 'es] *abbr.* **United Parcel Service** *US* firma doręczająca paczki.

ups-a-daisy [ˌʌpsə'deɪzɪ] *int. dziec.* bum!, bach! (*przy upadku*); hopla! (*przy podnoszeniu*).

upscale [ˌʌp'skeɪl] *a. US* ekskluzywny.

upset *v.* [ʌp'set] **-set, -set 1.** martwić; denerwować; wytrącać z równowagi. **2.** przewracać (*np. szklankę, wazon*). **3.** zakłócać (*np. przebieg, proces*). **4.** zachwiać (*równowagę*); zachwiać równowagę (*czegoś*). **5.** *metal., mech.* spęczać (*pręt*). **6.** *sport* pokonać niespodziewanie (*przeciwnika uważanego za silniejszego*). **7. ~ sb's stomach** zaszkodzić komuś (na żołądek); **~ the/sb's apple cart** *pot.* pomieszać komuś szyki. – *a.* [ʌp'set] **1.** zmartwiony, przygnębiony, przybity; zdenerwowany. **2.** przewrócony. **3.** zakłócony. **4. ~ stomach** rozstrój żołądka, sensacje żołądkowe. – *n.* ['ʌpˌset] **1.** nieoczekiwana *l.* niespodziewana przeszkoda. **2.** *sport* nieoczekiwana porażka *l.* przegrana. **3. stomach/tummy ~** rozstrój żołądka, sensacje żołądkowe. **4.** *metal.* kształtownik, kuźniarka.

upset price *n. US i Scot. fin.* cena wywoławcza.

upshift ['ʌpˌʃɪft] *v. US mot.* wrzucać wyższy bieg.

upshot ['ʌpˌʃɑːt] *n.* ostateczny rezultat *l.* wynik; **the ~ of it all was that...** ostateczny rezultat był taki, że...; w końcu stanęło *l.* skończyło się na tym, że...

upside ['ʌpˌsaɪd] *n. sing. gł. US* **1.** dobra *l.* pozytywna strona, pozytyw, zaleta; **the ~ of the whole thing was that...** dobrą stroną tego wszystkiego było, że...; dobre (w tym wszystkim) było to, że... **2.** góra, wierzch, górna powierzchnia *l.* strona (*przedmiotu*). **3.** *fin.* wzrost (*kursów, produkcji*). – *prep. US pot.* z boku (*czegoś*); **~ the head** z boku głowy.

upside down [ˌʌpsaɪd 'daʊn] *adv. i a.* do góry nogami (*np. stać, wisieć*); **turn sth ~** przewrócić coś do góry nogami (*t. w poszukiwaniu czegoś*); *przen.* postawić coś na głowie (*np. sytuację, argument*).

upside-down cake [ˌʌpsaɪdˌdaʊn 'keɪk] *n. kulin.* tort *l.* biszkopt z owocami.

upsides [ʌp'saɪdz] *adv.* **get ~ with sb** *Br. pot.* odegrać się na kimś.

upstage [ˌʌp'steɪdʒ] *v.* **1.** *zwł. pot.* przyćmiewać, przebijać, spychać na dalszy plan. **2.** *pot.* traktować z góry. **3.** *teatr* odciągać *l.* odwracać od publiczności (*drugiego aktora przez cofnięcie się w głąb sceny*). – *adv. teatr* w głębi sceny. – *a.* **1.** *teatr* w głębi sceny. **2.** *pot.* nadęty, zarozumiały. – *n. U teatr* tył sceny.

upstairs [ˌʌp'sterz] *adv.* **1.** na górze, na piętrze (*mieszkać*); na górę, do góry, na piętro (*wchodzić*). **2.** *przen. żart.* pod czaszką, pod sufitem; **he doesn't have a lot ~** nie grzeszy inteligencją; **not a lot happening ~** główka coś słabo pracuje. **3.** *przen.* **kick sb ~** dać komuś pozorny awans (*na wyższe stanowisko, ale o mniejszych kompetencjach*); dać komuś awans dla świętego spokoju (*żeby się go pozbyć*); **the man ~** *pot.* Bozia (w niebie) (= *Bóg*). – *a. attr.* na piętrze. – *n. U* piętro, góra.

upstanding [ˌʌp'stændɪŋ] *a. form.* **1.** uczciwy, rzetelny. **2.** postawny. **3. be ~** *form.* proszę powstać, proszę (wszystkich) o powstanie (*w sądzie l. przy uroczystym toaście*).

upstart ['ʌpˌstɑːrt] *n.* parweniusz, nowobogacki, karierowicz. – *a. attr.* **1.** *uj.* nowobogacki, karierowiczowski. **2.** początkujący (*o internaucie*); wchodzący na rynek (*o przedsiębiorstwie*).

upstate [ˌʌp'steɪt] *US geogr. a.* północny (*o części stanu*); **live in ~ New York** mieszkać na północy stanu Nowy Jork. – *adv.* na północ (stanu) (*jechać*); na północy (stanu) (*leżeć*). – *n. U* północ stanu, północna część stanu.

upstream [ˌʌp'striːm] *adv. i a.* w górę rzeki; *t. przen.* pod prąd (= *wbrew panującym tendencjom*).

upstroke ['ʌpˌstroʊk] *n.* **1.** zawijas (*w piśmie*). **2.** *mech., mot.* suw w górę (*tłoka*).

upsurge ['ʌpˌsɜːdʒ] *n. zwł. ekon.* gwałtowny wzrost (*in sth* czegoś) (*np. sprzedaży, obrotów*); eksplozja, nasilenie (*of sth* czegoś) (*np. przestępczości, doznań*); nagły przypływ (*uczuć*). – *v. gł. lit.* narastać.

upswing ['ʌpˌswɪŋ] *n.* **1.** *ekon.* poprawa koniunktury; wzrost gospodarczy. **2.** poprawa; wzrost.

upsy-daisy [ˌʌpsɪ'deɪzɪ] *int. dziec.* = **ups-a-daisy**.

uptake ['ʌpˌteɪk] *n.* **1.** *pot.* **quick on the ~** bystry; **be quick on the ~** chwytać w lot; **slow on the ~** ciężko kojarzący *l.* myślący. **2.** przewód wylotowy *l.* kominowy. **3.** *górn.* szyb (wentylacyjny) wylotowy *l.* wydechowy. **4.** *C/U biol.* pobór, pobieranie, absorpcja (*np. minerałów, składników pokarmowych, tlenu*). **5.** *C/U fizj., biochem.* wychwyt; **serotonin ~** wychwyt serotoniny.

up-tempo [ˌʌp'tempoʊ] *a. muz.* żywy, szybki.

upthrow ['ʌpˌθroʊ] *n. geol.* wypiętrzenie, wyniesienie (*warstwy po jednej stronie uskoku*).

upthrust ['ʌpˌθrʌst] *n.* **1.** *geol.* wypiętrzenie. **2.** *fiz.* wypór (hydrostatyczny).

uptight [ʌp'taɪt] *a. pot.* spięty; drażliwy; sztywny; **be ~ about sth** denerwować się czymś.

up-to-date [ˌʌptə'deɪt], **up to date** *a.* **1.** najnowszy; nowoczesny; aktualny; **bring sth ~** unowocześniać coś. **2.** dobrze poinformowany; **bring sb ~ (on sth)** podać komuś najnowsze informacje (o czymś); **keep sb ~ (on sth)** informować kogoś na bieżąco (o czymś).

up-to-the-minute [ˌʌptəðə'mɪnɪt] *a.* **1.** z ostatniej chwili; najnowszy, najświeższy (*o danych, informacjach*). **2.** najnowszy (*np. o modzie, tendencjach*).

uptown *adv.* [ˌʌp'taʊn] *US* od centrum, w kierunku przedmieść (*o ruchu*); na północ (miasta). – *a.* ['ʌpˌtaʊn] *attr.* z przedmieść; z północy (miasta), z północnej części miasta (*o ludności*). – *n.* ['ʌpˌtaʊn] *U* przedmieścia (*zwł. zamożne*); północna część miasta (*jw.*).

upturn *n.* ['ʌpˌtɜ:n] *gł. ekon.* tendencja zwyżkowa, wzrost; poprawa koniunktury (*in sth* w dziedzinie czegoś). – *v.* [ˌʌp'tɜ:n] **1.** przewracać (się). **2.** zwracać ku górze (*wzrok*).

upturned [ʌp'tɜ:nd] *a.* zadarty (*o nosie*).

upward ['ʌpwərd] *adv.* (*także* **upwards**) do góry, w górę (*przemieszczać się*); ~ **of ten hours/ $100** *pot.* ponad *l.* przeszło dziesięć godzin/100 dolarów; **bottom** ~ do góry nogami; **go/move** ~ iść w górę, rosnąć, wzrastać. – *a. attr. US* do góry, w górę (*o ruchu*); rosnący, zwyżkowy (*o tendencji*); wznoszący, wstępujący (*o prądzie*).

upwardly ['ʌpwərdlɪ] *adv.* do góry, w górę.

upwardly mobile *a. socjol.* awansujący społecznie; **be** ~ wspinać się po drabinie społecznej.

upward mobility *n. U socjol.* awans społeczny.

upwards ['ʌpwərd] *adv. zwł. Br.* = **upward**.

upwind [ˌʌp'wɪnd] *adv.* **1.** pod wiatr (*iść, jechać*). **2.** od (strony) nawietrznej, od strony wiatru. – *a.* **1.** pod wiatr (*o drodze*). **2.** nawietrzny, od strony wiatru.

URA [ˌju: ˌɑ:r 'eɪ] *n.* **Urban Renewal Administration** *US admin.* Komisja ds. Odnowy Obszarów Wielkomiejskich.

uracil ['jʊrəsɪl] *n. U biochem.* uracyl.

uraemia [jʊ'ri:mɪə] *n. U pat.* = **uremia**.

uraeus [jʊ'ri:əs] *n. sztuka, mit.* ureus, ureusz (= *wizerunek kobry symbolizujący władzę faraona*).

Ural-Altaic [ˌjʊrəlæl'teɪɪk] *jęz. n. U* języki uralo-ałtajskie. – *a.* uralo-ałtajski.

Uralic [jʊ'rælɪk] *jęz. n. U* języki uralskie. – *a.* uralski.

Ural Mountains [ˌjʊrəl 'maʊntənz], **Urals** ['jʊrəlz] *n. pl. geogr.* Ural.

Urania [jʊ'reɪnɪə] *n. mit.* Urania.

uranic [jʊ'rænɪk] *a. chem.* uranowy; ~ **acid** kwas uranowy.

uraninite [jʊ'rænəˌnaɪt] *n. U min.* uraninit, blenda uranowa *l.* smolista.

uranite ['jʊrəˌnaɪt] *n. U min.* uranit, mika uranowa.

uranium [jʊ'reɪnɪəm] *n. U chem.* uran.

Uranus ['jʊrənəs] *n. astron., mit.* Uran.

urban ['ɜ:bən] *a. attr.* miejski, wielkomiejski; ~ **areas** obszary miejskie *l.* wielkomiejskie; ~ **jungle** *zob.* **jungle**.

urbane [ɜ:'beɪn] *a.* pełen ogłady, obyty, umiejący się znaleźć.

urbanely [ɜ:'beɪnlɪ] *adv.* z ogładą.

urbanist ['ɜ:bənɪst] *n.* urbanist-a/ka.

urbanite ['ɜ:bəˌnaɪt] *n.* mieszkan-iec/ka miasta.

urbanity [ɜ:'bænətɪ] *n. U* ogłada, obycie.

urbanization [ˌɜ:bənə'zeɪʃən], *Br. i Austr. zw.* **urbanisation** *n. U* urbanizacja.

urbanize ['ɜ:bəˌnaɪz], *Br. i Austr. zw.* **urbanise** *v.* urbanizować.

urban myth *n.* (*także* **urban legend**) *socjol.* mit społeczny.

urban planner *n. zwł. US* urbanist-a/ka.

urban planning *n. U zwł. US* planowanie przestrzenne (miast), urbanistyka.

urban renewal *n. U* (*także* **urban redevelopment**) renowacja *l.* odnowa *l.* rewitalizacja obszarów wielkomiejskich.

urban sprawl *n. ekol. uj.* **1.** *zw. sing.* rozległe przedmieścia. **2.** *U* niekontrolowany rozrost miast *l.* miasta.

urceolate ['ɜ:sɪəlɪt] *a. bot.* dzbanuszkowaty.

urchin ['ɜ:tʃən] *n.* **1.** *przest. l. żart.* urwis; **street** ~ ulicznik. **2.** *zool.* jeżowiec. **3.** *tk.* czesak (*gręplarki*).

Urdu ['ʊrdu:] *n. U* (język) urdu.

urea [jʊ'rɪə] *n. U chem., biochem.* mocznik; ~ **cycle** *biochem., fizj.* cykl mocznikowy.

urease ['jʊrɪˌeɪs] *n. U chem., biochem.* ureaza.

uremia [jʊ'ri:mɪə], **uraemia** *n. U pat.* mocznica, uremia.

ureter ['jʊrətər] *n. anat.* moczowód.

urethane ['jʊrəθeɪn] *n. U chem.* uretan.

urethra [jʊ'ri:θrə] *n. pl.* **-s** *l.* **urethrae** [jʊ'ri:θri:] *anat.* cewka moczowa.

uretic [jʊ'retɪk] *a. med., pat.* moczowy.

urge [ɜ:dʒ] *v.* **1.** nakłaniać, zachęcać, namawiać (*sb to do sth* kogoś do (zrobienia) czegoś *l.* na coś *l.* żeby coś zrobił); nalegać (*that* żeby); *form.* nawoływać do (*czegoś*); ~ **sth on/upon sb** *form.* apelować do kogoś o coś; ~ **caution** *zwł. form.* zalecać ostrożność. **2.** ~ **(forward)** poganiać, popędzać, ponaglać (*konie*). **3.** ~ **on** zachęcać; poganiać, popędzać, ponaglać (*np. robotników, konie*). – *n.* potrzeba; pragnienie, chęć (*to do sth* czegoś).

urgency ['ɜ:dʒənsɪ] *n. U* pośpiech; **a matter of** ~ pilna sprawa, kwestia nie cierpiąca zwłoki.

urgent ['ɜ:dʒənt] *a.* **1.** pilny (*o kwestii, potrzebie*); niecierpiący zwłoki (*o kwestii*); naglący, gwałtowny (*o potrzebie*); **in** ~ **need** w pilnej potrzebie; **be in** ~ **need of sth** pilnie wymagać *l.* potrzebować czegoś (*np. naprawy, pomocy*). **2.** *form.* natarczywy (*o żądaniach*).

urgently ['ɜ:dʒəntlɪ] *adv.* **1.** pilnie. **2.** *form.* natarczywie.

uric ['jʊrɪk] *a. chem., biochem.* moczowy; ~ **acid** kwas moczowy.

urinal ['jʊrənl] *n.* **1.** pisuar; toaleta (męska). **2.** *med.* basen.

urinalysis [ˌjʊrə'næləsɪs] *n. pl.* **urinalyses** [ˌjʊrə'næləsi:z] *med.* analiza *l.* badanie moczu.

urinary ['jʊrəˌnerɪ] *a. anat., fizj., med., pat.* moczowy; ~ **bladder/system** *anat.* pęcherz/układ moczowy.

urinate ['jʊrəˌneɪt] *v. form. l. med.* oddawać mocz.

urination [ˌjʊrə'neɪʃən] *n. U form. l. med.* oddawanie moczu.

urine ['jʊrən] *n. U* mocz.

urinogenital [ˌjʊrənoʊ'dʒenɪtl] *a. anat., med.* moczowo-płciowy.

urinous ['jʊrənəs] *a. form.* moczowy.

URL [ˌju: ˌɑ:r 'el] *abbr. komp.* **Uniform Resource Locator** URL (= *uogólnienie adresu internetowego*).

urn [ɜ:n] *n.* **1.** urna. **2.** termos (bufetowy); **coffee/tea ~** termos z kawą/herbatą.

urogenital [ˌjʊroʊˈdʒenɪtl] *a. anat., med.* moczowo-płciowy.

urologist [jʊˈrɑ:lədʒɪst] *n. med.* urolog.

urology [jʊˈrɑ:lədʒɪ] *n. U med.* urologia.

Ursa Major [ˌɜ:sə ˈmeɪdʒər] *n. astron.* Wielka Niedźwiedzica, Wielki Wóz.

Ursa Minor [ˌɜ:sə ˈmaɪnər] *n. astron.* Mała Niedźwiedzica, Mały Wóz.

ursine [ˈɜ:saɪn] *a. form. l. zool.* niedźwiedzi; niedźwiedziowaty.

Ursuline [ˈɜ:sələn] *rz.-kat. n.* urszulanka. – *a.* urszulański.

urticate [ˈɜ:təˌkeɪt] *v.* **1.** *pat.* cierpieć na pokrzywkę; wywoływać pokrzywkę. **2.** *przest.* okładać pokrzywami.

Uruguay [ˈjʊrəˌgwaɪ] *n. geogr.* Urugwaj.

Uruguayan [ˌjʊrəˈgwaɪən] *a.* urugwajski. – *n.* Urugwaj-czyk/ka.

US [ˌju: ˈes], **U.S.** *abbr.* **United States** *geogr., polit.* USA; **~ Army** armia amerykańska; **~ 44** *US mot.* droga krajowa 44. (*autostrada federalna*).

us [ʌs] *pron.* **1.** nas; nam; nami. **2.** *Br. pot.* mi; **lend ~ a pound** pożycz mi funta.

USA [ˌju: ˌes ˈeɪ], **U.S.A.** *abbr.* **1. United States of America** *geogr., polit.* USA. **2. United States Army** *wojsk.* armia Stanów Zjednoczonych, armia amerykańska.

usability [ˌju:zəˈbɪlətɪ] *n. U* użyteczność; przydatność; możliwość zastosowania *l.* użycia.

usable [ˈju:zəbl], **useable** *a.* nadający się do użytku (*o przedmiocie*); przydatny, użyteczny (*np. o wiedzy*).

USAF [ˌju: ˌes ˌeɪ ˈef] *abbr.* **United States Air Force** *US wojsk.* Siły Powietrzne Stanów Zjednoczonych, amerykańskie lotnictwo wojskowe.

usage [ˈju:sɪdʒ] *n. C/U* **1.** użycie; stosowanie. **2.** praktyka; zwyczaj. **3.** *jęz.* użycie, praktyka językowa; sposób *l.* przykład użycia. **4.** *U form.* traktowanie.

usance [ˈju:zəns] *n. fin.* uso wekslowe (= *termin płatności weksla*).

USCG [ˌju: ˌes ˌsi: ˈdʒi:] *abbr.* **United States Coast Guard** *US* Straż Przybrzeżna.

USDA [ˌju: ˌes ˌdi: ˈeɪ] *abbr.* **United States Department of Agriculture** *US* Ministerstwo Rolnictwa.

USDI [ˌju: ˌes ˌdi: ˈaɪ] *abbr.* **United States Department of the Interior** *US* Ministerstwo Ochrony Środowiska i Zasobów Naturalnych.

use *v.* [ju:z] *part.* **using** **1.** używać (*kogoś l. czegoś*); wykorzystywać (*kogoś l. coś*); korzystać z (*czegoś*); **~ sb/sth for (doing) sth** używać kogoś/czegoś do (robienia) czegoś, wykorzystywać kogoś/coś do (robienia) czegoś; **~ sth as sth** używać czegoś jako coś, wykorzystywać coś jako coś; **~ sth to do sth** używać czegoś do (robienia) czegoś, wykorzystywać coś do (robienia) czegoś; **~ sb/sth for one's own ends** wykorzystywać kogoś dla własnych celów; **~ force** używać siły; **~ your head/loaf!** rusz głową/łbem!. **2.** zużywać (*np. prąd, gaz, zapasy*). **3. sb could/can ~ sth** komuś by się coś przydało; **we could ~ more rain** przydałoby się nam więcej deszczu; **I can ~ new shoes** przydałyby mi się nowe buty. **4. ~ up** zużywać; **you've ~d up all the bread** zjadłeś cały chleb. **5.** *zob. t.* **used**. – *n.* [ju:s] **1.** *U l. sing.* użycie; stosowanie; używanie, posługiwanie się. **2.** użytek; zastosowanie. **3.** *U* używalność, prawo do korzystania z (*kuchni, łazienki, garażu*); *prawn.* prawo do (*nieruchomości*). **4.** *U* pożytek, korzyść. **5. the ~ of one's legs/arms** władza w nogach/rękach; **lose the ~ of one's legs** stracić władzę w nogach. **6. be of ~ (to sb)** *zwł. form.* przydawać się (komuś); **be (of) no ~** *form.* być bezużytecznym, nie przydawać się (na nic), nie nadawać się do niczego (*o przedmiocie*); na nic się nie zdać (*o wysiłkach*); **be (of) no ~ to sb** *form.* nie przydawać się komuś, nie być komuś potrzebnym (*o przedmiocie*); na nic się komuś nie zdać (*o wysiłkach*); **come into ~** upowszechniać się; **for the ~ of...** do użytku..., dla... (*kogoś*); **go out of ~** wychodzić z użycia; **have one's ~s** *zwł. żart.* przydawać się od czasu do czasu, nadawać się jeszcze do czegoś (*o kimś l. czymś*); **have no ~ for sb** *pot.* nie cierpieć kogoś; **have no ~ for sth** nie potrzebować czegoś; **have the ~ of sth** mieć prawo *l.* móc z czegoś korzystać; **in ~** w użyciu; **be in ~** być w użyciu, być wykorzystywanym; być zajętym; **it's no ~ doing sth** coś nie ma sensu, nie ma co *l.* sensu czegoś robić; **in's no ~ arguing with her** nie ma sensu się z nią kłócić, nie ma co się z nią kłócić; **it's no ~!** to nie ma sensu!; **it is no ~ talking** gadanie na nic się nie zda, nic nie przyjdzie z gadania; **make ~ of sth** wykorzystywać coś, korzystać z czegoś, używać czegoś; **make good ~ of sth** właściwie *l.* dobrze coś wykorzystywać; **make ~ of sb's name** powoływać się na kogoś; **out of ~** nieużywany; **put sth to (good) ~** robić (dobry) użytek z czegoś; **what's the ~ of...?** (*także* **what ~ is...?**) po co...?; **what's the ~ of crying?** po co płakać?.

useable [ˈju:zəbl] *a.* = **usable**.

used¹ [ju:zd] *v. pret. i pp. zob.* **use**. – *a.* **1.** używany. **2.** zużyty.

used² [ju:st] *a. pred.* przyzwyczajony (*to sth* do czegoś); **she's ~ to this** jest do tego przyzwyczajona; **it takes some getting ~ to** trzeba się do tego przyzwyczaić.

used³ [ju:st] *v. po did t.* **use** [ju:s] **sb ~ to do sth** ktoś (kiedyś *l.* zawsze) coś robił, ktoś miał coś w zwyczaju, ktoś zwykł coś robić; **"Do you like coffee?" - "No but I ~ to"** „Lubisz kawę?" - „Nie, ale kiedyś lubiłam"; **he ~ to come here every day** codziennie tu przychodził; **she ~ to live in Poland** kiedyś mieszkała w Polsce; **things ~ to be better** kiedyś było *l.* bywało lepiej; **did you use/used to make your own bread?** sami piekliście chleb?.

usedn't [ˈju:sənt] *abbr. Br. przest.* = **used not**; *zob.* **used³**.

useful [ˈju:sful] *a.* **1.** użyteczny; przydatny; pożyteczny (*for sth* do czegoś, *to sb* dla kogoś); **be ~ for sth** przydawać się do czegoś; **be ~ to sb** przydawać się komuś; **come in/prove ~** przydawać się (*o rzeczy*); **make o.s. ~** przydawać się (do czegoś) (*o osobie*). **2.** *Br. pot.* niezły, sensowny.

usefully [ˈju:sfʊlɪ] *adv.* użytecznie; przydatnie; pożytecznie.

usefulness [ˈju:sfʊlnəs] *n.* *U* użyteczność; przydatność; pożyteczność.

useless [ˈju:sləs] *a.* **1.** bezużyteczny, nieprzydatny (*np. o przedmiocie, narzędziu, informacji*); bezcelowy, zbyteczny (*o działaniu*); **be ~ for sth** nie nadawać się do czegoś; **it's/it is ~ to do sth** nie ma sensu czegoś robić, coś nie ma sensu. **2.** *pot.* beznadziejny, do niczego (*o osobie*).

uselessly [ˈju:sləslɪ] *adv.* niepotrzebnie, bezcelowo, zbytecznie (*robić coś*).

uselessness [ˈju:sləsnəs] *n.* *U* bezużyteczność, nieprzydatność; bezcelowość, zbyteczność.

Usenet [ˈju:znet] *n.* *U komp.* Usenet, grupy newsowe, newsy.

usen't [ˈju:sənt] *abbr.* *Br. przest.* = **used not**; *zob.* **used**[3].

user [ˈju:zər] *n.* **1.** użytkowni-k/czka; *ekon., handl.* konsument/ka; odbiorca (*np. prądu, gazu*); **computer/road ~s** użytkownicy komputerów/dróg. **2.** (*także* **drug ~**) *pot.* narkoman/ka, biorąc-y/a. **3.** (*także* **right of ~**) *prawn.* prawo użytkowania.

user fee *n.* *US fin.* podatek od usług.

user-friendly [ˌju:zərˈfrendlɪ], **user friendly** *a.* **-ier, -iest** *zwł. komp.* łatwy w obsłudze, przyjazny dla użytkownika (*o programie, interfejsie*).

user group *n.* *komp.* grupa (dyskusyjna) użytkowników (*programu, systemu*).

user interface *n.* *komp.* interfejs użytkownika (*programu*).

USES [ˌju: ˌes ˌi: ˈes] *abbr.* **United States Employment Service** *US admin.* państwowy urząd zatrudnienia.

USFS [ˌju: ˌes ˌef ˈes] *abbr.* **United States Forest Service** *US admin.* zarząd lasów państwowych.

usher [ˈʌʃər] *n.* **1.** bileter/ka (*w kinie, teatrze*); *US* osoba sadzająca gości (*na weselu, przyjęciu*). **2.** *t. prawn.* woźny; odźwierny. **3.** asysta (*ważnej osoby*). **4.** mistrz ceremonii (*na oficjalnym przyjęciu*). – *v.* **1.** usadzać (*gości, widzów*); wprowadzać (*gości*). **2. ~ in** wprowadzać (*gości*); *przen.* zapoczątkowywać; **~ in a new era of sth** zapoczątkować nową epokę w dziejach czegoś, zrewolucjonizować coś.

usherette [ˌʌʃəˈret] *n.* *Br. l. przest.* bileterka.

USIA [ˌju: ˌes ˌaɪ ˈeɪ] *abbr.* **United States Information Agency** *US admin.* Agencja Informacyjna Stanów Zjednoczonych.

USM [ˌju: ˌes ˈem] *abbr.* **1. underwater-to-surface missile** *wojsk.* pocisk (klasy) głębina woda-ziemia. **2. unlisted securities market** *giełda* rynek walorów nienotowanych (na giełdzie), rynek wolny. **3. United States Mint** *US* mennica państwowa.

USMC [ˌju: ˌes ˌem ˈsi:] *abbr.* **United States Marine Corps** *US wojsk.* Korpus Piechoty Morskiej.

USN [ˌju: ˌes ˈen] *abbr.* **United States Navy** *US wojsk.* Marynarka Wojenna Stanów Zjednoczonych.

USPHS [ˌju: ˌes ˌpi: ˌeɪtʃ ˈes] *abbr.* **United States Public Health Service** *US admin.* publiczna opieka zdrowotna.

USPO [ˌju: ˌes ˌpi: ˈoʊ] *abbr.* **United States Post Office** *US hist., admin.* poczta USA (*do 1971, obecnie USPS*).

USPS [ˌju: ˌes ˌpi: ˈes] *abbr.* **United States Postal Service** *US admin.* poczta USA.

USS [ˌju: ˌes ˈes] *abbr.* **United States Ship** *US wojsk., żegl.* okręt Marynarki Wojennej USA (*przed nazwą*).

USSR [ˌju: ˌes ˌes ˈɑ:r] *abbr.* **Union of Soviet Socialist Republics** *hist., polit.* ZSRR.

ustulation [ˌʌstʃəˈleɪʃən] *n.* *U techn.* prażenie; palenie.

usu., usu *abbr.* = **usually**.

usual [ˈju:ʒuəl] *a.* zwykły; **as ~** jak zwykle; **as per ~** *pot.* jak zwykle; **better than ~** lepszy/lepiej niż zwykle; **(I'll have) the ~** (poproszę) to, co zwykle (*w barze itp.*); **it is ~ for sb to do sth** ktoś zwykle coś robi; **is it ~ for a child to stay up so late?** czy to normalne, żeby dziecko o tej porze jeszcze nie spało?; **is it ~ for him to be so grumpy?** czy on zawsze jest taki naburmuszony?; **more than ~** więcej niż zwykle.

usually [ˈju:ʒuəlɪ] *adv.* zwykle, zazwyczaj, na ogół.

usufruct [ˈju:zəˌfrʌkt] *n.* *prawn.* prawo do użytkowania (*własności*).

usufructuary [ˌju:zəˈfrʌktʃʊˌerɪ] *n.* *prawn.* prawowity użytkownik (*własności*).

usurer [ˈju:ʒərər] *n.* *form.* lichwia-rz/rka.

usurious [jʊˈʒʊrɪəs] *a.* *form.* lichwiarski (*np. o odsetkach, cenie*).

usurp [ju:ˈsɝ:p] *v.* *form.* uzurpować sobie; przywłaszczać sobie (*prawo*).

usurpation [ˌju:sərˈpeɪʃən] *n.* *U form.* uzurpacja.

usurper [ju:ˈsɝ:pər] *n.* uzurpator/ka.

usury [ˈju:ʒərɪ] *n.* *U form.* lichwa.

UT [ˌju: ˈti:], **Ut.** *abbr.* = **Utah**.

Utah [ˈju:tɑ:] *n.* *US* stan Utah.

UTC [ˌju: ˌti: ˈsi:] *abbr.* **universal time coordinated** *geogr.* czas uniwersalny.

ute [ju:t] *n.* *Austr. mot. pot.* pikap.

utensil [jʊˈtensl] *n.* urządzenie; *pl.* przybory; **kitchen ~s** przybory kuchenne; **writing ~s** przybory do pisania.

uteri [ˈju:təraɪ] *n.* *pl. zob.* **uterus**.

uterine [ˈju:təraɪn] *a.* **1.** *anat.* maciczny. **2.** *form.* przyrodni (= *mający tę samą matkę*).

uterus [ˈju:tərəs] *n.* *pl.* **-es** *l.* **uteri** [ˈju:təraɪ] *anat.* macica.

utilitarian [jʊˌtɪlɪˈterɪən] *a.* **1.** funkcjonalny, praktyczny (*np. o budynku, urządzeniu*). **2.** *fil., sztuka* utylitarny (*np. o pobudkach, funkcji*); utylitarystyczny (*o ideologii, poglądach*). – *n.* *fil.* utylitaryst-a/ka.

utilitarianism [jʊˌtɪlɪˈterɪənˌɪzəm] *n.* *U fil.* utylitaryzm.

utility [jʊˈtɪlɪtɪ] *n.* *pl.* **-ies** **1.** *U form.* pożyteczność; użyteczność. **2.** *zwł. US* usługa komunalna; *pl.* media (*prąd, gaz, woda*). **3.** (*także* **public ~**) przedsiębiorstwo użyteczności publicznej, przedsiębiorstwo komunalne. **4.** (*także* **~ program**) *komp.* program narzędziowy. **5.** *Austr. mot. pot.* pikap. – *a. attr.* **1.** gospodarczy (*np. o* *urządzeniu, nożu, zwierzętach hodowlanych).* **2.** użytkowy; praktyczny, funkcjonalny. **3.** *teatr, sport* rezerwowy, zastępczy (*o aktorze, graczu*). **4.** *US kulin., hodowla* gospodarczy (= *najniższej, czwartej, kategorii rządowej; o mięsie wołowym*).

utility industry *n. U ekon.* sektor *l.* przedsiębiorstwa użyteczności publicznej.

utility pole *n. US* słup trakcyjny.

utility room *n.* pomieszczenie gospodarcze.

utility truck *n. Austr. mot.* pikap.

utility vehicle *n. mot.* **1.** *US* samochód terenowy. **2.** *NZ* pikap.

utilizable [ˌjuːtəˈlaɪzəbl], *Br. i Austr. zw.* **utilisable** *a. form.* nadający się do wykorzystania.

utilization [ˌjuːtələˈzeɪʃən], *Br. i Austr. zw.* **utilisation** *n. U form.* wykorzystanie; *ekol. t.* utylizacja.

utilize [ˈjuːtəˌlaɪz], *Br. i Austr. zw.* **utilise** *v. form.* wykorzystywać; użytkować; *ekol. t.* utylizować.

utmost [ˈʌtˌmoʊst] *a.* **1.** najwyższy, jak najdalej idący, skrajny; ~ **care** jak najdalej idąca *l.* najwyższa ostrożność; **of the ~ importance** najwyższej wagi. **2.** *lit. l. form.* najodleglejszy, najdalszy; **the ~ ends of the earth** najodleglejsze *l.* najdalsze zakątki świata. – *n. U* maksimum (możliwości); **do/try one's ~** zrobić wszystko, co w czyjejś mocy; **to the ~** maksymalnie; **push o.s. to the ~** dać z siebie wszystko.

utopia [jʊˈtoʊpɪə], **Utopia** *n. C/U* utopia.

utopian [jʊˈtoʊpɪən] *a.* utopijny. – *n.* utopist-a/ka.

utopian socialism *n. U polit.* socjalizm utopijny.

utricle [ˈjuːtrɪkl] *n. anat., bot.* łagiewka.

utter [ˈʌtər] *a. attr.* pełny, całkowity; zupełny; kompletny; ~ **conviction** pełne *l.* całkowite przekonanie; ~ **failure/rubbish** kompletna porażka/bzdura; ~ **fool** skończony głupiec. – *v. form. l. lit.* **1.** wydawać (*dźwięki, okrzyki*). **2.** wypowiadać (*słowa, zdania*). **3.** wyrażać (*uczucia*). **4.** *prawn.* puszczać w obieg, wypuszczać (*fałszywe banknoty*).

utterance [ˈʌtərəns] *n. C/U form.* **1.** wypowiedź. **2.** wyrażenie (*głosu*); wydanie (*dźwięku*). **3. give ~ to sth** dawać wyraz czemuś (*zwł. odczuciu*).

utter barrister *n. Br. prawn.* młodszy adwokat.

utterly [ˈʌtərlɪ] *adv. form.* całkowicie, w pełni; zupełnie; kompletnie.

uttermost [ˈʌtərˌmoʊst] *a. i n.* = **utmost**.

U-turn [ˈjuːˌtɝːn] *n.* **1.** *mot.* zawracanie, manewr zawracania. **2.** *przen.* całkowity zwrot, zwrot o 180 stopni (*zwł. w polityce*).

UV [ˌjuː ˈviː] *abbr.* = **ultraviolet**.

UV index *n. meteor.* indeks UV (= *wskaźnik intensywności promieniowania ultrafioletowego*).

uvula [ˈjuːvjələ] *n. pl. t.* **-s** *l.* **uvulae** [ˈjuːvjəliː] *anat.* języczek (podniebienny).

uvular [ˈjuːvjələr] *a. anat., fon.* języczkowy. – *n. fon.* spółgłoska języczkowa.

uxoricide [ʌkˈsɔːrɪˌsaɪd] *n. form.* **1.** *C/U* żonobójstwo. **2.** żonobójca.

uxorious [ʌkˈsɔːrɪəs] *a. form.* pod pantoflem (żony).

Uzbek [ˈʊzbek] *n. pl.* **-s** *l.* **Uzbek** **1.** Uzbe-k/czka. **2.** *U* (język) uzbecki.

Uzbekistan [ʊzˈbekəˌstæn] *n. geogr.* Uzbekistan.

Uzi [ˈuːzɪ] *n. wojsk.* (pistolet maszynowy) Uzi (*produkcji izraelskiej*).

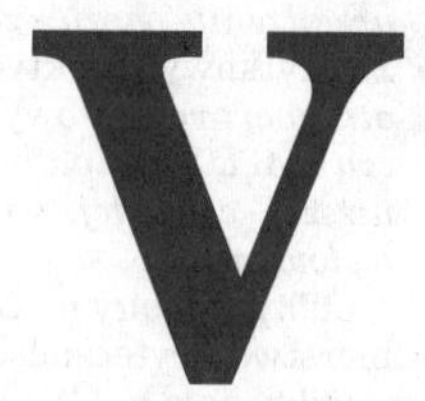

V [viː], **v** *n. pl.* **-'s** *l.* **-s** [viːz] **1.** V, v (*litera l. głoska*). **2.** *US pot.* piątak, piątal, piątka (= *pięć dolarów l. banknot pięciodolarowy*).

V, V. *abbr. i n. pl.* **-'s** *l.* **-s** **1.** *mat.* V (= *rzymskie 5*). **2. Volt** *el.* V (= *wolt*). **3. volume** *fiz.* V, obj. (= *objętość*). **4.** = **victory**. **5. vice** v-ce (= *vice*). **6.** *jęz.* = **verb**. **7.** *jęz.* = **vowel**.

v., v *abbr.* **1.** = **very**. **2.** *Br. zwł. prawn., sport* **versus** contra. **3.** *jęz.* = **verb**. **4.** = **verse**. **5.** = **version**. **6.** = **vice**. **7.** *med., anat.* = **vein**. **8.** *zwł. techn.* = **vertical**. **9.** *muz.* = **violin**.

VA [ˌviː ˈeɪ] *abbr.* **1.** *US* (*także* **Va.**) = **Virginia**. **2.** *el.* (*także* **va**) **volt-ampere** VA (= *woltoamper*).

vac [væk] *pot. n.* **1.** *Br. zwł. uniw.* wakacje; **long ~** wakacje letnie. **2.** odkurzacz; **give sth a ~** odkurzyć coś. – *v.* **-cc-** odkurzać.

vacancy [ˈveɪkənsɪ] *n. pl.* **-ies** *zwł. form.* **1.** wolny pokój, (wolne) miejsce (*w hotelu*); **no vacancies** brak (wolnych) miejsc. **2.** (wolny) etat, wakat (*for sth* na jakimś stanowisku); **fill a ~** wypełnić wakat. **3.** wolne miejsce (*na studiach*). **4.** wolny termin (*u lekarza*). **5.** wolne mieszkanie (*do wynajęcia*). **6.** *U* próżnia; pustka; **a look of ~** bezmyślny *l.* nieobecny wzrok.

vacant [ˈveɪkənt] *a. zwł. form.* **1.** wolny (*np. o miejscu, pokoju, mieszkaniu, terminie, posadzie*). **2.** nieobecny; bezmyślny (*np. o wzroku, wyrazie twarzy, uśmiechu*); bez wyrazu (*o twarzy*). **3. fall ~** zwalniać się (*o miejscu*); **situations ~** *dzienn.* oferty zatrudnienia, oferty pracy (*dział ogłoszeń*); **with ~ possession** *Br.* do natychmiastowego zasiedlenia, do zasiedlenia od zaraz (*o lokalu*).

vacant lot *n. gł. US bud.* wolna działka *l.* parcela (*pod zabudowę*).

vacantly [ˈveɪkəntlɪ] *adv.* tępo; bezmyślnie (*wpatrywać się*).

vacate [ˈveɪkeɪt] *v. form.* **1.** odchodzić z (*posady, stanowiska*). **2.** zwalniać (*miejsce*). **3.** opuszczać (*lokal, pokój*). **4.** *prawn.* unieważniać (*przepis, kontrakt*).

vacation [veɪˈkeɪʃən] *n.* **1.** *C/U gł. US i Can.* urlop; **on ~** na urlopie; **take a ~** brać urlop *l.* wolne. **2.** *C/U uniw., szkoln.* wakacje; ferie. **3.** *U form.* zwolnienie (*posady*); opuszczenie, opróżnienie (*lokalu*). – *v. US i Can.* spędzać urlop, wypoczywać (*in/at sth* gdzieś); brać urlop *l.* wolne.

vacation course *n. uniw., szkoln.* kurs letni *l.* wakacyjny.

vacationer [veɪˈkeɪʃənər] *n.* (*także* **vacationist**) *US i Can.* urlopowicz/ka; turyst-a/ka; *pl.* odwiedzający, wypoczywający.

vaccinal [ˈvæksənl] *a. med., pat.* szczepienny; poszczepienny; **~ fever** *pat.* gorączka poszczepienna.

vaccinate [ˈvæksəˌneɪt] *v. med.* szczepić (*sb against sth* kogoś przeciwko czemuś *l.* na coś).

vaccination [ˌvæksəˈneɪʃən] *n. med.* szczepienie; *U* szczepienia.

vaccine [vækˈsiːn] *n.* **1.** *C/U med.* szczepionka. **2.** *komp.* program antywirusowy.

vaccinia [vækˈsɪnɪə] *n. U pat., wet.* krowianka.

vacillate [ˈvæsəˌleɪt] *v. zwł. form.* **1.** wahać się. **2.** chwiać się.

vacillation [ˌvæsəˈleɪʃən] *n. C/U* **1.** wahanie się. **2.** chwianie się.

vacuity [væˈkjuːətɪ] *n. U form.* **1.** jałowość (*intelektualna*); tępota, bezmyślność. **2.** pustynia (*intelektualna*); pustka (*emocjonalna*); próżnia (*prawna*). **3.** *pl.* **-ies** nonsens.

vacuole [ˈvækjuˌoul] *n. biol.* wakuola, wodniczka.

vacuous [ˈvækjuəs] *a. form.* **1.** pozbawiony sensu, bezsensowny, bezmyślny (*np. o uwadze, pytaniu*). **2.** tępy, bezmyślny; nieobecny (*o wzroku*); bez wyrazu, obojętny (*o twarzy*); pusty (*o śmiechu*); bez treści, bezbarwny (*o życiu*). **3.** *mat., log.* pusty, obojętny (dla wyniku) (= *bez wpływu na wartość wyrażenia; o operatorze, operacji*).

vacuously [ˈvækjuəslɪ] *adv. form.* **1.** bezsensownie, bezmyślnie, bez sensu (*np. pytać*). **2.** tępo, bezmyślnie; bez wyrazu (*patrzeć*); pusto (*śmiać się*). **3.** bezbarwnie (*żyć*). **4.** *mat., log.* pusto, bez wpływu na wartość (*stosować się; o operatorze*).

vacuum [ˈvækjuəm] *n. pl.* **-s** *l.* **vacua** [ˈvækjuə] **1.** *C/U fiz., techn. l. przen.* próżnia; **you can't live in a ~** nie można żyć w próżni. **2.** (*także* **~ cleaner/sweeper**) odkurzacz; **central ~** odkurzacz centralny; **canister** *US*/**cylinder** *Br.* **~** odkurzacz z rurą; **upright ~** odkurzacz pionowy. – *a. attr. zwł. techn.* próżniowy; **~ brake** hamulec próżniowy; **~ container/package** opakowanie próżniowe; **~ drying** suszenie próżniowe; **~ forming** formowanie próżniowe *l.* niskociśnieniowe; **~ pump** pompa próżniowa. – *v.* **1.** odkurzać (*pokój, dywan*). **2. ~ up** zebrać odkurzaczem (*np. okruchy*).

vacuum bottle *n.* (*także Br.* **vacuum flask**) termos.

vacuum gauge *n. techn.* wakuometr, próżniomierz, manometr próżniowy.

vacuum-packed [ˌvækjʊəm'pækt] *a.* pakowany próżniowo (*o orzeszkach, wędlinach*).

vacuum tube *n. US el.* lampa (elektronowa) (próżniowa).

vade mecum [ˌvɑːdɪ 'meɪkəm] *n. Lat. form.* **1.** przydatny przedmiot. **2.** wademekum.

vagabond ['vægəˌbɑːnd] *przest. l. lit. n.* włóczęga, wagabunda; ~ **children** bezdomne dzieci; ~ **life/existence** życie włóczęgi. – *v.* włóczyć się.

vagal ['veɪgl] *a. anat., med.* błędny (= *związany z nerwem błędnym*).

vagaries ['veɪgərɪz] *n. pl. form.* kaprysy (*np. pogody, mody*).

vagi ['veɪdʒaɪ] *n. pl. anat. zob.* **vagus**.

vagina [və'dʒaɪnə] *n. pl.* **-s** *l.* **vaginae** [və'dʒaɪniː] *anat., bot.* pochwa.

vaginal ['vædʒənl] *a. anat., med.* pochwowy; dopochwowy (*np. o leku, środku zapobiegania ciąży*); ~ **examination** badanie przez pochwę.

vaginally ['vædʒənlɪ] *adv. anat., med.* przez pochwę (*badać, rodzić*); dopochwowo (*stosować lek*).

vagrancy ['veɪgrənsɪ] *n. U form. t. prawn.* włóczęgostwo; żebractwo, żebranie.

vagrant ['veɪgrənt] *form. n.* **1.** *t. prawn.* włóczęga; żebra-k/czka. **2.** wędrowiec. – *a.* **1.** włóczęgowski; żebrzący; bezdomny. **2.** wędrowny. **3.** błąkający się, błądzący (*t. o myślach*); niepozbierany (*t. o myślach*). **4.** *ogr.* rozrastający się (w sposób niekontrolowany) (*o roślinie*).

vague [veɪg] *a.* **1.** niejasny; niewyraźny; ogólnikowy, niekonkretny, mało konkretny, wieloznaczny (*np. o odpowiedzi, wypowiedzi, sformułowaniu, przepisie*); wymijający (*o odpowiedzi*); niewyraźny, niejasny; bliżej nieokreślony (*np. o odczuciu, wspomnieniu*). **2.** niewyraźny (*o zarysie czegoś*). **3. be suitably/studiously** ~ unikać jednoznacznego sformułowania; **have a** ~ **recollection of sth** pamiętać coś jak przez mgłę; **I haven't the** ~**st idea** nie mam bladego *l.* zielonego pojęcia; **sb is** ~ ktoś wyraża się niejasno *l.* mało konkretnie.

vaguely ['veɪglɪ] *adv.* **1.** (jakby) nieco, trochę, odrobinę (*np. podobny, znajomy*); **she looks** ~ **familiar** mam wrażenie, że skądś ją znam. **2.** bezmyślnie; nieprzytomnie (*robić coś*). **3.** mniej więcej, w przybliżeniu. **4.** niejasno; ogólnikowo, niekonkretnie, mało konkretnie, wieloznacznie (*wypowiadać się*); wymijająco (*odpowiadać*); niewyraźnie (*pamiętać, widzieć*).

vagueness ['veɪgnəs] *n. U* **1.** ogólnikowość, wieloznaczność (*wypowiedzi, sformułowania*). **2.** rozmycie (*obrazu*).

vagus ['veɪgəs] *n. pl.* **vagi** ['veɪdʒaɪ] (*także* ~ **nerve**) *anat.* nerw błędny.

vain [veɪn] *a.* **1.** próżny (*o osobie*). **2.** daremny (*np. o wysiłku, nadziei*). **3.** *lit.* pusty (*np. o groźbie, obietnicy*). – *n. U* **in** ~ na próżno, nadaremnie, daremnie, na nic; **take God's/the Lord's name in** ~ *przest. l. Bibl.* wzywać imię Boga/Pana nadaremnie; **take sb's name in** ~ *żart.* obgadywać kogoś.

vainglorious [ˌveɪn'glɔːrɪəs] *a. lit.* pyszny, próżny.

vainglory [ˌveɪn'glɔːrɪ] *n. U lit.* pycha, próżność.

vainly ['veɪnlɪ] *adv.* na próżno, na darmo, nadaremnie.

vair [ver] *n. U hist. l. her.* futro (*niebiesko-srebrzyste*).

val. *abbr.* **1.** *zwł. ekon.* = **value**. **2.** *zwł. geogr.* = **valley**.

valance ['væləns], **valence** *n.* falbanka (*np. przy łóżku, karniszu, półeczce*); *zwł. US* osłona karnisza.

vale [veɪl] *n. lit.* **1.** dolina. **2.** ~ **of tears/misery** *przen.* padół łez/płaczu (= *nieszczęsne życie doczesne l. ziemia*).

valediction [ˌvælɪ'dɪkʃən] *n. C/U form.* pożegnanie; mowa pożegnalna; list pożegnalny.

valedictorian [ˌvælɪdɪk'tɔːrɪən] *n. US i Can. uniw.* absolwent/ka wygłaszając-y/a mowę pożegnalną (*w imieniu roku przy wręczeniu dyplomów*); **be a** ~ przemawiać w imieniu studentów.

valedictory [ˌvælɪ'dɪktərɪ] *a. form.* pożegnalny. – *n. pl.* **-ies** (*także* ~ **address**) *US i Can. uniw.* mowa pożegnalna (*wygłaszana przez najlepszego absolwenta przy wręczeniu dyplomów*).

valence[1] ['veɪləns] *n.* (*także Br.* **valency**) *chem., biochem.* wartościowość (*pierwiastka, antygenu*); *jęz., mat.* walencja (*czasownika, tensora*); *jęz.* liczba argumentów (*czasownika*); ~ **electron** *chem.* elektron walencyjny; ~ **shell** *chem.* powłoka walencyjna.

valence[2] ['væləns] *n.* = **valance**.

Valencia [və'lenʃɪə] *n. geogr.* Walencja.

valency ['veɪlənsɪ] *n. pl.* **-ies** *zwł. Br.* = **valence**.

Valentine ['vælənˌtaɪn], **valentine** *n.* **1.** Walenty/nka (= *osoba wybrana na walentynki*); **be my** ~ bądź moim Walentym/moją Walentynką. **2.** (*także* ~ **card**) walentynka, kartka walentynkowa. **3. (St)** ~**'s day** walentynki, święto zakochanych.

valerian [və'liːrɪən] *n.* **1.** *U med.* waleriana. **2.** *bot.* waleriana, kozłek lekarski (*Valeriana officinalis*).

valeric [və'liːrɪk] *a. chem.* walerianowy; ~ **acid** kwas walerianowy.

valet ['vælɪt] *n.* **1.** parkowacz (samochodu) (*w hotelu, restauracji, na lotnisku*). **2.** (*także* ~ **de chambre**) *gł. hist.* kamerdyner, służący, pokojowy. **3.** *Br.* pokojowy (*w hotelu odpowiedzialny za odzież gości*); steward (*na statku odpowiedzialny za odzież pasażerów*). – *v.* **1.** *gł. hist.* służyć; być służącym. **2.** *Br.* czyścić (*samochód na parkingu*).

valetudinarian [ˌvælɪˌtuːdə'nerɪən] *n.* (*także* ~**y**) *form.* **1.** osoba słabego zdrowia; chuchro. **2.** hipochondry-k/czka. **3.** dziarsk-i/a *l.* krzepk-i/a starusz-ek/ka. – *a.* **1.** chorowity, słabego zdrowia, słabowity. **2.** hipochondryczny. **3.** przechodzący rekonwalescencję.

Valhalla [væl'hælə] *n. mit.* Walhalla.

valiant ['væljənt] *a. zwł. lit.* mężny, dzielny, bohaterski.

valiantly [ˈvæljəntlɪ] *adv. zwł. lit.* mężnie, dzielnie.

valid [ˈvælɪd] *a.* 1. ważny (*np. o bilecie, paszporcie, zaświadczeniu*). 2. słuszny, zasadny (*o argumencie*); wiarygodny (*o dowodach, danych, wynikach badań*); uzasadniony, zasadny, słuszny (*o krytyce*).

validate [ˈvælɪdeɪt] *v. form.* 1. potwierdzać (*zasadę, stwierdzenie, teorię*); uzasadniać (*twierdzenie, teorię*). 2. potwierdzać zasadność (*roszczenia*); potwierdzać ważność (*dokumentu*). 3. nadawać ważność (*dokumentowi*); zatwierdzać (*decyzję, umowę*).

validation [ˌvælɪˈdeɪʃən] *n. C/U form.* 1. potwierdzenie; uzasadnienie. 2. potwierdzenie zasadności (*roszczenia*); potwierdzenie ważności (*dokumentu*). 3. zatwierdzenie.

validity [vəˈlɪdətɪ] *n. U* 1. ważność (*biletu, dokumentu*). 2. słuszność, zasadność (*argumentu, decyzji, krytyki*); **question the ~ of sth** podważać *l.* kwestionować słuszność czegoś. 3. wiarygodność (*dowodów, danych, badań*); **give/lend ~ to sth** dodawać czemuś wiarygodności, zwiększać wiarygodność czegoś.

valise [vəˈliːs] *n. przest.* walizeczka.

Valium [ˈvælɪəm] *n. U med.* diazepam.

Valkyr [ˈvælkər], **Valkyie** [vælˈkɪrɪ] *n. mit.* walkiria.

vallation [vəˈleɪʃən] *n. bud., wojsk.* 1. obwałowanie. 2. *U* budowa obwałowań.

vallecula [vəˈlekjələ] *n. pl.* **valleculae** [vəˈlekjəliː] *anat.* bruzdka, bruzda; *biol.* zagłębienie, rowek.

valley [ˈvælɪ] *n.* 1. *zwł. geogr.* dolina. 2. *bud.* kosz (*dachu*).

valonia [vəˈloʊnɪə], **vallonia** *n. U chem.* walonea (= *garbnik z miseczek żołędzi*).

valor [ˈvælər] *Br.* **valour** *n. U* 1. *lit.* męstwo. 2. **discretion is the better part of ~** *zob.* **discretion**.

valorization [ˌvælərəˈzeɪʃən], *Br. i Austr. zw.* **valorisation** *n. C/U fin.* interwencyjne utrzymywanie cen minimalnych; kontrolowanie cen.

valorize [ˈvæləˌraɪz], *Br. i Austr. zw.* **valorise** *v. fin.* utrzymywać ceny minimalne na; sterować cenami na (*towar*).

valorous [ˈvælərəs] *a. lit.* dzielny, odważny.

valorously [ˈvælərəslɪ] *adv.* dzielnie, odważnie.

valour [ˈvælər] *n. Br.* = **valor**.

valuable [ˈvæljəbl] *a.* wartościowy (*o przedmiocie*); cenny (*np. o przedmiocie, radzie, uwadze, czasie, pomocy*).

valuables [ˈvæljəblz] *n. pl.* przedmioty wartościowe; kosztowności.

valuate [ˈvæljʊˌeɪt] *v. US fin.* wyceniać.

valuation [ˌvæljʊˈeɪʃən] *n. C/U* 1. *fin.* wycena (*nieruchomości*); **put a ~ on sth** poddawać coś wycenie, wyceniać coś. 2. *form.* ocena (*np. istotności, przydatności*).

valuator [ˈvæljʊˌeɪtər] *n.* rzeczoznaw-ca/czyni.

value [ˈvæljuː] *n.* 1. *C/U* wartość (*np. przedmiotu, nieruchomości, funkcji, nuty*); **absolute ~** *mat.* wartość bezwzględna; **market ~** *ekon.* wartość rynkowa; **go down/lose in ~** tracić na wartości; **gain/increase in ~** zyskiwać na wartości. 2. znaczenie; **be of great/little ~** mieć duże/małe znaczenie; **practical ~** praktyczne znaczenie; **of no practical ~** bez praktycznego znaczenia. 3. *pl.* wartości; **family ~s** wartości prorodzinne; **modern/traditional ~s** nowoczesne/tradycyjne wartości. 4. *mal.* odcień. 5. **be bad/poor ~** *Br.* nie opłacać się; **be good/excellent ~** (*także Br.* **be (good) ~ for money**) opłacać się; być wartym swojej ceny; **get good ~ for one's money** dokonać opłacalnego zakupu; **have curiosity/novelty ~** być ciekawostką/nowinką; **hold its ~** nie tracić na wartości (*o cennym przedmiocie*); **sentimental ~** wartość pamiątkowa, znaczenie sentymentalne; **street ~** wartość handlowa (*zwł. narkotyku*). – *v.* 1. doceniać, cenić (sobie) (*np. przyjaźń, pomoc, radę, wolność*). 2. wyceniać (*sth at...* coś na...) (*podaną kwotę*); szacować wartość (*sth at...* czegoś na...). 3. oceniać.

value added *n. ekon.* wartość dodana.

value-added tax [ˌvæljuːˈædɪd ˌtæks] *n. C/U fin.* podatek VAT, podatek od wartości dodanej.

value date *n. fin.* data zaksięgowania.

value judgment, value judgement *n.* (subiektywna *l.* własna) ocena.

valueless [ˈvæljʊləs] *a.* bezwartościowy.

valuer [ˈvæljʊər] *n. Br.* rzeczoznaw-ca/czyni.

valvate [ˈvælveɪt] *a.* 1. *zool., anat.* zastawkowy. 2. *bot.* styczny, niezachodzący (*o płatkach w pączku*). 3. *bot.* klapkowy, segmentowany (*o pokrywie nasiennej*).

valve [vælv] *n.* 1. *techn.* zawór; wentyl. 2. *muz.* wentyl; klapa (*gł. w instrumentach dętych*). 3. *anat., zool.* zastawka (*serca, naczynia*). 4. *Br. el., gł. hist.* lampa (elektronowa). 5. *zool.* klapa (*małża*); muszla (pojedyncza) (*ślimaka*). 6. *bot.* klapka (*skorupy, pokrywy nasiennej*).

valve gear *n. mech., mot.* mechanizm rozrządu, rozrząd.

valve-in-head engine [ˌvælvɪnˈhed ˌendʒən] *n. US mech. mot.* silnik górnozaworowy.

valve spring *n. mech.* sprężyna zaworu.

valvular [ˈvælvjələr] *a.* 1. *anat., med., pat.* zastawkowy; **~ heart disease** *pat.* zastawkowa wada serca, wada zastawki; **~ insufficiency** *pat.* niedomykalność zastawki. 2. *bot.* klapkowy.

vamoose [vəˈmuːs] *v. US przest. sl.* spadać, zwiewać (= *uciekać*).

vamp[1] [væmp] *n. przest.* wamp. – *v.* wykorzystywać; kokietować; zwodzić (*mężczyznę*).

vamp[2] *n.* 1. przyszwa (= *przednia część wierzchu buta*). 2. rzecz regenerowana *l.* odnowiona. 3. przeróbka (*książki*). 4. łatka. 5. *muz.* (improwizowany) podkład *l.* akompaniament. – *v.* 1. **~ (up)** łatać (*buty*); naprawiać, odnawiać. 2. *muz.* zaimprowizować akompaniament do (*czegoś*); zaimprowizować (*podkład, akompaniament*). 3. **~ up** *pot.* uatrakcyjniać (*np. film, wystawę*); ozdabiać (*np. sukienkę*); rozsiewać (*plotki*); knuć (*intrygi*).

vampire [ˈvæmpaɪr] *n.* 1. *t. przen.* wampi-r/rzyca. 2. *zool.* = **vampire bat**. 3. *teatr* zapadnia.

vampire bat *n. zool.* wampir (*nietoperz Desmodus*).

vampiric [væm'pɪrɪk] *a.* wampirowaty, przypominający wampira, podobny do wampira.

vampirism ['væmpaɪr,ɪzəm] *n. U* wampiryzm.

vampish ['væmpɪʃ] *n.* wampowaty (*o kobiecie*).

vamplate ['væmpleɪt] *n. hist., wojsk.* tarczka (= *osłona dłoni u kopii*).

van [væn] *n.* **1.** *mot.* mikrobus, minibus, van; furgonetka; furgon, półciężarówka; **delivery ~** samochód dostawczy. **2.** *Br. mot.* przyczepa kempingowa. **3.** czoło; awangarda. **4.** *Br. tenis* przewaga; **~ in/out** przewaga podanie/odbiór. **5.** *Br. kol.* wagon; (*także* **guard's ~**) wagon służbowy; (*także* **luggage ~**) wagon bagażowy; (*także* **mail ~**) wagon pocztowy; (*także* **freight ~**) wagon towarowy (zamknięty). **6.** *arch. l. lit.* skrzydło (*ptaka*). – *v.* **-nn-** przewozić furgonetką *l.* vanem; jechać furgonetką *l.* vanem.

vanadium [və'neɪdɪəm] *n. U chem.* wanad; **~ steel** *metal.* stal wanadowa.

Van Allen belts [,væn 'ælən ,belts], **Van Allen radiation belts** *n. pl. astron.* pasy Van Allena.

V and A [,viː ənd 'eɪ] *abbr.* **Victoria and Albert Museum** *Br. sztuka* Muzeum Wiktorii i Alberta (*w Londynie*).

Vandal ['vændl] *n. hist.* Wandal.

vandal ['vændl] *n.* wandal.

vandalism ['vændə,lɪzəm] *n. U* wandalizm, dewastacja.

vandalize ['vændə,laɪz], *Br. t.* **vandalise** *v.* dewastować.

Vandyke beard [væn'daɪk ,biːrd] *n.* bródka hiszpańska, hiszpanka, napoleonka.

vane [veɪn] *n.* **1.** *mech.* łopatka (*pompy, turbiny, koła wodnego*); skrzydło (*wiatraka*). **2.** (*także* **weather/wind ~**) *meteor.* wiatrowskaz. **3.** *orn.* chorągiewka (*pióra*). **4.** *wojsk.* brzechwa (*pocisku, rakiety*). **5.** *miern., opt.* przeziernik; celownik.

vang [væŋ] *n. żegl.* gaja, obciągacz gafla.

vanguard ['væn,gɑːrd] *n. U* **1.** *form.* awangarda; czoło; **in the ~** na czele; w awangardzie (*of sth* czegoś). **2. the ~** *wojsk.* awangarda, straż przednia.

vanilla [və'nɪlə] *n.* **1.** *U kulin.* wanilia. **2.** (*także* **~ plant**) *bot.* wanilia (*Vanilla (planifolia)*). **3.** (*także* **~ bean/pod**) *kulin., bot.* laseczka wanilii. – *a. attr. kulin.* waniliowy; **~ essence** esencja waniliowa, aromat waniliowy; **~ ice cream** lody waniliowe.

vanilla-flavored [və,nɪlə'fleɪvərd], *Br.* **vanilla-flavoured** *n. US kulin.* waniliowy, o smaku waniliowym.

vanillic [və'nɪlɪk] *a. chem.* waniliowy, wanilinowy.

vanillin [və'nɪlɪn] *a. U chem., kulin.* wanilina.

vanish ['vænɪʃ] *v.* **1.** znikać; zanikać (*o zjawisku, gatunku*). **2.** *mat.* zdążać do zera (*o funkcji*). **3. ~ in a puff of smoke** *zob.* **smoke** *n.*; **~ into thin air** *zob.* **air** *n.*; **~ off the face of the earth** zapaść się pod ziemię, zniknąć z powierzchni ziemi; **~ without (a) trace** zniknąć bez śladu; **do a ~ing act** *zob.* **act** *n.*

vanishing cream ['vænɪʃɪŋ ,kriːm] *n. U* krem półtłusty *l.* nawilżający, krem pod makijaż.

vanishing line *n. sztuka* linia zbiegu.

vanishing point *n.* **1.** *sztuka* punkt zbiegu. **2.** *przen.* (prawie) zero; **to the ~** (prawie) do zera (*zmniejszyć (się)*).

vanity ['vænətɪ] *n. pl.* **-ies** **1.** *U* próżność. **2.** *U* daremność; jałowość. **3.** *U lit.* marność, małość (*czegoś*). **4.** *US* = **vanity case**. **5.** *US* = **vanity table**. **6.** *US, Can. i Austr.* = **vanity unit**.

vanity case *n.* (*także* **vanity bag, vanitybox**) kosmetyczka (*pojemnik*).

vanity plate *n. US mot.* tablica rejestracyjna na indywidualne zamówienie (*za dodatkową opłatą, zw. z literami układającymi się w słowo*).

vanity press *n.* (*także* **vanity publisher**) *druk.* wydawnictwo publikujące prace na koszt autora.

vanity table *n. US* toaletka.

vanity telephone number *n. US tel.* specjalny numer telefonu (*za dodatkową opłatą, łatwy do zapamiętania*).

vanity unit *n.* (*także Br.* **vanitory unit**) umywalka obudowana, szafka z umywalką; *stol.* szafka pod umywalkę.

vanload ['væn,loud] *n.* (pełen) mikrobus (*ludzi*); (pełna) furgonetka (*towaru*).

vanpool ['væn,puːl] *n. US* dowożenie mikrobusami; wspólne dojazdy (*do i z pracy dla zmniejszenia korków, zanieczyszczeń i kosztów*). – *v.* dowozić mikrobusem (*pracowników; o pracodawcy*); dojeżdżać mikrobusem (*do pracy ze współpracownikami*).

vanquish ['væŋkwɪʃ] *v. lit.* zwyciężyć, pokonać (*kogoś l. coś*).

vanquisher ['væŋkwɪʃər] *n. lit.* zwycięzca/żczyni.

vantage ['væntɪdʒ] *n. przest. l. form.* **1.** (*także* **~ ground**) uprzywilejowana *l.* korzystna pozycja. **2.** *t. tenis* przewaga. **3.** = **vantage point**.

vantage point *n.* **1.** dogodny punkt, punkt obserwacyjny. **2.** *przen.* punkt widzenia, perspektywa; **from sb's ~** z czyjegoś punktu widzenia, z czyjejś perspektywy.

vapid ['væpɪd] *a. form.* **1.** bezbarwny, jałowy (*np. o programie, książce*); banalny (*o stwierdzeniach*). **2.** zwietrzały (*o napoju gazowanym*); bez smaku (*o potrawie*).

vapidity [və'pɪdətɪ], **vapidness** ['væpɪdnəs] *n. U form.* **1.** jałowość, bezbarwność; banalność. **2.** brak gazu (*w napoju*); brak smaku (*w potrawie*).

vapor ['veɪpər], *Br.* **vapour** *n.* **1.** *t. fiz., chem.* para; opar, mgiełka; *U* pary; opary; **water ~** para wodna. **2. (a fit/an attack of) the ~s** *arch. l. żart.* wapory (= *atak histerii, depresji l. słabości*). – *v.* **1.** *fiz., chem.* odparowywać; parować; ulatniać się. **2.** *przen.* przechwalać się.

vaporable ['veɪpərəbl] *a. chem.* podlegający odparowaniu (*o frakcji*).

vapor barrier *n. bud.* izolacja paroszczelna.

vaporific [,veɪpə'rɪfɪk] *a. form.* **1.** lotny. **2.** parowy, w postaci pary. **3.** parujący, ulatniający się.

vaporish ['veɪpərɪʃ] *a. lit.* **1.** ulotny, mglisty (*o treściach*). **2.** przerzedzony (*o włosach*).

vaporization [,veɪpərə'zeɪʃən], *Br. i Austr. zw.*

vaporisation *n. U fiz., chem.* parowanie; odparowanie; ~ **surface** powierzchnia parowania.

vaporize [ˈveɪpəˌraɪz], *Br. i Austr. zw.* **vaporise** *v. fiz., chem.* odparowywać; parować; ulatniać się.

vaporizer [ˈveɪpəˌraɪzər] *n.* **1.** *med.* atomizer, rozpylacz, opakowanie aerozolowe. **2.** *med.* inhalator. **3.** *techn.* rozpylacz. **4.** *techn.* wyparka; parnik; waporyzator.

vapor lock *n. zwł. mot.* korek parowy (*w przewodzie paliwowym*).

vaporous [ˈveɪpərəs] *a.* **1.** parujący, ulatniający się. **2.** lotny. **3.** ulotny. **4.** parowy, w postaci pary. **5.** *przen.* chimeryczny (*o osobie, zjawisku*). **6.** zaparowany; zamglony; mglisty.

vapor trail *n. lotn.* smuga (kondensacyjna) (*za odrzutowcem*).

vapour [ˈveɪpər] *n. Br.* = **vapor**.

vaquero [vɑːˈkeroʊ] *n. pl.* **-s** *płd.-zach. US* kowboj.

var. *abbr.* **1.** = **various**. **2.** *mat.* = **variable**.

varactor [vəˈræktər] *n. el.* waraktor, dioda parametryczna.

Varangian [vəˈrændʒɪən] *n. hist.* Wareg.

variability [ˌverɪəˈbɪlətɪ] *n. U* zmienność; zróżnicowanie.

variable [ˈverɪəbl] *a.* **1.** zmienny; zróżnicowany; nierówny (*np. o poziomie artystycznym*); niestały (*w uczuciach*). **2.** *techn.* zmienny, nastawny, regulowany (*o parametrach, ustawieniach*). – *n.* **1.** *t. mat.* zmienna; *socjol. t.* czynnik (*wpływający na coś*); **dependent/independent** ~ zmienna zależna/niezależna. **2.** (*także* ~ **star**) *astron.* gwiazda zmienna. **3.** (*także* ~ **wind**) *meteor.* wiatr zmienny; *pl.* obszar wiatrów zmiennych (między pasatami).

variable cost *n. ekon.* koszt zmienny; *U l. pl.* koszty zmienne.

variable-geometry [ˌverɪəbldʒiːˈɑːmɪtrɪ] *a. attr.* (*także* **variable-sweep**) *lotn.* o zmiennej geometrii skrzydeł (*o samolocie*).

variably [ˈverɪəblɪ] *adv.* zmiennie; na zmianę; ~ **strong winds** wiatry o zmiennej sile.

variance [ˈverɪəns] *n. U form.* **1.** zróżnicowanie; wariacja; skoki (*np. temperatury, cen*). **2.** rozbieżność, różnica (*t. opinii*); brak zgody *l.* porozumienia; *prawn.* niezgodność, rozbieżność; **be at** ~ **with sb** nie zgadzać się z kimś, mieć odmienne zdanie niż ktoś; **be at** ~ **with sth** stać w sprzeczności z czymś, być sprzecznym z czymś; różnić się od czegoś. **3.** *US prawn.* specjalna zgoda, specjalne pozwolenie; **zoning** ~ *bud.* specjalne pozwolenie na budowę (*przekraczającą ramy przestrzennego planu zagospodarowania terenu*). **4.** *stat.* wariancja; **analysis of** ~ analiza wariancyjna *l.* wariancji.

variant [ˈverɪənt] *n.* wariant; odmiana; wersja. – *a.* **1.** różny; alternatywny; odmienny. **2.** zmienny. **3.** *jęz.* wariantywny (*o formie*).

variate [ˈverɪət] *n. stat.* zmienna losowa.

variation [ˌverɪˈeɪʃən] *n.* **1.** *C/U* zmiana; odmiana; zróżnicowanie; zmienność; odchylenie; **chance** ~ *mat., stat.* zmienność przypadkowa. **2.** *U* wahania; zmiany; odchylenia. **3.** *muz., balet, mat., astron., biol. l. przen.* wariacja; ~ **on the theme of...** *muz. l. przen.* wariacja na temat... **4.** *C/U jęz.* zróżnicowanie, wariantywność. **5.** *fiz., geol.* deklinacja magnetyczna.

varicella [ˌverɪˈselə] *n. U pat.* ospa wietrzna.

varicolored [ˈverɪˌkʌlərd], *Br.* **varicoloured** *a. form.* różnobarwny.

varicose [ˈverəˌkoʊs] *a. pat.* cierpiący *l.* chory na żylaki (*o pacjencie*); pokryty *l.* dotknięty żylakami (*o kończynie*); żylakowy, żylakowaty (*o zmianach*).

varicose veins *n. pl. pat.* żylaki.

varied [ˈverɪd] *a.* **1.** różnorodny; różny. **2.** zróżnicowany, urozmaicony (*np. o diecie, trybie życia*). **3.** zmieniony. **4.** różnokolorowy, pstry.

variegate [ˈverɪəˌgeɪt] *v.* różnicować; urozmaicać.

variegated [ˈverɪəˌgeɪtɪd] *a.* **1.** *zwł. bot.* różnobarwny (*o liściu*). **2.** *form.* różnorodny.

variegation [ˌverɪəˈgeɪʃən] *n. U bot.* ubarwienie.

variety [vəˈraɪətɪ] *n. pl.* **-ies** **1.** *sing.* wybór; **a (wide)** ~ **of sth** (szeroki) wybór czegoś. **2.** *U* różnorodność, zróżnicowanie; urozmaicenie; odmiana; ~ **is the spice of life** w życiu potrzeba odmiany, nie ma nic gorszego niż nuda; **add** ~ **to sth** urozmaicać coś. **3.** rozmaitość. **4.** *t. bot.* odmiana. **5.** rodzaj, gatunek (*np. wyrobu, wina, sera*). **6.** (*także* ~ **show**) variétés, rewia; wodewil.

variety meat *n. kulin., handl.* **1.** *U l. pl.* podroby. **2.** wyrób mięsny; *U l. pl.* wyroby mięsne.

variety store *n. handl.* sklep wielobranżowy.

varifocal [ˌverɪˈfoʊkl] *a. opt.* o zmiennej ogniskowej.

varifocals [ˌverɪˈfoʊklz] *n. pl. opt.* szkła *l.* okulary o zmiennej ogniskowej.

variform [ˈverəˌfɔːrm] *a. form.* wielopostaciowy, różnopostaciowy.

variola [vəˈraɪələ] *n. U pat.* ospa (prawdziwa).

variole [ˈverɪˌoʊl] *n. geol.* konkrecja (*w skale*).

variolite [ˈverɪəˌlaɪt] *n. U geol.* wariolit.

varioloid [ˈverɪəˌlɔɪd] *n. U pat.* ospianka.

variometer [ˌverɪˈɑːmətər] *n. lotn., techn.* wariometr.

variorum [ˌverɪˈɔːrəm] *a. i n. bibl.* (wydanie) variorum (*z uwagami różnych komentatorów l. różnymi wersjami tekstu*).

various [ˈverɪəs] *a. gł. attr.* **1.** różny; **at** ~ **times** przy różnych okazjach; o *l.* w różnych porach; **for** ~ **reasons** z (kilku) różnych powodów. **2.** rozmaity; różnorodny.

variously [ˈverɪəslɪ] *adv.* różnie; na wiele sposobów, rozmaicie; w zależności od okoliczności; na przemian, po kolei; ~ **hued/looking/armed** o różnym kolorze/wyglądzie/uzbrojeniu; ~ **known as A, B, or C** znany jako A, B albo C.

varistor [veˈrɪstər] *n. el.* warystor.

varix [ˈverɪks] *n. pl.* **varices** [ˈverəˌsiːz] **1.** *pat.* żylak. **2.** *zool.* rowek skorupy (*ślimaka*).

varlet [ˈvɑːrlət] *n. arch.* **1.** hultaj. **2.** sługa, paź. **3.** giermek.

varmint [ˈvɑːrmənt] *n. dial.* = **vermin**.

varnish [ˈvɑːrnɪʃ] *n. C/U* **1.** lakier (*gł. bez-*

barwny); *stol.* pokost; *stol.* politura (*na meblu*); **clear/oil/spirit** ~ lakier bezbarwny/olejny/spirytusowy. **2.** *mal.* werniks. **3.** (*także* **nail** ~) *Br.* lakier do paznokci. **4.** *U przen.* fasada, pozory. – *v.* **1.** lakierować; pokostować; politurować. **2.** *mal.* werniksować. **3.** *Br.* lakierować, malować (*paznokcie*). **4.** upiększać; ~ **the truth** *uj.* naginać fakty.

varnished [ˈvɑːrnɪʃt] *a. zwł. stol.* lakierowany.

varnisher [ˈvɑːrnɪʃər] *n.* lakiernik.

varnishing day [ˈvɑːrnɪʃɪŋ ˌdeɪ] *n. sztuka* wernisaż.

varsity [ˈvɑːrsətɪ] *n. pl.* **-ies** **1.** *US sport, szkoln., uniw.* drużyna szkolna *l.* uniwersytecka, reprezentacja szkoły *l.* uniwersytetu. **2.** *Br. przest.* uniwersytet (*zwł. Oksford l. Cambridge*). – *a. attr. US sport* szkolny, uniwersytecki (*o drużynie, rozgrywkach*).

vary [ˈverɪ] *v.* **-ied, -ying** **1.** różnić się, odbiegać (*from sth* od czegoś, *in sth* czymś *l.* pod względem czegoś) (*np. ceny, wielkości*); ~ **from state to state** (*także* ~ **between states,** ~ **according to state**) różnie się kształtować w różnych stanach; ~ **greatly/considerably/widely** znacznie się różnić. **2.** zmieniać się; ~ **directly/inversely with sth** *fiz., techn.* zmieniać się (wprost) proporcjonalnie/odwrotnie proporcjonalnie do czegoś; ~ **with the weather/temperature** zmieniać się (wraz) z pogodą/temperaturą *l.* w zależności od pogody/temperatury. **3.** urozmaicać; różnicować; zmieniać (*np. program, dietę*). **4.** *muz.* improwizować wokół (*tematu*). **5.** **it varies** to zależy.

varying [ˈverɪɪŋ] *a.* zmienny; różny; **to a** ~ **degree** w różnym stopniu; **with** ~ **degrees of success** z różnym skutkiem.

vas [væs] *n. pl.* **vasa** [ˈveɪzə] *anat.* naczynie.

vascular [ˈvæskjələr] *a. anat., biol., pat., bot.* naczyniowy; ~ **bundle/tissue** *bot.* wiązka/tkanka naczyniowa; ~ **system** *anat.* układ naczyniowy.

vascularity [ˌvæskjəˈlerətɪ] *n. U* (*także* **vasculature**) *anat.* unaczynienie.

vasculum [ˈvæskjələm] *n. pl.* **-s** *l.* **vascula** [ˈvæskjələ] *bot.* puszka na próbki (*roślin*).

vase [veɪs] *n.* wazon; waza, dzban (*ozdobny*).

vasectomy [vəˈsektəmɪ] *n. C/U pl.* **-ies** *chir.* wazektomia, wycięcie *l.* przecięcie *l.* podwiązanie nasieniowodu.

Vaseline [ˈvæsəˌliːn], **vaseline** *n. U* wazelina.

vassal [ˈvæsl] *n. hist., polit.* wasal, lennik; ~ **state** państwo lenne *l.* wasalne.

vassalage [ˈvæsəlɪdʒ] *n. U* **1.** *hist., polit.* własność lenna; prawo lenne; wasalstwo, lenność. **2.** *lit.* podporządkowanie.

vast [væst] *a.* **1.** rozległy (*o obszarze*). **2.** olbrzymi, ogromny (*np. o wiedzy, kosztach, liczbach, znaczeniu*); **a** ~ **amount of sth** olbrzymia ilość czegoś; **the** ~ **majority of sb/sth** olbrzymia *l.* ogromna większość kogoś/czegoś. – *n.* **the** ~ *poet.* bezmiar.

vastly [ˈvæstlɪ] *adv.* znacznie.

vastness [ˈvæstnəs] *n. U* **1.** rozległość. **2.** ogrom.

VAT [ˌviː ˌeɪ ˈtiː] *abbr. i n. U* **Value Added Tax** *fin.* VAT, vat.

vat [væt] *techn. n.* kadź. – *v.* **-tt-** składować *l.* umieszczać w kadzi *l.* kadziach.

VATable [ˈvætəbl] *n. fin.* opodatkowany, obłożony vatem.

vat dye *n. C/U tk.* barwnik kadziowy.

Vatican [ˈvætɪkən] *n.* **the** ~ *geogr., polit.* Watykan. – *a. attr.* watykański.

vaudeville [ˈvɔːdəvɪl] *n. U teatr* variétés, rewia; *zwł. US hist.* wodewil.

vaudevillian [ˌvɔːdəˈvɪljən] *n. teatr* aktor/ka rewiow-y/a; *zwł. US* aktor/ka wodewilow-y/a.

vault [vɔːlt] *n.* **1.** *t. pl.* krypta; grobowiec. **2.** *t. pl.* skarbiec. **3.** *sport* skok; **pole** ~ skok o tyczce. **4.** *bud., anat. l. przen.* sklepienie; ~ **of the heaven** *lit.* sklepienie niebieskie. **5.** *jeźdz.* podskok, kurbet. – *v.* **1.** przeskakiwać (*over sth* przez coś *l.* nad czymś); skakać. **2.** wysuwać się (*to / into sth* na coś) (*np. na pozycję, stanowisko*); wysuwać (*sb / sth to / into* kogoś/coś na coś); ~ **into prominence** wysunąć się na czołowe miejsce *l.* czołową pozycję; ~ **sb into prominence** dać *l.* zapewnić komuś czołowe miejsce *l.* czołową pozycję (*o sukcesie*). **3.** *bud.* sklepiać. **4.** ~ **to fame** zyskać *l.* zdobyć sławę.

vaulted [ˈvɔːltɪd] *a. bud.* sklepiony (*o stropie, dachu*).

vaulter [ˈvɔːltər] *n.* skoczek.

vaulting [ˈvɔːltɪŋ] *n. bud.* **1.** sklepienie. **2.** *U* konstrukcja *l.* budowa sklepień. – *a. lit.* nadmierny, wygórowany; ~ **ambition** wygórowana ambicja.

vaulting horse *n. sport* koń (gimnastyczny).

vaulting pole *n. sport* tyczka.

vaunt [vɔːnt] *lit. v.* przechwalać się (*czymś*). – *n.* przechwałka; *U* przechwałki.

vaunt-courier [ˈvɔːntˌkɜːrɪər] *n. arch.* zwiastun, herold.

vaunted [ˈvɔːntɪd] *a.* (*także* **much-**~) wychwalany.

vb., vb *abbr.* = **verb.**

V-belt [ˈviːˌbelt] *n. mech.* pasek *l.* pas klinowy.

VC *abbr.* **1.** = **Vice-chairman;** = **Vice-chair. 2.** = **Vice Chancellor. 3.** = **Vice Consul. 4.** *Br.* = **Victoria Cross. 5.** *hist.* = **Vietcong.**

VCR [ˌviː ˌsiː ˈɑːr] *abbr. i n.* **video cassette recorder** magnetowid, wideo.

VD [ˌviː ˈdiː] *abbr.* = **venereal disease.**

V-Day [ˈviːˌdeɪ] *abbr. i n.* **Victory Day** dzień zwycięstwa.

VDR [ˌviː ˌdiː ˈɑːr] *abbr.* **videodisk recorder** *komp.* nagrywarka dysków optycznych.

VDT [ˌviː ˌdiː ˈtiː] *n.* **video/visual display terminal** *komp.* terminal (wizyjny), monitor (z klawiaturą).

VDU [ˌviː ˌdiː ˈjuː] *abbr.* **video/visual display unit** *komp.* monitor (ekranowy).

've [v] *abbr.* = **have.**

veal [viːl] *kulin. n.* **1.** *U* cielęcina, mięso cielęce. **2.** = **veal calf.** – *a. attr.* cielęcy.

veal calf, *US, Can. i Austr.* **vealer** [ˈviːlər] *n. hodowla* cielę (rzeźne).

vector [ˈvektər] *n.* **1.** *mat., fiz.* wektor; *fiz.* wielkość wektorowa. **2.** *pat.* nosiciel/ka, przenosiciel/ka (*choroby*). **3.** *fiz.* nośnik (*energii*). **4.**

genetyka wektor. **5.** *lotn.* kurs. – *a. attr. mat., fiz., komp.* wektorowy; ~ **graphics** *komp.* grafika wektorowa; ~ **product** iloczyn wektorowy; ~ **space/sum** przestrzeń/suma wektorowa. – *v. lotn.* **1.** naprowadzać drogą radiową (*samolot, lot, pilota*). **2.** hamować ciągiem (*samolot*); odwracać ciąg (*silnika*).

Veda [ˈveɪdə] *n. zw. pl. rel.* Weda.

Vedaic [vəˈdeɪɪk] *n. rel.* = **Vedic**.

Vedaism [ˈveɪdəˌɪzəm] *n. U rel.* = **Vedism**.

Vedanta [vɪˈdɑːntə] *n. U rel.* wedanta.

V-E Day [ˌviːˈiː ˌdeɪ] *abbr. i n.* **Victory-in-Europe Day** dzień zwycięstwa, dzień zakończenia II wojny światowej (*8 maja 1945 r.*).

vedette [vəˈdet] *n. wojsk.* **1.** wideta, czaty. **2.** (*także* ~ **boat**) *żegl.* łódź patrolowa.

Vedic [ˈveɪdɪk] *a. rel., jęz.* wedyjski, wedycki. – *n. U* (język) wedyjski.

Vedism [ˈveɪdˌɪzəm] *n. U rel.* wedyzm.

vee [viː] *n.* (litera) v.

veejay [ˈviːˌdʒeɪ] *n. telew. pot.* wideodżokej/ka, widżej/ka, prezenter/ka muzyczn-y/a.

veep [viːp] *n. US polit. pot.* wice (= *wiceprezydent*).

veer [viːr] *v.* **1.** skręcać *l.* zakręcać *l.* zbaczać (gwałtownie) (*o samochodzie, kierowcy*). **2.** *przen.* zbaczać z tematu. **3.** zmieniać kierunek, skręcać (*zwł. o wietrze*); *zwł. meteor.* skręcać w prawo (*o wietrze*); *żegl.* odpadać (od wiatru); sterować od wiatru. **4.** ~ **back and forth** miotać się (*between sth and sth* pomiędzy czymś a czymś); ~ **off the road** zjechać z jezdni *l.* z drogi *l.* z szosy *l.* na pobocze; ~ **off course** (gwałtownie) zbaczać z kursu (*o samolocie*); ~ **round** robić zwrot, zakręcać; ~ **to the left/right** skręcać gwałtownie w lewo/prawo.

veg [vedʒ] *pot. n. pl. Br. kulin.* warzywa, jarzynka, warzywka. – *v.* ~ **(out)** *zwł. uj.* wegetować, przesiadywać bezczynnie (*przed telewizorem*).

vegan [ˈviːdʒən] *n.* wega-nin/nka. – *a.* wegański (*o diecie, filozofii*); **turn** ~ przejść na weganizm.

veganism [ˈviːdʒəˌnɪzəm] *n. U* weganizm.

vegeburger [ˈvedʒɪˌbɜːgər] *n. Br. kulin.* = **veggieburger**.

Vegemite [ˈvedʒəˌmaɪt] *n. U Austr. kulin.* pasta drożdżowa (*do smarowania pieczywa*).

vegetable [ˈvedʒtəbl] *n.* **1.** *kulin.* warzywo; jarzyna; **green/fresh/raw/cooked/seasonal** ~**s** warzywa zielone/świeże/surowe/gotowane/sezonowe; **early** ~**s** nowalijki. **2.** *bot.* roślina. **3.** *pot. t. obelż.* warzywo, prawie trup (= *pacjent w stanie śpiączki na sztucznym podtrzymaniu funkcji wegetatywnych*). **4.** *obelż. pot.* wrak człowieka (= *osoba, która nic już nie robi*). **5.** *obelż. pot.* bezmózgowiec, ciemna masa (= *głupiec*). – *a. attr.* **1.** roślinny; ~ **fat/oil/wax** tłuszcz/olej/wosk roślinny. **2.** *zwł. kulin.* jarzynowy, warzywny; ~ **salad/soup** sałatka/zupa jarzynowa; ~ **garden** ogród *l.* ogródek warzywny; ~ **knife** nożyk do jarzyn *l.* warzyw.

vegetable kingdom *n. U bot.* królestwo roślin.

vegetable marrow *n. C/U bot., kulin.* kabaczek (*Cucurbita pepo*).

vegetal [ˈvedʒətl] *a. bot.* **1.** roślinny. **2.** warzywny. **3.** wegetatywny (*o rozmnażaniu*).

vegetarian [ˌvedʒəˈterɪən] *n.* wegetaria-nin/nka, jarosz/ka. – *a.* **1.** *zwł. kulin.* wegetariański, bezmięsny, jarski (*o diecie, potrawie, restauracji*); **turn** ~ przejść na wegetarianizm. **2.** *zool.* roślinożerny.

vegetarianism [ˌvedʒəˈterɪəˌnɪzəm] *n. U* wegetarianizm.

vegetate [ˈvedʒəˌteɪt] *v.* **1.** *biol.* wegetować. **2.** *przen.* wegetować, przesiadywać (*w domu*). **3.** *pat.* pokrywać się naroślami (*o polipie, brodawce*).

vegetation [ˌvedʒəˈteɪʃən] *n.* **1.** *U* roślinność; *ekol.* zieleń. **2.** *U bot.* wegetacja, wzrost (roślin). **3.** *pat.* narośl.

vegetative [ˈvedʒəˌteɪtɪv] *a.* **1.** *bot.* wegetatywny (*o rozmnażaniu*). **2.** *fizj.* wegetatywny (*o układzie nerwowym*). **3.** *bot.* roślinny. **4.** *bot.* wegetacyjny. **5.** *uj.* pasywny (*o życiu*). **6.** *czas. obelż.* sztucznie utrzymywany przy życiu (*o osobie z uszkodzonym mózgiem*).

veggie [ˈvedʒɪ] *pot. n.* **1.** *US kulin.* warzywo; *pl.* warzywa, jarzynka, warzywka. **2.** wegetaria-n/ka, królik (= *wegetaria-nin/nka*). – *a. attr.* **1.** *US kulin.* warzywny, jarzynowy. **2.** wegetariański.

veggieburger [ˈvedʒɪˌbɜːgər] *n. kulin.* hamburger wegetariański *l.* bezmięsny.

vehemence [ˈviːəməns], **vehemency** [ˈviːəmənsɪ] *n. U* gwałtowność; pasja; **with** ~ z pasją, energicznie.

vehement [ˈviːəmənt] *a.* gwałtowny.

vehemently [ˈviːəməntlɪ] *adv.* gwałtownie.

vehicle [ˈviːəkl] *n. gł. form.* **1.** pojazd; środek lokomocji; *lit. l. żart.* wehikuł; **motor/road** ~ pojazd samochodowy/drogowy. **2.** *przen.* narzędzie, nośnik (*for (doing) sth* czegoś); środek (*for (doing) sth* do czegoś *l.* ku czemuś). **3.** *film, teatr* pretekst (*for sth* dla czegoś) (*np. dla pokazania kunsztu aktora l. reżysera*). **4.** *astron.* rakieta nośna. **5.** *med.* vehiculum (*lekarstwa*). **6.** *chem.* podłoże, nośnik (*farby*).

vehicular [viːˈhɪkjələr] *n. form.* drogowy; samochodowy, pojazdów; ~ **traffic** ruch drogowy.

veil [veɪl] *n.* **1.** welon (*ślubny, żałobny, zakonny*); woalka, woal. **2.** *t. przen.* zasłona, kurtyna; woal; **a** ~ **of mist** woal mgły. **3.** *przen.* **a** ~ **of silence** zmowa milczenia; **under a** ~ **of secrecy/mystery** w sekrecie/tajemnicy; **under the** ~ **of frienship** pod maską *l.* pozorem przyjaźni. **4.** *przen.* **the** ~ *rel.* szari'at, prawo islamu (*m.in. nakazujące kobietom zasłanianie twarzy*); *przest. rz.-kat.* śluby (*zakonne*); **take the** ~ *rel.* wdziać welon (= *wstąpić do klasztoru*). **5.** *biol.* błona (*u grzyba, pozostawiająca pierścień na trzonku*). **6.** *anat.* czepiec (*u noworodka*). – *v.* **1.** ukrywać pod welonem *l.* woalką, zasłaniać welonem *l.* woalką (*twarz*). **2.** osłaniać; zasłaniać; ukrywać.

veiled [veɪld] *a.* **1.** ukryty pod *l.* zasłonięty welonem *l.* woalką (*o twarzy*). **2.** *przen.* zawoalowany (*o pogróżkach*); **thinly ~** słabo skrywany (*np. o złości, złośliwości*).

veiling ['veɪlɪŋ] *n.* **1.** *U tk.* woal. **2.** welon; woalka, woal.

vein [veɪn] *n.* **1.** *anat., geol., hydrol.* żyła (*t. kruszcu, wodna*). **2.** *t. biol. anat.* żyłka (*na skrzydle owada, liściu, gałce ocznej, kamieniu*); nerw (*na skrzydle owada, liściu*). **3.** *leśn. stol.* słój (*w drewnie*). **4.** *U l. sing.* ton, nuta; styl; nastrój, nastroje; **in (a) similar ~** w podobnym tonie, na podobną nutę; **in a light-hearted/serious ~** w lekkim/poważnym tonie; **in the same ~** w podobnym tonie *l.* nastroju *l.* stylu; **in the ~ of sth/sb** w tonie *l.* stylu czegoś/kogoś *l.* przypominającym coś/kogoś; **tap a ~ of nationalism** wykorzystywać nastroje nacjonalistyczne. **5.** natura; usposobienie. – *v.* pokrywać (się) żyłkami; żyłkować.

veined [veɪnd] *a.* **1.** żyłkowany (*o marmurze*). **2.** z widocznymi żyłami (*o skórze, twarzy*).

veinlet ['veɪnlət] *n.* **1.** *anat.* żyłka. **2.** *geol.* żyła boczna.

veiny ['veɪnɪ] *a.* **-ier, -iest = veined.**

vela ['vi:lə] *n. pl. zob.* **velum.**

velar ['vi:lər] *a. fon., anat.* tylnopodniebienny, welarny. – *n. fon.* spółgłoska tylnopodniebienna *l.* welarna.

velarization [ˌvi:lərə'zeɪʃən], *Br. i Austr. zw.* **velarisation** *n. C / U fon.* welaryzacja.

velarize ['vi:ləˌraɪz], *Br. i Austr. zw.* **velarise** *v. fon.* welaryzować.

Velcro ['velkroʊ] *n. U tk.* rzep, przylepiec; **~-fastened** (zapinany) na rzepy *l.* przylepce.

veld [velt], **veldt** *n. U* **the ~** *S.Afr. geogr.* veld, weld (= *trawiaste wyżyny*).

vellum ['veləm] *n. U* welin; (*także* **~ paper**) papier welinowy.

velocipede [və'lɑ:səˌpi:d] *n. hist.* welocyped.

velocity [və'lɑ:sətɪ] *n. C / U pl.* **-ies** *fiz. l. form.* prędkość, szybkość; **~ of circulation** *ekon.* szybkość obiegu (*pieniądza*); **angular/flow ~** *fiz.* prędkość kątowa/przepływu.

velodrome ['veləˌdroʊm] *n.* tor kolarski, welodrom.

velour [və'lʊr], **velours** *n. U tk.* welur.

velum ['vi:ləm] *n. pl.* **vela** ['vi:lə] **1.** *anat., fon.* podniebienie miękkie. **2.** *anat., zool.* zasłona; błona.

velutinous [və'lu:tənəs] *a. zwł. biol.* kosmaty, aksamitny (*np. o liściach, skrzydłach*).

velvet ['velvɪt] *n. U* **1.** *tk.* welwet; *t. przen.* aksamit. **2.** *sl.* duża kasa (*wygrana l. zarobek*). **3.** *przen.* **~ glove** delikatne traktowanie, traktowanie w rękawiczkach; **an iron hand in a ~ glove** żelazna ręka w aksamitnej rękawiczce; **be on ~** *przest. pot.* mieć się dobrze, nie (móc) narzekać (*zwł. finansowo*). – *a. attr. t. przen.* aksamitny.

velveted ['velvɪtɪd] *a.* aksamitny.

velveteen [ˌvelvə'ti:n] *n. tk.* **1.** *U* welur; welwet. **2.** *pl.* spodnie welurowe *l.* welwetowe.

velvet shank *n. bot.* zimówka (aksamitnotrzonowa); pniakówka (*grzyb Flammulina velutipes*).

velvety ['velvɪtɪ] *a.* aksamitny, jak aksamit.

vena ['vi:nə] *n. pl.* **venae** ['vi:ni:] *anat.* żyła.

vena cava [ˌvi:nə 'keɪvə] *n. pl.* **venae cavae** [ˌvi:ni: 'keɪvi:] *anat.* żyła główna.

venal ['vi:nl] *a. form.* sprzedajny, skorumpowany.

venality [vi:'nælətɪ] *n. U form.* sprzedajność.

venation [vɪ'neɪʃən] *n. U biol.* żyłkowanie, unerwienie (*liścia, skrzydła*).

vend [vend] *v.* sprzedawać (*zwł. o maszynie l. sprzedawcy ulicznym*); *gł. form. l. prawn.* handlować (*czymś*).

vendace ['vendɪs] *n. pl.* **-s** *l.* **vendace** *icht.* sieja (*Coregonus*).

vendee [ˌven'di:] *n. prawn.* nabywca.

vender ['vendər] *n.* = **vendor.**

vendetta [ven'detə] *n.* wendeta.

vendible ['vendəbl] *form. a.* podlegający sprzedaży, handlowy (*o artykule*); dający się sprzedać; **be ~** być przedmiotem sprzedaży. – *n. zw. pl. rzad.* artykuł na sprzedaż.

vending ['vendɪŋ] *n. U zwł. prawn.* handel, obrót; **illegal ~** nielegalny handel *l.* obrót.

vending machine *n.* (*także* **vendor**) automat (do sprzedaży) (*np. napojów, słodyczy, prezerwatyw*).

vendor ['vendər], **vender** *n.* **1.** handla-rz/rka, sprzedaw-ca/czyni; **ice-cream ~** lodzia-rz/rka; **flower ~** kwiacia-rz/rka; **news-~** gazeciarz; **street ~** handla-rz/rka uliczn-y/a. **2.** *prawn.* sprzedający, sprzedawca. **3.** = **vending machine.**

veneer [və'ni:r] *n. C / U* **1.** *zwł. stol.* okleina, fornir. **2.** *stol.* łuszczka (*na sklejkę*). **3.** *bud.* wykończenie, fasada (*ściany*). **4.** *sing. przen.* fasada (*np. spokoju, przyzwoitości, uczciwości*). – *v.* **1.** *zwł. stol.* oklejać, okleinować; fornirować; pokrywać (*with / in sth* czymś). **2.** *stol.* sklejać (*łuszczki*). **3.** *przen.* tuszować (*niechęć*).

venerable ['venərəbl] *a.* **1.** czcigodny, szacowny (*o osobie*); szacowny, wiekowy (*o przedmiocie*). **2.** *kośc.* wielebny; czcigodny (*tytuł przysługujący archidiakonowi w kościele anglikańskim*). **3.** *rz.-kat.* sługa Boży (*przed nazwiskiem zmarłego, przed beatyfikacją*).

venerate ['venəˌreɪt] *v. form.* czcić.

veneration [ˌvenə'reɪʃən] *n. U zwł. form.* cześć.

venerator ['venəˌreɪtər] *n. form.* czciciel/ka.

venereal [və'ni:rɪəl] *a.* **1.** *pat.* weneryczny. **2.** *form.* genitalny. **3.** *form.* płciowy, seksualny.

venereal disease *n. C / U* (*także* **VD**) choroba weneryczna.

venereologist [vəˌni:rɪ'ɑ:lədʒɪst] *n. med.* (specjalist-a/ka) wenerolog.

venereology [vɪˌni:rɪ'ɑ:lədʒɪ] *n. U med.* wenerologia.

venesection [ˌvenɪ'sekʃən] *n. C / U chir.* nacięcie żyły, wenesekcja.

Venetian [və'ni:ʃən] *a.* wenecki. – *n.* Wenecjanin/nka.

Venetian blind *n. zw. pl.* żaluzja (pozioma).

Venezuela [ˌvenə'zweɪlə] *n. geogr.* Wenezuela.

Venezuelan [ˌvenə'zweɪlən] *a.* wenezuelski. – *n.* Wenezuel-czyk/ka.

vengeance ['vendʒəns] *n. U* **1.** zemsta; **~ would be sb's** ktoś poprzysiągł sobie zemstę; **take ~ on sb** zemścić się na kimś. **2.** *sing.* **with a ~** zawzięcie, zapamiętale; **be back with a ~** wrócić ze zdwojoną *l.* całą siłą; znowu zapanować (*o modzie*).

vengeful [ˈvendʒfʊl] *a. lit.* mściwy.

vengefully [ˈvendʒfʊlɪ] *adv. lit.* mściwie.

V-engine [ˈviːˌendʒən] *n. mot.* silnik dwurzędowy widlasty.

venial [ˈviːnɪəl] *a. form.* wybaczalny, drobny (*o przewinieniu, błędzie*).

venial sin *a. rz.-kat.* grzech powszedni.

Venice [ˈvenɪs] *n. geogr.* Wenecja.

venire [vɪˈnaɪrɪ] *n.* (*także* **venire facias**) *Lat. prawn.* wezwanie do powołania sądu przysięgłych.

venireman [vɪˈnaɪrɪmən] *n. pl.* **-men** *prawn.* kandydat na przysięgłego.

venison [ˈvenɪsən] *n. U kulin.* **1.** sarnina; **haunch of ~** comber *l.* udziec sarni. **2.** *arch.* dziczyzna.

Venn diagram [ˈven ˌdaɪəˌgræm] *n. mat.* diagram Venna (*przedstawiający zbiory w postaci przecinających się kół*).

venography [vɪˈnɑːgrəfɪ] *n. U med.* flebografia.

venom [ˈvenəm] *n. U* **1.** *zool.* jad. **2.** *przen.* jad, zjadliwość, szyderczość (*zwł. w głosie*). **3.** *arch.* trucizna.

venomous [ˈvenəməs] *a. zool.* **1.** jadowity (*o żmii*). **2.** *przen.* zjadliwy, szyderczy (*o wypowiedzi*). **3.** *biol.* trujący (*np. o grzybie, rybie*).

venose [ˈviːnoʊs] *a. zwł. biol.* żyłkowany (*np. o liściu, skrzydle*).

venosity [vɪˈnɑːsətɪ] *n. U pat.* **1.** przekrwienie (*organu*). **2.** odtlenienie (*krwi*). **3.** nadmierne unaczynienie.

venous [ˈviːnəs] *a. anat., fizj., pat.* żylny; **~ blood** krew żylna; **~ pressure** ciśnienie żylne.

vent [vent] *n.* **1.** wylot; otwór *l.* kanał wentylacyjny. **2.** odpowietrznik, otwór odpowietrzający. **3.** wentyl. **4.** *zool.* stek, kloaka (*np. u prymitywnych ssaków*). **5.** *geol.* ujście, kanał erupcyjny (*wulkanu*); otwór termiczny (*w skorupie ziemskiej*). **6.** *krawiectwo* rozcięcie (*u dołu płaszcza l. marynarki*). **7. give ~ to sth** *form.* dawać upust czemuś (*zwł. złości*). – *v.* **1.** dawać upust (*emocjom*); **~ one's anger on sb/sth** wyładowywać złość na kimś/czymś. **2.** odprowadzać (*np. spaliny, dym*).

ventage [ˈventɪdʒ] *n.* **1.** *muz.* dziurka, otworek (*np. we flecie*). **2.** wentyl.

venter [ˈventər] *n.* **1.** *anat.* brzuch. **2.** *anat.* głowa (*mięśnia*). **3.** *bot.* komórka kanałowo-brzuszna (*u mszaków, paprotników i roślin nagozalążkowych*). **4.** *prawn.* łono; **in ~** w łonie (*o płodzie*).

ventilate [ˈventəˌleɪt] *v.* **1.** wietrzyć (*np. pomieszczenie, pościel*), wentylować. **2.** *fizj.* wentylować (*płuca*); dostarczać tlen do (*płuc, krwi*). **3.** *przen. form.* rozważać na forum publicznym.

ventilation [ˌventəˈleɪʃən] *n. U* **1.** wietrzenie, wentylacja. **2.** *przen. form.* publiczne rozważanie. – *a. attr.* wentylacyjny; **~ duct/shaft** przewód/szyb wentylacyjny; **~ system** system wentylacji *l.* wentylacyjny.

ventilator [ˈventəˌleɪtər] *n.* **1.** *techn.* wywietrznik, wentylator; *żegl.* nawiewnik. **2.** *med.* respirator; **be on a ~** oddychać z pomocą respiratora; **put sb on a ~** podłączyć kogoś do respiratora.

ventilator shaft *n. techn.* szyb wentylacyjny.

ventral [ˈventrəl] *a.* **1.** *anat.* brzuszny; **~ root** korzeń brzuszny (*nerwu rdzeniowego*). **2.** *bot.* przyosiowy, wewnętrzny (*o części liścia*). – *n.* (*także* **~ fin**) *icht.* płetwa brzuszna.

ventricle [ˈventrəkl] *n. anat.* komora (*zwł. serca, t. mózgu*).

ventricose [ˈventrəˌkoʊs] *a. anat., biol.* wybrzuszony.

ventricular [venˈtrɪkjələr] *a.* **1.** *fizj.* komorowy (*np. o pobudzeniu, rytmie, ciśnieniu krwi*). **2.** *biol.* wybrzuszony, wydęty.

ventricular fibrillation *n. U pat.* migotanie komór.

ventriloquism [venˈtrɪləˌkwɪzəm], **ventriloquy** [venˈtrɪləkwɪ] *n. U* brzuchomówstwo.

ventriloquist [venˈtrɪləkwɪst] *n.* brzuchomówca.

venture [ˈventʃər] *n.* **1.** *t. ekon.* przedsięwzięcie; **business ~** przedsięwzięcie (handlowe); **joint ~** przedsięwzięcie partycypacyjne. **2.** *fin.* wkład; inwestycja. **3.** *t. ekon.* ryzyko. **4. at a ~** *przest.* na chybił trafił. – *v.* **1.** odważyć *l.* ośmielić się (*to do sth* zrobić coś); **~ to say a word** odważyć się coś powiedzieć; **(if I may) ~ an opinion** (jeśli mogę) zabrać głos. **2.** odważyć *l.* ośmielić się pójść *l.* wyjść; **~ outdoors** odważyć się wyjść z domu. **3.** ryzykować, stawiać (*sth on sth* coś na coś) (*zwł. wszystko na jedną kartę*); **nothing ~ed, nothing gained** kto nie ryzykuje, ten nie ma. **4. ~ on/upon sth** podjąć się czegoś (*zwł. trudnego, ryzykownego*).

venture capital *n. fin.* kapitał inwestycyjny *l.* udziałowy *l.* zainwestowany *l.* spekulacyjny (*objęty znacznym ryzykiem*).

venturer [ˈventʃərər] *n.* **1.** pionier/ka. **2.** (*także* **V~**) *Austr.* harce-rz/rka.

Venture Scout *n. Br.* harce-rz/rka.

venturesome [ˈventʃərsəm] *a. form.* **1.** odważny, śmiały. **2.** ryzykowny.

venturesomeness [ˈventʃərsəmnəs] *a. U form.* **1.** odwaga, śmiałość. **2.** ryzyko.

venturous [ˈventʃərəs] *a. form.* odważny, śmiały.

venue [ˈvenjuː] *n.* **1.** *zwł. form.* miejsce, lokalizacja (*for sth* czegoś) (*np. spotkania, koncertu, zjazdu*). **2.** *gł. US prawn.* właściwość terytorialna sądu; **change of ~** zmiana właściwości terytorialnej sądu (*zwł. = przeniesienie procesu do sądu o innej lokalizacji*).

Venus [ˈviːnəs] *n. astron., mit.* Wenus; **Mount of ~** *lit. l. przest. anat.* wzgórek Wenery.

Venus flytrap, Venus's flytrap *n. bot.* muchołówka (*roślina owadożerna Dionaea muscipula*).

veracious [vəˈreɪʃəs] *a. form.* **1.** prawdomówny (*o osobie*). **2.** prawdziwy, zgodny z prawdą (*o stwierdzeniu*).

veracity [vəˈræsətɪ] *n. pl.* **-ies** *form.* **1.** *U* prawdomówność. **2.** *U* prawdziwość. **3.** prawda.

veranda [vəˈrændə], **verandah** *n. bud.* weranda.

verb [vɜːb] *n. gram.* czasownik.

verbal [ˈvɜːbl] *a.* **1.** ustny (*np. o zgodzie, deklaracji*); słowny (*o wypowiedzi*); werbalny (*np. o zdolnościach, metodach*). **2.** *uj.* czysto werbalny (= *oderwany od praktyki*). **3.** *gram.* czasownikowy; odczasownikowy. **4.** *przest.* dosłowny (*np. o przekładzie, cytacie, odpisie*). **5.** ~ **abuse** inwektywy; ~ **diarrhea** *pot.* wodolejstwo, lanie wody. – *n.* (*także* **verbid**) *gram.* wyraz odczasownikowy (*zwł. rzeczownik l. przymiotnik*).

verbal adjective *n. gram.* przymiotnik odczasownikowy.

verbalism [ˈvɜːbəˌlɪzəm] *n. form.* **1.** wypowiedź ustna. **2.** nic nieznaczące wyrażenie, wyrażenie bez treści. **3.** *U* werbalizm; rozwlekłość stylu, rozwlekły styl (wypowiedzi).

verbalist [ˈvɜːbəlɪst] *n. form.* **1.** krasomówca/czyni. **2.** werbalis-ta/tka.

verbalization [ˌvɜːbələˈzeɪʃən], *Br. i Austr. zw.* **verbalisation** *n. C/U* **1.** werbalizacja. **2.** rozwlekłość.

verbalize [ˈvɜːbəˌlaɪz], *Br. i Austr. zw.* **verbalise** *v. form.* **1.** werbalizować, wyrażać (słowami), ujmować w słowa; wysławiać. **2.** *gram.* werbalizować (= *nadawać cechy czasownika*). **3.** wypowiadać się w sposób rozwlekły (*w mowie l. piśmie*).

verbally [ˈvɜːbəlɪ] *adv. form.* **1.** ustnie (*deklarować*); słownie (*wypowiadać się*); słowami, w słowach (*opisywać*); werbalnie. **2.** *przest.* dosłownie.

verbal noun *n. gram.* rzeczownik odczasownikowy *l.* odsłowny.

verbatim [vɜːˈbeɪtɪm] *gł. form. adv.* dosłownie, słowo w słowo (*np. powtarzać, recytować*). – *a. attr.* dosłowny (*o cytacie*).

verbena [vɜːˈbiːnə] *n. bot.* werbena (*Verbena*).

verbiage [ˈvɜːbɪɪdʒ] *n. U* **1.** rozwlekłość (wypowiedzi); werbalizm, wielomówność. **2.** żargon (*urzędowy*).

verbid [ˈvɜːbɪd] *n.* = **verbal** *n.*

verbose [vɜːˈbous] *a. zwł. form.* rozwlekły (*o stylu*); gadatliwy, wielomówny (*o osobie*); przegadany (*o programie*).

verboseness [vɜːˈbousnəs] *n. U* (*także* **verbosity**) *form.* rozwlekłość (wypowiedzi); werbalizm, wielomówność.

verboten [fərˈboutən] *a. gł. pred. zwł. żart.* niedopuszczalny, zakazany.

verb phrase *n. gram.* fraza czasownikowa *l.* werbalna, grupa czasownika *l.* werbalna.

verdancy [ˈvɜːdənsɪ] *n. U lit.* **1.** zieloność (*terenu*); bujność (*trawy*); soczystość (*zieleni*). **2.** *przen. przest.* naiwność, brak doświadczenia.

verdant [ˈvɜːdənt] *a. lit.* **1.** pełen zieleni, zielony (*o terenie, obszarze*); bujny (*o trawie, roślinności*); soczysty (*o zieleni*). **2.** *przen. przest.* naiwny, niedoświadczony.

verd antique [ˌvɜːd ænˈtiːk], **verde antique** *n. C/U Fr.* **1.** marmur zielony. **2.** patyna, śniedź.

verdict [ˈvɜːdɪkt] *n.* **1.** *prawn.* orzeczenie, werdykt; ~ **of guilty/not guilty** orzeczenie winy/niewinności, wyrok skazujący/uniewinniający; **open** ~ orzeczenie o umorzeniu postępowania z powodu niewykrycia sprawcy; **reach a** ~ wydać orzeczenie; **unanimous** ~ werdykt jednomyślny. **2.** *form.* opinia, zdanie, werdykt (*on sth* w jakiejś sprawie).

verdigris [ˈvɜːdəˌgrɪs] *n. U* **1.** śniedź, patyna. **2.** *chem.* grynszpan, octan miedziowy.

verditer [ˈvɜːdɪtər] *n. U chem.* zasadowy węglan miedzi (*zwł. jako barwnik*); azuryt; malachit.

verdure [ˈvɜːdʒər] *n. U lit.* **1.** (soczysta) zieleń, zieloność (*roślinność l. barwa*). **2.** świeżość.

verge [vɜːdʒ] *n.* **1.** *gł. przen.* krawędź, skraj; **on the** ~ **of sth** na krawędzi czegoś (*np. rozpaczy, wojny*); u progu czegoś (*np. odkrycia*); o krok od czegoś, na skraju czegoś (*np. bankructwa*); **on the** ~ **of a nervous breakdown** na skraju załamania nerwowego; **be on the** ~ **of tears** być bliskim płaczu *l.* łez; **be on the** ~ **of doing sth** mieć właśnie coś zrobić. **2.** krawędź; skraj, brzeg; kraniec. **3.** *gł. Br.* krawędź drogi (*zwł. trawiasta*); pobocze; **soft ~s** *Br. mot.* miękkie pobocza (*napis*). **4.** *bud.* okap (*dachu*). **5.** *bud.* trzon (*kolumny*). **6.** *hist.* berło. – *v.* **1.** ~ **on/upon sth** *t. przen.* graniczyć z czymś (*np. z szaleństwem, niemożliwością, geniuszem*); ~ **on the ridiculous** zakrawać na żart; ~ **on doing sth** być u progu czegoś. **2.** pochylać się, chylić się, skłaniać się (*toward sth* ku czemuś *l.* w kierunku czegoś).

verger [ˈvɜːdʒər] *n. gł. Br. kośc.* **1.** kościelny. **2.** *przest. t. uniw.* pedel.

Vergil [ˈvɜːdʒɪl] *n. hist.* Wergiliusz.

veridical [vəˈrɪdɪkl] *a. form.* **1.** prawdomówny. **2.** prawdziwy; wierny (rzeczywistości), sprawdzający się (*np. o wizji, śnie*).

verifiable [ˈverəˌfaɪəbl] *a.* dający się zweryfikować.

verification [ˌverɪfɪˈkeɪʃən] *n. C/U* **1.** weryfikacja, sprawdzenie; potwierdzenie; **independent** ~ niezależne potwierdzenie. **2.** *prawn.* uwierzytelnienie. **3.** *techn.* legalizacja (*przyrządu*).

verify [ˈverəˌfaɪ] *v.* **-ied, -ying** **1.** potwierdzać (*np. hipotezę, szczegóły, zeznania, wypowiedź*); weryfikować, sprawdzać; ~ **sth with sb** uzyskać czyjeś potwierdzenie na coś; ~ **that...** potwierdzać, że... **2.** *prawn.* potwierdzać prawdziwość (*czegoś pod przysięgą*).

verily [ˈverəlɪ] *adv. Bibl., arch.* zaprawdę.

verisimilar [ˌverəˈsɪmələr] *a. form.* wiarygodny; prawdopodobny.

verisimilitude [ˌverɪsɪˈmɪlɪˌtuːd] *n. U form.* **1.** pozory wiarygodności *l.* prawdopodobieństwa, wiarygodność. **2.** *teor. lit.* prawdopodobieństwo.

verism [ˈviːrˌɪzəm] *n. U sztuka* weryzm.

verist [ˈviːrɪst] *n. sztuka* weryst-a/ka.

veristic [vɪˈrɪstɪk] *a. sztuka* werystyczny.

veritable [ˈverətəbl] *a. attr. form.* prawdziwy, istny.

veritably [ˈverətəblɪ] *adv. form.* prawdziwie.

verity [ˈverətɪ] *n. pl.* **-ies** *form.* **1.** *U* prawdziwość, prawda. **2.** prawda; **eternal/universal verities** prawdy odwieczne/uniwersalne.

verjuice [ˈvɜːˌdʒuːs] *n. U przest.* kwas winny, kwaśny sok owocowy.

vermeil [ˈvɜːmeɪl] *n.* **1.** *przest.* pozłota, pozłotka. **2.** *poet.* cynober.

vermicelli [ˌvɜːmɪ'tʃelɪ] *n. U kulin.* (makaron) nitki.

vermicide ['vɜːmɪˌsaɪd] *n. C/U chem., med.* środek przeciw robakom.

vermicular [vɜː'mɪkjələr] *a. form.* **1.** ślimakowaty, robaczkowy (*o ruchu*). **2.** robakowaty.

vermiculate *form. v.* [vɜː'mɪkjəˌleɪt] *bud., sztuka* ozdabiać ślimacznicą *l.* spiralą (*kolumnę*). – *a.* [vɜː'mɪkjələt] **1.** *sztuka* ślimakowaty, ślimakowy (*o wzorze*). **2.** *lit. l. przen.* robaczywy. **3.** *form.* pokrętny (*o myślach*). **4.** *form.* kręty, wijący się (*o drodze*).

vermiculation [vɜːˌmɪkjə'leɪʃən] *n. U form.* **1.** *fizj.* ruch robaczkowy (*jelit*). **2.** robaczywość (*np. jabłka*). **3.** *sztuka* ślimacznica, spirala (*wzór*).

vermiform ['vɜːməˌfɔːrm] *a.* **1.** *anat.* robaczkowy. **2.** *form.* robakowaty, robakokształtny.

vermiform appendix *n.* (*także* **vermiform process**) *anat.* wyrostek robaczkowy.

vermifuge ['vɜːməˌfjuːdʒ] *n. C/U chem., med.* środek przeciw robakom.

vermilion [vər'mɪljən], **vermillion** *n. U l. sing.* cynober (*kolor l. barwnik*). – *a.* cynobrowy.

vermin ['vɜːmɪn] *n. pl.* **1.** szkodniki. **2.** robaki; pasożyty. **3.** *przen. pog.* hołota; *sing.* śmieć (= *osoba pogardzana*).

vermination [ˌvɜːmə'neɪʃən] *n. U form.* zarobaczenie.

verminous ['vɜːmənəs] *a. form.* **1.** zarobaczony. **2.** *przen.* podły (*o czynie*).

vermivorous [vɜː'mɪvərəs] *a. zool.* robakożerny.

Vermont [vər'mɑːnt] *n. US* stan Vermont.

vermouth [vər'muːθ] *n. C/U* wermut.

vernacular [vər'nækjələr] *n.* **1.** *C/U* **the ~** *jęz.* miejscowy język (*kraju, obszaru*); dialekt regionalny, miejscowy dialekt (*regionu*); język codzienny *l.* potoczny (*nieurzędowy, nieoficjalny, niespecjalistyczny*); żargon (*grupy zawodowej, społecznej*). **2.** *biol.* nazwa potoczna (*rośliny, zwierzęcia*). **3.** *bud.* styl regionalny *l.* zwyczajny (*nieozdobny*). – *a.* **1.** lokalny, miejscowy; rodzimy; regionalny. **2.** *jęz.* codzienny, potoczny (*o języku, wyrażeniu*); środowiskowy (*o wyrażeniu*). **3.** *biol.* potoczny (*o nazwie*). **4.** *bud.* zwyczajny.

vernal ['vɜːnl] *a. lit.* **1.** wiosenny. **2.** młodzieńczy.

vernal equinox *n. astron.* równonoc wiosenna.

vernalize ['vɜːnəˌlaɪz], *Br. i Austr. zw.* **vernalise** *v. roln.* jarowizować, jarować (*nasiona*).

vernation [vər'neɪʃən] *n. U bot.* przedlistnienie (= *ułożenie liści w pąku*).

vernier ['vɜːnɪər] *n. techn.* **1.** noniusz; podziałka noniusza. **2.** regulacja mikrometryczna; regulacja dokładna.

vernier rocket *n. techn.* silnik rakietowy korekcyjny.

vernissage [ˌvɜːnɪ'sɑːʒ] *n. mal.* wernisaż.

Verona [və'roʊnə] *n. geogr.* Werona.

Veronese [ˌveroʊ'neɪzɪ] *a.* weroński. – *n.* mieszkan-iec/ka Werony.

veronica[1] [və'rɑːnɪkə] *n. bot.* przetacznik (*Veronica*).

veronica[2] *n. rel.* chusta św. Weroniki.

veronica[3] *n. walki byków* weronika (*manewr matadora*).

verruca [və'ruːkə] *n. pl.* **verrucae** [və'ruːsiː] *pat.* brodawka.

verrucose ['verəˌkoʊs], **verrucous** ['verəkəs] *a. biol.* brodawkowaty.

versa ['vɜːsə] *adv. zob.* **vice versa**.

Versailles [ver'saɪ] *n.* **1.** *geogr.* Wersal. **2.** **Treaty of ~** *hist.* traktat wersalski.

versant ['vɜːsənt] *n. geogr.* nachylenie (stoku *l.* terenu); stok, zbocze (*góry*).

versatile ['vɜːsətl] *a.* **1.** wszechstronny (*o osobie*); uniwersalny, mający wiele zastosowań (*o narzędziu, materiale*). **2.** *form.* zmienny. **3.** *biol.* ruchomy (*o czułkach, pylnikach*). **4.** *techn.* mocowany *l.* zamocowany przegubowo.

versatility [ˌvɜːsə'tɪlətɪ] *n. U* wszechstronność (*osoby*); uniwersalność, wielość zastosowań (*narzędzia, materiału*).

verse [vɜːs] *n.* **1.** zwrotka, strofa (*wiersza*); zwrotka (*piosenki*). **2.** *wers.* wiersz (*utwór*). **3.** *wers.* wiersz, wers (= *linijka*). **4.** *Bibl.* werset. **5.** *U teor. lit.* poezja, wiersze; liryka; **in ~** wierszem.

versed [vɜːst] *a.* **(well) ~ in sth** (dobrze) zorientowany *l.* orientujący się w czymś; **be (well) ~ in sth** dobrze znać się na czymś, dobrze orientować się w czymś.

versed cosine *n. mat.* (funkcja) covers (= *1-cosinus*).

versed sine *n. mat.* (funkcja) vers (= *1-sinus*).

verset ['vɜːsɪt] *n. zwł. rel.* werset.

versicle ['vɜːsɪkl] *n. zwł. kość.* werset.

versicolor ['vɜːsɪˌkʌlər], *Br.* **versicolour** *a. form.* **1.** mieniący się. **2.** różnobarwny.

versification [ˌvɜːsəfə'keɪʃən] *n.* **1.** *U wers.* wersyfikacja, struktura wersyfikacyjna *l.* metryczna (*wiersza*). **2.** *teor. lit.* przeróbka wierszem *l.* poetycka (*utworu prozaicznego*).

versify ['vɜːsəˌfaɪ] *v.* **-ied, -ying** **1.** wyrażać wierszem (*treści*). **2.** przerabiać na formę wierszowaną; przepisywać wierszem (*utwór prozaiczny*). **3.** wierszować; pisać wierszem.

version ['vɜːʒən] *n.* **1.** wersja (*np. produktu, wydarzeń, filmu*); **contradictory ~s** sprzeczne wersje; **official ~** wersja oficjalna; **unabridged ~** pełna wersja (*filmu, książki*). **2.** przekład, tłumaczenie; wersja językowa (*książki, filmu*). **3.** *med.* obrót (położniczy) (*płodu*). **4.** *pat.* pochylenie (*macicy*).

verso ['vɜːsoʊ] *n.* **1.** *druk.* strona odwrotna, tył (*kartki*); verso, strona *l.* stronica parzysta. **2.** rewers, odwrotna strona (*medalu, monety*).

verst [vɜːst] *n.* wiorsta (= *1067 metrów*).

versus ['vɜːsəs] *prep.* **1.** *prawn.* contra, przeciwko; **Gore ~ Bush** (sprawa) Gore contra Bush, (sprawa) Gore przeciwko Bushowi. **2.** *sport* z (*drużyną przeciwną*); contra. **3.** **Sparta ~ Legia** Sparta contra Legia, spotkanie Sparty z Legią. **4.** z (*czymś: porównywać*); w porównaniu z (*czymś*).

vert [vɜːt] *n. U* **1.** *her. l. przest.* zieleń (*t.* = *roślinność zielona*). **2.** *hist., prawn.* prawo wyrębu.

vertebra [ˈvɜːtɪbrə] *n. pl.* **-s** *l.* **vertebrae** [ˈvɜːtɪbreɪ] *anat.* kręg.

vertebral [ˈvɜːtəbrəl] *a. anat.* kręgowy; ~ **canal** kanał kręgowy; ~ **column** kręgosłup.

vertebrate [ˈvɜːtəˌbreɪt] *zool. n. zwł. pl.* kręgowiec. – *a.* kręgowy.

vertex [ˈvɜːteks] *n. pl.* **-es** *l.* **vertices** [ˈvɜːtɪsiːz] **1.** *form. l. geom.* wierzchołek; *anat.* wierzchołek, szczyt (*głowy*); *bud.* szczyt (*łuku*). **2.** *astron.* werteks.

vertical [ˈvɜːtɪkl] *a.* **1.** pionowy (*np. o słupie, linii, skale, strukturach*). **2.** *form. l. anat.* wierzchołkowy, szczytowy. **3.** zenitowy; w zenicie (*o słońcu*). – *n. U* **the** ~ pion, linia pionu.

vertical circle *n. astron.* wertykał, koło pionowe *l.* wierzchołkowe.

vertically [ˈvɜːtɪklɪ] *adv.* pionowo.

vertical mobility *n. U socjol.* mobilność pionowa (= *społeczny awans l. degradacja*).

vertical union *n. US* związek zawodowy typu pionowego, związek ponadbranżowy *l.* wielobranżowy (*pracowników jednej gałęzi przemysłu, ale różnych szczebli*).

vertices [ˈvɜːtɪsiːz] *n. pl. zob.* **vertex**.

verticil [ˈvɜːtəsɪl] *n. bot.* okółek.

vertiginous [vərˈtɪdʒənəs] *a.* **1.** zawrotny, przyprawiający o zawrót głowy (*o wysokości*). **2.** **be** ~ mieć zawroty głowy. **3.** *form.* obrotowy. **4.** *form.* zmienny, kapryśny.

vertigo [ˈvɜːtɪˌgoʊ] *n. t. pat.* **1.** *U* zawroty głowy; lęk wysokości. **2.** *pl.* **-s, -es** *l.* **vertigines** [vərˈtɪdʒəniːz] zawrót głowy.

vertu [vɜːˈtuː] *n.* = **virtu**.

vervain [ˈvɜːveɪn] *n. bot.* werbena (*Verbena*).

verve [vɜːv] *n. U* werwa.

very [ˈverɪ] *adv.* (*z przymiotnikiem l. przysłówkiem*) bardzo; ~ **nice/nicely** bardzo miły/miło; ~ **much** (*t. z czasownikiem*) bardzo; **I love him ~ much** bardzo go kocham; **at the ~ least** przynajmniej; **not** ~ nie bardzo, niezbyt; **one's ~ own** swój własny; **the ~ best (in) movies** same najlepsze filmy; **the ~ last** (zupełnie) ostatni; **the ~ same** (zupełnie *l.* dokładnie) ten sam. – *a.* sam; najprawdziwszy, prawdziwy; **the/this/that ~...** (ten) sam...; właśnie ten...; **at the ~ back** z samego tyłu; **in this ~ room** właśnie w tym pokoju; **on this ~ day** dokładnie tego dnia; **the ~ devil** diabeł wcielony, sam diabeł; **the ~ idea!** co za pomysł!; **the ~ idea is nonsense** sam pomysł jest idiotyczny; **the ~ thing** to co trzeba, właśnie to; **the ~ thought (of it) makes me sick** robi mi się niedobrze już na samą myśl (o tym); **(at) this ~ minute** w tej chwili, natychmiast; dokładnie o tej porze, dokładnie w tym samym momencie; **caught in the ~ act** schwytany na gorącym uczynku; **he forgot her ~ name** zapomniał nawet jej imienia.

very high frequency *n. U radio, telew.* fale *l.* pasmo VHF; *radio, telew., fiz.* bardzo wielka częstotliwość (*od 30 do 300 MHz*).

Very light [ˈverɪ ˌlaɪt] *n. żegl.* rakieta sygnałowa.

very low frequency *n. U fiz., radio* bardzo niska częstotliwość (*od 3 do 30 kHz*); *radio* fale *l.* pasmo VLF.

Very pistol *n. żegl.* rakietnica.

vesica [vɪˈsiːkə] *n. pl.* **vesicae** [vɪˈsiːkiː] **1.** *anat.* pęcherz. **2.** *sztuka, rel.* nimb (*nad głową świętego w średniowiecznych obrazach i rzeźbach*).

vesical [ˈvesɪkl] *a. anat.* pęcherzowy.

vesicant [ˈvesəkənt], **vesicatory** [ˈvesəkəˌtɔːrɪ] *med. a.* powodujący *l.* wywołujący pęcherze. – *n. pl. t.* **-ies** *med.* środek powodujący *l.* wywołujący pęcherze (*t. gaz bojowy*); wezykatoria, pryszczydło.

vesicate [ˈvesəˌkeɪt] *v. pat.* **1.** pokrywać się pęcherzami. **2.** wywoływać pęcherze.

vesicle [ˈvesɪkl] *n.* **1.** *anat., pat., biol.* pęcherzyk; pęcherz; **air/seminal** ~ *anat.* pęcherzyk płucny/nasienny. **2.** *geol.* wezykla.

vesicular [vəˈsɪkjələr] *a. anat., biol.* pęcherzykowy.

vesiculate [vəˈsɪkjəˌleɪt] *biol. a.* pęcherzykowy. – *v.* tworzyć pęcherzyki.

Vespasian [veˈspeɪʒɪən] *n. hist.* Wespazjan.

Vesper [ˈvespər] *n. poet.* gwiazda wieczorna (= *Wenus*).

vesper [ˈvespər] *n.* **1.** (*także* ~ **bell**) *gł. rz.-kat.* dzwon na nieszpory. **2.** *arch. l. poet.* wieczór.

vespers [ˈvespərz] *n. pl. gł. rz.-kat.* nieszpory.

vespertine [ˈvespəˌtaɪn] *a. biol., astron.* wieczorny (*np. o kwiecie, motylu, obiekcie*).

vespiary [ˈvespɪˌerɪ] *n. pl.* **-ies** *ent.* gniazdo os *l.* szerszeni.

vespids [ˈvespɪdz] *n. pl. ent.* osowate, osy (*Vespidae*).

vespine [ˈvespaɪn] *a. ent.* osowaty.

vessel [ˈvesl] *n. form.* **1.** *żegl.* jednostka (pływająca); statek; *wojsk.* okręt; **cargo** ~ frachtowiec, statek towarowy; **commercial/fishing** ~ jednostka handlowa/rybacka, statek handlowy/rybacki. **2.** *anat.* naczynie; **blood/capillary/coronary** ~ naczynie krwionośne/włosowate/wieńcowe; **lymphatic/lymph** ~ naczynie limfatyczne *l.* chłonne. **3.** *zwł. przest.* naczynie (*kuchenne*). **4.** *przen. lit.* obiekt (*np. czyjejś nadziei l. uwielbienia*); instrument; ~ **of the Lord** instrument w ręku Boga.

vest [vest] *n.* **1.** *zwł. US* kamizelka; **bulletproof** ~ kamizelka kuloodporna. **2.** (*także* ~ **top**) *zwł. Br.* podkoszulek; **thermal** ~ ciepły podkoszulek. – *v.* **1.** *form.* ~ **sth in sb** (*także* ~ **sb with sth**) nadawać komuś coś (*np. władzę, uprawnienia, własność*); **be ~ed in sb** (*także* ~ **in sb**) należeć do kogoś (*o własności, decyzji*); przysługiwać komuś (*o przywileju, prawie*); przypadać komuś w udziale. **2.** *poet.* odziewać (się). **3.** *kośc.* wdziewać ornat.

Vesta [ˈvestə] *n. mit., astron.* Westa.

vestal [ˈvestl], **Vestal** *gł. kośc. n.* **1.** (*także* ~ **virgin**) *hist.* westalka. **2.** *lit.* dziewica. **3.** *lit.* służebnica boża (= *zakonnica*). – *a. attr.* **1.** ~ **cult** *mit.* kult Westy. **2.** *lit.* dziewiczy.

vested [ˈvestɪd] *a. gł. attr.* **1.** *US* z kamizelką (*o garniturze*). **2.** *prawn.* nabyty; usankcjonowany (*o prawie*). **3.** *form.* odziany. **4.** *kośc.* w ornacie (*o księdzu*).

vested interest *n.* **1.** żywotny *l.* osobisty interes; **have a ~ in sth** mieć w czymś żywotny *l.* osobisty interes, być czymś żywotnie *l.* osobiście zainteresowanym. **2.** *pl.* zainteresowani, zainteresowane grupy. **3.** zabezpieczone prawa, uprawnienia, majętności. **4.** *prawn.* prawo nabyte. **5.** *ekon.* zainwestowany *l.* ulokowany kapitał.

vestibule [ˈvestəˌbjuːl] *n.* **1.** *form. l. bud.* przedsionek, westybul. **2.** *US kol.* przejście (*na końcu wagonu*). **3.** *anat.* przedsionek.

vestibule school *n. US szkoln.* szkoła przyzakładowa.

vestige [ˈvestɪdʒ] *n.* **1.** *form.* ślad, pozostałość (*czegoś*); krzta; **not a ~ of truth** ani krzty prawdy. **2.** *biol.* organ szczątkowy.

vestigial [veˈstɪdʒɪəl] *a. biol.* szczątkowy (*o organie*).

vestment [ˈvestmənt] *n.* **1.** *form.* szata, strój; toga. **2.** *kośc.* ornat; szata liturgiczna.

vest-pocket [ˌvestˈpɑːkɪt] *a. attr. US* kieszonkowy.

vest-pocket park *a. US* skwer (miejski), skwerek; parczek.

vestry [ˈvestrɪ] *n. pl.* **-ies** *kośc.* **1.** zakrystia. **2.** sala *l.* salka parafialna. **3.** rada parafialna.

vestryman [ˈvestrɪmən] *n. pl.* **-men** członek rady parafialnej.

Vesuvius [vəˈsuːvɪəs] *n.* (*także* **Mount ~**) *geogr.* Wezuwiusz.

vet[1] [vet] *n.* weterynarz. – *v.* **-tt-** **1.** *zwł. polit.* sprawdzać; *Br.* weryfikować, przeprowadzać weryfikację (*kandydata na stanowisko, zwł. przez służby specjalne*). **2.** leczyć (*zwierzę*). **3.** pracować jako weterynarz.

vet[2] *n. US pot.* weteran/ka.

vet. *abbr.* **1.** = **veteran**. **2.** = **veterinarian**; = **veterinary**.

vetch [vetʃ] *n. C/U bot., kulin.* **1.** wyka (siewna) (*Vicia (sativa)*). **2.** groszek zielony (*Lathyrus sativus*).

veteran [ˈvetərən] *n. t. wojsk.* weteran/ka. – *a. attr.* zasłużony, doświadczony, wytrawny (*np. o polityku, mężu stanu*).

veteran car *n. Br. mot.* weteran szos, zabytkowy samochód (*zwł. sprzed 1905 roku*).

Veterans Day *n. US* Dzień Kombatanta (*11 listopada*).

veterinarian [ˌvetərəˈnerɪən] *n. US* weterynarz, lekarz weterynarii.

veterinary [ˈvetərəˌnerɪ] *a.* weterynaryjny.

veterinary medicine *n. U* (*także* **veterinary science**) weterynaria.

veterinary surgeon *n. Br. i Austr. form.* lekarz weterynarii.

veto [ˈviːtoʊ] *zwł. polit. n. C/U pl.* **-es** **1.** weto; **power/right of ~** prawo weta; **put a ~ on sth** zgłaszać *l.* zakładać weto wobec czegoś. **2.** stanowczy sprzeciw *l.* protest. – *v.* **1.** wetować (*ustawę*); zgłaszać *l.* zakładać weto wobec (*ustawy, projektu*). **2.** sprzeciwiać się stanowczo, stanowczo protestować przeciwko (*czemuś*).

vetting [ˈvetɪŋ] *n. U* sprawdzenie; *Br.* weryfikacja (*kandydata*), przeprowadzenie weryfikacji.

vex [veks] *v. przest.* **1.** drażnić, irytować; dręczyć; dokuczać (*komuś l. czemuś*). **2.** martwić; stwarzać problemy (*komuś*). **3.** zaskakiwać.

vexation [vekˈseɪʃən] *n. C/U form. l. przest.* strapienie, utrapienie; zmartwienie; przykrość.

vexatious [vekˈseɪʃəs] *a. przest.* dolegliwy, dokuczliwy, przykry.

vexed [vekst] *a.* **1.** stale powracający; szeroko dyskutowany; **a ~ question/issue** stale powracająca kwestia. **2.** *przest.* stroskany, strapiony; zirytowany (*at/with sth* czymś).

vexillum [vekˈsɪləm] *n. pl.* **vexilla** [vekˈsɪlə] **1.** *hist.* sztandar (*rzymski*). **2.** *orn.* chorągiewka (*pióra*). **3.** *bot.* żagielek (*kwiatu u roślin motylkowych*).

VFD [ˌviː ˌef ˈdiː] *abbr.* **Voluntary Fire Department** *US* Ochotnicza Straż Pożarna.

VG [ˌviː ˈdʒiː] *abbr.* **very good** *Br. szkoln.* bdb (= *bardzo dobry*).

VGA [ˌviː ˌdʒiː ˈeɪ] *abbr.* **video graphics array** *komp.* VGA (*standard rozdzielczości, karta, sterownik, monitor*).

VHF [ˌviː ˌeɪtʃ ˈef], **vhf** *abbr.* **very high frequency** *radio, telew.* (pasmo *l.* częstotliwość) VHF.

VHS [ˌviː ˌeɪtʃ ˈes] *abbr.* **video home system** *telew.* VHS (*system zapisu video*).

vi, v.i. *abbr.* **verb intransitive** *gram.* czas. nieprzech. (= *czasownik nieprzechodni*).

via [ˈvaɪə] *prep.* za pośrednictwem *l.* pomocą; przez; **~ satellite** przez satelitę *l.* łącze satelitarne, za pośrednictwem łącza satelitarnego; **fly ~ Chicago** lecieć przez Chicago.

viability [ˌvaɪəˈbɪlətɪ] *n. U* **1.** *zwł. ekon.* realność; wykonalność (*planu, budżetu*); opłacalność (*przedsięwzięcia*); szanse powodzenia (*planu, firmy, reformy, produktu na rynku*); szanse na utrzymanie się na rynku (*spółki, produktu*); **economic/financial ~** opłacalność finansowa. **2.** *biol., med.* szanse na przeżycie *l.* przetrwanie; zdolność do (samodzielnego) życia *l.* przetrwania (*organizmu, płodu*).

viable [ˈvaɪəbl] *a.* **1.** realny; wykonalny (*o planie, budżecie*); opłacalny (*o przedsięwzięciu*); mający szanse powodzenia (*o przedsięwzięciu, planie*); (*także* **commercially ~**) mający szanse utrzymania się na rynku (*o produkcie*); **~ alternative** realna alternatywa. **2.** *biol.* mający szanse na przeżycie *l.* przetrwanie; zdolny do (samodzielnego) życia *l.* przetrwania (*o organizmie, płodzie*).

viaduct [ˈvaɪəˌdʌkt] *n. bud.* wiadukt.

Viagra [vaɪˈægrə] *n. C/U med.* viagra.

vial [ˈvaɪəl] *n. gł. US med.* ampułka; *techn.* fiolka.

viands [ˈvaɪənd] *n. pl. arch.* wiktuały.

viaticum [vaɪˈætəkəm] *n. pl.* **-s** *l.* **viatica** [vaɪˈætəkə] **1.** *rel.* wiatyk (= *komunia dla ciężko chorego*). **2.** *przest.* prowiant *l.* zaopatrzenie na drogę.

vibes [vaɪbz] *n. pl. pot.* **1.** (*także* **vibrations**) klimaty, nastrój; **good/bad ~** dobre/złe klimaty, dobry/zły nastrój. **2.** (*także* **vibrations**) fale, sygnały (*od kogoś; podświadome, parapsycholo-*

giczne); **I'm getting some strange ~ from him** od niego idą jakieś trefne fale. **3.** *muz.* wibrafon.

vibist ['vaɪbɪst] *n. muz. pot.* wibrafonist-a/ka.

vibraharp ['vaɪbrəˌhɑːrp] *n. muz.* wibrafon.

vibrancy ['vaɪbrənsɪ] *n. U* **1.** życie; energia, żywotność. **2.** jaskrawość (*światła*).

vibrant ['vaɪbrənt] *a.* **1.** tętniący życiem (*np. o mieście*); energiczny (*np. o osobowości*). **2.** żywy, jaskrawy (*o kolorze*); olśniewający, jaskrawy (*o świetle*). **3.** dźwięczny (*o dzwonie*). **4.** *t. przest. fon.* drgający, wibrujący. – *n. fon. przest.* spółgłoska wibrująca.

vibrantly ['vaɪbrəntlɪ] *adv.* **1.** żywo; energicznie. **2.** jaskrawo. **3.** dźwięcznie.

vibraphone ['vaɪbrəˌfoʊn] *n. muz.* wibrafon.

vibraphonist ['vaɪbrəˌfoʊnɪst] *n. muz.* wibrafonist-a/ka.

vibrate ['vaɪbreɪt] *v.* **1.** *t. mech.* drgać; wibrować; drżeć, trząść się, dudnić (*od przejeżdżającego pojazdu*); rezonować (*o dźwięku*). **2.** wprawiać w drganie *l.* drgania; trząść (*np. domem*). **3.** *przen.* unosić się (*with sth* czymś) (*emocjami*).

vibratile ['vaɪbrəˌtaɪl] *a. form.* drgający, wibracyjny.

vibration [vaɪ'breɪʃən] *n.* drgnięcie, drgnienie; *mech.* drganie, wibracja; *U* drgania, wibracje.

vibrations [vaɪ'breɪʃənz] *n. pl.* = **vibes** 1, 2.

vibrative ['vaɪbrətɪv] *a. form.* drgający, wibracyjny.

vibrato [vɪ'brɑːtoʊ] *n. C / U muz.* wibrato.

vibrator ['vaɪbreɪtər] *n.* **1.** wibrator (*do masażu, zwł. erotycznego*). **2.** *techn.* wibrator, wstrząsarka. **3.** *el.* prostownik (wibracyjny); wibrator.

vibratory ['vaɪbrəˌtɔːrɪ] *a. mech.* drgający, wibracyjny (*o ruchu, urządzeniu*).

vibrissa [vaɪ'brɪsə] *n. pl.* **vibrissae** [vaɪ'brɪsiː] *zw. pl. zool.* włosek (czuciowy) (*zwł. przy otworze gębowym*); *orn.* piórko czuciowe (*przy dziobie*).

vicar ['vɪkər] *n.* **1.** *kośc.* pastor (*w kościele anglikańskim l. episkopalnym*); (*także* **lay ~**, **~ choral**) kantor (*w kościele anglikańskim*). **2.** *rz.-kat.* namiestnik (*papieski, biskupi*); wikariusz; **~ apostolic** wikariusz apostolski; **~ general** kanclerz biskupi; **V~ of Christ** *przen.* namiestnik Chrystusa (= *papież*).

vicarage ['vɪkərɪdʒ] *n. C / U kośc.* wikariat.

vicarial [vɪ'kerɪəl] *a. kośc.* pastorski; wikarialny.

vicariate [vɪ'kerɪət] *n. C / U kośc.* wikariat.

vicarious [vɪ'kerɪəs] *a.* **1.** *gł. form.* odczuwany za kogoś *l.* w czyimś imieniu *l.* z kimś; odczuwany *l.* doznawany za czyimś pośrednictwem, pośrednio doznawany (*np. o radości, przyjemności, rozkoszy*); **derive ~ pleasure from sth** cieszyć się czymś za kogoś *l.* z kimś. **2.** *form. t. pat.* zastępczy.

vicariously [vɪ'kerɪəslɪ] *adv. gł. form.* za kogoś, w czyimś imieniu, z kimś (*np. cieszyć się*); za czyimś pośrednictwem (*np. odczuwać przyjemność*).

vice[1] [vaɪs] *n.* **1.** *U* rozpusta; prostytucja i narkotyki; działalność przestępcza (*zwł. = handel narkotykami i prostytucja*); **life of ~** życie pełne rozpusty. **2.** nałóg. **3.** wada, przywara; narów (*t. konia*). **4.** występek.

vice[2] *prep.* zamiast. – *n. pot.* wice (= *zastępca / czyni*).

vice[3] *n. i v. gł. Br.* = **vise**.

vice-admiral [ˌvaɪs'ædmərəl], **vice admiral** *n. wojsk.* wiceadmirał.

vice-chair [ˌvaɪs'tʃer] *n.* wiceprzewodniczący-y/a; wiceprezes.

vice-chairman [ˌvaɪs'tʃermən] *n. pl.* **-men** wiceprzewodniczący; wiceprezes.

vice-chairperson [ˌvaɪs'tʃerˌpɜːsən] *n.* wiceprzewodniczący-y/a; wiceprezes.

vice-chancellor [ˌvaɪs'tʃænsələr], **vice chancellor** *n.* **1.** *uniw. zwł. Br.* rektor; *zwł. US* prorektor; wicekanclerz. **2.** *US prawn.* wiceprzewodniczący sądu praw słuszności (*w niektórych stanach*).

vice consul *n. admin.* wicekonsul.

vicegerent [ˌvaɪs'dʒiːrənt] *form. n.* zastępca; *rz.-kat.* namiestnik. – *a.* zastępczy.

vicelike ['vaɪsˌlaɪk] *a. gł. Br.* = **viselike**.

vicennial [vaɪ'senɪəl] *a. form.* codwudziestoletni; dwudziestoletni.

vice presidency, vice-presidency *n. pl.* **-ies** *C / U polit.* wiceprezydentura; stanowisko wiceprezydenta.

vice president, vice-president *n.* **1.** *polit.* wiceprezydent. **2.** wiceprezes (*spółki*).

viceregal [ˌvaɪs'riːgl] *a. polit., hist.* wicekrólewski.

vice ring *n.* grupa przestępcza (*zwł. zajmująca się prostytucją l. narkotykami*).

viceroy ['vaɪsˌrɔɪ] *n. polit., hist.* wicekról.

vice squad *n. zw. sing. policja* obyczajówka, wydział przestępstw obyczajowych.

vice versa [ˌvaɪsə 'vɜːsə] *adv. Lat.* vice versa, na odwrót.

vichyssoise [ˌviːʃɪ'swɑːz] *n. U kulin.* zupa-krem z porów.

vicinage ['vɪsənɪdʒ] *n. U arch.* sąsiedztwo, okolica.

vicinity [və'sɪnətɪ] *n. C / U pl.* **-ies** sąsiedztwo, pobliże, okolica; **in the ~ of sth** w pobliżu *l.* okolicy czegoś; *form.* około czegoś, w okolicach czegoś (*podanej sumy, liczby*); **in the immediate ~** w najbliższej okolicy.

vicious ['vɪʃəs] *a.* **1.** napastliwy, złośliwy (*np. o kampanii, krytyce*); morderczy, wściekły (*np. o ataku, ciosie*); rozjuszony, zły (*np. o psie, drapieżniku*); nienawistny (*np. o spojrzeniu*). **2.** bezwzględny, (bardzo) groźny (*o przestępcy*). **3.** dokuczliwy, bezlitosny (*np. o wietrze, deszczu, bólu*). **4.** narowisty (*o koniu*). **5.** *form.* występny. **6.** *form.* błędny (*o rozumowaniu*).

vicious circle *n. gł. sing. log., pat. l. przen.* błędne koło; **be caught/trapped in a ~** wpaść w błędne koło.

viciously ['vɪʃəslɪ] *adv.* **1.** napastliwie, złośliwie; morderczo, wściekle; zapamiętale; nienawistnie. **2.** dokuczliwie, bezlitośnie. **3.** *form.* błędnie (*rozumować*).

viciousness ['vɪʃəsnəs] *n. U* **1.** napastliwość,

złośliwość; wściekłość; zapamiętałość; nienawiść. **2.** dokuczliwość (*bólu*).

vicissitude [vəˈsɪsəˌtu:d] *n. U lit.* niestałość, zmienność.

vicissitudes [vəˈsɪsəˌtu:dz] *n. pl. form.* kaprysy (*zwł. pogody*); ~ **of life** zmienne koleje losu.

victim [ˈvɪktɪm] *n.* **1.** *C/U* ofiara (*of sth* czegoś); **fire/flood ~s** ofiary pożaru/powodzi, pogorzelcy/powodzianie; **murder/rape/war** ~ ofiara zabójstwa/gwałtu/wojny; **be a/the ~ of sb/sth** paść ofiarą kogoś/czegoś (*np. przestępcy, nienawiści*); **fall ~ to sth** paść ofiarą czegoś (*np. oszustwa, gwałtu, cięć budżetowych*). **2.** *pat.* osoba chora; **AIDS ~s** osoby chore na AIDS. **3. fashion/style ~** *pot.* mania-k/czka mody; **be a fashion/style ~** *zwł. uj.* gonić za modą. **4. sacrificial ~** *rel.* ofiara (= *osoba l. zwierzę złozone w ofierze*). **5. sth is/became a ~ of its own success** *przen.* sukces obrócił się przeciwko czemuś.

victimization [ˌvɪktəməˈzeɪʃən], *Br. i Austr. zw.* **victimisation** *n. U* dyskryminacja; prześladowanie.

victimize [ˈvɪktəˌmaɪz], *Br. i Austr. zw.* **victimise** *v.* **1.** dyskryminować; prześladować; krzywdzić; karać niesłusznie; **be ~d by sb/sth** paść ofiarą kogoś/czegoś; być dyskryminowanym przez kogoś/coś. **2.** atakować.

victor [ˈvɪktər] *n. form.* zwycię-zca/żczyni.

victoria [vɪkˈtɔ:rɪə] *n. hist.* wiktoria (*powóz czterokołowy*).

Victoria Cross *n. Br. wojsk.* Krzyż Wiktorii (*wysokie odznaczenie wojskowe*).

Victoria Day *n. Can.* Dzień Wiktorii (*oficjalne urodziny królowej brytyjskiej, święto państwowe w pierwszy poniedziałek przed 25 maja*).

Victorian [vɪkˈtɔ:rɪən] *Br. hist. a.* wiktoriański (*np. o epoce, stylu, moralności*); *bud.* w stylu wiktoriańskim. – *n.* osoba żyjąca w epoce wiktoriańskiej.

Victoriana [vɪkˌtɔ:rɪˈɑ:nə] *n. pl. sztuka* victoriana (= *przedmioty z epoki wiktoriańskiej*).

victorious [vɪkˈtɔ:rɪəs] *a.* zwycięski; **emerge ~** wyjść zwycięsko.

victory [ˈvɪktərɪ] *n. C/U pl.* **-ies** zwycięstwo (*over sb/sth* nad kimś/czymś); **comfortable/easy ~** łatwe zwycięstwo; **impressive ~** imponujące zwycięstwo; **resounding/stunning ~** bezapelacyjne zwycięstwo; **secure ~** zapewnić sobie zwycięstwo; **sth is a ~ for common sense** zwyciężył zdrowy rozsądek; **sweep to ~** wygrać bezapelacyjnie; **win a ~** odnieść *l.* osiągnąć zwycięstwo, zwyciężyć, wygrać.

victual [ˈvɪtl] *v. Br.* **-ll-** *form.* **1.** zaopatrywać w żywność. **2.** gromadzić żywność. **3.** żywić. – *n.* **1.** *arch.* prowiant. **2.** *pl. zob.* **victuals**.

victualer [ˈvɪtələr], *Br.* **victualler** *n.* **1.** *żegl. przest.* statek prowiantowy. **2.** *arch. l. form.* dostawca żywności. **3.** *Br. arch. l. form.* **licensed ~** karczmarz licencjonowany.

victuals [ˈvɪtlz] *n. pl. form. l. żart.* wiktuały.

vicuña [vɪˈkju:nə], **vicuna** *n.* **1.** *zool.* wigoń, wikunia (*Vicugna vicugna*). **2.** *U tk.* wełna ze zwierzęcia jw.

vid [vɪd] *n. pot.* kaseta (wideo); film (na kasecie).

video [ˈvɪdɪˌoʊ] *n.* **1.** *C/U* (*także* ~ **cassette, ~tape**) kaseta (wideo), wideokaseta; **available on ~** dostępny na (kasetach) wideo; **blank ~** czysta kaseta; **have sth on ~** mieć coś na kasecie, mieć coś nagrane. **2.** film (na kasecie). **3.** *U telew.* wizja, sygnał wizji *l.* wizyjny. **4.** (*także* ~ **(cassette) recorder**) *Br.* wideo, magnetowid. **5.** *U* telewizja. **6.** (*także* **music ~**) wideoklip, klip. – *v.* nagrywać na wideo. – *a. attr.* telewizyjny, wizyjny (*o przekazie*); ~ **signal** sygnał wizji.

video arcade *n. US* salon gier wideo.

video camera *n.* kamera wideo.

video cassette *n.* kaseta wideo, wideokaseta.

video cassette recorder *n.* magnetowid, wideo.

video conferencing *n. U* wideokonferencje.

videodisc [ˈvɪdɪoʊˌdɪsk] *n.* wideodysk, dysk wizyjny *l.* wideo, wideopłyta.

video display terminal *n. US komp.* terminal wizyjny (= *monitor z klawiaturą*).

video display unit *n. Br. komp.* monitor ekranowy.

video frequency *n. C/U pl.* **-ies** *telew.* częstotliwość (sygnału) wizji.

video game *n.* gra wideo.

videography [ˌvɪdɪˈɑ:grəfɪ] *n. U form.* wideofilmowanie.

video jockey *n.* (*także pot.* **VJ**) *telew.* wideodżokej/ka, widżej/ka, prezenter/ka muzyczn-y/a.

video monitor *n.* monitor wideo.

video nasty *n. pl.* **-ies** *Br. pot.* brutalne wideo.

video phone *n. tel.* wideofon.

video player *n.* odtwarzacz wideo, wideoodtwarzacz.

video recorder *n.* magnetowid, wideo.

video recording *n.* nagranie wideo.

video rental *n.* (*także* **video store**) (*także Br.* **videoshop**) wypożyczalnia (kaset) wideo.

videotape [ˈvɪdɪoʊˌteɪp] *n.* taśma wideo. – *v.* nagrywać na wideo.

videotext [ˈvɪdɪoʊˌtekst], **Videotext** *n. U komp.* wideotekst.

vidette [vɪˈdet] *n. wojsk.* = **vedette**.

vie [vaɪ] *v.* **vied, vying** rywalizować, walczyć, współzawodniczyć (*with sb* z kimś, *for sth* o coś).

Vienna [vɪˈenə] *n. geogr.* Wiedeń.

Vienna circle *n.* **the ~** *hist., fil.* koło wiedeńskie.

Viennese [vi:əˈni:z] *a.* wiedeński. – *n. pl.* **Viennese** Wiede-ńczyk/nka.

Viet. *abbr.* = **Vietnam**; = **Vietnamese**.

Vietcong [ˌvi:etˈkɑ:ŋ], **Viet cong** *n. hist.* Wietkong.

Vietnam [ˌvi:etˈnɑ:m], **Viet nam** *n. geogr., polit.* Wietnam.

Vietnamese [vɪˌetnəˈmi:z] *a.* wietnamski. – *n. pl.* **Vietnamese** **1.** Wietnam-czyk/ka. **2.** *U* (język) wietnamski.

view [vju:] *n.* **1.** pogląd; zdanie (*on/about sth* na coś). **2.** spojrzenie. **3.** *C/U* widok. **4.** *C/U* pole widzenia. **5.** wygląd. **6.** *prawn.* wizja lokalna. **7. be in ~** być na widoku, być widocznym; **bird's eye ~** widok z lotu ptaka; **block sb's ~** zasłaniać komuś widok; **clear ~** niezakłócony widok; jasny pogląd; **come into ~** odsłonić się, ukazać się (czyimś oczom); **disappear from ~** zniknąć z oczu; **exchange of ~s** wymiana poglądów; **express the ~ that...** wyrazić pogląd *l.* zdanie, że...; **have a good/bad ~ (of sth)** dobrze/źle (coś) widzieć (*np. scenę, góry*); **have a grandstand ~ (of sth)** mieć doskonały widok (na coś); **have a wonderful ~ (of the sea)** mieć piękny widok (morza); **have/take a jaundiced ~ of sth** zapatrywać się na coś pesymistycznie; **have sth in ~** mieć coś na uwadze *l.* widoku *l.* celu; **hidden/shielded from ~** ukryty przed wzrokiem; **hold the ~ that...** reprezentować pogląd *l.* zdanie, że...; **in ~ of sth** *zwł. form.* zważywszy na coś, w związku z czymś, wobec czegoś; **in full ~ of sb** na czyichś oczach; **in sb's ~** czyimś zdaniem, według kogoś; **inside ~ of sth** spojrzenie na coś od środka (*zwł. na organizację*); **on ~ to the public** dostępny dla zwiedzających; **sth is on ~** coś można zobaczyć (*na wystawie*); **outward ~** wygląd zewnętrzny; **paintings on ~** wystawione obrazy; **point of ~** punkt widzenia; **prevailing ~** dominujący pogląd, panujący powszechnie pogląd; **private ~** *sztuka* pokaz zamknięty; **room with a ~** pokój z widokiem; **spoil the ~** psuć widok; **take a different ~** mieć inne zdanie, zajmować odrębne stanowisko; **take a dim/poor ~ of sth** patrzeć na coś nieprzychylnie; **take the view that...** uważać, że...; **take a/the long ~ (of sth)** spojrzeć (na coś) perspektywicznie *l.* szerzej; **the end in ~** zamierzony cel; **with a ~ to (doing) sth** (*także* **with the/a ~ of (doing) sth**) z zamiarem *l.* w celu (zrobienia) czegoś; **world ~** światopogląd. – *v.* **1.** oglądać (*np. zdjęcia, film, mieszkanie*); przyglądać się (*komuś l. czemuś*). **2.** postrzegać, widzieć (*np. szanse, sytuację*) (*as...* jako...); zapatrywać się na (*propozycję*). **3.** odwiedzać (*wystawę*). **4.** oglądać telewizję. **5.** *przen.* **~ sth from a different angle** spojrzeć na coś z innej perspektywy *l.* inaczej; **~ sth with caution/apprehension** patrzeć na coś sceptycznie/z obawą.

viewer [ˈvjuːər] *n.* **1.** *telew.* widz, telewidz. **2.** odwiedzający (*np. wystawę, galerię*). **3.** *fot.* przeglądarka (*do slajdów*). **4.** *fot.* celownik.

viewership [ˈvjuːərˌʃɪp] *n. U telew.* widzowie, telewidzowie.

viewfinder [ˈvjuːˌfaɪndər] *n. fot.* celownik; *film* wizjer.

viewing [ˈvjuːɪŋ] *n. telew.* **1.** *gł. sing.* oglądanie (*programu, filmu*); **after a single ~** po jednym *l.* jednokrotnym obejrzeniu. **2.** *U* programy; **late-night ~** programy nocne.

viewless [ˈvjuːləs] *a.* **1.** bez widoku; z zasłoniętym widokiem (*o oknach*). **2.** bez *l.* niemający poglądu *l.* poglądów (*o osobie*).

viewpoint [ˈvjuːˌpɔɪnt] *n.* **1.** punkt widzenia, perspektywa; **from a different/political ~** z innego/politycznego punktu widzenia. **2.** punkt obserwacyjny.

vig [vɪg] *n. US sl.* = **vigorish**.

vigil [ˈvɪdʒl] *n. C/U* **1.** czuwanie; **candlelit ~** nocne czuwanie (ze świecami *l.* zniczami) (*t. jako forma protestu politycznego*); **keep a ~** czuwać. **2.** *rel.* wigilia (dnia świątecznego). **3.** *pl. rel.* czuwanie (*modlitewne*). **4.** *U* bezsenność.

vigilance [ˈvɪdʒələns] *n. U* **1.** czujność (*about sth* w jakiejś dziedzinie *l.* sprawie). **2.** *pat.* bezsenność.

vigilance committee *n. US* straż obywatelska (= *zorganizowana grupa ochotnicza obrońców prawa*).

vigilant [ˈvɪdʒələnt] *a.* czujny.

vigilante [ˌvɪdʒəˈlæntɪ] *n. US* samozwańczy obrońca *l.* stróż prawa; członek straży obywatelskiej; *przen.* nadzorca.

vigilantism [ˌvɪdʒəˈlænˌtɪzəm] *n. U* chorobliwa czujność *l.* podejrzliwość.

vignette [vɪnˈjet] *n.* **1.** *film, teatr* scena, fragment, urywek. **2.** *sztuka, druk. t. przen.* winieta, winietka; *teor. lit.* winieta, szkic. **3.** *bud.* ornament roślinny. – *v.* **1.** *sztuka, fot.* winietować. **2.** *teor. lit.* szkicować, nakreślać (*postać, tło*).

vigor [ˈvɪgər], *Br.* **vigour** *n. U* **1.** zapał; energia; wigor, animusz; **with renewed ~** ze świeżym zapałem; **youthful ~** młodzieńczy zapał. **2.** prężność (*organizacji*); dynamika (*rozwoju*). **3.** *t. biol.* witalność; siła witalna. **4.** *US prawn.* moc prawna; **in ~** mający *l.* posiadający moc prawną, obowiązujący.

vigorish [ˈvɪgərɪʃ] *n.* (*także* **vig**) *US sl.* działka (= *prowizja, łapówka*); **pay a ~ to sb** odpalić komuś działkę.

vigorous [ˈvɪgərəs] *a.* energiczny (*np. o ćwiczeniach, wysiłkach, działaniach*); dynamiczny (*o rozwoju*); zdecydowany, stanowczy (*np. o działaniach, osobie, proteście*); prężny (*o organizacji*); pełen zapału *l.* energii *l.* animuszu (*o działaniach, osobie*); pełen wigoru (*o osobie*).

vigorously [ˈvɪgərəslɪ] *adv.* energicznie; dynamicznie; zdecydowanie, stanowczo; prężnie; z zapałem *l.* energią *l.* animuszem; z wigorem.

vigour [ˈvɪgər] *n. Br.* = **vigor**.

Viking [ˈvaɪkɪŋ] *n. hist., astron.* Wiking.

vil. *abbr.* **village** w. (= *wieś*).

vilayet [viːˈlɑːˌjet] *n. admin.* wilajet (*jednostka terytorialna w Turcji, Algierii i Tunezji*).

vile [vaɪl] *a.* **1.** *pot.* wstrętny, okropny, obrzydliwy (*np. o smaku, charakterze, pogodzie*). **2.** *zwł. form.* nikczemny, podły, nędzny (*o postępku, osobie*).

vileness [ˈvaɪlnəs] *n. U zwł. form.* nikczemność, podłość.

vilification [ˌvɪləfəˈkeɪʃən] *n. U form.* oszczerstwa, oczernianie.

vilify [ˈvɪləˌfaɪ] *v.* **-ied, -ying** *form.* oczerniać.

vill. *abbr.* **village** w. (= *wieś*).

villa [ˈvɪlə] *n.* **1.** willa (*Br. t. do wynajęcia na wczasy*). **2.** *hist.* villa, willa (*w Rzymie*).

village [ˈvɪlɪdʒ] *n.* **1.** *zwł. Br.* wieś, wioska; **the (whole) ~** (cała) wieś (= *wszyscy miezkańcy*). **2. global ~** *przen.* globalna wioska.

village green *n.* błonia wiejskie, wiejski plac zgromadzeń.

village idiot *n.* wiejski głupek, przygłup ze wsi.

villager [ˈvɪlɪdʒər] *n.* mieszkan-iec/ka wsi, wieśnia-k/czka.

villain [ˈvɪlən] *n.* **1.** *film, teor. lit. l. przen.* czarny charakter. **2.** *Br. l. przest.* drań, łobuz, łajdak. **3.** *przen.* **cast as a ~** przedstawiany w złym świetle, krytykowany za wszystko; **constant ~** odwieczny problem; **the ~ of the piece** *pot. zwł. żart.* główny winowajca (*t. o przedmiocie l. instytucji*). **4.** *hist.* = **villein.**

villainous [ˈvɪlənəs] *a.* **1.** *lit.* niegodziwy, łajdacki. **2.** *pot.* paskudny, potworny.

villainy [ˈvɪlənɪ] *n. U gł. form.* łajdactwo; okrucieństwo.

villein [ˈvɪlən], **villain** *n. hist.* chłop pańszczyźniany.

villi [ˈvɪlaɪ] *n. pl. zob.* **villus.**

villous [ˈvɪləs] *a.* **1.** *bot.* kosmaty. **2.** *anat., pat., zool.* kosmkowy.

villus [ˈvɪləs] *n. pl.* **villi** [ˈvɪlaɪ] *anat., zool., bot.* kosmek.

Vilnius [ˈvɪlnɪəs], **Vilnyus** *n. geogr.* Wilno.

vim [vɪm] *n. U przest. pot.* animusz.

vimineous [vɪˈmɪnɪəs] *a. bot.* witkowaty.

VIN [ˌviː ˌaɪ ˈen] *abbr.* **vehicle identification number** *US mot.* numer identyfikacyjny pojazdu.

vina [ˈviːnə] *n. muz.* bina, vina (*indyjski instrument strunowy*).

vinaceous [vaɪˈneɪʃəs] *a. form.* **1.** winny; winogronowy. **2.** w kolorze czerwonego wina.

vinaigrette [ˌvɪneɪˈgret] *n.* **1.** *U* (*także* **~ sauce**) *kulin.* sos winegret *l.* vinaigrette. **2.** *przest.* flakon (*zwł. na sole trzeźwiące*).

vincible [ˈvɪnsəbl] *a. arch. l. form.* dający się pokonać.

vinculum [ˈvɪŋkjələm] *n. pl.* **vincula** [ˈvɪŋkjələ] **1.** *mat.* kreska (*w funkcji nawiasu*). **2.** *anat.* więzadło.

vindicate [ˈvɪndəˌkeɪt] *v. form.* **1.** rehabilitować; oczyszczać (z zarzutów *l.* podejrzeń); uwalniać z winy. **2.** usprawiedliwiać (*np. działanie, motywy, osobę*). **3.** potwierdzać prawdziwość (*czegoś*), potwierdzać (*np. zarzuty, teorię*); **be ~d by sth** znajdować potwierdzenie w czymś. **4.** bronić (*np. stanowiska, poglądów*); dochodzić (*racji*). **5.** *prawn.* windykować, rewindykować.

vindication [ˌvɪndəˈkeɪʃən] *n. U l. sing. form.* **1.** rehabilitacja; oczyszczenie (z zarzutów *l.* podejrzeń). **2.** usprawiedliwienie. **3.** potwierdzenie (prawdziwości). **4.** obrona. **5.** *prawn.* windykacja, rewindykacja.

vindicator [ˈvɪndəˌkeɪtər] *n. form.* obrońca/czyni.

vindicatory [ˈvɪndɪkəˌtɔːrɪ] *a. form.* usprawiedliwiający.

vindictive [vɪnˈdɪktɪv] *a.* mściwy.

vindictively [vɪnˈdɪktɪvlɪ] *adv.* mściwie.

vindictiveness [vɪnˈdɪktɪvnəs] *n. U* mściwość.

vine [vaɪn] *n. C/U bot.* **1.** winorośl, wino, winna latorośl (*Vitis*). **2.** pnącze, roślina pnąca. – *v.* piąć się (*o roślinie*).

vinedresser [ˈvaɪnˌdresər] *n.* pracowni-k/ca winnicy.

vinegar [ˈvɪnəgər] *n. U kulin.* **1.** ocet; **wine ~** ocet winny. **2.** *US i Can. przen. pot.* animusz. **3.** *przen.* zły humor; **~ countenance** kwaśna mina.

vinegar eel *n. zool.* węgorek octowy (*Anguillula aceti*).

vinegary [ˈvɪnəgərɪ] *a.* **1.** kwaskowaty, kwaśny. **2.** *przen.* humorzasty.

vine grower *n.* hodowca winorośli.

vine-growing [ˈvaɪnˌgroʊɪŋ] *n. U ogr.* uprawa winorośli; **~ region** region uprawy winorośli.

vinery [ˈvaɪnərɪ] *n. pl.* **-ies** *ogr.* **1.** winnica pod szkłem, szklarnia z winoroślą. **2.** winnica. **3.** *U* winorośl.

vineyard [ˈvɪnjərd] *n.* winnica.

vingt-et-un [ˌvænteɪˈʊn] *n. karty* dwadzieścia jeden, oczko.

viniculture [ˈvɪnəˌkʌltʃər] *n. U form.* uprawa winorośli.

vino [ˈviːnoʊ] *n. U pot.* winko; *uj.* sikacz.

vinosity [vaɪˈnɑːsətɪ] *n. U* cechy (typowe dla) wina.

vinous [ˈvaɪnəs] *a.* **1.** winny. **2.** w kolorze czerwonego wina. **3.** zaglądający do kieliszka (*o osobie*). **4.** pijacki (*np. o nosie, cerze*).

vintage [ˈvɪntɪdʒ] *a. attr.* **1.** gatunkowy, szlachetny, dobry (*o winie*); dobry (*o roczniku wina*). **2.** klasyczny (*np. o dziele, egzemplarzu*). **3.** *żart.* podstarzały. **4.** **~ year (for sth)** dobry rok (dla czegoś) (*np. dla kinematografii, fonografii*); **in/on ~ form** w znakomitej formie (*zwł. o zawodniku*). – *n.* **1.** (dobry) rocznik (*wina*); **~ 1995** rocznik 1995. **2.** winobranie; sezon winobrania. **3.** sezon. **4.** *t. w złoż.* epoka, okres; **of Edwardian ~** z epoki edwardiańskiej; **depression-~ furniture** meble z okresu kryzysu.

vintage car *n. Br. mot.* weteran szos (= *samochód z okresu 1917-1930*).

vintager [ˈvɪntɪdʒər] *n.* osoba pracująca przy winobraniu.

vintner [ˈvɪntnər] *n.* producent win; dystrybutor win; winiarz.

viny [ˈvaɪnɪ] *a.* **-ier, -iest** winny (*o smaku*).

vinyl [ˈvaɪnl] *n. U* **1.** winyl. **2.** *muz.* płyty winylowe. – *a. attr.* winylowy.

viol [ˈvaɪəl] *n. muz., hist.* viola, wiola; (*także* **bass ~**) viola da gamba.

viola *n.* **1.** [vɪˈoʊlə] *muz.* altówka; *hist.* viola. **2.** [vaɪˈoʊlə] *bot.* fiołek (*Viola*).

violaceous [ˌvaɪəˈleɪʃəs] *a.* **1.** *bot.* fiołkowaty. **2.** fiołkowy.

violate [ˈvaɪəˌleɪt] *v.* **1.** łamać (*przepis, porozumienie*); przekraczać (*przepis, prawo*); naruszać (*porozumienie*); gwałcić (*prawa*). **2.** *zwł. lit.* zakłócać (*spokój, porządek*). **3.** *form.* bezcześcić (*cmentarz, groby*). **4.** *lit.* gwałcić (*kobietę*).

violation [ˌvaɪəˈleɪʃən] *n.* **1.** *C/U* naruszenie (*porozumienia, prawa*); pogwałcenie, złamanie (*prawa*); przekroczenie (*przepisu*); pogwałcenie (*prawa*); **in ~ of sth** z naruszeniem czegoś, wbrew czemuś. **2.** *C/U zwł. lit.* zakłócenie (*spokoju, porządku*). **3.** *C/U form.* zbezczeszczenie (*cmentarza*). **4.** *sport* przewinienie. **5.** **traffic ~** *mot.* wykroczenie drogowe, naruszenie przepisów o ruchu drogowym.

violator [ˈvaɪəˌleɪtər] *n. form.* **1.** *zwł. mot.* osoba przekraczająca *l.* naruszająca przepisy. **2.** gwałciciel.

violence [ˈvaɪələns] *n. U* **1.** przemoc; gwałt; **act of ~** akt przemocy; **domestic ~** przemoc w rodzinie; **do ~ to sth** *form.* zadawać gwałt czemuś; zniekształcić coś (*zwł. tekst*); **resort to ~** uciekać się do przemocy; **robbery with ~** napad z użyciem przemocy, brutalny napad. **2.** gwałtowność.

violent [ˈvaɪələnt] *a.* gwałtowny (*np. o burzy, emocjach, ruchu*); silny (*np. o bólu, uczuciu*); brutalny (*o przestępstwie, przestępcy*); ostry (*o dźwięku, barwie*); **~ storm** gwałtowna burza; *meteor.* gwałtowna wichura (*11 w skali Beauforta*); **lay ~ hands on sb** dopuścić się gwałtu na kimś; **meet a ~ death** zginąć tragicznie.

violently [ˈvaɪələntlɪ] *adv.* gwałtownie; silnie; brutalnie; ostro.

violet [ˈvaɪəlɪt] *n. bot.* fiołek (*Violet*). – *a.* fioletowy; fiołkowy.

violin [ˌvaɪəˈlɪn] *n. muz.* skrzypce (*instrument, partia l. muzyk*); **~ sonata** sonata na skrzypce (i fortepian); **play (the) ~** grać na skrzypcach.

violincello [ˌvaɪələnˈtʃeloʊ] *n. muz. form.* wiolonczela.

violinist [ˌvaɪəˈlɪnɪst] *n.* skrzyp-ek/aczka.

violist *n. muz.* **1.** [vɪˈoʊlɪst] altowiolist-a/ka, altowiolinist-a/ka. **2.** [ˈvaɪəlɪst] *hist.* wiolist-a/ka.

violoncellist [ˌvaɪələnˈtʃelɪst] *n. form. muz.* wiolonczelist-a/ka.

violoncello [ˌvaɪələnˈtʃeloʊ] *n. form. muz.* wiolonczela.

violone [ˌviːəˈloʊneɪ] *n. muz., hist.* violone, wiola kontrabasowa *l.* basowa.

VIP [ˌviː ˌaɪ ˈpiː], **V.I.P.** *abbr. i n.* **very important person** VIP.

viper [ˈvaɪpər] *n. t. przen.* żmija (*zool. = rodzina Viperidae*).

viperine [ˈvaɪpəraɪn] *a.* (*także* **~ish, ~ous**) *t. przen.* żmijowaty.

virago [vəˈrɑːgoʊ] *n. pl.* **-s** *l.* **-es** **1.** *form. obelż.* jędza, megiera; herod-baba. **2.** *arch.* amazonka.

viral [ˈvaɪrəl] *a. pat.* wirusowy.

vireo [ˈvɪrɪˌoʊ] *n. pl.* **-s** *orn.* dzierzba, wireo (*Vireo*).

virescence [vɪˈresəns] *n. U bot., pat.* zzielenienie, zielenienie.

virgate [ˈvɜːgɪt] *a. bot.* smukły (*o łodydze*).

Virgil [ˈvɜːdʒl] *n. hist.* Wergiliusz.

virgin [ˈvɜːdʒən] *n.* **1.** dziewica; prawiczek. **2.** **V~** *astron., astrol.* Panna. **3.** **the (Blessed) V~ (Mary)** *rel.* (Najświętsza) (Maria) Panna. – *a. t. przen.* dziewiczy; *techn. t.* pierwotny (*o metalu, neutronie, wełnie*).

virginal [ˈvɜːdʒənl] *a.* dziewiczy. – *n. t. pl. muz., hist.* szpinet, wirginał.

virgin birth *n. C/U* **1.** *zool.* partenogeneza, dzieworództwo. **2.** *teol.* narodzenie się (Chrystusa) z dziewicy.

virgin forest *n. C/U leśn., ekol.* dziewicza puszcza, las pierwotny; matecznik.

Virginia [vərˈdʒɪnjə] *n.* **1.** *US* stan Wirginia. **2.** *U* wirginia (*tytoń*). – *a. attr.* wirgiński, wirginijski.

Virginia creeper *n. C/U bot.* dzikie wino, winobluszcz (pięciolistkowy) (*Parthenocissus quinquefolia*).

Virginia reel *n. C/U* żywy taniec ludowy (*z wodzirejem*).

virginity [vərˈdʒɪnətɪ] *n. U* dziewictwo; **lose one's ~** stracić dziewictwo.

virgin oil *n. U kulin.* olej z pierwszego tłoczenia.

virgin snow *n. U meteor.* świeży śnieg.

virgin soil *n. U* **1.** *roln.* ziemia dziewicza, grunt rodzimy. **2.** *przen.* podatny grunt.

virgin wool *n. U tk.* surowa wełna.

Virgo [ˈvɜːgoʊ] *n. astrol., astron.* Panna; **be a ~** być spod znaku Panny.

virgule [ˈvɜːgjuːl] *n. druk.* ukośnik (= *znak „/"*).

viridescence [ˌvɪrɪˈdesəns] *n. U form.* zielenienie (się); zielonkawość; zieloność.

viridescent [ˌvɪrɪˈdesənt] *a. form.* zielonkawy; zieleniejący.

viridity [vəˈrɪdətɪ] *n. U lit.* **1.** zieloność. **2.** *przen.* niedoświadczenie, brak doświadczenia.

virile [ˈvɪrəl] *a.* męski (*np. o osobie, głosie, cechach, sporcie*).

virilism [ˈvɪrəˌlɪzəm] *n. U pat.* wirylizm, występowanie cech męskich (*u kobiety*).

virility [vəˈrɪlətɪ] *n. U* męskość.

virion [ˈvaɪərɪˌɑːn] *n. pat.* wirion (= *wirus w postaci zakaźnej*).

virologist [vaɪˈrɑːlədʒɪst] *n. med.* wirusolog, wirolog.

virology [vaɪˈrɑːlədʒɪ] *n. U med.* wirusologia, wirologia.

virtu [vɜːˈtuː], **vertu** *n. form.* zamiłowanie do sztuki, umiłowanie sztuki; **articles/objects of ~** dzieła sztuki.

virtual [ˈvɜːtʃuəl] *a.* **1.** prawie zupełny *l.* całkowity; **~ darkness** prawie zupełna ciemność; **~ destruction** prawie całkowite zniszczenie; **~ impossibility/certainty** rzecz prawie niemożliwa/pewna; **it's a ~ impossibility/certainty** to prawie niemożliwe/pewne; **come to a ~ standstill** praktycznie stanąć *l.* zatrzymać się (*np. o pracach, procesie*). **2.** faktyczny, rzeczywisty; **~ leader/monopoly** faktyczny lider/monopol. **3.** *komp., socjol.* wirtualny; **~ community/reality** społeczność/rzeczywistość wirtualna; **~ machine/memory** maszyna/pamięć wirtualna. **4.** *fiz., opt.* pozorny, wirtualny; **~ focus** *opt.* ognisko pozorne; **~ image** *opt.* obraz pozorny; **~ mass** *mech.* masa pozorna *l.* wirtualna.

virtually [ˈvɜːtʃuəlɪ] *adv.* praktycznie, niemal *l.* prawie (że) zupełnie; **~ certain/impossible** praktycznie pewny/niemożliwy.

virtue [ˈvɜːtʃuː] *n.* **1.** *C/U* cnota. **2.** zaleta. **3.** *U* moralność. **4.** **by/in ~ of sth** *form.* na mocy *l.* podstawie czegoś, dzięki czemuś; **have the ~ of...** mieć tę zaletę, że...; **make a ~ of necessity** połączyć przyjemne z pożytecznym.

virtuosa [ˌvɜːtʃuˈoʊsə] *n. muz.* wirtuozka.

virtuosity [ˌvɝːtʃʊˈɑːsətɪ] *n. U* **1.** *muz.* wirtuozeria. **2.** *przest.* zamiłowanie do sztuki.

virtuoso [ˌvɝːtʃʊˈoʊsoʊ] *n. pl.* **-s** *l.* **virtuosi** [ˌvɝːtʃʊˈoʊsiː] **1.** *muz.* wirtuoz/ka. **2.** *przest.* koneser/ka sztuki.

virtuous [ˈvɝːtʃʊəs] *a.* **1.** cnotliwy. **2.** *iron.* święty; ~ **indignation** święte oburzenie.

virtuously [ˈvɝːtʃʊəslɪ] *adv.* **1.** cnotliwie. **2.** *iron.* święcie (*oburzony*).

virtuousness [ˈvɝːtʃʊəsnəs] *n. U* cnota.

virulence [ˈvɪrələns] *n.* **1.** *form.* zjadliwość (*np. krytyki, uwag*); zajadłość (*ataków*). **2.** *pat., biol.* zjadliwość, wirulencja (*drobnoustroju*); jadowitość (*toksyny*).

virulent [ˈvɪrələnt] *a.* **1.** *form.* zjadliwy (*np. o krytyce, tonie, ironii*); zajadły (*o ataku*). **2.** *pat., biol.* zjadliwy (*o drobnoustroju*); jadowity (*o toksynie*).

virus [ˈvaɪrəs] *n.* **1.** *biol., pat., komp.* wirus. **2.** *przen.* zaraza.

visa [ˈviːzə] *n.* **1.** wiza; **entry/exit/tourist** ~ wiza wjazdowa/wyjazdowa/turystyczna. **2.** autoryzacja, zatwierdzenie. – *v.* **1.** wizować (*paszport*); udzielać wizy (*osobie*). **2.** autoryzować, zatwierdzać.

visage [ˈvɪzɪdʒ] *n. lit. t. przen.* oblicze.

visagist [ˈvɪzədʒɪst] *n.* wizażyst-a/ka.

vis-à-vis [ˌviːzəˈviː], **vis-a-vis** *prep. Fr. form.* **1.** w związku z; jeśli chodzi o; względem. **2.** w porównaniu z.

viscera [ˈvɪsərə] *n. pl. t. anat.* wnętrzności, trzewia.

visceral [ˈvɪsərəl] *a.* **1.** *lit.* intuicyjny (*np. o przeczuciu, obawie*); emocjonalny (*o reakcji*). **2.** *anat., pat.* trzewny.

viscid [ˈvɪsɪd] *a. bot., techn.* lepki.

viscose [ˈvɪskoʊs] *chem., tk. n. U* wiskoza. – *a. attr.* wiskozowy; ~ **rayon/silk** sztuczny jedwab, jedwab wiskozowy.

viscosity [vɪˈskɑːsətɪ] *n. C/U pl.* **-ies** *fiz.* lepkość.

viscount [ˈvaɪˌkaʊnt] *n.* wicehrabia.

viscountcy [ˈvaɪˌkaʊntsɪ] *n. U l. sing.* wicehrabiostwo, tytuł wicehrabiego.

viscountess [ˈvaɪˌkaʊntəs] *n.* wicehrabina.

viscounty [ˈvaɪˌkaʊntɪ] *n. U l. sing.* **1.** = **viscountcy**. **2.** wicehrabiostwo; jurysdykcja wicehrabiego.

viscous [ˈvɪskəs] *a. techn., fiz.* lepki.

vise [vaɪs], *Br.* **vice** *techn. n.* imadło. – *v.* mocować w imadle; wkręcać w imadło.

viselike [ˈvaɪsˌlaɪk], **vicelike** *a. przen.* żelazny, stalowy; ~ **grip** stalowy uścisk dłoni.

visibility [ˌvɪzəˈbɪlətɪ] *n. U* widoczność; *t. meteor.* widzialność; **low/poor ~ (conditions)** zła *l.* słaba widoczność; **under low/poor ~ conditions** w warunkach złej *l.* słabej widoczności.

visible [ˈvɪzəbl] *a.* **1.** widoczny; widzialny; ~ **to the naked eye** widoczny gołym okiem; **barely/clearly** ~ ledwie/wyraźnie widoczny. **2.** wyraźny, dostrzegalny (*np. o zmianach, objawach*); ~ **signs of sth** wyraźne oznaki czegoś. **3.** pokazujący się publicznie, obecny na scenie politycznej (*o polityku*); dający się zauważyć; zaznaczający swoją obecność; **highly/very** ~ wszechobecny (*w mediach*).

visible radiation *n. U opt.* promieniowanie widzialne.

visible speech *n. U fon.* graficzne przedstawienie *l.* zobrazowanie mowy; spektrografia *l.* spektrogram mowy.

visibly [ˈvɪzəblɪ] *adv.* wyraźnie, najwyraźniej, zauważalnie; **she was ~ shaken** była wyraźnie wstrząśnięta.

Visigoth [ˈvɪzɪˌgɑːθ] *n. hist.* Wizygot/ka.

Visigothic [ˌvɪzɪˈgɑːθɪk] *a. hist.* wizygocki.

vision [ˈvɪʒən] *n.* **1.** *U* wzrok; widzenie; **20-20/perfect** ~ idealny wzrok, pełna ostrość wzroku; **color** ~ rozpoznawanie *l.* widzenie barw; **field of** ~ pole widzenia. **2.** *sing.* wizja; widzenie; **a ~ of the future** wizja przyszłości. **3.** *U* dar przewidywania, wizja (*zwł. u polityka, lidera*). **4.** *U telew.* wizja. **5.** *zw. sing. lit.* obraz; **a ~ of innocence/beauty** obraz niewinności/piękności.

visional [ˈvɪʒənl] *a. form.* **1.** wizyjny. **2.** wizjonerski. **3.** urojony. **4.** wzrokowy.

visionary [ˈvɪʒəˌnerɪ] *n. pl.* **-ies** *rel. l. przen.* wizjoner/ka. – *a.* **1.** wizjonerski. **2.** wizyjny. **3.** urojony; wyimaginowany. **4.** nierealny (*zwł. o planach*).

visit [ˈvɪzɪt] *v.* **1.** odwiedzać; wizytować; nawiedzać; iść *l.* jechać do (*kogoś l. czegoś*); ~ **sth** zwiedzać coś; jechać gdzieś; ~ **with sb** *gł. US i Can.* odwiedzać kogoś (*np. rodzinę, przyjaciela*); spotykać się z kimś, bywać u kogoś (*towarzysko*); **we don't** ~ nie bywamy u siebie. **2.** przeprowadzać inspekcję *l.* kontrolę (*np. instytucji, budowy*). **3.** ~ **sth on/upon sb/sth** *arch. zwł. Bibl.* ukarać kogoś/coś czymś; sprowadzić coś na kogoś/coś (*np. nieszczęścia, gniew Boży*). – *n.* **1.** wizyta, odwiedziny (*to sb / sth* u kogoś/gdzieś); **come on a** ~ przyjechać *l.* przyjść z wizytą; **(come) on a courtesy/official/private** ~ *zwł. polit.* (przybyć) z kurtuazyjną/oficjalną/prywatną wizytą; **home** ~ wizyta domowa (*lekarza*); **make a flying ~ (to sb/sth)** wpaść *l.* wstąpić na chwilę (do kogoś/gdzieś); **pay sb a** ~ złożyć komuś wizytę; **return a** ~ iść z rewizytą. **2.** *US i Can.* spotkanie (*towarzyskie*). **3.** inspekcja; wizytacja.

visitant [ˈvɪzɪtənt] *n.* **1.** *orn.* ptak przelotny. **2.** gość z zaświatów. **3.** *arch.* gość. – *a. form.* odwiedzający.

visitation [ˌvɪzɪˈteɪʃən] *n.* **1.** *form.* wizytacja (*biskupa, komisji*); inspekcja (*komisji, kontrolera*); wizyta; odwiedziny. **2.** *żart.* wizyta bez końca, nasiadówka. **3.** *prawn.* widzenie; *U* widzenia (*z dzieckiem, zwł. po rozwodzie*). **4.** *lit., rel.* kara boska. **5.** *zwł. rel.* nawiedzenie (*przez ducha, widziadło*); **V~** Nawiedzenie (Matki Boskiej) (*element ewangelii l. święto*); **Nuns of the V~** wizytki; **Order of the V~** zakon wizytek.

visiting card [ˈvɪzɪtɪŋ ˌkɑːrd] *n. Br.* wizytówka, bilet wizytowy.

visiting fireman *n. pl.* **-men** *zwł. US* ważny gość.

visiting hours *n. pl. med.* godziny odwiedzin (*w szpitalu*).

visiting nurse *n. med.* pielęgniarka środowiskowa.

visiting professor *n. uniw.* gościnny wykładowca.

visiting speaker *n.* gościnny prelegent.

visiting teacher *n. szkoln.* nauczyciel/ka dochodząc-y/a.

visiting team *n. sport* drużyna gości.

visitor [ˈvɪzɪtər] *n.* **1.** gość (*t. państwowy*); odwiedzający (*np. w muzeum, szpitalu; t. = turysta*); **~s to the US** odwiedzający USA, osoby odwiedzające USA; **I am a ~ here** jestem nietutejszy. **2.** *orn.* ptak przelotny.

visitor center, *Br.* **visitor centre** *n. US* centrum informacji turystycznej.

visitors' book *n.* księga pamiątkowa *l.* gości (*w muzeum*).

visor [ˈvaɪzər], **vizor** *n.* **1.** daszek (*na gumce l. u czapki*). **2.** *mot.* osłona przeciwsłoneczna (*nad szybą*). **3.** osłona, szybka (*w hełmie motocyklisty, kasku spawacza*). **4.** *hist.* przyłbica. – *v.* osłaniać (*oczy*).

VISTA [ˈvɪstə] *abbr.* **Volunteers in Service to America** *US* organizacja charytatywna wspomagająca najuboższych.

vista [ˈvɪstə] *n. t. przen.* perspektywa; **open up new ~s** otwierać nowe perspektywy.

Vistula [ˈvɪstʃʊlə] *n. geogr.* Wisła.

visual [ˈvɪʒʊəl] *a.* **1.** wzrokowy (*np. o kontakcie*); przy pomocy wzroku (*np. o kierowaniu czymś*). **2.** wizualny (*np. o humorze, efekcie*). – *n.* **1.** ilustracja; wykres. **2.** projekt; szkic. **3.** *pl.* = **visual aids**.

visual acuity *n. U fizj.* ostrość wzroku.

visual aids *n. pl.* multimedia; *zwł. szkoln.* graficzne *l.* multimedialne pomoce dydaktyczne.

visual angle *n. fizj.* kąt widzenia.

visual arts *n. pl.* sztuki plastyczne.

visual display unit *n.* (*także* **VDU**) *komp.* monitor ekranowy.

visual field *n. fizj.* pole widzenia.

visualization [ˌvɪʒʊələˈzeɪʃən], *Br. i Austr. zw.* **visualisation** *n. U psych., sztuka* wizualizacja; *techn.* wizualizacja, obrazowanie; *psych.* wyobrażenie; *form.* uwidocznienie, przedstawienie.

visualize [ˈvɪʒʊəˌlaɪz], *Br. i Austr. zw.* **visualise** *v.* **1.** wyobrażać sobie (*how/what/where* jak/co/gdzie, *sb doing sth* jak ktoś coś robi). **2.** *techn.* obrazować, wizualizować; *form.* uwidaczniać, przedstawiać. **3.** *psych.* wizualizować.

visually [ˈvɪʒʊəlɪ] *adv.* **1.** wizualnie; z wyglądu; pod względem wizualnym *l.* widowiskowym; **~ appealing** atrakcyjny z wyglądu. **2.** wzrokowo, naocznie (*np. demonstrować*). **3.** za pomocą wzroku (*robić coś*); pod kontrolą wzrokową *l.* wzroku (*przeprowadzać zabieg, naprawę, lądowanie*). **4. ~ impaired/handicapped** z upośledzeniem (narządu) wzroku; niedowidzący; niewidomy.

visual range *n. fizj.* zasięg widzenia.

vita [ˈvaɪtə] *n. pl.* **vitae** [ˈvaɪti:] *zwł. US i Can.* **1.** życiorys, CV. **2.** szkic biograficzny, sylwetka.

vital [ˈvaɪtl] *a.* **1.** *zwł. form.* podstawowy, zasadniczy, fundamentalny (*to/for sb/sth* dla kogoś/czegoś); **~ component/element/ingredient** podstawowy składnik *l.* element; **be of ~ importance** mieć podstawowe *l.* fundamentalne znaczenie; **it is ~ that.../to...** jest rzeczą podstawową, aby...; ... ma podstawowe znaczenie; **play a ~ part/role** mieć podstawowe znaczenie, odgrywać zasadniczą rolę. **2.** pełen życia, żywotny, witalny; **~ energy** energia witalna. **3.** *attr. fizj.* życiowy, podtrzymujący życie; podstawowy; **~ organs** podstawowe *l.* najważniejsze organy; **~ functions/processes** funkcje/procesy życiowe. **4.** kardynalny (*o błędzie*). **5.** *lit.* śmiertelny (*o ranie*).

vitalism [ˈvaɪtəˌlɪzəm] *n. U fil.* witalizm.

vitality [vaɪˈtælətɪ] *n. U* żywotność, witalność.

vitalize [ˈvaɪtəˌlaɪz], *Br. i Austr. zw.* **vitalise** *v. gł. przen. form.* ożywiać (*np. organizm, gospodarkę, nudne spotkanie*); przywracać do życia; tchnąć (nowe) życie w (*osobę, projekt*).

vitally [ˈvaɪtlɪ] *adv.* krytycznie, fundamentalnie; niezwykle; **~ important** niezwykle ważny.

vitals [ˈvaɪtlz] *n. pl.* **1.** *biol.* podstawowe organy. **2.** podstawy. **3.** *żart.* klejnoty (rodowe) (= *genitalia*).

vital signs *n. pl. med.* oznaki życia.

vital statistics *n. pl.* **1.** *stat.* wskaźniki *l.* dane demograficzne. **2.** *przest. zwł. żart.* wymiary (*w biuście, talii i biodrach*).

vitamin [ˈvaɪtəmɪn], **vitamine** *n. C/U biochem.* witamina; **take ~ C** brać witaminę C.

vitiate [ˈvɪʃɪˌeɪt] *v. form.* **1.** niweczyć (*np. wysiłki*); stawiać pod znakiem zapytania, podawać w wątpliwość, osłabiać (*np. argumenty, wnioski*). **2.** *prawn.* unieważniać (*kontrakt*). **3.** *lit.* niszczyć, psuć.

vitiation [ˌvɪʃɪˈeɪʃən] *n. U form.* **1.** zniweczenie (*wysiłków*). **2.** postawienie pod znakiem zapytania (*wniosków*). **3.** *prawn.* unieważnienie (*umowy*). **4.** *lit.* zniszczenie, zepsucie.

viticulture [ˈvɪtəˌkʌltʃər] *n. U zwł. form.* uprawa winorośli.

vitreous [ˈvɪtrɪəs] *a.* **1.** *fiz.* szklisty, bezpostaciowy; *techn.* nieporowaty (*o ceramice*); szklany. **2.** *anat.* szklisty.

vitreous body *n. U anat.* ciało szkliste.

vitreous humor, *Br.* **vitreous humour** *n. U anat.* ciecz szklista, szklistka (*w oku*).

vitrified [ˈvɪtrəˌfaɪd] *a. gł. attr. techn.* ceramiczny.

vitrify [ˈvɪtrəˌfaɪ] *v.* **-ied, -ying** *techn.* zeszklić.

vitriol [ˈvɪtrɪəl] *n.* **1.** *U lit.* gorzkie słowa; nienawiść; rozgoryczenie, gorycz; złośliwość. **2.** *C/U chem. przest.* witriol (= *siarczan jednego z kilku metali l. kwas siarkowy*).

vitriolic [ˌvɪtrɪˈɑ:lɪk] *a.* **1.** *form.* nienawistny (*o słowach*); zjadliwy (*o krytyce*); złośliwy (*o postępku*). **2.** *przest. chem.* (silnie) żrący.

vituperate [vaɪˈtu:pəˌreɪt] *v. form.* **1.** miotać obelgi. **2.** urągać (*komuś*), lżyć.

vituperation [vaɪˌtu:pəˈreɪʃən] *n. U* obelgi, lżenie.

vituperative [vaɪˈtu:pərətɪv] *a. form.* obelżywy.

viva[1] [ˈvaɪvə] *Br. uniw. n.* egzamin ustny. – *v.* egzaminować ustnie, przepytywać.

viva[2] [ˈviːvə] *int.* niech żyje!; ~ **the president!** niech żyje prezydent!.

vivacious [vɪˈveɪʃəs] *a. form.* energiczny, pełen życia.

vivaciously [vɪˈveɪʃəslɪ] *adv. form.* energicznie, z życiem.

vivaciousness [vɪˈveɪʃəsnəs] *n. U* (*także* **vivacity**) *form.* energia, energiczność.

vivandiere [ˌviːvɑːnˈdjɜː] *n. hist., wojsk.* markietanka.

vivarium [vaɪˈverɪəm] *n. pl.* **-s** *l.* **vivaria** [vaɪˈverɪə] *zool.* wiwarium.

viva voce [ˌvaɪvə ˈvoʊtʃɪ] *n. i v. form.* = **viva**[1]. – *a. attr.* ustny (*o egzaminie*). – *adv.* ustnie (*egzaminować*).

vivid [ˈvɪvɪd] *a.* **1.** żywy (*np. o kolorze, świetle*). **2.** wyrazisty, wyraźny (*np. o wspomnieniu, śnie, opisie*). **3.** ~ **imagination** bogata wyobraźnia.

vividly [ˈvɪvɪdlɪ] *adv.* wyraźnie, wyraziście (*np. pamiętać*).

vividness [ˈvɪvɪdnəs] *n. U* wyrazistość (*np. wspomnień, obrazu*).

vivify [ˈvɪvəˌfaɪ] *v.* **-ied, -ying** *form.* ożywiać (*organizm, coś nudnego*).

viviparous [vɪˈvɪpərəs] *a. biol.* żyworodny.

vivisect [ˈvɪvɪˌsekt] *v.* dokonywać wiwisekcji (na) (*zwierzęciu*).

vivisection [ˌvɪvɪˈsekʃən] *n. U* wiwisekcja.

vivisectionist [ˌvɪvɪˈsekʃənɪst] *n.* wiwisekcjonist-a/ka, zwolenni-k/czka wiwisekcji.

vixen [ˈvɪksən] *n.* **1.** *zool.* lisica. **2.** *przest. obelż.* jędza.

vixenish [ˈvɪksənɪʃ] *a. obelż.* jędzowaty.

viz [vɪz], **viz.** *abbr.* **videlicet** *form.* tzn. (= *to znaczy*); tj. (= *to jest*).

vizier [vəˈziːr], **vizir** *n. polit., gł. hist.* wezyr; **grand** ~ wielki wezyr.

vizor [ˈvaɪzər] *n.* = **visor**.

VJ [ˌviː ˈdʒeɪ] *abbr. pot.* = **video jockey**.

V-J Day [ˌviːˈdʒeɪ ˌdeɪ] *abbr. i n.* **Victory-in-Japan Day** dzień zwycięstwa (nad Japonią), dzień zakończenia II wojny światowej (na Dalekim Wschodzie) (*15 sierpnia 1945*).

Vlach [vlɑːk] *hist. n.* Woło-ch/szka. – *a.* wołoski.

VLF [ˌviː ˌel ˈef], **vlf** *abbr.* **very low frequency** *fiz., radio* (fale *l.* pasmo) VLF; *fiz.* (pasmo *l.* częstotliwość) VLF (*bardzo niska częstotliwość, od 3 do 30 kHz*).

V-neck [ˈviːˌnek], **V neck** *n.* **1.** dekolt *l.* wycięcie w szpic. **2.** (*także* ~ **jumper/pullover**) sweter z dekoltem w szpic; (*także* ~ **shirt**) koszulka z dekoltem w szpic.

V-necked [ˈviːˌnekt] *a.* (z dekoltem) w szpic.

VO [ˌviː ˈoʊ] *abbr.* **1.** = **voice-over**. **2. very old** VO (*gatunek koniaku l. whisky*).

VOA [ˌviː ˌoʊ ˈeɪ] *abbr.* **Voice of America** *radio* Głos Ameryki.

voc. *abbr. gram.* = **vocative**.

vocab [ˈvoʊkæb] *n. i abbr. pot.* = **vocabulary** 1, 2.

vocable [ˈvoʊkəbl] *form. n. przest.* wyraz, słowo. – *v.* dający się wymówić.

vocabulary [voʊˈkæbjəˌlerɪ] *n. pl.* **-ies** **1.** *U l. sing. jęz.* słownictwo, zasób słów *l.* słownictwa (*danego języka l. danej osoby*); język (*danej grupy l. dziedziny*); **expand/extend/widen one's** ~ poszerzyć (swoje) słownictwo; **limited/wide** ~ ograniczone/szerokie słownictwo. **2.** *szkoln.* słowniczek, słownik, lista słówek (*zwł. w podręczniku do nauki języka*). **3.** *U l. sing. sztuka* repertuar (*artysty, dziedziny sztuki*). **4.** *komp.* leksykon (*języka programowania*). **5. the word failure/sorry isn't in sb's** ~ *przen.* ktoś nawet nie wie, co znaczy porażka/znaczą przeprosiny.

vocal [ˈvoʊkl] *a.* **1.** głośny (*np. o protestach, krytyce*); aktywny (*np. o opozycji*); natarczywy (*np. o nawoływaniach, protestach*); ~ **minority** głośna mniejszość. **2.** *t. fizj.* głosowy. **3.** *muz.* wokalny (*o utworze*). **4.** *form.* głośny (*o pomieszczeniu, rozmowach*). **5.** *form.* obdarzony głosem. **6.** *przest. fon.* samogłoskowy; dźwięczny. – *n. muz.* **1.** = **vocals**. **2.** utwór wokalny.

vocal cords, vocal chords *n. pl.* (*także* **vocal folds/bands**) *anat.* struny *l.* wiązadła *l.* fałdy głosowe.

vocalic [voʊˈkælɪk] *a. fon.* samogłoskowy, wokaliczny.

vocalise[1] [ˌvoʊkəˈliːz] *n. U muz.* wokaliza, solfeż.

vocalise[2] [ˈvoʊkəˌlaɪz] *v. Br.* = **vocalize**.

vocalism [ˈvoʊkəˌlɪzəm] *n.* **1.** *jęz., fon.* system samogłoskowy, wokalizm (*języka*); samogłoska. **2.** *U form.* wokalistyka, śpiew.

vocalist [ˈvoʊkəlɪst] *n.* wokalist-a/ka.

vocalization [ˌvoʊkələˈzeɪʃən], *Br. i Austr. zw.* **vocalisation** *n.* wokalizacja, wokaliza.

vocalize [ˈvoʊkəˌlaɪz], *Br. i Austr. zw.* **vocalise** *v.* **1.** *muz., jęz., fizj., fon.* wokalizować. **2.** *fon.* wymawiać dźwięcznie (*spółgłoskę*).

vocally [ˈvoʊklɪ] *adv.* **1.** głośno (*zwł. protestować*). **2.** wokalnie.

vocal range *n.* skala głosu (*śpiewaka*).

vocals [ˈvoʊklz] *n. pl. muz.* śpiew, wokal, partia wokalna.

vocation [voʊˈkeɪʃən] *n. C/U* **1.** powołanie (*for sth* do czegoś); **by** ~ z powołania; **find one's** ~ odkryć swoje powołanie; **miss one's** ~ minąć się z powołaniem. **2.** *form.* zawód, profesja.

vocational [voʊˈkeɪʃənl] *a. attr.* zawodowy; ~ **guidance** doradztwo zawodowe; ~ **school** szkoła zawodowa; ~ **training** szkolenie zawodowe.

vocative [ˈvɑːkətɪv] *gram. n.* wołacz. – *a.* ~ **form** forma wołacza.

vociferate [voʊˈsɪfəˌreɪt] *v. form.* wykrzykiwać.

vociferous [voʊˈsɪfərəs] *a. form.* krzykliwy, hałaśliwy.

vociferously [voʊˈsɪfərəslɪ] *adv. form.* krzykliwie, hałaśliwie.

vocoder [ˌvoʊˈkoʊdər] *n. el.* wokoder.

vodka [ˈvɑːdkə] *n. C/U* wódka.

vogue [voʊg] *n. U l. sing.* moda (*for sth* na coś); powodzenie, popularność (*for sth* czegoś); **be the** ~ być w modzie; **in** ~ w modzie, modny; popularny; **bring sth into** ~ spopularyzować coś; **be brought back into** ~ (*także* **be back in** ~) wrócić do łask; **enjoy/have (a)** ~ cieszyć się powodzeniem *l.* popularnością; **out of ~** niemodny; niepopularny.

voguish [ˈvoʊgɪsh] *a.* modny.

voice [vɔɪs] *n. C / U* **1.** głos. **2.** *muz.* wokal. **3.** *fon.* dźwięczność. **4.** *gram.* strona (*czasownika*); **active/passive ~** strona czynna/bierna. **5.** *przen.* **add/lend one's ~ to sth** opowiadać się za czymś *l.* po stronie czegoś; **be in (good) ~** *muz.* być przy głosie (*o śpiewa-ku / czke*); **dissenting ~s** głosy sprzeciwu; **for six ~s and piano** *muz.* na sześć głosów i fortepian; **not be in ~** (*także* **be out of ~**) nie być przy głosie (*o śpiewa-ku / czce*); **close one's ~** stracić głos (*wskutek przeziębienia*); **drop/lower one's ~** mówić ciszej; **give ~ to sth** dawać wyraz czemuś; **have a ~ in sth** mieć w jakiejś sprawie coś do powiedzenia; **have no ~ in sth** nie mieć w jakiejś sprawie głosu/nic do powiedzenia; **in a soft ~** cichym *l.* spokojnym głosem; **in an angry ~** zdenerwowanym głosem, z nutą zdenerwowania w głosie; **keep one's ~ down** mówić cicho; **listen to the ~ of reason** iść za głosem rozsądku; **lose one's ~** stracić głos (*zwł. od długiego mówienia*); **make one's ~ heard** zostać usłyszanym; **raise one's ~** podnosić głos; mówić głośniej; **raise one's ~ against sth** protestować przeciwko czemuś; **sb's ~ breaks** ktoś przechodzi mutację; **sb's inner ~** (*także* **the ~ within sb**) czyjś głos wewnętrzny; **sb's tone of ~** ton czyjegoś głosu, czyjś ton; **(shout/scream/yell) at the top of one's ~** (krzyczeć) z całych sił *l.* ile sił w płucach; **small ~** cichy *l.* niepozorny głos; **speak with one ~** mówić *l.* przemawiać jednym głosem; **the ~ of the people** głos ludu; **the ~ of reason/sanity** głos rozsądku; **with one ~** jednogłośnie. – *v.* **1.** wyrażać (*np. opinie, wątpliwości*); dawać wyraz czemuś (*np. niechęci*). **2.** *fon.* wymawiać dźwięcznie (*głoskę*). **3.** *fon.* udźwięczniać (*głoskę*). **4.** *muz.* stroić (*organy*).

voice-activated [ˌvɔɪsˈæktəˌveɪtɪd] *a.* sterowany głosem (*o urządzeniu*).

voice box *n.* krtań.

voiced [vɔɪst] *a.* **1.** *fon.* dźwięczny (*o głosce*). **2.** *w złoż.* **soft-~d** o cichym głosie.

voiceful [ˈvɔɪsfʊl] *a. lit.* dźwięczny.

voiceless [ˈvɔɪsləs] *a.* **1.** *fon.* bezdźwięczny. **2.** niemający głosu, bez głosu (*np. o piosenkarzu, polityku*). **3.** niemy; milczący.

voice mail *n. U* (*także* **voice messaging**) *tel.* poczta głosowa.

voice-over [ˈvɔɪsˌoʊvər] *n. film, telew.* lista dialogowa (*w filmie, programie obcojęzycznym*); lektor (*w filmie obcojęzycznym, reklamie*).

voiceprint [ˈvɔɪsˌprɪnt] *n.* spektrogram, sonogram.

voice recognition *n. U techn., komp.* **1.** rozpoznawanie mowy. **2.** rozpoznawanie *l.* identyfikacja głosu (*dla zidentyfikowania tożsamości mówiącego*).

voice recognition system *n. techn., komp.* system rozpoznawania mowy.

voice synthesis *n. U techn., komp.* synteza mowy.

voicing [ˈvɔɪsɪŋ] *n. U fon.* dźwięczność.

void [vɔɪd] *a. form.* **1.** *prawn.* nieważny; **null and ~** *zob.* **null** *a.*; **declare sth (null and) ~** unieważnić coś. **2.** *form.* **~ of sth** pozbawiony czegoś; wolny od czegoś; **~ of expression** pozbawiony wyrazu, bez wyrazu. **3.** wakujący (*o stanowisku*). **4.** bezużyteczny, bezsensowny; **render sth ~** obrócić coś wniwecz (*zwł. wysiłki*). **5.** próżny, pusty. **6. sb's hearts/spades were ~** *karty* ktoś zrzucił się z kierów/pików. – *n.* **1.** *zw. sing.* pustka; próżnia; (pusta) przestrzeń; **leave a ~ in sb's life** pozostawić pustkę w czyimś życiu. **2.** *karty* brak (*in sth* w danym kolorze). – *v.* **1.** *prawn.* unieważniać (*umowę*). **2.** *form.* wydalać z siebie; oddawać (*mocz*). **3.** *form.* opróżniać (*of sth* z czegoś).

voidable [ˈvɔɪdəbl] *a. prawn.* podlegający unieważnieniu.

voidance [ˈvɔɪdəns] *n. form.* **1.** *prawn.* unieważnienie. **2.** wakat; *kość.* wakans (*stolicy biskupiej l. na beneficjum*).

voilà [vwɑːˈlɑː], **voila** *int.* (no i) proszę!.

voile [vɔɪl] *n. U tk.* woal.

vol. *abbr.* **volume** t. (= *tom*).

volant [ˈvoʊlənt] *a.* **1.** *her.* w locie (*o ptaku*). **2.** *form.* latający. **3.** *poet.* żwawy.

Volapük [ˈvoʊləˌpuːk], **Volapuk** *n. U jęz.* wolapik (*sztuczny język międzynarodowy*).

volar [ˈvoʊlər] *a. anat.* dłoniowy; podeszwowy.

volatile [ˈvɑːlətl] *a.* **1.** niestabilny (*o sytuacji*). **2.** zmienny (*o osobie, nastroju*). **3.** *fiz.* lotny (*o substancji*).

volatile memory *n. U komp.* pamięć ulotna *l.* nietrwała.

volatility [ˌvɑːləˈtɪləti] *n. U* **1.** niestabilność (*sytuacji*). **2.** zmienność (*nastroju*). **3.** *fiz.* lotność (*substancji*).

volatilize [ˈvɑːlətəˌlaɪz], *Br. i Austr. zw.* **volatilise** *v. fiz.* odparowywać (*t. coś*).

vol-au-vent [ˌvɔːloʊˈvɑːn] *n. pl.* **-s** [ˌvɔːloʊˈvɑːnz] *Fr. kulin.* pasztecik (*np. z nadzieniem z kurczaka, krewetek l. warzywnym*).

volcanic [vɑːlˈkænɪk] *a.* **1.** *geol.* wulkaniczny; **~ activity** działalność wulkaniczna; **~ ash/dust/cone** popiół/pył/stożek wulkaniczny; **~ eruption** wybuch wulkanu; **~ rock** skała wulkaniczna. **2.** *przen.* porywczy, gwałtowny.

volcano [vɑːlˈkeɪnoʊ] *n. pl.* **-s** *l.* **-es** *geol.* wulkan; **active/dormant/inactive ~** wulkan czynny/drzemiący/nieczynny.

vole [voʊl] *n.* **1.** *pl.* **-s** *l.* **vole** *zool.* nornik, nornica, polnik (*Microtus*). **2.** *karty* szlem.

Volga [ˈvɑːlgə] *n. geogr.* Wołga.

Volhynia [vɑːˈlɪnɪə] *n. geogr.* Wołyń.

Volhynian [vɑːˈlɪnɪən] *a.* wołyński.

volitant [ˈvɑːlɪtənt] *a.* **1.** *zool.* latający. **2.** *form.* ruchliwy.

volition [voʊˈlɪʃən] *n. U form.* wola; **of one's own ~** z własnej woli.

volitional [voʊˈlɪʃənl] *a. psych.* wolicjonalny.

volitive [ˈvɑːlətɪv] *a.* **1.** *psych.* wolicjonalny. **2.** *gram.* wyrażający życzenie (*o formie czasownika*).

volley [ˈvɑːlɪ] *n.* **1.** salwa (*kul*); grad (*ciosów, kamieni*). **2.** *przen.* potok (*np. wyzwisk, pytań*). **3.** *sport* wolej, uderzenie z woleja. – *v.* **1.** *sport* uderzyć z woleja (*piłkę*). **2.** wypalać salwą; oddawać salwę (*strzałów*). **3.** miotać (*np. przekleństwami, oskarżeniami*). **4.** śmigać.

volleyball [ˈvɑːlɪˌbɔːl] *n. sport* **1.** *U* siatkówka, piłka siatkowa (*gra, dyscyplina*). **2.** piłka do siatkówki.

volleyballer [ˈvɑːlɪˌbɔːlər] *n. sport* siatka-rz/rka.

volplane [ˈvɑːlˌpleɪn] *lotn. n. gł. sing.* lot ślizgowy. – *v.* lecieć lotem ślizgowym.

vols. *abbr.* **volumes** t., tt. (= *tomy*).

volt[1] [voʊlt] *n. el.* wolt.

volt[2] *n.* = **volte.**

voltage [ˈvoʊltɪdʒ] *n. C/U el.* napięcie; ~ **divider/drop/regulator** dzielnik/spadek/stabilizator napięcia; **high/low** ~ wysokie/niskie napięcie.

voltaic [vɑːlˈteɪɪk] *a. el.* galwaniczny, elektrochemiczny; ~ **battery** bateria galwaniczna; ~ **cell** ogniwo galwaniczne; ~ **pile** ogniwo Volty.

voltameter [vɑːlˈtæmɪtər] *n. el.* woltametr.

volte [vɑːlt], **volt** *n. jeźdz., szerm.* wolta.

volte-face [ˌvɔːltˈfɑːs] *n.* zwrot o 180°, całkowity zwrot, zmiana frontu.

voltmeter [ˈvoʊltˌmiːtər] *n. el.* woltomierz.

volubility [ˌvɑːljəˈbɪlətɪ] *n. U form.* wielosłowie, potoczystość.

voluble [ˈvɑːljəbl] *a.* **1.** *form.* potoczysty, wielomówny. **2.** *bot.* wijący się.

volubly [ˈvɑːljəblɪ] *adv. form.* potoczyście (*mówić*).

volume [ˈvɑːljəm] *n.* **1.** *C/U t. fiz., mat.* objętość (*gazu, bryły, naczynia*); pojemność (*naczynia*). **2.** *C/U* wielkość (*obrotów, produkcji*); intensywność (*ruchu*); ilość (*korespondencji*); liczba (*przychodzących listów*); **in** ~ *form.* w dużej ilości. **3.** tom (*np. encyklopedii, słownika, pisma; t. form. = książka*); zeszyt (*periodyku*); wolumin. **4.** *U* głośność; ~ **control** regulacja *l.* pokrętło głośności; **turn down the ~ of sth** ściszyć coś (*radio, muzykę*). **5.** puszystość (*włosów*). **6.** *hist.* zwój. **7. speak ~s** *przen.* wiele mówić (*np. o wyrazie twarzy, geście*).

volumed [ˈvɑːljəmd] *a. w złoż.* **two/three-~d work** dzieło w dwóch/trzech tomach.

volume discount *n. U handl.* rabat przy dużym zamówieniu.

volumeter [vəˈluːmɪtər] *n. techn.* objętościomierz, wolumetr.

volumetric [ˌvɑːljəˈmetrɪk] *a. chem., fiz.* objętościowy, wolumetryczny (*o analizie, roztworze*).

voluminous [vəˈluːmənəs] *a. form.* **1.** obszerny (*np. o notatkach, sprawozdaniu; t. o ubraniu*). **2.** pojemny (*np. o walizce, kufrze*). **3.** płodny (*o pisarzu*).

voluminously [vəˈluːmənəslɪ] *adv. form.* obszernie.

voluntarily [ˈvɑːlənˌterəlɪ] *adv.* dobrowolnie.

voluntarism [ˈvɑːləntəˌrɪzəm] *n. U* **1.** *fil.* woluntaryzm. **2.** = **voluntaryism.**

voluntary [ˈvɑːlənˌterɪ] *a.* **1.** dobrowolny (*np. o współpracy, działaniu*); ~ **donation** dobrowolny datek; ~ **liquidation** *ekon.* likwidacja dobrowolna; ~ **redundancy** *Br.* dobrowolne odejście z pracy. **2.** świadomy (*o wyborze*). **3.** ochotniczy, charytatywny, społeczny (*o organizacji, stowarzyszeniu*); społeczny (*o pracy, pracowniku; = bez wynagrodzenia*); ~ **assistant** pomocnik-wolontariusz. **4.** *fizj.* samorzutny, spontaniczny (*o śmiechu*); świadomy (*o odruchach*); ~ **movement** ruch dowolny; ~ **muscle** mięsień podległy woli. **5.** *prawn.* dobrowolny (*np. o przyznaniu się do winy, ubezpieczeniu*). **6.** *prawn.* świadomy, rozmyślny, umyślny (*o działaniu*). **7.** *prawn.* nieodpłatny (*o usłudze, świadczeniu*). – *n. pl.* **-ies** *muz.* przygrywka (na organach) (*zwł. w czasie nabożeństwa*).

voluntaryism [ˈvɑːlənˌterɪˌɪzəm] *n. U ekon.* finansowanie z dobrowolnych datków.

volunteer [ˌvɑːlənˈtiːr] *n.* **1.** *t. wojsk.* ochotni-k/czka; **(any) ~s?** kto na ochotnika?. **2.** wolontariusz/ka. **3.** (*także* ~ **plant**) *bot.* samosiejka. – *a. attr.* **1.** dobrowolny; ochotniczy; ~ **army/military service** ochotnicza armia/służba wojskowa. **2.** społeczny, w charakterze woluntariusz-a/ki; ~ **work** praca społeczna; ~ **worker** wolontariusz/ka. – *v.* **1.** ~ **to do sth** podejmować się (zrobienia) czegoś. **2.** ~ **(o.s.)** zgłaszać się (na ochotnika) (*for sth* do czegoś) (*t. do wojska*). **3.** oferować (*pomoc, radę*); deklarować (*pomoc*); poświęcać (*czas*). **4.** podsuwać (*odpowiedź*); udzielać (dobrowolnie) (*informacji*). **5.** ~ **sb for sth** wyznaczać kogoś do czegoś.

voluptuary [vəˈlʌptʃʊˌerɪ] *form. n. pl.* **-ies** hedonist-a/ka. – *a.* hedonistyczny.

voluptuous [vəˈlʌptʃʊəs] *a.* **1.** zmysłowy (*np. o ciele, ustach, kształtach, kobiecie*). **2.** *lit.* rozkoszny, upojny (*np. o zapachu, widoku, poczuciu*).

voluptuously [vəˈlʌptʃʊəslɪ] *adv.* **1.** zmysłowo. **2.** *lit.* rozkosznie, upojnie.

voluptuousness [vəˈlʌptʃʊəsnəs] *n. U* **1.** zmysłowość. **2.** *lit.* rozkosz.

volute [vəˈluːt] *n.* **1.** zwój (*muszli*); skręt (*spirali*). **2.** spirala. **3.** *bud., sztuka* woluta, ślimacznica. **4.** *zool.* zwójka (*Voluta*). – *a. attr. techn., zool.* spiralny.

voluted [vəˈluːtɪd] *a. zool., techn.* spiralny.

volution [vəˈluːʃən] *n. zwł. zool.* skręt, zwój, spirala.

volvulus [ˈvɑːlvjələs] *n. C/U pl.* **-es** *l.* **volvuli** *pat.* skręt jelit, zawęźlenie.

vomer [ˈvoʊmər] *n. anat.* lemiesz (*część przegrody nosowej*).

vomit [ˈvɑːmət] *v.* **1.** *fizj.* wymiotować (*czymś*); zwymiotować (*posiłek*). **2.** *przen.* wyrzucać z siebie, wypluwać (*np. lawę, dymy, przekleństwa*); wypływać (*np. o lawie, dymach*). – *n. U* **1.** wymiociny. **2.** wymioty.

vomitive [ˈvɑːmətɪv] *a. i n. med.* (środek) wymiotny.

vomitory [ˈvɑːməˌtɔːrɪ] *n. pl.* **-ies** **1.** *med.* środek wymiotny. **2.** *teatr* vomitorium (= *wyjście w starożytnym amfiteatrze*). – *a.* wymiotny.

vomitus [ˈvɑːmətəs] *n. U fizj.* wymiociny.

voodoo [ˈvuːduː] *n. pl.* **-s** *gł. rel.* **1.** *U* (kult) voodoo *l.* wudu. **2.** wyznaw-ca/czyni voodoo *l.* wudu. **3.** czary; fetysz. **4.** *pot.* pech, klątwa, zły omen. **5.** *przen. pot.* mit (= *teoria l. wierzenie bez* *oparcia w faktach*). **6.** ~ **doctor/priest** czarownik. – *v. rel.* zaczarować, rzucić czar na.

voodoo economics *n. U US* nęcąca (lecz bezwartościowa) teoria gospodarcza.

voodooism [ˈvuːduːˌɪzəm] *n. U* **1.** *rel.* (kult) voodoo *l.* wudu. **2.** *przen.* czary, magia.

voracious [vəˈreɪʃəs] *a. t. przen.* żarłoczny; zachłanny; żądny wiedzy; ~ **appetite** wilczy apetyt; ~ **reader** zapalon-y/a czytelni-k/czka; **be a ~ reader** połykać *l.* pochłaniać książki.

voraciously [vəˈreɪʃəslɪ] *adv.* żarłocznie; zachłannie; z zapałem.

voraciousness [vəˈreɪʃəsnəs], **voracity** [vəˈræsətɪ] *n. U* żarłoczność; zachłanność; zapał (*zwł. do wiedzy, książek*).

vortex [ˈvɔːrteks] *n. pl.* **-es** *l.* **vortices** [ˈvɔːrtɪˌsiːz] **1.** *mech.* wir; ~ **flow/ring** przepływ/pierścień wirowy; ~ **sheet/street** warstwa/aleja wirowa. **2. be sucked into a ~ of despair** *przen.* wpaść w wir rozpaczy.

vortical [ˈvɔːrtɪkl] *a. mech.* wirowy.

vorticella [ˌvɔːrtəˈselə] *n. zool.* wirczyk (*Vorticella*).

vortiginous [vɔːrˈtɪdʒənəs] *a. form.* wirowy.

Vosges [voʊʒ] *n. pl.* **the** ~ *geogr.* Wogezy.

votaress [ˈvoʊtərəs] *n. przest. rel.* czcicielka; zakonnica.

votarist [ˈvoʊtərɪst] *n. rel.* = **votary**.

votary [ˈvoʊtərɪ] *n. pl.* **-ies** **1.** *rel.* czciciel/ka; zakonni-k/ca; osoba związana ślubami. **2.** *form. l. rel.* apostoł/ka, wyznaw-ca/czyni, gorąc-y/a zwolenni-k/czka (*of sth* czegoś).

vote [voʊt] *n. gł. polit.* **1.** głos (*wyborczy*); **cast one's ~** oddawać głos; **count the ~s** liczyć głosy; **split one's ~** *zob.* **split** *v.* **2. the (right to) ~** (czynne) prawo wyborcze, prawo głosu, prawo do głosowania; **get the ~** uzyskać prawo wyborcze. **3.** *sing.* głosowanie; **have/take a ~** przeprowadzić głosowanie; **have/take a ~ on sth** (*także* **put sth to the/a ~**) poddać coś pod głosowanie. **4.** *U* głosy. **5.** *U* elektorat, wyborcy; **get out the ~** zmobilizować elektorat; **the female ~** elektorat kobiecy. **6.** *parl.* wotum; ~ **of confidence/no confidence** wotum zaufania/nieufności. **7.** uchwała, decyzja, wniosek; **pass a ~ of censure on sb/sth** przyjąć uchwałę potępiającą kogoś/coś (*zw. rząd*). **8.** *przen.* **propose a ~ of thanks** *Br. form.* złożyć (oficjalne) podziękowanie; **sth gets sb's ~** *zwł. pot.* ktoś jest za czymś, ktoś coś popiera. – *v.* **1.** głosować (*for sth / in favor of sth* za czymś, *against sth* przeciw *l.* przeciwko czemuś, *for sb* na kogoś); przegłosować, uchwalić (*np. ustawę, fundusze na coś*); ~ **Democrat/Republican/Socialist** głosować na demokratów/republikanów/socjalistów; ~ **sth for/towards** *US*/**to** *Br.* **sb/sth** przegłosować coś na coś/dla kogoś (*zwł. fundusze na jakiś cel*). **2.** wybierać (*for sb* kogoś) (*w głosowaniu*); **sth was ~ed product of the year** coś wybrano produktem roku; **sb was ~ed best European director** kogoś wybrano najlepszym europejskim reżyserem; **sb was ~ed president** kogoś wybrano na prezydenta/przewodniczącego, ktoś został wybrany na prezydenta/przewodniczącego. **3.** uznawać (powszechnie) za (*kogoś l. coś*). **4.** ~ **to do sth** opowiedzieć się za zrobieniem czegoś. **5.** ~ **that...** *pot.* być za tym, żeby... **6.** *przen.* ~ **one's pocketbook/conscience** *US* kierować się (w wyborach) własnym interesem/sumieniem; ~ **sth the best/a success** uznać coś za najlepsze/za sukces; ~ **with one's feet** głosować nogami (*przez wyjście, przybycie, nieprzybycie itp.*). **7.** ~ **down** odrzucić (*wniosek w głosowaniu*); ~ **in** wybierać (*kandydata*); ~ **sb into power/office** wybrać kogoś na stanowisko; ~ **sb into/onto/to sth** wybrać kogoś do czegoś (*zwł. do parlamentu*); ~ **out** odrzucić kandydaturę (*kogoś w głosowaniu*); ~ **through** przegłosować (*wniosek, ustawę*).

vote getter *n. US pot. polit.* zdobyw-ca/czyni (największej *l.* dużej ilości) głosów, czołow-y/a kandydat/ka.

voter [ˈvoʊtər] *n. polit.* wyborca; głosujący; ~ **turnout** frekwencja wyborcza; **be a Democratic ~** głosować na demokratów; **be popular with the ~s** cieszyć się poparciem wyborców (*o programie*); **swing/floating ~s** wyborcy niezdecydowani.

voting booth [ˈvoʊtɪŋ ˌbuːθ] *n. US* kabina do głosowania.

voting card *n. US* karta wyborcza *l.* do głosowania.

voting machine *n. US* maszyna do głosowania.

voting paper *n. Br.* karta wyborcza *l.* do głosowania.

voting right *n. U* prawo wyborcze.

votive [ˈvoʊtɪv] *a. zwł. rel.* wotywny; ~ **Mass** *rz.-kat.* wotywa.

vouch [vaʊtʃ] *v.* ręczyć (*for sb / sth* za kogoś/coś); ~ **for sb's safety** ręczyć za czyjeś bezpieczeństwo.

voucher [ˈvaʊtʃər] *n.* **1.** bon, talon, kupon; **gift ~** bon towarowy (*do sklepu l. sieci handlowej*); **luncheon ~** bon obiadowy; **travel ~** voucher *l.* kupon na (darmowy) przejazd. **2.** *fin.* kwit, pokwitowanie, dowód wpłaty, potwierdzenie zapłaty. **3.** *prawn.* poręczyciel/ka, gwarant.

vouchsafe [ˌvaʊtʃˈseɪf] *v. form.* **1.** raczyć *l.* zechcieć udzielić (*czegoś*); ~ **to do sth** raczyć *l.* zechcieć (łaskawie) coś zrobić; **sb was ~d sth (by God/fate)** coś było komuś dane (przez Boga/los). **2.** gwarantować, zabezpieczać (*np. pokój, stabilność*).

voussoir [vuːˈswɑːr] *n. bud.* kliniec (*łuku*).

vow [vaʊ] *n.* przyrzeczenie; przysięga; *form. zwł. rel.* ślubowanie; śluby; ~ **of silence** śluby milczenia; **break a ~** złamać przyrzeczenie *l.* przysięgę; **keep a ~** dotrzymać przyrzeczenia; **marriage ~s** przysięga małżeńska; **make/take a ~** złożyć ślubowanie *l.* przyrzeczenie *l.* przysięgę; **take ~s** *rel.* składać śluby (zakonne); **under a ~ of chastity** *rel.* związany ślubami czystości. – *v. zwł. lit.* przyrzekać (uroczyście); poprzysięgać sobie; postanawiać (uroczyście) (*to do sth* zrobić coś); *form. rel.* ślubować.

vowel [ˈvaʊəl] *n.* **1.** *fon.* samogłoska; **front/back/high/low ~** samogłoska przednia/tylna/wysoka/niska. **2.** *pismo* litera oznaczająca spółgłoskę. – *a. attr.* samogłoskowy.

vowelize [ˈvaʊəˌlaɪz], *Br. i Austr. zw.* **vowelise** *v. jęz.* wokalizować (*tekst semicki l. arabski*).

vox pop [ˌvɑːks ˈpɑːp] *n. U Br. dzienn. pot.* (to) co mówią ludzie, opinia publiczna.

vox populi [ˌvɑːks ˈpɑːpjəˌlaɪ] *n. U Lat.* opinia publiczna, głos ludu, vox populi.

voyage [ˈvɔɪɪdʒ] *n.* **1.** podróż (*zwł. statkiem morskim l. kosmicznym*); *żegl.* rejs; *lotn.* przelot. **2.** *lit.* pamiętnik z podróży. – *v.* **1.** *lit.* podróżować; *żegl.* żeglować. **2.** przemierzać (*np. ocean, przestrzeń*).

voyager [ˈvɔɪɪdʒər] *n.* **1.** podróżni-k/czka. **2.** **V~** *astron.* (sonda) Voyager.

voyageur [ˌvɔɪəˈʒɝː] *n. Can.* **1.** *hist.* przewoźnik skór. **2.** traper.

voyeur [vwɑːˈjɝː] *n.* **1.** *pat.* oglądacz. **2.** amator/ka niezdrowej sensacji; podglądacz/ka.

voyeurism [vwɑːˈjɝːˌɪzəm] *n. U* **1.** *pat.* oglądactwo. **2.** pogoń za (niezdrową) sensacją; wścibstwo.

voyeuristic [ˌvwɑːjəˈrɪstɪk] *a.* **1.** goniący za (niezdrową) senacją; wścibski. **2.** **~ trait/tendency** *pat.* skłonności do oglądactwa.

VP [ˌviː ˈpiː] *abbr.* **1.** (*także* **vp, v-p, V.P., V. Pres.**) *US polit.* = **Vice President**. **2.** *jęz.* = **verb phrase**.

VR [ˌviː ˈɑːr] *abbr.* = **virtual reality**; *zob.* **virtual**.

vroom [vruːm] *int. onomat.* brum, brrrum (*odgłos silnika*).

VS [ˌviː ˈes] *abbr.* **veterinary surgeon** *Br.* lek. wet.

vs., vs *abbr.* **1.** *zwł. US zwł. prawn., sport* **versus** contra. **2.** **verse** w. (= *wiersz*).

V-shaped [ˈviːˌʃeɪpt] *a.* w kształcie litery V.

V-sign [ˈviːˌsaɪn] *n.* **1.** znak *l.* gest Victorii *l.* zwycięstwa (*w którym rozwarte palce wskazujący i środkowy uniesione są ku górze*). **2.** *Br.* dwa palce (*obraźliwy gest, w którym palce wskazujący i środkowy uniesione są ku górze, a dłoń zwrócona jest do wewnątrz*); **give sb the ~** pokazać komuś wała.

VSO [ˌviː ˌes ˈoʊ] *abbr.* **very superior old** VSO (= *oznaczenie gatunku koniaku, który leżakował 12-17 lat*).

VSOP [ˌviː ˌes ˌoʊ ˈpiː] *abbr.* **very superior old pale** VSOP (= *oznaczenie gatunku koniaku, który leżakował 20-25 lat*).

VT, Vt. *abbr. US* = **Vermont**.

v.t. *abbr.* **verb transitive** *gram.* czas. przech. (= *czasownik przechodni*).

VTOL [ˈviːˌtɔːl], **VTOL aircraft** [ˈviːˌtɔːl ˌerˌkræft] *abbr. i n.* **vertical take-off and landing (aircraft)** *lotn.* samolot pionowego startu i lądowania.

V-type engine [ˈviːˌtaɪp ˌendʒən] *n. mot.* silnik dwurzędowy widlasty.

Vulcan [ˈvʌlkən] *n. mit. l. film* Wulkan (*bóg l. postać ze Star Trek*). – *a. film* wulkański (*w Star Trek*).

vulcanian [vʌlˈkeɪnɪən] *n. geol.* wulkaniczny.

vulcanization [ˌvʌlkənəˈzeɪʃən], *Br. i Austr. zw.* **vulcanisation** *n. U techn.* wulkanizacja (*kauczuku*).

vulcanize [ˈvʌlkəˌnaɪz], *Br. i Austr. zw.* **vulcanise** *v.* wulkanizować (*kauczuk*).

vulcanized rubber [ˌvʌlkəˌnaɪzd ˈrʌbər] *v. U chem.* kauczuk wulkanizowany.

vulcanizer [ˈvʌlkəˌnaɪzər] *n. techn.* wulkanizator.

vulgar [ˈvʌlgər] *a.* wulgarny; ordynarny. – *n. U* **the ~** motłoch, gmin.

vulgar fraction *n. Br. przest. mat.* ułamek zwykły.

vulgarism [ˈvʌlgəˌrɪzəm] *n.* = **vulgarity**.

vulgarity [vʌlˈgerətɪ] *n. C/U pl.* **-ies** **1.** wulgarność. **2.** *zw. pl.* wulgaryzm.

vulgarize [ˈvʌlgəˌraɪz], *Br. i Austr. zw.* **vulgarise** *v.* wulgaryzować.

Vulgar Latin *n. U hist., jęz.* łacina ludu miejskiego.

vulgarly [ˈvʌlgərlɪ] *adv.* wulgarnie; ordynarnie.

Vulgate [ˈvʌlgeɪt] *n.* **the ~** *Bibl.* Wulgata.

vulnerability [ˌvʌlnərəˈbɪlətɪ] *n. U* **1.** podatność (*to sth* na coś) (*np. na chorobę, wpływy*). **2.** wrażliwość (*osoby, charakteru*). **3.** bezbronność, słabość.

vulnerable [ˈvʌlnərəbl] *a.* **1.** podatny (*to sth* na coś) (*np. na chorobę, wpływy, depresje*); narażony (*to sth* na coś) (*np. na rdzę, krytykę*); łatwo ulegający (*to sth* czemuś) (*zwł. wpływom*). **2.** wrażliwy (*o osobie, charakterze*); czuły (*o miejscu*); **he's very ~** bardzo łatwo go zranić. **3.** słaby (*np. o konstrukcji, argumencie*). **4.** trudny do obrony, narażony na krytykę *l.* atak (*np. o stanowisku*). **5.** *wojsk.* trudny do obrony, narażony na atak (*o twierdzy, pozycji*).

vulnerably [ˈvʌlnərəblɪ] *adv.* wrażliwie; bezbronnie.

vulpine [ˈvʌlpaɪn] *a. form. zool.* lisi; *przen.* chytry, lisi.

vulture [ˈvʌltʃər] *n. t. przen.* sęp (*orn.* = *rodzina Accipitridae*).

vulture-like [ˈvʌltʃərˌlaɪk] *n.* **1.** *orn.* sępi. **2.** *przen.* chciwy.

vulturine [ˈvʌltʃəˌraɪn] *a.* **1.** *orn.* sępi. **2.** *przen.* chciwy.

vulturous [ˈvʌltʃərəs] *a. form.* chciwy.

vulva [ˈvʌlvə] *n. pl.* **-s** *l.* **vulvae** [ˈvʌlviː] *anat.* srom.

vying [ˈvaɪɪŋ] *v. part. zob.* **vie**.

W ['dʌbljuː], **w** *n. pl.* **-'s** *l.* **-s** ['dʌbljuːz] W, w (*litera l. głoska*).

W *abbr.* **1.** (*także* **W.**) *el.* = **Watt**. **2.** *geogr.* = **West**; = **Western**.

W. *abbr.* **1.** = **Wednesday**. **2.** *geogr.* = **Wales**; = **Welsh**.

w., w *abbr.* **1.** = **with**. **2.** = **width**. **3.** = **week**. **4.** = **weight**. **5.** = **wife**.

w/ *abbr.* = **with**.

WA, Wa. *abbr.* = **Washington** 2.

WAAF [wæf] *abbr. i n. Br. wojsk.* **Women's Auxiliary Air Force** pomocnicza służba kobiet w lotnictwie (*podczas II wojny światowej*).

wabble ['wɑːbl] *n. i v.* = **wobble**.

WAC [wæk] *abbr. i n. US wojsk.* **1. Women's Army Corps** korpus kobiet. **2.** (*także* **Wac**) członkini korpusu kobiet.

wack [wæk] *n.* (*także* **wacko**) *US sl. obelż.* psychol/ka. – *v.* ~ **off** *obsc., sl.* walić konia (= *onanizować się*).

wacke ['wækə] *n. U przest. geol.* szarogłaz, waka, szarowaka.

wackily ['wækɪlɪ] *adv. pot.* jak głupek (*zachowywać się*).

wackiness ['wækɪnəs] *n. U pot.* wariactwo.

wacko ['wækoʊ] *n. pl.* **-es** *l.* **-s** = **wack** *n.*

wacky ['wækɪ] *a.* **-ier, -iest** *pot.* psychiczny (*o osobie*); wariacki (*o planie, pomyśle*).

wad [wɑːd] *n.* **1.** zwitek; poduszeczka (*zwł. do wypełniania paczek l. pakowania tłukących się przedmiotów*). **2.** tampon; wacik. **3.** *US* zwitek, plik (*banknotów*). **4.** *mech.* przybitka (*w strzelbie*). **5.** *U min.* wad. **6.** *US i Can. przen. pot.* **a ~ of sth** kupa czegoś (= *dużo*); **make a ~ (in the stock market)** zgarnąć kupę forsy *l.* dużą kasę na giełdzie. **7. shoot one's ~** *zob.* **shoot** *v.* – *v.* **-dd- 1.** zgniatać; zwijać (*w kulkę, wałek*). **2.** zatykać (*uszy*). **3.** wypychać; watować.

wadding ['wɑːdɪŋ] *n. U* **1.** materiał zmiękczający, wypchanie (*do pakowania łatwo tłukących się przedmiotów*). **2.** *Br. tk.* watolina. **3.** *mech.* przybitka (*do broni*).

waddle ['wɑːdl] *v.* człapać (*o osobie, t. o kaczce*). – *n. sing.* człapanie.

wade [weɪd] *v.* **1.** brodzić; ~ **across/through the river/stream** przejść (przez) rzekę/potok w bród, przeprawić się w bród przez rzekę/potok. **2.** *t. przen.* brnąć; ~ **through sth** przebrnąć przez coś (*zwł. przez nudną l. trudną lekturę*); uporać się z czymś (*z dużą ilością pracy tego samego typu*). **3.** ~ **in** *Br. pot.* wtrącić swoje trzy grosze; ~ **into sb** *pot.* naskoczyć na kogoś. – *n. sing.* przeprawa (*przez rzekę, stos dokumentów*); brodzenie; brnięcie.

wader ['weɪdər] *n.* **1.** (*także* **wading bird**) *orn.* brodziec, ptak brodzący. **2.** osoba brodząca.

waders ['weɪdərz] *n. pl. zwł. ryb., myśl.* wadery, wodery (*kalosze do bioder l. wyżej*).

wadi ['wɑːdɪ] *n. geogr.* ued, wadi (= *sucha dolina w płn. Afryce l. płd.-zach. Azji*).

wading bird ['weɪdɪŋ ˌbɜːd] *n. orn.* = **wader** 1.

wading pool *n. US i Can.* brodzik.

wafer ['weɪfər] *n.* **1.** *kulin.* wafel, wafelek. **2.** *kośc.* opłatek. **3.** *el.* płytka (półprzewodnikowa) (*do produkcji układów scalonych*). **4.** banderola, naklejka urzędowa (*na kopercie*). – *v.* banderolować (*list*).

wafer biscuit *n. kulin.* wafelek (nadziewany).

wafer-thin [ˌweɪfər'θɪn] *a.* cieniutki (jak papier).

waffle ['wɑːfl] *n.* **1.** *kulin.* gofr. **2.** *U zwł. Br. pot.* lanie wody, wodolejstwo, ględzenie. – *v. pot.* **1.** ~ **(over sth)** *US* zastanawiać się (nad czymś) godzinami; nie móc się (na coś) zdecydować. **2.** (*także* ~ **on**) *zwł. Br. pot.* lać wodę.

waffle iron *n.* gofrownica.

waffle-stompers ['wɑːflˌstɑːmpərz] *n. pl. US pot.* traktory (*buty*).

waft [wɑːft] *v.* unosić (się) (w powietrzu), nieść (się) (*np. o zapachu, dymie*). – *n. U l. sing.* **1.** zapach. **2.** unoszenie (się). **3.** zefirek.

wag¹ [wæg] *v.* **-gg- 1.** merdać, machać; ~ **its tail** merdać *l.* machać ogonem (*o psie*). **2.** kiwać; ~ **one's finger (at sb)** pokiwać *l.* pogrozić komuś palcem. **3.** *przen.* ~ **one's tongue** mleć *l.* mielić ozorem; ~ **the dog (syndrome)** *gł. US* temat zastępczy (*zwł.* = *interwencja zbrojna za granicą dla odwrócenia uwagi od skandalu*); **tongues ~/are ~ging** *pot.* ludzie gadają; **the tail is ~ging the dog** *zob.* **tail¹** *n.* – *n.* **1.** merdanie; merdnięcie. **2.** kiwanie; kiwnięcie.

wag² *v.* **-gg-** *sl.* wagarować, chodzić na wagary. – *n. przest. pot.* dowcipni-ś/sia.

wage [weɪdʒ] *n.* **1.** *t. pl. zwł. ekon.* wynagrodzenie, płaca, zarobki; ~ **claims** roszczenia *l.* żądania płacowe; ~ **freeze** zamrożenie płac; ~ **increase** (*także* ~ *Br.* **rise**) podwyżka wynagrodzeń *l.* płac; ~ **levels/rates** tabela płac; ~ **scale** skala płac; **hourly/daily/weekly/monthly/annual ~s** wynagrodzenie za godzinę/dobowe/tygodniowe/miesięczne/roczne; **living ~** minimum socjalne; **minimum ~** płaca minimalna. **2.** *pl. lit.* zapłata; **the ~s of sin** zapłata za grzech. – *v.* toczyć, prowadzić (*wojnę, spór, kampanię, walkę*);

~ **(a) war on/against sb/sth** *t. przen.* toczyć wojnę *l.* batalię z kimś/czymś; wypowiedzieć wojnę komuś/czemuś.

wage differential *n. ekon.* rozpiętość płac, widełki płacowe.

wage earner *n.* **1.** pracowni-k/ca fizyczn-y/a. **2.** żywiciel/ka rodziny.

wage incentive *n. ekon.* premia uznaniowa.

wage packet *n. Br. i Austr. ekon.* **1.** wypłata (*zwł. w kopercie*). **2.** zarobki.

wager ['weɪdʒər] *przest. n.* **1.** zakład; **for a ~** dla zakładu (*zrobić coś*); **put a (cash) ~ of $5 on sth** postawić na coś 5 dolarów (w gotówce); **lay a ~** iść o zakład; **name your ~** o co zakład?. **2.** (*także* **~ of battle**) *hist.* pojedynek (*zwł. dla rozstrzygnięcia o winie*). – *v.* zakładać się; zakładać się o (*coś*); stawiać, postawić (*sth on sth* coś na coś) (*pieniądze na konia w wyścigu*); **I'll/I'd ~ (that)...** mogę się założyć, że..., założę się, że...; **I'll ~ you $5 that...** załóżmy się o 5 dolarów, że...

waggery ['wægərɪ] *n. C/U pl.* **-ies** *przest. pot.* błazenada.

waggish ['wægɪʃ] *a. przest. pot.* filuterny, błazeński; dowcipny, dowcipkujący.

waggle ['wægl] *v.* **1.** ruszać (się); **~ one's ears** ruszać uszami. **2.** przebierać (*palcami*). **3.** machać, wymachiwać (*bronią przed nosem*). **4.** iść trzęsąc się. – *n.* machnięcie; poruszenie; trzęsienie się.

wagon ['wægən], *Br.* **waggon** *n.* **1.** wóz (zaprzęgowy); *US* kryty wóz (*pionierów*). **2.** (*także* **station ~**) *US mot.* kombi. **3.** *US mot.* furgon. **4.** *Br. kol.* wagon (towarowy); platforma (kolejowa). **5.** *US* wózek (*zabawka*). **6.** wózek barowy. **7.** *US* więźniarka, karetka więzienna. **8.** *przen.* **be on the ~** *pot.* nie pić (*alkoholu*); **fall off the ~** *pot.* znowu zacząć pić; **fix someone's ~** *przest.* pokazać komuś, gdzie raki zimują; **hitch one's ~ to a star/the stars** *lit.* porywać się z motyką na słońce.

wagoner ['wægənər], *Br.* **waggoner** *n.* woźnica.

wagonette [ˌwægə'net], *Br.* **waggonette** *n. gł. hist.* brek (= *odkryty powóz z ławkami wzdłuż*).

wagon-lit [ˌvɑːgən'liː] *n. pl.* **wagon-lits** *l.* **wagons-lits** [ˌvɑːgən'liː] *kol.* wagon sypialny; przedział sypialny.

wagonload ['wægənˌloud], *Br.* **waggonload** *n.* (pełen) wóz; (pełna) platforma; (pełen) wagon (*of sth* czegoś).

wagon train, *Br.* **waggon train** *n.* karawana (*zwł. pionierów amerykańskich*).

wagon vault *n. bud.* sklepienie kolebkowe.

wagtail ['wægˌteɪl] *n. orn.* pliszka (*Motacilla*).

wah-wah ['wɑːˌwɑː], **wa-wa** *n. U muz.* (efekt) wah-wah (*do gitary*); **~ pedal** pedał wah-wah.

waif [weɪf] *n.* przybłęda; (wychudzona) sierota, biedna chudzina; bezdomne *l.* zbłąkane *l.* bezpańskie zwierzę; *lit.* zguba (= *bezpański przedmiot*); **~ s and strays** przybłędy (*dzieci l. zwierzęta*).

waif-like ['weɪfˌlaɪk] *a.* wychudzony, chudziutki, chudy jak patyk (*zwł. o modelce*).

wail [weɪl] *v.* **1.** zanosić się płaczem *l.* od płaczu; zawodzić, lamentować; **weeping and ~ing** łkając i zawodząc. **2.** wyć, zawodzić (*o wietrze, syrenie*). **3.** *przest.* opłakiwać (*zmarłych*). – *n.* **1.** zawodzenie; lament. **2.** wycie.

wailful ['weɪlfʊl] *a. poet.* żałosny; płaczliwy, zawodzący.

Wailing Wall *n.* (*także* **Western Wall**) Ściana Płaczu (*w Jerozolimie*).

wainscot ['weɪnskət] *bud. n.* **1.** listwa przypodłogowa. **2.** boazeria, panele (drewniane). – *v. Br.* **-tt-** wykładać boazerią *l.* panelami (*ścianę*).

wainscoted ['weɪnskətɪd], *Br.* **wainscotted** *a. bud.* wyłożony boazerią *l.* panelami (*o ścianie*).

wainscoting ['weɪnskətɪŋ], *Br.* **wainscotting** *n.* boazeria, panele (drewniane).

waist [weɪst] *n.* **1.** pas, talia (*osoby, sukienki, spodni*); kibić, stan; **around the ~** wokół pasa; **from the ~ down/up** od pasa w dół/górę (*np. nagi, sparaliżowany*); **strip to the ~** rozebrać się do pasa. **2.** *żegl.* śródokręcie. **3.** *techn.* przewężenie; zwężenie.

waistband ['weɪstˌbænd] *n.* pas, pasek (*spódnicy, spodni*).

waistcoat ['weskət] *n. gł. Br.* kamizelka (*męska*).

waist-deep [ˌweɪst'diːp] *a. i adv.* do pasa, po pas.

waisted ['weɪstɪd] *a. w złoż.* **narrow/slim/thick-~** wąski/szczupły/szeroki w talii; **wasp-~** o talii osy.

waist-high [ˌweɪst'haɪ] *a. i adv.* do pasa, po pas.

waistline ['weɪstˌlaɪn] *n.* **1.** talia. **2.** obwód w talii *l.* pasie. **3. watch one's ~** *przen.* dbać o linię.

wait [weɪt] *v.* **1.** czekać; oczekiwać (*for sb/sth* na kogoś/coś, *until/till...* do (czasu)... *l.* aż..., *to do sth* żeby coś zrobić); wyczekiwać (*for sb/sth* kogoś/czegoś); **~ for sb to do sth** czekać, aż ktoś coś zrobi; **~ for sth to happen** czekać, aż coś się wydarzy; **~ (for) three hours/days** czekać (przez) trzy godziny/dni. **2. ~ a minute/second/moment!** zaczekaj chwilę/chwilkę!; poczekaj!; chwila, moment!, chwileczkę!; zaraz, zaraz!; **~ and see!** pożyjemy, zobaczymy!; **we'll just have to ~ and see** musimy uzbroić się w cierpliwość; **~ dinner/lunch (for sb)** *US* czekać (na kogoś) z kolacją/obiadem; **~ for it!** posłuchaj tylko! (*przed podaniem zaskakującej informacji*); wszystko w swoim czasie!; **~ one's chance/opportunity (to do sth)** czekać na odpowiedni moment (żeby coś zrobić); **~ one's turn** czekać na swoją kolej; **~ (on) table(s)** (*także Br. i Austr. form.* **~ at table(s)**) pracować jako kelner/ka; **~ until/till...** poczekaj aż... (*sugerując niespodziankę*); **be ~ing** (leżeć i) czekać (*o czymś zrobionym l. przygotowanym*); **be ~ing in the wings** tylko czekać (na właściwy moment); **it can ~** to może poczekać; **(just) you ~** poczekaj no (tylko) (*grożąc*); **keep sb ~ing** kazać komuś czekać; **no ~ing** *Br. mot.* zakaz postoju (*znak*); **play a ~ing game** wyczekiwać; **(repairs) while you ~** (naprawy) na poczekaniu; **sb can't ~/can hardly ~ (for sth/to do sth)** *pot.* ktoś nie może się doczekać (czegoś/żeby coś zrobić); **sth can/can't ~** coś może/nie może zaczekać (*o spra-*

wie); **sth is (well) worth ~ing for** warto na coś poczekać; **what are we ~ing for?** na co (jeszcze) czekamy?; **what are you ~ing for?** na co czekasz? (*popędzając kogoś*). **3.** ~ **around** (*także Br.* ~ **about**) wyczekiwać, czekać bezczynnie; ~ **behind** zostać po lekcjach; zostać dłużej; zostać w tyle *l.* z tyłu; ~ **in** *Br.* siedzieć *l.* zostać w domu (*czekając na kogoś, np. na fachowca*); ~ **on!** *Austr. i NZ* zaczekaj!, poczekaj!; ~ **on/upon sb** obsługiwać kogoś (*w restauracji, sklepie*); *arch.* odwiedzać kogoś; (*także* ~ **on sb hand and foot**) usługiwać komuś, być na czyjeś każde skinienie; ~ **on sth** czekać na coś (*np. na wyniki badania, testu*); ~ **out** przeczekać (*np. burzę*); ~ **it out** odczekać; ~ **up!** *zwł. US* zaczekaj!, poczekaj!; ~ **up (for sb)** nie kłaść się spać (dopóki ktoś nie wróci). – *n.* **1.** *sing.* czekanie; oczekiwanie; czas oczekiwania. **2.** *przest. teatr* przerwa. **3. lie in** ~ *zob.* **lie**[1] B*v.*

wait-a-bit [ˈweɪtəˌbɪt] *n.* kolczasty krzew.

waiter [ˈweɪtər] *n.* **1.** kelner; **head** ~ starszy kelner. **2.** taca.

waiting list [ˈweɪtɪŋ ˌlɪst] *n.* (*także* **waitlist**) lista oczekujących.

waiting room *n.* poczekalnia (*np. u lekarza, na dworcu*).

waitperson [ˈweɪtˌpɜːsən] *n.* kelner/ka.

waitress [ˈweɪtrəs] *n.* kelnerka.

waitron [ˈweɪtrɑːn] *n. US sl.* kelnerzyna.

waitstaff [ˈweɪtˌstæf] *n. U US* personel kelnerski (*restauracji, kawiarni*).

waive [weɪv] *v.* **1.** *zwł. prawn.* rezygnować z, odstępować od (*żądania, roszczenia*); zrzekać się (*prawa*); zaniechać (*czynności*). **2.** *form.* odkładać (na później). **3.** *sport* udostępniać (*zawodnika innym drużynom*).

waiver [ˈweɪvər] *n. prawn.* zrzeczenie się.

wake[1] [weɪk] *v. pret.* **woke** *US t.* **waked** *pp.* **waken** *US t.* **waked, woke 1.** ~ **(up)** budzić (się); ~ **up with a headache** obudzić się z bólem głowy; ~ **sb out of/from a bad dream** obudzić kogoś ze złego snu. **2.** *gł. Ir.* czuwać przy zmarłym. **3.** ~ **up!** *t. przen.* obudź się!; ~ **up and smell the coffee!** *US przen. pot.* obudź się!, czas przejrzeć na oczy!; ~ **(up) to the smell of coffee/sound of birds** obudzić się i poczuć zapach kawy/usłyszeć śpiew ptaków; ~ **(up) to sth** *przen.* uświadomić sobie coś; ~ **sb (up) to sth** *przen.* otworzyć komuś oczy na coś, uświadomić komuś coś.

wake[2] *n.* **1.** czuwanie przy zmarłym. **2.** stypa. **3.** *Br. dial. kośc.* odpust (*święto*).

wake[3] *n.* **1.** kilwater (*za statkiem*); *żegl.* ślad torowy; *mech.* strumień nadążający. **2. in the** ~ **of sth** w następstwie czegoś, wskutek czegoś (*zwł. złego*); **follow in sb's** ~ podążać czyimś śladem *l.* za kimś; **leave sth in sb's/it's** ~ pozostawić *l.* zostawić za sobą coś (*np. chaos, zniszczenie, smugę dymu*).

wakeful [ˈweɪkfʊl] *a.* **1.** bezsenny (*o nocy*); ~ **period** okres bezsenności; **lie** ~ nie móc zasnąć *l.* spać. **2.** *form.* czujny.

wakefully [ˈweɪkfʊlɪ] *adv.* **1.** bezsennie; nie mogąc zasnąć. **2.** *form.* czujnie.

wakefulness [ˈweɪkfʊlnəs] *n. U* **1.** bezsenność. **2.** *form.* czujność.

waken [ˈweɪkən] *v.* ~ **(up)** *form.* budzić (się).

wake-up call [ˈweɪkˌʌp ˌkɔːl] *n.* **1.** budzenie (*telefoniczne, zwł. w hotelu*). **2.** *przen.* poważne ostrzeżenie.

wakey-wakey [ˌweɪkɪˈweɪkɪ] *int. Br. zwł. żart.* wstawanko!, wstajemy! (*budząc kogoś*).

waking [ˈweɪkɪŋ] *a. attr.* bezsenny; spędzony na czuwaniu (*o czasie*); ~ **dream** sen na jawie; **during the** ~ **hours** w ciągu dnia; **spend every** ~ **hour/day/moment doing sth** robić coś całymi dniami.

Walachia [wɑːˈleɪkɪə] *n. hist.* Wołoszczyzna.

Walachian [wɑːˈleɪkɪən] *a. hist.* wołoski.

Waldenses [wɔːlˈdensiːz] *n. pl. hist., kośc.* waldensi.

Waldorf salad [ˌwɔːldɔːrf ˈsæləd] *n. C/U kulin.* sałatka à la Waldorf (*z selera naciowego, jabłek i orzechów*).

wale [weɪl] *n.* **1.** pręga (*po uderzeniu*). **2.** *tk.* prążek. **3.** rządek (*dzianiny*). **4.** *żegl.* mocnica (obłowa) (*konstrukcyjna deska w kadłubie*). **5.** *żegl.* = **gunwale**. – *v.* **1.** chłostać do wystąpienia pręg na ciele (*kogoś*). **2.** *tk.* tkać w prążki.

Wales [weɪlz] *n. geogr.* Walia.

Walhall [wælˈhæl], **Walhalla** [wælˈhælə] *n. mit.* Walhalla.

walk [wɔːk] *v.* **1.** iść; chodzić; iść piechotą *l.* na piechotę; spacerować; ~ **in one's sleep** chodzić we śnie; **go ~ing** chodzić, wędrować (*zwł. po górach*). **2.** iść *l.* chodzić po (*mieście, ulicach*). **3.** wyprowadzać (na spacer *l.* na dwór) (*psa*); chodzić na spacer *l.* spacery z (*psem*). **4.** odprowadzać; ~ **sb home/to school/to the station** odprowadzić kogoś do domu/do szkoły/na stację. **5.** obchodzić (*teren*). **6.** *US pot.* wyjść na wolność; uniknąć kary; *uj.* wykręcić się od kary. **7.** *Br. pot.* zdać na luzie (*egzamin*); wygrać spokojnie (*mecz*). **8.** pomagać chodzić (*komuś*); kazać chodzić (*komuś*), zmuszać do chodzenia. **9.** przesuwać (*ciężki mebel, raz jednym końcem raz drugim*). **10.** mierzyć krokami. **11.** *pot.* wsiąknąć, wyparować (= *zginąć*). **12.** *pot.* zastrajkować. **13.** *pot.* wyjść, pójść sobie (*zwł. na znak protestu*). **14.** *pot.* odejść, zwolnić się (*z pracy*). **15.** *koszykówka* popełnić błąd kroków, zrobić kroki. **16.** *baseball* dojść do pierwszej bazy. **17.** *baseball* puścić na pierwszą bazę (*miotacza*). **18.** *przen.* ~ **a fine line** musieć bardzo uważać, być w bardzo trudnej sytuacji; ~ **free** *zob.* **free** *adv.*; ~ **it** *Br.* poradzić sobie bez trudu; **(we had to)** ~ **it** *dosł.* (musieliśmy) pójść piechotą *l.* na piechotę; **can you** ~ **it?** *dosł.* czy da się tam dojść na piechotę?; ~ **on air** *zob.* **air** *n.*; ~ **on eggs/eggshells** chodzić (koło kogoś) na paluszkach; ~ **tall** nie mieć sobie nic do zarzucenia, być czystym (jak łza); ~ **the chalk** iść po kresce, iść prosto (*jako dowód trzeźwości*); ~ **the plank** *zob.* **plank** *n.*; ~ **the streets** *zob.* **street**. **19.** ~ **away** odejść; ~ **away from sb** odejść od kogoś, zostawić *l.* rzucić kogoś; ~ **away from sth** porzucić coś; ~ **away from sb/sth** pokonać *l.* wyprzedzić kogoś/coś z łatwością; ~ **away unscathed (from an accident)** wyjść (z wypadku) bez szwanku; ~ **away with sth** z łatwością coś osiągnąć; wygrać *l.* zdobyć coś bez trudu (*np.*

nagrodę, mistrzostwo); ~ **away without a scratch** nie odnieść najmniejszych obrażeń; ~ **in** wejść; ~ **in the door** wejść, przekroczyć *l.* przestąpić próg; ~ **in dirt/leaves** nanieść ziemi/liści (*na butach do domu*); ~ **in off the street** przyjść (prosto) z ulicy (= *bez umówionej wizyty, np. do lekarza, fryzjera*); ~ **in on sb** zaskoczyć *l.* przyłapać kogoś; ~ **into sth** wpaść na coś (*np. na płot, latarnię*); wejść w coś (*np. w drzewo*); *przen.* zaplątać *l.* wplątać się w coś (*w niezręczną sytuację*); ~ **into a job** z miejsca dostać pracę; ~ **right/straight/bang into sth** wpaść prosto na coś; *przen.* głupio się w coś zaplątać; **you ~ed right into that one!** ale się dałeś głupio nabrać!; ale zrobiłeś z siebie idiotę!; ~ **off** (odwrócić się i) odejść; (odwrócić się i) wyjść; rozchodzić (*dolegliwość; = wyleczyć spacerem*); spalić (*zjedzony posiłek na spacerze*); ~ **off with sth** zgarnąć coś (*wygraną; bez trudu*); zwinąć coś (*ukraść; bezczelnie, z łatwością*); **sb ~ed off with sth** coś padło łatwym łupem kogoś (*złodziei*); ~ **sb off their legs/feet** *Br.* wykończyć kogoś (długim) chodzeniem; ~ **out** wyjść (na dwór *l.* na zewnątrz); zastrajkować; ~ **out on sb** odejść od kogoś, zostawić *l.* rzucić kogoś; ~ **out on sth** nie dotrzymać czegoś (*umowy, obietnicy*); zaniedbać coś, zlekceważyć (sobie) coś (*obowiązki*); ~ **out with sb** *arch.* romansować z kimś; ~ **over sb** *pot.* robić z kimś, co się komuś podoba, rozstawiać kogoś po kątach, pomiatać kimś; rozgromić kogoś; wygrać z kimś walkowerem; ~ **all over sb** pomiatać kimś; skakać *l.* chodzić komuś po głowie (*zwł. o dzieciach*); ~ **through sth** przećwiczyć coś (krok po kroku) (*np. scenę, obsługę programu*); ~ **sb through sth** przećwiczyć coś z kimś (krok po kroku). – *n.* **1.** spacer; przechadzka; ~ **around/through the city** spacer po mieście; **go for a ~** iść na spacer; **take/have a ~** przejść się; **take sb for a ~** wziąć *l.* zabrać kogoś na spacer. **2.** droga (piechotą); **it's a long ~** długo się tam idzie, to daleko; **it's a ten-minute ~** to dziesięć minut piechotą, to dziesięć minut drogi. **3.** chód; marsz; **sponsored ~** *zwł. Br.* marsz charytatywny. **4.** trasa (piesza *l.* spacerowa); szlak (pieszy). **5.** ścieżka; deptak, promenada; chodnik; **pedestrian ~** deptak, ciąg pieszy. **6.** *sing. pot.* pryszcz, łatwizna. **7.** *sport* chód (sportowy); zawody w chodzie. **8.** *koszykówka* kroki, błąd kroków. **9.** *jeźdz.* stęp. **10.** wybieg (*dla zwierząt*). **11.** *gł. Br.* rejon, rewir (*listonosza*). **12. take a ~!** *US obelż. pot.* bujaj się!

walkable [ˈwɔːkəbl] *a.* dający się przejść (piechotą) (*o odległości, trasie*).

walkabout [ˈwɔːkəˌbaʊt] *n. pot.* **1.** *Br.* spotkanie z ludźmi *l.* ludnością (*ważnej osobistości*); *Austr.* powrót do buszu (*Aborygena*); **go on a ~** wyrwać się gdzieś (*z miejsca zamieszkania*); *Br.* spotykać się z ludźmi (*np. o monarsze*); *Austr.* ruszyć w busz. **2. go ~** *Br. pot. żart.* wsiąknąć, wyparować (= *zginąć*).

walkaway [ˈwɔːkəˌweɪ] *n. gł. sing. US pot.* pestka, pryszcz, łatwizna; *polit., sport* formalność, = łatwe zwycięstwo.

walker [ˈwɔːkər] *n.* **1.** piechur; turyst-a/ka piesz-y/a; spacerowicz/ka. **2.** *sport* chodzia-rz/rka. **3.** chodzik (*dla dziecka, do nauki chodzenia*); (*także* **walking frame**) balkonik (*dla osoby mającej trudności z samodzielnym chodzeniem*). **4.** *pl.* = **walking shoes**. **5. be a fast/slow ~** szybko/wolno chodzić.

walkie-talkie [ˌwɔːkɪˈtɔːkɪ] *n. radio* walkie-talkie, krótkofalówka (przenośna).

walk-in [ˈwɔːkˌɪn] *n.* **1.** pacjent/ka *l.* klient/ka bez zamówionej wizyty *l.* uzgodnionego terminu (*np. u lekarza, fryzjera*); **~s welcome** przyjmujemy bez zmówienia *l.* rezerwacji terminu (*napis*). **2.** chłodnia. **3.** *gł. sing.* łatwe zwycięstwo, formalność. **4.** *polit.* osoba ubiegająca się o azyl w ambasadzie, azylant/ka (dyplomatyczn-y/a). – *a. attr.* **1.** nie wymagający (wcześniejszej) rezerwacji *l.* zamówienia *l.* uzgodnienia terminu (*o gabinecie fryzjerskim, kosmetycznym, dentystycznym*). **2.** w formie pomieszczenia (*do którego można wejść*); ~ **closet** (duża) wnęka ubraniowa, garderoba; ~ **refrigerator** chłodnia. **3.** *US* (z wejściem) od ulicy. **4.** do natychmiastowego zasiedlenia (*o lokalu*).

walking [ˈwɔːkɪŋ] *n. U* **1.** chodzenie, wycieczki piesze; spacery; marsz; **power ~** energiczny marsz (*jako ćwiczenie aerobowe*). **2.** *sport* chodziarstwo. – *a. attr.* **1.** ~ **pace** normalny krok, krok spacerowy. **2.** pieszy (*o turystyce, szlaku*); ~ **holiday** wakacje z plecakiem; ~ **tour** wycieczka piesza (*po mieście*); ~ **trail** szlak pieszy, trasa spacerowa *l.* piesza; **sth is within (easy) ~ distance** gdzieś można (łatwo) dojść piechotą *l.* na piechotę. **3.** chodzący, poruszający się o własnych siłach (*o chorym, rannym*). **4.** *przen. zw. żart.* chodzący; ~ **dictionary** chodzący słownik; ~ **disaster (area)** chodzące nieszczęście; ~ **encyclopedia** chodząca encyklopedia.

walking bass *n. muz.* pochód (*akompaniament basowy*).

walking delegate *n. US* przedstawiciel/ka związków zawodowych.

walking fern *n. bot.* zanokcica (*paproć Camptosorus rhizophyllus*).

walking frame *n. zob.* **walker** 2.

walking leaf *n. pl.* **walking leaves** *l.* **walking leaf** **1.** *US ent.* liściec (*Phyllium*). **2.** *bot.* = **walking fern**.

walking papers *n. pl. US i Can. pot.* wymówienie (*z pracy*); zwolnienie (*z wojska*); **give sb their/get one's ~** posłać kogoś/pójść na zieloną trawkę.

walking shoes *n. pl.* (*także* **walkers**) buty turystyczne.

walking stick *n.* **1.** laska. **2.** *US ent.* patyczak (*Phasmida*).

Walkman [ˈwɔːkmən] *n. pl.* **-s** walkman.

walk of life *n.* zawód; pozycja społeczna; **people from all walks of life/from every walk of life** ludzie z różnych środowisk *l.* sfer.

walk-on [ˈwɔːkˌɑːn] *film, teatr n.* **1.** (*także* ~ **part**) epizodyczna rola. **2.** epizodyst-a/ka; statyst-a/ka. – *a. attr.* epizodyczny.

walkout [ˈwɔːkˌaʊt] *n.* **1.** strajk (absencyjny). **2.** demonstracyjne wyjście *l.* opuszczenie (*zebrania*).

walkover ['wɔ:kˌoʊvər] *n.* **1.** *t. sport* łatwe zwycięstwo, formalność. **2.** *sport* walkower.

walk-up ['wɔ:kˌʌp] *US i Can. bud. pot. n.* **1.** budynek bez windy. **2.** mieszkanie w budynku bez windy. – *a. attr.* bez windy.

walkway ['wɑ:kˌweɪ] *n.* łącznik (*między budynkami*); pasaż, przejście; kładka; chodnik; ścieżka.

Walkyrie [væl'kɪrɪ] *n. mit.* walkiria.

wall [wɔ:l] *n.* **1.** *bud.* ściana (*t. geol.*); mur; **sheer ~** *geol.* pionowa ściana (*skały, góry*). **2.** *anat., biol.* ścianka; ściana (*naczynia*). **3.** (*także* **flood ~**) *hydrol.* wał (przeciwpowodziowy), umocnienie (przeciwpowodziowe). **4.** *przen.* **~ of fire/water** ściana ognia/wody; **~ of silence** mur milczenia, bariera *l.* zmowa milczenia; **~s have ears** ściany mają uszy; **bang one's head against a brick ~** *zob.* **bang1** *v.*; **be crawling up/climbing the ~(s)** *pot.* chodzić po ścianach (*z niecierpliwości, zdenerwowania*); **drive/send sb up the ~** *pot.* wkurzać kogoś; **drive/push sb to the ~** przyprzeć kogoś do muru; **go to the ~** *pot.* podupaść (*finansowo; o spółce*); dać za wygraną; nadstawiać karku; **go up the ~** *Br. pot.* wściec się, dostawać szału; **hit the ~** *sport pot.* przechodzić *l.* przeżywać kryzys; **(it's) like talking to a brick ~** *zob.* **talk** *v.*; **off the ~** *pot.* dziwaczny (*o pomyśle*); **(these) four ~s** (te) cztery ściany (= *pomieszczenie*); **the writing on the ~** *zob.* **writing**; **with one's back to the ~** *zob.* **back1** *n.* – *v.* **~ in** otoczyć murem; ogrodzić; **~ off** odgrodzić *l.* odseparować (ścianą *l.* murem); **~ up** zamurować, zagrodzić; uwięzić (*kogoś*).

walla ['wɑ:lə] *n. Anglo-Ind.* = **wallah**.

wallaby ['wɑ:ləbɪ] *n. pl.* **-ies** **1.** *zwł. Austr. zool.* kangur (*Protemnodon*); walabia (*Wallabia*); (*także* **hare ~**) filander (*Lagostrophus*); (*także* **rock ~**) skalniak (*Petrogale*). **2.** **on the ~ (track)** *Austr. pot.* na bezrobociu.

Wallachia [wɑ:'leɪkɪə] *n. hist.* Wołoszczyzna.

Wallachian [wɑ:'leɪkɪən] *a. hist.* wołoski.

wallah ['wɑ:lə], **walla** *n. Anglo-Ind. pot. żart. w złoż.* specjalist-a/ka od ... (*jakiejś działki*); **it's your turn to be the drink ~** dzisiaj ty robisz za barman-a/kę (= *serwujesz drinki*).

wallaroo [ˌwɑ:lə'ru:] *n. pl.* **-s** *l.* **wallaroo** *zwł. Austr. zool.* kangur górski (*Macropus robustus*).

wallboard ['wɔ:lˌbɔ:rd] *n. U bud.* płyta gipsowo-kartonowa.

wallchart ['wɔ:lˌtʃɑ:rt] *n.* tablica (*informacyjna*).

wall creeper *n. orn.* pomurnik (*Tichodroma muraria*).

walled [wɔ:ld] *a. gł. attr.* otoczony murem; ogrodzony (murem).

wallet ['wɑ:lət] *n.* **1.** portfel. **2.** torba na narzędzia. **3.** teczka (*na dokumenty*).

walleye ['wɔ:lˌaɪ] *n.* **1.** *U pat.* zez rozbieżny. **2.** *U pat.* bielmo. **3.** *icht.* = **walleyed pike**.

walleyed ['wɔ:lˌaɪd], **wall-eyed** *a. US* **1.** zezowaty. **2.** wytrzeszczający oczy. **3.** *pat.* bielmowaty.

walleyed pike *a. icht.* sandacz (amerykański) (*Stizostedion vitreum*).

walleyed pollack *a. icht.* mintaj (*Theragra chalcogramma*).

wall fern *n. C/U bot.* paprotka zwyczajna (*Polypodium vulgare*).

wallflower ['wɔ:lˌflaʊər] *n.* **1.** *pot.* podpórka (= *osoba podpierająca ściany*); **be a ~** podpierać ściany (*na prywatce, zabawie*). **2.** *bot.* lak (pospolity *l.* wonny) (*Cheiranthus (cheiri)*); pszonak (*Cheiranthus erysimum*).

wall hanging *n.* draperia.

Walloon [wɑ:'lu:n] *n.* **1.** Walon/ka. **2.** *U jęz.* walońska odmiana francuskiego (*używana w Belgii*). – *a.* waloński.

wallop ['wɑ:ləp] *pot. v.* **1.** walnąć, trzepnąć (*piłkę, osobę*); stłuc, sprać (*kogoś*). **2.** *sport* rozgromić (*przeciwnika*). – *n.* **1.** walnięcie, trzepnięcie; **give sb a ~** walnąć *l.* trzepnąć kogoś, przyłożyć komuś. **2.** *przen.* czad; krzepa; ikra, impet; siła przebicia. **3.** **pack a ~** potrafić nieźle przyłożyć; *przen.* mieć siłę przebicia.

walloping ['wɑ:ləpɪŋ] *pot. n.* lanie; **get a ~** dostać w skórę, dostać lanie; **give sb a ~** zlać *l.* sprać kogoś. – *a. attr. zwł. żart.* **~ (big/great)** ogromniasty, po byku (= *wielki*); **~ (good)** byczy (= *świetny*).

wallow ['wɑ:loʊ] *v.* **1.** **~ in sth** tarzać się w czymś (*w błocie, piasku*); *t. przen.* pławić się w czymś (*w wodzie, krzywdzie, luksusie, rozkoszy*); nurzać się w czymś (*w błocie, piasku, kałuży, rozpuście*); demonstracyjnie coś okazywać, demonstrować coś (*rozpacz*); pogrążać się w czymś (*w smutku, rozpaczy*); tonąć w czymś (*w nadmiarze*); nie móc się opędzić od czegoś; **~ in despair** rozpaczać na pokaz; **~ in self-pity** rozczulać się nad sobą. **2.** *żegl.* ciężko pracować na fali (*o statku*). **3.** kłębić się (*o dymie, falach*). – *n.* **1.** *zw. sing.* tarzanie się; nurzanie się; pławienie się (*in sth* w czymś); **~ in self-pity** (publiczne) rozczulanie się nad sobą. **2.** *zool.* miejsce kąpieli (błotnej) (*zwierząt*).

wall painting *n. sztuka* malowidło ścienne.

wallpaper ['wɔ:lˌpeɪpər] *n. C/U t. komp.* tapeta. – *v.* tapetować (*pokój, mieszkanie*).

wallpaper music *n. U Br. pot.* muzyka z taśmy puszczana w windach, supermarketach, na lotniskach itp. (*t. uj.* = *muzyka mało ambitna*).

wall pepper *n. bot.* rozchodnik ostry (*Sedum acre*).

wall plate *n. bud.* murłat, murłata.

wall plug *n. el.* gniazdko (ścienne *l.* sieciowe).

wall rue *n. bot.* zanokcica murowa (*Asplenium ruta muraria*).

Wall Street *n.* **1.** *fin.* giełda nowojorska (giełda na) Wall Street; amerykański rynek finansowy. **2.** ulica Wall Street (*w Nowym Jorku*).

wall-to-wall [ˌwɔ:ltə'wɔ:l] *a. attr.* **1.** na całą podłogę; w całym pomieszczeniu; **~ carpeting/carpets** wykładzina (podłogowa); **~ dancing** tańce po całej sali. **2.** *przen. pot.* bez przerwy, ciągły; **~ advertising** reklamy bez przerwy, jedna reklama za drugą. **3.** *przen. pot.* na każdym kroku; **town with ~ gambling** miasto z kasynem na każdym kroku *l.* skrzyżowaniu.

wally1 ['wɑ:lɪ] *n. pl.* **-ies** *Br. obelż. pot.* ćwok, sierota; **look a real ~** wyglądać jak ostatnia sierota.

wally² *a. Scot. dial.* **1.** porcelanowy. **2.** wykafelkowany.

walnut [ˈwɔːlˌnʌt] *n.* **1.** *C / U kulin., bot.* orzech włoski (*rodzaj Juglans*). **2.** (*także* **~ tree**) *bot.* orzech (włoski), orzechowiec. **3.** *U stol.* orzech (*drewno l. kolor*). – *a. attr.* orzechowy (*o smaku, torcie, kolorze, meblu*).

walrus [ˈwɔːlrəs] *n. pl.* **-es** *l.* **walrus** *zool.* mors (*Odobenus rosmarus*).

waltz [wɔːlts] *n.* **1.** walc (*taniec l. muzyka*). **2.** *sing. US pot.* pryszcz, łatwizna. – *v.* **1.** tańczyć walca, walcować. **2.** *pot.* iść pewnym krokiem, iść bez wahania *l.* jakby od niechcenia; **~ into sth** wparować *l.* wmaszerować gdzieś; **~ up to sb/sth** śmiało podejść do kogoś/czegoś. **3. ~ Matilda** *Austr. przest. pot.* tułać się w poszukiwaniu pracy. **4.** *t. przen. pot.* **~ off with sth** ulotnić się z czymś (= *ukraść l. wziąć niechcący*); **~ through sth** zdać coś śpiewająco (*egzamin, test*); przejść przez coś jak burza (*np. przez eliminacje*); **sb ~ed through sth** coś komuś poszło śpiewająco *l.* jak z płatka.

wampum [ˈwɑːmpəm] *n. U* **1.** *antrop., hist.* wampum (= *paciorki l. muszelki używane przez Indian jako pieniądze*). **2.** *US i Can. przest. pot.* forsa.

wan [wɑːn] *lit. a.* blady (*o twarzy, świetle, uśmiechu*). – *v.* **-nn-** blednąć.

wand [wɑːnd] *n.* **1.** różdżka (*iluzjonisty, różdżkarza*); **magic ~** czarodziejska różdżka. **2.** laseczka (*np. szklana*). **3.** pałeczka (*dyrygenta*). **4.** rura (*od odkurzacza*). **5.** berło; buława; laska (*symbol urzędu*). **6.** *handl.* czytnik kodów paskowych; *komp.* pióro skanujące *l.* skanera, skaner piórowy.

wander [ˈwɑːndər] *v.* **1.** wędrować; błądzić (*t. o myślach, wzroku*); włóczyć się, błąkać się; łazić. **2.** włóczyć *l.* przechadzać się po (*ulicach*). **3.** wić się (*o drodze, rzece*). **4.** prowadzić (*o drodze*). **5.** płynąć (*o rzece*). **6.** *przen.* **my mind was ~ing** zamyśliłam się; **sb's mind is ~ing** pamięć komuś (już) nie dopisuje; **sb's thoughts are ~ing** ktoś ma rozbiegane myśli. **7. ~ around sth** spacerować *l.* chodzić sobie *l.* łazić sobie po czymś; **~ off** oddalić się (*np. o dzieciach, owcach*); **~ off/from sth** zboczyć z czegoś (*z drogi*); odejść od czegoś (*od tematu*). – *n. zw. sing. pot.* włóczęga, wędrówka; **go for/have/take a ~ (around the city)** powłóczyć się (po mieście).

wanderer [ˈwɑːndərər] *n.* wędrowiec.

wandering [ˈwɑːndərɪŋ] *a. attr.* **1.** wędrowny. **2.** *pat.* wędrujący; **~ abscess/pain** ropień/ból wędrujący; **~ kidney** nerka wędrująca *l.* ruchoma.

wandering albatross *n. orn.* albatros wędrowny (*Diomedea exulans*).

Wandering Jew *n. mit.* Żyd wieczny tułacz.

wandering Jew *n. bot.* trzykrotka (*Trandescantia; Zebrina*).

wanderings [ˈwɑːndərɪŋz] *n. pl. lit.* peregrynacje.

wanderlust [ˈwɑːndərˌlʌst] *n. U* żądza podróżowania.

wanderoo [ˌwɑːndəˈruː] *v. zool.* wanderu, uanderu (*małpa Macaca silenus*).

wane [weɪn] *v.* **1.** przygasać, wygasać; zanikać, znikać; słabnąć, zmniejszać się, maleć (*np. o zainteresowaniu, entuzjazmie*). **2. the moon is waning** ubywa księżyca. **3. wax and ~** *zob.* **wax²**. – *n. U* zanik; **be on the ~** maleć, topnieć, słabnąć; zanikać.

wangle [ˈwæŋgl] *pot. v.* **1.** załatwić (sobie), skombinować (*np. zaproszenie, pozwolenie, zwolnienie*); **~ sth for sb** (*także* **~ it for sb to do sth**) załatwić coś komuś; **~ sth out of sb** wydębić *l.* wyciągnąć *l.* skombinować coś od kogoś. **2. ~ one's way into sth** wkręcić się do czegoś *l.* gdzieś; **~ one's way out of (doing) sth** wywinąć *l.* wykręcić się od czegoś. **3.** spreparować, sfałszować (*księgi*). – *n. sing.* kombinacja; przekręt.

wangler [ˈwæŋglər] *n. pot.* kombinator/ka.

wangling [ˈwæŋglɪŋ] *n. U pot.* kombinacje.

waning [ˈweɪnɪŋ] *a. attr.* malejący; **~ support** topniejące poparcie (*wyborców*).

wank [wæŋk], *Br. i Austr. obsc. sl. v.* brandzlować się, walić konia. – *n. sing.* brandzlowanie (= *masturbacja*).

Wankel engine [ˈwɑːŋkl ˌendʒən] *n. mot.* silnik Wankla.

wanker [ˈwæŋkər] *n. Br. i Austr. obsc., obelż., sl.* **1.** skurwiel. **2.** (= *onanista*).

wanly [ˈwɑːnlɪ] *adv. lit.* blado (*uśmiechnąć się*).

wanna [ˈwɑːnə] *abbr. pot.* = **want to**; = **want a**; *zob.* **want** *v.*

wannabe [ˈwɑːnəbiː], **wannabee** *n. zw. w złoż. zwł. US pot.* naśladow-ca/czyni; **~ actress** dziewczyna, która marzy o karierze aktorki; **Madonna ~s** naśladowczynie Madonny, dziewczyny, które chcą iść w ślady Madonny.

want [wɑːnt] *v.* **1.** chcieć (*kogoś l. coś l. czegoś*) (*to do sth* coś zrobić, *sb to do sth* żeby ktoś coś zrobił, *sth done* żeby coś zostało zrobione); **do you ~ coffee or tea?** chcesz kawy czy herbaty?; **do you ~ her to leave?** chcesz, żeby wyszła?; **do you ~ me to drive you?** chcesz, żebym cię zawiózł?, mam cię zawieźć?; **I ~ to be alone** chcę zostać sam/a; **I just ~ed to say (that)/how...** chciałam tylko powiedzieć, że/jak...; **I've been ~ing to do this for ages** od dawna chciałam to zrobić; **if you (really) ~ (to)** jeśli (naprawdę) chcesz; **what do you ~ (from/with me)?** czego chcesz (ode mnie)?; **who ~s a drink?** kto chce drinka?. **2.** pragnąć (*kogoś l. czegoś*); **all I ~ is...** jedyne, czego pragnę, to... **3.** życzyć sobie; **I don't ~ him coming here** nie życzę sobie, żeby tu przychodził. **4.** wymagać, oczekiwać (*sth (of sb)* czegoś od kogoś); **what do you ~ out of life?** czego oczekujesz od życia?. **5.** potrzebować (*czegoś*). **6.** *form.* **sb ~s (for) sth** komuś brakuje czegoś; **sb does not ~ for abilities** nie brak *l.* brakuje komuś zdolności. **7. ~ a beer?** może piwko?; **~ in** *pot.* chcieć się przyłączyć (*do grupy, planu*); *gł. US pot.* chcieć wejść; **~ out** *pot.* wycofywać się; *gł. US pot.* chcieć wyjść; **I ~ out of (all) this** *pot.* nie chcę mieć z tym (wszystkim) nic wspólnego; **he's/she's everything you'd ever ~** ma wszystko, czego możesz oczekiwać; **he'll be ~ing his own car next** *iron.* tylko patrzeć, a zażyczy sobie własnego samochodu; **I ~ to be left alone** daj/cie mi (święty) spokój; **it's/that's just what I (always) ~ed** właśnie czegoś takiego szukałem, zawsze chciałem mieć coś takiego; **the carpet ~s cleaning** *gł. Br.*/ **cleaned** *US dial.* przydałoby się wyprać dywan; **waste not, ~ not** *zob.* **waste** *v.*; **what do you ~ with this?** po co ci to?; **what I ~ is...** szukam..., (najbardziej) chciałbym...; **you ~ to see a doctor about this** powinieneś pójść z tym do lekarza; **you don't ~ to do that** lepiej tego nie rób; **you don't ~ to go there** lepiej tam nie chodź, nie powinieneś tam chodzić; *pot.* nie wchodźmy na ten temat. – *n.* **1.** *C / U form.* brak, niedobór, niedostatek; **for ~ of money** z braku pieniędzy; **for ~ of a better word/term/phrase** z braku lepszego słowa; **for ~ of anything better to do** z braku lepszego zajęcia. **2.** *zw. pl.* potrzeba; **satisfy sb's ~s** zaspokajać czyjeś potrzeby. **3.** *U form.* bieda, niedostatek. **4. be in ~ of sth** wymagać *l.* potrzebować czegoś; **it isn't/won't be for ~ of trying** nie z (powodu) lenistwa; nie można powiedzieć, żebyś-my/cie itd. nie próbowali.

want ad *n. zw. pl. US dzienn.* ogłoszenie drobne.

wanted ['wɑːntɪd] *a.* **1.** potrzebny; **badly ~** pilnie potrzebny. **2.** chciany. **3.** poszukiwany; **~ for sth** (*także* **~ in connection with sth**) poszukiwany w związku z czymś; **sb is ~ by the police** kogoś poszukuje policja. **4. driver ~** zatrudnimy kierowcę (*ogłoszenie*); **staff ~** *gł. Br.* zatrudnimy (*jw.*); **you're ~ on the phone** jest do ciebie telefon.

wanting ['wɑːntɪŋ] *a. pred. form.* **1.** niewystarczający, niedoskonały, niedostateczny; **be found ~** okazać się niewystarczającym. **2. sb is ~ in sth** komuś brak *l.* brakuje czegoś (*np. ogłady*); **sth is ~** czegoś brakuje. – *prep. przest.* bez.

wanton ['wɑːntən] *a.* **1.** niczym nieusprawiedliwiony, bezprzykładny (*o agresji, przemocy, napaści*); bezmyślny (*o wandalizmie*). **2.** nieposkromiony, nieokiełzany (*o zapędach*). **3.** złośliwy. **4.** *przest.* rozwiązły, rozpustny (*zwł. o kobiecie*). **5.** *form. l. poet.* bujny (*o zieleni*). **6.** *arch. l. poet.* swawolny. – *n. przest.* rozpustni-k/ca, lubieżni-k/ca. – *v. arch.* **1.** oddawać się rozpuście; używać sobie. **2. ~ (away)** trwonić (*fortunę, czas*).

wantonly ['wɑːntənlɪ] *adv.* **1.** bez (żadnego) usprawiedliwienia *l.* powodu (*atakować*); bezmyślnie (*niszczyć*). **2.** złośliwie. **3.** *przest.* rozpustnie. **4.** *form. l. poet.* bujnie (*rosnąć*).

wantonness ['wɑːntənnəs] *n. U* **1.** brak usprawiedliwienia *l.* powodu; bezmyślność. **2.** złośliwość. **3.** *przest.* rozpusta.

WAP [wɑːp] *abbr.* **wireless access protocol** *tel., komp.* protokół dostępu bezprzewodowego.

wapentake ['wɑːpənˌteɪk] *n. Br. hist.* secina (*w niektórych hrabstwach*).

wapiti ['wɑːpətɪ] *n. pl. t.* **-s** *l.* **wapiti** *zool.* (jeleń) wapiti (*Cervus elaphus*).

war [wɔːr] *n. C / U polit., wojsk., ekon. l. przen.* wojna; **~ broke out** wybuchła wojna; **a ~ on/against drugs/crime** wojna *l.* walka z narkomanią/przestępczością; **be at ~ (with sb/sth)** prowadzić *l.* toczyć wojnę (z kimś/czymś), być w stanie wojny (z kimś/czymś); **between the ~s** *hist.* w okresie międzywojennym; **declare ~ on sb/sth** wypowiedzieć komuś/czemuś wojnę; **fight a ~** prowadzić wojnę; **go to ~ with sb/sth** wypowiedzieć wojnę komuś/czemuś; **lose/win a ~** przegrać/wygrać wojnę; **make ~ on sb/sth** prowadzić *l.* toczyć wojnę przeciwko komuś/czemuś *l.* z kimś/czymś; **outbreak of ~** wybuch wojny; **price/ trade ~** *ekon.* wojna cenowa/celna; **the ~ to end all ~s** *zob.* **end** *v.*; **the First/Second World ~** *hist.* pierwsza/druga wojna światowa; **the Vietnam ~** *hist.* wojna wietnamska *l.* w Wietnamie; **this means ~!** *zwł. żart.* jak wojna, to wojna!; **wage (a) ~ on/against sb/sth** *zob.* **wage** *v.*; **you look like you've been in the ~s** *Br. pot.* wyglądasz jak półtora nieszczęścia. – *a. attr.* **1.** wojenny; **~ baby** dziecko wojny; **~ crimes** zbrodnie wojenne; **~ criminal/hero/correspondent** zbrodniarz/bohater/korespondent wojenny. **2.** bojowy; **~ cry** *t. przen.* okrzyk bojowy. – *v.* **-rr-** toczyć *l.* prowadzić wojnę; walczyć, wojować.

warble ['wɔːrbl] *v.* **1.** *zwł. orn.* świergotać; ćwierkać. **2.** *żart.* nucić. **3.** *US* jodłować. – *n.* **1.** *zwł. orn.* trele; świergot; ćwierkanie. **2.** szczebiot. **3.** *wet.* guz od siodła (*na grzbiecie konia*). **4.** *wet.* ropień od larwy gza.

warble fly *n. pl.* **-ies** *ent.* giez (*Hypoderma*).

warbler ['wɔːrblər] *n. orn.* **1.** *US* lasówka (*Dendroica*). **2.** gajówka, pokrzewka (*Sylvia*). **3.** *żart.* śpiewa-k/czka.

warbonnet ['wɔːrˌbɑːnət], **war bonnet** *n.* pióropusz (*indiański*).

ward [wɔːrd] *n.* **1.** *t. med.* oddział (*w szpitalu, więzieniu*); **maternity/geriatric ~** oddział porodowy/geriatryczny. **2.** dzielnica (*w niektórych miastach*). **3.** *Br.* okręg administracyjny (*w mieście*). **4.** podopieczn-y/a. **5.** = **ward of court**. **6.** *U prawn.* kuratela, opieka prawna. **7.** *szerm.* postawa obronna; parada. **8.** *bud.* otwarta przestrzeń pomiędzy murami (*np. zamku*). **9.** *pl.* zęby i wycięcia (*w kluczu i w zamku*). **10. watch and ~** straż. **11.** *rzad.* = **warden**. – *v.* **1.** umieszczać na oddziale (*szpitalnym, więziennym*). **2.** *mech.* zaopatrywać w zęby i wycięcia (*zamek, klucz*). **3.** *przest.* mieć pod swoją opieką (*zwł. o Bogu*). **4. ~ off** odpędzać (*np. komary, złe duchy*); odparować, odeprzeć (*np. atak, cios*); odsunąć (*niebezpieczeństwo*); odsunąć groźbę (*np. biedy, wojny, zachorowania*).

war dance *n.* taniec wojenny.

warded ['wɔːrdɪd] *a.* z zębami i wycięciami (*o kluczu, zamku*).

warden1 ['wɔːrdən] *n.* **1.** *US i Can.* naczelni-k/czka więzienia. **2.** *t. hist.* nadzorca. **3.** *t. prawn.* opiekun/ka. **4.** *gł. Br. uniw.* dyrektor administracyjny uniwersytetu, koledżu. **5.** (*także* **fire ~**) inspektor przeciwpożarowy (*np. na obozie*). **6.** (*także* **air-raid ~**) osoba odpowiedzialna za bezpieczeństwo ludności podczas nalotów. **7.** strażnik **8.** = **churchwarden1**.

warden2 *n. kulin.* gatunek twardej gruszki (*przeznaczonej do gotowania*).

warder¹ ['wɔːrdər] *n.* **1.** *Br.* strażni-k/czka więzienn-y/a. **2.** dozor-ca/czyni.

warder² *n. hist.* buława.

ward heeler *n. US polit. pog.* naganiacz *l.* wyrobnik partyjny.

ward manager *n. med.* siostra oddziałowa.

wardmote ['wɔːrdˌmout] *n. Br.* zebranie cechowe *l.* gildii.

ward of court *n. prawn.* osoba pod opieką (*zwł. małoletnia*).

wardress ['wɔːrdrəs] *n. Br.* strażniczka więzienna.

wardrobe ['wɔːrdˌroub] *n.* **1.** szafa (*na ubrania*). **2.** *t. teatr* garderoba (*t. = odzież danej osoby, odzież na określone okazje itp.*).

wardrobe mistress *n. teatr* garderobiana.

wardrobe trunk *n.* kufer podróżny (*w kształcie szafy na ubrania*).

wardroom ['wɔːrdˌruːm] *n. wojsk.* **1.** kwatery oficerskie (*na okręcie wojennym*). **2.** mesa oficerska (*jw.*). **3.** kadra oficerska (*na pokładzie*).

wardship ['wɔːrdˌʃɪp] *n. U* opieka (*nad kimś*); *prawn.* kuratela.

ware¹ [wer] *n.* **1.** *pl. zob.* **wares**. **2.** *U* ceramika, fajanse; **Delft ~** delfty, fajanse z Delft.

ware² *arch. a.* = **wary**. – *v.* = **beware**.

war effort *n. sing.* wysiłek wojenny.

warehouse ['werˌhaus] *n.* **1.** magazyn, skład. **2.** (*także* **bonded ~**) *handl.* skład celny. **3.** *Br.* hurtownia. – *v.* **1.** magazynować, składować (*zwł. w składzie celnym*). **2.** umieścić w instytucji opiekuńczej (*domu starców, domu dla nerwowo chorych*).

warehouseman ['werˌhausmən] *n. pl.* **-men** właściciel składu; pracownik składu.

warehousing ['werˌhauzɪŋ] *n. U* **1.** magazynowanie, składowanie. **2.** *giełda* nabywanie akcji przez podstawione osoby *l.* organizacje (*celem utrzymania ich cen l. zdobycia dużego pakietu*).

wareroom ['werˌruːm] *n.* **1.** skład towarów. **2.** pomieszczenie z próbkami towarów *l.* towarem na sprzedaż.

wares [werz] *n. pl.* towar, towary.

warfare ['wɔːrˌfer] *n. U* **1.** wojna; działania wojenne; **chemical/guerilla/trench ~** *wojsk.* wojna chemiczna/partyzancka/pozycyjna; **psychological ~** *t. wojsk.* wojna psychologiczna. **2.** wojowanie; rzemiosło wojenne.

war game *n. wojsk.* gra wojenna, ćwiczenia sztabowe.

warhead ['wɔːrˌhed] *n. wojsk.* głowica bojowa (*rakiety, torpedy*).

war horse *n.* **1.** *hist.* rumak bojowy. **2.** *przen. pot.* weteran (*zwł. żołnierz l. polityk*). **3.** *przen.* ograny utwór muzyczny; popularne dzieło sztuki.

warily ['werɪlɪ] *adv.* nieufnie; ostrożnie; czujnie.

wariness ['werɪnəs] *n. U* nieufność; ostrożność; czujność.

warlike ['wɔːrˌlaɪk] *a.* **1.** wojowniczy (*np. o plemieniu, postawie*). **2.** wojenny (*np. o sprzęcie*).

warlock ['wɔːrˌlɑːk] *n.* czarownik, czarodziej.

warlord ['wɔːrˌlɔːrd] *n.* **1.** watażka, lokalny przywódca. **2.** *hist.* lokalny gubernator wojskowy (*w Chinach*).

warm [wɔːrm] *a.* **1.** ciepły (*t. o kolorze*); rozgrzany (*with sth* czymś) (*np. winem*); **as ~ as toast** *emf.* cieplutki; **keep ~** ubierać *l.* nosić się ciepło; nie zmarznąć; **keep sth ~** trzymać coś w cieple, nie pozwalać czemuś wystygnąć (*zwł. jedzeniu*). **2.** *przen.* ciepły, serdeczny (*np. o powitaniu, przyjęciu, uśmiechu*). **3.** *przen.* gorący (*np. o debacie, poparciu, sercu, zwolenniku*). **4.** *przen.* **~ scent/trail** *myśl.* (jeszcze) ciepły *l.* świeży ślad; **make it/things ~ for sb** *pot.* zatruwać komuś życie; **you're getting ~er** *pot.* ciepło, cieplej (*w grze w ciepło-zimno*). – *v.* **1.** ogrzewać; *kulin.* podgrzewać (się). **2.** *przen.* **~ sb** (*także* **~ sb's jacket**) *Br.* przetrzepać komuś skórę; **~ the bench** *sport* grzać ławkę (= *siedzieć na ławce rezerwowych*); **~ the cockles of sb's heart** *zob.* **cockle²**. **3. ~ over** *US i Can. t. przen.* odgrzewać; **look like death ~ed over** *zob.* **death**; **~ to sth** przekonać się do czegoś, nabrać entuzjazmu do czegoś; zainteresować się czymś (bliżej); **~ to/towards sb** przekonać się do kogoś; **~ up** *sport* rozgrzewać (się) (*t. np. o silniku*) (*before/for sth* przed czymś); *kulin.* podgrzewać (się); ocieplać się (*o pogodzie*); nagrzewać się; rozkręcać (się) (*imprezę, o imprezie*); ożywiać (się) (*np. o publiczności*); **look like death ~ed up** *zob.* **death**. – *n. zwł. Br. pot.* **come into the ~!** chodź, tu jest cieplej!; **have a ~ (by the fire)** ogrzać się (przy ogniu).

warm-blooded [ˌwɔːrm'blʌdɪd] *a.* **1.** *zool.* stałocieplny. **2.** *przen.* zapalczywy.

warm-bloodedness [ˌwɔːrm'blʌdɪdnəs] *n. U* **1.** *zool.* stałocieplność. **2.** *przen.* zapalczywość.

warmed over, warmed-over *a. US i Can. kulin. l. przen.* **1.** odgrzewany (*o potrawach, pomysłach, argumentach*). **2. look like death ~** *zob.* **death**.

war memorial *n.* pomnik poległych.

warmer ['wɔːrmər] *n.* ocieplacz; **leg ~s** *aerobik, balet* getry.

warm front *n. meteor.* ciepły front atmosferyczny.

warm-hearted [ˌwɔːrm'hɑːrtɪd], **warmhearted** *a.* serdeczny.

warm-heartedly [ˌwɔːrm'hɑːrtɪdlɪ] *adv.* serdecznie.

warm-heartedness [ˌwɔːrm'hɑːrtɪdnəs] *n. U* serdeczność.

warming pan ['wɔːrmɪŋ ˌpæn] *n.* **1.** *hist.* szkandela (= *pojemnik z węglem do ogrzewania pościeli*). **2.** *przen.* osoba zajmująca chwilowo posadę dla drugiej.

warmly ['wɔːrmlɪ] *adv.* **1.** ciepło. **2.** serdecznie.

warmness ['wɔːrmnəs] *n. U* **1.** ciepłota. **2.** serdeczność.

warmonger ['wɔːrˌmɑːŋgər] *n.* podżegacz/ka wojenn-y/a.

warmongering ['wɔːrˌmɑːŋgərɪŋ] *n. U* podżeganie do wojny.

warmth [wɔːrmθ] *n. U* **1.** ciepło. **2.** serdeczność. **3.** zapał; gorliwość, żarliwość.

warm-up ['wɔ:rm,ʌp], **warmup** *n.* (*także* ~ **exercise**) *sport, balet* rozgrzewka.

warn [wɔ:rn] *v.* **1.** ostrzegać (*sb of/about sth* kogoś przed czymś, *sb that* kogoś, że, *sb not to do sth* kogoś, żeby czegoś nie robił). **2.** powiadamiać, uprzedzać (*sb of/about sth* kogoś o czymś). **3.** ~ **sb against sth** odradzać komuś coś; przestrzegać kogoś przed czymś; ~ **sb against doing sth** odradzać komuś robienie czegoś; ostrzegać kogoś, żeby czegoś nie robił, przestrzegać kogoś przed robieniem czegoś; ~ **sb off** odstraszyć kogoś; ~ **sb off sth** przepędzić *l.* przegonić kogoś skąd; ~ **sb off doing sth** odradzać komuś robienie czegoś; ostrzegać kogoś, żeby czegoś nie robił, przestrzegać kogoś przed robieniem czegoś.

warning ['wɔ:rnɪŋ] *n. C/U* **1.** ostrzeżenie; przestroga (*to sb* dla kogoś); znak ostrzegawczy; (*także* **advance** ~) uprzedzenie; **gale** ~ ostrzeżenie przed sztormem; **give sb a** ~ dać komuś ostrzeżenie (*t. sport*), udzielić komuś ostrzeżenia *l.* przestrogi; **give sb fair** ~ zawiadomić kogoś z dużym wyprzedzeniem; **without (any)** ~ bez (najmniejszego) ostrzeżenia; bez (żadnego) uprzedzenia. **2.** *arch.* wypowiedzenie; **give sb** ~ dać komuś wypowiedzenie. – *a. attr.* ostrzegawczy (*np. o minie, znaku*).

warningly ['wɔ:rnɪŋlɪ] *adv.* ostrzegawczo.

warning shot *n.* strzał ostrzegawczy.

War of American Independence *n. US hist.* wojna o niepodległość Stanów Zjednoczonych, rewolucja amerykańska (*1775-1783*).

war of attrition *n.* wojna na wyczerpanie, wojna podjazdowa.

War Office *n. Br. hist.* Ministerstwo Wojny.

war of nerves *n. przen.* wojna nerwów.

War of the Roses *n. Br. hist.* Wojna Dwóch Róż (*1455-1485*).

war of words *n. przen.* wojna *l.* walka na słowa, batalia słowna.

warp [wɔ:rp] *v.* **1.** paczyć się (*np. o meblu*). **2.** *t. przen.* wypaczać (się). **3.** mącić (*np. sąd, przyjemność*). **4.** *tk.* przygotowywać jako osnowę. **5.** *lotn.* zmieniać kształt *skrzydła samolotu* przez skręcenie końców. **6.** *żegl.* podholowywać za cumę. **7.** *roln.* namulać (*glebę*). – *n.* **1.** *t. przen.* spaczenie, wypaczenie. **2.** *tk.* osnowa (*t. w oponie*), postaw. **3.** szew skośny (*na klinie czaszy spadochronu*). **4.** *żegl.* cuma (*do podholowywania*). **5.** osad (*naniesiony*), namuł.

war paint *n. U* **1.** barwy wojenne (*u Indian*). **2.** *pot.* pełna krasa. **3.** *pot. żart.* tapeta (= *mocny makijaż*).

warpath ['wɔ:r,pæθ] *n.* **on the** ~ *często żart.* na wojennej ścieżce.

warp beam *n.* = **warp roll**.

warped [wɔ:rpt] *a. t. przen.* wypaczony (*np. o poczuciu humoru*).

warper ['wɔ:rpər] *n. tk.* snowarka.

warping frame ['wɔ:rpɪŋ ,freɪm] *n. tk.* rama tkacka.

warp knit *n. U tk.* dzianina osnowowa.

warplane ['wɔ:r,pleɪn] *n. lotn., wojsk.* samolot wojskowy.

warp roll *n.* (*także* **warp beam**) *tk.* nawój osnowy.

warpwise ['wɔ:rp,waɪz] *a. tk.* tkany pionowo (*wzdłuż osnowy*).

warrant ['wɔ:rənt] *n.* **1.** *prawn.* nakaz; ~ **of arrest/apprehension** nakaz aresztowania; **distress/search** ~ nakaz zajęcia/rewizji; **issue a** ~ wydać nakaz. **2.** gwarancja (*t. przen.*); atest. **3.** licencja; upoważnienie (*t. do podjęcia pieniędzy*); uprawnienie; legitymacja; pełnomocnictwo (*np. dla adwokata*). **4.** *handl.* pokwitowanie; *giełda* świadectwo. **5.** *wojsk.* patent starszego chorążego. **6.** *U przest. l. form.* (wystarczający) powód, usprawiedliwienie (*dla zachowania określonego rodzaju*). – *v.* **1.** dawać podstawy do (*czegoś*), stanowić *l.* dawać (wystarczający) powód do (*czegoś*), usprawiedliwiać (*określone zachowanie, zwł. o okolicznościach*); zasługiwać na (*uwagę, zainteresowanie*). **2.** upoważniać. **3.** wystawiać gwarancję co do (*np. jakości*); gwarantować (*np. bezpieczeństwo, jakość*). **4.** *prawn.* gwarantować tytuł własności do (*czegoś*). **5. I'll** ~ **(that)...** *przest.* gwarantuję, że..., daję głowę, że...

warrantable ['wɔ:rəntəbl] *a.* **1.** usprawiedliwiony. **2.** taki, na który można udzielić gwarancji. **3.** *myśl.* w wieku dozwolonym do odstrzału (*o jeleniu*).

warrantee [,wɔ:rən'ti:] *n. prawn.* osoba, której udzielono gwarancji.

warranter ['wɔ:rəntər], **warrantor** *n.* osoba udzielająca gwarancji, gwarant.

warrant officer *n. wojsk.* chorąży.

warranty ['wɔ:rəntɪ] *n. pl.* **-ies** **1.** *prawn., handl.* rękojmia; gwarancja. **2.** (*także* **covenant of** ~) *prawn.* dokument gwarantujący wyłączne prawa do nieruchomości. **3.** *ubezp.* oświadczenie ubezpieczanego gwarantujące prawdziwość danych.

warren ['wɔ:rən] *n.* **1.** nory dzikich królików (*połączone labiryntem korytarzy*); kolonia dzikich królików. **2.** *przen.* ludzkie mrowisko (= *przepełniony dom*); ~ **of alleyways/corridors** labirynt uliczek/korytarzy.

warring ['wɔ:rɪŋ] *a. attr.* zwaśniony (*np. o frakcjach w partii*).

warrior ['wɔ:rɪər] *n.* wojownik; żołnierz. – *a. attr.* wojowniczy (*np. o narodzie*).

Warsaw ['wɔ:rsɔ:] *n. geogr.* Warszawa.

Warsaw Pact *n. hist., polit.* **the** ~ Układ Warszawski.

warship ['wɔ:r,ʃɪp] *n. wojsk.* okręt wojenny.

wart [wɔ:rt] *n.* **1.** *pat.* brodawka, kłykcina; *pot.* kurzajka. **2.** *bot.* brodawka. **3.** ~**s and all** *przen. pot.* z wszystkimi wadami *l.* niedociągnięciami (*np. zaakceptować kogoś l. coś*); bez żadnego upiększania (*np. przedstawić*).

warthog ['wɔ:rt,hɔ:g], **wart hog** *n. zool.* guziec (*Phacochoerus aethiopicus*).

wartime ['wɔ:r,taɪm] *n. U* okres *l.* czas *l.* czasy wojny. – *a. attr.* wojenny, z czasów wojny (*np. o przeżyciach, wspomnieniach*).

war-torn ['wɔ:r,tɔ:rn] *a. attr.* targany wojną, rozdarty przez wojnę (*o kraju*).

warty [ˈwɔːrtɪ] *a.* **-ier, -iest 1.** pokryty brodawkami. **2.** brodawkowaty.

war whoop *n.* okrzyk wojenny (*u Indian*).

war widow *n.* wojenna wdowa, wdowa po żołnierzu.

wary [ˈwerɪ] *a.* **-ier, -iest 1.** nieufny (*of sb / sth* wobec *l.* w stosunku do kogoś/czegoś); czujny; ostrożny. **2. be ~ of/about doing sth** mieć opory przed robieniem czegoś, obawiać się coś robić.

was [wʌz] *v. zob.* **be.**

wash [wɑːʃ] *v.* **1.** myć; **~ one's hands** myć ręce; *euf.* iść do toalety; **~ the dishes** myć naczynia. **2.** myć się. **3.** prać. **4.** prać się (*o tkaninie*); **~ well/badly** dobrze/źle się prać. **5.** oczyszczać przez płukanie, wypłukiwać (*np. kamienie szlachetne, rudę*). **6.** nieść (*o morzu, rzece*); **~ ahore** wyrzucać na brzeg (*o morzu*). **7.** wypłukiwać, wymywać (*np. dziury; o falach, morzu*). **8.** *mal.* lawować. **9.** lekko pozłacać. **10.** *przen.* **~ one's dirty linen in public** prać brudy publicznie; **~ one's hands of sth** umywać ręce od czegoś; **it won't ~** *pot.* to nie chwyci, tego nikt nie kupi (*np. o alibi, argumencie, pomyśle*). **11. ~ away** zmyć (*np. glebę, o powodzi*); zostać zabranym przez wodę; **~ down** dokładnie umyć *l.* zmyć; popić (*sth with sth* coś czymś) (*np. jedzenie l. pigułkę wodą*); **~ off** zmyć; sprać (*np. plamę*); spierać się (*o plamach, farbie*); **~ out** wymyć (*wewnątrz*); przeprać; sprać (*plamę*); spierać się (*o plamach, farbie*); **be ~ed out** zostać odwołanym z powodu deszczu (*o meczu, imprezie*); **~ up** *zwł. Br.* myć naczynia, zmywać; zmywać wodą (*plamy*); wyrzucać na brzeg (*o morzu*); *US* myć ręce (*np. przed jedzeniem*). – *n.* **1.** *zw. sing.* mycie; **have a ~** umyć się. **2.** *U i sing.* pranie (*US t. = odzież przeznaczona do prania*); **do the ~** robić pranie; **hang the ~ out** wieszać *l.* rozwieszać pranie; **in the ~** w praniu (*= wśród odzieży przeznaczonej do prania*); **(shrink/fade) in the ~** (skurczyć się/wypłowieć) w praniu. **3.** *C / U* płyn (*do czyszczenia, gruntowania, leczniczy, kosmetyczny*); płukanka; **face ~** płyn do (mycia) twarzy. **4.** *U* plusk wody; fale, fala. **5.** *U* wypłukiwanie gleby *l.* ziemi. **6.** kanał wyżłobiony przez wodę. **7.** *C / U* ziemia naniesiona przez wodę; piasek, z którego można coś wydobywać przez płukanie. **8.** *sing.* obszar zalewowy. **9.** lura; pomyje. **10.** *U l. sing. żegl.* spieniona fala (*np. za łodzią*); kilwater. **11.** *lotn.* strumień zaśmigłowy. **12.** podmywanie przez fale. **13.** bagno; sadzawka. **14.** mielizna. **15.** *mal.* lawowanie. **16.** cienka warstwa (*płynnego metalu*). **17.** *U* zacier odfermentowany. **18. that will come out in the ~** *przen.* to się okaże w praniu.

Wash. *abbr.* = **Washington** 2.

washability [ˌwɑːʃəˈbɪlətɪ] *n. U* odporność na pranie (*np. faktury, kolorów*).

washable [ˈwɑːʃəbl] *a.* **1.** nadający się do prania. **2.** zmywalny (*np. o powierzchni, tapecie*).

wash-and-wear [ˌwɑːʃəndˈwer] *a.* niewymagający prasowania (*o odzieży, tkaninie*).

washbasin [ˈwɑːʃˌbeɪsən] *n. Br. i Austr.* = **washbowl.**

washboard [ˈwɑːʃˌbɔːrd] *n.* **1.** tarka (*do prania*). **2.** *US bud.* listwa przypodłogowa. **3.** *żegl.* klepka skrajna (*poszycia burtowego*).

washboard course *n. mot.* próbny tor samochodowy.

washbowl [ˈwɑːʃˌboʊl] *n.* (*także Br. i Austr.* **~basin**) **1.** umywalka. **2.** miska do mycia (*rąk i twarzy*).

washcloth [ˈwɑːʃˌklɔːθ] *n.* **1.** (*także* **washrag**) *US i Can.* myjka (*do twarzy, rąk*). **2.** ściereczka do naczyń.

washday [ˈwɑːʃˌdeɪ] *n.* (*także* **washing day**) *przest.* dzień prania.

washed-out [ˌwɑːʃtˈaʊt] *a.* **1.** sprany; wyblakły, spłowiały. **2.** (niezdrowo) blady (*o osobie*).

washed-up [ˌwɑːʃtˈʌp] *a. pot.* **1.** wypalony (*o osobie*). **2.** zmarnowany (*np. o nadziejach*).

washer [ˈwɑːʃər] *n.* **1.** uszczelka; podkładka; pierścień (*gumowy, skórzany, metalowy*). **2.** pomywacz/ka. **3.** *US* pralka. **4.** *Austr.* myjka (*do twarzy, rąk*).

washer-dryer [ˌwɑːʃərˈdraɪər], **washer-drier** *n.* pralko-suszarka.

washerwoman [ˈwɑːʃərˌwʊmən] *n. pl.* **-women** *hist.* praczka.

wash house *n. hist.* pralnia.

washing [ˈwɑːʃɪŋ] *n.* **1.** *U l. sing. Br.* pranie (*t. = odzież przeznaczona do prania*); **do the ~** robić pranie; **put the ~ out** wieszać *l.* rozwieszać pranie. **2.** *U* woda z prania; popłuczyny. **3.** *U* wypłukana ruda, złoto itp. **4.** *U* cienka warstwa (*w płynie*). **5.** *U mal.* lawowanie.

washing day *n.* = **washday.**

washing line *n. Br.* sznur do bielizny.

washing liquid *n. C / U Br.* płyn do prania, detergent w płynie.

washing machine *n.* pralka.

washing powder *n. C / U Br.* proszek do prania.

washing soda *n. U chem.* soda do prania, soda krystaliczna.

Washington [ˈwɑːʃɪŋtən] *n. geogr.* **1.** Waszyngton. **2.** stan Waszyngton.

washing-up [ˌwɑːʃɪŋˈʌp] *n. U Br. i Austr.* **1.** zmywanie naczyń; **do the ~** zmywać naczynia. **2.** naczynia do mycia.

washing-up liquid *n. C / U Br. i Austr.* płyn do (mycia) naczyń.

washout [ˈwɑːʃˌaʊt] *n.* **1.** *pot.* klapa, niewypał. **2.** *pot. pog.* niedojda. **3.** *geol.* wymywanie powierzchni przez wodę; kanał wymyty przez wodę.

washrag [ˈwɑːʃˌræg] *n. US* = **washcloth** 1.

washroom [ˈwɑːʃˌruːm] *n.* **1.** umywalnia. **2.** *US przest. euf.* toaleta.

wash sale *n. giełda* fikcyjna sprzedaż i kupno akcji celem ich umocnienia.

washstand [ˈwɑːʃˌstænd] *n.* podstawa pod umywalkę.

washtub [ˈwɑːʃˌtʌb] *n.* balia.

washwoman [ˈwɑːʃˌwʊmən] *n. pl.* **-women** *rzad.* praczka.

washy [ˈwɑːʃɪ] *a.* **-ier, -iest 1.** cienki, wodnisty (*np. o zupie*). **2.** blady (*o kolorze, stylu*).

wasn't [ˈwʌzənt] *v.* = **was not**; *zob.* **be.**

WASP [wɑːsp], **Wasp** *abbr. i n.* **White Anglo-**

Saxon Protestant *zwł. US zw. uj. l. iron.* przedstawiciel/ka białej elity amerykańskiej pochodzenia anglo-amerykańskiego.

wasp [ˈwɑːsp] *n. ent.* osa (*Vespula*).

waspish [ˈwɑːspɪʃ] *a.* **1.** złośliwy, kąśliwy. **2.** osi; jak osa.

waspishly [ˈwɑːspɪʃlɪ] *adv.* złośliwie, kąśliwie.

waspishness [ˈwɑːspɪʃnəs] *n. U* złośliwość, kąśliwość.

wasp waist *n.* talia jak u osy.

wasp-waisted [ˈwɑːspˌweɪstɪd] *a.* z talią jak u osy.

wassail [ˈwɑːseɪl] *arch. n.* **1.** toast. **2.** suto zakrapiana biesiada. **3.** trunek pity przy biesiadowaniu (*zwł. grzane piwo l. wino*). **4.** kolędowanie. – *v.* **1.** pić (za) czyjeś zdrowie podczas biesiady. **2.** kolędować.

Wasserman test [ˈwɑːsərmən ˌtest] *n.* (*także* **Wasserman reaction**) *med.* odczyn Wassermana.

wast [wɑːst] *v. arch.* 2 os. l. poj. czasu przeszłego od „be".

wastage [ˈweɪstɪdʒ] *n. U* **1.** marnotrawstwo, marnotrawienie (*of sth* czegoś). **2.** straty (*np. materiału*). **3.** wykruszanie się (*pracowników, studentów*); *Br. i Austr.* = **natural wastage**.

waste [weɪst] *v.* **1.** trwonić (*pieniądze*), marnować, tracić (*czas*); ~ **no time** (*także* **not ~ any time**) nie tracić czasu; ~ **no time in doing sth** nie czekać *l.* nie zwlekać ze zrobieniem czegoś. **2.** zużywać, wyczerpywać. **3.** pustoszyć (*np. kraj, ziemie*). **4.** *US pot.* wykończyć, załatwić (= *zabić*). **5.** marnować się, niszczeć. **6.** zużywać się; wyczerpywać się. **7.** *przen.* ~ **not, want not** *przest.* kto nie trwoni, ten ma; ~ **one's breath** *zob.* **breath**; **not ~ words** nie szafować słowami, wyrażać się oszczędnie. **8.** ~ **away** marnieć, ginąć w oczach. – *n. C/U* **1.** marnotrawstwo, marnotrawienie; marnowanie, trwonienie; strata; **a ~ of time/money** strata czasu/pieniędzy; **go to ~** marnować się; **what a ~!** co za marnotrawstwo!. **2.** zużycie, ubytek. **3.** odpady (*np. fabryczne, radioaktywne*); **industrial/radioactive ~** odpady przemysłowe/radioaktywne. **4.** odpadki, śmieci. **5.** *pl.* odchody. **6.** *pl.* pustkowie, pustynia; bezmiar, szmat (*wody, śniegu*). **7.** *prawn.* zapuszczenie, zaniedbanie (*majątku*). **8. a ~ of space** *przen. pot.* kompletn-y/a nieudaczni-k/ca. – *a. attr.* **1.** odpadowy; zbyteczny, niepotrzebny. **2.** nieuprawiany, leżący odłogiem; **lie ~** leżeć odłogiem. **3.** zniszczony, spustoszony, zdewastowany; **lay sth ~** spustoszyć coś. **4.** *przen.* jałowy.

waste-basket [ˈweɪstˌbæskət], **wastebasket** *n. US i Can.* kosz na śmieci.

wasted [ˈweɪstɪd] *a.* **1.** *attr.* nieudany, wykonany *l.* odbyty na próżno (*np. o podróży, telefonie*). **2.** wykończony, zmarnowany (*o osobie*). **3.** *sl.* nawalony (= *pijany*); naćpany.

waste disposal *n.* (*także* **waste disposal unit**) *Br.* młynek zlewozmywakowy, kuchenny rozdrabniacz odpadków.

wasteful [ˈweɪstful] *a.* **1.** marnotrawny (*o osobie*). **2.** niszczący (*np. o wojnie*). **3. it's ~ to do sth** robienie czegoś to marnotrawstwo.

wastefully [ˈweɪstfulɪ] *adv.* marnotrawnie.

wastefulness [ˈweɪstfulnəs] *n. U* marnotrawstwo; skłonność do marnotrawstwa.

wasteland [ˈweɪstˌlænd] *n. C/U* **1.** nieużytki; ziemia zniszczona (*przez cywilizację*). **2.** *lit.* ziemia jałowa.

wastepaper [ˈweɪstˌpeɪpər] *n. U* odpadki papierowe; makulatura.

wastepaper basket *n.* (*także* **wastepaper bin**) *Br. i Austr.* kosz na śmieci.

waste pipe *n.* rura odpływowa.

waste products *n. pl.* **1.** odpady produkcyjne. **2.** *fizj.* zbyteczne produkty przemiany materii.

waster [ˈweɪstər] *n.* **1.** *Br. i Austr.* próżniak; pasożyt. **2.** *w złoż.* **time-/money-~** *pot.* coś, na co trwoni się czas/pieniadze. **3.** produkt uszkodzony podczas produkcji.

wasting [ˈweɪstɪŋ] *a. attr.* wyniszczający (*o chorobie*).

wastrel [ˈweɪstrəl] *n.* **1.** marnotrawca. **2.** *gł. Br.* śmiecie; odpady. **3.** *gł. Br.* nicpoń. **4.** *gł. Br.* dziecko-przybłęda, bezdomne dziecko.

watch [wɑːtʃ] *v.* **1.** oglądać (*t. w telewizji*); śledzić, obserwować; przyglądać się, patrzeć; ~ **television/a film/the news** oglądać telewizję/film/wiadomości; ~ **sb do/doing sth** przyglądać się *l.* patrzeć, jak ktoś coś robi; **we were being ~ed** byliśmy obserwowani, obserwowano nas. **2.** pilnować (*czegoś*); uważać na (*coś*). **3.** *przen.* ~ **it!** uważaj! (= *bądź ostrożny*); uważaj (no)! (*pogróżka*); ~ **one's weight** *zob.* **weight**; ~ **o.s.** pilnować się; ~ **the clock** *pot.* patrzeć *l.* spoglądać na zegar (*nie mogąc się doczekać końca, zwł. pracy*); ~ **the time** kontrolować czas (*żeby się nie spóźnić*); ~ **this!** (*także* **just ~!**) (tylko) popatrz! (*popisując się jakąś umiejętnością*); ~ **this space** *dzienn. pot.* ciąg dalszy nastąpi (*w doniesieniach prasowych*); ~ **what you're doing!** patrz *l.* uważaj, co robisz! (= *bądź bardziej ostrożny*); ~ **your mouth** uważaj na słowa, uważaj, co mówisz (*ze złością*); ~ **yourself!** uważaj! (= *bądź ostrożny*); **a ~ed pot never boils** *zob.* **pot**[1] *n.*; **I'd/you'd better ~ my/your step** *pot.* muszę/musisz się pilnować; **I'd rather ~ paint dry** *pot.* wolałbym patrzeć, jak trawa rośnie (= *to mnie nudzi*); **you ~** zobaczysz, przekonasz się. **4.** ~ **(out) for sth** oczekiwać *l.* czekać na coś; ~ **out** mieć się na baczności; ~ **out!** uważaj!; ~ **over sb/sth** opiekować się kimś/czymś, czuwać nad kimś/czymś. – *n.* **1.** (*także* **wristwatch**) zegarek. **2.** *U l. sing.* obserwacja; **keep a (close) ~ on sb/sth** *t. przen.* uważnie kogoś/coś obserwować, pilnie przyglądać się komuś/czemuś. **3.** *U l. sing.* czuwanie, baczenie; pilnowanie; *t. wojsk.* warta, straż; *żegl.* wachta; (*także* **night ~**) *hist.* straż (nocna); **be on ~** mieć wartę, stać na warcie; **change ~es** zmieniać wartę; **keep ~** czuwać, trzymać wartę; **on ~** na straży/warcie; **under ~** pod strażą. **4. be on the ~ for sth** wyglądać czegoś, oczekiwać na coś; **keep a ~ out for sb/sth** wypatrywać kogoś/czegoś (*przy okazji robienia czegoś innego*); **the ~es of the night** *poet.* nocne czuwanie (= *okres, kiedy się nie śpi*).

watchable [ˈwɑːtʃəbl] *n. telew., film pot.* taki, który dobrze *l.* przyjemnie się ogląda.
watchband [ˈwɑːtʃˌbænd] *n. US, Can. i Austr.* pasek od zegarka.
watch cap *n. żegl.* marynarska czapka (*wełniana*).
watchcase [ˈwɑːtʃˌkeɪs] *n.* koperta zegarka.
watch chain *n.* łańcuszek do zegarka.
watchdog [ˈwɑːtʃˌdɔːg] *n.* **1.** pies podwórzowy. **2.** *przen.* cerber (= *osoba l. instytucja nadzorująca*).
watcher [ˈwɑːtʃər] *n.* **1.** dozor-ca/czyni. **2.** osoba czuwająca. **3.** *US* obserwator/ka (*przy wyborach*).
watch fire *n.* ognisko warty; watra.
watchful [ˈwɑːtʃful] *a.* czujny, uważny; **keep a ~ eye on sb/sth** uważać na kogoś/coś (*t. na czas*); **under sb's ~ eye** pod czyimś czujnym wzrokiem (= *pod opieką*).
watchfully [ˈwɑːtʃfulɪ] *adv.* czujnie.
watchfulness [ˈwɑːtʃfulnəs] *n. U* czujność.
watchglass [ˈwɑːtʃˌglæs] *n. Br.* **1.** szkiełko do zegarka. **2.** szkiełko laboratoryjne.
watch guard *n.* łańcuszek *l.* tasiemka do zegarka.
watchmaker [ˈwɑːtʃˌmeɪkər] *n.* zegarmistrz.
watchmaking [ˈwɑːtʃˌmeɪkɪŋ] *n. U* zegarmistrzostwo.
watchman [ˈwɑːtʃmən] *n. pl.* **-men** **1.** strażnik, ochroniarz (*pilnujący obiektu*). **2.** *hist.* strażnik miejski (*nocny*).
watch meeting *n.* (*także* **watchnight**) *kośc.* noc sylwestrowa; nabożeństwo w noc sylwestrową (*w kościele protestanckim*).
watch pocket *n.* kieszonka do zegarka (*np. w kamizelce*).
watchstrap [ˈwɑːtʃˌstræp] *n. Br.* pasek do zegarka.
watch timechecker *n.* zegar kontrolny (*dla strażników*).
watchtower [ˈwɑːtʃˌtauər] *n.* wieża strażnicza.
watchword [ˈwɑːtʃˌwɜːd] *n. wojsk., polit.* hasło.
water [ˈwɔːtər] *n.* **1.** *U t. chem., kosmetyki* woda; **ammonia ~** *chem.* woda amoniakalna, wodny roztwór amoniaku; **below the ~** pod powierzchnią wody; **by ~** wodą (= *łódką l. statkiem*); **Cologne ~** woda kolońska; **hold ~** nie przepuszczać wody; **lavender/toilet ~** woda lawendowa/toaletowa; **sea~/rain~** woda morska/deszczowa; **running (hot) ~** bieżąca (ciepła) woda; **take ~** nabierać wody (*np. o łódce*); **under ~** pod wodą. **2.** *U meteor., hydrol.* stan wód; **high ~** przypływ; wysoki poziom wody; **low ~** odpływ; niski poziom wody. **3.** zbiorowisko wody (*np. morze, rzeka, jezioro*). **4.** *pl. prawn.* **(territorial) ~** wody (terytorialne); **in American ~s** na wodach amerykańskich. **5.** *pl. t. Br. i Austr. fizj.* wody płodowe; **her ~ broke** (*także Br. i Austr.* **her ~s broke**) odeszły jej wody. **6.** *pl.* **the ~s** *med.* wody (lecznicze); **drink the ~s** leczyć się wodami (*leczniczymi*); **go to X to take the ~s** (*także* **go to X for the ~s**) jechać do X do wód. **7.** *U fin.* kapitał tylko nominalny (= *istniejący głównie na papierze*). **8.** *przen.* **~ on the brain/knee** *pat. pot.* wodogłowie/woda w kolanie; **~s of forgetfulness** *lit.* rzeka zapomnienia; **be like ~ off a duck's back** *zob.* **duck**[1]; **break ~** wynurzyć się; pracować nogami przy pływaniu żabką; **cast one's bread upon the ~s** *zob.* **bread** *n.*; **get into hot ~** *zob.* **hot** *a.*; **in deep/hot ~** w opałach *l.* tarapatach; **it's (all) ~ under the bridge** to przebrzmiała sprawa; **keep one's head above ~** *zob.* **head** *n.*; **like ~** strumieniami (*płynąć; np. o pieniądzach, winie*); **like a fish out of ~** *zob.* **fish** *n.*; **make ~** nabierać wody (*o statku*); (*także* **pass ~**) *form.* oddawać mocz; **not hold ~** *zob.* **hold**[1] *v.*; **of the first ~** *zob.* **first** *a.*; **pour oil on the ~s/on troubled ~s** *zob.* **oil** *n.*; **pour/throw cold ~ on** *zob.* **cold** *a.*; **spend money like ~** wydawać pieniądze lekką ręką; **still ~s (run deep)** cicha woda (brzegi rwie); **take to sth like a duck to ~** *zob.* **duck**[1]; **test the ~(s)** *zob.* **test**[1] *v.*; **tread ~** *zob.* **tread** *v.*; **uncharted ~s** *zob.* **uncharted**; **you can lead/take a horse to ~, (but you can't make it drink)** *zob.* **horse** *n.* – *v.* **1.** podlewać (*np. kwiaty*); nawadniać (*np. pole*); poić (*np. konia, bydło*). **2.** *fin.* podnosić tylko nominalną wartość (*akcji*). **3.** *tk.* morować (*jedwab*). **4.** łzawić (*o oczach*). **5.** napoić się (*o zwierzętach*). **6.** brać wodę (*np. o lokomotywie, parowcu*). **7. make sb's mouth ~** sprawiać, że komuś cieknie ślinka. **8.** *zw. pass.* **~ down** rozwadniać, rozcieńczać; *przen.* tonować, osłabiać (*wymowę czegoś*).
water adder *n. zool.* **1.** = **water moccasin**. **2.** gatunek amerykańskiego zaskrońca (*Tropidontus / Natrix sipedon*).
waterage [ˈwɔːtərɪdʒ] *n. U Br. handl.* **1.** przesyłka drogą wodną. **2.** koszt przesyłki drogą wodną.
water agrimony *n. bot.* uczep trójlistkowy (*Bidens tripartita*).
water aloe *n.* = **water soldier**.
water anchor *n. Br.* = **drag anchor**.
water antelope *n.* = **water buck**.
water apple *n. bot.* flaszowiec (*Annona*).
water arum *n. bot.* czermień błotna (*Calla palustris*).
water ash *n. bot.* **1.** jesion karoliński (*Fraxinus platycarpa / caroliniana*). **2.** jesion czarny (*Fraxinus sambucifolia / nigra*).
water avens *n. bot.* kuklik zwisły (*Geum rivale*).
water back *n.* zbiornik na ciepłą wodę (*w piecu, np. kuchennym*).
water bag *n.* bukłak (*na wodę*).
water bailiff *n. Br.* **1.** portowy urzędnik celny. **2.** inspektor rzeczny na Tamizie. **3.** strażnik rybacki.
water ballast *n. żegl.* balast wodny.
water barrel *n.* (*także Br. i Austr.* **water butt**) beczka na deszczówkę.
water bath *n.* **1.** *chem.* łaźnia wodna. **2.** *fot.* kąpiel wodna, płukanie.
water bearer *n.* **1.** nosiwoda. **2. Water Bearer** (*także Br.* **Water Carrier**) *astron. astrol.* Wodnik.
waterbed [ˈwɔːtərˌbed], **water bed** *n.* łóżko wodne.
water beetle *n. ent.* chrząszcz wodny.
water bird *n. orn.* ptak wodny.

water biscuit *n. kulin.* krakers.

water blister *n. pat.* pęcherzyk wypełniony wodą.

water boatman *n. pl.* **-men** *ent.* pluskwiak pływający z rodziny wioślaków (*Corixidae*).

water-borne [ˈwɔ:tərˌbɔ:rn] *a.* **1.** *żegl.* przebywający na wodzie. **2.** *handl.* przesyłany drogą wodną. **3.** *pat.* przenoszony przez wodę (*o chorobie zakaźnej*).

water bottle *n.* **1.** bidon. **2.** *Br.* manierka. **3.** termofor.

waterbrain [ˈwɔ:tərˌbreɪn] *n. U wet.* cenuroza, kołowacizna (*u owiec*).

water brash *n. U pat.* zgaga.

water buck *n.* (*także* **water antelope**) *zool.* kob (*Kobus*).

water buffalo *n.* (*także* **water ox**) *zool.* bawół błotny *l.* wodny (*zdziczały bawół domowy Bubalus bubalis*).

water bug *n. ent.* pluskwiak wodny z rodziny *Belostomatidae*.

water butt *n. Br. i Austr.* = **water barrel**.

water cannon *n.* armatka wodna.

water carrier *n.* **1.** kanister na wodę. **2.** **W~ Carrier** *Br.* = **Water Bearer**.

water cart *n.* beczkowóz.

water chestnut *n. bot.* **1.** (*także* **water caltrop**) kotewka orzech wodny (*Trapa natans*). **2.** **Chinese water chestnut** ponikło słodkie *l.* bulwowe (*Eleocharis dulcis / tuberosa / plantaginoides / indica*).

water chinquapin *n. bot.* lotos żółty (*Nelumbo lutea*).

water closet *n. przest.* WC.

watercolor [ˈwɔ:tərˌkʌlər], *Br.* **watercolour** *n. C / U mal.* akwarela (*obraz l. technika*).

water colorist, *Br.* **water colourist** *n. mal.* akwarelist-a/ka.

water-cooled [ˈwɔ:tərˌku:ld] *v. techn.* chłodzony wodą.

water cooler *n. techn.* chłodnica wody.

watercourse [ˈwɔ:tərˌkɔ:rs] *n.* **1.** ciek wodny. **2.** tor wodny.

watercraft [ˈwɔ:tərˌkræft] *n. pl.* **watercraft** *żegl.* **1.** jednostka pływająca; jednostki pływające. **2.** umiejętności żeglarskie.

water crake *n. orn.* **1.** (*także* **water ouzel**) pluszcz (*Cinclus cinclus*). **2.** kropiatka (*Porzana porzana*).

watercress [ˈwɔ:tərˌkres] *n. U bot., kulin.* rukiew wodna (*Nasturtium officinale*).

water cure *n.* **1.** kuracja wodna. **2.** *pot.* tortura polegająca na wlewanie wody do żołądka.

water curtain *n.* kurtyna wodna (*przeciwpożarowa*).

water cycle *n. hydrol.* cykl hydrologiczny.

water diviner *n. Br.* = **water finder**.

water dog *n.* **1.** *myśl.* pies aportujący ubitą zwierzynę z wody. **2.** *pot.* pies lubiący wodę. **3.** *przen.* amator/ka wody.

water drinker *n. pot.* abstynent/ka.

water dropwort *n. bot.* kropidło (piszczałkowate) (*Oenanthe (fistulosa)*).

waterfall [ˈwɔ:tərˌfɔ:l] *n.* wodospad.

water-fast [ˈwɔ:tərˌfæst] *a.* wodoodporny (*o barwniku, kolorze*).

water feather *n. bot.* **1.** gatunek wywłócznika (*Myriophhyllum proserpinacoides*). **2.** amerykański gatunek okrężnicy (*Hottonia inflata*).

water filter *n.* filtr do wody.

waterfinder [ˈwɔ:tərˌfaɪndər] *n. US* różdżka-rz/rka.

water flag *n. bot.* kosaciec żółty (*Iris pseudacorus*).

water flea *n. zool.* drobny skorupiak z rzędu wioślarek (*Cladocera*).

water fountain *n.* **1.** (*także Br.* **drinking fountain**) miniaturowy wodotrysk z wodą pitną. **2.** *hodowla* poidełko.

waterfowl [ˈwɔ:tərˌfaʊl] *n. pl.* **waterfowl** *orn.* ptak wodny z rodziny kaczek (*Anatidae*); *pl.* ptactwo wodne.

water frame *n. hist., tk.* krosna napędzane energią wodną.

waterfront [ˈwɔ:tərˌfrʌnt] *n.* nabrzeże; dzielnica portowa.

water gap *n.* przełom (*rzeki*).

water gas *n. U techn.* gaz wodny.

water gate *n. hydrol.* stawidło, zastawka wodna.

Watergate [ˈwɑ:tərˌgeɪt] *n. US hist., polit.* afera Watergate.

water gauge *n. hydrol.* wodomierz.

water glass *n.* **1.** szklanka. **2.** *U chem.* szkło wodne. **3.** *techn.* wodowskaz, limnimetr.

water gum *n. bot.* gatunek kląży (*Nyssa biflora / sylvatica*).

water gun *n.* (*także Br.* **water pistol**) pistolet na wodę.

water hammer *n. hydrol.* uderzenie wodne.

water hazard *n.* (*także* **water trap**) *golf* przeszkoda wodna, woda.

water heater *n.* podgrzewacz wody, bojler.

water hemlock *n. bot.* szalej jadowity, cykuta (*Cicuta virosa*).

water hen *n. orn.* **1.** kurka wodna (*Gallinula chloropus*). **2.** łyska amerykańska (*Fulica americana*).

water hole *n.* dół ze stojącą wodą (*służący jako wodopój*).

water hyacinth *n. bot.* hiacynt wodny, eichhornia gruboogonkowa (*Eichhornia crassipes*).

water ice *n. C / U Br. kulin.* sorbet.

water-inch [ˈwɔ:tərˌɪntʃ] *n. hydrol.* ilość wody przechodzącej w ciągu 24 godzin przez rurkę o średnicy 1 cala przy minimalnym ciśnieniu.

watering can *n. Br.* = **watering pot**.

watering cart *n.* beczkowóz (*do podlewania*).

watering hole *n.* **1.** wodopój (*dla zwierząt*). **2.** *przen. żart.* knajpa.

watering place *n. gł. Br.* **1.** wodopój. **2.** zdrojowisko; kąpielisko nadmorskie.

watering pot *n.* (*także Br.* **watering can**) konewka.

water intake *n. hydrol.* ujęcie wodne.

waterish [ˈwɔ:tərɪʃ] *a.* wodnisty.

water jacket *n. mech.* płaszcz wodny; chłodnica.

water-jet propulsion [ˈwɔ:tərˌdʒet prəˌpʌlʃən] *n. U techn.* napęd strugowodny.

water joint *n. techn.* połączenie *l.* spojenie wodoszczelne.

water jump *n. sport* przeszkoda wodna.

water lane *n. żegl.* tor wodny.

waterleaf [ˈwɔ:tərˌli:f] *n. bot.* czerpatka kanadyjska (*Hydrophyllum canadense*); czerpatka wirginijska (*Hydrophyllum virginianum*).

water lemon *n. bot.* męczennica wawrzynolistna, granadilla żółta (*Passiflora laurifolia*).

waterless [ˈwɔ:tərləs] *a.* bezwodny.

waterless cooker *n. kulin.* szybkowar.

water level *n.* **1.** *hydrol.* poziom wody. **2.** = **water line** 1.

water lily *n. pl.* **-ies** *bot.* **1.** lilia wodna, grzybień (*Nymphea*); *pot.* nenufar. **2.** grążel (*Nuphar*).

water line *n.* **1.** (*także* **water level, watermark**) *żegl.* linia wodna, wodnica. **2.** (*także* **watermark**) znak poziomu wody.

waterlocked [ˈwɔ:tərˌlɑ:kt] *n.* otoczony przez wodę (*o kraju*).

waterlogged [ˈwɔ:tərˌlɑ:gd], **water-logged** *a.* **1.** zalany (wodą) (*o gruncie, boisku*); przesiąknięty wodą (*o drewnie*). **2.** *żegl.* pełen wody i niesterowny (*o statku*).

water louse *n. ent.* ośliczka (*Asellus*).

water main *n.* główna rura wodna, magistrala wodna.

waterman [ˈwɔ:tərmən] *n. pl.* **-men** **1.** przewoźnik. **2.** wioślarz; **good/bad** ~ dobry/marny wioślarz.

water marigold *n. US bot.* gatunek uczepu (*Bidens beckii*).

watermark [ˈwɔ:tərˌmɑ:rk] *n.* **1.** znak wodny, filigran. **2.** = **water line** 1, 2. – *v.* zaopatrywać w znak wodny *l.* znaki wodne.

water meadow *n. roln.* łąka zalewowa.

water measurer *n. ent.* poślizg wysmukły (*Hydrometra stagnorum*).

watermelon [ˈwɔ:tərˌmelən] *n. bot.* arbuz, kawon (*Citrullus vulgaris*).

water meter *n.* wodomierz.

water milfoil *n. bot.* wywłócznik (*rodzaj Myriophyllum*).

water mill *n.* młyn wodny.

water mint *n. U bot.* mięta nadwodna (*Mentha aquatica*).

water moccasin *n.* (*także* **water adder**) *zool.* mokasyn błotny (*Agkistrodon piscivorus*).

watermotor [ˈwɔ:tərˌmoʊtər] *n. mech.* turbinka wodna.

water nymph *n.* **1.** nimfa wodna. **2.** = **water lily**. **3.** *bot.* jezierze (*Naias*).

water oak *n. US bot.* gatunek dębu (*Quercus nigra / aquatica*).

water oats *n. pl. bot.* zyzania wodna, wodny owies (*Zizania aquatica*).

water opossum *n. zool.* japok (*Chironectes minimus*).

water ouzel *n.* = **water crake** 1.

water ox *n.* = **water buffalo**.

water parting *n.* (*także Br.* **watershed**) *hydrol.* dział wodny.

water pepper *n. bot.* rdest ostrogorzki (*Polygonum hydropiper*).

water pimpernel *n. bot.* jarnik solankowy (*Samolus valerandi*).

water pipe *n.* **1.** rurociąg wodny. **2.** fajka wodna, nargile.

water pipit *n. orn.* siwarnik, świergotek górski (*Anthus spinoletta*).

water pistol *n. Br.* = **water gun**.

water plane *n. żegl.* płaszczyzna wodnicowa *l.* pływania.

water plant *n. bot.* roślina wodna.

water plantain *n. bot.* żabieniec (babka wodna) (*Alisma (plantago-aquatica)*).

water platter *n. bot.* wiktoria (*Victoria*).

water plug *n.* hydrant.

water polo *n. U sport* piłka wodna, waterpolo.

water power, waterpower *n. U* **1.** energia wodna. **2.** spadek wody. **3.** prawo (młyna) do używania wody.

water pox *n. U pat.* ospa wietrzna.

waterproof [ˈwɔ:tərˌpru:f] *a.* nieprzemakalny. – *n.* **1.** *C/U tk.* tkanina nieprzemakalna. **2.** *zw. pl. gł. Br.* płaszcz nieprzemakalny, peleryna. – *v.* impregnować.

waterproofing [ˈwɔ:tərˌpru:fɪŋ] *n. U* impregnacja, impregnowanie.

water purslane *n. bot.* rzęśl jesienna (*Callitriche autumnalis*).

water rail *n. orn.* wodnik (*Rallus aquaticus*).

water rat *n. zool.* **1.** gryzoń żyjący w środowisku wodnym. **2.** szczur piżmowy, piżmowiec (*Ondatra zibethica*). **3.** bobroszczur (*Hydromys*). **4.** *przen.* złodziej portowy.

water rate *n. Br.* opłata za wodę.

water-repellent [ˈwɔ:tərrɪˌpelənt] *a.* wodoodporny (*gł. o tkaninach*).

water-resistant [ˈwɔ:tərrɪˌzɪstənt] *a.* **1.** = **water-repellent**. **2.** wodoszczelny (*np. o zegarku*).

water sapphire *n. C/U min.* kordieryt, iolit.

waterscape [ˈwɔ:tərˌskeɪp] *n. t. mal.* krajobraz morski *l.* wodny.

water scorpion *n. ent.* owad z rodziny płoszczycowatych (*Nepidae*).

water seal *n.* zamknięcie wodne (*w syfonie*).

watershed [ˈwɔ:tərˌʃed] *n. hydrol.* **1.** zlewisko. **2.** *Br.* = **water parting**. **3.** *przen.* punkt zwrotny; **mark a ~ in sth** stanowić punkt zwrotny w czymś (*np. w karierze, rozwoju*).

water shield *n. bot.* **1.** = **water target**. **2.** gatunek pływca (*Cabomba caroliniana*).

water shrew *n. zool.* **European** ~ rzęsorek rzeczek (*Neomys fodiens*); **Mediterranean** ~ rzęsorek mniejszy (*Neomys anomalus*).

water-sick [ˈwɔ:tərˌsɪk] *a. roln.* nadmiernie nawodniony (*o gruncie, ziemi*).

waterside [ˈwɔ:tərˌsaɪd] *n. sing.* **the** ~ brzeg; nabrzeże. – *a. attr.* nadbrzeżny; przybrzeżny (*np. o restauracji, kawiarni*).

water-ski [ˈwɔ:tərˌski:], **water ski** *n.* narta wodna.

water-skier [ˈwɔ:tərˌski:ər] *n.* narciarz wodny.

water-skiing [ˈwɔːtərˌskiːɪŋ] *n.* *U* narciarstwo wodne.

water snail *n.* *hydrol.* śruba Archimedesa.

water snake *n.* *zool.* **1.** zaskroniec zwyczajny *l.* rybołów (*Natrix natrix l. tessellata*). **2.** *pot.* wąż wodny. **3. Water Snake** *astron.* Wąż Morski.

water snowflake *n.* *bot.* gatunek grzebieńczyka (*Nymphoides indicum*).

water softener *n.* *C/U techn.* zmiękczacz wody.

water soldier *n.* *bot.* osoka aloesowata (*Stratiotes aloides*).

water-soluble [ˈwɔːtərˌsɑːljəbl] *a.* rozpuszczalny w wodzie.

water spaniel *n.* *kynol.* **American ~** amerykański spaniel wodny; **Irish ~** irlandzki spaniel wodny.

water speedwell *n.* *bot.* przetacznik bobownik (*Veronica Anagallis-aquatica*).

water spider *n.* *ent.* (pająk) topik, wodnik (*Argyroneta aquatica*).

water splash *n.* rozlewisko strumienia na drodze.

water sports *n. pl.* sporty wodne.

waterspout [ˈwɔːtərˌspaʊt] *n.* **1.** rynna pionowa. **2.** *zwł. US* trąba wodna, tornado.

water sprite *n.* *mit.* **1.** rusałka, ondyna. **2.** wodnik.

water starwort *n.* *bot.* roślina wodna z rodziny rzęślowatych (*Callitrichaceae*).

water stick insect *n.* *ent.* topielnica (*Ranatra linearis*).

water strider *n.* *ent.* owad z rodziny nartnikowatych (*Gerridae*).

water-struck [ˈwɔːtərˌstrʌk] *a.* *bud.* z płukaną formą (*o cegłach*).

water supply *n.* *C/U pl.* **-ies** **1.** doprowadzenie wody. **2.** zaopatrzenie w wodę.

water system *n.* **1.** *hydrol.* dorzecze. **2.** wodociągi.

water table *n.* **1.** *hydrol.* zwierciadło wód gruntowych. **2.** *bud.* murowany okapnik.

water target *n.* (*także* **water shield**) *bot.* gatunek bobrka (*Menyanthes nymphaeoides*).

water thrush *n.* *orn.* *US* lasówka nadwodna (*Seiurus noveboracensis*).

water tiger *n.* *ent.* larwa chrząszczy pływakowatych (*Dytiscidae*).

watertight [ˈwɔːtərˌtaɪt] *a.* **1.** wodoszczelny. **2.** *przen.* niezbity, niepodważalny (*np. o argumencie, alibi*).

water ton *n.* jednostka pojemności (= *224 galony brytyjskie*).

water torture *n.* tortura wodna.

water tower *n.* **1.** *techn.* wieża ciśnień. **2.** urządzenie gaśnicze pozwalajace oblewać wodą wysokie piętra budynku.

water trap *n.* = **water hazard**.

water tube boiler *n.* *techn.* kocioł opłomkowy *l.* wodnorurowy.

water turbine *n.* *mech.* turbina wodna.

water turkey *n.* *orn.* wężówka amerykańska (*Anhinga anhinga*).

water vapor, *Br.* **water vapour** *n.* *U* para wodna.

water vole *n.* *Br.* *zool.* karczownik (*Arvicola terrestris*).

water wagon *n.* **1.** cysterna do wody (*na kółkach*). **2. be on the ~** *przen.* nie pić (*o alkoholiku*).

water wagtail *n.* *orn.* pliszka żałobna (*Motacilla alba yarrelli*).

water wave *n.* **1.** fala. **2.** *fryzjerstwo* ondulacja wodna.

waterway [ˈwɔːtərˌweɪ] *n.* *żegl.* **1.** droga wodna; kanał żeglowny. **2.** ściek pokładowy.

water weed *n.* **1.** wodorost. **2.** *bot.* moczarka kanadyjska (*Anacharis / Elodea canadensis*).

water wheel, waterwheel *n.* koło młyńskie *l.* wodne.

water wings, water-wings *n. pl.* rękawki (*do nauki pływania*).

water witch *n.* (*także* **water witcher**) **1.** różdżka-rz/rka. **2.** *mit.* wodnica, wiedźma wodna.

water witching *n.* *U* różdżkarstwo.

waterworks [ˈwɔːtərˌwɜːks] *n. pl.* **waterworks** **1.** *z czasownikiem w liczbie pojedynczej l. mnogiej* wodociągi, system wodociągów. **2.** wodociąg. **3.** fontanny, system fontann. **4.** *zwł. Br. pot. l. żart.* pęcherz i nerki. **5. turn on the ~** *pot. uj.* rozryczeć się (= *rozpłakać*).

watery [ˈwɔːtərɪ] *a.* **-ier, -iest** **1.** wodnisty (*np. o zupie, napoju*). **2.** *kulin.* rozgotowany (*np. o warzywach*). **3.** załzawiony (*o oczach*). **4.** śliniący się (*o wargach*). **5.** podmokły (*np. o gruncie, ziemi*). **6.** *przen.* blady (*o świetle*); wyblakły (*o błękicie, niebie*). **7. come to a ~ grave** (*także* **meet one's ~ grave**) *lit.* utonąć, utopić się.

watt [wɑːt] *n.* *el.* wat.

wattage [ˈwɑːtɪdʒ] *n.* *U l. sing. el.* moc.

watt-hour [ˌwɑːtˈaʊr] *n.* *el.* watogodzina.

wattle[1] [ˈwɑːtl] *n.* *U* **1.** *gł. Br.* plecionka z prętów i gałązek (*jako materiał np. na ogrodzenia*); rama z plecionki prętów i gałązek. **2.** *Austr. bot.* akacja (*Acacia*); **golden ~** akacja długolistna (*Acacia longifolia*); **silver ~** akacja srebrzysta (*Acacia dealbata*). – *v.* **1.** budować z plecionki prętów i gałązek. **2.** zamykać *l.* wypełniać plecionką. **3.** splatać pręty i gałązki (*w ramę*).

wattle[2] *n.* *zool., icht., orn.* podgardle (*np. ptaków, gadów*); korale (*indycze itp.*); wąsy (*rybie*).

wattle and daub *n.* *U hist.* plecionka prętów i gałązek związana gliną; **~ hut** lepianka.

wattlebird [ˈwɑːtlˌbɜːd] *n.* *orn.* **1.** koralicowiec (*Anthochaera*); **yellow ~** koralicowiec żółty (*Anthochaera paradoxa*). **2.** ptak nowozelandzki z rodziny koralników (*Callaeidae*).

wattled [ˈwɑːtld] *a.* pleciony z prętów i gałązek.

waul [wɔːl], **wawl** *v.* drzeć się (*piskliwie, jak kot l. małe dziecko*). – *n.* darcie się, wrzask.

wave [weɪv] *n.* **1.** *t. fiz., radio* fala (*t. we włosach; t. przen.* = *gwałtowny wzrost*); **~s crashing against the shore** fale rozbijające się o brzeg; **a ~ of panic** fala paniki; **a new ~ of immigrants** nowa fala imigrantów; **crime/heat ~** fala przestępstw/upałów; **in ~s** falami; **long/short/medium ~** *radio* fale długie, krótkie/średnie; **new ~** *sztuka, kino, muzyka* nowa fala; **shock ~** fala uderzeniowa; **spark off a ~ of protests** wywołać falę protestów. **2.** (*także* **permanent ~**) trwała (*ondulacja*). **3.** *zw. sing.* machnięcie (*np. różdżką*); **~ of the hand** machnięcie *l.* skinienie ręką; **give a ~** pomachać (ręką). **4.** *zw. sing.* (gwałtowny) przypływ (*of sth* czegoś) (*np. emocji, tęsknoty*). **5.** *ent.* = **wave moth**. **6. W~** *US pot.* członkini WAVES. **7.** *przen.* **be riding (on) the crest of a ~** *zob.* **crest** *n.*; **make ~s** robić zamieszanie; **the ~s** *lit.* ocean. – *v.* **1.** falować (*np. o trawie, zbożu*). **2.** kręcić się (*o włosach*). **3.** nadawać falisty wygląd (*czemuś*); kręcić, ondulować (*włosy*). **4.** powiewać (*np. o fladze, flagą*). **5.** wymachiwać; machać (*sth at / to sb* czymś na/do kogoś); **~ a car to halt** zatrzymać wóz machaniem ręki; **~ one's arms** wymachiwać ramionami; **~ sth under sb's nose** pomachać komuś czymś przed nosem. **6.** *tk.* morować (*jedwab*). **7. ~ sb good-bye** pomachać komuś na pożegnanie; **~ sth good-bye** *przen. pot.* (musieć) pożegnać się z czymś (*np. z szansą na awans, wygraną*). **8. ~ sth about/around** wymachiwać czymś; **~ sth aside** *przen.* machnąć na coś ręką; **~ sb away** odprawić kogoś (machnięciem ręki); **~ (a vehicle) down** zatrzymać (pojazd) skinieniem ręki; **~ sb off** pomachać komuś na pożegnanie; **~ sb on** kazać komuś przechodzić dalej (*gestem ręki*).

waveband ['weɪvˌbænd] *n. fiz., tel., radio* zakres (*częstotliwości*).

wavelength ['weɪvˌleŋkθ] *n. fiz., tel., radio* **1.** długość fali. **2. be on the same/a different ~** *przen.* nadawać na tych samych/innych częstotliwościach (= *świetnie się dogadywać / nie potrafić się dogadać*).

wavelet ['weɪvlət] *n.* mała fala, falka.

wavellite ['weɪvəˌlaɪt] *n. U min.* wawelit.

wave mechanics *n. U fiz.* mechanika kwantowa.

wavemeter ['weɪvˌmiːtər] *n. fiz., tel.* falomierz.

wave moth *n. ent.* (*także* **common wave**) ciemnokres brzozowiec (*Deilinia / Cabera exanthemata*); (*także* **common white wave**) ciemnokres wierzbowiec (*Deilinia / Cabera pusaria*).

wave number *n. fiz.* liczba falowa.

waveoff ['weɪvˌɔːf] *n. lotn.* nakaz zaniechania lądowania.

waver ['weɪvər] *v.* **1.** wahać się (*o osobie, t. o liczbie*) (*between sth and sth* pomiędzy czymś a czymś). **2.** słabnąć (*o uczuciach, wierze*). **3.** chwiać się; kołysać się. **4.** drżeć (*o głosie*). **5.** migotać (*o płomieniu, świetle*). **6. never ~ in sth** być niezachwianym w czymś; **never ~ in one's support for sb/in one's loyalty to the cause** ani na chwilę nie przestać kogoś popierać/być wiernym sprawie.

waverer ['weɪvərər] *n.* osoba wahająca się.

wavering ['weɪvərɪŋ] *a. attr.* wahający się, niepewny.

waveringly ['weɪvərɪŋlɪ] *adv.* z wahaniem, niepewnie.

WAVES [weɪvz], **Waves** *abbr.* **Women's Appointed Volunteer Emergency Service** *US wojsk.* kobieca rezerwa marynarki wojennej.

wave speed *n. C / U* (*także* **wave velocity**) *fiz.* prędkość fazowa.

wave theory *n. U fiz.* teoria falowa.

waviness ['weɪvɪnəs] *n. U* falistość (*t. włosów*).

wavy ['weɪvɪ] *a.* **-ier, -iest 1.** falisty; pofalowany. **2.** falujący, kręcony (*o włosach*). **3.** drżący, migocący (*np. o płomieniu*).

wa-wa ['wɑːˌwɑː] *n.* = **wah-wah**.

wawl [wɔːl] *v. i n.* = **waul**.

wax1 [wæks] *n. U* **1.** wosk. **2.** = **beesax**. **3.** = **paraffin ax**. **4.** = **sealing ax**. **5.** (*także* **ear~**) *fizj.* woskowina, woszczyna uszna. **6. put sth on ~** *przest. pot.* nagrać coś na płytę. – *a. attr.* woskowy (*np. o świecy*). – *v.* **1.** woskować (*np. podłogę, samochód*). **2.** *przest. pot.* nagrywać na płytę.

wax2 *v.* **1. the moon is ~ing** *form. l. lit.* przybywa księżyca. **2.** *arch. l. lit.* stawać się, robić się (*np. trakcie rozmowy*); **~ eloquent** rozgadać się (*on sth* o czymś *l.* na jakiś temat); **~ lyrical** rozpływać się (w zachwytach) (*about sth* nad czymś). **3.** *arch. l. poet.* wzmagać się, wzrastać; **~ and wane** (na przemian) wzmagać się i słabnąć (*np. o uczuciach*).

wax3 *n. Br. przest. pot.* wściekłość; **be in a ~** być wściekłym.

wax bean *n. US bot.* jedna z żółtych odmian fasolki szparagowej.

waxberry ['wæksˌberɪ] *n. pl.* **-ies** *bot.* owoc woskownicy amerykańskiej (*Myrica cerifera*).

waxbill ['wæksˌbɪl] *n. orn.* astryld (*Estrilda*).

wax cap *n. bot.* grzyb z rodziny lisówkowatych (*Hygrophoraceae*).

waxcloth ['wæksˌklɔːθ] *n. U Br.* **1.** cerata. **2.** linoleum.

waxed paper *n. U* (*także* **waxpaper**) *US* papier woskowany.

waxen ['wæksən] *a.* **1.** *lit.* woskowy (*zwł. o cerze*). **2.** woskowany. **3.** woskowaty.

waxiness ['wæksɪnəs] *n. U* woskowatość.

waxlike ['wæksˌlaɪk] *a.* woskowaty, podobny do wosku; miękki jak wosk.

wax moth *n. ent.* barciak większy (*Galleria mellonella*).

wax museum *n. Br.* **waxworks** muzeum figur woskowych.

wax myrtle *n. bot.* woskownica amerykańska (*Myrica cerifera*).

wax palm *n. bot.* **1.** palma woskowa (*Ceroxylon Andicola*). **2.** kopernikia *l.* kopernicja woskodajna (*Copernicia cerifera*).

wax paper *n.* = **waxed paper**.

waxplant ['wæksˌplænt] *n. bot.* hoja (różowa) (*Hoya (carnosa)*).

wax privet *n. bot.* ligustr japoński (*Ligustrum japonicum*).

wax tree *n. bot.* japoński gatunek sumaka (*Rhus succedanea*).

waxwing ['wæksˌwɪŋ] *n. orn.* jemiołuszka (*Bombycilla garrulus*).

waxwork ['wæksˌwɜːk] *n.* **1.** woskowa kopia; figura woskowa. **2.** *pl. Br.* = **wax museum**.

waxy1 ['wæksɪ] *a.* **-ier, -iest** woskowy; nawoskowany; *t. przen.* (jak) z wosku.

waxy2 *a.* **-ier, -iest** *Br. pot.* wściekły.

way [weɪ] *n.* **1.** droga (= *trasa, podróż*); **ask (sb) the ~** pytać (kogoś) o drogę; **know the ~** znać drogę; **lose one's ~** zgubić drogę, zabłądzić; **on one's ~ to work/school** w drodze do pracy/szkoły; **tell sb the ~** wskazać komuś drogę (*to sth* do czegoś); **the ~ back/home** droga powrotna/do domu. **2.** *sing.* (*także US pot.* **ways**) droga (= *odcinek drogi; dystans, t. w czasie*); **a long ~** długa *l.* daleka droga; **all the ~ to X** (przez) całą drogę do X; **(be) a long ~ (from sth)** (znajdować się) daleko (skądś *l.* od czegoś); **(it's) a long ~ (off)** (to) daleko (stąd); **(we've walked) a long ~ (today)** (przeszliśmy dziś) kawał drogi; **for a ~s** *US pot.* (przez) kawałek drogi. **3.** strona; **look this ~** spójrz w tę stronę; **the right ~ up** właściwą stroną ku górze; **which ~ around?** w którą stronę?. **4.** sposób (*of doing sth* robienia czegoś); **the ~ he sips his tea** sposób, w jaki popija herbatę; **the best ~ to do do sth** najlepszy sposób na zrobienie czegoś *l.* żeby coś zrobić. **5.** *często pl.* zwyczaj, przyzwyczajenie. **6.** (*zwł. w nazwach*) ulica; **across/over the ~** po drugiej *l.* przeciwnej stronie ulicy. **7.** *pl.* ruszt pochylniowy (*do wodowania*). **8. ~ in/out** *Br.* wejście/wyjście (*napis na drzwiach*); **~ to go!** *US i Can. pot.* brawo!, tak trzymać!; **along/on the ~** *t. przen.* po drodze; **be brought up in the old ~s** zostać wychowanym w tradycyjny sposób; **be in the ~** zawadzać, przeszkadzać (*of sb/sth* komuś/w czymś); **be on the/its ~** być w drodze (*o liście, przesyłce; t. o mającym przyjść na świat dziecku*); **be set in one's ~s** *zob.* **set** *a.*; **be well on the ~ to recovery** być już prawie zdrowym, niemal całkiem wyzdrowieć; **be with/support sb all the ~** całkowicie się z kimś zgadzać/popierać kogoś; **by ~ of X** przez X (*np. jechać*); **by ~ of sth** w charakterze czegoś; **by a (very) long ~** zdecydowanie (*np. najlepszy*); **by the ~** nawiasem mówiąc, przy okazji, à propos; swoją drogą; **change/mend one's ~s** poprawić się, zmienić swoje zachowanie; **clear the ~ for sth** *zob.* **clear** *v.*; **come sb's ~** *zob.* **come** *v.*; **down my/our ~** w mojej/naszej okolicy; **down Amherst ~** w okolicach Amherst; **either ~** tak czy siak, tak czy owak; **could go either ~** na dwoje babka wróżyła; **every which ~** *zob.* **every**; **find out/see which way/how the ~ blows/is blowing** *zob.* **wind1** *n.*; **get in the ~** wchodzić w drogę; przeszkadzać (*of sb/sth* komuś/w czymś); **get into the ~ of doing sth** *Br.* zacząć regularnie coś robić; **get one's (own) ~** postawić na swoim; **get out of the ~** usunąć się *l.* zejść z drogi; **get sth out of the ~** usunąć coś, pozbyć się czegoś; *przen.* uporać się z czymś; **give ~** załamać się, pęknąć (*pod naporem*); zachwiać się, cofnąć się; **~ to sth** ustąpić przed czymś; zrobić *l.* zwolnić miejsce dla czegoś; *Br. i Austr. mot.* ustąpić pierwszeństwa przejazdu; **go a long ~** *zob.* **long** *a.*; **go a long ~ toward sth** *przen.* w dużym stopniu przyczyniać się do czegoś; **go all the ~ (with sb)** *pot.* pójść na całość (z kimś) (= *do łóżka*); **go back a long ~** *zob.* **long** *a.*; **go one's own (sweet) ~** robić to, na co ma się ochotę (*nie licząc się z innymi*); **go out of one's ~** specjalnie się postarać *l.* wysilić, zadać sobie dużo trudu (*to do sth* żeby coś zrobić); **go the ~ of all flesh** *zob.* **flesh** *n.*; **go their own ~s** pójść każdy w swoją stronę (*o byłych partnerach, kochankach*); **half ~** w połowie (*through sth* czegoś) (*np. meczu, przedstawienia*); **have a ~ of doing sth** mieć na coś sposób; **have a ~ with sb** wiedzieć, jak kogoś podejść; **have a long ~ to go** *zob.* **long** *a.*; **have come a long ~** *zob.* **come** *v.*; **have it your (own) ~!** *pot.* (no dobrze,) niech ci będzie!; **have one's ~** postawić na swoim; **have one's (evil/wicked) ~ with sb** *przest.* uwieść kogoś; **I wouldn't have it any other ~** nie chciałbym, żeby było inaczej, nawet gdybym mógł, nic bym nie zmienił; **if I had my ~** *pot.* gdyby to ode mnie zależało; **in a ~** (*także* **in some ~s**) poniekąd, w pewnym sensie; pod pewnymi względami; **in a big ~** bardzo; **in a big/small ~** na dużą/małą skalę; w dużym/niewielkim stopniu; **in a good/bad ~** *Br. pot.* w dobrym/kiepskim stanie (*zwł. pod względem zdrowotnym l. finansowym*); **in more ~s than one** (*także* **in more than one ~**) pod wieloma względami; **in no ~** w żaden sposób; nijak; pod żadnym pozorem; **in the ~ of sth** tytułem czegoś; w kwestii czegoś; jeśli chodzi o coś; **in the family ~** *zob.* **family** *n.*; **in the same ~** w ten sam sposób, tak samo; **(it's/that's) always the ~!** zawsze tak jest!, zawsze jest tak samo! (*z rezygnacją*); **keep/stay out of sb's ~** nie wchodzić komuś w drogę, schodzić komuś z drogi; **know/find one's ~ around** wiedzieć/dowiedzieć się, gdzie co jest; **lead the ~** *zob.* **lead1** *v.*; **learn sth the hard ~** *zob.* **learn**; **lie/talk one's ~ out of sth** wyłgać/wymigać się od czegoś; **look the other ~** *przen.* przymykać oczy (*żeby nie widzieć*); **make ~** *zob.* **make** *v.*; **make one's ~ toward sth** kierować się ku czemuś *l.* w stronę czegoś; **make/find one's own ~ somewhere** *pot.* samemu gdzieś dotrzeć *l.* trafić; **no ~** *pot.* nie ma mowy; **not stand in sb's ~** nie próbować kogoś powstrzymać; **one ~ or the other** (*także* **one ~ or another**) tak czy owak, w taki czy inny sposób; **out of harm's ~** *zob.* **harm** *n.*; **out of the ~** na uboczu *l.* odludziu; *przen.* załatwiony, z głowy (*o problemie*); **pave the ~** *zob.* **pave**; **put sb in the ~ of sth/doing of sth** *Br. przest.* dać komuś okazję na coś/(do) zrobienia czegoś; **rub sb the wrong ~** *zob.* **rub** *v.*; **sb will go a long ~** *zob.* **long** *a.*; **see one's ~ (clear)** nie widzieć przeszkód (*to sth* na drodze do czegoś); **see the error of one's ~s** *zob.* **error**; **take the easy ~ out** pójść po linii najmniejszego oporu; **that's no ~ to speak to your teacher!** *pot.* tak się nie mówi do nauczyciela! (*upominając*); **the ~ things are** *zob.* **thing**; **the W~ of the Cross** *kośc.* droga krzyżowa; **the other ~ around/round** na odwrót, odwrotnie; **the parting of the ~s** *zob.* **parting**; **the wrong ~ around/round** *zob.* **wrong** *a.*; **(there are) no two ~s about it** nie ma co do tego wątpliwości; **this/that ~!** tędy/tamtędy!; **to my ~ of thinking** *zob.* **thinking** *n.*; **under ~** w toku; **be under ~** toczyć się, odbywać się; **be well under ~** być bardzo zaawansowanym (*np. o procesie, zmianach*); **get under ~** rozpocząć się, ruszyć; **where there's a will there's a ~** *zob.* **will2** *n.*; **which ~?** którędy?; **work one's ~ through sth** *zob.* **work** *v.*; **work one's ~ to sth** *zob.* **work** *v.*; **you**

can't have it both ~s albo - albo, nie można mieć wszystkiego naraz. – *adv.* **1.** *pot.* dużo; daleko; długo; **~ above/below sth** dużo powyżej/poniżej czegoś; **~ ahead/behind** daleko w przodzie/z tyłu; **~ back** dawno temu; **~ before** na długo zanim; **~ too (long/much)** o wiele za (długi/za dużo); **from ~ back when** z dawnych lat, sprzed wielu lat (*np. o przyjacielu*). **2.** *US sl.* bardzo.

waybill [ˈweɪˌbɪl] *n. handl.* list przewozowy.

wayfarer [ˈweɪˌferər] *n. lit.* wędrowiec.

wayfaring [ˈweɪˌferɪŋ] *n. U lit.* wędrówka.

wayfaring tree *n. bot.* (kalina) hordowina (*Viburnum lantana*).

waylay [weɪˈleɪ] *v.* **-laid, -laid** zastąpić drogę (*komuś*); zasadzić się na (*kogoś, t. w celach przestępczych*).

wayleave [ˈweɪˌliːv] *n. U Br. prawn.* prawo przejazdu przez posiadłość (*wydzierżawione komuś*).

waymark [ˈweɪˌmɑːrk] *n.* znak kierujący na ścieżkę *l.* szlak.

way of life *n. pl.* **ways of life** **1.** styl życia; **the American ~** amerykański styl życia. **2.** sposób na życie.

way out *n.* **1.** *Br.* wyjście, drzwi wyjściowe. **2.** *przen.* rozwiązanie, wyjście (z sytuacji).

way-out [ˌweɪˈaʊt] *a. pot.* **1.** awangardowy, supernowoczesny (*zw. uj. = dziwny*). **2.** *przest.* fantastyczny, super.

ways and means *n. pl.* **1.** dostępne środki. **2.** *fin.* dochody budżetowe. **3. Ways and Means** *US polit.* Komisja Finansów Izby Reprezentantów.

wayside [ˈweɪˌsaɪd] *n. U* **1.** *lit.* skraj drogi. **2.** *przen.* **fall by the ~** odpaść (*np. z konkurencji*); pójść w zapomnienie; stracić (cały) impet; **go by the ~** zostać odłożonym na później. – *a. attr.* przydrożny.

way station *n. US kol.* przystanek.

wayward [ˈweɪwərd] *a.* **1.** krnąbrny. **2.** kapryśny, chimeryczny.

waywardly [ˈweɪwərdlɪ] *adv.* **1.** krnąbrnie. **2.** kapryśnie, chimerycznie.

waywardness [ˈweɪwərdnəs] *n. U* **1.** krnąbrność. **2.** kapryśność, chimeryczność.

wayworn [ˈweɪˌwɔːrn] *a. rzad.* zdrożony.

wayzgoose [ˈweɪzˌguːs] *n. hist.* doroczna wspólna wycieczka pracowników drukarni.

wazoo [ˌwɑːˈzuː] *n. pl.* **-s** *US sl.* dupsko.

wb *abbr.* **1.** = **westbound**. **2.** (*także* **WB, W/B**) = **waybill**.

WBC [ˌdʌbljuː ˌbiː ˈsiː] *abbr.* **1.** = **white blood cell**. **2. World Boxing Council** Światowa Rada Boksu.

WC [ˌdʌbljuː ˈsiː] *abbr.* **1.** (*także* **WC**) = **water closet**. **2. West Central** *Br.* Zachodni Śródmiejski (*w kodzie pocztowym Londynu*).

wc [ˌdʌbljuː ˈsiː] *abbr.* **1. without charge** bez opłaty. **2.** = **WC** 1.

WCC [ˌdʌbljuː ˌsiː ˈsiː] *abbr.* **World Council of Churches** Światowa Rada Kościołów.

we [wiː] *pron.* **1.** my. **2. here ~ are** *zob.* **here**; **here ~ go again** *zob.* **here**.

weak [wiːk] *a.* **1.** *t. gram.* słaby (*t. np. o napoju, świetle, sercu, uśmiechu, walucie*); **~ in/at sth** słaby z czegoś (*z jakiegoś przedmiotu*); **~ on sth** słaby w czymś *l.* jeśli chodzi o coś (*w jakiejś dziedzinie, w jakimś punkcie*); **~ with hunger** słaby z głodu; **grow ~/~er** słabnąć. **2.** *przen.* **~ at the knees** *zob.* **knee** *n.*; **~ in the head** *pot.* szwankujący na umyśle; **have a ~ spot for sb** *zob.* **have** *v.*

weaken [ˈwiːkən] *v.* **1.** osłabiać. **2.** słabnąć. **3.** rozcieńczać.

weaker sex *n.* **the ~** słaba płeć.

weakfish [ˈwiːkˌfɪʃ] *n. pl.* **-es** *l.* **weakfish** *icht.* kulbiniec szary (*Cynoscion regalis*).

weak-kneed [ˌwiːkˈniːd] *a. pot.* słabego charakteru; strachliwy.

weakling [ˈwiːklɪŋ] *n. t. przen.* słabeusz/ka.

weakly [ˈwiːklɪ] *adv.* słabo (*np. protestować*); niepewnie (*np. uśmiechać się, stać*). – *a.* **-ier, -iest** słabowity.

weak-minded [ˌwiːkˈmaɪndɪd] *a.* **1.** słabego charakteru. **2.** szwankujący na umyśle.

weakness [ˈwiːknəs] *n.* **1.** *C/U t. przen.* słabość; **have a ~ for sth** mieć słabość do czegoś; **sign of ~** oznaka słabości. **2.** słaba strona. **3.** słabostka.

weak sister *n. US pot. pog.* cykor (*osoba*).

weak-willed [ˌwiːkˈwɪld] *a.* o słabej woli, mający słabą wolę.

weal[1] [wiːl] *n.* (*także* **wale, welt, wheal**) pręga (*po uderzeniu*).

weal[2] *n. U arch. l. lit.* dobro; dobrobyt; **the common ~** wspólne dobro; **the public ~** dobro publiczne *l.* ogółu.

wealth [welθ] *n.* **1.** *U* bogactwo (*t. przen.*); majątek; **accumulate ~** gromadzić majątek. **2.** *sing. przen.* mnóstwo, moc (*of sth* czegoś) (*np. doświadczenia, wiedzy*).

wealthiness [ˈwelθɪnəs] *n. U* bycie majętnym, zamożność.

wealthy [ˈwelθɪ] *a.* **-ier, -iest** majętny, zamożny, bogaty; **the ~** bogaci.

wean[1] [wiːn] *v.* **1.** odstawiać od piersi. **2. ~ sb from/off sth** odzwyczajać kogoś od czegoś; oduczać kogoś czegoś; **be ~ed on sth** wychowywać się na czymś od małego (*np. na określonych lekturach*).

wean[2] *n. gł. Scot.* dziecko.

weaner [ˈwiːnər] *n. roln.* warchlak.

weanling [ˈwiːnlɪŋ] *n.* dziecko świeżo odstawione od piersi.

weapon [ˈwepən] *n. t. przen.* broń.

weaponless [ˈwepənləs] *a.* pozbawiony broni.

weaponry [ˈwepənrɪ] *n. U* uzbrojenie; broń (*zbiorowo*).

wear[1] [wer] *v.* **wore, worn** **1.** nosić (*strój, buty, biżuterię, okulary, brodę, długie włosy*); chodzić w (*stroju, butach, biżuterii*); ubierać się w (*coś*); mieć na sobie, być ubranym w (*coś*), być w (*czymś*); **~ a seatbelt** *mot.* mieć zapięty pas; **~ black** ubierać *l.* nosić się na czarno; **~ one's hair in a bun/a pony-tail** nosić kok/koński ogon, czesać się w kok/w koński ogon; **I don't know what to ~ to the party** nie wiem, w co się ubrać *l.* co założyć na przyjęcie. **2.** nosić się (*o ubraniu*). **3.** zdzierać (*ubranie, buty*); wycierać, przecierać (*np. dywan*); ścierać (*np. opony*); żłobić (*zwł. o* *wodzie*); ~ **a hole in sth** zrobić dziurę w czymś (*w ubraniu*); przetrzeć coś na wylot (*np. dywan*); wyżłobić dziurę w czymś (*np. w skale*). **4.** zdzierać się (*o ubraniu, butach*); wycierać się, przecierać się (*np. o dywanie*); ścierać się (*np. o oponach*); wyżłobić się (*zwł. pod wpływem wody*). **5.** męczyć, wyczerpywać. **6.** *zw. z neg. Br. i Austr. przest. pot.* kupować (= *wierzyć w*); znosić (= *tolerować*). **7.** *przen.* ~ **a smile/frown** chodzić z uśmiechem na twarzy/ze zmarszczonym czołem; ~ **one's heart on/upon one's sleeve** *zob.* **heart** *n.*; ~ **one's years well** dobrze się trzymać (jak) na swoje lata; ~ **the pants** *US*/**trousers** *US pot.* nosić spodnie (= *rządzić w rodzinie; zwł. o kobiecie*); ~ **thin** *zob.* **thin** *adv.*; ~ **well/badly** zachować się w dobrym/złym stanie; **if the shoe fits,** ~ **it** *zob.* **shoe** *n.*; **sb is worn to a shadow** został z kogoś tylko cień. **8.** ~ **away** ścierać (się); zużywać (się); ~ **down** ścierać (*np. buty, zęby*); ~ **sb down** pokonać czyjś opór; ~ **off** ustępować, przechodzić (*np. o bólu, szoku*); **the effects of the drug** ~ **off after twelve hours**, lek przestaje działać po upływie dwunastu godzin; ~ **on** ciągnąć się, wlec się (*o czasie, dniu*); **as the day/night wore on** w miarę upływu czasu; ~ **out** zużywać się, zdzierać się (*całkowicie*); ~ **o.s. out** zmęczyć się; ~ **sb out** wykańczać kogoś (*fizycznie*); ~ **sth out** znaszać coś (*odzież*); wyczerpywać coś (*zwł. czyjąś cierpliwość*). – *n. U* **1.** noszenie; używanie; **get/have a lot of** ~ **out of sth** długo coś nosić; długo czegoś używać. **2.** zużycie; **show signs of** ~ nosić ślady zużycia. **3. the worse for** ~ *przen.* zmarnowany, w kiepskim stanie (*o osobie, przedmiocie*). **4.** *zw. w złoż.* odzież; **children's/women's** ~ odzież dziecięca/damska; **evening** ~ stroje wieczorowe; **mens**~ odzież męska; **sports**~ odzież sportowa.

wear2 *v.* **wore, worn** *żegl.* ~ **ship** robić zwrot przez rufę.

wearable ['werəbl] *a.* nadający się do noszenia.

wear and tear *n. U* **1.** zużycie (eksploatacyjne). **2.** znoszenie, podniszczenie.

wearer ['werər] *n. często w złoż.* osoba nosząca (*coś na sobie*); **contact lens** ~**s** osoby noszące szkła kontaktowe.

wearily ['wi:rılı] *adv.* ze znużeniem.

weariness ['wi:rınəs] *n. U* znużenie.

wearing ['werıŋ] *a.* męczący, wyczerpujący.

wearisome ['wi:rısəm] *a. form.* nużący.

weary ['wi:rı] *a.* **-ier, -iest 1.** znużony (*of sth* czymś). **2.** *form.* nużący, męczący (*np. o podróży*). – *v. form.* **1.** nużyć, męczyć. **2.** ~ **of (doing) sth** męczyć się robieniem czegoś; **sb never wearies of doing sth** robienie czegoś nigdy kogoś nie nuży.

wearying ['wi:rııŋ] *a. form.* nużący, męczący.

weasand ['wi:zənd] *n. przest. anat.* tchawica.

weasel ['wi:zl] *n.* **1.** *zool.* łasica (*Mustela nivalis*). **2.** *przen. pot.* cwaniak. **3.** *US mot.* pojazd gąsienicowy (*śnieżny*); ratrak. – *v. US i Can. pot.* **1.** kręcić, mataczyć. **2.** ~ **out** wykręcać się (*of (doing) sth* z czegoś).

weaselly ['wi:zlı] *a. pot.* wykrętny.

weasel words *n. pl.* rozmyślnie dwuznaczne słowa; mataczenie.

weather ['weðər] *n. U l. sing.* **1.** pogoda; ~ **permitting** jeśli pogoda dopisze; **in all** ~**s** bez względu na pogodę (*np. uprawiać jogging*); **the** ~ *pot.* prognoza pogody. **2.** *przen.* **make heavy** ~ **of sth** *zob.* **heavy** *a.*; **under the** ~ *pot.* niedysponowany. – *a. attr. żegl.* nawietrzny; na nawietrzną. – *v.* **1.** powodować wietrzenie *l.* niszczenie (*czegoś*), niszczyć (*o warunkach atmosferycznych*). **2.** niszczeć (*pod wpływem warunków atmosferycznych*); blaknąć (*od słońca*); *geol.* wietrzeć. **3.** ~ **sth (out)** przetrwać coś szczęśliwie; ~ **the storm** *przen.* przetrwać kryzys. **4.** *bud.* układać pochyło (*dach, dachówki*). **5.** *żegl.* sztormować. **6.** *żegl.* mijać po nawietrznej.

weather back *n. bud.* warstwa izolacyjna po wewnętrznej stronie poszycia.

weather-beaten ['weðərˌbi:tən] *a.* (*także* **weatherworn**) **1.** ogorzały (*o twarzy*). **2.** podniszczony (*przez deszcz, wiatr, słońce*); sponiewierany przez burze; sfatygowany, naruszony zębem czasu.

weatherboard ['weðərˌbɔ:rd] *n.* **1.** *US bud.* pozioma deska poszycia ściany (*nachodząca dolną krawędzią na drugą*). **2.** *gł. Br. bud.* deska poszycia ściany (*łączona wpustowo*). **3.** *gł. Br. bud.* okapnik pod drzwiami. **4.** *żegl.* burta *l.* strona nawietrzna (*statku*). – *v. gł. Br. bud.* zaopatrywać w okapnik (*drzwi*).

weatherboarding ['weðərˌbɔ:rdıŋ] *n. U bud.* deskowe poszycie (*ściany zewnętrznej*).

weather-bound ['weðərˌbaʊnd] *a. żegl., lotn.* unieruchomiony przez niepogodę.

weather box *n.* = **weather house.**

weathercast ['weðərˌkæst] *n. zwł. US* = **weather forecast.**

weather chart *n.* = **weather map.**

weathercock ['weðərˌkɑ:k] *n.* **1.** kurek na dachu, wiatrowskaz. **2.** *przen.* chorągiewka na dachu *l.* wietrze (*o osobie*).

weather contact *n.* (*także* **weather cross**) *el.* krótkie spięcie w linii energetycznej spowodowane przez burzę.

weather deck *n. żegl.* pokład otwarty.

weathered ['weðərd] *a.* **1.** podniszczony (*przez czynniki atmosferyczne*). **2.** *geol.* zwietrzały. **3.** *bud.* nachylony (*o dachu*).

weather eye *n. sing.* **1.** wyczulenie na zmiany pogody. **2.** *przen. pot.* baczne spojrzenie; **keep a** ~ **on sth** zwracać na coś baczną uwagę; **keep one's** ~ **open** mieć się na baczności.

weatherfish ['weðərˌfıʃ] *n. pl.* **-es** *l.* **weatherfish** *icht.* piskorz (*Misgurnus, zwł. Misgurnus fossilis*).

weather forecast *n.* prognoza pogody.

weather forecaster *n.* (*także* **weatherperson, weatherman**) synopty-k/czka.

weather gauge *n.* **1.** *żegl.* ustawienie do nawietrznej (*wzgl. innego statku*). **2.** *przen.* korzystne położenie; przewaga.

weatherglass ['weðərˌglæs] *n.* barometr.

weather house *n.* (*także* **weather box**) barometr z figurkami.

weathering [ˈweðərɪŋ] *n. U* **1.** *geol.* wietrzenie. **2.** *żegl.* sztormowanie. **3.** suszenie naturalne (*drewna*).

weatherization [ˌweðərəˈzeɪʃən] *n. U US bud.* docieplanie, ocieplanie (*budynku*).

weatherize [ˈweðəˌraɪz] *v. US bud.* docieplać, ocieplać (*budynek*).

weather joint *n.* (*także* **weathered joint**) *bud.* spoina z okapnikiem.

weatherly [ˈweðərlɪ] *a. żegl.* nawietrzny (*o żaglowcu*).

weatherman [ˈweðərˌmæn] *n. pl.* **-men** **1.** = **weather forecaster**. **2. W~** *US hist.* członek amerykańskiego ugrupowania terrorystycznego z lat 70.

weather map *n.* (*także* **weather chart**) *meteor.* mapa synoptyczna; *pot.* mapa pogody.

weather molding, *Br.* **weather moulding** *n. bud.* gzyms okapnikowy.

weatherperson [ˈweðərˌpɜ˞ːsən] *n.* = **weather forecaster**.

weatherproof [ˈweðərˌpruːf] *a.* odporny na wpływy atmosferyczne. – *v.* uodporniać na wpływy atmosferyczne.

weather radar *n.* radar meteorologiczny.

weather report *n.* komunikat meteorologiczny.

weather satellite *n.* satelita meteorologiczny.

weather service *n.* służba meteorologiczna.

weather ship *n. żegl.* pogodowiec, statek meteo.

weather signal *n.* sygnał meteorologiczny (*światłem l. flagą*).

weather station *n.* stacja meteorologiczna.

weather strip *v. bud.* pasek uszczelniający (*okna, drzwi*).

weather stripping *n. U bud.* **1.** paski uszczelniające. **2.** uszczelnianie paskami.

weather tide *n. oceanologia* pływ przeciwwiatrowy.

weathertight [ˈweðərˌtaɪt] *a.* zabezpieczony przed wpływami atmosferycznymi.

weather vane, weathervane *n.* chorągiewka na dachu.

weather window *n. techn.* okienko pogodowe (= *okres stabilnej dobrej pogody nadającej się do określonego celu*).

weather-wise [ˈweðərˌwaɪz] *a.* **1.** umiejący przepowiadać pogodę, wyczulony na zmiany pogody. **2.** *przen.* wyczulony na nastroje społeczne.

weather-worn [ˈweðərˌwɔːrn] *a.* = **weather-beaten**.

weave [wiːv] *v. pret.* **wove** *l.* **weaved** *pp.* **woven** *l.* **weaved** **1.** tkać. **2.** pleść, splatać (*np. gniazdo, kosz, pajęczynę, wiklinę*). **3.** wplatać (*np. fakty, szczegóły*) (*into sth* w coś). **4.** snuć (*opowiadanie, poemat*). **5.** knuć (*plany, spisek*). **6.** splatać się. **7.** poruszać się zygzakiem (*np. w tańcu*). **8.** ~ **one's way** przemykać się (*through sth* przez coś (np. przez tłum), *among sth* między czymś (np. między samochodami)); **get weaving!** *przest. Br. pot.* do roboty!; rusz się!. – *n.* splot; sposób tkania; wzór tkacki.

weaver [ˈwiːvər] *n.* **1.** tkacz/ka. **2.** = **weaverbird**.

weaverbird [ˈwiːvərˌbɜ˞ːd] *n. orn.* **1.** ptak z rodziny wikłaczowatych (*Ploceidae*). **2.** ptak z rodziny astryldów (*Estrilidae*).

weaver's hitch [ˌwiːvərz ˈhɪtʃ] *n.* (*także* **weaver's knot**) węzeł tkacki.

web [web] *n.* **1.** *t. przen.* sieć; **a ~ of intrigue/deceit** sieć intryg/oszustw. **2. the W~** *komp.* sieć, Internet; **on the W~** w sieci *l.* Internecie. **3.** pajęczyna; **spin a ~** snuć pajęczynę. **4.** *tk.* kawałek tkaniny. **5.** *anat.* błona; fałd skórny *l.* śluzówkowy. **6.** *zool.* błona (*palców gęsi, nietoperza*). **7.** *orn.* chorągiewka (*pióra*). **8.** rola *l.* zwój papieru (*gazetowego na walcu*). **9.** *techn.* środnik (*np. dwuteownika*). **10.** *mech.* ramię wykorbienia. **11.** *bud.* pole sklepienne (*pomiędzy żebrami*), przęsło.

webbed [webd] *a. anat., zool.* złączony błoną, płetwiasty (*o palcach*).

webbing [ˈwebɪŋ] *n. U* **1.** siatka. **2.** taśma parciana, pas parciany; siatka z taśm parcianych (*w tapicerstwie*); *wojsk.* oporządzenie parciane. **3.** *tk.* mocniejszy szlak u słabszej tkaniny. **4.** *zool.* błona palców.

web browser *n. komp.* wyszukiwarka.

webfoot [ˈwebˌfʊt] *n. pl.* **web-feet** **1.** *anat., zool.* płetwiasta stopa. **2.** *zool.* zwierzę z błoną między palcami.

webfooted [ˈwebˌfʊtɪd] *a.* o płetwiastych stopach.

webmaster [ˈwebˌmæstər] *n. komp.* administrator/ka sieci.

web page, Web page *n. komp.* strona internetowa.

website [ˈwebˌsaɪt], **web site** *n. komp.* witryna internetowa.

webster [ˈwebstər] *n. arch.* = **weaver** 1.

webwheel [ˈwebˌwiːl] *n.* pełne koło (*bez szprych*).

wed [wed] *v.* **-dd-** *lit.* **1.** wziąć ślub z (*kimś*), poślubić, zaślubić. **2.** pobrać się. **3.** połączyć węzłem małżeńskim. **4.** *przen.* łączyć ściśle.

we'd [wiːd] *abbr.* **1.** = **we had**. **2.** = **we would**.

Wed. *n.* = **Wednesday**.

wedded [ˈwedɪd] *a.* **1.** *attr.* ~ **bliss** *t. żart.* szczęście małżeńskie; **sb's (lawful) ~ wife/husband** *form.* czyjaś ślubna małżonka/czyjś ślubny małżonek. **2. be ~ to sth** być całkowicie oddanym czemuś (*np. idei*).

wedding [ˈwedɪŋ] *n.* **1.** ślub; wesele. **2.** gody; **diamond/golden/silver ~** diamentowe/złote/srebrne gody. – *a. attr.* ślubny; weselny; **~ anniversary** rocznica ślubu; **~ invitation** zaproszenie na ślub; **~ present** prezent ślubny; **~ reception** przyjęcie weselne.

wedding band *n. US* = **wedding ring**.

wedding breakfast *n. zwł. Br.* poczęstunek weselny (*bezpośrednio po ślubie*).

wedding cake *n.* tort weselny.

wedding card *n.* zawiadomienie o ślubie.

wedding chapel *n. US* kaplica, w której udziela się ślubów.

wedding day *n.* **1.** dzień ślubu. **2.** rocznica ślubu.

wedding dress *n.* (*także* **wedding gown**) suknia ślubna.

wedding favor, *Br.* **wedding favour** *n.* biała rozeta *l.* kokardka noszona z okazji wesela.

wedding march *n. muz.* marsz weselny.

wedding ring *n.* (*także US* **wedding band**) obrączka (*ślubna*).

wedge [wedʒ] *n.* **1.** *t. przen.* klin. **2.** trójkątny kawałek (*np. sera, tortu*). **3.** *golf* kij z klinowatą główką (*nr 10*). **4.** *wspinaczka* hak. **5.** *przen.* **drive a ~ between sb and sb** *zob.* **drive** *v.*; **the thin end of the ~** *zob.* **end** *n.* – *v.* **1.** klinować; **~ sth open/shut** zaklinować coś, żeby się nie zamykało/otwierało. **2. ~ (in)** wciskać (się), wpychać (się) (*between / behind sth* pomiędzy coś/za coś). **3.** łupać *l.* rozszczepiać klinem.

wedge heel *n.* **1.** koturn. **2.** but na koturnie.

wedge-tailed eagle [ˌwedʒˌteɪld ˈi:gl] *n. orn.* orzeł australijski (*Aquila audax*).

wedgie [ˈwedʒɪ] *a. pot.* = **wedge heel**.

wedgy [ˈwedʒɪ] *a.* **-ier, -iest** klinowaty.

wedlock [ˈwedˌlɑ:k] *n. U przest.* **1.** małżeństwo, stan małżeński. **2. born out of ~** z nieprawego łoża, nieślubny.

Wednesday [ˈwenzdeɪ] *n. C / U* środa; *zob. t.* **Friday**.

wee[1] [wi:] *a. gł. attr. Scot. l. pot.* mały; malutki; **a ~ bit** troszeczkę; **the ~ (small) hours** *t. US* wczesne godziny (*tuż po północy*).

wee[2] (*także* **wee-wee**) *Br. pot. gł. dziec. v.* siusiać. – *n.* **1.** *sing.* siusiu; **want/need (to do) a ~** chcieć siusiu. **2.** *U* siuśki; siusianie.

weed[1] [wi:d] *n.* **1.** chwast; zielsko. **2.** *U* wodorost, wodorosty. **3. the ~** *przest. pot.* papierosy, tytoń. **4.** *U przest. sl.* marihuana. **5.** *Br. pot.* cherlak, wymoczek; mięczak. **6. ill ~s grow apace/fast** *przest. przen.* złe ziele najlepiej się krzewi. – *v.* **1.** plewić, pielić; odchwaszczać. **2. ~ out** *przen.* wyplenić (*coś*); pozbyć się (*kogoś l. czegoś*).

weed[2] *n.* **1.** opaska żałobna. **2.** *pl. arch.* strój, przyodziewek, szaty; (*także* **widow's ~s**) *t. lit.* wdowie szaty.

weeder [ˈwi:dər] *n. roln.* opielacz, wypielacz.

weed-grown [ˈwi:dˌgroʊn] *n.* = **weedy** 1.

weeding [ˈwi:dɪŋ] *n. U* pielenie; **do the ~** pielić.

weedkiller [ˈwi:dˌkɪlər] *n. C / U* środek chwastobójczy.

weedy [ˈwi:dɪ] *a.* **-ier, -iest 1.** (*także* **weed-grown**) zachwaszczony (*np. o grządce, ogrodzie*); zarośnięty (*np. o stawie*). **2.** *pot.* cherlawy, wymoczkowaty; słaby, kiepski, cienki (*t. = nudny*).

Wee Free [ˌwi: ˈfri:] *n. pot. obelż. Scot.* człon-ek/kini Free Kirk (*= odłamu Free Church of Scotland, który odmówił przyłączenia się do United Free Church w 1900 r.*).

week [wi:k] *n.* **1.** tydzień; **~ after ~** (*także* **~ in ~ out**) całymi tygodniami; **a ~ ago** tydzień temu; **a ~ from** *US*/**on** *Br.* **Monday** od poniedziałku za tydzień; **a ~ last Friday** (*także* **a ~ ago (this) Friday**) w ubiegły piątek; **from ~ to ~** (*także* **~ by ~**) z tygodnia na tydzień; **last/next/this ~** w zeszłym *l.* ubiegłym/przyszłym/tym tygodniu; **once a ~** raz w tygodniu *l.* na tydzień. **2.** (*także* **working ~**) tydzień pracy; **during the ~** w tygodniu, w ciągu tygodnia (*w odróżnieniu od dni wolnych od pracy*); **work a six-day ~** pracować przez sześć dni w tygodniu, mieć sześciodniowy tydzień pracy. – *adv. gł. Br.* za tydzień od; **today/tomorrow/Tuesday ~** od dziś/jutra/wtorku za tydzień.

weekday [ˈwi:kˌdeɪ] *n.* dzień powszedni *l.* roboczy.

weekend [ˈwi:kˌend] *n.* weekend; **at ~s** (*także* **at the ~**) *Br.* w weekend *l.* weekendy; **on ~s** (*także* **on the ~**) *US, Can. i Austr.* w weekend *l.* weekendy. – *v.* spędzać weekend *l.* weekendy (*in / at* w).

weekender [ˈwi:kˌendər] *n.* **1.** weekendowy gość. **2.** *Austr. pot.* dom wakacyjny.

weekends [ˈwi:kˌendz] *adv. pot.* w weekendy.

weeklong [ˌwi:kˈlɔ:ŋ] *a. attr.* całotygodniowy, trwający cały tydzień.

weekly [ˈwi:klɪ] *a.* **1.** cotygodniowy. **2.** tygodniowy (*np. o rozliczeniu*). – *adv.* **1.** cotygodniowo, co tydzień. **2.** raz na tydzień *l.* w tygodniu. – *n. pl.* **-ies** *dzienn.* tygodnik.

weeknight [ˈwi:kˌnaɪt] *n.* wieczór w powszedni dzień.

ween [wi:n] *v. arch.* przypuszczać, uważać.

weenie [ˈwi:nɪ] *n.* = **wiener**.

weeny [ˈwi:nɪ] *a.* **-ier, -iest** (*także* **weensy**) maciupeńki, maciupci, tyci, tyciutki.

weep [wi:p] *v.* **wept, wept 1.** *form. l. lit.* płakać, łkać, szlochać; **~ for/with joy** płakać z radości; **I could have wept** płakać mi się chciało, myślałem, że się rozpłaczę (*z rozczarowania, frustracji*). **2.** *pat.* jątrzyć się (*o ranie*). **3.** przeciekać. **4.** wylewać (*łzy*). **5.** wydzielać (*w postaci płynnej*). **6. ~ for sb/sth** opłakiwać kogoś/coś; **~ out** wychlipać, powiedzieć przez łzy. – *n.* **1.** *sing. pot.* płacz; **have a (good) ~** wypłakać się (porządnie). **2.** *Br. dial. orn.* czajka (*Vanellus*).

weeper [ˈwi:pər] *n.* **1.** płaczka. **2.** żałoba (*noszona*); krepa na kapeluszu; welon żałobny.

weepie [ˈwi:pɪ], **weepy** *n. pot.* wyciskacz łez (*film, książka l. sztuka*).

weepiness [ˈwi:pɪnəs] *n. U* **1.** płaczliwość. **2.** łzawość (*np. filmu*).

weeping ash [ˌwi:pɪŋ ˈæʃ] *n. bot.* płacząca odmiana jesionu (*Fraxinus pendula*).

weeping birch *n. bot.* brzoza brodawkowata (*Betula pendula*).

weeping cross *n. hist.* krzyż pokutny.

weeping golden bell *n. bot.* forsycja zwisła (*Forsythia suspensa*).

weeping ivy *n. bot.* figowiec beniamiński (*Ficus benjamina*).

weepingly [ˈwi:pɪŋlɪ] *adv.* łkając, przez łzy.

weeping poplar *n. US i Can. bot.* gatunek topoli (*Populus grandidentata*).

weeping willow *n. bot.* wierzba płacząca (*Salix babylonica*).

weepy [ˈwi:pɪ] *pot. a.* **-ier, -iest 1.** płaczliwy. **2.** wyciskający łzy z oczu (*np. o filmie*). – *n. pl.* **-ies** = **weepie**.

weever [ˈwi:vər] *n. icht.* ostrosz (*Trachinus*).

weevil ['wi:vl] *n. ent.* **1.** ryjkowiec, słonik (*Curculionidae*). **2.** (*także* **pea/bean ~**) *Can. i Austr.* strąkowiec grochowy (*Bruchus pisorum*).

wee-wee ['wi:ˌwi:] *v. i n.* = **wee**2.

w.e.f. *abbr.* **with effect from** *form.* począwszy od (*wchodzić w życie, zaczynać działać; np. o przepisie*).

weft [weft] *n. U* (*także* **woof**) *tk.* wątek.

weigh [weɪ] *v.* **1.** ważyć; **~ o.s.** zważyć się. **2.** *przen.* rozważać (*np. fakty, propozycję*). **3.** obciążać (*np. ciężarkiem, ołowiem*). **4.** *żegl.* (*także* **~ anchor**) podnosić kotwicę. **5.** *przen.* **~ one's words** ważyć słowa; **~ in favor of/against sb** działać na czyjąś korzyść/niekorzyść. **6.** **~ down** obciążać, obładowywać; *przen.* przytłaczać; **be ~ed down with sth** *przen.* być obarczonym czymś; **~ in** *sport* poddać się ważeniu (*o bokserze, zapaśniku, dżokeju*) (*at... kg* z wynikiem... kg); **~ in with sth** *pot.* dorzucić coś (*np. swoją opinie, dodatkowy argument, zwł. istotny*); **~ on sb** ciążyć komuś (*o odpowiedzialności, kłopotach*); **~ on sb's mind** niepokoić kogoś; **~ out** odważać; **~ up** rozważać (*np. za i przeciw*); **~ sb up** oceniać kogoś (*na podstawie obserwacji*); **~ with sb** liczyć się dla kogoś; **~ heavily with sb** mieć dla kogoś wielkie znaczenie, bardzo się dla kogoś liczyć.

weighbridge ['weɪˌbrɪdʒ] *n. techn.* waga pomostowa.

weigh-in ['weɪˌɪn] *n. sport* ważenie (*zawodnika*).

weight [weɪt] *n.* **1.** *C/U* ciężar (*t. fiz. l. przen.*); waga (*t. u zegara; t. przen. = znaczenie*); **by ~** na wagę; **be... in ~** mieć wagę..., ważyć...; **dead ~** *fiz.* ciężar własny; **under the ~ of sth** pod ciężarem czegoś. **2.** ciężarek; odważnik. **3.** przycisk (*np. do papierów*). **4.** system wag; jednostka wagi. **5.** *przen.* **~ of numbers** siła *l.* przewaga liczebna; **a ~ off my mind** kamień z serca; **a matter of great ~** sprawa wielkiej wagi; **attach ~ to sth** przywiązywać wagę do czegoś; **carry more ~** bardziej się liczyć, mieć większe znaczenie (*np. o czyimś poparciu, stwierdzeniu*); **dead ~** *zob.* **dead; gain ~** stracić na wadze, schudnąć; **give ~ to sth** nadawać czemuś znaczenie; **have a ~ problem** *euf.* mieć nadwagę; **(not) pull one's ~** *zob.* **pull** *v.*; **put on/gain ~** przybrać na wadze, utyć; **take the ~ off your feet!** *pot.* spocznij *l.* przysiądź sobie!; **throw one's ~ to the losing side** stanąć po stronie przegrywającej; **throw one's ~ about/around** panoszyć *l.* szarogęsić się; **throw one's ~ behind sb** udzielić komuś poparcia; **watch one's ~** uważać, żeby nie przytyć, dbać o linię. – *v.* **1.** *t. przen.* obciążać; **~ed with years** obarczony latami. **2.** uciskać. **3.** **be ~ed in favor of sth** faworyzować coś (*np. o prawie*).

weight density *n. fiz.* ciężar właściwy.

weightiness ['weɪtɪnəs] *n. U* **1.** ważkość, doniosłość. **2.** uciążliwość.

weightless ['weɪtləs] *a.* nieważki, nic nieważący.

weightlessness ['weɪtləsnəs] *n. U* nieważkość.

weightlifter ['weɪtˌlɪftər] *n. sport* ciężarowiec.

weightlifting ['weɪtˌlɪftɪŋ] *n. U sport* podnoszenie ciężarów.

weight watcher *n.* osoba na diecie.

weighty ['weɪtɪ] *a.* **-ier, -iest** **1.** ciężki. **2.** ważki, doniosły. **3.** uciążliwy. **4.** wpływowy, taki, z którym trzeba się liczyć.

weir [wi:r] *n.* **1.** *hydrol.* jaz. **2.** *gł. Br.* jaz na ryby.

weird [wi:rd] *a.* **1.** niesamowity. **2.** *pot.* dziwaczny, cudaczny. **3.** **the ~ sisters** *mit.* Parki. – *n. gł. Scot.* los; **dree one's ~** znosić swój los.

weirdly ['wi:rdlɪ] *adv.* **1.** niesamowicie. **2.** *pot.* dziwacznie, cudacznie.

weirdness ['wi:rdnəs] *n. U* **1.** niesamowitość. **2.** *pot.* dziwaczność, cudaczność.

weirdo ['wi:rdoʊ] *n. pl.* **-s** *pot.* dziwa-k/czka, cudak.

Welch [weltʃ] *a. przest.* = **Welsh.**

welch [weltʃ] *v.* = **welsh.**

welcher ['weltʃər] *n.* = **welsher.**

welcome ['welkəm] *int.* witamy; witajcie; witaj; **~ home** witaj w domu; **~ on board** *lotn.*/**aboard** *żegl.* witamy na pokładzie; **~ to California** witamy w Kalifornii; **~ to the club** *zob.* **club**1 *n.* – *n. C/U* powitanie; przyjęcie; **give sb/sth a warm ~** serdecznie kogoś/coś powitać; zgotować komuś/czemuś gorące przyjęcie *l.* powitanie; **extend a ~ to sb** *form.* powitać kogoś; **overstay/outstay one's ~** *zob.* **overstay.** – *v.* **1.** witać; **please ~ our special guest, Mr X** powitajcie Państwo, proszę, naszego specjalnego gościa, pana X. **2.** witać z radością, przyjmować z zadowoleniem (*np. zmiany*). **3.** **~ sb/sth with open arms** *t. przen.* powitać *l.* przyjąć kogoś/coś z otwartymi ramionami. – *a.* mile widziany (*np. o gościu*); pożądany (*np. o zmianach*); **make sb ~** dać komuś odczuć, że jest mile widziany, życzliwie kogoś przyjąć; **you're ~!** *zwł. US* nie ma za co!, proszę bardzo!; **you are ~ to do it** *pot.* możesz to zrobić; **you're ~ to it** *pot.* możesz sobie to wziąć.

welcome mat *n.* wycieraczka przed drzwiami z napisem „welcome".

welcomeness ['welkəmnəs] *n. U* bycie mile widzianym.

welcome wagon *n. US* komitet powitalny.

welcoming ['welkəmɪŋ] *a.* **1.** przyjazny, serdeczny (*np. o uśmiechu*). **2.** *attr.* powitalny (*np. o komitecie, mowie*).

weld1 [weld] *v.* **1.** spawać. **2.** *t. przen.* spajać, zespalać. – *n.* spaw; miejsce spojenia, spoina, spojenie.

weld2 *n.* (*także* **wold, woald**) *bot.* rezeda żółtawa (*Reseda luteola*).

welder ['weldər] *n.* **1.** spawacz/ka. **2.** *techn.* spawarka.

welfare ['welˌfer] *n. U* **1.** dobro (*czyjeś*); powodzenie; dobrobyt. **2.** (*także* **W~**) opieka społeczna; *US i Can.* system zasiłków; **be on ~** *US i Can.* być na zasiłku.

welfare benefits *n. pl.* świadczenia socjalne.

welfare state *n.* państwo opiekuńcze.

welfare worker *n.* pracowni-k/ca opieki społecznej.

welfarism ['welˌferˌɪzəm] *n. U* dobrowolne bezrobocie i życie z zasiłków.

welkin ['welkın] *n. arch. l. poet.* nieboskłon, firmament.

well[1] [wel] *adv.* **better, best 1.** dobrze; ~ **after midnight** dobrze po północy; ~**-organized/-planned** dobrze zorganizowany/zaplanowany; ~ **put** dobrze ujęty (*o argumencie, myśli, opinii*); **fairly/pretty** ~ całkiem *l.* dość dobrze; **speak/think ~ of sb** dobrze o kimś mówić/myśleć; **very** ~ bardzo dobrze. **2.** ~ **and truly** definitywnie (*np. skończony*); kompletnie (*np. pijany*); ~ **done!** brawo!, dobra robota!; **as** ~ również, też; zarazem; **as ~ as** jak również; **be in** ~ *US*/**be** ~ **in** *Br.* **with sb** *pot.* być z kimś w dobrej komitywie; **be ~ up in/on sth** *Br. pot.* świetnie znać się na czymś; **be ~ worth doing** być zdecydowanie wartym zrobienia; **do** ~ *zob.* **do**[1] *v.*; **do ~ by sb** *pot.* potraktować kogoś hojnie; **go** ~ udać się, pójść dobrze, dobrze wypaść; **know full** ~ *zob.* **know** *v.*; **it may ~ be that...** bardzo możliwe, że...; **leave ~ (enough) alone** uważać, żeby nie przedobrzyć; **sb can't/couldn't very ~ well do sth** nie byłoby w porządku, gdyby ktoś coś zrobił; **(she looked terrified), as ~ he might** (wyglądała na przerażoną), i nic dziwnego; **we may/might/could (just) as ~ leave now** równie dobrze możemy już sobie iść. – *a.* **better, best 1.** zdrowy, zdrów; **get** ~ wyzdrowieć. **2.** dobry; w porządku; **all is (not) ~ (with sth)** *form.* (nie) wszystko jest w porządku (z czymś); **all's ~ that ends** ~ wszystko dobre, co się dobrze kończy; **be/feel** ~ czuć się dobrze; **look** ~ wyglądać dobrze. **3. I'm very ~ as I am** *lit.* tak, jak jest, jest mi zupełnie dobrze; **it's/that's all ~ and good, but...** *zwł. Br.* (to) wszystko prawda, ale...; **it's/that's all very ~ but...** no dobrze, ale (przecież) ...; **it's/that's all very ~ (for sb) to do sth** łatwo (komuś) coś robić; **it's/that's just as** ~ no i dobrze; **it's just as ~ you didn't go** dobrze, że nie poszedłeś, całe szczęście, że nie poszedłeś. – *int.* cóż; a więc, otóż; ~? i co ty na to?; (*także* ~ ~ (, ~)) no, no (, no), a to ci dopiero!; (*także* **oh** ~) no cóż, trudno; ~ **then** w takim razie, no to; **very ~ (then)** no dobrze.

well[2] *n.* **1.** studnia. **2.** szyb (*naftowy*). **3.** *t. przen.* źródło. **4.** *przen.* kopalnia (*np. informacji*). **5.** zbiorniczek (*w wiecznym piórze*). **6.** klatka schodowa. **7.** podwórko-studnia. **8.** *żegl.* pompownia (*na statku*). **9.** *Br. prawn.* przestrzeń między barierką a stołem sędziowskim. – *v.* ~ **(up)** *zwł. lit.* tryskać (*np. o łzach*); wzbierać (*t. np. o gniewie*).

we'll [wi:l] *abbr.* **1. = we will. 2. = we shall.**

welladay ['welə,deı] *int.* **= wellaway.**

well-adjusted [,welə'dʒʌstıd] *a.* dobrze przystosowany (*o osobie*).

well-advised [,weləd'vaızd] *a.* **1.** przemyślany (*np. o planie*). **2. you would be ~ to do sth** byłoby (wielce) wskazane zrobić coś.

well-affected [,welə'fektıd] *a. form.* **1.** przychylny. **2.** lojalny, wierny.

well-appointed [,welə'pɔıntıd] *a. form.* dobrze wyposażony (*np. o hotelu*).

well-argued [,wel'ɑ:rgju:d] *a.* dobrze uzasadniony; dobrze przedstawiony (*np. o argumencie, stanowisku*).

well-attended [,welə'tendıd] *a.* o dobrej frekwencji, z dużą liczbą uczestników.

wellaway ['welə,weı] *int.* (*także* **welladay**) *arch.* biada!.

well-balanced [,wel'bælənst] *a.* zrównoważony (*o osobie; t. o diecie*).

well-behaved [,welbə'heıvd] *a.* grzeczny, dobrze wychowany (*o dziecku*); zachowujący się spokojnie (*np. o tłumie*).

well-being [,wel'bi:ıŋ], **wellbeing** *n. U* pomyślność; **economic** ~ dobrobyt; **physical** dobre samopoczucie.

well-born [,wel'bɔ:rn], **wellborn** *a. form.* dobrze urodzony.

well-bred [,wel'bred] *a.* **1.** *przest.* dobrze urodzony; dobrze wychowany. **2.** czystej krwi, rasowy.

well-brought-up [,wel,brɔ:t'ʌp] *a.* dobrze wychowany (*o dziecku*).

well-built [,wel'bılt] *a.* **1.** *US* dobrze zbudowany (*= zgrabny*). **2.** *Br. i Austr.* przy kości.

well-chosen [,wel'tʃouzən] *a.* trafny; dobrze *l.* starannie dobrany (*o słowach, przykładach*).

well-connected [,welkə'nektıd] *a.* ustosunkowany.

well-defined [,weldı'faınd] *a.* wyraźnie oznaczony, ściśle określony.

well-disposed [,weldı'spouzd] *a.* życzliwie usposobiony (*to / toward sb* do kogoś).

well-done [,wel'dʌn] *a. kulin.* dobrze wysmażony, wypieczony.

well-earned [,wel'ɜ:nd] *a.* zasłużony (*np. o wypoczynku, zwycięstwie*).

well-endowed [,welın'daud] *a.* **1.** bogaty (*with sth* w coś). **2.** *żart. cz. obelż.* szczodrze obdarowany przez naturę (*o kobiecie = z dużym biustem; o mężczyźnie = z dużym członkiem*).

well-established [,welı'stæblıʃt] *a.* powszechnie znany; z tradycjami (*np. o firmie*).

well-favored [,wel'feıvərd], *Br.* **well-favoured** *a. przest.* atrakcyjny, przystojny.

well-fed [,wel'fed] *a.* dobrze odżywiony.

well-formed [,wel'fɔ:rmd] *a. jęz.* prawidłowo zbudowany (*o zdaniu, konstrukcji*).

well-found [,wel'faund] *a. form.* w pełni wyposażony.

well-founded [,wel'faundıd] *a.* (*także* **well-grounded**) uzasadniony (*np. o argumencie, podejrzeniach*).

well-groomed [,wel'gru:md] *a.* zadbany.

well-grounded [,wel'graundıd] *a.* **1.** dobrze wyćwiczony; mający dobre podstawy (*in sth* w czymś) (*w danym przedmiocie*). **2. = well-founded.**

well-guarded [,wel'gɑ:rdıd] *a.* dobrze strzeżony.

wellhead ['wel,hed] *n. t. przen.* źródło.

well-heeled [,wel'hi:ld] *a. pot.* dziany, nadziany (*= bogaty*).

well-hung [,wel'hʌŋ] *n. żart. wulg.* dobrze wyposażony przez naturę (*o mężczyźnie*).

wellie ['welı], **welly** *n. Br. pot.* kalosz.

well-informed [,welın'fɔ:rmd] *a.* dobrze poinformowany (*about sth* jeśli chodzi o coś).

Wellington boot ['welɪŋtən ˌbu:t] *n.* **1.** (*także* **wellington**) *Br.* kalosz (*zwł. sięgający do kolana*). **2.** *hist.* botfort.

well-intentioned [ˌwelɪn'tenʃənd] *a.* podyktowany najlepszymi intencjami, w dobrej wierze (*o działaniu*); kierujący się *l.* powodowany najlepszymi intencjami (*o osobie*).

well-kept [ˌwel'kept] *a.* **1.** dobrze utrzymany, zadbany (*np. o domu, trawniku*). **2.** ~ **secret** pilnie strzeżona tajemnica.

well-knit [ˌwel'nɪt] *a.* **1.** zwarty, dobrze zintegrowany (*o społeczności*), zgrany (*o grupie*). **2.** mocno zbudowany. **3.** jędrny.

well-known [ˌwel'noʊn] *a.* (powszechnie) znany.

well-liked [ˌwel'laɪkt] *a.* lubiany.

well-made [ˌwel'meɪd] *n.* dobrze zbudowany *l.* skonstruowany (*t. np. o powieści*).

well-mannered [ˌwel'mænərd] *a.* dobrze wychowany, o nienagannych manierach.

well-meaning [ˌwel'mi:nɪŋ] *a.* podyktowany najlepszymi intencjami, w dobrej wierze (*o działaniu*); kierujący się *l.* powodowany najlepszymi intencjami (*o osobie*); **he/she is** ~ ma dobre chęci.

well-meant [ˌwel'ment] *a.* podyktowany najlepszymi intencjami (*np. o radach, uwagach*).

wellness ['welnəs] *n.* *U US* zdrowie.

well-nigh [ˌwel'naɪ] *adv.* nieomal, nieledwie; ~ **impossible** prawie niemożliwy.

well-off [ˌwel'ɔ:f] *a.* **better-off**, **best-off** **1.** zamożny, dobrze sytuowany; **the** ~ ludzie zamożni. **2. be** ~ **for sth** mieć pod dostatkiem czegoś. **3. you don't know when you're** ~ *pot.* sam nie wiesz, jak masz dobrze.

well-oiled [ˌwel'ɔɪld] *a.* **1.** *pot.* zaprawiony (= *pijany*). **2. a** ~ **machine** *przen.* sprawnie funkcjonujący mechanizm.

well-ordered [ˌwel'ɔ:rdərd] *a.* *mat., log.* dobrze uporządkowany.

well-padded [ˌwel'pædɪd] *a.* pulchny, puszysty (*o osobie*).

well-paid [ˌwel'peɪd] *a.* **1.** dobrze płatny. **2.** dobrze opłacany.

wellpoint ['welˌpɔɪnt] *n.* *techn.* igłofiltr, filtr igłowy.

well-preserved [ˌwelprɪ'zɜ:vd] *a.* **1.** dobrze zachowany (*o obiekcie*). **2.** *żart.* dobrze się trzymający (*jak na swoje lata*).

well-qualified [ˌwel'kwɑ:ləˌfaɪd] *n.* o wysokich kwalifikacjach; **be** ~ mieć odpowiednie kwalifikacje (*for sth* do czegoś).

well-read [ˌwel'red] *a.* oczytany.

well-respected [ˌwelrɪ'spektɪd] *a.* powszechnie szanowany.

wellroom ['welˌru:m] *n.* pijalnia (*wód*).

well-rounded [ˌwel'raʊndɪd] *a.* **1.** przyjemnie zaokrąglony, krągły (*o figurze, kształtach*). **2.** wszechstronny (*o osobie, wykształceniu*); bogaty (*o życiu, osobowości*).

well-set [ˌwel'set] *a.* **1.** dobrze osadzony; dobrze umiejscowiony; dobrze ustawiony. **2.** dobrze zbudowany (*o osobie*).

well-shaped [ˌwel'ʃeɪpt] *a.* kształtny.

well sinker *n.* **1.** studniarz. **2.** *górn.* górnik szybowy, szybiarz.

well-spoken [ˌwel'spoʊkən] *a.* **1.** wymowny; ładnie mówiący (*t.* = *z ładnym akcentem*). **2.** dobrze powiedziany.

wellspring ['welˌsprɪŋ] *n.* **1.** źródło. **2.** *przen.* niewyczerpane źródło (*of sth* czegoś).

well-stacked [ˌwel'stækt] *a.* *Br. pot. żart.* biuściasta.

well-stocked [ˌwel'stɑ:kt] *a.* dobrze zaopatrzony (*np. o piwniczce, spiżarni*).

well sweep *n.* żuraw studzienny.

well-tempered [ˌwel'tempərd] *a.* *muz.* równomiernie temperowany.

well-thought-of [ˌwel'θɔ:təv] *a.* ogólnie szanowany; **be** ~ cieszyć się powszechnym uznaniem.

well-thought-out [ˌwelˌθɔ:t'aʊt] *a.* dobrze pomyślany *l.* zaplanowany.

well-thumbed [ˌwel'θʌmd] *a.* z oślimi uszami, zaczytany (*o książce*).

well-timed [ˌwel'taɪmd] *a.* na czasie; w samą porę; **be** ~ nastąpić w odpowiednim momencie.

well-to-do [ˌweltə'du:] *a.* zamożny, dobrze sytuowany; **the** ~ ludzie zamożni.

well-tried [ˌwel'traɪd] *a.* wypróbowany (*np. o metodzie, przepisie, sposobie*).

well-turned [ˌwel'tɜ:nd] *a.* **1.** zgrabny (*np. o wyrażeniu, zwrocie*). **2.** *przest.* kształtny (*np. o nogach*).

well-turned-out [ˌwelˌtɜ:nd'aʊt] *a.* dobrze *l.* modnie ubrany.

well-upholstered [ˌwelʌp'hoʊlstərd] *a.* *pot.* pulchny (*o osobie*).

well-versed [ˌwel'vɜ:st] *a.* dobrze zaznajomiony (*in sth* z czymś).

well-wisher [ˌwel'wɪʃər] *n.* osoba życzliwa; sympaty-k/czka.

well-woman clinic [ˌwel'wʊmən ˌklɪnɪk] *n.* poradnia dla kobiet zdrowych.

well-worn [ˌwel'wɔ:rn] *a.* **1.** znoszony, wytarty (*o odzieży*). **2.** *przen.* wyświechtany (*o żarcie, zwrocie*); oklepany (*np. o przykładzie*).

welly ['welɪ] *n. pl.* **-ies** *Br. pot.* **1.** (*także* ~ **boot**) = **wellie**. **2. give it some** ~! *przen.* postaraj się!

Welsh [welʃ] *a.* walijski. – *n.* **1.** *U* język walijski. **2. the** ~ Walijczycy. **3.** *hodowla* walijska odmiana tucznika bekonowego.

welsh [welʃ], **welch** *pot. n.* ~ **on sth** nie zapłacić czegoś (*zwł. długu karcianego*); nie dotrzymać czegoś (*zobowiązania, obietnicy*).

Welsh corgi *n.* *kynol.* korgi.

Welsh dresser *n.* *Br.* kredens.

Welsh harp *n.* *muz.* harfa walijska (*o trzech rzędach strun*).

Welshman ['welʃmən] *n. pl.* **-men** Walijczyk.

Welsh Mountain *n.* (*także* **Welsh Mountain sheep**) walijska odmiana owcy.

Welsh mountain pony *n.* kuc walijski.

Welsh poppy *n.* *bot.* mekonops walijski (*Meconopsis cambrica*).

Welsh rarebit, Welsh rabbit *n.* *C/U* *kulin.* grzanka z serem.

Welshwoman ['welʃˌwʊmən] *n. pl.* **-women** Walijka.

welt [welt] *n.* **1.** pręga (*po uderzeniu*). **2.** *krawiectwo* wypukły szew; szew „na zakładkę". **3.** lamówka. **4.** ozdobny skórzany pasek (*na bucie*). **5.** *techn.* rąbek; zakładka. **6.** *szewstwo* pas, kiedra. – *v.* **1.** *pot.* smagać. **2.** lamować. **3.** zaopatrywać w zakładkę.

Weltanschauung [ˌveltɑːnˈʃauʊŋ] *n. pl.* **-en** *form.* światopogląd.

welter [ˈweltər] *v.* **1.** mocno falować (*o morzu*). **2.** ~ **(about)** tarzać się (*np. w błocie; t. przen. w grzechu*). **3.** nurzać się (*in sth* w czymś) (*zwł. we krwi*). **4.** zaplątać się (*in sth* w coś). – *n. sing.* **1.** *lit.* natłok (*of sth* czegoś) (*np. informacji*); zamęt, galimatias. **2.** falowanie (*morza*).

welter race *n. jeźdz.* handicap, gonitwa z wyrównaniem szans koni wagą.

welterweight [ˈweltərˌweɪt] *n.* **1.** *jeźdz.* jeździec ciężkiej wagi. **2.** *jeźdz.* handicap 28 funtów wagi (*w wyścigach*). **3.** *boks* bokser wagi półśredniej (*ok. 63,5-67 kg*).

Weltschmerz [ˈveltˌʃmerts], **weltschmerz** *n. U form.* ból istnienia, ból egzystencjalny.

wen[1] [wen] *n.* **1.** *pat.* torbiel łojowa. **2.** *przen.* przeludnione miasto; **the great** ~ *Br.* Londyn.

wen[2] *n. pismo, hist.* nazwa litery *w* w alfabecie runicznym.

wench [wentʃ] *n.* **1.** *żart.* dziewucha, dziewoja. **2.** *arch.* dziewka (= *służąca*). **3.** *arch.* dziwka. – *v. arch.* zadawać się z dziwkami.

wencher [ˈwentʃər] *n. arch.* dziwkarz.

Wend [wend] *n.* Łużyczan-in/ka.

wend [wend] *v.* ~ **one's way** *lit.* wędrować (*through sth* przez coś); kierować swe kroki, zmierzać (*to / toward sth* do czegoś).

wending [ˈwendɪŋ] *n. żegl.* zwrot przez sztag na pełnym wietrze.

Wendish [ˈwendɪʃ] *a.* łużycki. – *n. U* (język) łużycki.

wendy house, Wendy house *n. Br.* dom dla lalek.

Wensleydale [ˈwenzlɪˌdeɪl] *n. Br.* **1.** *C / U* gatunek żółtego sera. **2.** *hodowla* gatunek owcy.

went [went] *v. zob.* **go** *v.*

wentletrap [ˈwentlˌtræp] *n. zool.* ślimak z grupy schodówek (*Scalaria*).

wept [wept] *v. zob.* **weep** *v.*

were [wɜːː] *v. zob.* **be.**

we're [wiːr] *abbr.* = **we are.**

weren't [wɜːnt] *v.* = **were not**; *zob.* **be.**

werewolf [ˈwerˌwʊlf], **werwolf** *n. pl.* **-wolves** *mit.* wilkołak.

wert [wɜːt] *v. arch.* 2 os. l. poj. czasu przeszłego od „be".

werwolf [ˈwerˌwʊlf] *n.* = **werewolf.**

west [west] *n. U* **the** ~ zachód; **to the** ~ **of sth** na zachód od czegoś; **the W**~ Zachód (*w sensie politycznym l. kulturalno-religijnym*); *US* stany zachodnie (*na zach. od Missisipi*). – *a. attr.* zachodni; **W**~ **Africa** Afryka Zachodnia; ~ **wind** wiatr zachodni. – *adv.* **1.** na zachód (*of sth* od czegoś); w kierunku zachodnim; ~ **by north/south** *żegl.* zachód do północy/południa (*kierunki kompasowe*). **2.** *arch.* z zachodu (*o kierunku wiatru*).

West Bank *n.* **the** ~ *geogr.* Zachodni Brzeg Jordanu.

West Berlin *n. hist.* Berlin Zachodni.

westbound [ˈwestˌbaʊnd] *a.* zmierzający na zachód, w kierunku zachodnim; zdążający na zachód (*o ruchu*); prowadzący na zachód (*o trasie, drodze*); *żegl.* idący na zachód.

West Coast *n.* **the** ~ *geogr.* Zachodnie Wybrzeże (*Stanów*).

West Country *n.* **the** ~ *geogr.* południowo-zachodnia część Wielkiej Brytanii.

West End *n.* **the** ~ *Br.* West End (*handlowo-rozrywkowa dzielnica Londynu*).

wester [ˈwestər] *v.* **1.** *astron.* posuwać się ku zachodowi (*o słońcu, księżycu, gwieździe*). **2.** *żegl.* silny wiatr od zachodu.

westerly [ˈwestərlɪ] *a.* **1.** zachodni (*t. o wietrze*). **2.** ku zachodowi, w stronę zachodnią. – *n. pl.* **-ies** wiatr zachodni.

western [ˈwestərn] *a. attr.* zachodni; (*także* **W**~) dotyczący Zachodu (*w sensie politycznym l. kulturalno-religijnym; US = dotyczący stanów zachodnich*). – *n.* **1.** *kino* western. **2.** *teor. lit.* opowieść z życia Dzikiego Zachodu.

westerner [ˈwestərnər], **Westerner** *n.* mieszkan-iec/ka Zachodu (*t. zachodnich stanów USA*).

western hemisphere *n. geogr.* półkula zachodnia.

western hemlock *n. bot.* choina zachodnia (*Tsuga heterophylla*).

westernism [ˈwestərˌnɪzəm] *n.* **1.** zwyczaj właściwy mieszkańcom Zachodu. **2.** *jęz.* wyrażenie właściwe mieszkańcom Zachodu.

westernization [ˌwestərnəˈzeɪʃən], *Br. i Austr. zw.* **westernisation** *n. U* westernizacja, przemiana na modłę zachodnią.

westernize [ˈwestərˌnaɪz], *Br. i Austr. zw.* **westernise** *v.* przerabiać na modłę zachodnią.

westernmost [ˈwestərnˌmoʊst] *a. geogr.* wysunięty najdalej na zachód.

Western Wall *n.* = **Wailing Wall.**

West Germanic *jęz. a.* zachodniogermański. – *n. U* języki zachodniogermańskie, grupa języków zachodniogermańskich.

West Indian *a.* zachodnioindyjski. – *n.* mieszkan-iec/ka Indii Zachodnich.

West Indies *n. pl.* **the** ~ *geogr.* Indie Zachodnie.

westing [ˈwestɪŋ] *n. żegl.* kurs zachodni; odchylenie na zachód; zmiana kierunku ku zachodowi.

Westphalia [westˈfeɪlɪə] *n. geogr.* Westfalia.

Westphalian [westˈfeɪlɪən] *a.* westfalski. – *n.* Westfal-czyk/ka.

westward [ˈwestwərd] *a. attr.* skierowany *l.* zmierzający na zachód. – *adv.* (*także Br.* **~s**) na zachód (*from sth* od czegoś); ku zachodowi. – *n.* kierunek zachodni.

westwardly [ˈwestwərdlɪ] *a. i adv.* (zmierzający, biegnący *l.* wiejący) w kierunku zachodnim.

wet [wet] *a.* **-tt- 1.** mokry (*with sth* od czegoś); przemoczony; ~ **through** kompletnie przemoczony; ~ **to the skin** przemoczony do suchej nitki; **get** ~ zmoknąć; przemoknąć; **get sth** ~ przemoczyć coś (*np. buty*); **soaking/sopping/dripping** ~ kompletnie przemoczony. **2.** wilgotny (*o klimacie*). **3.** deszczowy, dżdżysty (*o dniu, pogodzie*). **4.** *Br. przen. pot.* chwiejny, miękki (= *słabego charakteru, mający trudności z podjęciem decyzji*). **5.** ~ **behind the ears** *przen. pot.* mający mleko pod nosem (= *niedoświadczony, naiwny*); ~ **paint** świeżo malowane (*napis*); ~ **state** *US i Can. przen.* stan dopuszczający sprzedaż napojów alkoholowych; **be all** ~ *US przen. pot.* być w wielkim błędzie. – *n.* **1. the** ~ wilgoć; deszczowa pogoda; *Austr.* pora deszczowa. **2.** *US i Can.* zwolenni-k/czka wolnej sprzedaży alkoholu. **3.** *Br. pot.* mięczak (*zwł. o polityku Partii Konserwatywnej*). – *v.* **-tt- 1.** moczyć; zwilżać. **2.** ~ **o.s.**, moczyć się. **3.** zmoczyć (*np. pościel; o dziecku*); obsikać (*np. dywan; o psie*). **4.** ~ **one's whistle** *przest. przen. pot.* przepłukać gardło (= *napić się*).

wetback [ˈwetˌbæk] *n. US pot.* nielegaln-y/a imigrant/ka z Meksyku.

wet bar *n. US i Can.* barek (*np. w hotelu, wyposażony w sprzęt do przyrządzania koktajli*).

wet blanket *n. przen. pot.* smutas (= *osoba psująca innym nastrój*).

wet cell *n. el.* ogniwo mokre.

wet dream *n.* polucja, zmaza nocna.

wet fish *n. U Br. handl.* ryba świeża.

wether [ˈweðər] *n. hodowla* skop (= *kastrowany baran*).

wetland [ˈwetˌlænd] *n. C/U* mokradło; mokradła.

wet look *n. moda* **1.** lśniące wykończenie (*np. tkaniny*). **2.** uczesanie z użyciem brylantyny.

wetly [ˈwetlɪ] *adv.* mokro; wilgotno.

wetness [ˈwetnəs] *n. U* mokrość; wilgotność.

wet nurse *n.* mamka.

wet-nurse [ˈwetˌnɝːs] *v.* **1.** karmić (piersią) (*cudze dziecko*). **2.** *przen. uj.* opiekować się jak dzieckiem (*kimś*).

wet suit *n.* kombinezon piankowy (*do nurkowania*).

wetting agent *n. C/U techn.* zwilżacz, środek zwilżający.

wetting solution *n. C/U* płyn do soczewek (*kontaktowych*).

we've [wiːv] *abbr.* = **we have**.

whack [wæk] *v.* **1.** *pot.* walnąć, zdzielić. **2.** ~ **up** *US sl.* dzielić (*np. łup*). **3.** ~ **off** *obsc. sl.* brandzlować się (= *onanizować się*). – *n. pot.* **1.** walnięcie; **give sth a** ~ przywalić w coś. **2.** *przen.* **at/in one** ~ *US* za jednym zamachem; **do one's** ~ *Br.* zrobić, co do kogoś należy; **get one's** ~ dostać swoją dolę *l.* działkę; **have/take a** ~ **at sth** spróbować czegoś; **out of** ~ *US, Can. i Austr.* nie na chodzie (*o urządzeniu*); **(the) full** ~ *Br.* cała suma *l.* kwota.

whacked [wækt] *n. pred.* (*także* ~ **out**) *pot.* **1.** *przest.* wykończony (= *zmęczony*). **2.** *US* nabuzowany (= *pijany*); na haju (= *pod wpływem narkotyków*).

whacker [ˈwækər] *n. pot.* kolos, grzmot.

whacking [ˈwækɪŋ] *gł. Br. pot. a.* (*także* ~ **great**) kolosalny. – *adv. przed a.* bardzo.

whacko [ˈwækoʊ] *int. sl.* hurra! (*okrzyk radości*). – *n.* = **wacko**.

whacky [ˈwækɪ] *a.* = **wacky**.

whale[1] [weɪl] *n.* **1.** *zool.* wieloryb (*rząd Cetacea*). **2.** *zwł. US, Can. i Austr. emf. pot.* **a** ~ **of a difference** kolosalna różnica; **have a** ~ **of a time** odlotowo się bawić; **make a** ~ **of a speech** wygłosić wspaniałą mowę. – *v.* polować na wieloryby.

whale[2] *v. pot.* **1.** stłuc, sprać. **2.** *US* rozgromić.

whaleback [ˈweɪlˌbæk] *n.* **1.** obiekt w kształcie grzbietu wieloryba. **2.** *żegl.* parowiec o wysklepionym pokładzie.

whaleboat [ˈweɪlˌboʊt] *n. żegl.* **1.** *hist.* łódź wielorybnicza. **2.** typ łodzi ratunkowej.

whalebone [ˈweɪlˌboʊn] *n. U* fiszbin.

whalebone whale *n. zool.* fiszbinowiec (*podrząd Mysticeti*).

whale catcher *n. żegl.* statek wielorybniczy.

whale oil *n. U* tran wielorybi.

whaler [ˈweɪlər] *n.* **1.** wielorybnik. **2.** statek wielorybniczy. **3.** = **whaleboat**.

whale shark *n. icht.* rekin wielorybi (*Rhincodon typus*).

whaling [ˈweɪlɪŋ] *n. U* wielorybnictwo.

whaling master *n. żegl.* kapitan statku wielorybniczego.

wham [wæm] *onomat. n.* grzmotnięcie, huknięcie. – *v.* grzmotnąć, huknąć. – *int.* trach!, łup!.

whammy [ˈwæmɪ] *n.* **put the** ~ **on sb** *pot.* rzucić na kogoś urok.

whang[1] [wæŋ] *n.* grzmotnięcie; huk. – *v.* **1.** walić, grzmocić. **2.** huknąć.

whang[2] *n.* **1.** bykowiec. **2.** *US obsc. sl.* kutas. – *v.* bić bykowcem.

whangee [ˌwæŋˈiː] *n.* **1.** *bot.* bambus chiński (*Phylostachys*). **2.** laska z bambusa chińskiego.

whap [wɑːp] *v. i n.* = **whop**.

wharf [wɔːrf] *n. pl.* **-s** *l.* **wharves** [wɔːrvz] nabrzeże (*załadunkowo-wyładunkowe*). – *v.* **1.** przycumować do nabrzeża. **2.** wyładować na nabrzeżu. **3.** wyposażyć w nabrzeże (*fragment brzegu*).

wharfage [ˈwɔːrfɪdʒ] *n. U żegl.* **1.** opłata przystaniowa, brzegowe. **2.** nabrzeża (*portu*).

wharfinger [ˈwɔːrfɪndʒər] *n.* właściciel *l.* kierownik nabrzeża.

wharf rat *n.* **1.** szczur portowy. **2.** *przen. pot.* złodziej portowy.

what [wʌt] *pron.* **1.** *w pytaniach* co; ~? *emf.* co (takiego)?; ~ **are you doing?** co robisz?. **2.** *w zdaniach względnych* (to,) co; **I heard** ~ **you said** słyszałam, co powiedziałeś. **3.** ~ **about us?** (a) co z nami?; ~ **about having something to eat?** (a) może byśmy coś zjedli?; ~ **do I care?** *pot.* co mnie to obchodzi?; ~ **does it matter?** *pot.* co (to) za różnica?; ~ **for?** po co?; **give sb** ~ **for** *pot.* dać komuś popalić (= *ukarać l. zganić surowo*); ~ **if...?** a co będzie, jak...?; a gdyby tak...?; ~ **of it?** co z tego?; ~ **on earth** co u licha; ~**'s** ~ *pot.* co i jak, co jest grane; ~**'s his name** (*także* ~**sisname**) (*także* ~ **do you call him**) jak mu tam; ~**'s more** co więcej; ~**'s on?** co jest?, co się dzieje?; ~**'s on at the Lincoln**

Center? co grają w Lincoln Center?; **~'s up?** co się stało?; (*także* **~'s happening?**) *gł. US pot.* jak leci?, co słychać?; **~'s up with him?** co mu jest *l.* dolega?, co mu się stało?; **~'s with...?** *gł. US pot.* co jest (nie tak) z...?; skąd ta/ten/to...?; **~ the devil** co u diabła *l.* diaska; **~ the hell!** co tam!, (a) niech tam!; **~ with...** jeżeli wziąć pod uwagę..., zważywszy na...; **(and) ~ have you** *zob.* **have** *v.*; **(do) you know ~?** *zob.* **know** *v.*; **guess ~!** *zob.* **guess** *v.*; **have ~ it takes** *zob.* **have** *v.*; **(I'll) tell you ~** *zob.* **tell; now ~?** (i) co teraz?; **...or ~?** ...czy nie?; **so ~?** (i) co z tego?; **you ~?** *pot.* co (takiego)?. – *a.* **1.** *w pytaniach* jaki; **~ color is it?** jakiego to jest koloru?; **~ is she like?** jaka ona jest?. **2.** *emf.* co za, jaki, ależ; **~ a lovely day!** jaki piękny dzień!; **~ nonsense!** co za bzdura!. **3.** *w zdaniach względnych* jaki tylko; taki, jaki; **take ~ money you need** weź tyle pieniędzy, ile ci potrzeba. – *adv.* bo ja wiem; **he must be, ~, about fifty** ma, bo ja wiem, z pięćdziesiąt lat.

whatchamacallit [ˈwɑːtʃəməˌkɔːlət] *n.* = **whatsit**.

whatever [wʌtˈevər] *pron.* **1.** cokolwiek; obojętnie co; **~ you say** *zob.* **say** *v.*; **or ~** co zechcesz. **2.** *w pytaniach emf.* co u licha; **~ are you talking about?** co ty (u licha) wygadujesz?. – *a.* jakikolwiek; każdy możliwy; **for ~ reason** z jakiegokolwiek powodu. – *adv.* = **whatsoever**.

what-if [ˌwʌtˈɪf] *a. attr.* hipotetyczny (*np. o scenariuszu*). – *n.* co by było, gdyby (= *hipotetyczna sytuacja*).

whatnot [ˈwʌtˌnɑːt] *n.* **1.** *gł. hist.* etażerka na ozdobne drobiazgi. **2. and ~** *pot.* i co tam jeszcze, i inne takie.

what's [wʌts] *abbr.* = **what is**.

whatsit [ˈwʌtsət] *n.* (*także* **whatchamacallit**) *pot.* ten jak mu tam; jak to się tam nazywa, to coś; ten wihajster.

whatsoever [ˌwʌtsoʊˈevər] *adv.* (*także* **whatever**) *z neg.* w ogóle, wcale; absolutnie, zupełnie; **for no reason ~** zupełnie *l.* absolutnie bez powodu; **I have no plans ~** nie mam w ogóle żadnych planów; **nothing ~** zupełnie *l.* absolutnie nic.

whaup [wɑːp] *n. gł. Scot.* = **curlew**.

wheal [ˈwiːl] *n.* = **weal¹**.

wheat [wiːt] *n. U bot.* **1.** pszenica (*Triticum*); **bread/common ~** pszenica zwyczajna (*Triticum estivum*); **durum ~** pszenica twarda (*Triticum durum*); **German ~** *Br.* (pszenica) orkisz (*Triticum spelta*); **rivet/poulard ~** pszenica angielska *l.* szorstka (*Triticum turgidum*). **2. separate the ~ from the chaff** *zob.* **chaff¹**.

wheatear [ˈwiːtˌiːr] *n. orn.* białorzytka (*Oenanthe oenanthe*).

wheaten [ˈwiːtən] *a.* pszenny; pszeniczny.

wheat germ *n. kulin.* kiełek pszeniczny.

wheat grass *n. U bot.* trawa z rodzaju perzu (*Agropyron*).

wheatmeal [ˈwiːtˌmiːl] *n. U Br. kulin.* pszenna mąka razowa.

wheat midge *n. ent.* pryszczarek pszeniczny (*Mayetiola tritici*).

wheat rust *n. U pat., bot.* rdza (*Puccinia*); rdza brunatna pszenicy (*Puccinia tritici*).

Wheatstone bridge [ˈwiːtˌstoʊn ˌbrɪdʒ], **Wheatstone's bridge** *n. el.* mostek Wheatstone'a.

wheedle [ˈwiːdl] *v.* **1.** czarować, bajerować. **2.** wyłudzić, wycyganić (*sth out of sb* coś od kogoś). **3.** namawiać (*sb into sth* kogoś do czegoś).

wheedler [ˈwiːdlər] *n.* bajerant/ka.

wheel [wiːl] *n.* **1.** koło; kółko. **2.** (*także* **steering ~**) *mot.* kierownica; **behind the ~** za kierownicą, za kółkiem; **take the ~** przejąć kierownicę. **3.** *US i Can. pot.* rower. **4. (set of) ~s** *pot.* cztery kółka (= *samochód*). **5.** *żegl.* ster; **at the ~** *t. przen.* u steru. **6.** (*także* **potter's ~**) koło garncarskie. **7.** *przen.* **~s within ~s** skomplikowany mechanizm; **meals-on-~s** *zob.* **meals; oil the ~s** *zob.* **oil** *v.*; **put a spoke in sb's ~** *zob.* **spoke²; put one's shoulder to the ~** zakasać rękawy (*i wziąć się do roboty*). – *v.* **1.** prowadzić, pchać (*np. rower*); ciągnąć (*np. wózek*); toczyć, turlać (*przedmiot na kółkach*). **2. ~ (around/roound)** obracać się (*na pięcie*). **3.** toczyć się. **4.** zachodzić (*ruchem kołowym*); skręcać, zmieniać kierunek (*t. przen.*); **right, left, ~** *Br. wojsk.* zachodź na prawo/lewo. **5.** zataczać krąg *l.* kręgi (*np. o ptaku*). **6.** nawracać (*konie*). **7. ~ and deal** *przen. pot.* kombinować (= *robić niejasne interesy*). **8. ~ sb/sth out** *US pot.* wyjeżdżać z kimś/czymś (= *wielokrotnie przywoływać na pomoc l. jako argument*).

wheel and axle *n. mech.* kołowrót; *kol.* zestaw kołowy.

wheelbarrow [ˈwiːlˌberoʊ] *n.* taczka. – *v.* wozić na taczkach.

wheelbase [ˈwiːlˌbeɪs] *n. mot., techn.* rozstaw osi (*pojazdu*).

wheel bug *n. ent.* drapieżny pluskwiak z rodziny zajadkowatych (*Reduviidae*).

wheelchair [ˈwiːlˌtʃer] *n.* wózek inwalidzki.

wheelchair housing *n. U* budownictwo dostosowane do potrzeb osób na wózkach inwalidzkich.

wheel clamp *n.* blokada na koło.

wheeled [wiːld] *a.* **1.** na kółkach. **2.** *w złoż.* **four-~** czterokołowy.

wheeler [ˈwiːlər] *n.* **1.** (*także* **~ horse**) (koń) dyszlowy (*np. w czwórce*). **2.** *w złoż.* **three-~** trójkołowiec.

wheeler-dealer [ˌwiːlərˈdiːlər] *n. pot.* kombinator/ka.

wheel horse *n.* **1.** *US i Can. przen.* pracuś. **2.** = **wheeler** 1.

wheelhouse [ˈwiːlˌhaʊs] *n. żegl.* sterówka.

wheelie [ˈwiːlɪ] *n. mot. pot.* manewr polegający na podniesieniu przedniego koła roweru *l.* motocykla w czasie jazdy.

wheelie bin *n.* kubeł na śmieci na kółkach.

wheeling and dealing [ˌwiːlɪŋ ənd ˈdiːlɪŋ] *n. U* machinacje.

wheel lock *n. hist.* **1.** zamek kołowy. **2.** rusznica *l.* pistolet z zamkiem kołowym.

wheel man *n. pl.* **-men 1.** cyklista. **2.** (*także* **wheelsman**) *US* sternik.

wheel of fortune *n.* koło fortuny.

wheelseat [ˈwiːlˌsiːt] *n. kol.* podpiaście.

wheel set *n. kol.* zestaw kołowy.

wheelsman [ˈwi:lzmən] *n.* = **wheel man** 2.

wheel window *n. bud.* rozeta.

wheelwork [ˈwi:lˌwɜ·:k] *n. mech.* mechanizm przekładniowy.

wheelwright [ˈwi:lˌraɪt] *n. hist.* kołodziej.

wheeze [wi:z] *v.* rzęzić; sapać; ~ **(out)** wysapać (= *powiedzieć sapiąc*). – *n.* **1.** sapnięcie. **2.** *pot.* kawał z brodą. **3.** (*także* **good** ~) *Br. przest. pot.* sprytny pomysł *l.* plan.

wheezy [ˈwi:zɪ] *a.* **-ier, -iest** rzężący, świszczący (*np. o oddechu, kaszlu*).

whelk[1] [welk] *n. zool.* trąbik zwyczajny (*Buccinum undatum*).

whelk[2] *n. pat. pot.* bąbel (*np. pokrzywkowy*).

whelm [welm] *v. arch. l. poet.* **1.** pochłaniać (*zwł. o wodzie*). **2.** = **overwhelm**.

whelp [welp] *n.* **1.** szczeniak (*t. przen. o młodym mężczyźnie*). **2.** *żart.* berbeć. – *v.* szczenić się; rodzić (*szczeniaki*).

when [wen] *adv.* kiedy; ~ **will they be back?** kiedy wracają? – *conj.* **1.** kiedy, gdy; podczas gdy; skoro; **say** ~ powiedz, kiedy (mam przestać) (*zwł. nalewać alkohol*); **she claimed I was wrong** ~ **in fact I wasn't** twierdziła, że nie mam racji, podczas gdy w rzeczywistości miałem; **that was** ~ **I needed you** wtedy właśnie cię potrzebowałam; **the day** ~ w dniu, kiedy; **there are times** ~ **I wonder why/how...** niekiedy zastanawiam się, dlaczego/jak...; **why did you buy it** ~ **you can't afford it?** czemu to kupiłaś, kiedy *l.* skoro cię na to nie stać? **2.** chociaż, mimo że; **they continued** ~ **they must have known it was no use** kontynuowali, mimo iż musieli wiedzieć, że na nic się to nie zda. – *pron.* kiedy (to); **since/until** ~ od/do kiedy; **since** ~ **did you have the right to...** od kiedy (to) masz prawo...

whenas [wenˈæz] *conj. arch.* **1.** = **when**. **2.** = **whenever**.

whence [wens] *adv. i conj. arch. l. form.* skąd.

whencesoever [ˌwenssoʊˈevər] *adv. arch.* skądkolwiek.

whenever [wenˈevər] *conj.* **1.** kiedykolwiek, obojętnie, kiedy. **2.** za każdym razem, gdy, ilekroć; kiedy *l.* gdy tylko. – *adv.* (*także* **when ever**) *pot.* **1.** obojętnie, kiedy, kiedy tam; **today, tomorrow, or** ~ dziś, jutro czy kiedy tam. **2.** *w pytaniach emf.* kiedy(ż) to; kiedy wreszcie; ~ **did you manage to do it?** kiedy udało wam się to zrobić?; ~ **will you learn?** kiedy ty się wreszcie nauczysz?.

where [wer] *adv.* gdzie; dokąd; ~ **are you going?** gdzie *l.* dokąd idziesz?; ~ **do you live?** gdzie mieszkasz?; ~ **from?** (*także* **from** ~?) skąd?; ~ **was I?** *przen.* na czym (to ja) skończyłem?. – *conj.* **1.** (tam), gdzie. **2.** kiedy; ~ **possible** kiedy to możliwe. **3.** ~ **it's at** *pot.* na topie.

whereabout [ˈwerəˌbaʊt] *adv.* = **whereabouts** *adv.*

whereabouts [ˈwerəˌbaʊts] *adv.* gdzie (mniej więcej), w jakiej okolicy; ~ **is it?** gdzie to (tak) mniej więcej jest?. – *n. U* **sb's** ~ czyjeś miejsce pobytu; **the** ~ **of sth** położenie czegoś.

whereas [werˈæz] *conj. form.* **1.** podczas gdy. **2.** *prawn.* zważywszy, że.

whereat [werˈæt] *arch. pron.* **1.** gdzie (to); **an audience** ~ **he was received with full honors** audiencja, na której (to) przyjęto go z wszelkimi honorami. **2.** na co; **an accusation** ~ **he did not respond** oskarżenie, na które nie zareagował. – *conj.* za czym, po czym.

whereby [werˈbaɪ] *pron. form.* według którego, zgodnie z którym; w którym (to); **a scheme** ~ **everybody is entitled to a pension** system, w którym każdemu przysługuje emerytura. – *adv. arch.* jakim sposobem?.

wherefore [ˈwerfɔ:r] *n.* **the whys and** ~**s** *form.* przyczyny i powody (*of sth* czegoś). – *conj. form., prawn.* z którego to powodu. – *adv. arch.* dlaczego?.

wherefrom [werˈfrʌm] *arch. pron.* skąd (to); **Berlin** ~ **he was evacuated** Berlin, skąd został ewakuowany. – *adv.* skąd? z czego?

wherein [werˈɪn] *arch. l. lit. pron.* gdzie (to); w którym (to); **the place** ~ **my friend is buried** miejsce, gdzie spoczywa mój przyjaciel. – *adv.* **1.** gdzie?, w czym?; ~ **lies the problem?** w czym problem?. **2.** pod jakim względem?.

whereof [werˈʌv] *arch. l. form. pron.* o którym; o czym. – *adv.* o którym? o czym?

whereon [werˈɑ:n] *arch. l. form. pron.* na którym; na czym. – *adv.* gdzie?; na czym?

wheresoever [ˌwersoʊˈevər] *adv. rzad. emf.* gdziekolwiek; dokądkolwiek.

wherethrough [werˈθru:] *arch. pron.* przez który. – *adv.* przez co?.

whereto [werˈtu:] *arch. pron.* do którego. – *adv.* dokąd?, do czego?.

whereupon [ˌwerəˈpɑ:n] *conj.* po czym; na co. – *adv. arch.* na czym?.

wherever [werˈevər] *adv.* **1.** gdziekolwiek. **2.** *w pytaniach emf.* gdzie u licha; ~ **did you find it?** gdzieś ty to (u licha) znalazła? **3.** ~ **possible** gdzie tylko to możliwe, wszędzie tam, gdzie to możliwe; **(he lives in Moresby,)** ~ **that may be** (mieszka w Moresby,) gdziekolwiek to jest.

wherewith [werˈwɪθ] *arch. pron.* którym (to); za pomocą którego. – *adv.* czym?, za pomocą czego?. – *conj.* = **whereupon**.

wherewithal [ˈwerwɪðˌɔ:l] *n. U* **the** ~ **to do sth** środki na zrobienie czegoś (*zwł. finansowe*).

wherrit [ˈwerɪt] *v. rzad.* **1.** martwić (się). **2.** narzekać.

wherry [ˈwerɪ] *n. pl.* **-ies** **1.** lekka łódź jednoosobowa. **2.** *Br.* lekka płytka łódź (*zwł. do przewożenia pasażerów*). **3.** *Br.* barka. – *v.* **-ied, -ying** przewozić łodzią.

whet [wet] *v.* **-tt-** **1.** ostrzyć (*na osełce, kamieniu*). **2.** *przen.* pobudzać (*np. ciekawość, pragnienie*); ~ **sb's appetite (for sth)** zaostrzyć czyjś apetyt (na coś). – *n.* **1.** ostrzenie (*na osełce, kamieniu*). **2.** *przen.* coś, co zaostrza apetyt.

whether [ˈweðər] *conj. w pytaniach w mowie zależnej* czy; ~ **you like it or not** czy ci się to podoba, czy nie; **(we'll be there),** ~ **or no** tak czy owak, (będziemy tam). – *pron. arch.* który (*z dwu*).

whetstone [ˈwetˌstoʊn] *n.* osełka, kamień szlifierski.

whew [fju:] *int.* uff! (*wyrażając zmęczenie, ulgę, poczucie gorąca*).

whey [weɪ] *n. U* serwatka.

wheyey [ˈweɪi:] *a.* serwatkowaty.

wheyfaced [ˈweɪfeɪst] *a.* blady jak ściana.

which [wɪtʃ] *a.* który (*z ograniczonej liczby*); ~ **book do you want?** którą książkę chcesz?; ~ **one?** który?; **the sight ~ I saw** widok, który ujrzałem. – *pron.* **1.** który; ~ **(of these) is yours?** który (z nich) jest twój?; **in ~ case** w takim przypadku. **2.** co; ~ **is** ~ co jest co; ~ **reminds me** co mi przypomina, skoro (już) o tym mowa; **after ~** po czym; **I stumbled, ~ made me angry** potknąłem się, co mnie rozzłościło.

whichever [wɪtʃˈevər] *a. i pron.* którykolwiek, obojętnie który; jakikolwiek; ~ **way you look at it** jak by (na to) nie patrzeć.

whicker [ˈwɪkər] *v.* rżeć cicho.

whidah [ˈwɪdə], **whydah** *n.* = **widow bird.**

whidah finch *n.* = **widow finch.**

whiff[1] [wɪf] *n.* **1.** zapach; powiew; **catch/get a ~ of sth** poczuć zapach czegoś. **2.** podmuch (*np. świeżego powietrza*). **3.** kłąb (*dymu, pary*). **4.** *przen.* powiew, sygnał (*zwł. pierwszy*) (*of sth* czegoś) (*np. wolności, niebezpieczeństwa*). **5.** dmuchnięcie, wydmuchnięcie; chuchnięcie. **6.** zaciągnięcie się (*dymem*). **7.** lekki wybuch (*gniewu*). – *v.* **1.** dmuchać; podmuchiwać (*o wietrze*). **2.** wypuszczać ustami (*dym, powietrze*); chuchać (*czymś*); wypuszczać kłęby (*dymu, pary*). **3.** wciągać ustami (*dym, powietrze*). **4.** zwęszyć. **5.** *Br. pot.* zalatywać (= *śmierdzieć*).

whiff[2] *n. gł. Br. żegl.* wąska jednoosobowa łódź z odsadniami.

whiffle [ˈwɪfl] *v.* **1.** ostro podmuchiwać (*o wietrze*). **2.** posuwać *l.* unosić w różnych kierunkach (*np. statek*); miotać (*czymś*). **3.** *t. przen.* miotać się (*np. z powodu niezdecydowania*). **4.** migotać (*o ogniu*); trzepotać się (*o liściach*); błądzić (*np. o myśli*). **5.** pogwizdywać, poświstywać.

whiffletree [ˈwɪflˌtri:], **whippletree** *n. US roln.* orczyk.

whiffy [ˈwɪfɪ] *a.* **-ier, -iest** *Br. pot.* zalatujący (= *śmierdzący*).

Whig [wɪg] *polit. n.* **1.** *hist.* wig (*Br.* = *przedstawiciel ugrupowania liberalnego w XVII-XIX w.; US* = *zwolennik rewolucji amerykańskiej*). **2.** *Br.* liberał (= *członek l. sympatyk Partii Liberalnej*). – *a. attr.* wigowski.

Whiggery [ˈwɪgərɪ], **Whiggism** *n. U polit.* **1.** *hist.* zasady *l.* praktyki wigowskie. **2.** liberalizm (*zwł. w wydaniu wigów*).

while [waɪl] *conj.* **1.** podczas gdy; ~ **I was having breakfast** podczas gdy jadłam śniadanie; ~ **(we were) in Paris** podczas (naszego) pobytu w Paryżu; **Beth is extrovert, ~ her sister is very shy** Beth jest ekstrawertyczką, podczas gdy jej siostra jest bardzo nieśmiała. **2.** podczas, w trakcie *l.* czasie; ~ **sleeping** podczas snu. **3.** chociaż, choć; ~ **there was no proof, everyone thought he was guilty** choć nie było dowodów, wszyscy uważali, że jest winny. **4.** skoro; ~ **you're here, could you hold this for me?** skoro (już) tu jesteś, czy mógłbyś mi to potrzymać?; ~ **we're at it** skoro już o tym mowa, przy okazji. – *n.* **1.** chwila; (jakiś) czas; **a little/short ~ ago** niedawno; **all the ~** (*także* **the whole ~**) przez cały (ten) czas; **can you wait a ~?** czy możesz chwilę zaczekać?; **(every) once in a ~** raz na jakiś czas; **for/in a ~** przez/za jakiś czas. **2. be worth (sb's) ~** *zob.* **worth** *a.* – *v.* ~ **away the days/hours/afternoon** uprzyjemniać *l.* skracać sobie czas; **to ~ away the time** dla zabicia czasu.

whiles [waɪlz] *arch. adv.* czasem, czasami. – *conj.* podczas gdy.

whilom [ˈwaɪləm] *arch. adv.* niegdyś. – *a.* niegdysiejszy.

whilst [waɪlst] *conj. zwł. Br. form.* = **while.**

whim [wɪm] *n.* **1.** kaprys, zachcianka; **be swayed by ~** być kapryśnym *l.* zmiennym, mieć humory; **on a ~** pod wpływem kaprysu; **indulge sb's every ~** spełniać wszystkie czyjeś zachcianki; **subject to the ~s of sb** zależny od czyichś zachcianek. **2.** *górn., hist.* kołowrót wyciągowy konny.

whimbrel [ˈwɪmbrəl] *n. orn.* kulik mniejszy (*Numenius phaeopus*).

whimper [ˈwɪmpər] *v.* **1.** skomleć; kwilić. **2.** chlipać, pochlipywać; wychlipać (= *powiedzieć chlipiąc*). – *n.* **1.** skomlenie; kwilenie. **2.** chlipanie, pochlipywanie.

whimsical [ˈwɪmzɪkl] *a.* **1.** dziwaczny, wymyślny. **2.** kapryśny; zmienny, niestały. **3.** żartobliwy (*np. o spojrzeniu, uśmiechu*).

whimsically [ˈwɪmzɪklɪ] *adv.* **1.** dziwacznie, wymyślnie. **2.** kapryśnie.

whimsy [ˈwɪmzɪ], **whimsey** *n. pl.* **-ies 1.** wymysł. **2.** *U* wymyślność.

whim-wham [ˈwɪmˌwæm], **whimwham** *n. arch.* bibelot.

whinchat [ˈwɪnˌtʃæt] *n. orn.* pokląskwa (*Saxicola rubetra*).

whine [waɪn] *v.* **1.** skowyczeć (*o psie*). **2.** wyć (*t. o syrenie*); jęczeć (*t. przen.* = *marudzić*); ~ **in pain** jęczeć *l.* wyć z bólu. – *n.* **1.** skowyt. **2.** wycie; jęk; jęczenie (*t. przen.* = *marudzenie*).

whiner [ˈwaɪnər] *n.* beksa, maruda (*o dziecku*).

whinge [wɪndʒ], *Br. i Austr. pot. v.* biadolić, stękać, marudzić. – *n. zw. sing.* biadolenie, stękanie, marudzenie; **have a ~** pomarudzić sobie.

whinger [ˈwɪndʒər] *n. Br. i Austr. pot.* maruda.

whinny [ˈwɪnɪ] *v.* **-ied, -ying** rżeć cicho. – *n. pl.* **-ies** ciche rżenie.

whinstone [ˈwɪnˌstoʊn] *n. C/U min.* twarda skała magmowa (*np. bazalt l. porfir*).

whiny [ˈwaɪnɪ] *a.* **-ier, -iest** marudny (*o dziecku*).

whip [wɪp] *n.* **1.** bicz; bat; pejcz; **crack a ~** trzaskać z bicza. **2.** uderzenie batem; **twenty ~s** dwadzieścia batów. **3.** *Br. parl.* członek partii pilnujący dyscypliny partyjnej; notatka do posłów wzywająca do obecności przy głosowaniu. **4.** (*także* **whipper-in**) *Br. myśl.* skrzydło (= *pomocnik łowczego w polowaniach na lisy*). **5.** *C/U kulin.* deser z bitą śmietaną. **6.** (*także* **~ and derry**) *żegl., górn.* wyciąg blokowy, linoblok. **7.** *mech.* bicie. **8.** **~s** *Austr.* moc, mnóstwo (*of sth* czegoś). – *v.* **-pp- 1.** biczować; smagać (*t. o wie-

trze); chłostać (*t. przen., słowami*). **2.** ~ **(up)** *kulin.* ubijać (*jajka, śmietanę*). **3.** *zwł. US pot.* rozgromić. **4.** owijać (*np. rękojeść sznurem*). **5.** *żegl.* windować. **6.** *krawiectwo* obrzucać (*tkaninę*). **7.** *przest. pot.* gwizdnąć, świsnąć (= *ukraść*). **8.** trzepotać (*na wietrze*). **9.** ~ **the lake/river** *ryb.* łowić w jeziorze/rzece, zarzucając raz po raz wędkę. **10.** ~ **along** śmigać; ~ **around** obrócić się błyskawicznie; ~ **away** skoczyć; wyjechać pośpiesznie; wyszarpnąć; ~ **in** wpaść (*do pomieszczenia*); zagonić batem (*np. psy*); *US przen.* zebrać do głosowania (*posłów*); ~ **into a place** wpaść do pomieszczenia; ~ **sb into line** zapędzić kogoś do szeregu; *przen.* przywołać kogoś do porządku; ~ **sb into sth** wywołać u kogoś coś (*określony stan*); podbechtać kogoś do czegoś; ~ **sb/sth into shape** *zob.* **shape** *n.*; ~ **off** machnąć, trzasnąć (*np. krótki tekst*); zrzucić *l.* zedrzeć (z siebie) (*np. ubranie*); ~ **on** popędzać batem (*np. konie*); ~ **out** wypaść (*z pomieszczenia*); błyskawicznie dobyć (*broni, miecza*); ~ **round** *Br.* zrobić zrzutkę, zrzucić się; ~ **through** *zwł. Br. pot.* uporać się z (*czymś*); ~ **together** spędzić batem (*do kupy*); ~ **up** wzniecić, wywołać (*określony stan*); *pot.* upichcić, przyrządzić naprędce (*np. obiad*); ~ **sb up into sth** wzbudzić u kogoś coś (*np. nienawiść, szał*).

whip bird *n. orn.* **1.** trzaskacz (*rodzaj Psophodes*); **black-throated/eastern** ~ trzaskacz wąsaty/czarnoczuby (*Psophodes nigrogularis / olivaceus*). **2.** fletówka żółtobrzucha (*Pachycephala pectoralis*).

whipcord [ˈwɪpˌkɔːrd] *n. U* **1.** mocno skręcony sznur (*na bicz*). **2.** *tk.* tkanina wełniana ukośnie prążkowana.

whipcrane [ˈwɪpˌkreɪn] *n. żegl.* lekki żuraw masztowy (*z wyciągarką*).

whip graft *n. ogr.* szczep języczkowy.

whip hand *n.* **1.** ręka trzymająca bat (*przy powożeniu*). **2. have the** ~ **(of sth)** *przen.* mieć (nad czymś) kontrolę.

whiplash [ˈwɪpˌlæʃ] *n.* **1.** rzemień bicza. **2.** *C / U* (*także* ~ **injury**) *pat.* odgięciowy uraz kręgosłupa szyjnego.

whipped cream [ˌwɪpt ˈkriːm] *n. U kulin.* bita śmietana.

whipper-in [ˌwɪpərˈɪn] *n.* = **whip** *n.* 3.

whippersnapper [ˈwɪpərˌsnæpər] *n. przen. pot.* zarozumiały smarkacz.

whippet [ˈwhɪpət] *n.* **1.** *kynol.* whippet. **2.** (*także* ~ **tank**) *hist., wojsk.* typ lekkiego czołgu.

whipping [ˈwɪpɪŋ] *n.* **1.** *zw. sing.* batożenie. **2.** końcówka sznura z oplotem.

whipping boy *n. przen.* chłopiec do bicia.

whipping cream *n. U kulin.* (śmietana) kremówka.

whipping post *n. hist.* pręgierz; dyby.

whipping top *n. hist.* bąk do podbijania.

whipple-tree [ˈwɪplˌtriː] *n.* = **whiffletree**.

whippoorwill [ˈwɪpərˌwɪl] *n. orn.* lelek krzykliwy (*Caprimulgus vociferus*).

whippy [ˈwɪpɪ] *a.* **-ier, -iest** giętki, elastyczny (*np. o drągu*).

whipray [ˈwɪpˌreɪ] *n. icht.* ogończa (*Dasyatis*).

whipround [ˈwɪpˌraʊnd], **whip-round** *n. Br. pot.* zrzutka; **have a** ~ zrobić zrzutkę.

whipsaw [ˈwɪpˌsɔː] *n.* piła ramowa *l.* taśmowa. – *v.* **1.** ciąć piłą ramową. **2.** *US przen.* pokonać *l.* pobić na dwa sposoby.

whipsnake [ˈwɪpˌsneɪk], **whip snake** *n. zool.* wąż z rodzaju połozów (*Coluber*); **horseshoe** ~ połoz podkowiasty (*Coluber hippocrepis*).

whipstall [ˈwɪpˌstɔːl] *n. lotn.* ślizg na ogon.

whipstitch [ˈwɪpˌstɪtʃ] *krawiectwo v.* obrzucać (*tkaninę*). – *n.* obrzucanie.

whipstock [ˈwɪpˌstɑːk] *n.* biczysko.

whipworm [ˈwɪpˌwɜːm] *n. zool.* włosogłówka (*Trichocephalus trichiuris*).

whir [wɜː], *Br.* **whirr** *v.* **-rr-** terkotać, furkotać (*np. o skrzydłach, wiatraku*); warczeć, warkotać (*np. o silniku*). – *n. zw. sing.* terkot, furkot; warkot.

whirl [wɜːl] *v.* **1.** kręcić się, wirować; **my head is ~ing** kręci mi się w głowie. **2.** obrócić się raptownie. **3.** kręcić, obracać (*kimś l. czymś*); **the wind ~ed the leaves** wiatr wirował liśćmi. **4.** śmigać (*czymś*). **5.** ~ **away** śmigać (*w pojeździe*). – *n. zw. sing.* **1.** wirowanie; zawirowanie. **2.** wir (*t. przen.*); mętlik; **my mind is in a** ~ w głowie mi się mąci, mam mętlik w głowie; **social** ~ wir życia towarzyskiego. **3.** krótka przejażdżka *l.* przechadzka. **4.** *pot.* próba; **give it a** ~ spróbuj; **take a** ~ **at sth** spróbować czegoś. **5.** *mech.* bicie.

whirlabout [ˈwɜːləˌbaʊt] *n.* obrót, piruet.

whirligig [ˈwɜːləˌgɪg] *n.* **1.** bąk (*zabawka*). **2.** karuzela. **3.** (*także* ~ **beetle**) *ent.* chrząszcz wodny z rodzaju krętakowatych (*Gyrinidae*). **4.** ~ **of time** *przen.* zmienne koleje losu.

whirling dervish [ˈwɜːlɪŋ ˌdɜːvɪʃ] *n. rel.* wirujący derwisz (= *derwisz wpadający w trans*).

whirlpool [ˈwɜːlˌpuːl] *n.* wir *l.* lej wodny.

whirlpool bath *n.* wanna z hydromasażem.

whirlwind [ˈwɜːlˌwɪnd] *n. meteor.* **1.** trąba powietrzna. **2.** *przen.* ~ **tour** błyskawiczny *l.* ekspresowy objazd (*of sth* czegoś); ~ **visit** pospieszna wizyta; **a** ~ **of activity** wielki ruch, wielka krzątanina.

whirlybird [ˈwɜːlɪˌbɜːd] *n. pot.* helikopter.

whirr [wɜː] *n. i v. Br.* = **whir**.

whish [wɪʃ] *n. i v. rzad.* = **swish**.

whisht [wɪʃt] *int. arch. l. Scot.* ciii!, cicho sza!.

whisk [wɪsk] *n.* **1.** *kulin.* trzepaczka (*do ubijania piany*). **2.** *zw. sing.* machnięcie (*np. ogonem*). **3.** wiecheć. **4.** = **whisk broom**. – *v.* **1.** *kulin.* ubijać (*trzepaczką*). **2.** machać (*np. ogonem*). **3.** śmigać; czmychać. **4.** ~ **sb/sth away/off** błyskawicznie zabrać kogoś/coś (*i przewieźć gdzieś l. usunąć*).

whisk broom *n.* miotełka (*zwł. do odzieży*).

whisker [ˈwɪskər] *n.* **1.** wąs (*np. koci, szczurzy*). **2.** *pl.* bokobrody, baczki. **3.** *pl. pot.* wąsy. **4.** *przen. pot.* **by a** ~ o włos, ledwo co; **come within a** ~ **of death/defeat** o mało nie umrzeć/nie przegrać.

whiskered [ˈwɪskərd] *a.* z bokobrodami.

whiskey [ˈwɪskɪ], **whisky** *n.* **1.** *C / U* whisky (*amerykańska l. irlandzka*). **2. W~** *radio* w (*kod litery*).

whiskey sour *n. C / U* koktajl z whisky i soku z limony *l.* cytryny.

whisky ['wɪskɪ] *n. C / U* whisky (*szkocka*).

whisky mac *n. C / U* koktajl z whisky i wina imbirowego.

whisper ['wɪspər] *v.* **1.** szeptać (*t. przen. = mówić w tajemnicy*); mówić szeptem; ~ **sth to sb** powiedzieć coś komuś szeptem; szepnąć coś komuś; **it is ~ed (that)...** *przen.* ludzie szepczą po kątach, że... **2.** *lit.* szemrać (*np. o wodzie*); szeleścić (*np. o liściach, sitowiu*). – *n.* **1.** szept; **in a ~** szeptem. **2.** *lit.* szmer; szelest. **3.** *pot.* pogłoska; sekret.

whispering campaign ['wɪspərɪŋ kæmˌpeɪn] *n. US i Can.* celowe rozsiewanie plotek.

whist [wɪst] *n. U karty* wist.

whist drive *n. karty* turniej gry w wista.

whistle ['wɪsl] *v.* **1.** gwizdać (*t. o czajniku*) (*at / to sb* na kogoś); ~ **a tune** gwizdać melodię. **2.** odgwizdać (*np. koniec gry*). **3.** świstać (*np. o kulach, ptakach, świstaku*), świszczeć (*o wietrze*). **4.** *przen. pot.* ~ **down the wind** strzępić sobie język; ~ **in the dark** dodawać sobie animuszu; **let sb go ~** kazać komuś czekać do sądnego dnia. **5.** ~ **for a wind** *żegl.* wzywać wiatr (*gwizdaniem, zgodnie ze starym przesądem*); **you can ~ for it** *Br. pot.* czekaj tatka latka; **we can ~ for our money** możemy się pożegnać z pieniędzmi; ~ **sb up** zagwizdać na kogoś, przywołać kogoś gwizdnięciem. – *n.* **1.** gwizdek; **blow one's ~** zagwizdać (*gwizdkiem*). **2.** gwizd, gwizdnięcie; gwizdanie. **3.** świst (*np. kul, ptaka, wiatru*). **4.** *przen.* **(as) clean as a ~** *zob.* **clean** *a.*; **blow the ~ on sth** *zob.* **blow** *v.*; **wet one's ~** *zob.* **wet** *v.*

whistle-blower ['wɪslˌbloʊər] *n. pot.* demaskator/ka (*zwł. informujący o nadużyciach, nieprawidłowościach itp. w rządzie*).

whistler ['wɪslər] *n.* **1.** *zool.* świstak (*Marmota*). **2.** *orn.* gągoł (*Bucephala clangula*). **3.** *orn.* świstun (*Anas penelope*). **4.** *wet.* koń z rorerem, koń dychawiczny.

whistle stop *n.* **1.** *US i Can. kol.* przystanek na żądanie. **2.** *US i Can. przen. pot.* mała stacyjka kolejowa; małe miasteczko. **3.** *polit.* krótkie wystąpienie kandydata w małej miejscowości.

whistle-stop ['wɪslˌstɑːp] *v. polit.* objeżdżać kraj z krótkimi wystąpieniami wyborczymi (*o polityku*). – *a. attr. polit.* ~ **tour** objazd miasteczek w ramach kampanii wyborczej; ~ **train** *US* pociąg specjalny, zwł. z kandydatem na prezydenta.

whistling ['wɪslɪŋ] *n. U* **1.** gwizd, gwizdanie. **2.** *wet.* dychawica świszcząca, rorer.

whistling buoy *n. żegl.* pława bucząca.

whistling swan *n. orn.* łabędź czarnodzioby (*Cygnus columbianus*).

Whit [wɪt] *n. zwł. Br.* = **Whitsun**.

whit [wɪt] *n. arch. l. form.* **not a ~** wcale a wcale, ani trochę.

white [waɪt] *a.* **1.** biały (*t. o chlebie, krwinkach, kawie, magii, rasie, winie*). **2.** blady; ~ **with fear/anger** blady ze strachu/ze złości; **(as) ~ as a sheet** *emf.* blady jak ściana; **go ~** zblednąć, pobladnąć. **3.** siwy; **go ~** osiwieć (*o osobie*). **4.** *pot.* uczciwy, rzetelny. **5.** *przen.* **~r than ~** *cz. iron.* będący chodzącym ideałem; **bleed sb ~** *zob.* **bleed; in black and ~** *zob.* **black and white**. – *n.* **1.** *U* biel, (kolor) biały; **in ~** w bieli; **dressed in ~** ubrany na biało; **in the ~** nielakierowany (*o drewnie, meblu*). **2.** biał-y/a (*osoba*). **3.** *C / U kulin.* białko (*jajka*). **4.** **the ~ (of the eye)** białko (oka). **5.** *C / U* białe wino; **bottle of ~** butelka białego wina. **6.** *ent.* bielinek; **cabbage/large ~** bielinek kapustnik (*Pieris brassicae*); **small ~** bielinek rzepnik (*Pieris rapae*). **7.** *pl. zob.* **whites**. – *v.* **1.** ~ **(out)** *druk.* zostawiać białe plamy. **2.** *arch.* bielić, pobielać.

white acid *n. U chem.* kwas stosowany do wytrawiania szkła.

white admiral *n. ent.* pokłonnik kamilla (*Limentis camilla*).

white alert *n. wojsk. l. przen.* odwołanie alarmu.

white alkali *n. chem.* **1.** oczyszczony węglan sodowy. **2.** sól mineralna pojawiająca się jako nalot na glebie.

white ant *n.* = **termite**.

white area *n. przen.* obszar nieuwzględniony w planowaniu przestrzennym.

white ash *n. bot.* jesion amerykański (*Fraxinus americana*).

white aspen *n. bot.* topola biała, (topola) białodrzew (*Populus alba*).

white-backed woodpecker [ˌwaɪtˌbækt 'wʊdˌpekər] *n. orn.* dzięcioł białogrzbiety (*Dendrocopos leucotos*).

whitebait ['waɪtˌbeɪt] *n.* **1.** *U kulin.* rybka smażona w całości (*np. śledzik, szprota*). **2.** ~ **bass** *icht.* gatunek skalnika (*Roccus chrysops*).

whitebeam ['waɪtˌbiːm] *n. bot.* jarząb mączny, mąkinia (*Sorbus aria*).

white bear *n. zool.* biały niedźwiedź (*Thalarctos maritimus*).

white birch *n. bot.* **1.** brzoza brodawkowata (*Betula verrucosa*). **2.** *US* brzoza papierowa (*Betula papyrifera*).

white blood cell *n.* (*także* **white corpuscle**) *anat.* biała krwinka.

whiteboard ['waɪtˌbɔːrd] *n.* tablica suchościerna.

whitebook ['waɪtˌbʊk] *n. polit., parl.* biała księga (*raport rządowy*).

Whiteboys ['waɪtˌbɔɪz] *n. pl. hist.* irlandzki terrorystyczny ruch chłopski z lat 1760.

white bread *n. C / U kulin.* biały chleb.

white-bread ['waɪtˌbred] *a. US pot.* tradycyjny, konserwatywny (*np. o osobie, rodzinie*).

white bronze *n. U metal.* brąz biały (*dekoracyjny*).

white bryony *n. bot.* przestrzęp biały (*Bryonia alba*).

white campion *n. bot.* firletka (*Lychnis alba l. vespertina*).

white cane *n.* (*także Br.* **white stick**) biała laska (*niewidomego*).

whitecap ['waɪtˌkæp] *n.* **1.** (*także Br.* **white**

horse) grzywacz (*fala*). **2. W~** *US* członek tajnej organizacji w rodzaju Ku-Klux-Klanu.

white cast iron *n. U metal.* żeliwo białe.

white cedar *n. bot.* **1.** gatunek cyprysika (*Chamaecyparis thyoides*); cyprysik Lawsona (*Chamaecyparis lawsoniana*). **2.** żywotnik zachodni (*Thuja occidentalis*). **3.** cedrzyniec kalifornijski (*Libocedrus decurrens*). **4.** gatunek cyprysa (*Cupressus macnabiana*).

white cell *n.* = **white blood cell**.

white chocolate *n. C / U* biała czekolada.

white Christmas *n.* białe Święta (= *Boże Narodzenie ze śniegiem*).

white clover *n. U bot.* koniczyna biała (*Trifolium repens*).

white coal *n. U przen.* biały węgiel (= *woda jako źródło energii*).

white-collar [ˌwaɪtˈkɑːlər] *n.* ~ **worker** *przen.* urzędni-k/czka, pracowni-k/ca umysłow-y/a.

white corpuscle *n.* = **white blood cell**.

white currant *n. bot., kulin.* biała porzeczka (*Ribes sativum*).

whitedamp [ˈwaɪtˌdæmp] *n. U górn.* powietrze kopalniane z dużą zawartością tlenku węgla.

whited sepulcher [ˌwaɪtɪd ˈsepəlkər], *Br.* **whited sepulchre** *n. przen.* hipokryt-a/ka.

white dwarf *n. astron.* biały karzeł.

white elephant *n.* **1.** *zool.* słoń-albinos. **2.** *przen.* chybiona inwestycja (*np. z powodu zbyt wysokich kosztów utrzymania*).

white ensign *n. Br. wojsk.* bandera brytyjskiej marynarki wojennej.

white-eye [ˈwaɪtˌaɪ] *n. orn.* ptak z rodziny szlarników (*Zosteropidae*).

white-eyed vireo [ˌwaɪtˌaɪd ˈviːrɪˌoʊ] *n. orn.* wireonek białooki (*Vireo griseus*).

whiteface [ˈwaɪtˌfeɪs] *n.* **1.** *hodowla* krowa rasy Hereford. **2.** *teatr, cyrk* artysta występujący z pomalowaną na biało twarzą.

white-faced [ˌwaɪtˈfeɪst] *a.* **1.** blady, pobladły. **2.** z latarnią (*o koniu*).

white-faced hornet *n. ent.* gatunek osy (*Vespula maculata*).

white feather *n.* **show the** ~ *przen.* stchórzyć.

white fir *n. bot.* jodła jednobarwna *l.* kalifornijska (*Abies concolor*).

white fish *n. U Br. kulin.* ryby morskie o białym mięsie.

whitefish [ˈwaɪtˌfɪʃ] *n. pl.* **-fish** *l.* **-fishes** *icht.* ryba łososiowata z rodzaju siej (*Coregonus*); **lake** ~ sieja kanadyjska (*Coregonus clupeaformis*).

white flag *n.* biała flaga (*jako symbol poddania się*).

white flax *n. bot.* lnicznik siewny (*Camelina sativa*).

white flint *n. U techn.* flint (*typ szkła ołowiowo-krzemianowego*).

white flour *n. U kulin.* biała mąka.

whitefly [ˈwaɪtˌflaɪ] *n. pl.* **-ies** *ent.* owad z rodziny mączlikowatych (*Aleurodidae*).

white-footed mouse [ˌwaɪtˌfʊtɪd ˈmaʊs] *n. pl.* **white mice** *zool.* myszak (*Peromyscus leucopus*).

white fox *n. zool.* lis polarny, piesiec (*Alopex lagopus*).

White Friar, white friar *n. kośc.* karmelita.

white-fronted goose [ˌwaɪtˌfrʌntɪd ˈguːs] *n. pl.* **white geese** *orn.* gęś białoczelna (*Anser albifrons*).

white frost *n. U meteor.* szron.

white globe lily *n. pl.* **-ies** *bot.* trojednik biały, tulipan mormonów (*Calochortus albus*).

white gold *n. U metal.* białe złoto.

white goldenrod *n. bot.* amerykański gatunek nawłoci (*Solidago bicolor*).

white goods *n. pl.* **1.** *handl.* cięższy sprzęt AGD (= *kuchenki, lodówki, pralki, zmywarki*). **2.** bielizna pościelowa i stołowa.

white grape *n. bot.* winorośl lisia (*Vitis vulpina*).

white gum *n. bot.* eukaliptus australijski o białawej korze.

white gyrfalcon *n. orn.* amerykańska odmiana białozora (*Falco rusticolus candicans*).

white-haired [ˌwaɪtˈherd] *a.* **1.** siwowłosy. **2.** ~ **boy** (*także* **white-headed boy**) *przen.* faworyt, ulubieniec.

Whitehall [ˈwaɪtˌhɔːl] *n. Br. polit.* rząd brytyjski (*od nazwy ulicy w Londynie*).

white-headed boy [ˌwaɪtˌhedɪd ˈbɔɪ] *n.* = **white-haired boy**; *zob.* **white-haired**.

white heat *n. U techn.* biały żar.

white hole *n. druk.* dziura w tekście (= *zbyt szeroko rozstrzelony druk*).

white hope *n. przen. pot.* **1.** nadzieja (*o osobie*). **2.** *boks* nadzieja białych (= *biały zawodnik walczący z czarnym*).

white horse *n. Br.* = **whitecap** 1.

white-hot [ˌwaɪtˈhɑːt] *a.* rozgrzany do białości.

White House *n.* **the** ~ *US polit.* Biały Dom.

white iron *n.* = **white cast iron**.

white knight *n. przen.* mąż opatrznościowy (*zwł. ratujący firmę*).

white-knuckled [ˌwaɪtˈnʌkld] *a. zw. żart.* przerażony, wystraszony.

white-knuckle ride *n.* **1.** jazda kolejką górską (*w wesołym miasteczku*). **2.** *przen.* emocjonujące *l.* stresujące przeżycie.

white lady *n. C/U* **1.** koktajl z ginu, Cointreau i soku z cytryny. **2.** *Austr. pot.* jagodzianka na kościach (= *alkohol metylowy*).

white lead *n. U* **1.** *techn.* biel ołowiana. **2.** (*także* ~ **ore**) *min.* cerusyt.

white leather *n. U* (*także* **whitleather**) skóra miękka wybielona.

white leg *n. U pat. pot.* połogowe zapalenie żył kończyn dolnych.

white lie *n. pot.* usprawiedliwione kłamstwo; niewinne kłamstewko.

white light *n. U fiz.* światło białe.

white lightning *n. U US dial., sl.* bimber, samogon.

white line *n.* **1.** *mot.* linia ciągła (*na szosie*). **2.** *druk.* pusta linia.

white-lipped [ˌwaɪtˈlɪpt] *a.* z pobladłymi (ze strachu) wargami.

white liquor *n. U papiernictwo* ług biały.

white list *n. przen.* **1.** lista osób posiadających odpowiednie kwalifikacje. **2.** spis filmów, książek itp. uznanych za odpowiednie (*np. ze względów obyczajowych l. religijnych*).

white-livered [ˌwaɪtˈlɪvərd] *a. przen.* tchórzliwy.

white lotus *n. bot.* grzybień *l.* lotos egipski (*Nymphea lotus*).

white lupine *n. bot.* łubin biały (*Lupinus albus*).

whitely [ˈwaɪtlɪ] *adv.* biało.

white magic *n. U* biała magia.

white mahogany *n. bot.* gatunek eukaliptusa (*Eucalyptus acmenioides*).

white man's burden *n. hist.* brzemię białego człowieka (= *rzekomy obowiązek krzewienia cywilizacji europejskiej wśród kolorowych*).

white Mariposa *n. bot.* trojednik nadobny (*Calochortus venestus*).

white marlin *n. icht.* marlin biały (*Tetrapterus albidus*).

white matter *n. U anat.* istota *l.* substancja biała (*mózgu*).

white meat *n. U kulin.* białe mięso (*np. cielęcina, drób, wieprzowina*).

white melilot *n. bot.* nostrzyk biały (*Melilotus albus*).

white metal *n. C / U metal.* biały metal.

white meter *n. Br.* licznik prądu na II taryfę.

white mulberry *n. pl.* **-ies** *bot.* morwa biała (*Morus alba*).

white mustard *n. U bot.* gorczyca biała *l.* jasna (*Sinapis alba*).

whiten [ˈwaɪtən] *v.* **1.** bielić. **2.** bieleć.

whitener [ˈwaɪtənər] *n. C / U* (*także* **whitening**) wybielacz.

whiteness [ˈwaɪtnəs] *n. U* białość, biel.

whitening [ˈwaɪtənɪŋ] *n.* **1.** = **whiting**[1]. **2.** = **whitener**.

white noise *n. U akustyka* biały szum.

white oak *n. bot.* dąb biały (*Quercus alba; t. inne gatunki dębu*).

whiteout [ˈwaɪtˌaʊt] *n. U* **1.** *meteor.* utrata widoczności wskutek zawiei. **2.** *US* płyn korekcyjny.

White Pages *n. pl.* **the ~** *US* dział telefonów prywatnych (*w książce telefonicznej*).

white paper, W~P~ *n. polit.* biała księga.

white pepper *n. U kulin.* biały pieprz.

white perch *n. icht.* morszczuk amerykański (*Morone americana*).

white pine *n. bot.* (sosna) wejmutka (*Pinus strobus*).

white pine weevil *n. ent.* gatunek smolika (*Pissodes strobi*).

white plague *n. U pot.* suchoty.

white poplar *n. bot.* topola biała, białodrzew (*Populus alba*).

white primary *n. pl.* **-ies** *US hist., polit.* prawybory Demokratów w stanach południowych z udziałem wyłącznie białych wyborców.

white pudding *n. C / U Br. kulin.* rodzaj kaszanki bez dodatku krwi.

white rat *n. zool.* szczur laboratoryjny albinos (*odmiana Rattus norvegicus*).

white rice *n. C / U* biały ryż.

white rose mallow *n. bot.* amerykański gatunek ketmii (*Hibiscus oculiroseus*).

White Russia *n. geogr.* Białoruś.

White Russian *a.* białoruski. – *n.* Białorusin/ka.

whites [waɪts] *n. pl.* **1.** białe (rzeczy) (*do prania*). **2.** *zwł. Br. sport* tradycyjny biały strój (*np. do krykieta l. tenisa*). **3.** *pat. pot.* białe upławy. **4.** *druk.* białe plamy, puste miejsca. **5.** *szachy, warcaby* białe.

white sale *n. US handl.* wyprzedaż bielizny pościelowej i stołowej.

white salmon *n. icht.* gatunek serioli (*Seriola dorsalis*).

white sandalwood *n. bot.* sandałowiec biały (*Santalum album*).

white sapote *n. bot.* kazimira *l.* kazimierka jadalna (*Casimiroa edulis*).

white sapphire *n. C / U min.* leukoszafir.

white sauce *n. C / U kulin.* sos biały *l.* beszamelowy.

white-shoe [ˌwaɪtˈʃuː] *a. attr.* z wyższych sfer (*ale czynny w świecie wielkiego biznesu*).

white slave *n.* biała niewolnica (= *kobieta zmuszona do uprawiania prostytucji za granicą*).

white-slaver [ˈwaɪtˌsleɪvər] *n.* handlarz białymi niewolnicami, handlarz żywym towarem.

white slavery *n. U* handel żywym towarem.

whitesmith [ˈwaɪtˌsmɪθ] *n.* blacharz.

white snakeroot *n. bot.* sadziec pomarszczony (*Eupatorium rugosum*).

white space *n. U US pot. przen.* wolny czas.

white spirit *n. U Br.* rozpuszczalnik (*substytut terpentyny*).

white spruce *n. bot.* świerk biały (*Picea canadensis l. glauca*).

white squall *n. żegl.* nagła burza tropikalna, sygnalizowana przez zbliżający się pas białej wody.

white stick *n. Br.* = **white cane**.

white stork *n. orn.* bocian biały (*Ciconia ciconia*).

white sturgeon *n. icht.* jesiotr biały *l.* amerykański (*Acipenser transmontanus*).

white supremacist *n. antrop.* zwolenni-k/czka teorii o przewadze rasy białej nad innymi.

white supremacy *n. U antrop.* teoria o przewadze rasy białej; wiara w przewagę rasy białej.

white-tailed deer [ˌwaɪtˌteɪld ˈdɪr] *n. zool.* jeleń wirginijski (*Odocoileus virginianus*).

white-tailed kite *n. orn.* kaniuk amerykański (*Elanus leucurus*).

whitethorn [ˈwaɪtˌθɔːrn] *n. bot.* głóg dwuszyjkowy (*Crataegus oxyacantha*).

whitethroat [ˈwaɪtˌθroʊt] *n. orn.* **1.** (pokrzewka) cierniówka (*Sylvia communis*). **2.** (*także* **lesser ~**) (pokrzewka) piegża (*Sylvia curruca*).

white tie *n.* biała muszka; męski strój wieczorowy (= *frak i biała muszka*). – *a.* **white-tie occasion/event/party** przyjęcie wymagające stroju jw.

white titi *n. bot.* gatunek zwichroty (*Cyrilla racemiflora*).

white trash *n. U US obelż.* biała hołota (*zwł. = uboga biała ludność Południa*).

white trumpet lily *n. pl.* **-ies** *bot.* lilia długokwiatowa (*Lilium longiflorum*).

white turnip *n. C/U bot.* rzepa biała *l.* jadalna (*Brassica rapa*).

white vitriol *n. U chem.* witriol biały, siarczan cynkowy siedmiowodny.

whitewall [ˈwaɪtˌwɔːl] *n. US mot.* opona o białych bokach.

white walnut *n. bot.* orzech szary (*Juglans cinerea*).

whitewash [ˈwaɪtˌwɑːʃ] *n.* **1.** *U* mleko wapienne. **2.** *C/U przen. pot.* mydlenie oczu. **3.** *gł. Br. sport pot.* przegrana do zera. – *v.* **1.** bielić (*np. dom, ściany*). **2.** *przen. pot.* wybielić (*kogoś*); ukręcić łeb (*sprawie*). **3.** *gł. Br. sport pot.* wygrać do zera z (*kimś*).

white water *n. U* piana wodna.

whitewater canoeing [ˌwaɪtˌwɔːtər kəˈnuːɪŋ] *n. U sport* kajakarstwo wodne.

white water lily *n. pl.* **-ies** *bot.* lilia wodna biała (*Nymphea*).

white wedding *n. przen.* biały ślub (= *tradycyjny, kościelny*).

white whale *n. zool.* wal biały, białucha (*Delphinapterus leucas*).

white-winged dove [ˌwaɪtˌwɪŋd ˈdʌv] *n. orn.* gołębiak białoskrzydły (*Zenaida asiatica*).

white-winged scoter *n. orn.* uhla amerykańska (*Melanitta deglandi*).

whitewood [ˈwaɪtˌwʊd] *n.* **1.** *bot.* tulipanowiec amerykański (*Liliodendron tulipifera*). **2.** *bot.* lipa amerykańska (*Tilia americana*). **3.** *bot.* topola balsamiczna (*Populus balsamifera*). **4.** *U* drewno któregoś z drzew jw.

whitey [ˈwaɪtɪ], **whity** *n. US obelż. sl.* białas (= *osoba rasy białej*).

whither [ˈwɪðər] *adv. i conj.* **1.** *arch.* dokąd; gdzie. **2.** ~ **X?** *lit. l. żart.* dokąd zmierza X?, jaka będzie przyszłość X?

whiting[1] [ˈwaɪtɪŋ] *n. U* (*także* **whitening**) wapno do bielenia.

whiting[2] *n. icht.* **1.** witlinek (*Merlangius merlangus*). **2.** morszczuk srebrzysty (*Merluccius bilinearis*).

whitish [ˈwaɪtɪʃ] *a.* białawy.

whitishness [ˈwaɪtɪʃnəs] *n. U* białawość.

whitleather [ˈwɪtˌleðər] *n.* = **white leather**.

Whitley Council [ˈwɪtlɪ ˌkaʊnsl] *n. Br.* rada whitleyowska (= *ciało złożone z pracodawców i pracobiorców powołane dla łagodzenia konfliktów*).

whitlow [ˈwɪtloʊ] *n. pat.* zastrzał, zanokcica.

Whitsun [ˈwɪtsən] *kość. n. C/U* **1.** (*także* **Whit Sunday**) Zielone Świątki (*niedziela Zielonych Świąt*). **2.** (*także* **Whitsuntide**) tydzień zielonoświątkowy. – *a.* zielonoświątkowy.

whittle [ˈwɪtl] *v.* **1.** ciosać, strugać; wyciosać, wystrugać (*sth from sth* coś z czegoś); ~ **(away/down)** ociosać. **2.** ~ **away (at)** *przen.* obcinać (*np. wydatki*), zmniejszać (*np. uprawnienia*); ~ **down** redukować (*np. koszty*). – *n. Br. dial.* długi nóż (*zwł. rzeźnicki*).

whity [ˈwaɪtɪ] *a.* **-ier, -iest** białawy. – *n. pl.* **-ies** = **whitey**.

whiz [wɪz], **whizz** *v.* **-zz- 1.** świstać. **2.** *pot.* śmigać. – *n.* **1.** świst. **2.** (*także* **wiz**) *pot.* geniusz.

whizbang [ˈwɪzˌbæŋ], **whizzbang** *zwł. US pot. n.* **1.** *wojsk.* pocisk małokalibrowy o dużej szybkości. **2. a ~ of a car** supersamochód. – *a.* super.

whizkid [ˈwɪzˌkɪd], **whizzkid** *n. zwł. US pot.* młody geniusz.

WHO [ˌdʌbljuː ˌeɪtʃ ˈoʊ] *abbr.* = **World Health Organization**.

who [huː] *pron.* **1.** kto; ~ **is it?** (*także* ~**'s there?**) kto tam?; ~ **are you to...** kim ty jesteś, że... (= *co daje ci prawo do...*); ~ **did you invite?** (*także form.* **whom did you invite?**) kogo zaprosiliście?; ~**'s** ~ kto jest kim (*t. jako publikacja*). **2.** który; **Melanie, ~ studied at Yale,...** Melanie, która studiowała w Yale,...; **those ~ speak more than two foreign languages** ci, którzy znają więcej niż dwa języki obce.

whoa [woʊ] *int.* prrr! (*do konia*).

who'd [huːd] *abbr.* **1.** = **who had**. **2.** = **who would**.

whodunit [huːˈdʌnɪt], **whodunnit** *n. pot.* kryminał (*powieść, sztuka l. film*).

whoever [huːˈevər] *pron.* **1.** ktokolwiek; ~ **he may be** kimkolwiek by był. **2.** ten, kto; ~ **gets there first** ten, kto pierwszy tam dotrze. **3.** *w pytaniach emf.* któż, kto taki; ~ **told you that** któż ci to powiedział?.

whole [hoʊl] *a.* **1.** cały (*t. = nietknięty*); **the ~ school/village** cała szkoła/wieś; **the ~ time** (przez) cały czas. **2.** pełny (= *pełnowartościowy*). **3.** *mat.* całkowity. **4.** *attr.* rodzony (*o bracie, siostrze*). **5.** *arch.* zdrowy. **6.** *przen.* **a ~ new ball game** *zob.* **ball game**; **go (the) ~ hog** *zob.* **hog** *n.*; **in the ~ (wide) world** na całym świecie; **out of ~ cloth** *zob.* **cloth**; **that's the ~ point!** *zob.* **point** *n.*; **the ~ ball of wax** *zob.* **ball**[1] *n.*; **the ~ enchilada** *zob.* **enchilada**; **the ~ (kit and) caboodle** *zob.* **caboodle**; **the ~ lot (of it)** wszystko (to); **the ~ lot (of them)** wszyscy (oni); **the/this ~ thing** to wszystko, cała ta sytuacja. – *adv.* w całości (*np. zjeść, połknąć*). – *n.* całość; **as a ~** jako całość; **on the ~** ogółem, ogólnie biorąc; **the ~ of sth** całość czegoś; **the ~ of September** (przez) cały wrzesień.

whole blood *n. U med.* krew całkowita *l.* pełna.

wholefood [ˈhoʊlˌfuːd] *n. U Br.* zdrowa żywność, żywność naturalna.

wholefoods [ˈhoʊlˌfuːdz] *n. pl. Br.* zdrowe *l.* naturalne produkty.

wholegrain [ˈhoʊlˌgreɪn] *a. Br. i Austr.* pełnoziarnisty (*o chlebie, muesli*).

wholehearted [ˌhoʊlˈhɑːrtɪd] *a.* **1.** całkowity, pełny (*np. o aprobacie, poparciu*). **2.** entuzjastyczny (*np. o wkładzie*); energiczny (*np. o wysiłkach*).

wholeheartedly [ˌhoʊlˈhɑːrtɪdlɪ] *a.* **1.** z całego serca, całkowicie, w pełni. **2.** entuzjastycznie; energicznie.

wholeheartedness [ˌhoʊlˈhɑːrtɪdnəs] *n. U* **1.** pełnia (*np. aprobaty, poparcia*). **2.** energiczność (*np. wysiłków*).

wholemeal ['hoʊlˌmi:l] *n. Br.* = **whole-wheat**.
whole milk *n. U* mleko pełne *l.* pełnotłuste.
wholeness ['hoʊlnəs] *n. U lit.* jedność, niepodzielność.
whole note *n. US i Can. muz.* cała nuta.
whole number *n. mat.* liczba całkowita.
wholesale ['hoʊlˌseɪl] *a.* **1.** *handl.* hurtowy. **2.** *przen.* masowy (*np. o rzezi*); totalny (*np. o zniszczeniu*); kompleksowy (*np. o zmianach, reformach*). – *adv.* **1.** *handl.* hurtowo, hurtem. **2.** *przen.* masowo; totalnie; kompleksowo. – *n. U handl.* hurt; sprzedaż hurtowa; **at ~** hurtowo, hurtem; po cenach hurtowych.
wholesaler ['hoʊlˌseɪlər] *n. handl.* hurtowni-k/czka.
whole snipe *n. orn.* bekas, kszyk (*Gallinago gallinago*).
wholesome ['hoʊlsəm] *a.* **1.** zdrowy (= *korzystny dla zdrowia; t. przen. np. o rozrywce*); pożywny. **2.** zdrowo wyglądający (*o osobie*).
wholesomely ['hoʊlsəmlɪ] *adv.* zdrowo (= *w sposób korzystnie dla zdrowia*).
wholesomeness ['hoʊlsəmnəs] *n. U* korzystny wpływ na zdrowie.
whole-souled [ˌhoʊl'soʊld] *a.* = **whole-hearted**.
whole step *n. US i Can. muz.* cały ton.
whole tone *n. Br.* = **whole step**.
whole-tone scale [ˌhoʊlˌtoʊn 'skeɪl] *n. muz.* skala całotonowa.
wholewheat ['hoʊlˌwi:t], **whole-wheat** *a. US i Can.* **1.** pytlowy (*o mące*). **2.** razowy (*o chlebie*).
who'll [hu:l] *abbr.* = **who will**; = **who shall**.
wholly ['hoʊlɪ] *adv.* całkowicie, w pełni.
whom [hu:m] *pron. gł. form.* **1. (for) ~** (dla) kogo; **to ~** komu; **about/in/on/with ~** o/w/na/z kim. **2.** którego; **people ~ it is difficult to cheat** ludzie, których trudno oszukać.
whomever [hu:m'evər] *pron. form.* kogokolwiek; komukolwiek; kimkolwiek.
whomp [wɑ:mp] *US pot. n.* łomot, grzmot. – *v.* **1.** rozgromić (*np. drużynę przeciwnika*), dołożyć (*komuś*). **2.** przyłożyć (*komuś*). **3.** grzmieć (*np. o działach*).
whoop [hu:p] *v.* **1.** krzyczeć (*with sth* z czegoś) (*np. z entuzjazmu, radości*). **2.** *pat.* piać (*o chorym na koklusz*). **3. ~ it up** *pot.* balować (*głośno*); *US* wzbudzać entuzjazm (*for sth* dla czegoś). – *n.* **1.** głośny okrzyk (*of sth* czegoś) (*zwł. aprobaty, entuzjazmu, radości*). **2.** *pat.* pianie (*przy kokluszu*). **3. not worth a ~** *przen.* nic nie wart.
whoop-de-do ['wu:pdəˌdu:] *n. US pot.* **1.** balanga. **2.** zamieszanie, dużo szumu (*wokół czegoś*).
whoopee ['wʊpi:] *int. US* hurra!. – *n. U pot.* **make ~** *US przest.* kochać się (*z kimś*); *Br. przest.* ostro balować.
whoopee cup *n. pot.* torba chorobowa (*w samolocie, na promie*).
whooper ['hu:pər] *n.* (*także* **~ swan**) *orn.* łabędź krzykliwy (*Cygnus cygnus*).
whooping cough ['hu:pɪŋ ˌkɔ:f] *n. U pat.* krztusiec, koklusz.
whooping crane *n. orn.* żuraw krzykliwy (*Grus americana*).
whoops [wʊps] *int. pot.* oj!, ojej! (*okrzyk wydawany np. gdy coś upadnie l. gdy popełnimy błąd*).
whoops-a-daisy [ˌwʊpsə'deɪzɪ] *int. pot.* bęc!, bach! (*zwł. do dziecka, które się przewróciło*).
whoosh [wu:ʃ], **woosh** *onomat. n. zw. sing.* szum; świst. – *v. pot.* szumieć, świszczeć; śmigać; **~ down/past** upaść/przemknąć z szumem *l.* świstem. – *int.* ziut!.
whop [wɑ:p], **whap, wop** *v.* **-pp-** *zwł. US pot.* **1.** lać, prać (*kogoś*). **2.** *przen.* dołożyć (*komuś*), zakasować. **3.** spaść. – *n.* łupnięcie, walnięcie. – *int.* łup!.
whopper ['wɑ:pər] *n. pot.* **1.** kolos; kolubryna, kobyła (= *coś bardzo wielkiego*). **2.** grube kłamstwo.
whopping ['wɑ:pɪŋ] *a. attr.* (*także* **~ great**) *pot.* wielgachny, ogromniasty.
whore [hɔ:r] *n.* **1.** *wulg. pot. obelż.* kurwa, dziwka. **2.** *Bibl.* nierządnica. – *v. wulg. pot.* **1.** puszczać się, kurwić się. **2.** być dziwkarzem.
whoredom ['hɔ:rdəm] *n. U* **1.** *lit.* rozpusta, prostytucja; *pot.* puszczanie się, kurwienie się. **2.** *Bibl.* bałwochwalstwo.
whorehouse ['hɔ:rˌhaʊs] *n. pot.* burdel.
whoremaster ['hɔ:rˌmæstər] *n. arch.* **1.** dziwkarz. **2.** rajfur.
whoremonger ['hɔ:rˌmɑ:ŋgər] *n. arch.* dziwkarz.
whoremongery ['hɔ:rˌmɑ:ŋgərɪ] *n. U arch.* dziwkarstwo.
whoreson ['hɔ:rsən] *n. arch. obelż.* **1.** bękart. **2.** skurwysyn, szuja.
whorish ['hɔ:rɪʃ] *a. wulg. pot. obelż.* kurewski, dziwkarski.
whorl [wɝ:l] *n.* **1.** *bot.* okółek, baldaszek. **2.** *zool.* skręt spirali muszli. **3.** *anat.* zwój linii papilarnych. **4.** zwój spirali.
whorled [wɝ:ld] *a.* skręcony spiralnie.
whortleberry ['wɝ:tlˌberɪ] *n. pl.* **-ies** *bot.* czarna jagoda, borówka czarna, czernica (*Vaccinum myrtillus*); **bog ~** borówka bagienna, włochinia, łochynia (*Vaccinum uliginosum*).
who's [hu:z] *abbr.* = **who is**.
whose [hu:z] *pron.* **1.** czyj; **~ key is this?** czyj to klucz?. **2.** którego; której; których; **my friend, without whose help ...** mój przyjaciel, bez pomocy którego ...
whoso ['hu:soʊ], **whosoever** *n. arch.* = **whoever**.
WH question [ˌdʌblju: 'eɪtʃ ˌkwestʃən] *n. gram.* pytanie szczegółowe.
Whr *abbr.* = **watt-hour**.
whsle *abbr.* = **wholesale**.
why [waɪ] *adv. i conj.* dlaczego; **~ me/him?** dlaczego ja/on?; **~ not?** czemu nie?; **~ not try it?** (*także* **~ don't you try it?**) a może byś (tak) spróbował?; **~ or ~...** *emf.* czemuż (ach czemu)...; **~ the hell/on earth...?** *emf. pot.* dlaczego u diabła/u licha...?; **~ wait?** po co czekać?. – *pron.* **the reason ~...** powód, dla którego...; **that's ~** dlatego (też *l.* właśnie). – *int. zwł. US* **1.** a niech mnie!. **2.** no wiesz!. – *n. zw. pl.* przyczyna, powód; **the ~s and wherefores** *zob.* **wherefore** *n.*

whydah ['wɪdə] *n.* = **widow bird.**

WI *abbr.* **1.** = **West Indies**; = **West Indian. 2.** *US* = **Wisconsin. 3. Women's Institute** *Br.* Koło Gospodyń Domowych (*jedno z ok. 9000 istniejących w Anglii i Walii*).

wick¹ [wɪk] *n.* knot (*np. lampy, świecy*).

wick² *n. arch.* (*z wyj. w nazwach*) wioska; przysiółek.

wicked ['wɪkɪd] *a.* **1.** niegodziwy, podły (*o osobie*); zły (*zwł. o czarownicy, macosze*). **2.** haniebny (*np. o zbrodni*). **3.** szelmowski (*np. o uśmiechu*). **4.** *pot.* złośliwy (*o koniu*). **5.** *pot. emf.* niesamowity, super.

wickedly ['wɪkɪdlɪ] *adv.* **1.** niegodziwie, podle. **2.** szelmowsko (*np. uśmiechać się*).

wickedness ['wɪkɪdnəs] *n. U* niegodziwość, podłość.

wicker ['wɪkər] *n. U* **1.** łoza. **2.** wiklina. – *a. attr.* wiklinowy, z wikliny.

wicker basket *n.* kosz wiklinowy.

wickerwork ['wɪkərˌwɜ:k] *n. U* wiklina. – *a. attr.* wiklinowy, z wikliny.

wicket ['wɪkɪt] *n.* **1.** *US* okienko (*w kasie*). **2.** (*także* ~ **gate**) furtka w dużej bramie. **3.** *krykiet* bramka; linia bramki; **keep** ~ stać za bramką (*o graczu drużyny miotającej*); **take two ~s** zdobyć dwie bramki. **4.** *krykiet* kolejka pałkarza; eliminacja pałkarza. **5.** *US krokiet* bramka. **6. (be on) a sticky** ~ *zob.* **sticky**.

wicket gate *n.* = **wicket** 2.

wicket keeper *n. krykiet* gracz strony miotającej stojący za bramką.

wicket maiden *n. krykiet* kolejka bez wybitych piłek i z jedną zdobytą bramką.

wickiup ['wɪkɪˌʌp], **wickyup, wikiup** *n. US i Can.* prymitywny szałas indiański.

wicopy ['wɪkəpɪ] *n. US bot.* **1.** wierzbówka kiprzyca (*Chamaenerion angustifolium*). **2.** = **leatherwood. 3.** = **basswood. 4.** = **staggerbush.**

widdershins ['wɪdərˌʃɪnz] *adv.* = **withershins.**

wide [waɪd] *a.* **1.** *t. przen.* szeroki; ~ **variety/selection** szeroki wybór; **~r context/view** szerszy kontekst/pogląd; **six miles** ~ szeroki na sześć mil. **2.** rozległy (*np. o krajobrazie, zainteresowaniach, doświadczeniu*). **3.** duży (*np. o różnicy, zróżnicowaniu*). **4.** *pred.* szeroko otwarty (*o oczach, ustach*). **5.** chybiony (*o strzale*). **6.** *przen.* ~ **of the mark** *zob.* **mark¹** *n.*; **give sb/sth a** ~ **berth** *zob.* **berth**; **in the big** ~ **world** w szerokim świecie; **win by a** ~ **margin** *zob.* **margin**. – *adv.* **1.** szeroko; ~ **apart** szeroko rozstawiony; ~ **open** szeroko otwarty; otwarty na oścież; **open ~!** proszę szeroko otworzyć usta!. **2.** z dala, daleko (*of sth* od czegoś); **the shot went** ~ strzał poszedł daleko od celu. **3.** ~ **awake** kompletnie rozbudzony; *przen.* czujny. **4. search/hunt far and** ~ **for sth** szukać czegoś wszędzie. – *n.* **1.** *krykiet* piłka przechodząca obok bramki poza zasięgiem pałkarza i licząca się na jego korzyść. **2. the** ~ *arch. l. poet.* szeroki świat. **3. to the** ~ *pot.* kompletnie, doszczętnie (*np. zrujnowany*).

wide angle *n.* szeroki kąt.

wide-angle lens [ˌwaɪdˌæŋgl 'lenz] *n. fot., opt.* obiektyw szerokokątny.

wide area network *n. komp.* sieć rozległa.

wide-body ['waɪdˌbɑ:dɪ] *a. attr. lotn.* szerokokadłubowy (*o samolocie*).

wide boy *n. Br. przen. pot.* kombinator.

wide-eyed [ˌwaɪd'aɪd] *a.* **1.** z szeroko otwartymi oczyma (*zwł. ze strachu l. zdziwienia*). **2.** *przen.* naiwny. – *adv.* z szeroko otwartymi oczyma (= *w zdumieniu*).

widely ['waɪdlɪ] *adv.* **1.** szeroko (*np. uśmiechać się, ziewać*). **2.** ogólnie, powszechnie (*np. dostępny, przyjęty, znany*). **3.** znacznie (*np. odbiegać, różnić się*). **4. travel** ~ dużo podróżować.

widen ['waɪdən] *v.* **1.** rozszerzać (się), poszerzać (się) (*by...* o...). **2.** otwierać się szerzej (*np. o luce, oczach*).

wideness ['waɪdnəs] *n. U* **1.** szerokość (*np. uśmiechu*). **2.** rozległość (*np. zainteresowań*). **3.** szerokie otwarcie; szerokie rozwarcie.

wide-open [ˌwaɪd'oʊpən] *a.* **1.** szeroko otwarty *l.* rozwarty. **2.** *US pot.* nieprzesadzający z przestrzeganiem przepisów (*podatkowych, antynarkotykowych itp.; o mieście*).

wide-ranging [ˌwaɪd'reɪndʒɪŋ] *a.* **1.** szeroko zakrojony (*np. o dyskusji*). **2.** daleko idący (*np. o skutkach*).

wide-screen [ˌwaɪd'skri:n] *n. film* szerokoekranowy.

widespread [ˌwaɪd'spred] *a.* (szeroko) rozpowszechniony, powszechny.

widgeon ['wɪdʒən], **wigeon** *n. orn.* świstun (*Anas penelope*).

widget ['wɪdʒɪt] *n. pot.* patent; wihajster.

widow ['wɪdoʊ] *n.* **1.** wdowa; **sb's** ~ wdowa po kimś. **2.** *w złoż. żart.* **fishing/football** ~ żona zapalonego wędkarza/kibica piłkarskiego; **grass** ~ słomiana wdowa. **3.** *druk.* bękart (= *wiersz zawieszony*). – *v. zw. pass.* **be ~ed** owdowieć.

widow bird *n.* (*także* **whidah, whydah**) *orn.* wdówka (*Vidua*).

widower ['wɪdoʊər] *n.* **1.** wdowiec. **2. grass** ~ słomiany wdowiec.

widowhood ['wɪdoʊˌhʊd] *n. U* wdowieństwo.

widow's benefit *n. Br.* renta wdowia (*wypłacana tygodniowo*).

widow's cruse *n. Bibl. l. przen.* niewyczerpane źródło.

widow's mite *n. Bibl. l. przen.* wdowi grosz.

widow's peak *n. przen.* trójkącik włosów zarastający środek czoła (*mający jakoby zwiastować rychłe wdowieństwo*).

widow's weeds *n. lit.* wdowie szaty.

width [wɪdθ] *n. U* **1.** szerokość (*t. C – np. basenu, materiału*); **be 6 meters in** ~ mieć 6 metrów szerokości. **2.** zakres, zasięg.

widthways ['wɪdθˌweɪz], **widthwise** ['wɪdθˌwaɪz] *adv.* na szerokość, od jednego końca do drugiego.

wield [wi:ld] *v. lit.* **1.** dzierżyć (*np. władzę, berło, miecz*). **2.** trzymać w ręku (*np. pałkę, kij baseballowy*). **3.** władać (*bronią, piórem*).

wiener ['wi:nər], **wienie, weenie** ['wi:nɪ] *n. US i Can.* **1.** *kulin.* kiełbaska, parówka. **2.** *gł. dziec. pot.* głuptas. **3.** *dziec.* siusiak, ptaszek (= *penis*).

wiener dog *n. US i Can. pot.* jamnik.

Wiener schnitzel *n. kulin.* sznycel wiedeński.

wife [waɪf] *n. pl.* **wives** [waɪvz] **1.** żona; *form.* małżonka; **take sb to ~** wziąć (sobie) kogoś za żonę. **2.** *arch. l. dial.* niewiasta, białogłowa. **3. old wives' tale** *zob.* **old.**

wifely ['waɪflɪ] *a. przest.* żoniny.

wife swapping *n. U* zamienianie się żonami.

wig [wɪg] *n.* **1.** peruka. **2.** *pot.* peruczka, tupecik. – *v.* **-gg- 1.** *form.* założyć perukę (*komuś*). **2.** *Br. przest. pot.* opierniczyć, ochrzanić.

wigan ['wɪgən] *n. U* sztywnik (*w tkaninie*).

wigeon ['wɪdʒən] *n.* = **widgeon.**

wigging ['wɪgɪŋ] *n. Br. przest. pot.* opiernicz, ochrzan.

wiggle ['wɪgl] *v.* **1.** huśtać; kołysać (*np. biodrami*); **~ one's ears** ruszać uszami. **2.** huśtać się, kołysać się. – *n. pot.* **1.** huśtanie (się); kołysanie (się). **2.** zakrętas, zawijas. **3. get a ~ on!** *US pot.* rusz się!

wiggly ['wɪglɪ] *a.* **-ier, -iest 1.** rozkołysany. **2.** falisty (*o linii*).

wight[1] [waɪt] *n. arch. l. żart.* istota (*ludzka*), osobnik.

wight[2] *a. arch.* chrobry (= *dzielny*).

wigmaker ['wɪgˌmeɪkər] *n.* peruka-rz/rka.

wigwag ['wɪgˌwæg] *v.* **-gg- 1.** huśtać; kołysać (*czymś*). **2.** huśtać się; kołysać się. **3.** *żegl.* sygnalizować flagami. – *n.* **1.** *żegl.* sygnalizowanie flagami. **2.** *żegl.* wiadomość podana sygnałem flagowym. **3.** *kol.* sygnał przejazdowy ruchomy.

wigwam ['wɪgˌwɑːm] *n.* **1.** wigwam. **2.** *US pot.* prowizoryczny budynek na zebrania polityczne.

wikiup ['wɪkɪˌʌp] *n.* = **wickiup.**

wild [waɪld] *a.* **1.** dziki (*o roślinach, zwierzętach, okolicy*). **2.** szalony (*t. np. o planie, pomyśle, zamierzeniu*); rozszalały; **~ with rage** szalejący z wściekłości; **~ with pain** oszalały z bólu. **3.** burzliwy (*np. o czasach, młodości*). **4.** gwałtowny (*o burzy*). **5.** rozwichrzony, rozczochrany (*o włosach*). **6.** błędny (*o wzroku*). **7.** na chybił trafił, na oślep (*o ataku, pytaniu, strzale*). **8.** *przen.* **~ and wooly** *zob.* **wooly** *a.*; **be ~ about sb/sth** przepadać za kimś/czymś; **go ~** oszaleć (*t. o publiczności*); wściec się; **(never) in my ~est dreams (did I think...)** (nawet) w najśmielszych snach (nie przypuszczałem, że...); **sb's eyes are ~** ktoś ma obłęd w oku; **sow one's ~ oats** *zob.* **oats; sth beyond sb's ~est dreams** coś, o czym się komuś nawet nie śniło; **take a ~ guess** zgadywać na chybił trafił. – *adv.* **1.** dziko (*np. rosnąć*). **2. run ~** dziczeć (*o zwierzętach, ogrodzie*); plenić się, rozrastać się (*o roślinach*); biegać samopas (*o dzieciach*). **3.** *Ir. pot.* strasznie (*np. głupi*). – *n. C / U* **in the ~** w (swoim) naturalnym środowisku (*o zwierzętach*); **the ~s of sth** dzikie zakątki czegoś (*jakiegoś kraju, kontynentu*).

wild boar *n. zool.* dzik (*Sus scrofa*).

wild brier *n.* (*także* **wild rose**) **1.** róża dzika, szypszyna (*Rosa canina*). **2.** róża rdzawa *l.* szkocka (*Rosa rubiginosa*).

wild card *n.* **1.** *karty* karta zastępująca każdą inną (*np. dżoker*). **2.** *komp.* znak-symbol reprezentujący każdy inny znak. **3.** osoba o nieprzewidywalnym zachowaniu (*np. nowa w towarzystwie*). **4.** *sport* dzika karta.

wild carrot *n. bot.* dzika odmiana marchwi siewnej (*Daucus carota*).

wildcat ['waɪldˌkæt] *n.* **1.** *zool.* żbik (*Felis silvestris*). **2.** *zool.* = **lynx. 3.** *US i Can. zool.* = **bobcat. 4.** *pot.* agresywny osobnik, awanturnik. **5.** *US i Can. kol. pot.* lokomotywa manewrowa. **6.** *US i Can.* próbny odwiert (*na niezbadanym terenie*). **7.** *żegl.* bęben łańcuchowy (*windy kotwicznej*). **8.** *US i Can.* ryzykowne przedsięwzięcie (*handlowe*). – *a. attr.* **1.** dziki (*o strajku*). **2.** niepewny (*o akcjach, firmie*). **3.** *kol.* nadzwyczajny, poza rozkładem (*o pociągu*). – *v.* **-tt-** *US i Can.* szukać ropy naftowej *l.* gazu na niezbadanym terytorium.

wildcat strike *n.* dziki strajk.

wildcatter ['waɪldˌkætər] *n. US i Can. pot.* **1.** poszukiwacz ropy naftowej *l.* gazu. **2.** ryzykujący przedsiębiorca.

wild cherry *n. pl.* **-ies** *bot.* czereśnia ptasia (*Prunus avium*).

wild dog *n. zool.* dziki pies (*zwł. dingo*).

wildebeest ['vɪldəˌbiːst] *n. pl.* **-beestes** *l.* **-beest** *zool.* gnu (*Connochaetes gnu l. Connochaetes taurinus*).

wilder ['wɪldər] *v. arch.* **1.** (dać się) wywieść na manowce. **2.** ogłupieć.

wilderness ['wɪldərnəs] *n. U l. sing.* **1.** dzicz; pustynia; puszcza; pustkowie; odludzie. **2.** celowo zapuszczona część ogrodu. **3.** *przen.* **the ~ of sth** bezładna masa czegoś (*np. roślin w ogrodzie*); niebezpieczne obszary czegoś (*np. życia w wielkim mieście*); **in the ~** w odstawce (*o polityku*); **a voice (crying) in the ~** *t. Bibl.* głos wołającego na pustyni.

wilderness area *n. US ekol.* obszar dzikiej przyrody (*znajdujący się pod ochroną*).

wild-eyed [ˌwaɪld'aɪd] *a.* **1.** z błędnym wzrokiem, z obłędem w oku. **2.** *przen.* niewykonalny (*o pomysłach*).

wildfire ['waɪldˌfaɪr] *n. U* **1.** *hist.* ogień grecki. **2.** ciche wyładowanie elektryczne. **3.** błędny ognik. **4. spread like ~** *przen.* rozchodzić się lotem błyskawicy.

wildflower ['waɪldˌflaʊər], **wild flower** *n.* kwiat polny *l.* leśny.

wildfowl ['waɪldˌfaʊl] *n. pl.* **wildfowl 1.** dziki ptak (*zwł. wodny*). **2.** *U* dzikie ptactwo (*jw.*).

Wild Geese *n. pl. hist.* irlandzcy żołnierze zaciężni w XVII-XX w. (*służący w krajach katolickich, zwł. we Francji*).

wild ginger *n. U bot.* amerykański gatunek kopytnika (*Asarum canadense*).

wild-goose chase [ˌwaɪld'guːs ˌtʃeɪs] *n. sing.* szukanie wiatru w polu; **go on a ~** szukać wiatru w polu.

wild hyacinth *n. bot.* dziki hiacynt (*Endymion nonscriptus*).

wild indigo *n. bot.* dzikie indygo, bratwa barwierska (*Baptisia tinctoria*).

wilding ['waɪldɪŋ] *n.* **1.** dzika jabłoń. **2.** *bot.* dziczka. **3.** dzikie zwierzę.

wild lettuce *n. C / U bot.* **1.** sałata kompasowa

(*Lactuca serriola*). **2.** sałata amerykańska (*Lactuca canadensis*).

wild licorice, *Br.* **wild liquorice** *n. bot.* **1.** lukrecja słodka (*Glycyrrhiza glabra*). **2.** traganek szerokolistny, wilczy groch (*Astragalus glycophyllos*).

wildlife [ˈwaɪldˌlaɪf] *n. U* fauna i flora.

wildly [ˈwaɪldlɪ] *adv.* **1.** dziko, wściekle; na ślepo (*np. atakować, uderzać*). **2.** na chybił trafił (*np. zgadywać*). **3.** gorąco (*np. dopingować, bić brawo*). **4.** *emf.* niesamowicie (*np. romantyczny*); wysoce (*np. nieudany, entuzjastyczny*).

wild mustard *n. pot.* gorczyca polna, ognicha (*Sinapsis arvensis*).

wildness [ˈwaɪldnəs] *n. U* **1.** dzikość (*np. okolicy, usposobienia*). **2.** wściekłość (*np. ataków*). **3.** burzliwość (*np. oklasków*).

wild pansy *n. pl.* **-ies** *bot.* fiołek trójbarwny (*Viola tricolor*).

wild parsnip *n. bot.* pasternak zwyczajny (*Pastinaca sativa*).

wild rice *n.* **1.** *U bot.* zyzania wodna, wodny owies (*zizania aquatica*) **2.** *kulin.* dziki ryż.

wild rose *n.* = **wild brier**.

wild rye *n. U bot.* trawa z rodzaju wydmuchrzyc (*Elymus*).

wild track *n. film* nagranie „na płask".

Wild West *n.* **the** ~ *t. przen.* Dziki Zachód.

wile [waɪl] *n. zw. pl. form.* sztuczka, chwyt. – *v. przest.* wabić; ~ **sb into/to sth** zwabić kogoś dokądś; ~ **sb from sth** wywabić kogoś skądś.

wilful [ˈwɪlfʊl] *a. Br.* = **willful**.

wiliness [ˈwaɪlɪnəs] *n. U* chytrość, przebiegłość.

will[1] [wɪl] *v. pret.* **would** [wʊd] *abbr.* **'ll** [l] *neg.* **will not = won't** [woʊnt] **1.** (*służy do tworzenia czasu przyszłego*) **when ~ you be leaving?** kiedy wyjeżdżacie? **2.** (*wyraża chęć*) **I'll do whatever you say** zrobię, co zechcesz; **if you ~ wait a moment** jeśli zechce Pan/i chwilę zaczekać. **3.** (*wyraża prośbę l. propozycję*) ~ **you do mi a favor?** czy mogłabyś mi wyświadczyć przysługę?; **won't you have some more cake?** nie zjadłbyś jeszcze kawałka ciasta? **4.** (*wyraża prawdopodobieństwo*) **she'll be there by now** pewnie już tam jest; **that ~ be the mailman** to pewnie listonosz. **5.** (*wyraża polecenie wypowiadane z gniewem l. zniecierpliwieniem*) ~ **you be quiet, for God's sake!** bądźże cicho, na miłość Boską! **6.** (*wyraża nieuchronność l. prawdy ogólne*) **accidents ~ happen** wypadki chodzą po ludziach; **boys ~ be boys** chłopcy muszą sobie poszaleć; **taxes ~ go up** podatki zawsze rosną. **7.** (*wyraża negatywne nastawienie mówiącego*) **she ~ keep bragging** nic, tylko się chwali. **8.** ~ **do** *pot.* tak zrobię, zrobi się.

will[2] *n.* **1.** *C/U* wola; **against one's ~** wbrew woli; **at ~** dowolnie; wedle uznania, wedle własnego widzimisię; **by an effort of ~** wysiłkiem woli; **free ~** wolna wola; **of one's own free ~** z własnej woli; **God's ~** wola Boża; **good/ill ~** dobra/zła wola; **strong/iron ~** silna/stalowa wola; **the ~ to live/fight** wola życia/walki; **where there's a ~ there's a way** chcieć to móc, dla chcącego nie ma nic trudnego; **with a ~** energicznie, z zapałem; **with the best ~ in the world** mimo najlepszych chęci; **weak-/strong-~ed** o słabej/silnej woli. **2.** *prawn.* (*także* **last ~ and testament**) testament, ostatnia wola; **make a ~** spisać *l.* sporządzić testament. – *v. pret.* **willed 1.** *lit.* ~ **sb to do sth** starać się (siłą woli) sprawić, by ktoś coś zrobił; **I ~ed myself to go on** (wysiłkiem woli) zmusiłem się, żeby iść dalej. **2.** *prawn.* zapisywać w testamencie (*sth to sb* coś komuś). **3.** *arch. l. form.* pragnąć, życzyć sobie (*czegoś*); **what you ~** czego dusza zapragnie.

willable [ˈwɪləbl] *a. przest.* zależny od woli, wolicjonalny.

will contest *n. prawn.* postępowanie prawne celem obalenia testamentu.

willemite [ˈwɪləˌmaɪt] *n. U min.* wilemit, trustyt.

willet [ˈwɪlɪt] *n. orn.* błotowiec (*Catoptrophorus semipalmatus*).

willful [ˈwɪlfʊl], *Br.* **wilful** *a.* **1.** uparty, samowolny. **2.** świadomy, rozmyślny.

willfully [ˈwɪlfʊlɪ] *adv.* **1.** uparcie, samowolnie. **2.** świadomie, rozmyślnie.

willfulness [ˈwɪlfʊlnəs] *n. U* **1.** upór. **2.** celowość.

willie [ˈwɪlɪ] *n.* = **willy**.

willies [ˈwɪlɪz] *n. pl. pot.* **the ~** ciarki (= *uczucie niepokoju l. strachu*); **get the ~** dostać cykora; **give sb the ~** sprawić, że ciarki komuś chodzą po grzbiecie.

willing [ˈwɪlɪŋ] *a.* chętny, ochoczy; **be ~ to do sth** być gotowym *l.* skłonnym coś zrobić; **show ~** wykazywać dobre chęci; **the spirit is ~ but the flesh is weak** *Bibl.* duch jest ochoczy, ale ciało mdłe.

willingly [ˈwɪlɪŋlɪ] *adv.* z chęcią *l.* ochotą, chętnie, ochoczo.

willingness [ˈwɪlɪŋnəs] *n. U* chęć, ochota.

will-o'-the-wisp [ˌwɪləðəˈwɪsp] *n. t. przen.* błędny ognik.

willow [ˈwɪloʊ] *n.* **1.** *bot.* wierzba (*Salix*); **weeping ~** wierzba płacząca (*Salix babylonica*). **2.** *krykiet, baseball* pałka. **3.** *tk.* kleparka.

willow green *a. i n. U* (kolor) seledynowy.

willow grouse *n. orn.* pardwa mszarna *l.* szkocka (*Lagopus lagopus*).

willowherb [ˈwɪloʊˌɜːb] *n. bot.* **1.** wierzbówka (*rodzaj Epilobium*). **2.** (*także* **rosebay ~**) *gł. Br.* wierzbówka kiprzyca (*Chamaenerion angustifolium*).

willow pattern *n. ceramika* wzór z motywem wierzby (*na porcelanie, fajansie*).

willow tit *n. orn.* sikora czarnogłowa, czarnogłówka (*Parus montanus*).

willow warbler *n. orn.* piecuszek (*Phylloscopus trochilus*).

willowy [ˈwɪloʊɪ] *a.* **1.** smukły i gibki. **2.** giętki. **3.** obfitujący w wierzby.

willpower [ˈwɪlˌpaʊər] *n. U* siła woli; silna wola.

willy [ˈwɪlɪ], **willie** *n. pl.* **-ies** *Br. pot. zwł. dziec.* siusiak, ptaszek.

willy-nilly [ˌwɪlɪˈnɪlɪ] *adv.* **1.** chcąc nie chcąc.

2. na chybił trafił. – *a.* niezależny od naszej woli.

wilt[1] [wɪlt] *v.* **1.** więdnąć (*o kwiatach*). **2.** *pot.* oklapnąć (*t. o osobie, np. z gorąca*). **3.** osłabić. – *n.* **1.** więdnięcie. **2.** *bot.* choroba powodująca więdniecie.

wilt[2] *arch.* 2. os. l. poj. od „will".

wily ['waɪlɪ] *a.* **-ier, -iest** chytry, przebiegły.

wimble ['wɪmbl] *n.* świder ręczny. – *v.* wiercić (*ręcznym świdrem*).

wimp [wɪmp] *n. pot.* mięczak; słabeusz. – *v.* **~ out** *sl.* wymięknąć (= *stchórzyć*).

wimpish ['wɪmpɪʃ] *a.* (*także* **~y**) *pot.* mięczakowaty; słaby (*charakterem*).

wimple ['wɪmpl] *n. strój hist. l. kość.* kwef (*okrywający głowę i podbródek; noszony np. przez zakonnice*). – *v. arch.* **1.** założyć kwef (*komuś*). **2.** układać w fałdy (*zwł. welon*); opadać fałdami (*zwł. o welonie*).

wimpy ['wɪmpɪ] *a.* **-ier, -iest** = **wimpish**.

win [wɪn] *v.* **won, won, -nn- 1.** wygrywać (*at sth* w coś) (*np. w karty, totka*); zwyciężać; **~ by 5 points** wygrać pięcioma punktami; **~ sb sth** pomóc komuś wygrać coś. **2.** zdobywać (*np. miłość, serce, sławę, zwolenników*); zyskiwać (*np. aprobatę, poparcie*). **3. ~ hands down** wygrać z łatwością *l.* bez wysiłku; **~ the day** zwyciężyć, odnieść zwycięstwo (*t. np. o zdrowym rozsądku*); **(okay) you ~** *pot.* (no dobra,) niech ci będzie; **you ~ some you lose some** (*także* **you can't ~ them all**) *pot.* nie można mieć wszystkiego, nie wszystko się zawsze udaje (*pocieszając kogoś*); **you can't ~** i tak źle, i tak niedobrze. **4. ~ sb around/ round/over** przeciągnąć kogoś na swoją stronę, pozyskać kogoś; **~ back** odzyskać (*np. elektorat, poparcie*); **~ out** *US*/**through** *Br. i Austr.* zwyciężyć (*koniec końców*). – *n.* wygrana; zwycięstwo (*over sb* nad kimś).

wince [wɪns] *v.* **1.** krzywić się (*np. z bólu*). **2. ~ at the thought/memory of sth** wzdragać się na myśl/wspomnienie o czymś. – *n. zw. sing.* grymas (*np. bólu*); **give a ~** skrzywić się.

wincey ['wɪnsɪ] *n. U Br. tk.* mocna tkanina bawełniano-wełniana.

winceyette [ˌwɪnsɪ'et] *n. U Br. tk.* flanela bawełniana (*używana zwł. na piżamy itp.*).

winch [wɪntʃ] *n.* **1.** korba. **2.** kołowrót (*do wyciągania*). – *v.* podnosić za pomocą kołowrotu.

wind[1] [wɪnd] *n.* **1.** *C/U* wiatr; **gust of ~** powiew wiatru; **in the ~** na wietrze (*np. łopotać*); **into/against the ~** pod wiatr; **light/gentle ~** lekki/łagodny wietrzyk *l.* wiaterek; **north/east ~** wiatr północny/wschodni; **strong/high ~s** silne wiatry; **the ~ blows/is blowing** wiatr wieje; **the ~ drops** wiatr słabnie; **the ~ is (picking) up** (*także* **the ~ gets up**) wiatr wzmaga się. **2.** *U* oddech; **get one's ~ (back)** (*także* **catch/regain one's ~**) odzyskać oddech; **get one's second ~** złapać drugi oddech; **knock the ~ out of sb** pozbawić kogoś oddechu *l.* tchu (*przez uderzenie w dołek*). **3.** *U Br. i Austr.* wiatry (*w jelitach*); wzdęcie; **break ~** puszczać wiatry; **get ~** dostawać wzdęcia; **give sb ~** wzdymać kogoś (*o potrawie*). **4.** *pl.* **the ~s** *muz.* instrumenty dęte. **5.** *U pot.* puste słowa, gadanina. **6.** *przen.* **be in the ~** święcić się, wisieć w powietrzu; **find out/see which way/how the ~ blows/is blowing** zorientować się w sytuacji; **get ~ of sth** *pot.* zwietrzyć coś; **get/put the ~ up sb** *Br. i Austr. pot.* napędzić komuś stracha; **in the eye/teeth of the ~** (*także* **in the ~'s eye**) *żegl.* pod wiatr; **it's an ill ~ that blows nobody good** *zob.* **ill** *a.*; **off the ~** *żegl.* baksztagiem; **on the ~** *żegl.* ostro do wiatru; **raise the ~** *Br. pot.* zdobyć forsę; **sail close/near to the ~** stąpać po cienkim lodzie, balansować na granicy; **take the ~ out of sb's sails** zbić kogoś z tropu; **the ~s of war/revolution** wichry wojny/rewolucji; **three sheets in/into the ~** *zob.* **sheet**[2] *n.*; **throw caution to the ~** *zob.* **caution** *n.*; **waste ~** gadać po próżnicy. – *v.* **1.** pozbawiać tchu, przyprawiać o zadyszkę; **be ~ed** mieć zadyszkę (*by sth* wskutek czegoś) (*np. biegu, uderzenia w dołek*). **2.** *t. myśl.* zwietrzyć; wytropić po zapachu. **3.** wietrzyć; suszyć na wietrze. **4. ~ a baby** pozwolić, żeby dziecku się odbiło.

wind[2] [waɪnd] *v.* **wound** [waʊnd], **wound 1.** nawijać (*sth on sth* coś na coś); owijać (*sth around sth* coś wokół czegoś). **2.** otulać; owijać (*sth in sth* coś czymś). **3.** (*także* **~ its way**) wić się (*np. o drodze, rzece*) (*along sth* wzdłuż czegoś, *through sth* przez coś). **4.** podnosić *l.* ciągnąć przy pomocy kołowrotu. **5.** być wypaczonym (*np. o desce*). **6. ~ back** przewijać (do tyłu) (*kasetę, taśmę*); **~ down** relaksować *l.* odprężać się; pracować coraz wolniej (*o mechanizmie*); pomału *l.* stopniowo dobiegać końca; **~ sth down** pomału likwidować *l.* zwijać coś (*interes*); **~ down the window** *Br. mot.* opuszczać okno (*w samochodzie*); **~ forward** przewijać do przodu, kasetę, taśmę; **~ up** *pot.* zakończyć się; skończyć, wylądować (*gdzieś*); **~ up in jail** skończyć w więzieniu; **~ up doing sth** w końcu coś zrobić; w końcu zacząć coś robić; **~ sb up** *Br. pot.* podpuszczać kogoś (= *prowokować*); wciskać komuś kit; wkurzać kogoś; **~ sth up** nakręcać coś (*np. zegar, zabawkę*); zakończyć coś (*np. spotkanie*); *Br. i Austr.* zamknąć *l.* zwinąć coś (*interes*); **~ up the window** *Br. mot.* podnosić *l.* podkręcać okno. – *n.* **1.** skręt; zakręt (*np. drogi, rzeki*). **2.** obrót (*korby, śruby*); **give sth one more ~** obrócić coś jeszcze raz (*np. korbę, śrubę*).

wind[3] [waɪnd] *v. pret. i pp.* **-ed** *l.* **wound** [waʊnd] *poet.* wygrać (*np. nutę, sygnał na trąbce*).

windable ['waɪndəbl] *a.* nakręcany (*np. o zabawce*).

windage ['wɪndɪdʒ] *n. U* **1.** *wojsk.* wpływ wiatru na odchylenie toru pocisku, poprawka na wiatr; odchylenie toru pocisku wskutek wiatru. **2.** *wojsk.* różnica pomiędzy kalibrem pocisku i (gładkiej) lufy.

windbag ['wɪndˌbæg] *n. pot.* gaduła.

wind-bells ['wɪndˌbelz] *n. pl.* (*także* **wind-chimes**) dzwoneczki poruszane wiatrem.

windblown ['wɪndˌbloʊn] *a.* **1.** niesiony wiatrem (*np. o liściach, pyłkach*). **2.** przygięty wskutek wiatru (*o drzewie*). **3.** rozwiany (*w sposób celowy - o fryzurze*).

wind-borne [ˈwɪndˌbɔːrn] *a.* **1.** przenoszony przez wiatr. **2.** *bot.* wiatrosiewny.

windbound [ˈwɪndˌbaʊnd] *a. żegl.* zatrzymany (w porcie) przez niekorzystny wiatr (*o jednostce żaglowej*).

windbreak [ˈwɪndˌbreɪk] *n.* **1.** osłona wiatrowa; zasłona przed wiatrem (*np. płot*). **2.** *roln.* pas wiatrochronny.

windbreaker [ˈwɪndˌbreɪkər] *n. Br. przest.* = **windcheater**.

wind-broken [ˈwɪndˌbroʊkən] *a. wet.* dychawiczny (*o koniu*).

windburn [ˈwɪndˌbɜːn] *n. U pat.* zaczerwienienie skóry od wiatru.

windburned [ˈwɪndˌbɜːnd] *a. pat.* zaczerwieniony od wiatru (*o skórze*).

windcheater [ˈwɪndˌtʃiːtər] *n.* (*także Br.* **~breaker**) wiatrówka.

windchest [ˈwɪndˌtʃest] *n. muz.* kondensator (*w organach*), wiatrownica.

wind-chill factor [ˈwɪndˌtʃɪl ˌfæktər] *n. U* efekt silnego wiatru (*sprawiający, że temperatura wydaje się niższa*).

wind chimes *n.* = **wind-bells**.

wind cone *n.* = **windsock**.

winded [ˈwɪndɪd] *a.* zadyszany, zdyszany.

winder [ˈwaɪndər] *n.* **1.** *techn.* zwijarka, nawijarka. **2.** *górn.* wyciąg kopalniany. **3.** *fot.* mechanizm przesuwający klatkę i naciągający migawkę. **4.** (*także* **~ stair**) *bud.* stopień klinowy *l.* zabiegowy. **5.** *ogr.* roślina wijąca się.

windfall [ˈwɪndˌfɔːl] *n.* **1.** spad (= *owoc zrzucony przez wiatr*). **2.** *przen.* niespodziewana gratka (*w postaci pieniędzy, np. wygranych l. odziedziczonych*).

wind farm *n.* elektrownia na wiatr (*składająca się z dużej liczby wiatraków l. turbin wiatrowych*).

windflower [ˈwɪndˌflaʊər] *n. bot.* zawilec, anemon (*Anemone*).

windgall [ˈwɪndˌgɔːl] *n. wet.* opój (*na końskiej pęcinie*).

wind gap *n.* wysoko położona przełęcz, siodło (*w górach*).

wind gauge *n.* **1.** wiatromierz. **2.** *muz.* przyrząd do mierzenia ilości powietrza w organach. **3.** *wojsk.* przyrząd do mierzenia odchylenia toru pocisku wskutek wiatru.

wind harp *n. muz.* harfa eolska.

windhover [ˈwɪndˌhʌvər] *n. Br. dial. orn.* pustułka (*Falco tinnunculus*).

windiness [ˈwɪndɪnəs] *n. U* wietrzna pogoda; wietrzność.

winding [ˈwaɪndɪŋ] *n.* **1.** skręt; zwój; krąg (*np. w waltorni*). **2.** *el.* uzwojenie, zwojnica. – *a.* kręty, wijący się (*np. o drodze, rzece, schodach*).

winding drum [ˈwaɪndɪŋ ˌdrʌm] *n. techn.* bęben wyciągarki.

winding sheet [ˈwaɪndɪŋ ˌʃiːt] *n.* całun.

winding-up [ˌwaɪndɪŋˈʌp] *n. pot.* stopniowa likwidacja (*np. przedsiębiorstwa*).

wind instrument [ˈwɪnd ˌɪnstrəmənt] *n. muz.* instrument dęty.

windjammer [ˈwɪndˌdʒæmər] *n.* **1.** *pot.* duży żaglowiec. **2.** *przest.* = **windcheater**.

windlass [ˈwɪndləs] *n.* kołowrót (*do podnoszenia l. holowania*); *żegl.* winda kotwiczna. – *v.* podnosić *l.* holować przy pomocy kołowrotu.

windless [ˈwɪndləs] *a.* **1.** bezwietrzny. **2.** zadyszany, zdyszany.

windlestraw [ˈwɪndlˌstrɔː] *n. Br. dial.* **1.** uschła łodyga trawy. **2.** *przen.* chuchro, chudzina.

wind machine *n. teatr* maszyna dająca dźwiękowy efekt wycia wiatru.

windmill [ˈwɪndˌmɪl] *n.* **1.** wiatrak; **fight ~s** (*także* **tilt at ~s**) *przen.* walczyć z wiatrakami. **2.** *Br.* wiatraczek (*dziecięcy*). **3.** *pot.* helikopter. **4.** *pot.* śmigło.

window [ˈwɪndoʊ] *n.* **1.** okno (*t. komp.*); okno wystawowe, witryna (sklepowa), wystawa; **in the ~** w oknie; na wystawie. **2.** okienko (*w planie, harmonogramie*). **3.** (*także* **weather ~**) *meteor.* okienko pogodowe. **4.** (*także* **launch ~**) *astronautyka* warunki odpowiednie do wystrzelenia rakiety. **5.** *wojsk.* paski folii zakłócające radar. **6.** *przen.* **a ~ of opportunity** niepowtarzalna okazja; **a ~ on sth** prawdziwy *l.* niezafałszowany obraz czegoś (*np. w filmie, książce*); **sth went/is out (of) the ~** *pot.* szlag trafił *l.* diabli wzięli coś. – *v.* zaopatrywać w okno *l.* okna.

window box *n.* **1.** skrzynka na kwiaty (*w oknie*). **2.** *stol.* pudło na ciężarki, sznurki itp. (*w oknie wahadłowym*).

window cleaner *n.* czyściciel/ka okien.

window dresser *n.* dekorator/ka wystaw.

window dressing *n. U* **1.** dekorowanie wystaw sklepowych. **2.** *przen.* bajery (= *nieistotne dodatki mające uatrakcyjnić coś*).

window envelope *n.* koperta z okienkiem (*na adres*).

window frame *n.* rama okienna, futryna.

windowpane [ˈwɪndoʊˌpeɪn] *n.* szyba okienna.

window sash *n. bud.* skrzydło okienne.

window seat *n.* **1.** *lotn., kol.* miejsce przy oknie. **2.** siedzenie pod oknem.

window shade *n. US* roleta (*okienna*).

window-shop [ˈwɪndoʊˌʃɑːp] *v.* oglądać wystawy sklepowe (*bez zamiaru kupowania*).

window shopper *n.* osoba oglądająca wystawy sklepowe (*jw.*).

window-shopping [ˈwɪndoʊˌʃɑːpɪŋ] *n. U* oglądanie wystaw sklepowych (*jw.*).

windowsill [ˈwɪndoʊˌsɪl] *n.* parapet.

window tax *n. Br. hist.* podatek pobierany od każdego okna (*w latach 1695-1851*).

windpipe [ˈwɪndˌpaɪp] *n. anat.* tchawica.

wind-pollinated [ˈwɪndˌpɑːləˌneɪtɪd] *n. bot.* wiatropylny.

wind power *n. U* energia *l.* siła wiatru.

windproof [ˈwɪndˌpruːf] *a.* wiatroodporny; wiatroszczelny.

wind rose *n. żegl.* róża wiatrów.

windrow [ˈwɪnˌdroʊ] *n.* **1.** *roln.* rząd snopów siana suszący się na słońcu. **2.** kupa liści, kurzu, śniegu itp. naniesiona przez wiatr. – *v.* *roln.* ustawiać w rzędy (*snopy siana*).

windsail [ˈwɪndˌseɪl] *n. żegl.* nawiewnik płócienny.

wind scale *n. meteor.* skala Beauforta.

windscreen [ˈwɪndˌskriːn] *n. Br.* = **windshield**.

wind shake *n.* pęknięcie w słojach drzewa (*wywołane przez silne wiatry*).

windshield [ˈwɪndˌʃiːld] *n.* (*także Br.* **windscreen**) *mot.* przednia szyba.

windshield wiper *n. mot.* wycieraczka przedniej szyby.

windsock [ˈwɪndˌsɑːk] *n.* (*także* **wind cone**) *meteor.* rękaw lotniskowy.

Windsor chair [ˈwɪnzər ˌtʃer] *n. hist.* typ krzesła z ażurowymi prętami w oparciu.

Windsor knot *n.* węzeł windsorski (*w krawacie*).

Windsor tie *n.* fontaź.

windstorm [ˈwɪndˌstɔːrm] *n.* wichura.

windsucker [ˈwɪndˌsʌkər] *n.* koń łykawy.

windsucking [ˈwɪndˌsʌkɪŋ] *n. U* łykawość (*konia*).

wind-surf [ˈwɪndˌsɝːf] *n. sport* uprawiać windsurfing, pływać na desce (z żaglem).

windsurfer [ˈwɪndˌsɝːfər] *n. sport* **1.** windsurfer, deska (z żaglem). **2.** osoba uprawiająca windsurfing.

windsurfing [ˈwɪndˌsɝːfɪŋ] *n. U sport* windsurfing, pływanie na desce (z żaglem).

wind surge *n.* gwałtowna fala wzniecona przez wiatr (*i grożąca powodzią*).

wind-swept [ˈwɪndˌswept] *a.* **1.** wystawiony na wiatr, nieosłonięty przed wiatrem, chłostany wiatrami (*o miejscu*). **2.** rozwiany, potargany przez wiatr (*o włosach, ubraniu*).

wind tee *n. lotn.* wiatrowskaz (*w kształcie litery T*).

wind tunnel *n. techn.* tunel aerodynamiczny.

wind turbine *n. techn.* silnik wiatrowy.

wind-up [ˈwaɪndˌʌp] *n.* **1.** zakończenie. **2.** *Br. pot.* podpucha (= *żartobliwa prowokacja*). – *a. attr.* nakręcany (*np. o zabawce*).

windward [ˈwɪndwərd] *a. żegl.* nawietrzny. – *adv. żegl.* na wiatr, pod wiatr. – *n. U* **1.** *żegl.* strona nawietrzna. **2. to ~ of sth** *przen.* (położony) korzystnie w stosunku do czegoś.

windy [ˈwɪndɪ] *a.* **-ier, -iest 1.** wietrzny; burzliwy. **2.** *pot.* przegadany (*np. o przemówieniu*); pełen pustosłowia. **3.** *pot.* wywołujący wzdęcia. **4.** *przest. pot.* wystraszony.

wine [waɪn] *n.* **1.** *C/U* wino; **bottle/glass of ~** butelka/kieliszek wina; **dry/sweet ~** wino wytrawne/słodkie; **red/white ~** czerwone/białe wino. **2.** *U* (*także* **~ red**) głęboka czerwień, kolor czerwonego wina. **3.** *przen.* **~, women and song** *przest.* wino, kobiety i śpiew; **Adam's ~** *Br. dial.* woda; **new ~ in old bottles** młode wino w starych butelkach (= *innowacje wprowadzone bez obalania starego porządku*). – *v.* **1.** *rzad.* pić wino. **2. ~ and dine sb** zaprosić kogoś na wystawny obiad.

wine bag *n.* (*także* **wineskin**) bukłak na wino.

wine bar *n.* winiarnia.

winebibber [ˈwaɪnˌbɪbər] *n. przest.* pijanica.

wine box *n.* karton wina (*zw. trzylitrowy*).

wine cellar *n.* piwniczka na wino.

wine cooler *n.* **1.** wiaderko z lodem na wino. **2.** = **cooler** 4.

wineglass [ˈwaɪnˌglæs] *n.* **1.** kieliszek do wina. **2.** (*także* **~ful**) (pełen) kieliszek (*of sth* czegoś).

wine grower *n.* właściciel/ka winnicy.

wine list *n.* karta win.

wine palm *n. bot.* **1.** kariota parząca, kłapidło parzące (*Caryota urens*). **2.** maurycja winodajna (*Mauritia vinifera*).

winepress [ˈwaɪnˌpres] *n.* prasa do wina.

winery [ˈwaɪnərɪ] *n. pl.* **-ies** *US i Can.* wytwórnia win.

wineshop [ˈwaɪnˌʃɑːp] *n.* winiarnia (= *sklep z winem*).

wineskin [ˈwaɪnˌskɪn] *n.* = **winebag**.

wine tasting *n. C/U* degustacja win.

wine vinegar *n. U kulin.* ocet winny.

wine yeast *n. U biol.* drożdże winne (*Saccharomyces ellipsoideus*).

wing [wɪŋ] *n.* **1.** *t. orn., ent., bud., sport, polit.* skrzydło (*np. ptaka, motyla, budynku, drzwi, ołtarza, drużyny na boisku, partii*). **2.** *teatr* kulisa; **in the ~s** za kulisami. **3.** *sport* skrzydłow-y/a. **4.** *lotn.* płat; **high-~** górnopłat, grzbietopłat; **low-~** dolnopłat. **5.** *Br. mot.* błotnik. **6.** *bot.* skrzydełko. **7.** *rzad.* lotka (*strzały*). **8.** *pl.* odznaka pilota; **get one's ~s** zdobyć odznakę pilota (*zdając egzamin praktyczny*). **9.** *przen.* **be waiting in the ~s** *zob.* **wait** *v.*; **clip sb's ~s** podciąć komuś skrzydła; **on ~s** (jak) na skrzydłach; **on the ~** *lit.* w locie (*o ptaku*); **spread/stretch one's ~s** rozwinąć skrzydła, wypłynąć na szerokie wody; zacząć nowe życie; **take ~** *lit.* zerwać się do lotu, wzlecieć; **take sb under one's ~** wziąć kogoś pod swoje skrzydła. – *v.* **1.** (*także* **~ its way**) *lit.* lecieć (*o ptaku*). **2.** *przen.* lecieć *l.* pędzić jak na skrzydłach (*o osobie*). **3.** *myśl.* zbarczyć, zlotkować (= *zranić w skrzydło*). **4.** zranić w ramię. **5.** *bud.* zaopatrywać w skrzydła (*np. budynek, ołtarz*). **6.** zaopatrywać w lotki (*strzałę*). **7. ~ it** *teatr l. US pot.* improwizować.

wing beat *n.* (*także* **wing stroke**) uderzenie skrzydeł.

wing bow *n. orn.* barwny pas na skrzydle (*u ptactwa domowego*).

wing-case [ˈwɪŋˌkeɪs] *n.* (*także* **wing cover, wing sheath**) *ent.* pokrywa skrzydeł.

wing chair *n.* fotel z występami po bokach oparcia (*na wysokości głowy*).

wing collar *n.* stojący kołnierzyk w wygiętymi rogami.

wing commander *n. Br. wojsk.* dowódca skrzydła (= *podpułkownik lotnictwa*).

wing cover *n.* = **wing case**.

wing covert *n. orn.* pokrywa skrzydłowa.

wingding [ˈwɪŋˌdɪŋ] *n. US i Can. pot.* **1.** *przest.* balanga. **2.** atak, napad (*np. padaczki*).

winged [wɪŋd] *a. attr. t. przen.* skrzydlaty (*t. bot.*); uskrzydlony; **~ horse** *mit.* pegaz.

winger [ˈwɪŋər] *n.* **1.** *sport* skrzydłow-y/a. **2.** *w złoż.* **left-/right-~** *sport* lewo-/prawoskrzydłow-y/a; *polit.* lewicowiec/prawicowiec.

wing-footed [ˈwɪŋˌfʊtɪd] *n. przest.* chyży.

wingless ['wɪŋləs] *a. orn., ent.* bezskrzydły.

winglet ['wɪŋlət] *n.* **1.** skrzydełko. **2.** *lotn.* rozpraszacz (*wirów brzegowych*), winglet.

wing loading *n. U lotn.* obciążenie jednostkowe powierzchni nośnej.

wing mirror *n. mot.* lusterko boczne.

wing nut *n. mech.* nakrętka motylkowa.

wingover ['wɪŋ,ouvər] *n. lotn.* przewrót (*figura akrobacji*).

wing root *n. orn.* nasada skrzydła.

wing sheath *n.* = **wing case**.

wing shot *n. myśl.* **1.** strzał do ptaka w locie. **2.** specjalist-a/ka od strzelania do ptaków w locie.

wingspan ['wɪŋ,spæn] *n.* (*także* **~spread**) *t. lotn.* rozpiętość skrzydeł.

wingstroke ['wɪŋ,strouk] *n.* = **wing beat**.

wing tip *n.* **1.** *orn., ent., lotn.* koniec skrzydła. **2.** *US* but z naszywanym, ozdobnie dziurkowanym noskiem.

wink[1] [wɪŋk] *v.* **1.** mrugnąć (*at sb* do kogoś); mrugać (*np. o światłach*). **2.** **~ at sth** *przen.* przymykać oko *l.* oczy na coś. – *n.* **1.** mrugnięcie; **give sb a ~** mrugnąć do kogoś. **2.** *przen.* **a nod is as good as a ~** *zob.* **nod** *n.*; **have/take forty ~s** *przest. pot.* zdrzemnąć się; **not sleep a ~** (*także* **not get a ~ of sleep**) nie zmrużyć oka; **quick as a ~** *US* migiem; **tip sb the ~** (*także* **tip the ~ to sb**) *Br. pot.* dać komuś cynk (*that* że, *about sth* o czymś).

wink[2] *n.* pchełka (*do gry*).

winker ['wɪŋkər] *n.* **1.** *US i Can. pot.* rzęsa; powieka; oko. **2.** *Br. mot. pot.* boczne światełko kierunkowskazu. **3.** *pl.* okulary końskie.

winkle ['wɪŋkl] *n.* (*także US* **periwinkle**) *zool.* pobrzeżek (*Littorina*). – *v.* **~ out** *zwł. Br. pot.* wydostać, wydobyć (*informację, sekret*); wysiudać (*kogoś skądś*).

winkle-pickers ['wɪŋkl,pɪkərz] *n. pl. Br.* buty o wydłużonych noskach (*popularne w latach 50.*).

winner ['wɪnər] *n.* **1.** zwycię-zca/żczyni; **prize ~** zdobyw-ca/czyni nagrody, laureat/ka. **2.** *pot.* wielki sukces (= *coś udanego*). **3.** (*także US* **game-~**) *pot.* zwycięski gol. **4. be onto a ~** *zob.* **onto**.

winning ['wɪnɪŋ] *n.* **1.** *pl. zob.* **winnnings**. **2.** *U górn.* urabianie, wybieranie (*rudy l. węgla*). **3.** *górn.* złoże węglowe (*gotowe do eksploatacji*). – *a. attr.* **1.** ujmujący (*np. o uśmiechu, zachowaniu*). **2.** zwycięski (*np. o rzucie*).

winningly ['wɪnɪŋlɪ] *adv.* ujmująco (*np. uśmiechać się*).

winning post *n. sport* słupek mety.

winnings ['wɪnɪŋz] *n. pl.* wygrana.

winnow ['wɪnou] *v.* **1.** *roln.* wiać (*zboże*). **2.** *arch. l. poet.* bić skrzydłami (*powietrze*). **3.** *rzad.* rozwiewać (*włosy*). **4. ~ away/out** przesiewać; przebierać; brakować. – *n. roln.* **1.** wianie (*zboża*). **2.** (*także* **~er**) wialnia.

wino ['wainou] *n. pl.* **-s** *pot.* pijaczek, pijaczyna (*zwł. pijący tanie wino*).

winsome ['wɪnsəm] *a. lit.* ujmujący (*o osobie, uśmiechu*).

winsomely ['wɪnsəmlɪ] *adv. lit.* ujmująco (*np. uśmiechać się*).

winsomeness ['wɪnsəmnəs] *n. U* ujmujący sposób bycia.

winter ['wɪntər] *n. C / U* zima; **in (the) ~** zimą, w zimie. – *v.* **1.** zimować (*gdzieś*). **2.** *roln.* przechowywać przez zimę; karmić przez zimę.

winter aconite *n. bot.* rannik zimowy (*Eranthis hyemalis*).

winterbourne ['wɪntər,bɔːrn] *n.* okresowy strumień (*po zimowych ulewach*).

winter cherry *n. pl.* **-ies** *bot.* miechunka rozdęta, garliczka (*Physalis alkekengi*).

wintercress ['wɪntər,kres] *n. U bot.* gorczycznik pospolity (*Barbarea vulgaris*).

winterfeed ['wɪntər,fiːd] *n. pret. i pp.* **-fed** ['wɪntər,fed] *roln.* karmić przez zimę (*zwierzęta gospodarskie*).

winter garden *n.* **1.** ogród zimowy (*z roślinami wiecznie zielonymi*). **2.** oranżeria.

wintergreen ['wɪntər,griːn] *n.* **1.** *bot.* golteria *l.* starzęśla rozesłana (*Gaultheria procumbens*). **2.** (*także* **common ~**) *bot.* gruszyczka mniejsza (*Pyrola minor*). **3. oil of ~** *chem., med.* olejek starzęślowy *l.* wintergrinowy.

winter heliotrope *n. bot.* lepiężnik wonny (*Petasites fragrans*).

winterize ['wɪntə,raɪz] *v. US i Can.* przygotowywać do zimy (*np. dom, samochód*).

winter jasmine *n. U bot.* jaśmin nagokwiatowy (*Jasminum nudiflorum*).

winterkill ['wɪntər,kɪl] *v. US i Can.* **1.** wymrozić (*uprawy*). **2.** wymarznąć (*o uprawach*).

winter moth *n. ent.* piędzik przedzimek (*Operophtera brumata*).

Winter Olympics *n. pl.* (*także* **Winter Olympic Games**) *sport* olimpiada zimowa, zimowe igrzyska olimpijskie.

winter quarters *n. pl. wojsk., gł. hist.* kwatery zimowe.

winter rose *n. bot.* ciemiernik biały (*Helleborus niger*).

winter solstice *n. astron.* zimowe przesilenie słoneczne.

winter sports *n. pl.* sporty zimowe.

wintertime ['wɪntər,taɪm] *n. U* zima, pora zimowa, okres zimowy; **in (the) ~** w zimie, zimową porą.

winterweight ['wɪntər,weɪt] *a. attr.* odpowiedni na zimę, zimowy (*o odzieży*).

winter wheat *n. U roln.* pszenica ozima.

wintry ['wɪntrɪ], **wintery** *a.* **1.** zimowy, typowy dla zimy (*np. o pogodzie, krajobrazie, warunkach drogowych*). **2.** *przen.* lodowaty (*np. o spojrzeniu, uśmiechu*).

win-win [,wɪn'wɪn] *a. gł. attr.* korzystny dla obu stron (*np. o sytuacji*).

winy ['waɪnɪ] *a.* **-ier, -iest** **1.** winny (= *mający cechy wina*). **2.** idący do głowy.

wipe [waɪp] *v.* **1.** wycierać (*sth on sth* coś w *l.* o coś); ścierać (*sth (off / away) from sth* coś z czegoś); ocierać; **~ one's feet** wytrzeć nogi *l.* buty; **~ one's nose** wytrzeć nos; **~ sth clean/dry** wytrzeć coś do czysta/do sucha. **2.** wymazywać; *t. komp.* kasować (*z taśmy, dysku*). **3. ~ (up)** *Br. i Austr.* wycierać (naczynia). **4.** *techn.* lutować (*ołów*).

5. *przen.* ~ **the floor with sb** *zob.* **floor** *n.*; ~ **the slate clean** *zob.* **slate**[1] *n.* **6.** ~ **down** zetrzeć na mokro; ~ **sth off the face of the earth** (*także* ~ **sth off the map**) *przen.* zetrzeć coś z powierzchni ziemi; ~ **the grin/smile off sb's face** *przen.* ostudzić czyjś zapał; ~ **out** *sport pot.* spaść z deski (*surfingowej l. skateboardowej*); ~ **sb out** *przen. pot.* wykończyć kogoś (= *zmęczyć*); ~ **sth out** wytrzeć *l.* zetrzeć coś; wymazać coś; ~ **up** zetrzeć *l.* zebrać ścierką *l.* szmatką. – *n.* **1.** *zw. sing.* starcie, wytarcie; przetarcie; **give sth a** ~ przetrzeć coś. **2.** nawilżana chusteczka kosmetyczna (*np. do pielęgnacji niemowląt l. do usuwania makijażu*). **3.** *film* roletka. **4.** *Br. dial. pot.* docinek.

wiped out [ˌwaɪpt ˈaʊt] *a. pred. pot.* wykończony, zmordowany.

wiper [ˈwaɪpər] *n.* **1.** *mot.* = **windshield wiper**. **2.** *el.* szczotka wybieraka.

wire [waɪr] *n.* **1.** *C/U* drut; (*także* **piece of** ~) kawałek drutu; **barbed** ~ drut kolczasty; **fuse** ~ *el.* drut topikowy. **2.** *el.* przewód; **live** ~ przewód pod napięciem; **telephone** ~ przewód telefoniczny. **3.** *gł. US* depesza, telegram. **4.** sidła, wnyki. **5.** *muz.* struna metalowa. **6.** *US i Can. jeźdz.* meta (*na torze wyścigów konnych*). **7.** *US pot.* podsłuch, urządzenie podsłuchowe (*ukryte w odzieży*). **8. high** ~ lina do balansowania (*w cyrku*). **9.** *przen.* **behind the** ~ za drutami (= *w więzieniu, obozie*); **get in under the** ~ *US i Can. pot.* zdążyć w ostatniej chwili; **pull ~s** *US i Can.* pociągać za sznurki; **(right) down to the** ~ *US i Can. pot.* do ostatniej chwili; do samego końca; **we got our ~s crossed** *pot.* źle się zrozumieliśmy, nie zrozumieliśmy się. – *v.* **1.** przesyłać telegraficznie (*pieniądze*). **2.** *US pot.* depeszować do (*kogoś*). **3.** łapać w sidła. **4.** ~ **sb/sth** *pot.* założyć podsłuch komuś/w czymś. **5.** ~ **(together)** zdrutować; ~ **(up)** *el.* podłączyć.

wire brush *n.* szczotka metalowa.

wire cloth *n.* *C/U* siatka metalowa (*np. w oknie, sicie*).

wire cutter *n.* nożyce do cięcia drutu.

wired [waɪrd] *a.* **1.** ~ **(up)** na podsłuchu (*o pomieszczeniu*). **2.** *US pot.* podniecony (*zwł. po zażyciu narkotyku*).

wiredraw [ˈwaɪrˌdrɔː] *v.* **-drew, -drawn** ciągnąć drut z (*metalu*).

wire entanglement *n.* *wojsk.* zasieki z drutu kolczastego.

wire glass *n.* *U techn.* szkło zbrojone.

wire-haired [ˈwaɪrˌherd] *a.* *kynol.* szorstkowłosy, ostrowłosy.

wireless [ˈwaɪrləs] *n.* *gł. Br. przest.* radio; odbiornik radiowy.

wireless operator *n.* *wojsk., żegl.* radiotelegrafist-a/ka.

wireless telegraphy *n.* *U* radiotelegrafia.

wireless telephone *n.* radiotelefon.

wireman [ˈwaɪrmən] *n.* *pl.* **-men** *gł. US* elektryk-instalator.

wire netting *n.* *U* siatka stalowa.

wirepuller [ˈwaɪrˌpʊlər] *n.* *US i Can.* osoba uprawiająca zakulisowe machinacje.

wire rope *n.* *U* lina stalowa.

wire service *n.* *US i Can.* agencja telegraficzna.

wiretap [ˈwaɪrˌtæp] *v.* podłączać podsłuch do (*linii telefonicznej itp.*).

wiretapping [ˈwaɪrˌtæpɪŋ] *n.* *U* podsłuch.

wirewalker [ˈwaɪrˌwɔːkər] *n.* *gł. US* linoskoczek/ka.

wire wheel *n.* *mot.* koło ze szprychami.

wire wool *n.* *U gł. Br.* druciak (*do czyszczenia garnków*).

wire-wove [ˈwaɪrˌwoʊv] *a.* **1.** delikatny satynowy (*o papierze, zwł. listowym*). **2.** z plecionego drutu, z plecionki drucianej.

wiriness [ˈwaɪrɪnəs] *n.* *U* sztywność (*włosów*).

wiring [ˈwaɪrɪŋ] *n.* *U* **1.** *el.* zakładanie przewodów. **2.** *el.* okablowanie, oprzewodowanie. **3.** *lotn.* cięgna, olinowanie. **4.** podsłuch (*przewodowy*).

wiry [ˈwaɪrɪ] *a.* **-ier, -iest 1.** umięśniony; silny i giętki (*mimo szczupłej budowy*). **2.** sztywny (*np. o włosach*).

wis [wɪs] *v.* **-ss-** *arch.* wiedzieć.

Wis., Wisc. *abbr.* = **Wisconsin**.

Wisconsin [wɪsˈkɑːnsən] *abbr.* *US* stan Wisconsin.

wisdom [ˈwɪzdəm] *n.* *U* mądrość; **conventional/popular/received** ~ powszechnie panująca opinia; **dispense** ~ dzielić się swymi opiniami; **doubt/question the** ~ **of sth** *form.* wątpić w/kwestionować słuszność czegoś; **in his/her/their (infinite)** ~ *zw. żart. l. iron.* w swej (nieskończonej) mądrości.

wisdom tooth *n.* *pl.* **-teeth** *anat.* ząb mądrości.

wise[1] [waɪz] *a.* mądry; **be** ~ **in the ways of sth** *form.* znać się na czymś; **be none the ~r** (*także* **be no ~r**) *pot.* być niewiele mądrzejszym, nadal nic nie rozumieć (*po uzyskaniu wyjaśnienia*); **be/get** ~ **to sth** *pot.* znać/poznać się na czymś (*zwł. na czyichś sztuczkach*); **it's easy to be** ~ **after the event** *zwł. Br. i Austr.* mądry Polak po szkodzie; **no-one will be any the ~r** *pot.* nikt się nie dowie; **older and ~r** starszy i mądrzejszy; **sadder but ~r** mądry po szkodzie; **you were** ~ **to wait** mądrze zrobiłaś, że poczekałaś. – *v.* *zwł. US pot.* ~ **up** zmądrzeć, pójść po rozum do głowy; ~ **up to sth** zdać sobie sprawę z czegoś; kapnąć *l.* pokapować się w czymś.

wise[2] *n.* *arch.* sposób; **in no** ~ w żaden sposób.

wiseacre [ˈwaɪzˌeɪkər] *n.* *zwł. US pot.* mądrala.

wisecrack [ˈwaɪzˌkræk] *n.* dowcipna *l.* złośliwa uwaga. – *v.* złośliwie komentować.

wise guy *n.* *pot.* pyszałek, zarozumialec; mądrala.

wisely [ˈwaɪzlɪ] *adv.* mądrze.

wise man *n.* *pl.* **-men 1.** mędrzec. **2.** *hist.* czarownik; astrolog (*w starożytności*). **3. Three Wise Men** *Bibl.* Trzej Królowie.

wise woman *n.* *pl.* **-women** *Br. hist.* znachorka; guślarka; kabalarka; akuszerka (*zwł. w średniowieczu*).

wish [wɪʃ] *v.* **1.** ~ **(that)** żałować, że nie; ~ **you were here** szkoda, że cię tu nie ma; **I** ~ **I had stayed longer** szkoda *l.* żałuję, że nie zostałam dłużej; **I (only)** ~ **I knew!** gdybym to ja wiedział!

2. ~ (that) sb would do sth/sth would happen chcieć, żeby ktoś coś zrobił/żeby coś się stało; **I ~ you'd stop complaining** mógłbyś (wreszcie) przestać narzekać. **3.** życzyć (*sb sth* komuś czegoś); **~ sb luck** życzyć komuś szczęścia; **~ sb well** dobrze komuś życzyć; **I wouldn't ~ this on/upon anyone** (*także* **I wouldn't ~ this on/upon my worst enemy**) nikomu bym tego nie życzył, nie życzyłbym tego najgorszemu wrogowi. **4. ~ to do sth** *form.* chcieć coś zrobić; **I don't ~ to interrupt/interfere, but...** nie chciałbym przerywać/się wtrącać, ale...; **if you ~** jeśli chcesz; **(just) as you ~** jak chcesz, jak sobie życzysz; **you ~!** *pot.* chciałbyś!, żeby!. **5. ~ sth away** udawać, że czegoś nie ma; sprawić (samym tylko myśleniem), żeby coś zniknęło; **~ for sth** pragnąć *l.* chcieć czegoś, życzyć sobie czegoś (w myślach); **everything one could possibly ~ for** wszystko, czego (tylko) można by sobie zażyczyć. – *n.* **1.** życzenie; pragnienie; **against sb's ~es** wbrew czyimś życzeniom; **last/dying ~** ostatnie życzenie; **make a ~** pomyśleć sobie (jakieś) życzenie; **your ~ is my command** twoje życzenie jest dla mnie rozkazem. **2.** zamiar; ochota; **have no ~ to do sth** nie mieć zamiaru czegoś robić; nie mieć ochoty czegoś robić. **3. best ~es** najlepsze życzenia; (serdeczne) pozdrowienia; **give them my best ~es** pozdrów ich ode mnie; **(with) best ~es** łączę pozdrowienia (*zakończenie listu*).

wishbone [ˈwɪʃˌboʊn] *n.* kość widełkowa (u ptaków) (*mająca po przełamaniu spełnić życzenie tego, komu przypadła w udziale większa część*).

wishbone boom *n. żegl.* bom u żagla deski surfingowej.

wisher [ˈwɪʃər] *n. gł. w złoż.* **well-~** osoba życzliwa; sympaty-k/czka.

wishful [ˈwɪʃfʊl] *a.* pełen pragnienia, pragnący.

wishful thinking *n. U* myślenie życzeniowe; **it's just ~** to tylko pobożne życzenia.

wishing well [ˈwɪʃɪŋ ˌwel] *n.* studnia, do której wrzuca się monety w celu spełnienia życzeń.

wish list *n. zwł. US pot.* lista życzeń (= *to, czego się chce w danej sytuacji*).

wish-wash [ˈwɪʃˌwɑːʃ] *n. C/U przest. pot.* **1.** lura. **2.** ględzenie, trucie.

wishy-washily [ˈwɪʃɪˌwɑːʃɪlɪ] *adv. pot.* w sposób niezdecydowany.

wishy-washiness [ˈwɪʃɪˌwɑːʃɪnəs] *n. U pot.* niezdecydowanie, chwiejność.

wishy-washy [ˈwɪʃɪˌwɑːʃɪ] *a. pot.* **1.** niezdecydowany, chwiejny; mało konkretny. **2.** lurowaty, wodnisty.

wisp [wɪsp] *n.* **1. ~ of grass/hay** wiecheć trawy/siana; **~ of hair** kosmyk włosów; **~ of smoke** smuga dymu. **2.** stadko (*ptaków*). **3. a ~ of a girl** delikatna panienka. – *v.* **1.** *Br. dial.* zwijać w wiecheć. **2.** *Br.* rozcierać słomą (*konia*).

wispy [ˈwɪspɪ] *a.* **-ier, -iest** szczupły, wątły, delikatny.

wisteria [wɪˈstiːrɪə], **wistaria** *n. bot.* glicynia, słodlin (*Wisteria*).

wistful [ˈwɪstfʊl] *a.* tęskny, smętny, rzewny.

wistfully [ˈwɪstfʊlɪ] *adv.* tęsknie, smętnie, rzewnie.

wistfulness [ˈwɪstfʊlnəs] *n. U* smętek, rzewność.

wit[1] [wɪt] *n.* **1.** *U* dowcip, poczucie humoru; **biting/caustic/cutting ~** zgryźliwy/kostyczny/cięty dowcip. **2.** osoba dowcipna. **3.** *pl. zob.* **wits**. **4. have the ~ to do sth** mieć na tyle oleju w głowie, żeby coś zrobić; **not be beyond the ~ of sb** *żart. l. iron.* nie przekraczać czyichś możliwości (intelektualnych).

wit[2] *v.* **to ~** to znaczy, mianowicie.

witan [ˈwɪtən] *n.* (*także* **witangemot**) *Br. hist.* rada starszych (*w czasach anglosaskich*).

witch [wɪtʃ] *n.* **1.** czarownica; wiedźma (*t. pot.* = *stara, brzydka l. niesympatyczna kobieta*). **2.** czarodziejka. – *v.* **1.** *gł. przen.* zaczarować. **2.** *rzad.* = **bewitch**.

witch ball *n.* kula lustrzana (*używana w salach tanecznych*).

witchcraft [ˈwɪtʃˌkræft] *n. U* czary.

witch doctor *n.* szaman, czarownik.

witch elm, wych elm *n. bot.* wiąz górski *l.* szorstki, brzost (*Ulmus glabra*).

witchery [ˈwɪtʃərɪ] *n. pl.* **-ies 1.** *U* czary. **2.** czar.

witches' brew [ˌwɪtʃɪz ˈbruː] *n. zob.* **brew** *n.*

witches' Sabbath *n.* sabat czarownic.

witch hazel, wych hazel *n.* **1.** *bot.* oczar (wirginijski) (*Hamamelis (virginiana)*). **2.** *U med.* wodny wyciąg z oczaru.

witch-hunt [ˈwɪtʃˌhʌnt] *n. hist., polit.* polowanie na czarownice.

witching [ˈwɪtʃɪŋ] *n. U* czary. – *a.* **1.** czarodziejski (*np. o napoju*). **2.** *rzad.* = **bewitching**.

witching hour *n.* **the ~** *lit.* godzina duchów.

witchy [ˈwɪtʃɪ] *a.* **-ier, -iest 1.** czarodziejski, zaczarowany. **2.** typowy dla czarownicy.

witenagemot [ˈwɪtənəgəˌmoʊt] *n.* = **witan**.

with [wɪθ] *prep.* **1.** z, ze; **a person ~ initiative** osoba z inicjatywą; **crazy ~ love** oszalały z miłości; **don't argue ~ me** nie dyskutuj ze mną; **I agree ~ you** zgadzam się z tobą; **pleased ~ the job** zadowolony z pracy; **work ~ zeal** pracować z zapałem. **2.** (*odpowiada polskiemu narzędnikowi*) **decorated ~ balloons** przystrojony balonikami; **filled ~ air** napełniony powietrzem; **strike sth ~ a hammer** uderzyć w coś młotkiem. **3.** u; **he is ~ Sotheby's** pracuje u Sotheby'ego; **I left it ~ them** zostawiłem to u nich; **stay ~ friends** zatrzymać się u przyjaciół. **4.** w; **the woman ~ the black hat** kobieta w czarnym kapeluszu. **5.** od; **bright ~ sunlight** jasny od słońca. **6.** o; **walk ~ a crutch/stick** chodzić o kuli/lasce. **7. ~ that** po czym; **be ~ it** *pot.* być na bieżąco; być na topie; kontaktować, kojarzyć; **I'll be ~ you in a moment** zaraz się Pan-em/ią zajmę; **I'm ~ you all the way** *pot.* całkowicie się z tobą zgadzam; popieram cię na całej linii; **I'm not ~ you** *pot.* nie rozumiem; **I'm not quite ~ it today** *pot.* nie bardzo dziś kontaktuję.

withal [wɪðˈɔːl] *arch. adv.* **1.** przy tym. **2.** niemniej jednak. – *prep.* = **with**.

withdraw [wɪðˈdrɔː] *v.* **-drew, -drawn 1.** *bank*

wypłacać, podejmować (*pieniądze*). **2.** wyjmować (*np. klucz z zamka, rękę z torebki*). **3.** *t. wojsk.* wycofywać (się). **4.** odwoływać (*np. oświadczenie*).

withdrawal [wɪð'drɔːəl] *n. C / U* **1.** *bank* wypłata. **2.** wyjmowanie (*np. klucza z zamka*). **3.** *t. wojsk.* wycofanie (się). **4.** odwołanie (*np. oświadczenia*).

withdrawal symptoms *n. U pat.* zespół abstynencji.

withdrawn [wɪð'drɔːn] *a.* zamknięty w sobie.

withdrew [wɪð'druː] *v. zob.* **withdraw.**

withe [wɪθ] *n.* **1.** witka (*wiklinowa, łozinowa*). **2.** powrósło. **3.** *bud.* przegroda kominowa, forszt.

wither ['wɪðər] *v.* **1.** więdnąć (*t. przen.*); marnieć; usychać, schnąć. **2.** zanikać; ulegać degeneracji. **3.** powodować więdnięcie *l.* usychanie (*czegoś*). **4.** szkodzić (*czemuś*). **5.** piorunować (*wzrokiem*). **6.** ~ **(away)** słabnąć (*np. o nadziei, ochocie, więziach*).

withered ['wɪðərd] *a.* **1.** zwiędły, zwiędnięty; uschły, uschnięty (*o roślinie*). **2.** słabowity (*o osobie*). **3.** *przest.* uschnięty (*o kończynie*).

withering ['wɪðərɪŋ] *a.* piorunujący (*o spojrzeniu*); miażdżący (*o uwadze*).

witheringly ['wɪðərɪŋlɪ] *adv.* piorunująco (*spojrzeć*).

withers ['wɪðərz] *n. pl. zool.* kłąb (*u konia*).

withershins ['wɪðərˌʃɪnz], **widdershins** ['wɪdərˌʃɪnz] *adv. Scot.* **1.** odwrotnie do ruchu wskazówek zegara. **2.** *przen.* w złą stronę.

withhold [wɪθ'hould] *v.* **-held, -held 1.** wstrzymywać (*np. zapłatę*). **2.** zatajać, ukrywać (*informacje, dowody*). **3.** odmawiać (udzielenia) (*np. poparcia, zgody*). **4.** *fin.* odciągać (*podatek*).

withholding tax [wɪθ'houldɪŋ ˌtæks] *n. C / U US fin.* podatek odciągany przez pracodawcę.

within [wɪð'ɪn] *prep.* **1.** w obrębie; w granicach; w zasięgu; ~ **human memory** za ludzkiej pamięci; ~ **reach** w zasięgu ręki; osiągalny; ~ **(easy) reach of sth** (bardzo) blisko czegoś; ~ **reason** w granicach (zdrowego) rozsądku, w rozsądnych granicach; ~ **sb's power** w czyjejś mocy; ~ **sight** w zasięgu wzroku, w polu widzenia; ~ **the law** w granicach prawa; **live** ~ **one's income** *zob.* **income. 2.** w odległości; ~ **a mile of the house** w odległości jednej mili od domu. **3.** w ciągu, w przeciągu; przed upływem; ~ **an hour** w ciągu godziny; ~ **the space of a year** w przeciągu roku. **4.** *przen.* ~ **inches/an inch of sth** tuż obok czegoś; **come** ~ **inches/an inch of doing sth** być bliskim zrobienia czegoś, o mało (co) czegoś nie zrobić; **a play** ~ **a play** sztuka w sztuce. – *adv.* **1.** wewnątrz; **from** ~ od wewnątrz, od środka. **2.** w środku; **enquire** ~ informacje w środku (*adnotacja na ogłoszeniu*). **3.** w duchu.

withindoors [wɪð'ɪnˌdɔːrz] *adv. arch.* = **indoors.**

with-it ['wɪθɪt] *a. przest. pot.* na bieżąco; na topie.

without [wɪð'aut] *prep.* **1.** bez; ~ **a doubt** bez wątpienia; ~ **anyone knowing** bez niczyjej wiedzy; ~ **asking** bez pytania; ~ **so much as a word of thanks** bez słowa podziękowania; ~ **(taking) a break** bez przerwy; **can't do** ~ **sth** nie potrafić obejść się bez czegoś; **do/go** ~ **sth** obywać się bez czegoś; **not** ~ **reason** nie bez powodu. **2.** *form.* poza; ~ **the law** poza prawem, bezprawnie. **3.** ~ **so much as a by your leave** *zob.* **leave**[2]; ~ **wanting/wishing to sound rude...** nie chciałbym być niegrzeczny, ale...; **it goes** ~ **saying** to się rozumie samo przez się. – *adv. form.* na zewnątrz. – *n. U* strona zewnętrzna; **from** ~ z zewnątrz. – *conj. nonstandard* = **unless.**

withoutdoors [wɪð'autˌdɔːrz] *adv. arch.* = **outdoors.**

withstand [wɪθ'stænd] *v.* **-stood, -stood 1.** wytrzymywać; być wytrzymałym *l.* odpornym na (*coś*); ~ **the test of time** wytrzymać próbę czasu. **2.** opierać się, stawiać opór (*komuś l. czemuś*); odpierać (*np. ataki, naciski*).

withy ['wɪðɪ] *n. pl.* **-ies** *gł. Br.* **1.** = **withe** 1, 2. **2.** *bot.* wierzba wiciowa (*Salix viminalis*). – *a.* **-ier, -iest** *rzad.* twardy i gibki.

witless ['wɪtləs] *a. form.* bezmyślny.

witlessly ['wɪtləslɪ] *adv.* bezmyślnie.

witling ['wɪtlɪŋ] *n. arch.* osoba uważająca się za dowcipną.

witness ['wɪtnəs] *n.* **1.** świadek (*to sth* czegoś); ~ **for the defense/prosecution** *prawn.* świadek obrony/oskarżenia; **be** ~ **to sth** być świadkiem czegoś; **bear** ~ *prawn.* świadczyć, zeznawać w charakterze świadka; **call sb as a** ~ *prawn.* powołać kogoś na świadka; **eye** ~ naoczny świadek; **key/principal** ~ *prawn.* główny świadek. **2.** *C / U form.* świadectwo, dowód; **bear** ~ **to sth** dawać świadectwo czemuś; (*także* **be (a)** ~ **to sth**) świadczyć o czymś, stanowić dowód czegoś. **3.** *U US* publiczne świadectwo wiary. **4.** *US* osoba dająca świadectwo jw. – *v.* **1.** być świadkiem (*czegoś*). **2.** *zw. pass.* świadczyć o (*czymś*); **as ~ed by X** jak o tym świadczy X, o czym świadczy X. **3.** ~ **X** przykładem (może być *l.* niech będzie) X. **4.** *US* dawać publiczne świadectwo wiary. **5.** ~ **to sth** *prawn.* zaświadczyć o czymś; poświadczyć coś.

witness box, witness-box *n. Br.* = **witness stand.**

witness stand, witness-stand *n. US prawn.* miejsce świadka (*na sali sądowej*).

wits [wɪts] *n. pl.* (trzeźwy) umysł, (zdrowy) rozum; **battle of** ~ *zob.* **battle** *n.*; **be at one's ~' end** być w kropce, nie wiedzieć, co począć; **be out of one's** ~ postradać zmysły; **frighten the** ~ **out of sb** (*także* **terrify sb out of their** ~) napędzić komuś porządnego stracha; **have/keep one's** ~ **about one** zachować przytomność umysłu; **live by/on one's** ~ *zob.* **live**[1].

witter ['wɪtər] *v.* ~ **(on)** *zwł. Br. pot.* ględzić, truć (*about sth* o czymś).

witticism ['wɪtəˌsɪzəm] *n.* dowcipna uwaga.

wittily ['wɪtɪlɪ] *adv.* dowcipnie; błyskotliwie.

wittiness ['wɪtɪnəs] *n. U* dowcip (*jako cecha*); błyskotliwość.

witting ['wɪtɪŋ] *a. rzad.* rozmyślny, świadomy.

wittingly ['wɪtɪŋlɪ] *adv.* rozmyślnie, świadomie.

wittol [ˈwɪtl] *n. arch.* żałosny rogacz (*tolerujący zdrady swojej żony*).

witty [ˈwɪtɪ] *a.* **-ier, -iest** **1.** dowcipny; błyskotliwy. **2. be ~ at sb's expense** bawić się czyimś kosztem.

wive [waɪv] *v. arch.* **1.** ożenić się. **2.** ożenić (*kogoś*).

wivern [ˈwaɪvərn] *n.* = **wyvern**.

wives [waɪvz] *n. pl. zob.* **wife**.

wiz [wɪz] *n.* = **whiz** *n.* 2.

wizard [ˈwɪzərd] *n.* **1.** czarodziej; czarownik. **2.** *pot.* geniusz (*at sth* w czymś); **computer/financial ~** geniusz komputerowy/finansowy. – *a. gł. Br. przest. pot.* świetny (*w czymś*).

wizardry [ˈwɪzərdrɪ] *n. U* czary; sztuki magiczne.

wizen [ˈwɪzən] *v.* **1.** zasuszyć; wysuszyć (*np. twarz*). **2.** zasuszyć się; wyschnąć (*np. o owocu, twarzy*). – *a.* = **wizened**.

wizened [ˈwɪzənd] *a.* zasuszony; wyschnięty; pomarszczony.

wk., wk *abbr.* **1.** = **week**. **2.** = **work**.

wkly., wkly *abbr.* = **weekly**.

WL, w.l. *abbr.* = **water line**.

WLM [ˌdʌblju: ˌel ˈem] *abbr.* = **women's liberation movement**.

wmk *abbr.* = **watermark**.

WMO [ˌdʌblju: ˌem ˈoʊ] *abbr.* **World Meteorological Organization** Światowa Organizacja Meteorologiczna.

WNW [ˌdʌblju: ˌen ˈdʌblju:] *abbr.* **west-northwest** zachodnio-północnozachodni (*o wietrze*).

WO [ˌdʌblju: ˈoʊ] *abbr.* **1.** *Br. hist.* = **War Office**. **2.** *wojsk.* = **Warrant Officer**. **3.** *wojsk., żegl.* = **wireless operator**.

wo [woʊ] *n. arch.* = **woe**.

w/o *abbr.* **1.** = **without**. **2. written off** spisany na straty.

woad [woʊd] *n.* **1.** *bot.* urzet barwierski (*Isatis tinctoria*). **2.** *U gł. hist.* indygo, błękit indygowy (*otrzymywany z rośliny jw.*).

woadwaxen [ˈwoʊdˌwæksən], **woodwaxen** [ˈwʊdˌwæksən] *n. bot.* janowiec barwierski (*Genista tinctoria*).

woald [woʊld] *n.* = **weld**[2].

wobble [ˈwɑ:bl], **wabble** *v.* **1.** kołysać *l.* kolebać się, chwiać się, chybotać się. **2.** kołysać, chwiać (*czymś*). **3.** trząść się (*np. o głosie, nogach, podbródku*). **4.** iść kołysząc się; jechać kołysząc się. **5.** *US* wahać się, nie móc się zdecydować. – *n. zw. sing.* **1.** kołysanie (się); **give sth a ~** zakołysać czymś. **2.** *mech.* bicie osiowe *l.* wzdłużne.

wobbler [ˈwɑ:blər] *n. mech.* rozeta (*walca walcarki*).

wobbliness [ˈwɑ:blɪnəs] *n. U* rozkołysanie, rozchwianie.

wobbly [ˈwɑ:blɪ] *a.* **-ier, -iest** **1.** chwiejący się, rozchwiany (*np. o meblu*). **2.** trzęsący się (*o głosie, rękach, osobie*); **feel ~** trząść się, dygotać (*o nogach, osobie*). – *n. pl.* **-ies throw a ~** *Br. pot.* dostać szału (= *rozgniewać l. zdenerwować się*).

wodge [wɑ:dʒ] *n. Br. pot.* masa, kupa; kawał (*czegoś*).

woe [woʊ] *n. lit.* **1.** *U* zgryzota; żałość. **2.** *pl. zob.* **woes**. **3. ~ betide (anyone who...)** *zw. żart.* biada (temu, kto...). – *int.* (*także* **~ is me!**) *arch.* biada mi! o ja nieszczęsn-y/a!

woebegone [ˈwoʊbɪˌgɔ:n] *a. lit.* nieszczęsny.

woeful [ˈwoʊfʊl] *a. lit.* żałosny, żałośliwy.

woefully [ˈwoʊfʊlɪ] *adv.* żałośnie, żałośliwie.

woefulness [ˈwoʊfʊlnəs] *n. U* żałość.

woes [woʊz] *n. pl.* zmartwienia, nieszczęścia.

wog [wɑ:g] *n. Br. i Austr. obelż. sl.* bambus, negatyw (= *osoba rasy czarnej*); żółtek (= *osoba rasy żółtej*).

wok [wɑ:k] *n. kulin.* wok.

woke [woʊk] *v. zob.* **wake**.

woken [ˈwoʊkən] *v. zob.* **wake**.

wold[1] [wɔ:ld] *n. lit.* falujący płaskowyż.

wold[2] *n.* = **weld**[2].

wolf [wʊlf] *n. pl.* **wolves** [wʊlvz] **1.** *zool.* wilk (*Canis lupus*). **2.** *pot.* kobieciarz. **3.** *muz.* = **wolf note**. **4.** *przen.* **a ~ in sheep's clothing** wilk w owczej skórze; **lone ~** *zob.* **lone**; **cry ~** *zob.* **cry** *v.*; **have/hold a ~ by the ears** być w położeniu bez wyjścia; **keep the ~ from the door** odpędzać widmo głodu; **throw sb to the wolves** zostawić kogoś na pastwę losu. – *v.* **1. ~ (down)** pochłaniać, jeść łapczywie. **2.** *myśl.* polować na wilki.

wolf cub *n.* **1.** wilczek, wilczę. **2. Wolf Cub** *Br.* zuch (= *młodszy harcerz*).

wolf dog *n. kynol.* **1.** wilczarz. **2.** wilczur.

wolffish [ˈwʊlfˌfɪʃ] *n. icht.* zębacz smugowy (*Anarhichas lupus*).

wolf herring *n. icht.* wilczy śledź, dorab (*Chirocentrus dorab*).

wolfhound [ˈwʊlfˌhaʊnd] *n. kynol.* **1.** chart rosyjski. **2.** wilczarz irlandzki.

wolfish [ˈwʊlfɪʃ] *a.* **1.** wilczy. **2.** *przen.* lubieżny (*np. o uśmiechu*).

wolfman [ˈwʊlfˌmæn] *n. pl.* **-men** człowiek-wilk, wilkołak.

wolf note *n. muz.* nieczysty dźwięk.

wolf pack *n.* **1.** wataha wilków. **2.** *hist.* wilcze stado (*U-bootów*).

wolfram [ˈwʊlfrəm] *n. U min.* **1.** wolfram. **2.** (*także* **wolframite**) wolframit.

wolfsbane [ˈwʊlfsˌbeɪn], **wolf's-bane** *n. bot.* tojad lisi, akonit (*Aconitum lycoctonum l. vulparia*).

wolf spider *n. ent.* pająk z rodziny pogońców (*Lycosidae*).

wolf whistle *n. pot.* gwizdanie za kobietą (*jako wyraz podziwu*).

wolf-whistle [ˈwʊlfˌwɪsl] *v.* **~ at sb** *pot.* gwizdać za kimś.

wolverine [ˈwʊlvəˌri:n] *n. zool.* rosomak (*Gulo gulo*).

wolves [wʊlvz] *n. pl. zob.* **wolf**.

woman [ˈwʊmən] *n. pl.* **women** [ˈwɪmɪn] kobieta; **~ of easy virtue** *przest.* kobieta lekkich obyczajów; **~ of the world** kobieta światowa; **~ to ~** jak kobieta z kobietą; **another ~** inna kobieta, ta druga (= *kochanka*); **be one's own ~** być kobietą niezależną; **sb' ~** *pot.* czyjaś kobieta (= *żona, partnerka*); **wine, women and song** *zob.* **wine** *n.* – *a. attr.* **~ driver** kierowca-kobieta; **~ friend**

przyjaciółka; ~ **teacher** nauczycielka; ~ **writer** pisarka.

womanhood ['wʊmənˌhʊd] *n. U* **1.** kobiecość. **2.** kobiety (*zbiorowo*). **3. reach** ~ stać się (dojrzałą) kobietą.

womanish ['wʊmənɪʃ] *a. pog.* babski; zniewieściały.

womanize ['wʊməˌnaɪz], *Br. i Austr. zw.* **womanise** *v.* uganiać się za kobietami.

womanizer ['wʊməˌnaɪzər], *Br. i Austr. zw.* **womaniser** *n.* kobieciarz.

womanizing ['wʊməˌnaɪzɪŋ], *Br. i Austr. zw.* **womanising** *n. U* uganianie się za kobietami.

womankind ['wʊmənˌkaɪnd] *n. U* kobiety (*w odróżnieniu od mężczyzn*); *form. l. żart.* ród niewieści.

womanliness ['wʊmənlɪnəs] *n. U* kobiecość (= *typowo kobiece cechy*).

womanly ['wʊmənlɪ] *adv.* kobiecy (= *typowy dla kobiety*).

womb [wu:m] *n.* macica; *t. przen.* łono.

wombat ['wɑ:mbæt] *n. zool.* **1.** wombat tasmański (*Vombatus ursinus*). **2.** wombat szerokogłowy (*Lasiorhinus latifrons*).

women ['wɪmɪn] *n. pl. zob.* **woman.**

womenfolk ['wɪmɪnˌfoʊk], *US t.* **womenfolks** *n.* **1.** = **womankind. 2.** kobiety w rodzinie, żeńska część rodziny.

Women's Institute *n. Br., Austr. i Can.* koło gospodyń wiejskich.

women's lib *n. pot. często uj.* = **women's liberation.**

women's libber *n. pot. często uj.* = **women's liberationist.**

women's liberation *n. U* ruch wyzwolenia kobiet.

women's liberationist *n.* działacz/ka ruchu wyzwolenia kobiet; zwolenni-k/czka ruchu wyzwolenia kobiet.

women's refuge *n. Br. i Austr.* = **women's shelter.**

women's shelter *n.* (*także Br. i Austr.* **women's refuge**) schronisko dla (maltretowanych) kobiet.

women's studies *n. U uniw.* studia kobiece.

women's suffrage *n. U polit.* prawo wyborcze dla kobiet.

womenswear ['wɪmɪnzˌwer] *n. U* odzież damska.

won [wʌn] *v. zob.* **win.**

wonder ['wʌndər] *n.* **1.** *U* zdumienie; zadziwienie; **in** ~ w zdumieniu; **no/little/small** ~ nic (w tym) dziwnego, nie ma się czemu dziwić. **2.** cud; **~s will never cease** *zob.* **cease** *v.*; **nine days'** ~ *zob.* **nine** *num.*; **do/work ~s** działać *l.* czynić cuda; **it's a ~ (that)...** aż dziw bierze, że..., to cud, że...; **the seven ~s of the world** siedem cudów świata. – *a. attr.* cudowny; ~ **diet** dieta-cud; ~ **drug** cudowny lek. – *v.* **1.** zastanawiać się (*if/whether* czy, *how/why/who/what* jak/dlaczego/kto/co, *about sth* nad czymś); ~ **out loud** głośno się zastanawiać; **it makes you** ~ człowiek zaczyna się zastanawiać; **I was ~ing if/whether...** chciałem *l.* chciałbym spytać, czy... **2.** ~ **(at sth)** dziwić się (czemuś); **I don't** ~ *Br. pot.* nie dziwię się, nie dziwi mnie to; **I don't** ~ *Br. pot.* nie zdziwiłbym się, nie zdziwiłoby mnie to.

wonderful ['wʌndərfʊl] *a.* cudowny, wspaniały.

wonderfully ['wʌndərfʊlɪ] *adv.* cudownie, wspaniale.

wonderfulness ['wʌndərfʊlnəs] *n. U* cudowność.

wonderingly ['wʌndərɪŋlɪ] *adv.* w zadziwieniu.

wonderland ['wʌndərˌlænd] *n.* **1.** kraina czarów *l.* cudów. **2.** cudowna kraina.

wonderment ['wʌndərmənt] *n. U* **1.** zadziwienie. **2.** zdumienie.

wonderwork ['wʌndərˌwɜ:k] *n.* cud.

wondrous ['wʌndrəs] *arch. l. lit. a.* cudowny. – *adv.* cudownie (*np. piękny, ciepły*).

wondrously ['wʌndrəslɪ] *adv. lit.* cudownie.

wonga ['wɑ:ŋə] *n. U Br. sl.* szmal (= *pieniądze*).

wonk ['wɑ:ŋk] *n. US pot.* smutny pracuś.

wonky ['wɑ:ŋkɪ] *a.* **-ier, -iest** *Br. pot.* **1.** rozklekotany (*o meblu*). **2.** przekrzywiony. **3.** niepewny (= *podatny na uszkodzenie*).

wont [wɔ:nt] *a. pred. form.* przyzwyczajony, przywykły (*to do sth* do robienia czegoś); **be ~ to do sth** mieć zwyczaj coś robić. – *n. przest.* zwyczaj, przyzwyczajenie; **as is his/her** ~ jak to ma w zwyczaju. – *v. pret.* **wont** *l.* **-ed** *arch. zw. pass.* przyzwyczajać; **be ~ed** być przyzwyczajonym.

won't [woʊnt] *v.* = **will not;** *zob.* **will**[1].

wonted ['wɔ:ntɪd] *a. attr. przest.* zwykły, typowy.

won ton ['wɑ:n ˌtɑ:n], **wonton** *n. kulin.* **1.** chińskie pierożki. **2.** (*także* ~ **soup**) chińska zupa z pierożkami.

woo [wu:] *v.* **1.** zabiegać o względy (*np. wyborców, klientów*). **2.** *przest.* zalecać się do (*kogoś*). **3.** gonić za (*sławą itp.*). **4.** ściągać na siebie (*nieszczęścia itp.*).

wood [wʊd] *n.* **1.** *C/U* drewno, drzewo (*jako materiał*). **2.** (*także* **the ~s**) las. **3.** *golf* kij z drewnianą główką. **4.** *tenis* rama rakiety. **5.** *muz.* = **woodwind. 6.** *U techn.* beczka, beczki (*na piwo l. wino*); **from the** ~ z beczki. **7.** *przen.* **can't see the ~ for the trees** *Br.* gubić się w szczegółach; **have (got) the ~ on sb** *Austr. i NZ pot.* mieć nad kimś przewagę; **not be out of the ~(s) yet** *pot.* być wciąż zagrożonym, nadal być w niebezpieczeństwie; **touch ~!** *zwł. Br.* odpukać (w niemalowane drewno)! – *v.* **1.** zalesiać. **2.** zaopatrywać w drzewo.

wood alcohol *n.* = **wood spirit.**

wood-and-water joey [ˌwʊdənd'wɔ:tər ˌdʒoʊɪ] *n. Austr. pot.* fachowiec, złota rączka.

wood anemone *n. bot.* zawilec pięciolistny (*Anemone quinquefolia*); zawilec gajowy (*Anemone nemorosa*).

wood ant *n. ent.* mrówka rudnica (*Formica rufa*).

wood avens *n. bot.* kuklik pospolity, benedykt (*Geum urbanum*).

woodbine ['wʊdˌbaɪn] *n. U bot.* **1.** wiciokrzew pomorski (*Lonicera periclymenum*); **American** ~ wiciokrzew przewiercień, kapryfolium (*Lonicera* *caprifolium*). **2.** *US* dzikie wino, winobluszcz pięciolistkowy (*Parthenocissus quinquefolia*).

wood block *n.* **1.** klocek drzeworytniczy. **2.** *Br.* klepka podłogowa.

woodborer [ˈwʊdˌbɔːrər] *n. ent.* chrząszcz z rodziny kołatkowatych *l.* bogatkowatych (*Anobiidae l. Buprestidae*).

woodcarving [ˈwʊdˌkɑːrvɪŋ] *n.* **1.** *U* rzeźbienie w drewnie, snycerka. **2.** rzeźba drewniana.

woodchat [ˈwʊdˌtʃæt] *n.* (*także* ~ **shrike**) *orn.* dzierzba rudogłowa, rudogłówka (*Lanius senator*).

woodchop [ˈwʊdˌtʃɑːp] *n. Austr.* konkurs rąbania drewna.

woodchuck [ˈwʊdˌtʃʌk] *n. pl.* **-s** *l.* **woodchuck** *zool.* świszcz (*Marmota monax*).

wood coal *n. U* **1.** węgiel drzewny. **2.** *min.* lignit, ksylit.

woodcock [ˈwʊdˌkɑːk] *n. orn.* słonka (*Scolopax rusticula*).

woodcraft [ˈwʊdˌkræft] *n. U zwł. US i Can.* **1.** znajomość lasu. **2.** umiejętność rzeźbienia w drewnie.

woodcut [ˈwʊdˌkʌt] *n.* **1.** klocek drzeworytniczy. **2.** drzeworyt.

woodcutter [ˈwʊdˌkʌtər] *n.* **1.** drwal. **2.** drzeworytni-k/czka.

woodcutting [ˈwʊdˌkʌtɪŋ] *n. U* **1.** wyręb. **2.** drzeworytnictwo.

wood duck *n. orn.* (kaczka) karolinka (*Aix sponsa*).

wooded [ˈwʊdɪd] *a.* zalesiony.

wooden [ˈwʊdən] *a.* drewniany (*t. przen.* = *drętwy, sztywny, apatyczny bez wyrazu*).

wood engraver *n.* drzeworytni-k/czka.

wood engraving *n.* **1.** *U* drzeworytnictwo. **2.** drzeworyt.

woodenhead [ˈwʊdənˌhed] *n. pot.* tępa *l.* zakuta pała.

wooden-headed [ˌwʊdənˈhedɪd] *a. pot.* tępy (*o osobie*).

Wooden Horse *n. mit.* koń trojański.

woodenly [ˈwʊdənlɪ] *adv.* drętwo; tępo; apatycznie.

woodenness [ˈwʊdənnəs] *n. U* drętwość; apatyczność; brak wyrazu.

wooden spoon *n.* **1.** *kulin.* drewniana łyżka, kopyść. **2.** *Br. i Austr. pot.* nagroda pocieszenia (*dla ostatniego w konkursie*).

woodfree [ˌwʊdˈfriː] *a.* bezdrzewny (*o papierze*).

woodgrouse [ˈwʊdˌgraʊs] *n. pl.* **-s** *l.* **woodgrouse** *orn.* głuszec (*Tetrao urogallus*).

wood hedgehog *n. bot.* kolczak obłączasty (*Hydnum repandum*).

wood hyacinth *n. bot.* dziki hiacynt (*Endymion nonscriptus*).

wood ibis *n. orn.* dławigad amerykański (*Mycteria americana*).

woodiness [ˈwʊdɪnəs] *n. U* **1.** lesistość. **2.** włóknistość.

woodland [ˈwʊdlənd] *n. C/U* obszar *l.* teren leśny.

woodlark [ˈwʊdˌlɑːrk] *n. pl.* **-s** *l.* **woodlark** *orn.* skowronek borowy, lerka (*Lullula arborea*).

woodlot [ˈwʊdˌlɑːt] *n. leśn.* szkółka leśna.

woodlouse [ˈwʊdˌlaʊs] *n. pl.* **-lice** [ˈwʊdˌlaɪs] *ent.* **1.** stonóg (*Oniscus*). **2.** prosionek (*Porcellio*).

woodman [ˈwʊdmən] *n. pl.* **-men** (*także* **woodsman**) leśniczy; drwal.

wood mouse *n. pl.* **woodmice** *zool.* mysz leśna (*Mus sylvaticus*).

woodnotes [ˈwʊdˌnoʊts] *n. pl. lit.* leśne dźwięki (*np. śpiew ptaków*).

wood nymph *n.* **1.** *mit.* nimfa leśna, driada. **2.** *orn.* widłogonek (*rodzaj Thalurania*).

wood owl *n. orn.* puszczyk (*Strix aluco*).

woodpecker [ˈwʊdˌpekər] *n. orn.* dzięcioł (*Picus*).

wood pigeon *n. orn.* (gołąb) grzywacz (*Columba palumbus*).

woodpile [ˈwʊdˌpaɪl] *n.* **1.** sąg drewna. **2. nigger in the** ~ *przest. przen.* ukryta skaza.

wood pulp *n. U* ścier drzewny, miazga drzewna.

woodruff [ˈwʊdrʌf] *n. bot.* marzanka (*Asperula*); **sweet** ~ marzanka wonna (*Asperula odorata*).

woodrush [ˈwʊdrʌʃ] *n. bot.* kosmatka (*Luzula*).

wood sage *n. U bot.* ożanka nierównoząbkowa (*Teucrium scorodonia*).

woodscrew [ˈwʊdˌskruː] *n. techn.* wkręt do drewna.

woodshed [ˈwʊdˌʃed] *n.* drewutnia, drwalnia.

woodsman [ˈwʊdzmən] *n. pl.* **-men** (*także* **woodman**) leśniczy; drwal.

wood sorrel *n. U bot.* szczawik zajęczy, zajęcza kapusta (*Oxalis acetosella*).

wood spirit *n. U chem.* spirytus drzewny, metanol.

wood sugar *n. U chem.* cukier drzewny, ksyloza.

woodswallow [ˈwʊdˌswɑːloʊ] *n. orn.* ostrolot (*Artamus*).

woodsy [ˈwʊdzɪ] *a.* **-ier, -iest** *US i Can. pot.* leśny.

wood tar *n. U* dziegieć, smoła drzewna.

wood vinegar *n. U chem.* ocet drzewny surowy.

wood warbler *n. orn.* świstunka leśna (*Phylloscopus sibilatrix*).

woodwaxen [ˈwʊdˌwæksən] = **woadwaxen**.

woodwind [ˈwʊdˌwɪnd] *n.* (*także* ~**winds**) *muz.* instrumenty dęte drewniane.

woodwork [ˈwʊdˌwɜːk] *n. U* **1.** stolarka. **2. come/crawl out of the** ~ *przen.* wyłazić ze wszystkich kątów.

woodworker [ˈwʊdˌwɜːkər] *n.* **1.** stolarz (*t. artystyczny*). **2.** cieśla.

woodworking [ˈwʊdˌwɜːkɪŋ] *n. U* **1.** stolarstwo (*t. artystyczne*). **2.** ciesielstwo, ciesielka.

woody [ˈwʊdɪ] *a.* **-ier, -iest 1.** lesisty. **2.** drewniany. – *n.* (*także* **woodie**) *pl.* **-ies** *US sl.* sztywniak (= *penis w stanie wzwodu*).

woodyard [ˈwʊdˌjɑːrd], **wood yard** *n.* skład drewna.

wooer [ˈwuːər] *n. przest.* zalotnik.

woof¹ [wʊf] *n. i int.* hau. – *v. pot.* szczekać, robić hau-hau.

woof[2] *n.* = **weft.**

woofer [ˈwʊfər] *n.* głośnik niskotonowy (*w kolumnie*).

woofter [ˈwʊftər] *n. Br. obelż. sl.* ciota (= *homoseksualista*).

wool [wʊl] *n. U* **1.** wełna; **long/short ~** wełna czesankowa/zgrzebna; **skin ~** wełna strzyżona. **2. cotton ~** wata; **steel ~** wełna stalowa (*do czyszczenia*); **wire ~** *Br.* druciak (*do czyszczenia garnków*). **3.** *przen.* **dyed-in-the-~** zagorzały, o niezmiennych poglądach (*np. o republikaninie*); **keep/lose one's ~** *Br. pot.* zachować/stracić panowanie nad sobą; **pull the ~ over sb's eyes** mydlić komuś oczy.

wool clip *n.* roczna strzyża (*ze stada, regionu, lub kraju*).

woolen [ˈwʊlən], *Br.* **woollen** *a. attr.* wełniany. – *n.* wyrób wełniany *l.* z wełny; *pl.* odzież wełniana.

wool fat *n. U* lanolina.

woolgathering [ˈwʊlˌgæðərɪŋ] *n. U przen.* leniwe marzycielstwo, rozmarzenie.

woolgrower [ˈwʊlˌgroʊər] *n.* hodowca owiec (*na wełnę*).

woolgrowing [ˈwʊlˌgroʊɪŋ] *n. U* hodowla owiec (*jw.*).

wooliness [ˈwʊlɪnəs], *Br.* **woolliness** *n. U przen.* mętność (*np. argumentu*).

woollen [ˈwʊlən] *Br. a.* = **woolen.**

woolly-headed [ˈwʊlɪˈhedɪd] *a.* **1.** o wełnistych włosach. **2.** *przen.* przymulony, rozkojarzony.

woolpack [ˈwʊlˌpæk] *n. Br.* bal wełny (*ważący 240 funtów*).

woolsack [ˈwʊlˌsæk] *n.* **1.** wór wełny. **2. W~** *Br. parl.* siedzisko Lorda Kanclerza (*w Izbie Lordów*).

woolsorter's disease [ˈwʊlˌsɔːrtərz dɪˌziːz] *n. U pat.* wąglik.

wool stapler *n.* sortowacz/ka wełny.

wooly [ˈwʊlɪ], *Br.* **woolly** *a.* **-ier, -iest 1.** wełniany. **2.** wełnisty. **3.** *przen.* mętny (*np. o argumentacji, prozie*). **4. wild and ~** *US pot.* dziki i rozpasany (*zwł. o życiu na Dzikim Zachodzie*); nieprzemyślany (*np. o planie*). – *n. pl.* **-ies** *pot.* **1.** *Br. przest.* sweterek (*zwł. robiony na drutach*). **2.** *pl. US* wełniane kalesony. **3.** *US dial. i Austr.* owca.

wooly bear *n. ent.* włochata gąsienica, np. niedźwiedziówki nożówki (*Arctia caja*).

wooly-headed [ˌwʊlɪˈhedɪd] *a.* **1.** kędzierzawy. **2.** *przen.* mający mętlik w głowie.

woosh [wuːʃ] *n., v. i int.* = **whoosh.**

woozily [ˈwuːzɪlɪ] *adv. pot.* w otumanieniu; w zamroczeniu.

wooziness [ˈwuːzɪnəs] *n. U* otumanienie; zamroczenie.

woozy [ˈwuːzɪ] *a.* **-ier, -iest** *pot.* otumaniony; zamroczony.

wop[1] [wɑːp] *n. obelż. sl.* makaroniarz (= *Włoch*).

wop[2] *n. i v.* = **whop.**

word [wɜːd] *n.* **1.** słowo, wyraz; **the W~ of God** *Bibl.* słowo Boże; **what's the ~ for car in Spanish?** jak jest samochód po hiszpańsku?. **2.** *U* wiadomość, wieść; wiadomości, wieści (*of sth* o czymś); **get ~ of sth** otrzymać wiadomość o czymś, dowiedzieć się czegoś; **leave ~ (with sb/for sb) that...** zostawić wiadomość (u kogoś/dla kogoś), że...; **have/hear no ~ from sb** nie mieć od kogoś (żadnych) wiadomości; **pass/spread the ~** (*także* **put the ~ about/around**) rozpowszechnić wiadomość; **send ~ of sth** *form.* zawiadomić *l.* powiadomić o czymś; **send ~ (to sb) that...** *form.* przesłać (komuś) wiadomość, że...; **send ~ through sb** *form.* przesłać wiadomość przez kogoś; **the ~ is (that)...** (*także* **the ~ has it (that)...**) jak wieść niesie,...; **when ~ of sth got out/about/around...** kiedy rozeszła się wieść o czymś,... **3. ~ for ~** słowo w słowo (*powtarzać*); dosłownie (*tłumaczyć*); **~s fail me** nie mam słów; **a ~ of advice/warning** rada/ostrzeżenie; **a man/woman of his/her ~** osoba słowna; **a person of few ~s** osoba małomówna; **(angry/glad) isn't the ~ for it** (zły/zadowolony) to mało powiedziane; **be as good as one's ~** dotrzymywać słowa, być słownym; **by ~ of mouth** ustnie (*przekazać informację*); **can't find the ~s** nie móc znaleźć słów; **can't get a ~ in edgewise** *US*/**edgeways** *Br.* nie móc dojść do słowa; **eat one's ~s** *zob.* **eat** *v.*; **from the ~ "go"** *zob.* **go** *v.*; **give sb a few ~s of encouragement** powiedzieć komuś kilka słów zachęty; **give sb one's ~** dać komuś słowo; **give (sb) the ~** dać (komuś) rozkaz; **have a ~ in sb's ear** *zob.* **ear**[1]; **have a ~ with sb** zamienić z kimś parę słów, rozmówić się z kimś; **have ~s with sb** poprztykać się z kimś (= *posprzeczać*); **have the last/final ~** mieć ostatnie słowo; **keep/break one's ~** dotrzymać/nie dotrzymać słowa; **my ~ is my bond** *przest. l. żart.* (dane) słowo to dla mnie rzecz święta; **not breathe a ~ (of sth)** *zob.* **breathe; not say/understand a ~** nie powiedzieć/nie zrozumieć ani słowa; **in a ~** jednym słowem; **in as many ~s** jasno, wyraźnie (*powiedzieć, stwierdzić*); **in one's own ~s** własnymi słowami; **in other ~s** innymi słowy; **in X's ~s** (*także* **in the ~s of X**) jak powiedział X; **(just) say the ~** *zob.* **say** *v.*; **not in so many ~s** niedosłownie, nie(dokładnie) tymi słowami; **not mince one's ~s** *zob.* **mince** *v.*; **put ~s into sb's mouth** *zob.* **mouth** *n.*; **put in a (good) ~ for sb** wstawić się za kimś; **put sth into ~s** wyrazić coś słowami; **take sb at their ~** (*także* **take sb's ~ for it**) uwierzyć komuś (na słowo); **too stupid/silly for ~s** *pot.* głupi, że szkoda gadać; **(upon) my ~!** *przest.* niech mnie kule biją!; **want a (little) ~ with sb** chcieć zamienić z kimś parę słów (*zwł. żeby go skrytykować*); **(you can) take my ~ for it** wierz mi, możesz mi wierzyć; **you took the ~s out of my mouth** wyjąłeś mi to z ust. – *v.* formułować.

wordage [ˈwɜːdɪdʒ] *n. C/U* **1.** słowa. **2.** ilość słów. **3.** dobór słów.

word-blindness [ˈwɜːdˌblaɪndnəs] *n. U pot.* dysleksja.

wordbook [ˈwɜːdˌbʊk] *n.* **1.** słownik. **2.** *muz.* libretto.

worded [ˈwɜːdɪd] *a. gł. w złoż.* sformułowany; **clearly/carefully ~** jasno/starannie sformułowany.

word finder *n.* słownik tematyczny.

word game *n.* **1.** gra w słowa. **2.** *często pl. sl.*

kręcenie, ściemnianie (= *celowo niejasne wyrażanie się*).

word-hoard [ˈwɝːdˌhɔːrd] *n. zw. sing.* słownictwo, zasób słów.

wordiness [ˈwɝːdɪnəs] *n. U* rozwlekłość.

wording [ˈwɝːdɪŋ] *n. U* sposób sformułowania.

wordless [ˈwɝːdləs] *a.* **1.** *muz.* bez słów (*np. o refrenie*). **2.** niemy, bez słów (*np. o modlitwie*); niewyrażony słowami (*np. o gniewie, żalu*). **3.** cichy, niemy; oniemiały (*o osobie*).

wordmonger [ˈwɝːdˌmɑːŋgər] *n. przest.* osoba używająca języka w sposób efekciarski *l.* pretensjonalny.

word of honor, *Br.* **word of honour** *n.* słowo honoru.

word order *n. C/U gram.* szyk zdania.

word-perfect [ˌwɝːdˈpɝːfekt] *a. Br.* **1.** znający tekst na pamięć (*np. o aktorze, mówcy*); dokładnie zapamiętany (*np. o roli, przemówieniu*). **2.** poprawny w każdym szczególe.

wordplay [ˈwɝːdˌpleɪ] *n. U* gra słów.

word processing *n. U komp.* komputerowe redagowanie tekstu.

wordprocessor [ˈwɝːdˌprɑːsesər] *n. komp.* edytor tekstów.

wordsmith [ˈwɝːdˌsmɪθ] *n. form.* mistrz/yni słowa (*zwł. o pisarzu l. dziennikarzu*).

word square *n.* kwadrat magiczny (*rodzaj krzyżówki*).

word stress *n. U fon.* akcent wyrazowy.

wordwrap [ˈwɝːdˌwæp] *n. U komp.* automatyczne zawijanie tekstu.

wordy [ˈwɝːdɪ] *a.* **-ier**, **-iest** **1.** rozwlekły, przegadany (*np. o eseju, przemówieniu*). **2.** mówiący rozwlekle (*o osobie*). **3.** słowny (*np. o pojedynku*).

wore [wɔːr] *v. zob.* **wear**.

work [wɝːk] *v. pret. i pp. arch. t.* **wrought** [rɔːt] **1.** pracować (*as sth* jako ktoś, *with sb* z kimś (np. z dziećmi, chorymi), *in/with sth* w czymś (np. w drewnie, srebrze), *at sth* nad czymś (np. nad swoim angielskim)); ~ **hard** ciężko pracować; ~ **nights** pracować w nocy. **2.** działać, chodzić (*o maszynie, urządzeniu*). **3.** działać (*np. o mechanizmie, leku; t. przen. o przepisie, prawie*); ~ **against sb** działać na czyjąś niekorzyść; ~ **in sb's favor** *US*/**favour** *Br.* działać na czyjąś niekorzyść. **4.** skutkować, być skutecznym, dawać efekty (*np. o rozwiązaniu, planie*). **5.** obrabiać (*np. kamień, drewno*). **6.** obsługiwać (*urządzenie, maszynę*). **7.** działać w (*danym rejonie*), działać na (*danym terenie*). **8.** wykonywać (*przedmioty*); kształtować, formować (*np. glinę, rzeźbę*). **9.** nie szczędzić wysiłków (*to do sth* żeby coś zrobić). **10.** *techn.* pracować (*np. o winie = fermentować*). **11.** zmuszać do pracy; ~ **sb hard** zmuszać kogoś do ciężkiej pracy; ~ **a mine** pracować przy wydobyciu węgla; ~ **the land** uprawiać ziemię, pracować na roli. **12.** ~ **itself loose** obluzować się (*np. o nakrętce*); ~ **like a charm** *zob.* **charm** *n.*; ~ **like a dog/Trojan** *emf.* harować jak wół; ~ **like magic** *zob.* **magic** *n.*; ~ **miracles/wonders** działać *l.* czynić cuda; ~ **one's fingers to the bone** *zob.* **finger** *n.*; ~ **one's way through sth** *t. przen.* (z trudem) przebrnąć przez coś (*np. przez studia*); ~ **one's way to sth** stopniowo dotrzeć gdzieś (*zwł. na wysokie stanowisko*); ~ **to rule** *Br. i Can.* stosować strajk włoski; ~ **until one drops** *zob.* **drop** *v.* **13.** ~ **back** *Austr.* pracować *l.* zostawać po godzinach; ~ **sb in** znaleźć czas dla kogoś, wcisnąć kogoś (*w swój rozkład zajęć*); ~ **sth in** włączyć *l.* wprowadzić *l.* wpleść coś (*np. cytat l. wątek do tekstu*); ~ **sth in/into sth** *t. kulin.* stopniowo dodawać coś do czegoś (*np. jajka do mąki*); ~ **o.s. into a panic/frenzy/rage** wpadać w panikę/szał/wściekłość; ~ **off** odpracować (*dług*); (*także* ~ **out**) rozładować, wyładować (*np. gniew*); ~ **on/upon sb** pracować nad kimś (*to do sth* żeby coś zrobił); działać na kogoś (*np. o łzach, diecie*); ~ **on sth** pracować nad czymś (*np. nad zadaniem*); pracować przy czymś (*np. przy samochodzie*); ~ **on the principle that...** wychodzić z założenia, że...; ~ **out** ćwiczyć, trenować; powieść się, wyjść, udać się (*o przedsięwzięciu*); układać się (*o związku*); ~ **out cheap/expensive** wypaść *l.* wyjść tanio/drogo; ~ **out well/badly** skończyć się *l.* wyjść *l.* wypaść dobrze/źle; ~ **sb/sth out** rozpracować kogoś/coś; ~ **sth out** obliczyć coś (*np. wysokość rachunku*); opracować *l.* wypracować coś (*np. plan, strategię*); rozwiązać coś (*np. problem, zagadkę*); **everything will** ~ **itself out** wszystko się samo rozwiąże; ~ **out why/how/who...** domyślić się *l.* dojść, dlaczego/jak/kto...; ~ **sth out for o.s.** samemu dojść do czegoś, samemu się czegoś domyślić; ~ **out at/to sth** wynieść ileś (*o rachunku*); kosztować ileś, wypaść *l.* wyjść po ileś (*np. za dzień, od osoby*); ~ **out a mine** *górn.* wyczerpać *l.* wyeksploatować zasoby kopalni; ~ **sb over** *przest. pot.* pobić kogoś; ~ **sth over** przerobić coś (= *zrobić inaczej*); przestudiować coś dokładnie (*np. dane*); ~ **through sth** poradzić sobie z czymś (*np. problemami*); ~ **sb/o.s. up** podniecać kogoś/się; denerwować kogoś/się; ~ **sb/o.s. up into a state** doprowadzić kogoś/się do szału; ~ **sth up** rozwijać coś (*np. umiejętności, plan, tekst*) (*into sth* w coś); ~ **up an appetite** mocno zgłodnieć (*zwł. podczas wysiłku fizycznego*); ~ **up enthusiasm/interest** wzbudzić (w sobie) entuzjazm/zainteresowanie; ~ **up to sth** przygotowywać się do czegoś (*na co nie ma się ochoty*). – *n.* **1.** *U* praca (*t. fiz.*); zajęcie; **after** ~ po pracy; **at** ~ w pracy (= *w miejscu pracy*); przy pracy; **be at** ~ pracować (*on sth* nad czymś); **be in** ~/**out of** ~ mieć pracę/nie mieć pracy; **find** ~ znaleźć pracę; **go to** ~ chodzić do pracy; **go/get/set to** ~ zabrać się do pracy; **look for** ~ szukać pracy; **return to** ~ wrócić do pracy; **start/finish** ~ zaczynać/kończyć pracę; **voluntary** ~ praca społeczna. **2.** dzieło (*sztuki, literackie*), utwór (*muzyczny, literacki*); **the complete** ~ **of Henry James** dzieła wszystkie Henry'ego Jamesa. **3.** produkt, wytwór (*of sth* czegoś) (*t. np. wyobraźni*). **4.** *pl. zob.* **works**. **5.** *U* = **workmanship**. **6.** *przen.* **a (nasty) piece of** ~ *zob.* **piece** *n.*; **do sb's dirty** ~ **(for them)** *zob.* **dirty** *a.*; **have one's** ~ **cut out (for one)** *zob.* **cut** *v.*; **it's all in a day's** ~ *zob.* **day**; **make hard** ~ **of sth** *zob.* **hard** *a.*; **make short** ~ **of sth** *zob.* **short** *a.*; **nice** ~ **(if you can get it)** *zob.* **nice**; **see sth at** ~ zobaczyć coś w działaniu *l.* akcji.

workable ['wɜ:kəbl] *a.* **1.** wykonalny (*o pomyśle, rozwiązaniu*); nadający się do wykorzystania *l.* zastosowania (*o propozycji, systemie*). **2.** obrabialny, nadający się do obróbki (*o stali*); urabialny (*o glinie, masie*). **3.** zdatny do eksploatacji (*o zasobach kopalnych*). **4.** nadający się do użytku, w stanie używalności (*np. o pojeździe*).

workaday ['wɜ:kə,deɪ], **workday** ['wɜ:k,deɪ] *a. attr.* **1.** zwyczajny, powszedni. **2.** codzienny.

workaholic [,wɜ:kə'hɑ:lɪk] *n.* pracoholi-k/czka.

workbag ['wɜ:k,bæg] *n.* (*także* **~basket**) woreczek, koszyczek, z przyborami (*zwł. do szycia*).

workbench ['wɜ:k,bentʃ] *n. techn.* stół warsztatowy.

workbook ['wɜ:k,bʊk] *n.* **1.** zeszyt ćwiczeń. **2.** instrukcja obsługi. **3.** dziennik pracy.

workbox ['wɜ:k,bɑ:ks] *n.* pudełko z przyborami (*zwł. do szycia*).

work camp *n.* obóz pracy.

workday ['wɜ:k,deɪ] *n. zwł. US* dzień roboczy. – *a.* = **workaday**.

worked up [,wɜ:kt 'ʌp] *a. pred.* podniecony; zdenerwowany; **get (all) ~ about sth** podniecać się czymś; denerwować się czymś.

worker ['wɜ:kər] *n.* **1.** pracowni-k/ca; **be a good/hard ~** dobrze/ciężko pracować; **office ~s** urzędnicy; **research ~s** pracownicy naukowi. **2.** robotni-k/ca; **manual ~s** robotnicy fizyczni; **skilled/unskilled ~** robotnicy wykwalifikowani/niewykwalifikowani. **3.** *ent.* robotnica (*pszczoła, mrówka*).

work ethic *n. U l. sing.* etyka zawodowa.

work experience *n. U* **1.** doświadczenie zawodowe. **2.** *Br.* praktyka (*jako część przygotowania zawodowego*).

workfare ['wɜ:k,fer] *n. U* rządowy program pomocy społecznej, w ramach którego pobierający zasiłki zobowiązani są do podjęcia pracy lub szkolenia zawodowego.

workforce ['wɜ:k,fɔ:rs] *n. U* **1.** siła robocza. **2.** liczba zatrudnionych (*w danym zakładzie l. gałęzi przemysłu*).

workhorse ['wɜ:k,hɔ:rs] *n.* **1.** koń roboczy. **2.** *przen. pot.* wół roboczy (*o osobie*). **3.** *przen.* niezawodne wyposażenie (*np. o maszynie, programie komputerowym*).

workhouse ['wɜ:k,haʊs] *n.* **1.** *US* więzienie, w którym drobni przestępcy pracują w ramach odbywania kary. **2.** *Br. hist.* przytułek (*w którym pracowało się w zamian za jedzenie i miejsce do spania*).

working ['wɜ:kɪŋ] *a. attr.* roboczy (*np. o lunchu, definicji, odzieży*); pracujący (*np. o osobie, ruchomych częściach maszyny*); **a ~ knowledge of Spanish** praktyczna znajomość hiszpańskiego; **be in ~ order** być w dobrym stanie; być w stanie gotowości do pracy. – *n. U* **1.** praca, działanie (*np. umysłu, mechanizmu*); działalność (*organizacji*). **2.** *techn.* obróbka. **3.** *fizj.* drganie (*części ciała*).

working capital *n. U fin.* kapitał obrotowy.

working class *n.* **the ~** *polit., socjol.* klasa robotnicza. – *a.* (*także* **working-class**) robotniczy (*np. o rodzinie, pochodzeniu, dzielnicy*).

working conditions *n. pl.* warunki pracy.

working day *n.* **1.** dzień pracy. **2.** dzień roboczy.

working girl *n. przest.* kobieta pracująca (*t. iron.* = *prostytutka*).

working group *n.* (*także Br.* **working party**) grupa robocza.

working hours *n. pl.* godziny pracy.

working life *n.* okres pracy aktywnej.

working majority *n. sing. Br. parl.* wymagana większość.

working man, workingman *n. pl.* **-men** robotnik.

working papers *n. pl. US* pozwolenie na pracę (*w przypadku obcokrajowca*).

working party *n. Br.* = **working group**.

working relationship *n.* współpraca.

workings ['wɜ:kɪŋz] *n. pl.* **1.** funkcjonowanie (*of sth* czegoś). **2.** *górn.* wyrobisko.

working storage *n. U komp.* pamięć robocza.

working week *n. Br.* = **workweek**.

workload ['wɜ:k,loʊd] *n.* obciążenie.

workman ['wɜ:kmən] *n. pl.* **-men** **1.** robotnik. **2.** fachowiec.

workmanlike ['wɜ:kmən,laɪk] *a.* **1.** fachowy. **2.** dobrze wykonany; solidny.

workmanship ['wɜ:kmən,ʃɪp] *n. U* **1.** wykonawstwo, jakość wykonania. **2.** fachowość.

workmate ['wɜ:k,meɪt] *n.* kole-ga/żanka z pracy.

work of art *n.* dzieło sztuki.

workout ['wɜ:k,aʊt] *n. sport* trening.

workpeople ['wɜ:k,pi:pl] *n. pl. gł. Br.* robotnicy.

work permit *n.* pozwolenie na pracę.

workplace ['wɜ:k,pleɪs] *n.* miejsce pracy *l.* zatrudnienia.

workroom ['wɜ:k,ru:m] *n.* pracownia.

works [wɜ:ks] *n. pl.* **works** **1.** *często w złoż.* zakład (*przemysłowy*); **gas~** gazownia; **iron~** huta stali. **2.** *sl.* strzykawka (*do narkotyków*). **3. give sb the ~** *US sl.* spuścić komuś manto; **the (whole) ~** *pot.* wszystko (co się da), absolutnie wszystko; **a pizza with the ~, please** poproszę pizzę ze wszystkimi dodatkami. – *n. pl.* **1.** *teol.* uczynki; **~ of charity** uczynki miłosierdzia. **2.** mechanizm (*np. zegara*). **3. in the ~** *przen.* w przygotowaniu.

worksheet ['wɜ:k,ʃi:t] *n.* **1.** *szkoln., uniw.* arkusz ćwiczeniowy (*do pracy w klasie, na zajęciach*). **2.** dziennik pracy. **3.** kartka do notatek.

workshop ['wɜ:k,ʃɑ:p] *n.* warsztat; warsztaty (= *miejsce pracy; t.* = *zjazd*).

workshy ['wɜ:k,ʃaɪ] *a.* wymigujący się od pracy. – *n. pl.* **-ies** próżniak, nierób, leń.

work station, workstation *n.* **1.** stanowisko pracy, stanowisko robocze (*t. komp.* = *terminal*). **2.** *komp.* stacja robocza (*zw. graficzna*).

work-study ['wɜ:k,stʌdɪ] *n. U* racjonalizacja pracy.

work surface *n.* (*także* **work top**) *zwł. Br.* blat kuchenny.

worktable ['wɜ:k,teɪbl] *n.* **1.** stół roboczy. **2.** stolik do robótek ręcznych.

work-to-rule [,wɜ:ktə'ru:l] *n. Br. i Can.* strajk włoski.

workweek [ˈwɜːkˌwiːk] *n. US i Can.* tydzień pracy (*mierzony w dniach l. godzinach*).

workwoman [ˈwɜːkˌwʊmən] *n. pl.* **-women** [ˈwɜːkˌwɪmɪn] robotnica.

world [wɜːld] *n.* świat; ~ **without end** *lit.* na zawsze; bez końca; **all over the** ~ na całym świecie; **from all over the** ~ z całego świata; **a** ~ **of problems/trouble** mnóstwo problemów/kłopotu; **be** ~**s/a** ~ **apart** różnić się krańcowo *l.* diametralnie; **be at one with the** ~ *form.* być w zgodzie ze światem; **be/live in a** ~ **of one's own** być/żyć w swoim własnym świecie; **be/look for all the** ~ **like/as if...** *lit.* być/wyglądać zupełnie jak/jakby...; **be/mean all the** ~ **to sb** być dla kogoś wszystkim; **bring a child into the** ~ *form.* wydać dziecko na świat (*o kobiecie*); pomóc dziecku w przyjściu na świat (*o lekarzu, akuszerce*); **come into the** ~ *lit.* przyjść na świat; **dead to the** ~ *zob.* **dead** *a.*; **do sb a** ~ **of good** *zob.* **good** *n.*; **feel/be on top of the** ~ *zob.* **top** *n.*; **go/come down in the** ~ stracić na prestiżu, obniżyć swój status (społeczny); **go/move up in the** ~ zyskać na prestiżu, podnieść swój status (społeczny); **have all the time in the** ~ *zob.* **time** *n.*; **have the** ~ **at one's feet** mieć świat u swoich stóp; **have the best of both** ~**s** mieć wszystko; **how/what/where in the** ~ *emf.* jak/co/gdzie u licha; **leave/depart this** ~ *euf.* odejść z tego świata (= *umrzeć*); **make the** ~ **go around/round** *przen.* rządzić światem (*np. o pieniądzach*); **man/woman of the** ~ mężczyzna/kobieta światow-y/a; **not for the** ~ za nic w świecie, za żadne skarby świata; **not have a care in the** ~ *zob.* **care** *n.*; **nothing in the** ~ absolutnie nic; **out of this** ~ *pot.* nie z tego świata, nieziemski; **sb is not long for this** ~ *zob.* **long**[1] *a.*; **see the** ~ zobaczyć świat (= *podróżować*); **set the** ~ **alight/on fire** odnieść wielki sukces; **set/put the** ~ **to rights** naprawiać świat; **the animal/plant/business** ~ świat zwierząt/roślin/biznesu; **(the best/happiest) in the** ~ (najlepszy/najszczęśliwszy) na świecie; **the next** ~ (*także* **the** ~ **to come**) *lit.* tamten świat (= *życie po śmierci*); **there is a** ~ **of difference between A and B** jest kolosalna różnica pomiędzy A i B; **think the** ~ **of sb** nie widzieć świata poza kimś; bardzo kogoś cenić; **the** ~ **is your oyster** *zob.* **oyster**; **the** ~ **over** wszędzie, na całym świecie; **the outside** ~ świat zewnętrzny; **the Western/Ancient W**~ świat zachodni/starożytny; **the whole** ~ (*także* **the** ~ **at large**) cały świat, wszyscy. – *a. attr.* światowy; ~ **peace** światowy pokój.

World Bank *n. fin.* Bank Światowy.

world-beater [ˈwɜːldˌbiːtər] *n.* mistrz/yni (*w danej dziedzinie*).

world-beating [ˈwɜːldˌbiːtɪŋ] *a.* mistrzowski, najlepszy na świecie.

world champion *n. sport* mistrz/yni świata.

world-class [ˌwɜːldˈklæs] *a.* światowej klasy.

World Cup *n. sport* Puchar Świata.

world economy *n. ekon.* gospodarka światowa.

World English *n. U* język angielski we wszystkich odmianach.

world-famous [ˌwɜːldˈfeɪməs] *a.* **1.** *attr.* światowej sławy (*np. o artyście, pisarzu*). **2. be** ~ być znanym na całym świecie.

World Health Organization *n.* (*także* **WHO**) Światowa Organizacja Zdrowia.

world language *n.* **1.** język o zasięgu światowym (*np. angielski*). **2.** język międzynarodowy (*np. esperanto*).

world leader *n. polit.* światowy przywódca.

worldliness [ˈwɜːldlɪnəs] *n. U* **1.** światowość. **2.** zamiłowanie *l.* przywiązanie do rzeczy doczesnych.

worldling [ˈwɜːldlɪŋ] *n. lit.* osoba oddana sprawom doczesnym.

worldly [ˈwɜːldlɪ] *a.* **1.** (*także* ~**-wise**) światowy (*o osobie*). **2.** (*także* ~**-minded**) oddany sprawom doczesnym; przywiązany do dóbr doczesnych. **3.** *attr.* ziemski, doczesny; ~ **goods** dobra doczesne; **sb's** ~ **goods/possessions** czyjś cały majątek.

world music *n. U muz.* muzyka świata, muzyka narodowa i etniczna.

world power *n. polit.* światowe mocarstwo.

World Series *n.* **the** ~ *baseball* zawody o mistrzostwo US.

world's fair *n. ekon.* wystawa światowa.

world-shaking [ˈwɜːldˌʃeɪkɪŋ] *a.* przełomowy, doniosły.

World Trade Organization *n. ekon.* Światowa Organizacja Handlu.

world-view [ˌwɜːldˈvjuː], **worldview** *n.* światopogląd.

world war *n.* wojna światowa; **World War I/II** (*także* **WWI/II**) *hist.* pierwsza/druga wojna światowa.

world-weariness [ˈwɜːldˌwiːrɪnəs] *n. U* zmęczenie życiem.

world-weary [ˈwɜːldˌwiːrɪ] *a.* zmęczony życiem.

worldwide [ˌwɜːldˈwaɪd] *a.* ogólnoświatowy, światowy. – *adv.* na całym świecie.

World Wide Web *n.* **the** ~ (*także* **the Web**) Internet, sieć.

worm [wɜːm] *n.* **1.** *zool.* robak. **2.** *ent.* larwa. **3.** *pog.* glista, robak (*osoba*). **4.** *przen.* robak (= *coś, co męczy l. niszczy od środka*). **5.** *mech.* ślimak. **6.** *techn.* wężownica (*w urządzeniach chłodniczych*). **7.** *anat.* robak móżdżku. **8.** *komp.* (wirus typu) robak. – *v.* **1.** *med., wet.* odrobaczać, leczyć z robaczycy. **2.** *żegl.* owijać przędzę wokół (*liny*). **3.** wić się (= *poruszać się jak robak*). **4.** *ryb.* szukać robaków (*zwł. jako przynęty*). **5.** ~ **one's way into/through sth** przesuwać się powoli do środka czegoś/przez coś (*np. przez tłum*); ~ **one's way into sb's affections/confidence** *przen.* wkraść się w czyjeś uczucia/zaufanie; ~ **one's way out of (doing) sth** *przen.* wykręcić się od (robienia) czegoś. **6.** ~ **sth out of sb** wyciągnąć coś z kogoś (*np. tajemnicę*).

wormcast [ˈwɜːmˌkæst] *n.* ziemia wydalona przez dżdżownicę.

worm-eaten [ˈwɜːmˌiːtən] *a.* **1.** robaczywy (*o owocu*); stoczony przez robaki (*o drewnie*). **2.** zgniły, gnijący. **3.** *przen.* stary; przestarzały; zniszczony.

worm fishing *n. U ryb.* łowienie na robaki.

worm gear *n. mech.* **1.** przekładnia ślimakowa. **2.** = **worm wheel.**

wormhole ['wɜːmˌhoʊl] *n.* otwór wygryziony przez robaka.

wormlike ['wɜːmˌlaɪk] *a.* robakowaty, podobny do robaka.

worms [wɜːmz] *n. pl. pat.* robaki, robaczyca; **have ~** mieć robaki.

wormseed ['wɜːmˌsiːd] *n. bot.* roślina używana jako lek przeciw robakom (*zwł. Artemisia santonica l. Chenopodium anthelminticum*).

worm wheel *n.* (*także* **worm gear**) *mech.* koło ślimakowe, ślimacznica.

wormwood ['wɜːmˌwʊd] *n.* **1.** *U bot.* piołun (*rodzaj Artemisia*). **2.** *lit.* przykrość.

wormy ['wɜːmɪ] *a.* **-ier, -iest 1.** robaczywy (*o owocach*); stoczony przez robaki (*o drewnie*). **2.** pełen robaków, zarobaczony (*np. o glebie, grobie*). **3.** *pat.* zarobaczony. **4.** = **wormlike.**

worn [wɔːrn] *a.* **1.** znoszony (*o butach*). **2.** wytarty (*o ubraniu, dywanie*). **3.** wymęczony, wyczerpany (*o osobie*).

worn-out [ˌwɔːrn'aʊt] *a.* **1.** wycieńczony, wyczerpany, wykończony (*o osobie*). **2.** zużyty, zniszczony (*o przedmiocie*).

worried ['wɜːɪd] *a.* zaniepokojony; zmartwiony; zatroskany; **~ expression/look** zatroskany wyraz twarzy; **be ~** martwić *l.* niepokoić się (*that* że, *about sb / sth* o kogoś/coś); **be ~ sick/to death** *emf.* zamartwiać się; **get ~** zmartwić się; **I'm not ~** *pot.* wszystko jedno; **you had me ~ for a moment/minute (back there)** *pot.* przez chwilę niepokoiłam się.

worriedly ['wɜːɪdlɪ] *adv.* z niepokojem.

worrier ['wɜːɪər] *n.* **be a ~** wiecznie się martwić.

worriment ['wɜːɪmənt] *n. C / U gł. US i Can. przest. pot.* zmartwienie.

worrisome ['wɜːɪsəm] *a. form.* niepokojący.

worry ['wɜːɪ] *v.* **-ied, -ying 1.** martwić się (*about / over sb / sth* o kogoś/czymś); niepokoić się (*about / over sb / sth* o kogoś/coś); przejmować się; **~ o.s.** zamartwiać się (*zwł. bez powodu*); **don't ~** nie martw się, nie przejmuj się; **don't ~ your pretty little head (about it)** *żart. pot.* już ty się (o to) nie martw; **have enough to ~ about** mieć dosyć (innych) zmartwień; **(it's) nothing to ~ about** (to) nic poważnego; **not ~ about doing sth** nie przejmować się robieniem czegoś (= *nie musieć tego robić*); **not to ~!** *Br. pot.* nie przejmuj się!; **why ~?** po co się martwić? **2.** martwić, trapić; niepokoić. **3. ~ sb with sth** zawracać komuś czymś głowę. **4.** *t. przen.* popychać; **~ sth along** popychać coś do przodu (= *robić postępy w czymś, zwł. mimo problemów*). **5. ~ (at) sth** gryźć *l.* kąsać coś; szarpać (za) coś (*o psie*); ciągnąć *l.* szarpać za coś, bawić się czymś (*np. guzikiem u swetra; o osobie*); **~ (away) at sth** *przen.* ślęczeć nad czymś, usiłować rozwiązać coś. – *n. pl.* **-ies** zmartwienie, troska; kłopot, problem; *U* zmartwienia, troski; **be a ~ to/for sb** być dla kogoś problemem; **financial/money worries** kłopoty finansowe; **no worries** *Austr. i NZ pot.* nie ma problemu, żaden kłopot (*godząc się wyświadczyć przysługę*).

worry beads *n. pl.* paciorki, których przesuwanie w palcach pomaga usunąć napięcie nerwowe.

worryguts ['wɜːɪˌgʌts] *n. Br.* = **worrywart.**

worrying ['wɜːɪɪŋ] *a. attr.* niepokojący; **~ time/year** trudny czas/rok.

worryingly ['wɜːɪɪŋlɪ] *adv.* niepokojąco.

worrywart ['wɜːɪˌwɔːrt] *n.* (*także Br.* **worryguts**) *pot.* osoba wiecznie się martwiąca.

worse [wɜːs] *a.* gorszy; **~ and ~** coraz gorszy; **~ luck!** *pot.* a to pech!; **be/feel ~** czuć się gorzej; **(be) none the ~ (for sth)** *zob.* **none** *adv.*; **get ~** pogarszać się; **it could have been ~** mogło być gorzej; **make it/matters/things ~** pogorszyć sprawę; **much/a lot ~** dużo gorszy; **sb could do ~ than do sth** *pot.* to dobry pomysł, żeby ktoś coś zrobił; **there's nothing ~ than...** nie ma nic gorszego niż...; **the ~ for wear** *zob.* **wear**[1] *n.*; **to make things ~** na domiar złego. – *n. U* gorsze; **change for the ~** zmiana na gorsze; **go from bad to ~** *zob.* **bad**[1] *a.*; **I've seen ~** widziałam już gorsze rzeczy; **take a change/turn for the ~** pogorszyć się. – *adv.* gorzej (*np. śpiewać, pisać*); bardziej, mocniej (*np. boleć, dotknąć*); mniej (*np. kochać*).

worsen ['wɜːsən] *v.* pogarszać (się).

worse off [ˌwɜːs'ɔːf] *a. pred.* biedniejszy; w gorszej sytuacji; **sb is ~ than before** komuś powodzi się gorzej niż przedtem.

worship ['wɜːˌʃɪp] *v. Br.* **-pp- 1.** *rel.* oddawać cześć (*Bogu, bóstwu*), czcić, wielbić; modlić się do (*Boga, bóstwa*). **2.** *rel.* modlić się (*w świątyni, miejscu kultu*). **3.** uwielbiać (*osobę*); **~ the ground sb walks on** *przen.* wielbić ziemię, po której ktoś stąpa (= *być ślepo zakochanym*). – *n. U* **1.** *rel.* kult; modlitwa; *t. przen.* uwielbienie; **act of ~** nabożeństwo; **freedom of ~** wolność wyznania; **house/place of ~** dom/miejsce modlitwy, świątynia; **object of ~** obiekt kultu. **2. Your/His W~** *Br. form.* Wasza/Jego Ekscelencja (*forma zwracania się do sędziego l. burmistrza*).

worshiper ['wɜːˌʃɪpər], *Br.* **worshipper** *n.* **1.** *rel.* wiern-y/a (*w kościele*); czciciel/ka (*of sb / sth* kogoś/czegoś). **2.** *przen.* wielbiciel/ka; miłośni-k/czka (*np. określonego pisarza, mody*).

worshipful ['wɜːˌʃɪpfʊl] *a.* **1.** pełen czci. **2.** godny czci, czcigodny. **3.** (*także* **W~**) *zwł. Br.* czcigodny (*tytuł przysługujący burmistrzom i gildiom londyńskiego City*).

worst [wɜːst] *a.* najgorszy; **be one's own ~ enemy** *zob.* **enemy**; **by far the ~ solution** zdecydowanie najgorsze rozwiązanie; **come off ~** zostać pokonanym; **(in) the ~ way** *US emf. pot.* bardzo. – *n.* **1. the ~** najgorsz-y/a; **I've seen many bad productions of "Hamlet", but this one is definitely the ~** widziałem wiele złych inscenizacji „Hamleta", ale ta jest zdecydowanie najgorsza. **2.** *U* najgorsze; **~ of all** co najgorsze; **at (the) ~** w najgorszym razie *l.* wypadku; **at his/its ~** w najgorszym (możliwym) stanie *l.* wydaniu; **expect/fear the ~** obawiać się najgorszego; **if the ~ comes to the ~** w najgorszym wypadku, w ostateczności; **get/have the ~ of it** przegrać, zostać pokonanym (*w sprzeczce, walce*); **sb/sth can do their ~** ktoś/coś może robić, co chce (= *i tak nie budzi strachu*); **the ~ is over** najgorsze (już) za nami; **the ~ of it** najgorsze; najtrudniejsza część; **the ~ of it is that...** najgorsze (z tego jest to), że... – *adv.* najgorzej (*np. ubrany*); najbardziej, najmocniej (*np. doświadczony*); najmniej (*np. kochany*). – *v. zw. pass. przest.* pokonać (*w walce, sprzeczce*).

worst-case scenario [ˌwɜːstˌkeɪs sɪˈnerɪˌoʊ] *n.* najgorszy z możliwych scenariuszy, najgorsze, co może się zdarzyć.

worsted [ˈwʊstɪd] *n. U tk.* **1.** wełna czesankowa. **2.** przędza czesankowa. – *a.* czesankowy.

wort [wɜːt] *n. U browarnictwo* brzeczka piwna.

worth [wɜːθ] *a.* **1.** warty; **be ~ $100** być wartym 100 dolarów; **how much is it ~?** ile to jest warte?; **it's (not) ~ it** (nie) warto; **sth is ~ a fortune** coś jest warte fortunę; **sth is ~ doing/seeing** coś jest warte zrobienia/zobaczenia, warto coś zrobić/zobaczyć; **sth is ~ nothing** (*także* **sth is not ~ anything**) coś jest nic niewarte *l.* bezwartościowe. **2. be ~ (sb's) while** być wartym zachodu, opłacać się (komuś); **it is ~ my while** opłaci mi się, warto (mi); **it's hardly/not ~ your while** szkoda (twojego) zachodu; **we'll make it ~ your while** postaramy się, żeby ci się opłaciło. **3.** *przen.* **~ its weight in gold** *emf.* bezcenny; **for all sb is/was ~** ze wszystkich sił; **for what it's ~** o ile to coś warte, o ile to się na coś przyda; **not be ~ a bean** *emf.* być nic niewartym; być kompletnie bez znaczenia; **(not) be ~ one's salt** *zob.* **salt** *n.*; **sb is ~ millions/a fortune** *pot.* ktoś ma miliony/fortunę; **sth is not ~ the paper it's printed on** *emf.* coś nie jest warte papieru, na którym zostało wydrukowane; **what's it ~?** *żart.* ile mi za to dasz?, ile za to dostanę?. – *n.* **1.** *C / U* wartość; **20,000 dollars' ~ of equipment** sprzęt o wartości dwudziestu tysięcy dolarów; **20 dollars' ~ of cigarettes** papierosy za 20 dolarów; **net ~** *ekon.* wartość netto. **2.** *U* majątek (*osoby, organizacji*). **3. a person of ~** wartościowa osoba; **a week's ~ of work** tydzień pracy, praca na tydzień; **sb got their money's ~** komuś opłacił się wydatek.

worthily [ˈwɜːðɪlɪ] *adv.* **1.** godnie (*np. sprawować urząd*). **2.** słusznie, sprawiedliwie (*np. zostać nagrodzonym*). **3.** *rel.* godnie, pobożnie (*np. przyjąć sakrament, żyć*).

worthiness [ˈwɜːðɪnəs] *n. U* zasługi (*czyjeś*).

worthless [ˈwɜːθləs] *a.* bezwartościowy.

worthlessly [ˈwɜːθləslɪ] *adv.* pusto (*mówić*).

worthlessness [ˈwɜːθləsnəs] *n. U* **1.** bezwartościowość, brak wartości (*celu*). **2.** pustota (*osoby, charakteru*).

worthwhile [ˌwɜːθˈwaɪl] *a.* zasługujący na uwagę *l.* wysiłek (*np. o sprawie*); wart zachodu (*np. o eksperymencie*); opłacający się (*np. o wysiłku*).

worthy [ˈwɜːðɪ] *a.* **-ier, -iest** *form.* **1. ~ of sth** wart czegoś, zasługujący na coś; **be ~ of notice** zasługiwać na uwagę. **2.** szanowny, czcigodny (*o osobie*); szlachetny (*np. o motywie, sprawie, zasadzie*). **3.** zacny, poczciwy. – *n. pl.* **-ies** *form. l. żart.* osoba ciesząca się powszechnym szacunkiem (*zwł. w małej miejscowości*).

would [wʊd] *v. abbr.* **'d** [d] *neg.* **would not = wouldn't** [ˈwʊdənt] **1.** (*w mowie zależnej*) **she said she ~ come at five** powiedziała, że przyjdzie o piątej. **2.** (*w zdaniach warunkowych*) **if you had not called him, he ~n't have come** gdybyś do niego nie zadzwonił, nie przyszedłby. **3. ~ like** chcieć; **~ you like some more cake?** czy chcesz jeszcze ciasta?; **~ you like to come with us?** czy chciałabyś pójść z nami?; **she ~ like to stay here forever** chciałaby tu zostać na zawsze. **4. ~ love** bardzo chcieć; **we'd love to spend more time with you** bardzo chcielibyśmy spędzić z wami więcej czasu. **5. ~ not/~n't do sth** nie chcieć czegoś zrobić, odmawiać (zrobienia) czegoś (*t. o przedmiotach martwych*); **she ~ not talk to us** nie chciała z nami rozmawiać, odmówiła rozmowy z nami; **the car ~n't start** samochód nie chciał ruszyć. **6.** (*w uprzejmych prośbach*) **~ you turn down the radio?** czy mógłbyś przyciszyć radio?. **7.** (*w odniesieniu do zdarzeń powtarzających się w przeszłości*) **we ~ meet at least once a week** spotykaliśmy się *l.* mieliśmy zwyczaj spotykać się co najmniej raz w tygodniu. **8.** (*dla wyrażenia przypuszczenia l. domysłu*) **I ~ think/imagine/guess (that)...** przypuszczam, że...; **it ~ have been June** to musiał być czerwiec, to był chyba czerwiec; **it ~ seem so** na to by wyglądało; **it ~ seem to be getting warmer** chyba robi się cieplej. **9.** (*udzielając rady*) **(if I were you) I ~ first sit down and think** (na twoim miejscu) najpierw usiadłbym i zastanowił się. **10.** (*dając wyraz irytacji*) **you ~ go and tell all, ~n't you?** musiałeś iść i wszystko wygadać, prawda?; **it ~ have to rain today!** musi *l.* musiało akurat dzisiaj padać! **11. ~ that he were here now** *lit.* gdybyż tu teraz był! **12. ~ rather** *zob.* **rather** *adv.* **13. wish (that) sb ~ do sth/sth ~ happen** *zob.* **wish** *v.*

would-be [ˈwʊdˌbiː] *a. attr.* niedoszły; rzekomy. – *n. pot.* osoba z ambicjami *l.* pretensjami (*np. do zostania pisarzem, artystą*).

wouldn't [ˈwʊdənt] *v.* = **would not**.

wouldst [wʊdst] *v. arch.* 2 os. liczby pojedynczej od „would".

would've [ˈwʊdəv] *v.* = **would have**.

wound[1] [wuːnd] *n.* **1.** *pat.* rana; **flesh/gunshot ~** rana powierzchowna/postrzałowa; **open ~** otwarta rana. **2.** *przen.* **lick one's ~s** lizać rany; **open old ~s** otwierać stare rany (= *przypominać coś nieprzyjemnego*); **rub salt into the ~** *zob.* **rub** *v.* – *v. t. przen.* ranić; **~ sb's pride** *przen.* zranić *l.* urazić czyjąś dumę.

wound[2] [waʊnd] *v. zob.* **wind**.

wounded [ˈwuːndɪd] *a.* **1.** ranny; **he was ~ (in the head/leg)** został ranny (w głowę/nogę); **mortally ~** śmiertelnie ranny. **2.** *przen.* zraniony, urażony; **~ pride** zraniona *l.* urażona duma. – *n.* **the ~** ranni.

wound up [ˌwaʊnd ˈʌp] *a. pred.* podekscytowany.

woundwort [ˈwuːndˌwɜːt] *n. U bot.* czyściec (*rodzaj Stachys; t. inne rośliny używane niegdyś w leczeniu ran*).

w/out *abbr.* = **without.**

wove [woʊv] *v. zob.* **weave.**

woven ['woʊvən] *v. zob.* **weave.**

wove paper *n. U* papier welinowy, welin.

wow[1] [waʊ] *pot. int.* jej!, jejku!. – *n.* przebój (= *wielki sukces, bardzo udane przedsięwzięcie*). – *v.* wprawiać w zachwyt (*np. krytyków, publiczność*).

wow[2] *n. U el.* kołysanie dźwięku (*przy odtwarzaniu*).

wowser ['waʊzər] *n. Austr. i NZ pot. uj.* **1.** purytani-n/ka (*zwł. = fanatyczny abstynent*). **2.** osoba psująca innym zabawę.

WP *abbr.* **1.** *komp.* = **word processor**; = **word processing. 2. weather permitting** jeśli pogoda dopisze.

WPA [ˌdʌblju: ˌpi: 'eɪ] *abbr.* **Works Progress Administration** (*także* **Work Projects Administration**) *US hist.* federalny program zatrudniania bezrobotnych w latach 1935-1943.

WPC [ˌdʌblju: ˌpi: 'si:] *abbr.* **woman police constable** *Br.* policjantka.

wpm [ˌdʌblju: ˌpi: 'em] *abbr.* **words per minute** słowa *l.* słów na minutę.

WRAC [ræk] *abbr.* **Women's Royal Army Corps** *Br. wojsk.* Żeńska Służba Pomocnicza w Królewskich Siłach Lądowych.

wrack[1] [ræk] *n. U* = **rack**[2] *n.*

wrack[2] *n. U bot.* **1.** wodorosty wyrzucone przez fale *l.* odkrywane pływami. **2.** dowolny brązowy wodorost z rodziny *Fucaceae*. **3.** *arch.* wrak statku (*zwł. wyrzucony na brzeg*); szczątki (*po rozbiciu okrętu*). – *v. arch. żegl.* rozbić (*statek*); rozbić się (*o statku*).

WRAF [ræf] *abbr.* **Women's Royal Air Force** *Br. wojsk.* Żeńska Służba Pomocnicza w Lotnictwie Królewskim.

wraith [reɪθ] *n. lit.* duch, zjawa, widmo (*zwł. osoby niedawno zmarłej l. mającej niebawem umrzeć*).

wraithlike ['reɪθˌlaɪk] *n. lit.* widmowy.

wrangle ['ræŋgl] *n. C/U* **1.** kłótnia, sprzeczka; awantura. **2.** przepychanka (*w sądzie*). **3.** dysputa (*naukowa*); dyskusja (*np. polityczna*). – *v.* **1.** kłócić *l.* sprzeczać *l.* spierać się (*about/over sth* o coś, *with sb* z czymś). **2.** dyskutować (*about/over sth* o czymś). **3.** *zach. US i Can. pot.* paść, wypasać (*konie l. bydło*); zaganiać, spędzać (*jw.*).

wrangler ['ræŋglər] *n.* **1.** kłótni-k/ca. **2.** *zach. US i Can.* kowboj.

wrangling ['ræŋglɪŋ] *n. U* **1.** przepychanki (*np. w sądzie*). **2.** dyskusje (*np. polityczne*).

wrap [ræp] *v.* **-pp-** *pret. i pp. t.* **wrapt 1.** pakować, zawijać (*in sth* w coś). **2.** owijać (*in sth* czymś l. w coś). **3.** otulać, spowijać (*np. o mgle*). **4.** *przen.* otaczać; ~ **sth in secrecy** otaczać coś tajemnicą. **5.** chować (*w ramionach, objęciach*). **6.** ~ **one's arms/legs/fingers around sth** obejmować coś rękoma/nogami/palcami. **7.** zwijać, składać (*np. serwetki*). **8.** *film, telew.* zakończyć filmowanie. **9.** *policja* zakończyć się (*o śledztwie*). **10.** *komp.* zawijać (*linie, wiersze*); dzielić na wiersze (*tekst*). **11.** (*także* **rap**) *Austr. pot.* wychwalać. **12.** *przen.* ~ **sb around one's (little) finger** *zob.* **finger** *n.*; ~ **sb (up) in cotton wool** *Br. pot.* trzymać kogoś w wacie *l.* pod kloszem (= *być nadopiekuńczym*). **13.** ~ **up** zapakować (*prezent*); zakończyć (*śledztwo*); podsumować (*wiadomości*); ubrać (się) ciepło, opatulić (się) (*in sth* w coś). **14. be ~ped up in sth** *przen.* być pochłoniętym czymś. – *n.* **1.** szal; pelerynka, narzutka; koc. **2.** *C/U US* opakowanie. **3.** *US kulin.* tortilla z nadzieniem (*jako kanapka*). **4.** *film telew.* koniec zdjęć. **5.** (*także* **rap**) *Austr. pot.* pochwała. **6.** *przen.* **keep sth under ~s** trzymać coś w tajemnicy; **take the ~s off sth** odkryć *l.* wyjawić coś. – *a.* = **wraparound.**

wraparound ['ræpəˌraʊnd] (*także Br.* **wrapover**) *a.* **1.** owijany (wokół ciała) (*zwł. o spódnicy*). **2.** zachodzący na boki (*np. o okularach, zderzakach*). – *n.* **1.** część garderoby owijana wokół ciała (*zwł. spódnica*). **2.** *komp.* = **wordwrap. 3.** *druk.* obwoluta z jednego kawałka papieru; obwoluta, w której grzbiet książki nie przedziela projektu graficznego; opaska (*przymocowana do obwoluty, z dodatkowymi informacjami o obniżce ceny itp.*).

wraparound windshield *n. mot.* szyba przednia panoramiczna.

wrapper ['ræpər] *n.* **1.** opakowanie. **2.** obwoluta (*na książkę*). **3.** papierek (*od cukierka*). **4.** opaska (*na gazetę, druk wysyłany pocztą*). **5.** szlafrok. **6.** liść tytoniowy owijający cygaro. **7.** pakowacz/ka (*w sklepie l. fabryce*).

wrapping ['ræpɪŋ] *n.* **1.** *C/U* opakowanie. **2.** papierek (*np. od cukierka*).

wrapping paper *n. U* **1.** papier pakowy. **2.** papier do pakowania (*prezentów*).

wrapt [ræpt] *v. zob.* **wrap.**

wrap-up ['ræpˌʌp] *n. US pot.* **1.** *gł. telew.* podsumowanie (*wiadomości*). **2.** końcówka (*kampanii*).

wrasse [ræs] *n. pl.* **-es** *l.* **wrasse** *icht.* grubousta ryba z rodziny *Labridae*.

wrath [ræθ] *n. U form.* gniew. – *a. arch. l. lit.* gniewny.

wrathful ['ræθfʊl] *a. form.* gniewny.

wrathfully ['ræθfʊlɪ] *adv. form.* gniewnie.

wreak [ri:k] *v. pret. i pp.* **-ed** *l.* **wrought** [rɔ:t] **1.** ~ **havoc** siać spustoszenie (*on sb/sth* wśród kogoś/czegoś); ~ **revenge/vengeance on sb** wziąć odwet na kimś. **2.** wyładowywać (*np. nienawiść, gniew*) (*upon sb* na kimś); dawać upust (*np. gniewowi, wściekłości*).

wreath [ri:θ] *n.* wieniec (*t. laurowy*); **lay a ~ (at a war memorial)** złożyć wieniec (pod pomnikiem poległych); **laurel ~** wieniec laurowy.

wreathe [ri:ð] *v.* **1.** ozdabiać (wieńcem *l.* wieńcami). **2.** spowijać (*np. o chmurach*); **mountains ~d in mist** góry spowite mgłą. **3. ~d in smiles** promieniejący szczęściem (*o twarzy*). **4.** splatać (się) (w wieniec). **5.** oplatać (*around sb/sth* wokół kogoś/czegoś). **6.** wić się (*o dymie*).

wreck [rek] *n.* **1.** wrak (*statku, samochodu*). **2.** *zw. sing. pot.* wrak człowieka; **be a nervous ~** być kłębkiem nerwów. **3.** *mot.* wrak (= *samochód w złym stanie*). **4.** *US mot., kol.* kraksa. **5.**

U l. sing. (*także* **wreckage**) szczątki (*np. rozbitego samochodu t. przen. fortuny*); ruiny (*np. domu, miasta*); resztki (*np. fortuny*); niedobitki (*np. armii*). **6.** *U* (*także* **wreckage**) rozbicie (*np. samochodu*); zniszczenie (*ziemi*); ruina (*domu*); upadek (*np. rodu, wolności*). **7.** *C / U żegl.* rozbicie (się) statku. **8.** *U żegl.* ładunek (*z rozbitego statku*); szczątki (*rozbitego statku*). – *v.* **1.** zrujnować (*plan*); zmarnować, niweczyć (*okazję, szansę*). **2.** rozbić (*samochód, statek*); zrujnować (*dom*); zniszczyć (*urządzenie*).

wreckage ['rekɪdʒ] *n. U* **1.** = **wreck** *n.* 5. **2.** = **wreck** *n.* 6.

wrecked [rekt] *a. pred.* **1.** *pot.* umęczony, wymęczony. **2.** *zwł. Br. sl.* naprany (= *upity l. pod wpływem narkotyków*).

wrecker ['rekər] *n.* **1.** burzyciel/ka (*np. spokoju, marzeń*); niszczyciel/ka (*np. instytucji*). **2.** *gł. US i Can.* robotnik wyburzający stare budynki *l.* rozmontowujący stare samochody. **3.** *US i Can. mot.* pojazd pomocy drogowej (*przystosowany do holowania pojazdów*). **4.** *hist.* osoba powodująca z brzegu rozbicie statku (np. przez fałszywą sygnalizację) w celu zagarnięcia jego ładunku.

wren [ren] *n. orn.* strzyżyk (*rodzina Troglodytidae*).

wrench [rentʃ] *v.* **1.** *pat.* skręcić (*staw*); naciągnąć (*mięsień*). **2.** sprawić ból (*komuś*). **3.** przekręcać (*zwł. fakty*). **4.** ~ **o.s. free (from sb's grasp)** wyrwać się (z czyjegoś uchwytu); ~ **sth (away) from sb** wyrwać coś komuś; ~ **sth off/away** oderwać coś; ~ **the window open** szarpnięciem otworzyć okno. – *n.* **1.** *techn. US* klucz (*maszynowy*); (*także* **monkey** ~) *zwł. US* klucz nastawny pojedynczy, klucz francuski. **2.** *pat.* skręcenie (*stawu*); naciągnięcie (*mięśnia*). **3.** *zw. sing.* szarpnięcie; **with a** ~ szarpnięciem (*np. otworzyć*). **4.** bolesne przeżycie; bolesne rozstanie. **5.** przekręcenie (*znaczenia*).

wrenchingly ['rentʃɪŋlɪ] *adv.* boleśnie.

wrest [rest] *form. v.* **1.** wydzierać, wyrywać (*sth from sb / out of sth* coś komuś/skądś) (*np. książkę, fotografię*); wydzierać (*sth from sb* coś komuś) (*np. władzę, terytorium*). **2.** wydobywać (*sth from sb / sth* coś z kogoś/czegoś) (*np. dane*). **3.** przekręcać (*znaczenie, słowa*). **4.** naciągać (*prawo*). – *n.* **1.** wydarcie. **2.** *arch. muz.* klucz do strojenia (*instrumentu strunowego, np. harfy*).

wrestle ['resl] *v.* **1.** mocować się (*with sb* z kimś); *sport* uprawiać zapasy; ~ **sb to the ground** przygnieść kogoś do ziemi. **2.** ~ **with sth** *przen.* zmagać *l.* mocować się z czymś (*np. z pudłem, meblem*); borykać *l.* zmagać się z czymś (*np. z problemem*); walczyć z czymś (*np. z poczuciem winy*). – *n.* **1.** *sport* walka zapaśnicza. **2.** *przen.* walka, zmaganie się.

wrestler ['reslər] *n. sport* zapaśni-k/czka.

wrestling ['reslɪŋ] *n. U* **1.** *sport* zapasy, zapaśnictwo. **2.** *przen.* walka (*np. ze złem*).

wrest pins *n. pl. muz.* kołki na struny (*fortepianowe*).

wretch [retʃ] *n.* **1.** (*także* **poor** ~) nieszczęśni-k/ca, bieda-k/czka. **2.** *żart.* łobuz, hultaj; **you** ~! ty łobuzie!. **3.** *lit.* nędznik, łajdak.

wretched ['retʃɪd] *a.* **1.** nieszczęsny. **2. be/feel** ~ czuć się okropnie. **3.** żałosny, nędzny, okropny (*o warunkach, pogodzie, życiu*); nędzny, kiepski, marny (*o posiłku*). **4.** *pog.* nędzny, godny pogardy (*np. o złodzieju, intrydze*). **5.** *attr. emf.* wstrętny, okropny.

wretchedly ['retʃɪdlɪ] *adv.* nędznie (*np. umrzeć*); nędznie, marnie, kiepsko (*wykonać*); okropnie (*np. zniszczyć*); ~ **ill** okropnie chory.

wretchedness ['retʃɪdnəs] *n. U* **1.** niedola. **2.** nikczemność. **3.** marność, lichota. **4.** okropny stan.

wrick [rɪk] *v.* = **rick**[2].

wriggle ['rɪgl] *v.* **1.** ~ **(about)** kręcić *l.* wiercić się (*o osobie*); wić się (*o wężu*); trzepotać się (*o rybie*). **2.** wić się (*o rzece, strumieniu*). **3.** kręcić, poruszać (*ręką, przedmiotem*). **4.** ~ **into sth** *przen.* wkręcić się w coś *l.* do czegoś; ~ **out of sth** wysunąć się z czegoś; *przen.* wykręcić się od (robienia) czegoś; wywinąć się z czegoś (*np. z kłopotliwej sytuacji*); ~ **under sth** wsunąć się pod coś. – *n.* **1. with a** ~ wiercąc *l.* kręcąc się. **2.** kręte przejście. **3.** kręta linia.

wriggler ['rɪglər] *n.* **1.** *ent.* larwa moskita *l.* komara. **2.** *przen.* krętacz/ka.

wriggly ['rɪglɪ] *a.* **-ier, -iest** wijący się (*np. o robaku, ulicy*).

wring [rɪŋ] *v. pret. i pp.* **wrung** [rʌŋ] **1.** ~ **(out)** wykręcać, wyżymać (*ubranie, wodę z ubrania*). **2.** skręcać się (*zwł. z bólu*). **3.** ~ **a bird's neck** ukręcić ptakowi łeb; ~ **one's hands** załamywać ręce (*ze zdenerwowania*); ~ **sb's heart/soul** *lit.* rozdzierać komuś serce/duszę; ~ **sb's hand** uścisnąć komuś mocno dłoń; ~ **sth from sb/sth** (*także* ~ **sth out of sb/sth**) *przen.* wycisnąć coś z kogoś/czegoś (*np. pieniądze, zeznania*); **I'll** ~ **his neck!** *pot.* przetrącę mu kark!. – *n.* wyciśnięcie, wyżęcie.

wringer ['rɪŋər] *n. US* **1.** wyżymaczka. **2. put sb through the** ~ *przen. pot.* wymaglować kogoś, przekręcić kogoś przez wyżymaczkę (= *zmęczyć długim przesłuchaniem*).

wringing ['rɪŋɪŋ] *a.* (*także* ~ **wet**) ociekający wodą.

wrinkle[1] ['rɪŋkl] *n.* **1.** zmarszczka (*na skórze*). **2.** zagniecenie (*na tkaninie*). **3. iron out the ~s in sth** *przen.* wygładzić coś (*np. plan, projekt*). – *v.* **1.** marszczyć; ~ **one's brow** marszczyć czoło; ~ **(up) one's nose** marszczyć nos. **2.** marszczyć się; być pomarszczonym.

wrinkle[2] *n. pot.* sztuczka, trik; unik.

wrinkled ['rɪŋkld] *a.* **1.** pomarszczony (*np. o skórze, jabłku*). **2.** pognieciony (*np. o tkaninie, papierze, koszuli*).

wrinkly ['rɪŋklɪ] *a.* **-ier, -iest** = **wrinkled**. – *n. pl.* **-ies** *Br. i Austr. sl.* dziadek; babcia (*pog. o starszej osobie*).

wrist [rɪst] *n.* **1.** nadgarstek, przegub. **2.** część rękawa *l.* rękawiczki przykrywająca nadgarstek. **3.** = **wrist pin**. **4. a slap on the** ~ *zob.* **slap** *n.* – *v. sport* podkręcić ruchem nadgarstka (*uderzaną piłkę*).

wristband [ˈrɪstˌbænd] *n.* **1.** mankiet (*rękawa*). **2.** pasek (*zegarka*). **3.** opaska na nadgarstek (*np. wchłaniająca pot l. identyfikacyjna*).

wrist drop *n. U pat.* opadanie ręki (*w porażeniu nerwu promiennego*).

wristlet [ˈriːstlət] *n.* **1.** bransoletka. **2.** pas materiału noszony na nadgarstku (*zwł. ozdobny*).

wrist pin *n. US i Can. mech.* sworzeń tłokowy.

wristwatch [ˈrɪstˌwɑːtʃ], **wrist watch** *n.* zegarek na rękę.

writ[1] [rɪt] *n.* **1.** *prawn.* nakaz; ~ **of habeas corpus** sądowy nakaz obrony nietykalności osobistej przed bezprawnym aresztowaniem; nakaz zwolnienia osoby uwięzionej; **issue a ~ against sb** wystawić nakaz sądowy przeciwko komuś; **serve a ~ on sb** dostarczyć komuś nakaz sądowy; posłać komuś nakaz sądowy. **2. Holy W~** *Bibl.* Pismo Święte.

writ[2] *a. pred.* ~ **large** *form* oczywisty, wyraźny; w powiększeniu; wyrazistszy, mocniejszy.

write [raɪt] *v. pret.* **wrote** [roʊt] *arch.* **writ** [rɪt] *pp.* **written** [ˈrɪtən] *arch.* **writ** [rɪt] **1.** pisać (*that* że, *about sth* o czymś); pisywać (*for sth* do czegoś (np. do jakiegoś czasopisma), *on sth* na jakiś temat); ~ **clearly/legibly** pisać wyraźnie/czytelnie; ~ **to sb** (*także US* ~ **sb**) pisać do kogoś; ~ **sb a letter** napisać do kogoś list. **2.** ~ **(out)** wypisywać (*np. czek, receptę*). **3.** *komp.* zapisywać (*dane*); ~ **a program** napisać program. **4.** *przen.* **have sth written all over one's face** mieć coś wypisane na twarzy; **nothing to ~ home about** *pot.* nic nadzwyczajnego *l.* szczególnego; **sb wrote the book on sth** *pot.* ktoś wie o czymś wszystko. **5.** ~ **away/off for** zamówić listownie (*towary*); poprosić listownie o (*informacje*); ~ **back** odpisać (*na list*); ~ **down** zapisać; ~ **in** napisać (*do organizacji, firmy*); *US polit.* dodać do listy kandydatów (*podczas głosowania*); ~ **into** wpisać w (*kontrakt, umowę*); ~ **off** umorzyć (*dług*); spisać na straty (*osobę, pieniądze*); *Br. i Austr.* skasować (*samochód*); ~ **off for sth** *zob.* **write away**; ~ **out** spisać (*raport, listę*); wypisać (*czek, receptę*); przepisać (na czysto); rozwinąć, napisać w pełnym brzmieniu (*skrót*); ~ **sb out** *telew., radio* usunąć graną przez kogoś postać (*z serialu*); ~ **up** poskładać (*np. raport z wcześniej zrobionych notatek*); napisać (*recenzję*); doprowadzić do dnia bieżącego (*pamiętnik, księgi rachunkowe*); *ekon.* zawyżać wartość (*aktywów*); ~ **sb up** spisać kogoś (*for sth* za coś) (*o policjancie*).

write-in [ˈraɪtˌɪn] *n. US polit.* **1.** głos oddany na kandydata dopisanego do listy przez głosującego. **2.** kandydat dopisany j.w.

write-off [ˈraɪtˌɔːf] *n.* **1.** *fin.* odpis (*nieściągalnego długu itp. z ksiąg rachunkowych*); suma odpisana (*równa wysokości odpisanego nieściągalnego długu itp.*). **2.** *fin.* deprecjacja, obniżenie wartości (*aktywów*); aktywa o obniżonej wartości. **3. be a ~** *Br. i Austr.* nadawać się do kasacji (*o samochodzie*).

write-protect [ˌraɪtprəˈtekt] *v. komp.* zabezpieczać przed zapisem.

writer [ˈraɪtər] *n.* **1.** pisa-rz/rka (*z zawodu*); autor/ka (*dokumentu, tekstu*); ~ **of children's stories** autor/ka opowiadań dla dzieci; **the present ~** autor/ka niniejszej pracy *l.* artykułu; **woman ~** pisarka. **2.** *Scot. prawn.* prawni-k/czka; **W~ to the Signet** prawnik mający prawo prowadzić sprawy przed szkockim Najwyższym Sądem Cywilnym. **3.** *hist.* pisarz (*urzędowy*).

writer's block *n. U* blok pisarski, niemoc twórcza.

writer's cramp *n. U* (*także* **writer's palsy**) *pat.* skurcz ręki.

write-up [ˈraɪtˌʌp] *n.* **1.** recenzja, omówienie (*np. książki l. filmu, w gazecie*). **2.** *US fin.* celowe zawyżenie wartości aktywów.

writhe [raɪð] *v.* **1.** ~ **(around)** skręcać się, wić się; ~ **in pain** skręcać się z bólu. **2.** *przen.* ~ **with anger/hate** kipieć złością/nienawiścią; ~ **with shame** skręcać się z ze wstydu. **3.** wykręcać (*szyję*); wykrzywiać (*twarz*). – *n.* wicie się.

writing [ˈraɪtɪŋ] *n. U* **1.** pismo; **(get sth) in ~** dostać coś na piśmie; **put sth in ~** zapisać coś. **2.** napis (*np. na etykiecie*). **3.** (*także* **hand~**) pismo, charakter pisma; **in my own ~** moim własnym pismem. **4.** pisanie. **5.** pisarstwo. **6.** *pl. zob.* **writings**. **7.** *przen.* **the ~ on the wall** zły omen, początek końca; **see/read the ~ on the wall for sb/sth** przewidzieć koniec *l.* upadek kogoś/czegoś; **the ~ is on the wall for sb/sth** nadchodzi koniec kogoś/czegoś, ktoś/coś już niedługo pociągnie.

writing desk *n.* **1.** biurko. **2.** *hist.* sekretarzyk.

writing paper *n. U* papier listowy.

writings [ˈraɪtɪŋz] *n. pl.* pisma, dzieła (*danego autora*).

writing table *n.* biurko.

written [ˈrɪtən] *a. attr.* **1.** pisemny (*np. o zgodzie, raporcie, egzaminie*). **2. the ~ word** *form.* słowo pisane.

WRNS [ˌdʌbljuː ˌɑːr ˌen ˈes] *abbr. i n. U* **Women's Royal Naval Service** *Br. wojsk.* Żeńska Służba Pomocnicza w Marynarce Wojennej.

wrong [rɔːŋ] *a.* **1.** zły (*t. = nieetyczny, godny potępienia*); błędny; ~ **answer** zła *l.* błędna odpowiedź; **lying is ~** (*także* **it is ~ to lie**) kłamstwo jest złem; **you were ~ to call her** źle zrobiłeś, dzwoniąc do niej. **2.** niewłaściwy; nieodpowiedni; niestosowny. **3. sb is ~** ktoś się myli, ktoś nie ma racji (*about sth* co do czegoś); **correct me if I'm ~, but...** popraw mnie, jeśli się mylę, ale...; **I was ~ to think/in thinking that...** nie miałem racji *l.* myliłem się sądząc, że...; **prove sb ~** udowodnić komuś, że się myli, dowieść, że ktoś nie ma racji; **you're not ~!** *emf.* masz rację! **4.** *przen.* **be in the ~ place at the ~ time** znaleźć się w złym miejscu o niewłaściwej porze (= *popaść w tarapaty*); **be on the ~ side of forty/fifty** *pot.* być po czterdziestce/pięćdziesiątce; **be on the ~ track/tack** podążać złym tropem, zmierzać w niewłaściwym kierunku; **be/come from the ~ side of the tracks** *zob.* **track** *n.*; **catch sb on the ~ foot** zaskoczyć kogoś; **fall/go into the ~ hands** dostać się w niepowołane ręce; **get off on the ~ foot** *zob.* **foot** *n.*; **get on the ~ side of sb** zaleźć komuś za skórę; **get up on the ~ side of the bed** (*także Br.* **get out of bed (on) the ~ side**) wstać (z łóżka) lewą nogą; **go down the ~ way** wpaść nie tam, gdzie trzeba (*o pokarmie; = do tchawicy*); **have something ~ with sth** mieć coś (nie w porządku) z czymś (*np. z plecami, szyją*); **take sth the ~ way** (*także* **get the ~ end of the stick**) źle *l.* opacznie coś zrozumieć; **there's nothing ~** wszystko w porządku; **there's nothing ~ with singing, as long as...** nie ma nic złego w śpiewaniu, o ile (tylko)...; **there's something ~ with the car** coś się stało *l.* coś jest nie tak z samochodem; **the ~ way around/round** nie po kolei; tył na przód, tyłem do przodu; **what's ~?** co się stało?; **what's ~ with the radio?** co się stało z radiem? (= *czemu nie działa?*); **what's ~ with listening to the radio?** co masz przeciwko słuchaniu radia? – *n.* **1.** *U* zło; **right and ~** dobro i zło; **know right from ~** odróżniać dobro od zła. **2.** *C / U* krzywda; **do sb ~** *t. żart.* wyrządzić komuś krzywdę, skrzywdzić kogoś; **right a ~** naprawić *l.* wynagrodzić krzywdę. **3. be in the ~** zawinić; **sb can do no ~** *zw. iron.* ktoś jest ideałem; **two ~s don't make a right** kara niczego nie naprawi; **the rights and ~s of sth** wady i zalety czegoś, plusy i minusy czegoś; argumenty za i przeciw czemuś. – *adv.* źle, błędnie; opacznie; **don't get me ~** nie zrozum mnie źle; **do sth all ~** zrobić coś kompletnie na opak; **get sth ~** pomylić się w czymś; **get/have it all ~** źle zrozumieć sytuację; **go ~** pomylić się, popełnić błąd; popsuć się (*np. o urządzeniu, związku*); **something has gone ~ with my stereo** coś się stało z moim stereo; **you can't go ~** *pot.* nie może ci się nie udać (= *na pewno się uda*); nie można się pomylić (= *na pewno się nie pomylisz*); **you can't go ~ with a silk blouse** *pot.* jedwabna bluzka jest odpowiednia na wszystkie okazje; **not put/set a foot ~** *zob.* **foot** *n.* – *v. zw. pass. form.* wyrządzić krzywdę (*komuś*), skrzywdzić (*zwł. niesprawiedliwymi posądzeniami*).

wrongdoer [ˈrɔːŋˌduːər] *n. form.* **1.** osoba czyniąca zło, złoczyńca. **2.** *prawn.* przestępca.

wrongdoing [ˈrɔːŋˌduːɪŋ] *n. form.* **1.** *U* czynienie zła. **2.** zły czyn *l.* uczynek. **3.** *prawn.* czyn karygodny; wykroczenie; przestępstwo.

wrongfoot [ˌrɔːŋˈfʊt] *v.* zaskoczyć (*zwł. pytaniem*).

wrongful [ˈrɔːŋfʊl] *a. gł. attr.* **1.** niesprawiedliwy; krzywdzący. **2.** bezprawny (*np. o aresztowaniu, skazaniu*).

wrongfully [ˈrɔːŋfʊlɪ] *adv.* **1.** niesprawiedliwie; krzywdząco. **2.** bezprawnie.

wrongfulness [ˈrɔːŋfʊlnəs] *n. U* **1.** niesprawiedliwość. **2.** bezprawność.

wrongheaded [ˌrɔːŋˈhedɪd] *a.* uparty; uparcie błędny; przewrotny.

wrongheadedly [ˌrɔːŋˈhedɪdlɪ] *adv.* uparcie; przewrotnie.

wrongheadedness [ˌrɔːŋˈhedɪdnəs] *n. C / U* upór; upór w błędzie; przewrotność.

wrongly [ˈrɔːŋlɪ] *adv.* **1.** źle, błędnie (*np. napisany*). **2.** niesprawiedliwie (*skazany*); bezpodstawnie, fałszywie (*oskarżony, obwiniony*); bezprawnie (*uwięziony*). **3.** niewłaściwie, nieodpowiednio (*np. ubrany*). **4. rightly or ~** słusznie czy (też) nie.

wrongness [ˈrɔːŋnəs] *n.* **1.** *U* błędność. **2.** *C / U* niesprawiedliwość, krzywda; błędny uczynek.

wrong number *n. tel.* pomyłka; **you've got the ~** (to) pomyłka.

wrong side *n.* **the ~** lewa strona (*materiału*).

wrote [roʊt] *v. zob.* **write**.

wroth [rɔːθ] *a. arch. l. lit.* gniewny.

wrought [rɔːt] *v. arch. zob.* **work** *v.*

wrought iron *n. U* żelazo zgrzewne, kute żelazo.

wrought-iron [ˌrɔːtˈaɪərn] *a.* z żelaza zgrzewnego, z kutego żelaza.

wrought-up [ˌrɔːtˈʌp] *a.* podniecony, poruszony.

wrung [rʌŋ] *v. zob.* **wring**.

wry [raɪ] *a. attr. comp.* **wrier** *l.* **wryer** *sup.* **wriest** *l.* **wryest** **1.** gorzki; lekko drwiący (*np. o uśmiechu, poczuciu humoru*). **2.** krzywy, skrzywiony (*t. o wyrazie twarzy*); **make a ~ face** skrzywić się. **3.** zniekształcony. – *v.* **-ied, -ying** *rzad.* **1.** wykręcać (*szyję*); wykrzywiać (*twarz*). **2.** kręcić się; skręcać się (*z bólu*).

wryly [ˈraɪlɪ] *adv.* **1.** drwiąco. **2.** krzywo.

wryneck [ˈraɪˌnek] *n.* **1.** *pat.* kręcz szyi; osoba cierpiąca na kręcz szyi. **2.** *orn.* krętogłów (*Jynx torquilla*).

wryness [ˈraɪnəs] *n. U* **1.** drwiący charakter (*np. uśmiechu*). **2.** skrzywienie; wykrzywienie. **3.** nienormalność.

WSW *abbr.* = **west-southwest**.

wt *abbr.* = **weight**.

WTO [ˌdʌbljuː ˌtiː ˈoʊ] *abbr.* = **World Trade Organization**.

wunderkind [ˈwʌndərˌkɪnd] *n.* cudowne dziecko.

wurst [wɜːst] *n. gł. US* kiełbasa.

wuss [wʊs] *n. US sl.* sierota, dupa.

WWF [ˌdʌbljuː ˌdʌbljuː ˈef] *abbr.* **World Wildlife Fund** Światowa Organizacja Ochrony Przyrody.

WWI *abbr.* = **World War I**; *zob.* **world war**.

WWII *abbr.* = **World War II**; *zob.* **world war**.

WWW [ˌdʌbljuː ˌdʌbljuː ˈdʌbljuː] *abbr.* = **World Wide Web**.

WY, Wy. *abbr.* = **Wyoming**.

wych elm [ˈwɪtʃ ˌelm] *n. zob.* **witch elm**.

wych-hazel [ˈwɪtʃˌheɪzl] *n.* = **witch hazel**.

wye [waɪ] *n.* litera Y.

wynn [wɪn], **wyn** *n. pismo hist.* nazwa litery odpowiadającej głosce /w/ w alfabecie runicznym.

Wyo. *abbr.* = **Wyoming**.

Wyoming [waɪˈoʊmɪŋ] *n. US* stan Wyoming.

WYSIWYG [ˈwɪzɪˌwɪg] *abbr.* **what you see is what you get** *komp.* WYSIWYG (= *sposób opracowywania tekstu, w którym postać wydruku odpowiada dokładnie postaci na ekranie*).

wyvern [ˈwaɪvərn], **wivern** *n. her.* skrzydlaty dwunożny smok.

X [eks], **x** *n. pl.* **-'s** *l.* **-s** ['eksɪz] **1.** X, x (*litera; t. = niewiadoma, nieznana osoba itp.*); **Mr. X** Pan X. **2.** krzyżyk, (znak) iks (*przy głosowaniu l. jako podpis; t. = symbol na końcu listu oznaczający całusa*). – *v. pret.* **-ed** *l.* **-'ed** *part.* **-ing** *l.* **-'ing** **1.** zaznaczać iksem. **2.** ~ **out** *zł. US* wykreślać, przekreślać (*znakiem x*).

X *abbr.* **1.** = **Christ**; = **Christian**. **2.** *kino US* od lat 17; *Br. hist.* od lat 18; **an ~ movie** film dla dorosłych.

x *abbr.* **extension** *tel.* wewn., wew., w. (= *wewnętrzny*). – *n. mat.* x (= *współrzędna l. zmienna algebraiczna*).

xanthate ['zænθeɪt] *n. C/U* **1.** *chem.* ksantogenian. **2.** *tk.* ksantat, ksantogenian (*celulozy*).

xanthein ['zænθiːɪn] *n. U bot.* ksanteina.

xanthene ['zænθiːn] *n. U chem.* ksanten.

xanthic ['zænθɪk] *a.* **1.** *chem.* ksantogenowy. **2.** *bot. rzad.* żółty (*o kwiecie*).

xanthine ['zænθiːn] *n. C/U chem.* ksantyna.

xanthophyll ['zænθəfɪl] *n. U bot.* ksantofil.

x-axis ['eksˌæksɪs] *n. pl.* **x-axes** ['eksˌæksiːz] *mat.* oś rzędnych.

X-certificate ['ekssərˌtɪfɪkət] *a. Br. kino* (dozwolony) od lat 18.

X chromosome ['eks ˌkrouməˌsoum] *n. genetyka* chromosom X.

xebec ['ziːbek], **zebec**, **zebeck** *n. żegl.* mały śródziemnomorski statek trójmasztowy.

xenogamy [ze'nɑːgəmɪ] *n. U bot.* obcopylność.

xenolith ['zenəlɪθ] *n. geol.* ksenolit, porwak.

xenon ['ziːnɑːn] *n. U chem.* ksenon.

xenophobia [ˌzenə'foubɪə] *n. U* ksenofobia.

xenophobic [ˌzenə'foubɪk] *a.* ksenofobiczny.

xerographic [ˌziːrə'græfɪk] *a.* kserograficzny.

xerography [zə'rɑːgrəfɪ] *n. U* kserografia.

xerophilous [zə'rɑːfələs] *a. bot.* kserofilny, sucholubny.

xerophyte ['ziːrəˌfaɪt] *n. bot.* kserofit, suchorost.

Xerox ['ziːrɑːks] *n.* **1.** (*także* ~ **machine**) kserokopiarka, ksero. **2.** kserokopia, ksero. – *v.* kserować.

Xhosa ['kousə], **Xosa** *n.* **1.** *pl.* **-s** *l.* **Xhosa** człon-ek/kini ludu Khosa. **2.** *U* (język) khosa.

xiphoid ['zɪfɔɪd] *a. i n. anat.* (wyrostek) mieczykowaty.

XL [ˌeks 'el] *abbr.* **extra large** *handl.* XL (*rozmiar*).

Xmas ['krɪsməs] *abbr. pot.* = **Christmas**.

Xosa ['kousə] *n.* = **Xhosa**.

X radiation [ˌeks ˌreɪdɪ'eɪʃən] *n. U fiz.* promieniowanie X, promieniowanie rentgenowskie.

X-rated ['eksˌreɪtɪd] *a.* **1.** *US kino* (dozwolony) od lat 17. **2.** *pot.* obsceniczny (*t. np. o książce*).

X-ray, x-ray *n.* **1.** *fiz.* promień Rentgena. **2.** *med.* zdjęcie rentgenowskie, prześwietlenie. – *a. gł. med.* rentgenowski. – *v. med.* prześwietlać.

X-ray astronomy *n. U* astronomia rentgenowska.

X-ray machine *n. med.* aparat rentgenowski, rentgen.

XS [ˌeks 'es] *abbr.* **extra small** *handl.* XS (*rozmiar*).

xylem ['zaɪləm] *n. U bot.* ksylem, drewno, tkanka drzewna.

xylene ['zaɪliːn] *n. U chem.* ksylen.

xylocarp ['zaɪləˌkɑːrp] *n. bot.* o twardych owocach.

xylography [zaɪ'lɑːgrəfɪ] *n. U* ksylografia, drzeworytnictwo (*reprodukcyjne*).

xylophagous [zaɪ'lɑːfəgəs] *a. zool.* drewnożerny.

xylophone ['zaɪləˌfoun] *n. muz.* ksylofon.

xylophonist ['zaɪləˌfounɪst] *n. muz.* ksylofonist-a/ka.

Y

Y [waɪ], **y** *n. pl.* **-'s** *l.* **-s** [waɪz] Y, y (*litera*).

Y *abbr.* = **yen.**

y *n. mat.* y (= *współrzędna l. zmienna algebraiczna*).

yabber [ˈjæbər] *Austr. pot. v.* trajkotać (= *mówić szybko*). – *n. U* trajkotanie.

yacht [jɑ:t] *żegl. n.* jacht. – *v.* pływać jachtem *l.* na jachcie.

yachting [ˈjɑ:tɪŋ] *n. U* żeglarstwo jachtowe. – *a.* żeglarski.

yachtsman [ˈjɑ:tsmən] *n. pl.* **-men** **1.** żeglarz. **2.** właściciel jachtu.

yachtswoman [ˈjɑ:tsˌwumən] *n. pl.* **-men** **1.** żeglarka. **2.** właścicielka jachtu.

yack [jæk] *n. i v.* = **yak**2.

yaffle [ˈjæfl] *n. Br. orn.* dzięcioł zielony (*Picus viridis*).

yager [ˈjægər] *n. wojsk.* strzelec (*niemiecki*).

Yagi aerial [ˈjɑ:gɪ ˌerɪəl] *n. radio* antena Yagi.

yah [jɑ:] *int.* **1.** fe, fuj. **2.** phi. **3.** ha.

yahoo [ˌjɑ:ˈhu:] *n. lit. pog.* chamidło, chamisko.

Yahweh [ˈjɑ:weɪ], **Jahweh**, **Yahveh** [ˈjɑ:veɪ], **Jahveh** *n. Bibl.* Jahwe, Jehowa.

yak1 [jæk] *n. zool.* jak (*Bos grunniens*).

yak2 (*także* **yack**) *pot. n. U* paplanie, paplanina. – *v.* **-kk-** paplać.

Yale lock [ˈjeɪl ˌlɑ:k] *n.* zamek patentowy, zamek Yale.

y'all [jɔ:l] *abbr. płd. US pot.* = **you all.**

Yalta [ˈjɔ:ltə] *n. geogr., polit.* Jałta.

yam [jæm] *n.* **1.** *bot.* ignam, jam, pochrzyn (*rodzaj Dioscorea*). **2.** *US* słodki ziemniak (*korzeń rośliny jw.*).

yammer [ˈjæmər] *pot. v.* **1.** ~ **(on)** *Br.* nadawać, gadać (*głośno i bez przerwy*). **2.** wrzeszczeć. **3.** jęczeć (= *narzekać*). **4.** jęczeć, pojękiwać (*zwł. o zwierzęciu*). – *n.* **1.** gadanina. **2.** wrzask. **3.** jęk, jęczenie (*t.* = *narzekanie*).

yang [jæŋ] *n. U fil.* yang.

Yank [jæŋk] *n. pot. cz. obelż.* = **Yankee.**

yank [jæŋk] *pot. v.* **1.** szarpać (*(on) sth* (za) coś); ~ **sth open** szarpnięciem otworzyć coś. **2.** ~ **out** wyszarpnąć; wyrwać (*t. ząb*); ~ **sb out** *US przen.* wyrzucić *l.* wylać kogoś (*z pracy*). – *n.* szarpnięcie; **give sth a** ~ szarpnąć (za) coś.

Yankee [ˈjæŋki:] *pot. cz. pog. n.* Jankes/ka (*US* = *mieszkaniec płn.-wsch. Stanów, hist.* = *żołnierz federalny w wojnie secesyjnej; Br.* = *mieszkaniec USA*). – *a. attr.* jankeski.

Yankee Doodle [ˌjæŋki: ˈdu:dl] *n.* **1.** *U US* piosenka z czasów rewolucji amerykańskiej (*1775-1783*). **2.** = **Yankee.**

yap [jæp] *v.* **-pp-** **1.** ujadać (*o psie*). **2.** *pot.* paplać, trajkotać. – *n.* **1.** ujadanie. **2.** *pot.* paplanina, trajkotanie. **3.** *sl.* jadaczka (= *usta*).

yarborough [ˈjɑ:rˌbɝ:roʊ] *n. brydż itp.* ręka, w której najwyższą kartą jest dziewiątka.

yard1 [jɑ:rd] *n.* **1.** jard (= *3 stopy; = 0,9144 m*). **2.** *żegl.* reja. **3.** = **yardstick** 1.

yard2 *n.* **1.** *US* ogródek; **back/front** ~ ogródek za/przed domem. **2.** *Br.* podwórko. **3.** *gł. w złoż.* dziedziniec; podwórze; **school/prison** ~ dziedziniec szkolny/więzienny. **4.** *gł. w złoż.* plac; skład; **builder's** ~ plac budowy; **wood** ~ skład drewna. **5.** zagroda (*dla bydła*). **6.** *kol.* stacja rozrządowa. **7.** *US i Can.* pastwisko zimowe (*np. saren*). **8. the Y~** *Br. pot.* = **Scotland Yard.** – *v.* ~ **(up)** zapędzać do zagrody; trzymać w zagrodzie (*bydło*).

yardage1 [ˈjɑ:rdɪdʒ] *n. U* wymiar w jardach.

yardage2 *n. C/U* **1.** trzymanie bydła w zagrodzie (*przed transportem*). **2.** opłata za trzymanie bydła w zagrodzie.

yard arm *n. żegl.* nok rei.

yardbird [ˈjɑ:rdˌbɝ:d] *n. US pot.* **1.** *wojsk.* żołnierz ukarany pracami porządkowymi *l.* ograniczeniem poruszania się. **2.** *przest. wojsk.* nieporadny rekrut. **3.** *przest.* skazaniec.

yard goods *n. pl. tk.* materiały sprzedawane na jardy.

yardman [ˈjɑ:rdmən] *n. pl.* **-men** **1.** robotnik (*np. na stacji rozrządowej, placu budowy*). **2.** dozorca placowy.

yardmaster [ˈjɑ:rdˌmæstər] *n. kol.* zawiadowca stacji rozrządowej.

yard sale *n. US* wyprzedaż rzeczy używanych (*odbywająca się w czyimś ogródku*).

yardstick [ˈjɑ:rdˌstɪk] *n.* **1.** jard (= *wyskalowany pręt mierniczy o długości jednego jarda*). **2.** *przen.* miara (*of sth* czegoś) (*np. sukcesu*).

yardwork [ˈjɑ:rdˌwɝ:k] *n. U US* praca w ogródku.

yare [jer] *a.* **1.** *arch.* gotowy; przygotowany. **2.** *arch.* szybki; żywy. **3.** *żegl.* łatwy w sterowaniu.

yarmulke [ˈjɑ:rmulkə] *n.* jarmułka.

yarn [jɑ:rn] *n.* **1.** *U* przędza. **2.** *pot.* opowieść, historia (*zwł. skomplikowana l. nie całkiem prawdziwa*); **spin a** ~ opowiadać niestworzone historie (*t.* = *tłumaczyć się w nieprzekonujący sposób*). – *v.* opowiadać niestworzone historie.

yarrow ['jerou] *n. C/U bot.* krwawnik (*Achillea*).

yashmak ['jæʃmæk], **yashmac** *n. strój* jaszmak (= *welon noszony przez kobiety muzułmańskie*).

yataghan ['jætəˌgæn] *n. broń* jatagan (*rodzaj kindżału*).

yaup [jɔ:p] *v. i n.* = **yawp**.

yaw [jɔ:] *v. lotn., żegl.* **1.** zbaczać z kursu. **2.** powodować zbaczanie z kursu (*samolotu, statku*). – *n.* **1.** *lotn.* odchylenie (= *obrót samolotu w locie wokół osi pionowej*). **2.** *żegl.* myszkowanie.

yawl[1] [jɔ:l] *n. żegl.* jola (= *łódź wiosłowa l. żaglowa*).

yawl[2] *n. Br. dial.* = **yowl**.

yawn [jɔ:n] *v.* **1.** ziewać. **2.** powiedzieć ziewając. **3.** zionąć (*np. o przepaści*). – *n.* **1.** ziewnięcie; **stifle a ~** stłumić ziewnięcie. **2.** (*także* **~er**) *pot.* nudzia-rz/a; nudziarstwo (*np. o przyjęciu, imprezie*).

yawp [jɔ:p], **yaup** *US i Can. dial. pot. v.* **1.** wrzasnąć, krzyknąć. **2.** wrzeszczeć, drzeć się; chrypieć. – *n.* wrzask, krzyk; wrzeszczenie, darcie się.

yaws [jɔ:z] *n. U l. pl. pat.* frambezja, malinica (*tropikalna choroba zakaźna*).

y-axis ['waɪˌæksɪs] *n. pl.* **y-axes** ['waɪˌæksi:z] *mat.* oś rzędnych.

Y chromosome ['waɪ ˌkrouməˌsoum] *a. genetyka* chromosom Y.

yclept [ɪ'klept] *a. arch. l. żart.* zwany, znany jako.

Y connection ['waɪ kəˌnekʃən] *n. el.* połączenie gwiazdowe *l.* w gwiazdę.

yd. *abbr.* = **yard**[1].

ye[1] [ji:; jə] *pron. arch. l dial.* = **you** 2.

ye[2] [ji:] *def art.* **1.** *arch.* = **the**. **2. ~ gods!** *żart. pot.* o rany!, a niech mnie!.

yea [jeɪ] *n. rzad.* głos za; osoba głosująca za; **the ~s have it** wniosek przeszedł. – *adv. arch.* zaprawdę, zaiste.

yeah ['jeə] *int. pot.* tak; **(oh) ~?** *zwł. iron.* (ach) tak?, naprawdę?.

yean [ji:n] *v.* **1.** okocić się (*o owcy, kozie*). **2.** urodzić (*jagnię, koźlę*).

yeanling ['ji:nlɪŋ] *n.* **1.** jagnię, jagniątko. **2.** koźlę, koźlątko.

year [ji:r] *n.* rok; *pl.* lata; **~ in, ~ out** rok w rok; **~ after ~** rok po roku; **~ by ~** z roku na rok; **a/per ~** na rok, rocznie; **all (the) ~ round** (przez) cały rok; **at this time of ~** o tej porze roku; **be ten ~s old** (*także form.* **be ten ~s of age**) mieć dziesięć lat; **be active for one's ~s** być aktywnym (jak) na swoje lata; **be getting on in ~s** posuwać się w latach; **calendar/school/academic/tax ~** rok kalendarzowy/szkolny/akademicki/podatkowy; **every ~** co roku; **first/second/final ~** *uniw.* pierwszy/drugi/ostatni rok; *Br. i Austr.* student/ka pierwszego/drugiego/ostatniego roku; **five-~-old** pięciolat-ek/ka; **five-~-old girl** pięcioletnia dziewczynka; **last/this ~** w zeszłym/tym roku; **new ~** nowy rok; **not/never in a million ~s** *zob.* **million**; **put ~s on sb** dodawać komuś lat (= *postarzać*); **since the ~ dot** *zob.* **dot**[1] *n.*; **take ~s off sb** ujmować komuś lat (= *odmładzać*); **we haven't been there for/in ~s** nie byliśmy tam od lat.

yearbook ['ji:rˌbuk] *n. zwł. US szkoln., uniw.* rocznik (*szkoły, college'u*).

yearling ['ji:rlɪŋ] *n.* **1.** roczniak (*zwierzę*). **2.** *fin.* jednoroczna obligacja (*wydana przez władze lokalne*). – *a. attr.* jednoroczny (*o zwierzęciu*).

year-long [ˌji:r'lɔ:ŋ] *a. attr.* całoroczny, trwający cały rok.

yearly ['ji:rlɪ] *a.* **1.** roczny. **2.** coroczny. **3.** doroczny. – *adv.* **1.** raz do *l.* w roku, raz na rok; **twice ~** dwa razy w *l.* do roku. **2.** corocznie. **3.** rocznie. – *n. pl.* **-ies** rocznik (*publikacja*).

yearn [jɝ:n] *v. lit.* **1. ~ for sb/sth** bardzo pragnąć kogoś/czegoś; **~ for/toward sth** tęsknić za czymś; **~ to do sth** bardzo pragnąć coś zrobić. **2.** odczuwać sympatię; współczuć (*to/toward sb* komuś).

yearning ['jɝ:nɪŋ] *n. C/U* tęsknota (*for sth* za czymś) pragnienie; **for sth** czegoś; **have a ~ for sth/to do sth** bardzo pragnąć czegoś/zrobić coś.

year out *n. zw. sing.* rok przerwy (*np. po maturze, a przed rozpoczęciem studiów; zw. przeznaczony na podróże*); **take a ~** zrobić sobie rok przerwy.

year-round [ˌji:r'raund] *a. gł. attr.* całoroczny. – *adv.* przez cały rok.

yeast [ji:st] *n. U* **1.** *biol., kulin.* drożdże; **brewer's ~** drożdże piwne. **2.** *biol., pat.* drożdżaki. **3.** piana (*zwł. na piwie*). – *v.* **1.** fermentować. **2.** pienić się.

yeast infection *n. pat.* drożdżyca.

yeasty ['ji:stɪ] *a.* **-ier, -iest** **1.** drożdżowy. **2.** spieniony. **3.** fermentujący; powodujący fermentację. **4.** *przen.* wzburzony; niespokojny. **5.** *przen.* żywy; twórczy. **6.** *przen.* powierzchowny; frywolny.

yegg [jeg] *n.* (*także* **~man**) *zwł. US sl.* włamywacz; kasiarz.

yelk [jelk] *n. dial.* = **yolk**.

yell [jel] *v.* **~ (out)** wrzeszczeć, krzyczeć (*at sb* na kogoś); **~ at sb to do sth** krzyknąć na kogoś, aby coś zrobił; **if you need me, just ~** jak będziesz mnie potrzebował, po prostu krzyknij. – *n.* **1.** wrzask, krzyk; **~ of triumph/warning** okrzyk tryumfu/ostrzegawczy; **let out a ~** wrzasnąć. **2.** *US i Can. uniw.* (rytmiczny) doping.

yellow ['jelou] *a.* **1.** żółty. **2.** (*także* **~-bellied**) *przen. pot.* tchórzliwy. – *n.* **1.** *U* (kolor) żółty; **dressed in ~** ubrany na żółto. **2.** *C/U* żółty pigment *l.* barwnik. **3.** *C/U* żółtko. – *v.* **1.** żółcić. **2.** żółknąć.

yellow belly *n. sl.* tchórz.

yellow card *n. piłka nożna* żółta kartka.

yellowed ['jeloud] *a.* pożółkły.

yellow fever *n. U pat.* żółta febra.

yellowhammer ['jelouˌhæmər] *n. orn.* trznadel (*Emberiza citrinella*).

yellowish ['jelouɪʃ] *a.* żółtawy.

yellow jack *n.* **1.** *pat.* = **yellow fever**. **2.** *żegl.* żółta flaga (*oznaczająca kwarantannę*). **3.** *icht.* żółtawa ryba atlantycka (*Caranx bartholomaei*).

yellow jacket *n. US i Can. ent.* mała osa z rodziny *Vespidae.*

yellow line *n. Br. mot.* żółta linia (= *ograniczone parkowanie*); **double ~** podwójna żółta linia (= *zakaz parkowania*).

yellow pages, Yellow P~ *n. sing.* książka telefoniczna firm.

yellow press *n. U zwł. US dzienn.* prasa brukowa.

yellows [ˈjeloʊz] *n. pl.* **1.** *wet.* żółtaczka. **2.** *bot., pat.* choroba roślin, zwł. brzoskwiń, powodująca m.in. żółknięcie liści.

yellowy [ˈjeloʊɪ] *a.* żółtawy.

yelp [jelp] *v.* **1.** krzyczeć. **2.** skowyczeć. – *n.* **1.** okrzyk. **2.** skowyt.

Yemen [ˈjemən] *n. geogr.* Jemen.

Yemenite [ˈjeməˌnaɪt] (*także* **Yemeni**) *n.* Jeme-ńczyk/nka. – *a.* jemeński.

yen[1] [jen] *n. pl.* **yen** *fin.* jen.

yen[2] *pot. n.* wielka ochota; **have a ~ for sth/to do sth** mieć wielką ochotę na coś/zrobić coś. – *v.* **-nn-** bardzo chcieć (*for sth* czegoś).

yeoman [ˈjoʊmən] *n. pl.* **-men 1.** *hist.* chłop średniorolny; pomocnik szeryfa *l.* rzemieślnika; niski urzędnik *l.* służący w domu królewskim *l.* arystokratycznym. **2.** *przen.* lojalny i sumienny pracownik. **3.** *wojsk. US* podoficer marynarki (*gł. w służbie kancelaryjnej*); *Br.* podoficer sygnalizacyjny (*w marynarce i Royal Marines*); **~ of the guard** *Br.* żołnierz królewskiej straży przybocznej.

yeomanry [ˈjoʊmənrɪ] *n. U hist.* **1.** chłopstwo średniorolne. **2.** *Br.* ochotnicza formacja kawalerii do obrony terytorium kraju utworzona w 1761 r.

yep [jep] *adv. pot.* tak.

yes [jes] *adv.* **1.** tak; **~ and no** i tak, i nie; **~, Sir!** *wojsk.* tak jest!; **say ~** powiedzieć tak, zgodzić się (*to sth* na coś). **2. ~!** hura!. – *n. pl.* **-es** *l.* **-ses 1.** tak. **2.** głos za; osoba głosująca za. – *v. US* zgadzać się z (*kimś*), potakiwać (*komuś*).

yeshiva [jəˈʃiːvə], **yeshivah** *n. judaizm* jesziwa (= *szkoła talmudyczna*).

yes-man [ˈjesˌmæn] *n. pl.* **-men** potakiwacz.

yes-no question [ˌjesˈnoʊ ˌkwestʃən], **yes/no question** *n.* pytanie ogólne.

yesterday [ˈjestərdeɪ] *adv.* wczoraj (*t. przen.* = *w przeszłości*); **~ morning/evening** wczoraj rano/wieczorem; **all day ~** przez cały wczorajszy dzień; **I wasn't born ~** *zob.* **born; the day before ~** przedwczoraj. – *n. C/U* wczoraj (*t. przen.* = *przeszłość*), dzień wczorajszy; **~'s news** *przen.* stara *l.* przebrzmiała historia; **~'s paper** wczorajsza gazeta.

yesteryear [ˈjestərˌjiːr] *n. U lit.* **1.** przeszłość, dawne lata; **of ~** z dawnych lat. **2.** zeszły rok.

yet [jet] *adv.* **1.** jeszcze; **~ again** jeszcze raz, znowu; **~ another example/instance** jeszcze jeden przykład/przypadek; **a few days/months ~** jeszcze kilka dni/miesięcy; **not ~** jeszcze nie; **we'll convince him ~** jeszcze go przekonamy. **2.** *z pyt.* już; **have they arrived ~?** czy już przyjechali?. **3. as ~** jak dotąd, na razie; **the fastest/largest ~** najszybszy/największy (jak) do tej pory *l.* jak dotąd. – *conj.* (a) jednak, mimo to.

yeti [ˈjetɪ] *n. mit.* yeti.

yew [juː] *n.* **1.** *bot.* cis (*rodzaj Taxus*). **2.** *U* drewno cisowe, cis.

y-fronts [ˈwaɪˌfrʌnts] *n. pl. Br.* slipy.

YHA [ˌwaɪ ˌeɪtʃ ˈeɪ] *abbr.* **Youth Hostel Association** *Br.* Stowarzyszenie Schronisk Młodzieżowych.

yid [jɪd] *n. pog., obelż.* żydek.

Yiddish [ˈjɪdɪʃ] *a. i n. U* (język) jidysz.

yield [jiːld] *v.* **1.** dawać, przynosić (*np. zysk, rezultaty, plon*). **2.** oddawać (*kontrolę*). **3.** ulegać (*np. żądaniom, emocjom*). **4.** ustępować (*to sth* czemuś *l.* przed czymś) (*t.* = *być zastępowanym*). **5.** *US mot.* ustępować pierwszeństwa przejazdu. **6.** nie wytrzymać, puścić (*np. o drzwiach, zamku*). **7.** *lit.* poddać się, ugiąć się. **8. ~ up** *lit.* oddać (*np. terytorium*); wyjawić (*np. tajemnicę*), podzielić się. – *n.* **1.** *ekon.* zysk; **a ~ of 10 per cent** dziesięcioprocentowy zysk. **2.** *roln.* plon. **3.** *chem.* wydajność (*reakcji*).

yielding [ˈjiːldɪŋ] *a.* **1.** ustępliwy (*o osobie*). **2.** uginający się (*o powierzchni*). **3.** *roln.* przynoszący plon, płodny (*o ziemi*).

yin [jɪn] *n. U fil.* yin.

yin and yang [ˌjɪnəndˈjæŋ] *n. U fil.* yin i yang.

yip [jɪp] *pot. v.* **-pp-** ujadać. – *n.* ujadanie.

yippee [ˈjɪpiː] *int. pot.* hurra!.

YMCA [ˌwaɪ ˌem ˌsiː ˈeɪ], **Y.M.C.A.** *abbr.* **Young Men's Christian Association** Chrześcijańskie Stowarzyszenie Młodzieży Męskiej.

YMHA [ˌwaɪ ˌem ˌeɪtʃ ˈeɪ], **Y.M.H.A.** *abbr.* **Young Men's Hebrew Association** Żydowskie Stowarzyszenie Młodzieży Męskiej.

yo [joʊ] *int. zwł. US sl.* hej! (*jako powitanie l. dla zwrócenia uwagi*).

yob [jɑːb] *n.* (*także* **yobbo**) *Br. i Austr. pot.* chuligan.

yobbery [ˈjɑːbərɪ] *n. U Br. i Austr. pot.* chuligaństwo.

yobbo [ˈjɑːboʊ] *n. pl.* **-s = yob.**

yod [jɑːd], **yodh** *n. fon., pismo* jod (*głoska /j/ l. litera alfabetu hebrajskiego*).

yodel [ˈjoʊdl] *v. Br.* **-ll-** jodłować. – *n.* jodłowanie.

yodeler [ˈjoʊdlər], *Br.* **yodeller** *n.* śpiewak jodłujący.

yoga [ˈjoʊgə] *n. U* joga.

yogh [joʊg] *n. pismo hist.* yogh (*litera oznaczająca głoskę /g/ l. /j/*).

yogi [ˈjoʊgɪ] *n.* (*także* **yogin**) jogin.

yogurt [ˈjoʊgərt], **yoghurt, yoghourt** *n. C/U* jogurt.

yo-heave-ho [ˌjoʊˌhiːvˈhoʊ] *int.* (*także* **yo-ho-ho**) *żegl.* hej-hop! (*dla skoordynowania wysiłku*).

yoicks [jɔɪks] *int. Br. myśl.* okrzyk na psa goniącego za lisem.

yoke [joʊk] *n.* **1.** *t. techn. l. przen.* jarzmo; **the ~ of tradition/colonialism** *lit.* jarzmo tradycji/kolonializmu. **2.** *krawiectwo* karczek (*sukni, koszuli*). **3.** para sprzężonych wołów *l.* innych zwierząt pociągowych. **4.** nosidła (*na wiadra*).

5. ~ of land *hist.* obszar ziemi zaorany parą wołów w ciągu jednego dnia. – *v.* **1.** nakładać jarzmo na (*zwierzę*). **2.** zaprzęgać (*zwierzę pociągowe*); zaprzęgać do (*pojazdu*). **3. ~ (together)** łączyć; łączyć (się).

yokefellow [ˈjoʊkˌfeloʊ] *n.* (*także* **~ mate**) *arch.* **1.** towarzysz (*np. pracy*). **2.** towarzysz/ka życia.

yokel [ˈjoʊkl] *n. pog.* chłopek, wieśniak.

yoke-lines [ˈjoʊkˌlaɪnz] *n. pl. żegl.* linki sterownicze.

yoke mate *n.* = **yokefellow.**

yolk [joʊk] *n.* **1.** *C/U* żółtko. **2.** *U* tłuszczopot (= *mieszanina łoju i potu wydzielana przez gruczoły skórne owcy*).

yolk bag *n.* (*także* **yolksac**) *anat.* pęcherzyk żółtkowy.

yolky [ˈjoʊkɪ] *a.* żółtkowy.

Yom Kippur [ˌjoʊmˈkɪpər] *n.* *U judaizm* Jom Kippur, Święto Pojednania.

yon [jɑːn] *a., adv. i pron. arch. l. dial.* = **yonder.**

yonder [ˈjɑːndər] *arch. l. dial. adv.* tam. – *a. attr.* tamten. – *pron.* ów, tenże.

yonks [jɑːŋks] *n. pl. Br. i Austr. pot.* **~ ago** lata temu; **for ~** całe lata; całymi latami.

yoo-hoo [ˈjuːˌhuː] *int. pot.* u-hu! (*dla zwrócenia uwagi*).

yore [jɔːr] *n.* *U* **of ~** *arch. l. lit.* dawny, niegdysiejszy; **in days of ~** niegdyś, ongiś.

Yorkshire pudding [ˌjɔːrkʃər ˈpʊdɪŋ] *n. C/U Br. kulin.* zapiekany pudding (*podawany tradycyjnie z pieczenią wołową*).

Yorkshire terrier *n. kynol.* Yorkshire terrier.

you [juː; jə] *pron.* **1.** ty; **~ and I** ty i ja; **~ fool!** ty głupcze!; **~ rascal, ~!** *emf.* ty łobuzie!; **hey, ~** *pot.* ej, ty; **there's no point in ~ going there** nie ma sensu, żebyś tam szedł. **2.** wy; **~ Americans** wy Amerykanie; **~ two** wy dwoje; **all of ~** wy wszyscy. **3.** cię; (*forma akcentowana*) ciebie; *pl.* was; **I love ~** kocham cię; **I saw her, not ~** widziałam ją, nie ciebie; **I saw ~ both** widziałem was oboje. **4.** ci; (*forma akcentowana*) tobie; *pl.* wam; **I'll send it to ~ tomorrow** wyślę ci to jutro; **I'd rather give it to ~ than to him** wolałbym dać to tobie niż jemu; **we wish ~ all a happy new year** życzymy wam wszystkim szczęśliwego nowego roku. **5.** (*z prep.*) **about ~** o tobie/was; **behind ~** za tobą/wami; **for ~** dla ciebie/was; **with ~** z tobą/wami. **6.** (*w porównaniach*) **younger than ~** młodszy niż ty *l.* od ciebie; młodsi niż wy *l.* od was. **7.** (*formy grzecznościowe*) pan/i; państwo; pan-owie/ie; **(how) can I help ~?** czym mogę panu/pani/państwu służyć?; **that's very kind of ~** to bardzo miło z pana/pani/państwa strony. **8.** (*w konstrukcjach bezosobowych*) człowiek (*l. nie tłumaczy się*); **~ can't do that!** tak nie można!; **~ never know** nigdy (nic) nie wiadomo; **the more ~ know, the more tolerant ~ become** im człowiek więcej wie, tym bardziej staje się tolerancyjny.

you'd [juːd] *abbr.* **1.** = **you would. 2.** = **you had.**

you'll [juːl] *abbr.* **1.** = **you will. 2.** = **you shall.**

young [jʌŋ] *a.* **1.** młody; **~ at heart** młody duchem; **~ democracies** młode demokracje; **grow ~ again** odmłodnieć; **be ~ for one's age** wyglądać młodo jak na swój wiek *l.* swoje lata. **2. ~ children** małe dzieci; **this is too ~ for me** to jest dla mnie zbyt młodzieżowe (*np. o stroju, makijażu*). – *n. pl.* **the ~** młodzi (ludzie), młodzież; młode (*u zwierząt*).

young blood *n.* *U przen.* młoda krew.

younger [ˈjʌŋər] *a.* młodszy; **in my/his/her ~ days** za młodu; **John Smith the ~** *przest.* John Smith młodszy; **the ~ generation** młode pokolenie.

youngish [ˈjʌŋɪʃ] *a.* dość młody.

young lady *n. pl.* **-ies** *przest.* **1.** młoda dama. **2.** sympatia (= *dziewczyna*).

youngling [ˈjʌŋlɪŋ] *n. lit.* **1.** młoda osoba. **2.** młoda roślina. **3.** młode (zwierzę). **4.** *rzad.* nowicjusz/ka.

young man *n. pl.* **-men** *przest.* **1.** młody człowiek. **2.** sympatia (= *chłopak*).

young marrieds *n. pl. zwł. US* nowożeńcy.

young offender *n. Br.* = **youthful offender.**

youngster [ˈjʌŋstər] *n. przest.* **1.** chłopak; dziewczyna. **2.** młode (zwierzę). **3.** *US wojsk.* kadet marynarki w drugim roku.

younker [ˈjʌŋkər] *n. arch.* młodzieniec.

your [jʊr; jər] *a.* **1.** twój; twoja; twoje; twoi. **2.** wasz; wasza; wasze; wasi. **3.** swój (własny). **4.** *form.* pan-a/i; pański; państwa. **5.** (*nie tłumaczy się*) **~ average/typical lunch** *pot.* zwykły/typowy lunch; **~ man** *zob.* **man** *n.*; **on ~ left/right** po prawej/lewej stronie.

you're [jʊr] *abbr.* = **you are.**

yours [jʊrz] *pron.* **1.** twój; twoja; twoje; twoi; wasz; wasza; wasze; wasi; **a friend of ~** twój kolega/twoja koleżanka; wasz kolega/wasza koleżanka; **if you want this pen, it's ~ for the taking/asking** jeśli chcesz to pióro, jest twoje. **2.** (*w zakończeniu listu*) **~ (sincerely)** z poważaniem; **~ faithfully/truly** *form.* z wyrazami szacunku, z poważaniem.

yourself [jʊrˈself] *pron.* **1.** się; **don't cut ~!** nie skalecz się!. **2.** siebie; sobie; sobą; **be ~!** *pot.* bądź sobą!; **you have the house (all) to ~** masz cały dom (tylko) dla siebie; **pour ~ a drink** nalej sobie drinka. **3.** *emf.* ty sam/a; ty osobiście; **(all) by ~** (całkiem *l.* zupełnie) sam/a; **you ~ will drive the car today** dziś ty (sam/a) poprowadzisz. **4.** ty; **your wife and ~** twoja żona i ty; **she's a Pole, like ~** ona jest Polką, podobnie jak ty.

yourselves [jʊrˈselvz] *pron. pl.* **1.** się; **did you enjoy ~?** dobrze się bawiliście?. **2.** siebie; sobie; sobą; **you'll have the house to ~** będziecie mieć dom dla siebie. **3.** *emf.* sami; same; **(all) by ~** (zupełnie) sami; (całkowicie) samodzielnie; **you are students ~** sami jesteście studentami; **you girls should do it ~** powinniście to zrobić same. **4.** wy (sami); was (samych); **for your children and ~** dla waszych dzieci i dla was.

yours truly *pron. pot. zw. żart.* niżej podpisany, ja; **they left early, leaving ~ alone** wyszli wcześnie, zostawiając mnie samego.

youth [juːθ] *n. pl.* **-s** [juːðz] **1.** *U* młodość; **in his/her/my ~** w młodości. **2.** *często uj.* młody człowiek, młodzieniec. **3.** *U; Br. t. z czasownikiem* *w liczbie mnogiej* młodzież, młodzi (ludzie); **the ~ of today** dzisiejsza młodzież.

youth club *n.* klub młodzieżowy.

youth culture *n.* *U* kultura młodzieżowa.

youthful [ˈju:θfʊl] *a.* **1.** młodzieńczy. **2.** *t. geol.* młody. **3.** *gł. prawn.* młodociany.

youthfully [ˈju:θfʊlɪ] *adv.* **1.** młodzieńczo. **2.** młodo.

youthfulness [ˈju:θfʊlnəs] *n.* *U* **1.** młodzieńczość. **2.** młodość.

youthful offender *n.* (*także Br.* **young offender**) *prawn.* młodocian-y/a przestęp-ca/czyni.

youth hostel *n.* schronisko młodzieżowe.

youth hosteling, *Br.* **youth hostelling** *n.* *U* turystyka oparta na noclegach w schroniskach młodzieżowych.

you've [ju:v] *abbr.* = **you have**.

yowl [jaʊl], *Br. dial.* **yawl** *v.* wyć. – *n.* wycie.

yo-yo [ˈjoʊjoʊ] *n.* *pl.* **-s** **1.** jo-jo (*zabawka*). **2.** *US i Can. sl.* przygłup. – *v. pot.* wahać się.

yr. *abbr.* **1.** = **year**. **2.** = **younger**. **3.** = **your**.

yrs. *abbr.* **1.** = **years**. **2.** = **yours**.

ytterbium [ɪˈtɜ˞:bɪəm] *n.* *U chem.* iterb.

yttrium [ˈɪtrɪəm] *n.* *U chem.* itr.

yucca [ˈjʌkə] *n. bot.* juka (*Yucca*).

yuck[1] [jʌk], **yuk** *sl. int.* fuj. – *n.* *U* syf, obrzydlistwo.

yuck[2] *zwł.* *US sl.* *n.* *U* rechot (= *głośny śmiech*). – *v.* (*także* **~ it up**) rechotać, zarywać się (ze śmiechu).

yucky [ˈjʌkɪ] *a.* **-ier, -iest** *sl.* obrzydliwy, obleśny, syfiasty.

Yugoslav [ˈju:goʊˌslɑ:v] *hist.* *n.* Jugosłowianin/nka. – *a.* jugosłowiański.

Yugoslavia [ˌju:goʊˈslɑ:vɪə] *n.* Jugosławia.

Yugoslavian [ˌju:goʊˈslɑ:vɪən] *hist.* *n.* Jugosłowia-nin/nka. – *a.* jugosłowiański.

Yule [ju:l] *n.* *U arch. l. lit.* Boże Narodzenie; (*także* **~tide**) okres świąt Bożego Narodzenia.

Yule log *n.* polano spalane w kominku w Wigilię Bożego Narodzenia.

yummy [ˈjʌmɪ] *a.* **-ier, -iest** *pot.* pyszny. – *int.* **~!** (*także* **yum-yum!**) mniam-mniam!, pychota!

yup [jʌp] *adv. pot.* tak.

yuppie [ˈjʌpɪ], **yuppy** *n.* *pl.* **-ies** yuppie.

yuppify [ˈjʌpɪˌfaɪ] *v.* **-ied, -ying** **1.** zasiedlić przez yuppies (*dzielnicę*). **2.** przystosować do gustów yuppies (*modę*).

yurt [jʊrt] *n.* jurta.

YWCA [ˌwaɪ ˌdʌblju: ˌsi: ˈeɪ], **Y.W.C.A.** *abbr.* **Young Women's Christian Association** Chrześcijańskie Stowarzyszenie Młodzieży Żeńskiej.

YWHA [ˌwaɪ ˌdʌblju: ˌeɪtʃ ˈeɪ], **Y.W.H.A** *abbr.* **Young Women's Hebrew Association** Żydowskie Stowarzyszenie Młodzieży Żeńskiej.

Z

Z [zi:], **z** *n. pl.* **-'s** *l.* **-s** [zi:z] **1.** Z, z (*litera l. głoska*). **2. get/catch some Z's** *US pot.* skimnąć się (= *przespać*).

zaffer ['zæfər], **zaffre** *n. U chem.* niebieski tlenek kobaltu.

Zaire [zɑ:'i:r] *n. hist.* Zair.

Zairean [zɑ:'i:rıən], **Zairian** *hist. a.* zairski. – *n.* mieszkan-iec/ka Zairu.

Zambezi [ˌzæm'bi:zı], **Zambese** *n. geogr.* Zambezi.

Zambia ['zæmbıə] *n. geogr.* Zambia.

Zambian ['zæmbıən] *a.* zambijski. – *n.* Zambij-czyk/ka.

zamindar ['zæmənˌdɑ:r], **zemindar** *n. Ind.* **1.** *hist.* właściciel ziemski płacący podatek gruntowy władzom brytyjskim. **2.** *hist.* poborca podatkowy (*za cesarstwa Mogołów*). **3.** właściciel ziemski (*w Indiach l. Pakistanie*).

zaniness ['zeınınəs] *n. U* zwariowanie, wariactwo.

zany ['zeını] *a.* **-ier, -iest** zwariowany, wariacki. – *n. pl.* **-ies** **1.** wariat (= *osoba zachowująca się śmiesznie*). **2.** *hist.* pomocnik błazna; błazen.

zap [zæp] *pot. v.* **1.** rozwalić (= *zlikwidować, unieszkodliwić*). **2.** *telew.* skakać po kanałach (*pilotem*). **3.** śmigać (= *poruszać się szybko*). **4.** *US* podgrzewać w mikrofali. – *n. U* werwa, życie (= *energia*). – *int.* trach!

zapper ['zæpər] *n. US pot.* **1.** pilot (*do telewizora*). **2.** urządzenie elektryczne do zabijania owadów.

zappy ['zæpı] *a.* **-ier, -iest** *pot.* żywy, pełen werwy.

Zarathustra [ˌzerə'θu:strə] *n. hist., rel.* Zaratusztra.

zeal [zi:l] *n. U* zapał, gorliwość.

zealot ['zelət] *n.* **1.** fanaty-k/czka; **be a ~ for/against sth** być zagorzałym zwolennikiem/przeciwnikiem czegoś. **2. Z~** *rel., hist.* zelota.

zealous ['zeləs] *a.* zagorzały; gorliwy.

zealously ['zeləslı] *adv.* zagorzale; gorliwie.

zebec ['zi:bek], **zebeck** *n.* = **xebec.**

zebra ['zi:brə] *n. pl.* **-s** *l.* **zebra** *zool.* zebra (*rodzaj Equus*).

zebra butterfly *n. pl.* **-ies** *US ent.* pręgowany motyl (*Heliconius chairtonius*).

zebra crossing *n. Br. i Austr.* przejście dla pieszych, pasy, zebra.

zebra danio *n.* = **zebra fish.**

zebra finch *n. Austr. orn.* mały pręgowany ptak śpiewający (*Poephila guttata*).

zebra fish *n.* (*także* **zebra danio**) *icht.* pręgowana ryba akwariowa (*Brachydanio rerio*).

zebraic [zı'breıık] *a.* (*także* **zebrine**) dotyczący zebry; charakterystyczny dla zebry.

zebrawood ['zi:brəˌwud] *n.* **1.** *bot.* drzewo tropikalne o twardym prążkowanym drewnie (*Connarus guianensis; t. inne drzewa l. krzewy o takim drewnie*). **2.** *U* drewno drzewa *l.* krzewu jw.

zebrine ['zi:braın] *a.* = **zebraic.**

zebroid ['zi:brɔıd] *n. hodowla* zebroid (= *krzyżówka klaczy zebry z koniem*). – *a.* zebrowaty.

zebu ['zi:bu:] *n. pl.* **-s** *l.* **zebu** *zool.* zebu (*Bos indicus*).

zecchino [zə'ki:noʊ] *n. pl.* **-s** *l.* **zecchini** [zə'ki:ni:] = **sequin.**

zed [zed] *n. Br.* zet (*nazwa litery*).

zedoary ['zedoʊˌerı] *n.* **1.** *bot.* roślina indyjska (*Curcuma zedoaria*). **2.** *C/U kulin., med., chem.* suszone kłącza rośliny jw., używane jako przyprawa oraz w przemyśle farmaceutycznym i kosmetycznym.

zedonk ['zi:dɑ:ŋk] *n. hodowla* krzyżówka oślicy z samcem zebry.

zee [zi:] *n. US* zet (*nazwa litery*).

zein ['zi:ən] *n. U biochem.* zeina.

zeitgeist ['zaıtˌgaıst] *n. U form.* duch czasów.

zelkova ['zelkəvə] *n. bot.* brzostnica (*Zelkova*).

zemindar ['zæmənˌdɑ:r] *n.* = **zamindar.**

Zen [zen] *n. U rel.* Zen.

zenana [ze'nɑ:nə] *n.* część domu przeznaczona dla kobiet i dziewcząt (*w krajach hinduskich i muzułmańskich*).

Zend [zend] *n.* **1.** (*także* **~-Avesta**) *rel.* Awesta (*święta księga mazdaizmu*). **2.** *U jęz., hist.* język awestyjski.

Zener diode ['zi:nər ˌdaıoʊd] *n. el.* dioda Zenera.

zenith ['zi:nəθ] *n. zw. sing.* **1.** *astron.* zenit. **2.** *przen.* szczyt, zenit; **at the ~ of sth** u szczytu czegoś (*np. sławy*); **reach its ~** osiągnąć szczyt *l.* zenit.

zenithal ['zi:nəθl] *a. astron.* zenitowy; zenitalny.

zenith distance *n. astron.* odległość zenitalna.

zeolite ['zi:əˌlaıt] *n. C/U min.* zeolit.

zephyr ['zefər] *n.* **1.** *lit.* zefir, zefirek; *meteor.* zefir, lekki wiatr. **2.** *U tk.* zefir (*cienka tkanina bawełniana*).

Zephyrus ['zefərəs] *n. mit.* Zefir.

zeppelin ['zepələn] *n. lotn.* sterowiec, zeppelin.

zero ['zi:roʊ] *n. pl.* **-s** *l.* **-es** *t. mat., fiz., sport* zero (*t. pot. = nic; t. pog. o osobie*); **10 degrees below ~** dziesięć stopni poniżej zera; **absolute ~** *fiz.* zero bezwzględne (*temperatury*); **beat sb two to ~** pokonać kogoś dwa do zera; **set the counter to ~** ustawić licznik na zero; **visibility reduced to ~** widoczność ograniczona do zera. – *a. attr.* zerowy, równy zeru (*np. o wzroście gospodarczym, inflacji*); żaden. – *v.* **1.** ustawiać na zero, zerować. **2. ~ in on** kierować się na (*cel*); *przen.* koncentrować się na (*problemie, zadaniu*).

zero-defect [ˌzi:roʊdɪ'fekt] *a. attr.* bezbłędny (*o działaniu*); bezbrakowy (*o metodzie produkcji*).

zero gravity *n. U fiz.* nieważkość.

zero hour *n. sing.* godzina zero (= *czas rozpoczęcia ataku itp.*).

zero-point energy [ˌzi:roʊˌpɔɪnt 'enərdʒɪ] *n. U fiz.* energia zerowa.

zero population growth ['zi:roʊ] *n. U socjol.* zerowy przyrost ludności.

zero-rated ['zi:roʊˌreɪtɪd] *a. gł. Br. fin.* zwolniony od VAT-u.

zero-sum game [ˌzi:roʊ'sʌm ˌgeɪm] *n. teoria gier* gra o sumie zerowej.

zeroth ['zi:roʊθ] *a. mat., fiz.* zerowy.

zerovalent [ˌzi:roʊ'veɪlənt] *a. chem.* zerowartościowy.

zero value *n. U* wartość zerowa.

zero visibility *n. U meteor.* widoczność zerowa.

zest [zest] *n.* **1.** *U* zapał, entuzjazm; **~ for life** radość życia. **2.** *C/U przen.* smak; **add/give (a) ~ to sth** dodawać czemuś smaku; uprzyjemniać coś. **3.** *U* **lemon/orange ~** *kulin.* skórka cytrynowa/pomarańczowa. – *v.* **1.** *przen.* dodawać smaku (*czemuś*); uprzyjemniać. **2.** *kulin.* ucierać skórkę (*cytryny l. pomarańczy*).

zestful ['zestfʊl] *a.* pełen zapału *l.* entuzjazmu; radosny.

zesty ['zestɪ] *a.* **-ier, -iest 1.** przyjemnie ostry (*o smaku, potrawie*). **2.** *przen.* żywy, energiczny.

zeta ['zeɪtə] *n. alfabet grecki* dzeta.

Zeus [zu:s] *n. mit.* Zeus.

zibeline ['zɪbəˌlaɪn], **zibelline** *a.* sobolowy. – *n.* **1.** *zool.* sobol (*Mustela zibellina*). **2.** *U* futro sobolowe, sobole. **3.** *U* (*także* **~ cloth**) *tk.* gruby miękki materiał z wełny owczej *l.* włosia innych zwierząt.

zibet ['zɪbɪt] *n. zool.* cyweta indyjska (*Viverra zibetha*).

zidovudine [zɪ'doʊvʊˌdi:n] *n. U med.* AZT (*lek używany w leczeniu AIDS*).

ziggurat ['zɪgəˌræt] *n.* (*także* **zikkurat, zikurat**) *bud., hist.* zigurat.

zigzag ['zɪgˌzæg] *n.* zygzak; **in a ~** (*także* **in ~s**) zygzakiem. – *a. gł. attr.* **1.** zygzakowaty. **2.** *gł. US sl. wojsk.* wstawiony (= *pijany*). – *adv.* zygzakiem, zygzakowato. – *v.* **-gg-** (*także* **zig and zag**) **1.** poruszać się zygzakiem. **2.** wić się zygzakiem *l.* zygzakowato (*np. o drodze*). **3.** *krawiectwo* szyć ściegiem zygzakowatym.

zikkurat ['zɪkəˌræt], **zikurat** *n.* = **ziggurat**.

zila ['zɪlə], **zilla** *n. Ind., hist.* okręg administracyjny w Indiach pod panowaniem brytyjskim.

zilch [zɪltʃ] *n. U gł. US i Can. pot.* nic; zero; **she told us ~** nic nam nie powiedziała.

zillion ['zɪljən] *n. pl.* **-s** *l.* **zillion** *gł. US pot.* milion, tysiąc jeden (= *mnóstwo*); **I have a ~ things to do** mam milion rzeczy do zrobienia.

zillionaire ['zɪljəˌner] *n. pot.* miliarder/ka (= *osoba bardzo bogata*).

Zimbabwe [zɪm'bɑ:bwɪ] *n. geogr.* Zimbabwe.

Zimbabwean [zɪm'bɑ:bwɪən] *n.* mieszkan-iec/ka Zimbabwe. – *a.* dotyczący Zimbabwe.

zimmer frame ['zɪmər ˌfreɪm] *n. Br.* balkonik (*dla osoby mającej trudności z samodzielnym chodzeniem*).

zinc [zɪŋk] *n. U t. chem.* cynk. – *v. pret.* **zinced** *l.* **zin(c)ked** *part.* **zincing** *l.* **zin(c)king** *metal.* cynkować.

zincate ['zɪŋkeɪt] *n. C/U chem.* cynkan.

zinc blende *n. U min.* blenda cynkowa.

zinc chloride *n. U chem.* chlorek cynkowy.

zincic ['zɪŋkɪk], **zinckic** *a. chem.* cynkowy.

zinciferous [zɪŋ'kɪfərəs] *a. min.* cynkonośny, zawierający cynk.

zincify ['zɪŋkəˌfaɪ] *v.* **-ied, -ying** *metal.* cynkować.

zincite ['zɪŋkaɪt] *n. U min.* cynkit.

zinckenite ['zɪŋkəˌnaɪt] *n. U* = **zinkenite**.

zincograph ['zɪŋkəˌgræf] *n. druk.* **1.** płyta cynkowa. **2.** odbitka z płyty jw.

zincography [zɪŋ'kɑ:grəfɪ] *n. U druk.* cynkografia.

zinc ointment *n. med.* maść cynkowa.

zinc oxide *n. U chem.* **1.** tlenek cynkowy. **2.** (*także* **zink white**) biel cynkowa (= *tlenek cynkowy używany do produkcji farb*).

zinc sulfate *n. U chem.* siarczan cynkowy.

zinc sulfide *n. U chem.* siarczek cynkowy.

zinc white *n. U chem.* = **zinc oxide** 2.

zine [zi:n] *n. dzienn. pot.* **1.** specjalistyczne czasopismo wydawane amatorsko. **2.** *komp.* czasopismo internetowe.

zing [zɪŋ] *pot. n. U* **1.** brzdęk (*metalu, struny*); bzyk (*kuli*). **2.** *przen.* energia, żywość, życie; smak. – *v.* **1.** brzęczeć; bzyczeć. **2.** *US* obsztorcować. **3.** *US* rzucać (*pytania, uwagi*) (*at sb* komuś). **4. ~ with energy** tryskać energią. **5. ~ up** *US* ożywiać (*np. potrawę, twarz*).

zinger ['zɪŋər] *n. US pot.* **1.** celna uwaga; celna odpowiedź. **2.** niespodzianka, szok; nagły zwrot akcji.

zingy ['zɪŋɪ] *a.* **-ier, -iest** *pot.* żywy, energiczny.

zinkenite ['zɪŋkəˌnaɪt], **zinckenite** *n. U min.* cynkenit.

zinnia ['zɪnɪə] *n. bot.* cynia (*Zinnia*).

Zion ['zaɪən], **sion** *n. geogr., rel., polit.* Syjon.

Zionism ['zaɪəˌnɪzəm] *n. U polit.* syjonizm.

Zionist ['zaɪənɪst] *polit. n.* syjonist-a/ka. – *a.* syjonistyczny.

zip [zɪp] *n.* **1.** świst. **2.** (*także* **~ fastener**) *Br. i Can.* zamek błyskawiczny; **do/undo one's ~** zapiąć/odpiąć zamek. **3.** *U pot.* życie; energia. **4.** *US pot.* zero; nic. **5.** *US* = **zip code**. – *v.* **-pp- 1.** *pot.* świstać. **2.** *pot.* śmigać; gnać. **3.** zapinać (na zamek); ~ **sth shut/open** rozpiąć/zapiąć coś; ~ **sb up** zapiąć komuś zamek; ~ **sth up** zapiąć coś (na zamek); ~ **your lip!** *US pot.* zamknij buzię! **4.** *komp.* kompresować (*plik*).

ZIP code [ˈzɪp ˌkoʊd] *n. US* kod pocztowy.

zipper [ˈzɪpər] *n. US i Austr.* zamek błyskawiczny.

zippo [ˈzɪpoʊ] *n. sing. US pot.* nic; zero.

zippy [ˈzɪpɪ] *a.* **-ier, -iest** *pot.* żywy; szybki.

zircon [ˈzɝːkɑːn] *n. U min.* cyrkon.

zirconium [zɝːˈkoʊnɪəm] *n. U chem.* cyrkon.

zit [zɪt] *n. sl.* syf (= *pryszcz*).

zither [ˈzɪθər] *n. muz.* cytra.

zitherist *n. muz.* cytrzyst-a/ka.

zitty [ˈzɪtɪ] *a.* **-ier, -iest** *sl.* pryszczaty.

zloty [ˈzlɔːtɪ] *n. pl.* **-ies** *l.* **zloty** *fin.* złoty (*waluta l. moneta*).

zodiac [ˈzoʊdɪˌæk] *n.* **the** ~ *astrol.* zodiak; **signs of the** ~ znaki zodiaku.

zodiacal [zoʊˈdaɪəkl] *a. astrol.* zodiakalny.

zombie [ˈzɑːmbɪ], **zombi** *n.* **1.** *pot.* zombi, żywy trup. **2.** duch wskrzeszający zmarłych (*w wierzeniach voodoo*). **3.** trup przywrócony do życia (*jw.*). **4.** *rel.* bóg-pyton (*w Afryce zachodniej*); bóg-wąż (*czczony w ceremoniach voodoo*). **5.** *kulin.* koktajl rumowy. **6.** *Can. hist. sl.* żołnierz z poboru przeznaczony do obrony kraju (*podczas II wojny światowej*).

zonal [ˈzoʊnl] *a.* strefowy.

zone [zoʊn] *n.* **1.** strefa; **buffer** ~ *wojsk.* strefa buforowa; **climatic** ~ *meteor.* strefa klimatyczna; **danger** ~ strefa zagrożenia; **residential** ~ *bud.* strefa zabudowy mieszkalnej; **time** ~ *geogr.* strefa czasowa; **war** ~ strefa działań wojennych. **2.** *arch. l. poet.* pas. **3. be in the** ~ *sport* grać dobrze. – *v.* **1.** dzielić na strefy. **2.** *bud.* przeznaczać (*for sth* na coś) (*zwł. pod określony rodzaj zabudowy*). **3.** ~ **out** *sl.* oklapnąć (= *stać się śpiącym l. nieuważnym*).

zoned [zoʊnd] *a.* **1.** podzielony na strefy. **2.** ~ **residential/business district** *bud.* dzielnica z przeznaczeniem pod zabudowę mieszkalną/biurową. **3.** ~ **(out)** *US sl.* przymulony (= *niezdolny do jasnego l. szybkiego myślenia*).

zone defense *n. sport* obrona strefowa.

zonked [zɑːŋkt] *a. sl.* **1.** wymęczony, wypompowany. **2.** naćpany (= *pod wpływem narkotyków*); naprany (= *pod wpływem alkoholu*).

zoo [zuː] *n. pl.* **-s** zoo.

zoo-keeper [ˈzuːˌkiːpər] *n.* dozorca w zoo.

zool. *abbr.* = **zoological**; = **zoology**.

zoolatry [zoʊˈɑːlətrɪ] *n. U rel.* zoolatria, kult zwierząt.

zoological [ˌzoʊəˈlɑːdʒɪkl] *a.* zoologiczny.

zoological garden *n.* ogród zoologiczny.

zoologist [zoʊˈɑːlədʒɪst] *n.* zoolo-g/żka.

zoology [zoʊˈɑːlədʒɪ] *n. U* zoologia.

zoom [zuːm] *v.* **1.** brzęczeć (*zwł. przy szybkim ruchu*). **2.** śmigać; ~ **past (sth)** przemknąć obok (czegoś). **3.** *lotn.* poderwać (*samolot*); poderwać się (*o samolocie*). **4.** skakać (w górę) (*o cenach*). **5.** ~ **in** *fot., film* robić najazd (*on sb / sth* na kogoś/coś). – *n.* **1.** brzęczenie. **2.** śmignięcie. **3.** *lotn.* poderwanie (*samolotu*). **4.** *fot., film* najazd (*kamery*). **5.** (*także* ~ **lens**) *fot., film* teleobiektyw.

zoot [zuːt] *a. sl.* ubranie z workowatymi spodniami i długą, szeroką w ramionach marynarką (*popularne zwł. USA w latach 40. XX w.*).

Zoroaster [ˈzɔːroʊˌæstər] *n. hist.* Zoroaster.

Zoroastrian [ˌzɔːroʊˈæstrɪən] *n. rel.* wyznawca/czyni zoroastryzmu.

Zoroastrianism [ˌzɔːroʊˈæstrɪəˌnɪzəm], **Zoroastrism** *n. U rel.* zoroastryzm.

zoster [ˈzɑːstər] *n. U pat.* półpasiec.

zouave [zuˈɑːv] *n. hist., wojsk.* żuaw.

zounds [zaʊndz], **swounds** *int. arch.* na rany!

zucchetto [zuˈketoʊ] *n. pl.* **-s** *rz.-kat.* piuska.

zucchini [zuˈkiːnɪ] *n. pl.* **-s** *l.* **zucchini** *US i Can. bot.* cukinia.

Zulu [ˈzuːluː] *n.* **1.** *pl.* **-s** *l.* **Zulu** Zulus/ka. **2.** *U* (język) zulu. – *a.* zuluski.

Zürich [ˈzʊrɪk] *n. geogr.* Zurych.

zwieback [ˈzwaɪˌbæk] *n. US* sucharek.

zydeco [ˈzaɪdəˌkoʊ] *n. U muz.* muzyka taneczna z Luizjany, łącząca tradycyjne melodie francuskie z wpływami muzyki karaibskiej i bluesowej.

zygote [ˈzaɪgoʊt] *n. biol.* zygota.

zymase [ˈzaɪmeɪs] *n. U biochem.* zymaza.

zymolysis [zaɪˈmɑːləsɪs] *n. U* (*także* **zymosis**) *biochem.* fermentacja, rozkład enzymatyczny.